KB052922

LITTLE GIANT

Essence

**English-Korean
Korean-English Dictionary**

영한·한영소사전

사전 전문 **민중서림**

머 리 말

요즘은 온라인 사전이나 전자사전을 이용하는 학습자들이 많습니다. 무거운 사전을 들고 다니면서 필요할 때마다 찾아보기가 쉽지 않은 일이겠지요. 그동안 사전 이용을 좀더 간편하게 하고자 몇 가지 작은 크기의 사전들을 제작하였습니다. 그리고 이번에 그 중에서도 가장 작고 간편한 미니사전을 제작하였습니다. 약 3만 5천 개의 어휘와 1만 개의 숙어를 수록하여 크기는 작아졌지만 일반적으로 사용하기에 부족함이 없도록 했습니다. 휴대와 사용이 간편한 이 사전이 여러분의 영어 학습에 도움이 되기를 바랍니다.

민중서림 편집국

일 러 두 기

A. 표 제 어

1. 일반 영어는 고딕체로 나타내고, 충분히 영어화되지 않은 외래어는 이탤릭 고딕체로 나타내었다.

> 보기: **boy** ……… 일반 영어   *ga·teau* ………… 외래어

2. 표제어의 배열은 알파벳순으로 하였다.

3. 같은 철자의 표제어라도 어원이 다른 말은 따로따로 내고, 어깨 번호를 붙여 구분하였다.

> 보기: **host**¹ 주인, …   **host**² 많은 떼, …

4. 표제어의 분철은 음성학적 원리에 의하여 [·]로 표시하였다.

> 보기: **at·tor·ney**   **in·de·pend·ent**

5. 두 단어 이상으로 된 복합어나 연어 따위의 표제어에서는 그 각각의 낱말이 표제어로 나와 있어 특별히 분철·발음을 보일 필요가 없을 경우에는 이를 생략하고, 악센트만 표시하였으며, 단독 표제어로 나와 있지 않은 단어에는 분철·발음을 표시하였다.

> 보기: **háir·drèsser**
> **ábsentee ínterview**
> **ác·ti·nide sèries**[ǽktənàid-]

6. 특히 중요한 표제어에는 3단계의 표시(†, ∴, *)를 하여 학습상의 편의를 도모하였다.

> 보기: **†ac·tion** (중학 정도)
> **∴im·pres·sive** (고교 정도)
> ***mo·bile** (대학 교양 정도)

7. 영·미 철자가 다른 경우에는 미식을 우선하여 들었고, 다음에 《英》으로써 영식 철자를 보였으며, 필요할 때에는 영식 철자를 따로 들었다.

> 보기: **†la·bor**, 《英》**-bour**[léibər]
> **:de·fence**[diféns] *n.* 《英》 =DEFENSE.

이에 미국·영국의 어미의 상위점을 예시하여 둔다.

$$\begin{cases} 《美》 ...nse \\ 《英》 ...nce \end{cases} \quad \begin{matrix} defense \\ defence \end{matrix} \qquad \begin{cases} 《美》 ...ter \\ 《英》 ...tre \end{cases} \quad \begin{matrix} center \\ centre \end{matrix}$$

$$\begin{cases} 《美》 ...old \\ 《英》 ...ould \end{cases} \quad \begin{matrix} mold \\ mould \end{matrix} \qquad \begin{cases} 《美》 ...l... \\ 《英》 ...ll... \end{cases} \quad \begin{matrix} traveler \\ traveller \end{matrix}$$

$$\begin{cases} 《美》 ...or \\ 《英》 ...our \end{cases} \quad \begin{matrix} color \\ colour \end{matrix}$$

8. 표제어 중의 ( )는 그 부분이 생략될 수 있음을 나타내는 경우와, 아래 두번째 보기에서와 같이 두 형태가 있음을 보인다.

> 보기: **Géi·ger(-Mül·ler) còunter**

blame·less(·ly) *a.* *(ad.)* → **blame·less** *a.,* **blame·less·ly** *ad.*

9. 파생어는 가급적 본위어 표제어 항에 몰아 넣었으며, 이때 ~는 표제자어에
해당되며, 발음·음절 구분·악센트의 위치가 다른 것은 되도록 철자 전부를 보
였고, 악센트 부호외·발음 기호도 필요에 따라 명시하였다.

　　보기: **am·big·u·ous** [æmbígjuəs] *a.* .... ~**ly** *ad.*
　　　　 av·id [ævid] *a.* ....**a·vid·i·ty** [əvídəti] *n.*

10. 동일어로서 철자가 다른 것은 콤마로 구분 병기하였으며, 뒤의 낱말은 분철
에 따라 하이픈으로 일부를 생략하기로 하였다. 이는 파생어에서도 적용한 것
이 있다.

　　보기: **Mu·zhik, -zjik.**
　　　　 au·to·bi·og·ra·phy [ɔ̀ːtəbaiɔ́grəfi/-5g-] *n.* .... **-pher** *n.*

11. 뜻이 같은 언어는 사용도가 높은 것을 보이고 나머지는 〔　〕로 표시하였다.

　　보기: **fáith cùre (hèaling)**

B. 발 음

　　발음에 관해서는 발음 약해(p.7) 및 발음 기호 일람표(p.8) 참조.

C. 품사 구별과 관용구 및 예문

1. 품사명은 원칙적으로 발음 기호 뒤에, 또는 ─ 뒤에 약호로 표시하였으며, 한
낱말이 두 가지 이상의 품사로 쓰이는 경우에는 지면 절약을 위해 병기한 것도
많다. (약어표(p.9) 참조)

　　보기: †**fif·teen** [fíftìːn] *n., a.*

2. 언어 표제어는 대개 명사이므로 품사 표시를 생략하였다.

3. 관용구는 이탤릭 고딕체, 예문은 괄호 안에 이탤릭체로 나타내었다.

4. 관용구·예문 중에서는 표제어를 되풀이하는 대신에 ~ 기호를 사용하였다.
단, 되풀이되는 표제어의 첫 글자가 대문자일 경우에는 그 대문자를 쓰고 하이
픈으로 이었다.

　　보기: **bless** 항 중 *be* ~*ed* = *be blessed,* *B-* *me!* = *Bless me!*

D. 명사의 복수형

1. 명사의 복수꼴 변화는 다음과 같이 보였다.

　　보기: **goose** [guːs] *n.* *(pl. geese)*
　　　　 deer [diər] *n.* *(pl. ~, ~s)*는 복수꼴이 *deer,* 때로는 *deers*임을
　　　　나타낸다.

2. 자음＋o로 끝나는 낱말의 복수꼴은 다음과 같이 표시했다.

　　보기: **piano** [piǽnou, pjέn-] *n.* *(pl. ~s)*
　　　　 mos·qui·to [məskíːtou] *n.* *(pl. ~(e)s)*는 *mosquitoes*와

*mosquitos*의 두 가지 꼴이 있음을 나타낸다.

3. 규칙 변화하는 낱말이라도 주의해야 할 것은 모두 표시하였다.

보기: **house**[haus] *n.* (*pl.* **houses**[háuziz]) 《발음상의 주의》

bus[bʌs] *n.* (*pl.* ~(*s*)*es*)는 *busses*와 *buses*의 두 가지 꼴이 있음을 나타낸다.

4. 복합어 중 특히 주의를 요하는 것은 다음과 같이 표시하였다.

보기: **sister-in-làw** *n.* (*pl.* **sisters**-)

E. 불규칙동사의 과거 · 과거분사형

1. 동사의 과거·과거분사의 변화형은 다음과 같이 표시하였다.

보기: **sing** *vi., vt.* (*sang*, 《古》《稀》*sung*; *sung*)은 과거형이 *sang* (단, 고어나 드물게는 *sung*), 과거분사는 *sung*임을 나타낸다.

feel *vt.* (*felt*)는 과거·과거분사가 다 같이 *felt*임을 나타낸다.

kneel *vi.* (*knelt*, ~*ed*)는 *kneel*, *knelt*, *knelt*, 또는 *kneel*, *kneeled*, *kneeled*의 2종류가 있음을 나타낸다.

2. 끝 자음이 겹칠 때에는 다음과 같이 표시하였다.

보기: **cut** *v.* (*-tt-*)에서 (*-tt-*)는 *cutter, cutting*.

refer *v.* (*-rr-*)에서 (*-rr-*)는 *referred, referring*.

mimic *v.* (*-ck-*)는 *mimicked, mimicking*.

travel *v.* (《英》*-ll-*)는 《美》*traveled, traveling*, 《英》*travelled, travelling*.

F. 형용사 · 부사의 비교급 · 최상급

1. 단음절에는 -er; -est를 붙이고, 2음절 이상의 낱말에는 more; most가 붙는 것이 원칙이나, 그렇지 않은 것 또는 철자상 주의해야 할 것 따위는 다음처럼 표시하였다.

보기: **good**[gud] *a.* (*better; best*)

lit·tle[lítl] *a.* (*less, lesser; least*;《口》~*r; ~st*)는 비교급이 *less* 또는 *lesser*이고 최상급이 *least*이나, 구어로는 비교급이 *littler*, 최상급이 *littlest*로도 쓰임을 나타내었다.

2. 끝의 자음이 겹치는 것은 동사의 경우에 준하였다.

보기: **hot** *a.* (*-tt-*)에서 (*-tt-*)는 *hotter; hottest*임을 나타낸다.

G. 셀 수 있는 명사와 셀 수 없는 명사

셀 수 있는 명사(countable), 셀 수 없는 명사(uncountable)에는 각각 ⓒ, Ⓤ를 붙여 구별을 분명히 해 주었다.

1. 원칙적으로 고유명사(특별한 것은 예외) 이외의 모든 명사에는 어의에 따라

ⓒ, ⓤ를 보였다.

2. 어의 중에 ⓒ와 ⓤ 양쪽으로 쓰이는 경우에는 그 주별에 따라 ⓤ.ⓒ 또는 ⓒ.ⓤ로 표시하였다.

3. ⓒ, ⓤ 이외에 필요한 경우에는 (a ∼), (the ∼), (*pl.*), (*sing.*) 따위로 그 명사가 쓰이는 형태를 명시하였다.

보기: **life**...... ① ⓤ.ⓒ 생명, 목숨. ② ⓒ 생애, 일생. ③ ⓤ 일생:《집합적》생물. ④ ⓒ.ⓤ 생활, 생계......

　　　rage...... ① ⓤ 격노; 격렬...... ② (*sing.*) 열망, 열광. ③ (the ∼) 대유행(하는 것)......

H. 주 석

1. 어의를 우리말로 옮기는 데에 있어 주어·목적어·보어 등은 생략하고, 조사와 더불어 쓰이는 경우에는 '…이', '…은', '…과' 같이 나타내었다.

2. 주요 단어에 한하여 뜻 구분을 ①, ②...로 묶어그렸고, 또한 주요 어의를 고딕체로 하여 보는 데 도움이 되게 하였다.

3. 표제어가 어떤 어의에서는 그 첫 글자가 대문자에서 소문자로, 또는 소문자에서 대문자로 바뀌는 경우에는 ( ) 안에 다음과 같이 이를 명시하였다.

보기: **Ben·e·dic·tine**[bènədíktin] *a.* ...... — *n.* (b-) 달콤한 리큐어술......

　　　:**cath·o·lic**[kǽθəlik] *a.* ...... — *n.* (C-) 가톨릭 교도; ......

4. 주석 속에 영자가 소형 대문자로 들어 있는 것은 그 영자가 표제어로 나와 있으며, 그 낱말과 같거나 참고하라는 뜻이며, 또 관용구 중에 소형 대문자가 들어 있는 것은 그 관용구의 주석이 소형 대문자로 표시된 데에 나옴을 보인다.

보기: **hum·ble·bee** ...... = BUMBLEBEE.

　　　have 항에서 ∼ **got** ⇨GET.

5. 파생어에서는 어미나 품사만을 보이고 그 풀이를 생략한 경우가 흔히 있다. 이는 표제어의 풀이로 보아 그 뜻을 유추할 수 있는 것으로 믿기 때문이다.

I. 괄호 용법

1. ( )의 용법

a. 주석 바로 앞에서 뜻을 구체적으로 설명할 때.

보기: **bob**¹[bɑb/-ɔ-] *n.* ① (시계·저울 따위의) 추.

b. 영어의 동의어를 보일 때.

보기: **boor**[buər] *n.* 시골뜨기(rustic).

c. 주석 바로 뒤에서 그 낱말이 함께 쓰이는 전치사나 구문을 설명할 때.

보기: **loath**[louθ] *pred. a.* 꺼려하는(to do; that)

d. 참조할 낱말 및 반의어를 보일 때.

보기: **sásh wíndow** 내리닫이 창(cf. casement window)

    mo·nog·a·my[...] *n.* Ⓤ 일부 일처제[주의](opp. polygamy)

e. 지면 절약을 위하여.

    보기: 조각 (작품) =조각, 조각 작품

         높(히)다 =높다, 높이다.

2. 〔 〕의 용법

앞말과 바꾸어 놓을 수 있음을 나타낸다.

    보기: 응전(도전)하다 =응전하다, 도전하다.

3. 《 》의 용법

a. 주석 뒤에서 그 뜻을 부연 또는 설명할 때 썼다.

    보기: **Saul**[sɔːl] *n.* 〖聖〗 사울(이스라엘의 초대왕》

b. 그 낱말의 쓰임·용법을 나타내는 데 썼다.

    보기: **accommodátion tràin** 《美》 완행 열차.

        ab·strac·tion ...... ④《婉曲》 절취 ......

4. 《 》의 용법

흔히 주석 앞에서 관련되는 문법적 형태나 문법적 설명 또는 세분된 뜻 구별 따위를 보였다.

    보기: **get**[get].....; 《~ + O + p.p.의 형으로》 …시키다.

        for[...] *prep.* ......; 《이유·원인》 …때문에

5. 〖 〗의 용법

학술어·전문어를 표시하는 데 썼다.

    보기: 〖天〗, 〖聖〗, 〖建〗

6. ' '의 용법

주석 속에 ' '로 묶인 것은 전문어·직역어(職域語)로서는 그 역어 또는 음역어(音譯語)가 보통임을 나타낸다.

    보기: **mét·ier**[...] *n.* (F.)......, 《화가의》 '메티에'

        ópen sésame '열려라 참깨'

J. 기 타

1. 〈의 용법

〈는 어원을 나타낸다.

2. ⇨의 용법

⇨는 그것이 가리키는 낱말과 관련이 있음을 나타낸다.

    보기: **Márk Twáin** ⇨TWAIN.

        lády bèetle =⇩. 다음 항 **lády·bìrd**와 뜻이 같음을 나타낸다.

발음약해

(주의를 요하는 것만 다룸)

1	**box**[baks/-ɔ-]	빗금의 왼쪽이 美音으로 [baks], 오른쪽이 英音으로 [bɔks]임을 나타낸다. 한 낱말에 너무 많은 발음 방식이 있는 것은 그 대표적인 것을 두 셋 실었다.
2	**ex·pe·di·tion** [èkspədíʃən]	[èkspədíʃən]의 [è]는 제2악센트를, [í]는 제1악센트를 표시한다. 대체로 제1악센트가 있는 음절의 하나 걸러 앞 또는 뒤의 음절에는 리듬 관계로 제2악센트가 올 때가 많다.
3	**sug·ges·tion** [səgdʒéstʃən]	= [sədʒéstʃən]. 곧 이태릭체는 생략할 수 있음을 보인다.
4	**girl**[gəːrl]	[əːr]은 美音으로, 혓바닥의 중앙을 높이 하여 [ə]발음을 하는 기분으로 낸다. 英音에는 이러한 발음이 없어 [gəːl]이라고 한다.
5	**floor·ing**[◁iŋ]	floor의 항에 [flɔːr]로 발음 기호가 나와 있으므로 지면 절약을 위해 **flooring**의 발음을 [◁iŋ]으로 간략 표시했지만, 이 때[flɔːriŋ]이 아니고 [flóːriŋ]이다.
6	**phew**[ɸː, fju:]	[ɸ]는 양입술을 가볍게 합치고 그 사이로 내는 무성마찰음. 우리말「후」[ɸɯ]음에 가깝다.
7	**Bach**[baːx, baːk] **loch**[lak, lax/lɔk, lɔx]	[x]는 혀의 뒷면과 연구개 사이에서 이루어지는 마찰음. 예컨대 [baːx]는 대체로「바아하」에 가깝고, [lɔx]는「로흐」에 가깝다.
8	**tut**[ɬ]	[ɬ]는 [t]를 발음할 때와 같은 혀의 위치로 내는 혀차는 소리.
9	**pen·si·on**[pãːŋsiɔ̃]	[ã, ɛ̃, ɔ̃, ɔ̃](콧소리 모음)은 [a, ɛ, ɔ, ɔ]를 입과 코의 양쪽으로 숨을 내쉬는 것처럼 하여 발음한 것. 프랑스 말에서 종종 볼 수 있다.
10	**a·hem**[m̩m̩m̩]	발음기호의 위 또는 아래의 [ˌ][ˌ]는 유성음의 무성화를 표시한다. [m̩]은 성대의 진동을 뺀 자음을 보인다.

발음기호일람표

	VOWELS 모음					CONSONANTS 자음		
종류	모음 기호	철 자	발 음		종류	자음 기호	철 자	발 음
Simple Vowels 단 모 음	i	hill	hil		파 열 음	p	pipe	paip
	i:	seat	si:t			b	baby	béibi
	e	net	net			t	tent	tent
	e:	fairy	fέ(ə)ri			d	did	did
	æ	map	mæp			k	kick	kik
	ə	about	əbáut			g	gag	gæg
	ər	singer	síŋər		비 음	m	mum	mʌm
	ə:r	girl	gəːrl			n	noon	nuːn
	ʌ	cup	kʌp			ŋ	sing	siŋ
	ɑ	ox	ɑks		측음	l	little	lítl
	ɑ:	palm	pɑːm		마 찰 음	f	face	feis
	ɔ	dog	dɔg			v	valve	vælv
	ɔ:	ball	bɔːl			θ	thick	θik
	u	foot	fut			ð	this	ðis
	u:	food	fuːd			s	six	siks
Diphthongs 이 중 모 음	iə	near	niə《英》			z	zoo	zuː
	iər	"	niər			ʃ	shoe	ʃuː
	ei	day	dei			ʒ	measure	méʒər
	ɛə	care	kɛə《英》			h	hand	hænd
	ɛər	"	kɛər			j	yes	jes
	ai	high	hai			w	wish	wiʃ
	au	cow	kau			r	rest	rest
	ɔi	toy	tɔi		파 찰 음	tʃ	choice	tʃɔis
	ou	go	gou			dʒ	judge	dʒʌdʒ
	uə	poor	puə《英》					
	uər	"	puər					

약어표

(자명한 것은 생략함)

a. ·········· adjective (형용사)	*pl.* ·········· plural (복수형)
ad. ·········· adverb (부사)	p.p. · past participle (과거분사형)
aux. v. · auxiliary verb (조동사)	*pred. a.* ···· predicative adjective
c. ·········· circa (대략)	(서술형용사)
cf. ·········· compare (참조하라)	*pref.* ·········· prefix (접두사)
conj. ········· conjunction (접속사)	*prep.* ········· preposition (전치사)
def. art. ·· definite article (정관사)	*pron.* ·········· pronoun (대명사)
fem. ·········· feminine (여성)	*rel. ad.* [*pron.*] ·· relative adverb
fl. ·········· flourished (활약한)	[pronoun] (관계부사[대명사])
indef. art. ···· indefinite article	Sh(ak). ········· Shakespeare
(부정관사)	*sing.* ·········· singular (단수형)
int. ········· interjection (감탄사)	*suf.* ·········· suffix (접미사)
masc. ········· masculine (남성)	*v.* ·········· verb (동사)
n. ·········· noun (명사)	*vi.* ···· intransitive verb (자동사)
p. ·········· past (과거형)	*vt.* ···· transitive verb (타동사)

《CB俗》·········	《譜》 ········· (해학어)	《卑》 ········· (비어)
Citizens Band 의 속어	《稚》 ···· (아어, 문어)	《蔑》 ········· (경멸적)
(Ir.) ········· (아일랜드)	《方》········· (방언)	《反語》 ········· (반어적)
(Sc.) ········· (스코틀랜드)	《兒》 ········· (소아어)	《一般》 ········· (일반적)
《濠》··· (오스트레일리아)	《古》········· (고어)	《稀》 ········· (드물게)
《印英》 ········· (인도英語)	《俗》········· (속어)	
《南아》···· (南아프리카)	《順》········· (페어)	

Am. Sp. ·· American	Gk. ·········· Greek	Port. ··· Portuguese
Spanish	Heb. ·········· Hebrew	Russ. ········· Russian
Ar. ·········· Arabic	Hind. ·· Hindustani	Skt. ········· Sanskrit
Chin. ········· Chinese	Ind. ·········· Indian	Slav. ········· Slavic
Du. ·········· Dutch	Ir. ·········· Irish	Sp. ·········· Spanish
F. ·········· French	It. ·········· Italian	Sw. ········· Swedish
G. ·········· German	L. ·········· Latin	Turk. ········· Turkish

【競】 ……… (競技)	【生】 ……… (生物・生理學)	【印】 ……… (印刷)
【考】 ……… (考古學)	【菌】 ……… (細菌學)	【電】 ……… (電氣)
【古그】 ……… (옛그리스)	【修】 ……… (修辭學)	【鳥】 ……… (鳥類)
【古로】 ……… (옛로마)	【神】 ……… (神學)	【證】 ……… (證)
【그神】 ……… (그리스神話)	【冶】 ……… (冶金)	【地】 ……… (地理・地質學)
【幾】 ……… (幾何學)	【野】 ……… (野球)	【採】 ……… (採鑛)
【基】 ……… (基督教)	【言】 ……… (言語學)	【天】 ……… (天文學)
【氣】 ……… (氣象)	【染】 ……… (染色)	【鐵】 ……… (鐵道)
【代】 ……… (代數學)	【外】 ……… (外科)	【哲】 ……… (哲學)
【로神】 ……… (로마神話)	【窯】 ……… (窯業)	【蹴】 ……… (蹴球)
【文】 ……… (文法)	【韻】 ……… (韻律學)	【土】 ……… (土木)
【病】 ……… (病理)	【理】 ……… (物理學)	【解】 ……… (解剖學)

ENGLISH-KOREAN
DICTIONARY

A

A, a[ei] *n.* (*pl.* **A's, a's**[-z]) Ⓤ 【樂】 가음(音), 가조(調); Ⓒ 첫째(의 것); (A) 《美》 (학업 성적의) 수(秀); A 사이즈《구두나 브래지어의 크기》; B 보다 작고, AA보다 큼》.

a¹[強 ei, 弱 ə] *indef. art.* 《모음의 앞에서는 an》 ① 하나의. ② 어느 하나의. ③ 어떤(a certain). ④ 같은 (*girls of an age* 동갑의 소녀들). ⑤ 한(每)…에(*twice a week* 주 2회). ⑥ 《고유명사에 붙여》…와 같은 사람, …의 작품(*a Napoleon* 나폴레옹 같은 사람).

a- *pref.* ① on, to, in의 뜻: *abed, ablaze, afire, ashore.* ② [ei, æ] (Gk.) '비(非)…, 무(無)…' 의 뜻: *amoral, asexual.*

A ampere; angstrom (unit); argon; attack plane. **A.** Absolute; Academy; 【映】 (for) adults (only); America(n); April. **A., a.** acre; answer; artillery. **a.** about; adjective; alto; area; at.

AA AA사이즈《구두나 브래지어의 치수; A보다 작음》; Automobile Association.

a·back[əbǽk] *ad.* 뒤로, 후방으로; 돛이 거꾸로, ***be taken ~*** 뜻 밖에〔느닷없이〕당하다; 깜짝 놀라다.

ab·a·cus[ǽbəkəs] *n.* (*pl.* **~es, -ci**[-sai]) ① 수판. 【建】 (둥근 기둥의) 관판(冠板), 대접 받침.

a·ban·don[əbǽndən] *vt.* ① 버리다, 버려두다, 단념하다. ② (내)맡기다; (집·동네를) 떠나다, 【法】 유기하다. ***~ oneself to*** (*drink-*

ing, despair) (술)에 젖다, (절망) 에 빠지다. ── *n.* Ⓤ 방자, 방종. ***with*** ~ 거리김없이, 마음껏. ~**ed** [-d] *a.* 버림받은; 자포 자기의. ~**ment** *n.* Ⓤ 방기, 포기; 【法】 유기; 폐기; 방자.

a·base[əbéis] *vt.* 낮추다. (지위나 품위를) 떨어뜨리다(degrade); (창 피를) 주다. ~**ment** *n.* Ⓤ 저하, 좌천, 영락, 굴욕.

a·bash[əbǽʃ] *vt.* 부끄럽게 하다; 당황케 하다(embarrass). ***be ~ed*** 거북해하다, 어쩔 줄 모르다. ── *ment n.*

a·bate[əbéit] *vt.* 감하다, 내리다; 할인하다, 덜다, 누그러뜨리다. ── *vi.* 줄다, 약해지다, 누그러지다.

a·bate·ment[-mənt] *n.* Ⓤ 인하, 감소; Ⓒ 감세액; Ⓤ 【法】 배제, 중지.

ab·at·toir[ǽbətwɑ́ːr] *n.* (F.) 공설 도축장, 도살장.

ab·bess[ǽbis] *n.* Ⓒ 여자 수녀원장(cf. abbot).

:ab·bey[ǽbi] *n.* Ⓒ 수도원.

:ab·bot[ǽbət] *n.* Ⓒ 수도원장.

abbr. abbreviated; abbreviation.

:ab·bre·vi·ate[əbríːvièit] *vt.* 줄이다, 단축하다. **:-ation**[-∸éiʃən] *n.* Ⓤ (낱말의) 생략; Ⓒ 약어, 약자.

ABC[éibiːsíː] *n.* (*pl.* **~'s** [-z]) = ALPHABET; (the ~('s)) 초보, 입문.

ab·di·cate[ǽbdikèit] *vt., vi.* ① (권리 등을)포기하다. ② 양위하다, 퇴위하다. **ab·di·ca·tion** *n.* Ⓤ 포기; 기권; 양위; 퇴위.

ab·do·men[ǽbdəmən, æbdóu-]

A

n. © 배, 복부. **ab·dom·i·nal** [æbdámənəl/-*s*] *a.*

ab·duct [æbdÁkt] *vt.* 유괴하다; 〖生〗외전 (外轉)시키다. **ab·dúc·tion** *n.* © 유괴자.

ab·er·rant [æbérənt] *a.* 정도(正道)를 [바른 길을] 벗어난, **-rance, -ran·cy** *n.*

ab·er·ra·tion [æbəréiʃən] *n.* ⓤ© 바른 길을 벗어남; 〖醫〗정신 이상; (렌즈의) 수차(收差).

a·bet [əbét] *vt.* (**-tt-**) (부추기다. **aid and ~** 〖法〗교사(敎唆)하다. **~·ment** *n.* © 교사, 선동. **~·ter, -tor** © 교사자, 선동자.

a·bey·ance [əbéiəns] *n.* © 중절, 정지.

ab·hor [æbhɔ́ːr] *vt.* (**-rr-**) 몹시 싫어하다, 혐오하다(detest).

ab·hor·rence [æbhɔ́ːrəns, -á-/-*s*-] *n.* © 혐오; © 아주 싫은 것. **have an ~ of** …을 몹시 싫어하다. **-rent** [-rənt] *a.* 몹시 싫은 (*of* to me); 서로 용납하지[맞지] 않는 (*to, from*).

a·bide [əbáid] *vi.* (**abode, ~d**) ① 머무르다, 살다. ② 지탱[지속]하다. ── *vt.* ① 기다리다, 대기하다. ② 참다, 감수하다; 맞서다, 대항하다. **~ by** …을 굳게 지키다, …에 따르다. **~ with** …와 동거하다. **a·bíd·ing** *a.* 영속적인.

a·bil·i·ty [əbíləti] *n.* ⓤ 능력, 수완(*to do*). ② (*pl.*) 재능. **a man of ~** 수완가. **to the best of one's ~** 힘이 닿는 한, 힘껏.

ab·ject [æbdʒekt, -´] *a.* 비참한; 비열한. **~·ly** *ad.*

ab·jure [æbdʒúər, əb-] *vt.* 맹세코 그만두다; (주의·의견 등을) 버리다. **ab·ju·ra·tion** [ædʒəréiʃən] *n.*

a·blaze [əbléiz] *ad., pred. a.* 불타올라, 격(激)하여; 빛나서. **set ~** 불태우다.

a·ble [éibl] *a.* ① 재능 있는, 유능한. ② …할 수 있는. **be ~ to (do)** …할 수 있다.

-a·ble [əbl] *suf.* 기능을 나타내는 형용사를 만듦: admirable, comfortable.

á·ble-bódied *a.* 강장(强壯)한, 튼튼한 (*an ~ seaman* 적임[일등] 선원). **the ~** 〈집합적; 복수 취급〉

강건한 사람들.

ab·lu·tion [əblúːʃən] *n.* ⓤ (몸을) 깨끗이 씻음; 목욕 재계, 세정식(洗淨式); 깨끗이 씻는 물.

a·bly [éibli] *ad.* 훌륭히, 유능하게.

ab·ne·gate [æbnigèit] *vt.* (권리 등을) 버리다; 자제하다; (쾌락 등을) 끊다. **-ga·tion** [―ʃən] *n.*

ab·nor·mal [æbnɔ́ːrməl] *a.* 비정상인, 변칙의(變則의); 변태의, 병적의. **~ psychology** 이상 심리학. **~·i·ty** [―mǽləti] *n.* ⓤ 이상; 변칙; © 병신, 불구.

a·board [əbɔ́ːrd] *ad., prep.* 배 안에, 차내에, …을 타고.

a·bode [əbóud] *v.* abide의 과거(분사). ── *n.* ⓤ© 거주; 주거. ② 체류. **make [take up] one's ~** 거주하다, 체재하다.

a·bol·ish [əbɑ́liʃ/-*s*-] *vt.* (관례·제도 등을) 폐지[철폐]하다; 완전히 파괴하다. **~·a·ble** *a.* **~·ment** *n.* ⓤ 폐지.

ab·o·li·tion [æbəlíʃən] *n.* ⓤ 폐지; ⓤ (노예) 폐지론. **~·ism** [-izəm] *n.* ⓤ (노예) 폐지론. **~·ist** © (노예) 폐지론자.

a·bom·i·na·ble [əbámənəbl/-sm-] *a.* 싫은, 지겨운; 《口》지독히. **the ~ snowman** (히말라야의) 설인(雪人). **-bly** *ad.* 무엇 정도로; 지겹게.

a·bom·i·nate [əbámənèit/-*s*-] *vt.* 몹시 싫어하다, 혐오하다. **~-na·tion** [―néiʃən] *n.* ⓤ 혐오; © 싫은 일[것].

ab·o·rig·i·nal [æbərídʒənəl] *a.* 처음부터의, 원주(原住)의; 토착(민)의. ── *n.* © 원주민, 토인; 토착 동식물. **-nes** [-níːz] *n. pl.* 원주민, 토착민[의].

a·bort [əbɔ́ːrt] *vi.* 유산(조산)하다; 발육이 안 된 채 끝나다; (로켓의) 비행이 중단되다; 〖컴〗중단하다. ── *n.* 〖컴〗중단. 〖軍〗미사일[로켓]의 비행 중지; 〖軍〗중단.

a·bor·tion [əbɔ́ːrʃən] *n.* ⓤ 유산, 조산; 낙태; 실패; 발육부전; © 기형물; 불구자. **artificial ~** 인공 유산. **~·ist** *n.* © 낙태의(醫). **-tive** *a.* 유산의; 조산의; 실패의.

a·bound [əbáund] *vi.* (…이) 많다 (*Trout ~ in this lake.* = *This lake ~s with trout.* 이 호수에는 송어가 많다). **~·ing** *a.* **~·ing·ly** *ad.*

a·bout [əbáut] *prep.* ① …에 대 [대]하여. ② …쯤, 경 (*five o'clock*, 5시경). ③ …의 가까이에; 주위에. ④ …하려고 하여 (*to*); …에 종사하여 (*doing*) (*What are you ~ ?* 무엇을 하고 있나). — *ad.* 거의, 대략 (*That's ~ right.* 대강 맞는 다). ② 둘레(근처)에(를)(*There is nobody ~.* 근처에는 아무도 없다). ③ 활동하여, 퍼져. — *and ~* 여기저기(뿔뿔이)흩어져. **be** 움직 이고 있다, 활동하고 있다; 일어나 있다; 퍼지고(유행되고) 있다 (*Rumors are ~ that …* 이라는 풍문이다). **go a long way** 멀리 돌아가다. **out and ~** (병후 등에서) 활동하여. **turn and turn ~** 차례로. — *vi.* (배의) 침로를 바꾸다. **A- ship!** (배를) 바람쪽으로 돌려(돌릴 준비)!!

a·bout-face *vi.* (《보통 것도》) 뒤로 돌다(돌기); (사상 따위) 전향(하 다).

a·bove [əbʌ́v] *ad.* ① 위에, 위로; 상급에. ② 천상에. — *pred.* ① …의 위에. ②…보다 높이(멀리). ③ …이상 으로, …을 초월하여. — *all(things* 그중에서도, 특히. *~oneself* 우쭐 하여. — *a.* 상기(上記)의, 앞에 말한 (*the ~ facts* 전술한 사실). — *n.* ① 위에 말한 것. ② 위 쪽; 하늘. *from ~* 하늘에서.

a·bove-méntioned *a.* 상술(上述) 한, 앞에 말한.

ab·ra·ca·dab·ra [æbrəkədǽbrə] *n.* ⓒ 이 말을 삼갈 방언으로 써 놓은 (병 예방의) 부적; 주문; 뜻 모를 말 (gibberish).

a·brade [əbréid] *vt., vi.* 닳(다)다. 문대어 벗(기)다. **a·brád·er** *n.* 연삭기 (研削器)

a·bra·sion [əbréiʒən] *n.* Ⓤ 닳 (다) 닳음, 벗겨짐; 마멸. ① 찰과상; ⓒ 마멸된 곳.

a·bra·sive [əbréisiv] *a.* 연마의; 피부를 긁히는 (듯한), 껄끄럽칠한; 마찰 있는 (인간 관계). *n.* Ⓤⓒ 연마재.

a·breast [əbrést] *ad.* 나란히, 어깨를 나란히 하여 (*the times*) (시세)에 뒤지지 않고 따라가다. **keep ~ of** (*with*)

a·bridge [əbrídʒ] *vt.* ① 단축하다; 적요(摘要)하다, 간추리다; 줄이다. ② (…으로부터 …을) 빼앗다 *de·prive* (*of*). **a·brídg(e)·ment** *n.*

a·broad [əbrɔ́ːd] *ad.* ① 외국으로; 집 밖에; 해외에, ② (소문 등이) 퍼져서. ③ 틀려서. **be all ~** 전혀 잘못 생각하고 있다; (口) (어쩌) 할 바를 모르다. *from ~* 해외로부터, *get ~* 외출하다; 세상에 알려지다.

ab·ro·gate [ǽbrəgèit] *vi.* 취소하다 (cancel), 폐지하다. **-ga·tion** [-géiʃən] *n.* Ⓤ 폐지.

ab·rupt [əbrʌ́pt] *a.* ① 느닷없는. ② 험준한. ③ 퉁명스러운, 갑작스러운. ③ (문체가) 비약적인, 급전하는. **~·ly** *ad.* **ab·rúp·tion** [əbrʌ́pʃən] *n.* Ⓤ 급격한 분열, 분리.

ab·scess [ǽbses] *n.* ⓒ 농양(膿瘍), 종기.

ab·scond [æbskánd/-5-] *vi.* 도망하다 (*~ with the money* 돈을 가지고 도망치다). **-ence** *n.* Ⓤ 도망, 실종.

ab·seil [ǽpzail] *n.* ⓒ (등산에서 자일을 쓰는) 현수 하강. — *vi.* 현수 하강을 하다.

ab·sence [ǽbsəns] *n.* Ⓤⓒ 부재(不在), 결석 (*from*); 결핍, 없음 (*of*). ② 방심. *~ of mind* 방심. *in the ~ of* …이 없기 때문에, …이 없을 경우에.

ab·sent [ǽbsənt] *a.* ① 부재(不在)의, 결석의, 결석 (청)한. ② 방심(청)한. — [æbsént] *vt.* 결석시키다. *~ one·self from* …을 비우다, …에 결석하다. **~·ly** *ad.* 멍하게, 멍하게.

ab·sen·tee [æbsəntíː] *n.* ⓒ 부재자; 부재 지주. ② (美) 부재 투표자유(을 위한), **-ism** *n.* Ⓤ 지주 제도; 사보타주 전술.

ábsentee lándlord 부재 지주.

ábsent-mínded *a.* 방심 상태의, 멍(청)한.

ab·so·lute [ǽbsəlùːt] *a.* ① 절대의; 순수한. ② 무조건의; 전세의. ③

절대 온도[고도]의. ④ 〖컴〗 기계어로 쓰인. — U (보통 the A-) 술〔존재〕. ⑤ 철학적인 것(존재). 절대자, 신. 〖컴〗 절대 불변의 원리(로). **:~ly** *ad.* 절대로, 완전히. 〖디〗 아주(완전) 맞아서, 그래. **~ness** *n.*

ábsolute majórity 절대 다수.

ábsolute zéro 〖理〗 절대 영도 (−273°C).

ab·so·lu·tion [æbsəlúːʃən] *n.* U,C (죄과의 사의 면죄; 죄의 해제.

ab·so·lut·ism [æbsəlúːtizm] *n.* U 전제주의, 독재 정치. **~·ist** *n.*

ab·solve [əbzálv, -sálv/-zɔ́lv] *vt.* ① 용서하다, 면제하다. 해제하다. 무죄를 언도하다. ~ (*a person*) *from* (*his promise; the blame*) (약속)을 해제하다; (책임)을 해제하다. ~ (*a person*) *of* (*a sin*) (죄)를 용서하다.

ab·sorb [əbsɔ́ːrb, -z-] *vt.* ① 흡수 하다; 병합하다 ② 동화하다 ⑤ (액체로) 이끌다. *be* ~*ed by* …에 흡수(병합)되다. *be* ~*ed in* …에 몰두(열중)하다. **~·a·ble** [-əbl] *a.* 흡수되는; 흡수되기 쉬운. **~·a·bil·i·ty** [-əbíləti] *n.* U 흡수되는 성, 피(被)흡수성. **~·en·cy** [-ənsi] *n.* U 흡수성. **~·ent** [-ənt] *a., n.* 흡수성의. U,C 흡수제. **~·ing** *a.* 흡수성의; 흥미 진진한.

ab·sorp·tion [əbsɔ́ːrpʃən, -z-] *n.* U 흡수; 몰두(*in*). **-tive** *a.*

ab·stain [æbstéin] *vi.* 끊다, 자제 하다, 삼가다(*from*); 금주하다. **~·er** *n.* 절제가, 금주가.

ab·ste·mi·ous [æbstíːmiəs] *a.* 절제하는(*an ~ diet* 소식(少食)).

ab·sten·tion [æbsténʃən] *n.* U 절 제, 자제(*from*). U,C 기권.

ab·sti·nence [æbstənəns] *n.* U 금욕, 절제, 금주. **-nent** *a.*

ab·stract [æbstrǽkt, ←] *a.* ① 추상적인, 공상적인; 심원한. ② 〖美術〗 추상파의. ③ 난해한. — [←] *n.* ① 대요(大要). ② 〖美術〗 추상화〔작품〕. ③ 발췌, 적요. *in the* ~ 추상적으로, 이론 상. *make an* ~ *of* (논문·책)을 요약하다. — [←] *vt.* ① 떼어내다, 빼내다 ② 추출(抽出)하다, 발췌하다.

② (마음을) 빼앗다. **~·ed** [-id] *a.* 방심한, 멍한. **~·(ed)·ly** *ad.*

ab·strac·tion [æbstrǽkʃən] *n.* ① U 추상, 추출 ② C 추상 개념. ③ C 추상적인 작품 ④ U (娩胴) 절취. **~·ism** [-izəm] *n.* U 〖美術〗추상주의.

ábstract nóun 추상 명사.

ab·struse [æbstrúːs] *a.* 난해(심 원)한.

ab·surd [əbsə́ːrd, -z-] *a.* 부조리한; 엉터리 없는, 우스꽝스런. ***~·i·ty** *n.* U 부조리; C 엉터리없는 일〔언 동·이야기〕. **~·ism** *n.* U 부조리주의.

a·bun·dance [əbándəns] *n.* ① U 풍부, 윤택; C 다수. ② U 부 유, 유복. **:-dant** *a.* 풍부한, 남아 돌 정도의. **-dant·ly** *ad.*

a·buse [əbjúːz] *vt.* ① 남용[악용]하 다. ② 학대하다. ③ 욕하다. — [-s] *n.* U,C ① 남용, 악용. ② U 학대. ③ U 욕(설). ④ C 악습, 폐해.

a·bus·age [-sidʒ/-zi-] *n.* U 어법 오용. **a·bu·sive** [-siv] *a.* 입사나운.

a·but [əbát] *vi., vt.* (*-tt-*) (인)접하다 (*on, upon*); 기대다(*against*). **~·ment** *n.* ① 인접[접]; 교대(橋臺); 둑에 받침대. **~·tal** [-tl] *n.* (*pl.*) 경 계; 인접. **~·ting** *a.* 인접하는.

a·bysm [əbízm] *n.* 심연(深淵); 심원; 〖詩〗 끝없이 깊은 지옥, 나락. **a·bys·mal** [-z-] *a.*

a·byss [əbís] *n.* 심연; 깊은 지옥, 나락.

AC, ac air conditioning: alternating current. **a/c** account: account current.

a·ca·cia [əkéiʃə] *n.* C 〖植〗 아카시 아.

ac·a·deme [ǽkədìːm], **ac·a·de·mi·a** [ækədíːmiə] *n.* (稚) = ACADEMY ② 학자의 세계[생 활]. *the grove(s) of academe* 대학의 숲[대학을 둘러싼 환경].

ac·a·dem·ic [ækədémik] *a.* ① 학문의, 대학의; academy의. ② 학구적인, 비현실적인. ③ 〖美〗 인문과의, 일반 교양과의. ④ 형식 존중의, 전부한. ⑤ (A-) 플라톤학파의. — *n.* 대학생; 학구적인 사람.

a·cad·e·mi·cian [əkædəmíʃən, ækə-] *n.* C 학회[학술원·미술원] 회

A

친.

a·cad·e·my [əkǽdəmi] *n.* ⓒ ① 학원(學院); 학원(學園). ② 《美》 (사립) 의 고등 학교. ② 전문 학교. ③ 학회; 학술원; 예(미)술협회. ④ (the A-) 아카데미아(플라톤이 철학을 강의한 아테네 근교의 올림프스); (A-) 플라 톤 학파(철학). *military ~* 육군 사 관학교; 《美》 (사립외) 군대 훈련 학 교. *the Royal A- (of Arts)* 《英》 왕 립 미술원.

Acádemy Awárd [映] 아카데미

a·ca(p)·pel·la [à:kəpélə] *ad., a.* (It.) [樂] 무반주로(의).

ac·cede [æksí:d] *vi.* (직(職)에) 취 임하다, 앉다(*to*); (요구 따위에) 동의하다, 따르다; (조약 따위에) 가입하다.

ac·cel·er·ate [æksélərèit] *vt., vi.* 빨리하다, 빨라지다; 속도를 늘리다. **~·tion** [—-réiʃən] *n.* ⓤ 가속(도). **~·tive** [-rèitiv/-rə-] *a.* 가속의. **~·a·tor** *n.* ⓒ 여속하는 것; (자동차의) 가속 장치 [化·寫] 촉진제. [理] 가 속기.

ac·cent [ǽksent/-sənt] *n.* ⓒ ① 악센트(부호); 강조. ② 어조; 말씨. ③ (*pl.*) [詩] 음성; 말, 시구(詩句). *in tender ~s* 부드러운 어조로. — [ǽksént, ≏≏] *vt.* (…에) 악센트를 두다; (음·색채 따위에) 어조로 하다. **ac·cen·tu·al** [-tʃuəl/-tju-] *a.* 악센트의.

ac·cen·tu·ate [ækséntʃuèit] *vt.* (…에) 악센트를 두다, 악센트 부호를 붙이다; 두드러지게 하다; (…을) 역 설하다. **~·tion** [—-éiʃən] *n.*

ac·cept [æksépt] *vt.* 받(아들이)다, 따말다, 용인하다; *~·a·ble a.* 받을[받아들일] 수 있는; 마음에 드는. **~·ance** [-əns] *n.* ⓤⓒ 수령; 접대. **ac·cep·ta·tion** [æksèptéiʃən] *n.* ⓒ (어구의) 보통의 뜻; ⓤ 받아들임; 신앙. **ac·cép·tor** *n.* ⓒ 어음 인수인.

ac·cess [ǽkses] *n.* ① ⓤ 접근(의 기회); [컴] 접근. ② ⓒ 접근하는 길. ② ⓒ 발작. *be easy of ~* 접근하기 쉽다, *gain ~ to ~* 접근 근하다, …에 접하다. *man of easy ~* 가까이하기 쉬운 사람. — *vt.* [컴]

ac·ces·si·ble [æksésəbəl] *a.* ①

접근(가까이)하기 쉬운. ② 얻기 쉬운. — *to reason* 사리를 아는. **-bly** *ad.*

ac·ces·si·bil·i·ty [—--bíləti] *n.* ⓤ 도달 가능성; 다가갈 수 있음; [地] 접근성.

ac·ces·sion [ækséʃən] *n.* ① ⓤ 접근; 도달. ② ⓤ 즉위, 취임. ③ ⓒ 계승; 접근. ④ ⓤⓒ 증가 ⑤ (도서관의) 수납(受納) 도서. ⓒ (종업원의) 신규 채용.

ac·ces·so·ry [æksésəri] *a.* ① 부속의; 보조의. ② 종범(從犯)의. — *n.* ⓒ ① 부속물; (여성의) 액세서리. ② 종범자.

áccess ròad (어느 시설에의) 진입 로.

áccess tìme [컴] 접근 시간(기억 장치에 정보를 기록·해독하게 하기 위 한 시간).

ac·ci·dent [ǽksidənt] *n.* ⓒ 우연 히 일어나는 일, 사고, 재난. *by ~* 우 연히. *chapter of ~s* (the ~) 에 상할 수 없는 일련의 일; (a ~) 계속되는 불행. *without ~* 무사히.

ac·ci·den·tal [æksidéntl] *a., n.* ① ⓒ 우연의, 우발적인. ② [樂] 임시 기호.

ac·ci·den·tal·ly [æksidéntəli] *ad.* 우연히, 뜻밖에(~·on-purpose 《俗》 우연을 가장하여 고의로).

áccident-pròne *a.* 사고를 일으키 기 쉬운.

ac·claim [əkléim] *n., vt.* 갈채 (를 보내다), 환호(하여 맞이하다). — *vi.* 갈채하다.

ac·cla·ma·tion [ækləméiʃən] *n.* ① ⓤ (보통의) 환호, 갈채; 환호 투표.

ac·cli·ma·to·ry [əklái mətɔ̀:ri] *a.*

ac·cli·mate [əkláimit, ǽkləmèit] (英) **-ma·tize** [-mətàiz] *vt., vi.* 풍 토에 순화시키다. **-ma·tion** [æklə-méiʃən], **-ti·za·tion** [əklàimətizéi-ʃən/-tai-] *n.* (풍토) 순응.

ac·co·lade [ǽkəlèid, ≏≏≏] *n.* 나이트(略) 수여식; 칭찬; 명예.

ac·com·mo·date [əkámədèit/-5-] *vt.* (에) 적응시키다, 조절하다(*adapt*)(*to*). ② 조화시키다. ③ 공급(지급)하다, 빌려주다(*with*). ④ 숙박시키다, 수용하다. **-da·tor** *n.* ⓒ

적응〈조절, 융통〉자〈(者); 조절기; 《美》
가정자.

ac·com·mo·dat·ing [əkámədèi-
tiŋ/əkɔ́m-] *a.* 친절한; (성질이) 신
선한.

ac·com·mo·da·tion [əkàmədéi-
ʃən/-ɔ́-] *n.* ① ⓤ 적응, 순응. ②
ⓤⓒ 화해, 조정. ③ ⓤ 융통, 대부
금. ④ ⓤⓒ 편의, 도움. ⑤ 《호텔·병원·
선박 등의》 설비, 숙박 설비.

ac·com·pa·ni·ment [əkámpəni-
mənt] *n.* ① ⓤ 수반하는 물건, 부속물. ②
〖樂〗 반주. **to the ~ of** …의 반주
로.

ac·com·pa·ny [əkámpəni] *vt.* ①
(…와) 동반하다, 함께 가다, 따르다
(*be accompanied by a person
with a thing*); (…의) 반주를 하
다. **-nist** *n.* ⓒ 반주자.

ac·com·plice [əkámplis/-ɔ́-] *n.*
ⓒ 공범자, 동류.

ac·com·plish [əkámpliʃ/-ɔ́-] *vt.*
① 완수하다, 성취하다; 달성하다.
② (학문·기예를) 가르치다.

ac·com·plished [əkámpliʃt/-ɔ́-]
a. 완성된; 숙달한; 소양〈재예·교양〉
이 있는(*in*). **~ fact** 기정 사실.

ac·com·plish·ment [-mənt] *n.*
ⓤ 성취, 수행; 《종종 *pl.*》 재예
(才藝), 소양, 교양.

ac·cord [əkɔ́:rd] *n., vi.* ① 일치하
다), 맞다, 조화 (하다)(*with*), **be in
~ with** …와 일치하다. **of one's
own ~** 자발적으로; 자연히, 저절
로. — *vt.* 일치시키다; …을 주다, 허락하다.

ac·cord·ance [əkɔ́:rdəns] *n.* ⓤ
일치, 조화, 부합. **in ~ with** …에 따라
서, …대로. **out in ~ with** …와
부조화하여. **-ant** *a.* 일치하는, 화합한
(*to, with*). **-ant·ly** *ad.*

ac·cord·ing [əkɔ́:rdiŋ] *ad.* 따라
서. **~ as** …에 (함)에 따라서, …에
따라, …에 의하면, …에 따라. **: ~·ly**
ad. 그에 따라서; 그러므로.

ac·cor·di·on [əkɔ́:rdiən] *n.* ⓒ 아
코디언. **~·ist** *n.* ⓒ 아코디언 연주자.

ac·cost [əkɔ́:st, əkást] *vt.* (…에
게) 말을 걸다.

ac·count [əkáunt] *n.* ① ⓒ 계산

(서), 셈. ② ⓒ 설명, 변명. ③ ⓒ
기사(記事), 이야기. ④ ⓤ 이유, 근
거. ⑤ ⓤ 평가, 고려. ⑥ ⓤ
이익. **be much ~** 《다》 대단한 것
이다. **bring〈call〉a person to ~**
설명(해명)을 요구하다; 책임을 묻다;
꾸짖는다. **by〈from〉all ~s** 누구에게
〔어디에서〕들어도. **cast ~s** 계산하
다. **close an ~ with** …와 거래를
끝내다. **for ~ of (a person)** (아무
의) 셈으로. **give a good ~ of**
…을 좋게 말하다; (승부에서) …을 패
배시키다; (사냥에서) …을 잡다. **go
to one's (long) ~, or (美) hand
in one's ~** 죽다. **keep ~s** 장
부를 기장하다; 회계일기를 보다. **make
~ of** …을 중(요)시하다. **make no
~ of** …을 경시하다. **of no ~**
= **on ~ of** …의 때문에. **on all ~s,**
or on every ~ 모든 점에서; 꼭.
무슨 일이 있어도. **on a person's
~** (아무의) 비용으로; (아무를) 위
해. **on no ~** 아무리 해도 …않다.
on one's own ~ 자기 이익을 위하
여; 독립하여. **on that ~** 그 때문
에, 그러므로. **render ~ of** …
의 결산 보고를 하다; …을 개진〔답변〕
하다. **stand (high) in a person's
~** (아무의) 존경을 받다, 높이 평가
되다. **take ~ of** …을 고려하다. …
을 적어 두다. **take … into ~** …을
고려하다. **take no ~ of** …을 무시
하다. **the great ~** 최후의 심판
(날), **turn to (good)** …을 이용하
다. — *vt., vi.* …라고 생각하다, …로 보
다; 설명하다; 계산하다, 셈하다. **~
for** …을 설명하다. …의 이유다;
(행위를) …의 원인을 지다. **be much
(little) ~ed of** 중시(경시)되다.

ac·count·a·ble [əkáuntəbl] *a.*
설명할 수 있는; 책임 있는. **-a·bil·i·**
ty [-—bíləti] *n.* ⓤ 책임.

ac·count·ant [əkáuntənt] *n.* ⓒ
회계원, 회계사, 계리사.

ac·cou·ter·ments (英) **-tre-**
[əkú:tərmənts] *n. pl.* 복장; (군
복·무기 이외의) 장구(裝具).

ac·cred·it [əkrédit] *vt.* ① 믿다,
신뢰〔신임〕하다 ② 신임장을 주어 파견
하다 ③ (어떤 행위를 남에게) 돌리

다, (아무의) 짓으로 돌리다(~ him
with an action = ~ an action to
him).

ac·cre·tion [əkríːʃən] n. ① (부가에 의한) 증대. ② ⓒ 부가물. **-tive** a. 부착에 의한.

ac·crue [əkrúː] vi. (이자 따위가) 생기다, 발생하다.

ac·cu·mu·late [əkjúːmjəlèit] vt., vi. 쌓다, 모으다; 쌓이다, 모이다. **~d fund** 적립금. **:·la·tive** [-lèitiv/-lə-] a. **:·la·tion** [-ᐦléiʃən] n. ① 집적(集積), 축적.

ac·cu·ra·cy [ǽkjərəsi] n. ⓤ 정확, 정밀.

ac·cu·rate [ǽkjərit] a. 정확한[정밀한]. **~·ly** ad.

ac·cursed [əkǝ́ːrsid, -st], **ac·curst** [-st] a. 저주받은; 지겨운, 진저리나는.

ac·cu·sa·tion [æ̀kjuzéiʃən] n. ⓤⓒ ① 비난, 힐책. ② 고소, 고발. ③ 죄, 죄명.

ac·cu·sa·tive [əkjúːzətiv] n., a. (the ~) [文] 대격(對格)(의).

ac·cuse [əkjúːz] vt. ① 고발[고소]하다. ② 비난하다, 책하다. ~ (a person) of (theft) (아무를) (절도)죄로 고소하다. the ~d 피고, **ac·cús·er** n. ⓒ 고소인, 원고.

ac·cus·tom [əkʌ́stəm] vt. 익히다. **be ~ed to** ...에 익숙해지다.

ac·cus·tomed [əkʌ́stəmd] a. 예(例)의, 늘 하는 의식의, 습관의. ② 익숙한, 익숙해진(get) **become**(get) **~ to** ...에 익숙해지다.

ace [eis] n. ⓒ ① (카드 따위의) 1, (게임에서) 1점. ② 《美口》 1달러 지폐, 급수. 정확(어느 분야이) 제 1인자; 우수 선수; 하늘의 용사. **within an ~ of** ... 자칫[거의] ... 할 뻔하여. — a. 우수한, 명인(급)의, 일류의.

a·cerb [əsǝ́ːrb], **a·cer·bic** [-ik] a. ① 신, 쓴, 떫은. ② (말·태도·기질이) 엄한, 격한, 통렬한.

a·cer·bi·ty [əsǝ́ːrbəti] n. ① ⓤ 신맛, 쓴맛. ② 통렬함, 신랄함.

ac·e·tate [ǽsətèit] n. ⓤ 〔化〕 초산염.

a·ce·tic [əsíːtik, -sé-] a. 초(醋)

[초산]의.

acétic ácid 초산(醋酸).

ac·et·y·lene [əsétəliːn] n. ⓤ 〔化〕 아세틸렌.

:ache [eik] vi. ① 아프다, 쑤시다. ② 〔口〕 갈망(渴望)하다. — n. ⓒ 아픔, 쑤심.

:a·chieve [ətʃíːv] vt. ① 성취하다, 이루다. ② (목적을) 달성하다. ③ (명성을) 얻다.

:a·chieve·ment [ətʃíːvmənt] n. ① ⓤ 성취. ② ⓒ 업적, 위업.

A·chil·les [əkíliːz] n. 〔그神〕 아킬레스(Homer작 Iliad에서 발빠른 용사). **~ heel of** ~ 유일한 약점.

Achílles'(') téndon 〔醫〕 아킬레스건(腱).

:ac·id [ǽsid] n., a. ⓤⓒ 산(酸) ; 신맛(이 있는), 신; 찌무룩한, 부루퉁한; 《美俗》 = LSD.

ácid hóuse 《英》 애시드 하우스(신시사이저 따위의 전자 악기를 쓰며, 비트가 빠른 음악).

a·cid·i·fy [əsídəfài] vt., vi. 시게 하다; 시어지다. 산(酸)화하다. **a·cid·i·ty** [əsídəti] n. ⓤ 산성, 신맛.

ácid tést 산(酸)시험; 엄밀한 시험.

a·cid·u·lous [əsídʒələs] a. ① 다소 신맛이 있는. ② 찌무룩한; 심술궂은, ~ly ad.

ac·knowl·edge [əknɑ́lidʒ/-ɔ́-] vt. ① 인정하다, 승인하다. ② 감사하다. ③ (편지 따위의) 받았음을 알리다. **~d** [-d] a. 정평이 있는.

ac·knowl·edg·ment, ** 《英》 **-edge·ment [æknɑ́lidʒmənt, ik-/-nɔ́l-] n. ① ⓤ 자인(自認), 승인. ② ⓒ (접수의) 확인. ③ ⓤ 감사; ⓒ 답례장.

ac·me [ǽkmi] n. ⓒ (보통 the ~) 절정, 극점(climax).

ac·ne [ǽkni] n. ⓤ 여드름.

ac·o·lyte [ǽkəlàit] n. ⓒ 〔가톨릭〕 복사(服事); 조수.

ac·o·nite [ǽkənàit] n. ⓒ 〔植〕 바곳; 〔藥〕 아코나이트(그 뿌리에서 채취한 진통제).

a·corn [éikɔːrn] n. ⓒ 도토리, 상수리.

a·cous·tic [əkúːstik], **-ti·cal** [-əl] a. 청각(聽覺)의; 보청(補聽)의; 음향

A

학의. **ac·ous·ti·cian** [æ̀ku:stíʃən] n. ⓒ 음향학자. **a·cóus·tics** n. ⓤ 음향학; 《복수 취급》(홀 등의) 음향 효과.

ac·quaint [əkwéint] vt. 알리다; 숙지(熟知)시키다. *be〔get〕~ed with …*을 알고 있다〔알게 되다〕. *: ~ed* [-id] a. 아는; 정통한.

ac·quaint·ance [əkwéintəns] n. ⓤ 면식(面識), 안면, 아는 사이(*I made his ~. = I made ~ with〔of〕him.* 그와 알게 되었다). ① 친지. ② 지식, 알고 있음. ~ship·[-ʃip] n. ⓤ 서로 아는 사이. 친분 관계.

ac·qui·esce [æ̀kwiés] vi. 묵묵히 따르다, 체념하다(*in*). ~·es·cence [-ns] n. ~·es·cent a.

:ac·quire [əkwáiər] vt. ① 얻다. ② 습득하다, (버릇 따위를) 붙이다. ③ 가져오다. *~d* [-d] a. 취득한; 후천적으로 얻은. ~·ment n. ① 취득, 획득, 습득, 수득. ② 《종종 pl.》 학식, 재예.

ac·qui·si·tion [æ̀kwəzíʃən] n. ① 취득, 획득. ② ⓒ 취득물〔획득물〕.

ac·quis·i·tive [əkwízətiv] a. 취득〔획득〕하고 싶어하는(*of*); 욕심 많은. ~·ly ad.

ac·quit [əkwít] vt. (*-tt-*) ① 석방〔방면〕하다, 면제하다. ② 다하다. ~ *(a person) of (his responsibility)* (그의 책임을) 해제하다. ~ *oneself of (one's duty)* (의무를) 다하다. ~ *oneself (well)* (훌륭히) 행동하다. ~·tal·[-l] n. ⓤⓒ 석방; 면제. ~·tance n. ⓤ 면제; 변제; 영수증서.

a·cre [éikər] n. ⓒ 에이커(약 4046.8m²). ② 《pl.》 토지, 경작지. *God's A-* 묘지(墓地).

a·cre·age [éikəridʒ] n. ⓤ 에이커 수(數); 토지.

ac·rid [ǽkrid] a. 매운; 쓴; (코를) 톡 쏘는; (피부에) 스미는; 짓궂은; 신랄한. **a·crid·i·ty** [əkrídəti] n. ~·ly [-li] ad.

ac·ri·mo·ni·ous [æ̀krəmóuniəs] a. (말·태도가) 매서운, 격렬한, 신랄한(bitter). ~·ly ad. ~·ny·[ǽkrəmòuni] n.

ac·ro·bat [ǽkrəbæt] n. ⓒ 곡예사; 편의주의자. **ac·ro·bat·ic** [æ̀krəbæt-

ik] a. **àc·ro·bát·ics** n. 《단수 취급》곡예; 《복수 취급》곡예의 연기.

ac·ro·nym [ǽkrənim] n. ⓒ 두문 자어(頭文字語)《머리 글자만 모아 만든 말; UNESCO 따위》.

a·cross [əkró:s/-5-] ad., prep. ① (…을) 가로질러, (…의 저쪽〔건너편〕에, …의 저쪽〔건너편〕에, …엇갈리어, 교차되어, 지각으로, 십자형으로. *come〔run〕~* 뜻하지 않게 …을 만나다. *get~* 건너다, 넘다; 화〔짜증〕나게 하다. *go~* 엇갈리다, 거꾸로 되다. *put~* 건너다〔보내다〕; 잘 알도록 보이다(《美俗》 속이다.

a·cros·tic [əkró:stik, -á-/-5-] a., n. ⓒ 각 줄에서 처음과 끝을 맞추면 어구(語句)가 되는 (시); 그러한 식의 글자 짜임.

a·cryl·ic [əkrílik] a. 《化》 아크릴의.

act [ækt] n. ① 행위; 행동. ② (극의) 막(幕)(cf. scene). ③ 결의(서); 법령. *~ and deed* 증거물. *~ of God* 《法》 불가항력. *~ of grace* 은전, 특전; (A-) 일반 사면령(令). *in the (very)~ (of)* (…의) 현장에서. *the Acts (of the Apostles)* 《新約》 사도행전. — vi. 행하다, 하다; (…에) 작용하다(*on*). ① 연기하다(*as*). 《美》 판결을 내리다(*on*). ~ *for* …의 대리자 되다(대리를 보다). ~ *on〔upon〕* …에 따라 행동하다; (약 따위가) …에 작용하다, 효과를 미치다. ~ *the part of* …의 역(役)을 하다. ~ *up* 《美口》 버릇없게 굴다; 건방진 태도를 취하다(《美口》 장난을 하다. ~ *up to* (주의·주장)을 실행하다; …을 고수하다; (약속 등)을 이행하다. **~·a·ble** [ǽktəbl] a. 상연〔실행〕 가능한.

act·ing [ǽktiŋ] n. ⓤ 연기; 대리. — a. 대리의; 연기; *~ chief* 과장 대리. ~ *copy* 《劇》 대본, 연기용 대본. ~ *manager* 지배인 대리. ~ *principal* 교장 대리.

ac·tion [ǽkʃən] n. ① ⓤ 활동. ② 작용; 행위. ③ ⓒ 동작; 몸짓, 거동; 기능, 작용. ⑤ 소송. ⑥ ⓒ 전투, 교전; 《美口》 따위의 진저(전개). *be put out of ~*

A

전투력을 잃다; 상태가 나빠지다.

bring 〔**take**〕 **an ~ against** …을 기소(起訴)하다. **in ~** 활동(실행)하고; (기계 따위) 작동하고; **man of ~** 활동가. **put into** 〔**in**〕 …을 실행하다. **take ~** 착수하다(**in**). **~·a·ble** a. 소송을 제기할 만한. **~·ist** n. ⓒ (정치에서의) 직접 행동 주의자.

áction-pàcked a. 《口》 (영화 등이) 액션으로 차다.

áction réplay 《英》 (스포츠 중계 동에서) 슬로모션 즉시 재생.

áction státion 《軍》 전투 배치.

ac·ti·vate [æktəvèit] vt. 활동적으로 하다; 《美軍》 (부대를) 전시 편성하다; 동원(動員)하다; 《理》 방사능을 부여하다; 《化》 활성화하다(촉매를) 정화하다. **-va·tion** [~-véiʃən] n. ⓤ 활발하게 함, 자극; 활성화; 방사 편성, 《化》 활성화. **ác·ti·và·tor** n. ⓒ 활발하게 만드는 사람(물건); 《化》 촉매제.

ac·tive [æktiv] a. ① 활동적인, 극적인; 합변, ② 《文》 능동의, 실동의. ~ly ad. 활발히.

áctive dúty 〔**sérvice**〕 전투 근무.

ac·tiv·ism [æktivìzəm] n. ⓤ (적극적인) 행동주의. **-ist** n. ⓒ 행동주의자; 행동대원; (정치[학생] 운동 등의) 활동가.

:ac·tiv·i·ty [æktívəti] n. ⓤ 활동, 활약; ⓒ 활기, 활발(活潑); 능동성, ② 《종종 pl.》 활동(역할).

:ac·tor [æktər] n. ⓒ 배우; 행위자.

ac·tress [æktris] n. ⓒ 여(배)우.

ac·tu·al [æktʃuəl] a. 현실의, 실제의; 현재의. ~ **capacity** 《電》 실(實)능력; 실용량. ~ **locality** 현지, ~ **money** 현금. **~·ly**[-li] ad. 현실 적으로, 실제로.

:ac·tu·al·i·ty [æktʃuæləti] n. ⓤ 현실(성), ② 《종종 pl.》 현상, 실태, 진상, 실정. **in ~** 현실로는.

ac·tu·ar·y [æktʃuèri·-tʃuəri] n. ⓒ 보험 회계사; 《法》 (법원의) 서기. **-ar·i·al** [æktʃuέəriəl] a.

ac·tu·ate [æktʃuèit] vt. (기계를) 움직이다; 자극하여 …시키다.

a·cu·i·ty [əkjúːəti] n. 예민, 격렬.

a·cu·men [əkjúːmən, ækjə-] n.

**③ 예안(慧眼) 명민.

ac·u·punc·ture [ækjupʌ̀ŋktʃər] n. ⓤ 침술, 침 치료.

a·cute [əkjúːt] a. ① 날카로운; 뾰 족한. ② 예민한, 빈틈없는. ③ 격렬 한; 급성의(opp. chronic). **~·ly** ad.

acúte ángle 예각.

ad [æd] n. ⓒ 《美》 광고(adver-tisement). **~ bálloon** 광고 기구 (종선).

A.D. [éidí] 서력 …(〈 Anno Domini)

ad·age [ædidʒ] n. ⓒ 격언, 속담.

a·da·gio [ædʒóːou, -dʒiou] ad., a. (pl. ~s) (It.) 《樂》 느리게, 느린; ⓒ 아다지오장(章)[곡].

:Ad·am [ædəm] n. 《聖》 아담.

ad·a·mant [ædəmənt, -mænt] a., n. ⓤ 대단히 굳은(물건); (의지 가) 견고한. **-man·tine** [~-mæn-tain, -tin] a. 견고한, 단단한.

Ádam's ápple 결후(結喉).

:a·dapt [ədæpt] vt. ① 적응[적합]시 키다(to). ② 개작(수정)하다; 번안하 다. **~·ed** [-id] a.

a·dapt·a·ble [ədæptəbl] a. 적응 할 수 있는(to); 각색할 수 있 는(for). **-bil·i·ty** [~-biləti] n. ⓤ 적응(순응)성; 각색의 가능성.

ad·ap·ta·tion [ædəptéiʃən] n. ① 적응, ② 《U,C》 개작, 각색.

a·dapt·er, a·dapt·tor [ədæptər] n. ⓒ 각색자; 번안자; 가감 장치; 《電·機》 어댑터, 연결(관)(기); 《컴》 접속기.

a·dapt·ive [ədæptiv] a. 적합한, 적응한; 적합할 수 있는.

:add [æd] vt., vi. ① 더하다, 더해지 다, 늘다. ② 가산하다 ~ **to** …을 더하다, 증가하다; ~ **up** 합계하다; 계산이 맞다 ~ **to ~ to** …에 더하여. — n. ⓤ 《컴》 더하기(addition).

ad·den·dum [ədéndəm] n. (pl. -da) 《일반》 ⓒ 보유(補遺); 추가.

ad·der [ædər] n. ⓒ 《動》 살무사의 무리(cf. asp).

ad·dict [ədíkt] vt. 탐닉하게[빠지게] 하다 ~ **oneself to**; **be ~ed to** …에 빠지다. — [ædikt] n. ⓒ (마약 따위의) 상습자, 중독자. **ad·dic·tion** [ədíkʃən] n. ⓤ,ⓒ 탐닉, 빠짐.

ad·dic·tive [ədíktiv] a. (약 따위

가) 습관성의, 중독되기 쉬운.

ad·di·tion[ədíʃən] *n.* ① U 부
가, 증가; U.C 가산(加算), 덧셈
부가물; 증축. *in ~ (to)* (…에) 더
하여, 그 위에. ~**al** *a.* 부가의
(*an ~al tax* 부가세). ~**al·ly**
ad. 그 위에 더.

ad·di·tive[ǽditiv] *a.* 부가적인;
첨가의. — *n.* C 부가물.

ad·dle[ǽdl] *a.* 썩은, 혼탁한. —
vt., vi. 썩(히)다, 혼란시키다(하다).

add-on[ǽdɑn] *n.* C 추가물 (기계에 대
함) 부가 장치.

†**ad·dress**[ədrés] *n.* ① C 연설;
말을 걸; 인사(공식의)는; 제안; 청원.
② C 말투, 응대(의 멋짐). ③ C 교
묘, 솜씨(좋음). ④ C [*ǽdres*] 수
신인 이름·주소; [컴] 번지. ⑤ *pl.*
구혼. ⑥ C 《美》대통령의 교서. *a
funeral ~* 조사. *an ~ of thanks*
치사. *pay one's ~es to* …에게
구혼하다. — *n.* 솜씨 좋게, —
vt. (…에게) 말을 걸다. (…을 향
하여) 연설하다(*an ~ an audience*).
② (편지 등의) 겉봉을 쓰다. (…앞으로
보내다. ③ 신청하러다(*구두·서면으로*).
④ (문제에) 파고 들다. 다투다. ⑤
(골프) (공을) 칠 준비 태세로 들다.
~ oneself to …에 (본격적으로) 달
려들다; …에게 말을 걸다; (편지 쓰
기) …에게. — **·a·ble** *a.* [컴] 번지로 끄집어
낼 수 있는. ~**er, ·dres·sor** C
발신인.

ad·dress·ee[æedresíː] *n.* C (우
편물·메시지의) 수신인.

ad·duce[ədjúːs] *vt.* 인용하다. 증
거로서 들다. **ad·duc·tion**[-dʌ́k-] *n.*

ad·e·noids[ǽdənɔ̀idz] *n. pl.* [醫]
아데노이즈(인두편도(咽頭扁桃)의 비
대증).

ad·ept[ǽdept, ədépt] *n.* ① 숙련
자(*expert*). — [ədépt] *a.* 숙련된
(*in, at*).

ad·e·qua·cy[ǽdikwəsi] *n.* U 적
당(충분함); 타당.

†**ad·e·quate**[-kwit] *a.* 적당(충분)
한. ~**·ly** *ad.*

†**ad·here**[ædhíər] *vi.* ① 들러붙다.
접착하다(*to*). ② (신념을) 굳게 지키
다(*to*). ③ (…에) 들러붙

†**ad·her·ent**[ædhíərənt] *a.* 들러붙

는, 집착하는, 불어 떨어지지 않는.
— *n.* C 지지자; 귀의자(歸依者); 졸
개, 부하. ~**·ence** C 집착, 경도(傾
倒), 귀의.

†**ad·he·sion**[ædhíːʒən] *n.* U 점
착, 고착; 유착(癒着), ~**-sive** [-siv]
a. *n.* 　　　　　　　「판[물].

ad hoc[ǽd hɑ́k/-hɔ́k] (L.) 특별
†**a·dieu**[ədjúː/ædjúː] *int., n.* (*pl.*
~s, -x[-z]) (F.) C 안녕; 이별.

ad in·fi·ni·tum[ǽd ìnfənáitəm]
(L.) 무한히, 무궁하게(*forever*).

†**ad·ja·cent**[ədʒéisənt] *a.* 부근의,
인접하는(*to*). **-cen·cy**[-sənsi]
U 근접, 인접; C 인접지[물].

ad·jec·ti·val[æ̀dʒiktáivəl] *a.* [文]
형용사(적)의. ~**·ly**[-li] *ad.*

†**ad·jec·tive**[ǽdʒiktiv] *n.* C 형용
사. — *a.* 형용사의(구적인). ~
clause (*phrase*) 형용사절(구). ~
infinitive 형용사적 부정사.

ad·join[ədʒɔ́in] *vi., vt.* 인접하다,
서로 이웃하다. ~**-ing** *a.* 인접하여
있는, 이웃의.

ad·journ[ədʒə́ːrn] *vt., vi.* ① 연기
하다. ② (회를) 휴정하다; 휴회하다.

ad·judge[ədʒʌ́dʒ] *vt.* 판결하다;
심판하다; 선고하다; 판정하다. 교
부하다. **ad·judg(e)·ment** *n.*

ad·ju·di·cate[ədʒúːdikèit] *vt., vi.*
판결(재정)하다. **-ca·tion**[--kéi-]

ad·junct[ǽdʒʌŋkt] *n.* 부가물;
[文] 부가사(詞); [論] 첨성(添性)
— *a.* 부가하는, **ad·junc·tive**[ədʒʌ́ŋk-
tiv] *a.* 부수적인.

ad·jure[ədʒúər] *vt.* 엄명하다; 탄원
하다. **ad·ju·ra·tion**[æ̀dʒəréiʃən] *n.*

†**ad·just**[ədʒʌ́st] *vt.* ① 맞추다, 조
정(調整)하다. ② 조정(調停)하
다, 화해시키다. ~**·a·ble** *a.* ~·
ment *n.*

ad·ju·tant[ǽdʒətənt] *n.* 보조자
[물] 부관(副官), 조수; [鳥] (인
도·아프리카산의) 무수리. **-tan·cy**
[-tənsi] U 　　　　「부관의.

ad-lib[ǽdlìb, ǽd-] *vi.* (**-bb-**)
《口》 대본에 없는 대사를 말하는다; 즉
흥적으로 노래하다(연주하다).

ad·man [ǽdmæn, -mən] *n.* ① 《美口》광고업자[권유원]; 광고 문안 제작자.

ad·min·is·ter [ædmínistər] *vt.* ① 관리[처리]하다, (법률을) 시행[집행]하다. ② (타격 따위를) 주다; (치료를) 하다, 베풀다. ③ (법률을) 적용하다. ④ (선서를) 시키다. ⑤ (약을) 복용시키다. — *vi.* ① 관리하다. ② 돕다; 주다; (…에) 도움[소용]이 되다(*to*). **~ an oath to** …에게 선서시키다.

ad·min·is·tra·tion [ædministréiʃən, əd-] *n.* ① ⓤ 관리, 경영, 행정, 시정(施政), 통치. ② ⓒ집합적] 관리자측, 경영진. ③ 《美》정부; 《美》관리[대통령]의 임기. ④ ⓤⓒ 집행; 시행; 부여(投與). **~ of justice** 법의 집행, 처형. **board of ~** 이사회. **civil (military)** ~ 민(군)정.

ad·min·is·tra·tive [ædmínistrèitiv] *a.* 관리[경영]상의; 행정(통치·시정)상의.

ad·min·is·tra·tor [ædmínistrèitər] *n.* (*fem.* **-trix** [-↗-tréitriks]) ① 관리자, 지배자; 행정관, 경영자. ② ⓒ (법) 관재인; 행정관. **~·ship** [-ʃìp] *n.* ⓤ 위의 의자.

ad·mi·ra·ble [ǽdmərəbəl] *a.* 훌륭한. **-bly** *ad.* 훌륭히.

ad·mi·ral [ǽdmərəl] *n.* ⓒ ① 해군 대장, 제독; 해군 장성[대장·중장·소장]; (해군의) 사령관. ② 기함(旗艦). ③ [蟲] 나비의 일종. **fleet ~, 《英》~ of the fleet** 해군 원수. **Lord High A-** 해군 장관. **rear ~** 해군 소장. **vice ~** 해군 중장.

ad·mi·ral·ty [ǽdmərəlti] *n.* ① ⓤ 해군 대장의 직; 해사 재판소; (the A-) 《英》 해군성[본부]. **Board of A-** 《英》 해군 본부. **First Lord of the A-** 《英》 해상[해사].

ad·mi·ra·tion [ædməréiʃən] *n.* ① ⓤ 감탄, 칭찬(*for*). ② (the ~) 감탄[칭찬]의 대상.

ad·mire [ædmáiər] *vt., vi.* ① 감탄[칭찬]하다. ② (口) 칭찬하다. ③ 《美》 기뻐하다, 좋아하다. **ad·mír·er** *n.* ⓒ 숭배자; 감탄자; 구애자; 구혼자. **ad·mír·ing** *a.*

ad·mis·si·ble [ædmísəbəl] *a.* (의견·계획 등이) 용인될 수 있는; (지위 따위에) 취임할 자격 있는(*to*); (法) 증거

로 인용(認容)할 수 있는. **-bly** *ad.* **-bil·i·ty** [-↗-blǽti] *n.*

ad·mis·sion [ædmíʃən] *n.* ① ⓤ 입장[입학, 입회], (허가). ② ⓤ 입장료, 입장권. ③ ⓤ 자백, 자인, 승인. **~ free** 입장 무료. **to the bar** 《美》 변호사 개업 허가.

ad·mit [ædmít] *vt.* (-**tt**-) ① 인정하다, 승인하다; 진실[유효]임을 인정하다. ② 허락하다(*permit*). ③ 들이다, 입장[입회]을 허용하다. ③ 수용할 수 있다. — *vi.* 인정하다. ① (…의) 여지가 있다(*of*). ② 할 수 있다. **~ to the bar** 《美》 변호사 개업을 허가하다. **~·ta·ble** [-əbəl] *a.* 들어올 자격 있는. **~·ted·ly** [-idli] *ad.* 일반에게 인정되어; 분명히; 인정하듯이.

ad·mit·tance [-əns] *n.* ⓤ 입장[입회] (권(權)). **~ free** 입장 무료. **gain (get) ~ to** …에 입장이 허락되다[입장하다]. **No ~.** 입장 사절.

ad·mon·ish [ædmániʃ] *vt.* ① 훈계하다, 타이르다, 깨우치다, 충고 [권고]하다(*to do; that*). ② 알리다(*of; that*). **~·ment** *n.*

ad·mo·ni·tion [ædməníʃən] *n.* ⓤⓒ 타이름, 훈계, 충고. **ad·mon·i·to·ry** [ædmánitɔ̀ːri/-mətɔ̀ri] *a.* 훈계적인.

ad nau·se·am [æd nɔ́ːziæm, -si-] (L.) 싫증 날 정도로, 구역질 날 만큼.

a·do [ədúː] *n.* ⓤ 법석(*fuss*); 소동, **much ~ about nothing** 공연한 소동[법석]. **without more ~** 다음은 순조로이.

a·do·be [ədóubi] *n., a.* 《美》 햇볕에 말린 어도비 찰흙[벽돌](의), 메시코 벽돌[로 지은].

ad·o·les·cence [ædəlésəns] *n.* ⓤ 청년기[남자는 14-25세, 여자는 12-21세]; 청춘. **-cent** *a., n.* 청년기의 (사람), 젊은이.

a·dopt [ədápt/-ɔ́-] *vt.* 채택[채용]하다; 양자로 삼다. **~·a·ble** *a.* **~ed** [-id] *a.* 양자가[채용이] 된 (an ~ed child 양자). **a·dóp·tion** *n.* ⓤⓒ 채용, 양자 결연. **a·dóp·tive** *a.* 채용(의); 양자 관계의.

a·dor·a·ble [ədɔ́ːrəbəl] *a.* 숭배[경모]할 만한. (口) 귀여운.

ad·o·ra·tion [ædəréiʃən] *n.* ⓤ 숭

A

a·dore [ədɔ́ːr] *vt.* ① 숭배하다. 경모하다. ② 《口》무척 좋아하다. **a·dór·er** *n.* **a·dór·ing·(ly)** *a.* (*ad.*)

a·dorn [ədɔ́ːrn] *vt.* 꾸미다; 미관을 《광채를》 더하다. ~·**ment** *n.*

ad·re·nal [ədríːnəl] *a.* 신장(콩팥)에 가까운; 부신(副腎)의. — *n.* 부신(副腎).

ad·ren·al·in(e) [ədrénəlin] *n.* ⓊＵ 아드레날린(부신에서 분비되는 호르몬); 《商標》아드레날린제(강심제·지혈제).

a·drift [ədríft] *ad., pred. a.* 표류하여; 떠돌아, (정처없이) 헤매어; 일정한 직업(없이) 어찌할 바를 몰라, 《~ (배가) 표류해서는; 방황하여; 물건이 없어지다, 도둑맞다.

a·droit [ədrɔ́it] *a.* 교묘한. ~·**ly** *ad.*

ad·u·late [ǽdʒəlèit] *vt.* 아첨하다. **-la·tion** [△─́éiʃən] *n.* **la·to·ry** [△─́lətɔ̀ːri/-lèitəri] *a.*

a·dult [ədʌ́lt, ǽdʌlt] *n., a.* 성인(의), 어른(의); 《法》성년자. **Adults Only** 미성년자 사절(게시). ~·**hood** [-hùd] *n.*

a·dul·ter·ate [ədʌ́ltərèit] *vt.* 섞음질하다, 질을 떨어뜨리다. — [-rət] *a.* 섞음질한. 질낮은. ⓒ 간통하는. ~·**ation** [△─́ʃən] *n.* Ⓤ 섞음질; ⓒ 조악물, 막지.

a·dul·ter·er [-rər] *n.* ⓒ 간부(姦夫), 생서방.

a·dul·ter·ess [-ris] *n.* ⓒ 간부(姦婦).

a·dul·ter·y [-ri] *n.* Ⓤ 간통, 간음. **-ter·ous** [-tərəs] *a.* 간통의; 불순한 (*adulterous wine* 섞음질한 포도주).

ad·um·brate [ǽdʌmbrèit, ǽdəm-] *vt.* 어렴풋이 보이다; 예시(豫示)하다; 그늘지게(어둡게) 하다.

ad·vance [ədvǽns, -vɑ́ːns] *vt.* ① 나아가게 하다. ② 승진시키다. ③ (값을) 올리다. ④ (의견을) 내다. ⑤ 선불(先拂)(선대(先貸))하다 — *vi.* ① 나아가다. 전진하다. ② 승진하다. ③ (값이) 오르다. (문답·게임 등에서) 다음 차례로 진행하다(*A-!* 자, 다음!). — *n.* ① 전진, 전진; ② ⓊⒸ 진보. 진행; 승진. ③ ⓒ 선불(가불·입체)금. ④ (*pl.*) 친하려는 접근; 신청. *in* — 사전에, 미리; 선금으로; 앞서서. *make* ~**s** 접근하다; 환심 사다.

구애하다; 신청하다. — *a.* 앞의; 사전의, 미리의. ~ **base** 전진 기지. ~ **sale** (표의) 예매(豫賣). ~ **ticket** 예매권. ⟨~**d**[-t] *a.* 나아간, 진보한; 고등의; 늙은; 깊은. ~**d country** 선진국. ~**d credit** 타교 (他校)에서의 과목 수료로 인정된 것. ~**d standing** 타교에서 딴 수료 과목의 승인(받아들임은 학교측의). *~·**ment** *n.* Ⓤ 전진, 발달; 승진; 선불, 선대(先貸).

advanced lével 《英》상급 학력 시험(대학 입학 자격 등에 필요한; A level).

***ad·van·tage** [ədvǽntidʒ, -ɑ́ː-] *n.* ⓊⒸ 이익, 편의, 유리. ⓊⒸ 이점, 강점; 유리한 입장. ③ 《테니스》= VANTAGE. *take* ~ *of* ~ 을 이용하다, ~을 틈타다. *take a person at* ~ 남에게 허점을 가하다, 기습하다. *to* ~ 유리하게, 형편 좋게; 뛰어나게, 훌륭하게. *turn to* ~ 이 용하다. *with* ~ 유리(유효)하게. *You have the* ~ *of me.* 글쎄 전 누구신지 모르겠네요(교제를 구하는 이에 대한 완곡한 사절). — *vt.* 이익을 주다; 돕다.

***ad·van·ta·geous** [ædvəntéidʒəs] *a.* 유리한, 형편이 좋은. ~·**ly** *ad.*

***Ad·vent** [ǽdvent, -vənt] *n.* ① 예수의 강림, 강림절《크리스마스 전의 약 4주간》. ② (the a-) 출현, 도래. *the* ~ *Second* ~ 예수의 재림. ~·**ism** [-izm] *n.* Ⓤ 예수 재림설. ~·**ist** *n.*

ad·ven·ti·tious [ædvəntíʃəs] *a.* 우발적인의, 외래의. 《植·動》부정(不定)의, 우발(偶生)의.

***ad·ven·ture** [ədvéntʃər] *n.* ⓊⒸ 모험. ② 흔히 않은 세험. ⓊⒸ 투기. — *vt., vi.* VENTURE. ~·**tur·er** *n.* ⓒ 모험가, 투기가. ~·**tur·ous, ~·some** [-səm] *a.* 모험적인, 모험을 즐기는.

***ad·verb** [ǽdvəːrb] *n.* ⓒ 《文》부사. ~ *clause* [*phrase*] 부사절[구]. *relative* ~ 관계 부사. **ad·ver·bi·al** [ædvə́rbiəl] *a.*

***ad·ver·sar·y** [ǽdvərsèri/-səri] *n.* ⓒ 적; (경기 따위의) 상대(방); (the A-) 마왕(魔王).

A

*ad·verse** [ǽdvə́ːrs, ─́─] *a.* ① 역 (逆)의, 거꾸로의, 반대의(*an ~ wind* 역풍, 맞바람). ② 적의(敵意) 가 있는. ③ 불리의; 유해한. **~·ly** *ad.* 역으로; 불리하게.

*ad·ver·si·ty** [ædvə́ːrsəti, əd-] *n.* ① 역경, 불운; ① 불행한 일, 재난.

ad·vert [ædvə́ːrt, əd-] *vi.* (…에) 주의를 돌리다(*to*); (…에) 언급하다 (*to*). [TISEMENT.

ad·vert[2] [ǽdvəːrt] *n.* (英) = ADVER-

ad·ver·tise, ·tize [ǽdvərtàiz] *vt., vi.* ① 광고[공고]하다. ~ *for* …을 광고 모집하다. **~·ment** [ǽdvər-táizmənt, ædvə́ːrtis-, ·tiz-] *n.* ① 광고(*an ~ ment column* 광고란/ ~ *ment mail* 광고 우편). **·tis·ing** *n.* ① 광고(업).

*ad·ver·tis·er** [-ər] *n.* ① 광고자 (주); (A-) …신문.

†*ad·vice** [ædváis] *n.* ① 충고, 조언, 의견, 권고. ② (종종 pl.) 보도, 보 고; (商) 통지, 안내(*a letter of ~* 통 지서). ~ *note* 안내장. ~ *slip* 통 지 전표.

*ad·vis·a·ble** [ædváizəbəl] *a.* 권할 만한, 적당한; 현명한, 분별 있는. **-bil·i·ty** [─ < əbíləti] *n.* ① 권할 만 함, 적당함; 득책.

‡*ad·vise** [ædváiz] *vt.* 충고[조언]하 다; 알리다(*of; that*). ─ *vi.* ① 상담 [의논]하다(*with*). ~·**ment** *n.* ① 숙 고려. **~d**[-d] *a.* 곰곰이 생각한 끝 의, (안 따위) 신중히 고려된; 정보를 얻은. **ad·vís·ed·ly**[-idli] *ad.* 숙고 를 거듭한 끝에; 고의로. *ad·vís·er, -víʃor n.* ① 조언자, 상담역, 고문.

ad·vi·so·ry [ædváizəri] *a.* 충고 [조언]의; 고문의. ~ *committee* 자문 위원회.

‡*ad·vo·cate** [ǽdvəkət, -kèit] *n.* ① 변호인; 주장자, 옹호자. ─ [-kèit] *vt.* 옹호하다; 주장하다. **ad·vo·ca·cy** [-kəsi] *n.* ①① 변호; 주 장; 지지.

adz(e) [ǽdz] *n., vt.* ① 까뀌(로 파 다).

ae·gis [íːdʒis] *n.* (the ~) [그神] Zeus의 방패; ① 보호, 옹호.

ae·on [íːən] *n.* ① 영겁(永劫).

aer·ate [éiərèit, ǽ-] *vt.* 공기에

쐬다[를 넣다]; 탄산가스(따위)를 넣 다. ~*d bread* 무효모 빵. ~*d waters* 탄산수. **aer·a·tion** [-éiʃən] *n.* ① 통기(通氣), 통풍; 탄산가스 넣 기. **áer·a·tor** *n.* ① 통풍기; 탄산수 제조기(機).

*aer·i·al** [ɛ́əriəl] *a.* ① 공중의; 항공 의. ② 기체의; 공기의[같은]. 희박 한. ③ 공중의, 가공의. ④ 공중에 치솟은; 공중에 생기는; 공중 조작 의. ─ *n.* ① 안테나. ~·**ist** *n.* ① (공중 그네) 곡예사; (俗) 지붕을 타 는 강도.

aer·o- [ɛ́ərou, -rə] 공기, 공중, 항공(기) 의 뜻의 결합사.

aer·o·bat·ics [ɛ̀ərəbǽtiks] *n.* ① 곡예비행술; 《복수 취급》 곡예 비행.

aer·o·bics [ɛəróubiks] *n.* ① 에어 로빅스《운동으로 체내의 산소 소비량 을 늘리는 건강법》.

aer·o·drome [ɛ́ərədròum] *n.* ① (英) 비행장, 공항.

àero·dynámics *n.* ① 기체 동역 학; 공기 역학.

aer·o·gram(me) [ɛ́ərəgræm] *n.* ① 항공 서한; ① (英) 무선 전보.

aer·o·naut [ɛ́ərənɔ̀ːt] *n.* 비행선 [기]기구) 조종사. **-naut·ics** [-nɔ́ː-tik], **-ti·cal** [-əl] *a.* 비행학[술]의, 항공의.

àero·náutics *n.* ① 항공학[술].

áero·pláne *n.* (英) = AIRPLANE.

aer·o·sol [ɛ́ərəsɔ̀ːl, -sàl/ɛ́ərəsɔ̀l] *n.* ① (化) 연무질(煙霧質), 에어로솔.

áero·spáce *n.* ① (大) 대기권과 우 주(의); 항공 우주(의).

aes·thete [ésθiːt/íːs-] *n.* ① 미학 자, 탐미주의자, 유미주의(자), ··류(通)

aes·thet·ic [esθétik/iːs-] *a.* ① 미 (美)의, 미술(학)의; 심미적인, 미를 아는; 심미안이 있는. ~**s** *n.* ① 미 학(美學).

aes·thet·i·cal·ly [esθétikəli] *ad.* 미학적으로; 심미적으로.

*a·far** [əfɑ́ːr] *ad.* (詩) 멀리, 아득히, ~ *off* 멀리 떨어져서. 원방에. *from* ~ 먼 곳에서, 원방에서.

af·fa·bil·i·ty [æ̀fəbíləti] *n.* ① 상 냥함, 붙임성 있음; 사근사근함.

af·fa·ble [ǽfəbəl] *a.* 상냥한, 붙임 성 있는; 부드러운. **-bly** *ad.*

af·fair [əféər] *n.* © ① 일, 사건. ② (*pl.*) 업무 ③ (막연히) 것, 일; 하기(*It is an ~ of ten minutes' walk.* 걸어서 10분 정도의 거리다). ④ 관심사(*That's none of your ~.* 그건 네가 알 바아니다). **~ of honor** 결투(duel). **~s of State** 국사(國事). *framed (getup)* ~ 짬짜미 경기 《승부를 미리 결정하고 하는》. *love ~* 정사, 로맨스. *man of ~s* 사무 〔실무〕가. *state of ~s* 사태, 형세.

af·fect [əfékt] *vt.* ① (…에게) 영향을 주다. (보통 나쁘게) 작용하다(act on). ② (병이) 침범하다. ③ 감동시키다 ④ 좋아하다; 즐겨 …하고 싶어 하다. ⑤ (어떤 형태를) 즐겨 쓰다. ⑥ (집승이) 즐겨 (…에) 살다, 깃들이다, 세균(따위)이 …징치 …에 좋아하다 ‥**-ing** *a.* 감동시키는; 애처로운. ─ [áefekt] *n.* [心] 감동, 정서.

af·fec·ta·tion [æfektéiʃən] *n.* U.C …체(體)함, 징치 꾸밈.

af·fect·ed [əféktid] *a.* ① 영향을 받은, 침범된, 걸린. ② 징치…한 기분으로 있는; ③ …체(體)하는, 징치 꾸밈; 일부러인 것 같은, 부자연스러운. ‥**-ly** *ad.* 징치 꾸며.

af·fec·tion [əfékʃən] *n.* ① U.C 애정; (종종 *pl.*) 감정. ② U.C 영향. ③ © 병, 질환 ④ U.C(성질), 특성.

af·fec·tion·ate [əfékʃənit] *a.* 애정어린 깊이 사랑하고 있는. ‥**-ly** *ad.* 애정을 다하여, 애정이 넘치게《*Yours ~ly*》.

af·fi·da·vit [æfədéivit] *n.* [法] 선서 진술서.

af·fil·i·ate [əfílièit] *vt.* (…에) 가입(관계)시키다; 회원으로 하다; 병합하다. ② 양자로 삼다; [法] (사생아의) 아버지를 결정하다(on). ── *vi.* 으로 돌리다(to, upon). ③ 친밀하게 관계하다, 가입하다; 제휴하다. ② 친밀히 하다. *~d company* 방계(계열) 회사.

af·fin·i·ty [əfínəti] *n.* U.C ① 친척(관계) ② (타고난) 취미, 기호(for). ③ 유사, 친근(성); [生] 근연(近緣); (종종 *pl.*) [化] 친화력.

af·firm [əfɚ́ːrm] *vt., vi.* (…에게) 단언하다, 확언하다; [法] 확인하다. ‥**-a·ble** *a.* 단언할 수 있는. **af-**

fir·ma·tion [æfərméiʃən] *n.* U.C 단언; 긍정.

af·firm·a·tive [-ətiv] *a., n.* 확정의, 긍정의; © 긍정문[어]; 찬성자 (opp. negative). *answer in the ~* 그렇다고 대답하다.

af·fix [əfíks] *vt.* (…에) 첨부하다; 이다(to, on); 도장을 누르다; (책임·비난 따위를) 씌우다. ── [éfiks] *n.* © 첨부물; [文] 접(두·미)사. **-ture** [æfíkstʃər] *n.* U 첨부, 첨가; © 첨부물, 첨가물.

af·flict [əflíkt] *vt.* 괴롭히다(with). ‥**af·flic·tion** [-ʃən] *n.* ① U 고난, 고뇌.

af·flu·ence [éflu(ː)əns] *n.* U 풍부; 풍부한 공급; 부유. **-ent** *a.* U 풍부[부유]인; © 지류(支流).

af·ford [əfɔ́ːrd] *vt.* ① (can, may 에 수반되어) …할[…을 가질] 여유가 있다(*I cannot ~ (to keep) a yacht.* 요트 따위를 가질 만한 여유는 없다). ② 산출하다, 나다(yield); 주다.

af·for·est [əfɔ́ːrist, -á-/æfɔ́r-] *vt.* 식림(植林)하다. **-es·ta·tion** [──éiʃən] *n.*

af·fray [əfréi] *n.* © [法] 싸움, 법석.

af·front [əfrʌ́nt] *n., vt.* © (공공연한) 경멸을 주다; 직면(반항)하다.

Af·ghan [æfɡæn, -ɡən] *n., a.* © 아프가니스탄 사람[의](의); U 아프가니스탄어(語); (a-) © 담요·어깨걸이의 일종.

a·fi·cio·na·do [əfìsjənádou] *n.* (Sp.) © 열애자, 팬, 애호가.

a·field [əfíːld] *ad.* [보]벌판에, 들로; 싸움터[에로]; 집에서 떨어져. 헤매어; 상궤를 벗어나.

a·flame [əfléim] *ad., pred. a.* (불) 타올라.

a·float [əflóut] *ad., pred. a.* ① (물위에) 떠서, 떠돌아, ② 해상에, 배 위에, ③ (강이) 범람하여, ④ (소문이) 퍼져; (어음이) 유통되어. *keep ~* 가라앉지 않고 있다; 빚을 안 지고 있다.

a·foot [əfút] *ad., pred. a.* 걸어서; 진행중에, 일어나; 준비하여. ─ (계획 등을) 세우다.

afore·mèntioned, **afore·sàid** *a.* 전술(前述)한.

A

afóre·thòught *a.* 미리(사전에) 생각된, 고의의, 계획적인. *malice ~* 살의(殺意).

a for·ti·o·ri [éi fɔːrʃióːrài] (L.) 한층 더한 이유로, 더욱.

†**a·fraid** [əfréid] *pred. a.* 두려워하여(*of a thing; to do*); 근심(걱정)하여(*of doing; that, lest*). *be ~(that)* 유감이(미안하)게도 …라고 생각하다. *I am ~ not.* 아마 아니 나리라/"*Will he come?*" "*I'm ~ not.*" '그 사람 올까' '아마 안 올걸'.

·**a·fresh** [əfréʃ] *ad.* 새로이, 다시 한 번(*again*).

Af·ri·ca [æfrikə] *n.* 아프리카. :**Af·ri·can** *a., n.* ⓒ 아프리카의(토인). (美) 니그로(흑인)의.

Af·ri·kaans [æfrikáːns, -z] *n.* ⓊＵ 남아프리카의 공용 네덜란드 말.

Af·ro [æfrou] *n.,* 아프로(아프리카나 그로식의) 아프로형 두발(頭髮)(의).

Af·ro- [æfrou] '아프리카(탄생의) 아프리카인 및 …의 뜻의 결합사.

aft [æft, ɑːft] *a.* 【海·空】 고물쪽에 [으로], (비행기의) 후미의의.

·**af·ter** [æftər, ɑːf-] *ad.* 뒤에(behind). 나중[후]에(later). — *prep.* ① …의 뒤에, ② …의 뒤를 좇아, …을 찾아; …에 관[대]하여; …보다 나중에, 다음에, 다음에. ③ (…함) 이상(바)에는, …에도 불구하고(*~ all his effort* 모처럼 있는 애를 다 썼건만). ④ …을 흉내내어(*a painting ~ Matisse* 마티스풍의 그림). …에 따라. — *conj.* (…한) 뒤에. — *a.* 뒤의; 【海】 고물쪽의. ~ *years* 후년. — *n.* Ⓤⓒ (美俗)오후. **áf·ter·bìrth** *n.* Ⓤ 【醫】후산(後産). **áf·ter·càre** *n.* Ⓤ 치료 후의 몸조리; 애프터케어. **áf·ter·effèct** *n.* ⓒ 뒤에 남는 영향. 여파; (약의) 후유증. **áf·ter·glòw** *n.* Ⓤ 저녁놀. **áf·ter·lìfe** *n.* Ⓤ 내세; ⓒ 여생. †**áf·ter·màth** *n.* Ⓤ (보통 *sing.*) (농작물의) 두번째 거둠; (사건 등의) 여파. †**af·ter·noon** [æftərnúːn, ɑːf-] *n., a.* 오후(의). — *dress* 애프터눈 드레스. ~ *paper* 석간. ~ *sleep*

낮잠. ~ *tea* 오후의 차 [다과회]. ~·*er* [-ər] *n.* ⓒ (俗) 석간(신문). **af·ters** [æftərz] *n. pl.* (英口) 디저트.

áf·ter·shàve *a., n.* Ⓤⓒ 면도 후의 (로션)(~ *lotion*).

áf·ter·tàste *n.* ⓒ (an ~) (특히, 불쾌한) 뒷맛, 여운.

áf·ter·thòught *n.* ① ⓒ 되뇌어 생각함; 고쳐 생각함. ② 때[뒤] 늦은 생각, 뒷궁리.

:**áf·ter·ward(s)** *ad.* 뒤에, 나중[후]에.

†**a·gain** [əgén, əgéin] *ad.* ① (또) 다시, 또. ② (대답답하여); 응하여, 되돌려(*answer* …맞대꾸하다); 반향하여(*ring* …메아리치다). 울려퍼지다); (원상태로(있던 곳으)로 [되돌아와)(*be home ~*). ③ …만큼 반복하여, 배(倍)의. ④ 그 위에(besides) (A-, I must say...). ⑤ 또 한편으로, ~ *and ~,* or *time and ~* 여러 번, 몇번이고. *as much (many) ~ (as)* 다시 그만큼, 두 배반(as). *(all) over ~* 되풀이하여. *be one·self* …원상태로(원래대로) 되다. *ever and ~* 때때로. *You can say that ~!* 틀림없어요! 맞았어!

†**a·gainst** [əgénst, -géin-] *prep.* …에 대해서, …을 향하여, …에 거슬러, …와 대조하여, 뚜렷이(~ *the blue sky* 푸른 하늘에 뚜렷이). ③ …에 부딪쳐, …에 기대어(upon) (~ *a wall* 벽에 기대어). ④ …에 대비하여(*a rainy day* 유사시에에 대비하여), ~ *all chances* 가망이 없는, ~ *one's heart [will]* 마음에 없으면서, 마지 못해서. ~ *the stream* 시세를 거슬러서. ~ *time* (규정된) 당 안 되는 짧은 시간에 (마치고자 하여); 전속력으로.

a·gape [əgéip, əgǽp] *ad., pred. a.* 입을 (딱) 벌리고, 아연하여.

ag·ate [ǽgət] *n.* ① Ⓤ 마노(瑪瑙). ② (유회광) 뀌깔돌. ③ (美) 애깃형 활자(ruby)(5.5 포인트).

†**age** [eid3] *n.* ① Ⓤ 연령(of) (*a boy of your ~* 너와 같은 나이의 소년). ② Ⓤ 노년(老年). ③ Ⓒ 세대; 시대. ⓒ 성년(丁年). ⑤ ⓒ (종종

A

pl.) 오랫동안(*It is* ~*s since I saw you last.* = I haven't seen you for *an* ~. 이거 꽤 오래간만이군요.). **come of** ~ 성년에 달하다. **for one's** ~ 나이에 비해서(는). **full** ~ 장년, 성년. **in all** ~s 예나 지금이나. **the golden** ~ 황금 시대. **under the** ~ 미성년. — *vi., vt.* **(ag(e)- ing)** 나이를 먹(게 하)다, 늙(게 하)다. ~**less** *a.* 늙지 않는.

áge bràcket 연령층.

a·ged [éidʒid] *a.* ① 나이 먹은, 오래된, 늙은. ② [eidʒd] …살의.

áge-gròup 같은 연령층의(사람들).

age·ism [éidʒizm] *n.* ⓤ (노인에 대한) 연령 차별.

áge·less *a.* 늙지 않는; 영원의. ~·**ly** *ad.* ~·**ness** *n.*

áge·lòng *a.* 오랫동안의, 영속하는 (everlasting).

a·gen·cy [éidʒənsi] *n.* ① ⓒ 대리점; ⓤ 대리(권). ② ⓤ 일, 작용. ③ ⓤ 매개, 주선(*an employment* ~ 직업 소개소). ④ ⓒ (美) (정부의) 기관, 청, 국.

a·gen·da [ədʒéndə] *n. pl.* 회의 사항; 의제(議題).

a·gent [éidʒənt] *n.* ⓒ ① 대리인, 주선자; 행위자(行爲者) ② 동인(動因), 작인(作因). **commission** ~ 위탁 판매인, 객주. **general** ~ 총대리인. **house** ~ 가옥 소개업자. **literary** ~《英》문예 주선업자(신인 작품을 출판사에 알선하는 기관). **road** ~ 《美》 노상 강도, 스파이. **secret** ~ 비밀 탐정, 스파이.

áge-òld *a.* 예로부터의.

ag·glom·er·ate [əglámərèit/-5-] *n., a.* ⓤ 덩이(의), 집괴(의). — [-rèit] *vt., vi.* 덩어리짓다[지다]. **-a·tion** [⁻⁻⁻ʃən] *n.*

ag·glu·ti·nate — untranscribed — (not present)

ag·gran·dize [əgrǽndaiz, ǽg-rəndàiz] *vt.* 증대(확대)하다, 넓히다; (권력·부·지위 따위를) 늘리다, (계급을 올리다. — **·ment** [-dizmənt] *n.*

ag·gra·vate [ǽgrəvèit] *vt.* ① 악화시키다, 심하게 하다. ② (口) 괴롭히다; 노하게 하다.

ag·gra·vat·ing [ǽgrəvèitiŋ] *a.* 악화시키는(口) 아니꼬운, 부아나는

ag·gra·va·tion [ǽgrəvéiʃən] *n.*

ⓤⓒ 악화; 도발; 격분.

ag·gre·gate [ǽgrigit, -gèit] *n., a.* ⓤⓒ 집합(의), 집성(의); 총계(의); 집합체. **in the** ~ 전체로. — *vt.* …이 모두다, 모이다; 결집하다; 총합하다; …이 되다.

ag·gres·sion [əgréʃən] *n.* ⓤⓒ 침략, 침해; (부당한) 공격.

ag·gres·sive [əgrésiv] *a.* 침략적인; 공세의, **take [assume] the** ~ 공세를 취하다; 도전하다. ~·**ly** *ad.*

ag·gres·sor [⁻ər] *n.* ⓒ 침략자(국).

ag·grieve [əgrí:v] *vt.* 괴롭히다; 학대하다, 압박하다(oppress). **be [feel] ~d at [by]** …을 분개하다, …을 불쾌하게 느끼다.

a·ghast [əgǽst, -á:-] *pred. a.* 질겁하여, 두려워 떨며(at); 어안이 벙벙하여.

ag·ile [ǽdʒəl/ǽdʒail] *a.* 재빠른, 민활한. **a·gil·i·ty** [ədʒíləti] *n.* 민첩, 경쾌; 예민함, 민활함.

ag·i·tate [ǽdʒitèit] *vt., vi.* ① 몹시 뒤흔들다, 휘젓다. ② (마음을) 들쑤시다, 흥분시키다. ③ (…을) 여론을 환기하다, 선동하다 (~ *for the raise of pay* 임금 인상을 외치다).

ag·i·ta·tion [⁻⁻téiʃən] *n.* ⓤⓒ 동요, 동란; 선동.

ag·i·ta·tor [ǽdʒitèitər] *n.* ⓒ 선동가; 교반기(攪拌器).

a·glow [əglóu] *ad., pred. a.* (이글이글) 타올라, 빛나서.

ag·nos·tic [ægnástik/-5-] *a., n.* ⓒ [哲·神] 불가지론의; 불가지론자. **-ti·cism** [-təsìzm] *n.* 불가지론.

a·go [əgóu] *ad.* (지금부터) …전에.

a·gog [əgág/-5-] *ad., pred. a.* (기대 따위로) 마음 부풀어, 들먹들먹여; 법석을 떨며(to).

ag·o·nize [ǽgənàiz] *vt., vi.* 몹시 괴롭히다 (괴로워하다), 번민 (고민)하다; 몹시 괴롭히다. **-niz·ing** [-nàiziŋ] *a.* 괴로워하는, 고민하는.

ag·o·ny [ǽgəni] *n.* ① 고통, 고뇌. ② ⓒ 단말마의 괴로움; (희비의) 극치(*in an* ~ *of joy* 미칠 듯이 기뻐).

ágony còlumn 〖新聞〗 (찾는 사람 따위의) 사사(私事) 광고란; 신상 상

담락.

ag·o·ra·pho·bi·a [ægərəfóubiə] *n.* ⓤ [心] 광장(군중) 공포증.

a·grar·i·an [əgrέəriən] *a.* 토지(경지)의; 토지에 관한; 농민을 위한한 (the A- Party 농민당); 야생의. ── *n.* ⓒ 농지 개혁론자. ── **reform** 농지 개혁.

a·gree [əgríː] *vi.* ① 동의하다 (with), 찬성하다(to). ② 일치하다 (with). ③ 합의에 달하다(upon). Agreed! 좋아!(그렇게 합시다!). ~ **to differ** [**disagree**] 견해의 차이라고 서로 시인하다. ~·**ment** [-] *n.* ① 협정; 계약. ② ⓤ 일치, 호응.

a·gree·a·ble [əgríːəbəl/-ríə-] *a.* ① 유쾌한, 기분 좋은; 마음에 드는. ② 쾌히 응하는(to). 잘 맞는, 어울리는(to). ~ **to** (the **promise**) (약속)한 대로. **make oneself ~ to** …와 장단을 맞추다. **-bly** *ad.* 쾌히; (口) 좋아서(야).

ag·ri·busi·ness [ǽgrəbìznis] *n.* ⓤ 농업 관련 사업.

ag·ri·cul·ture [ǽgrikʌ̀ltʃər] *n.* ⓤ ① 농업, 농예. ② 농학. **agricultural chemistry** 농예 화학. **ag·ri·cúl·tur·ist,** (美) **-tur·al·ist** *n.* ⓒ 농업 경영자, 농가; 농학자.

agro- [ǽgrou, -rə] *pref.* 토양, 농업의'의 뜻의 결합사.

a·gron·o·my [əgrɑ́nəmi/-ɔ́-] *n.* ⓤ 농경학(법), 농업 경영.

a·ground [əgráund] *ad.* 지상(地上)에; 좌초되어, **go** (**run, strike**) ~ (배가) 좌초되다.

ah [ɑː] *int.* 아아!(고통·놀라움·연민·한탄·혐오·기쁨 등을 나타냄).

a·ha [ɑ(ɑ)há:] *int.* 아하!(기쁨·만족·승리 따위를 나타냄).

a·head [əhéd] *ad.* ① 앞에(으로); 앞서서, ② 앞질러, 나아가, 우세하여, ③ (美) (게임에서) 벌어, 앞서 **get ~ in the world** (이) 성공하다; 출세하다. **get ~ of** (美) …을 앞지르다, 능가하다. **go ~** 나아가다; 진보하다; (…의) 앞을 가다(of); (…을) 나아가게 하다(with). **Go ~!** [海] 전진!; (口) 좋아, 해라!, 그래 하시오!, 자 가라!, (재촉하여) 그래

서? **straight ~** 곧장.

a·hem [mhm, hm, əhém] *int.* 으흠; 에헴!; 에에!([m̩]은 책머리의 '발음 약해' 참조).

a·hoy [əhɔ́i] *int.* [海] 어어이!(먼 곳을 부를 때).

AI artificial insemination; artificial intelligence.

aid [eid] *vt., vi.* 돕다, 거들다(help), 원조하다; 조성하다, 촉진하다. **~ and ABET.** ── *n.* ⓤ 도움, 조력, 지지; ⓒ 조수, 보좌역; (美) = AID(E)-DE-CAMP.

aide [eid] *n.* (美) = 다.

aide-de-camp [éiddəkǽmp, -káp] *n.* (pl. **aide(s)-**) (F.) ⓒ [軍] 부관.

AIDS [eidz] (<**acquired** *immu-nodeficiency* **syndrome**) *n.* ⓤ [醫] 후천성 면역 결핍 증후군.

ail [eil] *vt., vi.* 괴롭히다, 괴로워하다; 앓다. ──*ment* *n.* ⓒ 병.

ai·ler·on [éilərɑ̀n/-rɔ̀n] *n.* ⓒ (비행기의) 보조익(翼).

aim [eim] *vi., vt.* 겨누다, 노리다 (at); 목표로(목적으로) 하다, 뜻하다 (at, to do). ~ (**a gun**) **at** (총)을 …에게 돌리다. ──*n.* ⓤ 겨냥; ⓒ 목적, 의도. **take** ~ 노리다, 겨누다 (at). **~·less·(ly)** *a. (ad.)*.

ain't [eint] (口) = am not, are not, is not; (俗) = has not, have not.

air [εər] *n.* ① ⓤ 공기. ② (the ~) 대기, 공중; 하늘; ③ ⓤⓒ 산들바람. ④ ⓒ 선율, 가락, 노래. ⑤ ⓒ 모양, 태도; (pl.) 짐짓 ~체함; 표정 표를 (give ~s to one's feelings 기분을 말하다). ~**s and graces** 뽐내는 점잔뺌. **beat the ~** 허공을 치다, 헛된 노력을 하다. **breath of ~** 산들바람. **by ~** 비행기로; 무선으로. **change of ~** 전지(轉地). **get ~** 널리 퍼지다, 알려지다. **get the ~** (美俗) 해고당하다; 버림받다. **give oneself ~s** 젠체하다; 점잔 뺴다. **give** (*a person*) **the ~** (美俗)해고 하다. **hit the ~** (美俗) 방송하다. **hot ~** 열기; (俗) 희떠운 소리, 호언장담. **in the ~** 공중에; (소문 따위가) 퍼지어; (안이) 결정되지 않고

A

off the ~ 방송되지 않고; (컴퓨터가) 연산중이 아닌, *on the* ~ 방송(중)에; (컴퓨터가) 연산중에. *open* ~ 집밖, 야외. *put on*~*s* 젠체하다, 점잔 빼다. *take* ~ 알려지다, 퍼지다. *take the* ~ 산책하다; 방송을 시작하다; 이륙하다; *tread* [*walk*] *on* [*upon*] *the* ~ 몹시 기뻐하다. *up in the* ~ (계획·의안 따위가) 결정을 못 보고; [美口] 흥분하여, 성나서, *with an* ~ 자신을 갖고, 거드름을 피우며. *vt.* 공기에 쐬다; 바람을 넣다; 건조시키다; 이륙하다; [美] 방송하다. ~ *oneself* 바람 공기를 쐬다, 산책하다.

áir base 공군 기지.

air·bèd *n.* ⓒ 공기가 든 매트리스, 공기 베드.

áir·bòrne *a.* 공수(空輸)된; 바람에 의해 운반된(~ *seeds* 풍매(風媒) 종자).

áir bràke (압착) 공기 제동기.

áir·brùsh *n.* ⓒ 에어브러시(칠·사진 수정용). — *vt.* 에어브러시로 처리하다.

áir·bùs *n.* ⓒ 에어버스(중단거리용).

Áir Chief Márshal 〔英〕 공군 대장.

air còmmodore 〔英〕 공군 준장.

air conditioner 냉난방(가구 공기 조절) 장치.

áir conditioning 공기 조절(실내 온도·습도의); 냉난방 장치.

áir·còol *vt.* 공랭(空冷)하다. —*ed* *a.* 공랭식의. —*ing.* ⓤ 공기 냉각법.

áir·cràft *n.* (*pl.* ~) ⓒ 항공기(~ *carrier* 항공 모함). *by* ~ 항공기로(무관사).

áir·cràfts man *n.* ⓒ 항공병 (1·2등병).

áir crèw *n.* ⓒ 항공기 승무원.

áir·drome *n.* ⓒ 비행장, 공항.

:áir·fìeld *n.* ⓒ 비행장.

áir fòrce (육·해군의) 항공 부대, (A- F-) 공군.

áir gùn 공기총; = AIRBRUSH.

áir hóstess (여객기의) 스튜어디스.

áir·ing [*έəriŋ*] *n.* ① ⓤ.ⓒ 공기에 쐼, 바람에 말림. ② ⓒ 산책, 야외 운동; 드라이브; 공표; 방송.

áir·less *a.* 바람이 없는; 환기가 나쁜.

áir lètter 항공 우편; 항공 서한.

áir lìft 공수(空輸) [공].

áir·line *n.* ⓒ (정기) 항공로; 항공 회사; (주로 美) 직항 비행로.

áir·liner *n.* ⓒ 정기 여객기.

áir lòck [土] 기갑(氣閘); 잠함(潛函)의 기밀실.

:áir màil 항공 우편 (제도), (美) *Via A-* 항공편으로(봉함 엽서용).

áir·man [*∠mən*] *n.* ⓒ 비행가[사].

Áir Márshal 〔英〕 공군 중장.

áir·plane [*∠plèin*] *n.* ⓒ (美) 비행기(영국에서는 보통 aeroplane).

áir pòcket [空] 에어포켓, 직강(直降) 기류.

áir pollùtion 대기 오염.

áir·pòrt *n.* ⓒ 공항.

áir pùmp 공기 펌프.

áir ràid 공습.

áir rìfle 공기총.

:áir·shìp *n.* ⓒ 비행선(dirigible)(*by* ~ 비행선으로(무관사)).

áir·sick *a.* 고공병[항공병]에 걸린, 비행기 멀미가 난. ~**ness** ⓒ 고(항)공병.

áir spáce (실내의) 공적(空積); 영공(opp. ground space).

áir spéed [空] 대기(對氣) 속도(opp. ground speed).

áir·strìp *n.* ⓒ 임시[가설] 활주로.

áir tèrminal 에어 터미널(항공 승객이 출입하는 건물).

áir·tìght *a.* 기밀(氣密)의, 공기가 통하지 않는; (방비가) 철통 같은, 물샐틈 없는.

áir-to-áir *a.* 공대공의, 기상(機上)발사의(*an* ~ *rocket* 공대공 로켓), (비행 중인) 두 비행기 간의(~ *refueling* 연료 공중 보급).

Áir Vice-Márshal 〔英〕 공군 소장.

áir·wày *n.* ⓒ 항공로; 통풍[환기] 구멍; (*pl.*) 항공 회사(airlines).

áir·wòman *n.* ⓒ 여자 비행가.

áir·wòrthy *a.* (항공기가) 내공성(耐空性)이 있는(cf. seaworthy). -**worthiness** ⓤ 내공성.

air·y [*έəri*] *a.* ① 공기의; 공중의

A

은. ② 바람이 잘 통하는. ③ 경쾌한, 쾌활한(貌); 명랑한; 엷은; 경솔한; 자연스럽지 못한; 세련하는; 공허한. **áir·i·ly** *ad.*

aisle [ail] *n.* ① (교회당의) 측랑(側廊)〔좌석·좌석·여객기의) 통로; 복도; (둘·출속의) 길. **down the ~** (口) 결혼식에서 제단을 향하여. **~d** [-d] *a.* 측랑이 딸린.

aitch [eitʃ] *n.* H(h) 글자; h음.

a·jar [ədʒáːr] *ad.* (문이) 조금 열려.

a·kim·bo [əkímbou] *ad.* 두 손을 허리에 대고.

a·kin [əkín] *pred. a.* 혈족의(to); 동족의, 같은, 비슷한(to).

-al [əl] *suf.* ① (형용사 어미) 상태·관계 따위를 나타냄: annual, national, numeral, regal. ② (명사 어미) denial, refusal.

à la, a la [áː lɑ, ə lɑ] (F.) …풍의(으로).

al·a·bas·ter [ǽləbæstər, -ɑ̀ː-] *n.*, *a.* 설화(雪花) 석고(의, 같이 흰).

à la carte [àː lə kɑ́ːrt, æ lə-] (F.) 정가표(차림표)에 따라, 일품 요리의 (opp. *table d'hôte*(정식)).

a·lac·ri·ty [əlǽkrəti] *n.* Ⓤ 활발, 민활(with ~ 척척).

à la mode, a la mode [àː lə móud, æ lə-] (F.) 유행의(을 따라서); (디저트가) 아이스크림을 곁들인(젤들인); (쇠고기의) 야채찜의.

a·larm [əláːrm] *n.* Ⓤ 놀람, 공포. ② Ⓒ 경보; 경보기(器), 자명종; **give〔raise〕the ~** 경보를 발하다, 위급을 알리다. **in ~** 놀라서. **take〔the〕~** 깜짝 놀라다. ── *vt.* (…에게) 위급을 고하다, 경보를 울리다; 놀래다, 불안하게 하다(~oneself 걱정하다). **be ~ed for** ～을 근심하다.

alárm clòck 자명종.

a·larm·ing [əláːrmiŋ] *a.* 놀랄 정도의. **~·ly** *ad.* 놀랄 만큼.

a·larm·ist [-ist] *n.* ① 걱정하면 사람, 법석꾼.

a·las [əlǽs/əlɑ́ːs] *int.* 아아! 슬프고!

al·ba·tross [ǽlbətrɔ̀s/-rɔ̀s] *n.* Ⓒ ① 〖鳥〗 신천옹. ② 〖골프〗 앨버트로스《한 홀에서 기준 타수보다 3 타 적은 스코어》.

al·be·it [ɔːlbíːit] *conj.* 《古》 = ALTHOUGH.

al·bi·no [ælbáinou/-bíː-] *n.* (*pl.* **~s**) ① Ⓒ 백색증(白皮症)의 사람; (동물의) 백변종(白變種). **-nism** [ǽlbənìzəm] *n.* Ⓤ 색소 결핍증.

al·bum [ǽlbəm] *n.* Ⓒ 앨범.

al·bu·men [ælbjúːmən] *n.* Ⓤ 흰자위; 단백질(albumin) 〖植〗 배유(胚乳).

al·che·my [ǽlkəmi] *n.* Ⓤ 연금술 (중세의 화학); 연단술. **-mist** Ⓒ 연금술사.

al·co·hol [ǽlkəhɔ̀ːl, -hɑ̀l/-hɔ̀l] *n.* ⓊⒸ 알코올, 주정. **-ism** *n.* Ⓤ 알코올 중독.

al·co·hol·ic [æ̀lkəhɔ́ːlik, -hɑ́l/-hɔ́l-] *a.* 알코올성의; 알코올(함유·중독)의.

al·cove [ǽlkouv] *n.* Ⓒ (큰 방 집 속이 딸린) 골방; 구석진 칸; (정원의) 정자.

al·der [ɔ́ːldər] *n.* Ⓒ 〖植〗 오리나무.

al·der·man [ɔ́ːldərmən] *n.* (영국과 아일랜드의) 시참사회원, 부시장; 〖美〗 시의원. **small ~** 약한 맥주.

ale·house [éilhàus] *n.* Ⓒ 비어 홀.

a·lert [ələ́ːrt] *a.*, *n.* Ⓒ 방심 없는; 민활한; 경계; 경계 경보(의 상태). **on the ~** 경계하여. **~·ly** *ad.* 민활하게; 경계하여; 경보를 발하다.

Á lével 《英》 = ADVANCED LEVEL. 《英》 상급 과정 과목 중의 합격 과목(cf. S level).

al·fal·fa [ælfǽlfə] *n.* 《美》 〖植〗 자주개자리(lucerne)《牧草》.

al·fres·co [ælfréskou] *a.*, *ad.* 야외의(에).

alg. algebra.

al·ga [ǽlgə] *n.* (*pl.* **-gae** [-dʒiː]) Ⓒ (보통 *pl.*) 해조(海藻). **al·gal** [-l] *a.* 해조의.

al·ge·bra [ǽldʒəbrə] *n.* Ⓤ 대수(학). **-ic** [æ̀ldʒəbréiik], **-i·cal** [-əl] *a.* 대수(학)상의. **-ist** [ǽldʒəbriist] *n.* 대수가.

al·go·rithm [ǽlgəriðəm] *n.* Ⓒ 〖數〗 연산(演算)법; 알고리즘. **-rith·mic** [>-ríðmik] *a.*

a·li·as [éiliəs] *n.*, *ad.* 별명(으로).

al·i·bi [ǽləbài] n. ⓒ 알리바이, 현장 부재 증명; 변명. **A-Ike** [aik] 《美俗》변명꾼. — vi. 《美口》변명하다.

al·ien [éiljən, -liən] a. 외국(인)의; 다른(from); 반대의, 조화되지 않는(to). — n. ⓒ 외국인. **~·able** a. 양도할 수 있는; 멀리할 수 있는. **~·ate** [-èit] vt. 멀리하다, 불화하게 하다(from); 양도하다. **~·a·tion** [-éiʃən] n. ⓤ 격리, 이간; 양도; 증여; 정신병. **~·ee** [-ì:] n. ⓒ 양도받는 사람(讓受人). **~·ist** n. ⓒ 정신병의(醫).

a·light [əláit] vi. (**~ed**, 《詩》 **alit**) 〔1〕 내리다; 하차(下車)하다, 착륙[착수]하다, (새가) 앉다(on). 〔2〕 우연히 만나다(on).

a·light ad., pred. a. 비치어, 빛나: 불타서.

a·lign [əláin] vt., vi. 일렬로 (나란히) 세우다[서다], 정렬[정돈]시키다 [되다]; 제휴시키다(with); 〔 〕 초점을 맞추다. **~·ment** n. ⓤ 정렬, 정돈; 〔土〕노선 설정; 제휴; 〔機〕줄맞춤.

a·like [əláik] pred. a., ad. (똑)같은, (똑)같아서, 같게. **~·ness** n.

alimentary canál n. 소화관.

al·i·mo·ny [ǽləmòuni/-məni] n. ⓤ (아내에의) 별거[이혼] 수당, (이혼후의) 부양[위자]료.

a·live [əláiv] pred. a. 살아서; 혈기 왕성하여; 활기를 띠어(with 로): (…에) 민감하여, (…을 잘) 감지하여(to); 현존의(the greatest painter ~ 현존 최고의 화가). **~ and kicking** 기운이 넘쳐. **Heart [Man] ~!** 어렵쇼!, 뭐라고! **keep ~** 살려 두다; (권리를) 소멸시키지 않고 두다. **Look ~!** = HURRY UP!

al·ka·li [ǽlkəlài] n. ⓤⓒ 알칼리. **~-line** -là[i] a. 《化》earth metals 알칼리 토류(土類) 금속.

al·ka·loid [ǽlkəlɔ̀id] n., a. ⓒ 알칼로이드(의).

all [ɔːl] a. 모든, 전부의; 전, 온(~ words and no thought 공허한 말). **~ the go** 《美》 대유행하여. **~ and that** 기타 여러 가지, …등) (and so on). **for** (with) **~** …에도 불구하고. **on ~ fours** 네 발로 기어; 꼭[잘] 맞아. — n.

(one's ~) 전부, 전소유물. **~ and sundry** 각기 모두(each and all). **~ in** 전부, 모두; 무어보다 소중한 것; 대체로. **~ of** 전부, 모두; 자기(《美》(~ of five hours 좋이 다섯 시간). **~ told** 전부(해서), 통틀어, 송두리째(head and ~ 머리째). **at ~?** 도대체 자네 그것을 알고 있나; 일단 …할 바에는(If you do it at ~, do it quick. 하는 바에는 빨리 해라. **be ~ one** 어떻든 전혀 같다(대함가지다); 아무래도 좋다(It's ~ one to me. 그건 나 어느 쪽이든 상관 없다). **in ~** 전부해서, 합쳐, **not at ~** 조금도 …않다. **That's ~.** 그것으로 전부다[끝이다]; (결국) 그게 전부다. — ad. 전혀; 《口》아주, 몹시; 《競》쌍방 …점(으로), 막(~ as the sun began to rise 막 해가 떠오를 때), …뿐(그뿐이지) 죽: 내내. **~ ALONG** of. **~ at once** 돌연, 갑자기. **~ but** 거의 (nearly). **~ in** 《美口》몹시 지쳐 (cf. all-in). **~ over** 온 몸에; 《美》도처에, 어디나; 아주 끝나; 《口》 아주(She is her mother ~ over. 그 어머니를 빼쏘았다). **~ right** 좋아; 무사하여(All right! 좋아; 《口語》어디 두고 보자). **~ the better** 도리어 좋게[좋은]. **~ the further** 《美俗》 한껏. **~ there** 《口》제정신으로(Are you ~ there? 자네 돌지 않았는가); 《俗》빈틈없이; 기민하여. **~ the same** 전혀 같은, 아무래도 좋은; (그래도) 역시, …그럼에도. **~ too** 너무나. **~ up** 《口》틀어먹, 가망이 없어, 글렀어. **~ very fine [well]** (비꼼) 무척 좋아.

al·lah [ǽlə] n. 알라(이슬람교의 신).

all-around a. = ALL-ROUND.

al·lay [əléi] vt. 가라앉히다(quiet), 누그러뜨리다.

áll cléar 공습 경보 해제 신호.

al·lege [əlédʒ] vt. 단언하다: 증거없이 주장하다. **~d** [-d] a. (증거 없이) 주장된; 추정[단정]된. **al·leg·ed·ly** [-idli] ad. 주장하는 바에 의하여, 주장대로. **al·le·ga·tion** [ǽligéiʃən] n. 확언, 주장: 진술: 변명.

A

대사. ～ **at large** 《美》 무임소 대
사, 특사. **-do·ri·al** [æmbæsɔ́dɔ̀:ri-
əl] *a.* ～**ship**[-ʃip] *n.* ⓒ 대사의 신
분[직, 자격], **-dress**[-dris] *n.* ⓒ
여자 대사(사절); 대사 부인.

am·ber [ǽmbər] *n., a.* ⓤ 호박(琥
珀); 호박색(의).

am·bi- [ǽmbi] *pref.* ‘양쪽, 둘레’
따위의 뜻.

am·bi·dex·trous [æ̀mbidékstrəs]
a. 양손잡이의; 교묘한; 두 마음을 품
은. ～**ly** *ad.* ～**ness** *n.*

am·bi·ence, -ance [ǽmbiəns]
n. ⓒ 환경; (장소의) 분위기.

am·bi·ent [ǽmbiənt] *a.* 주위의(를
둘러싸는.

am·bi·gu·i·ty [æ̀mbigjú:əti] *n.* ①
ⓤ 애매(모호)함. 다의(多義). ② ⓒ
애매한 말[표현].

am·big·u·ous [æmbígjuəs] *a.* 두
가지 뜻으로 해석할 수 있는(equiv-
ocal). 모호한, 불명료한, 모호한. ～
ness *n.* ～**ly** *ad.*

am·bit [ǽmbit] *n.* ⓒ (흔히 *pl.*) 주
위, 범위; 경계.

am·bi·tion [æmbíʃən] *n.* ⓤⓒ 야
심, 대망; ⓒ 야심의 대상.

am·bi·tious [æmbíʃəs] *a.* 야심적
인, 대망(大望)이 있는. ～**ly** *ad.*

am·biv·a·lence [æmbívələns] *n.*
ⓤ [心] 양면 가치(동일 대상에 대한
반대 감정 병존). **-lent** *a.*

am·ble [ǽmbəl] *n., vi.* (an ～) [馬
術] 측대(側對)질걸음(같은 쪽의 앞뒤골
한 쪽씩 동시에 들고 걷는 느린 걸음)
(으로 걷다); 완보(緩步)(하다).

am·bu·lance [ǽmbjuləns] *n.* ⓒ
상병자 운반차(선·기), 구급차; 야전
병원.

ámbulance chàser 《美口》 사고
의 피해자를 부추겨 소송을 제기하게
하여 돈벌이하는 변호사; 《一般》 악덕
변호사.

am·bush [ǽmbuʃ] *n.* ① ⓤ 매복,
잠복. ② ⓒ 매복 장소; 《집합적》 복
병. **fall into an** ～ 복병을 만나다.
lie [**wait**] **in** ～ 매복하다. — *vt.,*
vi. 매복하다.

a·me·lio·rate [əmí:ljərèit] *vt.* 개
선(개량)하다. — *vi.* 좋아(나아)지다.
-ra·ble [-rəbəl] *a.* **-ra·tion** [-∂-

réiʃən] *n.*

a·men [éimén, ɑ́:-] *int., n.* 아멘
(＝So be it! 그러할지어다); ⓤ 찬동
의, 찬동(*say* ～ *to* …에 찬성하다).

a·me·na·ble [əmí:nəbəl, əmén-]
a. 복종해야 할; (…을) 받아들이는,
(…에) 순종하는(*to*); (법률에) 따라야
할; (법률에) 맞는. **-bly** *ad.* **-bil·i·ty**
[-∂-bíləti] *n.* ⓤ 복종해야 함; 순종.

a·mend [əménd] *vt.* 고치다, 정정
[수정·개정]하다.

a·mend·ment[-mənt] *n.* ① ⓤⓒ
변경, 개정, 교정. ② ⓒ 수정안; (A-)
《미국 헌법의》 수정 조항.

a·mends [əméndz] *n. pl.* 《단·복수
취급》 배상, 벌충(*for*).

a·men·i·ty [əménəti, -mí:-] *n.* ①
ⓤ (인품의) 호감을 줌, 온순함; (*pl.*)
예의. ② ⓤ (환경·건물의) 아늑함,
쾌적. ③ (*pl.*) (가정의) 즐거움.

A·mer·i·can [-n] *a.* 미국(인)의; 아
메리카(인)의. — *n.* ⓒ 미국인; 미국
원주민; ⓤ 미어(美語).

A·mer·i·ca·na [əmèrəkǽnə, -kɑ́:-]
n. pl. 미국 문헌, 미국지(誌).

American English 미국 영어,
미어(美語)(cf. British English).

American Football 미식 축구.

American Indian 아메리카 인디
언(어).

A·mer·i·can·ism [əmérikənìzəm]
n. ⓒ 미국어(법); ⓤⓒ 미국풍(식);
ⓤ 미국 숭배.

A·mer·i·can·ize [əmérikənàiz]
vt., vi. 미국화(化)하다; 미국 물을 타
다. **-i·za·tion** [-∂-izéiʃən/-naiz-]
n. ⓤ 미국화.

am·e·thyst [ǽməθist] *n.* ⓤⓒ 자
석영(紫石英), 자수정.

a·mi·a·ble [éimiəbəl] *a.* 귀여운;
호감을 주는; 마음씨가 상냥한; 온후
한, **-bly** *ad.* **-bil·i·ty** [∂-bíləti]
n.

am·i·ca·ble [ǽmikəbəl] *a.* 우호적
인, 친화(평화)적인. **-bly** *ad.* **-bil·i·ty**
[-∂-bíləti] *n.*

am·ice [ǽmis] *n.* ⓒ [가톨릭] 개두
포(蓋頭布).

a·mid [əmíd] *prep.* …의 한가운데
에; 한창 …하는 중에.

a·mid·ship(s) [əmíd-] *ad.* 배의 중앙에(을

A

al·le·giance [əlí:dʒəns] *n.* ⓤⓒ
(군주·국가에의) 충성; 충실; 전념.

al·le·go·ry [ǽligɔ̀:ri/-gəri] *n.*
비유·ⓒ 우화, 비유담. **-gor·ic** [ǽli-
gɔ́:rik, -ɑ́-/-5-], **-gor·i·cal** [-əl]
a. 우화의, 우화적인.

al·le·gret·to [æ̀ligrétou] *a.* (It.)
[樂] 좀 빠르게(*allegro*와 *andante*
와의 중간).

al·le·gro [əléigrou] *ad., n.* (It.)
[樂] 빠르게; 좀 빠르게의 곡. — *n.* ⓒ
[樂] 빠르게, 좀 빠른 곡[악절].

al·le·lu·ia [ǽləlú:jə] *n., int.* ＝
HALLELUJAH.

al·ler·gen [ǽlərdʒən] *n.* ⓒ [醫]
알러겐(알레르기를 일으키는 물질).

al·ler·gen·ic [æ̀lərdʒénik] *a.* 안
레르기를 일으키는.

al·ler·gic [ələ́rdʒik] *a.* 알레르기
의; 《俗》 몹시 싫은(*to*).

al·ler·gy [ǽlərdʒi] *n.* ⓒ 알레르기
(체질); 《俗》 질색, 반감.

al·le·vi·ate [əlí:vièit] *vt.* 경감(완
화)하다. **-a·tion** [-∂-é-] *n.* **al·le-**
vi·a·tive [-∂-] *a.* ⓒ 완화하는 (것).

al·ley [ǽli] *n.* ⓒ (정원) 좁은 길; 뒷
길; 《英》 좁은 길; 샛길; 두렁길.

alley·way *n.* ⓒ 《美》 (도시의) (뒷
골목길; 좁은 통로.

all-fired *a., ad.* 《美俗》 무서운, 무
섭게; 굉장한.

al·li·ance [əláiəns] *n.* ① ⓒⓤ 동
맹, 결연; 인척 관계. ② ⓒⓤ 협력,
협조. ③ ⓒ 동맹국(자), 연합국. *the*
Holy A- [史] (1815년의) 신성 동맹.
in ～ *with* …와 연합[동맹]하여.

al·lied [əláid, ǽlaid] *a.* 동맹[연합]
한; 결탁(연합)의; 결연한; (동·식물 등)
동류의, *the A-Forces* 연합군.

Al·lies [əláiz, əláiz] *n.* (the ～)
(1·2차 대전의) 연합국; NATO 가맹
국.

al·li·ga·tor [ǽligèitər] *n.* ① ⓒ
(미국·중국산의) 악어; ⓤ 악어 가
죽. ② ⓤ 악어 입처럼 생긴 맞물리는
각종 기계.

all-im·por·tant *a.* 극히 중요한.

all-in *a.* 《주로 英》 모든 것을 포함
한; 《英口》 기진맥진하여, 무일푼이
되어; [레슬링] 자유형의.

all-inclúsive *a.* 모든 것을 포함한,
포괄적인.

all-in wréstling 자유형 레슬링.

al·lit·er·a·tion [əlìtəréiʃən] *n.* ⓤ
두운(頭韻)(법). **-ate** [əlítərèit] *vi.,*
vt. 두운이 맞다; 두운을 맞추다. **al-**
lit·er·a·tive *a.*

áll-níght *a.* 철야(영업)의.

al·lo·cate [ǽləkèit] *vt.* 할당하다,
배분하다; 배치하다; [컴] 배정하다.
-ca·tor *n.* **-ca·tion** [-∂-kéiʃən] *n.*
ⓤ 배정.

all-or-nóthing *a.* 《口》 절대적인,
타협의 여지가 없는, 전부가 아니면
아예 포기하는.

al·lot [əlát/-5-] *vt.* (*-tt-*) 분배하
다; 할당하다(*to*); 충당하다(*for*).
— *vi.* 《美》 기대하다, 믿다; 생각하
다, (…할) 작정이다(*upon doing*).
-ment *n.* ⓤ 분배; 할당; ⓒ 배
당, 몫.

all-óut *a.* 《美口》 전력을 다한; 전면
적인.

all-óver *a., n.* (무늬 따위가) 전면
에 걸친; ⓤ 전면 무늬의 (천).

al·low [əláu] *vt.* ① 허(용)하다, 주
다(학비·수당을) 주다. ③ 인정하다; 참
작하다, ④ 빼다(액수), 할인하다. ⑤
《美口》 말하다; …라고 여기다. ⑥ (재
해 따위) 일어나게 내버려 두다. — ～
for …을 고려하다. ～ *of* …을 허용
하다, …의 여지가 있다. ～*a·ble* *a.* 허
용[인정]할 수 있는. ～*a·bly* *ad.*

al·low·ance [əláuəns] *n.* ① ⓒ
수당, 지급하는 돈. ② ⓒ 공제, 할
인. ③ ⓤ 승인, 용인. ④ ⓤ (종종
pl.) 참작, 작량. *make* ～(*s*) 참작
하다(*for*).

al·loy [ǽlɔi, əlɔ́i] *n.* ⓤⓒ 합금;
(합금에 쓰는) 비(卑)금속; 섞음질[하
(금·은의) 품위. — [əlɔ́i] *vt., vi.* 합금하다; 섞음질하
다. 품질을 떨어뜨리다.

all-pówerful *a.* 최강의, 전능(全
능)의.

all-púrpose *a.* 무엇에든 쓸 수 있
는, 만능의; 융통성 있는.

all-róund *a.* 다방면에 걸친, 전반,
만능의; 융통성 있는.

all-róunder *n.* ⓒ 만능인 사람, 만
능 선수; 《俗》 양성[하다.

all-stár *a.* 《美》 인기 배우 총출연

A

의; (팀이) 일류 선수로 짜인. — *n.* ⓒ 선발 팀 선수.

áll-tíme *a.* 전시간(근무)의(full-time); 공전의, 기록적인. *an ~ high* (low) 최고(최저) 기록.

al·lude [əlú:d] *vi.* 넌지시 비추다. … 에 관해 말하다(to) (cf. allusion).

al·lure [əlúər] *vt.* 꾀다; 낚다; 부추기다(tempt) (to, into); 매혹하다 (charm). — *n.*ⓤ 매력. **~ment** *n.* áll·ur·ing [əlúəriŋ] *a.*

al·lu·sion [əlú:ʒən] *n.* ⓤⓒ 변죽 울림, 암시; 약간의 언급; [修] 인유 (引喩). **-sive** [-siv] *a.*

al·lu·vi·al [əlú:viəl] *a.* 충적(沖積) (기)의. **-vi·um** [-viəm] *n.* ⓤⓒ 충적층(土).

al·ly [əlái] *vt., vi.* 동맹[연합]하다; 결연하다, 맺다. *be allied with* (to) …와 동맹하고[관련이] 있다; …와 친척이다. — [ǽlai] *n.* ⓒ 동맹자[국]; 원조자; 동료[동물·식물].

Al·ma Ma·ter, a- m- [ǽlmə mάːtər, -méi-] (L. = fostering mother) 모교.

al·ma·nac [ɔ́:lmənæk, ǽl-] *n.* ⓒ 달력, 책력; 연감.

al·might·y [ɔ:lmáiti] *a., ad.* 전능한; [美口] 대단한[히]. *the A-* 전능자, 신.

al·mond [άːmənd, ǽm-] *n.* ⓒⓤ 편도(扁桃), 아몬드; ⓒ 그 나무.

al·mon·er [ǽlmənər, άːm-] *n.* ⓒ (왕가·수도원 등의) 구휼품(救恤品) 분배관.

al·most [ɔ́:lmoust, *＂－＂*] *ad.* 거의.

alms [ɑːmz] *n. sing. & pl.* 보시(布施), 베풀어 주는 물건.

álms·hòuse *n.* ⓒ [英] 공립 구빈원; [英] 사립 구빈원(양로)원.

al·oe [ǽlou] *n.* ① ⓒ [植] 알로에, 노회(蘆薈). ② (pl.) (단수 취급) 침향(沈香); 노회습(하제). ③ [植] 용설(century plant).

a·loft [əlɔ́:ft/əlɔ́ft] *ad.* 높이, 위 (쪽)에, 위로; 돛대 꼭대기에. *go ~* 천국에 가다; 죽다.

a·lone [əlóun] *pred. a., ad.* (실제로 또는 감정적으로) 홀로, 혼자; 다만 …뿐[만]. *leave ~* 내버

려 두다. *let ~* …은 말할 것도 없고; = LEAVE¹ ~.

a·long [əlɔ́ːŋ/əlɔ́ŋ] *prep.* …을 따라 [끼리], — *ad.* 앞으로, 거침없이; 함께; (동반자로) 데리고. ALL(ad.) ~. *(all) ~ of* [美方] …의 탓으로. ~ *with* …와 함께[더불어]. *be ~* [美口] 다른 사람을 뒤따라 미치다. GET RIGHT (ad.) ~.

a·long·side [-sáid] *ad., prep.* (… 의) 곁[옆]에; (…에) 옆으로 대어; (…와) 나란히[의](of).

a·loof [əlúːf] *ad.* 멀어져서. *keep* (stand, hold) ~ (…에서) 떨어져 있다, (…에) 초연하고 있다(from). — *pred. a.* 초연한, 무관심의. ~**·ly** *ad.* ~**·ness** *n.*

a·loud [əláud] *ad.* 소리를 내어; 큰 소리로; [口] 똑똑히. THINK ~.

al·pa·ca [ælpǽkə] *n.* ⓒ [動] 알파카; ⓤ 그 털[천].

al·pha [ǽlfə] *n.* ⓤⓒ 그리스 자모의 첫째 글자(Α, α; 영어의 A, a에 해당), ~ **and omega** 처음과 끝, 전부.

ál·pha·bet [ǽlfəbèt/-bit] *n.* ⓒ 알파벳(the ~) 초보; [집] 영문자. **：·ic** [－bétik], **·i·cal** [－əl] *a.* **·ize** [-bətàiz] *vt.* 알파벳순으로 하다; 알파벳으로 표기하다.

al·pha·nu·mer·ic [ǽlfənjuːmérik] *a.* [컴] 영숫자의, 알파벳 등의 문자와 숫자로 된, 문자·숫자 양용의.

álpha pàrticle [理] 알파 입자(粒子).

Al·pine [ǽlpain, -pin] *a.* 알프스의; (a-) 고산의(~ flora 고산 식물); 대단히 높은. **al·pin·ist** [ǽlpənist] *n.* ⓒ 등산가.

al·read·y [ɔːlrédi] *ad.* 이미, 벌써; [美俗] 곧(Let's go ~! 어서 가자).

al·right [ɔːlráit] *ad., a.* [俗] = ALL right.

Al·sa·tian [ælséiʃən] *a.* Alsace(사람)의. — *n.* ⓒ Alsace 사람; 독일 셰퍼드.

al·so [ɔ́:lsou] *ad.* …도 또한, 역시 (too); 그 외에.

ál·so-ràn *n.* ⓒ (경마에서) 등외(等外)말; 낙선자; 실패자, 범재(凡才).

al·tar [ɔ́:ltər] *n.* ⓒ 제단(祭壇).

A

lead (her) *to the ~* 아내로 삼다.

al·ter [ɔ́:ltər] *vt., vi.* 바꾸다; 바뀌다; [美口] 거세하다. ~**·a·ble** [-əbl] *a.* 변경할 수 있는. *＊*~**·a·tion** [－éiʃən] *n.* ⓤⓒ 변경. ~**·a·tive** [-èitiv, -rət-] *a.* 변화를 [변질을] 하는.

al·ter·cate [ɔ́:ltərkèit] *vi.* 언쟁[말다툼]하다(with). **-ca·tion** [－ʃən] *n.* 말다툼(과 (他者)); 친구.

al·ter e·go [ɔ́:ltər í:gou, ǽl-] (L.) 또 하나의 나; 분신; 둘도 없는 친구.

al·ter·nate [ɔ́:ltərnit, ǽl-] *a.* 번갈아서의; [植] 호생(互生)의. *on ~ days* 하루 걸러. — *n.* ⓒ 교체; [美] 대리(위원); 교체원; [컴] 교체, — [-nèit] *vt., vi.* 번갈아 하다[되다], 교체하다(with); [電] 교류(交流)하다. ~**·ly** *ad.*

al·ter·na·tion [ɔ̀:ltərnéiʃən] *n.* ⓤⓒ 교호(交互), 번갈음. ~ *of genera·tions* [生] 세대 교번(交番).

al·ter·na·tive [ɔːltɝːnətiv] *a.* 어느 한 쪽의, 둘(이상) 중 하나를 택해야 할; 다른, 별개의(관청 용어). — *n.* ⓒ 양자 택일; 어느 한 쪽; 다른 수단, 달리 택할 길[방도]. ~**·ly** *ad.* 양자 택일로, 대신으로; 혹은, 또는.

altérnative médicine 대체 의학 (침구술 같이 서양 의학에 들지 않는 것).

al·ter·na·tor [ɔ́:ltərnèitər] *n.* ⓒ 교류 발전기.

al·though [ɔːlðóu] *conj.* = THOUGH. [美] *al·tho* [ɔːlðóu]

al·tim·e·ter [æltímitər/ǽltimìːtər] *n.* ⓒ 고도 측량기; [空] 고도계.

al·ti·tude [ǽltitjùːd] *n.* ① ⓤ 높이, 고도; 표고, 해발. ② ⓒ (보통 *pl.*) 높은 곳.

al·to [ǽltou] *n.* (*pl.* ~**s**) (It.) [樂] ⓤ 알토; ⓒ 알토 가수.

al·to·geth·er [ɔ̀:ltəgéðər] *ad.* 아주, 전혀; 전부해서; 대체로, — *n.* ⓤ 전체(적 효과). *the ~* [口] 알몸.

al·tru·ism [ǽltruːizəm], ⓤ 애타주의. **-ist** *n.* **-is·tic** [－ístik] *n.* **-ís·ti·cal·ly** *ad.*

a·lu·mi·num [əlúːmənəm] *n.* [英] *a·lu·min·i·um* [ǽljumíniəm] *n.* ⓤ 알루미늄.

a·lum·nus [əlʌ́mnəs] *n.* (*pl.* **-ni**

[-nai]) *fem.* **-na** [-nə], *pl.* **-nae** [-niː]) ⓒ [美] 졸업생; 교우(an *alumni association* 동창회); [口] (운동 팀의) 구멤버; [蔑] 학생; 생도.

al·ve·o·lar [ælvíːələr] *a.* 페포(肺胞)의; [音聲] 치조(齒槽)의. — *n.* ⓒ 치조음(齒槽音)(t, d, n, l, s, z, ʃ, 3, r). **-late** [-lit, -lèit] *a.* 벌집 모양의, 작은 구멍이[기포가] 있는.

al·ways [ɔ́:lwiz, -weiz, -wəz] *ad.* 언제나, 늘, *not ~* 반드시 … 한 것은 아니다.

Álz·hei·mer's dísease [άːltshàimərz, ǽl-, ɔːlː] 알츠하이머병 (노인에게 일어나는 치매; 뇌동맥 경화증·신경의 퇴화를 수반함).

AM amplitude modulation(cf. FM).

am [強 æm, 弱 əm] *v.* be의 1인칭·단수·직설법 현재.

A.M. *Artium Magister* (L. = Master of Arts).

A.M., a.m. *ante meridiem* (L. = before noon).

a·mal·gam [əmǽlgəm] *n.* ① ⓤⓒ 아말감(수은과 딴 금속의 합금). ② ⓒ 혼합물.

a·mal·ga·mate [əmǽlgəmèit] *vt., vi.* 수은과 섞다, 아말감으로 하다; 합동[합병]하다. **-gam·a·tion** [－－méiʃən] *n.* ⓤⓒ 아말감화(化); [人類] 이인종(異人種)의 융합; [美] 흑인과 백인의 혼혈.

a·mass [əmǽs] *vt.* 쌓다; 모으다; 저축하다. ~**·ment** *n.* ⓤⓒ 축적, 축재.

am·a·teur [ǽmətʃùər, -tʃər, -tər, ǽmətɔ̀ːr] *n., a.* ⓒ 아마추어(의), 비직업적(인); 취미의, 애미의. ~**·ish(·ly)** [ǽmətʃúəri(li), -tjfə-, -tʃər-] *a.* (*ad.*). ~**·ism** [-izəm] *n.* ⓤ 아마추어 재주, 서투름.

a·maze [əméiz] *vt.* 놀래다, 깜짝 놀라게 하다; 경이감을 품게 하다. *be ~d* 깜짝 놀라다. — *n.* [詩] = AMAZEMENT. **a·máz·ed·ly** [-idli] *ad.* 기급을 하여. ~**·ment** *n.* ⓤ 놀람, 소스라침; [廢] 아연함. **a·máz·ing**(**·ly**) *a.* (*ad.*).

am·bas·sa·dor [æmbǽsədər] *n.* ⓒ 대사; 사절. ~ *extraordinary* (*and plenipotentiary*) 특명 (전권)

향해].

a·midst [əmídst] *prep.* = AMID.

amíno ácid [化] 아미노산.

a·miss [əmís] *ad.* 빗나가서, 어긋나서, 형편 사납게; 잘못되어; 탈이 나서 *come* ~ 달갑지 않게[신통치 않게] 되다. *do* ~ 그르치다, 죄를 범하다. *go* ~ (일이) 잘 안 돼 가다, 어긋나다. *not* ~ 나쁘지 않은, 괜찮은 *take* (*it*) ~ 나쁘게 해석하다; 기분을 상하다. — *a.* 빗나간, 어긋난; 틀린.

am·i·ty [ǽməti] *n.* [U.C] 친목, 친화, 친선.

am·mo [ǽmou] *n.* [U]《俗》= AMMUNITION.

am·mo·nia [əmóunjə, -niə] *n.* [U] [化] 암모니아.

am·mu·ni·tion [æmjuníʃən] *n.*, *a.* [U] 탄약; 군수품;《俗》군용의. ~ *belt* 탄띠. ~ *boots* 군화. ~ *bread* 군용빵. ~ *box* (*chest*) 탄약 상자. ~ *industry* 군수 산업.

am·ne·sia [æmníːʒə] *n.* [U] [醫] 건망증.

am·nes·ty [ǽmnəsti] *n.*, *vt.* [法] 대사(大赦), 특사(하다).

am·ni·o·cen·te·sis [ǽmniousentíːsəs] *n.* (*pl.* -*ses* [-siːz]) [醫] 양수천자(羊水穿刺)(태아의 성별·염색체 이상을 진단함).

a·moe·ba [əmíːbə] *n.* (*pl.* ~*s*, -*bae* [-biː]) 아메바. -*bic* [-bik] *a.* 아메바의[같은], 아메바성의. -*boid* [-bɔid] *a.* 아메바 비슷한.

a·mok [əmʌ́k, -ɑ́-/-ɔ́-] *n.* [U] (말레이 지방의) 광폭병(狂暴病). — *ad.* = AMUCK.

a·mong(st) [əmʌ́ŋ(st)] *prep.* ~의 가운데[속]에, …의 사이에; 중에서는(cf. *between*). ~ *others* [*other things*] (그 중에서도) 특히. ~ *the REST from* ~ …의 중에서, …속으로부터.

a·mor·al [eimɔ́ːrəl, æm-/-mɔ́r-] *a.* 초(超)도덕적, 도덕과 관계 없는 (nonmoral) (cf. *immoral*).

am·o·rous [ǽmərəs] *a.* 호색의; 연애의; 연애를[사랑을] 하고 있는; 사랑을 표시하는, 요염한. -*ly ad.*

a·mor·phous [əmɔ́ːrfəs] *a.* 무형

의; 비결정(질)의; 무조직의. ~ *sentence* [文] 무형문(無形文).

am·or·ti·za·tion [æmɔ́rtəzéiʃən] *n.* [U] [經] (감채 기금에 의한) 할부 변제(금); [法] (부동산의) 양도.

am·or·tize [ǽmərtàiz, əmɔ́r-] *vt.* (감채 기금으로) 법정(상환)하다;《古 英法》(부동산을) 법인에게 양도하다.

a·mount [əmáunt] *vi.* 총계 …이 되다(*to*); 결국 …이 되다, (…과) 같다, 한가지다; (어느 상태에) 이르다. — *n.* (the ~) 합계, 총액(sum total); (an ~) 양(量); 결국, 원리 합계. *in* ~ 총계; 결국, 요컨대. *to the* ~ *of* ~ …까지 (이르는); …정도나 되는.

a·mour [əmúər] *n.* [C] 연애; 정사 (情事).

a·mour-pro·pre [əmúərprɔ́ːpr/ǽmuərprɔ̀pr] *n.* (F.) 자존심, 자부심.

am·pere [ǽmpiər/-∠] *n.* [電] 암페어.

am·per·sand [ǽmpərsænd] *n.* [C] '&'(= and)(의 명칭).

am·phet·a·mine [æmfétəmìːn] *n.* [藥] 암페타민(중추 신경통을 자극하는 각성제).《장 암페타민 염약.

am·phi- [-æmfi, -fə] *pref.* 양(兩)…, 두 가지; 원형, 주위의 뜻.

Am·phib·i·a [æmfíbiə] *n. pl.* [動] 양서류.

am·phib·i·an [æmfíbiən] *n.* [C] 양서류의 동물; 수륙 양서(兩棲)의 (식물); 수륙 양용의 (뱅크·비행기). — *a.* 수륙 양서[양용]의; 두 가지 성질을 가진.

am·phi·the·a·ter,《英》-**tre** *n.* [C] (고대 로마의) 원형 극장, 투기장(cf. Colosseum); (근대 극장의) 계단식 관람석 (수술 실습용) 계실.

am·ple [ǽmpl] *a.* ① 넓은, 광대한 ② 풍부한; 충분한. —·*ness n.*

am·pli·fi·er [ǽmpləfàiər] *n.* [C] 확대하는 물건[사람]; 확대경; [電·컴] 증폭기, 앰프.

am·pli·fy [ǽmpləfài] *vt.*, *vi.* …을 넓게 하다, 넓어지다, 확대하다; (학설을) 부연하다. -**fi·ca·tion** [ə-fikéiʃən] *n.*

am·pli·tude [ǽmplitjùːd] *n.* [U]

A

am·ply [ǽmpli] *ad.* 충분히; 널리.

am·poule [ǽmpuːl] **,** **-pule** [-pjuːl] *n.* (F.) 앰풀《1회분의 주사약을 넣은》.

am·pu·tate [ǽmpjuteit] *vt.* (…을) 절단하다.

am·pu·ta·tion [æ̀mpjutéiʃən] *n.* ⓊⒸ자름, 절단(수술). **-pu·tee** [-tíː] *n.* ⓒ 절단 환자.

a·muck [əmʌ́k] *ad.* 미친 듯이 날뛰어. **run ~** 함부로 날뛰다《설치다》.

am·u·let [ǽmjulit] *n.* ⓒ 부적.

a·muse [əmjúːz] *vt.* 즐겁게《재미있게》하다; 위안하다. **~ oneself** 즐기다, 놀다(*by, with*). **be ~d** (…을) 재미있어 하다, 즐기다(*at, by, with*). **~d** *a.* 즐기는, 흥겨운. **~·ment** *n.* Ⓤ 즐거움, 위안, 오락(~**·ment center** 환락가 / ~**ment park** 유원지 / ~**ment tax** 유흥세). **:a·mús·ing** *a.* 재미있는, 우스운.

¹an [강 æn, 弱 ən] *indef. art.* ⇨a².

a·nach·ro·nism [ənǽkrənizəm] *n.* ⓊⒸ 시대착오(적인 것). **-nis·tic** [-̀-nístik]

an·a·con·da [æ̀nəkándə/-5-] *n.* ⓒ 【動】 (남아메리카의) 아나콘다 뱀;《一般》큰 뱀(boa, python 따위).

a·nae·mi·a, -mic = ANEMIA, ANEMIC.

an·aer·obe [ǽneəroub] *n.* ⓒ 혐기성(嫌氣性) 생물《박테리아 따위》. **-o·bic** [-̀-óubik] *a.* [ſIA, &c.]

an·aes·the·sia, &c. = ANESTHE-

an·a·gram [ǽnəgræm] *n.* ⓒ 글자 바꿈 수수께끼《'time을 바꿔 써서 'emit' 'mite'로 하는 따위》; (*pl.*) 《단수 취급》 글자 바꿈 수수께끼 놀이.

a·nal [éinəl] (< anus) *a.* 항문(肛門)의, 항문 부근의.

an·al·ge·sia [æ̀nəldʒíːziə] *n.* Ⓤ 【醫】 무통각증. **-sic** [-zik, -dʒésik] *a., n.* 진통의《제》; ⓊⒸ 진통제.

an·a·log [ǽnəlɔːg, -làg/-lɔ̀g] *n.* = ANALOGUE. — *a.* 상사형(相似型)의, 연속형의, 아날로그의.

a·nal·o·gous [ənǽləgəs] *a.* 유사한, 상사의. **~·ly** *ad.*

an·a·logue [ǽnəlɔːg, -làg/-lɔ̀g] *n.* ⓒ 유사물; 【生】 상사기관; 【컴】 연속형, 아날로그.

a·nal·o·gy [ənǽlədʒi] *n.* ⓒ 유사; Ⓤ 유추(*false* ~ 그릇된 유추 / *forced* ~ 억지로 갖다 붙임, 견강부회 / 【生】(기관·기능 따위의) 상사(相似). **on the ~ of** …로 유추하여《미루어》.

an·a·lyse [ǽnəlaiz] *v.*《英》= AN-ALYZE.

a·nal·y·sis [ənǽləsis] *n.* (*pl.* **-ses** [-siːz]) ⓊⒸ ① 분해(opp. synthesis); 분석. ② 해석(解析)(학). ③ 【컴·文】분석. *in* [on] *the last* (*final*) ~, or *on* ~ 요컨대, 결국.

an·a·lyst [ǽnəlist] *n.* ⓒ ① 분해자; 분석자, 해석학자. ② 정신 분석학자. ③ 경제[정치] 분석가. ④ 【컴】분석가, 시스템 분석가.

an·a·lyt·ic [æ̀nəlítik], **-i·cal** [-əl] *a.* 분해[분석·해석]의; 【論】 분석적인.

an·a·lyze 《英》**-lyse** [ǽnəlaiz] *vt.* 분석[분해·해석]하다; 〔문장을〕 분석하다. **·lyz·(s)·er** [-ər] *n.* ⓒ 분석하는 사람[물건].

an·ar·chism [ǽnərkizəm] *n.* Ⓤ 무정부주의(의 상태). 무질서; 테러 행위. **-chist** *n.* ⓒ 무정부주의자(의).

an·ar·chy [ǽnərki] *n.* Ⓤ 무정부(상태), (사회의) 무질서, 혼란; 무질서론. **-chic** [ænɑ́ːrkik], **-chi·cal** [-əl] *a.*

a·nath·e·ma [ənǽθəmə] *n.* ⓊⒸ 파문; Ⓒ 저주; 저주받은 물건[사람].

a·nat·o·my [ənǽtəmi] *n.* Ⓤ 해부(술·학); ⓒ 분석; (동·식물의) 구조.

an·a·tom·ic [æ̀nətámik/-5-], **-i·cal** [-əl] *a.* 해부(학)상의. **-mize** [-maiz] *vt.* 해부[분석]하다.

an·ces·tor [ǽnsestər, -səs-] *n.* (*fem.* **-tress**) 조상. **·tral** [ænséstrəl] *a.* 조상(선조)(전래)의. **·try** [-tri] *n.* Ⓤ《집합적》 조상; 집안; 가계(lineage).

an·chor [ǽnkər] *n.* ⓒ ① 닻. ② (의지가) 되는 것; (릴레이의) 최종 주자(走者). *at* ~ 정박중의. *cast* (*drop*) ~ 닻을 내리다. *drag* ~ 표류하다. *weight* ~ 닻을 올리다, 출범하다.

A

— *vt., vi.* (…에) 닻을 내리다. 정박하다. ~을 걸다. ~ **one's hope in [on]** …에 희망을 걸다. *~-age* [-idʒ] *n.* Ⓤⓒ 닻을 내림; 정박(지・세).

an·cho·rite [ǽŋkəràit] *n.* ⓒ 은자(隱者)(hermit), 속세를 떠난 사람(recluse).

ánchor·màn *n.* ⓒ ① 중심 인물: 최종 주자. ② (*fem.* **-woman**) (방송의) 앵커맨.

an·cho·vy [ǽntʃouvi, -tʃə-] *n.* ⓒ [魚] 안초비(지중해산 멸치류). ~ **paste** 안초비를 풀어넣은 젓갈 식품.

an·cient [éinʃənt] *a.* 고대의, 옛날의; 고래(古來)의; 늙은(very old) (*The A- Mariner* 노(老)선원 《Coleridge 작의 시의 제목》); 구식의; 낡은. — *n.* ⓒ 고전 작가; 노인. **the ~s** 고대인(그리스・로마 사람 등). **the A- of Days** [聖] 옛적부터 항상 계신 이(하느님). **~·ly** *ad.* 옛날에.

an·cil·lar·y [ǽnsəlèri/ænsíləri] *a.* 보조의.

and [强 ænd, 弱 ənd, nd] *conj.* ① 그리고, 및, 또한; 그러자. ② (명령 문 뒤에서) 그러면. *and/or* = *and or or* (*newspapers and/or mag-azines* 신문 및(또는) 잡지). ~ ALL (*n.*) …을 포함하여. ~ *all that*, or ~ *so on* (*forth*), or ~ *what not* …따위, …등등. ~ *that* 더욱기, 게다가. ~ *yet* 그럼에도 불구하고. *try ~* 해보다(*Try ~ do it.* 해 봐라).

an·dan·te [ændǽnti] *a., ad.* (It.) [樂] 안단테《보통 빠르기》의[로]; ⓒ 안단테의 곡.

an·dan·ti·no [ændæntíːnou] *a., ad., n.* (It.) [樂] 안단티노《안단테보다 다 좀 빠른 속도의》[로]; ⓒ 그런 곡.

an·drog·y·nous [ændrɑ́dʒənəs/-5-] *a.* [植] 자웅화(雌雄花) 동체(同體)의; 남녀추니의; 양성(兩性)의.

an·droid [ǽndrɔid] *n.* (SF에서) 인간 모양의 로봇.

an·ec·dote [ǽnikdòut] *n.* ⓒ 일화(逸話); 기담(奇譚). *-do·tal* [-dóutl, ⏐─⏐] *a.* *-dot·ic* [-dɑ́tik/-5-]. *-i·cal* [-əl] *a.*

a·ne·mi·a [əníːmiə] *n.* Ⓤ 빈혈증. *-mic* [-mik] *a.*

a·nem·o·ne [ənéməni] *n.* ⓒ [植] 아네모네. [動] 말미잘(sea ~).

an·es·the·sia [ænəsθíːʒə, -ziə] *n.* Ⓤ 마취, *general* 전신마취. [國心] 마취. *-thet·ic* [-θétik] *a., n.* 마취의(를 일으키는); Ⓤⓒ 마취제. *-the·tist* [ənésθətist/əní:s-] *n.* ⓒ (수술할 때의) 마취사. *-the·tize* [-tàiz] *vt.* 마취시키다.

a·new [ənjúː] *ad.* 다시, 재차; 새로이.

an·gel [éindʒəl] *n.* ⓒ ① 천사(같은 사람). ② 영국의 옛금화. ③ 美俗 (배우・극장 등의) 재정적 후원자. (*'s visit* 귀한 손님; 좀처럼 없는 일. *evil (fallen)* ~ 악마.

an·gel·ic [ændʒélik], **-i·cal** [-əl] *a.* 천사의(같은).

an·gel·i·ca [ændʒélikə] *n.* Ⓤⓒ 안젤리카《멧두릅속의 식물; 요리・약 용》; 그 줄기의 설탕절임; (안젤리카로 맛을 낸) 일종의 리큐르술.

an·ger [ǽŋɡər] *n., vt.* Ⓤ 노염, 성, 화(나게 하다). ~ *be~ed by [at]* …에 화내다. *in* ~ 노하여, 성내어.

an·gi·na [ændʒáinə] *n.* Ⓤ [醫] 인 후통, 앙기나.

an·gle[1] [ǽŋɡl] *n.* ⓒ ① 모(角)이. ② 각(도). ③ 관점, 견지. ~ *of depression (elevation)* [數] 내려본(올려본)각. — *vt., vi.* (각지게) 구부리다; 각을 이루다; 굽다; (보도 를) 왜곡하다.

an·gle[2] *vi.* 낚시질하다; 낚다(~ *for trout*); (교묘히) 끌어내다(~ *for an invitation to a party* 파티에 초청되도록 획책하다). *~'án·gler n.* ⓒ 낚시꾼; [魚] 아귀.

An·gli·can [ǽŋɡlikən] *a.* 영국 교회의, 영국 성공회의; 美 잉글랜드 의. — *n.* ⓒ 영국 교회교도. *~·ism* [-ìzəm] *n.* Ⓤ 영국 국교; (특히) 영 국교회(高敎會)(High Church)파주의.

An·gli·cize, -cise [-sàiz] *vt., vi.* 영국[영어]화하다.

an·gling [ǽŋɡliŋ] *n.* Ⓤ 낚시질.

An·glo- [ǽŋɡlou] '영국(의), 영국 및'의 뜻의 결합사.

Ánglo-Américan *a., n.* 영미(英美)의; ⓒ 영국계 미국인(의).

A

Ánglo-Cathólicism n. ⓤ 영국
국교회 가톨릭주의.

An·glo·phile[ǽŋgləfàil], **-phil**
[-fil] n. ⓒ 친영(親英)파 사람.

An·glo·phobe[-fòub] n. ⓒ 영국
을 싫어하는 사람, 반영(反英)주의자.
-pho·bi·a[∼-fóubiə, -bjə] n. ⓤ
영국 혐오; 공영(恐英) 사상.

an·glo·phone[ǽŋgləfòun] a., n.
ⓒ 영어 상용(의)(자)(영어 외에도 공용
어가 되는 나라에서).

Ánglo-Sáxon n. (the ∼s) 앵글로
색슨 민족; ⓤ 앵글로색슨어. ─ a.
앵글로색슨의.

an·go·ra[æŋgɔ́:rə] n. ⓒ 앙고라 고
양이(염소·토끼). **⑧ẽ**ngoura⑧ =
ANKARA.

an·gry[ǽŋgri] a. ① 성난, 성나 있
는(at, with). ② 몹시 쑤시는; ③
(색깔 등이) 강렬한, 타는 듯한. **get**
∼ 성내다. **an ∼ young man** 반체
제의 젊은이. **án·gri·ly** ad.

angst[ɑːŋkst] n. (G.) 불안, 염
세.

an·guish[ǽŋgwiʃ] n. ⓤ 격통, 고
뇌. **in** ∼ 괴로와서, 괴로운 나머지.
∼ed[-t] a. 고뇌에 찬.

an·gu·lar[ǽŋgjələr] a. 각이 있는,
모난; (사람이) 말라빠진; (태도가)
무뚝뚝한. **∼·i·ty**[∼lǽrəti] n. ⓤ
모난, 모짐; 무뚝뚝함.

an·i·mal[ǽnəməl] n. ⓒ 동물; (俗)
짐승; 금수(brute). ─ a. 동물의;
육체(감각)적인. **∼·ism**[-izəm] n.
ⓤ 동물적 생활; 수성(獸性), 수욕(獸
欲); 인간 수성설. **∼·i·ty**[ænəmǽl-
əti] n. ⓤ동물성, 수성.

ánimal húsbandry 축산(업).

ánimal mágnetism 최면력; 성적
매력.

an·i·mate[ǽnəmèit] vt. 살리다,
생명을 주다; 활기(생기)띠게 하다;
격려하다. ─[-mit] a. 산, 활기(생
기) 있는(∼ nature 생물). **an·i-
mat·ed**[-id] a. 기운찬, 시끌시끌
한; 살아 있는. ∼d **cartóons (films)** 만
화 영화. ** an·i·ma·tion**[ǽnəméiʃən] n.
생기, 활기; 만화 영화 제작; [컴]
음직물, 애니메이션. **with** ∼
활발히, 힘차게.

an·i·ma·tor[ǽnəmèitər] n. ⓒ 생
기를 주는 것; [映] 만화 영화 제작자.

an·i·mos·i·ty[ǽnəmάsəti/-mɔ́s-] n.
ⓤⓒ 격심한 증오(적의)(against,
toward).

an·i·mus[ǽnəməs] n. ⓤ 의도; 적
의.

an·ise[ǽnis] n. ⓒ [植] 아니스(지
중해 지방의 약초); =∼.

an·i·seed[ǽnəsìːd] n. ⓤ anise의
열매(향료).

An·ka·ra[ǽŋkərə] n. 터키의 수도.

an·kle[ǽŋkl] n. ⓒ 발목.

an·klet[ǽŋklit] n. ⓒ (보통 pl.) 발
목 장식, (여자용의) 짧은 양말, 속스.

an·nals[ǽnlz] n. pl. 연대기; 연
보; 연감; (때로 sing.) (학회 따위
의) 기록, 역사.

an·nex[ənéks] vt. 부가[추가]하다
(to); (영토 따위를) 병합하다; 착복
하다(The city ∼ed those villages.
시는 그 마을들을 병합했다). ─
[ǽneks] n. ⓒ 추가물, 부록; 증축
(增築)(an ∼ to a hotel 호텔의 별
관). **∼·a·tion**[ǽnekséiʃən] n. ⓤ
병합; ⓒ 부가물, 병합지.

an·nexe[ǽneks] n. (英) = ANNEX.

an·ni·hi·late[ənáiəlèit] vt. 전멸
(근절)시키다; [理] (입자를) 소멸 시
키다; (야심 따위를) 꺾다; 좌절시키
다; 무력하게 하다. **∼·la·tion**[∼-léi-
ʃən] n. ⓤ 전멸.

an·ni·ver·sa·ry[ænəvə́:rsəri] n.,
a. ⓒ 기념일, 축전; 예년의; 기념일
의.

an·no·tate[ǽnətèit] vt., vi. 주석
(註釋)하다. **-ta·tor** n. ⓒ 주석자.
-ta·tion[ǽnətéiʃən] n. ⓒ 주석,
주해.

an·nounce[ənáuns] vt. 발표하다;
고지(告知)하다; 알리다; (…이) 왔음
을 알리다. **∼·ment** n. **an-
nóun·cer** n.

an·noy[ənɔ́i] vt. 성(짜증)나게 하
다; 속태우다; 당황하게 하다; 괴롭히
다; 해치다. **get ∼ed** 귀찮아, 애먹
다. **∼·ance** n. ⓤ 노엽, 당황, 난
처; ⓒ 곤란한 것(사람). **∼·ing** a.
쩌찮게한; 성가신; 짜증을; 지겨운.
∼·ing·ly ad. 성가시게.

an·nu·al[ǽnjuəl] a. ① 1년의. ②
예년(例年)의; 매해의; 연(年) 1회
의. ③ [植] 1년생의. ─ **message**

A

《美》 연두 교서. **~ pension** 연금. **~ report** 연보(年報) **~ ring** (나무의) 나이테, 연륜. **~·ly ad.** 매년.

an·nu·i·ty [ənjúːəti] *n.* ⓒ 연금.

an·nul [ənʌ́l] *vt.* (**-ll-**) 무효로 하다. 취소하다. **~·ment** *n.*

an·nun·ci·ate [ənʌ́nsièit] *vt.* 고지(告知)하다. **-a·tion** [-̠-̠éiʃən] *n.* ⓤⓒ 통고; 포고; (A-) 성수태 고지(受胎告知)」예수 수태를 알린 3월 25일」. **-a·tor** *n.* ⓒ 고지자; 《美》 (벨 번호) 표시기.

an·ode [ǽnoud] *n.* ⓒ〔電〕 (전자관·정해조의) 양극; (축전지 따위의) 음극.

an·o·dyne [ǽnoudàin] *a., n.* 진통의; ⓒ 진통제; 완화제; 기분(감정)을 누그러뜨리는(soothing).

a·noint [ənɔ́int] *vt.* ① 기름을 바르다. ② (세례식·취임식 따위에) 기름을 뿌리다, 기름을 뿌려 신성하게 하다. **the (Lord's) Anointed** 예수; 고대 유대의 왕. **~·ment** *n.* ⓤⓒ 도유(塗油)(식). **~·er** *n.* ⓒ 기름을 붓는(바르는) 사람.

a·nom·a·lous [ənɑ́mələs/-5-] *a.* 변칙의; 이례의, 파격의, 예외적의.

a·nom·a·ly [ənɑ́məli/-5-] *n.* 불규칙, 변칙(irregularity); ⓒ 이상한 것.

a·non [ənɑ́n/-5-] *ad.* 《古》 이내, (곧) 얼마 안 있어; 다시; 언젠가. **ever and ~** 가끔.

anon. anonymous.

a·no·nym·i·ty [ǽnəníməti] *n.* ⓤ 익명, 무명; 작자 불명.

a·non·y·mous [ənɑ́nəməs/-5-] *a.* 익명의(匿名의); 작자 불명의; 개성 없는; 무명의, 세상에 알려지지 않은 것. **~·ly ad.** **~·ness** *n.*

a·no·rak [ǽnəræk, ɑ́ːnərɑ̀ːk] *n.* ⓒ 아노락(후드 달린 방한용 재킷).

an·o·rex·i·a [ǽnəréksiə] *n.* ⓤ 식욕부진.

anoréxia ner·vó·sa [-nəːrvóusə] 신경성 식욕 부진.

an·oth·er [ənʌ́ðər] *a.* 다른, 또다른 하나의, 별개의; —*pron.* 다른 하나의 것(사람), 또다른 하나의 것(사람)("*You're a liar.*" "*You're*

~."「너는 거짓말쟁이야」「너도 마찬가지야」」. **~ thing (question)** 별문제. **one after ~** 하나씩, 차례로, 속속. **one ~** 서로 (each other), 상호. **one ~** 서로 사람(것). **taken with ~** 이것 저것 생각해 보니, 대체로 보아. **Tell me ~ (one)!** 《口》 말도 안돼, 거짓말 마.

an·swer [ǽnsər, ɑ́ːn-] *n.* ⓒ ① (대답) 답; 응답. ② (문제의) 해답. ③ [法] 답변. **know all the ~s** 《口》 머리가 좋다; 만사에 정통하다. **What's the ~?** 어쩌면 좋으냐. —*vt.* 대답하다; 풀다; 갚다; 도움되다(~ *the purpose*). —*vi.* ① (대답하다(*to*). ② 책임을 지다, 보증하다(*for*). ③ 일치하다, 맞다(*to*). ④ 도움(소용)되다; 성공하다. ~ **back** 《口》 말대답(말대꾸)하다. **~·a·ble** *a.* 책임이 있는(*for conducts; to persons*); 어울리는, 맞는(*to*); 대답할 수 있는. **~·er** *n.* ⓒ 대답(회답)자.

ant [ænt] *n.* ⓒ 개미.

-ant [ənt] *suf.* ① 〔형용사 어미〕 성(性)의, ···하는 뜻의: malig*nant*, rampant. ② 〔명사 어미〕 ···하는 이(물건)의 뜻: servant, stimulant.

an·tag·o·nism [æntǽgənìzm] *n.* ⓤ ⓒ 적대, 적개심, 적극적 반항 (*against, to, between*), ··· **in ~ to** ···에 반대(대항)하여. **-nist** *n.* ⓒ 적대자, 적수. **-nis·tic** [æntægənístik] *a.* 상반(相反)하는; 적대하는, 대립하는, 반항적인.

an·tag·o·nize [æntǽgənàiz] *vt.* 적대(대항)하다; 적으로 돌리다; 반작용하다, (힘을) 상쇄하다; (어떤 작용력을) 중화하다.

Ant·arc·tic [æntɑ́ːrktik] *a., n.* (opp. arctic) 남극의: (the A-) 남극지방.

Antárctic Circle, the 남극권.

an·te- [ǽnti] *n., vi.* ⓒ 《포커의》 태우는 돈(을 미리 내다); 《俗》을 내다.

an·te- [ǽnti] before의 뜻의 결합사.

ánt·èater *n.* ⓒ 개미핥기, 식사.

an·te·ced·ent [æntəsíːdənt] *a.* ① 앞서는, 선행의, 앞의(*to*). ② 가정의. —*n.* ⓒ ① 선례. ② 선행사; 앞

A

선 사건; 전항(前項). ③ 〖文〗 선행사. ④ (*pl.*) 경력; 조상. **-ence, -en·cy** *n.* Ⓤ 앞섬(priority); 선행; 〖天〗 역행.

ánte·chàmber *n.* Ⓒ (큰 방으로 통하는) 앞방, 대기실.

an·te·date[ǽntidèit] *vt.* (실제보다) 앞의 날짜를 매기다; (…보다) 앞서다; 내다보다, 예상하다. ― *n.* Ⓒ 전일부(前日付).

an·te·di·lu·vi·an[æ̀ntidilúːviən/-vjən] *a., n.* Ⓒ 노아의 홍수 이전의 (사람, 생물); 시대에 뒤진 (사람); 노인.

an·te·lope[ǽntəlòup] *n.* Ⓒ 영양(羚羊).

an·te·na·tal[æ̀ntinéitl] *a.* 출생 전의.

:an·ten·na[ænténə] *n.* Ⓒ ① (*pl.* **-nae**[-niː]) 〖動〗 더듬이, 촉각. ② (*pl.* **~s**) 안테나, 공중선.

·an·te·ri·or[æntíəriər] *a.* 전의; 앞의, (…에) 앞서는, 선행하는(*to*); 전면의, 전부(前部)의(*to*)(opp. posterior).

:an·them[ǽnθəm] *n.* Ⓒ 찬미가, 성가; 축하의 노래. ***national*** **~** 국가.

ánthìll *n.* Ⓒ 개밋둑.

·an·thol·o·gy[ænθɑ́lədʒi/-ɔ́-] *n.* Ⓒ 명시선(名詩選), 명문집(集), 사화집(詞華集). **-gist** *n.* Ⓒ 그 편자.

an·thra·cite[ǽnθrəsàit] *n.* Ⓤ 무연탄.

an·thrax[ǽnθræks] *n.* Ⓤ 〖醫〗 비탈저(脾脫疽); 탄저열(炭疽熱); 부스럼.

an·thro·poid[ǽnθrəpɔ̀id] *a.* 인간〔인류〕 비슷한. ― *n.* Ⓒ 유인원.

·an·thro·pol·o·gy[æ̀nθrəpɑ́lədʒi/-ɔ́-] *n.* Ⓤ 인류학. **-po·log·i·cal** [-pəlɑ́dʒikəl/-ɔ́-] *a.* **·-gist** *n.* Ⓒ 인류학자.

an·thro·po·mor·phism [-pəmɔ́ːrfizəm] *n.* Ⓤ 신인(神人)동형동성설.

an·ti[ǽnti, -tai] *n.* Ⓒ 《口》 반대론자. ― *a.* 반대의〔하는〕.

an·ti-[ǽnti] *pref.* '반대, 비(非), 역, 대(對)'의 뜻.

ànti·áircraft *a.* 대(對)항공기의, 고사(高射)(용)의, 방공(용)의(*an* ~ *gun* 고사포).

an·ti·bi·ot·ic[-baiɑ́tik/-ɔ́-] *n., a.* Ⓒ 항생물질(의). **~s** *n.* Ⓤ 항생 물질학.

an·ti·bod·y[ǽntibɑ̀di/-ɔ̀-] *n.* Ⓒ (혈액중의) 항체(抗體).

:an·tic·i·pate[æntísəpèit] *vt.* ① 예기〔예상〕하다; 기대하다; 예견하다. ② (수입을) 믿고 미리 쓰다. ③ 내다보고 근심하다. ④ 앞지르다, 선수 쓰다; 이르게 하다.

:an·tic·i·pa·tion[æntìsəpéiʃən] *n.* Ⓤ ① 예기, 예상. ② 미리 씀. ③ 앞지름; 예방. ***in*** 〔***by***〕 **~** 미리, 앞을 내다 보고. ***in* ~ *of*** …을 미리 내다보고.

ànti·clímax *n.* Ⓤ 〖修〗 점강법(漸降法)(bathos); Ⓒ 용두사미(의 일·사건).

ànti·clóckwise *ad., a.* =COUNTERCLOCKWISE.

ànti·cýclone *n.* Ⓒ 〖氣〗 고기압.

·an·ti·dote[ǽntidòut] *n.* Ⓒ 해독제; 교정 수단(*to, against, for*). **-dot·al**[-l] *a.*

ánti·frèeze *n.* Ⓤ 《美》 부동제(不凍劑).

an·ti·gen[ǽntidʒən] *n.* Ⓒ 〖生化〗 항원(抗原)《혈액 중에 antibody의 형성을 촉진하는 물질》.

ánti·hèro *n.* Ⓒ 〖文學〗 주인공답지 않은 주인공.

ànti·hístamine *n.* Ⓤ,Ⓒ 항(抗)히스타민제《알레르기나 감기 치료용》.

an·ti·mo·ny[ǽntəmòuni] *n.* Ⓤ 〖化〗 안티몬, 안티모니《기호 Sb》.

an·tip·a·thy[æntípəθi] *n.* Ⓤ,Ⓒ 반감, 전저리냄; Ⓒ 몹시 싫은 것(opp. sympathy). **an·ti·pa·thet·ic**[æ̀ntipəθétik], **-i·cal**[-əl] *a.* 웬일인지 싫은(*to*).

ànti·pérsonnel *a.* 대인(對人) 살상용의(~ *bombs* 대인 폭탄).

an·ti·per·spi·rant[æ̀ntipə́ːrspərənt] *n.* Ⓤ,Ⓒ 발한 억제제.

an·ti·pode[ǽntəpòud] *n.* Ⓒ 정반대의 것. **an·tip·o·des**[æntípədìːz] *n. pl.* (지구상의) 대척지(對蹠地)(의 사람들); 정반대의 일(*of, to*). **an·tip·o·dal**[æntípədl] *a.*

an·ti·quar·i·an[-kwέəriən] *a.,*

n. ⓒ 골동 연구(수집)(의); ≒⌐.

an·ti·quar·y [ǽntikwèri] *n.* ⓒ 고물 연구자, 고물(골동) 수집가.

an·ti·quate [ǽntikwèit] *vt.* 낡게 [시대에 뒤지게] 하다. **-quat·ed**[-id] *a.* 낡은, 고풍의.

an·tique [æntíːk] *a.* 고풍의, 낡은; 고대 그리스(로마)의; 고래(古來)의. —— *n.* ⓒ 고물, 고기(古器).

an·tiq·ui·ty [æntíkwəti] *n.* ① ⓤ 오래됨, 낡음. ② ⓤ 고대. ③ (보통 *pl.*) 고대의 풍습(제도). ⓒ 고기(古器), 고물.

ànti-Semític *a.* 반(反)셈족의(주의)의.

ànti-Sémitism *n.* ⓤ 셈족(유대인) 배척(운동). **-Sémite** ⓒ 유대인 배척자.

an·ti·sep·tic [æntiséptik] *a., n.* 방부(防腐)의; 방부제. ⓤⓒ

àn·ti·sócial *a.* 반사회적의; 사교를 싫어하는. **~ist** *n.* ⓒ 반사회주의자; 비사교자.

ànti-tánk *a.* 대(對)전차용의.

an·tith·e·sis [æntíθəsis] *n.* (*pl.* **-ses**[-siːz]) ⓤ 정반대(*of*). ⓒ 【修】 대조법. ⓒ 【修】(변증법에서 정(正)에 대하여) 반(反), 안티테제(cf. thesis, synthesis).

ant·ler [æntlər] *n.* (보통 *pl.*) (사슴의) 가지진 뿔.

an·to·nym [ǽntənim] *n.* ⓒ 반의어 (cf. synonym).

a·nus [éinəs] ⓒ 항문.

an·vil [ǽnvil] *n.* ⓒ (대장장이용의) 모루. **on the ~** (계획 따위가) 심의(준비) 중에.

anx·i·e·ty [æŋzáiəti] *n.* ① ⓤ 근심, 걱정, 불안. ② ⓒ 걱정거리. ③ ⓤ 열망(eager desire; *for; to do*).

anx·ious [ǽŋkʃəs] *a.* 걱정스러운, 불안한(*about*). ② 열망하는, 몹시 …하고 싶어하는(*for; to do*). **~·ly** *ad.* 걱정하여, 갈망하여.

an·y [éni] *a., pron.* ① (긍정) 무엇이나, 누구든, 얼마든지. ② (의문·조건) 무엇인가, 누군가, 얼마인가. ③ (부정) 아무 것도, 조금도, 조금도. —— *ad.* 얼마간(쯤)은, 조금은 (이라도). **~ longer** 이제 이 이상 (은). **~ more** 이 이상(은), 이제

(는). **~ one** = ANYONE. **~ time** 언제든지(라도). **if ~** 만일 있다면; 설사 있다손 치더라도. **in ~ case** 어떤 경우에든, 여하튼.

an·y·bod·y [-bɑ̀di, -bʌ̀di-bə̀di] *pron.* ① (의문·조건) 누군가. ② (부정) 누구도, 아무도. ③ (긍정) 누구나. **~** ⓤ 어떠한 인물로 (*Is he ~?*); *pl.* 보통 사람.

an·y·how [-hàu] *ad.* 어떻게든(in any way whatever); 어쨌든(in any case); 적어도; 적당히, 되는 대로(carelessly). **feel ~** 몸이 좋지 않다.

an·y·one [-wʌ̀n, -wən] *pron.* ① 누구(라도). ② (부정) 누구도. ③ (의문·조건) 누군가. 「라도.

àny·pláce *ad.* (口) 어디나, 어디

an·y·thing [-θiŋ] *pron.* ① (긍정) 무엇이든. ② (의문·조건) 무엇인가. ③ (부정) 아무 것도. **~ but** …외에는 무엇이든; …은 커녕, 어림도 없는 (far from)(*He is ~ but a poet.* 그는 결코 시인이라고 할 수 없다). **as ~ as** …과 대단히…(*He is as proud as ~*). 아주 뽐내고 있다). **for ~** 결단코(*I will not do it for ~*). 그런 일은 절대로 않는다). **if ~** 어느 편이냐 하면, 좀. **like ~** 아주, 몹시, **not ~ like** 전혀 …아니다.

an·y·way [éniwèi] *ad.* 여하튼, 어쨌든; 어떻게 해서든.

an·y·where [-hwɛ̀ər] *ad.* ① (부정) 어디에(에)든. ② (의문·조건) 어디엔가. ③ (긍정) 어디(에)나.

a·or·ta [eiɔ́ːrtə] *n.* (*pl.* **~s, -tae** [-tiː]) ⓒ 【解】 대동맥.

AP, A.P. Associated Press.

a·pace [əpéis] *ad.* 빨리, 신속히.

a·part [əpáːrt] *ad.* 떨어져; 별개로, 따로따로. **~ from** 은 별문제로 하고. **come ~** 흐트러지다. **joking ~** 농담은 집어치우고. **take ~** 분해하다; 비난하다.

a·part·heid [əpáːrtheit, -hait/ -heit, -heid] *n.* (Du.) ⓤ (南아) 인종 격리, 인종 차별 정책.

a·part·ment [əpáːrtmənt] *n.* ⓒ 방; 아파트; (*pl.*) (공동 주택 내의) 한 세대의 방.

apártment hòuse 《美》 아파트.

ap·a·thy [ǽpəθi] n. ① 무감동; 냉담, 무관심 (무관계). **-thet·ic** [≏θétik] a.

ape [eip] n. ⓒ ① (꼬리 없는) 원숭이 《침팬지·고릴라·오랑우탄·긴팔원숭이 따위》. ② (一般) 원숭이. **go** 《美仔》 발광하다; 열광하다. — vt. 흉내내다.

APEC [éipek] Asia-Pacific Economic Cooperation 아시아 태평양 경제 협력.

a·pé·ri·tif [a:pèrití:f] n.(F.) ⓒ 식전(食前) 술《식욕 촉진을 위한》.

ap·er·ture [ǽpərtʃùər, -tʃər] n. ⓒ 삐끔하게 벌어진 데(opening), 구멍. 틈(gap); 렌즈의 구경.

APEX, Apex [éipeks] advance purchase excursion 에이펙스《항공 운임의 사전 구입 할인제》.

a·pex [éipeks] n. (pl. ~es, apices) ⓒ 선단(先端), 꼭대기, 정점; 절정.

a·phid [éifid, ǽf-] n. (pl. aphides [-fədi:z]) ⓒ 진디(plant louse).

aph·o·rism [ǽfərìzəm] n. ⓒ 격언; 경구(警句). **-ris·tic** [≏rístik], **-ti·cal** [-əl] a. 격언의; 풍부한.

aph·ro·dis·i·ac [ǽfroudíziæk] a. 최음의, — n. ⓤⓒ 최음제, 미약(媚藥).

a·pi·ar·y [éipièri, -əri] n. ⓒ 양봉장(養蜂場). a·pi·a·rist [éipiərist] n. ⓤⓒ 양봉가.

a·piece [əpí:s] ad. 한 사람(하나)에 대하여, 제각기, 각각.

a·plen·ty [əplénti] ad. 《美仔》 많이, 충분히.

a·plomb [əplám/-lɔ́m] n. (F.) ⓤ 수직, 평형; 태연자약, 침착, 평정.

a·poc·a·lypse [əpákəlips/-5-] n. ⓒ 묵시(默示), 천계(天啓)《the A-》《新約》 계시록(the Revelation). ② 대재해, 대참사. **-lyp·tic** [≏≏líptik] a.

A·poc·ry·pha [əpákrəfə/-5-] n. pl.《종종 단수 취급》《구약 성서의》경외전(經外典); (a-) 출처가 의심스러운 문서, 위서(僞書). **-phal** [-fəl] a. 경외전의; (a-) 출처가 의심스러운.

ap·o·gee [ǽpədʒi:] n. ⓒ 최고점; 정상.《天》원(遠)지점(opp. peri-

gee).

a·po·lit·i·cal [èipəlítikəl] a. 정치에 무관심(무관계)한.

A·pol·lo [əpálou/-5-] n. ① 《그·로》 아폴로《태양·시·음악·예언·의료의 신》; 《詩》 태양. ② (or a-) 미남. ③ (미국의) 아폴로 우주선(계획).

ap·o·lo·get·ic [əpàlədʒétik/-ɔ̀-] a. 사죄의, 변명의. — n. 변명; (pl.) 《神》 변증론. **-i·cal** [-əl] a.

a·pol·o·gist [əpálədʒist/-5-] n. ⓒ 변명자(변호)하는 자; (기독교의) 호교론자.

a·pol·o·gize [-dʒàiz] vi. 사죄(사과)하다《to him for that》; 변명(해명)하다.

a·pol·o·gy [əpálədʒi/-5-] n. ⓒ ① 사죄, 사과; 해명, 변명(defence) (for). ② 《俗》 명색뿐인 것《a mere ~ for a library 단지 이름뿐인 도서실》.

ap·o·plexy [ǽpəpleksi] n. ⓤ 《醫》졸중(풍), cerebral ~ 뇌일혈. ap·o·plec·tic [ǽpəpléktik] a. 졸중(풍)의; 졸중에 걸리기 쉬운.

a·pos·ta·sy [əpástəsi/-5-] n. ⓤⓒ 배교(背敎); 배신, 변절; 탈당, -tate [-teit, -tit] n. ⓒ 배교자; 변절자; 탈당자. **-ta·tize** [-tàiz] vi. 신앙을 버리다; 변절하다《from, to》.

a pos·te·ri·o·ri [éi pasti:rió:rai/-póstər-] (L.) 후천적인《귀납적인 따위》, 《opp. a priori》.

a·pos·tle [əpásl/-5-] n. ⓒ ① (A-) 사도《예수의 12 제자의 한 사람》. ② 《한 나라나 지방의》 최초의 전도자. ③ (주의·운동 등의) 주창자. **ap·os·tol·ic** [ǽpəstálik/-5-] a. 사도의, 사도적인; 로마 교황의(papal).

ap·os·tol·i·cal [ǽpəstálikəl/-tɔ́l-] a. ① 사도의; 사도와 동시대의. ② 사도의 신앙(가르침)에 관한. ③ (메드로의) 교황지상주의자의) 교황의.

a·pos·tro·phe [əpástrəfi/-5-] n. ⓒ 아포스트로피, 생략(소유격) 기호(’); ⓤ 《詩》 돈호(頓呼)법. **-phize** [-fàiz] vt., vi.

a·poth·e·o·sis [əpàθióusis/əpɔ̀θ-] n. (pl. -ses [-si:z]) ⓤⓒ 신으로 모심; 찬미, 숭배.

ap·pal(l) [əpɔ́:l] 《 pale》 vt. (-ll-

섬뜩하게 하다. * **ap·pall·ing** a. 섬뜩한, 무서운; 끔찍한; 《俗》 심한, 대단한.

:**ap·pa·rat·us** [æpərǽtəs, -réi-] n. ⓒ [~(es)] 여러 기관(의 총합). 기구, 장치. [~(es)]

***ap·par·el** [əpǽrəl] n. ⓤ (한 벌의) 의복; 외복(祭服)의 장식수(繡) — vt. (-ll-) 입히다, 차리다, 꾸미다.

:**ap·par·ent** [əpǽrənt] a. ① 보이는; 명백한(to). ② 걸국뿐의, 외견의, 구속면의. : ~·ly ad. 겉보기에는, 일견(하여) 외견상.

ap·pa·ri·tion [æpəríʃən] n. ⓒ 유령(ghost); 환영(幻影)(phantom); 요괴(specter); (초자연적인) 출현물; ⓤ (별의) 출현. ~·al [-əl] a. 환같은.

:**ap·peal** [əpíːl] vi. ① 항소(상고)하다(to). ② 애원[애소]하다(to). ③ 감동시키다, 흥미를 끌다, 마음에 들다(to). — vt. 《美》 항소(상고)하다. **~ to the country** (의회를 해산하여) 국민의 총의를 묻다. — n. ① ⓤⓒ 소원(訴願); 애소(哀訴). ② ⓤⓒ (여론에의) 호소. ③ ⓤ (마음을 움직이는) 힘, 매력. **court of ~** (《美》~**s**) 상고[항소]법원. **make an ~ to** ~에 호소하다. ~·**ing** a. 호소하는 듯한. ~·**ing·ly** ad.

:**ap·pear** [əpíər] vi. ① 나타나다. 나오다. 보이다. ② 공표[발표]되다. ③ 출두하다. ④ ~ 같다.

:**ap·pear·ance** [əpíərəns] n. ⓒ ① 출현(出現); 출두; 등장, 출연. 발간, 간행, 문체, 모양. ③ (pl.) 상황, 형세. **for ~'s sake** 체면상. **keep up** (save) **~s** 체면을 유지하다; (무리하게) 체면을 유지하다. **make** (**enter, put in) an** ~ 나타나다, 얼굴을 내밀다. **to** (**by**) **all** ~**s** 아무리[어느 모로] 보아도; 겉 핏 보아.

***ap·pease** [əpíːz] vt. ① 가라앉히다, 달래다; 누그러뜨리다(quiet). ② (식욕·요구 따위를) 채우다. ③ 유화(宥和)하다. ~·**ment** n. **ap·peas·a·ble** a.

ap·pel·lant [əpélənt] n. ⓒ 항소인, 상고인; 청원자.

ap·pel·la·tion [æpəléiʃən] n. ⓒ 명칭; 호칭.

ap·pend [əpénd] vt. (표찰 등을) 매달다, 닳다(attach); 부가[첨부]하다(add); 【컴】 추가하다. ~·**age** [-idʒ] n. ⓒ 부가물; 부속 기관(다리·꼬리·지느러미 따위).

ap·pen·dec·to·my [æpəndéktəmi] n. ⓤⓒ 충양돌기 절제술.

ap·pen·di·ci·tis [əpèndəsáitis] n. ⓤ 맹장염.

ap·pen·dix [əpéndiks] n. (pl. ~·es, -dices [-disìːz]) ⓒ ① 부록, 부속물. ② 【解】 충양돌기.

ap·per·tain [æpərtéin] vi. 속하다; 관계하다(to).

ap·pe·tite [ǽpitàit] n. ⓤⓒ 식욕; 욕구, 욕망; 기호(for). **-tiz·er** [ǽpətàizər] n. ⓒ 식욕을 돋우는 음식(술).

ap·plaud [əplɔ́ːd] vt., vi. 박수갈채하다; 찬성[칭찬]하다.

ap·plause [əplɔ́ːz] n. ⓤ 박수갈채, 찬성; 칭찬. **general ~** 만장의 박수. **win** ~ 갈채를 받다.

*:**ap·ple** [ǽpl] n. ⓒ 사과[열매·나무], ② (口) 야구공, ③ 《美俗》 대도시; 지구. ~ **of discord** 분쟁의 불씨(황금 사과가 트로이 전쟁의 원인이 됐다는 그리스 전설에서). ~ **of Sodom** (집으면 재가 되는) 소돔의 사과; 빛좋은 개살구. **~ of the eye** 눈동자; 귀중한 것.

ap·ple-cart [-kɑ̀ːrt] n. ⓒ 사과 우반 수레. **upset the** (a person's) **~** 계획을 망쳐놓다.

*:**ap·pli·ance** [əpláiəns] n. ⓒ 기구, 기계; 장치(device); ⓤⓒ 응용, 적용.

:**ap·pli·ca·ble** [ǽplikəbəl] a. 응용[적용]할 수 있는; 적절한(suitable). -**bly** ad. -**bil·i·ty** [>--bílə·ti] n. 응용(적용) 가능; 적용, 적절.

:**ap·pli·cant** [ǽplikənt] n. ⓒ 신청자, 응모자, 후보자(for).

:**ap·pli·ca·tion** [æplikéiʃən] n. ⓤ ① 적용, 응용. ② ⓤⓒ 신청, 출원(出願), 지원(for); ⓒ 원서, 신청서. ③ ⓤ (약의) 도포(塗布); ⓒ 바르는 (고)약, 습포. ④ 부지런함, 열심(a **man of close ~** 열심가). ⑤ 【컴】

A

응용《컴퓨터에 의한 실무처리 등에 적합한 특정 업무, 또는 그 프로그램》. **make an ~ for** (*help*) **to** (*a person*) (아무)에게 (원조)를 부탁하다. **on ~** 신청하는 대로(*to*).

ap·plied [əpláid] *a.* 응용된. **~ chemistry** 응용 화학.

ap·pli·qué [æplikéi] *n., vt.* (F.) 아플리케《를 달다(붙이다)》.

:ap·ply [əplái] *vt.* ① 적용하다, 응용하다. ② (물건을) 대다, 붙이다 (약·페인트를) 바르다, 칠하다. ③ (열·힘 따위를) 가하다. ④ (용도에) 쓰다; 돌리다. ── *vi.* ① 적합하다. 꼭 들어맞다. ② 신청(지원)하다 (*for*). ③ 부탁(요청)하다(~ **to him for** help). **~ oneself to** …에 전념하다.

ap·point [əpɔ́int] *vt.* ① 임명하다; 지명하다. ② (날짜·장소를) 지정하다. ③ 《法》 귀속을 정하다. **~·ed** [-id] *a.* 지정된; 약속된; 설비된. **~·er, ap·póin·tor** *n.* ⓒ 임명자. **:~·ment** *n.* ⓒ 임명, 선정, 지정; ⓒ 관직, 지위; (회합의) 약속; (*pl.*) 설비, 장구(裝具).

ap·point·ee [əpɔ̀inti: æpɔin-] *n.* ⓒ 피임명자.

ap·por·tion [əpɔ́ːrʃən] *vt.* 할당하다, 벼르다, 나누다. **~·ment** [U.C.] 할당; 배분.

ap·po·site [ǽpəzit] *a.* 적당(적절)한(*to*). **~·ly** *ad.* **~·ness** *n.*

ap·po·si·tion [æ̀pəzíʃən] *n.* [U] ① 병치(並置), 나란히 놓음. ② 《文》 동격. **~·al** *a.* 병치의; 《文》 동격의.

ap·prais·al [əpréizəl] *n.* [U.C] 평가, 감정.

ap·praise [əpréiz] *vt.* 평가하다 (estimate); 감정하다. **ap·práis·er** *n.* ⓒ 평가(감정)인; 《美》 (세관의) 사정관.

:ap·pre·ci·a·ble [əprí:ʃiəbl] *a.* 평가할 수 있는; 느낄 수 있을 정도의; 다소의. **-bly** *ad.*

:ap·pre·ci·ate [əprí:ʃièit] *vt., vi.* ① 평가하다(opp. *depreciate*); 판단하다, …의 진가를 인정하다. ② 음미하다, 감상하다. ③ (좋음을) 이해하다; 감사하다. ④ 시세가 오르다.

:ap·pre·ci·a·tion [əprì:ʃiéiʃən] *n.*

[U] ① 평가; 진가의 인정. ② 감상, 맛봄. ③ 인식; 감사. ④ (가격의) 등귀; 증가. **in ~ of** …을 인정하거나, …을 감사하여.

ap·pre·ci·a·tive [əprí:ʃiətiv, -ʃièi-] *a.* 감상안(眼)이 있는, 눈이 높은(~ **audience** 눈높은 관객《청중》); 감상적(鑑賞的)인; 감사의(~ **remarks** 감사의 말). **~·ly** *ad.* **~·ness** *n.*

ap·pre·hend [æ̀prihénd] *vt.* ① 염려(우려)하다. ② (붙)잡다, 체포하다. ③ (뜻을) 이해하다. 감지하다. ── *vi.* ① 이해하다; 우려하다. **-hen·si·ble** [-səbl] *a.* 이해할 수 있는.

ap·pre·hen·sion [æ̀prihénʃən] *n.* [U] ① 파악; 이해(력). ② 체포, 구속. ③ 우려, 걱정, 두려움. **-hén·sive** *a.* 근심(우려)하는(*for, of*); 이해(가) 빠른. **-hén·sive·ly** *ad.*

ap·pren·tice [əpréntis] *n., vt.* ⓒ 도제(계제)(에 보내 삼다); 견습(으로 보내다). **be bound ~ to** …의 도제가 되다. **~·ship** [-ʃip] *n.* [U.C] 도제살이(*at*); 도제의 신분; ⓒ 도제 기간.

ap·prise, ap·prize [əpráiz] *vt.* 알리다(~ **him of it**).

:ap·proach [əpróutʃ] *vt.* ① (…에) 접근하다; 접근시키다. ② (아무에게 이야기를) 꺼내다, (교섭을) 개시하다(*on, with*); (매수 따위의 속셈으로) 접근하다. ③ (문제 해결에) 착수하다. ── *vi.* ① 접근하다. ② …와 같다. ── *n.* ① [U] 접근, 다가감 (~ **to the moon** 달에의 접근). ② 유사, 근사. ③ 길, 입구(*to*); (학문 따위에의) 입문. ④ ⓒ (종종 *pl.*) (아무에의) 접근; 구애; 교제의 제의. **make one's ~es** 환심을 사려고 하다. **~·a·ble** *a.* **~·ing** *a.*

ap·pro·ba·tion [æ̀prəbéiʃən] *n.* ① 허가; 시인; 칭찬.

ap·pro·pri·ate [əpróupriit] *a.* 적당한(*to, for*); 특유한, 고유의(*to*). ── [-prièit] *vt.* ① 착복하다, 도용하다; 사용(流用)하다. ② (어떤 목적에) 돌리다. 충당하다. **~ a thing to one·self** 물건을 횡령하다. **~·ly** *ad.*

ap·pro·pri·a·tion [əpròupriéiʃən] *n.* ① [U] 사용(私用), 도용(盗用), 유용. ② [U.C] 충당, 충당금; 세출 예

A

산. **~ bill** 세출 예산안.

:**ap·prov·al**[əprúːvəl] *n.* ⓤ 시인; 찬성. 승인. 인가. ② 〔商〕 견품 물납부로 (조건으로).

:**ap·prove**[əprúːv] *vt.* ① 시인하다, 찬성하다, 마음에 들다; ② 인가하다; 실증하다, 보여주다(~ *oneself* ~). — *vt.* 시인〔찬성〕하다. **~d a.** 시인 〔인가〕된; 정평 있는. **~er** *n.* **~ing** *a.* 시인하는, 찬성의.

approx. approximate(ly).

:**ap·prox·i·mate**[əpráksəmit/-5k-] *a.* 근사한, 대체의, — [-mèit] *vt., vi.* 접근시키다〔하다〕; **~ly** *ad.* 대 체로, 대략. **-ma·tion**[-méiʃən] *n.* ⓤⓒ 접근; 〔數〕근사치.

ap·pur·te·nance[əpə́ːrtənəns] *n.* ⓒ (보통 *pl.*) 부속품류; 기계장 치; 〔法〕종물(從物). **-nant** *a., n.* 부속의〔된〕(*to*); ⓒ 부속물.

Apr. April.

:**a·pri·cot**[éprəkàt, éip-/éiprikɔ̀t] *n.* ⓒ 살구〔나무〕. ② 살구빛.

:**A·pril**[éiprəl, -pril] *n.* 4월. **April fóol** 에이프릴 풀〔만우절에 속 아 넘어간 사람〕; 그 장난. **April Fóols' Dày** 만우절〔4월 1 일〕.

a pri·o·ri [éi praió:rai, à: prió:ri] (L.) 연역〔演繹〕적으로(의), 선천적으 로(의)(opp. *a posteriori*).

:**a·pron**[éiprən] *n.* ⓒ 에이프런(앞친 것); 불투명; 불무대〔의〕《美俗》 바턴 더; 〔空〕격납고 앞의 광장; — *vt.* (…에) 에이프런을〔앞치마〕두르다.

ap·ro·pos[æprəpóu] *ad.* (F.) 적 당히, 적절히, 때맞춰, ~에 대하여, …의 이야기로 생각나서는 (*talking* of). — *of nothing* 느 닷없이, 불쑥. ② 적당한, 적절한.

apse[æps] *n.* ⓒ 〔교회 동쪽 끝의〕 쑥 내민 반원〔다각〕형의 부분.

:**apt**[æpt] *a.* (~) 하기 쉬운 (*to*). ② 적당한; ③ 이해가 빠른 (*to*). ② 적당한; 장. **~ly** *ad.* 적절하게. **~ness** *n.* ⓤ 적절함; 성향; 재능.

ap·ti·tude[æptitjùːd/-titjuːd] *n.* ⓤⓒ ① 적성; 경향; 재능, 소 질. ③ 적성.

Aq·ua·lung[-lʌ̀ŋ] *n.* ⓒ 〔商標〕 아퀼렁〔잠수용 수중 호흡기〕(cf. skin-

dive).

aq·ua·ma·rine[æ̀kwəmərí:n] *n.* ⓤ〔鑛〕남옥(藍玉)(beryl의 일종). ② ⓤ청록색.

a·quar·i·um[əkwɛ́əriəm] *n.* (*pl.* **~s, -ia**[-riə]) ⓒ ① 양어지〔養魚 池〕(수족관). ⓒ 수족관.

A·quar·i·us[əkwɛ́əriəs] *n.* 〔天〕 물병자리; 보병궁〔寶甁宮〕.

a·quat·ic[əkwǽtik, -kwɑ́-] *a.* 물 의, 수중〔水中〕〔수상〕의; 물속에 사는 〔생장하는〕. — *n.* ① 수생동 〔식〕물. ② (*pl.*) 수중〔수상〕경기.

aq·ue·duct[ǽkwədλ̀kt] *n.* ⓒ 도 수관〔導水管〕; 수도; 수도교〔橋〕; 〔生〕 〔체내의〕관〔管〕(canal).

a·que·ous[éikwiəs, ǽk-] *a.* 물의 〔같은〕; 〔地質〕수성〔水成〕의.

aq·ui·fer[ǽkwəfər] *n.* ⓤ〔地〕대 수층〔帶水層〕《지하수가 함유한 삼투층 지층》.

aq·ui·line[ǽkwəlàin] *a.* 수리의〔같 은〕; 독수리 부리 같은, 갈고리 모양 의(an ~ *nose* 매부리코).

Ar·ab[ǽrəb] *n.* ① 아라비아인〔아랍 인〕. ② 아라비아종의 말; (*or* a-) 부 랑아(street ~). — *a.* 아라비아의〔아 람〕(사람)의.

ar·a·besque[æ̀rəbésk] *n.* ⓒ ① 당초무늬. ② 〔발레〕아라베스크〔양 손을 앞뒤로 뻗치고 한 발로 섬〕. — *a.* 당초무늬의; 이상한; 정교한.

A·ra·bi·a[əréibiə] *n.* 아라비아.

A·ra·bi·an[-n] *a., n.* 아라비아〔사 람〕의; ⓒ 아라비아 사람〔말〕(馬).

Ar·a·bic[ǽrəbik] *a.* 아라비아의; 아라비아 사람〔어〕(語)의. — *n.* ⓤ 아라비아어.

Árabic númeral 〔**figure**〕 아라 비아 숫자.

ar·a·ble[ǽrəbl] 〔경작에 적합한, — *a.* 경작지의.

ar·bi·ter[ɑ́ːrbitər] *n.* ⓒ 중재인.

ár·bi·tra·ble *a.* 중재할 수 있는.

ar·bi·trage[ɑ́ːrbitridʒ] *n.* ⓤ 〔商〕 시세차를 이용하여 되넘기기 거래.

ar·bi·trar·y[ɑ́ːrbitrèri/-birəri] *a.* ① 제 마음대로〔대로의〕; 기분내키는 대로의, ② 횡포한; 전횡〔專權〕의, 독단적인. **-trar·i·ly** *ad.* 마음대로; 독단적으로. **-trar·i·ness** *n.*

ar·bi·trate[ɑ́ːrbətrèit] *vt., vi.* 중재 하다; 재정(裁定)하다; 중재 재판에 제

소하다. **~ between** (two parties) **in** (a dispute) (분쟁)에 관해 두 사이를 중재하다. **-tra·tor** n.

ar·bi·tra·tion [ɑ̀ːrbətréiʃən] n. ⓤ 중재; 조정; 중재(재판)(노동법에서는 arbitration(중재), concilation(알선), mediation(조정)을 구별하여 씀).

ar·bor, 《英》**-bour** [ɑ́ːrbər] n. ① ⓒ 정자. ② 나무 그늘의 휴게소. **grape ~** 포도 시렁. **arbo·re·al** [ɑːrbɔ́ːriəl] a. 수목(樹木)의 ; 나무에 사는; 교목성(喬木性)의.

ar·bo·re·tum [ɑ̀ːrbəríːtəm] n. (pl. **~s, -ta**[-tə]) ⓒ 수목원(樹木園).

arc [ɑːrk] n. ① ⓒ 호(弧). ② 【電】 전호(電弧). —— vi.

ar·cade [ɑːrkéid] n. ① ⓒ 아케이드(유개(有蓋) 도로 또는 상가). ② 【建】 줄지은 홍예랑(紅霓廊).

arch[1] [ɑːrtʃ] n. ⓒ 【建】 아치, 홍예, 아치문. *a triumphal ~* 개선문. ② 호(弧), 궁형(弓形). —— vt., vi. 활 모양으로 굽(히)다; 홍예를 틀다.

arch[2] a. ① 주된. ② 장난[익살]스러운; 교활한. **~·ly** ad. 장난스럽게, 짓궂게. **~·ness** n.

ar·ch(a)e·ol·o·gy [ɑ̀ːrkiálədʒi/-5-] n. ⓤ 고고학. **-o·log·i·cal** [-kiəládʒikəl/-5-] a. **-cal·ly** ad. **-gist** n.

ar·cha·ic [ɑːrkéiik] a. 고대의; 고풍의; 고문체의; (A-) 고대 그리스풍의.

ar·cha·ism [ɑ́ːrkiìzəm, -kei-] n. ① ⓒ 고어(古語). ② ⓤ 고풍의 문장 [말투]; 고체; 의고(擬古)주의.

arch·an·gel [ɑ̀ːrkéindʒəl] n. ⓒ 대천사(大天使).

arch·bish·op [ɑ̀ːrtʃbíʃəp] n. ⓒ (신교의) 대감독; (가톨릭·성공회의) 대주교. **~·ric** [≃≃rik] n. ⓤⓒ 그 직[교구].

arch·dea·con [ɑ̀ːrtʃdíːkən] n. ⓒ (신교의) 부감독; (가톨릭) 부주교. **~·ry** [≃≃ri] n. ⓤⓒ 그 직[교구, 저택].

arch·di·o·cese n. ⓒ archbishop 의 교구.

arch·duch·ess n. ⓒ 대공비(大公妃).

arch·duke n. ⓒ 대공(大公) 《옛 오

스트리아의 왕자》.

arch·en·emy n. ⓒ 대적(大敵); = SATAN.

arch·er [ɑ́ːrtʃər] n. ① ⓒ 사수(射手)(활의), 궁술가. ② (A-) 【天】 사수자리(Sagittarius). **~·y** [-ri] n. ⓤ 궁술; 《집합적》 사수대(射手隊).

ar·che·typ·al [ɑ́ːrkitàipəl] a. 원형의, 전형적인.

ar·che·type [ɑ́ːrkitàip] n. ⓒ 원형(原型); 전형.

ar·chi·pel·a·go [ɑ̀ːrkəpéləgòu] n. (pl. **~(e)s**) ⓒ 군도(群島); 다도해(the A-)에게 해(海).

ar·chi·tect [ɑ́ːrkətèkt] n. ① ⓒ 건축가, 건축 기사(a naval ~ 조선(造船) 기사); 제작자. ② (the A-) 조물주(Creator)(of).

ar·chi·tec·ture [ɑ́ːrkətèktʃər] n. ① ⓤ 건축술; 《집합적》 건축물. ② ⓤⓒ 건축 양식, 구성. ③ 【컴】 구조. **-tur·al** [≃≃tʃərəl] a. 건축술의, 건축(상)의.

ar·chi·trave [ɑ́ːrkətrèiv] n. ⓒ 평방(平枋)《entablature의 최하부》; 처마도리.

ar·chive [ɑ́ːrkaiv] n. *pl.* ① 공문서 보관소. ② 공문서, 고(古)기록. ② 문서 기록. **ar·chí·val** a. **ar·chi·vist** [ɑ́ːrkəvist] n.

arch·way n. ⓒ 아치 길.

arc lamp [**light**] n. 【電】 호광등(弧光燈), 아크등.

Arc·tic [ɑ́ːrktik] a. 북극(지방)의; 극한(極寒)의. —— n. (the A-) 북극 (지방); (pl.) 방한 방한(防寒) 덧신.

Árctic Círcle, the 북극권.

ar·dent [ɑ́ːrdənt] a. ① 열심인, 열렬한. ② 불같은, 타는 듯한, 뜨거운. **~·ly** ad. **~·ness** n.

ár·den·cy n. ⓤ 열렬(함).

ar·dor, 《英》**-dour** [ɑ́ːrdər] n. ⓤ 열정; 열심, 열성, 열의(zeal).

ar·du·ous [ɑ́ːrdʒuəs/-dju-] a. 힘드는, 부지런한; 험악한. **~·ly** ad. **~·ness** n.

are[1] [강 ɑːr, 약 ər] n. be의 1인칭 단수(1·2·3인칭 복수)의 직설법 현재.

are[2] [ɛər, ɛɑr] n. (F.) ⓒ 아르(100 m²)(cf. hectare).

ar·e·a [ɛ́əriə] n. ① ⓤ 면적, 공

A

áre·a còde (전화의) 시의 국번(미국은 숫자 3자리).

a·re·na [əríːnə] *n.* ⓒ ① (원형 극장 복판의 모래를 깐) 투기장(鬪技場). ② (一般) 경기장; 활동 장소. (투쟁 등의) 무대.

aren't [ɑːrnt] are not의 단축.

ar·gon [áːrɡɑn/-ɡɔn] *n.* ⓤ 〔化〕 아르곤.

ar·got [áːrɡou, -ɡət] *n.* ⓤ 은어(隱語).

:ar·gue [áːrɡjuː] *vi.* 논하다, 논쟁하다(*about, on*); (…에) 찬성[반대]론을 주장하다. ─ *vt.* ① 논하다(~ it away [off] 논쟁으로 …을 쫓아버리다). ② 주장하다; 찬부(贊否)의 이유를 말하다(*against, for*). ③ 입증(立證)하다, 보이다. ④ 설득하여 …시키다(*into, out of*). ~ (*a person*) *down* (아무를) 설복시키다. ~ *it away* [*off*] 논파하다, 말로 독이다. **ár·gu·a·ble** *a.* 논할 수 있는.

:ar·gu·ment [áːrɡjəmənt] *n.* ⓤⓒ 논의, 논증; (논문 등의) 개요; [컴] 인수(引數). **-men·ta·tion** [-mentéiʃ*ə*n] *n.* 논의, 논증; 토의; 입론(立論). **ar·gu·men·ta·tive** [àːrɡjəméntətiv] *a.* 논쟁적인; 논쟁을 좋아하는.

ar·gy-bar·gy [áːrɡibáːrɡi] *n.* ⓤⓒ 《英口》 입씨름(argument), 언쟁.

a·ri·a [áːriə, ǽr-] *n.* ⓒ 〔It.〕 〔樂〕 아리아, 영창(詠唱).

ar·id [ǽrid] *a.* (토지 따위가) 건조한; 불모의; 무미 건조한. **~·ness**, **a·rid·i·ty** [ərídəti, æ-] *n.*

Ar·ies [ɛ́əriːz, -riːz] *n.* 〔天〕 양자리; [황도의] 백양궁(the Ram).

a·right [əráit] *ad.* 바르게; 정확히.

a·rise [əráiz] *vi.* (**arose**; **arisen** [ərízn]) ① 일어나다, 나타나다. (사전 따위가) 발생하다. 일어나다(연기 등이) 솟아 오르다. ② (먼지·바람이) 일다. ③ 〔詩〕 부활(소생)하다. ④ (잠자리 따위에서) 일어나다.

ar·is·toc·ra·cy [ǽrəstάkrəsi/-5-] *n.* ⓤ 귀족(주의자). **a·ris·to·crat·ic** [ərístəkrǽtik, ǽrəs-] *a.* 귀족(주

의자)의.

a·rith·me·tic [əríθmətik] *n.* ⓤ 산수; 계산; ⓒ 산수책. **: a·rith·met·i·cal** [ǽriθmétikəl] *a.* **a·rith·me·ti·cian** [əriθmətíʃən, ǽriθ-] *n.* ⓒ 산술가, 산술 잘하는 사람.

arithmétic progréssion 등차 수열.

ark [ɑːrk] *n.* ⓒ ①〔聖〕 (Noah의) 방주(方舟); 계약의 궤(모세의 십계명을 넣은 두 개의 석판을 넣은 궤). ②《口》 볼품 없는 큰 배. *Noah's* ~ 노아의 방주; (동물 장난감을 넣은) 방주. *touch the* ~ 신성한 것을 모독하다.

arm [ɑːrm] *n.* ① ⓒ 팔; (동물의) 앞발, 전지(前肢). ② ⓒ 팔 모양의 것; 까치발; (의자의) 팔걸이; 큰 가지; 후미, 내포(內浦)(~ of the sea). ③ ⓤ 힘, 권력. ④ ⓒ 유력한 일(익)(~翼). ~ *in* ~ 팔을 끼고, *better* ~ 오른팔. *child in* ~*s* 갓난애. *fold one's* ~*s* 팔짱을 끼다. *keep* (*a person*) *at* ~*'s length* 경원하다. *make a long* ~ 팔을 뻗치다. *one's right* ~ 오른팔; 유력한 부하. *with folded* ~*s* 팔짱을 끼고; 방관만 하여. *with open* ~*s* 두 손을 벌려, 환영하여.

:arm² [ɑːrm] *n.* ① (보통 *pl.*) 무기, 병기. ② ⓒ 병과(兵科) ; (*pl.*) 군사, 전쟁; 무력, (*pl.*) (방패·기) 따위의) 문장(紋章). *bear* ~*s* 무기를 들다. *be up in* ~*s* 무장 궐기하다; 반기를 들다. *carry* ~*s* 무기를 지니다(*Carry* ~*s!* 어깨총!). *go to* ~*s* 무력에 호소하다. *lie upon one's* ~*s* 무장한 채로 있다. *Present* ~*s!* 받들어총! 앞에총! *small* ~*s* 대무기(拳銃·소총·기관총 따위). *To* ~*s!* 전투 준비!(의 나팔). *under* ~*s* 무장하여. 무장시키다(하다), 장갑시키다 ─ *vt., vi.* 무장하다. ~ *against* (…에) 대비하여 넓은 범위(예방)책을 세우다. *be* ~*ed to the teeth* 완전히 무장을 갖추다.

ar·ma·da [ɑːrmάːdə, -méi-] *n.* ⓒ 함대, 병함대, (the **Invincible** ~) (스페인의) 무적 함대(1588년 영국 함대에 격파됨).

A

ar·ma·dil·lo [à:*r*mədílou] *n.* (*pl. ~s*) 〖動〗 아르마딜로(라틴 아메리카산).

Ar·ma·ged·don [à:*r*məgédn] *n.* 〖聖〗 아마겟돈〈세계의 종말 때 선(善)과 악(惡)의 대결전장〉. ② ⓒ (국제적인) 대결전, 대동란.

ar·ma·ment [á:*r*məmənt] *n.* ⓤⓒ 군비, 병력; 병기; (집지 (集合的)) 장비.

árm·bànd *n.* ⓒ 완장; 상장(喪章).

árm·chàir [á:*r*mtʃèə*r*/-ㅗ] *n.* ⓒ 팔걸이 의자, 안락 의자.

armed [á:*r*md] *a.* 무장한(*an ~ robber* 무장 강도).

ármed fórces [**sérvices**] 군대 (육·해·공군).

árm·ful [á:*r*mfùl] *n.* ⓒ 한 아름의 분량, 한 팔 (또는 두 팔) 가득.

árm·hòle [-hòul] *n.* ⓒ (옷의) 진동.

ar·mi·stice [á:*r*məstis] *n.* ⓒ 휴전.

árm·let [á:*r*mlit] *n.* ⓒ 팔찌; 좁은 후미.

ar·mor, (英) **-mour** [á:*r*mə*r*] *n.* ⓤ 갑옷(투구), 갑주. ② (군함·요새 따위의) 철갑. ③ 방호복(a *sub-marine ~* 잠수복). ④ (동식물의) 방호 기관. ⑤ 기갑부대. ── *vt.* 장갑 하다.

ar·mor·y, (美) **-mour·y** [á:*r*mə-ri] *n.* ⓒ 병기고. ② (美)병기 공장; 병기고. ③ 〖紋章〗 문장학(紋章學) 문장 화법(blazonry).

armo u red [á:*r*mə*r*d] *a.* 무장한, 장갑한, 의장을 한

ar·mo u r·er [á:*r*mərə*r*] *n.* ⓒ 무구(武具) 장색; 병기 제작자; (군대의) 병기계(係).

ármo u r plàted 장갑판(板).

árm·pìt *n.* ⓒ 겨드랑이.

árms contròl 군비 관리(제한).

árms ràce 군비 경쟁.

ar·my [á:*r*mi] *n.* ⓒ 육군; 군대; 군(부); 대군(大軍). **standing** [**re·serve**] ~ 상비(예비)군.

a·ro·ma [əróumə] *n.* ⓒ 방향(芳香); (예술 작품의) 기품, 묘미, 운치. **aro·mat·ic** [ӕrəmӕtik] *a.* 향기로운.

aròma·thérapy *n.* ⓤ 방향 요법.

a·rose [əróuz] *v.* arise의 과거.

a·round [əráund] *prep., ad.* ①

(…의) 주변(둘레)에. ② (…의) 사방에. ③ 〖美〗 (…을) 돌아; (…의) 여기저기(이곳저곳)에(으로). ④ ~ 근처에. ⑤ 약, 대략. *all ~* 사면(팔방)에. *bring* ~ 도착시키다; 의식을 회복케 하다; 일동에게. *be ~* 《美》기상(起床)하다; 오다; 유행하고 있다. *have been ~* 〖口〗여러 경험을 쌓고 있다, 세상일을 환히 알고 있다.

a·rouse [əráuz] *vt.* ① 깨우다, 일으키다(awaken). ② 자극하다, 격려하다; 불러일으키다(excite).

ar·peg·gi·o [a:*r*pédʒiou] *n.* (It.) (*pl. ~s*) 〖樂〗 아르페지오〈화음을 이루는 음을 연속해서 급속히 연주하는 법〉.

ar·raign [əréin] *vt.* 〖法〗 (법정에) 소환하다, 공소 사실의 사실 여부를 묻다; 나무라다, 문책(비난)하다. **~·ment** ⓤⓒ 죄상 인부(認否)의 절차); 비난, 힐난, 문책.

ar·range [əréindʒ] *vt.* ① 가지런히 하다, 정리[정돈]하다, 배열하다. ② (분쟁을) 해결하다; 조정[화해]하다. ③ 계획[준비]하다. ④ 각색(편곡)하다. ── *vi.* 타합하다, 마련[준비]하다 (*for, about*).

ar·range·ment [-mənt] *n.* ① ⓤⓒ 정돈, 정리. ② ⓒ 배열, 배치(*flower* ~ 꽃꽂이); 배합, 분류. ③ (*pl.*) 준비(preparation)(*for, with*). ④ ⓒⓤ 화해, 협정. ⑤ 각색, 편곡.

ar·rant [ӕrənt] *a.* 전적인(*an ~ lie* 새빨간 거짓말); 악명 높은, 터무니없는.

ar·ray [əréi] *vt.* ① 차리다, 성장(盛裝)시키다. ② 배열[정렬]시키다(배심원을 소집하다). ── *n.* ① ⓤ 정렬; 벌여세움; 군세(軍勢). ② 의장(衣裝). ③ 〖컴〗 배열〈프로그램으로 배열된 정보군(群)〉. *in proud* ~ 당당하여.

ar·rears [əríə*r*z] *n.(pl.)* (일·지불의) 밀림; 지불 잔금. 잔금; 잔무(殘務). *in ~(s)* 밀려서, 미불되어. *in ~ of* (일)이 지체되어. *in ~(s) with (work)* ⓤⓒ 연체 재금(금); 부채; 잔무. **·age** [-idʒ]

ar·rest [ərést] *vt.* ① 체포하다, 붙들다. ② 막다, 저지하다. ③ (마음

을) 끌다(attract). — *n.* U,C 저지; 체포, 구속, 구류. ***under*** ~ 구류중. ~**·er** *n.* C 체포하는 사람; 방지 장치; 피뢰기(避雷器). ~**·ment** *n.*

ar·rest·ing [əréstiŋ] *a.* 주의를 끄는, 깜짝 놀라게 하는《목소리 등》; 인상적인, 눈부신.

:**ar·ri·val** [əráivəl] *n.* ① U,C 도착; 출현. ② C 도착자[물], 도달; 달성. ③ C《口》출생, 신생아.

†**ar·rive** [əráiv] *vi.* ① 도착하다(*at, in*). ② (연령·시기 따위에) 달하다 (*at*). ③ 명성을[지위를] 얻다(*a pianist who has ~d* 잘 팔리는[인기 있는] 피아니스트); (시기가) 오다.

·**ar·ro·gant** [ǽrəgənt] *a.* 거만한, 건방진. ·**-gance, -gan·cy** *n.* U 오만, 거만. ~**·ly** *ad.*

ar·ro·gate [ǽrəgèit] *vt.* (칭호 등을) 사칭하다; 멋대로 제것으로 하다; 정당한 이유 없이 (…을 남에게) 돌리다. **-ga·tion**[∸–géiʃən] *n.* U,C 사칭, 가로챔; 참람(僭濫), 월권(행위).

:**ar·row** [ǽrou] *n.* C 화살; 화살표; 굵은 화살표《영국 관유품 표시; 보통 BROAD ~ 라고 함》.

árrow·hèad *n.* C 화살촉; 쇠귀나물속(屬)의 식물.

árrow·ròot *n.* ① C 〖植〗 칡의 일종. ② U 갈분.

arse [ɑːrs] *n.* C《俗》궁둥이(ass).

ar·se·nal [ɑ́ːrsənəl] *n.* C 병기고, 군수품 창고; 조병창.

ar·se·nic [ɑ́ːrsənik] *n.* U 〖化〗 비소. — [ɑːrsénik] *a.* 비소의.

ar·son [ɑ́ːrsn] *n.* U 〖法〗 방화(죄). ~**·ist** *n.* C 방화범.

art[1] [ɑːrt] *vi.*《古·詩》(thou가 주어일 때) be의 2인칭·단수·직설법 현재.

†**art**[2] *n.* ① U 예술; (종종 *pl.*) 미술. ② C 기술, 기능. ③ (*pl.*) 과목, 교양 과목(liberal arts). ④ U 인공, 기교, 숙련. ⑤ C (종종 *pl.*) 술책(trickery), 책략. ***applied*** ~ 응용미술. ~ ***and part*** 〖法〗 방조죄, 종범(*in*). ~***s and crafts*** 공예 미술. ~ ***editor*** 예술란 담당 편집자. ***Bachelor*** [***Master***] ***of Arts*** 문학자[석사]. ***black*** ~ 마술. ***fine*** ~***s*** 미술. ***the*** ~ ***preservative of all*** ~***s*** 인쇄술. ***work of*** ~ 예술품; 걸작. — *vt.* (영화·소설 등에) 기교를 가하다(*up*).

ar·te·fact [ɑ́ːrtəfæ̀kt] *n.* =ARTIFACT.

ar·te·ri·al [ɑːrtíəriəl] *a.* 동맥의[같은]; 동맥혈의.

ar·te·ri·o·scle·ro·sis [ɑːrtìəriousklərόusis] *n.* U 동맥 경화증.

·**ar·ter·y** [ɑ́ːrtəri] *n.* C 동맥; 간선도로.

ar·té·sian wéll [ɑːrtíːʒən-/-ziən-] (물 줄기 있는 데까지) 깊이 판 우물.

·**art·ful** [ɑ́ːrtfəl] *a.* 교활한(sly). ~**·ly** *ad.*

ar·thri·tis [ɑːrθráitis] *n.* U 관절염.

ar·thro·pod [ɑ́ːrθrəpɑ̀d/-pɔ̀d] *n., a.* C 절지 동물(의).

ar·ti·choke [ɑ́ːrtitʃòuk] *n.* C 흰꽃엉겅퀴《꽃의 일부는 식용》. ***Jerusalem*** ~ 뚱딴지《뿌리는 식용》.

†**ar·ti·cle** [ɑ́ːrtikəl] *n.* C ① (신문·잡지의) 논설, 기사. ② (같은 종류의) 물건의) 한 품목; 한 개(*an ~ of furniture* 가구(家具) 한 점). ③ 물품. ④ 조목, 조항. ⑤ (*pl.*) 계약, 규약. ⑥ 〖文〗 관사. ~***s of association*** 정관(定款). ~***s of war*** 군율. ***definite*** [***indefinite***] ~ 정[부정]관사. — *vt.* ① 조목별로 쓰다, 나열하다. ② 계약하여 도제로 삼다. ③ (죄상을 열거하여) 고발하다. — *vi.* 고발하다(*against*). ~**d**[-d] *a.* 연기(年期) 도제 계약의.

·**ar·tic·u·late** [ɑːrtíkjəlit] *a.* ① (언어가) 음절이 있는. ② (논설이) 이론 정연한; 분명한, 또렷한. ③ 의견을 분명히 말할 수 있는. ④ 관절이 있는; 구분[마디] 있는. — [-lèit] *vt., vi.* 똑똑히 발음[표현]하다; 관절로 잇다[이어지다].

ar·tic·u·la·tion [ɑːrtìkjəléiʃən] *n.* C 마디, 관절; U 분절(分節); 접합; 똑똑히 발음함; 발음(법).

ar·ti·fact [ɑ́ːrtəfæ̀kt] *n.* C 가공품; (유사 이전의) 고기물(古器物).

ar·ti·fice [ɑ́ːrtəfis] *n.* U 책략; 모략; C 기교, 고안(device). **ar·tif·i·cer**[ɑːrtífəsər] *n.* C 기술가[공]; 장색(匠色), 장인(匠人)(craftsman); 제작자(*the Great ~r* 조물

A

주, 하느님).

:ar・ti・fi・cial[à:rtəfíʃəl] a. ① 인공
[인조]의(an ~ eye [leg, tooth] 의
안(의족, 의치). ② 부자연스러운, 일
부러 꾸민 것 같은(an ~ smile 꾸
짓웃음). ⬜ 인공의. **-ci・al・i・ty**[à:rtəfíʃiǽləti]
n. ⬜ 인공; ⬜ 인공물.

artificial insemínation 인공 수
정(생략 AI).

artificial intélligence [컴] 인공
지능(인간의 뇌에 가까운 동작을 하므
로 제5세대 컴퓨터'라 불림; 생략 AI).

:ar・til・ler・y[a:rtíləri] n. ⬜ 《집
합적》대포(cannon). ② 포병(대).
③ 포술, 포학(砲學), **~・man, -ler・
ist**[-rist] n. 포병.

ar・ti・san[á:rtəzən/à:tizǽn] n. 장인(匠人).

:art・ist[á:rtist] n. 예술가, 화가.

ar・tiste[a:rtíst] n. (F.) 예술
인(戱) 명인, 달인.

ar・tis・tic[a:rtístik], **-ti・cal**[-ɪ-]
a. ① 기술의, 예술(가)의; 미술(가)
의. ② 예술[미술]적인, 멋(풍)류의.

art・ist・ry[á:rtistri] n. ⬜ 예술적 기
교, 예술미(美).

art・less[á:rtlis] a. 무기교(無技巧)
의; 단순한; 천진스러운; 자연스러
운; 서투른; 어리석은, ~**・ly** ad.

art・y[á:rti] a. 《口》예술가연(然)하
는.

:as[強 æz, 弱 əz] ad., conj. ① 같
을 만큼, 그만큼 《as ... as...의 앞의
as는 ad., 뒤의《as ... as...》conj.》
(conj.) 그러나 《이》이하는지... 이런
[하]므로《(young as he is 젊지만).
③ ...처럼(같이), ...대로《At Rome,
do as Romans does.《속담》입향순속
(入鄕循俗)). ④ 《prep.처럼 써서》 ...
로서(는)(live as a saint 성인 같은
생활을 하다/act as chairman 의장
노릇을 하다).⑤ ...하고 있을 때
(when). ⑥ ...하면서, ...함에 따라
(while). ⑦ 《conj.》《口》=THAT.
— rel. pron.《such, the same,
as에 수반되어》...한 바의《(such
people as have seen it 그것을 본 사
람들/as many books as I bought
내가 산 책(이란 책은 모두). **as ever**
변함 없이, 여전히. **as for** ...에 관
하여서는(as regards).

as if 마치 ...처럼. **as it is** [was]
있는 그대로; 그러나 실제로는 (이에
반(反)하여). **as it were** 말하자면.
as of ...현재(로)(as of Jan. 1,
1991. 1991년 1월 1일 현재). **as
though** =as if. **as to** =as for.
as who should say 마치 ...라고
말할 것처럼, ...라고 말하려는 듯이.

a.s.a.p., ASAP as soon as
possible.

as・bes・tos, -tus[æzbéstəs, æs-]
n. ⬜ 석면, 석융.

as・bes・to・sis[æ̀zbestóusis] n. ⬜
[醫] 석면증.

:as・cend[əsénd] vi. ① 올라가다;
오르다; 오르막이 되다. ② 《시대가》
거슬러 올라가다. ~**・ance, ~・ence,
~・an・cy, ~・en・cy** n. ⬜ 우세, 승
월, 우위, 주권(over). ~**・ing** a.

as・cend・ant, -ent[əséndənt] a.
상승(上昇)의; 우세[우월]한; 지배적.
— n. ⬜ 우세, 우위.

as・cen・sion[əsénʃən] n. ⬜ 상승;
즉위;(the A-)(예수의) 승천.

Ascénsion Dày 예수 승천일
(Easter 후 40일째의 목요일).

:as・cent[əsént] n. ⬜⬜ 상승, 오
름, 등산; ⬜ 오르막(길).

:as・cer・tain[æ̀sərtéin] vt. 확인하
다; 알아내다, 조사하다. ~**・a・ble** a.
~**・ment** n.

as・cet・ic[əsétik] n. ⬜ 고행자, 금
욕 생활자. — a.고행의, 금욕적인.
-i・cism[-təsìzəm] n. ⬜ 금욕주의.

ASCII[ǽski:] n. 《컴》American
Standard Code for Informa-
tion Interchange 미국 정보교
환 표준부호.

:as・cribe[əskráib] vt. (...에) 돌리
다, (...의) 탓으로 하다(to). **as-
crib・a・ble**[-əbl] a. (...에(게))돌릴
수 있는, (...의) 의한(to). **as・crip-
tion**[əskrípʃən] n. ⬜ 돌림, 이유 붙
임; 송영(須삶文)《설교 끝에 행하는 신
의 찬미).

ASEAN[ǽsian, eizĭən] Associa-
tion of Southeast Asian Na-
tions.

a・sep・sis[əsépsis, ei-] n. ⬜ 무
균(無菌) 상태; [醫] 무균법. **a・sép-**

A

tic *a.* 균이 없는, 방부성(防腐性)의.

a·sex·u·al [eiséksjuəl] *a.* 【生】 성별 (性別)이[성기가] 없는, 무성(無性)의. **~·i·ty** *n.* ⓤ 무성.

ash [æʃ] *n.* ⓒ 【植】 물푸레나무.

ash *n.* ⓒ ① (보통 *pl.*) 재. ② (*pl.*) 유골 ③ (詩) (*pl.*) 유해; 폐허. **be ruduced**[**burnt**] **to** ~**es** 타서 재가 되다.

a·shamed [əʃéimd] *a.* 부끄러워 여겨(*of*), 낯을 붉히어; 부끄러워하여서 (*to* do).

ash·en [æʃən] *a.* ① 알물푸레나무 (ash¹)(제(製))의. ② 재(ash²)의 (같은?) 회색의, 창백한.

a·shore [əʃɔ́ːr] *ad.* 해변에, 물가에. **go** ~ 상륙하다. **run** ~ 좌초되다.

ash·tráy [⌐] *n.* 재떨이.

Ásh Wédnesday 성회(聖灰) 수요일(Lent의 첫날).

ash·y [æʃi] *a.* 재의(같은); 회색의; 새 무성이의.

A·sian [éiʒən, -ʃən] *a., n.* 아시아 (풍)의[사람]; ② 아시아 사람. *** A·si·at·ic** [èiʒiǽtik, -ʃi-] *a., n.* = ASIAN.

a·side [əsáid] *ad.* (곁)옆에; 떼어서, 떨어져서. ~ **from** (美) …은 차치[별문제로] 하고, (美) …은 제외하고. — *n.* ⓒ 【劇】 방백(傍白); 여담, 잡담.

as·i·nine [æsənàin] *a.* 나귀의(같은); 어리석은.

ask [æsk, ɑːsk] *vt., vi.* ① 묻다, 물어보다(*about, of; if*). ② 부탁하다. (을)청하다. ③ 【古】(⋯의) 결혼 예고를 발표하다. ~ **after** …의 일을 묻다. ~ **for** …을 요구 [청구]하다; …을 찾다(방문하다). ~ **a person in** (아무를) 불러 들이다, 들어다. ~ ~ **of** (*a person*) (아무에게) …을 묻다[부탁하다]. **be ~ed out** 초대받다. **for the** ~**ing** 청구하는 대로, 거저.

a·skance [əskæns], **a·skant** [-t] *ad.* 옆으로, 비스듬히; 곁눈질로. **look ~ at** …을 곁눈질로 흘기다; 의심쩍어 보다.

a·skew [əskjúː] *ad., pred. a.* 한쪽에 (으로) (쏠리어); 반대로 뒤틀리어[그려져]; 옆으로, 비스듬히.

a·sleep [əslíːp] *ad., pred. a.* ① 잠 들어. ② 영면(永眠)하여. ③ 활발치 않아; (몸이) 마비되어. ④ (팽이가) 서서. **fall** ~ 잠들다.

asp [æsp] *n.* ⓒ 독사(남유럽·아프리카 산); 이집트 코브라.

as·par·a·gus [əspǽrəgəs] *n.* 【植】 아스파라거스.

as·pect [æspekt] *n.* ① ⓤ 국면, 양상; 광경. ② ⓤⓒ 모습, 얼굴 생김새. ③ ⓒ【文】(동사의) 상(相). ④ ⓒ 방향, 방위, 면.

as·pen [æspən] *n.* ⓒ 사시나무. — *a.* 사시나무의 (의들들) 떠는.

as·per·i·ty [æspérəti] *n.* ① 꺼칠꺼칠함; (말의) 격렬함, 퉁명스러움.

as·perse [əspə́ːrs] *vt.* 나쁜 소문을 퍼뜨리다, 중상하다; (세례의) 물을 뿌리다. **as·pér·ser** *n.* **as·per·sion** [əspə́ːrʒən, -ʃən] *n.*

as·phalt [æsfælt, -fɔːlt] *n.* ⓤ 아 스팔트.

as·phyx·i·a [æsfíksiə] *n.* ⓤ 【病】 질식, 가사(假死).

as·phyx·i·ate [æsfíksièit] *vt.* 질식시키다. **-a·tion** [-⌐éiʃən] *n.*

as·pic [æspik] *n.* ⓤ 고기 젤리.

as·pir·ant [əspáiərənt, æspər-] *a., n.* ⓒ (높은 지위 등을) 갈망하는 (사람), 야심 있는 사람(*to, after, for*).

as·pi·rate [æspərit] *n., a.* ⓒ 기음 (氣音)(의), 기식음(의), [h]음(의). — [-pərèit] *vt.* 기식음으로 발음하다. [h]음을 넣어 발음하다.

as·pi·ra·tion [æspəréiʃən] *n.* ⓤⓒ ① 갈망, 대망, 포부(*for, after*). ② 【醫】 빨아냄(suction). ③ 기음(발음).

as·pire [əspáiər] *vi.* ① 대망을 품다; 갈망하다; 동경하다(*to, after, for; to*). ② 올라가다; 치솟다.

as·pi·rin [æspərin] *n.* ⓤ 【藥】 아스 피린; ⓒ 아스피린정(錠).

ass [æs] *n.* ⓒ ① 당나귀. ② (*pl.* [ɑs]) 바보; 외고집쟁이. ③ 【卑】 엉덩이. — **es' bridge** 못난이들의 못 건너는 다리(이등변 삼각형의 두 밑각은 서로 같다는 정리). **make an ~ of** …을 우롱하다.

as·sail [əséil] *vt.* ① 습격(습습)하 다; 논란하다. ② (일)에 감연히 부닥 치다. **~·a·ble** *a.* ***~·ant, ~·er**

n. ~·ment *n.*

as·sas·sin[əsǽsin] *n.* ⓒ 암살자. (고용된) 자객. **-si·nate**[-sinèit] *vt.* 암살하다. **-si·na·tion**[-néiʃən] *n.* Ⓤⓒ 암살. **-si·na·tor** *n.* ⓒ 암살자.

as·sault[əsɔ́ːlt] *n.* ⓒ 습격, 강습, 돌격. Ⓤⓒ 강간. [法] 폭행, 협박. —— *vt.* 강습하다, (…에게) 폭행을 가하다; 공격하다.

as·say[æséi, ǽsei] *n.*, *vt.* 시금 (試金)(하다); 분석(하다); 분석물. **-a·ble** *a.* ~·er *n.*

as·sem·blage[əsémblidʒ] *n.* ① ⓒ(집합적) 회중(會衆); 집단; 집합; 집회(assembly); 수집. ② ⓒ (기계의) 부품들.

as·sem·ble[əsémbəl] *vt.*, *vi.* 모으다, 모이다, 집합시키다[하다]; (*vt.*) (기계를) 짜맞추다; 조립하다; [컴] 어셈블하다.

as·sem·bly[əsémbli] *n.* ① ⓒ 집합, 집회; 무도회; 회의. ② ⓒ (A-) 입법의회; (美) (주의회의) 하원. ③ Ⓤ 집합 신호(나팔). ④ Ⓤ (자동차 등 기계의) 조립; [군] 부품들. **General A-** (UN의) 총회; (美) (주의 의회. **National A-** [歷史] 국민 의회; 국회.

assembly line(美) 일관 작업 조직(인원과 기계).

as·sent[əsént] *n.*, *vi.* Ⓤ 승낙[동의](하다)(*to*). **by common** ~ 전원 일치로. **give one's** ~ **to** …에 동의하다. **Royal** ~ (국왕의) 비준, 재가. **as·sén·tor** *n.* ⓒ

as·sert[əsə́ːrt] *vt.* 주장하다; 단언하다; ~ **oneself** 자설(自說)을 주장하다; 주제넘게 굴다. ***as·sér·tion** *n.* Ⓤⓒ 주장, 단언; 언명. **as·sér·tive** *a.*

as·sess[əsés] *vt.* (과세를 위해) 사정(査定)하다, 평가하다; 과세하다; 할당하다. ***~·ment** *n.* Ⓤ재산 평가, 수입 사정; ⓒ 사정액, 할당액. **as·sés·sor** *n.* ⓒ 재산(과세) 평가인.

as·set[ǽset] *n.* ① ⓒ 자산의한 항목; 가치 있는 것(*a cultural* ~ 문화재). ② (*pl.*) 자산, 재산. **~s**

and liabilities 자산과 부채. **personal** (*real*) ~**s** 동(부동)산.

as·sid·u·ous[əsídʒuəs] *a.* 근면(지런)한; 빈틈없이 손이 미치는. ~·**ly** *ad.* ~·**ness** *n.*

as·sign[əsáin] *vt.* ① 할당[배당]하다. ② (구실을) 명하다; 지정하다; 돌리다(*to*). ③ (재산·권리 등을) 양도하다(transfer). ***~·ment** *n.* Ⓤ 할당; 지정; 임무; 양도; 지정 과제. [컴] 지정.

as·sig·na·tion[æsignéiʃən] *n.* ⓒ 회합(의 약속); (특히, 연인끼리의) 밀회. [法] 양도.

as·sim·i·late[əsíməlèit] *vt.* ① 동화(同化)하다; 흡수하다. ② 소화하다; 이해하다; 비교하다(*with*). —— *vi.* 동화하다; 비슷해지다. —— *n.* ⓒ(美) 동화된 물질[사람]. ***-la·tion**[—léiʃən] *n.* Ⓤ 동화(작용). **-la·tive** **-la·tor** *n.*

as·sist[əsíst] *vt.*, *vi.* 돕다, 거들다; 참석하다(*at*). —— *n.* ⓒ 조력(助力); [野] 보살(補殺); [籠] 어시스트.

as·sist·ant[əsístənt] *a.*, *n.* 보조의; ⓒ 조수; 점원. **-ance** *n.* Ⓤ 조력, 원조.

assistant proféssor 조교수.

as·size[əsáiz] *n.* ⓒ 재판; (*pl.*) (英) 순회 재판. **the Great A-** 최후의 심판.

as·so·ci·ate[əsóuʃièit] *vt.* ① 연합시키다(unite). ② 연상하다. —— *vi.* 교제하다(*with*). —— [-ʃiit] *n.* ⓒ 동료, 한동아리; 준(準)회원. ② 연상되는 것. —— *a.* 연합되는; 준(準)—.

associate proféssor 부교수.

as·so·ci·a·tion[əsòusiéiʃən, -ʃi-] *n.* Ⓤ 연합, 합동, 결합; ⓒ 조합, 협회. Ⓤⓒ 연상; Ⓤ 관념 연합; Ⓤⓒ 교제, 친밀. ~·**al** *a.*

associátion fóotball(英) 축구, 사커(soccer).

as·sort[əsɔ́ːrt] *vt.* 분류하다; 갖추다; 类(골라)맞추다. —— *vi.* 맞다, 잘 어울리다, 일치하다; 교제하다(*with*). ***~·ed**[-id] *a.* 유별(類別)한; (각종) 구색을 갖춘; ~*ed chocolates* (한 상자에) 여러 가지로 구색을 갖춘

초ौ롱링. * **~·ment** n. Ⓤ 종별, 유
별; Ⓒ (각종의) 구색 맞춤.

Asst., asst. assistant.

as·suage[əswéidʒ] vt. 누그러지게
하다, 가라앉히다. **~·ment** n. Ⓤ
감, 완화.

:as·sume[əsjúːm] vt. ① (책임을)
지다 ② 떠맡다, 띠다. ② 짐짓 꾸미
을) 가장하다(pretend). ④ 가로채
다(usurp). ④ 생각(가정)하다. 미
루어 해아리다. ⑤ 몸에 차리다(지니
다), (양상을) 띠다. ──vi. 주제넘게
굴다. **as·súm·a·ble** a. 미루어 해아
릴 수 있는, 생각할 수 있는. **-bly**
ad. 아마. **~·d**[-d] a. 짐짓 꾸민
(an ~d voice 꾸민 목소리); 가짜
의(an ~d name 가명), **as·sum·**
ed·ly[-idli] a. 아마, 필시. **as·**
súm·ing a. 주제 넘은, 건방진.

:as·sump·tion[əsʌ́mpʃən] n.
Ⓤⓒ (임무·책임의) 떠맡음; 횡령,
② Ⓤⓒ 짐짓 꾸밈, 가장. ③ Ⓤ 가
정, 억설, 가설. ④ Ⓤ 전방진, 주제
넘음. ⑤ (the A-) 성모 승천 (대축
일). **-tive** a. 가정의, 가설의; 건방
진; 짐짓 꾸민.

:as·sur·ance[əʃúərəns] n. ① Ⓒ
보증, ② Ⓤ 확신, 자신; 철면피. ③
Ⓤ[英] 보험. **have the ~ to**
(do) 뻔뻔스럽게도 ~하다. **life ~**
(英) 생명보험. **make ~ doubly**
[double] **sure** 재삼 다짐하여 틀림
없게 하다.

:as·sure[əʃúər] vt. ① (…에게) 보
증하다, 확신시키다, 납득[안심]시키
다. ② 보험에 넣다(insure). ③ 확
실히 하다. **~ oneself of …**을 확인
하다, **I ~ you.** 확실히, 틀림없이.
~·d[-d] a. 확실한; 자신 있는; 보험
에 부친. **'as·sur·ed·ly**[əʃúəridli]
ad. 확실히; 자신 있게, 대담히.
as·sured·ness[-dnis] n. Ⓤ 확실,
확신; 철면피; 대담 무쌍.

:as·ter·isk[ǽstərisk] n., vt. Ⓒ 별
표(*)(를 달다)

a·stern[əstə́ːrn] ad. 【海】 고물에
[쪽으로]; 뒤에[로]. **drop (fall) ~**
딴 배에 뒤쳐지다[앞질리다]. **Go ~!**
후진(後進)! 《구령》.

as·ter·oid[ǽstərɔid] a., n. 별 모
양의; Ⓒ 《화성과 목성 궤도간의》 작

은 유성; 【動】 불가사리.

asth·ma[ǽzmə, ǽs-] n. Ⓤ 【醫】
천식.

asth·mat·ic[æzmǽtik, æs-] a.
천식의. ── n. Ⓒ 천식 환자.

a·stig·ma·tism[əstígmətìzm] n.
Ⓤ 난시; 비점수차(非點收差).

a·stir[əstə́ːr] ad., a. 움직여; 일어
나; 술렁거려; 활동하여.

:as·ton·ish[əstániʃ/-tɔ́n-] vt. 놀라
게 하다. *** ~·ing** a. 놀랄 만한.
:~·ment n. Ⓤ 경악(in (with)
~ment 놀라서).

:as·tound[əstáund] vt. (깜짝) 놀라
게 하다. **~·ing** a. 놀라운.

as·tra·khan[ǽstrəkən/ǽstrəkǽn]
n. Ⓤ 아스트라칸(러시아 Astrakhan
지방산 새끼양의 털가죽); Ⓒ 아스트
라칸을 모조한 직물.

as·tral[ǽstrəl] a. 별의, 별이 많은;
별로부터의.

a·stray[əstréi] a., ad. 길을 잃어,
타락하여. **go ~** 길을 잃다, 잘못되
다; 타락하다.

a·stride[əstráid] ad., prep. (…에)
걸터앉아, (…에) 걸쳐서.

as·trin·gent[əstríndʒənt] a., n.
수렴성의[이 있는]; 엄(격)한; Ⓒ 수
렴제. **-gen·cy** n. Ⓤ 수렴성.

as·tro-[ǽstrou, -trə] '별·우주'의
뜻의 결합사.

as·trol·o·ger[əstrálədʒər/-5-] n.
Ⓒ 점성가《占星家》.

as·trol·o·gy[əstrálədʒi/-5-] n.
Ⓤ 점성학《술》. **as·tro·log·i·cal**[æs-
trəlɑ́dʒikəl/-5-] a.

as·tro·naut[ǽstrənɔ̀ːt] n. Ⓒ 우
주 비행사(여행자).

:as·tron·o·mer[əstránəmər/-5-]
n. Ⓒ 천문학자.

as·tro·nom·i·cal[æstrənámi-
kəl/-5-] a. 천문학(상)의; (숫자가)
천문학적인, 거대한.

as·tron·o·my[əstránəmi/-5-] n.
Ⓤ 천문학.

àstro·phýsics n. Ⓤ 천체 물리학.

as·tute[əstjúːt] a. 날카로운, 기민
한(shrewd); 교활한(crafty). **~·**
ly ad.

a·sun·der[əsʌ́ndər] ad. 따로따로
로, 떨어져(apart); 조각조각(토막토

A

막, 동강동강으로, 따로따로 떨어져 [흩어져] (in pieces) **break** ~ 를 로 쪼개지다. **come** ~ 산이 흩어 지다. **fall** ~ 무너지다. **whole worlds** ~ 하늘과 땅만큼 떨어져서.

a·sy·lum [əsáiləm] *n.* ⓒ ① 수용소, 양육원; 정신 병원. ② 도피처 (refuge).

a·sym·me·try [eisímətri, æs-] *n.* Ⓤ 불균정(不均整), 비대칭(非對稱) (opp. symmetry). **-met·ric** [⌐met-]. **-met·ri·cal** [-əl] *a.*

†**at** [強 æt, 弱 ət] *prep.* ① …에(서)(*at home*). ② 《시간·시절·나이》…(때)에(*at noon*·*at the age of fifteen*). ③ 《상태·정황·종사》… 하는 중에, …하여(어)(*at peace*; *at work*). ④ 《방향·목표》…을 하여, …을 보고(*look at it*). ⑤ 《경로》…을 통하여, …에 의하여, … 로부터(*come in*(*out*) *at the window* 창으로 들어가다(나오다)). ⑥ 《원인》…에 접하여, …을 보고(듣고), …때문에(*rejoice at the news* 그 소식을 듣고 기뻐하다). ⑦ 《가격·비율》…로(*at a lower price* 더 싼 값으로). ⑧ 《자기마음대로》…로, …에 따라서(*at will* 마음대로). ⑨ 《동작의 모양》…하게, …으로(*at a gallop* 전속력으로).

·ate [eit/et] *v.* eat의 과거.

-ate¹ [éit, èit] *suf.* …시키다, …(이 되게) 하다, …을 부여하다 따위의 뜻: locate, concentrate, evaporate.

-ate² [ət, èit] *suf.* ① 어미가 ate인 동사의 과거분사에 상당하는 형용사를 만듦: animate(animated), situate(situated). ② …을 특징으로 갖는, …의 특징을 갖는, …의 뜻: passionate, collegiate.

-ate³ [ət, èit] *suf.* ① 「직위, 지위」의 뜻: consulate. ② 「어떤 행위의 산물」의 뜻: legate, mandate. ③ 《化》…산염(酸鹽)의 뜻: sulfate.

at·el·ier [ætəljèi] *n.* ⓒ 아틀리에, (화가·조각가의) 작업실.

·a·the·ism [éiθiìzəm] *n.* Ⓤ 무신론. **·ist** *n.* **-is·tic** [èiθiístik] *a.*

·ath·lete [ǽθliːt] *n.* ⓒ 운동가, 경기자; 강건한 사람.

áthlete's fóot (발의) 무좀.

ath·let·ic [æθlétik] *a.* 운동[경기]의; 운동가다운; 강장(强壯)한. **meet(ing)** 운동[경기]회. **~s** [-s] *n.* Ⓤ 운동; 체육; 체육 실기 [원리].

-a·tion [éiʃən] *suf.* 「명사어미」동작·결과의 상태를 뜻함: meditation, occupation.

a·ti·shoo [ətíʃuː, ətʃúː] *int.* 에취 《재채기 소리》. *n.* ⓒ 재채기.

·at·las [ǽtləs] *n.* ① ⓒ 지도책. ② (A-) 《그神》아틀라스《신의 벌로 하늘을 어깨에 짊어진다는 거인》. ③ 《美》(A-) 수폭 탄두를 적재한 대륙간 탄도 유도탄.

·at·mos·phere [ǽtməsfìər] *n.* ① (the ~) 대기(*sing.*). ② 공기(*sing.*). ③ 분위기; 주위의 정황, 기분. ④ 《理》기압; 천체를 싸고 있는 가스충. ⑤ (*sing.*) (예술 작품의) 풍격, 운치.

·at·mos·pher·ic [ætməsférik], **-i·cal** [-əl] *a.* 대기의, 대기 중의 (*atmospheric pressure* 기압).

at·oll [ǽtɔːl, ǽtɑl/ǽtɔl, ətɔːl] *n.* ⓒ 환초(環礁).

·at·om [ǽtəm] *n.* ⓒ ① 원자; 미진; (an ~ of) 미량. **~ism** [-izəm] *n.* Ⓤ 원자론[설]. ② (the *nuclear*). 《俗》

·a·tom·ic [ətámik/-5-] *a.* 원자의 **atómic pówer** 원자력 「원자의 **at·om·ize** [ǽtəmàiz] *vt.* 원자(미분)자로 만들다; 《俗》원자 폭탄으로 분쇄하다; 분무(噴霧)하다. **~r** [-z] *n.* ⓒ 분무기; 향수 뿌리개.

·a·tone [ətóun] *vt., vi.* 보상[속(贖)]하다, 배상하다(*for*); 속죄하다. **~·ment** *n.* Ⓤⓒ 보상; (the A-) (예수의) 속죄.

·a·top [ətáp/-5-] *ad., prep.* (…의) 꼭대기에(의).

·a·tro·cious [ətróuʃəs] *a.* 흉악한; 잔학한, 잔혹한; 지독한, 지겨운, 서투른. **·a·troc·i·ty** [ətrásəti/-5-] *n.* Ⓤ 극악(성). ② (보통 *pl.*) 잔학 행위.

at·ro·phy [ǽtrəfi] *n., vi., vt.* Ⓤⓒ 《醫》위축(위축)(하다, 하게 하다).

·at·tach [ətǽtʃ] *vt.* ① 붙이다; 달다 (fasten). ② (서명 따위를) 곁들이

다(affix). ③ 부착하다, 소속[부속]
시키다, 돌리다(attribute). ④ (중
요성 따위를) 두다. ⑤ 예정으로 맺다;
이끌다. ⑥ 〖法〗구속하다, 압류하다
(seize). ～ *oneself to* …에 가입
하다; …에 애착을 느끼다. **～·a·ble**
a. ***～·ment** *n*. ① 〖U〗부착, 접착,
붙임; 〖U〗부속물[품], 닭, 〖U〗애
정, 사모, 애착(*for, to*). ③ 〖U〗〖法〗
체포; 압류.

at·ta·ché[ӕtəʃéi, ətæʃéi] *n*. (F.)
〖C〗대사·공사 등의 수행원; 대(공)
사관원. ～ *case* 소형 서류 가방의
일종. *military* (*naval*) ～ 대(공사)
관무 육[해]군 무관.

:at·tack[ətǽk] *vt*. ① 공격하다, 습
격[엄습]하다. ② (병이) 침범하다.
③ (일에) 기운차게 착수하다. —— *n*.
① 〖U,C〗공격; 비난. ② 〖C〗발작(fit).

:at·tain[ətéin] *vt*., *vi*. ① (목적을)
이루다, 달성하다. ② (장소·위치 따
위에) 이르다, 도달하다. ***～·a·ble**
a. ***～·ment** *n*. 〖U〗달성, (기술 등
의) 터득; 〖C〗(보통 *pl*.) 학식, 예능.

:at·tempt[ətémpt] *vt*. ① 시도하다.
해보다. 꾀하다. ② (생명을) 노리다.
—— *n*. 〖C〗시도, 노력; 습격.

:at·tend[əténd] *vt*., *vi*. ① (…에)
출석하다, (학교 등에) 다니다. ② 모
시다, 섬기다; 간호하다(*on, upon*). ③
주의하다, 주의하여 듣다. ④ 수반
하다(go with). ⑤ 노력하다(*to*).

:at·tend·ance[əténdəns] *n*. ①
〖U,C〗출석, 출근, 참석(*at*). ② 〖U〗
시중, 돌봄, 간호(*on, upon*). ③ 〖U〗
출석[참석]자; 〖C〗출석[참석]자. *in* ～ 봉사하여, 섬기
어. *dance* ～ *on* …을 모시다;
…에게 아첨하다.

:at·tend·ant[-ənt] *a*. ① 시중드는,
수행의. ② 부수의, 따르는(*on,
upon*). ③ 출석의. —— *n*. ① 곁에
따르는 사람, 수행원; 출석[참석]
자; 〖주로 英〗점원, 안내원.

:at·ten·tion[əténʃən] *n*. 〖U〗① 주
의, 주의력. ② 유의, 배려;
보살핌, 돌봄. ③ 친절, 정중. ④
(보통 *pl*.) 정중한 행위; (구혼자의)
정중한 몸가짐, 구혼. ⑤ 응급 치료;

(고객에 대한) 응대. *A-!* 차려(구령).
call away the ～ 주의를 딴 곳으
로 돌리다. *come to* (*stand at*)
～ 차려 자세를 취하다(하고 있다).
with ～ 주의하여; 정중하여.

:at·ten·tive[əténtiv] *a*. ① 주의 깊
은, ② 경청하는(*to*). ③ 정중한, 친
절한(*to*). **～·ly** *ad*.

at·ten·u·ate[əténjuèit] *vt*., *vi*. 얇
게(가늘게) 하다(되다); 묽게[희박하
게] 하다(dilute); 약화하다(되다).
-a·tion[-∫éi∫ən] *n*. 〖U〗얇게[묽게]
함, 약화함; (전류·전압 등의) 감쇠,
저하. **-à·tor** *n*.

***:at·test**[ətést] *vt*., *vi*. 증명[증언]하
다; 맹세[선서]시키다. **at·tes·ta·tion**
[ӕtestéi∫ən] *n*. 〖U〗증명; 증거. ②
증명서. **～·er, at·tés·tor** *n*.

:at·tic[ǽtik] *n*. 〖C〗다락방; 고미다락.

:at·tire[ətáiər] *n*. 〖U〗옷차림새; 의
복, 복장. —— *vt*. 차려 입다, 차리다.
～·ment *n*. 〖U〗〖廢〗의복, 복장.

:at·ti·tude[ǽtitjùːd] *n*. 〖C〗① 자
세, 몸가짐; 태도(*toward*). ② 〖空〗
비행 자세. ③ 〖劇〗속셈, 속뜻. *strike an*
～ 짐짓 (점잔) 빼다, 젠체하다. **-tu·
di·nize**[-′—dənàiz] *vi*. 짐짓 (점잔
을) 빼다.

***:at·tor·ney**[ətə́ːrni] *n*. 〖C〗변호사;
대리인. ～ *at law* 변호사. *by* ～
대리인으로. *letter* (*warrant*) *of* ～
위임장. *power of* ～ (위임에 의
한) 대리권.

Attorney Géneral 법무 장관.

:at·tract[ətrǽkt] *vt*. ① 끌다, 끌어
당기다. ② 매혹하는, 유혹하다.
-a·ble *a*. 끌리다.

at·trac·tion[ətrǽk∫ən] *n*. 〖U〗① 끄
는 힘, 유혹, 흡인(력). ② 〖理〗인력.
② 〖C〗매력, 인기거리. ③ 〖文〗견
인(牽引).

:at·trac·tive[ətrǽktiv] *a*. ① 사람
의 마음을 끄는; 관심을 끄는, ② 인
력이 있는. **～·ly** *ad*. **～·ness** *n*.

at·trib·ut·a·ble[ətríbjutəbl] *a*.
(…에) 돌릴 수 있는, 기인하는(*to*).

:at·trib·ute[ətríbjut] *vt*. (…에) 돌
리다, (…에) 돛으로 돌리다.
—— [ǽtribjuːt] *n*. ① 속성, 특질; 붙어
다니는 것(Neptune의 갖고 있는
trident 따위); 표징; 〖文〗한정사.

at·tri·bu·tion [æ̀trəbjúːʃən] *n.* Ⓤ 귀속, 귀인(歸因); Ⓒ 속성.

at·trib·u·tive [ətríbjətiv] *a.* 속성의, 속성을 나타내는; 《文》 한정적인, 관형적인(opp. predicative). — *n.* 《文》 한정사.

at·tri·tion [ətríʃən] *n.* Ⓤ 마찰, 마손(摩損). *war of* ~ 소모전.

at·tune [ətjúːn] *vt.* 가락을(음조를) 맞추다 《無電》 (파장에) 맞추다.

au·burn [ɔ́ːbərn] *n., a.* Ⓤ 적갈색 (의).

auc·tion [ɔ́ːkʃən] *n., vt.* Ⓤ.Ⓒ 공매, 경매 (하다).

auc·tion·eer [ɔ̀ːkʃəniər] *n.* Ⓒ 경매인. — *vt.* 경매하다.

au·da·cious [ɔːdéiʃəs] *a.* 대담한; 뻔뻔스러운. **~·ly** *ad.* **au·dac·i·ty** [ɔːdǽsəti] *n.* Ⓒ 대담; Ⓤ 뻔뻔스러움; 무례; (보통 *pl.*) 대담한 행위.

au·di·ble [ɔ́ːdəbl] *a.* 들리는, 청취할 수 있는. **-bly** *ad.*

au·di·ence [ɔ́ːdiəns/-djə-] *n.* Ⓤ ① 청중, 관객, 관객(라디오·텔레비전의) 청취(시청)자; 독자(들). ② Ⓤ 알현; Ⓤ 들음, 청취. *be received in* ~ 알현이 허가되다. *give* (*grant*) *an* ~ *to* …에게 알현[접견]을 허락하다.

au·di·o [ɔ́ːdiòu] *a.* 《無電》 저(低) (가청 (可聽))주파의; 《TV》 음성의. — *n.* (*pl.* -*dios*) Ⓤ [컴퓨터] 들림(다), 오디오.

àudio-vísual *a.* 시청각의 (~ *education* 시청각 교육).

au·dit [ɔ́ːdit] *n.* Ⓒ 회계 감사, 검사(보고서). — *vt., vi.* (회계를) 감사하다; 《美》 청강생으로 출석하다.

au·di·tion [ɔːdíʃən] *n., vt., vi.* Ⓤ 청력, 청각; Ⓒ (가수의) 오디션; 시청(試聽) 테스트를 하다(받다).

au·di·tor [ɔ́ːditər] *n.* Ⓒ 방청자; 회계 감사관; 검사; 《美》 청강생. **~·ship** [-ʃìp] *n.* Ⓤ 검사관의 직.

:au·di·to·ri·um [ɔ̀ːditɔ́ːriəm] *n.* (*pl.* ~**s**, **-ria** [-riə]) Ⓒ 방청[청중]석; 《美》 강당; 공회당.

au·di·to·ry [ɔ́ːditɔ̀ːri/-təri] *a.* 귀의, 청각의. *n.* *pl.* 《古》 청중(석).

au fait [ou féi] (F.) 숙련하여, 정통하여; 유능하여.

Aug. August.

aught [ɔːt] *n., ad.* 《古》 ⇨ ANYTHING. *for* ~ *I care* 내게는 관심이 없다; 아무래도 상관 없다. *for* ~ *I know* 내가 알고 보니, 아마.

aug·ment [ɔːgmént] *vt., vi.* 늘(리) 다, 증대[증가]하다. **~·a·ble** *a.* **aug·men·ta·tion** [ɔ̀ːgmentéiʃən] *n.* Ⓤ 증대; 증가; Ⓒ 첨가물.

au·gur [ɔ́ːgər] *n.* Ⓒ (고대 로마의) 복점관(卜占官); 예언자(prophet). — *vt., vi.* 점치다, 예언[예지(豫知)] 하다; (사건·현상이) 조짐이 되다. ~ *well* (*ill*) (재)수가 좋다(나쁘다).

au·gu·ry [ɔ́ːgjuri] *n.* Ⓤ 점; Ⓒ 전조(omen).

Au·gust [ɔ́ːgəst] *n.* 8월.

au·gust [ɔːgʌ́st] *a.* 당당한; 존귀한.

auk [ɔːk] *n.* Ⓒ 바다오리.

auld lang syne [ɔ́ːld lǽŋ záin, -sáin,] 그리운 옛날.

aunt [ænt/ɑːnt] *n.* Ⓒ 아주머니, 숙모, 백모; 이모, 고모(cf. uncle).

aunt·ie, aunt·y [ǽnti, ɑ́ːnti] *n.* Ⓒ 아줌마(aunt의 애칭); 《俗》 요금용 미상입.

au pair [òu péər] (F.) 상호 원조의.

au·ra [ɔ́ːrə] *n. a.* (*pl.* ~**s**, **-rae** [-riː]) Ⓒ (사람이나 물체로부터의) 발기체 (發氣體); 미묘한 분위기.

au·ral [ɔ́ːrəl] *a.* 귀의; 청력의, 청각의(*an* ~ *aid* 보청기).

au·re·ole [ɔ́ːriòul] *n.* Ⓒ 후광; (해·달의) 무리(halo).

au re·voir [òu rəvwáːr] (F.) 안녕[헤어질 때의 인사].

au·ri·cle [ɔ́ːrikl] *n.* Ⓒ 《解》 귓바퀴, 외이(外耳); (심장의) 심이(心耳); 귀 비슷한 것[부분].

au·ro·ra [ɔːrɔ́ːrə, ɑɔ:-] *n.* Ⓒ 극광, 서광. ② (A-) 《로마》 오로라(새벽의 여신). **-ral** *a.* 극광의, 새벽의; 빛나는.

auróra bo·re·ál·is [-bɔ̀ːriǽlis, -éilis] (L.) 북극광.

aus·pic·es [ɔ́ːspisiz] *n.* ① Ⓒ (새의 나는 모양으로 판단하는) 점. ② Ⓒ (종종 *pl.*) 전조, 길조(omen); 유리한 정세. ③ (*pl.*) 후원, 찬조(patronage). *under the* ~*s of* …의 찬조(후원·주최)로.

aus·pi·cious[ɔːspíʃəs] *a.* 길조의, 상서로운; 행운의. **~·ly** *ad.*

Aus·sie[ɔ́si/ɔ́(:)zi] *n.* ⓒ 《俗》 오스트레일리아 (사람).

aus·tere[ɔːstíər] *a.* ① 엄(격)한, 가혹한. ② (문체가) 극도로 간결한. ③ (맛이) 신; 떫은.

aus·ter·i·ty[ɔːstérəti] *n.* ① ⓤ 엄격, 준엄; 간소, 내핍. ② ⓒ (보통 *pl.*) 금욕 생활; 내핍 생활.

Austrálian Rùles 18 명이 하는 럭비 비슷한 구기.

au·then·tic[ɔːθéntik] *a.* 믿을만 한, 확실한; 진짜의, 진정한; 권위 있는. **~·ti·cal·ly** *ad.* 확실히. **~·i·ty**[ɔ̀θentísəti] *n.* ⓤ 진실성.

au·then·ti·cate[ɔːθéntikèit] *vt.* 확증 (증명)하다(prove). **-ca·tion**[-ㅡkéiʃən] *n.* ⓤ 확증, 증명.

au·thor[ɔ́θər] *n.* ① 저자. ② 창시자. ③ 하수인, 본인. ④ 저작. **~·ess**[ɔ́θəris] *n.* ⓒ 여류 작가 (“author로 씀이 보통임). **~·ship**[-ʃip] *n.*

au·thor·i·tar·i·an[əθɔ̀ːrətέəriən, -θὰr-/ɔːθὸritέər-] *a.* 《美》권위 (독재)주의의. ⓒ 권위 (독재)주의자. **—** *n.* ⓒ 권위 (독재)주의자. *n.* **-ism**[-izəm] *n.* ⓤ 권위주의.

au·thor·i·ta·tive[əθɔ́ːrətèitiv, -θάr-/ɔːθɔ́ritətiv] *a.* 권위 있는, 믿을 만한(*an ~ source*); 관헌의, 당국의; 명령적인. **~·ly** *ad.*

au·thor·i·ty[əθɔ́ːriti, əθάr-/ɔːθɔ́ri-] *n.* ① ⓤ 권위, 권력(*over, with*). ② ⓤ 능력, 권한. ⓒ ⓤ 전거(典據), ⓒ 권위자, 대가(의). ⑤ ⓒ (보통 *pl.*) 관헌; 당국, 요로; 소식통. **on good** ~ 권위(근거) 있는 출처에서. **on one's own** ~ 독 단으로. **the authorities con·cerned,** **or the proper authori·ties** 관계 관청, 당국.

au·thor·ize[ɔ́θəràiz] *vt.* ① 권한 (권능)을 주다; 위임하다. ② 인가하 다. ③ 정당하다고 인정하다. **-i·za·tion**[ㅡizéiʃən] *n.* ⓤ 위임; 인가, 인가. ⓒ 허가서.

Authorized Vérsion *n.* 흠정역 (欽定譯) 성서(1611년 영국왕 James I의 명령으로 된; 생략 A.V.).

au·tism[ɔ́ːtizəm] *n.* ⓤ 《心》 자폐 증. **au·tis·tic**[ɔːtístik] *a.*

au·to[ɔ́ːtou] *n.* (*pl.* ~s) *n.*, *vi.* 《口》자동차(automobile)(로 가다). ⓤ 《美》자동.

au·to-[ɔ́ːtə-] '자신의, 자기…; 자동 차'의 뜻의 결합사.

au·to·bi·og·ra·phy[ɔ̀ːtəbaiágrə-fi/-ɔg-] *n.* ⓒ ⓤ 자서전. **-pher** *n.* 자서전 작자. **-o·graph·ic**[ɔ̀ːtəbàiə-grǽfik], **-i·cal**[-əl] *a.*

au·toc·ra·cy[ɔːtákrəsi/-ɔ́-] *n.* ⓤ 《集》《전체》정치, 독재정치. **au·to·crat**[ɔ́ːtəkræt] *n.* ⓒ 독재 《전제》군주; 독재자. **-crat·ic**[ɔ̀ːtəkrǽtik], **-i·cal**[-əl] *a.*

áuto·cròss *n.* ⓒ (벌판 따위를 달 려 시간을 겨루는) 자동차 경주.

Au·to·cue[ɔ́ːtoukjùː] *n.* ⓒ 《商標》 오토큐(텔레비전 방송의 자동 프롬프 터 장치).

au·to·graph[ɔ́ːtəgrǽf, -àː] *n.* *a.* ⓒ 자필(의), 자필 서명(한); 자필 원고. **—** *vt.* 자필로 쓰다; 자서(自 筆)하다. **-ic**[ɔ̀ːtəgrǽfik], **-i·cal** [-əl] *a.*

au·to·mat[ɔ́ːtəmæt] *n.* ⓒ 《美》자 동 판매기; 자동 판매식 음식점.

au·to·mate[ɔ́ːtəmèit] *vt.* 오토메이 션화하다, 자동화하다. **—** *vi.* 자동 장치를 갖추다.

au·to·mat·ic[ɔ̀ːtəmǽtik] *a.* 자동 (식)의; 기계적인, 무의식적인, 습관 적인. **—** *n.* ⓒ 자동 기계(장치, 권 총). **~·i·cal·ly** *ad.*

automátic pílot 《空》자동 조종 장치.

au·to·ma·tion[ɔ̀ːtəméiʃən] *n.* (< *autom*(atic) + (oper)*ation*) ⓤ 오토메이션, 자동 조작; 《컴》자동화.

au·tom·a·ton[ɔːtámətàn/-tɔ́m-ətən] *n.* (*pl.* ~s, -ta) ⓒ 자동 인형 [장치]; 기계적으로 행동하는 사람; 《컴》자동장치.

au·to·mo·bile[ɔ́ːtəməbìːl, ㅡㅡㅡ, ㅡ̀ㅡㅡㅡ́] 《美》자동차. **—** *vi.* 자동차에 타다[로 가다]. **—** *a.* 《美》자동(식)의. **-bil·ist**[ɔ̀ːtəməbìːlist, -móu-bil-] *n.* = MOTORIST.

au·to·mo·tive[ɔ̀ːtəmóutiv] *a.* 자 동차의; 자동적인.

au·ton·o·mous [ɔːtɑ́nəməs/-5-] *a.* 자치적인, 독립된. **-my** [-nəmi] *n.* ⓒ 자치(권). ⓒ 자치제.

áuto·pìlot *n.* ⓒ 〖空〗 자동 조정 장치(automatic pilot).

au·top·sy [ɔ́ːtɑpsi, -təp-/-tɔp-] *n.* ⓒ 검시(檢屍), 부검.

àuto·suggéstion *n.* Ⓤ 〖心〗 자기 암시.

au·tumn [ɔ́ːtəm] *n.* Ⓤ 가을. ***au·tum·nal** [ɔːtʌ́mnəl] *a.*

aux·il·ia·ry [ɔːgzíljəri] *a.* 보조의, 추가의. — *n.* ⓒ 보조자[물]; 〖文〗 조동사; (*pl.*) 외인 부대.

auxíliary vérb 조동사.

*a·vail [əvéil] *vt., vi.* 이롭다, 도움[소용]이 되다, 쓸모가 있다. — **one·self of** ···을 이용하다. — *n.* Ⓤ 이익, 효용. **be of ~ [no ~]** 도움이 되다[되지 않다], 쓸모 있다[없다]. **to no ~, or without ~** 보람 없이, 무익하게.

*a·vail·a·ble [-əbəl] *a.* ① 이용할 수 있는, 유효한(**for, to**). ② 손에 넣을 수 있는. ③ (일 따위에) 전심할 수 있는, 여가가 있는. **-bil·i·ty** [-biləti] *n.* Ⓤ 유효성, 유익, 도움, 쓸모.

*av·a·lanche [ǽvəlæntʃ, -lɑ̀ːnʃ] *n., vi.* ⓒ (눈·산)사태(山汰); 쇄도 (하다).

a·vant-garde [əvɑ̀ːntgɑ́ːrd] *n.* (F.) 〖예술상의〗 전위, 아방가르드.

*av·a·rice [ǽvəris] *n.* Ⓤ 탐욕. ***-ri·cious** [ǽvəríʃəs] *a.* 탐욕스러운, 욕심 사나운.

Ave. Avenue.

*a·venge [əvéndʒ] *vt., vi.* (···의) 원수를 갚다, (···을 위해) 복수하다 대갚음하다(**~ one's father** 아버지의 원수를 갚다)(cf. revenge). **~ oneself, or be ~d** (···에게) 복수하다(**on, upon**). **a·véng·er** *n.*

*av·e·nue [ǽvənjùː] *n.* ⓒ ① 가로 수길; 가로. ② 〖美〗 (번화한) 큰 거리(특히 남북으로 뻗은)(cf. street). (성공 따위에의) 길, 수단.

*a·ver [əvə́ːr] *vt.* (**-rr-**) 단언하다, 주장하다. **~·ment** *n.* Ⓤ.ⓒ 주장, 단언.

*av·er·age [ǽvəridʒ] *n., a.* ⓒ.Ⓤ ① 평균(의); 표준(의), 보통(의). ② 〖商〗 해손(海損). **on an** 〔the〕 **~** 평균하여; 대개는. — *vt., vi.* 평균하다, 평균 ···이 되다. **~ down** 〔**up**〕 (증권 따위를 매매하여) 평균 값을 내리다(올리다).

a·verse [əvə́ːrs] *a.* 싫어하여; 반대하여(**to**).

a·ver·sion [əvə́ːrʒən, -ʃən] *n.* 혐오, 반감; ⓒ 싫은 물건[사람].

a·vert [əvə́ːrt] *vt.* 돌리다, 피하다; 막다.

a·vi·ar·y [éivièri] *n.* ⓒ 새장, 조류 사육장.

a·vi·a·tion [èivíéiʃən] *n.* Ⓤ 비행술.

a·vi·a·tor [éivièitər] *n.* (*fem.* **-tress, -trix**) ⓒ 비행사, 비행기사.

av·id [ǽvid] *a.* 탐욕스런; 갈망하는 (**for, of**). **a·vid·i·ty** [əvídəti] *n.* Ⓤ 갈망, 탐욕. **~·ly** *ad.*

a·vi·on·ics [èiviɑ́niks/-5n-] *n.* Ⓤ 항공 전자 공학.

av·o·ca·do [ǽvəkɑ́ːdou] *n.* (*pl.* **~(e)s**) ⓒ 〖植〗 아보카도(열대 아메리카산; 그 과실).

*a·void [əvɔ́id] *vt.* ① 피하다, 회피하다(**doing**). ② 〖法〗 무효로 하다(annul). ***~·a·ble** [-əbl] *a.* ***~·ance** [-əns] *n.* ① 도피, 회피, 무효. ***~·er** *n.*

av·oir·du·pois [ǽvərdəpɔ́iz] *n.* Ⓤ 상형(常衡)(16 온스를 1 파운드로 정한 형량(衡量); 생략 avoir., avdp.)(cf. troy). 〖美口〗 체중, 몸무게.

a·vow [əváu] *vt.* 공언하다; 시인하다. **~·al** [-əl] *n.* Ⓤ.ⓒ 공언; 자백; 시인. **~·ed·ly** [-idli] *ad.* 공공연히; 명백히.

a·vun·cu·lar [əvʌ́ŋkjulər] *a.* 아저씨 부류의·복수[숙부]의(같은).

AWACS 〖美〗 Airborne Warning and Control System 공중 경보 조정 장치.

a·wait [əwéit] *vt.* (···을) 기다리다.

a·wake [əwéik] *vt.* (**awoke; awoke, ~d**) 일으키다, 깨우다(arouse); 자각시키다(**to**). — *vi.* 눈뜨다, 깨다; 깨닫다; 분기하다(**to**). — *a.* 깨어서(**to**), 눈떠, 깨어서 방심 않는; 잘 알아채어(**to**). **~ or asleep** 자나 깨나.

a·wak·en [əwéikən] *vt., vi.* = AWAKE.

A

a·wak·en·ing[-iŋ] *a.* 눈뜨게 하는, 각성하는. — *n.* ⓊⒸ 눈뜸, 각성.

a·ward[əwɔ́ːrd] *vt.* ① 심사하여 주다, 수여하다. ② 재정(裁定)하다. — *n.* ⓒ 심판, 판정; 상품. **~·ee** [əwɔ̀ːrdíː, -<] *n.* ⓒ 수상자.

a·ware[əwέər] *pred. a.* 깨닫고, 알아차리고(*of*; *that*). `~·ness *n.*

a·way[əwéi] *ad.* ① 떨어져서, 멀리 저쪽으로. ② 부재(不在)하여. ③ 점점 소멸하여, 없어져. ④ 끊임없이. 착착하여(*work* ~). ~ *back* 《美口》 훨씬 이전; 훨씬 멀리에. *A- with ...!* …을 쫓아버려라, 제거하라(*A- with him!* 그를 쫓아버려라/*A- with you!* 비켜라, 물러나라, 가라). *do*(*make*) ~ *with* …을 없애다; 처리[처분]하다, 죽이다. *far*[*out*] *and* ~ (*the best*) 단연《남을 훨씬 앞질러》(일등). *right*(*straight*) ~ 곧, 즉각.

awe[ɔː] *n., vt.* 두려움, 경외(畏敬)(시키다), 외경하(게 하)다. *stand in* ~ *of* …을 경외[두려워]하다. ✦less *a.*

áwe-inspìring *a.* 두려운 마음이 일게 하는, 옷깃을 바로잡게 하는, 엄숙한.

awe·some[-səm] *a.* 두려운, 무서운.

áwe-strùck *a.* 두려운 감이 들어, 두려워하여.

aw·ful[ɔ́ːfəl] *a.* ① 두려운; 장엄한. ② 《구》《口》 대단한, 무서운, 굉장한. **✦-ly** *ad.* ① 무섭게. ② 《구》《口》 굉장히.

a·while[əhwáil] *ad.* 잠시(for a while).

awk·ward[ɔ́ːkwərd] *a.* ① 보기 흉한; 섣부른, 서투른; 약빠르지 못한 《…하기 어려운(*to* do); 어색한; 사용하기 거북한(*an* ~ *tool*); 다루기 어려운, 어거하기 힘든, 깔보기 수 없는, ~·ly *ad.* ~·ness *n.*

awl[ɔːl] *n.* ⓒ (구둣방 따위의) 송곳.

awn·ing[ɔ́ːniŋ] *n.* ⓒ (창에 단) 차양, 비막이; 《口》 천막.

:a·woke[əwóuk] *v.* awake의 과거 〈분사〉.

AWOL[éiɔ̀ːl] *n., a.* absent without leave 무단 결근의; ⓒ 무단 결근[외출]자.

a·wry[ərái] *pred. a., ad.* 뒤틀린, 뒤틀리어, 일그러진[러], 잘못되어, 틀어져. *go*[*run*] ~ 실패하다, *look* ~ 스쳐[곁눈질로] 보다.

ax, 《美》**axe**[æks] *n.* (*pl.* **axes** [-iz]), *vt.* ① 도끼(로 자르다), 축다. ② (인원·예산 따위를) 삭감(하다). ③ (口) 면직[해고](하다). *have an* ~ *to grind* 《美》 속 배포가 있다. 생각하는 바가 있다. *put the* ~ *in the helve* 수수께끼를 풀다.

ax·i·om[ǽksiəm] *n.* ⓒ 공리(公理), 자명한 이치. **-o·mat·ic** [æ̀ksiəmǽt·ik], **-i·cal**[-əl] *a.*

ax·is[ǽksis] *n.* (*pl.* **axes**[ǽksiːz]) ⓒ 굴대, 축; 축축(樞軸) 축. **the A-** (2차 대전 당시의) 추축국《독일·이탈리아·일본》.

ax·le[ǽksl] *n.* ⓒ 굴대, 축(軸); = ✦·trèe 축축(車軸).

ay, **aye**[ai] *int.* = YES. — *n.* Ⓤ 찬성; ⓒ 찬성자.

a·ya·tol·lah[àːjətóulɑː] *n.* ⓒ 아야 톨라《이란의 이슬람 최고 지도자의 호칭》.

a·zal·ea[əzéiljə] *n.* ⓒ 진달래.

az·i·muth[ǽzəməθ] *n.* ⓒ 《天·海》 방위, 방위각(角).

az·ure[ǽʒər] *n.* ① Ⓤ 하늘빛(의); (the ~) 《詩》 푸른 하늘.

B

B, b [biː] *n.* (*pl.* **B's, b's**[-z]) ① ⓒ 비(글)자; 나폴조(調)); ⓒ B자 모양인 것.

B 【체스】 bishop; black(연필 따위의 흑색 농도)); 【化】 boron. **B.** Bay; Bible; British; Brotherhood. **b.** bachelor; 【野】 base; baseman; bass; basso; bay; blended; blend of; book; born; bowled; breadth; brother. **B-** bomber 《미군 폭격기; B-52 따위》. **B/-** 【商】 bag; bale. **Ba** 【化】 barium. **B.A.** Bachelor of Arts (=A.B.)문학사; British Academy.

baa [bɑː] *n.* 매양의 울음소리. — *vi.* (~**ed, ~'d**) 매 하고 울다.

bab·ble [bǽbəl] *vi., vt.* ① ⓒ (어린이 등이) 떠들거리는 말(을 하다); 허튼소리(를 하다), 수다(떨다) (*about*); 지껄여 누설하다(*out*). (시냇물의) 졸졸거림, (시냇물이) 졸졸 흐르다. — **r** *n.* ⓒ 수다쟁이, 입이 싼 사람; 【鳥】 꼬리치레(의 일종).

:babe [beib] *n.* 《詩》=BABY; ⓒ 천진난만한 사람; (귀여운) 계집아이; 아가씨.

Ba·bel [béibəl, bǽb-] *n.* Shinar 의 고도(古都); 바벨 탑(the Tower of Babel)《옛날 Babylon에서 하늘까지 닿도록 쌓으려다 실패한 탑; 창세기 11:9); ⓤ (*or* b-) 언어의 혼란, 소란(한 장소).

ba·boon [bæbúːn/bə-] *n.* ⓒ 비비(沸沸); 보기 싫은 놈.

:ba·by [béibi] *n.* ⓒ 갓난애; 어린애 같은 사람, 작은 동물(물건); 《美》 젊은 여자, 소녀; 애인. **hold the ~** 성가신 것을 떠맡다. **pass the ~** 책임 회피하다.

baby boom 베이비 붐《제2차 세계대전 후 미국에서 출생률이 급격히 상승한 현상》.

baby carriage 《美》 유모차.

baby grand 소형 그랜드 피아노.

baby·hood *n.* ⓤ 유아기; 《집합적》 어린애.

baby-sit *vi.* (**-sat; -tt-**) (시간제, 유료로) 어린애를 보아주다. **: ~ter** *n.* ⓒ (시간제의) 어린애 봐주는 사람.

baby talk 유아 말.

bac·ca·lau·re·ate [bæk əlɔ́ːriit] *n.* ⓒ 학사(bachelor)의 학위; (대학 졸업생에 대한) 송별 설교(=~ sermon).

Bac·cha·na·li·a [bækənéiliə, -ljə] *n. pl.* (고대 로마의) 주신제; ⓤ 큰 술잔치; 야단법석. **~n**[-n] *a., n.* 취해 떠드는 (사람).

bach·e·lor [bǽtʃələr] *n.* ⓒ 독신자; 학사.

báchelor·hòod *n.* ⓤ 독신(생활), 독신 시절.

ba·cil·lus [bəsíləs] *n.* (*pl.* **-li** [-lai]) ⓒ 간상균(桿狀菌); 세균.

:back [bæk] *n.* ① ⓒ 등, 잔등. ② 안(뒤); 뒷면. ③ 후방, 안(손발의); 등(의자의); 등뼈, 척추. ④ ⓒ 【球技】 후위(後衛). **at the ~ of** …의 뒤에; 후원자로서. **~ and belly** 의식(衣食). **behind** *a person's ~* 아무가 없는 데서. **break the ~ of** …을 이겨내다; …을 꺾다(죽이다); (어려운 일의) 고비를 넘기다. **get (a person's) ~ up** 성내다(나게하다). **on one's ~** 등에 지고; 벌떡 누워; 몸져 누워, 무력하여. **on the ~ of** …의 등뒤에; …에 더하여. **put one's ~ into** …에 헌신하여 노력(일)하다. **put (set)** *a person's ~ up* 노하게 하다. **see the ~ of** …을 쫓아버리다; 면하다. **turn one's ~** 도망치다; …에 등을 돌리다. **turn the [one's] ~ on** …을 저버리다, …에 등을 돌리다. **with one's ~ to the wall** 궁지에 빠져. — *a.* ① 뒤의, 배후의; 안의, 속의. ② 벽지의. ③ 거꾸로의; 밀린; 이전 [과거]의. **~ number** 달을 넘긴 호

지; 시대에 뒤진 사람[사상, 방법].
~ *slum* 빈민굴. ~ *vowel* 후설 모음(u, ɔ, ɑ 따위).
— *ad.* 뒤로, 뒤쪽으로, 뒤에; 되돌아오게 ② 소급하여 (몇 년) 전에. ~ *and forth* 앞뒤로, 오락가락. ~ *of* 《美》의 뒤에; ···을 지지하여. *go* ~ *on* 〔《英》*from*〕을 어기다, 배반하다. *keep* ~ 누르다, 숨겨두다.
— *vi.* 후퇴하다. — *vt.* ① 후퇴시키다. ② (책 따위의) 등을 붙이다, 뒤를 대다. ③ (···에) 배경이 되다. ④ 원조[지지]하다. ⑤ (말에) 타다[내기에] 걸다; (어음에) 배서하다; 《口》 업어 나르다. ~ *and fill* 〔海〕 갈지자로 나아가다; 《美口》 변덕부리다; 우물쭈물하다. (마음이) 동요하다. ~ *down* 물러서다, 포기하다. ~ *out (of)* 《口》 ···에서 손을 떼다, (···을) 취소하다, 위약하다. ~ *up* 돕다; 〔球技〕 뒤를 지키다. ~ *water* (배를) 후진시키다; 《美口》 손을 떼다, 한 말을 취소하다.
báck·àche *n.* Ⓤ Ⓒ 등의 통증.
báck·bènch·(er) *n.* Ⓒ 《英》 뒷자리(에 앉은 평의원).
báck·bìte *vt., vi.* (*-bit*; *-bitten*, 《口》 *-bit*) (없는 데서) 험담하다.
:**báck·bòne** [⌐bòun] *n.* ① Ⓒ 등뼈. ② Ⓤ 기골(氣骨).
báck·brèaking *a.* 몹시 힘드는.
báck·chàt *n.* Ⓤ 말대꾸, 대답; (담판 따위의) 수작; 모욕.
báck·dòor *a.* 은밀한; 교활한.
báck·dròp *n.* Ⓒ 배경(막).
báck·er *n.* Ⓒ 후원자.
báck·fìre *n.* Ⓒ (산불을 끄기 위한) 맞불; (내연기관의) 역화(逆火).
back·gam·mon [⌐ɡæmən, ∠−] *n.* Ⓤ 서양 주사위 놀이.
:**back·gròund** [⌐gràund] *n.* Ⓒ 배경; 이면. ② Ⓤ (의복의) 바탕색. ③ Ⓒ (무대의) 배경, (사물의) 경력, 소양. ⑤ Ⓒ 〔연극·영화·방송 등의〕 음악 효과, 반주 음악, 〔컴〕 뒷면. *in the* ~ 표면에 나서지 않고, 흑막에서. ④ 막후 사정.
báck·hànd *a., n.* =BACKHAND-ED; 〔테니스 따위의〕 역타(逆打); 왼쪽으로 기운 필적(筆跡).

báck·hánded *a.* 손등으로의; (필적이) 왼쪽으로 기운; 서투른; 간접적인; 성의 없는; 빈정대는.
báck·ing *n.* Ⓒ (제본의) 등붙이기; 지원[배서]; 후원; 속심.
báck·làsh *n.* Ⓤ Ⓒ (기계·톱니바퀴 따위의) 느슨해[거나 마모된 곳의] 덜거덕거림; 격한 반동, 반발, 반격. *white* ~ 흑인에 대한 백인의 반발.
báck·lòg *n.* Ⓒ 《美》 (난로 속 깊숙이 넣는) 큰 장작; 《口》 주문 잔고, 체화(滯貨); 잔무; 축적, 예비.
báck númber = BACK(②).
báck·pàck *n., vi.* 배낭(을 지고 여행하다).
báck·pèdal *vi.* (자전거) 페달을 뒤로 밟다; 후퇴하다[취소하다(from)].
báck róom 뒷방; 비밀 연구소.
báck·róom bóy 《英口》 비밀 연구원[공작원].
báck·scràtcher *n.* Ⓒ 등긁이; 《口》 타산적인 사람; 아첨꾼.
báck·séat *n.* Ⓒ 뒷좌석; 말석, 하찮은 지위.
báckseat dríver 운전수에게 지시를 하는 승객; 간섭 좋아하는 사람.
báck·sìde *n.* Ⓒ 등, 뒤쪽; (보통 *pl.*) 궁둥이(rump).
báck·slìde *vi.* (*-slid*; *-slid*, *-slidden*) 다시 과오에 빠지다, 〔신앙적으로〕 타락하다.
báck·stáge *n., a.* Ⓒ 무대 뒤(의).
báck·strèet *n.* Ⓒ 뒷골목.
báck·stròke *n.* Ⓒ 되치기; 〔테니스〕 역타(逆打); Ⓤ 배영(背泳).
báck-to-báck *a.* 잇따른; 등을 맞대고 선[주로 연립주택에서].
báck·tràck *vi.* 물러나다, 되돌아가다.
báck·ùp *n.* ① 뒷받침, 후원; 저장; Ⓒ 〔차량 따위의〕 정체(停滯); 예비; 〔컴〕 예비[받기], 백업(~ *file* 예비[기록] 목록, 백업파일).
:**back·ward** [bækwəd] *a.* ① 뒤로의, 거꾸로의(reversed). ② 싫어하는. ③ 개악을, (보복의) 되밀어치는; 진보가 느린[뒤늦은]. ④ 수줍은, 내향적인. ⑤ 철 늦은. — *ad.* 뒤로, 후방으로; 거꾸로; 보복하여. ~**·ly** *ad.* 마지못하여; 늦어져. ~**·ness** *n.*

:～s _ad._ = BACKWARD.

báck·wàsh _n._ ⓒ 역류; 노로 저은 물; (사건의) 여파.

báck·wàter _n._ ⓒ 되밀리는 물, 역수; ⓤ (문화의) 침체, 정체.

báck·wóods _n. pl._ (美) 변경의 삼림지, 오지(奧地).

back·yárd [◁jáːrd] _n._ ⓒ (美) 뒤 뜰; 늘 가는 곳.

:ba·con [béikən] _n._ ⓤ 베이컨; (美俗) 이익, 벌이. **bring home the ～** (口) 성공하다. **save one's ～** (口) 손해를 모면하다.

:bac·te·ri·a [bæktíəriə] _n. pl._ (_sing._ **-rium**) 박테리아, **-al** _a._

bac·te·ri·ol·o·gy [bæktìəriɑ́lədʒi/-5l-] _n._ ⓤ 세균학. **-gist** _n._ **ri·o·log·i·cal** [-riəlɑ́dʒikəl/-5-] _a._

:bad [bæd] _a._ (**worse; worst**) ① 나쁜, 불량한; 부정한, 불길한 ② 나쁘게 된, 썩은. ③ 서투른, 시원치 않은; 형편이 좋지 않은 ④ 아픈, 악성의, 심한, ⑤ 무례의, ⑥ (美) 적의가 있는, 위험한(_a ～ man_ 악한), **feel ～** 편찮다; 불쾌하게 느끼다, 유감스럽게 생각하다(_about_). **go ～** 썩다, 못쓰게 되다. **have a ～ time (of it)** 혼나다, 곤나다. **in a ～ way** (口) 중병으로; 경기가 좋지 않아. **not ～, or not half (so)** ～ (口) 과히 나쁘지 않은, 제 좋은. **— ～** ⓤ (美口) 악은 [상태]; 악은 [사람, 일], **be in ～** (美口) …의 호감을 못 사다. **go from ～ to worse** 점점 나빠지다. **go to the ～** 파멸[영락, 타락]하다. ($1,000) **to the ～** (천 달러) 결손이 되어, **— adv.** (美) 몹시.

bád débt 대손(貸損)(금).

:bade [bæd/beid] _v._ bid의 과거.

:badge [bædʒ] _n._ ⓒ 기장(記章), 훈장, 표지.

badg·er [bædʒər] _n._ ⓒ 오소리; ⓤ 그 모피. **— _vt._** (…으로) 지분대다, 괴롭히다.

bad·i·nage [bædináːʒ] _n., vt._ (F.) ⓤ 농담, 놀림; 놀리며 집적거리다.

bad·ly [bædli] _ad._ (**worse; worst**) 나쁘게, 서투르게, 심하게, **be ～ off** 살림이 어렵다.

bad·min·ton [bædmintən] _n._ ⓤ

배드민턴; 소다수로 만든 청량 음료.

bád·mòuth _vt._ (美) 혹평하다, 헐뜯다.

bád-témpered _a._ 기분이 언짢은, 까까로운; 심술궂은.

baf·fle [bǽfl] _vt._ 좌절시키다, 깨뜨리다, 꺾다, 방해하다; 감당할 수 없게 되다. **— _vi._** (…에) 애태우다, 허우적거리다. **— _n._** ⓒ (수류·기류·음향 따위의) 방지 장치. **-ment** _n._ **-fling** _a._ 방해하는; 이해하기 어려운; 당황케 하는; (바람이) 일정 방향을 불지 않는.

:bag [bæg] _n._ ① ⓒ 자루; 가방, 손가방; 지갑. ② ⓒ 주머니 모양의 것; (동물 체내의) 낭(囊)(sac); 눈 밑의 처진 살, 소의 젖통; (_pl._) 음낭(陰囊). ③ (_pl._)(英俗) (헐렁한) 바지. ④ ⓒ (美) [野] 베이스, 누(壘). ⑤ ⓤ 사냥감. **～ and baggage** 소지품 일체의; 짐을 모두 꾸려서, 몽땅. **bear the ～** 재정권을 쥐다, 돈을 마음대로 쓰게 되다. **empty the ～** 얘깃거리가 다 떨어지다. **get the ～** 해고당하다. **give a person the ～** (…을) 해고하다; (俗) …에게 말 없이 가버리다. **(구좌인에게)** 단호히 거절하다. **give (leave) a person the ～ to hold** 곤란을 당하여 아무를 돌보지 않다; 책임을 지우다. **hold the ～** 혼자 책임을 뒤집어쓰다; 빈털터리가 되다. **in the ～** (口) 확실한; 손에 넣은(거나 마찬가지인). **make a good ～** 사냥감을 많이 잡다. **the whole ～ of tricks** 온갖 수책[수단]. **— _vt._** (**-gg-**) 자루에 넣다; (口) 잡다, 죽이다, 훔치다 (steal). **— _vi._** 자루처럼 부풀다[불다].

bag·a·telle [bægətél] _n._ (F.) ⓒ 사소한 일[물건] (a mere trifle); (피아노용의) 소곡(小曲); ⓤ 배거텔 놀이(당구의 일종).

ba·gel [béigəl] _n._ ⓒ,ⓤ 도넛형의 굳은 빵.

:bag·gage [bægidʒ] _n._ ① ⓤ (美) 수화물(美) luggage); (英) 군용 행낭, ② ⓒ 말괄량이; 닳고 닳은 여자, 논다니.

bággage càr (美) 수화물차.

bággage ròom (美) = CLOAK-

ˈbank·rupt·cy [bǽŋkrʌptsi, -rəpt-]
n. ⓤⓒ 파산, 파탄.

ˈban·ner [bǽnər] *n.* ⓒ 기, 군기; 표치; 주장; 전단 표제. **carry the ~** 선두에 서다, 앞장서다. **unfurl one's ~** 주장을 밝히다. — *a.* 《美》 일류의, 제1위의; 주요한.

banns [bænz] *n. pl.* (교회에서 연속 3회 행하는) 결혼 예고. **ask [call, publish] the ~** 결혼을 예고하다. **forbid the ~** 결혼에 이의를 제기하다.

ˈban·quet [bǽŋkwit] *n.* ⓒ 연회, 향연. — *vt., vi.* 향응하다, 향응을 받다. **~·er** *n.*

ban·shee, -shie [bǽnʃi, -ʃ] *n.* ⓒ (Sc., Ir.) 가족의 죽음을 예고한다는 요정 (妖精).

ban·tam [bǽntəm] *n.* ⓒ 밴텀닭, 당 (唐)닭; 싸움을 좋아하는 사람; 《美》 = JEEP. — *a.* 몸집이 작은; 가벼운; 공격적인; 《拳》밴텀급의.

bántam·wèight [-wèit] *n.* ⓒ 밴텀급 선수《권투·레슬링 따위》.

ban·ter [bǽntər] *n., vt., vi.* ⓒ 놀림, 놀리다(joke), 조롱(하다)(chaff).

ban·yan [bǽnjən] *n.* (인도산의) 벵골 보리수(~ tree).

ˈbap·tism [bǽptizəm] *n.* ⓤⓒ 세례, 침례; 명명(식). — *of blood* 피의 세례, 순교. — *of fire* 포화의 세례, 첫 출전(식)[의].

ˈbap·tis·mal [bæptízməl] *a.* 세례[침례]의, 세례[침례]에 관한.

ˈBap·tist [bǽptist] *n.* ⓒ 침례교도; 세례자(요한).

ˈbap·tize [bæptáiz, ⌐] *vt., vi.* (…에게) 세례를 베풀다, 침례를 행하다; 명명하다(christen).

ˈbar [bɑːr] *n.* ⓒ ① 막대 모양의 것(*a ~ of soap* 비누 한 개, 막대 비누/*a chocolate ~* 판(板)초콜릿); 쇠지레(crowbar); 가로장, (문)빗장, 동살, 칸막이의 가로 나무. ② 줄(무늬), (빛)줄의 [《紋》 가로 줄)]. ③ 술집, 카운터, 술장, 목로, 바. ④ 《樂》 소절, 종선(縱線), ⑤ (강어귀 의) 모래톱. ⑥ 장벽, 장벽, 관문, (통행 금지의) 차단봉; (난관의) 돌난 대. ⑦ (법정안의) 난간; (the ~) 피고석; (the ~) 《집합적》 변호사들, 법조계. — *association*

bar² *n.* ⓒ 《理》 바(압력의 단위)

bar³ *n.* ⓒ 《美》 모기장.

barb¹ [bɑːrb] *n.* ⓒ (낚시 끝의) 미늘; (철조망의) 가시; (물고기의) 수염. — *vt.* (…에) 가시를 달다. **~ed** [-d] *a.* 미늘이[가시가] 있는. **~ed wire** 가시 철사, 철조망.

barb² *n.* ⓒ 바르바리 말(Barbary산의 좋은 말).

ˈbar·bar·i·an [bɑːrbɛ́əriən] *n.* ⓒ 야만인; (말이 통하지 않는) 외국인; 교양 없는 사람. — *a.* 야만적인, 미개한.

bar·bar·ic [bɑːrbǽrik] *a.* 야만적인, 조야(粗野)한.

bar·ba·rism [bɑːrbərìzəm] *n.* ① ⓤ 야만, 미개(상태); 조야. ② ⓒ 거친 행동[말투].

bar·bar·i·ty [bɑːrbǽrəti] *n.* ⓤⓒ 만행; 잔인(한 행위); 조야.

bar·ba·rous [bɑːrbərəs] *a.* ① 야만[미개]의; 잔인한, 조야한; 무식한. ② 이국어(語)의; 이국의; 파격적인. **~·ly** *ad.*

ˈbar·be·cue [bɑːrbikjùː] *n.* ⓤⓒ 《料理》통바비큐《돼지 등의 통구이》; ⓒ 고기 굽는 틀; 통째지 구이가 나오는 연회. — *vt.* 통째로 굽다; 직접 불에 굽다《고기를》; 바비큐소스로 간하다.

ˈbar·ber [bɑːrbər] *n., vt.* ⓒ 이발사; 이발하다; (…의) 수염을 깎다. **~'s itch [rash]** 《醫》 모창(毛瘡), 이발소 습진.

bárber·shòp *n.* ⓒ 이발소.

ˈbar·bi·tu·rate [bɑːrbítʃurit/-tju-]

ROOM.

bag·gy [bǽgi] *a.* 자루 같은; 헐렁한; 불룩한. **·gi·ly** *ad.* **·gi·ness** *n.*

ˈbág·pipe *n.* ⓒ (종종 *pl.*) 백파이프《스코틀랜드 고지 사람이 부는 피리》. **-piper** *n.*

bah [bɑː] *int.* (蔑) 흥!

Ba·ha·mas [bəhɑ́ːməz] *n. pl.* 바하마(미국 플로리다 반도 동남쪽에 있는 독립국).

ˈbail¹ [beil] *n.* ⓤ 보석; ⓒ 보석금; 보석 보증인. **accept [allow, or admit to take]** ~ 보석을 허가하다. **give leg** ~ 탈주하다. **go** ~ **for** …의 보석 보증인이 되다. …을 보증하다. **out on** ~ 보석(출옥) 중. — *vt.* (보증인이 수감자를) 보석받게 하다(*out*); (화물을) 위탁하다. **~·a·ble** *a.* 보석할 수 있는; 죄가 가벼운. **~·ment** *n.* ⓤ 보석; 위탁. **~·or** *n.* ⓒ 위탁인.

bail² *n.* ⓒ 《크리켓》 삼주문 위의 가로 나무.

bail³ *vt., vi.* (뱃바닥에 괸 물을) 퍼내다(*out*); ⓒ 그 물을 퍼내는 기구; 《口》 낙하산으로 뛰어내리다(*out*).

bail⁴ *n.* ⓒ (냄비·주전자 따위의) 손, 손잡이(arched handle).

bail·iff [béilif] *n.* ⓒ sheriff 밑의 집행관; 법정내의 간수; (지주의) 집사(執事); 《英》 (시의) 집행관.

bairn [bɛərn] *n.* ⓒ (Sc.) 어린이.

ˈbait [beit] *n.* ⓤ 미끼, 먹이; 유혹. — *vt.* 미끼를 달다; 유혹하다; 개를 추겨 (동물을) 지분거리다(cf. bear-baiting); 구박하다, 괴롭히다. — *vi.* (동물이) 먹이를 먹다; 여행 중 (식사를 위해) 쉬다.

baize [beiz] *n.* ⓤ 일종의 나사(羅紗)《책상보·커튼용》.

ˈbake [beik] *vt.* 빵을 굽다, 구워 말들다; (벽돌을) 구워 굳히다. — *vi.* (빵이) 구워지다. — *n.* ⓒ 한 번 굽기; 《美》 회식《중서에서 구워 내놓는》.

bak·er [béikər] *n.* ⓒ 빵집, 빵 굽는 사람, 빵 제조업자; 《美》휴대용 빵 굽는 기구. **~·y** *n.* ⓒ 제빵소, 빵집.

báker's dózen 13개.

ˈbak·ing [béikiŋ] *n.* ⓤ 빵굽기; ⓒ

한 번 굽기. — *a., ad.* 《俗》 태워버릴 것 같은(갈아).

báking pòwder 베이킹 파우더.

báking sòda 탄산수소나트륨.

bal·a·lai·ka [bæ̀ləláikə] *n.* ⓒ 발랄라이카《기타 비슷한 삼각형의 러시아 악기》.

ˈbal·ance [bǽləns] *n.* ① ⓒ 저울, 천칭(天秤); ② ⓤ 균형, 평형, 조화; 비교, 대조; ③ (B-) 《天》천칭(天秤) 자리, ④ 《商》 수지; ⓒ 차액, 잔액; 《美口》 나머지. **~ due** (…에) 대출(from), (으로부터의) 차입(*to*). **~ of international payments** 국제 수지. **~ of power** 세력 균형. **~ of trade** 무역 수지. **be [hang, tremble] in the ~** 미결(상태)이다; 위기에 처해 있다. **on (the)** ~ 차감하여, 결국. **strike a** ~ 수지를 결산하다. — *vt., vi.* (…의) 균형을 잡다; 저울로 달다; 대조하다; 청산하다; 결산하다; 망설이다, 주저하다(*between*). **~ oneself** 몸의 균형을 잡다. **~d** [-t] *a.* 균형이 잡힌(~*d diet* 완전 영양식). **bal·anc·er** *n.* ⓒ 다는 사람; 청산인; 평형기; 곡예사.

bálance shèet [商] 대차대조표.

bal·co·ny [bǽlkəni] *n.* ⓒ 발코니; ⓒ 노대(露臺); (극장의) 이층 특별석(gallery).

ˈbald [bɔːld] *a.* 벗어진, 털 없는; 머리의; 노출된(bare) 있는 그대로의(plain); (문체가) 단조로운. **~·ing** *a.* (약간) 벗어진. **~·ly** *ad.* 노골적으로. **~·ness** *n.*

báld éagle 흰머리독수리《미국의 국장(國章)》.

bal·der·dash [bɔ́ːldərdæ̀ʃ] *n.* ⓤ 헛소리.

ˈbale¹ [beil] *n., vt.* ⓒ (상품을 꾸린) 짐짝, 가마니, 섬; 포장하다.

bale² *n.* ⓤ 《詩·古》 재앙, 악(惡), 해; 슬픔; 고통. **~·ful** *a.* 해로운.

bale³ *v., n.* = BAIL³.

ˈbalk, baulk [bɔːk] *n.* ⓒ 장애, 방해; (밭의) 두둑; 《野》 보크; 《建》 (귀를 둥글린) 각재(角材), 들보각. — *vt.* 방해하다; 좌절시키다(*in*), 실망시키다(*in*); (기회를) 놓치다. — *vi.* (말이 뒷걸음질 쳐) 급히 멈추다

(jib); 진퇴양난이 되다.

†**balf** [bɔːl] *n.* ⓒ 공, 구(球); Ⓤ 구기, 야구; ⓒ 〔野〕 볼(cf. strike); 탄알, 포탄; 둥근 것(눈알 따위); (고기·과자 등의) 덩어리; 천체, 지구. **~ and chain** (美) 쇳덩이가 달린 차꼬(죄수의 족쇄). **catch [take] the ~ before the bound** 선수를 쓰다. **have the ~ at one's feet [before one]** 성공할 기회를 눈앞에 두다. **keep the ~ rolling,** or **keep up the ~** (좌석이 심심해지지 않게) 이야기를 계속하다. **play ~** 경기를 시작하다; 행동을 개시하다; (美) 협력하다(*with*). **take up the ~** …의 이야기를 받아서 계속하다. — *vt., vi.* 공(모양)으로 만들다[되다].

†**balf** *n.* ⓒ (공식의) 대무도회.

bal·lad [bǽləd] *n.* ⓒ 민요; 전설 가요, 발라드.

bal·last [bǽləst] *n.* Ⓤ 밸러스트, 바닥짐; (기구의) 모래 주머니; 자갈, 쇄석; (마음의) 안정, 침착성(을 주는 것). **in ~** (배가) 바닥짐만으로, 실은 짐 없이. — *vt.* 바닥짐을 싣다; (철도·도로에) 자갈을 깔다; 안정시키다. **~·ing** *n.* Ⓤ 바닥짐 재료; 자갈.

ball bearing 〔機〕 볼베어링.

ball boy 공 줍는 소년.

ball cock 부구(浮球) 콕(물탱크 등의 유출조절).

bal·le·ri·na [bæ̀ləríːnə] *n.* (*pl.* **~s, -ne** [-ni]) (It.) 발레리나(여자 발레 무용수).

bal·let [bǽlei, bæléi] *n.* Ⓤ 발레, 발레단(員).

bal·lis·tic missile [bəlístik-] 탄도 병기, 탄도탄.

bal·lis·tics [bəlístiks] *n.* Ⓤ 〔軍〕 탄도학.

bal·loon [bəlúːn] *n., vi.* ⓒ 기구, 풍선(처럼 부풀다); 기구를 타고 올라가다. **~·er, ~·ist** *n.*

bal·lot [bǽlət] *n.* ⓒ 투표 용지, 투표용의 작은 공; Ⓤ (무기명) 투표; ⓒ 투표 총수, 투표수; 추첨; 투표권; ⓒ 입후보자 명단. — *vi.* (무기명) 투표하다(*for, against*); 추첨으로 결정하다(~ *for a place* 추첨으로 장소를 정하다). **~·age** [-ɑːʒ, 3;

~-ᴗ] *n.* Ⓤ 결선 투표.

ballot box 투표함.

ballot paper 투표 용지.

ball park (美) 야구장.

ball-point (pen) *n.* ⓒ 볼펜.

ball·room *n.* Ⓤ 무도장.

bal·ly·hoo [bǽlihùː] *n.* Ⓤ (美) (요란스러운) 대선전; 야단법석(uproar); 떠벌려 퍼뜨림. — [ᴗᴗᴗ] *vt., vi.* 대선전하다.

balm [bɑːm] *n.* ① Ⓤ,ⓒ 향유; 방향수지; 방향; ② Ⓤ,ⓒ 진통제; 위안(을 주는 것); ③ 〔植〕 멜리사, 서양 박하. **~ of Gilead** [gíliæd] 감람과의 상록수; (그 나무에서 채취되는) 향유.

balm·y [bɑːmi] *a.* 향기로운; 진통의 (soothing), 기분 좋은, 상쾌한(refreshing). **balm·i·ly** *ad.*

balm·y *a.* (俗) 바보 같은; 머리가 돈.

bal·sa [bɔːlsə, bɑːl-] *n.* ① ⓒ 발사 (열대 아메리카산의 상록교목); Ⓤ 발사재(材)(가볍고 강함). ② ⓒ 그 뗏목(raft).

bal·sam [bɔːlsəm] *n.* ① Ⓤ 발삼, 방향 수지. ② ⓒ 진통제; 봉선화.

bal·us·ter [bǽləstər] *n.* ⓒ 난간 동자(난간의 작은 기둥).

bal·us·trade [bǽləstrèid, ᴗᴗᴗ] *n.* ⓒ 난간. **-trad·ed** [-id] *a.* 난간이 달린.

bam·boo [bæmbúː] *n.* ⓒ 대, 대나무; Ⓤ 죽재, — *a.* 대나무로 만든; 대나무의.

bam·boo·zle [bæmbúːzəl] *vt., vi.* (口) 속이다; 어리둥절하게 만들다, 당황하게 하다. **~·ment** *n.*

†**ban** [bæn] *vt.* (**-nn-**) 금지하다(forbid); 〔宗〕 파문하다. — *n.* ⓒ 금지(령); 파문; 〔史〕 소집령. **lift [remove] a ~** 해금(解禁)하다. **nuclear test ~ (treaty)** 핵실험 금지(조약). **place [put] under a ~** 금지하다.

ba·nal [bənǽl, bənɔ́ːl] *a.* 평범한(commonplace). **~·ly** *ad.* **~·i·ty** [bənǽləti] *n.*

ba·nan·a [bənǽnə] *n.* ⓒ 바나나(열매·나무).

banana republic (廢) 바나나 공화국(국가 경제를 바나나 수출·외자

(外資)에 의존하는 중남미의 소국).

ba·nan·as [bənǽnəz] *a.* (美俗) 미친, 흥분한, 몰두한. — *int.* 쓸데없는 소리!

†**band** [bænd] *n.* ⓒ ① 끈, 밴드, 띠, 테. ② 일대(一隊), 집단, 군(群), ③ 악대, 악단(*a jazz ~*). 〔라디오〕 밴드, 주파수대(帶); 〔컴〕 자기(磁氣) 드럼의 채널. **beat the ~** 뛰어나다. — *vi., vt.* 단결하다(시키다)(*together*).

band·age [bǽndidʒ] *n., vt.* ⓒ 붕대(를 감다); 안대(眼帶); 포대(布帶), 띠.

Band-Aid *n.* ① Ⓤ,ⓒ 〔商標〕 반창고의 일종. ② ⓒ (b- a-) (문제·사건 등의) 임시 방편, 미봉책; 〔형용사적〕 임시 방편의.

ban·dan·(n)a [bændǽnə] *n.* ⓒ 무늬 있는 큰 빛 난 비단 손수건.

b. & b. bed and breakfast (英) 아침밥이 딸린 숙박.

†**ban·dit** [bǽndit] *n.* (*pl.* **~s, ~ti** [bændíti]) ⓒ 산적, 노상 강도; 도둑, 악당. **~·ry** *n.* Ⓤ 산적 행위; (집합적) 산적단.

band·mas·ter *n.* ⓒ 악장(樂長).

ban·do·leer, -lier [bæ̀ndəlíər] *n.* ⓒ 〔軍〕 (어깨에 걸쳐 띠는) 탄띠.

bands·man [bǽndzmən] *n.* ⓒ 악사, 악단 대원, 밴드맨.

band·stand *n.* ⓒ (야외) 연주대.

band·wagon *n.* ⓒ (美) (행렬 선두의) 악대차; (口) (선거·경기 따위에서) 우세한 쪽; 사람의 승세를 끄는 것; 유행.

ban·dy [bǽndi] *vt.* ① 서로 (공 따위를) 던지고 받고 하다, 주고 받다. ② (소문을) 퍼뜨리다(*about*). **~ compliments with** ~와 인사를 나누다. **~ words [blows] with** ~와 언쟁(주먹질)하다. — *a.* 안쪽다리의.

bandy-legged *a.* 안짱다리의(bow-legged).

bane [bein] *n.* ⓒ 독; 해; 파멸. **~·ful** [béinfəl] *a.* 해로운, 유독한. **~·ful·ly** *ad.* **~·ful·ness** *n.*

bang [bæŋ] *n.* ⓒ 강타하는 소리(쾅, 탕); 돌연한 충동; 강타; 원기 (vigor); (美俗) 스릴, 흥분. **in a ~**

~ 급하게. — *vt., vi.* 쿵쿵(탁) 치다, 쾅 닫다(닫히다), 탕 발사하다(울리다); (俗) (머리에) 주입시키다(美俗) (여자와) 성교하다. — *ad.* 쾅하고, 탁하고, 갑자기; 모두; 꼭. **go ~** 쾅(탕) 울리다; 쾅 닫히다.

ban·ish [bǽniʃ] *vt.* 추방하다(exile); (근심 따위를) 떨어 버리다. **~·ment** *n.* Ⓤ 추방.

ban·is·ter [bǽnistər] *n.* = BALUSTER; Ⓤ (때로 *pl.*) 난간.

ban·jo [bǽndʒou] *n.* (*pl.* **~(e)s**) ⓒ 밴조(손가락 또는 깍지로 타는 현악기). **~·ist** *n.*

†**bank¹** [bæŋk] *n.* ⓒ 둑, 제방; 퇴석, 쌓여 오른 것(*a ~ of cloud* 층운); 강변; 토루둑, 얕은 여울; 언덕; 〔空〕 '뱅크' 가로 경사. — *vi.* 둑이 되다; 〔空〕 '뱅크' 하다. **~·ing** *n.* Ⓤ 둑 쌓기.

†**bank²** *n.* ⓒ 은행; 저장소; (the ~) (노름의) 판돈; 노름의 물주. — *vt.* 은행에 맡기다. — *vi.* 은행을 경영하다; 은행과 거래하다. **~ on [upon]** (口) (…을) 믿다(의지하다). **break the ~** (도박에서) 물주를 파산시키다; (…을) 무일푼으로 하다. **~·er** *n.* ⇨ BANKER. **~·ing** *n.* Ⓤ 은행업.

bank³ *n.* ⓒ (갤러선의) 노 젓는 자리; 한줄로 늘어선 노; (전반의) 한 줄; (신문의) 부제목.

bank account 은행 계정; 당좌예금.

bank·book *n.* ⓒ 예금 통장.

bank·er¹ [-ər] *n.* ⓒ 은행가(업자); (도박의) 물주;

bank·er² *n.* ⓒ 대구잡이 배; 〔獵〕 물주로 넘을 수 있는 말.

bank holiday (美) (일요일 이외의) 은행 공휴일; (英) 일반 공휴일.

bank note 은행권, 지폐.

bank rate 어음 할인율, 공정 일변 (日步).

bank·roll *n.* ⓒ (美) 자금(원(源)), 자본. — *vt.* (美) 경제적으로 지지[지원]하다.

bank·rupt [bǽŋkrʌpt, -rəpt] *n.* ⓒ 파산자. — *a.* 파산한; 지불 능력이 없는; (신용·명예 등을) 잃은. **go ~** 파산하다. — *vt.* 파산시키다.

B

n. Ⓤ 〔化〕 바르비투르산염(酸鹽)(수면제).

bár còde 바코드.

bard[bɑːrd] *n.* Ⓒ 〔고대 Celt족의〕 음유(吟遊) 시인; 시인(*the B- of Ávon* = SHAKESPEARE).

bare[bεər] *a.* ① 벌거벗은, 알몸의, 노출된, 드러낸. ② 장식 〔가구〕 없는; …이 없는(*of*). ③ 닳아빠진(cf. threadbare), 써서 낡은. ④ 부족한, 겨우 ~한(*a ~ majority* 간신히 이뤄진 과반수); 다만 그것뿐인(mere). *at the ~ thought (of...)* (…을) 생각만 해도. *~ livelihood* 겨우 먹고사는 생활. *~ of...* 없는, …털어놓은. *lay ~* 털어놓다, 폭로하다. *under ~ poles* 돛을 올리지 않고; 벌거숭이로. *with ~ feet* 맨발로. *with ~ life* 겨우 목숨만 건지고. ── *vt.* 발가벗기다, 벗기다(strip) (*of*). 드러내다, 폭로하다. **~·ness** *n.*

báre·bàck(ed) *a., ad.* 안장 없는 말의; 안장 없이; 맨발에. *ride ~* 안장 없는 말에 타다.

báre·fáced *a.* 맨얼굴의; 후안(무치)의. **~·facedly** *ad.* 뻔뻔스럽게.

báre·fóot *a., ad.* 맨발의(로).

báre·hèad *n., ad.*, **báre·héaded** *a., ad.* 맨머리 바람의(으로).

bare·ly[<li] *ad.* 간신히, 겨우; 거의 …않고; 드러내놓고, 꾸밈없이.

bar·gain[bɑːrgən] *n.* Ⓒ 매매, 거래; (매매) 계약; 매득(買得)(부사적으로 써서): *I got this a ~.* 싸게 산 물건. *~ counter* 특매장. *~ day* 염가 판매일. *~ sale* 대염가 판매. *buy at a (good) ~* 싸게 사다. *drive a hard ~* 심하게 값을 깎다(*with*). *Dutch (wet) ~* 술자리에서의 계약. *into the ~* 그 위에, 게다가. *make (strike) a ~* 매매 계약을 맺다. *make the best of a bad ~* 역경에 견디다. ── *vi., vt.* (매매의) 계약을 하다, 흥정하다, 교섭하다(*with, that*). *~ away* 헐값으로 팔아버리다. *~ for ~* 을 믿다(expect). **~·ing** *n.* Ⓤ 거래, 계약; 교섭.

barge[bɑːrdʒ] *n.* Ⓒ 거룻배, 바지(강 따위에 편리한 화물선); (의식 용의) 유람선; 집배(houseboat). ── *vi.* 거룻배로 나르다; (口) 주제넘게 나서다. *~ into (against)* …에 난폭하게 부딪다. *~·man, bar·gee*[bɑːrdʒiː] *n.* Ⓒ 거룻배의 사공.

bar·i·tone, (英) **bar·y·**[bǽrətòun] *n.* Ⓤ 바리톤; Ⓒ 바리톤 (가수). ── *a.* 바리톤의.

bar·i·um[bέəriəm] *n.* Ⓤ 〔化〕 바륨(금속 원소). *~ meal* 바륨제(소화관 X선 촬영용 조영제(造影劑)).

bark[bɑːrk] *vi.* ① 짖다; 소리치다(*at*). ② (총성이) 울리다. ③ (美俗) 소리치며 손님을 끌다. ── *vt.* 소리치며 말하다. *~ at the moon* 쓸데없이 떠들어대다. *~ up the wrong tree* (美) 헛물켜다, 헛다리 짚다. *His ~ is worse than his bite.* 입은 거칠어도 나쁜 사람이 아니다.

bark *n.* Ⓤ 나무껍질, 기나피(quinine); (俗) 피부. *man with the ~ on* (美口) 우락부락한 사나이. ── *vt.* (나무에서) 껍질을 벗기다; 나무껍질로 덮다; (俗) (…의 피부를) 까다; (가죽을) 무두질하다.

bark[?], **barque**[bɑːrk] *n.* Ⓒ 바크배(돛배가 셋인); (詩) 작은 배.

bark·er[bɑːrkər] *n.* Ⓒ 짖는 동물; 소리 지르는 사람; (가게·구경거리 등의) 여리꾼.

bark·er *n.* Ⓒ (나무) 껍질 벗기는 사람(기구). **~·y** *n.* Ⓒ 무두질 공장, 가죽 다루는 곳(tanyard).

bar·ley[bɑːrli] *n.* Ⓤ 보리.

bár·màid *n.* Ⓒ 술집의 여자.

bár·man[<mən] *n.* Ⓒ 술집 주인; 바텐더.

bar mitz·vah[-mítsvə] *n.* (종종 B-M-) 13세에 행하는 유대교의 남자 성년식.

barm·y *a.* 발효하는; (英俗) 머리가 돈, 어리석은. *go ~* 머리가 돌다, 멍청해지다.

barn[bɑːrn] *n.* ① (농가의) 헛간, 곳간; ② (美) 가축 우리 겸용 헛간; ② 전차(버스) 차고; ② 텅빈 건물.

B

bar·na·cle[báːrnəkəl] *n.* ① 조개삿갓, 따개비. ② (지위에) 달라붙고 늘어지는 사람, 무능한 관리.

bárn dánce *n.* 농가의 댄스 파티.

bárn·stòrm *vi.* 《美口》 지방 순회 공연하다; 지방 유세하다.

bárn·yàrd *n.* 《美》 헛간의 앞마당; 농가의 안뜰.

ba·rom·e·ter[bərάmətər/-rɔ́mi-] *n.* ① 기압계, 청우계. ② (여론 등의) 표준. **-met·ric**[bærəmétrik], **-ri·cal**[-i] *a.*

bar·on[bǽrən] *n.* ① 남작. ②《美》산업(금융)계의 거물(an oil 석유왕). ③《英》(영지를 받은) 귀족. ③《집합적》남작들; 귀족. **~·ess**[-is] *n.* ① 남작 부인; 여남작. **~·et**[bǽrənit, -èt] *n.* ① 준남작(baron의 아래, knight의 위). **~·et·cy** *n.* 준남작의 작위.

ba·ro·ni·al[bəróuniəl] *a.* 남작의, 남작다운; (건물 등이) 당당한.

bar·o·ny[bǽrəni] *n.* ① 남작의 작위; 남작령(領).

ba·roque[bəróuk] *n., a.* ①《建》(16-18세기의) 바로크식(의). 기괴 [기이]한(양식·작품)(cf. rococo).

barque ⇨BARK¹.

bar·rack¹[bǽrək] *n., vt.* ①《보통 *pl.*》병사(兵舍); 병영(에 수용하다); 가(假) 막사, 바라크(식 건물).

bar·rack² *vt.* 《英·濠》(상대편 경기자를) 야유하다.

bar·ra·cu·da[bǽrəkúːdə] *n.* ①《魚》(서인도산의) 창꼬치의 무리.

bar·rage[bərάːdʒ/bǽrɑːʒ] *n.* ①《軍》탄막, 연속 (듬없는) 연속 ②[bǽridʒ] 댐(제방) 공사.

bar·rel[bǽrəl] *n.* ① 통; 한 통의 분량, 1배럴(미국에서는 31.5갤런, 영국에서는 36.18 또는 9갤런). ② 통 모양의 것(북통·허리 등). ③ (소·말의) 몸통(trunk). ④ 총신(銃身). **a ~ of** 《美口》하나 가득의, 많은. — *vt.* 《美》-ll-)(…을) 통에 담다.

bárrel órgan 손으로 돌려 연주하는 풍금(hand ~).

bar·ren[bǽrən] *a.* ① (땅이) 불모의, 메마른; (식물이) 열매를 맺지 않는. ② 임신 못 하는, 빈약한

(meager), 신통찮은(dull): 무능한. ④ …을 결한, 없는(*of*). — *n.* (보통 *pl.*) 메마른 땅, 불모 지대. **~·ly** *ad.* **~·ness** *n.*

bar·ri·cade[bǽrəkèid, 二-⸗], **-cá·do**[二-kéidou] *n.* (*pl.* **-does**) 방책, 바리케이드; 장애물, 장애물. — *vt.* 방책을 만들다, 봉쇄하다.

:**bar·ri·er**[bǽriər] *n.* ① 울타리, 방벽; 관문(국경의) 성채. ② 장벽, 장애(물), 방해(*to*) (*language* 언어 장벽/*trade* (*tariff*) ~ 무역(관세) 장벽).

bar·ring[bάːriŋ] *prep.* …을 EXCEPT.

bar·ris·ter[bǽristər] *n.* (《bar》한) ①《英》법정 변호사; 《美口》변호사, 법률가.

bar·row¹[bǽrou] *n.* (2륜) 손수레; (1륜) 수레(wheelbarrow); 들것식의 화물 운반대.

bar·row² *n.* ① 무덤(분묘, 또는 석총(石塚)).

bárrow bóy《英》손수레 행상인.

Bart. Baronet.

bár·ten·der *n.* ①《美》바텐더(《英》barman).

***bar·ter**[bάːrtər] *vi.* 물물교환하다(*for*): 교역하다. — *vt.* (이익에 현혹되어) 영예·지위 따위를 팔다(*away*). — *n.* ① 물물 교환(품).

ba·salt[bəsɔ́ːlt, bǽsɔːlt] *n.* ① 현무암(玄武岩).

†**base¹**[beis] *n.* ① 기초, 기부(基部), 기저(基底); 밑받침; 토대(foundation); 기슭(foot); 기지; 출발점; 《野》누(壘); 《化》염기; 《數》기수(基數); 색이 날지 않게 하는 약: 어간(stem); 《軍》기지, 근거지; 《建·動》기각대(基脚), 기초. — *vt.* (…의) 기초를 두다(*on*).

base²[beis] *a.* ① 천한, 비열한(*mean²*); 비속한(~ *Latin* 통속 라틴어). ② (금속이) 열등한; (주화가) 조악한, 열등한. ③《樂》저음의. ④《古》(태생이) 천한, 사생아의(*bastard*). — *coin* 악화; (*debased coin*) 위조 화폐; (*counterfeit coin*). — *n.* ① 《樂》저음(bass). **~·ly** *ad.* **~·ness** *n.*

†**base·ball**[béisbɔ̀ːl] *n.* ⓤ 야구; ⓒ
야구공.

báse·less *a.* 기초〔근거〕 없는.
~·ly *ad.*

báse line 기(준)선, 〔野〕 누선(壘
線); 〔컴〕 기준선.

†**báse·ment**[béismənt] *n.* ⓒ 지하실, 지계(地階).

báse métal 비(卑)금속, 〔冶〕(階).

ba·ses[béisiːz] *n.* basis의 복수.

bas·es[béisiz] *n.* base¹의 복수.

bash[bæʃ] *vt., vi.* ⓘ 후려갈기다; ⓒ 후려갈김; 일격(을 가하다).

bash·ful[bǽʃfəl] *a.* 수줍어하는, 부끄러워하는, 숫기 없는; 수줍은(shy) 부끄러워 하는, 숫기 없는: ~**·ly** *ad.* ~**·ness** *n.*

†**ba·sic**[béisik] *a.* 기초의, 근본의; 【化】 염기성의. — *n.* (보통 *pl.*) 기본, 기초. 근본 원리; 기본적인 것. **-si·cal·ly**[-əli] *ad.* 기본〔근본〕적으로, 근본적으로.

BASIC, Ba·sic[béisik] *n.* 〔컴〕 베이식(대화형의 프로그래밍 언어) (<< *Beginner's All-purpose Symbolic Instruction Code*).

bas·il[bǽzəl] *n.* ⓤ 【植】 박하 비슷한 향기 높은 식물(향미료).

ba·sil·i·ca[bəsílikə, -zíl-] *n.* ⓒ 〔로〕 (장방형의) 공회당; (초기) 그리스도 교회당.

bas·i·lisk[bǽsəlisk, -z-] *n.* ⓒ 〔그·로神〕 괴사(怪蛇) (노려 본다든가 입김·독기로 사람을 죽임); (열대 아메리카산의) 등지느러미 도마뱀; 〔古〕 빼무러가 있는 옛날 대포.

ba·sin[béisən] *n.* ⓒ 대야, 세면기; 한 대야 가득한 분량; 웅덩이(pool), 못; 만(灣); 유역; 내만(內灣); 〔地〕 분지.

†**ba·sis**[béisis] *n.* (*pl.* **-ses**) ⓒ 기초, 근거(基), 근본; 기준, 주성분; *on a first-come first-served* ~ 선착순으로. *on the war* ~ 전시 체제로.

†**bask**[bæsk, -aː-] *vi.* (햇볕·불을) 쬐다, 몸을 녹이다; (은혜 따위를) 입다, 행복하게 지내다(*in*).

†**bas·ket**[bǽskit, -áː-] *n.* ⓒ 바구니, 광주리; 한 바구니(의 분량); 〔농구의〕 네트. *~·ful*[-fùl] *n.* ⓒ 한 바구니 가득(의 분량).

‡**básket·ball** *n.* ⓤ 농구; ⓒ 농구

공.

bas·re·lief[bàːrilíːf, bæs-] *n.* (*pl.* ~**s**) ⓤⓒ 얕은 돋을새김.

*****bass**[beis] *n.* ⓤ 【樂】 저음(부); ⓒ 베이스 가수; ⓒ 저음 악기. — *a.* 저음의.

bas·set[bǽsit] *n.* ⓒ 바셋(다리가 짧은 사냥개).

bas·soon[bəsúːn] *n.* ⓒ 바순(저음 목관 악기). ~**·ist** *n.*

†**bas·tard**[bǽstərd] *n.* ⓒ 서자, 사생아; 가짜. — *a.* 서출의; 가짜의 (sham); 모양이 이상한, 비정상의. ~**·ize**[-àiz] *vt., vi.* 서자로 인정하다; 조악하게 하다, 나빠지다. ~**·ly** *a.* 서출의, 사생의; 가짜의. **-tar·dy** *n.*

baste[beist] *vt.* 시침질하다. **bást·ing** *n.* ⓤ 시침질; 시침질〔C〕 (보통 *pl.*) 시침질한 바늘 땀.

baste *vt.* (고기를 구울 때) 기름을 치다, 버터를 바르다.

baste *vt.* 치다, 때리다(thrash).

bas·tion[bǽstʃən, -tiən] *n.* ⓒ 〔성의〕 능보(稜堡); 요새(要塞).

*****bat**[bæt] *n.* ⓒ (구기의) 배트, 타봉, (크리켓의) 타자; (口) 일격 (blow); 덩어리, (벽돌·진흙 따위의) 조각; (美俗) 야단 법석(spree). *cross* ~**s with** (俗)(…와) 시합하다. *go on a* ~ (美俗) 법석을 떨다. *go for* (美口)(…을) 위하여 지지〔변호〕하다; 〔野〕 …의 대타를 하다. *on one's own* ~ 자력으로; 혼자 힘으로. (*right*) *off the* ~ (美口) 즉시. *times at* ~ 타수(打數). — *vi., vt.* (-*tt*-) 배트로 치다; …의 타율을 얻다. ~ *around* (*back and forth*) 상세히 논의(검토)하다.

bat²[bæt] *n.* ⓒ 박쥐. (*as*) *blind as a* ~ 장님(다나 다름없는. *have* ~**s in the belfry** 머리가 돌다.

bat³ *vt.* (-*tt*-) (口) (눈을) 깜박이다 (wink). *never* ~ *an eyelid* 한숨도 자지 않다. *not* ~ *an eye* 꿈쩍도 안하다, 놀라지 않다.

batch[bætʃ] *n.* ⓒ (빵·도기 따위의) 한 번 굽기; 한 번 구운 분량; 한 매의 손님; 한 묶음(의 편지); 한 벌; 〔컴〕 묶음, 배치.

bátch pròcessing [컴] 자료의 일괄 처리.

bate¹ [beit] vt. 덜다, 줄이다(lessen); 약하게 하다(weaken). — vi. 줄다; 약해지다. **with ~d breath** 숨을 죽이고.

bate² n. ① [英俗] 분개, 노여움.

bate³ n., vt. ① (무두질용의) 알칼리 액(液에 담그다.)

bath n. (pl. ~s [bæðz, ba:ðz]) ① 목욕; 목욕통(bathtub) ① (때로 pl.) 목욕실; 탕치장(湯治場) ② 온천장; [U.C] 침액(浸液), 용액(의 그릇), — vi., vt. ① (英) 목욕하다(시키다).

báth chàir (환자 외출용의) 바퀴 달린 의자.

bathe [beið] vt., vi. 잠그다, 적시다, 끼얹다, ① (빛·열 등이) …을 쏘다; 목욕하다; 해엽치다. **~ oneself in the sun** 일광욕하다. — n. ① (英) 해수욕, 미역 (take [have] a ~). **báth·er** n. ① 해수욕자, 미역감는 사람; 온천 요양객.

:báth·ing n. ① 목욕, 수영, 멱감기 (a bathing beauty) (미인 대회에 나오는) 수영복 차림의 미인.

báthing càp 수영모.

báthing sùit (여성) 수영복.

ba·thos [béiθɑs, -ɔs] n. = ANTICLIMAX.

báth·ròbe [스ròub] n. 화장복(實寢服).

:báth·room [스rù(ː)m] n. ① 욕실; (婉曲) 변소.

báth·tùb n. ① 욕조.

ba·tik [bətíːk, bǽtik] n., a. ① 납결染) 염색(법), 납결 염색한(것).

bat·man [bǽtmən] n. ① (英) 장교의 당번병.

ba·ton [bətán, bæ-, bǽtən] n. ① (관지휘를 상징하는) 지팡이; 지휘봉; 경찰봉; (릴레이의) 배턴.

báts·man [bǽtsmən] n. = BATTER. 타격(打擊)자.

bat·tal·i·on [bətǽljən] n. ① [軍] 포병(砲兵)대대; 대부대; 육군 (army); (pl.) 대군(armies).

bat·ten¹ [bǽtn] vi., vt. 살찌(게 하)다(on).

bat·ten² n., vt. ① [建] (마루청용의) 작은 널판지(를 깔다); 마루청을

깔다); 작은 오리목(으로 누르다; [海] 누름대(로 막다).

:bat·ter¹ [bǽtər] n. ① [野] 타자.

bat·ter² vt., vi. ① 연타(난타)하다(pound) (about, at) ② 상하게 하다, 써서 헐게 만들다. ③ 혹평하다. **~ed** [-d] a. 써서 낡은, 찌그러진, 마멸된.

bat·ter³ n. ① [料理] (우유·달걀·버터·밀가루 등의) 반죽.

bat·ter·y [bǽtəri] n. ① [法] 구타 ② (포의 포대, (군함의) 비포(備砲); ① 포병 중대. ③ ① 한 벌의 기구; 전지; [野] 배터리(투수와 포수).

bat·tle [bǽtl] n. ① 싸움, 전투 (a close ~ 접전); ① 투쟁; (the ~) 승리, 성공. **accept** [give] ~ 응전(도전)하다. **general's** [soldier's] ~ 전략(무력)의. **line of** ~ 전선.

báttle-àx(e) n. ① (중세의) 전투용·도끼.

báttle crúiser 순양 전함.

báttle crý 함성; 표어, 슬로건.

báttle dréss 전투복.

báttle·field n. ① 싸움터, 전장.

bat·tle·ment [bǽtlmənt] n. ① (보통 pl.) [築城] (총안(銃眼)이 있는) 흉벽.

báttle·ship n. ① 전함.

bat·ty [bǽti] a. 박쥐 같은; (俗) 머리가 돈(crazy).

bau·ble [bɔ́ːbl] n. ① [史] (광대가 가지는) 지팡이; 값 싸고 번지르르한 물건(gewgaw).

baulk [bɔːk] v., n. = BALK.

baux·ite [bɔ́ːksait/bóuzait] n. ① [鑛] 보크사이트(알루미늄의 원광).

bawd [bɔːd] n. ① 유곽의 포주(여주인). **báw·dry** n. ① 외설(행위). **~·y** a. 외설한, 음탕한.

bawl [bɔːl] vt., vi. 고함치르다; (美) 호통치르다. **~ out** 고함치르다; (美) 야단치다(scold). — n. ① 고함, 호통 소리.

bay¹ [bei] n. ① [植] 월계수(laurel tree); (pl.) 월계관; 영예.

bay² n. ① 만(gulf보다 작음), (바다·강의) 내포(內浦), 후미; 산모퉁이; [軍] (참호 안의) 좀 넓은 곳; [建]

B

(기체 내의) 격실(隔室).

bay² n. U 굉김: (사냥개의 길고도 갈은) 짖는 소리; 쫓기어 몰린 상태. *be [stand] at ~* 궁지로 몰리다. *bring [drive] to ~* 궁지로 몰다. *tune [come] to ~* 궁지에 몰려 반항하다. — *vi.*, *vt.* 짖다. 짖어대며 덤비다; 소리치르다. *~ a defiance* 큰 소리로 반항하다. *~ (at) the moon* 달을 보고 짖다(무익한 일).

bay³ n. C [建] 기둥새 기둥 사이의 벽면: 들어간 벽면.

bay⁴ a, n. C 밤색의 (말).

bay·o·net [béiənit] n., vt. C 총검 (으로 찌르다); (the ~) 무력(으로 강요(강박)하다); *Fix [Unfix] ~s!* 꽂아[빼어] 칼! (구령).

bay·ou [báiu:] n. C 《美南部》 (강·호수 따위의) 늪 같은 후미, 내포.

ba·za·a(r) [bəzáːr] n. C (동양의) 상점가, 시장; 《백화점 같은 상점의》 특매장: 바자. *charity ~* 자선시.

ba·zoo·ka [bəzúːkə] n. C [軍] 바주카포(전차 공격용의 휴대 로켓포).

B.B.C. Baseball Club; British Broadcasting Corporation. **bbl.** (pl. **bbls.**) barrel.

B.C. Bachelor of Chemistry [Commerce]; Before Christ 기원전; Bicycle Club; Boat Club; British Columbia.

be- [bi, bə] *pref.* 「전면에」의 뜻 (besprinkle); 「아주」의 뜻(bedazzle); 「...으로 만들다」의 뜻(belittle, befoul); 「을 붙들다」의 뜻(bejewel); 「타동사로 만들」의 뜻(besmile).

beach [biːtʃ] n. C 바닷가, 물가, 해변; 냇가, 호반; C [집합적] 〔해변의〕 모래, 조약돌. *on the ~* 초라하게 되어, 빈곤하여. *vi.*, *vt.* 바닷가에 끌어올리다.

béach báll 비치볼.

béach búggy 비치버기(큰 타이어의 해변용 주행차).

béach·còmber n. C 〔바닷가의〕 큰 파도; (부둣가의) 부랑자.

béach·hèad n. C [軍] 상륙 거점, 교두보.

béach·wèar n. U 해변복.

bea·con [bíːkən] n. C 횃불, 봉화; 등대; 수로[항로] 표지. — *vt.*, *vi.* (...에)에 봉화를 올리다, 봉화로 신호하다; (비유적) 인도하다; 경고하다.

bead [biːd] n. C 염주, 염주알; (pl.) 염주; 로자리오(rosary); (이슬·땀의) 방울; 구슬; 기포(泡). *count [say, tell] one's ~s* 염주알을 돌리며 기도를 올리다. *draw a ~ on* ...을 겨누다. — *vt.* 염주를 꿰어 장식하다. — *vi.* 염주 모양이 되다; 구슬이 일다(sparkle). *~·ing.* n. UC 구슬 세공: 구슬선 (장식); 거품. *~·y* [bíːdi] a. 구슬 같은, 구슬이 달린; 구슬이 많은(~ eyes 또렷또렷한 눈); 거품이 인.

bead·ed [~id] a. 〔땀·거품 등〕 구슬 모양의, 방울진; 구슬이 달려 있는, 구슬 모양으로 된; 거품이 인; 땀 방울이 맺힌.

bea·gle [bíːɡəl] n. C 작은 사냥개.

beak [biːk] n. C 〔맹조 따위의〕부리(cf. bill); 〔거북·낙지 등의〕주둥이; (주전자 따위의) 귀때; 〔俗〕 (매부리) 코; [建] 누조(漏槽); 《英俗》치안 판사; 교사; (특히) 교장.

beak² n. C 《英俗》치안 판사; 교사, (특히) 교장.

beaked [biːkt] a. 부리가 있는; 부리 비슷한.

beak·er [bíːkər] n. C 비커; 굽달린 큰 잔.

beam [biːm] n. C (대)들보, 도리; (배의) 가로 들보; 선축(船軸). ② (천칭의) 대; 《쟁기의》성에. ③ 광선; 방향 지시 전파; (확성기·마이크로폰의) 유효 가청(可聽) 범위. ④ 밝은 표정, 미소. *fly [ride] the ~* 신호 전파에 따라서 비행하다. *kick the ~* 〔저울 한쪽이 가벼워〕 저울대를 튀어오르게 하다, 가볍다; 압도되다. *off the ~* 〔空〕 지시 전파로부터 벗어나서; 〔俗〕 잘못되어. *on the ~* 〔空〕 지시 전파를 따라, 옳게 조종하여; 〔俗〕 응당하고 적확하게, 정당코. *on one's ~ ('s) ends* 거의 전부되어; 위험에 처하여, *~ in one's own eye* [聖] 제 눈속에 있는 들보, 스스로 깨닫지 못하는 큰 결점. — *vt.*,

vi. (빛을) 발하다, 빛나다, 번쩍이다; 미소짓다(*upon*); 신호 전파를 발하다; 방송하다; 레이다로 탐지하다. **~·ing** *a.* 빛나는; 웃음을 띤.

:bean [biːn] *n.* Ⓒ (pea와 구별하여) (납작) 콩《강남콩·잠두류》; (콩 비슷한) 열매; 하찮은 것; 사소한 일; (*pl.*) 《口》 조금, 약간; (*pl.*) 《俗》 힐책, 벌; 《美俗》 머리; 《俗》 경화(硬貨). **full of ~s** 원기 왕성하여(cf. ~ fed). **give** *a person* **~s** 《俗》 꾸짖다. **not care a ~** 《俗》 조금도 개의치 않다. **not know ~s** 아무것도 모르다. **Old ~!** 《英》 야 이 사람아! — *vt.* 《俗》 (공으로) (…의) 머리를 때리다.

béan·bàg *n.* Ⓤ 콩 따위를 헝겊으로 싼 공기.

béan cùrd 〔**chèese**〕 두부.

béan·fèast *n.* Ⓒ 《英》 (연 1회의) 고용인에게 베푸는 잔치; 《俗》 즐거운 잔치.

béan pòle 콩줄기를 받치는 막대기; 《口》 키다리.

béan spròut 콩나물.

†bear[1] [bɛər] *n.* Ⓒ 곰; 난폭자, 거동이 거친 사람; 〖證〗 (값 따위가) 내려갈 기세; 파는 편, 매도측(側), 함부로 파는 사람(opp. bull[1]). **a ~ market** 하락세, 약세. **the Great** 〔**Little**〕 **B-** 〖天〗 큰〔작은〕곰자리. — *vt., vi.* 팔아치우다.

†bear[2] *vt.* (**bore,** 《古》 **bare; borne, born**) ① 나르다. ② 지니다; (이름·특징 따위를) 가지다. ③ 견디다; 받치다; …하기에 족하다, 적합하다. ④ (의무·책임을) 지다; (비용을) 부담하다; 경험하다, (비난·벌을) 받다. ⑤ (열매를) 맺다, 산출하다(yield); (애를) 낳다(*born in Seoul/borne by Mary/She has borne two sons.*). ⑥ (불평·원한을) 품다. ⑦ 밀다, 쫓다. ⑧ 허락하다. — *vi.* ① 지탱하다, 배겨내다; 견디다. ② 덮치다, 누르다, 밀다; 기대다; 다가가다(*on, upon*). ③ 영향을 주다, 관계하다, 목표하다(*on, upon*). ④ …의 방향을 잡다, 나아가다(go) (~ *south*); …의 방향에 있다(*The island ~s due east.* 섬은 정동에 있다). **~ a hand** 거들어 주다. **~ a part** 참가〔협력〕하다(*in*). **~ away** 가지고 가버리다; (상을) 타다; 〖海〗 진로를 변경하다, 출항하다. **~ back** (군중 등을) 밀쳐내다. **~ a** *person* **company** …와 동행하다; …의 상대를 하다. **~ down** 압도하다; 넘어뜨리다, 내리누르다; 용쓰다. **~ down on** 〔**upon**〕 …을 엄습하다; …을 내리누르다; 〖海〗 …에 접근하다. **~ hard** 〔**heavy, heavily**〕 **upon** …을 압박하다. **~ in mind** 기억하다. **~ off** 견디다; (상 따위를) 타다(carry off); 빼앗다. **~ on** 〔**upon**〕 …을 압박하다; …쪽을 향하다; …에 관계가〔영향이〕 있다. **~ oneself** (*erectly*) 자세를 (바로) 잡다; 행동하다. **~ out** 지탱하다, 견디다; 합세〔변호〕하다; 증명하다. **~ up** 지지하다; (자락을) 걷어 올리다; (불행에) 굴하지 않다(*under*). **~ with** …을 참다. **be borne in upon** …가 확신하기에 이르다(*It was borne in upon us that...* (우리는) …이라고 확신하고 있다). **~·a·ble** *a.* 참을 수 있는; 지탱할 수 있는.

:beard [biərd] *n.* Ⓒ (턱)수염; (낚시의) 미늘; (보리 따위의) 꺼끄러기 (awn). **in spite of** *a person's* **~** …의 뜻을 거역하여. **speak in one's ~** 중얼거리다. **take by the ~** 대담하게 공격하다. **to** *a person's* **~** (…의) 면전에서; (…의) 면전을 꺼리지 않고. — *vt.* 수염을 잡다〔뽑다〕; 공공연히 반항하다(defy), 대담하게 대들다. **~ the lion in his den** 상대의 영역에 들어가 과감히 맞서다, 호랑이 굴에 들어가다. **~·ed** [~id] *a.* 수염 있는; (화살·낚시 따위) 미늘 있는; 꺼끄러기 있는. **~·less** *a.* 수염 없는; 젊은, 애송이의.

·bear·er [bɛ́ərər] *n.* Ⓒ 나르는〔가지고 있는〕 사람; 짐꾼; (소개장·수표의) 지참인; (공직의) 재임자; 꽃피는〔열매 맺는〕 나무.

béar·hùg *n.* Ⓒ (힘찬) 포옹.

·bear·ing [bɛ́əriŋ] *n.* Ⓒ 태도(manner), 거동(behavior); Ⓤ 관계, 관련(*on, upon*); 발뜻; 인내; Ⓒ (보통 *pl.*) 방위(方位); 〖機〗 축받이; 〖紋〗

단문(單紋)(*armorial* ~*s* 문장). **beyond** 〔**past**〕 **all** ~**s** 도저히 참을 수 없는. **bring** (*a person*) **to** *his* ~**s** (…에게) 제 분수를 알게 하다; 반성시키다. **lose one's** ~**s** 방향을 잃다, 어찌할 바를 모르다. **take one's** 〔**the**〕 ~**s** 자기의 위치를 확인하다.

bear·ish[bέəriʃ] *a.* 곰 같은; 우락부락한; 〖證〗 약세의(cf. bullish).

béar·skìn *n.* ① Ⓤ 곰 가죽(제품). ② Ⓒ (영국 근위병의) 검은 털모자.

:**beast**[biːst] *n.* Ⓒ 짐승, 가축, 《英》 식용 소; 짐승 같은 놈, 비인간; (the ~)(인간의) 야수성. ~ **of burden** 〔**draft**〕 짐 나르는 짐승《마소 따위》. ˙**∠·ly**[-li] *a., ad.* 짐승 같은, 잔인한; 더러운(dirty); 《口》 불쾌한, 지겨운(~*ly weather* 고약한 날씨); 심히, 대단히(~*ly drunk* 곤드레 만드레 취하여). **béast·li·ness** *n.*

†**beat**[biːt] *vt.* (**beat;** ~**en**) ① (계속해서) 치다; 매질하다; (금속을) 두들겨 펴다; (길을) 밟아 고르다; 쳐서 울리다; 날개치다. ② (달걀을) 휘젓다. ③ 〖樂〗 (…의) 박자를 맞추다. ④ 지게 하다; (…을) 앞지르다; 녹초가 되게 하다; 《俗》 쩔쩔매게 만들다. ⑤ 《美口》 속이다. ⑥ 《美俗》 면하다; 공짜로 타다. — *vi.* ① 연거푸 치다(*at*); 때리다, 내리치다, 불어치다, 내리쬐다(*at*). ② (심장·맥박이) 뛰다. ③ (북이) 울리다. ④ 날개치다. ⑤ 〖海〗 돛에 바람을 비스듬히 받아 나아가다. ⑥ 《口》 (경기에서) 이기다. ~ **about** 찾아 헤매다; 〖海〗 돛에 바람을 비스듬히 받아 나아가다. ~ **about the bush** 넌지시 떠보다. ~ **a retreat** 퇴각의 북을 울리다; 퇴각하다. ~ **away** 계속해 치다; 두드려 털다. ~ **down** 타파하다; 값을 깎다; 실망시키다. ~ **it** 《俗》 도망치다. ~ **off** 쫓아버리다. ~ **one's way** 《美》 부정 입장하다, (기차 따위에) 무임 승차하다. ~ **out**(금속을) 두들겨 펴다; (뜻을) 분명히 하다; 해결하다; 몹시 지치게 하다. ~ **the band** 〔**the devil**〕 빼어나다, 모든면에서 우월하다. ~ (*a person*) **to it** 《美》 (아무를) 앞지르다. ~ **up** 기습하다; 북을 울려 소집하다; (달걀을) 휘저어 거품 일게 하다; 순회하다; 때리다. ~ **up and down** 여기저기 뛰어 돌아다니다. — *n.* Ⓒ ① 계속해서 치기; 치는〔두들기는〕 소리; 고동; 〖樂〗 박자. ② 순찰 (구역); 세력권. ③ 《美》 (신문사 사이의) 특종기사 앞지르기(scoop), 특종기사. ④ 《美俗》 이긴 사람〔경기, 내기〕. ⑤ 《美俗》 거지, 부랑자; = BEATNIK. **be in** 〔**out of, off**〕 **one's** ~ 전문〔전문밖〕이다. — *a.* 《口》 지친; 놀란; 비트족의. **∠·dom** *n.* Ⓤ 《口》 비트족의 사회. **∠·er** *n.* Ⓒ 치는 사람; 우승자; 뒤섞는 기구.

:**beat·en**[bíːtn] *v.* beat의 과거분사. — *a.* 두들겨 맞은; 두들겨 편 (~ *gold* 금박); 진; 밟아 다져진. ~ **track** 상도(常道), 관례.

be·a·tif·ic[bìːətífik], **-i·cal**[-əl] *a.* 축복을 주는〔줄 수 있는〕; 행복에 넘친(blissful). **-i·cal·ly** *ad.*

be·at·i·fy[biːǽtəfài] *vt.* 축복하다 (bless); 〖가톨릭〗 시복(諡福)하다. **-fi·ca·tion**[-∸-fikéiʃən] *n.*

˙**beat·ing**[bíːtiŋ] *n.* Ⓤ 때림; Ⓒ 매질; 타파; Ⓤ (심장의) 고동; 날개치기; 〖海〗 바람을 비스듬히 받아 배가 나아감; (금속을) 두들겨 펴기.

be·at·i·tude[biːǽtətjùːd] *n.* Ⓤ 지복(至福); (the B-) 〖聖〗 지복, 팔복《마태복음 5:3-11》.

beat·nik[bíːtnik] *n.* Ⓒ 《口》 비트족의 사람.

béat-ùp *a.* 《美口》 낡은.

beau[1][bou] *n.* (*pl.* ~**s,** ~**x**) Ⓒ 멋쟁이 남자(dandy); 구혼자, 애인.

beau[2] *a.* (F.) 아름다운, 좋은.

Beau·jo·lais[bòuʒəléi] *n.* Ⓤ 프랑스 Beaujolais산의 빨간〔백〕 포도주.

beau monde [bóu mánd/-mɔ́nd] 사교계, 상류 사회.

beaut[bjuːt] *n.* Ⓒ 《美俗》 고운〔멋진〕 것〔사람〕.

˙**beau·te·ous**[bjúːtiəs] *a.* 《詩》 아름다운(beautiful).

beau·ti·cian[bjuːtíʃən] *n.* Ⓒ 《美》 「미용사.

†**beau·ti·ful**[bjúːtəfəl] *a.* 아름다운; 훌륭한, 우수한. **the** ~ 아름다움. **:**~**·ly** *ad.*

˙**beau·ti·fy**[bjúːtəfài] *vt., vi.* 아름답게 하다; 아름다워지다. **-fi·ca·tion**

[>~fikéiʃən] n.

beau·ty [bjúːti] n. U 아름다움, 미 (美); 미모; (the ~) 미점, 좋은점; C 아름다운 것; 미인; 아름다운 동물.

béauty pàrlor [sàlon, shòp] (美) 미장원.

béauty quèen 미인 대회의 여왕.

béauty slèep (口) 초저녁잠.

béauty spòt 명승지, 아름다운 경치; 애교점(곱게 보이려고 붙임).

beaux [bouz] n. beau의 복수.

bea·ver[bíːvər] n. C 비버, 해리 (海狸); U 비버 모피; C 그 모피로 만든 실크해트; (美口) 부지런한 사람. eager ~ (俗) 노력가.

bea·ver² n. C 턱가리개(투구의 얼굴을 보호하는 것); (俗) 턱수염 (beard).

be·bop [bíːbɒp/-ɔ-] n. U 비밥(재즈의 일종). **~·per** n. C 비밥 연주자(가수).

be·calm [bikáːm] vt. 잠잠하게 (가 라앉게) 하다; 바람이 자서 (배를) 정지시키다.

be·came [bikéim] v. become의 과거.

†**be·cause** [bikɔ́ːz, -káz, -káz / -kɔ̀z] conj. (왜냐하면) ⋯이므로 [므로], ⋯라는 이유로[는], ⋯이기 때문에. — ad. ~ of ⋯때문에.

beck [bek] n. C 손짓. (사람을 부르기 위한) 고갯짓(끄덕). be at a person's ~ and call 아무가 시키는 대로 하다. have a person at one's ~ 아무를 마음대로 부리다.

beck·on [békən] vi., vt. 손짓(고갯짓·몸짓)으로 부르다; (손·턱으로) 신호하다(to); 유인(유혹)하다.

†**be·come** [bikÁm] vi. (-came, -come) ⋯이 되다. — vt. (⋯에) 어울리다, (⋯에) 적합하다(suit). ~ of (물건·사람이) ⋯되다. What has ~ of that book? 그 책은 어떻게 되었나.

†**be·com·ing** [-iŋ] a. 어울리는; 알

†**bed** [bed] n. C 침대; MATTRESS; 동물의 잠자리(lair); U 화단; 모판(苗床), 화단; 하상(河床) 강바닥; 토대; 지층, 층(a coal ~ 탄층); 무덤. be brought to ~

of (a child) 해산하다. be confined to one's ~ 병상에 누워 있다. ~ and board 침식(을 같이하다, 부부 관계(separate from ~ and board 별거하다). ~ of downs (flowers, roses) 안락한 환경. ~ of dust 무덤. die in one's ~ 제명에 죽다. get out of ~ on the right (wrong) side 기분이 좋다[나쁘다]. go to ~ 자다. keep one's ~ 드러누워 있다. lie in (on) the ~ one has made 자업자득하다. make a (the) ~ 잠자리를 깔다(걷다). NARROW ~. take to one's ~ 병 나다. — vt., vi. (-dd-) 재우다; 자다; 화단에 심다(out); 고정시키다, 판판하게 놓다(lay flat); (벽돌 따위를) 쌓아 올리다.

béd·bug n. C (美) 빈대.

béd·chàmber n. C (古) 침실(a Lady of the ~ 궁녀).

béd·clòthes n. pl. 침구(요를 제외한 시트나 모포 따위).

béd·còver n. = BEDSPREAD.

bed·ding [bédiŋ] n. U (집합적) 침구(류); (마소에 깔아 주는) 깃; 토대, 기반; (地) 성층(成層).

bédding plànt 화단용의 화초.

be·deck [bidék] vt. 장식하다 (adorn).

be·dev·il [bidévəl] vt. (《英》 -ll-) 귀신들리게 하다; 매혹하다; 괴롭히다. ~·ment n. U 귀신들림, 광란.

béd·fèllow n. C 잠자리를 같이하는 사람, 친구; 아내.

bed·lam [bédləm] n. C 정신 병원; 큰 소동; 혼란; (B-) 런던의 베들럼 행 정신 병원의 속칭. ~·ite[-àit] n. C 미친 사람.

béd línen 시트요 베갯잇.

Bed·ou·in [béduin] n. (the ~ (s)) 베두인족(아랍계의 유목민); C 베두인족의 사람; 유랑인, 방랑자.

béd·pàn n. C (환자용의) 변기; 탕파(湯婆).

béd·pòst n. C 침대 기둥(네귀퉁이) (BETWEEN you and me and the ~). in the twinkling of a ~ 순식간에.

be·drag·gle [bidrǽgəl] vt. 질질 끌어 적시다[더럽히다].

béd·rid(·den) [bédrìd(n)] *a.* 자리 보전하고 있는.

béd·rock *n.* U 〔地〕기반 (基盤) (암), 암상(岩床); 기초; 기본; 기반 원리(*the ~ price* 최저 가격/*get down to* ~ 진상을 조사하다; 돈이 바닥나다).

béd·room *n.* C 침실.

béd·side *n., a.* C 베갯머리(의), 침대 곁(의), (환자의) 머리맡(의). **have a good manner** (의사 등이) 환자를 잘 다루다 (실).

béd-sitting ròom 《英》 침실 겸 거실.

béd·sòre *n.* C (병상에 오래 누워 생기는) 욕창(褥瘡).

béd·sprèad *n.* C 침대보.

béd·stèad *n.* C 침대(의 뼈대).

béd·tìme *n.* U 잘 시각.

bédtime stòry (아이들에게) 취침 때 들려주는 옛날 이야기.

béd·wètting, bèd·wétting *n.* U 자면서 오줌싸기.

bee [biː] *n.* C 꿀벌, 일꾼; 《美》 (유희·공동 작업 따위를 위한) 모임(*a spelling ~* 철자 경기회). **have a ~ in one's bonnet** (**head**) 열중해 있다; 머리가 돌아 있다.

beech [biːtʃ] *n.* C 너도밤나무; U 그 재목. **~·en** C 너도밤나무(재목)의.

beef [biːf] *n.* U 쇠고기; (*pl.* **beeves**) C 식용우(牛); 《口》근육, 체력, 완력; 《俗》무게; (*pl. ~s*) C 《俗》불평. — *vi.* 《美俗》불평을 하다. **~·y** *a.* 건장한, 통통한.

béef·càke *n.* U 《집합적》《美俗》남성의 근육미 사진(cf. cheesecake).

béef·eater *n.* (종종 B-) C 런던탑의 수위; (왕의) 호위병.

béef·stèak *n.* U,C 두껍게 저민 쇠고기점; 비프스테이크.

béef téa 진한 쇠고기 수프, 쇠汁국.

bée·hìve *n.* C 꿀벌통; 사람이 붐비는 장소.

bée·lìne *n.* C 직선, 최단 거리(*make* (*take*) *a ~* 일직선으로 가다). — *vi.* 《口》직행하다.

been [bin/biːn] *v.* be의 과거분사.

beep [biːp] *n.* C 삐하는 소리(경적; 통화가 녹음 중임을 알리는 소리; (인공 위성의) 발신음. — *vi., vt.* ~을 울리다(발신하다). **~·er** *n.* C ~을 하는 장치; 무선 호출기.

beer [biər] *n.* U,C 맥주. **~ and skittles** 편안(한 생활), **black** (**draught**) ~ 흑(생)맥주, **small** ~ 약한 맥주; 시시한 것. **think small ~ of...**을 깔보다(*She thinks no small ~ of herself.* 자신 만만하다). **~·y** [bíəri] *a.* 맥주 같은; 얼근히 취한.

bees·wax [bíːzwæks] *n.* U 밀, (…에) 밀랍(蜜蠟)(을 바르다). — *vi., vt.* ~을 바르다.

beet [biːt] *n.* C 비트·사탕무 따위), **red** ~ 붉은 순무, **white** (**sugar**) ~ 사탕무.

bee·tle [bíːtl] *n.* C 투구벌레(류), 딱정벌레. — *vi., a.* 돌출하다(project); 돌출한.

béet·ròot *n.* C,U 《英》사탕무 뿌리 (샐러드 용).

be·fall [bifɔ́ːl] *vt., vi.* (**-fell** ; **-fallen**) (의 신상에) 일어나다 (재난 따위가 닥치다(happen to).

be·fit [bifít] *vt.* (**-tt-**) (…에) 어울리다, 적합하다(suit). **~·ting** *a.* 알맞은, 어울리는.

be·fore [bifɔ́ːr] *prep.* …의 앞(쪽)에; …의 이전에. — *ad.* 앞(쪽)에; 이전에. — *conj.* …보다 이전에. **~ everything** 무엇보다 먼저. **~ God** 하늘에 맹세코(*I was aware* 모르는 사이에). **~ long** 오래지 않아. **~ a person's face** 면 전에서, 공공연히.

before·hànd *ad.* 전부터, 미리. **be ~ with** …에 앞서다(forestall). **be with the world** 여유가 있다; 현금을 가지고 있다.

be·friend [bifrénd] *vt.* (…에) 친구가 되다(친하다).

be·fud·dle [bifʌ́dl] *vt.* 여벽으로 취하게 하다; 어리둥절하게(당황하게)하다. **~·ment** *n.*

beg [beg] *vt., vi.* (**-gg-**) 빌다(ask); 구걸하다, 빌어먹다; (개가) 앞발을 들고 서다(*B-! 앞발 들고 섰!*), 바라다, 부탁하다(…을 (…에) ~을 빌다, 바라다, 《*leave to*》 실례지만(*I ~ to disagree.* 미안하지만 찬성할 수 없습니다). **~ of** (*a person*) (아무에게) 부탁[간청]하

다. **~ off**(의무·약속 따위를) 사정 하여 면하다, 정중하게 거절하다. **~ the question**〔論〕 증명되지 않은 일에 근거하여 논하다. **go ~ging** 살 〔말을〕 사람이 없다.

†**be·gan**[bigǽn] v. begin의 과거.

†**be·get**[bigét] vt. **(-got; (古) -gat; -gotten, -got; -tt-)** (아버지가 자식 을) 보다; 낳다(become the father of); 생기다.

beg·gar[bégər] n. ⓒ 거지; 가난뱅 이; 놈; 자식(fellow). — vt. 거지로 만들다, 가난하게 하다; 무력 (빈약)하게 하다(It ~s description. 필설로 표현하기 힘들다). **I'll be ~ed if..** 절대로 ⋯하지 않다. **~·li·ness** n. ⓤ 빈궁, 빈약, **~·ly** a. 거지 같은, 빈약한.

†**be·gin**[bigín] vi. **(-gan; -gun; -nn-)** 시작하다(She began singing (to sing). **~**). 시작되다; 착수하다. **~ by** (doing) ⋯하기부터 시작하다, 우선 ⋯하다. **~ with** ⋯부터 시작하 다. **not ~ to** (do) (美口) ⋯할 정 도가 아니다(They don't ~ to speak English. 영어의 영자도 지껄 이지 못한다). **to ~ with** 우선 제일 먼저, 첫째로. **‡~·ner** n. ⓒ 초심자, 초학 자; 창설자. **†~·ning** n. 시작, 개시; 처음; 발단.

be·gone[bigɔ́(ː)n, -á-/-5-] int. (보 통 명령형으로서) 가라.

be·go·ni·a[bigóuniə, -njə] n. ⓒ 〔植〕 베고니아 (화초).

†**be·got**[bigát/-5-] v. beget의 과거 (분사). *** ~·ten** v. beget의 과거 분사.

be·grudge[bigrʌ́dʒ] vt. 아까워하 다; 시기하다.

†**be·guile**[bigáil] vt. ① 현혹시키다; 사취하다. ② 즐겁게 하다(amuse); 지루함(지루한 시간)을 잊게 하다.

be·guil·ing[⸤in] a. 속이는; 기분 을 전환시키는.

†**be·gun**[bigʌ́n] v. begin의 과거분 사.

†**be·half**[bihǽf, -á:-] n. ⓤ 이익 (interest). **in ~ of..** ⋯을 위하여 (on ~ of..). **on ~ of..** ⋯을 위하여(in ~ of..); ⋯을 대신하여(representing)

‡**be·have**[bihéiv] vt., vi. 처신하다

행동하다(toward, to); 예모 있게 행 동하다; 올바르게 행동하다(기계가); 돌아가다; (약 따위가) 작용하다, 반 응하다. **~ oneself** 예모 있게 행동하다(like); 예의 바르게 행동하다.

†**be·hav·ior, (英) -iour**[bihéivjər] n. ⓤ ① 행실, 품행. ② 태도, 행동. ③ (기계의) 돌아가는 상태, 움직임. ④ (약의) 효능, 성질. ⑤ 습성. **on (upon) one's good ~** 얌전히 하 고; 수습 중으로. **~·al** [-əl] a. 행동 의(에 관한). **~·ism** [-ìzəm] n. 〔心〕 행동주의.

behávioral science 행동 과학(인 간 행동의 법칙을 탐구하는 심리학·사 회학·인류학 따위).

be·head[bihéd] vt. (⋯의) 목을 베 다 〔과거분사〕.

be·held[bihéld] v. behold의 과거〔분사〕.

be·hest[bihést] n. 명령.

be·hind[biháind] ad. 뒤에(를), 뒤 로, 나중에; 그늘에. — prep. ⋯의 그늘(뒤, 그늘)에; 늦게에; ⋯에 늦어서(~ time 시간에 늦어서 / ~ the TIMES). **from ~** 뒤로부터.

behínd·hànd ad., pred. a. 늦어. 늦게 되어; (지불이) 밀려(in, with).

be·hold[bihóuld] vt., vi. **(-held; -held, (古) -holden)** 보다(look at). **Lo and ~!** 이 어찌된 셈인가!

~·en a. 은혜를 입은(to).

be·hoove[bihúːv], **(英) -hove** [-hóuv] vt. (⋯함이) 당연하다, ⋯의 무이다(It behoves you to refuse such a proposal. 이 런 제안은 네가 마땅히 거절해야 마땅하다).

beige[beiʒ] n., a. ⓤ 원모(原毛)로 짠 나사; 엷은 회갈색(의).

be·ing[bíːiŋ] v. be의 현재분사. — n. ⓤ 존재, 실재; 생존; ⓒ 생물 (creature). — a. 본질, 본체 (nature); (B-) 신(神). **for the time ~** 당분간. **in ~** 존재하는, 현존의.

be·jew·el[bidʒúːəl] vt. (英) **-ll-** 보석으로 장식하다.

be·la·bor, (英) -bour[biléibər] vt. 세게 치다, 때리다(thrash); 욕설하다, 혹평하다.

be·lat·ed[biléitid] a. 늦은; 뒤늦 은; 시대에 뒤진; (古) 길이 저문.

be·lay[biléi] *vt., vi.* 〖海·登山〗(밧줄걸이 따위에) 밧줄[자일]을 감아 매다.

***belch**[beltʃ] *n., vi., vt.* 트림(하다); (연기·불을) 내뿜다; 분출(하다); (폭언을) 퍼붓다.

be·lea·guer[bilí:gər] *vt.* 포위하다; 둘러싸다; 괴롭히다.

bel·fry[bélfri] *n.* ⓒ 종각, 종루(bell tower); (俗) 머리.

be·lie[bilái] *vt.* (**belying**) 속이다, 왜곡하여 전하다; (희망에) 어긋나다; (약속을) 어기다, 배반하다; (…이 잘) 치워지지 않다.

*be·lief [bilí:f] *n.* ⓒ 믿음; 신념(conviction) ⓒ 신앙(faith); ⓒ 신용(trust). *to the best of my ~* 확실히

*be·lieve[bilí:v] *vt., vi.* ① 믿다. 신용하다(in). ② 생각하다(think). — *vi.* ① 생각하다(think)…이라고 한다고[…의 좋다고] 생각하다(think)…(in). *B-me.* ① 정말입니다. *make ~* 인 체하다.

be·liev·a·ble *a.* *be·liev·er* *n.* 신자(in).

Be·li·sha béacon[bilí:ʃə─] (英) (횡단의) 횡단보도 표지.

be·lit·tle[bilítl] *vt.* 얕보다; 작게 하다, 작아 보이게 하다.

*bell [bel] *n.* ⓒ 종; 종 모양의 것; 종[방울] 소리, 초인종; (보통 *pl.*) 〖海〗(30분마다의) 시종(時鐘). *bear [carry] away the ~* 상품을 타다, 승리를 얻다. *curse by~, book, and candle* (가톨릭) (종을 울리고, 파문 선고서를 읽은 후, 촛불을 끔으로써) 정식으로 파문하다. — *vt.* (…에) 방울을 달다. *the cat* 어려운 일을 맡다. — *vi.* 종 모양으로 되다(벌어지다).

béll-bòttom *a.* 바지 가랑이가 넓은; 판탈롱의. *~ s n. pl.* 나팔바지, 판탈롱.

béll·bòy *n.* ⓒ (美) (호텔이나 클럽의) 급사, 보이.

*belle [bel] *n.* ⓒ 미인; (the ~) 어떤 자리에서 가장 예쁜 여자.

belles-let·tres[bellétər, bellétr] *n.* *pl.* (F.) 순문학.

bel·li·cose[bélikòus] *a.* 호전적인(warlike). **-cos·i·ty** [bèlikásəti]

─5─] *n.*

bel·lig·er·ent[bilíʒərənt] *a.* 교전 중의, 교전국의; 호전적인. — *n.* ⓒ 교전국; 교전자. **-ence**[─əns] *n.* ⓊⒸ 교전 상태; 호전성.

bel·low[bélou] *vi., vt.* (황소가) 울다, (사람이) 고함을 지르다. — *n.* ⓒ (황소의) 우는 소리; 노한 목소리.

bel·lows[bélouz] *n. sing. & pl.* 풀무; (사진기의) 주름 상자; 폐. *have to mend* (말이) 헐떡거리다.

bel·ly[béli] *n.* ⓒ 배, 복부; 위, 복(병 따위의) 불룩한 부분, 배; 내부; 태내, 자궁. — *vt., vi.* 불룩하게 하다.

bél·ly·àche *n.* ⓊⒸ 복통; 푸념. — *vi.* (美口) 불평을 말하다.

bél·ly·bùtton *n.* ⓒ (美口) 배꼽.

bél·ly dànce 밸리 댄스, 배꼽춤(東 동 여성의 춤).

bél·ly·flòp *n., vi.* (-**pp**-) (口) 배로 수면을 치면서 뛰어 들기(들다).

bél·ly làugh (美口) 웃음거리, 폭소.

be·long[biló:ŋ/-lɔ́ŋ] *vi.* (…에) 속하다, (…의) 것이다(*to, in*) (Where do you ~ (*to*)? 어디 사십니까?/ *You don't ~ here.* 여기는 네가 있을 곳이 못 된다. *~-ings n. pl.* 소지품; 재산; 성질, 재능.

be·lov·ed[bilʌ́vid] *a.* 가장 사랑하는; 소중한. — [─lʌ́vd] *n.* ⓒ 가장 사랑하는 사람, 애인; 남편, 아내.

be·low[bilóu] *ad.* ① 아래에, 아래 쪽; 지상에; 이승에; 지옥에; 아래層에. ② 하위[하류]에, ③ 후단(後段)의 장에. *down* ① 아래로; 땅 속[무덤·지옥]에; 해저에; 밑바닥에. *here* ① 지상에, 현세에서. — *prep.* ①…의 아래에, ②…의 하위[아래쪽, 아래편]에, ③…보다 못하여, …의 가치가 없어.

*belt [belt] *n.* ⓒ 띠, 혁대; 〖機〗 피대, 벨트; 지대, 지방; 해협. *below the ~* 부정한, 비열한; 비겁하게도, *tighten one's ~* 내핍 생활을 하다(허리띠를 졸라매어 배고 품을 잊다). — *vt.* (…에) 띠를 두르다(매다); 띠로 때다[매다]. *~·ing*

bélt highway (美) (도시 주변의)

B

순환(환상) 도로.

bélt·way *n.* = BELT HIGHWAY.

be·moan [bimóun] *vt., vi.* 비탄하
다.

be·muse [bimjúːz] *vt.* 멍하게 하
다.

†**bench** [bentʃ] *n.* ① ⓒ 벤치, 긴
(개의) 진열대; 작업대. ③ (the ~)
판사석; 법정; ④ ⓒ《집합적》 판사들,
재판관. ④ ⓒ 의석; 〔野〕 벤치, 선
수석. **～ and bar** 법관과 변호사, 법
조교《英》. **sit 〔be〕 on the
~** 법관 자리에 있다; 심리 중이다.
(보결 선수로서) 대기하고 있다. ──
vt. (…에) 벤치를 놓다; (어떤) 지위
에 앉히다; 〔競〕 (선수를) 퇴장시키
다. **～·er** *n.* ⓒ 벤치에 앉는 사람;
《英》법학원(the Inns of Court)
의 간부.

bénch·màrk *n.* ⓒ 〔컴〕 견주기《여
러가지 컴퓨터의 성능을 비교·평가하기
위해 쓰이는 표준 문제》.

†**bend** [bend] *vt.* (**bent**, 《古》**～ed**)
구부리다; (무릎을) 굽히다; (활을)
당기다; 굴복시키다; (마음을) 기울이
다. 주시하다(*to, toward*). ──*vi.* 굽다; 굽히
다(*down, over*). 굴복하다(*to, be-
fore*). 힘을 쓰다(~ to the oars 힘
껏 노를 젓다). ~ *oneself to* …에
전력을 쏟다. *on* ~*ed knees* 무릎을
꿇고, 간절히. ── *n.* ⓒ 굽이, 굴곡
(부); 경향; 〔海〕 결삭(結索)《법》(*cf.*
knot). 《the ~s** 〔醫〕 잠함병, 케이손
병(caisson disease), 항공병.
～·er *n.* ⓒ 구부리는 것; 굽이
(曲線) 《美口》주흥, 야단법석《英
俗》6펜스은화.

†**be·neath** [biníːθ] *ad.* 아래쪽에; …
보다 못하여. ── *prep.* … 의 아래에
(below, under); …에 어울리지 않
는; …의 아래[조각] 없는.

Ben·e·dic·tine [bènədíktin] *a.* St.
Benedict의 ── *n.* ⓒ 베네딕트의
수사; [-tin] Ⓤ 《프랑스의 Fécamp산의》 달콤한
리큐어술.

ben·e·dic·tion [bènədíkʃən] *n.*
Ⓤⓒ 축복(blessing); (예배 후의)축
도; (식사 전후의) 감사의 기도; (B-)

《가톨릭》성체 강복식.

ben·e·fac·tion [bènəfǽkʃən] *n.*
Ⓤⓒ 은혜; 선행, 자선(慈善).

ben·e·fac·tor [bénəfæktər,
⌐–´–⌐] *n.* (*fem.* **-tress**) 은혜자;
후원자, 보호자(patron); 기증자.

ben·e·fice [bénəfis] *n.* 《英》
國敎》목사록(祿); 《가톨릭》성직록
(church living).

be·nef·i·cent [binéfəsənt] *a.* 인
정 많은, 자선을 베푸는; 유익한.
***-cence** Ⓤ 선행; 친절; ⓒ 시여
물(施與物).

ben·e·fi·cial [bènəfíʃəl] *a.* 유익[유
리]한.

ben·e·fi·ci·ar·y [bènəfíʃièri,
-ʃəri] *n.* ⓒ 봉록[은혜·이익]받는
사람; 수익자; (연금·보험금 따위의)
수취인.

†**ben·e·fit** [bénəfit] *n.* Ⓤⓒ 이익; 은
혜, 은전(favor); ⓒ 자선 흥행; Ⓤⓒ
(사회 보장 제도의 ···에서의) 급
부, 연금; ⓒ 《美》세금 면세(relief).
～ of clergy 《史》성직자 특권《범죄
를 범하여도 보통의 재판을 받지 않
고, 또한 초범인 경우에는 사형을 받
지 않음》; (결혼 따위의) 교회의 승
인. **for the ～ of** …을 위하여; (종
인) …을 골리기 위하여. **give (a
person) the ～ of
the doubt** 〔法〕 (피고의) 의심스러
운 점을 유리하게 해석하여 주다. ──
vt., vi. 이익을 주다; 도움을 받다
(profit)(*by*).

be·nev·o·lent [binévələnt] *a.*
자비스러운(charitable); 친절한.
＊-lence Ⓤ 자비심, 인정; 덕행,
자선.

be·night·ed [bináitid] *a.* 길이 저
물어 빠진; (정신·지적으로) 미개의,
무지한(*a ～ traveler*): 무지한; 미개의.

be·nign [bináin] *a.* 인정많은, 친
절한; (기후가) 온화한(mild); 〔醫〕
병·종기 따위가) 양성(良性)의《opp.
malign》. **be·nig·ni·ty** [bignígnəti]
n. Ⓤ 친절, 자비; 온화.

†**bent** [bent] *v.* bend의 과거《분사》.
── *a.* 굽은; 허리가 굽은; 마음을 기
울인, 열심인, **be ～ on 〔upon〕**
… 을 결심[…에 열중]하고 있다. ──
n. ⓒ (taste); 경향; 소질; 온화.
《古》굴곡. *to the top of one's*

B

bént·wòod *a.* 나무를 휘어 만든((의
자 등)). — *n.* ⓤ 굽은 나무.

ben·zene[bénziːn, -ʹ] *n.* ⓤ [化]
벤젠.

be·queath[bikwíːð, -θ] *vt.* (유
작문 따위를) 남기다; (후세에) 전하
다(hand down); (재산을) 유증하
다(to)... — *n.* ⓤ 유증.

be·quest[bikwést] *n.* ⓤ [法] 유
증; ⓒ 유산, 유물.

be·rate[biréit] *vt.* (美) 꾸짖다. 야
단치다.

be·reave[biríːv] *vt.* (~*d*, bereft)
빼앗다(deprive)(*be* ~*d of one's*
mother 어머니를 여의다/*be bereft*
of hope 희망을 잃다). (주의) 사람
의 경우는 *bereaved*, 그 이외는 *bereft*
의 형식. — *ment* ~ *n.* ⓤ ⓒ 사별.

be·reft[biréft] *v.* bereave 의 과거
(분사). *be utterly* ~ 어찌할 바를
모르고 있다.

be·ret[bəréi, béri] *n.* (F.) ⓒ 베
레모; (英) 베레형 군모 ⓒ(*a green* ~
(美)[軍] 특전 부대원).

ber·ry[béri] *n.* ⓒ (딸기의) 열매.
(커피의) 열매; (물고기·새우의) 알.
— *vi.* 열매가 열리다; 열매를 따다.

ber·serk[bəˈrsəːrk] *a., ad.* 광포
한(하게), 사납게. — *er* ~ *n.* ⓒ [北
歐傳說] 사나운 전사; 폭한(暴漢).

berth[bəːrθ] *n.* ⓒ (~*s* [-θs, -ðz])
ⓒ (선박·기차의) 침대; 정박지; 조선
여지(船舶餘地)(sea room); 숙소;
(口) 지위, 직업. *give a wide* ~
to, *or keep a wide* ~ *of* ~에서
멀리 떨어져 있다. …을 피하다. —
vi., vt. 정박하다; 정박시키다.

be·seech[bisíːtʃ] *vt.* (besought)
간청(탄원)하다. — *·ing·ly* *ad.* 탄원
(애원)하듯이.

be·set[bisét] *vt.* (~; *-tt-*) 둘러싸
다; 방해하다; 공격하다, 괴롭히다; 가
끔다, 박아넣다. — *·ting* *a.* 끊임없이
괴롭히는, (빠지기) 쉬운(죄·나
쁜 버릇·유혹 따위).

be·side[bisáid] *prep.* …의 곁에
(near). …와 비교하여; …의 외에;
…을 벗어나, …을 떨어져서. *be*
~ *oneself* 정신이 없다. 머리가 돌
다. ~ *the mark* 과녁(대중)을 벗

어나서.

be·sides[bisáidz] *ad.* 그 위에, 게
다가. — *prep.* …외에(의), …에 더
하여; (부정문 속에서) …을 제외하고
(except).

be·siege[bisíːdʒ] *vt.* (장기간) 포
위하다; (질문·요구 따위로) 몰아세우
다. — *·ment* *n.*

be·smirch[bismə́rtʃ] *vt.* 더럽히
다. 때 묻히다.

be·som[bíːzəm] *n.* ⓒ 마당비; [植]
금작화(broom); (빗자루 용); 닮고
다닌다.

be·sot·ted[bisátid/-ɔ́-] *a.* 정신을
못 가누게 취한; 취해버린.

be·sought[bisɔ́ːt] *v.* beseech 의
과거(분사).

be·spec·ta·cled[bispéktəkəld] *a.*
안경을 쓴.

best[best] *a.* ((good, well의 최상
급)) 가장 좋은, 최상의((*the* ~ *liar*
지독한 거짓말쟁이)). — *n.* (*the* ~)
최량. 최선; 최상. *at* ~((*well*의
최상급)) 가장 잘, 제일; (口) 심하게,
몹시. — *vt.* (口) …에 이기다. *at*
(the) ~ 기껏해야, 잘해야, 좋게
생각해도. *at all* 무엇보다도, 누구보다도.
all 무엇보다도, 제일. *All for the*
최선의 결과를 얻고자(All for the
~. 만사는 하느님의 뜻이다((체념의
말)). *got* (*have*) *the* ~ *of it* 이기
다; (거래에서) 잘 해내다. *give it*
((美) 단단히 …을 …하다 ~ *make* ~
(do) …하다 ~
make the ~ *of* 될 수 있는
대로 이용하다(…)로 때우다. 참다.
make the ~ *of one's way* 길을
서둘다. *one's* ~ *days* 전성기.
one's (*Sunday*) ~ 나들이옷. *the*
~ *part of* …의 대부분. *to the* ~
of one's (*ability* (*power*)) (힘)이
미치는 한. *with the* ~ 누구에게도
지지 않고.

be·stir[bistə́ːr] *vt.* (*-rr-*) 분기시키
다. ~ *oneself* 분기하다.

bést mán 최적임자; 신랑 들러리
(groomsman).

be·stow[bistóu] *vt.* 주다, 수여하다
(give)(*on*). 쓰다; (古) (간직하여)
두다; (古) 숙박시키다, 재우다.

bést séller 베스트셀러((일정 기간
에 가장 많이 팔린 책·레코드)); 그 저

자[작자].

bést-sélling *a.* 베스트셀러의.

:**bet**[bet] *n.* ⓒ 내기, 건 돈[것].
— *vi.* (**bet, betted; -tt-**) 내기를 하다; 걸다(*on, against*). ～ *a nickel*《美口》…을 확신하다. *hedge one's* ～ *s* (내기에서) 양쪽에 걸다; 양다리 걸치다. *I* ～ *you* 《美口》꼭 틀림 없이. *You* ～! 《口》정말이야! 꼭. *You* ～ ～? 《口》정말이야?

be·ta[bíːtə, béi-] *n.* ⓤ 베타(그리스어 알파벳의 둘째 자 *B, ß*).

bête noire[béit nwάːr] (F. = black beast) 무서운[질색인] 것.

be·tide[bitáid] *vt., vi.* 발생하다; …에게 닥치다.

be·to·ken[bitóukən] *vt.* 보이다, 나타내다; …의 전조이다, 예시하다.

:**be·tray**[bitréi] *vt.* ① 배반하다 (sell). 저버리다. ② (여자를) 유혹하다(seduce). ③ (비밀을) 누설하다(reveal). ④ (약점 따위를) 무심코 보이다, 나타내다. ～ *oneself* 제 본심을 드러내다. ～**al** *n.* ⓤ 배반, 배신. ～**er** *n.*

*·**be·troth**[bitrɔ́ːθ, -tróuð] *vt.* 약혼하다. ～ *oneself to* …와 약혼하다. *be* ～**ed to** …와 약혼 중이다. ～**al** *n.* ⓒⓤ 약혼(식).

†**bet·ter**[bétər] *a.* (good, well의 비교급) 더 좋은; (보통 *pl.*) 손윗 사람, 선배. — *ad.* (well의 비교급) 더 좋게; 더 욱; 오히려. *be* ～ *off* 보다는더 잘 지내다. *be* ～ *than one's word* 약속 이상으로 잘 해주다. *be the* ～ *for* …때문에 오히려 좋다. *for* (*or*) *worse* 좋든 나쁘든; 어떤 일이 있어도. *for the* ～ 나은 쪽으로(*change for the* ～ 호전하 다). *get* [*have*] *the* ～ *of* …에 이 기다. *had* ～ (*do*) …하는 편이 좋 다(cf. had BEST). *know* ～ 더 분별이 있다(*I know* ～ *than to quarrel.* 싸움할 정도로 바보는 아니 다). *no* ～ *than* …도 마찬가지; …에 지나지 않다. *not* ～ *than* …보다 좋지 않다, …에 지나지 않다. *one's* ～ *feelings* 본심, 양심. *one's* ～ *half* 《口》 아내. *one's* ～ *self* 양심, 분별. *so much the* ～ 더욱 좋

다. *the* ～ *part* 대부분. *think* ～ *of* …을 고쳐 생각하다. *think* ～ *of* (생각보다 좋다고) 다시 보다. — *vt., vi.* 개선하다; …보다 낫다. ～ *oneself* 승진하다. ～**ment** *n.* ⓤ 개선; 출세.

bet·ter[bétər] *n.* ⓒ 내기 하는 사람.

:**be·tween**[bitwíːn] *prep., ad.* (두 물건)의 사이에, …사이에; (성질이) …의 중간으로. ～ *A and B, A*와 B나 해서(～ *work and worry* 일이 다 걱정이다 하여). ～ *ourselves, or* ～ *you and me* (*and the bed-* 《*gate-, lamp-*》*post*) 우리끼 리 이야기지만. ～ *the cup and the lip* 입 되어 가던 판에. *choose* ～ *A and B, A*나 B중 어느 하나를 고르다, (*few and*) *far* ～ 극히 드물 게. *in* ～ 중간에, 사이에.

be·twixt[bitwíkst] *prep., ad.* 《古》 =BETWEEN. ～ *and between* 중 간에, 이도저도 아니게.

bev·el[bévəl] *n., a.* ① 사각(斜角) (의); 경사(진); =～ **squáre** 각도 자. ～ *vt.* (**《美》-l-, 《英》-ll-**) 사각을 만들 다, 엇베다, 비스듬하게 하다.

bev·er·age[bévəridʒ] *n.* ⓒ 음료. *alcoholic* ～ 알콜 음료. *cooling* ～ 청량 음료.

bev·y[bévi] *n.* ⓒ (작은 새·사슴 따 위의) 떼; (특히) 새 따위의 떼.

be·wail[biwéil] *vt., vi.* 비탄하다.

*·**be·ware**[biwέər] *vi., vt.* 주의(조 심)하다(명령법·부정사로서, 또는 조 동사의 다음에만)(*B- of pickpock-ets!* 소매치기 조심하시오!).

be·wil·der[biwíldər] *vt.* 당황하게 하다(confuse). ～**ing** *a* ～**-ing-ly** *ad.* ～**ment** *n.*

be·witch[biwítʃ] *vt.* 마법을 걸다 (enchant); 매혹하다(charm). ～ *a.* 황홀하게 하는, 매력 있는. ～**ment** *n.*

:**be·yond**[bijánd/-5-] *prep.* ① … 의 저쪽(저편)에; …을 넘어서. ② … 이 미치지 않는, …보다 우수한. ③ … 외에, (시간을) 지나서, 늦어서. ～ *doubt* 의심할 여지 없이. *go* ～ *oneself* 자제력을 잃다; 평소보다 잘

하다. *It's (*gone*) ~ a joke.* (口)
그것은 농담이 아니다, 진담이다. —
ad. 저쪽(저편)에; 외에. —*n.* (the
~) 저편(의 것); 내세. *the back
of ~* 세계의 끝.

be·zique[bəzí:k] *n.* ⓤ 카드놀이의
일종.

bi-[bai] *pref.* 「둘, 쌍, 복, 등분, 2
배, 2기 1회, 1기 2회」의 뜻: *bi-*
valve, bisect, bicarbonate,
biweekly.

bi·an·nu·al[baiǽnjuəl] *a.* 연 2회
의, 반년마다의.

*•bi·as**[báiəs] *n.* ⓤⓒ (솔기·재단의)
사선, 바이어스; 경사(*slanting*);
향, 성벽; 편견; 편의 (無電)「바이어스」
편의(偏倚). — *vt.* 성벽을 갖게
하다; 치우치게 하다, 편견을 갖게
하다. —(s)ed[-t] *a.* 비스듬한, 편
견을 가진.

bib[bib] *n.* ⓒ(古) 턱받이; (에이프
런 따위의) 가슴 부분. *one's best
~ and tucker* 나들이옷.

:Bi·ble[báibəl] *n.* (the ~) 성서;
ⓒ (*or b-*) 성전; (b-) 권위 있는 참
고서(*the golfer's b-*). **Bib·li·cal,**
b-[bíblikəl] *a.*

bib·li·o-[bíbliou, -liə] 「책의, 성
서의」 뜻의 결합사.

bib·li·og·ra·phy[bìbliágrəfi/-5-]
n. ⓒ 참고서(문헌) 목록; ⓤ 서지학
(書誌學). **-pher** *n.* ⓒ 서지학자.
-o·graph·ic[bìbliəgrǽfik], **-i·cal**
[-əl] *a.*

bib·li·o·phile[bíbliəfàil], **-phil**
[-fil] *n.* ⓒ 애서가, 서적 수집가.

bib·u·lous[bíbjələs] *a.* 술좋아, 술
을 좋아하는; 흡수성의(*absorbent*).

bi·cam·er·al[baikǽmərəl] *a.* 政
양원제(兩院制)의, ᐸ트릴.

bi·carb[báikáːrb] *n.* ⓤ 중탄산 나
트륨.

bi·car·bo·nate[baikáːrbənit,
-nèit] *n.* 化 중탄산염; 중조;
~ of soda 중탄산나트륨.

bi·cen·te·nar·y [bàiséntənèri/
báisentì:nəri] *a., n.* ᐸ.

bi·cen·ten·ni·al [bàisenténiəl]
a., n. 200년(째)의; ⓒ 200년제(祭)
(의); 200년기(의).

bi·ceps[báiseps] *n.* ⓒ 解 이두
근(二頭筋); (口) 근력.

bick·er[bíkər] *n.* ⓒ 말다툼; (불
꽃이) 반짝거림; 후드득거림, 우드득.
—*vi.* 말다툼하다; 반짝거리다; (비가) 후드
득 내리다.

*•bi·cy·cle**[báisikəl] *n., vi.* ⓒ 자전
거(에 타다). **-clist** *n.* ⓒ 자전거 타
는 사람.

:bid[bid] *vt.* (*bade, bad, bid; bid-*
den, bid; -dd-) ① (…에게) 명하다
(~ *him* (*to*) *do*). ② (인사를) 말하
다; *~ farewell, welcome,*
etc.). ③ 값매기다, 입찰하다, 값을
다투다(이 뜻의 과거(분사)는 *bid*).
④ 초대하다; 공고하다. ⑤ (카드놀이
에서) 선언하다. ~ *in.* 값을 매기다,
입찰하다. ~ *fair to* …할 가망이
있다, 유망하다. ~ *for* …을 …
in (입찰자) 자기 앞으로 낙찰시키
다. ~ *off* 낙찰시키다. ~ *on* …의
입찰을 하다. ~ *up* 경매에서 값을
올리다. — *n.* 값매김, 입찰; 값
안, (호의를 얻는) 노력; 시도, *call
for ~s on* …의 입찰을 하다.
make a (one's ~ for …에 값을
매기다; (호의를) 얻으려고 노력하
다. ᐸ·da·ble *a.* 유순한; 「카드」 값을 수
있는. ᐸ·der *n.* ⓒ

bid·ding[bídiŋ] *n.* ⓤ ① 입찰 값
다루기, ② 명령. ③ 초대. ④ 공고
선언.

bide[baid] *vt., vi.* (~*d, bode;*
~*d*) 기다리다(~ *one's time*
기회를 기다리다); (古) 참다; (古)
살다, 머물다.

bi·det[bidét/bíːdei] *n.* (F.) ⓒ 비
데(하체 세척기구).

bi·en·ni·al[baiéniəl] *a., n.* 2년에
한 번의; 2년간의; ⓒ 植 2년생식물
(식물); 2년마다 여는 전람회, 비엔
날레; 2년마다 보는 시험(따위).
~*·ly ad.*

bier[biər] *n.* ⓒ 관가래(棺架); 영구
차; 관대(棺臺).

biff[bif] *n., vt.* ⓒ(俗) 강타(하다).

bi·fo·cal[baifóukəl] *a., n.* 이중 초
점의; (*pl.*) 이중 초점 안경.

bi·fur·cate[báifərkèit, -fáːr-] ᐸᐞ·
-kit] *a., vt., vi.* 두 갈래진; 두
갈래로 가르다(갈라짐).

:big[big] *a.* (*-gg-*) ① 큰; 성장한
(grown-up) ② 중요한, 높은, ③

B

잘난 체하는, 뽐내는(boastful)《get too ~ for one's boots 뽐내다》; 임신한《She is ~ with child.》. — ad. 《口》뽐내며 잘난 듯이; 다량으로, 크게; 《美口》성공하여.

big·a·my[bígəmi] n. ⓤ 《法》 중혼(重婚)(죄), 이중 결혼(cf. digamy).

bíg báng, Bíg Báng, the 〔天〕 (우주 생성 때의) 대폭발.

bíg báng thèory 〔天〕 (우주 생성의) 폭발 기원설.

Bíg Bén 영국 국회의사당 탑 위의 큰 시계(종).

bíg bróther 형; (때로 B- B-) (고아·불량 소년 등을 선도하는) 형 대신이 되는 남자; 독재 국가의 독재자.

bíg búsiness ⓤ (종종 나쁜 뜻의) 대기업, 재벌.

bíg déal 《美口》 훌륭한 것.

Bíg Dípper, the ⇨ DIPPER.

bíg gáme 큰 시합; 큰 사냥감(변따위); 큰 목표.

bíg·héad n. ⓤⓒ 〔病〕 두부 팽창증(양(羊) 머리의 심한 염증); 《美俗》 自取; 《口》 자기 도취; 《美俗》 그런 사람; 우두머리.

bíg-héarted a. 친절한; 관대한.

bight[bait] n. ⓒ 후미; 만곡부.

big·ot[bígət] n. ⓒ 완고한 사람; 광신자; 괴팍스런 사람. ~**·ed**[-id] a. 편협한, 완고한. ~**·ry** n. ⓤ 편협; 완미한 신앙.

bíg·wìg n. ⓒ 《口·蔑》 높은 사람, 거물, 요인.

bi·jou[bíːʒuː] n. (pl. ~**x**[-z]) (F.) ⓒ 보석(jewel); 작고 아름다운 장식물. — a. 주옥 같은, 작고 귀여운.

bike[baik] n., v. 《口》 = BICYCLE.

Bi·ki·ni[bikíːni] n. 비키니 환초(環礁)(마샬 군도의); 《b ~》 (or b-) (투피스의) 여자 수영복.

bi·la·bi·al[bailéibiəl] a., n. 〔音聲〕 두 입술로 발음하는; ⓒ 양순음(兩脣音)(b, p, m, w 따위).

bi·lat·er·al[bailǽtərəl] a. 양측(兩側)이 있는; 양자간의; 〔法〕 쌍무적인(cf. unilateral).

bil·ber·ry[bílbèri, -bəri] n. ⓒ 월귤나무속(屬)의 일종.

bile[bail] n. ⓤ 담즙; 기분이 언짢음, 짜증. *black ~* 우울.

bilge[bildʒ] n. ⓒ (배 밑의) 만곡부; ⓤ (통의) 중배; ⓤ 《俗》 허튼 소리(rot); = ~ **wàter** 배 밑에 괸 더러운 물. — vt., vi. (배 밑에) 구멍을 뚫다; 구멍이 뚫리다; 불룩하게 하다; 불룩해지다(bulge).

bi·lin·gual[bailíŋgwəl] a. 두 나라 말을 하는, 두 나라 말을 쓰는.

bil·ious[bíljəs] a. 담즙의; 《질》의; 까다로운.

bill¹[bil] n. ⓒ 계산서, 명세서; ① 목록; ③ 벽보; 전단, 포스터, ④ 《美》 지폐; 증서; 환어음; ⑤ 증서, 법안, 법률; 〔法〕 소장(訴狀); ⑦ (연극의) 프로(printed program). — vt. 청구서를 보내다; 프로에 짜넣다; 예고하다; 청구서를 ~. ~ *of exchange* 환어음. ~ *of fare* 식단표, 메뉴. ~ *of health* 〔船〕 건강 증명서. ~ *of lading* 선하 증권(생략 B/L). ~ *of mortality* 사망 통계표. *B- of Rights* 《美》 (정부가 기본적 인권을 보장하는) 권리 장전, 《美》 권리 선언(1689). ~ *of sale* 매도 증서. *fill the ~* 요구를 충족시키다; 효과가 있다.

bill² n. ⓒ 부리(모양의 것)(cf. beak). ~ *and coo* (남녀가) 서로 애무하며 사랑을 속삭이다.

bill·bòard n. ⓒ 게시판, 광고판.

bil·let[bílit] n. ⓒ 〔軍〕 (민간에 대한) 숙사 할당 명령서; (병영 이외의) 숙사(宿舍); 일자리, 직업. — vt. (병사에게) 숙사를 할당하다.

bil·let-doux[bílidúː, -lei-] n. (pl. billets-doux[-z-]) (F.) ⓒ 연애 편지.

bill·fòld n. ⓒ 《美》 (둘로 접게 된) 지갑(wallet).

bil·liard[bíljərd] a. 당구(용)의. ~**·ist** n. ⓒ 당구가.

bil·liards[bíljərdz] n. pl. 당구.

bil·lion[bíljən] n., a. ⓒ 《美·프》 10억(의); 《英·獨》 1조(兆)(의).

bil·lion·aire[bíljənɛ̀ər, ◁─] n. ⓒ 억만장자.

bil·low[bílou] n., vi. ⓒ 큰 파도(가 일다), 놀치다; 물결치다. ~**·y** a 너울의, 물결이 높은.

bil·ly¹[bíli] n. ⓒ 곤봉; 《口》 경찰

붐; =BILLY GOAT.

bil·ly² *n.* ⓒ 《美》 (양철) 주전자.

billy gòat 《兒》 숫염소.

bil·ly·o(h)[-ðu] *n.* 《英俗》 《다음 성구로만》 *like* ─ 맹렬하게.

bi·month·ly[baimʌ́nθli] *a., ad.* 2개월에 한 번(의), 한 달 걸러서, ─ *n.* ⓒ 격월간(월 2회) 발행지(誌).

bin[bin] *n.* ⓒ (뚜껑없는 큰 상자; 《英》 쓰레기통; 빵을 넣는 큰 통; (술을 친) 저장소; (the ─) 《俗》정신병원.

bi·na·ry[báinəri] *a., n.* ⓒ [數] 이원(二元)의, (二의 두 요소)로 된 (것); [컴] 2진수의; ~ **stár** [天] 연성(連星).

bind[baind] *vt.* (**bound**) 동이다. 매다; 감다; 결박하다; 속박하다; 의무를 지우다; (타르·시멘트 따위로) 굳히다; 변비를 일으키게 하다 (**constipate**). ─ *vi.* 동이다; 굳어지다; 구속하다. **be bound to** ...하다. **be in duty bound to** ...할 의무가 있다. ~ **oneself to** ...할 것을 맹세하다. ~ **up** 붕대를 감다, 단으로 묶다. ~ 묶는 것; (a ~) [口] 난처한 입장, 곤경; [樂] 연결선(tie). *·er* *n.* ⓒ 묶는 것 (사람), 끈; 제본인; 묶는 것; (서류 따위의) 철하는 표지. *·er·y* [-əri] *n.* ⓒ 제본소. *·ing* *n.* ⓒ 묶는, ⓤⓒ 동이는 (것, 일); 제본; 붕대; 구속력이 있는, 의무적인.

bínd·wèed *n.* ⓒ 메꽃(무리의 덩굴풀).

binge[bindʒ] *n.* ⓒ [口] 법석대는 술잔치.

bin·go[bíŋgou] *n.* ⓤ 빙고(lotto의 일종).

bin·oc·u·lar[bənάkjələr, bai-/-5-] *a, n.* 두 눈(용)의; (*pl*) 쌍안경(opera glass).

bi·no·mi·al[bainóumiəl, bə-] *n.* [數] 이항식(二項式)(의); [生] 이명식(二名式)의, 이명식 이름. ~ **nomen·clature** (속(屬)명과 종(種)명과의) 2명법(보기): *Homo sapiens* 사람). ~ **theorem** 이항 정리.

bi·o-[báiou, báiə] '생명'의 뜻의 결합사.

bio·chémical *a.* 생화학의. ~ **oxygen demand** 생화학적 산소요구량.

bio·chémistry *n.* ⓤ 생화학. **-chémist** *n.*

bi·o·de·grad·a·ble [-digréidə-bəl] *a.* 미생물로 분해되는.

bi·og·ra·pher[baiάgrəfər/-5-] *n.* ⓒ 전기(傳記) 작가.

bi·og·ra·phy[baiάgrəfi/-5-] *n.* ⓤⓒ 전기(life). *bi·o·graph·ic*[bàiou-græfik], *-i·cal*[-əl] *a.*

bi·o·log·ic[bàiəlάdʒik/-5-], *-i·cal*[-əl] *a.* 생물학 (상)의; 응용 생물학의.

biological clóck (생물의) 생체시계.

biological wárfare 생물학전, 세균전.

bi·ol·o·gist[baiάlədʒist/-5-] *n.* ⓒ 생물학자.

bi·ol·o·gy[baiάlədʒi/-5-] *n.* ⓤ 생물학.

bío·màss *n.* ⓤ [生態] 생물량.

bi·on·ics[baiάniks/-5-] *n.* ⓤ 생체 공학(인간·동물의 행동 양식을 연구하여 컴퓨터 설계에 응용하는 학문).

bi·op·sy[báiapsi/-ɔ-] *n.* ⓤ [醫] 생검(生檢), 생체 조직 검사.

bio·rhythm *n.* ⓤⓒ 바이오리듬(생체의 주기적).

bio·technólogy *n.* ⓤ 생명 공학.

bi·par·ti·san, -zan[baipά:rtə-zən] *a.* 양당(兩黨)의.

bi·ped[báiped] *n.* ⓒ 두 발 동물. ─ *a.* 두 발의.

bi·plane[báiplèin] *n.* ⓒ 복엽(複葉)(비행기기).

birch[bə:rtʃ] *n., vt.* ⓒ 자작나무; ⓤ 그 재목; ⓒ 자작나무 회초리(로 때리다).

bird[bə:rd] *n.* ⓒ 새; 엽조; [俗] 녀석(*a queer* ~ 괴짜), 계집아이; (the ─) 《俗》(청중의) 야유 《휘파람이나 씻씻하는 소리》(*give him a* ~ 야유하다); [口] 비행기; 《美俗》로케트; 인공 위성. ~ *in the hand* (bush) 확실(불확실)한 것. ~ *of paradise* 극락조. ~ *of passage* 철새; 방랑자. ~ *of peace* 비둘기. ~ *of prey* 맹금(猛禽). ~*s of a feather* 동류(동류)인, *eat like a* ~ 적게 먹다. *get the* ~ 《俗》야유당하다; 해고되다. *kill two* ~*s with one stone* 일석 이조를 얻다. 일거양득하다. ─ *vi.* 들새를 관찰하

다; 새를 잡다.
bírd·bràin *n.* ⓒ 《俗》 얼간이.
bírd càge 새장.
*bird·ie[bə́ːrdi] *n.* ⓒ 《兒》 새, 작은 새.
bírd·sèed *n.* Ⓤ 새 모이.
bírd wàtcher 들새 관찰자; 로켓 [위성] 관측자.
Bi·ro[báirou] *n.* ⓒ 《英》 (종종 b-) 《商標》 바이로델펜의 일종.
*birth[bəːrθ] *n.* Ⓤ 《英》 출생, 탄생; 출산 Ⓤ 태생, 혈통, 가문(descent): Ⓒ 태어난 것; 《口》 기원. *by ~* 태생은; 타고난. *give ~ to* …을 낳다. 생기게 하다. *new ~* 신생, 갱생, 재생.
bírth cértificate *n.* ⓒ 출생 증명서.
bírth contròl 산아 제한.
†**birth·day[bə́ːrθdèi]** *n.* 생일(a ~ *cake* 생일 케이크).
bírth·màrk *n.* 모반(母斑), (날 때부터 지닌) 점.
*bírth·plàce *n.* ⓒ 출생지, 발생지.
bírth ràte 출생율.
bírth·right *n.* Ⓤⓒ 생득권(生得權) 장자 상속권.
*bis·cuit[bískit] *n.* ⓒ 《英》 비스킷 (《美》 cookie, cracker); Ⓤ 비스킷 색; 《英俗》 매트리스. *take the ~* 《英俗》 일등상을 타다. *~ware* 애벌구이 오지그릇.
bi·sect[baisékt] *n.* 《2等》분하다.
bi·séc·tion *n.* **bi·sec·tor[-séktər]** *n.* ⓒ 《數》 2등분선.
bi·sex·u·al[baisékʃuəl] *a.* 양성(兩性)의; 양성을 갖춘.
*bish·op[bíʃəp] *n.* ⓒ 《聖公會·가톨릭》 (종종 B-) 주교; 감독; 《체스》 비숍(모자형의 말); 《美》 비숍의 직(교구).
bi·son[báisən] *n.* (*pl.* ~s) ⓒ 들소 (유럽·북아메리카산).
bis·tro[bístrou] *n.* (*pl.* ~s) ⓒ 비스트로(소형 바·나이트클럽).
†**bit[bit]** *n.* ⓒ 작은 조각, (음식 따위의) 한 입; (a ~) 조금, 소량; 잠시(*Wait a ~*); 잔돈; 《美》 12센트 반; (다 같이 쓰여) 하기 마련인 일, 정해진 절차. *a ~ of a...* 어느 편인가 하면, *a good ~* 오랫동안; 대단히. *a nice ~ of* 상당한. *~ by ~* 점점, 조금씩. *do one's ~* 《口》본

분을 다하다. *give a ~ of one's mind* 잔소리하다. *not a ~* 《口》 조금도.
bit *n.* ⓒ (말의) 재갈; 구속(물); (송곳의) 끄트머리; (대패의) 날. *draw ~* 발을 세우다; 삼가다. *get [take] the ~ between the teeth* (말이) 날뛰다; 반항하다. — *vt.* (*-tt-*) (…에게) 재갈을 물리다; 구속하다.
bit bite의 과거(분사).
bitch[bit∫] *n.* ⓒ (개·이리·여우의) 암컷; 《俗》 개년; 갈보, 매춘부; 아주 싫은[어려운] 일.
*bite[bait] *vt.* (*bit; bitten, bit*) ① 물다, 물어뜯다. ② (추위가) 스미다. ③ (벼룩·모기가) 물다; (게가) 물다; (물고기가) 덥석 물다; (톱니바퀴가) 맞물다(grip). ⑤ 《美》 (수동형으로) 속이다. ⑥ (산이) 부식하여(eat into). — *vi.* 물다, 물어뜯다; 먹이를 덥석 물다; 유혹에 빠지다; 부식하다(at); 부식하다; 피부에 스미다. *be bitten with* …에 열중하다. *~ away [off]* 물어 떼다. *~ off more than one can chew* 힘에 부치는 일을 하려고 들다. *~ one's nails* 분해하다, 안달하다. *~ the dust [ground]* 쓰러지다; 지다; 전사하다. — *n.* 한 번 묾[깨묾], 한 입; 물린[쏘인] 상처; (물고기가) 미끼를 물기; 부식; (a ~) 소량; *sup* 급히 먹는 식사. *make two ~s at [of]* …을 망설이다. *the whole ~* 《美》 전부.
bít pàrt (연극·영화의) 단역.
†**bit·ten[bítn]** *v.* bite의 과거분사.
†**bit·ter[bítər]** *a.* ① 쓴; 격심한 (~ *cold* 몹시 추운). ② (언쟁이) 비창한. ③ 모진(harsh). *to the ~ end* 끝까지. — *n.* 쓴 맛; 맥주; (*pl.*) 고미제(苦味劑)(키니네 따위). :~*ly* *ad.* *~·ness* *n.*
bit·tern[bítə(ə)rn] *n.* ⓒ 《鳥》 알락해오라기.

B

bítter·swèet *a., n.* ⓒ 쓰고도 단
(것); 고생스럽고도 즐거운; 《植》諸梅
등등.
bit·ty[bíti] *a.* 단편적인, 가늘게 자
bi·tu·men[baitjúːmən, bítjumən]
n. Ⓤ 가연(可燃) 광물《아스팔트·석
유·피치 따위》.
bi·tu·mi·nous[baitjúːmənəs, bi-]
a. 역청을 (隸靑)의; ~ **coal** 역청탄,
연탄(軟炭).
bi·valve[báivælv] *n., a.* ⓒ 쌍각
(雙殼) 조개(의); 굴; 양판(兩瓣)의.
biv·ou·ac[bívuæk] *n., vi.* Ⓤ
(-*ack*-) 텐트 없는 야영(을 하다).《登
山》비부아크(하다).
bi·zarre[bizáːr] *a.* 기괴한; 기묘
한.
blab[blæb] *vt., vi.* (**-bb-**) *n.* 지껄
거리다, 비밀을 누설하다; ⓒ 지껄거
리는(비밀을 누설하는) 사람; Ⓤ 지껄
거림, 수다.
blab·ber(**·mouth**) [blǽbər(màuθ)]
n. ⓒ 수다쟁이.
†**black**[blæk] *a.* ① 검은; 더러운.
② 암담한(dismal). ③ 지르퉁한
(~ **in the face** 안색을 변하여). ④
불길한. ⑤ 사악한(wicked) (~
cruelty 광장한 잔학). ⑥ 험악한;
⑦ (口) 철저한. *beat* ~ *and blue*
멍이 들도록 때리다. ~ *and white*
흑백 얼룩의(으로); 분명(한) 인쇄
된. *say* ~ *in one's eye* 비난하
다. — *n.* ① Ⓤⓒ 검정, 흑색(물감)
흑점; 검은 그림물감(잉크). ② 검은
인. ③ Ⓒ 상복. ~ *and white* 글
씨 쓴 것; 인쇄(된 것); 흑백 사진
(TV). *in* ~ *and white* (글씨로)
써서; 인쇄되어서; 흰 바탕에 검게
— *vt., vi.* ① 검게 하다(되다). (구
두를) 닦다. ② 더럽히다. ~ *out*
…을 온통 검게 하다; 무대를 어둡
게 하다; 등화 관제하다(cf. DIM
out); blackout을 일으키다. **~·ly**
ad. **~·ness** Ⓤ
bláck·bàll *n., vt.* Ⓒ 반대(투표)(하
다); (사회에서) 배척하다.
Bláck Bélt ① 《美》(남부의) 흑인
지대. ② [**~~**] (유도·태권의) 검은
띠.
bláck·bèrry n. Ⓒ 검은 딸기.
bláck·bìrd n. Ⓒ 《美》찌르레기(의

무리); 《英》지빠귀(의 무리).
†**bláck·bòard**[-bɔ̀ːrd] *n.* Ⓒ 칠판.
bláck bóx 블랙박스《자동제어
치·비행기록 장치 따위》.
bláck cómedy 블랙 코메디《블랙
유머를 쓰는 희극》.
Bláck Còuntry, the 《잉글랜드
중부의 Birmingham을 중심한》 대공
업지대.
Bláck Déath, the 흑사병, 페스트
《14세기 유럽에 유행》.
black·en[-ən] *vt., vi.* ① 검게(어
둡게) 하다(되다). ② (남의 인격·평
판을) 비방하다.
Bláck Énglish (미국의) 흑인 영어.
bláck éye (맞아서 생긴) 눈언저리
의 멍.
black·guard[blǽgərd, -gɑːrd] *n.,*
vt. Ⓒ 악한(惡漢)《*You* ~! 이 나쁜
놈》; 욕지거리하다.
bláck·hèad *n.* 뾰쪽 검은.
bláck·jàck *n., vt.* Ⓒ 큰 잔, 조끼
(jug); 《美》곤봉(으로 때리
다); 협박하다.
bláck·lèg *n.* Ⓒ 《俗》사기꾼; 《英》
파업 파괴자.
bláck·lìst *n.* Ⓒ 요주의 인물 명부.
bláck mágic 마술, 요술.
bláck·màil *n.* Ⓤ 갈취(한 돈).
공갈(하다).
Bláck María (俗) 죄수 호송차.
bláck márk 흑점《벌점》.
bláck márket 암시장; 암거래.
bláck marketéer [márketer]
암거래상인.
Bláck Múslim 흑인의 완전 격리
를 주장하는 흑인 회교 단체.
bláck·òut *n.* 《무대의》 암전(暗
轉); 등화 관제; 《空》 일시 뇌 빈혈 따
위로 인한 일시적 시력(의식) 상실.
bláck pépper 후추가루《껍질째 빻
은》.
Bláck Pówer 《美》 흑인 (지위 향
상) 운동.
Bláck púdding 검은 소시지《돼지
의 피나 기름을 넣어 만듦》.
bláck shéep (가문·단체의) 귀찮
은 존재.
Bláck Shìrt 검은 셔츠 당원《이탈
리아의 Fascist의 별명》.
:**bláck·smith** *n.* Ⓒ 대장장이.

bláck spót 위험 구역.

bláck·thòrn n. ⓒ 자두나무(유럽산); 산사나무(미국산).

bláck tíe 검은 베타이; 신사.

bláck·water féver [醫] 흑수열(학성 말라리아).

blad·der[blǽdər] n. ⓒ 방광(膀胱); (물고기의) 부레.

blade[bleid] n. ⓒ ① (풀의) 잎. ② 칼날, 칼. ③ 검객(劍客); 멋쟁이. ④ (노의) 노깃, (프로펠러의) 날개. ⑤ 견갑골(骨)(scapula).

blah[blɑː] int. 《美俗》 바보같이! — n. Ⓤ 허튼 소리, 어리석은 짓.

blame[bleim] vt. ① 나무라다, 비난하다(for). ② (…의) 탓으로 돌리다(on, upon). **be to ~** 책임을 져야 마땅하다(You are to ~. 네가 나쁘다). — n. Ⓤ 비난; 책임; 허물. **~·ful**(·ly) a. (ad.) **~·less**(·ly) a. (ad.)

bláme·wòrthy a. 나무랄 만한.

blanch[blæntʃ, blɑːntʃ] vt., vi. ① 희게 (하얗게) 하다(whiten). ② (얼굴을) 창백하게 하다, 창백해지다. **~ over** (과실 따위를) 둘러대다.

blanc·mange[bləmɑ́ndʒ/-mɔ́ndʒ] n. ⓊⒸ 블라망주(우유가든 흰 젤리, 디저트용).

bland[blænd] a. ① 온화한, 부드러운. ② 기분 좋은(산들바람 따위). ③ 상냥한(suave). ④ 순한(sweet)(담배우무 등).

blan·dish[blǽndiʃ] vt. 비위를 맞추다, 아첨하다; (교묘하게) 설득하다(coax). **~·ment** n. (pl.) 추종, 아첨.

blank[blæŋk] a. ① 백지의, 공허한; 흰색 없는, 단조로운. ② (벽 따위) 문이나 창이 없는, 무표정한, 멍한. ③ 순전한 ~ **stupidity**. — n. ⓒ 공백; 《美》 (기입) 용지(~ form); 여백, 공백; 공허; 대시(─)(Mr.─ = 'Mr. Blank'에서) 모씨(某氏); [射] 빈과녁. **draw a ~** 《口》 꽝을 뽑다; 실패하다. **in ~** 《美》백지 채로. — vt. 비우다, 공백으로 [무효로] 하다; 《美》 0으로 영패(零敗)시키다. **B- him!** 염병할! **~·ly** ad. 단호히; 멍하니.

blánk cártridge 공포탄.

blánk chéck 백지 수표. **give a person a ~** 얼마든지 돈을 주다; 멋대로 하게 하다.

blan·ket[blǽŋkit] n. ⓒ 담요, 모포. **be born on the wrong side of the ~** 사생아로 태어나다. **wet ~** 흥을 깨뜨리는 것(사람); 탈을잡는 사람, 훼방꾼. — a. 총괄적인; 차별화이 않는; 일률적인. — vt. ① 담요에 싸(서 행가래하다), 덮다(口)(사격을)덮어 버리다(obscure). ② 《美》(화를) 방해하다. ③ (口) 숨기다. ④ (법률이) (…에) 대하여 총괄적으로 적용되다.

blan·ket·y(-blank) [blǽŋkəti (-blǽŋk)] a., ad. (口) 괘씸한; 괘씸하게도.

blánk vérse 무운시(無韻詩)(보통 5각약강격(五脚弱强格)).

blare[blɛər] vi. (나팔이) 울려 퍼지다; 외치다. (동물이 굵은 소리로) 울다. — vt. 울리다. — n. (sing.) 울림; 외치는(우는) 소리.

blar·ney[blɑ́ːrni] n., vt., vi. Ⓤ 알랑대는 말(을 하다). [지친.

bla·sé[blɑːzéi, ─] a. (F.) 환락에 지친.

blas·pheme[blæsfíːm, ─] vt., vi. ① (신에 대하여) 불경한 언사를 쓰다, (…에) 혐담을하다. **-phém·er** n. ⓒ 모독자. **-phe·my**[blǽsfəmi] n. Ⓤ 불경; 혐담, 모독. **-phe·mous** (·ly) a. (ad.)

blast[blæst, -ɑː-] n. ① 한 바탕부는 바람, 돌풍(gust). ② (나팔 따위의) 소리, 울려 퍼짐, 송풍(送風), 폭발, 폭파; 폭약(口)(독기·악취의) 해독. **at a [one]** ~ 단숨에. **in (full)** ~ 한창 (송풍되어, 활약하여). **give (a person) a** ~ 《口》(아무를) 호되게 비난하다. **out of** ~ 송풍이 멎어; 활약을 중지하여. — vt., vi. ① 폭파하다. ② 마르(게 하)다, 시들(게 하)다. ③ 파멸시키다(B- him! 꺼져라!(B- it! 빌어먹을!). **~ed**[ɔid] a. 시든; 결단난; 저주받은.

blást fùrnace 용광로, 고로(高爐).

blást-òff n. (口)(로켓 등의) 발사.

bla·tant[bléitənt] a. 소란스러운; 성가시게 참견하는; (치림새가) 야한.

B

-tan·cy n.

blath·er [blǽðər] vt., vi., n. 지껄
여대다; Ⓤ 허튼 소리를 하다.

:blaze[bleiz] n. ① (sing.) 화염
(강한) 빛, 광휘(光輝). ② (sing.)
(명성의) 드날림. ③ (sing.) (감정의)
격발(in a ~ 을 불끈 나는, 높은.
《俗》지옥(hell) (Go to ~s! 꺼져
라). like ~s 맹렬히, 몹시. ——vi.
불타다(up). 빛나다; 불같이 노하다
(up). ~ away 펑펑 쏘아대다. 부
지런히 일하다(at). ~ out [up] 확
타오르다; 격노하다.

blaze² n., vt. Ⓒ (길잡이로 나무껍질
을 벗긴) 안표(眼標)(를 만들다, 로
표시하다); (가축 얼굴의 흰 점(줄).

blaze³ vt. 포고하다(proclaim), (널
리) 알리다.

blaz·er [bléizər] n. Ⓒ 블레이저 코
트(화려한 빛깔의 스포츠용 상의).

blaz·ing [bléiziŋ] a. 타는 (듯한);
강렬한.

bla·zon [bléizən] n. Ⓒ 문장(紋
章); 문장 묘사(기술)(법); 과시.
——vt. 문장을 그리다, 문장으로 장식
하다; 떠들어 퍼뜨리다, 공표하다.
~·ry[-ri] n. Ⓤ 문장; 미관.

bleach [bliːtʃ] vt. 표백하다. 마전하
다. ~·ing powder 표백분. ~·er
n. Ⓒ 마전장이, 표백기; (pl.) 《美》
(야구장 따위의) 노천 관람석.

bleak[bliːk] a. ① 황폐한, 황량한.
② 으스스 추운; 찬바람 부는.
(dreary) ③ 쓸쓸한
(dreary). ~·ly ad. ~·ness n.

blear[bliər] a. 흐린, 침침한(~
eyes). 몽롱한(dim). ——vt. 흐리게
하다. ~·y[blíəri] a. 눈이 흐린; 몽
롱한.

blear-eyed a. 흐린 눈의; 눈이 짓무른; 둔한. 통찰력이
보이지 않는.

bleat[bliːt] vt. (염소·송아지 따위
가) 매애 울다. —— n. (염소 따위
의) 매애 우는 소리.

bled[bled] v. bleed의 과거(분사).

:bleed[bliːd] vi. (bled) ① 출혈하다.
② 피흘리다(나라를 위하여 따위). ③
슬퍼하다(for him). ——vt. (환자
의) 피를 뽑다. ②돈을 우려내다. ③
《製紙》(잘못하여) 인쇄면의 한 끝을
잘라내다(사진판에 미적 효과를 주
려고) 페이지의 가를 자르다. —— n.

Ⓒ [印] 찍힌 부분까지도 자른 사진;
인쇄된 부분까지도 자른 페이지. ~·
ing n. Ⓤ 출혈; 방혈(放血)(blood-
letting).

bleed·er [blíːdər] n. Ⓒ 피를 잘흘
리는 사람; 혈우병자(血友病者). 《俗·
蔑》인색한 인물, 놈.

bleep[bliːp] n. Ⓒ 삐익하는 소리(무
선용 라디오 등에서 나는). —— vi. 삐
익 소리를 내다.

blem·ish[blémiʃ] n., vt. Ⓒ 흠, 결
점(defect); 손상하다(injure).

blench[blentʃ] vi. 뒷걸음치다, 주
춤하다(flinch).

:blend[blend] vt., vi. (~ed, blent)
섞(이)다, 혼화[조화]하다(harmo-
nize). —— n. Ⓒ 혼합(물). ~·ing
n. Ⓤ 혼합; [音] 혼성. ②Ⓒ 혼
성어.

blend·er [bléndər] n. Ⓒ 혼합하는
하는 사람(기구). ② 《美》 믹서(주방용
품).

blent[blent] v. blend의 과거(분사).

:bless[bles] vt. (blest, ~·ed) ①
정화(淨化)하다, (신을) 찬미하다
(glorify). ② (신이) 은혜를 내리다.
④ 수호하다. ⑤ (…의) 행복을 빌다;
행운을 감사하다. ⑥ 《反語》저주하
다. be ~ed with …을 누리고있
다; 《反語》…으로 곤란을 받고 있다.
B-me! 아뿔싸(구나)! 당치도 않다.
~ oneself 이마와 가슴에 십자를 긋
다. ~ one's stars 행운을 감사하
다. God ~ you! 신의 가호가 있기
를!; 고맙습니다!; 이런! 뜻밖이!
② (신의) 가호, 은총; 축복; 천덕[식
후의] 기도. ~·ed v. bless의 과거·분사.

bless·ed[blésid] a. ① 신성한. ②
복된, 축복받은; 행복한. ③ 《反
語》저주받은(cursed). not a ~
one 《俗》하나(한 사람)도 없는, (my
father of ~ memory 돌아가신
(우리 아버지).

blest[blest] v. bless의 과거(분사).
—— a. = BLESSED.

blew[bluː] v. blow¹·²의 과거.

:blight[blait] n. ① Ⓤ [植] 말라 죽
는 병. ② (a ~) (식물의) 마름병.
② Ⓒ 파멸을(실패를) 초래하는
것; 암영; cast a ~ over …에 어
두운 그림자를 던지다. —— vt. 말라

죽게 하다. ② 파멸시키다(ruin).

blimp[blimp] n. ⓒ (口) 소형 연식
비행선; 《英》완고한 보수주의자(The
俗) 동물본.

blind[blaind] a. ① 장님의; 눈먼.
② 맹목적인, 어리석은, 이성을 잃은.
③ 숨은(a ~ ditch 암거(暗渠)). ④
문[창]이 없는(벽 따위). ⑤ 무감각한
(a ~ stupor 망연 자실). ⑥ 막다른
(a ~ alley). **be ~ of an eye**,
or **be ~ in** [of] **one eye** 한 눈
이 보이지 않다. **go** ~ 장님이 되다.
go it ~ 맹목적으로 하다. ~ **it.**
눈멀게 하다; 속이다. — n. ⓒ 블라
인드, 커튼, 발, 차일. ~ **er** n. ⓒ
(보통 pl.) 《美》(말의) 눈가리개
(blinkers). ~ **ly** ad. : ~ **ness**
n.

blind álley 막다른 골목; 막바지.
blind dáte (口) (소개에 의한) 서
로 모르는 남녀간의 데이트 (상대).
blind·fòld vt. (…의) 눈을 가리다;
어찌할 바를 모르게 하다; 속이다.
— a, ad. 눈이 가려진[가려지]; 무
모한[하게]. ~ **ed**[-id] a.

blindman's búff 소경술래기.
blind spòt (눈·주의의) 맹점; [無
電] 수신 감도가 나쁜 지역.

blink[bliŋk] vi., vt. ① 깜박거리(게
하)다; (등불이) 반짝거리다. ② 힐끗
보다; 무시하다(ignore) (at). —
n. ① 깜박거림. ② 힐끗 봄. ③
섬광. ~ **er** n, vt. ⓒ 명멸(明滅) 신
호등; (pl.) = BLINDER; (pl.) 보안용
안경; (말의) 눈가리개.

blip[blip] n. ⓒ (레이더의) 영상.

bliss[blis] n. U 더없는 행복[기쁨],
지복(至福) (heavenly joy). ~ **ful**
(-ly) a. (ad).

blis·ter[blístər] n., vt., vi. ⓒ ①
(화상 따위) 물집[이 생기(게 하)다].
② 돌출부. ③ (독설 따위로) 호되게 꾸
다. ~ **gas** 독가스의 일종(피부를
상하게 한다).

blithe[blaið] **blithe·some**
[-səm] a. 명랑한[쾌활]한, 유쾌한;
부주의한. ~ **ly** ad.

blith·er·ing[blíðəriŋ] a. 허튼 소리

하는; 《口》철저한; 수다스러운.

blitz[blits], **blitz·krieg**[-krì:g]
n., vt. (G.) ① 전격전(을 가하다);
급습(하다).

bliz·zard[blízərd] n. 심한 눈보
라; 쇄도; 구타; 일제 사격.

bloat[blout] vi., vt. 부풀(리)다
(swell); 자부하(게 하)다; (vt.)
우릴을 풍기다. ~ **ed**[-id] a. 부
풀은; 우쭐대는. ~ **er** n. ⓒ 훈제한
청어.

blob[blab/-ɔ-] n. ⓒ (걸쭉한 액체
의) 한 방울; 작은 얼룩점; [크리켓]
영점. — vi., vt. (-bb-) (…에) 한
방울 묻기다[들다], 떨어지다, 뛴다.

bloc[blak/-ɔ-] n. (F.) ① 《정치·경
제상의》 블록, 권(圈) ② 《美》 의원
연합.

block[blak/-ɔ-] n. ⓒ ① 덩어리,
토막. ② 받침(나무). ③ 《美》 경매대(競賣
臺); 단두대. ③ 모탕; 조선대; 모자
골; 목판; 각석(角石). ④ 《英》(연
건축의) 한 채. ⑤ 《美》(시가의) 한
구획; 한 블록. ⑥ 한 장씩 메어 쓰게
된 것. ⑦ 활차, 도르래. ⑧ 잠애, 방
해. ⑨ [印] 블록(한 단위로 취급되는
연속된 언어의 집단다). **as like as
two ~s** 아주 닮은, 쪽 뺀. ~ **and
tackle** 고패와 고패줄. **go to the
~** 단두대로 가다; 경매에 부쳐지다.
— vt. ① 방해하다; (길을) 막다
(up). ② 봉쇄하다. ~ **in** [**out**] 약
도를 그리다. (대제의) 설계를 하다. ~
off 저지하다(check).

block·ade[blakéid/blɔk-] n. ⓒ
봉쇄, (항만) 폐쇄; 교통 차단; 경제
봉쇄. **raise** [**break**] **a** ~ 봉쇄를
풀다[깨뜨리다]. — vt. 봉쇄하다.

block·bùster n. ⓒ (口) 초강력의
대형 폭탄; 유력자; (신문)의 광고.

block·hèad n. ⓒ 바보.

block·hòuse n. ⓒ 토치카; 작은
목조 요새; 로켓 발사 관제소.

block létter [印] 블록 자체.

bloke [blouk] n. ⓒ 《英俗》 놈
(fellow, chap).

blond(e) [bland/-ɔ-] a., n. ⓒ 블론
드(의) (사람)(금발에 흰 피부임); 원
래 blonde는 남성용, blonde는 여성
형.

blood[blad] n. ① U 피, 혈액. ②

Ⓤ 유혈, 살육. ③ Ⓤ 혈통, 가문; 순종. ④ (the ~) 왕족. ⑤ ⓒ《英》혈기 왕성한 사람, 멋쟁이. *bad* [*ill*] ~ 적의(敵意). ━ *and thunder* (통속 소설의) 유혈과 소동(폭력). *in* [*out of*] ~ 기운차게(없이). *in cold* ~ 냉정히; 침착하게. *in hot* [*warm*] ~ 핏대를 올리고, 성나서. *let* ~ 【醫】방혈(放血)하다. *make a person's* ~ *run cold* (아무로) 겁에 질리게 하다.

blóod bànk 혈액 은행.

blóod bàth 대학살. 「온 형제」

blóod bróther 친형제; 피로써 맺은.

blóod còunt 혈구수 측정.

blood-cùrdling *a.* 소름 끼치는, 등골이 오싹하는.

blóod dònor 헌혈자.

blóod gròup [type] 혈액형.

blóod hèat 혈온(인간의 표준 체온; 보통 37℃).

blóod·hòund *n.* ⓒ (후각이 예민한 영국산의) 경찰견.《俗》탐정.

blood-less [-lis] *a.* 핏기 없는; 피흘리지 않는, 무혈의; 기운 없는; 무정한.

blóod·lètting *n.* Ⓤ 방혈(phlebotomy); 유혈.

blóod mòney 살인 사례금;《軍俗》(적군을 격추한 자에게 주는) 공로금; (피살자의 근친에 주는) 위자료.

blóod póisoning 패혈증(敗血症).

blóod prèssure 혈압.

blóod relàtion [rèlative] 혈족.

blóod·shèd *n.* 유혈(의 참사); 살해, 학살.

blóod·shòt *a.* 충혈된. 「한.

blóod·stàined *a.* 피 묻은; 살인을 한.

blóod·stòck *n.* Ⓤ《집합적》순종의 말.

blóod tèst 혈액 검사.

blóod·thìrsty *a.* 피에 굶주린.

blóod transfùsion 수혈(법).

blóod type = BLOOD GROUP.

blóod vèssel 혈관.

:**blood·y** [-i] *a.* 피의, 피 같은; 피투성이의. ② 잔인한.③《英俗》심한《거러 b—(d)y라고도 씀》. ━ *vt.* 피투성이로 만들다.

:**bloom** [bluːm] *n.* ① ⓒ (관상용의) 꽃. ② Ⓤ《집합적》(특정 장소·식물의

철의) 꽃. ③ Ⓤ 개화기, 한창; (기운·아름다움의) 절정기(prime). ④ Ⓤ 건강한 얼굴빛, 앳되고. ⑤ Ⓤ (포도 따위의 껍질의) 뿌연 가루. *in* (*full*) ~ 꽃이 피어. ━ *vi.* 피다; 번영하다.

bloom·er [blúːmər] *n.*《英俗》큰 실책; 실패.

bloom·ers [blúːmərz] *n. pl.* (여자용의) 블루머(운동용 팬츠).

bloom·ing [blúːmiŋ] *a.* ① 활짝 핀 (in bloom). ② 한창의, 청춘의. ③ 번영하는. ④《英口》지독한. ⑤《反語》어처구니 없는. ~*ly ad.*

bloop·er [blúːpər] *n.* ① 큰 실수;《野》역회전의 높은 공; 텍사스 히트.

:**blos·som** [blásəm/-5-] *n.* ① ⓒ (과실 나무의) 꽃《cf. flower》. ② Ⓤ《집합적》(한 과실 나무의) 꽃(전체). ③ Ⓤ 개화(기); 청춘. *in* ~ 꽃 피어, *in full* ~ 만발하여. ━ *vi.* 피다; 번영하다; (낙하산의) 펼쳐

:**blot** [blɑt/-ɔ-] *n.* ⓒ ① (잉크 따위의) 얼룩, 더럽힘(stain). ② 오점, 오명, 결점(*on*). ━ *vt.* (-*tt-*) ① 더럽히다 (글씨를) 쓰다; 잉크로 ~하다. ② (잉크를) 빨아들이다. ~ *out* 지우다; 감추다. **blót·ter** *n.* ⓒ 압지(壓紙); 기록부.

blotch [blɑtʃ/-ɔ-] *n.* ⓒ (큼직한) 얼룩, 종기(boil).

blótting pàper 압지.

blot·to [blátou/-5-] *a.*《俗》곤드레 만드레 취한.

blouse [blauz, -s] *n.* ⓒ 블라우스 《여자·어린이용의 서츠식의 웃옷》; 《美》군복의 상의(上衣).

:**blow** [blou] *vi.* (*blew*; *blown*,《俗》~*ed*) ① 불다《It is ~*ing. = The wind is* ~*ing.*》. ② (바람이) 불다《It is ~*ing. = The wind is* ~*ing.*》. ③ (바람에 날리다《The dust* ~*s.*》. ④ (퓨즈·진공관이) 끊어지다. ⑤ (피리가) 울리다. ⑥ 헐떡 거리다(pant). ⑦ (고래가) 숨을 내뿜다(spout air). ⑧ 《口》자랑하다, 통떨다(brag). ━ *vt.* ① 불다, 불어치다(puff). ② (유리 그릇·비누 방울을) 불어서 만들다. ③ 취주하다. ④ 말을 퍼뜨리다.

blow² ⑤ 《美俗》 실패하다. ⑥ (파리가 쉬를) 슬다. ⑦ 《口》《俗》 …에 돈을 쓰다; 한턱 내다. ⑧ 《俗》 비밀을 누설하다; 고자질하다. ⑨ (퓨즈를) 끊어지게 하다(melt). ⑩ 《俗》 저주하다(B- it! 빌어먹을! / I'm ~ ed if I do. 절대 하지 않는다). ⑪ (코를) 풀다, ⑫ 《美俗》 마리화나를 피우다. **~ hot and cold** 좋게 말했다 나쁘게 말했다 하다, 변덕스럽다. **~ in** 《俗》 난데없이 나타나다; 들르다(drop in). **~ off** 불어 날리다; (물·증기를) 내뿜다. **~ out** 불어 끄다; 태풍이 멎다; (불이) 꺼지다; (용광로의) 운전을 정지하다, (용광로가) 활동을 정지하다; 펑크 나다. **~ over** (바람이) 멎다; (불행이) 지나가 버리다; (일이) 일어나다. **~ sky-high** 꽝소리 못 내게 분쇄하다, ~ 부풀게 하다, (비유) 부풀다; 폭발(폭파)하다; 뭇시비에 붙이다; (바람이) 검정 세게 불다. 《寫》 확대하다. 일어나다 (arise). 《口》 노하다; 꾸짖다.

— *n.* ⓒ ① 한 번 불기. ② 취주. ③ (고래의) 숨뿜기. ④ 《口》 자랑, 허풍. ⑤ 《口》 휴식, 산책.

blow³ *n., vi.* (**blew; blown**) ⓒ 개화하다. 꽃피다(bloom¹).

:blow³ *n.* ① 강타, 타격(hard hit). ② 불행. **at one ~** 단번에. **come [fall] to ~s** 주먹다짐을 시작하다.

blow·er[弓ɔ─r] *n.* ⓒ 부는 사람(것); 송풍기; 유리를 불어 만드는 사람; (the) 《英俗》 전화.

blów·lamp *n.* = BLOWTORCH.

:blown[bloun] *v.* blow¹·²의 과거분사.

blów·out *n.* ⓒ (공기·물의) 분출, 펑크 (퓨즈의) 용해; 《俗》 큰 잔치, 대향연.

blów·torch *n.* ⓒ (파이프공의) 발염(發炎) 장치, 토치램프.

blów·up *n.* ⓒ 폭발; 발끈 화냄; 《美》 파산; 《寫》 확대.

blow·y[blóui] *a.* = WINDY.

blowz·y[bláuzi] *a.* ① 단정치 못한(untidy); 봉두난발의; 지저분한. ② 고상하지 못한(살을 그러한); (얼굴이) 붉은.

blub·ber[blʌ́bər] *vt., vi., n.* Ⓤ 엉엉 욺; 엉엉 울다; (얼굴을) 눈물로 얼룩지게 하다, 울며 말하다.

blub·ber *n.* ⓒ (고래의) 기름.

bludg·eon[blʌ́dʒən] *n.* ⓒ 곤봉.

:blue[blu:] *a.* ① 푸른, ② 실망한, 우울한, 낙담한, ③ (추위·공포 따위로) 새파래진, 창백한(livid), ④ 푸른 옷을 입은. ⑤ 인텔리의(여자). ⑥ 《口》 외설한(obscene). ⑦ 엄격한《법률·원칙의》. **a ~ moon** 좀처럼 없는 일, 어리석은 일. **like ~ murder** 전속력으로. **look ~** 우울해 보이다. **once in a ~ moon** 극히 드물게 (cf. ~ moon), **till all is ~** 철저하게, 끝까지(drink till all is ~ 곤드레만드레 취하다), **true ~** 충실한. — *n.* ① ⓤⓒ 파랑(dark ~ 암청색, 남빛. ② (the ~) 푸른 하늘[바다]. ③ (pl.) 우울. ④ (pl.) 블루스《우울한 곡조의 재즈곡》. **out of the ~** (청천 벼락같이) 돌연히, 불시에.

blúe báby 《醫》 청색아《선천성 심질환·폐화대 부전의 유아》.

blúe·bell *n.* ⓒ 종 모양의 푸른 꽃이 피는 풀《야생의 히아신스·초롱꽃 따위》.

blúe·berry *n.* ⓒ 월귤나무의 일종.

blúe blòod 명문《名門》《문벌》의 피로 맺어진 사람들; (피부 위로 피고 비쳐 보이는 대정맥) 《口》 귀족.

blúe·bòttle *n.* ⓒ 《蟲》 금파리; 《植》 수레국화.

blúe·còllar *a.* 육체 노동의, 작업복의(~ worker 공장 노동자)(cf. white-collar).

blúe gràss *n.* Ⓤ 《植》 볏과포아풀속의 목초(牧草).

blúe·pèncil *vt.* ⓒ (美) 《편집자가》 파란 연필로 글을 수정하다, 정정하다.

Blúe Péter 출범기(出帆旗).

blúe·prìnt *n., vt.* ⓒ 청사진; 계획(하다).

blúe·stòcking *n.* ⓒ (18세기 런던의) 청탑(靑塔)회원; 여류 문학자.

:bluff[blʌf] *a., n.* ① 절벽(의). ② 퉁명스러우나 진실한. ③ 솔직한. **~·ly** *ad.*

bluff *n., vt., vi.* Ⓤⓒ 허세(부리다); 속임; 속이다(cheat).

blu·ish[blú:iʃ] *a.* 푸르스름한.

blun·der[blʌ́ndər] *n.*, *vi.*, *vt.* ⓒ 실책(을 하다), 큰 실수(를 하다); 잘못 —하다. 머뭇거리다.

blun·der·buss[blʌ́ndərbʌ̀s] *n.* ⓒ (17-8세기의) 나팔총.

:**blunt**[blʌnt] *a.* ① 날 없는, 날이 무딘, 들지 않는(dull). ② (머리·이) 둔한(dull). ③ 거리낌 없는 (outspoken); 무뚝뚝한, 말이 무디게 하다. 무디어지다. ~**·ly** *ad.* ~**·ness** *n.*

blur[bləːr] *vt.*, *vi.* (*-rr-*) ① 더럽히다; 더러워지다. ② 흐리게 하다; 흐려지다. — *n.* ⓒ ① 더러움. ② 몽롱, 흐림, ③ 오점, 오명.

blurb[bləːrb] *n.* ⓒ (口) (신간 서적의 커버(jacket)에 실린) 선전(광고) 문구, (*out*).

blurt[bləːrt] *vt.* 무심결에 말하다.

:**blush**[blʌʃ] *n.*, *vi.* ① ⓒ 얼굴 붉힘(붉히다). ② 부끄러워하다. ③ 빨개지다. *at* (*the*) *first* ~ 언뜻 보아. *put to the* ~ 얼굴을 붉히게 만들다. *spare a person's* ~*es* (口) 수치심을 주지 않도록 하다 (*spare my* ~*es* 너무 칭찬 마라). ~**er** *n.* ~**ful** *a.* ~**·ful·ly** *ad.* ~**·ful·ness** *n.*

blus·ter[blʌ́stər] *vi.*, *vt.* ① (파도·바람이) 휘몰아치다(침), 거세게 일다(일기). ② 떠들어대다(댐), 허세부리다(부림). — *n.* ⓤ ① 큰 구멍이는. 보아 《모피로 만든 긴 목도리》. ~ *con·strictor* (아메리카산의) 큰 구렁이.

bo·a[bóuə] *n.* ⓒ ① 큰 구렁이: 보아 《모피로 만든 긴 목도리》. ~ *con·strictor* (아메리카산의) 큰 구렁이.

boar[bɔːr] *n.* ① ⓒ 수퇘지; 멧돼지 (*wild* ~). ② ⓤ 그 고기.

:**board**[bɔːrd] *n.* ① ⓒ 널판, ② ⓒ 대판(臺板). ③ ⓒⓤ 판지(板紙), 마분지(pasteboard) ④ ⓒ 식탁. ⑤ ⓤ 식사. ⑥ ⓒ 회의(council); 평의원회, 위원회. ⑦ ⓒ 부(部), 청, 국, 원, 처. ⑧ ⓒ《海》뱃전. ⑨ (버스·열차 따위의) 차량, 차내. ⑨ (*pl.*) 무대. ⑩ ⓒ 증권 거래소. ⑪ ⓒⓤ 기판, 판. *above* ~ 공명정대하게. ~ *and* [*on*] ~ (두 배가) 뱃전이 맞닿을 정도로 나란히. ~ *and lodging* 식사를 제공하는 하숙. ~ *of directors* 중역[이사]회, ~ *of trade* 《美》실

업(추진) 연맹(chamber of commerce 비슷한 딴 기구); (B- of T-) 《英》 상무성(商務省), *go by the* ~ (돛대가 부러져) 배 밖으로 떨어지다; 실패하다. *on* ~ 배(차)를 타고. *tread the* ~s 무대를 밟다, 배우가 되다. — *vt.* ① (…에) 널을 대다. ② 식사를 주다, ③ 승차하다. — *vi.* ① 하숙하다(*with*). ② 식사하다(*at*). ~ *out* (하숙인이) 외식하다(dine out). ~**·er** *n.* 하숙인, 기숙생.

bóard·ing hòuse 하숙집, 기숙사.

bóard·ing schòol 기숙사제 학교.

bóard·ròom *n.* ⓒ (주로) 중역 회의실. ~**·d.**

bóard·wàlk *n.* ⓒ《美》널을 깐 보도.

:**boast**[boust] *vi.*, *vt.* ① 자랑하다 (*of, about; that*). ② (…을) 가지고 있다. ~**er** *n.* ~**ful** *a.* ~**·ful·ly** *ad.* ~**·ful·ness** *n.*

:**boat**[bout] *n.* ⓒ ① 보트. ② 기선. ③ 배 모양의 그릇(*a sauce* ~). *burn one's* ~s 배수의 진을 치다. *in the same* ~ 같은 처지에. *take* ~ 배를 타다. — *vi.*, *vt.* ① 배로 가다[나르다(가다). ② 배에 싣다. — *it* 배로 가다. ~**·ing** *n.* ⓤ 뱃놀이.

bóat·hòuse *n.* ⓒ《美》보트 창고.

boat·man[-mən] *n.* ⓒ ① 뱃사공, 보트 젓는 사람. ② 보트 세 놓는 사람.

:**bob**[bab/-ɔ-] *n.* ⓒ ① (시계추 따위의) 추. ② (낚시의) 찌. ③ 획 움직임. ④ 《英》= CURTSY. ⑤ 한 번 흔들[꾼]. ⑥ 단발(cf. shingle). ⑦ (말의) 자른 꼬리. ⑧ = BOBSLED. — *vt.* (*-bb-*) ① 획 움직이다. ② 짧게 자르다. — *vi.* ① 획 움직이다, 둥실거리다. ② 홱 머리를 들다(*up*). ③ 제물낚시로 낚다(*for*). ④ 꾸벅 절[인사]하다(*at*).

bob *n.* ⓒ (*-bb-*) 가볍게 침(치는 일(tap¹).

bob *n.* ⓒ (*pl.* ~)《美口》실링(shilling).

bob·bin[bábin/-5-] *n.* ⓒ 실감개, 보빈; 가는 실; 《電》(코일) 감는 틀.

bob·ble[bábəl/bɔ́b-] *vi.*, *vt.*《美口》간닥간닥 상하로 움직이다; (공을) 놓치다.

bob·by[bábi/-5-] *n.* ⓒ 《英口》 순경.

bóbby pin 《美》 머리핀의 일종.

bób·sled, -sleigh[─slèi] *n.* ⓒ 연결 썰 매; 봅슬레이 경기용 썰매. ─ *vi.* ~를 타다.

bode[boud] *vt., vi.* (…의) 조짐을 나타내다(이 되다)(~ ill (well) 징 조가 나쁘다(좋다)].

bode[2] *v.* bide의 과거.

bod·ice[bádis/-5-] *n.* ⓒ 여성복의 몸통 부분 껴맞 끼는 물, 보디스.

:**bod·i·ly**[bádəli/-5-] *a.* ① 몸의. ② 육체적인. ─ *ad.* ① 몸소. ② 통 째로, 모조리.

:**bod·y**[bádi/-5-] *n.* ① ⓒ 몸, 육 체. ② ⓒ 몸통 (부분). ③ ⓒ 동의 (胴衣). ④ ⓒ 시체. ⑤ ⓒ 주부(主 部). ⑥ ⓒ 본문(서문·일러두기·부록 따위에 대하여). ⑦ ⓒ 대(隊), 떼. ⑧ ⓒ (口) 사람(an honest ~ 정 직한 사람). ⑨ ⓒ 【理】 물체. ⑩ Ⓤ 실 질. 농도(density)(wine of a good ~ 독한 포도주). ⑪ ⓒ 차체, 선체. ⑫ ⓒ 당이(mass)(a ~ of water, cloud, etc.). ~ and breeches 《美 口》 아주, 완전히. ~ corporate 법 인. ~ of Christ 성체 성사용의 빵. ~ politic 정치 통일체, 국가, 국민. in a ~ 하나로 되어, 일제히. in ~ 몸소, 스스 로. keep ~ and soul together 겨우 생계를 유지하다. ── *vt.* 형체를 주다. ~ forth 표상하다; 체현하다 (embody); (…을) 마음에 그리다.

bódy·builder *n.* ⓒ 육체미(병).

bódy·guard *n.* ⓒ 호위(병).

bódy lànguage 보디 랭귀지, 신 체 언어(몸짓·표정 따위의 의사 소통의 수단).

bódy stòcking 보디스타킹(꼭 맞 는 스타킹의 속옷).

bódy·wòrk *n.* Ⓤ 차체의; 차체의 제 작(수리).

Boer[bɔːr, bouər] *n.* ⓒ 보어 사람 《남아프리카 Transvaal 등지의 네덜 란드계의 백인》.

bof·fin[báfin/-5-] *n.* ⓒ 《英俗》 과 학자, (군사) 연구원.

bog[bag/bɔ(:)g] *n., vi., vt.* (**-gg-**) Ⓤⓒ 소택지, 수렁(에 가라앉다) 가라

앉히다)(be ~ged 수렁에 빠지다: 궁 지에 빠져 꼼짝 못 하다). ~·gy *a.* 수렁이 많은, 소택지의.

bo·gey, bo·gie[bóugi] *n.* = BOGY; 《골프》 기준 타수(par)보 다 하나 더 많은 타수.

bog·gle[bɔ́gl] *vi.* 주춤거리다. 머뭇거리다(at, about); (말이) 겁에 질려 멈칫하다, 펄쩍 뛰어 물러서다 (shy); 속이다; 시미를 떼다; 《口》 당 황하다.

bo·gus[bóugəs] *a.* 《美》 가짜의, 엉 터리의(sham).

bo·gy[bóugi] *n.* ⓒ 도깨비, 귀신; 유령; 《軍俗》 국적 불명의 항공기.

Bo·he·mi·a[bouhíːmiə] *n.* 제코슬 로바키아 서부의 주. *~n[-n] a., n.* ⓒ 보헤미아의; 보헤미아 사람(의); ⓒ 《종종 b-》 방랑자; 태평스러운 (사람); 관 습에 구애받지 않는.

:**boil**[1][bɔil] *vi., vt.* ① 끓다(이다); 비등 하다(시키다). ② 삶아(지다), 데쳐 (어 지)다. ③ 격분하다. ~ down 끓여서 졸이다; 요약하다(digest). ~ over 끓어 넘다; 분통을 터뜨리다. ~ up (the ~) 비등(상태). at (on) the ~ 비등점에. *~·er n.* ⓒ 보일러; 끓이는 그릇(냄비·솥).

boil[2] *n.* 【醫】 종기, 부스럼 (cf. carbuncle).

bóiling pòint 비등점.

bois·ter·ous[bɔ́istərəs] *a.* ① (비 바람이) 사납게 몰아치는(stormy). ② 소란스러운; 난폭한(rough); 야 단법석의. *~·ly ad.*

:**bold**[bould] *a.* ① 대담한. ② 거리 낌 없는(forward). ③ (글씨·윤곽 따위) 굵은; 【印】 볼드체의; 뚜렷한. ④ 가파른(steep). in ~ outline against the sky (하늘) 에 뚜렷이. make ~ to (do) 감히 …하다. *~·ly ad.* *~·ness n.*

bole[boul] *n.* ⓒ 나무 줄기(trunk).

bo·le·ro[bəléərou] *n.* (*pl.* ~s) (Sp.) ① 볼레로(경쾌한 스페인 무도 (곡)); 볼레로(여자의 짧고 앞이 트인 웃옷).

boll[boul] *n.* ⓒ (목화·아마 따위의) 둥근 꼬투리.

bol·lard[bálərd/-5-] *n.* ⓒ 【海】 배

매는 기둥.

bo·lo·ney[bəlóuni] n. 헛소리.

Bol·she·vik, b-[bálʃəvìk, bóul-, bóʃl-] a., n. ⓒ 볼셰비키, 다수파[과격파]의 (당원) **-vik·i**[bálʃə-vìki/-5-] n. pl. 다수파, 과격파(러시아 사회 민주당의 급진파, 러시아 공산당(1918-)의 모체) (cf. Mensheviki).

Bol·she·vism[-vìzəm] n. ⓤ 과격주의(사상). **-vist** n.

bol·ster[bóulstər] n., vt., vi. ⓒ 긴 베개[시트 밑의]; 받침(을 대다); 메우는 물건, 메우다. ~ **up** 지지하다. (사기를 북돋우다.

:bolt[boult] n. ⓒ ① 빗장. ② 볼트. ③ 전광, 번갯불. ④ (큰 활의) 굵은 화살. ⑤ 도주. ⑥ (도배지·천 등의) 한 통[필]. ⑦ 《美》탈당, 당당(黨黨)[후보]에 대한 지지 거절. **a ~ from the blue** 청천 벽력, 아닌 밤중의 홍두깨. — vi. ① 뛰어나가다. ② 도망하다. ③ 《美》당당[후보·정책]지지로부터 이탈하다. — vt. ① 빗장으로 걸다. ② 볼트로 죄다. ③ 탈퇴하다, 이탈하다. ④ (씹지 않고) 삼키다. ~ **in** 가두다. ~ **out** 내쫓다. **~er** n.

:bomb[bam/-ɔ-] n. ⓒ 폭탄, 수류탄. ② (the ~) 원자[수소] 폭탄. ③ ⓒ《美俗》(흥행의) 큰 실패. — vt. 폭격하다(be ~ed out 공습으로 집을 잃다). ~ **up** (비행기에) 폭탄 싣다. **~er** n. 폭격기.

bom·bard[bambá:rd/bɔm-] vt. ① 포격[공격]하다. ② 욕하다, 비방하다. **~·ment** n.

bom·bar·dier[bàmbərdíər/bɔm-] n. ⓒ폭격수; 포병 하사관.

bom·bast[bámbæst/-5-] n. ⓤ 호언 장담. — a. 《原》과장된. **bom-bás·tic** a.

bómb dispósal 불발탄 처리.

bómb-proof a. 폭탄에 견디는.

bómb·shèll n. ⓒ 폭탄; 돌발 사건.

bómb-site n. ⓒ 공습 피해 지역.

bo·na fi·de[bóunə fáidi, -fáid] (L.) 진실한; 성의 있는.

bo·nan·za[bounǽnzə] n. (Sp.) ⓒ 《금·은의》 노다지 광맥; 《口》 대성

공, 큰벼락[(거리). **in ~** 크게 수지 맞아.

bond[band/-ɔ-] n. ① ⓒ 묶는 것, 끈, 새끼. ② ⓒ 유대, 뱃음, 인연 (tie); (종종 pl.) 속박, 쇠고랑(shackles); 감금. ③ ⓒ 계약. ④ ⓒ 증서; 증권, 공채 증서, 채권. ⑤ ⓒ 보증인, 보증. ⑥ (세금 납입까지의) 보세 창고 유치. ⑦ ⓒ 접착제. ⑧ ⓒ 《벽돌·돌 따위의》 쌓는 법, 가공(價構). ⑨ ⓒ《化》(원자의) 결합수(結合手). — vt. ① 채권으로 대체하다(~ a debt), 저당잡히다. ② 보세 창고에 넣다. ③ 결합하다. ④ 《벽돌·돌을》 엇물려 쌓다.

bond[2] a. 사로잡힌, 노예의.

bond·age[ᵈídʒ] n. ⓤ 노예의 신분; 노예.

bone[boun] n. ① ⓒ,ⓤ 뼈, 뼈로 만든 것. ② (pl.) 해골, 시체. ③ (pl.) 골격, 몸. ④ (pl.) 캐스티네츠. ⑤ ⓒ 코르셋 따위의 테받침, 우산의 살. ⑥ 《俗》(pl.) 주사위(dice). ~ **of contention** 분쟁의 씨. **have a ~ to pick** (with) (…에게) 할 말[불만]이 있다. **make no ~s of** …을 태연히 하다, …을 주저하지 않다. **make old ~s** 장수하다. **to the ~** 골수까지, 완전히. — vt. ① 뼈를 발라내다; 골분 비료를 주다. ② 《英俗》 훔치다. — vi. 《俗》공부에 들이파다(up).

bóne-drý a. 《口》 바싹 마른; 《口》 절대 금주의.

bóne-hèad n. ⓒ 《俗》 얼간이, 바보.

bóne mèal [비료·사료용의] 골분.

bón·fire[bánfàiər/-5-] n. ⓒ ① (경축의) 화톳불. ② 모닥불(make a ~ of …을 태워 버리다).

Bónfire Níght 《英》 11월 15일의 밤(cf. guy[2]).

bon·go n. (pl. ~ (e)s) 봉고 《손으로 두드리는 새로운 긴 북, 2개 한 벌》.

bon·ho·mie [bànəmí:, ⸺, bɔ̀nɔmí:] n. (F.) ⓤ 온유(溫柔); 붙임성.

:bon·net[bánit/-5-] n. ① ⓒ 보닛 《여자·어린이의 턱끈 있는 모자》. ② 《Sc.》 남자 모자. ③ (기계의) 덮개.

bon·ny, bon·nie[báni/-ɔ-] *a.* (주로 Sc.) (혈색 좋고) 아름다운; 건강해 보이는. **bon·ni·ly** *ad.* 《英方》아름답게; 유쾌한 듯이.

bo·nus[bóunəs] *n.* ⓒ ① 보너스, 상여(위로)금. ② 특별 배당금, 할증금(割增金), 리베이트, 경품.

bon·y[bóuni] *a.* ① 뼈의, 골질(骨質)의. ② 뼈만 앙상한, 살내 빠진.

boo[bu:] *int., vi., vt.* 피이(비난·경멸·남을 놀라게 할 때 지르는 소리); (…에게) 피이하다.

boo² *n.* ⓤ 《美俗》마리화나.

boob [bu:b] *n.* ⓒ 《美俗》 멍청이 (fool).

boo·by[búːbi] *n.* ⓒ 《鳥》 가마우지의 일종; 멍청이(fool).

bóoby prize (경기 등에서) 꼴찌상.

bóoby tràp 장난으로 꾸며 놓은 함정 장치; 《軍》 위장 폭탄.

boog·ie-woog·ie[búɡiwúɡi/búɡiwúɡi] *n.* 《樂》 부기우기《재즈피아노곡의 일종》.

boo·hoo[bùːhúː] *vi., n.* ⓒ 엉엉 울다(울어댐).

†**book**[buk] *n.* ① ⓒ 책; (the B-) 성서. ② ⓒ 권, 편. ③ ⓒ 장부; (*pl.*) 회계부. ⑤ (*pl.*) 명부. ⑥ (the ~) 기준; 표준; 설명서. ⑦ 《口》 어떤 일. **be at one's ~s** 공부하고 있는 중이다. **~ of life** 천국에 들어갈 사람들의 기록》. **bring a person to ~** 힐문하다. **close the ~s** (회계) 장부를 마감하다. **God's [the Good] B-** 성서. **in a person's good [bad, black] ~s** 아무의 귀엽(미움)을 받아(마음에 들지 않아). **keep ~s** 치부하다. **like a ~** 정확하게; 충분히. **on the ~s** 명부에 올라. **speak by the ~** 천거를 들어 (정확히) 이야기하다. **suit a person's ~** 뜻에 따라 꼭 들어맞다. **the B- of Books** 성서. **without ~** 암기하여; 전거 없이. —*vt.* ① 장부에 기입하다. ② (…행위를) 예약하다. ③ (…행위를) 표를 사다. ④ 《口》(행동을) 예정하다, 약속시키다. —*vi.* 좌석을 예약하다. **be ~ed (for it)** 들들려 꼼짝 못 하다. **be ~ed for [to]** …가는 표를 사 가지고 있

다. **be ~ed up** 예매가 매진되다; 선약이 있다.

bóok·binder *n.* ⓒ 제본업자〈공〉.

bóok·binding *n.* ⓤ 제본(술).

:**bóok·càse** *n.* 책장, 책꽂이.

bóok clùb 도서 클럽; 독서회.

bóok ènd 북엔드《책버팀대의 일종》.

book·ie[-i] *n.* ⓒ 《口》 마권업자.

bóok·ing *n.* ① 치부, 기입. ② 예약, 출연 계약; 출찰(出札), 선차. ~ **clerk** 출찰계, 매표소. ~ **office** 《英》출찰소, 매표소.

book·ish[-i] *a.* 책의, 책을 좋아하는, 학식이 많은〈학자적인〉; 서적상(上)의, 탁상의.

bóok·keeper *n.* ⓒ 장부계원.

bóok·keeping *n.* ⓤ 부기.

book·let[-lit] *n.* ⓒ 팸플릿, 작은 책자》.

bóok·màker *n.* ⓒ (이익 본위의) 저작자, 편집자; 마권업자.

bóok·màking *n.* ⓤ ① (이익 본위의) 저작; 서적 제조. ② 마권 영업.

bóok·màrk(er) *n.* ⓒ 서표(書票).

bóok·plàte *n.* ⓒ 장서표(藏書票) (*ex libris*).

bóok·sèller *n.* ⓒ 책장수.

bóok·stàll *n.* 헌 책 파는 노점.

:**bóok·stòre, :-shòp** *n.* 《美》 서점.

bóok tòken 《英》 도서 구입권.

bóok·wòrm *n.* ⓒ 좀; 독서광.

:**boom¹**[bu:m] *n.* ① (총·대포·파도·먼 데서 울리는 천둥 따위의) 쿵 [쾅] 소리, 울림. ② 벼락 경기, 붐. ③ 급등. —*vi.* ① 진동하다〈울리다〉. ② 경기(인기)가 오르다. —*vt.* 경기가 일게 하다; (후보자를) 추어올리다, 선전하다. ∠-**ing** *a.*

boom² *n.* ⓒ 《海》 돛의 아래 활대; (항구의) 방재(防材); 기중기의 가로대.

boom·er·ang[búːməræŋ] *n.* ⓒ 부메랑《던진 자리로 되돌아오는 오스트레일리아 토인의 무기》; 하늘에 대고 욕하기; 긁어부스럼.

bóom tówn (벼락 경기로 생긴) 신흥 도시.

boon¹[bu:n] *n.* ⓒ ① 은혜, 혜택, 이익. ② (古) 부탁.

boon² *a.* 유쾌한(merry), 명랑한 (gay); (雅) (날씨가) 기분이 좋은.

B

boor [buər] *n.* ⓒ 시골뜨기(rustic). 농사꾼; 우락부락한 사나이. **~ish** [búəriʃ] *a.*

boost [bu:st] *n.*, *vt.* ⓒ ① 뒤에서 밀(밀다) ② (값을) 인상법(하다).

boost·er [bú:stər] *n.* ⓒ (美) 후원 자(supporter); 【電】 승압기; (텔레비전·라디오 등의) 증폭기; 【로켓】 부스터(미사일·로켓의 보조 추진 장치). 보조 로켓; ~ **shot** 【醫】 두 번째의 예방 주사.

boot[bu:t] *n.*, *vt.* ⓒ ① (보통 *pl.*) (美)장화(를 신기다); (英)목 긴 구두(를 신다). ② 구둣발질(하다). ⓒ (口)해고(하다). ④ (俗)(미해군의) 신병. ⑤ 칼집 모양으로 된 보호 커버. ⑥ 【컴】 띄우다(*up*)(〈운영 체제를〉 컴퓨터에 판독시키다. 그 조작으로 가동할 수 있는 상태로 하다). **big in one's ~s** 뻔내어, **die in one's ~s** 변사하다(die by violence); **get**〔**give**〕**the ~** (口)해고되다〔하다〕. **have one's heart in one's ~s** 겁을 집어먹다;〈깜짝 놀라다. **lick the ~s of ~**〈…에 아첨하다. **like old ~s** (俗)몹시 열심히. **Over shoes, over ~s** (속담)이왕 내친 걸음이면 끝까지. **The ~ is on the other leg.** 사실은 정반대다; 당치도 않다. **wipe one's ~s on** …을 모욕하다.

boot² *n.* ⓒ (古·詩) 쓸모, 이익. **to ~** 덤으로. — *vt.* (古·詩) 쓸모 있다.

boot·ee [bú:ti:, -ⁿ] *n.* ⓒ (보통 *pl.*) 여자용의 목긴 구두; 어린이용의 부드러운 털실 신.

booth [bu:θ/buːð] *n.* (*pl.* **~s** [bu:ðz]) ⓒ ① 오두막. ② 노점, 매점. ③ 공중 전화 박스; (선거용) 투설 기표소.

bóot·lace *n.* ⓒ (주로 英) 구두끈.

bóot·leg *vt.* (**-gg-**) ⓒ (美)(주류 등을) 밀매(밀수)하다; ⓒ 밀매(밀수)주. — *ger* ⓒ 밀매〔밀수〕자.

bóot·strap *n.* ⓒ (보통 *pl.*) 장화의 손잡이 가죽; 【컴】부트스트 랩(〈예비 명령에 의해 프로그램을 로딩(loading)하는).

boo·ty [bú:ti] *n.* ⓒ (집합적) ① 전리품; 포획물. ② (사업의) 이득.

booze [bu:z] *n.*, *vi.*, *vt.* ⓤ (口) 술

(을 들이켜다)(drink deep); ⓒ 술 연. **bóoz·y** *a.* (口)술주정.

bop [bap/-ɔ-] *n.* = BEBOP.

bor·age [bɔ́:ridʒ, bɔ́-] *n.* ⓤ 【植】서양지치.

bo·rax [bɔ́ːræks/-] *n.*, *a.* ⓤ【化】붕사; (俗)값싸고 번쩍이는 (것).

Bor·deaux [bɔːrdóu] *n.* 보르도(프 랑스 남서부의 항구 도시); ⓤ 보르도 (산의) 포도주. ~ **mixture** 보르도 액(살충·살균제).

bor·der [bɔ́:rdər] *n.* ⓒ 가, 가 장자리; 가선; 경계(boundary); 국경, 변경, — *vt.*, *vi.* ① 접하다. ② 가를 두르다, ~에 접하다. — **~ on**〔**upon**〕 ① …에 접하다; …와 비슷하다(resemble).

bórder·land *n.* ⓒ 국경(중간)지대.

bórder·line *n.*, *a.* ① ⓒ 경계선(의). ② 이것도 저것도 아닌(a ~ *case* 이것도 저것도 아닌 것(경우)).

bore¹ [bɔːr] *v.* bear²의 과거.

bore² *n.*, *vt.*, *vi.* ① 송곳·구멍 시굴공(試掘孔). ② 총구멍; 구경. ② 구멍을 뚫다. ③ 싫증(넌더리)나게 하다; 싫증나게 하는 사람〔일〕. ~**some** *a.* 싫증나는.

bore·dom [bɔ́:rdəm] *n.* ⓤ 지루함.

bor·ing [bɔ́:riŋ] *n.* ⓤ 구멍뚫기; (재료의) 시굴, 보링, — *a.* 싫증〔진저리〕나게 하는.

born [bɔːrn] *v.* bear²의 과거분사. — *a.* 태어난; 타고난. ~ **and bred**, or **bred and** ~ 토박이의, 순수한. ~ **of woman** 무릇 인간의 몸 태어난. **in all one's ~ days** 나서 지금까지.

borne [bɔːrn] *v.* bear²의 과거분사.

bor·ough [bə́rou/bʌ́rə] *n.* ⓒ ① (美)자치 도시; (New York시의) 독립구. ② (英)자치 도시; 국회의원 선거구(그의 선거권); ③ (the B-)(런던의) Southwark 자치구.

bor·row [bɔ́:rou, bár-/bɔ́r-] *vt.*, *vi.* 빌리다, 차용하다. ~ **troubles** 부질없이 걱정을 하다. ~**er** *n.*

bort [bɔːrt] *n.* ⓤ 제품질의 다이아몬드(공업용); 다이아몬드 부스러기.

bosh [baʃ/-ɔ-] *n.*, *int.* (口) = NON-SENSE.

B

:**bos·om** [búzəm, búː-] n. ⓒ ① 가슴. ② (의복의) 흉부. 품; 《美》셔츠의 가슴(dickey). ③ 가슴속, 내부. ④ (바다·호수의) 표면. — a. 믿고 있는(a ~ friend 친구). — vt. 껴안다; 마음속에 간직하다.

:**boss¹** [bɔːs, bas/bɔs] n., vt., vi. 《口》 두목, 보스; 감독(하다); (…의) 우두머리가 되다.

boss² n. ⓒ 둥근 돌기, 사마귀, 【建】 둥근 돋을새김, 양각 장식. ✔.y¹ a.

bóss-èyed a. 《英俗》애꾸눈의; 사팔뜨기의; 일방적인.

bo·tan·i·cal [bətǽnikəl] a. 식물학의.

botánical gárden(s) 식물원.

bot·a·ny [bátəni/-5-] n. ① ⑪ 식물학. *-nist n. -nize [-nàiz] vi. 식물을 채집(연구)하다.

botch [batʃ/-ɔ-] vt. 서투르게 수선하다(up); 망치다(spoil). — n. ⓒ 서투른 수선, 흉한 기움질.

bótch-ùp n. 《口》 = BOTCH.

:**both** [bouθ] pron., a. 둘 다 (의), 쌍방(의). — ad. 다같이(alike). ~ ...and... 이기도 하고 …이기도 하다. …도 …도.

both·er [báðər/-ɔ-] vt., vi. ① (…을) 괴롭히다, 귀찮게(성가시)게 하다; ⑪ 귀찮은 사람(일). ② ⑪ 법석(fuss). — vi. 괴로워하다, 번민하다. B- (it)! 귀찮아!, 지긋지긋하다! ~·a·tion [bàðəréiʃən/bɔ̀ð-] n., int. = BOTHER. ② 귀찮아!

both·er·some [báðərsəm/bɔ̀ð-] a. 귀찮은, 성가신.

†**bot·tle** [bátl/-5-] n. ① ⓒ 병. ② 젖병. ③ (the ~) 술. — vi. ① 병에 담다. ② 《英俗》(법의 돈을) 잡다. (감정을)억누르다(up).

bóttle-féd a. 인공 영양의, 우유로 자란.

bóttle-nèck n. ⓒ 애로; 장애.

bóttle pàrty 술을 각자 지참하는 파티.

†**bot·tom** [bátəm/-5-] n. ① ⑪ 바닥, 기초. ② ⓒ 바다 밑, 물밑. ③ ⓒ 근거, 원인, 원인. ④ ⓒ 배 밑; 배, 선복(船腹). ⑤ ⓒ (의자의) 앉는 부분. (바지의) 궁둥이. ⑥ ⓒ 말석, 꼴찌. ⑦ (the ~)⑪ 저력, 끈기.

⑧ ⓒ 《野》한 회(回)의 말(the ~ of the fifth, 5회의 말). at (the) ~ 실제로는, 마음속은. ~ up 거꾸로. go to the ~ 가라앉다; 탐구하다. stand on one's own ~ 독립하다. touch ~ 바닥에 닿다. (값이) 밑바닥으로 떨어지다. 좌초하다. — vt. 바닥을 대다; (…을) 근거로 하다. — vi. 기초를 두다, 기인하다(rest) (on). — a. 바닥의, 최저의(the ~ price 최저 가격/the ~ doller 마지막 1달러). *~·less a. 〔의.

bóttom·mòst a. 제일 밑의, 최저의.

bóttom líne, the 최저값; 수지 결산; (계산된) 순이익, 손실; 최종 결과(결정); 《口》 요점.

bot·u·lism [bátʃəlìzəm/bɔ́tju-] n. ⑪ 보툴리누스 중독.

bou·doir [búːdwɑːr] n. 《F.》ⓒ (상류) 부인의 침실.

bouf·fant [buːfɑ́ːnt] a. 《소매나 스커트 등이》불룩한.

bou·gain·vil·lae·a [bùːgənvíliə] n. 《植》부겐빌리아《빨간 꽃이 피는 열대 식물》.

bough [bau] n. ⓒ 큰 가지.

bought [bɔːt] v. buy의 과거(분사).

bouil·lon [búljan/buljɔn] n. 《F.》 ⑪ 부용《소·닭고기의 맑은 수프》.

boul·der [bóuldər] n. ⓒ 크고 둥근 돌, 옥석.

boul·e·vard [búləvɑ̀ːrd] n. 《F.》 ⓒ 불바르, (가로수가 있는) 넓은 길; 《美》큰길, 대로.

bounce [bauns] vi. ① 뛰어오르다, 경충 뛰다(jump). ② 튀다. ③《주로 英》허풍을 치다(talk big). — vt. ① 튀어 돌아오게 하다. ②《口》꾸짖다. ③《英》을러서 …시키다(into, out of). 《美俗》해고하다. — n. ① 튐(이 올라옴, 되튐); ⑪ 원기;《美俗》허풍, 허세;(the ~)《美俗》해고. — ad. 툭 튀어서; 갑자기. **bóunc·er** n. ⓒ 거대한 것; 뛰는 사람;《美俗》허풍선이;《美俗》경호인《나이트클럽 따위의》. **bóunc·ing** a. 뛰는; 거대한; 힘찬; 기운찬, 원기 왕성한; 허풍떠는.

:**bound¹** [baund] n. ⓒ ① 경계. ② (보통 pl.) 한계, 범위, 한도(limits).

al·le·giance [əlíːdʒəns] *n.* U|C (군주·조국에의) 충성; 충실; 전념.

al·le·go·ry [æləɡɔ̀ːri/-ɡəri] *n.* 우화, 비유담. **-gor·ic** [æligɔ́ːrik, -á-/-ɔ́-], **-gor·i·cal** [-əl] *a.* 우화의, 우화적인.

al·le·gret·to [æligrétou] *ad.* (It.) 〔樂〕 좀 빠르게(*allegro*와 *andante* 와의 중간).

al·le·gro [əléiɡrou] *ad.*, *a.* (It.) 〔樂〕 빠르게: U 급속조(調).

al·le·lu·ia [æ̀ləlúːjə] *n.*, *int.* = HALLELUJAH.

all-em·brac·ing *a.* 포괄적인.

al·ler·gen [ǽlərdʒən] *n.* 〔醫〕 알레르겐(알레르기를 일으키는 물질).

al·ler·gen·ic [æ̀lərdʒénik] *a.* 알 레르기를 일으키는.

al·ler·gic [əláːrdʒik] *a.* 알레르기 의; 《俗》 몹시 싫은(*to*).

al·ler·gy [ǽlərdʒi] *n.* U 알레르기 (체질); 《俗》 질색, 반감.

al·le·vi·ate [əlíːvièit] *vt.* 경감(완화)하다. **-a·tion** [-▷-éi-] *n.* 완화(의 수단).

al·ley [ǽli] *n.* 《美》 뒷골목; 오 솔길; 《美》 좁은 길; 샛길; 두렁길, 골목길; 좁은 통로.

al·ley·way *n.* U 《美》 (도시의) (뒷) 골목길; 좁은 통로.

all-fired *a.*, *ad.* 《美俗》 무서운, 무 섭게; 굉장한.

al·li·ance [əláiəns] *n.* ① C|U 동 맹, 결연; 인척 관계; ② C|U 협력, 협조; ③ C 동맹자(국), 연합국. *Holy A-* [史] (1815년의) 신성 동맹. *in ~ with* …와 연합(동맹)하여.

al·lied [əláid, ǽlaid] *a.* 동맹[연합]의; 연합국의; 결연한; (동·식물 등) 동류의, 유사한. *the A-* [ǽlaid] *Forces* 연합군.

Al·lies [ǽlaiz, əláiz] *n.* (the ~) (1·2차 대전의) 연합국; NATO 가맹국.

al·li·ga·tor [ǽliɡèitər] *n.* ① C (미국·중국산의) 악어; ② C 악어 가 죽. ② C 악어 일처럼 생긴 맞물리는 각종 기계.

all-im·por·tant *a.* 극히 중요한.

all-in *a.* 《주로 英》 모든 것을 포함 한; 《美口》 기진맥진하여, 무일푼이 되어; 〔레슬링〕 자유형의.

all-in·clu·sive *a.* 모든 것을 포함한, 포괄적인.

all-in wrestling 자유형 레슬링.

al·lit·er·a·tion [əlìtəréiʃən] *n.* U 두운(頭韻)(법). **-ate** [əlítərèit] *vi.*, *vt.* 두운이 맞다; 두운을 맞추다. **al·lit·er·a·tive** *a.*

all-night *a.* 철야(영업)의.

al·lo·cate [ǽləkèit] *vt.* 할당하다, 배분하다; 배치하다. 〔컴〕 배정하다. **-ca·tion** [-▷-kéiʃən] *n.* U 배정.

all-or-noth·ing *a.* 《口》 절대적인, 타협의 여지가 없는, 전부가 아니면 아예 포기하는.

al·lot [əlát/-ɔ́-] *vt.* (*-tt-*) 분배하 다; 할당하다; 충당하다(*for*). —— *vi.* 《美》 기대하다, 믿다; 생각하 다, (…가) 작정이다(*upon doing*). *~·ment* [-] *n.* U 분배; 할당; C 배 당, 몫.

all-out *a.* 《美口》 전력을 다한; 전면 적인.

all-over *a.* 《美口》 전면 무늬의 전면 에 걸친; U 전면 무늬의 (천).

al·low [əláu] *vt.* ① 허(용)하다, ② (학비·수당을) 주다; ③ 인정하다; 참 작하다, ④ 참다(*for*), 할인하다, ⑤ 《美口》 말하다, …라고 여기다. ⑥ (재 해 따위) 손상으로 내버려 두다. —— *for* …을 고려하다. —— *of* …을 허용 하다. 인정하다. **~·a·ble** *a.* 허 용(인정)할 수 있는. **~·a·bly** *ad.*

al·low·ance [əláuəns] *n.* ① C 수당, 지급액; ② U 승인, 용인, ③ C 공제, 참 인. ④ C (종종 *pl.*) 참작, 작량. *make ~(s)* 참작 하다(*for*).

al·loy [ǽlɔi, əlɔ́i] *n.* ① C 합금; (합금에 쓰는) 비(卑)금속; 섞음질하 는 물질); (금·은의) 품위. —— [əlɔ́i] *vt.* 합금하다; 섞음질하다; 품질을 떨어뜨린다.

all-pow·er·ful *a.* 최강의, 전능(全 能)의.

all-pur·pose *a.* 무엇에든 쓸 수 있는.

all-round *a.* 《口》 다방면에 걸친, 만능의; 융통성 있는.

all-round·er *n.* C 만능인 사람. 만 능 선수; 《俗》 양성자(服).

all-star *a.* 《美》 인기 배우 총출연

A

의; (팀이) 일류 선수로 짜인. — *n.* ⓒ 선발 팀 선수.

all-time *a.* 천시간(근무)의(full-time); 공전의, 기록적인. **an ~ high (low)** 최고(최저) 기록.

al·lude [əlúːd] *vi.* 넌지시 비추다. ···에 넌지시 말하다(*to*) (cf. allusion)

al·lure [əlúər] *vt.* 꾀다, 낚다; 부추기다(tempt) (*to, into*); 유혹하다 (charm). — *n.* U 매력. ~**ment** *n.* **al·lur·ing** [əlúəriŋ] *a.*

al·lu·sion [əlúːʒən] *n.* UC 변죽 울림, 암시; 약간의 언급(to)[隱](에 언급); 引喩. **-sive** [-siv] *a.*

al·lu·vi·al [əlúːviəl] *a.* 충적(沖積)(기)의. **-vi·um** [-viəm] *n.* UC 충적토[토].

al·ly [əlái] *vt., vi.* 동맹(연합)하다; 결연하다. *be allied with* (*to*) ···와 동맹하고(관련이) 있다; ···와 친척이다. — [ǽlai] *n.* ⓒ 동맹자(국); 원조자; 한패(의 동물·식물).

Al·ma Ma·ter, a- m- [ǽlmə mɑ́ːtər, -méi-] (L. = fostering mother) 모교.

al·ma·nac [ɔ́ːlmənæk, ǽl-] *n.* ⓒ 달력, 책력; 연감.

al·might·y [ɔːlmáiti] *a.* 전능한; 《美口》 대단한[히]. *the A-* 전능자, 신.

al·mond [ɑ́ːmənd, ǽm-] *n.* CU 편도(扁桃), 아몬드; 그 나무.

al·mon·er [ǽlmənər, ɑ́ːm-] *n.* (왕가·수도원 등의) 구휼품(救恤品) 분배관.

†**al·most** [ɔ́ːlmoust, ˌ--ˈ--] *ad.* 거의.

*****alms** [ɑːmz] *n. sing. & pl.* 보시(布施), 베풀어 주는 물건.

alms·house [ˈ--ˌ-] *n.* 《美》 공립 구빈원, 《英》 사립 구빈(양로)원.

al·oe [ǽlou] *n.* ⓒ [植] 알로에, 노회(蘆薈); (*pl.*) 《단수 취급》 침향(沈香); 노회습(하제) 《3》[植] 용설란(century plant)

†**a·loft** [əlɔ́ːft/əlɔ́ft] *ad.* 높이, 위(쪽)에, 위로; 돛대 꼭대기에, *go* ~ 천국에 가다; 죽다.

†**a·lone** [əlóun] *pred. a., ad.* (실제로 또는 감정적으로) 홀로, 혼자, 다지; 다만 ···뿐[만]. *leave* ~ 내버

려 두다. *let* ~···은 말할 것도 없고; 하물며 《부정 뒤에서》. — *ad.* 혼자서, 홀로; 단지.

†**a·long** [əlɔ́ːŋ/əlɔ́ŋ] *prep.* ···을 따라 [끼고]. — *ad.* 앞으로, 거침없이; 함께; (동반자로) 데리고, ALL(*ad.*) ~. (*all*) ~ *of* 《美方》 ···의 탓으로. ~ *with* ···와 함께(더불어). 《美口》 다른 사람을 뒤따라 미치다. *GET* ~. *RIGHT* (*ad.*) ~.

†**a·long·side** [-sáid] *ad., prep.* (···의 곁)옆에; (···에) 옆으로 대어; (···와) 나란히(*of*).

a·loof [əlúːf] *ad.* 떨어져서. *keep (stand, hold)* ~ (···에서) 떨어져 있다, (···에서) 초연해 있다(*from*). — *pred. a.* 초연한, 무관심의. ~**ly** *ad.* ~**ness** *n.*

†**a·loud** [əláud] *ad.* 소리를 내어; 큰 소리로; (口) 똑똑히. THINK ~.

al·pa·ca [ælpǽkə] *n.* ⓒ [動] 알파카; U 그 털(천).

al·pha [ǽlfə] *n.* UC 그리스 자모의 첫째 글자(A, α; 영어의 A, a에 해당), ~ *and omega* 처음과 끝, 전부.

al·pha·bet [ǽlfəbèt/-bit] *n.* ⓒ 알파벳; (the ~) 초보; [컴] 영문자. **~·ic** [ˌ-bétik], **-i·cal** [-əl] *a.* **~·ize** [-bətàiz] *vt.* 알파벳순으로 하다; 알파벳으로 표기하다.

al·pha·nu·mer·ic [ˌælfənjuːmérik] *a.* [컴] 영숫자의, 알파벳 등의 문자와 숫자로 된, 문자·숫자 양용의.

álpha pàrticle [理] 알파 입자(粒子).

Al·pine [ǽlpain, -pin] *a.* 알프스의; (a-) 고산의(~ flora 고산 식물); 대단히 높은. **al·pin·ist** [ǽlpənist] *n.* ⓒ 등산가.

al·read·y [ɔːlrédi] *ad.* 이미, 벌써; 《美口》 곧 *Let's go* ~! 어서 가자!.

al·right [ɔːlráit] *ad.* (俗) = ALL right.

Al·sa·tian [ælséiʃən] *a.* Alsace(사람)의. — *n.* ⓒ Alsace 사람; 독일종 셰퍼드.

†**al·so** [ɔ́ːlsou] *ad.* ···도 또한, 역시 (too); 그 위에.

also-ran [ˈ--ˌ-] *n.* ⓒ (경마의) 등외(等外); 낙선자; 실패자, 범재(凡才).

†**al·tar** [ɔ́ːltər] *n.* ⓒ 제단(祭壇),

A

lead (*her*) *to the* ~ 아내로 삼다.

al·ter [ɔ́ːltər] *vt., vi.* 바꾸다; 바뀌다; 《美口》 거세하다. ***~·a·ble** [-əbl] *a.* 변경할 수 있는. ***~·a·tion**[-éiʃən] *n.* 변경. 변화(변질)하는.

al·ter·cate [ɔ́ːltərkèit] *vi.* 언쟁(말다툼)하다(*with*). **-ca·tion**[-²-⁴ʃən] *n.* 「타아(他我); 친구」

al·ter e·go [ɔ́ːltər íːgou, ǽl-] (L.)

*al·ter·nate [ɔ́ːltərnit, ǽl-] *a.* 번갈아서의; 「植」 호생(互生)의. *on* ~ *days* 하루 걸러. — *n.* 《美》 대리(위원); 교체원; 「컴」 교체. — [-nèit] *vt., vi.* 번갈아 하(되)다; 교체하다(*with*); 「電」 교류(交流)하다. ~·ly *ad.*

álternating cúrrent [電] 교류.

al·ter·na·tion [ɔ̀ːltərnéiʃən] *n.*U,C 교호(交互), 번갈음. ~ *of genera·tions* [生] 세대 교번(交番).

al·ter·na·tive [ɔːltɔ́ːrnətiv] *a.* 어느 한 쪽의, 둘(이상) 중 하나를 택해야 할; 다른, 별개의(관차성 용어). — *n.* C양자 택일; 어느 한 쪽; 다른 수단, 달리 택할 길(방도). ~·ly *ad.*

alternative médicine 대체 의학(침구술 같이 서양 의학에 들지 않는 것).

al·ter·na·tor [ɔ́ːltərnèitər] *n.* C 교류 발전기.

al·though, 《美》 **al·tho** [ɔːlðóu] *conj.* =THOUGH.

al·tim·e·ter [æltímitər/ǽltimìːtər] *n.* C 고도 측량기; 「空」 고도계.

al·ti·tude [ǽltitjùːd] *n.* ① U,C 높이, 고도; 표고, 해발. ② C (보통 *pl.*) 높은 곳.

al·to [ǽltou] *n.* (*pl.* ~**s**) (It.) 「樂」 U알토; 「樂」 알토 가수.

al·to·geth·er [ɔ̀ːltəgéðər] *ad.* 아주, 전혀; 대체로; 대체로. *the* ~ (口) 알몸.

al·tru·ism [ǽltruːizəm/ǽl-] 애타(이타)주의. **-ist** *n.* **-is·tic** [²-ístik] *n.* **-is·ti·cal·ly** *ad.*

a·lu·mi·num [əlúːmənəm] 《英》 U 알루미늄.

a·lum·nus [əlʌ́mnəs] *n.* (*pl.* **-ni** [-nai]; *fem.* **-na** [-nə], *pl.* **-nae** [-niː]) C 《美》졸업생; 교우(*an alumni association* 동창회); (口) (운동 팀의) 구멤버; 《英》학생; 생도.

al·ve·o·lar [ælvíələr] *a.* C 페포(肺胞)의; 치조음(齒槽音)의. — *n.* C 치경음(齒莖音)(t, d, n, l, s, z, ʃ, ʒ, r). **-late**[-lit, -lèit] *a.* 벌집 모양의, 작은 구멍이(기포가) 있는.

al·ways [ɔ́ːlwiz, -weiz, -wəz] *ad.* 언제나, 늘, *not* ~ 반드시 ···한 것은 아니다.

Álz·hei·mer's disease [áːlts- hàimərz, ǽl-, 5ːl-] 알츠하이머병 《노인에게 일어나는 치매; 뇌동맥 경화증·신경의 퇴화를 수반함》.

AM amplitude modulation(cf. FM).

am [æm, 弱 əm] *v.* be의 1인칭 단수·직설법 현재.

A.M. *Artium Magister* (L. = Master of Arts).

A.M., a.m. *ante meridiem* (L. = before noon).

a·mal·gam [əmǽlgəm] *n.* ① U,C 아말감《수은과 딴 금속의 합금》. ② C 혼합물.

a·mal·ga·mate [əmǽlgəmèit] *vt., vi.* 수은과 섞다. 아말감으로 하다; 합동(합병)하다. **-gam·a·tion** [-²-²- méiʃən] *n.* U,C 아말감화(化); 「人類」 이인종(異人種)의 융합; 《美》 백인과 백인과의 혼혈.

a·mass [əmǽs] *vt.* 쌓다; 모으다; 저축하다. **-ment** *n.* U,C 축적, 축재.

am·a·teur [ǽmətʃùər, -tʃər, -tər, ǽmətɔ́ːr] *n., a.* C 아마추어(의), 비직업적(인); 취미의. ~**·ish** [·ly] [ǽmətʃ(ù)riʃ(li), -tjuə-, -tɔ́ːr-] *a.* (*ad.*). ~**·ism** [-izəm] *n.* U아마추어 재주, 비전문적임.

a·maze [əméiz] *vt.* 놀래다, 깜짝 놀라게 하다; 어안이 벙벙하게 하다. *be* ~*d* 깜짝 놀라다. — *n.* (詩) = AMAZEMENT. **a·maz·ed·ly** [-idli] *ad.* 기겁을 하여. ~**·ment** *n.* U (깜짝) 놀람, 소스라침; (驚) 아연함. **a·máz·ing·ly** *ad.*

am·bas·sa·dor [æmbǽsədər] *n.* C 대사; 사절. ~ *extraordinary* (*and plenipotentiary*) 특명 (전권)

A

대사. ~ **at large** 《美》무임소 대사. 특사. **-do·ri·al** [æmbæsǝdɔ́:riǝl] *a.* **-ship** [-ip] *n.* ⓒ 대사의 신분(직, 자격). **-dress** [-dris] *n.* ⓒ 여자 대사(사절). 대사 부인.

am·ber [ǽmbǝr] *n., a.* ⓒ 호박(琥珀); 호박색(의).

am·bi- [ǽmbi] *pref.* '양쪽, 둘레' 따위의 뜻.

am·bi·dex·trous [æmbidékstrǝs] *a.* 양손잡이의; 교묘한; 두 마음을 품은. ~**ly** *ad.* ~**ness** *n.*

am·bi·ence, -ance [ǽmbiǝns] *n.* ⓒ 환경; (장소의) 분위기.

am·bi·ent [ǽmbiǝnt] *a.* 주위의(를 둘러싸는).

am·bi·gu·i·ty [æmbigjú:ǝti] *n.* ① ⓤ 애매(모호)함, 다의(多義). ② ⓒ 애매한 말(표현).

am·big·u·ous [æmbígjuǝs] *a.* 두 가지 뜻으로 해석할 수 있는(equivocal); 불명료한, 모호한. ~**ly** *ad.* ~**ness** *n.*

am·bit [ǽmbit] *n.* ⓒ (흔히 *pl.*) 주위, 범위; 경계.

am·bi·tion [æmbíʃǝn] *n.* ⓤⓒ 야심, 대망; ⓒ 야심의 대상.

am·bi·tious [æmbíʃǝs] *a.* 야심적인, 대망(大望)이 있는. ~**ly** *ad.*

am·biv·a·lence [æmbívǝlǝns] *n.* ⓤ 〔心〕 양면 가치(동일 대상에 대한 반대 감정 병존). **-lent** *a.*

am·ble [ǽmbǝl] *n., vi.* (an ~) 〔馬術〕 측대(側對)걸음(같은 쪽의 앞뒤 발을 한 쪽씩 동시에 들고 걷는 느린 걸음)(으로 걷다); 완보(緩步)(하다).

am·bu·lance [ǽmbjulǝns] *n.* ⓒ 상병자 운반차(선·기), 구급차; 야전병원.

ámbulance chàser 《美口》사고의 피해자를 찾아다니며 소송을 제기하게 하여 돈벌이하는 변호사. 《一般》악덕 변호사.

am·bush [ǽmbuʃ] *n.* ① ⓤ 매복, 잠복. ② ⓒ 매복 장소; 〔집합적〕복병. **fall into an** ~ 복병을 만나다. **lie (wait) in** ~ 매복하다. — *vt., vi.* 매복하다.

a·me·lio·rate [ǝmí:ljǝrèit] *vt.* 개선(개량)하다. — *vi.* 좋아(나아)지다. **-ra·ble** [-rǝbǝl] *a.* **-ra·tion** [-

réiʃǝn] *n.*

a·men [éimén, ά:-] *int., n.* 아멘 (= So be it! 그렇지요이다). ⓒ 동의, 찬동(*say to* …에 찬성하다).

a·me·na·ble [ǝmí:nǝbǝl, ǝmén-] *a.* 복종해야 할; (…을) 받아들이는, (…에) 순종하는(*to*); (법률에) 따를; (법률에) 맞는. **-bly** *ad.* **-bil·i·ty** [——bílǝti] *n.* ⓤ 복종해야 할; 순종. 복종.

a·mend [ǝménd] *vt.* 고치다, 정정〔수정·개정〕하다.

a·mend·ment [-mǝnt] *n.* ① ⓤⓒ 변경, 개정, 교정. ② ⓒ 수정안; (A-) (미국 헌법의) 수정 조항.

a·mends [ǝméndz] *n. pl.* 〔單·복수취급〕배상, 벌충(*for*).

a·men·i·ty [ǝménǝti, -mí:-] *n.* ① ⓤ (인품의) 호감을 줌, 온아함; (*pl.*) 예의. ② ⓤ (환경·건물의) 아늑함, 쾌적. ③ (*pl.*) (가정의) 즐거움.

A·mer·i·ca·na [ǝmèrǝkǽnǝ, -kά:-] *n. pl.* 미국 문헌, 미국지(誌).

A·mer·i·can [-n] *a.* 미국(인)의; 아메리카(인)의. — *n.* 미국인; 미국원주민; ⓒ 미어(美語).

American English 미국 영어, 미어(美語)(cf. British English).

American Fóotball 미식 축구.

American Índian 아메리카 인디언(의).

A·mer·i·can·ism [ǝmérǝkǝnìzm] *n.* ⓒ 미국어(법); ⓤⓒ 미국풍〔식〕. ⓤ 미국 숭배.

A·mer·i·can·ize [ǝmérǝkǝnàiz] *vt., vi.* 미국화(化)하다; 미국 일을 하다. **-i·za·tion** [——izéiʃǝn/-naiz-] *n.* ⓤ 미국화.

am·e·thyst [ǽmǝθist] *n.* ⓤⓒ 자석영(紫石英), 자수정.

a·mi·a·ble [éimiǝbǝl] *a.* 귀여운; 호감을 주는; 마음씨가 상냥한. **-bly** *ad.* **-bil·i·ty** [——bílǝti] *n.*

am·i·ca·ble [ǽmikǝbǝl] *a.* 우호적인, 친화〔평화〕적인. **-bly** *ad.* **-bil·i·ty** [——bílǝti] *n.*

a·mice [ǽmis] *n.* ⓒ 〔가톨릭〕 개두포(蓋頭布).

a·mid [ǝmíd] *prep.* …의 한가운데[에]. …의 중에.

amid·ship(s) [ǝmíd] *ad.* 배의 중앙에[을

ROOM.

bag·gy [bǽgi] *a.* 자루 같은; 헐렁한; 불룩한. **-gi·ly** *ad.* **-gi·ness** *n.*

:bág·pipe *n.* ⓒ (종종 *pl.*) 백파이프 《스코틀랜드 고지 사람이 부는 피리》. **-piper** *n.*

bah [bɑː] *int.* (魔) 바보같은데; 흥!

Ba·ha·mas [bəhάːməz] *n. pl.* 바하마 《미국 플로리다 반도 동남쪽의 섬 독립국》.

:bail [beil] *n.* ⓤ 보석; ⓒ 보석금; 보석 보증인. *accept* [*allow, or admit to take*] ～ 보석을 허가하다. *give leg* ～ 탈주하다. *go* ～ *for* …의 보석 보증인이 되다; …을 보증하다. *out on* ～ 보석[중]으로. — *vt.* 《보증인이 수감자를》 보석받게 하다(*out*); 《화물을》 위탁하다. ～**a·ble** ⓒ 보석할 수 있는; 죄가 가벼운. ～**ment** ⓒ 〖法〗보석; 위탁. ～**or** ⓒ 위탁자.

bail *n.* ⓒ 〖크리켓〗삼주문 위의 가로 나무.

bail *n., vi.* 《뱃바닥에 괸 물을》 퍼내다(*out*); ⓒ 그 물을 퍼내는 기구; 《口》 낙하산으로 뛰어내리다(*out*).

bail *n.* ⓒ 《냄비·주전자 따위의》 손, 손잡이 《arched handle》.

bail·iff [béilif] *n.* ⓒ 〖sheriff 밑의 집행관; 법정내의 간수》 (지주의) 집사(執事); 《英》 (시의) 집행관.

bairn [bɛərn] *n.* ⓒ 《Sc.》 어린이.

:bait [beit] *n.* ⓤ 미끼, 유혹. — *vt.* 미끼를 달다; 유혹하다: 개를 추겨 《동물을》 지분거리다(cf. bear-baiting); 구박하다, 괴롭히다. — *vi.* 《동물이》 먹이를 먹다: 여행 중 《식사를 위해》 쉬다.

baize [beiz] *n.* ⓤ 일종의 나사(羅紗) 《책상보·커튼용》.

:bake [beik] *vt.* (빵을) 굽다, 구워 만들다; (벽돌을) 구워 굳히다. — *vi.* (빵이) 구워 굳다; 《美》 회식(會食)《손님에게 구워 내놓은 bake》.

:bak·er [béikər] *n.* ⓒ 빵집 주인, 빵 굽는 사람, 빵 제조업자; 《美》 휴대용 빵 굽는 기구. ～**·y** *n.* ⓒ 제빵소, 빵집.

báker's dózen 13개.

bak·ing [béikin] *n.* ⓤ 빵굽기; ⓒ

한 번 굽기. — *a., ad.* 《俗》 태워버릴 것 같은(갈아).

báking pòwder 베이킹 파우더.

báking sòda 탄산수소나트륨.

bal·a·lai·ka [bæləláikə] *n.* ⓒ 발랄라이카 《기타 비슷한 삼각형의 러시아 악기》.

bal·ance [bǽləns] *n.* ① 저울, 천칭(天秤). ② 균형, 평형, 조화; 비교, 대조. ③ (B-) 〖天〗천칭(天秤) 자리, 《美口》 수지; 잔액, 잔여; 《美口》 나머지. ～ *due* 차입(借入)(*to*). ～ *of international payments* 국제 수지. ～ *of power* 세력 균형. ～ *of trade* 무역 수지. *be* 〔*hang, tremble*〕*in the* ～ 미결(상태)이다; 위기에 처해 있다. *strike a* (*the*) ～ 차감하여, 결국. *strike a* (*the*) ～ 차감하여, 결국. — *vt., vi.* …의 균형을 잡다; 저울로 달다; 대조하다; 차감하다; 결산하다: 대조하다, 주저하다(*between*). ～ *oneself* 몸의 균형을 잡다. ～**d** [-t] *a.* 균형이 잡힌(～*d diet* 완전 영양식). **bál·anc·er** *n.* ⓒ 다는 사람; 청산인; 평형기; 곡예사.

bálance shèet 〖商〗대차대조표.

bal·co·ny [bǽlkəni] *n.* ⓒ 발코니; 《이층의》 노대(露臺); 《극장의》 이층 특별석(gallery).

bald [bɔːld] *a.* 벗어진, 털 없는, 대머리의; 노출된(bare) 있는 그대로의(plain); 《문제가》 단조로운. ～**·ing** *a.* (약간) 벗어진. ～**·ly** *ad.* 노골적으로. ～**·ness** *n.* 노골적임.

báld éagle 흰머리수리《미국의 국장國章》.

bal·der·dash [bɔ́ːldərdǽʃ] *n.* ⓤ 헛소리.

bale [beil] *n.* ⓒ 《상품을 꾸민》 짐짝, 가마니, 짐; 포장하다.

bale *n.* ⓤ 《詩·古》 재앙, 악;《詩》 해; 슬픔; 고통. ～**ful** *a.* 해로운;

balk, baulk [bɔːk] *n.* ⓒ 장애, 방해; 《野》 보크; 〖建〗 (귀를 둥글린) 각재(角材), 들보고. — *vt.* 방해하다; 좌절시키다(*in*), 실망시키다(《기회를》 놓치다). — *vi.* 《말이》 뒷걸음질을 쳐》 급히 멈추다

B

(jíb) : 전뢰양난이 되다.

balf [bɔːl] *n.* ① 공, 구(球) : ⓒ 구기, 야구; ⓒ 《野》 볼(cf. strike) : 알, 포탄, 공. ② 《눈알 따위》 (고기·과자 등의) 덩어리; 천체, 지구. **~ and chain** 《美》 쇳덩이가 달린 차꼬(죄수의 족쇄). **catch** (**take**) **the ~ before the bound** 선수를 쓰다. **have the ~ at one's feet** [**before one**] 성공할 기회를 눈앞에 두다. **keep the ~ rolling**, **keep up the ~** (좌석이 심심해지지 않도록) 이야기를 계속하다. **play ~** 경기를 시작하다; 행동을 개시하다; 《美》 협력하다(*with*). **take up the ~** …의 이야기를 받아서 계속하다 [되다]. — *vt., vi.* 공(모양)으로 만들다 [되다].

balf *n.* ⓒ (공식의) 대무도회.

bal·lad [bǽləd] *n.* 민요; 전설 가요, 발라드.

bal·last [bǽləst] *n.* ⓤ 밸러스트, 바닥짐(기구의 모래 주머니, 자갈, 쇄석; (마음의) 안정, 침착성(을 주는 것). *in ~* (배가) 바닥짐만으로, 실은 짐 없이. — *vt.* 바닥짐을 싣다; (철도·도로에) 자갈을 깔다; 안정시키다. **~ing** *n.* ⓤ 바닥짐 재료; 자갈.

bálf béaring 《機》 볼베어링.

báll bòy 공줍는 소년.

báll còck 부구(浮球) 콕《물탱크 등의 유출조절기》.

bal·le·ri·na [bæ̀ləríːnə] *n.* (*pl.* ~**s**, **-ne** [-niː]) (It.) ⓒ 발레리나《여자 발레 무용수》.

bal·let [bǽlei, bæléi] *n.* ⓒ 발레, 발레극[음악].

bal·lis·tic míssile [bəlístik-] 탄도 병기, 탄도탄.

bal·lis·tics [bəlístiks] *n.* ⓤ 《軍》탄도학.

bal·loon [bəlúːn] *n., vi.* ⓒ 기구(풍선(처럼 부풀다); 기구(를 타고 올라가다). **~·er**, **~·ist** *n.*

bal·lot [bǽlət] *n.* ① ⓤⓒ 투표 용지; 무기명 투표. ② 《集合的》 투표 총수; 투표권. ③ ⓒ 입후보자 명단. — *vi.* (무기명) 투표하다(*for, against*); 추첨으로 결정하다(~ *for a place* 추첨으로 장소를 정하다). **-·age** [-ɑːʒ].

~—] *n.* ⓤ 결선 투표.

bállot bòx 투표함.

bállot pàper 투표 용지.

báll pàrk 《美》 야구장.

báll-point (**pén**) *n.* ⓒ 볼펜.

báll·ròom *n.* ⓒ 《美》 무도장.

bal·ly·hoo [bǽlihùː] *n.* ⓤ, ⓒ 《美》 (떠들썩한) 대선전; 야단법석(uproar); 떠벌려 퍼뜨림. — [≤—≤, ≤—≤] *vt., vi.* 대선전하다.

balm [bɑːm] *n.* ① ⓤ 향유; 방향수지; 방향, 향기. ② ⓤⓒ 진통제; 위안(물). ③ 《植》 멜리사, 서양 박하. **~ of Gilead** [gíliəd] 감람과의 상록수; (그 나무에서 채취되는) 향유.

balm·y [bɑ́ːmi] *a.* 진통의 (soothing), 기분 좋은, 상쾌한(refreshing). **bálm·i·ly** *ad.*

balm·y *a.* 《俗》 바보 같은; 머리가 돈.

bal·sa [bɔ́ːlsə, bɑ́ːl-] *n.* ① ⓒ 발사《열대 아메리카산의 상록교목》; ⓤ 발사재(가볍고 강하다). ② ⓒ 그 뗏목(raft).

bal·sam [bɔ́ːlsəm] *n.* ⓤ 발삼, 방향수지; ⓒ 진통제; 봉선화.

bal·us·ter [bǽləstər] *n.* ⓒ 난간 동자《난간의 작은 기둥》.

bal·us·trade [bæ̀ləstréid, ≤—≤] *n.* ⓒ 난간. **-trad·ed** [-id] *a.* 난간이 달린.

bam·boo [bæmbúː] *n.* ⓒ 대, 대나무; ⓤ 죽재. — *a.* 대나무로 만든; 대나무의.

bam·boo·zle [bæmbúːzəl] *vt., vi.* 《口》 속이다; 어리둥절하게 만들다, 당황하게 하다. **~ment** *n.*

ban [bæn] *n.* (*-nn-*) 금지하다(forbid); 《敎》 파문하다. — *n.* ⓒ 금지(령); 파문; ⓒ 소집령. **lift** [**remove**] **a** ~ 해금(解禁)하다. **nuclear test** ~ (**treaty**) 핵실험 금지(조약). **place** [**put**] **under a** ~ 금지하다.

ba·nal [bənǽl, bənɑ́ːl] *a.* 평범한(commonplace). **~·ly** *ad.* **~·i·ty** [bənǽləti] *n.*

ba·nan·a [bənǽnə] *n.* ⓒ 바나나《열매·나무》.

banána repùblic 《蔑》 바나나 공화국《국가 경제를 바나나 수출·외자

B

(外資)에 의존하는 중남미의 소국).

ba·nan·as [bənǽnəz] *a.* 《美俗》미친, 홍분한, 물두한. — *int.* 쓸데없는 소리!

:**band** [bænd] *n.* ⓒ 밴드, 띠; 테. ② 일대(一隊); 집단, 군(群), 악대, 악단(*a jazz* ~). 【라디오】밴드, 주파수대(帶); 【컴】띠기(磁氣) 드럼의 채널. *beat the* ~ 뛰어나다. — *vi., vt.* 단결하다(시키다)(*together*).

:**band·age** [bǽndidʒ] *n., vt.* ⓒ 붕대(를 감다); 안대(眼帶); 포대(布帶), 띠.

Band-Aid *n.* ① ⓒⓒ 【商標】반창고의 일종. ② (b- a-) 《문제·사건 등의》임시 방편, 미봉책; 《형용사적》임시 방편의.

ban·dan·(n)a [bændǽnə] *n.* ⓒ 무늬 있는 큰 비단 손수건.

b. & b. bed and breakfast 《英》아침밥이 딸린 일박.

ban·dit [bǽndit] *n.* (*pl.* ~**s**, ~**ti** [bǽndíti]) ⓒ 산적, 노상 강도, 도둑, 악당. ~**ry** *n.* ⓤ 산적 행위; 《집합적》산적단.

bánd·màster *n.* ⓒ 악장(樂長).

ban·do·leer, -lier [bændəlíər] *n.* ⓒ 《어깨에 걸쳐 띠는》탄띠.

bands·man [bǽndzmən] *n.* ⓒ 악사, 악단 대원, 밴드맨.

bánd·stànd *n.* ⓒ 《야외》악단.

bánd·wàgon *n.* ⓒ 《美》《행렬 선두의》악대차; 《口》《선거·경기 따위에서》우세한 쪽; 사람의 눈을 끄는 것; 유행.

ban·dy [bǽndi] *vt.* ① 서로 《공 따위를》던지고 받고 하다, 주고 받다. ② 《소문을》퍼뜨리다(*about*). — *compliments with* …와 인사를 나누다. — *words* [*blows*] *with* …와 언쟁[주먹질]하다. — *a.* 안짱다리의.

bándy-lègged *a.* 안짱다리의(bowlegged).

bane [bein] *n.* ⓤ 독; 해; 파멸. ~**·ful** [béinfəl] *a.* 해로운, 유독한. **∠·ful·ly** *ad.* **∠·ful·ness** *n.*

:**bang** [bæŋ] *n.* ⓒ 강타하는 소리(쾅, 탁); 돌연한 움직임; 원기(vigor); 《美俗》스릴. *in a*

~ 급하게. — *vt., vi.* 쿵쿵[탁] 치다, 쾅 닫다[닫히다], 탕 발사하다[울리다]. 《俗》《머리에》주입시키다; 《美俗》《여자와》성교하다. — *ad.* 쾅하고, 탁하고, 갑자기; 모두; 꼭. **go** ~ 뱅[탕]울리다; 쾅 닫히다.

ban·ish [bǽniʃ] *vt.* 추방하다(exile); 《근심 따위를》떨어 버리다. ~**·ment** *n.* 추방.

ban·is·ter [bǽnəstər] *n.* = BALUSTER; ⓒ 《때로 *pl.*》 난간.

ban·jo [bǽndʒou] *n.* (*pl.* ~(*e*)*s*) ⓒ 밴조(손가락 또는 깍지로 타는 현악기). ~**·ist** *n.*

:**bank**[bæŋk] *n.* ⓒ 둑, 제방; 퇴적, 쌓여 오른 것(*a* ~ *of cloud* 층운); 강변; 모래톱, 얕은 여울; 언덕; 【空】'뱅크' 가로 경사. — *vi.* 둑이 되다; 《空》'뱅크'하다. **∠·ing** *n.* ⓤ 둑 쌓기.

†**bank**[bæŋk] *n.* ① 은행; 저장소; (the ~) 《노름의》판돈; 노름의 물주. — *vt.* 은행에 맡기다. — *vi.* 은행을 경영하다; 은행과 거래하다. ~ *on* [*upon*] 《口》 《…을》믿다(의지하다). *break the* ~ 《도박에서》물주를 파산시키다; 《…을》무일푼으로 하다. **∠·er** *n.* ⇨BANKER. **∠·ing** *n.* ⓤ 은행업.

bank[bæŋk] *n.* 《갤리선의》노 젓는 자리; 한줄로 늘어선 노; 《전반의》열줄; 《신문의》부제목.

bánk accòunt 은행 계정; 당좌 예금.

bánk·bòok *n.* ⓒ 예금 통장.

:**bank·er** [∠ər] *n.* ⓒ 은행가(업자); 《도박의》물주; 《口》카드놀이의 일종.

bánk·er[∠] *n.* ⓒ 대구잡이 배; 【漁】독을 부어 주는 큰 말.

bánk hòliday 《美》《일요일 이외의》은행 공휴일; 《英》일반 공휴일.

bánk nòte *n.* ⓒ 은행권, 지폐.

bánk ràte 어음 할인율; 일반 이변(日步).

bánk·ròll *n.* ⓒ 《美》자금(원(源)), 자본. — *vt.* 《美》경제적으로 지지[지원]하다.

bank·rupt [bǽŋkrʌpt, -rəpt] *n.* ⓒ 파산자, 지불 능력이 없는; 《신용·명예 등을》잃은. **go** ~ 파산하다. — *vt.* 파산시키다.

bank·rupt·cy [bǽŋkrʌptsi, -rəpt-] *n.* **U** C 파산, 파탄.

:**ban·ner** [bǽnər] *n.* **C** 기, 군기; 기치; 주장; 전단 표제. **carry the ～** 선두에 서다, 앞장서다. **unfurl one's ～** 주장을 밝히다. ─ *a.* 《美》일류의, 제1위의; 주요한.

banns [bænz] *n. pl.* (교회에서 연속 3회 행하는) 결혼 거행의 예고. **ask** (**call, publish**) **the ～** 결혼을 예고하다. **forbid the ～** 결혼에 이의를 제기하다.

:**ban·quet** [bǽŋkwit] *n.* **C** 연회, 향연. ─ *vt., vi.* 향응하다, 대접을 받다. **~·er** *n.*

ban·shee, -shie [bǽnʃiː, ─́] *n.* **C** (Sc., Ir.》가족의 죽음을 예고한다는 요정(妖精).

ban·tam [bǽntəm] *n.* **C** 밴텀닭, 당(唐)닭; 암팡지고 싸움 좋아하는 사람; 《美》JEEP. ─ *a.* 몸집이 작은; 가벼운; 공격적인;《拳》밴텀급의.

bántam·wèight *n.* **C** 밴텀급 선수(拳·레슬링 따위).

ban·ter [bǽntər] *n., vt., vi.* **C** 놀림, 놀리다(joke), 조롱(하다)(chaff).

ban·yan [bǽnjən] *n.* (인도산의) 벵골 보리수(～ tree).

bap·tism [bǽptizəm] *n.* **U** C 세례, 침례; 명명(식). **～ of blood** 피의 세례, 순교. **～ of fire** 포화의 세례, 첫 출진(出陣).

bap·tis·mal [bæptízməl] *a.* 세례[침례]의.

Bap·tist [bǽptist] *n.* **C** 침례교도; 세례자(요한).

bap·tize [bæptáiz, ─́] *vt., vi.* (…에게) 세례를 베풀다, 침례를 행하다; 명명하다(christen).

:**bar** [baːr] *n.* ① C 막대기; 막대 모양의 것 (*a ～ of soap* 비누 한 개, *a chocolate ～* 판(板)초콜렛). ② 쇠지레(crowbar); 가로장, (문)빗장, 동살, 칸막이를 하는 막대. ③ 줄(무늬), (빛깔의) 띠;《紋》가로 줄. ③ 술집, 카운터, 술청. ④《樂》소절, 종선(縱線). ⑤ (강어귀의) 모래톱. ⑥ 장애, 방해. ⑦ (통행 금지의) 차단봉; 《난간의》돌난대. ⑦ (법정안의) 난간;《the～》법정. ⑧ (**the ～**) 《집합적》변호사들, 법조계. **～ association**

변호사 협회, 법조 협회. **～ gold** 막대 금, 금덩어리. **be admitted** 〔《英》**called**〕 **to the ～** 변호사 자격을 얻다. **behind ～s** 옥에 갇혀. **in ～ of**《法》…을 방지하기 위하여. **let down the ～s** 장애를 제거하다. **the ～ of public opinion** 여론의 제재. **trial at ～** 전(全)판사의 참석 심리. ─ *vt.* (**-rr-**) (…에) 빗장을 지르다, (가로대를) 잠그다; (길을) 막다; 금하다, 방해하다; 제외하다; 줄을 치다, 줄무늬를 넣다. **～ in** 가두다. **～ out** 내쫓다. ─ *prep.* …을 제외하고. **～ none** 예외 없이(cf. barring).

bar² *n.* **C** 《理》바(압력의 단위).

bar³ *n.* 《美》모기장.

barb¹ [baːrb] *n.* **C** (낚시 끝의) 미늘; (철조망의) 가시; (물고기의) 수염; 가시 돋친 말. ─ *vt.* (…에) 가시를 달다. **~ed** [-d] *a.* 미늘이[가시가] 있는. **~ed wire** 가시 철사, 철조망.

barb² *n.* **C** 바르바리 말(Barbary산의 좋은 말).

bar·bar·i·an [baːrbɛ́əriən] *n.* **C** 야만인; (말이 통하지 않는) 외국인; 교양 없는 사람. ─ *a.* 야만적인, 미개한.

bar·bar·ic [baːrbǽrik] *a.* 야만적인, 조야(粗野)한.

bar·ba·rism [báːrbərìzəm] *n.* ① **U** 야만; 미개(상태); 조야. ② **C** 거친 행동(말투).

bar·bar·i·ty [baːrbǽrəti] *n.* **U** C 만행; 잔인(한 행위); 조야.

bar·ba·rous [báːrbərəs] *a.* ① 야만의[미개의], 조야한; 무식한. ② 이국어(語)의; 이국의; 파격적인. **~·ly** *ad.*

bar·be·cue [báːrbikjùː] *n.* **U** C 《料理》바비큐 (○ (돼지 등의 통구이; 《美》 고기 굽는 틀; 통채로 구이가 나오는 연회). ─ *vt.* 통채로 굽다; 직접 불에 굽다. (고기를)바비큐 소스로 하다.

:**bar·ber** [báːrbər] *n., vt.* **C** 이발사; 이발하다. **～'s itch** 〔**rash**〕《醫》모창(毛瘡), 이발소 습진.

bárber·shòp *n.* **C** 이발소.

bar·bi·tu·rate [baːrbítʃurit/-tju-]

B

keep within ～s 정도(程度)가 있다, 도를 지나치지 않다. *know no* ～s 끝이 없다. 심하다. ── *vt.* ① 한정하다(limit). ② 경계를 접하다. ── *vi.* (…와) 인접하다(*on*).

:**bound**² *n.* Ⓤⓒ 튐; (공 따위가) 되 튐; 튀다, 튀다.

:**bound**³ *v.* **bind**의 과거(분사). ── *a.* (…할) 의무가 있는(*to do*); 제 본한; 확실한; (恩口) 결심을 한. ～ *up* 열중하여(*in*); 밀접한 관계에 (*with*). *I'll be* ～. 틀림없다.

bound⁴ *a.* …행의(*for*); …에 가는 (*Where are you* ～? 어디 가세 까?).

bound·a·ry[báundəri] *n.* ⓒ 경계.

bound·en[báundən] *a.* 《英古》 책 임(의무) 있는 《古》 은혜를 입고 (*to*). *one's* ～ *duty* 본분.

bóund·less *a.* 한없는.

boun·te·ous[báuntiəs] *a.* 활수한 (generous); 풍부한.

boun·ti·ful[báuntifəl] *a.* = BOUNTEOUS.

boun·ty[báunti] *n.* ① Ⓤ 활수함, 관대(generosity). ② ⓒ 하사품 (gift); 장려금; 보수.

bou·quet[boukéi, bu:-] *n.* ⓒ 꽃 다발; ⓊⒸ 향기(aroma).

Bour·bon[búərbən, bɔ́r-] *n.* (프랑스의) 부르봉 왕가의 사람; 《廃》 완고한 보수(정치)가; (b-) [bɔ́:r-] ⓊⒸ 버본 위스키.

bour·geois[buərʒwá:, ─-] *n.* (F.) (*pl.* ～) 《프랑스》 중산 계급의 (사람). ② ⓒ (현대의) 유산 계급의 (사람), 부르조아(opp. proletariat).

bour·geoi·sie[bùərʒwɑ:zí:] *n.* (F.) (the ～) 《集》 중산 계급; (무산 계급에 대한) 유산(부르조아) 계급.

bourse[buərs] *n.* (F.) (특히 파리의) 증권 거래소.

bout[baut] *n.* ① (일·발작 따위의) 한 바탕, 한판(spell). *drink·ing* ～ 주연.

bou·tique[bu:tí:k] *n.* ⓒ 가게; 여 성복 장식품점.

bo·vine[bóuvain] *a.* 소과의 (동물); 소의; 소 같은, 느린.

:**bow**¹[bou] *n.* ⓒ ① 활. ② (현악기

의) 활(의 한 번 당기기). ③ 나비 넥 타이(또는 매듭); 나비매듭, 옭 매 듭. *bend* (*draw*) *the* (*a*) *long* ～ 허풍 떨다. ── *vt., vi.* 활 모양으로 휘 (어지)다; (현악기를) 켜다. ～ *ing* *n.* Ⓤ 《악기》 운궁법(運弓法).

:**bow**²[bau] *n.* ⓒ ① 인사(하다), 절(하다), 머리를 숙이다 ② 몸을 굽 힘(굴하다). ～ *and scrape* 절을 하며 왼쪽 발을 뒤로 빼다《옛날의 정중한 인사》; 지나 치게 굽신굽신하다; 아첨하다. ～ *down* 인사하다(*to*). ── *vt.* 구부리 다《리. (bend); 굴복시키다.

bow³[bou] *n.* ⓒ 이물, 함수, 뱃머 리.

bowd·ler·ize[báudləraiz, bóud-] *vt.* (책의) 삭감한〔상스러운〕곳을 삭 제하다(expurgate).

bow·el[báuəl] *n.* ① ⓒ 창자(腸)의 일부. ② (*pl.*) 창자; 내부. ③ (*pl.*) 《古》 동정. ～*s of mercy* 자비심. *move the* ～*s* 대변을 보게 하다.

bówel mòvement 배변(排便), 변통·便通(《略략 BM》).

bow·er[báuər] *n.* ⓒ 정자; 나무 그늘; 내실; 침실. ～**y**[báuəri] *a.* 나무 그늘의.

bow·er² *n.* ⓒ 이물닻, 주묘(主錨).

bowl¹[boul] *n.* ⓒ ① 대접, 사발, 공기(의 량); 큰 잔. ② (둥～의) 음 주, 주연, 잔치. ③ 저울의 접시, (숟가락 의) 오목한 부분, (파이프의) 대통. ④ 축구 경기장.

bowl² *n.* ⓒ ① (bowling 등의) 나 무공. ② (*pl.*) (잔디에서 하는) 볼링 경기. ── *vt.* ① (공을) 굴리다, 볼 링을 하다. ② (차를) 굴리다. ③ 《크 리켓》 투구하다. ④ (바퀴가) 미끄러 지듯 달리다(*along*). ～ *down* 쓰러뜨리다; 당황하게 하다. ～ *out* 《크리켓》 아웃시키다. ～ *'s-ing* *n.* Ⓤ 볼링《구기》. ～*ing alley* 볼링장, 볼링공의 주로 (走路). ～*ing green* 잔디 볼링장.

bow-leg[bóuleg] *n.* ⓒ 안짱다리, 밭 다리, 내반슬. ～*ged*[-id] *a.* 안짱다리의.

bowl·er[bóulər] *n.* ⓒ《英》중산 계층.

bowl·er² *n.* ⓒ 공 굴리는(볼링하는) 사람《크리켓》 투수.

bow·man[bóumən] *n.* ⓒ 활쟁이,

궁술가(archer).

bow tie [bóu-] 나비 넥타이.

bow-wow [báuwáu] *n., vi.* ⓒ 멍멍 (짖다).

box¹ [baks/ɔ-] *n.* Ⓤ,ⓒ 〖植〗 회양목; Ⓤ 그 재목.

†**box²** [baks] *n.* ⓒ ① 상자. ② (상자에 든) 선물(a Xmas ~). ③ 상자 모양의 것. ④ (신문·잡지의) 선을 두른 기사. ⑤ 마부석; (극장의) 특등석; 배심(증인)석(席); 〖野〗 타자석. ⑥ 초 막(哨幕)(booth). ⑦ 《美》사서함. ⑧ (美俗) 여성의 성기. ⑨(俗) 텔레비전. *be in a* (*tight*) *~* 어찌할 바를 모르고 있다. *in the same ~* 같이 곤란한 입장으로. *in the wrong ~* 장소를 잘못 알아, 잘못돼어. — *vt., vi.* 상자에 넣다(up). *~ off* 칸막이하다; 상자에 넣어 만들다; 칸막이를 달다. *~ the compass* 〖海〗 뱃머리를 돌리다; 토론이 결국 원점으로 되돌아가다.

box² *n., vt., vi.* ⓒ 따귀(를 갈기다); 손[주먹]으로 갈기다; 권투하다. *on the ear(s)* 뺨따귀를 때리다. *∼er n.* : *∼ing n.* Ⓤ 권투.

bóx-càr *n.* ⓒ 유개 화차.

bóxer shòrts 《美》 허리에 고무를 넣은 헐렁한 남성 반바지.

Bóxing Dày 《英》 크리스마스의 이 튿날(고용인·우편 배달부에게 Xmas box를 줌).

bóxing glòve 권투 장갑, 글러브.

bóx jùnction 《英》 (교차점의) 정지 금지 구역(격자형의 노란선이 그어 있음).

bóx nùmber 《美》 사서함 번호. (신문의) 광고 회답 번호(익명 광고주의 주소 대용임).

bóx òffice 매표소.

bóx-òffice *a.* (연극·영화 따위가) 인기 있는, 크게 히트한.

†**boy** [bɔi] *n.* ⓒ ① 사내아이, 소년. ② 남(자)학생(a college ~ 대학생). ③ (친숙하게) 놈, 녀석. ④ 급사, 보 이. *my ~* 여보게; *:∼hood n.* Ⓤ 소년시기; 소년 사회. *∼ish a.*

boy-cott [bɔ́ikət/-kɔt] *vt.* 불매(不買)동맹을 하다, 배척[보이콧]하다. — *n.* ⓒ 보이콧, 불매동맹.

:bóy-friend [bɔ́ifrènd] *n.* ⓒ 《口》 (여성의) 애인, 남자 친구.

bóy scòut 소년단원(the Boy Scouts의 단원).

Br. Britain; British.

bra [brɑː] *n.* 《美口》 = BRASSIERE.

brace [breis] *n.* ⓒ ① 지주(支柱); 버팀 끈; 꺾쇠. ② 〖建〗 거멀장; 꺾쇠; 죄는 끈; (보통 *pl.*) 중괄호(〔 〕). ③ (사냥개 따위의) 한 쌍. ④ (보통 *pl.*) 《英》 바지멜빵. ⑤ 〖醫〗 부목(副木); (보통 *pl.*) 치열 교정기(齒列矯正 器). *~ and bit* 손잡이가 굽은 송 곳, 회전 송곳. — *vt., vi.* ① 버티다. 죄다. ② 긴장시키다. ③ 〖印〗 중괄 호로 묶다. *~ oneself up* 기운을 내 다. **brác-er** *n.* ⓒ 밧줄, 띠; (구어) 술, 흥분제. *∼-let n.* Ⓒ 팔찌.

brác-ing *a.* 죄는, 긴장시키는; 상쾌 한.

brack-en [brǽkən] *n.* Ⓤ 《英》 고 사리(의 숲).

brack-et [brǽkit] *n.* ⓒ ① 까치발; 선반받이; 돌출부 전등의 받침대. ② (보통 *pl.*) 모난 괄호(〔 〕). (cf. braces, parenthesis). ③ 부류; 층; (어떤) 계층(high income ~s 고소득층). — *vt.* ① 괄호로 묶다. ② 괄호로 묶다. ③ 일괄해서 다 루다, 하나로 묶어 다루다.

brack-ish [brǽkiʃ] *a.* 소금기 있는; 맛없는.

brae [brei] *n.* 《Sc.》 ⓒ 가파른 비탈; 산허리.

brag [bræg] *vt., vi.* (**-gg-**) 자랑하 다, 허풍떨다(of, about). — *n.* Ⓤ 자랑, 허풍(들). ⓒ 허풍선이.

brag-gart [brǽgərt] *n., a.* ⓒ 자랑 꾼(의).

Brah-man [brɑ́ːmən] *n.* (*pl.* ~s) ⓒ 브라만(인도의 사성(四姓) 중 최고 의 caste).

Brah-min [brɑ́ːmin] *n.* = BRAH-MAN; 지식인.

braid [breid] *n.* Ⓤ,ⓒ 꼰 끈, 짠 끈; 몸; Ⓒ 땋은 머리. — *vt.* (끈 을) 꼬다, 땋다(plait); 끈목으로 장 식하다.

Braille, b- [breil] *n.* Ⓤ 브레일식 점자(법)(《소경용》).

†**brain** [brein] *n.* ① ⓒ 뇌. ② (물종

pl.) 두뇌, 지력, *beat* [cudgel, rack] *one's* ~*s* (*out*) 머리를 짜내다. *crack one's* ~*s* 발광하다, 미친지랄다. **~·less** *a.* 어리석은.

bráin child [美口] 생각, 계획; 두뇌의 소산, 작품.

bráin dràin 두뇌 유출.

bráin stòrm (발작적인) 정신 착란; (口) 갑자기 떠오른 묘안, 영감.

bráin·stòrming *n.* U 브레인스토밍(회의에서 각자 의견을 제출하여 최선책을 결정하는 일).

bráins trùst [放] (청취자의 질문에 대답하는) 답변 위원단; = BRAIN TRUST.

bráin tèaser [口] 어려운 문제, 퀴즈.

bráin trùst (美) 브레인트러스트(정부의 정책 고문단).

bráin-wàshing *n.* U 세뇌(洗腦).

bráin wàve [醫] 뇌파; (口) 영감, 묘안.

brain·y [≤i] *a.* 머리가 좋은.

braise [breiz] *vt.* (고기·채소를) 기름에 살짝 튀긴 후 약한 불에 끓이다.

brake [breik] *n.*, *vi.*, *vt.* C 브레이크(를 걸다).

brake *v.* [古] break의 과거.

bram·ble [bræmbəl] *n.* C 가시나무, 찔레나무 ; 찔레[검은딸기, 나무 딸기] 열매. **-bly** *a.* bramble이 무성한.

bran [bræn] *n.* U 밀기울, 겨, 왕겨.

branch [bræntʃ, brɑːntʃ] *n.* C ① 가지(각종의), 분지, 분가, 지류, 지맥, 지선, 지점, 출장소, 지부. ② [電] 어족(語族). ③ [컴] (프로그램의) 가지, 분기. —— *vi.* ① (나뭇가지를) 내다. ② 갈라지다(*away, off, out*).

brand [brænd] *n.* C ① 상표, 상품명; 품질. ② 타는 나무, 타다 남은 나무(동강). ③ (가축에 찍은) 낙인; 그 인두. ④ [詩] 검(劍). (… 라고) 단정하다(*as*); (가슴에) 강하게 새겨두다.

bran·dish [brændiʃ] *vt.* (칼 따위를) 휘두르다(flourish).

brand-new [brændnjúː] *a.* 아주 새것의.

bran·dy [brændi] *n.* UC 브랜디.

brash [bræʃ] *a.* 《美》 성마른; 성급한; 얕은꾀의, 뻔뻔스러운; 무른.

brass [bræs, -ɑːl] *n.* ① U 놋쇠, 황동; ② 놋제품(品); ③ 《口》금관악기(pl.); ④ 《英口》금전; ⑤ 《口》철면피, 뻔뻔스러움; ⑥ 《美口》(집합적) 고급 장교. ~ *band* 취주악단. ~ *hat* 《美俗》고급 장교.

brass·ie [bræsi, -ɑːl] *n.* C 바닥에 놋쇠를 붙인 골프채.

bras·siere, bras·sière [brəzíər] *n.* (F.) C 브래지어.

brass·y [bræsi, -ɑːl] *a.* (빛깔·소리가) 놋쇠 같은; 뻔뻔스런; = BRASSIE.

brat [bræt] *n.* C 꼬마놈, 선머슴.

bra·va·do [brəvɑːdou] *n.* (*pl.* ~*s*) U 허세.

brave [breiv] *a.* ① 용감한. ② 화려한(showy). ③ 《古》훌륭한. —— *n.* C 용사; 북아메리카 토인의 전사. —— *vt.* 용감하게 해내다; 도전하다. *~ it out* 태연히 밀고 나가다. *~·ly ad.* 용감하게. *~·ness n.* U 용감(성).

brav·er·y [≤əri] *n.* U 용감; 화려.

bra·vo [brɑːvou, —ᴗ] *n.* (*pl.* ~(*e*)*s*) C 갈채, 브라보를 외치는 소리. —— *int.* 잘한다!; 좋다!; 좋아!

bra·vu·ra [brəvjúərə] *n.* (It.) C 화려한 곡(연주); 용맹; 의기(意氣).

brawl [brɔːl] *n.*, *vi.* C 말다툼[싸움](하다). **—·y** *a.*

brawn [brɔːn] *n.* U 근육, 완력.

bray [brei] *n.* C 나귀의 울음소리; 나팔 소리. —— *vi.* (나귀가) 울다; (나팔 소리가) 울리다.

bra·zen [bréizən] *a.* ① 놋쇠로 만든, ② 놋쇠빛의, 놋쇠처럼 단단한; 시끄러운. ② 뻔뻔스러운(impudent). —— *vt.* 뻔뻔스럽게 —하다. *~ it out* 뻔뻔스럽게 해내다. **~·ly** *ad.* 뻔뻔스레게. **~·ness** *n.*

bra·zier, -sier [bréizər] *n.* C 화로; 놋갓장이.

breach [briːtʃ] *n.* ① UC (법률·도덕·약속 따위의) 위반, 파기, (It.) 절교; 불화. ~ *of faith* (信) 배임(背信). ~ *of promise* 파약(破約); (특히) 약혼 불이행. ~ *of the peace* 치안 방해, 폭동. *stand in the* ~ 적의 정면에 서다. 난국에 처

하다. — *vt.* 깨뜨리다.

†**bread** [bred] *n.* ⓤ 빵; 먹을 것, 양식. ② 생계. **beg one's ~** 빌어 먹다. **~ and butter** 버터 바른 빵; 《口》생계. **~ and scrape** 버터를 조금 바른 빵. **~ buttered on both sides** 매우 넉넉한 처지. **break** = 식사를 같이 하다《with》; 성체성사에 참례하다. **know (on) which side one's ~ is buttered** 빈틈없다. **take the ~ out of (a person's mouth)** 아무의 밥줄을 끊다.

bréad-and-bútter *a.* 생계를 위한; 《주로 英》한창 먹을 나이의(자라는); 환대에 감사하는《with》. (*~ letter* 대접에 대한 사례장).

bréad-bàsket *n.* ⓒ 빵광주리; (the ~)《美》보리(따위)의 산지 「곡창」; 《俗》위, 밥통; 《俗》소이 탄.

bréad-bòard *n.* ⓒ 밀가루 반죽하는 대(臺); 빵을 써는 도마.

bread line 《美》빵 배급을 받는 사람(의 열).

‡**breadth** [bredθ, bretθ] *n.* ① ⓒ 폭, 나비. ② ⓤ 넓은 도량. **by a hair's ~** 아슬아슬하게. **to a hair's ~** 한 치도 안 틀리게, 정확히.

bréad-wìnner *n.* ⓒ (집안의) 벌 는 사람.

†**break** [breik] *vt.* (*broke* [brouk], 《古》*brake*; *broken* [bróukən], 《古》*broke*) ① (뻐) 부수다, 깨뜨리다. ② (뼈를) 꺾다. ③ 타박상을 내다 (*bruise*). ④ 억지로 열다; 끊어지게 하다. ⑤ (약속·법규·질서를) 어기다. ⑥ 깨뜨리다. ⑦ (말을) 길들이다. ⑧ (기록을) 고쳐놓다. ⑧ (말을) 길들이다. ⑨ 교정하다. ⑨ 누설하다, 털어놓다. ⑩ (돈을) 헐다. 잔돈으로 바꾸다. ① 파산(파멸)시키다; 해직하다. 좌천(강등)시키다. ② (공을) 커브시키다. — *vi.* ① 부서지다. 깨어지다. 꺾어지다. ② 침입하다《into》; 탈출하다. ③ 돌발하다; 급변하다. 나타나다. ④ 돌변하다; 변성(變聲)하다. ④ 교제〔관계〕를 끊다. ⑤ 헤지고 나아가다. ⑥ (주가가) 폭락하다; (구름 따위가) 쪼개지다, 흩어지다. ⑧ 도망치다, 내달리다《dash》《for, to》. ⑨ 싹이 트다. ⑩ (공이)

커브하다. **~ away** 도망치다, 이탈하다《from》. 파괴하다. 으스러뜨리다; 분류(分類)하다; 부서지다, 으스러지다, 실패하다; (몸이) 쇠약해지다; 울음을 터뜨리다. 정전(停電)되다. **~ even** 득실이 없게 되다. **~ forth** 돌연 …하다; 떠듣기[지껄이기] 시작하다, 뛰쳐나가다; (말을) 길들이다; 발광 던하다; 갑자기 나타나다. **~ into** …에 침입하다; 갑자기 …하기 시작하다. (*~ into tears*). **~ in upon** 갑자기 엄습하다, 방해하다; 퍼뜩 머리에 떠오르다. **~ off** 꺾다; 끊다; 부러지다. 갑자기 그치다. **~ out** 일어나다, 돌발하다; (부스럼 따위가) 나타나다; 시작하다; (…을) 헤치고 나아가다; (구멍을) 뚫다; (햇볕이) …사이에서 새나오다; 파괴하다. **~ up** (*vt., vi.*) 분쇄하다. 해산하다, 쇠약하게 하다; 끝나게 하다; 《英》방학이 되다. **~ with** …와 절교하다; (낡은 사고 방식을) 버리다.

— *n.* ① ⓒ 깨진 틈. 폭발. ② 변화점. ③ 변성(變聲). ④ 중단. ⑤《美》폭락. ⑥《美》도망, 탈주; 개시. ⑦《口》실책. (*give ~*)《口》운, 운명, 행운. 기회(*an even ~* 비김, 동점, 공평한 기회《*a bad ~* 불운, 실언, 실수》). ⑧ 댓말 4분마짜. ⑩ 【럭】(일시) 정지. ~ **of day** 새벽. **Give me a ~!**《美口》그만해, (한 번) 더 기회를 다오. **~·a·ble** *a.* 깨뜨릴 수 있는. **~·er** *n.* ⓒ 깨뜨리는 사람(기계); (암초에서 부서지는 파도; 말을 길들이는 사람, 조마사(調馬師) (cf. ~ **in**).

break·age [bréikidʒ] *n.* ⓤ 파손. ⓒ 파손물. ⓒ 파손(배상)액.

bréak dáncing 브레이크 댄스.

bréak·dòwn *n.* ⓒ ① (기계의) 고장, 사고; 붕괴. ② 쇠약. ③ 분해, 분석, 분류. ④ 【舞】요란스러운 댄스.

break·fast [bréɪkfəst] *n.* ⓤⓒ 조반. — *vi.* 조반을 먹다(내다). **~·er** *n.* ⓒ 조반을 먹는 사람.

bréak-ín *n.* ⓒ (건물에의) 침입; 연습운전.

bréak·nèck *a.* 목이 부러질 것 같은, 위험한. **at ~ speed** 무서운 속

도로.　　　　　　　　　　　「[탈출].

bréak·òut *n.* C [軍] 포위먼 돌파.

bréak·through *n.* C [軍] 적진 돌파; (난국의) 타개.

bréak·ùp *n.* C 해산; 붕괴; 종말.

bréak·wàter *n.* C 방파제.

bream [briːm] *n.* C 잉어과의 담수어; 도미 비슷한 바닷물고기.

breast [brest] *n.* C ① 가슴, 흉부. ② 유방 (a child at (past) the ~ 젖먹이 (젖 떨어진 아이)); 가슴 (속). *beat the ~* 가슴을 치며 슬퍼하다. *give the ~ to* …에게 젖을 먹이다. *make a clean ~ of* …을 몽땅 털어놓다 (고백하다). —— *vt.* ① …가슴에 받다. ② 무릅쓰다; 감연히 맞서다 (face).

bréast·bòne *n.* C 흉골(胸骨).

bréast·fèd *a.* 모유로 키운 (cf. bottle-fed).

bréast·fèed *vt.* 모유로 기르다.

bréast·plàte *n.* C (갑옷의) 가슴받이.

bréast stroke 개구리 헤엄.

breath [breθ] *n.* ① U 숨, 호흡 (작용). ② C 한 호흡, 한숨. ③ U 기간. ④ C (바람의) 선들거림 (a ~ of air); 속삭임. ⑤ C (은근한) 기미 (whiff). ⑥ U [音聲] 숨, 무성음 (cf. voice). ⑦ U 생기, 생명. *at a ~* 단숨에. *below (under) one's ~* 소곤소곤. ~ *of life* (one's nostrils) 귀중한 (불가결한) 것. *catch (hold) one's ~* (흥분하여) 숨을 죽이다; 한차례 쉬다. *draw* ~ 숨 쉬다. *gather* ~ 숨을 돌리다. *get out of* ~, or *lose one's* ~ 숨차다. *give up the* ~ 죽다. *in a* ~ 이구 동성으로; 단숨에. *in the same* ~ 동시에. *save (spend, waste) one's* ~ 잠자코 있다 (잠꼬 대없이 지껄이다). *take* ~ 쉬다. *take a person's* ~ (away) 깜짝 놀라게 하다. *with one's last* ~ 임종시에 (도); 최후까지.

breath·a·lyz·er, -lys·er [bréθəlàizər] *n.* C [商標] 몸속 알코올분 측정기.

breathe [briːð] *vi.* ① 호흡하다, 살 아 있다. ② 휴식하다, 쉬다 (rest). ③ 선들거리다. (향기가) 풍기다. ——

vt. ① 호흡하다. ② (생기·생명을) 불어넣다 (infuse) (into). ③ 휴식시키다. ④ (향기를) 풍기다; 발언하다. ⑤ (불평을) 털어놓다; 발언하다 (cf. voice). ~ *again (freely)* 가슴 쓸어내리다; 마음놓다. ~ *one's last* 죽다. ~ *upon* (…에) 입김을 내뿜다; (급히) 흐리게 하다. ⑥ 더럽히다; 나쁘게 말하다.

bréath·er [bríːðər] *n.* C 심한 운 동; (口) 한 숨 돌리기; (숨가쁜) 생 김; (잠수부에의) 송기 장치; 환기구 멍.

breath·ing [bríːðiŋ] *n.* U ① 호흡 (deep ~ 심호흡). ② 휴식; 미풍. ③ 발성, 말. ④ 열망, 동경. ⑤ [h] 음, 기음(氣音).

bréathing space 휴식할 기회; 숨돌릴 틈.

breath·less *a.* ① 숨가쁜. ② 죽은. ③ 숨을 죽이는. ④ 바람 없는. ~·**ly** *ad.*

bréath·tàking *a.* 깜짝 놀랄 만한, 손에 땀을 쥐게 하는, 흥분시키는 (thrilling).

bréath tèst 《英》 주기(酒氣) 검사.

bred [bred] *v.* breed의 과거 (분사). —— *a.* …하게 자란 (well-~ 매행이 종게 자란).

breech [briːtʃ] *n.* C 궁둥이; 뒷부분; 포미 (銃尾), 포미 (砲尾).

breech·es [brítʃiz] *n. pl.* ① 반바 지. ② (승마용) 바지. ~ *buoy* (바지 모양의) 구명대. *wear the* ~ 남편을 깎아 뭉개다.

breed [briːd] *vt., vi.* (**bred**) ① (새 끼를) 낳다; 알을 까다. ② 기르다; 키우다 (raise). ③ (…을) 야기하다; (…을) 번식시키다. ~ *from* (좋은 말 등)의 씨를 받다. ~ *in and in* 동종 교배하다 (근친 결혼을) 반복하다. ~ *true* 순종이고. *happy* ~ 행복한 종족 (영국인을 가리킴 (Sh(ak.)의 문장에서)). "~ *er* 口 품종, 종류. ~ *er.* C 사육자; 종축 (種畜); 잡보 인.

bréeder reàctor [理] 증식형 (增殖型) 원자로.

breed·ing [[∠]iŋ] *n.* U ① 번식, 사육. ② 교양, 예의범절. ③ [理] 증

식 작용.

bréeding gròund 양식장, 사육장.

breeze[briːz] *n.* ① 〔U C〕 산들바람. ② 〔口〕 소문. ③ 〔英口〕법석, 소동, 싸움(*kick up a* ~ 소동을 일으키다). — *vi.* ① 산들바람이 불다. ② 거침없이〔힘차게〕나아가다[행동하다]. — *through* and 대강 훑어보다. **bréez·y** *a.* 산들바람이 부는.

breth·ren[bréðrən] *n. pl.* (**brother**의 옛 복수형) (종교상의) 형제; 동포, 회원, 동인.

breve[briːv] *n.* ① 단모음 기호 (ŏ, ĭ 따위의 ¯). ② 〔樂〕2온음표.

bre·vi·ar·y[bríːvièri, brév-] *n.* 〔가톨릭〕성무 일도서(聖務日禱書).

brev·i·ty[brévəti] *n.* 〔U〕(문장 따위의) 간결(簡潔), 짧음.

brew[bruː] *vt.* ① 양조하다; (음료를) 조합(調合)하다. ② (차를) 끓이다. ③ (음모를) 꾸미다. — *vi.* ① 양조하다. ② 조짐이 보이다; (폭풍우가) 일어나려 하다. *drink as one has* ~*ed* 자업자득하다. — *n.* 〔U〕양조; 〔C〕양조량. **~·age**[-idʒ] *n.* 〔U〕양조(주). **~·er** *n.* 〔C〕양조자. **~·er·y** *n.* 〔C〕양조장. **~·ing** *n.* 〔U〕(맥주) 양조; 〔C〕양조량.

bri·ar[bráiər] *n.* = BRIER.

bribe[braib] *n., vt., vi.* 뇌물(로 매수하다), (···에게) 증회하다. **bríb·a·ble** *a.* 매수할 수 있는. **bríb·er** *n.* 〔C〕증회자. **bríb·er·y** *n.* 〔U〕증수.

bric-a-brac[bríkəbræk] *n.* (F.) 〔U〕(집합적) 골동품, 고물 (장식품).

brick[brik] *n.* 〔U〕벽돌; 〔C〕벽돌 모양의 것; (장난감의) 집짓기 나무. ③ 〔口〕서글서글한 사람, 호인. — *vt.* 벽돌로 둘러싸다(막다) (*in*, *up*); 벽돌로 짓다; 벽돌을 깔다. *drop a* ~ 실수하다; 실언하다. *feel like* ~*s* 〔美口〕좋은 생각이 들다. *have a* ~ *in one's hat* 취해 있다. *like a* ~, *like* ~*s* 세게, 맹렬히(*like a hundred of* ~*s* 맹렬히).

bríck·bàt *n.* 〔C〕벽돌 조각(부스러기);〔口〕통렬한 비평.

brick·lày·er *n.* 〔C〕벽돌공.

bríck·wòrk *n.* 〔C〕벽돌로 지은 것〔집〕;〔pl.〕벽돌쌓기(공사).

bríck·yàrd *n.* 〔美〕벽돌 공장.

brid·al[bráidl] *n., a.* 〔C〕혼례(의), 새색시의, 신부의.

bride[braid] *n.* 〔C〕새색시, 신부.

bride·groom[-grù(ː)m] *n.* 〔C〕신랑.

brides·maid[bráidzmèid] *n.* 〔C〕신부 들러리(미혼 여성).

bridge[bridʒ] *n.* ① 〔C〕다리. ② 선교(船橋), 함교(艦橋). ③ 가공의 의치(架工義齒); (바이올린 등의) 기러기발; (안경 중앙의) 거멀못. ④ 〔방송〕종국 등의 장면과 장면을 잇는 연결 음악. ⑤ (당구의) 쿠대. *burn one's* ~*s* 배수의 진을 치다. — *vt.* 〔다리를 놓다. ② 중개역을 하다.

bridge[bridʒ] *n.* 〔U〕브리지(카드놀이의 일종).

bridge·hèad *n.* 〔C〕교두보.

bri·dle[bráidl] *n.* 〔C〕굴레(고삐·재갈 따위의), 고삐; 구속(물). *put a* ~ *on a person's tongue* 아무에게 말조심시키다. — *vt.* 굴레를 씌우다, 고삐를 매다; 구속하다. — *vi.* ① 몸을 뒤로 젖히다(*up*) (자랑·경멸·분개의 표정). **brídle pàth** 승마길.

Brie[briː] *n.* 희고 말랑말랑한 프랑스산의 치즈.

brief[briːf] *a.* 짧은; 단시간의; 간결한. *to be* ~ 간단히 말하면. — *n.* ① 대의, 요령; 〔法〕(소송 사건의) 적요서(*have plenty of* ~*s* (변호사가) 사건 의뢰를 많이 받다). ② (원고·피고의) 신청서; 영장(writ). ③ 〔로마 교황의〕훈령. ④ = BRIEFING. *hold a* ~ *for* ① 을 신속히 처리하다. ② 요약하다. ② (변호사에게) 소송 사실 적요서를 제출하다; 변호를 의뢰하다. ③ 명령(briefing)을 내리다. **~·less** *a.* 의뢰인 없는 (*a* ~*less lawyer*). **~·ly** *ad.*

bríef càse 서류 가방.

brief·ing[-iŋ] *n.* 〔C〕(출발 전에 전투기 탑승원에게 주는) 간결한 명령(서); (간추린) 보고서.

bri·er, -ar[bráiər] *n.* 〔C〕찔레나무; 들장미(wild rose).

brig[brig] *n.* ⓒ 두대박이 범선.

brig[brig] *n.* ⓒ 《美》(군함의) 영창(營倉).

bri·gade[brigéid] *n., v.* ⓒ 대(隊), 여단; 대로[여단으로] 편성하다. *a* fire ~ 소방대.

brig·a·dier[brìɡədíər] *n.* ⓒ 《英》여단장; 《美》= ~ **géneral** 육군 준장.

brig·and[brígənd] *n.* ⓒ 산적, 도둑. ~**age**[-idʒ] ⓤ 강탈, 산적행위; 산적들.

bright[brait] *a.* ① 환한, 밝게 빛나는; 갠, 화창한. ② 머리가 좋은. ③ (색깔이) 선명한. ④ 쾌활한. ⑤ (액체가) 맑은. ⑥ 유망한; 명성이 높은. ~ *and* **early** 아침 일찍이. ― *ad.* = BRIGHTLY. :~**·ly** *ad.* :~**·ness** *n.*

bright·en[bráitn] *vt., vi.* 반짝이(게 하)다; 밝아지다; 밝게 하다, 상쾌하게 하다[되다].

bright·eyed *a.* 눈이[눈매가] 시원한[또렷한].

brill[bril] *n.* (*pl.* ~(**s**)) ⓒ 《魚》가자미의 무리.

bril·liance[bríljəns], **-lian·cy**[-si] *n.* ① ⓤ 광휘, 광채; 빛남. ② 훌륭함; 재기. ③ (빛깔의) 명도(cf. hue, saturation).

:**bril·liant**[-ənt] *a.* ① 찬란하게 빛나는, 번쩍번쩍하는(sparkling). ② 훌륭한(splendid). ③ 재기에 넘치는. ― *n.* ⓒ 브릴리언트형의 다이아몬드. ~**·ly** *ad.*

:**brim**[brim] *n.* ⓒ (속에서 본) 가, 가장자리; (모자의) 양태. *to the* ~ 넘치도록. ― *vt., vi.* (**-mm-**) (가장자리까지) 가득 채우다, 넘쳐흐르다(*over*). ~**·ful**(**l**)[-fúl] *a.* 넘치는, 넘칠 것 같은.

brim·stone[brímstòun] *n.* = SULFUR(주로 상업 용어). *fire and* ~ 지옥의 형벌(의 위협). ~**·y** *a.*

brin·dle[bríndl] *n.* ⓒ 얼룩(개), ⓤ 얼룩진 색. ~**d**[-d] *a.* 얼룩진, 얼룩덜룩한, 얼룩 갈색의[동물].

brine[brain] *n.* ⓤ 소금물, 바닷물; (*the* ~) 바다. ~ *pan* 소금 가마.

:**bring**[briŋ] *vt.* (**brought**) ① 가지고[데리고] 오다. ② 오게 하다; 초래

하다, 일으키다. ③ 이끌다. ④ 낳다. ⑤ (소송·법률을) 제기(提起)하다(*against*). ⑥ (이익을) 가져오다. ~ *about* 야기하다; 수행하다. ~ *around* 《口》의식을 회복시키다; 설득하다, 납득시키다. ~ *back* 데리고 돌아오다; 상기시키다. ~ *down* 내리다. 떨어뜨리다; 쏘아떨어뜨리다, 떨망이다. 꺾다; (기록을) 보유하다. ~ *forth* 낳다; (열매를) 맺다(bear); 초래하다, (비밀을) 밝히다(reveal). ~ *forward* 내놓다; 제출하다. 들여오다; 소개하다, 끌어내다; (…만큼의) 이익이 있다; 《簿》생활시키다. ~ *on* (병을) 일으키다; …을 야기하다. ~ *out* 내놓다; (비밀을) 밝히다; 발표하다; 나타내다. ~ *over* 넘겨주다; 개종(改宗)시키다; 제편으로 끌어넣다. ~ *round* 《英》= ~ AROUND. ~ *to* 의식을 회복시키다. ~ *to bear* (영향·압력을) 가하다; (총을) 들이대다, 집중하다. ~ *to pass* 일으키다. ~ *under* 진압하다; 억제하다. ~ *up* 기르다; 훈육[교육]하다; 제안[토의]하다; 토하다.

brink[briŋk] *n.* (*the* ~) ① (벼랑의) 가장자리. ② 물가, ③ (…할) 직전, 위기, (…한) 고비(verge¹). *on the* ~ *of* …에 임하여, …의 직전에.

brink·man·ship[-mənʃìp] *n.* ⓤ (외교 교섭 등을 위협적 사태까지 이끌고 가는) 극한 정책.

brin·y[bráini] *a.* 소금물의; 짠(cf. brine).

bri·oche[bríːouʃ, -aʃ/-ɔʃ] *n.* ⓒ (F.) 버터와 달걀이 든 빵.

bri·quet(**te**)[bríkét] *n.* ⓒ 연탄; 조개탄.

:**brisk**[brisk] *a.* ① 기운찬, 활발한, 활기 있는(lively). ② 상쾌한(crisp). ~**·ly** *ad.*

bris·ket[brískət] *n.* ⓤⓒ (짐승의) 가슴(고기).

bris·tle[brísl] *n.* ⓒ 강모(剛毛), (돼지 등의) 뻣뻣한 털(브러시용). *set up one's* [*a person's*] ~*s* 화내다[나게 하다]. ― *vt., vi.* 털을 곤두세우다; 곤두서다; 바짝 긴장하다(~ *with hair* 털이 촘촘히 나 있

다); 줄을 짓다(~ *with spears* 창 을 늘어 세우다).

Brit. Britain; Britannia; British; Briton.

:**Brit·ain**[brítən] *n.* 대(大)브리튼 (Great Britain).

:**Brit·ish**[brítiʃ] *a.* 영국(인)의. **~·er** *n.* ⓒ 《美》 영국인.

Brítish Énglish 영국 영어.

Brítish Ísles 《the》 영국 제도.

Brit·on[brítn] *n.* ⓒ ① 브리튼 사람(로마인의 침입 당시의 Britain 남부의 켈트인). ② 영국인.

brit·tle[brítl] *a.* 부서지기 쉬운; 《詩》 덧없는.

broach[broutʃ] *n.* ⓒ ① (고기 굽는) 꼬치, 꼬챙이; 송곳. ② 교회의 뾰족탑 (spire). — *vt., vi.* 꼬챙이에 꿰다; 입을 열다; (이야기를) 꺼내다; 공표하다, 널리 알리다.

broad[brɔːd] *a.* ① 폭·면적이〕 넓은, 광대한. ② 마음이 넓은. ③ 밝은, 명백한, 노골적인, 야비한(*a ~ joke*). ④ 대강의, 넓은 뜻의, 일반적인. *as ~ as it is long* 《口》 폭과 길이가 같은; 결국 마찬가지임. *in ~ daylight* 대낮에, 공공연히. — *n.* ⓒ 넓은 곳; 《英》《강이 넓어진》 물줄기; 《俗·蔑》 계집(애). **~·ish** *a.* 좀 넓은. **~·ly** *ad.*

bróad béan 《植》 잠두.

:**broad·cast**[-kæst, -àːst] *vt., vi.* 《~, ~*ed*》 ① 방송〔방영〕하다. ② 〔씨 따위를〕 흩뿌리다. — *n.* ⓒⓊ ① 방송 (프로). ② 《씨》 살포. — *a.* ① 방송의, 방송된; 살포한. — *vt.* *er* ⓒ 방송자〔장치〕; 살포기.

broad·cast·ing[-kǽstiŋ, -kàːst-] *n.* Ⓤⓒ 방송, 방송 사업.

broad·en[-ən] *vt., vi.* 넓히다; 넓어지다.

bróad júmp 넓이뛰기.

broad·mínd·ed *a.* 도량이 넓은, 관대한.

bróad·shèet *n.* ⓒ 한 면만 인쇄한 대판지(大版紙) 《광고·포스터 등》.

bróad·side *n.* ⓒ 한 쪽 뱃전의 대포의 전부; 그의 일제 사격 《비난 따위의》 일제 공격.

bróad·swòrd *n.* ⓒ 날 넓은 칼.

bro·cade[broukéid] *n., vt.* Ⓤ 비

단(으로 꾸미다); 《…을》 비단으로 짜 다.

broc·(c)o·li[brákəli/-5-] *n.* ⓒⓊ 《植》 모란채《cauliflower의 일종; 식 용》.

bro·chure[brouʃúər, -ʃúːr] *n.* 《F.》 ⓒ 팸플릿, 가철(假綴)한 책.

bro·de·rie ang·laise[broudríːː ɑːŋgléiz] 《F.》 영국 자수《바탕천을 도 려내어 하는》.

brogue[broug] *n.* ⓒ 《생가죽의》 튼튼한 구두.

brogue *n.* ⓒ 아일랜드 사투리; 시 골 사투리.

broil[brɔil] *vt., vi., n.* 굽다; 쬐다; Ⓤ 《美》 쬐기; 불고기.

broil *n.* ⓒ 싸움〔말다툼〕(하다).

broil·er[brɔilər] *n.* ⓒ 《美》 불고기 용의 병아리〔석쇠〕; 불고기용 열기.

†**broke**[brouk] *v.* break의 과거 《古》 파산하다, 무일푼의; *go for ~* 기를 쓰고 해보다.

bro·ken[bróukən] *v.* break의 과거 분사. — *a.* ① 깨진, 부서진; 끊어 진, 부러진. ② 파산한, 열약한, 쇠약 한. ③ 《말 따위가》 길든(tamed). ④ 불충분한; 《외국어 따위의 서투른, 변칙적인(~ *English* 엉터리 영어). **~ héart** 실연《의 슬픔》. ~ *line* 파선(破線); 절선(折線); 고속 도로의 차선 변경 금지 표지. **~ méat** 먹다 남은 고기, 고깃점. **~ móney** 잔돈. **~ númbers** 분수; 우수리. **~ tíme** 짬짬이 나는 시간; 방해가 되 《근무》 시간. **~ wéather** 변덕스러 운 날씨.

bróken-dówn *a.* 부서진; 기가 꺾 인; 몰락한, 파산한.

bróken-héarted *a.* 슬픔에 잠긴; 실연의.

†**bro·ker**[bróukər] *n.* ⓒ 중개인, 브로커. **·age**[-idʒ] *n.* ⓒ 중개(료)의 구전.

brol·ly[bráli/-5-] *n.* 《英口》 양 산; 《英俗》 낙하산.

bro·mide[bróumaid] *n.* Ⓤ 브롬화 물; 《化》 브롬화물. 《美俗》 진부한 말, 상투어. **bro·mid·ic** [broumídik] *a.* 《美口》 평범한, 진부한(trite).

B

bron·chi [bráŋkai/-ś-], **bron·chi·a** [-kiə] *n. pl.* 기관지. **-chi·al** [-kiəl] *a.* 기관지의. **-chi·tis** [braŋkáitis/broŋ-] *n.* ⓤ 기관지염.

bron·c(h)o [bráŋkou/-ś-] *n.* (*pl.* ~s) ⓒ (미국 서부의) 야생마(wild pony).

bron·to·sau·rus [bràntəsɔ́ːrəs/brŏn-] *n.* ⓒ 《古生》 아메리카 쥐라기(紀)의 뇌룡(雷龍).

Brónx chéer (美) 혀를 입술 사이에서 떨며 내는 소리 (경멸을 나타냄) (cf. raspberry).

:bronze [branz/-ɔ-] *n., a.* 청동; 청동색의 (*a* ~ *statue* 동상). ── *vt., vi.* 청동색으로 만들다(되다). (햇볕에 태워) 갈색으로 만들다(되다).

Brónze Áge, the 청동기 시대.

brooch [broutʃ, bruːtʃ] *n.* ⓒ 브로치.

:brood [bruːd] *n.* ⓒ ① (집합적) 한 배의 병아리 (동물의) 한 배 새끼. ② (蔑) 아이들. ③ 종류, 종족(breed). ── *vi.* ① 알을 품다(안다). ② 생각에 잠기다, 곰곰이 생각하다 (on, over). ③ (구름·어둠이) 내리 덮이다(over, on). ── *vt.* 숙고하다(over). *~* **vengeance** 복수의 계획을 짜다. *~·er.* ⓒ 인공 부화기.

:brook¹ [bruk] *n.* ⓒ 시내. *~·let n.* ⓒ 실개천.

brook² *vt.* 견디다, 참다(endure).

broom [bruːm] *n.* ⓒ 비(로 쓸다), 청소하다. 《植》 금작화.

bróom·stick [jump] **over the** 빗자루. **marry** [jump] **over the** 내연의 관계를 맺다.

Bros. Brothers.

broth [brɔ(ː)θ, brɑθ] *n.* ⓤⓒ 묽은 수프(thin soup).

broth·el [brɔ́(ː)θəl, brɑ́θ-] *n.* ⓒ 매음굴.

†broth·er [brʌ́ðər] *n.* ⓒ 형제, 친구, 동료; 동지, 동포(cf. brethren). *~s in arms* 전우. *~·less a.* 형제가 없는. *~·ly a.* 형제의(같은); 친절한.

broth·er·hood [-hùd] *n.* ⓤ 형제 [동포] 관계; ⓒ 동료; ⓒ 천선 단체, 협회, 결사, 조합; ⓒ (美) 철도 종업원 조합.

bróther-in-làw *n.* (*pl.* **brothers-in-law**) ⓒ 매부, 처남, 시숙 등.

brough·am [brúːəm] *n.* ⓒ 브룸《마부·운전사의 자리가 밖에 있는 마차·자동차》.

brought [brɔːt] *v.* bring의 과거(분사).

brou·ha·ha [blu:hɑ́:hɑ:, -ɔ-] *n.* ⓤ 소음; (무질서한) 소동; 열광.

:brow [brau] *n.* ① ⓒ 이마. ② 눈썹. ③ (the ~) (돌출한) 벼랑 꼭대기. **bend** [knit] **one's** *~s* 눈살을 찌푸리다.

brów·bèat *vt.* (*~; ~en*) 노려보다, 위협하다.

†brown [braun] *n.* ① ⓤ 다갈색, 밤색. ② ⓤ 갈색 그림물감. ── *a.* 다갈색의; 햇볕에 탄(tanned), 거무스름한. **do up** (美俗) 완전히 마무리하다. ── *vt., vi.* 갈색이[게] 하다; 밤색에 타다. 누르게하다; 굽다되다. *~* **off** (副) 지루하게 만들다; 꾸짖다. *~* **out** (美) = DIM out. *~·ish a.*

brówn bréad 흑빵.

brown·ie [<i] *n.* ⓒ 《Sc. 傳說》 남의 일을 도와 준다는 작은 요정(妖精) (brown elf); ⓤ 땅콩이 든 판(板) 초콜릿; (B-) (소녀단의) 유년 단원.

brown·ish [bráuniʃ] *a.* 갈색을 띤.

brówn súgar 누런 설탕; 적갈당(美俗)

†browse [brauz] *n.* ⓤ 어린 잎, 새 싹; [집] 풀뜯어보기. ── *vi., vt.* (소 따위가 어린 잎을) 먹다(feed)(on); 풀을 뜯어먹다; 쉬엄쉬엄 읽다.

:bruise [bruːz] *n.* ⓒ 타박상; (과일의) 흠. ── *vi., vt.* (몸을[에]) 상처 나다[내다]; 감정을 상하(게 하다).

brúis·er *n.* ⓒ 권투가; 건장한 남자.

brunch [brʌntʃ] *n.* (< breakfast + lunch) ⓤ ⓒ (□) 늦은 조반, 조반 겸 점심.

bru·net(te) [bruːnét] *a., n.* 《F》 루네트의 (사람) (머리와 눈이 검거나 갈색이고 피부색이 거무스름함). 원래 brunet은 남성용, brunette는 여성형 (cf. blond(e)).

brunt [brʌnt] *n.* (the ~) 공격의 주력[예봉]. **bear the** ~ (…의) 정면에 맞서다(of).

:brush [brʌʃ] *n.* ① ⓒ 브러시, 솔.

B

② ⓒ 붓, 화필; (the ~) 미술, 화풍. ③ ⓒ (여우 따위의) 꼬리(bushy tail). ④ ⓒ (솔·붓으로) 한 번 문지르기; 찰과(擦過); (작은) 씨름. *at a ~* 일거에. 그 고통들에 손질을하다. ── *vt.* (…에) 솔질을 하다; 털다, 비비다(rub), 스치다(*against*). ── *vi.* 질주하다. ~ *aside* (*away*) 털어버리다; 무시하다. ~ *over* 가볍게 칠하다. ~ *up* 멋을 내다; 닦다, (학문 따위를) 다시 하다.

brush·òff *n.* (the ~) 《美口》 (매정한) 거절; 해소.

*brush·ùp *n.* ⓒ 닦음, 수리, 손질, 몸단장; 복습.

brush·wòod *n.* ① ⓤ 숲. ② ⓒ 베어낸 작은 나뭇가지. 「법, 화풍.

brush·wòrk *n.* ① 필치. ② ⓤ 독특한

brusque[brʌsk/-u-] *a.* 무뚝뚝한.

Brus·sels[brásəlz] *n.* 브뤼셀《벨기에의 수도》. ~ *sprouts* 평지과의 다년생 초본《양배추의 일종》.

bru·tal[brútəl] *a.* ① 짐승 같은. ② 모진, 가차 없는; 잔인한. ③ 《美口》굉장한 좋은, 대단한. ~·**li·ty**[brutǽləti] *n.* ① 야수성, 잔인, 무도. ~·**ly** *ad.*

bru·tal·ize[brútəlàiz] *vt., vi.* 짐 승같이 만들다[되다]; (…에게) 잔인한 처사를 하다.

*brute[bruːt] *n.* ① ⓒ 짐승. ② ⓒ 《口》잔인한 놈. ③ (the ~) 《인간의》 수성, 수욕. ── *a.* 야수적인, 잔인한, 육욕적인. ③ 감각이 없는 (~ *matter* 무생물). **brút·ish** *a.*

B.S. Bachelor of Science [Surgery].

*bub·ble[bʌ́bəl] *n.* ① ⓒ 거품. ② 거품이는 소리; 끓어 오름. ③ ⓒ 거품같이 덧없는 계획. *burst (a person's ~)* (아무의) 희망을 깨다. ── *vi.* ① 거품일어 넘쳐 흐르다. ② 부글부글 소리 내다. *a ~ company* (이내 꺼지는) 포말(泡沫) 회사. *blow ~s* 비눗방울을 불다; 공론(空論)에 열중하다. ~ *over* 거품 일어 넘치다; 끓다 쓰다. ~ *gum* 풍선껌. **búb·bler** *n.* ⓒ (역 따위의) 분수식 물.

bu·bon·ic[bjuːbɑ́nik/-5-] *a.* 〔醫〕

림프선종(腺腫)의. ~ *plague* 선(腺)페스트.

buc·ca·neer[bʌ̀kəníər] *n., vi.* ⓒ 해적(질하다).

*buck[bʌk] *n.* ① 수사슴(토끼·염소 따위의) 수컷. ② 멋쟁이(남자)(dandy). ③ 《美俗》흑인 남자; 잔《美俗》달리. *as hearty as a ~* 원기 왕성한. ~ *private* 《美軍俗》이등병《Pfc.의 아래》.

buck[2] *vi., vt.* (말이 등을 굽히고) 뛰어오르다; (말이 탄 사람을) 날뛰어 떨어뜨리다(*off*); 《美口》저항하다; 《美》(머리·뿔로) 받다(butt). ~ *up* 《美口》기운을 내다; 격려하다. ── *n.* ⓒ (말의) 껑충 뛰어오름; 도약; 반항.

buck·et[bʌ́kit] *n.* ① ⓒ 양동이. ② 피스톤, 물받이. ③ 버킷(양동이) 가득(bucketful). *a ~ of bolts* 《美俗》고물 자동차. *give (a person) the ~* 《俗》(아무를) 해고하다. *kick the ~* 《俗》죽다.

búcket sèat (자동차 등의) 접의자.

búcket shòp 무허가 증권소; 엉터리 거래소; (주식의) 장외 거래점.

buck·le[bʌ́kəl] *n., vt., vi.* ① ⓒ 혁 대장식(으로 채우다). 죔쇠(로 죄다) (*up*). ② 구부리다, 굽다. ② 뒤틀리(다), ~ (*down*) *to,* or ~ *oneself to* …에 전력을 기울이다.

buck·ram[bʌ́krəm] *n.* ⓤ 〔製本〕 아교풀 먹인 천.

búck·shòt *n.* ⓤ 녹탄《사슴·꿩 따위의 사냥용 총알》.

búck·skin *n.* ① ⓤ 사슴 가죽. ② (*pl.*) 사슴 가죽 바지.

búck·tòoth *n.* (*pl.* *-teeth*) 뻐드렁니. 「밀가루.

búck·whèat *n.* ⓤ 메밀; 《美》메밀

bu·col·ic[bjuːkɑ́lik/-kɔ́l-] *a., n.* 시골(전원)의; 양 치는 사람의, 전원 생활의; ⓒ 목가.

bud[bʌd] *n.* ⓒ 눈, 싹, 꽃봉오리. *nip in the ~* 미연에 방지하다. ── *vi., vt.* (*-dd-*) 싹트(게 하)다.

bud[2] *n.* 《口》 = BUDDY.

Bu·da·pest[búːdəpèst, ᅳᅳᅳ] *n.* 부다페스트《헝가리의 수도》.

Bud·dha[búːdə] *n.* 부처. ***Búd·dhism**[búːdizəm] *n.* ⓤ 불교. ***Búd·dhist** *n.*

bud·dy[bʌ́di] *n.* ⓒ 《美口》 동료,

소년; 여보게《부르는 말》. **~-s** *a.*
《美俗》 아주 친한.

budge [bʌdʒ] *vi., vt.* 조금 움직이
다; 몸을 움직이다.

:budg·et [bʌ́dʒit] *n., vi.* ⓒ 예산
(안); 《뉴스·편지 따위의》 한 묶음; 예산을 세우다(for); **open the** ~ 《의회에서》예산안을 제출하다. **~·ar·y** [-ɛri/-əri] *a.*

buff[bʌf] *n.* ① ⓤ 물소 따위의 담황색의 가죽. ② ⓤ 담황색 (dull yellow). ③ **(the ~)** 《口》《사람의》맨살, 알몸. ④ ⓒ 열광자, 팬. ─ 광《狂》. **strip to the ~** 발가벗기다. ─ *vt.* 부드러운 가죽으로 닦다.

buff[²] *vt.*, *vi.* (…의) 충격을 완화하다; 약화시키다. ─ *n.* ① 《美方·古》타격, 참싹 때림. ── *a.* 의연한.

:buf·fa·lo[bʌ́fəlòu] *n.* (*pl.* ~(**e**)**s**, ~) 《집합적》 ~) ① ⓒ 물소. ② 아메리카 들소(bison). ③ 《軍俗》수륙양용 탱크.

buff·er[bʌ́fər] *n.* ① ⓒ 《기차 따위의》 완충기(《美》 bumper). ② 《컴》 버퍼. ── **state** 완충국.

buf·fet[bʌ́fit] *n.* ⓒ 일격, 한 대 (blow); 《운명·파도·바람의》타격. ── *vt., vi.* 치다; 때리다; 《운명·파도·바람과》싸우다(*with*).

buf·fet[²][bəféi, bu-/bʌ́fit] *n.* ⓒ 찬장(sideboard); 《英》 간이 식당. ── **car** 《주로 英》 식당차.

buf·foon[bəfúːn] *n.* ⓒ 익살꾼, 어릿광대(clown). **play the** ~ 익살 떨다. **~·er·y**[-əri] *n.* ⓤ 익살; 조잡한 농담. **~·ish** *a.*

:bug[bʌg] *n.* ⓒ ① 《주로 英》 빈대. ② 벌레, 곤충, 딱정벌레. ③ 《美口》《기계·조직 따위의》고장, 결함. ④ 젠체하는 사람. ⑤ 《美俗》 자동 경보장치. ⑥ 《컴》《俗》 오류(프로그램 작성 시 실수이며 이를 잡지 않은 잘못》. **big** ~ 《비꼼》 거물, 명사, *go* ~ 발광하다. 미치다. *smell a* ~ 《美》 수상쩍게 여기다.

bug·bèar *n.* ⓒ 도깨비; 무서운 것.

búg-èyed *a.* 《美俗》《놀라서》 눈알이 튀어나온.

bug·ger [bʌ́gər] *n.* ⓒ ① 비역쟁이.
② 《卑》 싫은 놈[일]; 《俗》《형용사에

불어》 《…의》 놈. ~ **all** 《英俗》 전무, 제로. ── *vt., vi.* 《…와》 비역하다.
~ *about* 《卑》 빈둥빈둥하다; 혼내주다. *~. B- off!* 《卑》 꺼져.

bug·gy [bʌ́gi] *n.* ⓒ 《美》 말 한 필이 끄는 4륜[2輪]마차.

bu·gle [bjúːgl] *n., vi., vt.* 《군대용》 ⓒ 나팔을 불다, 붙어 집합시키다.
《俗》 뿔피리. **bu·gler** *n.* ⓒ 나팔수.

:build [bild] *vt.* (**built**) 짓다, 세우다, 만들다; 《재산·지위 따위를》쌓아올리다, 건설하다; (…에) 의지[의존]하다(*on, upon*). ── *n.* ⓤ 불박이로 짜넣다; 《집·벽 따위의》에워싸다. ~ *up* 빽빽이 세우다; 《명성을》조각하다 《건강을》증진하다; 고쳐 짓다; 《美》《최고조로》돋우어 칭찬하다. ── *n.* ⓒ 만들새, 구조; ⓤⓒ 체격. **:~·er** *n.* ⓒ **†·ing** *n.* ⓒ 건물, 빌딩 (*the main* ~ 주건물). ── ① 건축 《술》.

búilding blòck 《장난감의》집짓기 나무; 《건축용》 블록; 《컴》 빌딩 블록.

build-úp *n.* ⓒ 형성; 발전; 선전. 매명(賣名); 《美》《장면을》 최고조로 돋우어놓음; 《美口》 남조, 조작.

built [bilt] *v.* build의 과거(분사).

búilt-in *a.* 불박이의, 짜넣은; 《성질 이》 고유의.

:bulb [bʌlb] *n.* ⓒ 구근(球根); ① 식물·전구, 진공관. **~·ous** *a.* 구근 (모양의); 둥글둥글한.

bulge [bʌldʒ] *n.* ⓒ ① 부푼 것; 《물통 따위의》줄배의 불룩함》. ②《口》이익, 잇점. ③《海》배 밑의 만곡부(bilge). ④《軍》《전선의》 돌출부. ── *vi.* 부풀다(*swell out*). **búl·gy** *a.*

bu·lim·i·a [bjulímiə] *n.* ⓤ 《醫》 식욕 항진, 병적 기아.

:bulk [bʌlk] *n.* ① ⓤ 부피(volume), 크기, **(the ~)** ② 대부분(*of*). ③ ⓒ 거대한 것[사람, 짐]. ④ ⓤ 적하(積荷), *break* ~ 짐을 부리다. *by* ~ 《눈을 쓰지 않고》 눈대중으로, *in* ~ 포장 않은 채로; 대량으로. ── *vi., vt.* 한 무리[더미]가 되다, 쌓아 올리다; 중요하게 보이다. ~ *large* 《**small**》커《으로》; 중요하게[하지 않게] 보이다. *~·y* *a.* 부피가 커진, 턱없이 큰, 거대한; 다루기 힘든.

B

búlk bùying 매점(買占).

búlk·hèad n. ⓒ ① (배 따위의) 격벽(隔壁). ② (지하실의) 들어서 여는 문.

bull[bul] n. ① ⓒ 황소 (cf. ox). ② [天] 황소자리(Taurus). ③ ⓒ [證] 사는 편, 시세가 오르리라고 내다보는 사람(cf. bear¹). ④ ⓒ 《美口》경관. ⑤ ⓒ 쓸데 없는 소리. ⑥ = BULLDOG. **a ~ in a china shop** 남에게 방해가 되는 난폭자. **shoot the ~** 《美口》기염을 토하다; 허튼 소리를 하다. **take the ~ by the horns** 감연히 난국에 맞서다. — a. 수컷과 같은, 황소 같은, 센, 큰. ~**ish** a.

bull² [bul] n. ⓒ (로마 교황의) 교서.

búll·dòg n. ⓒ 불도그. ② 용맹(완강)한 사람; 《英俗》학생감 보좌원.

búll·dòze[-dòuz] vt. 불도저로 고르다; 《美口》위협하다; 못살게 굴다; 《美口》(무리하게) 강행하다.

búll·dòz·er[búldòuzər] n. ⓒ 불도저. ② 《美口》위협자.

bul·let[búlit] n. ⓒ 소총탄.

bul·le·tin[búlitin] n. ⓒ 게시, 공보; 회보. — **board** 게시판. — vt. 공표하다, 게시하다.

búllet·pròof a. 방탄의.

búll·fìght n. ⓒ 투우. ~**er** n.

búll·fìnch n. ⓒ [鳥] 피리새; 높은 산울타리.

búll·fròg n. ⓒ 식용 개구리 《북아메리카산》.

búll·hòrn n. ⓒ 《美》전기 메가폰.

bul·lion[búljən] n. ⓒ 금(은)덩어리.

búll·nècked a. 목이 굵은.

bul·lock[búlək] n. ⓒ 네 살 이하의 불알 깐(steer).

búll ring 투우장.

búll's-èye n. 《과녁의 중심점, 정곡》; 둥근 창; 볼록 렌즈(가 달린 남포).

búll·shìt n. ⓒ 《美口》 되잖은 말.

búll térrier 불테리어《불독과 테리어의 잡종》.

bul·ly[búli] n. ⓒ 약자를 괴롭히는 자. — vt., vi. 위협하다; 을러대어 굴복시키다(tease). — 《口》 훌륭한. — int. 근사한! 장하다!
bul·rush[búlrʌʃ] n. ⓒ [植] 큰고랭이; 애기부들.

búl·wark[búlwərk] n. ⓒ ① 누벽(壘壁). ② 방파제. ③ (美俗 pl.) (상(上) 갑판의) 뱃전. — vt. 성채로 견고히 하다; 방어하다.

bum[bʌm] n. ⓒ 《美口》게으름뱅이; 부랑자(tramp). **get the ~'s rush** 《美俗》내쫓기다. — a. 쓸데 없는; 품질이 나쁜; 잘못된. — vi., vt. 《美口》빈둥빈둥 지내다; 술에 빠지다; 《美俗》떼를 써 빼앗다(sponge on), 조르다.

bum·ble[bʌ́mbəl] vi. 큰 실수를 하다, 실책하다.

bum·ble² vi. (벌 등이) 윙윙 거리다.

búmble-bèe n. ⓒ 뒝벌.

bumf, bumph[bʌmf] n. ⓤ 《英俗》화장지; 논문, 신문, 문서.

bum·mer[bʌ́mər] n. ⓒ 《口》빈둥거리는 사람, 부랑자; 《美俗》불쾌한 경험[감각, 일].

bump[bʌmp] vt., vi. ① 부딪치다, 충돌하다(against, into). ② 탁하게 떨어뜨리다(down, on). ③ 덜커덕거리며 나아가다. — **off** 부딪혀 떨어뜨리다; 《美俗》죽이다. — ad., n. ① 텅[쾅](하는 소리). ② 부딪혀 생긴 멍(혹); (수레의) 동요. ④ (보트의) 충돌. ⑤ 악기류(衣流), 돌풍. ③ 재능, 능력, 육감. *~**er** n., a. ⓒ 부딪는 (사람·것). ② 범퍼, 완충기. ③ 가득 채운 잔; 초만원(의); 풍작(의)(~**er crop** 풍작), 풍어의, 대비특의.

bump·kin[bʌ́mpkin] n. ⓒ 시골뜨기, 티틀뱅이. (순.)

bump·tious[bʌ́mpʃəs] a. 주제넘은.

bump·y[bʌ́mpi] a. (지면이) 울퉁불퉁한(rough); (수레가) 덜커덕거리는(jolting).

bun[bʌn] n. ⓒ ① 롤빵《건포도를 넣은 단 빵》. ② 《英俗》(둥글게) 묶은 머리. **take the ~** 《美俗》일등이 되다, 이기다.

bunch[bʌntʃ] n., vi., vt. ⓒ (포도 따위) 송이(다발, 떼)(가 되다, 로 되다). ~**y** a.

bun·combe, -kum 《美》 인기 위주의 연설, 빈 말.

bun·dle[bʌ́ndl] n., vi., vt. ① ⓒ 꾸러미, 묶음. ② 꾸리다, 다발지어 묶다, 싸다. ③ 서둘러 떠나(게 하)다.

(*away, off*). ~ **of nerves** 굉장히 신경질적인 사람. ~ **oneself up** (많이) 껴입다.

bung[bʌŋ] *n., vt., vi.* Ⓒ 마개(를 하다), 막다; 《俗》 상처를 입히다, 쳐부수다(*up*).

·**bun·ga·low**[bʌ́ŋgəlòu] *n.* Ⓒ 방갈로(식 주택)《베란다 있는 목조 단층집》.

bun·gle[bʌ́ŋgəl] *n., vt., vi.* Ⓒ 실수(하다). **bún·gling** *a.* 서투른.

bun·ion[bʌ́njən] *n.* Ⓒ (엄지발가락 안쪽의) 염증, 못.

bunk¹[bʌŋk] *n., vi.* Ⓒ (배·기차 따위의) 침대[잠자리](에서 자다), 등걸잠 자다.

bunk² *n.* 《美俗》 = BUNCOMBE.

bunk³ *n., vi.* Ⓒ 《英俗》 도망(하다), 뺑소니치다. **do a ~** 도망하다.

búnk-bèd *n.* Ⓒ 2단 침대.

bunk·er[bʌ́ŋkər] *n., vt.* Ⓒ (배의) 연료 창고(에 쌓아 넣다); 〖골프〗 벙커《모래땅의 장애 구역》(에 쳐서 넣다); 〖軍〗 지하 엄폐호.

búnk·hòuse *n.* Ⓒ 산막; 합숙소.

bun·kum[bʌ́ŋkəm] *n.* = BUNCOMBE.

·**bun·ny**[bʌ́ni] *n.* Ⓒ 《口》 토끼; 《方》 다람쥐.

bun·ting¹[bʌ́ntiŋ] *n.* Ⓒ 멧새의 무리.

bun·ting² *n.* Ⓤ ① 기(旗) 만드는 천. ② 《집합적》 (장식) 기(flags).

:**bu·oy**[búːi, bɔi] *n.* Ⓒ 부표(浮標), 부이. — *vt., vi.* ① 띄우다. ② 기운을 돋우다, 지지하다(support). ③ 뜨다(*up*).

buoy·an·cy[bɔ́iənsi, búːjən-] *n.* Ⓤ ① 부력(浮力). ② (타격을 받고도) 쾌활, 경쾌. ③ 〖商〗 (시세 따위의) 오름세.

·**buoy·ant**[bɔ́iənt, búːjənt] *a.* ① 부력이 있는. ② 경쾌한(light), 쾌활한(cheerful). ③ (값이) 오름세의.

bur¹[bəːr] *n.* Ⓒ 우엉의 열매; 가시 있는 식물; 성가신 사람; = BURR¹.

bur² *vi., n.* = BURR².

bur·ble[bə́ːrbəl] *vi.* 부글부글 소리나다; 투덜거리다.

:**bur·den**[bə́ːrdn] *n.* ① Ⓒ 짐(load). ② Ⓒ 무거운 짐, 부담; 귀찮은 일. ③ Ⓤ (배의) 적재량. ~ **of proof** 거증(擧證)의 책임. **lay down life's ~** 죽다. — *vt.* (…에게) 무거운 짐을 지우다; 괴로움을 끼치다. **~·some** *a.* 무거운; 귀찮은.

:**bu·reau**[bjúərou] *n.* (*pl.* **~s, ~x** [-z]) Ⓒ ① 《美》 경대 붙은 옷장. ② 《英》 양소매[서랍 달린] 책상. ③ 사무소(*a ~ of information* 안내소). ④ (관청의) 국, 부.

bu·reauc·ra·cy[bjuərɑ́krəsi/bjuərɔ́-] *n.* ① Ⓤ 관료 정치. ② (the ~) 관료 사회; 《집합적》 관료(들)(officialdom). **bu·reau·crat**[bjúərəkræ̀t] *n.* Ⓒ 관료. **bu·reau·crat·ic**[≒-krǽtik] *a.* **bu·reau·crat·ism**[bjuərɑ́krətìzəm/bjuərɔ́kræt-] *n.* Ⓤ 관료주의.

bur·geon[bə́ːrdʒən] *n., vi.* Ⓒ 싹(트다).

burg·er[bə́ːrgər] *n.* Ⓒ,Ⓤ 《美口》 햄버거 스테이크(가 든 빵)(hamburger).

burgh[bəːrg/bʌ́rə] *n.* 《Sc.》 = BOROUGH. **≺·er**[bə́ːrgər] *n.* Ⓒ (네덜란드·독일의) 시민(citizen).

:**bur·glar**[bə́ːrglər] *n.* Ⓒ 밤도둑. **~·ize**[-àiz] *vt., vi.* 《口》 (불법으로) 침입하다. **-gla·ry** *n.* Ⓤ,Ⓒ 밤도둑(질), (야간의) 불법 주거 침입.

búrglar alàrm 자동 도난 경보기.

bur·gle[bə́ːrgəl] *vt., vi.* 《口》 밤도둑질하다.

Bur·gun·dy[bə́ːrgəndi] *n.* ① 부르고뉴《프랑스의 남동부 지방》. ② Ⓤ (종종 b-) 그 곳에서 나는 붉은 포도주, 부르고뉴.

:**bur·i·al**[bériəl] *n.* Ⓤ,Ⓒ 매장, 매장식.

búrial gròund [**plàce**] 묘지.

·**bur·lesque**[bəːrlésk] *a.* 익살스러운(comic). — *n.* Ⓒ 익살스런 풍자, (개작한) 해학시(parody); Ⓤ 《美》 저속한 소극(笑劇)(horseplay). — *vt.* 익살스럽게 흉내내다.

bur·ly[bə́ːrli] *a.* 강한, 억센; 덜렁대는.

†**burn**[bəːrn] *vt., vi.* (**~ed, burnt**) ① 태우다; 타다; (불을) 때다; 타게 하다. ② 그슬리다; 그을다. ③ 불에 데다, 얼얼하다. ④ 화끈거리다; 화내다. ⑤ 흥분하다, 열중하다. ⑥ 내

리쳐다, 벌에 타다. ⑦ 〖化〗소작(燒灼)하다. ⑧ 산화시키다. **be burnt to death** 타 죽다. **~ away** 태워버리다; 다 없어지다. **~ down** 몽땅 태워버리다; 약해지다. **~ for** (…을) 열망[동경]하다. **~ one's finger** 공연히 참견(당황)하여 혼나다. **~ out** 타버리다; 다 타다. **~ powder** 발사(발포)하다. **~ up** 타버리다, 다 타다; 열광시키다. **have** (**books**) **to ~** 《못》 (책이) 주체 못할 만큼 있다. **:-er** *a.* 태우는 (굽는) 사람. **:~ing** *a.* (불) 타는; 열렬한, 격렬한; 긴급한.

búrned-óut *a.* ① 타버린, 다 탄; 소진된; (전구 따위가) 타서 끊어진. ② (정력을 다 써) 지친.

bur·nish [bə́ːrniʃ] *vt., vi.* 닦다 (polish). — *n.* 〖UC〗 윤, 광택.

burnt [bəːrnt] *n.* burn의 과거(분사). "다[타].

burp [bəːrp] *n., vi.* 〖U〗 트림(하다).

burr[bə́ːr] *n., vt.* 〖U〗 (치과(의사 등의) 리머(reamer). ② 깔쭉깔쭉하게 깎다(깎은 자리); 깔쭉깔쭉함.

burr[2] *vi.* 그릉그릉(윙윙)하다 목젖을 울려서 내는 r음[R], 후음(喉音)으로 말하다. — *n.* 〖C〗 그릉그릉, 윙윙하는 소리.

bur·ro [búːrou, bə́ːr-] *n.* 〖C〗 당나귀 (donkey).

bur·row [bə́ːrou, bʌ́r-] *n.* (토기 따위의) 굴, 숨어 있는 곳. — *vt., vi.* ① 굴을 파다(속에 살다) 숨다. ② 찾다; 탐구하다(**in, into**).

bur·sar [bə́ːrsər] *n.* ① (대학의) 회계원(treasurer). 《로 Sc.》 (대학) 장학생.

:burst [bəːrst] *vt., vi.* (**burst**) ① 파열(폭파)하다. ② 쩨(어지)다, 터뜨리다. ③ 터지다. ③ 출발하다. ④ 별안간 나타나다(**forth, out, upon**). ③ 갑자기 …하기 시작하다(**break**) (**into**). **be ~ing to** (do) …하고 싶어 못 견디다. **~ away** 파열하다; 뛰쳐나 가다. **~ in** (문이 안으로) 쾌 열리다; 뛰어들다; 말참견하다. **~ open** 쾌 열다. **~ out laughing** 웃음을 터뜨리다. **~ up** 폭발하다; 《俗》 파산하다. **~ with** …으로 속이

(*She is ~ing with health.*). — *n.* 〖C〗 파열, 폭발; 돌발; 분발.

bur·ton [bə́ːrtn] *n.* 《英俗》 《다음 성구로》 **go for a ~** 깨지다, 못쓰게 되다; 찌지다, 죽다.

bur·y [béri] *vt.* ① 묻다, 감추다. ② 매장하다. 참견(당하)지 못하게 하다(**in**); 초야에 묻히다. **~ing ground** 묘지. **~ oneself in** (…에) 몰두하다(…을 잊다).

bus [bʌs] *n.* (*pl.* **~ (e)s**) 〖C〗 ① 버스, 승합차. ② 〖口〗 여객기, (낡은 대형의) 자동차. ③ 〖컴〗 버스(여러 장치 사이를 연결, 신호를 전송하기 위한 공통로). — *vi.* (**-ss-**) **~ it** 버스에 타다.

bus·by [bʌ́zbi] *n.* 〖C〗 (영국 기병의) 털모자.

bush [buʃ] *n.* ① 〖C〗 관목(shrub). ② 〖C〗 (무리진) 덤불, 숲. ③ 〖U〗 나무의 가지(옛날의 술집 간판) 《*Good wine needs no ~*.》 좋은 술에 간판은 필요 없다). ④ 〖U〗 삼림지, 오지(奧地). **beat about the ~** 남을 떠보다; 요점을 피하다. **take to the ~** 벽지로 달아나다, 산적이 되다. — *vt., vi.* 무성하게 자라다(하다). **~ out** 미개척지에 길을 내다. **~·ed** [-t] *a.* 〖口〗 = WORN-OUT.

:bush·el [búʃəl] *n.* 〖C〗 부셸(건량(乾量) 단위; 미국에서는 1.95ℓ, 영국에서는 2.01ℓ); 부셸 되.

bush·el[2] *vt., vi.* (**-l-, 《美》 -ll-**) 《美》 (옷을) 고쳐 만들다; 수선하다.

bush·man [∼mən] *n.* 〖C〗 (森林地)의 거주민, (B-) (남아프리카의) 부시먼.

búsh télegraph (밀림에서의) 정보 전달(법).

bush·y [búʃi] *a.* 덤불 같은[이 많은]; 털이 많은; 무성한.

bus·i·ly [bízəli] *ad.* 바쁘게, 분주하게; 열심히, 부지런히.

busi·ness [bíznis] *n.* ① 〖U〗 실업, 상업, 거래. ② 〖U〗 직업, 직무. ③ 〖U〗 사무, 영업. ④ 〖C〗 사업, 점포. ③ 〖U〗 용건, 볼일. ⑥ (a ~) 사건, 일. ⑦ 〖U〗 (연극의) 몸짓(action). **Business as usual.** (게시) 평상업무. **do a big ~** 장사가 잘 되다, 번창하다. **enter into ~** 실업

B

계에 무신하다. **have no ~ to (do)** (…할) 권리가 없다. **make a great ~ of** …을 감당 못 하게 하다. **make the ~ for** …을 없애버리다. 해치우다. **mean ~** 진정이다. **mind one's own ~** 자기 분수를 지키다. 남의 일에 간섭 않다. **on ~** 용무로(No admittance except on ~. 관계자외 출입 금지). **send (a person) about his ~** (아무를) 꾸짖다; 추방하다; 해고하다.

búsiness càrd 업무용 명함.

búsiness·like a. 사무적[실제적]인; 민첩한.

busi·ness·man[-mæn] n. ⓒ 실업가; 사무가, 회사원.

bus·man[básmən] n. ⓒ 버스 승무원. **~'s holiday** 《英》 평상시와 비슷한 일을 하며 보내는 휴일, 이름뿐인 휴일.

bús stòp 버스 정류소.

bust[bʌst] n. ⓒ ① 흉상(胸像), 반신상. ② 상반신. (여자의) 가슴.

bust n. ⓒ 《俗》 파열, 깨짐; 실패, 파산. 《口》 후려침. — vt., vi. 《俗》 =BURST; 《俗》 파산[실패]하다. 《口》 파산하다. 《트러스트를 해체하여》 몇 작은 회사로 가르다; 때리다; 길들이다; 《俗》 체포하다.

bust·er[bástər] n. ① 거대한 [크게 효과적인, 파괴적인] 것. ② 《美》 벽력, 소란, 돌풍. ③ 종종 B-) 《戲》 젊은 친구《호칭》.

bus·tle[básl] vi., vt. ① 떠들다, 떠들어 대다. ② 재촉하다; 서두르게 하다(up). — n. (sing.) 야단법석, **bus·tling·ly** ad. 떠들 썩하여; 번잡하여.

bus·tle n. ⓒ 《옛날》 여자 스커트를 부풀리는 허리받이.

bust-up n. ⓒ 파열; 해산; 《俗》 싸움; 이혼.

bus·y[bízi] a. ① 바쁜, 분주한(doing, at, it, with); 《전화가》 통화 중인(The line is ~. 통화 중); ② 교통이 번잡한, 번화한(a ~ street 번화가). ③ 참견 잘 하는. — vt. 바쁘게 만들다; **~ oneself at [in, with, doing]** …하기에 분주하다. **get ~** 《美》 착수하다. — **ness** n. ⓤ 바쁨.

búsy·bòdy n. ⓒ 참견하기 좋아하는 사람.

but[強 bʌt, 弱 bət] conj. ① 그러나, 그렇지만. ② (not, never 등과 함께 써서) (…이) 아니고(He is not a statesman, ~ a politician. 정치가가 아니고 정객이다). …하는 것이 아니라(unless) (It never rains ~ it pours. 《속담》 왔다 하면 장대비다; 화불단행(禍不單行)). ③ — 할 but that …하지 않을 만큼(that ~ not)(He is not such a fool ~ he can tell that. 그것을 모를 만큼 어리석지는 않다). 《부정어 하나 다음에 but (that)이 오면》 ~ that …not (It can hardly be ~ that it is intended as a satirical hit. 그것은 빈정대려고 한 비평이 아닐 리가 없다). 《부정어 뒤에 but 이 오면, 즉 3중의 부정어가 겹치어 but은 뜻이 없어진다》 ~ (that) = that(It is not impossible ~ such a day as this may come. 이러한 날이 올 것은 불가능하지 않다). 《마찬가지로 부정적 의미의 동사라 중에 deny, doubt 따위 부정의 어가 쓰이면 그 때 써서》 ~ that = that (I don't doubt ~ that they will do it. 그들은 그것을 꼭 하리라고 생각한다). ⑦ …외에(excepting) (All ~ she went away. 그 여자 외에는 모두 다 떠났다《이 경우 All ~ 라면 but은 prep.》). ⑧ 《무의미한 but》(Heavens! B-it rains! 저런, 비가 오네!; B- how nice! 야, 근사하구나!). — rel. pron. (but = who (that) …not)(There is no one ~ knows it. 모르는 사람은 없다). — ad. 다만 …뿐(There is ~ one God. 신은 단 하나다 ; He is ~ a child. 그는 한낱 어린애다). — prep. ~ him 이외에는(except) (All ~ him remained. 그 사람 외에는 모두 남았다). …을 제외하고, …이 없다면(B- that you were there, he would have been drowned. 네가 있지 않았더면 그는 빠져 죽었을 것이나). **all** ~ 거의. **anything** ~ 《강한 부정》 결코…는 아닌. **~ for** …이 없었더라면(if it were not for; if it had not

B

been for). **~ good** 《美口》비참히, 아주, 《~ **then** 그렇지만, 그러나 한편. **cannot choose ~** (do) …하지 않을 수 없다. **not ~ that** [what] …이 아니라는 것은 아니다 (Not ~ that [what] he thought otherwise, 그가 다른 생각을 하지 않은 것은 아니다). **(It is) not that …, ~ that …** …라는 것이 아니고 …인 것이다. …라고 해서가 아니라 …이기 때문이다(Not that I like this house, ~ that I have no other place to live in. 이 집이 마음에 들어서가 아니라, 이 밖에는 살 집이 없기 때문이다(It is nothing ~ a joke. 그저 농담에 지나지 않는다). **nothing ~** …에 지나지 않는다(It is nothing ~ a joke. 그저 농담에 지나지 않는다). — *vt., n.* '그러나' 라고 말하다. (보통 *pl.*) '그러나' 라는 말(B- *me not ~s!* 그러나, 그러나 라는 말은 그만 둬라).

bu·tane [bjúːtein, ─′] *n.* [U] 【化】 부탄(가연성 탄화수소).

butch·er [bútʃər] *n.* [C] ① 푸주한; 도살업자. ② 학살자. ③ 《俗》외과 의사. ④ 〔열차·관람석에서의〕 판매원. ⑤ 권투 선수. — *vt.* (먹기 위해) 학살하다(massacre). ~'s **meat** 식육. [C] 【英】 도살장; 도살업. [C] 【英】 도살장.

*but·ler [bátlər] *n.* [C] 집사, 하인 우두머리. ② 식사 담당원. ~'s **pantry** 식기실.

butt[1] [bʌt] *n.* [C] 큰 (술)통.

butt[2] *n.* [C] ① 과녁, 무짚; (*pl.*) 사격연습장. ② 표적; 비웃음의 대상, 웃음거리.

*butt[3] *vi., vt.* (머리·뿔 따위로) 받다; 부딪치다(against, into). 불쑥 나오다, 돌출하다(on, against).

butt[4] *n.* [C] (막대·총 따위의) 굵은 쪽의 끝; 나무 밑동; 꽁초; 《俗》궁둥이.

†but·ter [bátər] *n., vt.* [U] 버터 (를 바르다). 《口》아첨 (하다)(up). **look as if ~ would not melt in one's mouth** 시치미 떼다, 태연하다.

*but·ter·cup [C] ① 【植】 미나리 아재비. ② 《美》황색의 귀여운 아가씨. ③ 《俗》여자역의 호모.

bútter·fingers *n. sing. & pl.* 물

건을 잘 떨어뜨리는 사람; 서투른〔꼴사나운〕사람.

:but·ter·fly [-flài] *n.* [C] 나비; 멋쟁이, 바람둥이(여자).

bútter·milk [C] 버터밀크《버터를 뺀 후의 우유》.

bútter·scotch [C] 버터스코치 《버터가 든 사탕·버터볼》.

but·ter·y [bátəri] *a.* 버터 비슷한 [투성이의]; 버터 바른; 《口》알랑 거리는.

but·tock [bátək] *n.* [C] (보통 *pl.*) 엉덩이(rump).

*but·ton [bátn] *n.* [C] ① 단추, 누름 단추: 단추 모양의 것. ② (*pl.*) (英) 급사. — *vt., vi.* (…에) 단추를 달다; 단추로 잠그다(가 채워지다).

bútton·hòle *n., vt.* ① 단추구멍 (에 꽃을 꽂다). ② 단추구멍을 내다. ③ (아무를) 붙들고 길게 이야기하다.

but·tress [bátris] *n., vt.* 【建】 버팀벽으로 버티다); 지지(하다).

but·ty [bátì] *n.* [C] 《英方》동료, 감독.

but·ty[2] *n.* [C] 《英方》버터를 바른 빵 한 조각; 샌드위치.

bux·om [báksəm] *a.* (여자가) 토실 토실한; 건강하고 쾌활한.

:buy [bai] *vt., vi.* (**bought**) ① 사다. ② 매수하다(bribe). ③ 희생을 치르고 손에 넣다. ④ 한턱 내다(~ *him beer*). ⑤ (아무의) 의견을 받아들이다. ⑥ 선전에 넘어가다. **B- American Policy** 미국 상품 우선 매입 정책(표어). ~ *a pig in a poke* 물건을 잘 보고 사다; 얼굴 에 맞다. ~ *back* 되사다. ~ *off* (협박자 등을) 돈을 주어 내쫓다; 돈을 내고 면제받다. ~ *out* (권리 따위를) 돈으로 사다. ~ *over* 매수하다. ~ *up* 매점(買占)하다. — *n.* (口) 구입, 물건 사기; 《美口》매수품(買占). ~·er *n.* [C] 사는 사람, 작자; 구매계원.

búyer's màrket 【經】(공급 과잉 으로 구매자가 유리한) 구매자 시장, 매입[買占] 시장.

búy·out, búy·òut [C] (주식의) 매점(買占).

:buzz [bʌz] *n.* [C] (벌레의) 날개 소리(humming); (기계의) 소리; (극장 따위의) 웅성거림. ② (*a ~*)

B

《美口》전화의 호출 소리. ③ ⓒ 속삭임(whisper); 잡담; 소문. ── *vt.*, *vi.* ① 윙윙거리다; 왁자지껄하다, 웅성거리며 퍼뜨리다. ② 《口》(···에게) 전화를 걸다. ③ 《空》 저공 비행하다. ~ **about** 바삐 돌아다니다. ~ **off** 전화를 끊다, 《美口》떠나다.

buz·zard [bʌ́zərd] *n.* ⓒ 《鳥》 말똥가리; 아메라카독수리; 멍청이.

buzz·er [bʌ́zər] *n.* ⓒ 윙윙거리는 벌레; 버저, 사이렌; 경보.

†**by** [bai] *ad.*, *prep.* ① (···의) 곁에 (near)(*He lives close by.* 바로 이웃에 살고 있다/*south by west* 서쪽으로 약간 치우친 남쪽, 서미남(西微南). ② (···을) 지나서(past)(*Many days went by.* 여러 날이 지났다/*go by the house* 집앞을 지나다/《美口》(지나는 길에) 집으로에 (*at, in, into*)(*Please come by.* 들르십시오); ···의 동안에(은)(*by day* 낮에는). ④ ···까지에는(*by noon*). ⑤ ···로; ···에 의하여: ···에 관하여, ···에 대하여. ⑥ ···으로; ···에 의하여. ~ **the by** [bye] ⇒ BYE. **close by** 바로 곁에. **stand by** ⇒ STAND.

by⇒**bye** [bai] *n.* ⓒ 《토너먼트 경기에서 짝패를 상대가 없어》남은 사람〔상태〕 《野》 odd man〔condition〕. **by the by**(*e*) 말이 난 김에 말이지, 그

런데, 그건 그렇고.

by- [bai] *pref.* ① '부수적인'의 뜻: *by*product. ② '옆의, 곁의'의 뜻: *by* stander. ③ '지나간'의 뜻: *by*gone.

by-and-by [báiəndbái] *n.* (the ~) (sleep). *go to* ~ 코하다.

bye-bye [báibái] *n.* ⓤⓒ 《兒》 잠 (sleep). *go to* ~ 코하다.

bye-bye [〈〈〉] *int.* 《口》 안녕.

by(e)-e·lec·tion *n.* ⓒ 중간 선거; 《英》 보궐 선거.

by(e)-law *n.* ⓒ 내규; 부칙; 세칙; 《지방 단체의》조례(條例).

†**by·gone** *a.*, *n.* 과거의; (*pl.*) 과거의 일(the past). *Let* ~*s be* ~*s.* 《속담》과거를 묻지 마라.

by·line *n.* ⓒ 《철도의》 방행선; 《美》 《신문·잡지의》 필자명을 적는 줄; 부업; 내직(side-line).

by·pass *n.* ⓒ ① 우회로, 보조 도로, 측도(側道); ② 《수도의》 측관(側管); 《電》 측로(shunt). ── *vt.* 우회하다; 회피하다; 무시하다; (···에) 측관(보조관)을 대다.

by·play *n.* ⓒ 《劇》 무대 줄거리에서 벗어나는 부수적인 연극; 《회화중의》본체를 벗어나는 이야기.

by·prod·uct *n.* ⓒ 부산물.

†**by·road** *n.* ⓒ 옆길, 샛길.

by·stand·er *n.* ⓒ 방관자, 구경꾼외차.

byte [bait] *n.* ⓒ 《컴》 바이트《정보 단위로서 8 bit로 됨》. ~ **mode** 바이트 단위 전송 방식. ~ **storage** 바이트 기억기(機).

by·way *n.* ⓒ 옆길; 샛길; 《학문·연구 따위의》별로 알려지지 않은 방면.

by·word *n.* ⓒ 우스운 것, 웃음거리; 속담, 격언; 《개인의》 말버릇.

Byz·an·tine [bízəntìn, ─tàin, bìzǽntìn] *a.*, *n.* ⓒ 비잔틴(Byzantium)의 《사람》 《建·美術》 비잔틴식 《파》의 《사람》. ~ **architecture** 비잔틴식 건축. ~ **Empire** 동로마 제국(395-1453). **-tin·ism** [bízǽntə-nìzəm] *n.* 비잔틴풍.

C, c[síː] n. (pl. **C's, c's**[-z]) ⓒ 【樂】 다음(音); 다조(調); ⓒ 【數】 제 3기저수; ⓤ (로마 숫자의) 백(centum); ⓒ 《美俗》 100달러 (지폐); 제3의 가정요소, 병(丙); C모양의 것; 《美》 (학업 성적의) 가(可).

C 【化】 carbon; 【電】 coulomb. **C.** Cape; Catholic; Celsius; Celtic; Centigrade. **C., c.** candle; capacity; case; catcher; cent; center; centimeter; century; chapter; *circa*(L.= about); cirrus; city; copyright; cost; cubic; current. ⓒ copyrighted.

ca. cent(i)are; *circa*(L.= about).

:cab[kæb] n. ⓒ 택시(taxi); 승합 마차; 기관실; 트럭의 운전대(臺), 《英》 오두막 모양의 운전대; 보일러실; 《美》 기관사의 조종실. — vi. (**-bb-**) 택시로 가다.

ca·bal[kəbǽl] n. ⓒ 【집합적】 도당, 비밀 결사; 음모(를 꾸미다)(conspire).

:cab·a·ret[kæbəréi /—ː—] n. (F.) ⓒ 카바레.

:cab·bage[kǽbidʒ] n. ⓤⓒ 양배추.

:cab·by[kǽbi] n. ⓒ 《口》 마부(cabman); 택시 운전수.

:cab·in[kǽbin] n. ⓒ (통나무) 오두 막; 캐빈(1·2등 선실(船室)), 여객기 의 객실, 군함의 함장실·사관실, 우주 선의 선실 따위.

cábin bòy (1·2등 선실·사관실의) 사환, 급사.

cábin clàss (기선의) 특별 2등.

cábin crùiser = CRUISER.

:cab·i·net[kǽbənit] n. ⓒ ① 상자, 용기; 장식장(欌), 진열장(유리장), 캐비닛. ② 【때】 카비넷판. ③ 회의 실, 각의실, 각료실. ④ (C-) 내각; 《美》 대통령의 고문단; 《古》 사실(私室). *— council* 각의(閣議). *~ edition* 카 비네판(版). *C- government* 내각 책임제(하의 내각). *C- member* 【minister】 각료.

cábinet-màker n. ⓒ 가구상(家具 商), 소목장이 《英·譜》 《조각(組閣) 중의) 신임 수상.

:ca·ble[kéibl] n. ⓤⓒ (철사·삼 따 위의) 케이블; 굵은 밧줄, 강삭(鋼 索); 닻줄; 피복(被覆) 전선; 케이블 선(線); ⓒ 해저 전선(전신), 해외 전 보. — vt., vi. (통신을) 해저 전신으 로 치다; 케이블을 달다; 해저 전신으 로 통신하다. *nothing to ~ home about* 《口》 평범한, 중요하지 않은.

cáble càr 케이블카.

cáble·gràm n.ⓒ 해저 전신(전보).

cáble ràilway 케이블(강삭) 철도.

cáble TV 【컴】 유선 텔레비전《생략 CATV》.

ca·boose[kəbúːs] n. ⓒ 《美》 (화물 열차 끝의) 승무원차; 《英》 (상선 갑판 위의) 요리실.

cache[kæʃ] n., vt. ⓒ (식료 따 위의) 감춰 두는 곳(에 저장하다, 감추 다)(탐험가·동물 등이); 【컴】 캐시.

ca·chet[kǽʃei, ―ː] n. (F.) ⓒ (편지 따위의) 봉인; 특징; 【醫】 교갑 (capsule)

cack·le[kǽkl] n., vi., vt. ⓤⓒ 꼬 꼬대(꽥꽥) 하고 우는 소리(울다); 수 다(떨다); 새되게 웃는 소리(웃다). *cut the ~* 《俗》 서문을 생략하고 본론으로 들어가다(《명령형》 잠자코).

ca·coph·o·ny[kækáfəni/-ɔ́f-] n. (sing.) 불협화음; 불쾌한 음조.

cac·tus[kǽktəs] n. (pl. **~es, -ti**[-tai]) ⓒ 【植】 선인장.

CAD 【컴】 computer-aided design 컴퓨터 이용 설계.

cad[kæd] n. ⓒ 비열한 사람.

ca·dav·er·ous[kədǽvərəs] a. 송 장 같은, 창백한.

cad·die[kædi] n., vi. ⓒ 캐디(로 일 하다).

ca·dence[kéidəns] n. ⓒ 운율, (목소리의) 억양; 【樂】 종지법.

ca·den·za[kədénzə] n. (It.) ⓒ 【樂】 카덴차(협주곡의 장식 악구).

ca·det[kədét] n. 《美》 육군[해

C

군) 사관 학교 생도; 상선(商船) 학교 학생; 아우; 차남 이하의 아들, (특히) 막내 아들; [kædʒe] *n., vt.*(-쪽)(이 름 뒤에 붙임) (opp. aíné)

cadge [kædʒ] *n., vt.*(英) 도부치다, 행상하다; 조르다.

cad·mi·um [kædmiəm] *n.* 〖化〗카드뮴.

ca·dre [káːdrei] *n.* 〖테두리, 뼈대, 구조; 조직; 개요; [kædri] 〖軍〗간부 (조직), 기간 요원.

Cae·sar·e·an, -i·an [sizéəriən] *a.* 황제의; 카이사르의.

Caesárean (séction 제왕 절개, 개복(開腹) 분만(술).

cae·si·um [síːziəm] *n.* = CESIUM.

cae·su·ra [sizúrə, -zjúrə] *n.* 〖C〗(시행(詩行) 중간의) 휴지(休止).

ca·fé, ca·fe [kæféi, kə-/kæfei] *n.* 〖C〗커피점, 다방; 요리점; 바; 술집(barroom) 〖美〗 커피.

caf·e·te·ri·a [kæfətíəriə] *n.* 〖C〗〖美〗카페테리아(셀프서비스 식당).

~ school 교내식당.

caf·feine *(e)* [kæfíːn, -´-] *n.* 〖化〗카페인, 다소(茶素).

caf·tan [kæftən, kɑːftæːn] *n.* 〖C〗터키[이집트] 사람의 긴 소매.

cage [keidʒ] *n.* 〖C〗새장, 조롱(鳥籠); (동물의) 우리; 감금실; 포로수용소; 승강기의 칸; 철골 구조. — *vt.* 새장(우리)에 넣다; 가두다.

cag(e)·y [kéidʒi] *a.*〖口〗빈틈없는.

ca·goule, ka·gool [kəgúːl] *n.* 〖C〗카굴(머리에서 아래로 오는 얇고 가벼운 아노락(anorak)).

ca·hoot [kəhúːt(s)] *n.*, (*pl.*) 〖美俗〗공동, 공모, 한통 *go ~s*(英俗) 한패가 되다; 똑같이 나누다. *in ~*〖俗〗공모하여, 한통속이 되어.

cairn [kɛərn] *n.* 〖C〗돌무더기.

ca·jole [kədʒóul] *vt.* 구워삶다(flatter); 그럴듯한 말로(감언으로) 속이다(*into doing*). **~·er·y** [-əri] , **~·ment** *n.* 〖U〗감언, 그럴싸한 속임.

cake [keik] *n.* ① 〖U.C〗케이크, 과자. ② 〖C〗(딱딱한) 덩어리, (비누 따위의) 한 개. *a piece of ~* 할 수 있는 한 개. *~s and ale* 과자와 맥주; 〖인생의 쾌락; 연회. *My ~ is dough.* 내 계획은 실패했다.

take the ~〖口〗상품을 타다, 남보다 뻐어나(excel), *You cannot eat your ~ and have it*(too) 〖俗〗동시에 양쪽 다 좋은 일은 할 수 없다. — *vt., vi.*(과자 모양으로) 덩어리지다, 굳다; 굳이 하다.

cal·a·mine [kæləmàin] *n.*〖美이극석(異極石); 〖英〗능아연석(菱亞鉛石); 〖鑛〗칼라민.

cálamine lótion 칼라민 로션(햇볕 탄 자리에 바름).

ca·lam·i·tous [kəlæmitəs] *a.* 비참한; 재난을 일으키는.

ca·lam·i·ty [kəlæməti] *n.* 〖C.U〗재난; 비참, 참화. *~ howler* 〖美俗〗불길한 예언만 하는 사람.

cal·ci·fy [kælsəfài] *vt., vi.* 석회화하다; 석회(석류)의 침적(沈積)에 의해 경화(硬化)하다. **-fi·ca·tion** [-fikéi-ʃən] *n.*

cal·ci·um [kælsiəm] *n.* 〖U〗칼슘.

cal·cu·la·ble [kælkjələbəl] *a.* 계산(신뢰)할 수 있는.

cal·cu·late [kælkjəlèit] *vt., vi.* 계산하다; 산정(추정)하다; 기대(전망)하다(depend)(*on*); 계획하다; …할 작정을(예정)이다(intend); 〖美口〗…라고 생각하다; 〖보통 수동으로〗어떤 목적에 적합시키다(adapt)(*for*). *be ~d to*(do) …하기에 적합하다; …하도록 계획되어 있다. **-lat·ed**[-id] *a.* 계획적인; 고의적인; 적합한(a ~d *crime* 계획적 범죄)/a~d *risk* 산정(算定) 위험을; 빈틈없는. **-lat·ing** *a.* 타산적인; 빈틈없는. **:-la·tion**[-léiʃən] *n.* 〖U.C〗계산; 타산; 〖C〗계산의 결과〖U〗계획; 예상. **-la·tive**[-lèi-tiv- ·lətiv] *a.* 계산상의; 타산적인; 계획적인. **-la·tor** *n.* 계산자(기); 계산표. **-la·tus** [kælkjələs] *n.* (*pl.* -li [-lài] , *-es* 〖醫〗결석(stone); 〖數〗미적분학; 미적분학. **diffe·rential (integral)** ~ 미(적)분학.

cal·dron [kɔ́ːldrən] *n.* 〖C〗큰 솥(가마).

cal·en·dar [kæləndər] *n.* 〖C〗① 달력, 역법(曆法). ② 〖공문서의〗기록부; 일람표; 연중행사 일정(표); (의회의) 의사 일정(표). *solar* (*lunar*) ~ 태양(태음)력. — *vt.* 달력(연대표에

cálendar mónth 역월(曆月).

cálendar year 역년(曆年)(1월 1일부터 12월 31일까지의 1년; cf. fiscal year).

calf[kæf, -ɑː-] *n.* (*pl.* **calves** [-vz]) ⓒ 송아지; ⓒ (코끼리·고래·바다표범 등의) 새끼; 《口》 머리 나쁜 아이; =CALFSKIN; (빙산의) 얼음 덩어리. **in** 〔*with*〕~ (소가) 새끼를 배어. **kill the fatted ~ for** (돌아온 탕아 등을) 환대하다, …의 준비를 하다. **slip the**〔*her*〕~ (소가) 유산하다.

calf² *n.* (*pl.* **calves**[-vz]) ⓒ 장딴지, 종아리.

cálf-skin ⓒ 송아지 가죽.

cal·i·ber, 《英》 -bre[kæləbər] *n.* ① ⓒ (총포의) 구경. ② ⓒ 기량(器量); 재능(ability); 인품. ③ ⓤ 품질. **-brate**[kælibrèit] *vt.* (…의) 구경을 측정하다, 눈금을 조사하다. **-bra·tion**[−brèiʃən] *n.* ⓤ 구경 측정; (*pl.*) 눈금.

cal·i·co[kǽlikòu] *n.* (*pl.* ~(**e**)**s**) *a.* ⓤ.ⓒ 《英》 옥양목(의); 《美》 사라사(무늬)(의).

cal·i·per[kǽləpər] *n.* ⓒ (종종 *pl.*) 캘리퍼스, 양각 측경기(測徑器).

ca·liph, -lif[kéilif, kǽl-] *n.* 칼리프(이슬람교국의 왕. Mohammed의 후계자의 칭호; 지금은 폐지). **ca·li·phate**[−feit] *n.* ⓒ 그 지위.

cal·is·then·ic[kæləsθénik] *a.* 미용 체조의. **~s** ⓤ 미용 체조(법).

†**call**[kɔːl] *vt.* ① (소리내어) 부르다, 불러내다; …을 부르다, 불러 일으키다; 불러 오다; ② …에게 전화를 걸다, …을 전화로 불러내다; ③ …라고 이름붙이다; …라고 부르다; …라고 일컫다; 명(命)하다; ④ (주의 따위를) 불러 일으키다; 주의를 주다, 부르게 하다. ④ …을 들다. ⑤ (리스트 등을) 죽 읽다. ⑥ 《競》 (경기를) 중지시키다, (심판이) (…의) 판정을 내리다; (…을) 선언하다; (지불을) 요구하다; (채권·회사의) 상환을 청구하다; (포커에서 건 패를) 보이라고 요구하다. ── *vi.* 소리쳐 부르다; (새가) 울다; (나팔이) 울려 들리다. ② 방문[기방]하다. ③ 전화를 걸다. ④ (포커에서) 건 패를 보이라고 요구하다. **~ after** …을 좇아가

서 부르다; (…을) 따서[에 연유하여] 이름짓다. **~ at** (집을) 방문하다. **~ away** (기분을) 풀다(divert), 주의를 딴 데로 돌리다; 불러가다. **~ back** 되불러들이다; 취소하다(revoke); 《美》 (전화 걸린 사람이) 나중에 되걸다. **~ down** (신에게) 기구하다(invoke); (천벌을) 가져오다; 《美俗》 꾸짖다. **~ for** …을 요구하다; 가지러[데리러] 가다. **~ forth** (용기를) 불러 일으키다, 발휘하다. **~ in** 회수하다; 불러들이다, 초청하다, (의사를) 부르다. **~ in sick** (근무처에) 전화로 병결(病缺)을 알리다. **~ into play** 작용[활동]케하다. **~ a person names.** **~ off** (주의를) 딴 데로 돌리다(divert); 《口》 (약속을) 취소하다; 손을 떼다, 열거하다. **~ on**〔*upon*〕(*a person*) 방문하다; 부탁[요구]하다. **~ out** 큰 소리로 외치다; (경관·군대 따위를) 출동시키다; (…에) 도전하다; 《美口》 (노동자를) 파업에 몰아넣다. **~ over** 점호(點呼)하다, (수를) …. **~ round** (집을) 방문하다, 들르다. **~ up** 전화로 불러내다; 《美》 상기(想起)하다; (군인을) 소집하다. **what you**〔*we*, *they*〕~, **or what is ~ed** (소위) …, 이른바 …. ── *n.* ⓒ ① 외치는 소리; (새의) 울음소리; (나팔·호루라기의) 소리; 부름, (전화의) 불러냄; 초청; 소집; 점호(roll call). ② 《口》불러내기. ③ 유혹(lure). ③ 요구, 필요. ④ 방문; 기항(寄港). ⑤ 짧(天職)(calling). **at**〔*on*〕~을 요구되는 대로. **~ of the wild**〔*sea*〕 광야(曠野)〔바다〕의 매력. **~ to quarters** 《美軍》 귀영 나팔(소등 나팔 15분전). **have the ~** 인기(수요)가 있다. **within ~** 지호지간(의), 부르면 들릴 정도의 곳에, 대기하고.

cáll bòx 《美》 (우편의) 사서함; 경찰[소방]서의 연락 전화; 《英》 공중전화실; 화재 경보기.

‡**call·er**[kɔ́ːlər] *n.* ⓒ 방문자, 손님.

cáll gírl 콜걸(전화로 불러내는 매춘부).

cal·lig·ra·phy[kəlígrəfi] *n.* ⓤ 서예(書藝); 능서(能書).

call·ing[kɔ́ːliŋ] *n.* ⓤ.ⓒ 부름, 소집, 점호. ⓒ 신(하늘)의 뜻; 천직; 직업;

cálling càrd 《美》(방문용) 명함 (visiting card).

cal·li·per[kǽləpər] *n.* = CALIPER.

cal·lis·then·ic(s)[kæ̀ləsθénik(s)] *a.* (*n.*) = CALISTHENIC(S).

cal·lous[kǽləs] *a.* (피부가) 못이 박힌; 무정한, 무감각한: 냉담한(*to*). **~·ly** *ad.* **~·ness** *n.*

cal·low[kǽlou] *a.* 아직 깃털이 다 나지 않은; 미숙한, 풋내기의.

cáll-ùp *n.* 《구대의》 소집 《美》(특히 예능부와의) 약속.

cal·lus [kǽləs] *n.* 굳은 살, 피부 경결, 못; [病] 가골(假骨); [植] 유합(癒合) 조직.

:calm[kɑːm] *a.* 고요한, 바람이 없는 평온한; 차분한; 《口》 뻔뻔스러운. **~ belt** 무풍대. **―― *vt.*, *vi.* 가라앉(히)다(*down*). **――** *n.* ⓒ 고요함, 바람 없음, 정은(靜穏). **∴~·ly** *ad.* **∴~·ness** *n.*

Cál·or gàs [kǽlər-] 《商標》 = BUTANE.

cal·or·ic[kəlɔ́ːrik, -ɑ́-/-5-] *n., a.* ⓤ 열(熱)(의).

cal·o·rie, -ry[kǽləri] *n.* ⓒ 칼로리.

cal·o·rif·ic[kæ̀lərífik] *a.* 열을 내는, 열의. **~ value** 발열량.

ca·lum·ni·ate[kəlʌ́mnièit] *vt.* 중상(中傷)하다(slander), 비방하다. **-a·tion**[kəlʌ̀mniéiʃən], **-ny**[kǽləmni] *n.* ⓤⓒ 중상. **-ni·ous**[kəlʌ́mniəs] *a.*

calve[kæv, -ɑː-] *vt.*, *vi.* (소·고래 등이) 새끼를 낳다; (빙산이) 갈라져 분리되다(cf. calf¹).

calves[kævz, -ɑː-] *n.* calf¹·²의 pl.

ca·lyx[kéiliks, kǽl-] *n.* (*pl.* **~·es, -lyces**[-lisìːz]) ⓒ 꽃받침.

cam[kæm] *n.* 〖機〗(회전운동을 왕복 운동 따위로 바꾸는 장치).

cam·ber[kǽmbər] *n., vi., vt.* ⓤⓒ 위로 (불룩이) 휨(게 하다).

cam·bric[kéimbrik] *n., a.* ① ⓤ (상질의 얇은) 아마포(亞麻布)(제의). ② ⓒ 백마(白麻) 손수건.

†came[keim] *v.* come의 과거.

:cam·el[kǽməl] *n.* ⓒ 낙타. **break the ~'s back** 차례로 무거운 짐을 지워 견딜 수 없게 하다.

ca·mel·lia[kəmíːljə] *n.* ⓒ 〖植〗동백(나무·꽃).

cámel('s) hàir 낙타털 (모직물).

Cam·em·bert[kǽməmbɛ̀ər] *n.* ⓤ (프랑스의) 카망베르 치즈(연하고 향기가 강함).

cam·e·o[kǽmiòu] *n.* (*pl.* **~s**) ⓒ 돋을 새김(을 한 조가비·마노 등).

:cam·er·a[kǽmərə] *n.* ① 카메라, 사진기; 텔레비전 카메라; 암실; (구식 사진기의) 어둠 상자. ② (*pl.* **-erae**[-rìː]) 판사의 사실(私室). ③ 판사의 사실에서의, 비밀히.

cámera·màn *n.* ⓒ (영화의) 촬영 기사; (신문사의) 사진반원.

cam·i·sole[kǽməsòul] *n.* ⓒ 《美》 여성용의 (소매 없는) 속옷; 여자용 화장옷; 광인(狂人)용 구속복.

cam·o·mile[kǽməmàil] *n.* ⓒ 〖植〗 카밀레의 일종.

cam·ou·flage[kǽməflàːʒ, kǽmu-] *n., vt.* ① ⓤⓒ 〖法〗 위장(僞裝)(하다), 카무플라주, 눈속임. ② 변장, 속임, 속이다(하다).

:camp[kæmp] *n.* ① ⓒ 야영(지); 《美》캠프(촌). ② ⓤ 텐트 생활(camping); 군대 생활. ③ ⓒ 수용소, 억류소(concentration camp). **be in the same enemy's** ~ 동지(적)이다. **~ school** 임간 학교. **change ~s** 주장(입장)을 바꾸다. **go to ~** 캠프하러 가다; 자다. **make (pitch) ~** 텐트를 치다. **take into** ~ 제껴으로 이기다; 이기다, (적을) 무찔러 다(시키)다(encamp). **~ out** 캠프 생활을 하다; 노숙하다. **∴~·er** *n.* ⓒ 야영하는 사람.

cam·paign[kæmpéin] *n.* ⓒ ① (일련의) 군사 행동, 작전. ② 종군. ③ (정치적인) 캠페인, 유세(canvass). **election** ~ 선거전, ~을 하다(운동을 하다), ~ 유세(운동). **go ~ing** 종군하다; 운동하다.

cam·pa·ni·le[kæ̀mpəníːli] *n.* (*pl.* **~s, -nili**[-nìːli:]) ⓒ 종루(鐘樓).

cámp·fire *n.* ⓒ 캠프파이어, 야영의 모닥불(을 둘러싼 모임·친목회) (*a ~ girl* 미국 소녀단원).

cámp fòllower 비전투 종군자(女·부자, 세탁부, 위안부 등).

cámp·gròund *n.* ⓒ 야영지; 야외

전도(傳道) 집회지.

*cam·phor [kǽmfər] n. ⓤ 장뇌(樟腦). ~·ic [kæmfɔ́rik, -fár-/-fɔ́r-] a. 장뇌질의.

cam·ping (-out) [kǽmpiŋ-áut] n. ⓤ 캠프 생활; 야영.

cámp·site n. ⓒ 캠프장, 야영지.

*cam·pus [kǽmpəs] n. ⓒ 《美》 (주로 대학의) 교정; 대학 (분교).

cám·shàft n. ⓒ 《機》 캠축.

†can¹ [强 kæn, 弱 kən] aux. v. (could) ① …할 수 있다. ② 해도 좋다(may) (Can I go now?). ③ …하고 싶다(feel inclined to); …나 해라(You ~ go to HELL!). ④ (부정·의문) …할 (일)리가 없다(It ~ not be true. 그건 정말 일 리가 없다);…일까, …인지 몰라(C~ it be true? 정말일까). **as ... as ~ be** 더(할 나위) 없이, …하지 않을 수 없다. **~ not too** 아무리 …하여도 지나치지 않다(It's we ~not praise the book too much. 그 책은 아무리 칭찬해도 오히려 부족할 지경이다.

†can² [kæn] n. ⓒ 양철통; 《英》 (통조림 따위의) (깡)통(《美》 tin); 액체를 담는 그릇; 물통, 변소; 엉덩이; 《美俗》 교도소. **a ~ of worms** (口) 귀찮은 일[문제]; 복잡한 사정. **carry the ~** 《美俗》 책임[지] (의)다. **in the ~** [映] 촬영이 끝나; 《美俗》 준비가 되어. — vt. (-nn-) ① 통[병]조림으로 하다(cf. canned). ② 《美俗》 해고하다(fire); 중지하다. **CANNED program. <·ning** n. ⓤ 《美》 통 [병]조림 제조(업).

:ca·nal [kənǽl] n., vt. (-l(l)-, 《英》 -ll-) ⓒ ① 운하; 수로. ② 《解·植》 도관(導管). **~·ize** [kənǽlaiz, kǽnəlàiz] vt. (…에) 운하를 [수로를] 파다(내다).

canál·bòat n. ⓒ (운하용의 좁고 긴) 화물선.

ca·na·pé [kǽnəpi, -pèi] n. (F.) ⓒ 카나페(얇게 썬 토스트에 치즈 같은 것을 바른 빵).

ca·nard [kənάːrd] n. ⓒ 허보(虛報).

*ca·nar·y [kənέəri] n. ① ⓒ 《鳥》 카나리아. ② ⓤ 카나리아빛(담황색). ③ ⓒ 《美俗》 여자 가수. ④ ⓤ 《俗》 동

료를 파는 법인, 밀고자.

ca·nas·ta [kənǽstə] n. ⓤ rummy 비슷한 카드놀이.

can·can [kǽnkæn] n. (F.) ⓒ 캉캉(다리를 차올리는 춤).

*can·cel [kǽnsəl] n., vt. (《英》 -ll-) ① 삭제(하다), 취소(하다); 상쇄(하다); (하다); [數] 약분(하다); [印] …을 삭제하다. **~ed check** 지불필(畢) 수표. **-la·tion** [kænsəléiʃ∂n] n.

*can·cer [kǽnsər] n. ① ⓤⓒ 암(癌). ② ⓤ 사회악; (C-) 《天》 게자리. **~ of the stomach [breast]** 위암(유방암). **the Tropic of C-** 북회귀선. **~·ous** a.

can·de·la·brum [kændilάːbrəm] n. (pl. ~s, -bra(s) [-brə(z)]) ⓒ 가지촛대, 큰 촛대.

*can·did [kǽndid] a. 솔직한(frank); 성실한; 공평한; 임부른, 거리낌없는; [寫] 자연 그대로의. **to be quite (with you)** 솔직히 말하면(일반적으로 문두(文頭)에서). **~·ly** ad.

can·di·da·cy [kǽndidəsi] n. ⓤⓒ 《美》 후보 자격. 입후보. **:·date** [kǽndədèit/-dit] n. ⓒ 후보자; 지원자. **-da·ture** [-dət∫ùər, -t∫ər/ -t∫ə] n. 《英》 = CANDIDACY.

can·died [kǽndid] a. 당(본)화된; 설탕을 손[씐]; 말솜씨 교묘한; 달콤한; 결정(結晶)한.

*can·dle [kǽndl] n. ⓒ 《양》초, 양초 비슷한 것; 촉광. **burn the ~ at both ends** 재산[정력]을 낭비하다. **cannot (be not fit to) hold a ~ to** …와는 비교도 안 되다. **hold a ~ to another** 남을 위해 등불을 비추다, 조력하다. **not worth the ~** 애쓴 보람이 없는, 돈 들일 가치가 없는. **sell by the ~** [by inch of] (경매에서) 촛동강이 다 타기 직전의 호가로 팔아 넘기다. — vt. (달걀을) 불빛에 비춰 조사하다.

cándle·light n. ⓤ 촛불(빛); 불을 켤 무렵, 저녁.

cándle·stick n. ⓒ 촛대.

cándle·wick n. ⓒ 초의 심지.

can·dor, 《英》 -dour [kǽndər] n. ⓤ 공평함; 솔직; 담백함.

C & W country and western.

†can·dy [kǽndi] n. ⓤⓒ 《美》 사탕과

C

캔디(《英》 sweets); 《英》 얼음 사탕.
— *vt.*, *vi.* (…에) 설탕절임으로 하다, 설탕으로 끓이다; (말을 담을내)하게 하다(sweeten) (cf. candied).

cane[kein] *n.* ⓒ (등·藤) 대, 사탕수수 따위의 줄기; 지팡이, 단장, 회초리; 유리 막대. — *vt.* 매로 치다.

cáne sùgar 사탕수수 설탕.

ca·nine[kéinain] *a.*, *n.* 개의(같은); ⓒ 개, 개과(科)의 (동물); = ~. **tooth** 송곳니.

can·ing[kéiniŋ] *n.* Ⓤ 매질, 태형(笞刑); 등나무로 엮은 앉을 자리.

can·is·ter[kǽnistər] *n.* ⓒ 차통, 커피통, 담배(산탄(散彈))통.

can·ker[kǽŋkər] *n.* ⓒ Ⓤ 〔醫〕 옹(瘍), 구암, 구강 궤양. ② Ⓤ 〔獸醫〕 마제암 (개·고양이의) 이염(耳炎); 〔植〕 암종(癌腫). ③ ⓒ 해독; 고민. — *vi.*, *vt.* (…에) 궤양 (게 하다); 파괴하다, 부패하다(시키다). ~·**ous**[-əs] *a.*

can·na·bis[kǽnəbis] *n.* Ⓤ 마리나. -**bism** *n.*

canned[kǽnd] *v.* can¹의 과거(분사). — *a.* 《美》 통조림으로 한; 녹음된; 《俗》 미리 준비된; 《俗》 취한. ~ **goods** 통조림 식품. ~ **heat** 주대 연료; 독한 술. ~ **music** 레코드 음악. ~ **program** 〔敎〕 녹음[녹화]된.

can·ner·y[kǽnəri] *n.* ⓒ 통조림 공장; 교도소.

can·ni·bal[kǽnəbəl] *n.*, *a.* ⓒ 식인종의; 서로 잡아먹는 동물; 식인의, 서로 잡아먹는, ~·**ism**[-izəm] *n.* Ⓤ 식인의 풍습; 잔인한 행위.

can·ni·bal·ize[kǽnəbəlàiz] *vt.* 사람 고기를 먹다; (차·기계 따위를) 해체하다; 들어서 짜맞추다(조립하다); 인원을 차출하여 다른 부대를 보충하다. — *vi.* 수선 조립으로 하다.

:can·non[kǽnən] *n.* (*pl.* ~**s**, 《집합적》 ~) 《美》 대포(을 쏘다); 《집합적》 기관포; 《俗》 권총; 《俗》 소매치기; 《英》 〔撞〕 캐넌(가락 carom)을 치다); 맞덴어 충돌하다. —**ade**[kænənéid] *n.*, *vt.*, *vi.* ⓒ 연속 포격(하다). ~·**eer**[kænənɪər] *n.* ⓒ 포수 포병, ~·**ry**[kǽnəri] *n.* 《집합적》 포; 〔砲〕 Ⓤ ⓒ 연속, 포격.

cánnon báll 포탄(본디 구형); 《美俗》 특급 열차.

cánnon fódder 대포 밥(병졸 등).

can·not[kǽnɑt/-ɔt] = can not.

can·ny[kǽni] *a.* 주의 깊은, 조심성 많은, 세심한(cautious); 빈틈없는 (Sc.) 알뜰한; 조용한. -**ni·ly** *ad.* -**ni·ness** *n.*

:ca·noe[kənúː] *n.* ⓒ 카누(마상이); **paddle one's own** ~ 독립 독행하다. — *vt.*, *vi.* (-*noed*; -*noeing*) 카누를 젓다; 카누로 가다.

can·on[kǽnən] *n.* ① ⓒ 교회법. ② ⓒ (the ~) 정전(正典) (cf. Aocrypha). ③ ⓒ 성인록(聖人錄). ④ ⓒ 미사(mass)의 일부; 법전(code). ⑤ ⓒ 규범, 규준; 전칙곡(典則曲). ⑥ Ⓤ 〔印〕 캐넌 활자(48포인트). ⑦ ⓒ 《英》 성직자회 평의원.

ca·non·i·cal[kənɑ́nikəl/-nɔ́n-] *a.* 교회법상의; 정전(正典)의; 정규의. —**s** *n. pl.* 제복(祭服).

can·on·ize[kǽnənàiz] *vt.* 시성(諡聖)하다, 찬미하다; 정전(正典)으로 인정하다. -**i·za·tion**[~nizéiʃən/-nai-] *n.*

cán òpener 《美》 깡통따개(《英》 tin opener); 《美俗》 금고 도둑.

can·o·py[kǽnəpi] *n.*, *vt.* ⓒ 닫집(으로 덮다); 차양; 하늘, **under the** ~ 《美俗》 도대체(in the world). -**pied** *a.*

cant¹[kænt] *n.* Ⓤ (거지 등의) 우는소리; 암호의 말; 변말, 은어(lingo); 유행어; 위선적인 말. — **phrase** 유행어, 위선적인 말. — *vi.* 변말을(유행어를) 쓰다; 위선적인 말을 하다.

cant² *n.*, *vt.*, *vi.* ⓒ 경사(변), 기울(이)다; 비스듬히 베다.

can't[kænt, -ɑː-] cannot의 단축.

Cantab. Cantabrigian.

can·tan·ker·ous[kæntǽŋkərəs, kən-] *a.* 비꼬인, 툭하면 싸우는, 심술 사나운(ill-natured).

can·ta·ta[kəntɑ́ːtə/kæn-] *n.* (It.) ⓒ 〔樂〕 칸타타.

can·teen[kæntíːn] *n.* ① ⓒ 주보; 《기지 따위의 간이 식당(오락장)》. ② ⓒ 수통, 빨병. ③ 《캠프용》 취사도구 상자. **a dry [wet]** ~ 술을 팔지 않는[파는] 군(軍)매점.

can·ter [kǽntər] *n., vi., vt.* (a ~) 〖馬術〗캔터, (gallop와 trot 중간의) 보통 구보(로 달리다, 나아가다, 달리게 하다).

can·ti·cle [kǽntikl] *n.* ⓒ 찬송가, *the Canticles* 〖聖〗아가(雅歌) (the Song of Solomon).

:can·to [kǽntou] *n.*(*pl.* ~s) ⓒ ① (장편시의) 편(篇)(산문의 chapter에 해당). ② (俗) (경기의) 한 이닝[게임], 특히 그 한 라운드.

can·ton [kǽntn, -tən/-tɔn] *n.* ⓒ ① (스위스의) 주(州), (프랑스의) 군(郡), [-tən] 〖紋〗소(小)구획. — [kǽntən, -/-tɔ́n] *vt.* 주(군으)로 나누다; 분할하다; [kæntún] 〖軍〗숙영(宿營)시키다. **~·ment** [kæntóunmənt, -tán-/kæntún-] *n.* ⓒ 숙영(지).

can·tor [kǽntər] *n.* ⓒ 합창 지휘자; 독창자(유대 교회의).

:can·vas [kǽnvəs] *n.* ① ⓤ 돛; 범포 (帆布). ② 텐트. ③ ⓒⓤ 캔버스, 화포. ④ ⓒ 유화 *carry too much* ~신문[능력]에 맞지 않은 일을 시도하다. *under* ~돛을 올리고; 〖軍〗야영하여.

:can·vass [kǽnvəs] *vt.* 조사하다; 논하다; 선거 운동하러 돌아 다니다; (⋯에게) 부탁하러 다니다, 주문 받으러 다니다. — *vi.* 선거 운동을 (하다); 권유(하다); 정사(精査)하다. — *·er* *n.* ⓒ 운동[권유]원.

:can·yon [kǽnjən] *n.* ⓒ (美) 협곡 (canon). *Grand C-* Colorado 강의 대계곡(유네 국립 공원).

†cap [kǽp] *n.* ⓒ ① (양태 없는) 모자, 제모. ② 뚜껑, 캡, (버섯의) 갓. ③ 정상. 절정. ④ 뇌관; 포장향소 량의 화약; (수리용 타이어의) 지면 접촉 부분. *~ and bells* 어릿광대 모자. *~ and gown* (대학의) 정복(式服). *~ in hand* ⓤ 모자를 벗고; 겸손하게. *feather in one's* ~자랑할 만한 공적. *kiss* ~s *with* 아무와 함께 술을 마시다. *pull* ~s (말끝에) 싸우다. *set one's* ~ *for* (俗) (여자가 남자에게) 연애를 걸어 오다. — *vt.* (*-pp-*) ①

에) 모자를 [뚜껑을] 씌우다. ② (⋯의) 꼭대기[위]를 덮다[씌우다]. ③ 탈모하다. ④ (남을) 지게하다; (인용구·익살 따위를) 다투어 꺼내다. *vi.* 모자를 벗다. *to ~ all* 결국에는; 필경(마지막)에는.

:ca·pa·ble [kéipəbl] *a.* 유능한; 자격있는(*for*); ⋯할 수 있는, ⋯되기 쉬운(*of*). *-bil·i·ty* [kèipəbíləti] *n.* ⓤⓒ 할 수 있음, 능력; (*pl.*) 뻗을 소질, 장래성. **-bly** *ad.*

:ca·pa·cious [kəpéiʃəs] *a.* 넓은; 너그러운; 듬뿍 들어가는.

:ca·pac·i·ty [kəpǽsəti] *n.* ① ⓤ 수 용력; 용량, 용적. ② ⓤ 능력, 재능, 역량(ability). ③ ⓤ 자격, 지위. ④ 〖컴〗용량. *be filled to* ~ 가득 차다. *be in* ~ 법률상의 능력이 있다. *~ house* 대만원(의 회장).

ca·par·i·son [kəpǽrisən] *n., vt.* ① (보통 *pl.*) (중세의 기사·군마의) 장식(盛裝); 마장(美裝)(으로 꾸미다).

:cape¹ [kéip] *n.* ⓒ 어깨망토; (여성·어린이의) 케이프.

:cape² *n.* ⓒ 곶. *the C-* (of Good Hope) (남아프리카의) 희망봉.

Cape Cólo(u)red (南아) 백인과 유색 인종과의 혼혈인.

:ca·per¹ [kéipər] *vi., n.* ⓒ (까불까불) 뛰어다니다[다님], 깡충거리다 (frisk) (거림); 장난. *cut* ~s 꽝태(狂態)를 부리다; 깡충거리다; 광태를 다하다.

ca·per² *n.* ⓒ 풍조목(風鳥木)의 관목 《지중해 연안산》.

cap·il·lar·y [kǽpəlèri/kəpíləri] *a., n.* ① 털 같은; ⓒ 모세관(의); 모관 현상의). 「(引力).

cápillary attráction 모세관 인력

:cap·i·tal [kǽpitl] *n.* ① 주요한, 으뜸(가)의. ② (英) 훌륭한. ③ 사형에 처할 만한; 중대한; 대단한 (gross). *C-!* 됐어!, 좋아! ~ *city* 수도. ~ *letter* 대문자, 머릿글자. ~ *punishment* 사형. — *n.* ① ⓒ 수도, ② ⓒ 머릿글자, 대문자. ③ ⓤ 자본(금); 자본가족[계급]; 이익. ~ *and labor* 노자(勞資). *circulating* ~ 유동(고정) 자본. *make* ~ (*out*) *of* ⋯을 이용하다. *work-ing* ~ 운전 자본. *~·ism* [-izəm] ①

C

n. ⓤ 자본주의. *~·ist* *n.* ⓒ 자본가(주의자). **cap·i·tal·is·tic** [~ístik] *a.* *~·ize* [-àiz] *vt.* 자본화하다; 자본으로 산입(평가)하다; (…에) 투자하다 (*vt., vi.*) 이용하다 (on); (美) 머릿글자(대문자)로 쓰다(인쇄하다). *~·i·za·tion* [kæpətalizéiʃən] *n.* *~·ly* *ad.*

cápital góods 자본재.

cápital-inténsive *a.* 자본 집약적인.

cápital lèvy 자본세(稅).

cap·i·ta·tion [kæpətéiʃən] *n.* ① 인두세; ⓤ 인두세(稅).

ca·pit·u·late [kəpítʃəleit] *vi.* (조건부 또는 무조건으로) 항복하다, 굴복하다. **-la·tion** [~~léiʃən] *n.* (조건부 또는 무조건) 항복; ⓒ 항복 문서; 일람표.

ca·pon [kéipən, -pɑn] *n.* ⓒ (거세하여 살찐(요리용) 식용 수탉; (美俗) 여성적인 남자; 면(납색의 상태)(cata·mite); (比) 겁쟁이.

***ca·price** [kəpríːs] *n.* ⓤⓒ 변덕; (樂) 가상곡(綺想曲). ***ca·pri·cious** [kəpríʃəs] *a.*

Cap·ri·corn [kǽprikɔ̀ːrn] *n.* (天) 염소자리.

cap·si·cum [kǽpsikəm] *n.* ⓒ 고추의 열매).

cap·size [kǽpsaiz, -´] *vi., vt.* 전복하다(시키다).

cap·stan [kǽpstən] *n.* (海) (닻을 감아 올리는) 고패.

***cap·sule** [kǽpsəl/-sjuːl] *n.* ⓒ ① (약·우주 로켓 등의) 캡슐. ② (植) (씨·포자의) 꼬투리, 삭과; 두겹손 (코르크 마개를) 입힌 박(箔); 요약 —*vt., a.* 요약하다(한).

Capt. Captain.

cap·tain [kǽptin] *n.* ⓒ ① 장(長), 수령, 두목. ② 선장, 함장. ③ 육군(공군) 대위; 해군 대령; 군사(軍副). ④ 주장(主將). *a ~ of industry* 대실업가. *~·cy* *n.* ⓤ ⓒ 의 지위(임무, 직, 임기).

cap·tion [kǽpʃən] *n.* ⓒ (페이지·장 따위의) 표제(title), 제목(heading); (삽화의) 설명; (영화의) 자막. —*vt.* (…에) 표제를 붙이다; 자막을 달다.

cap·ti·vate [kǽptəvèit] *vt.* (…의) 넋을 빼앗다; 황홀하게 하다, 매혹하

다(fascinate). **-vát·ing** *a.* **-va·tion** [~~véiʃən] *n.*

cap·tive [kǽptiv] *n.* ⓒ 포로. — *a.* 포로가 된; 매혹된. ***cap·tiv·i·ty** [kæptívəti] *n.* ⓤ (사로) 잡힌 상태(몸); 감금.

cáptive áudience 싫어도 들어야 하는 청중(스피커 따위를 갖춘 버스의 승객 등).

cáptive ballóon 계류 기구.

cáptive firing (로켓의) 지상 분사.

cáptive tèst (로켓의) 본체를 고정시킨 채 하는 연소 시험.

cap·tor [kǽptər] *n.* ⓒ 잡는(빼앗는) 사람; 포획자.

cap·ture [kǽptʃər] *n., vt.* ⓤ 잡음, 포획; ⓒ 포획물; 잡힘, 포획(생포)하다, 빼앗다; (碁) 갈무리다.

***car** [kɑːr] *n.* ⓒ ① 자동차; 차. ② 전차, (열차의) 객차. ③ (비행선·경기구의) 객실; 곤돌라.

ca·rafe [kərǽf, -ɑ́ːf] *n.* ⓒ (식탁·침실용 등의) 유리 물병.

car·a·mel [kǽrəməl, -mèl] *n.* ⓒ 카러멜, 구운 설탕(조미·착색용); ⓒ 카러멜 과자.

car·a·pace [kǽrəpèis] *n.* ⓒ (거북 따위의) 등딱지; (새우·가재 따위의) 딱지.

car·at [kǽrət] *n.* ⓒ ① 캐럿(보석의 무게 단위; = 1/5 g; 금위(金位)(gold 14 ~s fine, 14금).

car·a·van [kǽrəvæn] *n.* ⓒ ① (사막의) 대상(隊商). ② (집시·서커스 등의) 포장 마차. ③ (英) 이동 주택, 하우스 트레일러. **·sa·ry** [kærə·vǽnsəri], **·se·rai** [-rài] *n.* ⓒ 대상 숙박 여관.

car·a·way [kǽrəwèi] *n.* (植) 캐러웨이(회향풀의 일종).

car·bine [kɑ́ːrbain, -bin] *n.* 카빈총, 기병총.

***car·bo·hy·drate** [kɑ̀ːrbouhái·dreit] *n.* (化) 탄수화물, 함수탄소.

car·bol·ic [kɑːrbálik/-5-] *a.* 탄소(콜타르)에서 얻은.

carbólic ácid 석탄산.

***car·bon** [kɑ́ːrbən] *n.* ① (化) 탄소; ② 탄소 막대. ② ⓤ ⓒ 카본지; ⓒ 카본지 복사.

cárbon cópy (복사지에 의한) 복

사: 《口》 아주 닮은 사람[물건].

cárbon dáting 탄소의 방사성 동위 원소 함유량에 의한 연대 측정.

cárbon dióxide 이산화탄소, 탄산가스(~ snow 드라이 아이스).

car·bon·if·er·ous [kὰːrbənífərəs] a. 석탄을 산출하는; (C-) 《地》 석탄기(系)의. — n. (the C-) 석탄기.

cárbon monóxide 일산화탄소.

cárbon páper 카본(탄산지)(복사용).

car·boy [káːrbɔi] n. ⓒ 상자(채롱)에 든 유리병(극약 등).

car·bun·cle [káːrbʌŋkəl] n. ⓒ 【鑛】홍옥(紅玉)〔루비 등〕; 석류석; 【醫】정(疔), 정(疗), 펄쳐지〔모주의〕붉은 코, 코주부.

car·bu·ret [káːrbərèit, -bjərèt] vt. (《美》 -tt-) 탄소와 화합시키다; 탄소화합물(가솔린 따위)를 섞다. -ret(-t)or n. ⓒ 기화기(氣化器), 탄화기; 《자동차의》 카뷰레터.

car·cass, -case [káːrkəs] n. ⓒ (짐승의) 시체.

car·cin·o·gen [kaːrsínədʒən] n. ⓒ 【醫】발암(發癌) 물질[인자].

card¹ [kaːrd] n. ⓒ 금속빗〔솔〕. — vt. (양털·삼 따위를) 빗다, 훑다, 솔질하다. ~er n. ~·ing n.

card² n. ① ⓒ 카드; 판지(板紙); 명함; 엽서; 초대장; ② 트럼프, 카드, (pl.) 카드놀이; 프로〔그램〕. ③ 《口》인물, 놈; 빨난 사람, 괴짜. ④ 《英》 (the ~) 적절한 것(for). castle [house] of ~s 〔어린이가 만드는〕카드의 집; 무너지기 쉬운 것, 위태로운 계획. have a ~ up one's sleeve 준비가[비책이] 있다. in (on) the ~s 아마 …인[일] 것 같은 (likely). lay [place, put] one's ~s on the table 계획[비책]을 털어 놓다[말하다]. leave one's ~ (on) (…에) 명함을 두고 가다. play one's best ~ 비장의 수법을 쓰다. queer ~ 《口》 괴짜. play one's ~s well [rightly] 재빠르게 조치하다, 일처리를 잘하다. show one's ~s (손에) 든 패를 보이다, 계획(비밀)을 보이다. speak by the ~ 정확하게 말하다. the best ~ 인기 있는 것. throw [fling] up one's ~s 계획을

포기하다.

car·da·mom, -mum [káːrdəməm], **-mon** [-mən] n. ⓒ 생강과의 식물(그의 열매)(향료).

cárd·board [káːrdbɔ̀ːrd] n. ① 판지(板紙). 마분지. ① …의.

cárd-cárrying a. 정식 당원[회원]의.

car·di·ac [káːrdiæk] a., n. 심장의; 강심(胃)의 분문(噴門)의; ⓒ 심장병 환자.

car·di·gan [káːrdigən] n. ⓒ 카디건〔앞을 단추로 채우는 스웨터〕.

car·di·nal [káːrdənl] a. 주요한, 기본적인; 붉은, 주(진)홍색의(scarlet). — n. ⓒ 【가톨릭】(교황청의) 추기경의 《진홍색 옷·모자를 착용》; ⓒ 진(주)홍색; = ~ bírd (북미산의) 홍관조새 (finch 무리), -ate [-èit, -it] n. ① 추기경의 직위.

cárdinal númber [númeral] 기수(基數).

cárdinal pòints 【天】방위 기점 (基點)〔north, south, east, west〕.

cárd índex 카드식 색인.

car·di·o·graph [káːrdiəgræf, -gràːf] n. ⓒ 심전계(心電計).

car·di·ol·o·gy [kàːrdiálədʒi/-5-] n. ① 심장학.

cárd·shàrp(er) n. ⓒ 카드놀이 사기꾼.

cárd táble 카드놀이용 테이블.

cárd vòte 《英》 카드 투표〔노동조합 대회 따위에서 대의원이 대표하는 조합원의 수를 명기한 카드로 표수를 정하는 투표〕.

care [kɛər] n. ① ① 근심, 걱정 (worry); 근심거리, 걱정. ② ① 시중, 돌봄, 간호, 감독(charge); 고생(pains). ③ ① 주의, 조심(caution). ④ ① 관심. ① 관심사. C- killed the cat. 《속담》 걱정은 몸에 해롭다. ~ of …의 방(方)〔생략 c/o〕. take ~, or have a ~ 조심하다. take ~ of …을 돌보다, 소중히 하다; …에 조심하다. 《美》 …을 다루다. take ~ of oneself 자기 몸을 조심하다; 자기 일은 자기가 하다. under the ~ of …의 신세를 지고, …의 보호 밑에, …에 조심하여. — vi. ① 걱정[근심]하다. ② 돌보다, 시중들다; 병구완하다. ③ 하고자 하

C

다, 좋아하다. ~ *about* …을 염려〔걱정〕하다, …에 주의하다. ~ *for* …을 좋아하다, 탐내다; …을 돌보다, 걱정〔근심〕하다. ~ *nothing for* 〔*about*〕 …에 아무 흥미〔관심〕이 없다. *for all I* ~ 나는 알 바 아니나〔아니지만〕; 어쩌면, 혹시, I *don't* ~ *if* (I go), 〔口〕 (가도) 괜찮다〔완곡한 긍정적 대답〕. *Who* ~ *s?* 알게 뭐야.

ca·reen[kəríːn] *vi., vt.* 《海》(배를) 기울이다, (배가) 기울다; (기울여) 수리하다.

†**ca·reer**[kəríər] *n.* ① ⓤ 질주; 속력. ② ⓒ 인생 행로, 생애; 경력, 이력; (교양·훈련을 요하는) 직업. ③ ⓤⓒ 성공, 출세. *in full* 〔*mad*〕 ~ 전속력으로. *make a* ~ 출세하다. —*a.* 직업적인, 본직적인. ~ *diplomat* 직업 외교관. ~ *woman* 〔*girl*〕 《口》 (자립하고 있는) 직업 여성. —*vi.* 질주〔쾌주〕하다(speed). ~**·ism**[-lzəm] *n.* ⓤ 입신출세주의. ~**·ist** *n.*

†**care·free** *a.* 근심걱정 없는, 태평한, 행복한, 명랑한.

†**care·ful**[kɛ́ərfəl] *a.*① 주의 깊은, 조심스런(cautious)(*of*). ② 소중히 하는〔여기는〕(mindful)(*of*). ~**·ly** *ad.* ~**·ness** *n.*

†**care·less**[kɛ́ərlis] *a.* ① 부주의한, 경솔한. ② 걱정하지 않는(nonchalant). ③ 〔詩〕마음 편한(carefree) *be* ~ *of* …을 염두에 두지 않다. ~**·ly** *ad.* ~**·ness** *n.*

†**ca·ress**[kərés] *n., vt.* 애무〔키스·포옹 등〕(하다)(하다). —*vt.* 애무하다.

cáre·tàker *n.* ⓒ 돌보는 사람, 관리인; 지키는 사람; 《英》고용원《사환·수위를 겸하여 이르는 사람〉(cf. 《美》 custodian). ~ *government* 선거 관리 정부〔내각〕.

cáre·wòrn *a.* 근심 걱정으로 야윈

cár·fare *n.* ⓒ 《美》 (전차·버스의) 요금.

car·go[káːrɡou] *n.* (*pl.* ~*es*) ⓒ 뱃짐, 선하, 적하(積荷)

car·i·bou[kǽrəbùː] *n.* (*pl.* ~*s* 〔집합적〕 ~) ⓒ《動》북미산 순록(馴鹿).

car·i·ca·ture[kǽrikətʃùər, -tʃər] *n.* ⓒ (풍자) 만화, 풍자 그림〔글〕. —*vt.* 만화화(化)하다.

-tur·ist *n.*

car·ies[kɛ́əriːz] *n.* (L.) ⓤ《醫》카리에스, 골양(骨瘍); 충치.

car·i·ous[kɛ́əriəs] *a.* 카리에스에 걸린; 부식의.

cár·lòad *n.* ⓒ《주로 美》화차 1량분의 화물.

car·mine[káːrmain, -min] *n., a.* 양홍(洋紅)색(의); 《학술.

car·nage[káːrnidʒ] *n.* ⓤ (대량) 학살.

car·nal[káːrnəl] *a.* 육체의, 육감적인, 육감적인(sensual); 물질적인, 현세〔세속〕적인(worldly). ~ *knowledge* 성교.

car·na·tion[kaːrnéiʃən] *n.* ⓒ 카네이션; ⓤ 살빛(의).

car·ni·val[káːrnəvəl] *n.* ⓒ 사육제《Lent 전의 축제》; ⓒ 축제, 법석.

car·ni·vore[káːrnəvɔ̀ːr] *n.* ⓒ 육식 동물; 식충(食蟲) 식물. **-niv·o·rous**[kaːrnívərəs] *a.* 육식성의(cf. *herbivore*, omnivorous).

car·ol[kǽrəl] *n.* ⓒ 기쁨의 노래; 찬(미)가(hymn); 《詩》새의 지저귐. —*vi., vt.* (~·*ll*-) 기뻐 노래하다.

ca·rot·id[kərátid/-5-] *n., a.* ⓒ 〔解〕 경(頸)동맥(의).

ca·rous·al[kəráuzəl] *n.* = ↓.

ca·rouse[kəráuz] *n.* ⓤ 큰 술잔치 (noisy feast) —*vi.* 술을 통음(痛飮)하다(drink heavily); 술을 마시며 떠들다.

†**carp**[kaːrp] *n.* (*pl.* ~*s*, 《집합적》~) 〔魚〕 잉어.

carp *vi.* 시끄럽게 잔소리하다; 흠을 찾내, 약점을 잡다; 트집 잡다(*at*). ~**·ing** *a.* 트집 잡는.

car·pen·ter[káːrpəntər] *n., vi., —vt.* 목수(일을 하다). ~'*s rule* 〔*square*〕 접자(곱자). **-try**[-tri] *n.* ⓤ 목수직; 목수(일); ⓒ 목공품.

car·pet[káːrpit] *n.* ⓒ 융단, 양탄자(cf. rug); 깔개, ⓤ (풀의) 온통 깔림, call on the ~ 불러서 꾸짖다. on the ~ 심의〔연구〕 중에; 《口》야단맞아.

cárpet·bàg *n.* ⓒ (융단으로 만든) 여행 가방. ~**ger** *n.* ⓒ 〔한 몫 보려고 타지방에서 온〕 뜨내기; 〔美式〕 《蔑》 〔남북전쟁 후의 부흥기에〕 남부로

건너가) 북부의 야심(정치)가.

car·pet·ing [káːrpitiŋ] *n.* ⓤ 깔개
직물감, 양탄자감; 깔개.

cárpet slìpper (모직천으로 만든)
실내용 슬리퍼.

cárpet swèeper 양탄자 (전기)
청소기.

cár·pòrt *n.* ⓒ (간이) 자동차 차고.

car·riage [kǽridʒ] *n.* ① ⓒ 탈것,
마차, 《英》(철도의) 객차; 포차(砲
車). ② [*kǽriidʒ] ⓤ 운반; 수송
(비), 운임. ③ ⓤ 몸가짐, 자세, 태
도. ④ ⓤ 처리, 경영. ~ **and pair**
[**four**] 쌍두[4두] 4륜 마차.

carriage-wày *n.* ⓒ (가로의) 차
도. **dual** ~《英》중앙 분리대가 있
는 도로.

car·ri·er [kǽriər] *n.* ⓒ 운반인(업
자); 《美》 우편 집배원; 운송 회사;
전서 비둘기; 항공모함 (자전거의)
짐받이; 보균자; = ~ **wàve** 【無電】
반송파(搬送波).

cárrier pigeon 전서(傳書) 비둘기.

car·ri·on [kǽriən] *n.* ⓤ 썩은 고기(死
肉), 썩은 고기; 불결물. — *a.* 썩은
고기의[같은], 썩은 고기를 먹는.

*car·rot [kǽrət] *n.* ⓒ 당근. ~ **and
stick** 회유와 위협 (정책). ~·**y** *a.*
당근색의; (머리털이) 붉은.

car·rou·sel [kǽrəsèl, -zèl] *n.* ⓒ
《美》 회전 목마(merry-go-round).

†**car·ry** [kǽri] *vt.* ① 운반하다, 나르
다; 휴대하다; (아이를) 배다; 버티다;
(몸을 어떤 자세로) 유지하다[hold];
행동하다(~ *oneself*). ② (에세를)
이끌다, (소리를) 전하다; 미치다; 연
장하다[extend]; 감복시키다; (주장·
의안 따위를) 통과[관철]시키다. ③ 수
반하다, (결과 따위를) 떠다; (이자 따
위를) 낳다. ④ (전지 따위를) 점령하
다; 획득하다. ⑤ 【商】 (다른 장부에)
전기(轉記)하다; 이월하다; 【數】 한 자
리 올리다. 【美】 (신문에) 싣다; (물건
을) 올리다. ⑥ 기억해 두다. ⑦ 가게
에 놓다[팔다]. — *vi.* 나르다, 미치
다; (소리·총 따위가) 미치다. ~ **all
[everything, the world] before
one** 파죽지세로 나아가다; 앞뒤
앗다[쓸어]가다; 도취시키다. ~ **away**
(으로)[쓸어] 가다. ~ (*a
person*) **back** 생각나게 하다. ~
forward (사업 등을) 진행[추진]하다;

(부기에서) 차기(次期)[다음 페이지]로
이월하다. ~ **off** 앗아[채어]가다, 유
괴하다(상을) 타다; 잠시 견디다(pal-
liate); 해치우다. ~ **on** 계속하다;
(사업을) 영위하다. ~ **oneself** 행동
하다. ~ **out** 성취하다, 수행하다.
~ **over** 이월하다, 연기하다. ~ **the
audi·ence [house]** 청중(만장)을 도취시
키다. ~ **the DAY.** ~ **through** 완
성하다; 견디어내다, 버티다; 극복하
게 하다; 수행하다. ~ **weight** 중시되다, 유
력하다; 【競馬】 핸디캡이 붙여지다.
~ *a person* **with one** 납득시키
다. ~ *something* **with one** 어떤
일을 기억하고 있다; …을 수반[동반]
하다. ~ 차(車)량. — *n.* ⓤ ① (총포의) 사정; (골
프 공 따위가) 날아간 거리. ② 【集】
자리 올림.

cár·sick *a.* 차멀미 난.

†**cart** [kaːrt] *n.*, *vi.* ① ⓒ 2륜마차(손
수레)(로 나르다). ② 수레되어 이기다.
~ **about** 들고[끌고]돌아다니다, 끌
어내하고 다니다. **in the** ~《英俗》곤
경에 빠져[in a fix]. **put the** ~
before the horse 본말을 전도하
다. ~·**age** *n.* ⓤ (짐차) 운송(료).
~·**er** *n.* ⓒ (짐)마차꾼. ~·**ful** [△fùl]
n. ⓒ 한 차(車)분.

carte blanche [káːrt bláːnʃ]
(F.) 『백지 위임』 위임.

car·tel [kaːrtél] *n.* ⓒ 【經】 카르
텔, 기업 연합(가격 유지·시장 독점
을 위한) (cf. syndicate, trust);
포로 교환 조약서.

cárt hòrse 짐마차 말.

car·ti·lage [káːrtilidʒ] *n.* ⓤⓒ 연
골(軟骨). ~**lag·i·nous** [kaːrtilǽdʒ-
ənəs] *a.*

car·to·graph [káːrtəgræf, -gràːf]
n. ⓒ (그림) 지도. **car·tog·ra·pher**
[kaːrtágrəfər/-tɔ́g-] *n.* ⓒ 지도 제
작자. **car·tóg·ra·phy** [-fi] *n.* ⓤ 지
도 제작(법).

car·ton [káːrtən] *n.* ⓒ 판지(板紙),
마분지; 두꺼운 종이 상자.

car·toon [kaːrtúːn] *n.* ⓒ 《美》(모
자이크·벽화 따위의) (실물 크기의)
밑그림; 풍자화, 시사 만화 (연속)
만화 영화. — *vt.* 만화로 그
자화하다. ~·**ist** *n.* ⓒ 만화가.

*car·tridge [káːrtridʒ] *n.* ⓒ 탄약

통, 약포(藥包); (카메라의) 필름통
(에 든 필름); (전축의) 카트리지(레
늘 꽂는 부분)을 (내연 기관의) 기동
(起動)장치.

cártridge pàper 약첩지(藥劵)용
지; 도화지.

cart whèel (짐차의) 바퀴; 열재주
넘기.

:**carve** [kɑːrv] vt. (~d; (詩)~n)
① 자르다, (요리한 고기를) 썰다. ②
파다, 조각하다. ③ (진로를) 트다,
열다. ~ **for oneself** 제멋대로 하
다(굴다). ~ **out** 베어(떼어, 잘라)
내다; 분할하다; 개척하다. ~ **up**
(유산·땅 따위를) 가르다. *cárv·er
n.* ⓒ 조각가; (요리 고기를) 써는 사
람; (pl.) 고기 써는 나이프와 포크.
cárv·ing ⓝ ⓤ 조각; ⓒ 조각물;
ⓤ 고기 썰어 놓기.

cárving knife (식탁용) 고기 썰때
쓰는 큰 나이프.

:**cas·cade** [kæskéid] n., vi. (계
단 모양의) 분기(分岐) 폭포, 작은 폭
포(를 이루어 떨어지다); 현애(懸崖)식
가꾸기(의 꽃); (電) (축전지의) 직렬;
[컴] 캐스케이드.

:**case**[keis] n. ① ⓒ 경우, 사건.
② 소송. ③ (the ~) 실정, 사정. ④
ⓒ 실례, 예, 사실(a ~ in point.적
례(適例)). ⑤ ⓒ 병증(a bad (hard)
~ 난증(難症)), 환자. ⑥ ⓒ (文) (口
(口) 피차. **as is often the ~
with** …에는 흔히 있는 일이지만. **as
the ~ may be** 경우에 따라서. **be
in good ~** 어지간히 (잘) 살고 있
다. ~ **by** …하나하나, 축차(逐條)
(으)로. **drop a ~** 소송을 취하하
다. **in any ~** 어떤 경우에도, 어떻
든, 아무튼. **in ~** 만일(…할때에)
(if); …에 대비하여. **in ~ of** …한
때(경우)에는. **in nine ~s out of
ten** 십중팔구. **in no ~** 결코 …않
다. **in the ~ of** …에 관해 말하면,
…의 입장에서 말하면.

:**case**¹ [keis] n. ① ⓒ 상자, 케이스, 갑.
② (칼)집, 자루, 주머니, 통, 용기, 걸
쌔개, 외피(外被); (시계의) 뚜껑; 활
벌. ③ 활자 케이스; **upper (lower)
~** 대소(문자 케이스. —— vt.
case에 넣다(up으로), 싸 두다.

cáse·bòok n. ⓒ 판례집, 사례집.

cáse hístory [récord] 개인 경
력(力);병력(病歷).

cáse làw 판례법.

:**cáse·ment** [kéismənt] n. ⓒ (두
짝) 여닫이 창(의 한 쪽)(~ win-
dow); [詩] (一般) 창문.

cáse stúdy 사례(事例) 연구(사회
조사법의 하나).

:**cáse·wòrk** n. ⓤ 케이스워크(개인
이나 가족의 특수 사정에 따라 개별적
으로 원조·지도하는 사회사업 활동);
~er n. ⓒ 케이스워크를 하는 사
람.

:**cash** [kæʃ] n. ⓤ 현금. **be in (out
of)** ~ 현금을 갖고 있다(있지 않
다). ~ **down** 현금 즉결(卽決). ~ **in
(on)** **hand** 현금 시재. ~ **on deliv-
ery** 대금 상환 (인도)(약어 C.O.
D.), **hard** ~ 경화(硬貨). —— vt. 현
금으로 (지불)하다; 청산하다; 죽다. ~ **in
on** (口) …로 이득을 보다. ~ **in
one's checks** (美俗) 죽다.

cásh-and-cárry a. (美) (슈퍼마
켓 따위의) 현금 상환 인도의, 현금
판매제의.

cásh càrd 캐시[현금 인출] 카드.

cásh cróp 바로 현금으로 바꿀 수
있는 농작물.

cásh dispènser (英) 현금 자동
지급기.

cash·ew [kǽʃuː/-⊥] n. ⓒ 캐슈(아
메리카 열대산); 캐슈 열매는 식용.

cash·ier¹ [kæʃíər] n. ⓒ 출납[회계]
원(teller). ~ (은행의) 지배인.

cash·ier² [kæʃíər, kə-] vt. (사관·
관리를) 면직하다; 내버리다.

cash·mere [kǽʒmiər, kǽʃ-] n.
ⓤ (인도 Kashmir 지방산 염소털의)
캐시미어 천.

cásh règister 금전 등록기.

cas·ing [kéisiŋ] n. ⓒ 상자, 싸개;
포장; 창문틀; 둘러싼 테; (美) (타
이어의) 외피(外被); ⓤ 포장재료.

ca·si·no [kəsíːnou] n. (pl. ~s)
ⓒ 클럽·도박 따위를 할 수 있는 오락
장, 클럽.

cask [kæsk, kɑːs] n. ⓒ 통(barrel)
한 통의 분량.

cas·ket [kǽskit, -áː-] n. ⓒ (보석·
편지용의) 작은 상자; (美) 관(棺).

cas·sa·va [kəsɑ́ːvə] n. ⓒ [植] 카

사버《열대 식물: 뿌리의 전분으로 tapioca를 만듦》.

cas·se·role[kǽsəròul] *n.* ⓒ 뚜껑 달린 캐서롤; ⓤ 오지냄비 요리; ⓒ 《英》스튜 냄비.

cas·sette[kæsét, kə-] *n.* ⓒ 필름 통(cartridge); (보석 따위를 넣는) 작은 상자; (녹음·녹화용의) 카세트.

cas·sock[kǽsək] *n.* ⓒ (성직자의) 통상복(보통 검은색).

†**cast**[kæst, ɑː-] *vt.* 《-/-ɑː》 ① 던지다(throw); (표를) 던지다 내던지다. ② 벗어버리다. ② (광선·그림자·눈길 따위를) 던지다, (눈길을) 돌리다. ④ (나무가 덜 익은 과실을) 떨어뜨리다. 짐승이 새끼를 조산하다. 지우다. ⑤ (허물을) 벗다, (뿔을) 갈다(shed). ⑥ (녹인 금속을 거푸집에 부어) 뜨다; ⑦印 배역으로 뜨다. ⑦ 계산하다. ⑧ 배역(配役)하다. ⑨ 해고하다. ―*vi.* ① 주사위를 던지다. ② 낚시줄을 드리우다. ③ 생각〈궁리〉하다, 예상하다. ④ 계산하다. ~ *about* 생각해 보다. ~ ACCOUNT**s.** ~ *aside* (내던져) 버리다, 배척하다. ~ *away* (내) 버리다, 물리치다; 파선시키다. ~ *down* 태질을치다; 낙담시키다. ~ *off* (벗어) 던지다, (속박에서) 벗어나다; 끝내무르다. (배·뜨개를) 풀어놓다. ~ *on* 재빨리 입다. (뜨개질의 첫 코를 뜨다[잡다]. ~ *out* 내던지다, 쫓아내다. ~ *up* 던져[쳐]올리다, 합계하다(add up). ―*n.* ① ⓤ 던짐; 한 번 던짐; 사정(射程). ② 시도. ③ 거푸집(mold); 주물(鑄物), 주조. ④ 《집합적》배역. ⑤ 계산, 셈. ⑥ (생긴) 모양; 종류, 타이프. ⑦ 색조, (빛깔의) 가미. ⑧ (가벼운) 사팔뜨기(slight squint). ~ *of mind* 기질. **have a ~ in the eye** 사팔눈이다. **the last ~** 최후의 모험적 시도. ―*a.* (말 따위가) 일어설 수 없게 모양의.

cas·ta·net[kǽstənét] *n.* (보통 *pl.*) 《樂》캐스터네츠《손에 쥐고 딱딱 소리내는 두 짝의 나무》.

cást·away *a, n.* ⓒ 난파한 (사람); 버림받은 (사람).

caste[kæst, -ɑː-] *n.* ⓒ 카스트, (인도의) 사성(四姓); ⓤ 사성제도; ⓒ

《一般》 특권 계급; ⓤ 사회적 지위. **lose** ~ 영락하다.

cas·ti·gate[kǽstəgèit] *vt.* 매질하다; 징계하다; 혹평하다. **-ga·tion** [~géiʃən] *n.*

cast·ing[kǽstiŋ, -ɑː-] *n.* ⓤ 주조; ⓒ 주물(鑄物); ⓤ 《劇》배역.

cásting vóte 결정 투표(의장의 결정 투표)던 짐].

cást íron 주철(鑄鐵), 무쇠.

cást-íron *a.* 무쇠로 만든; 견고한; 불굴의; (규칙 따위) 융통성 없는.

cas·tle[kǽsl, -ɑː-] *n.* ⓒ 성; 큰 저택, 누각; (체스의) 성장(城將)(車)(車)에 해당》. ② (the C-) 《英》더블린 성, 아일랜드 정청(政廳). ~ *in the air* (*in Spain*) 공중 누각, 공상. ―**d**[-d] *a.* 성을 두른; 성으로 튼튼히 한. ~ 있는.

cást-off *a.* 벗어버린; ⓒ 버림받은 (사람[것]).

cas·tor *n.* ⓒ 양념 병(cruet); (가구 다리의) 바퀴.

cástor óil 아주까리 기름.

cas·trate[kǽstreit] *vt.* 거세하다(geld); 골자를 빼버리다(mutilate); (마땅치 않은 곳을) 삭제하다. **cas·tra·tion**[kæstréiʃən] *n.*

cas·u·al[kǽʒuəl] *a.* ① 우연의. ② 뜻하지 않은, 무심결의. ③ 되는대로의; 불확실한. ④ 태평한, 무관심한. ⑤ 임시의 노동자. ~ *labor* 임시노동. ~ *wear* 약식 평상복(산책·스포츠용 따위). ―*n.* ⓒ 임시 노동자; (*pl.*) (평상시 구별없이 신는) 캐주얼화; 임시 구제를 받는 사람들; (*pl.*) 임시병; 떠돌이. **-ize**[-àiz] *vt.* (상시 고용자를) 임시 고용자로 하다. ~ *-ly* *ad.*

cas·u·al·ty[-ti] *n.* ⓒ 상해, 재해, 재난(mishap); 사상자(병); (*pl.*) 사상자수.

cas·u·ist[kǽʒuist] *n.* ⓒ 결의론자(決疑論者); 궤변가(quibbler). ~ *-ry* *n.* ⓤ 결의론《개개의 행위들 비판하는 이론》. 궤변.

cat[kæt] *n.* ① ⓒ 고양이《고양이속(屬)의 동물《사자·표범·범 따위》. ② 메기(catfish). ③ 심술궂고 앙칼진 여자. ④ CAT-O'-NINE-TAILS. ⑤ 《연감》(열광적인) 스윙 연주가, 재즈광(狂). ⑥ 《美俗》사내 녀석(fellow). 멋쟁이 사내; 룸펜. *A ~ has nine*

lives. 《속담》 고양이는 목숨이 아홉 개 있어서 좀처럼 안 죽는다는. *A ~ may look at a king.* 《속담》 고양이도 왕에게 노려봄을 쐴 수가 있다《누구나 각자에 상당한 권리가 있다》. *CARE killed the ~. fight like ~s and dogs* 맹렬히 쓰러질 때까지 싸우다. *It is enough to make a ~ speak.* 《英》 고양이도 한 마디할 수 없을 만큼) 기막힌 맛이다《술 따위》. *It rains ~s and dogs.* 억수같이 퍼붓는다. *let the ~ out of the bag* 《口》 비밀을 누설하다. *see which way the ~ jumps* 형세를 관망하다(sit on the fence). *The ~ jumps.* 대세가 결정되다. *turn the ~ in the pan* 배신하다.

cat·a·clysm [kǽtəkliz*əm*] *n.* ① 홍수(deluge) 《각각의》 대변동; ② 《사회·정치상의》 대변혁. **-clys·mal** [kӕtəklízm*ə*l], **-clys·mic** [-mik] *a.*

cat·a·comb [kǽtəkòum] *n.* 《(보통 *pl.*)》 지하 묘지.

cat·a·falque [kǽtəfӕlk] *n.* 《C》 (장례식 때의) 영구대(靈柩臺); 영구차.

:cat·a·log(ue) [kǽtəlɔ̀:g, -làg/-lɔ̀g] *n.* 《C》 목록, 카탈로그; 《美》 (대학 등의) 편람(便覽); 《美》 목록, 카탈로그 그. — *vt.* 카탈로그로 만들다《에 올리다》; 분류하다.

ca·tal·y·sis [kətǽləsis] *n.* (*pl.* **-ses**[-sì:z]) 《U》 《化》 접촉 반응; 《유인(誘因). **cat·a·lyst** [kǽtəlist] *n.* 《C》 촉매, 접촉 반응제. **cat·a·lyt·ic** [kǽtəlìtik] *a.*

cat·a·ma·ran [kӕtəmərǽn] *n.* 《C》 뗏목; (두 척을 나란히 연결한) 쌍동선(船) 《C》 앙알거리는 여자.

‡cat·a·pult [kǽtəpὰlt] *n.* 《C》 《英》 새총, 무석기(投石機), (돌 던지는) 새총; 《空》 캐터펄트《항공기 사출 장치》. — *vi., vt.* 투석기로《새총으로》 쏘다; 발사《사출》하다.

‡cat·a·ract [kǽtərӕkt] *n.* ① 《C》 큰 폭포; 호우(豪雨), 분류(奔流), 홍수. ② 《U.C》 《醫》 (눈의) 백내장(白內障).

ca·tarrh [kətάːr] *n.* 《U》 《醫》 카타르, 《美》 감기. **—al**[-əl] *a.*

ca·tas·tro·phe [kətǽstrəfì] *n.* ① (희곡의) 대단원(*dénouement*); (비극의) 파국. ② 대이변, 큰 재변.

파멸. **cat·a·stroph·ic** [kӕtəstrάf·ik/-5-] *a.*

cát búrglar (2층 따위 높은 곳으로부터 침입하는) 도둑, 강도.

cát·càll *vi., vt.,* 야유하다. — *n.* (회의·극장 등에서 고양이 소리로) 야유하는 소리, 휘파람.

:catch [kӕtʃ] *vt.* (*caught*) ① (붙) 잡다, 붙들다; 집다, 잡다(take). ② (…하고 있는 것을) 발견하다, 보다. ③ 뒤따라 미치다, (유·행동 등을) 뒤따라 잡다. ③ (기차·버스 등을) 따라잡다. ④ (기차 등을) 때맞추다, 대다. ⑤ 올려잡다, 휘감다; (딴진 것을) 받다. ⑦ 맞(히)다, (주먹을) 먹이다(give). ⑧ (…에) 감염하다《 ~ *a bad cold* 악성 감기에 걸리다》. ⑨ 불이 붙다, 불이 옮아 번지다. ⑩ (주의를) 끌다. ⑪ 이해하다, 알다(get). ⑫ (벌을) 받다. — *vi.* ① (불)잡으려고 하다. 이해하려고 하다(*at*). ② (자물쇠가) 걸리다; 휘감기다 《(목소리가) 잠기다. ③ 불이 붙다, ④ 감염하다. *be caught in* (*the rain, a trap*) (비에) 만나다; (함정·올가미에) 걸리다. *~ as ~ can* 닥치는 대로《기를 쓰고》《뗌비다》. *~ a person a blow on the head* (아무의) 머리를 치다. *~ a person at* [*in* (*doing*)] …하고 있는 것을 붙들다《 *C-me it at it !* 난 결코 그런 일을 할 것 같아!》. *~ at* a STRAW. *~ it* 《口》 야단맞다. *C-me !* 내가 그런 일을 할 것 같아! 《口》 인기를 얻다, (연극이) 히트하다. *~ on* 《口》 인기를 얻다, (연극이) 히트하다. *~ out* 《野》 《공을 잡아 타자를》 아웃시키다. *~ up* 뒤따라 미치다《교육(互角)이 되다(*on, to, with*); (이야기하는 사람을) 방해하다, 질문을《꼬투리를 잡아》 따다(heckle), (상대방의 말을) 중도에 꺾다. *~ you later* 《口》 안녕. — *n.* ① 《U》 (붙)잡음, 포획; 포구(捕球) 포수(捕手); 《U》 캐치볼(*play* ~). ② 《C》 《口》 좋은 상태; 굴좋음, 획책, 《C》 손잡이; (문의) 잠금쇠, 함정, 지식; (목소리·숨이) 걸림. ④ 《C》 《樂》 윤창곡(輪唱曲). *by ~es* 때때로, 가끔, 토막토막. *~ is ~ not much of a ~* 대단치 않은 포획, 별 볼 일 없다.

cátch·àll *n.* 《C》 잡동사니 넣는 그릇, 잡낭; 포괄적인 것.

catch·er[kǽtʃər] *n.* ⓒ 잡는 사람[도구], 【野】 포수, 캐처.

catch·ing[kǽtʃiŋ] *a.* 전염성의; 마음을 빼앗는.

catch·ment[kǽtʃmənt] *n.* ⓤ 집수(集水); ⓒ 집수량(*a ~ area* 집수지역, 유역); 저수지.

cátch phrase 주의를 끄는 문구, 캐치프레이즈, 표어.

cátch-22[kǽtʃtwèntitú:] *n.* ⓒ 《俗》(희생자는 도·상반되지 못하는) 딜레마, 곤경(H. Heller의 작품에서).

catch·y[kǽtʃi] *a.* 외우기 쉬운; 매력있는; 미혹시키는.

cat·e·chism[kǽtəkìzm] *n.* ⓒ 교리 문답서; 문답집; 연속적 질문. **-chist** *n.* ⓒ 문답 교수자; 전도사.

cat·e·gor·i·cal[kæ̀təgɔ́:rikəl/-ɔ́-] *a.* 범주(範疇)의; 절대적인, 무조건의; 명백한; 【論】 단언적인. **~·ly** *ad.* **~·ness** *n.*

cat·e·go·ry[kǽtəgɔ̀:ri/-gəri] *n.* ⓒ 부류, 부문(class); 【論】 범주.

ca·ter[kéitər] *vi.* 음식을[식사를] 조달하다, 제공하다(*for*); 오락을 제공하다(*for, to*). **~·er** *n.* ⓒ 음식[식사] 제공자; 음식경[다망] 경영자.

cat·er·pil·lar[kǽtərpìlər] *n.* ⓒ ① 모충(毛蟲), 풀쩍기기. ② 욕심꾸러기. ③ 무한궤도.

cat·er·waul[kǽtərwɔ̀:l] *vi.* (고양이가) 야옹하며 울다. 으르렁대다. — *n.* ⓒ 고양이의 울음 소리.

cát·fish *n.* ⓒ 【魚】 메기기.

cát·gut *n.* ⓒ (현악기나라켓의) 줄, 장선, 거트.

ca·thar·sis[kəθá:rsis] *n.* ⓤⓒ 【醫】 (위·장(腸)의) 세척(洗滌), 배변(排便); 【精】카타르시스, 정화(淨化) (emotional relief)《결작 비극 등이 끼치는 감동》.

Cath. cathedral; catholic.

ca·thar·tic[kəθá:rtik], **-ti·cal** [-əl] *a.* 하제(下劑)의. — *a.* 통리 (通利)의, 설사의.

ca·the·dral[kəθí:drəl] *n.* ⓒ (cathedra가 있는) 대성당; 대회당.

cath·e·ter[kǽθitər] *n.* ⓒ 【醫】 카테터, 도뇨관(導尿管). **~·ize**[-ràiz] *vt.* (…에) 카테터를 꽂다.

cath·ode[kǽθoud] *n.* ⓒ 【電】 (전

해조·전자판의) 음극(opp. anode); (축전지 따위의) 양극.

cáthode-ráy tùbe 브라운관.

cath·o·lic[kǽθəlik] *a.* 전반(보편)적인; 도량(속)이 넓은, 관대한; (C-) 가톨릭[천주]교의. — *n.* (C-) 가톨릭 교도; 구교도. *** Ca·thol·i·cism**[kəθálisizm/-ɔ́-] *n.* ⓤ 가톨릭[천주]교의 교의·신앙·조직》. **~·i·ty**[kæ̀θáləsiti] *n.* ⓤ 보편성; 관용; 도량; (C-) = CATHOLICISM.

Cátholic Chúrch, the (로마) 가톨릭 교회.

cat·kin[kǽtkin] *n.* ⓒ 【植】 (버드나무 따위의) 유제화서(柔荑花序).

cát·mint *n.* 《英》= CATNIP.

cat·nap *n., vi.* (*-pp-*) 겉잠[풋잠](을 들다).

cát·nip *n.* ⓒ 【植】 개박하.

càt-o'-níne-tàils *n.* ⓒ 《sing. & pl.》 아홉 가닥 끈 채찍.

cát's crádle 실뜨기 (놀이).

cát's-éye *n.* ⓒ 묘안석(猫眼石); 야간 반사 장치《횡단 보도 표지·자전거 후미(後尾) 따위의》.

cat·tle[kǽtl] *n.* 《집합적; 복수 취급》 ① 《美》 소, 축우. ② 《稱》 가축 (livestock). ③ (사람을 경멸적으로) 개새끼들.

cat·ty[kǽti] *a.* 고양이 같은; (여성의 언동 등이) 교활한.

cát·walk *n.* ⓒ 좁은 도로.

Cau·ca·sia[kɔːkéiʒə, -ʃə/-zjə] *n.* 코카서스《흑해와 카스피해와의 중간 지방》. **~n**[-n] *a., n.* 코카서스의; ⓒ 코카서스 사람(의); 백인(의).

cau·cus[kɔ́:kəs] *n.* ⓒ 《집합적》 (정당 따위의) 간부회(를 열다).

caught[kɔ:t] *v.* catch의 과거·과거분사.

caul·dron[kɔ́:ldrən] *n.* = CALDRON.

cau·li·flow·er[kɔ́:ləflàuər] *n.* ⓒ 【植】 콜리플라워《양배추의 일종》.

cáuliflower éar (권투 선수 등의 상한) 찌그러진 귀.

caus·al[kɔ́:zəl] *a.* 원인의, 인과를 나타내는. **~·ly** *ad.*

cau·sal·i·ty[kɔ:zǽləti] *n.* ⓤ 인과관계, 인과 관계; **law of ~** 인과율.

cau·sa·tion[kɔ:zéiʃən] *n.* ⓤ 원인

(이 됨); 인과 관계; 결과를 낳음.
law of ~ 인과율.

caus·a·tive [kɔ́ːzətiv] *a.* 원인이 되는, 일으키는(*of*); 〖文〗 사역의. — *n.* < **vérb** 사역 동사(make, let, get 따위). **~·ly** *ad.* 원인으로서; 사역적으로.

†**cause** [kɔːz] *n.* ① Ⓤⓒ 원인; Ⓤ 이유, 동기(*for*). ② Ⓒ 소송(의 사유); 사건; 문제. ③ Ⓒ 대의(大義), 주의, 주장; 명분; 운동. **in the ~ of** …을 위해서. **make common ~ with** …와 협력하다. …에(의) 편들다. **plead a ~** 소송의 이유를 개진하다. **the first ~** 제일 원인; (the F- C-) 조물주, 하느님. — *vt.* 야기시키다…시키다(~ *him to do*..). **~·less** *a.* 이유(원인) 없는, 우발적인. **~·less·ly** *ad.*

cause·way [kɔ́ːzwèi] *n.* Ⓒ (늪지 따위 사이의) 두렁길; (높인) 인도.

caus·tic [kɔ́ːstik] *a.* 부식성의(corrosive); 가성(苛性)의; 신랄한, 빈정대는. ~ **silver** 질산은(窒酸銀). — **soda** 가성소다. — *n.* Ⓤⓒ 부식제(劑); 빈정댐.

cau·ter·ize [kɔ́ːtəraiz] *vt.* (달군 쇠나 바늘로) 지지다; 마비시키다. 질하다; 부식시키다. **-i·za·tion** [kɔ̀ːtərizéiʃən] *n.*

:**cau·tion** [kɔ́ːʃən] *n.* ① Ⓤ 조심(스러움), 신중함. ② Ⓒ 경계, 경고. ③ (a ~) 〖口〗 묘한 녀석; 야릇한(기발한) 것. — *vt.* (…에게) 경고(충고)하다. **~·ar·y** [-ʃ̀eri/-əri] *a.* 경고의, 교훈의.

:**cau·tious** [kɔ́ːʃəs] *a.* 조심스러운, 신중한. *~·ly* *ad.* **~·ness** *n.*

cav·al·cade [kævəlkéid] *n.* Ⓒ 기마 행렬(행진); 행렬, 퍼레이드.

*:**cav·a·lier** [kævəlíər] *n.* Ⓒ ① 기사. ② (귀부인의) 시중 드는 남자, 춤 상대; 명랑하며 스마트한 군인; 싸 낭한 남자; 정중한 신사. ③ (C-) (Charles 1세의) 왕당원. — *a.* 무 관심한, 돈만무심의; 거만한. **~·ly** *ad.*, *a.* 기사답게(다운).

†**cav·al·ry** [kævəlri] *n.* Ⓤ (집합적) 기병(대).

†**cave** [keiv] *n.* Ⓒ 굴, 동굴; (토지의) 함몰; 〖俗〗 어두운 방. — *vi., vt.* 동

ca·ve·at [kéiviæt] *n.* (L.) Ⓒ 경고; 〖法〗 절차 정지 신청.

càveat émp·tor [-émptɔːr] (L.) 〖商〗 매주(買主)의 위험 부담.

cáve-ìn *n.* Ⓒ 함몰(지점).

cáve màn 혈거인; 야인.

cav·ern [kævərn] *n.* Ⓒ 동굴, 굴 (large cave). **~·ous** *a.* 동굴이 많은; 움푹 들어간(볼).

cav·i·are [kæviàːr, ⏤] *n.* Ⓤ 철갑상어의 알젓; 진미. ~ **to the general** 너무 고상해서 세속에 안 맞는 것.

cav·il [kævil] *n., vi.* (英) -*l*-, -*ll*-) 흠[탈]잡음, 흠[탈]잡다(carp)(*at, about*).

cav·i·ty [kævəti] *n.* Ⓒ 움푹 팬 곳, 구멍, 굴; 〖解〗 (강(腔).

ca·vort [kəvɔ́ːrt] *vi.* 〖美口·英俗〗 껑충거리다, 뛰다; 활약하다.

caw [kɔː] *n.* Ⓒ (까마귀가) 까악 울다. — *n.* Ⓒ 까마귀 우는 소리.

cay·enne [keién, kai-] *n.* Ⓒ 고추.

cayénne pépper = ⇧.

C.B. Companion of the Bath.
CBC Canadian Broadcasting Corporation.
C.B.S. Columbia Broadcasting System. **C.C.** carbon copy. **CC, C.C.** cubic centimeter(s). **CD** Compact disc. **Cdr.** Commander. **CD-ROM** compact disc read-only memory. **C.E.** Church of England.

†**cease** [siːs] *vi., vt.* 그치다, 그만두다, 멈추다, 중지하다. — *n.* Ⓤ 중지, 중단. *without ~* 끊임없이.

céase-fíre *n.* Ⓒ 정전(停戰).

cease·less [síːslis] *a.* 끊임없는. *~·ly* *ad.* 끊임없이.

†**ce·dar** [síːdər] *n.* Ⓒ 〖植〗 (히말라야) 삼목.

cede [siːd] *vt.* (권리 따위를) 이양하다, 양도하다.

†**ceil·ing** [síːliŋ] *n.* Ⓒ ① 천장(널). ② 한계; 〖空〗 상승 한도.

cel·e·brant [séləbrənt] *n.* Ⓒ (미사) 집행 사제(司祭); 축하자.

:**cel·e·brate** [séləbrèit] *vt.* ① (의

식 따위를) 거행하다(perform); 경
축하다. ② 찬양(찬미)하다; 기리다.
— vi. 식을 거행하다, 홍청거리며 떠
들다. **:-brat·ed**[-id] a. 유명한.
-bra·tor[-ər] n. ⓒ 축하하는 사람.
:-bra·tion[~bréiʃən] n. ⓒ 축하;
칭찬; ⓒ 축전, 의식.

ce·leb·ri·ty[səlébrəti] n. ⓤ 명성
(fame); ⓒ 명사(名士).

ce·ler·i·ty[səlérəti] n. ⓤ 빠르기;
속도; 신속.

cel·er·y[séləri] n. ⓒ [植] 셀러리.

ce·les·tial[səléstʃəl] a. 하늘의; 천
상(天上)의; 신성한. ～ **body** 천체.
— n. ⓒ 천인, 천사; (C-) 중국인.
～**ly** ad.

cel·i·ba·cy[séləbəsi] n. ⓤ 독신
생활.

cel·i·bate[séləbit] a. 독신의, 독신주
의의; ⓒ 독신자(주의자).

cell[sel] n. ① ⓒ 작은 방, (교도소의)
독방; [詩] 무덤, ② (벌집의) 봉
방. ③ 전지(電池). ④ [化] 전해조(電解
槽). ④ [生] 세포; (정치단체의) 세
포. ⑤ [컴] 낱칸, 셀(비트 기억 소
자).

cel·lar[sélər] n. ① ⓒ 지하실, 땅
광. ② ⓒ 포도주 저장실. ③ ⓤ 저
장 포도주. **from ～ to attic** 집안
구석구석까지. **keep a good
[small] ～** 포도주의 저장이 많다[적
다]. ～**age**[séləridʒ] n. ⓤ(집합
적) 지하실(cellars); 지하실 사용료.

cel·list[tʃélist] n. ⓒ 첼로 연주가.

cel·lo[tʃélou] n. (pl. ～**s**) ⓒ 첼로
(violoncello의 단축).

cel·lo·phane[séləfèin] n. ⓤ 셀
로판.

cel·lu·lar[séljələr] a. 세포로 된,
세포(모양)의; 구획된.

céllular phóne [**télephone**]
소형 휴대 이동 전화기.

cel·lu·loid[séljəlɔ́id] n. ⓤ 셀룰로
이드, 영화. — a. (美) 영화의.

cel·lu·lose[séljəlous] n. ⓤ 섬유
소(素).

Celt[selt, k-] n. ⓒ 켈트 사람.
(the ～s) 켈트족(Ireland, Wales,
Scotland 등지에 삶). **Célt·ic** n.,
a. ⓤ 켈트말(의), 켈트족의.

ce·ment[simént] n. ⓤ 시멘트; 접

합제; (우정 따위의) 유대. — vt., vi.
접합하다, 결합하다(unite); (우정
따위를) 굳게 하다.

cem·e·ter·y[sémətèri/-tri] n. ⓒ
공동묘지, 매장지(graveyard).

cen·o·taph[sénətæf, -à:-] n. ⓒ
기념비; (the C-) (런던의) 세계대전
영령 기념비.

cen·sor[sénsər] n. ① ⓒ (고대 로
마의) 감찰관. ② ⓒ 검열관; 풍기 단
속원, 가나물게 구는 사람. ③ [精
神分析] 잠재의식 억압력(censor-
ship). — vt. 검열하다. **＊** ～**·ship**
[-ʃip] n. ⓤ 검열; 검열관의 직(무).
＝CENSOR.

cen·so·ri·ous[-riəs] a. 잔소리가
심한, 가다로운; 흑평하는(hyper-
critical). ～**ly** ad.

cen·sure[sénʃər] n. ⓤ 비난, 견
책, 흑평, **hint ～ of** …을 풍자하
다. — vt. 비난하다(blame), 견책
하다(reprimand); 흑평하다. **cén-
sur·a·ble** a. 비난할(만한).

cen·sus[sénsəs] n. ⓒ 국세(인구)
조사.

cent[sent] n. ⓒ 센트(美국과 캐나
다의 화폐 단위; 1센트 동전; 백분의
1달러). **feel like two ～s** (美) 부
끄럽다.

cen·taur[séntɔːr] n. ⓒ [그神] 말
인반人(半人牛半馬)의 괴물; (the C-)
[天] 켄타우루스 자리.

cen·te·nar·i·an[sèntənɛ́əriən/
-nɛ́ər-] a., n. ⓒ 백살의 (사람).

cen·te·nar·y[sénténəri, sént`ən`èri-
séntiːnəri] a. 백년의, 백 년(마다)의.
— n. ⓒ 백년간; 백 년제(祭).

cen·ten·ni·al[senténiəl] a. 백년
제(祭)의; 백 년(마다)의, 백 살[세]
의; ② ⓒ 백년제. ～**ly** ad. 백
년마다.

cen·ter, (美) -tre[séntər] n. ①
(보통 the ～) 중심, 중앙; 핵심,
중추. ② ⓒ 중심지[인물]. ③ ⓤ
[政] 중간파. **catch on (the)
～** (野) (미스톤이) 중앙에서 서다:
(比) 이러저도 저러지도 못 하게되다.
～ **field** [野] 센터(필드), ～ **of
gravity** 중심(重心). — vt., vi. 집중
하다(in, at, on, about, around)

cénter·fòld n. ⓒ (잡지 따위의)

cénter·piece *n.* ⓒ 식탁 중앙에 놓는 장식물(유리 세공품, 레이스 따위), (천장의) 중앙부 장식.

cen·ti- [sénti-, -tə] '100, 100분의 1'의 뜻의 결합사.

cénti·gràde *a.* 백분도의; 섭씨의(생략 C.).

cénti·gràm, (英) -gràmme *n.* ⓒ 센티그램.

cénti·liter, (英) -tre *n.* ⓒ 센티리터.

cénti·mètre, (英) -tre *n.* ⓒ 센티(미터).

cen·ti·pede [-pìːd] *n.* ⓒ 지네.

cen·tral [séntrəl] *a.* 중심의(center)의; 중앙의; 주요한. ── *n.* ⓒ 《美》 전화 교환국; 교환수(operator). **~·ly** *ad.* 중심으로.

céntral bánk 중앙 은행.

céntral héating 중앙 난방 (장치).

cen·tral·ism [-lizəm] *n.* ⓒ 중앙 집권[주의].

cen·tral·ize [séntrəlàiz] *vt., vi.* 집중하다; 중앙 집권화하다. **-i·za·tion** [‐izéi‐/‐làiz‐] *n.* Ⓤ 중앙 집권; (인구 등의) 집중(*urban* ~; 도시 집중).

céntral nérvous sÿstem [解] 중추 신경계.

céntral prócessing únit [컴] 중앙 처리 장치(생략 CPU).

céntral reservátion 《英》 (도로의) 중앙 분리대.

cen·tre [séntər] *n., v.* 《英》 =CENTER.

cen·trif·u·gal [sentrífjəgəl] *a.* 원심(성)의(opp. centripetal).

centrífugal fórce 원심력.

cen·tri·fuge [séntrəfjùːdʒ] *n.* ⓒ 원심 분리기(機).

cen·trip·e·tal [sentrípətl] *a.* 구심(성)의(opp. centrifugal).

cen·trist [séntrist] *n.* ⓒ 중도파(당원·의원); 온건파.

cen·tu·ri·on [sentjúəriən] *n.* ⓒ (고대 로마의) 백인대장(百人隊長).

cen·tu·ry [séntʃuri] *n.* ① ⓒ 세기, 백년, ② 백년간; (고대 로마의) 백인대(隊) ③ 《美俗》 백 달러(지폐).

ce·ram·ic [səræmik] *a.* 도(자)기제의, 제도(製陶)술의. ── *n.* ⓒ 요업 제품. **── s** *n.* Ⓤ 제도술[업]; (복수 취급) 도자기.

ce·re·al [síəriəl] (《Ceres》) *a.* 곡물의. ── *n.* (보통 *pl.*) 곡물(류); Ⓤ 《美》 곡물식품(오트밀 따위).

cer·e·bral [sérəbrəl, sərí:-] *a.* 뇌의; 대뇌(cerebrum)의. **~ anémia** 뇌빈혈.

cer·e·brum [sérəbrəm, sərí:-] *n.* (*pl.* **~s, -bra**) (L.) ⓒ 대뇌.

cer·e·mo·ni·al [sèrəmóuniəl] *n., a.* 의식(의); ── 의. **~·ly** *ad.*

cer·e·mo·ni·ous [-niəs] *a.* 격식 (형식)을 차린, 딱딱한(formal). **~·ly** *ad.*

cer·e·mo·ny [sérəmòuni/-məni] *n.* ① ⓒ 식, 의식. ② ⓒ 예의, 격식, 딱딱함(formality). *Master of Ceremonies* 사회자(생략 M.C.). 의전(儀典)관. *stand on [upon]* ~ 격식 차리다; 스스럼있다하다. *with* ~ 격식을 차려. *without* ~ 스스럼 없이; 마음 편히.

ce·rise [sərí:s, -z] *n., a.* (F.) Ⓤ 연분홍(의).

CERN (F.) *Conseil Européen pour la Recherche Nucléaire* 유럽 원자핵 공동 연구소.

cert [sə:rt] *n.* ① Ⓤ《英俗》확실함.

cer·tain [sə́:rtən] *a.* ① 확실한 (sure). ② 틀림없이 ──하는. ③ 확신한(convinced; of; that). ④ 신뢰할(믿을) 수 있는. ⑤ (어떤) 일정한, 정해진(fixed). ⑥ 어떤(some). *for* ~ 확실히. *make ~ of* 의 확인 [다짐]하다. †**~·ly** *ad.* 확실히; ① (대답에서) 알았습니다; 물론입니다; 그렇고 말고요. *~·ty n.* 확실; 확실한 것(for, of). *to a ~ty* 확실히.

cer·tif·i·cate [sərtífəkit] *n.* ⓒ 증명서, 면허(중); 증서; 주권. *a ~ of birth [health, death]* 출생 [건강, 사망] 증명서. ── [-kèit] *vt.* 에──의 증명서를 [면허장을] 주다.

cer·ti·fi·ca·tion [sə̀:rtəfəkéiʃən] *n.* Ⓤ 증명, 검정; 증명서 교부, 면허(중).

cer·ti·fied [sə́:rtəfàid] *a.* 증명된 보증된. **~ chéck** 지불 보증 수표.

~ **milk** (공인 기준에 맞는) 보증 우유. ~ **public accountant** 《美》 공인 회계사《생략 C.P.A.》(cf. 《英》 CHARTERed accountant). **~fi·a·ble**[-əbl] a. 증명[보증]할 수 있는. **-fi·er**[-ər] n. 증명자.

cer·ti·fy[sə́ːrtəfài] vt., vi. (정당성·자격 따위를) 증명하다. 보증하다; 《美》지불을 보증하다.

cer·ti·tude[sə́ːrtətjùːd] n. ① 확신(conviction); 확실(성).

cer·vi·cal[sə́ːrvikəl] a. 목의, 경부(頸部)의.

ce·si·um[síːziəm] n. U 《化》세슘《금속 원소; 기호 Cs》.

ces·sa·tion[seséiʃən] n. U.C 중지, 휴지(ceasing). **~ of diplomatic relations** 외교 관계 단절. **~ of hostilities** 《arms》 휴전.

cess·pit[séspìt] n. U 쓰레기 버리는 구멍; 《英》 쓰레기구덩.

cess·pool[séspùːl] n. U 구정물 웅덩이; 더러운 곳.

cf.[síːéf, kəmpɛ́ər] confer (L.= compare). **CFC** chlorofluorocarbon. **ch.** (pl. Chs., chs.) chapter.

cha-cha(-cha)[tʃáːtʃàː(tʃáː)] n. C 《樂》 차차차《서인도 제도의 4분의 2박자 빠른 무도곡》. **hot cha-cha** 핫차차차《차차차보다 속도가 빠른 재즈곡》.

chafe[tʃeif] vt. ① (손을) 비벼서 녹이다. ② (쓸려서) 벗어지게[닳게] 하다. ③ 성나게 하다. ― vi. ① 벗겨지다. ② 성나다(at). ③ 몸을 비비다(rub)(against). **~ under** ~으로 짜증을 내다. ― n. ① 찰과상 (의 아픔). ② (a ~) 짜증(fret). **in a ~** 성내어, 애가 달아서.

chaff[tʃæf/-ɑː] n. U ① (왕)겨; (말렸어) 여물. ② 쭉정이, 시시한 것. ③ 레이더 탐지 방해용 금속편. **be caught with ~** 쉽게 속다. **~·y** a. 겨가 많은, 겨 같은; 시시한.

cháff-cùtter n. C 작두.

cháf·finch[tʃǽfintʃ] n. C 《鳥》 되새의 일종.

cha·grin[ʃəgrín/ʒǽgrin] n. U.C 분함, 유감. ― vt. (보통 수동태로) 분하게 하다. **be ~ed** 분해하다.

†**chain**[tʃein] n. C ① (쇠)사슬; 연쇄, 연속. ② (보통 pl.) 속박, 굴레, 구속; 구속물; 족쇄. ③ 《測量》 측쇄 (의 길이)《측량용 쇠사슬; 기술者은 100피트, 공학者은 66피트, 기술者은 100피트》. ④ 연쇄점 조직. ⑤ 《化》 원자의 연쇄; 연쇄 반응. ⑥ 《컴》 사슬. **in ~s** 감옥에 갇혀. ― vt. (쇠)사슬로 연결하다; 구속[속박]하다; 투옥하다.

cháin gàng 《美》 (호송 중의) 한 사슬에 매인 죄수.

cháin lètter 행운의 (연쇄) 편지.

cháin máil 사슬[미늘] 갑옷.

cháin reáction 《理》 연쇄 반응.

cháin-smòke vi. 줄담배 피우다.

cháin smòker 줄담배 피우는 사람[담].

cháin stòre 《美》 연쇄점, 체인 스토어.

†**chair**[tʃɛər] n. C ① 의자(cf. stool). ② (대학의) 강좌; 대통령 [지사·사장]의 자리; (the ~) 의장 [교수]석(席)[직], 의장. ③ 《美》 전기 (사형) 의자. **appeal to the ~** 의장에게 채결(採決)을 요청하다. **escape the ~** 《美》 사형을 모면하다. **~ socialism** (실천적으로 못되는) 강단 사회주의. **take a ~** 착석하다. **take the ~** 의장석에 앉다. 개회[사회]하다. ― vt. 의장[직]에 앉히다; 의자에 앉히어 메고 다니다.

cháir lìft 체어 리프트《등산·스키 따위의 사람을 산 위로 나르는》.

chair·man[-mən] n. C 의장, 사회자, 위원장. **~·ship**[-ʃìp] n. chairman의 지위[신분·자격].

cháir·wòman n. (pl. **-women** [-wìmin]) C 《主로 美》 여(女)의장 [위원장], 사회자《호칭은 Madame Chairman》.

chaise longue[ʃéiz-lɔ́ːŋ/-lɔ́ːŋg] (F.) 긴 의자의 일종.

cha·let[ʃælei, ⁄ˈ⁄] n. C 《스위스 산중의》 양치기의 오두막; 스위스풍 농가.

chal·ice[tʃǽlis] n. C 성작(聖爵) 《굽 달린 큰 잔》; 《詩》 잔 (모양의 꽃) 《나리 따위》.

†**chalk**[tʃɔːk] n. U.C 분필; 《白堊》(질), **by a long ~, or by long ~s** 《口》 훨씬이(by far). (He

does) not know ~ from cheese. 선악을 분간하지 못 하다. — *vt.* 분 필로 쓰다[문지르다]. ~ **out** 윤곽을 그리다[설계하다]. ~ **up** [득점을]기록하다. **~·ly** *a.* 백악(질) 의.

chálk·bòard *n.* ⓒ (美) 칠판.

:chal·lenge[tʃǽlindʒ] *n.* ① ⓒ 도전(장): 결투의 신청. ② ⓒ (보초 등의) 수하. ③ ⓒ 이의의 신청. ④ ⓤ 【法】기피. — *vt.* ① 도전하다, (싸움을)걸다: (시합을)신청하다. ② 수하하다. ③ (주의를)촉구하다. ④ (이의를)말하다: 기피하다. ~ **attention** 주의를 끌다: 주의를 요하다. ~ **(a person) to** a **duel** 결투를 신청하다. **chál·leng·er** *n.* **chál·leng·ing** *a.*

:cham·ber[tʃéimbər] *n.* ① ⓒ 방: 침실. ② ~ 의 회의실. ③ (*pl.*) 변호사(판사) 사무실. ④ 【解】 (몸 내의) 소실(小室). ⑤ (총의) 약실. ⑥ (the ~) 의원(議院)의회. ~ **of commerce** (agriculture) (농업) 회의소. **the upper** (lower) ~ 상(하)원.

chámber cóncert 실내악 연주회.

:cham·ber·lain[-lin] *n.* ⓒ 시종, 집사(執事) (steward): (시)(市)의 출납 공무원.   **Lord C-** (of the **Household**) (英) 의전 장관. **Lord Great C-** (of Great Britain) (英) 시종 장관.

chámber·màid *n.* ⓒ 하녀, 시녀.

chámber músic (**òrchestra**) 실내악(악단).

chámber pòt 침실용 변기.

cha·me·le·on[kəmíːliən, -ljən] *n.* ⓒ 카멜레온; 변덕쟁이.

cham·ois[ʃǽmi/ʃǽmwɑː] *n.* (*pl.* ~, **-oix**[-z]) ⓒ 영양(羚羊)(의 무리): [[ʃǽmi] 섀미 가죽(영양·사슴·염소 따위의 부드러운 가죽).

cham·o·mile[kǽməmàil] *n.* = CAMOMILE.

champ[tʃæmp] *vt., vi.* 어적어적 씹다: (말이 재갈을) 우적우적 씹다.

champ² *n.* (俗) = CHAMPION.

:cham·pagne[ʃæmpéin] *n.* ⓤ 샴페인.

:cham·pi·on[tʃǽmpiən] *n.* ⓒ ①

투사: (주의의) 옹호자(*for*). ② 우승자, 챔피언, 선수권 보유자. — *vt.* (…을) 대신해 싸우다, 옹호하다. — *a.* 일류의, 선수권을 가진, 득의 있는(*at*). ② 지독한(바보). **:~·ship** [-ʃip] *n.* ⓒ 선수권: 우승; ⓤ 옹호.

:chance[tʃæns/-ɑː-] *n.* ① ⓒ 기회, 호기. ② ⓤ 우연, 운; ⓒ 우연한 일, 공산; ⓒ 가망(성), 승산, 가능성. **by any** ~ 만일. **by** ~ 우연히(accidentally). **even** ~ 반반의 가망성. **game of** ~ 운에 맡긴 승부. **on the** ~ **of (that)** …을 기대[예기]하고. **take** ~**s (a** ~) 운명에 맡기고 해보다. **take one's** (~) (…을) 무릅쓰고 해 보다, 추세에 내맡기다. **the main** ~ 절호의 기회. — *a.* 우연의(casual). ~ **customer** 뜨내기 손님. ~ **resemblance** 남남끼리 우연히 닮음. — *vi.* 우연히 발생하다, 공교롭게(도) …하다(happen). — *vt.* 운에 맡기고 해보다. ~ **on** (**upon**) 우연히 만나다(발견하다).

chan·cel[tʃǽnsəl/-ɑː-] *n.* ⓒ 성단소(聖壇所), 성상 안치소.

chan·cel·ler·y[tʃǽnsələri] *n.* ⓒ chancellor의 직(관청); 대사관(영사관) 사무국.

chan·cel·lor[tʃǽnsələr/-ɑː-] *n.* ⓒ ①(美) 여러 고관의 칭호인(장관·대법관·상서(尚書) 등). ② (독일의) 수상. ③ (英) (대학의) 명예 총장. ④ 대사관 1등 서기관. **Lord** (**High**) **C-** (英) 대법관. **the C- of the Exchequer** (英) 재무 장관. **~·ship** [-ʃip] *n.*

chan·cer·y[tʃǽnsəri] *n.* ⓒ (美) 형평법(衡平法) 재판소(court of equity): (the ~) (英) 대법관청: ⓤ 기록소. **in** ~ 형평법 재판소에서 (소송 중인): [拳] 머리가 상대 겨드랑이에 낌: 진퇴 양난이 되어.

chan·de·lier[ʃæ̀ndəlíər] *n.* ⓒ 상들리에.

chan·dler[tʃǽndlər/-ɑː-] *n.* ⓒ 양초 제조인; 양초 상인; 잡화상; **~·y** ⓒ 양초 창고; 잡화점; ⓤ

잡화점.

:**change** [tʃeindʒ] *vt.* ① 변하다, 바꾸다(*into*), 고치다. ② 바꿔지다, 갈다. ③ 환전(換錢)하다; 전도으로 바꾸다; (수표를) 현금으로 하다. ④ 갈아타다(~ *cars*); 갈아입다. — *vi.* ① 변하다, 바뀌다. ② 갈아입다; 바뀌타다. ③ 교대하다. ~ *about* (지위 등이) 바뀌다. ~ *at* …에서 갈아타다. ~ *for* …행으로 갈아타다. ~ *(a £5 note) for gold* (5파운드 지폐를) 금화로 바꾸다. ~ *into* …으로 갈아타다. ② 변화하다. *n.* ① [U.C] 변화, 변경, 변천; 바꿈, 갈아입음, 갈아탐, 전기(轉機). ② [U] 거스름 돈, 잔돈. ③ [C] (보통 *pl.*) [樂] 편종(編鐘)을[종소리를] 다르게 침; 조바꿈, 전조(轉調). ④ (C-) [商] (상업의) 거래소('Change라고도 함). ~ *of air* 전지 요양. ~ *of cars* 갈아탐. ~ *of clothes* 갈아입음. ~ *of heart* 변심, 전향. ~ *of life* (여성의) 갱년기. *for a* ~ 변화를[기분 전환을 위해], ring the ~*s* 여러 가지 명종법(鳴鐘法)을 시도하다가; 이리저리 해 보다. *small* ~ 잔돈; 쓸데 없는 것. *take the* ~ *out of* (a person) (…에게) 대갚음하다. ~*ful a.* 변덕 많은.

:**change·a·ble** [tʃeindʒəbl] *a.* 변화하기 쉬운, 불안정한, 변덕스러운(fickle); 가변성의. ~**·ness** *n.* **·bly** *ad.* **-bil·i·ty** [∼bíləti] *n.*

:**change·less** [tʃeindʒlis] *a.* 변화 없는, 불변의; 단조로운. ~**·ly** *ad.*

change·ling [tʃeindʒliŋ] *n.* ① [C] 바꿔친 아이(요정이 예쁜 아이 대신 두고 가는 못생긴 아이 따위); 저능아.

change·over [∼òuvər] *n.* (정책) 전환; 개작(改作).

chan·nel [tʃænl] *n.* ① [C] 수로, 해협, 강바닥, 하상(河床). ② (문지방 등의) 홈(groove). ③ 루트, 경로, 경로(*through the proper* ∼ 정당한 경로로); 계통, (수송의) 수단. ④ [放] 통신로(路); 계통, (수송의) 수단. ④ [放] 통신로(路); 채널(일정한 주파대(帶)). ⑤ [컴] 채널(the *English C-* 영국 해협). — *vt.* (英) **-l-**) (…에) 수로를 트다(열다); 홈을 파다.

:**chant** [tʃænt/-ɑ:-] *n.* ① 노래. (기도서의) 성가; 영창(詠唱). ② (억)

양 없는) 음영조(吟詠調); 단조로운 애기투. — *vt., vi.* ① 노래하다(sing). ② 읊다, 단조롭게 이야기하다. 되풀이하여 말하다. ③ 기러아 노래하다; 크게 찬양하다. ~ *the praises of* …을 되풀이하여 칭찬하다. ~**·er** *n.* ① 가수, 성가대원[장].

chant·(e)y [ʃénti, tʃén-] *n.* (뱃사람의) 노래(일할 때 가락 맞추는).

cha·os [kéiɑs] *n.* [U] ① (천지 창조 이전의) 혼돈, ② 혼란 (상태); 무질서. ***cha·ot·ic** [keiɑ́tik/-5-] *a.*

chap [tʃæp] *n.* (口) 놈, 녀석.

chap[2] [tʃæp] *n.* (보통 *pl.*) (살갗의) 틈, 터짐. (목재·지면의) 갈라진 틈. — *vt., vi.* (**-pp-**) (추위로) 트(게 하)다.

chap. chapter.

chap·el [tʃǽpəl] *n.* ① [C] (학교·관저 따위의) 부속 예배당(cf. church; chaplain). ② (英) 국교회 이외의 교회당. ③ [U] (대학에서의) 예배(에의 참석).

chap·er·on(e) [ʃǽpəròun] *n., vt.* ① 샤프롱(사교 석상에 나가는 아가씨에 붙어다니는 (나이 지긋한) 부인); (…에) 붙어 다니다. **-on·age** [-idʒ] *n.* [U] 샤프롱 노릇.

chap·lain [tʃǽplin] *n.* [C] 목사(chapel 전속의); 군목(軍牧).

chap·let [tʃǽplit] *n.* [C] 화관(花冠); [가톨릭] (rosary 의 3분 1 길이의) 묵주(默珠).

:**chap·ter** [tʃǽptər] *n.* [C] ① (책의) 장(章). ② 부분; 한 구간, 한 시기; 연속. ③ (조합의) 지부. ④ (英) 성 직자단(의 집회). ~ *and verse* 출처, 전거(典據)(성서의 장과 절(verse)에서); (사고의) ~ *of (accidents)* (사고)의 연속. *read* (a person) *a* ∼ 설교하다. *to the end of the* ∼ 최후까지.

chápter hòuse (cathedral 부속의) 참사회 집회소; (美) 학생 회관(대학의 fraternity나 sorority의 지부 회관).

char [tʃɑːr] *n.* [C] 숯, 목탄; [C] 까맣게 탄 것. — *vt., vi.* (**-rr-**) 숯으로 굽다; (새까맣게) 태우다(burn).

char-à-banc [ʃǽrəbæŋk] *n.* (F.) 대형 유람 버스(charabanc).

:**char·ac·ter** [kǽriktər] *n.* ① [U.C]

인격, 성격; 특질, 특징. ⑤ ⓒ 인물. ③ ⓤ[C] 평판; 명성. ④ ⓒ 지위, 신분, 자격. ⑤ ⓒ 《소설·극의》 인물, 役(역). ⑥ ⓒ 괴짜; 《전 고용주가 사용인에게 주는》 인물 증명서, 추천장. ⑦ ⓒ 글자, 기호. ⑧ ⓒ 《컴》 문자. *in* ~ 인격에 맞아. *man of* ~ 인격자. *out of* ~ 어울리지 않아(않게). ~*less* *a.* 특징이 없는.

cháracter àctor (**àctress**) 성격 배우.

char·ac·ter·is·tic [kæriktərístik] *a.* 특색있는, 특유의; 나타내는 (*of*). —*n.* ① 특징, 특질, 특색. ② ⓒ 《數》 지표. ‑ti·cal·ly *ad.* 독특하게, 특징으로서.

char·ac·ter·i·za·tion [kæriktərizéiʃən] *n.* ⓤ[C] 성격 묘사, 특징지음.

char·ac·ter·ize, 《英》 ‑**ise** [kǽriktəràiz] *vt.* 특징을 나타내다(그리다); 특색짓다.

cha·rade [ʃəréid/‑ráːd] *n.* ① 《pl.》 《단수 취급》 제스처 게임[인형 (doll)과 지느러미(fin)의 그림 또는 동작을 보여 'dolphin'을 알아 맞히게 하는 따위》. ② ⓒ 그 게임의 몸짓(으로 나타내는 말).

chár·coal [tʃɑ́ːrkòul] *n.* ① ⓤ 목탄화: (목탄화용의) 목탄.

chárcoal gràty 《英》 **grèy** 진회색.

charge [tʃɑːrdʒ] *vt.* ① 채워넣다, 《총에》 탄환을 재다(load), 채우다; 《전기를》 충전하다, 《전지를》 충전하다. ② 《책임 따위를》 지우다; 《임무를》 맡기다(entrust) 《with》; 명하다, 지시하다. ③ 비난하다, 《죄를》 씌우다; 고소하다(accuse) 《with》. ④ 《지급의 책임을》 지우다 《대금 따위를》 청구〔요구〕하다, 《세를》 부과하다, 《대금·요금을》 청구하다. ⑤ 습격〔습습〕하다, (…을) 향해 돌격하다. —*vi.* 돌격〔습격〕하다; 대금을 청구하다 《for》; 돌격하다《at, on》. 《…라고》 비난하다, 고소하다《against, that ...》. ~ **high** 《for》 …에 대하여 고액(高額)을 요구하다. ~ **off** 손해 공제를 하다; (…의) 탓으로 하다(to). ~ **one·self with** (…의) 일부로 보다《to》. —*n.* ① ⓤ[C] 《총의》 장전; (탄

약의) 한 번 잼; 충전(充電). ③ ⓤ 보호(care); 관리; 책임, 의무; 위탁 (trust). ④ ⓤ 위탁물; ⓤ 명령, 지시. ⑤ ⓒ 협의, 소인(訴因), 고소; 비난. ⑥ ⓒ 부채; 대금; 세; 《보통 *pl.*》 비용. ⑦ ⓒ 돌격, 돌진. ⑧ ⓒ 문장(紋章)의 의장(意匠). *bring a* ~ *against* 고소하다. *free of* ~ 무료로. *give in* ~ 맡기다. *in* ~ *of* 을 맡아 …담당자〔책임자〕의(*the nurse in* ~ *of the child*): 에게 맡겨져(*the child in* ~ *of the nurse*), 간호를 받아. *in full* ~ 손살같이, 곧장. *on the* ~ *of* …의 이유〔혐의〕로. *take* ~ 《사물이》 수습할 수 없게 되다. *take* ~ *of* 을 떠맡다. …을 돌보다.

charge·a·ble [tʃɑ́ːrdʒəbəl] *a.* 《세금·비용·책임·죄 따위가》 부과(고발)되어야 할.

chárge accòunt 외상 계정.

chárge càrd [**plàte**] 크레디트 장부 업소에서만 통용되는》 크레디트 카드.

char·gé d'af·faires [ʃɑːrʒéi dæféər/— ‑∠] (*pl. chargés d'-*) (F.) 대리 공사(대사).

chárge nùrse 《英》 (병동의) 수간호사.

charg·er [tʃɑ́ːrdʒər] *n.* ⓒ (장교용의) 군마; 충전기.

chárge shèet 《英》 (경찰의) 사건부(簿); 고발장, 기소장.

char·i·ot [tʃǽriət] *n.* ⓒ 《옛 그리스·로마의》 2륜 전차. 《18세기의》 4륜 경마차.

char·i·ot·eer [tʃæriətíər] *n.* ⓒ chariot의 마부.

cha·ris·ma [kərízmə] *n.* (*pl. ‑ma·ta* [‑mətə]) ⓤ[C] 카리스마(신이 내린, 대중을 끄는 힘》. **char·is·mat·ic** [kærizmǽtik] *a.*

char·i·ta·ble [tʃǽrətəbəl] *a.* 자비로운, 인정 많은.

char·i·ty [tʃǽrəti] *n.* ① ⓤ 사랑(기독교적인), 자비; ⓤ[C] 베풂, 자선(금), 자선 (사업). ② ⓤ 양육원, 자선 단체. *be in* 〔*out of*〕 ~ *with* 을 가엾게 여기다〔여기지 않다〕. ~ *concert* 〔*hospital, school*〕 자선 음악회〔병원, 학교〕. *out of* ~ 가엾어〔딱하게〕 여겨.

char·la·dy [tʃɑ́ːrlèidi] *n.* 《英》 =
CHARWOMAN.

char·la·tan [ʃɑ́ːrlətən] *n.* ⓒ 흰소
리꾼; 사기꾼; 돌팔이 의사(quack).
~·ry *n.* ⓤ 허풍 떪, 협잡.

Charles·ton [tʃɑ́ːrlztən, -stən]
n. ⓒ 《美》 찰스턴(fox trot의 일종).

char·lie [tʃɑ́ːrli] *n.* ⓒ 《英俗》 바보;
《美俗·蔑》 백인; (*pl.*) 유방.

:charm [tʃɑ́ːrm] *n.* ① ⓤⓒ 매력
(보통 *pl.*) 여자의 애교, 미모. ②
ⓒ 매력, 마법. ③ ⓒ 주문(呪文); 주
물(呪物), 호부(護符)(amulet). ④
ⓒ 작은 장식《시곗줄·팔찌 따위의》.
— *vt., vi.* ① …에게 마법을 걸다.
호(홀)리다, 매혹하다, 황홀케 하다
(bewitch); 기쁘게 하다. ② (땅꾼이
피리로 뱀을) 부리다, 길들이다. *be*
~ed with …에 넋을 잃다, 열중하
다. **✓·er** *n.* ① 뱀 부리는 사람.
:✓·ing *a.* 매력적인, 아름다운; 즐
거운; 재미있는.

chár·nel hòuse [tʃɑ́ːrnl-] 납골
당.

:chart [tʃɑ́ːrt] *n.* ⓒ ① 그림, 도표.
② 해도(海圖), 수로도. — *vt.* 그림
으로(도표로) 나타내다.

:char·ter [tʃɑ́ːrtər] *n.* ⓒ (자치 도
시·조합 따위를 만드는) 허가서, 특허
장; (국제 연합 등의) 헌장; 계약서. ─
= **✓ pàrty** 용선(傭船) 증서. *the*
Atlantic C- 대서양 헌장. *the C- of*
the United Nations 유엔 헌장.
the Great C- = MAGNA C(H)ARTA.
the People's C- 《英史》 인민 헌장.
— *vt.* 특허하다; (배를) 빌다. **~ed**
[-d] *a.* 특허를 받은; 용선 계약한.
~ed accountant 《英》 공인 회계
사. **~ed school** 특허 학교(校).

Char·treuse [ʃɑːrtrúːz/-trúːs] *n.*
카르투지오회의 수도원; ⓤ (c-) 샤르
수도원제(製)의 리큐어; 연두빛.

chár·wòman [─wùmən] *n.* ⓒ (빌딩의 날품팔
이) 잡역부(婦); 《英》 파출부.

char·y [tʃɛ́əri] *a.* 몹시 조심하는; 부
끄러워하는(shy); 아끼는(*of*).

:chase¹ [tʃeis] *vt.* ① 뒤쫓다, ② 쫓아
(몰아)내다, 사냥하다. — *vi.* 쫓아가
다, 뒤쫓아 가다, 달리다. ─ *n.* ①
ⓤⓒ 추적, 추격. ② (the ~) 사냥;
수렵; ⓒ 《英》 사냥터. ③ ⓒ 쫓기는

짐승(배). *give ~ to* …을 뒤쫓다.

chase² *vt.* (금속에) 돋을새김(섭새
김)하다, (돌을 무늬를) 새겨[찍어] 내
다(emboss).

chas·er [tʃéisər] *n.* ⓒ 추격자; 사
냥꾼; 추격함[포·기]; 《口》 (독한 술
다음에 마시는) 입가심 음료《매주·물
따위》; 조각사《 chase²》.

:chasm [kǽzəm] *n.* ① ⓒ (바위·지면
의) 깊게 갈라진 틈; 틈새(gap); (감
정·의견 따위의) 간격, 차.

chas·sis [ʃǽsi] *n.* (*pl.* ~[-z])
① (비행기·자동차·마차 따위의) 차대
(포차의) 바퀴. ② (라디오·TV의) 조립
판.

chaste [tʃeist] *a.* ① 정숙(순결)한
(virtuous). ② (문체·취미 등) 담
박한, 순수한(simple), 고아한, 점
잖은. **✓·ly** *ad.*

chas·ten [tʃéisn] *vt.* (신이) 징계
(응징)하다; (글을) 다듬다; (열정을)
억제하다; 누그러뜨리다. **~·er** *n.* ⓒ
응징자[물]; 시련자[물].

chas·tise [tʃæstáiz] *vt.* (회초리 등
[징계)하다, 벌하다(punish). **~·**
ment [tʃæstáizmənt/tʃǽstiz-] *n.*

chas·ti·ty [tʃǽstəti] *n.* ⓤ 정숙, 순
결.

chas·u·ble [tʃǽzjəbəl, tʃǽs-] *n.*
ⓒ 【가톨릭】 사제가 alb 위에 입는 소
매 없는 제의(祭衣).

:chat [tʃæt] *n., vi.* (-*tt*-) ① ⓤⓒ (…
와) 잡담(하다); 【컴】 대화. ② ⓒ 지
빠귓과의 작은 새.

châ·teau [ʃætóu] *n.* (*pl.* ~*x* [-z]
(F.)) ① ⓒ 성; 대저택.

chat·tel [tʃǽtl] *n.* ① (보통 *pl.*) 가
재(家財); 【法】 동산(動産); 《古》 노
예.

:chat·ter [tʃǽtər] *vi.* *n.* ⓤ ① 재잘
거리다; 수다. ② (기계가) 털털거리
다(거리는 소리); (이가) 덜덜 떨리다
[떪, 떨리는 소리]; (새·원숭이가) 시
끄럽게 울어대는 소리[소리]. ③ (시냇물
이) 졸졸 흐르다[흐르는 소리]; 여울.
chátter·bòx *n.* ⓒ 수다쟁이.

chat·ty [tʃǽti] *a.* 수다스러운; 이야
기를 좋아하는.

chauf·feur [ʃóufər, ʃoufɔ́ːr] *n.*
vi. (F.) (자가용의) 운전사 (노릇
하다); (자가용차에) 태우고 가다.

chau·vin·ism[ʃóuvəniz(ə)m] *n.* Ⓤ 맹목적 애국주의, 극우적(極右的) 배타 사상. **-ist** *n.*

cheap[tʃiːp] *a.* ① 싼, 값싼, 싸구려의, 인색한. ② 시시한. 〔인플레 등으로〕값어치가 떨어진. ~ **money** 가치가 떨어진 돈. **feel** ~ 초라하게 느끼다. **hold** (*a person*) ~ (아무를〕 얕보다. *on the* ~ (주로 英) (값〕 싸게. — *ad.* 싸게. ~·ly *ad.* ~·ness *n.* ① 쌈. ② 시시함.

cheap·en[tʃiːpən] *vt., vi.* 싸게 하다

cheat[tʃiːt] *vt., vi.* ① 속이다. 속여서 빼앗다. ② 〔시간을〕보내다(beguile). ③ 용케 피하다(elude). — *n.* Ⓒ 속임, 협잡(꾼). **~·er** Ⓒ 협잡〔사기〕꾼.

check[tʃek] *n.* ① Ⓒ 저지(물), 〔돌연한〕방해; 정지, 휴지; Ⓤ 억제. 방지. ② Ⓤ 감독, 감시, 관리, 지배. ③ Ⓤ 〔잘못을 막기 위한〕대조〔표〕, 체크, 점검; 〔럭〕검사. ④ 〔수하물 상환증·패〕, 물표; 수표(英) cheque; Ⓒ (英) (먹은) 음식의 계산서. ⑤ Ⓤ〔Ⓒ〕 바둑판〔체크〕무늬. ⑥ 〔체스〕 장군. ~ **bouncer** 부정 수표 남발자. **hold** (*keep*) *in* ~ 저지하다; 억제하다. **pass** (*hand*) *in one's* ~ 죽다. — *vt.* ① 〔갑자기〕저지하다, 방해〔억제〕하다. ② 〔체스〕장군 부르다. ③ 〔英〕 견제하다. ④ 〔軍〕 책하다. ⑤ 〔화물의〕물표〔상환증〕를 받고 보내다(맡기다); 체크표를 내다, 점검〔대조·검사〕하다. ⑥ 균열〔금〕을 내다. — *vi.* ① 〔장애로 인해 갑자기 멈추다; 〔사냥개가 냄새를 잃고〕 멈춰서다. ② (美) 수표를 쓰다〔떼다〕. ~ *at* …에게 화를 내다. ~ *in* 여관에 들다; (美俗) 죽다. ~ *off* 체크표를 내다. ~ *out* 〔셈을 마치고〕여관을 나오다; (俗) 죽다; (美口) 물러나다, 퇴근하다. ~ *up* 대조〔조사·점검〕하다. — *int.* 〔체스〕장군; (美口) 좋아! 찬성! 맞았어!

chéck·bòok *n.* Ⓒ 수표장(帳).

checked[-t] *a.* 체크〔바둑판〕무늬의.

°check·er[tʃékər] *n.* ① Ⓒ (美) 바둑판〔체크〕무늬. ② 〔세커의 말; (*pl.*) (美) 체커〔서양 장기〕(英

draughts). — *vt.* 바둑판 무늬로 하다, 교착 상태(에)하다; 변화를 주다(vary). — ~**ed**[-d] *a.* 바둑판 무늬의; 교차된, 변화가 많은.

chécker·bòard *n.* Ⓒ 체커판.

check-in *n.* Ⓤ,Ⓒ (호텔에의) 숙박 수속, 체크인.

chécking accòunt (美) 당좌 예금(수표로 찾음). 「거인」명부.

chéck lìst (美) 대조표, 일람표; 선

chéck·màte[⸗mèit] *n.* Ⓤ,Ⓒ 〔체스의〕외통 장군; (사업의) 막힘, 실패; 대파(大破). — *vt.* 외통 장군을 부르다; 막히게〔막다르게〕하다.

chéck·òut *n.* Ⓤ,Ⓒ (호텔에의) 퇴숙(退宿) 수속; 점검, 검사.

chéck·pòint *n.* Ⓒ (美) 검문소.

chéck·ròom *n.* Ⓒ (美) 휴대품 맡기는 곳.

chéck·ùp *n.* Ⓒ 대조, 사조(査照)〔조사〕; 건강 진단.

Ched·dar[tʃédər] *n.* Ⓤ 치즈의 일종(~ **cheese**).

cheek[tʃiːk] *n.* ① Ⓒ 볼, 뺨. ② Ⓤ 철면피; 건방진 말〔태도〕. *~ by jowl* 사이좋게 나란히, 친밀히. **have plenty of** ~ 낯가죽이 두껍다. **None of your** ~**s !** 건방진 소리 마. **chéek·bòne** *n.* Ⓒ 광대뼈. **cheek·y**[tʃiːki] *a.* (口) 건방진. **chéek·i·ly** *ad.* **cheek·i·ness** *n.*

cheep[tʃiːp] *vi.* 삐악삐악 울다. — *n.* Ⓒ 그 소리.

cheer[tʃiər] *n.* ① Ⓒ 갈채, 환호, 응원. ② Ⓤ 기분, 기분(spirits). ③ Ⓤ 음식, 성찬. **give three ~s for** …을 위해 만세 삼창을 하다. **make good** ~ 유쾌하게 음식을 먹다. *of good* ~ 명랑한, 기분이 좋은. **The fewer the better** ~ (俗談) 좋은 음식은 사람이 적을수록 좋다. **What ~ ?** 기분은 어떤가. — *vt., vi.* ① 갈채하다; 격려하다, 기운을 내다. 기운을 북돋우다, *C-up !* 기운을 내라. ~ *up* 기운을 돋우고〔보고〕 기운이 나다. ~**·ing**[tʃíəriŋ/tʃóər-] *n.* Ⓤ 갈채.

~·less *a.*

cheer·ful[-fəl] *a.* 기분(기운)이 좋은; 즐거운; 유쾌한; 기꺼이 하는. **~·ly** *ad.* **~·ness** *n.*

cheer·i·o(h) [tʃiərióu] *int.* (英口) 여어(hello); 잘 있게(goodbye); 축

cheer·leader [ʃíərlìːdər] *n.* ⓒ 응원 단장.

cheer·y [ʧíəri] *a.* 기분[기운] 좋은.
~ **ly** *ad.* **cheer·i·ness** *n.*

cheese [ʧiːz] *n.* ① ⓤ 치즈. *green* ~ 생치즈. *make* ~s (여성이) 무릎을 굽히고 인사하다.

cheese *vt.* 《俗》 그만두다, 멈추다. *C-* *it!* 멈춰(Have done!); 정신 차려(Take care!); 튀어라(Run away!).

chéese·bùrger *n.* ⓤⓒ 치즈가 든 햄버거(스테이크 샌드위치).

chéese·càke *n.* ⓤ 치즈·설탕·달걀 같은 것을 개어서 넣은 케이크; 《俗》《집합적》 각선미 사진(의 촬영); ⓒ 매력 있는 여자.

chéese·clòth *n.* ⓤ 일종의 설핀 무명.

chéese·pàring *n., a.* ⓤ 치즈 껍질을 깎은 지스러기, 쓸데없는 것; 몹시 인색함[한]; 구두쇠 근성; 《pl.》 사전.

chees·y [ʧíːzi] *a.* 치즈 같은; 《美俗》 볼품없이 된, 나쁜.

chee·tah [ʧíːtə] *n.* ⓒ 치타; ⓤ 털가죽.
　　　　　　　　　「방장(廚房長).

chef [ʃef] *n.* (F.) ~쿡(장(長)), 주

chef-d'oeu·vre [ʃeidɔ́ːvər] *n.* (*pl.* **chefs-**[-ʃei-])(F.) 걸작(master-piece)

chem·i·cal [kémikəl] *a.* 화학(상)의; 화학적인. ~ **combination** 화학 결합. ~ **engineering** 화학 공업. ~ **formula** 〔**warfare**〕 화학식〔전〕. —— *n.* (종종 *pl.*) 화학 약품. ~ **ly** *ad.*

che·mise [ʃəmíːz] *n.* ⓒ 슈미즈, 속치마.

chem·ist [kémist] *n.* ⓒ 화학자; 《英》 약제사, 약종상.

chem·is·try [-ri] *n.* ⓤ 화학.

chem·o·ther·a·py [kèmouθérəpi, kiː-] *n.* ⓤ 화학 요법.

cheque [ʧek] *n.* ⓒ 《英》 수표(《美》 check)

chéque·bòok *n.* ⓒ 《英》 = CHECKBOOK.

cheq·uer(ed) [ʧékər(d)] (英) = CHECKER(ED)

cher·ish [ʧériʃ] *vt.* 귀여워하다; 소중히 하다(키우다). 《희망·원한

을) 품다(foster).

che·root [ʃərúːt] *n.* ⓒ 양끝을 자른 여송연.

cher·ry [ʧéri] *n.* ① ⓒ 벚나무(~ tree); ⓒ 그 재목. ② ⓒ 버찌. ③ ⓤ 체리(색), 선홍색. ④ (*sing.*) 처녀(성). *make two bites at of a* ~ 꾸물거리다. —— *a.* 빛나무 새목(의); 선홍색의.

chérry blòssom 벚꽃.

chérry trèe 빛나무.

cher·ub [ʧérəb] *n.* (*pl.* ~**im** [-im]) ⓒ ① 게루빔(둘째 계급의 천사)(cf. seraph). ② 날개 있는 천동(天童)(의 그림·조상·影像). ③ (*pl.* ~**s**) 귀여운 아이; 통통하고 순진한 사람. **che·ru·bic** [ʧərúːbik] *a.* 귀여운.

cher·vil [ʧːrvil] *n.* ⓤ 〔植〕 파슬리의 무리(샐러드용).

chess [ʧes] *n.* ⓤ 체스, 서양 장기.

chéss·bòard *n.* ⓒ 체스판.

chéss·màn *n.* ⓒ 체스의 말.

chest [ʧest] *n.* ⓒ ① 가슴. ② (뚜껑 있는) 큰 상자, 궤. ~ *of drawers* 옷장. ~ *trouble* 폐병.

chest·nut [ʧésnʌt, -nət] *n., a.* ① 밤(나무·열매)(~ tree); ⓒ 밤나무 재목; = HORSE CHESTNUT. ② ⓤ 밤색(의); ⓒ 구렁말(의). ③ ⓒ 《口》 진부한 이야기(익살).

chev·ron [ʧévrən] *n.* ⓒ 갈매기점 무늬(∧); (부사관·경관 등의) 갈매기표 수장(袖章).

chew [ʧuː] *vt., vi.* ① 씹다, 씹어(물어) 부수다(cf. crunch, munch). ② 숙고(熟考)하다(*over*). —— *n.* ⓒ 씹음, 씹는 물건; 한 입, 한 번 씹음.

chéwing gùm 추잉 검. [(깨물).

Chi·an·ti [kiǽnti, -áːn-] *n.* ⓤ 이탈리아산 붉은 포도주.

chi·a·ro·scu·ro [kiàːrəskjú(ə)rou] *n.* (It.) ⓤ ① 〔그림·문예상의〕 명암(면배)의 배합(대조)(법).

chic [ʃiːk] *n., a.* (F.) 멋짐, 멋진, 스마트한(함).

chi·can·er·y [-əri] *n.* ⓤⓒ 속임(수의 말).

chick [ʧik] *n.* ⓒ ① 병아리, 열마이. ② (애칭) 어린애; (the ~s) 한 집안의 아이들. ③ 《美俗》 젊은 여자.

C

†**chick·en** [tʃíkin] *n.* (*pl.* ~(**s**)) ① ⓒ 새새끼, 병아리. ② ⓒ 닭; ⓤ 영계 고기. ③ ⓒ (口) 어린애, 풋내기, 계집아이, 약골. ④ ⓤ 하찮은 일, 거짓말, 성마름. **go to bed with the** ~**s** 일찍 자다. **play** ~ 《美俗》 상대가 물러서기를 기대하면서 서로 도전하다.

chícken féed 《美》 닭모이; 《美俗》 잔돈.

chícken pòx 수두(水痘), 작은 마마.

chic·o·ry [tʃíkəri] *n.* ⓤ (植) 치코리(잎은 샐러드용, 뿌리는 커피 대용); 《美》 = ENDIVE.

chide [tʃaid] *vt., vi.* (**chid, ~d**; **chidden, chid, ~d**) 꾸짖다; 꾸짖어 내쫓다 (*away*).

chief [tʃiːf] *n.* ⓒ ① 장(長), 수령, 지도자. ② 추장, 족장(族長). ③ 장관, 국장, 소장, 과장(따위). — *a.* ① ⓐ [보통 修飾語的] 최고의, 제 1위의, 최고의. ② 주요한. — **of staff** 참모장. **in** ~ 주로 (*the editor in* ~ 편집장). ⓑ ① 첫째의, 제 1위의, 최고의. ② 주요한.

chief·ly [tʃíːfli] *ad.* ① 주로, 흔히. ② 특히.

chief·tain [tʃíːftən] *n.* ⓒ ① 지도자, 두목, 추장, 족장. ~·**cy**, ~·**ship** [-ʃip] *n.*

chif·fon [ʃifán/ʃifɔ́n] *n.* (F.) ① ⓤ 시퐁(앎은 비단). ② (*pl.*) 옷의 장식 (리본 따위).

chi·gnon [ʃíːnjɔn/ʃíːnjɑn] *n.* (F.) ⓒ 쪽머리(東髻)의 쪽.

chil·blain [tʃílblein] *n.* ⓒ (보통 *pl.*) 동상(凍傷).

†**child** [tʃaild] *n.* (*pl.* ~**ren** [tʃíldrən]) ⓒ ① 아이, 어린이, 유아. ② 자식. (*pl.*) 자손. ③ 미숙자. *a* ~ **of fortune** (*the age*) 운명(시대)의 총아, 행운아. **as** *a* ~ 어릴 때에. **with** ~ 임신하여. ~·**less** *a.* 아이 [어린애] 없는.

child·bearing *n.* ⓤⓒ 출산, 분만.

child·birth *n.* ⓤⓒ 출산, 해산.

child·hood [-hud] *n.* ⓤ ① 유년기, 어림. ② 초기의 시대.

child·ish [-iʃ] *a.* 어린애 같은, 옛된, 유치한. ~·**ly** *ad.* ~·**ness** *n.*

child·like *a.* (좋은 뜻으로) 어린애다운, 천진한 (cf. **childish**).

child·proof *a.* 아이는 다룰 수 없는; 어린 아이가 장난칠 수 없는.

chil·dren [tʃíldrən] *n.* **child**의 복수.

chi·li [tʃíli] *n.* (*pl.* ~**es**) ⓤⓒ 고추(의 일종).

chill [tʃil] *n.* ① ⓒ (보통 *sing.*) 한 기(寒氣), 냉기(coldness). ② 으스스함, 오한; 냉담함; 섬뜩함, 두려 움. **cast** *a* ~ **over** …의 흥을 깨다. **catch** (**have**) *a* ~ 오싹(으스스)하다. ~*s* **and fever** (美) 학질, 간헐열. **take the** ~ **off** (음료 따위에) 조금 데우다. — *a.* ① 차가운, 찬. ② 냉담한. — *vt.* ① 차게 하다, 냉동하다. ② 흥을 깨다; 낙심시키다(dispirit). ③ (용철 (熔鐵)을) 냉강(冷鋼)하다. ④ (음료 따위를) 차게 데우다. — *vi.* ① 식다, 차가워(추워) 지다, 한기가 들다. ~**ed** [-d] *a.* 냉각된, 냉장된. ~ **chil·ly** *a.* 찬, 차가운.

chime [tʃaim] *n.* ① ⓒ 차임(조율 (調律)한 한 벌의 종); (*pl.*) 그 소리; (시보(時報)의) 차임. ② ⓤ 조화, **fall into** ~ **with** …와 조화를 이루다. **keep** ~ **with** …와 가락을 맞추다. — *vt., vi.* ① (가락을) 맞추어 울리다; (종·시계가) 아름다운 소리로 울리다. ② 울리어 알리다. ③ 일치 [조화]하다, 가락을 맞추다. ~ **in** 찬성하다, 맞장구치다; (…와) 가락 [장단]을 맞추다(*with*); 일치하다.

chi·me·ra [kaimíərə, ki-] *n.* (or C-) 【그리·神】 키메라(사자의 머리, 염소의 몸, 뱀의 꼬리를 한 괴물·입으로 불을 뿜음); ② 괴물; 환상·망상. **chi·mer·ic** [-mérik], **-i·cal** [-əl] *a.* 환상의, 정체를 알 수 없는.

chim·ney [tʃímni] *n.* ⓒ 굴뚝, (남포의)등피.

chímney còrner 노변(爐邊), 난롯가.

chímney piece *n.* = MANTELPIECE.

chímney pòt 연기 잘 빠지게 굴뚝 위에 얹은 토관; 《美》 실크해트.

chímney stàck 짜맞춘 굴뚝; (공장 따위의) 큰 굴뚝.

chímney swèep(er) 굴뚝 청소 부.

chimp [tʃimp] *n.* 《口》= CHIMPAN-ZEE.

chim·pan·zee [tʃimpænzíː, -ᴐᴘ-/ -pən-, -pæn-] *n.* ⓒ 침팬지.

chin [tʃin] *n.* ⓒ 턱; 턱끝. ~ on (**one's**) **hand** 손에 턱을 괴고. **keep one's** ~ 버티다. **wag one's** ~ 지껄이다(talk). ── *vt., vi.* 《美》턱걸이하다; 굴하지 않다. **~ oneself** (바이올린 따위를) 턱에 대다. ~ **oneself** (철 봉에서) 턱걸이하다. **C- up!** 《俗》기운(힘) 내라.

chi·na *n., a.* ⓤ 자기(磁器)(의); 《집합적》도자기(porcelain).

china clay 도토(陶土), 고령토.

chink[1] [tʃiŋk] *n., vi., vt.* ⓒ 갈라진 틈; 균열(이 생기다, 을 만들다); 금(이 가다, 이 가게 하다); 《美》(…의) 틈을 메우다(막다).

chink[2] *vi., vt.* 짤랑짤랑 소리나(게) 하다. ── ⓒ 그 소리. ⓤⓒ(美)주화, 돈.

chintz [tʃints] *n., a.* ⓒ (광택을 낸) 사라사 무명(의).

chin·wàg *n.* ⓒ 《俗》 수다, 잡담. ── *vi.* 《-gg-》 지껄이다.

chip [tʃip] *n.* ① ⓒ (나무·금속 따위의) 조각, 나무 부스러기. ② ⓒ 얇은 조각. ③ ⓒ 사기 그릇 따위의 이빠진 곳[흠]; 깨진 조각, 쪼가리. ④ ⓒ (포커 따위의) 점수패. ⑤ ⓒ 나절박 것. ⑥ (*pl*.) 《美》(감자 따위) 얇게 썬 것의 튀김). ⑦ ⓒ 가축의 말린 똥(연료용). ⑧ (*pl*.) 잔돈. ⑨ ⓒ 【컴】 칩. **a ~ of [off] the old block** 아비 닮은 아들. **a ~ in porridge [pottage, broth]** 있으나 마나 한 것. **have a ~ on one's shoulder** 《口》시비조다. **dry as a ~** 무미 건조한. **in ~s** 《俗》돈많은. **The ~s are down.** 《美俗》주사위는 던져졌다; 결심이 섰다. **when the ~s are down** 《口》 위급할 때, 일단 유사시. ── 《-pp-》 *vt.* 자르다, 깎다, 잘라내다. ── *vi.* 떨어져 나가다, 빠지다(off). ~ **at** 《口》 야유하다; 독설을 퍼붓다. ~ **in** 《口》 이야기 도중에(대)들다; 돈을 추렴하여 내다(contribute).

chip·bòard *n.* ⓒ 마분지, 판지.

chip·munk [ᴬmʌŋk] *n.* ⓒ 얼룩다

람쥐 《북미산》.

chip·ping [tʃipiŋ] *n.* ⓒ (보통 *pl*.) ...

chi·rop·o·dy [kirápədi, kai-/ kir5-] *n.* ⓤ (손)발치료《못·부르튼 곳 따위의》.

chi·ro·prac·tic [kàirəpræktik] *n.* ⓤ (척추) 지압 요법.

chi·ro·prac·tor [kàirəpræktər] *n.* ⓒ 지압(指壓) 치료사.

chirp [tʃəːrp] *vi.* (새·벌레가) 짹짹[찌찍] 울다. ── ⓒ 그 우는 소리.

chirr [tʃəːr] *vi.* 지저귀; (쓰쓰) 혀 차는 소리.

chir·rup [tʃírəp, tʃə́ːr-] *vi.* 지저귀다 (갈낫대를); 혀를 차서 소리를 내다; 《俗》(박수 부대가) 박수를 치다. ── ⓒ 재잘거림; (쯧쯧) 혀 차는 소리.

chis·el [tʃízl] *n.* ① ⓒ 끌, 조각칼. ② ⓤ (the ~) 조각술. ③ ⓤⓒ 《俗》 잔꾀, 사기. ── *vt.* 《英》《-*ll*-》 끌로 깎다[파다]; 《美俗》속이다.

chit[1] [tʃit] *n.* ⓒ 어린애; (건방진) 계집애; 새끼 고양이.

chit[2] *n.* ⓒ 짧은 편지, 메모; (식당·다방 따위의) 전표.

chit-chat [tʃíttʃæt] *n.* ⓤ 잡담; 세상 이야기.

chiv·al·rous [ʃívəlrəs] *a.* 기사적인 (knightly), 의협적인, 용감하고 관대한; 여성에게 정중한(gallant). **~·ly** *ad.* 「도).

chiv·al·ry [ʃívəlri] *n.* ⓤ 기사도(道).

chive [tʃaiv] *n.* ⓒ 【植】골파.

chiv·(v)y [tʃívi] *n.* ⓒ 《英》사냥(의 몰이)소리; 추적(追跡). ── *vt. vi.* 뒤쫓아(chase); 쫓아 다니다; 혹사 (酷使)하다, 괴롭히다; 뛰어 다니다.

chlo·ride [klɔ́ːraid] *n.* ⓤ 【化】염화물. ~ **of lime** 표백분.

chlo·rine [klɔ́ːriːn] *n.* ⓤ 【化】 염소.

chlo·ro·form [klɔ́ːrəfɔ̀ːrm] *n., vt.* ⓤ 클로로포름(으로 마취시키다).

chlo·ro·phyl(**l**) [klɔ́ːrəfil] *n.* ⓤ 엽록소(葉綠素).

chock-a-block [tʃákəblàk/tʃɔ́kə-blɔ̀k] *a., ad.* 꽉 찬; 꽉 차서(with).

chóck-fúll *a.* 꽉 찬.

choc·o·late [tʃɔ́ːkəlit, -á-/-tʃɔ́-] *n., a.* ⓤ 초콜릿《과자·빛》(의); 초콜릿빛의.

choice [tʃɔis] *n.* ① ⓤⓒ 선택(selec-tion); 가림(preference). ② ⓤ 선택 배권(력); ⓒ 선택의 기회 ...

흰 것[사람], 우량품, 정선(精選)된 것(best part) (of). ④ 《美俗》 범위(종류) (variety) 《We have a large [great] ~ of ties. 여러 가지 넥타이가 있습니다》. **at one's own ~** 좋아서, 스스로 택하여. ~ **for the tokens** 《美俗》 베스트 셀러. 날개돋친 책. **for** ~ 어느 쪽인가를 택해야 한다면, **have no** ~ 가리지 않다(어느 무엇이나 좋다): 이것저것 가릴 여지가 없다. **have no but to** (do) …할 수밖에 없다. **have one's ~** 자유로 선택할 수 있다. **Hobson's** ~ (주어진 것을 갖느냐 안 갖느냐)명색뿐인 선택, **make ~ of** …을 고르다. **without** ~ 가리지 않고, 차별 없이. ── a. 고르고 고른(select). 우량한.

choir [kwaiər] n. ⓒ 《집합적》 (교회의) 성가대: (보통 sing.) 성가 대석.

choir‑boy n. ⓒ 《교회(圣歌隊)의》 소년 가수.

choir màster 성가대 지휘자.

choke [tʃouk] vt. ① 막히게 하다. 질식시키다. ② 목졸라 죽이다: 꽉 채워 넣다(fill), (들어)막다(block). ③ 멈추게, (불을) 끄다. ④ (감정을) 억제하다. ── vi. 숨이 막히다. (목이) 메다(with); 막힌다. ~ **back** 억누르다(hold back). ~ **down** 간신히 먹다; 꾹꾹 참다. ~ **in** (up) 《美俗》 잠자코 있다. ~ **off** (美) …을 단념시키다. ~ **up** 막히게 하다; 말라죽게 하다. ─ **d**[-t] ─ a. 《口》 넌더리 나서, 실망하여.

chok‑er [⌐ər] n. ⓒ choke시키는 물건[사람]; 《口》 초커(목걸이).

chol‑er [kálər] n. ⓤ 《古》 담즙 (bile). 울화, 노여움, 성마름. ~**ic** [kálərik/-5-] a. 담즙질(質)의; 성마른. 잘 불끈거리는.

chol‑er‑a [kálərə/-5-] n. ⓤ 콜레라. **Asiatic** (epidemic, malignant) ~ 진성 콜레라.

cho‑les‑ter‑ol [kəléstəроul, -rɔl)] n. ⓤ 《生化》 콜레스테롤(혈액·뇌·담즙 등에 있는 지방질).

choose [tʃu:z] vt., vi. (chose; cho‑sen) ① 고르다(select), 선택하다. ② 선거하다(elect). ③ …하고 싶은 기분이 들다, …하려고 생각하다. **as you ~** 좋을[마음]대로. **cannot ~ but** (do) …하지 않을 수 없다.

choos‑e‑y [tʃú:zi] a. 《口》 가리는, 까다로운.

chop [tʃap/-ɔ-] vt. (**-pp-**) ① 찍다, 쳐[파]자르다, 싹둑 베다(hack), 잘게 자르다(mince) (up). ② (길을) 트다. ③ 《테니스》 (공을) 깎아치다. ── vi. ① 자르다: 잘라지다, 가르다: 갈라지다; 금이 가다. ② 줄곧나게 참견하다(in). ── n. ⓒ ① 불쑥 말참견하다. ── n. ⓒ ① 절단(한 한 조각), 두껍게 베어낸 고깃점. ② 《테니스》 (공을) 깎아치기.

chop vi., vt. (**-pp-**) 갑자기 바꾸다 (바뀌다). ~ **about** (바람이) 끊임없이 바뀌다; 갈팡질팡하다, 마음이 바뀌다. ~ **and change** (생각·직업 따위를) 자꾸 바꾸다. ~ **logic** 억지 이론(궤변)을 늘어놓다. ~ **words** 언쟁(말다툼)하다.

chop‑chop [tʃáptʃáp/tʃɔptʃɔp] ad., int. 《俗》 빨리 빨리, 서둘러.

chop‑per [tʃápər/-ɔ-] n. ⓒ ① 자르는(베는) 사람; 고기 써는 큰 식칼 (cleaver); 《美俗》 헬리콥터; 《俗》(특히) 의치; 《電子》 초퍼《직류나 광선을 단속하는》.

chop‑py [tʃápi/-5-] a. (바람이) 변하기 쉬운; 삼각파가 이는.

chóp‑stick n. ⓒ (보통 pl.) 젓가락.

chóp sú‑ey [-sú:i] 잡채.

cho‑ral [kɔ́:rəl] a., n. ⓒ 성가대 (choir)의; 합창(chorus)의; 합창 대, 성가. ~ **service** 합창 예배. ── n. ⓒ = CHORALE.

cho‑rale [karǽl/kɔ́rɑ:l] n. ⓒ = CHORAL.

chord [kɔ:rd] n. ⓒ ① 《악기의》 현, 줄(string). ② 화현(和弦), 화음. ③ 심금(心琴), 정서, 기분. ④ 《數》 (원의) 현(弦).

chore [tʃɔ:r] n. ⓒ 《美》 잡일, 허드렛일, 싫은 일.

cho‑re‑og‑ra‑pher [kɔ̀:riágrəfər/kɔ̀:ri5-] n. ⓒ 《발레》 안무가(按舞家).

cho·re·og·ra·phy [kɔːriágrəfi], (美) **cho·reg·ra·phy**[kɔ́rē-] *n.* ⓤ 발레의 안무; 무용술.

chor·is·ter [kɔ́ristər, -á-/-5-] *n.* ⓒ 성가대원; 성가대 지휘자(choir leader).

chor·tle[tʃɔ́ːrtl] *vi.* 의기 양양하게 웃다.

:cho·rus[kɔ́ːrəs] *n.* ⓒ 합창, 코러스; 합창곡[단]. *in ~* 이구동성으로, 일제히. ── *vt.* 합창하다.

chórus girl 코러스 걸《레뷰 가수·무용수》.

chose[tʃouz] *v.* choose의 과거.

cho·sen[tʃóuzn] *v.* choose의 과거분사. ── *a.* 선택된, 뽑힌. *the ~ people* (신의) 선민(유대인의 자칭).

chow[tʃau] *n.* ① (허가 검은) 중국종·개. ② 《美俗》 음식, 식사. ── *vi.* 《美俗》 먹다.

chow·der[tʃáudər] *n.* ⓤ 《美》 (조개·생선의) 잡탕(요리).

chòw méin[tʃau méin] (Chin.) 초면(炒麵).

:Christ[kraist] *n.* 그리스도, 구세주. ── *v.i.* 그리스도에게 맹세코.

:chris·ten[krísn] *vt., vi.* ① 세례를 주다(baptize). ② 세례하여 명명하다; 이름을 붙이다. ③ 《口》 처음으로 사용하다. ~*ing*-[-iŋ] *n.* ⓤ,ⓒ 세례(식); 명명(식).

Chris·ten·dom[krísndəm] *n.* ⓤ 《집합적》 기독교국[교도].

:Chris·tian[krístʃən] *n.* ⓒ 기독교도, 《口》 신사, 숙녀, 문명인. *Let's talk like ~s.* 점잖게 얘기하자. ── *a.* ① 그리스도(교)의. ② 《口》 신사적인.

:Chris·ti·an·i·ty[krìstʃiǽnəti] *n.* ⓤ 기독교 (신앙).

:Chrístian náme 세례명, 이름.

Chríst·like *a.* 그리스도 같은; 그리스도적인.

†Christ·mas[krísməs] *n.* ⓤ 크리스마스, 성탄절(= ~ **Day**)《12월 25일》. ── **box** 크리스마스의 선물《주로 하인·집배원 등에 대한》. 《드, *Merry ~!* 크리스마스를 축하합니다.

Christmas bóx 《英》 크리스마스 선물《주로부하인·집배원 등에 대한》.

Christmas cárd 크리스마스 카드.

Christmas Éve 크리스마스 이브 〔전야(제)〕.

Christmas trèe 크리스마스 트리.

chro·mat·ic[kroumǽtik] *a.* 색(채)의; 염색성의; 《樂》 반음계의(cf. diatonic).

chromátic scále 반음계.

chrome[kroum] *n.* ⓤ 《化》 크롬, 크롬(chromium); 황색 그림물감.

chro·mic[króumik] *a.* 크롬을 함유하는.

chro·mi·um[króumiəm] *n.* ⓤ 《化》 크로뮴.

chro·mo·some[króuməsòum] *n.* ⓒ 《生》 염색체.

†chron·ic[kránik/-5-] *a.* 오래 끄는, 만성의; 고질이; 상습적인. **~i·cal·ly** *ad.*

chron·i·cle[kránikl/-5-] *n.* ⓒ 연대기(年代記); 기록; 이야기; (C-) 신문(The News C-). *the Chronicles* 《單》 역대기. ── *vt.* (연대기으로) 기록하다. **~·cler** *n.* ⓒ 연대기작자, 기록자.

chron(**-o**)- [krán(ə)/krɔ-] '시(時)'의 뜻의 결합사.

chron·o·log·i·cal[krànəládʒikəl/krɔ̀nəlɔ́dʒ-] *a.* 연대순의. **~·ly** *ad.*

chro·nol·o·gy[krənálidʒi/-5-] *n.* ① 연대학. ② ⓒ 연대기. **~-gist** *n.* ⓒ 연대학자.

chro·nom·e·ter [krənámitər/-nɔ́mi-] *n.* ⓒ 크로노미터《항해용 정밀 시계》; (一般) 정밀 시계.

chrys·a·lis[krísəlis] *n.* (pl. ~**es**, **-lides**[krísəlàdìːz]) ⓒ 번데기(chrysalid); 준비기.

chrys·an·the·mum[krisǽnθəməm] *n.* ⓒ 국화(꽃).

chub[tʃʌb] *n.* (pl. ~**s**, 《集合的》 ~) ⓒ 황어 무리의 민물고기.

chub·by[tʃʌ́bi] *a.* 토실토실 살찐(plump).

‡chuck[tʃʌk] *vt.* ① 가볍게 두드리다(pat). ② (휙) 던지다. ③ 《英俗》 내동댕이 버리다. ④ (턱 밑 따위를 장난삼아) 톡톡 치다. ~ *away* 버리다; 낭비하다. *C- it!* 집어쳐! 그만둬! 닥쳐! ~ *oneself away on* (남이 보아 하찮은 사람)과 결혼(교제)하다. ~ *out* (성가신 자를) 쫓아내다, 끌어내다; (의안을) 부결하다. ~ *up* 그만두다; 포기[방기]하다.

— *n.* ⓒ 던짐; 가볍게 침; 중지; 투전(投錢). **get the ~** 해고당하다. **give the ~** 《俗》갑자기 해고하다 〈친구를〉 뿌리쳐 버리다.

chuck² *n., vt.* 《機》(척(선반(旋盤)의 물림쇠); 지퍼(zipper); 《소의》목 부분의 살, 목정; 《美酊部份之》음식; 《機》척에 걸다(으로 쥐다).

chuck·le [tʃʌ́kl] *vi.* 킬킬 웃다. ② 《암탉이》꼬꼬거리다. — *n.* ⓒ 킬킬 웃음; 꼬꼬하는 울음 소리.

chug [tʃʌg] *vi.* 《~, -gg-》(발동기 따위가) 칙칙(폭폭) 소리를 내다. — *n.* ⓒ 칙칙(폭폭)하는 소리.

chum [tʃʌm] *n.* 《~, -mm-》① 단짝; 한 방의 동무; 친구; 한 방을 쓰다, 사이 좋게 지내다, 친구가 되다. ⌐**my** *n., a.*, ⓒ 《口》단짝의, 사이 좋은.

chump [tʃʌmp] *n.* ① 큰 나뭇조각(장작); 《口》멍텅구리, 바보(blockhead); 《俗》대가리(head).

chunk [tʃʌŋk] *n.* ① 큰 덩어리; 땅딸막한 사람(말). ⌐**y** *a.* 《口》통통한, 암바른한.

church [tʃəːrtʃ] *n.* ① ⓒ 교회당, 성당. ② Ⓤ 《교회에서의》예배 《early ~ 새벽 예배》. ③ Ⓤ (C-) 교파. ④ Ⓤ 전기독교도; 교권; ⑤ (the C-) 성직(聖職). **after ~** 예배 후. **Anglican C-** = C- of England. **as poor as a ~ mouse** 몹시 가난하여. **C- of England** 영국 국교회, 성공회. **C- of Jesus Christ of Latter-day Saints** 모르몬 교회. **Eastern C-** 《그리스》 교회. **English C-** = C- of England. **enter** 《go into》**the C-** 성직자로 입사가 되다. **High** 《Low》**C-** 고파(高派)〔저파(低派)〕 교회(英의 의식 등을 중시하는(하지 않는) 영국 국교의 일파). **talk ~** 종교적인 말을 하다; 《俗》재미 없는 말을 하다. **Western C-** 서방(가톨릭) 교회.

church·goer *n.* ⓒ (늘) 교회에 다니는 사람.

church·going *a.*, Ⓤ 교회에 다니는(다니기).

church·man [⌐mən] *n.* ⓒ 목사.

church·warden *n.* ⓒ 교구위원(집사); 《英》긴 사기 담뱃대.

church·yard *n.* ⓒ 교회의 경내(묘지).

內); 교회 묘지.

churl [tʃəːrl] *n.* ⓒ 촌사람; 야비한 사나이; 구두쇠. ⌐**ish** *a.*

churn [tʃəːrn] *n.* ⓒ 교유기(攪乳器)(버터를 만드는 대형 통); 《우유·크림을》 휘젓다(stir); 《휘저어》 버터를 만들다; 휘저어지다, 거품이(게 하)다. ⌐**er** *n.*

chute [ʃuːt] *n.* ⓒ 《물·재목 따위의》활강로(滑降路); 급류, 폭포(rapids); 《口》낙하산.

chut·ney, -nee [tʃʌ́tni] *n.* Ⓤ 처트니(인도의 과일로 매운 양념).

CIA 《美》 Central Intelligence Agency.

ci·ca·da [sikéidə, -káː-] *n.* (*pl.* ~**s, -dae** [-diː]) ⓒ 매미.

C.I.D. Criminal Investigation Department 《英》 검찰국; 《美》 범죄 수사대; 《美》 (런던 경찰국의) 수사과.

ci·der [sáidər] *n.* Ⓤ 사과술(한국의 '사이다'는 탄산수》. **all talk and no ~** 공론(空論).

cider press 사과 착즙기(搾汁器).

ci·gar [sigáːr] *n.* ⓒ 엽궐련, 여송연.

cig·a·ret(**te**) [sìgərét, ⌐⌐] *n.* ⓒ 궐련.

C. in C, C-in-C Commander-in-Chief.

cinch [sintʃ] *n.* 《美》 (말의) 뱃대끈; ① 꽉 쥠(잡음); 《俗》 확실한 일, 수월한 일 《That's a ~. 그런 것은 식은 죽먹기다》. — *vt.* 《美》 《말의》 뱃대끈을 죄다; 《俗》 꽉 붙잡다, 확보하다, 확실히 하다.

cin·der [síndər] *n.* ① Ⓤ 《석탄 따위의》 타다 남은 찌꺼기; 뜬숯. ② (*pl.*) 타다 남은 것, 재(ashes); 경주로. **burn up the ~s** 《경주에서》 역주하다.

cinder block 속이 빈 건축용 블록.

Cin·der·el·la [sìndərélə] 《<cinder》 *n.* ① 신데렐라 (= G. *Aschenbrödel*; F. *Cendrillon*). ② 숨은 미인(재원); 하녀; 밤 12시까지만의 무도회(= ~ **dance**).

cine- [síni, -nə] '*cinema*'의 뜻의 결합사.

cine-camera *n.* 영화 촬영기.

cin·e·ma [sínəmə] *n.* ① 《英》 영화관 《go to the ~ 영화 보러 가

다). ② ⓒ (한 편의) 영화. ③ (the ~) 《집합적》 영화 (《美》 movies).

cin·e·ma·tog·ra·phy [sìnəmətágrəfi/-5-] n. ⓤ 영화 촬영 기술(기법).

***cin·na·mon** [sínəmən] n., a. ⓤ 계피. 육계색(肉桂色)의.

***ci·pher** [sáifər] n. ① ⓒ 영(零) (zero); 하찮은 사람(것); 아라비아 숫자. ② ⓤⓒ 암호 (해독키). *in* ~ 암호로. — vt., vi. 계산하다; 암호로 쓰다.

cir·ca [sə́ːrkə] prep. (L.) 약 (··년경)《생략 c., ca.》.

***cir·cle** [sə́ːrkl] n. ⓒ 원(주) (draw a ~ 원을 그리다). 권(圈). ② 원형의 장소. ③ 《天》 궤도(orbit); 주기(cycle). ④ 《종종 pl.》 집단, 사회. ··계(界); 범위(have a large ~ of friends 아는이가 넓다). come [go] full ~ 일주하다. family ~ 집안, 가족. go round in ~s 《口》제자리를 맴돌다; 노력의 성과가 없다. in a ~ 둥그렇게. run round in ~s 《口》 하찮은 일에 안달복달하다. well-informed ~s 소식통. — vi, vt. 돌다, 둘러싸다.

cir·clet [sə́ːrklit] n. ⓒ 작은 원(고리); 팔찌, 반지, 머리띠.

***cir·cuit** [sə́ːrkit] n. ⓒ ① 주위, 주행, 순회(구). ② 우회 (도로). ③ 범위 ④ 순회 재판(구). ⑤ 《電·컴》 회로. closed ~ 폐회로. go the ~ of ··을 일주하다. short ~ 《電》 단락(短絡). 합선. — vt., vi. 순회하다.

circuit board [電] ① 회로판. ② 회로판 또는 집적 회로를 탑재한 회로 구성 소자.

circuit breaker [電] 회로차단기.

cir·cu·i·tous [sə(ː)rkjúːitəs] a. 에움길의. 에두르는. 완곡한(roundabout). ~·ly ad.

cir·cu·lar [sə́ːrkjələr] a. ① 원형 (circle)의. 고리 모양(환상)의. ② 순환의. ③ 회람의. — n. ⓒ 회장(回章); 안내장; 광고 전단. ~·ize [-ràiz] vt. ··에게 광고를 돌리다; 회람으로 돌리다.

circular saw [機] 둥근톱.

***cir·cu·late** [sə́ːrkjəlèit] vi., vt. ① 돌[게 하]다. 순환하다[시

키다]. ② 유포[유통]하다[시키다]. ③ 널리 이르[퍼지]다. **-lat·ing** [-iŋ] a.

***cir·cu·la·tion** [sə̀ːrkjəléiʃən] n. ① ⓤⓒ 순환: 운행, 유통. ② (통화 따위의) 유통; 유포; 배포(配布). ③ 《sing.》 발행 부수; (도서의) 대출 부수.

cir·cu·la·to·ry [sə́ːrkjələtɔ̀ːri/sə̀ːkjəléitəri] a. (혈액) 순환의; 유통의.

cir·cum·cise [sə́ːrkəmsàiz] vt. (유대교 따위) 할례를 행하다; (마음을) 깨끗하게 하다.

cir·cum·ci·sion [sə̀ːrkəmsíʒən] n. ⓤ 할례; 포경 수술.

***cir·cum·fer·ence** [sərkʌ́mfərəns] n. ⓤⓒ 원주. 주위, 주변. **-en·tial** [sərkʌ̀mfərénʃəl] a.

cir·cum·flex [sə́ːrkəmflèks] a. 곡절(曲折) 악센트가 있는; 만곡(彎曲)된. — vt. (··에) 곡절 악센트를 붙이다(기호로 표시하다).

circumflex accent 곡절 악센트 기호《모음 글자 위의 ^, ˜, ˆ》.

cir·cum·lo·cu·tion [sə̀ːrkəmloukjúːʃən] n. ① 완곡. ② ⓒ 완곡한 표현. **-loc·u·to·ry** [-lákjətɔ̀ːri/-lɔ́kjətəri] a.

circum·navigate vt. (세계를) 일주하다. **-navigation** n.

cir·cum·scribe [sə́ːrkəmskràib] vt. 둘레에 선을 긋다. 한계를 정하다; 에워싸다(surround); 제한하다; 《幾》 외접(外接)시키다.

cir·cum·spect [sə́ːrkəmspèkt] a. 조심성 많은; 빈틈없는. **-spec·tion** [-spékʃən] n.

***cir·cum·stance** [sə́ːrkəmstæns/-əns] n. ① 《pl.》 사정, 정황, 상황. 환경, 처지, 생활 형편. ② ⓤ 일어난 일; 사건, 사실. ③ ⓤ 부대 사항, 상세. ④ ⓤ 형식에 치우침; 거드름. *in easy* [good] ~s 살림이 넉넉하여, *not a* ~ *to* 《俗》··와 비교가 안 되는, *the whole* ~ 자초지종. *under no* ~s 여하한 일이 있어도 ··않다. *under* [in] *the* ~s 이러한 사정에서는. *with* ~ 자세히. *without* ~ 형식 차리지 않고.

cir·cum·stan·tial [sə̀ːrkəmstǽnʃəl] a. 정황으로 인한, 추정상의; 상세한(detailed)(a ~ report) 우연

한, 부수적인, 중요치 않은. ~ **evi-dence** 〖法〗정황 증거.

cir·cum·vent[-vént] vt. 선수치다, 속이다, (함정에) 빠뜨리다; 에워싸다. **-vén·tion** n.

cir·cus[sə́ːrkəs] n. ⓒ 서커스, 곡예, 곡마단(장); (고대 로마의) 원형 경기장; 〖英〗(방사상으로 도로가 모이는) 원형 광장(*Piccadilly* ~ (런던의) 피커딜리 광장); 재미있는 사람(일).

cir·rho·sis[siróusis] n. ⓤ 〖醫〗(특히 과음에 의한) 간·신장 등의 경변중(硬變症).

cir·rus[sírəs] n. (pl. **-ri**[-rai]) ⓒ 〖氣〗권운(卷雲), 새털구름; 〖植〗덩굴손(tendril); 〖動〗촉모(觸毛).

cis[sis] n. ⓒ 〖口〗우먼리한 사내; 〖美俗〗동성애의 남자(sissy).

cis·tern[sístərn] n. ⓒ (흔히, 옥상의) 저수 탱크; 〖解〗체강(體腔).

cit·a·del[sítədl, -dèl] n. ⓒ (도시를 지키는) 요새; 거점; 피난처; (군함의) 포탑.

ci·ta·tion[saitéiʃən] n. ① ⓤ 인용; ⓒ 인용문. ② ⓒ 〖法〗소환장. ③ ⓒ 〖美軍〗열거(列記)《수훈 군인, 부대 따위의》, 감사장.

cite[sait] vt. 인용하다(quote); 〖法〗소환하다(summon); (훈공 따위를) 열거(列記)하다.

cit·i·zen[sítəzən] n. ⓒ ① 시민, 공민. ② 도회 사람. ③ 〖美〗민간인 (civilian). ④ 국민(member of a nation). ~ **of the world** 세계인(cosmopolitan). ~·**ry** n. 《집합적》 시민. *~·**ship**[-ʃìp] n. 시민의 신분, 공민[시민] 권; 국적.

Citizens'Bánd (때로 c-b-) 시민 밴드(트랜시버 등을 위한 개인용 주파수대(帶) 및 그 라디오; 생략: CB, C.B.).

cit·ric[sítrik] a. 레온의[에서 채취한]. ~ **acid** 구연산.

cit·y[síti] n. ① ⓒ 시(市)《미국에서는 주청(州廳)가 인정한 도시》; 영국에서 특히 칙허장에 의함, 또 cathedral이 있는 도회). ② ⓒ 도시, 도읍. ③ (the C-) 런던시부(市部)《상업 지구》. **one on the** ~ 《美俗》물 한 잔의 주문.

cíty éditor 〖新聞〗《美》사회부장.

cíty háll 《美》 시청.

cíty-státe n. ⓒ 도시 국가《아테네 따위》.

civ·et[sívit] n. ① ⓒ 사향고양이. ② ⓤ 그것에서 얻는 향료.

civ·ic[sívik] a. 시(市)의, 시민[공민, 국민]의. ~ **rights** 시민[공민]권. ~·**s** n. ⓤ 공민[학]과.

cívic cénter 《英》 **céntre** 시의 중심지.

civ·il[sívəl] a. 시민[국민]의; 문관(민간)의; 일반인의; 민사[민법]의 (cf. criminal); 국내의; 예의 바른; 문명한. ~·**ly** ad. 정중히, 예의바르게; 민법상.

cívil defénce 〖《英》defénse〗 민간 방위(방공).

cívil disobédience 시민적 저항 《반세(反稅) 투쟁 따위》.

cívil enginéer 토목 기사.

cívil enginéering 토목 공학; 토목 공사.

ci·vil·ian[sivíljən] n. ⓒ ① (군인에 대한) 일반인, 민간인; 문관; 비전투원. ② 민법[로마법] 학자. — a. 일반인[문민·민간]의; 문관의.

ci·vil·i·ty[sivíləti] n. ① ⓤ 정중함. ② (pl.) 정중[공손]한 태도.

civ·i·li·za·tion[sìvəlizéiʃən] n. ① ⓤⓒ 문명. ② ⓤ 문명 세계[사회]. ③ 《집합적》 문명국(민). ④ ⓤ 교화, 개화.

civ·i·lize[sívəlàiz] vt. 문명으로 끌다; 교화하다. **：~d** a. 문명의; 교양 있는, 세련된(refined).

cívil láw 민법; (the C- L-) 로마법(法).

cívil líberty 공민의 자유.

cívil márriage 종교 의식에 의하지 않은 신고 결혼.

cívil ríghts 〖公〗민권.

cívil sérvant 《英》 문관, 공무원.

cívil sérvice 문관 근무, 행정 사무; 《집합적》공무원(~ **examination** 공무원 임용 시험).

cívil súit 민사 소송.

cívil wár 내란; (the C- W-) 《美》남북 전쟁(1861-65); 《英》Charles Ⅰ세와 의회와의 분쟁(1642-49).

civ·vy, -vie[sívi] n. ⓒ 《俗》일반 시민; (pl.) 평복.

C

Cívvy Strèet 《英俗》 비전투원의 민간인 생활.

cl. centiliter.

clack [klæk] *n., vi.* (sing.) 잘각(딱) 소리(내다); 지껄임; 지껄여대다(chatter).

*clad [klæd] *v.* 《古·雅》 clothe의 과거(분사). ── *a.* 갖춘, 장비한(*iron vessels* 철갑선).

:claim [kleim] *n.* ⓒ ① (당연한) 요구, 청구(demand); (권리의) 주장. ② 권리, 자격(title). ③ (보험·보상금의) 지급 청구, 클레임. **jump a** ── 《美》 (남이) 선취한 땅(채굴권)을 가로채다. **lay ～ to** …의 소유권을 주장하다; …을 요구하다; …라고 자칭하다. ── *vt.* ① 요구[청구·신청]하다. ② 주장[공언·자칭]하다. ③ (…의) 가치가 있다, 필요로 하다. ── *vi.* 손해 배상을 청구하다(*against*).

*claim·ant [kléimənt] *n.* ⓒ 청구자, 신청자.

clair·voy·ance [klɛərvɔ́iəns] *n.* ⓤ 천리안, 투시(력); 굉장한 통찰력. **-ant** *a., n.* 천리안의 (사람).

*clam [klæm] *n.* (*pl.* ～s), *vi.* (**-mm-**) ⓒ 대합조개(를 잡는); 《美口》 과묵한 사람, 둘도. ～ **up** 《美口》 입을 다물다.

*clam·ber [klǽmbər] (cf. climb) *vi., n.* (a ～) (애를 써서) 기어 오르다(오름).

*clam·my [klǽmi] *a.* 곤곤한; (날씨가) 냉습한.

:clam·or, 《英》 **-our** [klǽmər] *n.* (sing.) 외치는 소리, 왁자지껄 떠듦, 소란(uproar); (불평·요구 등의) 외침; 들끓는 비난. ── *vi., vt.* 와글와글 떠들다; 시끄럽게 말하다; 떠들어 …시키다. ～ **down** 야유를 퍼부어 (연사를) 침묵시키다. **～·ous** [klǽmərəs] *a.* 시끄러운. **～·ly** *ad.*

*clamp [klæmp] *n., vt.* ⓒ 죔쇠(로 죄다), ── **down** 《美口》 탄압하다, 억누르다.

clámp·dòwn *n.* ⓒ 《口》 엄중 단속, 탄압.

*clan [klæn] *n.* ⓒ ① 씨족, 일가, 일문; (스코틀랜드 고지 사람의) 일족.

② 당파, 파벌(派閥)(coterie).

clan·des·tine [klændéstin] *a.* 비밀의; 은밀한(underhand) (= *dealings* 비밀 거래).

clang [klæŋ] *vi., vt.* 쾅[땡그랑] 울리다. ── *n.* ⓒ 쾅그랑[쾅]하는 등의 소리.

clan·gor, 《美》 **-gour** [klǽŋgər] *n.* (sing.) 쾅쾅[땡그랑땡그랑] 울리는 소리. **～·ous** *a.*

clank [klæŋk] *vi.* (무거운 쇠사슬 따위가) 탁[철컥] 소리를 내다. ── *n.* (sing.) 철컥, 탁 (하는 소리).

clan·nish [klǽniʃ] *a.* 《clan》 씨족의; 파벌적인; 배타적인.

clans·man [klǽnzmən] *n.* ⓒ 가문[일가]의 한 사람.

*clap [klæp] *vt., vi.* (**-pp-**) ① 철썩 때리다, 치다(slap); 날개치다(flap). ② 박수하다. ③ 쾅 닫히게 (slam) (문을) 쾅 닫다. ④ 투옥하다. ～ **eyes on** …을 보다, 목격하다(보통 부정문에서). ～ **hold of** …을 붙들다. ～ **up** (*together*) 서둘러 만들다; (거래를) 재빨리 해치우다. ── *n.* ⓒ 박수(하는 소리).

clap′ *n.* (the ～) 《卑》 임질.

clap·board [klǽpbɔ̀ːrd, klǽbərd] *n.* ⓒ 《美》 미늘벽 판자.

clap·per [klǽpər] *n.* ⓒ 박수[손뼉] 치는 사람; 종이 추; 따막이; 《俗》 혀; 수다꾼이.

cláp·tràp *a., n.* ⓤ (인기·주목을 끌기 위한) 과장된 (연설, 저작).

clar·et [klǽrit] *n.* ⓤ 클라레《보르도 포도주》; 자줏빛. ── *a.* 자줏빛의.

clar·i·fy [klǽrəfài] *vt., vi.* 밝게(정하게) 하다, 맑아지다; 명백히 하다(되다). **-fi·ca·tion** [-fikéiʃən] *n.*

clar·i·net [klǽrənét] *n.* ⓒ 클라리넷목관악기》.

*clar·i·on [klǽriən] *n.* ⓒ 클라리온 《예전에 전쟁 때 쓰인 나팔》. ── *a.* 낭랑하게 울려 퍼지는.

clar·i·ty [klǽrəti] *n.* ⓤ 맑음, 투명함; 투명성(clearness).

:clash [klæʃ] *n.* ① (sing.) 우지끈, 쾅, 챙그랑(부딪치는 소리). ② ⓒ 충돌·불일치, 모순(conflict). ── *vt., vi.* ① 쾅[우지끈, 챙그랑] 울리다. ② 충돌하다(collide) (*against, into,*

upon. ③ (의견이) 대립하다(*with*).
:**clasp**[klǽsp, -ɑː-] *n., vt., vi.* ① 물림쇠(로 물리다). 죔쇠(로 죄다); 악수(하다); 포옹; 껴안다.
clásp knife 잭칼.

:**class**[klǽs, -ɑː-] *n.* ① C,U 계급. ② C,U 학급, 반; 수업 시간. ③ (美)《집합적》동기생, 동기병(兵). ④ C 등급. ⑤ (the ~es) 상류 계급. ⑥ U 《口》우수, 멋있음. ⑦ 《生·植》강(綱) 《phylum과 order의 중간》. **be in a ~ by oneself** 타의 추종을 불허하다. **be no ~** 너절하다. **in ~** 수업중. **the ~es and the masses** 상류 계급과 일반 대중. — *vt.* 분류하다, 가르다.
cláss-cónscious *a.* 계급 의식이 있는. **~·ness** *n.* U 계급 의식.
:**clas·sic**[klǽsik] *a.* ① 고급의, 명작의; 고상한, 고아한. ② 고전의; 《문학·예술의》 고대 그리스·로마풍의. ③ 유서깊은, 유명한; 《복장 등》유행을 떨어버린. ④ 《英》멋진; 우수한. **~ myth** 그리스·로마 신화. — *n.* ① 고급의 문예, 명작. ② (the ~s) 《그리스·로마의》고전; 고전어. ③ C 고전작가. ④ C 고전학자; 《古》고전주의자. **the ~s** 《그리스·라틴의》고전(문학).
:**clas·si·cal**[klǽsikəl] *a.* ① 그리스·라틴 문학의, 고전적인. ② 고전주의의; 《재즈·탱고 따위에 대하여》 고전 음악의. ③ 우수[고상]한(classic). **~·ly** *ad.*
:**clas·si·cism**[klǽsəsìzəm] *n.* ① 고전주의(숭배); 의고(擬古)주의《고전적 어법, 고전의 지식》(cf. romanticism). **-cist** *n.*
:**clas·si·fied** *a.* 《美》① 분류된; 배열된; 《美》《공문서 따위의》 기밀 취급으로 지정된; 《俗》비밀의, 은밀한.
clássified ád 《美》《구인·구직 따위의》 3행 광고(want ad).
:**clas·si·fy**[klǽsəfài] *vt.* 분류[유별] 하다; 등급으로 가르다; 《공문서》 기밀 취급으로 하다. **:-fi·ca·tion** [⸺fikéiʃən] *n.* U,C 분류; 《美》 정부군 문서의 기밀 종별.
class·mate[⸺mèit] *n.* C 급우, 동급생.

class·room[⸺rù(ː)m] *n.* C 교실.
cláss strúggle 〔wár, wárfare〕 계급 투쟁.
class·y[klǽsi, klɑ́ːsi] *a.* 《美俗》 고급의, 멋있는.
clat·ter[klǽtər] *n., vi., vt.* 덜걱덜걱[덜거덕덜거덕] 소리(나다, 내게 하다); 수다; 재잘거리다.
clause[klɔːz] *n.* C 조목, 조항《a saving ~ 단서》. 《文》 절(節). **main ~** 주절. **subordinate ~** 종속절.
claus·tro·pho·bi·a [klɔːstrəfóubiə] *n.* U 【醫】 밀실 공포증.
clav·i·chord[klǽvəkɔ̀ːrd] *n.* C 클라비코드《피아노의 전신》.
clav·i·cle[klǽvəkl] *n.* 【解·動】 쇄골(鎖骨).
claw[klɔː] *n.* C ① 《새·짐승의》 발톱(이 있는 발); 《게의》 집게발. ② 움켜잡음. ③ 《비유》 갈퀴 모양의 발톱. **cut the ~s of** …에서 공격력을 빼앗다, …을 무력하게 만들다. — *vt., vi.* 《발톱으로》 할퀴다; 《욕심부려》 긁어모으다, 움켜쥐다. — *back* 《美에서》 되찾다. 《英》 《부적절한 급부금 따위를》 부가세 형식으로 회수하다. **~ hold of** …을 꽉 잡다〔움켜잡다〕. **~ one's way** 기듯이 나아가다.
cláw hàmmer 노루발 장도리; 《口》 연미복.
clay[klei] *n.* U ① 찰흙, 점토; 흙(earth). ② 육체. **potter's ~** 도토(陶土). **~·ey**[kléi] *a.* 점토질의; 점토를 바른(clayish).
clay·more[kléimɔ̀ːr] *n.* C 《고대 스코틀랜드 고지인(人)의》 양날의 큰 칼.
cláy pígeon 클레이《사격용으로 공중에 띄우는 둥근 표적》.
cláy pipe 토관(土管); 사기 파이프.
:**clean**[kliːn] *a.* ① 깨끗한, 청결한. ② 순결한; 정결한. ③ 《산뜻하게 지나서, 거칠 것 없이》 식용에 적합한《a ~ fish 식용어》. ④ 미끈한, 균형이 잡힌; 말쑥한; 좋은, 훌륭한《a ~ copy 청서(淸書)/~ timber 마디 없는 재목》. ⑤ 《美》깔끔한, 《솜씨가》 멋진(skillful)《a ~ hit》. ⑦ 마땅한, 당연히 해야 할《That's the ~ thing for us to do. 바로 우리들이 해야 할 일이다》. ⑧ 완전한《He lost

C

a ~ 10,000 won. 고스란히 만 원이나 손해를 보았다. ④ 방사성 낙진이 없는(적은). ⑤ 방사능에 오염이 안 된. *be ~ in one's person* 몸차림이 말쑥하다. *~ record* 흠잡을 수 없는(훌륭한) 경력. *~ tongue* 깨끗한 말(쓰기). *come ~* 실토하다. *make a ~ BREAST of. Mr. C-* 정직한(청렴 결백한) 사람(세제(洗劑)의 상표명에서). *show a ~ pair of HEELS.* *~* ― *ad.* ① 아주, 완전히. ― *vt.* ① 깨끗이 하다; 청소하다; 씻다. ② 처치하여, 치우다. *~ out* 깨끗이 청소[일소]하다; 《俗》 (아무를) 빈털터리로 만들다; 《俗》 (돈을) 빼다. *~ up* 청소하다; (악덕·적을) 일소하다; 《美口》 (돈을) 벌다. *≈·er n.* ⓒ 청소부〔기〕. *≈·ing n.* Ⓤ 세탁. *≈·ness n.* Ⓤ 청결, 결백.

cléan-cút *a.* (윤곽이) 뚜렷한(neat); (설명 따위가) 명확한, 단정하고 건강한(*a ~ boy*).

clean·ly¹ [clɪ́nli] *ad.* 깨끗이, 깨끗하게 한 전히(completely). ― [klénli] *a.* 깨끗하게 좋아하는, 말쑥한(neat); 청결한. *≈·li·ness* [klénlinis] *n.* Ⓤ 깨끗함; 청결; 결백.

cleanse [klenz] *vt.* 청결하게 하다; 깨끗이 하다(*from, of*). **cléans·er** *n.* Ⓤⓒ 세제(洗劑).

cléan-sháven *a.* 수염이 면도한.

cléan·úp *n.* Ⓤ 청소, 정화(淨化). (범죄 등의) 일소; 《俗》 벌이; 이득(profit) 《口》 《野》 네번 타자.

clear [kliər] *a.* ① 밝은, 맑은, 갠; (목소리가) 청아한; ② (머리가) 명석한; 명백한. ③ 가리는 것이 없는; 방해받지 않는; ④ 죄 없는; 결점 없는, 더럽혀지지 않는; 흠 없는(clean). ⑤ 순전한, 갈축없는, 정미(알짜)의 (*a ~ hundred dollars* 갈축없는 백 달러). ⑥ 확신을 가진; ⑦ 접촉하지 않은, 떨어진. *get ~ of* …에서 떨어지다. 피하다. *keep ~ of* …에 떨어져 있다, …에 접근지 않다. ― *ad.* 분명히; 완전히, 아주. ― *vt.* ① 분명하게 하다; 맑게 하다; 깨끗이 하다. ② 처리하다; 치우다(*They ~ed the land of [from] trees.* 그 토지의 나무를 베어 버렸다). ③ (토지를)

개간하다. ④ (빚을) 갚다. ⑤ (배의) 출항 준비를 하다. ⑥ 뛰어 넘다. ⑦ (정리를 위해) 떨이로 팔다(*cf.* clearance). ⑧ (어음·셈을) 결제(決濟)하다. ⑨ 순이익을 올리다(*from*). ― *vi.* ① 분명해지다; 맑아지다; 개다. ② 출항 절차를 마치다; 출항하다; 떠나다. *~ away* 처치하다; (안개가) 걷히다, 사라지다, *~ out* 쓸어내다; (口俗) 떠나가다. *~ the sea* 소해(掃海)하다. *~ up* (날씨가) 개다; 풀다(solve), 밝히다(explain); 깨끗이 치우다〔처리하다〕; (빚을) 청산하다〔처리하다〕. ― *n.* ⓒ 빈 터, 공간. [*비디민턴*] 클리어 샷; *in the ~* 안쪽으로; (현의 등이) 풀리어; 결백하여; 무죄하여; 명문(明文)으로. 《美俗》 빚지않고. *≈·ly ad.* 똑똑하게, 분명히, 확실히. *≈·ness n.*

clear·ance [klɪ́ərəns] *n.* ① Ⓤ 제거, 일소; 처치; (상품의) 떨이; 할제. ② Ⓤ (삼림지의) 개간 ⓒ 개간한 곳. ③ Ⓤ (은행간의) 어음 교환(액). ④ Ⓤ 출항 인가, ⓒ 그 증서; Ⓤ 통관절차. ⑤ Ⓤⓒ [機] 빈틈, 여유.

cléar-cút *a.* 윤곽이 뚜렷한(*a ~ face*); 명료한.

cléar-héaded *a.* 머리가 좋은.

cléar·ing [klɪ́əriŋ] *n.* ① Ⓤ 청소; 제거. ② ⓒ (삼림 속의) 개간지. ③ Ⓤ 어음 교환.

cléaring·hòuse *n.* ⓒ [商] 어음 교환소; 정보 센터.

cléar-síghted *a.* 눈이 잘 보이는; 명민한; 선견지명이 있는.

cléar·wày *n.* ⓒ 《英》 정차 금지 구간.

cleat [klit] *n.* ① 쐐기 모양의 미끄럼 막이; ② [船] (볼록한) 밧줄 걸이. ― *vt.* 밧줄 걸이에 밧줄을 감다〔고정시키다〕.

cleave¹ [kliːv] *vt., vi.* (*clove, cleft, clave*; *cloven, cleft, ~d*) ① 쪼개다(빠개다), 가르다, 갈라지다. ② 베어 헤치며 나아가다. ③ 잘라 가름; 헤치고 나아가다. **cléav·age** *n.* Ⓤⓒ 분열, 터진 금. **cléav·er** *n.* ⓒ 고기 써는 식칼.

cleave² *vi.* (*~d, (古) clave, clove; ~d*) 접착하다(stick)하다; 단결하다(*together*).

C

clef [klef] *n.* ⓒ 〔樂〕 음자리표. **C ～** [F, G〜] 다(바, 사음자리표, 가온 〔낮은, 높은〕음자리표.

cleft [kleft] *v.* cleave¹의 과거(분사). ― *a., n.* 짜개진, 갈라진; 갈라진 금(틈)(crack, chink). **in a ～ stick** 진퇴양난에 빠져.

clem·a·tis [klémətis] *n.* ⓒ 〔植〕참으아래속의 식물〈선인장·위령선·사위질빵 무리〕.

clem·en·cy [klémənsi] *n.* ⓤ.ⓒ 온 대함, 인정 많음; 자비로운 행위〔조처〕. **clém·ent** *a.*

clem·en·tine [klémәntàin] *n.* ⓒ 클레멘타인〈오렌지의 일종〕.

clench [klentʃ] *vt.* ① 꽉 죄다〔쥐다〕; (이를) 악물다. ② (못의) 대가리를 쳐서 구부리다(clinch). ③ (의론을) 결정짓다. ― *vi.* 단단히 죄어지다. **～er** *n.* = CLINCHER.

clere·sto·ry [klíərstɔ̀:ri, -stòuri] *n.* 〔建〕 (교회 등의) 고창층(高窓層).

cler·gy [klɔ́:rdʒi] *n.* (the ～) 〔집합적〕목사(들), 성직자.

cler·gy·man [-mən] *n.* ⓒ 성직자, 목사.

cler·ic [klérik] *n., a.* ⓒ 목사(의).

cler·i·cal [-əl] *a.* ① 목사(의), 성직의; 서기의; 베끼는 (데 있어서의)(*a ～ error* 잘못 쓰기); (*pl.*) 목사(성직)복; **～ staff** 사무직원. **cler·i·cal·ism** [-əlìzəm] *n.* ⓤ 성직 존중주의; 성직자의 정치적 세력.

clerk [klɔ:rk/klɑ:k] *n.* ⓒ ① 사무원, 회사원; 서기. ② 《美》점원, 판매원. ③ 〔英〕목사, 성직자(clergyman). ④ 〔古〕학자. ― *vi.* 《美》점원〔사무원〕으로 일하다. **in holy orders** 목사, 성직자. **the C～ of the weather** 날씨를 맡아보는 상상적 기상대장. **～·ship** [-] ⓤ.ⓒ 서기〔사무원〕의 직〔신분〕.

clev·er [klévər] *a.* ① 영리한, 머리가 좋은. ② 교묘한(*at*).

clev·er·ly [-li] *ad.* 영리하게; 솜씨 있게, 잘.

clev·er·ness [-nis] *n.* ⓤ 영리함; 솜씨있음, 교묘.

cli·ché [kliːʃéi] *n.* (*pl.* ～*s* [-z]) (F.) ⓒ ① 진부한 문구〈'My wife' 대신

'my better half'라고 하는 따위〕.

click [klik] *n., vi., vt.* ⓒ 짤까닥(딸깍) (소리가 나게 하다); 〔言語〕혀 차는 소리; 《口》크게 히트치다, 성공하다; 〔컴〕마우스의 단추를 누르다.

cli·ent [kláiənt] *n.* ⓒ 변호 의뢰인; (소송) 의뢰인. ～ **state** 무역 상대국.

cli·en·tele [klàiəntél, kliːɑːntéil] *n.* 〔집합적〕소송 의뢰인; 고객, (연극·상점의) 단골 손님(customers).

cliff [klif] *n.* (*pl.* ～*s*) ⓒ 벼랑, 절벽.

cliff·hang·er *n.* 연속(연재) 스릴러(소설), 대모험담〔담〕.

cli·mac·tic [klaimǽktik], **-ti·cal** [-əl] *a.* 절정의(climax)의.

cli·mate [kláimit] *n.* ⓒ ① 기후, 풍토. ② (사회·시대의) 풍조, 사조. **cli·mat·ic** [klaimǽtik] *a.*

cli·ma·tol·o·gy [klàimətálədʒi/-5-] *n.* ⓤ 기후학, 풍토학.

cli·max [kláimæks] *n., vi., vt.* ⓒ ① 〔修〕점층법(漸層法). ② 절정〔최고조〕에 달하다, 달하게 하다.

climb [klaim] *vt., vi.* ① 기어오르다 (*up*). 오르다(rise). ② (식물이) 기어오르다. ③ 출세하다. ～ **down** 기어내리다; 《口》물러나다, 양보〔단념〕하다(give in). ― *n.* ⓒ (보통 *sing.*) 오름; 오르는 곳, 비탈; 치받이. ～ **to** ⓒ 오르는 사람, 등산가; 등산자(가); 덩굴 식물. ～**ing** *a., n.*

clime [klaim] *n.* ⓒ 〔詩〕풍토; 지방, 나라.

clinch [klintʃ] *vt., vi.* ① (빠지지 않도록 못대가리를) 쳐 구부리다; 죄다. ② (의론의) 결말을 짓다. ③ 〔拳〕(상대를) 꽉 껴안다. ― *n.* ⓒ ① 못대가리를 두드려 구부림. ② 〔拳〕클린치. ③ (밧줄의) 매듭(knot). **～er** *n.* ⓒ 두드려 구부리는 연장; 결정적인 것, 매듭짓음.

cling [kliŋ] *vi.* (**clung**) 들러붙다 (stick), 달라붙다(*to*); 고수〔집착〕하다(adhere)(*to*). ～**·y** [-i] *a.*

clin·ic [klínik] *n.* ⓒ 임상 강의(실), 임상 진찰실; 진료소.

clin·i·cal [-əl] *a.* 임상(臨床)의. ～ **lectures** 임상 강의. ～ **medicine** 임상 의학. ～ **thermometer** 체온

계.

clink¹[kliŋk] *n., vi., vt.* ⓤ 쨍[절그렁] (소리가 나다[를 내다]); 《古》 각운[脚韻](rhyme).

clink² *n.* ⓒ 《俗》 교도소; 유치장.

clink·er[klíŋkər] *n.* ⓤⓒ (네덜란드식 구이의) 경질(硬質) 벽돌; 교착 벽돌덩이; (용광로 속의) 용재(鎔滓) 덩이; 《美》 《종종 *regular* 로서》 극상품, 일품(逸品); 뛰어난 인물; 《俗》 실패(작).

clip¹[klip] *vt.* (*-pp-*) ① (가위로) 자르다(cut), 짧게 자르다[깎다](cut short)(*away, off*); ② 바짝 자르다, 잘라[오려]내다; ③ (어미의 음을) 발음하지 않다; ④ 《口》 때리다. ── *vi.* ① 질주하다, 달리다(cf. clipper). ② (신문을) 오려내다. ~ ***one's***~ ***ped word*** 생략어《'ad' 따위》. ── *n.* ⓒ ① 가위로 잘라냄; 깎기; 한 번 깎기의 양모(量毛); (pl.) 깎는[베어내는] 기구; 《美口》 일격; 《口》 빠른 속도. ~***per*** *n.* ① 베는[깎는] 사람; ② 이발기계, 쾌속선(船), 쾌속(여객)기; (C-) 클립퍼호(機). ~***ping*** *n., a.* ① 깎기, ⓒ 깎은[베어낸] 털 [풀]; ⓒ 《美口》 오려낸 것; ⓒ 《口》 강타; 《俗》 굉장한; 일류의.

clip² *n., vt.* (*-pp-*) ⓒ 클립, 종이 끼우개, 클립(으로) 물리다).

clip·board *n.* ⓒ 종이 끼우개(판); 《컴》 오려둔판, 오림판.

clip joint *n.* 《俗》 하급 카바레[나이트 클럽].

clique[kli:k] *n.* ⓒ 도당《을 짜서 움직이는》, 파벌(을 만들다). **cliq·uey**[klí:ki] *a.* 당파심이 강한, 배타적인. **cli·qui·ness** *n.*

clit·o·ris[klítəris, kláit-] *n.* [解] 음핵.

cloak[klouk] *n.* ⓒ ① (소매 없는) 외투, 망토, 소매 ② 가면; 구실, **under** ***the ~ of ~*** 을 빙자(구실로)하여; …을 틈타. ── *vi., vt.* 외투를 입[히]다; 덮어 가리다.

cloak-and-dagger *a.* (소설·연극이) 음모나 스파이 활동을 다룬, 음모극의.

cloak·room *n.* ⓒ 휴대품 보관소

(baggage room); 《美》 (의사당) 의원 휴게실[《英》 lobby]; 《英》 변소.

clob·ber¹[klábər/-5-] *n.* ⓒ 《英·濠俗》 의복, 장비.

clob·ber² *vt.* 《俗》 때려눕히다; 쳐서 이기다; 통렬히 비판하다.

cloche[klouʃ] *n.* ⓒ 텔멧형 여자 모자; [園藝] (종 모양의) 유리 덮개.

clock¹[klak/klɔk] *n.* ⓒ 시계《괘종·탁상시계 따위》, ***around the ~***, 24시간 내내, 밤낮없이. ── *vt.* (…의) 시간을 재다[기록하다]; [競] (…의) 속도에 달하다. ── ***in*** [*out*] 타임리코더로 출[퇴]근 시간을 기록하다.

clock² *n.* ⓒ (발목에서 위로 걸쳐서의) 양말의 장식수.

clock watcher 퇴근 시간에만 마음을 쓰는 사람, 태만한 사람.

clock·wise *ad., a.* (시계 바늘의 방향으로) 우로(右로) 도는[돌아].

clock·work *n.* ⓤ 태엽 장치.

clod[klad/klɔd] *n.* ⓒ 흙덩이; 흙; 투미한(우둔한) 사람.

clod·hopper *n.* ⓒ 시골뜨기, 농사꾼; (*pl.*) 무겁고 투박한 구두.

clog[klag/-ɔ-] *n.* ⓒ 방해[장애]물; 바퀴멈추개(제동 장치); (보통 *pl.*) 나무창신(을 신고 추는 춤). ── *vt., vi.* (*-gg-*) 방해하다; (들어)막다; 막히다.

clois·ter[klɔ́istər] *n.* ⓒ 수도원(monastery), 수녀원(nunnery); 은둔처; (the ~) 은둔 생활; (안뜰을 싼) 회랑. **clois·tered**[klɔ́istərd] *a.* 초야에 묻힌; 수도원에 들어박힌.

clone[kloun] *n.* ⓒ [植] 영양계(系); [動] 분지계(分枝系); [生] 복제 생물, 뽀낸 것; [컴] 복제품.

close¹[klouz] *vt.* ① 닫다(눈을 감다), ② (들어) 막다; 마개를 하다(fill up). ③ 끝내다. ④ (조약을) 체결하다. ⑤ [電] 접속하다. ⑥ 둘러싸다. 에우다; 접근하다, 다가가다. ── *vi.* ① 닫히다. ② 합체되다; 막히다; 메이다. ③ 끝나다. ④ 다가들다; (가까이) 맞붙다(*with*); 일치하다(*on, upon, with*). ── ***about*** …둘러싸다. ── ***an account*** 거래를 끊다; 결산하다. ── ***down*** 폐쇄하다; (반란을) 진압하다; (막막 거래를) 단속하다;

~ in 포위하다: (밤 따위가) 다가오다(**upon**). **~ out** (물건을) 떨이로 팔다: (업무를) 폐쇄하다. **~ the eyes of** …의 임종을 지켜보다. **~ the ranks** 〔軍〕열의 간격을 좁히다. **~ up** 닫다. 폐쇄하다; 밀집하다[시키다]: (상처 따위가) 낫다. 아물다. **~ with** …와 맞붙다. —n. ⓒ (보통 sing) 결말. 끝(장); 접근; 〔klous〕 구내, 경내(境內); (樂 마침, 〔줌〕닫음, 닫기.

close 〔klouz〕 *a.* ① 가까운, 접근한. ② 닫은(closed), 흡근, 꼭 끼는, 숨 막힐 듯한; 바람이 잘 안 통하는, 답답한(stuffy), 무더운(sultry), 무더운, 밀집된(crowded): ~ *order* 밀집대형): 친밀한; 밀비의; 말없는. ④ 정밀한, (번역 따위가) 정확한. ⑤ 한정된; 금제(禁制)의. ⑥ 인색한(stingy)(~ *with one's money* 돈에 인색한). ⑦ 아슬아슬한, 접전(接戰)의. ⑧ 〔晉聲〕폐쇄(음)의(a ~ *vowel* 폐쇄음, [i], [u]처럼 혀를 작게 벌리는 모음). —*ad.* 밀접하여, 바로 곁에; 가깝게; 친하게; 정밀[정확]하게. **~ application** 전심(專心). **~ at hand** 가까이, 절박하여. **~ by** 바로 가까이. **~ call** (*shave*) 〔口〕위기 일발. **~ on** (*upon*) 거의, 대략. **~ resemblance** 아주 닮음. **come to ~ quarters** 접전이되다. **~ press** (*a person*) …을 호되게 몰리다. **~ sail to the wind** 〔海〕바람을 거의 마주받으며 배를 진행시키다: 법률에 저촉될락말락한 짓을 하다; 노골적인 이야기를 하다. **~·ly** *ad.* 꼭, 빽빽이, 갑갑하게: 가까이, 면밀히, 찬찬히: 친밀히, 일심으로, 알뜰[검소]하게. **~ness** *n.*

clóse-cropped *a.* 머리를 짧게 깎은.

clóse-cút *a.* 짧게 깎은[벤].

closed 〔klouzd〕 *a.* 폐쇄된.

clósed-circuit télevision 〔컴〕유선(폐회로)텔레비전(생략 CCTV).

clóse-dówn *n.* ⓒ 《美》공장 폐쇄.

clósed séason 《美》금렵기(《英》close season).

clósed shóp 노조원 이외는 고용하지 않는 사업장(opp. open shop).

clóse-fítting *a.* (옷 따위가) 꼭 맞는.

clos·et 〔klázit／-ɔ́-〕 *n.* ⓒ 벽장, 다락장(cupboard): 작은 방, 사실(私室); 변소. **~ of the** …의 이론상(공)들의. —*vt.* 사실에 가두다: **be ~ed with** …와 밀담하다. —*a.* 비밀의; 실제적이 아닌, 서재상의.

clóse-úp *n.* ⓒ 〔映·TV〕근접 촬영, 클로즈업; 정사(精査)(close examination).

clos·ing 〔klóuziŋ〕 *n.* ⓤⓒ 폐쇄; 마감, 폐점; 종료. —*a.* 끝의, 마지막의; 폐점(폐회)의. **~ address** 폐회사(辭)。 **~ price** 파장 시세. **~ quotations** 〔證〕입회 최종 가격. **~ time** 〔商〕폐점 시간.

clo·sure 〔klóuʒər〕 *n.* ⓤⓒ 폐쇄, 체결; 울타리; (표결에 들어가기 위한) 토론 종결. —*vt.* (…에 대하여) 토론 종결을 선언하다.

clot 〔klat／-ɔ〕 *n.* ⓒ 엉기다; 〔口〕(현미·대변 따위의) 엉긴 덩어리, ~**·ted**〔-id〕*a.* 엉겨붙은(~ted *nonsense* 잠꼬대, 허튼 소리).

cloth 〔klɔːθ, klɑθ〕 *n.* (*pl.* ~**s**〔-θs, -ðz〕) ① ⓤ 피륙, 옷감. ② 〔표지(表紙) 헝겊)(~ *binding* 클로스 장정)。③ (어떤 용도에 쓰이는) 천, 걸레, 행주 식탁포, 걸레 〔법의(法衣)), (the ~)〔집합적〕목사(the clergy), 성직자(clergymen)。**lay** (*draw, remove*) **the ~** 상을 차리다 〔치우다〕.

clothe 〔klouð〕 *vt.* (~**d,** 〔古〕**clad** 〔klæd〕) ① (옷을) 주다; 입히다. ② 덮다, 가리다. ③ (권력 따위를) 주다 (*furnish*) (*with*). **be ~d** (*clad*) **in** …을 입고 있다. **~ and feed** …에 의식(衣食)을 대다.

clothes 〔klouðz〕 *n. pl.* ① 옷(*two suits of* ~ 옷 두 벌). ② 침구. ③ 빨랫감. **in long ~** 배내옷을 입고, 유치하여.

clóthes-hòrse *n.* ⓒ 빨래 너는 틀.

clóthes-line *n.* ⓒ 빨랫줄.

clóthes-pèg, 《英》-pìn *n.* ⓒ 빨래집게.

clóth·ing 〔klóuðiŋ〕 *n.* ⓤ 〔집합적〕의류(衣類).

†**cloud** 〔klaud〕 *n.* ⓤⓒ 구름. ②

ⓒ 연기, 모래 먼지, ③ ⓒ (움직이는) 큰 떼(*a ~ of birds* 새 떼), ④ ⓒ (거울 따위의) 흐림; 구름무늬; 의운(疑雲) 구름잡는 것 같은 일, 근심의 빛; *a ~ of words* 구름잡는 것 같은 말, *in the ~s* 하늘 높이; 비현실적으로, 공상하여; 멍하여. *on a ~* (俗) 행복하여, 기뻐서. *under a ~* 의혹을 받고; 미움받고(out of favo(u)r), 풀이 죽어서(chapfallen). — *vi., vt.* 흐려지(게 하)다, 어두워지(게 하)다; *~ over* (*up*) 잔뜩 흐리다. ~**ed** [ɪd] *a.* 흐린; 구름무늬의.

clóud·bùrst *n.* ⓒ 호우(豪雨).

cloud-cúckoo-lànd *n.* Ⓤ 이상향.

clóud·less *a.* 구름 없는, 맑게 갠; 밝은. ~**ly** *ad.* 구름 한 점 없이.

†**cloud·y**[kláudi] *a.* 흐린; 똑똑(또렷)하지 않은; 탁한; (대리석 따위) 구름 무늬가 있는. **clóud·i·ness** *n.*

clout[klaut] *vt., n.* ⓒ (口) 탁 때리다(때림).

clove[klouv] *v.* cleave¹의 과거.

clove² *n.* ⓒ 정향(丁香)(이 나무에서 향료를 채취함).

clove³ *n.* (植) (마늘 따위의) 쪽(小쪽), 살눈.

cloven[klóuvən] *v.* cleave¹의 과거분사. — *a.* 갈라진, 쪼개진.

clóven-fóoted, -hóofed *a.* 발굽이 갈라진, 악마(디 따위) 같은(devilish).

:**clo·ver**[klóuvər] *n.* Ⓤⓒ 클로버, 토끼풀. *live in ~* 호화로운 생활을 즐기(게 하)다. ~**leaf** *n.* 클로버잎.

*clown**[klaun] *n.* ⓒ 어릿광대(jester); 촌뜨기(rustic), 교양 없는 사람. ~**·er·y** *n.* ⓒ 익살맞은, 무뚝. ~**·ish** *a.*

cloy[klɔi] *vt.* (미식(美食)·열락(悅樂)에) 물리게 하다(satiate)(*with*). ~**·ing** *a.* 넌더리나게 하는.

clóze tèst[klóuz-] 클로즈식 독해 테스트(공란의 문장을 채우는).

†**club**[klʌb] *n.* ⓒ ① 곤봉, 굵은 몽둥이; (구기용의) 클럽, 타봉(bat), ② (동지가 모이는) 클럽, 회, 당; 클럽회관; (트럼프의) 클럽의 패(*the king of ~s*), 으뜸 곤봉으로 치다; (막대 모양으로 이루어진 뜻에서) 단결시키다; (돈 따위를) 분담하다. — *vi.* 클럽을 조직하다; 협력하다, 돈을 추렴하다(*together, with*).

clúb-fóot *n.* ⓒ 내반족(内反足). ~**ed** *a.*

clúb-hòuse *n.* ⓒ 클럽 회관.

*cluck**[klʌk] *vt., n.* (암탉이) 꼬꼬 울다; ⓒ 그 우는 소리.

*clue**[kluː] *n.* ⓒ 단서, 실마리, (해결의) 열쇠; (이야기의) 줄거리.

clump[klʌmp] *n., vi.* ⓒ 풀숲, 덤불(bush), 수풀; 덩어리, 쿵쿵(무겁게 걷다).

clum·sy[klámzi] *a.* 솜씨 없는; 볼품(모양) 없는; 무뚝뚝한; 볼썽사나운; 어설픈(awkward). **-si·ly** *ad.* **-si·ness** *n.*

clung[klʌŋ] *v.* cling의 과거(분사).

clunk[klʌŋk] *n., vi.* (a ~) 탕하는 소리(를 내다); ⓒ (口) 강타, 일격; 꽝치다.

:**clus·ter**[klástər] *n., vi.* ⓒ 덩어리, 떼(를 이루다), 몰리다; 송이(떨기)(bunch)(를 이루다); (口) 다발. — *vt.* (떼를) 모으다, 다발로 하다(*with*).

*clutch**[klʌtʃ] *vt., vi.* 꽉(단단히) 잡다(grasp tightly); 달려들어 움켜 쥐다(snatch)(*at*). — *n.* (a ~) 붙잡음, 파악; ⓒ 연동기, 클러치; (보통 *pl.*) 움켜잡는 손, (악인 따위의) 손아귀(毒手), 지배(력)(power).

clutch² *n.* ⓒ 한 번에 품는 알, 한 동지의 날짐승의 갓깐 새끼.

clut·ter [klátər] *n.* (a ~) 혼란. *in a ~* 어수선하게 흩뜨려어, — *vt.* 어수선하게 하다, 흩뜨리다(*up*). — *vi.* 후다닥 뛰어가다; (方) 떠들다.

Cm., Cm centimeter(s). **CO.,** **C.O.** Commanding Officer. **CO.,** **CO.** company; county. **Co.,** **C/O** care of; carried over.

co-[kou] *pref.* with, together, joint, equally 등의 뜻: **cooper·ate, co·ed.**

:**coach**[koutʃ] *n.* ⓒ ① 대형의 탈것; 4륜 대형 마차; 객차; (英) = BUS; (美) (장거리용) 대형 버스. ② (경기의) 코치; (수험 준비의) 가정 교사. *~ and four* 사두(四頭) 마차. — *vt.* 코치하다(teach)(*~ swimming*; *~ a team*); 수험 준비를 해 주다

C

(전투기에) 무전 지령을 하다. **∠er** *n.*

coach·man [∠mən] *n.* ⓒ (coach 의) 마부.

cóach-wòrk *n.* ⓤ 자동차의 설계 [디자인].

co·ag·u·late [kouǽgjəlèit] *vi., vt.* 엉겨 굳(어 하)다. **-la·tion** [-∠léiʃən] *n.*

coal [koul] *n.* ⓤ 석탄; ⓒ 석탄 덩어리; 뜬숯(charcoal). **call** [drag, haul, take] (*a person*) **over the ∼s** 호되게 꾸짖다. **carry** (take) **∼s to Newcastle** 헛수고하다(Newcastle에 탄광지짐). **cold ∼ to blow at** 가망이 없는 일. **heap ∼s of fire on a person's head** (원수를 은혜로써 갚아) 부끄럽게 하다(로마서 7 : 20). **—** *vt.* 태워 숯으로 하다; (…에) 석탄을 공급하다. **—** *vi.* 석탄을 싣다.

cóal-black *a.* 새까만.

co·a·lesce [kòuəlés] *vi.* 합체(합동)하다; 유착하다. **-lés·cence** *n.* **-cent** *a.* 　　[벽].

cóal fàce (탄갱의) 막장, 채벽(採

cóal field 탄전(炭田).

cóal gàs 석탄 가스.

co·a·li·tion [kòuəlíʃən] *n.* ⓤ 연합, 합동; ⓒ (정치당의) 제휴, 연립. **∼ cabinet** 연립 내각.

cóal mìne 탄갱.

cóal scùttle (실내용) 석탄 그릇.

cóal tàr 콜타르.

coam·ing [kóumiŋ] *n.* ⓒ 〔船〕 (갑판 승강구 따위의) 해수 침투를 막는 테두리판(板).

coarse [kɔːrs] *a.* ① 조잡한, 조악한 (∼ **fare** 조식(粗食)). ② 눈[올, 결]이 성긴, 거친(rough). ③ 야비[조야]한, 상스러운. **∠ly** *ad.* **coars·en** [∠n] *vt., vi.* 조악하게[거칠게] 하다[되다].

coast [koust] *n.* ⓒ 해안(seashore); 연안 지방, 강변; (the C-) 《美口》 태평양 연안 지방. ③ 《美·Can.》 (썰매·자전거 따위의) 내리받이 활주. **from ∼ to ∼** 《美》 전국(미국) 방방곡곡에. **The ∼ is clear.** 해안 감시[방해]가 없다, 이제야말로 호기나. **—** *vi.* 해

안을 항행하다. ② (썰매·자전거 따위로) 미끄러져 내려오다. ③ (우주선이) 타력으로 추진하다. **∠er** *n.* ⓒ 연안 무역선; 활강 썰매(자전거)); = ROLLER COASTER; 작은 쟁반; 컵 (을 받치는) 접시. **∠ing** *n.* ⓤ 연안 항행; 연안 무역; (썰매·자전거의) 내리받이 활주.

cóast·al [∠əl] 연안[해안]의, 근해의 (∼ **defense** 연안 경비). **∼·ly** *ad.*

cóast gùard 해안 경비(원).

cóast·line *n.* ⓒ 해안선.

coat [kout] *n.* ⓒ ① 상의; (여자의) 코트, 외투. ② (동·식물의) 외피(外被); 덮개; (페인트 따위의) 칠, 막(膜). **change** (turn) **one's ∼** 변절하다. **∼ of arms** 문장(紋章). **∼ of mail** 쇠미늘 갑옷. **cut one's ∼ according to one's cloth** 수입에 알맞게 지출을 하다. **—** *vt.* 덮다; (도료를) 칠하다, 입히다, 도금하다 (*with*).

coat·ing [kóutiŋ] *n.* ① ⓤⓒ 겉칠, 입히기, 도금. ② ⓤ 상의용 옷감.

coax [kouks] *vt.* 어르다; 달래다; 교묘히 설복하다(persuade softly) (*into doing*); 얼러 …하다. ② 감언으로 빼앗다(*out of*). ③ (엉킨·판(쩝)·실 등을) 살살 (잘) 집어넣다.

cob [kab/-] *n.* ⓒ 다리 짧고 튼튼한 조랑말; (석탄·돌 따위의) 둥근 덩이; = COBNUT.

co·balt [kóubɔːlt/-∠] *n.* ⓤ 코발트 《금속 원소》. 코발트색 《그림 물감》.

cob·ble [kábəl/-] *n., vt.* ⓒ 조 약돌[자갈](을 깔다).

cob·ble *vt.* (구두를) 수선하다 (*up*); 어설프게 꿰매다. **＊cób·bler** *n.* ⓒ 신기료장수, 구두장이; 서투른 장인(匠人); ⓒ 《美》 과일 파이의 일종.

COBOL, Co·bol [kóuboul] 《< common business oriented language》 *n.* 〔컴〕 코볼《사무 계산용 프로그램 언어》.

∗co·bra (**de ca·pel·lo**) [kóubrə (di kəpélou)] *n.* ⓒ 코브라《인도의 독사》.

cob·web [kábwèb/-5] *n., vt.* (-*bb*-) ⓒ ① 거미집; 거미줄(로 덮다). ② 함정. ③ (*pl.*) (머리의) 혼란.

Co·ca-Co·la[kòukəkóulə] *n.* ⓊⒸ 【商標】 코카콜라.

co·cain(e)[koukéin, kóu~] *n.* Ⓤ 【化】 코카인(coca 잎에서 얻는 국소 마취제). **co·cáin·ism** *n.* Ⓤ 【醫】 코카인 중독.

coc·cyx[káksiks/-5-] *n.* (*pl.* **-cyges**[kaksáidʒiːz/kɔk-]) Ⓒ 【解】 미저골(尾骶骨).

cock[kak/-ɔ-] *n.* ① 【英】 수탉(세계의) 수컷(cf. peacock). ② 지도 자; 두목. ③ =WEATHERCOCK. ④ 마개, 꼭지(faucet). ⑤ (총의) 공이 치기, 격철. ⑥ (짐짓 새침을 떠는 코의) 위로 젖힘; (눈의) 치뜨보기; (모자의) 위로 잦힘. ⑦ 《卑》 음경(penis); *at full* (*half* ~) 공이치기를 충분히[반쯤] 당기어; 충분히[반쯤] 준비하여. ~ *of the loft* [*walk*] 통솔자, 보스, 두목, *Old* ~! 이봐 자네! *That* ~ *won't fight.* 그런 것[변명·계획]으론 통하지 않아, 그렇게 (간단히는) 안 될걸. — *vt.* ① (총의) 공이치기를 올리다. ② 짐짓 새침떨며 코끝을 위로 치키다. ③ (귀를) 쫑긋 세우다. ④ (눈을) 치뜨보다, 눈짓하다. — *vi.* 쫑긋 서다.

cock-a-doo·dle-doo[kákədùːdldú/k5-] *n.* Ⓒ 꼬끼오(닭의 울음). 《兒》 꼬꼬, 수탉.

cock-a-hoop[kàkəhúːp/kɔ-] *a., ad.* 크게 의기 양양한[하여].

cóck-and-búll *a.* 허황된, 황당한 (*a ~ story*).

cock·a·too[kàkətúː/k5-] *n.* Ⓒ 【鳥】 (오스트레일리아·동인도 제도산의) 큰 앵무새.

cóck·crów(ing) *n.* Ⓤ 이른 새벽, 첫새벽, 여명.

cock·er[kákər] *n.* Ⓒ 투계 사육자, 투계 사; = **spániel** 스패니얼종의 개 《사냥·애완용》.

cock·er·el[kákərəl] *n.* Ⓒ 어린 수탉; 한창 혈기의 젊은이.

cóck·eyed *a.* 사팔뜨기의; 《俗》 한쪽으로 쏠린[뒤틀린] (tilted or twisted).

cóck·fighting *n.* Ⓤ 투계(鬪鷄).

cock·le[kákəl/-5-] *n.* Ⓒ 새조개 《의 조가비》; 작은 배, 조각배. ~ *s of the* (*one's*) *heart* 마음속.

cock·ney[kákni] *n.* ① Ⓒ (종종 C-) 런던내기, 런던 토박이(Bow Bells가 들리는 범위내에 태어나, 그 곳에 사는 사람); (East End 방면의) 주민. ② Ⓤ 런던 말투. — *a.* 런던 내기[말투]의. ~**·ism** [-izəm] *n.* ⓊⒸ 런던내기말투; 런던 사투리.

cóck·pit *n.* Ⓒ 투계장, 싸움터; 【空】 조종실.

cóck·róach *n.* Ⓒ 【蟲】 바퀴.

cóck·súre *a.* 확신하여(*of*); 반드시 일어나는[하는] (*to do*); 자신 만만한 (*too sure*), 독단적인(dogmatic).

cock·tail[-tèil] *n.* ① Ⓒ 칵테일(얼음 넣은 혼합주). ② Ⓒ 꼬리 자른 말. ③ Ⓤ 새우[굴] 칵테일(식전용). ④ Ⓒ 벼락 출세자.

cóck·up *n.* Ⓒ 《英俗》 실수, 실패, 혼란 상태. 「방진.

cock·y[kák] *a.* 《口》 젠체하는, 시건 방진.

co·coa[kóukou] *n.* Ⓤ 코코아(음료).

có·co(a)·nut[kóukənʌ̀t] *n.* Ⓒ 코 코아자 열매.

co·coon[kakúːn] *n.* Ⓒ 누에고치.

cod[kad/-ɔ-] *n.* (*pl.* ~**s**, 《집합적》 ~) Ⓒ 【魚】 대구.

C.O.D., c.o.d.[商] collect (《英》 cash) on delivery.

co·da[kóudə] *n.* (It.) Ⓒ 【樂】 코다. 결미구; (연극의) 종결부.

cod·dle[kádl/-5-] *vt.* 소중히 하다; 어하다(pamper); (달걀 따위 를) 물큰 삶다.

code[koud] *n.* ① 법전, 규정 (set of rules); (사교의) 예법, 규 율. ② (전신) 부호(*the Morse* ~ 모스 부호); (전문(電文)용) 약호; (수기(手旗)용) 신호. ③ 【컴】 코드, 부 호; 부호 시스템. *civil* ~ 민법. ~ *of honor* 의례(儀禮); 결투의 예 법. — *vt.* ① 법전으로 만들다. ② 암호[문으로] 고치다(cf. decode). ③ 【컴】 (프로그램을) 코드[부호]로 한다.

co·deine[kóudiːn], **co·de·ine** [-diːn] *n.* Ⓤ 【藥】 코데인(진통·진정 제).

codg·er [kádʒər/-5-] *n.* ⓒ (口) 괴짜, 괴팍한 사람(특히 늙은).

cod·i·cil [kádəsil/k5d-] *n.* ⓒ 유언 보충서.

cod·i·fy [kádəfài, kóu-/k5-, kóu-] *vt.* 법전으로 편찬하다. **-fi·ca·tion** [⌐fikéiʃən] *n.* **-fi·er** *n.* ⓒ 법전 편찬자.

cód-liver óil 간유.

co·ed, co-ed [kóuéd] *n.* ⓒ (美口) (대학 등의) 남녀 공학의 여학생.

cò·education [⌐] ⓤ 남녀 공학. **~al** *a.*

cò·efficient *n.* ⓒ (數·理·電) 계수. ~ of expansion 팽창 계수.

co·erce [kouɔ́ːrs] *vt.* 강제하다 (compel); (권력 따위로) 억누르다 (into doing, to do).

co·er·cion [kouɔ́ːrʒən] *n.* ⓤ 강제, 위압. **-cive** *a.*

cò·exist [⌐] *vi.* 공존하다(with). *~ence n. ~ent a.*

cof·fee [kɔ́ːfi, -á-/-5-] *n.* ⓤ 커피; ⓒ 커피 한 잔.

cóffee brèak (오전·오후의) 차 마시는 시간, 휴게 (시간).

cóffee house (고급) 다방.

cóffee ròom (호텔 따위의 간단한 식당을 겸한) 다실.

cóffee shòp (美) 다방; = COFFEE ROOM.

cof·fer [kɔ́ːfər, -á-/-5-] *n.* ⓒ (귀중품) 상자; 금고; (pl.) 재원(財源) (funds). ── [─] 관(에 넣다).

cof·fin [kɔ́ːfin, -á-/-5-] *n.*, *vt.* ⓒ 관.

cog [kag/-ɔ-] *n.* 톱니바퀴의 톱니; (口) (큰 조직 중에서) 별로 중요치 않은 사람. **slip a ~** 실수하다, 그르치다.

co·gent [kóudʒənt] *a.* 수긍케 하는, (의론 따위가) 설득력 있는. **-gen·cy** *n.*

cog·i·tate [kádʒətèit/-5-] *vi.,vt.* 숙고 (熟考)하다(meditate). **-ta·tion** [⌐téiʃən] *n.*

cog·nac [kóunjæk, kán-] *n.* ⓤⓒ 코냑(프랑스산의 브랜디).

cog·nate [kágneit/-5-] *a.*, *n.* 동족(同族)의 (사람); 같은 어족(語族)의 (언어); 같은 어원의 (말)(cap and chief 따위).

cog·ni·tion [kagníʃən/kɔg-] *n.* ⓤ 인식.

cog·ni·tive [kágnətiv/kɔg-] *a.* 인식상의, 인식력이 있는.

cog·ni·zant [kágnəzənt/kɔg-] *a.* 인식하고 있는(of). **-zance** *n.*

cog·no·scen·te [kànjoʃénti/kɔ̀-] *n.* (pl. -ti [-tiː]) (It.) ⓒ (미술품의) 감정가(connoisseur).

co·hab·it [kouhǽbit] *vi.* (혼히 미혼자가) 부부처럼 동거 생활을 하다. **~ant** ⓒ 동서(同棲)자. **-i·ta·tion** [⌐téiʃən] *n.*

co·here [kouhíər] *vi.* 밀착하다 (stick together); 응집(凝集)[결합]하다; (논리의) 조리가 서다, 동이 닿다(be consistent). **co·her·ent** [⌐híərənt] *a.* 밀착하는; 앞뒤의 동이 닿는, 조리가 선, 수미(首尾)가 일관된. **-en·cy, -ence, -en·cy** *n.*

co·he·sion [kouhíːʒən] *n.* ⓤ 점착(성), 결합(력)(sticking together); (理) (분자의) 응집력(凝集力). **-sive** *a.* 점착력이 있는; 밀착[결합]하는. **-sive·ly** *ad.*

co·hort [kóuhɔːrt] *n.* ⓒ (고대 로마의) 보병대(legion의 1/10 (300-600 명)); 군대; 집단, 무리; (美) 동료.

C.O.I. Central Office of Information.

coif·fure [kwɑːfjúər] *n.* (F.) ⓒ 머리형, 결발(結髮) (양식)(hairdo).

coil [kɔil] *n.,vi.* ⓒ 둘둘 감은 것; 둘둘 감(기)다; 사리다(up); (電) 코일.

coin [kɔin] *n.* ⓤⓒ 경화(硬貨); ⓤ (俗) 돈. **pay** (a person) **back in his** (her) **own** ~ 앙갚음하다. ── *vt.* (화폐를) 주조하다; (신어를) 만들다. ~ **money** (口) 돈을 척척 벌다. ~ **one's brains** 머리를 써 벌다.

co·in·cide [kòuinsáid] *vi.* 일치(합치)하다(correspond)(with).

co·in·ci·dence [kouínsədəns] *n.* ⓤⓒ ① (우연의) 일치, 부합. ② ⓤ 동시 발생; ⓒ 동시에 일어나는 사건.

co·in·ci·dent [kouínsədənt, -si-] *a.* 일치하는. **-den·tal** [⌐⌐déntl] = COINCIDENT.

co·i·tion [kouíʃən] *n.*, **-tus** [kóuitəs] *n.* ⓤ 성교.

coke¹[kouk] *n., vt., vi.* ⓤ 코크스 (로 만들다, 가 되다).

coke² *n.* (종종 C-) = COCA-COLA; 《美》 = COCAIN.

Col. Colombia; Colonel; Colorado; Colossians. **col.** collected; collector; college; colonel; colonial, colony; colo(u)r(ed); column.

col·an·der[kʌ́ləndər, -ɑ-] *n.* ⓒ 물 거르는 장치, 여과기(濾過器).

cold[kould] *a.* ① 추운, 차가운; 한기가 도는. ② 냉정한, 열의 없는 (indifferent). ③ 《뉴스 따위가》 좋지 않은, 불쾌한. ④ 《내새가》 희미한(faint). ⑤ 한색(寒色)의, **have ~ feet** 《口》 겁을 먹고 있다. **in ~ blood** 냉연히, 태연히. —— *n.* ⓤ 추위, 한기; ⓒ 《보통 a ~》 감기. **catch (take) (a) ~** 감기가 들다. **~ in the head** 코감기, 코카타르. **~ without** (감미를 가하지 않은) 물 탄 브랜디(cf. WARM with). **have a ~** 감기에 걸려 있다. **leave out in the ~** 따돌리다, 매돌리다 하다. **of ~** 빙점하 (에서)(**3 degrees of ~**).

cold-blóod·ed *a.* 냉혈의; 냉혹한, 태연한.

cóld chísel (금속을 쪼는) 정, 끌.

cóld créam (화장용) 콜드크림.

cóld-héart·ed *a.* 냉담한, 무정한.

cóld·ly[-li] *ad.* 차게, 춥게; 냉랭하게, 냉정하게.

cóld·ness[-nis] *n.* ⓤ 추위, 차가움; 냉랭함; 냉담.

cóld-shóul·der *vt.* 《口》 냉대(무시) 하다.

cóld sóre (코감기 때의) 입술[입 언저리] 발진.

cóld stórage 냉동; 냉장(고).

cóld swéat 식은 땀.

cóld wár 냉전(冷戰).

cole·slaw[kóulslɔ̀:] *n.* ⓤ 《美》 양배추 샐러드.

col·ic[kálik/-li-] *n., a.* 복통 (의), 산통(疝痛)의. **cól·ick·y**[-i] *a.*

co·li·tis[kəláitis, kou-/kɔ-] *n.* ⓤ 결장염, 대장염.

col·lab·o·rate[kəlǽbərèit] *vi.* 함께 일하다, 협력하다; 공동 연구하다 (with); 적측(적점령군)에 협력하다.

-ra·tor *n.* *·* **-ra·tion**[kəlæ̀bəréiʃən] *n.*

col·lage[kəláːʒ] *n.* (F.) ⓤ 《美術》 콜라주《신문이나 광고를 오려 붙여 선이나 색채로 처리한 추상적 회화 구성법》; 그 작품.

col·lapse[kəlǽps] *n., vi.* ⓤ 붕괴 (하다); 쇠약(퇴폐)하다); 실패(하다); 저부러(무너)지다. **col·láps·i·ble, -a·ble** *a.* 접을 수 있는.

col·lar[kálər/-5-] *n.* ⓒ 칼라, 깃. ② (문장의) 경식장; 목걸이; 고리 모양의 물건. **against the ~** (말의) 목걸이가 어깨에 스치어; 피로움[어려움]을 견디어; 마지못해. **in ~** (말이) 목걸이를 걸고; 일할 준비를 하고; 《口》 취직을 얻어. **out of ~** 《口》 실직하여. **slip the ~** 곤란[힘든 일]에서 벗어나다. —— *vt.* ① (…에) 칼라[목걸이]를 달다. ② 멱살을 잡다, 붙잡다.

cóllar·bòne *n.* ⓒ 쇄골(鎖骨).

col·late[kəléit, kou-, káleit] *vt.* 대조하다, 교합(校合)하다; 《宗》 성직을 주다. **col·lá·tion** *n.* ⓤⓒ 대조, 사조(査照); 성직 수여; ⓒ 가벼운 (저녁) 식사. **col·lá·tor** *n.*

col·lat·er·al[kəlǽtərəl/kɔ-] *a.* ① 평행하는(parallel); 부차적인. ② 방계의; 증권류를 담보로 한. —— *n.* ① ⓤ 방계의 친척; ⓤ 담보 물건, 부저 당품(擔保品). **~·ly** *ad.*

col·league[káliːg/-5-] *n.* ⓒ 동료; 동아리.

col·lect¹[kəlékt] *vt.* ① 모으다, 수집하다. ② (세를) 징수하다, 거두어 들이다. ③ (기운을) 회복하다, (생각을) 가다듬다. —— *vi.* ① 모으다, 모이다. ② 수금하다. **~ a horse** 말을 제어하다. **~ one's courage** 용기를 떨치어 일으키다. **~ oneself** 정신을 가다듬다, 마음을 가라앉히다. **~ one's faculties [feelings, emotions, ideas, wits]** 자신(自信)을 되찾다, 제 정신으로 돌아오다. **~ one's scattered senses** 흐트러진 마음을 가다듬다. —— *a., ad.* 《美》대금 상환의(으로), 선불의[로]. **~·ed** [-id] *a.* 모은; 침착(냉정)한. **col·léc·tor** *n.* ⓒ 수집가, 수금원, 징수원.

col·lect²[kálikt, -lekt/-5-] *n.* ⓒ

축도(祝禱)《짧은 기도문》.

:col·lec·tion [kəlékʃən] *n.* ① Ü 수집; © 수집물, 컬렉션. ② Ü © 수금, 징수. ③ Ü 《쓰레기 등의》더미. **make a ~ of** (*books*) (책)을 모으다.

:col·lec·tive [-tiv] *a.* 집합적인, 집단(전체)적인. — *n.* © ① 〖文〗집합명사. ② 집단농장. **~·ly** *ad.* **-tiv-ism** [-izm] *n.* Ü 집단주의. **-tiv·ist** *n.*

colléctive bárgaining 단체 교섭.

colléctive nóun 집합 명사.

col·leen [káli:n, kali:n/-5-] *n.* (Ir.) © 소녀.

:col·lege [kálidʒ/-5-] *n.* ① Ü© 단과 대학. ② © 《특수》 전문학교. ③ ©《英》(Oxf., Camb. 양대학의) 학료(學寮)《Balliol [bǽljəl] ~). ④ © 단체, 학회.

col·le·gian [kəli:dʒiən] *n.* © 대학생; 전문 학교생. **~·giate** [-dʒiit] *a.* 대학생(의).

col·lide [kəláid] *vi.* 충돌하다 《*with*》; 일치하지 않다.

col·lie [káli/-5-] *n.* © 콜리《원래는 양치기는 개; 스코틀랜드 원산》.

col·lier [káljər/kɔ́lia] *n.* ©《주로 英》석탄 운반선; 탄광부《coal miner》. **~·y** *n.* © 《지상 시설을 포함한》탄광, 채탄소.

col·li·sion [kəliʒən] *n.* Ü© 충돌 《*colliding*》; 〖컴〗겹침.

col·lo·cate [kάləkèit/-5-] *vt.* 함께《나란히》두다; 배치하다. ***-ca·tion** [ᐱ-kéiʃən] *n.* ① Ü 배열, 병치; 《문장 속의》말의 배열. ② © 〖文〗연어《連語》.

col·lo·qui·al [kəlóukwiəl] *a.* 구어《체》의. **~·ism** [-izm] *n.* © 구어 투; © 구어적 표현. **~·ly** *ad.*

col·lo·quy [káləkwi/-5-] *n.* © 대화; 회담; 토의.

col·lude [kəlú:d] *vi.* 밀의(密議)에 가담하다, 공모하다. **col·lu·sion** [-ʒən] *n.* Ü 공모.

col·ly·wob·bles [káliwàbəlz/kɔ́li-wɔ̀b-] *n. pl.* 《口·方》《배의》꾸르륵거림《rumbling》; 복통.

Co·logne [kəlóun] *n.* 《독일의》 쾰른(G. *Köln*); (c-) = EAU DE COLOGNE.

col·on [kóulən] *n.* © 콜론(:).

co·lon *n.* (*pl.* **~s, cola**) © 결장 《結腸》《대장의 부분》.

colo·nel [ká:rnəl] *n.* © 육군 대령; 연대장. **~·cy, ~·ship**[-ʃip] *n.*

co·lo·ni·al [kəlóuniəl/-njəl] *a.* 식민(지)의; (종종 C-) 《美》영국 식민지 시대의, 낡아빠진. — *n.* © 식민지 거주민. **~·ism** [-izm] *n.*

col·o·nist [kάlənist/-5-] *n.* © 식민(사람)자; 식민지 사람; 이주민; 원래 동식물《植》.

col·o·nize [kάlənàiz/-5-] *vt.* 식민지로 삼다; 식민하다; 이식하다《*transplant*》. — *vi.* 개척하다; 입식(入植)하다《settle》. **-niz·er** *n.* 식민지 개척자. **-ni·za·tion** [ᐱ-nizéiʃən/-nai-] *n.*

col·on·nade [kάlənéid/-5-] *n.* © [建]열주(列柱), 주랑(柱廊); 가로수.

:col·o·ny [kάləni/-5-] *n.* © 식민지, 거류지, 조계; 식민(단); 거류민(단); …의 자《*the Chinese ~ in California* 캘리포니아주(州)의 중국인 거리》; 【生】군체(群體), 군락(群落). *summer* (*winter*) ~ 피서[피한]지.

col·or,《英》**-our** [kʌ́lər] *n.* ① Ü 색, 색채. ② Ü 채색. ③ © 그림 물감. ④ Ü 안색, 혈색. ④ Ü 《작품의》 색, 음조. ⑤ Ü 분위기, 확기, 생채(生彩); 《흥미를 돋우는》 곁들이 프로. ⑥ Ü 겉모습, 꼴, 기질, 구실《pretext》. ⑦ (*pl.*) 군기(旗); 선(旗)(함)기(船艦旗); 국기〔군기〕·깃발(하기)식. ⑧ (*pl.*) 색채론, 무색광. **~ change** ~ 안색의《파랗게, 붉게》변하다. **come off with flying ~s** 군기를 휘날리며 개선하다, 성공을 거두다, 면목을 세우다. **gain (lose)** ~ 생기가 좋아지다. **give (lend)** ~ **to …** (이야기)에 따위를 그럴 듯이 해 보이다. **local** ~ 지방《향토》색. **lose** ~ 창백해지다; 색이 바래다. **nail one's ~s to the mast** 의지를 굽히지 않다. **off** ~《口》기운 없는, 건강이 좋지 않은, 《美俗》

상스러운. *see the ~s of a person's money* 으로에게서 현금으로) 지불을 받다. *show one's ~s* 본심을 나타내다, 본성[본색]을 드러내다. *with the ~s* 소령을 말하는, 현역의. — *vt., vi.* ① (…에) 물들이다. ② 유색(潤色)하여 전하다. ③ 물들다, 얼굴을 붉히다 (*up*). ~·a·ble *a.* 착색할 수 있는; 그럴 듯한; 걸보기의. ~·ed[-d] *a.* 채색한, 유색의, 흑인[유색]의 (Negro). 색 있는; 편견의 있는. :~·ful *a.* 다채로운; (문제를) 꾸민, 화려한(florid). ~·ist *n.* ⓒ 착색[채색]의 명수; 미문가(美文家). *~·less *a.* 색이 없는; 퇴색한; 공평한.

col·o·ra·tu·ra[kÀlərətʃúərə/kɔ̀lərətúːrə] *n., a.* ⓤ 콜로라투라(성악의 화려한 장식적 기교)(의); ⓒ 콜로라투라 가수(의). ~ *soprano* ⓒ 콜로라투라 소프라노 가수.

cólor bàr 백인과 유색 인종과의 법률적·사회적 차별.

cólor-blìnd *a.* 색맹의.

cól·or·ing[kʌ́lərin] *n.* ① ⓤ 착색(법); 채색(법). ② ⓤⓒ 안료, 그림 물감. ③ ⓤ (살결, 모발의) 색, ⓤ 색조. ⑤ ⓤ 스타일; 윤색. ⑥ ⓤ 외견, 편견.

cólor schème (장식 등) 색채의 배합 설계.

cólor sùpplement (신문 따위의) 컬러 특별 페이지[면].

†co·los·sal[kəlásəl/-lɔ́sl] *a.* 거대한; (口) 굉장한.

co·los·sus[kəlásəs/-5] *n.* (*pl.* ~es, -si[-sai]) ⓒ 거상(巨像), 거인; (C-) (Rhodes 항(港) 어귀에 있던 거대한) Apollo의 동상.

†colt[koult] *n.* ⓒ (네댓 살까지의) 수망아지; 당나귀 새끼; 미숙한 사람, 풋내기(greenhorn). ~·ish *a.* (망아지처럼) 깡충거리는, 까부는.

col·um·bine[kʌ́ləmbàin/-5-] *n.* ① ⓒ [植] 매발톱꽃. ② *a.* 비둘기의, 비둘기 같은.

:col·umn[kʌ́ləm/-5-] *n.* ⓒ ① 원주(圓柱) (모양의 물건); (신문의) 난; (군사·군함·숫자 따위의) 종렬(縱列); [컴] 열, 단. ~·ist[-nist] *n.* ⓒ [신문]

따위의) 기고가.

co·ma[kóumə] *n.* ⓤⓒ 혼수(昏睡).

com·a·tose[kóumətòus, kám-] *a.* 혼수(상태)의; 무기력한.

comb[koum] *n.* ⓒ 빗(모양의 것); (닭의) 볏(모양의 것)[산봉우리·물마루 따위); 빗질. *cut a person's ~* 기를 꺾다. — *vt.* (머리를) 빗다; (양털을) 빗질하여 가리다; 살살이 뒤져서 찾다. — *vi.* (놀이) 굽이쳐서 (roll over), 부서지다(break). ~ *out* (머리를) 빗다, 가려내다. ~·er *n.* ⓒ 빗질하는[훑는] 사람; 훑는 기계, 소모기(梳毛機); 밀려드는 물결, 길고 큰 파도.

†com·bat[kámbæt, kám-/kɔ́mbæt] *n.* ⓤⓒ 격투, 전투(~ *plane* 전투기). *in single* ~ 일대일(맞상대) 싸움으로. — [kámbæt, kámbæt/ kɔ́mbæt] *vt., vi.* 격투하다(with, against); 분투하다(for).

†com·bat·ant[kəmbǽtənt, kám-bæt-/kɔ́mbætənt, -ʌt-] *n., a.* ⓒ 전투원; 싸우는; 전투적인; 호전적인.

com·ba·tive[kəmbǽtiv, kámbə-/kɔ́mbə-, kám-] *a.* 호전적인(bellicose).

†com·bi·na·tion [kàmbənéiʃən/kɔ̀mb-] *n.* ① ⓤⓒ 결합, 단결; 공동 동작; 배합, 짝지음. ② ⓤ [化] 화합; (결합한) 조합(組合)화합; (*pl.*) [數] 조합(組合)(cf. permutation). ③ (*pl.*) 콤비네이션(내리닫이 속옷). ④ ⓒ (자물쇠의) 이리저리 맞추는 글자[숫자]. ⑤ ⓤ [컴] 조합. *in ~ with* ~과 공동동동[협력]하여.

combination lòck (금고 따위의) 글자[숫자] 맞춤 자물쇠.

†com·bine[kəmbáin] *vt.* (…을) 결합[겸비]시키다; 겸하다, 아우르다, 화합시키다. — *vi.* 결합[화합]하다 (with). — [kámbain/-5-] *n.* ⓒ (美口) 기업 합동, 카르텔; 도당; 연합; 복식 수확기, '콤바인'(베기와 탈곡을 동시에 하는 '농기구').

combining fòrm [文] 결합사(보기: Anglo-, -phone 따위; 접두·접미사가 종위적(從位的)임에 대해 이것은 동위적인 연결을 함).

com·bo[kámbou/-5-] *n.* ⓒ (美) 소편성의 재즈 악단(< *combination*); (俗) 토인 여자와 동거하는 백인.

comb-out[kóumàut] *n.* ⓒ 행정 정리; 일제 검사(검색); (신병의) 일 제 징집.

com·bus·ti·ble[kəmbʌ́stəbl] *a., n.* ⓒ 타기 쉬운(것), 연소성의; 격하기 쉬운(fiery). **-bil·i·ty**[—–bíləti] *n.* ⓤ 가연성(可燃性).

com·bus·tion[kəmbʌ́stʃən] *n.* ⓤ 연소, (유기물의) 산화(oxidation); 격동, 흥분, 소동.

come[kʌm] *vi.* (came; come) ① 오다, (상대편으로) 가다(*I will ~ to you tomorrow.* 내일 댁으로 가겠 습니다). ② 일어나다, 생기다 (occur), (생각이) 떠오르다, ③ 〈…에〉 태생(출신)이다(*of, from*). ④ 만들 어지다(*The ice cream will not ~.* 아이스크림이 좀처럼 되지 않는다). ⑤ …하게 되다(*I have ~ to like him.* 그가 좋아졌다). ⑥ …에 합계(결국) …이 되다(*What you say ~s to this.* 네가 말한 결국 이렇게 된다). ⑦〈형용사·p.p.형의 보어를 수반하여〉 …이 되다(메우다), …이다(*~ untied* 풀려지다; *It came true.* 참말(현실)이 (임을 알았다). ⑧ 손에 넣을 수 있다, 가지고 있다(*The suitcases ~ in three sizes.* 여행 가방에는 세 종류가 있습니다). ⑨〈명령형〉 자! (now then), 이봐, 어이(look), 그만 둬(stop), 좀 삼가 라(behave)〈*C-, ~, don't speak like that!* 어이 이봐, 그런 말투는 삼가는 게 좋다). ⑩〈가정법 현재 형으로〉 …이 오면(되면)(*She will be ten ~ Christmas.* 크리스마스가 오 면 열 살이 된다). ⑪《美俗》오르가 슴에 이르다. — *vt.* (어떤 나이에) 달하다(do)(*I can't ~ that.* 그것은 나로선 못한다); 《口》…체(연)하다 (pretend to be)〈*the moralist* 군자인 체하다. **~ about** (사건 따위 가) 일어나다; (바람 방향이) 바뀌다. **~ across** 만나다; 우연히 발견하다; 떠오르다. **~ again** 다시 한번 말하 다. 《口》(명령형으로) 다시 한번 말해 봐; 되돌아오다. **~ along** 《口》(명령형으로) 자! 빨리, 서둘러. **~ apart** 낱낱이 흩어지다. (육체적·정신적으로) 무너지다. **~ around** → **round**. **~ at** …에게 덤벼들다;

손에 넣다. **~ away** 끊어지다, 떨어 지다; (자루 따위가) 빠지다. **~ back** 돌아오다. 《口》회복하다, 되돌아오 다. 《美俗》되쏘아 주다(retort). **~ between** 사이에 들다; 사이를 갈라 놓다. **~ by** (…을) 손에 넣다(get); (…의) 곁을 지나다(에 오다); 얻다; 들르다(call). **~ down** 내리다; 《口》돈을 지불하다(with), 돈을 주 다; 전해지다(from); 영락하다; 병이 되다. **~ down on (upon)** 불시에 습격하다; 요구하다; 《口》꾸짖다. **~ forward** 자진해 나아가다, 지원하다. **~ from** …의 출신이다. **~ from behind** 역전승을 거두다. **~ in** 들어 (가)다; 당선(취임)하다; 도착하 다; 유행하기 시작하다; (익살·농담 의) 재미(묘미)가 …에 있다(*Where does the joke ~ in?* 그 익살의 묘미 (妙趣)는 어디 있지). **~ in handy** (useful) 도움(소용)이 되다. **~ into** …되다; 상속하다(inherit). **~ off** 떨 어지다, 빠지다; 이루다, 이루어지다; 행해지다(be held); …이 되다(turn out)(*~ off a victor (victorious).* **~ on** 다가오다, 가까워지다; 일어나 다; 습격하다; 등장하다; 진보하다 (의외인) 상장되다; 《口》자 오너라. **~ on in** 《美》들어오다. **~ out** 나 오다; 드러나다; 출판되다; 첫무대에 나가다; 판명하다; 스트라이크를 하 다; 결과가 …이 되다. **~ over** 오다; (감정이) 엄습하다; 전해오다; (적의에서) 오다, 자기편 이 되다. **~ round** 돌아오다; 회 복하다; 기분을 고치다; (…의) 기분 이 되다; (배가) 머물다(*to*에 ad.). **~ to oneself** 제정신으로 돌 아오다. **~ to pass** 일어나다. **~ to stay** 영구적인 것이 되다. **~ up** 오르다; 접근하다; 다가오 다; (일이) 일어나기 시작하다; 《英》(대학의) 기숙사에 들다. **~ upon** 만나다; (…을) 요구하다. **~ up to** …에 달하다; 필적하다; **~ up with** …에 따라 붙다; 공급하다;

C

제안하다. ~ **what may** 무슨 일이 일어나더라도. **First ~, first served.** 《諺》빠른 것이 장맹이다, 선착자가 선《'come'은 p.p.》. **cóm·er** *n.* **cóm·ing** *n., a.* ⇨COMING.

cóme·back *n.* ⓒ 회복, 복귀, 되돌아옴;《口》말대꾸(retort);《美俗》불평.

cómeback win 역전승.

co·me·di·an [kəmíːdiən] *n.* ⓒ 희극 배우, 희극 작가.

cóme·down *n.* ⓒ《口》(지위·명예의) 하락, 영락; 쇠보.

com·e·dy [kámədi/kɔ́m-] *n.* ⓤⓒ (1편의) 희극 (영화), 희극 (문학).

còme·hith·er [kámhíðər] *a.* (특히 성적으로) 도발적인; 유혹적인. — *n.* ⓤ 유혹. ~**y** *a.* 매혹적인.

come·ly [kámli] *a.* 자색이 고운, 아름다운;《古》적당한; 결맞는. **-li·ness** *n.*

com·et [kámit/-5-] *n.* ⓒ 혜성, 살별.

come·up·(p)ance [kʌ́mʌ́pəns] *n.* ⓒ (보통 *pl.*)《美口》(당연한) 벌.

com·fort [kʌ́mfərt] *n.* ① ⓤ 위로, 위안(solace); 안락; 마음 편함(ease), ② ⓒ 위안을[위로를] 주는 사람[것], 즐거움; (*pl.*) 생활을 안락하게 해 주는 것, 위안물(necessities와 luxuries와의 중간). **be of** (**good**) ~ 원기 왕성하다. **cold** ~ 달갑지 않은 위안. — *vt.* 위로[위안]하다(console); (…에게) 원조하다. *~·er* *n.* ⓒ 위안하는 사람, 위안자; 조뽀하고 긴 털실 목도리;《美》이불(comfortable);《英》젖꼭지 의 고무 젖꼭지(pacifier); (the C-) 성신(聖神). *~·less* *a.*

com·fort·a·ble [kʌ́mfərtəbəl] *a.* 기분좋은; 안락한, 마음 편한; (수입 따위가) 충분한. — *n.*《美》이불. *-bly* *ad.*

com·ic [kámik/-5-] *a.* 희극의; 우스운(funny). — *n.* ⓒ 희극 배우;《口》만화책(comic book); (*pl.*) 만화(funnies). **cóm·i·cal** *a.*

cómic strip 연재 만화.

com·ing [kámiŋ] *n., a.* (*sing.*) 도래; 내방(來訪); 다가올, 미래의; 유망한(next); 신진의, 유명해지기 시

작한; 지금 팔리기 시작한.

com·ma [kámə/-5-] *n.* ⓒ 쉼표, 콤마;《樂》콤마.

com·mand [kəmǽnd/-áː-] *vt.* ① (…에게) 명(命)하다, 명령하다, ② 지휘[지배]하다, ③ 마음대로 할 수 있다, ④ (존경·동정 따위)를 일으키다, ⑤ 바라보다, 내려다보다(overlook) (~ *a fine view* 좋은 경치가 보인다). — *oneself* 자제하다. — *vi.* 지휘[명령]하다. — *n.* ① ⓒ 명령, (컴퓨터에의) 지령; ⓤ 지휘(권); 지배(령)(over), ② ⓒ《軍》관구, 관하에[아래] 부대[함선], ③ ⓤ (말의) 구사력(mastery)(*have a good* ~ *of French* 프랑스어에 능통하다), ④ ⓤ 전망, ⑤ ⓒ《컴》명령, 지시. *at* ~ 손안에 있는. ~ *of the air* [*sea*] 제공[제해]권. **high** ~ 최고 사령부. *in* ~ *of* …을 지휘하여. **officer in** ~ 지휘관. *~·ing* *a.* 지휘하는; 위풍당당한; 전망이 좋은. *~·ment* *n.* ⓒ 계율(*the Ten Commandments* 《聖》 (여호와가 Moses에게 내린) 십계).

com·man·dant [kámənd`ænt, -dàː-/kɔ̀məndǽnt] *n.* ⓒ 《요새·군항 등의》 사령관.

com·man·deer [kàməndíər/-5-] *vt.* 징발(徵發)하다;《口》강제로[제멋대로] 빼다.

com·mand·er [kəmǽndər/-áː-] *n.* ⓒ 지휘[사령]자; 해군 중령.

commánder in chief (*pl.* **-s in chief**) (종종 C- in C-) 총사령관; 최고 사령관.

com·man·do [kəmǽndou/-áː-] *n.* (*pl.* ~**(e)s**) ⓒ 남아프리카의 보어 민병(民兵); 전격 특공대.

commánd perfórmance 어전 (御前) 연주[연극].

commánd pòst [美陸軍] (전투) 지휘소(생략 CP); [英軍] 포격 지휘소.

com·mem·o·rate [kəmémərèit] *vt.* (…으로) 기념하다, 축하하다; (…의) 기념이 되다. **-ra·tive** [-rətiv, -rèi-] *a.* **-ra·to·ry** [-rə̀tɔːri/-təri] *a.* *~·ra·tion** [-²-réiʃən] *n.* ⓤ 기념; 축전(祝典).

com·mence [kəméns] *vt., vi.* 시

C

시하다(begin보다 격식을 차린 말).
~·ment *n.* Ⓤ 개시; 학사 학위 수
여식(일), 졸업식.

com·mend [kəménd] *vt.* 칭찬하다
(praise); 추천하다(to); (…의) 관
리를) 위탁하다. **~ itself to** …에게
인상을 주다. **C~ me to**《美》…에게
안부 전해 주시오;《古》오히려 …이
낫다[좋다].《諺》(反語) …이라고 더
맡기도 하군. (…은) …이 제일이라고
하군(C~ me to callers on such a busy
day! 이렇게 바쁜 중에 손님이라니 반
갑기도 하군). **~·a·ble** *a.* 권장[추
천]할 수 있는.

com·men·da·tion [kàmendéiʃən/
-ʃ-] *n.* Ⓤ 칭찬, 추천; Ⓒ 상, 상장.
com·mend·a·to·ry [kəméndətɔ̀:ri/
-təri] *a.* 칭찬의; 추천의.

com·men·su·rate [kəménʃərət/-sə-]
a. 같은 양[크기]의(with); 균형잡힌(to,
with).

:com·ment [káment/-5-] *n.* Ⓤ.Ⓒ
주석(note); 해설; 논평, 의견. **No
~.** 의견 없음(신문 기자 등의 질문에
대한 상투 어구). — *vi.* 주석(논평)
하다(on, upon).

:com·men·ta·ry [kámənteri/
-təri] *n.* Ⓒ 해설(서), 논평, 비
평;【放送】시사 해설.

com·men·tate [kámenteit/kɔ́-
men-] *vi.* 해설하다, 논평하다.

:com·men·ta·tor [kámenteitər/
kɔ́mən-] *n.* Ⓒ 주석자; (라디오 라
위의) 뉴스 해설자(cf. newscaster).

:com·merce [kámərs/-5-] *n.* Ⓤ
상업, 통상, 무역; 교제.

:com·mer·cial [kəmə́:rʃəl] *a.* ① 상
업의(통상·무역)(상)의. ② 판매용의.
③ 돈벌이 위주의(a ~ novels).《美》
(방송이) 광고용의(a ~ program
광고 프로)(a ~ song 선전용 노래).
— *n.* Ⓒ 광고 방송, 커머셜; (스폰
서의) 제공 프로(of. SUSTAINING
program). **~·ism** [-ʃəlizəm] *n.*
Ⓤ 영리주의; 상업주의. **~·ize** [-àiz] *vt.* 상업(상품)화
하다. **~·ly** *ad.*

commércial trável(l)er (지방을
도는) 외판원.

com·mis·er·ate [kəmízərèit] *vt.*
동정하다, 가엾이 여기다(pity). **-a·**

tion [-̷-éiʃən] *n.*

com·mis·sion [kəmíʃən] *n.*
Ⓤ.Ⓒ 위임(장), (권한·직무의) 위탁.
② Ⓤ (위탁의) 임무, 직권, 권한; ③ 위
원회, ④ Ⓤ (임무의) 위탁: Ⓒ 대리
수수료. ⑤ Ⓒ [軍] 장교 임명 사령.
⑥ Ⓒ 부탁; Ⓤ.Ⓒ 범행, 수행. **in
[out of] ~** 현역[퇴역]의. — *vt.*
(…에게) 위임[임명]하다. **~ed
officer** (육군) 장교, (해군) 사관.
~ed ship 취역함.

com·mis·sion·aire [kəmìʃənέər]
n. Ⓒ《英》(극장의) 수위, 사환.

com·mis·sion·er [kəmíʃənər]
n. Ⓒ 위원; 이사; 국장, 장관; 판무관; 커
미셔너(프로스포츠의 최고 책임자).
High C~ 고등 판무관.

com·mit [kəmít] *vt.* (**-tt-**) ① 저지
르다(~ suicide); (a crime; ~
an error). ② 위탁(위임)하다, 위탁
에게 맡기다(entrust)(to); ③ (공
공·정신 병원에) 넣다. ④ (체면을)
손상하다. ⑤ 속박하다(~ oneself to
do…, to a promise); 언질을 주다
(pledge). **~ to memory** 기억해
두다. **~ to paper** 적어 두다. **~
to the earth [flames]** 매장[소각
(燒却)]하다. **~·tal** *n.* = ⇩.

com·mit·ment [-mənt] *n.* ① Ⓤ.Ⓒ
범행(범죄의) 수행; ② Ⓤ 위임; 위
원회 위임. ③ Ⓤ 공약(서약문), 언
질을 줌; 공약(…한다는) 공약, ④
Ⓒ 투옥, 구류, 구속(영장).

com·mit·tee [kəmíti] *n.* Ⓒ ① 위
원회; (집합적) 위원들. ② [kɔmíti/
kɔmít:] [法] 수탁자(受託者); (미친
사람의) 후견인, **~·man** [-mən] *n.*
Ⓒ 위원(한 사람).

commn. commission.

com·mode [kəmóud] *n.* Ⓒ 옷장;
(서랍 있는) 장농; 찬장; 실내 세면대
[변기].

com·mo·di·ous [-ias] *a.* (집·방이)
넓은(roomy); 편리한. **~·ly** *ad.*

:com·mod·i·ty [kəmádəti/-5-] *n.*
Ⓒ 물품, 상품; 필수품, 일용품(~
prices 물가).

com·mo·dore [kámədɔ̀:r/-5-] *n.*
Ⓒ 《美》 준장; 함대 사령관(戰隊
사령관); (넓은 뜻의 경칭으로서의) 제독.

:com·mon [kámən/-5-] *a.* ① 공통

의, 공동의, 공유의(**to**), ② 공중의 (public), ③ 일반의, 보통의, 흔히 있는, ④ 평범한, 통속적인; 품위없 는(~ **manners** 무무함). **in** ~ 공 통으로, 공동으로(**with**). **make** ~ **cause with** …과 협력하다. **the Book of C- Prayer** (영국 국교회 의) 기도서. — **C** ① ⓒ (부락의) 공 유지(共有地), 공유지(公有地)(《을 없 는 들판·황무지》. 공유지 ② Ⓤ 《法》 공유[공용(共用)]권, 입회권. ③ 《**pl.**》 평민, 서민, ④ 《**pl.**》《(집합적》 (C-) 영국·캐나다의 하원 (의원). ⑤ 《**pl.**》(대학 따위의 공동 식탁의) 정식; 《一般》 식료. **out of (the)** ~ 보통이 아닌, **put a person on short** ~ 감식시키다, **the House of Commons** 《英》 하원. ~**age**[-idʒ] **n.** 공용권; ~**al·ty n.** ⓒ 평민, 민중, 대중. ~**er n.** ⓒ 평민; 《Oxf. 대학 등의》 자비생(自費生); 토지 공용자; 《英》 하원 의원. : ~**ly ad.**

cómmon denóminator 《數》 공 분모; 공통점[신조].

common gróund 《美》 (사회 관계·투쟁·상호 이해 등의) 공통 기반.

cómmon láw 관습법.

Cómmon Márket, the 유럽 공 동 시장.

cómmon nóun 《文》 보통 명사.

: **cómmon pláce** ⓒ **a.** 평범한 (일·말); 비망록, 수첩.

cómmon róom 교원 휴게실, 담 화실, 휴게실.

: **cómmon sénse** 상식, 양식.

: **com·mon·wealth** [∠wèlθ] **n.** ⓒ 국가(state); Ⓤ 《집합적》 국민 (전체); ⓒ 공화국(republic); 《美》 주 (州)(Pa., Mass., Va., Ky.의 4 (州)(자치 주; cf. state》; 단체, 연 방. **the** 《**British**》 **C- of Nations** 영연방, **the** 《**British**》 **C- of Australia** 오스 트레일리아 연방.

: **com·mo·tion**[kəmóuʃən] **n.** Ⓤⓒ 동요, 동란, 격동, 폭동.

com·mu·nal[kámjunəl, kámju-/kɔ́m-] **a.** 자치 단체의, 공동[공공]의; 사회 일반의, ~**ism** [-nəlìzəm] **n.** ~**ly ad.**

*** com·mune**[kəmjúːn] **vi.** 친하게 이야기하다(**with**); 성체(聖體)(Holy Communion)를 영하다. — [kámjuːn/-5-] **n.** ⓒ 간담(懇談); 친교; 심사(深思).

com·mune[kámjuːn/-5-] **n.** ⓒ 코뮌《프랑스·이탈리아·벨기에 등지의 시읍면·자치체(최소 행정 구분)》; 《옛 국의》 자치제; 히리 부락.

com·mu·ni·ca·ble [kəmjúːnikəbəl] **a.** 전할 수 있는; 전염성의.

com·mu·ni·cant[-kənt] **n., a.** ⓒ 성체(聖體)를 영하는 사람; 전달 (통지)자, 전달하는 사람.

: **com·mu·ni·cate**[kəmjúːnəkèit] **vt.** (열·동력·사상 따위를) 전하다; 감염시키다(**to**). — **vi.** 통보하다; 통하다《서신 왕래 따위로》(**with**); 통하다; 성체를 영하다. ~**tor** ⓒ 전달자; 발신기; 《차내의》 통보기.

: **com·mu·ni·ca·tion**[kəmjúːnəkéiʃən] **n.** ① Ⓤ 전달, 통신, 서신 왕래, 연락. ② ⓤⓒ 교통 (기관). ~**s gap** 연령층·사회 계층 간의 의사 소통 결여. ~**s satellite** 통신 위성. ~**(s) theory** 정보 이론. **means of** ~ 교통 기관.

com·mu·ni·ca·tive [kəmjúːnəkèitiv, -kə-] **a.** 얘기를 좋아하는 (talkative); 터놓고 이야기하는; 통 신(상)의, 전달의.

: **com·mun·ion**[kəmjúːnjən] **n.** ① Ⓤ 공유(共有)(관계), ② Ⓤ 친교; 간담; 영적인 교섭(**hold** ~ **with nature** 자연을 마음의 벗으로 삼다). ③ ⓒ 교회 단체(C-) 성찬, 영성체, **com·mu·ni·qué**[kəmjúːnəkèi, ----́] **n.** 《F.》 ⓒ 코뮈니케, 공식 발표, 성명.

: **com·mu·nism**[kámjənìzəm/-5-] **n.** Ⓤ 공산주의. : **-nist n., a.** ⓒ 공산주의(자); 《or C-》 공산당원; 공산주의의 ~**nis·tic**[∠−nístik] **a.** **-ti·cal** [-əl] **a.**

Cómmunist Párty, the 공산당.

: **com·mu·ni·ty**[kəmjúːnəti] **n.** ⓒ 《지역 (따위》 공동; 공동 생활체; 《the C-》 공중; Ⓤ (사상의) 일치.

commúnity cénter 지역 문화 회 관.

com·mut·a·ble[kəmjúːtəbəl] **a.** 교환(대체)할 수 있는, **-bil·i·ty** [∠bíləti] **n.**

com·mu·ta·tion [kàmjətéiʃən/-ɔ́-] n. ⓤ 교환; 대체; 감형; ⓤ《美》정기권 통근.

com·mute [kəmjúːt] vt. (…을) 교환하다; 대상(代償)[대체]하다; 감형하다; 대체하다; 《電》 정류(整流)하다. — vi. 대상하다; 《美》 정기(회수)권으로 승차(통근)하다. **com·mut·er** [-ər] n. ⓒ (정기권에 의한) 통근자.

com·pact[1] [kəmpǽkt] a. 잔뜩(꽉) 찬(firmly packed), 짙이 밴, 《체격이》 잘 짜인(well-knit), 《집·자동차 따위가》 아담한; 간결한; …로 된(composed) (of); 《문체가》 간결한. — vt. 잔뜩(꽉) 채우다; 빽빽하게[밀게] 하다, 굳히다, 안정시키다; 결합하여 만들다. — [kámpækt] n. ⓒ 콤팩트《분갑》; 소형 자동차. **~·ly** ad. **~·ness** n.

com·pact[2] [kámpækt/-5-] n. ⓤⓒ 계약(agreement).

cómpact disc [컴] 압축판; 짤막 (저장판)《생략 CD》.

com·pan·ion [kəmpǽnjən] n. ⓒ 동료, 동무, 동반자, 반려; 짝; (C-) 최하급의 knight 작(爵)(C- of the Bath 바스 훈작사). **~·ship** [-ʃip] n. ⓤ 교우관계.

compánion·wày n. ⓒ 《海》 갑판과 선실의 승강 계단.

com·pa·ny [kámpəni] n. ⓤ 《집합적》 친구, 동아리; 교제, 교우, 친교(in …와 동행하여). ② ⓤ 《집합적》 일단, 일행, 패거리. ③ ⓒ 회사, 상사《생략 Co.》. ④ ⓒ 《집합적》《軍》(보병) 중대(a ~ commander 중대장); 《海》 승무원, 선원. **bear [keep] ~** 동행하다, 교제(상종)하다. **be good** 사귀어《보아》 재미있다. **err [sin] in good ~** 양반들도 실패하다《고로 나의 실패도 무리 아니다》. **for ~** 교제(의리)상 따라서(weep for …따라서 울다). **keep ~ with** …와 사귀다; …와 친밀해지다. **part ~ with** …와 도중에서 헤어지다; 절교하다. **Two's …, three's none.** 《속담》 둘은 친구, 셋이면 갈라진다.

com·pa·ra·ble [kámpərəbəl/-5-] a. 비교할 수 있는(with); 필적하는

(to). **-bly** ad.

com·pare [kəmpέər] vt. (…와) 비교하다(with); 참조하다, 비유하다, 비기다(to); …에 필적하다(with) (as) …d with …와 비교하여, cannot ~ with, or not to be ~d with …와는 비교도 안 되다. ~ favorably with …와 비교하여 낫다. — n. ⓒ 《다음 성구로》 beyond (past, without) ~ 비길 데 없이.

com·par·i·son [kəmpǽrisən] n. ⓤⓒ 비교(There is no ~ between them. 비교가 되지 않는다). ② 유사, 類》 비유; 《文》 비교 변화. **bear [stand] ~ with (to)** …에 필적하다. **in ~ with** …와 비교하여. **without ~** 비길 데 없이.

com·part·ment [kəmpάːrtmənt] n. ⓒ 구획, 구분; 《객차·객선의》 칸막이방.

com·pass [kámpəs] n. ⓒ 나침반, 자석; (보통 pl.) 《제도용》 컴퍼스; ⓤⓒ 둘레(circuit); 한계, 범위(limits); 《樂》 음역(音域), BOX[2] **the ~. in small** ~ 간결하게. — vt. 일주하다; 에우다(with); 손에 넣다; 이해하다; 이루다, 달성하다; 《俗》 도모하다; 꾸미다(plot).

com·pas·sion [kəmpǽʃən] n. ⓤ 연민(憐憫)(pity), 동정(의).

com·pas·sion·ate [-it] a. 자비로운; 온정적이다; 정상을 참작하는; **allowance** (규정 외의) 특별 수당.

com·pat·i·ble [kəmpǽtibəl] a. 양립할 수 있는(with); 《TV》 (컬러 방송에서 흑백 수상기에 흑백으로 수상할 수 있는) 겸용식의; 《컴》 호환성의. **~ colo(u)r system** 흑백 겸용식 컬러 텔레비전. **-bil·i·ty** [~⌐bíl-əti] n. ⓤ 호환성.

com·pa·tri·ot [kəmpǽtriət/-pǽ-] n., a. ⓒ동국인, 동포; 같은 나라의.

com·pel [kəmpél] vt. (-ll-) 강제하다(force), 억지로 …시키다, 강요하다. **~·ling** a. 강제적인; 어찔 수 없게 만드는; 사람을 움직이고야마는, 마음을 끄는.

com·pen·di·um [kəmpéndiəm] n. (pl. ~s, -dia) ⓒ 대요(大要), 개략, -di·ous a. 간결한.

com·pen·sate [kámpənsèit/-5-]

vt. (…에게) 보상하다, 변상하다 (make up for)(~ *a loss* / ~ *him for a loss*): 지불하다; (금(金)의 함유량을 조절하여 통화의 구매력을 안정시키다. — *vi.* 보상하다. **-sa·to·ry** [kəmpénsətɔ̀:ri/-təri] *a.*

:com·pen·sa·tion [kàmpənséi-ʃən/kɔmpen-] *n.* Ⓤ,Ⓒ ① 보상(금). ② (美)보수; 봉급, 급료, 수당. ③ [心·生] 대상 작용. ④ [經] (달러의) 구매력 보정.

com·père, com·pere [kámpɛər /-5-] *n., vt.* (英) (F.) (주로 英) 방송 따위의) 사회자; (…의) 사회를 맡아보다, 사회를 보다.

:com·pete [kəmpí:t] *vi.* (사람이) 경쟁하다(*with*; *for*, *in*); (물건이) 필적하다(*with*).

com·pe·tent [kámpətənt/kɔmp-] *a.* 유능한(capable), 적당한(fit); 상당한, 충분한(*a ~ income* 충분한 수입); 자격(권능)이 있는. **-tence, -ten·cy** *n.* Ⓤ 적성, 능력, 자격; Ⓤ 권능, 권한; Ⓒ 충분한 자산.

:com·pe·ti·tion [kàmpətíʃən/kɔmp-] *n.* Ⓤ,Ⓒ 경기, 경쟁, 콩쿠르(contest). ***com·pet·i·tive** [kəmpétitiv] *a.* 경쟁적인. ***com·pet·i·tor** [kəmpétitər] *n.* Ⓒ 경쟁자.

com·pile [kəmpáil] *vt.* (자료 따위를) 모으다; 편집하다; [컴] 다른 부호(컴퓨터 언어)로 번역하다. **com·pil·er** *n.* Ⓒ 편집자; [컴] 번역가기, 컴파일러; **com·pi·la·tion** [kàmpəléi-ʃən/kɔm-] *n.* Ⓤ 편집; Ⓒ 편집물.

com·pla·cent [kəmpléisnt] *a.* 자기 만족의, 득의의; 안심한; 은근한, 느긋한(selfsatisfied). **~·ly** *ad.* **-cence, -cen·cy** *n.*

:com·plain [kəmpléin] *vi.* 불평하다 (*of*, *against*) ; 고소하다(appeal) (*to*); (병상·고통을) 호소하다, (…이 아프다고 하다(*~ of a headache* 골치가 아프다고 하다). **~·ant** *n.* 불평꾼; 원고(plaintiff). **~·ing·ly** *ad.* 불만스러운 듯이, 투덜대며. **com·plaint** [kəmpléint] *n.* Ⓤ 불평; 비난; 불평거리. ② (美) 고소 (accusation). ③ 병.

com·plai·sant [kəmpléizənt, -zənt] *a.* 공손(친절)한; 상냥한(affa-

ble). **-sance** *n.*

:com·ple·ment [kámpləmənt /kɔmplə-] *n.* Ⓒ 보충(물); [文] 보어; [數] 여각(餘角); 여집합; (함선 승무원의) 정원; [컵] 보수. — [-mənt] *vt.* 메워 채우다, 보충하다. ***-men·ta·ry** [kàmpəméntəri/kɔm-] *a.* 보충적인, 보족적.

:com·plete [kəmplí:t] *a.* 완전한; 순전(철저)한(thorough). — *vt.* 완성하다, 끝마치다(finish). **~·ly** *ad.* **~·ness** *n.* ***com·ple·tion** [-pli:ʃən] *n.* Ⓤ 완성, 종료.

:com·plex [kəmpléks, kámpleks /kɔmpleks] *a.* 복잡한(complicated); 복합의(composite); [文] 복문(複文)의. — [kámpleks/-5-] *n.* ① 집합[복합]체; [精神分析] 복합 콤플렉스; ② 고정(강박)관념; 콤비나트. ***~·i·ty** [kəmpléksəti] *n.* Ⓒ 복잡(성); Ⓒ 복잡한 것.

*com·plex·ion [kəmplékʃən] *n.* Ⓒ 안색, 형세, 모양(aspect)(*the ~ of the sky*).

cómplex séntence [文] 복문(複文)(종속절이 있는 문장).

com·pli·ance [kəmpláiəns] *n.* Ⓤ 응낙; 순종(*to*). *in ~ with* …의 뜻에 따라서. **-ant** *a.*

*com·pli·cate [kámpləkèit / kɔmpli-] *vt.* 복잡하게 하다, 뒤얽히게 하다. **:cat·ed** [-id] *a.* 복잡한, 까다로운. ***-ca·tion** [-kéiʃən] *n.* Ⓤ,Ⓒ 복잡, 분규(紛糾); Ⓒ 병발증 (secondary disease).

com·plic·i·ty [kəmplísəti] *n.* Ⓤ 연루(連累), 공범.

:com·pli·ment [kámpləmənt /kɔm-] *n.* Ⓒ 찬사, 겉발, 치렛말; (*pl.*) (의례적인) 인사, 치하의 말. *Give my ~s to* …에게 안부 전해 주십시오. *return the ~s* …에게 답례하다; 대갚음(보복)하다. *with the ~s of* …근정(謹呈), 혜존(惠存)(저서 증정의 서명 형식). — [-mənt] *vt.* (…에게) 인사하다; 칭찬하다(*on*); 치렛말하다 *with*).

com·pli·men·ta·ry [kàmpləméntəri/kɔm-] *a.* 인사의; 경의를 표하는(표하기) 위한); 무료의, 우대의(*a ~ ticket* 우대권); 치렛말의(실

잘하는.

com·ply[kəmplái] *vi.* 응하다, 따르다, 승낙하다(*with*).

*com·po·nent**[kəmpóunənt] *a, n.* ① 구성하는(~ a ~ part 구성 분자), 요소, 부분; 《數》 (벡터장의) 성분, 《理》 (힘·속력 등의) 분력(分力).

com·pose[kəmpóuz] *vt, vi.* ① 짜맞추다, 구성하다(make up). ② 짓다(~ a poem), 저작(작곡·구도(構圖))하다. ③ 《印》 (활자) 짜다. ④ (안색·태도 등을) 누그러뜨리다. (마음을) 진정시키다(calm) oneself. ⑤ (논쟁·싸움 따위를) 가라앉히다, 조정하다(settle). ~**d**[-d] *a.* 침착한(태연한) **com·pos·ed·ly**[-idli] *ad.*
com·pós·er *n.* ⒞ 작곡가.

com·pos·ite[kəmpázit/kómpə-] *a.* ① 합성의, 혼성의. ② (C-) 《建》 혼화식의. ③ 《로켓》 다단식(多段式)의; (방사 화약의) 혼합 연료의 산화제로 이루어진.

com·po·si·tion[kàmpəzíʃən-ʒ-] *n.* 짜맞춤, 조립, 조성(組成)· 조직, 구도(構圖); ⒞ 배합; 식자; ⒞ (타고난) 성질; 작곡; 작문; ⒞ 혼합물; 화해.

com·pos·i·tor [kəmpázitər/-pɔ́z-] *n.* ⒞ 식자공(工).

com·post[kámpoust/kómpɔst] *n.* ⒰ 혼합 비료, 퇴비.

com·po·sure[kəmpóuʒər] *n.* ⒰ 침착, 냉정, 자제.

com·pote[kámpout/kómpout] *n.* ⒰⒞ 과일 따위의 설탕절임; 굽 달린 과일 접시.

com·pound[kámpaund, kəm-/kɔm-] *vt.* ① 혼합〔조합(調合)〕하다(mix)(with, into). ② 《言》 (낱말·문장을) 복합하다(combine). ③ (분쟁을) 가라앉히다; 화해시키다. ④ (이자를) 복리 계산으로 무리하다. ⑤ (이자를) 복리계산으로 치르다. ⑥ 하나로 만들어 내다, 조성하다. ~ a felony (돈을 받고) 중죄의 기소를 중지하다.
— [kámpaund/-5-] *a.* ① 혼합〔복합·합성〕의. — [kámpaund/-5-] *n.* ⒞ 혼[화]합물; 복합어《보기: textbook, bluebell》.
com·pound²[kámpaund/-5-] *n.* ⒞ (동양에서) 울타리친 백인 저택(의

구내); (아프리카의) 현지 노무자의 주택 지구; 포로 수용소.

cómpound frácture 《醫》 복합 〔복잡〕골절.

cómpound ínterest 복리.

com·pre·hend[kàmprihénd/kɔm-] *vt.* (완전히) 이해하다; 포함하다(include).

com·pre·hen·si·ble[-hénsəbəl] *a.* 이해할 수 있는(understandable). **-bil·i·ty**[⊃-⊃-bíləti] *n.*

com·pre·hen·sion[-hénʃən] *n.* ⒰ ⓒ 이해(력). ② 포함; 함축.

com·pre·hen·sive[-hénsiv] *a.* 이해력이 있는; 포함하는; 포괄적인; 광범위한, 광범위에 걸친.

comprehénsive schóol 《英》 종합 중·(등)학교《여러 과정이 있는》.

com·press[kəmprés] *vt.* 압축하다; 줄이다(into). — [kámpres/-5-] *n.* ⒞ 습포(濕布). ~**ed** *a.* 압축된; 간결한(~ed air 압축 공기). ~**i·ble** *a.* **com·prés·sion** *n.* ⒰ 압축. 압착; 축소, 요약. **com·prés·sor** *n.* ⒞ 압축기(장치); 압축자; 《醫》 지혈기.

com·prise, -prize[kəmpráiz] *vt.* 포함(함유)하다; (…로) 되다(이루어지다)(consist of).

com·pro·mise[kámprəmàiz/-5-] *n.* ⒰⒞ 타협; 절충(안); 사화(be-tween); (명예·신용 등을) 위태롭게 하는 것. *make a ~ with* …와 타협하다. — *vt.* 사화(화해)하다; 조정하다. ② 양보함으로 해결하다; (신용·명예를) 위태롭게 하다(endanger); (의혹·맘 등을) 입게 하다. *be ~d by* …에게 누를 끼치게 되다. ~ *oneself* 신용을 잃다. 의심받을 일(짓)을 하다. — *vi.* 타협하다; 서로 양보하다.

com·pul·sion[kəmpʌ́lʃən] *n.* ⒰ 강제(력); 《心》 강박 충동. *by* ~ 강제적으로. **-sive** *a.* 강제적인, 강박감에 사로잡힌.

com·pul·so·ry[kəmpʌ́lsəri] *a.* 강제적인; 의무적인; 필수의. **-so·ri·ly** *ad.*

com·punc·tion[kəmpʌ́ŋkʃən] *n.* ⒰ 양심의 가책; 후회(하는 마음)(regret).

com·pute[kəmpjúːt] *vt, vi.* 계산

C

[산정]하다(*at*). ***com·pu·ta·tion**
[kàmpjutéiʃən/-ʃ-] *n.*

*com·put·er, -pu·tor[-ər] *n.* ⓒ
전자계산기(electronic ~). 컴퓨터.
셈틀; 계산기(器), 계산하는 사람.

computer gráphics [컴] 컴퓨터
그래픽『컴퓨터로 도형 처리』.

com·put·er·ize[kəmpjúːtəràiz]
vt. 컴퓨터로 처리(관리, 자동화)하
다. **·i·za·tion**[-∂-izéiʃən] *n.* Ⓤ
컴퓨터화.

com·rade[kámræd/kɔ́mrid] ⓒ
동무, 동지(mate), 친구(compan-
ion). ~ **in arms** 전우. ~**ship**
[-ʃìp] *n.* Ⓤ 동지로서의 사귐; 동지
애, 우애.

con[1] *ad.* 반대하여(against) (cf.
pro[2]). ─ *n.* ⓒ 반대론(투표(자)).

con[2] [1] (*confidence*) *a.* 〖美俗〗 사기
의. 속이는(~ *game* 사기(꾼),
man 사기꾼). ─ *vt.* (*-nn-*) 속이다.

con[3] [2] (*convict*) *n.* ⓒ 〖美俗〗 죄수.

con·cat·e·nate[kɑnkǽtəneit/
kɔn-] *vt.* 잇다, 연결시키다. **-na-
tion**[kɑnkætənéiʃən/kɔn-] *n.*

con·cave[kɑnkéiv/kɔ́nkeiv] *n., a.*
ⓒ 옴폭한(오목함(면)); 요면(凹面)(의)
(opp. *convex*). **con·cav·i·ty**
[-kǽvəti] *n.* Ⓤ,ⓒ 오목한 상태(글
면·부분), 요면.

*con·ceal[kənsíːl] *vt.* 숨기다(hide)
(*from*). ***~·ment** *n.* Ⓤ 은닉, 숨
음, 감춤; ⓒ 숨는(숨는) 장소.

*con·cede[kənsíːd] *vt., vi.* 인정하
다; (권리 따위를) 승인하다, 주다;
(승리를) 양보하다(*to*).

*con·ceit[kənsíːt] *n.* (< *conceive*) *n.*
Ⓤ 자부, 혼자(제멋의) 생각; 자만,
착상, 기상(奇想)(fancy); 〖古〗 사견
(私見). *be out of* ~ *with* …이
싫어지다. *in one's* ~ 자기 혼자 생각에는. ~**·
ed**[-id] *a.* 자부심이 강한.

*con·ceive[kənsíːv] *vt., vi.* (생
각·의견·감정 등을) 마음에 품다
(entertain); 생각하다, 생각해내다
(*of*), 상상하다, 얻다; (흔히 수동구문으
로) (말로) 나타내다(express). ***~·
a·ble** *a.* 생각
할 수 있는.

*con·cen·trate [kɑ́nsəntrèit,

kɔ́n-] *vt., vi.* 집중하다; 전념하다(*on,
upon*). 〖化〗농축하다. ~*d uranium*
농축 우라늄.

con·cen·tra·tion[kɑ̀nsəntréiʃən,
kɔ̀n-] *n.* Ⓤ,ⓒ ① 집중; 전념. ② 농
축, 농도.

concentrátion càmp 강제 수용
소『포로, 정치범 등의』.

con·cen·tric[kənséntrik] *a.* 동심
(同心)의(*with*).

*con·cept[kɑ́nsept/-5-] *n.* ⓒ 개
념, 생각.

*con·cep·tion[kənsépʃən] *n.* Ⓤ
개념 작용; Ⓤ,ⓒ 임신; ⓒ 개념
(idea). ⓒ 착상(conceiving); 계
획(plan). **-tu·al** *a.* 개념의.

*con·cern[kənsə́ːrn] *vt.* ① (…와)
관계가 있다; 영향하다. ② (수동으
로) 관계하게 하다. ③ 걱정하게 하다. *be
~ed about* …에 관해서는. *be ~ed about*
…에 관심을 가지다; 걱정하다. ~
oneself about …을 염려(걱정) 하
다. ~ *oneself in* (*with*) …에 관계
하다. *so far as* (*I am*) *~ed*
(내게) 관한한. *To whom it may
~* 관계자(앞)〖서류의 수신인 대
용 형식의〗. ─ *n.* ① ⓒ (이해) 관계.
② Ⓤ 관심, 걱정, 염려. ③ ⓒ (종
종 *pl.*) 관심사. ④ Ⓤ 영업
사업; 회사, 상사(firm). ⑤ ⓒ 〖口〗
것, 일, 놈(*I dislike the whole* ~.
어디까지나 싫다). *have no* ~ *for*
…에 아무 관심이 없다. ***~·ed**[-d]
a. 걱정[걱정]하여; 관계의(있는)(*the
authorities ~ed* 당국자); 종사하여
(*in*). ***~·ing** *prep.* …에 관하여.
*~·ment *n.* 〖文語〗중요함; ⓒ
관계하고 있는 일; Ⓤ 걱정.

*con·cert[kɑ́nsə(ː)rt/-5-] *n.* ⓒ
합주(곡); 연주회(cf. *recital*). ② Ⓤ
협조, 제휴(*in* ~ 협력하여); 협력,
일치. ─ [kənsə́ːrt] *vt.* 협정하다.
*~·ed[-id] *a.* 협정의, 협동의; 〖樂〗
합창(합주)용으로 편곡한.

cóncert gránd (**piáno**) 연주회
용의 그랜드 피아노.

con·cer·ti·na[kɑ̀nsərtíːnə/kɔ̀n-]
n. ⓒ 〖樂〗 (보통 육각형의 소형) 손풍
금(cf. *accordion*).

cóncert·màster *n.* ⓒ 합주장(合
奏長)『(보통 수석 바이올리니스트)』.

con·cer·to [kəntʃéɪrtou] *n.* (*pl. ~s, -ti* [-ti:]) ⓒ 〔樂〕 콘체르토, 협주곡.

con·ces·sion [kənséʃən] *n.* ① ⓤⓒ 양보, 양여(conceding), 허가. ② ⓒ 면허(grant); 이권. ③ ⓒ 조차지, 조계. ④ ⓒ 〔美〕 구내 매점 (사용권). **-sive** *a.* 양보의, 양보적인.

conch [kaŋk, kantʃ/-ɔ-] *n.* (*pl. ~s* [-ks], *~es* [kántʃiz/-ɔ-]) ⓒ (대형의) 소라 (소라 따위의). **con·cil·i·ate** [kənsílièit] *vt.* 달래다(soothe), 화해시키다(reconcile), 회유하다(win over); (아무의) 호의 (따위)를 얻다; 〔再〕 알선하다. **-a·tion** [⌐ ⌐ éiʃən] *n.* ⓤ 달램; 〔法〕 조정, 화해(cf. arbitration); *the Conciliation Act* (英) (노동쟁의 조정 법률. **-a·to·ry** [kənsíliətɔ̀ri/-təri] *a.*

con·cise [kənsáis] *a.* 간명[간결]한(succinct). **~·ly** *ad.* **~·ness** *n.*

con·clave [kánkleiv/-] *n.* ② 비밀 회의; 교황 선거 회의(실).

con·clude [kənklú:d] *vt., vi.* ① 끝내다; 결론[추단]하다(infer). ② 결심하다. ③ (조약을) 체결하다; *To be ~d* (연재물 따위의) 차회에 (次回) 완결. *to ~* 결론으로서 말하면.

con·clu·sion [kənklú:ʒən] *n.* ① ⓤ 종결; 결과(result). ② ⓤ 결론; 추단 (推斷). ③ ⓤ 체결. *in ~* 최후로; *try ~s with* ~와 자웅을 결하다.

con·clu·sive [kənklú:siv] *a.* 결정적인; 확정적인; 명확한; 종국의 결론의. **~·ly** *ad.*

con·coct [kankákt, kən-/kənkɔ́kt] *vt.* (음료 따위를) 한데 섞어서 만들다; 조합하다; 조작하다; (음모 등을) 꾸미다(make up). **con·cóc·tion** *n.* ⓤⓒ 조합[조제]; 날조(물); ⓒ 혼합물.

con·com·i·tant [kankámətənt/-kɔ́m-] *a.* ① 부수[附隨]하는 (물건, 일). **-tance, -tan·cy** *n.* ⓤ.

con·cord [kánkɔ:rd, káŋ-/kɔ́ŋ-kɔn-] *n.* ① ⓤ 일치, 화합; 협약. ② 〔樂〕 협화음(opp. discord).

con·cord·ance [kankɔ́:rdəns, kan-/kən-] *n.* ① ⓤ 일치. ② ⓒ

(성서나 중요한 작가의) 용어 색인.

con·cor·dat [-dæt] *n.* ⓒ 협약; (로마 교황과 정부간의) 조약.

con·course [kánkɔ:rs/-5-] *n.* ⓒ ① (사람·물건의) 집합; 군집, 군중; ② (강의) 합류. ③ 큰 길(driveway); (역·공원의) 중앙 광장.

con·crete [kánkri:t, -/-kánkri:t] *a.* ① 구체적인(real)(opp. abstract); 콘크리트(제)의. ② [-kánkri:t/-5-] *n.* (the ~) 구체(성); ⓤ 콘크리트 — *vt., vi.* 콘크리트로 굳히다; [-] 응결시키다(와 굳어지다). **con·cre·tion** [kankríːʃən/kən-] *n.* ⓤ 응결; ⓒ 응결물.

con·cu·bine [kánkjəbàin/-5-] *n.* ⓒ 첩. **·bi·nage** [kankjú:bənidʒ/kən-] *n.* ⓤ 축첩; 첩의 신분.

con·cu·pis·cence [kankjú:pisəns/kən-] *n.* ⓤ 음욕; 탐욕; 〔聖〕 욕망.

con·cur [kənkə́:r] *vi.* (*-rr-*) ① 동시에 일어나다; 병발하다(with). ② 협력하다(to·do). ③ (여러 가지 사정이) 서로 관련되다. ④ (의견이) 일치하다, 동의하다(agree)(with).

con·cur·rent [kənkə́:rənt, -kʌ́rənt] *a.* 동시에 일어나는, 병발하는(concurring); 동시의; 일치[조화]하는; 같은 권리[권리]의; 일치점에 집중하는; 겸용의(a ~ post 겸직). — *n.* ⓒ 병발사(건); 동시에 작용하는 원인; 〔古〕 경쟁자. **~·ly** *ad.* 병발적으로, 동시에. **-rence** *n.*

con·cuss [kənkʌ́s] *vt.* 뒤흔들다; (…에게) 뇌진탕을 일으키게 하다.

con·cus·sion [kənkʌ́ʃən] *n.* ⓤ 격동; 뇌진탕.

con·demn [kəndém] *vt.* ① 비난하다; (죄를) 선고하다; ② 운명짓다 (to), ③ (의사가) 포기하다; 불량품으로(위험물로) 결정하다. ④ 〔美〕 (정부가 공용으로) 수용하다. **-ed** *a.* 유죄 선고를 받은; 비난된; 사형수의. **con·dem·na·tion** [kàndəmnéiʃən/kɔ̀n-] *n.*

con·dense [kəndéns] *vt., vi.* ① 응축(凝縮)하다 (기체를) 액화하다. ② (이야기 등을) 요약하다, 간결히 하다. ③ (전기의) 강도를 더하다. **con·den·sa·tion** [kàndensèiʃən/kɔ̀n-]

n. * ~d[-t] *a.* 압축된, 간결한.

con·densed milk 연유(煉乳).

con·dens·er[kəndénsər] *n.* ⓒ ① 응결기, 응축기. ② 집광(集光) 렌즈. ③ 축전기, 콘덴서.

con·de·scend[kàndisénd/-ɔ-] *vi.* ① (아랫사람에게) 겸손히 행하다. ② 스스로를 낮추어…하다(deign)(to). ③ (짐짓 은혜나 베푸는 듯이) 친절히 하다(생색 쓰다); ~**ing** *a.* 겸손한(humble); 짐짓 겸허한; 덕재 짐짓하는; 생색내는. **-scén·sion** *n.* ⓒ 겸허, 겸손; 덕재짐허하는(생색 쓰는) 태도.

con·di·ment[kándəmənt/-5-] *n.* ⓒⓤ 양념(겨자, 후추 따위).

†**con·di·tion**[kəndíʃən] *n.* ① ⓤ 상태, 처지, 사정. ② 신분(social position). ③ (*pl.*) 상황, 사정, 형세; 조건(term). ④ ⓒ (美) 재시험, *change one's* ~ 결혼하다. *in* ~ 건강하여, 양호한 상태로. *on* ~ *that* …라는 조건으로, 만일 …이면(if). *out of* ~ 건강을 해쳐; (보존이) 나쁜. ── *vt.* ① 조건 짓다. (…의 조건이) 되다; 좌우[결정]하다. ② 조절하다; (양털 등을) 검사하다. ③ (美) 재시험을 조건으로 하여 가(假)진급시키다. ~**ed**[-d] *a.* ① 조건이 붙은; (어떤) 상태의; (실내 공기 등) 조절된. ~**er** *n.* ① 조건 붙이는 사람(물건). ② 컨디션 증가를 위한) 첨가물; 공기 조절 장치. ~**ing** *n.* ⓤ 검사; (공기) 조절.

con·di·tion·al[kəndíʃənl] *a.* 조건부의; 가정의. ~ *clause* [文] 조건절(if, unless 따위로 인도되는 부사절). ~**ly** *ad.*

conditioned réflex [**respónse**] [心] 조건 반사.

con·dole[kəndóul] *vi.* 조문하다, 조위하다(with). **con·dó·lence** *n.*

con·dom[kándəm, -ʌ-/-5-] *n.* ⓒ 콘돔.

con·do·min·i·um[kàndəmíniəm/kɔn-] *n.* (*pl.* ~**s**, *-ia*[-niə]) ① ⓤ 공동 관리(권). ② 분양 아파트[맨션].

con·done[kəndóun] *vt.* 용서하다; [法] (과실을) 묵인하다. **con·do·na·tion**[kàndounéiʃən/kɔn-] *n.*

con·dor[kándər/kɔ́ndɔ:r] *n.* ⓒ [鳥] 콘도르(南미산의 큰 매의 일종).

con·duct[kándʌkt/kɔ́n-] *n.* ⓤ ① 행위, 행동, 품행. ② 지도, 지휘. ③ 취급, 관리. ④ 취향(趣向); 줄거리의 전개(개), 각색. ── [kəndʌkt] *vt., vi.* ① 행동하다(~ *oneself*); 이끌다(over). ② 지도[지휘]하다; 처리[경영]하다. ③ (전기·열을) 전하다. ~**ance**[kəndʌktəns] *n.* ⓒ [電] 전도 계수. ~**i·ble**[-əbl] *a.* 전도성(傳導性)의. **con·dúc·tion** *n.* ⓤ (물 따위의) 끌기; (열 따위의) 전도. **con·dúc·tive** *a.* **con·duc·tiv·i·ty**[kàndʌktívəti/kɔ̀n-] *n.* ⓤ 전도성.

‡**con·duc·tor**[kəndʌktər] *n.* ⓒ ① 지도자, 지휘자. ② 안내자, 차장(단, 영국에서는 기차 차장은 'guard'라고 함). ③ [理] 전도체, 피뢰침. ~**ship**[-ʃip] *n.* ⓤ ~의 직.

con·du·it[kándju:it/kɔ́ndit] *n.* ⓒ 도관(導管); 수도(aqueduct), 암거(暗渠), 수멍; (매몰 전선의) 선조관(線條管).

cone[koun] *n.* ⓒ ① 원추(형)(의 물질)(*an ice cream* ── 웨이퍼로 만든 아이스크림 컵); 솔방울. ② (원추형) 폭풍 신호기(storm ~).

con·fec·tion[kənfékʃən] *n.* ⓒ 당과(糖菓). ~**er** *n.* ⓒ 과자 제조인, 과자상(商). ~**ar·y**[-ʃnèri/-ʃəri] *n.* ① (집합적) 과자. ② ⓒ 과자점. ② ⓤ 과자 제조.

con·fed·er·a·cy[kənfédərəsi] *n.* ① ⓒ 동맹(국), 연방. ② (the C-) [美史] 남부 연방. ③ ⓤ 도당(league). ④ ⓤⓒ 공모(共謀). *Southern C-* = the CONFEDERATE STATES OF AMERICA.

con·fed·er·ate[kənfédərit] *a.* 동맹[연합]한; 공모한; (C-) [美史] 남부연방의. ── *n.* ① 동맹국, 연방, 공모자. ── [-rèit] *vt., vi.* (…와) 동맹시키다[하다]; 한패로 하다(되다)(with). * **·a·tion**[-ʌ-eíʃən] *n.* ⓤⓒ 동맹(국). ⓤ 동맹; 연합.

Conféderate Státes of América, the [美史] 미국 남부연합(남북전쟁 때의 남부 11주).

con·fer[kənfə́r] *vt.* (*-rr-*) (…에게) 주다, 수여하다(bestow) (*upon*). ── *vi.* 회담[협의]하다(with, upon).

C

ee[kɑnfəri:/-ə-] *n.* ⓒ 《美》 회의 출석자; 상담 상대. ~·ment *n.* ⓤⓒ 수여; 협의 *n.* ⓤ 수여(協議)한 것.

con·fess[kənfés] *vt.*, *vi.* ① 자공(自供)하다, 자백하다; 자인하다. ② 신앙을 고백하다; (신부에게) 참회하다. ③ (신부가) 고해를 듣다. — **to** (약점·과실 따위를) 시인하다. ② 거 짓말하다. 자백하며 말하다. **to ~ the truth** 사실은. ~·**ed**[-t] *a.* 공인된, 명백한 《**stand ~ed as** 으로서(죄상이) 뚜렷 하다》. ~·**ed·ly**[-idli] *ad.* 명백히.

con·fes·sion[kənféʃən] *n.* ① ⓤⓒ 자백. ② ⓒ 신앙 고백. ③ ⓤ 《가톨릭》 고해. ~·**al·a,·b,·t** ② 참회의 (자리).

con·fes·sor[kənfésər] *n.* ⓒ 고백자; 참회(고해)자; 고해 (듣는) 신부; (박해에 굴치 않는) 신앙 고백자, 독신자. **the C-** 독신왕(信仰王)《영국왕 Edward (재위 1042-66)》.

con·fet·ti[kənféti] *n. pl.* 《단수취급》 (It.) 캔디; (사육제 같은 때의) 색종이 조각.

con·fi·dant [kɑnfidǽnt, ∠–∠/ kɑnfidænt] *n.* (*fem.* ~·**e**) ⓒ (속을 털어 놓을 수 있는) 친구, 심복.

con·fide[kənfáid] *vi.* ① (속을) 털어놓다; 신임(신용)하다《**in**》. ② 털 어놓(위탁)하다《**to**》. — **con·fí·ding** *a.* 믿기 쉬운; 믿어버리고 있는.

con·fi·dence[kɑnfidəns/kɔ́nfi-] *n.* ⓤ 신임, 신용, 신뢰(trust). ② (자기에 대한) 자신; 대담한(boldness), 뻔뻔스러움(assurance); ③ 축사정 이야기, 비밀. *in* ~ 내밀히, 은밀히. **make a ~ (~s) to** (a person), or **take** (a person) **into one's** ~ (아무에게) 비밀을 털어놓다. 《신용 사기. **cónfidence gàme** [《美》 **tríck**]

con·fi·dent[kɑnfidənt/kɔ́nfi-] *a.* ① 확신(신용)하여(현 의는 《of》. ② 자신 있는; 자부심이 강한; 대담한. — *n.* =CONFIDANT. ~·**ly** *ad.*

con·fi·den·tial[kɑnfidénʃəl/kɔ̀nfi-] *a.* ① 신임하는, 심복의. ② (편지가) 친전의(親展)의. ③ 무간한, 격의 없는《~ *tone*》. ~·

ly *ad.*

con·fig·u·ra·tion[kənfìgjəréiʃən] *n.* ⓒ 구성, 배치, 형상; 《心》 =GESTALT; 《점》 구성.

con·fig·ure[kənfígjər] *vt.* (어떤 형태에) 맞추어) 형성하다《*to*》; 《컴》 구성하다.

con·fine[kənfáin] *vt.* 제한하다《*to, within*》; 가두다, 감금하다《*in*》; 한정하다; ~·**d** 축치고(틀어박혀) 있다; 해산을 하다《*be ~d of a child*》. — [kǽnfain/-5-] *n.* (보통 *pl.*) 경계, 한계. ~·**ment** *n.* ⓤⓒ 감금, 억류; 제한, 한정; ⓤⓒ 해산 (자리에 눕기), 산욕.

con·firm[kənfə́:rm] *vt.* ① 강하게 (굳게) 하다, 견고히 하다. ② 확인 (다짐)하다, (조약을) 비준하다. ③ (…에게) 견진성사《堅振聖事》[안수례] 를 베풀다. — **ing the conjecture** 추측 을 확인(확증)할 수 있는. ~·**a·ble** *a.* 확인[확증]할 수 있는. ~·**ed**[-d] *a.* 확인된; 뿌리 깊은. 만성의, 습관된. 고칠 수 없는.

con·fir·ma·tion[kɑ̀nfərméiʃən/-3-] *n.* ⓤⓒ 확정, 확인. 증거. ② 《宗》 견진성사《堅振聖事》, 안수례.

con·fis·cate[kɑ́nfiskèit/-∫-] *vt.* 몰수(징발)하다. **-ca·tion**[∼-kéiʃən] *n.*

con·fla·gra·tion[kɑ̀nfləgréiʃən/-3-] *n.* ⓒ 큰불(big fire).

con·flate[kənfléit] *vt.* 융합시키다; 혼합하다; (특히) 2종류의 이본 (異本)을 합치(혼성)하다.

con·flict[kɑ́nflikt/-5-] *n.* ⓤⓒ 투쟁; 싸움; 충돌. 알력. ~ *of laws* 법률 저촉; 국제 사법(私法). — [kən-flíkt] *vi.* (…와) 다투다; 충돌하다 《*disagree*》《*with*》. ~·**ing** *a.*

con·flu·ence[kɑ́nfluəns/-5-] *n.* ① 합류점. ② 합류; 집합, 군중, 군집. 운집. ~·**ent** *a.* 합류하는 (강), 지류(tributary).

con·form[kənfɔ́:rm] *vt.*, *vi.* (…과) 일치하다(시키다), 따르(게 하)다. 적합시키다《*to*》. — ~·**a·ble** *a.* 적합(조화)된(adapted)《*to, with*》; 순종하는(obedient)《*to*》. ~·**ist** *n.* ⓒ 순응자(遵奉者). (C-) 영국 국교도.

con·for·ma·tion [kὰnfɔːrméiʃən, -ɔ-] n. ① 구조; 형상; 조화적 배치; ⓤ 적합; 순응(to).

con·form·i·ty [kənfɔ́ːrməti] n. ⓤ 일치, 상사(相似), 적합; 따름; ⓒ 국교 신봉(信奉). **in ~ with** [to] …에 따라서.

con·found [kənfáund] vt. ① (…와) 혼동하다(with). ② 곤혹(困惑)하게 하다. ③ (희망·계획을) 꺾다 (defeat). ④ (저주하는 말) (C- it! 에)에 지겨워!, 아뿔싸!, 어이없다. **~·ed** [-id] a. 지겨운, 어이없는.

con·front [kənfrʌ́nt] vt. (···에) 직면하다; 맞서다(oppose); 대항하다; (어려움이, …이) 앞에 나타나다; **be ~ed with** …에 직면하다. **~·er** n. 대항자(물), 대결자.

con·fron·ta·tion [kὰnfrəntéiʃən, kɔ̀n-] n. ⓤⓒ 직면; [法] (불리한 증인과의) 법정 대결, 대심(對審).

:**con·fuse** [kənfjúːz] vt. ① 혼란시키다; 혼동시키다(mix up). ② 당황하게 [어쩔 줄을 모르게] 하다(perplex). ***~d**[-d] a. 혼란(당황)한; 낭패한. **con·fus·ed·ly** [-idli] ad.

:**con·fu·sion** [kənfjúːʒən] n. ⓤ ① 혼란; 혼잡. ② 당황; 착란. **worse confounded** 혼란에 또 혼란 (Milton의 *Paradise Lost* 에서). **drink ~ to** …을 저주하여 잔을 들다.

con·fute [kənfjúːt] vt. 논파(論破)하다; 설복하다. **-fu·ta·tion** [kὰnfjutéiʃən, -ɔ-] n.

con·ga [kάŋgə/-ɔ-] n. ⓒ 콩가(Cuba의 춤(곡)).

con·geal [kəndʒíːl] vi., vt. 통결[응결]하다(시키다). **con·ge·la·tion** [kὰndʒəléiʃən/-ɔ-] n.

con·gen·ial [kəndʒíːnjəl] a. ① 같은 성질의; 마음이 맞는, ② (기분에) 맞는, **con·ge·ni·al·i·ty** [kəndʒìːniǽləti] n.

con·gen·i·tal [kəndʒénətl] a. 타고난, 선천적인.

cón·ger (èel) [kάŋgər(-)/-ɔ-] n. ⓒ [魚] 붕장어.

con·gest [kəndʒést] vi., vt. ① 충혈하다(시키다). ② 충만[밀집]하다

[시키다]. **~·ed** [-id] a. **con·ges·tion** [-dʒéstʃən] n. ⓤ 밀집, 혼잡, 충혈. **con·ges·tive** [-iv] a. 충혈(성)의.

con·glom·er·ate [kənglάmərit/-ɔ-] a., n. ⓒ (잡다한 것이) 밀집하여 덩어진 (것), 집괴상(集塊狀)의 (바위). — [-rèit] vt., vi. 한데 모아 뭉치게 하다; 모여 뭉치다. **-a·tion** [kənglὰməréiʃən/-ɔ-] n. ⓤ 덩어리 뭉침; ⓒ 집괴(集塊).

:**con·grat·u·late** [kəngrǽtʃəlèit] vt. 축하하다(···에), 축하의 말을 하다(~ him on his birthday). ~ **oneself on** [upon] …을 의기양양 (우쭐)해 하다. **-la·tion** [-~léiʃən] n. ⓤ 축하; ⓒ(pl.) 축하의 말 (Congratulations! 축하합니다!).

con·grat·u·la·to·ry [-lǽtʃəri/-təri] a. 축하의. ~ **telegram** 축전(祝電).

con·gre·gate [kάŋgrigèit/-5-] vi., vt. 모이다, 모으다(assemble). ***-ga·tion** [≧-~géiʃən] n. ⓤ 모임; 집합; [宗] 집회; 《집합적》 회중(會衆). **-ga·tive** [-gèitiv] a.

con·gre·ga·tion·al [kὰŋgrigéiʃənəl/-ɔ-] a. 회중의; (C-) 조합 교회의. ~ **Church** 조합 교회. **~ism** [-izəm] n. ⓤ (C-) 조합 교회주의. **~ist** n.

con·gress [kάŋgris/kɔ́ŋgris] n. ① ⓒ 회의, 위원회. ② (C-) ⓤ (미국·일본 따위의) 국회. **con·gres·sion·al** [kəngréʃənəl/kɔŋ-] a. 회의의; (C-) 국회의.

con·gress·man [-mən] n. 《종종 C-》 ⓒ 《美》 국회(하원) 의원. **~-at-lárge** n. (pl. **-men-**) ⓒ 《美》 주 선출 국회의원.

con·gress·wom·an [-wùmən] n. (종종 C-) ⓒ 《美》 여자 국회(하원) 의원.

con·gru·ent [kάŋgruənt/-ɔ-] a. 일치하는; [數] 합동의. **-ence** n. ⓤ

con·ic [kάnik/-ɔ-], **-i·cal** [-əl] a. 원뿔(원추)꼴의; 원뿔(cone)의.

co·ni·fer [kάnəfər, kóunə-] n. ⓒ [植] 침엽수. **co·nif·er·ous** [kounífərəs] a.

con·jec·ture [kəndʒéktʃər] n., vi. ⓤⓒ 추측(하다). **-tur·al** a.

con·join[kəndʒɔ́in] *vt., vi.* 결합하다, 연합하다, 합치다.

con·ju·gal[kándʒəgəl/-5-] *a.* 부부(간)의, 결혼의.

*con·ju·gate[kándʒəgèit/-5-] *vt.* (동사를) 변화(활용)시키다; 결합시키다. :-ga·tion[ᵊ-géiʃən] *n.* U.C (동사의) 변화.

con·junc·tion[kandʒʌ́ŋkʃən] *n.* U.C 결합, 접합; © [文] 접속사류, *in ～ with* …와 함께. *-tive a., n.* [文] 접속법의; © 접속사류.

con·junc·ti·vi·tis [kəndʒʌ̀ŋktə-váitis] *n.* U 결막염.

con·jure[kándʒər, kʌ́n-] *vt., vi.* 마법(요술)을 쓰다, ～ *up* (유령 따위를) 마법으로 불러내다(summon); (환상을) 불러일으키다. **cón·jur·er, -ju·ror**[-rər] *n.* © 마술[요술]사.

conk¹[kɑŋk/kɔŋk] *n.* © (俗) 머리(를 때리다) ; (英俗) 코(를 때리다).

conk² *vi.* (口) (기계가) 망그러지다; 실신하다.

con·nect[kənékt] *vt.* ① (두개의 것을) 잇다, 결합[연결]하다. ② 연상하다. — *vi.* 이어지다, 접속하다(*with*); [野] 강타하다. ～*ed*[-id] *a.* 관계[연락] 있는.

connecting ród (기관 따위의) 연접봉.

:**con·nec·tion,** (英) **-nex·ion** [kənékʃən] *n.* U 연결, (열차·배 따위의) 시간적 연락; U.C 관계. ② U.C 교섭, 사귐, 친밀한; 장근; 관[연고] 관계; 연줄. ③ © 거래처, 단골(customers); *criminal* ～ 간통. *in* ～ *with* …와 관련하여. *in this* ～ 이와 관련하여, 이에 덧붙여. *take up one's* ～s (英) 대변을 나오다.

con·nec·tive[kənéktiv] *a., n.* 연결의(것); © 연결물; [文] 연결사(관계사·접속사 따위).

cón·ning tòwer[kániŋ/-5-] (군함의) 사령탑; (잠수함의 전망탑.

con·nive[kənáiv] *vi.* (나쁜 일을) 못본 체하다, 묵인하다(wink) (*at*); 공모하다, 서로 짜다(*with*). **con·nív·ance** *n.*

con·nois·seur[kànəsə́:r/-5-] © 감정[감식]가, 익수, 전문가(ex-

pert).

con·note[kənóut/kɔ-] *vt.* (특별한 뜻을) 품다(imply); [論] 내포[내의]하다. **con·no·ta·tion**[kànətéiʃən/-5-] *n.* [論] 내포(opp. denotation).

con·nu·bi·al[kənjúːbiəl] *a.* 결혼의, 부부의.

:**con·quer**[káŋkər/-5-] *vt.* 정복하다; 극복하다. — *vi.* 이기다. ～·**a·ble** *ad.* 정복할 수 있는. :～·**or** [-ər] *n.* 정복자, 승리자; (the C-) 정복왕 William II 의 별명.

con·quest[káŋkwest/-5-] *n.* U.C 정복; 정복한 토지[주민]. *the* (NORMAN) C-.

con·san·guin·e·ous [kànsæŋ-gwíniəs/-5-] *a.* 혈족(동족)의. **-i·ty** [-gwínəti] *n.*

:**con·science**[kánʃəns/-5-] *n.* U 양심, 선악관념(*a bad* [*guilty*] ～ 양심에 거리낌 못된 마음). *for ～* ('sake 양심을 위해서[에 꺼리어]; 제발. *have ... on one's ～* …을 마음에 꺼리다, …이 양심에 걸리다. *have the ～ to* (do) 철면피하게도(…하다). *in all ～*, *or upon one's ～* 양심상, 정말, 확실히. *keep a person's ～* 양심에 부끄럽지 않은 행동을 하게 하다.

cónscience mòney (탈세자 따위의) 속죄 납금.

cónscience-stricken *a.* 양심에 찔린[꺼리는].

con·sci·en·tious[kànʃiénʃəs/-5-] *a.* 양심적인. ～·**ly** *ad.* ～·**ness** *n.* **conscientious objéctor** 양심 [종교]적 병역 거부자(생략 C.O.).

:**con·scious**[kánʃəs/-5-] *a.* 의식 [자각]하는; 알아채어(*of, that*). *become* ～ 제정신이 들다. ～·**ly** *ad.* 의식적으로, 알면서.

:**con·scious·ness**[-nis] *n.* U 의식. *stream of ～* [心] 의식의 흐름.

con·script[kánskript/-5-] *a., n.* 징집된[병]; © 징집병, 장정. — [kən-skrípt] *vt.* 군인으로 뽑다, 징집 [징모]하다. **con·scrip·tion**[kənskríp-ʃən] *n.* U 징병, 징모; 징용.

con·se·crate[kánsikrèit/-5-] *vt.* ① 하느님에게 바치다(dedicate)

(～ *a church* 헌당(獻堂)하다). ②
성화(성별)하다(hallow). ③ 바치
다. ⟪文⟫ **-cra·tion**[ŷ-kréiʃən] *n.* ⓤⓒ
봉헌(식); ⓤ 정진, 헌신(devotion);
신성화.

con·sec·u·tive [kənsékjətiv] *a.*
연속적인; 〔文〕 결과의. ～ **numbers**
연속 번호. **～·ly** *ad.* **～·ness** *n.*

con·sen·sus [kənsénsəs] *n.* ⓒ
(의견 등의) 일치, 총의; 컨센서스;
〔生〕교감(交感).

con·sent [kənsént] *n., vi.* ⓤ 동의
(하다)⟨to⟩. **by common** ⟨*gener-
al*⟩ ～ 만장일치로. **con·sen·tient**
[-ʃənt] *a.* 일치한.

con·se·quence [kánsikwèns /
kɔ́nsikwəns] *n.* ① ⓒ 결과(result).
추세; 〔論〕 결론. ② ⓤ 중대함, 주요
성. **in ～ of** …의 결과, …로 인해.
of ～ 유력한; 중대한. **of no ～** 사
소한, 중요하지 않은. **take** 〔*answer
for*〕 **the ～s** 결과를 감수하다, 결과
에 대해 책임지다.

con·se·quent [kánsikwènt /
kɔ́nsikwənt] *a.* 결과로서 일어나는
(resulting)⟨*on, upon*⟩; 필연의.
; ～·ly *ad.* 따라서.

con·se·quen·tial [kànsikwénʃəl /
-ʃ-] *a.* ① 결과로서 일어나는, 필연의;
중대한; 거드름 부리는. **～·ly** *ad.*

con·serv·an·cy [kənsə́ːrvənsi]
n. ⓒ〔집합적〕〔英〕(하천·삼림
등의) 관리 위원회. ② ⓤ (하천·삼림
등의) 관리, 보존.

con·ser·va·tion [kànsərvéiʃən /
-sɔ́ː-] *n.* ① ⓤ 보존; (하천·삼림의)
국가 관리. ② ⓒ 보호림(林)〔하천〕.
③ ⓤ〔理〕(질량의) 불변, (에너지
의) 불멸.

con·serv·a·tive [kənsə́ːrvətiv] *a.*
① 보수적인(안); ② 보수당의, ② 보존
력이 있는; ③ 신중한, 조심스러운.
the C- Party(영국의) 보수당.
**— ** *n.* ⓒ 보수적인 사람; (C-) 보수당원.
-tism[-izəm] *n.* ⓤ 보수주의.

con·ser·va·toire [kənsə̀ːrvə·
twáːr, ⟨⟩] *n.* (F.) ⓒ 음악[미
술] 학교.

con·serv·a·to·ry [kənsə́ːrvətɔ̀ːri /
-təri] *n.* ⓒ 온실; = CONSERVA-
TOIRE.

con·serve [kənsə́ːrv] *vt.* ① 보존
〔저장〕하다(preserve). ② 설탕절임
으로 하다. **— ** [kánsəːrv/kɔnsə́ːrv,
kɔ́n-] *n.* ⓤ (종종 *pl.*) 설탕절임의
과일; 잼.

con·sid·er [kənsídər] *vt.* ① 생각
하다(ponder); 고려[참작]하다.
② (…로) 생각하다[보다](regard as).
**— ** *vi.* 생각하다, 숙고하다. **all
things ～ed** 여러 가지로[모두] 생각
한 결과.

con·sid·er·a·ble [kənsídərəbəl]
a. ① (수량·규모 등이) 상당한, 적지
않은. ② 고려할 만한[해야 할]; 중요
한. **— ** *ad.* 〔美口〕다량, 다액, **-bly**
ad. 상당히 많이.

con·sid·er·ate [kənsídərit] *a.* ①
동정〔인정〕 있는. ② 사려 깊은, 신중
한. **～·ly** *ad.* **～·ness** *n.*

con·sid·er·a·tion [-sidəréiʃən] *n.*
① ⓤ 고려; 생각; ⓒ 고려할 만한
일. ② ⓤ 보수. ③ ⓤ 감안, 헤아
림. ④ ⓤ 중요함; 존중. **for a ～**
보수를 주면[받으면]. **have no ～
for** …을 고려하지 않다; …을 마음에
두지 않다. **in ～ of** …을 고려[감안]
하여; …의 사례로서, **on** ⟨*under*⟩
no ～ 절대로 …않다. **take into ～**
고려하다. **the first ～** 첫째 요건.
under ～ 고려중.

con·sid·er·ing [kənsídəriŋ] *prep.*
…(란 점)을 고려한다면, …에 비해서
는⟨*for*⟩ (～ *his age* 나이에 비해서
는). **— ** *ad.* ⟨口⟩ 비교적.

con·sign [kənsáin] *vt.* ① 위탁하
다(entrust), 넘겨주다. ② 〔商〕탁송
하다. **～·ee**[kànsainí/-ⓐ-] *n.* ⓒ
받는 사람, 수탁자, 하수인(荷受人).
～·er[kənsáinər] *n.* ⓒ 위탁자.

con·sign·ment [kənsáinmənt] *n.*
① ⓤ 위탁, 교부. ② ⓒ 위탁 상품〔화물〕;
적송품(積送品).

con·sist [kənsíst] *vi.* ① (…로) 되
다(*of*). ② (…에) 있다, 기초를 두다
(lie)⟨*in*⟩. ③ 양립[일치]하다(*with*).

con·sist·en·cy [-ənsi], **-ence**
[-əns] *n.* ① ⓤ 일관성; 일치. ②
ⓤⓒ 농도; 밀도.

con·sist·ent [-ənt] *a.* 일치하는,
수미 없는(*with*); 시종 일관하는 있는.

~·ly *ad.*

con·so·la·tion [kànsəléiʃən/-ɔ-] *n.* ① 위자(慰藉), 위로. ② 위안이 되는 것(사람). **sol·a·to·ry** [kənsálətɔːri/-sɔ́lətɔri] *a.*

consolátion prize 애석상(賞).

con·sole[kənsóul] *vt.* 위로하다. 위자하다. **con·sól·a·ble** *a.*

con·sole[kánsoul/-ɔ-] *n.* ① (오르간 따위의) 연주대(臺). ② 【建】 소용돌이 모양의 까치발(라디오·텔레비전·전축의) 콘솔형(대형) 캐비닛(바닥에 놓음). ③【醫】 조종대. 제어탁자.; ~ **táble** (벽에) 고정 테이블.

con·sol·i·date [kənsálidèit/-sɔ́li-] *vt., vi.* ① 굳게(공고하게) 하다. 굳어(튼튼해)지다. 견실하게 되다. ② 결합(합병)하다; 정리(통합)하다. (새 점령지를) 통합해 굳히다. **-da·to·ry** [-dətɔ̀ːri/-təri] *a.* 통합하는, 굳히는.

Consólidated Fúnd, the(英) 정리 공채 기금.

con·sol·i·da·tion [kənsàlədéiʃən/-ɔ-] *n.* [U.C] 통합, 합병; 강화.

con·som·mé [kànsəméi/-ɔ-mei] *n.* (F.) 콩소메(맑은 수프) (clear soup).

con·so·nant [kánsənənt/-5-] *a.* ① 일치(조화)된(with, to). ② 【樂】협화음의, **-nance, -nan·cy** *n.* ⑪ 자음(글자); 협화음. **-nance, -nan·cy** *n.* ① 일치, 조화. ②【樂】협화음. **-nant·al**[-nǽntl] *a.* 자음의.

con·sort [kánsɔːrt/-ɔ-] *n.* ① (주로 왕·여왕의) 배우자(spouse); 요함 (僚艦); **prince** ~ 여왕의 부군(夫君). — [kənsɔ́ːrt] *vi, vt.* 교제하다 (시키다). ② 조화(일치)하다(agree) (with).

con·sor·ti·um [kənsɔ́ːrʃiəm, -tiəm] *n.* (pl. **-ti·a** [-ʃiə]) (개발도상 국가의 원조를 위한) 국제 차관단; 연합, 협회.

con·spic·u·ous [kənspíkjuəs] *a.* 두드러진, **be ~ by one's absence** 없음(결근)으로 해서 오히려 더 드러나다. **cut a ~ figure** 이채를 띠다. **~·ly** *ad.*

conspicuous consumption (waste) 과시적인 낭비.

con·spir·a·cy [kənspírəsi] *n.* [U.C] 공모, 음모(plot). 모든 발생.

con·spir·a·tor [kənspírətər] *n.* [C] 공모(음모)자. **-to·ri·al** [-ɔ̀-tɔ́ːriəl] *a.* 공모의.

con·spire [kənspáiər] *vi, vt.* ① 공모하다. (음모를) 꾸미다(plot) (against). ② 협력하다.

con·sta·ble [kánstəbəl, -ɔ́-] *n.* ⓒ 치안관; (英) 경관.

con·stab·u·lar·y [kənstǽbjuleri/-ləri] *n.* [C]【집합적】 경찰대(隊).

con·stan·cy [kánstənsi/-5-] *n.* ⑪ 불변성, 항구성. ② 정절, 성실.

con·stant [kánstənt/-5-] *a.* ① 변의, 일정한. ② 마음이 변치 않는 (not fickle), 성실한(faithful). — *n.* ①【數理】상수(常數) ②【생략 k】; 변치 않는 것. **con·stant·ly** [kánstəntli/kɔ́n-] *ad.* 변함없이; 끊임없이.

con·stel·la·tion [kànstəléiʃən/-ɔ-] *n.* [C] ① 별자리. ② 기라성 같은 모임.

con·ster·na·tion [kànstərnéiʃən/-ɔ-] *n.* [C] 깜짝 놀람, 경악.

con·sti·pate [kánstəpèit/-5-] *vt.* 변비 나게 하다(bind). **-pat·ed** [-id] *a.* 변비의(bound). **-pa·tion** [-péiʃən] *n.* ⑪ 변비.

con·stit·u·en·cy [kənstítʃuənsi] *n.* [C] 선거구;【집합적】선거구민; 고객.

con·stit·u·ent [-ənt] *a.* ① 구성 [조직]하는. ② 선거권이 있는. — *n.* ① (구성) 요소, 성분. ②【文】구성소. ③ (선거) 유권자. **immediate ~**【文】직접 구성소.

Constituent Assémbly 제헌의회.

con·sti·tute [kánstitjùːt/kɔ́n-stitjùːt] *vt.* ① 구성(조직)하다. ② 제정하다(establish). ③ 선임하다; 임명하다(appoint). **-tut·or** [-ər] *n.* [C] 구성(제정)자.

con·sti·tu·tion [kànstitjúːʃən/kɔ̀nstitjúː-] *n.* ① [U] 구성, 조직. ② 체격, 체질. ③ [C] 제정, 설립. ④ [C] 법규, 규약; (the C-) 헌법.

con·sti·tu·tion·al [-əl] *a.* ① 타고난, 체질의. ② 헌법의, 입헌적의. ③ 보건(상)의. ④ 구성(조직)의. **~ for-**

mula [化] 구조식. ~ **government** [**monarchy**] 입헌 정치[군주국].
— **n.** ⓒ (건강을 위한) 운동, 산책.
~**ism**[-nəlìzəm] **n.** ⓤ 입헌제[주의]; 헌정(憲政) 옹호. ~**ist** **n.**
~**i.ty**[>-ゝ-ə̀ləti] **n.** ⓤ 합헌성.
~**ly** 선천[본질]적으로; 헌법상.

con·strain[kənstréin] **vt.** ① 강제하다(compel하다). ② 억누르다(repress). ③ 속박하다. **be ~ed to** (do) 어쩔 수 없이 ～ 하다.
~**ed**[-d] **a.** 강제된, 무리한. ***~t** **n.** ⓤ 강제; 억압; 속박.

con·strict[kənstríkt] **vt.** 단단히 [꼭] 죄다. ~ **a.** 꼭 죄인[갑갑한. **con·stríc·tion** **n.** **-tive** **a.** **-tor** **n.** ⓒ 왕뱀(cf. boa); 괄약근; 압축기.

con·struct[kənstrʌ́kt] **vt.** ① 조립하다; 세우다, 구성하다. ② [幾] 작도(作圖)하다. — [kánstrʌkt/kɔ́n-] **n.** ⓒ 구조물; 구문(構文); [心] 구성 개념. ~**er**, **-struc·tor** **n.**

con·struc·tion[kənstrʌ́kʃən] **n.**
① ⓤ 건조, 건축; 건축 양식; 건설업. ② ⓒ 건조물. ③ ⓤ 구문(構文), 구조. ④ ⓤ 작도(a ~ problem 작도 문제). ⑤ ⓒ 해석(<construe). **put a false ~ on** ～을 곡해하다. ~**al** [-ʃənəl] **a.** ~**ism**[-ìzəm] **n.** = CONSTRUCTIVISM. ~**ist** **n.** ⓒ 법령 해석자; [美術] = CONSTRUCTIVIST.

con·struc·tive[-tiv] **a.** 구성[구조]상의, 구성적인; 건설적인(opp. destructive).

con·struc·tiv·ism[-tivìzəm] **n.** ⓤ [美術] 구성주의; 구성파. **-ist** **n.** ⓒ 구성파의 화가.

con·strue[kənstrúː] **vt.** (구문을) 해부하다(analyze), 해석하다. — **vi.** 해석하다; (문장이) 해석되다. ⇨ CONSTRUCTION.

con·sul[kánsəl/-sɔ] **n.** ⓒ ① 영사. ② (고대 로마의) 집정관. ③ [프史] 집정. **acting** (**hono(u)rary**) ~ 대리[명예] 영사. ~**·ship**[-ʃìp] **n.** 영사의 직(임기).

con·su·lar[kánsələr/kɔ́nsju-] **a.** 영사의; 집정관의.

con·su·late[kánsəlit/kɔ́nsju-] **n.** ⓒ 영사관; ⓤ 영사의 직[임기].

con·sult[kənsʌ́lt] **vt.** ① 상의[의논]하다; 의견을 듣다; (의사와) 진찰을 받다. ② (참고서를) 조사하다, (사전을) 찾다. ③ (이해·감정 따위를) 고려하다(consider). ~ **a person's convenience** (아무의) 사정을 고려하다, 상의하다(with). ~**a·ble** **a.** 협의[자문]의.

con·sul·tan·cy[kənsʌ́ltənsi] **n.** ⓤ 컨설턴트업(무).

con·sult·ant[kənsʌ́ltənt] **n.** ⓒ ① 의논자; 의논[상의] 상대. ② 고문; 고문 의사, 고문 기사.

con·sul·ta·tion[kànsəltéiʃən/-ɔ̀-] **n.** ① ⓤ 상담, 협의; 진찰; (변호사의) 감정. ② ⓒ 협의회. ③ ⓤ 참고, 참조.

con·sume[kənsúːm] **vt.** ① 소비 [소모]하다. 다 써버리다(use up). ② 다 먹어[마셔] 치우다; 다 불태워 버리다. — **vi.** 다하다, 소멸[소모]하 다. **be ~d with** (비탄으로) 몸서리 치다; (질투·분노로) 가슴을 태우다.

con·sum·er[-ər] **n.** ⓒ 소비자.
consúmer(s') goods 소비재.

con·sum·mate[kánsəmèit/kɔ́n-] **vt.** 이루다, 성취[완성]하다. — [kənsʌ́mət] **a.** 무상의, 완전한(perfect). **-ma·tion**[>-méiʃən] **n.** 완성.

con·sump·tion[kənsʌ́mpʃən] **n.** ⓤ 소비(consuming); 소모. ② 소모량, (肺)결핵. **-tive** **a.** 소비 [소모]의; ⓒ 폐병의 (환자).

con·tact[kántækt/-5-] **n.** ⓤ 접촉 (touch); 교제. **come in** [**into**] ~ **with** ～와 접촉하다. **lose ~ with** ～와의 접촉이 두절되다. — [kəntǽkt] **vt., vi.** 접촉시키다[하다]; 연락을 취하다.

cóntact lèns 콘택트 렌즈.

con·ta·gion[kəntéidʒən] **n.** ① ⓤ (접촉) 전염, ② ⓒ 전염병; 악영향. **-gious** **a.** 전염성의.

con·tain[kəntéin] **vt.** ① 포함[함유]하다; 넣다, ～이 들어가다[있다](hold). ② (감정·소비 따위를) 참다. **be ~ed between** (**within**) ～사이[안]에 있다. ~**·ment**[-mənt] **n.** ⓤ 견제; 봉쇄.

con·tain·er[kəntéinər] **n.** ⓒ 용기

(용기); (화물 수송용) 컨테이너. ~ **ize**—[-àiz] *vt.* 컨테이너에 넣다(수송하다). ~·**ship**—[-ʃíp] *n.* ⓒ 컨테이너선.

con·tam·i·nant [kəntǽmənənt] *n.* ⓒ 오염균(물질).

con·tam·i·nate [kəntǽmənèit] *vt.* 더럽히다. 오염하다.

con·tam·i·na·tion [kəntæ̀mənéiʃən] *n.* ① ⓤ 오염. ② ⓒ 더럽히는 것, ③ ⓒ 혼성(混成). **radioac·tive** ~ 방사능 오염.

contd. contained; continued.

con·tem·plate [kántəmplèit/kɔ́ntəm-] *vt.* ① 응시하다, 눈여겨[뚫어지게] 보다(gaze at). ② 숙고하다(study carefully), 심사(深思)하다. ③ 예기하다. 피(계획)하다(~ a trip; ~ visiting Lake Como). **be lost in** ~ 명상에 잠겨 있다. **have** (a thing) **in** (under) ~ (어떤 일을) 계획하고 있다. —— *vi.* 심사하다. **-pla·tor** [-ər] *n.* ⓒ 숙고자.

con·tem·pla·tion [kàntəmpléiʃən/kɔ̀ntəm-] *n.* ⓤ ① 눈여겨봄. ② 숙고, 명상. ③ 계획, 예상. **in** ~ 계획중. **-tive** [kəntémplətiv, kántəmplèi-/kɔ́ntəmplèi-] *a.*

con·tem·po·ra·ne·ous [kəntèmpəréiniəs] *a.* 동시대의. ~·**ly** *ad.*

con·tem·po·rar·y [kəntémpərèri/-pərəri] *a.* ① ⓒ 같은 시대의(사람, 잡지). ② 현대의. ③ 같은 나이의 (사람). ③ (신문의) 동업지.

con·tempt [kəntémpt] *n.* ⓤ 모욕, 경멸(disdain) (for); 치욕. ~·**a·ble** [-əbəl] *a.* 야비한(mean).

con·temp·tu·ous [kəntémptʃuəs] *a.* 경멸적인(하는). ~·**ly** *ad.* ~·**ness** *n.*

con·tend [kənténd] *vi.* 다투다 (fight), 경쟁하다(compete) (with); 논쟁하다(debate). —— *vt.* 주장하다 (maintain) (that). ~·**er** *n.* ⓒ 경쟁[주장]자.

con·tent¹ [kántent/-5-] *n.* ① (pl.) 알맹이, 내용, 목차. ② ⓤ (때로 pl.) 용적, 용량. ③ ⓤ 요지. ~ **analysis** [社會·心] 내용 분석(매스커뮤니케이션의).

con·tent² [kəntént] *a.* (…에) 만족

시키다(satisfy) (~ *oneself* 만족하다) (with). —— *pred. a.* 만족하여, 흡족해하여. —— *n.* ⓤ 만족. **to one's heart's** ~ 마음껏. ~·**ed** [-id] *a.* 만족한. ~·**ment** *n.* ⓤ 만족.

con·ten·tion [kənténʃən] *n.* ① ⓤ 다툼; 경쟁(contest); 논쟁(dispute). ② ⓒ 논(쟁)점. -**tious** *a.* 다투기(말다툼) 좋아하는, 걸핏하면 싸우려 드는. [法] 소송의.

con·test [kántest/-5-] *n.* ⓒ 다툼, 논쟁; 경쟁, 경연, 콩쿠르. —— [kəntést] *vt.* 다투다, 겨루다, 경쟁하다; 논쟁하다. **con·tést·ant** *n.* ⓒ 경쟁자; 경기(경연)자, 소송 당사자. **con·tes·ta·tion** [kàntestéiʃən/-3-] *n.* 논쟁, 주장, 쟁점.

con·text [kántekst/-5-] *n.* ⓒⓤ (문장의) 전후 관계, 문맥; 상황, 배경, 경위, 정황. **con·tex·tu·al** [kəntékstʃuəl] *a.*

con·tig·u·ous [kəntígjuəs] *a.* 접촉[인접]하는(adjoining). **con·ti·gu·i·ty** [kàntəgjúːəti/kɔ̀n-] *n.*

con·ti·nent¹ [kántənənt/kɔ́n-] *n.* ① ⓒ 대륙; 본토, 육지. ② (the C-) 유럽 대륙.

con·ti·nent² (⟨contain) *a.* 절제하는(temperate); 정절의 (chaste). **-nence, -nen·cy** *n.* 절제; 절조(chastity). ~·**ly** *ad.*

con·ti·nen·tal [kàntənéntl/kɔ̀n-] *a.* 대륙의, ···~·**ism** [-təlìzəm] *n.* ① 대륙적(기질).

continéntal bréakfast [地] 대륙풍, 빵, 롤빵, 주스 정도의) 가벼운 아침 식사.

continéntal shélf [地] 대륙붕.

con·tin·gen·cy [kəntíndʒənsi] *n.* ① ⓤ 우연(성). ② ⓒ 우발 사건.

con·tin·gent [-dʒənt] *a.* 뜻하지 않은, 임시의; 있을 수 있는(to); ··· 나름인(upon). —— *n.* ① ⓒ 우발사건(contingency); 몫. ② ⓒ [집합적] 파견단, 분견대.

con·tin·u·al [kəntínjuəl] *a.* 끊임없는, 계속적인; 빈번한(~ bursts of laughter 잇단 폭소). ~·**ly** *ad.*

con·tin·u·ance [kəntínjuəns] *n.* ⓤ 연속, 계속(기간). [法] 연기.

con·tin·u·a·tion [kəntìnjuéiʃən] *n.* ⓤ ① ⓒ 계속, 연속. ② ⓒ (이야기의) 계속, 속편(sequel). ③ ⓒ 연

장(부분).

†**con·tin·ue** [kəntínju:] *vi.* 계속하다; 계속해서[변함없이] …하다[이다]. — *vt.* 계속하다, 연장[연기]하다. ~ **d fraction** [*proportion*] [數] 연분수[연비례]. ~ **d story** 연재 소설. **To be** ~ **d.** 계속. 이하 다음 호에.

con·ti·nu·i·ty [kàntənjúːəti / kɔ̀n-] *n.* ① ① 연속, 계속, 연결, ② 촬영[방송] 대본(scenario; radio script).

con·tin·u·ous [kəntínjuəs] *a.* 연속적인, 끊이지 않는(unbroken) (*a ~ flow, rain, &c.*). ~ **ly** *ad.*

con·tin·u·um [kəntínjuəm] *n.* (*pl.* -**tinua** [-tinjuə], ~**s**) 연속(체).

con·tort [kəntɔ́:rt] *vt.* 비틀다, 구부리다(twist), 일그러지게 하다; 왜곡하다. -**tór·tion** *n.* -**tór·tion·ist** *n.* ⓒ (몸을 마음대로 구부리는) 곡예사.

con·tour [kɑ́ntuər / -5-] *n.* ⓒ 윤곽 **cóntour líne** 등고선. (outline). ~ **ly** [-təli] *ad.*

con·tra- [kɑ́ntrə / kɔ́n-] '반(反), 역)…'의 뜻의 결합사: *contraception, contradict.*

con·tra·band [kɑ́ntrəbæ̀nd /-5-] *a., n.* ① 금제의; 금제(밀매)품; 밀무역(smuggling). ~ **of war** 전시 금제품. ~ **ist** *n.*

con·tra·cep·tion [kɑ̀ntrəsépʃən /-5-] *n.* ① 피임. -**tive** *a., n.* 피임의; 피임약[용구].

:con·tract [kɑ́ntrækt /-5-] *n.* ① ⓒⓊ 계약; 청부; 약혼. ② ⓒ 계약서. ② ⓒ 약혼. ~ **< bridge** [카드] 경수 형식의 브리지. **make [enter into] a ~ with** …와 계약을 맺다. — [kəntrǽkt / kɑ́ntrækt] *vt.* ① 계약하다. ② (혼인·친교를) 맺다. ③ (못된 버릇이) 들다, (병에) 걸리다. (감기가) 들다; (빚을) 지다. ④ 수축(收縮)시키다; ~ **note** 약속 어음, 계약서. — *vi.* 계약하다; 수축하다. ~ **ed** [-id] *a.* 수축된; 도량이 좁은. ~ **i·ble** [kəntrǽktəbl] *a.* 수축할 수 있는. **con·trac·tile** [-til/-tail] *a.* 수축성의. **·con·trac·tion** *n.* Ⓤⓒ 단축, 수축; [文] 생략, 축약. **·con·trác·tor** *n.* ⓒ 청부인; 수축근(筋). **con·trac·tu·al** [-tʃuəl] *a.*

·con·tra·dict [kɑ̀ntrədíkt /-5-] *vt.*

① 부정하다(deny); 반박하다. ② (…와) 모순되다. ~ **oneself** 모순된 말[짓]을 하다. **·-díc·tion** [-díkʃən] *n.* **·dic·tory** [-təri] *a.*

con·tra·dis·tinc·tion [kɑ̀ntrədistíŋkʃən /-5-] *n.* ① 대조, 대비(對比).

con·tral·to [kəntrǽltou] *n.* (*pl.* ~**s**, -**ti** [-tiː]) ① ① [樂] 콘트랄토(여성 최저음). ② ⓒ 콘트랄토 가수.

con·trap·tion [kəntrǽpʃən] *n.* ⓒ 《美口》신안(新案)(device); 《英俗》(기묘한) 장치(gadget).

con·tra·pun·tal [kɑ̀ntrəpʌ́ntl/-5-] *a.* [樂] 대위법의(counterpoint)의에 의한]. ~ **ly** [-təli] *ad.*

con·tra·ri·wise [kɑ́ntreriwàiz / kɔ́n-] *ad.* 거꾸로, 반대로; 짓궂게 고집 세게.

:con·tra·ry [kɑ́ntreri / kɔ́n-] *a.* ① 거꾸로의, 반대의. ② [kəntrɛ́əri] 빙퉁그러진(perverse). — *n.* (the ~) 반대, 역(逆). **by contraries** 정반대로. **on the ~** 이에 반하여; 그렇긴커녕. **to the ~** 그와는 반대로의(*an opinion to the ~* 반대 의견). (…에) 반하여(*to*). ~ *a.* (…에) 반하여(*to*).

:con·trast [kɑ́ntræst / kɔ́ntrɑ:-] *n.* ① ① 대조(between). ② Ⓤⓒ 차이(점). — [kəntrǽst / -áː-] *vt.* 대조하다(~ *this with that* 이것과 저것을 비교하다). — *vi.* (…와) 현저히 다르다(*with*).

con·tra·vene [kɑ̀ntrəvíːn /-5-] *vt.* 어기다, 위배하다, 범하다(violate); 반대하다; (…와) 모순되다. **con·tra·vén·tion** *n.*

:con·tre·temps [kɑ́ntrətɑ̀:ŋ/kɔ́n-] *n.* (*pl.* ~[-z]) (F.) ⓒ 뜻밖의 일(사고).

con·trib·ute [kəntríbjuːt] *vt., vi.* ① 기부[기증]하다. ② 기고(寄稿)하다. ③ 이바지[공헌·기여]하다. **·u·tor** [-tríbjətər] *n.*

con·tri·bu·tion [kɑ̀ntrəbjúːʃən / kɔ̀n-] *n.* ① 기부; 기증; 공헌. ② 기부금. ③ ① 기고(寄稿).

con·trib·u·to·ry [kəntríbjətɔ̀ːri /-təri] *a.* 기여하는; ~ **negligence** [法] 기여 과실(過失).

·con·trite [kəntráit/kɔ́ntrait] *a.* 죄를 뉘우친(penitent). **con·tri·tion**

[-tríʃən] *n.*

con·trive[kəntráiv] *vt.* ① 연구(발명·고안)하다. ② 꾀하다(plot). ③ 그럭저럭 …하다(manage)(*to do*); (불행 따위를) 일부러 부르다. ― *vi.* 연구(계획)하다. *con·triv·ance [-əns] *n.* ⓒ 고안물; 장치; 계략. con·trív·er *n.*

con·trol[kəntróul] *n.* ① ⓤ 지배(력), 관리, 통제, 억제; 〔컴〕제어(력), 컨트롤. ② ⓒ (실험의) 대조 표준. ③ ⓒ (보통 *pl.*) 조종 장치. **be in ~ of** …을 관리하고 있다. **bring [keep] under ~** (억)누르다, 억제하다. **~ed economy** 통제 경제. **~ of production** 생산 관리. **out of** [*beyond*] ~ 지배가 미치지 않는, 억누를 수 없는. **without ~** 제멋대로. ― *vt.* 지배(관리·통제·억제)하다; (회계를) 감사하다. *~·ler *n.* ⓒ 다잡는 사람, 관리인; 〔회계〕 감사관(comptroller); 〔電·컴〕 제어기.

con·tro·ver·sy[kántrəvə̀ːrsi/-5-] *n.* ⓤⓒ 논쟁, 논의; 말다툼. *beyond* [*without*] ~ 논쟁의 여지 없이, 당연히. **-sial** [ˋ-və́ːrʃəl] *a.*

con·tro·vert[kántrəvə̀ːrt] *vt.* 반박하다; 논쟁하다. **~·i·ble**[ˋ-və́ːr-təbəl] *a.* 논의의 여지가 있는.

con·tuse[kəntjúːz] *vt.* (…에게) 타박상을 입히다(bruise). **-tu·sion** [-ʒən] *n.* ⓤⓒ 타박상.

co·nun·drum[kənʌ́ndrəm] *n.* ⓒ 수수께끼; 재치 문답; 수수께끼 같은 인물.

con·ur·ba·tion[kánəːrbéiʃən/-5-] *n.* ⓒ 집합 도시, 광역도시권.

con·va·lesce[kànvəlés/-5-] *vi.* (병이) 차도가 있다, 건강을 회복하다. **con·va·les·cent**[kànvəlésnt] *a.*, *n.* ⓒ 회복기의 (환자). **-cence** *n.* ⓤ 회복(기).

con·vec·tion[kənvékʃən] *n.* ⓤ 〔理·氣〕 대류(對流); 전달.

con·vec·tor[kənvéktər] *n.* ⓒ 대류식(對流式) 난방기.

con·vene[kənvíːn] *vt.* 소집(소환)하다(summon). ― *vi.* 회합하다.

:**con·ven·ience**[kənvíːnjəns] *n.* ① ⓤ 편리, 형편좋음. ② ⓒ (의식주

의) 편의; 편리한 것;《英》변소 (privy). **at** *one's* ~ 편리하도록 [한 때에].

convénience fòod 인스턴트 식 품.

convénience stòre 일용 잡화 식 품점, 편의점.

:**con·ven·ient**[kənvíːnjənt] *a.* 편리한, 형편이 좋은. **make it ~ to** do 형편을 보아서. **when it is ~ to** (*you*)(당신)의 형편이 좋을 때. **~·ly** *ad.*

con·vent[kánvənt/-5-] *n.* ⓒ 수 녀원(nunnery) (cf. monastery); 수녀단.

:**con·ven·tion**[kənvénʃən] *n.* ⓒ ① 협회, 집회. ② 협약. ③ (사회 의) 관례(관습), 인습.

con·ven·tion·al[-ʃənəl] *a.* 관습[인습]적인. ~ **weapons** (핵무기에 대해) 재래식 병기. **~·ism**[-iz-əm] *n.* ⓤ 관례 고수, 전통주의. ② 인습적임. **~·ist**[-ʃənəlist] *n.* **~·i·ty**[-ʃənəléiti] *n.* ⓤ 관례 존중; 인습, 관례. **~·ize**[-ʃənəl-àiz] *vt.* 인습화하다. **~·ly** *ad.*

con·verge[kənvə́ːrdʒ] *vi., vt.* 한 점에 집중하다(시키다); 한 점에 모으 다(모이다).

con·ver·gence[kənvə́ːrdʒəns], **-gen·cy**[-i] *n.* ⓤ 집중(성); 수 렴; 폭주. 〔생〕 집중[수렴] 현상.

con·ver·gent[-ənt] *a.* (한 점에) 모이는, 집중성의.

con·ver·sant[kánvəːrsənt] *a.* 잘 알고 있는, 친한 (사이의)(*with*).

:**con·ver·sa·tion**[kànvəːrséiʃən/-5-] *n.* ⓒ 회화; 담화. *~·al* [-ʃənəl] *a.* 회화(체)의; 좌담을 잘 [좋아]하는. **~·al·ist** *n.*

:**con·verse**[kənvə́ːrs] *vi.* 이야기 [담화]하다(*with*). ― [kánvəːrs/-5-] *n.* ⓤ 담화.

con·verse[kánvəːrs/-5-] *a.* (the ~) 역(逆)의. [論] 전환 명제.

con·ver·sion[kənvə́ːrʒən, -ʃən] *n.* ⓤ 전환; 전향; 개종; 환산; 환전; 전향시킴. 〔數·컴〕 변환.

:**con·vert**[kənvə́ːrt] *vt.* ① 바꾸다; 전환[개조]시키다(turn). ② 개종 [전향·개심]시키다. ③ 횡령하다. 〔컴〕 변환하다. ― [kánvəːrt/-5-] *n.* ⓒ

개종[전향]자. **~·er, -vér·tor** n. ⓒ convert하는 사람; 〔電·컴〕 변류기; 변환기〔장치〕; 〔冶〕 전화로. **~·i·bíl·i·ty**[-ɑbíləti〕 n. **~·i·ble**[-əbl〕 a. **-ible note** 태환권.

***con·vex**[kɑnvéks, ←〕/─/kɔnvéks〕 a. 볼록한, 철면의(凸面)의(opp. concave). ── [kɑ́nveks/kɔ́n─〕 n. ⓒ 볼록면〔렌즈〕. **~·ly**[kɑnvéks-ti, -ɑ-/-ɔ-〕 n.

:con·vey[kɑnvéi〕 vt. ① 나르다; 운반하다 ② 전하다, 전달하다(transmit). ③ 〔法〕 양도하다.

con·vey·ance[-əns〕 n. ① 〔U〕 운반, 수송 (기관); 전달. ② 〔法〕 양도(증서). **-anc·er** n. ⓒ 운반(전달)자; 〔法〕 (부동산) 양도 취급인.

con·vey·er, -or[-ər〕 n. ⓒ 수송자(장치), 컨베이어; 양도인.

convéyer bèlt 컨베이어 벨트.

***con·vict**[kɑnvíkt〕 vt. (…의) 유죄를 증명하다(of); 유죄를 선고하다 (declare guilty); (에게) 죄요를 깨닫게 하다. ── [kɑ́nvikt/-5〕 n. ⓒ 죄인, 죄수(an ex~〕 전과자).

:con·vic·tion[kɑnvíkʃən/-5-〕 n. ① 〔UC〕 확신, 신념. ② 〔UC〕 유죄 판결. ③ 죄의 자각, 회오. ④ 〔법〕 심복시킴; 설득(력).

:con·vince[kɑnvíns〕 vt. 확신(납득)시키다(of, that), **be ~d** 확신하다(of, that). **con·vin·ci·ble**[-əbl〕 a. 설득할 수 있는. **con·vínc·ing** a. 납득이 가는.

con·viv·i·al[kɑnvíviəl〕 a. 연회의; 연회를〔잔치를〕좋아하는, 명랑한(jovial). **~·i·ty**[-víviǽləti〕 n.

con·vo·ca·tion[kɑ̀nvəkéiʃən/-5-〕 n. ① 〔U〕(의회의) 소집; ⓒ 집회; (C-) 〔英大學〕 평의회; (C-) 〔英國國敎〕 성직회의. **-ca·tor**[←─tər〕 n. ⓒ (회의) 소집자, 참집자.

con·voke[kɑnvóuk〕 vt. (의회 등을) 소집하다.

con·vo·lute[kɑ́nvəlù:t/-5-〕 a., vt., vi. 회선상(回旋狀)의; 말다, 감다. **-lu·tion**[-lú:ʃən〕 n.

con·vol·vu·lus [kɑnvɑ́lvjələs, -5-〕 n. (pl. **~·es, -li**[-lài〕) ⓒ 〔植〕 메꽃(류).

***con·voy**[kɑ́nvɔi, kɑnvɔ́i/kɔ́n─〕

vt. 호위〔호송〕하다. ── [kɑ́nvɔi/-5〕 n. 〔U〕 호송; ⓒ 호위자, 호위함대 (艦).

con·vulse[kɑnvʌ́ls〕 vt. (격렬히) 진동시키다 (경련을) 일으키다, 몸을 떨다, **be ~d with laughter (anger)** 포복 절도하다〔노여움으로 몸을 부들부들 떨다〕. ***con·vúl·sion** n. ① ⓒ 격동; (사회적) 동요. ② (pl.) 경련, 쥐의. **con·vúl·sive** a.

***coo**[ku:〕 vi. (비둘기가) 구구 울다; 밀어를 속삭이다(BILL and ~). ── n. ⓒ 구구구(비둘기 따위의 울음 소리).

:cook[kuk〕 vt. ① (음식을) 요리하다. ② (口) 조작〔날조〕하다, 변경하다 (tamper with)(~ accounts 장부를 속이다). ③ 열〔불〕에 쬐다. ④ (口) 잘못되다(ruin); 해치우다; 피로케 하다(I am ~ed. 몹시 지쳤다). ── vi. 요리되다 (The dinner is ~ing.); 취사하다; 숙수로 일하다. **~ a person's goose** (俗) 아무를 해치우다, 실패케 하다. **~ up** 조작하다. ── n. ⓒ 요리사, 죽, 쿡(a good (bad) ~ 요리 솜씨가 좋은〔나쁜〕). **~·er** n. ⓒ 냄비, (가마솥); 요리용 기구〔과일〕.

cóok·bòok n. ⓒ (美) 요리책.

cook·er·y[-əri〕 n. ① 〔U〕 요리(법). ② ⓒ 취사장. 〔BOOK.

cóokery bòok (英) =COOK-

cóok·hòuse n. ⓒ 취사장.

cóok·ie, -y[kúki〕 n. ⓒ (美) 쿠키(납작한 케이크); (Sc.) 빵.

cook·ing[kúkiŋ〕 n., a. 요리 (법); 요리용의.

:cool[ku:l〕 a. ① 시원한〔설늘한〕 (기분 좋게) 차가운. ② 냉정〔침착〕한 (calm); 냉담한(cold). ③ 뻔뻔스러운(impudent)(have a ~ cheek 철면피하다). ④ (口) 정미(正味)의, 에누리 없는(It cost me a ~thousand dollars. 에누리 없는 꼭 천 달러가 들었다). ── as as a cucumber 아주 냉정〔침착〕한. ── (the ~) 냉기; 서늘한 곳. **keep one's ~** (俗) 침착하다. ── vt., vi. 차게 하다〔식히다〕; 차지다, 식다. ② (마음을) 가라앉히다, 가라앉다. **~ one's heels** (口) 오래 기다리게 되

다. ：∼-er *n.* ⓒ 냉각기; 청량음료;
(the ∼)《美俗》맥주. ～**ish** *n.*
종 차가운. ：∼**ly**[kúːli] *ad.* ～-
ness *n.*

cool·ant[kúːlənt] *n.* Ⓤⓒ[機]냉
각제[수].

cóol-héaded *a.* 침착한.

coo·lie, -ly[kúːli] *n.* ⓒ (인도·중
국 등의) 쿨리; 하급 노무자.

cóoling-óff *a.* (분쟁 등을) 냉각시
키기 위한.

coon [kuːn] *n.* ⓒ 너구리의 일종
(raccoon).《美口》녁녁.

coop[kuːp] *n.* ⓒ 닭장[계사]
(에 넣다); 가두다(confine)(in, up).

co-op[kóuap, -∠/kóuɔp] *n.* ⓒ《口》
소비조합 매점(cooperative store).

coop·er[kúːpər] *n., vt.* ⓒ 통(메
장이; 통을 고치다.

：**co·op·er·ate**[kouápərèit/-5] *vi.*
① 협동[협력]하다. ② (사정 따위가)
서로 돕다. ：**-a·tion**[-∠∠éiʃən] *n.*
Ⓤ 협력, 협동(조합). **-a·tor** *n.* ⓒ
협력[자], 소비조합원(員).

：**co·op·er·a·tive**[kouápərətiv/
-5] *a., n.* 협동의[조직]; 협조하는
(의). ∼ **society** 협동[소비]조합.
∼ **store** = COOP.

co-opt[-ápt/-5] *vt.* 신(新)회원으
로 선출하다. **co·op·ta·tion**[∠-téi-
ʃən], **co·op·tion**[-ápʃən/-5] *n.*
Ⓤ 신회원 선출.

co·or·di·nate[kouɔ́ːrdənit] *a., n.*
ⓒ ① 동등[동격]의(것). ② [文] 등
위(等位)의. ③ [數] 좌표의. ∼ *n.* 좌
[-nèit] *vt.* ① 동격으로 하다. ② 조
정하다(adjust), 조화시키다(harmo-
nize). **∼·na·tion**[∠-∠néiʃən] *n.*
Ⓤ 동등(화); 동격화. **co·ór·di·na·tive**
a. **co·ór·di·na·tor** *n.* ⓒ 조정자;
방송 진행계.

coórdinate cláuse 등위절.

coot[kuːt] *n.* ① [鳥] 물닭[오리(류)].
물닭(*n.*)②《口》바보.

cop[kap/-5] *n.* ⓒ《美俗》= POLICE-
MAN.《英俗》체포. ∼ *vt.*《英俗》
《美俗》체포하다; 훔치다. ∼ *vt.* 덜받
다, 죽다. ∼ *vi.* (다음 성구로) ∼
out《美俗》도망하다, 손을 떼다. 체
념하다. 배반하다.

cope[koup] *vi.* 다루다, 대항하다;

잘 대처하다(struggle)(with).

cope[2] *n.* ⓒ (사제의) 소매 없는; 덮개(담
집·하늘 따위). ∼ *vt.* (cope로) 덮
어 가리다.

co·pi·er[kápiər/-5] *n.* = COPY-
IST; 복사하는 사람, 복사기.

co·pi·lot[kóupàilət] *n.* ⓒ [空] 부
조종사.

cop·ing[kóupiŋ] *n.* ⓒ 갓돌(cope-
stone)(공사). (담틀·벽돌담의) 지붕
꼭대기.

co·pi·ous[kóupiəs] *a.* 많은; 말수
가 많은(∼ *notes* 상주(詳註)). ∼-
ly *ad.* ∼-ness *n.*

cop·per[kápər] *n., a.* ① Ⓤ 구
리, 동(銅). ② 동전; 동기; 구리
(제)의; 구리빛의. **have hot ∼s**
(폭음 후) 몹시 목이 마르다. — *vt.*
구리로 싸다[를 입히다]; 구리 도금을
하다.

cópper·plàte *n.* Ⓤ 동판; ⓒ 동판
인쇄. ① (동판 인쇄체로) 가늘고 예
쁜 초서체 글씨.

cop·pice[kápis/-5] *n.* = COPSE.

copse[kaps/-5] *n.* ⓒ 잡목[덤불
숲.

cop·u·la[kápjələ/-5] *n.* (*pl.* ∼s,
-lae)① [論·文] 계사(繫辭)
('be'따위).

cop·u·late[kápjəlèit/-5] *vi.* 교접
하다. **-la·tive**[-lèitiv, -lə-] *a.* 연
결(교접)의; ② 연사(連辭) [문법]('be'
따위). **-la·tion**[∠-∠léiʃən] *n.*

cop·y[kápi/-5] *n.* ① Ⓒ 베낌, 복
사; 모방. ② Ⓒ 《新·신문 따위의》
(한) 부, 권. ③ Ⓤ 원고; (숫자의) 본.
④ Ⓤ 광고문안(안). *a* **clean** (*fair*)
∼ 청서, 정서. **foul** (*rough*) ∼ 초
고. **keep a ∼ of** …의 사본을 떠
두다. **make good** ∼ 좋은 원고가
되다. (신문의) 특종이 되다. — *vt.,*
vi. 베끼다(imitate); (남
의 답안을 몰래 보고 베끼다.

cópy·bòok *n., a.* 습자책; 진부
(陳腐)한, 판에 박힌.

cópy·càt *n.* ⓒ《口》흉내(내며 다른
이, 모방자.

copy·ist[-ist] *n.* ⓒ 베끼는 사람;
모방자.

cópy·right *n., vt., a.* Ⓤⓒ 판권[저

작권](을 얻다; 을 가진).

cópy·writer *n.* ⓒ 광고 문안 작성
자, 카피라이터.

co·quet[koukét/ko-] *vi., vt.* (**-tt-**)
(여자가) 교태를 짓다; (…에 대하여)
아양을 떨다(**with**); (일을) 희롱하다
(**with**). ⓤ 요염함; ⓒ 아양, 교태.

co·quette[koukét/ko-] *n.* ⓒ 요
염한 여자, 바람둥이 여자. **co·quét·tish** *a.* 요염한.

cor·a·cle[kɔ́rəkl, ká-/kɔ́-] *n.* ⓒ
가죽으로[방수포를] 만든 고리배.

cor·al[kɔ́rəl/-] *n., a.* ⓤⓒ 산호
(의); ⓤ 산호빛(의).

cor·bel[kɔ́rbəl] *n.* ⓒ 〖建〗(벽의)
내밀림 받침.

:**cord**[kɔːrd] *n.* ① ⓤⓒ 새끼, 끈;
(전기의) 코드; (종종 *pl.*) 구
속. ③ ⓤ 골지게 짠 천. ── *vt.* 밧
줄로 묶다. **~·age**[-idʒ] *n.* ⓤ 〖집
합적〗 밧줄. **~·ed**[-id] *a.* 밧줄로
동인[묶은]; 골지게 짠.

:**cor·dial**[kɔ́ːrdʒəl/-diəl] *a.* ① 충심
[진심]으로의, 성실한. ② 강심성의(强
心性的). ── *n.* ⓤ 강심[강장]제; 달
콤한 (리큐어) 술. **~·ly** *ad.* **cor·di·al·i·ty**[ˌkɔ̀ːrdʒiǽləti/-di-] *n.* ⓤ 진
심, 친절.

cord·ite[kɔ́ːrdait] *n.* ⓤ 끈 모양의
무연 화약.

cor·don[kɔ́ːrdn] *n.* ⓒ 비상(경계)
선; 장식끈; (어깨에서 걸치는) 수장
(綬章). POST² *a* ~.

:**cor·du·roy**[kɔ́ːrdərɔ̀i] *n.* ⓤ ⓒ 코
르덴, ② (*pl.*) 코르덴 바지.

CORE Congress of Racial
Equality.

:**core**[kɔːr] *n.* ① ⓒ (과일의) 속; 나
무 속. ② (the ~) 핵심, 마음속.
③ ⓒ 〖電〗 코어. **to the ~** 철저하
게. ── *vt.* 속을 빼내다(out).

co·re·spond·ent[ˌkòurispándənt/kɔ̀urispɔ́n-] *n.* ⓒ 〖法〗 (간통
사건의) 공동 피고.

cor·gi[kɔ́ːrgi] *n.* ⓒ 코르기 개(다리
가 짧고 몸집이 긴).

co·ri·an·der[kɔ̀ːriǽndər/kòr-] *n.*
ⓤⓒ 〖植〗 고수풀(미나릿과).

:**cork**[kɔːrk] *n.* ① ⓤ ⓒ 코르
크 마개(부표); = CORK OAK. ── *vt.*
코르크 마개를 하다; (감정을) 억누르

다(*up*); (얼굴을) 태운 코르크로 검게
칠하다. **~·y** *a.* 코르크 같은; 《口》
들뜬, 쾌활한.

cork·er[kɔ́ːrkər] *n.* ① ⓒ (코르
크) 마개를 하는 사람(기구). ② 《俗》
(반박의 여지가 없는) 결정적 의론(사
실); 새빨간 거짓말; 좋아하는 사람
(것).

córk óak(tree) 크로크 나무.

córk·screw *n., a., vt., vi.* ⓒ 타래
송곳(모양의)(*a ~ staircase* 나사층
층계); 나사 모양으로 나아가(게 하)
다(~ **oneself out of the crowd** 군
중 속에서 간신히 빠져 나오다).

cor·mo·rant[kɔ́ːrmərənt] *n., a.*
① ⓒ 가마우지 (같은); 탐욕스러운, 말
이 먹는; 대식가.

:**corn¹**[kɔːrn] *n.* ① ⓒ 낟알(grain).
② ⓤ 〖집합적〗 곡물(cereals). ③ ⓤ
(英) 밀; (美) 옥수수(maize) (Sc.,
Ir.》 귀리(oats). ④ ⓤ 《俗》 고리타
분(진부)한 것. ⑤ 《美口》 = **córn
whisk(e)y** 옥수수 술. ── *vt.* (고기
를) 소금에 절이다; 곡물을 심다.
~(ed) beef 콘비프.

corn²[kɔːrn] *n.* ⓒ (발가락의) 못, 티눈.

cor·ne·a[kɔ́ːrniə] *n.* ⓒ 〖解〗(눈
의) 각막.

:**cor·ner**[kɔ́ːrnər] *n.* ⓒ ① 구석;
(길의) 모퉁이. ② 궁벽한 시골; 외딴
곳, 궁경. ③ (증권이나 상품의) 매점
(買占)(buying up)(**make a ~ in
cotton**). **around** [**round**] **the ~**
길모퉁이에, 길 어귀에; 가까이. **cut
~s** 질러가다. (돈·시간을) 절약하다.
drive a person into a ~ (아무
를) 궁지에 몰아넣다. **leave no ~
unsearched** 샅샅이 찾다. **look out
of the ~ of one's eyes** 결눈질로
보다. **turn the ~** 모퉁이를 돌다;
(병·불경기가) 고비를 넘다. ── *vt.,*
vi. 구석에 처박다; 궁지에 몰아넣다
[빠지다](*up*); (美) 길모퉁이에서 만
나다; 매점하다.

cór·ner·stone *n.* ⓒ (건축의) 주춧
돌, 초석; 귓돌; 기초.

cor·net[kɔ́ːrnit] *n.* ⓒ 〖樂〗 ①
코넷(금관악기); 원뿔꼴의 종이봉지;
(英) ice cream CONE.

córn·field *n.* ⓒ 곡물 밭; 밀밭(美)
옥수수 밭.

córn·flàkes *n. pl.* 콘플레이크 《cereal의 일종》.
córn flòur 《英》 = CORNSTARCH.
córn·flòwer *n.* Ⓒ 〖植〗 수레국화 《엉거싯과》.
cor·nice[kɔ́ːrnis] *n.* Ⓒ 〖建〗 (처마·기둥 꼭대기의) 배내기.
Cor·nish[kɔ́ːrniʃ] *a., n.* Ⓤ (영국의) Cornwall(사람)의 (말)《고대 켈트어》.
córn pòne 《美南部》 (네모진) 옥수수 빵.
córn·stàrch *n.* Ⓤ 《美》 옥수수 녹말.
cor·nu·co·pi·a [kɔ̀ːrnəkóupiə, -njə-] *n.* ① (the ~) 〖그神〗 풍요의 뿔(horn of plenty). ② (a ~) 풍부(의 상징); Ⓒ 뿔 모양의 그릇.
corn·y[kɔ́ːrni] *a.* 곡물의; 《口》 촌스러운; 《美俗》 (재즈가) 감상적인 (oversentimental); 진부한.
cor·ol·lar·y [kɔ́ːrəlèri, kɑ́r-/kərɔ́ləri] *n.* Ⓒ (정리(定理)에 대한) 계(系); 당연한〔자연의〕 결과.
***co·ro·na** [kəróunə] *n.* (*pl.* **~s** **-nae**[-niː]) Ⓒ 관(冠); 〖天〗 코로나 《태양의 광관(光冠)》; 〖電〗 코로나 방전.
***cor·o·na·tion**[kɔ̀ːrənéiʃən, kɑ̀r-/kɔ̀r-] *n.* Ⓒ 대관식; Ⓤ 대관, 즉위.
cor·o·ner[kɔ́ːrənər, kɑ́r-/kɔ́r-] *n.* Ⓒ 검시관(檢屍官). **~'s inquest** 검시.
***cor·o·net**[kɔ́ːrənit, kɑ́r-/kɔ́r-] *n.* Ⓒ (귀족의) 작은 관; (금·은제의) 여자용 머리 장식.
Corp., corp. Corporation.
***cor·po·ral**[1][kɔ́ːrpərəl] *a.* 육체의 (bodily); 개인의. **~·ly** *ad.*
cor·po·ral[2] *n.* Ⓒ 〖軍〗 상병《sergeant의 아래》; (C-) 《美》 지대지 미사일.
***cor·po·rate**[kɔ́ːrpərit] *a.* 단체의, 법인 조직의; 단결한.
:**cor·po·ra·tion**[kɔ̀ːrpəréiʃən] *n.* Ⓒ 법인; 자치 단체; 시의회; 《美》 유한회사, 주식회사(company); 《口》 올챙이배(potbelly).
cor·po·re·al[kɔːrpɔ́ːriəl] *a.* 육체(상)의; 물질적인; 형이하(形而下)의; 〖法〗 유형의.
:**corps**[kɔːr] *n.* (*pl.* **corps**[-z]) Ⓒ 군단, 단(團), 대, 반. **~ de ballet** (F.) 발레단. **~ diplomatique** (F.) 외교단.
***corpse**[kɔːrps] *n.* Ⓒ 시체.
cor·pu·lent[kɔ́ːrpjələnt] *a.* 뚱뚱한(fat). **-lence** *n.*
***cor·pus** [kɔ́ːrpəs] *n.* (*pl.* **-pora** [-pərə]) Ⓒ ① 신체; 시체. ② (문헌 따위의) 집성.
cor·pus·cle[kɔ́ːrpʌsəl] *n.* Ⓒ 〖解〗 소체(小體); 혈구(*red* ~*s*). **cor·pus·cu·lar**[kɔːrpʌ́skjulər] *a.*
cor·ral[kəræ̀l/kɔrɑ́ːl] *n., vt.* (**-ll-**) Ⓒ (짐승 잡는) 우리(에 몰아 넣다); 《美口》 잡다; 가축 우리.
†**cor·rect**[kərékt] *a.* 바른, 정확한; 예의에 맞는(proper). — *vt.* 바로잡다, 정정하다; (결점을) 고치다, 교정하다(cure)(*of*); 징계하다. * **~·ly** *ad.* **~·ness** *n.*
***cor·rec·tion**[kərékʃən] *n.* Ⓤ,Ⓒ 정정, 정오(正誤); 교정; 바로잡음, 질책; 〖證〗 너무 오른〔내린〕 값의 정정; 〖컴〗 바로잡기. **house of ~** 감화원, 소년원. **-tive** *a., n.* 고치는, 바로잡는; (해를) 완화하는; 징계하는; Ⓒ 교정물〔수단〕.
corréctive tráining 《英》 교정 교육 처분《교도 시설에서의 직업 및 일반 교육》.
***cor·re·late**[kɔ́ːrəlèit, kɑ́r-/kɔ́r-] *vt., vi., n.* 서로 관계하다〔시키다〕; Ⓒ 상관물. * **cor·re·la·tion**[∸—léiʃən] *n.* Ⓤ 상관성; Ⓒ 상호 관계.
:**cor·re·spond**[kɔ̀ːrəspɑ́nd, kɑ̀r-/kɔ̀rəspɔ́nd] *vi.* (…에) 상당하다(*to*); 일치〔부합·조화〕하다(*to, with*); 서신 왕래〔교환〕하다(*with*).
:**cor·re·spond·ence**[kɔ̀ːrəspɑ́ndəns] *n.* ① Ⓤ 서신 왕래, 왕복 서한 (letters). ② Ⓤ,Ⓒ 일치, 상당; 조응(照應); 조화.
correspóndence còurse 〔**schòol**〕 통신 강좌〔교육 학교〕.
:**cor·re·spond·ent**[-ənt] *n.* Ⓒ 서신 왕래자; 통신원(*a special* ~ 특파원); 거래처.
:**cor·re·spond·ing**[kɔ̀ːrəspɑ́ndiŋ] *a.* ① 대응하는, 상당〔일치〕하는. ② 서신 내왕〔통신〕하는. **~·ly** *ad.* (…

에) 상당하여.

cor·ri·dor [kɔ́ːridər, kár-/kɔ́ridɔ̀r] *n.* ⓒ 복도(long hallway); (*or* C-) 회랑(回廊)(지대) (*the Polish* ~).

cor·rob·o·rate [kərábərèit/-rɔ́b-] *vt.* 확실히 하다(verify), 확증하다(confirm). **-ra·tion** [⌐réiʃən] *n.* Ⓤ 확증; 확증적인 증거[사실].

cor·rode [kəróud] *vt., vi.* 부식하다; 마음을 좀먹다.

cor·ro·sion [kəróuʒən] *n.* Ⓤ 부식 [침식]작용(상태). **cor·ró·sive** *a., n.* 부식성(의); Ⓤⓒ 부식제.

cor·ru·gate [kɔ́ːrəgèit, kár-/kɔ́rə-] *vt.* 주름지게 하다, 물결 모양으로 하다. — *vi.* 주름이 지다. — [-git, -gèit] *a.* 물결 모양의. **-ga·tion** [⌐géiʃən] *n.*

cor·rupt [kərápt] *a.* ① 타락(부패)한; 사악(邪惡)한; 뇌물이 통하는. ② (원고 등이) 틀린 것 투성이의; 전와(轉訛)된. — *vt., vi.* ① 타락시키다(부패시키다). ② (말을) 전와(轉訛)시키다; (원본을) 개악하다(cf. interpolate, tamper). **~·i·ble** *a.* 타락하기 쉬운; (cost) 요하다; (⋯이) 들게 하다, 알게 하다. **~·ly** *a.* 값이 비싼; 사치로운.

cor·rup·tion [kərápʃən] *n.* Ⓤ ① 부패, 타락, 부정(腐敗); 증수회. ② (언어의) 전와(轉訛). **-tive** *a.* 타락시키는.

cor·sage [kɔːrsáːʒ] *n.* ⓒ 여성복의 동체(胴體)(어깨나 허리에 다는) 꽃 장식.

cor·set [kɔ́ːrsit] *n.* ⓒ 코르셋.

cor·tège [kɔːrtéiʒ] *n.* (F.) ⓒ (집합적) 행렬; 수행원 (대열).

cor·tex [kɔ́ːrteks] *n.* (*pl.* **-tices** [-təsìːz]) ① 외피(外皮); 피부; 피층(皮層); 나무껍질. **-ti·cal** *a.*

cor·ti·sone [kɔ́ːrtəsòun, -zòun/-tizòun] *n.* ⓒ 코티손(부신피질에서 분비되는 호르몬; 류머티즘 치료약).

cos [kas/-ɔ-] *n.* Ⓤⓒ [植] 상추의 일종.

cos² *n.* cosine.

cosh [kaʃ/-ɔ-] *n., vt.* Ⓒ (英) 곤봉(棍棒)(으로 치다); 막대기(로 치다).

co·sig·na·to·ry [kousígnətɔ̀ːri/-təri] *a.* 연서(連署)의. — *n.* ⓒ 연서인.

co·sine [kóusain] *n.* [數] 코사인, 여현(餘弦).

cos·met·ic [kazmétik/-ɔ-] *n., a.*

ⓒ (피부·두발용의) 화장품; 화장용의.

cos·mic [kázmik/-ɔ-] *a.* 우주의; 광대한; 질서정연한.

cosmic rays 우주선.

cos·mol·o·gy [-málədʒi/-ɔ-] *n.* Ⓤ 우주론.

cos·mo·naut [kázmənɔ̀ːt/-ɔ-] *n.* Ⓒ 우주 비행사(여행사).

cos·mo·pol·i·tan [kàzməpálətən/kòzməpɔ́l-] *a., n.* Ⓒ ① 세계주의적인 (사람), 세계를 집으로 삼는 (사람). ② (러시아의) 자유주의 경향의 인텔리. **~·ism** [-izəm] *n.* Ⓤ 세계주의.

cos·mos [kázməs, -mas/kɔ́zmɔs] *n.* Ⓤ 우주; 질서, 조화; Ⓒ [植] 코스모스.

cost [kɔːst/kɔst] *n.* Ⓤⓒ 값, 원가; 비용(expense). 희생, 손해(loss). *at all* ~*s*, *or at any* ~ 어떤 희생을 치르더라도, 무슨 일이 있어도. *at* ~ 원가로. *at the* ~ *of* … 을 희생하여. ~ *of living* 생활비. *to one's* ~ 손실을 입어, (⋯에) 데어. — *vt.* (*cost*) 요하다; (⋯이) 들게 하다, 알게 하다.

co·star [kóustàːr] *vi., vt.* (*-rr-*) [映·劇] 공연하다[시키다]. — [⌐⌐] *n.* ⓒ 공연자(共演者).

cost-ef·fec·tive *a.* 비용효과가 있는. **~·ly** *ad.* **~·ness** *n.*

cost·ing [kɔ́ːstiŋ] *n.* Ⓤ [商] 원가 계산.

cos·tume [kástjuːm/kɔ́stjuːm] *n.* ① Ⓤⓒ (나라·시대·계급 특유의) 복장; 의상(衣裳). ② Ⓒ (한 벌의) 여성복. — [⌐⌐, ⌐⌐] *vt.* (⋯에) 의상을 입히다(dress).

cóstume jéwelry 인조 보석(모조 보석 따위).

co·sy [kóuzi] *a.* = COZY, &c.

cot [kat/-ɔ-] *n.* Ⓒ 조그만 침대; (英) 소아용 침대(crib).

co·te·rie [kóutəri] *n.* Ⓒ 한패, 아리, 동지; 그룹, 일파(clique).

cot·tage [kátidʒ/-ɔ-] *n.* Ⓒ 시골집, 작은 집; 작은 주택, 교외 주택; 오두막집; (시골의) 별장. **-tag·er** *n.* Ⓒ cottage에 사는 사람.

cóttage chèese (시어진 우유로 만드는) 연한 흰 치즈.

cóttage lòaf (英) 대소 두 개를 겹친 빵.

cot·ton [kátn/-5-] *n.* ① 목화 (나무); 솜; 무명, 면사, 무명실. — *vi.* (口) 사이가 좋아지다(*to*). — **on** (俗) …을 알다. — **up** 친해지다 (*with*).

cótton cándy (美) 솜사탕.

cótton wòol 원면, 솜.

couch [kautʃ] *n.* ⓒ (詩) 침대; 침상; 소파. ② (짐승의) 집(lair). — *vt.* ① 눕히다. 재우다(~ one-self 눕다). ② 말로 나타내다(口). 함축시키다(*under*). — *vi.* 눕다; 자다.

cóuch potàto (口) 짬이 나면 텔레비전만 보는 사람.

cou·gar [kú:gər] *n.* ⓒ (動) 퓨마.

cough [kɔːf/kɔf] *n., vi., vt.* 기침(하다, 하여 내밷다). — *out* 기침하여 베어내다. (俗) 주다 (give); 내다; 돈을 내다(pay).

could [強 kud, 弱 kəd] *can*²의 과거. ① (특수용법) …하고 싶은 (기분이 들다)(*I ~ laugh for joy.* 기뻐서 웃고 싶은 지경이다) (*C- you come and see me tomorrow?* 내일 와주실 수 있을런지요 까(can보다 정중)). ② (not과 함께 쓰이어) 아주 …(못하다)(*I ~n't sing.* 노래 같은 건 아주 못합니다).

could·n't [kúdnt] *could not*의 단축.

coun·cil [káunsəl] *n.* ⓒ 회의, 평의회. ② 주(州)(시·읍·면·동)의회. ③ (the C-) 추밀원. *cabinet* — 각의(閣議). ~ *of war* 작전회의; 《口》 (중대 문제를 위한) 협의. *Great C-* 《英史》 노르만왕조 시대의 귀족·고위 성직자 회의《상원의 시초》.

coun·ci·lor, 《英》**-cil·lor** [káunsələr] *n.* ⓒ 평의원(의 한 사람); (주·시·읍·면·동 의회의) 의원; 고문관.

coun·sel [káunsəl] *n.* ① ⓤⓒ 상담, 협의, 충고. ② 계획, 계획 (sing. & pl.) 변호인(단). *keep one's own* ~ 생각을 밝히지 않고 있다. *King's* [*Queen's*] *C-* 《英》 왕실 고문 변호사. *take* ~ 상의하다.

— *vt.* 《英》-ll- 조언(권고)하다. — *vi.* 상의(의논)하다. **-sel-(l)ing** *n.* ⓤ 《教》 상담지도. **-se·lor,** 《英》 **-sel·lor** *n.* ⓒ 고문관; 《美》 《教》 상담 지도 교사.

count¹ [kaunt] *vt.* 세다. 계산하다. (…라고) 생각하다(consider). — *vi.* 수를 세다; 축에 들다(끼다). 큰 비중을 이루다(값어치 있다). 믿다. 기대하다(rely)(*on, upon*). *be ~ed on one's fingers* 손으로 꼽을 정도밖에 없다. — *down* (로켓 발사 따위에서) …, 10, 9, 8, 7 … 하고) 초(秒)읽기하다. — *for little* [*much*] 대수롭지 않다(중요하다). — *off* 같은 수의 조(組)로 나누다. — *out* 제외하고 꺼내다; 계산해서, 셈에서 빼다; 《拳》 'count-out'를 선언하다; 《英下院》 정족수 미달로 폐회하다. — *n.* ⓤⓒ 계산; 《컴》 수. *keep* ~ *of* …의 수를 기억하고 있다. *lose* ~ *of* …의 수를 잊다. *out of* ~ 무수한. *take no* ~ *of* 무시하다. **~·less** *a.* 무수한.

count² *n.* ⓒ (유럽의) 백작《英 earl》.

cóunt·dòwn *n.* ⓒ (로켓 발사 따위의) 초(秒)읽기.

coun·te·nance [káuntənəns] *n.* ① ⓤ 생김새, 용모, 표정. ② ⓤ 침착성(composure). ③ ⓤ 찬성, 격려(후원). *give* [*lend*] ~ *to* …을 원조(장려)하다. *keep in* ~ 체면을 세워주다. *keep one's* ~ 새침 떼고 있다. 웃지 않고 있다. *put* (*a person*) *out of* ~ (아무를) 당황케 하다; 면목을 잃게 하다. — *vt.* (암암리에) 장려하다; 승인[묵인]하다.

coun·ter¹ [káuntər] *n.* ⓒ ① 카운터, 계산대, 판매대. ② (게임용의) 셈표, 계산표, 산가지. ③ 모조화폐. ④ 《컴》 계수기.

count·er² *a., ad.* 반대의(로), 역(逆)의(으로). *run* ~ *to* (가르침·이익 등에) 반하다. — *vt., vi.* 역습하다. ⓒ 《拳》 되받아치기(치기).

coun·ter³ [káuntər] *n.* '반대, 대응, 보복, 적대'의 뜻의 결합사.

coun·ter·act *vt.* (…에) 반작용하

다; 방해하다; 중화(中和)하다. **-ác-tion** *n.*

cóunter·attack *n.* ⓒ 반격. — [≃≃] *vt., vi.* (…에) 반격하다.

còunter·bálance *n.* ⓒ 균형 추(錘); 평형력. — [≃≃] *vt.* 균형잡히게 하다; 에끼다, 상쇄하다(offset).

cóunter·blást *n.* ⓒ 맹렬한 반대(반박) (to).

cóunter·cláim *n.* ⓒ 【法】 반대 요구, 반소(反訴). — [≃≃] *vi.* 반소하다(against, for).

còunter·clóckwise *a., ad.* 시계 바늘의 반대로; 왼쪽으로 도는(돌게)(좌선(旋))(조직).

còunter·espionage *n.* ⓤ 방첩책(策)(조직).

cóunter·feit[káuntərfìt] *a., n.* 모조의, 가짜의; ⓒ 가짜 물건, 모조품; 위조하다; 흉내내다, 시늉을 하다. **~·er** *n.* 위조자.

cóunter·foil *n.* ⓒ 《英》(수표·영수증 등을 떼어주고 남는) 부본.

còunter·insúrgency *n., a.* ⓤ 대(對)게릴라 활동(의).

còunter·intélligence *n.* ⓤ 《美》 【軍】 방첩 활동.

coun·ter·mand[kàuntərmǽnd/ -má:nd] *vt.* (명령·주문 등을) 취소[철회]하다; 반대 명령을 하여 되불러들이다(중지시키다). — [≃≃] *n.* ⓒ 반대 명령; 취소.

cóunter·mèasure *n.* ⓒ 대책; 보복(대항) 수단.

cóunter·pane[káuntərpèin] *n.* ⓒ 이불(coverlet).

cóunter·part[-pà:rt] *n.* ⓒ (짝을 이룬 것의) 한 짝 (정부(正副) 서류의) 한 통; 한 짝; 비슷한 사람(것).

cóunter·point *n.* ⓤ 【樂】 대위법; ⓒ 대위법에 의한 곡.

còunter·próductive *a.* 역효과의(를 초래하는).

còunter·revolútion *n.* ⓤ.ⓒ 반혁명. **~·ist** *n.* ⓒ 반혁명주의자.

cóunter·sign *n., vt.* ⓒ (군대의) 암호; 【海】 응답 신호; 부서(副署)(하다).

coun·ter·vail[kàuntərvéil] *vt., vi.* 《古》(…와) 같다; 에끼다; 보충(보상)하다.

count·less[káuntis] *n.* ⓒ 백작 부

인(count 또는 earl의 아내); 여백작.

cóunt nòun 【文】 가산 명사.

coun·tri·fied[kántrifàid] *a.* 시골풍의.

coun·try[kántri] *n.* ① ⓒ 나라, 국가. ② ⓒ 고국. ③ ⓒ 국민(nation). ④ ⓤ 시골, 지방. *appeal to the ~* (의회를 해산하여) 국민의 총의를 묻다. *go (out) into the ~* 시골로 가다. — *a.* 시골(풍)의(rustic).

cóunty-and-wéstern *n.* = COUNTRY MUSIC.

cóuntry clùb 컨트리 클럽(테니스·골프 따위의 설비를 갖춘 교외 클럽).

cóuntry hòuse 시골의 본집; 시골 신사(country gentleman)의 저택.

cóun·try·man[-mən] *n.* ⓒ 시골 사람; 동향인.

cóuntry mùsic 《口》 컨트리 뮤직(미국 남부에서 발달한 대중음악).

cóuntry·sèat *n.* ⓒ 《英》(귀족·부호의) 시골 저택.

:cóuntry·side[-sàid] *n.* ⓒ 시골 지방; (the ~)《집합적》 단수·복수 취급》 지방 주민.

cóuntry·wòman *n.* ⓒ 시골 여자; 동향의 여성.

:coun·ty[káunti] *n.* ⓒ 《美》 군(郡) 《州(州)의 아래 구획》; 《英》 주.

cóunty sèat 《美》 군청 소재지.

cóunty tòwn 《英》 주청 소재지.

coup[ku:] *n.* (*pl. ~s*[-z]) 《F.》(멋진) 일격; 대성공; (기상천외의) 명안.

coup de grâce[kú: də grá:s] 《F.》 자비의 일격(죽음의 고통을 멎게 하는); 최후의 일격.

cou·pé[ku:péi/—] *n.* 《F.》 ⓒ 상자 모양의 2인승 4륜마차; [ku:p] 쿠페(2·6인승의 상자형 자동차).

cou·ple[kápl] *n.* ⓒ ① 한 쌍(의), 둘, 두 사람, 한 쌍(의 남녀), 부부, 남녀. ② ⓒ (…의) 몇 개; 두서넛. — *vt.* (…와) 연결하다(unite); 관련시키다; 짝짓다; 연상하다(associate). — *vi.* 결합(결혼)하다; 교미[흘레]하다(mate). **cóu·pler** *n.*

연결구.

cou‧plet [kʌ́plit] *n.* ⓒ (시의) (각운의) 대구(對句).

cou‧pling [kʌ́pliŋ] *n.* ⓤ 연결; ⓒ 연결기(器).

cou‧pon [kjúːpan/kúːpon] *n.* ⓒ 쿠폰(권), 떼어내게 된 표(배급권[식권 따위]); ⓒ 이자 지급표.

†**cour‧age** [kə́ːridʒ/kʌ́ridʒ] *n.* ⓤ 용기, 담력. **pluck up** [**take**] ~ 용기를 내다. **take one's ~ in both hands** 대담하게 나서다(감행하다).

†**cou‧ra‧geous** [kəréidʒəs] *a.* 용기 있는(brave), 대담한(fearless). **~‧ly** *ad.*

cour‧i‧er [kúriər, kə́ːr-] *n.* ⓒ 급사(急使); (여행단의 시종을 드는) 수행(隨行員); 시종꾼; 안내원.

†**course** [kɔːrs] *n.* ① ⓤ 진행, 경과; ⓒ 과정, 경과, 진로; 코스, 진로; 길; 주로(走路), 경마장. ③ ⓒ 방침; 행위; 경력, 경과. ④ [pl.] 행실. ⑤ ⓒ 학과, 교육 과정; 과목, [美大學] 단위. ⑥ ⓒ 한 경기, 코스. ⑦ ⓒ 연속(series), (벽돌 따위의) 줄기층. ⑧ [建] (기와 따위의) 줄기층 열(row); 층. **(as) a matter of ~** 당연한 일(로서). **by ~ of** ~의 관례에 따라서. **~ of events** 일의 추세. **in ~ of** ~하는 중으로, 진행 중에. ~ 당해진 순서를 따라. **in due** ~ **(of time)** 때가 와서(오면), 불원간. **in the ~ of (today)** (오늘) 중에. **lower** [**upper**] ~ 하(상)류, 위. — *vt.* (토끼 따위를) 뒤쫓다, (…의) 뒤를 밟다; 달리게 하다. — *vi.* 달리다, 뒤쫓다. **cóurs‧er** *n.* ⓒ (詩) 준마; 말.

†**court** [kɔːrt] *n.* ① ⓒ 안뜰(courtyard). ② ⓤⓒ (보통 C-) 궁전(宮室); 왕실(王室), (집합적) 조정의 신하. ③ ⓤⓒ 법정, 재판소; (집합적) 재판관. ④ ⓒ 궁구장; 뒷코트(의 공터), 뒷골목. ⑤ ⓤ 아침; 구혼. **at C-** 궁정에(서). ~ **of APPEAL(S).** ~ **of justice** [**law**] 법정. **C- of St. James's** [snt dʒéimziz] 영국 궁정. **High C- of Parliament** (英) 최고 법원으로서의 의회. **pay** [**make**] **one's ~ to** ~의 비위를 맞추다; 싫어하다, 구혼하다(woo). **put out**

of ~ 무시하다. — *vt., vi.* (…의) 비위를 맞추다; 구혼하다; (칭찬 따위를) 받고자 하다(seek); (사람을) 초래하다.

córt càrd (英) (카드의) 그림 패 (美) face card).

cour‧te‧ous [kə́ːrtiəs] *a.* 정중한; 예의 바른(polite). ** ~‧ly** *ad.*

cour‧te‧san, -zan [kɔ́ːrtəzən, kɔ̀ːr-/kòːrtizǽn] *n.* (고급) 매춘부.

cour‧te‧sy [kə́ːrtəsi] *n.* ⓤ 예의, 정중함; 호의; 인사(curtsy). **by ~** 예의상, 호의로. **by ~ of** ~의 호의로.

córt‧house *n.* ⓒ 법원; (美) 군청사.

cour‧ti‧er [kɔ́ːrtiər] *n.* ⓒ 정신(廷臣); 아첨꾼.

court‧ly [kɔ́ːrtli] *a.* ① 궁정의(의 태도·품위 있는, 점잖은. ② 아첨하는. **-li‧ness** *n.*

court-mártial *n.* (*pl.* **courts-**) ⓒ 군법 회의. — *vt.* (《英》 **-ll-**) 군법 회의에 부치다.

córt‧room *n.* ⓒ 법정.

córt‧ship *n.* ⓤ 구혼, 구애.

córt‧yard *n.* ⓒ 안뜰, 마당.

cous‧in [kʌ́zn] *n.* 사촌(형제·자매); 먼 친척(*Don't call* ~*s with me.* 친척이라고 부르지 말라). **first ~ once removed, or second ~** 육촌, 재종(再從).

cou‧ture [kuːtjúər] *n.* (F.) 여성복 디자이, (집합적) 여성복 디자이너(들); 그 가게.

cou‧tu‧ri‧er [kuːtúəriei] *n.* (F.) ⓒ 여성복(남자)장.

cove [kouv] *n.* ⓒ (길숙한) 후미, 작은 만(灣); ⓒ 한 구석.

cov‧e‧nant [kʌ́vənənt] *n.,* *vi.,* *vt.* ⓒ(~와) 계약(하다). ⓒ [聖] (신과 인간과의) 큰 성약(聖約).

Cov‧en‧try [kʌ́vəntri, kɔ́v-/- ˌ-5-] *n.* 잉글랜드의 Birmingham 동쪽에 있는 도시, 공업(Send (a person) to ~ 한 패와의 교제를 제외시키다).

cov‧er [kʌ́vər] *vt.* ① 덮다, 가리다; 싸다(wrap up). ② 모자를 씌우다. ③ 숨기다, (남이 알을) 품다; 감추(隱)다. ④ (수많이 암탉에) 덮치다. ⑤ 표지를 붙이다. ⑥ (비용·손실

을) 메우다; 보호(비호)하다, 감싸주다; 포함하다; 겨누다(~ **him with a rifle**). ⑦ (어떤 거리를) 통과하다(go over); (범위가 …에) 걸치다 미치다(extend). ⑧ (공〈空〉제품·증권 따위를 일정한 값으로 사들이다; (노름에서 상대가 건 돈과) 같은 액을 태우다. ⑨ 『新聞』(…의 보도를) 담당하다(act as reporter of)(~ *a crime, conference, &c.*). — *n.* ⓒ 덮개, 걸싸개, 뚜껑; 표지; 봉투. ② (새·짐승의) 숨는 곳; 풀숲; 보호물(*under ~ of night* 야음을 틈타서); 『軍』 (폭격기 엄호의) 전투기대. ③ ⓒ 한 사람분의 식기(식탁)(*a dinner of fifteen~s*, 15인분의 만찬). **break ~** 『軍』(짐승의) 숨는 곳에서 나오다. **take ~** 『軍』지형을 이용하여 숨다, 피난하다. **under ~ 숨**어서; 몰래; 봉투에 넣어. **under the same ~** 동봉하여. **~ed**[-d] *a.* 덮개〈뚜껑·지붕〉 있는(*a ~ed wag⟨g⟩on* 포장 마차; 《英》유개 화차); 집안에서; 모자를 쓴; …로 덮인.

:**cov·er·age**[kʌ́vəridʒ] *n.* Ⓤ 적용범위; (一般) 적용범위; 『經』정화준비금; 『保』보험 적용액; 보도 (범위) (광고의) 분포 범위; 『放』유효 시청범위; 『保險』보상 범위, (보상하는) 위험 범위.

cóver·àll *n.* ⓒ (상의와 바지가 불은) 작업복.

cóver chàrge (요리값 따위의) 서비스료.

cóver gìrl 잡지 표지에 실린 미인.

cóver·ing[kʌ́vəriŋ] *n.* 덮개, 지붕; Ⓤ 피복; 엄호; 엄폐. — *a.* 덮는; 엄호하는.

cóvering lètter (동봉한) 설명서.

*cóver·let[kʌ́vərlit] *n.* ⓒ 침대 커버; 덮개; 이불.

cóver stòry 커버스토리(잡지 등의 표지에 관련된 기사).

cov·ert[kʌ́vərt] *a.* 비밀의, 숨긴, 은밀한(furtive)(~ *glances*)(opp. overt); 『法』보호를 받고 있는; 남편이 있는. — *n.* ⓒ (새·짐승의 숨는 곳, 피난처.

cóver-ùp *n.* ⓒ (사건의) 은폐(책).

*cov·et[kʌ́vit] *vt., vi.* 몹시 탐〈욕심

내다. **~·ous** *a.* 탐내는(of); 탐욕스러운; 열망하는.

cow[kau] *n.* ⓒ 암소(opp. bull). (코끼리·고래 따위의) 암컷.

cow[kau] *vt.* 으르다, 겁을 주다, 협박하다.

cow·ard[káuərd] *n., a.* ⓒ 겁쟁이, 겁많은; 겁쟁이의. **~·ice**[-is] *n.* Ⓤ 겁, 소심. **~·ly** *a., ad.* 겁많은; 겁을 내어.

ców·boy *n.* ⓒ 목동, 카우보이.

cow·er[káuər] *vi.* 움츠러들다, 겁내(웅크리다.

ców·hìde *n.* ⓒ 소의 생가죽; Ⓤ 쇠가죽; ⓒ 쇠가죽 채찍.

cowl[kaul] *n.* ⓒ (수도사의) 망토 두건(hood); (굴뚝의) 갓; 자동차 (비행기)의 앞쪽(전부(前部)].

cow·man[⁻mən] *n.* ⓒ (미국 서부의) 목장 주인; 《英》소치는 사람.

ców·slìp *n.* ⓒ 《植》앵초과의 리라재비 (따위); 《英》앵초과의 풀을 내어.

cox[kaks/-ɔ-] *n., vt., vi.* ⓒ (口)(보트의) 키잡이(coxswain)(가 되다).

cox·swain[káksweìn, káksn/-ɔ-] *n.* ⓒ (보트의) 키잡이(cox).

*coy[kɔi] *a.* 수줍어하는(shy), 스스럼 타는; 짐짓 부끄러워 체하는, 요염하게 수줍어하는(coquettishly shy). **be ~ of** ~을 (스스러워해) 좀처럼 하려고 않다.

coy·ote[káiout, kaióuti/kóiout] *n.* ⓒ 이리의 일종(북아메리카 초원의); 악당.

co·zy[kóuzi] *a.* (따뜻하여) 기분이 좋은, 포근한(snug). — *n.* 찻주전자 커버(tea-cozy 따위). **có·zi·ly** *ad.* **có·zi·ness** *n.*

cp. compare. **Cpl. cpl.** corporal.

crab[kræb] *n.* ① ⓒ 『動』게, 게 (the C-) 『天』게자리(Cancer). ② 자라슬; ③ 짓궂은 사람. — *vt.* (-**bb**-) (口) 흠〈탈〉잡다(find fault with).

crab² (**àpple**) *n.* ⓒ 야생 능금(나무)(식물); 우락〔야〕무뚝.

crab·bed[krǽbid] *a.* 까다로운, 심술궂은(cross), 빙퉁그러진(perverse); 읽기 어려운.

:crack [kræk] *n.* ① ⓒ 금, 균열, 갈라진 틈. ② ⓒ (채찍·불붙 울려 쩍쩍, 펵하(는 소리); 철썩(딱) 때림. ③ ⓒ (□) 순간. ④ ⓒ (□) 재치있는 말; 신소리. ⑤ ⓒ 농담. ⑥ ⓒ 변성(變聲). ⑦ ⓒ 결점; ⑪ (가벼운) 정신 이상, 변침. ⑧ ⓒ 시도, 찬스. ⋆**英古·英俗** 자랑(거리), 허풍. ~ **of doom** 최후의 심판 날의 천둥. **in a ~** 순식간에. ── *vt., vi.* ① 째지게(깨지게) 하다, 금가게 하다; 금이 가(게 하)다. ② 목소리가 변하다. ③ 딱(철썩) 소리나게 하(다): 딱 때리다. ④ 굴(복)하다(give way). ⑤ (농담·익살)을 부리다(ㄱ *a joke*). ⑤ (□) (금고 따위를) 비집어 열다. ⑦ (□) (술병을) 따다(열다). ① 따서 마시다. ~ **down** (美□) 흔내다, 단호한 조처를 취하다(*on*). ~ **up** (俗) (건강·신경이) 쇠약하다; (□) 칭찬하다; (차축류에 제동을 걸어) 기체를 손상시키다(기체가) 상하다. ── *a.* (□) 멋진, 훌륭한, 일류의. ── *ad.* 딱, 쩍, 철썩. *⋆* **‿ed** **[-t]** *a.* 깨진, 빠개진, 갈라진, 금이 간; 목소리가 변한; *‿*-**brained** 머리가 돈(crazy).

cráck-dòwn *n.* ⓒ 단호한 조처.

cráck-er [‿ər] *n.* ① ⓒ 깨뜨리는(빠개지는) 사람(것). ② (*pl.*) 호두 까는 집게(nutcracker). ③ ⓒ 폭죽; 딱총(fire cracker): 크래커 봉봉(양끝을 당기면 터져 과자나 장난감 등이 튀어나옴) ④ 크래커(엷은 건빵). ⑤ ⓒ (美俗) 거짓말; (美) (Georgia, Florida 등지의) 가난한 백인.

crack-er-jack [krǽkərdʒæk] *a., n.* ⓒ (美俗) 뛰어나게 훌륭한 (사람, 것).

crack-ing [krǽkiŋ] *n.* ⓒ (化) 분류(分溜).

crack-le [krǽkəl] *n., vt.* ⑪ 딱딱(바스락바스락) (소리가 나다)(종이를 구길 때 따위); (도자기의) 잔금. **cráck-ling** *n.* ⑪ 딱딱(우지직) 소리, (바삭바삭하는) 구운 돼지의 껍질.

cráck-pòt *a., n.* ⓒ (□) 정신나간 (사람), 기묘한 (사람).

-cra-cy [krəsi] *suf.* '정체, 정치, 사회 계급, 정치 세력, 정치 이론'의 뜻 (분해).

뜻 : democ*racy*.

cra-dle [kréidl] *n., vt.* ① 요람 (搖籃)(에 넣다, 넣어 흔들다); 어린 시절; 발상지, (운명) 초기. ② (배의) 진수대(進水臺)(에 올리다); (비행기의) 수리대. ③ 採) 선광대(選鑛臺)(로 선광하다).

:craft [kræft, krɑːft] *n.* ① ⑪ 기능, 기교, 교묘, 교묘함. ② ⑪ 기술; 기술이 드는 직업. ③ ⑪ 간지(奸智); 못된 술책. ④ ⓒ 배, 항공기. *⋆* **art and ～** 미술 공예. **the gentle ～** 낚시질(친구).

crafts-man [‿smən] *n.* ⓒ 장색 (匠色), 예술가.

craft-y [‿i] *a.* 교활한(sly). **cráft-i-ly** *ad.* **cráft-i-ness** *n.*

crag [kræg] *n.* ⓒ 울퉁불퉁한 바위 (steep rugged rock), 험한 바위산. *～***-ged** [-id], *～***-gy** *a.*

cram [kræm] *n., vi., vt.* (*-mm-*) ① (장소·그릇에) 억지로 채워 넣다· 게 먹이다. ② (□) (학과를) 서서 넣다. ── *vt.* (俗) (…에게) 허풍떨다. ② ⑪ 채워(처박아) 넣음; (□) 벼락 공부; 거짓말; (□)벼락 공부꾼(교사·학생). *～* **mer** *n.* (英□) 벼락 공부꾼(교사·학생). *～* **ming** *n.* ⑪ 주입식 교육.

cramp [kræmp] *n., vt.* ① 꺾쇠로 죄다(속박하다(하는 것). ── *a.* 제한된(restricted), 비좁은, 갑갑(답답)한; 읽기(알기) 어려운.

cramp [‿] *n., vt.* ⑪ⓒ 경련(을 일으키다), 쥐(가 일으키는 것); ③ (□) 복통. ── *vt.* 경련을 일으키다: 쥐가 나다; 답답하게 (일으키다(하다); 제한(압박)하다.

cran-ber-ry [krǽnbèri／-bəri] *n.* ⓒ 덩굴월귤(진한 소스의 원료).

crane [krein] *n.* ① ⓒ (鳥) 두루미; 기중기. ② (TV·映) 카메라 이동 장치; (두루미처럼 목을) 쭉 오르다; 기중기로 나르다.

cra-ni-um [kréiniəm] *n.* (*pl.* **～s, -nia**) ⓒ (解) 두개(頭蓋)(骨). **cra-ni-al** [-niəl, -njəl] *a.*

crank [kræŋk] *n.* (機) 크랭크; 굴곡; 기발(맞은 생각·말); (□) 괴짝, (성격이) 비뚤어진 사람. ── *a.* 비슬거리는, 병약한; (海) 뒤집히기 쉬운. ── *vt., vi.* 크랭크 꼴로 굽히 다; 크랭크를 달다: 크랭크를 돌리다.

~ up (크랭크로) 발동기를 돌리다. **~·y** *a*. 심술궂은; 야릇한; 흔들흔들한; 병약한; 꾸불꾸불한.

cránk·shàft [-ʃæft] *n*. ⓒ [機] 크랭크사프트.

cran·ny [kréni] *n*. ⓒ 갈라진 틈 [금]; 벌어진 틈, 틈새기.

crap [kræp] *n*. ⓒ (크랩스에서) 주사위를 굴려 나온 5끗수; 《俗》 찌꺼기, 너절한 물건. **~s** *n. pl*. 《단수 취급》 크랩스(주사위 두개로 하는 노름의 일종》.

crape [kreip] *n*. = CREPE.

crash [kræʃ] *n., vi*. ⓒ ① 와지끈 [박·쾅·아지직·탱그렁·쟁그렁·와르르] 소리를 내며 부서지다; ② 충돌(하다); 《俗》 실패(하다). ② 파산(하다); 추락(하다). — *vt*. ① (…을) 탁《와지끈·와르르·탱그렁·쟁그렁》부수다; 찌부러뜨리다; 격추하다. ② 《口》무단히 …에 오다. — *ad*. 쾅, 탁, 쟁[댕]그렁, 와지끈.

crásh bàrrier (도로·경주로 등의) 가드 레일, 중앙 분리대.

crásh hèlmet (자동차 경주용) 헬멧.

crásh-lánd *vi., vt*. 《空》 불시착하다(시키다).

crass [kræs] *a*. 우둔한; 터무니 없는; 《比》 심한, 지독한.

crate [kreit] *n*. ⓒ (가구·유리 따위 운송용의) 나무틀, 나무상자, 바구니, 광주리.

cra·ter [kréitər] *n*. ⓒ 분화구; 지뢰[포탄] 구멍; (달 표면의) 운석[隕石] 구멍, 크레이터.

cra·vat [krəvǽt] *n*. ⓒ [商] 넥타이; 목도리(scarf).

crave [kreiv] *vt., vi*. 간절히 바라다, 열망하다(for); 필요로 하다. **cráv·ing** *n*. ⓒ 갈망; 열망.

cra·ven [kréivən] *a., n*. ⓒ 겁많은 (비겁한)(사람). **cry ~** 항복하다.

crawl [krɔːl] *vi*. ① 기(어가)다; 느릿느릿 나아가다; 살금살금 기다. ② 살살 환심을 사다(creep)(into). ③ 벌레가 기는 느낌이 들다; 근질거리다. **~ up** (옷이) 밀려 오르다. — *n*. ⓤ 기다시피(느릿느릿)감; 서행; 《~ stroke 크롤 수영법. **~·er** *n*. ⓒ 길짐승; 아첨꾼; 《英》 손님

을 찾아 천천히 달리는 빈 택시. **~·y** *a*. 근실근실한.

cray·fish [kréifiʃ] *n*. ⓒ 가재.

cray·on [kréiən, -ɑn/-ɔn] *n., vt*. ⓒ 크레용 (그림); 크레용으로 그리다; 대충 그리다.

craze [kreiz] *vi., vt*. ① 미치(게 하)다. ② (도자기에) 금이 가다[금을 넣다]. — *n*. ⓒ ① 미침, 열광 (mania); 대유행. ② (도자기의) 금.

cra·zy [-i] *a*. ① 미친; 《口》열광한. ② (건물 따위가) 흔들흔들한. ③ 《俗》 굉장한, 멋진.

creak [kriːk] *vi., vt., n*. 삐걱거리(게 하)다; 《그 소리. *Creaking doors hang the longest*. 《속담》 쭈그렁 방송이 삼 년 간다. **~·y** *a*.

cream [kriːm] *n*. ⓤ ① 크림(색); 유제(乳劑)(emulsion). ② 부분, 노른자, 정수. — 《the ~》 가장 좋은(알짜) 부분, 노른자, 정수. — *vt*. 크림(모양으로) 하다; 크림으로[크림 소스로] 요리하다. **~·er·y** *n*. ⓒ 크림 제조[판매]소. **~·y** *a*. 크림 모양[빛]의; 크림을 포함한; 크림색의.

créam chèese 크림 치즈.

créam cràcker 《英》 크래커.

crease [kriːs] *n., vi., vt*. ⓒ 주름[접은 자국]이 지다[나게 하다].

cre·ate [kriːéit] *vt*. ① 창조[창작]하다; 창시하다. ② (…에게) 작위(爵位)를 주다(invest with) (*He was ~d a*《呼》*baron*. 남작의 작위가 수여되었다). ③ 일으키다. ④ 《劇》만들다. — *vi*. 《英俗》법석을 떨다(about). **cre·á·tion** *n*. ⓤ 창조; 창작, 창설; ⓤ 창작물; ⓤ 우주(授與); 《the C-》신의 천지 창조. **cre·á·tive** *a*. 창조[창작]적인 (재능이 있는). **cre·á·tor** *n*. ⓒ 창조[창작]자; 《the C-》조물주, 하느님.

créature cómforts 육체적 쾌락을 주는 것(특히 음식물).

crèche [kreiʃ] *n*. 《F.》 ⓒ《英》 탁아소(day nursery). 《신앙.

cre·dence [kríːdəns] *n*. ⓤ 신용;

crea·ture [kríːtʃər] *n*. ⓒ ① 창조물, 생물, 동물; 인간, 남자, 여자. ② 녀석 (*Poor ~!* 가엾은 놈). ③ 부하, 수하, 노예. ④ 《俗·方》 (the ~) 위스키.

cre·den·tial[kridénʃəl] *n.* (*pl.*) 신임장; 추천장.

cred·i·ble[krédəbəl] *a.* 신용할(믿을) 수 있는. **-bil·i·ty**[∼bíləti] *n.* ⓤ 신뢰성, 진실성.

:cred·it[krédit] *n.* ⓤ ① 신용; 명예; 명성. ② ⓒ 자랑. ⓒ 자랑거리. ③ 신용 대부(거래); (국제 금융상의) 크레디트. ④ ⓒ 신용 대부액(貸邊)(opp. debit); 채권. ⑤ ⓒ(美)과목 이수증(證), 이수단위(unit). ⑥ ⓒ(英)[放] 제작 고[스폰서명] 방송; = CREDIT LINE. **do** (*a person*) ∼ …의 명예(면목)이 되다. **give** ∼ **to** …을 믿다. *letter of* ∼ 신용장(생략 L/C). *on* ∼ 신용 대부로, 외상으로. **reflect** ∼ **on** …의 명예가 되다. — *vt.* 신용하다; 믿다; ∼ *him with a sum; ∼ a sum to him;* 외상 주다; (美)단위 이수 증명을 주다; (…에게) 돌리다(ascribe) (*to*). *∼ ·a·ble a.* 신용할(믿을) 만한; 훌륭한. *∼·a·bly ad.* 훌륭히. *cred·i·tor* *n.* [簿]채권자; [簿]대변 (생략 Cr.). (opp. debtor).

credit account (英)외상 거래 계좌(美)charge account).

credit card 크레디트 카드.

credit line 크레디트 라인(기사·회화·사진·텔레비전프로 등에 밝힌 제작자의 이름).

credit note 대변 전표.

credit rating (개인·법인의) 신용 등급(평가).

credit·wor·thy *a.* [商] 신용도가 높은, 지불 능력이 있는.

cre·do[krí:dou] *n.* (*pl.* ∼**s**) ⓒ 신조(creed); (the C-) [宗] 사도 신경, 니체노 신경.

cred·u·lous[krédʒələs] *a.* 믿기 [속기] 쉬운. *∼·ness,* **cre·du·li·ty** [kridʒú:ləti] *n.* ⓤ (남을) 쉽사리 믿음, 고지식함.

creed[kri:d] *n.* ⓒ 신조, 교의(敎義); **the C-** or **Apostles' C-** 사도 신경.

creek[kri:k] *n.* ⓒ 작은 내; 후미, 내포, 작은 만(灣).

creel[kri:l] *n.* ⓒ (낚시질용) 물고기 바구니; 통발.

creep[kri:p] *vt.* (**crept**) ① 기다 (crawl); (담쟁이 따위가) 휘감으며 붙

다. ② 가만히(발소리를 죽이며) 걷다. ③ 슬슬 환심을 사다(∼ *into favor*). ④ 근실거리다. 오싹하다. — *n.* ⓒ 김, 포복; 기는; (the ∼s) (口) 오싹하는 느낌. **give a person the** ∼**s** 섬뜩하게 하다. *∼·er n.* ⓒ 기는 것; 덩굴풀, 담쟁이(ivy); (*pl.*) 어린이용의 헐렁한 옷; ⓒ (다리 짧은) 닭의 품종; [動] 나무발바리. *∼·y a.* 기는; 굼실굼실하는, 오싹하는.

creep·ing[∼iŋ] *a.* 기는, 기어다니는; 휘감는; 진행이 더딘, 느린; 아첨하는; 굼실거리는. *∼·ly ad.*

cre·mate[krí:meit, krimét] *vt.* 화장(火葬)하다. **cre·ma·tion** *n.*

cren·el·ate[krénəleit] *vt.* (…에) 총안을 만들다(설비하다).

Cre·ole[krí:oul] *n.* ⓒ (Louisiana 등지에 정착한) 프랑스인의 자손; ⓒ(그 주(州)에서 쓰이는) 프랑스 말; ⓒ 서인도[남아메리카]에 정착한 유럽 사람; (c-) ⓒ 미국 태생의 흑인.

cre·o·sote[krí(:)əsòut] *n.* ⓤ [化] 크레오소트.

crepe, crêpe[kreip] *n.* (F.) ⓤ 크레이프(바탕이 오글오글한 비단의 일종); ⓒ 상장(喪章). ∼ *de Chine* [dʒəʃíːn] 크레이프 드신(얇은 비단 크레이프).

crepe paper (냅킨용의) 오글오글한 종이.

crept[krept] *v.* creep의 과거(분사).

cre·scen·do[kriʃéndou] *n. a.* (*pl.* ∼**s**) (It.) [樂] 점점 세게. ⓒ 점점 세어지는 (음·양).

cres·cent[krésənt] *n. a.* ⓒ 초승 달(의); 초승달 모양의 (것); (예전 터키의) 초승달기(旗).

cress[kres] *n.* ⓒ [植] 양갓냉이(식용).

crest[krest] *n.* ⓒ ① (닭 따위의) 볏(comb), 도가머리, (투구의) 앞장이 장식 깃. ② 갈기(mane). ③ 봉우리, 산꼭대기; 물마루. ④ 문장(紋章)의 꼭대기 부분. *∼·ed*[∼id] *a.*

crest·fall·en *a.* 볏이 처진; 머리를 축 숙인; 풀이 죽은.

cre·tin[kri:tin, krítən] *n.* ⓒ 크레틴병 환자; 백치(idiot). *∼·ism* [∼izəm] *n.* ⓤ 크레틴병.

cre·vasse[krivǽs] *n.* (F.) ⓒ (빙하의) 갈라진 틈, 균열; (둑의) 「터진 곳」.

crev·ice[krévis] *n.* ⓒ 갈라진 틈.

crew[kru:] *n.* ⓒ 《집합적》 승무원; 《蔑》 동아리, 패거리.

crew·man[krú:mən] *n.* ⓒ 승무원.

créw nèck 크루넥크《깃 없는 네크라인》.

crib[krib] *n.* ⓒ ① (난간이 둘러진 소 아용 침대) ② 구유(manger); 통나무(귀틀)집, 저장 방. ③ 《口》(학생의) 주해서. — *vt.* (**-bb-**) (…에) 가두다; 도용(盜用)하다; 표절하다. — *vi.* 《口》 주해서를 쓰다, 몰래 베끼다.

crib·bage[kríbidʒ] *n.* Ⓤ 카드놀이의 일종.

crick·et¹[kríkit] *n.* ⓒ 귀뚜라미.

crick·et²[‐‐] *n.* Ⓤ 크리켓. ~**·er** *n.*

cri·er[kráiər] *n.* ⓒ 부르짖는(우는) 사람; (포고 따위를) 외치며 알리는 사람; 광고꾼, 외치며 파는 상인.

crime[kraim] *n.* ⓒ 범죄, 나쁜 짓 (cf. sin).

crim·i·nal[krímənl] *a., n.* 범죄의; ⓒ 범인. ~**·ly** *ad.* 죄를 저질러; 형법상.

crim·i·nal·i·ty[krìmənǽləti] *n.* Ⓤ 범죄(행위); Ⓤ 범죄적 성질, 유죄, 범죄성.

crim·i·nol·o·gy[krìmənάlədʒi /‐5‐] *n.* Ⓤ 범죄학.

crimp[krimp] *vt., n.* (머리 등을) 지지다, 오그라지게 하다; ⓒ (보통 *pl.*) 고수머리, 오그라짐; 주름(잡기); 제한, 장애(물).

crim·son[krímzn] *n., a., vt., vi.* Ⓤ 진홍색(의, 으로 되다), (을) 되다; 빨개(지게) 하다(지다).

crin·kle[kríŋkl] *n., vi., vt.* ⓒ 주름(지(게 하다)); 오그라들(게 하다); 오글 오글하게 하다; 바스락(바스락) 소리 나다.

crin·o·line[krínəli(ò)n] *n.* ⓒ 《史》 버팀대(hoop)를 넣은 스커트.

crip·ple[kríp l] *n., vt.* ⓒ 신체 장애자, 특별이(불구자)로 (만들다), 병신. 다. 약하게 하다; 무능력 하게 하다. ~**d soldier** 상이군인.

cri·sis[kráisis] *n.* (*pl.* **-ses**[‐si:z]) ⓒ 위기; 《醫》 공황.

crisp[krisp] *a.* ① 아삭아삭(파삭파삭)하는; (병 따위가) 깨지기 쉬운

(brittle). ② 오그라든. ③ (공기가) 상쾌한(bracing), 팔팔한; 시원시원한, 명확한. — *vi., vt.* 아삭아삭(파삭파삭)하게 되다(하다); 오그라들(게) 하다. — *n.* ⓒ 아삭아삭(파삭파삭)한 상태; (*pl.*) 《주로 英》 파삭파삭하도록 얇게 썰어 기름에 튀긴 감자. *·ly ad.* ~**·ness** *n.* ~**·y** *a.*

criss·cross[krískrɔ̀:s/‐krɔ̀s] *a., ad., n.* ⓒ 열십자(무늬)(의, 로); = TICK-TACK-TOE. — *vt.* 열십자(무늬)로 하다. — *vi.* 교차하다.

cri·te·ri·on[kraitíəriən] *n.* (*pl.* ‐**s, -ria**) ⓒ (판단의) 표준, (비판의) 기준.

crit·ic[krítik] *n.* ⓒ 비평(평론)가; 흠(트집) 잡는 사람.

crit·i·cal[krítikəl] *a.* ① 비평의(of criticism), 평론의; 감식력 높은; 비판적인, 입이 건. ② 위독한, 위험한(of a crisis) (‐ *condition* 위독 상태); 《理·數》 임계의 (臨界의)(‐ *temperature* 임계온도), **with a** ~ **eye** 비판적으로, ~**·ly** *ad.* 비판적으로; 아슬아슬하게, 위험한 정도로(*be* ~**ly** *ill* 위독하다).

crit·i·cism[krítisìzəm] *n.* Ⓤⓒ 비평, 평론; 평론, 비평, 비난.

crit·i·cize[krítisàiz] *vt., vi.* 비평(비판)하다; 비난하다.

cri·tique[kriti:k] *n.* Ⓤⓒ (문예 작품 등의) 비평, 평론(론); 서평; 비판론(*the C- of Pure Reason by Kant* 칸트의 「순수 이성 비판」).

croak[krouk] *vi., vt., n.* ⓒ (까마귀·개구리가) 깍깍(개골개골) 울다. 우는 소리. 그 소리; 목쉰 소리(로 말하다); 음울한 소리를 내어 말하다); 불길한 말을 하다. ~**·er** *n.*

cro·chet[krouʃéi/‐‐, ‐ʃi] *n., vi., vt.* Ⓤ 코바늘 뜨개질(하다).

crock[krak/‐‐] *n.* ⓒ (토기의) 항아리, 독. ~**·er·y**[‐ori] *n.* Ⓤ 토기류(土器類), 사기그릇류.

croc·o·dile[krάkədàil/‐5‐] *n.* ⓒ 악어. ‐**dil·i·an**[‐‐dílian] *a., n.* ⓒ 악어류의의; 악어.

crócodile tèars 거짓 눈물.

cro·cus[króukəs] *n.* (*pl.* ‐**es, -ci**[‐sai]) ⓒ ①《植》 크로커스(꽃). ②산화철(마분(磨粉)).

croft[krɔːft/krɔft] n. ⓒ 《英》 (주택에 접한) 텃밭; 작은 소작 농장. **~·er** n. ⓒ 소작농(小作農).

crois·sant[krwɑːsάːnt] n. (F.) ⓒ 초승달형의 롤빵.

crone[kroun] n. ⓒ (주름투성이의) 노파.

cro·ny[króuni] n. ⓒ 다정한 친구, 단짝, 패거리.

crook[kruk] n. ⓒ ① 굽은 것; (양치는 목동의) 손잡이가 굽은 지팡이. ② 만곡, 굽음, 굴곡. ③ 《口》 사기꾼, 도둑놈. *a ~ in one's lot* 불행, 한 by HOOK *or by ~. on the ~* 《俗》 부정 수단으로. — vt., vi. 구부리다; 구부러지다.

crook·ed[<id] a. 꼬부라진, 뒤틀린, 부정직한; [krukt] 갈고리의(굽은 손잡이가) 달린.

croon[kruːn] vi., vt. 작은 소리로 읊조리다; 웅얼웅얼 노래하다(hum). — n. ⓒ 작은 소리로 읊조리기(노래하기); 저음 가수.

crop[krɑp/<ɔ>] n. ① 작물, 수확 〔생산〕(량)(*a bad*〔*bumper, large*〕*~*); (풍작의) 전(全)농작물, 한 (곡종)작; (the ~s)(한 지방·한 계절의) 전(全)농작물. ② 많음, 모임; 속출. ③ ⓒ (새의) 멀떠구니 (craw). ④ 《sing.》 (머리를 짧게 막 깎기(cf. bob³, shingle). ⑤ ⓒ (끝에 가죽 고리가 달린) 채찍. *be out of*〔*in, under*〕 ~ 농작물이 심어져 있지 않다(있다). — vt. (**-pp-**) (막어) 재배하다; 심다. ~ *a field with seed, wheat, &c.*); (짧게) 깎다; 수확하다. — vi. (농작물이) 되다; 잦아〔베어〕내다(*out*), (불시에) 나타나다(*forth, out, up*); (양·새 따위가) 뜯어 먹다(*on*).

crop·per[krάpər/krɔ́p-] n. ⓒ 농부, 《美》 (반타작의) 소작인; 작물(*a good ~* 잘 되는 작물); 베는〔깎는〕 사람〔것〕; 흉작, 낙마(落馬), 대실패 (*come*〔*fall, get*〕 *a ~* 말에서 떨어지다, 실패하다).

cro·quet[kroukéi/<−, -ki] n. ⓤ 크로케《나무공을 T자 모양으로 된 문을 연달아 쳐 넣는 경기》.

cro·quette[kroukét/-ɔ-] n. (F.) ⓒⓤ 《料理》 크로켓.

cro·sier[króuʒər] n. ⓒ 《宗》 (bish-op 또는 abbot의) 사목장(司牧杖).

cross[krɔːs/krɔs] n. ⓒ ① 십자가; (the C-) 예수의 수난(의 십자가), 속죄(의 Atonement); 기독교, ② 고난, 시련, 고생; 방해(*bear one's* ~ 고난을 참다). ③ 십자형, 십자로 (路), 네거리; 십자 훈장《the Victo-ria C- 빅토리아 훈장》. ④ 교배, 잡종. *on the* ~ 엇갈리게, 교차되게; 《俗》 부정 행위를 하여(살다, 따위). *take the* ~ 십자군(개혁 운동)에 참가하다(join the crusade). — a. 십자형(형)의, 가로의; ② 반대의(~ *luck* 불운). ③ (질문·답변 따위) 십자꼴의; 찌무룩한; 잡종의(crossbred). *as ~ as two sticks* 《口》 성미가 지독하게 까다로운. *run ~ to* ...와 충돌하다. — vt. ① 가로지르다, 건너다. ② (팔짱을) 끼다, (발을) 꼬다. ③ (선을) 가로 긋다(그어 지우다)(*cross out*), ④ 반대〔방해〕하다, ⑤ (편지 따위가) (...와) 엇갈리게 하다; 교배시키다; 《電話》 혼선되게 하다. ~ *vt.* 가로〔건너〕지르다; 교차하다; 엇갈리다하다; 잦종이 되다. ~ *a horse* 말에 걸터앉다. ~ *a person's hand*〔*palm*〕 *with silver* 아무에게 뇌물을 쥐어주다. ~ *a person's path* ...을 만나다; ...의 앞길〔계획〕을 방해하다. ~ *oneself* 〔*one's heart*〕 가슴에다, 이마에 십자를 긋다. ~ *one's fin-gers* 두 손가락을 열 십자로 걸다《재난의 액막이로》. ~ *one's mind* 마음에 떠오르다. ~ *wires*〔*lines*〕 전화를 (잘못) 연결하다. — **~ed**[-t] *a.* 십자형으로 교차된, 횡선을 그은(*a ~ed check* 횡선 수표); (교차된) 횡선으로 말소한; 방해〔저지〕된. '. **~·ly** *ad.* 십자로 교차로; 심술궂게, 뾰로통 해서. **~·ness** *n.*

cróss·bàr *n.* ⓒ 가로장, 《럭비》 더 위쪽 가로장.

cróss·bènch *n.* (보통 *pl.*)《英下院》 무소속 의원석(席). — *a.* 중립의.

cróss·bònes *n.* *pl.* 2개의 대퇴골을 교차시킨 그림《죽음·위험의 상징》.

cross·bow[<bòu] *n.* ⓒ 석궁(石弓), 소궁(小弓).

cróss·brèed *n., vt., vi.* (**-bred**) ⓒ 잡종(을 만들다).

cróss-cóuntry *a.* 들판 횡단의(*a ~ race* 단교(斷郊) 경주).

cróss-cúltural *a.* 문화 비교의.

cróss-exámine *vt.* [法] 반대 심문하다; 힐문하다.

cróss-éyed *a.* 사팔눈의, (특히) 모들뜨기의.

cróss-fertilizátion *n.* ⓤ [植·動] 이화(異花)(타가) 수정; (이질 문화의) 교류.

cróss fíre [軍] 십자 포화; 활발히 주고받는 질의 응답; (요구·용건의) 쇄도, 집중; 교란.

cróss-hátch *vt.* (펜화(畫)에서) 종횡선의 음영(陰影)을 넣다.

:cróss·ing [⁴iŋ] *n.* ① ⓤⓒ 횡단, 교차. ② ⓒ (가로의) 교차점, 네거리, (선로의) 건널목. ③ ⓤⓒ 방해, 반대. ④ ⓤⓒ 십자를 긋기. ⑤ ⓤⓒ 이종 교배(交配). ⑥ ⓤⓒ (수종의) 횡선.

cross-légged [⁴légid] *a.* 발을 곤[엇건]; 책상 다리를 한.

cróss-óver *n.* ⓒ [铁础] 교차로.

cróss-píece *n.* ⓒ 가로장(나무).

cróss-quéstion *vt.* = CROSS-EXAMINE.

cróss réference (한 책 안의) 앞뒤 참조, 상호 참조.

:cróss-róad *n.* 교차 도로; 갈림길, 골목길; (*pl.*) (단수 취급) 네거리; 집회소. *at the ~s* 갈림길에서서 바를 몰라.

cróss séction 횡단면; 대표적인 면; 단면도.

cróss-stitch *n., vt., vi.* ⓒ 바느질의 십자뜨기(를 하다).

cróss-wálk *n.* ⓒ 횡단 보도.

cróss·wise *ad.* ① 옆으로, 가로; 열십자로 (모양으로). ② 심술궂게.

cróss·word (púzzle) *n.* ⓒ 크로스워드퍼즐, 십자 말풀이.

crotch [krɑtʃ/-ɔ-] *n.* ⓒ (발의) 가랑이, (손의) 갈래, 손살, (나무의) 아귀; [海] 갈라지는 지주.

crotch·et [krɑtʃit/-ɔ-] *n.* ⓒ (발난 생각), 변덕, 괴곡길(*small hook*); [樂] 4분 음표. **~·y** *a.* 변덕스러운; 발난.

:crouch [krautʃ] *n.* ① 움츠(웅크)리다(림); 바싹 웅크리다(웅크림); (비굴하게) 움츠리다.

croup¹ [kru:p] *n.* ⓤ [病] 크루프, 위막성(僞膜性) 후두염.

croup², croupe [kru:p] *n.* ⓒ (말 따위의) 궁둥이(*rump*).

crou·pi·er [krúːpiər] *n.* ⓒ (노름판의) 물주.

crou·ton [krúːtɑn/-tɔn] *n.* (F.) ⓒ 크루톤(수프에 띄우는 뛰긴 빵 조각).

:crow¹ [krou] *n.* ⓒ 까마귀(raven, rook도 포함). *as the ~ flies* 일직선으로. *eat ~* [美口] 굴욕을 참다. *white ~* 진품.

crow² *vi.* (**crew, ~ed**) (수탉이) 울다; 홰를 쳐 때를 알리다; (~ed) (아기가) 까르륵 웃다; 환성[함성]을 지르다(올리다)(*over*).

crów·bàr *n.* ⓒ 쇠지레.

:crowd [kraud] *n.* ⓒ ① (집합적) 군중, 집단; (the ~) 민중. ② 다수(*a ~ of books*). ③ [口] 패거리, 동아리. ④ 관객, 구경꾼. — *vi.* 모여들다. 북적대다; 서로 밀치며 들어가다. — *vt.* 밀치락달치락하다, 잔뜩 처넣다; 밀어내다(*down*); 밀(어 끼어) 넣다; [口] 강요하다. **:~·ed** [⁴id] *a.* 붐비는, 만원의.

:crown [kraun] *n.* ① ⓒ 왕관(the ~) 왕위, 군주권; (the C-) 군주, 제왕. ② ⓒ 화관(花冠), 영관, 영예. ③ ⓒ 왕관표(가 달린 것). ④ ⓒ 5 실링 은화. ⑤ ⓒ 크라운판(判) 용지 (15×20 인치). ⑥ ⓒ 꼭대기, (모자 따위의) 머리, 정수리; (the ~) 절정, 극치(acme). ⑦ ⓒ [齒科] 금관; 금관 (닳의) 하단부. — *vt.* (…에게) 왕관을 주다, 즉위시키다. 꼭대기에 얹다[두다], 꾸미다다; (명예 따위를) 주다; (…의) 최후를 장식하다, 완성하다. *to ~ all* [결국에 가서] 더욱이, 게다가. **~·ing** 최후를 장식하는: 더 없는(the ~ing folly 이 위에 없는 어리석음).

crówn cólony (英) 직할 식민지.

crówn prínce (영국 이외의) 왕세자(영국은 Prince of Wales).

crów's-fóot *n.* (*pl. -feet*) (눈통 곁의) 잔주름.

crów's-nèst *n.* 돛대 위의 망대.

:cru·cial [krúːʃəl] *n.* ① 최종[결정]적인, 중대한. ② 혹독한, 어려운, 곤란한(*a ~ period* 어려운 시기).

cru·ci·ble [krúːsəbl] *n.* ⓒ 도가니 (melting pot); 《比》 호된 시련.

cru·ci·fix [krúːsəfiks] *n.* ⓒ 십자가 (의 예수상(像)); ~·**ion** [-fíkʃən] *n.* ⓤ (십자가에) 못박음; (the C-) 십자가에 못박힌 예수; (보통 c-) (그 그림 [상]); ⓤ 모진 박해, 큰 시련.

cru·ci·form [krúːsəfɔ̀ːrm] *a., n.* 십자형(의).

cru·ci·fy [krúːsəfài] *vt.* 십자가에 못박다; 괴롭히다(torture).

crud [krʌd] *n.* ⓤ 《俗》 앙금; ⓒ 쓸 모없는 자, 무가치한 것.

crude [kruːd] *a.* 천연 그대로의, 생 것(날것)의(raw) (~ **gum** 생고무; 미숙한; 조잡(엉성)한(rough), 무무 (조야)한(~ **manners** 예절없는); 노골적인(bald); (~ **oil** 원유, 석 油). ~·**ly** *ad.* ~·**ness**, **cru·di·ty** [krúːdəti] *n.*

cru·el [krúːəl] *a.* 잔인한; 비참한. — *ad.* 《方》 몹시, 아주, 지독히; ~·**ty** *n.* ⓤ 잔학성; ⓒ 잔학 행위.

cru·et [krúːit] *n.* ⓒ (소금·후추 따 위를 넣은) 양념병.

cruise [kruːz] *n., vi.* ⓒ 순항(고 航)(하다). ② (택시가 손님을 찾아) 돌아다니다. ③ 순항 속도로 비행하 다. *'crúis·er* *n.* 순양함; 행락용 모터보트; 손님 찾아 돌아다니는 택 시; (경찰용) 순찰차(prowl car).

crúise míssile 크루즈 미사일《컴 퓨터로 조정되어 저공 비행형》.

crumb [krʌm] *n.* ① ⓒ (보통 *pl.*) (빵·과자의) 작은 조각, 빵부스러기. ② ⓤ (빵의) 말랑말랑한 속(cf. crust). ③ ⓒ 소량, 조금(~*s of* learning).

crum·ble [krʌ́mbl] *vt., vi.* 산산이 부수다[부서뜨리다]; 빻다, 가루로 만 들다; 무너[허물]지다, 붕괴되다. -**bly** *a.* 무른, 부서지기 쉬운.

crum·my [krʌ́mi] *a.* 《俗》 지저분 한; 싸구려의, 하찮은?

crum·pet [krʌ́mpit] *n.* ⓒ 《주로 英》 일종의 구운 과자; ⓤ 《俗》 성적 매력(이 있는 여자).

crum·ple [krʌ́mpl] *n., vt., vi.* 주름, 꾸김; 꾸기다; 쭈글쭈글하게 하 다, 꾸겨지다(*up*).

crunch [krʌntʃ] *vi., vt., n.* ⓒ 우두

둑우두둑[어적어적] 깨물다[깨물]
(*sing.*) 어적 깨물다[깨무는 소리]; 저
벅저벅 걷다[걷기, 소리]; 《the ~》
위기; (a ~) 금융 핍박, 경제 위기.

cru·sade [kruːséid] *n.* ① ⓒ [史] 십자군. ② 성전(聖戰); 개 혁 [박멸] 운동(*against*). *'cru·sád·er* *n.* ⓒ 십자군 전사(戰士); 개혁[박 멸] 운동자.

crush [krʌʃ] *vt.* ① 짓눌러 찌부러뜨 리다, 으깨다, 부수다. ② 꽉 누르다. ③ 쳐들이; 진압하다. — *vi.* ① 쇄도하 다(in, through). ② 찌그러지다, 부서 지다; 꾸기다(wrinkle). ~ **down** 뭉개다; 바수다; 진압하다. — *n.* ① ⓒ 분쇄. ② ⓤ 붐빔; (*pl.*) 붐비는 군 중. ③ ⓒ 《口》 홀딱 반함(반하는 상 대). ~·**er** *n.* ⓒ 쇄광기(碎鑛機).
~·**ing** *a.* (타격 따위) 철저한.

crust [krʌst] *n.* ① ⓤⓒ 빵껍질 (cf. crumb). ② ⓤ 생활의 양식(糧 食); 《the ~》 지각(地殻). —
vt., vi. 외피[겉껍데기]로 덮다; 겉껍 데기[껍질]가 생기다. ~·**ed**[-id] *a.* (~*ed habits,* a ~*ed egoist*). *a.*
껍질이 딱딱한(굳은); 심통 사나운
(surly).

crus·ta·cean [krʌstéiʃən] *a., n.*
ⓒ 갑각류의 (동물).

crutch [krʌtʃ] *n.* ⓒ (보통 *pl.*) 협장
(脇杖); 버팀.

crux [krʌks] *n.* (*pl.* ~**es**, *cruces*
[krúːsiːz]) ⓒ 십자가; 난문제, 난
점; 요점(essential part); (the C-)
[天] 남십자성.

cry [krai] *n.* ① 외침, 외치는 소 리; 고함; 울음[우는] 소리. ② 여론, *a far* ~ 원거리, 큰 차이 (to), **have** [**get**] *a* ~ *on* 《口》 ~ 에 열중[반]하다, ~ 에 올리다. *in full* ~ (사냥개가) 일제히 추적하여, 일제히. **Much** [**Great**] ~ **and no** [**little**] **wool**. 《속담》 대산 명동 에 서위룔; 헛소동. **within** [**out of**] ~ 소리가 미치는 [미치지 않는] 곳에. — *vi.* ① 부르짖다 (out). ② 큰소리로 외치다. ③ 《소리내어》 울다; 흐느껴 울다 《새 등이》. — *vt.* 외쳐 알리다, 외치어 팔다.
~ *against* ~ 에 반대하다.

cry·ba·by *n.* 울보.

cry·o·gen·ic [krài oudʒénik] *a.* 저온학의, 극저온의.

crypt [kript] *n.* ⓒ (교회의) 지하실 《옛적에는 납골소》; [解] 선와(腺窩).

cryp·tic [kríptik], **-ti·cal** [-əl] *a.* 비밀의; 신비스런.

cryp·tog·ra·phy [kriptágrəfi/-tɔ́g-] *n.* ⓤ 암호 사용(해독)법; 암호 방식.

crys·tal [krístl] *n., a.* ① ⓒ 결정 (체); 결정광 광석. ② ⓤ 수정《처럼 투명한》; 크리스털 유리, 수정 제품; 수정과 같은 것.

crýstal báll (점쟁이의) 수정 구슬.

crýstal gàzing 수정점(水晶占).

crys·tal·line [krístəlin, -təláin] *a.* 수정으로(같은); 결정성의. 투 명한, 맑은. — *n.* ⓒ (눈알의) 수정 체(~ lens).

crys·tal·lize [krístəláiz] *vt., vi.* ① 결정(結晶)하다(시키다). ② (계 획 따위를) 구체화하다. ③ 설탕절임 으로 하다. **-li·za·tion** [〜lizéiʃən/-lai-] *n.* ⓤ 결정(과정); 구체화.

CS [síːés] 최루 가스의 일종 《CS는 군용기호》.

CST Central Standard Time.

cub [kʌb] *n.* ① ⓒ (곰·사자·여우 따위의) 새끼. ② 고래(상어)의 새끼. ③ 버릇없는 아이; 애송이. ④ 수습 기 자(cub reporter).

cub·by·hole [kʌ́bi(hòul)] *n.* ⓒ 아늑한[폐쇄적] 장소.

cube [kjuːb] *n.* ⓒ 입방(체); 세제 곱. — *vt.* 입방체로 하다; 주사위 모양으로 베다.

cúbe róot 입방근, 세제곱근.

cu·bic [kjúːbik] *a.* 입방(체)의, 세 제곱의. **~ equation** 3차 방정식.

cu·bi·cle [kjúːbikl] *n.* ⓒ (기숙사 따위의) 작은 침실; 작은 방.

cub·ism [kjúːbizəm] *n.* ⓤ [美術] 입체파, 큐비즘. **cúb·ist** *n.*

cuck·old [kʌ́kəld] *n.* ⓒ 부정한 여 자의 남편. — *vt.* (아내가) 오쟁이지 게 하다; (남의) 아내와 간통하다.

cuck·oo [kú(ː)kuː] *n.* ⓒ 뻐꾸기; 뻐꾹《그 울음 소리》; 《美俗》 바 보, 얼간이. — *a.* 《美俗》 정신이 돈; 얼빠진.

cu·cum·ber [kjúːkəmbər] *n.* ⓒ 오이. **(as) cool as a ~** 침착한, 냉정한.

cud [kʌd] *n.* ⓤ (반추 동물의) 되새 김질 먹이. **chew the ~** 되새기다; 숙고(熟考)하다.

cud·dle [kʌ́dl] *vt., vi., n.* ① (a ~) 꼭 껴안다(안음)(hug); 포옹, (어린애를) 안고 귀여워하다. ② 옹송 그리고 자다(up); 바싹 붙어 자다. **~some** [-səm], **cud·dly** [-i] *a.* 껴안고 싶어지는.

cudg·el [kʌ́dʒəl] *n., vt.* (《英》 **-ll-**) 곤봉으로 때리다). — **one's brains** 머리를 짜내다. **take up the ~s** 강 력히 변호하다(for).

cue [kjuː] *n.* ⓒ 큐《대사의 실마 리 말》; 계기; 단서, 실마리, 역할 구실, 신호, 힌트, ② 역할(role). ③ 기분(mood). **in the ~ for** (walking)하고 싶은 기분이 되어, **on ~** 마침내 좋은 때에, 적시에. **take the [one's] ~ from** 아래를 본받다. …을 본받다.

cue² *n.* ⓒ 변발(queue); 당구봉을 다리는 열(stand in ~ 줄을 서다); 《당구의》 큐.

cuff [kʌf] *n.* ⓒ 소맷부리(통), 커프 스, (바지의) 접어 젖힌 단; (pl.) 수 고랑(handcuffs).

cuff² *n., vt.* ⓒ 손바닥으로 치기(로 손바닥으로), 때림(slap).

cúff bùtton 커프스 단추.

cúff lìnk 커프스 버튼(《英》 sleeve link).

cui·sine [kwizíːn] *n.* ⓤ 요리(법). ⓒ 《古》 부엌(kitchen), 조리실.

cul-de-sac[kʌ́ldəsæ̀k, kúl-] *n.* (F.) ① 막다른 골목(blind alley).

cu·li·nar·y[kjúːlənèri, kjúː-/kʌ́lənəri] *a.* 부엌(용)의; 요리(용)의 (~ *art* 요리법).

cull[kʌl] *vt., n.* ① 줌아 따다; 가려〔골라〕내다. ② 따기, 채집; 선별 《보통 *pl.*》 가려낸 가축.

cul·mi·nate[kʌ́lmənèit] *vi., vt.* ① 절정에 이르다〔이르게 하다〕; 드디어 …이 되다(*in*); ② 〔天〕 남중(南中)하다. **-na·tion**[〜néiʃən] *n.* ⓤ (보통 the ~) 최고조, 절정; 전성; 완성; 〔天〕 남중.

cu·lottes[kjuːláts/kjuːlɔ́ts] *n. pl.* 퀼로트《여성의 바지 같은 스커트》.

cul·pa·ble[kʌ́lpəbəl] *a.* 비난할 만한, 유죄(有罪)의. **-bil·i·ty**[〜bíləti] *n.* ⓤⓒ 유죄.

cul·prit[kʌ́lprit] *n.* ① 피고자, 미결수; 죄인.

cult[kʌlt] *n.* ① 예배(식), 제례. ② 숭배, 예찬(*of*). ③ 열광, 유행. 一열(the ~ of baseball 야구열). ④ 숭배자(팬)들.

cul·ti·va·ble[kʌ́ltəvəbəl] *a.* 재배할 수 있는.

cul·ti·vate[kʌ́ltəvèit] *vt.* ① 갈다, 경작하다, 재배하다; 배양하다. ② 교화하다, (정신·기술을) 닦다. ③ (수업을) 기르다. ④ (교제를) 청하다; (수업을) 깊게 우려하다. **'-vat·ed**[-id] *a.* 경작된; 교양 있는, 세련된. **'-va·tor** *n.* ⓒ 경작자(기); 교화자; 〔수련〕 경작기; 배양자. **:-va·tion**[〜véiʃən] *n.* ⓤ 경작, 재배; (세균의) 배양; 수양, 교양, 교화.

cul·tur·al[kʌ́ltʃərəl] *a.* ① 문화의, 교양의(~ *studies* 교양 과목). ② 배양하는, 경작[재배]의. **~·ly** *ad.*

cul·ture[kʌ́ltʃər] *n.* ① ⓤ 경작, 재배(cultivation); 배양. ② ⓤ 교양. ③ ⓤⓒ 문화. ④ ⓤ 배양(균). ⑤ ⓒ (세균의) 배양(균). 〜 **area** 〔社〕 문화 영역. 〜 **complex** 〔社〕 문화 복합체. 〜 **pattern** 〔社〕 문화 형식. 〜 **trait** 〔社〕 문화 단위 특성. **intel·lectual** (*physical*) ~ 지육(덕)(체육). **silk** ~ 양잠(養蠶). **~·d**[-d] *a.* 재배된, 교양 있는, 점잖은; 배양(양식)된.

cúlture shòck 문화 쇼크《타문화에 처음 접했을 때의 충격》.

cul·vert[kʌ́lvərt] *n.* ⓒ 암거(暗渠), 지하 수로.

cum[kʌm] *prep.* (L. = with) …와 함께(더불어), …이 딸린, (*a house-~farm* 농장이 딸린 주택), 〜(附)의.

cum·ber[kʌ́mbər] *vt.* ① 방해(하다); 폐(를 끼치다), 괴롭히다(trouble). **~·some, cum·brous**[kʌ́mbrəs] *a.* 성가신; 부담이 되는.

'cu·mu·la·tive[kjúːmjəlèitiv, -lə-] *a.* 누적적(累積的)인, 누적. 〜 **dividend** 누적 배당.

cu·mu·lus[kjúːmjələs] *n.* (*pl. -li* [-lài]) ⓤⓒ 적운, 산봉우리구름; 퇴적, 누적.

cu·ne·i·form [kjuːníːəfɔ̀ːrm, kjúːniə-] *a., n.* 쐐기 모양의; ⓤ 설형(楔形) 문자.

cun·ni·lin·gus[kʌ̀nilíŋgəs] *n.* ⓤ 여성 성기의 구강 성교.

cun·ning[kʌ́niŋ] *a.* ① 교활한(sly), 약삭빠른. ② 교묘한(skill-ful). ③ ⓤ 귀여운(charming). 一 *n.* ① 교활함; (솜씨의) 교묘함; 교활. **~·ly** *ad.*

cup[kʌp] *n.* ① 찻종; (양주용 등의) (굽달린) 컵, 글라스, ② 성배(聖杯); 포도주, 술; (찻잔·컵에) 한 잔; 운명의 잔. ③ 우승배(the *Davis* ~ 데이비스컵); 잔 모양의 그릇. *a bitter* ~ 〔인생의〕고배, 쓰라린 경험. *be a* ~ *too low* 기운이 없다; 침울해 있다. **~ *and ball*** 장난감의 일종, 그네. **~ *and saucer*** 잔 시에 받친 찻잔. **have got** (**had**) *a* ~ *too much* (口) 취해 있다. *in one's* ~**s** 취하여. *The* (*One's*) ~ *is full.* 더없는 슬픔〔기쁨·분함〕에 젖어(빠져) 있다. 一 *vt.* (*-pp-*) (손을) 컵 모양으로 하다; 컵으로 받다. **~·ful** *n.* ⓒ 한 잔 가득(한 분량).

cup·board[kʌ́bərd] *n.* ⓒ 찬장; (美) 작은 장, 벽장. **cry** ~ 비를 호소하다. **SKELETON** *in the* ~. **cúpboard lòve** 타산적인 애정. **cúp·càke** *n.* ⓒ 컵 모양의 틀에 구운 작은 케이크.

'Cu·pid[kjúːpid] *n.* ① 〔로마〕 큐피드《연애의 신》. ② ⓒ (c-) 사랑의

사자. ③ ⓒ (c-) 미소년.

cu·pid·i·ty[kju:pídəti] *n.* ⓤ 탐욕.

cu·po·la[kjú:pələ] *n.* ⓒ 〖建〗 둥근 지붕(의 탑).

cur[kə:r] *n.* ⓒ 들개; 잡종개.

cur·a·ble[kjúərəbəl] *a.* 치료할 수 있는, 고칠 수 있는.

cu·ra·cy[kjúərəsi] *n.* ⓤⓒ curate 의 직(職)[신분·임기].

cu·rate[kjúərit] *n.* ⓒ 《주로 英》 목사보(補), 부목사(rector, vicar 의 보좌역). ~'**s egg** 《英》 좋은 점과 나쁜 점이 있는 물건.

cur·a·tive[kjúərətiv] *a.* 치료의; 치료에 효과 있는. — *n.* ⓒ 치료법, 의약.

cu·ra·tor[kjuəréitər] *n.* ⓒ (박물관·도서관 등의) 관장(custodian); [kjúərətər] 〖法〗 후견인, 보호자.

curb[kə:rb] *n.*, *vt.* ⓒ (말의) 고삐[재갈] (을 당기어 멈추다); 구속(하다), 억제(하다); 《美》 = CURB MAR-KET. **on the** ~ 거리에서.

cúrb màrket 《美》 장외(場外) 주식 시장.

curd[kə:rd] *n.*, *vi.* (보통 *pl.*) 응유(凝乳)(로 되다).

cur·dle[kə:rdl] *vi.*, *vt.* 엉겨 굳어지게 하다. ~ **the blood** 오싹(섬뜩)하게 하다.

cure[kjuər] *vt.* ① 치료하다. (병·못된 버릇을) 고치다(remedy). ② 제거하다. (고기나 과일 따위를 절여[말려]) 저장하다. ③ (고무를) 경화(硬化)시키다. — *n.* ① (병의) 치유. ② ⓤⓒ 치료법, 약(for). ③ ⓤⓒ 구제책, 교정법. ④ ⓒ 소금절이, 저장(법). ⑤ ⓤ (영혼의) 구원. ~**·less** *a.* 불치의.

cur·few[kə:rfju:] *n.* ⓤⓒ 만종, 저녁 종(8시 정각); 소등(消燈) 명령.

cu·ri·o[kjúəriòu] *n.* (*pl.* ~**s**) ⓒ 골동품; 진품.

cu·ri·os·i·ty[kjùəriásəti/kjùəri-ɔ́s-] *n.* ① ⓤ 호기심; 진기함. ② ⓒ 진기한 것, 골동품(curio). ~ **shop** 골동품점.

cu·ri·ous[kjúəriəs/kjúər-] *a.* ① 진기한, 이상한, 호기심을 끄는. ② 호기심이 강한(about); 무엇이나 알

고 싶어하는(inquisitive). ③ (책이) 외설한. ~ **to say** 이상한 얘기지만. ~**er** and ~**er** 기기 묘묘함. *~·ly ad.* ~**·ness** *n.*

curl[kə:rl] *n.* ⓒ 고수머리, 컬; ⓤ 컬된 상태, 컬하기. — *vt.*, *vi.* ① 곱슬곱슬하게 하다; 뒤틀(리)다(twist); 굽이치게 (하)다. ② (연기가) 맴돌다; (공이) 커브하다. ~ **oneself up** 잔뜩 꼬부리고 자다. ~ **one's lip** (경멸하는 듯이) 윗입술을 비죽하다. ~ **up** 말아 올리다, 옹크리게 하다; 몸을 옹그리다; (口) 기운이 없어지다. — **up** [-d] *a.* 고수머리의, 오그라든. **·**~**·y** *a.* 오그라든; 고수머리가 있는; 소용돌이치는.

cur·lew[kə́:rlu:] *n.* ⓒ 〖鳥〗 마도요.

curl·ing[kə́:rliŋ] *n.* ⓤ 컬링(둥근 돌을 미끄러뜨려 과녁을 맞히는 얼음 판 놀이); ⓤⓒ 머리의 컬, 지짐.

cur·mudg·eon[kə:rmádʒən] *n.* 심술 사나운 구두쇠.

cur·rant[kə́:rənt, kʌ́r-] *n.* ① (씨 없는) 건포도; 까치밥나무(의 열매).

:cur·ren·cy[kə́:rənsi, kʌ́r-] *n.* ① ⓤ 유통, 통용; 유포, 세평(circula-tion). ② ⓤⓒ 통화(通貨). ③ ⓤ 성가(聲價). **paper** ~ 지폐.

:cur·rent[kə́:rənt, kʌ́r-] *a.* ① 통용하는; 유행하는. ② 현재의; 당좌(當座)의. ③ 흐르는; 갈겨쓴, 초서 필림]체의(cursive). ~ **English** 시사영어. ~ **issue**, or ~ **number** 이달(금주·금년) 호. ~ **month**[**week**, **year**] 이달(금주, 금년). ~ **price** 시가, ~ **thoughts** 현대 사조. ~ **topics** 오늘의 화제. — *n.* ① ⓒ 흐름, 조류, 해류, 기류; 경향, 풍조(trend). ② ⓤⓒ 전류. **the** ~ **of time**[**the times**] 시류, 세상 풍조. **~·ly** *ad.* 일반적으로, 널리; 현재.

cúrrent accóunt 당좌 계정.

:cur·ric·u·lum[kəríkjələm] *n.* (*pl.* ~**s**, **-la**[-lə]) ⓒ 교과 과정, 이수 과정(course(s) of study). **-lar** *a.* 교육 과정의.

currículum vítae[-váiti:] 이력, 이력서.

:cur·ry, cur·rie[kə́:ri, kʌ́ri] *n.*, *vt.* ⓒⓤ 카레; 카레 요리(하다); 카레 가루. ~ **(and) rice** 카레라이

스. *give a person* ~ 아무를 호통
치다, 욱박지르다.

cúrry pówder 카레 가루.

curse[kəːrs] *n.* ① ⓒ 저주(의 대
상), 욕설, 악담, 저주의 말(Damn!
따위). ② ⓒ 재앙, 재화, 소수(所祟).
③ (the ~) 《俗》 원경(기간). **Curses
come home to roost.** 《속담》 남
잡이가 제잡이, **not care a** ~
조금도[전혀] 상관 없다 (*for*). (당구세의)
under a ~ 저주를 받아, ── *vt., vi.*
(~d, curst[-]) 저주하다; 욕을
퍼붓다. (빌미를, 괴롭히다. **be ~d with**
~으로 괴로워하다, (빌미로, 괴롭히다.

curs·ed[kə́ːrsid, -st] *a.* 저주받은,
빌미 붙은, 동티 난, 저주할; 지겨
운, 지긋지긋한 《口》 지독한. ~·**ly**
ad. ~·**ness** *n.*

cur·sive[kə́ːrsiv] *a.* 잇대어 쓰는,
초서체의. ── *n.* ⓒ 초서체(의 문자·
활자·글).

cur·sor[kə́ːrsər] *n.* ⓒ 커서《계산
자, 컴퓨터 화면 등의》.

cur·so·ry[kə́ːrsəri] *a.* 조잡《소략》
한, 엉성한.

curt[kəːrt] *a.* 짧은, 간략한(brief);
무뚝뚝한. ~·**ly** *ad.* ~·**ness** *n.*

cur·tail[kəːrtéil] *vt.* 줄이다, 단축
하다; (비용·분량을) 삭감하다, ──
ment *n.*

cur·tain[kə́ːrtn] *n., vt.* ⓒ 커튼(을
달다); 막(幕)(을 치다). **behind the**
~ 그늘[뒤]에서, **draw a [the]**
~ **on** [**over**] …을 휘장으로 가리다;
(어떤 일을) 더 이상 거론말다. **lift
the** ~의 막을 올리다; 터놓고 이야기
하다, 폭로하다(reveal). **The** ~
rises [**is rised**] (연극의) 막이 오
르다, 개막되다.

cúrtain càll 《劇》 커튼콜《관객의 박
수로 배우가 다시 무대에 나오는 일》.

cúrtain ràiser 개막극.

curt·s(e)y[kə́ːrtsi] *n., vi.* ⓒ (여
성이 무릎을 약간 굽혀서 하는) 인사,
절; 인사하다. **drop [make] a** ~
무릎을 굽혀 (형식대로) 인사하다.

cur·va·ceous[kəːrvéiʃəs] *a.* 《口》
곡선미의, 늘씬미의《여성에 대한 말》.

cur·va·ture[kə́ːrvətʃər] *n.* ⓤⓒ
굽음, 휨, 만곡(curve). 《幾》 곡률(曲
率).

curve[kəːrv] *n.* ⓒ 곡선. ② (길
의) 굽음. ③ 《野》 곡구(曲球); 커브.
French ~ 운형(雲形) 곡선(자).
throw a ~ 《口》 속이다; 의표를 찌
르다. ── *vt., vi.* 구부리다, 구부러지
다; 곡구를 던지다.

cush·ion[kúʃən] *n., vt.* ⓒ ① 쿠션
[방석](에 올려[얹어] 놓다), 을 대
다); (당구대의) 고무 쿠션. ② 《技》
(충격 시간 조절을 위한) 간주(間奏)
음악. ③ (충격 따위에 대한) 완충물
(분규을 가라앉힘), 가라앉히다.

cusp[kʌsp] *n.* ⓒ 뾰족한 끝, 첨단.

cuss[kʌs] *n.* ⓒ 《美口》 저주; 욕,
놈, 자식, ── *vt., vi.* 《美口》 저주하
다, 욕을 하다.

cus·tard[kʌ́stərd] *n.* ⓒⓤ 커스터
드《우유·달걀·설탕에 향료를 가미하여
만든 과자》.

cústard-píe *a.* = SLAPSTICK.

cus·to·di·an[kʌstóudiən] *n.* ⓒ
관리인, 보관자(keeper); 수위(jani-
tor).

cus·to·dy[kʌ́stədi] *n.* ⓤ ① 보관,
관리(keeping). ② 후견, 보호(care).
③ 감금. **have the** ~ **of** …을 보관
[관리]하다. **in** ~ 구류[구금]되어.
take into ~ 구금하다(arrest).

cus·tom[kʌ́stəm] *n.* ① ⓒⓤ 습관
(habit), 관습, 풍습(usage)(*It is*
~ *to do so.*). ② ⓤ ⓒ 관습법,
관례. ③ ⓤ (평소의) 애호, 돌봐줌
(patronage) ⓒ 《집합적》 고객(cus-
tomers). ④ (*pl.*) 관세, 세관.

cus·tom·ar·y[kʌ́stəmèri/-məri]
a. 관습[관례]상의; 《法》 관례에 의
한. -**ar·i·ly** *ad.* 「문제(類)의」

cústom-bùilt *a.* (자동차 따위) 주

cus·tom·er[kʌ́stəmər] *n.* ⓒ 고객,
《口》 (성가신) 녀석, 사내(fellow).

cus·tom·ize[kʌ́stəmàiz] *vt.* 주문
에 따라 만들다

cut[kʌt] *vt.* (*cut; ~ting*) ① 베다,
자르다, 잘라, 베어[베어내다]; 상처를 입[히]
다. ② 가르다, 빼[쪼]개다; 깎다;
(옷감을) 마르다; 재단하다; 자르게 하
다. ③ 긴축하다, 줄이다, 조리차하
다. ④ 새로 내다[트다]; (도로·터널
을) 내다; 파다, 새기다; (보석을) 잘
라 가공하다. ⑤ (태도·모습을) 보이

C

다(*He ~s a poor figure.* 비참한 물
골을 하고 있다.); 《口》 (관계를) 끊
다, 모르는 체하다. ⑥ 《口》 (무당히)
빠지다(avoid) (~ *a meeting*), ⑦
몸에 스미다(사무치다), (…의) 감정을
해치다. ⑧ (알코올을 따위를) 섞다, 녹
이다. ⑨ (공을) 깎아 치다(카드에서)
(cf. shuffle). 거세하다, ⑩ (이
를) 나게 하다(~ *a tooth*). 《口》 (레
코드에) 취입(吹込)하다. — *vi.* (날
이) 잘 들다(*This knife ~s well.*).
헤치고 나아가다(make way); 가로
지르다. 《口》 도망하다(바람에 옷이
스며들다(몸에 ～을 에다). **be ~ out for**
《美口》 …의 능력이 있다. **～ about**
《口》 뛰어 돌아다니다. **～ across** 횡
단하다; (영리하게) 헤쳐나다. **～ after**
(…을) 급히 쫓다(따르다), **～ and
come again** (식탁의 고기·파이를
썰어) 몇 번이고 마음대로 집어 먹다.
～ and run 재빨리 도망하다. **～ a
person dead** 만나도 짐짓 모른 체하
다(*He ~ me dead in the street.*
길에서 만나도 모른체 했다.), **～ at**
덤벼들다; (희망 등을) 빼앗다, **～
away** 잘라[베어] 내다; 도망치다.
～ back (나무를) 가지치다 ; 〔映〕
컷백(cutback)하다. 〔蹴〕 갑자기 후퇴하다.
～ both ways 양다리 걸치다. **～
down** 베어[잘라] 넘기다; 바짝 줄이
다, 아끼다; (병이) …을 쓰러뜨리다.
～ in 끼어들다; 간섭하다; 말참견하
다; (댄스 중인 남녀 사이로) 여자를
가로채다. **～ it** 도망치다; 임단춰!
～ it (too) FINE [*ad.*]. **～ off** 베어
[잘라] 내다; (공급을) 중단하다; 차단
하다; (병이) …을 쓰러뜨리다. **～
off with a shilling** (약간의 재
산을 주어) 폐적(廢嫡)하여 쫓아내
며 버리다. 잘라 내다, 제거하다. **～ out**
멈추다, 중지하다, 잘라[베어] 만들다;
준비하다(*Your work is ~ out for
you.* 《口》 당신에게 (해결해야) 할 일이 있다);
적합시키다(*He is ~ out for the
work.* 그 일에 아주 적격이다); 연
구하다; (경쟁 상대를) 앞지르다, 제처
놓다; (…에) 대신하다, 대신 들어앉다
(supplant), **～ short** 바짝 줄이
다; 갑자기 그치다; (남의) 말을 가로
막다(*He ~ me short.* 그는 내 말을

가로막았다). **～ under** 《美》 …보다
싸게 팔다(undersell). **～ up** 《美口》
난도질하다; 분해하다; 혹평하다; 《美
口》 허세를 더 부리다; (몸짓·표정 따
위) 몇 번 분수로) 마음을 쓸 수 있다; 마음
을 아프게 하다(hurt); 《口》 농담하
다, 장난치다. — *n.* ⓒ ① 절단, 삭
감; 벤[자른] 곳; ② 생 상처; 칼자
국, 살점; (*sing.*) 벌채량; ② 지름길;
(*sing.*) (옷의) 재단(법); 균형형;
형 (보석의) 커트; (카드 패들) 떼어
기; (공을) 깎아치기; ⑦ 삭제, 깎아
내림(~ *in salary*); ⑧ 모른 체하
기; ⑨ 목판(화), 삽화, 컷.
⑩ (값이 (이득의) 몫, 《口》 컷[자르기],
～ and thrust 백병전; 격투, 드잡
이; 찌르고 베기, 예리롭다. **～ draw**
(칼을) 자른다. **～ glass** 저민다. 조각
(彫琢) 세공 유리(⇔CUT GLASS); 바싹
줄인. 깎아 내린; 뚜렷한. 《俗》
숙취한. (*at*) **～ rates** [*prices*] 할인
가격으로.

cút·bàck *n.* ① (생산의) 축소, 역감;
〔映〕 컷백(장면 전환을 한 후 다
시 먼저 장면으로 되돌아가기)(cf.
flashback).

cute [kju:t] *a.* (＜acute) 《口》
약삭빠른; 영리한, 《美口》 귀여운,
예쁜.

cút gláss 조탁(彫琢) 세공 유리.
　　　　"컷 글라스.

cu·ti·cle [kjú:tikl] *n.* ⓒ 표피(表
皮); (손톱·뿌리의) 여잔 살갗.

cut·lass [kʌ́tləs] *n.* ⓒ (옛 선원
의) 휘우들한 단도.

cut·ler [kʌ́tlər] *n.* ⓒ 날붙이 장인
(匠人)[상인]. **～·y** [-ləri] *n.* ⓒ
①[집합적] 날붙이; (식탁용) 철물(나이프·
포크·스푼류).

cut·let [kʌ́tlit] *n.* ⓒ 커틀릿(특히
송아지의) 얇게 저민 고기.

cút·òff *n.* ⓒ 지름길; (증기의) 차단
(장치).

cút·òut *n.* ⓒ 도려내기, 오래낸 그
림; (영화·각본의) 삭제된 부분; 〔電〕
안전기, 퓨즈 (내연 기관의) 배기판.

cút·ter [-ər] *n.* ⓒ ① 자르는[베는]
사람; 재단사, 〔映〕 편집자, 조
각(彫)가, 감동물채, 앞니(incisor)
③ (외돛박이) 소형 쾌속 범선; (군함

의) 잡역정(雜役艇). ④《美》(연안
경비용) 소형 감시선, (말이 끄는) 소
형 썰매.

cút·throat *n., a.* ⓒ 살해자, 자객;
흉악한, 잔인한; [카드놀이] 셋이서 하
는. ~ **razor** 《俗》서양 면도칼.

cut·ting[kʌ́tiŋ] *n.* ① ⓤⓒ 자름,
벰, 베어(오려, 도려)냄. ② ⓤ 베어
낸 물건; (신문의) 베어[도려]낸 것.
③ ⓤⓒ (보석의) 절단 가공. ④ ⓤ
[鐵] 필름 편집. —— *a.* 잘 드는, 에
리한; 신랄한, 통렬한; 《口》할인의.
~**ly** *ad.*

cut·tle·fish[kʌ́tlfiʃ] *n.* (*pl.* ~,
~**es**) ⓒ 오징어.

-**cy**[si] *suf.*《명사 어미》직·지위·성
질·상태 등을 나타냄: abba*cy*, fluen*cy*.

cy·a·nide[sáiənàid, -nid], -**nid**
[-nid] *n.* ⓤ [化] 시안화물(化物).
청산염(靑酸鹽). ~ (특히) 청산칼리(po-
tassium~). —— 《공 두뇌[학]의.

cy·ber·net·ic[sàibərnétik] *a.* 인
cy·ber·net·ics[sàibərnétiks] *n.*
ⓒ 인공 두뇌학(인간의 두뇌와 복잡한
(전자) 계산기 따위와의 비교 연구).

cyc·la·men[síkləmən, sái-,
-mèn] *n.* ⓒ [植] 시클라멘.

cy·cle[sáikl] *n.* ① 주기(周期),
순환, 일순(一巡). ② 한 시대, 오랜
세월. ③ (시·이야기의) 일련(一連).
담층(談叢)(series)(*the Arthurian
~* 아더 왕 전설집). ④ 자전거. ⑤
주기, 사이클. ⑥ [컴] 주기, 사이클.
—— *vi.* 순환하다; 자전거를 타다. **cy-**

clic[sáiklik, sík-]. **cy·cli·cal**[-əl]
a. 주기의, 주기적인, 순환하는. :**cy·
cling** *n.* ⓤ 자전거 타기, 사이클링.
cy·clist[sáiklist] *n.* ⓒ 자전거 타
는 사람.

cy·clone[sáikloun] *n.* ⓒ 회오리바
람, 선풍(tornado). **cy·clon·ic**
[-klɑ́n-/-5-] *a.*

cyg·net[sígnit] *n.* ⓒ 백조 새끼.

cyl·in·der[sílindər] *n.* ① ⓒ 원통
(형), ② 기관의 실린더. ③ [機] 원통
기둥(*a right ~* 직원기둥). ④ (권
총(revolver)의 탄창. **cy·lin·dric**
[silíndrik], **-dri·cal**[-əl] *a.*

cym·bal[símbəl] *n.* ⓒ (보통 *pl.*)
[樂] 심벌즈.

Cyn·ic[sínik] *a., n.* ⓒ (고대 그
리스의) 견유학파(犬儒學派)의 (사람).
② (c-) 냉소자(者), 빈정거리는, 비꼬는.
cyn·i·cal *a.* 냉소적인, 빈정대는.
cyn·i·cism[sínəsìzəm] *n.* ①ⓤ
빈정댐. ②ⓒ 빈정대는 말. ③ [哲]
(C-) 견유 철학.

cy·pher[sáifər] *n., vi.* = CIPHER.

cy·press[sáipris] *n.* ⓒ 삼나무의
일종. 그 가지《애도의 상징》.

cyst[sist] *n.* ⓒ [生] 포(胞), 낭상;
[醫] 낭종(囊腫).

cys·ti·tis[sistáitis] *n.* ⓤ [醫] 방
광염.

Czar[zɑːr] *n.* ① 구(舊)러시아 황제.
② (c-) 황제, 전제 군주. ~**-e-
vitch**[zɑ́ːrəvìtʃ] *n.* ⓒ 구러시아의
황태자. **Cza·rev·na**[zɑːrévnə] *n.*
ⓒ 구러시아 공주(황태자비니). **Cza·ri-
na**[-ríːnə] *n.* ⓒ 구러시아 황후.

D

D, d [di:] *n.* (*pl.* **D's, d's**[-z]) ⓒ D자 모양(의 것). — Ⓤ 〖樂〗 라음(音), 라조(調): (로마 숫자의) 500(*DCC* = 700; *CD* = 400).

d. date; daughter; day(s); delete; *denarii* (L. = pence); *denarius* (L. = penny); dialect; diameter; died; dime; dollar.

D. [di: dæm] = DAMN. ⌐dose.

DA, D.A. District Attorney.

dab [dæb] *vt., vi.* (**-bb-**) (손 따위로) 가볍게 두드리다[두드림] (pat); 바르다, 칠하다(*on, over*), 한 번 쓱 칠 하기(바르기); 소량; (*pl,*) 《俗》 지문 (을 채취하다).

⌐**dab·ble** [dǽbəl] *vt., vi.* (물을) 튀기다(splash), 물장난을 하다; 도락 삼아 하다(*in, at*).

dachs·hund [dɑ́:kshúnd, -húnt, dǽkhùnd] *n.* ⓒ 닥스훈트(긴 몸, 짧은 발의 독일 개).

⌐**dad** [dæd] **'dad·dy** [dǽdi] *n.* ⓒ 《口》 = PAPA.

dad·dy-long·legs [dǽdilɔ́:ŋlègz/-lègz-] *n. sing. & pl.* 꾸정모기 (cranefly); 긴창장님거미(harvestman).

da·do [déidou] *n.* (*pl.* ~(**e**)**s**) ⓒ 〖建〗 징두리 판벽.

⌐**daf·fo·dil** [dǽfədil] *n.* ⓒ 나팔수선.

daft [dæft/-ɑ:-] *a.* 《美口》 어리석은 (silly); 미친(crazy).

⌐**dag·ger** [dǽgər] *n.* ⓒ 단도; 칼표 (†). **at ~s drawn** 심한 적의를 품 고. **double ~** 이중칼표(‡). **look ~s** 무서운 눈초리로 노려보다(*at*). **speak ~s** 독설을 퍼붓다(*to*).

da·go [déigou] *n.* (*pl.* ~(**e**)**s** (종 종 D-) ⓒ 《美俗·蔑》 남유럽인(人)(이 탈리아·스페인 등지의 사람).

⌐**dahl·ia** [dǽljə, déil-, déil-] *n.* ⓒ 달리아, **blue** ~ 진기한 것.

†**dai·ly** [déili] *a., ad.* 날마다의;

ⓒ 일간 신문; 《英》 파출부(派出婦).

⌐**dain·ty** [déinti] *a.* 우아한; 품위 있 는(elegant); 성미가 까다로운(particular); (취미 따위가) 째마르운 (overnice): 맛좋은(delicious). — *n.* ⓒ 진미. **dáin·ti·ly** *ad.* **dáin·ti·ness** *n.*

dair·y [dέəri] *n.* ① ⓒ 낙농장(실). ② ⓒ 우유점(店), 유제품 판매소.

dáiry·màid *n.* ⓒ 젖 짜는 여자.

dáiry·man [-mən] *n.* ⓒ 낙농장주 (인(일꾼); 우유 장수.

da·is [déiis, dái-] *n.* ⓒ (응접실·식당 등의) 높은 단(壇), 상좌(上席); 연단.

⌐**dai·sy** [déizi] *n., a.* ⓒ 데이지, 참 장미꽃, 썩 훌륭한 (물건)(*She's a real* ~. 천하일품이다); ⓒ 훈제(燻製) 햄. **push up daisies** 《口》 무 덤 밑에 잠들다, 죽다.

⌐**dale** [deil] *n.* 《주로 英》 골짜기 (valley).

⌐**dal·ly** [dǽli] *vi.* 시시덕(…에게) 희롱 〔새롱〕거리다, 장난치다; 빈둥거리다, 빈둥빈둥 게을리다(loiter); 우물쭈물 (때를) 헛되이 보내다(idle). **dál·li·ance** *n.*

Dal·ma·tian [dælméiʃən] *n.* ⓒ 달 마시아 개(온전히 비슷한 큰 바둑이).

dam[1] [dæm] *n.* ⓒ 댐, 둑. — *vt.* (**-mm-**) 둑으로 막다; 저지하다, 막 다(*up*).

dam[2] *n.* ⓒ 어미 짐승; 《蔑》(*cf.* sire). 《蔑》 아이 딸린 여자.

†**dam·age** [dǽmidʒ] *n.* ① Ⓤ 손해 (harm), 손상(injury). ② (*pl.*) 손 해배상(금). — *vt.* 해치다, 손상시키 다(injure). — *vi.* 못쓰게 되다.

dam·ask [dǽməsk] *n.* ⓒ 다마스크 천. 능직; 석죽색. — *a.* 다마스크직 [능직]의; 석죽색의. = **~ stéel** 다 마스크 강철(〖도검용〗). — *vt.* 능직으 로 짜다; (뺨을) 붉히다.

dame[deim] n. ⓒ 귀부인(lady); 부인(knight, baronet 부인의 경칭).

dam·mit[dǽmit] int. = DAMN it.

damn[dæm] vt., vi. 비난하다; 저 주하다(curse), 욕을 퍼붓다. (관계의) 들어막으라고 외치다; 파멸시키다. 빌어먹을; 지겨워! 《끼리어 d─ 또는 d─ n 따위로도 씀》. D- it (him, you)! 빌어먹을! D- the flies! 이 경칠놈의 파리! ─ with faint praise (…을) 넌담한 칭찬으로 깎아 내리다. I'll be ~ed if ... 절대로 …할 리가 없다. ─ n. ⓒ 저주. 《부 정사와 함께》 조금도. don't care a ~ 조금도 개의(상관)치 않다. ─ int. 《俗》 제기랄, 빌어먹을! **dam·na·ble**[-nǝbal] a. 저주할 만한; 지겨운(cursed); 지겨운, 지긋지긋한.

·damned[dæmd] a., ad. 저주받은 (cursed); 지겨운; 지긋지긋한. ─ ~·ly ad. 지겨운; 지긋지긋하게. **dam·na·tion**[dæmnéiʃən] n. U 비난, 저주; 지옥에 떨어뜨림; 파멸 (ruin). ─ int. 《俗》 제기랄! 아뿔 싸(Damn!). ─·to·ry[dǽmnǝtɔ̀ːri/ -tɑ̀ri] a.

damp[dæmp] n. U 습기; 낙담, 실 망; 방해; (탄갱 등의) 독가스. ─ a. 축축한, 습기 있는. ─ vt. 축축하 게 하다(dampen); 기를 꺾다, 못살게 굴다(dis-courage); 기를 꺾다. 《불을》 끄다; 《음의》 진폭을 감쇠시키다. ~·en[∂ən] vt. ~ damp(v.). ~·er n. ⓒ 흥을 깨뜨리 는 사람, 기를 꺾는 것; (피아노의) 단음(斷音) 장치; 약음기(弱音器); (난로의) 공기 조절판.

dámp còurse [建築] (벽속의) 방습 층.

dam·sel[dǽmzəl] n. ⓒ 처녀; 《古·詩》 (지체 높은) 소녀.

dam·son[dǽmzən] n. ⓒ 서양자두 (나무). ─ a. 암자색의.

:dance[dæns/dɑːns] vi., vt. (…에게) 춤추(게 하)다; 뛰다(불그림자 따위 가) 흔들거리다; (아기를) 어르다. ~ off 《美》 죽다. ~ to [after] a per-son's tune [piping] 아무의 장단에 춤추다, 하라는 대로 움직이다. ~ upon nothing 교수형을 받다. ─ n. ⓒ 춤, 무도(곡), 무도회, lead the ~ 을 선도하다. **:dánc·er** n.

danc·ing[∂iŋ] n. U 무도, 무도 실. ~ girl 무희(舞姬). ~ hall 댄스홀.

무도장. ~ master 댄스 교사.

dan·de·li·on[dǽndəlàiən] n. ⓒ 민들레.

dan·dle[dǽndl] vt. (안고) 어르다; 귀여워하다, 어하다.

dan·druff[dǽndrəf] n. U (머리 의) 비듬.

dan·dy[dǽndi] n. ⓒ 멋쟁이; 《口》 썩 좋은 물건(사람), 일품. ─ a. 멋 진; 《美口》 훌륭한.

Dane[dein] n. ⓒ 덴마크(게의 사 람; 데인 사람.

:dan·ger[déindʒər] n. ① U 위험 (in 한 상태)(risk). ② ⓒ 장애, 위험, be in ~ of …의 위험(우려가) 있다, 걱정이) 있다.

dánger mòney 《英》 위험 수당.

·dan·ger·ous[déindʒərəs] a. 위험 한. ─·ly ad. 위험하게, 몹시, be ~·ly ill 위독하다, 위독 상태에 있다.

dan·gle[dǽŋgl] vi. 매달리다; 따라 쫓다; 따라(붙어)다니다(about, after). ─ vt. (매)달다; 어른거려 꾀다.

·Dan·ish[déiniʃ] a., n. 덴마크(사 람)의; U 덴마크 말. 「기 찬.

dank[dæŋk] a. 축축한(damp); 음산한.

dap·per[dǽpər] a. (복장이) 단정 한; 꼬마의, 활발한.

dap·ple[dǽpl] n., a., vt. ⓒ 얼룩 진(말/개); 얼룩지게 하다. ~·d[-d] a. 얼룩진.

:dare[dɛər] vt., vi. ~ (古) durst; ~d) 감히(겨기 있게, 대담히) …하다(《이 뜻으로 쓰일 때 부정문·의 문문에서는 조동사 취급》; (위험을) 무릅쓰다, 도전하다. I ~ say 아마 (probably).

·dare-dev·il[dɛ́ːrdèvil] n. ⓒ 무모한 (사람).

:dar·ing[dɛ́əriŋ] n., a. U 대담무쌍 (한); 겁이 없는.

:dark[dɑːrk] a. 어두운, 캄캄한 (피 부가) 거무스레한(swarthy); 비밀 의, 숨은; 수수께끼 같은; 무지한; 사악한; 음울한; 슬픈, 우울한(sad) 부루통한(sullen); 방송이 되지 않 는. keep a thing ~ 사물을 숨겨 두다. ─ n. U 암흑, 어둠, 땅거미; 무지. a stab in the ~ 억측, 근거 없는 억측에 따른 행동. at ~ 황혼녘에, in the ~ 어둠속에, 어두운 곳에서; 비밀히; 모르고. ~·ly ad. ~·

ness n. U 어둠, 암흑; 무지; 실명; 애매.

Dárk Áges, the 암흑 시대《중세》.

:dark·en [dɑ́ːrkən] vt., vi. 어둡게 하다 (되다), 모호하게 하다(keep in the dark). **Don't ~ my door again.** 다시는 내 집에 발을 들여놓지 마라.

dárk·room n. C 《寫》 암실.

:dar·ling [dɑ́ːrliŋ] a., n. C 귀여운; (부류·연인간의 호칭으로서) 당신, 가장 사랑하는 (사람).

darn¹ [dɑːrn] vt., vi. 꿰매 깁다, C 떠서 깁다(깁는 곳).

darn² vt., vi., n. 《口》 = DAMN.

darned [dɑːrnd] a., ad. 《口》 빌도 안 될는, 우라질; 심한, 몹시, 터무니없는《적》.

dart [dɑːrt] n. ① 던지는 창(화살), C ② 표창 (鏢槍); (벌 따위의) 침 (stinger); 《裁縫》 다트 (a ~) 돌진, ② (pl.) 《단수 취급》 다츠 ── vt., vi. 던지다, 발사하다; 돌진하다.

dash [dæʃ] vt. ① 던지다, 내던지다 (throw). ② (물을) 끼얹다(splash). ③ 약간 섞다. ④ 때려부수다 (기를) 꺾다; 부끄럽게 하다. ⑤ = DAMN. ── vi. 돌진하다(forward). 부딪다(against); 단숨에 하다, 급히 쓰다[해내다](off). **D- it!** 염병할! ── n. (the ~) 돌진; 투척. ② U 위세, 기운, 혈세, (a ~) 조금 (加味)된 소량, (…의) 기미(touch) (of). ③ (부호의) 대시(─). C 《음악 sing.》 단거리 경주. ⑤ C = DASHBOARD. **at a ~** 단숨에. **cut a ~** 혜세를 부리다. ***~·ing** a. 기운찬; 화려한, 멋부린.

dásh·board n. C (보트 전면의) 물보라 막이, (마차의) 흙받기; (자동차 따위 조종식의) 계기판(計器盤).

das·tard [dǽstərd] n. C 비겁한 자, 겁쟁이(coward). **~·ly** a. 비겁한, 겁쟁이의, 못난.

:da·ta [déitə, dǽt-] n. pl. 《sing. datum》 《(1) U[복수 취급] 자료, 데이터 (2) 《관찰·실험에 의한》 지식, 정보.

dáta bànk n. 《컴》 데이터[정보] 은행.

dáta·base n. C 《컴》 자료[데이터] 베이스.

date¹ [deit] n. C 대추야자(의 열매).

date² n. C ① 날짜, 연월일; 기일; U 연대, 시대; C 《口》 만날 약속, 데이트 (상대자). **at an early ~** 머지 않아. (**down**) **to ~** 오늘까지(의). **have a ~ with** …와 데이트를 하다. **out of ~** 시대에 뒤진; 최신식의. **up to ~** 현재까지(의). ── vt. 날짜를 쓰다; 시일을 정하다. ── vi. 날짜가 쓰여 있다; 시작되다(from); **~ back to** (날짜가) …에 소급하다. **dáted** a. 날짜 있는; 시대에 뒤진(out-of-date). ***~·less** a. 날짜없는; 무기(한)의; 태고의; 시대를 초월하여 흥미 있는. 「선.

dáte line (보통 the ~) 일부 변경

dáte pàlm 대추야자(date).

da·tive [déitiv] n., a. 《文》 여격 (의).

daub [dɔːb] vt., vi., n. 바르다 (with); U[C] 바르기; 처덕처덕 칠하다[칠하기]; C 서투른 그림(을 그리다).

daugh·ter [dɔ́ːtər] n. C 딸.

dáughter-in-làw n. (pl. **~s-in-làw**) C 며느리.

daunt [dɔːnt] vt. 으르다, 놀라게 하다(scare); (…의) 기세를 꺾다. **nothing ~ed** 조금도 겁내지 않고. ***~·less** a. 대담한. ***~·less·ly** ad.

dau·phin [dɔ́ːfin] n. C (종종 D-) 《프랑스》 황태자.

daw·dle [dɔ́ːdl] vt., vi. 빈둥거리며 시간을 보내다(idle) (away).

*dawn [dɔːn] n. C U 새벽, 동틀녘, 여명. ── vi. 동이 트다, 밝아지다; 시작되다; 점점 분명해지다. **It Morning, The day) ~s.** 날이 샌다. **It has ~ed upon me that …** 라는 것을 나는 알게 되었다.

:day [dei] n. C ① 낮, 하루. ② U 낮, 주간(before ~ 날 새기 전에). ② U[C] 축일; 약속날. ④ (종종 pl.) 일생(life-time); (pl.) 일생 (life-time); U 전성 시대. ⑤ (the ~) (하루의) 싸움, (그날의) 승부; 승리. **all ~ (long)**, **or as the ~ is long** 종일. **between two ~s** 밤을 새워. **by ~** 낮에는. **carry the ~** 이기다. **~ about** 하루 걸러. **~ after ~**, **or by ~** 날마다. **~ to** 매일, 날마다, 나날이. 하루

D

하루. ~ **in**, ~ **out** 해가 뜨나 해가 지나, 날마다. **end one's ~s** 다. **have one's ~s** 당시를 만나다. **in broad ~** 대낮에. **in one's** 젊었을[한창이었을] 때에. **in the ~s of old** 옛날에. **keep one's ~** 약속날을 지키다. **know the time of ~** 만사에 빈틈이 없다. **lose the ~** 지다. **(men of the ~** 당시[당대]의 (명사). **on one's ~** 《口》 당대에. **one of these ~s** 근일중에. **this ~ week** [**month**] 전주[전달]의 오늘; 내주[내달]의 오늘. **win the ~** 이기다. **without ~** 일을 정하지 않고.

dáy bòy 《英》 통학생.

dáy·drèam *n.*, *vi.* ⓒ 백일몽, 공상 (에 잠기다). ~**er** *n.* ⓒ 공상자.

dáy·light *n.* ① 일광; 낮, 주간. **burn** ~ 쓸데없는 짓을 하다. **in broad** ~ 대낮에.

dáylight-sáving (**tìme**) 하기 일광 절약 시간.

dáy·lòng *a.*, *ad.* 온종일(의).

dáy núrsery 탁아소.　　「락실.

dáy ròom (기지·공공 시설 내의) 오

dáy schòol (**boarding school**에 대한) 통학 학교; 주간 학교.

dáy·time *n.* (the ~) 낮, 주간.

dáy-to-dáy *a.* 나날의; 그날 벌어 그날 사는.

daze [deiz] *vt.* 현혹시키다; 멍하게 하다(**stun**); 눈이 부시게 하다(**dazzle**). ─ *n.* (a ~) 현혹; 얼떨떨한 상태.

daz·zle [dǽzl] *vt.*, *vi.* 눈이 부시(게) 하다; 현혹(케)하다. ─ *n.* (*sing.*) 눈부심; 눈부신 빛.

daz·zling [dǽzliŋ] *a.* 눈부신.

DC, D.C. direct current.

D.D. Doctor of Divinity.

D-dày *n.* 〔軍〕 공격 개시 예정일. 《一般〕 행동 개시 예정일.

DDT dichloro-diphenyl-trichloroethane 〔살충제〕.

de- [di, də, di:] *pref.* 분리(**dethrone**), 제거(**deice**), 반대(**decentralize**), 하강(**depress**) 따위의 뜻.

dea·con [dí:kən] *n.* ⓒ (교회의) 집 사, 〔가톨릭 부제(副祭)〕.

dead [ded] *a.* ① 죽은; 무감각한(in-

sensible)(*to*); 활기 없는(not lively). ② 지쳐버린; 고요한; 쓸모 없이 된. ③ 완전한; 확실한. ─ *ad.* **above ears** 《俗》 귀가 빈, 바보 같은. **in ~ earnest** 진정으로, 아주, 완전히; 몹시. **CUT a person ~.** ~ (**set**) **against** 정면으로 반대 하여. ~ **tired** 녹초가 되어. ─ *n.* (the ~) 《집합적》 죽은 사람; 가장 생기가 없는 시각; 죽은 듯이 고요함; 가장 ~한 때. **at ~ of night** 한밤 중에. **in the ~ of winter** 한 겨울 에. **rise from the ~** 부활하다.

déad·bèat (계기(計器)의 바늘 이) 흔들리지 않는, 데드비트. ─ *n.* ─ [―]. *n.* ⓒ 《미口》 (외상·빛 등을) 떼먹는 사람; 게으름뱅이, 식객.

dead·en [dédn] *vt.* 약하게 하다 (weaken); 둔하게 하다; 무감각하 게 하다; 소리(음)기를 없애다. ─ *vi.* 약해지다; 둔해지다.

déad énd 막다른 데(골목).

déad·hèad *n.* ⓒ 무임 승객; 무료 입장자; 명청이; 비어서 가는 차.

déad héat 팽팽한 접전(接戰).

déad létter 배달 불능의 우편; (법 령 따위의) 공문(空文).

déad·line *n.* ⓒ (포로 수용소 등의) 사선(死線); (기사의) 마감 시간; 기한.

déad·lòck *n.* ⓤⓒ 막힘, 정돈(停頓); 〔錠〕 수령, 교착.

déad lòss 전손(全損).

déad·ly [dédli] *a.* 죽음 같은; 치명 적인(fatal); 심한; 용서할 수 없는 (the **seven** ~ **SINS**). ─ *ad.* 죽을 〔송장〕처럼; 몹시.

déad·pàn *n.*, *vi.* (-*nn*-) ⓒ 무표정 한 얼굴(을 하다).

déad wéight (차량의) 자중(自重).

déad·wòod *n.* ⓤ 죽은 나무; 《집 합적》 무용지물(사람·물건).

deaf [def] *a.* 귀머거리의; 들으려 하지 않는; **fall on ~ ears** (요구 따위가) 무시되다.

déaf-áid *n.* ⓒ 《英》 보청기.

deaf·en [défən] *vt.* 귀먹게(안 들리 게) 하다; 큰 소리가 (다른 소리를) 죽이다. ─ **ing** *a.*, *n.* 귀청이 터질 듯 ⓤ 방음 장치(재료).

déaf-mùte *n.* ⓒ (선천적) 농아자

(貧兒者)。

†**deal**¹ [di:l] vt. (**dealt**) 나누다(out)；(카드를) 도르다(distribute)；베풀다；(슬픔을) 주다；(타격을) 가하다；—vi. 장사하다；거래하다(in)；(물품 등을) 처리하다, 다루다；(사건·일 등에서) 취급하다(by, toward, with)；—n. ⓤ (어떤) 분량(the ~) (카드놀이의) 패 도르는 일[차례], 친판；ⓒ 거래；《口》취급；정책；**a** (**good, great**) ~ 많이, 다량으로. **Fair** (**New**) **D-**, Truman (Roosevelt) 대통령의 페어딜[뉴딜] 정책.

deal² n. ⓤ 소나무 재목[판자], 전나무 제목(판자).

:**deal·er** [dí:lər] n. ⓒ 상인…상(商)，패 도르는 사람。어떤 특정의 행동을 하는 사람(a double~).

dealer·ship n. ⓤ (어느 지역내의) 상품 총판권[점].

:**deal·ing** n. ① ⓤ 취급；(타인에의) 태도，거래。② (pl.) (거래) 관계，교제 (have ~s with …과 거래가 있다).

:**dealt** [delt] v. deal¹의 과거(분사).

:**dean** [di:n] n. ⓒ [宗] 사제장(司祭長) (Cathedral 등의 장)；(대학의) 학장；《美》학생 과장；《英》학생감.

†**dear** [diər] a. 친애하는，귀여운；귀중한(precious)；비싼(costly) (opp. cheap). **D- Sir** 근계(謹啓). **for ~ life** 간신히 (도망치다, 따위)；열심히. ~에게. ⓒ 사랑하는 사람，귀여운 사람，애인. — ad. 사랑스레；비싸게. — int. **D-**, ~!, or **D- me!**, or **Oh, ~!** 어머나！참！아나 그런데！~**·ly** ad. 애정 깊이；비싸게.

†**dearth** [dəːrθ] n. ⓤ 부족，결핍；기근(famine).

†**death** [deθ] n. ① ⓤⓒ 죽음，사망. ② (the ~) 소멸；파멸. ③ ⓤ 살해, 유혈. ④ ⓤ (D-) 사신(死神). ⑤ ⓤ 사형. **be at ~'s door** 죽음이 가까이 오다. **be ~ on …**에 능하다；…을 아주 좋아[싫어]하다. **be the ~ of …**의 사인이 되다；…을 죽이다. **civil ~** [法] (벌죄 따위에 의한) 공민권 상실. **to ~** 극도로；몹시. **to the ~** 죽을 때까지，최후까지. **⌁·less** a. 죽지 않는；불멸의(~ poem 불멸의 시). **⌁·ly** a., ad. 죽은 듯한(듯

이)；치명적인[으로]；몹시.

death·bèd n. ⓒ (보통 sing.) 죽음의 자리, 임종.

death·blòw n. ⓒ (보통 sing.) 치명적 타격.

death certificate 사망 진단서.

death dùties [英法] 상속세(=《美》death tax).

death·màsk n. ⓒ 사면(死面)，데스마스크.

death rate 사망률(mortality).

death ràttle 임종 때의 모르륵 소리.

death sèntence 사형 선고. [리.

death's-hèad n. ⓒ 해골《죽음의 상징》.

death tòll 사망자 수.

death·tràp n. ⓒ 위험한 장소；화재 위험이 있는 건물.

death wàrrant 사형 집행 명령.

de·ba·cle, dé·bâ·cle [deibáːkl, -bækl] n. (F.) (강의) 얼음이 깨짐，산태；폐멸，붕괴；재해；대홍수.

de·bar [dibáːr] vt. (-rr-) 제외하다. 저지하다(from). ~**ment** n.

de·base [dibéis] vt. (품성·품질 따위를) 저하시키다(degrade). ~**d** [-t] a. 저하된；아비한. ~**ment** n.

de·bat·a·ble [dibéitəbəl] a. 이론(異論)의 여지가 있는.

de·bate [dibéit] n. ⓤ.ⓒ 토론, 논쟁；ⓤ 숙고；ⓒ 토론회. — vi., vi. 토론[논쟁]하다(on, upon). — **with oneself** 숙고하다.

de·bauch [dibɔ́ːtʃ] vt. 타락시키다 (corrupt)；유혹하다(seduce)；(술·여자를) 퇴폐시키다. — n. ⓒ 방탕, 난봉. ~**ed** [-t] a. 타락한. **de·bau·chee** [dèbɔːtʃíː] n. ⓒ 난봉꾼. ~**er·y** [dibɔ́ːtʃəri] n. ⓤ 방탕；유혹(seduction)；(pl.) 유흥.

de·ben·ture [dibéntʃər] n. ⓒ 사채(社債)(증서).

de·bil·i·tate [dibílətèit] vt. 쇠약하게 하다(weaken). -**ty** n. ⓤ 쇠약.

deb·it [débit] n. ⓒ 차변(借邊)(에 기입하다). ⓒ [簿] 차변(opp. credit).

deb·o·nair(**e**) [dèbənéər] a. 점잖고 쾌활한.

de·brief [diːbríːf] vt. (귀환 비행사 등으로부터) 보고를 듣다.

de·bris, dé·bris [dəbríː, déibriː]

deb-] *n.* Ⓤ 파괴의 자취; 파괴물[암
석]의 파편; 쓰레기.

:debt [det] *n.* ① Ⓒ 부채, 빚. Ⓤ(C)
의리, 은혜(obligation). *bad* ~ 대
손(貸損). *be in* (*out of*) ~ 빚이
(없다)(*to*). ~ *of honor* (노름
에서의) 신용빚. *get* (*run*) *into* ~
빚지다. *pay one's* ~ (*to*) Na-
ture 죽다. :~·*or n.* Ⓒ 꾼 사람의
주(借主), 채무자; 【簿】 차변(생략
Dr.)(opp. creditor).

de·bug [di:bʌ́g] *vt.* (-*gg-*) (口) (…
에서) 해충을 제거하다; 【컴】 (프로그램
에서) 잘못을 찾아 정정하다; (…에
서) 도청기를 제거하다.

de·bunk [di:bʌ́ŋk] *vt.* (美口) (명사
등의) 정체를 폭로하다.

·de·but [deibjúː, ^, di-,
déb-] *n.* Ⓒ 사교계에의 첫발, 첫
무대, 첫출연, 데뷔. *make one's*
~ 처음(공식)으로 사교계에 나오다;
첫무대를 밟다, 초연(初演)하다.

deb·u·tant [débjutὰːnt, -bjə-] *n.*
(*fem.* -*tante* [débjutὰːnt])(F.) Ⓒ
처음으로 사교계에 나선 사람(처녀);
첫무대를 밟는 사람.

:Dec. December. **dec.** decease(d);
decimeter; declaration; declen-
sion.

dec·a- [dékə] *pref.* '10'의 뜻: *dec-
agon*/ *decaliter* (= 10ℓ).

·dec·ade [dékeid, dəkéid] *n.* Ⓒ
10; 10 개; 10 년; 10년간.

dec·a·dence [dékədəns, dəkéi-
dns] —-*den·cy*[-i] *n.* Ⓤ 쇠미,
퇴폐. —-*dent*-*dənt*] *a., n.* 쇠미(퇴
폐)한; Ⓒ (19세기말 프랑스의) 퇴폐
[데카당]파의 (예술가).

de·camp [dikǽmp] *vi.* 야영을 걷어
치우다, 진을 흐트러 물러나다; 도망
치다(depart quickly). ~**ment** *n.*

de·cant [dikǽnt] *vt.* (용액 따위의
웃물을 딴 그릇에) 가만히 옮기다. —
er *n.* Ⓒ 디캔터(傾瀉器)= (식탁
용의) 마개 달린 유리 술병.

de·ca·pi·tate [dikǽpətèit] *vt.* (…
의) 목을 베다(behead). (美口)해고
하다. **-ta·tion** [-^-téiʃən] *n.*

de·cath·lete [dikǽθliːt] *n.* Ⓒ 10
종 경기 선수.

de·cath·lon [dikǽθlən/-lɔn] *n.*
Ⓤ (the ~) 10종 경기 (cf. pentath-
lon).

de·cay [dikéi] *vi.* 썩다, 부패하다
(rot); 쇠미하다. — *n.* 부패, 쇠
미; 【理】 (방사성 물질의) 자연 붕괴.
~**ed**[-d] *a.*

de·cease [disí:s] *n., vi.* Ⓤ 사망
(하다), 죽음. — *a.* 죽은, 고(故)…
the ~**d** 고인(故人).

de·ceit [disí:t] *n.* Ⓤ ① 사기, 기
만, 거짓(deceiving). ~**ful** *a.* 허
위의.

de·ceive [disí:v] *vt.* 속이다; 미혹
시키다(mislead). ~ *oneself* 생각
잘못하다. **de·céiv·a·ble** *a.* 속이
기 쉬운. **de·céiv·er** *n.* Ⓒ 사기꾼.

de·cel·er·ate [disélərèit] *vt., vi.*
감속 (減速) 하다(opp. accelerate).

De·cem·ber [disémbər] *n.* 12월.

de·cen·cy [dí:snsi] *n.* Ⓤ ① 보기
싫지 않음; 예의(바름) ② 예의(범절)
(decorum); (태도·언어의) 점잖음(pro-
priety); 품위. ③ (口) 친절, *for* ~'s
sake 체면상. *the* **decencies** 예의
범절; 보통의 살림에 필요한 물건(cf.
comforts).

:de·cent [dí:snt] *a.* ① 적당한, 어울
리는(proper). ② 점잖은; 상당한 신
분의. ③ (口) 꽤 좋은; 상당한
(fair). ④ 관대
한, 친절한. ~**ly** *ad.*

de·cen·tral·ize [di:séntrəlàiz] *vt.*
(권한을) 분산하다. **-i·za·tion** [di:-
sèntrəlizéiʃən] *n.* Ⓤ 분산, 집중 배
제, 지방 분권(화).

·de·cep·tion [disépʃən] *n.* Ⓤ ①
속임(deceiving); 속은 상태. ② 사
기(fraud); 야바위. **-tive** *a.* 속임의,
미혹케 하는. ~**ly** *ad.*

deci- [désə, -si] *pref.* '10분의 1'
의 뜻: *decigram* (= 1/10 g), *deci-
meter* (= 1/10 m).

dec·i·bel [désəbèl] *n.* Ⓒ 데시벨(전
력·음향 측정 단위).

†de·cide [disáid] *vt.* 결정하다, 해결
하다; 결심시키다. — *vi.* 결심하다
(*on, upon; to* do); 결정하다(*against,
between, for*.)

de·cid·ed [-id] *a.* 뚜렷한, 명백한
(clear); 단호한(resolute). ~**·ly**
ad.

de·cid·u·ous [disídʒuːəs] *a.* 탈락
성의; 낙엽성의. **~ tooth** 젖니.

dec·i·li·ter, (英) ‒tre [désilìːtər]
n. 데시리터(1 리터의 ¹/₁₀).

dec·i·mal [désəməl] (cf. deci‐) *a.,*
n. 십진법의; ⓒ 소수(의).

décimal fráction 소수점.

dec·i·mate [désəmèit] *vt.* (고대 전쟁
법에서) 열 명에 하나씩 죽이다; (질병·
전쟁 따위가) 많은 사람을 죽이다.

dec·i·me·ter, (英) ‒tre [‒miːtər]
n. ⓒ 데시미터(1 미터의 ¹/₁₀).

de·ci·pher [disáifər] *vt.* (암호
(cipher)·난해한 글자 따위를) 풀다.
번역[판독]하다. **‒ment** *n.*

:de·ci·sion [disíʒən] *n.* ⓤⓒ 결
정; 해결, 결정; ⓤ 관결; ⓤ 【拳】 관정
승, 공판 결정; 결심, 결의. ⓤ 결단력.

:de·ci·sive [disáisiv] *a.* 결정적인,
움직일수 없는; 단호[확고]한; 명확
한. **~·ly** *ad.* **~·ness** *n.*

:deck [dek] *n.* ⓒ 갑판(과 비슷한
것); (빌딩의 평평한 지붕; 《주로 美》
(카드패의) 한 벌(pack); 《俗》 지
면; 【컴】 데, 대(臺). 천공 카드를 모
은 것. **clear the ~s** 전투 준비를
하다. **on ~** 갑판에 나와서; 《口》
준비되어; (口》 【野】 다음 타자가 되
어, *upper* (*main, middle, lower*)
~ 상갑판(제2층, 하) 갑판. **~ v.** 갑판
을 깔다; 꾸미다, 단장하다(*dress*).

déck chàir (즈크로 된) 갑판 의자.

déck hànd [海] 갑판원, 평선원;
[劇] 무대계원(장치·조명 따위의).

de·claim [dikléim] *vi.* (미사여구를
늘어놓아) 연설하다, 열변을 토하다.
‒ vt. (극적으로) 낭독하다(*recite*).
dec·la·ma·tion [dèkləméiʃən] *n.*

dec·lam·a·to·ry [diklémətɔ̀ːri/
‒tǝri] *a.* 연설조의; 낭독의.

:dec·la·ra·tion [dèkləréiʃən] *n.*
ⓤⓒ 선언, 포고. **~ of war** 선
전 포고. **the D‐ of Independence**
미국 독립 선언(1776년 7월 4일).

:de·clare [diklɛ́ər] *vt.* 선언(포고)
표)하다(*proclaim*); 언명하다(*as‐
sert*); (소득액·과세품을) 신고하다.
‒ vi. 공언(성명)하다. **~ off** (연명
해 놓고) 그만두다, 해약하다. **Well,
I ‒!** 저런!, 설마! **~d** [‐d] *a.* 공언
한; 숨김 없는, 공공연한.

de·clas·si·fy [diklǽsəfài] *vt.*《美》
기밀 취급을 해제하다; 기밀 리스트에
서 빼다.

:de·cline [dikláin] *vi., vt.* ① 아래
로 향(하게)하다, 기울(이)다; (해가)
지다. ② 【文】(사절)하다. ③ (*vi.*)
쇠하다. ④ 【文】 격변화하다[시키다].
‒ n. ⓒ (보통 *sing.*) (물가의) 하락;
쇠미, 쇠약(병); 늘그막(*declining
years*). **on the ~** 기울어서; 쇠하여.

de·clin·ing [‐iŋ] *a.*

de·cliv·i·ty [diklíviti] *n.* ⓤⓒ 하향
(下向), 내리받이(opp. acclivity).

de·coct [dikákt/‐5‐] *vt.* (약초 따
위를) 달이다. **de·cóc·tion** *n.* ⓤ 달
이기; ⓒ 달인 즙(汁).

de·code [diːkóud] *vt.* 암호(code)
를 풀다. **de·cód·er** *n.* ⓒ 해독 해독
자; 암호 해독 장치; 【無電】 해독
군 식별 장치; 【컴】 해독기(器).

dé·col·le·té [deikàltéi/deikɔ́lətei]
(*fem. ‒tée* [‐téi‐/tei]) *a.* (F.) 어깨와
목을 드러낸, 로브 데콜테(*robe dé‐
colleté*)를 입은.

de·com·pose [dìːkəmpóuz] *vt.,
vi.* 분해[환원]하다; 썩(이)다. **‐po‐
si·tion** [‐kɑmpəzíʃən/‐ɔ‐] *n.*

de·con·tam·i·nate [dìːkəntǽmə‐
nèit] *vt.* 정화(淨化)하다, (…에서 방
사능 오염을) 오염을 제거하다. **‐na‐
tion** [‐‐‐néiʃən] *n.*

dé·cor [deikɔ́ːr, ‐‐] *n.* (F.) ⓤⓒ
장식; (무대) 장치.

dec·o·rate [dékərèit] *vt.* 꾸미다,
장식하다(*adorn*); 훈장을 수여하다.

:dec·o·ra·tion [dèkəréiʃən] *n.* ⓤ
장식(법); ⓒ 장식품; 훈장, 서훈(敍
勳). **the D‐ Day** = the MEMO‐
RIAL DAY. **:‐tive** [dékərèitiv, ‐rə‐]
a. 장식적인. **:‐tor** [dékərèitər] *n.*
ⓒ (실내) 장식업자.

dec·o·rous [dékərəs] *a.* 예의바른,
점잖은(*decent*). **~·ly** *ad.*

de·co·rum [dikɔ́ːrəm] *n.* ⓤ (태도·
말·복장 따위의) 고상함, 예의바름.

de·coy [dikɔ́i, díkɔ̀i] *n.* ⓒ 미끼새,
유혹물(*lure*). **‒** [dikɔ́i] *vt.* 꾀어
들이다, 유인하다.

:de·crease [diːkríːs, dikríːs] (opp.
increase) *n.* ⓤⓒ 감소(*in*); ⓒ 감

소량[액]. **on the ~** 감소되어.
— [dikríːs] *vi.*, *vt.* 줄(이)다. 저하
하다. 쇠하다. **de·creas·ing** [dikríː-
siŋ] *a.*

de·cree [dikríː] *n.* ⓒ 법령, 포고;
명령; 하늘의 뜻, 신명(神命); 판결.
— *vt.*, *vi.* 명하다; 포고(판결)하다
(하늘이)정하다.

de·crep·it [dikrépit] *a.* 노쇠한.
-itude [dikrépitjùːd] *n.* Ⓤ 노쇠,
노후(老朽).

de·cry [dikrái] *vt.* 비난하다, 헐뜯
다. **de·cri·er** *n.* Ⓒ 비난자.

ded·i·cate [dédikèit] *vt.* 봉납(헌
납)하다; 바치다(devote); (자기 저서
를) 증정하다. *Dedicated to* ~에 드
림. **~ oneself** 전념하다(to). **-ca·
tor** *n.* **·ca·tion** [dèdikéiʃən] *n.* Ⓤ
바침, 헌성; 헌정(獻呈); 봉납(奉呈);
(獻), **-ca·to·ry** [dédikàtɔ̀ːri/-təri]
a. 봉납의; 헌정(獻呈)의.

de·duce [didjúːs] *vt.* 추론(推論)
[추정]하다, 연역(演繹)하다(*from*)
(opp. induce); (…의) 유래를 캐다
(trace)(~ *one's descent* 조상을 더
듬어 찾다). **de·dúc·i·ble** *a.*

de·duct [didʌ́kt] *vt.* 빼다, 할인하다.

de·duc·tion [didʌ́kʃən] *n.* Ⓤ,Ⓒ
뺌, 공제; 추론, 추정; 【論】 연역법
(opp. induction). **-tive** *a.* 추론[추
정]의, 연역적인.

deed [diːd] *n.* ① 행위 ② 행동
(action), 실행(performance). ③
행하여진 일(fact), 공적, 사적(事績); 사실.
④ 【法】 증서. *in* ~ 실로, 실제로.
in word and ~ 언행 함께에.

deem [diːm] *vt.*, *vi.* 생각하다(…으
로) 간주하다.

deep [diːp] *a.* ① 깊은; 심원한(pro-
found). ② 폭이 파묻힌. ③ 몰두해
있는. ④ (목소리가) 굵고 낮은. (색
이) 짙은. ⑤ 심한, 마음으로부터의.
⑥ 음험한, 엉큼한. ~ *in* (俗) 깊이
한 놈. — *ad.* 깊이, 깊숙이; 늦게.
~ into the night 밤깊도록. ~
(the ~) 깊은 곳, 심연(abyss) 《詩》 바
다. ~ 심연; (겨울·밤의) 한창.
∠·ly *ad.* **∠·ness** *n.*

deep·en [díːpən] *vt.*, *vi.* 깊게 하다;
깊어지다. 짙게[굵게] 하다; 짙어
어지다.

deep·freeze *n.* Ⓒ 【商標】 급속 냉
동 냉장고. — *vt.* (d-) (~d, ~froze;
~d, ~frozen) (음식을) 급속 냉동한다.

deep·fried *a.* 기름에 튀긴.

deep·rooted *a.* 깊이 뿌리 박힌.
(감정 따위가) 뿌리 깊은.

deep·sea *a.* 심해(원양)의.

deep·seated, -set *a.* (원인·병·
감정 따위가) 뿌리 깊은.

deer [diər] *n.* (*pl.* ~, ~s) Ⓒ 사슴.

de·es·ca·late [diːéskəlèit] *vi.*, *vt.*
단계적으로 축소하다[시키다].

de·es·ca·la·tion [diːèskəléiʃən] *n.*
Ⓤ 단계적 축소.

de·face [diféis] *vt.* 표면을 손상(손
멸)시키다; 흠 내다(mar), 훼손케 하
다(disfigure). **~·ment** *n.*

de fac·to [diː fǽktou] (L.) 사실상
(의)(근 자). de de jure.

de·fame [diféim] *vt.* (…의) 명예를
손상하다(dishonor), 중상하다(slan-
der). **def·a·ma·tion** [dèfəméiʃən]
n. **de·fam·a·to·ry** [difǽmətɔ̀ːri/
-təri] *a.*

de·fault [difɔ́ːlt] *n.* Ⓤ 태만, (채무)
불이행; (재판에의) 결석; 결핍. *in ~
of* ~이 없을 때에는, ~이 없어서.
judgment by ~ 결석 재판. **~·er**
n. Ⓒ 불이행자; (재판) 결석자; 위탁
금 사기자.

de·feat [difíːt] *vt.* 격파하다, 지우
다(overcome); 좌절케 하다(thwart);
【法】 무효로 하다. — *n.* Ⓤ 격파, 타
파; Ⓤ 패배; 좌절; 패소. 【法】 폐기.
【法】 패퇴주의. **~·ism** *n.* Ⓤ 패배주의. **~·ist** *n.*

def·e·cate [défikèit] *vt.* 맑게[정하
게] 하다(purify). — *vi.* 맑아지다
(clarify); 배설[대소변]을 보다.

de·fect [diféktt, diːfekt] *n.* Ⓒ 결
함, 결점; Ⓤ,Ⓒ 부족, 흠. *in ~* 부족한
점(때)에. *in ~ of* ~이 없는 경우에).

de·fec·tion [difékʃən] *n.* Ⓤ,Ⓒ 배
반, 변절, 탈당; 쇠퇴; 결함, Ⓤ 부족.

de·fec·tive [diféktiv] *a.* 결함 있는,
불완전한. ~ *verbs* 【文】 결여 동사
《*will, can, may* 따위》. **~·ly** *ad.*

de·fence [diféns] *n.* (英) = DE-
FENSE.

de·fend [difénd] *vt.* 지키다, 방위하
다(protect)(*against, from*); 변호
[옹호]하다(vindicate). **~·er** *n.*

D

°de·fend·ant[-ənt] *n., a.* ⓒ 피고
[文] 한정사(*the, this, all, some* 따
위). — **·ly** *ad.*

:de·fense[diféns, dí:fens] *n.* ①
ⓤ 방위, 수비(protection). ② ⓒ 방
어물; (*pl.*) 방어 시설. ③ 변명,
ⓒ [法] 변호; (피고의) 답변; (the
~)[집합적] 피고측. ④ (the ~)[집
합적] [競] 수비측. **~ in depth** 종
심(縱深) 방어(법). **in ~ of** …을
지키어; …을 변호하여. **~·less** *a.*
무방비의. **~·less·ness** *n.*

°de·fen·si·ble[difénsəbəl] *a.* 방어
[변호]할 수 있는. **-bly** *ad.*

:de·fen·sive[difénsiv] *n., a.* ⓤ
(the ~) 방어(의), 수세(의)(opp.
offensive). **be [stand] on the ~**
수세를 취하다. **~·ly** *ad.*

°de·fer[difə́:r] *vt., vi.* (**-rr-**) 늦추
다, 물리다, 늦추(어)다... **~·
ment** *n.* ⓤⓒ 연기; [美] 징병 유예.

°de·fer[difə́:r] *vi.* (**-rr-**) (남의 의견에 따르
다(*to*); 경의를 표하다(*to*).

°def·er·ence[défərəns] *n.* ⓤ 복
종, 경의. **-en·tial**[dèfərénʃəl] *a.*
공경하는, 공손한(respectful). **-én·
tial·ly** *ad.*

°de·fi·ance[difáiəns] *n.* ⓤ 도전,
반항, 무시, **bid ~ to** 무시하다, 도전
하다. **in ~ of** …을 무시하여, …에
상관 않고, **set at ~** 무시하다.

°de·fi·ant[difáiənt] *a.* 도전[반항]
적인; 무례한; 무시하는(*of*).

°de·fi·cien·cy[difíʃənsi] *n.* ⓤⓒ
결핍, 부족.

°de·fi·cient[difíʃənt] *a.* 결함 있는;
불충분한(insufficient)(*in*). [연].

°def·i·cit [défəsit] *n.* ⓒ 결손, 부족

°de·file[difáil] *vt.* 더럽히다(soil²).
~·ment *n.* ⓤ 더럽힘; ⓒ 부정물.

°de·file²[-] *vi.* 종대(縱隊)로 나아가다.
— *n.* ⓒ 애로, 좁은 길(골짜기).

°de·fine[difáin] *vt.* 한계를 정하다;
명확히 하다, 정의를 내리다. **de·fín·
a·ble** *a.* 정의[한정]할 수 있는.

°def·i·nite[défənit] *a.* 명확한, 뚜렷
한(clear). **~·ly** *ad.*

:def·i·ni·tion[dèfəníʃən] *n.* ⓤ 한
정; ⓒ 정의, 해석; ⓤ (렌즈의) 선명
도; (라디오의) 충실도; 선명(하기).

°de·fin·i·tive[difínətiv] *a.* 결정적

인, 최종적인(conclusive). — *n.* ⓒ
[文] 한정사(*the, this, all, some* 따
위). — **·ly** *ad.*

de·flate[difléit] *vt.* (…에서) 공기
[가스]를 빼다; (통화를) 수축시키다.

de·fla·tion[difléiʃən] *n.* ⓤ ① 공
기[가스]빼기. ② 통화 수축; 디플
레이션.

de·flect[diflékt] *vt., vi.* (…의) 진
로를 빗나게 하다; (생각을) 빗나가
지게 하다; 빗나가다(turn aside).

de·fléc·tion, 《英》-fléx·ion *n.*

de·flow·er[diflauər] *vt.* 꽃을 따다
[꺾다]; (처녀를) 능욕하다(ravish).

°de·fo·li·ate[di(:)fóulièit] *vt., vi.*
잎을 따내다[말리다]; 잎이 떨어지다.

de·fo·li·a·tion[di:fòuliéiʃən] *n.*
ⓤ 낙엽(기); 나무를 잎 따내어 숲을
불태우거나 하는 작전.

de·for·est[di:fɔ́:rist, -fár-/-fɔ́r-]
vt. (…의) 삼림[수목]을 베어내다;
개척하다. **~·a·tion**[—ʃən] *n.*
ⓤ 삼림 벌채(개척].

de·form[difɔ́:rm] *vt.* 흉하게 하다,
모양 없이 하다(misshape); 불구로
하다. **~·ed**[-d] *a.* 흉한, 일그러진;
불구의. *de·for·ma·tion*[dì:fɔːr
méiʃən] *n.* 변형; [美術] 데포르마
시옹《미적 효과를 위한 변형》.

de·form·i·ty[difɔ́:rməti] *n.* ⓤ 불
구; 추함; ⓤⓒ (인격상의) 결함.

°de·fraud[difrɔ́:d] *vt.* 편취하다(~
him of his money), 속이다(cheat).

de·fray[difréi] *vt.* (경비를) 지불하
다(pay). **~·al, ~·ment** *n.*

de·frost[di:frɔ́st, -frást/-frɔ́st]
vt. (식품에서) 언 것을 녹이다; (냉장고
의) 서리를 제거하다. **~·er** *n.* ⓒ 제
상(除霜) 장치.

deft[deft] *a.* 솜씨 좋은, 능숙한
(skillful). **~·ly** *ad.* **~·ness** *n.*

de·funct[difʌ́ŋkt] *a.* 소멸한; 죽은;
(the ~) 고인(the deceased).

de·fuse, de·fuze[di:fjú:z] *vt.*
(폭탄에서) 신관을 제거하다; (긴장
상태에서) 위험성을 없애다.

:de·fy[difái] *vt.* 도전하다(~ *him
to* to); 반항하다, 거부하다; 무시하
다; 깔보다; 방해하다.

deg. degree(s).

°de·gen·er·ate[didʒénərèit] *vi.*

나빠지다(grow worse); 퇴보[타락]하다. — *n.* [dʒénərit] *a., n.* [C] 퇴보한 (것), 타락한 (사람). ***-a·tion**[-∫ən] *n.* [U] 퇴보, 타락, 악화; [生] 퇴화. **-a·tive**[-rətiv, -rèit-] *a.* 타락(적인 경향)의.

*de·grade[digréid] *vt.* 하위로 낮추다; 타락[악화]시키다(현재의 지위·직책·소임으로부터 떨어뜨리다); [生] 퇴화[퇴화]하다. — *vi.* 떨어지다; 타락[퇴화]하다.

*deg·ra·da·tion[dègrədéi∫ən] *n.* ① 격하, 좌천; 면직. ② 타락, 저하. ③ [地] 침식. ④ [化] 분해.

de·grad·ing[digréidiŋ] *a.* 타락[퇴폐]하게 하는, 불명예스러운, 비열한.

*de·gree[digri:] *n.* ① [U][C] 정도; 등급. ② [C] 도, 눈금. ③ [U] 지위, 계급. ④ [C] 학위, 칭호. ⑤ [C] (친족의) 촌수. ⑥ [文] 급[比較의] 급: [數] 차(次). **by ~s** 점차, 차차. **in some ~** 다소, 얼마간은. **to a ~** 몹시; 다소. **to the last ~** 극도로.

de·hu·man·ize[dihjú:mənàiz] *vt.* (…의) 인간성을 빼앗다. **-i·za·tion** [-∫ənizéi∫ən/-nai-] *n.* 인간성 말살.

de·hy·drate[di:háidreit] *vt., vi.* 탈수하다; 수분이 없어지다. ~**d eggs** 건조 달걀.

de·ice[di:áis] *vt.* 제빙(除氷)하다.

de·ic·er[di:áisər] *n.* [空] 제빙(除氷)[방빙] 장치.

de·i·fy[di:əfài] *vt.* 신으로 삼다[모시다], 신성화하다. **-fi·ca·tion**[-fikéi∫ən] *n.*

deign[dein] *vi.* 황송하옵게도 …하시다, …하옵시다(*to do*). — *vt.* 내리시다. ~ *a reply* (왕 등이) 대답해 주시다.

de·i·ty[di:əti] *n.* [U] 신성(神性) (*divine nature*); [C] 신, 남신, 여신; (the D-) 우주신, 하느님(*God*).

dé·jà vu[dèiʒɑ: vjú:] (F.) [心] 기시감(旣視感); 아주 친부한 것.

de·ject·ed[didʒéktid] *a.* 낙담한, 기운 없는. **~·ly** *ad.* 낙담하여.

de jú·re[di: ʒúəri] (L.) 정당한 권리로, 합법적인(*cf. de facto*).

*de·lay[diléi] *vt.* 늦게 하다, 지연

[지체]시키다, 연기하다(*postpone*); 방해하다. — *vi.* 늦어지다, 지체하다. — *n.* [U][C] 지연, 유예; [機] 늦음, *without* ~ 즉시, 곧. ~**ed**[-d] *a.* (뒤) 늦은.

de·le[di:li] *vt.* (L.) (校正) 삭제하라, 빼라(*delete*).

de·lec·ta·ble[diléktəbl] *a.* 매우 즐거운, 유쾌한. **-bly** *ad.* ~**·ness** *n.*

de·lec·ta·tion[di:lektéi∫ən, dìlek-] *n.* [U] 유쾌, 환희, 환락.

del·e·gate[déligèit, -git] *n.* [C] 대표자(*representative*), 사절. — [-gèit] *vt.* 대표[대리]로서 보내다[임명하다]; 위임하다(*entrust*).

del·e·ga·tion[dèligéi∫ən] *n.* ① 대리[위임] 파견. ② (集合的) (集團的) 위원단, 대표단.

de·lete[dili:t] *vt.* (문자를) 삭제하다, 지우다(*strike out*) 지우다, 소거하다. **de·lé·tion** *n.* [U] 삭제; [C] 삭제 부분.

del·e·te·ri·ous[dèlətíəriəs] *a.* (심신에) 해로운, 유독한. ~**·ly** *ad.*

*de·lib·er·ate[dilíbərèit] *vt., vi.* 숙고하다; 협의[논의]하다. — [-bərit] *a.* 숙고한; 신중한; 유유한, ~**·ly** *ad.* 숙고한 끝에; 신중히; 완만히.

de·lib·er·a·tion[dilìbəréi∫ən] *n.* 숙고; 심의; 신중. **-tive**[-rèitiv, -rit-] *a.* 신중한; 심의의; 심의를 위한.

del·i·ca·cy[délikəsi] *n.* ① [U] 우미, 정교, (감각의) 섬세함; 민감. ② [U] 허약, 연약함(*weakness*). ③ [U] 미묘함(*nicety*). ④ [U] 진미(*dainty*).

del·i·cate[délikit] *a.* ① 우미한(섬세한), 정묘한. ② 고상한. ③ 민감한. ④ 허약한. 다루기 힘든. ⑤ 미묘한(*subtle*). ⑥ 맛있는. ~**·ly** *ad.*

del·i·ca·tes·sen[dèlikətésn] *n.* [U](複數的) 조제(調製) 식료품; [C] 조제 식료품점.

*de·li·cious[dilí∫əs] *a.* 맛있는; 유쾌한. — *n.* (D-) 델리셔스《사과》. ~**·ly** *ad.*

*de·light[diláit] *n.* [U] 기쁨, 유쾌; [C] 좋아하는 것. — *vi., vt.* 기뻐하다, 기쁘게 하다, 즐기다(*in*). ~**·ed**[-id] *a.* 매우 즐거운(*highly pleased*), 기쁜(*glad*)(*about*,

at). ~·**some** [-səm] a. = ⇩.

de·light·ful [-fəl] a. 매우 기쁜[즐거운], 유쾌한. ~·**ly** ad.

de·lim·it [diːlímit], **de·lim·i·tate** [di(ː)límiteit] vt. 한계[경계]를 정하다. ~·**i·ta·tion** [dìlimitéiʃən] n. □ 경계, 한계. □ 한계 결정.

de·lin·e·ate [dilínièit] vt. 윤곽을 그리다; 묘사하다(describe). -**a·tion** [-◡◡◡ʃən] n. □ 윤곽 묘사; 서술; □ 약도, 도형.

de·lin·quent [dilíŋkwənt] a. 의무를 게을리하는, 태만한; 체납되어 있는; 죄[과실] 있는. — n. □ 태만한 사람; 과실자[죄인]. -**quen·cy** [-si] n. □ⓒ 태만; 과실(fault); 비행, 범죄. **juve·nile delinquency** 소년 범죄.

de·lir·i·ous [dilíriəs] a. 정신 착란의; 헛소리하는; 무아경의, 황홀한.

de·lir·i·um [-riəm] n. □ⓒ 정신 착란; 황홀, 무아경.

delirium tré·mens [-tríːmənz] (알코올 중독에 의한) 섬망증(譫妄症) 《생략 D.T.》.

de·liv·er [dilívər] vt. ① 넘겨주다. ② 배달하다. ③ (연설을) 하다. ④ (의견을) 말하다. ⑤ (타격을) 가하다; (공을) 던지다. ⑥ 구해내다(rescue), 해방[석방]하다(from). ⑦ 분만시키다. **be ~ed of** (아이를) 낳다; (시를) 짓다. ~ **oneself of** (an opinion) (의견을) 말하다. ~ **the goods** 물품을 건네주다; 약속을 이행하다; 기대에 어긋나지 않다. *~·**ance** n. □ 구출, 석방, 해방. *~·**er** n. □ 구조[해방]자; 인도인; 배달인.

de·liv·er·y [dilívəri] n. □ⓒ 배달; 인도, 교부. ⓒ (a ~) 연설을 하는 식, 이야기투. ④ □ 분만. □ⓒ 방출; 투구(投球).

dell [del] n. ⓒ 작은 골짜기.

del·phin·i·um [delfíniəm] n. ⓒ [植] 참제비고깔(larkspur).

del·ta [déltə] n. □ⓒ 그리스어 알파벳의 넷째 글자《△, 까》; 삼각주; 삼각형의 물건.

de·lude [dilúːd] vt. 속이다; 현혹시키다(mislead).

del·uge [déljuːdʒ] n. ⓒ 대홍수; 큰

비; 쇄도; (the D-) 노아(Noah)의 홍수. **After me** [us] **the** ~. 나중에야 어찌 되든 알 바 아니다. — vt. 범람시키다; (…에) 쇄도하다.

de·lu·sion [dilúːʒən] n. □ 속임; 미혹(deluding). □ ⓒ 미망(迷妄); 환상, 착각. -**sive** [-siv], -**so·ry** [-səri] a. 혹하게 하는.

de luxe [dəlúks, -líks] a., ad. (F.) 호화로운, 호화판의; 호화롭게. **a ~ edition** 호화판.

delve [delv] vt., vi. 탐구하다(burrow); 《古》 파다.

Dem. Democrat(ic).

dem·a·gog·ue [déməgɔːg, -gàg/-gɔ̀g] n. ⓒ 선동(정치)가. -**gog·ic** [dèməgɑ́dʒik, -gɔ́g/-gɔ́g-, -gɔ́dʒik], -**i·cal** [-əl] a. -**a·go·gy** [déməgòudʒi, -gàgi/-gɔ̀gi, -gɔ̀dʒi] n. □ 선동; 민중 선동.

de·mand [dimǽnd/-áː] n. ⓒ 요구, 청구《for, on》. □ [經] 수요(량)《for, on》. **be in** ~ 수요가 있다. **on** ~ 청구하는 대로, 일람출이. — vt., vi. 요구[청구]하다(ask)《of, from》; 요(要)하다; 심문하다. ~·**a·ble** a.

de·mar·cate [dimáːrkeit, díːmɑːrkèit] vt. (…의) 경계[한계]를 정하다; 한정하다; 구획하다, 구별하다. **de·mar·ca·tion** [diːmɑːrkéiʃən] n. □ 한계[경계] 설정; □ 경계, 구분.

de·mean [dimíːn] vt. 《보통 재귀적》 떨어뜨리다(humble).

de·mean vt. 처신하다; 행동하다. ~ **oneself like a gentleman** (lady) 신사(숙녀)답게 행동하다. ~·**or**, 《英》 -**our** [dimíːnər] n. □ 행동, 태도; 행실.

de·ment·ed [diméntid] a. 정신 착란의, 미친.

de·men·tia [diménʃiə] n. (L.) □ [醫] 치매(癡呆).

de·mer·it [diːmérit] n. ⓒ 결점, 과실; 죄과; (학교의) 벌점(~ mark).

dem·i- [démi] pref. 반(半)의 뜻 (cf. hemi-, semi-).

de·mil·i·ta·rize [diːmílitəràiz] vt. 비군사화하다; 군정에서 민정으로 이양하다. ~**d zone** 비무장 지대(생략 DMZ). -**ri·za·tion** [-◡◡◡◡rizéiʃən/-rai-] n. □ 비군사화.

de·mise[dimáiz] *n.* U (재산의)
유증(遺贈); 양위(讓位); 죽음, 서거,
폐지, 소멸. —*vt.* 물려주다, 양위
하다, 유증하다.

de·mob[diːmáb/-5 | *vt.* (-**bb**-)
(英口) = 下.

de·mo·bi·lize[diːmóubəlàiz] *vt.*
[軍] 복원(復員)하다, 제대시키다.
-li·za·tion[-−lizéiʃən/-lai-] *n.* U
동원 해제, 복원.

de·moc·ra·cy[dimɑ́krəsi/-5 | *n.*
① U 민주주의, 민주 정체. ② C 민
주국. ③ (D-) (美) 민주당 (강령).

dem·o·crat[déməkræt] *n.* C 민
주주의자, (D-) (美) 민주당원.

dem·o·crat·ic[dèməkrǽtik] *a.*
민주주의[정체]의; 민주적인, **the D-
Party** (美) 민주당. **-i·cal·ly** *ad.*

de·moc·ra·tize[dimɑ́krətàiz/
-5 | *vt., vi.* 민주화하다. **-ti·za·tion**
[-−tizéiʃən/-tai-] *n.* U 민주화;
평등화.

de·mog·ra·phy [dimɑ́grəfi/di-
mɔ́g-] *n.* U 인구 통계학.

de·mol·ish[dimɑ́liʃ/-5 | *vt.* 파괴
하다; (口) 먹어치우다.

dem·o·li·tion[dèməlíʃən, diː-] *n.*
U·C 파괴; 폭파.

de·mon[diːmən] *n.* C 악마, 귀신
(fiend); (口·사업에) 비범한 사람.

de·mon·stra·ble[démənstrəbəl,
dimɑ́n-] *a.* 논증(증명)할 수 있는.

dem·on·strate[démənstrèit] *vt.*
① 논증(증명)하다(prove). ② 실지
교수하다, (상품을) 실물 선전하다.
—*vi.* ① 시위 운동을 하다; (감정
등) 드러내다(exhibit). ② (軍) 양
동(陽動)[견제]하다. **-stra·tor** *n.*

dem·on·stra·tion[dèmənstréiʃən]
n. U·C 논증, 증명. ② U·C 실지 교수;
실물 선전; 실연(實演). ③ U·C 표시,
④ C 데모, 시위 (운동).

de·mon·stra·tive[dimɑ́nstrə-
tiv/-5 | *a.* 감정을 노골적으로 나타
내는(*of*); 논증적인; (文) 지시의; 시
위적인. — *n.* = < **adjective** [**pro-
noun**] [文] 지시 형용사[대명사].

de·mor·al·ize [dimɔ́ːrəlàiz,
-már-/-mɔ́r-] *vt.* 퇴폐시키다[의…];
사기를 저하시키다, 당황하게
하다. **-i·za·tion**[-−izéiʃən/-lai-]

n. U 퇴폐; 혼란.

de·mote[dimóut] *vt.* 강등(좌천)시
키다(opp. promote).

de·mot·ic[dimɑ́tik/-5 | *a.* 민중
의, 서민의.

de·mur[dimə́ːr] *n., vi.* (-**rr**-) 이의
(異義)를 말하다(*at, to*); U 항변(하
다).

de·mure[dimjúər] *a.* 기품 있는,
침착한; 젠체하는, 점잔 빼는; 근직
[근엄]한, 진지한. **~·ly** *ad.*

den[den] *n.* ① (야수의) 굴; (도둑
의) 소굴; 작고 아늑한 사실(私室).
② (口) 작은 서재(書齋).

de·na·tion·al·ize[diːnǽʃnəlàiz]
vt. (…의) 국적[국민성]을 박탈하다;
독립국의 자격을 빼앗다; (…의) 국유
를 폐하다. **-i·za·tion**[diːnǽʃənəl-
izéiʃən/-lai-] *n.*

de·ni·al[dináiəl] *n.* U·C 부정,
부인; 거부. ② U 극기(克己). **take
no ~** 싫다는 말을 못 하게 하다.

de·ni·er[dináiər] *n.* C 부인하는
사람.

den·i·grate[dénigrèit] *vt.* 검게 하
다; 더럽히다; 평판을 떨어뜨리다.

den·im[dénim] *n.* U 데님(작업복
(overall)·용의 능직 무명); (*pl.*) (푸
른 색의) 작업복.

den·i·zen[dénizən] *n.* ① C 주민;
외래어; 외래 동물. ③ C 귀화인.
—*vt.* 귀화를 허가하다, 시민권을 주
다.

de·nom·i·nate[dinɑ́mənèit/-5 |
vt. 명명하다(name). — [-nit] *a.*
특정한 이름이 있는. **-na·tor** [-nèi-
tər] *n.* C (數) 분모 (cf. numer-
ator); (古) 명명자.

de·nom·i·na·tion[dinɑ̀mənéiʃən/
-nɔ̀mi-] *n.* ① U 명명; C (특히 종
류의) 명칭. ② C 종파, 교파(sect);
종류; 계급. ③ C (도량형·화폐의)
단위 명칭. **~·al** *a.* 종파(교파)의 (지
배하의). **~·al·ism** [-izəm] *n.* U 종
파심; 파벌제도.

de·note[dinóut] *vt.* 나타내다, 표
시하다(indicate); 의미하다.

dé·noue·ment[deinúːmɑːŋ] *n.*
(F.) (극 따위의) 대단원(大團圓), 종결.

de·nounce[dináuns] *vt.* ① 공공연
히 비난하다; 고발하다(accuse).
③ (조약 따위의) 종결을 통고하다.

D

④ 《古》 (경고로서) 선언하다.

dense [dens] *a.* 조밀한, 밀집한; 짙은(thick); 우둔한. **〜·ly** *ad.* **〜·ness** *n.*

den·si·ty [dénsəti] *n.* ① 밀도, 농도. ② 〔컴〕밀도. 〔U,C〕〔理〕비중. **traffic 〜** 교통밀도.

dent [dent] *n., vi., vt.* ⓒ 움푹 팬 곳; 움푹 패(게 하)다.

den·tal [déntl] *a., n.* 이의; 치과의; ⓒ 〔音聲〕치음 (齒音)(의)(θ, ð, t, d 따위); 치음자.

déntal súrgeon 치과 의사.

den·tist [déntist] *n.* ⓒ 치과 의사. **〜·ry** *n.* ⓤ 치과 의술.

den·ture [déntʃər] *n.* (pl.) 의치(義齒), 틀니(set of teeth).

de·nude [dinjúːd] *vt.* 발가벗기다. (옷 따위를) 벗기다(strip)(of); (바위 따위를) 삭박(削剝)하다. **den·u·da·tion** [dìːnjuːdéiʃən, dèn-] *n.* ⓤ 노출(시키기); 박탈; 삭박(削剝).

de·nun·ci·a·tion [dinÌnsiéiʃən, -ʃi-] *n.* 〔U,C〕공공연한 비난; 고발(accusation); (조약 따위의) 파기 통고. **-to·ry** [-sièːtɔ̀ːri/-ʃiə-/-tɔ̀ːri] *a.* 비난하는; 위협〔협박〕적인.

de·ny [dinái] *vt.* 부정[부인]하다. (주기를) 거절하다(refuse); 면회를 거절하다. 〜 **oneself** 자제(自制)하다. 〜 **oneself to callers** 방문객을 만나지 않다.

de·o·dor·ant [diːóudərənt] *a., n.* 방취의; 〔U,C〕방취제.

dep. department; departmental; depart(s); departure; deponent; deposed; deposit; deputy.

de·part [dipáːrt] *vi., vt.* 출발[발차]하다, 떠나다; 벗어나다, 빗나가다(deviate); 죽다. 〜 **from one's word** 약속을 어기다. **〜·ed** [-id] *a.* 지나간(gone), 과거의(past); 죽은. **the 〜ed** 고인, 죽은 사람.

de·part·ment [-mənt] *n.* ⓒ 부문; 부, 성(省), 국. 과. **-men·tal** [-mèntl/diːpɑːrt-] *a.*

depártment stóre 백화점.

de·par·ture [dipáːrtʃər] *n.* 〔U,C〕출발, 발차; 이탈(離脫), 변경 (from). ② ⓤ 《古》서거(逝去). **a new 〜** 새 방침, 신기축(新機軸).

de·pend [dipénd] *vt.* …나름이다. …여하에 달리다(on, upon); 의지[신뢰]하다(rely)(on, upon). 〜 **upon it** 〔口〕확실히. **That 〜s.** 그것은 사정 여하에 달렸다. **〜·a·ble** *a.* 믿을 수 있는; 신빙성있는.

de·pend·ant [dipéndənt] *n., a.* = DEPENDENT.

de·pend·ence [-əns] *n.* 종속; 의존; 신뢰(reliance); 의지. **-en·cy** *n.* ⓤ 의존, 종속; ⓒ 속령, 속국.

de·pend·ent [-ənt] *a.* (…에) 의지하고 있는, 의존하는(relying), …나름의(on, upon); 〔文〕종속의(subordinate). — *n.* ⓒ 의존하는 사람; 부양 가족; 식객; 하인.

depéndent cláuse 〔文〕종속절.

de·pict [dipíkt] *vt.* (그림·글로) 묘사하다. **de·pic·tion** [dipíkʃən] *n.*

de·pil·a·to·ry [dipílətɔ̀ːri/-təri] *a.* 탈모(작용)의; 〔U,C〕탈모제.

de·plete [diplíːt] *vt.* 비우다(empty), 고갈시키다. **de·plé·tion** *n.*

de·plor·a·ble [diplɔ́ːrəbl] *a.* 슬퍼할; 가엾은, 애처로운, 비참한; 한탄할 만한. **-bly** *ad.*

de·plore [diplɔ́ːr] *vt.* 비탄하다.

de·ploy [diplɔ́i] *vt., vi.* 〔軍〕전개하다(시키다). **〜·ment** *n.*

de·pop·u·late [diːpápjəlèit/-ɔ-] *vt., vi.* (…의) 주민을 없애다[감소시키다]; 인구가 (…) 줄다. **-la·tion** [-léiʃən] *n.*

de·port [dipɔ́ːrt] *vt.* 처신하다; 이송[추방]하다(expel); 〜 **oneself** (well) (잘) 행동하다. **〜·ment** *n.* 행동, 태도, 처신. **de·por·ta·tion** [dìːpɔːrtéiʃən] *n.* 추방.

de·pose [dipóuz] *vt.* (cf. deposit) 면직시키다; (왕을) 폐하다; 〔法〕증언하다. — *vi.* 증언하다(testify). **de·pós·al** *n.*

de·pos·it [dipázit/-5-] *vt.* 놓다; (알을) 낳다(lay); 침전시키다; 맡기다, 예탁하다(〜 **a thing with him**); 계약금을 걸다. — *n.* 〔U,C〕부착[퇴적]물; 침전물; 〔地質〕광상; 매장물. ⓒ 예금, 공탁금, 보증금, 계약금. **-i·tor** *n.* ⓒ 공탁자; 예금자. **-i·to·ry** [-tèri/-təri] *n.* ⓒ 수탁자; 보관소, 저장소.

depósit accóunt 《英》저축 계정

((美) savings account).

dep·o·si·tion [dèpəzíʃən, dìːp-] *n.* ① U 면직; 퇴위; 증언.

de·pot [díːpou/dép-] *n.* ⓒ ① (美) 정거장, 버스 정류장. ② [軍] 저장소, 창고. ③ [dépou] [軍] 보충 부대; 병참부

de·prave [dipréiv] *vt.* 타락[악화]시키다(corrupt). **~d**[-d] *a.* 타락한. **dep·ra·va·tion** [dèprəvéiʃən] *n.*

de·prav·i·ty [diprævəti] *n.* U 타락; 비행.

dep·re·cate [déprikèit] *vt.* 비난[반대]하다. **-ca·tion** [dèprikéiʃən] *n.* **-ca·to·ry** [-kətɔːri/-təri] *a.* 반대의; (비난에 대하여서) 변명적인.

de·pre·ci·ate [dipríːʃièit] *vt.* (…의) 가치를 떨어뜨리다; 깎아내리다; 얕보다, 경시하다(belittle)(opp. appreciate). — *vi.* 가치가 떨어지다.

de·pre·ci·a·tion [diprìːʃiéiʃən] *n.* U⃝ⓒ 가치 하락; 감가 상각; 경시. **-to·ry** [-ʃiətɔːri/-təri] *a.* 가치 하락의; 경시하는.

dep·re·da·tion [dèprədéiʃən] *n.* U 약탈(ravaging); ⓒ 약탈 행위.

de·press [diprés] *vt.* 내리 누르다(press down); 저하시키다; (활동을) 약화시키다; 풀이 죽게 하다(spirit); 불경기로 만들다. **~·i·ble** *a.* **~·ing** *a.* **~·ing·ly** *ad.*

de·pressed [-t] *a.* 내리 눌린; 저하된; 움푹 들어간; 풀이 죽은; 불황의. **~ area** 빈곤 지구. **~ classes** (인도의) 최하층민.

de·pres·sion [dipréʃən] *n.* ① U⃝ⓒ 하락; 침하. ② U 움푹 팬 곳. ③ ⓒ [氣] 저기압. ④ U 불황. ⑤ U⃝ⓒ 의기 소침.

de·prive [dipráiv] *vt.* 빼앗다(divest); 면직시키다; 저해하다(*him of his popularity* 그의 인기를 잃게 하다). **dep·ri·va·tion** [dèprəvéiʃən] *n.*

dept. department; deponent; deputy.

:depth [depθ] *n.* ① U⃝ⓒ 깊이, (땅·집 등의) 세로길이. ② U 농도; 짙음 (低濃). ③ U⃝ⓒ (흔히 the ~s) 깊은 곳, 심연, 심해; (겨울·밤 따위의) 한중간(middle).

dep·u·ta·tion [dèpjətéiʃən] *n.* U 대리 (파견); ⓒ [집합적] 대표단.

de·pute [dipjúːt] *vt.* 대리를 명하다(appoint as deputy); (임무·권한을) 위임하다(commit).

dep·u·tize [dépjətàiz] *vi., vt.* 대리를 보다(삼다).

dep·u·ty [dépjəti] *n.* ⓒ ① 대리, 대표자; 사절. ② (프랑스 등의) 의원. **the Chamber of Deputies** (프랑스 제3 공화국의) 하원.

de·rail [diréil] *vi., vt.* 탈선하다[시키다]. **~·ment** *n.*

de·range [diréindʒ] *vt.* 어지럽히다, 혼란시키다; 발광시키다. **~·ment** *n.* U⃝ⓒ 혼란; 발광.

Der·by [dáːrbi/dáː-] *n.* the (~) (영국 Epsom 시에서 매년 열리는) 더비 경마, 대경마; ⓒ (d-) (美) 중산 모자(ⓒ bowler).

der·e·lict [dérəlikt] *a.* 버려진, 무책임한; 유기된(forsaken); 직무 태만의. — *n.* ⓒ 유기물, 유기(표류)선; 버림받는 사람. **-lic·tion** [-líkʃən] *n.* U⃝ⓒ 유기; 태만.

de·ride [diráid] *vt.* 조롱하다(ridicule).

de ri·gueur [də rigớːr] (F.) 예의상 필요한(required by etiquette) (*Tuxedo is ~.* (달임은) 턱시도를 착용함).

de·ri·sion [dirìʒən] *n.* U 비웃음, 조롱(ridicule), 경멸(contempt); ⓒ 조소(嘲笑) 거리. **be the ~ of** …로부터 웃음거리다. **-sive** [diráisiv], **-so·ry** [-səri] *a.*

de·rive [diráiv] *vt.* (…에서) 끌어내다(from); 기원을[유래를] 더듬다(trace); (…에) 기원을 발하다. **be ~d from** …에 유래하다. **der·i·va·tion** [dèrəvéiʃən] *n.* U⃝ⓒ 유도; 유래, 기원; [文] 파생. ⓒ 파생형; 파생어. **de·riv·a·tive** [dirívətiv] *a., n.* 파생의(어). ⓒ 파생물; [數] 도함수.

der·ma·ti·tis [dəːrmətáitis] *n.* U [醫] 피부염.

der·ma·tol·o·gy [dəːrmətálədʒi/-5-] *n.* U [醫] 피부병학.

der·rick [dérik] *n.* ⓒ 데릭 기중기; (美) 유정탑(油井塔).

D

der·ring-do [dériŋdúː] n. ⓤ《古》 대담한 행위(daring deeds).

der·vish [dáːrviʃ] n. ⓒ (이슬람교의) 탁발승.

de·sal·i·nate [diːsǽlənèit], **de·sal·i·nize** [diːsǽlənàiz] vt. = 다음.

de·salt [diːsɔ́ːlt] vt. 염분을 제거하다, 담수화하다.

des·cant [deskǽnt] vi. 상세히 설명하다(on, upon); 노래하다. — [─] n. ⓒ 상설;《詩》노래; 가곡;《樂》수반(隨伴) 선율.

Des·cartes [deikáːrt], **René** (1596-1650) 데카르트《프랑스의 철학자·수학자》.

de·scend [disénd] vi. ① 내리다, 내려가다(오다)(opp. ascend). ② (성질·재산 따위가 자손에게) 전해지다, 유전하다. ③ (도덕적으로) 타락하다, 전락하다(stoop). ④ 급습하다(on, upon). :~ant- [-ant] a. ⓒ 자손. ~·ent a.

de·scent [disént] n. ⓤⓒ 하강. ① 내리받이(opp. ascent). ⓤ 가계(lineage), 혈통; 급습. make a ~ on [upon] 급습하다.

de·scribe [diskráib] vt. 기술[묘사]하다(depict); 그리다(draw).

de·scrip·tion [diskrípʃən] n. ⓤⓒ 서술, 기술, 묘사; 특징; ⓒ 종류, 종목. beggar (all) ~, or be beyond ~ 이루 말할 수 없다. *de·scrip·tive a. 서술[기술]하는 것의. **descriptive grammar** 기술 문법《규범 문법에 대하여》.

des·e·crate [désikrèit] vt. (…의) 신성을 더럽히다(profane). **-cra·tion** [dèsikréiʃən] n.

de·seg·re·gate [diːségrigèit] vt., vi.《美》(학교 등의) 인종(흑인) 차별 대우를 그만두다.

de·sert [dizɔ́ːrt] n.《보통 pl.》공적(merit); 공죄(功罪), 당연한 응보.

de·sert vt. 버리다(forsake); 도망 [탈주]하다(from). *~ed [-id] a. 사람이 살지 않는; 황폐한; 버림받은. ~·er n. ⓒ 유기자; 탈주자. **de·ser·tion** [-ʃən] n. ⓤ 유기, 탈당, 탈함(脫艦), 탈주.

des·ert [dézərt] n., a. ⓒ 사막(지방)(의); 불모의.

de·serve [dizɔ́ːrv] vt. (상·벌을) 받을 만하다, …할 가치가 있다, …할 만하다(be worthy). …할 만하다(of); 공적 있는. **de·serv·ed·ly** [-idli] ad. 당연히. **de·serv·ing** a. 당연히 …을 받아야 할, …할 만한(of); 공적 있는.

des·ic·ca·te [désikèit] vi., vt. 건조시키다[하다].

de·sign [dizáin] n. ⓒ 설계; 도안; ⓤ 구상, 줄거리. ② ⓒ 계획(scheme), 목적, 의도; 음모(plot)(against, on) by …으로. — vt. ① 도안을 만들다, 설계하다. ② 계획[기도]하다(plan). ③ …으로 예정하다, 의도하다(intend)(~ one's son for (to be) an artist). :~·ing n. ⓒ 설계자; 도안가, 디자이너; 음모가. ~·ing a., n.

des·ig·nate [dézignèit] vt. 가리키다; 명명하다; 지명(선정)하다; 임명하다(appoint). — [-nit, -nèit] a. 지명[임명]된. *·na·tion [dèzignéiʃən] n. ⓤ 명시; 지정; 임명; ⓒ 명칭; 칭호.

de·sir·a·ble [dizáiərəbəl] a. 바람직한; 갖고 싶은. **-bil·i·ty** [dizàiərəbíləti] n.

de·sire [dizáiər] vt. 원하다, 바라다, 요구(욕구)하다, 구하다(ask for). — n. ⓤⓒ 소원(wish); 욕구; ⓒ 바라는 것; 요구. *at one's ~ 희망에 따라.

de·sir·ous [dizáiərəs/-záiər-] a. 바라는(of); 원하는(to do; that).

de·sist [dizíst] vi. 단념하다, 그만 두다(cease)(from).

desk [desk] n. ⓒ 책상; (the ~)《美》(신문사의) 편집부, 데스크; 《美》설교단(pulpit).

désk·tòp a. 탁상용의《컴퓨터 따위》. — n. ⓒ《컴》탁상.

désktop públishing 〔컴〕탁상 출판《퍼스널 컴퓨터와 레이저 프린터를 이용한 인쇄 대본 작성 시스템; 생략 DTP》.

des·o·late [désəlit] a. 황폐한, 황량한(waste), 사람이 안 사는(deserted); 고독한, 쓸쓸한; 음산한(dismal). — [-lèit] vt. 황폐하게 하다; 주민을 없애다; 쓸쓸[비참]하게

~·ly ad. ***-la·tion** [dèsəléiʃən] n. Ⓤ 황폐, 황량, 쓸쓸함, 서글픔; Ⓒ 폐허.

de·spair [dispέər] n., vi. Ⓤ 절망(하다); Ⓒ 절망의 원인. **~·ing** [-spέəriŋ] a.

des·patch [dispǽtʃ] v., n. = DISPATCH.

des·per·a·do [dèspəréidou, -rá:-] n. (pl. **~(e)s**) Ⓒ 목숨 아까운 줄 모르는 흉한(兇漢), 무법자.

des·per·ate [déspərit] a. 절망적인; 필사적인; 자포자기의; 터무니없는. **a. ~ fool** 헛변 없는 바보. ***~·ly** ad. **~·tion** [dèspəréiʃən] n. Ⓤ 절망; 기를 씀; 필사, 자포자기.

des·pi·ca·ble [déspikəbəl, dispík-] a. 야비한; 비열한(mean). **·bly** ad.

de·spise [dispáiz] vt. 경멸하다. Ⓤ 싫어[혐오]하다. **de·spís·er** n.

de·spite [dispáit] n. Ⓤ 모욕; 원한, 증오, (in) ···에도 불구하고. — prep. ···에도 불구하고.

de·spoil [dispóil] vt. 약탈하다. **~·er** n. Ⓒ 약탈자. **~·ment** n. Ⓒ 약탈.

de·spond [dispánd] vi. 낙담하다. **~·ence, ~·en·cy** [-ənsi] n. Ⓤ 낙담. **~·ent** a.

des·pot [déspət, -pát/-pɔt, -pət] n. Ⓒ 전제 군주, 독재자(autocrat); 폭군(tyrant). **~·ism** [-izəm] n. Ⓤ 압제, 암박; 횡포; 독재 정치; Ⓒ 절대 군주국. **~·ic** [despátik/-5-] **·i·cal** [-əl] a. 횡포[포악]한.

des·sert [dizə́ːrt] n. Ⓒ 디저트 《dinner 끝에 나오는 과자·과일 따위》.

des·ti·na·tion [dèstənéiʃən] n. Ⓒ 목적지; 보낼 곳; 목적, 용도.

des·tine [déstin] vt. 운명짓다; 예정하다, 할당하다. **be ~d for** ···에 가기로[···이 되기로] 되어 있다.

des·ti·ny [déstəni, -ti-] n. Ⓤ 운명, 천명(fate).

des·ti·tute [déstətjù:t/-tju:t] a. 결핍한, (···이) 없는(of); (생활이) 궁핍한(needy).

des·ti·tu·tion [∼təjúːʃən/-tjú-] n. Ⓤ 결핍; 빈궁; 빈곤.

de·stroy [distrɔ́i] vt. 파괴하다(demolish); 멸(滅)하다; 죽이다(kill); 폐하다(abolish). — vi. 파괴하다; 부서지다. **~ oneself** 자살하다. **~·er** n. Ⓒ 파괴자; 구축함.

de·struc·tion [distrʌ́kʃən] n. Ⓤ 파괴(destroying); 멸망.

de·struc·tive [distrʌ́ktiv] a. 파괴적인; 파멸시키는(of); 유해한(to). **~·ly** ad.

des·ul·to·ry [désəltɔ̀ːri/-təri] a. 산만한, 종작 없는. **·ri·ly** ad. **·ri·ness** n.

de·tach [ditǽtʃ] vt. 분리하다(separate) (from); 분견(分遣)하다. **~a·ble** a. ***~·ed** [-t] a. 떨어진; 공평한(impartial); 분견(分遣)된; 초연한, 편견이 없는. **~·ed palace** 별궁. ***~·ment** n. Ⓤ 분리(opp. attachment); 초월; Ⓒ 《집합적》 분견대. **artistic detachment** 【文】 초연한 태도 《작품 속에 필자의 생활 감정 등을 개입시키지 않는 일》.

de·tail [díːteil, ditéil] n. Ⓒ 세부; 부분도; (pl.) 상세한 내용; Ⓒ 《집합적》 분견대. **go into ~** 자세히 말하다. **in ~** 상세히. — vt. 상술(詳述)하다; 【軍】 선발(특파)하다. ***~·ed** [-d] a. 상세한(minute).

de·tain [ditéin] vt. 말리다, 붙들다(hold back); 억류[구류]하다.

de·tain·ee [diteiníː] n. Ⓒ 억류자.

de·tect [ditékt] vt. 발견하다(find out). **de·téc·tion** n. Ⓤ Ⓒ 발견, 탐지. **de·téc·tor** n. Ⓒ 발견자, 탐지자(기)(구); (라디오의) 검파기.

de·téc·tive n., a. Ⓒ 탐정[형사](의), **detective story** 탐정[추리] 소설.

dé·tente [deitá:nt] n. (F.) Ⓒ 《국제간의》 긴장 완화.

de·ten·tion [diténʃən] n. Ⓤ 붙들음; 구류(confinement). **~ home** 소년원. **~ hospital** 격리 병원.

de·ter [ditə́ːr] vt. (**-rr-**) 방해하다(from); 단념시키다(from doing). **~·ment** n. Ⓤ 방해, 방지; 단념시키는 물건(사정).

de·ter·gent [ditə́ːrdʒənt] a., n. 깨끗하게 하는; ⓊⒸ 《합성》 세제.

de·te·ri·o·rate[ditíəriərèit] *vt.,* *vi.* 악화[저하·타락]시키다[하다]. **-ra·tion**[ditìəriəréiʃən] *n.*

de·ter·mi·nant[ditə́ːrmənənt] *n., a.* ⓒ 결정요[물], 결정요소. 《요소》; 《數》 행렬식; 《生》 결정소(素); 《論》 한정사(辭).

:**de·ter·mine**[ditə́ːrmin] *vt.* (…에게) 결심시키다; 결정〔확정〕하다(fix); 한정하다; 측정하다. **be ~d** 결심하고 있다. — *vi.* 결심하다; 결정하다. **-mi·na·tion**[-ˈ-néiʃən] *n.* ⓤ 결심; 확정(確定); 판결; 측정, 측정. **-mi·na·tive**[ditə́ːrminèitiv, -nə-] *a.,* *n.* 결정〔한정〕적인; ⓒ 《文》 한정사(관사·지시 대명사 따위》. **-min·ism** [-ìzəm] *n.* ⓤ 【哲】 결정론.

de·ter·mined[ditə́ːrmind] *a.* 결심한; 결정된.

de·ter·rent[ditə́ːrənt, -tér-] *a.,* *n.* 제지하는; ⓒ 방해물(=**deterring**(것), 방해물(*nuclear* ~ *power* 핵저지력); 《英》 핵무기.

de·test[ditést] *vt.* 미워[싫어]하다(hate). ~·**a·ble** *a.* 몹시 싫은; **de·tes·ta·tion**[dìːtestéiʃən] *n.* 혐오; ⓒ 몹시 싫은 것.

de·throne[diθróun] *vt.* (왕을) 폐하다(depose). ~·**ment** *n.* ⓤ 폐위, 퇴위.

de·tour[díːtuər, ditúər] *n.* ⓒ 우회로.

de·tract[ditrǽkt] *vt., vi.* (가치·명성 따위를) 떨어뜨리다, 손상시키다(*from*). **de·trác·tion** *n.* ⓤ 훼손; 비방. **de·trác·tive** *a.* **de·trác·tor** *n.*

det·ri·ment[détrəmənt] *n.* ⓤ 손해(damage). **-men·tal**[dètrəméntl] *a.,* *n.* 유해한(*to*); ⓒ 《英俗》 탐탁지 않은 구혼자《차남·삼남 따위》.

de·tri·tus[ditráitəs] *n.* ⓤ 쇄석(碎石), 암설(岩屑); = DEBRIS.

deuce[djuːs/dʒuːs] *n.* ⓒ (주사위·카드놀이의) 2점(의 눈·패); ⓒ 《테니스》 듀스; 불운, 재액; ⓒ 악마; *a [the] ~ of a* ··· 엄청난, 대단한; ~ *a bit* 결코 ···아니다. *D-knows!* 알게 뭐야! *D- take it!* 제기랄!, 아 빌어먹을! *go to the ~* 멸망하다; 《명령법으로》 뒈져라! ~ *is in it if I cannot!* 내가 못하다니 말이 돼. — *vt.* 듀스로 하다. **deuc·ed** [-ʃuːst, -st] *a., ad.* 《英口》 지독한[히]. **deuc·ed·ly** [-sidli] *ad.* 지독히, 지긋지긋하게.

Déut·schmàrk [dɔ́itʃ-] 독일 마르크《독일의 화폐 단위; 생략 DM》.

dev·as·tate[dévəstèit] *vt.* 약탈하다; 망치다, (국토를) 황폐하게 하다. **-ta·tion**[dèvəstéiʃən] *n.*

dev·as·tat·ing[-iŋ] *a.* (아주) 호된《반론, 조소 등》; 《口》 아주 좋은, 대단한, 못견딜.

de·vel·op[divéləp] *vt., vi.* 발달〔발전〕시키다〔하다〕; 계발하다; 《寫》 현상하다; 《樂》 (선율을) 전개시키다. ~·**ment** *n.* ⓤ 발달, 발전; 전개, 현상. ~·**er** *n.* ~·**ing** *a.* 발전 도상의.

devélopment àrea 《英》 (산업) 개발 지구.

de·vi·ate[díːvièit] *vi., vt.* (옆으로) 빗나가〔게 하〕다(turn aside). **-a·tor** *n.* ⓒ 일탈자; 빗나가는 것.

de·vi·a·tion[dìːviéiʃən] *n.* ⓤⓒ 벗어남, 일탈(逸脫); 오차; 《統》 편차. ~·**ism**[-izəm] *n.* ⓤ (당파에서의) 당규 일탈, (주류에서의) 이탈. ~·**ist** *n.* ⓒ 일탈(편향)자.

de·vice[diváis] *n.* ⓒ 계획, 고안; 장치, 도안(design); 의장, 기장(記章); 계략(trick). **be left to one's own** ~ 혼자 힘으로 하게 내버려두다.

:**dev·il**[dévl] *n.* ⓒ ① 악마《저주를 나타내는 말의 용법은 deuce와 같음》; (the D-) = SATAN. ② 악신. ③ 비상한 정력가; (인쇄소의) 사동. ④ 《料理 매운 불고기. *be a ~ for* 一광이다. *beat the ~'s* TATTOO¹. *be ~ may care* 전혀 무관심이다. *be·tween the ~ and the deep sea* 진퇴 양난에 빠져서. ~ *a bit* 조금도 ···아닌. ~'s *advocate* 현구수다, 트집쟁이. ~'s *books* 카드 패. *give the ~ his due* 어떤[싫은] 상대에게도 공평히 하다. *go to the ~* go to the DEUCE. *It's the ~ (and all).* 그거 난처하다, 귀찮은데. *raise the ~ 《俗》 소동을 일으키다. *The ~ take the hindmost!* 뒤떨

D

어진 눈 따위 알게 뀌여(악마에게나 잡아 일어날 골칫거리(곤란). — *the ~ to pay* 앞으로 일어날 골칫거리(곤란). | ~ *round the post* [*stump*] 《美》 교묘한 구실로 곤란을 타개하다. — *vt., vi.* 《英》 *-ll-* (고기에) 후추(따위)를 발라 굽다; 절단기에 넣다; 《美口》 괴롭히다; 하찮일(대작(代作)]을 하다(*for*), ⁓ish a., ad. 악마 같은, 극악무도한(잔혹한); 《口》 극도의(로). ⁓ment n. U 악행.

dev·il-may-care [dévlmeikέər] a. 무모한(reckless); 태평한.

dev·il·(t)ry [-(t)ri] n. U © 악마의 소행, 악행; 악마; 악마 같은 것[존재], 악귀.

de·vi·ous [díːviəs, -vjəs] a. 꾸불꾸불한(winding); 우회하는; 인류(人倫)를 벗어난.

:de·vise [diváiz] (cf. device, divide) 안출(궁리)하다; 《法》 유증(遺贈)하다. *vt.*

de·void [diváid] a. (…을) 결한, (…이) 전혀 없는(lacking)(*of*).

de·volve [diválv/-] *vt., vi.* (임무 따위) 맡기다(어지다); 넘겨지다, 넘어가다는; 전하[여지]다, (임무가) 돌아오다(*to, upon*). **dev·o·lu·tion** [dèvəlúːʃən/díːv-] n. U 상전(相傳)[상속]; 《生》 퇴화.

:de·vote [divóut] *vt.* (심신을) 바치다(*to*). — *oneself to* 에 전념하다; 에 빠지다[골몰하다]. **de·vot·ed** [-id] a. 헌신적인; 열애(熱愛)하는. **de·vót·ed·ly** ad. **de·vót·ed·ness** n. **dev·o·tee** [dèvoutíː] n. 귀의자(歸依者); 열성가(*of, to*).

de·vo·tion [divóuʃən] n. U 헌신, 전념, 귀의; 애착; (*pl.*) 기도. **~·al** a.

:de·vour [diváuər] *vt.* ① 게걸스럽게 먹다(먹어치우다), ② (화재 따위가) 멸망시키다(destroy); ③ 탐독하다; 뚫어지게 보다; 열심히 듣다. ④ 열중케 하다(absorb). ~·ing·ly ad.

:de·vout [diváut] a. 경건한; 열심인; 성실한. ~·ly ad. ~·ness n.

dew [djuː/djuː] n. 이슬; (눈·물의) 방울. — *vt., vi.* 이슬로 적시다; 이슬이 내리다. ~ **s.** 이슬이 내리다. **dew·y** [-i] a. 이슬에 젖은;

(잔 따위) 상쾌한.

déwy-éyed a. 천진난만한 (눈을 가진), 순진한.

dex·ter·ous [dékstərəs] a. (손재간이) 능란한; 기민한, 영리한. ~·ly ad. **·dex·ter·i·ty** [dekstérəti] n. U 손재주; 기민, 교묘.

dex·trose [dékstrous] n. U 《化》 포도당.

di·a·be·tes [dàiəbíːtis, -tiːz/-tiːz] n. U 《醫》 당뇨병. **-bet·ic** [-bétik, -bíːt-] a., n. © 당뇨병의(환자).

di·a·bol·ic [dàiəbálik/-] a., *-i·cal* [-əl] a. 악마(적)의, 극악무도한.

di·a·dem [dáiədèm] n. © 왕관; 왕위, 왕권, 주권.

di·ag·nose [dáiəgnous, -nòuz/dáiəgnòuz, ⁓⁻⁻] *vt.* 《醫》 진단하다. **·di·ag·no·sis** [dàiəgnóusis] n. (*pl.* -*noses* [-siːz]) 진단(법); 진단[진찰]의 결과. **-nos·tic** [-nástik/-] a. 진단(상)의; 특징적인. — n. U (종종 *pl.*) 진단법.

di·ag·o·nal [daiǽgənəl] n., a. © 《數》 대각선(의), 비스듬한. ~·ly ad.

di·a·gram [dáiəgræm] n. © 도표, 도식. **~·mat·ic** [dàiəgrəmǽtik] a. **-i·cal** [-əl] a. **-i·cal·ly** ad.

di·al [dáiəl] n. © 《시계·계량기 따위의》 다이얼, 문자반, 지침판(= *plate*); = SUNDIAL. — *vt., vi.* 《英》 *-ll-* 다이얼을 돌리다; 전화를 걸다.

di·a·lect [dáiəlèkt] n. U© 방언; 파생 언어; 어떤 직업·계급 특유의 통용어, 말씨. **di·a·lec·tal** [dàiəléktl] a.

di·a·lec·tic [dàiəléktik] a. 변증(법)적인. — n. U (종종 *pl.*) 변증법. **di·a·lec·ti·cal** [-əl] a. = 上.

di·a·logue [dáiəlɔ̀ɡ, -lɑ̀ɡ/-lɔ̀ɡ] n. U© 문답, 대화; 대화체.

diál tone (전화의) 발신음.

di·am·e·ter [daiǽmitər] n. © 직경. **di·a·met·ric** [dàiəmétrik] a. **-ri·cal** [-əl] a. 직경의; 정반대의. **di·a·mét·ri·cal·ly** ad.

di·a·mond [dáiəmənd] n. U© 다이아몬드, 금강석; © 유리칼; (카드의) 다이아; 마름모꼴; 《野》 야구장, 내야. **a ~ in the rough**, **or a rough**

**~ 천연(그대로의) 다이아몬드; 거칠
지만 值은 훌륭한 인물. ─ *cut ~
*(불꽃 튀기는 듯한) 호적수의 대결.
~ *of the first water* 일등 광채의
다이아몬드; 일류의 인물.

diamond wédding 다이아몬드혼
식《결혼 60 또는 75 주년 기념식》.

di·a·per[dáiəpər] *n., vt.* ① 마름모
꼴 무늬의 무명. ② 기저귀(를 채우
다); ① 마름모꼴 무늬(로 꾸미다).

di·aph·a·nous[daiǽfənəs] *a.* 투
명한, 비치는. **~·ly** *ad.* **~·ness** *n.*

di·a·phragm [dáiəfræm] *n.* ①
【解】 횡격막(橫隔膜). ② (전화기의) 진동
판; (사진기의) 조리개.

di·ar·rhe·a (英) **-rhoe·a**[dài-
əríːə] *n.* ① 설사(loose bowels).

di·a·ry [dáiəri] *n.* ① 일기(장).
di·a·rist *n.*

di·as·po·ra[daiǽspərə] *n.* (the
~) ① 유대인의 이산(Babylon 포
수(捕囚) 이후의); 《집합적》 팔레스타
인 이외에 사는 유대인. ② (d-) 《집합
적》 이산한 겨레.

di·a·ton·ic[dàiətánik/-5-] *a.* 【樂】
온음계의(cf. chromatic).

di·a·tribe[dáiətràib] *n.* ① 통렬한
비난, 혹평.

dice[dais] *n. pl.* (*sing.* **die**) ①
주사위(《단수 취급》주사위 놀이), 노름. ②
작은 입방체(small cubes). ── *vi.*
주사위 놀이를 하다. ── *vt.* (주사
위) 노름으로 잃다; (야채 따위를)
골패짝 모양으로 썰다.

di·chot·o·my[daikátəmi/-5-] *n.*
①① 2분하는[되는] 일; 【論】 2분법;
【生】 2차분지(二叉分枝); 【天】 반월 배
열(半月配列).

dick [dik] *n.* (俗) 《다음 용법에서》
take one's ~ 선서하다(*to; that*).

Dick·ens[díkinz] *n., int.* (口) ①
DEVIL.

dick·ey, dick·y[díki] *n.* ① 당나
귀; *= ~-bird* 작은 새(아이서츠·블
라우스의, 뗐다 붙이는 가슴판, 앞 장
식; (아이의) 턱받이; 《英方》 (마차
의) 마부석.

dic·tate[díkteit, ─́] *vt., vi.* 받아
쓰게 하다. ── [─́] *n.*
① (보통 *pl.*) 명령, 지령.

dic·ta·tion[diktéiʃən] *n.* ① 구술**

**(口述), 받아쓰기; 명령, 지령. *at
the ~ of* …의 지시에 따라.

dic·ta·tor[díkteitər, ─́─] *n.* ①
구술자; 명령자(독재자.

dic·ta·to·ri·al[dìktətɔ́ːriəl] *a.* 독
재자의; 독재적인(despotic); 명령적
인, 오만한.

dic·tátor·ship *n.* ① 독재국[권].
① ① 독재(권); 집정관의 지위.

dic·tion[díkʃən] *n.* ① 말씨, 용어.

dic·tion·ar·y[díkʃənèri/-ʃənəri]
n. ① 사전, 사서(辭書).

dic·tum[díktəm] *n.* (*pl.* **~s, -ta**)
① 단언, 언명; 격언.

did[did] *v.* do 의 과거.

di·dac·tic [daidǽktik] *a.* **-ti·cal**
[-əl] *a.* 교훈적인.

did·dle[didl] *vt., vi.* (口) 편취하다
(swindle); (시간을) 낭비하다(waste).

didn't[dídnt] did not의 단축.

di·dym·i·um[daidímiəm, di-] *n.*
①① 【化】 디디뮴(希금속).

die[dai] *vi.* (**dying**) ① 죽다(~ *of
hunger* [*illness*] 아사[병사]하다)
─ *from wounds* 부상 때문에 죽다/
~ *in an accident* 사고로 죽다); 말
라죽다. ② 희미해지다, 소멸하다
(*away, down*). ③ 그치다(*off, out*).
be dying (닳아서, 하고 싶어) 못견
디다(*for; to do*). ~ *away* (차차
(바람·소리 등이) 잦아들다; 실신하
다, ~ GAME[*(a.)*. ~ *hard* 쉽사리
죽지 않다[없어지지 않다]. ~ *in
one's boots* [*shoes*] 변사하다;
교수형을 받다. ~ *on the air* (방송
소리 등이) 공중에서 사라지다. *Never
say ~!* 죽는 소리 하지 마라.

die[dai] *n.* ① (*pl.* **dice**) 주사위.
② (*pl.* ~**s**) 거푸집, 나사틀; ② 적어내
는 틀, 수나사를 자르는 틀, 각인(刻印). 각
인 스. 을 위해들이다(주사위와 관계 없
을 때는 *at stake*). *straight as a ~* 똑
바른; 정직한. *The ~ is cast.* 주사위는 던
져졌다; 벌린 춤이다.

die·hard *a., n.* ① 끝까지 저항하는
(버티는) (사람); 완고[강경]한 사람.

die·sel, D-[díːzəl, -səl] *n.* ① C
디젤[선].

diesel éngine 디젤 엔진[기관].

di·et[dáiət] *n.* ①① 상식(常食); ②
(치료·제중 조절을 위한) 규정식. *be*

D

di·e·tar·y [dáiətèri/-təri] *a.,* n. ⓒ 식사(음식)의 (규정量), 규정식.

di·e·tet·ics [dàiətétiks] n. ⓤ 식 이 요법, 영양학.

di·e·ti·tian, -ti·cian [dàiətíʃən] n. ⓒ 영양사(학자).

dif·fer [dífər] *vi.* 다르다(from); 의견이 달리하다(disagree) (from, with).

dif·fer·ence [dífərəns] n. ⓒⓤ (점); 차이(정); 불화; 《종종 *pl.*》(국제간의) 분쟁. make a ~ 차가 있다(중요하다); 구별짓다(between). split the ~ 타협하다; 서로 양보하다.

dif·fer·ent [dífərənt] *a.* 다른(from; to, 때로 than); 여러 가지의. *~·ly ad.*

dif·fer·en·tial [dìfərénʃəl] *a.* 차별의, 차별적인; 특징의; 특징의; 미분의; 《機》 차동(差動)의; **calcu·lus** 미분. ~ **gear** 《機》 차동 장치. 《電》 차별 관련세, 협정 임금차.

dif·fer·en·ti·ate [dìfərénʃièit] *vt., vi.* 차별(구별)하다(…에 생기다); 분화 시키다(하다); 《vi.》 미분하다. **-a·tion** [~ʃiéiʃən] n. ⓤⓒ 구별; 《生》 분화, 변이(變異); 특수화; 《數》 미분 (微分).

dif·fi·cult [dífikʌlt, -kəlt] *a.* 어려운; 까다로운; 다루기 힘든(hard).

dif·fi·cul·ty [dífikʌlti] n. ⓤ 곤란; 이의(異議), 지장(obstacle). 《보통 *pl.*》 경제적 곤란, 궁박(窮乏). make (raise) ~ 이의를 제기하다. with ~ 간신히.

dif·fi·dent [dífidənt] *a.* 자신 없는, 수줍은(shy). *~·ly ad.* *·dence* n. ⓤ 자신 없음, 망설임(opp. confidence); 암暗, 겸손.

dif·fract [difrǽkt] *vt.* 《理》 (광선·음향 등을) 회절시키다. **dif·frác·tion** n. ⓤ 《理》 회절. **dif·frác·tive** *a.* 회절(분해)하는.

dif·fuse [difjúːz] *vi., vt.* 발산(유포)하다(시키다)(spread). — [-s] *a.*, 퍼진, 유포한; (문장·말 등이) 산만한. *~·ly ad.* *·ness* n.

dif·fu·sion [difjúːʒən] n. ⓤ 산포; 유포; 보급; 산만, 장황. *·sive a.*

dig [dig] *vt.* (dug, 《古》~ged; -gg-) 파다, 파(캐)내다; 《口》 연구하다(burrow) (up, out). 《口》 (손가락·팔꿈치로) 찌르다; (손톱·칼날을) 찔러 넣다(into, in). 《美口》 보다, 듣다, 주의를 기울이다, 알다, 좋아하다. — *vi.* 파다; 파서 뚫다, 파나가다; 《口》 탐구하다(for, into). 《美口》 꾸준히 공부하다(at). ~ **down** 파내려가다; 파무으트리다; 《美口》 돈을 치르다. ~ **in** 파묻다; 땅을 파서 갈다; 참호를 파서 몸을 숨기다; 《口》 열심히 일하다. ~ **into** 《口》 …을 맹렬히 공부하다; 맹공격하다. ~ **open** 파헤쳐 내다. ~ **out** 파내다; 조사해 내다; 《美口》 도망치다. ~ **up** 파서 일구다; 발굴하다; 《口》 조사해 내다; 들추어(밝혀)내다; 《美口》 (이상[불쾌]한 사람·물건을) 만나다. — n. ⓒ 한 번 찌르기; 쿡 찌르기(poke); 빈정거림, 빗댐; 《*pl.*》 《口·英口》 하숙(diggings). have [take] a ~ **at** …에게 귀에 거슬리는 소리를 하다.

di·gest [didʒést, dai-] *vt.* ① 소화하다, 이해하다; 납득하다. ② 《모욕· 손해 따위를》 참다, 견디다. ③ 요약하다, 간추리다. — *vi.* 소화하다. 소화되다. — [dáidʒest] n. ⓒ 요약(summary); 《문학 작품 따위의》 개요; 요약(축약)판; 법률집, 요람. *·i·ble a.* 소화되기 쉬운; 요약할 수 있는.

di·ges·tion [didʒéstʃən, dai-] n. ⓤ 소화(력); 소화작용. *·tive a.,* n. 소화의(를 돕는); ⓒ 《단수형》 소화제.

dig·ger [dígər] n. ⓒ 파는 사람(도구), 금광의 갱부; (D-) 오스트레일리아 · 뉴질랜드 사람; 터를 도르는 따위의 봉사를 하는 회원.

dig·it [dídʒit] n. ⓒ ① 손(발)가락 (finger, toe). ② (0에서 9까지의) 아라비아 숫자.

dig·it·al [dídʒitl] *a.* 손가락의; 《컴퓨터 등의》 계수형의, 디지털형의. — n. ⓒ 손(발)가락; 《樂》 디지털. **digital compúter** 《컴》 디지털 컴퓨터. **digital recórding** 디지털 녹음.

dig·ni·fy [dígnəfài] *vt.* (…에) 위엄

을 {풍위를} 부여하다. **-fied**[-d] *a.*

dig·ni·tar·y[dígnitèri/-təri] *n.* ⓒ 고위 성직자, 고승; 귀인, 고관.

dig·ni·ty[dígnəti] *n.* ① ① 위엄, 존엄, 관록, 품위. ② ① 고위층 인물, 고관. ⓒ {집합적} 고위층. **be beneath one's ~** 체면에 관계되다, 위신을 손상시키다. **stand 〔be〕 upon one's ~** 점잖을 빼다; 뽐내다. **with ~** 위엄있게, 점잖게.

di·gress[daigrés, di-] *vi.* 본론에서 벗어나다, 탈선하다(deviate). **di-grés·sion** [⸺⸗] 여담, 탈선; 본제를 벗어나 지엽으로 흐름. **di·grés·sive** *a.*

dike[daik] *n., vt.* ① 둑(을 쌓다)(bank); 도랑(을 만들다, 을 만들어서 배수하다)(drain). ② 제방으로 둘러싸인 저지대.

di·lap·i·dat·ed[dilǽpədèitid] *a.* (집 따위가) 황폐한, 황량한(을 부서진 위가) 남루한, 초라한. **-da·tion** [⸺⸗déiʃən] *n.*

di·late[dailéit, di-] *vt.* 넓게 하다, 팽창〔확장〕시키다. ── *vi.* 넓어지다; 상세히 말하다, 부연하다(*upon*). **dil·a·ta·tion**[dìlətéiʃən, dàil-], **di·la·tion**[dailéiʃən, di-] *n.*

dil·a·to·ry[dílətɔ̀ːri/-təri] *a.* 완만한, 느린.

di·lem·ma[dilémə] *n.* ⓒ 진퇴양난, 궁지, 딜레마. {論} 양도(兩刀)논법.

dil·et·tan·te[dìlətǽnti, -táːnt] *n.* (*pl.* ~s, -ti[-tìː]) ⓒ 예술 애호가, 아마추어 예술가. ── *a.* 딜레탕트(풍)의. **-tant·ism** [-ìzəm] *n.* ① 딜레탕티즘, 예술 애호; 서투른 기예.

dil·i·gence[dílədʒəns] *n.* ① 부지런함, 근면, 노력.

dil·i·gent[dílədʒənt] *a.* 부지런한. **~·ly** *ad.*

dil·ly·dal·ly[dílidǽli] *vi.* 꾸물대다(waste time); 핀둥거리다(loiter).

di·lute[dilúːt, dailúːt] *vt., vi.* 묽게 하다(thin); (색을) 엷게 하다; 약하게 하다(weaken). ── *a.* 묽게 한, 약한; 묽은, 엷은. **di·lú·tion** *n.* ① 희석; ① 회석액. **dilution of labor** (비숙련공 투입으로 생기는) 노동 희석(능률 저하).

:dim[dim] *a.* (**-mm-**) 어둑한, 어슴푸레한; (소리 따위) 희미한; (빛깔이) 흐릿한. ⓒ 둔한, 비관적인(*a ~ view*). ── *vi., vt.* (**-mm-**) 어둑하게 하다, 어둑해지다; 둔하게 하다, 둔해지다; 흐려지다, 흐리게 하다. **~ out** 등화를 흐리게 하다. **~·ly** *ad.* **~·ness** *n.*

dime[daim] *n.* ⓒ (미국·캐나다의) 10센트 은화.

di·men·sion[diménʃən, dai-] *n.* ⓒ (길이·폭·두께의) 치수; {數} 차(次); {컴} 차원; (*pl.*) 용적, 규모, 크기(size); (美俗) (여자의) 버스트·웨이스트·히프의 사이즈. **~·al** *a.*

di·min·ish[dímíniʃ] *vt., vi.* 줄이다, 작게 하다; (*vt.*) {樂} 반음 낮추다. **~ed fifth** 감오도(減五度).

di·min·u·en·do[dimìnjuéndou] *ad.* (It.) {樂} 점점 여리게.

dim·i·nu·tion[dìmənjúːʃən] *n.* ① 감소, 축소; ⓒ 감소액(량·분).

di·min·u·tive[dímínjətiv] *a.* 작은; {文} 지소(指小)의. ── *n.* {文} 지소사(辭)(*owlet*, *lamb*의 *kin*, *lamb*kin, book*let*, duck*ling* 등)(opp. augmentative).

dim·mer[dímər] *n.* ⓒ (헤드라이트의) 체광기(制光器), (무대 조명의) 조광기(調光器).

dim·ple[dímpəl] *n., vt., vi.* ⓒ 보조개(를 짓다, 가 생기다); 움푹 들어간 곳; 움푹 들어가(게 하)다; 잔물결을 일으키다, 잔물결이 일다.

dim·wit[dímwìt] *n.* ⓒ (口) 얼간이, 멍청이. 바보.

dim-wit·ted *a.* (口) 얼간이(바보)의.

:din[din] *n., vt., vi.* (**-nn-**) ① 소음을 일으키다, 이 나다; 큰 소리로 되풀이 하다(*say over and over*).

:dine[dain] *vi., vt.* 식사를 하다(시키다); 정찬(dinner)을 들다(에 초대하다). **~ on 〔off〕** 식사로 (…을) 먹다. **~ out** (초대되어) 밖에서 식사하다. **din·er**[dáinər] *n.* 식사하는 사람; 식당차; 식당차식 음식점.

ding-dong[díŋdɔ̀ːŋ] *n.* ① 땡땡, 댕댕{종소리 등}. ── *ad.* 부지런히. ── *a.* (口) 접전의. 접전의.

din·ghy, din·gey[díŋgi] *n.* ⓒ (인도의) 작은 배.

D

din·gy[díndʒi] *a.* 거무스름한(dark); 더러운, 지저분한; 그을은(smoky). **-gi·ly** *ad.* **-gi·ness** *n.*

dining càr 식당차.

dining tàble 식탁.

dink·y[díŋki] *a.* 《口》 작은, 왜소한, 빈약한; 《英口》 말쑥한, 청초한, 멋진, 예쁜. — *n.* ⓒ 소형 기관차.

din·ner[dínər] *n.* ⓤⓒ 정찬(正餐)《하루 중의 으뜸 식사》; (손님을 초대하는) 만찬, 오찬(午餐).

dínner còat [jàcket] = TUXEDO.

di·no·saur[dáinəsɔ̀:r] *n.* ⓒ [生] 공룡(恐龍).

dint[dint] *n.* ⓒ 두들겨 움푹 들어간 자국(dent); ⓤ 힘(force). **by ~ of** …의 힘으로, …에 의하여. — *vt.* 《두들겨서》 자국을 내다.

di·o·cese[dáiəsis, -siːs] *n.* ⓒ 주교 관구. **di·oc·e·san**[daiásəsən] *a.*, *n.* ⓒ 주교(bishop) 관구의 《주교》.

di·ox·ide[daiáksaid, -sid/-ɔ́ksaid] *n.* ⓤ [化] 이산화물.

dip[dip] *vt.* 《~ped, 《古》 ~t; -pp-》 ① 담그다, 적시다; 살짝 적시다. ② 《…에게》 침례를 베풀다. ③ (신호기 따위를) 조금 내렸다 곧 올리다. ④ (양(羊)을) 살충액에 담가 씻다. ⑤ 퍼내다(out), 건져올리다(up). ⑥ (양초를) 만들다. — *vi.* ① 젖다, 잠기다; 가라앉다, 내려가다. ② (떠내기 위해 손·국자를) 디밀다. ③ 대충 읽다《~ *into a book*》. — *n.* ① 담금, 적심; 한번 잠기기《멱감기》. ② 경사; 하락; 우묵함. ③ (실링의) 양초 《비행기의》 급강하. ⑤ 《俗》 소매치기.

diph·the·ri·a[difθíəriə, dip-] *n.* ⓤ [醫] 디프테리아.

diph·thong[dífθɔŋ, díp-/-θɔ̀ŋ] *n.* ⓒ [音聲] 2중 모음《ai, au, ɔi, ou, ei, uə 따위》.

di·plo·ma[diplóumə] *n.* ⓒ 졸업 증서; 학위 증서; 면허장; 상장.

di·plo·ma·cy[diplóuməsi] *n.* ⓤ 외교(수완).

dip·lo·mat[dípləmæt] *n.* ⓒ 외교관(가). **dip·lo·ma·tist**[diplóumətist] *n.* 《英》 = DIPLOMAT.

dip·lo·mat·ic[dìpləmætik] *a.* 외

교상의; 외교에 능한; 고문서학의.

diplomátic immúnity 외교관 특권《판사·체포 등을 면하는》.

dip·per[dípər] *n.* ⓒ 적시는(주는) 사람(기구), 국자(ladle). ② (the D-) 북두(칠)성. *the Big D-* 북두칠성. *the Little D-* 《작은곰자리의》 소북두칠성.

dip·so·ma·ni·a[dìpsouméiniə] *n.* ⓤ 알코올 의존증《중독》. **-ma·ni·ac** [-méiniæ̀k] *n.* ⓒ 알코올 중독자.

díp·stick *n.* ⓒ 유량계《油量計》《탱크 등의 속에 넣어 재는》.

dire[daiər] *a.* 무서운; 극도의(extreme); 긴급한.

di·rect[dirékt, dai-] *vt.* ① 지도[지휘]하다; 관리[감독]하다(manage); 통제하다(control). ② (영화·극 따위를) 연출하다(of produce). ③ (주의·노력을) 돌리다(aim)《*at*, *to*, *toward*》. ④ …앞으로 《편지를》 내다《겉봉을 쓰다》《*to*》. ⑤ 길을 가리키다. — *a.* 똑바른, 직접의; 솔직한; 완전한, 정확한(exact)《*the ~ opposite*》. *a ~ descendant* 직계 자손.

diréct áction 직접 행동《권리를 위한 파업·데모·시민적 저항 등》.

diréct cúrrent [電] 직류.

di·rec·tion[dirékʃən, dai-] *n.* ① ⓒⓤ 방위, 방향. ② ⓒ 경향; 범위. ③ ⓤ (보통 *pl.*) 지휘, 명령, 지시, 감독. ④ ⓤⓒ 지도; 관리. ⑤ ⓒ [劇·映] 감독, 연출. *in all ~s* 사면 팔방으로. **~·al** *a.* 방향(방위)의. **-tive** *a.*, *n.* 지휘[지도]하는; [無線] 지향(식)의; ⓒ 지령.

di·rect·ly[diréktli, dai-] *ad.* 곧바로; 직접(으로); 즉시. — *conj.* = as SOON as.

diréct narrátion [óbject] [文] 직접 화법[목적어].

di·rec·tor[diréktər, dai-] *n.* ⓒ 지휘자, 지도자; 중역, 이사; 교장; 감독; [劇] 연출가《英》 producer》. **~·ship**[-ʃip] *n.* ⓤ director의 직[임기].

di·rec·to·rate[diréktərit, dai-] *n.* ① director의 직. ② ⓒ 중역[이사회, 간부회; 중역직.

di·rec·to·ri·al[dirèktɔ́riəl, dài-] *a.* 지휘(자)의; 관리(자)의.

di·rec·to·ry[diréktəri, dai-] n. ⓒ 주소 성명록, 인명부; 인명록(훈령)서; 예배 규칙서; 중역[이사·간부]회(directorate); 〖컴〗 자료방, 디렉토리. *telephone ~* 전화 번호부. ~ n. 지휘[관리]의.

dirge[dəːrdʒ] n. ⓒ 만가(輓歌), 애도가(funeral song).

dirk[dəːrk] n., vt. 비수, 단검(으로 찌르다).

dirn·dl[də́ːrndl] n. ⓒ (Tyrol 지방 농가의) 여성복.

dirt[dəːrt] n. ⓤ ① 쓰레기, 먼지; 오물. ② 진흙; 흙; 〖鑛〗 토지. ③ 비열한 인사, 욕. *eat* ~ 굴욕을 참다. ④ 진창길(mud). — 유지거리하다(*at*). *fling* [*throw*] ~ 욕지거리하다(*at*).

dirt-cheap a. [〖美〗 통값의 [으로].

dirt fàrmer [〖口〗 자작농.

dírt róad 포장하지 않은 도로.

dirt·y[də́ːrti] a. ① 더러운, 추잡한. ② 비열한(base). ③ 날씨가 험악한. ④ 공기 오염도가 높은. ~ *bomb* 원자[수소]폭탄(opp. CLEAN bomb). **dirt·i·ly** ad.

dis[dis] pref. '비(非)·부(不)·반(反)·부(不)(dishonest)' 분리(disconnect), 제거(discover) 따위의 뜻.

dis·a·ble[diséibl] vt. 무력하게 하다(*from doing*; *for*); 불구로 만들다(cripple); 무자격하게 하다(cripple); 〖컴〗 불능케 하다. ~ 무력(화). **dis·a·bil·i·ty**[dìsəbíl-əti] n. ⓤⓒ 무력, 무능; 불구; 〖法〗 무자격.

dis·a·buse[dìsəbjúːz] vt. (…의) 어리석음[잘못]을 깨닫게 하다(*of*).

dis·ad·van·tage[dìsədvǽntidʒ, -vάːn-] n. ⓤ 불리(한 입장), 불편. ⓤ 손(해). **-ta·geous**[dìsædvæntéi-dʒəs, dìzæd-] a. -**geous·ly** ad.

dis·af·fect·ed[dìsəféktid] a. 싫어진, 불만스러운(discontented); 정 떨어진, 마음이 미운, 이반(離反)한 (disloyal). **-féc·tion** n.

dis·a·gree[dìsəgríː] vi. 일치하지 않다, 맞지 않다(*with, in*); 의견을 달리하다, 다투다(*with*); (음식·풍토 가) 맞지 않다(*with*). ~**ment** n.

dis·a·gree·a·ble[dìsəgríːəbl] a. 불쾌한; 까다로운(hard to please).

~·ness n. **-bly** ad.

dis·al·low[dìsəláu] vt. 허가[인정] 하지 않다; 부인하다; 각하하다(reject). ~**ance** n.

dis·ap·pear[dìsəpíər] vi. 안 보이게 되다; 소실[소멸]하다(vanish). *~·ance*[dìsəpíərəns] n. ⓤ 소멸, 소실; 〖法〗 실종.

dis·ap·point[dìsəpɔ́int] vt. 실망[낙담]시키다, (기대를) 어기다(belie) (*I was ~ed in him* [*of my hopes*], 그에게 실망했다[나는 희망이 없어졌다]); (계획 등을) 좌절시키다, 꺾다(upset). ~**ed**[-id] a. 실망시키는; ~**ing** a. 실망(낙담)시키는. **~·ment** n. ⓤⓒ 실망(낙담)(시키는 것·사람).

dis·ap·pro·ba·tion[dìsæproubéi-ʃən] n. = DISAPPROVAL

dis·ap·prove[dìsəprúːv] vt. (…을) 안된다고 하다; 비난하다; 비난하다(*of*). ~**prov·al**[-əl] n. ⓤ 불찬성; 비난, 부인.

dis·arm[disάːrm, -z-] vt. (…의) 무기를 거두다, 무장 해제하다; (노여움·의혹을) 풀다. — vi. 군비를 해제 [축소]하다. **dis·ár·ma·ment** n. ⓤ 무장 해제; 군비 축소.

dis·ar·range[dìsəréindʒ] vt. 어지 럽게 하다, 난잡(어수선)하게 하다. ~**ment** n. ⓤⓒ 혼란, 난맥.

dis·ar·ray[dìsəréi] n., vt. 난잡 (하게 하다); (복장이) 흐트러지다(흐 트러짐), 흐트러진 복장; 〖詩〗 옷을 벗기다(undress), 벌거벗기다.

dis·as·ter[dizǽstər, -zάːs-] n. ⓒ ① 천재(天災), 재해(calamity). ② ⓤ 재난, 참사.

dis·as·trous[dizǽstrəs, -άːs-] a. 재해의; 비참한. **-·ly** ad.

dis·a·vow[dìsəváu] vt. 부인(부지) 하다(disown). ~**al** n. ~**er** n.

dis·band[disbǽnd] vt. (부대·조직 을) 해산시키다; (군인을) 제대시키다. — vi. 해산[제대]하다.

dis·bar[disbάːr] vt. (-**rr**-) 〖法〗 (…에게) 변호사 자격을 빼앗다.

dis·be·lief[dìsbilíːf] n. ⓤ 불신 (unbelief), 의혹(*my ~ in him*).

dis·be·lieve[dìsbilíːv] vt., vi. 믿 지 않다, 의심하다.

dis·burse[disbə́:rs] *vt.* 지불하다; 지출하다(pay out). **~·ment** *n.* ⓤ 지불, 지출.

disc[disk] *n.* = DISK.

dis·card[diská:rd] *vt.* [카드] (필요 없는 패(card)를 버리다; (애인·신앙 따위를) 버리다(abandon); 해고하다(discharge). ─ [─́] *n.* ⓒ 버림받은 사람; 내버린 패.

dis·cern[disə́:rn, -s-] *vt., vi.* 인식하다, 지각하다(perceive); 분간하다(~ A and B／~ A from B／~ between A and B). **~·i·ble** *a.* 인식할 수 있는. **~·ing** *a.* 식별력이 있는; 명민한. **~·ment** *n.*

dis·charge[distʃá:rdʒ] *vt., vi.* ① 발사하다(shoot); (물 따위를) 방출하다(pour forth); (배에서) 짐을 부리다(unload). ② 해고하다. 해방하다(제대·퇴원)시키다; (부채를) 갚다. 지불하다. ④ (직무·약속을) 이행하다(~ *oneself of*) one's duties or 를 이행하다). ⑤ 탈색하다. ⑥ 【電】 방전(放電)하다. ⑦ 【法】 (명령을) 취소하다. ─ *vi.* 짐을 부리다; 발사하다. 방출·방전하다; 번지다, 퍼지다(run). ─ [─, ─́] *n.* ⓤⓒ 발사, 방출; ⓤ 짐부리기; 방전; ⓒ 해고, 해임; ⓤ 이행; 반제(返濟)하다.

dis·ci·ple[disáipəl] *n.* ⓒ 제자, 사도, 문하생, 신봉자. **the** (**twelve**) **~s** (예수의) 12제자.

dis·ci·pli·nar·i·an [dìsəplinɛ́əriən] *a.* 훈련(훈육)(상)의; 규율 의무─ *n.* ⓒ 훈육가; 엄격한 사람.

dis·ci·pli·nar·y[dísəplinὲri/-nəri] *a.* 훈육상의; 징계의.

dis·ci·pline[dísəplin] *n.* ⓤⓒ 훈련, 훈육; ⓤ (정숙의) 제어; 규율, 풍기(order); 징계.─ *vt.* 훈련하다; 징계하다(punish).

disc jóckey 디스크 자키(생략 DJ, D.J.).

dis·claim[diskléim] *vt.* (권리를) 포기하다; (…와의) 관계를 부인하다. **~·er** *n.* ⓒ 포기(자); 부인(자).

dis·close[disklóuz] *vt.* 나타(드러)내다, 노출시키다; 폭로하다; (비밀을) 털어놓다; 발로하다. **dis·clo·sure** [-klóuʒər] *n.* ⓤⓒ THEQUE.

dis·co [dískou] *n.* = DISCO-

dis·col·or, (英) -our[diskʌ́lər] *vi., vt.* (…으로) 변색하다(시키다); **~·a-tion**[─ ─́eíʃən] *n.* ⓤ 변색, 퇴색.

dis·com·fit[diskʌ́mfit] *vt.* 좌절시키다; (상대방의) 계획(목적)을 뒤엎다, 좌절시키다; 당황하게 하다(disconcert). **~·ure** *n.* ⓤ 좌절, 실패.

dis·com·fort[diskʌ́mfərt] *n., vt.* ⓤ 불쾌(하게 하다); ⓒ 불편(을 주다).

dis·con·cert[dìskənsə́:rt] *vt.* 당황하게 하다; (계획 따위를) 좌절(혼란)시키다(upset). **~·ment** *n.*

dis·con·nect[dìskənékt] *vt.* (…와) 연락을(관계를) 끊다; 자르다, 떼어 분리하다. **~·ed**[-id] *a.* 연락(일관성)이 없는. **-néc·tion, (英) -néx·ion** *n.* ⓤⓒ 분리, 절단.

dis·con·so·late[diskɑ́nsəlit/-5-] *a.* 쓸쓸한, 허전한; 서글픈. **~·ly** *ad.*

dis·con·tent[dìskəntént] *n., a., vt.* 불만(인)(with); 불평을 품게하다. **~·ed**[-id] *a.* 불만스러운(with). **~·ment** *n.* ⓤ 불평.

dis·con·tin·ue[dìskəntínju:] *vt., vi.* 중지(중단·정지)하다; (신문 등의) 구독을 그만두다; 【法】(원고와 소송을) 취하하다. **-tin·u·ance, -tin·u·a·tion**[─ ─́eíʃən] *n.*

dis·con·tin·u·ous[dìskəntínjuəs] *a.* 중도에서 끊어진, 중단된. **-ti·nu·i·ty**[dìskɑ̀ntənjú:əti/-kən-] *n.* ⓤ 불연속; 중단; 끊어짐.

dis·cord[dísko:rd] *n.* ⓤ 부조화, 불일치, 불화(disagreement); ⓤⓒ 【樂】불협화음(opp. concord). **the** APPLE **of ~**.

dis·cord·ant[disk5:rdənt] *a.* 조화(일치)하지 않는; 불일치하는; 불협화음의. **~·ly** *ad.* **-ance** *n.*

dis·co·theque[dískətὲk] *n.* 디스코테크.

dis·count[dískaunt] *n.* ⓤⓒ 할인(액)(reduction), *at a* ~ 할인해서. ─ *vt.* 할인하다(deduct)(~ *10%*, 1할 깎아서／*get a bill* ─*ed* 어음을 할인해 받다); 에누리하여 듣다, (…의) 가치(효과)를 감하다(lessen).

dis·cour·age[diská:ridʒ, -kʌ́r-] *vt.* (…에게) 용기를 잃게 하다; 낙담

D

discourse [단념]시키다(*from*)(opp. encourage.). **~·ment** *n.*

°**dis·course** [dískɔːrs, -́] *n.* ① ⓒ 강연, 설교; 논설; 논문. ② ⓤ 이야기, 담화, 언론 [-́] *vt.,vi.* (…에게) 강연[설교]하다; 논술하다(*upon, of*).

dis·cour·te·ous [diskɔ́ːrtiəs] *a.* 무례한(impolite). **~·ly** *ad.* **~·ness** *n.* **-to·sy** [-təsi] *n.*

°**dis·cov·er** [diskʌ́vər] *vt.* 발견하다, 찾아내다. (古) 나타내다, 밝히다. **~·America.** (美) 미국을 발견하자<국내 관광 진흥책으로 쓰는 표어>. **~ oneself** to …에게 자기 성명을 대다 [밝히다]. *~·er* *n.* ⓒ 발견자. **:~·y** *n.* ⓤ 발견. ⓒ 발견물.

°**dis·cred·it** [diskrédit] *n.* ⓤ 불신; 불명예; 의혹, — *vt.* 신용하지 않다; 신용을 [명예를] 잃게 하다. **~·a·ble** *a.* 불명예스러운.

dis·creet [diskríːt] *a.* 사려가 깊은; 신중한, 분별 있는. **~·ly** *ad.*

dis·crep·ant [diskrépənt] *a.* 어긋나는, 상위(相違)하는. **-an·cy** *n.*

dis·crete [diskríːt] *a.* 분리된; 구별된, 개별적인; 불연속의; [哲] 추상적인. **~** ⓒ [시스템의 일부를 이루는] 독립된 장치; [컴] 불연속형, **~·ly** *ad.* **~·ness** *n.*

°**dis·cre·tion** [diskréʃən] *n.* ⓤ 사려 (깊음), 분별, 신중(discreetness); 행동[판단]의 자유, 자유 재량(free decision), **age of ~** 분별 연령<영국법에서는 14세>. **at the ~ of** = **at one's ~** …의 재량으로, …의 임의로. **with ~** 신중히. **-ar·y** [-ʃənəri/-əri] *a.* 임의의 (任意)의; 무조건의.

dis·crim·i·nate [diskrímənèit] *vt.* 분간 [식별]하다(distinguish) (*between, from*). — *vi.* 식별하다; 차별하다(*against, in favor of*). — [-nət] *a.* 차별적인; 식별된; 명확한. **-nat·ing** *a.* 식별력있는; 차별적인. **-na·tion** [-́-néiʃən] *n.* ⓤ 구별; 식별력; 차별 대우. **-na·tive** [-nèitiv,-nət-], **-na·to·ry** [-nətɔ̀ːri/-təri] *a.* 식별력이 있는; 차별을 나타내는.

°**dis·cur·sive** [diskɔ́ːrsiv] *a.* 산만한. **~·ly** *ad.* 만연히. **~·ness** *n.*

dis·cus [dískəs] *n.* (*pl.* **~·es, dis·ci**[dísai/dískai]) ⓒ 원반. (the ~) 원반 던지기.

°**dis·cuss** [diskʌ́s] *vt.* (여러 각도에서) 음미하다, 토론[논의]하다, 논하다(debate); 상의하다, 서로 이야기하다(talk over); (古) 맛있게 먹다 [마시다](enjoy).

°**dis·cus·sion** [diskʌ́ʃən] *n.* ① ⓤⓒ 토론, 토의, 논의; 변론. ② ⓤ 논문 (*on*). ③ ⓤ (古) 상미(賞味)(*of*).

°**dis·dain** [disdéin] *n., vt.* ⓤ 경멸 (하다)(scorn). **~·ful** *a.* 경멸적인; 거만한(haughty). **~·ful·ly** *ad.*

°**dis·ease** [dizíːz] *n.* (< dis-+ease) ⓤⓒ 병; ⓤ 불건전. **:~·d**[-d] *a.* 병의, 병적인.

dis·em·bark [dìsembɑ́ːrk] *vt., vi.* (선객·짐을) 양륙하다; 상륙시키다 [하다]. **-bar·ka·tion** [dìsembɑːrkéiʃən] *n.*

dis·em·bod·y [dìsembɑ́di/-ɔ́-] *vt.* (혼을) 육체에서 분리시키다. **-bód·i·ment** *n.*

dis·em·bow·el [dìsembáuəl] *vt.* (《美》**-ll-**) 창자를 빼내다. **~ one·self** 할복하다. **~·ment** *n.*

dis·en·chant [dìsintʃént, -tʃɑ́ːnt] *vt.* (…의) 미몽(迷夢)에서 깨어나게 하다; 미혹을 풀다. **~·ment** *n.*

dis·en·fran·chise [dìsenfrǽntʃaiz] *vt.* (개인에게서) 공민권[선거권]을 빼앗다.

dis·en·gage [dìsingéidʒ] *vt.* 풀다 (loosen); 해방하다(set free); (…와의) 싸움을 중지하다. — *vi.* 떨어지다; 관계를 끊다. **~d**[-d] *a.* 풀린; 떨어진; 자유로운, 한가한, 약속이 없는. **~·ment** *n.* ⓤ 해방; 이탈; 파혼; 자유, 여가.

dis·en·tan·gle [dìsintǽngl] *vt.* (…의) 엉킨 것을 풀다(*from*). **~·ment** *n.*

dis·e·qui·lib·ri·um [dìsiːkwìlíbriəm] *n.* ⓤⓒ 불균형, 불안정.

dis·es·tab·lish [dìsistǽbliʃ] *vt.* (설립된 것을) 폐지하다; (교회의) 국교제를 폐하다. **~·ment** *n.*

dis·fa·vor, (英) **-vour** [disféivər] *n.* ⓤ 싫음(疎外) (to); 냉대; 싫어함(dislike); 인기없음. **be in ~ with** …

의 마음에 들지 않다; 인기가 없다.
—vt. 소홀히[냉대] 하다, 싫어하다.

dis·fig·ure[disfígjər/-fígə] vt. 모양[아름다움]을 손상하다, 보기 흉하게 하다(deform). **~ment** n.

dis·gorge[disgɔ́ːrdʒ] n., vi. (……에게) 토해내다, 게우다; (부정 이득 따위를) 게워내다.

dis·grace[disgréis] n., vt. 치욕, 치욕(을 주다); 욕보이다. :**~ful** a. 수치스러운, 욕된. **~ful·ly** ad.

dis·grun·tle[disgrántl] vt. (……에게) 불만을 품게 하다. **~d**[-d] a. 시무룩한; 불평을 품은.

dis·guise[disgáiz] vt. ① (……으로) 변장[가장]하다, 거짓 꾸미다. ② (감정 따위를) 감추다. **~ d,** **or ~ oneself** 변장하다. **throw off one's ~** 가면을 벗다, 정체를 드러내다. —n. **U,C** 변장(복); 가장(복). ② 거짓꾸밈(pretense), 구실(pretext). **in ~** 변장한[하여]; 가장한[하여].

dis·gust[disgʌ́st] vt. 역겹게[싫증나게] 하다, 정떨어지게 하다. **be ~ed at [by, with]** ……에 넌더리 나다. —n. **U** 역겨움, 혐오(against, at, for, toward); 유감. **to one's ~** 불쾌하게도, 유감스럽게도. **:~ing** a. 구역질나는, 지겨운. **~ing·ly** ad.

dish[diʃ] n. **C** ① (큰) 접시, 푼주. ② 요리; 식품. ③ 접시꼴의 (물건). ④ (美俗) 성적 매력이 있는 여자. ⑤ (美俗) **野** 홈베이스. ⑥ 파라볼라 안테나. **~ of gossip** 잡담 n. —vt. 접시에 담다; 접시꼴로 만들다; 가운데를 우묵하게 하다. ② (口) 속이다, 지우다, 속이다(cheat); (俗) 파산[실패]시키다. —vi. 접시꼴로 우묵해지다. **~ out** 나눠 담다. **~ up** 음식을 내놓다; (口) 재미나게 이야기하다.

dis·har·mo·ny[dishɑ́ːrməni] n. 부조화, 불협화.

dish·cloth n. **C** 행주.

dis·heart·en[dishɑ́ːrtn] vt. 낙담[실망]시키다(discourage).

di·shev·el(ed)[diʃévəld] a. (머리카락이) 헝클어진, 봉두난발의; 단정치 못한(untidy).

dis·hon·est[disάnist/-5-] a. 부정

직한. **~·ly** ad. ***-es·ty**[-i] n.

dis·hon·or, —our[disάnər/-5-] n. **U** ① 불명예, 치욕. ② 경멸. ③ (어음·수표의) 부도. —vt. (……에게) 치욕을 주다; 이름을 더럽히다(disgrace); (어음 지불을) 거절하다. **~·a·ble** a. 불명예스러운, 수치스러운(shameful).

dish·wash·er n. **C** 접시 닦는 사람[기계].

dis·il·lu·sion[dìsiljúːʒən] n., vt. **U** 환멸(을 느끼게 하다), 미몽[잘못]을 깨우쳐주다[기], 각성; 환멸. **ment** n. **U** 환멸.

dis·in·cen·tive[dìsinséntiv] a., n. **U** 행동[의욕·특히 경제적] 저지(를 일으키는 것).

dis·in·cline[dìsinkláin] vi., vt. 싫증나(게 하)다, 마음이 내키지 않(게 하)다. **~d** a. 마음 없음, 꺼림. **-cli·na·tion**[dìsinklinéiʃən] n.

dis·in·fect[dìsinfékt] vt. 소독[살균]하다. **~ant** a., n. 소독하는; **C** 소독제. **-fec·tion** n.

dis·in·for·ma·tion[dìsinfərméiʃən] n. **U** 그릇된 정보[특히 적으로 하여금 첩보를 속이기 위한].

dis·in·gen·u·ous[dìsindʒénjuəs] a. 불성실[하]한(insincere); 부정직한; 음흉한. **~·ly** ad. **~·ness** n.

dis·in·her·it[dìsinhérit] vt. **法** 폐적(廢嫡)[의절(義絶)]하다, 상속권을 박탈하다. **-i·tance** n.

dis·in·te·grate[disíntigrèit] vt., vi. 분해[붕괴]하다[시키다]. **-gra·tor** n. **C** 분쇄기, 분쇄기. **-gra·tion** [―ʌ―gréiʃən] n.

dis·in·ter[dìsintə́ːr] vt. (**-rr-**) (무덤 따위에서) 발굴하다(dig up). **ment** n.

dis·in·ter·est·ed[disíntəristid, -rèst-] a. 사심이 없는; 공평한(fair); (美口) 무관심한(not interested). **~·ly** ad. **~·ness** n.

dis·in·vest[dìsinvést] vt., vi. **經** (……에서) 해외 투자를 회수하다.

dis·joint[disdʒɔ́int] vt. 관절을 빼다; 탈구(脫臼)시키다; 뿔뿔이 해체[분해]하다; (질서를) 어지럽히다. **~-**

ed[-id] *a.*

disk[disk] *n.* ⓒ 평원반 (모양의 것); 원반; 레코드; [컴] 디스크.

dis·kette[diskét] *n.* ⓒ [컴] 디스켓(floppy disk).

disk jockey = DISC JOCKEY.

dis·like[disláik] *vt., n.* 싫어하다. 미워하다. — ⓤⓒ 혐오, 증오(aversion) (to, for, of).

dis·lo·cate[dislóukèit] *vt.* 관절을 삐다(풍기다), 탈구시키다; (순서를) 어지럽히다(disturb). **-ca·tion** [\~-kéi-] *n.* ⓤⓒ 탈구; [地] 단층.

dis·lodge[dislád3/-5-] *vt.* 쫓아내다(expel); 격퇴하다; 떼어내다. **-·ment** *n.*

dis·loy·al[dislóiəl] *a.* 불충(不忠)한, 불충실[불성실]한(unfaithful). **~·ly** *ad.* **~·ty** *n.*

dis·mal[dízməl] *a.* ① 음침한, 어두운; 무시무시한, 우울한(dreary). ② 무시무시한. ③ 참담한. **~·ly** *ad.*

dis·man·tle[dismǽntl] *vt.* (아무에게서) 옷을 벗기다(strip)(of); (집의 설비·가구, 배의 삭구(索具)·장비 따위를) 철거하다.

dis·may[disméi] *vt.* 깜짝 놀라게 하다, 근심시키다. — *n.* ⓤ 당황, 경악(horrified amazement); 낙패. **with** ~ 당황하여.

dis·mem·ber[dismémbər] *vt.* (···의) 손발을 자르다; 분할하다.

dis·miss[dismís] *vt.* ① 면직[해고·퇴학]시키다, 해산시키다; (하녀 등을) 물러가라고 말하다. ③ (생각·의심 따위를) 물리치다, (의욕 따위를) 잊어버리다. ④ [法] 기각하다. **~·al** [-əl] *n.* ⓤ 면직.

dis·mis·sive[dismísiv] *a.* (사람을) 무시하는 듯한(of), 깔보는 듯한(태도, 말 따위).

dis·mount[dismáunt] *vi., vt.* (말·자전거에서) 내리다; 말에서 떨어뜨리다; (기계를 대좌(臺座) 등에서) 떼어내다(take apart).

dis·o·be·di·ent[dìsəbí:diənt] *a.* 순종치 않는, 따르지 않는, 불효한. **~·ly** *ad.* **~·ence** *n.* ⓤ 불순종; 불복종, 불효; 위반.

dis·o·bey[dìsəbéi] *vt., vi.* 반항하다, (어버이 등의 말을) 듣지 않다.

dis·or·der[disɔ́:rdər] *n., vt.* ⓤⓒ 무질서, 혼란(시키다); 소동(social unrest); 병(들게 하다). **~·ed**[-d] *a.* 혼란된, 고장난; 병에 걸린. **~·ly** *a.* 무질서한, 어수선한; 난잡한.

dis·or·gan·ize[disɔ́:rɡənàiz] *vt.* (···의) 조직을[질서를] 파괴하다; 혼란시키다(confuse). **-i·za·tion** [\~-izéiʃən] *n.*

dis·o·ri·ent[disɔ́:riənt] *vt.* (···에게) 방향(위치)감각을 잃게 하다; (···의) 머리를 혼란케 하다. **-en·ta·tion** [\~-\~-téiʃən] *n.* ⓤ 방향감각의 상실; [醫] 지남력 상실, 혼미.

dis·own[disóun] *vt.* (관계·소유·의무 따위를) 부인하다; 의절하다.

dis·par·age[dispǽrid3] *vt.* 얕보다(belittle); 헐뜯다(depreciate). **~·ment** *n.* **-ag·ing·ly** *ad.* 경멸하여; 비난하여.

dis·par·i·ty[dispǽrəti] *n.* ⓤⓒ 다름, 상이; 불균형.

dis·patch[dispǽtʃ] *vt., vi.* 급송 [급파]하다; (일·식사 등을) 재빨리 처리하다(finish); (사람을) 해치우다(죽이다). — *n.* ⓤ 발송, 급송, 급파; 신속한 조처; ⓤⓒ 살해, 처형. **happy** ~ 할복. **with** ~ 재빠르게.

dispatch box (공문서의) 서류함.

dis·pel[dispél] *vt. (-ll-)* 쫓아 버리다; 흩트리다.

dis·pen·sa·ble[dispénsəbəl] *a.* 없어도 좋은(not essential), 과히 중요치 않은; 『가톨릭』 특면(特免)될 수 있는.

dis·pen·sa·ry[dispénsəri] *n.* ⓒ 약국, 무료 진료소, (학교 등의) 양호실.

dis·pen·sa·tion [dìspənséiʃən, -pen-] *n.* ⓤⓒ 분배; 시여(施與). ② 분배(調劑)함; ③ⓤ (분배 등의) 섭리, 하늘의 뜻; 하늘이 준 것. ④ (어떤 특별한) 관리, 지배; 제도(regime). ⑤ ⓤ 『가톨릭』 특면(特免); ⓒ ⑧ 면제의(天罰法), 율법.

dis·pense[dispéns] *vt.* ① 분배하다. ② 조제하다. ③ 실시하다. ④ (의무를) 면제하다(from). ⑤ 『가톨릭』(타교도와의 결혼 등을) 특면하다.

D

— *vi.* 면제하다; 특면하다. ~ **with**
…의 수고를 덜다; 면제하다(exempt); 없이 마치다(do without).

dis·pens·er [dispénsər] *n.* © ①
약제사, 조제사. ② 분배자, 시여하는
사람; 실시[실행]자. ③ 필요한 만큼
인출하는 용기(우표 자동 판매기(stamp ~), 자동 현금 인출기(cash
~), 휴지를 빼내 쓰게 된 용기 등).

dis·perse [dispə́:rs] *vi., vt.* 흩어지
다, 흩뜨리다. ~**-sal** [-əl], ~**-sion** [-pə́:rʒən,
-ʒən] *n.* ① 산란, 산포; 분산; 소산
(消散). **-pér·sive** *a.*

dis·pir·it [dispírit] *vt.* 낙담시키다.

dis·place [displéis] *vt.* 바꾸어 놓
다, 이동시키다; 면직하다; (…의) 대신
들어서다, 대치하다. [海] 배수하
다. ~**d person** (전쟁 유민(流民)
난민. **Displaced Persons Act**
《美》 난민 보호법(1948). ~**-ment**
n. © 바꿔 놓음, 대체; 면직;
[海] 배수량(cf. tonnage); [機] 배
기량; [心] 감정 전이(感情轉移).

dis·play [displéi] *vt.* 보이다, 진열
하다; (기 따위를) 펼치다; 펼쳐 보이
시하다. — *n.* ⓤⓒ 진열, 전시; 표
시, 과시; [印] (돋보이게 하기 위한)
특별 조판; [컴] 화면 표시기, 디스플
레이. **out of** ~ 보란 듯이.

dis·please [displí:z] *vt.* 불쾌하게
하다, 성나게 하다(offend); 불쾌하
게 하다. **be displeas-
ing a.** 불쾌한, 싫은. ~**-pleas·ure**
[-pléʒər] *n.* ⓤ 불쾌; 골.

dis·pos·a·ble [dispóuzəbl] *a.* 처
리할 수 있는, 마음대로 할[쓸] 수 있
는; 사용 후 버릴 수 있는.

disposable income 가처분 소
득, (세금을 뺀) 실수입.

dis·pos·al [dispóuzl] *n.* ⓤ ① 배
치(arrangement). ② 처리, 처분;
양도, **at** (**in**) **a person's** ~ …의
마음대로, 뜻대로, 쓸 수 있는.

dis·pose [dispóuz] *vt.* 배치하다
(arrange); 할 마음이 내키게 하
다(incline) (**for, to**). — **of** 처리(처
분)하다, 정리하다; 없애[죽여]버리
다; (口) 먹어치우다. — *vi.* 적당히
처치하다. **Man proposes, God
~s.** (俗談) 일은 사람이 꾸미되 성패
는 하늘에 달렸다.

dis·posed [-d] *a.* 하고 싶어하는;
…한 기분[성질]의, **be ~ to** (do)
…하고 싶은 마음이 들다. **be well-**
[**ill-**] ~ 성품이 좋다[나쁘다]; 호의
[악의]를 갖다.

dis·po·si·tion [dìspəzíʃən] *n.* ⓤⓒ
① 배치(arrangement); 처리(disposal). ② 성질, 경향.

dis·pos·sess [dìspəzés] *vt.* (…의)
소유권으로 빼앗다; 빼앗다(**of**); 몰아
내다. **-sés·sion** *n.*

dis·pro·por·tion [dìsprəpɔ́:rʃən]
n. ⓤ 불균형(되게 하다), 어울리
지 않음[알게 하다].

dis·pro·por·tion·ate [-it] *a.* 불
균형한. ~**-ly ad.**

dis·prove [disprú:v] *vt.* 반증(논박)
하다(refute).

dis·put·a·ble [dispjú:təbəl] *a.* 논
쟁의 여지가 있는, 의심스러운.

dis·pu·ta·tion [dìspjutéiʃən] *n.*
ⓤⓒ 논쟁. ~**-tious** [-ʃəs], **dis·put·a·
tive** [dispjú:tətiv] *a.* 의론[논쟁]을
좋아하는; 논쟁적인.

dis·pute [dispjú:t] *vt., vi.* ① 의론
[논쟁]하다(debate). ② 싸우다. ③
반대[반항]하다(oppose). ④ 다투
다, 겨루다. — *n.* ⓤⓒ 논쟁, 분쟁.
beyond (**out of, past**) ~ 의론의
여지 없이. **in** ~ 논쟁 중에; (**a point
in** ~ 논쟁점).

dis·qual·i·fy [diskwáləfài/-5-] *vt.*
(자)격을 박탈하다. **be disquali-
fied** 실격하다(**from, for**). **-fi·ca·
tion** [—ʌ—fikéiʃən] *n.* ⓤ 부적격, 실
격; ⓒ 그 이유[조건].

dis·qui·et [diskwáiət] *n., vt.* ⓤ 불
안(하게 하다). ~**-etude** [-tjù:d] *n.*
ⓤ 불안(한 상태).

dis·qui·si·tion [dìskwəzíʃən] *n.*
ⓒ 논문, 논설(**on**).

dis·re·gard [dìsrigá:rd] *n., vt.* ⓤ
무시(하다); 경시(**of, for**).

dis·re·pair [dìsripέər] *n.* ⓤ 파손
(상태).

dis·rep·u·ta·ble [disrépjətəbəl]
a. 평판이 나쁜, 불명예스러운.

dis·re·pute [dìsripjú:t] *n.* ⓤ 악평,
평판이 나쁨; 불명예.

dis·re·spect [dìsrispékt] *n.* ⓤⓒ
실례, 무례(**to**). — *vt.* 경시하다. ~

ful *a.* ~·**ful·ly** *ad.*

dis·robe[disróub] *vi., vt.* (···의)
옷[제복]을 벗(기)다.

dis·rupt[disrʌ́pt] *vi., vt.* 찢어 발기
다; 분열하다[시키다]. ***·rúp·tion**
n. ⓤⓒ 분열 (특히 국가·제도의) 붕
괴, 와해; 혼란. **·rúp·tive** *a.*

dis·sat·is·fac·tion[dìssætisfǽk-
ʃən] *n.* ⓤ 불만. **~·ion** 불만의 원인.

dis·sat·is·fy[dìssǽtisfài] *vt.* (···
에게) 불만을 주다; 만족시키지 않다.
-fied[-d] *a.* 불만인.

dis·sect[disékt] *vt.* 해부[분석]하
다. **-séc·tion** *n.*

dis·sem·ble[disémbəl] *vt.* (감정
따위를) 숨기다, 속이다(disguise)
《古》무시하다(ignore). — *vi.* 시치
미 떼다, 본심을 잘 보이다. ***r** *n.*

dis·sem·i·nate[disémənèit] *vt.*
(씨를) 흩뿌리다; (사상 등을) 퍼뜨리
다. **-na·tion**[-————ʃən] *n.* ⓤ 흩뿌
림. **dis·sém·i·nà·tor** *n.* ⓒ 파종자.

dis·sen·sion[disénʃən] *n.* ⓤⓒ 의
견의 차이[충돌]; 불화.

dis·sent[disént] *vi.* ① 의견을 달
리하다, 이의를 말하다(*from*); 의견이
다르다. ② 〖宗〗영국 교회[국교]에
반대하다(*from*). — *n.* ⓤ 이의; 국교 반대.
·er *n.* ⓒ 반대자; (보통 D-) 비국
교도(Nonconformist). **~·ing** *a.*
반대하는; 비국교파의.

dis·ser·ta·tion[dìsərtéiʃən] *n.* ⓒ
논문(treatise); 학위 논문.

dis·ser·vice[dissə́ːrvis] *n.* ⓤ 학
대; 위해(危害).

dis·si·dent[dísədənt] *a., n.* ⓒ
의견을 달리하는(사람), **-dence** *n.*
ⓤ 불일치.

dis·sim·i·lar[dissímələr] *a.* 같지
않은. **~·i·ty**[-————lǽrəti] *n.*

dis·sim·u·late[disímjəlèit] *vt., vi.*
(감정 따위를) 숨기다; 시치미 떼다
(dissemble). **-la·tion**[-———-léiʃən]
n. ⓤⓒ (감정·의지 등의) 위장; 위
선; 〖精神醫〗위장(정신 이상자가 보
통병을 위장하는 일).

dis·si·pate[dísəpèit] *vt.* 흩뜨리
다; (공포 따위를) 쫓아내다. (돈·시
간을) 낭비하다(waste). — *vi.* 사
라지다; 방탕하다. **-pat·ed**[-id] *a.*
방탕한. **-pa·tion**[-———péiʃən] *n.*

dis·so·ci·ate[disóuʃièit] *vt.* 분리
하다(separate)(*from*); 분리해서
생각하다(opp. associate); 의식을
분열시키다. **-a·tion**[-————ʃən] *n.*

dis·so·lute[dísəlùːt] *a.* 방탕한,
난봉 피우는.

dis·so·lu·tion[dìsəlúːʃən] *n.* ⓤ
① 용해, 분해(dissolving). ② 해산,
해체, 붕괴, 사멸(死滅); 해소, 해약.

dis·solve[dizálv/-5] *vt., vi.* ①
녹이다, 녹다(liquefy). ② 용해하다;
분해하다(decompose). ② (의회·회
사를) 해산하다; 해소시키다, 취소하
다. ③ (마력·주문(呪文)을) 풀다.
깨지다. ④ (*vi.*)[映·TV] 녹아들어
으로 장면 전환을 하다(fade in and
then out). **be ~d in tears** 하
염없이 울다. **~ *itself into*** 자연히
녹아 ···이 되다. **-sólv·a·ble** *a.* **-sol-
vent**[-ənt] *a., n.* 용해력이 있는; ⓒ
용해제.

dis·so·nance[dísənəns] *n.* ⓤ
부조화(discord); 불협화음. **-nant** *a.*

dis·suade[diswéid] *vt.* 단념시키다
(*from*)(opp. persuade). **-sua·**
sion[-ʒən] *n.* **-sua·sive**[-siv] *a.*

dis·taff[dístæf, -aː-] *n.* ⓒ (실 자
을 때의) 실 감는 막대; (물레의) 가
락; (the ~) 여성.

dis·tance[dístəns] *n.* ⓤⓒ 거리,
간격; 사이; 먼 데. *at a* ~ 다소 떨
어져서. *in the* ~ 먼 곳에, 멀리,
keep a person at a ~ (사람을)
멀리하다, 쌀쌀[서먹서먹]하게 대하
다. *keep one's* ~ 가까이 하지 않
다, 거리를 두다. — *vt.* 사이를[간
격을] 두다; 앞지르다; 능가하다.

dis·tant[dístənt] *a.* 먼; 어렴풋한
(faint); (태도가) 쌀쌀한; 에두르는
(indirect). *a* ~ *relative* 먼 친척.
in no ~ *future* 조만간, 멀지 않아.
~·ly *ad.* 멀리, 떨어져서; 냉담하게;
간접적으로.

dis·taste[distéist] *n.* ⓤ (음식물에
대한) 싫음, 혐오; 열오(dislike).
~·ful *a.*

dis·tem·per¹[distémpər] *n.* ⓤ 디
스템퍼(개의 병); 사회적 불안, 소동
(tumult). — *vt.* 탈나게 하다, 어지
럽히다(disturb).

dis·tem·per² *n., vt.* ⓤ 디스템퍼

(끈끈한 재료)(로) 그리다 (cf. tempera): ⓒ 탬퍼라 그림.

dis·tend [disténd] *vi., vt.* 부풀(리)다(expand). **-ten·sion, -tion** *n.*

dis·til(**l**) [distíl] *v.* (**-ll-**) 증류하여 만들)다; ⋯의 정수(精粹)를 뽑다(extract)(*from*); (뚝뚝) 듣게 하다. — *vi.* 뚝뚝 듣다(trickle down).

-til·land [dístiland] *n.* 피증류물; ⓒ.

-er *n.* ⓒ 증류기; 증류주 제조업자. **-er·y** *n.* ⓒ 증류소; 증류주 제조장(cf. brewery).

dis·tinct [distíŋkt] *a.* 명백(명확)한; 별개의, 다른(*from*). **~·ly** *ad.* 명료하게 하다.

dis·tinc·tion [-ʃən] *n.* ① U 차별, 구별. ② U 특질; 걸출, 탁월(superiority). ③ Uⓒ 메멧. *a ~ without a difference* 실질적으로는 구별없기. *gain ~* 유명해지다. *with ~* 공훈을 세워서; 훌륭한 성적으로. *without ~* 차별없이.

dis·tinc·tive [distíŋktiv] *a.* 독특한, 특수한. **~·ly** *ad.* 특수(독특)하게. **~·ness** *n.*

dis·tin·guish [distíŋgwiʃ] *vt.* 분간하다, 구별하다(~ *A from B* / ~ *between A and B*); 분류하다(classify)(*into*); 두드러지게 하다. ~ *oneself* 이름을 떨치다; 수훈을 세우다. **-·a·ble** *a.* 구별할 수 있는. **~ed** [-t] *a.* 저명한; 고귀한 (신분의), 상류의; 수훈(殊勳)의.

dis·tort [distɔ́ːrt] *vt.* (얼굴을) 찡그리다, 비틀다; [電] (전류·음파 따위를) 일그러뜨리다; (사실을) 왜곡하다(twist). **~ed** [-id] *a.* 일그러진, 뒤틀린, 곰새진. **-tór·tion** *n.* Uⓒ 일그러짐, 왜곡; 역자뒤틀음.

dis·tract [distrǽkt] *vt.* (마음을) 딴 데로 돌리다, 흩트리다(divert); (마음을) 어지럽히다; 착란시키다(madden). **~ed** *a.* 어수선한; 광란의. ***·trác·tion** *n.* U 정신의 흩어짐, 주의 산만; 오락; ⓒ 광기. *to distraction* 미칠듯이.

dis·traught [distrɔ́ːt] *a.* 몹시 고민한, 마음이 산란한; 정신이 헷갈린.

dis·tress [distrés] *n.* ① U 심통(心痛), 고통, 고민(trouble); 비탄; ⓒ

고민거리. ② U 고난; 재난, (배의) 조난(*a ship in ~*) 난파선. ③ U 빈궁; 피로. — *vt.* 괴롭히다; 피로하게 하다. **~ed** [-t] *a.* 고통받는; 피로한; 곤궁한. **~·ful** *a.* 고난 많은, 고 통스런. **~·ing** *a.* 괴롭히는; 비참한.

dis·trib·ute [distríbjuːt] *vt.* ① 분배(배급)하다(deal out)(*among, to*). ② 분포[산포]하다; 널리 퍼다. ④ [論] 확장하다, 주연하다; [印] 해판(解版)하다.

dis·tri·bu·tion [distrəbjúːʃən] *n.* Uⓒⓐ 배분; 배포; [郵] (우편)분배. ⓐ (동식물·언어 따위의) 분포 (구역); 분류.

dis·trib·u·tive [distríbjutiv] *a.* 분배[배급]의; [文] 배분적인. — *n.* ⓒ [文] 배분사(配分詞)(*each, every, (n)either* 따위). **~·ly** *ad.* 분배하여; 따로따로. **~·ness** *n.*

dis·trib·u·tor [distríbjutər] *n.* ⓒ 분배자[배급·판매자].

dis·trict [dístrikt] *n.* ⓒ ① 지구. 구역, 지방. ② 분구(county를 나눈) 구, 지방. *D- of Columbia* (미국) 콜럼비아 특별 행정구(미국 수도의 소재지; 생략 D.C.).

district attórney (*cóurt*) (美) 지방 검사(법원).

district núrse (英) 지구 간호사, 보건원.

dis·trust [distrʌ́st] *n., vt.* U 불신, 의혹(을), 의심하다. **~·ful** *a.* 신용치 않는, 의심 많은(*of*); 의심스러운(*of*). **~·ful·ly** *ad.*

dis·turb [distə́ːrb] *vt.* 어지럽히다, 소란하게 하다; 방해하다, 불안하게 하다. *Don't ~ yourself.* 그대로 계십시오. ***·ance** *n.* Uⓒⓐ 소동; 방해(물); 불안.

dis·u·nite [disjuːnáit] *vt., vi.* 분리 [분열]하다(시키다)(divide).

dis·use [disjúːz] *vt.* 사용을 그만두다. — [-júːs] *n.* U 쓰이지 않음.

ditch [ditʃ] *n.* ⓒ 도랑; (the D-) 《英俗·軍俗》영국 해협, 북해(北海). 《美口》파나마 운하. *die in the last ~* 죽을 때까지 분전하다. — *vt., vi.* (⋯에) 도랑을 파다; 도랑에 빠뜨리다[빠지다]; 《美俗》(⋯을) 버리다, (일을) 잘 회피하다; (육상 비

행기들) 해상에 불시착륙시키다(하다).

dith·er[díðər] *n., vi.* ⓒ (몸을 떠는) 흥분에 의한) 떨림; 몸을 떨다; 전율(하다) ⓒ 안절부절 상태.

dit·to[dítou] *n.* (*pl.* ~**s**), *a.* ⓒ 동상(同上)《생략 do., d°》(의); 같은 것 (*a suit of* ~ *s* 《英》): 위 아래를 갖춘 옷). — *ad.* 같이, 마찬가지로. — *vt.* 복제(복사)하다; 같게 하다.

dit·ty[díti] *n.* ⓒ 소가곡, 소곡(小曲).

di·u·ret·ic[dàijuərétik] *a., n.* 【醫】 이뇨의; 【藥】 이뇨제.

di·ur·nal[daiə́rnəl] *a.* 매일의; 낮 [주간]의(opp. *nocturnal*).

div. divide(d); dividend; divine; division; divorced.

di·va[dí:və] *n.* (It.) ⓒ (오페라의) 여성 제1가수; 여성의 명오페라 가수.

di·van[diván, dívæn] *n.* ⓒ (벽 가에 놓이는 긴 의자의 일종; (담배 가게에 딸린) 휴연실; (터키 등지의) 국정(國政)·회의(council); 법정.

dive[daiv] *n.* ⓒ 잠수; 다이빙; 【空】 급강하; 몰두, 탐구; 《美口》 하급 술집, 《英》 지하 식당. — *vi.* (~*d*, 《美口》 *dove*[~v]) 잠수[잠입]하다; 뛰어들다; 급강하하다; 갑자기 없어지다; 손을 쑥 처넣다(*into*); 몰두[탐구]하다.

dive-bomb[´] *vt.* 급강하 폭격하다.

div·er[dáivər] *n.* ⓒ 잠수부(함); 해녀, 잠수업자; 무자맥질하는 새《아비·농병아리 따위》.

di·verge[daivə́rdʒ] *vi.* 갈리다(cf. *converge*); 빗나가다, 벗어나다(의견이) 차이지다. -**ver·gent**[-ənt] *a.* 갈리는, -**vér·gence** *n.*

di·vers[dáivərz] *a.* 여러 가지의 (various); 몇몇의, 약간의.

di·verse[divə́rs, dai-, dáivərs] *a.* 다른, 다양한(varied); 여러가지의. ~**·ly** *ad.*

di·ver·si·fy[divə́rsəfài, dai-] *vt.* 변화를 주다, 다양하게 하다.

di·ver·sion[divə́rʒən, dai-, -ʃən] *n.* ⓤ 전환(diverting); ⓒ 기분전환, 오락; ⓒ 【軍】 견제(작전). ~**·ism**[-izəm] *n.* ⓤ 편향성.

di·ver·si·ty[divə́rsəti, dai-] *n.* ⓤ 다름; ⓤⓒ 다양성.

di·vert[divə́rt, dai-] *vt.* ① (딴데로) 돌리다, 전환하다. ② 기분을 전환시키다(distract). ③ 즐겁게 하다. ③ 기분(전환)을 풀다. ~ **oneself in** ...으로 기분을 풀다.

di·vest[divést, dai-] *vt.* 옷을 벗기다(strip)(of); 빼앗다(deprive)(of)(…에게서) 제거하다.

di·vide[diváid] *vt., vi.* ① 가르다, 갈라지다, 분할하다. 나누(이)다(*up*). ② 분류[구별]하다(from). ③ 분배하다(among, between). ④ (의견을) 대립시키다. ⑤ 표결하다. — *n.* ⓒ 분수령. *the Great D-*(로키 산맥의) 대분수령; (운명의) 갈림길; 죽음.

div·i·dend[dívidènd] *n.* ⓒ 분배[배당금]; 【數】 피제수(被除數).

di·vid·er[diváidər] *n.* ⓒ 분배자; 분할자[물]; (*pl.*) 양각기(兩脚器), 컴퍼스; 칸막이.

div·i·na·tion[dìvənéiʃən] *n.* ⓤ 점; ⓤⓒ (종종 *pl.*) 예언; 전조; 예감.

di·vine[diváin] *a.* 신의, 신성(神性) 의, 신성한(holy); 종교적인; 신수(神授)의; 신에게 바친; 비범한; 《口》 훌륭한(excellent). ~ **right of kings** 【政】 왕권 신수(설); *the D-Comedy* (Dante의) 신곡. *To err is human, to forgive* ~. 허물은 인지상사요 용서는 신의 소업이다(Pope). — *n.* ⓒ 신학자; 성직자, 목사. — *vt., vi.* 점치다. (…으로) 예언하다, 알아채다(guess). ~**·ly** *ad.* -**vín·er** *n.* ⓒ 점쟁이, 예언자.

div·ing[dáiviŋ] *n., a.* 잠수(용)의; 다이빙.

diving board 다이빙대.

di·vin·i·ty[divínəti] *n.* ① ⓤ 신성(神性), 신격. ② (the D-) 신, 신성. ③ ⓤ 신학; (대학의) 신학부.

di·vis·i·ble[divízəbəl] *a.* 나누어지는; 분할[분배]할 수 있는.

di·vi·sion[divíʒən] *n.* ① ⓤ 분할, 분배. ② ⓤⓒ (의견의 차이) 분열. ③ ⓒ 구획, 눈금. ③ ⓒ 나눗셈. ⑤ ⓒ 구(區), 구역, (국, 부(部), 과, 학부. ⑥ 【軍】 사단; 【海軍】 분대. ⑦ 【圖議】 표기나누기. ~ **of labor** 분업. ~ **of powers** 삼권 분립. -**al** *a.* 구분을 나타내는; 부분적인.

di·vi·sive[diváisiv] *a.* 《특히》의견의 불일치를[분열을] 일으키는, 분파의. **~·ness** *n.*

di·vorce[divɔ́ːrs] *n., vt., vi.* ⓊⒸ 이혼(하다); 별거(하다) ⓊⒸ 분리(하다).

di·vor·cée, -cee[divɔ̀ːrséi, -sí:] *n.* 《F》 ⓒ 이혼한 여성; 미혼자.

di·vulge[diváldʒ, dai-] *vt.* (비밀 등을) 누설하다, 폭로하다(disclose).

D.I.Y. 《英》 do-it-yourself.

diz·zy[dízi] *a.,* vt. 《美》 들뜨게 하는; 어지럽게 하는 어지러운; 당혹한(게 하다); 현기증 나게 하다. **-zi·ly** *ad.* **-zi·ness** *n.*

D.J. disk jockey

D.Lit., D.Litt. Doctor of Literature (Letters).

DM Deutsche Mark.

DNA deoxyribonucleic acid.

do¹[強 duː, 弱 du, də] *vt.* (*did*; *done*) ① 행하다, 하다; 수행하다 실행하다. ② 처리[학습·연구]하다 ③ (문제를) 풀다. ④ (…의) 도움[소용]이 되다(serve). ⑤ (남을 위해) 해주다(*do a person a favor* 은혜를 베풀다). ⑥ 요리하다(cf. halfdone). ⑦ 맨작거 가지런히 하다. ⑧ 손질하다. ⑨ 《口》 여행하다(*do twenty miles a day* 하루 20마일 여행하다); 《口》 구경[방문]하다(*do Paris (the sight)* 파리 [명소]구경을 하다). ⑩ 《俗》 속이다. ⑪ 지치게 하다(*I am done up.* 녹초가 됐다). ⑪ 《美俗》 (성행위를) 하다; (마약을) 사용하다. — *vi.* ① 행하다, 일하다; 활동[관계]하다. ② 소용되다(*This will do.* 이만하면 됐다). ③ 잘 해나가다, 지내다, 건강하다(*How do you do?* (1) 안녕하십니까? (2) 처음뵙겠습니다[인사]. (3) 어떻게 지내십니까?) ④ 해치우다, 끝마치다. **do away with** …을 폐지하다; 없애다; 버리다. **do … by** (아무를) 《좋게, 나쁘게》 대우하다. **do a person down** 《英口》속이다, 꼼짝못하다. **do for** ① 당처 죽이다; 죽이다; 《口》…의 신변을 돌보다; …의 소용이 되다; …의 대신이 되다. **do in** 《口》죽이다; 속이다. **do it** 성공하다. **do out** 《口》 청소하다. **do over** 다시하다; 《口》 개조[개장]하다. **do up** 《口》꾸리다; (단추를

채우다; (끈을) 매다; 수선[청소]하다; 《口》지치게 하다, 약화시키다. **do with** 처리[희망]하다, 참다. **do without** …없이 지내다. **Have done!** (1) 해치워라! (2) 그만! **have done with** …을 끝내다, 그 만두다; …와 관계를 끊다, 떨어지다, HAVE to do with. — *aux.* *v.* ① 《의문문·부정문을 만듦》 (*Do you like it? No, I don't*). ② 《긍정문에서 강조를 나타냄》 (*He did come.* 정말 왔다). ③ 《부사가 선행에 의한 도치》 (*Never did I see such a thing.*) — [duː] *n.* ⓒ 《美俗》 사기, 협잡; 《주로 《英》》 할 수 있는.

do·a·ble[dúːəbəl] *a.* 할 수 있는.

do²[dou] *n.* ⓒ 《樂》 (장음계의) 도.

do. ditto (It. = the same).

doc[dɑk/dɔk] *n.* 《美口》 DOCTOR의 간약형.

doc·ile[dásəl/dóusail] *a.* 유순한; 가르치기 쉬운. **do·cil·i·ty**[dousílə- ti, də-] *n.*

dock¹[dɑ́k/-ɔ-] *n.* ⓒ ① 선거(船渠), 독. ② 《美》 선창, 부두(wharf). ③ 《전》 격납고(hangar). ④ 《美》(무대밑) 무대 장치 창고. **in dry ~** 《口》 실직하는. — *vt., vi.* ① dock에 넣다[들어가다]. ② (우주선이) 결합[도킹]하다.

dock² *n.* (the ~) 《법정의》 피고석.

dock³ *n.* ⓒ 《植》 참소리쟁이속의 식물(수영 따위).

dock⁴ *n.* ⓒ 《동물 꼬리의》 심. — *vt.* 짧게 자르다.

dock·er[-ər] *n.* ⓒ 부두 노동자.

dock·et[dɑ́kit/-ɔ-] *n.* ⓒ 《法》 (미결) 소송 사건 [일람표]; 《英法》 판결 요록; 《英》 사무 예정표 (회의의) 협의사항; 내용 적요(摘要); (화물의) 꼬리표. — *vt.* 소송 사건표[따위]에 써넣다; 꼬리표를 달다.

dock·yard[-jɑ̀ːrd] *n.* ⓒ 조선소; 《英》 해군 공장(工廠) 《美》 navy yard.

doc·tor[dáktər/-ɔ-] *n.* ⓒ ① 의사; 박사(the 略로도 씀) 선생. ② 《俗》 《배·야영의》 요리사, 주방장. ③ 《口》 수선하는 사람. *be under the ~* 의사의 치료를 받고 있다. — *vt.* 치료하다; 《口》 수선하다. **~·al**[-tərəl] *a.* 박사의; 학위[권위] 있는. **~·ate**[-it] *n.*

Ⓒ 박사 학위.

doc·tri·naire [dὰktrənέər/-ɔ̀-] *n., a.* Ⓒ 공론가(空論家), 순이론가; 공론적인.

:doc·trine [dάktrin/-5-] *n.* Ⓤ,Ⓒ ① 교의, 교리, 주의, 학설. **doc·tri·nal** [dάktrənəl/dɔktrái-] *a.* 교의[교리]의; 학리상의.

:doc·u·ment [dάkjəmənt/-5-] *n.* Ⓒ ① 문서, 서류; 증서; 기록, 문헌. ② 증거(가 되는 것), 『컴』 기밀서류. —— [-mènt] *vt.* ① 문서로 증명하다, 문서[증서]를 교부하다. ② 증거를 제공하다.

:doc·u·men·ta·ry [dὰkjəméntəri/-5-] *a.* ① 문서[증서]의(에 의한). ② 『영·방』 기록물의. —— *n.* Ⓒ 『영·방』 다큐멘터리, 기록물. *a* ~ *bill* 『商』 하환어음(貨換어음).

doc·u·men·ta·tion [dὰkjəmen-téiʃən, -mən-/dɔk-] *n.* Ⓤ ① 증서 교부; 문서 제시. ② 『컴』 문서화.

dod·der [dάdər/-5-] *vi.* 흔들리다; (쇠약·노령으로) 비틀거리다.

dodge [dadʒ/-5-] *vi.* ① 확 몸을 피하다(*about*), 살짝 숨다. ② 속이다. —— *vt.* ① 날쌔게 피하다(비키다). ② 말을 둘러대다(질문을) 피하다 (evade). ~ *behind* …뒤에 숨다. —— *n.* Ⓒ ① 몸을 홱 피함. ② (口) 속임수; 묘안. **dódg·er** *n.* Ⓒ ① 교묘히 몸을 피하는 사람; 교활한 놈; (美) 무단결석자; 전단; (美南部) *corn bread*의 일종.

dodg·em [dάdʒəm/-5-] 〈 *dodge them*〉 *n.* (the ~s) 꼬마 전기 자동차의 충돌놀이(회전)놀이.

dodg·y [dάdʒi/d5-] *a.* 교묘히 도망치는; 빼는; 교활한; 명수가 능한, 교활한; 위험한.

do·do [dóudou] *n.* (*pl.* ~(*e*)*s* Ⓒ 도도(지금은 멸종한 날지 못하는 큰 새); (俗) 구식 사람, 얼간이.

doe [dou] *n.* Ⓒ (사슴·토끼 따위의) 암컷(cf. *buck*).

do·er [dú:ər] *n.* ① 행위자; 실행가.

does [強 dAz, 弱 dəz] *vi.* do¹의 3인 칭·단수·직설법 현재.

does·n't [dAznt] *does not*의 단축형.

doff [daf, -ɔ:-/-ɔ-] 〈 *do*¹ + *off*〉 *vt.* (모자 따위를) 벗다(take off)(opp.

don¹); (습관·태도 등을) 버리다.

:dog [dɔ(:)g/-ɔ-] *n.* Ⓒ ① 개; 수캐; (여우·이리 따위의) 수컷. ② (the D-) 『天』 개자리. ③ (口) 망나니, 녀석(fellow). ④ (口) 허세, 겉꾸림, 파시. ⑤ (벽로의) 장작받침쇠. *a* ~ *in the manger* 심술꾸러기. *a* ~ *'s age* (口) 장기간. *a* ~ *'s chance* 거의 없는 가망. ~ *eat* ~ 동족 상잔, 집안 싸움. ~ *'s life* 비참한 생활. ~ *s of war* 전쟁의 참화. *Every* ~ *has his day.* (속담) 누구나 한 번은 때가 있다. *Give a* ~ *an ill name, and hang him.* 한 번 낙인 찍히면 마지막이다. *go to the* ~ *s* (口) 영락하다. *keep a* ~ *and bark oneself* (口) 남은 놀려 두고 ③ 남이 할 일까지 전부 자기가 해치우다. *put on the* ~ (美口) 뽐내다. *teach an old* ~ *new tricks* 노인에게 새 방식을 가르치다. *throw to the* ~ *s* 내버리다. —— *vt.* (-*gg*-) 미행하다, 뒤를 따르다 (follow).

dóg cóllar ① 개의 목걸이. ② (口) (목사 등의) 세운 칼라.

dóg dáys 삼복; 복중.

dóg·fight *n.* Ⓒ 개싸움; (치열한) 공중전; 난전, 난투.

dóg·fish *n.* 『魚』 돔발상어.

dog·ged [-id] *a.* 완고한. ~*ly ad.*

dog·ger·el [dɔ́(:)gərəl/-5-] *n.* Ⓤ 서투른, 익살의. —— *a.* 빈약한, 서투른.

dog·gie, -gy [dɔ́(:)gi/-5-] *n., a.* 강아지; 멍멍(dog); 개의.

dóggie bàg 식당 등에서 손님에게 먹고 남은 음식을 넣어주는 종이 봉지.

dog·go [dɔ́:gou] *ad.* (俗) 몰래 숨어서, 남의 눈을 피하여(lie ~ 꼼짝 않고 있다, 숨어 있다).

dóg·house *n.* Ⓒ 개집. *in the* ~ (俗) 인기를 잃고, 체면이 깎여.

dóg·lèg *a., n.* Ⓒ (개의 뒷다리처럼) 급각도로 꺾인 (것).

dóg·ma [dɔ́(:)gmə, -ά-/-5-] *n.* Ⓒ Ⓤ,Ⓒ 교의, 교조(敎條); 교리. ② 독단적 의견.

dog·mat·ic [dɔ:gmǽtik, dag-/dɔ:g-], **-i·cal** [-əl] *a.* ① 독단적인. ② 교의(敎義)의, 교리의.

:dog·ma·tism [dɔ́:gmətizəm, dάg-

dóg- *n.* ① 독단론; 교조주의. **-tist** *n.* ② 독단론자. **-tize** [-tàiz] *vi.*, *vt.* 독단적으로 주장하다[말하다], 쓰다.

do-good·er [dú:gùdər] *n.* ① (□) (度) (공상적) 사회 개량가. **-ism** [스ìzəm] *n.*

dóg páddle 개헤엄.

dóg-tíred *a.* (□) 녹초가 되다.

dóg·wòod *n.* ① 말채나무.

do·ly [dóili] *n.* ① 도일리(꽃병 따위 받침용의 레이스 또는 종이 냅킨).

do·ing [dú:iŋ] *n.* ① 행위, 실행. ② (*pl.*) 행실, 소행; 행동.

do-ít-yourself *a.* (□) (조립·수리 따위에) 손수하는. 자작의. **~er** *n.* ① 자작 취미가 있는 사람.

dol·drums [dáldrəmz, dóul-/-5-] *n. pl.* (the ~) ① (적도 부근의) 무풍대; 의기소침, 침울.

dole [doul] *n.* ① ① (약간의) 시여 (물). ② (the ~) (英口) 실업 수당. **be [go] on the ~** 실업 수당을 받고 있다. — *vt.* (조금씩) 베풀다(나누어) 주다(*out*).

dole *n.* (古) 비탄(sorrow, grief), 운애. **~·ful** *a.* 슬픔에 잠긴(sad); 음침한(dismal).

doll [dal, dɔ:l/dɔl] *n.* ① 인형; 인형 처럼 귀여운 소녀. — *vt.* (□) 인형처럼 차려입다; 멋내다(~ *oneself up*).

dol·lar [dálər/-5-] *n.* ① 달러(미국·은화)(생략 $). **bet one's bottom ~** (美口) 전재산을 걸다; 확신하다. **earn an honest ~** 정직하게 벌다.

dóllar diplómacy 달러 외교.

dóll·hòuse *n.* ① 인형의 집; 장난감 같이 작은 집(英) doll's house.

dol·ly [dáli/dɔ́-] *n.* ① (兒) 인형; (映·TV) 이동식 촬영대.

dol·man [dálmən/dɔ́-] *n.* (*pl.* **~s**) ① 돌먼(소매가 케이프 같이 넓은 여성용 망토); (터키 사람의) 긴 외투.

dol·or·ous [dálərəs, -óu-/-5-] *a.* (詩) 슬픈.

dol·phin [dálfin/-5-] *n.* ① 돌고래.

dolt [doult] *n.* ① 얼간이, 바보.

-dom [dəm] *suf.* '지위·세력·범위·…'·기질·상태' 등의 뜻: freedom, kingdom, official dom.

do·main [douméin] *n.* ① 영토.

영역(territory); 토지. ② ① (활동·연구 등의) 범위, 영역. ③ ① (法) 토지소유권.

:dome [doum] *n.* ① ① 둥근 천장(지붕); 둥근 꼭대기. ② 반구(半球)형의 것. ③ (詩) 대가람. **~d** [-d] *a.*

:do·mes·tic [dəuméstik] *a.* ① 가정 (내)의, 가사(家事)의. ② 가정에 충실한, 가정적인. ③ 국내[자국(自國)] 의, 국산의; 자가제의. ④ (사육되어) 길들여진. — *n.* ① 하인, 하녀; (*pl.*) 국산품.

do·mes·ti·cate [douméstəkèit] *vt.* ① 길들이다(tame). ② (이민·식물 등을) 토착케 하여 순화(順化)시키다. ③ 가정[가사]에 익숙하게 하다. **-ca·tion** [스스-kéiʃən] *n.*

do·mes·tic·i·ty [dòumestísəti] *n.* ① 가정적임; 가정 생활(에의 애착); (보통 *pl.*) 가사(家事).

doméstic science 가정학.

dom·i·cile [dáməsàil, -səl/dɔ́m-] *n.* ① 주소; 주거; (商) 어음 지급지.

dom·i·nant [dámənənt/dɔ́m-] *a.* 우세한(ascendant); 지배적인; (遺傳) 우성인; (樂) 딸림음의, 속음의. — *n.* ① (遺傳) 우성(형질); (樂) 딸림음. **-nance** *n.* ① 우세, 우월; 지배; (遺傳) 우성.

dom·i·nate [dámənèit/dɔ́m-] *vt.* ① 지배하다. ② (격정을) 억제하다 (over). ③ (…위에) 우뚝 솟다, 우세하다. — *vi.* ① 지배하다, 위압하다. ② 솟아나다(tower). **·na·tion** [스스-néiʃən] *n.*

Dom·i·ni·ca [dàmənî:kə, dəmî-nàkə/dɔ̀minî:kə] *n.* 서인도 제도의 한 섬. **Do·min·i·can** [dəmínikən] *a.*, *n.* ① St. Dominic 교단의 (수도사). ② 도미니카 공화국의 (주민).

do·min·ion [dəmínjən] *n.* ① ① 통치권, 주권(sovereignty); (法) 소유권. ② ① 통치, 지배(rule)(over). ③ ① 영토; (the D-) 영(연방) 자치령(the ~ of Canada) 캐나다.

dom·i·no [dámənòu/dɔ́m-] *n.* (*pl.* **~(e)s**) ① 후드가 붙은 겉옷(눈을 입은 사람); 무도회용의 가면; 도미노패(牌), (*pl.*) (단수 취급) 도미노 놀이; (俗) 타도의 일격, 최종적 순간.

don¹ [dɑn/-ɔ-] 《 < do¹+on》 *vt.* (**-nn-**) 걸치다, 입다(opp. doff).

don² *n.* (D-)스페인의 남자의 경칭: ⓒ 명사; 《口》 행수, 능수꾼; ⓒ 《영국 대학의》 학감(學監)(head)·지도 교수(tutor)·특별 연구원(fellow).

do·nate [dóuneit, ⊥] *vt., vi.* 기증〔기부〕하다; 주다. ***do·ná·tion** *n.* ⓤ 기증, 기부; ⓒ 기부금, 기증품.

done [dʌn] *v.* do¹의 과거분사.

Don Ju·an [dɑn dʒú:ən, dɑn wɑːn/dɔn] 돈후안(전설상의 스페인의 방탕한 귀족); 난봉꾼, 엽색꾼.

:don·key [dɑ́ŋki/-ɔ́-] *n.* ⓒ 당나귀(ass); 멍텅구리; 고집통이.

dónkey wórk 단조롭고 고된 일.

do·nor [dóunər] *n.* ⓒ 기증〔기부〕자.

don't [dount] *n.* do not의 단축. — *n.* ⓒ (보통 *pl.*) 《口》 금지 조항서 (cf. must).

doo·dle [dúːdl] *n., vt., vi.* ⓒ 낙서 (하다)/생각 등에 잠겨.

:doom [duːm] *n.* ⓤ ① (흔히, 나쁜) 운명; ② 파멸, 죽음; ③ (신이 내린) 최후의 심판. *till the crack of ~* 세상의 종말까지, 죽어. — *vt.* ① (…의) 운명을 정하다(*to*); ② 선고하다.

dooms·day [⊂zdèi] *n.* ⓒ 세계의 종말; 최후의 심판날.

†door [dɔːr] *n.* ⓒ ① 문, 문짝; ② 출입구, 문간; ③ 한 집, *answer the ~* 손님맞으러 나가다, *in 〔out of〕 ~s* 집안〔집밖〕에서, *lay ... at the ~ of a person* ···을 아무의 책임으로 돌리다, *next ~ but one* 한 집 건너 이웃, 두 집 이웃에; *~에* 가까이; *show a person the ~* 쫓아내다.

dóor·bèll *n.* ⓒ (현관의) 초인종.

dóor·kèeper *n.* ⓒ 문지기.

dóor·knòb *n.* ⓒ 문의 손잡이.

dóor·màn *n.* ⓒ (호텔·나이트 클럽 등의) 문열어주는 사람.

dóor mát 신발 흙털개; 《口》 《얕봐도》 잠자코 있는 사람.

dóor·nàil *n.* ⓒ 문에 박는 대갈못 (*as dead as a ~* 완전히 죽어).

dóor·stèp *n.* ⓒ 현관 계단.

dóor·wày *n.* ⓒ 문간, 입구.

dope [doup] *n.* ① 진한(죽 모양의) 액체; 도프 도료(비행기 날개 따위에 칠하는 도료); 《俗》 마취약, (경마말에 먹이는) 흥분제; 흥분제; 《美俗》 정보 보. — *vt.* 도료를 바르다; 《俗》 (···에) 마약을(흥분제를) 먹이다.

dop·ey [dóupi] *a.* 《口》 마약에 마취된 것 같은; 멍청한; 얼간이의.

dorm [dɔːrm] *n.* 《美口》 = DORMITORY.

dor·mant [dɔ́ːrmənt] *a.* 잠자는; 휴지중인(inactive), 정지한. ~ *volcano* 휴화산. **dór·man·cy** *n.* ⓤ 휴지 상태.

dor·mer (**window**) [dɔ́ːrmər(-)] *n.* ⓒ 지붕창의 돌출부.

:dor·mi·to·ry [dɔ́ːrmətɔ̀ːri/-əri] *n.* ⓒ ① 《美》 기숙사; ② 《英》 교외 택지(= ~ *town*, *bedroom suburb*).

dor·mouse [dɔ́ːrmàus] *n.* (*pl.* *-mice* [-màis]) ⓒ 〔動〕 산쥐류(類).

dor·sal [dɔ́ːrsəl] *a.* 등의. ~ *fin* 등지느러미.

dos·age [dóusidʒ] *n.* ① ⓤ 투약 조제; ⓒ (약의) 복용량; (X선 방사 등의) 적용량; ② (포도주의 품질 개량을 위한) 당밀·브랜디 따위의 첨가(설탕).

:dose [dous] *n., vt.* ① ⓒ (약의) 1회 복용량; ② (···에) 투약하다, 복용시키다. — *vt.* (···에게) 약을 지어주다.

dos·si·er [dɑ́sièi/-] *n.* (F.) (일건) 서류.

:dot [dat/-ɔ-] *n., vt., vi.* (**-tt-**) ① 점을 찍다; ② 점재(點在)시키다 (*with*), …에 점점이 흩어져 있다, *~ the i's and cross the t's* 세세한 데까지 (소홀히 않고) 분명하게 하다. *off one's ~* 《英口》 얼이 빠져; 정신이 돌아. *on the ~* 《口》 제시간에. *to a ~* 《美》 정확히, 완전히.

dot·age [dóutidʒ] *n.* ⓤ 노망; 익애 (溺愛).

dote [dout] *vi.* 노망들다; 익애하다 (on, upon). **dót·er** *n.* **dót·ing·a.**

dót mátrix prínter, dót prínter [컴] 점행렬 프린터(점을 짜맞추어 글자를 표현하는 인쇄 장치).

dot·ted [dátid/-] *a.* 점이 있는, 점을 찍은; 점재한. ~ *line* 점선. *sign on the ~ line* 무조건 승낙하다.

dot·ty [dáti/dɔ́-] *a.* ① 《口》 정신이

이상한, …에 열중하는(*about*); 다리를
저는, 위청위청하는. ② 겹이 많은,
걸투성이의.

dou·ble [dʌ́bəl] *a., ad.* ① 2배의
[로], 2중[2으로], ② 쌍[짱]의
(coupled). ③ [植] 겹꽃의, 중판의.
④ 표리가 있는, 거짓의, 모호한.
play ~ 양방에 내통하다. **ride ~**
(말에) 합승하다. **see ~** (취해서) 물
건이 둘로 보이다. **sleep ~** 동침하다
(lie with). ── *vt.* ① 2배 하다, 2
중[두겹]으로 하다. ② 겹치다, 접다
(fold). ③ (주먹을) 쥐다. ④ [劇] (한
자서) (…의) 2역을 하다. ⑤ [海] (곶
을) 돌아서 나아가다. ── *vi.* ② 2배가[2중
이, 두 겹이] 되다. ② 달리다. ③
급히 몸을 돌리다[돌다]. ④ 일을 겸
하다. ⑤ [野] 2루타를 치다. **~
back** 되돌리다; 몸을 쭉 되돌려 달리
다. **~ up** 한 방을 쓰게 하다; 몸
을 구부리다; 개키다. 접(히)다; [野]
병살하다. ── *n.* ① ⓤ.ⓒ 의심, 의문.
ⓒ 아주 비슷한 것(사람); [劇] 대역.
③ ⓒ 되돌아 옴. ④ ⓒ 속임수. ⑤
ⓒ 접어 겹친 것; 주름. ⑥ ⓒ [軍]
구보. ⓒ [軍] 2루타. ⑧ (*pl.*) 복
식 경기, 더블스. ⑨ ⓒ [競馬] 복식
복. **be a person's ~** 아무를 꼭 닮
아빠쓰다. **on** [*at*] **the ~** (口) 속보
로. **~·ness** *n.* **dóu·bly** *ad.* 2배로,
2중[두겹]으로.

dóuble ágent 이중 간첩.
dóuble-bárrel(l)ed *a.* 쌍총열의,
2연발의; 이중 목적의, 애매한.
dóuble báss = CONTRABASS.
dóuble bíll (féature) (영화·연
극의) 2편 동시 상영.
dóuble-bréasted *a.* (상의가) 더
블의, 양복의 앞자락이 겹으로 되는.
dóuble chín 이중턱, 군턱.
dóuble cróss (口) 배반.
dóuble-cróss *vt.* (口) 기만하다,
배반하다, 속이다.
dóuble-déaler *n.* ⓒ 언행에 표리
가 있는 사람, 협잡꾼.
dóuble-déaling *n.* ⓤ 표리있는 언
행; 사기. ── *a.* 표리있는, 불성실한.
dóuble-décker *n.* ⓒ 2중 갑판의
배; 이층 버스[전차].
dóuble Dútch 통 알아 들을 수 없
는 말.
dóuble-édged *a.* 양날의; (의론

따위) 모호한.

dou·ble-en·ten·dre [dùːblɑːn-
táːndrə] *n.* (F.) ⓒ 두 가지 뜻의 어
구(그 한 쪽은 야비한 뜻).

dóuble-fáced *a.* 양면의; (언행에)
표리가 있는, 위선적인.
dóuble-párk *vi., vt.* (보도에 대어
세운 차에) 나란히 주차하다[시키다].
dóuble quíck [軍] 구보.
dóuble stándard 이중 표준(여성
보다 남성에게 관대하게 취급하는 성)도
덕물). [經] 복본위제(bimetallism).
dou·blet [dʌ́blit] *n.* (14·18세기
의 꼭끼는) 남자용 상의; (짝의) 한 쪽;
이중어, 자매어(같은 어원의 말; *cat-
tle* 와 *chattel, disk* 와 *dish* 따위).
dóuble táke (口) (희극 배우가)
처음에 듣다가 뒤늦게 깨닫고
깜짝 놀라는 재바르는 짓.
dóuble tálk 횡설수설; 조리가 안
서는 말.
doubt [daut] *n.* ⓤ.ⓒ 의심, 의문.
── *vt., vi.* 의심하다. **beyond** [*no*,
out of, without] ~ 의심할 여지없
이. **give** (*a person*) **the** BENEFIT
of the ~. **in** ~ 의심스러운, 망설이
고. **make no ~ of** …을 의심하지
않다. **throw** ~ **on** [*upon*] …에의
심을 품다. **~·ful·ly** *ad.* **~·less**
ad. 확실히.

doubt·ful [dáutfəl] *a.* 의심(의혹)
을 품고 있는, 의심스러운; 의심쩍은
(uncertain) (*of*). [람.
dóubting Thómas 의심을 많은 사
dough [dou] *n.* ① ⓤ 반죽; 굽지 않
은 빵. ② (俗) = MONEY.
dóugh·nut [‐nʌt] *n.* ⓒ.ⓤ 도넛.
dóugh·ty [dáuti] *a.* (古·謔) 용감
한, 굳센.
dour [duər, dauər] *a.* 통한, 무뚝뚝
한.
dove [dʌv] *n.* ⓒ 비둘기. ② 온
유[순진]한 사람; 비둘기파, 온건파
(cf. hawk). [과거.
dove [douv] *v.* (美口·英方) dive의
dóve·cote, dóve·còt *n.* ⓒ 비둘기
장, 비둘기집.
dóve·tàil *n., vt., vi.* ① [建] 열장
이음(으로 하다); 꼭 들어 맞추(다)(다).
② 긴밀히 꼭 들어맞(게 하)다; 꼭 들어
맞추다.
dow·a·ger [dáuədʒər] *n.* ⓒ 귀족
의 미망인; 기품 있는 노부인. ~

duchess 공작 미망인. **an Empress D-** 황태후. **a Queen D-** 태후, 대비(大妃).

dow·dy[dáudi] *a, n.* 초라한(shabby); ⓒ 단정치 못한 (여자); 시대에 뒤진. **dów·di·ly** *ad.*

down¹[daun] *ad.* ① 밑으로, 밑에; 아래쪽으로, 내려서; 아래층으로; 하류로, 밑에 붙어있는 쪽으로. ② 가라앉아; 넘어져. ③ (바람이) 자서; (기세가) 줄어서; (값이) 떨어져; 영락하여, (풀이 죽어서(~ *in the* MOUTH). ④ 마지막 가까이, 뒤쪽으로, 죽 계속하여(*hunt* ~ 바짝 몰아대다/ ~ *to date* 오늘날까지). ⑤ 그 자리에서, 즉석에서; 현금으로(*pay* ~ 지불해 버리다; 현금으로 치르다/ *money* ~ 맞돈). ⑥ 씌어져 (*take* ~ 받아 쓰다). ⑦ (도시·대학에서) 떠나서, 떨어져서. ⑧ 완전히, 실제로, 정식으로. ⑨ 『野』 아웃되어(*one* [*two*] ~ 1[2]사(死)). **(be, feel)** ~ **in spirits** 슬퍼하여, 슬퍼해지어. **be** ~ **(up)on** …에 불평을 말하다. ~ **and out** 녹아웃되어; 영락하여. ~ **here** [**there**] 여기[저기]. ~ **the line** 《口》 길을 내려가서. ~ **to the ground** 아주, 철저히, 완전히. **D- with** (*the tyrant; your money*) (폭군)을 타도하라; (가진 돈)을 내놔라. —— *prep.* ① …을 내려가, ②…의 아래쪽에, 하류에. ③ …을 …에 따라서(*go* ~ *a street* 거리를 (따라)가다). ~ **the wind** 바람 부는 쪽으로 —— *a.* ① 아래(쪽으)로의, ② 내려가는(*a* ~ *train* 하행 열차). ③ 풀이 죽은(*a* ~ *look* 칠울한 얼굴). —— *vt., vi.* ① 쓰러뜨리다, 쏘아 떨어뜨리다. ② 《口》 삼키다. —— *n.* ① ((俗)) 내리침, 하강. ② (*pl.*) 불운, 역경(*the ups and ~s of life* 인생의 부침). ③ 《口》 원한(grudge), 증오(*have a ~ on* …을 미워하다). ④ 『蹴』 고장, 다운.

down² *n.* ① (새의) 솜털; 배내털; (깃털 따위의) 관모(冠毛).

dówn-and-óut *a, n.* ⓒ 영락한

(사람); 『拳』 다운당한 (선수).

dówn-at-(the-)héel(s) *a.* ① 허술한, 보잘 것 없는, 가난한. —— *n.* ⓒ 빈민.

dówn·béat *n, a.* ⓒ 『樂』 강박(强拍); 《美口》 우울한, 불행한.

dówn·cást *a.* 풀이 죽은; 눈을 내리뜬; 고개를 숙인.

dówn·fáll *n.* ① ⓒ 낙하. ② 몰락.

dówn·gráde *n., a., ad., vt.* ① 내리막(의, 의 가 되어); 좌천시키다.

dówn·héarted *a.* 낙담한.

dówn·híll *n.* ⓒ ① 내리받이(의, 로). ② 쇠퇴(하다); 편한. ③ 비탈을 내려가는(*go* ~).

Dówn·ing Strèet[dáuniŋ-] 다우닝가(街)[런던의 관청가]; 영국 정부 [내각].

dówn·lóad *vt.* 『컴』 올려받기하다 《상위의 컴퓨터로 하위의 컴퓨터로 데이터를 전송하다》. —— *n.* 『컴』 다운로드.

dówn·pláy *n.* 《美口》 얕보다, 가볍게 말하다.

dówn·póur *n.* ⓒ 억수, 호우.

dówn·right *n., ad.* ① 솔직한[히], 명료한(definite); 철저히[한]. ② 완전한[히]; 아주.

Dówn's sýndrome 『醫』 다운 증후군(Mongolism).

down·stáirs[-stέərz] *ad., a.* 아래층에(으로). —— *n.* 《단수 취급》 아래층(방); 아래층에 사는 사람들.

dówn·stréam *a.* 하류의. —— *ad.* 하류로[에]; 하류를 따라 내려가서.

dówn-to-éarth *a.* 실제적[현실적]인, 진실의; 철저한.

dówn·tówn *n.*, *a., ad.* ⓒ 도심지(에, 의); 중심가[상가](에서, 의).

dówn·tródden *a.* 짓밟힌; 압박된, 유린된.

dówn·túrn *n.* ① 하강; (경기 등의) 내림세, 침체.

dówn·ward[-wərd] *a., ad.* ① 내려가는, 내리막의; 아래쪽으로의, 고부라하는, 내림세의. ② ① 기원(시조)부터의. —— *ad.* ① 아래쪽으로; 아래로 향해, ② 쇠퇴(타락)하여.

dówn·wards[-wərdz] *ad.* = ~.

dówn·y[dáuni] *a.* ① 솜털의, 솜털 같은[로 덮인]. ((俗)) 교활한.

D

dow·ry [dáuəri] *n.* (신부의) 지참금.

doy·en [dɔ́iən] *n.* (*fem.* **doyenne** [dɔ́ién]) (F.) (단체 따위의) 고참, 장로(長老).

doze [douz] *n., vi., vt.* (a ~) 졸기 (nap); 졸다, 졸며 (시간을) 보내다 (away). ~ **off** 꾸벅꾸벅 졸다.

doz·en [dʌ́zn] *n.* (*pl.* ~**s**) ① ⓒ 1다스, 12개. ② (*pl.*) 다수(of). a **round** (**full**)~ 에누리 없는 한 타. ~**th** *a.*

D. Ph(**il**). Doctor of Philosophy.

Dr., Dr [dáktər/dɔ́k-] Doctor.

drab [dræb] *n., a.* (-*bb*-) ① 담갈색(의); 단조(로운).

drach·ma [drǽkmə] *n.* (*pl.* ~**s**, **-mae** [-mi:]) ① 옛 그리스 은화(銀貨).

draft, draught [dræft, -ɑ:] *draw* 의 명사형; cf. *draw*) [주의: 역어의 「표는 영미 모두 흔히 **draught**, 「표는 미국형이다. ① ⓒ draught, 기타는 모두 **draft**] ① ⓒ 끌기, 견인(牽引)(*a beast of* ~ 집수레 끄는 마소); 견인 중량; (주수레·그물 따위의) 끌기. ② ⓒ 한 그물로 잡은 것)*, (the ~) (美) 징병; ⓤ [집합적] 징집병. ② ⓒ 분견대. ③ ⓒ (한 번) 마심[들이쉼]; 그 양*, (물약의) 1회분*. ⑤ ⓒ [商] 지급 명령서, 환어음(bill of exchange). ⑥ ⓒ 통기(通氣); ⓒ 통풍(조절 장치); ⑦ ⓤ 빼기, 뽑아냄. ⑧ (the ~) (스포츠에서) 드래프트제(制). ⑨ ⓒ 도면(drawing), 설계도, 초안, 초고; [집] 초안. 흘수(吃水)*, (*pl.*) 드래프트 장기 *(checkers). *at a* ~ 한입에, 단숨에. ~ **on demand** 요구불 환어음. **make a** ~ (**up**)**on** (자금 등)을 찾아 쓰다; (우정 등)을 강요하다; (자산)을 줄이다. **telegraphic** ~ 전신환. — *vt.* ① 선발하다; 파견하다. ② (…의) 기초[입안]하다; 밑그림을 그리다. **draft·ee** [dræftí:, drɑ:-] *n.* ⓒ 소집병. **dráft·er** *n.* ⓒ 기초[입안]자; 말(馬).

dráft dòdger (美) 징병 기피자.

drafts·man [dræftsmən, -ɑ:-] *n.* ⓒ 기초[입안]자; 제도자. (美) 오는.

draft·y [수] *a.* 외풍(draft)이 들어

drag [dræg] *vi.* (-**gg**-) ① 질질 끌리다, ② 발을 질질 끌며 걷다. ③ 느릿느릿 나아가다(along, on). ④ 밑밀을 뒤져 훑다. — *vt.* ① 끌다, 당기다, 질질 끌다. ② 오래 끌게 하다. ③ (물밑을) 훑다(dredge). ④ 써레질하다. ~ **down** (…을) 끌어 내리다, (병 등이 사람을) 쇠약하게 하다; (지위를) 영락시키다. ~ **one's feet** 발을 질질 끌며 걷다. (口) 꾸물 거리다. — *n.* ① ⓒ 질질 끌기; [짐] 끌기(마소스를 버튼을 누른 때). 끄는 것). ② ⓒ 질질 끄는[팔리는 것]. ③ ⓒ 써레(harrow); 저인망. ③ ⓒ (수레의) 바퀴 멈추개. ④ ⓒ 장애물. ⑤ ⓤ (俗) 사람을 움직이는 힘; 연고, 연줄, 줄(pull). ⑥ (항공기 기) 따른한 사람, 지루한 것.

drag·on [drǽgən] *n.* ① ⓒ 용. ② (D-) [天] 용자리; 마왕(Satan). ③ ⓒ 엄격한 샤프론(stern chaperon) [감시인].

drag·on·fly [수] *n.* ⓒ 잠자리.

dra·goon [drəgúːn] *n.* ⓒ [史] 용기병(龍騎兵)(cf. cavalier); 난폭한 사람.

drain [drein] *vt.* ① (…에서) 배수하다(draw off). ② (물을) 빼내다(away, off). ③ 마르게하여 말리다. ④ 들이키다, 마시다, 비우다. ⑤ (조금씩 마셔) 써버리다. ⑥ 흘러 없어지다; 독독 듣다. 비어 없어지다(away, off). ② 배수하다, 마르다. — *n.* ① ⓤ 배수. ② ⓒ 도랑; 하수관(sewer). ③ ⓒ (화폐의) 소모, 고갈; 부담(on). **put** (**something**) **down the** ~ (돈)을 낭비하다.

drain·age [수ᵈ] *n.* ⓤ ① 배수(설비), 배수(법). ② 하수, 오수.

dráin·pipe *n.* ⓒ 하수[배수]관.

drake [dreik] *n.* ⓒ 수오리(cf. duck\).

dram [dræm] *n.* ⓒ 드램(보통 $1/16$ 온스, 약량으로 $1/8$ 온스); 미량(微量); (술의) 한 잔.

dra·ma [dráːmə, -ǽ-] *n.* ① ⓤ (때

로 the ~) 극(문학), 연극; ⓒ 희곡; 각본. ② ⓒ 극적 사건.

:**dra·mat·ic** [drəmǽtik] a. (연)극의; 극적인(exciting), **·i·cal·ly** ad.

dra·mat·ics [drəmǽtiks] n. ① 연기, 연출법. ② (복수 취급) 소인극; 신파조의 몸짓.

dram·a·tis per·so·nae [drǽmə-tis pərsóuni:, drάːmətis pərsóunai, -ni] (L.) pl. 〔劇〕 등장 인물.

dram·a·tist [drǽmətist] n. ⓒ 극작가(playwright). **·tize** [-tàiz] vt. 극화하다, 각색하다. **·ti·za·tion** [〜-tizéiʃən] n. ⓤⓒ 각색, 극화.

drank [dræŋk] v. drink의 과거.

drape [dreip] vt. 곱게 주름잡아 걸치다. — n. ① 주름살아 드리운 천, (스커트·블라우스의) 드레이프.

drap·er [dréipər] n. ⓒ 〔英〕 피륙상, 포목상(〔美〕 dry-goods store).

dra·per·y [dréipəri] n. ① ⓤⓒ (곱게 주름 잡은) 휘장, 커튼. ② ⓤⓒ 포목; 피륙. ③ ⓤ 〔美術〕(회화·조각의) 의의(着衣).

dras·tic [drǽstik] a. (수단 따위) 철저한, 과감한(a measure 비상 수단). **·ti·cal·ly** ad. 맹렬[철저]히.

draught [dræft, -ɑː-] n., v. = DRAFT.

dráught hòrse 복마, 짐말.

draughts·man [=smən] n. = DRAFTSMAN.

draught·y [=i] a. = DRAFTY.

draw [drɔ:] vt. (drew; drawn) ① 끌다(pull, drag); (끌어)당기다, 이끌다; 자아내다; 이끌어 내다; 얻다. ② (칼을) 빼다, (권총을) 뽑아내다; (물을) 푸다. ③ (이익을) 가져오다. ④ (숨을) 쉬다. ⑤ (선을) 긋다; 줄을 그어 (도면·그림을) 그리다; (문장으로) 묘사하다; 기술하다. ⑥ (증서를) 작성하다. ⑦ (어음 등을) 발행[취결]하다. ⑧ (세탁을) 뽑아 맞히다. ⑨ (결론을) 이끌다; 생기게 하다. ⑩ (결론을) 끌어내다(draw); ⑪ …이다(displace)(a ship ～ing 20 feet of water 20 피트의 배). ⑫ (금속봉을 잡아 늘여서 철사를) 만들다; (줄을 잡아) 잡아당기다; 오므리다; (주름을) 만들다. ⑬ (여우를) 끌어내다. 몰아내다. ⑭ (피를) 흘리게 하

다. ⑮ (…의) 내장[속]을 뽑아 내다. ⑯ (차를) 달여 내다(make). — vi. ① 끌다; 접근하다(to, toward). 당기다, 빠지다. ② 움직이다, 모이다. ③ 그리다, 제도하다. ④ 칼을 뽑다; 권총을 빼다. ⑤ 이윽을 발행하다; 청구하다; 강요하다; 의지하다(on). ⑥ 오그라들다(shrink); 주름이 잡히다. ⑦ 흡수가 ～이다. ⑧ 무슨부서가 되다(cf. drawngame). ⑨ 인기를 끌다(cf. drawing card). ⑩ 제비를 뽑다. ⑪ (차가) 우려나다(steep)(The tea is ～ing. 차가 우러난다). — ~ a full house 초만원을 이루다. ～ away (경쟁에서 상대를) 떼어놓다〔競馬〕 선두에 나서다. ～ back 물러서다; 손을 떼다; 〔美〕 철수하다. ～ down 내리다; 초래하다. ～ in (날이) 들어가다; 꾀어 들이다; 들이키다; 줄이다; (해가) 짧아지다. 저물다. ～ it mild [strong] 〔주로 英〕 온건하게[과장하여] 말하다. ～ level (경주에서) 뒤따라 미치다; 대등하게 되다. ～ near 접근하다. ～ off 철회하다[시키다]; (물을) 빼내다; (주의를) 딴 데로 돌리다. ～ on 다가오다; 몸에 걸치다, 신다, 입다; 끌어 들이다. ～ oneself up 자세를 고치다; 정색을 하다. ～ out 끄집어 [뽑아] 내다; 매출하다, 늘이다, (日暮를) 정렬시키다; 〔口〕 (…로 하여금) 이야기하게 하다(induce to talk); (해가) 길어지다: 오래 끌다. (문서를) 작성하다; (예금을) 인출하다. ～ up 끌어 올리다; 정렬시키다; 몸을 일으키다 (마차 따위가) 멈추게 하다; (口) 추첨, 비기기, 인기물. — n. ① 끌(어 내)기. ② (口) 추첨. ③ 비기기. ④ 인기물. beat a person to the ~ 아무를 앞질러다, 선수치다.

:**dráw·back** n. ① ⓒ 결점, 약점; 장애(to); 핸디캡. ② ⓤⓒ 환부금(還付金).

dráw·bridge n. ⓒ 도개교(跳開橋); 들다리(吊橋).

draw·er n. ① ⓒ (어음) 발행인. ② 제도사(製圖士). ③ [drɔː] 서랍; (pl.) 장롱(a chest of ～s). ④ [drɔ́:rz] 드로어즈, 속바지.

:**draw·ing** [drɔ́:iŋ] n. ① ⓒ (연필·펜 등으로 그린) 그림, 소묘(素描), 데생;

Ⓤ (도안·회화의) 제도, 선묘(線描) : 〔렵〕 그림 그리기. ② Ⓤ 〔문서의〕작성. ③ Ⓒ 추첨. ④ Ⓤ 〔어음의〕발행. ⑤ (英) (pl.) 배상금. ⑥ (교살 틀) 달여매기. **out of ~** 잘못 그려진 : 조화가 안 된(되어).

dráwing bòard 제도판, 그림판.

dráwing pìn (英) 제도용 핀, 압정 (《美》 thumbtack).

dráwing ròom 응접실, 객실 : 《英》제도실(《美》 drafting room).

drawl vt., vi. 느릿느릿(점잔 빼며) 말하다. ── n. Ⓒ 느린 말투.

drawn [drɔːn] v. draw의 과거분사. ── a. ① 잡아뺀, 뽑은. ② 팽팽히 잡아당긴 : (얼굴 따위) 찡그린. ③ (새 따위) 속을 뺀, 비긴.

dray [drei] n. Ⓒ 큰 짐마차(낮은 차 대, 옆이 없음). 화물 자동차.

dread [dred] vt., vi. 두려워하다 : 걱정하다. ── n. ① Ⓤ 두려움(fear, fright). ② Ⓤ 공포(fear). : **~·ful** a. 무서운(fearful) : 지독히 싫은. **~·ful·ly** ad. 《口》몹시 : 지독하게.

dream [driːm] n., vi., vt. (dreamt, ~ed[driːmd, dremt]) ① 꿈(꾸다, 에 보다). ② 몽상(하다), 공상(하다)(about, of)《I little ~t of it. 꿈에도 생각지 않았다). ── **a ~** 꿈을 꾸다. **~ away** 꿈결처럼 보내다. **~ up** 《口》 퍼뜩 생각해내다. **~·er** n. Ⓒ 꿈꾸는 사람 : 몽상가.

dréam·lànd n. Ⓤ,Ⓒ 꿈나라, 이상 향 : 유토피아.

dréam·like a. 꿈(결) 같은 : 어렴풋 한, 덧 없는.

dréam·wòrld n. Ⓒ 꿈(공상)의 세 계 : = DREAMLAND.

dream·y [dríːmi] a. 꿈(결) 같은, 어 렴풋한(vague) : 공상적인. **dréam-i·ly** ad. **dréam·i·ness** n.

drear·y [dríəri] a. ① 황량한, 쓸쓸 한, 처량한(dismal) : 따분한(dull). **dréar·i·ly** ad. **dréar·i·ness** n.

dredge¹ [dredʒ] n., vt. Ⓒ 준설기(로 치다)(up). 찾아(뒤져) 내어 흩어 잡다(up).

dredge² vt. (…에) 가루를 뿌리다.

dredg·er [dredʒər] n. Ⓒ 준설기 〔선〕 : 가루 뿌리는 기구.

dreg [dreg] n. Ⓒ (보통 pl.) 찌꺼기,

앙금 : 지스러기 : 미량(微量). **drain [drink] to the ~** 남김 없이 다 마 시다 : (인생의) 쓴맛 단맛 다 보다.

drench [drentʃ] vt. ① 흠뻑 적시다 (soak), (소·말에) 물약을 먹이다. **be ~ed to the skin** 흠뻑 젖다.

dress [dres] vt. (~ed[-t], (古) **drest**) ① (옷을) 입히다 : 치장하다 : 정장시키다. ② 꾸미다(decorate). ③ 다듬다, (가죽을) 무두질하다, (머리 를) 매만지다, (상처를) 치료하 다. ④ (대열을) 정렬시키다. ⑤ 조리하다(prepare). ── vi. ① 옷을 입다, (야회복 따위를) 입어 정장하다. ② 정렬하다. **~ down** 꾸짖다 : 갈기다. **~ oneself** (외출 따위의) 몸치장을 하다. **~ out** (곱게) 치장하다, (상처를) 가료하다. **~ up, or be ~ed up** 성장(盛裝)하다, 정장 차려 입다. ── n. ① Ⓒ (원피스형의) 여성복, 드레스. ② Ⓤ 의복, 의상. ③ Ⓤ (남자의) 예복, 정장.

dréss cìrcle (극장의) 특등석.

dress·er [drésər] n. Ⓒ ① 옷 입히 는 사람 : 의상 담당자 : 장식하는 사 람, 옷을 잘 입는 사람(a smart ~ 멋쟁이). ② 《英》 (외과의) 조수. ③ 요리인(대). ④ 찬장. ⑥ (美) 경대.

dress·ing [drésiŋ] n. ① Ⓤ,Ⓒ 마무 리(재료), 장식. ② Ⓤ (옷)차림. ③ Ⓒ 치료쇄용품(붕대 따위). ④ Ⓤ 비료 (fertilizer).

dréssing gòwn 화장옷, 실내복.

dréssing ròom (극장의) 분장실 : (흔히 침실 곁의) 화장실.

dréssing tàble (英) 화장대, 경대.

dréss·màker n., a. Ⓒ 양재사, 양 장점 : 여성복다운, 장식이 많은.

dréss·màking n. 양재(업).

dréss rehéarsal 〔劇〕(의상을 입 고 하는) 마지막 연습.

dress·y [drési] a. ① 옷차림에 마 음을 쓰는 : (옷이) 맵시 있는, 멋진 (cf. sporty).

drew [druː] v. draw의 과거.

drib·ble [dríbl] vi., vi. 침을 흘려 떨어뜨 리다(드리다) : 군침을 흘리다(drivel) : 〔球技〕 드리블하다. ── n. ⓤ 물방울의 가랑비 : 드리블 : 똑똑 떨어짐.

dríbs and drábs [dríbz-] 《口》

적은 양.

:dried [draid] *v.* dry의 과거(분사). — *a.* 건조한. *a* ~ *fish* 건어물.

dri·er [dráiər] *n.* Ⓒ 말리는 사람; 건조기[제(劑)]. — *a.* dry의 비교급.

:drift [drift] *n.* ①ⓊⒸ 표류. ② 표류물; 떠밀려서 한데 쌓인 것. ③ Ⓤ 밀림, 요지, 경향. ④ Ⓤ 추세에 맡기기. 『空』 편류(偏流). — *vt., vi.* 표류시키다[하다]; (*vt.*) (악습 따위에) 부지중에 빠져들다. ~**-age** [-id3] *n.* Ⓤ 표류; 표류[퇴적]물; (배의) 편류 거리(탄알의) 편차. ~**·er** *n.* Ⓒ 표류자[물]; 유망(流網) 어선.

drift nét 유망(流網).

drift·wòod *n.* Ⓤ 유목(流木), 부목(浮木); 부랑민.

:drill [dril] *n.* ①ⓊⒸ 훈련, 교련. ② Ⓒ 송곳, 천공기(穿孔機). — *vt., vi.* ① 훈련하다[받다]. ② (송곳으로) 구멍을 뚫다, 꿰뚫다.

dri·ly [dráili] *ad.* = DRYLY.

†drink [driŋk] *vt.* (*drank; drunk*) ① 마시다. ② (…을 위해서) 축배를 들다(~ *a person's health*). ③ 빨아들이다, 흡수하다(*in, up*). ④ (돈·시간을) 술에 소비하다. ⑤ (경치 따위를) 도취되다(*in*). — *vi.* ① 마시다. ② 술마시다. ③ 축배를 들다. ④ 취하다. — *n.* ① 마시면 ~ 한 맛이 나는(*This beer* ~*s flat.* 이 맥주는 김이 빠졌다). ~ *away* 술로 (재산을) 날리다, 마시며 (시간을) 보내다. ~ *deep* 흠뻑 마시다. ~ *off* 단숨에 들이켜다. ~ *oneself* 술마셔서. ~ *up* 들이켜다. 빨아올리다. — *n.* ①ⓊⒸ 음료. ② Ⓤ 술; 음주. ③ Ⓒ 한 잔(의 -). *in* ~ 취하여. ~**a·ble** *a.* 마실 수 있는; (*pl.*) 음료. ~**·er** *n.* Ⓒ 마시는 사람; 술꾼.

:drink·ing [dríŋkiŋ] *n.* Ⓤ 마시기; 음주(의) 음용(飮用)의(~ *water*).

drinking fóuntain 음료 분수(bubbler).

drinking wàter 음료수.

:drip [drip] *n., vi., vt.* (~*ped, drip-; -pp-*) ① 똑똑 떨어지다(트리다). ② (*sing.*) 물방울의 똑똑 떨어짐.

dríp·ping *a., n.* 물방울이 떨어지

는; Ⓤ 똑똑 떨어짐, 적하(滴下); Ⓒ (종종 *pl.*) 떨어지는 (고기) 국물; (《美》 *pl.*, 《英》 *pl.* 불고기)의 떨어지는 국물.

drip-drý *vi., vt.* (나일론 따위) 짜지 않고 그냥 마르다(말리다). — *a.* [~] 속건성의 (천으로 만든).

:drive [draiv] *vt.* (*drove; driven*) ① 몰다, 몰다, (새·짐승을) 몰이하다(*chase*). ② 몰다. 부리다. 혹사하다. ③ 몰다; 운전(조종)하다. ④ 차로 나르다. ⑤ 영사하다, 하다. ⑥ (말뚝·못 등을) 박다; (굴·터널을) 파다. ⑦ 추진하다. ⑧ 강박(강제)하다, 억지로 …케 하다(*force*) (*to, into*); … 하게 하다(*make*). ⑨ 밀고 나아가다; (바람이) 구름·비·눈을 불어보내다. ⑩ 『野』 직구(直球)를 던지다(《테니스》) 드라이브를 걸다. ⑪ (시간적으로) 질질 끌다. 미루다. — *vi.* ① 차를 몰다, 차로 가다, 드라이브하다. ② 공을 치다; 구타(投球)하다. ③ 목적으로 하다, 노리다(*aim*)(*at*). ④ 돌진하다. 부딪치다(*against*). ~ *at* …의도(뜻)하다, 노리다. ~ *away* 몰아[쫓아]내다; 차를 몰아 가버리다; 열심히 (일)하다(*at*). ~ *in* 몰아넣다; 때려박다. ~ *out* 추방하다; 드라이브하다. *let* ~ *at* …을 향해 던지다; …을 꾸짖다. — *n.* ① Ⓒ 드라이브; 마차(자동차) 여행. ② Ⓒ 몰이, 몰아냄[내기]. ③ Ⓒ (저택내의) 차도; 진격, 공세, 공격. ④ Ⓤ 추진력, 박력, 정력. ⑤ Ⓤ 『골프·테니스 따위의』 장타(長打). 드라이브. ⑥ 경향. ⑦ (대규모의) 선전, 모금 운동, 캠페인(*campaign*)(*a Red Cross* (*community chest*)) = 적십자(공동) 모금운동. ⑧ Ⓒ (자동차의) 구동 장치; 『컴』 돌리개, (자동차의) 구동 장치; 『컴』 돌리개. 드라이버(*장치를 제어하기 위한 프로그램*).

drive-in Ⓒ 드라이브인(*차 탄채로 들어갈 수 있는 상점·식당·영화관 등*). — *a.* 드라이브인의.

:driv·el [drívəl] *n.* 허튼소리. — 《美》*-ll-*) *vi.* 군침을 흘리다[이 흐르다]; 철없는 소리를 하다. — *vt.* (시간을) 허비하다(*away*). ~**·(l)er** *n.* Ⓒ 침흘리개; 바보.

:**driv·en** [drívən] *v.* drive 과거분사.

'drive·way *n.* Ⓒ 《美》 드라이브 길, 차도. ② 《美에서 현관까지의》 차도.

driv·ing [dráiviŋ] *a.* ① 추진하는, 동력 전달의. ② (남을) 혹사하는. ③ 정력적인. ── *n.* Ⓤ ① 운전. ② 물기, 쫓기. ③ 두드려 박기.

:**driz·zle** [drízl] *n.*, *vi.* Ⓤ 이슬비(가 내리다) (*It* ~s.). **'driz·zly** *a.* 이슬비 오는.

droll [droul] *a.*, *n.* Ⓒ 익살스러운 (사람). **∠·er·y** *n.* Ⓤ,Ⓒ 익살맞은 짓(이야기).

drom·e·dar·y [drámidèri, drʌ́mi-dəri] *n.* Ⓒ (아라비아의) 단봉(單峰) 낙타.

drone [droun] *n.* Ⓒ ① (꿀벌의) 수펄. ② Ⓒ 게으름뱅이(idler). ── (*sing.*) (벌·기계의) 윙윙(하는 소리). ── *vi.* ① (무선 조종의) 무인기. ── *vi.* ① 윙윙(붕붕)거리다(buzz). ② 단조로운 소리로 말하다. ③ 빈둥대다.

drool [druːl] *n.*, *vi.* 《주로 美》 = DRI-

droop [druːp] *vi.* ① 처지다. ② 풀이 죽다. ③ 시들다.

drop [drap/-ɔ-] *n.* ① Ⓒ 물방울. ② (*pl.*) 점적약(點滴藥).

dross [drɔs, dras/drɔs] *n.* Ⓤ (녹은 금속의) 쇠똥; 찌꺼기(refuse), 부스러기.

drought [draut] (*cf.* dry) *n.* Ⓒ 가뭄, 한발. **∠·y** *a.*

drove [drouv] *v.* drive 과거.

drove² [drouv] *n.* Ⓒ 가축 떼. **dró·ver** *n.* Ⓒ 가축 상인.

drown [draun] *vt.* ① 물에 빠뜨리다.

'drow·sy [dráuzi] *a.* ① 졸린. ② 졸리게 하는. **dról·si·ly** *ad.* **dról·si·ness** *n.*

drub [drʌb] *vt.* (-**bb**-) 몽둥이로 치다.

drudge [drʌdʒ] *vi.*, *n.* Ⓒ 고되고 단조로운 일.

drug [drʌg] *n.* Ⓒ 약품, 약제; 마약.

drug·gist [drʌ́gist] *n.* Ⓒ 《美·Sc.》 약종상; 약제사(chemist).

:drug·store [drʌ́gstɔ̀:r] n. ⓒ 《美》 약방(담배·화장품 등도 팔고 커피 등도 판).

Dru·id, d- [drú:id] n. ⓒ 《옛 켈트족의》 드루이드교 단원.

:drum [drʌm] n. ⓒ 《소리》 북. 【機】 고동(鼓胴); 드럼통; 【解】 고실(鼓室), 고막. 《침》 MAGNETIC DRUM. —vt. (-mm-) ① 《곡을》 북으로 연주하다. ② 《북을 쳐서》 불러 모으다(up)；불어내다(out of). ③ 《학문·교훈을 머리에》 억지로 주입시키다. —vi. ① 북을 치다. ② 북을 치고 돌아다니다. ③ 북을 치고 돌아다니며 모집하다(for). —down 《…을》 침묵시키다. —out 선전하다. —up 북을 쳐서 모으다.

drúm·bèat n. ⓒ 북소리.

drum májor 《악대의》 고수장(鼓手長), 군악대장, 악장.

drum majorètte 《행진의 선두에서》 지휘봉을 휘두르는 소녀, 배턴걸.

:drúm·mer n. ⓒ 고수, 드러머; 《美》 외판원.

drúm·stick n. ⓒ 북채; 《요리한》 닭다리.

:drunk [drʌŋk] v. drink 의 과거분사. —a., n. 술취한; ⓒ 《口》 주정뱅이; **get** ~ 취하다.

drunk·ard [✓ərd] n. 술고래.

drunk·en [✓ən] a. 술취한; 술고래의. **~·ness** n. Ｕ 술취함, 명정(酩酊).

:dry [drai] a. ① 마른, 건조한; 바싹 마른. ② 비가 오지 않는; 물이 말라 비어 있; 젖이 안나오는. ③ 《美口 금주법이 시행되는(a State 금주주(禁酒州)). ④ 버터를 바르지 않은. ⑤ 술을 않는; 가래가 나오지 않는(a cough 마른 기침). ⑥ 쌀쌀한, 냉담한. ⑦ 노골적인(plain). ⑧ 무미 건조한. ⑨ 무표정하게 말하는(a joker). ⑩ 달콤하지 않은(~ wine)(opp. sweet). ⑪ 【軍】 실탄은 쓰지 않는, 연습의. — **behind the ears** 《口》 완전히 성인이 된. —vt., vi. ① 말리다. 마르다. 닦다. ② 고갈시키다(되다). —up 말리다. 닦다; 바싹 마르다; 《口》 입 다물다. —**·ness** n. 냉담하게, 웃지도 않고, 무미 건조하게. **~·ness** n.

dry cléaner 드라이클리닝 업자[약

품].

dry cléaning 드라이클리닝(법).

drý íce 드라이아이스.

drý lànd 건조 지역; 육지《바다에 대하여》.

drý làw 《美》 금주법.

drý-núrse vt. 아이를 보다.

drý rót 《목재의》 건식(乾蝕)(병).

drý rún 《俗》 예행 연습; 【軍】 공포사격 연습; 시운전; 견본(見本).

drý wáll 《美》 건식 벽체(壁體)《회반죽을 쓰지 않은 벽》.

D.S.O. Distinguished Service Order. **D.T.'s, d.t.** DELIRIUM tremens.

du·al [djú:əl] a. 둘의, 이중의(two-fold); 이원적인. ~ **economy** 이중경제. ~ **nationality** 이중 국적. ~ **personality** 이중 인격. **~·ism** [-izəm] n. Ｕ 이원론. **~·ist** n. 이원론자. **~·is·tic** [djù:əlístik] a. 이원(론)적인, 이원론자의.

du·al·i·ty [djuːǽləti] n. Ｕ 이원(이중)성(性).

dúal-púrpose a. 두 가지 목적[용도]의.

du·bi·ous [djú:biəs] a. ① 의심스러운, 수상한. ② 미정의, 불명한. 결정 안된. **~·ly** ad. **~·ness** n. **du·bi·e·ty** [djuːbáiəti] n.

du·cal [djú:kəl] a. 공작(duke)의.

duch·ess [dʌ́tʃis] n. ⓒ 공작 부인; 여공작님.

duch·y [dʌ́tʃi] n. ⓒ 공작령(公爵領).

:duck [dʌk] n. ① ⓒ 《집》오리(류의 암컷)(cf. drake). ② ⓒ 《집》오리의 고기. ③ 《口口》귀여운 사람; 너석, 놈. **a wild** ~ 들오리. **play** ~**s and drakes with money** 돈을 물쓰듯하다.

duck² vt., vi. ① 물에 쏙 잠기게 하다《잠김, 처박음》; 홱 머리를 숙이다(처넣다); 《타격·위험을 피하다.

dúck·ing n. Ｕ 오리 사냥; Ｕ.ⓒ 물에 처넣기; 《拳》더킹《몸·머리를 홱 숙이는 것》.

dúck·ling [✓liŋ] n. ⓒ 집오리 새끼, 새끼 오리.

duct [dʌkt] n. ⓒ 관, 도관(導管); 【解】 선(腺).

dud [dʌd] n. ⓒ 《口》 ① 《보통 pl.》

dude [dju:d] *n.* ① 멋쟁이; 《俗》 (특히 미국 동부의) 도회지 사람; 《美西部》 (휴가로 서부 목장에 온) 동부인 (人).

:du·ly [djú:li] *ad.* ① 정식으로, 바로; 당연히. ② 적당(충분)히. ③ 제시간에(punctually).

dudg·eon [dʌ́dʒən] *n.* Ⓤ 성냄, 분개. **in high ~** 크게 노하여.

:due [dju:] *a.* ① 응당 치러야 할, 지불 기일이 된, 만기의. ② 응당 …로 돌려야 할, …에 의한(to). ③ …할 예정인, 도착하기로 되어 있는. ④ 당연한, 정당한(proper); 적당한. **become (fall) ~** (어음 따위가) 만기가 되다. **in ~ form** 정식으로. **in ~ (course of) time** 때가 오면, 머지 않아, 불원. ④ (방향이) 정확히, 정(正)한 《The wind is ~ north.》(바람은 정북풍이다). ── *n.* Ⓒ ① 마땅히 (받을) 것, 당연한 일, 정당한 권리. ② (보통 *pl.*) 세금, 조합비, 회비; 수수료. **give a person his ~** 아무를 공평히 다루다(대우하다). **give the DEVIL his ~**.

dumb [dʌm] *a.* ① 벙어리의(mute); 말못하는. ② 말이 없는; 무언의. ③ (놀라거나 부끄러워) 말문이 막힌. ④ 《美俗》 우둔한. **strike a person ~** 깜짝 놀라게 하다; 아연케 하다.

dúmb·bèll *n.* ① 아령; 《俗》 얼간이.

dumb·found [dʌ́mfáund] *vt.* 깜짝 놀라게 하다(amaze).

dumb·struck *a.* 놀라서 말도 못하는.

dumb·waiter *n.* Ⓒ 《美》 식품 전용 엘리베이터; 《英》 (식탁 위의) 회전식 쟁반.

dum·my [dʌ́mi] *n.* Ⓒ ① (양복점의) 모델(의류의 (표적의) 짚인형. ② 《口》 얼뜨기. ③ (실물의 대신이 되는) 견본, 모형, 모조품. ④ 바뀌친 것(사람), ⑤《映》 대역(代役) 인형; (어린이의) 고무젖꼭지. ⑤ 꼭두각시, 앞잡이. ⑥《製本》 가제본. ⑦ 《카드놀이》(네 사람놀이에서 빠진 할 패의) 빈 자리. ⑧《럼》 가상(假想), 더미. ── *a.* 가짜의.

du·el [djú:əl] *n., vi.* 《英》 **-ll-》 ⑤ 결투(하다); (the ~) 결투의 규칙. **~ of wits** 재치 겨루기. **~·(l)ing** *n.* **~·(l)ist** *n.*

du·et [djuét] *n.* Ⓒ 2중창, 2중주(곡).

dúffel bàg 《軍》 즈크 자루.

duff·er [dʌ́fər] *n.* Ⓒ 《口》 바보, 병신; 《俗》 가짜.

dug [dʌg] *v.* dig의 과거(분사).

dúg·òut *n.* Ⓒ ① 마상이; 통나무배. ② (대피호) 땅굴호. ③ 대피(방공)호. ④《野》더그아웃《야구장의 선수 대기소》.

duke [dju:k] *n.* Ⓒ ① 공작《유럽의 공국(公國)·작은 나라의》 군주, …공《the Grand D- 대공》. ② 《俗》 (보통 *pl.*) 《口》 손(의 주먹). **dom** *n.* ① 공령(公領), 공국. ② 공작의 신분.

dul·cet [dʌ́lsit] *a.* (음색이) 아름다운(sweet).

dul·ci·mer [dʌ́lsəmər] *n.* Ⓒ 현을 때려 소리내는 악기의 일종《피아노의 전신》.

dull [dʌl] *a.* ① 둔한, 무딘(opp. sharp) 《a ~ pain 《knife》). ② 둔 감한, 우둔한. ③ (빛·색이) 흐릿한, 칙칙한. ④ 활기 없는, 지루한(boring). ⑤ (시황(市況)이) 침체한. ── *vt.* ① 무디게 하다. ② 흐리게 하다. ③ (아픔을) 누그러뜨리다. **~·ish** *a.* 좀 무딘; 약간 둔한; 침체한 듯한. **~·ness** *n.*

dum·ily *vt.* (차에서 쓰레기 따위를) 털썩 부리다. ── *n.* Ⓒ ① 쓰레기 더미, 쓰레기 버리는 곳. ② 《컴》 쓰레기 버리기, 덤프《기억장치의 내용을 출력장치에의 전사(轉寫)하기》. **~·ing** *n.* Ⓤ 《경》 쓰레기 따위를 내버림; 염가 수출, 덤핑.

dump² *n.* (*pl.*) 《口》 의기소침, 우울. **(down) in the ~s** 맥없이, 울적하여.

dump·ling [dʌ́mpliŋ] *n.* ⓊⒸ 고기(사과) 《먹는》 만두. ② 《口》 땅딸보.

dúmp trùck 덤프 트럭.

dump·y [dʌ́mpi] *a.* 땅딸막한.

dun [dʌn] *a., vt.* (*-nn-*) Ⓤ 암갈색의. ── *vt.* 암갈색으로 하다.

dunce [dʌns] *n.* Ⓒ 열등생, 저능아《바보》.

dúnce(′s) càp 게으르거나 공부 못

하는 학생에게 벌로써 씌우던 깔때기 모양의 종이 모자.

dune[djuːn] *n.* ① (해변의) 모래 언덕. 「덕

dung[dʌŋ] *n.*, *vt.* ⓤ (동물의) 똥; 거름(을 주다)(manure).

dun·ga·ree[dʌ̀ŋɡəríː] *n.* ⓤ ① (인도산의) 거칠게 짠 무명. ② (*pl.*) (그 천의) 작업복, 노동복.

dun·geon[dʌ́ndʒən] *n.* ⓒ 토굴 감옥.

dunk[dʌŋk] *vt.*, *vi.* (먹으며) 적시다 (~ *bread into coffee, tea etc.*). 「圖」 덩크슛하다.

dun·no[dʌnóu] (口) = (I) don't know.

du·o[djúːou] *n.* (*pl.* ~**s**) ⓒ ① (연예인의) 2인조; 한 쌍. ② = DUET.

dupe[djuːp] *n.* 사기당하다(deceive). — *n.* ⓒ 잘 속는 사람.

du·plex[djúːpleks] *a.* 2중의, 2배의; 「機」 (구조가) 복식으로 된. — *n.* ⓒ 「樂」 2중 음표; 「컴」 양방(兩方). 「圖」

du·pli·cate[djúːpləkit/djúːplə-] *a.* ① 이중의; 복제의; 한쌍의. ② (副)의, 복사의. — *n.* ⓒ ① 등본, 부본, 사본(cf. triplicate); 복제물. ② 물표, 전당표. *made* (*done*) *in* ~ (정부(正副) 2통으로 작성된. ~ [-kèit] *vt.* 이중으로 하다; 「圖」 복사하다; 정부 두 통으로 하다. ~-**ca·tion**[-kéiʃən] *n.* ⓤ 이중, 중복; 복제, 복사, ⓒ 복제물. -**ca·tor**[-kèitər] *n.* ⓒ 복사하다, 복제자.

du·plic·i·ty[djuːplísəti] *n.* ⓤ 이심(二心), 표리 부동; 불성실.

du·ra·ble[djúərəbl] *a.* 오래 견디는, 튼튼한; 지속(지탱)하는(lasting). ~ *goods* [經] (소비재 중의) 내구재(耐久財). ~-**ness** *n.* -**bly** *ad.* -**bil·i·ty**[∼bíləti] *n.* ⓤ 지속력, 내구성.

du·ra·tion[djuəréiʃən] *n.* ⓤ 지속 (기간), 계속(기간); 「空」 체공(항공) 시간. *for the* ~ 전쟁이 끝날 때까지, 전쟁 기간 중; (평장이) 오랫 동안.

du·ress(e)[djuərés, djúəris] *n.* ⓤ 속박, 감금; 「法」 강박, 강제.

dur·ing[djúəriŋ] *prep.* …의 동안,

…사이.

dusk[dʌsk] *n.* ⓤ ① 땅거미, 황혼. ② 그늘(shade). *at* ~ 해질 녘에. — *a.* (詩) 어스레한.

dusk·y[-i] *a.* ① 어스레한; 거무스름한(darkish). ② 음울한(gloomy). **dusk·i·ly** *ad.* **dusk·i·ness** *n.*

dust[dʌst] *n.* ⓤ ① 먼지, 티끌. ② 가루, 분말, 화분(花粉); 사금(砂金). ③ 《英》 쓰레기. ④ 유해(遺骸)(honored~ 명예의 유해); 인체, 인간, 흙, 무덤; 《俗》 현금. BITE the ~. humbled in to the ~ 굴욕을 당하고. in the ~ 죽어서; 굴욕을 당해. kick up (make, raise) a ~ 소동을 일으키다. shake the ~ off one's feet 분연히 떠나다. throw ~ in a person's eyes 속이다 (cheat). — *vt.*, *vi.* 가루를 뿌리다 (sprinkle); 먼지를 떨다. *~·er *n.* ⓒ 먼지 터는 사람, 총채, 걸레; (후추가루·소금을) 치는 기구; 《美》 DUST COAT; (여자의) 헐렁한 실내복. ~·less *a.*

dúst·bin 《英》 쓰레기통 《美 ashcan》.

dúst·càrt 《英》 쓰레기차 《美 ashcart》.

dúst còver (쓰지 않는 가구 따위를 덮는) 먼지 방지용의 큰 커버.

dúst·man [-mən] *n.* ⓒ 《英》 쓰레기 청소부; 《美》 garbage collector; 「海」 화부; 「口」 좋음(의 요정)(The ~ is coming. 졸린다).

dúst·pàn *n.* ⓒ 쓰레받기.

dúst shèet《英》 = DUST COVER.

dúst·up *n.* ⓒ (俗) 치고받기싸움.

dust·y[-i] *a.* 먼지투성이의. ② 가루의, ③ 먼지 빛의(grayish). not so ~ 《英口》 과히(아주) 나쁜 것도 아닌, 제 좋은. **dúst·i·ly** *ad.* **dúst·i·ness** *n.*

Dutch[dʌtʃ] *a.* 네덜란드의; 네덜란드 사람(말)의. go ~ 《口》 각자부담으로 하다. — *n.* ① ⓤ 네덜란드말. ② (the ~) 『집합적』 네덜란드 사람. beat the ~ 《美口》 남을 아주 놀라게 하다. in ~ 기분을 상하게 하여; 면목을 잃어, 곤란하게.

Dútch cóurage (口) (술김에 내는) 용기, 객기.

du·ti·ful [djúːtifəl] *a.* 충실한; 본분을 지키는; 효성스러운. ~·ly *ad.* ~·ness *n.*

du·ty [djúːti] *n.* ① ⓤ 의무, 본분, 책임. ② ⓤⓒ (보통 *pl.*) 직무, 임무, 일. ③ ⓤ 경의(respect). ④ 관세. ⑤ ⓤ [機] 효율. ⑥ ① [宗] 종무(宗務). **as in ~ bound** 의무상. **do ~ for** …의 대용이 되다. **off (on)** ~ 비번(당번)으로. **pay (send) one's ~ to** …에 경의를 표하다.

duty-frée *a.* 면세의(免稅의).

du·vet [djuːvéi] *n.* (F.) ⓒ (침구용의) 두꺼운 깃털 이불.

dwarf [dwɔːrf] *n., a.* ① ⓒ 난쟁이. ② 왜소한, 작은. — *vt., vi.* ① 작게 하다(보이다); 작아지다. ② 작게 [지리게] 하다. ~·ish *a.* 난쟁이 같은; 지리진, 작은.

:**dwell** [dwel] *vi.* (**dwelt, ~ed**) ① 살다, 거주하다(*at, in, on*). ② 곰곰이 생각하다(ponder), 길게 논하다 [애기하다, 쓰다](*on, upon*). ③ (기계·말 따위를) 천천히 발음하다. **~ on (upon)** …을 곰곰이 생각하다; …을 강조하다; 꾸물거리다. * ~·er *n.* ⓒ 거주자.

dwin·dle [dwíndl] *vi.* ① 점점 작아지다[줄어들다], 줄다. ② 야위다; 타락하다.

dye [dai] *n.* ⓤⓒ 물감, 그림 염료, 색조(tint). — *vi., vt.* (**dyed; dye·ing**) 물들(이)다. ~·ing *n.* ⓤ 염색(법), 염색업.
dyed-in-the-wóol *a.* (사상 따위

가) 철저한(thorough); (짜기 전에) 실을 물들인.

:**dy·ing** [dáiiŋ] *a.* ① 죽어 가는; 임종의. ② 꺼져[망해]가는; (俗) …하고 싶어 못견디는. — *n.* ⓤ 죽음, 임종(death).

dyke [daik] *n., v.* = DIKE.

dy·nam·ic [dainǽmik] *a.* ① 역학(상)의. ② 동력의, 동적인(opp. static). ③ 힘찬, 힘센. ④ [컴] 동적인 (~ *memory* 동적 기억 장치). ~ *economics* 동태 경제학. — *n.* (*sing.*) 원동력. -**i·cal** *a.* 역학적인. **-i·cal·ly** *ad.*

dy·nam·ics [dainǽmiks] *n.* ⓤ [物] 역학; (복수 취급) 원동력, 활동력.

dy·na·mism [dáinəmìzəm] *n.* ⓤ [哲] 역본설(力本說).

dy·na·mite [dáinəmàit] *n., vt.* ⓤ 다이너마이트(로 폭발하다). **-mit·er** [-ər] *n.* ⓒ 다이너마이트 사용자; -**i·cal·ly** *ad.*

dy·na·mo [dáinəmòu] *n.* (*pl.* ~s [-z]) ⓒ 발전기; (口)정력가.

dy·nas·ty [dáinəsti/dín-] *n.* ⓒ 왕조; 명문, 명문.

dy·nas·tic [dainǽstik/di-] *a.* 왕조의, 왕가의.

dys·en·ter·y [dísəntèri] *n.* ⓤ 이질, 적리(赤痢). -**ter·ic** [dìsəntérik] *a.*

dys·lex·i·a [disléksiə] *n.* ⓤ [醫] 실독증(失讀證).

dys·pep·si·a [dispépsiə, -siə/-siə] *n.* ⓤ [醫] 소화 불량(증), 위약(胃弱).

dys·tro·phy [dístrəfi] *n.* ⓤ [醫] 영양 실조.

D

E

E, e [i:] *n.* (*pl.* **E's, e's** [-z]) ⓤ 〔樂〕마음, 마조(調); 제2음급〔영국 Lloyd 선박 협회의 선박 등록부의 한 등급〕; ⓒ E자 모양(의 것). COMPOUND **E.**

E, E. east; eastern. **E.** Earl; Earth; English. **E.A., EA** educational age.

†**each** [i:tʃ] *pron., a.* 각각(의) 제각기(의). **— and every** 어느 것이나. **~ other** 서로. **~ one** 어느 누구도 (대해서).
— *ad.* 하나에 대해서).

ea·ger [í:gər] *a.* 열심인(*in*); 열망하여(*for, about, after; to* do). BEAVER¹. **:~ly** *ad.* **:~ness** *n.*

ea·gle [í:gəl] *n.* ⓒ 수리; 수리표(의기·부장); 〔天〕〔the E-〕독수리자리.

éagle-èyed *a.* 눈이 날카로운.

ea·glet [í:glit] *n.* ⓒ 새끼수리.

†**ear** [iər] *n.* ① ⓒ 귀, 귓불의 물건〔손잡이 등〕. ② 청각; 경청. **about one's ~s** 주위에, **be all ~s** 열심히 듣다. **by the ~s** 사이가 나빠. **fall on deaf ~s** 귀에 들어오지 않다. **gain the ~ of** ...에게 들게 하다; ...의 주목을 끌다. **give** (**lend an**) **~ to** ...에 귀를 기울이다. **have an ~ for** (**music**) (음악을) 알다. **have** (**hold, keep**) **an** [**one's**] **~ to the ground** 여론에 귀를 기울이다. **over head and ~s, or up to the ~s** (사랑 따위에) 깊이 빠져. **PRICK up one's ~s.** **turn a deaf ~** 들으려 하지 않다(*to*). **Were your ~s burning last night?** 어젯밤에 귀가 가렵지 않던가?〔네 이야기를 하였는데〕.

†**ear¹** *n.* ⓒ (보리 따위의) 이삭, (옥수수의) 열매. **in the ~** 이삭이 패어서.

éar·àche *n.* ⓤⓒ 귀앓이.

éar·dròp *n.* ⓒ 귀고리.

éar·drùm *n.* ⓒ 고막, 귓청.

earl [ərl] *n.* ⓒ〔英〕백작(伯爵)〔영국 이외의 외국어 count에 해당〕. **~·dom** ⓤ 백작의 신분.

éar·ly [ə́ːrli] *a.* 이른; 초기의; (파일 따위) 옴되는; 말일찍의; 어릴 때의; (가까운 장래의). **at an ~ date** 급명간에, 머지 않아. **keep ~ hours** 일찍 자고 일찍 일어나다. — *ad.* 일찍; 이른 때〔시기〕에; 초기에. **~ or late** 조만간에(sooner or later).

éarly clósing〔英〕(일정한 요일의 오후에 실시하는) 조기 폐점(일).

éar·màrk *n., vt.* (소유자를 표시하는) 양(羊)의 귀표(를 하다); 페이지 모서리의 접힘(dog's-ear); (자금 등의) 용도를) 지정하다.

earn [ərn] *vt.* ① 벌다(~ one's living 생계비를 벌다), 일하여 얻다. ② 손에 넣다. (명예 따위를) 차지하다, 받다, 얻다(get). ③ (감사 따위를) 받을 만하다. **~·ing** *n.* 벌이. (*pl.*) 소득, 수입.

éar·nest [ə́ːrnist] *a.* ① 성실한, 진지한(serious); 열심인(ardent). ② 중대한, 엄숙한. — *n.* ① 성실, 진심, 진지. 정식, 진지. ② ① 성실〔진지〕하게, 진지〔정식〕으로. **:~·ly** *ad.* **:~·ness** *n.*

éar·phòne *n.* ⓒ 이어폰.

éar·piece *n.* ⓒ = EARPHONE.

éar·plùg *n.* ⓒ 귀마개.

éar·ring [íəriŋ] *n.* ⓒ 이어링, 귀고리.

éar·shòt *n.* ⓤ (소리가) 들리는 거리.

éar·splìtting *a.* 귀청이 터질 듯한.

earth [ərθ] *n.* ① ⓤ (the ~, the E-) 지구; ② ⓤ 이 세상, 사바, 인세. ③ ⓤ 육지; 대지, 땅; 지면. ④ ⓤ 흙, 토양. ⑤ ⓒ〔英〕(여우 따위의) 굴. ⑥ ⓤ〔電〕어드, 접지(接地). ⑦ ⓒ〔化〕토류(土類). **come back to ~** (꿈에서) 현실로 돌아오다, 제정신이 들다. **down to ~** 실제적인, 현

실적인; 《口》 아주, 철저하게. ~ **on** 지구상의[에]. ~ **in** 이 세상의; 《what, why, who 따위와 함께》 도대체《It's no use on ~! 아무 쓸데 없다》. **run to** ~ 《여우 따위》 굴 속으로 달아나 다[돌아가다]; 추궁하다; 규명해 내 다. — vt. 흙 속에 파묻다; 《뿌리 따위에》 흙을 덮다; 《電》 《…을》 접지 《接地》하다.

earth·bound a. 땅에 고착한; 세속 적인; 지구에 향하는.

earth·en [ɚn] a. 흙의, 흙으로 만 든; 오지로 만든. 　　　　「인《俗人》.

earth·en·ware [ɚθə
wεəː] n. U 질그 릇류.

earth·ling [ɚθliŋ] n. ⓒ 《詩》 인간.

earth·ly [ɚːθli] a. ① 지구 《지상》 의; 이 세상의, 세속의《worldly》. ② 《口》 《부정·의문문으로》 전혀《at all》 도대체《on earth》.

:earth·quake [ɚːkwèik] n. ⓒ 지 진; 대변동.

earth science 지구과학.

earth·work n. ① ⓒ 《軍》 방어용 흙둑. ② U 토목 공사. ③ 《pl.》 대지 《大地》 예술《흙·돌·모래·얼음 등 자 연물을 소재로 함》.

earth·worm n. ⓒ 지렁이.

earth·y [ɚːθi] a. 흙의, 흙 같은; 세속 의; 야비한.

ear·wig [i] n. ⓒ 집게벌레.

:ease [iːz] n. U ① 편안, 안락, 편함, 쉬움. ② 여유; 넉넉함. **at** 《one's》 ~ 편안히, 마음놓고, **feel at** ~ 안심하다. **ill at** ~ 불안하여, 마음놓이 지 않아, 긴장하여. **take one's** ~ 편 히 쉬다, 마음 푹 놓다. **well at** ~ 안심하여, 편히. **with** ~ 쉽게. — vt., vi. 마음을 편히 하다, 안심시키 다, (고통을) 덜어주다《off, up》; 늦추 다 《새끼·줄 따위를》 늦추다《loosen》 《off, up》. **~·ment** n. U ⓒ 고통 따위의》 완화. U U 지역권 《지역개발》 타인의 땅을 통행하는 권리 등》.

ea·sel [iːzəl] n. ⓒ 화가《畵架》.

eas·i·ly [iːzəli] ad. 쉽게, 순사리, 편안히.

:east [iːst] n. ① 《the ~》 동쪽, 동 방, 동부《지방》. ② 《the E-》 동양 《the Orient》. ③ 《the E-》 《美》 동부지방의 여러 주. **down E-** 《美》

NEW ENGLAND《의 동부》. ~ **by north** 《south》 동미북《남》《동미북 《남》. **in** 《on, to》 **the** ~ **of** …의 동부에《동쪽에 접하여》; …의 동부로 《동부에 향하여》. **the Far E-** 극동. **the Middle E-** 중동《근동과 극동의 사이》. **the Near E-** 근동《터키·이란·발칸 등 지》. — a., ad. 동쪽의; 동부의; 동 쪽으로《에》. 《~·ward, 《口》 ~·wards **east** 동쪽으로《으로》. — ad. 《the ~》 동쪽; 《the E-》 동부로. 《~·ward, 《口》 ~·wards **east** 동쪽으로《으로》.

east·bound a. 동쪽으로 가는.

East End 《the ~》 이스트 엔드《Lon-don 동부의 하층민이 사는 상업 지구》.

East·er [iːstər] n. U 부활절《3월 21일 이후의 첫 만월 다음 일요일》.

Easter egg 부활절의 《선물용》 채 색 달걀.

east·er·ly [iːstərli] a., ad., n. 동쪽 에 치우친《치우쳐》; 동쪽에서 부는; ⓒ 동풍.

east·ern [iːstərn] a. ① 동《쪽》의. ② 《E-》 미국 동부의; 동양의, ~·er n. ⓒ 《美》 (E-) 동부 지방 사람. 《the E-》 가장 동쪽의.

eas·y [iːzi] a. ① 쉬운. ② 안락한; 마음편한; 걱정 [구속] 이 없는; 넉 넉한. ③ 안일《安逸》에 빠진, 게으 른. ⑤ 부드러운, 관대한. ⑥ 다루기 쉬운, 말을 잘 듣는. ⑦ 《문제가》 쉬 운《plain》, 딱딱하지 않은. ⑧ 까 다롭지 않은, 담박한. ⑨ 《시장》의 한산, 《상품이》 수요가 적은, 흥글흥 글한. **feel** ~ 안심하다《about》. **in** ~ **circumstances, or** 《美俗》 **on** ~ **street** 유복하여, 넉넉하게 지내 어. — ad. 《口》 쉽게, 편안히, 태평 스럽게. **E- all!** 《海》 노젓기 그만! **Take it** ~! 천천히 해라! 걱정말 라!; 침착하라!

easy chair 안락 의자.

easy-go·ing a. 태평한; 담징치 않 은; 《말의》 느린 걸음의.

:eat [iːt] vt. 《ate, eat, iːt; it, it》 **eaten, eat** 《et, it》) ① 먹다. 《수프·국 따위를 숟가락으로》 먹다. ② 먹 어 들어가다; 《산《酸》따위가》 침식하 다; 파괴하다. — vi. ① 식사하다. ② 《美口》 《…처럼》 먹을 수 있다; 먹으면 《…의》 맛이 있다《This cake

E

~*s crisp.* 먹으면 바삭 바삭한다.

~ *away* 깨물어 뜯다; 잠식[부식]한다. ~ *crow* 《美》 굴욕을 참다; 잘못을 시인하다, 부식하다. ~ *into* 먹어 들어가다; 부식하다. ~ *one's heart out* 슬픔에 잠기다. ~ *one's words* 앞에 한 말을 취소하다. ~ *out* 다 먹어 버리다, 침식하다; 《美》 외식하다 (dine out); 《俗》 호되게 꾸짖다. ~ *up* 다 먹어버리다; 모두 써버리다 (use up), 탕진하다; 열중케 하다. *I'll ~ my hat (hands, boots) if...* 《口》 마일 ...이라면 내 목을 내놓겠다. **~.a.ble** *a.,* 먹을 수 있는; (*pl.*) 식료품. **~.er** *n.*

eat.er.y [íːtəri] *n.* ⓒ 《口》 음식점.

eau de Co.logne [òu də kəlóun] 《南佛》 오드콜론 《향수》.

eaves [iːvz] *n. pl.* 처마, 차양.

éaves.dròp *vi.* (-pp-) 엿듣다.

~**per** *n.* ~**ping** *n.*

ebb [eb] *n.* ① (the ~) 간조; 썰물. ② ⓤ 쇠퇴. ~ *and flow (flood)* 썰물과 밀물; 성쇠. ── *vi.* (조수가) 써다; 기울다, 쇠퇴하다. ~ *back* 소생하다, 되찾다.

éb.on.y [ébəni] *n., a.* 흑단(黑檀)(의); 칠흑(漆黑)(의).

e.bul.lient [ibΛljənt] *a.* 펄펄 끓는; 넘쳐 흐르는; 열광적인. **-lience** *n.*

EC European Community.

E.C. East Central (London의 동(東) 중앙 우편구(區)).

ec.cen.tric [ikséntrik, ek-] *a.* ① 《數》 편심[이심]의 《opp. concentric》; 《天》 (궤도가) 편심적인. ② 별난, 괴짝의(odd). ── *n.* ⓒ 괴짝. 별난 사람. 《機》 편심륜(輪). **-tri.cal.ly** *ad.* **~tric.i.ty** [èksəntrísəti] *n.* (복장·행동 등의) 별남. ② ⓤ 괴벽.

ec.cle.si.as.tic [ikliːziǽstik] *n., a.* ⓒ 목사(성직자)(의). **-ti.cal** *a.* 교회의, 성직의.

ECG electrocardiogram.

éch.e.lon [éʃəlàn/-lɔ̀n] *n., vi.* 《軍》 사다리꼴 편대(가 되다).

éch.o [ékou] *n.* (*pl.* ~*es*) 메아리, ② 반향, 공명; 흉내, 모방. ④ (E-) 《神》 숲의 요정(妖精)(Narcissus에 대한 사랑을 이루지 못하여

말라 죽어서 소리만 남았음). ⑤ 《樂》 에코; 《無電》 반사 전파. *find an ~ in a person's heart* 아무의 공명을 얻다. ── *vt., vi.* 메아리치다, 반향하다; 그대로 되풀이하여 대답하다; 모방하다.

é.clair [eikléər/─] *n.* (F.) 에클레어(가늘고 길쭉한 슈크림).

é.clat [eiklá, ─] *n.* (F.) ⓤ 대성공; 대갈채.

ec.lec.tic [ikléktik] *a., n.* 취사선택적인; ⓒ 절충주의의 (사람). **-ti.cism** [-təsìzəm] *n.*

e.clipse [iklíps] *n.* ① ⓒ 《天》 (해·달의) 식(蝕). ② ⓤⓒ (명성 따위의) 실추(失墜). ③ ⓤ 빛의 소멸. *solar (lunar) ~* 일[월]식. ── *vt.* (천체가 딴 천체를); 가리다; (…의) 명성을 빼앗다, 능가하다(outshine); 빛을 잃게 하다.

ec.o- [ékou, -kə, íːk-] '환경, 생태(학)의 뜻의 결합사.

e.co.log.i.cal [èkəládʒikəl/-lɔ́dʒ-] *a.* 생태학의.

e.col.o.gist [iːkálədʒist/-5-] *n.* ⓒ 생태학자; 환경 보전 운동가.

e.col.o.gy [iːkálədʒi/-5-] *n.* ⓤ 생태학; (통속적으로) 환경; 사회형생태; (생체와의 관계에 있어서의) 환경.

ec.o.nom.ic [iːkənámik, èk-] *a.* ① 경제학상의 ② 경제(재정)상의. ③ 경제적인. **E- and Social Council** 《유엔 런합의》 경제 사회 이사회. ~ *blockade* 경제 봉쇄. ~ *man* 《經》 (이념으로서의) 경제인. **~s** *n.* ⓤ 경제학; (한 나라의) 경제 상태.

ec.o.nom.i.cal [iːkənámikəl, èkə-/-nɔ́m-] *a.* 절약하는, 검약한(*of, in*); 실용[경제]적인; 경제[학]의. **-i.cal.ly** *ad.*

e.con.o.mist [ikánəmist/-5-] *n.* ⓒ 경제학자. ② 《古》 절약가.

e.con.o.mize [-màiz] *vt., vi.* 경제적으로 사용하다; 절약하다.

e.con.o.my [ikánəmi/-kɔ́n-] *n.* ① ⓤ 경제. ② ⓤ 검약, 절약, 절검 ③ ⓒ 유기적 조직, 제도. *practice (use) ~* 절약하다. *vegetable ~* 식물(체)의 조직.

éco.sys.tem *n.* ⓒ 생태계.

ec·sta·sy [ékstəsi] n. ⓤⓒ ① 무아경, 황홀(trance); 법열(法悅). ② 의식 혼미 상태. **ec·stat·ic** [ekstǽtik, ik-] *a.* **-i·cal·ly** *ad.*

ec·to·plasm [éktəplæzm] n. ⓤ (원생 동물의) 외질(外質); [心靈術] 영매체로부터의 발산 물질, 영기(靈氣).

ECU [eikjú, íːsíːjú] n. ((European Currency Unit)) ⓒ 유럽 통화 단위, 에쿠.

ec·u·men·i·cal [èkjuménikəl, íːk-] *a.* 전반(보편)적인; 전기독교 (회)의.

ec·ze·ma [éksəmə, igzíː-] n. ⓤ 습진.

-ed [d, t, id] *suf.* (형용사어미) '…을 한' '…을 가진 것의'; curtain**ed**, green**ey**ed, short·tail**ed**.

ed·dy [édi] n., vi. ⓒ (작은) 소용돌이(치다)(whirl).

E·den [íːdn] n. [聖] 에덴 동산; ⓒ 낙원(paradise).

edge [edʒ] n. ⓒ ① 날. ② 가장자리, 모. ③ 날카로움. ④ ⓓ 예리함; 미묘함. ④ (美) 우세. ⑤ [競] 간선. **give an ~ to** …에 날을 세우다; (식욕 등을) 돋우다; **have an ~ on** …보다 우세하다; 얼큰히 취하여. **not to put too fine an ~ upon it** 솔직히 말하면; **set on ~** 세로 놓다; 짜증나게 하다, **set the teeth on ~** 진저리나게 하다; …을 느끼게 하다, **take the ~ off** …의 기세를 꺾다; (칼날) 무디게 하다. — *vt.* (…에) 날을 붙이다; 날카롭게 하다; 가장자리를 [가선을] 달다; 천천히 나아가게 하다. — *vi.* (배가) 비스듬히[옆으로] 나아가다; 천천히 움직이다(along, away, off, out); **~ up** 한발 한발 다가가다. **~·ways**, **~·wise** *ad.* (칼)날을 돌려 대고; 비스듬히; 옆에서; 언저리를 따라.

edg·ing [-iŋ] n. ⓤ ⓒ 가선, 가(border); ⓓ 가장자리 장식(trimming).

ed·i·ble [édəbl] *a., n.* 먹을 수 있는, (보통 pl.) 식료품.

e·dict [íːdikt] n. ⓒ (옛날의) 칙령, 법령, 포고; 명령.

ed·i·fi·ca·tion [èdəfikéiʃən] n. ⓤ 교화.

ed·i·fice [édəfis] n. ⓒ ① (대규모

의) 건물. ② 조직, 체계.

ed·i·fy [édəfài] *vt.* 교화하다. 개발 [훈도]하다. **~·ing** *a.* 교훈이 되는, 유익한.

ed·it [édit] *vt.* ① 편집하다. ② (美) 삭제하다. — n. ⓒ (ⓓ) ① 필름 편집. ② (美) 편집자의 지위[수완].

e·di·tion [idíʃən] n. ⓒ (서적·신문 등의) 판(版); **the first ~** 초판.

ed·i·tor [édətər] n. ⓒ ① 편집자 [장]. ② [컴] 편집기, **chief (managing) ~** 편집주간, 주필. **~·ship** [-ʃìp] ⓤ 편집자의 직위[수완].

ed·i·to·ri·al [èdətɔ́ːriəl, èdi-] n., *a.* ⓒ(美) 사설, 논설; 편집자(주필)의; 사설의. — **staff** 편집진. **~·ize** [-àiz] *vt.* (美) (…을) 사설로 쓰다[취급하다]. **~·ly** *ad.* 사설로.

ed·u·cate [édʒukèit] *vt.* ① 교육 [교화]하다. 양성[양육]하다. ② (동물을) 훈련하다. **~·cat·ed** [-id] *a.* **~·ca·tor** n.

ed·u·ca·tion [èdʒukéiʃən] n. ⓤ 교육, 훈도; 양육. **~·al** *a.* **~·al·ly** *ad.* **~·al·ist** n. ⓒ 교육가, 교육학자.

-ee [íː, iː] *suf.* '…당하는 사람'의 뜻(employ**ee**, examin**ee**); (稀) '…하는 사람'의 뜻(refug**ee**).

EEC European Economic Community.

eel [íːl] n. ⓒ [魚] 뱀장어.

ee·rie, -ry [íəri] *a.* 무시무시한, 요기(妖氣) 있는(weird).

ef·face [iféis] *vt.* 지우다; 삭제하다; 존재를 희미하게 만들다. **~ oneself** 눈에 띄지 않게 하다. 표면에서 물러나다. **~·ment** n. ⓤ 말소, 소멸.

ef·fect [ifékt] n. ① ⓤⓒ 결과; 영향. ② ⓤⓒ 효과; 유효. ③ ⓤⓒ 느낌, 인상; [美] 빛깔의 배합. ④ ⓤ 취지, 대의, 의미. ⑤ ⓤⓒ [法] 실시, 효력. ⑥ ⓤ 외관, 외양. ⑦ (pl.) [劇] 효과(음을(擬音) 따위). ⑧ (pl.) 동산, 재산. **bring to (carry into) ~** 실행[수행]하다. **come (go) into ~** 실시되다, 발효하다. **for ~** 효과를 노려; 제재상. **give ~ to** …을 실시[실행]하다. **in ~** 실제로; [法] 실시되어; 사실상. **love of ~** 겉치레를[겉 치장을] 좋아함. **no ~s** 예금없음(은

E

행에서 부도 수표에 N/E로 약기(略記)함, **of no ~** 무효의, 무익함. **take ~** 효과가 있다; (법률이) 실시되다, **for no ~** 보람없이, 헛되이. **the ~ that** …라는 의미〔취지〕의. — **vt.** (결과를) 가져오다, 낳다; (목적을) 이루다.

ef·fec·tive [iféktiv] *a.* ① 유효한. ② 효과적인; 인상적인, 눈에 띄는. ③ 사실상의, 실제의. ④ (법률이) 효력 있는. ⑤ (군대가) 동원 가능한. — *n.* ⓒ (보통 *pl.*) (동원할 수 있는) 병력 (*an army of two million* ~s 병력 2백만의 육군). **~·ly** *ad.* 유효하게; 실제상.

ef·fec·tu·al [iféktʃuəl] *a.* 효과적인, 효력 있는 〔유력〕한. **~·ly** *ad.*

ef·fem·i·nate [ifémənit] *a.* 연약한, 여자 같은. **-na·cy** *n.*

ef·fer·vesce [èfərvés] *vi.* 거품 일다(bubble); 비등(沸騰)하다; 들뜨다, 흥분하다. **-ves·cent** *a.* **-ves·cence** *n.*

ef·fete [efíːt, i-] *a.* 노쇠한; 생산력을 잃은 (sterile); 무력해진. 〔한.

ef·fi·ca·cious [èfəkéiʃəs] *a.* 유효

ef·fi·ca·cy [éfəkəsi] *n.* ⓤ 효력.

ef·fi·cien·cy [ifíʃənsi] *n.* ⓤ 능률; 효력; 효율, 능(能); **~ wages** 능률급.

ef·fi·cient [ifíʃənt] *a.* ① 효과 있는. ② 유능한, 능률적인. **~·ly** *ad.*

ef·fi·gy [éfədʒi] *n.* ⓒ 상(像), 초상 (image). **burn (hang) (a person) in ~** (아무의) 인형을 만들어서 화형 〔교수형〕에 처하다 (악인 따위에 대한 저주로) (cf. *guy* [2]).

ef·flu·ent [éfluənt] *a.* 유출(流出)하는, 유출하는. **~** *n.* **= effluence** ⓒ 유출. — ⓤ (액체·광선·전기의) 유출, 방출.

ef·fort [éfərt] *n.* ⓤⓒ 노력, 수고. ② ⓒ 〔口〕 노력의 성과, 역작(力作). ③ ⓤ 〔機〕 작용력(作用力). ④ ⓒ 〔주로 英〕 (모금 등의) 운동. **~·less** *a.*

ef·fron·ter·y [efrʌ́ntəri] *n.* ⓤⓒ 뻔뻔스러움.

ef·fuse [ifjúːz, e-] *vt., vi.* 유출(발산)하다; (심정을) 토로하다. **ef·fu·sion** [-ʒən] *n.* ⓤ (액체·빛·향기 따위

의) 유출, 발산; (감정의) 토로, 발로. **ef·fu·sive** [-siv] *a.* 넘치는, 넘칠 듯한; (감정을) 거창하게 나타내는 (*She was effusive in her gratitude.* 그녀는 거창하고 과장해서 감사의 뜻을 표하였다).

EFL English as a foreign language 외국어로서의 영어.

EFTA, **Efta** [éftə] European Free Trade Association (Area).

e. g. [íːdʒíː, fəriɡzǽmpəl/-záːm-] exempli gratia(L. = for example).

e·gal·i·tar·i·an [iɡæ̀lətɛ́əriən] *a.* 평등주의의. — *n.* ⓒ 평등주의자. **~·ism** [-izəm] *n.* ⓤ 평등주의.

egg [eg] *n.* ⓒ ① 알; 달걀; 난(卵) 세포. ② 둥근 물건, (알 모양의) 것. ③ 〔俗〕 놈, 사람; 〔美·俗〕 애송이. **as sure as ~s is (are) ~s** 〔英〕 틀림없이. **bad ~** 썩은 알; 〔俗〕불량배. **golden ~s** 큰벌이, 횡재. **have (put) all one's ~s in one basket** 한 재산을 한 사업에 걸다. **in the ~** 미연에, 초기에. **lay an ~** 〔俗〕 (농담·흥행이) 들어맞지 않다, 실패하다; 〔軍俗〕 폭탄을 던지다; 기회를 부설하다. (*on*).

egg *vt.* 격려하다, 부추기다 (*urge*).

egg·cup *n.* ⓒ 삶은 달걀 컵.

egg·head *n.* ⓒ 〔美俗·蔑〕 인텔리, 지성인; 대머리.

egg·plant *n.* ⓒ 가지 (열매).

egg·shell *n.* ⓒ 알 〔달걀〕 껍질.

egg white *n.* (요리용의) 달걀 흰자위.

e·go [íːɡou, éɡou] *n.* (*pl.* **~s**) ⓤⓒ 자아; 〔口〕 자부심. **~·ism** [-izəm] *n.* **~·ist** *n.* **~·is·tic** [≥-ístik], **-ti·cal** [-əl] *a.* **~·tism** [íːɡoutìzəm/éɡ-] *n.* 〔文法〕 심벽(癖) (회화·문장 중에 I, my, me 를 연발하는 버릇); 자부심. *cf.* EGOISM. **~·tist** [íːɡoutist/éɡ-] *n.* **~·tis·ti·cal** [ìːɡoutístikəl/éɡ-] *a.*

e·go·cen·tric [ìːɡouséntrik] *a.* 자기 중심의.

e·go·trip *n.* 〔口〕 이기적인 행위, 자기 본위의 행동.

e·gre·gious [iɡríːdʒəs] *a.* 터무니 없는, 지독한 (flagrant); 엄청난, 엉터리 없는.

*eh[ei] *int.* 뭐!; 엣!; 그렇지!

éider-dòwn *n.* Ⓤ (아이더오리의) 솜털, Ⓒ 그 털로 만든 이불.

eight[eit] *n., a.* ⓤⒸ (基) 8 (의), ② Ⓒ (트럼프의) 에이트(노 젓는 8 명). **~-fold**[-fould] *a., ad.* 8배의(로).

eight·een[éitíːn] *n., a.* ⓤⒸ 18, 18의. **:~th** *n.* 제18(의), Ⓤ 18분의 1(의).

eighth[eitθ] *n., a.* Ⓤ 제8(의), Ⓒ 8분의 1(의). **— note** [樂] 8분 음표.

eight·i·eth[éitiiθ] *n., a.* Ⓤ 제80(의); Ⓒ 80분의 1(의).

eight·y[éiti] *n., a.* ⓤⒸ 80(의), ② (*pl.*) 80(세)대; 80년대(1780-89, 1980-89 따위).

eis·tedd·fod[eistéðvad/aistéðvɔd] *n.* Ⓒ 영국 Wales의 예술제.

ei·ther[íːðər, áiðər] *a., pron.* (둘중) 어느 것인가, 어느 것이든지. **— side** 어느 쪽에도. **— ad., conj.** ① (~ … or…의 꼴로) …이든가 또는 …이든가, ② (부정 구문으로) …도 또한 (…하지 않다)(*I don't like it*, ~. 나도 또한 좋아하지 않다)(cf. neither).

e·jac·u·late[idʒǽkjəlèit] *vt., vi.* 갑자기 소리지르다(exclaim); (액체를) 사출(射出)하다(eject). **—la·tion**[-^léiʃən] *n.* ⓤⒸ 절규; 사출; 사정(射精). **-la·to·ry**[-lət**ɔ**̀ːri/-təri] *a.*

e·ject[idʒékt] *vt.* 분출[사출]하다 (discharge); 토해내다(emit); 쫓아내다(expel). **~·ment** *n.* **e·jéc·tion** *n.*

ejéction sèat [空] (긴급 탈출용) 사출 좌석.

eke[iːk] *vt.* 보충하다(out); 《생계를》 꾸려나가다.

EKG electrocardiogram 심전도.

e·lab·o·rate[ilǽbərit] *a.* 공들인, 면밀(정교)한, 힘들인. **—** [-rèit] *vt.* 애써서 만들어내다; 퇴고(推敲)하다. ***~·ly**[-ritli] *ad.* 정성들여, 면밀(정교)하게. **-ra·tion**[ilæbəréiʃən] *n.* Ⓤ 면밀한 마무리; 퇴고, Ⓒ 역작. **-ra·tive**[-rèitiv, -rət-] *a.* 공들인, **é·lan**[eiláːn, -lɛ́n] *n.* (F.) Ⓤ 열의(熱意); 예기(銳氣); 약진(dash).

~ vi·tal[viːtál] 〔哲〕 생(生)의 약동 (Bergson의 용어).

e·land[íːland] *n.* Ⓒ (아프리카의) 큰 영양(羚羊).

e·lapse[ilǽps] *vi.* (때가) 경과하다.

e·las·tic[ilǽstik] *a.* ① 탄력 있는; 낭창한(걸음걸이 따위); 경쾌한. ② (기분이) 밝은, 쾌활한. ③ 융통성 있는, Ⓒ 고무줄, 고무끈. **~·i·ty**[ilæs-tísəti, iːlæs-] *n.*

e·late[iléit] *vt.* 기운을 북돋우다, 의기 양양하게 만들다(exalt). **e·lat·ed**[-id] *a.* 의기 양양한(in high spirits); 신명이 난. **e·lá·tion** *n.*

el·bow[élbou] *n.* Ⓒ ① 팔꿈치; ② L자 모양의 것, ③ L자 모양의 굴곡, L자 모양의 파이프(이음새), 기억자 관(管), (의자의) 팔걸이. **out at ~s** (옷이나) 팔꿈치가 나오게 하여, **up to the ~s** 몰두하여, 분주하여. **— vt., vi.** 팔꿈치로 찌르다(밀다, 밀어 제치고 나아가다).

élbow grèase 《口》 힘든 육체 노동.

élbow-ròom *n.* Ⓤ 팔꿈치를 자유롭게 놀릴 수 있는 여유; 활동의 여지.

eld·er[éldər] *a.* ① 손위의, 연장의, ② 고참의, 오래된; 이전의, 예날의 (earlier). **~ brother** [sister] 형 [누이]. **— n.** Ⓒ ① 연장자, 고참; 손윗사람. ② 장로; [聖] 원로 (~ statesman이라고도 함). ***~·ly** *a.* 나이 지긋한, 중년의, 초로의. **~·ship** *n.* Ⓤ 연장자의 신분; (장로 교회의) 장로직.

el·der[éldər] *n.* Ⓒ 양딱총나무. **~·ber·ry**[-bèri] *n.* Ⓒ 양딱총나무의 열매.

eld·est[éldist] *a.* 가장 나이 많은, 맏….

e·lect[ilékt] *vt.* 뽑다(choose); 선거하다, — *a.* 뽑힌, 당선된. **bride ~** 약혼자(fiancée). **president ~** (아직 취임하지 않은) 당선 대통령.

e·lec·tion[ilékʃən] *n.* ⓤⒸ 선택, 선정(choice). ② 선거, 선임. **~·eer**[ilèkʃəníər] *vi., n.* 선거 운동(을 하다), 선거 운동원.

e·lec·tive[iléktiv] *a., n.* 선거하는; (관직 따위가) 선거에 의한, 선임의 (opp. appointive); 《美》 (학과가) 선택의; Ⓒ 선택 과목. **~ affinity**

【化】 (원소간의) (선택) 친화력.

e·lec·tor[iléktər] *n.* ① 선거인, 유권자, 《美》 정부통령 선거 위원; 《獨史》 선제후(選帝侯).

e·lec·tor·al[iléktərəl] *a.* 선거(인)의; 선제후의. `~ cóllege` 『위원회.

eléctoral cóllege 정부통령 선거

e·lec·tor·ate[iléktərit] *n.* ⓒ 《집합적》 유권자 (전체), 선거민; 선제후령(領).

e·lec·tric[iléktrik] *a.* ① 전기의, 전기 장치의. ② 두근거리는(thrilling). `~ brain` 전자 두뇌(전자계산기 따위). `~ discharge` 방전. `~ fan` 선풍기. `~ heater` 전기 난로. `~ iron` 전기 다리미. `~ lamp` 전등 (구). `~ outlet` 『電』 콘센트(power socket). `~ power` 전력.

e·lec·tri·cal[-əl] *a.* 전기의(같은); 강렬한. `~·ly` *ad.*

eléctric cháir (the ~) 전기 의자; (the ~) 전기 사형.

eléctric field 전계(電界).

e·lec·tri·cian[ilèktríʃən, ì:lek-] *n.* ⓒ 《稀》 전기 기술자(학자).

e·lec·tric·i·ty[ilèktrísəti, ì:lek-] *n.* Ⓤ 전기; ② 전류; ③ 극도의

eléctric shóck 감전, 전격. ①전기.

eléctric stórm 뇌우(雷雨).

e·lec·tri·fy[iléktrəfài] *vt.* ① 전기를 통하다, 감전시키다. ② 〔전화를〕 전화(電化)하다. ③ 놀라게 하다, 감동〔흥분〕시키다(thrill). **-fi·ca·tion**[-∋-fikéiʃən] *n.*

e·lec·tro-[iléktrou, -rə] 『전기의, 전기 같은』의 뜻의 결합사.

e·lec·tro·cute[iléktrəkjù:t] *vt.* 감전시키다; 전기 사형에 처하다. **-cu·tion**[-∋-kjù:ʃən] *n.* Ⓤ 감전사; 전기 사형.

e·lec·trode[iléktroud] *n.* ⓒ 전극.

e·lec·trol·y·sis[ilèktráləsis/-5-] *n.* Ⓤ 전해(電解).

eléctro·lyte[iléktroulàit] *n.* ⓒ 전해액; 전해질. **-lyze**[-làiz] *vt.* 전해하다.

eléctro·mág·net[iléktroumǽg-nit] *n.* ⓒ 전자석. **-mag·net·ism** *n.* 『전자기(학). **-magnétic** *a.* 『전기자기의.

e·lec·tron[iléktran/-tron] *n.* ⓒ 전자.

e·lec·tron·ic[ilèktránik/-5-] *n.* 전자의. `*~s n.* Ⓤ 전자 공학.

electrónic máil 『컴』 전자 우편.

eléctron mícroscope 전자 현미경.

e·lec·tro·plate[iléktrouplèit] *vt., n.* (…에) 전기 도금을 하다; ⓒ 전기 도금 제품.

el·e·gant[éligənt] *a.* ① 우미(優美)한, 품위 있는. ② 《口》 훌륭한, 근사한; 멋진. `*~ly` *ad.* `~gance, -gan·cy` *n.* Ⓤ 우미, 우아, 단아(端雅), 고상함; (과학적인) 정밀성; ⓒ 우아한 말씨(태도).

el·e·gi·ac[èlədʒáiək, ilì:dʒiæk] *a.* 만가(挽歌)의, 애가(엘레지)조의, 슬픈(sad). ── *n.* (*pl.*) 만가 형식의 시가(詩歌). 『엘레지.

el·e·gy[élədʒi] *n.* 만가, 애가,

el·e·ment[éləmənt] *n.* ① ⓒ 요소, 성분; 분자(discontented ⟶ ∅ 불만 분자). 『化』 원소; 『컴』 요소. ② (*pl.*) 자연력, 풍우. ③ ⓒ 고유의 환경; 활동 영역(물고기가 물·사람의 본령, 천성. ④ (*pl.*) 기본, 초보. ⑤ (the E-) 『宗』 (성체 성사의) 빵과 포도주. `in [out of] one's ~` 자기 실력을 충분히 발휘할 수 있는 〔없는〕 처지에. `strife [war] of the ~s` 폭풍우. `the four ~s` 사대(四大)(흙·물·불·바람).

el·e·men·tal[èləméntl] *a.* 원소 〔요소〕의; 본질적인(essential); 원리의; 사대(四大)의(흙·물·불·바람); 근원적인; 초보의.

el·e·men·ta·ry[èləméntəri] *a.* 기본〔초보〕의; 본질의; 원소의.

eleméntary párticle 『理』 소립자.

eleméntary schòol 초등 학교.

el·e·phant[éləfənt] *n.* (*pl.* ~s, 《집합적》 ~) ⓒ 코끼리(美에서는 이것을 만화화하여 공화당을 상징함). `see the` 《美俗》 세상을 보다(알다). 구경하다. `white ~` 흰 코끼리(신성한); 주체스러운 물건.

el·e·phan·tine[èləfǽntin, -tain] *a.* 코끼리의, 코끼리와 같은; 거대한; 볼품없는[느릿한]; 거칠, 거친; 대범한.

el·e·vate[éləvèit] *vt.* ① 올리다, 높이다. ② 승진시키다. ③ 기운을

E

복돋아주다; 향상시키다. (희망·정
신·자부심을) 앙앙하게 하다. ***-vat·ed**[-id] *a.*, *n.*
들드게 하다. ***-vat·ed**[-id] *a.*, *n.*
놓인, 높은; 고상한(lofty); 쾌활한.
〔口〕거나한; 〔美〕**<d railway** (시
내) 고가 철도.

el·e·va·tion[èləvéiʃən] *n.* ① U
올리는(높이는) 일. ② U 승진, 향
상; 기품, 고상. ③ U 높은 곳, 고
지; (an―) 고도(高度); 해발. ⓒ
© 입면도[정면]도.

el·e·va·tor[éləvèitər] *n.* ⓒ ①
〔美〕승강기(〔英〕lift). ② 〔美〕(큰
곡물 창고. ③ 〔空〕승강타(舵).

e·lev·en[ilévən] *n.*, *a.* ① U ⓒ 열
하나(의); ⓒ 열한 사람(개). ③
(크리켓·축구 따위의) 팀. ③ (the
E―) (예수의 사도(使徒) 가운데
Judas를 제외한) 11사도. ④ (*pl.*)
〔英기〕= ELEVENSES. ↑**-th** *n.*, *a.*
① U 열한째(의); ⓒ 11분의 1(의).
at the ―th hour 막판에.

eléven-plús (examinàtion) *n.*
(the ―) 〔英〕 (11-12세 학생에 대
한) 진학 자격 인정 시험.

e·lev·ens·es[ilévənziz] *n. pl.*
〔英기〕(오전 11시경의) 가벼운 점심.

elf[elf] *n.* (*pl.* **elves** ⓒ ① 꼬마
요정(妖精). ② 난쟁이, 꼬마. ③ 개
구쟁이. ~**·ish** *a.* **<like** *a.*

elf·in[élfin] *n.*, *a.* ⓒ 꼬마 요정(elf)
(과 같은).

e·lic·it[ilísit] *vt.* (갈채·웃음·대답
따위를) 끌어내다(*from*). **-i·ta·tion**
[ìlisitéiʃən] *n.* [하다.

e·lide[iláid] *vt.* (모음·음절을) 생략
e·li·gi·ble[élidʒəbl] *a.*, *n.* ① 택
해도 좋은, 뽑힐 자격 있는. ② 적임
의, 바람직한. ⓒ 적격자. **-bil·i·ty**
[élidʒəbíləti] *n.*

e·lim·i·nate[ilímənèit] *vt.* ① 제
거하다(remove), 삭제하다(*from*);
무시하다; 생략하다. ② 〔數〕 소거하
다. ③ 〔生〕배설하다. **~na·tion**
[ilìmənéiʃən] *n.* ① 제거; 배제;
예선(豫選); 〔數〕 소거. **e·lím·i·nà·tor** *n.* ⓒ 〔電〕 엘리미네이
터(교류에서 직류를 얻는 장치). 〔라
디오〕교류 수신기.

e·li·sion[iliʒən] *n.* U.C 〔音聲〕모
음〔음절〕의 생략(eliding).

e·lite, é·lite[eilí:t] *n.* (F.) ⓒ 정
예(elite). 엘리트. **the ― of soci·
ety** 명사들.

e·lix·ir[ilíksər] *n.* ⓒ (연금술의) 영
액(靈液); 불로 장수의 영약; 만병 통
치약(cureall); 〔藥〕정기. **the ―
of life** 불로 장생약.

E·liz·a·beth[ilízəbəθ] *n.* ① ― I
(1533-1603) 영국 여왕(1558-1603)
(Henry Ⅷ와 Anne Boleyn의 딸).
② ― Ⅱ (1926-) 현재 영국 여왕
(1952-) (George Ⅵ의 장녀).

E·liz·a·be·than[ilìzəbí:θən, -béθ-] *a.*, *n.* 엘리자베스 1세 시
대의 (문인·정치가).

elk[elk] *n.* (*pl.* ~**s**, 〔집합적〕~)
ⓒ 고라니, 큰사슴(아시아·북유럽산
(産))(cf. moose).

el·lipse[ilíps] *n.* ⓒ 타원, 장원(長
圓)형. **el·lip·soid**[-poid] *n.* ⓒ 타원
체.

el·lip·sis[ilípsis] *n.* (*pl.* **-ses**
[-si:z]) ① U.C 〔文〕생략. ② ⓒ
생략 부호(… 따위). 〔印〕 … 따위).

el·lip·tic[ilíptik], **-ti·cal**[-əl] *a.*
타원(ellipse)의; 생략의.

elm[elm] *n.* ⓒ 느릅나무; U 그 재

el·o·cu·tion[èləkjú:ʃən] *n.* U 웅
변술, 화술; 낭독(발성)법. ~**·ary**
[-èri/-əri] *a.* ~**·ist** *n.* ⓒ 웅변가.

el·on·gate[ilɔ́:ŋgeit/í:lɔŋgèit]
vt., *vi.* 길게 하다 늘이다, 연장하
다. ― *a.* 길어진, 가늘고 긴. **-ga·
tion**[ilɔ̀:ŋgéiʃən] *n.* ⓒ 연장(선);
U 신장(伸張).

e·lope[ilóup] *vi.* (남녀가) 눈맞아
달아나다(*with*); 가출하다; 도망치다.
~**·ment** *n.*

el·o·quent[éləkwənt] *a.* ① 웅변
의; 표정이 풍부한; (…을) 잘 나타
내는(*of*). ~**·ly** *ad.* **:·quence** *n.*
U 웅변술.

else[els] *a.* 달리, 그 밖에. ――
conj. (보통 **or** …의 형식으로) 그렇
지 않으면.

else·where[<-ʰwɛ̀ər] *ad.* 어딘가
다른 곳에.

e·lu·ci·date[ilú:sədèit] *vt.* 밝히
다, 명료하게 하다; 설명하다. **-da·
tion**[―déiʃən] *n.*

e·lude[ilú:d] *vt.* (살짝 몸을 돌려)

피하다; 벗어나다(evade). **e·lu·sion**[ilúːʒən] *n.* ⓤ 회피, 도피.

e·lu·sive[ilúːsiv] *a.* 용하게 빠져나가는; 포착하기 어려운, 알기 어려운. **~·ly** *ad.* **~·ness** *n.*

elves[elvz] *n.* elf의 복수.

'em[əm] ⟨ ME *hem* ⟩ *pron.* 《口》 =THEM.

em-[em, im] *pref.* ⇨EN-.

e·ma·ci·ate[iméiʃièit] *vt.* 쇠약하게 하다, 여위게 하다. **-at·ed** *a.* **-a·tion**[-²-ⁱéiʃən] *n.*

E-mail, e-mail, e·mail[íːmèil] 《⟨ **electronic mail** ⟩.》 『컴』 전자 우편, 전자 메일.

em·a·nate[émənèit] *vi.* (빛·열·소리 따위가) 발산(방사)하다(*from*). **-na·tion**[-²-néiʃən] *n.* ⓤ 발산, 방사(방출)(방사);ⓒ 『化』 에마나치온(방사성 기체).

e·man·ci·pate[imǽnsəpèit] *vt.* 해방하다. **·pa·tion**[-²-péiʃən] *n.* ⓤ 해방. **·pá·tion·ist** *n.* ⓒ (노예) 해방론자. **e·mán·ci·pà·tor** *n.* 해방자.

e·mas·cu·late [imǽskjəlèit] *vt.* 불까다, 거세하다(castrate); 유약 (柔弱)하게 하다. ── [-lit] *a.* 불깐, 거세된;유약한, 연약한(effeminate). **-la·tion**[-ⁱ-skjəléiʃən] *n.*

em·balm[imbάːm] *vt.* (시체에) 향유(balm)[방부제]를 발라서 보존하다;(이름을) 길이 기억에 남기다;향기를 풍기다, 향료를 치다. **~·ment**

em·bank[imbǽŋk] *vt.* 둑으로 두르다, 둑을 쌓다. **~·ment** *n.* 제방, 둑 쌓기(築堤).

em·bar·go[embάːrgou] *n.* (*pl.* **~es**) ⓒ ① (선박의) 항내 출입 금지, ② 입출 금지, ③ (일반적으로) 금지. **lay** (**lift**) **an ~ on** 出내(뭐內) 출입을 금지하다(금지를 해제하다). ── *vt.* (선박의) 출[입]항을 금지하다; (통상을) 금지하다; (배·상품을) 몰수하다.

em·bark[imbάːrk] *vi.* ① 배를 타다, 승선하다(*for*). ② (사업·생활을) 시작하다; ~ *on* [*in*] *matrimony* 결혼 생활에 들어가다. ── *vt.* ① 배에 태우다. ② 종사하게 하다. ③ 투자

하다. **'em·bar·ka·tion**[èmbaːrkéi ʃən] *n.*

em·bar·rass[embǽrəs] *vt.* ① 곤란하게 하다; 당혹하게 하다(confuse). ② (문제를) 분규하게 하다; (돈의 자유로운) 행동을 방해하다; 재정을 곤란하게 하다. *be* [*feel*] **~ed** 거북해하다 [어색하게] 느끼다. **~·ing** *a.* 곤란한, 귀찮은; 난처한 ⓤ 난처함, 당혹; ⓒ 방해, 장애; (보통 *pl.*) (재정상의) 곤란.

em·bas·sy[émbəsi] *n.* ⓒ 대사관; 사절(단); 대사의 임무.

em·bat·tle[imbǽtl] *vt.* 진을 치다, 포진(布陣)하다. **~·d**[-d] *a.*

em·bed[imbéd] *vt.* (*-dd-*) 묻다, 매장하다; (마음 속에) 깊이 간직하다.

em·bel·lish[imbéliʃ] *vt.* 장식하다 (adorn). **~·ment** *n.*

em·ber[émbər] *n.* ⓒ (보통 *pl.*) 타다 남은 것, 여신(餘燼).

em·bez·zle[imbézl] *vt.* (위탁금 따위를) 써버리다. **~·ment** *n.* (위탁금 따위의) 유용(流用), 착복.

em·bit·ter[imbítər] *vt.* 쓰게 하다; 고되게[비참하게] 하다; (…의) 감정을 상하게 하다; 심하게 하다. **~·ment** *n.*

em·bla·zon[embléizən] *vt.* (방패를) 문장으로 장식하다; (화려하게) 장식하다; 찬양하다. **~·ment** *n.* ⓤ 문장 장식. **~·ry** *n.* ⓤ 문장 화필술[법];《집합적》문장; 장식.

em·blem[émbləm] *n., vt.* ⓒ 상징 물; 기장(으로 나타내다). **~·at·ic**[èmblimǽtik], **-i·cal**[-əl] *a.* 상징의[적인]; (…을) 상징하는(*of*).

em·bod·y[imbάdi/-5-] *vt.* ① 형체를 부여하다; 형체 있는 것으로 만들다, 구체화하다, 구체적으로 표현하다. ② 실체화하다. ③ 통합하다, 포함하다. **em·bód·i·ment** *n.* ⓤ 구체화, 구현; 화신(化身).

em·bold·en[imbóuldən] *vt.* 대담하게 하다, 용기를 주다(encourage).

em·boss[embάs, -b5s/-b5s] *vt.* 돋을새김(으로 장식)하다; (무늬를) 도드라지게[도도록하게] 하다. **~ed printing** (우표·고급 명함·초대장 등의) 돋을인쇄.

'em·brace[embréis] *vt.* ① 포옹하

다. 껴안다(hug). ② 〔法〕(배심원
등을) 매수(포섭)하다. ③ 포함하다,
둘러싸다, 에워싸다. ④ (의견·종교
등을) 받아들이다; 채용하다, (기회를)
붙잡다. ⑤ 깨닫다, 간파하다(take
in). ── *vi.* 서로 껴안다. ── *n.*
포옹. **~·a·ble** *a.* ── *ment* *n.* **em-**
brác·er·y *n.* Ⓤ 〔法〕 매수.
em·bra·sure[embréiʒər] *n.* Ⓒ 〔築城〕(밖을 향하여 쐐기 모양으로
열린) 총안.
em·bro·cate[émbrəkèit] *vt.* 〔醫〕
(…에) 약을 바르다; (…에) 찜질하다
(*with*). **-ca·tion**[-kéiʃən] *n.*
em·broi·der[embrɔ́idər] *vt.* 刺繡
하다, 수놓다; 윤색(潤色)하다, 과장
하다. **~ on** Ⓤ 자수 (것), 수(놓기).
Ⓒ 자수품; Ⓤ 윤색, 과장.
em·broil[embrɔ́il] *vt.* 분규(紛糾)
[혼란]시키다 ; (분쟁에) 말려들게 하다
(*in*). **~·ment** *n.*
em·bry·o[émbriòu] *n.* (*pl.* **~s**) Ⓒ
배아(胚芽)를 태아, 눈, 싹. *in* ~
미발달의, 생각중에 있는. ── *a.* 배
(아)의, 태아의 ; 미발달의, 초기의.
-on·ic[èmbriánik/-ɔ́-] *a.* 배(胚)
의, 태아의 ; 미발달(초기)의.
em·bry·ol·o·gy[èmbriálədʒi/-ɔ́-]
n. Ⓤ 발생(胎生)학.
e·mend[iménd] *vt.* (본문 따위를)
교정하다(correct). **e·men·da·tion**
[ìːmendéiʃən, èmən-] *n.* Ⓤ
em·er·ald[émərəld] *n.* Ⓒ 녹옥(綠
玉), 에메랄드; Ⓤ 에메랄드 빛깔.
── *a.* 선녹색(鮮綠色)의.
Émerald Ísle, the 아일랜드의 미
e·merge[iméːrdʒ] *vi.* 나타나다 ;
(문제가) 일어나다 ; (곤궁에서) 빠져
나오다. **e·mer·gence**[-əns] *n.* Ⓤ
출현 ; 탈출.
e·mer·gen·cy[iməːrdʒənsi] *n.* Ⓒ 비
상 사태, 긴급(한 때) ; 위급 사태.
e·mer·gent[iməːrdʒənt] *a.* 불시
에 나타나는, 뜻밖의 ; 긴급한.
e·mer·i·tus[imératəs] *a.* 명예
직의. ── *professor* = *professor*
~ 명예 교수.
em·er·y[éməri] *n.* Ⓤ 금강사(金剛
émery bòard 손톱줄. Ⓤ (砂).
émery pàper (금강사로 만든) 사

는; Ⓒ 토해낸 (吐劑).
e·met·ic[imétik] *a., n.* 토하게 하
em·i·grant[éməgrənt] *a., n.* Ⓒ
(타국에) 이주하는 (사람), 이민(의)
(*cf.* **immigrant**).
em·i·grate[éməgrèit] *vi., vt.* (타
국에) 이주하다(시키다)(*from*)(*cf.*
immigrate). **-gra·tion**[-gréi-
n. Ⓤ.Ⓒ 이주.
é·mi·gré[émigrèi] *n.* (F.) Ⓒ 이
민, 〔프랑〕 망명한 왕당파(王黨員.
em·i·nence[émənəns] *n.* ①ⓒ높
은 곳, 언덕. ② Ⓤ (지위·신분·세력
의) 고위, 고귀; 탁월; 저명; 현직
(顯職). ③ (E-) 〔가톨릭〕 전하(殿下)
(cardinal의 존칭). **:-nent** *a.* 우수
한; 유명한; 현저한. **-nent·ly** *ad.*
e·mir[əmíər] *n.* Ⓒ (이슬람교국의)
토후(土侯), 수장(首長).
e·mir·ate[əmíərit] *n.* Ⓒ (이슬람
교국의) 토후의 지위(신분·칭호); 토
em·is·sar·y[éməsèri/-səri] *n.* Ⓒ
사자(使者); 밀사, 간첩.
e·mis·sion[imíʃən] *n.* Ⓤ.Ⓒ 방사,
배출; Ⓒ 방사물, 배출물(質).
e·mit[imít] *vt.* (*-tt-*) ① 내다, 발하
다. ② (지폐를) 발행하다.
e·mol·li·ent[imáljənt/-5-] *a.* (피
부·점막을) 부드럽게 하는; 완화하는.
── *n.* Ⓤ.Ⓒ 연화제(軟化劑).
e·mol·u·ment[imáljəmənt/-5-]
n. (보통 *pl.*) 급료; 보수.
e·mote[imóut] *vi.* 《美口》과장되
행동을 하다; 정서를 보이다, 감정을
내다. **e·mó·tive** *a.*
e·mo·tion[imóuʃən] *n.* Ⓤ 정서,
감동. **~·al**[-ʃənəl] *a.* 감정의, 감
정적인; 감동하기 쉬운, 정에 무른;
감동시키는. **~·al·ism**[-əlìzəm] *n.*
Ⓤ 감격성; 감정에 호소함; 감정 노출
경향. **~·al·ly** *ad.*
em·pa·thy[émpəθi] *n.* Ⓤ 〔心〕 감
정 이입(感情移入)《상대방의 감정의
완전한 이해》.
em·per·or[émpərər] *n.* Ⓒ 황제
(*cf.* **empress**).
em·pha·sis[émfəsis] *n.* (*pl.* **-ses**
[-sìz]) Ⓤ.Ⓒ 강조, 강세; 어
세(語勢), 역설; 문세(文勢).
em·pha·size[émfəsàiz] *vt.* 강조

[역설]하다.

em·phat·ic [imfǽtik] *a.* ① 어세가 강한, 강조적. ② 단호한, 절대적인. ③ 두드러진. ***-i·cal·ly** *ad.*

em·pire [émpaiər] *n.* ① 제국(帝國)(cf. emperor); ⓤ 절대 지배권. **em·pir·ic** [empírik] *n.* 경험에 의존하는 사람; 경험주의자; 《古》돌팔이 의사(quack). —— *a.* 경험의, 경험적인; 돌팔이 의사 같은. **-i·cal** *a.* = EMPIRIC. —— *ical philosophy* 경험 철학. **-i·cism** [-rəsizəm] *n.* ⓤ 경험주의.

em·place·ment [empléismənt] *n.* ⓤ 설치, 고정; 위치 (고정); ⓒ 《軍》포상(砲床).

em·ploy [empl5i] *vt.* 고용하다, 쓰다; 《시간·정력 따위를》 소비하다. ~ *oneself* 《···에》 종사하다(*in*). —— *n.* ⓤ 사용, 고용. *in the* ~ *of* 고용되어서. *out of* ~ 실직하여. **:~·er** *n.* ⓒ 고용주. **:~·ment** *n.* ⓤ 고용, 직(職), 일 (~ *ment agency* 《office》 직업 소개소).

:em·ploy·ee [impl5ii:, èmpl5it:] *n.* ⓒ 고용인, 종업원.

em·po·ri·um [emp5:riəm] *n.* (*pl.* ~**s, -ria** [-riə]) ⓒ 상업 중심지, 큰 시장; 큰 상점.

em·pow·er [impáuər] *vt.* 《···에게》 권한(권력)을 주다; 《···할 수 있도록》 하다(enable).

:em·press [émpris] *n.* ⓒ 여제(女帝); 황후.

†emp·ty [émpti] *a.* ① 빈, 비어 있는; 공허한, 무의미한; 《口》 배고픈; 《···이》 없는, 결여된(*of*). —— *vt., vi.* 비우다, 비다 (~ *a glass* 잔을 비우다). **-ti·ness** *n.* 「의.

émpty-hánded *a.* 빈 손의, 맨손 의. **émpty-héaded** *a.* 머리가 텅 빈; 무식한.

EMS European Monetary System 유럽 통화 제도. **e·mu** [í:mju:] *n.* ⓒ 에뮤《타조 비슷한 큰 새; 날지 못함》. **em·u·late** [émjəlèit] *vt.* ① 《···와 우열을》 다투다(strive to equal or excel). ② 《컴》 대리 실행[대행] 하다. **-la·tion** [≧-léiʃən] *n.* ⓤ 《컴》 대리 실행, 대행《다른 컴퓨터의 기계

어 명령어로 실행 가능》. **-la·tive** [-lə-, -lèi-] *a.* 경쟁하는, 겨루는. **-la·tor** *n.* ⓒ 경쟁자; 《컴》 대행기. 「(乳劑).

e·mul·sion [imʌ́lʃən] *n.* ⓤ.ⓒ 유제

en- [in, en] *pref.* ⓑ.*m.p.* 앞에서 em-》 ① 명사·명사에 붙여 '···속에 넣다. 위에 놓다'의 뜻을 만듦: *engulf.* ② 명사·형용사에 붙여 '···로 하다'의 뜻을 만듦: *enslave.* ③ 동사·에 붙여 '안에, 속에'의 뜻을 더함: *enfold.*

en·a·ble [enéibəl] *vt.* 《···할 수 있게》 하다(make able); 《···에》 권능(가 능성)을 주다; 《컴》 《···을》 가능하게 하다.

en·act [enǽkt] *vt.* 법률화하다《법을 제정하다》; 《···의》 역(役)을 하다(play). **-ment** *n.* ⓤ 제정, 설정; ⓒ 법령(law).

en·am·el [inǽməl] *n., vt.* (*(英)* **-ll-**) ⓤ 에나멜(을 칠하다)、《오지그릇의》 유약(釉藥)(을 입히다); 법랑(琺瑯); 《이·齒)의 법랑질, 사기질(cf. dentine).

en bloc [an blák, en-/ɑ:ŋ-blɔ́k] 《F.》 일괄하여, 총괄적으로(all together). *resign* ~ 총사직하다.

en·camp [enkǽmp] *vt., vi* 진을 치《게 하)다; 야영(게 하다. **-ment** *n.* ⓒ 야영, 숙영.

en·case [enkéis] *vt.* 《상자·칼집에》 넣다; 싸다, 둘러싸다.

en·cash [enkǽʃ] *vt.* 《英》 《증권·어음 등을》 현금으로 받다.

en·chant [entʃǽnt, -á:-] *vt.* ① ···에게 마술을 걸다. ② 매혹(매료)하다. **~·er** *n.* ⓒ **~·ing* *a.* 매혹적인. ***~·ment** *n.* **~·ress** ⓒ 여자 마법사; 매혹적인 여자.

en·cir·cle [ensə́rkl] *vt.* 둘러 《싸》싸다(surround); 일주하다. **-ment** *n.* ⓤ 일주; 포위; 《政》 고립화 《적성 국가군(群)에 의한 포위》.

en·clave [énkleiv] *n.* 《F.》 ⓒ 타국 내의 고립된 영토.

†en·close [enklóuz] *vt.* ① 울타리를 치다. ② 《그릇에》 넣다; 《편지에》 동봉하다(*I* ~ *a check herewith.* 《편지에》 *Enclosed please find the invoice.* 《商》 송장(送狀)을 동봉하오니 받아주십시오).

en·clo·sure [enklóuʒər] *n.* ⓤ.ⓒ 울(두르기), 담, 울타리. ② ⓤ

E

【英史】(15-18세기에 대지주가 교환 분할(交換分合)에 의하여 한 곳에 두는) 종획지(綜劃地). ③ 울안, 구내. ④ 둥물둘 물건.

en·code[enkóud] vt., vi. ① (보통 글을) 암호로 고쳐 쓰다; 암호화하다. ② 【컴】 부호 매기다. en·cód·er n. ⓒ 【컴】 부호기.

en·com·pass[enkʌ́mpəs] vt. 둘러싸이다; 포함하다.

en·core[áŋkɔːr/ɔŋkɔ́ːr] int., a. ⓒ vt. ⓒ 앙코르[재청](하다).

en·coun·ter[enkáuntər] n., vi. ⓒ 우연히 만남(만나다); 회전(會戰).

en·cour·age[enkə́ːridʒ, -kʌ́r-] vt. ① (…의) 기운을 북돋아 주다, 격려하다. ② 조장[지원]하다(opp. discourage). *~·ment n. ⓤ 격려.

en·croach[enkróutʃ] vt. 침입(침해)하다(intrude)(on, upon). ~·ment n.

en·crust[enkrʌ́st] vt. 껍질로 덮다; (보석을 …에) 박아 넣다.

en·cum·ber[enkʌ́mbər] vt. ① 거치적거리게 하다, 방해하다; (…으로 장소를) 막다(with); 번거롭게 하다. ② (빚을) 지게 하다.

en·cum·brance[-brəns] n. ⓒ 방해, 장애(물); 일(걱정거리, (특히) 자식); 【法】 저당권 (따위).

en·cy·clo·pae·di·a, -pe[ensàiklapíːdiə] n. ⓒ 백과 사전; (E-) (프랑스의 Diderot, d'Alembert 등이 공동 편집한) 백과 전서. E- Americana[əmèrəkά:nə] 미국 백과 사전. E- Britannica[britǽnikə] 대영 백과 사전. -dic a. -dist n. ⓒ 백과 사전 편집자.

end[end] n. ⓒ ① 끝, 마지막, 종말; 가, 말단; 최후, 죽음; 행위의 종말. ② 목적. ③ 결과. ④ 조각, 끄트러기, 파편(fragment). ⑤ 【美式蹴】 전위(前衛) 양끝의 선수. at a loose ~ (口) 빈둥빈둥; 미해결로; 어찌할 바를 모르고, 무직으로. at loose ~s 산란하여. ~ for ~ 거꾸로. ~ to ~ 끝과 끝을 접하여. in the ~ 마침내. make an ~ of … 끝내다. make both ~s meet 수지를 맞추

다. no ~ (口) 몹시. no ~ of (口) …을 한 없이, 얼마든지, 무수히. on ~ 세로, 똑바로; 계속하여. put an ~ to …을 그만두다; 죽이다. to the (bitter) ~ 마지막까지, 어디까지나. — vt., vi. 끝마치다; 끝나다; 그만두다. 그치다; 죽이다. ~ in (의 결과로 끝나다. ~ off (up) 끝나다. *:-·ing n. ⓒ 결말, 종결; 말미; 어미; 사망.

en·dan·ger[endéindʒər] vt. 위태롭게 하다.

en·dear[endíər] vt. 사랑스럽게 여기게 하다, 그리워지게 하다. ~·ing[endíəriŋ] a. 사랑스러운 ~·ing·ly ad. 귀엽게. ~·ment n. ⓤ 애무.

en·deav·or, (英) -our[endévər] n., vi., vi. 노력(하다)(after; to do). 시도(하다).

en·dem·ic[endémik] a. 한 지방 특유의, 풍토병의. — n. ⓒ 풍토(지방)병. -i·cal·ly ad.

en·dive[éndaiv/-div] n. ⓤ 【植】 꽃상추(샐러드용).

end·less[éndlis] a. 끝없는; 무한한, 영원한; 【機】 순환의. ~·ly ad. ~·ness n.

en·dorse, in-[endɔ́ːrs] vt. 배서(背書)하다; 보증하다, 승인하다. ~·ment n. en·dors·ee[ensɔ̀ːrsíː, ˌ~-] n. ⓒ 피(被)배서인, 양수인(讓受人).

en·dow[endáu] vt. ① (공공 단체에) 기금을 기부하다. ② (자질·능력 따위를) (furnish) *~·ment n. ⓤ 기부; ⓒ 기금(基金); (보통 pl.) (천부의) 재능.

énd próduct (연속 변화의) 최종 결과; 【工】 최종 생성물.

en·dur·ance[endjúərəns] n. ⓤ 인내; 내구성(力).

en·dure[endjər] vt. 견디다. 참고 견디다, 받다; — vi. 인내하다; 지속하다, 지탱하다; 견디어 내다. en·dúr·a·ble a. *en·dur·ing[-djúəriŋ] a. 참는; 영속적인.

énd úser 【컴】 최종 사용자.

en·e·ma[énəmə] n. (pl. ~s, enemata[enémətə]) ⓒ 관장, 관장(灌腸)기[제(劑)].

en·e·my [énəmi] *n.* ⓒ 적, 원수; 적군, 적함.

en·er·get·ic [ènərdʒétik] *a.* 정력적인, 원기 왕성한(vigorous). **-i·cal·ly** *ad.*

en·er·gize [énərdʒàiz] *vt.* 활기 띠게 하다, 격려하다.

en·er·gy [énərdʒi] *n.* ⓤ ① 정력, 활기, 원기(vigor). ② 에너지.

en·er·vate [énərvèit] *vt.* 약하게 [최하게] 하다(weaken). **~·va·tion** [~véiʃən] *n.*

en·fant ter·ri·ble [ɑ̃fɑ̃ːŋ teríːbəl] (F.) (어른 뺨칠) 잠꾸러기 아이.

en·fee·ble [enfíːbəl] *vt.* 약하게 하다. **~·ment** *n.*

en·fold [enfóuld] *vt.* 싸다; 끌어안다.

en·force [enfɔ́ːrs] *vt.* ① (법률 따위를) 실시[시행]하다. ② (…에게) 강요하다, 떠맡기다(on). **~·a·ble** *a.* **~·ment** *n.* ⓤ 실시, 시행.

en·fran·chise [enfrǽntʃaiz] *vt.* 해방(석방)하다(set free); (…에게) 공민권[선거권]을 부여하다. **~·ment** [-tʃizmənt, -tʃaiz-] *n.*

Eng. England; English. **eng.** engine; engineer(ing).

en·gage [engéidʒ] *vt.* ① 종사시키다. ② 당기다; (주의·흥미를) 끌다. ③ 속박[약속]하다; 보증하다; 약혼시키다(to). ④ (방 따위를) 예약하다(reserve); (사람을) 고용하다, (탈것을) 세내다. ⑤ (군대를) 교전시키다, (…와) 교전하다. ⑥ 《機》 걸다, 물리다; 맞물리다(with). **~ one·self to** (do) …하겠다고 약속하다. —— *vi.* ① 약속하다, 보증하다(for; to do; that). ② 종사[관계]하다(in). ③ 교전하다(with). ④ 《機》 톱니바퀴 따위가) 걸리다, 맞물다. **~ oneself in** …에 종사하다.

en·gaged [engéidʒd] *a.* 약속[계약·예약]된; 약혼 중인, 용무 중인, 바쁜, 고용된, (전화가) 통화 중인; 교전 중인.

en·gage·ment [engéidʒmənt] *n.* ① ⓤ 예약, 계약; 약혼. ② ⓤ 볼일; 고용, 초빙, 직업. ③ (*pl.*) 채무. ④ ⓒ 교전; ⓤ 《機》 (맞)물림. *enter into* (*make*) *an ~ with* …와 약속[계약]하다.

engágement ring 약혼 반지.

en·gag·ing [engéidʒiŋ] *a.* 마음을 끄는, 매력 있는; 애교 있는. **~·ly** *ad.* **~·ness** *n.*

en·gen·der [endʒéndər] *vt., vi.* (상태 등을) 야기하다; 발생하다.

en·gine [éndʒin] *n.* ⓒ ① 기관, 엔진. ② 기관차. ③ 기계(장치), 기구. ④ 兵(~s of war)

éngine driver 《英》 (철도의) 기관사(《美》 (locomotive) engineer).

en·gi·neer [èndʒiníər] *n.* ⓒ ① 공학자, 기술자, 기사; (기계 따위의) 설계[제작]자. ② 《美》 (철도의) 기관사(《英》 engine driver). ③ (육군의) 공병; (해군의) 기관 장교. —— *vt.* 설계[감독]하다; 능란하게 처리[바꿔]하다(manage cleverly). **~·ing** [-níəriŋ] *n.* ⓤ 공학, 기술; 기관 관습[학]; (토목) 공사.

Eng·lish [íŋɡliʃ] *a.* 잉글랜드의; 영국 (국민)의; 영어의. —— *n.* ① ⓤ (넓은 뜻으로) 영어; (스코틀랜드 방언 따위와 구별하여) 잉글랜드의 말. ② (the ~) (집합적) 영국 사람. ③ (*or* e-) 《美》 (집합적) 영국 사람. *in plain* ~ 분명히[쉽게] 말하자면. *Middle* ~ 중세 영어(1100-1500년경; 생략 ME). *Modern* ~ 근대 영어(1500년 경 이후; 생략 ModE). *Old* ~ 고대 영어(700-1100년경; 생략 OE). *the King's* (*Queen's*) ~ 표준 영어. —— *vt.* (*or* e-) 영어로 번역하다(《美》 [稀] 들어쓰다.

Énglish Chánnel, the 영국 해협.

Eng·lish·man [-mən] *n.* ⓒ 잉글랜드 사람; 영국 사람.

Énglish·wòman *n.* 영국 여자; 잉글랜드 여자.

en·grave [engréiv] *vt.* 새기다(나무·돌 따위에), 조각하다(carve); (마음속에) 새겨넣다. **en·gráv·er** *n.* **en·gráv·ing** *n.* ⓤ 조각, 조판(影版); ⓒ 판화.

en·gross [engróus] *vt.* ① 큰 글자로 쓰다; 정식으로 쓰다(말하다), 정서하다. ② 독점하다; (마음을) 빼앗다, 몰두하게 하다(in). ~*ed in* 열중하여, 몰두하여, 골몰하여. **~·ing** *a.* 마음을 빼앗는, 몰두시키는. **~·ment** *n.* 열중, 몰두; 큰 글자로 쓰기; ⓒ 정서한 것; ⓤ 독점.

en·gulf[engʌ́lf] vt. 휩쓸어 들이다. 삼키다.

en·hance[enhǽns, -áː-] vt. 높이다; 늘리다, 강화하다. ~·ment n.

en·ig·ma[iníɡmə] n. ① 수수께끼 (riddle); 수수께끼의 인물; 불가해한 사물. **en·ig·mat·ic**[ènigmǽtik], **-i·cal**[əl] a.

en·join[endʒɔ́in] vt. (…에게) 명령하다; 과(課)하다(on); [法] (…을) 금하다(~ a person from doing).

en·joy[endʒɔ́i] vt. ① 즐기다, 향락하다. ② (이익·혜택 따위를) 누리다, 향유하다. ③ (건강·재산 따위를) 가지고 있다. ~ **oneself** 즐기다, 유쾌하게 지내다[시간을 보내다]. ~·a·ble a. 재미나는[누릴] 수 있는; 즐거운. *~·ment n. ① U.C 즐거움, 쾌락. ② U 향락; 향유.

en·large[enláːrdʒ] vt. 확대하다; 증보하다. ── vi. 확대하다 ─── 넓어지다, 퍼지다; 부연(상술)하다(on). *~·ment n. ① U.C 확대; ② C 증축. **en·lárg·er** n. C 확대기.

en·light·en[enláitn] vt. 교화하다; 계몽하다; (의미를) 명백하게 하다. ~**ed**[-d] a. ~**ing** a. 계몽적인. ~·ment n.

en·list[enlíst] vt. ① 병적에 넣다(enrol); (사병을) 징모(徵募)하다. ② (…의) 지지(원조)를 얻다. ── vi. 입대[가입]하다, 협력하다. ── **ment** n. ① U 병적 편입(기간). ② U 입대.

enlisted màn (美) 사병; 지원(응모)병(생략 EM).

en·liv·en[enláivən] vt. 활기를 띠게 하다, 기운을 돋게 하다.

en masse[en mǽs] ad. (F.) 함께, 한꺼번에, 통틀어서.

en·mesh[en mǽʃ] vt. (그물에) 얽히게[걸리게] 하다; 빠뜨리다(in).

en·mi·ty[énmiti] n. U.C 적의; 증오. ~ **at** ~ **with** …와 반목하여.

en·no·ble[enóubl] vt. 고귀(고상)하게 하다; 귀족으로 만들다. ~·ment n.

en·nui[ɑːnwíː, ←] n. (F.) U (cf. annoy) 권태, 앙퇴.

e·nor·mi·ty[inɔ́ːrmiti] n. U 극악 (of); C 범죄 행위.

e·nor·mous[inɔ́ːrməs] a. 거대한

(huge), 막대한(immense); 흉악한.
~·ly ad. 터무니 없이, 매우; 막대하게. ~·ness n.

e·nough[inʌ́f] a. 충분한; (…에) 족한(for; to). ── n., ad. U 충분(히), 많이, 참으로, 몹시. **be kind** ~ **to** (do) 친절하게도 …하다. **cannot** (do) ~ 아무리 …하여도 부족하다. ~ **and to spare** 남을 만큼, **sure** ~ 과연; **well** ~ 상당히; 웬만하게.

en pas·sant[ɑːn pǽsɑːŋ] (F.) …하는 김에.

en·quire[enkwáiər], **&c.** = IN-QUIRE, &c.

en·rage[enréidʒ] vt. 격노하게 하다. **be ~d at** (by, with) …에 몹시 화내다.

en·rap·ture[enrǽptʃər] vt. 미칠 듯이 기쁘게 하다; 황홀하게 하다(entrance). **be ~d with** (over) …으로 기뻐하여 어쩔 줄 모르다.

en·rich[enrítʃ] vt. ① 부유(풍부)하게 하다. ② (땅을) 기름지게 하다. ③ (색·맛 따위를) 짙게 하다, 농축하다 (~ed uranium 농축 우라늄); (음식물의) 영양가를 높이다. ④ 꾸미다, 장식하다. ~·ment n.

en·rol(l)[enróul] vt. (-ll-) 등록하다, 명부에 올리다. 입회[입대]시키다. *~·ment n.

en route[ɑːn rúːt] (F.) 도중(에서) (to, for).

en·sconce[enskáns/-5-] vt. 몸을 안치하다; 숨기다(hide). ~ **oneself in** (과석 따위에) 자리잡고 앉다. 안정하다.

en·sem·ble[ɑːnsáːmbl] n. (F.) ① C 총체; 전체적 효과(general effect), ② 전(全)합창[주], 합창[합주]단, ② 앙상블[잘 조화된 한 벌의 여성복], ④ [樂] 공연단 (전원), 병주 출연.

en·shrine[enʃráin] vt. (…을) 사당에 모시다[안치하다]; (마음 속에) 간직하다(cherish). ~·ment n.

en·shroud[enʃráud] vt. 수의(壽衣)를 입히다; 덮어가리다.

en·sign[énsain] n. ① (관위·관위 따위의) 표장(標章)(badge); 기, 군기, 국기(flag, banner). ② 《英》

기수. ③ [énsn] 《美》해군 소위.
national ~ 국기. **red** ~ 영국 상
선기. **white** ~ 영국 군함기.

***en‧slave**[ensléiv] *vt.* 노예로 만들
다. ~**ment** *n.* Ⓤ 노예 상태.

*en‧snare[ensnéər] *vt.* 올가미에 걸
리게 하다; 유혹하다.

*en‧sue[ensúː] *vi.* 계속해서[결과로
서] 일어나다(follow)(*from, on*).
the ensuing year 그 이듬해.

en suite [ɑ̃ swíːt] (F.) 연달아.

*en‧sure[enʃúər] *vt.* ① 안전하게
하다(*against, from*). ② 책임지다,
확실하게 하다; 확보하다(secure).
보증하다.

*en‧tail[entéil] *vt.* ① (부동산의) 상
속권을 한정하다. ② (결과를) 남기다,
수반하다. ③ 필요로 하다; 과(課)하
다. ── *n.* Ⓤ 《法》 한정 상속; Ⓒ 세
습 재산.

*en‧tan‧gle[entǽŋgl] *vt.* ① 얽히게
하다(tangle)· 휩쓸어[말려]들게 하
다(involve)(*in*). ② 혼란시키다. 곤
란하게 하다(perplex). *be* [*get*] *~d
in* …에 말려들다, 빠지다. ~**ment**
n.

*en‧tente[ɑːntɑ́ːnt] *n.* (F.) Ⓒ (정부
간의) 협정, 협상; Ⓒ《집합적》협상국.
entente cor‧di‧ale [-kɔːrdjɑ́ːl]
협정, 협상.

†*en‧ter[éntər] *vt.* ① (…에) 들어가
다. ② (…에) 들다[가입하다]; 참가
하다; 가입[입회]시키다. ③ 기입하
다. ④ (항의를) 제기하다. ⑤ 시작하
다. (직업에) 들어서다. ⑥ 【컴】 (정
보·기록·자료를) 넣다. 입력하다.
── *vi.* ① 들다. 들어가다. ② 참가
[입회]하다. ③ 등장하다. ~ *for* …
에 참가(를 신청)하다. ~ *into* …에
들어가다. 들어서다; (담화·교섭을)
시작하다; (관계·협정을) 맺다; (계획
에) 참가하다; 논급하다. 헤아리
다. ~ *on* [*upon*] 소유권을 얻다;
시작하다; 논급하다. ~ *up* (정식으
로) 기장(記帳)하다.

en‧ter‧prise [éntərpràiz] *n.* ①
Ⓒ 사업, 기업. ② Ⓒ 기획. (모험적
인) 기도. ③ Ⓤ 기업(모험)심. *man
of* ~ 진취성 있는 사람. *-pris‧ing*
a. 기업심이 왕성한; 모험적인.

*en‧ter‧tain[èntərtéin] *vt.* ① 즐겁

게 하다(amuse). ② 대접[환대]하
다, 접대하다. ③ (마음에) 품다(cher-
ish); 고려하다. *~er* *n.* Ⓒ 접대
하는 사람; 연예인, 요술사. ~**ing** *a.*
유쾌한, 재미있는.

:*en‧ter‧tain‧ment* [èntərtéin-
mənt] *n.* Ⓤ,Ⓒ 대접; Ⓒ 연회; 연예,
여흥; Ⓤ 오락; 마음에 품음. *give
~s to* …을 대접[환대]하다.

en‧thral(l) [enθrɔ́ːl] *vt.* (*-ll-*) 매혹
하다; 노예로 만들다(enslave). ~
ment *n.*

*en‧throne[enθróun] *vt.* 왕위에 앉
히다. ~**ment** *n.* Ⓤ,Ⓒ 즉위(식).

*en‧thuse[enθjúːz/-θjúːz] 《 口》
vt., *vi.* 《口》 열광[감격]하다[시키
다].

:*en‧thu‧si‧asm[enθjúːziæ̀zəm] *n.*
Ⓤ 열심, 열중; 열광, 열의(熱意)(*for,
about*). **-ast**[-æ̀st] *n.* Ⓒ 열심[열
성]가, …광(狂)(*for*). :*-as‧tic* [-
ǽstik] *a.* ~**ti‧cal‧ly** *ad.*

*en‧tice[entáis] *vt.* 유혹하다. 꾀다
(allure)(*into, out of*). ~**ment** *n.*
Ⓤ 유혹; Ⓒ 유혹물. 미끼. *en‧tic‧ing*
a. 유혹적인.

†*en‧tire[entáiər] *a.* ① 전체의, 완
전한, 온전한. ② (소·말 따위) 불까
지 않은(not gelded). :~**‧ly** *ad.*
전혀. 완전히, 전적으로. ~**‧ty** *n.*

†*en‧ti‧tle[entáitl] *vt.* ① (…에) 칭
호를 주다; 제목을 붙이다. ② (…에
게) 권리를[자격을] 주다. *be* ~*d
to* …에 대한 권리가[자격이] 있다.

*en‧ti‧ty[éntiti] *n.* Ⓒ 실재, 존재;
Ⓒ 실체, 본체; 실재물; 존재자.

†*en‧tomb[entúːm] *vt.* 매장하다
(bury). ~**ment** *n.* 매장.

*en‧to‧mol‧o‧gy[èntəmɑ́lədʒi/-5-]
n. Ⓤ 곤충학. *-gist* *n.* *en‧to‧mo‧
lo‧gic* [èntəmɑ̀lədʒik/-5-]. *-i‧cal*
[-əl] *a.* 곤충학상의.

*en‧tou‧rage[ɑ̀ːntuːráːʒ/ɔ̀n-] *n.*
(F.) Ⓒ《집합적》주위 사람들, 측근.

*en‧trails[éntreilz, -trəlz] *n.* 《pl.》
내장; 창자.

:*en‧trance¹[éntrəns] *n.* ① Ⓤ,Ⓒ
입구, 입장, 등장; 입회, 입학, 입사.
② Ⓒ 입구. ③ Ⓤ,Ⓒ 취임, 취임. ④
Ⓤ 입장료[권]. ⑤ 【컴】 어귀(들어가
는 곳). ~ *examination* 입학 시험. ~ *fee*

입장료, 입학[입회]금; ~ **free** 무료
입장. **force an ~ into** 밀고 들어
가다. **No ~.** 입장 사절, 출입 금지.

en·trance²[entrǽns, -ɑ́:-] *vt.* 황
홀하게 하다, 도취시키다(*with*); 실신
시키다(implore), …에게
~·ment *n.*

en·tranc·ing[entrǽnsiŋ, -ɑ́:-] *a.*
황홀케 하는, 넋[정신]을 빼는.

en·trant[éntrənt] *n.* ⓒ 신입자, 신
규 가입자.

en·trap[entrǽp] *vt.* (-**pp-**) 올가미
에 걸다; (함정에) 빠지게 하다.

en·treat[entri:t] *vt.* 간절히 부탁하
다, 탄원하다(implore), …에게
~·y *n.* Ⓤ ⓒ 간원(懇願).

en·trée[ɑ́:ntrei, ─┘] *n.* Ⓤ ⓒ 입
장권(權); (英) 앙트레(생선과
고기 사이에 나오는 요리); (美) (정
찬의) 주요한 요리.

en·trench[entréntʃ] *vt.* 참호를 두
르다[로 지키다]; 견고하게 지키다.
~ **oneself** 자기의 입장을 지키다.
— *vi.* 침해하다(trespass) (*on,
upon*). **~·ment** *n.*

en·tre·pre·neur[ɑ̀:ntrəprənə́:r]
(*n.* F.) Ⓒ 기업가; 흥행주.

en·trust[entrʌ́st] *vt.* 맡기다, 위임
하다(charge)(~ *him with my
goods*; ~ *my goods to him*)

en·try[éntri] *n.* ① Ⓤ 들어감, 입
장, 참가; Ⓒ 입구(entrance). ②
Ⓤⓒ 기입, 등록(registry); Ⓒ (사전
의) 표제어; 기입 사항. ③ Ⓒ [法]
정기, 토지 점유, 가택 침입. ④ [컴]
어귀, 입구.

en·twine[entwáin] *vt., vi.* 휘감기
(게 하)다.

É number (英) E 넘버(EU에서
인가된 식품 첨가물을 나타내는 코드
번호) (*European number*).

e·nu·mer·ate[injú:mərèit] *vt.* 열
거하다, 열거하다; 계산하다. -**a·**
tive -rətiv, -rèi-] *a.* -**a·tion**[-
éiʃən] *n.*

e·nun·ci·ate[inʌ́nsièit, -ʃi-] *vt.,
vi.* 언명[선언]하다(announce); 발
음하다. -**a·tion**[-┘-éiʃən] *n.* 발
음(법); 언명, 선언.

en·vel·op[envéləp] *vt.* 싸다, 봉하
다; [軍] 포위하다. **~·ment** *n.* Ⓤ

쌈, 포위; ⓒ 싸개, 포장지.

en·ve·lope[énvəlòup] *n.* Ⓒ ① 봉
투; 포장 재료, ② (기구·비행선의)
기낭(氣囊), ③ [植] 덮개. ④ 덮을것.

en·vi·a·ble[énviəbəl] *a.* 부러운;
바람직한(desirable). -**bly** *ad.*

en·vi·ous[énviəs] *a.* 부러워하는,
시기하는(*of*); 생내는 눈치. -**·ly** *ad.*

en·vi·ron·ment[inváiərənmənt]
n. ① Ⓤⓒ 둘레(에워)싼. ② Ⓤ 환
경, 주위, 경우; [컴] 환경(하드웨어
나 소프트웨어의 구성·조작법).

en·vi·ron·men·tal[invàiərənmén-
tl] *a.* 환경의, 주위의; 환경 예술의.
~ **pollution** 환경 오염. ~ **resis-
tance** (인간·생물의 증가에 미치는)
환경 저항(가뭄·자원 결핍·경쟁 등).
-**·ist** *n.* Ⓒ 환경 보호론자.

en·vi·rons[inváiərənz] *n. pl.* 부
근, 근교.

en·vis·age[invízidʒ] *vt.* (…을)
마음 속에 그리다(visualize), 상상
하다; 작상하다; 직면하다.

en·voy[énvɔi] *n.* Ⓒ 사절; 전권 공사. ~
**extraordinary (and minister plen-
ipotentiary)** 특명 (전권) 공사.

en·vy[énvi] *vt.* 시기하다, 부러워하
다. — *n.* Ⓤ 부러움, 질투; (the
~) 선망의 대상이 Ⓒ 소.

en·zyme[énzaim] *n.* Ⓒ [生化] 효소.

e·on[íːən] *n.* = AEON.

EP Extended Play (record).
E.P. electroplate. **EPA** (美) en-
vironmental Protection Agency.

ep·au·let(te)[épəlèt, ─┘-] *n.* Ⓒ
(장교의) 견장(肩章).

e·phem·er·a[ifémərə] *n.* (*pl.* ~**s,
-rae**[-riː]) Ⓒ [蟲] 하루살이(May
fly). -**l** *a.* 하루밖에 못 사는(알가
는); 덧없는, 덧없는. **e·phém·er·id**
n. = EPHEMERA.

ep·ic[épik] *n., a.* Ⓒ 서사시(의) (*cf.*
lyric).

ep·i·cen·ter, (英) **-tre**[épisèn-
tər] *n.* Ⓒ [地] 진앙(震央).

ep·i·cure[épikjùər] *n.* Ⓒ 미식가(美
食家)(gourmet); 쾌락주의자. **ep·i·**
cur·ism [-izəm] *n.* Ⓒ 향락주의; 미
식주의, 식도락.

ep·i·cu·re·an [èpikjurí:ən,
-kjú(ə)ri-] *a., n.* Ⓒ 향락주의[식도

락]의 (사람); (E-) Epicurus의 (철학자). **~·ism**[-ìzəm] *n.* ⓤ 쾌락주의; Epicurus 주의.

ep·i·dem·ic[èpədémik] *n., a.* ⓒ (질병·사상의) 유행; 유행병; 유행성의.

ep·i·der·mis[èpədə́:rmis] *n.* ⓤⓒ (몸의) 표피(表皮), **-mal** *a.*

ep·i·glot·tis[èpəglɑ́tis/-glɔ́t-] *n.* ⓒ [解] 회염(會厭)(연골), 후두개.

ep·i·gram[épigræm] *n.* ⓒ 경구(警句); 경구적 표현; (짤막한) 풍자시. **~·mat·ic**[èpigrəmǽtik] *a.* 경구적인. **~·ma·tize**[èpiǵræmətàiz] *vi., vt.* 경구(풍자시)로 만들다.

ep·i·graph[épigræf, -grɑ:f] *n.* ⓒ 제명(題銘), -라프[-그라프], 비문.

ep·i·lep·sy[épəlèpsi] *n.* ⓤ [醫] 지랄병, 간질. **ep·i·lep·tic**[èpəléptik] *a., n.* ⓒ 간질병의 (환자).

ep·i·log, -logue[épəlɔ̀:g, -làg/-lɔ̀g] *n.* ⓒ ① (책의) 발문(跋文) 맺음말; 후기, 발식(跋辭). ② [劇] 끝맺음말(cf. prologue).

E·piph·a·ny[ipífəni] *n.* [基] 주현절(主顯節)《1월 6일》.

e·pis·co·pal[ipískəpəl] *a.* 감독 (제도)의; (E-) 감독(파)의. **E·pis·co·pa·lian**[ipìskəpéiliən, -jən] *n.* ⓒ 감독파의 (사람).

ep·i·sode[épəsòud, -zòud] *n.* ⓒ ① 삽화, 에피소드. ② (사람의 일생·경험 중의) 사건. **~·ic**[èpəsɑ́dik/-5-], **~·i·cal** [-əl] *a.*

e·pis·tle[ipísl] *n.* ⓒ 서간(書簡); *the Epistles* 사도의 서간.

e·pis·to·lar·y[ipístəlèri/-ləri] *a.* 서간(체)의. || "비명(碑銘).

ep·i·taph[épətæf, -tɑ̀:f] *n.* ⓒ (묘)

ep·i·thet[épəθèt] *n.* ⓒ 형용사(辭); 별명, 통칭.

e·pit·o·me[ipítəmi] *n.* ⓒ 대요(summary); 발췌; 대표적인 것. **-mize**[-màiz] *vt.* 요약하다.

ep·och[épək/íːpɔk] *n.* ⓒ 신기원, 신시대; (중대 사건이 있던) 시대. **~·al** *a.*

époch-making *a.* 획기적인.

e·qua·ble[ékwəbəl, íːk-] *a.* 한결같은, 균등한(uniform); 마음이 고요한. **-bil·i·ty**[ˊ-bíləti] *n.*

e·qual[íːkwəl] *a.* ① 같은; 한결같은(equable). ② …에 지지 않는; 필적하는. ③ …에 견디어 낼 수 있는(*to*); …에 알맞은, 평온한. **~ mark [sign]** 등호(等號)《=》. **~ to the occasion** 일을 당하여 동하지 않는; 훌륭하게 처리할 수 있는. ─ *n.* ⓒ 대등한 물건, 필적하는 자; 같은 나이, *without (an)* ~ 필적할 사람이 없는. ─ *vt.* (《英》 **-ll-**) (…에) 같다(equal); (…과) 똑같다(be ~ to). **:~·ly** *ad.*

e·qual·i·ty[i(ː)kwɑ́liti/-5-] *n.* ⓤ 동등, 평등; 대등.

e·qual·ize[íːkwəlàiz] *vt.* 똑같게 하다; 평등하게 하다. ─ *vi.* 같아지다, 평등해지다 (경기에서) 동점이 되다. **-za·tion**[ìːkwəlizéiʃən/-laiz-] *n.* ⓤ 평등화(化), 균등. **-iz·er** *n.* ⓒ 동등하게 하는 것, 균형기(等化器); 평형 장치; [電] 균압선(均壓線).

e·qua·nim·i·ty[ìːkwəníməti, èk-] *n.* ⓤ (마음의) 평정(平靜), 침착, 냉정(composure).

e·quate[i(ː)kwéit] *vt.* (다른 수치와) 같다고 표시하다; 방정식을 세우다.

e·qua·tion[i(ː)kwéiʒən, -ʃən] *n.* ① ⓤⓒ 같게 함, 균등(법). ② ⓒ 방정식.

e·qua·tor[i(ː)kwéitər] *n.* (the ~) 적도(赤道).

e·qua·to·ri·al[ìːkwətɔ́riəl, -tóur-] *a., n.* ⓒ 적도(부근)의; 적도의(儀).

eq·uer·ry[ékwəri] *n.* ⓒ (왕가·귀족의) 마구 관리인, 주마관(主馬官); (영국 왕실의) 시종 무관.

e·ques·tri·an[ikwéstriən] *a., n.* 기마의, 말의; ⓒ 승마자.

e·qui·dis·tant[ìːkwidístənt] *a.* 같은 거리의.

e·qui·lat·er·al[-lǽtərəl] *a., n.* 등변(等邊)의; ⓒ 등변형.

e·qui·lib·ri·um[ìːkwəlíbriəm] *n.* ⓤ 평형, 균형. ② (마음의) 평정(mental poise). ‖ "은.

e·quine[íːkwain] *a.* 말의, 말과 같

e·qui·nox[íːkwinɑ̀ks/-3-] *n.* ⓒ 주야 평분시, 낮과 밤이 똑같은 때. *autumnal (vernal)* ~ 추(춘)분.

e·quip[ikwíp] *vt.* (*-pp-*) ① 갖추다, 준비하다(*for*). ② 꾸미다; 장비

하다(**with**).

e·quip·ment[ikwípmənt] *n.* ① (종종 *pl.*)《집합적》장비. ② U 채비, 준비.《집》장비, 설비. ③ U (일에 필요한) 능력, 기술.

e·qui·ta·ble[ékwətəbəl] *a.* 공평한(**fair**), 공정한(**just**);《法》형평법의(**衡平法**)(**equity**)상의. **-bly** *ad.*

eq·ui·ty[ékwəti] *n.* ① 공평, 공정. ② 형평법.

e·quiv·a·lent[ikwívələnt] *a.* 동등의, (…에) 상당하는(**to**); 동등한 가치의; 동량(등량)의; 같은(同義)의(**to**). — *n.* ⓒ 동등한 (가치의) 물건; 대등한 물건, 동의어. **-lence** *n.*

e·quiv·o·cal[ikwívəkəl] *a.* 두가지 뜻으로 해석될 수 있는, 모호한; 의심스러운(**questionable**); 미결정의; 명백하지 않은. **~·ly** *ad.*

e·quiv·o·cate[ikwívəkèit] *vi.* 모호한 말을 쓰다; 속이다. **-ca·tion** [‑‑kéiʃən] *n.*

-er[ər] *int.* 에에, 저어(망설이거나 말이 막힐 때 내는 소리).

-er[ər] *suf.* ①'…을 하는 사람(물건)''…에 사는 사람':**creep**er, farm·er, hunt·er, London·er. ② 원말에 관하는 일(물건):**read**er (독본), **sleep**er = **sleeping**car, fiv·er (5달러지폐), **teen**ager. ③ 비교급의 어미를 만듦; **free**r, **hot**ter, **long**er. ④ 속어를 만듦; **rug**ger, **socc**er. ⑤ 반복동사를 만듦; **chat**ter, **glit**ter, **wan**der (cf. -le).

e·ra[íərə, érə] *n.* ⓒ 기원, 연대, 시대.《地》대(代), 기(紀).

e·rad·i·cate[irǽdəkèit] *vt.* 근절하다. **-ca·tion**[‑‑kéiʃən] *n.* **-ca·tor** *n.* ⓒ 제초기; U 얼룩빼는 약; 잉크 지우개.

e·rase[iréis/iréiz] *vt.* ① 지워버리다, 말살하다(**blot out**). ② 《마음에서》 씻어내다, 잊어버리다. ③《俗》죽이다; 패배시키다. ④《컴》 컴퓨터 기억 정보를 지우다. **e·rás·er** *n.* ⓒ 칠판 지우개(**duster**); 고무지우개; 잉크지우개. **e·ra·sure**[‑ʃər /‑ʒə] *n.*U 말살; U 말살부분.

ere[ɛər] *prep.*《詩·古》…의 전(前) — *conj.* …이전에; …보다 차라리.

e·rect[irékt] *a.* 꼿꼿이 선(**upright**). — *vt.* 꼿꼿이 세우다; 건립하다. — **·ly** *ad.* **~·ness** *n.*

e·rec·tion[irékʃən] *n.* ① U 직립, 건립, 설립.《生》 발기. ② U 건물.

er·go[ə́ːrgou] *ad., conj.* (L.) = THEREFORE.

er·go·nom·ics[əːrgənámiks/‑5‑] *n.* U 생물 공학; 인간 공학.

er·mine[ə́ːrmin] *n.* (*pl.* **~s,**《집합적》 **~**)《動》흰담비(cf. **stoat**); U 그 모피(옛날 법관이나 귀족의 약용).

e·rode[iróud] *vt.* 부식(침식)하다.

e·ro·sion[iróuʒən] *n.* U 부식, 침식. **-sive**[‑siv] *a.* 부(침)식성의.

e·rot·ic[irátik/‑5‑] *a.* 성애의, 애욕의. **-i·cism**[‑təsìzəm] *n.* U 색정적 경향, 애욕성;《精神分析》성적흥분.

e·rot·i·ca[irátikə/irɔ́t‑] *n. pl.* 성에 관한 다룬 문학(예술 작품).

err[əːr] *vi.* ① 잘못하다, 그르치다. ② 죄를 범하다(**sin**). **To ~ is human, to forgive** DIVINE.

er·rand[érənd] *n.* ⓒ 심부름(다니기); 용건; 사명. **go** (**run**) **~s** 심부름 다니다. **go on a fool's** (**a gawk's**) **~** 헛걸음하다, 부질없이 애쓰다. **go on an ~** 심부름을 가다.

er·rant[érənt] *a.* (모험을 찾아) 편력(遍歷)하는(**a** KNIGHT-ERRANT); 잘못된. **~·ry** U ⓒ 무사 수련(武士修鍊), 편력.

er·rat·ic[irǽtik] *a.* ① 불규칙한; 일정치 않은, 불규칙한; 별난, 상궤(常軌)를 벗어난. **-i·cal·ly** *ad.*

er·ra·tum[erá:təm, iréi‑] *n.* (*pl.* **-ta**[‑tə]) 오자, 오식; 잘못; (*pl.*) 정오표.

er·ro·ne·ous[iróuniəs] *a.* 잘못된, 틀린(**mistaken**).

er·ror[érər] *n.* ① ⓒ 잘못, 틀림(**mistake**). ② ⓒ 틀린 생각. ③ U 잘못, 실책(**fault**), 죄(**sin**).《野》에러;《數·理》오차.《컴》오류.《野》에러;《數·理》오차.《컴》오류[프로그램(하드웨어)상의 오류]. **and no ~** 틀림없이. **catch** (**a person**) **in ~** (아무의) 잘못을 찾아내다.

er·satz[ɛ́rzɑːts, ‑sɑːts] *a., n.* (G.) 대용의; ⓒ 대용품.

E

erst·while [ə́ːrsthwàil] *ad.* 《古》
이전에, 옛날에. — *a.* 이전의, 옛날
의(former).

er·u·dite [érjudàit] *a., n.* ⓒ 박식
한 (사람). **~·ly** *ad.*

er·u·di·tion [èrjudíʃən] *n.* ⓤ 박
식, 해박(該博).

e·rupt [irʌ́pt] *vi., vt.* 분출하다[시키
다]; 폭발하다; 발진하다. — *vt.* **e·
rúp·tion** *n.* ⓤⓒ 폭발, 분출, 분화;
돌발; 발진. **e·rúp·tive** *a.* 폭발[돌
발]적인, 발진성의.

-er·y [əri] *suf.*《명사 어미》'…업,
제조소' 따위의 뜻: brew*ery*, con-
fection*ery*, hatch*ery*.

†**es·ca·late** [éskəlèit] *vt., vi.* (군사
행동·물가 등이) 단계적으로 확대[강화]
하다, 점증하다(opp. de-escalate).

es·ca·la·tion [èskəléiʃən] *n.* ⓤ
(가격·임금·운임 등의) 에스컬레이터
식 수정(cf. escalator clause).

†**es·ca·la·tor** [éskəlèitər] *n.* ⓒ 에
스컬레이터, 자동 계단. — *a.*《經》
에스컬레이터(방)식의.

†**es·ca·pade** [éskəpèid, ⌐⌐⌐/⌐⌐⌐]
n. ⓒ 멋대로 구는[엉뚱한] 짓, 탈선
(행위); 장난(prank).

†**es·cape** [iskéip] *vi., vt.* ① (…에
서) 달아나다, 탈출하다; 면하다. ②
(기억에) 남지 않다(*His name ~s
me*. 그의 이름은 곧 잊어버린다). ③
(가스 따위가) 새다; (물·한숨 등이)
무심결에 나오다(*A sigh of relief
~d his lips*. 안도의 한숨이 나왔
다). — **one's memory**, 생각
해 내지 못하다. — *n.* ⓤⓒ 탈출,
도망; (현실) 도피; ⓒ 누출[구멍; 나
옴, 탈출《명령을 중단하거나 프로그램
의 어떤 부분에서 변경 기능에 사용》.
make one's ~, 달아나다. *narrow*
~, 구사일생. — *a.* (현실) 도피의;
면제의. **~·ment** *n.* ⓒ 도피구(口);
(시계 톱니바퀴의) 탈진(脫進) 장치.

es·cap·ee [iskèipíː, èskei-] *n.* ⓒ
도피자; 탈옥자.

es·cap·ism [iskéipizəm] *n.* ⓤ 현
실도피(구). **-ist** *n., a.*

es·carp·ment [iská:rpmənt] *n.* ⓒ
급사면(急斜面); 벼랑(cliff).

es·chew [istʃú:, es-] *vt.* 피하다
(shun). **~·al** *n.*

es·cort [éskɔ:rt] *n.* ① ⓒ 호위자
[병·대]. ② ⓤ 호위, 호송. —
[iskɔ́:rt] *vt.* 호위[호송]하다.

-ese [iːz] *suf.* '…의 국민(의), …의
주민(의), …어('말')의 뜻》: Chine*se*,
Milan*ese*.

Es·ki·mo, -mau [éskəmòu] *n.* (*pl.
~s*, ~), ⓒ 에스키모 사람(의); ⓤ
에스키모 말(의).

e·soph·a·gus [isáfəgəs/-sɔ́f-] *n.*
(*pl. -gi* [-dʒài/-gài]) ⓒ 식도(食道)
(gullet).

es·o·ter·ic [èsoutérik] *a.* 소수의
고제(高弟)[학자]에게만 전수되는, 비
전(秘傳)의, 비교(秘敎)의(opp. exo-
teric); 비밀의(secret).

E.S.P. extrasensory percep-
tion. **esp.** especially.

†**es·pal·ier** [ispǽljər, es-] *n.* ⓒ 과
수[나무]를 받치는 시렁(trellis).

†**es·pe·cial** [ispéʃəl, es-] *a.* 특별한
[각별]한(exceptional).

†**es·pe·cial·ly** [ispéʃəli] *ad.* 특히,
각별히, 특별히(*Be ~ watchful*.).

es·pi·o·nage [éspiənà:ʒ, -nidʒ/
éspiəná:ʒ] *n.* (F.) ⓤ 탐색, 간첩
행위; 간첩 활동.

†**es·pla·nade** [èsplənéid] *n.* ⓒ (특
히 바닷가·호숫가 따위의) 산책길
(promenade); 《요새와 시내 민가 사
이를 격리하는》 공터.

†**es·pouse** [ispáuz] *vt.* (…와) 결혼
하다; 시집보내다(marry); 채용하다
(adopt), (의견·학설 등을) 지지하다.
e·póus·al *n.* ⓒ 약혼; [흔히 *pl.*] 결
례; ⓤⓒ 채용, 지지, 옹호.

esprit de corps [-də kɔ́:r] (F.) 단
체정신, 단결심(애교심 따위).

Esq. Esquire.

†**Es·quire** [iskwáiər] *n.* (E-) 《英》
(성명 다음에 붙여서) 님, 귀하(*John
Smith, Esq*) 《略》Esq. 《古》=SQUIRE.

-ess [is] *suf.* 여성형 명사를 만듦(ac-
tr*ess*, empr*ess*, tigr*ess*, waitr*ess*).

†**es·say** [ései] *n.* ① ⓒ 수필, (문예
상의) 소론(小論), 시론(試論), 평
론. ② [eséi] 시도(at), 기도. —
[eséi] *vt., vi.* 시도하다; 시험하다. **~·ist**
n. ⓒ 수필가.

†**es·sence** [ésəns] *n.* ① ⓤ 본질,
정수; 《哲》실체. ② ⓤⓒ 에센스,

스(extract), 정(精); 향수.

es·sen·tial[isénʃəl] *a.* ① 본질적인, 실질의. ② 필수의(necessary). ③ 정수의, 에센스의, 기본의. ~ **oil** 정유. ~ **proposition** [論]본질적 명제. — *n.* ⓒ 본질; 요점, 요소. ~**s of life** 생활 필수품.

es·sen·tial·ly[isénʃəli] *ad.* 본질적으로, 본질상, 본래.

-est[ist] *suf.* 최상급을 만듦(great*est*, hott*est*, seren*est*).

es·tab·lish[istǽbliʃ, es-] *vt.* ① 설립(확립)하다, 제정하다. ② (사람의) 기반을 잡게 하다, (지위에) 앉히다; 개업시키다, 안정된 지위에 놓이게 하다. ③ 정하다; 인정하다; 입증[확증]하다; (교회를) 국교회로 만들다. ~ **oneself** 자리잡다, 정착[정주]하다, 취업(就業)하다, 개업하다. — **ed**[-t] *a.*

es·tab·lish·ment[istǽbliʃmənt] *n.* ⓤ ① 설립, 설정, 설치; 확립. ② 설립물, (사회적) 시설; 세대. 가정. ③ ⓤ (군대·관청 따위의) 정원[편성(인원)]. **Church E-,** *or* **the E-** (영국) 국교(회).

es·tate[istéit, es-] *n.* ① 재산, 유산; 소유[재산]권. ② ⓒ 토지, 소유지. ③ ⓤ (정치·사회적) 계급. *personal* (*real*) ~ 동(부동)산. *the fourth* ~ [諧] 신문(기자들), 언론계 (the press). *the third* ~ (프랑스 혁명 전의) 제3 계급. *the Three Estates* (*of the Realm*) [史] 귀족과 성직자와 평민(《英》성직자 상원 의원과 귀족 상원 의원 및 하원 의원).

estáte àgent 《英》부동산 관리인 (중개업자).

éstate càr [**wàg(g)on**] 《英》= STATION WAG(G)ON.

es·teem[istí:m, es-] *vt.* ① 존경[존중]하다, 귀중히 여기다. ② (…이라고) 생각[간주]하다(consider). — *n.* ⓤ 존경, 존중(regard). *hold in* ~ 존경[존중]하다.

es·thete [ésθi:t/í:s-] *n.* = AESTHETE. **es·thet·ic**[esθétik/í:s-], **-i·cal**[-əl] *a.* **es·thét·ics** *n.* = AESTHETICS.

es·ti·ma·ble [éstəməbəl] *a.* (<

esteem 존경할 만한; (〈estimate) 평가[어림]할 수 있는.

es·ti·mate[éstəmèit, -ti-] *vt., vi.* 평가(어림), 개산, 견적)하다; 견적서를 작성하다. — [-mit] *n.* ⓒ 평가, 견적(어림), 개산; 판단, 판단. *the* ~**s** 《英》(정부의) 예산.

es·ti·ma·tion[èstəméiʃən, -ti-] *n.* ⓤ ① 의견, 판단, 평가. ② 존중 (esteem).

es·trange[estréindʒ] *vt.* 소원하게 하다, 멀리하다. ~**·ment** *n.*

es·tu·ar·y[éstʃuèri/-əri] *n.* ⓒ 강 어귀, 내포(內浦).

et al. *et alibi*(L. = and else-where); *et alii*(L. = and others).

et cet·er·a[et sétərə] 기타 따위 《생략 etc., &c.》.

etch[etʃ] *vt.* (…에) 에칭하다, (…을) 부식(蝕刻)하다. — *vi.* 식각법을 행하다. ~**·er** *n.* ~**·ing** *n.* ⓤ 식각법, 에칭; ⓒ 부식 동판(화).

e·ter·nal[itə́ːrnəl] *a.* ① 영원한[영구의(perpetual); 불멸의; 끝없는. ② 버릇 없는, 짓궂은 (*Enough of your* ~ *joke!* 네 농담은 이제 그만). *the E-* 신(神)神. *the* ~ *triangle* (남녀의) 삼각 관계. ~**·ize**[-àiz] *vt.* = ETERNIZE. **:**~**·ly** *ad.* 영원히, 언제나; 끊임없이.

e·ter·ni·ty [itəːrnəti] *n.* ⓤ ① 영원, 영구. ② 내세, 죽은 뒤의 세계. *the eternities* (영구) 불변의 사물[사실, 진리).

eth·a·nol[éθənɔ̀:l] *n.* ⓤ [化]에탄올[에틸)알코올을 말함].

e·ther[íːθər] *n.* ⓤ [理·化] 에테르; 정기(精氣); 하늘.

e·the·re·al, -ri·al[iθíːriəl] *a.* 공기 같은, 가벼운, 영기(靈氣)[같은], 영묘(靈妙)한; 천상의, 절묘한 [化] 에테르 같은. ~**·ize**[-àiz] *vt.* 영화(靈化)하다; 에테르화(기화)하다.

eth·ic[éθik] *a.* = ETHICAL. — *n.* (稀) ETHICS.

eth·i·cal[-əl] *a.* 도덕(상)의, 윤리적인. ~ *drug* 처방약(의사의 처방 없이는 시판을 허용하지 않는 약제). ~**·ly** *ad.* (원리).

eth·ics [-s] *n.* ① 윤리학; ② 도덕 논(論).

eth·nic[éθnik], **-ni·cal**[-əl] *a.*

인종의, 민족의; 인종학의; 이교의
(neither Christian nor jewish;
pagan); ~ **group** 인종, 민족.
-cal·ly *ad.*

eth·no·cen·tric [èθnouséntrik] *a.*
자민족 중심주의의.

eth·nog·ra·phy [eθnágrəfi/-5-]
n. Ⓤ 민족지(民族誌) ; (특히 기술적)
민족학. **eth·no·graph·ic** [èθnə-
græfik], **-i·cal** [-əl] *a.*

e·thos [íːθɑs/-ɵ́s] *n.* Ⓤ (시대·민
족·사회·종교 단체 따위의) 특유한
기풍; (예술 작품의) 기풍, 에토스(cf. pathos).

ethyl álcohol 에틸 알코올, 주정.

et·i·quette [étikit, -kèt] *n.* Ⓤ 에
티켓, 예의, 예법; 관례. **med·ical** ~ 의사들(사이)의 불문율.

-ette *suf.* ① '작은'의 뜻 : ciga-
rette, statuette. ② '…여성'의 뜻 :
coquette, suffragette.

et·y·mol·o·gy [ètəmálədʒi/-mɔ́l-]
n. Ⓤ 어원(학); Ⓒ 어원 해석.
et·y·mo·log·i·cal(**·ly**) [ètəmələdʒi-
kəl(i)/-5-] *a.* (*ad.*)

eu·ca·lyp·tus [jùːkəlíptəs] *n.* (*pl.*
~**es**, **-ti**[-tai]) Ⓒ [植] 유칼립투
스, 유칼리[又는] 90 m, 오스트레일리
아 원산의 교목).

Eu·cha·rist [júːkərist] *n.* (the
~) 성체성사(Holy Communion);
성체용의 빵과 포도주; (e-) 감사(의)
기도).

eu·gen·ic [juːdʒénik], **-i·cal**
[-əl] *a.* 우생(학)적인. **-i·cal·ly** *ad.*
eu·gén·ics *n.* Ⓤ 우생학.

eu·lo·gize [júːlədʒàiz] *vt.* 칭찬하
다. Ⓒ 찬사.

eu·lo·gy [júːlədʒi] *n.* Ⓒ 칭찬, 찬
양; Ⓒ 찬사.

eu·nuch [júːnək] *n.* Ⓒ 거세된 남
자; 환관, 내시; [聖] 독신자.

eu·phe·mism [júːfəmìzəm] *n.* Ⓤ
[修] 완곡어법(말); Ⓒ 완곡어구
(= die) 따위). **-mis·tic** [≥—místik]
a. 완곡어법의, 완곡한.

eu·pho·ri·a [juːfɔ́ːriə] *n.* Ⓤ [心]
행복감; [醫] 건강(상태) (마약에의
한) 도취감. **-phor·ic** [-rik] *a.*

eu·re·ka [juərí(ː)kə] *int.* 알았
았다(I have found it!) (《Califor-
nia 주의 표어》).

Eu·ro· [júərou, -rə] '유럽의' 의 뜻
의 결합사.

Eu·ro·crat [júərəkræt] *n.* Ⓒ 유럽
연합의 행정관.

Eu·rope [júərəp] *n.* 유럽(주).

Eu·ro·pe·an [jùərəpíːən] *a., n. eu*
럽의; Ⓒ 유럽 사람(의). **~·ism**
[-ìzəm] *n.* Ⓤ 유럽주의(정신), 유럽
풍(식). **~·ize**[-àiz] *vt.* 유럽식(으)
으로 하다. **~·i·za·tion** [-plːənizéi-
ʃən/-nai-] *n.*

Européan Commúnity 유럽 공
동체(생략 EC).

eu·tha·na·si·a [jùːθənéiʒiə, -zíə]
n. Ⓤ (편안한) 죽음: (불치의 병고로
부터 구원하는) 안락사(술(術))(mercy
killing).

e·vac·u·ate [ivǽkjuèit] *vt.* ① 비
우다; 배설하다; 명도하다. ② 철퇴
[철병]시키다; 퇴거시키다. ③ (공습·전
재로부터) 피난(소개)시키다. —— *vi.*
피난(소개)하다. **:·a·tion** [——éiʃən]
n. Ⓤ,Ⓒ 비움; 배출; 배설(물), 피
난, 소개, 철수.

e·vac·u·ee [ivǽkjuːíː] *n.* Ⓒ 피난
민, 소개자.

e·vade [ivéid] *vt.* ① 면하다. (…으
로) 교묘하게 빠져 나가다(~ *a*
tax 탈세하다). ② 둘러대어 모면하다.

e·val·u·ate [ivǽljuèit] *vt.* 평가하
다(appraise); [數] (…의) 값을 구
하다. **:·a·tion** [——éiʃən] *n.* Ⓤ,Ⓒ
평가(액), 값을 구함.

ev·a·nesce [èvənés] *vi.* (점차로)
사라지다. **-nes·cent** *a.* 사라지는;
덧없는. **-nes·cence** *n.*

e·van·gel·ic [ìːvændʒélik], **-i·cal**
[-əl] *a., n.* 복음(전도)의; Ⓒ 복음주
의자.

e·van·ge·lism [ivǽndʒəlìzəm] *n.* Ⓤ
복음전도[주의]. **-list** *n.* Ⓒ 복음
전도자; (E-) 신약 복음서의 저자.

e·van·ge·lis·tic [ivǽndʒəlístik]
a. 복음 전도자의, 복음 전도자의의.

e·van·ge·lize [ivǽndʒəlàiz] *vt., *
vi. 복음을 전하다, 전도하다.

e·vap·o·rate [ivǽpərèit] *vi.* 증발
하다; 김을 내다; 사라지다. —— *vt.*
증발시키다. **-ra·tor** *n.* Ⓒ 증발기. **·ra·tion**
[——réiʃən] *n.* Ⓤ 증발 (작용), (수
분의) 발산.

e·vap·o·rat·ed mílk[-id-] 무당 연유. 농축 우유.

e·va·sion[ivéiʒən] *n.* [U.C] 도피, 회피, 둘러댐(evading).

e·va·sive[ivéisiv] *a.* 포착하기 어려운, 회피적인; 둘러대(기 잘 하)는 (elusive). **~ly** *ad.*

eve[iːv] *n.* ① (종종 E-) 전야(제), 명절의 전날밤: (사건 등의) 직전. ② (詩) 저녁, 밤.

e·ven[íːvən] *a.* ① 펑펑한(flat¹), (…와) 수평의(with). ② 한결같은, 규칙적인, 평등한, 균일의(uniform). ③ 호각의(equal), 우수 없는, 정확하게(an ~ mile 꼭 1마일); 공평한. ③ 침착한, 평정한. ④ 빚 없는, (모욕 따위에 대하여) 앙갚음이 끝나(I will be ~ with you for this scorn. 이 모욕의 앙갚음은 꼭 하겠다). ⑤ (수가) 2등분할 수 있는: 우수(짝수)의(cf. odd). **break ~** (口) 득실이 없게 되다. **CHANCE. get ~ with** 앙갚음하다. **of ~ date** 같은 날짜의. — *ad.* ①···조차, ···라도. ② 한층, 더욱. ③ 평등하게, 호각으로, (古) 꼭, 바로. **if [though]** 비록 ···일지라 도. **~ now** 지금이라도; (古) 바로 지금, ··· vt. 평평하게 하다, 고르게 하다; 평등하게 하다(다투다). **~ up** 평등하게 하다(on). (美) 보복하다(on). **~·ly** *ad.* 평등하게.

éven·hánd·ed *a.* 공평한.

eve·ning[íːvniŋ] *n.* [U.C] ① 저녁, 해질녘, 밤. ② 만년; 쇠퇴기.

évening dréss 야회복, 이브닝드레스.

évening pàper 석간(지), [레스.

eve·nings[-z] *ad.* (美) 밤마다.

éven·sòng *n.* [U.] (종종 E-) (영국 국교회의) 만도(晚禱). ② (가톨릭) 저녁 기도.

e·vent[ivént] *n.* [C] ① 사건, 큰 사 건. ② 경과(development), 결과. ③ 경우(case). ④ (경기) 종목, 시합. ⑤ (법) 사건, 소송. **at all ~s** 좌우간, 하여튼. **in any ~** 무슨 일이 있어도, 하여튼. **in the ~ of** ···의 경우에는. **~·ful** *a.* 다사다난한, 파란 많은; 중대한. **~·ful·ly** *ad.*

e·ven·tu·al[ivéntʃuəl] *a.* ① 종국의(final). ② (경우에 따라서는) 일어날 수도 있는, 있을 수 있는(pos-

sible. **:~·ly** *ad.* 결국(은), 필경 (에는).

e·ven·tu·al·i·ty[─-─-ǽləti] *n.* [C] 예측 못할 사건, 만일의 경우; [U] 우 발성(possibility).

ev·er[évər] *ad.* ① 언젠가, 일찍이. ② 언제나(always). ③ (강조) 도대 체, 적어도, **as ... as** ~ 여전히, (better) **than** ~ 지금까지보다 점점 더(잘), **~ and** ANON. ··· **since** 그 후 출곧, ··· **so** 아무리 (··· 에도); =VERY. **~ such** 대단히. **for** ~ **and ~** 영구(영원)히. **hardly [scarcely]** ~ 좀처럼 ··· 않다. **sel·dom, if** ~ (설사 있다 하더라도) 극 히 드물게, **yours ~** 언제나 그대의 벗(편지의 끝맺음말).

ev·er·green [évərgriːn] *a., n.* 상록의(opp. deciduous). [C] 상 록수.

ev·er·last·ing [èvərlǽstiŋ/─úː-] *a.* ① 영구(영원)한; 끝없는. ② 변함 없는, 지루한(tiresome). — *n.* [U] 영원, 영겁(eternity). ② (the E-) 하느님. **~·ly** *ad.*

ev·er·more [èvərmɔ́ːr] *ad.* 언제 나, 항상; (古·詩) 영구(영원)히. **for** ~ 영구(영원)히.

ev·er·y[évri] *a.* ① 모든, 일체의, 어느 ···이나 다 ···마다(every ~ **man, day, &c)**. ② (수사와 함께 써서) ··· 마다(~ **five days, or ~ fifth day** 닷새마다, 5일에 한번 되다 / E-third man **has a car.** 세 사람에 한 사람 꼴로 자동차를 가지고 있다). ~ **bit** 어느 모 로 보나, 아주. ~ **moment (minute)** 시시 각각(으로). ~ **now and then, or ~ once in a while** 때때 로, 가끔. ~ **one** 누구나 모두, 각자. ~ **other (second) day** 하루 걸 러. ~ **time** 매번, ···할 때마다.

eve·ry·bod·y[-bàdi/-ɔ-] *pron.* 누구나, 각 사람(모두).

eve·ry·day[-dèi] *a.* 매일의, 일상 의. ~ **clothes** 평상복.

eve·ry·one[-wʌn, -wən] *pron.* = EVERYBODY.

:eve·ry·thing[-θiŋ] *pron.* 무엇이든 지 모두, 만사; 가장 소중한 것(to).

:eve·ry·where[-hwɛ́ər] *ad.* 어디 에나, 도처에.

E

E

e·vict [ivíkt] *vt.* 퇴거시키다, 쫓아내다(expel); 되찾다. **e·víc·tion** *n.*

ev·i·dence [évidəns] *n.* ① 증거(proof); 증언(testimony). ②*UC* 징후, 형적(sign). *bear 〔give, show〕 ~ of* …의 형적을 보이다. *give ~* 증언하다. *in ~* 눈에 띄게. *turn the King's 〔Queen's, State's〕 ~* (공범자가) 한패에게 불리한 증언하다. ── *vt.* 증명〔증언〕하다.

ev·i·dent [évidənt] *a.* 뚜렷한, 명백한(plain). *:~·ly ad.*

e·vil [íːvəl] *a.* (*worse; worst*) 나쁜, 사악한; ②해로운; 불운한; 불길한. *~ eye* 재난의 눈, 흉안(凶眼) 《재난을 준다는》. *~ tongue* 독설. *the E- One* 악마(Devil). ── *n.* ①*U* 악; 악폐(sin). ②*C* 해악; 폐해. *king's ~* 연주창(scrofula) 《왕의 손이 닿으면 낫는다는 미신이 있음》. *the social ~* 사회악; 매춘(賣春). *wish a person ~* 아무의 불행을 기원하다. ── *ad.* (稀) 나쁘게, 사악하게, 해롭게(ill); 불행하게. *speak ~ of* …의 험담을 하다.

e·vince [ivíns] *vt.* (명백히) 나타내다(show).

e·vis·cer·ate [ivísərèit] *vt.* 창자를 끄집어 내다; 골자를 빼버리다.

e·voke [ivóuk] *vt.* (영·기억·감정 따위를) 불러일으키다, 환기하다(call forth). **ev·o·ca·tion** [èvəkéiʃən, ìːvou-] *n.*

ev·o·lu·tion [èvəlúːʃən/íːvə-] *n.* ①*U* (생물의) 진화(evolving); (사전·의론 따위의) 전개, 발전. ②*U* (빛·열 따위의) 발생, 방산(releasing). ③*U* 〔數〕 개방(開方). ④*C* (댄스·스케이트 따위의) 선회(旋回); 〔軍〕 기동 연습. *~·al, *~·ar·y* [-èri/-əri] *a.* 발달의, 진화의, 진화(론)의. *~·ism* [-ìzəm] *n.* ①진화론. *~·ist* *n.*

e·volve [iválv/-5-] *vi., vt.* ①전개하다; 진화하다(시키다); 발달(발전)하다(시키다). ②(*vt.*)(빛·열 따위를) 방산(방출)하다.

ewe [juː] *n.* ②암양(cf. ram).

ew·er [júːər] *n.* ②(주둥이가 넓은) 물병.

ex [eks] *prep.* (L.) …으로부터(ex

ship 〔商〕 본선 인도함(引渡). …때문에 《성구는 각항 참조》.

ex- [eks] *pref.* '앞의'의 뜻: exconvict 전과자 / expremier 전수상 / expatient 전남편.

ex·ac·er·bate [igzǽsərbèit, iksǽs-] *vt.* (고통 따위를) 악화시키다(aggravate); 분격시키다(exasperate). **-ba·tion** [――béiʃən] *n.*

ex·act [igzǽkt] *a.* ①정확한; 엄밀한, 정밀한. ②꼼꼼한, 엄격한, 까다로운. *to be ~* 자세히 말하면. ── *vt.* (금전·노력·복종을) 엄하게 요구하다 《강요하다(demand) 《from, of》. *~·ing a.* 엄한, 가혹한, 힘드는, 쓰라린. **ex·ác·tion** *n.* ② 강요, 강제 징수; ② 강제 징수금, 중세. *:~·ly ad.* 정확하게, 엄밀히; 꼭 들어맞게; 틀림없이.

ex·ac·ti·tude [igzǽktətjùːd/-tjùːd] *n.* *U* 정확, 정밀; 엄격함, 꼼꼼함.

ex·ag·ger·ate [igzǽdʒərèit] *vt.* 과장하다, 허풍떨다. ***-at·ed [-id] a.* 과장된; 비대한. **-a·tion** [――ʃən] *n.* 과장; ② 과장된 표현. **-a·tor n.**

ex·alt [igzɔːlt] *vt.* (신분·관직·품위·명예 따위를) 높이다; 의기 양양하게 만들다(elate), 칭찬하다(extol); (빛깔을) 짙게 하다. *~ a person to the skies* 아무를 극구 칭찬하다.

ex·al·ta·tion [ègzɔːltéiʃən] *n.* ② 높임; 숭진; 찬양, 고귀(nobility); 우쭐함, 의기 양양; 〔治〕 정련(精鍊). *~·ed [-id] a.* 고귀한〔존귀〕한, (신분이) 높은; 고원(고상)한; 우쭐한, 의기양양한, 신바람난.

ex·am [igzǽm] *n.* (口) =EXAMINATION.

ex·am·i·na·tion [igzæmənéiʃən, -mi-] *n.* ①시험(in); *UC* 검사, 조사, 심사(of, into); 〔法〕 심문, 심리. *medical ~* 진찰. *on ~* 조사해 보니; 조사한 뒤에. *physical ~* 신체 검사. *sit for an ~* 시험치르다. *under ~* 조사(검사)중인.

ex·am·ine [igzǽmin] *vt.* 조사하다, 검사〔심사〕하다; 검정〔심사〕하다; 시험하다(in). ②〔法〕심문하다. ③진찰하다. *~ oneself* 내(반)성하다. ── *vi.* 조사하다(into). *~·in·er n.* ② 시험관; 검사원, 심사관.

example 269 **excite**

ex·am·ple[igzǽmpl/-á:-] *n.* ① ⓒ 실례, 보기. ② ⓒ 견본, 표본(sample). ③ 모범, 본보기(model). ④ 본때, 훈계(warning). **beyond ~** 전례 없는. **~ for** …을 들면. **make an ~ of** …을 본보기로 (징계)하다 set (give) an ~ to …에게 모범을 보이다. **take ~ by** …를 본받다. **to cite an ~** 일례를 들면. **without ~** 전례 없는.

ex·as·per·ate[igzǽspərèit, -rit] *vt.* ① 격노케 하다; 감정을 자극하다. ② 악화시키다, 더하게 하다(intensify). **-at·ing** *a.* 화나는, 짜증나게 하는; 악화되어가는. **-a·tion**[——éi·ʃən] *n.* ⓤ 격노; (병의) 악화.

ex·ca·vate[ékskəvèit] *vt.* 파다; 도려내다; 발굴하다. **-va·tor** *n.* **:va·tion**[-véiʃən] *n.* ⓤ 굴 착; ⓒ 구멍, 구덩이; 발굴물, 출토물.

ex·ceed[iksí:d] *vt., vi.* (한도를) 넘다, 초과하다(…보다) 낫다, 능가하다(excel). **:~·ing** *a.* 대단한, 지나친, 굉장한. **:~·ing·ly** *ad.* 대단히, 매우; 몹시.

ex·cel[iksél] *vt., vi.*(-ll-) 능가하다(surpass)(in); 뛰어나다(in).

ex·cel·lence[éksələns] *n.* ① ⓤ 탁월, 우수; ⓒ 장점, 미점(美點).

:Ex·cel·len·cy [-i] *n.* ⓒ 각하(장관·대사 등에 대한 경칭)(Good morning, your E~! 각하, 안녕하십니까/Do you know where His ~ is? 각하께서 어디 계신지 아십니까).

:ex·cel·lent[éksələnt] *a.* 우수한, 탁월한(exceedingly good). **~·ly** *ad.*

†ex·cept[iksépt] *vt.* 제외하다(from). — *vi.* 반대하다, 기피하다(object)(against). — *prep.* …을 제외하고(는), …이외에는(save). **~ for** …이 없다면(but for); …이외에는. — *conj.*《古》 UNLESS. **:~·ing** *prep.* = EXCEPT.

†ex·cep·tion[iksépʃən] *n.* ① ⓤ 제외, 제외; ⓒ 예외. ② ⓤ 이의 (異議)·objection). **take ~ to** (against) …에 반대하다 **with the ~ of** …을 제외하면(except). **~·a·ble** *a.* 비난할 만한. **~·al** *a.* 예외적인, 특별한; 보통이 아닌. **~·al child**(심신장애로 인한) 비정상아.

~·al·ly *ad.*

ex·cerpt[éksə:rpt] *n.* (*pl.* ~s, -ta [-tə]) ⓒ 발췌, 인용(구); 초록(抄錄); 발췌 인용(extract). — [eksə́:rpt] — [eksə́:rpt] *vt.* 발췌하다(extract), 인용하다.

ex·cess[iksés, ékses] *n.* ① ⓒ 과다, 과잉; 과도; 초과; 초과량(액). ② ⓤ 부절제(in); (보통 *pl.*) 친행동, 난폭, 폭음 폭식. **~ of imports over exports** 수입 초과. **~ profits tax** (전시) 초과 이득세. **go (run) to ~** 지나치다, 극단으로 흐르다. **in ~** 초과하여, 이상으로. **in ~ of** …을 초과하여, …이상으로.

ex·ces·sive[-iv] *a.* 과도한, 극단적인, 터무니없는(too much). **~·ly** *ad.* **~·ness** *n.*

ex·change[ikstʃéindʒ] *vt.* ① 교환하다(for a thing; with a person); 주고받다. ② 환전하다. **~ greetings** 인사를 나누다. — *vi.* 환전할 수 있다(for); 교환하다. — *n.* ① ⓤⓒ 교환, 주고받음. ② ⓤ 환전, 환(換); (*pl.*) 어음 교환고(高). ③ ⓒ 거래소, 전화 교환국. **bill of ~** 환어음. **~ bank** 외국환 은행. **E~ (is) no robbery.** 교환은 강탈이 아니다(불공평한 교환을 강요할 때의 상투 문구). **~ quotation** 외환 시세표. **~ reaction**【理】 교환 반응. **in ~ for** …와 상환으로. **make an ~** 교환하다. **rate of ~** (외국환) 시세, 환율. **stock ~** 증권 거래소. **~·a·ble** *a.* 교환할 수 있는.

ex·cheq·uer[ikstʃékə*r*, éks-] *n.* ⓤ 국고(國庫); ⓒ (口) (개인·회사 등) 재원, 재력; (the E-) ⓒ《英》 재무성.

ex·cise[éksaiz] *n.* ⓤ 물품세, 소 비세. — [iksáiz] *vt.* 물품세를 부과하다; 엄포식으로 빼앗다(청구하다).

ex·cise[iksáiz] *vt.* 잘라내다(cut out). **ex·ci·sion**[eksíʒən] *n.* 삭제, 절제.

ex·cit·a·ble[iksáitəbəl] *a.* 흥분하기 쉬운; 흥분성의.

ex·ci·ta·tion[èksaitéiʃən/-si-] *n.* 자극; 흥분.

:ex·cite[iksáit] *vt.* ① 자극하다, 자극하여 일으키다; 흥분시키다. ② 격려하다; 설레게 하다; 선동하다(stir

up).

:ex·cit·ed [iksáitid] *a.* 흥분한; 『電』들뜬 상태의(~ *atoms* 들뜬 원자); 활발한. **:~·ly** [-idli] *ad.*

:ex·cite·ment [-mənt] *n.* U 자극, 격앙; 흥분; UC 법석; 동요; C 자극하는 것.

:ex·cit·ing [-iŋ] *a.* 자극적인, 흥분시키는, 가슴 죄게 하는(thrilling); 재미있는.

:ex·claim [ikskléim] *vi., vt.* ① (감탄적으로) 외치다; 큰 소리로 말하다 [against]. ② 비난하다(against).

:ex·cla·ma·tion [èkskləméiʃən] *n.* ① U 외침, 절규, 감탄. ② 『文』감탄사, 감탄 부호(~ *mark*)(!).

:ex·clude [iksklú:d] *vt.* 몰아내다; 배척하다(reject); 제외하다; 추방하다(expel).

:ex·clu·sion [iksklú:ʒən] *n.* U 물아냄, 제외, 배척(excluding). *to the* ~ *of* …을 제외하고는. ~·ism [-izəm] *n.* U 배타주의. ~·ist *n.*

:ex·clu·sive [-klú:siv] *a.* ① 배타[배제]적인. ② 독점적인; 독특한, 유일의. ③ 고급의, 일류의. ~ *of* …을 제외하고는. ***~·ly** *ad* 독점적으로, 오로지. ***~·ness** *n.* U 배타(주의), 독점. **-siv·ism** [-izəm] *n.* U 배타(주의).

ex·com·mu·ni·cate [èkskəmjú:nəkèit] *vt.* 『敎』 파문하다; 제명하다. **-ca·tion** [▵-▵-kéiʃən] *n.*

ex·co·ri·ate [ikskɔ́:rièit] *vt.* (…의) 가죽을 벗기다, 껍질을 까다; 혹평하다; 심한 욕을 퍼붓다. **-a·tion** [▵-▵-éiʃən] *n.* 「배설물.

ex·cre·ment [ékskrəmənt] *n.* U 배설물, 대변.

ex·cres·cence [ikskrésəns, eks-] *n.* C 자연 발생물《손톱·발톱·머리털 따위》; 이상 발생물《혹·사마귀 따위》; 무용지물. **-cent** [-sənt] *a.* 군, 가외의(superfluous); 혹 같은.

ex·cre·ta [ikskrí:tə] *n. pl.* 배설물《분비물 등》.

ex·crete [ikskrí:t] *vt.* 배설하다(discharge). **ex·cre·tion** U 배설, 배설물. **ex·cre·tive, ex·cre·to·ry** [ékskritɔ̀:ri/ekskrí:təri] *a.* 배설의.

ex·cru·ci·ate [ikskrú:ʃièit] *vt.* (…을) 고문하다(torture); 심한 고통을

주다, 몹시 괴롭히다(distress). **-at·ing** *a.* **-at·ing·ly** *ad.*

ex·cul·pate [ékskʌlpèit] *vt.* 무죄로 하다; (…의) 무죄를 증명하다. ~ *oneself* 자기의 무죄를 입증하다(from). **-pa·tion** [▵-▵-péiʃən] *n.*

ex·cur·sion [ikskɔ́:rʒən, -ʃən] *n.* C ① 소풍, 수학(유람) 여행, 단체 여행. ② 관광단. ③ 일탈. ④ 『機』 유격. *go on for an* ~ 소풍가다.

:ex·cuse [ikskjú:z] *vt.* ① 변명하다. ② 용서하다, 너그러이 봐주다. ③ (의무 따위를) 면제하다(exempt). *E-me!* 실례합니다, 미안합니다. ~ *oneself* 변명하다. ~ *oneself from* 사퇴하다. 그만두고 싶다고 말하다(beg to be ~d). — [-s] *n.* UC ① 변명, 사과. ② 발뺌, 구실, 핑계. 「따위) 실행(집행)하다.

:ex·e·cute [éksikjù:t] *vt.* ① 실행 [수행]하다; 실시하다(enforce). ② (미술품을) 제작하다; (곡을) 연주하다(perform); ③ (유언을) 집행하다; (증서·어음에) 서명 날인하다. ④ (사형을) 집행하다. ⑤ 『컴』실행하다. **-cut·a·ble** *a.* **-cut·er** *n.* EXECUTOR.

*ex·e·cu·tion [èksikjú:ʃən] *n.* ① U 실행, 수행, 이행(achievement). ② UC 사형 집행, 처형. ③ U (증서의) 작성, 서명 날인. ④ U (미술품의) 제작; 연주(하는 솜씨). ⑤ U 솜씨; 효과. ⑥ 『컴』실행. *carry (put) into* ~ 실행하다, 실시하다. *do* ~ 주효하다, 위력을 발휘하다.《탄알이》명중하다, *write off* ~ 집행 영장. **~·er** *n.* U 실행(집행)자; 사형 집행인. 「집행의.

:ex·ec·u·tive [igzékjətiv] *a.* ① 실행의; 실행력이 있는. ② 행정(상)의. — *n.* ① C 행정부《관》. ② C 간부, 간사; 지배인. ③ (the E-, *or* the Chief E-) 대통령, 주(州)지사.

ex·ec·u·tor [igzékjutər] *n.* C ① 집행인, 실행인. ② [igzékjətər] 『法』 지정 상속인.

ex·e·ge·sis [èksədʒí:sis] *n.* (*pl.* **-ses** [-si:z]) U(성서·경전의) 주석, 해석. **ex·e·get·ic** [-dʒétik], **-i·cal** [-əl] *a.* 주석(상)의.

ex·em·plar[igzémplər] *n.* ⓒ 모범, 본보기(model), 견본.

ex·em·pla·ry[igzémpləri] *a.* 모범 적인; 전형적인; 징계적인; 칭찬할 만 한, 훌륭한.

ex·em·pli·fy[igzémpləfài] *vt.* ① …의 예증[예시]하다; (…의) 실례[보기]가 되다[이다]. ② 〖法〗 인증 등본을 만들다. **-fi·ca·tion**[-̀-̀-kéiʃən] *n.* ⓤ 예증, 예시; 〖法〗 인증 등본.

ex·empt[igzémpt] *vt.* 면제하다 (*from*). ─ *a., n.* 면세된 (사람), 면세자. **ex·émp·tion** *n.*

ex·er·cise[éksərsàiz] *n.* ① ⓤ (신체의) 운동[연습]. ② ⓒ 연습, 실습. ③ ⓤ (정신·신체를) 작용시킴; 실천. ④ ⓒ 학과, 연습 문제. ⑤ (*pl.*) 의식, 예배; 교련. *graduation* ~*s* 졸업식. *take* ~ 운동하다. ─ *vt.* ① 훈련하다; 운동시키다. ② (정신·능력을) 활동시키다. ③ (권리를) 행사 하다; (직업을) 다하다(perform). ④ 괴롭히다, 번거롭게 하다. ─ *vi.* 연 습[운동, 체조]하다. *be* ~*d in* …에 숙달되어 있다. ~ *oneself* 운동을 하다, 몸을 움직이다. ~ *oneself in* …의 연습을 하다.

ex·ert[igzə́ːrt] *vt.* ① (힘·능력을) 발휘하다, 활동시키다(use active- ly). ② (영향을) 미치다, 끼치다(*on, upon*). ~ *oneself* 노력하다. **ex·ér·tion** *n.* ⓤⓒ 노력; 진력; ⓤ (위력의) 발휘.

ex·e·unt[éksiant, -ənt] *vi.* (L. = They go out.) 〖劇〗 퇴장하다(cf. exit). ~ *om·nes*[ámniːz/ɔ́-] 일동 퇴장.

ex·ha·la·tion[èkshəléiʃən, ègzəl-] *n.* ① ⓤ 발산; 호기(呼氣); 날숨(의) 기. ② ⓒ 발산물.

ex·hale[ekshéil, igzéil] *vt., vi.* ① (공기 따위를) 내뿜다(opp. in- hale). ② (냄새 따위를) 발산하다 (emit); 증발하다(evaporate); 소 산(消散)하다.

ex·haust[igzɔ́ːst] *vt.* ① (그릇 따 위를) 비우다. ② 다 써 버리다, 없애 다(use up). ③ 샅샅이 연구하다; 남김없이 하다. ④ (세력을) 다 소모하 다, 지쳐버리다(피폐케) 하다. *be* ~*ed* 다하다, 없어지다; 지쳐버리다.

─ *vi.* 유출[배출]하다(discharge).
─ *n.* 배출; 배기(排氣)(장치).

ex·haust·ed[igzɔ́ːstid] *a.* 다 써버 린; 써서 낡은; 고갈된; 지쳐버린.

ex·haust·ing[igzɔ́ːstiŋ] *a.* 소모적 인; 심신을 피로케 할(하는)(정도의).

ex·haus·tion[igzɔ́ːstʃən] *n.* ⓤ ① 소모; 고갈. ② 배출. ③ (극심한) 피 로. ④ (문제의) 철저한 연구 **-tive** [-tiv] *a.* 전부를 다 하는.

ex·hib·it[igzíbit] *vt.* ① 출품[진열·공개]하다. ② 보이다, 나타내다; 〖法〗(문서를) 제시하다. ④ 〖醫〗 투 약하다. ─ *n.* ① 전시, 출품(물); 〖法〗증거물[서류]. ② (*美*) 전시(공개)장. ~*er, -i·tor* ⓒ 출품자; 영화 흥행자.

ex·hi·bi·tion[èksəbíʃən] *n.* ① ⓤ 공개, 전시, 과시. ② ⓒ 출품물. ③ ⓒ 전람회, 박람회. ④ ⓤ (증거 서 류의) 제시, 표명. ⑤ (英) 장학금(scholarship). ⑥ ⓒ 시연(施演). ~ *match* 시범 경기[시합]. *make an* ~ *of oneself* 웃음거리가 되다, 창 피를 당하다. *put something on* ~ …을 물건을 전람시키다. ~*er*[-ər, -si-] *n.* ⓒ (英) 장학생. ~*ism* [-ìzəm] *n.* ⓤ 과시벽; 노출증. ~*ist n.*

ex·hil·a·rate[igzílərèit] *vt.* 기운을 북돋우다(enliven); 명랑하게 만들 다. **-rat·ed** *a.* 기분이 돋구는, 명랑한 (merry). **-rat·ing** *a.* 유쾌하게 만드 는; 유쾌한. **-ra·tion**[-̀-̀-réiʃən] *n.* ⓤ 유쾌(하게 만듦).

ex·hort[igzɔ́ːrt] *vt., vi.* (…에게) 열심히 권하다[타이르다](urge strongly); 권고[충고]하다(warn). **ex·hor·ta·tive**[-tativ] **ex·hor·ta·to·ry**[-tɔ̀ːri/-təri] *a.*

ex·hor·ta·tion[ègzɔːrtéiʃən, èksɔːr-] *n.* ⓤⓒ 권고(의 말), 훈계.

ex·hume[igzjúːm, eks-]*vt.* (시체 등을) 발굴하다(dig out). **ex·hu· ma·tion**[èkshjuːméiʃən] *n.*

ex·i·gent[éksədʒənt] *a.* 긴급한; (…을) 요하는(*of*); 절박한; 힘든. **-gence, -gen·cy**[-dʒənsi] *n.* ⓤ 긴급, 위급[사태]; 급박한 사정, 긴급 한 요구. ⓒ (*pl.*) 급박한 요구.

ex·ig·u·ous[igzígjuəs] *a.* 미소한, 작은; 부족한. **ex·i·gu·i·ty**[èksə-

E

gjuːˈəti] n.

ex·ile[égzail, éks-] n. ① ⓤ 망명; 유형; 국외 추방. ② ⓒ 망명[유랑] 자; 유형자; 추방인. ── vt. 추방하다, 유형에 처하다. ~ **oneself** 망명하다.

ex·ist[igzíst] vi. 존재하다, 실재[실 재]하다; 생존하다(live). ~·**ing** a. 현존하다.

ex·ist·ence[-əns] n. ① ⓤ 존재, 실재; 생존, 생활. ② ⓤⓒ 실재물. **bring** (**call**) **into** ~ 생기게 하다; 낳다; 성립시키다. **come into** ~ 생기다, 나다; 성립하다[되다]. **go out of** ~ 소멸하다, 없어지다. **in** ~ 존재[실재]하여, 실재의. **:-ent** a.

ex·is·ten·tial·ism[ègzisténʃəl-lzəm] n. ⓤ 실존주의. ~·**ist** n.

ex·it[égzit, éks-] n. ⓒ 출구, 퇴 거. ② 나감, 퇴거; 〔劇〕 퇴장. ── vi. 나감, 퇴거; 〔劇〕 퇴장 (He [She] goes out.) (cf. **exeunt**). ── vi. 〔컴〕 (시스템·프로그램에서) 나가다.

ex·o·dus[éksədəs] n. ① ⓒ (많은 사람의) 출국, 출국. ② (the E-) 이스라엘인의 이집트 출국; (E-) 〔聖 約〕 출애굽기(구약성서 중의 한 편).

ex offi·ci·o[èks əfíʃiòu] (L.) 직 권에 의한[의하여].

ex·on·er·ate[igzánərèit/-5-] vt. (비난 따위로부터) 구하다(free from blame); (혐의를) 벗다, 풀다. **-er·a·tion**[-∸∸éiʃən] n.

ex·or·bi·tant[igzɔ́ːrbətənt] a. (욕망·요구 따위가) 터무니없는, 엄청 난. **-tance**, **-tan·cy** n.

ex·or·cise, **-cize**[éksɔːrsàiz] vt. (악마를) 쫓아내다; 액막이하다(of). **-cism**[-sìzəm] n. 액막이(기 도, 굿).

ex·ot·ic[igzátik/-5-] a. ① 외국 의, 외래의(foreign); 이국풍[식]의. ② 〔口〕 색다른, 희한한(rare). **-i·cism**[-əsìzəm] n.

ex·pand[ikspǽnd] vt., vi. 넓히 다, 넓어지다, 펴다, 퍼지다(spread out), 넓히다[부풀리다](swell) 확장시키다(하다)(extend). ③ 발전 시키다[하다], 〔數〕 전개하다. ~·**ing bullet** 산탄(散彈).

ex·panse[ikspǽns] n. ⓒ 넓음, 넓 은 장소; 확장; 팽창. **ex·pán·si·ble** a.

ex·pan·sion[ikspǽnʃən] n. ⓤ 확 장, 확대; (사업의) 발전; ⓒ 팽창(넓 부). ~·**ism**[-lzəm] n. 팽창론. ~·**ist** n. **-sive** a. 팽창(발전) 력[발전력]있는; 광활한; 마음이 넓 은; 〔數〕 파대망상적인. **-sive·ly** ad. **-sive·ness** n.

ex·pa·ti·ate[ekspéiʃièit] vi. 상세 히 설명하다, 부여하다(on, upon).

ex·pa·tri·ate[ekspéitrièit/-pǽt-, -péi-] vt., n. (국외로) 추방하다 (exile); ⓒ 추방자, 이주자. ── [-trit, -trièit] a. 추방된(exiled). **ex·pat·ri·a·tion**[-∸∸éiʃən] n.

:ex·pect[ikspékt] vt. ① 기대(예 기)하다; 예상하다, 당연한 일로 여기 다; 바라다. ② 〔口〕 ─라고 생각하 다. **as might have been** ~**ed** 생각한 대로.

ex·pect·ance[-əns] , **:-an·cy** [-si] n. 〔法〕 추정(상속)권. ② ⓤ 예기, 기대. ③ ⓒ 기 대되는 것, 가망. **life expectancy** = EXPECTATION of life.

:ex·pect·ant[ikspéktənt] a. 예기 하는, 기다리고 있는(expecting); 임 신 중인(상속의). ~ **atti·tude** 방관적인 태도, **an** ~ **mother** 임신부. ── n. ⓒ 기대하는 사람; 임 관자. ~·**ly** ad.

:ex·pec·ta·tion[èkspektéiʃən] n. ① ⓤ 기대; 예기, 예상(anticipa-tion); 가망성(prospect). ② (pl.) 유산 상속의 가망성. **according to** ~ 예상대로, **beyond** (**all**) ~ 예상 이상으로. ~ **of life** 〔保險〕 평 균 여명.

ex·pec·to·rant[ikspéktərənt] n. 〔藥〕 가래 제거를 돕는; ⓒ 거담제.

ex·pe·di·ence[ikspíːdiəns] , **-en·cy**[-si] n. ⓤ 편의(득 [좋음]); 사리추구. ② ⓤ 방편, 편법.

ex·pe·di·ent[ikspíːdiənt] a. 형편 좋은, 편리한, 편의의, 상책의, 시의를 얻은. ② 편의주의의 (자기에 게) 유리한, 정략적인(politic); 실리 적인. ── n. ⓒ 수단, 방편, 편법; 임기 응변의 조치, 미봉책. ~·**ly** ad. 편의상 형편 좋게, 마침.

ex·pe·dite[ékspədàit] vt. 촉진(신

촉)하다, 재빨리 해치우다. **-dit·er**
n. ⓒ 원료(공급)계; 공보 (발표) 담
당자; (공사) 촉진자.

ex·pe·di·tion[èkspədíʃən] *n.*
ⓒ 원정(대); 탐험(대). ⓒ ⓤ 신속,
급속. **~·ar·y**[-èri-/-əri] *a.*

ex·pe·di·tious[èkspədíʃəs] *a.* 신
속한, 날쌘. **~·ly** *ad.* 척척, 신속히.

ex·pel[ikspél] *vt.* (**-ll-**) 쫓아내다,
추방하다; 제명하다; 방출(발사)하다.

ex·pend [ikspénd] *vt.* 소비하다;
(시간·노력을) 들이다(use) (**on**).
:—i·ture[-tʃər] *n.* ⓤ 소비, 소모,
지출(*annual expenditure* 세출 / *cur-
rent expenditure* 경상비 / *extraor-
dinary expenditure* 임시비).

ex·pend·a·ble [ikspéndəbəl] *a.*
소비해도 좋은; 〖軍〗 소모용의, 버릴
수 있는, 희생시켜도 좋은. — *n.*
(보통 *pl.*) 소모품; (작전상의) 희생
물.

:ex·pense[ikspéns] *n.* ① ⓤ 비용,
지출. ② (보통 *pl.*) 지출금. ③ ⓤⓒ
손실, 희생(sacrifice). **at the ~
of** …을 희생시키고; …에게 폐를 끼
치고. **go to the ~ of** 큰 돈을 들
이다. **put** (*a person*) **to ~** 돈을
쓰게 하다.

expénse accòunt 〖簿〗 비용계정;
교제비.

:ex·pen·sive [ikspénsiv] *a.* 비싼;
사치스런(costly). **~·ly** *ad.* 비싸게
들어, 비싸게. **~·ness** *n.*

:ex·pe·ri·ence [ikspíəriəns] *n.*
ⓤ 경험, 체험; 경력. ② ⓒ 경험담.
— *vt.* 경험하다, 경험으로 알다.
~·enced[-t] *a.* 경험있는, 노
련한(expert).

:ex·per·i·ment [ikspérəmənt] *n.*
ⓒ 실험, 시험(*of*). — [-mènt] *vi.*
실험하다(on, in, with). **~·men·ta·
tion**[-∼-mentéiʃən] *n.* ⓤ 실험
(법), 시험.

:ex·per·i·men·tal [ikspèrəméntl,
-ri-] *a.* 실험적의; 실험상의; 경험상
의. **~·ism**[-təlizəm] *n.* ⓤ 실험주
의; 경험주의. **~·ly** *ad.*

:ex·pert[ékspərt] *n.* ⓒ 숙련가, 노
련가, 전문가(veteran)(in, at); 기
사; 감정인. — [ikspə́ːrt] *a.* 숙달
된, 노련한(in, at, with). **~·ly** *ad.*

문적 의견(기술, 지식).

ex·pi·ate [ékspièit] *vt.* 속죄하다
(atone for). **-a·tion**[-∼-éiʃən] *n.*

ex·pi·ra·tion [èkspəréiʃən] *n.* ⓤ
종결, 만기; 날숨; 〖古〗 죽음.

ex·pire[ikspáiər] *vt.* ① 끝나다, 만
기가 되다. ② 숨을 내쉬다. 죽다.
— *vi.* 숨을 내쉬다; 죽다; 끝나 버
리다; 만기가 되다, 꺼져 버리다.

ex·pi·ry[ikspáiəri, ékspəri] *n.* ⓤ
소멸; 종료; 만기.

:ex·plain[ikspléin] *vt., vi.* 설명하
다, 해석하다(interpret); 변명하다
(account for). 밝혀내다. ~ **away**
발뺌하다, 잘 해명하다. ~ **oneself**
변명하다; 심중을 털어놓다. **:ex·pla·
na·tion**[èksplənéiʃən] *n.* **:ex·plan·
a·to·ry**[iksplǽnətɔ̀ːri/-təri] *a.*

ex·ple·tive [ékspliːtiv] *a.* 부가적
인, 가외의. — *n.* ⓒ 군더더기, 덧붙
이기; (거의 의미가 없는) 감탄사(*My
word* nice! 근사한데!); 욕설(*This
bloody dog!* 이 개새끼! 따위); 〖文〗
허사(虛辭)(*one fine morning* (어
느날 아침)의 *fine* 따위).

ex·pli·ca·ble [éksplikəbəl, iksplík-
k-] *a.* 설명(납득)할 수 있는.

ex·pli·cate [éksplikèit] *vt.* (원리
따위를) 차례로 풀이하다(unfold); 설
명하다(explain). **-ca·tion**[-∼-
kéiʃən] *n.* **-ca·tive** [éksplikèitiv,
iksplík-], **-ca·to·ry** [éksplikətɔ̀ː-
ri, iksplíkətəri] *a.*

:ex·plic·it[iksplísit] *a.* 명백히 말
한; 명백한(clear); 노골적인, 숨김없
는(outspoken)(opp. implicit).
~·ly *ad.* **~·ness** *n.*

:ex·plode [iksplóud] *vt.* ① 폭발시
키다. ② 타파(논파)하다. — *vi.* ①
폭발하다. ② (감정이) 격발하다.
with laughter 웃음을 터뜨리다.

ex·ploit [iksplóit] *vt.* ① 개척(개발)
하다, 개발하다. ② 이용하다. 미개
하다, 착취하다. — [éksplɔit] *n.*
위업(이용), 공훈, 공로. **:ex·ploi·ta·
tion**[èksplɔitéiʃən] *n.* ⓤ 개발; 이용;
착취.

:ex·plo·ra·tion [èksplɔréiʃən] *n.*
ⓤⓒ 탐험; 탐구.

:ex·plore [ikspló:r] *vt., vi.* 탐험[탐
구]하다.

:ex·plor·er [iksplɔ́:rər] *n.* ⓒ ① 탐험가; 답사자, 조사자. ② (E-) 익스플로러 《미국의 인공 위성》(cf. Sputnik).

:ex·plo·sion [iksplóuʒən] *n.* U.C ① 폭발; 파열; 급증.

:ex·plo·sive [iksplóusiv] *a.* ① 폭발성의. ② 격정적인. ③ 〖醫〗 파열음의. — *n.* ⓒ 폭약; 〖醫〗 파열음.

ex·po·nent [ikspóunənt] *n.* ① 대표적 인물, 대표자; 형(型); 설명자. 〖數〗 지수(指數); 〖音〗 지수.

ex·po·nen·tial [èkspounénʃəl] *a.* 〖數〗 지수(指數)의. **~·ly** *ad.* 〘통속적〙 기하급수적으로〔불다〕.

:ex·port [ikspɔ́:rt, ←] *vt.* 수출하다. — [ékspɔ:rt] *n.* U 수출; ⓒ (보통 *pl.*) 수출품(額); 〖컴〗 보내기. **~·er** *n.* **-por·ta·tion** [èkspɔ:rtéiʃən] *n.*

ex·pose [ikspóuz] *vt.* ① (일광·비·바람 따위에) 쐬다. ② 〖寫〗 노출하다. ③ 폭로(드러)내다. ④ 진열하다(display). ⑤ (아이를) 집 밖에 내버리다. *~*-**d**[-d] *a.*

ex·po·sé [èkspouzéi] *n.* (F.) ⓒ 들추어냄, 폭로.

:ex·po·si·tion [èkspəzíʃən] *n.* U.C ① 설명, 해설. ② ⓒ 전람회; 박람회. ③ 제시, 강연〔공개〕(公表). ④ ⓒ 〖樂〗 (소나타·푸가 등의) 제시부.

ex·pos·i·tive [ikspázətiv/-5-], **-to·ry** [-zìtɔ:ri/-zitəri] *a.* 해설적의.

ex·pos·tu·late [ikspástʃulèit/-pɔ́s-] *vi.* 간(諫)하다(with). **-la·tor** *n.* **-la·to·ry** [-lətɔ̀:ri/-təri] *a.* 충고의. **-la·tion** [-^-léiʃən] *n.* (諫).

:ex·po·sure [ikspóuʒər] *n.* ① U.C (일광·바람·비·위험에) 버려 둠(exposing). ② U (a ~) (집·방의) 향(a *southern* ~ 남향). ③ U 〖寫〗 노출. U 진열(display). ⑤ U 폭로, 적발(reveal). ⑥ U (어린애의) 유기.

:ex·pound [ikspáund] *vt.* 설명하다; 상술하다.

:ex·press [iksprés] *vt.* ① 표현하다, 나타내다. ② (기호 따위로) 표시하다. ③ (과즙 따위를) 짜내다(squeeze out). ④ 《美》 지급편으로 보내다. *~* **oneself** 생각하는 바를 말하다; 의중을 털어놓다(*on*). *~* **one's**

sympathy [regret] 동정〔유감〕의 뜻을 나타내다. — *a.* ① 명시된; 명백한, 정확한(exact). ② 특별한(special). ③ 급행의; 지급(편)의. 《美》 운송편의. *~* **mail** 속달 우편. *~* **train** 급행(열차)편. — *ad.* 특별히; 급행(열차편)으로; 속달로. — *n.* U 지급(속달)편; 특별편. ② ⓒ 급행열차(전차). ③ ⓒ 《美》 운송 회사. **by** *~* 속달〔급행 열차〕로. *~*·**i·ble** *a.* 표현할 수 있는. **~·ly** *ad.* 명백히; 특별히.

:ex·pres·sion [ikspréʃən] *n.* ① 〖컴〗 표현(법); 말투; 표정. ② 〖컴〗 (수)식. **beyond** *~* 표현할 수 없는. **~·al** *a.* 표현상의; 표정의. **~·ism** [-ìzəm] *n.* U 〖미술〗 표현주의. **~·less** *a.* 무표정한.

:ex·pres·sive [iksprésiv] *a.* 표현하는; 의미 심장한, 표정이 풍부한; 표현의(*about*). **~·ly** *ad.* **~·ness** *n.*

:ex·press·way [ikspréswèi] *n.* ⓒ 《美》 고속 도로.

ex·pro·pri·ate [ekspróuprièit] *vt.* (토지·재산 따위를) 몰수(수용)하다, 빼앗다 (*~ him from the land*). **-a·tion** [-^-éiʃən] *n.*

ex·pul·sion [ikspʌ́lʃən] *n.* U.C 추방, 제명(*from*). **-sive** *a.*

ex·punge [ikspʌ́ndʒ] *vt.* 지우다(erase), 말살하다(*from*).

ex·pur·gate [ékspərgèit] *vt.* (책의 불온한 대목을) 삭제(정정)하다. *~*-**d** *edition* 삭제판(版). **-ga·tion** [-^-géiʃən] *n.*

:ex·quis·ite [ékskwizit, ikskwí-] *a.* ① 절묘한, 우미한, 더할나위 없는. ② (즐거움이) 깊은. ③ 예민한(sensitive). ④ 정교한. ⑤ (취미·태도의) 아주 우아한. — *n.* ⓒ 멋쟁이 남자(dandy); 취미가 까다로운 사람. **~·ly** *ad.* **~·ness** *n.*

èx-sérviceman *n.* ⓒ 《英》 퇴역 군인(《美》 veteran).

ex·tant [ekstǽnt, ékstənt] *a.* (기록 따위가) 현존하는.

ex·tem·po·re [ikstémpəri] *a., ad.* 즉석의(에서)(offhand); 즉흥적(으로).

ex·tem·po·rize [ikstémpəràiz] *vt., vi.* 즉석에서 만들다〔연설하다,

노래하다. 연주하다.

ex·tend[iksténd] *vt.* ① 뻗다, 늘이다; 넓히다; 확장(연장)하다. ② (동정·호의를) 베풀다; (구조의 손길을) 펴다. ③ (빗줄을) 건너 치다. ④ (속기를) 보통 글자로 옮겨 쓰다; [法] 확장하다. ⑤ [컴] 확장하다. **ex·tén·si·ble** *a.* 뻗을 수 있는, 신장성(伸張性)의. **ex·ten·sile**[-səl/-sail] *a.* [動·解] 늘어지는; 연장되는[될 수 있는].

ex·tend·ed[iksténdid] *a.* ① 뻗친, 장기간에 걸친, 광범위한, 확장된; 증대한. ② [印] 평체의.

extended family 확대 가족(《핵가족과 근친으로 된).

ex·ten·sion[iksténʃən] *n.* ① ⓤ 신장(伸張), 연장; 확장, 증축. ② ⓒ (철도의) 연장선(線); (전화의) 내선(內線). ③ [컴] 확장자. ④ ⓒ (어구의) 부연. ④ ① [論] 외연(外延)(opp. intension). ~ **lecture** 대학 공개 강의. ~ **university** 대학 공개 강좌.

ex·ten·sive[iksténsiv] *a.* ① 넓은; 광범위에 걸친(opp. intensive). ② 대규모의. ③ [農] 조방(粗放)의(~ *agriculture* 조방 농법). ~ **reading** 다독(多讀). **~·ly** *ad.*

ex·tent[ikstént] *n.* ① ⓤ 넓이[space], 크기[size], 범위[range], 정도. ② ⓒ 넓은 장소.

ex·te·ri·or[ikstíəriər] *a.* 외부의[outer], 외면의[outward]. — *n.* ⓤⓒ 외부, 외면, 외관(opp. interior).

ex·ter·mi·nate[ikstə́ːrmənèit] *vt.* 근절하다. **-na·tion**[-néiʃən] *n.*

ex·ter·nal[ikstə́ːrnəl] *a.* ① 외부의[외면](cf. internal); 외계의. ② 외면적인, 피상적인. ③ 대외적인. — *n.* ① 외부; 외면; (보통 *pl.*) 외관. ~·**ism**[-izəm] *n.* 현상론(現象論). ~·**ist** *n.* **~·ly** *ad.*

ex·tinct[ikstíŋkt] *a.* ① 꺼진, 멸종된, 사멸한. ② 폐지된. **·tinc·tion** *n.*

ex·tin·guish[ikstíŋgwiʃ] *vt.* ① 끄다[put out]. (희망을) 잃게 하다; 꺾다. ② 절멸시키다. ③ (상대를) 침묵시키다[silence]; 무색하게 하다[eclipse]. ④ [法] (부채를) 상각하

다. **~·a·ble** *a.* 끌 수 있는; 절멸[멸종]시킬 수 있는. **~·er** *n.* ⓒ 소화기.

ex·tir·pate[ékstərpèit] *vt.* 근절[박멸]하다(eradicate). **-pa·tion**[-péiʃən] *n.*

ex·tol(l)[ikstóul] *vt.* (**-ll-**) 절찬(격찬)하다. **~·ment** *n.*

ex·tort[ikstɔ́ːrt] *vt.* (약속·돈을) 강요하다, 갈취하다(*from*); (뜻을) 억지로 끌어붙이다.

ex·tor·tion[ikstɔ́ːrʃən] *n.* ⓤ 빼앗음, 강요, 강탈; ⓒ 강탈[강탈] 행위; 강요; 강요[강탈]행위. **~·ary**[-èri-/-əri], ~·**ate**[-it] *a.* 강요적인, 착취적인. **~·er** *n.* ⓒ 강탈자; 강요자; 착취자.

ex·tra[ékstrə] *a.*, *ad.* 가외의[로]; 특별한[히], 임시의[로]. — *n.* ① ⓒ 여분[특별한] 물건; 경품(景品); 호외; [映] 엑스트라.

ex·tra-[ékstrə] *pref.* '…외의(outside)'의 뜻.

ex·tract[ikstrǽkt] *vt.* ① 끌어[뽑아, 빼어]내다(~ *a tooth* 이를 뽑다); 알아내다. ② 달여내다; 짜내다; (용해 사용 등을 하여 정)을 추출하다. ③ 발췌하다[select]. ④ (쾌락을) 얻다. — [ékstrækt] *n.* ⓤ ⓒ 추출물, 진액. ② ⓒ 인용구.

ex·trác·tion *n.* ⓤⓒ 뽑아냄, 추출; 발췌, 인용; 추출물, 정(수)(精髓)[essence], 진액; ⓤ 혈통, 태생(descent). **-tor** *n.*

extráctor fán 환풍기.

éxtra·cur·ríc·u·lar *a.* 과외의.

ex·tra·dite[ékstrədàit] *vt.* (당국·상대국에 도망 범인을) 인도하다(deliver); (…의) 인도를(引渡)를 받다. **-di·tion**[-díʃən] *n.*

éxtra·márital *a.* 혼외 성교의, 간통[불륜]의.

ex·tra·mur·al[èkstrəmjúərəl] *a.* 성(벽) 밖의, 교외(郊外)의; 대학 밖의, 교외(校外)의.

ex·tra·ne·ous[ikstréiniəs] *a.* 외래의, 외부로부터의, 외래의, 질이 다른; 관계없는. **~·ly** *ad.* **~·ness** *n.*

ex·traor·di·nar·y[ikstrɔ́ːrdəneri/-nəri] *a.* 보통이 아닌, 비범한(exceptional); 엄청난; 특별의. *ambassador ~ and plenipotenti-*

ary 특명 전권 대사. **:-nar·i·ly** *ad.*

ex·trap·o·late[ikstrǽpəlèit] *vt., vi.* 〔統計〕 외삽하다; (기지의 사실에서) 추정하다; 추정의 기초로 삼다. **-la·tion**[-²-léiʃən] *n.*

èxtra·ter·rés·tri·al *a.* 지구 밖의, 대기권외의.

*ex·trav·a·gant[ikstrǽvəgənt] *a.* ① 낭비하는. ② 터무니 없는, 엄청난. **~·ly** *ad.* ***-gance** *n.* U,C 낭비; 방종; 터무니없음.

ex·trav·a·gan·za[ikstrævəgǽnzə] *n.* C (문학·악극 등의) 광상곡 작품; 광태(狂態).

:ex·treme[ikstrí:m] *a.* 극도의; 극단의, 과격한. ② 맨끝의; 최후의. ─ *n.* C 극도, 극도; (*pl.*) 양극단, 극단적인 수단. **go to ~s** 극단으로 흐르다. **in the ~** 극도로. **:~·ly** *ad.* 극도로.

ex·trem·ist[ikstrí:mist] *n.* C 극단론자, 과격파.

*ex·trem·i·ty[ikstréməti] *n.* ① C 끝(end). 말단, 선단; U 극단, 극한. ② (*sing.*) 곤경. ③ (보통 *pl.*) 비상 수단. ④ (*pl.*) 수족(手足).

ex·tri·cate[ékstrəkèit] *vt.* 구해내다(set free)《*from*》. **-ca·ble** [-kəbəl] *a.* **-ca·tion**[-²-kéiʃən] *n.*

ex·trin·sic[ekstrínsik] *a.* 외부의, 외래적인; 비본질적인(opp. intrinsic). **-si·cal·ly** *ad.*

*ex·tro·vert[ékstrouvə̀ːrt] *n., a.* C 〔心〕 외향성의 (사람)(opp. introvert).

*ex·trude[ikstrú:d] *vt.* 내밀다, 밀어내다. ─ *vi.* 돌출하다. **ex·tru·sion**[-ʒən] *n.*

ex·u·ber·ant[igzú:bərənt] *a.* 무성한; 풍부한; 원기 왕성한; (문체 따위) 화려한(florid). **~·ly** *ad.* **-ance, -an·cy** *n.*

ex·ude[igzú:d, iksú:d] *vi., vt.* 배어나오게 (하)다, 발산하다(시키다). **ex·u·da·tion**[èksədéiʃən, èksju-, ègzə-] *n.*

*ex·ult[igzʌ́lt] *vi.* 무척 기뻐하다(rejoice greatly). **~·ant** *a.* ***ex·ul·ta·tion**[ègzʌltéiʃən, èks-] *n.*

†eye[ai] *n.* C ① 눈. ② 눈매; 시력 (eye-sight). ③ 주목. ④ 안식(眼

識); 보는 눈, 견해(view). ⑤ 눈 모양의 것《바늘·감자싹 따위》. ⑥ 《美俗》탐정: 레이더 수상기(受像機). **an ~ for an ~** (**and a tooth for a tooth**) 눈에는 눈 (《동등한 보복》). **be all ~s** 정신차려 주시하다. **catch a person's ~s** 눈에 띄다. **do a person the** 《俗》속이다. **have an ~ for** …의 잘잘못을 알다, …을 보는 눈이 있다. **have an ~ to, or have ... in one's ~** 꾀하고 있다. **in my ~** 내가 보는 바로는, 내 소견에는. **in the ~ of the wind, or in the wind's** 바람을 안고. **make ~s at** …에게 추파를 던지다. **open a person's ~s** 아무를 깨우치다(*to*). **see ~ to ~ with ...** 을 정면으로 마주 보다, …와 의견이 일치하다. **shut one's ~s to** …을 못 본 체하다. **up to the ~s** (일에) 몰두하여(*in*); (빚에) 빠져서(*in*). **with an ~ to** …을 목적으로 (노리고). **with half an ~** 언뜻 보아, 쉽게. ─ *vt.* 잘(자세히) 보다.

éye·ball *n.* C 눈알, 안구.

éye·brow *n.* C 눈썹.

éye·ful[áifùl] *n.* C 한껏 보고 싶은 것; 《俗》미인.

éye·glàss *n.* C 안경알; (*pl.*) 안경.

éye·làsh *n.* C 속눈썹.

éye·let [스lit] *n.* C 작은 구멍, 끈 꿰는 구멍, (구두·서류 따위의 끈 꿰는) 작은 쇠고리.

éye·lid[스lìd] *n.* C 눈꺼풀, 눈두덩.

éye liner 아이라이너《속눈썹을 그리는 화장물》.

éye-òpener *n.* C 깜짝 놀랄 말한 일(사건); 《美》아침 술.

éye·pìece *n.* C 접안(接眼) 렌즈.

éye shàdow 아이 섀도.

éye·sìght [스sàit] *n.* ① U 시각, 시력.

éye·sòre *n.* C 눈에 거슬리는 것.

éye·stràin *n.* U 눈의 피로.

éye·tòoth *n.* (*pl.* **-teeth**) C 견치 (犬齒), 송곳니.

éye·wàsh *n.* ① U,C 안약. ② C 속임, 사기.

éye·wìtness *n.* C 목격자.

ey·rie, ey·ry[ɛ́əri, íə-] *n.* = AERIE.

F

F, f [ef] *n.* (*pl.* **F's, f's** [-z]) ⓒ F자(모양의 것); ⓤ [樂] 바음, 바조(調). **F number** [寫] F수(數).

F Fahrenheit. **°F.** Fellow. **f** forte. **f.** female; feminine.

fa [faː] *n.* ⓤⓒ [樂] 파(장음계의 넷째 음).

fab [fæb] *a.* 《口》 아주 훌륭한(fabulous의 단축형).

:fa·ble [féibəl] *n., vt., vi.* ① ⓒ 우화 (寓話)(를 이야기하다); 꾸민 이야기 (를 하다), 거짓말(하다). ② ⓤⓒ 《집합적》 전설, 신화. **~d** [-d] *a.* 우화로 유명한; 전설적인; 가공(架空)의.

fab·ric [fæbrik] *n.* ① ⓒⓤ 직물, 천바탕. ② (*sing.*) 조직, 구조; 《집합적》 《교회 따위의》 건물 외부(《지붕·벽 따위》).

fab·ri·cate [fæbrikèit] *vt.* 제작하다; 조립하다; (거짓말, 옛 이야기 등을) 꾸미다; 날조하다; (문서를) 위조하다. **-ca·tor** *n.* **-ca·tion** [fæbrikéiʃ*ə*n] *n.*

fab·u·lous [fæbjələs] *a.* ① 우화 [전설]적인. ② 믿기 어려운. ③ 매우 훌륭한. **~·ly** *ad.* **~·ness** *n.*

fa·çade [fəsάːd] *n.* (F.) ⓒ 《건물의》 정면, 전면; 《사물의》 외관.

:face [feis] *n.* ① ⓒ 낯, 얼굴 (표정). ② ⓤ 면목, 체면(dignity). ③ ⓤ 《口》 낯가죽, 뻔뻔스러움. ④ ⓒ 외관; 걸처레; 표면, 정면; (기구 등의) 사용면, (활자의) 자면(字面). ⑤ ⓒ 깎은 얼굴. ⑥ ⓒ 액면. ~ **to** ~ (**with**) …와 마주 보고, **fly in the** ~ **of** …에 정면으로 반대[도전]하다. **have the** ~ **to** (do) 뻔뻔스럽게도 …하다. **in** ~ 얼굴이 두꺼운. **in the** ~ **of** …에도 불구하고; …의 면전에서. **look** (*a person*) **in the** ~ (아무의) 얼굴을 (거리낌없이) 빤히 보다, 바로 보다. **lose** ~ 면목(체면)을 잃다. **make** (**pull**) **~s** (*a* ~) 얼굴을 찡그리다.

이다. **on the** ~ **of it** 언뜻보아. **pull** (**wear**) **a long** ~ 음울한[지루통한] 얼굴을 하다. **put** (**set**) **one's** ~ **against** …에 반대하다. SAVE¹ **one's** ~. **to** *a person's* ~ 아무와 얼굴을 맞대고. ── *vt.* ① (…에) 면하다; 대항하다; 마주 대하다. ② 가장자리를 대다; (돌의) 면을 곱게 다듬다; (카드의) 겉쪽을 위로 하다. ── *vi.* 면하다; [軍] 방향 전환하다. **About** ~! 뒤로 돌아! ~ **away** 외면하다. ~ **up** 맞서다, 대항하다(*to*).

face càrd (美) (카드의) 그림 패.

fáce crèam 화장용 크림.

face·less [-lis] *a.* 얼굴[문자반 등]이 없는; 익명[무명]의; 개성이 없는.

fáce lìfting 주름살 없애는 성형 수술; 신식화(化); 개장(改裝).

face·pàck *n.* ⓤ 화장용 팩.

fac·et [fæsit] *n.* ⓒ (보석의) 작은 면, (사물의) 면. ── *vt.* (《英》 **-tt-**) (보석에) 작은 면을 내다[깎다].

fa·ce·tious [fəsíːʃəs] *a.* 익살맞은, 우스운(waggish); 농담의. **~·ly** *ad.* **~·ness** *n.*

fa·cial [féiʃ*ə*l] *a.* 얼굴의; 얼굴에 사용하는; ⓤⓒ 안면 마사지; 미안술.

fac·ile [fæsil/-sail] *a.* 용이한, 쉬운; 경쾌하게 움직이는; 고분고분한, 붙임성 있는.

fa·cil·i·tate [fəsílitèit] *vt.* 쉽게 하다; 촉진하다, 조장하다. **-ta·tor** *n.* **-ta·tion** [-tèiʃ*ə*n] *n.* 촉진, 조장; [生] 소통.

fa·cil·i·ty [fəsíləti] *n.* ⓤⓒ 용이함; 숙련; 민첩; 온순; (*pl.*) 편의, 설비; 《컴》 재능.

fac·ing [féisiŋ] *n.* ① ⓤ 《복식》 겉단장, 마무리 치장. ② ⓤ (의복의) 가선두르기. ③ (*pl.*) [軍] 방향 전환.

fac·sim·i·le [fæksíməli] *n., vt., vi.* ⓒ 복사(하다); ⓤⓒ 사진 전송(팩시밀리)(로 보내다)(fax). **in** ~ 복사로, 원본대로.

†**fact** [fækt] *n.* ⓒ 사실; Ⓤ 진상, *after* (*before*) *the* ~ 사후(사전)에. *as a matter of* ~ 사실은. *in* (*point of*) ~ 사실상. *from the* ~ *that* …라는 점에서.

***fact-finding** *n., a.* Ⓤ 진상(현지) 조사(의).

***fac·tion** [fǽkʃøn] *n.* ⓒ 당내의 파, 파당; Ⓤ 당파싸움; 내분. ~**al**, **fác·tious** *a.* 당파적인, 당파싸움이 강한.

fac·ti·tious [fæktíʃəs] *a.* 인위적인, 부자연한. ~**·ly** *ad.* ~**·ness** *n.*

***fac·tor** [fǽktər] *n.* ⓒ ① 요소, 요인, ② 【數】 인수 ③ 【生】 (유전) 인자. ④ 대리인; 중매인. ⑤ 【商】 산비. *prime* ~ 소인수(素因數). *principal* ~ 주인(主因). — *vt.* (…을) 인수로 분해하다. ~**·age** [-ridʒ] *n.* Ⓤ 대리업; 중개 수수료.

fac·to·ri·al [fæktɔ́ːriəl] *a., n.* 대리점의; 【數】 인수(계승[階乘])의; (수금) 대리업의. 【數】 계승.

***fac·to·ry** [fǽktəri] *n.* ⓒ 공장, 제작소. ② 대리점. 재외 지점. ③ = FACTORY SHIP.

fáctory fàrm 공장식 농장(공장처럼 기계 기술을 도입한 가축 사육장).

fáctory shìp 공작선, 공모선(工母船)(수산물을 가공 처리하는).

fac·to·tum [fæktóutəm] *n.* ⓒ 잡역부.

***fac·tu·al** [fǽktʃuəl] *a.* 사실상의, 실제의(autual). ~**·ly** *ad.*

***fac·ul·ty** [fǽkəlti] *n.* ⓒ ① (기관·정신의) 능력, 재능. ② (신체적·정신적) 기능, 재능. ③ 【集합적】 교수단(회); (대학) 학부.

***fad** [fæd] *n.* Ⓒ 일시적인 열(craze) 〔유행〕; 변덕, ~**·dish**, ~**·dy** *a.* 일시적으로 유행〔열중〕하는. ~**·dism** *n.* Ⓤ 일시적인 열중. ~**·dist** *n.*

***fade** [feid] *vi.* 시들다, 이울다; (빛이) 바래다; — *vt.* 색을 바래게 하다. ~ *in* (*out*) 〔映·TV〕 영영(渾明)〔용암(溶暗)〕하다. **fad·ed** [-id] *a.* 시든, 색이 바랜; 색이 바랜. **fad·er** [-ər] *n.* ⓒ 〔放送·錄音〕 음량 조절기. ~**·less** *a.* 시들지〔바래지〕 않는.

fáde-in〔-òut〕 *n.* Ⓤ 〔映·TV〕 영영(溶明)〔용암(溶暗)〕.

fae·ces [fíːsiːz] *n. pl.* = FECES.

†**fag** [fæg] *vi.* 《英口》 -**gg**- 열심히 일하다(*at*); (public school에서) 상급생의 잡심부름을 하다. — *vt.* (일이) 지치게 하다(*out*); 《英口》 (하급생을) 부리다. — *n.* Ⓒ 노역자; Ⓤ 노역; Ⓒ 《英口》 상급생의 시중드는 하급생.

fág énd (피륙의) 토끝; (밧줄 따위의) 풀어진 끝; (물건의) 말단; 남는 것.

fag·ot, 《美》fag·got [fǽgət] *n.* ① 화목다발; ② 묶음.

Fahr·en·heit [fǽrənhàit, fáːr-] *n., a.* Ⓤ 화씨(의); ⓒ 화씨 온도계(의)(생략 F).

†**fail** [feil] *vi.* ① 실패하다(*in, of*); 낙제하다. ② 부족하다, 동나다. ③ (건강·기력 따위가) 쇠약해지다, 대하다. ④ 그르치다. …하지 않다(*to do*); 파산하다. — *vt.* ① (…을) 실망시키다, 저버리다(~ *a friend in need* 곤궁한 친구를 저버리다). ② (…의) 소용에 닿지 않다(*My tongue* ~*ed me.* 말을 못 했다). ③ (약속 따위를) 태만히 하다(~ *to come* 오지 않다). ④ 낙제시키다. *not* ~ *to* (*do*) 반드시 …하다. — *n.* = FAILURE《다음 구에만 쓰임》. *without* ~ 반드시, 틀림없이. 꼭. * *<* **·ing** *n., prep* (…을) 실패; 결점; …이 없는 경우에는; …이 없어서.

fáil-sáfe *a.* 자동 안전(제어) 장치의 (~ *a system*).

fail·ure [féiljər] *n.* ① Ⓤ 실패; Ⓒ 실패자; Ⓤ 낙제; Ⓒ 낙제자; 낙제점. ② Ⓤ Ⓒ 태만, 불이행. ③ Ⓤ Ⓒ 부족; 쇠약; 파산.

†**faint** [feint] *a.* ① 희미한; 연약한, ② 마음이 약한. ③ 현기증 나는, 어질어질한. — *n.* *vi.* Ⓤ 기절(하다) (swoon)(*away*). ~**·ly** *ad.* ~**·ness** *n.*

fáint-héarted *a.* 마음이 약한.

†**fair** [fɛər] *a.* ① 아름다운; 흰; 금발의. ② 깨끗한; 맑은, 갠. ③ 순조로운. ④ 정중한; 《古》 장애 없는. ⑤ 청명한; 공평한. ⑥ 평평한; 꽤 좋은. ⑥ 처럼적인. ⑦ 여성의(*a* ~ *reader*). *be in a* ~ *way to* (*do*) …할 가망이 있다. *by* ~ *means or foul* 수단이 좋고 그름을 가리지 않고. (cf. by HOOK or by crook).

~ and softly 그렇게 (결론을) 서두르지 말고요. **~ words** 치레말, 입에 발린 말. **— ad.** ① 공정히; 정정당당히, 정당히. ② 순조롭게; 깨끗이. ③ 정중히. **BID ~ to.** **~ and square**히 공정히. **— n.** ⓒ (古) 여성; 애인. **~·ish** a. 상당한, 어지간한; **~·ly** ad. 바르게, 공평하게; 바로; 상당히; 똑똑히; 충분히, 완전히, 아주. **·~·ness** n. ⓤ 공평함.

†**fair²** n. ⓒ ① 정기시(場); 자선시(慈善市) ② 박람회, 공진회. ③ 설명회, 행사 후 나쁨. **a day after the ~** 사후 약방문.

fáir-gròund n. ⓒ (종종 pl.) 박람회 등이 열리는 장소.

fáir-háired a. 금발의.

fáir-mínded a. 공정한. **~ness** n.

†**fáir pláy** 정정당당한 (경기) 태도.

fáir séx the (집합적으로) 여성.

fáir·wày n. ⓒ 항로; [골프] tee에서 putting green 사이의 잔디밭.

fáir-wéather a. 순조로운[날씨가 좋은] 때만의. **~ friendship** 믿지 못할 우정.

fair·y [fέəri] n., a. ① ⓒ 요정(妖精, 같은). ② 아름다운. ② (口) 동성애의 남자, '호모'.

fáiry làmp (**light**) (옥외 장식용의) 작은 램프.

fáiry-lànd n. ⓒ 요정(妖精)[동화]의 나라.

fáiry tàle (**stòry**) 동화; 지어낸 이야기, 거짓말.

fait ac·com·pli [féit əkɔ́mpli:] (F.) 기정 사실.

†**faith** [feiθ] n. ① ⓤ 신뢰; 신념. ② ⓤ 신앙; 교리. ③ ⓤ 신의. **bad ~** 배신, 불신. **by my ~** 맹세코. **give** (**pledge, plight**) **one's ~** 맹세하다. **good ~** 성실, 정직. **in ~** 실로, 참으로. **on the ~ of** 을 믿고, …의 보증으로.

fáith cùre (**hèaling**) 신앙 요법.

faith·ful [-fəl] a. ① 성실한; 신뢰할 수 있는; 정확한. **~, the** (the ~) 신자들. **:~·ly** ad. **Yours ~·ly** 여불비례(餘不備禮). **~·ness** n.

faith·less a. 불성실한; 믿을 수 없는; 신의 없는. **~·ly** ad.

†**fake** [feik] vt., vi. 날조하다(up); …인 체하다. **— n., a.** ⓒ 위조품(의 물

건); 가짜(의); 사기꾼. **fák·er** n. ⓒ 협잡꾼, 사기꾼(fraud); 노점 상인.

fa·kir [fəkíər, féikər], **~keer** [fəkíər] n. ⓒ (이슬람교·브라만교의) 행자(行者).

fal·con [fǽlkən, fɔ́:l-, fɔ́:k-] n. ⓒ 송골매(매사냥에 쓰는) 매. **~·er** n. ⓒ 매부리, 매사냥꾼. **~·ry** n. ⓤ 매사냥.

†**fall** [fɔ:l] vi. (**fell; fallen**) ① 떨어지다, 강하하다; (온도값 따위가) 내리다. ② (머리털이) 늘어지다; (잎이) 빠지다. ③ (눈이) 아래로 향하다. ③ 넘어지다; 함락하다; 쓰러지다; ⑤ 기울다, ⑥ (조수(潮水)가) 빠다; (기분이) 침울해지다; 타락하다. ⑦ (…이) 되다; 우연히 오다. ⑦ (악센트가 …에) 오다, 있다(on); (제비에서) 붙다; ⑧ 분류되다. **~ across** 우연히 마주치다. **~ away** 버리다; 쇠하다. **~ back** 물러나다; 약해지다, 퇴각하다. **~ behind** 늦어지다. **~ down** 넘어지다; 엎드리다; 실패하다. **~ in** 내려(주저)앉다; 정렬하다. **~ into** (위치에) 서다; …에 빠지다; 시작하다. **~ in with** 우연히 마주치다; 일치하다; 조화되다. **~ off** (따로) 떨어지다; 줄다, 쇠하다. **~ on** (**upon**) 넘어지다; 마주치다; 공격하다; 몸에 닥치다. **~ out** 사이가 틀어지다; 일어나다, 생기다; [軍] 열을 벗어나다. 낙오되다. **~ over** (…을 따위가) 뒤집히다. 실패하다. **~ to** (먹기) 시작하다; 싸움을 시작하다. **~ under** (분류 따위에) 들다.

— n. ① 낙하; 강우[강설]량. ② (the ~) 도괴; 전락; 함락. ③ ⓒ 강하 (거리); 하락; 내리막. ④ (보통 pl.) 폭포. ⑤ ⓒ [레슬링] '폴'; 한 판 경기, 한판 승부. ⑥ ⓤ(ⓒ) (美) 가을. ⑦ the **F~** 인간의 타락(아담과 이브의 원죄). **['린 생각; 사기성.]**

fal·la·cy [fǽləsi] n. ⓒ 오류; 틀린

fall·en [fɔ́:lən] v. fall의 과거 분사. **— a.** ① 떨어진, 쓰러진. ② 쓰러진, 죽은(the ~ 전사자들). ③ 파멸한, 타락한. **~ angel** (천국에서 쫓겨난) 타락한 천사.

fáll gùy (美俗) 남의 죄를 뒤집어쓰는 사람; 어수룩한 사람.

fal·li·ble [fǽləbəl] a. 속아 넘어가

기 쉬운; 틀리기 쉬운; 오류가 있는.
-bil·i·ty[〰biləti] *n.*

fálling stár 별똥별, 유성.

Fal·ló·pi·an tùbe [fəlóupiən-]
수란관(輸卵管), 난관.

fáll·òut *n.* ① *U* 방사성 낙진, 원자재
(〰 *shelter* 방사성 낙진 대피소).

:**fal·low**[fǽlou] *a., n., vt.* *U* 묵히
고 있는 (밭 따위); 유휴(遊休)(지);
유휴하다, 놀리다. *lie* 〰 (밭 따위가)
묵히고 있다.

:**false**[fɔːls] *a.* ① 틀린; 거짓의; 가
짜의; 부정의. ② 가(假)의. ③ (잘못된)
가락이 맞지 않는. 〰 *charge* 무고.
〰 *colors* 위장. ─ *a., ─ ad.* 잘못
하여; 거짓으로; 불실(不實)하게.
play (*a person*) 〰 (古·廢)배신하
다, 속이다. **〰·hood**[‐hùd] *n.* *U*
잘못; 허위. **〰·ly** *ad.* **〰·ness** *n.*

fal·set·to[fɔːlsétou] *n.* (*pl.* 〰*s*)
a., ad. *U·C* 【樂】가성(假聲)(의, 으
로).

fals·ie[fɔːlsi] *n.* *C* (보통 *pl.*) (口)
여성용 가슴받이(유방을 풍만하게 보
이기 위한).

fal·si·fy[fɔːlsəfài] *vt.* 속이다; (서
류를) 위조하다; (…의) 거짓임을(틀림)
을 증명하다; (1대 따위를) 저버리
다. **-fi·ca·tion**[‐fəkéiʃən] *n.* *U·C*
허위; 위조; 곡해; 반증.

fal·si·ty[fɔːlsəti] *n.* *U·C* 허위; 거
짓말.

:**fal·ter**[fɔːltər] *vi.* ① 비틀거리다.
② 말을 더듬다, 중얼거리다.
③ 머뭇거리다. ─ *vt.* 우물우물[더듬더듬] 말하다.
─ *n.* *C* 비틀거림; 머뭇거림; 더듬음[는
말]. **〰·ing·ly** *ad.* 비틀거리며, 머뭇
거리며, 말을 더듬으며.

:**fame**[feim] *n.* *U* 명성, 평판. *earn*
〰 명성을 얻다. ─ *vt.* 유명하게 만
들다. 〰*d* *a.* 유명한(*for*).

:**fa·mil·iar**[fəmíljər] *a.* ① 잘 알려
져 있는, 친한. ② 잘 알고 있는, 친
한(*with*); 버릇이 없는; 스스럼없는;
탁 터 놓은. ③ 뻔뻔스러운. ④ (생각
이) 길들여진. **〰·ly** *ad.* **-i·ar·i·ty**
[fəmìljǽrəti, ‐liər-] *n.* ─ *C·U*

fa·mil·iar·ize[fəmíljəràiz] *vt.* 친
[익숙]해지게 하다(*with*); 통속화하
다. **-i·za·tion**[‐‐rizéiʃən] *n.*

:**fam·i·ly**[fǽməli] *n.* ① *C* 《집합

적》가족, 식구. ② *U* (한 집안의)
아이들. ③ *C* 일족(clan). ④ *C*
【生】과(科) 《*order*의 아래, *genus*의
위》. *in the* 〰 *way* 임신하여;
정치인.

fámily màn 가정을 가진 남자; 가
정적인 남자.

fámily náme 성(姓).

fámily plánning 가족 계획.

fámily trée 가계도(家系圖); 족보.

fam·ine[fǽmin] *n.* *U·C* 기근; 대부
족. *house* 〰 주택난. ② 부족.

fam·ish[fǽmiʃ] *vi., vt.* 굶주리다[게
하다].

:**fa·mous**[féiməs] *a.* 유명한(*for*); 근
사한(first-rate).

fan[fǽn] *n.* *C* ① 부채, 선풍기;
부채 모양의 것. ② 키. ─ *vt., vi.*
(*-nn-*) ① 부채질하다; 키질하다; (부
채 따위로) 쫓다. ② 부추기다. ③
【野】삼진[당하]게[시키다]. ④ 부채꼴
로 펼치[어지]다.

fan[fǽn] *n.* *C* (口) 팬, 열광자(*fanatic
devotee*)의 약어. ─ 야구광.

fa·nat·ic[fənǽtik] *a., n.* 열광적인;
광신적인. **-i·cal** *a.* = FANAT-
IC. **-i·cism**[‐təsìzəm] *n.*

fan·ci·er[fǽnsiər] *n.* *C* (꽃·개 등
의) 애호가; 재배자, 사육자(*a tulip*
〰 튤립 재배가).

fan·ci·ful[fǽnsifəl] *a.* 변덕스런;
기발한; 공상의. **〰·ly** *ad.* 공상적으
로, 기발하여. **〰·ness** *n.*

fan·cy[fǽnsi] *n.* ① *U* 공상(력);
상상(의 산물). ② *U* 취미, 도락. ③
(*the* 〰) 《집합적》(동식물 등의) 애
호[사육·재배]가들. *catch the* 〰
of …의 마음에 들다. *have a* 〰
for …을 좋아하다. …을 갖고 싶다.
take a 〰 *for* (*to*) …을 좋아하다.
to one's 〰 마음에 드는, 뜻에
맞는. ─ *a.* ① 공상의. ② 장식적인.
③ 극상품의. ④ 고가의. ⑤ (〰 *flying* 곡
예 비행함), ⑤ 변종의, ⑤ 터무니 없
는. *at a* 〰 *price* 터무니 없[비싼]
으로. ─ *vt.* 공상하다; (어쩐지) ─
라고 생각하다; 좋아하다.

fáncy dréss 가장복.

fáncy-frée *a.* 마음도 모르는.

fan·fare[fǽnfɛər] *n.* *C* 팡파르.
U 과시.

fang[fǽŋ] *n.* *C* ① 엄니; (뱀의) 독니
(毒牙); (끝이나 찬칼 따위의) 송곳니

fán lètter 〔`mèil`〕 팬레터.

fán-light *n.* ⓒ (문이나 창 위 따위의) 부채꼴 창(窓).

fan·ny 〔fǽni〕 *n.* ⓒ 《英口·婉曲》 궁 둥이; 여성의 성기.

fan·ta·sia 〔fæntéiʒiə, -teiziə〕 *n.* ⓒ 〔樂〕 환상곡; (명곡 멜로디를 이어 만든) 혼성곡(potpourri).

:fan·tas·tic 〔fæntǽstik〕, **-ti·cal** 〔-əl〕 *a.* ① 공상적인; 변덕스러운. ② 기묘한. ③ 상상상의. **~·ly** *ad.*

fan·ta·sy 〔fǽntəsi, -zi〕 *n.* ⓤⓒ 공상; 기상(奇想); 변덕; 백일몽. ② = FANTASIA.

:far 〔fɑːr〕 *a.* (**farther, far-thest, further, furthest**) 먼; 저쪽의, **a ~ cry** 원거리(*from*). (長) — *ad.* (시간·공간적으로) 멀리, 크게, **as** (so) **~ as** …까지, 하는 한, **~ and away** 훨씬, **be it from me to** 단언코 … 않다. **~ from** …커녕, **go ~** 크게 효력이 있다. **how ~** 어디까지, 어느 정도까지, **in so ~ as** …하는 한, **so ~** 이제까지, 지금까지는 잘 돼 가고 있다. **so ~ so good**. — *n.* ⓤ 먼 정도; 먼 곳. 훨씬, 단언코. *from ~ and near* 근간에서, 도처에서.

:far·a·way 〔fɑ́ːrəwèi〕 *a.* (시간·거리·연고 등이) 먼; (눈이) 꿈꾸는 듯한.

farce 〔fɑːrs〕 *n.* ⓤⓒ 소극(笑劇)〔희극〕, 익살극. — *vt.* (문장·담화에) 익살미(味)를 가하다. **far·ci·cal**〔-ikəl〕 *a.*

fare 〔fεər〕 *n.* ① ⓒ 운임; 승객. ② ⓤ 음식물. — *vi.* 지내다; 일어나다(happen); 먹다, 대접받다. (詩) 가다, 여행하다.

Fár East, the ⇨FAR(上).

fare·well 〔fὲərwél〕 *int., a., n.* ⓤⓒ 안녕! 작별의 (인사) (말).

fár-fétched *a.* 견강부회의, 억지로 갖다 대는. (진.

fár-flúng *a.* 광범위에 걸친, 널리 퍼

fár-góne *a.* 먼; (병 따위가) 훨씬 악화된; 피로에 지친.

:farm 〔fɑːrm〕 *n.* ① ⓒ 농장, 농가. ② 사육장(*an oyster* ～ 굴 양식장). ② 〔野〕 (대(大)리그 소속의) 선수 양성

:fám — *vt.* ① (토지를) 대차(貸借)하다; (밭을) 경작하다; (세금 징수 따위를) 도급맡다; (일정한 요금을 받고 어린이나 등을) 맡다. — *vi.* 경작하다; 농장을 경영하다. **~ out** 도급 맡기다; (어린이를) 맡기다; 〔野〕 양성팀에 맡기다. **†~·er** *n.* ⓒ (농지를 가진) 농부〔농가〕 (*cf.* peasant); 유료로 …을 맡는 사람; (세금 등의) 징수도급인. **~·ing** *n.* ⓤ 농업, 농사; 탁아소 경영; (세금의) 징수 도급.

fárm hand 농장 노동자.

fárm·house 〔-hàus〕 *n.* ⓒ 농가.

fárm·land *n.* 농지. (장. 「농장.

fárm·stèad *n.* ⓒ (건물을 포함한)

fárm·yàrd *n.* ⓒ 농가의 안뜰.

fár-óff *a.* 아득히먼.

far·ra·go 〔fəréigou, -áː-〕 *n.* (*pl.* ~**es**) ⓒ 뒤범벅.

fár-réaching *a.* 멀리까지 미치는, 광범위의.

fár-síghted *a.* 원시(遠視)의. **~·ness** *n.*

†far·ther 〔fɑ́ːrðər〕 (**far**의 비교급) *a., ad.* ① 더 먼(멀리). ② 그 위에 (의), 더욱이, 좀 더(이런 의미로는 보통 further). *I'll see you ~* (= FURTHER) *first.* **wish** (*a person, thing*) *~* 그 곳에 없으면 좋겠다고 생각하다. **~·most** 〔-mòust〕 *ad.* 가장 먼(farthest).

far·thest 〔fɑ́ːrðist〕 (**far**의 최상급) *a., ad.* 가장 먼(멀리). *at* (*the*) ~ 멀어도; 늦어도, 고작(at most).

far·thing 〔fɑ́ːrðiŋ〕 *n.* ⓒ 영국의 동전(1/4 penny).

fas·ci·a, fa·ci·a 〔fǽʃiə, féiʃiə〕 *n.* ① (머리 매는) 끈, 띠; 〔外科〕 붕대; ② 〔해〕 근막(筋膜).

:fas·ci·nate 〔fǽsənèit〕 *vt.* ① 매혹하다. ② (뱀처럼) 옴츠러지게 하여 눈독들이다. **~·nat·ing** *a.* 매혹적인. **~·na·tor** *n.*

fas·ci·na·tion 〔fæsənéiʃən〕 *n.* ① ⓤ매혹. 매료. ② ⓒ 매력 있는 것. ③ ⓤ (뱀 따위의) 노려봄.

Fas·cism 〔fǽʃizəm〕 *n.* ⓤ (Mussolini 치하 이탈리아의) 파시즘; (f-) 《一般》 국가 사회주의. **Fás·cist, f-** *n.*

fash·ion 〔fǽʃən〕 *n.* 유행 복장 견본집(*a ~ book* 유행 복장 견본집(*a ~ show*

F

[*parade*] 패션 쇼); (보통 the ~) 상류 사회의 풍습·사람들). ② ⑪ 방법. ③ ⓒ 형, 양식, ④ (the ~) 유행(물). *after* [*in*] *a* ~ 이럭저럭, *be in* (the) ~ 유행되고 있다. *come into* (the) ~ 유행되다. *go out of* ~ 유행을가다. *in this* ~ 이렇게, 이런 식으로. — *vt.* 형성하다. :~·a·ble· a. 한물가다. 상류 사회의. ~·mon·ger [-mʌŋɡər] *n.* ⓒ 유행 연구가; 유행을 쫓는 사람

fast² [fæst/fɑːst] *a.* ① 빠른, 재빠른. ② 단단한: 고정된, (색이)바래지 않는. (잡이) 깊은. ⑤ (시계가) 더가는. ⑥방탕한. ⑦방탕한. 빛나는. ⑤ 피할 수 없는. ⑥ (빛깔이) 고감도의. ⑪ 틀어 미생물이 약품 따위에) 저항력이 있는. *make* ~ 죄다, 있다. *pull a* ~ *one on* 《美俗》남을 속임수로 이기다. — *ad.* 굳게; (잠 따위가) 폭; 빨리; 착 착, 방탕하게. *live* ~ 방탕하다. *play* ~ *and loose* 태도가 (혼히려) 믿을 수 없다. ~·ish *a.* 빠른. ~·ness *n.* ⑪ 견고; 고착; 방탕; ⓒ 요새.

fast³ *vi., n.* 단식하다; ⓒ 단식(기간·일). *break one's* ~ 단식을 그만두다; 아침을 먹다. ~·ing *n.* ⑪ 단식.

fas·ten [fǽsn/-ɑ́ː-] *vt.* ① 단단히 고정시키다[죄다](*on*); 붙들어 매다(*to*), ② (눈을) 멈추다[*upon*), ③ (엘 따위에) 물을 잠그다. — *vi.* 고착하다, (문 등이) 잠기다; 꽉 물어 붙다(*on*). ④ *down* 〈못으로〉박다. ~ *up* 단단히 고착시키다; 불박아웅 ~·er *n.* ⓒ 죄는 사람[것]; 지퍼. ~·ing *n.* ⑪ 죔; ⓒ 죄는 것.

fast food 즉석 또는 가져가서 먹게 만든 요리(햄버거나 닭튀김 등).

fas·tid·i·ous [fæstídiəs, fəs-] *a.* 째 까다로운, 가리는.

†*fat* [fæt] *a.* (-*tt*-) ① 살찐, 지방이 많은. ② 비옥한; 유복한; 풍부한. ③ 둔감한. *a* ~ *chance* 《俗》많은 기회, 《反語》가망이 희박한. *a* ~ *lot* 《俗》많음, 듬뿍, 《反語》조금도, *cut it* (*too*) 드러내어 자랑하다. *cut up* ~많은 돈을 남기고 죽다. — ~ *year* 풍년. — *n.* ① ⑪ⓒ 지방. 기름기; 고기의 기름기가 많은 부분. ②

(the ~) 제일 좋은 부분. *chew the* ~ 《俗》불평하다, 꾸짖다; 《美俗》지껄이다. (말을) 늘어놓다. *eat* [*live*] *on the* ~ *of the land* 사치스런 생활을 하다. — *vi., vt.* 살찌우다 (게 하다). ~·tish *a.* 좀 살이 찐. ~·ty *n.* 기름기가 많은 부분.

fa·tal [féitl] *a.* ① 치명[파멸]적인. ② 운명의; 결정적인. ~·ism [-təlìzəm] *n.* ⑪ 숙명론. ~·ist [-təlist] *n.* ~·is·tic [fèitəlístik] *a.* ~·i·ty [feitǽləti, fə-] *n.* ⑪ⓒ 숙명; 재난; 죽음, 변사, *~·ly* [-təli] *ad.* 치명적으로.

fát cát 《美俗》다액의 정치 헌금을 하는 부자; 특권을 가지는 부호.

fate [feit] *n.* ① ⑪ⓒ 운명, 숙명; 운 (運); 인연, 인과. ② ⓒ 죽음; 파멸. ③ (the F-s) 《그.로神》운명의 세 여신(女神). *meet one's* ~ 비명에 죽다. *fat·ed*[-id] *a.* 운명의; 운이 다한. ~·ful *a.* 숙명적인; 치명[파멸]적인; 중대한.

fát·héad *n.* ⓒ 《口》얼간이, 바보.

†*fa·ther* [fɑ́ːðər] *n.* ① ⓒ 아버지; 창시자, 시조; (보통 *pl.*) 조상. ② 《가톨릭》신부. ③ (엘로마의) 원로원의원. ⑤ (보통 the F-) 하느님. *be a* ~ *to* ··에 대해서 아버지처럼 행동하다. *be gathered to one's* ~*s* 죽다. SPIRITUAL ~. the Holy F- 로마 교황. *The wish is to the thought.* 《속담》바라고 있으면 정말인 것처럼 여기게 된다. — *vt.* (···의) 아버지이다; 아버지처럼 행동하다; 창시하다; (···의) 아버지라고 말하다 (*The saying is* ~*ed on Pascal.* 그것은 파스칼의 말이라고 일컬어진다.) ~·hood [-hùd] *n.* ⑪ 아버지임. ~·less. *a.* ~·ly *a.* 아버지(다운); 자비깊은.

Fáther Chrístmas 《英》 = SANTA CLAUS.

fáther-in-làw *n.* (*pl.* -*s-in-law*) ⓒ 시아버지; 장인.

fáther·lànd *n.* ⓒ 조국.

Fáther's Dáy 《美》 아버지 날(6월 셋째 일요일).

fath·om [fǽðəm] *n.* ⓒ 《海》길(6 feet, 약 1.8 m). — *vt.* ~·a·ble 재다; 헤아리다, 추측하다. ~·a·ble

a. 갤 수 있는; 추측할 수 있는. **~·less** *a.* 헤아릴 수 없는.

fa·tigue [fətíːg] *n.* ① ⓤ 피로, 고달픔. ② ⓒ 노고. 수고; 사역(使役); (*pl.*) 작업 당번. ③ ⓤ (금속의) 약화. ─ *vt.* 지치게 하다; (금속 등을) 약화시키다.

fat·ten [fǽtn] *vt., vi.* 살찌우다. (땅을) 기름지게 하다; 살찌다.

fat·u·ous [fǽtʃuəs] *a.* 얼빠진, 분별없는; 철없는; 실제(實際)가 없는. **~·fire** 도깨비불. **fa·tu·i·ty** [fətjúː-əti̯-tʃú-] *n.* ⓤ 동.

fau·cet [fɔ́ːsit] *n.* ⓒ 수도꼭지, 고동.

fault [fɔːlt] *n.* ① 과실, 허물. ② ⓤ 결점, 흠. ③ ⓒ 책임; 죄. ④ [테니스] 폴트 〈서브 실패〉. ⑤ ⓒ [地] 단층(斷層). ⑥ ⓒ [렵] 장애. ─ *at* ～ 잘못돼서, 당황하여. **find ～ with** …의 흠을 잡다; …을 비난하다. **in ～** 잘못돼서, 나쁜. **to a ～** 과도히, 극단적으로. **~·less** *a.* 더할 나위없는. **~·y** *a.* 결점 있는, 불완전한.

fault·finding *n.* ⓤ 흠잡기, 꼬치꼬치 캐기; 책잡음.

faun [fɔːn] *n.* ⓒ [로마神] 목축·농업을 맡은 반인(半人) 반염소의 신.

fau·na [fɔ́ːnə] *n.* ⓤⓒ 어떤 시대·한 지역의) 동물상(相), 동물군; ⓒ 동물지(誌)(*cf.* flora).

faux pas [fóu pɑ́ː] (F.) (*pl.* **~** [-pɑ́ːz]) 실례되는 말[행위]; 포맹 치 못한 (여성의) 문란한 행위.

fa·vor, (英) -vour [féivər] *n.* ① 호의, 친절. ② ⓤ 애고(愛顧); 총 애; 편애. ③ ⓒ 선물. ④ ⓒ (여자가 몸을 허락하는) 동의(同意). **ask a ～ of a person** 아무에게 (무엇을) 부탁하다. **by your ～** 실례입니다만, **do a person a ～** 아무를 위해 힘쓰다. **find ～ with a person** 아무의 눈에 들다. **in ～ of** …에 찬성하여; …을 위해; 아무에게 지급될; **out of ～ with** …의 눈밖에 나서. **:fa·vo·ur·a·ble** [féivərəbəl] *a.* 호의를 보이는; 형편[계제] 좋은; 유리한; 유망한(promising). **-bly** *ad.*

:fa·vo·u·r·ite [féivərit] *n.* ⓒ 마음에 드는 것; 인기 있는 사람 (경기·경마 따위의) 우승 후보. ─ *a.* 마음에 드는, 좋아하는. **-it·ism** [-ìzəm] *n.* ⓤ 편애; 정실, 선거.

fawn¹ [fɔːn] *n., a.* ⓒ (한살 이하의)

새끼 사슴; ⓤ 엷은 황갈색(의).

fawn² *vi.* 아첨하다, 애교부리다(*on, upon*); (개가) 재롱떨다(*on, upon*).

fax [fæks] *n., vt.* ⓤⓒ 팩스 사진(팩시밀리)(으로)(로) 보내다)(facsimile의 생략형). ─ *a.* 팩시밀리의, 복사의.

faze [feiz] *vt.* 《美口》방해하다, (…의) 마음을 혼란케 하다.

FBI, F.B.I. 《美》Federal Bureau of Investigation.

fe·al·ty [fíːəlti] *n.* ⓤ (영주에 대한 신하의) 충성; 《一般》성실.

fear [fiər] *n.* ① ⓤ 두려움, 무서움, 걱정. ② (신에 대한) 경외(awe). **for ～ of** …을 두려워하여; …이 없도록. **in ～ of** …이 무서워서. **with·out ～ or favo(u)r** 공평하게, ─ *vt., vi.* 무서워하다; 걱정하다; 경외하다. **:～·less** *a.* **:fear·ful** [fíərfəl] *a.* 무서운; 두려워하여; 걱정하여(afraid)(*of*); 지독한. **~·ly** *ad.* **~·ness** *n.*

fear·some [fíərsəm] *a.* 무서운, 무시무시한; 겁많은.

:fea·si·ble [fíːzəbəl] *a.* 실행할 수 있는, 가능한; 있을 법한; 적당한. **-bil·i·ty** [~bíləti] *n.*

:feast [fiːst] *n.* ① 축제(일); 축연, 대접; 즐거움. **～ of reason** 명론탁설(名論卓說). ─ *vt.* 향응하다; …에게 잔치를 베풀다; 대접하다; 즐기(게 하)다.

feat [fiːt] *n.* ⓒ 위업(偉業); 공적; 묘기(妙技).

:feath·er [féðər] *n.* ⓒ 깃털(같이 가 벼운 것). **a ～ in one's cap** (hat) 자랑거리, 명예. **Birds of a ～ flock together.** 《속담》유유상종 (類類相從). **crop (a person's) ～s** (아무의) 콧대를 꺾어 주다. **Fine ～s make fine birds.** 《속담》옷이 날개. **in fine (good, high)** 의 기양양하여, 힘차게. **make the ～s fly** (상대를) 혼내주다; 큰 소동을 일으키다. **not care a ～** 조금 도 개의치 않다. **show the white ～** 겁내다, 꽁무니를 빼다. ─ *vt.* 깃 으로 장식하다. ─ *vi.* 깃털이 나다; 날개처럼 움직이다. **～ one's nest** 사복(私腹)을 채우다. **~·ed** [-d] *a.* 깃 이 있는; (으로) 장식한; 깃 모양을 한. **~·y** *a.* 깃이 난, 깃으로 덮인;

깃털 같은; 가벼운.

feath·er-wèight n. C 〖拳〗페더급 선수《체중 118-126 파운드》.

fea·ture[fíːtʃər] n. C ① 얼굴의 일부《이마·눈·코·입 따위》; (pl.) 용모. ② 특징. ③ 〖映〗장편(물); (라디오·신문의) 특집 기사, 특종; 〖컴〗특징. — vt. (…의) 특징을 이루다; 인기 거리로 내세우다. — d[-d] a. 인기 있는; (…의) 얼굴(모양)을 한. ~·less a. 특징[특색] 없는.

Feb. February.

feb·ri·fuge[fébrifjùːdʒ] n. C 해열 제.

fe·brile[fíːbrəl, féb-/fíːbrail] a. 열 병의(feverish); 발열의[로 생기는].

†**Feb·ru·ar·y**[fébrueri, fébrju-/ fébruəri] n. 2월.

†**fe·ces**[fíːsiːz] n. pl. 배설물; 찌꺼기.

feck·less[féklis] (< effectless) a. 쓸모없는; 약하디 약한.

fec·u·lence [fékjələns] n. U 불결; 오물; 찌꺼기.

fe·cund[fíːkənd, fé-] a. 다산(多産)의; 풍요한.

fe·cun·di·ty[fikándəti] n. U 다산; 풍요; 생산력.

†**fed**[fed] v. feed의 과거(분사).

fed·er·al[fédərəl] a. 동맹의; 연방 (정부)의; (F-) 〖美〗중앙 정부의; 〖美史〗(남북 전쟁 당시의) 북부 연방 의(the F- States)(opp. Confeder-ate). **the F- Government** 미국 연 방 정부(중앙 정부). ~·**ism**[-ìzəm] n. U 연방주의. ~·**ist** n. ~·**ize** [-àiz] vt. 연방화하다.

Féderal Búreau of Investi-gàtion, the 〖美〗연방 수사국《생략 FBI》.

fed·er·ate[fédərèit] vt., vi. 연합[가 맹]시키다[하다]. — [-rit] a. 연합한. ᐧ**a·tion**[-̀ʃən] n. U 연합; 가맹; 연방 정부; 연맹. **-a·tive**[fédərèi-tiv, -rə-] a. 연합의.

†**fee**[fiː] n. U C 보수; 요금; 수수료; U (봉건 시대에 군주로부터 받은) 영 지; 〖法〗상속지(권), 상속 재산. **hold in** ~ 토지를 무조건으로 영유하다. — vt. (feed, fee'd) 요금[입회금(등)]을 내다.

†**fee·ble**[fíːbəl] a. 약한. *fée·bly ad. ~·ness n.

fée·ble·mínded a. 의지가 약한; 저능한. ~·**ness** n. U 정신 박약.

†**feed**[fiːd] vt. (fed) ① (…에게) 음식물을 주다. ② 만족시키다. ④ 기르다. ⑤ 〖劇〗 (연기자에게) 대사의 실마리를 주다. — vi. (가축이) 먹이를 먹다. **be fed up** 《口》체하다, 물리다(with, on). **~ a cold** 감기 들렸을 때 많이 먹다 《치료법》. **~ up** (영양 불량으로 등에게) 먹이는 것을 많이 먹이다; 살찌게 하다. — n. C 사료; C (1회분의) 식사; C (료료의) 공급(량); U 공급 재료; C 〖劇〗 (연기자에게) 대사 실마리를 주는 사람. *ᐧ**er** n. ᐧ C 사육자(飼養者); 먹는 사람(짐승); U 수유 병(授乳瓶); 지류(支流); 원료 공급 장치; 부차적; 하청(下請)의. ᐧ**ing** n. U 급양(給養); 수유(授乳).

†**féed·bàck** n. U 〖電子·컴〗피드백, 되먹임; 종합 작용, 반향. — a. 되먹임의, 재생의.

féeding bòttle 젖병.

†**feel**[fiːl] vt. (felt) 만져 보다[알아보다]; 느끼다, 생각하다. — vi. 느끼다; (…이라는) 느낌이 들다(This cloth ~s rough. 이 천은 꺼칠꺼칠하다); 동정하다(for, with). **~ for** 더듬어 찾다; …에 동정하다. **~ like doing** …하고 싶은 마음이 들다. **~ one's way** 더듬어 나아가다. — n. (sing.) 느낌, 촉감, **to the** ~ 손으로 만져서, ᐧ**er** n. C 더듬 어 보는 사람; 감정 (상대방의 의향을) 떠봄; 〖動〗촉각(antenna).

†**feel·ing**[fíːliŋ] n. ① U 감각, 촉 감; 지각, 감성; (sing.) 느낌. ③ U C 감정; (보통 pl.) 기분; 心; U 흥분; 감수성. — a. 느끼는, 감각이 있는; 다감한. ~·**ly** ad. 감정을 넣어.

†**feet**[fiːt] n. foot의 복수.

feign[fein] vt. 겉으로 꾸미다; (구실 따위를) 만들어 내다. **~ illness** = **to be ill** 꾀병부리다. — vi. 짐짓 …인 체하다.

feint[feint] n., vt. C 거짓 꾸밈, 가 장(假裝)하다); (권투·배구 등에서) 치는 시늉[페인트] (하다); 〖軍〗양동 작전(을 하다).

feist·y [fáisti] *a.* 《美口》 원기 왕성한; 공격적인; 성마른. **féist·i·ly** *ad.* **féist·i·ness** *n.* 〔石(長石)〕.

feld·spar [féldspɑːr] *n.* ⓊⒸ 〔鑛〕 장석(長石).

fe·lic·i·tate [filísəteit] *vt.* 축하하다. **-ta·tion** [⸺téiʃən] *n.* ⓒ (보통 *pl.*) 축하; 축사.

fe·lic·i·tous [filísətəs] *a.* (행동·표현 등이) 적절한; 교묘한. 교묘한.

fe·lic·i·ty [filísəti] *n.* Ⓤ 경사; Ⓤ (더없는) 행복, 지복; (표현의) 교묘함; ⓒ 적절한 표현.

fe·line [fíːlain] *a., n.* ⓒ 고양잇과(科)의 (동물); 고양이류의〔같은〕.

fell[1] [fel] *v.* fall의 과거.

fell[2] *n., vt.* ⓒ 벌채(하다); (사람을) 쳐서 넘어뜨리다; (바느질에서) 공그르기(하다).

fell[3] *a.* 잔인한; 무서운; 치명적인.

fell[4] *n.* (Sc. 北為) ⓒ 고원 지대, 구릉지대; (저맥의) 이끼.

fel·la·ti·o [fəlátiòu, -léiʃiòu, fe-] *n.* Ⓤ 펠라티오(구강으로 음경 자극).

fel·low [félou] *n.* ⓒ ① 동무, 동료, 동료, 친구. ② 일원 (한 쌍의) 한 쪽. ③ 《口》 사람, 남자(man, boy). ④ 《蔑》 놈, 자식. ⑤ 《口》 정부(情夫), 애인. ⑤ (대학의) 평의원, 특별 연구원; (F-) (학회의) 특별 회원. — *a.* 동지의, 동무의.

féllow féeling 동정(同情); 공감.

fel·low·ship[-ʃip] *n.* Ⓤ ① 친구〔동지〕임; 우정, 친교, 교우. ② Ⓤ 공동(共同). ③ ⓒ 뜻이 같은 사람들의 단체; (동업) 조합. ④ ⓒ (대학의) 특별연구원의 지위(급여).

fel·o·ny [féləni] *n.* ⓊⒸ 〔法〕 중죄. **-ni·ous** [filóuniəs] *a.* 중죄의; 흉악한, 극악한.

felt[1] [felt] *v.* feel의 과거(분사).

felt[2] *n., a.* Ⓤ 펠트(의). ~ **hat** 펠트모자, 중절모.

fem. feminine.

fe·male [fíːmeil] *n., a.* (opp. male) ⓒ 여자의, 암의; 〔動·植〕 암(의).

fem·i·nine [fémənin, -mi-] *a.* 여성의, 여자다운; 〔文〕여성의. **-nin·i·ty**[⸺nínəti] *n.* 여자다움; 계집애 같음; 〔집합적〕 여성.

fem·i·nism [fémənizəm] *n.* Ⓤ 여권신장론; 남녀 동권주의. **-nist** *n.*

fe·mur [fíːmər] *n.* (*pl.* ~s, femo·ra [fémərə]) ⓒ 〔解〕 대퇴골.

fen [fen] *n.* 《英》 소택지, 늪지대.

fence [fens] *n.* ① Ⓤ 검술, 펜싱. ② ⓒ 울타리, 담. ③ ⓒ 장물 취득인(소). **come down on the right side of the** ~ 이길듯한(유세한) 쪽에 붙다. **mend (look after) one's** ~**s** 화해하다; 《美》 선거구 지반 굳히기를 하다. **on the other side of the** ~ 반대당에 가담하여. **sit (stand) on the** ~ 기회주의적인 태도를 취하다, 형세를 관망하다. — *vi.* 검을 쓰다; (…에) 울타리를 하다; 방어하다; 검술을 하다; 질문을 받아넘기다(with); (말이) 담을 뛰어넘다. ~ **about (up)** 울타리를 두르다. **fénc·er** *n.* ⓒ 검객; 검술가. **fénc·ing** *n.* Ⓤ 펜싱; 검술; 담(의 재료).

fend [fend] *vt., vi.* 막다; 저항하다. ~ **for oneself** 자활(自活)하다, 혼자 꾸려 나가다. ~ **off** 피하다, 받아넘기다.

fend·er [féndər] *n.* ⓒ (각종의) 완충물(緩衝物)(난로울·배의 방현재(防舷材)·전차의 완충기 따위).

fennel [fénəl] *n.* ⓒ 〔植〕 회향풀.

fe·ral [fíərəl] *a.* 야생의; 흉포한.

fer·ment [fɔ́ːrment] *n.* Ⓤ 효소; 발효; 흥분; 동란. — [fərmént] *vt., vi.* 발효시키다(하다); 대소동을 벌이(게 하)다. ***fer·men·ta·tion** [⸺téiʃən, -mən-] *n.* Ⓤ 발효 (작용); 흥분; 동란.

fern [fəːrn] *n.* ⓊⒸ 〔植〕 양치(羊齒) (류). **-er·y** *n.* ⓒ 양치 식물의 재배지(원).

*fe·ro·cious [fəróuʃəs] *a.* 사나운; 잔인(흉악)한.

*fe·roc·i·ty [fərásəti/-5-] *n.* Ⓤ 잔인(성); Ⓤ 광포한 행동.

fer·ret [férit] *n.* ⓒ 흰족제비(쥐잡기·토끼 사냥용). — *vt., vi.* 흰족제비로 사냥하다; 찾아내다(out).

Fér·ris whèel [féris-] 페러스식 회전 관람차.

fer·rous [férəs] *a.* 쇠의[을 포함한]; 〔化〕 제1철의(cf. ferric).

fer·rule [férəl, -ruːl] *n.* ⓒ (지팡이 따위의) 물미.

:fer·ry [féri] *n.* ⓒ 나루터; 나룻배;

ˈferˈry·bòat n. ⓒ 나룻배, 연락선.

ferˈry·man [-mən] n. ⓒ 나룻배 사공; 도선업자.

ˈferˈtile [fə́ːrtl/-tail] a. 비옥한; 다산하는, 풍부한; 〖生〗 번식력이 있는 (opp. sterile).

fer·til·i·ty [fəːrtíləti] n. ⓤ 비옥; 다산; 풍요.

ˈferˈti·lize [fə́ːrtəlàiz/-ti-] vt. 비옥[풍부]하게 하다; 〖生〗 수정시키다. **-li·za·tion** [≀-lizéiʃən/-lai-] n. ⓤ 비옥화(化); 수정(현상), 授精. **ˈferˈti·lizˈer** n. ⓤⓒ 비료.

ˈferˈvent [fə́ːrvənt] a. 뜨거운; 타는 듯한; 강렬한; 열렬한; 작열하는. **~·ly** ad. **-ven·cy** n. ⓤ 열렬.

ˈferˈvor, 《英》 -vour [fə́ːrvər] n. ⓤ 열렬, 열정; 백열.

fesˈter [féstər] vi., vt. 곪다, 곪게 하다; 짓무르(게 하)다; 괴로워하다, 괴롭히다. — n. ⓒ 화농 상태.

ˈfesˈti·val [féstəvəl] n. ⓒ 축제(일); 축제; 축전; 〖영어〗 행사. — a. 축제의; 즐거운.

ˈfesˈtive [féstiv] a. 경축의; 축제의; 즐거운; 명랑한. **ˈfesˈtívˈi·ty** [-] n. ⓤ 축제; ⓒ 《종종 pl.》 축제 소동, 법석; 축하 행사.

fesˈtoon [festúːn] n., vt. ⓒ 꽃줄(로 장식하다, 로 만들다).

fetch [fetʃ] vt. ① (가서) 가져(데려)오다, 불러오다, 오게 하다. ② (눈물·피 등을) 자아내다; (탄식·신음 소리를) 내다. ③ (얼마에) 팔리다. ④ 〖口〗 (타격을) 가하다. ⑤ 〖口〗 매혹하다, 호리다. ⑥ 〖海〗〖方〗 닿다. — vi. 물건을 가져오다; 〖海〗 항진(도달)하다. **~ and carry** (소문을) 퍼뜨리고 다니다; 심부름 다니다. **~ down** 쏘아 떨어뜨리다; (시세를) 내리다. **~ up** 토하다; 생각해 내다; 회복시키다; …에 가 닿다; 기르다; (딱) 멈추다. **~·ing** a. 《口》 매혹하는, 사람의 눈을 끄는.

fete, fête [feit] n. 《F.》 축제(일); 축연. — vt. 잔치를 베풀어 축하하다, 환대하다.

fetˈid [fétid] a. 악취를 풍기는.

fetˈish [féti, fíːtiʃ] n. ⓒ 물신(物神) (미개인이 숭배하는 나무 조각·돌 따위); 우상; 〖心〗 주물 숭배; 〖心〗 페티시즘(이성의 몸의 일부나 의복 등에서 성적 만족을 얻는 변태 심리).

fetˈlock [fétlàk/-lɔ̀k] n. ⓒ 거모(距毛)《발굽 뒤쪽 위의 털북숭이 털》; 구절(球節)《발굽 뒤의 털이 난 곳》.

fetˈter [fétər] n. 《보통 pl.》 차꼬(를 채우다); 《pl.》 속박(하다). **in ~s** 잡혀 있는 몸으로.

fetˈtle [fétl] n. ⓤ 《심신의》 상태. **in fine [good]** 원기 왕성하여.

feˈtus [fíːtəs] n. ⓒ 태아(胎兒).

feud[1] [fjuːd] n. ⓤⓒ 《집안·종족간의》 불화, 반목; 싸움. **be at ~ with** …와 반목하고 있다.

feud[2] [-] n. ⓒ 영지(fief). (cf. feudalism).

feuˈdal [fjúːdl] a. 영지(feud[2])의; 봉건 제도의. **~ system** 봉건 제도. **~ times [age, days]** 봉건 시대. **~·ism** [-izəm] n. ⓤ 봉건 제도.

feˈver [fíːvər] n. ⓤ 열; 열병; 열광. — vt. 발열시키다. **~·ish,~·ous** a. 열이 있는; 열병의; 열광적인. **~·ish·ly, ~·ous·ly** ad.

few [fjuː] n., a. 《a를 붙이지 않는 경우》 적은, 별로 없는(He has ~ [very ~] books. 그는 책이 별로 [거의] 없다); 《a를 붙이는 경우》 다소(의), 조금(은 있는)(a ~ days 이상 일. **a good ~** 《口》 상당한. **quite a ~** 《口》 상당히. **~ and far between** 아주 드문, **no ~er than** …만큼(이나)(as many as). **not a ~** 적지 않은. **the ~** 소수. 《모자》.

fez [fez] n. 《pl. ~(z)es》 ⓒ 터키 모자.

ff. the following (pages, verses, etc.); and what following; folio; fortissimo(It. = very loud).

fiˈanˈcé [fìːɑːnséi, fiɑ̀ːnséi] n. 《fem. -cée》 《F.》 ⓒ 약혼자.

fiˈasˈco [fiǽskou] n. 《pl. ~(e)s》 《It.》 ⓤⓒ 대실패.

Fiˈat [fíat, fíːæt] n. 피아트 회사(이탈리아 최대 자동차 생산업체); 그 회사제 자동차.

fiˈat [fíːət, -æt] n. ⓒ 명령, 인가, 허가.

fib [fib] n., vi. (-bb-) ⓒ (사소한)

거짓말(을 하다).

fi·ber, 《英》**-bre**[fáibər] *n.* ⓤ 섬유(질); 단섬유; 성격; ⓒ 《植》 수염뿌리.

Fiber·glàss *n.* ⓒ 《商標》 섬유 유리(절연재·직물용).

fíber óptics 《단수 취급》 섬유 광학(유리나 플라스틱 섬유유을 통하여 광을 굴절시켜 전달하는 기술).

fi·brous[fáibrəs] *a.* 섬유(질)의.

fick·le[fíkəl] *a.* (기후·운 등이) 변덕스러운.

fic·tion[fíkʃən] *n.* ⓤ 소설(novel). ② ⓒ 꾸며낸 일, 허구. ③ 《法》 의제(擬制). **~·al** *a.*

fic·ti·tious[fiktíʃəs] *a.* 가공의, 거짓의; 《法》 의제의. **~ capital** 가공자본. **~ person** 법인. **~ly** *ad.*

fid·dle[fídl] *n.* ⓒ 《口》 바이올린; 사기. **as FIT as a ~. hang up one's ~ when one comes home** 밖에서는 명랑하고 집에서는 침울하다. **have a face as long as a ~** 우울한 얼굴을 하고 있다. **play first 〔second〕 ~** 주역〔단역〕을 맡다. — *vi., vt.* 바이올린을 켜다; 능락하다(toy)(*with*); (시간을 헛되이 보내다, (*vi.*) 빈들빈들 보내다; 《俗》 속이다.

fid·dler *n.* ⓒ 바이올린 켜는 사람(특히 고용된).

fid·dling[fídliŋ] *a.* 하찮은; 헛된; 사소한; 《口》 다루기 곤란한, 귀찮은.

fi·del·i·ty[fidéləti, -li-, fai-] *n.* ⓤ 충실; 성실; 《전자》 충실도 (재현의) 정확; 《電子》 (원음에의) 충실도. **high ~** 고충실도(cf. hi-fi). **with ~** 충실히; 원물(原物) 그대로.

fidg·et[fídʒit] *vi., vv.* 안절부절못하다(게 하다); 마음졸이(게 하다). — *n.* ⓤ 안절부절못함; 안달하는 사람. **have the ~s** 안절부절못하다. **~y** *a.*

field[fiːld] *n.* ⓒ ① (보통 *pl.*) 들, 벌판; 밭. ② 광장; (넓은) 표면, 바닥. ③ (보통 *pl.*) 산지(産地). ④ 싸움터, 전장. ⑤ (보통 *pl.*)(크리켓 안의)경기장; 수장; 《野》 내야(外野); (the ~)《집합적》(야의) 경기; (활동의) 분야. ⑦ 《理》 장(場), 계(界). ⑧ 《기·화폐·그림》 바탕. ⑨ 《TV》 영상면. ⑩ 《컴》 기록란, 필드. **coal**

~ 탄전. **fair ~ and no favor** 공명정대한 (승부). **~ of fire** 《軍》 (효) 사계(射界). **~ hold the ~** 전지를 지키다, 한발도 물러서지 않다. **in the ~** 전쟁터에서, **play the ~** 인기말이 아닌 말에 걸다; 《口》 차례로 상대로 바꾸어 교제하다. **take the ~** 전투〔경기〕를 개시하다. **~·er** *n.* 《野》 = OUTFIELDER; 《크리켓》 = FIELDSMAN.

field dày 《연습》일, 채집일; 특별한 행사가 있는 날.

field évent 필드 경기.

field glàsses 쌍안경.

field hóckey 필드 하키.

field màrshal 육군 원수.

fields·man [ˈ-zmən] *n.* ⓒ 《크리켓》 야수(野手).

field spòrts 야외 운동《사냥·낚시 등》; 필드 경기.

field tèst 실지 시험. 〔시험하다.

field-tèst *vt.* (신제품 따위를) 실지

field trìp 야외 수업, 실지 견학 (연구) 여행.

field·wòrk *n.* ⓤ 《軍》 (임시의) 야전 진지; 야외 과업〔연구〕; ~er *n.* ① 야외 연구가; 실지 시찰원.

fiend[fiːnd] *n.* 악마; 악귀; 잔인한 사람; 《口》 ···중독자, ···광(狂), 괌; (the F-) = SATAN. **~·ish** *a.*

fierce[fiərs] *a.* ① 흉포한, 사나운. ② 맹렬[열렬]한. ③ 《口》싫은, 지독한. **~·ly** *ad.* 맹렬히, 지독히. **~·ness** *n.*

fi·er·y[fáiəri] *a.* ① 불의, 불 같은: 불빛의; 불타고 있는 (듯한); 작열하는. ② 열렬한; 격하기 쉬운 ③ 염증을 일으킨. 〔(일); 휴일.

fi·es·ta [fiéstə] *n.* (Sp.) 《축제

fife[faif] *n., vi., vt.* 《口 젓대를 불다.

fif·teen[fíftiːn] *n., a.* ⓤⓒ 15(의); (15인의) 럭비 팀; ⓒ 《테니스》 15점. **~·th** *n., a.* (the ~) 열다섯째(의); ⓒ 15분의 1(의).

fifth[fifθ] *n., a.* (the ~) 제5; ⓒ 5 분의 1(의). **~·ly** *ad.* 다섯 째로.

fifth cólumn (적을 이롭게 하는) 제5열. **~·ist** 제5열 대원.

fif·ty[fífti] *n., a.* ⓤⓒ 50(의). **~·ti·eth**[-iθ] *n., a.* ⓤ (보통 the ~)

50번째(의); ⓒ 50분의 1(의).

fifty-fifty *ad., a.* 《口》절반씩(의), 반반으로.

*fig [fig] *n.* ⓒ 무화과(나무·열매); 조금, 하찮은 것. **A ~ for** (you, *etc.*)! 시시하다!; (네)까짓 게 뭐야!

fig. figurative(ly); figure(s).

*fight [fait] *n.* ⓒ 전투; 다툼; ① 전투력; 투쟁. **give** (**make**) **a ~** 일전을 벌이다; 저항하다. — *vi.* (**fought**) 싸우다. — *vt.* ① 싸우다; (싸움을) 벌이다(**~ a battle**). ② 싸워 얻다. ③ (투견 등을) 싸우게 하다. 《軍》지휘하다, 움직이다. **~ one's way** 혈로를 트다. **~** (**it**) **out** 끝까지 싸우다. **~ shy of** (⋯을) 피하다.

*fight·er [fáitər] *n.* ⓒ 싸우는 사람, 투사; 전사; 전투기.

:fight·ing [fáitiŋ] *n.* ① 싸움, 전투. **fig lèaf** 무화과 잎; (조각 따위의) 국부를 가리는 무화과 잎 모양의 것; 음란한 것을 감추는 것.

fig·ment [fígmənt] *n.* ⓒ 꾸며낸 것 [이야기].

*fig·ur·a·tive [fígjərətiv] *a.* 비유적인; (문장이) 수식적인; 상징적인; 조형의. **~ arts** 조형미술. **~·ly** *ad.* **~·ness** *n.*

:fig·ure [fígjər/-gər] *n.* ⓒ ① 모양, 모습. ② 초상. ③ 외관; 풍채. ④ 인물. ⑤ 삽화. ⑥ 도면; 도안; 도해. ⑦ (아라비아) 숫자; 자릿 수 (**three ~s** 세 자릿수); 합계액[량]; 값; (*pl.*) 산수, 셈. ⑧ 《스케이트》피겨 《빙상에 지쳐서 그리는 동형》. ⑨ 《幾》도형. ⑩ 《修》말의 멋. ⑪ 《樂》선율 음형(音型). ⑫ 《댄스》1선회. 1회전. **cut** (**make**) **a** (**brilliant**) **~** 이채를 띠다. **cut a poor** (**sorry**) **~** 초라하게 보이다. **cut no ~** 《美》문제가 안 되다. **~ of fun** 우습게 생긴 사람. **~ of speech** 수사, 말의 표현; 《諺》거짓말로. **go the whole ~** 《美口》그르치다, 틀리다. **miss a ~** 《美口》그르치다, 틀리다. — *vt.* 본을 뜨다; 도식[표상·상상·계산]하다; 무늬를 넣다; 비유로 나타내다[표시]; 생각하다. **~ on** 《美》(⋯을) 기대하다, 계산하다. **~ up** 《美》(⋯을)

기대하다[계산에 넣다]. **~ out** 계산해내다[해결·양해]하다. **~ up** 합계를 내다. ***~d** [-d] *a.* 모양으로 나타낸; 무늬 있는;

figure·hèad *n.* ⓒ 《海》이물장식; 표면상의 명목, 명목상의 우두머리; 《諺》(사람의) 얼굴.

fig·ur·ine [fìgjurí:n] *n.* ⓒ 작은 조상(彫像), 주상(鑄像) (statuette).

fil·a·ment [fíləmənt] *n.* ⓒ 섬유; 《植》(수술의) 꽃실; 《電》필라멘트.

filch [filʧ] *vt., vi.* 좀도둑질하다. **~·er** *n.*

*file¹ [fail] *n.* ⓒ ① 서류철, (서류·신문 따위의) 철하기, 파일; 정된 카드. ② 《軍》대오, 종렬(cf. rank¹). ③ 목록, 목부. ④ 《컴》파일(정보기록철). **on ~** 철해져서; 정리 보관되어. — *vt.* 철하다; (서류·신청서 따위를) 제출하다, 종렬 행진시키다.

file² [fail] *n., vt.* 줄(질하다); 퇴고하다. **~·er** *n.*

fil·i·al [fíliəl, -ljəl] *a.* 자식(으로서)의. **~ dúty** [píety] 효도[효심]

fil·i·bus·ter [fíləbʌstər] *n.* ⓒ 《美》국방을 침범하는 약탈병; 해적; 《U/C》《美》의사(議事) 방해(자). — *vi.,* *vt.* 약탈[침공]하다; 해적 행위를 하다; 의사를 방해하다. **~·er** *n.*

fil·i·gree [fíləgri:] *n.* ① 《금은의》가는 철사 세공; 섬세한 구조물.

fil·ing [fáiliŋ] *n.* 《U/C》줄로 다듬기, 줄질; (보통 *pl.*) 줄밥.

*fill [fil] *vt.* 채우다; (지위를) 차지하다; 보충하다. — *vi.* 가득 차다. **~ in** 채우다; 적어넣다. **~ out** 부풀(게 하다); 둥글게 하다[되다]; (문서의·어음을) 채우다. **~ up** 가득 채우다; (여백을) 메우다; 만원이 되다. — *n.* ⓒ 충분, 가득함. 충전물[재(材)]; 채우는 사람[것]; 충전물[재(材)].

fill·er [fílər] *n.* ⓒ 채우는 사람[것]; 《컴》채움 문자.

fil·let [fílit] *n.* ① (머리털을 매는) 리본; 가는 띠. ② [fílei] 등심살 (생선의) 저민 고기. — *vt.* 리본으로 매다[장식하다]; [fílei] 등심살을[필레를] 저미다. 가늘게 잘라내다; (생선을) 저미다.

fill·ing [fíliŋ] *n.* ① 충전, 채움; ⓒ 《컴》채움, 채우기.

filling station (자동차의) 주유소.

fil·lip [fíləp] *vt., n.* ⓒ 손가락으로

F

filly [fíli] *n.* ⓒ 암망아지; 《口》 말괄
량이.

film [film] *n.* ① ⓒ 얇은 껍질[막].
② ⓤⓒ 필름. ③ ⓒ 영화. ④ ⓒ
(거미줄 같은) 가는 실; 엷은 안개;
(눈의) 흐림. ── *vt., vi.* 얇은 껍질로
덮(이)다; 촬영하다; 영화화하다[에
알맞다]. **~·y** *a.* 얇은 껍질의[같은];
아주 얇은; 얇은 막으로 덮인.

fil·ter [fíltər] *n.* ⓒ 여과기; 여과재
(材)(모래·종이·필터 따위); 【寫】필
터; 【電】거르개. ── *vt., vi.* 거르다;
여과하다(strain); (*vi.*) 스미다, 배
다(into); (소문 따위가) 새다(out,
through).

filter tip 필터 (담배).

filth [filθ] *n.* ⓤ 오물; ② 외설;
추잡(한 말). **~·y·a** 더러운, 추잡
한. **~·i·ly** *ad.*

fil·trate [fíltreit] *vt., vi., n.* 여과하
다; [-trit] ⓒ 여과액. **fil·trá·tion** *n.*
ⓤ 여과(작용).

fin [fin] *n.* ⓒ 지느러미 (모양의 물
건); 《俗》 팔, 손; 《空》 수직 안정
판; 【海】 수평타(舵); (보통 *pl.*) 물갈
퀴수추의 발갈퀴.

fi·nal [fáinəl] *a.* 최종의; 결정적인;
목적의[에 의한]. ── *n.* ⓒ 최후의
것; (*pl.*) 결승(전), (대학 따위의) 최
종 시험. **-ist** *n.* ⓒ 결승전 출장 선
수. **~·ly** *ad.* 최후로, 마침내.

fi·na·le [finɑ́:li, -næli] *n.* (It.) ⓒ
《樂》피날레; 종막, 피날레; 종국.

fi·nal·i·ty [fainǽləti, fi-] *n.* ⓤ 종
국; 최종성[결정적인 것]; ⓒ 최후의
것(언행), *an air of* ~ 결정적 태
도, *with* ~ 딱 잘라서.

fi·nal·ize [fáinəlàiz] *vt.* 결말을 짓
다; 끝마치다.

fi·nance [finǽns, fáinæns/fai-
nǽns, fai-] *n.* ⓤ 재정; (*pl.*) 재원.
Minister [*ministry*] *of F-* 재무
장관[재무성]. ── *vt.,* 자금을 공
급하다, 융자하다; 재정을 처리[관리]
하다.

fi·nan·cial [finǽnʃəl, fai-] *a.* 재정
(상)의; 재계의; 금융상의, **~·ly**
ad. 재정적으로, 재정상의 견지에서.

fi·nan·cier [finənsíər, fài-] *n.*
재정가; 금융업자; 자본가.

finch [fintʃ] *n.* ⓒ 《鳥》 피리새류.

find [faind] *vt.* (*found*) ① 찾아내
다, 발견하다; 우연히 만나다. ② 알
다; 깨닫다; 알아차리다. ③ 확인하
다; 쓰이게 하다; 이르다, 닿다.
⑤ 판결[판정]을 내리다. ⑥ 공급하
다. ── *vi.* 판결[판정]을 내리다. ~
fault with …을 비난하다, 흠트집[을]
잡다. ~ *oneself* 자기 천분[능력]
을 깨닫다[알다]; 의식(衣食)을 자변
(自辨)하다; 기분이 …하다(*How do
you* ~ *yourself today?* 오늘은 기
분이 어떠십니까?). ~ *out* 발견하다;
문제를 풀다; 간파하다. ── *n.* ⓒ 발
견(물), **~·a·ble·**[-əbəl] *a.* 발견
할 수 있는, 찾아낼 수 있는. **~·ing**
n. ⓤⓒ 발견(물); (재판소·심판관 등
의) 판정, (배심의) 평결; (*pl.*) 《美》
(직업에 따르는) 연장·재료 따위;
【鑛】광찾기.

find·er [-ər] *n.* ⓒ 발견자; (카메라
의) 파인더; 【天】 (대망원경 부속의)
조정 망원경. *Finders, keepers.*
남이 잃어버린 사람의 차지. 빠른
놈이 장땡.

fine [fain] *a.* ① 아름다운. ② 훌륭
한. ③ 맑게 갠. ④ 품위 있는. 고상
한. ⑤ 가는, 섬세한; (날이) 예리한.
⑥ 고운, 미세한. ⑦ (금·은이) 순도
가 높은(*gold 24 carats* ~, 24금,
순금). ⑧ (얼굴이) 아리따운; 화려한.
~ *gold* 순금. ~ *paper* 【bill】 일
류 어음. ~ *rain* 보슬비, ② 이슬비.
*not to put too ~ a point upon
it* 까놓고 말하면, *one ~ day*
[*morning*] 어느 날[아침] (문어는
허사). *one of these ~ days* 조
만간. *rain or* ~ 비가 오건 개건.
④ 훌륭히, 멋지게, *cut* [*run*]
it (*too*) ~ 바싹 줄이다. *say ~
things* 발림말을 하다. *talk* ~ 멋진
말을 하다. **~·ly** *ad.*

fine[2] *vt., n.* ⓒ 벌금(을 과하다). *in*
~ 요컨대.

fine árts 미술.

fi·nesse [finés] *n.* ⓤ 수완; 술책,
책략 ; 교묘한 처리.

fine-tóothed cómb 가늘고 촘촘
한 빗, *go over with a* ~ 세밀하
게 음미[조사]하다.

fine·túne vt. 미(微)조정하다.

fín·ger [fíŋɡər] n. ⓒ 손가락(cf. toe); (장갑의) 손가락; 손가락 모양의 물건. **burn one's ~s** (섣불리 참견하여) 혼(설분)나다. **have a ~ in the pie** (사건에) 관여하다; 쓸데없이 간섭하다. **have … at one's ~(s') ends** …에 정통하다; His ~s are all thumbs. 그는 손재주가 없다. **lay [put] a ~ upon** 손을 대다. **put one's ~ on** 딱히 적하다. **twist [turn] a person round one's (little)** — 아무를 마음대로 주무르다. — vt., vi. 손가락을 대다; 【樂】탄주, 【지주(指奏)】하다; 켜다. **~·ing** ⓒ 손가락으로 미(집); 【樂】운지법(運指法)(기호).

fínger·màrk n. ⓒ (더럽혀진) 손가락 자국; 지문.

fínger·nàil n. ⓒ 손톱.

fínger·prìnt n. ⓒ 지문.

fínger·tìp n. ⓒ 손끝.

fin·ish [fíniʃ] vt. ① 끝내다, 완성하다, 마무리짓다. ② 마무리칠을 하다. ③ 해치우다; 죽이다. (음식물을) 먹어치우다. — vi. 끝나다. **~ off** 마무리하다; 죽이다. **~ up** 마무리하다; 먹어치우다(eat up). **~ with** 끝막음하다; 절교하다. — n. ⓒ 끝; ⓤ 끝손질(재료). **be in at the ~** 끝판에 참가하다. **put a fine on** 끝손질하다, 다듬다(on). — n. ⓒ ⓤ 끝; 종국; 마무리. **~·er** n. ⓒ 끝손질하는 직공, 끝마무리 기계; 결정적인 일격.

fínishing schòol (여성의) 교양완성 학교(일종의 신부 학교).

fínish line 결승선.

fi·nite [fáinait] a. 유한의(opp. infinite); 【文】정형(定形)의.

fiord [fjɔːrd] n. ⓒ (노르웨이 등의) 협만(峽灣), 피오르드.

fir [fəːr] n. ⓒ 전나무; ⓤ 그 재목.

fire [fáiər] n. ① ⓤ 불; 화력. ② ⓒ 화롯불, 모닥불. ③ ⓤⓒ 화재. ④ (보석의) 광택. ⑤ 【詩】정열(a kiss of ~). ⑥ ⓤ 열병, 염증. ⑦ ⓒ 시련. ⑧ 발사, 점화; 포화. **between two ~s** 앞뒤로 포화를 받아, **catch [take] ~** 불이 붙다. **go through ~ and water** 물불을 가리지 않다. 온갖 위험을 무릅쓰다. **HANG ~. lay**

a ~ (불을 피우기 위해서) 장작을 쌓다. **miss ~** 불발로 끝나다; 실패하다. **on ~** 불타서; 열중하여. **open ~** 포문을 열다. **set ~ to … or set … on ~** 불을 지르다; …을 흥분시키다, 북돋우다. **set the Thames on ~** 세상을 놀라게 하다. **under ~** 포화를 (비난·공격을) 받아. — vt. ① 불붙이다, 불태우다. ② 불지르다, 자극하다, 흥분시키다. ③ (벽돌을) 굽다, ④ 발포하다; 폭파하다. ⑤ (口) (돌·돌을) 던지다, ⑥ (美俗)해고시키다. — vi. 불이 붙다; 빛나다; 발포하다. ⑥ 흥분하다. **~ away** (口) 시작하다; (명령형으로) 척척 해라; (탄알을) 다 쏘아버리다. **~ off** 발포하다; 쏘다, 떼우다. **~ out** (美俗)해고하다. **~ up** 불을 지피다; 불끈하다.

fire alàrm 화재 경보(기).

fire·àrm n. ⓒ (보통 pl.) 화기, (특히 소총·단총 등의) 소화기.

fíre·bàll n. ⓒ 수류탄; 대유성(大流星); 【美口】정력가.

fíre·bòmb n. ⓒ 소이탄.

fíre·brànd n. ⓒ 횃불; 선동자; 열렬한 정력가.

fíre·brigàde 소방대(隊); (英) 소방서; 【美軍俗】긴급 출동 부대.

fíre·cràcker n. ⓒ 폭죽, 딱총.

fíre·depàrtment 소방서.

fíre·drìll 소방 연습.

fíre·èngine 소방 펌프; 소방차.

fíre·escàpe 비상구[계단], 피난 사다리(따위).

fire extínguisher 소화기.

fíre fìghter 의용 소방사(cf. fire·man).

fíre·flý n. ⓒ 개똥벌레. [man].

fíre·gùard n. ⓒ 난로 울; (英) 화재 감시인.

fíre·lìght n. ⓤ (난로의) 불빛.

fíre·man [fáiərmən] n. ⓒ (직업적) 소방관; 화부, 보일러공; 【野俗】구원투수.

fíre·plàce n. ⓒ 벽(난로).

fíre·pòwer n. ⓤ 【軍】화력.

fíre·pròof a. 내화(耐火)성의.

fíre·síde n. ⓒ 난롯가(의 모임). ① 가정(家庭). — a. ~ **chat** 노변담화(F. D. Roosevelt의, 친근감을 주는 정견 발표 형식).

fire stàtion 소방서.

ˈfire-wòod n. Ⓤ 장작.

ˈfire-wòrks n. pl. 불꽃; 분노의 폭발; 기지 등의 번득임.

fir·ing [fáiəriŋ] n. Ⓤ 발포; 점화; 불때기; 장작. 땔감.

firing squàd [軍] 〔장례식의〕 조총대(弔銃隊); 총살 집행대.

firm¹ [fəːrm] a. ① 굳은, 견고한. ② 고정된. ③ 강경한. ④ 〔가격이〕 변동없는. **be ~ on one's legs** 확고히 서 있다. — ad. 단단히, 굳게. — vt., vi. 굳게 하다. 굳어지다. **∴·ly** ad. **∴·ness** n.

firm² n. Ⓒ 합자 회사, 상사.

fir·ma·ment [fə́ːrməmənt] n. (the ~) 〔詩〕 하늘, 창공.

first [fəːrst] a. 첫〔번〕째의, 제1의, 주요한; 〔樂〕 수위의. ~ **at hand** 직접의. **at ~ sight** 한눈에, 언뜻 보아서는. ~ **thing** Ⓤ 우선 무엇보다도. 첫째로. **for the ~ time** 처음으로. **in the ~ place** 우선 첫째로. (**on**) **the ~ fine day** 날씨가 드는 대로. — n. Ⓤ 제일; 일등, 일위; 최초; 초하루날; 〔野〕 1루. **at ~** 처음에는, **from ~ to last** 처음부터 끝까지, 시종. — ad. 첫째로, 최초로; 처음으로; 차라리, 오히려. ~ **and foremost** 맨먼저. ~ **and last** 전후를 통하여, 통틀어. **First come, ~ served.** 빠른 놈이 장땡. ~ **of all** 우선 첫째로. **∴·ly** ad. 첫째로.

first áid 응급 치료.

first báse 〔野〕 1루(一壘)〔수〕.

first-bórn a. Ⓒ 최초로 태어난 〔자식〕.

ˈfirst-clàss a., ad. 일류의; 〔기차 따위〕 일등의〔으로〕.

first-degrée a. 〔선·악 양면에서 정도가〕 제1급의.

first finger 집게 손가락.

first frúits 맏물, 햇것; 첫 수확; 최초의 성과.

first-hánd a., ad. 직접의〔으로〕.

first lády 대통령 부인.

first nàme = CHRISTIAN NAME.

first pérson 〔文〕 제1인칭.

first-ráte a., ad. 일류의; 훌륭한; 〔口〕 굉장히.

firth [fəːrθ] n. Ⓒ 후미, 강 어귀.

fis·cal [fískəl] a. 국고의; 재정상의, 회계의.

fiscal yéar (美) 회계 연도, 〔기업의〕 사업 연도((英) financial year).

fish [fiʃ] n. (pl. **~es**, 〔집합적〕 **~**) ① 물고기; 생선, 어육; 〔口〕 〔별난〕 사람, 놈. **feed the ~s** 익사하다; 배멀미하여 토하다. **make ~ of one and flesh of another** 차별대우하다. **neither ~, flesh, nor fowl (good red herring)** 정체를 알 수 없는. **the Fishes** 〔天〕 물고기자리; 쌍어궁(雙魚宮). — vt., vi. 물고기를 잡다, 낚다; 찾다〔for〕. ~ **in troubled waters** 남의 어려운 처지에 편승하여 이득을 취하다. ~ **out (up)** 물고기를 몽땅 잡아 내다.

ˈfisher·man [-mən] n. Ⓒ 어부; 어선.

ˈfish·er·y [-əri] n. Ⓤ 어업(권); 어장; 〔U〕 양어장.

ˈfish-èye lénse 어안(魚眼) 렌즈.

ˈfish·hòok n. Ⓤ 낚시.

ˈfish·ing [-iŋ] n. Ⓤ 낚시질, 어업; Ⓒ 어장, 낚시터.

fishing líne (ròd) 낚싯줄〔대〕.

ˈfish·mònger n. Ⓒ (英) 생선 장수.

ˈfish·y [-i] a. 물고기의〔같은〕; 비린; 〔口〕 의심스런; 〔눈이〕 흐리 멍텅한.
〔운: 분별성의.

fis·sile [físəl/-sail] a. 갈라지기 쉬운

fis·sion [fíʃən] n. Ⓤ 분열(裂開); 〔生〕 분열; 〔理〕 〔원자의〕 핵분열(cf. fusion). **~·a·ble** a. 핵분열하는.

fis·sip·a·rous [físipərəs] a. 〔生〕 분열생식의.

fis·sure [fíʃər] n. Ⓒ 금, 틈; 분할; 〔地〕 열하(裂罅)〔암석 중의 갈라진 틈). — vt., vi. 틈이 생기게 하다; 갈라지다.

fist [fist] n., vt. 주먹(으로 치다); 〔口〕 손; 필적; 〔印〕 손가락표(記=☞). **~·ic** a. 권투〔주먹질의.

fist·i·cuff [fístikʌf] n. (pl.) 주먹다짐, 난투.

fit¹ [fit] a. (**-tt-**) 〔꼭〕맞는, 적당〔지당〕한; ~할 듯한; 〔건강·체질 한, **as ~ as a fiddle (flea)** 극히 건강하여, **fighting ~** 더없이 컨

디션이 좋은. *think* [*see*] ～ *to* (do) …하는 것이 적당하다고 여기다. ～하기로 작정하다. — *vt., vi.* (**-tt-**) (…에) 적합하게[시키다]; (사이즈 따위) 꼭 맞다; 준비시키다; 조달하다. ～ *in* 적합하다[시키다]; 조화하다. ～ *like a glove* 꼭 맞다. ～ *on* …입어보다; 잘 끼(우)다. ～ *out* 장비[설비]하다. ～ *up* 준비[설비]하다. — *n.* U.C 적합; (의복 따위의) 맞음새; 몸에 맞는 옷. **～·ly** *ad.* 적당히; 꼭; 알맞게. **～·ness** *n.* U 적당, 적합; 건강.

'fit² *n.* (병의) 발작; 경련, 경풍; 일시적인 기분[흥분], 변덕; (감정의) 격발. *beat a person into* ～s 아무를 녹초로 만들어주다. *by* ～s (*and starts*) 발작적으로, 이따금 생각난듯이. *give a person a* ～ 《口》 깜짝 놀라게 하다; 노발대발하게 만들다. *give a person* ～s 여지없이 혼내주다; 호되게 꾸짖다; 성나게 만들다. *when the* ～ *is on one* 발작이 내키면. **～·ful** *a.* 발작적인; 단속적인; 변덕스러운. **～·ter** *n.* C (기계·비품 따위의) 설비[공급]자, (가봉한 것을) 입혀 맞추는 사람; 조립공.

'fit·ting [fítiŋ] *a.* 적당한, 어울리는. — *n.* C 가봉; (가봉한 것을) 입혀보기; 설비; (*pl.*) 가구, 비품; 부속품. **～·ly** *ad.*

'five [faiv] *n., a.* 다섯(의), 5(의); 5개(의), 5살(의). **fív·er** *n.* C 《口》 5달러[파운드] 지폐.

'five·fold [fáivfòuld] *a.* 5배의[로]; 5중의[으로], 5중의.

'fix [fiks] *vt.* 고정시키다. ② (의견 따위를) 굳히다[굳게]하다. ③ (눈·주의 따위를) 집중시키다[쏠다]. ④ (책임 따위를) 지우다. ⑤ 염착(染着)시키다. ⑥ 《寫》정착시키다. ⑦ 《美》 조리(준비)하다. ⑧ 《美》 매수하다. ⑩ 《口》 대갚음하다(여 청산하다); 대차를 청산하다. ⑪ 응고시키다. — *vi.* ① 고정하다; 응고하다. ② 결정하다. ③ (눈이 …에) 머무르다. ④ 《美口·方》 준비하다, (…할) 작정이다. ～ *on* [*upon*] …으로 결정하다; …을 고르다. ～ *over* 《美口》 (의복 따위를) 다시 고쳐짓다. 고

치다. ～ *up* 《美口》 준비하다; 수리[정돈]하다; 결정하다; 해결하다. — *n.* ① 《口》 (보통 a ～) 곤경, 궁지. ② C (선박의) 위치(측정). 곤란하고, 곤경에 빠져. *get* [*give*] *a person a* ～ 《俗》 아무에게 마약 주사를 놓다. *out of* ～ (기계가) 고장나, 상태가 나빠.

fix·a·tion [fikséiʃən] *n.* U.C 고정; 《化》 응고; 《寫》 정착; 색고착(色固着); 《精神分析》 병적 집착(에 의한 성숙의 초기(初期) 정지).

fix·a·tive [fíksətiv] *a., n.* U.C 정착제, 염착제(染着劑).

'fixed [fikst] *a.* ① 고정된. ② 부동의(불변). ③ 정돈된. ④ 《美口》 부정하여 결정된, 짬짜미의. ⑤ 《化》 응고된. *with a* ～ *look* 눈여겨 바라보며. **fix·ed·ly** [fíksidli] *ad.*

fix·i·ty [fíksəti] *n.* U 고정(정착); 부동(불변).

fix·ture [fíkstʃər] *n.* C ① 정착물, 비품. ② (어떤 직책·지위 따위에 오래 앉아 있는 사람. ③ 《機》 공작물 고정 장치. ④ 《美》 (경기의) 예정일.

fizz, fiz [fiz] *vi., n.* 부글부글(하다); ① 발포성 음료. **fizz·y** *a.* 부글부글한, 거품 이는.

fiz·zle [fízl] *vi., n.* (슛··) 희미하게 '쉬잇' 하다는 소리(를 내다).

fjord [fjɔːrd] *n.* = FIORD.

flab·ber·gast [flǽbərgæst /-á:-] *vt.* 《口》 깜짝 놀라게 하다(*at, by*).

flab·by [flǽbi] *a.* 흐늘흐늘한; 기력 없는. **-bi·ly** *ad.* **-bi·ness** *n.*

flac·cid [flǽksid] *a.* (근육 등이) 흐늘흐늘한(limp); 맥 없는. **～·ly** *ad.* **～·ness** *n.*

'flag¹ [flæg] *n.* ① 기; (*pl.*) 《매·출몰미 따위의) 깃털의 긴 털; (새의 날개의) 둘째깃·칼깃; 《軍》 깃발; 표시 문자, 표지. *vt.* (**-gg-**) 기를 올리다; 기로 꾸미다(신호하다).

Flág Dày 《美》 국기 제정 기념일(6월 14일).

flag·el·late [flǽdʒəlèit] *vt.* 채찍질하다; 《生》 편모(鞭毛)가 있는; 《植》 포복경이 있는. **-la·tion** [__레이-] *n.* 태형, (특히 종교적·성적인) 채찍질.

flag·on [flǽɡən] *n.* ⓒ (손잡이·주둥이·뚜껑이 달린) 큰 병(약 2쿼터들이).

flag·pole, -staff *n.* ⓒ 깃대.

fla·grant [fléiɡrənt] *a.* 극악한, 악명높은. **~grance, -gran·cy** *n.*

flag·ship *n.* ⓒ 기함(旗艦).

flag·stone *n.* ⓒ 판석, 포석.

flail [fleil] *n., vi., vt.* 도리깨(질하다).

flair [flɛər] *n.* ⓤ 예리한 식견(眼識), 육감(for), 천부의 재능(for).

flak [flæk] *n.* (G.) ⓤ ⓒ 고사포(火).

flake [fleik] *n., vi., vt.* ① 얇은 조각, 박편(薄片)(눈이 되는 겨우)...이되어 펄펄 날리다, ...으로 덮이다. **corn ~s** 콘플레이크.

flak jacket [**vest**] 〔美〕 방탄 조끼.

flak·y [fléiki] *a.* 박편의, 벗겨져 떨어지기 쉬운; 조각조각의.

flam·boy·ance [flæmbɔ́iəns] *n.* ⓤ 현란함, 화려함.

flam·boy·ant [flæmbɔ́iənt] *a.* 타는 듯한; (사람·행동 등이) 화려한.

flame [fleim] *n.* ⓤ ⓒ 불길, 화염; 광휘, 정열. ② ⓒ (恋人). 갈색의 색채. **go up in ~s** 타오르다; 꺼져 없어지다. ── *vi.* 칙불타다; 빛나다; 정열을 드러내다; 발끈하다(up, out) 갑자기 나오르다. *fláming a.*

fla·men·co [fləménkou] *n.* 플라멩코(스페인의 집시의 춤); 그 기악(곡).

fla·min·go [fləmíŋɡou] *n.* (*pl.* ~**s** 〔鳥〕 홍학(紅鶴).

flam·ma·ble [flǽməbl] *a.* =INFLAMMABLE.

flange [flændʒ] *n., vt.* ⓒ (수레바퀴 따위의) 테〔턱진 테〕(를 달다).

flank [flæŋk] *n.* ① 옆구리(살), 측면. ② 〔軍〕 부대의 측면, 익(翼). ── *vt.* 측면에 서다〔…의〕측면에 위치하다; 측면을 지키다〔공격하다〕.

flan·nel [flǽnl] *n.* ① ⓤ 플란넬, 울의 일종. ② (*pl.*) 플란넬제 의류, 모직 속옷. **-nel·et(te)** [⁓ét] *n.* 무명 플란넬, 융.

flap [flæp] *n., vi., vt.* (*-pp-*) 펄럭거리게 하다); 날개를 퍼득이다); 찰싹 때리다; 축 늘어지(게 하다). ── *n.* ①

ⓤ 펄럭임; 날개침; 찰싹. ② ⓒ 늘어진 것, 〔空〕 보조익(翼). ③ (a ─) 〔俗〕 흥분, 설레임. **~·per** *n.* ⓒ 펄럭이는(것); 펄럭이는 장치; 찰랑이는.

flap·jack [⁓dʒæk] *n.* ⓒ 핫케이크(griddle-cake) 〔美〕(화장용) 콤팩트.

flare [flɛər] *vi.* 너울너울 타오르다(up); (화광이) 빛나다; 발끈하다(out, up); (스커트가) 플레어가 되다. ── *vt.* 너울거리며 타오르게 하다; (스커트를) 플레어로 하다. ── *n.* ① (*sing.*) 너울거리는 화염, 불길의 너울거림. ② ⓤ 화염신호, 훤광. ③ (a ─) (감정의) 격발. ④ ⓤ ⓒ (스커트의) 플레어.

flare path (비행장의) 조명 활주로.

flare stack 배출 가스 연소탑.

flare-up *n.* ⓒ 확 타오름; 격노.

flash [flæʃ] *n.* ① ⓒ 섬광(), 번쩍임; (번개이는) 순간. ② ⓤ ⓒ 〔映〕 플래시(순간 장면); (신문의) 짧은 속보. ③ ⓤ 허식, 겉치레. ④ (물줄기·放流水). **in a ~** 곧. ── *vi.* 번쩍 빛나다; (기지가) 번뜩이다; 휙 지나가다(스치다); 왁 나오다(out); 퍼뜩 생각나다. ── *vt.* (빛을) 번쩍이다; 번개같이 전하다; (전보·라디오로) 통신하다.

flash·back *n.* ⓤ ⓒ 플래시백(과거의 회상을 넣은 장면 전환); (과거의) 회고적 묘사.

flash bulb [**lamp**] 〔寫〕 섬광 전구.

flash card 플래시카드(시청각 교육에서 단어·숫자 등을 잠깐 보여 외게 하는 카드).

flash·er *n.* ⓒ ① 자동 점멸 장치. (교통 신호등·자동차 등의) 점멸광.

flash gun 〔寫〕 섬광 발화 장치.

flash·light [⁓làit] *n.* ① 〔美〕 회중 전등. ② 〔寫〕 플래시라이트. ③ (등대의) 명멸광; 회전(섬광)등.

flash·y [⁓i] *a.* 야한, 번쩍거리는.

flask [flæsk, -ɑː-] *n.* ⓒ 플라스크; (후주머니용의) 작은 술병.

flat [flæt] *a.* (*-tt-*) ① 편평한; 납작한; 납죽 엎드린. ② 공기가 빠진, 납작해진, 펑크한. ③ (술 등이) 김빠진, (음식이) 맛없는; 불경기의. ④ 광택 없는, (색채·소리 등이) 단조로운. ⑤ 노골적인, (거절이) 단호한. ⑥ 〔樂〕 내림음의, 반음 낮은(opp. sharp). ⑦

【冠詞】 평설(平舌)의(æ, ə発音)이며; 유성의; 【文】 검사·검열 없는. ~ **adverb** 무접사 부사로(보기): She breathed *deep*.). ~ **infinitive**. 'to' 없는 부정사. *That's* ~. 바로 맞았어요, 그거야. — *ad.* 편평하게; 곡(exact) 꼭 쓰러지도록; 10초 플랫; 아주; 단호히; 【樂】 반음 낮게, *fall* ~ 쭉 쓰러지다; 넙죽 엎드리다; 실패하다, 효과 없다. — *n.* ○ 평면의 부분; 평지; 여울; 【樂】 내림표(♭); 《口》 바람 빠진 타이어. — *vt., vi.* (-*tt-*) 평평하게 하다(되다). 반음 내리다. ~ *out* 《美口》 용두사미로 끝나다. ⤳ *ly* *ad.* ⤳*ness* *n.*

flat ○ ① 《英》 플랫式(같은 층의 여러 방을 한 가구가 전용하는 아파트式) apartment). ② (*pl.*) 아파트式 공동주택. 「평平.
flat-bottomed *a.* (배의) 바닥이 편
flát-cár *n.* 《美》 무개 화차, 목판차(지붕도 측면도 없는).
flát-fish *n.* ○ 가자미·넙치류.
flát-footed *a.* 편평족의; 《俗》 단호한(*a* ~ *refusal*).
flat-ten [flætn] *vt., vi.* 평평(납작)하게 하다(되다); 단조롭게 하다(되다); 깊이 빠지다. 맛없게(싱겁게) 하다(되다); 반음 내리다. ~ *out* 평평하게 하다; 《空》 수평 비행 자세로 돌아가(게 하)다.
flat-ter [flætər] *vt.* ① (…에게) 아첨하다; 알랑거리다. ② 우쭐케 하다. ③ (사진·초상화 따위를) 실물보다 좋게 그리다(찍다). ④ 기쁘게 하다. ~ *oneself* 하고 우쭐하여 … 이라고 생각하다. ⤳*er* *n.* ○ 알랑쇠. ⤳*ing* *a.* 빌붙기 잘하는; 우쭐케 하는; 실물보다 좋게 나타낸.
flat-tery [flætəri] *n.* U.○ 아첨(하는 말), 치레말.
flat-u-lence [flætjuləns/-tju-] *n.* U.○ 뱃속에 가스가 참, 고창(鼓脹); 공허, 허세. ⤳*lent* *a.* 고창(鼓脹)의; 헛세된.
flaunt [flɔːnt] *vt.* (…에게) 과시하다, 자랑해 보이다. — *vi.* 허세부리다, 웃차림하다; (기가) 펄럭이다. — *n.* U 과시.
flau-tist [flɔːtist] *n.* = FLUTIST.
fla-vor, 《英》 **-vour** [fléivər] *n.* U.○ 풍미(를 더하는 것); 풍취, 맛; 향기, (…에) 맛을 첨가하다; 풍미를 곁들이다. ~*ing* *n.* U.○ 조미(료).

flaw [flɔː] *n.* ○ 금, 흠; 결점. — *vt., vi.* (…에) 금가(게 하)다, 흠집을 내다. ⤳*less* *a.* 흠없는; 흠집을 데 없는.
flax [flæks] *n.* U 아마(亞麻), 아마실, 린넬트. ~*en* [flæksn] *a.* (제)의; 아마색의, 엷은 황갈색의.
flay [flei] *vt.* (…의) 가죽[껍질]을 벗기다; 심하게 매질하다.
flea [fliː] *n.* ○ 벼룩. — *in one's ear* 빈정거림, (듣기) 싫은 소리.
fléa-bìte *n.* ○ 벼룩에 물린 데; 물집; 약간의 상처; 사소한 일.
fléa màrket [fàir] 고물[벼룩도매기] 시장.
fleck [flek] *n., vt.* ○ (색·빛의) 반점(을 내다); 작은 조각(으로 만들다).
fled [fled] *v.* flee의 과거(분사).
fledge [fledʒ] *vt.* (날개까지) 새끼를 기르다; 깃털로 덮다. — *vi.* 깃털나다. ○ 날기 시작한 새 새끼, 열풋이; 풋내기(cf. greenhorn).
flee [fliː] *vi.* (*fled*) 도망하다; 질주하다; 사라지다(vanish). — *vt.* (…에서) 도망하다. **flé-er** *n.* ○ 도망자.
fleece [fliːs] *n.* U.○ 양털; 한 마리에서 한번 깎는 양털. ② 양털 모양의 것. ③ 보풀이 부드러운 피륙. — *vt.* (양의) 털을 깎다; (좋아서 빼앗다. ⤳*fléec·y* *a.* 양털 모양[제품]의; 흰 구름의.
fleet [fliːt] *n.* ○ 함대, 선대(船隊); (항공기의) 편대(編隊); (트럭 등의) 차량대(隊); (the ~)(한 나라의) 해군(력).
fleet *a.* 《詩》 빠른, 빨리 지나가 버리는. ⤳*ly* *ad.* 순식간의; (세월이) 덧없이 지나가 버리는.
fléet àdmiral 《美海軍》 해군 원수.
fleet-ing [⌐iŋ] *a.* 빨리 지나가는, 덧없는; 무상의.
Fléet Strèet 플리트가(街)《런던의 신문사가 거리》; 《비유》(영국의) 신문계.
flesh [fleʃ] *n.* U 살; 살점; 식육, 고기; 과육; 살색; (the ~)육체; 인류; 생물; 천척. — *and blood* (피가 통하는) 육체; 인간성; 육친. — *and fell* 살도 가죽도, 전신; 무사적) 전허, 죄다. *go the way of all* ~ 죽다. *in the* ~ 이승의

이 되어; 살아서. **lose** 〔gain, put on〕 ~ 살이 빠지다〔찌다〕. **make** a person's ~ **creep** 오싹하게 하다. **~·ly** a. 육체의; 육감적인; 인간적인. **~·y** a. 살〔고기〕의〔같은〕; 살집이 좋은. [從] 다육질의.

flésh·pot n. ⓒ 고기 냄비; (혼히 pl.) 향락지, 환락가.

flésh wòund 《의》 상처, 경상.

fleur-de-lis 〔fləːrdəliːs〕 n. ⓒ 붓꽃 (프랑스 왕가의) 붓꽃 문장.

flew 〔fluː〕 v. fly²의 과거.

flex 〔fleks〕 vt. 〖解〗 (관절·근육을) 구부리다.

flex·i·ble 〔fléksəbəl〕 a. 구부리기 쉬운; 어기좋은 쉬운; 융통성 있는. ***-bil·i·ty** 〔~-bíləti〕 n.

flex·i·time 〔fléksətàim〕 n. ⓤ 자유 근무 시간제.

flib·ber·ti·gib·bet 〔flíbərtidʒìbit〕 n. ⓒ 수다스럽고 경박한 사람.

flick 〔flik〕 n. ① 가볍게 침; 탁(하는 소리); 튐. —— vt. 가볍게 때리다〔턱어 버리다〕; (촛채 따위로) 딱다. —— vi. 퍼덕이다; (뱀의 혀·꼬리가) 날름거리다, 파닥거리다.

flick² n. 〈《俗》영화 필름; (pl.) 영화, go to the ~s 영화보러 가다.

flick·er 〔flíkər〕 vi. (빛이) 가물거리다; 흔들거리다; 펄럭이다; 얼른거리다; 언뜻 보이다; 반짝이다. —— n. (sing.) ① 깜박이는 빛; 반짝임; 〖렂〗(표시 화면의) 흔들림.

flíck knìfe 《英》날이 자동적으로 튀어나오게 된 칼.

flight¹ 〔flait〕 n. ① 날기; 비행. ② ⓒ (나는 새의) 떼; 〖軍〗 비행 편대(소대). ③ ⓤ (시간의) 경과. ④ ⓒ 항공 여행, (로켓 등에 의한) 우주 여행; 상승·야심의 고양 (高揚), 분발(奮發)(of). ⑤ ⓒ 비행 슬(편). ⑥ ⓤ ⓒ 한번 나는 거리, 통과 ⓒ (계단의, 꺾이지 않은 한) 연속 (two ~s of steps 두 번 오르는 꺾인 계단). **~·less** a. 날지 못하는.

flight² 〔flait〕 n. ⓤⓒ 도주; 패주. **put to** ~ 패주시키다. **take** 〔to〕 ~ 도주하다.

flíght dèck (항공 모함의) 비행 갑판; (항공기의) 조종실.

flíght recòrder 〖空〗 (사고 해명에 필요한) 비행 기록 장치.

flíght simulàtor 〔침·空〗 모의 비행 장치.

flight·y 〔스i〕 a. 들뜬; 머리가 좀 돈.

flim·sy 〔flímzi〕 a. 무른, 취약한; (이유 등이) 박약한, 박약한. —— n. ⓒ 얇은 종이; (신문 기자의) 얇은 원고지.

flinch 〔flintʃ〕 n., vi. ⓒ 주춤함(는 것), 꽁무니 뺌(빼다).

fling 〔fliŋ〕 vt. (flung〔flʌŋ〕)의 ① (내) 던지다, (손·팔을) 갑자기 내뻗다, 태질치다, 메어치다(off). ② (돈을) 뿌리다. ③ (옷에) 처넣다. —— vi. 돌진하다. —— **away** 펄쩍버리다. ~ **oneself into** (사업 따위)에 본격적으로 시작하다. ~ **oneself on 〔upon〕** (a person's mercy)에 무의의 인정에 기대다. ~ **out** 내던지다; (말을) 날래다; 욕설을 퍼붓다. —— n. ⓒ (내)던짐; (말의) 날림; 방종; 춤; 충; 스코틀랜드의 활발한 춤; ⓒ 시험, 시도. **at one** ~ 단숨에. **have a** ~ **at** 해보다, 투덜대다; 조롱하다. **have one's** ~ 하고 싶은대로 하다, 멋대로 놀아보다.

flint 〔flint〕 n. ① ⓤⓒ 부싯돌, 라이터 돌. ② ⓒ (비유) 아주 단단한 물건. **~·y** a. 부싯돌 같은; 냉혹한; 아주 단단한; 고집 센.

flínt-lòck n. ⓒ 부싯돌식 발화 장치; 화승총(火繩銃).

flip 〔flip〕 vt., vi. (-pp-), n. ⓒ 손톱으로 박아치다〔튀김〕; 홱 움직이다(에 하)다, 팩 움직이다; 톡 치다〔침〕; 《口》 (비행기의) 한 번 날기.

flip² n. ⓤ 《口》 전박지 (너석).

flíp-flòp n. ⓒ 공중제비; (의견 따위의) 급변; 〖電〗 플립플롭 회로(전자 회로의 일종).

flíp·pant 〔flípənt〕 a. 주제넘은; 경박한. **-pan·cy** n.

flip·per 〔flípər〕 n. ⓒ (바다표범 등의) 물갈퀴; (잠수용) 고무 물갈퀴.

flíp sìde 《口》 레코드의 B면.

flirt 〔fləːrt〕 vt. (활발히) 흔들거리다, 던지다. —— vi. 깡충깡충 (훙칫훙칫) 움직이다; (남녀가) 새롱거리다, 농탕치다(with); 가지고 놀다(with). —— n. ⓒ 바람둥이; 급속적인 움직임; 홱 던짐. **flir·tá·tion** n. ⓒ 농탕치

기, 무분별한 연애. **flir·tá·tious** *a.*

flit [flit] *vi.* (**-tt-**), *n.* ⓒ 홱 날다(날기); 이리저리 날아다니다(다니기); (시간이) 지나가다(감).

:**float** [flout] *vi., vt.* 뜨다, 띄우다; 표류하다[시키다]; (소문이) 퍼지다; 떨어져가다; (회사가) 서다[세워지다]; (어음이) 유통되다; (물에) 잠기게 하다; (공채를) 발행하다; (미장이가) 흙손으로 고르다. ~ be·tween ···의 사이를 왕래하다[마음가기 분명5; 5; ⓒⓑ5; (수상)플로트, 부주(浮舟); (미장이의) 마무리흙손. ~·**á·tion** *n.* 《英》= FLOTATION. ~·**er** *n.* 뜨는 사람[것]; 집[직장]을 자주 옮기는 사람; 《美》(여러 곳에서 투표하는) 부정 투표자.

:**float·ing** [flóutiŋ] *a.* 떠 있는; 부동[유통]하는; 유동하는.

floating vòte 부동표(票).

:**flock¹** [flɑk/-ɔ-] *n.* ⓒ 《집합적》① (양·새의) 때, ② 군중, 무리, ③ 《한 교회의》신도들. ── *vi.* 떼[무리] 짓다. 모이다; 떼지어 오다[가다].

flock² [flɑk/-ɔ-] *n.* ① (양)털 뭉치; (침대 따위에 채워넣는) 털뭉치 부스러기.

flog [flɑg, -ɔ-/-ɔ-] *vt.* (**-gg-**) 세게 매리다; 매질[채찍질]하다.

:**flood** [flʌd] *n.* ① 홍수; 만조; (물건의) 범람, 쇄도; (the F-) 노아의 홍수; (詩) 대해, 하수, 강, ── *vt.* (···에) 넘쳐 흐르다; 관개하다; 다량의 물을 쏟다; (홍수처럼) 밀어닥치다. ── *vi.* 범람하다; (조수가) 들어오다; 쇄도하다.

flóod·gàte *n.* ⓒ 수문.

flóod·ing [-iŋ] *n.* 《U, C》범람; 큰물.

flóod·light *n., vt.* ① (조명 기구를) 나타낼 빼다; ② 플러드라이트(를) 비추다(무대·건축물 따위에).

flóod·plàin *n.* 《地질》범람원.

flóod tìde 밀물.

:**floor** [flɔːr] *n.* ① 마루; 층; (바·해~) 의원석; (의원의) 발언권; ② (거래소의) 입회장; 바닥; 《美俗》최저가격, *first* [*second*]~ 《英》1[2] 층. ② 3[5]층. *get* [*have*] *the* ~ 발언권을 얻다[갖다]. ~ *ground* 《英》1층. *take the* ~ (발언하려

고) 일어서다. ── *vt.* (···에) 마루를 깔다; 마루에 때려 눕히다 (벌로 학생을) 퇴학(바닥)에 앉히다; 《口》혼내 부서서 이기다, 질리게 하다. ── *a* *paper* [*question*] 《英大學俗》 시험 문제를 전부 잘라 치우다.

flóor·bòard *n.* ⓒ 마룻청.

flóor·ing [-iŋ] *n.* 《U》 마루, 바닥, 바 닥깔기; 마루까는 재료. 《쇼.

flóor shòw (나이트클럽의) 플로어쇼.

floo·zy, -zie [flúːzi] *n.* ⓒ 《美俗》 행실이 나쁜 여자; 매춘부.

flop [flɑp/-ɔ-] *vi.* (**-pp-**) 쿵하고 떨어지다[넘어지다, 앉다]; 펄떡거리다; 싹 변하다; 《口》실패하다. ── *vt.* 쿵 떨어뜨리다; 펄떡거리다. ── *n.* ① 털썩 떨어짐[쓰러짐, 앉음]; 그 소리; ② 실패; 《美俗》여인숙. ~·**py** *a.* 《口》 펄럭거리는, 퍼덕이는; 흐젓 늘은.

flóppy dísk 《컴》 플로피(연성)(저장)판 《플라스틱제의 자기 원판; 컴퓨터의 외부 기억장치》.

flo·ra [flɔːrə] *n.* (*pl.* ~**e**[-riː]) ① 《U》《집합적》(한 시대·한 지역의) 식물상(相), 식물군(群). ② ⓒ 식물지(誌) (cf. fauna).

flo·ral [flɔːrəl] *a.* 꽃의[에 관한], 비슷.

flo·ret [flɔːrit] *n.* ⓒ 작은꽃; 《영식과 식물의》 작은 통상화(筒狀花).

flor·id [flɔːrid, flάr-, -ɑ́-/-ɔ́-] *a.* 불긋레한, 혈색이 좋은; 화려한, 현란한.

flor·in [flɔːrin, flάr-, -ɑ́-/-ɔ́-] *n.* ⓒ 영국의 2실링 은화.

flo·rist [flɔːrist, -ɑ́-/-ɔ́-] *n.* ⓒ 화초 재배자; 꽃장수.

floss [flɔːs, -ɑ́-/-ɔ́-] *n.* 《U》(누에 고치의) 겉실; 솜솔; 삶은 명주실. ~·**y** *a.* 솜솜 같은; 폭신폭신한.

flo·ta·tion [floutéiʃən] *n.* 《U》 ① (회사) 설립; (공채) 발행. ~ *of loan* 기채(起債). ① ⑫ (艦隊).

flo·til·la [floutílə] *n.* ⓒ 소함대, 《집합적》소형 함대.

flot·sam [flάtsəm/-ɔ́-] *n.* ① ⓒ 난파선의 부하(浮荷); 표류 화물; 표류물; (총칭) 부랑자. ~ *and jet·sam* 표류 화물; 잡동사니; 부랑자.

flounce¹ [flauns] *n., vt.* ① (스커트 등의) 자락 주름 장식(을 달다).

flounce² *vt.* (물·진창 따위 속에서) 허위적거리다; (몸이나 팔을 홱홱) 뛰어나가다. ── *n.* ⓒ 몸부림.

floun·der[fláundər] *vi., n.* ⓒ 버둥[허위적]거리다[거림], 갈팡질팡[거림]; 실수하다(*about*); 말을 더듬다. 처류.

floun·der[fláundər] *n.* ⓒ《집합적》【魚】넙치류.

flour[fláuər] *n.* ⓤ 밀가루; 가루. — *vt.* 《美》(…에) 가루를 뿌리다; 가루로 만들다. ~·**y**[fláuri/fláuəri] *a.* 가루(모양)의; 가루투성이의.

flour·ish[flə́:riʃ, -ʌ-] *vi.* ① 무성하다; 번영하다; (사람이) 활약하다. ② (팔·팔 따위를) 휘두르다; (낚싯대 등을) 휘두르다. ③ 자랑해 보이다. ④ 장식 문자로 쓰다; 화려하게 쓰다 [말하다, 연주하다]. — *vt.* 휘두르다; 자랑해 보이다; 장식 문자로 쓰다 [말하다]. — *n.* ⓒ ① 화려한 몸짓 [동작]. ② (서명 등의) 장식 문자. ③ 《音》식 악구(樂句); (나팔의) 화려한 취주, '팡파르'. **in full** ~ 융성하여, 한창인. **with a** ~ 화려하게.

flout[flaut] *n., vt., vi.* ⓒ 경멸(하다); 조롱(하다).

flow[flou] *vi.* ① 흐르(듯이 나오)다. ② (머리칼이) 늘어뜨리다; (바람에) 쏠리다. ③ (조수가) 밀다. ④ 많이 있다(*with*). ⑤ 넘쳐 흐르다; 범람시키다. — *n.* (*sing.*) 흐름; 유출(량); ⓤ 밀물; 넷물. ~ **of soul** 격의 없는 담화, 환담(cf. FEAST of reason).

flów chàrt ① 생산 공정도(工程圖). ② 【컴】흐름도, 순서도.

flow·er[fláuər] *n.* ⓒ ① 꽃, 화초 (cf. blossom). ② 만개, 개화. ③ (the ~) 정화(精華)(*of*); 전성기; (*pl.*) 【단수 취급】 화(華). ~**s of sulfur** 유황화. **in** ~ 개화하여. — *vi.* 꽃이 피다; 번영하다. — *vt.* 꽃으로 꾸미다. ~**ed**[-d] *a.* 꽃을 단, 꽃으로 꾸민.

flówer bèd 꽃밭, 화단.
flówer chìldren《美俗》 히피족.
flow·er·ing[-iŋ] *a.* 꽃이 피는.
flówer·pòt *n.* ⓒ 화분. (세력).
flówer pòwer《美俗》 히피족의
flow·er·y[-i] *a.* 꽃이 많은; 꽃 같은; (문체가) 화려한(florid).

flown[floun] *v.* fly의 과거분사.

flu[flu:] *n.* 《口》 = INFLUENZA.

fluc·tu·ate[flʌ́ktʃuèit] *vi.* 변동하다, 파동하다. 오르내리다. **-a·tion**

[~éiʃən] *n.*

flue[flu:] *n.* ⓒ (연통의) 연기 구멍; 송기관; = ♪ **pìpe** (파이프 오르간의) 순관(脣管).

flu·ent[flú:ənt] *a.* 유창한; 능변의; 흐르는(공류). ~·**ly** *ad.* **-en·cy** *n.* ⓤ 유창함.

fluff[flʌf] *n.* ⓒ 괴철, 솜털. — *vt., vi.* 괴철이 일게 하다; 푸레지다. ~·**y** *a.* 괴철의(로 덮인); 푸란.

flu·id[flú:id] *n.* ⓤⓒ 유체, 유동체(액체·기체의 총칭). — *a.* 유동성의; 변하기 쉬운. **flu·íd·i·ty** *n.* ⓤ 유동성.

fluke[flu:k] *n.* ⓒ 요행수; 【撞】플루크《요행으로 맞은 일》. **flúk·y** *a.* 《口》 요행의; 요행으로 맞힌.

flung[flʌŋ] *v.* fling의 과거(분사).

flunk[flʌŋk] *vi., vt.* 《美口》 (시험 따위에) 실패하다[시키다]; 낙제점을 매기다; (*vi.*) 단념하다(give up).
— *n.* ⓒ 실패, 낙제.

flun·k(e)y[flʌ́ŋki] *n.* ⓒ 《蔑》 (제복 입은) 하인; (하인처럼 구는) 아첨꾼.

flu·o·resce[flùərés] *vi.* 형광을 내다. **-res·cence**[-ns] *n.* ⓤ 형광(성). **-res·cent** *a.* 형광(성)의.

fluor·ide[flúəràid, flɔ́:r-] *n.* 【化】 불화물(弗化物).

fluor·ine[flúəri(:)n, flɔ́:r-], **-rin** [-rin] *n.* ⓤ 【化】 불소(기호 F).

flur·ry[flə́:ri/-ʌ-] *n., vt.* ⓒ 휘몰아치는 비(눈); 소동, 당황(케 하다). **in a** ~ 당황하여, 허둥지둥.

flush[flʌʃ] *vt.* (물을) 왈칵 흐르게 하다; (물을) 흘려서 씻다; (얼굴을) 붉히다; 흥분(양양)하게 하다. — *vi.* (물이) 왈칵 흐르다; (얼굴이) 붉어지다. — *n.* ⓒ 왈칵 흐름, 급전; ⓤ (얼굴의) 홍조; ⓒ 흥분, 득의 양양. ③ ⓤ (새 풀이 운동) 싹터 나옴; ④ ⓤ (힘의) 발발, 신선함. ⑤ (열의) 발작. ~ (물이) 넘칠 듯한; 풍부한; (돈이 많은; (물이) 불그레한. 같은 평면[높이]의. — *ad.* 평평하게; 바로, 정통으로.

flush[flʌʃ] *vt. vi.* 【獵】(새를) 날아가게 하다; (새가) 푸드득 날다. — *n.* ⓒ 날아오른 새의 떼.

flush[flʌʃ] *n.* ⓒ 《카드》 짝모인다.

flus·ter[flʌ́stər] *n., vi., vt.* ⓒ 당황(하다, 하게 하다).

:flute [fluːt] *n., vi., vt.* 플루트, 피리(를 불다), 같은 소리를 내다; (옷감·기둥 따위에) 세로줄(을 내다). **flút·ist** *n.* ⓒ 피리 부는 사람; 플루트 주자. **flút·y** *a.* 피리[플루트] 같은; (목소리가) 맑은.

:flut·ter [flʌ́tər] *vi.* ① 퍼덕거리다; 훨훨 날다. 나부끼다. ② (가슴이) 두근거리다 (백박이) 빠르고 불규칙하게 뛰다; 동요하다. — *vt.* 날개치다; 펄럭이게 하다; 당황하게 하다 — *n.* ⓒ 퍼덕임, 펄럭임; (마음의) 동요; 큰 소동.

flux [flʌks] *n.* ① 흐름, 유동(율). ② ⓤ 밀물. ③ ⓤ 연속적인 변화. ④ ⓤⓒ 〖醫〗이상(異常) 배출(출혈·설사 등). ⑤ ⓤ 용제(溶劑).

:fly¹ *vi.* (**flew; flown**) '날아나다'의 뜻으로는 *p. & p.p.* **fled** 비행하다; 날다; (나는 듯이) 달리다; 달아나다; (시간 따위가) 순식간에 없어지다; 펄럭이다; 〖野〗플라이를 치다(*p. & p.p.* **flied**). — *vt.* 날리다; (기 따위를) 올리다; 나부끼게 하다; (비행기를) 조종하다; (…에서) 도망하다. **be ~ing high** 〖俗〗굉장히 기뻐하다. **~ about** 날아다니다; 흩어지다. **~ blind** 계기비행을 하다. **~ high** 높이 날다; 대망을 품다. **~ into** (공항 등에) 착륙시키다[하다]. **~ in the face of** …에 반항하다. **~ light** 〖美俗〗밥을 거르다. **~ in the** 〖口〗남의 눈을 기이다. **~ off** 날아가 버리다; 달아나다; 쇠약하다. **let ~** 쏘다, 날리다, 욕하다(*at*). **make the money** 돈을 날리다. **send (a person) ~ing** 내쫓다, 해고하다. **with flags ~ing** 의기양양하여. — *n.* 비행; (양복의) 단추 가리개; (텐트 입구의) 자락 막; 〖野〗플라이; (*pl. ~s*) 경장(輕裝)과 남 마차. **on the ~** 비행중으로. **·er** *n.* = FLIER.

:fly² [flai] *n.* ⓒ 파리; 〖낚시〗제물낚시. **a ~ in amber** 호박(琥珀)속의 파리 화석; (고스란히 남아 있는) 보물. **a ~ in the ointment** 옥에 티. **a ~ on the wheel** 잘난 사람. **a ~ on the wall** 몰래 남을 감시하는 자. **die like flies** 픽픽 쓰러지다. **Don't let flies stick to**

your heels. 꾸물대지 마라.

fly-blówn *a.* 파리가 쉬를 슨; 더러 워진.

fly·by *n.* ① 의례[관열] 비행; (우주 선의 천체에의) 근접 통과.

fly-by-night *a.* (금전적으로) 믿을 수 없는.

fly·fish *vi.* 제물낚시로[파리를 미끼 로] 낚시질하다.

:fly·ing [fláiiŋ] *n.* ⓤ 비행; 질주. — *a.* 나는; 급히 서두르는; 공중에 뜨는[휘날리는]; 나는 듯이 빠른. **~ colors** 승리, 성공(*come off with* ~ COLORS.)

flýing búttress 〖建〗부벽(扶壁)(외 벽날개로 연결 아치).

flýing dóctor 〖濠〗먼 곳의 환자의 비행기로 왕진하는 의사.

flýing fish 날치. 〖군 중위〗

flýing ófficer 공군 중위; 〖英〗소령.

flýing sáucer (dísk) 비행 접시.

flýing squád 기동 경찰대.

flý·leaf *n.* ⓒ (책의 앞뒤 표지 쪽면 에) 붙어 있는 백지.

flý·pàper *n.* ⓒ 파리잡이 끈끈이.

flý·pàst *n.* 〖英〗= FLYBY.

flý sheet 광고지, 전단; 안내[사용 설명]서.

flý·wèight *n.* ⓒ 〖拳〗플라이급(선 수)(세중 112파운드 이하).

flý·whèel *n.* 〖機〗플라이휠, 조 속륜(調速輪).

FM, F.M. frequency modula- tion.

F.O. Foreign Office.

foal [foul] *n., vi., vt.* ⓒ 망아지(당나 귀 새끼)(를 낳다).

:foam [foum] *n., vi., vt.* ⓤ 거품(일 다), 일게 하다; (말이) 거품을 내뿜 다; 〖詩〗바다. **~·y·a** 거품의[같은]; 거품이 이는; 거품투성이의.

fob¹ [fab/-ɔ-] *n.* ⓒ 바지의 시계 주 머니; 〖美〗fob에 늘어뜨린 시곗줄; (시계 따위의) 장식.

fob² *vt.* (**-bb-**) 〖古〗속이다. **~ something off on a person** 아무에 게 (가짜 따위를) 안기다. **~ a per- son off with (empty promises)** (빈 약속)으로 아무를 속이다.

fo·cal [fóukəl] *a.* 초점의. **~ distance (lèngth)** 〖거리〗.

fo·cus [fóukəs] *n.* (*pl. ~es, foci*

[fóusai] ① ⓒ 초점, ⓤ 초점 맞춤. ② ⓤ (보통 the ~) 중심; 집중점; [地] 진원(震源). **in (out of)** ~ 초점이 맞아(벗어나), 뚜렷(흐릿)하여. — *vt., vi.* (《美》 **-ss-**) 초점에 모으다(모이다); 초점을 맞추다; 집중시키다.

fod·der [fádər/-5-] *n., vt.* 마초(꼴); 꼴을 주다.

foe [fou] *n.* ⓒ 적, 원수; 적군 (경기 등의) 상대. **∠·man**. ⓒ **∠·man** [詩] 적병.

foe·tus [fí:təs] *n.* = FETUS.

fog [fɔ:g, ɑ-/-ɔ-] *n.* ① ⓒⓤ(짙은) 안개; 혼미; 당혹(當惑); [寫] (필름·원판의) 흐림. — *vt.* (**-gg-**) 안개로 덮다(싸다); 당황케 하다; [寫] 흐리게 하다. **∠·y** *a.* 안개가 낀, 안개 짙은; 흐릿한; 당황한; [寫] 흐린, (빛이 새어) 흐려진.

fóg·bòund *a.* 농무로 항행[이동]이 불가능한.

fo·g·y [fóugi] *n.* ⓒ 시대에 뒤진 사람, 구식 사람.

fóg·hòrn *n.* ⓒ 무적(霧笛).

foi·ble [fɔ́ibəl] *n.* ⓒ 약점, 결점.

foil¹ [fɔil] *n.* ① ⓤ (금속의) 박(箔); (요리용) 알루미늄 박; (보석의 밑에 까는) 금속 조각; (거울 뒤의) 아말감. ② ⓒ (다른 사람이나 물건을) 돋보이게 하는 것. ③ ⓒ [建] 판(瓣)(葉)모일 모양으로 파낸 무늬. **serve as a** ~ 돋보이게 하는 역할을 하다. — *vt.* (…에) 박을 입히다[대다].

foil² *n.* ⓒ (끝을 가죽으로 싼) 연습용펜싱 검. [시키다.

foil³ *vt.* (계략의) 허를 찌르다. 좌절

foist [fɔist] *vt.* (가짜를) (…에게) 살그머니 안기다; (…을 속여) (…에게) 떠안기다 《on, upon》; (부정한 문구를) 슬그머니 삽입하다 《in, into》.

fold¹ [fould] *vt.* ① 접다, 개키다. ② (팔을) 끼다, (날개를) 모으다. ③ (양팔을) 끌어 안다. ④ 싸다. — *vi.* 접히다. 개켜지다. ~ **up** 접(히)다; 무너지다, (장사에) 실패하다. — *n.* ① 접음; 주름, 켜, 주름살, 접은 금[자리]; [地] 습곡(褶曲).

fold² *n.* ⓒ 양 우리; (the ~) (우리 안의) 양떼; 한 교회의 신자들; 같은 신앙[가치관]을 가진 집단.

-fold [fould] *suf.* …배, …겹《중 (重)》의 뜻: sixfold.

fold·er [fóuldər] *n.* ⓒ 접는 사람[기계]; 접지기; 접책, 접이 팸플릿; 종이 끼우개.

fo·li·age [fóuliidʒ] *n.* ⓤ ① (집합적) 잎, 군엽. ② 잎 장식.

fo·li·o [fóuliòu] *n.* (*pl.* ~s) ① 2 절지(二折紙)[반의 판]. (*cf.* quarto); 높이 11인치 이상의 책; (책의) 페이지 수; (원고 등 필사만 페이지를 매긴) 한 장. **in** ~ 이절지 (二折紙)판.

folk [fouk] *n.* ① (집합적; 복수 취급) 《美》사람들 《⇒ 을 씀》 사람들; 민족. ② (*pl.*) (口) 가족.

fólk dànce 민속 무용[무곡].

fólk·lòre *n.* ⓤ 민간 전승; 민속학.

fólk sòng 민요.

fólk tàle (stòry) 민간 설화, 전설.

fol·low [fálou/-5-] *vt.* ① (…을) 따라가다, (…에) 계속하다. ② (…을) 쫓다, (…에) 따르다. ③ (…의) 결과로 일어나다. ④ 뒤쫓다, 추적하다. ⑤ (…에) 종사하다. ⑥ 주목하다. ⑦ 이해하다. — *vi.* 뒤따르다; 잇따라 일어나다; 당연히 (…이) 되다. **as** ~**s** 다음과 같이. ~ **out** 끝까지 해내다. ~ **suit** (카드놀이에서) 앞 사람과 같은 종류의 패를 내다; 선례에 따르다. ~ **the SEA.** ~ **through** [테니스·골프] 공을 친 후 채를 충분히 휘두르다. ~ **up** 끝까지 추구(추적)하다; 끝까지 해내다; 속행하여 효과를 올리다. **∠·er** *n.* ⓒ 수행자, 종자(從者); 부하; 추적자; 신봉자.

fol·low·ing [fálouiŋ/-5-] *a., n.* ⓒ 다음의; [海] 순풍의; (집합적) 종자, 문하; (the ~) 다음에 말하는 것[말].

fóllow-úp *n., a.* ⓤ 추적; [商] 연속(속편 편지).

fol·ly [fáli/-5-] *n.* ① ⓤ 어리석음. ② ⓒ 어리석은 짓, 어리석은 행위; 어리석게 돈만 많이 들인 물건[사업·건물].

fo·ment [foumént] *vt.* (환부에) 찜질하다; (분쟁 따위를) 조장(선동)하다. **fo·men·ta·tion** [∼mentéiʃən] *n.* ⓤ 선동; 찜질; ⓒ 찜질약.

fond [fand/-ɔ-] *a.* (…이) 좋아서 하는 《*of*》; 애정 있는, 다정한; 정에 무

른, 사랑에 빠진; 실없는: 《주로 方》
어리석은. **˜·ly** *ad.* **˜·ness** *n.*

fon·dant 〔fɑ́ndənt/-5-〕 *n.* (F.)
ⒸU 퐁당《과자의 재료[장식]용으로
쓰이는 크림 모양의 당과》 —하다.

fon·dle 〔fɑ́ndl/-5-〕 *vt., vi.* 귀여워
하다.

font〔fɑnt/-ɔ-〕 *n.* Ⓒ 세례《성수(聖
水)》반(盤); 《古》 원천, 샘.

font² 〔印〕동일형 활자의 한
벌; 〔컴〕 글자체, 폰트, *a wrong ~*
고르지 않은 활자《略 w.f.》.

†**food**〔fuːd〕 *n.* ⓊⒸ 식품, 식량; 자양
분; 〔口〕 마음의 양식.

food chàin〔生態〕먹이사슬; 식료
품 연쇄점.

†**food·stuff** *n.* Ⓒ (종종 *pl.*) 식료품;
식량; 영양소.

†**fool**〔fuːl〕 *n.* Ⓒ 바보《취급받는 사람》;
[史] 어릿광대, 《왕후·귀족에 고용되》 어릿광대.
be a ~ to …와는 비교가 안
되다, 훨씬 뒤떨어지다. *make a ~ of*
…을 우롱하다. *play the ~* 어리석은 짓
을 하다. — *vt.* 우롱하다, 속이다.
— *vi.* 어리석은 짓을 하다; 농담[장
난]하다. *~ about* 〔along, 《美》
around〕 빈둥빈둥 지내다. *~ away*
낭비하다. *~ with* 농락하다.

fool·har·dy〔-hɑ̀ːrdi〕 *a.* 무모한.

†**fool·ish** 〔-iʃ〕 *a.* 바보 같은, 미련한;
하찮은. **˜·ly** *ad.* **˜·ness** *n.*

fóol·proof *a.* 바보라도 할 수 있는
《만큼 간단한》.

fools·cap 〔fúːlzkæ̀p〕 *n.* Ⓒ 대판 양지
《13×17인치》.

fóol's páradise 가공의 행복; 헛
된 기대.

†**foot** 〔fut〕 *n.* (*pl.* **feet**) ① Ⓒ 발, 발
부분(cf. leg). ② Ⓒ 보병. ③ 〔山〕 (산)기슭 《英》《집합적》
보병. ④ (물건의) (최)하부, 맨밑, 끝,
저. ④ Ⓒ 〔韻〕음각(韻脚). ⑤ Ⓒ 피
트《＝12인치》. *carry a person off
his feet* 열광[흥분]시키다. 아무의 발을 들
어 가다; 아무를 열광케 하다. *have
one ~ in the grave* 한 발을 관
(棺)에 들여놓고 있다, 죽음이 임박
해 있다. *jump* [spring] *to one's
feet* 벌떡 일어서다. *keep one's
~* [feet] 쓰러지지 않다. *Pretty
[Rich] my ~!* 〔口〕 〈저것이 미인이
[부자]라고?〉 농담 좀 작작해! *on*

~ 도보로; 진행중, 착수되어. *on
one's feet* 일어서서, 기운을 회복하
여; 독립하여. *put one's ~ in[into]
it* 곤경에 빠지다, 실패하다. *set ~
on* 발을 들여 놓다. *set* [put,
have] *one's ~ on the neck of*
…을 완전히 정복하다. SHAKE *a
~.* *with one's feet foremost* 두
발을 앞으로 내밀고; 시체가 되어.
— *vt.* 걷다; 딛다; (양발에) 족차(足
部)를 대다; 《口》 (셈을) 치르다.
— *vi.* 걷다; 춤추다; 합계 …가 되
다. *~ it* 걷다, 걸어가다; 춤추다.

†**foot·age** 〔fútidʒ〕 *n.* Ⓤ 피트수 (길이).

†**foot·ball** 〔-bɔ̀ːl〕 *n.* Ⓤ 축구; Ⓒ 축구
공.

fóot·bridge *n.* Ⓒ 인도교.

fóot·fall *n.* Ⓒ 발걸음, 발소리.

fóot·hill *n.* Ⓒ (흔히 *pl.*) 산기슭의
작은 언덕.

fóot·hòld *n.* Ⓒ 발판; 거점.

foot·ing 〔-iŋ〕 *n.* Ⓤ 발밑, 발판; 입장;
장; 확고한 지반; 지위; 관계; 합계;
〔建〕 스텝 밟기; 〔軍〕 편제, 정원.

fóot·lights *n. pl.* 풋라이트, 각광;
무대; 배우 직업.

fóot·ling 〔-liŋ〕 *a.* 《口》 바보 같은,
시시한.

fóot·lòose *a.* 가고 싶은 곳에 갈 수
있는, 자유로운.

fóot·man 〔-mən〕 *n.* Ⓒ (제복 입은)
종복.

fóot·nòte *n.* Ⓒ 각주(脚註).

fóot·pàth *n.* Ⓒ 작은 길.

fóot·prìnt *n.* Ⓒ 발자국.

fóot·rèst *n.* Ⓒ (이발소의 의자 등의)
발판.

fóot·sòre *a.* 발병 난.

fóot·stèp *n.* Ⓒ 걸음걸이; 발소리;
보폭(步幅); 발자국.

fóot·stòol *n.* Ⓒ 발판, 발받침.

fóot·wèar *n.* Ⓤ 신는 것《양말·신
·슬리퍼 따위》.

fóot·wòrk *n.* Ⓤ 발놀림《기자 등
의》 걸어다니는 취재.

fop 〔fɑp/-ɔ-〕 *n.* Ⓒ 멋쟁이 (남자).
˜·per·y *n.* ⓊⒸ 멋(부림). **˜·pish**
a. 멋부린.

†**for** 〔强 fɔːr, 弱 fər〕 *prep.* ① …에
대신, …을 대표하여; …을 향하여
《start ~ London》. ② 〈이익·목적》

···을 위해(go ~ a walk). ③〔이유·원인〕…때문에, …로 인하여(dance ~ joy). ④〔의도·용도〕…을 위한(books ~ children). ⑤〔시간·거리〕동안, 사이(~ a long time). ⑥〔관련〕…의 점에서, …에 비해서(clever ~ his age). ⑦ …을 지지하여, …을 위해서(vote ~ him). ⑧ …에도 불구하고(~ all his wealth). ⑨〔매(每)〕…에(ten dollars ~ a day). ⑩ …을 추구하여(desire ~ fame). ⑪ …에 대해서, …으로(another plan ~ tomorrow). **as ~ me** 나로서는. ~ **all I care** 내게는 아무래도 좋으나, ~ **all I know** 난 모르나, ~ **good (and all)** 영원히. ~ **my part** 나로서는. **once** 이번만은. ~ **oneself** 자기 위해서, 혼자 힘으로; 독립해서. **one thing** 하나는; 일례를 들면. ~ **one** 나같은 사람에는. —— *conj.* 까닭인즉(왜냐하면).

for·age [fɔ́ːridʒ, -á-/-5-] *n.* 꼴; 마초 징발; 징발; 식량을 찾아 헤맴. —— *vt., vi.* 식량을〔마초를〕 주다〔찾아다니다〕; 찾아다니다; 약탈하다.

for·ay [fɔ́rei/fɔ́r-] *n., vt., vi.* 약탈〔침략(약탈)하다〕.

for·bade [fərbǽd], **-bad**-[-bǽd] *v.* forbid의 과거.

for·bear[1] [fɔrbέər] *vt., vi.* (**-bore**, **-borne**)〔감정을〕억누르다; 참다. **~-ance** [-bərəns] *n.* ⓤ 자제, 인내;〔法〕〔권리 행사의〕보류.

for·bear[2] [fɔ́rbεər] *n.* = FOREBEAR.

for·bid [fərbíd] *vt.* (**-bad**(**e**); **-bid-den**; **-dd-**) 금하다; (사용을) 금지하다; (들어가는 것을) 허락하지 않다; 방해하다. **God** (**Heaven**) ~! 당치도 않다, 단연코 아니다. **~-ding** *a.* 싫은; (장소·가격 등) 가까이하기 어려운; (인상 등) 험상궂은.

for·bore [fɔrbɔ́ːr] *v.* forbear의 과거.

for·borne [-bɔ́ːrn] *v.* forbear의 과거분사.

force [fɔːrs] *n.* ① ⓤ 힘. ② ⓤ 완

력, 폭력; 무력. ③ ⓒ (종종 *pl.*) 경찰대; 군대. ④ ⓤ 지배력; 압력; 효력. ⑤ ⓤ〔어구의〕참뜻, 진의. ⑥〔어떤〕그룹, 집단; 전원; 시행. ⑦〔법률·효력 등의〕실시, 시행. ⑧〔理〕힘, 에너지(centrifugal ~ 원심력). **by ~ of** …의 힘으로. **come into ~** (법률이) 시행되다. **in ~** 시행중; 대거(大擧)로. —— *vt.* 힘주다; 무리로 내게 하다; 강요하다; 강제로 내게 하다; 강탈하다; 무리로 열다〔통과하다〕; (미소 따위를) 억지로 짓다.〔카드〕으뜸패를 내게 하다; (어떤 짝를) 빼어 놓게 하다; 촉성 재배하다. **~-ful** [-fəl] *a.* 힘 있는, 힘찬, 세찬. **~-ful·ly** *ad.*

forced [fɔːrst] *a.* 강제적인; 억지로 지은〔만든〕; 억지의. **~ smile** 억지웃음. **forc·ed·ly** [fɔ́ːrsidli] *ad.*

fórced lánding 불시착.

fórced márch 강행군.

force ma·jeure [-mɑːʒɜ́ːr] (강국의 약소국에 대한) 압력;〔法〕불가항력(계약 불이행이 허용되는).

force·meat [fɔ́ːrs-] *n.* (소로 쓰이는) 양념한 다진 고기.

for·ceps [fɔ́ːrsəps, -seps] *n. sing. & pl.* 핀셋(pinsette), 겸자(鉗子).

for·ci·ble [fɔ́ːrsəbəl] *a.* 강제적인; 강력한; 유효한; 설득력 있는. ***-bly** *ad.*

ford [fɔːrd] *n., a.* 여울을 걸어서 건너다.

fore[1] [fɔːr] *a.* 전방(앞쪽)의〔에〕. —— *n.* (the~) 전방, 앞면, 전면. **to the ~** 전면에; 눈에 띄는 곳에; 살아 있어, 도움되어(이용할 수 있는). **fore-**[2] *pref.* before의 뜻: forearm, forefather.

fóre·arm[1] *n.* ⓒ 팔뚝.

fóre·árm[2] *vt.* 미리 무장(준비)하다.

fóre·bèar *n.* (보통 *pl.*) 조상.

fore·bode [fɔːrbóud] *vt.* 전조를 보이다; 예감(이 들다)〔하다〕. **~-bód·ing** *n.* ⓤⓒ 전조; 예감.

fore·cast [fɔ́ːrkǽst/-áː-] *n., vt.* (**~**, **~-ed**) 예상〔예보·예측〕(하다).

fore·close [fɔːrklóuz] *vt.* 못들어오게 하다, 방해하다;〔유질 설정자를〕배제하다. —— *vi.* 유질(流貴)처분하다. **fore·clo·sure** [-klóuʒər]

F

n. U C 저당물 환수권 상실, 유전.
fore·dóom vt. 미리 운명을 정하다.
fóre·father n. C (보통 pl.) 조상.
fóre·finger n. C 집게손가락.
fóre·foot n. (pl. **-feet**) C 앞발;
【海】 용골(龍骨)의 앞부분.
fore·frónt n. (the ~) 맨 앞, 최전
부(最前部); 최전방(선].
fore·gó vt., vi. (**-went; -gone**) 선
행하다. *~ing a.* 앞의; 전술한다.
fore·gòne v. forego의 과거분사.
— a. 기왕의.
foregóne conclúsion 처음부터
알고 있는 결론; 필연의[불가피한] 결
과.
fóre·gròund n. (the ~) 전경(前
景); 가장 두드러진 지위[위치].
fóre·hànd n. C 【테니스】 정타
(正打)(의); 최전방의. — a. 전두의,
~·ed 【테니스 정타의】; 장래에 대비
한; 검약의. 유복한
fóre·hèad n. [fɔ́:rid, fɔ́:rhéd/fɔ́rid,
-red] n. C 이마; 앞부분, 전부(前部).
fór·eign [fɔ́(:)rin, -á(:)-] a. 외국의;
외래의; 이질적, 관계 없는. **~·er**
n. C 외국인.
fóreign exchánge 외국환.
fóre·knówledge n. U 예지(豫知).
fóre·lèg n. C 앞다리.
fóre·lòck n. C 앞머리. *take time
[opportunity] by the ~* 기회를
잡다.
fóre·man [-mən] n. C (노동자의)
십장, 직공장; 배심장(陪審長).
fóre·mòst a., ad. 맨앞의[에]; 일
류의
fo·ren·sic [fərénsik] a. 법정의; 토
론의.
fóre·rùn vt. (**-ran; -run; -nn-**) 앞
장서다; 앞지르다; 예고하다. *~·
ner* n. C 선구자; 선인; 선조.
fore·sée [-sí:] vt., vi. (**-saw;
-seen**) 예견하다, 미리 알다. **~·ing**
a. 선견지명이 있는. **~·ing·ly** ad.
fóre·shádow vt. 예시하다.
fóre·shòre n. (the ~) 물가(간조
선과 만조선과의 사이)
fóre·shórten vt. 원근법에 따라 그
리다.(그림) 단축하다.
fóre·sight n. U 선견(지명); 심려
(深慮); 전망. **~ed** a. 선견지명이

있는.
fóre·skin n. C 【解】 포피(包皮)
(prepuce).
for·est [fɔ́:rist, -á-] n. U C 숲,
삼림(의 수목). — vt. 식림(植林)하
다, 숲으로 만들다. **~·er** n. C 산
림 관리자, 산림원; 삼림 거주자. **~·
ry** U 임학; 임업; 삼림 관리(법);
삼림(지).
fore·stáll vt. 앞지르다, 선수 쓰다;
매점(買占)하다.
fore·téll vt., vi. (**-told**) 에고[예언]하다.
fóre·thòught n. U 사전의 고려,
심려(深慮).
fore·tóld [fɔ:rtóuld] v. foretell의
과거(분사).
for·ev·er [fərévər] ad. 영원히, 언
제나. **~·more** [-^-mɔ́:r] ad. 앞으
로 영원히.
fóre·wárn vt. 미리 경계[경고]하다.
fóre·wòrd n. C 머리말, 서문.
for·feit [fɔ́:rfit] n. ① C 벌금; 몰
수물. ② (pl.) 벌금놀이. — vt., a.
상실[하다); 몰수되다[된]. **for·fei·
ture**[-fətʃər/-fi-] n. C 상실; 벌금,
몰수. C 몰수물, 벌금.
for·gave [fərgéiv] v. forgive의 과
거.
forge [fɔ:rdʒ] n. C 용광로; 제철
소, 대장간. — vt. (쇠를) 불리다;
(계획·음모 따위를) 꾸며내다;
(문서·남의 서명을) 위조하다; (사기
를 목적으로) 남의 이름을 서명하다.
fórg·er n. C 위조자. **fór·ger·y**
[-i] C 위조; 문서 위조죄[죄] C 위조물.
forge² vt. 서서히 나아가다.
for·get [fərgét] vt. (**-got, (古)
-gat; -got(ten); -tt-**) (두고) 잊어
버리다; 게을리하다. **~ oneself** 무
아하다; 열중하다; 나쁜 줄 주제넘은 짓
(말)를 하다. **~·ful a.** 잘 부주의의 있고
(of). **~·ful·ly ad.** **~·ful·ness n.**
forgét-me-nòt n. C 물망초《Alas-
ka의 주화(州花)》.
for·give [fərgív] vt. (**-gave; -giv·
en**) 용서하다; (빚을) 탕감하다, 삭
제[면제]한다. **~·ness n.** 용서, 면제,
관대(함). **for·gív·ing a.**
for·go [fɔ:rgóu] vt. **-went; -gone.**
없이 때우다(do without); 절제하여

다; 삼가다: 굶다.

for·got[fərgát/-5-] v. forget의 과
거분사.

for·got·ten[fərgátn/-5-] v. forget
의 과거분사.

:fork[fɔːrk] n. ⓒ 포크; 쇠스랑[무
무의] 아귀, 갈래; (도로·강의) 분기
점. ─ vt. 갈라지게 하다: (마른 풀
따위를) 쇠스랑으로 던지다[떠 올리
다]. **~ed**[-t] a. 갈라진, 아귀진.
아귀 모양의.

for·lorn[fərlɔ́ːrn] a. 버림받은, 고
독한; 비참한, 절망적인.

:form[fɔːrm] n. ① ⓒⓤ 모양; 외형;
ⓒ (사람의) 모습: (사람의 몸매의 (경
기자 등의) 폼. ② ⓤ (일정한) 형
식, 방식, 틀 [樣] 服; 형식. ③ ⓒ 서
식: (기입) 용지; 종류. ③ ⓤ (문의
작품의) 표현형식; 형식: 예식,
예절. ④ ⓒ [哲] (내용에 대한) 형
식. ⑤ ⓤ 심신의 상태. ⑥ ⓒ 의자
형태, 이형; 급(英) (public school
따위의) 학급; [印] 조판: 급(英) (등받
이 없는) 긴의자. **for ~'s sake** 형식
상. **good (bad) ~** 예의[무례]. **in
due ~** 정식으로. ─ vt. 형성[형]
만들다; 설립[조직]하다; 생기게 하
다; (습관을) 붙이다; [文] 구성하
[軍] (대열을) 짓다(~ a line, 1줄로
서다/~ fours, 4열을 짓다). ─ vi.
형성되다; 생기다; 대형이 되다. ~·
less a. 모양이 없는, 무정형의.

:for·mal[fɔ́ːrməl] a. 모양의, 형식
[외형]상의; 정식의; 의례적인; 따딱
한; 규칙 바른; 형식적인; 형식을 갖
춘(뿐인)인; [論] 형식의: [哲] 본질적
인. **~ object (subject)** [文]
목적어(주어). **~·ism**[-lizəm] n. ⓤ
형식주의. **~·ist** n. ~·**ize** vt. 정식
[형식적]으로 하다; 형식화하다. **~·**
ly ad.

form·al·de·hyde [fɔːrmǽldə-
hàid] n. ⓤ [化] 포름알데히드.

For·ma·lin[fɔ́ːrməlin] n. ⓒ [商標]
포르말린(살균·방부제).

:for·mal·i·ty[fɔːrmǽləti/-li-] n.
ⓤ 형식 존중; 딱딱함; [ⓒ] 형식적 행
위; (pl.) 정식의 절차; 의식.

for·mat[fɔ́ːrmæt] n. ⓒ (책의 체
재, 판, 형; (방송 프로의) 구성; [컴]
포맷, 형식, 포맷. ─ vt. (**-tt-**)

[컴] 포맷에 넣다.

for·ma·tion[fɔːrméiʃən] n. ① ⓤ
형성; 조직; 구조, 배치. ② ⓤⓒ
[軍] 대형. ③ ⓒ 형성물; [地] 층.

for·ma·tive[fɔ́ːrmətiv] a. 형성하
는; 구성하는; 발달의; [文] 말을 구
성하는. ─ n. [文] (말의) 구성 요소
[접두·접미]사 따위).

:for·mer[fɔ́ːrmər] a. 앞의, 이전의.
the ~ 전자(opp. the latter).
~·ly ad.

For·mi·ca [fɔːrmáikə] n. ⓤ [商
標] 포마이커(가구 따위의 표면에 바
르는 강화 합성 수지).

:for·mi·da·ble[fɔ́ːrmidəbəl] a. 만
만찮은, 무서운. **-bly** ad.

for·mu·la[fɔ́ːrmjələ] n. (pl. **~s,
-lae**[-li:]) ① 일정한 형식[數·化]
식, 공식; 법식; 화학식. ② [數·化]
식, 공식; 법식. ⓒ [化] (문에
따위의) 상투어.

for·mu·late[fɔ́ːrmjəlèit] vt. 공식
으로 나타내다, 공식화하다. **~·la·tion**
[-éiʃən] n.

for·ni·cate[fɔ́ːrnəkèit] vi. (미혼
자가) 간통하다(with). **-ca·tion**[-
kéiʃən] n.

:for·sake [fərséik] vt. (**-sook,
-saken**) (친구를) 저버리다; (습관·
신앙을) 버리다.

for·swear, fore-[fɔːrswɛ́ər] vt.
(**-swore, -sworn**) 맹세코 끊다(무
인하다). ~ **oneself** 거짓 맹세하다.
─ vi. 거짓 맹세하다.

for·syth·i·a [fərsíθiə, fɔːr-,
-sáiθiə] n. ⓤ [植] 개나리.

:fort[fɔːrt] n. ⓒ 보루(堡壘), 성채.

forte[fɔːrt] n. ⓒ 장점, 장기(長技).

for·te [fɔ́ːrtei, -ti] ad. [樂] 강음의, 세게
[樂] 강음의, 세게

:forth[fɔːrθ] ad. 앞으로; 보이는 곳
에, 밖으로; …이후, **and so ~**
등등. **come ~** 나타나다. **from
this day ~** 오늘 이후. **right ~**
즉시. **so far ~** 거기까지는, 그만
큼은.

forth·com·ing[fɔ̀ːrθkʌ́miŋ] a. 곧
나오려고[나타나려고] 하는; 준비돼
있는.

forth·right ad. 솔직히; 똑바로.

forth·with[-wíθ, -wíð] ad. 당장,
즉시.

:for·ti·eth[fɔ́ːrtiiθ] n., a. ⓤ 제

F

for·ti·fi·ca·tion [fɔ̀ːrtəfikéiʃən/ -ti-] *n.* ① U 방비; 축성(築城)(학). ② C (보통 *pl.*) 방비 시설, 요새. ③ U (음식 영양가의) 강화.

for·ti·fy [fɔ́ːrtəfài/ -ti-] *vt.* 강(견고)하게 하다; 방어 공사를 하다; (영양가·맛을) 강화하다; 높이다(**en-rich**); (설(說)을) 뒷받침하다. ㅡ **oneself** 몸을 지키다, 기운을 복돋 다. **~·fied** *a.* 방비된, **fortified zone** 요새 지대.

for·tis·si·mo [fɔːrtísəmòu] *a., ad.* (It.) [樂] 매우 센[세게].

for·ti·tude [fɔ́ːrtətjùːd] *n.* U 불굴의 정신.

fort·night [fɔ́ːrtnàit] *n.* C (주로 英) 2주간, 14일. ㅡ**·ly** *a., ad., n.* 2주간마다(의).

FORTRAN, For·tran [fɔ́ːrtræn] *n.* U [컴퓨터] 포트란(과학 기술 계산 프로그램 용어)(《 *formula transla-tion*》).

for·tress [fɔ́ːrtris] *n.* C (대규모) 요새(要塞); (一般) 안전 지대.

for·tu·i·tous [fɔːrtjúːətəs] *a.* 우연한 (발생)의, **~·ly** *ad.* **·ty** U 우연 (성); C 우발 사건.

for·tu·nate [fɔ́ːrtʃənit] *a.* 행운의 [을 갖다 주는]. **:~·ly** *ad.*

for·tune [fɔ́ːrtʃən] *n.* U 운(명); 행운; 부, 재산; C (재산으로 인한) 사회적 지위. (F-) 운명의 여신. **have ~ on one's side** 운이 좋다. **seek one's ~** 입신 출세의 길을 찾다. **spend a small ~ on** (俗) …에 큰돈을 들이다.

fortune·tèller *n.* C 점쟁이.

for·ty [fɔ́ːrti] *n., a.* (UC) 40(의).

fórty wínks (口) 낮잠.

fo·rum [fɔ́ːrəm] *n.* (*pl.* **~s, -ra** [-rə]) C (고대 로마의) 공회(公會)의 광장. ② 법정. ③ (공개·TV 등의) 토론회.

for·ward [fɔ́ːrwərd] *ad.* 앞으로, 앞에, **from this day ~** 오늘 이후.
ㅡ*a.* 전방의; 진보적인; 뻔뻔스러운. ㅡ*vt.* 촉진하다. ㅡ*n.* C [球技] 포워드 패스. ㅡ**páss** [球技] 포워드 패스. ㅡ*vt.* 촉진

하다; (우편물을) 회송하다; 발송하다. **~s** [-z] *ad.* = FORWARD. **~·er** *n.* C 운송업자. **~·ing** *n.* U C 촉진; 회송. **~ing agent** 운송 업자.

forward-lóoking *a.* 앞을 향한. 적극[진보]적인.

for·went [fɔːrwént] *v.* forgo의 과거.

fos·sil [fásl/-5] *n., a.* U 화석(의); (口) 시대에 뒤진(사람). **~·ize** [-əlàiz] *vt., vi.* 화석이 되다(하게 하다); 시대에 뒤지게 하다; (*vi.*) 화석 채집을 하다. **~·i·za·tion** [fàsəlizéiʃən/fɔ̀silai-] *n.* U 화석화.

fos·ter [fɔ́ːstər, fás-/-5-] *vt.* 기르다, 양육하다; 돌보다; (생각·발달·태도 위를) 촉진하다; (희망·사상·증오·따위를) 마음속에 키우다(품다). ㅡ*a.* 양육의, 양육 관계의.

fought [fɔːt] *v.* fight의 과거(분사).

foul [faul] *a.* 더러운; 악취 나는; [海] (닻줄이) 엉클어진; (검댕 따위로) 꽉 막힌; (날씨가) 나쁜, 궂은; 역풍의; 상스런, 야비한; 심히 불쾌한; (경기에서) 반칙의; 사악한; (배가 암초·다른 배 따위와) 부딪친; [野] 파울의. ㅡ*ad.* 부정하게, **fall 〔go, run〕~ of** …와 충돌하다; 싸우다, ㅡ*n.* C [海] 가벼운 충돌; (밧줄의) 반칙; [野] 파울. ㅡ*vt., vi.* 더럽히다. 더러워지다; 엉키(게 하)다; (…에) 충돌하다; 반칙하다. **~·ly** *ad.* **~·ness** *n.*

foul-móuthed *a.* 입이 건.

fóul pláy (경기의) 반칙; 부정 행위.

found¹ [faund] *v.* find의 과거(분사).

found² *vt.* (…의) 기초를 두다; 창설하다; 근거로[의거] 하다(*on, upon*). **~·er** *n.* C 창설자; 시조.

found³ *vt.* 주조(鑄造)하다(cast). **~·er** *n.*

foun·da·tion [faundéiʃən] *n.* ① U 토대. ② (UC) 기초, 근거. ③ U 창설. ④ C 기금(의 기금의 설립물), 재단. ⑤ C 코르셋류(類). ⑥ U 기초 화장, 파운데이션. **~·er** [-ər] *n.* C (美) 장학생.

foundátion stòne 주춧돌, 초석.

found·er¹ [fáundər] *n.* ⇒FOUND²·³.

found·er² *vi.* (둑·건물 따위가)

너지다; 넘어지다; (배가) 침수되어
침몰하다; (말이) 쓰러지다, 절름발이
가 되다; 실패하다. ── *vt.* 침몰시키
다; (말을) 쓰러뜨리다.

found·ling [fáundliŋ] *n.* ⓒ 기아
(棄兒); 주운 아이. ~ **hospital** 기
아 보호소, 고아원.

found·ry [fáundri] *n.* ⓒ 주조장(鑄
造場); ⓤ 주조업.

fount[¹] [faunt] *n.* ⓒ 〔雅〕 샘 (foun-
tain); 원천.

fount[²] *n.* 〔英〕= FONT².

†**foun·tain** [fáuntin] *n.* ⓒ 샘; (음
용) 분수; 원천; 〔機〕 기름통; 〔印〕 잉
크통.

fóuntain·hèad *n.* ⓒ 수원; 근원.

fóuntain pén 만년필.

†**four** [fɔːr] *n., a.* ⓤⓒ 4(의). **on all
~ s** 네 발로 기어; 꼭 들어 맞아
(with).

fóur-éyed *a.* 네 눈의; 안경을 쓴.

fóur·fóld *a., ad.* 4중[배]의(으로).

fóur-létter wórd 4글자 말(비속
한 말).

fóur·póster *n.* ⓒ (커튼 달린) 4기
둥의 대형 침대.

four·some [‐səm] *n.* ⓒ 〔골프〕 포
섬(4인이 2조로 나뉨); 그것을 하는
4사람; 4인조. 　　　　　　　〔한.

fóur·squáre *a.* 4각의; 솔직 [견고]

†**four·teen** [fɔ́ːrtíːn] *n., a.* ⓤⓒ 14
(의), ⓤ 14세(의), 14명. **‐téenth**
n., a. ⓤ 제14(의), 열넷째(의); ⓒ
14분의 1(의).

†**fourth** [fɔːrθ] *n., a.* ⓤ 제4(넷째)
(의), ⓤ 4분의 1(의). **the F‐ of
July** 미국 독립 기념일(7월 4일).
‐ly *ad.* 넷째로.

fóurth diménsion, the 제4차원.

fóurth estáte, the 신문계, 언론
계(the press). 저널리즘.

4WD four-wheeled drive 4륜 구
동 방식.

†**fowl** [faul] *n.* (*pl.* ~ *s*, 〔집합적〕 ~)
ⓒ 닭; 가금(家禽) ── ⓤ 닭[새]고기;
ⓒ 〔古〕 새, 조류. **barn-door** ~ 닭. ──
vi. 들새를 잡다. **‐er** *n.* 들새 사냥
꾼. **‐ing** [‐iŋ] *n.* ⓤ 들새 사냥,
새사냥.

†**fox** [faks/‐ɔ‐] *n.* (*pl.* ~ *es*, 〔집합
적〕 ~) ⓒ 여우; ⓤ 여우 모피; ⓒ

교활한 사람. ── *vt., vi.* 속이다; 변
색시키다[하다]. ── *vi.* 여우 같은(로)
교활한 짓으로 꾸미다; 변색하[된] 〔俗〕.

fóx·glòve *n.* ⓒ 〔植〕 디기탈리스〔약
용〕.

fóx·hòle *n.* 〔軍〕 (1인 내지 3인
용의) 작은 참호.

fóx·hòund *n.* ⓒ 여우 사냥개.

fóx·hùnt *n., vi.* ⓒ 여우 사냥(을 하
다).

fóx térrier 폭스테리어〔애완견〕.

fóx trót 폭스트롯; 말의 걸음걸이의
일종(walk와 trot의 중간).

foy·er [fɔ́iei, fɔ́iər] *n.* (F.) ⓒ (극
장·호텔 따위의) 휴게실; 현관의 홀.

Fr. Father; French.

fra·cas [fréikəs, fræka:] *n.* ⓒ 싸
움, 소동.

frac·tion [frǽkʃən] *n.* ⓒ 단편; 부
분; 분수; **complex** [**common,
vulgar**] 분수; 〔數(繁)〕 (보통) 분수. **‐al**
a. **~·al·ly** *ad.*

frac·tious [frǽkʃəs] *a.* 성마른; 다
루기 힘든.

frac·ture [frǽktʃər] *n.* ① ⓤ 부쉼,
부숨; ② 갈라진 틈, 금; 〔醫〕 단
골(斷骨); ③ 골절(骨折). ── *vt.,
vi.* 부수다; 부러뜨리다; 골절하다.

frag·ile [frǽdʒəl/‐dʒail] *a.* (*cf.*
frail) 부서지기 쉬운; (몸이) 약한.
fra·gil·i·ty [frədʒíləti] *n.*

frag·ment [frǽgmənt] *n.* ⓒ 파편;
단편; 미완성 유고(遺稿). **·men·
tar·y** [‐èri‐/‐əri] *a.* 파편적인; 단편적
인. 조각조각난; 미완성의.

frag·men·ta·tion [frægməntéiʃən]
n. ① (폭탄·암석 등의) 파쇄; 분열,
붕괴; 〔컴〕 분할(分割化). ~ **bomb**
파쇄 폭탄(수류탄).

fra·grant [fréigrənt] *a.* 냄새가 좋
은; 상쾌한. **~·ly** *ad.* **fra·grance**,
‐gran·cy *n.* ⓤ 방향.

frail [freil] *a.* (*cf.* fragile) (체질이)
허약한; 무른; 깨지기 쉬운; 유혹에
빠지기 쉬운. **‐ty** *n.* ⓤ ⓒ 무름, 허
약; (성적·의지의) 박약(에서 오는 과
실).

frame [freim] *n.* ① ⓒ 구조; 조직;
기구; 뼈대; ② ⓒ 모양; 체격; ③ ⓒ
액자; (온상의) 틀, 프레임; ④ ⓒ
〔映〕 (필름의) 한 화면; ⑤ 〔컴〕 틀
(공을 놓는) 삼각형틀; 〔野·볼링〕 〔게

임의 1회. ⑥ 〖컴〗 짜임, 프레임《스크린 등에 수시로 일정 시간 표시되는 정보(화상); 컴퓨터 구성 단위》. ~ ***of mind*** 기분. — *vt.* ① 조립하다; (…의) 형태(뼈대)를 만들다. ② 고안하다. ③ 틀에 맞추다; (…의) 틀이 되다. ④ 《口》 없는 죄를 씌우다, (죄를) 조작하다(*up*).

fráme-ùp *n.* Ⓒ 《口》 (아무를 죄에 빠뜨리는) 계략, 음모; 조작된 죄.

·**fráme·wòrk** *n.* Ⓒ 틀, 뼈대; Ⓤ 구성, 구조, 체제.

franc[fræŋk] *n.* Ⓒ 프랑《프랑스·벨기에·스위스의 화폐 단위》; 1프랑 화폐.

·**fran·chise**[frǽntʃaiz] *n.* Ⓤ 선거권; Ⓒ 특권; 총판(總販)권.

Fran·co[frǽŋkou, frɑ́:ŋ-], **Francisco**(1892-1975) 스페인의 군인·총통.

fran·co·phone[frǽŋkoufòun] *n., a.* Ⓒ 프랑스어를 하는 (사람).

:**frank**[fræŋk] *a.* 솔직한; 숨김없는. ***to be ~ with you*** 솔직히 말하면, 사실은. — *vt.* (우편물을) 무료로 송달하다. — *n.* Ⓒ 〖英史〗 무료 배달의 서명(특전·우편물). **:∠·ly** *ad.* ·**∠·ness** *n.*

·**frank·furt**(**·er**)[frǽŋkfərt(ər)] *n.* Ⓒ 프랑크푸르트 소시지《쇠고기·돼지고기를 혼합한 것》.

frank·in·cense[frǽŋkinsèns] *n.* Ⓤ 유향(乳香).

·**fran·tic**[frǽntik] *a.* 심히 흥분한; 《古》 미친. ·**fran·ti·cal·ly, fran·tic·ly** *ad.*

·**fra·ter·nal** [frətə́:rnəl] *a.* 형제의; 우애의.

fratérnal twins 이란성 쌍생아 (cf. identical twins).

·**fra·ter·ni·ty**[frətə́:rnəti] *n.* ① Ⓤ 형제간(의 우애). ② Ⓒ 우애 조합; (the ~) 동업(동호)자들. ③ Ⓒ《집합적》《美》 (남자 대학생의) 친목회 (cf. sorority).

frat·er·nize[frǽtərnàiz] *vi.* 형제로 사귀다; (적국민과) 친하게 사귀다. **-ni·za·tion**[∸-nizéiʃən] *n.*

frat·ri·cide[frǽtrəsàid, fréi-] *n.* ① Ⓤ 형제 살해. ② Ⓒ 그 사람.

·**fraud**[frɔ:d] *n.* ① Ⓤ 사기, 협잡. ② Ⓒ 부정 수단; 사기꾼; 가짜.

fraud·u·lent[frɔ́:dʒulənt] *a.* 사기의; 사기적인; 속여서 손에 넣은. **~·ly** *ad.* **-lence, -len·cy** *n.*

·**fraught**[frɔ:t] *a.* (cf. freight) …을 내포한, …으로 가득 차 있는; 《詩》 …을 가득 실은(*with*).

fray[1][frei] *n.* (the ~) 떠들썩한 싸움, 다툼.

·**fray**[2] *vt., vi.* 문지르다; 닳아 빠지(게 하)다; 풀(리)다; 해지(게 하)다.

fraz·zle[frǽzəl] *vt., vi.* 닳아 빠지(게 하)다; 지치(게 하)다. — *n.* Ⓒ 너덜너덜(휘주근)한 상태.

·**freak**[fri:k] *n.* Ⓤ,Ⓒ 변덕; Ⓒ 기형, 괴물. **∠·ish** *a.*

·**freck·le**[frékl] *n., vt., vi.* Ⓒ 주근깨; 얼룩(이 생기(게 하)다). **fréck·ly** *a.* 주근깨투성이의.

†**free**[fri:] *a.* ① 자유로운; 자주적인. ② 분방한; 솔직한. ③ 규칙에 구애되지 않는; 문자에 얽매이지 않는; 딱딱하지 않은. ④ 풍부한. ⑤ 한가한; (방 따위가) 비어 있는; 장애가 없는; 무료의; 세 없는; 개방된; 자유로 드나들 수 있는. ⑥ 참가 자유의. ⑦ 무조건의. ⑧ 고정되어 있지 않은. ⑨ 손이 큰; 아끼지 않는. ⑩ (…이) 없는, (…이) 면제된(*from*). ⑪ 〖化〗 유리된. ***for ~*** 《口》 무료로. ***~ fight*** 난투(亂鬪). ***~ on board*** 본선 인도(本船引渡). ***get ~*** 자유의 몸이 되다. ***make a person ~ of*** 아무에게 …을 마음대로 쓰게 하다. ***make ~ with*** 허물없이 굴다. ***set ~*** 해방하다. — *ad.* 자유로; 무료로. — *vt.* (**freed**) 자유롭게 하다, 해방하다; 면제하다(*of, from*).

free·bee, -bie[frí:bi:] *n.* Ⓒ 《美俗》 공짜의 것《무료 입장권 등》.

:**free·dom**[frí:dəm] *n.* Ⓤ,Ⓒ 자유; Ⓤ 자유 독립; (the ~)(시민·회원 등의) 특권; Ⓤ 해방; 면제; (the ~) 자유 사용권; Ⓤ 허물(스스럼)없음, 무람없음; Ⓤ (동작의) 자유 자재. ***~ from care*** 속편함, 태평. ***~ of the press*** 출판(언론)의 자유.

frée énterprise (정부의 간섭을 받지 않는) 자유 기업.

frée-for-àll *n.* Ⓒ 누구나 참가할 수 있는 경기; 난투.

frée·hànd *a.* (기구를 쓰지 않고)

손으로 그린. ~ **drawing** 자재화(自
在畫).

free・hòld ① ⓒ (토지의) 자유
보유권. ② ⓒ 자유 보유 부동산.

frée hòuse 《英》 (여러 가지 상표
의 주류를 파는) 술집.

frée kíck [蹴] 프리킥.

frée-lánce *vi.* 자유 계약으로[프리
랜서로] 일하다.

frée-láncer *n.* ⓒ 자유 계약자, 프
리랜서.

frée・ly [fríːli] *ad.* 자유로이; 거리낌
없이; 아낌없이; 무료로.

frée・man [∠mən] *n.* ⓒ (노예가 아
닌) 자유민; (시민권 등이 있는) 공민.

Frée・ma・son [fríːmèisn] *n.* ⓒ 프
리메이슨단(團)《비밀 결사의 회원》.

frée・ma・son・ry [∠mèisnri] *n.*
Ⓤ 프리메이슨단의 주의·강령; (f-) 자연
적인 우정[공감].

frée pórt 자유항. 「프리지어.

frée・si・a [fríːziə, -ʒiə] *n.* ⓒ [植]

frée-style [∠stàil] *n.* Ⓤⓒ [水泳] 자유형.

frée-thìnker [∠θíŋkər] *n.* ⓒ 자유 사상가.

frée tráde 자유 무역.

frée vérse [韻] 자유시.

frée-wày [∠wèi] *n.* (무료) 고속 도로.

frée wíll 자유 의지.

freeze [friːz] *vi., vt. (froze; frozen)*
얼다(*lt* ~s.); 얼게 하다; 얼다[다];
(추위로) 곱[게 하다]; 섬뜩[오싹]하게
(게 하다); (자산을) 동결시키다. — ~
out (口) (냉대하여) 못 배기게 하다.
~ (*be frozen*) *to death* 얼어 죽
다. **・frózen** *a.* 언; 냉동되는, 냉장고.
・frée・zing *a., n.* 어는, 얼어 붙는;
몹시 추운; 냉동용의; (태도가) 쌀쌀
한; Ⓤⓒ 냉동; 동결.

frée・zing pòint 빙점.

freight [freit] *n.* ① Ⓤⓒ 화물 수송,
《英》 수상(水上)[화물 수송. ② Ⓤ 운
송 화물; 적하(積荷). ③ Ⓤ 운임. ④
ⓒ 《美》= **tráin** 화물 열차. — *vt.*
(화물을) 싣다; 출하(出荷)
하다. **・age** *n.* Ⓤ 화물 운송; 운
임; 운송 화물. **・er** *n.* ⓒ 화물선.

fréight càr 《美》 화차.

French [frentʃ] *a.* 프랑스(인·어)
의. *take ~ leave* 인사 없이 슬쩍
나가다. — *n.* ① Ⓤ 프랑스어. ②
ⓒ 《집합적》 프랑스인[국민].

Frénch béan 《주로 英》 강낭콩.

Frénch hórn 프렌치 호른《소리가
부드러운 금관 악기》.

French-man [∠mən] *n.* (*pl.* **-men**
[-mən]) ⓒ 프랑스인.

Frénch wíndow 프랑스식 창《도
어 겸용의 좌우로 열게 된 큰 유리창》.

French-wom・an [∠wùmən] *n.* (*pl.*
-women [-wìmin]) ⓒ 프랑스 여자.

fre・net・ic [frinétik] *a.* 열광적인.
-i・cal・ly [-ikəli] *ad.*

fren・zy [frénzi] *vt.* 격앙(激昻)[광
란]시키다. — *n.* Ⓤⓒ 격앙, 열광,
광란. **-zied** *a.*

fre・quen・cy [fríːkwənsi] *n.* Ⓤⓒ
자주 일어남, 빈발; 빈번; ⓒ 빈도
(수); ⓒ [理] 횟수(回數), 진동수, 주
파수.

fre・quent [fríːkwənt] *a.* 빈번한,
자주 일어나는; 상습적인; 수많은.
— [fri(ː)kwént] *vt.* (…에) 자주 가
다[출입하다]; 늘 모이다. **-ly** *ad.*
자주 가는 사람, 단골 손님. ~**:**
ly *ad.* 종종, 빈번히, 빈번히.

fres・co [fréskou] *n.* (*pl.* ~(*e*)s
[-z]), *vt.* Ⓤⓒ 프레스코화(풍)(으로
그리다). *in* ~ 프레스코 화법으로.

fresh [freʃ] *a.* 새로운; 신선한; 원기
[안색] 좋은; 짙디젊은; 상쾌한; 선명
한; 갓 나온; 경험이 없는; 소금기 없
는; (바람이) 센. ⓒ 뻔뻔스러운, 건
방진. — *n.* 새로이, 새롭게; **・-ly**
ad. 새로이; 신선하게, 빈번히.
-ness *n.*

fresh・en [∠ən] *vt., vi.* 새롭게 하다
[되다); 염분을 없애다[가 없어지다].
— *up* 기운을 내다, 기운을 돋우다; (외
출전 따위에) 몸치장하다.

fresh・er [∠ər] *n.* 《英俗》= FRESH-
MAN.

fresh-man [∠mən] *n.* ⓒ (대학의)
신입생, 1년생.

frésh wàter 민물, 담수.

fret [fret] *vt., vi. (-tt-)* 초조하게
(게) 하다; 먹어 들어가다, 개개다; 부식
[침식]하다; 물결치(게 하다. ~ **one-
self** 속태우다. — *n.* Ⓤ 속태움, 초
바심, 고뇌. **・-ful** *a.* **-ful・ly** *ad.*

fret[2] *n., vt.* (-*tt*-) ⓒ 뇌문(雷紋)[격
자무늬]《으로 장식하다》.

fret[3] *n.* [악기] (현악기의) 기러기발.

frét sàw 실톱.

frét·wòrk *n.* ⓒ 뇌문(雷紋)장식; ⑪ 그 장식틀 세공.

Freud [frɔid], **Sigmund** (1856–1939) 오스트리아의 정신 분석학자. **⌐·i·an** *a., n.* ⓒ 프로이트(설)의 (학도).

Fri. Friday.

fri·a·ble [fráiəbəl] *a.* 부서지기 쉬운; 가루가 되기 쉬운, 무른.

fri·ar [fráiər] *n.* ⓒ 수사, 탁발승. **⌐·ly** *n.* 수도원, 수도회.

fric·a·tive [fríkətiv] *a., n.* 【音聲】 마찰로 생기는; ⓒ 마찰음(f, v, ʃ ð 등).

fric·tion [fríkʃən] *n.* ⑪ 마찰; 불화. **⌐·al** *a.* **⌐·al·ly** *ad.*

†Fri·day [fráidei, -di] *n.* ⓒ 금요일 (略 **Fri.**). *—ERATOR.*

fri(d)ge [fridʒ] *n.*《英口》= REFRIG-

†fried [fraid] *v.* fry의 과거(분사). *— a.* 기름에 튀긴;《俗》술취한.

friend [frend] *n.* ⓒ 친구, 벗; 자기 편, 지지자; 동지;《pl.》근친;《呼稱》자네; (F-) 프렌드파의 사람, 퀘이커교도(Quaker). *a ~ at* [*in*] *court* 좋은 지위에 있는 친구. *keep* [*make*] *~s with* …와 친하게 하다, 친하게 되다. *the Society of Friends* 프렌드파(Quakers). **⌐·less** *a.* **⌐·ship**[⌐ʃip] *n.* ⑪ⓒ 우정; 친교.

friend·ly [fréndli] *a.* 친구의(다운); 우정이 있는; 친한; 친절한, 붙임성 있는; 호의를 보이는; 형편 좋은. **⌐·li·ness** *n.*

Friendly Society《英》공제 조합.

fri·er [fráiər] *n.* = FRYER.

frieze [friz] *n.* ⓒ 【建】 프리즈, 띠 모양의 장식(벽).

frig·ate [frígit] *n.* ⓒ 옛날의 빠른 세대박이 군함; (현대의) 프리깃함(艦).

†fright [frait] *n.* ① 돌연한 공포, 공포;②《口》(몹시) 추악한(우스운) 사람[물건]. *in a ~* 흠칫(섬뜩)하여. *take ~ at* …에 놀라다. *—vt.*《詩》=↓.

†fright·en [⌐n] *vt.* 놀라게 하다; 을 러대어 …시키다. *—vi.* 겁내다. *be ~ed at* …에 놀라다, 섬뜩하다. **⌐·ing** *a.* 무서운, 놀랄. **⌐·ed** *a.*

†fright·ful [⌐fəl] *a.* 무서운; 추악한;

《口》불쾌한; 대단한. **⌐·ly** *ad.* **⌐·ness** *n.*

frig·id [frídʒid] *a.* 극한(極寒)의; 쌀쌀한; 형식적인, 딱딱한; (여성이) 불감증의. **⌐·ly** *ad.* **fri·gid·i·ty** *n.* ⑪ 냉담; 딱딱함; (여성의) 불감증.

frill [fril] *n.* ⓒ (가두리의) 주름 장식; (새나 짐승의) 목털; 필요없는 장식품;《pl.》허식, 뽐냄. 우(…에) 주름 장식을 달다. **⌐·ing** ⓒ 가장자리 주름 장식.

fringe [frindʒ] *n.* ⓒ 술장식; 가장자리, 가두리; 앞머리. *—vt.* (술을) 달다; …에 두르다.

fringe bénefit 부가 급부(給付), 특별 급여[노동자가 받는 연금·유급휴가·의료 보험 따위).

frip·per·y [frípəri] *n.* ⓒ 싸고 야한 옷;⑪ 그 장식품; ⑪ 허식; 과시.

Fris·bee [frízbi:] *n.* ⓒ 【商標】 (원반던지기 놀이의) 플라스틱 원반.

frisk [frisk] *vi.* 껑충껑충 뛰어 돌아다니다, 까불다. *—vt.*《俗》(옷위를 더듬어 흉기·장물 따위를) 찾다;《美》몸을 더듬어) 훑치다, 장난치는, 쾌활함. **⌐·y** 뛰어다니는, 장난치는, 쾌활함.

frit·ter¹ [frítər] *vt.* 찔끔찔끔 낭비하다; 잘게 자르다[부수다]. *—n.* ⓒ 잘 조각.

frit·ter² *n.* ⓒ (과일을 넣은) 튀김.

friv·o·lous [frívələs] *a.* 하찮은, 시시한; 경박한. **⌐·ly** *ad.* **⌐·ness** *n.* **fri·vol·i·ty** [frivάləti/-5-] *n.* ⓒ 경박한 언동.

friz [friz] *vt., vi.* 지지다; (직물의 표면을) 보풀보풀하게 만들다. *—n.* ⓒ 고수머리.

fro [frou] *ad.* 저쪽에(으로)《다음 성구로만 쓰임》. *to and* ↓ 이리저리, 앞뒤로.

frock [frak/-ɔ-] *n.* ⓒ (여성의) 부인[여아]복; 작업복; 성직자의 옷; = **còat** 프록코트.

†frog [frɔːg, -α-/-ɔ-] *n.* ⓒ 개구리; 【鐵】철차의 교차점; 【獸醫】 (말 굽의) 쐐기 살. *~ in the throat* (목) 쉰 소리.

frog·man [⌐mæn, -mən] *n.* ⓒ 잠수 공작원[병].

frog·màrch *vt., n.* ⑪ (날뛰는 죄수 등을 엎어 놓고) 넷이 팔다리를 들고 나르다(나르는 일).

frol·ic [frálik/-ɔ́-] n. ⓒ 장난, 까불, 법석; ⓤ 들떠 떠듦. — vi. (-**ck**-) 장난치다, 떠들어 대다. ~**some** a. 장난치는, 까부는.

from [frʌm, -ə-, 弱 frəm/-ɔ-/-ɔ-, 弱 frəm] prep. ① 《동작의 기점》…에서《rise ~ a sofa》. ② 《시간·순서의 기점》…부터《~ childhood》. 《거리》…에서《ten miles ~ Seoul》. ⑤ 《원인·이유》…때문에, …으로, 인해서《die ~ fatigue/suffer ~ cold》. ⑤ 《원료》…에서, …으로《make wine ~ grapes》. ⑥ 《차이》…와 다르게, 구별하여《know a Ford ~ a Renault 포드와 르노를 판별할 줄 알다》. ⑦ 《분리·제거》…에서《take six ~ ten》. ⑧ 《출처·유래》…에서(의)《quote ~ Milton》.

frond [frand/-ɔ-] n. ⓒ (양치 식물의) 잎; 엽상체(葉狀體).

front [frʌnt] n. ① ⓤ 앞쪽, 전면, 표면; 《건물의》 정면; 앞부분에 넣어지는 것《와이셔츠의 가슴부분, 붙인 앞머리 등》. ② (the ~) 《해안의 산책할 수 있는》 길. ③ (the ~) 전선(前線), 싸움터 《at the ~ = 출정 중의》; 전선(戰線). ④ ⓒ 《氣》 전선(前線). ⑤ ⓤ 용모, 태도; 뻔뻔스러움; 《지위·재산 따위가》 있는 터. ⑥ ⓒ 《口》 간판(으로 내세운 명사; front man》. cold [warm ~] 한랭[온난]전선. come to the ~ 전면에 나서다[나타나다], 유명해지다. in ~ of ~의 앞에. the people's [popular] ~ 인민 전선. — a. 전면[정면]의; 《晉聲》 앞쪽의. — vt., vi. 면하다, 향하다, 맞서다.

front-age [frʌntidʒ] n. ⓒ 《건물의 정면의 방위》 가옥·토지의 정면의 폭《길·강 따위에 면한》 빈터; 건물과 도로 사이의 공지.

fron·tal [frʌntl] a., n. ⓒ 정[전]면(의); 《解》 앞이마뼈의 (뼈).

fruit [frut] n. ① ⓤⓒ 과실, 과일; ⓒ (pl.) 농산물; ⓒ 소산, 결과. ② 《美 俗》 동성연애하는 남자. bear ~ 열매 맺다. — vi., vt. 열매를 맺(게 하)다. ~**·age** [-idʒ] n. ⓤ 결

front bench (英) 《의회의》 정면석《의장석에 가까운 장관이나 야당 간부의 자리》.

front bencher (英) (front bench에 앉는) 장관, 야당 간부.

fron·tier [frʌntíər, -ə-/frʌ́ntiə, frən-] n. ⓒ 국경 지방; 《美》 변경; 미지의 영역. — a. 국경 지방의, 변경의. **new** ~ 《美》 '뉴프런티어'

(Kennedy 대통령의 정책인 외교상·내정상의 신개척면》.

fron·tiers·man [-zmən] n. ⓒ 《美》 변경의 주민; 변경 개척자.

fron·tis·piece [frʌ́ntispiːs] n. ⓒ 권두(卷頭) 삽화; 《建》 정면; 입구 위쪽의 합각머리.

front man (부정 단체 따위의) 간판(으로 내세운 명사); 대표자.

front page (책의) 속 표지; 《신문의》 제 1 면.

front-runner n. ⓒ 선두를 달리는 선수; 남을 앞선 사람.

frost [frɔːst/-ɔ-] n. ① ⓤ 서리. ② ⓤⓒ 빙결(氷結), 결상(結霜). ③ ⓤ 빙점 이하의 온도; 추운 날씨. ④ ⓤ 냉담. ⑤ ⓒ 《口》 《흥행물·행사·연극 등의》 실패. — vt. 서리로 덮다; 서리를 맞아 시들게 하다; 서리(피)해를 주다; 유리·금속의 광택을 없애다; 설탕을 뿌리다. ~**·ing** n. ⓤ 당의(糖衣); 《유리·금속의》 광택을 지움. ~**·y** a. 서리가 내리는[내린]; 혹한의; 냉담한; 《머리가》 반백의.

frost·bite n., vt. (-**bit**; -**bitten**) ⓤ 동상(에 걸리게 하다). ~**·bitten** a.

froth [frɔːθ/-ɔ-] n. ⓤ 거품; 시시한 것; 쓸데 없는 얘기. — vt., vi. 거품을 일(으키)다; 거품으로 덮다; 거품을 물다. ~**·y** a. 거품의[같은]; 공허한.

frown [fraun] vt., vi. n. 눈살을 찌푸리다[찌푸림]; 상을 찡그리다[찡그림]; 언짢은 얼굴을 하다《on, upon》. ~ **down** 무서운 얼굴을 하여 위압하다.

froze [frouz] v. freeze의 과거.

fro·zen [frouzn] v. freeze의 과거분사. — a. 언, 냉동의; 극한(極寒)의; 동상에 걸린; 동사한; 얼음으로 뒤덮인; 냉담한; 《자산의》 동결된. a ~ man 미석방 포로. the ~ limit 인내의 한계. ~**·ly** ad.

fruc·tose [frʌ́ktous] n. ⓤ 《化》 과당(果糖).

fru·gal [frúːɡəl] a. 검소한, 알뜰한. ~**·i·ty** [fruːɡǽləti] n.

실; 《집합적》과실; 결과. **~·less**
a. 열매를 맺지 않는; 효과가 없는.
~·y *a.* 과일의 맛이 나는.

frúit·càke *n.* Ⓤⓒ 프루트 케이크.

fruit·er·er [ⁿərər] *n.* ⓒ 과일상
(商).

fruit·ful [ⁿfəl] *a.* 열매가 잘 열리는;
다산(多産)인; (토지가) 비옥한; 이익
이 많은. **~·ly** *ad.* **~·ness** *n.*

fru·i·tion [fruːíʃən] *n.* Ⓤ 결실 (목
적의) 달성; 성과; 소유(의 기쁨).

frump [frʌmp] *n.* ⓒ 추레한 여자.
~·ish, **~·y** *a.*

frus·trate [frʌ́streit] *vt.* (계획·노
력 등을) 좌절시키다; 사람을 실망시
키다. **·tra·tion** [frʌstréiʃən] *n.* Ⓤⓒ
타파; 좌절, 실패; 《心》 욕구 불만.

fry¹ [frai] *vt., vi.* 기름에 튀기다
《튀겨지다》 ⓒ 프라이(하다), 프라이
로 되다; ⓒⓊ 통구이. — *n.* 프라이 음
식. **~ the fat out of ...** (실업가
등)에게 헌금시키다, 돈을 짜내다. **have
other fish to ~** 다른 더 중
요한 일이 있다. **~·er** *n.* ⓒ 프라이용
요리사, 프라이용 식품.

fry² *n.* (*pl.* **~**) ⓒ 치어(稚魚); 작은
물고기 떼; 동물의 새끼; 아이들.
small (lesser, young) ~ 잡어
(雜魚); 아이들; 시시한 녀석들.

frying pan 프라이팬. **jump (leap)
out of the ~ into the fire** 소난
《小難》을 면하려 대난에 빠지다.

ft. feet; foot.

fuch·sia [fjúːʃə] *n.* ⓒ 《植》 퓨셔(바
늘꽃과의 관상용 관목》.

fuck [fʌk] *vt., vi.* 《卑》 성교하다; 가
혹한 취급을 하다; 실수하다. — *n.*
(the ~) hell 따위 대신에 쓰이는 강
의어(强意語).

fud·dle [fʌ́dl] *vt.* 취하게 하다; 혼란
시키다.

fudge [fʌdʒ] *n.* Ⓤⓒ (설탕·밀크·버
터를 넣은) 캔디의 일종; ⓒ 허튼 소
리. — *int.* 당치 않은! — *vi.* 허튼
소리를 하다; 꾸며내다; 속이다.

fu·el [fjúːəl] *n.* ① Ⓤⓒ 연료. ② Ⓤ
감정을 북돋우는 것. *~ capacity*
연료 적재력; 연료 저장량. *~(l)ing
station* 연료 보급소. — *vt., vi.*
《英》 -ll- 연료를 얻다《공급하다, 적
재하다》.

fu·gi·tive [fjúːdʒətiv] *a., n.* 도망
친; ⓒ 도망자; 일시적인; 덧없는;
(작품의) 일시적인 주제를 다룬.

fugue [fjuːɡ] *n.* ⓒ 《樂》 푸가, 둔주
곡(遁走曲).

-ful *suf.* ① [fəl] '…이 가득 찬, …
이 많은, … 한 성질이 있는' 의 뜻의
형용사를 만듦: beauti*ful*, forget-
ful. ② [ful] '…에 하나 가득'의 뜻
의 명사를 만듦: hand*ful*, spoon-
ful.

ful·crum [fúlkrəm, fʌl-] *n.* (*pl.*
~s, -cra [-krə]) ⓒ (지레대의) 받침
점; 지주.

ful·fill, 《英》 **-fil** [fulfíl] *vt.* (**-ll-**)
(약속·의무 따위를) 이행하다; (명령
에) 따르다; (목적을) 달성하다; 완성
하다; (조건을) 만족시키다. *~·
ment* *n.* Ⓤⓒ 수행, 실행, 달성.

full [ful] *a.* 찬, 가득한, 충분한; 충
만한; 완전한; 최대한의; 불룩(통통)
한; (의복이) 낙낙한; (성량이)풍부
한. — *ad.* 충분히; 꼭바; 《詩》 완전
히, 아주. — *n.* Ⓤ 전부; 충분; 한
창, 최고조. *at (to) the ~* 한껏내게, 충분
히, 가득히. *in ~* 상세하게; 완전
히. — *v.i.* 《방언》 가득 차다. **~·
ness** *n.* Ⓤ 충만, 풍족, 충만, 비만;
(음색의) 풍부함.

fúll-báck *n.* Ⓤⓒ 《蹴》 풀백, 후위.
fúll-blóoded *a.* 순종의; 혈기 왕성
한.
fúll-blówn *a.* 만발한, 만개한.
fúll-bódied *a.* 내용이 풍부한; 《술
따위가》 진한 맛이 있는; (사람이) 살
찐.
fúll-dréss *a.* 정장(正裝)의.
fúller's éarth *n.* 풀러스 백토, 표토.
fúll-flédged *a.* 깃털이 다 난; 충분
히 자격 있는.
fúll-grówn *a.* 충분히 자란.
fúll hánd 《포커》 동격의 패 두 장과
석 장을 갖춘.
fúll hóuse (극장 따위의) 만원; =
FULL HAND.
fúll-léngth *a.* 등신대(等身大)의.
fúll móon 만월(滿月).
fúll-scále *a.* 실물대(實物大)의; 본
격적인, 전면적인.
fúll stóp 종지부.
fúll tíme (일정한 기간 내의) 전근무
동 시간; 풀 타임《시합 종료시》.

fúll-tíme *a.* 전(全)시간(제)의.

fúll-tíme *n.* ⓒ 전(全)수업시간 출석 학생(수)(cf. part-timer).

ful·ly[fúli] *ad.* 충분히, 완전히, 아주.

ful·mi·nate [fΛlmənèit] *vi., vt.* 호통치다; 천둥치다(*against*)(폭발시키다); 맹렬한 비난을 받다(퍼붓다). **-na·tion** [∽néiʃən] *n.*

ful·some[fúlsəm, fΛl-] *a.* 몹시 역겨운, 역겨스런, 집요한. **~·ly** *ad.*

fum·ble [fΛmbl] *vi., vt.* 더듬다; 만지작(주물럭)거리다; 〔野〕(공을) 펌블하다. — *n.* ⓒ 더듬질; 펌블(공을 잡았다 놓침).

fume[fjuːm] *n.* (*pl.*) 연기, 증기; 향기, 훗훗한 기; (a ~) 노기, 흥분. — *vi., vt.* 연기(향기)가 나(게 하)다; 훈증하다(시키다); 불끈하(게)나다.

fu·mi·gate [fjúːməgèit] *vt.* 그을리다; 훈증 소독하다; (향을) 피우다. **-ga·tor**[-ɡèitər] *n.* ⓒ 훈증(소독)기[자]. **-ga·tion**[∽ɡéiʃən] *n.*

fun[fΛn] *n.* ⓤ 놀이; 재미; 장난. make ~ of, or poke ~ at …을 놀리다. — *vi.* (-*nn*-) 장난하다, 까불다.

func·tion[fΛŋkʃən] *n.* ⓒ 기능, 작용; 임무; 직무; 의식, ⓒ 〔數〕 함수; ⓒ 〔컴〕 기능(컴퓨터의 기본적 조작(명령)). — *vi.* 작용하다; 직분을 다하다. **~·al**[-ʃənəl] *a.* 기능의(*a ~al disease* 기능적 질환(opp. organic); 직무상의; 여러 모로 유용한. **~·ar·y** *n., a.* ⓒ 직원, 관리; 기능〔직무〕의.

func·tion·al·ism[fΛŋkʃənəlizəm] *n.* ⓤ (건축 등의) 기능주의(일종의 실용주의).

fund[fΛnd] *n.* ⓒ 기금; 적립금 (지식·기능의) 온축(蘊蓄)(*pl.*) 소지금, (국가의) 재원, 〔英〕 공채. *in 〔out of〕 ~s* 돈을 가지고〔돈이 떨어져〕. — *vt.* (단기 차입금을) 장기 공채로 바꾸다; (이자 지급을) 위한 자금을 준비하다.

fun·da·men·tal [fΛndəméntl] *a.* 근본적인, 기본의; 〔樂〕 바탕음의. — *n.* (종종 *pl.*) 근본, 원리; 〔樂〕 바탕음; 〔理〕 기본파(波). **~·ism** [-izəm] *n.* ⓤ 〔宗〕 기본주의(《성서를

문자대로 믿고 진화론을 배격함). **~·ist** *n.* **~·ly** *ad.* 본질적〔근본적〕으로.

fúnd-ràiser *n.* ⓒ 기금 조성자, 기금 조달을 위한 모임.

fu·ner·al[fjúːnərəl] *n., a.* ⓒ 장례식(의); 장례 행렬(의).

fu·ner·ar·y[fjúːnərèri/-rəri] *a.* 장례식의, 장례식 같은; 음울한.

fún fàir (주로 英) = AMUSEMENT park.

fun·gi·cide [fΛndʒəsàid] *n.* ⓤⓒ 살균제.

fun·goid [fΛŋɡɔid] *a.* 균 비슷한; 균성(菌性)의.

fun·gus [fΛŋɡəs] *n.* (*pl.* **-es**, **-gi**) 진균류(眞菌類)(곰팡이·버섯 따위); 〔醫〕 균상종(菌狀腫).

fu·nic·u·lar [fjuːníkjulər] *n.* 케이블의(로 움직이)는.

funk[fΛŋk] *n.* (a ~) ⓤ 〔口〕 공포; 공황; ⓒ 겁쟁이. *be in a ~* 겁내고 있다. — *vt.* (…을) 무서워 하다; 두려워하게 하다. — *vi.* 겁을 집어먹다, 움츠리다.

fun·ky [fΛŋki] *a.* (俗) ① 몹시 구린. ② 관능적인. ③ 〔재즈〕 펑키조의(소박하고 정열적).

fun·nel [fΛnl] *n.* ⓒ 깔때기; (깔때기 모양의) 통풍통(筒); 채광 구멍(기관차·기선의) 굴뚝. — *vt., vi.* (英)-*ll*- 깔때기로 흐르게 하다; 갈때기 끝이 되(게 하)다; 집중하다.

fun·ny[fΛni] *a.* 우스운; 〔口〕 이상한; 〔口〕(口語) 상태가 나쁜; 〔口〕 술취한; 〔口〕(신경의) 탈이 난(란)의. **~ column** 〔strips〕 만화란. **~** [fΛni] (*pl.*) 〔口〕 연재 만화(란) (cf. comic strip). **fún·ni·ly** *ad.*

fúnny bòne (팔꿈치의) 척골(尺骨)의 끝(치면 짜릿한 곳).

fur [fəːr] *n.*, ① ⓤ 모피(의) 모피; (*pl.*) 모피 제품, ② ⓤ 〔집합적〕 모피 동물. ③ ⓤ 설태(舌苔); 물때. — **and feather** 사냥 짐승과 사냥새. — *vt.* (-*rr*-) 모피로 덮다〔안을 대다〕; 설태〔물때〕를 끼게 하다.

fu·ri·ous[fjúəriəs] *a.* 격노한; 미쳐 날뛰는; 맹렬한. **~·ly** *ad.*

furl[fəːrl] *vt., vi.* (기·돛 따위를) 감다, 접다, 걷히다. — *n.* (a ~) 감기; 접은 것.

F

fur·long [fɑ́ːrlɔːŋ/-ɔ-] n. ⓒ 펄롱 《거리의 단위; 1/8마일》.

fur·lough [fɑ́ːrlou] n., vt. ⓤⓒ 말미〔휴가〕(를 주다). **on ~** 휴가 중에.

fur·nace [fɑ́ːrnis] n. ⓒ 화덕, 용광로; 난방로로; 작열하는 곳.

fur·nish [fɑ́ːrniʃ] vt. 공급하다; 《가구 따위를》 설비하다. **~ed**[-t] a. 가구 달린. **~·er** n. ⓒ 가구상. **~·ing** n. 〔pl.〕《가구의》 설비; 〔pl.〕 비치된 가구; 《美》 복식품.

fur·ni·ture [fɑ́ːrnitʃər] n. ⓤ《집합적》 가구; 비품; 내용. **the ~ of one's pocket** 포켓 안에 든 것, 돈.

fu·ror [fjúːrɔːr, fjɔ́rər] n. 《a ~》 노도(怒濤)와 같은 감격〔흥분〕; 열광.

furred [fɑ́ːrd] a. 털가죽《제품을 붙인, 모피로〔모피 제품으로〕 덮인, 모피제의; 설태《물때》 낀.

fur·ri·er [fɑ́ːriər/fʌ́r-] n. ⓒ 모피상; 모피 장색(匠色). **~·y** n. ⓤⓒ 모피류; 모피업.

fur·row [fɑ́ːrou/-ʌ́-] n. ⓒ 고랑, 보습자리; 밭이랑의 항적(航跡); ⓒ 주름살. **—** vt. 《쟁기로》 갈다; 두둑〔고랑〕을 짓다; 주름살이 지게 하다.

fur·ry [fɑ́ːri] a. 모피의, 모피 같은; 모피로 덮인; 설태(舌苔)《물때》 낀.

fur·ther [fɑ́ːrðər] (far의 비교급) a. 더 먼; 그 이상의. **—** ad. 더 멀리; 더욱. **I'll see you ~ first.** 《口》 딱 질색이다. 더 나아가게 하다; 조장하다. **~·ance** n. ⓤ 조장, 촉진. **:~more**[-mɔ̀ːr] ad. 더욱 더, 그 위에. **:~most**[-mòust] a. 가장 먼.

fur·thest [fɑ́ːrðist] 《far의 최상급》 a., ad. =FARTHEST.

fur·tive [fɑ́ːrtiv] a. 은밀한, 남몰래 하는, 《아무가》 남의 눈을 속이는. **a ~ glance** 슬쩍 엿봄. **~·ly** ad.

fu·ry [fjúəri] n. ⓤ 격노, 분격, ⓒ 광포, 격렬. 《F-》 복수(復讐)의 세 여신의 하나. **like ~** 《口》 맹렬하게.

fuse[fjuːz] vt., vi. 녹(이)다; 융합시키다〔하다〕.

fuse²[fjuːz] n. ⓒ 신관(信管), 도화선; 《電》 퓨즈.

fu·se·lage [fjúːsəlɑ̀ːʒ, -lidʒ, -zə-/ -zi-] n. ⓒ 《비행기의》 동체(胴體).

fu·sil·ier, -sil·eer [fjùːzəlíər] n. ⓒ 수발총병(卒).

fu·sil·lade [fjùːsəléid, -zə-] n. ⓒ《총포·질문 따위의》 일제 사격.

fu·sion [fjúːʒən] n. ① ⓤ 융해; 《理》 핵융합(cf. fission). ② ⓤ 용해물. ③ ⓒ《정당의》 합동. **nuclear ~** 핵융합. **~·ist** n. ⓒ 합동론자.

fuss [fʌs] n. ① ⓤ《하찮은 일에 대한 야단법석》; 흥분, 안달복달. ② ⓒ《하찮은 일에》 떠들어대는 사람. ③ 《a ~》 싸움; 말다툼. **get into a ~** 마음 졸이다, 흥분하다. **make a ~** 야단법석하다. **—** vt., vi. 《하찮은 일로》 법석떨〔게 하〕다, 속타〔게 하〕다. **~·y** a. 《사소한 일에》 법석떠는; 성가신; 《의복·문체 따위》 몹시 신경을 쓰는《꼼꼼한》(finical); 세밀한.

fus·tian [fʌ́stʃən] n., a. ⓤ 퍼스티언(綿)의 《면·마직의 거친 천, 코르덴지의 능직 무명》; 과장된〔말〕.

fus·ty [fʌ́sti] a. 곰팡내 나는; 낡아 빠진; 완고한.

fu·tile [fjúːtl, -tail] a. 쓸데 없는; 하찮은(trifling). **·fu·til·i·ty** [fjuːtíləti] n. ⓤ 무용; ⓒ 무익한 짓.

fu·ture [fjúːtʃər] n., a. ⓤ 미래(the ~), 《the ~》; 장래; ⓒ 전도; 《文》 미래 시제(의); 《보통 pl.》 《商》 선물(先物). **for the ~, in the ~** 장래에, 금후는. **in the near ~, or in no distant ~** 가까운 장래에. **~·less** a. 미래가 없는, 장래성 없는.

fu·tur·ism [-rìzəm] n. ⓤ 《종종 F-》 미래파《전통의 포기를 주장하던 1910년경 이탈리아에서 일어난 예술상의 일파》. **-ist** n. ⓒ 미래파 화가《문학자·음악가》(따위).

fu·tu·ri·ty [fjuːtʃúərəti] n. ⓤ 미래(성); 후세; ⓒ 《종종 pl.》 미래의 일《장래일》.

fuzz [fʌz] n. ⓤ 보풀, 잔털, 솜털. **—** vi., vt. 보풀이 일다〔보풀을 일게 하다〕; 흐릿 흐려지게 만들다. **~·y** a. 보풀의, 보풀《꾀깔》 같은; 보풀이 인, 희미한.

fuzz² n. 《俗》《집합적》 경찰; 형사.

-fy [fài] suf. ‘…로 하다, …화 하다, …이 되다’란 뜻을 가진 동사를 만듦.

G

G, g [dʒiː] n. (pl. **G's, g's** [-z]) ⓊⒸ
【樂】 사음(音), 사조(調); (로마수의)
400; ⓒ 【理】 중력의 상수(常數); 《美
俗》 천, 천 달러(grand).

g gram(me); gravity.

gab [gæb] n., vi. (**-bb-**) Ⓤ 《口》 수
다 (떨다). *gift of the ~* 능변.

gab·ar·dine, gab·er- [gǽbər-
diːn, ⌐⌐] n. Ⓤ 개버딘(레인코트감).

gab·ble [gǽbəl] vi., vt., n. (…을)
지껄이다; Ⓤ 지껄여대기.

ga·ble [géibəl] n. ⓒ 【建】 박공.

gad [gæd] vi. (**-dd-**) 어슬렁거리다,
돌아다니다. — n. Ⓒ 나돌아다니기.

gád·fly [⌐] n. Ⓒ 등에, 말파리, 쇠파리
;성가신 사람.

gadg·et [gǽdʒit] n. ⓒ (기계의) 부
속품, 간단(편리)한 장치; 묘안.

Gael [geil] n. Ⓒ 게일 사람(스코틀랜드
고지·아일랜드 등지의 켈트 사람).
⌐·ic [⌐ik] a., n. 게일족[어]의; Ⓤ
게일어.

gaffe [gæf] n. ⓒ 실수, 실책.

gaf·fer [gǽfər] n. Ⓒ 노인, 영감.

gag [gæg] n. Ⓒ 게살; 언론 탄압; 《英
議會》 토론 종결; 《外》 개구기(開口器).
— vt., vi. (**-gg-**) (…에게) 재갈을
물리다; 언론을 탄압하다; 게우게 하
다; 웩웩거리다.

gag² [⌐] n. ⓒ 《劇》 개그(배우가 임기
응변으로 하는 익살·농담); ① 사기,
거짓말. — vt., vi. (**-gg-**) (…에게)
개그를 넣다; 속이다. **⌐·man** [-mæn]
⓪ 개그 작가; 희극 배우.

ga·ga [gάːgάː] a., n. Ⓤ 《俗》 어수룩
한 (영화배우)(the ~s 무비판적인 속
물); 늙은, 망령들린; 열중하는.

gage n. = GAUGE.

gag·gle [gǽgəl] n., vi. Ⓒ 거위떼(가
꽥꽥 울다); (여자들의) 무리; (시끄
러운 집단).

gai·e·ty [géiəti] n. Ⓤ 유쾌, 쾌
활 ① Ⓤ 명랑 (기분 등의) 화려;
③ (pl.) 환락, 법석.

---

gai·ly [géili] ad. 유쾌[화려]하게.

gain [gein] vt. ① 얻다; 이기다. ②
획득하다. ③ (무게·힘 등이) 늘다; (시
계가) 더 가다. — vi. ① 이익을 얻
다. ② 나아지다; 잘 되다. ~ *up(on)*
…에 접근하다; (아무에게) 발붙다;
…에 침식하다. ~ *over* 설복시키
다; (자기 편으로) 끌어들이다. ~
the EAR of. ~ *TIME.* — n. Ⓒ①
이익. ② 증가; 진보. ② (pl.) 이득, 벌
이. **⌐·er** n. Ⓒ 얻는 자; 승리자.
⌐·ful a. 유리한. **⌐·ing** n. (pl.) 이득,
소득, 벌이.

gain·say [⌐séi] vt. (**-said**) 부정[반
박]하다.

gait [geit] n. (sing.) 걸음걸이; (말
의) 보조(步調).

gait·er [géitər] n. Ⓒ 각반.

gal [gæl] n. 《俗》 = GIRL.

gal. gallon(s).

ga·la [géilə, gάː-, gǽlə] n., a. 축제
축제(의), 제례(의). — *dress* 나들
이 옷.

ga·lac·tic [gəlǽktik] a. 【天】 은하
의; 젖의, 젖에서 온.

gal·axy [gǽləksi] n. ① (G-) 은하,
은하수; 【天】 은하계 (우주). ②
(미인·재사 등의) 화려한 무리, 기
라성처럼 늘어선 사람.

gale [geil] n. Ⓒ① 《氣》 강풍, 큰바
람 《海》 폭풍. ② 《詩》 실바람. ③
《美》 폭소; 환희; 흥분 상태.

gall¹ [gɔːl] n. ① Ⓤ 담즙(bile). ②
쓸개, 쓸개즙. ③ Ⓤ 증오; 적의, 진절머
리; Ⓤ 《美俗》 뻔뻔스러움.
dip one's pen in ~ 독필(毒筆)을
휘두르다(비평 따위에서).

gall² [⌐] n. Ⓒ 오배자, 몰식자 (没食子)
《균·벌레 등이 잎·줄기에 만든 충영
(蟲癭).

gall. gallon(s).

gal·lant [gǽlənt] a. ① 훌륭한, 당
당한. ② 화려한. ③ 용감한, 기사적
인. **⌐** [gəlǽnt] 여성에게 친절한;

gáll blàdder 담낭, 쓸개.

gal·le·on [gǽliən] n. ⓒ 《史》 스페인의 큰 돛배《상선·군함》.

gal·ler·y [gǽləri] n. ① 회랑. ② (교회의) 특별석(의 사람들); 《劇》 맨위층 보통 관람석(의 관객), 《集合的》 그 입석자. ③ 희랑, 진열실; 긴 방. ④ 《鑛》 갱도. **play to the ~** 일반 관중의 취미에 맞춰 연기하다; 저속 취미에 영합하다. **gál·ler·ied** *a.* ~가 있는.

gal·ley [gǽli] n. ① 《史》 갤리배《노예가 노를 젓는 돛배》. ② (고대 그리스·로마의) 군함; 대형 보트. (선내의) 취사실. ④ 《印》 게라《스틱 (composing stick)으로 부터 옮긴 활자를 담는 목판》; 게라쇄(刷), 교정 쇄.

Gal·lic [gǽlik] *a.* 골《사람》의; 프랑스의.

gall·ing [gɔ́:liŋ] *a.* 울화치미는, 속타게 하는.

gal·li·vant [gǽləvǽnt/⁻⁻⁻] vi. 여성의 꽁무니를 쫓아다니다; 건들건들 놀러다니다.

gal·lon [gǽlən] n. ⓒ 갤런《= 4 quarts》: 영국에서는 약 4.5리터, 미국에서는 약 3.8리터).

gal·lop [gǽləp] n. ⓒ 갤럽《말의 전속력 구보》. ② 급속도. ━ vi., vt. (…에게) 갤럽으로 달리(게 하)다; 급속 도로 나아가다.

gal·lows [gǽlouz] n. (pl. ~·es) ⓒ 교수대; 교수형; (pl.) 《美》 바지 멜빵.

gáll·stòne n. ⓒ 《病》 담석(膽石).

Gál·lup póll [gǽləp⁻] 《美》 (통계학자 G. H. Gallup 지도의) 갤럽 여론 조사.

ga·lore [gəlɔ́:r] *ad.* 풍부하게.

ga·losh [gəlɑ́ʃ/-ɔ́-] n. = OVERSHOE.

gal·van·ic [gælvǽnik] *a.* 동(動)전 기의; (웃음 따위가) 경련적인; 깜짝 놀라게 하는. **-i·cal·ly** *ad.*

gal·va·nize [gǽlvənàiz] vt. 동전기

를 통하다; 활기 띠게 하다; 전기 도 금하다. **~d iron** 함석. **-ni·za·tion** [⁻nizéiʃən] n.

gam·bit [gǽmbit] n. ⓒ 《체스》 (졸 따위를 희생하고 두는) 첫 수; (거래 등의) 시작.

gam·ble [gǽmbəl] vi. 도박(모험)하다. ━ **in stocks** 투기하다. ━ vt. 도박으로 잃다(away). **·bler** n. **·bling** n.

gam·bol [gǽmbəl] vi. (英) -ll-), n. ⓒ 깡충깡충 뛰놀다(뛰놀기).

game[geim] n. ① 유희, 오락. ② ⓤ 농담. ③ ⓤ 경기, 한판. ④ 《수》의 득점. ⑤ (pl.) 경기(의 Olympic ~s). ⑥ (종종 pl.) 책략 (trick). ⑦ 《集合的》 엽수(獵獸) 《조(鳥), 어(魚)》, 잡은 사냥감《조 기》; 《백조》의 무리; 목적물. **be on (off) one's** ~ (경기자의) 컨디션이 좋다(나쁘다). **big** ~ 《獵》 큰 짐승《범·곰 따위》. **fair (forbidden)** ~ (수렵법에서) 허가된(금지된) 사냥감. **fly at high** ~ 큰 짐승을 노리다; 대망(大望)을 품다. **~ and (set)** 《테니스》 게임세트. **~ and ~** 1대 1의 득점. **~ of chance** 운에 맡기는 승부. **have a ~ with** …의 눈을 속이다. **make ~ of** …을 놀리다. **play a person's ~**, **play the ~ of a person** 무의식적으로 아무의 이익이 될 일을 하다. **play the ~** (ㅁ) (당당하게) 규칙에 따라 경기를 하다; 훌륭히 행동하다. **The ~ is up.** 이제(만사) 다 틀렸다. **The same old** ~! 또 그 수법이군. **Two can play at that ~.** = **That's a ~ two people can play.** 그 수법[수]에는 안 넘어간다; 이쪽도 수가 있다. ━ *a.* 무지에 겠, 용감한; 자진해서 …하는(for; to do), 용감히 싸우고 죽다, 끝까지 버티다. ━ vt., vi. (…) 내기하다; 내기에 잃다(away).

game² *a.* = LAME.

gáme bìrd 엽조(獵鳥).

gáme·kèeper n. ⓒ (英) 사냥터지기.

game·ly [géimli] *ad.* 용감히.

gáme presèrve 금렵구.

gáme wàrden 수렵 감시관.

gam·ing[géimiŋ] *n.* ⓤ 도박, 내기.

gam·ma[gǽmə] *n.* 그리스어 알파벳의 셋째 글자(Γ, γ; 영어의 G, g에 해당).

gámma rày [理] 감마선.

gam·mon[gǽmən] *n.* ⓒ 베이컨의 허벅지 고기; 훈제(燻製)햄.

gam·ut[gǽmət] *n.* (*pl.*) [樂] 온음정 (音程); 전범위, 전역, *run the ~ of* (*expressions*) 온갖 (표현)을 하다.

gam·y[géimi] *a.* 엽조(獵鳥)의 냄새가 나는; (고기가) 약간 상한 (cf. high).

gan·der[gǽndər] *n.* ⓒ goose 수컷; 얼간이.

gang[gæŋ] *n.* ⓒ ① (노예·노동자 등의) 일단(一團), 한 떼; (악한의) 일당. ② (俗) 놀이친구, 한 동아리. ③ (그립치 도구의) 한 벌. —— *vi.* (英) 집단을 이루다(*up*).

gáng·land [U.C] (美) 암흑가.

gan·gling[gǽŋgliŋ] *a.* (몸이) 흐느적하는; 껑충한.

gan·gli·on[gǽŋɡliən] *n.* (*pl.* ~**s**, -**glia**) ① 신경절(神經節)(특히, 뇌·척수의); (활동의) 중심.

gáng·plànk ⓒ (배와 선창 사이에 걸쳐 놓는) 널판.

gan·grene[gǽŋɡriːn, -⌐] *n., vi., vt.* ⓤ 괴저(壞疽)(가 되다, 되게하다), **-gre·nous**[gǽŋɡrənəs] *a.*

gang·ster[gǽŋstər] *n.* ⓒ 『갱』의 한 사람, 악한. ~**·ism**[-izəm] *n.*

gáng·wày *n., int.* ⓒ 현문(舷門); = GANGPLANK; 『劇』좌석의 통로; (G-!) 비켜라, 비켜!

gan·net[gǽnit] *n.* ⓒ 북양가마우지 (갈매기과의 바다새).

gan·try[gǽntri] *n.* ⓒ (술통 받치는) 구대(構臺); [鐵] (신호 등을 받치는) 구름다리.

gaol[dʒeil] *n., vt.* (英) = JAIL. **~·er** *n.* (英) = JAILER.

gap[gæp] *n.* ⓒ ① 갈라진 틈(을 내다). ② 산이 끊어진 데; 협곡. ③ 결함; 간격, 차이.

gape[geip] *n., vi.* ⓒ ① 하품(을 하다, 딱 벌린 입); 입을 크게 벌리다. ② 입을 벌리고 (멍하니) 바라보다(보

기); (지각 등의) 갈라진 틈(이 생기다). ③ (the ~s) [獸醫] 부리병(의 연발); (탑 따위의) 부리를 헤벌리는 병.

ga·rage[gərɑ́ːʒ/ɡǽrɑːʒ, -ridʒ] *n.* ⓒ (자동차의) 차고; (비행기의) 정남고.

gárage sàle (美) (자기 집에서 하는 중고 가구·의류 등의) 무매.

garb[gɑːrb] *n.* ⓤ (직업·직위 등을 알 수 있는) 복장. ② (한 벌의) 옷, 의관, 외관, 모양. —— *vt.* (…에게) 복장을 입히다. *~ oneself (as)* (…의) 복장을 하다.

gar·bage[gɑ́ːrbidʒ] *n.* ⓤ ① (부엌의) 쓰레기. ② 고기부엌, 허섭. ③ [컴] 가비지(기억 장치 속에 있는 불필요하게 된 데이터).

gárbage càn (부엌의) 쓰레기통.

gar·ble[gɑ́ːrbl] *vt.* (자료·사실 등을) 멋대로 고치다; (고의로) 오전(誤傳)하다.

gar·den[gɑ́ːrdn] *n.* ⓒ ① 정원, 뜰, 채원(菜園). ② (*pl.*) 유원(지). ③ 비옥한 땅. —— *vi.* 정원사, 뜰을 만들다. *~·ing n.* ⓤ 뜰일(가꾸기), 원예.

gárden cíty (종종 G- C-) (19세기부터의) 전원 도시 (운동).

gar·de·ni·a[gɑːrdíːniə, -njə] *n.* ⓒ [植] 치자(꽃).

gárden pàrty 원유회, 가든 파티.

gárden súburb (英) 전원 주택지.

gar·gle[gɑ́ːrgl] *vt., vi., n.* (a ~) 양치질(하다). [U.C] 양치약.

gar·goyle[gɑ́ːrgɔil] *n.* ⓒ [建] (고딕 건축의) 이무깃돌(빗물 모양으로 된) 홈통주둥이, 낙수홈.

gar·ish[gɛ́əriʃ] *a.* 번쩍번쩍하는; 야단스러운.

gar·land[gɑ́ːrlənd] *n., vt.* ⓒ 화환(花環)(으로 꾸미다).

gar·lic[gɑ́ːrlik] *n.* ⓒ [植] 마늘.

gar·ment[gɑ́ːrmənt] *n.* ⓒ 옷(한 가지)(skirt, coat, cloak 등); (*pl.*) 의복.

gar·ner[gɑ́ːrnər] *n., vt.* ⓒ 곡창, 저장소; 축적(하다)(store).

gar·net[gɑ́ːrnit] *n.* [U.C] 석류석(石榴石); ⓤ 심홍색.

gar·nish[gɑ́ːrniʃ] *n.* ⓒ 장식(을 달다); 식식(文飾)(하다); (음식에) 고명(을 얹다). ~**·ment** [U.C] 장식;

[法] 압류 통고; 출정(出廷) 명령.

gar·ret[gǽrət] *n.* ⓒ 고미다락.

:gar·ri·son[gǽrəsn] *n.*, *vt.* ⓒ 수비대(를 두다), 요새지(로서 수비하다).

gar·rote[gərát, -róut/-rɔ́t], **gar·rotte**[gərát, -rɔ́t] *n.*, *vt.* (Sp.) ⓒ 교수형(구); 교수형에 처하다; 교살하고 소지품을 빼앗다.

gar·ru·lous[gǽrjələs] *a.* 잘 지껄이는. **~·ly** *ad.* **-li·ty**[gərúːləti] *n.*

:gar·ter[gáːrtər] *n.*, *vt.* ⓒ ① 양말대님(으로 매다). ② (the G-) (英) 가터 훈장(훈위)(動位)).

:gas[gæs] *n.* ⓤ ① 기체, 가스. ② ⓤ 웃음 가스(laughing gas). ③ ⓤ 독가스. ④ ⓒ(美) 가솔린. ⑤ ⓤ 허풍, 객적은 소리. **step on the** ~ 에 엑셀러레이터를 밟다, 가속하다; 서두르다. —— *vt.* (*-ss-*) 가스를(가솔린을) 공급하다; 가스로 중독시키다; 독가스를 뿌리다. —— *vi.* 가스를 내다; (俗) 허풍떨다; 객담하다.

gás·bàg *n.* ⓒ 가스 주머니; (俗) 허풍선이, 수다쟁이.

gás chàmber 가스 처형실.

:gas·e·ous[gǽsiəs, -sjəs] *a.* 가스 모양의, 기체의; 공허한.

gash[gæʃ] *n.*, *vt.* ⓒ 깊은 상처(를 주다); 깊이 갈라진 틈(을 내다).

gás·hòlder *n.* ⓒ 가스 탱크.

gas·ket[gǽskit] *n.* ⓒ (船) 돛말아 두는 끈(括帆索); (機) (고무·코르크 따위의) 틈메우개, 개스킷.

gás·màn *n.* ⓒ 가스공(工); 가스 검침원; (鑛) 가스 폭발 경계(방지)원.

gás màsk 방독면.

gás òil 경유(輕油).

gas·o·line, -lene[gǽsəliːn, ⌐⌐] *n.* ⓤ(美) 가솔린; (英) petrol.

gas·om·e·ter[gæsámətər/-ɔ́m-] *n.* ⓒ 가스 계량기; 가스 탱크.

:gasp[gæsp, gɑːsp] *vi.* (놀라) 숨이 막히다; ~ **for** (**after**) 간절히 바라다. —— *vt.* 헐떡거리며 말하다(**out**); 헐떡임, 숨참. **at the last** ~ 임종시에.

gás stàtion (美) 주유소.

gás·sy[gǽsi] *a.* 가스가 찬; 가스(모양)의; 기체(모양)의; (口) 공허한; 허풍떠는.

gas·tric[gǽstrik] *a.* 위(胃)의.

gas·tri·tis[gæstráitis] *n.* ⓤ (醫) 위염(胃炎).

gàstro·enterítis *n.* ⓤ 위장염.

gas·tron·o·my[gæstránəmi/-5-] *n.* ⓤ 미식(美食)(학); 요리법.

ga·teau[gǽtou/gǽtou] *n.* (*pl.* *~·teaus*, *~teax*[-z]) (F.) ⓤ ⓒ 대형 장식 케이크.

gáte-crásher *n.* ⓒ (俗) (연회 등의) 불청객; 입장권 없이 입장한 자.

gáte·hòuse *n.* ⓒ 수위실.

gáte·kèeper *n.* 문지기; 건널목지기.

gáte mòney 입장료 (수입).

gáte·pòst *n.* ⓒ 문 기둥. **between you and me and the** ~ 이것은 비밀이지만.

:gáte·wày *n.* ① ⓒ 출입구, 문 (**the** ~) (···에 이르는) 길, 수단 (**to**).

:gath·er[gǽðər] *vt.* ① 모으다; 채집하다. ② 증가(증대)하다; 점차 늘리다. ③ (눈살을) 찌푸리다; (裁縫) (···에) 주름을(개더를) 잡다. ④ 추축하다(**that**). ⑤ (힘·용기를) 내다. (지혜를) 짜내다; (몸을) 긴장시키다. —— *vi.* ① 모이다; 증대하다. 점점 더 해지다; 수축하다, 주름이 잡히다. ② (종기가) 곪다. **be ~ed to one's fathers** 죽다. **~ flesh** 살찌다; 뚱뚱해지다. **~ head** (기세가) 붙다; (폭풍 등이) 세력이 커지다. **~ one·self up (together)** 긴장하고 전신에 힘을 모으다(도약(跳躍)의 직전 따위). **~ up** 그러모으다; 한데 마무르다. (손발을) 움츠리다; 힘을 모으다. ~ **WAY¹**. —— *n.* (*pl.*) (裁縫) 개더, 주름. **:~·ing** *n.* ① ⓤ 집합, 집회; ② 수금(收金); 거두어 들이기; 화농; ⓒ 곪은, 종기; ⓒ 개더, 주름. **~ ground** 수원(水源)지대.

GATT[gæt] General Agreement on Tariffs and Trade 관세 및 무역에 관한 일반협정.

gauche[gouʃ] *a.* (F.) 서투른, 눈치없는.

gau·cho[gáutʃou] *n.* (*pl.* ~**s**) (Sp.) 《남아메리카의 목동(스페인 사람과 인디언의 혼혈).

gaud·y[gɔ́ːdi] *a.* 번쩍번쩍 빛나는, 야한, 값싸고 번지르르한. **gáud·i·ly** *ad.* **gáud·i·ness** *n.*

gauge, gage[geidʒ] *n.* ① 표준 치수(규격). ② 자; 계기, 게이지. ③ (레일의) 궤간(軌間). ④ 〈평가·검사의〉 표준, 방법. ⑤ 〈영국에서는 보통 gage〉 《海》 흘수 범위(바람과 만 대에 대한 위치 관계). **broad** [**nar·row**] ~ 광궤(廣軌)[협궤]. **take the** ~ **of** … 을 계측(평가)하다. — *vt.* 측정하다; 평가하다. **~a·ble** *a.*

gáug·er *n.* ⓒ 계량하는 사람; 계기(계량); (Sc.) 〈술통의〉 검사관, 수세리(收稅吏).

gaunt[gɔːnt] *a.* ① 수척한, 여윈. ② 무시무시한. **~ly** *ad.*

gaunt·let[gɔ́ːntlit] *n.* ⓒ 〈기사·골키퍼 등의〉 손가리개; 긴 장갑. **fling** [**throw**] **down the** ~ 도전하다. **take** [**pick**] **up the** ~ 도전에 응하다.

gauze[gɔːz] *n.* Ⓤ ① 성기고 얇은 천(紗); 거즈; ② 〈가느〉 철망. ③ 얇은 안개. **gáuz·y** *a.*

gave[geiv] *v.* give의 과거.

gav·el[gǽvəl] *n.* ⓒ 《美》 〈의장 등이 쓰는〉 의사봉〈작은 망치〉.

ga·vot(te)[ɡəvɑ́t/-ɔ́-] *n.* ⓒ 가보트〈minuet식의 경쾌한 댄스(곡)〉.

gawk[gɔːk] *n.* ⓒ 아둔한〈얼뜨적은〉 사람; 멍청이. — *vi.* 얼뜨적은〈얼빠진〉 행동을 하다; 멍하니 쳐다보다 (*at*). **~y** *a.*

gay[gei] *a.* ① 쾌활한. ② 화려한. ③ 방탕한. = **quarters** 화류계. **~·ly** *ad.* = GAILY.

gaze[geiz] *n., vi.* 응시, 응시(하다)〈*at, on, upon*). **stand at** ~ 응시하고 있다. **gáz·er** *n.* ⓒ 응시하는 사람.

ga·zelle[ɡəzél] *n.* ⓒ 가젤〈아프리카·아시아산 영양(羚羊)의 일종〉.

ga·zette[ɡəzét] *n.* ⓒ 신문; (英) 관보(로 공시하다).

gaz·et·teer[gæ̀zətíər] *n.* ⓒ 지명(地名) 사전; 《古》 관보(記者) 기자.

G.B. Great Britain. **G.C.E.** (英) General Certificate of Education 보통학력 검정시.

gear[ɡiər] *n.* ① ⓒ 전동 장치(傳動 裝置), 기어, 톱니바퀴. ② ⓒ 장치; Ⓤ 장비, 도구(*a steering* ~ 조타기〉(操舵機)). ③ Ⓤ 〈기계의〉 상태. ④ Ⓤ 《英口》 의복. **be in** [**out of**] ~ 기어가 잘〈안〉 들다, 컨디션이 좋다〈나쁘다〉. — *vt.* (…의) 운전 준비를 하다, 〈기계를〉 걸다, 돌리다; 마구를 달다(*up*); 준비하다; 적응시키다 (*to*), 〈노력을〉 기울이다. — *vi.* 〈톱 니바퀴가〉 맞물리다(*into*). 〈기계가〉 걸리다(*with*), 돌아가다. **~ing**[ɡíəriŋ/ɡíər-] *n.* Ⓤ 《집합적》 전동장치.

géar·shift *n.* ⓒ 《美》 변속(變速) 장치.

geck·o[ɡékou] *n.* (*pl.* ~(*e*)**s**) ⓒ 도마뱀붙이.

gee[dʒiː] *int.* 이러!, 어디여!〈마소 부리는 소리〉; 《口》 에이 참!〈실쩨·실 망·화낼 때의 소리〉.

geese[ɡiːs] *n.* goose의 복수.

Géi·ger(-Mül·ler) còunter[ɡái-ɡər(mjúːlər)-] *n.* 가이거 계수관(計數 管)《방사능 측정기》.

gel[dʒel] *n.* Ⓤ.ⓒ 《理·化》 교화체(膠 化體), 겔. — *vi.* (-*ll*-) 교화(膠化)하다; 굳어지다.

gel·a·tin[dʒélətɪn], **-tine**[-tin/-tiːn] *n.* Ⓤ 젤라틴, 갖풀. **ge·lat·i·nous**[dʒəlǽtənəs] *a.*

geld[ɡeld] *vt.* (~*ed*, *gelt*) 거세(去勢)하다. **~·ing** *n.* ⓒ 불깐 말.

gel·ig·nite[dʒéliɡnàit] *n.* Ⓤ 젤리 그나이트《폭파용 폭약의 일종》.

gem[dʒem] *n., vt.* (-*mm*-) ⓒ 보석 (을 박다); 소중한〈아름다운〉 것(사람).

Gem·i·ni[dʒémənài] *n. pl.* 《天》 쌍둥이자리, 쌍자궁(雙子宮); 《미국》의 2인승 우주선.

gen[dʒen] *n.* (the ~) 《英俗》 정보 (*on*).

Gen. General.

gen·darme[ʒɑ́ːndɑːrm] *n.* (F.) 헌병; 《登山》〈산등 위의〉 뾰족뾰족한 바위 봉우리.

gen·der[dʒéndər] n. 〔U.C〕 【文】 성 (性); 〔口〕 = SEX. **~·less** a. 【文】 성이 없는, 무성의.

gene[dʒiːn] n. 〔C〕 【生】 유전(인)자.

ge·ne·a·log·i·cal [dʒìːniəlɔ́dʒi- kəl, dʒèn-/-5-] a. 계도(系圖)의.

ge·ne·al·o·gy[dʒìːniǽlədʒi, -ǽl-, dʒèn-] n. 〔C〕 계도; 가계(家系)(line- age); 〔U〕 계통학. **-gist** n.

gen·er·a[dʒénərə] n. genus의 복수.

gen·er·al[dʒénərəl] a. ① 전반[보편]적인; 광범위한 일반; 일반적인, 보통의; 개괄〔총괄〕적인. ② 최고위의, 주된. **as a ~ rule** 대체로, **in a ~ way** 일반적으로, 대체로. — n. ① (the ~) 일반, 총체. ② 〔C〕 (육군) 대장, 장군; 전술가, 방법가. ③ 〔C〕 〔宗〕 (수도회의) 총장. **G- of the Army** (美) 육군 원수, 〔in ~ 전반적으로; 일반적으로(people in ~ 일반 대중). **in ~** 개괄적으로; 대체로. **~·ship**[-ʃip] n. 〔U〕 대장의 직〔신분·수완〕.

Géneral Assémbly (유엔) 총회; (美) 주(州)의회.

géneral eléction 총선거.

géneral héadquarters 총사령부 〔생략 G.H.Q., GHQ.〕

gen·er·al·is·si·mo [dʒènərəlísi- mòu] n. (pl.~s) 〔C〕 (영·미 이외 나라의) 대원수; 총통.

gen·er·al·ist[dʒénərəlist] n. 〔C〕 만 능형 인간(opp. specialist).

gen·er·al·i·ty[dʒènərǽləti] n. ① 일반성, 보편성; 〔U〕 통칙(通則)(; (구체적이 아닌) 일반적 진술, 개설; (the ~) 대부분, 대다수.

gen·er·al·ize[dʒénərəlàiz] vt., vi. 일반화하다; 개괄〔종합〕하다, 개괄적으로 말하다. **·i·za·tion**[∠-lizéi- ʃən/-lai-] n. 〔U〕 일반화; 개괄, 종합. 보편화.

gen·er·al·ly[dʒénərəli] ad. 일반적으로, 보통; **~ speaking** 대체로 말하자면, 일반적으로.

géneral practitioner (전문의가 아닌) 일반의(一般醫).

géneral públic 일반 대중.

géneral stáff = STAFF.

gen·er·ate[dʒénərèit] vt. ① 낳다, 산출하다. ② 일으키다, 생기게 하다.

③ 【數】 (점·선·면이 움직여 선·면·입체를) 이루다. **·a·tor** n. 〔C〕 (가스 등의) 발생기; 발전기; 낳는 것; 〔電〕 발전기, 제너레이터.

gen·er·a·tion[dʒènəréiʃən] n. ① 〔U〕 출생; 생식; 산출; 발생. ② 〔C〕 (일)대(代)〔약 30년간〕; 세, 세대, 당대. ③ 〔C〕 〔집합적〕 동시대의 사람들. ④ 〔C〕 세대(같은 시기에 출현한 종으로 든 들어진 기구의 총칭)(**the fourth ~ of computers**). ALTERNATION OF **~s, from ~ to ~**, or **~ after** **~** 대대로 계속해서. **rising ~** 청년 (층), 젊은이들.

generátion gáp 세대차, 세대간의 단절.

gen·er·a·tive[dʒénərèitiv, -rə-] a. 생식(생성)의(하는).

ge·ner·ic[dʒinérik] a. 【生】 속(屬) (genus)의; 일반적인; 【文】 총칭적인. **~ name** 속명. **-i·cal·ly** ad.

gen·er·os·i·ty[dʒènərásəti/-5s-] n. 〔U〕 관대; 도량이 큼, 활수함.

gen·er·ous[dʒénərəs] a. ① 관대한, 마음이 넓은; 도량이 큰; 활수한. ② 풍부한. ③ (토지가) 비옥한, (술이) 감칠맛이 있는. **~·ly** ad.

gen·e·sis[dʒénəsis, -ni-] n. (pl. **-ses**) 〔C〕 발단, 기원; (G-) 【舊約】 창세기.

ge·net·ic[dʒinétik] a. 기원의; 발생(유전)적인. **~·s** n. 〔U〕 유전학 〔유전〕학.

genétic códe 유전 코드 〔DNA 분자 중의 화학적 기초 물질의 배열〕. 〔유전학자.

ge·net·i·cist[dʒinétəsist] n. 〔C〕

gen·ial[dʒíːnjəl, -niəl] a. ① 온화한; 쾌적한, 온난한; ② 친절한; 다정한; 정다운. **~·ly** ad.

ge·ni·al·i·ty[dʒìːniǽləti] n. 〔U〕 온화; 쾌적함(快適); 친절.

ge·nie[dʒíːni] n. (pl. **-nii, ~s**) 〔C〕 귀신.

gen·i·tal[dʒénətəl] a., n. 생식의(pl.). 생식기.

gen·i·tive[dʒénətiv] 【文】 a. 속 (屬)(소유격)격의. — n. (the ~) 속격, 소유격.

ge·ni·us[dʒíːnjəs, -niəs] n. (pl. **~es**) ① 〔U.C〕 천재〔능력·사람〕.

U 천성, (타고난) 자질. ③ U 특질:
진수(眞髓); 사조, 경향: (고장의) 기
풍. ② (pl. **genii**) [보통 복수로 나
타내어] 뒤따라다니는 수호신, 귀신
(genie)

gen·o·cide [dʒénəsàid] n. U (美)
(인종·국민의 계획적) 몰살, 민족 살
멸.

gen·re [ʒɑ́ːnrə] n. (F. = kind;
manner) ① U 유형, 양식, 장르.《美》
풍속화.

gent [dʒent] n. ⓒ 《口》신사, 사이비
신사.

gen·teel [dʒentíːl] a. ① 지체 높은,
품위 있는, 우아한; 예의바른. ② 멋
진, 현대적인. ③ 점잖은 체하는. ~·
ism [-izəm] n. ⓒ 고상한(점잖은)
말. **~·ly** ad.

gen·tian [dʒénʃən] n. U 《植》용담
속(屬)의 식물.

Gen·tile, G- [dʒéntail] n., a. ⓒ
《聖》(유대민족에서 본) 이방인(의),
이교도(의).

gen·til·i·ty [dʒentíləti] n. U ① 지체
높음; 품위, 에절바름; 점잔 빼기; ②
《집합적》 상류층 사람들.

gen·tle [dʒéntl] a. ① 상냥한, 온화
한, 얌전한. ② 지체 높은. ③ 품위
있는. ~ **and simple** (상하) 귀천.
the ~ sex 여성. ~. ⓒ 《古》 양
갖집 사람: (뉴싯밥의) 구더기. ──
vt. (말 따위를) 길들이다; **:gént·ly**
ad. **~·ness** n.

géntle-fólk n. 《집합적; 복수 취
급》양가의[신분이 높은] 사람들.

gen·tle·man [-mən] n. ⓒ ① 신사;
지체 높은[신분 높은] 사람, 군자, 남
자분. ② 종복(從僕). ③ 수입은 있
지만 직업이 없는 남자, 유한 계급.
⑤ (pl.) 《단수 취급》남자용 변소.
~ **at large** 무직자. ~ **of fortune**
해적; 모험가; 협잡꾼. **my ~** (지금
말한) 그치, 그 남자. ~·like, ~·ly
a. 신사적인.

**gentleman's (gentlemen's)
agreement** 신사 협정(협정).

géntle·wòman n. ⓒ 귀부인, 숙
녀; 귀부인의 시녀.

gen·try [dʒéntri] n. (보통 the ~)
《복수 취급》(영국에서는 귀족 다음
가는) 상류 계급:《蔑》패거리, **the**

light-fingered ~ 소매치기들.

gen·u·flect [dʒénjuflèkt] vi. (특히
예배할 때) 무릎을 굽히다; (특히
예배로서) 무릎을 꿇고 절하다.
-flec·tion, (英) **-flex·ion**
[-flékʃən] n.

gen·u·ine [dʒénjuin] a. 순수한; 진
실의, 진짜의; 성실한. **~·ly** ad.

·ge·nus [dʒíːnəs] n. (pl. **gen·era**
[dʒénərə], **~es**) ① 《生》《屬》
《보기》고양이의 학명 Felis catus의
Felis》. ② 종류. ③ 《論》유(類), 유
개념.

ge·o- [dʒíːou, -dʒíːə] '지구, 토지'
의 뜻의 결합사.

gèo·cén·tric [-séntrik] a. 《天》지구를 중심으
로 하는(하여 측정한).

ge·og·ra·phy [dʒiágrəfi/dʒiɔ́g-]
n. ① U 지리학. ② (the ~) 지리,
지세(地勢) 지형. ③ U 지지(地誌),
지리서. **-pher** n. **·ge·o·gráph-
ic** [dʒì:əgrǽfik/dʒì(ə)-], **-i·cal** [-əl]
a. **-i·cal·ly** ad.

·ge·ol·o·gy [dʒiáladʒi/dʒiɔ́l-] n.
U 지질학. **~·gist** n. **ge·o·
log·ic** [dʒì:əládʒik/-lɔ́dʒ-], **-i·cal**
[-əl] a. **-i·cal·ly** ad.

ge·o·met·ric [dʒì:əmétrik], **-ri·
cal** [-əl] a. 기하(학)적인. **-ri·cal·ly**
ad.

geométric progréssion
[séries] 《數》 기하(등비) 급수.

:ge·om·e·try [dʒiámətri/-5m-] n.
U 기하학. **ana·
lytic** ~ 해석 기하학. Euclidean ~
유클리드 기하학. plane [solid,
spherical] ~ 평면[입체, 구면] 기
하학.

ge·o·phys·ics [dʒì:oufísiks] n. U
지구 물리학. **-i·cal** [-kəl] a. 지구 물
리학(상)의. **-i·cist** n.

gèo·pólitics (《G.》) n. U 지정학
(地政學).

ge·ra·ni·um [dʒəréiniəm, -njəm]
n. ⓒ 《植》 제라늄, 양아욱. ② 선홍색.

ger·i·at·ric [dʒèriǽtrik] a. 노인병
의; 고연령(층)의, 노인의.

ger·i·at·rics [dʒèriǽtriks] n. U 노
인병학, 노인학.

germ [dʒəːrm] n. ① ⓒ 배종(胚種),
어린 싹. ② ⓒ 병원균, 세균. ③
(the ~) 싹틈, 근원, 기원. **in** ~ 미발달

(상태)로. — *vi.* 받아하다.

†**Ger·man** [dʒə́ːrmən] *a.*, U. 독일
(사람)의; 독일 사람; U. 독일
어. **High ~** 고지 독일어[독일 표준
어]. **Low ~** 저지 독일어[네덜란드
어 등을 포함한 북부 독일 방언].
Old High ~ 고대 고지 독일어
(800-1100년 경의).

ger·mane [dʒəːrméin] *a.* 밀접한 관
계가 있는; 적절한(pertinent)(*to*).

Ger·man·ic [dʒəːrmǽnik] *a.* 독일
(민족)의; 게르만(튜턴)(어)족의.
— *n.* U. 게르만(튜턴)어족. *East ~*
동(東)게르만어(코트어(Gothic) 등).
North ~ 북게르만어(Scandinavia
의 여러 말). *West ~* 서(西)게르만
어(잉글·독·네덜란드·프리지아어 등).

Gérman méasles [醫] 풍진.

Gérman shépherd (dòg) 독일
종 셰퍼드[경찰견].

ger·mi·nate [dʒə́ːrmənèit] *vi.*, *vt.* 싹트
다, 싹트게 하다, 발아하다(시키다).
-nant *a.* **-na·tion** [≏-néiʃən] *n.*

gérm wárfare 세균전.

ger·on·tol·o·gy [dʒèrəntálədʒi/
-ɔntɔ́l-] *n.* U. 노인병학, 장수학(長
壽學). **-gist** *n.*

ger·ry·man·der [dʒérimændər,
gér-] *vt.*, *n.* U. C. (美) (선거구를) 자당
(自黨)에 유리하게 고치다(고치기);
부정하게 손을 대어 고치다[고치기].

ger·und [dʒérənd] *n.* U. [文] 동명
사. **ge·run·di·al** [dʒərʌ́ndiəl] *a.*

Ge·stalt [gəʃtáːlt] *n.* (G.) C. [心]
형태.

Ge·sta·po [gəstáːpou/ge-] *n.* (G.)
(the ~) (단·복수 취급) (나치스의)
비밀 경찰.

ges·ta·tion [dʒestéiʃən] *n.* U. 임신
(기간).

ges·tic·u·late [dʒestíkjəlèit] *vi.*,
vt. 손(몸)짓으로 나타내다. **-la·tion** [≏-léiʃən] *n.*

ges·ture [dʒéstʃər] *n.* U. C. 몸
짓, 손짓, C. 태도, 거동(암시적
의사 표시가 포함된). 선천적 행위,
제스처.

†**get** [get] *vt.* (**got**, (古) **gat**; **got**,
(美·古) **gotten**, **-tt-**) ① 얻다, 취하
다; 잡다; (전화에) 불러 내다; 달하
다; 손에 넣다, 사다; (병에) 걸리다.
② 가져오다(가다); (식사의) 준비를

하다. ③ (동물이 새끼를) 낳다. ④ 때
리다; 곤란하게 하다; 해치우다, (美口)
죽이다. ⑤ (口) 이해하다. ⑥ (口)
먹다. ⑦ (어떤 상태로) 만들다. ⑧
(~ + O + p.p.의 형으로) …시키다
…하게 하다. …하여지다. — *vi.* ①
도착하다. ② 벌다, 이익을 얻다. ③
(~ + *a.*(p.p.)의 형으로) …이 되다.
…당하다. ④ …하기 시작하다. ⑤ (美)
그럭저럭 …하다. **~ about** 돌아다니
다; (완쾌되어) 기동하다; (소문이)
퍼지다. **~ across** 건너다; 성공하
다; (口) 상대방에게 통하다[이해되
다]. **~ ahead** 나아가다, 진보하다;
출세하다. **~ along** 지내다; 사이좋
게 해나가다; 나아가다; 성공하다; 가
다, 떠나다. **G- along with** (口)
(口) 가버려라! 바보 소리 작작 해!
~ around 돌아다니다; (소문이) 퍼
지다; 회피하다; 압도하다; (…에) 이
기다; 속이다. **~ at** 도달하다; 찾아
내다; (口) 매수하다; (俗) 공격하다;
(口) 놀리다; 속이다; 암형하다. **~
away** 떠나다, 나가다; (…을 갖고
도망가다(*with*); 처치하다, 죽이다
(*with*). **~ away with it** (벌받지
않고) 잘 해내다. **~ back** 되돌아오
다; 되찾다; (俗) 대갚음하다(*at, on*).
~ behind 남에게 뒤지다; 회피하다;
…의 내막을 펼쳐와 보다; 지지[후원]
하다. **~ better** (병 따위가) 나아가
다. **~ by** 통과하다; (口) 무사히 해
나가다. **~ down** 내리다; 내려놓
다; 마셔버리다; (美) 점점 싫어지다
(*on*), 우울하게 하다. **~ EVEN¹ with.** **~ in** 들어
가다, 타다; 도착하다; 거둬들이다;
징수하다; (씨를) 뿌리다; 당선하다;
(口) (…와) 협동하다(*with*). **~ into**
…의 속에 넣다[넣다]; …을 입
다, 신다; (습관 따위)에 빠지다; (술
이) 오르다; …을 연구하다; …을 조
사하다. **~ it** (口) 벌을 받다, 꾸지를
듣다; (口) 이해하다. **~ NOWHERE.**
~ off (우편물을) 내다; 면하다; 구해
내다; (명을) 내리다; (농담 따위의)
하다; 외다; 출발하다; 벗다; (口로
英) 어떤 관계를 맺다(*with*). **~ on**
…에 타다; 나아가다; 성공하
다; 지내다; 친하게 하다; 입다, 신
다. **~ on in the** WORLD. **~ ou~**
…을 끌어내다; 새다; 알려지
내리다.

G

찾아내다; 도망치다; 구해내다; (…에서) 나오다, 나가다(*of*). **~ over** 넘다; 이겨내다; (병자being) 회복하다; 용서하다; 잘 알아듣게 말하다; (俗) 꼭 둘러대다; (美俗) 성공하다, 이겨내다. **~** *(美俗)* 성공하다. **~ round** 회복하다; (용제) 변하다; 완쾌하다. **G- set!** (경주에서) 준비《신호총을 안 쓸 경우: G- set, go!라고 구령함》. **~ there** 목적을 이루다. **~ through** 끝내다; (…을) 해내다, 완성하다(*with*); 통과하다; 목적지에 달하다; (시험에) 합격하다. **~ to** …에 영향을 주다. **~ together** 모으다, 모이다; 타결하다. **~ under** 억누르다, 누르다; 가라앉히다; 불을 잡다. **~ up** 일어나다; 일어서다; (불・바람・바다가) 거세어지다, 거칠어지다; 날아가다; 준비하다, 계획(기초)하다; 갖추다, 꾸미다(*~ oneself up*) 《명령형으로》 꺼지다((말에))다. WELL². **have got** (口) 갖고 있다. **have got to** (*go*) (가지) 않으면 안되다. ── *n.* ⓒ (동물의) 새끼; (테니스 따위의) 치기 어려운 공을 잘 받아 넘김.

gét·awày *n.* (*sing.*) 도망; 스타트.
gét-togèther *n.* ⓒ (美口) 친목회, (비공식의) 회합.

gét·úp *n.* ⓒ (口) 몸차림; (책의) 장정; 차림(美); (口) 결의, 정력.
gét-ùp-and-gó *n.* Ⓤ (口) 패기, 열의, 진취성.
géy·ser [gáizər, -s-] *n.* ⓒ 간헐천(間歇泉), 분천(噴泉); [gí:zər] 英) 자동 온수 장치.
Gha·na [gɑ́:nə] *n.* 서아프리카의 공화국《수도 Accra》. **~·ian** [gɑ:néiən], **-ni·an** [gɑ́:niən] *a.*, *n.* 가나의; ⓒ 가나 사람(의).
ghast·ly [gǽstli, -ɑ́:-] *a.*, *ad.* ① 핼쑥한(하게), 송장(유령) 같은(같이); 파랗게 질린(질려); 무시무시한(하게), 무서운(게). **-li·ness** *n.*
gher·kin [gə́:rkin] *n.* ⓒ 작은 오이.
ghet·to [gétou] *n.* (*pl.* **~s**, **-ti** [géti:]) (It.) ⓒ 유대인 거리; (특정 사회 집단) 거주지; 빈민가.
ghétto blàster (俗) 대형 휴대용 라디오, (스테레오) 라디오.

:ghost [goust] *n.* ⓒ ① 유령; 망령. ② 환영, 환상. ③ [TV] =GHOST IMAGE. ④ 근소한 가능성. ⑤ (美口) =GHOSTWRITER. **give up the ~** 죽다. **have not the ~ of** (*chance*) 조금의 가망도 없다. **Holy G-** 성령. **The ~ walks.** 유령이 나온다; (劇俗) 급료(給料)가 나온다(나왔다). ── *vt.*, *vi.* (…을) 떠돌아다니다; ⓒ =GHOSTWRITE. **~·like** *a.* 유령 같은; 무시무시한. **~·ly** [-li] *a.* (-*li·er*; -*li·est*) 유령의; 그림자 같은; 희미한; 종교(영)적인(*a ~·ly father* 師師).
ghóst stòry 괴담; 꾸며낸 이야기.
ghóst tòwn 유령 도시(전쟁・기근 등으로 주민이 떠난 도시).
ghóst-write *vt.*, *vi.* (*-wrote*; *-writ·ten*) (美口) 대작(代作)을 하다. **-writer** *n.* ⓒ 대작자.
ghoul [gu:l] *n.* ⓒ (무덤 속의 시체를 먹는다는) 악귀.
G.H.Q. General Headquarters.
GI, G.I. [dʒí:ái] (< Government Issue, or General Issue) *a.* 관급의; (口) 규정(표준형)의(*a ~ dress*); 군대식의(*the ~ cut* 군대식 이발). ── *n.* (*pl.* **G.I.'s, GI's**) ⓒ (美口) 병사. **~ Jane** (美俗) 여군 병사. **~ Joe** (美俗) 미군 병사.
:gi·ant [dʒáiənt] *n.*, *a.* ⓒ 거인; 위인; 거대한.
gib·ber [dʒíbər, gíb-] *vi.*, *n.* ⓒ 횡설수설(하다).
gib·ber·ish [dʒíbəriʃ, gíb-] *n.* Ⓤ 횡설수설, 뜻이 잘 통하지 않는 말.
gib·bet [dʒíbit] *n.*, *vt.* ⓒ (사형수의) 교수대; 교수형에 처하다(그 공공연히 망신 주다.
gib·bon [gíbən] *n.* ⓒ [動] (인도의) 긴팔원숭이.
gibe [dʒaib] *n.*, *vt.*, *vi.* ⓒ 조롱(하다)(*at*). **gib·er** [-ər] *n.*
gib·let [dʒíblit] *n.* (*pl.*) (닭・거위 등의) 내장; 찌꺼기.
:gid·dy [gídi] *a.* 현기증 나는; 들뜬. ── *vt.* 현기증 나게 하다. **-di·ly** *ad.* **-di·ness** *n.*
:gift [gift] *n.* ⓒ ① 선물, 기증품. ② 천부, 재능. ── *vt.* 선사하다. (재능을) 부여하다(*with*). **~·ed** [ᴗid] *a.* 천부의 재주가 있는; 수재의.

gift certificate [còupon] 《美》 상품[경품]권.

gift-wràp vt. (리본 따위로) 예쁘게 포장하다.

gig [gig] n. ⓒ (한 필이 끄는) 2륜 마차; 《낚시》 날을 쓰는 가벼운 보트; (배에 실은) 소형 보트.

gi·gan·tic [dʒaigǽntik] a. 거인 같은; 거대한.

gig·gle [gígl] vi., v. 낄낄거리다 〔거림〕, 킥킥 웃다〔웃음〕.

gig·o·lo [dʒígəlòu, ʒíg-] n. (pl. ~s) ⓒ 남자 직업 댄서; 기둥 서방, (매춘부의) 정부(情夫).

gild [gild] vt. (~ed, gilt) ① (…에) 금(박)을 입히다, 금도금하다; 금빛으로 물들이다. ② 실물보다 아름답게 꾸미다; 장식하다. ~ **the pill** 약을 금빛으로 칠하다; 싫은 것을 보기 좋게 만들다. **~ed** a. 금도금한; 부자의. ~**ed youth** 귀공자, 부잣집 자제. the **Gilded Chamber** 《英》 상원. **~ing** n. ① 금도금〔액〕; 장식.

gill[gil] n. ⓒ (보통 pl.) (물고기의) 아가미; (닭의)『인트』.

gill[dʒil] n. ⓒ 질(액량 단위: 1/4 파인트).

gil·lie [gíli] n. ⓒ 《Sc.》 시종; 하인.

gilt [gilt] v. gild의 과거(분사). — a., n. 금도금한; ① 금박, 금분, 금니(金泥).

gilt-èdged a. 금테의; (어음·증권 따위) 확실한.

gim·crack [dʒímkræk] a., n. 싸구려의 저속한 값싸고 허울만 좋은 (물건).

gim·let [gímlit] n., vt. ① T자형 나사송곳(으로 구멍을 돌다).

gim·mick [gímik] n. ⓒ 《美俗》 (속임수의) 비밀 장치, 눈꾸밈수.

gin [dʒin] n. ① ⓒ 진(증류주).

gin·ger [dʒíndʒər] n. ① ① 생강. ② 《口》 원기, 활력. ③ 고동색.

ginger àle (**bèer**) 생강을 넣은 청량 음료의 일종.

ginger·brèad n. a. ①ⓒ 생강이 든 빵; ① 싸구려, 값싼 장식.

ginger gròup 《英》 (정당 따위의) 조직 내부의 혁신파.

gin·ger·ly [-li] a., ad. 주의 깊은 〔깊게〕.

gin·ger·y [-ri] a. 생강의; 생강 같은; 얼얼한, 매운; 성마른.

ging·ham [gíŋəm] n. ① 깅엄(줄무늬 따위가 있는 무명); 《英口》 = UMBRELLA.

gin·seng [dʒínseŋ] n. ① 인삼.

Gip·sy, G- [dʒípsi] n. = GYPSY.

gi·raffe [dʒəræf/dʒirɑ́ːf] n. ⓒ 《動》 기린, 지라프.

gird [gəːrd] vt. (~ed, girt) ① 허리 띠로 졸라매다. ② (…을) 띠로 두르다, 몸에 붙이다, 허리에 차다. ③ (권력 따위를) 부여하다(with). ④ 둘러싸다. ~ **oneself,** or ~ (**up**) **one's loins** 단단히 허리띠를 죄다 〔태세를 갖추다, 긴장하다, 준비하다〕.

gird·er [gə́ːrdər] n. 《建》 도리; 대들보; 거더.

gir·dle [gə́ːrdl] n., vt. ① 띠(로 두르다, 감다); 거들(고무가 든 단단한 코르셋의 일종); 두르는(싸는) 것. ② 둘러싸다; (…의) 나무껍질을 고리 모양으로 벗기다.

girl [gəːrl] n. ⓒ ① 계집아이. ② 소녀, (미혼의) 젊은 여자, 숫처녀. ③ 하녀. ④ 《口》 = SWEETHEART; 《口》 (一般) 여자. **~ish** a.

girl Friday (무엇이든지 잘 처리해주는) 여사무원, 여비서.

girlfriend n. 걸프렌드, 여자 친구.

girl·hood [-hùd] n. ① 소녀임, 소녀 시절; 《집합적》 소녀들.

girl·ie [-i] n. ⓒ 소녀, 아가씨.

Girl Scòuts 《美》 소녀단.

gi·ro [dʒáiərou/dʒáiər-] n. ① 《英》 은행〔우편〕 대체(對替) 제도.

girth [gəːrθ] n. ① 《말》 뱃대끈; 띠; ①ⓒ 둘레의 치수(가슴둘레 따위); — vt., vi. 뱃대끈을[으로] 졸라매다; 치수가 …이다.

gist [dʒist] n. (the ~) 요점, 본질, 골자; 《法》 주요 소인(訴因).

give [giv] v. (gave; given) ① 주다; 넘겨주다; 공급하다; 건네다, 맡기다; 치르다; 바치다; 몰두시키다. ② (말을) 전하다; (병을) 옮기다; 양보하다. ③ 산출하다, 내다; 말하다; ((목소리를)) 내다, 말하다. ④ (회를) 열다; (강연을) 하다; 진술하다; 묘사하다; (이유로 해서) 들다. ⑤ (손을) 내밀다. — vi. ① 자선[기부]하다; 굴복[양보]하다. ② (빛이)

바래다, 날다; 약해지다, 무너지다;
(얼음이) 녹다. ③ 《창·복도가》 …
를 향(面)하다《upon》, 통하다《into,
on》. ~ **about** 배포하다, (소문 따
위를) 퍼뜨리다. ~ **again** 갈다, 돌
려주다. ~ **and take** 서로 양보[타
협]하다. ~ **away** 선사하다; (결혼
식에서 신부를) …에게 넘겨주다.
《俗》 (무심코) 비밀을 누설하다; 폭로
하다; ~ **oneself away** 정체를 보이
다. ~ **back** 돌려주다, 돌려 보내다.
반항(反抗)하다, 울리키다. ~ **forth**
(소리·냄새를) 내다; 퍼뜨리다, 간
건네어 주다; (서류를) 제출하다; 양
보(讓步)하다《to》. ~ **it (a person)**
《hot》 (아무를) 벌하다. ~ **JOY. Give
me...** 내게는 차라리 …을 다오;
에게 연결 부탁합니다. ~ **off** 발(散)
하다. ~ **oneself up to** …에게 바
치다; 퍼뜨리다; 분배하다; 할당하다
발(散)하다; 부족하다, 다 되다; 끝나
리다; (아무에게) 인도하다. ~ **over**
~ **WAY'.** ~ (a person) **what for**
(아무를) 벌하다, 나무라다. ─ n. ⓤ
굽힘; 탄력성; (정신·성격의) 순응성,
유연성.

give-and-take n. ⓤ 공평한 교환;
상호 양보, 타협; 담화(농담)의 교환.

give·a·way n. (a ~)무심코 지껄여
버림; = **show prógram** (라디
오 따위의) 청취자 참가 프로(상품 따
위가 붙어 있다는) ─ a. 손해를 각오
하고 싸게 파는.

giv·en [gívən] v. give의 과거분사.
be ~ to …에 열중하다. ─ a. 주
어진; 이미 알고 있는, 일정(특정)한;
경향을 띠어, 탐닉하여. ─ 임.

gíven náme n. (성(姓)에 대한) 이름.

giv·er [-ər] n. ⓒ 주는 사람.

giz·zard [gízərd] n. ⓒ (새의) 모래
주머니, (口) (사람의) 위(胃).

gla·cé [glæséi/─] a. (F.) (천·가
죽 따위를) 반들반들하게 만든; 설탕
(등)을 입힌[바른;*iced*].

gla·cial [gléiʃəl/-sjəl] a. 얼음(모양)
의; 빙하(기)의; 차가운;

gla·cier [gléiʃər, glǽsjər] n. ⓒ 빙
하.

glad [glæd] a. (**-dd-**) ① 기쁜. ②
(표정·소리 따위가) 기쁜 듯한; 유쾌
한, (듣기만 해도) 기쁜. (**give the
eye** (俗) 추파를 던지다. ː**-ly**
ad. 기쁘게. ː**-ness** n.

glad·den [glǽdn] vt., vi. 기쁘게 하

glad·i·a·tor [glǽdièitər] n. ⓒ (옛
로마의) (직업적) 검투사(劍鬪士); 논
객. **-to·ri·al** [-tɔ́ːriəl] a.

glad·i·o·lus [glædióuləs] n. (pl.
~**es**, **-li** [-lai]) ⓒ [植] 글라디올러
스.

glád ràgs [glǽd-] (俗) 나들이옷; 야회복

glam·or·ize [glǽməraiz] vt. 매력
을 갖추게 하다; 매혹적으로 하게 하다.

glam·o·u·r [glǽmər] n. ⓤ 마법,
마술; 매력; 매혹. ─ vt. 매혹하다.
glám·or·ous a.

glance [glæns/-ːs] n. ① ⓒ 흘긋
봄, 일견, 일견《at, into,
over》. ② 흘긋(눈짓), 번쩍임, 번득
임; 섬광. **at a [the first]** ~ 처음
하여, 잠깐 보아서. **cast [throw]**
a ~ 흘긋 보다《at》. ─ vi. 흘긋
보다, 일견하다, 흘쳐보다《at, over》.
② 번쩍 빛나다. ③ (이야기가) 잠깐
언급(시사)되다《이야기가》 열길로
새다《off, from》. ④ (탄환·창이)
스치고 지나다, 빗나가다《aside,
off》. ─ vt. 흘긋 (흘어)보다; 흘긋
돌리다; 슬쩍 비끼다.

gland [glænd] n. ⓒ [解] 선(腺).

glan·du·lar [glǽndʒulər], **glan·du·lous** [-ləs] a.

glare [glɛər] n. ① ⓤ 번쩍이는 빛,
눈부신 빛. ② ⓤ 야하, 현란함. ③ 번
쩍번쩍(눈부시게) 빛나다(비추다); 눈
에 띄다. ② 노려보다.

glar·ing [glɛ́əriŋ] a. ① 번쩍번쩍 빛
나는; 눈부신. ② 야한; 눈에 띄는.
③ 명백한. ④ 흘겨보는.

glass [glæs/-ːs] n. ① ⓤ 유리. ②
ⓤ ⓒ 유리 모양(질)의 물질. ③ ⓒ
컵; 유리잔; 한 컵의 양; 술. ④ ⓒ
거울, 창유리, (시계의) 유리[面]; 렌
즈; 유리창; 현미경; 온도계, 청우계;
모래 시계. ⑤ (pl.) 안경, 쌍안경.
⑥ ⓤ 《집합적》 유리 제품. ─ *under*

~ 온실에서 (재배한); 유리장에 (진열된). **— vt.** ① (…에) 유리를 끼우다(로 덮다). ② 거울에 비추다. **~·ful** ⓒ 한 컵[잔] 가득.

gláss blówer [blóuiŋ] 유리 부는 직공[기술·작업].

gláss fíber (fíbre) 유리 섬유.

gláss·hòuse n. ⓒ 유리 공장, 유리 가게; 《英》온실.

:**gláss·wàre** n. ⓤ 《집합적》유리 그릇[제품], 유리 기구류.

:**glass·y** [‐i] a. 유리질[모양]의; 매끄러운; 흐린. **gláss·i·ly** ad. **gláss·i·ness** n.

glau·co·ma [glɔːkóumə] n. ⓤ 《醫》녹내장(綠內障).

:**glaze** [gleiz] vt. ① (…에) 판유리를 끼우다. ② (질그릇에) 유약을 칠하다; (종이·가죽에) 윤을 내다. ③ 《料理》설탕시럽 따위를 입히다. **— vi.** 매끄럽게 되다, 윤이 나다; (눈이) 흐려지다. **— n.** ⓤⓒ 윤내는 약; (질그릇의) 유약; 《料理》설탕시럽 입히기. **③** 《美》《氣》얇은 우빙(雨氷)《빗물이 땅 위에 얼어 붙는 현상》. **—d** a. 유약을 바른; 유리를 낀.

gla·zier [gléiʒər／‐zjə] n. ⓒ 유리 장수. *Is your father a ~?* 《諺》당신이 보이지 않으니 비켜 주시오《너는 유리로 되어 있느냐》.

:**gleam** [gliːm] n. ⓒ 어렴풋한 빛, (새벽 등의) 미광; 번쩍임. ② 희미한 징조. **— vi.** 희미하게 번쩍이다. ② (생각이) 번득이다.

glean [gliːn] vt., vi. (이삭을) 줍다; (사실 따위를) 조금씩 모으다. **~·er** n. ⓒ 이삭 줍는 사람; (끈기 있는) 수집가. **~·ing** n. ⓤ 이삭 줍기; ⓒ (주워 모은) 이삭; (보통 pl.) 습유(拾遺), 집록(集錄).

:**glee** [gliː] n. ⓤ 환희, 유쾌; 《무반주》합창곡. **~·ful**, **~·some** a. 유쾌한; 명랑한.

glen [glen] n. ⓒ 작은 골짜기; 협곡.

:**glib** [glib] a. (**~b‐**) 유창한; 입담 좋은, 말솜씨가 훌륭한; 행동이 스마트한. **~·ly** ad.

:**glide** [glaid] vi. ① 미끄러지(듯 나아가)다; 활주(滑空)하다. ② (시간이) 지나가는 듯이 지나(by). **③** 미끄러지게 하다. **— n.** ⓒ 미끄러짐, 활

주(면); 활공; 《美》= SLUR; 《音聲》경과음. **~·glíd·er** n. ⓒ 미끄러지는 사람(물건); 글라이더, 활공기. **glíd·ing** n., a. 활주(하는).

glim·mer [glímər] vi. 희미하게(반짝) 빛나다; 어렴풋이 보이다. **— n.** 미광; 어렴풋함; 어렴풋한 인식, 막연한 생각. *~·ing* n., a. ⓤ 미광; 희미하게 빛나는; (어렴풋이) 알아차림, 생각나는 일.

:**glimpse** [glimps] n. ⓒ 흘긋 봄[봄], 일견(一見). *by ~s* 흘긋흘긋. *catch (get, have) a ~ of* …을 흘긋 보다. **— vt., vi.** 흘긋 보(이)다; ⓒ 희미하게 보이다.

glint [glint] n. ① vi., vt., n. 반짝 빛나다 [빛나게 하다]; ⓒ 반짝임, 섬광.

glis·ten [glísn] vi., n. (부드럽게) 반짝 빛나다(는); ⓤ 빛남, 섬광.

glit·ter [glítər] vi., n. 반짝반짝 빛나다; ⓤ 반짝임; 광채; 화려. *All is not (gold) that ~s.* 《속담》빛나는 것이 다 금은 아니다. *~·ing a.*

glit·te·ra·ti [glìtəráːti] n. pl. (the ~s) 부유한 사교계의 사람들.

gloam·ing [glóumiŋ] n. (the ~) 《詩》땅거미, 황혼.

gloat [glout] vi. 황홀한 듯이[만족한 듯이, 빤히] 바라보다(over, on).

:**glob·al** [glóubəl] a. (1) 구상(球狀)의; 전세계의; 《컴》전역의. *~·ism* [‐zəm] n. 《樂》세계적 관여주의.

:**globe** [gloub] n. ⓒ 공, 구체(球體), ② (the ~) 지구, 지구(천체)의 (儀). ③ ⓒ 공 모양의 물건《눈알·어항·유성(遊星) 따위》. **— vt., vi.** 공 모양으로 하다(되다).

glóbe·tròtter n. ⓒ 세계 관광 여행자.

glob·u·lar [glábjələr／‐5‐] a. 공 모양의; 작은 공[알]의.

globe n. ⓒ 작은 공[알].

glock·en·spiel [glákənspìːl／‐5‐] n. ⓒ 《樂》철금(鐵琴); (한 벌의) 음계종(音階鐘).

:**gloom** [gluːm] n. ① 어둠, 암흑; 암영(暗影). ② 우울, 음울; 음울한 표정. **— vi.** 어두워지다; 음울해 지다. **— vt.** 어둡게 [음울하게] 하다.

gloom·y [‐i] a. 어두운, 어둠침침한; 우울한. **glóom·i·ly** ad.

*:**glo·ri·fy** [glɔ́ːrəfài] vt. ① (신을) 찬미

미[찬송]하다; (사람을) 칭찬하다; 영
광을 더하다. ② 꾸미다, 장식하다.
-fi·ca·tion [>—fikéiʃən] *n.*

glo·ri·ous [glɔ́:riəs] *a.* ① 영광스러
운, 빛나는, 장려한; 현란한. ② 유
쾌한, 기분 좋은. ***~·ly** *ad.*

glo·ry [glɔ́:ri] *n.* ① 영광, 명예;
찬미, 송영(頌榮); 하늘의 영광; 천
국. ② 장관; 현란, 찬란. ③ 득의 영
광향; 큰 기쁨. *go to ~* 승천하다,
죽다. *Old G-* ① 미국 국기, 성조
기. — *vi.* 기뻐하다: 뽐내다(*in*;
(廢) 자랑하다.

gloss [glas, -ɔ:-/-ɔ-] *n.* ① ℂ 윤,
광택. ② 광택면. ③ ℂ 허식, 겉치
레. — *vt.* (…에) 윤[광택]을 내다;
걸치레하다. **~·y a.*
~ over ……좋게 꾸며 숨기다,
속이다. **~·y a.*

gloss [2] *n.* ℂ (여백에 적는) 주석, 주
해; 어휘; 어휘; 그럴듯한 설명. —
vi., vt. 주석[해석]하다; 그럴듯하게
해설하다.

glos·sa·ry [glásəri, -5:-/-5-] *n.* ℂ
어휘(특수 용어 해설); (주석서 권
말의) 용어집, 주요 용어집. **glos·sar·i·al**
[-sɛ́əriəl] *a.* 어휘의, 용어집의.

glove [glʌv] *n.* ℂ 장갑; (야구·권투
용) 글러브. *fit like a ~* 꼭 맞다.
handle with ~s 친절히 다루다.
take off the ~s 본격적으로 덤벼들
다. *throw down* [*take up*] *the
~* 도전하다[도전에 응하다]. **glóv·er** *n.* 장갑 제조인; 장갑 장수.

glow [glou] *vi.* ① 백열(白熱)빛을 내
다; (개똥벌레 등이) 빛을 발하다. ②
(눈이) 빛나다, (몸이) 달다; 열중하
다, (감정이) 불타다. — *n.* (*sing.*)
① 백열, 작열, 빛. ② (몸이) 달아 오
름; 홍조, 상기; 열중, 열정; 빛남, 붉어
짐; 선명함. ***~·ing** *a.* 백열의; 새
빨간, 홍조를 띤; 열렬한, 열성의.

glow·er [gláuər] *vi., n.* 노려보다
(는 눈). — *n.* 노려봄; 무서운[찡그
린] 얼굴(을 하다).

glów·worm *n.* ℂ 개똥벌레의 유충.

glu·cose [glú:kous, -z] *n.* ℂ 포도
당.

glue [glu:] *n., vt.* ℂ 아교(로 붙이
다)(*on*). **~·y a.* 아교의(같은).

glum [glʌm] *a.* (*-mm-*) 음울한; 무
뚝뚝한, 통한.

glut [glʌt] *n., vt.* (*-tt-*) ℂ 포식(시
키다), 실컷(먹이다); 포만(飽滿)하
게 (하게 하다); 공급
과잉(되게 하다).

glu·ten [glú:tən] *n.* ℂ [化] 글루텐,
부질(麩質) **glú·te·nous** *a.*

glut·ton [glʌtn] *n.* ① 대식가; 지칠
줄 모르는 사람; 악착부러기, 끈덕진
사람. **~·ous** *a.* 많이 먹는. **~·y** *n.*
ℂ 대식(大食).

glyc·er·in [glísərin], **-ine** [-rin,
-ri:n], **glyc·er·ol** [glísərɔ̀ul, -5:-/
-5-] *n.* ℂ [化] 글리세린.

G.M.T. Greenwich Mean Time.

gnarl [nɑːrl] *n.* ℂ (나무의) 마디,
옹이, 혹. — *vt.* (…에) 마디를[혹을]
만들다; 비틀다. — *vi.* (개 따위
가) 으르렁거리다. **~ed**[-d], **~·y**
a. 마디[옹이]가 많은(knotty); 울퉁
불퉁한; 비뚤어진, 비꼬인.

gnash [næʃ] *vi.* 이를 악물다. —
one's teeth (노여워) 이를 갈다.

gnat [næt] *n.* ① 각다귀, (英) 모기.
*strain at a ~ and swallow a
camel* 작은 일에 구애되어서 큰 일을
모르고지나다.

gnaw [nɔː] *vt., vi.* (*~ed; ~ed,
gnawn*) ① 물다, 쏠다. — 갉아먹
다. ② 괴롭히다, 애먹이다. **~·er** *n.*
무는 사람; 부식시키는 것; 설치 동물.

gnome [noum] *n.* ① 땅속의 요정
(땅정령 등의 수호신).

gnome [2] *n.* 금언, 격언. **gnó·mic** *a.*
격언적, 격언적인.

GNP gross national product.

gnu [njuː] *n.* (*pl. ~s*, (집합적) *~*)
[動] (남아프리카산) 암소 비슷한 영양.

go [gou] *vi.* (*went; gone*) ① 가다,
나아가다; 지나가다; 떠나다; 죽다;
없어지다; 망치다; 못쓰게 되다; (불
이) 꺼지다; 쩌이다, 망가지다. ②
(…의 상태에) 있다(*go hungry* 늘
배를 곯고 있다). ③ (으로 쓰여) 있다
(*Thus goes the Bible*). ④ (…의 상
태)가 되다(*go mad* 정신이 돌다/*go
bad* 나빠지다; 썩다). ③ 움직이다,
운동하다, 일하다; (일이) 진전하다.
⑥ 놓이다, 돌다, 속하다. ⑦ (종·종
성이) 울리다, (시계가) 시간을 치다
(*The clock went six*. 6시를 쳤다).
⑧ (화폐 따위가) 유통하다. ⑨ (소문 따
위가) 퍼지다; …의 손에 돌아가다;

뻗다, …에 달하다, …으로 되다. ⑦ 소비되다. 팔리다(*His house went cheap.* 싼 값으로 팔렸다). ⑧ …하기 쉽다(tend); 《口》 권위가 있다, (그대로) 통하다. — *vt.* 《口》 〈내기〉를 걸다(*I will go you a dollar.* 1 달러를 걸겠다); 《口》 견디다, 참다. **as** 〔**so**〕 **far as it goes** 그것에 관한 한, 어느 정도는. **as people things go, or as the world goes** 세상 풍습으로는, 일반적으로는. **as the saying goes** 속담에도 있듯이. **be going on** …에 가까워지고 있다; 일어나고 있다, 진행되고 있다. **be going to do ...** (막, 바야흐로) …하려 하고 있다. **go about** 돌아다니다, 퍼지다; 침로를 바꾸다; …에 진력하다, 착수하다. **go across** 건너다, 넘다. **go after** 《口》 쫓다, 추구하다, 바라다. **go against** 반항하다, …에 불리하게 되다. **go along** 나아가다. **go a long way** 매우 쓸모있다(*toward*); 여러 일을 살 수 있다; 크게 도움이 되다. **go and do** …하려 가다; 어리석게도 …하다(*I have gone and done it.*) 《명령형》 멋대로 …해라(*Go and be miserable!* 멋대로 굶어 먹어봐라). **go around** 돌아다니다. 골고루 미치다. **go at** 《口》 공격〔착수〕하다. **go away** 갈고 도망가다(*with*). **go back** 되돌아가다; 거슬러 올라가다; 회고하다; 배반이 되다. **go behind** (사실을) 이면〔진상〕을 조사하다; 흠새를 보다. **go between** 중재〔매개〕하다. **go by** (때가) 지나다; (표준)에 의하다; …에 지배되다; 《美》 방문하다, 들르다. **go down** 내려가다; 떨어지다; 가라앉다; 이해가 가다, 납득되다; 굴복하다(*before*); (후세에) 전해지다; 기억〔기록〕되다. **go for** 가지러〔부르러〕 가다; 지지〔찬성〕하다; 《口》 맹렬히 덤벼들다. **go forth** 발행〔발포〕되다. **go in** 들어가다; 참가하다, 관계하다; …에 찬성하다; …을 얻으려고 노력하다. **go in for** …에 들어가려고 마음먹다; 시험을 치다, (후보)로 나서다; …에 열중하다, …에 특히 좋아하다. **go into** …에 들다, 포함되다; 조사하다; 논하다; 《口》 급히〔부리나게〕 가다; 척척 하다; 난봉부

리다. **go off** 떠나가다; 죽다; (빛이) 날다; 잠자다; 발사되다, 폭발하다; 일어나다(*happen*), 팔리다; (일이) 진척되다(*well, badly*). **go on** 계속하다; 계속해 나가다(*Go on!* 계속해라); 《反語》 어리석은 소리 마라); 지내다; 거동하다; (배우가) 무대에 나오다; (옷·신발이) 맞다; …에 접근하다(*for*). **go out** 나가다, 외출하다; (여자가 취직해서) 일하러 나가다; (불이) 꺼지다, 소멸하다, 시드러지다; 《俗》 죽다; 쇠퇴하다; 《野》 아웃되다; 출판되다, 파업을 하다; 동정하다(*to*). **go over** 건너다, 넘다; 다른 (종)파로 전향하다; 반복하여 읽다, 복습하다; 검사하다; 《口》 성공하다. **go round** 순력하다, 한 바퀴 돌다; (음식이) 모든 사람에게 돌아갈 만큼 있다; 《口》 잠깐 들르다. **go through** 통과〔경험〕하다; (끝까지) 해내다(*with*); 다 써버리다; 조사하다; (관을) 거듭하다. **go together** 같이 가다; 어울리다, 조화되다; 《口》 《애인끼리》 사이가 좋다, 한 짝이 맞다; 굴복하다. **go under** 가라앉다; 《美》 파산하다; 《美》 죽다. **go up** 오르다, 올라가다; 늘다; 등귀하다; 폭발하다. **go with** …와 함께 가다; …와 행동을 같이 하다; …에 동의하다; …와 조화하다. **go without** …없이 지내다〔견디다〕. **It goes without saying that....** …은 말할 것도 없다. **let go** 도망가게 하다, 놓아주다; 단념하다, 상태를 〔컨디션을〕 나빠지게 하다. **let one-self go** 자기의 감정〔욕망〕에 지다; (몸 따위의) 상태가 나빠지다. — *n.* 《*pl.* **goes**》 ① ⓤ 가기, 진행. ② ⓤ 기력, 정력. ③ ⓒ 《口》 사태. (특수) 한 상태; 난처〔곤란〕한 일(*Here's a go!* or *What a go!* 난처한데). ④ 《口》 유행(*all the go* 대유행); 시도(試圖), 기회; ⓒ 성공(한 것), 호조(好調); ⓒ 한 잔(의 술); 《口》 의 한 입. **near go** 《美口》 위기일발, 아슬아슬한 순간. **no go** 《口》 실패, 틀림(*It's no go.* 그것은 틀려먹었다). **on the go** 열심히〔활동하여, 내처 일하여. 《俗》 거나해서,

goad [goud] *n., vt.* ⓒ 〈가축을 몰기

위한) 뾰족한 막대기(로 찌르다); 자극(을 주다), 격려(하다).

go·ahead a., n. 전진하는; ⓒ 진취적인 (사람). ⓤ 정력, 기력.

:goal[goul] n. ⓒ 골, 결승점; 목적(지), 목표.

góal·kèeper n. ⓒ 골키퍼.

góal line 골 라인.

góal·pòst n. ⓒ 골대.

goat[gout] n. ① ⓒ 염소; (the G-) [天] 염소자리. ② ⓒ 색골; 악인. ③ ⓒ [口] 놀림감, (남의) 희생, 제물. **get a person's ~** [美口] 아무를 노하게 하다(괴롭히다).

goat·ee[gouti:] n. ⓒ (사람의 턱에 난) 염소 수염.

góat·hèrd n. ⓒ 염소지기.

góat·skin n. ⓤ 염소 가죽.

gob[gab/gɔb] n. ⓒ (英) (미국의) 수병(水兵).

gob, **gob·bet**[⌐it] n. ⓒ 덩어리; (pl.) 많음.

gob·ble[gábəl/-] vt., vi. 게걸스레 먹다; 통째로 삼키다.

gob·ble vi. (칠면조가) 골골 울다(우는 소리). **gób·bler** n. 게걸 먼스런 수컷.

gob·ble·de·gook, **-dy·gook** [gábəldigùk/-5] n. ⓒ[美口] (공문서 따위의) 딱딱하고 꽤까다로운 표현(말투).

gob·let[gáblit/-5] n. ⓒ 받침 달린 컵(깨비).

gob·lin[gáblin/-5] n. ⓒ 악귀, 도 깨비.

God[gad/gɔd] n. ① ⓤ [基] 신; 하느님, 조물주(the Creator). ② ⓒ (g-) (초자연적인) 신, 우상, 숭고한 사람. ③ (the gods) 삼등석의 관객. **by** (**my**) 하느님께 맹세코, 꼭. **for ~'s sake** 제발. **~ bless** ...! ~에게 행운이, 있기를! **~ bless me** (**my life, my soul**!) 하느님의 축복이 있기를! **~ damn you** !젠 죽일 놈! **~ grant** ...! 신이여 …하게 하소서! **~ knows** 맹세코, 하느님만이 알고 있다, 아무도 모른다(He went away ~ know where. 어디론가 가버렸다). **~'s acre** (교회의) 묘지, **~'s book** 성서(聖書). **~'s image** 인체. **~ speed you!** [古] 성공(안전)을 빈다; 안녕히(인사말).

~ willing 사정이 허락하면, **Good ~** ! 야단났는데, 큰일인데; 정말 심하군! **sight for the ~s** 장관. **Thank ~** ! 고마워라, 됐다 됐어! — vt. (-dd-) 신격화하다, 숭배하다.

gód·awful, **G- a.**(俗) 정말 싫은; 지독한, 굉장한; 심한.

gód·child n. (pl. **-children**) ⓒ 대자(代子) (cf. godfather).

gód·daughter n. ⓒ 대녀(代女).

gód·dess[gádis/-5] n. ⓒ 여신; (절세) 미인; 동경하는 여성.

gód·father n., vt. ⓒ 대부(代父)(가 되다); 후원 육성하다.

Gòd·féaring a. 신을 두려워하는; (g-) 믿음이 깊은.

gód·forsàken a. 신에게 버림받은; 타락한; 황량한, 쓸쓸한.

gód·given a. 하늘이 준; 하늘에서 부여받은; 고마운; 절호의.

gód·head n. ⓤ (매로 G-) 신성; 신격; (the-) 신, 하느님.

gód·less a. 신이 없는; 무신론자의; 믿음이 없는. **~·ly** ad. **~·ness** n.

gód·like a. 신과 같은, 거룩한; 신에게 합당한.

god·ly[ɡádli] a. 신을 공경하는, 독실 한, 경건한. **-li·ness** n. ⓤ 신을 공경함, 믿음.

gód·mòther n. ⓒ 대모(代母).

go·down[goudáun/⌐] n. ⓒ (동남 아시아의) 창고.

gód·pàrent n. ⓒ 대부, 대모.

gód·sènd n. ⓒ 하늘이 준 것, 뜻밖의 횡재.

gód·sòn n. ⓒ 대자(代子).

go·er[ɡóuər] n. ⓒ 가는 사람(것).

go·fer[ɡóufər] n. ⓒ (美俗) 잡심부름꾼.

gò·gétter n. ⓒ (美口) (사업 따위의) 활동가, 수완가.

gog·gle[gágəl/-] vi., vt., n. ⓒ (눈알을) 희번덕거리다(거리기), 눈을 굴리다(굴리기); 눈을 부릅뜨고보다(보기), 부릅뜬 눈; (pl.) 방진용 [잠수용] 보안경. — a. 통방울눈의, 희번덕거리는.

go·ing[ɡóuiŋ] n. ⓤ 가기, 외출; 진행(속도), 출발; (도로의) 상태. — a. 진행[운전·활동] 중의(She is ⌐

(on) ten. 곧 10살이 된다); 현행의. **in ～ order** 고장 없이; 건전하게. **keep ～** …을 계속하다; 유지하다.

góing-óver n. ⓒ 철저한 조사[심문]. 《口》호통; 때리기.

góings-ón n. pl. 《口》행위, 행실.

goi·ter [gɔ́itər] n. ⓤ 【醫】갑상선종(甲狀腺腫); 종기.

†**gold** [gould] n. ⓤ 황금; 금; 금빛; 금화; 부; 금도금. ② ⓒ (과녁의) 정곡(bull's-eye). **as GOOD as ～. heart of ～** 아름다운 마음(의 소유자). **make a ～** 과녁의 복판을 쏘아 맞히다. **old ～** 낡은 금빛. **worth two's weight in ～** 천금의 가치가 있는, 매우 귀중한. — a. 금(빛)의, 금으로 만든.

góld dígger 금채굴부(夫); 황금광(狂); 《俗》남자의 돈을 우려내는 여자.

góld dúst 사금(砂金).

gold·en [-ən] a. ① 금빛의; 《古》금의, 귀중한, 굉장한, 절호의. ③ (시대 따위가) 융성한.

gólden áge 황금시대, 융성기.

gólden éagle 【鳥】검독수리.

gólden rúle 황금률[마태복음의 산상수훈 중의 말; 무엇이든지 남에게 대접을 받고자 하는 대로 너희도 남을 대접하라].

gólden wédding (결혼 후 50년을 축하하는) 금혼식(cf. jubilee).

góld·field n. ⓒ 채금지(採金地), 금광지.

góld·finch n. ⓒ 【鳥】검은방울새의 일종; 《英俗》1 파운드 금화.

†**góld·fish** n. (pl. ～es, 《집합적》～) ⓒ 금붕어.

góld fóil 금박(金箔).

góld médal 금메달.

góld míne 금광; 보고(寶庫).

góld pláte 금으로 된 식기류; (전기) 금도금(하기).

góld rúsh 금광열(金鑛熱).

góld·smith n. ⓒ 금 세공인.

góld stándard 【經】 금본위제.

†golf [galf, -ɔː/-ɔ-] n., vi. ⓤ 골프(를 하다). ⓒ 골프장.

gólf clùb 골프채, 골프 클럽.

gólf còurse [links] 골프장, 골프 코스.

Go·li·ath [gəláiəθ] n. 【聖】골리앗

(다윗(David)에게 살해된 거인); (g-) ⓒ 이동 기중기.

gol·li·wog [gáliwɔg/gɔ́liwɔg] n. ⓒ 기괴한 얼굴의 인형.

gol·ly [gáli/-5-] int. 《口》저런, 어머나, 맹세코《놀람·맹세 등을 나타냄》.

go·losh [gəláʃ/-5-] n. 방한[방수]신 덧신.

-gon [gan/gən] suf. '…각형(角形)' 이란 뜻의 명사를 만듦: hexagon, pentagon.

go·nad [góunæd, -á-/-5-] n. ⓒ 생식선(生殖腺).

†gon·do·la [gándələ/-5-] n. ⓒ 곤돌라; 《美》너벅선; (기구(氣球) 따위의) 조롱(吊籠).

gon·do·lier [gàndəlíər/-5-] n. ⓒ 곤돌라의 사공.

†**gone** [gɔːn, -a-/-ɔ-] v. go의 과거분사. — a. ① 지나간. ② 가망 없는; 영락한. ③ 희박한. ④ 임신한. 홀몸[婦]의; 일류의. **far ～** (훨씬) 앞선, 깊이 들어간[개입된]. ～ **on** 《口》…와 사랑하여. **gón·er** [-ər] n. 《口》 죽은 사람, 가망 없는 사람.

†**gong** [gaŋ, -ɔ-/-ɔ-] n. ⓒ 징, 그 소리; 접시 모양의 종. — vt. (…에게) 징을 울려서 신호하다. **be ～ed** (교통 위반으로) 정지 명령을 받다.

gon·na [gɔ́nə, gə-; gɔ́-/gɔ́-] 《美俗》 …할 예정인(going to).

gon·or·rhe·a, 《英》**-rhoe·a** [gànərí:ə/-5-] n. ⓤ 【醫】임질. **-al** a.

goo [guː] n. ⓤ 《美口》 찐득거리는 것; 지나친 감상(感傷).

‡**good** [gud] a. (**better; best**) ① 좋은, 잘된, 훌륭한; 아름다운. ② 행복한, 유쾌한, 즐거운. ③ 선량한, 의로운; 현명한, 친절한, 관대한; 4 능숙한(be ～ at counting). 유능한. ⑤ 참된, 거짓없는; 완전한; 깨끗한; 건전한; 틀림없는. ⑥ 유효한; 유익한; 적당한(This is ～ to eat. 먹을 수 있다); 충분한, 상당한. **a ～ MANY**. **a ～'un** 그럴듯한[솜씨좋은] 이야기, 거짓말, 농담. **as ～ as** (dead, 죽은 것과 같은, 을. ～ **as gold** (어린이가) 매우 착한. **as be ～ as one's word** 약속을 지키다. **Be ～ enough to …, or Be so ～ as to…** 아무쪼

good-by […해 주십시오. **G- day** [*morning, afternoon, evening*]! 안녕하십니까[낮(아침, 오후, 저녁) 인사]; 《Good에 stress를 붙이고, 끝을 올려 발음하여》 안녕, ~ **for** — 《유료》[유료]한; …동안 유효; …의 지불이 가능한; …에 착수 가능한. **for you!** 《美》잘한다!; 됐어! **G- man!** 잘한다!; 됐어! **G- night** 안녕!; **G-night** 녕히 주무십시오!; 《美부》기가 막힌 눈은; 제기랄! **…old** 《옛날의 것일 은 아주 가벼운 뜻》. **G- show!** 《俗》 훌륭하다!; 잘 됐다! **hold** ~ 유효 존하다. **make** ~ 보상하다; 달성하다; 《약속을》 이행하다; 실증하다; 수복《修復》하다; 확보하다. **no** ~ 틀렸다. **Not so** ~ 《俗》 어처구니 없는 실수《失敗》다! **the** ~ **people** 바 정《妖精》들. — *n.* ① 선, 선량한 사람들. ② 《the ~》 선량한 사람들. ③ 《*pl.*》《철도》화물; 상품. ④ 《*pl.*》 동산, 재산. ⑤ 《*pl.*》《美》 천. **come to** ~ 좋은 열매를 맺다. **come to no** ~ 아무짝에도 쓸모 없다. 실패로 끝나다. DELIVER **the** ~**s. do** ~ …에 친절을 다하다; …을 이롭게 하다; …에 유효하다. **for** ~ **(and all)** 영구히. **get the** ~ **on** 《the pickpocket》 《美俗》《소매치기의》확실한 증거를 발견하다, …의 꼬리를 잡다. ~**s agent** 운송업자. **the** ~**s** 진짜; 필요한 물건《자격》. **to the** ~ 《簿》 대변《貸邊》의; 순이익으로. **up to the** ~ 장난에 끌려서.

good-by, 《美》 **good-bye**[gúdbái] *int.* 안녕히; ⓒ 고별, 작별.

good fáith 성실, 성의.

góod-for-nóthing *n., a.* ⓒ 쓸모 없는 《사람》.

Goód Fríday 성(聖) 금요일《부활절 전의 금요일, 예수 수난을 기념함》.

góod-héarted *a.* 친절한, 마음씨 가 고운, 관대한.

góod-húmo(u)red *a.* 기분 좋은, 명랑한; 쌀쌀한.

good-ish[⁴iʃ] *a.* 꽤 좋은; 《英》상당히 큰, 상당한.

góod-lóoking *a.* 잘 생긴, 핸섬한.

góod-ly[⁴li] *a.* 훌륭한, 고급의; 잘

생긴; 상당한, 꽤 많은.

good-nátured *a.* 《마음씨가》 착한, 사람이 좋은, 온후한.

good·ness[⁴nis] *n.* Ⓤ 좋음; 선량함; 미덕; 친절; 신(God). **for ~'** *sake* 제발, 부디. **G- (gracious)!** 앗 뜨거! 《자》 큰일 났군! 제기랄!

goods[-z] *n.* ⇒GOOD (*n.*).

góod sénse 상식, 양식, 분별.

góods tràin 《英》 화물 열차《《美》 freight train》.

góod-témpered *a.* 상냥한, 온순한.

góod-wíll *n.* Ⓤ ① 호의, 친절. ② 《상점의》 영업권, 단골.

good·y[⁴i] *n.* ⓒ 《口》 맛있는 것, 과자, 봉봉. — *a.* = GOODY-GOODY. — *int.* 참 좋아! 정말 좋아!

góody-góody *a., n.* ⓒ 《口》 독실한 체하는 《사람》, 유달리 잘난 체하는 《사람》.

goof[gu:f] *n.* ⓒ 《美俗》 바보. — *vi.* 바보 짓을 하다; 빈둥거리다. — *vt.* 실수하다 《마지막 따위의》 멍청하게 만들다. ~*y a.*

goon[gu:n] *n.* ⓒ 《美》 《고용된》 폭력단원; 얼간이.

goose[gu:s] *n.* (*pl.* **geese**) ① ⓒ 거위의 암컷《cf. *gander*》. ② ⓒ 거위고기. ③ 《*pl.* ~s》 ⓒ 대형 다리미《손잡이가 거위목 비슷함》. ④ ⓒ 바보, 얼간이. **All his geese are swans.** 그 사람은 자기의 거위가 모두 백조로 보인다; 제 자랑만 한다. **sound on the** ~ 《美》《생각·방침 이》 온건하여; 《주의 등에》 충실하여. **The ~ hangs high.** 《美口》 일이 잘될 것 같다; 만사 호조(萬事好調).

goose·ber·ry [gú:sbèri, gúz-, gúzbəri] *n.* ⓒ 《植》 구즈베리.

góose flèsh (추위·공포에 의한) 소름, 소름 돋은 피부.

góose-stèp *n., vi.* (*sing.*) 《軍》 무릎을 굽히지 않고 발을 높이 들어 걷는 보조(로 행진하다).

GOP, G.O.P. Grand Old Party 《美》 공화당.

go·pher[góufər] *n.* ⓒ 《美》 뒤쥐 (류)《顪》《북아메리카산》.

Gór·di·an knót[gɔ́:rdiən-] 《the ~》 아주 어려운 일, 어려운 문제. **cut the** ~ 용단으로 어려운 일을

gore¹ [gɔːr] *n.* ① (상처에서 나온) 피(응혈(凝血)).

gore² [gɔːr] *n.* ①【그레】고르곤 무늬. ② (삼각형의) 뾰족한 옷섶(마차 따위의). — *vt.* (뿔·창 따위로) 찌르다, 뚫다.

gorge [gɔːrdʒ] *n.* ① 골짜기. ② 식도, 목구멍. ③ 좁은 통로로 넘거나 막는 물건. **make a person's ~ rise** …에게 구역질이 나게 하다, 화가 오름을 느끼게 하다. — *vt.* 게걸스레 먹다; 가득 채우다(틀어넣다). **~ oneself** 게걸스레 먹다(with).

gor·geous [gɔːrdʒəs] *a.* 호화로운, (口) 멋진. **~·ly** *ad.*

Gor·gon [gɔːrgən] *n.*【그리】고르곤 《보는 사람을 돌로 변하게 했다는 세 자매의 괴물; cf. Medusa》. (g-) 지독한 추녀(醜女), 무서운 여자.

go·ril·la [gərílə] *n.* ⓒ【動】고릴라; (俗) 폭한, 악당.

gorse [gɔːrs] *n.* ⓒ【植】가시금작화 (furze) (딤불).

gor·y [gɔːri] (< **gore¹**) *a.* 피투성이의.

gosh [gɑʃ/-ɔ-] *int.* 아이쿠; 큰일 났군; 가엾군.

gos·ling [gázliŋ/-5-] *n.* ⓒ 새끼 거위; 풋내기.

gó·slów *n.* ⓒⓒ (英) 태업 전술, 사보타주((美) slowdown).

gos·pel [gáspəl/-5-] *n.* ① (the ~) (예수의) 복음(=기독교의) 교리; ⓒⓒ 교의 (敎義), 신조, 진리, 주의. ② (G-) 복음서.

gos·sa·mer [gásəmər/-5-] *n.* ① 작은 거미의 집(줄); 섬세한 물건, 얇은 천; 옅은 방수포. — *a.* 섬세한, 가냘픈.

gos·sip [gásip/-5-] *n.* ⓒ 잡담; 수다쟁이. ⓤ 소문, 험담. — *vi.* 잡담(세상 이야기)하다, 한담(을 하다) (남의 일을) 수군거리다.

got [gɑt/ɔ-] *v.* get의 과거(분사).

Goth·ic [gáθik/-5-] *a.* 고딕 건축 (양식)의; 고트족(말)의; 중세의; 야만적인. — *n.* ⓤ 고트족의 언어 양식; 고트말; (美)【印】고딕 활자.

got·ta [gátə/-5-] *int.* (口) = (have) got to; = (have) got a. ⇒GET.

got·ten [gátn/-5-] *v.* (美) get의 과거 분사.

gou·ache [gwɑːʃ, guáːʃ] *n.* (F.) ①

ⓤ 구아슈; 구아슈 수채화법. ② ⓒ 구아슈 수채화.

Gou·da [gáudə] *n.* ⓤⓒ 고다 치즈 《네덜란드 원산》.

gouge [gaudʒ] *n., vi.* ⓒ 둥근 끌(로 파다); 후벼 내다(*out*); (美口) 사기 (꾼).

gou·lash [gúːlɑːʃ, -læʃ] *n.* ⓤⓒ (송아지) 고기와 야채의 (매운) 스튜요리.

gourd [gɔːrd, guərd] *n.* ⓒ 호리병 박(으로 만든 것).

gour·mand [gúərmənd] *n.* ⓒ 대식 가; 미식가.

gour·met [gúərmei] *n.* (F.) ⓒ 미식가, 식통(食通).

gout [gaut] *n.* ① ⓤ【醫】통풍(痛風). ② ⓒ (古·詩) 방울(특히, 피의) 방울, 응혈. **~·y** *a.* 통풍의(에 걸린).

Gov., **gov.** government; governor.

gov·ern [gávərn] *vt.* ① 통치[지배] 하다; 관리하다. ② 제어(억제)하다. ③ 【文】지배(요구)하다《격(case), 법 (mood) 등을》. **~·a·ble** *a.*

gov·er·nance [gávərnəns] *n.* ⓤ 지배, 제어, 억제; 관리(법).

gov·ern·ess [gávərnis] *n.* ⓒ (여자 가정교사. ② 여성 지사. ③ (古) 지사장(총독) 부인.

gov·ern·ment [gávərnmənt] *n.* ① ⓤ 통치, 지배, 정치; 정체(政體). ② (or G-) 정부, 내각. ③【文】지배. **-men·tal** [∼méntl] *a.*

gov·er·nor [gávərnər] *n.* ⓒ ① 통치자, 지배자. ② 지사, 장관, 사령관. ③ (英) (은행·협회 등의) 회장, 총재. ④ (口) 두목, 주인어른(sir). ⑤【機】(비기·속도 등의) 조절기. **~·ship** [-ʃip] *n.* ⓤ governor의 직위 (신분·임기).

góvernor-géneral *n.* ⓒ 총독.

Govt., **govt.** government.

gown [gaun] *n.* ⓒ ① 가운, (여자의) 긴 겉옷, 야회복. ② 잠옷, 화장 착용. ③ 가운(법관·성직자·대학 교수·학생 등의 제복). ④ 대학생. **in wig and ~** 법관의 정장으로. **take the ~** 성직자(교수·변호사)가 되다. **TOWN and ~**. — *vt.* 가운을 입히다(*be* ~*ed*). **~ed** [-d] *a.* 가운을 입은.

G.P. general practitioner.

G.P.O. General Post Office.

grab[græb] *vt., vi.* **(-bb-)** 움켜잡(쥐)다(*at*); 잡아채다, 빼앗다. — *n.* ⓒ ① 움켜잡(쥐)기, 잡아채기; 횡령. ② [機] 집(어 올리)는 기계. **have the ~ on**《俗》…보다 유리한 입장을 차지하다. …보다 낫다.

gráb bàg《美口》= LUCKY BAG.

grace[greis] *n.* ① ⓤ 우미, 우아, 얌전함; 고상함. ② ⓤ 은혜, 은총, 편들기, 친절(*good ~s* 호의). ③ ⓤ 천혜(天惠), (신의) 은총. ④ ⓤⓒ 보통 *pl.*) 장점, 미덕; 애교; 매력. ⑤ ⓤ 특사(特赦); [法] (지급) 유예, 여기. ⑥ ⓤⓒ 석찬(식후)의 감사 기도 (*say* ~). ⑦ (G-) (archbishop, duke, duchess에 대하여) 각하 (your ~). ACT *of* ~ 은혜에 의한 행위. **a fall from** ~ 총애의 상실, 도덕적 타락. **be in a** *person's* **good ~s** 아무의 마음에 들다(cf. LOSE *one's* good ~s). **by the** ~ **of God** 신의 은총에 의하여(왕의 이름 밑에 기록하는) **days of** ~ (어음 만기 후의) 지급 유예 기간. **fall from** ~ 신의 은총을 잃다; 타락하다. **fall out of** ~ **with a** *person* 아무의 호의를 잃다. **have the** ~ **to** (*do*) …할 정도의 분별[아량]은 있다. **the** (**three**) **Graces** [그神] 미의 세 여신. **the year of** ~ (1998), 서력, 기원(1998년). **with a good** (**bad, ill**) ~ 선뜻 [마지못해]. — *vt.* 아름답게(우아하게) 하다, 꾸미다; (…에게) 영광을 [품위를] 더하다. ⁀**:~·ful**(·**ly**) *a.* (*ad.*) 우미(우아)한(하게). ⁀**:~·ful·ness** ⓤ 우미, 단아(端雅)함. ⁀**:~·less**(·**ly**) *a.* (*ad.*) 무례한[하게], 상 스러운[스럽게]. ⁀**·less·ness** ⓤ

gra·cious[gréiʃəs] *a.* ① 우아고 상한, 우미한, 기품 있는. ② 친절[다정]한, 자비로운, 관대한; 존귀한. **Good** [**My**] **G-!**, ~ **me!**, **G- goodness!** 저런, 어쩌면!; [이거] 큰일이군! ⁀**·ly** *ad.* ⁀**·ness** ⓤ

gra·da·tion[greidéiʃən, grə-]*n.* ① ⓤ 등급 매기기. ② ⓒ (보통 *pl.*) 순위, 단계, 순서. ③ ⓤⓒ (점 계적인) 변화. ④ ⓤ (빛깔의) 바램, 농담법(濃淡法). ⑤ ⓤ [言] 모음 전

환.

grade[greid] *n.* ① 계급, 단계 등급; 정도; 도수. ② ⓒ《美》(초등·중학교의) 학년; (the ~s) 초등학교. ③ ⓒ《美》 등급, 경사. ② [牧畜] 개량 잡종. **at** ~《美》(교차점에) 동일 평면에서. **make the** ~ 가파른 언덕을 올라가다; 어려움을 이겨내다. **on the down** [*up*] ~ 《美》내리[치]받이에서, 쇠[성]하여. — *vt.* 등급을 정하다[매기다]; 《美》경사를 완 만하게 하다. — *vi.* (…의) 등급이 다; 서서히 변화하다. **grád·er** *n.* ⓒ 등급 매기는 사람; …학년생; 땅고 르는 기계, 그레이더. **gráding** *n.* ⓤ 등급 매기기; 정지(整地).

gráde cróssing《美》전널목.

gráde schòol《美》= ELEMEN- TARY SCHOOL.

gra·di·ent[gréidiənt] *n.* ⓒ ①《美》 (통로 등의) 물매. ② 언덕, 경사진 곳. ③ (온도·기압 따위의) 변화율.

grad·u·al[grǽdʒuəl] *a.* 점차[점진 순차]의인; 서서히 하는, 완만한. ⁀**·ism**[-izəm] *n.* ⓤ 점진주의[정 책].

grad·u·ate[grǽdʒuèit, -it] *vt.* ① 등급(grade)〈눈금〉을 매기다. ② 학 위(degree)를 수여하다; (대학을) 졸 업시키다(*He was ~d at Oxford.* 옥 스퍼드 대학을 졸업했다). ③ [化] 농 축(濃縮)하다. — *vi.* ① 《美》 학위를 받다, (대학을) 졸업하다(*at, from*); 《美》(학교 종류에 관계 없이) 졸업하 다. ② 자격을 얻다(*as, in*). ③ 점차 로 변한다〔옮기다〕(*into, away*). — [-it] *n.* ⓒ 《美》학사; [英] 대학 졸업 생. — [-it] *a.* 졸업한. **-a·tor** *n.* ⓒ 눈금이 표시된 그릇; 각도기.

gráduate schòol 대학원.

grad·u·a·tion[grædʒuéiʃən] *n.* ① ⓤ《美》졸업; 《英》학위 수여; ⓒ 졸 업식. ② ⓤ 눈금; 눈금 매기기.

Graéco-Ró·man *a., n.* = GRECO- ROMAN.

graf·fi·to[grəfíːtou] *n.* (*pl.* -*ti*[-ti]) ⓒ [보통·기둥에 긁어 그린] 그림 [글]; (보통 *pl.*) (벽소 등의) 낙서.

graft[græft, ɡrɑːft] *n., vt., vi.* ⓒ 접 (하다), 눈접 [붙이다]; [外] 식피 (植皮)[식육(植肉)](하다); ⓤ《口》

독직(瀆職)(하다). **~-er** *n.* ⓒ《□》 수회자 ; 접물이는 사람.

grail[greil] *n.* (the ~) 성배(= Holy ~)(예수가 최후의 만찬 때 쓴 잔 ; Arthur 왕의 원탁 기사들이 이것을 찾아 다녔음).

grain[grein] *n.* ① ⓒ 낱알. ② ⓤ 《집합적》 곡물, 곡식((美) corn). ③ ⓒ (모래·사금 따위의) 알, ④ ⓒ 미량(微量). ⑤ ⓒ 그레인(형량 단위 ; 0.0648g). ⑥ ⓤ 나뭇결, 돌결 ; (가죽의 털을 뽑은) 겉껍면, 피부, ⑦ ⓤ (나뭇결에 비유한) 특성, 성미, 성질. **against** the ~ 비위에 거슬러, 마음에 없이. **dye in** ~ (짜기 전) 실에 물들이다. **in** ~ 타고난, 본질적인. **rub a person against the** ~ 아무를 화나게 하다. **(take) with a** ~ **of salt** 에누리하여 (듣다), **without a** ~ **of** …은 조금도 없이. — *vt.* (낟)알로 만들다 ; 나뭇결 모양으로 하다.

:gram[græm] *n.* ⓒ 그램.

:gram·mar[grǽmər] *n.* ① ⓤ 문법. ② ⓒ 문법책, 문전(文典). ③ ⓤ 초보, 원리. ④ 《컴》 문법. **compara-tive** [**descriptive**] ~ 비교[기술] 문법. **~·i·an**[grəmǽəriən] *n.* ⓒ 문법가 ; 문법 교사.

grámmar school 《美》 (공립) 초급 중학 ; 《英》 대학 진학 예비 과정으로 public school에 준하는 중등 학교 ;《보》 고전 문법 학교.

gram·mat·i·cal[grəmǽtikəl] *a.* 문법(상)의. **~·ly**[-kəli] *ad.*

gramme[græm] *n.* 《英》 = GRAM.

gram·o·phone[grǽməfòun] *n.* 《英》 축음기.

gra·na·ry[grǽnəri, grèi-] *n.* ⓒ 곡창(지대).

:grand[grænd] *a.* ① 웅대[장려]한, 장엄한. ② 위대[훌륭]한, 거룩한, 풍채나 태도가 당당한(*the* ~ **manner** 노인 등의) 관록이 있는 태도). ③ 거만한 ; 중대한, 큰, 주되는. ④ 전우의, ⓒ 《□》 굉장한, 멋진. **do the** ~ 젠체하다, 멋내다. **live in** ~ **style** 으리으리하게 살다. — *n.* = GRAND PIANO ; ⓒ 《美 俗》 천 달러. **~·ly** *ad.* **~·ness** *n.*

gran·dad[grǽndæd] *n.* 《□》 = GRANDDAD.

:grand·child *n.* ⓒ 손자, 손녀.

grand·dad *n.* ⓒ 《□》 할아버지.

grand·daugh·ter[-dɔ̀ːtər] *n.* ⓒ 손녀.

grand dúke 대공 ; 《제정 러시아》 황태자.

gran·dee[grændíː] *n.* ⓒ 대공(大公)《스페인·포르투갈의 최고 귀족》 ; 귀인, 고관.

gran·deur[grǽndʒər] *n.* ⓤ 웅대, 장엄, 화려, 성대 ; 장관 ; 위대 ; 고위.

:grand·fa·ther[grǽndfɑ̀ːðər] *n.* ⓒ 조부, 조상. **~·ly** *a.*

grándfather('s) clock 큰 괘종 시계(긴대시계).

gran·dil·o·quence [grændíləkwəns] *n.* ⓤ 호언 장담. **-quent** *a.* 과장의, 과대한.

gran·di·ose[grǽndiòus] *a.* 장대 [웅대]한 ; 당당한, 어마어마한. **-os·ly** *ad.* 당당히, 장엄히, 지나치게 커보여. **-os·i·ty**[-diɑ́səti/-5-] *n.*

:grand júry ⇨JURY.

grand·ma[grǽndmɑ̀ː], **-ma(m)-ma** [-mɑ̀ːmə, -məmɑ̀ː] *n.* 《□》 할머니.

grand·moth·er[grǽndmʌ̀ðər] *n.*, *vt.* ⓒ 조모 ; 어하다. **~·ly** *a.* 할머니 다운, 친절한, 지나치게 세심한.

gránd ópera 대가극(회화의 부분이 되 거의 가죽으로 꾸며진).

grand·pa [grǽndpɑ̀ː, grǽm-], **-pa·pa**[-pɑ̀ːpə/-pəpɑ̀ː] *n.* ⓒ 《□》 할아버지.

grand·par·ent[grǽndpɛ̀ərənt] *n.* ⓒ 조부모(의).

gránd piáno 그랜드 피아노.

Grand Prix [grɑ̀ːŋ príː] *pl.* (F. = great prize) 그랑프리, 대상(大賞)《파리의 대경마 ; 장거리 자동차 경주.

:grand·son[grǽndsʌ̀n] *n.* ⓒ 손자.

grand·stand *n.* ⓒ 《경마장·경기장 따위의》 정면 관람석.

gránd tótal 총계.

gránd tóur 대여행《영국 청년 귀족들이 하던 유럽 수학 여행》.

grange[greindʒ] *n.* ⓒ 《전통파》 농장,《美》 농장의 집《헛간 등을 포함》 호농의 저택 ; (G-) 《소비자와 직결하는》 농민 공제 조합 (의 지부).

gráng·er *n.* ⓒ 농민 ; (G-) 농민 공제 조합(지부)원.

:gran·ite[grǽnit] *n.* Ⓤ 쑥돌, 화강암. *as hard as ~* 몹시 단단한; 완고한. *bite on ~* 헛수고를 하다.

gran·ny, -nie[grǽni] *n.* Ⓒ《口》= GRANDMOTHER; = OLD WOMAN.

:grant[grænt, ɑ:-] *vt.* ① 승낙(청허)하다, 허가하다. ② 수여하다. ③ 양도하다. ④ 하사(下賜)하다, 인정하다; …라고 하다(admit). *~ed* (*~ing*) *that …* 설사 …이라하더라도, *take … for ~ed* …을 당연한 것으로 여기다. — *n.* ① Ⓤ 허가, 인가. ② Ⓤ 양도. ③ Ⓤ 하사, 교부. ④ Ⓒ 교부금. **gran·tée** Ⓒ《法》양수인. **gran·tor**[grǽntər, græntɔ́:r] *n.* Ⓒ《法》양도인.

gran·ule[grǽnju:l] *n.* Ⓒ 미립(微粒), 고운 알. **-u·lar** *a.* 알(모양)의.

:grape[greip] *n.* Ⓤ©《포도》포도나무. *belt the ~*《美俗》잔뜩《마시다. *sour ~s* 오기(傲氣).

grápe·frùit *n.* Ⓒ©《그레이프프루트》Ⓒ 그 나무.

grápe·shòt *n.* Ⓤ《古》포도탄(彈).

grápe·vìne *n.* Ⓒ 포도 덩굴(나무); (the ~)《美口》비밀 등을 전달하는 특수 경로, 정보망; 소문.

graph[græf, -ɑ:-] *n., vt.* Ⓒ 그래프(도표)로 나타내다).

graph·ic[grǽfik], **-i·cal**[-əl] *a.* 필사(筆寫)의, 문자(그림)의; 도표(그래프)로 나타낸; 생생한. **-i·cal·ly** *ad.*

graph·ics[grǽfiks] *n.* Ⓤ 제도학[법] 그래픽스.

graph·ite[grǽfait] *n.* Ⓤ《鑛》석묵(石墨); 흑연.

gráph pàper 방안지, 모눈종이, 그래프 용지《美》section paper.

grap·nel[grǽpnəl] *n.* Ⓒ 《네 갈고리의》소형 닻《 닻 모양의》갈고리.

grap·ple[grǽpəl] *vt.* 꽉 쥐다[붙들다), 붙잡다. — *vi.* (갈고리로) 고정하다; 맞붙어 싸우다(with); 접전하다(with). — *n.* Ⓒ 드잡이, 격투; = GRAPNEL.

grasp[græsp, ɑ:-] *vt.* ① 잡다, 쥐다. ② 이해하다. — *vi.* 붙잡으려 하다, 달려들다(at) 덤벼들다, 잡다. (sing.) ① 쥠; 지배(력); 이해(력); 파악(력), 포착(력). ② 손잡이, 자루. **~·ing** *a.* 탐욕스러운; 잡는 능력 있는; 구두쇠의.

:grass[græs, -ɑ:-] *n.* ① Ⓤ© 풀, 목초, 잔디; 목초지. ② Ⓤ©《植》《집합적》 벼과의 식물; (*pl.*) 풀잎, 초본. ③《美俗》= MARIJUANA. ④ Ⓒ©《美俗》밀고자. *at ~* 방목되어; 일을 쉬고. *be between ~ and hay*《美》어른이 못 되다. *be in the ~*《美》잠초에 파묻히다. *go to ~* (소·말이) 목장으로 가다;《美口》일을 쉬다;《美俗》쓰러지다.《美俗》*Go to ~!*《俗》허튼 소리 마라. *lay down in ~* 잔디를 심다. *let the ~ grow under one's feet* 꾸물거리다가 기회를 놓치다. *put* [*send, turn*] *out to ~* 방목하다; 은퇴시키다;《美口》때려 눕히다. — *vt.* (…에) 풀을 돋게 하다; 풀(지면) 위에 깔다; 《口》때려 눕히다.

gráss hànd (한자의) 초서(草書);《英》[印] 임시 식자공.

grass·hop·per[—hɑpər/-ɔ̀-] *n.* Ⓒ 메뚜기, 여치, 황충《미국》; 《口》《軍》 (비행기의) 소형 정찰기.

gráss·lànd *n.* Ⓤ 목초지.

gráss roots (보통 the ~) 일반 대중; 기초, 근원. *get down to the ~* 문제의 근본에 대해 논의하다.

gráss-róots *a.* 일반 대중의, 유권자들의.

gráss wídow 이혼한 여자; 별거 중인 여자.

grass·y[grǽsi/grɑ́:si] *a.* 풀이 무성한, 풀 같은, 풀의.

grate[greit] *n.* Ⓒ (난로의) 쇠살판, 화상(火床); = GRATING.

grate[2] *vt.* ① 《치즈 따위를 강판으로》 갈다; 으깨어 빻다. ② 삐걱거리게 하다. — *vi.* ① 서로 갈리다; 삐걱거리다(against, on, upon). ② 불쾌감을 주다. **grát·er** *n.* Ⓒ 문지르는(가는) 사람; 강판.

grate·ful[-fəl] *a.* 감사히 여기는; 고마운, 기분 좋은. **~·ly** *ad.*

grat·i·fi·ca·tion[grætəfikéiʃən] *n.* ① Ⓤ 만족(감), 기쁨. ② Ⓒ 만족시키는 것.

grat·i·fy[grǽtəfài] *vt.* 만족시키다; 기쁘게 하다. **~·ing** *a.* 만족시키는 것. 기쁜.

grat·ing[1][gréitiŋ] *n.* Ⓒ 격자(문).

G

grat·ing² *a.* 삐걱거리는; 서로 갈리는; 귀에 거슬리는. **~·ly** *ad.*

gra·tis[gréitis, -ǽ-] *ad., a.* 무료로(의).

grat·i·tude[grǽtitjùːd] *n.* ⓤ 감사(하는 마음).

gra·tu·i·tous[grətjúːətəs] *a.* 무료의; 공짜의; 필요 없는, 이유(까닭) 없는; 무상(無償)의. **~·ly** *ad.*

gra·tu·i·ty[grətjúːəti] *n.* ⓒ 사례금, 팁(tip); 〔英〕 (제대하는 군인에의) 하사금.

grave¹[greiv] *n.* ⓒ 무덤; (the ~) 죽음. (as) secret (silent) as the ~ 절대 비밀의(처럼 극히 고요한). beyond the ~ 죽어서, 저승에서. in one's ~ 죽어서. make (a person) turn in his ~ (아무로 하여금) 죽어서도 눈을 못 감게 하다. on this side of the ~ 이승에서. Someone is walking over my ~. 〔俗〕 찬바람이 돈다(공연히 몸이 떨릴 때의 말).

grave² *a.* 중대한, 예사롭지 않은; 장중한, 진지한; 충충한, 수수한. **~·ly** *ad.*

gráve·dig·ger *n.* ⓒ 무덤 파는 일꾼.

grav·el[grǽvəl] *n., vt.* (《英》 **-ll-**) ⓤ ① 〔집합적〕 자갈(을 깔다). ② 〔醫〕 결사(結砂). ② 《口》 난처하게 하다, 괴롭힌다. eat ~ 땅에 쓰러지다. **~·ly** *ad.* 자갈이 많은.

gráve·stòne *n.* ⓒ 묘석.

gráve·yàrd *n.* ⓒ 묘지.

grav·i·tate[grǽvitèit] *vt.* 인력에 끌리다; 침강(하강)하다; 끌리다(to, toward). **-ta·tion**[-téiʃən] *n.* ⓤ 인력 (작용), 중력.

grav·i·ty[grǽvəti] *n.* ⓤ ① 중력. 지구 인력. ② 중량. ③ 진실, 엄숙; 중대. ④ 〔樂〕 저음.

gra·vy[gréivi] *n.* ⓤ ① 고깃국물 (소스). ② 《美俗》 부정 이득.

grávy tràin 《美俗》 놀고 먹을 수 있는 직업(수입).

gray, 《英》 **grey**[grei] *n., a.* ① ⓤⓒ 회색(의). ② (the ~) 박명(薄明), 황혼. ③ (얼굴이) 창백함 ④ 백발의. ⑤ 음침한. ⑥ 늙은; 원숙한. **~·ish** *a.* 회색빛이 나는(의).

graze¹[greiz] (<grass) *vi., vt.* 풀을

먹(이)다.

graze² *vt., vi., n.* 스치다; ⓤ 스치기, (지나가면서) 약간 닿다(닿음); 스쳐벗기다(벗어지다); ⓒ 찰과상(擦過傷).

gra·zier[gréiʒər] (<graze¹) *n.* ⓒ 목축업자. **~·y** *n.* ⓤ 목축업.

graz·ing[gréiziŋ] *n.* ⓤ 방목; 목초; 목초지.

grease[griːs] *n.* ⓤ ① (질순의) 기름, 그리스; 《俗》 영향력. — [griːz, -s] *vt.* (…에) 기름을 바르다(으로 더럽히다); 《俗》 (…에게) 뇌물을 주다. ~ a person's palm 아무에게 뇌물을 안기다.

grease paint 그리스 페인트, 도란 (배우의 메이크업용).

greas·y[gríːsi, -zi] *a.* ① 기름을 바른(으로 더럽힌); 기름기 많은. ② 미끈미끈한; 진창의. ③ 알랑거리는.

gréasy spóon 《美俗》 싸구려 식당, 변두리의 스낵.

great[greit] *a.* ① 큰, 훌륭한, 위대한. ② 대단히 친한(my ~ friend 아주 친한 사이). ③ 중대한. ⑤ 주된. ⑥ 고귀한, 마음이 넓은. ⑦ 《口》 근사한, 즐거운. ⑧ 《口》 잘 하는(at), 열심인(on). ⑨ 큼직한, 어마어마한. ⑩ 〔古·方〕 임신한. **G- God** [Scott]! 저런!; 아이 깜짝이야. **the ~er** [~est] part of …의 대부분. — *n.* ⓒ 위대한 사람(것); (the ~) 〔집합적〕 훌륭한 사람들. **~·ly** *ad.* 크게, 대단히. **~·ness** *n.*

Gréat Britain 대브리튼(England, Scotland, Wales의 총칭).

gréat·còat *n.* ⓒ 《英》 무거운 외투.

Gréat Dáne 덴마크종의 큰개.

Gréat Wár (the ~) (제1차) 세계 대전.

grebe[griːb] *n.* ⓒ 농병아리.

Gre·cian[gríːʃən] *a., n.* (건축·예술 모습 따위가) 그리스식의; ⓒ 그리스 사람(학자).

Gréco·Róman *a., n.* 그리스와 로마의; 〔레슬링〕 그레코로만형(의)의 총칭.

greed[griːd] *n.* ⓤ 탐욕, 욕심. **~·y** *a.* 탐욕스러운; 열망하는(of, for); 걸신들린, 게걸스러운. **~·i·ly** *ad.* **~·i·ness** *n.*

Greek[griːk] *a., n.* ① 그리스의; ⓒ 그리스 사람(의); ⓤ 그리스어(의).

G

② ⓒ (俗) 사기꾼. *It is* (*all*) ~ *to me.* 도무지 알 수 없다. *When ~ meets ~, then comes the tug of war.* (속담)장사가 맞서면 적 밖의 싸움은 피할 수 없다.

green [gri:n] *a.* ① 초록색의, 푸릇한. ② 안색이 나쁜(pale); (질투·공포 등으로) 얼굴이 창백한. ③ 날것[익이지 않은]의; (과실 등이) 익지 않은. ⑤ 풋내기의, 숫된; 속기 쉬운. ⑥ 신선한, 날것의. ⑦ 원기 있는.
— *n.* ① ⓤⓒ 녹색의 ② ⓒ 녹색 안료. ② ⓒ 초원; 공유의 놀이터(*a village* ~). ③ ⓤ 녹색의 물건[것]. ④ (*pl.*) 야채; (*pl.*) 푸른 잎[가지], 잎·줄기·채소. ⑤ 젊음, 원기 = PUTTING GREEN. ⑥ 골프장. *in the* ~ 혈기가 왕성하여. — *vt., vi.* 녹색으로 하다[되다]. (*vt.*) 속이다. **~·ness** *n.*

gréen·back *n.* ⓒ (뒷면이 녹색인) 미국 지폐.

gréen·belt *n.* ⓒ (도시 주변의) 녹

green·er·y [-əri] *n.* ⓤ (집합적) 푸른 잎; 푸른 나무.

gréenfly *n.* ⓒ 진디.

gréen·gàge *n.* ⓒ 양자두의 일종.

gréen·grócer [-gròusər] *n.* ⓒ (英) 청과물상(인)[상점].

gréen·hòrn *n.* ⓒ (俗) 풋내기.

gréen·hòuse *n.* ⓒ 온실.

gréenhouse gàs 온실 효과 기체 [가스](지구 온난화의 원인이 되는 이산화탄소, 메탄, 이산화질소 따위).

green·ish [-iʃ] *a.* 녹색을 띠는.

gréen líght 청[진행]신호; (口) (정식) 허가.

gréen manúre 녹비(綠肥).

Gréen Páper (英) 녹서(錄書)(정부의 심의용 시안 문서).

gréen pépper 양고추, 피망(菜菜)

gréen·ròom *n.* ⓒ (극장의) 배우 휴게실. *talk* ~ 내막 이야기를 하다.

gréen(s)·kèeper *n.* ⓒ 골프장 관리인.

gréen téa 녹차(綠茶).

Gréenwich (Méan) Time 그리니치 표준시.

greet [gri:t] *vt.* ① 인사하다, 맞이하다. ② (눈에 따위에) 들어오다, 보이다. 들리다.

greet·ing [grí:tiŋ] *n.* ① ⓒ 인사.

② (보통 *pl.*) 인사말; 인사장.

gre·gar·i·ous [grigɛ́əriəs] *a.* (動·植) 군거(집단)성(性)의; 사교적인. **~·ly** *ad.* **~·ness** *n.*

Gre·gó·ri·an cálendar, the [grigɔ́:riən-] 그레고리력(曆), 신력(新曆)(로마 교황 Gregory XIII 제정 (1582)).

grem·lin [grémlin] *n.* ⓒ (비행기에 장난을 한다는) 작은 마귀.

gre·nade [grənéid] *n.* ⓒ 수류탄; 소화탄; 최루탄.

gren·a·dier [grènədíər] *n.* ⓒ 척탄병(擲彈兵); 키가 큰 (당당한) 보병; (英) 근위(近衛) 보병 제1연대의 병사.

grew [gru:] *v.* grow의 과거.

grey [grei] *n., a.* (英) = GRAY.

gréy·hound *n.* ⓒ 그레이하운드 (몸·다리가 길고 빠른 큰 사냥개).

grid [grid] *n.* ⓒ (쇠)격자; 석쇠(grid-iron); (電·컴) 그리드, 격자(다극(多極) 진공관내의 격자판).

grid·dle [grídl] *n.* ⓒ 과자 굽는 번철.

grid·i·ron [grídàiərn] *n.* ⓒ (고기를 굽는) 석쇠; 격자 모양의 것; 도로망; (劇) 무대 천장의 창살 모양의 대들보; 미식 축구장.

grief [gri:f] *n.* ① ⓤ 비탄, 분포. ② 슬픔의 씨앗. ② ⓒ (英) 재난거리, 실패. *come to* ~ 재난을 당하다, 실패하다.

griev·ance [grí:vəns] *n.* ⓒ 불만, 불평의 씨; 불만; 불평(거리).

grieve [gri:v] *vt., vi.* 슬퍼(하게)하다; 괴로워하다; 괴로워하다.

griev·ous [grí:vəs] *a.* ① 괴로운, 쓰라린; 심한, ② 슬픈, 비통한, 애처로운.

grif·fin [grífin] **, -fon** [-fən] *n.* ⓒ 【그神】 독수리 머리와 날개에 사자 몸을 한 괴물.

grill [gril] *n.* ⓒ 석쇠(gridiron); 고기[생선]구이 요리; 그릴; 쇠격자. — *vt.* (…에) 굽다, 쬐다; 뜨거운 열로 괴롭히다; (美口) 엄하게 심문하다. — *vi.* 구워지다, 쬐어지다.

grille [gril] *n.* ⓒ (창 따위의) 쇠격자, 쇠창살.

grim [grim] *a.* (*-mm-*) ① 엄한, 냉혹한. ② (얼굴이) 무서운, 험상궂은. ③ 잔인한. *hold on like* ~ *death*

G

단단히 달라붙어서 떨어지지 않다.

grim·ace [grímǝs, griméis] *n., vi.* ⓒ 찡그린 얼굴(을 하다); 짐짓 (점잔 을 빼려) 찌푸린 얼굴을 하다.

grime [graim] *n., vt.* ⓤ 때, 그을음, 검댕; 더럽히다: 때묻히다.

grim·y [gráimi] *a.* 때묻은.

grin [grin] *vi.* (**-nn-**), *n.* ⓒ ① 씩 〔싱긋〕웃다(웃음). ② (고통·노여움·웃음 따위로) 이빨을 드러내다〔드러냄〕. ~ **and bear it** 억지로 웃으며 참다.

grind [graind] *vt.* (**ground,**(稀)~**ed**) ① (맷돌로) 타다; 가루로 만들다; 분쇄하다. ② (맷돌·機 따위를) 돌리다. ③ 닦다, 갈다; 갈아서 닿게하다. ④ 문지르다. ⑤ 착취하다, 학대하다. ⑥ 《口》주입시키다. ⑦ 바드득거리다. ― *vi.* 빻을질하다〔다〕; 가루로 갈리다, 가루가 되다: 삐걱거리다; 《口》부지런히 일하다, 끈기 있게 공부하다(*away, at*). ― *n.* ⓤ (*sing.*) 빻기, 빠기, 으깨기; ⓒ 《口》 힘드는 일〔공부〕; ⓒ 억척스럽게 공부하는 사람.

grind·er [-ǝr] *n.* ⓒ ① (맷돌을 가는 사람; (칼 따위를) 가는 사람. ② 어금니, 구치(臼齒). ③ 연마기, 그라 인더. *take a* ~ = cut a SNOOK.

grind·ing [-iŋ] *n.* ① (맷돌로) 타는, 가는; 삐걱거리는. ② 힘드는, 고된. ③ 압제의; 매우 아픈. ― *n.* ⓤ ④ 제분. 타기, 갈기, 갈기. ② 《美口》주입식 교수. **~·ly** *ad.* 부러뜨려.

grind·stone [∠stòun] *n.* ⓒ 회전숫돌. *have* 〔*keep, put*〕 *one's nose to the* ~ 꾸준히 일하다.

grip [grip] *n.* ① ⓒ (보통 *sing.*) 잡기, 악력(握力); ⓒ 쥐는〔잡는〕 기구, 손잡이, 핸들. ② (*sing.*) 통솔 〔지배〕력, 파악; ⓒ 《美》소형 여행 가방, 핸드백. *come to* ~*s* 드잡이하다. ― *vt.* (**-pp-**) 잡다; (…의) 마음을 사로잡다; 이해하다. ― *vi.* 고착하다.

gripe [graip] *vt.* 잡다; 쥐어짜다; (흔히 수동태로) 가슴 아프게 하다; 배를 아프게하다; 괴롭히다. ― *vi.* 잡다; 배아프다〔로 고생하다〕; 《美口》우는 소리를 하다〔불평하다〕. ― *n.* (*pl.*) 심한 배앓이(colic); ⓒ 불평.

gris·ly [grízli] *a.* 무서운, 무시무시한.

grist [grist] *n.* ⓤ 제분용 곡식. *bring* ~ *to one's* 〔*the*〕 *mill* 돈벌이가 되다, 수지가 맞다.

gris·tle [grísl] *n.* ⓤ 연골(軟骨) (cartilage).

grit [grit] *n.* ⓤ ① (기계에 장애가 되는) 잔 모래; 《美》용기. ― *vi.* (**-tt-**) 문덜거리다, 이를 갈다. **∠·ty** *a.* 잔모래가 들어 있는; 《美口》용감한.

grits [grits] *n. pl.* 겉겨를 탄 곡식; 《美南部》 탄 옥수수 (가루).

griz·zle [grízəl] *vi.* (英) (어린이가) 칭얼거리다.

griz·zled [grízld] *a.* = GRIZZLY.

griz·zly [grízli] *a.* 회색의.
grizzly bear (북미의) 큰 곰.

groan [groun] *vi., n.* ⓒ 으르렁거리다. ② 신음하다, ⓒ 그 소리; 괴로워하다(*under*). ③ 열망하다(*for*). ~ *inwardly* 남몰래 번민하다.

gro·cer [gróusǝr] *n.* ⓒ 식료품상. **∴·y** [-ri] *n.* ⓒ 《美》식료잡점; (*pl.*) 식료품류.

grog [grɑg, -ɔ-] *n.* ⓤⓒ 물 탄 화주 (火酒); 독한 술.

grog·gy [△i] *a.* 《口》비틀[취청]거리는, 그로기가 된; 《古》곤드레만드레 취한.

groin [grɔin] *n.* 【解】사타구니, 고간(股間); 【建】그로인, 궁륭(穹窿)《아치의 선》.

groom [gru(:)m] *n.* ⓒ 마부; 신랑. ― *vt.* (말에) 손질을 하다; 몸차림을 시키다(*for*); (…에게) 입후보의 준비를 해주다.

groove [gruːv] *n.* ⓒ (나무·금속의) 흠; 판에 박힌 홈; (레코드의) 홈. ② 정해진 순서〔자리〕, 상례(常例). *in the* ~ 【재즈】신나는 연주로; 호조로, 최고조로.

groov·y [grúːvi] *a.* 홈이 있는; 틀에 박힌; 《美俗》(연주 따위의)가 최고의.

grope [group] *vi., vt.* 더듬어서 찾다; 암중모색하다, 찾다(*after, for*). ~ *one's way* 손으로 더듬어나가다.

gross [grous] *a.* ① 조악[조잡]한. ② (지나치게) 뚱뚱한. ③ 무략한, 거친. ④ 울창한; 짙은(dense). ⑤ 장한(~ *mistakes*). ⑥ 총량의(cf.

net²); 전체의. ~ **proceeds** 총매상고. — *n. sing.* & *pl.* 그로스(12다스); 총체. **in the** ~ 총체적으로. ~**·ly** *ad.*

gróss nátional próduct 국민 총생산(생략 GNP).

gro·tesque [groutésk] (〈 grotto) *a.* 그로테스크 무늬의; 기괴한; 터무니없는, 우스운. — *n.* (the ~) (그림·조각 따위의) 괴기미(怪奇美); 그로테스크풍. ~**·ly** *ad.* ~**·ness** *n.*

grot·to [grátou/-5-] *n.* (*pl.* ~(e)s) ⓒ 동굴, 암굴.

grouch [grautʃ] *n.* ⓒ (口) (보통 *sing.*) 불평; 까다로운 사람. — *vi.* (口) 토라지다, 불평을 말하다. ~**·y** *a.*

ground [graund] *n.* ① ⓒ 지면, 땅, 흙. ② (종종 *pl.*) 지역, …장(場); 운동장. ③ (*pl.*) 마당, 정원; 구내(構內). ④ (*pl.*) 물밑, 바다 밑; 암초 등의 바닥. ⑤ (*pl.*) (커피 따위의) 앙금, 찌꺼기. ⑥ (*pl.*) 기초, 근거; (그림의) 바탕(칠하기). ⑦ (피륙의) 바탕빛. ⑧ ⓒ (電) 어스, 접지(接地). ⑨ ⓤ 이유, 동기. ⑩ ⓤ 입장, 의견, **above** ~ 지상에; 살아서. **below** ~ 지하에; 죽어서. **break** ~ 땅을 일구다; 첫삽을 뜨다; 전축(업)을 시작하다. **break fresh** ~ 새로이 땅을 개간[간척]하다; 신국면을 개척하다, 신기축을 내다. **come** [**go**] **to the** ~ 지다; 멸망하다. **down to the** ~ (口) 모든 점에서; 남김없이. **gain** ~ 전진하다, 진보하다; 세력을 더하다. **give** [**lose**] ~ 후퇴하다; 세력을 잃다. **shift one's** ~ 주장[입장]을 바꾸다. **stand one's** ~ 주장[입장]을 고수하다. **take** ~ 좌초하다. **touch** ~ 물 밑바닥에 닿다; (이야기가) 구체적으로 되다. — *vt.* ① 세우다, 수립하다(establish); (주의(主義) 등을) 입각시키다. (…의) 기초를 두다(*on*). ② (기초·초보를) 가르치다. ③ (무기를) 땅에 놓다. ④ (電) 접지[어스]하다. ⑤ (海) 좌초시키다; (英美) 비행을 허락지 않다. — *vi.* 좌초하다. **be well** [**ill**] ~**ed on** …의 지식이 풍부[불충분]하다.

gróund contról (空) (비행장의) 지상 관제(관).

gróund crèw (軍) (비행장의) 지상 근무원(정비원).

gróund flóor (英) 일층; (美口) 유리한 입장.

gróund·less [⁼lis] *a.* 근거 없는.

gróund·nùt *n.* ⓒ 땅콩.

gróund plàn (건물의) 평면도; 기초계획, 원안.

gróund rènt 지대(地代).

gróund rúle (野) 야구장에 따른 규칙; (사회 활동) 기본적인 규칙.

gróund·sel [gráundsəl] *n.* ⓒ 개쑥갓(약용).

gróund stàff (英) = GROUND CREW.

gróund swéll (지진·폭풍우 따위로 이어나는) 큰 파도, 여파.

gróund·wòrk *n.* 기초, 토대; (자수·실의) 바탕, 바탕 무늬; 바탕(색).

group [gruːp] *n.* ⓒ ① 무리, 그룹. ② (空) 비행 대대, (美) 비행단. ③ ⓒ 집단, 그룹, 군(群). — *vt., vi.* (*vt.*) 분류하다(*into*). 모으(이)다; 분류[편성]하다. ~**·er** *n.* (따돌히 해안가의) 능성어과(科)의 물고기. *~***·ing** *n.* (*sing.*) 모으는[이우는] 일; 배치; 그룹.

gróup càptain (英) 공군 대령.

gróup thérapy [心] 집단 요법.

grouse [graus] *n. sing.* & *pl.* 뇌조(雷鳥)류².

grouse² *n., vi.* ⓒ (口) 불평(하다).

grout [graut] *n., vt.* ① 묽은 모르타르[시멘트]를 부어 넣다.

grove [grouv] *n.* ⓒ 작은 숲.

grov·el [grávəl, -ʌ-/-5-] *vi.* (英) *-ll-*) 기다, 엎드리다. ~ **in the dust** [**dirt**] 땅에 머리를 대다, 아첨하다. — **·er** *n.* ⓒ 납죽 엎드리는 사람, 비굴한 사람. **~·l(l)ing** *a.* 납죽 엎드리는; 비굴한, 천박한.

grow [grou] *vi.* (**grew**; **grown**) ① 성장하다, 자라다; 나다; 크다, 늘다(*in*), 강해지다. ② 점점 더해지다; 점차로 …하게 되다. — *vt.* 생장(성장)시키다, 기르다, 재배하다. ~ **on** [**upon**] 점점 증대하다; 더해지다; 감당하기 어렵게 되다; 점점 좋아지게 된다. ~ **out of** (성장해서) …을 버리다; …에서 탈피하다; (자라서) 옷이 입을 수 없게 되다. ~ **together** 하나로 되다, 아물다. ~ **up** 성장

grow·ing [ɡróiŋ] *a.* 성장하는; 증대하는. — *n.* Ⓤ 성장, 발육; 생성.

grów·ing páins 성장기 신경통(청소년의 급격한 성장에 의한 수족 신경통); (신계획·사업 등의) 발전도상의 곤란.

growl [ɡraul] *vi., n.* (맹수가) 짖다, 으르렁거리다. (천둥이) 울리다; 불평을 터뜨리다. Ⓒ 으르렁거리는(짖는) 소리. (천둥 따위의) 우르르 소리.

grown [ɡroun] *v.* grow의 과거분사.

grown-up [[≤]ʌp] *n., a.* 어른(이 된).

growth [ɡrouθ] *n.* ① Ⓤ 성장, 생장, 발육, 발달; 증대; 종양. ② Ⓤ 재배. ③ Ⓒ 생장(발생)물, 산물.

grub [ɡrʌb] *vt.* (-**bb**-) 파 일으키다; (그루터기를) 파내다; 애써서 찾아내다. — *n.* Ⓒ 구더기, 굼벵이. ② 《俗》음식.

grub·by [ɡrʌ́bi] *a.* 더러운; 벌레가 끓는. [는.

grudge [ɡrʌdʒ] *vt.* 아까워하다, 주기 싫어하다. ② 샘내다, 싫어하다. — *n.* Ⓒ 원한, 유감. **bear a ~ against** …에 대해 원한을 품다.

grudg·ing [ɡrʌ́dʒiŋ] *a.* 인색한, 마지못해서 하는. **~·ly** *ad.*

gru·el [ɡrúːəl] *n.* Ⓤ 묽은 죽. **get one's ~** 《俗》호된 벌을 받는.

grue·some [ɡrúːsəm] *a.* 무시무시한, 무서운, 소름이 끼치는 듯한.

gruff [ɡrʌf] *a.* ① 쉰 목소리의. ② 거친, 난폭한. **~·ly** *ad.*

grum·ble [ɡrʌ́mbəl] *vi., vt.* ① 불평하다, 투덜거리다. ② (천둥이) 우르르 울리다. — *n.* ① 불평, 투덜거림, 푸념. ② (*sing.*) 보통 the ~ (우레 따위의) 울림.

grump·y [ɡrʌ́mpi] *a.* 부루퉁한, 무뚝뚝한.

grunt [ɡrʌnt] *vi., n.* Ⓒ (돼지처럼) 꿀꿀거리다(거리는 소리), 불평하는 소리.

gryph·on [ɡrífən] *n.* = GRIFFIN.

G-string [dʒíːstriŋ] *n.* ① Ⓒ 쥐말보, (스트립퍼의) 버터플라이. ② 【樂】 (현악기의) G선.

GT great.

gua·no [ɡwáːnou] *n.* (*pl.* ~**s**) 구아노(바닷새의 똥; 비료).

guar·an·tee [ɡærəntíː] *n.* Ⓒ Ⓤ 보증; 보증(guaranty); 담보, Ⓒ 보증인; 【法】피보증인. — *vt.* 보증하다.

guar·an·tor [ɡ^ærəntɔ̀ːr, -tər] *n.* 【法】보증인.

guard [ɡɑːrd] *n.* ① Ⓒ 경계, 조심. ② 망보기, 파수병, 보호(호위)자; 수위(대); (*pl.*) 근위대. ③ Ⓒ 방위물(용구); 보호물, (칼의) 날밑; (차의) 흙받기; 난로의 불에미, (총의) 방아쇠울. ④ Ⓒ (권투 등의) 방어 자세. ⑤ Ⓒ 《美》 차장. **be on (keep, mount) ~** 파수보다, 보초를 서다(*over*). — **of honor** 의장병. **be on (off) one's ~** 조심(방심)하다(*against*). — *vt.* ① 망보다, 감시하다. ② 지키다, 방위하다(*from, against*); 경계하다(*against*). ③ (언어 따위에) 주의를 하다.

guard·ed [[≤]id] *a.* 조심성 있는, 신중한. [유쉰치용.

guárd·hòuse *n.* Ⓒ 위병소; 영창.

guard·i·an [ɡáːrdiən] *n.* Ⓒ 보호자, 수호자, 관리인. ② 후견인. — *a.* 보호(수호)하는. **~·ship** [-ʃìp] *n.* Ⓤ 보호, 후견역.

guárdian ángel 수호 천사; (the G- As)《미국 등의 범죄 다발 도시의 민간자경(自警)》 조직.

guárd·ràil *n.* Ⓒ 난간.

guárd·ròom *n.* = GUARDHOUSE.

gua·va [ɡwáːvə] *n.* Ⓒ 《植》구아버(열대 아메리카산).

gu·ber·na·to·ri·al [ɡjùːbərnətɔ́ːriəl] *a.* 《美》지사(장관·촌독 등)의.

gudg·eon [ɡʌ́dʒən] *n.* Ⓒ (유럽산 잉어과의) 담수어(속기 쉽게 잡히므로, 남실받은로 쓰임); 잘 속는 사람.

gue(r)·ril·la [ɡərílə] *n., a.* Ⓒ 게릴라병(전)(의), 비정규병(의).

guess [ɡes] *n., vi.* Ⓒ 추측(하다), 알아맞히다; 《美口》생각하다.

guéss·wòrk *n.* Ⓤ 어림 짐작.

guest [ɡest] *n.* Ⓒ ① 손님, 빈객, 내빈자. ② 투숙객. **the ~ of honor** 주빈. **paying ~** 하숙인.

guést·hòuse *n.* Ⓒ 영빈관; 고급 하숙집.

guf·faw [ɡʌfɔ́ː] *n., vt.* Ⓒ 너털웃음 (을 웃다).

guid·ance [ɡáidns] *n.* Ⓤ 안내, 지

도; 지휘; (우주선·미사일 등의) 유도.

†**guide** [gaid] *n.* ① ⓒ 안내자, 가이드; 지도자, 지휘자. ② (보통 G-) 소녀단. ③ 길잡이, 안내, 도표(道標). — *vt.* ① 안내하다. ② 이끌다, 지도(지배)하다. 조정하다, 제휴하다.

guided míssile 유도탄.

guide dòg 맹도견(盲導犬).

†**guild** [gild] *n.* ⓒ 길드(중세의 동업 조합), (오늘날의) 조합, 협회. 「온화.

guil·der [gíldər] *n.* ⓒ 네덜란드의

guild·hàll *n.* ① (보통 *sing.*) 《英》 길드회의소; 시청.

guile [gail] *n.* Ⓤ 교활, 간계(奸智); 배신; 간교한 책략. ~·**ful** *a.* 간사한, 교활한. ~**·less** *a.* 교활하지 않은, 정직한.

guil·le·mot [gíləmàt/-mɔ̀t] *n.* ⓒ 바다오리류의(auk의 무리)

guil·lo·tine [gílətìːn, `≖≖≖`] *n.* ⓒ (the ~) 길로틴, 단두대. (the ~) 《英議會》 토론 종결(gag). — *vt.* 길로틴으로 목을 자르다.

‡**guilt** [gilt] *n.* Ⓤ 죄, 비행. ~·**less** [`≖`lis] *a.* 죄 없는; 모르는, 경험 없는(*of*); 갖지 않은. ~ **of** (*wit*)(위트)가 없다.

‡**guilt·y** [gílti] *a.* ① 죄가 있는, 죄를 범한(*of*). ② 죄에 해당하는; 죄가 있는 듯한. ③ 죄에 대한 가책(의식)을 느끼는. — **conscience** 꺼림칙한 마음. **plead** ~ 복죄(服罪)하다. **plead not** ~ 무죄를 주장하다. **guílt·i·ly** *ad.* **guílt·i·ness** *n.*

†**guin·ea** [gíni] *n.* ⓒ 기니 금화(= **guínea fówl** 뿔닭. 「21s.)

guínea pìg 기니피그, 모르모트(속칭); 실험 재료, 실험대상.

guise [gaiz] *n.* ⓒ ① 외관; 태도, 모습. ② 가면, 구실. ③ 《古》 옷차림, 복장. **in** (*under*) **the ~ of** ...으로 모습을 바꿔서; ...을 가장하여; ...을 구실삼아.

†**gui·tar** [gitɑ́ːr] *n.* ⓒ 기타. ~**·ist** *n.* ⓒ 기타리스트.

gulch [gʌltʃ] *n.* 《美》 ⓒ 협곡(峽谷).

†**gulf** [gʌlf] *n.* ⓒ ① 만(灣). ② 심연 (深淵), 깊은 구멍, 소용돌이. ③ 큰 간격(*between*).

Gúlf Strèam 멕시코 만류.

†**gull**[1] [gʌl] *n.* ⓒ 갈매기.

gull[2] *vt., n.* ⓒ 속이다; ⓒ 속기 쉬운 사

람. **gúl·li·ble** *a.* 속기 쉬운.

gul·let [gʌ́lit] *n.* ⓒ 식도(食道), 목구멍. 「량, 배수구(溝).

gul·ly [gʌ́li] *n.* ⓒ 작은 골짜기, 도

gulp [gʌlp] *vt., vi.* ① 꿀꺽꿀꺽 마시다, 꿀꺽 삼켜 버리다. ② 억제하다, 참다. — *n.* ① 꿀꺽 삼킴. ② 그 소리.

†**gum**[1] [gʌm] *n.* ① Ⓤ 고무, 생고무; 탄성(彈性) 고무. ② ⓒ 고무나무류, 유칼리나무. ③ (*pl.*) 덧신, 고무 장화. ④ Ⓤ 고무풀, 《美》 껌. — *vt.* (**-mm-**) 고무를 바르다(로 굳히다); 《美俗》 속이다. — *vi.* 고무를 분비하다; 끈적

gum[2] *n.* ⓒ (보통 *pl.*) 잇몸.

gum·bo [gʌ́mbou] *n.* (*pl.* ~**s**) 오 크라(okra)《아욱과·열대산》; Ⓤ Ⓒ 오크라 열매를 넣은 수프.

gúm boots 《美》 고무 장화.

gum·my [gʌ́mi] *a.* 고무질의, 고무 같은; (나무가) 고무 수지를 내는.

gump·tion [gʌ́mpʃən] *n.* Ⓤ 《口》 진취의 기상, 적극성; 양식, 판단력, 빈틈없음.

gúm trèe 고무나무, 유칼리나무.

†**gun** [gʌn] *n.* ⓒ ① 대포, 소총; 평사 포(平射砲); 《美口》 피스톨. ② 발포, 호포(號砲). ③ 직업적 살인자. **blow great ~s** (바람이) 세차게 불다.

gún·boat *n.* ⓒ 포함.

gún·boat diplomacy 포함 외교 《약소국에 대한 무력 외교》.

gún·fire *n.* Ⓤ (대포의) 발사, 포화, 포격.

gún·man [gʌ́nmən] *n.* ⓒ 《美》 총잡이, 권총을 가진 악한.

gún mètal 포금(砲金).

gún·ner [gʌ́nər] *n.* ⓒ 포수; 포술 장교; 총사냥꾼. ~**·y** *n.* Ⓤ 포술.

gún·point *n.* ⓒ 총부리. *at* ~ 《美》 권총을 들이대고.

gún·pow·der *n.* Ⓤ 화약; 중국산 녹차(= ~ **tea**).

gún·shòt *n.* ⓒ 포격; 착탄 거리, Ⓤ 사정 거리.

gún·wale [gʌ́nl] *n.* ⓒ 《海》 (갑판 위의) 총가(銃架); (보트 등의) 뱃전.

gur·gle [gɔ́ːrgəl] *vi., n.* (*sing.*) ① 콸콸(물 흐르는) 소리; 그 소리. ② (새나 사람이) 까르륵 목을 울리다; 그 소리.

gu·ru [guː(ː)rúː, `≖—`] *n.* ⓒ 힌두교의

도사(導師); 정신적 지도자.

gush(導師) *vi., vt., n.* (*sing.*) ① 용 솟음(치다). ② 분출하다[시키다]. ② (감정 따위의) 복받침. **∼·er** *n.* ⓒ 분출하는 유정(油井); 감정가. **∼·ing,** **∼·y** *a.* 분출하는; 감상적인.

gus·set[gʌ́sit] *n.* ⓒ (옷의) 덧붙이 는 천, 마름, 섶.

gust[gʌst] *n.* ⓒ ① 일진(一陣)의 바 람, 돌풍. ② (소리·불·감정 따위의) 돌발. **∼·y** *a.* 바람이 거센, 사납게 불어대는 바람의.

gus·to[gʌ́stou] *n.* Ⓤ 취미, 좋아함; 기호(嗜好); 마음으로부터의 기쁨.

gut[gʌt] *n.* ① 창자, 창자; (*pl.*) 내 장, 장; (*pl.*)용기, 인내; Ⓤ (바이 올린·라켓 따위의) 장선(腸線), 거트. ― *vt.* (*-tt-*) (…의) 내장을[창자를] 끄집어내다; (집 따위) 안의 물건을 약탈하다.

gut·ter[gʌ́tər] *n.* ① Ⓒ 홈통; (인 도·차도 사이의) 앉은 도랑(배수구), 수로. ② (the ∼) 빈민가. ― *vt., vi.* 도랑을 만들다[이 되다]; (자국을 남기며) 흐르다; 촛농이 흘러내리다.

gútter préss (선정적인) 저급 신문.

gut·ter·al[gʌ́tərəl] *a., n.* ⓒ 목구멍 의; (音聲) 후음(喉音)(의)(k, g 따위).

guy[gai] *n., vt.* ⓒ (海) 버팀 밧줄 (로 안정시키다).

guy[2] *n.* ① (英) (화약 사건(Gun- powder Plot)의 주모자) Guy Fawkes의 기괴한 상(像)(11월 5일 이 상을 태우는 풍습이 있음). ② ⓒ

(英) 괴상한 옷차림을 한 사람. ③ ⓒ (口) 놈, 녀석, 친구. ― *vt.* 놀리다, 괴롭히다.

guz·zle[gʌ́zəl] *vt., vi.* 폭음하다.

gym[dʒim] *n.* ≒ ⇩.

gym·na·si·um [dʒimnéiziəm] *n.* (*pl.* ∼**s**, **-sia**[-ziə]) ⓒ ① 체육관, 체조장. (G-) (독일의) 고등 학교.

gym·nast[dʒimnæst] *n.* ⓒ 체조 [체육] 교사.

gym·nas·tic[dʒimnǽstik] *a.* 체조 의, 체육의. **:∼s** *n.* Ⓤ (학과로서의) 체육; (단·복수 취급) 체조; 훈련.

gy·n(a)e·col·o·gy [gàinəkálədʒ, dʒín-, gàinə-/-5-] *n.* Ⓤ 부인병학. **-gist** *n.*

gyp[dʒip] *vi., vt.* (*-pp-*) (美口) 속이 다, 속여서 빼앗다. ― *n.* ⓒ 사기 꾼; 사기.

gyp·sum [dʒípsəm] *n.* Ⓤ 석고; 깁스.

·Gyp·sy[dʒípsi] *n.* ① ⓒ 집시(유랑 민족). ② Ⓤ 집시어. ③ (g-) ⓒ 집 시 같은 사람, 방랑벽이 있는 사람, 바람기가 있는 여자.

gy·rate[dʒáiəréit] *vi.* 회전(선회)하 다. **gy·rá·tion** *n.* **gy·ra·to·ry**[dʒáiə- rətɔ̀ri/-təri] *a.*

gy·ro[dʒáiərou] *n.* (*pl.* ∼**s**) (口) = GYROSCOPE; (口) 회전 나침반; (G-) (국제 봉사 단체의) 회원.

gy·ro·scope[dʒáiərəskòup] *n.* ⓒ 회전의(回轉儀). **-scop·ic**[∼-skápik/ -5-] *a.*

H

H, h[eitʃ] n. (pl. **H's, h's**[⌐iz]) H 모양의 것.

:ha[ha:] int. 하아! 허어!《놀람·기쁨·의심》.

ha. hectare(s). **H.A.** heavy artillery; Hockey Association; Horse Artillery. **h.a.** hoc anno (L. = in this year). **HAA** heavy anti-aircraft. **Hab.** 《舊約》Habakkuk.

ha·be·as cor·pus[héibiəs kɔ́ːr-pəs] (L.) 《法》 인신 보호 영장. **H-C- Act** 《英》 인신 보호법《1679년 Charles II가 발포》.

hab·er·dash·er[hǽbərdæ̀ʃər] n. © (주로 英) 방물 장수; 《美》 남자용 장신구 상인. **~·y**-n. ① ⑪ 《주로 英》 방물 가게; © 방물 가게. ② ⑪ 《주로 美》 남자용 장신구류; © 그 가게.

ha·bit·u·ate[həbítʃuèit] vt. 익숙 하게 하다《to》. **-a·tion**[-—éiʃən] n.

hab·it[hǽbit] n. ⓤⓒ 습관, 버릇. ② ⓒ (동·식물의) 습성. ③ ⓤⓒ 체질; 기질. ④ ⓒ 복장; 여성 승마복. **be in the** (**a**) **~ of** (**do**ing) (…하는) 버릇이 있다. **fall** (**get**) **into a ~ of do**ing (…하는) 버릇이 들다. **~ of body** (**mind**) 체질(성질). — vt. ① (…에) 옷을 입히다. ② 《古》(…에) 살다. **~·a·ble** a. 살기에 알맞은, 살 수 있는.

hab·i·tat[hǽbətæ̀t] n. ⓒ (동식물의) 생육지(生育地), (원)산지; 주소; (해저 실험용) 수중 거주실.

hab·i·ta·tion[hæ̀bətéiʃən] n. ⓤ 거주, 주택.

ha·bit·u·al[həbítʃuəl] a. 습관(상)적인, 평소의; 습관적인. **~·ly** ad. 습관(상)적으로, 익히.

hack[hæk] vt., vi. 자르다. 처서 자르다. 난도질하다; 찍어 썰다; 까서 해치다(부수다); (발기침을) 마른 기침을 하다. — © 《컴》 (프로그램을) 교묘하게 개변(改變)하다. **~ around** 《美口》 빈둥거리며 시간을 보내다. **How's ~ing?** 어떻게 지내? — n. © 《컴》 벤. ① 자국, 새긴 자국. ② (발톱) 건 어참(칸) 상처. ③ 도끼. ④ 마른 기침.

hack[2] n. © 《英》 삼발; 《美》 전세 마차. 《□》 택시(운전시); (보통의) 승용 말; 늙은(여윈) 말; 짐말; (저술가의) 글 거드는 사람; 3류 작가; (돈을 위해) 무엇이든 하는 사람. — vt. (말을) 승용으로 빌려 주다; 써서 낡게 하다. — vi. 삼발을 타다; 말 타고 가다(**along**); 남의 밑에서 고된 일을 하다. — a. 고용된; 써서 낡게 한.

hack·er[hǽkər] n. ⓒ 《컴》 컴퓨터 마니아(치광해자), 해커.

hack·ney[hǽkni] n. ⓒ (보통의) 승용말, 전세 마차(hack[4]). — vt. (말·마차를) 빌려 주다; 써서 낡게 하다. **~ed**[-d] a. 낡아 빠진다, 진부한. **~ed phrase** (케케 묵은) 상투구.

háckney còach (**càb, càrriage**) 전세 마차.

háck·sàw n. © (금속 절단용의) 띠톱.

had[hæd, *弱* həd, əd] v. have의 과거(분사). **had BETTER**[1]. **had LIKE**[2] **to. had RATHER**.

had·dock[hǽdək] n. © 《魚》 (복대서양 산의) 대구.

hadn't[hǽdnt] had not의 단축.

hae·mo·glo·bin n. = HEMOGLOBIN.

hae·mo·phil·i·a n. = HEMOPHILIA.

haem·or·rhage n. = HEMORRHAGE.

haem·or·rhoids n. = HEMORRHOIDS.

hag[hæg] n. © 버커리; 마녀 할멈, 마녀(witch).

hag·gard[hǽgərd] a., n. 여윈, 바짝 바른 (눈매가) 사나운; 독살스러운; ⓤ 야생의 (매). **~·ly** ad.

hag·gis[hǽgis] n. ⓒⓤ 《Sc.》 양의

내장과 오트밀을 섞어 끓인 요리.

hag·gle[hǽɡl] *vi., vt.* (끈덕지게)
값을 깎다; 입씨름하다(*over, about*).
토막쳐 자르다(*hack*). — *n.* ⓒ 값
을 깎기; 말다툼.

:hail[heil] *n., vi.* ① ⓤ 싸락눈
[우박](이) 오다(*It ~s.*) ② ⓒ
빗발처럼 쏟아지다, 퍼붓다.

:hail[^] *vt., vi.* ① 큰 소리로 부르다;
② (…을) …이라 부르다(환호로) 맞
이하다(*They ~ed him as king.*)
③ 인사하다. **~ from** (배가) …에서
오다; (아무가) …의 출신이다. — *n.*
ⓒⓤ 환호; 인사, 환성. **within** [**out of**]
~ 소리가 미치는 [미치지 않는] 곳에.
— *int.* 《詩》어서 오십시오. **All ~!,
or H- to you!** 어서 오십시오! 만
세!

háil·stone *n.* ⓒ 우박.

háil·stòrm *n.* ⓒ 싸락눈[우박]이 쏟아지는 우

:hair[hɛər] *n.* ① ⓤ 털; 머리털; ②
(낱개의) 털(*She has gray* [~s].
머리가 희끗희끗하다(회끗끗하다)). ② ⓒ
털 모양의 것; 극히 약간의 물
건[거리·정도]. **against the ~** =
against the GRAIN. **a ~ of the
dog that bit** (*a person*) 제독약(制
毒藥), (숙취(宿醉)를 달기) 위한 꿀
장술《문 미친개의 털이 특효약이 된다
고 생각된 데서》. 《美俗》두텁게[오싹하게] 하다. **both of a ~** 같은 정도의, **by the
turn of a ~** 위기 일발의 아슬아슬
한 고비에서, 간신히, **do one's ~**
머리 치장을 하다, **get a person by
the short ~s** 아무를 지배하다, **get
in** [**out of**] *a person's* ~ 아무의
방해가 되다[않다]; 속상하게 하
다[하지 않다], **hang by a ~** 위기
에 직면하다, **keep one's ~ on**
《俗》(머리칼 하나 까딱하지 않고) 태
연히 있다, **let** [**put**] **down one's**
~ 머리를 풀다; 꾸밈없이 말하
다, **let one's ~ down**
《俗》터놓고[스스럼 없이] 이야기하
다, **make a person's ~ stand
on end** 머리털을 쭈뼛하게 하다.
not turn a ~ 까딱도 안 하다, 아
주 태연하다, **not worth a ~** 한
푼의 값어치도 없다, **put** [**turn**] **up
one's** ~ (소녀가 어른이 되어서)
머리를 얹다, SPLIT ~s. **to** (**the**

turn of) *a* ~ 조금도 틀림없이, 아
주 꼭, **without moving** [**turning**]
a ~ 《俗》냉정하게, **~·less** *a.* 털
[머리칼]이 없는, **~·y** *a.* 털[머리
칼]의[같은]; 털이 많은.

háir·brùsh *n.* ⓒ 머리솔.

háir·cùt *n.* ⓒ 이발; 머리형.

háir·dò *n.* ⓒ 머리형.

háir·drèsser *n.* ⓒ 미용사; 《주로
英》이발사.

hair drìer [**drỳer**] 헤어드라이어.

háir·lìne *n.* ⓒ 가는 선; 타락줄;
(이마의) 머리털 난 언저리, 두발선.

háir·nèt *n.* ⓒ 헤어네트.

háir·pin *n.* ⓒ 헤어핀, 머리 핀.

háir·ràising *a.* 머리 끝이 쭈뼛해지
는; 소름이 끼치는.

háir's-brèadth *n., a.* (**a** ~) 좁은
틈; 위기 일발(의), 아슬아슬한

háir·splìtting *a., n.* ⓤ 사소한 일
에 구애되는(것).

háir·y[hɛ́əri] *a.* 털 많은; 《口》곤란
한; 섬뜩한; 불가해한.

hajj, hadj, haj[hædʒ] *n.* (*pl.
~es*)《이슬람교도의》메카 순례.

hake[heik] *n.* (*pl. ~s,* 《집합적》
~) ⓒ 《魚》대구류.

hal·cy·on[hǽlsiən] *n.* 《古·詩》
파도를 가라앉힌다는 새《물총새(king-
fisher)의 별칭》. — *a.* 잔잔한, 평
온한, 평화스러운.

hale[heil] *a.* (노인이) 정정한; 근력
이 좋은, **~ and hearty** 근력 왕성
한, 정정한.

(절)반; 중간, 중도, …과, **... and a**
~《俗》특별한, 아주 훌륭한(*That was
a game and a* ~). **by** ~ 반쯤;
대단히(*She is too alert by* ~). 지나
치게 영리하다, **by halves** 불완전
하게, 중도에; 얼마간, 아무렇게나;
적당히, **cry halves** 절반의 분배를
요구하다, **go halves with** ~ 와 반
분하다, **to the halves** 절반까지,
불충분하게, — *a., ad.* 《美》(이익 따위) 반분
의; — *a., ad.* 《美》(절)반(의) (**a** ~
mile; ~) *a mile*); 불충분한(**a** ~
rich); 어지간히, 거의, **~ as many
[much] (again) as** …의 (반의)
반; 불 *I wish* …하고 싶은 듯한 생
각도 있다, **not ~** 《口》그다지[조금

H

도 …않다(*Not ~ bad.* 꽤 좋다): (주) 몹시 (*She didn't ~ cry.* 어간도 거기 울어댔다).

half-and-half *a., n., ad.* [U.C] 반반의 (혼합물): 이도 저도 아닌, 얼치기의 (백·흑인의) 튀기: 반반으로.

hálf báck *n.* [C] [蹴] 불백(하프).

hálf-báked *a.* 설구워진: 불완전한, (경험이) 미숙한.

hálf-bréed *n., a., C* 혼혈아, 튀기 (의): [生] 잡종(의).

hálf bróther 배[씨]다른 형제.

hálf-cáste *n.* [C] (특히, 유럽인 아버지와 인도계 어머니와의) 튀기: 신분이 다른 양친에서 난 사람.

hálf crówn 《英》 반 크라운 은화 (銀貨)(1970년 폐지). **―화.**

hálf dóllar 《美·캐나다》 50센트 은화.

hálf-héarted *a.* 마음이 내키지 않는, 냉담한. **~·ly** *ad.* 「(의).

hálf-hóur *n., a.* [C] 반 시간, 30분 (의).

hálf lífe [理] (방사능) 반감기(半減期). (比) 최하기 시작의 번영기.

hálf-mást *n., vt.* [U] 반기(半旗)의 위치(에 걸다).

hálf móon 반달(형의 것).

hálf nóte [樂] 2분 음표.

half-pence [héipəns] halfpenny 의 복수형.

half-pen·ny [héipəni] *n., a.* 반 페니(동전); 《英口》 잔돈; 하찮은 (of little value) 배(: 《신문의》 선정적인).

hálf síster 배[씨]다른 자매.

hálf-tímbered *a.* [建] 뼈대를 목조로 한.

hálf tíme 《노동의 (半日) 노동, 반일급: [蹴] 중간 휴식.

hálf-tóne *n., a.* [C] [印·寫] 망판(網版)(의 그림)(의 그림): [美術] 간색(間色) (의): [樂] 반음.

hálf-trúth *n.* [U.C] (속이거나 비난 회피를 위한) 일부의 진실.

:half-way [ऄwéi] *a., ad.* ① 중도의 [에], 어중뜬(되게). ② (口) 반쯤, 어느 정도: *meet a person ~* 타협하다.

hálfway hóuse 두 마을 중간의 여인숙; 타협점.

hálf-wit *n.* [C] 반편이, 얼뜨기.

hal·i·but [hæləbət] *n.* (*pl.* ~**s,** (집합적) ~) [C] [魚] 핼리벗(큰 넙치).

hal·i·to·sis [hæ̀lətóusis] *n.* [U] 구취(口臭).

hall [hɔ:l] *n.* [C] ① 현관; 복도. ② 넓은 방. ③ (공회)당. ③ 《美》 (대학의) 교사(校舍). ④ 조합 본부; 사무소. ⑤ 《英》 (저주의) 저택. ⑥ 《英》 댄스의 대식당. **H- of Fame** 명예의 전당(殿堂)(뉴욕 대학에 있는 위인·국가 유공자들을 위한 기념관). **Stu-dents' H-** 학생 회관[집회소].

hal·le·lu·jah, -iah [hæ̀ləlú:jə] *int., n.* (Heb.) 할렐루야['하늘님을 찬송하라(*Praise ye the Lord!*)'의 뜻); [C] 찬송가.

hall·márk *n., vt.* (금·은의) 순분 인증 각인(純分認證刻印)(을 찍다); 보증 각인을 불이다.

hal·lo(a) [həlóu] *int., n.* [C] 여보세요여보세, 이봐, 이런!(하는 소리).

hal·low [hǽlou] *vt.* ① 신성하게[깨끗하게] 하다: 축하하다. ② ~ed 숭배하다. **―ed ground** 영역(靈域).

Hal·low·een, -e'en [hæ̀louí:n] *n.* 핼로윈(모든 성인 대축일(All Saints' Day)의 전야: 10월 31일 밤).

hal·lu·ci·nate [həlú:sənèit] *vt.* 환각(증상)을 일으키게 하다.

hal·lu·ci·na·tion [həlù:sənéiʃən] *n.* [U.C] 환각(幻覺), 환시(幻視), 환청(幻聽): 망상(幻想).

hal·lu·ci·no·gen [həljú:sənədʒən] *n.* [C] 환각제.

hall·wáy *n.* [C] 《美》 현관; 복도.

ha·lo [héilou] *n.* (*pl.* ~**(e)s,** ~**s**) [C] ① (해·달의) 무리를 씌우이다; 후광 (後光)으로 두르다. **―함로코드**.

hal·o·gen [hǽlədʒən] *n.* [U] [化] 할로겐.

halt [hɔ:lt] *vi., vt.* 정지(휴식)하다 [시키다]. **― n.** ① (a ~) (멈추어) 섬; [컴] 멈춤. ② (주로 英) 정류소. *call a ~* 정지를 명하다, 정지시키다.

hal·ter [hɔ́:ltər] *n.* [C] 고삐·말을 걸거나 매어 두는 고삐; 교수(絞首)(용·밧줄); 끈으로 드러내는 여자용 운동 셔츠. 「(감하다.

halve [hæv/ha:v] *vt.* 등분하다; 반감(감하다.

halves [hævz/-a:-] *n.* half의 복수.

hal·yard [hǽljərd] *n.* (돛·기의) 고패줄.

:ham [hæm] *n.* [U.C] 햄《소금에 절

여 훈제(燻製)한 돼지의 허벅다리 고기). ② ⓒ 오금 : (종종 *pl.*) 허벅다리와 궁둥이. ③ ⓒ (俗) (몸짓을 과장하는) 서투른 배우 : ④ 과장된 연기. ⑤ ⓒ (口) 햄(아마추어 무선 통신자).

ham·burg·er [스二ㄹ] *n.* = **Hámburg stèak** ⓒⓊ 햄버거스테이크.

hám-fisted, -handed *a.* (英俗) 솜씨 없는, 서투른.

ham·let *n.* ⓒ 작은 마을.

:ham·mer [hǽmər] *n.* ⓒ (쇠·나무) 망치, 해머. ② 【醫】 (투)해머. ③ (경매자의) 나무망치. ④ (총(銃)의) 공이치기. **bring [send] to the ~** 경매되다. **come under [go to] the ~** 경매되다. **drop the ~** 《CB俗》 액셀러레이터를 밟다. **~ and tongs** (口) 열심히, 맹렬히. ─ *vt.* ① 망치로 두드리다 : 두들겨 [쳐박아, 주워] 넣다. ② 연달아 때리다[포격하다]. ③ (口) (상대방을) 호되게 해내다. ④ 두드려서 만들다. ⑤ 생각해 내다. ─ *vi.* ① 망치로 두드리다. ② 부지런히 일하다. **~ away** 마구 두드리다 : 부지런히 일하다(at). **~ out** 두드려서 ...으로 펴다 : 애써서 생각해 내다.

ham·mock [hǽmək] *n.* ⓒ 해먹.

ham·per [hǽmpər] *vt.* 방해하다.

ham·per *n.* ⓒ (뚜껑 달린) 손바구니 : 바스켓.

ham·ster [hǽmstər] *n.* 【動】 일종의 큰 쥐(쥐유럽·아시아산).

ham·string [hǽmstrìŋ] *n., vt.* (~*ed, -strung*) (사람·말의) 오금의 힘줄(을 잘라 절름발이로 만들다) : 좌절시키다.

†hand [hænd] *n.* ⓒ 손 : (동물의) 앞발 : (시계의) 바늘 : 손 모양의 것 《바나나 송이 따위》 : 핸드(손바닥 폭을 기준으로 한 척도 : 4 인치》 (a *horse 14~s high* 어깨높이 14 핸드의 말). ② ⓒ (종종 *pl.*) 소유 : 지배. ③ ⓒ 직공, 일꾼 : 승무원(*all ~s* 전원). ④ ⓒ 솜씨 : 수완(a *good ~* 솜씨 좋음 : 글씨를 잘 쓰다) : (*one's*) ~ 서명. ⑤ ⓒ 쪽, 측(*the right ~* 오른쪽, 우편, 측. ⑥ ⓒ [카드] 가진 패 : 경기자 : 한 판. ⑦ (*sing.*) (남자가 여자에게 손을 주

어) 약혼(함). ⑧ (a ~) 박수 갈채. **at first [second]** ~ 직접[간접]으로, (*close, near*) **at** ~ 가까운 곳에, 가까운 장래에, 바짝 다가서. **bear a** ~ *in* ...에 관계하다 : 손을 빌려주다. **by** ~ 손으로 : 손수. **change** ~**s** 주인[소유주]이 바뀌다. **come to** ~ 손에 들어오다 : 발견되다. **eat out of a person's** ~ ...지도[지휘]에 따르다, 온순하다. **fight** ~ **to** ~ 접전하다 : 드잡이하다. **from** ~ **to mouth** 하루 벌어 하루 먹는, 그날그날 간신히 지내는 : (저축도[없이]) 하는 족족 써버리는. **give one's** ~ (계약 따위의) 실행을 다짐하다(*on*) : (남자에게 손을 주어) 약혼하다(*to*). ~ **and foot** 손에도 발에도, 완전히, 부지런히. ~ **and [in] glove with** ...와 밀접한 사이로, 결탁하여. ~ **in** ~ 손에 손을 잡고 : 제휴하여(*with*). ~ **over** ~ 두 손을 번갈아 당겨서 : 척척 (돈이나 따위). ~**s down** 손쉽게 (이기다, 따위). **Hands off!** 손대지 말 것 : 손을 떼라, 관여 마라. **Hands up!** 손들어라(항복 또는 찬성하여). **have one's** ~**s full** 바쁘다. **heavy on [in]** ...힘에 겨워, 다루기 곤란하여, 주체 못하여. **in** ~ 손에 들고서, 제어하여 : 진행[연구] 중의. **keep one's** ~ **in** ...에 종사하고 있다[익숙하다], 끊임없이 연습하다. **lay** ~**s on [upon]** ...에 손을 대다, ...을 (붙)잡다 : 폭행하다(*He laid* ~**s** *on himself.* 자살했다). 【敎】 (사람의 머리 위에) 손을 얹고 축복하다. **make a** ~ 이득을 보다. 성공하다. **off** ~ 즉석에서, 즉각. **on [off] a person's** ~**s** (아무의) 책임[부담]이 있어[없이]. **on** ~ 가지고 [준비하여] 있는 : 가까운 : (美) 출석하여. **on one's** ~**s and knees** 기어서. **on the one** ~ 한편으로는. **on the other** ~ 또 한편(은, 다른) 한편에서는, 이에 반(反)하여. **out of** ~ 즉석에서, 즉각 : 끝나서, 힘에 겨워 다루기 어려워. **pass into other** ~**s** 남의 손으로 넘어가다, 팔리다. **sit on one's** ~**s** 좀처럼 박수[칭찬]하지 않다. **take in** ~ ...처리하기로 하다, 돌보다. **to one's** ~ 힘닿는 데 (아무가) 얻을 수 있도록(*be ready*

to his ~*s* 즉시 쓸 수 있다. **turn one's** ~ **to** …에 착수하다. **wash one's** ~*s* **of** …의 손을 끊다. **with a high** [**heavy**] ~ 고압적으로. — *vt.* ① 넘겨[건네] 주다; 전하다 (*to*). ② 손으로 이끌다[돕다]. ③ [海] (돛을) 접다. ~ **back** 돌려주다; 손에게 전하다. ~ **in** 건네다, 제출하다. ~ **on** 돌려 주다; 다음으로 건네 주다. ~ **out** 건네 주다; 분배하다. (俗) 돈을 내다[쓰다]. ~ **over** 넘겨 주다; 양도하다. ~ **round** (차례로) 돌리다, 도르다. ~ **up** (높은 곳에) 손으로 건네 주다, 주다. :~**ful** [hǽndfúl] *n.* ⓒ 손에 그득, 한 줌; 소량; (口) 다루기 힘든 사람[것].

hánd·bag *n.* ⓒ 핸드백.

hánd·ball *n.* ⓤ 벽에 던져 튀는 공을 타월이 받게 하는 공놀이; [競] 핸드볼; ⓒ 그 공.

hánd·bill *n.* ⓒ 삐라, 광고지.

hánd·book *n.* ⓒ 편람(便覽), 안내서, 교본.

hánd bràke (자동차 따위의) 수동[핸드] 브레이크.

hánd·cárt *n.* ⓒ 손수레.

hánd·cláp *n.* ⓒ 박수 갈채.

hánd·cùff *n.*, *vt.* ① (보통 *pl.*) 수갑, 쇠고랑(을 채우다).

hánd grenàde 수류탄; 소화탄.

hánd·hóld *n.* ⓒ 파악; 손잡을 데 [곳(잡을) 데].

hand·i·cap [hǽndikæp] *n.*, *vt.* (**-pp-**) ⓒ ① 핸디캡(을 주다), 불리한 조건(을 붙이다). ② 핸디캡이 붙은 경주[경마]. *the* ~*ped* 신체[정신] 장애자.

hand·i·craft [hǽndikr`æft/-kr`ɑːft] *n.* ⓒ (보통 *pl.*) 수세공(手細工), 수예(手藝). ② ⓤ 손끝의 숙련.

hand·i·work [hǽndiw`əːrk] *n.* ⓤ 수세공. ② ⓒ 수공품. ③ ⓤ (특정인의) 짓, 소행.

hand·ker·chief [hǽŋkɑrtʃif, -tʃiː] *n.* (*pl.* ~**s**) ⓒ 손수건; 목도리, 네커치프.

han·dle [hǽndl] *n.* ⓒ ① 자루, 손잡이, 핸들. ② 구실; 기회. ③ 다룸, 다루기, 핸들 *fly off* [*at*] *the* ~ (口) 욱하다. *up to the* ~

(美口) 극단적으로; 철저히. — *vt.* ① (…에) 손으로 다루다, 조종하다 ② 대다. ③ 처리하다, 논하다. ③ 대우하다; (군대를) 지휘하다. ④ 장사하다, 거래하다. **hán·dler** *n.* ⓒ 취급하는 사람; [拳] 트레이너, 매니저, 세컨드.

hand·ling [hǽndliŋ] *n.* ⓤ 손에 대기[잡기]; 취급, 조종, 운용; 수법.

hánd·màde *a.* (기계가 아닌) 손으로 만든.

hánd·màid (*e*) *n.* ⓒ 시녀, 하녀.

hánd-me-dòwn *a., n.* (美) 만들어 놓은, 기성복의; ⓒ 기성복.

hánd·òut *n.* ⓒ (美俗) 거지에게 주는 음식[돈·의류]; (신문사에 돌리는) 공식 성명(서); 유인물.

hánd-pícked *a.* 정선(精選)된; (과일 따위를) 손으로 딴.

hánd·ràil *n.* ⓒ 난간.

hánd·sàw *n.* ⓒ (한 손으로 켜는) 작은 톱. ▢ 〔화기〕.

hánd·sèt *n.* ⓒ (탁상 전화의) 송수화기.

hánd·shàke *n.* ⓒ 악수. **-shàk·ing** *n.* ⓒ 집 악수; 기성복.

hánds-óff *a.* 무간섭(주의)의.

hánds-ón *a.* 실제로 참가하는; 실제적인; 수동의.

:**hand·some** [hǽnsəm] *a.* ① (남자가) 단정하게 잘 생긴. ② (선물 따위) 활수(滑手)한; 상당한.

hánd·stànd *n.* 물구나무서기.

hand·writ·ing [hǽndràitiŋ] *n.* ⓤ ① 육필(肉筆), 손수 씀. ② ⓤ 필적. ③ ⓤ 필사본. *the* ~ *on the wall* 흉조(凶兆).

:**hand·y** [hǽndi] *a.* ① 가까이 있는, 알맞은, 편리한. ② 솜씨좋은. COME *in* ~.

hándy·màn *n.* 허드렛일꾼; 잔재주가 있는 사람; 선원.

:**hang** [hæŋ] *vt., vi.* (**hung, ~ed**) ① 걸(리)다, 매달(리)다; 늘어뜨리다, 늘어지다. ② (벽지를) 바르다. ③ 교살(絞殺)하다(*Be ~ed!*, *H-it!*, *H- you!* 뒈질 놈아, 제기랄!). 목을 매달아 죽다. ~ *about* 어슬렁거리다: 붙어다니다. ~ *back* 주춤거리다, 뒤로 빼다. ~ *fire* (총이) 즉시 발사되지 않다; (일이) 시간이 걸리다. ~ *in*

the balance 결정(되)지 않다. ***~ on (upon)*** …에 달려붙다. 붙잡고 늘어지다. …나름이다; 속행하다. 인내하다; 미결이다; (병이) 낫지 않다. ***~ oneself*** 목매어 죽다. ***~ onto (on to)*** …을 움켜잡다. …에 매달리다; 계속 보관하다. ***~ out*** 을 내밀다; 《俗》 거주하다; (기 따위를) 내걸다; 《俗》 드나들다. ***~ over*** 위에 쑥 나오다(걸리다); 닥쳐 오다. ***~ together*** 협력(단결)하다; 조리가 서다. ***~ up*** 걸다. 매달다; 중지하다; 지체시키다. 연기하다; 전화를 끓다; 《俗》 전당 잡히다. — ***n.*** (보통 the ~) ① 걸린새, 늘어진 모양. ② (□) 사용법, 방식, 요령; 취지(idea). ③ 근근 조금(도)(*I don't care a ~*). ***'~-er n.*** ⓒ 거는 (매다는) 사람(것), 옷걸이; 갈고리, 매단 장고; 단검(*현대에 차는*); = HANGMAN.

hang·ar[hǽŋər] ***n.*** ⓒ 격납고, 곳집.

háng·dòg ***a., n.*** ⓒ 비굴(비열)한 (사내).

hánger-ón ***n.*** (*pl.* **-ers-on**) ⓒ 식객, 추종자; 엽관 운동자.

háng glìder 행글라이더.

hang·ing[hǽŋiŋ] ***n.*** ① ⓒ 교살, 교수형. ② (*pl.*) 걸린 것, 커튼. ③ ⓒⓤ 내리막, 금경사. — ***a.*** ① 교수형에 처할. ② 매달린. ③ 금경사의. ④ 위박한.

hang·man[⌐mən] ***n.*** ⓒ 교수형 집행인.

háng·nàil ***n.*** ⓒ 손거스러미.

háng·òut ***n.*** ⓒ 《美口》 (주로 악한의) 소굴.

háng·òver ***n.*** ⓒ 《美口》 잔존물; 숙취(*宿醉*)의 부작용.

háng·ùp ***n.*** ⓒ 《口》 ① 정신적 장애, 고민. ② 《컴》 단절.

hank[hæŋk] ***n.*** ⓒ (실) 한 다발, 사타래.

han·ker[hǽŋkər] ***vi.*** 갈망(동경)하다(*for, after*).

han·kie, -ky[hǽŋki] ***n.*** ⓒ 《口》 손수건(handkerchief).

han·ky-pan·ky[hǽŋkipæŋki] ***n.*** ⓒ 《美口》 협잡, 사기; 요술; 《美》 재미적은 이야기(것).

Han·sard[hǽnsərd] ***n.*** ⓒ 영국 국회 의사록.

hán·som (cáb)[hǽnsəm-] ***n.*** ⓒ (2인승의) 말 한 필이 끄는 2륜 마차.

hap·haz·ard[hæphǽzərd/⌐⌐-] ***n.*** ⓤ 우연(한 일), 운수; 우연히; 아무렇게나. — ***a., ad.*** 우연의(히); 되는대로(의).

hap·pen[hǽpən] ***vi.*** ① 일어나다. 생기다. ② 우연히(공교롭게도) …하다(*to do, that*); *as it ~s* 우연히(도). ***~ on*** 우연히(뜻밖에) …을 만나다(발견하다). *'~·ing n.* 우발 사(偶發事), 사건; 《美口》 해프닝(즉흥적인 행위나 행사).

hap·pi·ness[hǽpinis] ***n.*** ⓤ ① 행복; 행운. ② 유쾌, 교묘, 절묘; 운좋음: 적절.

hap·py[hǽpi] ***a.*** ① 행복한. 행복의. ② 즐거운, 유쾌한. ③ (용어가) 적절한, 교묘한: ***-pi·ly ad.***

háppy-gó-lúcky ***a.*** 낙천적인, 태평스러운; 되는 대로의.

ha·rangue[hərǽŋ] ***n., vt., vi.*** (장황한) 열변(을 토하다), 장광설(을 늘어놓다).

'**har·ass**[hǽrəs, hərǽs] ***vt.*** 괴롭히다.

har·bin·ger[hɑ́ːrbindʒər] ***n., vi.*** ⓒ 예고(하다); 선구자(forerunner).

'**har·bor, -bour**[hɑ́ːrbər] ***n.*** ⓒⓤ ① 항구. ② 피난처, 은신처. — ***vt.*** ① 피난처를 제공하다; 숨기다. ② (원한·악의를) 품다. — ***vi.*** 숨다. ② 정박하다.

hárbo(u)r màster 항무관(港務官).

hard[hɑːrd] ***a.*** ① 딱딱한, 굳은, 단단한, 견고한. ② (…하기) 어려운. ③ (몸이) 튼튼한. ④ (시세가) 강세의. ⑤ 엄격한, 까다로운, 무정한(*on*). ⑥ 격렬한; 심한, 모진. ⑦ 고된, 괴로운. ⑧ (음식이) 조악한. ⑨ 부지런한, 근면한, 열심히 일하는. ⑩ 《美》 알코올 함유량이 많은. ⑪ 【언】경질(硬質)의; (소리가) 새된, 굳소리의. ⑫ 【음향】 무성 자음의(k, t, p 따위); 경음(硬音)의(g 따위). ⑬ 【理】 (X선의) 투과 능력이 큰. *~ and fast* (규칙 따위가) 엄중한; (배가) 좌초하여 움직이지 않는. *~ fact* 엄연한 사실. *~ of hearing* 귀가

가 잘 안들리는. **have a ~ time of
it** 몹시 혼나다《고생하다》. *— ad.* ①
굳게, 단단[견고]하게. ② 열심히 부지
런히. 몹시. ③ 강하게; 세차게. ④
가까이. ⑤《美俗》매우. **be ~ at
it**《俗》매우 분주하다, 열심히 일하
고 있다. **be ~ put to it** 곤경에 빠
지다. **go ~ with** …을 혼나게 하
다. **~ by** 바로 곁에. **~ hit** 심한
타격을 받고. **~ on [upon]** …에 바
싹 다가서서. **~ up**《돈에》 궁하여;
《…에》 곤란을 당하여《for》. **look ~**
가만히 응시하다. *— n.* ①《口》《英》
로 英》 삼루[양륙]장. ②《英俗》징
역》; 굳기, 경도(硬度).

hárd·báck *n.* C 두꺼운 표지의 책.

hárd·báll *n.* C 경식 야구; C《야
구의》 경구(硬球).

hárd·bítten *a.* 만만치 않은; 완고
한; 산전수전 겪은.

hárd-bóiled *a.* 《달걀 따위》단단하
게 삶은;《口》《소설 따위》 비정(非
情)한, 감상적이 아닌; 현실적인《人》;
고한.

hárd cásh [cúrrency] 경화《硬
貨》

hárd cópy 《컴》 하드 카피.

hárd córe 《단체·운동 등의》 핵심,
강경파.

hárd dísk 《컴》 하드 디스크.

hárd drúg 《口》 습관성 마약.

hárd-éarned *a.* 고생하여 얻은《돈》.

hárd·en [⌐n] *vt., vi.* 굳어지다, 굳히
다; 단단하게 하다[되다], 경화(硬化)
하다; 단련[강화]하다; 무정하게 하다
[되다]

hárd-fóught *a.* 격전(激戰)의《결과
획득한》.

hárd hát 《공사장의》 안전모.

hárd-héaded *a.* 《성질이》 냉정한,
실제적인, 완고한.

hárd-héarted *a.* 무정한.

hárd lábo(u)r 《형벌로서의》 중노
동.

hárd línes 강경 노선[방침].

hárd·ly [⌐li] *ad.* 거의 …않다, 간신
히, 겨우, 아마 …아니다; 애써서, 고
생하여; 엄하게, 가혹하게. **~ ever**
좀처럼 …않다. **~ ... when [before]**
…하자마자 …하기가 무섭게.

hárd-préssed *a.* 《일·돈에》 쫓기

는; 곤경에 처한.

hárd séll 강압적인 판매 (방법)《cf.
soft sell》.

hárd·ship [⌐ʃip] *n.* U,C 고난, 고
생; 학대.

hárd·tòp *n.* C 덮개가 금속제이고
열장에 중간 기둥이 없는 승용차.

hárd·ware [⌐wɛ̀ər] *n.* U ① 철물,
철기류. ②《美俗》 무기류. ③《컴》
하드웨어《컴퓨터의 기계 설비》. ④
《우주 로켓·미사일 등의》 본체. **~
man** [⌐mən] *n.* C 철물상(商).

hárd-wéaring *a.* 《천 따위가》 오래
가는, 질긴.

hárd·wòod *n.* U 단단한 나무《떡갈
나무·마호가니 등》.

hárd-wórking *a.* 근면한, 열심히
일[공부]하는.

har·dy [há:rdi] *a.* ① 내구력이 있
는, 고난[학대]에 견디는. ② 대담[용
감]한; 무모한. ③《식물 따위》내한
성(耐寒性)의. **-di·ly** *ad.* 고난을 견
디어; 대담하게; 뻔뻔스레. **-di·ness**
n. U ① 강장(强壯); 내구력; 대담; 철면
피, 뻔뻔스러움.

hare [hɛər] *n.* C 산토끼《rabbit보다
큼》. **as mad as a March ~** 《교
미기의 산토끼처럼》 미쳐 날뛰는. **~
and hounds** 산지(散紙) 술래잡기
《토끼가 된 아이가 종이 조각(scents)
을 뿌리며 달아나는 것을 사냥개가 된
아이가 쫓아 잡는 일》 전에 잡아먹힌
이것》. **~ and tortoise** 토끼와 거
북이의 경주》. **run with the ~
and hunt with the hounds** 어느
편에나 좋게 굴다.

háre·bèll *n.* C《植》초롱꽃《류》;
= BLUEBELL.

háre·bráined *a.* 경솔한.

háre·lip *n.* C 언청이. **-lipped** *a.*
언청이의.

har·i·cot [hǽrikòu] *n.* 《F.》 U 강낭
콩이 든 양고기 스튜; 《~ bèan 강낭
콩》.

hark [hɑːrk] *vi.* 듣다; 경청하다《주
로 명령문에》. **Hark (ye)!** 들어 보
라! **~ back** 되돌아 오다[가다].

har·le·quin [hɑ́:rlikwin, -kin]
C (*or* H-)《pantomime의》《가면

어릿광대역(役); 어릿광대.

har·lot[háːrlət] *n.* ⓒ 매춘부. **━ry** ⓤ 매춘.

harm[haːrm] *n.*, *vt.* ⓤ 해(치다); 손해(손상)을 주다. **come to ～** 괴로움을 당하다; 전서리 맞다. **do ～ to** ～를 해치다. **out of ～'s way** 안전[무사]하게. **～ful** *a.* 해로운. **～fully** *ad.* **～fulness** *n.* **：～less** *a.* 해없는; 악의 없는. **～lessly** *ad.* **～lessness** *n.*

har·mon·ic[haːrmánik/-5] *n.* ⓒ 〖樂〗 배음; (*pl.*) 〖樂〗〖無電〗 고조파(高調波). ━ *a.* 조화[된] 화성(和聲)의. **～s** *n.* ⓤ 화성학.

har·mon·i·ca[haːrmánikə/-5] *n.* ⓒ 하모니카.

：har·mo·ni·ous[haːrmóuniəs] *a.* 가락이 맞는; 조화된; 균형잡힌; 화목한, 의좋은. **～ly** *ad.*

har·mo·ni·um[haːrmóuniəm] *n.* ⓒ 소형 오르간.

：har·mo·nize[háːrmənàiz] *vt.*, *vi.* ① 조화[화합]시키다[되다]. ② (전율에) 화음을 가하다. **━r** *n.*

：har·mo·ny[háːrməni] *n.* ⓤ 조화, 화합, 일치; 〖UC〗〖樂〗 화성. **-nist** *n.* ⓒ 화성학자.

：har·ness[háːrnis] *n.* 〖UC〗 ① (마차말·짐말의) 마구(馬具). ② 〖古〗 갑옷. ③ (작업용의) 설비. **in ～** 나날의 일에 종사하여; 직무 중에. **work in double ～** 맞벌이하다. ━ *vt.* ① 마구를 채우다. ② (폭포 등 자연력을) 이용하다.

harp[haːrp] *n.* ⓒ ① 하프, 수금(竪琴). ② 〖H-〗 〖天〗 거문고자리. ━ *vi.* ① 하프를 타다. ② (같은 이야기를) 몇번이고 되뇌다(on, upon). **━er**, **～ist** *n.* 하프 연주자.

har·poon[haːrpúːn] *n.*, *vt.* (고래잡이용) 작살(을 쳐[꽂]박다). **━er** *n.*

harp·si·chord[háːrpsikɔ̀ːrd] *n.* ⓒ 하프시코드(16~18세기의 피아노 비슷한 악기). **～ist** *n.*

Har·py[háːrpi] *n.* 〖그神〗 여자 얼굴에 새의 몸을 가진 괴물; (h-) 탐욕스런 사람.

har·ri·dan[hǽridən] *n.* ⓒ 추악한 노파, 마귀 할멈.

har·ri·er[hǽriər] *n.* ⓒ 해리어 개 (토끼 사냥용); CROSS-COUNTRY race의 경주자; 〖鳥〗 개구리매; 약탈 자; 〖軍〗 해리어(英국이 개발한 V/STOL 공격기).

har·row[hǽrou] *n.* ⓒ 써레, under the ～ 괴로움[어려움]을 당하여, ━ *vt.* ① 써레질하다(up). ② 상하다; 괴롭히다. **～ing** *a.* 마음아픈, 비참한.

har·ry[hǽri] *vt.* ① 침략[유린]하다, 약탈[노략]하다. ② 괴롭히다.

harsh[haːrʃ] *a.* ① 거친, 껄껄한. ② 귀에 거슬리는. ③ (빛깔이) 야한. ④ 엄한, 호된, 가혹한. **～ly** *ad.* **～ness** *n.*

hart[haːrt] *n.* ⓒ (다섯 살 이상의) 고라니의 수컷.

：har·vest[háːrvist] (cf. G. *Herbst* =autumn) *n.* 〖CU〗 수확, 추수. ① 〖CU〗 수확기. ② ⓒ 결과, 보수; 소득. ━ *vt.*, *vi.* 거두어 들이다, 수확[추수]하다. **～er** *n.* ① 수확자[기, 機]. ② 〖蟲〗 거두어 들이는 사람; 밑농장비레기.

hárvest móon 추분경의 만월.

：has[強 hæz, 弱 həz, ez] *v.* have의 3인칭·단수·직설법 현재.

hás·bèen *n.* ⓒ 〖口〗 (인기·영향력이 없어진) 과거의 사람; 시대에 뒤진 사람[것]; (*pl.*) 〖美俚〗 옛날.

hash[hæʃ] *n.* ① 〖美口〗 해시[잘게 썬] 고기 요리; 〖美口〗식사; 〖口〗 주위 모은 것; 고쳐 만듦; 〖俚〗 해시. **make a ～ of** 〖口〗 ～을 망쳐놓다, ～을 요절 내다. **settle a person's ～** 〖口〗 (아무를) 찍소리 못하게 하다, 옥죄게 하다. ━ *vt.* 잘게 썰다(up); 엉망으로 만들다.

hash·ish, **hash·eesh**[hǽʃiːʃ] *n.* ① 인도 대마(大麻)의 말린 잎(따위) 〖마취약용〗.

has·n't[hǽznt] has not의 단축.

hasp[hæsp/aː-] *n.* ⓒ 걸쇠, 고리 (쇠); 실타래; 방추심(紡錘心).

has·sle[hǽsl] *n.* ⓒ 〖美口〗 난투, 싸움.

has·sock[hǽsək] *n.* ⓒ (무릎 꿇고 예배하기 위한) 무릎 방석; 풀숲.

haste[heist] *n.* ⓤ 서두름, 급속; 성급. *H- makes waste.* 《격언》 서

들면 일을 그르치다. *make ~* 서두
르다. *More ~, less speed.* (격
언) 급할수록 천천히. — *vi.* 서두
르다. — *vt.* (雅) 재촉하다; 서두
르게 하다.

has·ten[héisn] *vt., vi.* 서두르[게
하]다, 재촉하다.

hast·y[héisti] *a.* 급한; 성급한; 경
솔한. ~ *conclusion* 속단. 지레짐
작. **hást·i·ly** *ad.* **-i·ness** *n.*

that[hæt] *n.* ⓒ (테가 있
는) 모자(를 씌우다). *hang up
one's* ~ 오래 머무르다, 푹 쉬다:
은퇴하다. ~ *in hand* 공손히, *lift
one's* ~ 모자를 좀 들어 인사하다.
My ~! (俗) 어머!; 저런! *send
(pass) round the* ~ (모자를 회
중에 돌려) 헌금을[기부금을]
모으다. *talk through one's* ~ (口) 큰[헛]
소리치다.

hát·bànd *n.* ⓒ 모자 둘레의 리본.

hatch[hætʃ] *vt.* ① (알을) 까다. ②
(음모를) 꾸미다(~ *a plot*). — *vi.*
① (병아리가) 깨다. ② (음모가) 꾸며지
다. — *n.* ⓒ 부화. 한 배의 병아
리). 한 배에서 깐 알. ~*es, catches,
matches and dispatches* (신문
의) 출생·결혼·사망란. ~*er·y*
n. ⓒ (물고기·새의) 부화장.

hatch[─] *n.* ⓒ (배의) 승강구.
창구(艙口) (뚜껑). 해치. ⓒ 내리닫
이의 아래쪽 문. ③ 수문. *Down
the* ~! (口) 건배! *under* ~*es* 갑
판 밑에; 비번이어서; 영락하여; 매장
되어. 죽어.

hátch·bàck *n.* ⓒ 해치백(뒷부분이
위로 열리는 문이 있는 차; 그 부분).

hatch·et[hætʃit] *n.* ⓒ 자귀. *bury
the* ~ 휴전하다. 화해하다. *dig
(take) up the* ~ 싸움을 시작하다.

hátchet fàce *n.* 마르고 뾰족한 얼
굴.

hátchet jòb *n.* 중상(中傷), 혹평.

hátchet màn *n.* (口) 살인 청부업자;
두목의 심복(cf. henchman); 비평
가, 독설 기자.

hátch·wày *n.* ⓒ = 창구(艙口).

hate[heit] *vt.* ① 미워하다, 몹시 싫
어하다. ② (가벼운 뜻으로) 좋아하지
않다, 유감으로 생각하다. — *out
(美)* (미워서) 내쫓다. 따돌리다. *I*

~ *to trouble you.* 수고를[번거롭게]
끼쳐서 죄송합니다. — *n.* UC
증오의 대상; : ~*ful* *a.* 가증한,
미운. ~*ful·ly* *ad.*

ha·tred[héitrid] *n.* U 증오, 혐오.

hat·ter[hætər] *n.* ⓒ 모자상(商).

haugh·ty[hɔ́ːti] *a.* 오만한, 거만한.
~*ti·ly* *ad.* **-ti·ness** *n.*

haul[hɔːl] *vt.* 잡아 끌다, 잡아[끌어]
당기다; 운반하다. — *vi.* ① 잡아당
기다(*at, upon*). ② (배가 바람 불어오
는 쪽으로) 침로를 바꾸다. ~ *down
one's flag* 항복하다. ~ *off* 침로를
바꾸다; 물러서다; (美口) (때리려고)
팔을 뒤로 빼다. ~ *up* 이물을 바람
불어 오는 쪽으로 돌리다. — *n.* ⓒ
① 세게 당기기, 잡아끌[당기]기. ②
(물고기의) 한 그물; (口) 잡은
[번]것, 어획량. *make a fine* ~ (豊
漁)다. ~*age*[─idʒ] *n.* U haul하
기; 견인(牽引)(력·량); 운임.

haunch[hɔːntʃ] *n.* ⓒ 엉덩이(hip).
(사슴·양 따위의) 다리와 허리의 고
기.

haunt[hɔːnt] *vt., vi.* ① 자주 가다
[다니다]. ② (유령이) 나오다, 출몰
하다. ③ 마음에 붙어 다니다. — *n.*
③ 잘 자주 가는(모이는) 장소, 소굴.
~*ed*[─id] *a.* 도깨비(유령이)
출몰하는; 고뇌에 시달린.

haute cou·ture[óut kuːtúər] *n.*
(F.) 고급 복식(점); 최신 유행복(점).

hau·teur[houtə́ːr] *n.* (F.) 오만.

have[강 hæv, 약 həv, əv] *vt.* (p. &
pp. *had*; 부록의 동사 변화표 참조)
① 가지다, 소유하다. ② 취하다, 얻
다, 받다. ③ 마음속에 먹다, 품다
(~ *a hope*). ④ 먹다, 마시다. ⑤
(자식을) 낳다, 얻다. ⑥ 하다, 경험
하다(~ *a talk with her*). ⑦ 하게
하다, 참다(*He won't* ~ *anyone
whispering while giving a lec-
ture.* 강의중에는 사담(私談)을 용서
치 않는다). ⑧ (부정사 또는 과거분
사와 함께) ...시키다, 하게 하다, ...
당하다(*I had him do it.* 그에게 그
것을 시켰다) *I had my hair cut
(pocket picked).* 머리를 깎았다[지
갑을 소매치기 당했다). ⑨ 알고 있
다, 알다(*He has no English.* ⑩
주장하다, ...이라고 하다(*The rumor*

has it that ... ···이라는 소문이다).
⑪ ···이라는 example(用例)가 있다《Shake-speare *has 'shoon' for 'shoes'*.).
⑫《俗》속이다《*You've been had*.
자네 속아 넘어 갔단 말야). ⑬《口》이기다. 낫다《*You ～ him there*. 그 점은 네가 낫다). **be had up**
고소 당하다. **and hold**《法》보유하다. ～ **at** 덤벼들다. 공격하다. **H- done!** ⇨DO¹. ～ **got** ⇨GET. ～ **had it**《口》이제 틀렸다. 끝장이다《운때에 따라 '죽다·지다·실패하다'.지쳤다·질리다' 따위의 나쁜 뜻을 나타냄). ～ **got to...** ⇨GET. ～ *(a person)* **in**《口》아무를 맞아들이다. ～ **it** 이기다. 지우다;《口》꾸중 듣다;《口》죽이다. ～ **it in for**《口》···을 원망하다; ···을 벼르다. ～ **it on** ···보다 낫다.《口》속이다. ～ **it out**《口》(논쟁·결투의) 결말을 맺다《짓다》(*with*). ···을 뽑게 하다. **H- it your own way!** 마음대로 해라. ～ **not to** = NEED not. ～ **nothing on** *(a person)*《美》(아무)보다 나은 것이 없다; 약속이 없다. ～ **on** 입고(신고, 쓰고) 있다;《口》골탕먹이다. 속이다. ～ **one's eye on** ···에 주의(주시)하다. ～ ONLY *to* (do). ～ *to*《[주음 앞]》háftə《[모음 앞]》-tu, -tə》= MUST. ～ *to do with* ···와 관계가 있다. ～ *(a thing) to oneself* 독점하다. ～ *(a person) up* 아무를 고소하다; 자극하다.
— **aux. v.**《p.p.를 수반하여《현재·과거·미래》완료형을 만든다.
— [həv] **n.** ① 《*pl.* 보통 the ～》《口》유산자(有産者); 《부(富)·자원·핵무기를》가진 나라《*the ～ s and ～ nots*가진 자와 못 가진 자). ②《英俗》사기.

ha·ven [héivən] **n.** ⓒ 항구; 피난처 (*refuge*).

háve-nòt **n.** ⓒ 《보통 *pl.*》《口》무산자. 《부(富)·자원·핵무기를》갖지 못한 나라.

have·n't [hævənt] have not의 단축.

hav·er·sack [hævərsæk] **n.** ⓒ 《군인·여행자의》잡낭.

hav·oc [hævək] **n.** ⓤ 파괴. 황폐. **make ～ of**, or **play**〔**work**〕～

with〔*among*〕···을 크게 망쳐 놓다 《파괴시키다》.

haw¹ [hɔː] **n.** ⓒ《植》산사나무(haw-thorn) (의 열매).

haw² **int.**, **vi.** 에에, 저어 (하다) 《더듬으며 말할 때》; 저라 (하다) 《말·소를 왼쪽으로 돌릴 때》.

hawk¹ [hɔːk] **n.** ⓒ ① 매. ②[탐욕한] 사람. ③ 매파(派), 강경론자《국제관계에 대하여》. — **vi.**, **vt.** 매를 부리다; 매사냥을 하다. ～**er¹** **n.** ⓒ 매사냥꾼, 매부리.

hawk² **vi.**, **vt.** 돌아다니며[외치며] 팔다; 《뉴스를》알리며 다니다. ～**er** **n.**

háwk-eyed **a.** 눈이 날카로운, 방심않는.

hawse [hɔːz] **n.** ⓤⓒ 《이물의》 닻줄구멍이 뚫려 있는 부분; ～**hòle** 《배의》닻줄 구멍. **háw·ser** [-ər] **n.** ⓒ 닻줄, 굵은 밧줄.

haw·thorn [hɔ́ːθɔːrn] **n.** ⓒ《植》산사나무.

hay [hei] **n.** ⓤ 건초, 마초. *Make ～ while the sun shines.*《속담》한은 기회를 놓치지 마라. *make ～ of* ···을 뒤죽박죽 해 놓다. — **vt.**, **vi.** 건초를 만들다(주다).

háy fèver 건초열《꽃가루에 의한 코·목 따위의 알레르기성 질환》.

háy·màking **n.** ⓤ 건초 만들기.

háy·stàck **n.** ⓒ 《건대면》건초더미.

háy·wire **n.**, **a.** 《口》① 건초 다발을 묶는 여매는 철사; 《口》뒤엉킨, 난장판의, 혼란된, 미친.

haz·ard [hǽzərd] **n.** ① ⓤⓒ 위험, 모험. ② ⓤ 우연, 운. ③ ⓒ 주사위놀이의 일종. *at all ～s* 만난을 무릅쓰고, 무슨 일이 있어도 꼭. **at ～** 운에 맡기고, 아무렇게나. — **vt.** ① 위태롭게 하다. 걸다. ② 《운을 하늘에 맡기고》해보다.

haz·ard·ous [-əs] **a.** 위험한, 모험적인. 운에 맡기는. ～**ly** **ad.**

haze¹ [heiz] **n.** ⓤ ① 아지랑이, 안개; 이내, 연무. ② (a ～) 흐림, 탁함; 《정신의》몽롱(상태).

haze² **vi.** (선원을) 혹사하다; 《美》《신입생에게》 못살게 굴다, 괴롭히다.

ha·zel [héizəl] **n.**, **a.** ① 개암(나무); ⓤ 담갈색(의).

há·zel·nùt *n.* ⓒ 개암.

ha·zy[héizi] *a.* 안개 낀, 안개 짙은: 흐리한, 몽롱한. **há·zi·ly** *ad.* **há·zi·ness** *n.*

H-bòmb *n.* ⓒ 수소 폭탄.

he[強 hi; 弱 hi, i:] *pron.* (*pl.* **they**) 그(는, 가); 사람, 자(者)(anyone)《*He who talks much errs much.*《속담》말 많이 헤프면 실언(失言)도 많은 법). — *n.* ⓒ 남자, 수컷.

H.E. His 《Her》 Excellency.

head[hed] *n.* ⓒ ① 머리, 대가리. ② 두뇌, 지력. ③ 우두머리, 장(長), 주인; 장로; 교장. ④ 한 사람, 한 마리. ⑤ (*sing.*) (牛~) 정상부, 윗 부분. ⑥ (못·쇠망치 따위의) 대가리; (통의) 뚜껑; (북의) 가죽. ⑦ (맥주 표면에 뜨는) 거품. ⑧ 선두, 수석; 상석(上席)(cf. foot). ⑨ 이물; 곶. ⑩ 머리털 (보리 따위의) 이삭 (*sing.*)(the ~) (강물의) 원천, 수원; (호수의) 물풀(강물이 흘러 들어오는 곳); 낙수(落差). ⑫ (종기 따위의 둥한) 뿌다구니, 절정, 극점. ⑭ 위기, 결말. ⑮ (보통 *pl.*) (화폐의) 앞면(opp. **tail**). ⑯ (신문의) 표제, 항목, 제목. ⑰ 《口》 (숙취의) 두통. ⑱ 《俗》 입. ~ **and ears, or by ~ and shoulders** 억지로. **come 《draw, be brought》 to a ~** (부스럼이) 곪다; (사건이) 위기에 직면하다. **give a horse 《a person》 his ~** 말의 고삐를 늦추어서 머리를 자유롭게 하다(아무의 행동의 자유를 주다). **go to one's ~** 취기가 돌다, 현기증나게 《우쭐하게》하다. ~ **and shoulders** 출중하여. ~ **first 《foremost》** 곤두박이(거꾸로): 무모하게. ~ **over heels** 곤두박질쳐서(turn ~ over heels 공중재비 하다): 깊이 빠져: 완전히 깊이 빠져. **in over 《above》 one's ~** 《美俗》어쩔 수 없이, 능력을 넘어서. **keep one's ~** 침착하다. **keep one's ~ above water** 물에 빠지지 않고 있다; 빚지지 않고 살다. **lay ~s together** 상의(의논)하다. **lose one's ~** 목 잘리다; 당황하다, ~에 정신이 팔리다, 몹시 흥분〔열중〕하다. **make neither ~ nor tail of ...** (…의 정체를) 전혀 알 수 없다. **off**

[out of] one's ~ 《口》정신이 돌아, **old ~ on young shoulders** (젊은) 나이에 어울리지 않는 지혜(분별). **on 《upon》 one's ~** 물구나무 서서; 책임지고 있어. **over one's ~** 너무 어려운, 모르는; ~을 앞질러; ~에게 상의없이. **over ~ and ears** 속 빠져 (빚더미)에 쭉닥새에 못하게 되어. **put 《a thing》 into 《out of》 a person's ~** (아무에게) 생각나게〔잊게〕하다. **show one's ~** 나타나다. **talk a person's ~ off** 긴 이야기로 지루하게 하다. **turn a person's ~** 흥분시키다, 현기증나게 하다, 우쭐하게 하다. — *vt.* ① (~을) 거느리다. 《~의》선두에 서다. ② 향하게하다. ③ (~에) 머리를 붙이다(향하다). — *vi.* ① 향하다, 진행하다. ② 발생하다. ③ 《양배추가》 결구(結球)하다. ④ (어드름이) 곪듯 뾰어지다. ~ **back 《off》** …의 앞으로 돌다, 가로막다. (싸움 따위를) 막다.

héad·ache[hédèik] *n.* ⓒ 두통; 《口》 두통〔골치〕거리.

héad·bànd *n.* ⓒ 헤어밴드, 머리띠.

héad·chèese *n.* 〔U.C〕 돼지 머리나 족을 잘게 썰어 삶은 치즈 모양의 식품. 돼지 족편.

héad cóunt *n.* ⓒ 여론〔국세〕조사.

héad·drèss *n.* ⓒ 머리 장식, 쓰개.

héad·er *n.* ⓒ 머리〔끝〕을 잘라내는 사람(기계), 이삭 베는 기계: 《口》 (수영의) 거꾸로 뛰어들기, 다이빙: 우두머리, 수령; 《컴》 헤더, 머리말(각 데이터의 머리 표제 정보).

héad·gèar *n.* ⓒ 모자, 머리 장식.

héad·hùnt *n., vt., vi.* 《美俗》 간부 스카우트(를 하다).

héad·ing[-iŋ] *n.* ⓒ 제목을, 표제: 연제(演題). ② 《築》 수갱〔修坑〕. ③ 〔U.C〕 《鐵〕 베딩. ④ 〔U.C〕 《空·海》 비행〔항해〕방향. ⑤ = HEADER.

héad·lànd *n.* ⓒ 곶, 갑(岬).

héad·less *a.* 머리 없는; 지도자 없는; 바보의.

héad·lìght *n.* ⓒ 헤드라이트.

héad·lìne[-làin] *n., vt.* ⓒ (신문의) 표제(에 …을 붙이다): (*pl.*) 《放》 (뉴스의) 주요한 제목.

H

:**head·long** [스드ŋ/-lɔ̀ŋ] *ad., a.* ① 거꾸로(의): 곤두로: 성급한. ② 무모하게(한).

head·màn *n.* ⓒ 수령: 직공장(長).

:**head·máster** *n.* (*fem.* **-mistress**) ⓒ 《英》 (초등 학교·중학교) 교장: 《美》 (사립학교) 교장.

head·on *a.* 정면의. — 《美口》 승낙하다. **― 'phone** *n.* ⓒ (보통 *pl.*) 헤드

:**héad·phòne** *n.* ⓒ (보통 *pl.*) 헤드폰.

:**head·quar·ters** [́-kwɔ̀ːrtərz, ̀-̀] *n. pl.* 《종종 단수 취급》 본부, 사령부: 본사.

héad·sèt *n.* = HEADPHONE.

:**head·ship** *n.* ⓒ 수령(지도자)의 지위(권위).

head·stone *n.* ⓒ (무덤의) 주석(主石), 묘석: 《建》 초석(礎石), (토대의) 귀돌.

head·strong *a.* 완고한.

head·wàters *n. pl.* (강의) 원류(源流), 상류.

head·wày *n.* ⓤ 전진; 진척, 배의 속도; (아치·터널 따위의) 천정 높이.

head·wind *n.* ⓒ [海·空] 맞바람.

head·y [hédi] *a.* 무모한, 성급한; 머리에 오르는(술): 분별있는, 기민한.

:**heal** [hiːl] *vt.* (병·상처를) 낫게 하다. 고치다. ― *vi.* 낫다, 회복되다. **~ over [up]** (상처가) 아물다, 낫다 〔up〕. **'~er** *n.* ⓒ 치료하는 사람, 약제.

:**health** [helθ] *n.* ① ⓤ 건강; (정신의) 건전; 건강 상태(*in good [poor]* ~). ② ⓤⓒ 건강을 축복하는 축배. ― RESORT. **'~·ful** *a.* 건강에 좋은; 건전(건강)한.

héalth cèntre 《英》 보건소.

héalth fòod 건강 식품.

héalth sèrvice (국민) 건강 보험.

héalth vìsitor 《英》 (노인·환자를 정기적으로 방문하는) 보건담(원).

:**health·y** [hélθi] *a.* ① 건강한, 전정한. ② 건강에 좋은. **héalth·i·ly** *ad.* **héalth·i·ness** *n.*

:**heap** [hiːp] *n.* ⓒ ① 더미, 퇴적, 쌓아 올린 것. ② (*pl.*) 《俗》 (부사적으로) 많이, 꽉 (*This is ~s better.*). **all of a ~** 《口》 깜짝 놀라; 느닷없이 **be struck all of a ~** 《口》 아연도 되다, 기가 푹 꺾이다. ― *vt.* 쌓다, 쌓아 올리다(*up, together*).

:**hear** [hiər] *vt.* (**heard**) ① 듣다; …

이 들리다. (…을) 듣다. ② 들어 알다. ③ 방청하다; 청취하다, 듣어 주다. ④ 재판(심문)하다. ― *vi.* ① 들리다. ② 소문으로 듣다. … 에게서 들어 알고 있다(*of, about; that*) ③ 《美口》 승낙하다(*of*)《보통 부정문》(*He will not ~ of it.* 그는 그것을 듣지 않을 걸). **~ from** …한테서 소식이 있다. **H-! H-!** 옳소!; 찬성! **~ a person out** 끝까지 듣다. **~ tell [say] of** 《口》 …의 소문을 듣다. **~ the grass grow** 귀신같이 육감이 빠르다. **I ~ (that …)** …이라는 이야기다. **You will ~ of this.** 이 일에 관해서 어느 때건 말이 있을 것이다 〔혼날 줄 알아라〕. **'~·er** *n.* ⓒ 청취자. **~·ing** [hí(ː)riŋ/híər-] *n.* ⓤ 청취; 청력(聽力)(*be hard of ~ing* 귀가 먹었다); ⓒ 가청(可聽)거리(*in [out of] hearing.* 그들이 들을 수 있는(못 듣는) 곳에서). ⓒ 심문(審問), 공청회; ⓤ 들어줌(*Give us a fair ~ing.* 이쪽 말도 좀 들어 주기 바란다).

héaring àid 보청기(補聽器).

heark·en [háːrkən] *vi.* 귀를 기울이다, 경청하다(*to*).

héar·sày *n.* ⓤ 소문.

hearse [həːrs] *n.* ⓒ 영구차; 《古》 대형(棺架), 무덤; 《가톨릭》 대형 촉대.

:**heart** [haːrt] *n.* ① ⓒ 심장. ② ⓒ 가슴(속), 마음(cf. MIND). ③ ⓤ 마음속, 본심. ④ ⓤ 애정. ⑤ ⓤ 용기, 기력, 원기. ⑥ ⓒ 《좋은 뜻의 형용사와 함께》 사람(*my sweet ~* 애인/*a brave ~* 용사). ⑦ ⓒ (the ~) 중심, 중앙; 핵심, 진수; 급소. ⑧ ⓒ (카드의) 하트; (*pl.*) 카드놀이의 일종 〔하트 패가 적은 사람이 이김〕. **after one's (own) ~** 마음에 드는(맞는). **at ~** 내심은. **be of good ~** 강하다. **break a person's ~** 아무를 극도로 슬프게 하다. **cross one's ~** 성호를 긋다, 진실을 맹세하다. **EAT one's ~ out. find it in one's ~ to (do)…** …할 마음이 나다, …하고자 하다. **give one's ~ to** …을 사랑하다. **go to one's ~** 가슴을 찌르다. **have (a thing) at ~** 길이 마음 속에 두다. **have one's ~ in one's mouth** 입이 콩알만 해지다. **have one's ~ in**

the right place 악의가 없다. **H-alive!** 어럽쇼!; 쳇! **~ and soul** 열심히, 몸과 마음을 다하여; 아주. **~ of oak** 용기, 용감한 사람. **~'s blood** 생피; 생명, 본심은 *in one's ~* (of **~s**) 마음 속으로는, 본심은 *lay (a thing) to ~* 마음에 〈새겨〉두다, …을 깊이 생각하다. *learn (say) by ~* 암기하다, 외다. *lose ~* 낙담하다. *lose one's ~ to (over)* …에 마음을 빼앗기다. *near one's ~* 사랑하는, 소중한. *out of ~* (밭이) 기운없이. *put one's ~ on ~* …에 희망을 걸다. *take ~* 용기를 내다. *take (a thing) to ~* 걱정하다; 슬퍼하다. *wear one's ~ on one's sleeve* 감정을 노골적으로 나타내다. *with all one's ~*, or *with one's whole ~* 진심으로 기뻐하여, 마음으로부터. *with half a ~* 마지 못해.

héart·àche *n.* ⓤ 마음 아픔, 비탄.

héart attack *n.* =HEART FAILURE.

héart·bèat *n.* ⓤⓒ 고동; 정서.

héart·brèak *n.* ⓤ 애끓는 마음. **~·er** *n.* **~·ing** *a.*

héart·bròken *a.* ⓤ 비탄에 젖은.

héart·bùrn *n.* ⓤ 가슴앓이; = **~·ing** 질투, 시기.

heart·en[háːrtn] *vt.* 용기를 북돋우다, 격려하다(*up*).

héart fàilure *n.* 심장 마비; 죽음.

héart·fèlt *a.* 마음으로부터의.

hearth[haːrθ] *n.* ⓒ ① 노(爐), 난로, 노변(爐邊). ② 【冶】노(爐)바닥. ③ 가정.

héarth·rùg *n.* 벽난로 앞의 깔개.

héart·i·ly[háːrtili] *a.* 마음으로부터, 진심으로; 정중히; 열의를 갖고; 매우; 배불리.

héart·land *n.* ⓒ 심장부지대(경제적·군사적으로 자급 자족하면서, 공격에 대해 안전한 중핵(中核) 지대).

héart·less[-lis] *a.* 무정한. **~·ly** *ad.* **~·ness** *n.*

héart·rènding *a.* 가슴이 터질 듯한; 비통한.

héart·strìngs *n. pl.* 심금, 깊은 감정[애정].

héart·thròb *n.* ⓒ (심장의) 고동; (*pl.*) 《俗》 정열, 감상(感傷); 《口》애

인, 멋진 사람.

héart-to-héart *a.* 숨김 없는, 솔직한, 흉금을 터놓는.

héart·y[-i] *a.* ① 마음으로부터의, 친절한; 열심인, 건강한, 강한 ② 배부른, ④ 풍부한, 충분한, HALE **and** *~.* — *n.* ⓤ 원기왕성한 사람; 친구. **héart·i·ness** *n.*

heat[hiːt] *n.* ① ⓤ 열, 더위, 열기; 【理】열 ② ⓤ 열심; 격심한 맛 하는 중, 한창; 가열; 한창 …하는 중, 한창, 클라이맥스; 격렬, 격노, 흥분 ③ ⓒ (1회의) 노력, 단숨, 단번; (경기의) 1회. ④ ⓒ (집승의) 발정기(期). ⑥ (후추의) 매운 맛. **at a ~** 단숨에, **final ~** 결승. **trial ~** 예선. — *vt.*, *vi.* ① 뜨겁게 하다, 뜨거워지다, 따뜻하게 하다, 따뜻해지다. ② 격하게 하다, 격해지다. **~·ed** *a.* 뜨거워진; 격한, 흥분한. **~·ly** *ad.*

heat·er[-ər] *n.* ⓒ ① 난방 장치, 히터; ② 《美俗》권총.

heath[hiːθ] *n.* ⓒ 히스(황야에 저절로 나는 소관목); 《英》히스가 무성한 들. **one's native ~** 고향.

hea·then[híːðən] *n.* ⓒ ① 이교도 《기독교도·유대교도·이슬람교도 이외》; 불신자; 미개인. — *a.* 이교(도)의(pagan); 미개한. **the ~** 이교도. **~·dom** *n.* ⓤ 이교도의 신앙; ⓤⓒ 《집합적》 이교도. **~·ish** *a.* 이교도의. **~·ism** *n.* ⓤ 이교.

heath·er[héðər] *n.* ⓤ 히스(heath)속(屬)의 소관목.

héat·stròke *n.* ⓤ 일사병; 열사병.

héat wàve *n.* 열파(熱波).

heave[hiːv] *vt.* 〈~*d*, **hove**) ① (무거운 것을) 들어(올려) 올리다. ② (닻 따위를) 들어서 던져 넣다. ③ (가슴을) 펴다, 부풀리다, (바람이 파도를) 높이다, (한숨을) 쉬다. — *vi.* ① 오르다, 들리다. ② 높아지다, 부풀다, 기복하다, 굽이치다. ③ 허덕이다. ④ 토하다. ⑤ 【海】끌다, 감다(*at*), (배가) 움직이다, 나아가다. *H-ho!* 영차(닻감아라)! **~ in sight** (배가) 보이기 시작하다. **~ to** (배를) 멈추다; 정선(停船)하다. — *n.* ① (들어) 올림, 융기; 용기; 파도의 기복, 굽이침. ③ 【地】 수평분 전위.

H

④ (*pl.*)《단수 취급》(말의) 천국.
heav·en[hévən] *n.* ① 천국. ② (H-) 하느님. ③ (the ~s) 상공, 하늘. **by H-** 맹세코. **Good Gracious, Great**)~**s!** 뭐라고!; 가엾어라!; 저런!; (그게) 큰 일(아딘)났군! **go to ~** 죽다. **move ~ and earth** 온갖 수단을 다하다. **Thank H-!** 고마워라! **the seventh ~** 칠천국, 최고천(最高天). **~·ward** *ad.*, *a.* 천국(하늘)을 향해서(의). **~·wards** *ad.* =HEAVENWARD (*ad.*).

heav·en·ly[hévənli] *a.* ① 하늘의. ② 천국같은, 거룩한. ③ 천부의, 타고난. ④ 《俗》 근사한, 훌륭한. **-li·ness** *n.* ⓒ 거룩함; 《俗》 근사(훌륭)함.

heav·y[hévi] *a.* ① 무거운; 묵직한 (~ *silk*). ② 대량의; 다액의. ③ 격렬한, 도가 강한. ④ 심한, 고된, 모진. ⑤ 질척거리는, 진득거리는. ⑥ (음식이) 소화되지 않는, (음료가) 진한; (빵이) 부풀지 않은. ⑦ 굵은, 짙은 (동차 따위가). 느린, 서투른; 단조로운; (날씨가) 흐린, 음울한. ⑩ 느른한. ⑪ 슬픈; 모진, 괴로운. ⑫ (포성 따위가) 크게 울리는, 진동하는. ⑬ 《軍》 중장비의. ⑭ 중대한; 《劇》 장중한. ⑮ 임신한. **lie** [*sit, weigh*] ~ **on** [*upon, at*] (*a person*)(아무를) 괴롭히다. **time hangs** ~ (**on one's hands**) 시간이 남아 주체 못하다. 《劇》 악인의 (役). **:héav·i·ly** *a.* **:héav·i·ness** *n.*

héavy-hánded *a.* 서투른; 압제적인; 비정한.

héavy-héarted *a.* 우울한, 슬픈.

héavy índustry 중공업.

héavy métal 중금속; 《俗》유력한 사람; 《俗》강적.

héavy·wéight *n.* ⓒ 보통보다 체중이 무거운 사람; 《拳·레슬링》 헤비급 선수; 《권투》 유력자, 중진.

He·bra·ic[hi:bréiik] *a.* 헤브라이 사람(말)의.

He·brew[hí:bru:] *n.*, *a.* ① ⓒ 헤브라이(유대)사람(의). ② Ⓤ (고대의) 헤브라이말. ③ (현대의) 이스라엘 말. ④ 이해 못할 말.

heck[hek] *n.* Ⓤ 《俗》지옥(*hell*)의 완곡한 말. **a ~ of a** ... 《口》

단한. **— *int.*** 《口》 염병할, 빌어먹을.

heck·le[hékəl] *vt.* 괴롭히다; 질문 공세를 취하다.

hec·tare[héktɛər] *n.* ⓒ 헥타르(= 100아르 =1만 평방 미터).

hec·tic[héktik] *a.* 소모열의, (열이) 소모성의, (병적으로) 얼굴이 붉고 열있는; 몹시 흥분한, 열광적인. **— *n.*** ⓒ 소모열. 홍조, 열조.

hec·to-[héktou, -tə] '백'의 뜻의 결합사.

hec·tor[héktər] *vt.*, *vi.*, *n.* ⓒ 허세를 부리다(는 사람), 약한 자를 괴롭히다, 그런 사람; (H-) Homer의 *Iliad* 에 나오는 용사.

he'd[hid, 弱 id; hid] he had (would)의 단축형.

hedge[hedʒ] *n.* ⓒ ① (산)울타리; 장벽. ② 양다리 걸치기, 기회보기. **be on the ~** 애매한 태도를 취하다. **dead ~** 마른 나무 울타리. **quickset ~** 산울타리. **— *vt.*** ① (산)울타리로 두르다. ② (···에) 장벽을 만들다; 막다. ③ 방해하다. **— *vi.*** ① (산)울타리를 만들다. ② (내기에서) 양쪽에 걸다. ③ 확약을 피하다. **~ *in*** 둘러싸다, 속박하다 (*with*). **~ *off*** 가로막다, 방해하다.

hedge·hog[hédʒhòg, -h33ːg/-h3g] *n.* ⓒ 고슴도치; 《美》호저(豪豬); 잘내는 심술쟁이; 《軍》 견고방어 요새.

hédge·ròw *n.* ⓒ (산울타리가 된) 목의 줄.

he·don·ism[hí:dənìzəm] *n.* Ⓤ 《倫》 쾌락주의; 향락주의. **-ist** *n.* **he·do·nis·tic**[二-nístik] *a.*

heed[hi:d] *vt.* ① 조심, 주의. **give** [*pay*] ~ **to** ···에 주의하다. **take** ~ **to** [*of*] ···에 조심하다. **— *vi.*** 조심(주의)하다. **~-ful** *a.* **~·less** *a.* 부주의한, 경솔한.

hee-haw[hí:h3:/-二] *n.* (a ~) 나귀의 울음소리; 바보 웃음.

heel[hi:l] *n.* ① 뒤꿈치; (발 따위의) 발뒤꿈치, 뒷(굽)굽. ② 《美口》비열한 놈(자식). **at** [*on*] *a person's* ~**s** 아무의 바로 뒤에 바짝 따라. **come to ~** 따르다. 추종하다. **down at** ~(**s**) 뒤축이 닳은 신을 신고. 초라(피폐)한 모습으로, 단정치 못한(꼴하며). **have the ~ of

heft ···을 앞지르다. ···을 이기다. HEAD *over~s. kick (cool) one's ~s* 오래 기다리다, 되다. *lay [clap] a person by the ~s* 투옥하다. *out at ~s* (터져서) 발뒤꿈치가 보이는 신을 신고. 영락하여. *show a clean pair of ~s, or take to one's ~s* 부리나케 뺑소니치다. *to ~ (개가) 바로 뒤따라서다. *turn on one's ~* 홱 돌아서다. *with the ~s foremost* 시체가 되어. — *vt.* ① (신발에) 뒤축을 대다. ② ···와 바로 뒤따르다. — *vi.* ① (개가) 바로 뒤따르다. ② 뒤꿈치로 춤추다.

heft[heft] *n.* U[英方] 주로, 중량; 영향, 대부분. — *vt.* 들어서 무게를 달다. *~y* a. 무거운; 근육[筋骨]이 늠름한.

he·ge·mo·ny[hidʒéməni, hédʒəmòuni] *n.* U 패권, 지배권.

heif·er[héfər] *n.* C (아직 새끼를 낳지 않은 3살 미만의) 암소.

height[hait] *n.* ① C 높이, 신장. ② C (종종 *pl.*) 고지, 둔덕. (the~) 절정, 극치; 한창. *at its ~* 의 절정에, ···이 한창이어서. *in the ~ (of summer)* 한(여름)에. *~·en*[-ən] *vt., vi.* 높이다. *vi.*; 증가[증대]하다.

hei·nous[héinəs] *a.* 가증스런, 악독한, 악질의.

heir[ɛər] *n.* C 상속인, 법적 상속인, 사자(嗣子)(*to*). (특질·전통 등의) 계승자, 후계자. *~·dom* [-dəm] *n.* U 상속인지.

heir apparent 법정 추정 상속인.

heir·ess[ɛəris] *n.* C 여자 상속인.

heir·loom[ɛ́ərlù:m] *n.* C 조상 전래의 가보(家寶); [法] 법정 상속부동산(動産).

heir presumptive 추정 상속인.

held[held] *v.* hold의 과거(분사).

hel·i·cal[hélikəl] *a.* 나선 모양의.

hel·i·cop·ter[hélikàptər,-kɔ̀p-] *n., vi., vt.* 헬리콥터(로 가다[나르다]).

he·li·o·trope[hi:liətròup/héljə-] *n.* C [植] 헬리오트로프, 쥐오줌풀; ⓤ 그 향기, 엷은 자줏빛; 혈석(血石).

hel·i·port[hélipɔ̀:rt] *n.* 헬리콥터 발착장.

he·li·um[hí:liəm] *n.* U [化] 헬륨 [稀)가스 원소의 하나].

he·lix[hí:liks] *n.* (*pl.* ~**es,** heli·ces) C 나선(spiral), 소용돌이(장식); [解] 귓바퀴.

hell[hel] *n.* ① C 지옥. ② C,U 지옥과 같은 상태[장소], 마굴. *a ~ of a* (구어) 대단한. *be ~ on* (美俗) 에 해롭다. *be ~ for* (俗) 에 열중하고 있다. *give a person ~* 아무를 흠씬 욕보이다[혼내주다]. *Go to ~!* 이 새끼, 뒈져라! *~ of* 지옥 같은(the ~ of a life 생지옥). *Hell's bells!* (아아) 속단닥! 제기랄! *like ~* 미친 듯이, 지독히. *make one's life a ~* 지옥과 같은 생활을 하다. *to ~ and gone* (美) 멀리에. *What [Who] the ~...?* 도대체 어디에[누가]. *You can go to ~!* (너 같은 건) 뒈져버려!

he'll[hi:l] he will [shall]의 단축.

hell·bent [hélbént] *a.* (美口) 꼭 하고야 말 기세의, 필사의.

Hel·lene[hélin] *n.* C 그리스 사람.

Hel·len·ic[helénik-, -lí:-] *a.* 그리스(사람)말의.

hell·ish[héliʃ] *a.* 지옥 같은; (口) 가증한; 소름끼치는.

hel·lo[helóu, ha-, hélou] *int., n.* C 어이, 여보, 어머 [라고 외침]; (전화로) 여보세요. *vi.* 'hello'라고 하다.

helm[helm] *n., vt.* ① C 키(자루), 키(를 잡다). ② (the ~) 지도[하다]. **helms·man** [-zmən] *n.* 키잡이.

hel·met[hélmit] *n.* 투구; 철모, 헬멧.

help[help] *vt.* ① 돕다, 거들다. ② (음식을) 담다, 권하다. ③ 구(救)하다. ④ 고치다. ⑤ (can, cannot과 더불어) 피하다, 억제하다, …을 안하고 있다(I can't ~ it, It cannot be ~ed. 어쩔 도리가 없다/Don't tell him more than you can ~). — *vi.* ① 돕다; 도움이 되다, 유용하다. ② (식사) 시중을 들다. *cannot ~ (do)ing = cannot ~ but (do)* (주로 美口) …하지 않을 수 없다. *God ~ him!* 가엾어라! *~ forward* 조성하다. — *n.* ① 거들어서 벗겨주다[차에서 내려주다]. *~ on* 거들어서 입히다[차에 태

우다](*with*); 친척시키다, 조성하다. **~ oneself to** ~를 마음대로 집어먹다. **~ out** 구해내다; 도와서 완성시키다. **~ up** 도와 일으키다. **So ~ me (God)!** 신에게 맹세코, 정말. — *n.* ① ⓤ 도움, 구조. ② ⓒ 거드는 사람, 고용인, 하인(*a lady ~*)~ㄹ 성론. ③ ⓒ 구제책, 피할 길(*for*). ④ ⓒ 〖方〗(음식물의) 한 그릇. ⑤〖贈〗 도움말. **:~·er** *n.* ⓒ 조력자; 조수; 구조자; 위안자. **~·ing** *n.* ⓤ 구조, 조력; ⓒ 한 그릇.

:help·ful [ʰélpfəl] *a.* 도움이 되는, 유용한(*to*). **~·ly** *ad.* **~·ness** *n.*

:help·less [ʰlis] *a.* 어찌할 도리 없는, 무력한, 의지할 데 없는. **~·ly** *ad.* **~·ness** *n.* ⓤ 무력, 무능.

hel·ter-skel·ter [ʰéltərskéltər] *n., ad., a.* ⓒ 당황(하여, 한).

hem¹[hem] *n.* ⓒ (옷·손수건 따위의) 가선; 감침질, 경계. — *vt.* (*-mm-*) ① (…을) 감치다. ② 두르다, 에워싸다(*in, about, round*). **~ out** 쫓아내다.

hem²[m m, hm] *int.* 에헴!, 햄!(헛기침 소리). — [hem] *n., vi.* (*-mm-*) ⓒ 에헴, 햄(하다).

hé·man *n.* ⓒ 남자다운 남자.

hem·i·sphere [ʰémisfiər] *n.* ⓒ 반구(*the Eastern ~* 동반구). **-spher·ic**[ʰ─sférik] , **-spher·i·cal** *a.*

hem·lock [ʰémlɑk/-lɔk] *n.* ①〖英〗 독당근; ② 거기서 뽑은 독약; ⓒ 〖植〗 솔송나무(~ spruce).

he·mo-[híːmou, hém-, -mə] '피'의 뜻의 결합사.

he·mo·glo·bin [híːməglóubin, hém-] *n.* ⓤ 〖生化〗 헤모글로빈, 혈색소.

he·mo·phil·i·a [híːməfíliə, hem-] *n.* ⓤ 〖醫〗 혈우병.

hem·or·rhage [ʰéməridʒ] *n.* ⓤ 출혈(cerebral ~ 뇌출혈).

hem·or·rhoids [ʰémərɔidz] *n. pl.* 치질, 치핵.

hemp [hemp] *n.* ⓤ ① 삼, 대마(大麻). ②〖贈〗 교수형용의 밧줄. **~·en** [ʰ─ən] *a.* 대마의, 대마로 만든.

:hen [hen] *n.* ⓒ ① 암탉. ② 암컷(*a pea ~* 공작의 암컷). **like a ~ with**

one chicken 작은 일에 마음 졸여.

hence [hens] *ad.* ① 그러므로, 그 결과. ② 이제부터…후에(*a week ~* 이제부터 일주일 후에). ③〖古〗여기서부터, 사라져(*H- with him!* 꺼져 내라/*Go ~!* 나가라!/*go ~* 죽다). **: ~·forth, ~·forward** *ad.* 이제부터는, 이후, 차후.

hench·man [ʰéntʃmən] *n.* ⓒ 믿을 수 있는 부하; (갱 등의) 졸개.

hén·còop *n.* ⓒ 닭장, 닭 둥우리.

hén·house *n.* ⓒ 닭장, 계사.

hen·na [ʰénə] *n.* ⓤ 헤너(관목); 헤너 머리 염색제(적갈색).

hén pàrty *n.* ⓒ 〖口〗여자들만의 모임 (cf. stag party).

hen·peck [ʰénpèk] *vt., n.* (남편을) 잔소리로 몰아대다; ⓒ 공처가다. **~ed**[-t] *a.* 여편네에 손에 쥐인.

hep·a·ti·tis [hèpətáitis] *n.* ⓤ 간염.

hep·ta·gon [ʰéptəgàn/-gən] *n.* ⓒ 7각형. **-tag·o·nal**[-tǽg-] *a.*

:her [強 həːr, 弱 ər, hər] *pron.* ① 그 여자에게(를). ② 〖口〗그 여자의.

her·ald [ʰérəld] *n.* ⓒ ① 전령관이 사자(使者). ② 문장관(紋章官), 의전관. ③ 고지자, 보도자; (H-) 신문의 이름. — *vt.* 전달(보고·예고)하다.

he·ral·dic [herældik] *a.* 전령관의; 문장관의.

her·ald·ry [ʰérəldri] *n.* ⓤ 문장학; 으리으리함; herald의 직[임무]; ⓒ 문장(blazonry).

herb [həːrb] *n.* ⓒ ① (뿌리와 구별하여) 풀잎; 줄기. ② 초본(草本)<작약·상치·양배추 따위를 포함하는, 식용·약용의 많음>(cf. grass).

her·ba·ceous [həːrbéiʃəs] *a.* 초본의, 줄기가 연약한; 잎 모양의, 초록색의.

herb·age [ʰáːrbidʒ] *n.* ⓤ ① 초본 초류(草類); 목초. ② 〖英法〗 방목권(權).

herb·al [ʰáːrbəl] *a.* 초본의; 근본서(本草書), 식물지(植物誌). **~·ist** [-bəlist] *n.* 본초학자; 약초상.

her·bi·cide [ʰáːrbəsàid] *n.* ⓤⓒ 제초제.

her·biv·o·rous [həːrbívərəs] *a.* 초식(草食)의(cf. carnivorous).

Her·cu·le·an [hàːrkjuːlíən, həːr-]

kju:liən] *a.* Hercules와 같은; (h-) 큰 힘의(을 요하는), 지난(至難)한 (*a ~ task* 극히 어려운 일).

herd [həːrd] *n.* ① (소·말 따위의) 무리 ② (the ~) (蔑) 하층민, 민중; ⓒ 군집, 대세. ③ (보통 복합어로) 목자(cowherd, shepherd). — *vt.* (소·말을) 몰아 모으다, 지키다. — *vi.* 떼지어 모이다(*with, together*).

herds·man [ˊzmən] *n.* ⓒ (루로) 목자; (H-) (天) 목동자리.

here [hiər] *ad.* ① 여기에(서), 이리로, ② 이 점에서, 이 때에, ③ 이 상에서. *H-!* 예!(호명의 대답). — *and now* 지금 바로, 곧. — *and there* 여기저기에. — *below* 이 세상에서는. *H- goes!* (口) 자 시작한다!: 자 간다! 다녀왔습니다!: 자 다 왔다. *H- it is.* 옜다. 자 여기 있다. *Here's to you* (your health)! 건강을 축하합니다. *H- you are!* (口) (원하는 물건·돈 따위를 내놓으면서) 자 받아라. *neither ~ nor there* 요점을 벗어나, 무관계한. — *n.* ⓒ 여기(from ~), 이 세상.

hére·abòut(s) *ad.* 이 근처에.

hére·àfter *ad.* 앞으로, 금후, 내세 (來世)에서.

hére·by [hiərbái] *ad.* 이에 의하여, 이로 말미암아.

he·red·i·tar·y [hirédətèri-təri] *a.* 유전의; 세습의, 대대의.

he·red·i·ty [hirédəti] *n.* ⓤ 유전; 유전질.

hére·in *ad.* 이 속에, 여기에; 이런 까닭으로, 이 점에서.

hére·óf *ad.* 이것의, 이에 관해서.

her·e·sy [hérəsi] *n.* ⓤⓒ 이교, 이단.

her·e·tic [hérətik] *n., a.* ⓒ 이교도; 이단의. — **he·ret·i·cal** [hərétikəl] *a.* 이교의, 이단의.

hére·tó *ad.* 여기까지; 이에 관하여.

hére·to·fòre *ad.* 지금까지, 이제까지.

hére·with *ad.* 이와 함께; 이에 의하여, 여기에 동봉하여; 이 기회에.

her·it·age [héritidʒ] *n.* ⓤⓒ 세습 [상속]재산 ② 유산(遺産); 전승(傳承); 유전. *God's ~* 하느님의 선민; 이스라엘 사람; 그리스도 교도.

her·maph·ro·dite [həːrmǽfrə-dàit]* *n.* ⓒ 남녀추니; 양성 동물, 연지자지; 양성화(花); 두 상반된 성격의 소유자(물). — *a.* 양성(구유(具有))의, 자웅 동체의. **-dit·ic** [—ˊdítik]—

her·met·ic [həːrmétik] — **-i·cal** [-əl] *a.* 밀봉한(airtight); 연금술(鍊金術)의. **-i·cal·ly** *ad.*

:her·mit [həːrmit] *n.* ⓒ 은자(隱者).

hér·mit·age [-idʒ] *n.* ⓒ 은자의 집.

her·ni·a [həːrniə] *n.* ⓤⓒ 탈장(脫腸), 헤르니아.

:he·ro [hiːrou] *n.* (*pl. ~es; fem. heroine* [-]) ⓒ ① 영웅, 용사. ② 이 야기 따위의) 주인공. (옜兵.

he·ro·ic [hiróuik] *a.* ① 영웅적인, 용감한, 장렬한, ② (문제가) 응대한. ② [劇] 영웅시(격)의. ④ (美術) (조상(彫像) 따위가) 실물보다 큰(~ *size*). — *n.* ① ⓒ 영웅시(격), 강조시, ② (*pl.*) 과장된 표현(감정·행위).

heróic vérse 영웅시(격)의 것: 는 약강 5보격: 그리스·라틴·프랑스 시에서는 6보격. [정]제.

her·o·in [hérouin] *n.* ⓤ 모르핀(진).

:her·o·ine [hérouin] *n.* ⓒ ① 여장부, 여걸, 열부(烈婦). ② (이야기의) 여주인공.

her·o·ism [hérouìzəm] *n.* ⓤ 영웅 적 자질, 장렬; 영웅적 행위.

her·on [hérən] *n.* (*pl. ~s,* ~) ⓒ (鳥) 왜가리.

héro wòrship 영웅 숭배.

her·pes [həːrpiz] *n.* ⓤ (醫) 포진 (疱疹), 헤르페스.

Herr [hɛər] *n.* (G-) (*pl. Herren* [hérən]) 군, 씨(Mr.에 해당함); 독일 신사.

her·ring [hériŋ] *n.* ⓒ 청어. *kippered (red) ~* = KIPPER.

hérring·bòne *n., a.* ⓒ ① (뼈록 등의) 오늬무늬(의), '헤링본' 뜨기. — *vt.* 헤링본으로 꿰매다(짜다). — *vi.* [스키] 다리를 벌리고 비탈을 오르다.

hers [həːrz] *pron.* 그 여자의 것.

her·self [həːrsélf, hərsélf] *pron.* (*pl. themselves*) 그 여자 자신.

hertz [həːrts] *n.* ⓒ (電) 헤르츠(생 략 Hz).

he's [hiːz] he is (he has]의 단축.

H

hes·i·tant[hézətənt] *a.* 망설이는, 주춤거리는. **-tance, -tan·cy** *n.*

hes·i·tate[hézətèit] *vi.* 망설이다, 주저하다, …할 마음이 나[내키]지 않다; (도중에서) 제자리 걸음을하다, 멈춰 서다. **-tat·ing, -tat·ing·ly** *ad.* **:-ta·tion**[-téi∫ən] *n.* 망설임, 주저. **-ta·tive** *a.*

Hes·sian[hé∫ən] *a., n.* ⓒ (독일 남서부의) Hesse의 (사람); (美) 용병(傭兵); 돈만 주면 일하는 사람.

het[het] *a.* 흥분하여(〜 *up* 흥분한).

het·er·o-[hétərou, -rə] *「다른·딴…」의 뜻의 결합사.*

het·er·o·dox[hétərədὰks/-ɔ̀-] *a.* 이단의, 이설(異說)의(opp. ortho-dox). **〜·y** *n.* ⓤⓒ 이단, 이설.

het·er·o·ge·ne·ous [hètərədʒí:niəs] *a.* 이종(異種)의, 이질의, 잡다한(opp. homogeneous). **-ne·i·ty** [-dʒəní:əti] *n.*

hew[hju:] *vt., vi.* (〜*ed*; hewn, 〜*ed*) (도끼 따위로) 자르다(*at, off*), 마구 베다, 토막 내다; 찍어 넘기다(*down*). ② (석재(石材) 따위를) 잘라서[깎아서, 새겨서] 만들다, 깎아 새기다. 〜 *one's way* 길을 개척하여 나아가다. **〜·er**[-ər] *n.* ⓒ 자르는 사람, 채탄부.

hex[heks]=**héksag̀ən** '6'의 뜻의 결합사 「모음 앞에서는 hex-」.

hex·a·gon[héksəgən/-gən] *n.* ⓒ 6각형. **hex·ag·o·nal**[-ǽgənl] *a.*

hex·am·e·ter[heksǽmitər] *n.* [韻] 육보격(六步格)(의 시).

hey[hei] *int.* 아아!; 어어; 이봐, 이 이(호칭·놀람·기쁨·주의·환기 따위의 외침). *H- for …!* …잘한다!; …만세! 〜 PRESTO.

héy·dày(〈 high day) *n.* ⓒ (*sing.*) 전성기.

hi[hai] *int.* 아아(How are you?), 이이(Hello!)

hi·a·tus[haiéitəs] *n.* (*pl.* 〜*es*) ① 중절(中絶), 틈; [文] 모음 접속(보기: idea의 a).

hi·ber·nate[háibərnèit] *vi.* 겨울 잠 자다, 동면하다. **-na·tion**[-néi∫ən] *n.*

hi·bis·cus[hibískəs, hai-] *n.* 목부용속의 식물(목부용·무궁화 등).

hic·cup, hic·cough[híkʌp] *n. vi., vt.* ⓒ 딸꾹질(하다, 하며 말하다).

hick[hik] *n.* ⓒ (口)농부〈다운〉, 순박한 (사람).

hick·o·ry[híkəri] *n.* ⓒ 호두과(科)의 나무; ⓤ 그 재목〈스키 용재(用材)〉.

hide[haid] *vt., vi.* (*hid*; *hidden, hid*) 숨(기)다; 덮어 가리다. 〜 *one self* 숨다.

hide[háid] *n., vt.* ⓤⓒ 짐승의 가죽을 벗기다), 피혁; (口) 때리다(beat).

hìde-and-séek, hìde-and-gò-séek *n.* ⓤ 숨바꼭질.

hide·a·way[háidəwèi] *n.* 은신처; 으슥한 음식실[오락장].

hide·bòund *a.* (가죽이) 여윈; 완고[완미]한; (마음이) 편협한, 편벽된; (식물이) 껍질이 말라붙은.

hide·ous[hídiəs] *a.* 끔찍한, 섬뜩한, 오싹해지는; 무서운. **〜·ly** *ad.* 소름 끼칠 만큼. **〜·ness** *n.*

hide·òut *n.* ⓒ (범인의) 은신처.

hid·ing[háidiŋ] *n.* ⓤ 은닉; ⓒ 은닉처. 〜 *place*).

hi·er·ar·chy[-i] *n.* ① ⓤⓒ 위계 (位階) 제도[조직]; 성직 정치; 성직자의 계급; (the 〜) [집합적] 성직자단. ② ⓒ 천사의 계급; (the 〜) [집합적] 천사들. **-chic**[haiərá:r-kik], **-chi·cal**[-əl] *a.*

hi·er·o·glyph[háiərəglìf] *n.* ⓒ 상형 문자.

hi·er·o·glyph·ic[hàiərəglífik] *a.* 상형 문자의. 〜 *n.* (*pl.*) 상형 문자(표기법); 비밀 문자.

hi-fi[háifái] 〈 *high-fidelity* 〉 *a., n.* ⓤ [電子] 고충실도(高忠實度) 음향; ⓒ 그러한 음향 재생 장치; 하이파이의.

hig·gle·dy-pig·gle·dy[hígəldi-pígəldi] *a., ad.* ⓤ 엉망진창의 (으로).

high[hai] *a.* ① 높은(cf. tall), 높이의. ② 높은 곳(으로부터)의; 고지의; 고귀한[고상·숭고]의; 고원한; 고위의. ③ 고급의; 값비싼. ④ 격렬한, 극도의(〜 *folly* 지극히 어리석은 짓); 파격적인(〜 *a anarchist*). ⑤ (crimson); (소리가) 날카로운. ⑥ 거만한(a 〜 *manner*). ⑦ (때가) 된, 한창인(It is 〜 *time to go.*

이제 떠날 시간이다). ⑧ 『料理』(새나 짐승의 고기가 막 상하기 시작하여) 먹기에 알맞은(cf. gamy). ⑨ 《口》 거나하게 취한; 시대에 뒤져, ~ **and low** 상하 귀천을 막론하고(cf. high ad.). ~ **and mighty** 《古》 교 만한; 거만한, **How is that for ~?**《俗》 (그런데) 어때(출랄지, 굉장하지).

— n. ① ⓤ 높은 곳; 천상(天上). ② ⓒ 비싼 값. ③ ⓤ(자동차의) 고속 기어. ④ ⓒ《口》 고등 학교. ⑤ 고기압대. cf. 高氣壓. 마약·술로 기분 좋은 상태. **from on** ~ 천상으로부터, **on** ~ 공중 높이, 하늘에, 천상에, **the H-** = HIGH TABLE《英口》= HIGH STREET. **the Most H-** 천주(God). — ad. 높이; 크게, 현저하게, 강하게. **bid** ~ 비싸게 부르다. **fly** ~ 하늘에 가슴이 부풀어 다. ~ **and low** 도처에, **live** ~ 호화롭게 살다. **play** ~ 큰 도박을 하다. **run** ~ (바다의) 물살이 거칠어지다; 흥분하다; (값이) 오르다. **stand** ~ 높은 위치를 차지하다.

high·ball n.《U.C》《美》 하이볼(위스키에 소다수 따위를 섞은 음료).

high·born a. 집안이 좋은, 명문 출신의.

high·boy n. ⓒ《美》 높은 발이 달린 옷장(《英》 tallboy).

high·brow n. ⓒ 인텔리, 인텔리인 체하는 사람; 인텔리를 위한(에 적합한).

high·chair n. ⓒ (식당·식탁의 다리가 높은) 어린이 의자.

High Church 고교회파(영국 교회 파 중, 교회의 교의 및 의식을 존중하는 파).

high-class a. 고급의; 일류의.

high commissioner (식민지의) 고등 판무관.

High Court (of Jústice)《英》 고등 법원.

high explosive 고성능 폭약.

high-fa·lu·tin [ᴖfəlúːtin], **-ting** [-tiŋ] a., n. ⓤ《口》 과장된(말).

high-fidélity n. 『電子』 고충실도의, 하이파이의(hi-fi).

high-flier, -flýer n. ⓒ 높이 나는 새[비행기]; 야심가, 높은 소망을 가

진 사람.

high-flówn a. 엄청나게 희망이 큰.

high-gráde a. 고급의. | 과대한.

high-hánded a. 고압적인.

high jump (the ~) 높이뛰기.

high·land [ᴖlænd] n. ⓒ (종종 pl.) 고지, 산지. ② (H-) 스코틀랜드 고지. ~**er** n. ⓒ 고지인, (H-) 스코틀랜드 고지 사람.

high-lével a. 고레벨에 의한, 고관의; 고위의; 높은 곳으로부터의.

high life 상류 생활.

high·light n., v. (~**ed**) (종종 pl.) ① 『美術』 (화면의) 하이라이트. ② 중요 부분; 『뉴스 중의』 중요 사건, 화제거리. ② 두드러지게 하다; 강조하다; 돋보이게 하다.

:**high·ly** [ᴖli] ad. 높이, 크게(speak ~ of …을 격찬하다).

High Mass 『가톨릭』 장엄 미사.

high-mínded a. 고결한; 《稀》 거만한. ~**ly** ad. ~**ness** n.

high·ness n. ① ⓤ 높음, 높이; 고위(高位), 고가(高價). ② (H-) 전하(殿下).

high-pítched a. 가락이 높은; 급경사의; 고상한; 몹시 긴장된.

high-pówered a. 정력적인; 강력한.

high-préssure a., v. 고압의; 고압적인; 강요하는; (…에게) 고압적으로 나오다.

high-príced a. 값 비싼.

high priest 고위 성직자 《옛 유대의》 제사장.

high-ránking a. 고급[고관]의.

high-ríse a. 고층 건물(의) 높이 올린.

high-róad n. ⓒ 큰길, 대로; 쉬운 길.

:**high school** 고등 학교; 중등 학교.

high séa 높은 파도; (보통 the ~s) 공해(公海).

high-sóunding a. 과장된.

high-spéed a. 고속도의.

high spot 두드러진 특색(부분)(hit the ~s 요점만 건드리다, 대강 말하다). | 《변화》가(街).

high stréet 《英》 큰 거리, 중심 가.

high-strúng a. 과민한, 흥분하기 쉬운; 줄을 팽팽하게 한.

high table 《英》 대학 학료(學寮)의

fellows·학장·교수 등의 식탁(the High).

high téa (英) 오후 4-5시경의 고기 요리가 따르는 간단한 식사.

hígh-tèch *n., a.* ① (고도의) 첨단 기술 (high technology)(의).

high tíde 고조(高潮); 한창때.

high tréason 대역(大逆), 대역죄.

hígh-úp *a., n.* ⓒ (口) 현직(顯職)의 (사람); 높은 지위의 (사람).

high wáter 고조(高潮), 만조, 사리.

high-wáter màrk 고조표(標), 최고 수위(水位點); 최고 수준.

:**high·way**[háiwèi] *n.* ⓒ ① 공도 (公道); 간선 도로. ② 상도(常道).

high·way·man[-mən] *n.* ⓒ 노상 강도.

hi·jack[háidʒæk] *vt.* ① (배·비행기 등을) 약탈하다, 공중(해상) 납치하다; (수송 중인 물품 등을) 강탈하다. **~·er** *n.*

hike[haik] *n., vi., vt.* ⓒ ① 도보 여행(하이킹)(을 하다). ② 인상(하다). **hik·er n.* ***hik·ing** *n.* Ⓤ (口) 도보 여행.

hi·lar·i·ous[hiléəriəs, hai-] *a.* 매우 명랑한(very merry). **-i·ty** [hilǽrəti, hai-] *n.*

†**hill**[hil] *n.* ⓒ ① 언덕, 작은 산, 야산. ② 흙더미, 흙더미(a mole ~). **go over the ~** (美俗) 무단 이탈하다. **over the ~** 위기를 벗어나서; 절정기를 지나서. **the gentlemen on the ~** (美) 국회의 원들. — *vt.* 쌓아 올리다; 복주하다.

hill·bil·ly[-bìli] *n.* ⓒ (美口) (미국 남부의) 산지(두메) 사람; 시골뜨기.

hill·ock[-ək] *n.* ⓒ 작은 언덕; 봉토, 복주.

*hill·side *n.* ⓒ 산중턱, 산허리.

*hill·tòp *n.* ⓒ 언덕(야산)의 꼭대기.

*hilt[hilt] *n.* ⓒ (칼)자루, 손잡이. (up) to the ~ 충분히, 완전히; 철저히.

†**him**[him im] *pron.* 그를(에게).

†**him·self**[himsélf, 弱 im-] *pron.* (pl. themselves) ① 그 자신(자기 it ~). 그 스스로가 했다나, beside ~ 제정신을 잃고, 혼자 힘으로, by ~ 혼 자서, 혼자 힘으로, for ~ 자기용으로, 자기를 위해(He bought it for

~.); 자기 스스로는, 혼자 힘으로.

†**hind**[haind] *a.* 뒤의, 뒤쪽의(rear).

hind *n.* (*pl.* ~s) ⓒ 암사슴.

Hin·di[híndi] *a., n.* 북(北)인도의: Ⓤ 힌디어.

hind·quàrter *n.* ⓒ (쇠고기·양고기 등의) 뒷다리 및 볼기.

*hin·drance[híndrəns] *n.* ① Ⓤ 방해, 장애. ② ⓒ 방해물.

hínd·sìght *n.* ① Ⓤ 때 늦은 지혜 (opp. foresight). ② ⓒ (총의) 후부가늠자.

***Hin·du, -doo**[híndu:] *n.* ⓒ 힌두 사람(교도); (아리안계) 인도인. — *a.* 힌두(교·말)의. **~·ism**[-ìzəm] *n.* 힌두교.

hinge[hindʒ] *n.* ⓒ 경첩; 요점. **off the ~s** 탈(고장)나서; (질서가) 어지러워져. — *vt., vi.* 경첩을 달다[으로 움직이다]; (⋯에) 달려 있다.

:**hint**[hint] *n., vt., vi.* ⓒ 힌트, 암시 (하다); 변죽을리기(올리다)(at), **by ~s** 넌지시. **drop a ~** 넌지시 비추다, 힌트(암시)를 주다. **take a ~** 깨닫다, 알아차리다.

hin·ter·land[híntərlænd] *n.* ⓒ (해안·강안) 배후지; 오지(奥地); 시골.

†**hip**[hip] *n.* ⓒ 엉덩이, 허리. **fall on one's ~** 엉덩방아를 찧다. **on the ~** 불리한 조건(입장)에. — *vt.* (-**pp-**) ⋯의 허리를 빼게 하다.

hip *n.* ⓒ (들)장미의 열매.

hip *a.* (美俗) 최신 유행의, 정보통의; 히피의.

hip *int.* 갈채의 첫소리(H-, ~, hur-rah!).

híp bàth 좌욕물.

híp flàsk 포켓 위스키병; (俗) 45 세경 권총.

híp·pie[hípi] *n.* ⓒ 히피(족)(일체의 기성 제도·가치관을 부인, 아름한 몸차림을 하고 다니는 젊은이).

hip·po[hípou] *n.* (*pl.* ~**s**) ⓒ = HIPPOPOTAMUS.

híp·pòcket *n.* ⓒ (바지) 뒷주머니.

hip·po·pot·a·mus[hìpəpɑ́təməs, -5-] *n.* (*pl.* ~**es, -mi**[-mài]) ⓒ (動) 하마.

†**hire**[haiər] *vt.* 고용하다; 세내다(물건을 세내다); 세놓다. **~ on (as)** ⋯으로 고용되다. **~ oneself out** 고용되

다. ~ **out** 대출(貸出)하다. — *n.* Ⓤ 임대(료), 임차(료)(賃借(料)); 고용. **for** ~ 세를 받고서. **on** ~ 임대(賃貸)의[로].

hire·ling [´liŋ] *a., n.* Ⓒ 고용되어 일하는 (사람); 삯 말; 《蔑》 돈이면 무엇이나 하는 (사람).

híre-púrchase *n., a.* Ⓤ 《英》 분할불[월부] 구입(의).

hir·sute [hə́ːrsuːt, –´] *a.* 털 많은.

his [hiz, 弱 iz] *pron.* 그의; 그의 것.

hiss [his] *vi., vt.* 쉿[쉬이] 소리를 내다(~ *his poor acting* 서투른 연극을 야유하다). ~ **off** [**away**] '쉬이' 소리를 내어 (무대에서) 물러나게 하다. — *n.* Ⓒ 쉿하는 소리; 〖電子〗 고음역의 잡음.

his·ta·mine [hístəmiːn, -min] *n.* Ⓤ 〖生化〗 히스타민《혈압 강하·위액 촉진제》.

「가.

his·to·ri·an [histɔ́ːriən] *n.* Ⓒ 역사

his·tor·ic [histɔ́ːrik, -á-/-ɔ́-] *a.* 역사상 유명한, 역사에 남은(*the* ~ *scenes* 사적(史跡)).

his·tor·i·cal [histɔ́ːrikəl, -á-/-ɔ́-] *a.* 역사(상)의, 사적(史的)인. **~·ly** *ad.*

histόric(al) présent 〖文〗 역사적 현재.

his·to·ry [hístəri] *n.* ① Ⓤ 역사, 사학; Ⓒ 사서(史書). ② Ⓒ 연혁, 경력. ③ Ⓒ 사극(史劇).

his·tri·on·ic [hìstriánik/-ɔ́-] *a.* 배우의, 연극의, 연극 같은. **~s** Ⓤ 연극; 《복수 취급》 연극 같은 짓.

hit [hit] *vt.* (*hit; -tt-*) ① 때리다, 치다, 맞히다, 적중하다. ② (…에) 공교롭게 부닥치다; 생각이 미치다. ③ 감정을 상하게 하다. ④ 꼭 맞다. ⑤ 의뢰[요구]하다. ⑥ 《美俗》 (마약을) 주사하다; 벌떡벌떡 들이켜다(~ *the bottle*). — *vi.* ① 치다, 치고 덤비다 (*at*). ② 부딪다(*against, on, upon*). ③ 우연히 발견하다[생각해 내다](*on, upon*). ~ **a** LIKENESS. ~ **at** … 에게 치고 덤비다; …을 비평[조소]하다. ~ **it** 잘 알아맞히다. ~ **it off** 《口》 용케 (뜻이) 맞다(*with, together*). ~ **it up** 버티다; 황급히 나아가다. ~ **off** 즉석에서 잘 표현하다, 잘 묘사하다[(시를) 짓다]. ~ **on** [**upon**] …에 부딪치다, 만나다; 생각이 미치다. ~ **or miss** 맞든 안 맞든. ~ **out** 세게 치다[찌르다]. ~ **up** 재촉하다, 박차를 가하게 하다. — *n.* Ⓒ ① 타격; 명중(탄). ② 히트, 성공. ③ 명언(名言); 빗댐(*at*). ④ 〖野〗 안타, 히트(*a sacrifice* ~ 희생타(打)). ⑤ 〖컴〗 적중. **make a** ~ 히트치다, 호평을 받다, 성공하다.

hít-and-rún *a.* 〖野〗 히트앤드런의; 치어놓고 뺑소니치는(*a* ~ *driver*); (공격이) 전격전인.

·hitch [hitʃ] *vt.* ① (소·말을) 매다; (밧줄·갈고리 따위로) 걸다. ② 와락 잡아당기다[끌어 당기다, 움직이다]. ③ (이야기 속에) 끌어 넣다(*into*). — *vi.* ① 와락 움직이다. ② 다리를 절다. ③ 걸리다(*on; on to*). ~ **horses** 일치[협조]하다. ~ **one's wag(g)on to a star** 자기의 힘 이상의 힘을 이용하려고 하다; 높은 뜻을 품다. — *n.* Ⓒ ① 와락 움직임[끎]; 급히 멈춤. ② 걸림, 뒤얽힘. ③ 고장, 지장. ④ 〖海〗 결삭(結索)(법)(cf. knot).

:hitch·hike [´hàik] *n., vi., vt.* Ⓒ 《美口》 히치하이크《지나가는 자동차에 편승해서 하는 무전 여행》(을 하다).

·hith·er [híðər] *ad.* 여기로, 이리로 《지금은 보통 here》. — *a.* 이쪽의. **~·most** [-mòust] *a.* 가장 이쪽의.

:hith·er·to [hìðərtúː] *ad.* 지금까지(는).

hít paràde 히트퍼레이드《히트곡·베스트셀러 소설 등의 (순위) 공개》.

HIV human immunodeficiency virus 인류 면역 결핍 바이러스; AIDS 바이러스.

:hive [haiv] *n.* Ⓒ ① 꿀벌통; 벌집 (모양의 것). ② (한 통의) 꿀벌 떼. ③ 와글와글하는 군중[장소]. — *vt.* 벌통에 넣다, 축적하다. — *vi.* 벌통에 들어가다; 군거(群居)하다.

h'm [mm, hm] *int.* =HEM²; HUM.

H.M. His (*or* Her) Majesty;

H.M.S. His (*or* Her) Majesty's Ship.

·ho, hoa [hou] *int.* 호; 어이; 저런; 허허!, 흥!; (말에게) 와!; 서!

·hoard [hɔːrd] *n.* Ⓒ ① 저장(물), 비장(秘藏). ② 축적. — *vt., vi.* 저장하다, 사 모으다(*up*). **´·er** *n.*

H

hoard·ing n. © (英) 판장; 게시판.

hóar·fròst n. U 흰서리.

hoarse [hɔːrs] a. 목이 쉰, 목쉰 소리의(cf. **husky**). *~ **ly** ad.

hoar·y [hɔ́ːri] a. ① 회백색의, 백발의. ② 고색이 창연한, 나이 들어 점 잖은; 오래된.

hoax [houks] vt., n. © (장난으로) 속이다(trick), 골탕 먹이다(먹임); 장난.

hob [hab/-ɔ-] n. ① (난로 속의 아 쪽 또는 측면의) 시렁; 툭나 내는 기계; (고리던지기 놀이(quoits)의) 표적 기둥.

hob·ble [hábəl/-5-] vi., n. © ① 다리를 절다(절뚝거림), ② 쉬엄쉬엄 이야기하다. (시의) 운율이 고르지 않다, (詩) 곤경, 곤란. — vt. 절 뚝거리게 하다; (말의) 다리를 묶다.

:hob·by [hábi/-5-] n. © ① 취미, 자랑삼는 것, 장기(長技). ② 목마(木馬), **mount** (**ride**) **one's** ~ (득 기 삼을 정도로) 자랑을 늘어놓다.

hóbby-hòrse n. © 목마(말머리 가 딸린) 장난감; 흔들이목마(rocking horse); 취미, 장기.

hob·gob·lin [hábgàblin/hɔ́bgɔ̀b-] n. © 도깨비; 작은 요괴.

hób·nàil n. © (구두바닥의) 징.

hob·nob [hábnàb/hɔ́bnɔ̀b] vi. (-**bb**-) 사이 좋게(허물없이) 지내다; 권커니 잣커니 하며 술마시다. — n. U© 환담.

ho·bo [hóubou] n. (pl. ~(e)s) ① (美) 부랑자; 뜨내기 노동자.

Hób·son's chóice [hábsnz-/-5-] ⇨ CHOICE.

hock [hak/-ɔ-] n. © (네발 짐 승의 뒷발의) 과(踝)관절(의 건(腱)을 잘라 불구로 만들다).

hock [hak] n. U (英) 흰 포도주의 일종.

hock [hak] n., vt. U (俗) 전당(잡히다).

hóck·ey [hɔ́ki/-5-] n. U 하키; © 그 타구봉(~ **stick**).

ho·cus-po·cus [-póukəs] n. U 요술; 마술사의 상투적 주문; 야바위. — vi., vt. (英) -**ss**- 요술을 부리다. © 감쪽같이 속이다.

hod [had/-ɔ-] n., vt. U 호드(벽돌·회반 죽 나르는 그릇); (美) 석탄통. ~·**man** [<mən] n. © 호드 운반인.

hodge·podge [hád3pàd3/hɔ́d3-pɔ̀d3] n. U 엉망진창, 뒤죽박죽.

hoe [hou] n., vt. © 괭이(로 파다 갈다).

hog [hag, -ɔ:-/-ɔ-] n. © ① 돼지 (식용의) 불깐 수퇘지. ② (口) 욕심 쟁이, 더러운 사람. **go the whole** ~ 《俗》 철저히 하다. — vt. (-**gg**-) 《美俗》 탐내어 제몫 이상으로 갖다. *~·**gish** a. 돼지 같은; 주접스러운.

hóg-wàsh n. U 돼지먹이(부엌 찌꺼기); 너절한 것.

hoi pol·loi [hɔ́i pəlɔ́i] (Gk.) (the ~) 민중.

hoist [hɔist] vt., n. (기 따위를) 내걸다, 올리다; 들어 올리다. — n. © 끌어(감아) 올리기; 기중기.

hoi-ty-toi·ty [hɔ́ititɔ́iti] int. 저런! 아니 이거! 어이없군!《놀람·분노·경 멸 등의 탄성》. — a. 거만한; 《주로 英》 경박한, 까불어대는.

ho·kum [hóukəm] n. U (영화·연극·연설 따위에서) 되는 대로의 저속 한 재미(거리).

†hold [hould] vt. (**held**) ① (손에) 갖고 있다, 쥐다, 잡다(grasp); 억제하다, 억누르다. ② 소유[보류]하다; 차지하다; (불잡고) 놓지 않다; 보존 [유지]하다, 보류하다. ④ (주의를) 끌다; 수용하다, ⑤ (분노 따위를) 억누르다, 억제하다. ⑥ 〔레슬링〕 상대방을 꽉 붙잡다. ⑧ (약속을) 지키게 하다, (의무·책임을) 지우다. ⑨ …이라고 생각하다[여기다]. ⑩ 주최하다, 거행하다, 개최하다. — vi. ① 쥐고 있다. ② 유지[보존]하다, 지탱하다, 견디다. ③ 버티다. ④ 나아가다. ⑤ 효력이 있다. ⑥ (토지·재산·권리를) 보유하다(of, from). **H-!** 범춰! 기다려! ~ **back** (vt. 제지하다; 억제하다; (vi.) 삼가다, 멀설이다(from). ~ **by** 굳게 지키 다. ~ (**a person**) **cheap** (아무를) 깔보다. ~ **down** 억누르다, (美口) (지 위·재산을) 유지하다. ~ **forth** 내 밀다, 제공하다; 말하다, 설교하다. ~ **good** (**true**) 유효하다; 적용되다. ~ **in** 억제하다, 참다. ~ **off** (vi.) 멀리하다, 가까이 오지 않게 하다; (vt.) 떨어져 있다, 지체하다. ~ **on** 을 계속하여 나가다; 지속하다, 불잡고 늘어지다(to); 지행하다; 《명령형으로》 범춰! 기다려! ~ **one's hand**

H

하다. ~ **one's own** [**ground**] 자기의 위치를 [입장을] 지키다; 뒤지지 않다. ~ **on one's way** 발을 옮기다. ~ **out** (*vt.*) 제출[제공]하다; (손을) 내밀다; 주장하다; (*vi.*) 지탱하다, 견디다. ~ **over** 연기하다; 사임후에도 그 자리에 머물러 있다. ~ **to** 굳게 지키다. ~ **together** 결합하다, 통일을 유지하다. ~ **up** 들다; 지지하다; 명시[제시]하다; (아무를 모범으로써) 보이다; (본때로서) 여러 사람에게 보이다; 막다, 방해하다; 《美口》 (사람·은행 따위를) 권총으로 위협하여 돈을 강탈하다[정지를 명하다]; 지탱하다; (좋은 날씨가) 계속되다, 오래가다; (속도를 늦추지 않고) 빨리 가다. ~ WATER. ~ **with** …에 편들다, …에 찬성하다. ― *n.* ① UC 파악, 파지(把持), 유지, 버팀, ② 잡기, 손[발]붙일 곳, 잡을 데; 자루, 손잡이. ③ 《레슬링》붙잡는 수 ④ ① 누름, 제압, 지배(*on*). ④ 《樂》늘임표(^). ⑤ ① 형무소; ⑥ 《古》 요새(要塞). **catch** [**get, lay, take**] ~ **of** …을 옮겨잡다[쥐다], 잡다, 잡으려 하다; …의 급소를 쥐고 있다, …을 제압하는 유세다. **lose** ~ **of** 손[발]붙일 곳을 잃다.

hóld·àll *n.* ⓒ 여행용 옷가방[자루]; 잡낭.

:hóld·er [⁻ər] *n.* ⓒ 소유자; hold하는 물건(*a pen* ~).

hóld·ing [⁻iŋ] *n.* ① ① 쥐기, 유지, 소유. ② ① 토지, 소유, ③ (*pl.*) 소유주, 지주(持株). ④ ① 《鏡》 (축구 등의) 홀딩.

hólding còmpany 《經》지주 회사, 모회사(母會社).

hóld·ùp *n.* ⓒ 《美口》 (노상) 강도(짓); (교통 기관 등의) 정체.

:**hole** [houl] *n.* ⓒ 구멍; (짐승의) 소굴; 둥글; 토굴 감옥(과 같은 장소); ② 결점, ③ 궁지(窮地), ④ 《골프》 구멍, 홀; *tee*=에 putting green 가지의 구역; 독점. ~ **in the wall** 지저분한[비좁은] 집. **burn a** ~ **in one's pocket** (돈이) 몸에 붙지 않다. **every** ~ **and corner** 구석구석, 샅샅이. **in** (**no end of a**) ~ 《口》 (궁지에) 몰려서, 궁지에 빠져서. **make a** ~ **in** …에 큰 구멍을 뚫다. 크게 축내다, 많이 …의 흠을 잡다. ― *vt., vi.* 구멍을 뚫다[에 넣다]; 굴을 파다. ~ **up** 동면하다.

hol·i·day [hɑ́lədèi/hɔ́lədèi] *n.* ⓒ ① (공)휴일, 축일(祝日), ② (보통 *pl.*) 《英》휴가. ~ **clothes** [**attire**]

hóliday·màker *n.* ⓒ 휴일을 즐기는 사람; 시끄럽고 저속한 휴양객.

ho·li·er-than-thou [hóuliərðən-ðái] *a., n.* 《美》 경건한 체하는; 독선적인 (사람); 군자연하는 (자식).

ho·li·ness [hóulinis] *n.* ① 신성. **His** [**Your**] **H-** 성하(聖下)《교황의 존칭》.

hol·ler [hɑ́lər/-5-] *vi., vt.* 《口》 큰 소리로 부르다, 외치다.

hol·low [hɑ́lou/-5-] *n.* ⓒ ① 구멍; 움푹 들어간 곳, 우묵한 곳; ② 골짜기. ― *vt., vi.* 우묵 들어가다[게 하다]; 도려(후벼)내다(*out*). ― *a.* ① 우묵 들어간; 속이 텅 빈, ② 굴 속에서 울리는 (듯한); (목소리가) 팁킵 는; ③ 거짓의; 공허한; 실속 없는, 싱거운; ④ **praise** 입에 발린 말. ~ **race** [**victory**] 싱거운 경주[승리]. ― *ad.* 《口》 완전히. **beat** (**a person**) ~ (아무를) 여지없이 해내다. ~**·ly** *ad.* ~**·ness** *n.*

hol·ly [hɑ́li/-5-] *n.* ⓒ 호랑가시나무 ① 그 가지《크리스마스 장식용》.

hólly·hòck [hɑ́-/-5-] *n.* 《植》접시꽃.

hol·o·caust [hɑ́lɔkɔ̀ːst/hɔ́l-] *n.* ⓒ (유대인 등이 짐승을 통째로 구워서 신에게 바치는) 희생; 대학살, 대파 괴.

hol·ster [hóulstər] *n.* ⓒ (가죽제) 권총 케이스.

ho·ly [hóuli] *a.* ① 신성한, 거룩한, ② 성인 같은. ― *n.* ⓒ 신성한 장소 [것]. ~ **of holies** (유대 신전의) 지성소(至聖所).

Hóly Cíty *the* 성도(聖都) 《Jerusalem, Mecca 따위》.

Hóly Commúnion 성찬식; 《가톨릭》 영성체(領聖體).

Hóly Fáther, the 《가톨릭》 로마 교황《존칭》.

Hóly Ghóst, the 성령《Trinity의

제3위)(Holy Spirit).

Hóly Gráil, the ⇨GRAIL.

Hóly Lànd, the 성지(聖地)(Palestine)의 (비(非)기독교인)의 성지.

hóly órders 성직(聖職).

Hóly Sée, the ⇨SEE².

Hóly Spírit = HOLY GHOST.

Hóly Wèek 부활절의 전주(前週).

Hóly Wrít 성서.

*hom·age[hámidʒ/hɔ́m-] *n.* ① 존경; 복종; 충성(忠誠)의 예(禮). **do**〔**pay**〕**~ to** …에게 경의를 표하다; 신하로서의 예를 다하다.

†home[houm] *n.* ① [U][C] 집, 가정, 자택; 주거. ② [U] 본국, 고향. ③ (the) …원산지, 본고장; 발상지. ④ [U][C] 안식처. ⑤ [C] 수용소, 요양소. ⑥ [U] 결승점; 면회일. — *a.* ① 집에 있어; 면회일이어서. ② 고향[본국]에; 편히; 정통하여, 화하여. 숙달하여 *(in, with).* (a) ~ (美)《(美)》 *away* **from ~** 제 집과 같은 안식처 《가정적인 하숙》. **from ~** 부재하여, 본국을 떠나. **~, sweet home** 그리운 내 집. *last*〔*long*〕 **~** 무덤. 《*Please*》 **make yourself at ~.** (부디) 스스럼 없이 편하게 하십시오. — *a.* ① 가정의, 자택《가정》의. ② 자기 나라의, 본토의, 국내의. ③ 중심을《급소를》 찌르는, 통렬한. — *ad.* ① 제〔우리〕집으로, 고향〔본국〕으로. ② 급소를 찔러서, 따끔하게. **be on one's**〔**the**〕**way ~** 귀로에 있다. **bring**〔**come**〕**~** 통절히〔절실히〕느끼게 하다. **come**〔**go**〕 **~** 귀가《귀국》하다; 가슴에 찔리다(*to*), 급소를 집으로 돌아가다〔오다〕; 회복하다. *see a person* **~** …집까지 바래다 주다. — *vi., vt.* ① 귀가하다〔시키다〕; (비둘기가) 보금자리로 돌아오다〔가다〕. ② (비행기·미사일 따위가) 유도되다; (미사일 따위가) 자동 제어되다; 유도하다. ③ 가정을 갖다, 집을 두다.

hóme económics 가정학.

hóme-g27grówn *a.* 본토《본국》산의.

hóme·lànd *n.* 고국, 본국.

*home·less[⌁lis] *a.* 집 없는.

*home·ly[⌁li] *a.* ① 가정의, 가정적인. ② 검소한, 수수한, 꾸밈 없는, 평범한. ③ 《美》 (얼굴이) 못생긴.

-li·ness *n.*

*hóme·máde *a.* ① 손으로 만든; 집에서 만든. ② 국산의.

ho·me·op·a·thy [hòumiápəθi/-5-] *n.* [U] 동종 요법(同種療法)(opp. allopathy). **ho·me·o·path·ic**[~əpǽθik] *a.*

hóme rúle 지방 자치.

hóme rún [野] 홈런.

Hóme Sécretàry (英) 내상.

hóme·sick *a.* 회향병의, 향수에 걸린. **-ness** *n.* [C] 향수.

*hóme·spùn *a., n.* ① 손으로 짠. ② 평범한, 조야한. ③ 손으로 짠 직물, 홈스펀.

hóme·stèad *n.* [C] ① (농가의) 집과 부속지(屋을 포함해). ② 《美·캐나다》 (이민에게 분양되는) 자작 농장.

hóme·strétch *n.* [C] (결승점 앞의) 직선 코스; 마지막 부분.

hóme trúth 결정, 약점.

home·ward[⌁wərd] *a., ad.* 귀로의; 집〔본국〕으로(向해서)의. **~s** *ad.* =HOMEWARD.

*hóme·wòrk *n.* [U] ① 숙제, (집에서 하는) 예습, 복습. ② 집안 일, 가내 공업. ③ (회의 등을 위한) 사전 조사. **do one's** 《口》 사전 조사를 하다.

home·y[⌁i] *a.* 가정적인, 아늑한.

hom·i·cide[háməsàid/-5-] *n.* [U] 살인; [C] 살인자. **-cid·al**[⌁sáid⌁] *a.*

hom·i·ly[háməli/hɔ́m-] *n.* [C] 설교; 훈계, 장황한 꾸지람.

hom·ing[hóumiŋ] *a.* 귀소성(歸巢性)의; 집에 돌아오는〔가는 ~의〕. ~ *pigeon* 전서(傳書) 비둘기. □ 귀환, 회귀; 귀소성.

ho·mo-[hóumou, ⌁mə] 같은, 동일의 뜻의 결합사.

ho·moe·op·a·thy [hòumiápəθi/-5-] *n.* = HOMEOPATHY.

ho·mo·ge·ne·ous [hòumədʒí:niəs/hɔ̀m-] *a.* 동종《동질·동성》의 (opp. heterogeneous). **-ne·i·ty** [-dʒəníːəti] *n.*

ho·mog·e·nize [həmádʒənàiz/hɔmɔ́dʒ-] *vt.* 균질화(均質化)하다. **~d milk** 균질 우유.

hom·o·graph [háməgræf/hɔ́mə·grà:f] *n.* [C] 동형 이의어(同形異義語).

《보기 : seal[1,2]》.
hom·o·nym[hámənìm/-ɔ́-] *n.* Ⓒ 동음 이의어(同音異義語) 《*here*와 *hear; pen*[1]과 *pen*[2](울타리) 따위》(cf. ⇩).
hom·o·phone[hámәfòun/-ɔ́-] *n.* Ⓒ 동음 이자(同音異字)《since의 *s, c* 나 cake의 *c, k*》; 동음 이철어(同音異綴語)《*here*와 *hear* 따위》(cf. ⇧).
Ho·mo sa·pi·ens[hóumou séipiənz] (L. =wise man) 인류.
ho·mo·sex·u·al[hòuməsékʃuəl] *a., n.* Ⓒ 동성애(同性愛)의 (사람). **-i·ty**[ㅅ-ㅅ-ǽləti] *n.*
hom·y[hóumi] *a.* =HOMEY.
Hon., hon. Hono(u)rable; Honorary.
hone[houn] *n., vt.* Ⓒ (면도 따위의) 숫돌(로 갈다).
†**hon·est**[ánist/ɔ́n-] *a.* ① 정직한, 성실한. ② (술·우유 따위) 진짜의, 섞지 않은. ③ (돈 따위) 떳떳이 번. ***be ~ with*** …에게 정직하게 말하다; …와 올바르게 교제하다. ***earn* 〔*turn*〕 *an ~ penny*** 정당한 수단으로 돈을 벌다. ***make an ~ woman of*** 《口》…을 정식 아내로 삼다. ***to be ~ with you*** (너에게) 정직하게 말하면. **:~·ly** *ad.*
:**hon·es·ty**[ánisti/ɔ́n-] *n.* Ⓤ 정직, 성실, 솔직.
:**hon·ey**[hʌ́ni] *n.* ① Ⓤ (벌)꿀; 화밀(花蜜). ② =DARLING. — *a.* 감미로운; 귀여운. — *vi.* 정다운〔달콤한〕 말을 하다; 《口》 발림말하다.
·**hóney·còmb** *n., vt., vi.* ① Ⓒ 꿀벌의 집. ② 벌집 모양으로 만들다; 구멍 투성이로 만들다. ③ (악폐가) 침식하다, 위태롭게 하다.
hóney·dèw *n.* Ⓤ (나무 껍질, 진디 따위의) 분비물, 감로(甘露); ⌐ **mèlon** 감로 멜론.
·**hon·ey·moon**[-mù:n] *n., vi.* Ⓒ ① 밀월《결혼 후의 1개월》(을 보내다); 신혼 여행(을 하다). ② 이상하게 친밀한 기간; 협조 관계.
·**hon·ey·suck·le**[hʌ́nisʌ̀kl] *n.* Ⓤ,Ⓒ 〖植〗 인동덩굴(의 무리).
honk[hɔ:ŋk, haŋk/-ɔ-] *vi.* (기러기가) 울다; 경적을 울리다. — *n.* Ⓒ 기러기의 우는 소리; 경적을 울리는 소리.
honk·y-tonk[háŋkitàŋk, hɔ́:ŋkitɔ̀:ŋk/hɔ́ŋkitɔ̀ŋk] *n., a.* ① Ⓒ《美口》 저속한 카바레〔댄스홀, 나이트클럽〕. ② Ⓤ 저속한 (음악).
†**hon·or,** 《英》 **-our**[ánər/ɔ́-] *n.* ① Ⓤ 명예; 명성; 면목, 체면. ② Ⓤ 자존심, 염치심, 정절. ③ Ⓤ 경의. ④ (an ~) 명예〔자랑〕스러운 것〔사람〕(*to*); (H-) 각하(*His* 〔*Her, Your*〕 *H-*). ⑤ Ⓒ (보통 *pl.*) 예우(禮遇), 작위(爵位); 훈장; 서훈; 의례(儀禮). ⑥ Ⓤ 영광, 특권. ⑦ (*pl.*) (대학의) 우등(***graduate with ~s*** 우등으로 졸업하다). ⑧ (*pl.*) (카드놀이의) 주요(主要) 패《에이스 및 그림패》. ***be on one's ~ to*** (do), or ***be* (*in*) *~ bound to*** (do) 명예를 위해서도 …하지 않으면 안 되다. ***do ~ to*** …을 존경하다; …의 명예가 되다. ***do the ~s*** 주인 노릇을 하다(*of*). ***do* 〔*render*〕 *the last ~s*** 장례식을 행하다. ***give one's* (*word of*) *~*** 맹세하다. ***~ bright*** 《口》 맹세코, 기어코, 확실히. ***~s of war*** (투항군(投降軍)에 대한) 무인(武人)의 예(禮)《무장을 허용하는 따위》. ***in ~ of*** …에게 경의〔축의〕를 표하여, …을 기념하여. ***military ~s*** 군장(軍葬)의 예. ***point of ~*** 체면 문제. ***upon my ~*** 명예를 걸고〔위해서〕, 맹세코. — *vt.* ① 존경하다. ② (…에게) 명예〔영예〕를 주다, (관위(官位)에) 서(敍)하다(*with*). ③ 〖商〗 (어음을) 인수하고 지불하다(cf. dishonor).
:**hon·or·a·ble,** 《英》 **-our-**[ánərəbl/ɔ́n-] *a.* ① 존경할 만한, 명예로운; 수치를 아는, 훌륭한. ② 고귀한; (H-) (영국에서는 각료·재판관 등, 미국에서는 의원(議員) 등의) 인명에 붙이는 존칭. ***Most H-*** 후작(侯爵)(Marquis)의 존칭. ***Right H-*** 백작 이하의 귀족·런던 시장·추밀 고문관의 존칭. **·-bly** *ad.*
hon·o·rar·i·um[ànərέəriəm/ɔ̀nərέər-] *n.* Ⓒ 사례금.
hon·or·ar·y [ánərèri/ɔ́nərəri] *a.* 명예상(上)의, 명예직의. ***~ degree* 〔*member, secretary*〕** 명예 학위〔회원, 간사〕.

H

hon·or·if·ic [ànərifik/ɔ̀n-] a. 존경[경칭]의. — n. ⓒ 경칭(Dr., Prof., Hon. 따위); (한국 말 등의) 경어.

hons. hono(u)rs.

hooch [hu:tʃ] n. ① Ⓤⓒ《美俗》주류, 밀주(密酒). ② ⓒ (오두막) 집.

:hood [hud] n., vt. ⓒ ① 두건(으로 가리다). ② 덮개(포장)(을 씌우다), 두경(을 하다)《렌즈의》 따위. ~ed[-id] a. 두건을 쓴; 포장을 씌운; 두건 모양의.

-hood [hud] suf. 《명사 어미》 상태·인격 따위를 나타냄: childhood, likelihood, manhood. 〖경.

hood·lum [hú:dləm] n. ⓒ 불량배.

hoo·doo [hú:du:] n. (pl. ~s) ⓒ 불운(不運); 불길한 물건(사람). = VOODOO.

hóod·wink [húdwìŋk] vt. (말·사람의) 눈을 가리다; 속이다.

hoo·ey [húːi] n., int. Ⓤ《美口》허튼 소리(짓); 바보 같은!

:hoof [huːf, huf] n. (pl. ~s, hooves) ⓒ ① 발굽. get the ~ 《俗》쫓겨나다, 해고되다. on the ~ (소·말이) 살아서, 도살되지 않은. under the ~ 짓밟혀. — vt. 발굽으로 차다; (걸어서) 차다; 내쫓다. ~ed[-t] a. 발굽 있는.

hoo·ha [húːhàː] n. ① 《英口》흥분, 소란, 시끄러움. — int. 와이(와드는) 소리.

:hook [huk] n. ⓒ ① 갈고리, 훅; 걸쇠. ② 낚시, 코바늘. ③ 갈고리 모양의 것, (하천의) 굴곡부. ④ 《拳》 훅; 《野》곡구(曲球). ⑤ 《樂》음표 꼬리(8분 음표 따위의 대에 붙은 것). by ~ or by crook 무슨 수를 써서라도, 수단을 가리지 않고. drop off the ~s 《美俗》죽다. get one's ~s into 《口》(남자)의 마음을 끌다. get the ~ 《俗》해고되다. ~ and eye 훅단추. on one's own ~ 《口》 독립하여, 혼자 힘으로. — vt. ① (갈고리에) 걸다, 낚다. 갈고리로 걸다(on, up); 훅으로 채우다. ② 《拳》훅을 먹이다. ③ 《俗》훔치다. ~ it 《俗》갈고리에 걸리다; 갈고리처럼 휘다. ~ in 갈고리로 당기다; 갈고리로 고정시키다. ~ it 도망치다. ~ up 갈고리로 걸다, 혹으로 채우다(고정시키다); 《라디오·電》 중계[접속]하다; 관계하다(with); 《野》 대항 경기를 하다(with).

hook·a(h) [húkə] n. ① 수연통(을 통해 담배를 빨게 된 장치).

hooked [hukt] a. ① 갈고리 모양의; 혹이 달린. ② 《俗》마약 중독의.

hook·er [hukər] n. ⓒ 도둑, 사기꾼; 독한 술; 매춘부; 〖럭비〗 후커.

hook·nose n. ⓒ 매부리코; 《美俗·蔑》유대인.

hook·up n. ⓒ 배선[접속]도; (방송) 중계; 《口》제휴, 천선.

hóok·wòrm n. ⓒ 십이지장충.

hook·y [húki] a. 갈고리의, 갈고리 같은(많은). — n. Ⓤ《美》학교를 빼먹음. play ~ 학교를 빼먹다.

hoo·li·gan [húːligən] n. ⓒ 깡패, 불량배.

:hoop [huːp] n. ⓒ ① 테, 굴렁쇠. ② (스커트를 벌어지게 하는) 버팀테. ③ (체조용의) 후프. ④ 《croquet의》 기둥문. ⑤ (양궁에서 맞을 드리우는) 쇠테. go through the ~s 《口》고생하다. 《口·…에》테를 메다[두르다]; 둘러싸다. ~·er n. 통장수. 《口·蔑》평론가.

hoop·la [húːplɑ:] n. Ⓤ 고리던지기 놀이; 《口》대소동, 과대 선전.

hoo·ray [hu(:)réi] int., n., v. = HURRAH.

:hoot [huːt] vt., vi. ① 야유하다. ② (올빼미가) 부엉부엉 울다. ③ 《주로 英》 (기적·나팔 따위가) 울리다. — n. ⓒ ① 야유하는 소리, 올빼미가 우는 소리. ② (기적·나팔 등이) 울리는 소리. ③ 《口》《부정문에서》 조금도. ~ out 《口·부정문에서》.

Hoo·ver [húːvər] n., vt. 《英口》진공 청소기(상표명); (h-) 진공 청소기[로 청소하다].

:hop¹ [hɔp/-ɔ-] vi. 《口》① 뛰다(about, along). ② 《口》춤추다. ③ 이륙하다(off). — n. 《口》① 앙감질, 뜀. ② 도약. ③ 《口》무도(회). ~, step [skip] and jump 세단뛰기.

hop² [hɔp] n. ① 《植》호프. ② (pl.) 열매《맥주에 쓴 맛을 냄》. ③ Ⓤ《俗》마약, 아편. — vt., vi. 《-pp-》호프로 맛을 들이다; 흄으로 맛을 내다.

H

†**hope** [houp] n. ① U.C 희망, 기대. ② C 유망한 사람(것), 호프. — vt., vi. 희망(기대)하다. ~ **against** ~ 요행을 바라다. **for the best** 낙관하다. **I ~ not.** 아니라고 생각하다.

hope·ful [´-fəl] a. 유망한, 희망찬. — *young* ~ 장래가 촉망되는 청년; (反語) 싹수가 노란 젊은이. *~ **·ly** ad.* ~**·ness** n.

‡**hope·less** [´-lis] a. 희망(가망) 없는; 절망의. *~ **·ly** ad.* ~**·ness** n.

hop·per [hápər/-5-] n. C (껑충) 뛰는 사람(벌레); (제분기 따위의) 큰 깔대기 모양의 투입구; (漏) 행거루.

hóp·scòtch [-] n. U 돌차기 놀이.

horde [hɔːrd] n. ① 유목민의 무리. ② 군중, 큰 무리(떼).

ho·ri·zon [həráizən] n. C ① 수평선, 지평선. ② 한계, 범위; 시계(視界), 시야. *enlarge one's ~* 안목 (식견)을 넓히다. *on the ~* 수평선 위에; (사건 등이) 임박하여; 분명해지고 있는.

hor·i·zon·tal [hɔ̀ːrəzɑ́ntl/hɔ̀rə-zɔ́n-] a. 지평선의; 수평의; 가로와 의; (opp. *vertical*) 평면의; 평행한. — n. 지평선, 수평선, 수평위치. ~**·ly** ad.

hor·mone [hɔ́ːrmoun] n. C 生化 호르몬.

horn [hɔːrn] n. ① C 뿔(모양의 것); U 뿔(질로서의) 뿔. ② C 뿔의 촉각. 촉수. ③ C 뿔(제품); 각적(角笛); 혼른, 경적. ④ (the H-) 뿔 *Hórn* 남아메리카의 남단. *draw* (*pull*) *in one's ~s* 슬그머니 기죽은 소리를 하다, 의기소침해지다. *~ of plenty* = CORNUCOPIA. *on the ~s of dilemma* 딜레마(진퇴유곡)에 빠져서. — vt., vi. ① 뿔로 받다. ② 뿔이 나다(돋치다). ③ 美口 주제넘게 나서다(*in*).

hórn·bèam n. C 植 서나무.

horned [hɔːrnd, (詩) hɔ́ːrnid] a. 뿔이 있는.

hor·net [hɔ́ːrnit] n. C 植 말벌의 일종; 귀찮은 사람. *bring a ~'s nest about one's ears* 큰 소동을 일으키다; 많은 원수를 만들다.

horn·y [hɔ́ːrni] a. 뿔의, 뿔 있는

각질(角質)의, 단단(딱딱)한; (俗) 호색(好色)의.

hor·o·scope [hɔ́ːrəskòup/hɔ́r-] n. C 점성(占星); (점성용) 천궁도(天宮圖), 12궁도. — [무리로].

hor·ren·dous [hɔːréndəs/hɔr-] a. 무서운.

hor·ri·ble [hɔ́ːrəbl, -á-/-5-] a. 무서운; 끔찍한. *~ **·bly** ad.*

hor·rid [hɔ́ːrid, -á-/-5-] a. = 소.

hor·ri·fy [hɔ́ːrəfài, -á-/-5-] vt. 무섭게 하다, 소름 끼치게 하다. *-fi·ca·tion* [hɔ̀ːrəfikéiʃən/-ɔ̀-] n. *~**·ing** a.* 소름 끼치는; 어이없는.

:**hor·ror** [hɔ́ːrər, -á-/-5-] n. ① U 공포. ② (a) 혐오. ③ C 무서운 것(사람·사건); 형편 없는 것, 열등품. — a. (소설·영화 등) 오싹끼치게 하는; 전율적인.

hórror-stricken, -struck a. 공포에 질린.

hors d'oeu·vre [ɔːr də́ːrv] (F.) [料理] 오르되브르, 전채(前菜).

‡**horse** [hɔːrs] n. ① C 말(cf. *mare*), 씨말. ② U (集合的) 기병(cf. *foot*). ③ C 体操 안마. ④ (보통 *pl.*) 다리가 있는 물건걸이, 받침. ⑤ (美俗) 마력 (crib). *entire ~* 씨말. *light ~* 경기병(輕騎兵). *look a gift ~ in the mouth* 남에게서 받은 선물의 트집을 잡다(받은 그 이로 나이를 판단한다는 데서). *mount* (*ride*) *the high ~* 으스대다. *play* (아이가) 말로 알고 타다(*with*). *play ~ with ~* 을 우롱하다; 매질하다, 무시하다. *pull the dead ~* 선불받은 임금 때문에 일하다. (*straight*) *from the ~'s mouth* (俗) (뉴스·속보(速報)가) 확실한(믿을 만한) 소식통에서(직접). *take* ~ 말을 타다, 말을 빌리다; (암말이) 교미하다. *talk ~* 허풍떨다. *To ~!* (구령) 승마! — vt. (수레에) 말을 달다; 말에 태우다; 혹사하다. — vi. 승마하다; (말이) 말에 달리다.

hórse·bàck n. U 말의 등(*on* ~ 말을 타고).

hórse bòx 말 운반용 화차.

hórse chéstnut [植] 마로니에.

hórse·flèsh n. U 말고기; (集合的) 말.

hórse flý [蟲] 등에, 말파리. 말.

hórse·hàir n. U 말총(갈기 및 꼬

리); 마소직(馬巢織).

:**horse·man** [⌐man] *n.* ⓒ ① 승마자, 기수. ② 기병. ③ 마술가(馬術家). ~·**ship**·[-ʃip] *n.* Ⓤ 마술.

hórse·play *n.* Ⓤ 야단법석. ~·**er** *n.* ⓒ 장난꾼.

hórse·pówer *n. sing. & pl.* 마력(馬力)(1초에 75kg을 1m 올리는 일을의 단위).

hórse ràce 경마. [「내」.

horse·ràdish *n.* 〔植〕 양고추 [C,U]

hórse sènse (口) (어설픈) 상식.

hórse·shòe *n., vt.* ⓒ 편자(를 박다); 〔動〕 ~ **cráb** 참게.

hórse-tràding *n.* Ⓤ 사기.

hórse-whìp *n., vt.* (-pp-) ⓒ 말채찍(으로 치다); 징계하다.

hórse·wòman *n.* ⓒ 여기수.

hors·(**e**)**y** [-i] *a.* 말의, 말 같은; 말을(경마를) 좋아하는; 기수 같은.

hor·ti·cúl·ture [hɔ́ːrtəkλ̀ltʃər/-ti-] *n.* Ⓤ 원예(술). **-túr·al** [⌐tʃǝrəl] *a.* 원예(상)의. **-túr·ist** [⌐tʃǝrist] *n.* ⓒ 원예가.

hose [houz] *n.* (*pl.* ~) ① (집합적) 긴 양말. ② Ⓤ,ⓒ (*pl.* ~**s**) 호스. — *vt.* ① 긴 양말을 신기다; 호스로 물을 끼얹다.

ho·sier [hóuʒər] *n.* ⓒ (메리야스·양말 등의) 양품상(商)〔사람〕. ~·**y** [-ri] *n.* Ⓤ (집합적) 양품류; 양품업.

hos·pice [háspis/-s-] *n.* ⓒ (교회 단체가) 경영하는 숙박소.

†**hos·pi·ta·ble** [háspitəbəl/-s-] *a.* ① 극진한, 따뜻하게 대접하는. ② (새로운 사상 따위에) 기꺼이 받아들이는 (*to*). **-bly** *ad.*

†**hos·pi·tal** [háspitl/-s-] *n.* ⓒ 병원; be in (the) ~ 입원하고 있다. be out of the ~ 퇴원해 있다. go into ~ 입원하다. leave ~ 퇴원하다. ~·**ize**[-àiz] *vt.* 입원시키다.

:**hos·pi·tal·i·ty** [hàspætǽləti/hɔs-pi-] *n.* Ⓤ 친절한 대접, 환대, 후대.

:**host**¹ [houst] *n.* ⓒ ① (손님에 대하여) 주인; (여관의) (남자) 주인. ② 〔生〕(기생 생물의) 숙주(宿主). **reck-on** [count] **without one's** ~ 멋대로 치부(판단)하다.

host² *n.* ⓒ ① 많은 떼, 많은 사람, 다수. ② (古) 군세(軍勢). **heaven-** **ly** ~**s**, **or** ~(**s**) **of heaven** 하늘의 별; 천사의 떼.

:**hos·tage** [hástidʒ/-s-] *n.* ⓒ 볼모; 저당, ~ **to fortune** 언제 잃을지 모르는 (딸들인) 것《처·재산 따위》.

:**hos·tel** [hástəl/-s-] *n.* ⓒ ① 호스텔《여행하는 청년들을 위한 숙박소》. ② 〔英〕의 기숙사. ③ (古) 여관. ~·**ry** [-ri] *n.* ⓒ (古) 여관.

:**host·ess** [hóustis] *n.* ⓒ ① 여주인 (연회석 따위의) 주부역(host의 여성). ② 스튜어디스; 여급. ③ (여관 의) 여주인.

:**hos·tile** [hástil/hástail] *a.* ① 적의, 적의 있는, 적대하는. ② 적(敵)의.

:**hos·til·i·ty** [hastíləti/hɔs-] *n.* ① Ⓤ 적의, 적대, 저항; 전쟁 상태. ② (*pl.*) 전쟁 행위(open (suspend) hos-tilities 전쟁을 시작하다(휴전하다)).

:**hot** [hat/ɔ-] *a.* (**-tt-**) ① 뜨거운 (더운). ② 매운; (빛깔이) 강렬한. ③ 열렬한, 열심인; 격한; 격렬한. ④ 호색적인; 스릴에 찬, 흥분시키는. ⑤ (뉴스 따위) 최신의, 아주 새로운. ⑥ (요리가) 갓 만든. ⑦ (美俗) 인기・경기가) 훌륭한. ⑧ (俗) 갓 훔친(~ *goods* 장물). ⑨ 〔재즈〕열광적인(즉흥적으로 변주하는). ⑩ (고) 전류의(가 통하는); 방사능을 띤(~ *wire* 고압선). BLOW¹ ~ **and cold. get it** ~ 호되게 야단 맞다. **give it** ~ 몹시 꾸짖다. ~ **and heavy (strong)** 몹시, 호되게. ~ **and** ~ 갓 만든, 따끈따끈하게. ~ **under the collar**(俗) 노하여. **in** ~ **blood** (열화같이) 노하여. ~ **with anger** 몹시 노하여. **make it too** ~ **for** (a person) = **make** a place **too** ~ **for** a person (아무를 방해하거나 지분거려) 못견디게 만들다. — *vt., vi.* (**-tt-**) (英口) (식은·음식물을) 데우다(up); 격화하다; (배・자동차의) 속도를 더 내다(up). ~·**ly** *ad.* ~·**ness** *n.*

hót àir (俗) 잠담; 허풍.

hót-bèd *n.* ⓒ 온상(溫床).

hót-blóoded *a.* 노하기(흥분하기) 쉬운; 앞뒤를 돌보지 않는, 무모한; 정열적인; (가축이) 혈통이 좋은.

hót càke 핫케이크. **sell** (**go**) **off**

H

like ~s 날개 돋치듯 팔리다.

hotch-potch [hátʃpàtʃ/hɔ́tʃpɔ̀tʃ] *n.* ⓤ 잡탕찜; 《英》뒤범벅.

hót cròss bún 십자가가 그려 있는 빵(Good Friday에 먹음).

hót dòg 핫 도그(뜨거운 소시지를 낀 빵).

ho·tel [houtél] *n.* ⓒ 호텔, 여관.

hót-fóot *ad., vi.* 부리나케 (가 다). 《美》급히 가다[오다].

hót-héad *n.* ⓒ 성급한 사람. [다].

hót-héaded *a.* 성급한, 격하기 쉬 운; **~·ly** *ad.* **~·ness** *n.*

hót-house *n.* ⓒ 온실; 온상.

hót line 긴급 직통 전화선; (the ~) 미소 수뇌간의 직통 전용 텔레타 이프선.

hót pláte 요리용 철판; 전기[가스] 풍로; 음식물 보온기; 전열기.

hót pòt 《주로 英》쇠고기·양고기와 감자를 찐 요리.

hót potáto 《英》껍질채 구운 감자; 《美口》난처[불쾌]한 상태[문제].

hót seàt 《美口》전기 의자; 곤란한 입장.

hót-shòt *n.* ⓒ《俗·反語》수완가; 소방사; 급행 화물 열차.

hót spòt 분쟁 지역; 환락가.

hót spring 온천.

hót stúff 《俗》정열가, 정력가; 대 단한 것(사람). [른.

hót-témpered *a.* 성미급한, 성마

hót-wáter bàg [**bòttle**] 탕파(湯婆).

hound [haund] *n.* ⓒ ① 사냥개; 개. ② 비열한 자. ⓒ ① 무엇인가에 열중하는 사람. **follow the ~s, or ride to ~s** 사냥개를 앞세워 말 타고 사냥하다. —— *vt.* ① 사냥개로 사냥하다. ② 맹렬히 쫓다. ③ (부) 추기다, 격려하다(*on*).

hour [auər] *n.* ① 한 시간[의 노 정·거리]. ② 시각, 시, 시. ③ (*pl.*) 영업 [집무·기도] 시간(*after ~s*). *after ~s* 정규 업무시간 후에, **at all ~s** 언제든지. **by the ~** 시간제로. **every ~ on the ~** 매 정시[1시, 2시, 3시…]에. **in an evil ~** 나쁜 때에, **in the ~ of need** 정말 필요할 때에. **keep bad** [**late**] **~s** 밤샘하고 늦잠 자다. **keep good** [**early**] **~** 일찍 자고 일찍 일어나다.

of the ~ 목하[현재]의(*a man of the ~* 당대의 인물). **out of ~s** 근 무 시간 외에. **take ~s over** (…에) 몇 시간이나 걸리다. **the small ~s** 자정부터 오전 3·4시경까지, 야밤 중, **till** [**to**] **all ~s** 밤늦게까지. **to ~** 제 시각에. **What is the ~?** =What time is it? '**·ly** *a., ad.* 한 시간마다 [의]; 빈번한 [히].

hóur-glàss *n.* ⓒ 각루(刻漏)[모래 [돌]시계 따위].

hóur hànd 시침(時針).

house [haus] *n.* (*pl.* **houses** [háuz- iz]) ⓒ ① 집, 가옥; 집안, …가(家) (the H- of Windsor 윈저가(家)(지금의 영국 왕가)). ② 건물, 상점, 회사. ③ 회관; 극장; 집(합체)⑪ 관객, 청중. ④ 의사당, (H-) 의회. ⑤ (the H-) 《英口》증권 거래소. ⑥ ⓤ 궁(宮), 성수당(星宿). ⑦ 《英》= HOUSEY-HOUSEY. *a ~ of call* 단 골집. *bring down the (whole)* ~ (口) 만장의 대갈채를 받다. *clean* ~ 집을 정리하다; 숙청하다. *empty* ~ (극장의) 입장자가 적음. *from ~ to ~* 집집마다. *full ~* 대만원. *~ and home* 가정. *~ of cards* (어 린이가) 카드로 지은 집; 위태로운 계 획. *~ of correction* (경범) 교정 원. *~ of God* 교회, 예배당. *~ of ill fame* 청루(青樓), 갈봇집. *Houses of Parliament* 《英》의사당. *keep a good ~* 호화로운 생 활을 하다. *keep ~* 가정을 갖다, 살 림살이를 맡다. *keep the ~* 집에 들어박히다. *like a ~ on fire* 맹렬히, 빨리. *on the ~* 사업주가 부담하는, 무료의. *play at ~* (兒) 소 꿉장난하다. *the H- of COMMONS* [LORDS, REPRESENTATIVEs]. — [hauz] *vt.* ① 집에 들이다, 숙박 시키다, 수용하다. ② 넣다. ③ 《建》 끼우다, 박다. — *vi.* ① 안전한 곳에 들다. ② 묵다, 살다.

hóuse arrèst 자택 감금, 연금.

hóuse·bòat *n.* ⓒ (살림하는) 집 배. (숙박 설비가 된) 요트.

hóuse·brèak *vi.* (**-broke**, **-bro-ken**) (대낮에) 침입 강도질을 하다. **~·er** *n.* ⓒ (가택) 침입 강도; **~·ing** *n.* ⓤ 가택 침입, 침입 강도질[죄].

H

hóuse·bróken, -bróke *a.* 집안에서 길러 길이 든.

hóuse·fùl *n.* ⓒ 집안에 가득함.

hóuse·hòld *n.* ⓒ ① 〖집합적〗 가족(의); (고용인도 포함하는) 온 집안 사람. ② 가사의, 가정의. ③ (the H-) 〖英〗왕실.

hóuse·hòlder *n.* ⓒ 가장, 세대주.

hóusehold wórd 흔히 잘 쓰이는 말[숙담, 관용].

hóuse·kèeper *n.* ⓒ 주부; 가정부; 하녀 우두머리.

hóuse·kèeping *n.* ⓤ 가계.

hóuse·màid *n.* ⓒ 가정부.

hóuse·màster *n.* ⓒ (남자 기숙사의) 사감.

hóuse pàrty (별장 따위에서의 수일에 걸친) 접대 연회; 그 체재객들.

hóuse·ròom *n.* ⓤ 집(가옥)의 수용력; 숙박.　　　　［호별의.

hóuse-to-hóuse *a.* 집집마다의.

hóuse·tòp *n.* ⓒ 지붕. **proclaim from the ~s** 널리 알리다[선전하다].

hóuse·wàrming *n.* ⓒ 집들이.

hóuse·wìfe *n.* ⓒ ① 주부. ② [házif] (*pl.* **~s, -wives**[-ivz]) 반짇고리. **~·ly** *a.* 주부다운; 검소한.

hóuse·wòrk *n.* ⓤ 가사, 집안일.

hous·ing[háuziŋ] *n.* ① ⓤ 주택 공급(계획). ② ⓤ 〖집합적〗집·주택. ③ ⓒ 〖機〗 가구[架構].

hous·ing[háuziŋ] *n.* (종종 *pl.*) 마의(馬衣), 말의 장식.

hóusing devèlopment 〖英〗 **estáte** 집단 주택(용지), 단지(團地), 계획 주택[아파트]군(群).

hove[houv] *v.* heave의 과거(분사).

hov·el[hával, háv-] *n.* ⓒ 오두막집, 광, 헛간. ── *vt.* (*-ll-*) 〖廢〗 오두막집에 넣다.

hov·er[hávər, háv-] *vi.* ① 하늘을 날다(*about, over*). ② 배회[방황]하다, 어정거리다; 주저하다.

Hov·er·craft[-kræft, -krὰːft] *n.* ⓒ 〖商標〗 호버크라프트(고압 공기를 분출하여 기체를 띄워 달리는 탈것) (*ground effect machine*).

how[hau] *ad.* ① 〖수단·방법〗 어떤 식[모양]으로, 어떻게 하여, 어떻게. ② 〖정도〗 얼마만큼; 얼마나. ③ 〖감

탄문으로〗참으로(*H- hot it is!*), ④ 〖상태〗 (건강·날씨 따위가) 어떤 상태로(*H- is she* 〖*the weather*〗*?*), ⑤ …하다는 것(that)(*I taught the boy ~ it was wrong to tell a lie.* (구의) 이것은 'that'보다도 impressive 한 용법; 그러나 howclause 중에는 'that'을 포함하고 있지 않은 때는 다름: *She told me ~ sh had read about it in the papers.* ⑥ 〖관계 부사로서〗…만큼. 것도로. **and ~** (ⓤ) 대단히. **H-!** 〖美〗뛰라고요? 한번만 더 말씀해 주세요((美)). What?). **H- about ...?** …에 관해서 어떻습니까. **H- are you** 안녕하십니까〖인사말〗. **H- do you do?** 안녕하십니까; 〖초면의 인사서〗 처음 뵙겠습니다. **H- do** 〖*did you like it?* 감상은 어떠하십니까느끼신 감상은? **H- much is it?** (ⓤ은) 얼마입니까. **H- now** 〖*then*〗 이는 어찌된 일일까. **H- say you** 자네의 의견은? **H- so?** 어째서 그런가, ── *n.* (the ~) 방법. **the ~ and the why of it** 그 방법과 이유.

how·èver[hauévər] *ad.* ① 아무리 …일지라도. ② 도대체 어떻게 해서(*H- did you do it?*). ── *con,* 그렇지만.　　　　　　　［사포.

how·itz·er[háuitsər] *n.* 〖軍〗 곡

howl[haul] *vi.* ① 〖개·늑대〗따위가 소리를 길게 배어 짖다, 멀리 짖다. ② (사람이) 크게 울부짖다, 큰소리를 내다. ③ (바람이) 윙윙 휘몰아치다. ── *vt.* ① 울부짖으며 말하다(*out, away*). ② 호통쳐서 침묵시키다(*down*). ── *n.* ① 〖개·늑대〗 짖는 소리; 신음소리; 불평, 반대. **~·er** *n.* ⓒ 짖는 짐승; 〖動〗 짖는 원숭이; 큰 소리를 내는 것(사람·라디오 따위); 큰 실수. **~·ing** *a.* 울부짖는; 쓸쓸한; 《口》 터무니 없는; 대단한.

H.P. = hire-purchase. **HP, hp, h.p.** horsepower. **HQ, H.Q.,** **hq, hq.** headquarters. **hr** hour(s). **H.R.H.** His 〖*or* Her〗 Royal Highness.

hub[hʌb] *n.* ⓒ 바퀴통《수레바퀴의

중심); 중심(부); 【전】 허브(몇 개의 장치가 접속된 장치); (the H-) Boston 시의 별칭.

hub·bub[hʌ́bʌb] *n.* (보통 a ~) 와자지껄, 소란.

hub·by[hʌ́bi] *n.* (口) = HUSBAND.

huck·ster[hʌ́kstər] *n.* ① 소상인, 행상인; ② (돈에 따라운) 상인, 《美口》선전(광고)업자. —*vi., vt.* 자그마하게 장사하다, 외치며 팔다, 도부치다; 값을 깍다. ~·**ism**[-izəm] *n.* ① 행상, 도부.

hud·dle[hʌ́dl] *vt.* ① 뒤죽박죽 섞어 모으다(처럼이, 쌓아 올리다(*together, into*). ② 되는 대로 해치우다(*up, through*). ③ 급히 입다(*on*). —*vi.* 붐비다, 떼지어 모이다(*together*). ~ **oneself up, be ~d up** 몸을 움츠리다(곰송그리다). —*n.* ① 혼잡, 난잡. ② 군중. ③ 밀담. ④ 《美式蹴》(다음 작전 지시를 위한) 선수의 집합. **go into a ~** 밀담하다.

hue[hju:] *n.* ① (UC) 빛깔, 색채; 색조. ② 특색.

hue[hju:] *n.* ① 고함, 외침(소리)(*outcry*). **a ~ and cry** 추적(공격)의 함성; 비난(탄핵)의 소리.

huff[hʌf] *vt.* 못살게 굴다, 을러대다; 성나게 하다; (checker에서) 나가 버린 말을 잡다. —*vi.* 성내다; 뽐내다. —*n.* (sing.) 분개, 화. **take ~** 성내다, 화내다. ~·**ish, ~·y** *a.* 성난, 성깔 기는; 성마른.

hug[hʌg] *vt.* (*-gg-*) ① (꼭) 껴안다. ② (편견 따위를) 고집하다. ③ (…에) 접근하여 지나가다. —*n.* ① 꼭 껴안음; 《레슬링》 끌어안기.

huge[hju:dʒ] *a.* 거대한, 막대한. ~·**ly** *ad.* 거대하게, 대단히.

huh[hʌ] *int.* ① 홍, 후, 허어, 뭐라고(놀람·경멸·의문 따위를 나타냄).

hulk[hʌlk] *n.* ① 노후선, 폐함(창고·숙사(艦舍)로 쓰인); 멋없이 큰 [거인·배 등]. ~·**ing** *a.* 부피 큰; 멋없는, 볼품 없는.

hull[hʌl] *n.* *vt.* ① 껍데기(껍질·깍지) (를 제거하다). ② 닥겨내다 (벗기다).

hull *n.* ① 선체(마스트나 돛은 포함하지 않음); (비행정의) 정체(艇體).

~ **down** (돛대만 보이고) 선체가 수평선 밑에 있어 보이지 않을 정도로 멀리. —*vt.* (탄알로) 선체를 꿰뚫다.

hul·la·ba·loo[hʌ̀ləbəlú:, ⌐⌐⌐⌐] *n.* 큰 소란.

hul·lo(a)[hʌlóu, hʌ́lòu] *int., n.* 《주로 英》= HELLO.

hum[hʌm] *vi.* (*-mm-*) ① (벌·팽이 가) 윙윙거리다, 윙 울리다. ② 우물우물 말하다. ③ 콧노래를 부르다, 허밍으로 노래하다. ④ (불만스런 듯이) 흥하다. ⑤ (사업이) 경기가 좋다. — *vt.* (a baby) **to sleep** 콧노래를 불러 (아기를) 잠들게 하다. — **and ha [haw]** (대답에 궁하여) 말을 우물우물 말하다; 머뭇거리다. **make things ~** 경기를(활기를) 띠게 하다. —*n.* ① (*sing.*) 붕, 윙윙; 멀리서 들려 오는 소음. ② (라디오의) 험; 음(마는 소리)(방설일 때의). —[m; m:] *int.* 흠! 응! (당혹·놀람·의혹의 기분으로.)

hu·man[hjúːmən] *a.* ① 사람의, 인간의, 인간적인. ② 인간에게 있기 쉬운(*To err is ~, to forgive DIVINE.*). ~ **affairs** 인간사. ~ **being** 인간. **less than** ~ 벗어나서. **more than** ~ 초인적이어서. —*n.* 사람.

hu·mane[hjuːméin] *a.* ① 인정 있는, 친절한. ② 사람을 고상하게 만드는; 우아한. ~ **studies** 인문과학. ~·**ly** *ad.* ~·**ness** *n.*

hu·man·ism[hjúːmənìzəm] *n.* (U) ① 인문주의. ② 인문학(연구). ③ 14-16세기의 그리스·로마의 고전 연구); 인도주의. ***-ist** *n.* **-is·tic** [⌐⌐⌐tik] *a.* 인문(연구)주의의.

hu·man·i·tar·i·an [hju:mænətέəriən] *a.* ① 인도주의의, 박애의. ② 인도(박애)주의의. ~·**ism** [-izəm] *n.*

hu·man·i·ty[hju:mǽnəti] *n.* (U) ① 인간성, 인성. ② 《집합적》 인류, 인간, 인류애. ③ (*pl.*) 사람의 속성, ④ 인간애, 자비. ⑤ 자선 행위, 친절. **the humanities** 그리스·라틴 문학, 인문 과학 (어학·문학 등을 말함).

hu·man·ize[hjúːmənàiz] *vt., vi.* 인간답게 하다(되다), 교화하다(되다),

인정 있게 만들다[되다].

húman·kind n. ① [집합적] 인류.

hu·man·ly [hjúːmənli] ad. 인간답게; 인력으로써; 인간의 판단으로. *be ~ possible* 인간의 힘으로 할 수 있다.

hu·man·oid [hjúːmənɔ̀id] a. 인간에 근사한. — n. ⓒ 원인(原人). (SF 소설에서) 인간에 유사한 우주인.

:**hum·ble** [hʌ́mbl] a. ① [신분이] 비천한; (스스로를) 낮추는, 겸손한. ② (식사 따위) 검소한. *eat ~ pie* 굴욕을 참다. — vt. [품위·지위 따위] 천하게[떨어지게] 하다, 욕을 보이다. 창피를 주다. — *oneself* 스스로를 낮추다. ***·bly** ad. (스스로를) 낮추고, 겸손히. **~·ness** n.

hum·bug [hʌ́mbʌ̀g] n. ① [U] 협잡, 속임수; 아바위. ② ⓒ 사기꾼, 협잡꾼. — vt. (*-gg-*) 속이다. 협잡하다. — vi. 속임수를 쓰다. — int. 엉터리! 시시하다! ***·ger·y** [U] 속임(수), 협잡, 사기.

hum·drum [hʌ́mdrʌ̀m] n., a. ① [U] 평범(한), 단조(로운). ② ⓒ 지루한 [이야기·일 따위].

hu·mer·us [hjúːmərəs] n. (pl. *-meri* [-merài]) ⓒ [解부] 상완골(上腕骨).

hu·mid [hjúːmid] a. 습기 있는, 눅눅한. ***·i·fy** [-əfài] vt. 습기 있게 하다, 축축하게 하다. **~·i·ty** [-əti] n. ① 습기, 눅눅함.

hu·mil·i·ate [hjuːmílièit] vt. 욕보이다. 창피를[창피를] 주다, *-at·ing* a. 굴욕적인. ***·a·tion** [—∸éiʃən] n. [U.ⓒ] 부끄러움(을 줌), 창피[줌], 굴욕.

hu·mil·i·ty [hjuːmíləti] n. [U] 겸손.

húmming-bird n. ⓒ [鳥] 벌새.

hum·mock [hʌ́mək] n. ⓒ 작은 언덕.

:**hu·mor·ous**, (英) *-mour-* [hjúːmərəs] a. 해학적인, 익살맞은, 유머러스한, 우스운, 희극적인. **~·ly** ad. **~·ness** n.

hump [hʌmp] n., vt. ① (등의) 혹, 융기(肉峰). ② (the ~)(美)(英俗) 우울, 화가 남. ③ (등을) 둥그렇게 하다 (*up*). *get the ~* (英) 화를 내다. — *oneself* (美口) 노력하다, 열심히 하다. **∠·y** a. 혹 모양의, 혹이 있는.

hu·mus [hjúːməs] n. (L.) [U] 부식토.

hunch [hʌntʃ] n. ⓒ ① 육봉(肉峰), 혹. ② 두꺼운 조각, 덩어리. ③ (美口) 예감, 육감. — vt. (등 따위를) 구부리다 (*out, up*).

húnch·bàck n. ⓒ 곱사등이.

:**hun·dred** [hʌ́ndrəd] a. 백(사람·개)의, 많은. — n. ① [U] 백, 백 사람[개]; (~s) 다수, 많음. ② (the ~) 백부터 경주; ③ (美口) 백 달러; (英口) 백 파운드. *by ~s* 몇 백씩고, 많이. *a great* [*long*] ~ 백 이십. *~s and thousands* 몇십만, 무수; 굵은 설탕. *like a ~ of bricks* (口) 대단한 무게[기세]로. *~·fold* [-fòuld] a., ad. 백 배의(로). **~th* n., a. ⓒ (보통 the ~) 제(第) 100(의), 100 번째의; ⓒ 100분의 1의.

húndred·wèight n. ⓒ 무게의 단위(美= 110 lb., 英= 112 lb.; 생략 cwt.).

hung [hʌŋ] v. hang 의 과거(분사).

hun·ger [hʌ́ŋgər] n. ① ⓒ 굶주림, 공복. ② (a ~) 갈망(*for, after*). *die of ~* 굶어 죽다. — vi., vt. ① 굶주리(게 하다). ② 갈망하다(*for, after*).

húnger mèrch (英) 기아 행진(실업자의 데모 행진).

húnger strike 단식 투쟁.

hun·gry [hʌ́ŋgri] a. ① 굶주린, 공복의, 배고픈. ② 갈망하는(*after, for*). ③ (토지가) 메마른. **hún·gri·ly** ad. 굶주린 듯이, 게걸스럽게.

hunk [hʌŋk] n. ⓒ ① (빵 따위의) 두꺼운 조각; (美俗) 훌륭한 사람.

:**hunt** [hʌnt] vt. ① 사냥하다; (개·말) 사냥에 쓰다. ② 몰이하다, 찾다 (*up, out*). ③ 추적하다; 쫓아 버리다 (*out, away*). ④ 괴롭히다, 박해하다. — vi. ① 사냥을 하다. ② 찾아내다, 추구하다 (*after, for*). — *down* (긍지 따위에) 몰아넣다. — *up* 찾아내다. — n. ① 사냥; 수렵대(隊)(회·지(地)); 탐색.

hunt·er [hʌ́ntər] n. ⓒ ① 사냥꾼 사냥개, ② 탐구자(*a fortune ~* 재산을 노리고 구혼하는 사람). ③ (英) 딱지 회중 시계.

:hunt·ing[hʌ́ntiŋ] n. ⓤ ① 사냥. ② 탐색, 추구.

húnting ground 사냥터.

húnts·man[-smən] n. (pl. -men) ⓒ 사냥꾼; 사냥개지기.

hur·dle[hə́ːrdl] n. ⓒ ① (울타리 대용의) 바자. ② (장애물 경주의) 허들; (the ~s) 장애물 경주. ③ 장애. **high**(**low**) **~s** 고(저) 장애물 경주. — vt. (장애·곤란을) 뛰어 넘다. **húr·dler** n. ⓒ 허들 선수.

hur·dy-gur·dy[hə́ːrdiɡə̀ːrdi:] n. ⓒ 손잡이를 돌려서 타는 악기.

hurl[hə́ːrl] vt, vi. ① (…에게)(내) 던지다, 내던짐. ② (욕을) 퍼붓다[퍼 붓음]. **~ing** ⓤ 던짐; 헐링[아일 랜드식 하키].

hur·ly-bur·ly[hə́ːrlibə̀ːrli] n. ⓤ 혼란, 혼잡, 소동.

:hur·rah[hərɑ́ː, -rɔ́ː/hurɑ́ː], hur·ray[huréi] int, vi, n. ⓒ 만세!(하 고 외치다[외치는 소리]). — vt. 환 호하여[환호성으로] 맞이하다.

hur·ri·cane[hə́ːrəkèin/hʌ́rikən] n. ⓒ ① 폭풍, 허리케인; (열대의) 구풍(颶風). ② (감정의) 격발, 폭발. (H-)〈美〉 〔軍〕 허리케인 전투기.

húrricane lamp (**lántern**) 강 풍용 램프.

hur·ried[hə́ːrid, hʌ́rid] a. 매우 급 한; 재촉 받은다, 허둥대는; **~·ly** ad. 매우 급히.

hur·ry[hə́ːri, hʌ́ri] n. ⓤ (매우) 급 함[서두름]. **in a** ~ 급히, 서둘러 서, 허둥대어; 《부정문에서》 쉽사리; 《부정문에서》 자진해서, 기꺼이. — vi, vt. (…에게) 서두르게 하다. **H- up!** 서둘러라!; 꾸물거리지 마라!

hurt[hə́ːrt] n., vt., (hurt) 〈U.C〉 (…에게) 상처를 입히다, 부상을 입 히다, 다치다. ② (…에게) 고통을 끼 주다. — vi. 아프다, 느낌 ~ **feel** 이 ~ 불쾌 하게 생각하다, 감정을 상하다; ~ **oneself** 다치다. **~·ful** a. 해로운. **~·ful·ly** ad. **~·ful·ness** n.

hur·tle[hə́ːrtl] vi. (돌·화살 따위가) 부딪치다,

:hus·band[hʌ́zbənd] n. ⓒ 남편. 《古》절약가. **good** ~ 검약가. ② 절약하다〔 ~ 남편 이 되다. **~·man** n. ⓒ 농부. **~·ry**

n. ⓤ 농업; 절약(*bad* ~*ry* 규모 없 는 살림살이).

hush[hʌ́ʃ] n., vi, vt. 〈U.C〉 침묵하 다, 시키다. 고요(해지다, 하게 하다). 쉬 해버리다 〈vi.〉 입 밖에 내지 않는다. — int. 쉿!

húsh-húsh a. 내밀(의), 극비(의).

húsh móney 입막음 돈.

husk[hʌ́sk] n. ⓒ ① (과실·옥수 수의 겉꺼풀) 껍질[을 벗기다]. ② (일반적으로) 쓸 데 없는 외피.

husk·y[hʌ́ski] a. ① 깍지의(와 같 은, 가 많은). ② 쉰 목소리의;《재 즈 싱어의 목소리가》 허스키[husky voice]가 ③ 〈美口〉 억센, 실팍진. — n. ⓒ 〈美口〉 실팍한 사람, **húsk·i·ly** ad. 쉰 목소리로, 허스키[보이스]로. **húsk·i·ness** n.

husk·y[hʌ́ski] n. ⓒ 에스키모 개; (H-) 에스키모 사람.

hus·sar[huzɑ́ːr] n. ⓒ 경기병(輕騎兵).

hus·sy[hʌ́si, -z-] n. ⓒ 말괄량이.

hus·tings[hʌ́stiŋz] n. sing. & pl. 《英》(국회의원 선거의) 연단(演壇).

hus·tle[hʌ́sl] vi, vt. ① 힘차게 밀다[서로 떠밀다]. ② 서두르다. ~ (vi.)《美口》맹렬히[정력적으로] 일하 다. — n. 〈U.C〉 서로 떠밀기; 서두 름; 《口》정력. **hús·tler** n. 《美》세 게 미는 사람; (H-) 《美》적극적인 활동 가; (H-) 《美》〔로켓〕 추진 엔진.

hut[hʌ́t] n., vi, vt. (-**tt**-) ① 오두 막(집)〔에 살게 하다〕. ② 임시 병사(兵舎)〔에 머무르게 하다〕.

hutch[hʌ́tʃ] n. ⓒ (작은 동물들) 우 릿간, 우리; 오두막(hut).

hy·a·cinth[háiəsìnθ] n. ⓒ 〔植〕 히아신스. ② 〈U〉 보라색. ③ 〈U.C〉

hy·ae·na[haií:nə] n. = HYENA.

hy·brid[háibrid] n., a. ⓒ ① 잡종 (의), 혼성(混成). ② 혼성어[물]. ~-**ism**[-izm] n. 〈U〉 잡종성(hy-bridity); 교배, 혼성. ~-**ize**[-àiz] vt, vi. (…와) 교배시키다. (…의) 잡종을 낳다; 혼성화를 만들다. ~-**i-za**tion[-] n. 혼성.

hy·dran·gea[haidréindʒiə] n. ⓒ 〔植〕 수국(속)(屬).

hy·drant [háidrənt] n. ⓒ 급수전
(給水栓), 소화전(消化栓).

hy·drate [háidreit] n. ⓒ 【化】 수
화물(水化物). **hy·dra·tion** [haidréi-
ʃən] n. ⓤ 수화(水化)(작용).

hy·drau·lic [haidrɔ́ːlik] a. 수력[수
압]의; 수력에 의한[에 관한]. ～**s**
n. ⓤ 수력학(水力學).

hy·dro- [háidrou, -drə] '물·수소'
의 뜻의 결합사.

hýdro·càrbon n. ⓒ 【化】 탄화수
소.

hydro·chló·ric acid [hàidrou-
klɔ́ːrik-/-klɔ́(ː)-] 염산.

hýdro·eléctric a. 수력 전기의.
＊**-electricity** n. ⓤ 수력 전기.

hy·dro·foil [háidrouf̀ɔil] n. ⓒ (잠
수함·비행정 등의) 수중익(水中翼);
수중익선(船).

:hy·dro·gen [háidrədʒən] n. ⓒ
【化】 수소(기호 H).

hýdrogen bómb 수소 폭탄.

hýdrogen peróxide 과산화수소.

hy·dro·pon·ic [hàidrəpánik/-5-]
a. 수경법(水耕法)의. ～**s** n. ⓤ 수경
법, 물재배(栽培).

hy·dro·ther·a·peu·tics [hàidrou-
θèrəpjúːtiks], **-ther·a·py** [-θérə-
pi] n. ⓤ 물요법(療法).

hy·e·na [haiíːnə] n. ⓒ 【動】 하이에
나; 욕심꾸러기.

＊**hy·giene** [háidʒiːn] n. ⓤ 위생학,
섭생법. **hý·gi·en·ist** n.

hy·gi·en·ic [hàidʒiénik, hai-
dʒíːn-], **-i·cal** [-əl] a. 위생(학)의.
～**s** n. ⓤ 위생학.

Hy·men [háimən/-men] n. 【그神】
결혼의 신; (h-) ⓒ 【解】 처녀막. **hy-
me·ne·al** [hàiməníːəl/-me-] a., n.
ⓒ 결혼의 (노래).

:**hymn** [him] n. ⓒ 찬송가. — vt.
찬송(찬미)하다. **hym·nal** [hímnəl]
a., n. 찬송가의; ⓒ 찬송가집.

hype [haip] n. 《美俗》 = HYPO-
DERMIC; ⓒ 마약 중독(자); 사기,
과대 광고. — vt. 《美俗》(마약을 주
사하여) 흥분시키다, 자극하다; 속이
다, 과대 선전하다.

hy·per- [háipər] pref. '과도·초(超)
…'의 뜻.

hy·per·bo·le [-bəli] n. ⓤⓒ 【修】

과장(법). **-bol·ic** [hàipərbálik/-5-],
-i·cal [-əl] a. 과장(법)의; 쌍곡선의.

hýper-infláction n. ⓒ 초(超)인플
레이션.

hyper-sénsitive a. 과민증의.

hyper-ténsion n. ⓤ 고혈압. **-tén-
sive** a., n. ⓤ 고혈압의 (사람).

hy·phen [háifən] n., vt. 하이픈
(으로 연결하다, 긋다). ～**ate** [hái-
fənèit] vt. = HYPHEN.

hyp·no·sis [hipnóusis] n. ⓤ 최면
(술); 최면 상태. **hyp·not·ic** [-nátik/
-5-] a., n. 최면(술)의; ⓒ 최면제;
ⓒ 최면술에 걸린[걸리기 쉬운] 사람.

hy·po·tism [hípnətìzəm] n. ⓤ 최
면(술); 최면 상태. **-tist** n. **-tize**
[-tàiz] vt. (…에게) 최면술을 걸다;
매혹(魅惑)하다(charm).

hy·p·o(-) [háipou, -pə] pref. '밑
에, 밑의, 이하, 가벼운'의 뜻.

hy·po·chon·dri·a [hàipəkándriə/
-5-] n. ⓤ 우울증, 히포콘드리, **-dri-
ac** [-driæk] a., n. ⓒ 우울증의
(환자).

:**hy·poc·ri·sy** [hipákrəsi/-5-] n. ⓤ
위선; 위선적 행위.

hyp·o·crite [hípəkrit] n. ⓒ 위선
자. **-crit·i·cal** [-krítikəl] a.

hy·po·der·mic [hàipədə́ːrmik] a.,
n. 피하의(에); ⓒ 피하 주사(액).

hy·pot·e·nuse [haipátənjùːs/
-pótənjùːs] n. ⓒ 【數】 (직각 삼각형
의) 빗변.

hy·po·ther·mi·a [hàipəθə́ːrmiə]
n. ⓤ 【醫】 (심장 수술을 용이하게 하
기 위한) 인공적 체온 저하(법).

hy·poth·e·sis [haipáθəsis/-5-] n.
(pl. **-ses** [-stz]) 가설; 가정, **-
size** [-sàiz] vi., vt. (…의) 가설을
세우다; 가정하다. **hy·po·thet·ic**
[hàipəθétik], **-i·cal** [-əl] a. 가설[가
정]의. **-i·cal·ly** ad.

hys·ter·ec·to·my [hìstəréktəmi]
n. ⓒ 【醫】 자궁 절제(술).

hys·te·ri·a [histíəriə] n. ⓤ 히스테
리(증); 병적 흥분.

hys·ter·ic [histérik] a. = HYSTERI-
CAL. — n. (보통 pl.) 히스테리의
발작. **-i·cal** a. 히스테리(의적)인;
병적으로 흥분한. **-i·cal·ly** ad.

Hz, hz hertz.

I

I, i[ai] *n.* (*pl.* ***I's, i's***[-z]) Ⓤ 로마 숫자의 1; Ⓒ I자형의 것.

†**I**[ai] *pron.* (*pl.* ***we***) 나는, 내가.

i·am·bic[aiǽmbik] *n.* Ⓒ 〖韻〗 약강격; (보통 *pl.*) 약강격의 시.

i·bex[áibeks] *n.* (*pl.* ***~es, ibices***[íbəsì:z, ái-], 《집합적》 ~) Ⓒ (알프스 산중의) 야생 염소.

·**ibid.** ibidem.

i·bi·dem[ibáidəm] *ad.* (L.) 같은 장소[책·장·페이지]에《생략 ib., 또는 ibid.》.

-i·ble[əbl] *suf.* '…할[될] 수 있는' 의 뜻의 형용사를 만듦: permiss*i*-*ble*, sens*ible*.

IBM International Business Machines《미국 컴퓨터 제작 회사명》.

IC integrated circuit 〖電·컴〗 집적(集積)회로.

-ic(al)[ik(əl)] *suf.* '…의, …의 성질' 등의 형용사를 만듦: hero*ic*, chem*ical*, econom*ic(al)*.

†**ice**[ais] *n.* ① Ⓤ 얼음; 얼음판의 얼음. ② Ⓒ 얼음 과자, 아이스크림. ③ Ⓤ 당의(糖依). ④ Ⓤ,Ⓒ 《美俗》 다이아몬드. ***break the ~*** 착수하다; 말을 꺼내다; 터놓고 대하다. ***cut no ~*** 《美口》 효과가 없다. ***on ~*** 《美俗》 장차에 대비하여; 옥에 갇혀. ***on thin ~*** 위험한 상태로. — *vt.* ① 얼리다; 얼음으로 채우다[덮다]. ② (과자에) 당의를 입히다.

íce àge 빙하 시대.

íce àx(e) (등산용의) 얼음 깨는 도끼, 등산용 피켈.

·**ice·berg**[∠bə̀:rg] *n.* Ⓒ 빙산(cf. calf²); 냉담한 사람; 빙산의 일각.

íce·bòund *a.* 얼음에 갇힌.

íce·bòx *n.* Ⓒ 냉장고.

íce·brèaker *n.* Ⓒ 쇄빙선[기].

íce·càp *n.* Ⓒ (높은 산의) 만년설.

íce-cóld *a.* 얼음처럼 찬; 냉담한.

:**íce créam** 아이스크림.

íce cùbe (냉장고에서 만들어지는) 각빙(角氷). 「입힌(*glacé*).

iced[aist] *a.* 얼음에 채운; 당의를

íce field (극지방의) 빙원.

íce hòckey 아이스하키.

íce·lólly *n.* Ⓒ 《英》 아이스캔디.

íce pàck 부빙군(浮氷群); 얼음 주머니.

íce pìck 얼음 깨는 송곳.

íce rìnk (옥내) 스케이트장.

íce-skàte *vi.* 스케이트 타다.

íce skàting *n.* Ⓤ 빙상 스케이트.

íce wàter 《美》 얼음으로 차게 한 물; 얼음이 녹은 찬 물.

i·ci·cle[áisikəl] *n.* Ⓒ 고드름.

ic·ing[áisiŋ] *n.* Ⓤ (과자에) 입힌 설탕, 당의(糖依); 〖空〗 비행기 날개에 생기는 착빙(着氷).

i·con[áikɑn/-ɔ-] *n.* (*pl.* ***~s, -nes***[-nì:z]) Ⓒ 〖그正教〗 성상(聖像), 화상; 초상; 〖컴〗 아이콘《컴퓨터의 각종 기능·메시지를 나타내는 그림 문자》.

i·con·o·clasm [aikɑ́nəklæ̀zəm/-ɔ́-] *n.* Ⓤ 성상(聖像) 파괴, 우상 파괴; 인습 타파. **-clast**[-klæ̀st] *n.* Ⓒ 우상 파괴자; 인습 타파주의자. **-clas·tic**[-∠-klǽstik] *a.*

ICU intensive care unit.

:**i·cy**[áisi] *a.* ① 얼음의, 얼음 같은; 얼음이 많은; 얼음으로 덮인. ② 얼음같이 찬; 냉담한. **í·ci·ly** *ad.* **í·ci·ness** *n.*

id[id] *n.* (the ~) 〖精神分析〗 이드《본능적 충동의 근원》.

†**I'd**[aid] I had [would, should, had]의 단축.

ID càrd[áidí:-] 신분 증명서(identity card).

†**i·de·a**[aidí:ə] *n.* Ⓒ ① 개념, 관념; 생각, 사상. ② 견해, 신념. ③ 계획; 상상. ④ 〖哲〗 개념, 이념. ***The ~!*** 이런 지독하군[어이없군].

·**i·de·al**[aidí:əl] *a.* ① 이상적인, 완전한. ② 상상의; 관념적인, 가공적

I

인. **—** *n.* ⓒ 이상, 전형(典型)
~ism [-izəm] *n.* ⓤ 이상주의;
〔哲〕관념론, 유심론; 〔藝〕관념주의.
~ist n. 이상주의자; 공상가; 관
념론자, 관념주의자. *~is·tic* [-
ístik] *a.* 이상주의적인; 공상적인; 관
념론의. *~ly ad.*

i·de·al·ize [aidíːəlàiz] *vt., vi.* 이상
화하다; (⋯의) 이상을 그리다. **-i·za·**
tion [-²-izéiʃən] *n.*

i·den·ti·cal [aidéntikəl] *a.* 동일
한; 같은(with).

identical twin 일란성 쌍생아(cf.
fraternal twin).

i·den·ti·fi·ca·tion [aidèntəfikéi-
ʃən] *n.* ⓤ ⓒ 동일시하다[동일인·
동일물이라는] 증명; 신분 증명(이
되는 것).

identification parade 범인 확인
을 위해 늘어세운 피의자들(의 줄).

i·den·ti·fy [aidéntəfài] *vi.* ① 동
일하다[동일인·동일물임을] 인정하
다. ② 동일시하다. **—** ⋯이 무엇[누
구]라는 것을 확인하다. **~ one·**
self with ⋯와 제휴하다. **-fi·a·ble**
[-fàiəbəl] *a.* 동일함을 증명할 수 있
는.

I·den·ti·kit [aidéntəkìt] *n.* ⓒ 〔商
標〕몽타주식 얼굴 사진 합성 장치;
(i-) 몽타주 사진.

i·den·ti·ty [aidéntəti] *n.* ⓤ 동
일한 사람[같은 것], 동일성. ② ⓤⓒ 자
기 자신[그것 자체]임; 신원.

id·e·o·gram [ídiəgræm, áidiə-],
-graph [-græf, -gràːf] *n.* ⓒ 표의
(表意)문자.

i·de·ol·o·gy [àidiálədʒi, ìd-/-²-]
n. ① ⓤⓒ 이데올로기, 관념 형태(론)
② ⓤ 관념학; 공리 공론(空理空論).
-o·log·i·cal [-²-əládʒikəl/-²-] *a.*

id·i·o·cy [ídiəsi] *n.* ⓤ 백치. ② ⓒ 백치 같은 언동.

id·i·om [ídiəm] *n.* ① ⓒ 이디엄,
관용어구, 숙어. ② ⓤⓒ (어떤 언어의
정체인) 어법; (어떤 개인의) 언어;
방언. ③ 〔美〕(화가·음악가 등의) 독
특한, 작풍, 특징.

id·i·o·mat·ic [ìdiəmǽtik], **-i·cal**
[-əl] *a.* 관용구적인, 관용어법적인.
-i·cal·ly ad.

id·i·o·syn·cra·sy, -cy [ìdiəsíŋ-

krəsi] *n.* ⓒ 특질, 특이성; (특이
한) 성격(eccentricity); 〔醫〕(알레
르기 따위의) 특이 체질.

id·i·ot [ídiət] *n.* ⓒ 바보; 〔心〕백치
《지능 지수 0-25 따위의 정신 박
약자; imbecile, moron). **~·ic**
[-²-] *a.* 백치의; 바보 같은. **~i·cal·**
ly ad.

i·dle [áidl] *a.* ① 태만한, 게으름뱅
이의. ② 일이 없는, 한가한, 경
용되지 않고 있는; 무용의; 쓸모 없
는. ④ (공포·근심 따위) 까닭(근거)
없는. **money lying ~** 유휴금.
— *vi.* 게으름피우다; 빈둥거리다,
빈둥빈둥 놀고 지내다. ② 〔機〕헛돌
다, 공전(空轉)하다. **—** *vt.* 빈둥거
리며 지내다, 낭비하다. **:~·ness**
[-nis] *n.* ⓤ 태만; 무위, 무용. **i·dler** *n.* ⓒ 게으
름뱅이. **†idly ad.**

i·dol [áidl] *n.* ⓒ ① 우상. ② 〔聖〕
사신(邪神). ③ 숭배받는 것[사람],
인기 있는 사람. ④ 선입적 유견(謬
見) (fallacy). **~·ize** [áidəlàiz] *vt.*
우상화[숭배]하다. **—** *vi.* 우상 숭배
하다. **~·i·za·tion**
[àidəlizéiʃən/-lai-] *n.*

i·dol·a·ter [aidálətər/-5-] *n.* ⓒ
우상 숭배자.

i·dol·a·try [-ətri] *n.* ⓤ 우상 숭배;
맹목적 숭배. **-a·trous** *a.* 우상 숭배
의, 우상 숭배적인.

i·dyl(l) [áidl] *n.* ⓒ 목가(牧歌), 전
원시; (한가한) 전원 풍경. **i·dyl·lic**
a. 목가적인.

-ie [iː] *suf.* auntie, birdie. ⇨-Y.

i.e. [ðǽt, áiíː] id est (L.=that
is) 즉, 이를테면.

if [if] *conj.* ① 만약 ⋯이라면, ② 비
록 ⋯일지라도(even if). ③ ⋯인지
어떤지(whether)《Let me know if
he will come. 올 것인지 어떤 지
나 알려 주십시오). **if only** ⋯이(만)
기만 하다면(If only I knew! or If I
only knew! 알기만 한다면 좋으련
만), **if it were not [had not
been] for** 만약 ⋯이 없(었)다[아니었]
다면. **—** *n.* ⓒ 가정. 「은.

if·fy [ífi] *a.* 〔口〕불확실한; 의심스러
-i·fy [ífái] *suf.* ⇨-FY.

ig·loo [ígluː] *n.* ⓒ (에스키모 인
의) 눈으로 만든 작은 집.

ig·nite [ignáit] *vt.* (⋯에) 점화하다;
〔化〕높은 온도로 가열하다. **—** *vi.*

발화하다. **ig·nit·er, -ni·tor**[-ər] *n.*
ⓒ 점화자[장치]; 『電子』 점화 고자(點孤子).

ig·ni·tion[igníʃən] *n.* ① Ⓤ 점화, 발화. ② Ⓒ (내연 기관의) 점화 장치(an ～ plug 점화 플러그/an ～ point 발화점).

ig·no·ble[ignóubl] *a.* 천한; 시시한; 불명예스러운; 〖古〗(태생이) 비천한(opp. noble).

ig·no·min·i·ous[ìgnəmíniəs] *a.* 수치(불명예)스러운; 비열한. **～·ly** *ad.*

ig·no·min·y[ígnəmìni] *n.* ① Ⓤ 치욕, 불명예. ② Ⓒ 수치스러운 행위, 추행.

ig·no·ra·mus[ìgnəréiməs] *n.* Ⓒ 무지몽매[무식]한 사람.

ig·no·rance[ígnərəns] *n.* Ⓤ ① 무지, 무식. ② 모르고 있음. **in ～ of** …을 알지 못하여. **I- is bliss.** 《속담》 모르는 것이 약이다.

ig·no·rant[ígnərənt] *a.* ① 무지 몽매한[무식한]. ② …을 모르는(of). **～·ly** *ad.*

ig·nore[ignɔ́ːr] *vt.* 무시하다; 〖法〗기각하다.

i·gua·na[igwáːnə] *n.* Ⓒ 〖動〗 이구아나(열대 아메리카의 큰 도마뱀).

i·kon[áikɑn/-ɔ-] *n.* = ICON.

ilk[ilk] *a.* (Sc.) 같은. — *n.* (*pl.*) 가족; 같은 종류. **of that ～** 같은 곳[이름·무리]의.

‖ill[il] *a.* (*worse; worst*) ① 건강이 나쁜; 병든. ② 나쁜; 해로운, 불편이 나쁜; 불길한. ③ 불친절한; 서투른. **fall** [**be taken**] **～** 병에 걸리다. **I- news runs apace.** 《속담》 악사천리(惡事千里). **It is an ～ wind that blows nobody good.** 《속담》 갑의 손해는 을의 이득. **meet with ～ success** 실패로 끝나다. — *n.* ① Ⓤ 악(惡), 해(害). ② (종종 *pl.*) 불행, 고난, 병. — *ad.* ① 나쁘게, 불길하게. ② 운(불) 나쁘게, 공교롭게. ③ 불친절하게. ④ 간신히, 겨우 …않게(scarcely) **We can ～ afford of waste time.** 시간을 낭비할 수 없다. **be ～ at** (counting) (계산이) 서투르다. **be ～ at ease** 마음이 놓이지 않다, 불안하다. **I-**

got, ～ spent. 《속담》 나쁜 짓 하여 번돈 오래 가지 않는다(cf. illspent). **take ...** 을 나쁘게 여기다, 성내다.

‖I'll[ail] I will, I shall의 단축.

ill-advised *a.* 무분별한.

ill-bréd *a.* 가정 교육이 나쁜, 버릇 없는, 본데 없는.

ill-cónsidered *a.* 생각을 잘못한.

ill-dispósed *a.* 악의를 품은, 불친절한.

‖il·le·gal[illíːgl] *a.* 불법의. **～·ly** *ad.* **～·i·ty** 〖□〗 Ⓤ 비합법, 불법; Ⓒ 불법 행위, 부정.

il·leg·i·ble[ilédʒəbl] *a.* 읽기 어려운. **-bil·i·ty**[-ㅡㅡbílə-] *n.*

il·le·git·i·mate[ìlədʒítəmit] *a.* ① 불법의. ② 사생의[서출의]. ③ 비논리적인. **～·ly** *ad.* **-ma·cy** *n.* 불법, 비합법적.

ill-fáted *a.* 불운한.

ill-fóunded *a.* 근거가 박약한.

ill-gótten *a.* 나쁜 수단으로 얻은.

il·lib·er·al[ilíbərəl] *a.* 인색한; 옹졸한; 교양 없는. **～·ness** **～·i·ty**[-ㅡㅡrǽləti] *n.*

‖il·lic·it[ilísit] *a.* 불법의(illegal). **～·ly** *ad.*

ill-júdged *a.* 무분별한.

il·lit·er·a·cy[ilítərəsi] *n.* Ⓤ 문맹, 무식. ② Ⓒ (무식해서) 틀리게 말함.

‖il·lit·er·ate[ilítərit] *a., n.* Ⓒ 무식한 (사람), 문맹인 (사람).

ill-mánnered *a.* 버릇(교양) 없는.

ill·ness[ílnis] *n.* ⓤ,Ⓒ 병.

il·log·i·cal[ilɑ́dʒikəl/-5-] *a.* 비논리적인, 불합리한. **～·ly** **～·ness** *n.* 불합리.

il·log·i·cal·i·ty[-ㅡㅡkæləti] *n.* 불합리, Ⓒ 불합리한 것.

ill-stárred *a.* 불운한.

ill-témpered *a.* 심술궂은, 성마른, 찌푸린.

ill-tímed *a.* 기회가 나쁜.

ill-tréat *vt.* 학대[냉대]하다. **～·ment** *n.* 학대.

‖il·lu·mi·nate[ilúːmənèit] *vt.* ① 비추다 《주로 英》 전식(電飾)을 달다. ③ 분명히 하다. ④ 계몽하다 (enlighten). ⑤ (사본 따위를) 색무늬나 금박 문자로 장식하다. ⑥ 명성

을 높이다. **-na·tor**[-nèitiv] *a.*
-na·tor *n.*

il·lu·mi·na·tion[ilù:mənéiʃən] *n.*
① ⓤ 조명; 조도; ② ⓒ 전식(電
飾). ③ ⓤ 해명, 계몽. ④ ⓒ (보통
pl.) (사본의) 채색.

il·lu·sion[ilú:ʒən] *n.* ① ⓤⓒ 환영;
환상. ② ⓒ 착각. **il·lu·sive**[-siv],
ᐟ-so·ry[-səri] *a.* 환영적인; 사람을
속이는.

il·lus·trate[íləstreit, ilʌ́streit] *vt.*
① (실례 따위로)설명하다. ② (설명·
장식을 위하여)삽화를 넣다. **ᐟ-tra·tor**
n. ⓒ 삽화가.

il·lus·tra·tion[iləstréiʃən] *n.* ①
ⓒ 실례, 삽화; 도해. ② ⓤ (실례·그
림 따위에 의한) 설명. **by way of
~** 실례로서. **in ~ of** …의 예증으
로서.

il·lus·tra·tive[íləstrèitiv, ilʌ́strə-]
a. 실례가 되는, 설명적인(*of*). **~·ly**
ad.

il·lus·tri·ous[ilʌ́striəs] *a.* 유명
한; 현저한, (공훈 따위) 찬란한. **~·
ly** *ad.*

ILO, I.L.O. International Labor
Organization (Office).

im-[im] *pref.* ⇨ IN

I'm[aim] I am의 단축.

im·age[ímidʒ] *n.* ⓒ ① 상(像), 초
상, 화상, 조상(彫像). ② 영상; 형
상, ③ 꼭 닮음, 유사형. ⑤ 【理】영
상(映像). 【心】심상(心像). 【修】비
유. ⑥ 【컴】영상, 이미지, 一 *vt.* ①
(…의) 상을 만들다. ② 그림자를 비
추다. ③ 상상하다; 삼징하다.

im·age·ry[ímidʒəri] *n.* ⓤ(집합
적) 초상, 화상, 조상, 심상; 【文
修】심상(心像), 사상(寫像); 비유.

ᐟim·ag·i·na·ble[imædʒənəbəl] *a.*
상상할 수 있는 (한).

im·ag·i·nary [imædʒənèri/
-dʒənə-] *a.* 상상의; 허(虛)의
~ number[數] 허수.

im·ag·i·na·tion [imædʒənéiʃən]
n. ① ⓤⓒ 상상력; 창작력. ② ⓤ상
상의 소산(産).

ᐟim·ag·i·na·tive [imædʒənèitiv,
-nə-] *a.* ① 상상의; 상상(공상)적인.
② 상상력이 풍부한, 공상에 잠기는.

im·ag·ine[imædʒin] *vt., vi.* ① 상

상(추상)하다. ② 생각하다.

i·ma(u)m[imám] *n.* ⓒ ① 이맘(무
리의 도사(導師)). (종종 I-) 종교적
[정치적] 지도자.

im·bal·ance[imbǽləns] *n.* =
UNBALANCE.

im·be·cile[ímbəsil, -sàil/-si:l]
n., a. 저능한; 우둔한; ⓒ 저능자,
【心】치우(癡愚)(지능지수 25-50)
(cf. idiot). **-cil·i·ty**[ìmbəsíləti]
n. ① ⓤ 저능. ② ⓒ 어리석은 언
동.

im·bibe[imbáib] *vt.* (술 등을) 마
시다; (공기·연기 등을) 흡수하다.
(사상 따위를) 받아들이다.

im·bro·glio[imbróuljou] *n.* (*pl.
~s*) 【음악】 분쟁: 분규.

im·bue[imbjú:] *vt.* (…에게) 침투
시키다, 배게 하다; (사상·양심 따위
를) 불어 넣다, 고취하다(inspire)
(*with*).

IMF International Monetary
Fund.

ᐟim·i·tate[ímiteit] *vt.* ① 모방하다.
흉내내다. ② 모조하다; 위조하다.
③ 모범으로 삼다. **im·i·ta·ble**[ímə-
təbəl] *a.* 모방할 수 있는. **-ta·tive**
[ímətèitiv, -tə-] *a.* 모방의; 흉내
잘 내는; 모조의. **be imitative of**
…의 모방이다. **-ta·tor**[ímətèitər]
n. ⓒ 모방자.

im·i·ta·tion[ìmitéiʃən] *n.* ① ⓤ
모방. ② ⓒ 모조물.

ᐟim·mac·u·late[imǽkjəlit] *a.* 때
묻지 않은; 결점이 없는; 깨끗한; 결
백한.

ᐟim·ma·te·ri·al[ìmətíəriəl] *a.* 비
물질적인; 영적인; 중요하지 않은.

ᐟim·ma·ture[ìmətʃúər] *a.* 미숙한;
미성년의, 미완성의; 침식이 초기에
있는. **-tu·ri·ty**[-tʃúərəti] *n.*

ᐟim·meas·ur·a·ble [iméʒərəbəl]
a. 측정할 수 없는, 끝없는. **-bly** *ad.*

im·me·di·a·cy[imí:diəsi] *n.* ⓤ
직접성. (보통 *pl.*) 밀접한 것.

ᐟim·me·di·ate[imí:diit] *a.* ① 직접
의, 바로 옆의. ② 즉시의; 당면한;
가까운.

ᐟim·me·di·ate·ly[imí:diitli] *ad.*
즉시; 직접; 가까이에. — *conj.* …
하자마자.

im·me·mo·ri·al [ìmimɔ́:riəl] a. 기억에 없는, 옛적의, 태고의, *from time ~* 아득한 옛날부터.

im·mense [iméns] a. ① 거대한 (huge), 훌륭한. **~·ly** ad.

im·men·si·ty [iménsəti] n. ① 광대함; 무한한 공간(존재); 《복수형》 막대한 양.

im·merse [imə́:rs] vt. ① 잠그다, 담그다. ② 《宗》 침례를 베풀다. ③ 몰두하게(빠지게)하다(*in*). **im·mer·sion** [-ʃən] n. ① 침수.

immersion heater 침수식 전열 이개치(코드 끝의 발열체들 속에 넣어 우유·물 등을 데움).

im·mi·grant [ímigrənt] n., a. ⓒ (외국으로부터의) 이민(cf. emi·grant); 이주하여 오는.

im·mi·gra·tion [ìmigréiʃən] n. ① (외국으로부터의) 이주; 이민; 《집합적》 이민자.

im·mi·nent [ímənənt] a. 절박한 (impending), 《古》 툭 뛰어나와 있는, ~·ly ad. 절박히. ~·nence, ~·nen·cy n. ⓒ 촉박한 위험(사정).

im·mo·bile [imóubəl, -mɑ́:-] a. 움 직일 수 없는, 고정된; 움직이지 않는, 부동의. **-bi·lize** [-bəlàiz] vt. 고 정하다, 움직이지 않게 하다. **-bil·i·ty** [-biláti] n.

im·mod·er·ate [imɑ́dərit/-5-] a. 절도 없는; 극단적인. **~·ly** ad.

im·mod·est [imɑ́dist/-5-] a. 조심 성 없는, 건방진; 주제넘은(forward). **~·ly** ad. **-es·ty** n.

im·mor·al [imɔ́:rəl/imɔ́r-] a. 부도 덕한, 품행이 나쁜. **~·ly** ad.

im·mo·ral·i·ty [ìmərǽliti] n. 부도덕(성); 품행이 나쁨; ⓒ 부도덕 행위, 추행.

:**im·mor·tal** [imɔ́:rtl] a. ① 불사의, 영원한; 불후의. ② ⓒ 신의. — n. ⓒ 죽지 않는 자; 영구한 명성이 있는 사람; (pl.) 《그리스》 신화의 신들. **~·ize** [-təlàiz] vt. 불멸[불후]케하다. **~·i·ty** [-tǽləti] n. ① 불후.

im·mov·a·ble [imú:vəbəl] a. ① 움직일 수 없는; 움직이지 않는, 확고한; 감정에 좌우되지 않는. n. (pl.) 《法》 부동산. **-bil·i·ty** [-

-bíləti] n. ① 부동 [고정]성.

im·mune [imjú:n] a. ① 면역된(*from*). ② 면역이 된(*from, against*). **·im·mu·ni·ty** n. ① 면역(성); 면제.

im·mu·nize [ímjənàiz] vt. 면역되게 하다, 면역성을 주다. **-ni·za·tion** [-nìzéiʃən] n.

im·mu·no·bi·ol·o·gy [ìmjənə-baìdlədʒi/-5-] n. 면역 생물학.

im·mure [imjúər] vt. 가두다, 유폐 하다. **~·ment** n. ①

im·mu·ta·ble [imjú:təbəl] a. 불변 의. **-bil·i·ty** [-⊃-] [-biláti] n. ① 불변 성.

imp [imp] n. ① 악마의 새끼; 꼬 마 악마. ② 개구쟁이. **~·ish** a. 장 난스런; 개구쟁이의.

im·pact [ímpækt] n. ①ⓒ 충돌 (on, *upon*). ② ①ⓒ 영향, 효과. — [-5-] vt. ① (……에) 밀어넣다. ② (……에) 충격을 주다[가하다]. — vi. 충돌하다; 접촉하다.

im·pair [impɛ́ər] vt., vi. 해치다; (가치·힘 등을) 감하다. **~·ment** n. ① 손상.

im·pale [impéil] vt. (찔러) 꽂다; 꿰찌르는 형에 처하다. **~·ment** n.

im·pal·pa·ble [impǽlpəbəl] a. 만 져볼 수 없는; 이해할 수 없는.

im·part [impɑ́:rt] vt. ① (나눠) 주다; 건틀이다. ② (소식을) 전하다, 말해버리다. **im·par·ta·tion** [-téiʃən] n.① 나눠주는 것; 통지.

im·par·tial [impɑ́:rʃəl] a. 치우치지 않는, 공평한. **-ti·al·i·ty** [-ʃiǽləti] n. ① 공평.

im·pass·a·ble [impǽsəbəl, -pɑ́:-] a. 통행할[지나갈] 수 없는.

im·passe [ímpæs, -⊃] n. (F.) ① 막다른 골목 (cul-de-sac); 난국.

im·pas·sioned [impǽʃənd] a. 감 격한; 열렬한.

im·pas·sive [impǽsiv] a. 둔감한, 태연한; 냉정한. **-siv·i·ty** [-ʃívəti] n.

:**im·pa·tience** [impéiʃəns] n. 성급; 조바심, 초조. ③ (고통·냉대·기다림 등에) 견딜 수 없음.

:**im·pa·tient** [impéiʃənt] a. ① 성마 른. ② 참을 수 없는(*of*). ③ (……하고

im·peach [impíːtʃ] *vt.* ① 문제삼다. ② (…의 허물로) 책하다, 비난하다(of, with). ③ (공무원을) 탄핵하다. ~**·a·ble** *a.* ~**·ment** *n.*

im·pec·ca·ble [impékəbl] *a.* 죄를 범하지 않는; 결점 없는. ~**·bil·i·ty** [----bíləti] *n.*

im·pe·cu·ni·ous [ìmpikjúːniəs] *a.* 돈없는, 가난한. ~**·os·i·ty** [impikjuːniásəti/-5-] *n.*

im·ped·ance [impíːdəns] *n.* ⓤ 【電】 임피던스(교류에서 전압의 전류에 대한 비).

im·pede [impíːd] *vt.* 방해하다.

im·ped·i·ment [impédəmənt] *n.* ⓒ ① 고장, 장애(물). ② 언어 장애, 말더듬이

im·ped·i·men·ta [impèdəméntə] *n. pl.* (여행용) 수하물; 【軍】 병참, 보급품.

im·pel [impél] *vt.* (-*ll*-) 추진하다; 재촉하다. 억지로 …시키다(force)(to). ~**·lent** *a., n.* ⓒ 추진하는(힘).

im·pend [impénd] *vi.* 《古》 (위에) 걸리다(over); 절박하다, 곧 일어날 것 같다. ~**·ing** *a.* 절박한, 곧 일어날 것 같은.

im·pen·e·tra·ble [impénətrəbl] *a.* 꿰뚫을[뚫고 들어갈] 수 없는, 헤아릴 수 없는; 투과하지 않는 (사상에) 동요되지 않는, 물들지 않는, 둔한. ~**·bly** *ad.* ~**·bil·i·ty** [----bíləti] *n.*

im·per·a·tive [impérətiv] *a.* 명령적인, 강제적인; 피할 수 없는, 긴급한; 【文】 명령법의. — *n.* ⓒ 명령; 【文】 명령법(의 동사)(cf. indicative, subjunctive) — ***mood*** 【文】 명령법. ~**·ly** *ad.*

im·per·cep·ti·ble [ìmpərséptəbl] *a.* 관차[감지(感知)]할 수 없는; 근소한; 점차적인(gradual). ~**·bly** *ad.*

im·per·fect [impəːrfikt] *a.* 불완전한, 미완성의; 미완료의. **·fec·tion** [-fékʃən] *n.* ⓤ 불완전 (상태). ⓒ 결점.

im·pe·ri·al [impíəriəl] *a.* ① 제국

의; 대영 제국의. ② 황제(황후)의; 제권(帝權)의; 지상의; 당당한; 오만한(imperious). ③ (상품의) 특대(고급)의; (도량형이) 영국 법정 규준의. — ***gallon*** 영국 갤런(4.546리터, 미국 갤런의 약 1.2배). **I- Household** 황실, 황족. — *n.* ⓒ 황제 수염(아랫 입술 밑에 기른 뾰족한 수염(종이의) 임페리얼판(判)(《英》 23×33 인치, 《英》 22×30 인치). ~**·ism** [-ìzm] *n.* ⓤ 제국주의; 제정, ~**·ist** *n.* ⓒ 제국(제정)주의자. ~**·is·tic** [----ístik] *a.* 제국주의적인.

im·per·il [impéril] *vt.* (《英》 -*ll*-) (생명·재산 따위를) 위태롭게 하다.

im·pe·ri·ous [impíəriəs] *a.* 전제적인, 고압적인; 긴급한. ~**·ness** *n.*

im·per·ish·a·ble [impériʃəbl] *a.* 불멸의, 불후의.

im·per·ma·nent [impəːrmənənt] *a.* 일시적인.

im·per·son·al [impəːrsənəl] *a.* 특정한) 개인에 관계 없는, 비개인적인; 비인격적인; 【文】 비인칭의. ~**·ly** *ad.* **·al·i·ty** [----æləti] *n.*

im·per·son·ate [impəːrsənèit] *vt.*(稱) 인격화[체현(體現)]하다; 대표하다; 흉내내다; …의 역(役)을 맡아하다. **·a·tion** [----éiʃən] *n.* **·a·tor** *n.* ⓒ 배우, 분장자; 성대 모사자.

im·per·ti·nent [impəːrtənənt] *a.* 건방진, 무례한; 부적당한, 당치 않은. ~**·ly** *ad.* **·nence, ·nen·cy** *n.*

im·per·turb·a·ble [ìmpərtəːrbəbl] *a.* 침착한, 동요하지 않는; 냉정한.

im·per·vi·ous [impəːrviəs] *a.* (공기·물·광선 등을) 통하지 않는 (마음이 …을) 받아들이지 않는(to).

im·pet·u·ous [impétʃuəs] *a.* (기세·속도가) 격렬한, 맹렬한; 성급한, 충동적인. ~**·ly** *ad.* **·u·os·i·ty** [----ásəti/-5-] *n.*

im·pe·tus [ímpətəs] *n.* ① ⓤ (움직이고 있는 물체의) 힘, 운동량, 관성. ② ⓒ (정신적인) 기동력, 자극.

im·pi·e·ty [impáiəti] *n.* ① ⓤ 불경, 불신. ② ⓒ 신앙심이 없는 행위.

im·pinge [impíndʒ] *vi.* 치다(hit), 충돌하다(on, upon, against); 침범

하다(encroach) (*on, upon*). ~・**ment** *n.*

im・pi・ous [ímpiəs] *a.* 신앙심이 없는; 경건치 않은, 불경(불효)한(opp. pious); 사악한; 불효한.

imp・ish [ímpiʃ] *a.* ⇨IMP.

im・plac・a・ble [implǽkəbəl, -plèi-] *a.* 달랠 수 없는; 집요한 (inexorable).

im・plant [implǽnt, -áː-] *vt.* (마음에) 뿌리 박히게 하다; 심다; (조직을) 이식하다. ── *n.* Ⓒ [醫] 이식된 조직; (암의 환부에 꽂아 넣는) 라듐관. **im・plan・ta・tion** [〉-téiʃən] *n.*

im・ple・ment [ímpləmənt] *n.* Ⓒ (끝마무리를 위한) 도구, 용구. ── [-mènt] *vt.* (끝마무리를 위해) 도구를 공급하다; 수행하다, (복수 따위를) 실행하다; (법률·조약 따위에 넣는) 시(이행)하다. ──**men・ta・tion** [ìmpləmentéiʃən] *n.* Ⓤ 수행, 이행, 실시; [컴] 실현(프러그래밍에서 어떤 컴퓨터 언어를 특정 기종의 컴퓨터에 적합하게 함).

im・pli・cate [ímpləkèit] *vt.* 얽히게 하다(entangle); 관계시키다, 휩쓸려 들게 하다; 함축하다.

im・pli・ca・tion [ìmpləkéiʃən] *n.* Ⓤ 연루(連累); Ⓤ Ⓒ 내포, 함축, 언외의 의미; 암시(*by* ── 은연 중에); (흔히 ~s) (─에 대한) 밀접한 관계.

im・plic・it [implísit] *a.* 암리의, 묵계적인(implied) (opp. explicit). ② 절대의; 필연적으로 포함되어 있는. **give ~ consent** 묵계(默契)를 하다. **~ obedience** 절대 복종. **~・ly** *ad.*

im・plore [implɔ́ːr] *vt.* 간청(애원)하다. **im・plór・ing** *a.* 애원하는. **im・plór・ing・ly** *ad.* 애원적으로.

im・ply [implái] *vt.* 함축하다; (─의) 뜻을 포함하다; 뜻(암시)하다.

im・po・lite [ìmpəláit] *a.* 무례한, 버릇 없는. ~・**ly** *ad.* ~・**ness** *n.*

im・pol・i・tic [impálitik/-pɔ́l-] *a.* 생각 없는, 어리석은, 졸렬한.

im・pon・der・a・ble [impándərəbəl/-pɔ́n-] *a.* 무게가 없는; 아주 가벼운; 평가할 수 없는. ── *n.* Ⓒ 불가량물(不可量物)(열・빛 따위).

im・port [impɔ́ːrt] *vt.* ① 수입하다; 끌어들이다. ② 《古》 의미하다; (─에) 크게 영향하다. **It ~s us** (*to know...*) (─을 아는 것은 중요하다. ── *vi.* 중요하다. **It ~ s little.** 그다지 중요하지 않다. ── [ㅡ] *n.* ① ⓤ 수입; (보통 *pl.*) 수입품. ② Ⓤ 의미, 중요성. ③ [컴] 가져오기. ~・**er** *n.* Ⓒ 수입자; Ⓤ 수입품.

im・por・tance [impɔ́ːrtəns] *n.* Ⓤ 중요(성); 중요한 지위, 오만(한 태도).

im・por・tant [-tənt] *a.* ① 중요한, 유력한. ② 거만한. **assume an ~ air** 젠체하다. **a very ~ person** 중요인물(생략 VIP). ~・**ly** *ad.*

im・por・tu・nate [impɔ́ːrtʃənit] *a.* 끈덕진, 귀찮은.

im・por・tune [ìmpɔːrtjúːn, impɔ́ːr-tʃən] *vt.*, *vi.* (가짜 등을) 조르다. ──**tu・ni・ty** [ìmpɔːrtjúːnəti] *n.* Ⓤ Ⓒ 끈덕지게 조름. ② (*pl.*) 끈덕진 재촉.

im・pose [impóuz] *vt.* ① (의무・세금) 과하다. ② 강요하다; 떠맡기다. ③ (가짜 등을) 안기다(*on, upon*); [印] 정판하다. ── *vi.* (남의 약점 따위에) 편승하다, 속이다(*on, upon*). **im・pós・ing** *a.* 당당한, 으리으리한.

im・po・si・tion [ìmpəzíʃən] *n.* ① Ⓤ 부과. ② Ⓤ 세금; 부담; 사람을 기회로 이용하기; 사기.

im・pos・si・ble [impásəbəl/-5-] *a.* ① 불가능한, 있을 수 없는; 어림도 없는(**-!** 설마!). ② 어려운; 참을 (견딜) 수 없는; 지독한. **-bly** *ad.* **-bil・i・ty** [〉-bíləti] *n.* ① Ⓤ 불가능성(성). ② Ⓒ 불가능한 일.

im・pos・tor [impástər/-5-] *n.* Ⓒ 남의 이름을 사칭하는 자; 사기꾼.

im・po・tent [ímpətənt] *a.* 무(기력한, 노쇠한; 음위(陰萎)증의(cf. frigid). ──**tence, -ten・cy** *n.* Ⓤ 무력, 기력 없음; [醫] 음위.

im・pound [impáund] *vt.* (가축을) 울 안에 넣다; (물건을 거두어) 넣다; (아무를) 가두다, 구치하다; [法] 압류(몰수)하다.

im・pov・er・ish [impávəriʃ/-5-] *vt.* ① 가난하게 만들다. ② (토지를) 메

마르게 하다. **~·ment** *n.*

im·prac·ti·ca·ble [imprǽtikəbl] *a.* ① 실행 불가능한; (稀) 처치 곤란한, 다루기 힘든; (도로가) 통행할 수 없는. **-bil·i·ty** [⊥⊥⊥⊥bíləti] *n.*

im·prac·ti·cal [imprǽtikəl] *a.* 실제적이 아닌, 실행할 수 없는; 비실용적인.

im·pre·cate [ímprikèit] *vt.* (재앙이 있기를) 빌다(call down)(*on, upon*). **-ca·tion** [⊥⊥kéiʃən] *n.* ⓒ 저주; ⓤ 방자.

im·preg·na·ble [imprégnəbl] *a.* 난공 불락의; 확고한; 굴치않는. **-bil·i·ty** [⊥⊥⊥bíləti] *n.*

im·preg·nate [imprégnèit, ⊥⊥⊥] *vt.* ① (여성을) 임신시키다; 수정시키다; 충만시키다(*with*); (마음에) 심어넣다; 불어넣다(imbue)(*with*). —— [-nit] *a.* 임신하고 있는; 스며든; 포화한. **-na·tion** [⊥⊥néiʃən] *n.*

im·pre·sa·ri·o [ìmprəsá:riòu] *n.* (*pl.* **~s, -sari**[-sá:ri:]) (It.) (가극·음악회 따위의) 흥행주.

im·press [imprés] *vt.* ① (도장을) 찍다(imprint). ② (…에게) 인상을 주다(*on, upon*). ③ 감동시키다(*with*). **be favorably** (**unfavorably**) **~ed** 좋은(나쁜) 인상을 받다. —— [⊥⊥] *n.* ⓒ 날인, 흔적; 특징. **~·i·ble** *a.* 감수성이 강한.

im·pres·sion [impréʃən] *n.* ⓒ ① 인상, 느낌, 생각, 감명. ② 흔적; 날인; (책의) 쇄(刷)(*the third* ~ *of the fifth edition* 제 5판의 제 3쇄). **make an** ~ **on** …에게 인상을 주다, …을 감동시키다. **~·a·ble** *a.* 감수성이 강한. **~·ism** [-ìzəm] *n.* ⓤ (美術·樂) 인상주의(파). **~·ist** *n.* 인상주의자; 인상파의 예술가(Manet, Monet, Pissarro, Sisley, Degas, Renoir; Rodin; Debussy 등). **~·is·tic** [⊥⊥⊥ístik] *a.* 「인.

im·pres·sive [imprésiv] *a.* 인상적인.

im·pri·ma·tur [ìmprimèitər, -má:-] *n.* (L.) 출판 인가; (一般) 인가.

im·print [imprínt] *vt.* (도장을) 찍다; 명기(銘記)하다(*on, in*). —— [⊥⊥] *n.* ⓒ 날인; 흔적; (책의 안표지나 판권장에 인쇄한) 발행자의

주소·설명·출판 연월일 (따위).

im·pris·on [imprízən] *vt.* 투옥하다; 감금(구속)하다. **~·ment** *n.* ⓤ 투옥; 감금, 구금.

im·prob·a·ble [imprábəbəl/-5-] *a.* 일어날(있을) 법하지 않은; 참말같지 않은(unlikely). **-bly** *ad.* **-bil·i·ty** [⊥⊥⊥bíləti] *n.*

im·promp·tu [imprámptju:/-5-] *ad., a.* 즉석에서[의]; 즉흥적으로[인]. —— *n.* ⓒ 즉흥곡[시]; 즉석의 연설 (따위).

im·prop·er [imprápər/-5-] *a.* 부적당한; 그른; 온당치 못한, 버릇없는. **~·ly** *ad.*

im·pro·pri·e·ty [ìmprəpráiəti] *n.* ⓤⓒ 부적당; 버릇 없음; 행실 나쁨.

im·prove [imprú:v] *vt.* ① 개선(개량)하다. ② 진보시키다. ③ 이용하다. ③ (토지·부동산의) 가치를 올리다. —— *vi.* 좋아지다. ~ **on** (**upon**) …을 개선하다. ~ **oneself** 진보하다. **im·próv·a·ble** *a.* 개선할 수 있는.

im·prove·ment [imprú:vmənt] *n.* ① ⓤⓒ 개선(개량); 진보, 향상; ⓤ 이용. ② ⓒ 개량 공사; 개선점; 개량된 것.

im·prov·i·dent [imprávədənt/-5-] *a.* 선견지명 없는, 준비성 없는; 절약심 없는(not thrifty). **-dence** *n.*

im·pro·vise [ímprəvàiz] *vt., vi.* (시·음악을) 즉석에서 만들다(extemporize); 임시변통으로 하다. **im·prov·i·sa·tion** [ìmprávizéiʃən/ímprəvə-] *n.* ① ⓤ 즉석에서 하기. ② ⓒ 즉흥작품.

im·pru·dent [imprú:dənt] *a.* 경솔한, 무분별한. **-dence** *n.*

im·pu·dent [ímpjudənt] *a.* 뻔뻔스러운; 건방진. **-dence** *n.*

im·pugn [impjú:n] *vt.* 논박하다.

im·pulse [ímpʌls] *n.* ① ⓒ 추진(력), 추진; 자극; 자극. ② ⓤⓒ (마음의) 충동, 순간적 기분. **on the** ~ 일시적 기분으로, 순간적 기분에서 (의). **on the moment** 그 때의 순간적 기분으로, **impulse búying** 충동 구매(衝動購買).

im·pul·sive [impʌlsiv] *a.* 충동적인; 추진적인; 감정에 흐른. **~·ly** *ad.* 감정에 끌려.

im·pu·ni·ty[impjúːnəti] n. Ü 처벌되지 않음. **with ~** 벌받지 않고, 무사(무난)히.

im·pure[impjúər] a. 더러운; 불순한; 섞인 것이 있는. 부도덕한; 다른 색이 섞인. ***im·pu·ri·ty**[impjúərəti] n. Ü 불결; 불순; 음란. Ⓒ (pl.) 불순물.

im·pute[impjúːt] vt. (주로 나쁜 뜻으로) (…의) 탓으로 하다(to). **im·pút·a·ble** a. 돌릴 수 있는. **im·pu·tá·tion**[~-téiʃən] n. Ü 돌아감. Ⓒ 비난.

in[in] prep. ① 〈장소·위치·방향〉…의 속에〔에서〕, 의, 에, 으로, …안에, …의 동안, …중; …뒤에, …의 경과하여(in a week 일주일 후에). ③ 〈상태〉…한 상태로(의)(in good health). ④ 〈작용〉…을 입고, …을 작용하고(a woman in white 백의의 여자/in spectacles 안경을 쓰고). ⑤ 〈소속〉…에 속하는. ⑥ 〈범위〉…의 점에서는〔…는〕(blind in one eye). ⑦ 〈재료·방법〉…으로(씨·의로, made of)(a dress in silk/write ink/in this way). ⑧ 〈전체와의 관계〉…가운데에서, …에 대하여(out of)(one in a hundred). ⑨ 〈목적〉…을 위하여(for)(speak in reply). ⑩ 〈동작의 방향〉…의 속으로(into). **in that** …한 이유로, — **ad.** 속으로(에), 집에 있어; 도착하여; 정권을 잡아; 유행하여. **be in for** 피할 수 없다(시험을) 치르기로 되어 있다; 굴도짝을 할 수 없다. **be in with** …와 친하여 …와 한패가 되어. **in and out** 들락날락; 출몰(출몰)하여; 안팎 모두; 완전히, **In for a penny, in for a pound.** 〈속담〉1페니 지불하니 곧 1파운드도 쓰게 된다; 사물을 한번 때까지 가게 마련; 시작했으면 끝까지 하라. — **n.** 내부의, …한, (pl.) (정부) 여당, 〈美〉 ins and outs 여당과 야당; (강의) 굴곡; 구석 구석, 자세한 내용.

In 〔化〕 indium. **in.** inch(es).

in-[in] pref. 〈Ü에서는 il-로, b, m, p앞에서는 im-으로, l앞에서는 ir-로 바뀜〉 'in, into, not, without, un-' 따위의 뜻: imbrute, inclose, irrational.

in·a·bil·i·ty[ìnəbíləti] n. Ü 무능, 무력; …할 수 없음.

in·ac·ces·si·ble[ìnəksésəbəl] a. 접근(도달)하기 어려운, 얻기 힘든. **-bil·i·ty**[~—-bíləti] n.

in·ac·cu·rate[inǽkjərit] a. 부정확한; 잘못이 있는. **~·ly** ad. **-ra·cy** n.

in·ac·tion[inǽkʃən] n. Ü 나태.

in·ac·tive[inǽktiv] a. 불활동의, 활발치 못한; 〔理〕 현역이 아닌; 〔理〕 비선광성(非旋光性)의. **~·ly** ad. **-ti·vate** vt. 불활발하게 하다. **-tiv·i·ty**[~-tívəti] n.

in·ad·e·quate[inǽdikwit] a. 부적당한, 불충분한. **~·ly** ad. **-qua·cy** n.

in·ad·mis·si·ble[ìnədmísəbəl] a. 허용할 수 없는, 승인하기 어려운.

in·ad·vert·ent[ìnədvə́rtənt] a. 부주의한; 나태한; (행위가) 부주의한; 무심결의 뜻. **~·ly** ad. **-ence, -en·cy** n. Ü 부주의; Ⓒ 실수.

in·ad·vis·a·ble[ìnədváizəbəl] a. 권할 수 없는; 어리석은.

in·al·ien·a·ble[inéiljənəbəl] a. 양도(탈퇴)할 수 없는.

in·ane[inéin] a. 공허한; 어리석은. **the ~** 허공, 공간.

in·an·i·mate[inǽnəmit] a. 생명(활기)이 없는.

in·an·i·ty[inǽnəti] n. Ü 공허; 어리석음. ② Ⓒ 시시한 것〔짓·말〕.

in·ap·pli·ca·ble[inǽplikəbəl] a. 응용(적용)할 수 없는; 부적당한. **-bil·i·ty**[~—-blíləti] n.

in·ap·pro·pri·ate[ìnəpróupriit] a. 부적당한. **~·ly** ad.

in·apt[inǽpt] a. 부적당한; 서투른. **~·ly** ad. **in·ap·ti·tude**-[~-tət·jùːd] n.

in·ar·tic·u·late[ìnɑːrtíkjəlit] a. 발음이 분명치 않은; 혀가 짧은〔말을 잘 못하는; 모호한; 〔解·動〕관절 없는.

in·as·much[ìnəzmʌ́tʃ] ad. ~ **as** …이므로, …때문에, (稀) …인 한은 (insofar as)

in·at·ten·tion[ìnəténʃən] n. Ü 부주의; 태만 (negligence); 무뚝뚝함, 실례. **-tive**(**·ly**) a. (ad.)

in·au·di·ble[inɔ́:dəbəl] *a.* 알아들을 수 없는, 들리지 않는. **-bly** *ad.* **~·ness, -bil·i·ty**[~ᐨbíləti] *n.*

in·au·gu·ral[inɔ́:gjərəl] *a.* 취임(식)의, 개회의. — *n.* ⓒ 취임식. 《美》= ᐨ **àddress** 취임 연설.

in·au·gu·rate[-rèit] *vt.* 취임식을 올리다, 취임시키다(install): (공동물의) 개시[개막(開幕式)을 행하다; 시작[개시]하다. **-ra·tion**[~ᐨréi-] *n.* UⒸ 취임(식), 개시.

in·aus·pi·cious[inɔ:spíʃəs] *a.* 불길(불운)한.

in·board[ínbɔ̀:rd] *a., ad.* 《海·空》 선내(船內)의[에], 기내(機內)의[에].

in·born[ínbɔ̀:rn] *a.* 타고난.

in·bred[ínbréd] *a.* 타고난, 생래의; 동계(同系)〔근친〕 번식의.

in·breed[ínbrí:d] *vt.* 동계(同系) 번식시키다 《稀》 (···을) 내부에 발생시키다. **~·ing** *n.* U 동계 번식.

Inc. Incorporated. **inc.** inclosure; including; inclusive; income; increase.

in·cal·cu·la·ble[inkǽlkjələbəl] *a.* 셀 수 없는; 예상할 수 없는; 기대할 수 없는. **-bly** *ad.* 무수히.

in·can·desce[ìnkəndés] *vi., vt.* 백열화(에 하게) 하다. **-des·cent**[ìnkəndésnt] *a.* 백열(광)의; 번쩍이는. **-dés·cence** *n.*

in·can·ta·tion[ìnkæntéiʃən] *n.* UⒸ 주문(呪文)(을 욈); 마법, 요술.

in·ca·pa·ble[inkéipəbəl] *a.* ① 무능한; (···을 못 하는(of doing). ② (···에) 견딜 수 없는(of); 자격 없는(of).

in·ca·pac·i·tate[ìnkəpǽsətèit] *vt.* 무능력하게 하다; 감당 못 하게 하다; 《法》 자격을 박탈하다. **-ty** *n.*

in·car·cer·ate[inkɑ́:rsərèit] *vt.* 감금하다. **-a·tion**[~ᐨéiʃən] *n.*

in·car·nate[inkɑ́:rnit] *a.* 육체를 갖춘, 사람 모습을 한, 화신의. — [-neit] *vt.* 육체를 부여하다, 구체화하다(embody); 실현하다; (···의) 화신이(권화가) 되다. **-na·tion**[~ᐨnéiʃən] *n.* UⒸ 화신, 권화, 구체화. the Incarnation 강생《신이 예수로서 지상에 태어남》.

in·cau·tious[inkɔ́:ʃəs] *a.* 부주의

한; 무모한.

in·cen·di·ar·y[inséndièri] *a.* 방화의; 불을 붙이는; 선동적인. — *n.* ⓒ 방화 범인; 선동자; 소이탄. **~ bomb** 소이탄. **-a·rism**[-arizəm] *n.* U 방화범; 선동, 교사(教唆).

in·cense[ínsens] *n.* U 향(연기·냄새). — *vt.* 향을 피우다, 향을 피워 제게 하다.

in·cense[inséns] *vt.* (몹시) 노하게 하다.

in·cen·tive[inséntiv] *a., n.* 자극적인, 유발적인; 장려적인; UⒸ 자극; 유인. **~ pay** 〔wage〕 장려급(給)〔임금〕.

in·cep·tion[insépʃən] *n.* U 개시(beginning). **-tive** *a.* 개시의, 처음의.

in·ces·sant[insésənt] *a.* 끊임없는(unceasing). **~·ly** *ad.*

in·cest[ínsest] *n.* U 근친 상간. **in·ces·tu·ous**[-séstʃuəs] *a.*

inch[intʃ] *n.* ⓒ 인치《1/12 피트》; 조금; 우《강세》량 단위; 소량; (*pl.*) 신장, 키. **by ~es, or ~ by ~** 조금씩. 점차. **every ~** 어디까지나, 완전히. **within an ~ of** 의 거의 ···한 정도까지. — *vt., vi.* 조금씩 움직이다.

in·cho·ate[inkóuit/ínkouèit] *a.* 막 시작된; 불완전한, **-a·tive** *a.* 발단의; 《文》 기동상(起動相)의.

in·ci·dence[ínsidəns] *n.* UⒸ (보통 sing.) 낙하; 떨어지는 모양; 세력 또는 영향이 미치는 범위; 발생률; (세금 따위의) 궁극의 부담; U 《理》 입사(入射), 투사(投射).

in·ci·dent[-dənt] *a.* ① 일어나기 쉬운(liable to happen)(to). ② 부수하는(to). ③ 투사하는(upon). — *n.* ⓒ ① 부대 사건; 사건; 사변. ② (소설·극·시 속의) 삽화(插話).

in·ci·den·tal[ìnsidéntl] *a.* ① 결코 일어나는; 부수하는(to). ② 주요하지 않은, 우연의; 우연의. — **expenses** 임시비, 잡비. — **music** 《극·영화 따위의》 반주 음악. — *n.* ⓒ 부수적 사건. **~·ly**[-təli] *ad.* 하는 김에, 부수적으로; 우연히.

in·cin·er·ate[insínərèit] *vt.* 태워서 재가 되게 하다. **-a·tion**[~ᐨéiʃən] *n.* U 소각. **-a·tor** *n.* ⓒ 쓰레기 소각로.

in·cip·i·ent[insípiənt] *a.* 시작의, 초기의. **-ence, -en·cy** *n.*

in·cise[insáiz] *vt.* 베다; 새기다; 조각하다. **in·ci·sion**[insíʒən] *n.* ⓒ 벰; ⓒ 벤 자리; Ⓤⓒ 절개.

in·ci·sive[insáisiv] *a.* 예민한; 통렬한. **-ly** *ad.*

in·ci·sor[insáizər] *n.* ⓒ〔解〕 앞니, 문치(門齒).

in·cite[insáit] *vt.* 자극하다; 격려하다; 선동하다(*to* an action, *to* do). **~·ment**, **in·ci·ta·tion**[ə— téiʃən] *n.* Ⓤ 격려; 격려; 선동; ⓒ 자극물; 유인(誘因).

in·ci·vil·i·ty[insivíləti] *n.* Ⓤ 버릇 없음, 무례; ⓒ 무례한 짓(말).

incl. inclosure; including; inclusive(ly).

in·clem·ent[inklémənt] *a.* (기후가) 혹독한; (날씨가) 험악한; (성격이) 매몰한. **-en·cy** *n.*

in·cli·na·tion[ìnklənéiʃən] *n.* Ⓤⓒ 경향(*to*); 기호(preference) (*for*) (*sing.* 경사, 기울; ⓒ 사면 (斜面).

in·cline[inkláin] *vt.* 기울이다; 굽히다; (마음을) 내키게 하다(*to*). — *vi.* 기울다; 마음이 내키다(*to*). **be ~d to** …의 경향이 있다. — [—] *n.* ⓒ 경사(면). ‡ ~·**d**[—d] *a.* (…에) 마음이 내키는(…의) 경향이 있는; 경사진; 경사를 이루는.

in·close[inklóuz] *vt.* = ENCLOSE.

in·clo·sure[inklóuʒər] *n.* = ENCLOSURE.

in·clude[inklúːd] *vt.* 포함하다; 셈에 넣다, 포함시키다.

in·clud·ing[-iŋ] *prep.* …을 포함하여, …을 넣어서.

in·clu·sion[inklúːʒən] *n.* Ⓤ 포함, 함유, 산입; ⓒ 함유물.

in·clu·sive[inklúːsiv] *a.* (…을) 포함하여(*of*)(opp. exclusive); 일체를 포함한. **~·ly** *ad.*

in·cog·ni·to[inkágnitòu / ín—] *a., ad.* 변명 (變名)의(으로), 미복잠행(微服潛行)의(으로), 신분을 숨기고. — *n.* (*pl.* **~s**) ⓒ 익명(자); 미행자.

in·co·her·ent[inkouhíərənt] *a.* 조리가 맞지 않는; 지리 멸렬의; (문 도·슬픔으로) 자제를 잃은; 결합력 없

는. **~·ly** *ad.* **-ence, -en·cy** *n.*

in·come[ínkʌm] *n.* Ⓤⓒ 수입, 소득.

íncome tàx *n.* Ⓤⓒ 소득세.

in·com·ing[ínkʌmiŋ] *n.* Ⓤ 들어옴; (*pl.*) 수입. — *a.* 들어오는; 후임의.

in·com·men·su·ra·ble[ìnkə- ménʃərəbəl] *a.* 같은 표준으로 잴 수 없는, 비교할 수 없는; 〔數〕 약분할 수 없는(*with*).

in·com·men·su·rate[ìnkəmén- ʃərit] *a.* 어울리지 않는, 걸맞지 않는 (*with, to*); =⇧.

in·com·mode[ìnkəmóud] *vt.* 난처하게 하다; 방해하다.

in·com·mu·ni·ca·do[—] *a.* (Sp.) (美) (포로 등이) 외부와의 연락이 끊어진.

in·com·pa·ra·ble[inkámpərə- bəl / -5] *a.* 견줄 나위 없는; 비교할 수 없는(*with, to*), 무비의.

in·com·pat·i·ble[ìnkəmpætəbəl] *a.* 상반되는, 사이가 나쁜; 양립하지 않는; 조화되지 않는; 모순되는 (*with*); (컴퓨터) 호환성이 없는. **-bil·i·ty**[—bíləti] *n.*

in·com·pe·tent[inkámpətənt / -k5m-] *a.* 무능한; 〔法〕 무능력(무자격)의. **-tence, -ten·cy** *n.*

in·com·plete[ìnkəmplíːt] *a.* 불완전한, 미완성의. **~·ly** *ad.* **~·ness** *n.*

in·com·pre·hen·si·ble[inkàm- prihénsəbəl, inkàm— / —k3m—] *a.,* 불가해한; 〔古〕 무한한 (것). **the three ~s** 성부와 성자와 성령. **-bil·i·ty**[—hènsəbíləti] *n.*

in·con·ceiv·a·ble[ìnkənsíːvə- bəl] *a.* 상상도 할 수 없는; 믿어지지 않는. **~·bly** *ad.*

in·con·clu·sive[ìnkənklúːsiv] *a.* 결론이 나지 않는, 결정적이 아닌.

in·con·gru·ous[inkáŋgruəs / -5-] *a.* 조화되지 않는, 어울리지 않는 (*with*); 부적당한, **-gru·i·ty**[—grúːəti] *n.* Ⓤ 부적당; 불일치, 모순; ⓒ 부적당한 것; 불일치점.

in·con·se·quen·tial[inkànsi- kwénʃəl / —5—] *a.* 하찮은, 논리에 맞지 않는.

in·con·sid·er·a·ble[ìnkənsídər-

əbəl] *a.* 사소한, 중요치 않은.

in·con·sid·er·ate [ìnkənsídərit] *a.* 동정심 없는(*of*); 무분별한. **~·ly** *ad.* **~·ness** *n.*

in·con·sist·ent [ìnkənsístənt] *a.* 조화되지 않는; 양립하지 않는(*with*); 주견이 없는. **~·ly** *ad.* **~·en·cy** *n.* ⓤ 불일치; 모순; 무정견(無定見); ⓒ 모순된 것(행동).

in·con·sol·a·ble [ìnkənsóuləbəl] *a.* 위로할[달랠] 길 없는. **-bly** *ad.*

in·con·spic·u·ous [ìnkənspíkju·əs] *a.* 두드러지지 않는.

in·con·stant [ìnkánstənt/-5-] *a.* 변덕스러운(fickle). **-stan·cy** *n.*

in·con·test·a·ble [ìnkəntéstəbəl] *a.* 논의할 여지가 없는. **-bly** *ad.*

in·con·ti·nent [ìnkántənənt/-kɔ́n-] *a.* 자제심이 없는; 절제(節制) 없는; 음란한. **~·nence** *n.*

in·con·tro·vert·i·ble [ìnkàntrə-vɔ́:rtəbəl/-kɔn-] *a.* 논쟁[다툼]의 여지가 없는. **-bly** *ad.*

in·con·ven·ience [ìnkənvíːnjəns] *n.* ⓤ 불편함, 부자유; 부자유, 불편한 것. 폐가 되는 것. —— *vt.* 불편을 주다, 폐를 끼치다. **-ient** *a.* 불편[부자유]한; 형편이 나쁜, 폐가 되는. **-ient·ly** *ad.*

in·cor·po·rate [ìnkɔ́:rpərèit] *vt.* ① 합동시키다, 합병하다(combine). ② 법인 조직으로 하다; 《美》주식 회사로 하다, 유한 책임 회사로 만들다; ③ 채용하다; 구체화하다. —— *vi.* 합동하다. —— [-rit] *a.* 법인 조직의; 합동[《美》주식 회사의, 유한 책임의(생략 Inc.). **-ra·tion** [-─-réiʃən] *n.* ⓤ 합동; ⓒ 법인 조직, (주식) 회사.

in·cor·po·re·al [ìnkɔːrpɔ́:riəl] *a.* 무형의; 영적인, 영적인.

in·cor·rect [ìnkərékt] *a.* 부정확한, 틀린; 타당치 않은. **~·ly** *ad.* **~·ness** *n.*

in·cor·ri·gi·ble [ìnkɔ́:ridʒəbəl] *a.* 교정할 수 없는; 어거하기 어려운; 완고한. **-bly** *ad.*

in·cor·rupt·i·ble [ìnkərʌ́ptəbəl] *a.* 썩지 않는; 매수되지 않는. **-bili-**

ty [─-─-bíləti] *n.*

in·crease [ìnkríːs, ─-─] (opp. decrease) 증가; ⓤⓒ 증가; 증대; 증식; 증가액(량), **on the** ~ 증가 일로의. — [─-─] *vt.*, *vi.* 늘(리)다, 커지다; 증강시키다(증대)하다; 확대하다. —— 증강시키다(증대)하다. **in·créas·ing** *a.* 증가하는. **in·créas·ing·ly** *ad.* 점점.

in·cred·i·ble [ìnkrédəbəl] *a.* 믿기 어려운; 거짓말 같은. **-bly** *ad.* 믿을 수 없을 만큼. **~-bíl·i·ty** [─-─-bíləti] *n.*

in·cred·u·lous [ìnkrédʒələs] *a.* 쉽게 믿지 않는, 의심 많은. **-cre·du·li·ty** [ìnkridʒúːləti] *n.*

in·cre·ment [ínkrəmənt] *n.* ⓤ 증가; ⓒ 증가량.

in·crim·i·nate [ìnkrímənèit] *vt.* 죄를 씌우다(accuse of a crime).

in·crus·ta·tion [ìnkrʌstéiʃən] *n.* ⓤ 외피로 덮이(기); ⓒ 외피; ⓤ 상감(象嵌).

in·cu·bate [ínkjəbèit, ínk-] *vt.* (새가 알을) 품다, 까다; 피하다. —— *vi.* 알을 품다, (알이) 깨다; 숙고하다. 부화하다. — *n.* ⓒ 부화미; 조산아 보육기; 세균 배양기. **-ba·tion** [─-─béiʃən] *n.* ⓤ 알을 품음, 부화; ⓤ[醫] 잠복(기).

in·cu·bus [ínkjəbəs, ínk-] *n.* (*pl.* **~·es, -bi**[-bài]) ⓒ 가위(눌림), 몽마(夢魔); 압박하는 것, (마음의) 무거운 짐.

in·cul·cate [ìnkʌ́lkeit, ─-─-] 되풀이 하여 주입시키다(instil)(*on, upon*). **-ca·tion** [─-─-kéiʃən] *n.*

in·cum·bent [ìnkʌ́mbənt] *a.* 기대는, 의무로서 지워지는, 의무인(*on, upon*). —— *n.* ⓒ 《英》교회의(재직 목사; 재직자, **-ben·cy** *n.* ⓒ 재직 목사의 직위[임기].

in·cur [ìnkɔ́:r] *vt.* (**-rr-**) ① (···에) 부딪치다, (···에) 빠지다. ② (손해 등을) 초래하다. **~ debts** 빚지다.

in·cur·a·ble [ìnkjúərəbəl] *a.*, *n.* ⓒ 불치의 (병자). **-bly** *ad.* 나을[고칠] 수 없을 만큼.

in·cu·ri·ous [ìnkjúəriəs] *a.* 호기심 없는, 알려고 하지 않는; 흥미 없는.

in·cur·sion [ìnkɔ́:rʒən, -ʃən-] *n.* ⓒ 침입; 습격. **-sive** [-siv] *a.*

in·debt·ed[indétid] *a.* ① 빚이 있는(*to*). ② 은혜를 입은(*to*). **~·ness** *n.* Ü 부채(액); 은혜.

in·de·cent[indí:snt] *a.* 꼴사나운, 천한, 상스러운, 외설한, **-cen·cy** *n.* Ü 예절 없음, 꼴사나움; 외설; ⓒ 추잡한 행위(말)

indécent expósure 공연(公然) 음란죄.

in·de·ci·pher·a·ble[índisáifərəbəl] *a.* 판독(判讀)할 수 없는.

in·de·ci·sion[índisíʒən] *n.* Ü 우유 부단.

in·de·ci·sive[índisáisiv] *a.* 결정적이 아닌; 우유 부단한, **~·ly** *ad.*

in·dec·o·rous[indékərəs] *a.* 버릇 없는.

in·deed[indí:d] *ad.* ① 실로, 참으로, 과연. ② (양보) 과연, 하긴(*He is clever* ~, *but...*). ③ (상대의 질문을 되받아 동의 또는 비꼼거리) 정말로, …하다니 어이없군 (*'Who wrote this?' 'Who wrote this, ~!'* 이것은 누가 썼을까? 정말 누가 썼을까? (비꼼아) 새삼스레 누가 썼느냐고 묻다니 기가 막히는군!). ④ 《집 삽적으로》 더구나, 그리고 또한; 그렇기는커녕 (*He is not honest. I-, he is a great liar.*). — [—] *int.* 흥, 설마! (*She is a singer, ~!* 저것이 가수라고, 흥!).

in·de·fat·i·ga·ble[índifætigəbəl] *a.* 지칠 줄 모르는, 끈기 있는, **-bly** *ad.*

in·de·fen·si·ble[índifénsəbəl] *a.* 방어(변호)할 수 없는.

in·de·fin·a·ble[índifáinəbəl] *a.* 정의(定義)(설명)할 수 없는.

in·def·i·nite[indéfənit] *a.* 불명료한; 한계 없는, 일정하지 않은; 《文》 부정(不定)의, **~·ly** *ad.*

indéfinite árticle 《文》 부정관사 《a, an》.

in·del·i·ble[indéləbəl] (*cf.* dele) *a.* 지울(잊을) 수 없는, **-bly** *ad.*

in·del·i·cate[indélikit] *a.* 상스러운, 외설의; ⓒ 상스러움 연행.

in·dem·ni·fy[indémnəfài] *vt.* (손해 입지 않도록) 보장하다《*from, against*》; 배상하다《*for*》. **-fi·ca·tion**[————fi-

kéiʃən] *n.*

in·dem·ni·ty[indémnəti] *n.* Ü 손해 배상; 형벌의 면제; ⓒ 배상금.

in·dent[indént] *vi.* ① (가장자리에) 톱니 자국을 내다; 《출판을 지고 재고 선에 따라 배어》 정부(正副) 2통으로 만들다. ② 만입(시키)다, 옴폭 들어가게 하다; 《원고의 새로 시작하는 행의 처음을》 안쪽으로 시작하다. — [—], [—] *n.* ① 톱니 모양의 자국; 두장 잇달인 계약서. **~·ed**[-id] *a.* ① 톱니 자국이 있는, 들쭉날쭉한 곳; ⓒ (한 칸 들이킨) 빈 곳; = INDENTATION.

in·dén·tion[inténʃən] *n.* ① (새 행의) 한 칸 들이킴; ⓒ (한 칸 들이킨) 빈 곳; = INDENTATION. [떡니.

in·dent[indént] *vt.* 홈을 만들다; (도장을)

in·den·ta·tion[índentéiʃən] *n.* Ü 톱니 자국을 냄; ⓒ 톱니 자국; (해안선의) 만입(浦入); 《印》 = INDENTION; 《컴》 들여쓰기.

in·de·pend·ence[índipéndəns] *n.* Ü 독립, 자립, **-en·cy** *n.* Ü 독립(심); ⓒ 독립국.

Índepéndence Dày (미국) 독립 기념일(7월 4일).

in·de·pend·ent[-dənt] *a.* ① 독립(자립)한; 남의 영향을 받지 않는, 독자의《*of*》; (재산이) 일하지 않아도 살아갈 수 있는; 독립심이 있는. ② 독립적인; 멋대로의, ③ (I-) 《宗》 조합 교회파의(Congregational). — *n.* ① 독립자, 무소속 의원(의·문··). ② (I-) 《宗》 조합 교회파의 사람. **~·ly** *ad.*

in·de·scrib·a·ble[índiskráibəbəl] *a.* 형언할 수 없는, 막연한.

in·de·struct·i·ble[índistrʌktəbəl] *a.* 파괴할 수 없는, 불멸의.

in·de·ter·mi·na·ble[índitə́rmənəbəl] *a.* 결정하기 어려운; 확인할 수 없는.

in·dex[índeks] *n.* (*pl.* ~**es**, **-di·ces**) ⓒ ① 색인[《컴》찾아보기, 색인; 지표; 집게손가락; 숫자. ② 눈(가락)표 《——》. ③ (the I-) 《가톨릭》 금서(禁書) 목록. — *vt.* (책에) 색인을 붙이다; 색인에 넣다.

índex finger 집게손가락.

In·di·an[índiən] *a.* 인도(사람)의 (아메리카) 인디언의. — *n.* ⓒ 인도 사람; (아메리카) 인디언; Ü 인디언의 언어. *Red* ~ 아메리카 토인.

Índian súmmer 《본디 美》 늦가을의 맑고 따뜻한 날씨가 계속되는 시기.

Índia rúbber 《종종 i-》 탄성 고무; 지우개.

:in·di·cate[índikèit] *vt.* ① 지적하다; 보이다; 나타내다; 암시하다; 말하다. ② (증상이 어떤 요법의) 필요성을 나타내다. ***-ca·tion**[ɔ̀-kéi-ʃ(ə)n] *n.* ⓤⓒ 지시; 징후; ⓒ (계기의) 시도(示度), 지시 도수. ***ín·di-ca·tor** *n.* ⓒ 지시하는 사람(것); 표시기; (계기의) 지침; 《化》 지시약.

*in·dic·a·tive[índíkətiv] *a.* ① 《文》 직설법의. ② 표시하는(of). — *n.* ⓒ 직설법(동사)(I *am* a student. 의 *am*; if it *rains*...의 *rains*... 따위)(cf. imperative, subjunctive).

in·di·ces[índisìːz] *n.* index의 복수.

in·dict[indáit] *vt.* 《法》 기소(고발)하다. **~·a·ble** *a.* ***~·ment** *n.* ⓤ 기소; ⓒ 기소장.

:in·dif·fer·ent[indífərənt] *a.* ① 무관심한; 냉담한. ② 공평한; 좋지도 나쁘지도 않은; 대수롭지 않은, 아무래도 좋은. ③ 시원치 않은(rather bad). ④ 《理》 중성의. **be ~ to** ...에 무관심하다; ...에게는 아무래도 좋다(She was ~ to him. 그 여자는 그에게 무관심했다; 그 여자 따위는 그에게는 아무래도 좋았다). ***~·ly** *ad.* 무관심하게; 좋지도 나쁘지도 않게, 중 정도로; 상당히; 시원치 않게, 서투르게. **:-ence, -en·cy** *n.*

in·di·ge·nous[indídʒənəs] *a.* 토착의(to); 타고난(to).

in·di·gent[índidʒənt] *a.* 가난한. **-gence** *n.*

:in·di·gest·i·ble [ìndidʒéstəbəl, -dai-] *a.* 소화 안 되는; 이해하기 힘든. **-ges·tive**[-tiv] *a.*

*in·dig·nant[indígnənt] *a.* (부정 따위에 대해) 분개하는(at it; with him). ***~·ly** *ad.* 분개하여.

*in·dig·na·tion[ìndignéiʃən] *n.* ⓤ (불의 따위에) 분개, 의분.

*in·dig·ni·ty[indígnəti] *n.* ⓤ 모욕, 경멸; ⓒ 모욕적인 언동.

*in·di·go[índigòu] *n.* (*pl.* ~(**e**)**s**) *a.* ⓤ 쪽, 인디고(물감); 남(쪽)빛(의); ⓒ 《植》 인도쪽.

:in·di·rect[ìndirékt, -dai-] *a.* 간접의; 2차적인(secondary). 우회하는; 에두른; 부정한. ***~·ly** *ad.* **-rec·tion** *n.* ⓤ 에두름, 우회; 부정직.

índirect óbject 《文》 간접 목적어.

índirect táx 간접세.

In·dis·cern·i·ble[ìndisɔ́:rnəbəl, -zɔ́ːr-] *a.* 식별할 수 없는.

*in·dis·creet[ìndiskríːt] *a.* 분별(지각) 없는, 경솔한. **~·ly** *ad.* ***-cre·tion**[-kréʃən] *n.* ⓤ 무분별한 행위.

in·dis·crim·i·nate[ìndiskrímənit] *a.* 무차별의; 난잡한. **~·ly** *ad.* **-na·tion**[ɔ̀-néiʃən] *n.*

in·dis·pen·sa·ble[ìndispénsəbəl] *a, n.* 절대 필요한 (것); (의무 따위가) 피할 수 없는. **-bil·i·ty**[ɔ̀-bíləti] *n.*

in·dis·pose[ìndispóuz] *vt.* 싫증나게 하다(to); 부적당(불능)하게 하다(for); (가벼운) 병에 걸리게 하다. **~d**[-d] *a.* 기분이 나쁜; ...할 마음이 내키지 않는(to do).

in·dis·po·si·tion[ìndispəzíʃən] *n.* ⓤⓒ 기분이 언짢음(가벼운) 병; ⓤ 마음이 내키지 않음, 싫증.

in·dis·pu·ta·ble[ìndispjúːtəbəl, indíspju-] *a.* 논의의 여지가 없는; 명백한.

in·dis·sol·u·ble[ìndisáljəbəl/-5-] *a.* 용해[분리]할 수 없는; 확고한; 영구적인.

in·dis·tinct[ìndistíŋkt] *a.* 불명료한. **~·ly** *ad.*

in·dis·tin·guish·a·ble[-tíŋgwiʃəbəl] *a.* 구별할 수 없는. **-bly** *ad.*

in·di·vid·u·al[ìndəvídʒuəl] *a.* (opp. universal) 개인의, 개개의, 단일한; 독특한. — *n.* ⓒ 개인, 개체; 사람. ***~·ism**[-ìzəm] *n.* ⓤ 개인주의; 개성 : = EGOISM. ***~·ist** *n.* ⓒ 개인주의자; = EGOIST. **~·is·tic** [ɔ̀-ɔ̀-ɔ̀-ìstik] *a.* 개인주의적인; = EGOISTIC. ***~·ly** *ad.* 하나하나, 개별적으로; 개인적으로.

*in·di·vid·u·al·i·ty[ìndəvìdʒuælə-

ti] *n.* ⓤ 개성; ⓒ 개체, 개인; (*pl.*) 개인적 특징.

in·di·vid·u·al·ize[ìndəvídʒuəlàiz] *vt.* 낱낱이 구별하다; 개성을 부여[개성화]하다; 특기하다(specify).

in·di·vis·i·ble[ìndivízəbəl] *a.* 분할할 수 없는; 〖數〗나뉘어 떨어지지 않는, -**bil·i·ty**[⌐⌐-bíləti] *n.*

In·do-[índou, -də] '인도 (사람)'의 뜻의 결합사. ~**-Chína**[-]. 인도차이나(를 뜻으로 Burma, Thailand, Malay를 포함하는 경우와, 에 프랑스령 인도차이나를 가리키는 경우가 있음). ~**-Chínese**[-], *a.*, *n.* ⓒ 인도차이나의 (사람), ~**-Européan** [-Germánic], *n.*, *a.* 〖言〗 인도 유럽(게르만)어족(의), 인구(印歐)어족(의).

in·doc·tri·nate[indάktrənèit/-5-] *vt.* (교의 따위를) 주입하다; 가르치다. **-na·tion**[-⌐néiʃən] *n.*

in·do·lent[índələnt] *a.* 게으른; 〖醫〗무통(성)의. ~**·ly** *ad.* **-lence** *n.*

in·dom·i·ta·ble[indάmitəbəl/-5-] *a.* 굴복하지 않는. **-bly** *ad.*

in·door[índɔːr] *a.* 옥내의, 실내의.

in·doors[índɔ́ːrz] *ad.* 옥내에(서), 실내에서.

in·drawn[índrɔ̀ːn] *a.* 마음을 터놓지 않는 내성적인; 숨을 들이쉬는.

in·du·bi·ta·ble[indjúːbətəbəl] *a.* 의심할 여지 없는, 확실한.

in·duce[indjúːs] *vt.* ① 설득하여 ~시키다, 권유하다. ② 일으키다, 야기하다(cause); 귀납하다(opp. deduce). ③〖電〗유도하다. ~**d cur·rent** 유도 전류. ~**·ment** *n.* ⓤⓒ 유인; 자극; 동기.

in·duct[indʌ́kt] *vt.* (자리에) 인도하다; 취임시키다; 초보를 가르치다(initiate); 〖美〗 징병하다. ~**·ance** *n.* ⓤⓒ 〖電〗 자기(自己) 유도(induct).

in·duc·tion[indʌ́kʃən] *n.* ① ⓤ 유도, 도입, ② ⓤ 귀납(법); 귀납 추리(opp. deduction). ② ⓤ 유도, 감응. ③ ⓤ 취임식. **-tive** *a.* **-tiv·i·ty**[-tívəti] *n.* ⓤ 유도성. **-tor·i·ty** ⓒ 〖電〗 유도자(誘導子).

indúction còurse (신입 사원 등의) 연수.

in·dulge[indʌ́ldʒ] *vt.* ① 어하다, 멋대로 하게 하다(~ *a child*). ② (욕망 따위를) 만족시키다; 즐기게 하다. — *vi.* 빠지다(*in*); 실컷 마시다. ~ **oneself in** …에 빠지다.

in·dul·gence[indʌ́ldʒəns], ~**-cy**[-i] *n.* ① 멋대로 함; 탐닉 (*in*); ② 응석을 받음, 관대; 은혜. ② 〖카톨릭〗 사면. ③ 면죄부.

in·dul·gent[-dʒənt] *a.* 멋대로 하게 하는, 어하는, 관대한.

in·dus·tri·al[indʌ́striəl] *a.* ① 산업(공업)의. ② 산업에 종사하는; (산업) 노동자의. ~**·ism**[-ìzəm] *n.* ⓤ 산업주의. ~**·ist** *n.* ⓒ 산업 경영자; 공업가; 산업 노동자. ~**·ly** *ad.*

indústrial áction 〖英〗 파업, 스트라이크.

indústrial archaéology 산업 고고학(초기의 공장·기계 따위를 연구함).

indústrial árts 공예.

indústrial estáte 산업 지구.

in·dus·tri·al·ize[-àiz] *vt.* 산업(공업)화하다; 산업주의를 고취하다. **-i·za·tion**[-⌐-ìzéiʃən] *n.*

indústrial relátions 노사 관계; 산업과 지역 사회와의 관계(의 조정).

Indústrial Revolútion, the 〖英史〗 (18세기 말부터 19기 초에에 걸친) 산업 혁명.

in·dus·tri·ous[indʌ́striəs] *a.* 부지런한.

in·dus·try[índəstri] *n.* ⓤ 근면; 노동; 산업, 공업, 공업 경영.

in·e·bri·ate[iníːbrièit] *vt.* (술·흥분에) 취하게 하다(*the cups that cheer but not ~* 마음을 들뜨게 하나 취하게 하는 음료(茶를 일컬음; Cowper의 시에서)). — [-briit] *a.*, *n.* ⓒ 취한 (사람), 고주망태. **-a·tion**[-⌐éiʃən] *n.*

in·ed·i·ble[inédəbəl] *a.* 먹을 수 없는.

in·ef·fa·ble[inéfəbəl] *a.* 말로 표현할 수 없는; 말해서는 안 될.

in·ef·fec·tive[inìféktiv] *n.* 효과 없는; 효과적이 아닌; 쓸모 없는; 감명을 주지 않는. ~**·ly** *ad.*

in·ef·fec·tu·al[inìféktʃuəl] *a.* 효과 없는. ~**·ly** *ad.*

in·ef·fi·cient [inifíʃənt] *a.* 무능한; 쓸모 없는. **-bly** *ad.* 모르는. **-bly** *ad.*

in·el·e·gant [inéləɡənt] *a.* 우아하지 않은, 조잡한. **-gance, -gan·cy** *n.* ① 무풍류(無風流); 아치 없음. ② ⓒ 아치 있는 언행[문체].

in·el·i·gi·ble [inélidʒəbəl] *a.* (뽑힐) 자격이 없는, 부적당한.

in·e·luc·ta·ble [inilʌ́ktəbəl] *a.* 불가항력의, 불가피한.

in·ept [inépt] *a.* 바보 같은; 부적당한. **~·i·tude** [-ətjùːd] *n.* ⓤ 어리석음; 부적당한 것(말).

in·e·qual·i·ty [ini(ː)kwɑ́ləti/-5-] *n.* ⓤ 부동(不同); 불평등. ② ⓤ (표면의) 거칢; (*pl.*) 기복(起伏). ③ ⓒ (數) 부등식; ⓤ 부적합.

in·eq·ui·ta·ble [inékwətəbəl] *a.* 불공평한; 불공정한.

in·eq·ui·ty [inékwəti] *n.* ⓤ 불공평; 불공정.

in·e·rad·i·ca·ble [inirǽdikəbəl] *a.* 근절할 수 없는. **-bly** *ad.*

in·ert [inə́ːrt] *a.* 활발치 못한, 둔한; (理) 자동력이 없는; (化) 활성이 없는, 화학 변화를 일으키지 않는; **~ gases** 불활성 기체. **~·ly** *ad.* **~·ness** *n.*

in·er·tia [inə́ːrʃiə] *n.* ⓤ 활발치 못함; 둔함; (理) 관성, 타력(惰力).

in·er·tial [inə́ːrʃiəl] *a.* 활발치 못한, 타력의; (理) 관성의. **~ guidance (navigation)** (유도탄 따위의) 타력 비행.

in·es·cap·a·ble [ineskéipəbəl] *a.* 달아날 수 없는, 불가피한.

in·es·sen·tial [inisénʃəl] *a.* 긴요하지 않은; ⓒ 긴요하지 않은 (것).

in·es·ti·ma·ble [inéstəməbəl] *a.* 평가할 수 없는; (가치 등) 측량할 수 없을 정도의. **-bly** *ad.*

in·ev·i·ta·ble [inévitəbəl] *a.* 피할 수 없는, 필연적인. **the ~** 필연적인 일. **~·bly** *ad.* **-bil·i·ty** [-ˌ----bíləti] *n.* ⓤ 불가피, 필연성.

in·ex·act [inigzǽkt] *a.* 부정확한. **~·i·tude** [-itjùd] *n.*

in·ex·cus·a·ble [inikskjúːzəbəl] *a.* 변명이 서지 않는, 용서할 수 없는. **-bly** *ad.*

in·ex·haust·i·ble [inigzɔ́ːstəbəl] *a.* 다 쓸 수 없는, 무진장의; 피로를 모르는. **-bly** *ad.*

in·ex·o·ra·ble [inéksərəbəl] *a.* 무정한, 용서 없는; 냉혹한.

in·ex·pen·sive [inikspénsiv] *a.* 비용이 들지 않는, 싼. **~·ly** *ad.*

in·ex·pe·ri·ence [inikspíəriəns] *n.* ⓤ 무경험, 미숙. **~·d** [-t] *a.* 경험이 없는; 숙련되지 않은; 《세상 물정을 모르는》.

in·ex·pert [inékspəːrt, ìniks-pə́ːrt] *a.* 서투른.

in·ex·pli·ca·ble [iniksplíkəbəl, inékspli-] *a.* 설명(이해)할 수 없는, 불가해한. **-bly** *ad.*

in·ex·press·i·ble [ineksprésəbəl] *a.* 말로 표현할 수 없는. — *n.* (*pl.*) 《諺·古》 바지. **-bly** *ad.*

in·ex·pres·sive [iniksprésiv] *a.* 무표정한.

in·ex·tin·guish·a·ble [inikstíŋgwíʃəbəl] *a.* (불 따위) 끌 수 없는; (감정 등) 억제할 수 없는.

in·ex·tri·ca·ble [inékstrikəbəl] *a.* 해결(탈출)할 수 없는.

in·fal·li·ble [infǽləbəl] *a.* ① (판단 따위가) 절대 틀림이 없는; 절대 확실한. ③ (가톨릭) (교황이) 오류가 없는. **-bly** *ad.* **-bil·i·ty** [-ˌ---bíləti] *n.* 파오류 없음(교황의 무류성).

in·fa·mous [ínfəməs] *a.* 악명 높은 (notorious); 수치스러운, 파렴치한.

in·fa·my [ínfəmi] *n.* ⓤ ① 악평, 오명; 불명예. ② ⓒ 파렴치한 행위.

in·fan·cy [ínfənsi] *n.* ⓤⓒ 유년(시대); ① 초기.

in·fant [ínfənt] *n.* ⓒ 유아(7세 미만); (法) 미성년자 《21세 미만》. 본심자. — *a.* 유아의; 유치한; 초기의.

in·fan·tile [ínfəntàil, -til] *a.* 유아의; 유아 같은(childlike); 유치한 (childish); 초기의.

in·fan·ti·lism [ínfəntilìzəm] *n.* (醫) (성인의) 유치증, 발육 부전.

in·fan·try [ínfəntri] *n.* ⓤ (집합적) 보병; **~·man** [-mən] *n.* (개개의) 보병.

in·fat·u·ate [infǽtʃuèit] *vt.* 얼빠지게 만들다; (어리석은 일·여자 등에) 열중케 하다, 열중하다. **(be) ~d with** ……에 열중하여 (있다). **-at·ed** [-id] *a.* (……

에) 열중한, (여자 등에) 미친. **-ation**[─ʃ∂n] *n.* ① Ｃ 홀림, 근자에) 미침. ② Ｃ 열중하게 하는 것.

in·fect[infékt] *vt.* ① (…에) 감염시키다; 병독으로 오염하다; (나쁜 공조에) 물들이다; (나쁜 감정에) 영향을미치다; 감화하다. **be ~ed with** …에 감염돼[물들어] 있다.

in·fec·tion[infékʃ∂n] *n.* ① Ｃ 감염, (나쁜) 영향; 감화. ② Ｃ 전염병.

in·fec·tious[infékʃ∂s] *a.* 전염하는; 접촉 감염성의; (영향이) 옮기 쉬운.

in·fer[infə́:r] *vt., vi.* (**-rr-**) 추론하다, 추단하다; (결론으로서) 의미하다. **~·a·ble** [infə́:rəbəl, ínfər-] *a.* 추론할 수 있는.

in·fer·ence[ínfər∂ns] *n.* ① 추론, 추리; 〔컴〕 추론. ② Ｃ 추정, 결론. **-en·tial**[─énʃ∂l] *a.*

in·fe·ri·or[infíəriər] *a.* 하위의, (…보다) 못한(*to*). — *n.* Ｃ 하급자; 하급품.

in·fe·ri·or·i·ty[infìəriɔ́(ː)rəti, -ɑ́r-] *n.* Ｕ 열등; 하급.

inferiority còmplex 〖精神分析〗 열등 복합, 《一般》 열등감.

in·fer·nal[infə́:rnl] *a.* 지옥의; 명부(Hades)의. 악마 같은, 무도한(hellish); (口) 지독한, 심한. **~·ly** *ad.*

in·fer·no[infə́:rnou] *n.* (*pl.* **~s**) (the ~) 지옥; Ｃ 지옥 같은 곳(장경).

in·fer·tile[infə́:rt∂l/-tail] *a.* 기름지지 않은, 불모의(sterile).

in·fest[infést] *vt.* (해충·강도가) 떼 짓다, 엄습하다; 노략질하다; 해치다. **in·fes·ta·tion**[─téiʃ∂n] *n.* Ｕ Ｃ 떼지어 엄습함; 횡행.

in·fi·del[ínfəd∂l] *n.* Ｃ 믿음이 없는 사람; 이교도; 기독교를 믿지 않는 사람. — *a.* 신앙심이 없는; 이교도의.

in·fi·del·i·ty[ìnfədéləti] *n.* ① Ｕ 신앙심이 없음(특히 기독교의), 불신심. ② Ｕ Ｃ (부부간의) 부정(不貞) (행위).

in·fight·ing[ín-] *n.* Ｕ 〖拳〗 접근전; 내부(육박) 의식, 난투.

in·fil·ing[ínfiliŋ] *n.* Ｕ 〖建〗 내부

건재((기둥·지붕 이외의 건재)).

in·fil·trate[infíltreit, ─│─] *vt., vi.* 침투(침윤)시키다(하다); (…에) 침입시키다. **be ~d with** …이 침투해 있다. **-tra·tion**[─tréiʃ∂n] *n.* Ｕ Ｃ 침투; 〖醫〗침윤; 〖軍〗 잠입.

in·fi·nite[ínfən∂t] *a.* 무한의; 막대한. — *n.* (무한한 것); (the I-) 신. **~·ly** *ad.*

in·fin·i·tes·i·mal[ìnfinitésəməl] *a.* 극소의; 〖數〗 미분(微分)의.

in·fin·i·tive[infínitiv] *n., a.* 〖文〗 Ｕ Ｃ 부정사(의). **-ti·val**[─│─, ─│─val] *a.*

in·fin·i·ty[infínəti] *n.* Ｕ Ｃ 무한 (대); 무수.

in·firm[infə́:rm] *a.* 허약한; (의지 따위가) 약한; (이유 따위) 박약한.

in·fir·ma·ry[infə́:rməri] *n.* Ｃ 병원; (학교·공장 따위의) 부속 진료소.

in·fir·mi·ty[infə́:rməti] *n.* Ｕ Ｃ 병; (도덕적) 결함, 약점.

in·flame[infléim] *vt.* (…에) 불을 붙이다; 노하게 하다(성내); 충혈시키다, 염증을 일으키게 하다. — *vi.* 불붙다; 노하다; 염증을 일으키다.

in·flam·ma·ble[infléməbəl] *a.* 불타기(노하기) 쉬운. **-bil·i·ty**[─bíl─] *n.*

in·flam·ma·tion[ìnfləméiʃ∂n] *n.* Ｕ 발화; 연소; Ｃ 염증.

in·flam·ma·to·ry[inflémətɔ̀:ri/-təri] *a.* 격앙시키는; 〖醫〗 염증(성)의.

in·flate[infléit] *vt.* (공기·가스 따위로) 부풀리다; (통화를) 팽창시키다; 우쭐하게 만들다. **-flat·ed**[-id] *a.* 팽창된; 과장된; 우쭐한. **in·flát·er, -tor** *n.* (타이어의) 공기 펌프.

in·fla·tion[infléiʃ∂n] *n.* Ｕ 팽창; 통화 팽창, 인플레이션; (물가의) 폭등; 득의(得意). **~·ar·y**[-èri/-əri] *a.* 인플레이션의. **~·ist** *n.* 인플레(정책)논자.

in·flect[inflékt] *vt.* 구부리다; 〖文〗(어미를) 변화시키다; (음성을) 조절하다. — *vi.* 어미변화하다.

in·flec·tion[inflékʃ∂n] *n.* ① Ｕ Ｃ 굴절. ② Ｕ Ｃ 굴곡. ③ Ｕ 어미변화; 음절의 조절, 억양. **~·al** *a.*

in·flex·i·ble[infléksəbəl] *a.* 구부

리지 않는, 구부릴 수 없는; 불굴의; 확고한; 불변의. **-bil·i·ty**[—ㅗ—bíləti] *n.* **-bly** *ad.*

in·flex·ion[inflékʃən] *n.* 《英》 = INFLECTION.

:in·flict[inflíkt] *vi.* (고통 따위를) 주다(*on, upon*); (벌을) 과하다. **in·flíc·tion** *n.* ① Ⓤ (벌을) 과함. ② Ⓒ (과해진) 처벌.

in·flow[ínflòu] *n.* Ⓤ 유입; Ⓒ 유입물.

:in·flu·ence[ínfluəns] *n.* ① Ⓤ,Ⓒ 영향; 감화력. ② Ⓤ 세력. ③ Ⓒ 영향을 미치는 사람[것]. ④ Ⓤ 〖電〗 감응. ***under the*** ~ …의 영향으로. — *vt.* (…에) 영향을 미치다; 좌우하다; 매수하다. ~ ***peddler*** (직함 따위를 이용하여) 얼굴이 잘 통하는 사람.

·in·flu·en·tial[ìnfluénʃəl] *a.* 영향을 미치는; 유력한.

:in·flu·en·za[-énzə] *n.* (It. = influence) Ⓤ 〖醫〗 인플루엔자, 유행성 감기, 독감.

in·flux[ínflʌ̀ks] *n.* Ⓤ 유입(流入); Ⓒ 강어귀.

in·fo[ínfou] *n.* 《口》 = INFORMATION.

in·fold[infóuld] *vt.* 싸다; 끌어안다.

:in·form[infɔ́:rm] *vt.* (…에게) 알리다(*of*); (감정 따위를) 불어넣다, 고무하다(*with*). — *vi.* 밀고하다(*against*). **~ed**[-d] *a.* 지식이 있는; 사정에 밝은. ***~ed public*** 지식층. **~·er** *n.* Ⓒ 통지자; 밀고자.

:in·for·mal[infɔ́:rməl] *a.* ① 비공식의, 약식의; 격식을 차리지 않는. ② 구어의. **~·ly** *ad.* **·~·i·ty**[ㅗ—mǽləti] *n.* Ⓤ,Ⓒ 비공식 (처분).

·in·form·ant[infɔ́:rmənt] *n.* Ⓒ 통지자; 밀고자; 〖言〗 (지역적 언어 조사의) 피(被)조사자, 자료 제공자.

†in·for·ma·tion[ìnfərméiʃən] *n.* Ⓤ ① 통지; 정보, 보도; 지식. ② (호텔·역 등의) 안내[접수]계. ③ 〖法〗 고발. ④ 〖컴〗 정보(량). ***ask for*** ~ 문의[조회]하다. ***I-, please.*** 미국의 라디오 퀴즈 프로의 하나. **~·al** *a.*

·in·form·a·tive[infɔ́:rmətiv] *a.* 정보의, 지식을 주는; 유익한.

in·fra-[ínfrə] *pref.* '밑에, 하부에'의 뜻: *infra*costal.

in·frac·tion[infrǽkʃən] *n.* ① Ⓤ 위반, 반칙. ② Ⓒ 위반 행위.

in·fra dig[ínfrə díg] (<L. *infra dignitatem* = beneath one's dignity) 《口》 체면에 관계되는.

in·fra·red[ìnfrəréd] *a.* 적외(선)의 (cf. ultraviolet). — *n.* Ⓤ (스펙트럼의) 적외부.

in·fra·struc·ture[ínfrəstrʌ̀ktʃər] *n.* Ⓤ,Ⓒ 〖政〗 하부 조직[구조], (경제) 기반; 영구 군사 시설.

in·fre·quent[infrí:kwənt] *a.* 드문, 좀처럼 일어나지 않는. **~·ly** *ad.* **-quence, -quen·cy** *n.*

·in·fringe[infrínd3] *vt., vi.* 어기다, 범하다; 침해하다(*on, upon*). **~·ment** *n.* Ⓤ (법규) 위반.

·in·fu·ri·ate[infjúərièit] *vt.* 격노시키다. **-at·ed**[-id] *a.* 격노한.

·in·fuse[infjú:z] *vt.* ① 붓다; 불어넣다, 고취하다(instil)(*with*). ② (뜨거운 물에 약초 따위를) 우려내다 (~ *tea* 차를 달이다). **in·fú·sion**[-ʒən] *n.* ① Ⓤ 주입, 고취. ② Ⓒ 주입물; 우려낸 즙, 달인 물.

:in·gen·ious[indʒí:njəs] *a.* (발명의) 재주가 있는, 재간 있는; 교묘한. **~·ly** *ad.*

in·gé·nue[ǽndʒənjù:] *n.* (F.) (*pl.* **~s**) Ⓒ 〖劇〗 천진한 소녀(역의 여배우).

·in·ge·nu·i·ty[ìndʒənjú:əti] *n.* Ⓤ 재주; 교묘; 발명의 재간.

·in·gen·u·ous[indʒénjuəs] *a.* 솔직한, 정직한; 꾸밈없는; 순진한. **~·ly** *ad.* 「하다.

in·gest[indʒést] *vt.* (음식을) 섭취하다.

in·gle·nook[íŋgəlnùk] *n.* Ⓒ 벽난로 구석[가].

in·glo·ri·ous[ingl:ɔ́:riəs] *a.* 불명예스러운; 《古》 무명의.

in·got[íŋgət] *n.* Ⓒ 〖治〗 주괴(鑄塊), '잉곳'. ~ ***steel*** 용제강(鎔製鋼).

in·grain[ingréin] *vt.* 짜기 전에 염색하다; 원료 염색해다; (습관 따위) 깊이 뿌리박히게 하다. — [ㅗㅗ] *a.* 짜기 전에 염색한, 원료 염색의; 깊이 배어든. — *n.* Ⓒ 짜기 전에 염색한 융단, 원료 염색한 털실. **~ed**[-d] *a.* = INGRAIN.

in·gra·ti·ate[ingréiʃièit] *vt.* 환심을 사다. ~ ***oneself with*** …에게

알랑거리다. …의 비위를 맞추다.

in·grat·i·tude[ingrǽtitjùːd] *n.* ⓤ 배은 망덕.

in·gre·di·ent[ingríːdiənt] *n.* ⓒ (혼합물의) 성분, (요리의) 재료.

in·gress[íngres] *n.* ① ⓤ 들어감, 입장. ② ⓒ 입장권(權); 입구.

in·group[íngrùp] *n.* ⓒ 〔社〕 내집단(內集團)(we-group)(opp. out-group).

in·grow·ing[íngròuiŋ] *a.* 안쪽으로 성장하는; (손톱이) 살 속에 파고 드는. **ín·grown** *a.*

in·hab·it[inhǽbit] *vt.* (…에) 살다; (…에) 존재하다. **~·ed**[-id] *a.* 사람이 살고 있는.

in·hab·it·ant[-bətənt] *n.* ⓒ 주민, 거주자; 서식 동물.

in·ha·la·tion[ìnhəléiʃən] *n.* ⓤ 흡입; ⓒ 흡입제.

in·hale[inhéil] *vt.* (공기 따위를) 흡입하다(opp. exhale); (담배 연기를) 빨다. **in·hál·er** *n.* ⓒ 흡입자(기).

in·har·mo·ni·ous[ìnhɑːrmóuniəs] *a.* 부조화의; 〔樂〕 불협화음(音)의.

in·her·ent[inhíərənt] *a.* 고유의, 타고난. **~·ly** *ad.* **-ence, -en·cy** *n.*

in·her·it[inhérit] *vt.* 상속하다 ; 유전하다. — *vi.* 상속하다 ; (一般) 계승하다(from). — **·a·ble** *a.* 상속할[상속시킬]수 있는. **in·hér·i·tor** *n.* ⓒ

in·her·it·ance[inhérit∂ns] *n.* ① ⓤ 상속(권); ② ⓒ 유산; 유전.

in·hib·it[inhíbit] *vt.* 금하다(from doing); 제지하다.

in·hi·bi·tion[ìnhəbíʃən] *n.* ⓤⓒ 금지; 억제. **in·hib·i·to·ry**[inhíbə-tɔ̀ːri/-tǝri] *a.*

in·hos·pi·ta·ble[ìnhɑspítəbəl/-5-] *a.* ① 대접이 나쁜, 불친절한. ② (토지가) 살기 어려운, 살풍경한; 불모의(barren).

in·hu·man[inhjúːmən] *a.* 인정없는; 잔인한, 비인간적인. **~·i·ty**[—mǽnəti] *n.* ⓤ 몰인정; 냉혹; 잔학. ⓒ 잔학 행위.

in·hu·mane[ình(ju)méin] *a.* 몰인정한(몰인정한).

in·im·i·cal[inímikəl] *a.* 적의(敵

意) 있는(hostile)(to); 해로운(to).

in·im·i·ta·ble[inímitəbəl] *a.* 흉내낼 수 없는; 다시 없는(unique).

in·iq·ui·tous[iníkwitəs] *a.* 부정[악독]한.

in·iq·ui·ty[iníkwəti] *n.* ⓤ (대단한) 부정, 죄악; ⓒ 부정[불법] 행위.

in·i·tial[iníʃəl] *a.* 최초의; 어두(語頭)의. — *n.* ① 머릿자, 어두의 문자. — (*pl.*) (이름의) 첫자, 이니셜. — *vt.* (…에) (美) 머릿글자로 서명하다; 가조인하다. **~·ly** *ad.* 처음에.

in·i·ti·ate[iníʃièit] *vt.* ① 시작하다, ② 입문시키다, 초보를 가르치다; 비전(秘傳)을 전하다(into). ③ (정식으로) 가입시키다(into). — [-íʃiit] *a., n.* ① 비전을 전수 받은 (사람); (비밀 결사 따위에) 새로 입회한 (사람). **in·i·ti·a·tor** *n.* 창시(전수(傳授))자.

in·i·ti·a·tion[iniʃiéiʃən] *n.* 개시; 초보물이; 비전 전수; 입회, 입당, 입문, 가입. — ⓒ 입회(입당)식.

in·i·ti·a·tive[iníʃiətiv] *a.* 처음의. — *n.* ⓤⓒ ① 발의; 솔선, 선도(先導). ② 창의, 진취의 기상; 독창력; 개시. ③ 솔선권, (the —) 〔政〕 발의권, (일반 국민의 의안 제출권, **on·one's own** — 솔선하여, **take the** — 선수를 치다, 주도권을 잡다.

in·ject[indʒékt] *vt.* 주사하다; (의견 따위를) 삽입하다.

in·jec·tion[indʒékʃən] *n.* ① ⓤ 주사; ⓒ 주사액. ② ⓤ 〔地·鑛〕 관입(貫入). ③ ⓤⓒ 〔宇宙〕 투입, 인체. **in·jéc·tor** *n.* ⓒ 주사기.

in·ju·di·cious[ìndʒu(ː)díʃəs] *a.* 분별 없는. **~·ly** *ad.*

in·junc·tion[indʒʌ́ŋkən] *n.* ⓒ 명령; 〔法〕 금지 명령.

in·jure[índʒər] *vt.* 상처를 입히다; (감정 따위를) 해치다, 손상하다. **~·d**[-d] *a.* 부상한(the —d 부상자); 감정을 상한.

in·ju·ri·ous[indʒúəriəs] *a.* ① 해로운(to); (행위가) 부당한; (말이) 아무른) 중상하는, 모욕적인. **~·ly** *ad.*

in·ju·ry[índʒəri] *n.* ⓤⓒ 손해; 상

해: 모욕: 부당.

in·jus·tice [indʒʌ́stis] *n.* ① ⓤ 불공평: 부정. ② ⓒ 부정 행위.

ink [iŋk] *n.,* ⓤ 잉크. **(as) black as** ─ 새까만: **write in** ─ 잉크로 쓰다. ── *vt.* 잉크로 쓰다; (…에) 잉크를 칠하다, 더럽히다. ─ **in** [**over**] (연필로 그린 밑그림 따위를) 잉크로 칠하다. **~ up** [인쇄기에] 잉크를 넣다.

ink·ling [íŋkliŋ] *n.* ⓤ (어렴풋이) 눈치챔(vague notion): 암시. **get** [**give**] **an ~ of** …을 알아채다[년지 알리다].

ink·well [ǽ] *n.* ⓒ (책상에 박혀 있는) 잉크병.

ink·y [íŋki] *a.* 잉크의: 잉크 같은: 잉크로 표를 한: 잉크 묻은: 새까만.

in·land [ínlèd, -ə] *n., a.* 내륙(의). 오지(奧地)(의): 국내(의). ── *rev-enue* 《英》 내국세 수입. ── [inlǽnd, -lənd/ínlənd] *ad.* 내륙으로, 오지로: 국내로 향하여, 국내에.

in·law [ínlɔ̀ː] *n.* 《pl.》 인척.

in·lay [ínléi, ᶜᵌ] *vt.* (**-laid**) 박아넣다, 상감하다(*with* …). ── [ᶜᵌ] *n.* ⓤⓒ 상감 (세공).

in·let [ínlet] *n.* ⓒ 후미, 내해: 입구; 삽입물, 상감(무).

in·mate [ínmèit] *n.* ⓒ 입원자, 《병원·감호 따위의》 수용자, 《古》 동거인, 동숙인.

in me·mo·ri·am [ìn mimɔ́ːriəm, -ræm] (L.) (고인의) 기념으로(서).

in·most [ínmòust] *a.* 맨 안쪽의, 가장 깊은: 마음 깊이 간직한.

inn [in] *n.* ⓒ 여관, 여인숙, 선술집(tavern). **Inns of Court** (영국의) 법학 협회[학원].

in·nate [inéit, ᶜᵌ] *a.* 타고난, 내재적인, 고유의.

in·ner [ínər] *a.* 안의, 내부의(opp. outer): 정신의: 영적인: 비밀의, **the ~ man** 마음, 영혼: 《諧》 위, 밥통: 식욕. **~·most** [-mòust] *a.,* *n.* 맨 안쪽의) ⓒ 가장 깊숙한 곳.

inner city 대도시 중심의 저 소득층이 사는 지역.

in·ning [íniŋ] *n.* ⓒ 《野》 이닝,

…회; 칠 차례. ② 《英》 *pl.*로 단수 취급》 정권 장악 기간; (개인의) 활약기.

inn·keep·er *n.* ⓒ 여관 주인.

in·no·cence [ínəsns], **-cen·cy** [-i] *n.* ① ⓤ 무죄, 결백: 깨끗함: 천진난만함: 숫됨. ② ⓒ 천진난만한(순진한) 사람.

in·no·cent [-snt] *a.* 죄 없는, 결백한(*of*): 깨끗한: 순진(단순)한, 무식한: 무해한: 《口》(…이) 없는(*of*). ── *n.* ⓒ 결백한 사람; 천진난만한 사람, 호인. **~·ly** *ad.*

in·noc·u·ous [inákjuəs, /-5-] *a.* 해가 없는.

in·no·vate [ínouvèit] *vi., vt.* 혁신 [쇄신]하다(*in, on, upon*). **·va·tion** [~-véi-] *n.* **ín·no·va·tor** *n.*

in·nu·en·do [ìnjuèndou] *n.* (*pl.* **~es**) ⓤⓒ 암시, 빗댐.

in·nu·mer·a·ble [in*j*úːmərəbəl] *a.* 이루 셀 수 없는, 무수한. **-bly** *ad.*

in·oc·u·late [inákjəlèit/-5-] *vt.* 《醫》(예방) 접종을 하다(*against*); (사상 따위를) 주입하다: (세균 등을) 접종하다. **-la·tion** [-≁léiʃən] *n.*

in·of·fen·sive [ìnəfénsiv] *a.* 해롭 지 않은; 불쾌감을 주지 않는.

in·op·er·a·ble [inápərəbəl/-5-] *a.* 수술할 수 없는: 실시할 수 없는.

in·op·er·a·tive [inápərətiv, -ápərèit-/-5prə-] *a.* 효력 없는, 무효의.

in·op·por·tune [inàpərt*j*úːn/-ɔ̀p-] *a.* 시기를 놓친, 형편이 나쁜.

in·or·di·nate [inɔ́ːrdənət] *a.* 과도한, 지나친: 무절제한. **~·ly** *ad.*

in·or·gan·ic [ìnɔːrɡǽnik] *a.* 《化》 생활 기능이 없는; 무생물의. ⓒ 무기(無機)(물)의.

inorganic chemistry 무기 화학.

in·pa·tient [ínpèiʃənt] *n.* ⓒ 입원 환자(*cf.* outpatient).

in·put [ínpùt] *n.* ⓤⓒ 《經》 투입 (량); 《機·電》 입력(入力); 【컴】 입력(신호). ── *vt., vi.* 【컴】 (정보 따위를) 입력하다.

in·quest [ínkwest] *n.* ⓒ 《法》 (배심원의) 심리; 검시(檢屍).

in·quire [inkwáiər] *vt., vi.* 조사하다, 문의하다(*of*): 물어보다. **~ after** …의 안부를 묻다. **~ into** (사건 등)

을) 조사하다. **in·quír·er** n. **in·quir·ing**[-kwáiəriŋ] a. 알고 싶은 듯이, 의심쩍은 듯이.

in·quir·y[inkwáiəri, ínkwəri] n. C.U 문의, 질문; 조회; 조사; 연구; [컴] 물어보기.

in·qui·si·tion[ìnkwəzíʃən] n. ① 조사. ② U [法] 심문, 심리. ③ (the I-) [가톨릭] 종교 재판(소).

in·quis·i·tive[inkwízətiv] a. 호기심이 많은, 물어보고 싶어하는, 알고자 하는, 캐묻기 좋아하는(prying).

in·quis·i·tor[inkwízətər] n. C 조사(심문)관; (I-) [가톨릭] 종교 재판관.

in·quis·i·to·ri·al[inkwìzətɔ́ːriəl] a. 종교 재판(관)의(같은); 엄하게 심문하는.

in·road n. C 침입, 침략; 침해; (시간·저축 등의) 먹어 들어감.

in·rush n. C 돌입, 침입, 쇄도.

in·sane[inséin] a. 발광한; 미친 (사람 같은); 광폭한. ~ **asylum** 정신병원.

in·san·i·tar·y[insǽnətèri／-təri] a. 비위생적인.

in·san·i·ty[insǽnəti] n. ① U 광기, 정신 이상. ② C 미친 짓.

in·sa·tia·ble[inséiʃiəbəl] a. 물릴 줄 모르는, 탐욕한.

in·scribe[inskráib] vt. ① (종이·금속·돌 따위에) 어구를 쓰다, 새기다. ② (헌정사(獻呈辭)를 적어 정식으로 책을) 헌정하다. ③ 명기(銘記)하다; (공식 명부 따위에) 기입하다. ④ [幾] 내접(內接)시키다.

in·scrip·tion[inskrípʃən] n. C 명(銘); (책의) 제명(題銘); 비문; (책의) 헌정사.

in·scru·ta·ble[inskrúːtəbəl] a. 알 수 없는, 불가사의한. **-bil·i·ty**[--bíləti] n.

in·sect[ínsekt] (L. ⟨insectum = divided (in three sections)의 뜻) n. C 곤충, 벌레(cf. worm).

in·sec·ti·cide[inséktəsàid] n. U.C 살충제.

in·sec·tiv·o·rous[ìnsektívərəs] a. 벌레를 먹는, 식충의. ~ **plants** 식충식물.

in·se·cure[ìnsikjúər] a. 안전하지

않은; 위태로운. **in·se·cú·ri·ty** n. U 불안전, 불확실; 근심; U 걱정거리.

in·sem·i·nate[insémənèit] vt. (씨를) 뿌리다, 넣다; 임신시키다.

in·sem·i·na·tion[insèmənéiʃən] n. U 파종; 수태, 수정. **artificial ~** 인공 수정.

in·sen·si·ble[insénsəbəl] a. 무감각한; 무신경의(of, to); 인사 불성의; 알아채지 못할 정도로, 아주 적은. **-bly** ad. 알아차리지 못할 만큼. **-bil·i·ty**[insènsəbíləti] n. U 무감각; 태연.

in·sen·si·tive[insénsətiv] a. 무감각한, 둔감한(to).

in·sep·a·ra·ble[insépərəbəl] a. 분리할 수 없는(from), 떨어질 수 없는.

in·sert[insə́ːrt] vt. 끼워넣다, 삽입하다(in, into). — [ínsəːrt] n. 삽입물; 삽입 페이지(광고); [映·TV] 삽입자막; [컴] 끼워넣기, 삽입.

in·ser·tion[insə́ːrʃən] n. U 삽입; C 삽입물; 삽입어구; 게재 기사; (신문 따위에) 끼워넣음(광고). U.C (레이스 따위의) 바탕을 파서 매어놓기.

in·set[ínsèt] vt. (~(ted), -tt-) 끼워넣다. — [-ᐟ] n. C 삽입물; 삽입페이지; (큰 지도(도표) 속의) 삽입지도(도표); 유입(流入)(influx).

in·shore a. 해안에 가까운(가깝게). — ad. 해안으로 향하여(여).

in·side[ínsáid, -ᐟ] n. (보통 the ~) 안쪽; 안, 내면; (보통 pl.) (口) 속, 배; (the ~) 내정, 내막. **on the ~** 내막을 알 수 있는 입장에서; 마음속으로는. **the ~ of a week** (英口) 주중(週中). — a. 내부의, 안쪽의; 내사정을 잘 아는, 내부 사람이 한(The theft was an ~ job. 도둑질은 내부 사람이 하는 일이었다); 간첩질하는. — ad., prep. (…의) 내부(집안)에서, 안쪽에. **get ~** 접안으로 들어가다; (조직) 내부로들어가다. **~ of ~의** 안쪽의, 이내에. **~ out** 뒤집어. **in·síd·er** n. C 내부 사람; 내부 사정을 알고 있는 사람.

in·sid·i·ous[insídiəs] a. 교활한; 음흉한; 잠행성의, (병이) 모르는 사이에 진행하는. **~ ly** 간교(하는 힘).

in·sight[ínsàit] n. U.C 통찰(력);

in·sig·ni·a [insígniə] *n.* (*sing. -signe* [-ni:]) *pl.* 기장, 훈장.

in·sig·nif·i·cant [insignífikənt] *a.* 대수롭지않은, 하찮은것, 무의미한. **~·ly** *ad.* **-cance, -can·cy** *n.*

in·sin·cere [insinsíər] *a.* 성의 없는. **-cer·i·ty** [**~**-sérəti] *n.*

in·sin·u·ate [insínjuèit] *vt.* 은근히 심어주다, 서서히 파고 들다; 교묘하게 환심사다(*oneself into*); 슬쩍 보이다(*that*); 넌지시 비추다(*into*). **-at·ing(·ly)** *a.* (*ad.*) **-a·tion** [**~**-éiʃən] *n.*

in·sip·id [insípid] *a.* 맛없는; 김빠진; 재미없는(opp. sapid). **in·si·pid·i·ty** [**~**-pídəti] *n.*

in·sist [insíst] *vi., vt.* 우기다; 강요하다, 억지로 하게하다; 주장하다(*on, upon, that*); 주의를 끄는; 강요[주장]하는; 주의를 끄는. **~·ent** [-ənt] *a.* **~·ence, ~·en·cy** *n.*

in·sole *n.* [] (구두의) 속창; 안창.

in·so·lence [ínsələns] *n.* [] 오만; [] 무례(한 언행).

in·so·lent [ínsələnt] *a.* 거만한, 안하무인의, 무례한. **~·ly** *ad.*

in·sol·u·ble [insάljubəl/-5-] *a.* 녹지않는; 해결할 수 없는.

in·sol·vent [insάlvənt/-s5l-] *a., n.* [法] 지급 불능의(파산한) (사람). **-ven·cy** *n.*

in·som·ni·a [insάmniə/-5-] *n.* [] 불면(증). **-ac** [-niæk] *a., n.* [] 불면증의 (환자).

in·sou·ci·ant [insú:siənt] *a.* (F.) 무심한; 태평한. **-ance** *n.*

in·spect [inspékt] *vt.* 조사[검사]하다; (관리로서) 검열하다.

in·spec·tion [inspékʃən] *n.* [] 검사, 조사; [] 검열; 시찰, 점검, 검열.

in·spec·tor [inspéktər] *n.* [] 검사관, 감독; 경시(警視); **police ~** 경시; **school ~** 장학사.

in·spi·ra·tion [ìnspəréiʃən] *n.* ① [] 숨을 들이쉬기(inhaling); 들숨; (인간에 대한 신의) 감화력; [] 영감에 의한 착상. ② [] 인스피레이션, 영감. ③ [] 고무, 감화; 시사(示唆).

in·spire [inspáiər] *vt.* 숨을 들이쉬다; 영감을 주다; (사상·감정을) 불어넣다(instil); 감격시키다; 고무하다(animate); 시사하다; (보도 따위의) 지시를 주다. **~d** [-d] *a.* 영감을 받은; (어떤 권력자·소식통의) 뜻을 받은, 견해를 반영한.

in·sta·bil·i·ty [instəbíləti] *n.* [] 불안정; 변덕.

in·stall [instɔ́:l] *vt.* 취임시키다; 자리에 앉히다(settle); (장치를) 설치하다. ***in·stal·la·tion** [instəléiʃən] *n.* [] 취임; 임명; [] 설비, 장치.

in·stal [instɔ́:lmənt] *n.* [] 분할 불입(금); (총서·전집 따위의) 일회분; = INSTALLATION.

instal(l)·ment plan (美) 분할불 판매법.

in·stance [ínstəns] *n.* (cf. instant) ① [] 요구; 권고; 시사. ② [法] 소송(절차). ③ 실례. ④ 경우. **at the ~ of** …의 의뢰로. **for ~** 예컨대. **in the first** [last] **~** 제1심(종심(終審))에서; 우선 첫째로[마지막으로]. **~** *vt.* 보기로 들다, 지적하다(exemplify).

*in·stant [ínstənt] *n.* 즉석의; 절박한; (날짜와 함께) 이 달의(생략 inst.); (커피·코코아 따위) 즉석의; 인스턴트의. **—** *n.* 즉각; 순간; [口] 인스턴트 식품. *in an* (*on the*) **~** 즉시. **the ~** 하자마자. **~·ly** *ad.* 즉시; (接) 하자마자.

in·stan·ta·ne·ous [ìnstəntéiniəs] *a.* 즉석의, 순간의; 동시에 일어나는. **~·ly** *ad.*

in·stead [instéd] *ad.* (…의) 대신에. **~ of** …의 대신에.

in·step *n.* [] ① 발등. ② 구두(양말)의 발등 부분.

in·sti·gate [ínstəgèit] *vt.* 선동하다; …을 일으키다. **-ga·tor** *n.* [] 선동자. **-ga·tion** [**~**-géiʃən] *n.*

in·stil(l) [instíl] *vt.* (한 방울씩) 떨어뜨리다; (감정 따위를) 스며들게하다. **in·stil·la·tion** [-léiʃən] *n.*

in·stinct [ínstiŋkt] *n.* [] [心] 본능; 천성, 영감; [-] *a.* 차서 넘치는, 가득 찬(with).

in·stinc·tive [instíŋktiv] *a.* 본능적인; 천성의. **~·ly** *ad.*

in·sti·tute [ínstətjù:t] *vt.* 설립[제

정)하다; (조사·소송을) 시작하다;
《美》 (성직에) 임명하다(install).
— *n.* ⓒ 협회, 학회; 회관; 원칙,
규칙, 습관.

in·sti·tu·tion [ìnstətjúːʃən] *n.* ①
Ⓤ 설립, 개시, 제정. ② ⓒ 《社》관례, 제도. ③ ⓒ 공공 기관(전축물)[학교·교회·병원 등]; 협회, 학회; …단체. ④ ⓒ 《口》잘 알려진 사람, 명물. ~·**al** *a.* 제도(상)의; (공고가 회사·상점의) 명성을 올려 신용을 높이기 위한. ~·**al·ize** [-əlàiz] *vt.* 공공 단체로 하다, 제도화하다《口》(시설 등에) 수용하다.

:in·struct [instrʌ́kt] *vt.* 가르치다(*in*); 지시하다(*to do*); 알리다(*that*); 《컴》명령하다. **:in·strúc·tive** *a.* 교육적인, 유익한. **:in·strúc·tor** *n.* ⓒ 《美》강사.

:in·struc·tion [instrʌ́kʃən] *n.* ① Ⓤ 교수, 교육; (배운) 지식. ② ⓒ (보통 *pl.*) 지시; 《컴》명령어. **in·struc·tion·al** [instrʌ́kʃənəl] *a.* 교육상의, 교육적인. **~ film** 교육[과학] 영화.

:in·stru·ment [ìnstrəmənt] *n.* ⓒ (주로 실험·정밀 작업용의) 기계, 기구; 악기; (남의) 앞잡이; 수단, 방편; 《法》증서.

:in·stru·men·tal [ìnstrəméntl] *a.* 기계의[에 의한]; 악기의, 악기를 위한, 악기에 의한; 수단이 되는, 쓸모 있는. ~·**ist** *n.* ⓒ 기악가. ~·**i·ty** [-tǽləti] *n.* Ⓤ 수단, 도움.

in·stru·men·ta·tion [ìnstrəmentéiʃən] *n.* Ⓤ 기계 사용; 《樂》기악 편성법, 연주법.

in·sub·or·di·nate [ìnsəbɔ́ːrdənit] *a.* 복종하지 않는, 반항적인. **~·na·tion** [-∸dǽnei-] *n.*

in·sub·stan·tial [ìnsəbstǽnʃəl] *a.* 미약한, 무른; 실체 없는, 공허한, 실질이 없는; 비현실적인.

in·suf·fer·a·ble [insʌ́fərəbəl] *a.* 참을 수 없는.

in·suf·fi·cient [ìnsəfíʃənt] *a.* 불충분한. ~·**ly** *ad.* **-cien·cy** *n.*

in·su·lar [ìnsələr, -sjə-] *a.* 섬(나라)의; 섬 사람의; 섬 특유의; 섬나라 근성의, 편협한; 《病》섬의. ~·**ism** [-izəm] *n.* Ⓤ 섬나라 근성, 편협. ~·**i·ty**

[-lǽrəti] *n.* Ⓤ 섬(나라)임; 편협.

in·su·late [ìnsəlèit, -sjə-] *vt.* 격리시키다, 고립시키다; 《電》절연하다; 섬으로 만들다. **-la·tor** *n.* ⓒ 《電》절연체, 애자, 뚱딴지. **-la·tion** *n.* Ⓤ 격리, 고립; 《電》절연(물).

in·su·lin [ìnsjəlin, -sə-] *n.* Ⓤ 인슐린[해장 호르몬, 당뇨병의 약].

in·sult [insʌ́lt] *vt.* 모욕하다. —
[∸] *n.* Ⓤⓒ 모욕, 무례한 언동. ~·**ing** *a.* 모욕적인. ~·**ing·ly** *a.*

in·su·per·a·ble [insúːpərəbəl] *a.* 이겨낼 수 없는. **-bly** *ad.* **-bil·i·ty** [-∸∸biləti] *n.*

in·sup·port·a·ble [ìnsəpɔ́ːrtəbəl] *a.* 견딜 수 없는(intolerable).

in·sur·ance [inʃúərəns] *n.* Ⓤ ① 보험; 보험 계약(증서). ② 보험금(액); 보험료.

in·sure [inʃúər] *vt.* (보험업자가) 보험을 맡다(*against*); 보험을 걸다(*for, against*); 보증하다; 확실하게 하다. — *vi.* 보험 증서를 발행하다. **the ~d** 피보험자. **in·sur·er** [-ʃúərər] *n.* ⓒ 보험(업)자; 보증인.

in·sur·gent [insə́ːrdʒənt] *a.* 폭동을 일으킨. — *n.* ⓒ 폭도; 《美》당내의 반대 분자. **-gence, -gen·cy** *n.* Ⓤⓒ 폭동, 반란.

in·sur·mount·a·ble [ìnsərmáuntəbəl] *a.* 극복할 수 없는.

in·sur·rec·tion [ìnsərékʃən] *n.* Ⓤⓒ 폭동, 반란.

in·tact [intǽkt] *a.* 본래대로의, 손대지 않은, 완전한.

in·take [ìntèik] *n.* ⓒ (물·공기 등의) 끌어 들이는 입구. ② (engl.) 섭취(량). ③ ⓒ 《英》 초년생, 신병.

in·tan·gi·ble [intǽndʒəbəl] *a.* 만질 수 없는, 만져서 알 수 없는; 무형의; 막연한. **-bly** *ad.*

in·te·ger [ìntidʒər] *n.* ⓒ 《數》정수(整數) (cf. fraction). 완전체.

in·te·gral [ìntigrəl] *a.* (전체를 이루는 데) 필수적인; 빠뜨릴 수 없는; 완전한; 《數》정수의. — *n.* ⓒ 전체; 《數》정수, 적분.

:in·te·grate [ìntigrèit] *vt.* (각 부분을) 전체에 통합하다; 완전하게 하다, 완성하다《미온도·면적 등의》합계

(평균치)를 나타내다; 【數】 적분하다; 통합하다(co-ordinate). **-gra·tion** [ìntəgréiʃən] n. ① ① 통합, 완성; 집성(集成); 《美》 인종적 무차별 대우; ② ① 【數】 적분.

in·te·grat·ed [ìntəgrèitid] a. 인종 차별을 하지 않는; 통합적; 원만한.

integrated circuit 【電】 집적 회로《생략 IC》.

in·teg·ri·ty [intégrəti] n. ① 정직, 완전; 현상(現狀)의 상태). ~ *territorial* ~ 영토 보전.

in·tel·lect [íntəlèkt] n. ① ① 지력, 이지, 예지, 지성(cf. intelligence). ② ① 식자, 지식인.

in·tel·lec·tu·al [ìntəléktʃuəl] a. 지력의, 지력 있는, 지력을 요하는; 이지적인. — n. ⓒ 지식인, 식자. **~·ist** n. **~·ly** ad. 지적으로. **~·i·ty** [-<ˈ---ǽləti] n. 【文】 지성, 지력.

in·tel·li·gence [intélədʒəns] n. ① ① 지성, 지능, 지혜(*Dogs have* ~, *but they have not intellect.* 개는 지혜는 있으나 지성은 없다.) 이해 (력), 명민. ② 총명, 才知. ③ 정보; 《집합적》 정보 기관; 정보부원. ④ ⓒ 《종종 I-》 지성적 존재, 영(靈). **-genc·er** n. ⓒ 통보자; 스파이.

intelligence test 【心】 지능 검사.

in·tel·li·gent [intélədʒənt] a. 지적인; 영리한, 이해력이 좋은; 현명한; 【컴】 지적인, 정보 처리 기능이 있는. **~·ly** ad.

in·tel·li·gent·si·a, -zi·a [intèlədʒéntsiə, -gén-] (Russ.〈L.〉) n. 《보통 the ~》 《집합적》 인텔리 겐치아, 지식 계급.

in·tel·li·gi·ble [intélədʒəbəl] a. 알기 쉬운; 명료한. **-bly** ad.

in·tem·per·ate [intémpərit] a. 무절제한; 폭음하는; (추위·더위가) 혹독한. **-per·ance** n.

in·tend [inténd] vt. …할 작정이다 (*to do*); 피하려는; 의도하는; 예정하다(*for*); 뜻하는.

in·tend·ed [inténdid] a. 계획된, 고의의, 뜻한; (one's ~) 《口》 미래의 남편(아내), 약혼자.

in·tense [inténs] a. 격렬한, 열심 인, 노력적인; 열정적인. **~·ly** ad.

in·ten·si·fy [inténsəfài] vt., vi. 격렬하게 하다; 격렬해지다; 강하게 하다; 강해지다. **-fi·ca·tion** [-------fikéiʃən] n.

in·ten·si·ty [inténsəti] n. (성 질·감정 등의) 강렬함; 열함; 강도.

in·ten·sive [inténsiv] a. 강한, 격렬한; ② 집중적인; 【文】 강조 의; 【農】 집약적인. — n. ⓒ 강하게 하는 것; 【文】 강의어(強意語). ~ *agriculture* 집약 농업. ~ *reading* 정독. **~·ly** ad.

in·tent [intént] n. ① ① 의지, 목적(intention). ② ①ⓒ 《廢》 취지. *to all* ~*s and purpose* 실제상, 사실상. ~ a. 여념이 없는(*on, upon*), (눈·마음이) 집중되어 있는(*eager*); 진심의. **~·ly** ad.

in·ten·tion [inténʃən] n. (⇔ INTEND) ① ①ⓒ 의지, 목적; 의지, 취지. ② (pl.) 《口》 결혼할 의사. *by* ~ 고의로. *have no* ~ *of* doing …하려는 의지가 없다. *with good* ~*s* 선의로. *without* ~ 무심히. **~·al** a. 고의의, 계획적인. **~·al·ly** ad.

in·ter [intə́ːr] vt. (-*rr*-) (시체를) 장하다, 묻다.

in·ter- [íntər] *pref.* '중(간)에, 사이의, 상호(의)' 등의 뜻: *inter-collegiate*.

in·ter·act [ìntərǽkt] vi. 상호 작용 하다, 서로 작용을 주다. **~·ac·tion** n. ①ⓒ 상호 작용.

in·ter·ac·tive [ìntərǽktiv] a. 상호 작용하는; 【컴】 대화식의.

in·ter a·li·a [íntər-éiliə] (L. = *among others*) 그 중에서도.

in·ter·breed vt., vi. (-*bred*) 이종 교배시키다; 잡종을 낳다.

in·ter·cede [ìntərsíːd] vi. 중재하다, 조정하다(*with*).

in·ter·cept [-sépt] vt. (편지 등을) 도중에서 가로채다(빼앗다); (무전을) 방수(傍受)하다; (빛·물의 통로를) 가로 막다; 방해(저지)하다; 【數】 두 점 [선]에 의해서 잘라내다; 【球】 (球의 측을) 패스를 끊다. **-cep·tion** n. **-cep·tor** n. ⓒ 방해자, 방해물; 【空 軍】 요격기.

in·ter·ces·sion [-séʃən] n. ① 중재, 조정. **-ces·sor** n. ⓒ 중재자.

in·ter·change [-tʃéindʒ] *vt.* 교환하다; 교체시키다; 엇바꾸어 놓다; 번갈아 하다(alternate). — *vi.* 번갈아 들다; 교대하다. — [-↙-/↙-↙] *n.* © 교환, 교체, 교대, ② (美) (고속 도로의) 입체교차점. **~·a·ble** [-əbəl] *a.* 교환[교체]할 수 있는.

inter·col·le·giate *a.* 대학간의, 대학 대항의(cf. intramural).

in·ter·com [íntərkàm/-ɔ́-] *n.* © (口) (비행기·전차 내의) 상호 통화 장치(cf. interphone).

inter·com·mú·ni·cate *vi.* 서로 통신하다; 서로 왕래하다; (방 등이) 서로 통하다. **-communi·cá·tion** *n.* U 상호 교통, 연락, 교제.

inter·con·néct *vt., vi.* 서로 연락[연결]하다[하다]; (여러 대의 전화를) 한 선에 연결하다.

inter·con·ti·nén·tal *a.* 대륙간의. **~ ballistic missile** 대륙간 탄도 미사일(생략 ICBM).

:in·ter·course [íntərkɔ̀ːrs] *n.* U ① 교제; 교통; 의사(감정)의 교환. ② 영교(靈交). ③ 성교.

inter·de·nom·i·ná·tion·al *a.* 종파간의.

inter·de·part·mén·tal *a.* (대학의) 각 학부간의; 각부성(省), 국(局)간의.

inter·de·pén·dent *a.* 상호 의존의. **-de·pend·ence, -dé·pend·en·cy** *n.* U 상호 의존(성).

in·ter·dict [-díkt] *vt.* 금지[제지]하다; (가톨릭) (장소·사람에 대하여의 식의 집행 또는 참여를) 금지하다; (계속 폭격으로) ~를 괴롭히다. — [-↙-] *n.* © 금지[명령]; (가톨릭) 성사수여(에의 제한)의 금지. **-díc·tion** *n.* U, © 금지, 정지; [法] 금치산 선고; 제공 금지, 계속 폭격.

:in·ter·est [íntərist] *n.* ① U 흥미, 관심, 호기심. ② © 관심사, 취미. ③ 중요성, 관여, 관심사(事). ④ 소유권, 권리. ⑤ © 이해 관계, 이익. ⑥ U 이자, 이윤. ⑦ U 세력, 지배력. ⑧ U 사리, 사욕. **in the ~(s) of** …을 위하여. **take an ~ in** …에 흥미를 가지다. **with ~** …에 흥미를 갖게 하여; …에 관심시키다(in). **be ~ed in** …에 흥미가 있다. **be ~ed to do**
…하고 싶다; …하여 재미있다. — *vt.* 흥미를 가진; 이해 관계가 있는; 편 견을 가진. **~ parties** 이해 관계자가.

in·ter·est·ing [íntəristiŋ, -rèst-] *a.* 흥미있는; 재미있는. **in an ~ condition** [situation] 임신하여.

ínter·fàce *n.* © 중간면(층); 공유영역(?); [컴] 접속.

in·ter·fere [ìntərfíər] *vi.* (이해 따위가) 충돌하다(clash)(with); 간섭하다(in); 방해하다(with); 조정하다(in); (美) [球技] (불법) 방해하다. **in·ter·fer·ence** [-fíərəns] *n.* U 충돌; 방해; [電] 혼신; (美) [球技] (불법) 방해.

in·ter·fer·on [-fíərən] *n.* U (生) 인터페론(바이러스 증식 억제 물질).

in·ter·im [íntərim] *n.* (the ~) 동안, 잠깐 동안; 가협정. — *a.* 중간의; 임시의(temporary). **~ report** 중간 보고.

in·te·ri·or [intíəriər] *a.* 내부의; 내륙의; 국내의; 비밀의. — *n.* (the ~) 내부; 실내; 실내도(사진); 실내세트; 내륙; 내무. **the Department [Secretary] of the I-** (美) 내무부(장관).

in·ter·ject [ìntərdʒékt] *vt.* (말을) 불쑥 던지다, 사이에 끼워 넣다.

in·ter·jec·tion [ìntərdʒékʃən] *n.* ① U, © 불의의 투입[삽입]. ② © 감탄사. ③ U, © 감탄(의 소리).

in·ter·lace [-léis] *vt., vi.* 섞어 짜다; 섞이다; 짜 맞추다; 교착하다.

inter·léave *vt.* (~ *d*) (책 따위에 메모용의) 백지를 끼우다.

inter·línk *vt.* 연결하다.

inter·lóck *vt., vi.* 맞물리[게 하]다; 연동하다; [~↙] *n.* © 맞물린 상태; 연동 장치; (映) 영화 촬영을 연동(시키는 장치; [컴] 인터로크(진행중인 동작이 끝날 때까지 다음 동작을 보류시키기).

in·ter·loc·u·tor [ìntərlákjətər/-↙-] *n.* © 대화자, (美) 흑인의 MINSTREL show의 사회자(보통 MIDDLEMAN이 되며, END MAN을 상대로 만담을 함). **-to·ry** [-tɔ̀ːri/-təri] *a.* 대화의; [法] 중간의.

ínter·lòper *n.* ⓒ 침입자; 남의 일에 참견하는 사람; 무허가 상인.

ín·ter·lude [íntərlùːd] *n.* ⓒ 막간, 동안(interval); 막간의 주악; 막간극[연예]; 간주곡.

ìn·ter·márriage *n.* ⓤ 잡혼(雜婚); 혈족 결혼. **-márry** *vi.* 잡혼(혈족 결혼) 하다.

ín·ter·me·di·ar·y [ìntərmíːdièri] *a.* 중간의; 중간에 서는. — *n.* ⓒ 매개자〔물〕; 중간相.

ín·ter·me·di·ate [ìntərmíːdiːt] *a.* 중간의. — *n.* ⓒ 중간물; 중개자.

ín·ter·ment [íntəːrmənt] *n.* ⓤⓒ 매장.

ìn·ter·mí·na·ble [intəːrmənəbəl] *a.* 끝없는; 지루하게 긴. **-bly** *ad.*

ìn·ter·mín·gle *vt., vi.* 섞(이)다.

ín·ter·mís·sion [ìntərmíʃən] *n.* ⓤ 중지, 중절; 막간: 휴게 시간.

ìn·ter·mít [-mít], *vt., vi.* (*-tt-*) 중절〔단절〕하다. **~tent** *n.* 단속〔간헐〕적인. **~tent·ly** *ad.*

in·tern [íntəːrn] *vt., vi.* (일정 구역 내에) 억류하다; ⓒ 억류하다.

in·tern [íntəːrn] *n., vi.* ⓒ (의사·부속 병원의) 인턴(으로 근무하다).

ín·ter·nal [intəːrnl] *a.* ① 내부의, 체내의. ② 내재적인. ③ 내정의, 국내의(domestic). ④ 마음의, 정신적 인. — *n.* (*pl.*) 〔사물의〕본질; (*pl.*) 내장. **~ly** *ad.*

intérnal-combústion *a.* (엔진이) 내연(식)의.

Intérnal Révenue Sèrvice, the (美) 국세청〔생략 IRS〕.

ín·ter·na·tion·al [ìntərnǽʃənl] *a.* 국제(간)의; 국제적인; 만국(萬國) 의. — *n.* ⓒ (I-) 인터내셔널, 국제 노동자 연맹. **~·ly** *ad.* 국제적으로.

ín·ter·na·tion·al·ism [-ʃənəlìzəm] *n.* ⓤ 국제주의.

ín·ter·na·tion·al·ize [ìntərnǽ-ʃənəlàiz] *vt.* 국제화하다; (영토를) 국제 관리하에 두다.

ìn·ter·ne·cine [ìntərníːsin, -sàin] *a.* 서로 죽이는; 서로 쓰러지는; 치명〔파괴〕적인.

ìn·tern·ee [ìntəːrníː] *n.* ⓒ 피억류자, 피수용자.

ín·tern·ment [íntəːrnmənt] *n.* ⓤ

수용, 억류.

ìn·ter·pénetrate *vt. vi.* (…로) 스며들다; 서로 관통〔침투〕하다.

ín·ter·phòne *n.* ⓒ (전물·비행기의) 내부 전화(cf. intercom), 인터폰.

ín·ter·plày *n.* ⓤ 상호 작용.

In·ter·pol [íntərpàl/-pɔ̀l] *n.* 인터 폴, 국제 형사 경찰 기구(*Inter-national Criminal Police Organiza-tion*).

In·ter·po·late [intəːrpəleit] *vt.* (책·서류 등에 어구를) 써 넣어〔고치〕 다; 〔數〕 급수에 (중항(中項)을) 넣다. **-la·tion** [-─léiʃən] *n.*

ín·ter·pose [ìntərpóuz] *vt.* (…의) 사이에 끼우다(insert); (이의를) 제 기하다. — *vi.* 사이에 들어가다; 중 재에 나서다; 말참견하다. **-po·si·tion** [-─pəzíʃən] *n.*

in·ter·pret [intəːrprit] *vt.* ① (…의) 뜻을 설명하다, 해석하다. ② 통 역하다. ③ (자기 해석에 따라) 연주 〔연출〕하다; ④ 〔컴〕 (데이터 등을) 해석하다. — *vi.* 통역하다.

in·ter·pre·ta·tion [intəːrprətéi-ʃən] *n.* ⓤⓒ 해석(또는 곡의) 해석; 통역; (자기 해석에 의한) 연출, 연주.

in·ter·pre·ta·tive [intəːrprətèitiv/ -tə-] *a.* 해석〔통역〕(의)을 위한.

in·ter·pret·er [intəːrprətər] *n.* ⓒ 통역자; 해석〔설명〕자; 〔컴〕 해석기.

ìn·ter·rácial *a.* 인종간의.

ín·ter·règnum [ìntərégnəm] *n.* (*pl.* ~s, -na[-nə]) ⓒ (왕위의) 공 위 기간〔시대〕; 중절 기간.

ìn·ter·reláte *vt.* 상호 관계를 맺다. **-lá·tion** *n.* ⓤⓒ 상호 관계.

in·ter·ro·gate [intéragèit] *vt., vi.* (…에게) 질문〔심문〕하다. **-ga·tor** *n.*

in·ter·ro·ga·tion [intèragéiʃən] *n.* ⓤⓒ 질문; 심문.

in·ter·rog·a·tive [ìntərágətiv/-5-] *a.* 의문의; 미심쩍어 하는. — *n.* 〔文〕의문사; 의문문.

in·ter·rupt [ìntərápt] *vt., vi.* 가 로막다; 방해하다; 중단하다(*May I ~ you?* 말씀하시는데 실례입니다만); 〔컴〕가로채기 하다. **~** 〔컴〕가로 채기; 일시 정지. *~**ed** a.* 중단된, 가로막힌; 단속적인. *~**er** n.* ⓒ 방해자〔물〕; 〔電〕단속기. **:rúp-**

tion n. [U.C] 가로 막음; 방해.

in·ter·sect[ìntərsékt] vt. 가로지 르다. — vi. 교차하다. **~·séc·tion** n. [U] 횡단, 교차; [C] [數] 교점(交點), 교선(交線).

in·ter·sperse[ìntərspə́ːrs] vt. 흩 뿌리다. 산재(散布)시키다; 군데군데 를 장식하다.

inter·státe a. 각 주(州) 사이의.

inter·stéllar a. 별 사이의.

in·ter·stice[intə́ːrstis] n. [C] 틈새 기, 갈라진 틈.

inter·twine vt., vi. 뒤얽히(게 하)다.

in·ter·val[íntərvəl] n. [C] ① (시 간·장소의) 간격, ② (연극의) 휴게 시간. ③ 휴지(休止) 기간. ④ [樂] 음정. **at ~s** 때때로; 여기저기.

in·ter·vene[ìntərvíːn] vi. 사이에 들어가다; 사이에 일어나다(between); 중재하다; 간섭하다(in, between). **~·vén·tion** n. **-vén·tion·ist** n. [C] (타국 내정에 대한) 간섭주 의자. a. (내정) 간섭주의의.

in·ter·view[íntərvjùː] n. [C] 회견; (공식) 회담; (신문 기자의) 회견(기). — vt. (…와) 회견(회담)하다. **~·er** n. [C] 회견(기)자. 의, [의.

inter·wár a. (제1·2차) 양대전간

in·ter·weave[ìntərwíːv] vt., vi. (**-wove**, **-d**; **-woven**, **-wove**, **~d**) 섞(어 짜)다, 섞이다.

in·tes·tate[intésteit] a., n. [C] 유 언을 남기지 않은 (사망자).

in·tes·ti·nal[intéstənəl] a. 장(腸)의.

in·tes·tine[intéstin] n. (보통 pl.) 장, 창자. **large** [**small**] **~** 대[소]장. — a. 국내의, 국내의. **~ strife** 내분.

in·ti·ma·cy[íntəməsi] n. [U] 친교; 친밀, 불의, 밀통(密通).

in·ti·mate[íntəmit] a. 친밀한 (사정 등에) 상세한(close); 내심의; 사사로운, 개인적인; 불의의. — n. [C] 친구. **~·ly** ad.

in·ti·mate[-mèit] vt. 암시하다; 넌지시 알리다. **-ma·tion**[≥-méi-] n. [U.C] 암시.

in·tim·i·date[intímədèit] (cf. timid) vt. 위협하다, 협박하다. **-da·tion**[≥-déiʃən] n.

in·to[íntu, (문장 끝) -tuː, (자음 앞)

-tə] prep. ① …의 속에(으로). ② (변화) …으로, …으로.

in·tol·er·a·ble[intálərəbəl/-5-] a. 견딜 수 없는(unbearable); (□) 애 타는. **-bly** ad.

in·tol·er·ant[intálərənt/-5-] a. 편협한, 아량이 없는; (종교가) 이 설에 대하여 관용치 않는; 견딜 수 없 는(of). **-ance** n.

in·to·na·tion[ìntənéiʃən, -tou-] n. [U] (찬송가·기도문을) 읊음 (詠唱); [U.C] [音聲] 인토네이션, 억 양; [U] [樂] 발성법.

in·tone[intóun] vt., vi. (찬송가·기 도문을) 읊다, 영창하다; (목소리에) 억양을 붙이다.

in to·to[in tóutou] (L. = in the whole) 전체로서, 전부, 몽땅.

in·tox·i·cant[intáksikənt/-5-] a., n. [C] 취하게 하는 (것); 술; 알 코올 음료; 마취제.

in·tox·i·cate[intáksikèit] vt. 취 하게 하다; 흥분(도취)시키다. **-ca·tion**[≥-kéiʃən] n. [U] 취(하게)함; 흥분, 열중; [醫] 중독. 「결합사.

in·tra-[íntrə] '안에, 내부의' 뜻의

in·trac·ta·ble[intræktəbəl] a. 고 집센; 다루기 힘든.

in·tra·múral[-mjúərəl] a. (성)벽내의; (경기 따위) 교내(대학)의(opp. inter-collegiate).

in·tran·si·gent[intrǽnsədʒənt] a. ① 타협하지 않는 (사람). **-gence**, **-gen·cy** n.

in·tran·si·tive[intrǽnsətiv] a. [文] 자동(사)의. — n. [文] 자동 사. **~·ly** ad.

in·tra·úterine a. 자궁내의.

in·tra·vénous a. [醫] 정맥(靜脈)내의(生 략 IV). 「(tray).

in·tráy n. [C] 미결 서류함(cf. out-

in·trep·id[intrépid] a. 무서움을 모 르는; 대담한(dauntless). 용맹스러 운. **in·tre·pídi·ty** n.

in·tri·cate[íntrəkit] a. 뒤얽힌, 복 잡한. **-ca·cy**[-kəsi] n.

in·trigue[intríːg] n. 음모를 꾸미다 (plot)(against); 밀통하다(with). — vt. (…의) 흥미를(호기심을) 끌 다. [=] n. 음모; [C] 밀통.

in·trin·sic[intrínsik]. **-si·cal**

[-əl] *a.* 본질적인, 내재하는; 실제의. **-si·cal·ly** *ad.*

in·tro[íntrou] *n.* 《口》= INTRODUCTION.

in·tro·duce[ìntrədjúːs] *vt.* ① 인도(안내)하다. ② 소개하다. ③ 처음으로 경험시키다. ④ 도입하다; 제출하다. ⑤ 끼워넣다.

in·tro·duc·tion[ìntrədʌ́kʃən] *n.* ① ⓤ 받아들임, 전래, 수입; 도입. ② ⓤⓒ 소개, 피로, 입회; 서편(序編). ③ ⓒ 서곡(序曲). ④ ⓒ 입문(서). **-si·cal·ly** *ad.*

in·tro·duc·to·ry[ìntrədʌ́ktəri] *a.* 소개의; 서두의.

in·tro·spec·tion[ìntrəspékʃən] *n.* ⓤ 내성, 자기 관찰. **-tive** *a.*

in·tro·vert[íntrəvə̀ːrt, ⌐⌐⌐] *vt.* (마음·생각을) 안으로 향하게 하다; 【動】 안으로 굽다. ― [⌐⌐⌐] *a.*, *n.* ⓒ 내향(내성)적인 (사람)(opp. extrovert).

in·trude[intrúːd] *vt.* 쳐넣다(into); 강제(강요)하다(on, upon); 【地】 관입(貫入)시키다. ― *vi.* 밀고 들어가다, 침입하다; 방해하다(upon). ***in·trúd·er** *n.* ⓒ 침입자; (적군의 기지를 습격하는) 비행기(의 조종사). ***in·tru·sion**[-ʒən] *n.* **in·tru·sive**[-siv] *a.* 침입하는; 방해하는.

in·tu·i·tion[ìntjuːíʃən/-tjuː(i)-] *n.* ⓤⓒ 직각(적 지식), 직관(적 통찰). **~al** *a.*

in·tu·i·tive[intjúːitiv] *a.* 직각(직관)의; 직관에 의해 얻은; 직관력이 있는 (사람). **~·ly** *ad.*

in·un·date[ínəndèit, -nʌn-] *vt.* 침수(범람)시키다; (갈물이) 침수하다; 그득하게 채우다, 충만시키다. **-da·tion**[⌐-déiʃən] *n.* ⓒ 홍수.

in·ure[injúər] *vt.* 익히다(to); 공고히 하다. ― *vi.* 효력을 발생하다, 유효하게 쓰이다.

in·vade[invéid] *vt.* (…에) 침입(침략)하다; (손님 등이) 밀어닥치다; 엄습하다 (권리 등을) 침해하다. ***in·vád·er** *n.*

in·va·lid[ínvəlid/-liːd] *n.* ⓒ 병자, 병약자. ― *a.* 병약한; 환자용의. ― [ínvəlid/ìnvəlíd] *vt.* 병약하게 하다; 상병(傷病)으로 현역에서

제대시키다. **~·ism**[-lìzəm] *n.* ⓤ 병약.

in·val·id[ínvæl̀id] *a.* 가치 없는; (법적으로) 무효의. **-i·date**[-vǽlədèit] *vt.* 무효로 하다. **in·va·lid·i·ty**[ìnvəlídəti] *n.*

in·val·u·a·ble[invǽljuəbəl] *a.* 귀중한; 값을 헤아릴 수 없는.

in·var·i·a·ble[invɛ́əriəbəl] *a.* 변하지 않는. **:-bly**[-bli] *ad.* 변화없이 항상.

in·va·sion[invéiʒən] *n.* ⓤⓒ 침입, 침략; (권리 등의) 침해. **-sive**[-siv] *a.* 침략적인.

in·vec·tive[invéktiv] *n.*, *a.* ⓤ 욕설, 독설(의).

in·veigh[invéi] *vi.* 통렬하게 비난하다, 독설을 퍼붓다(against).

in·vei·gle[invíːgəl, -véi-] *vt.* 꼬드기다(into).

in·vent[invént] *vt.* 발명하다(구실 따위를) 만들다, 날조하다.

in·ven·tion[invénʃən] *n.* ① ⓤ 발명; ⓒ 발명품. ② ⓤ 발명의 재능. ③ ⓒⓤ 허구, 꾸며낸 이야기.

*in·ven·tive[invéntiv] *a.* 발명의 (재능이 있는); 창의력이 풍부한.

*in·ven·tor[invéntər] *n.* ⓒ 발명자, 창안자.

in·ven·to·ry[ínvəntɔ̀ːri/-təri] *n.* ⓒ (상품의) 명세 목록; 재산 목록; 재고품; ⓤ 《美》재고 조사. ― *vt.* (상품의) 목록을 만들다; 《美》(…의) 재고 조사를 하다.

in·verse[invə́ːrs, ⌐⌐] *n.*, *a.* (the ~) 역(逆)의), 반대(의); ⓒ 반대의 것; 【數】 역함수. ― **~·ly** *ad.* 반대로, 거꾸로.

in·ver·sion[invə́ːrʒən, -ʃən] *n.* ① ⓤ 반대, 역(으로 된 것). ② 【文】 도치(倒置法).

in·vert[invə́ːrt] *vt.* ① 역으로(거꾸로) 하다; 뒤집다(轉倒)하다; ② 【電】 역으로 하다; 【樂】 뒤바꿈, 전도하다; 【論】역(으로)거꾸로 하다. **~·ed**[-id] *a.* 역으로(거꾸로) 된.

in·ver·te·brate[invə́ːrtəbrət, -brèit] *a.*, *n.* ⓒ 【動】 척추 없는, 무척추 동물(의). 《′(․)》.

inverted cómmas 《英》 = INVERTED COMMAS.

in·vest[invést] *vt.* ① 투자하다. ② (…에게) 입히다. (훈장 등을) 달

게 하다(**with, in**). ③ 수여하다; 서임하다. ⑤ 싸다. ⑥ 〔軍〕포위하다. ⑥ (권력 등을) 주다(**with**). — vi. 자본을 투입하다; 투자하다. **:~ment** n. ⓤⓒ 투자; 투입; 포위; 서임. **'in·vés·tor** [-tər] n. ⓒ 투자가.

in·ves·ti·gate [invéstəgèit] vt. 조사(연구)하다. **·ga·tor** n. **·ga·tion** [-ʌ-géi∫ən] n.

in·ves·ti·ture [invéstət∫ər] n. ⓤ 서임, 수여식; ⓒ 서임식.

in·vid·i·ous [invídiəs] a. 비위에 거슬리는; 불공평한.

in·vig·or·ate [invígərèit] vt. (…에게) 기운나게 하다. **·at·ing** a. 기운나게 하는; (공기가) 상쾌한.

in·vin·ci·ble [invínsəbəl] a. 정복할 수 없는, 무적의. **the I- Armada** ⇨ARMADA.

in·vi·o·la·ble [inváiələbəl] a. 범할 수 없는, 신성불가침의.

in·vi·o·late [inváiəlit] a. 침해되지 않은; 더럽혀지지 않은.

in·vis·i·ble [invízəbəl] a. 눈에 보이지 않는; 숨은. **·bly** ad. **·bil·i·ty** [-ʌ-bíləti] n.

in·vi·ta·tion [invətéi∫ən] n. ⓤ 초대; ⓒ 초대장.ⓤⓒ 유혹, 유인.

in·vite [inváit] vt. ① 초대(권유)하다; 간청하다; (일을) 야기시키다; 끌다. — [—] n. ⓒ 《口》 초대(장). **in·víting** a. 마음을 끄는, 초대하는. **in·víting·ly** ad.

in·vo·ca·tion [invəkéi∫ən] n. ⓤⓒ (신의 구원을 비는) 기도, 기원.

in·voice [invɔis] n., vt. ⓒ〔商〕(…의) 송장(送狀)(을 작성하다).

in·voke [invóuk] vt. ① (구원을 신에게) 빌다, 기원하다. ② (법률에) 호소하다. ③ (마법으로 영혼을) 불러내다.

in·vol·un·tary [inváləntèri/-vɔ́ləntəri] a. 무의식적인; 의사에 반한, 본의 아닌; 〔生〕불수의 (不隨意)의. **~ homicide** 과실 치사. **~ muscles** 불수의근(筋). **-tar·i·ly** [-rili] ad. 저도 모르게; 본의 아니면서, 마지못해.

in·volve [inválv/-5] vt. ① (…을) 포함하다, 수반하다. ② 연좌[관련]

시키다(**in**); 복잡하게 만들다. ③ 열중시키다. **~ment** n.

in·volved [inválvd/-5] a. 복잡한, 뒤얽힌, 혼란된; (재정이) 곤란한.

in·vul·ner·a·ble [inválnərəbəl] a. 상처를 입지 않는, 불사신의; 공격에 견디는.

in·ward [inwərd] a. 내부(로)의; 내륙 쪽의; 내적인, 마음의. — ad. 안으로, 내부로; 내심에, — n. (pl.) 창자, 대장, 내장. **~ly** ad. 내부에, 안으로; 마음 속으로; 작은 소리로. **~ness** n. ⓤ 내심; 진의; 영성. **~s** ad. =INWARD.

i·o·dine [áiədàin, -dìn], **-din** [-din] n. ⓤ〔化〕요오드, 옥소. **i·on** [áiən, -an/-ɔn] n. 〔理·化〕이온. **~·ize** [-àiz] vt. 이온화하다.

i·on·o·sphere [aiánəsfìər/-5-] n. (the ~) 〔理〕전리층.

i·o·ta [aióutə] n. ⓤⓒ 그리스어 알파벳의 아홉째 글자(I, ι; 영이의 I, i에 해당); (an) 《否定》 《증거》 근소.

IOU, I.O.U. I owe you. 차용 증서(I owe you.에 해당).

IPA International Phonetic Alphabet.

ip·so fac·to [ipsou fæktou] (L. = by the fact itself) 바로 그 사실에 의하여; 사실상.

IQ, I.Q. intelligence quotient.

ir- [i] pref. ⇨IN.

IRA Irish Republican Army.

I·ra·qi [iráːki] a., n. 이라크(의); 이라크 사람(의).

i·ras·ci·ble [iræsəbəl, ai-] a. 성마른, 성급한. **-bil·i·ty** [-ʌ-bíləti] n.

i·rate [áireit, -ʌ] a. 성난, 노한.

ire [aiər] n. ⓤ〔詩〕분노. **~·ful** a.

i·ri·des·cence [ìrədésəns] n. ⓤ 무지개빛, 진주광채빛. **-cent** a.

i·rid·i·um [airídiəm, ir-] n. ⓤ〔化〕이리듐.

i·ris [áiris] n. (pl. ~es, **irides** [-rədìːz, ír-]) 〔解〕(눈의) 홍채(虹彩); 〔植〕붓꽃속의 식물; 무지개; 〔그神〕무지개의 여신.

I·rish [áiri∫] a. 아일랜드(사람·말)의. — n. ⓒ 아일랜드 사람; ⓤ 아일랜드말. **~·man** [-mən] n. ⓒ 아일랜드 사람. **~·wom·an** [-wùmən]

n.

irk [əːrk] *vt.* (…에게) 지치게 하다; 지루하게[난처하게] 만들다.

irk·some [ɔ́ːrksəm] *a.* 지루한, 성가신, 진력나는, 넌더러나는. **~·ly** *ad.* **~·ness** *n.*

:i·ron [áiərn] *n.* ① ⒰ 쇠, 철. ② ⒞ 철제 기구, 철기; ⒞ 다리미, 아이론. ③ (*pl.*) 수갑, 차꼬. ④ ⒞〖골프〗쇠 머리 골프채. **have (too) many ~s in the fire** 너무 많은 일에 손을 대다. **in ~s** 잡힌 몸이 되어, **rule with a rod of ~** 학정(虐政)을 행하다. **Strike while the ~ is hot.**《속담》쇠는 달았을 때 처라. **will of ~** 철석 같은 의지. ── *a.* 쇠의, 쇠 같은; 철제의; 견고한, 냉혹한. ── *vt.* (…에) 다림질하다; 수갑을[차꼬를] 채우다; 쇠로 덮어씌우다; 장갑(裝甲)하다.

Iron Age, the 철기 시대.

íron cúrtain, the 철의 장막.

íron gráy [gréy] 철회색의.

i·ron·ic [airánik /-5-] , **-i·cal** [-ə] *a.* 비꼬는, 반어적인. **-i·cal·ly** *ad.*

íron·ing *n.* ⒰ 다림질.

íroning bòard 다림질판.

íron·mònger *n.* ⒞《英》철물상.

íron ràtion(s) 비상 휴대 식량(통조림).

íron·stòne *n.* ⒰ 철광석.

íron·wòrk *n.* ⒰ 철제품.

íron·wòrks *n. pl. & sing.* 철공소, 제철소.

i·ro·ny [áirəni] *n.* ⒰ 반어; 비꼼.

ir·ra·di·ate [iréidièit] *vt.* 비추다, 빛나다; (얼굴 따위를) 밝게 하다; (빛 따위를) 방사(放射)하다(radiate); (자외선 따위를) 쐬다. ── *vi.* 빛나다. **-a·tion** [──éiʃən] *n.*

ir·ra·tion·al [irǽʃənəl] *a.* 불합리한; 이성이 없는《동물》; 무리수(無理數)의. ── ⒞《數》무리수. **~·ly** *ad.* **~·i·ty** [──nǽləti] *n.*

ir·rec·on·cil·a·ble [irékənsàiləbəl] *a.* 화해할 수 없는; 조화되지 않는, 대립[모순]된(*to, with*). ── *n.* 비타협적인 사람.

ir·re·cov·er·a·ble [irikʌ́vərəbəl] *a.* 돌이킬[회복할] 수 없는.

ir·re·deem·a·ble [iridíːməbəl] *a.* 되살 수 없는; (공채가) 무상환(無償還)의; (지폐가) 불환(不換)의; (병이) 불치의. **-bly** *ad.*

ir·re·duc·i·ble [iridjúːsəbəl] *a.* 줄일[감할] 수 없는.

ir·ref·u·ta·ble [iréfjutəbəl, ìrifjúː-] *a.* 반박[논박]할 수 없는.

ir·reg·u·lar [irégjələr] *a.* 불규칙한; 불법의; 규율 없는; 고르지 않은, 요철(凹凸)이 있는; 〖軍〗부정규의; 〖文〗불규칙 변화의. ── *verb* 부정규 동사. ── *n.* 〖흔히 *pl.*〗부정규병. **~·ly** *ad.* **~·i·ty** [──lǽrəti] *n.*

ir·rel·e·vant [iréləvənt] *a.* 부적절한; 무관계한. **-vance, -van·cy** *n.*

ir·re·li·gion [ìrilídʒən] *n.* ⒰ 무종교; 불신앙. **-gious** *a.*

ir·re·me·di·a·ble [ìrimíːdiəbəl] *a.* 치료할 수 없는; 돌이킬 수 없는.

ir·rep·a·ra·ble [irépərəbəl] *a.* 수선[회복]할 수 없는; 돌이킬 수 없는. **-bly** [-li] *ad.*

ir·re·place·a·ble [ìripléisəbəl] *a.* 바꾸어 놓을[대체할] 수 없는.

ir·re·press·i·ble [ìriprésəbəl] *a.* 억제할 수 없는.

ir·re·proach·a·ble [ìripróutʃəbəl] *a.* 비난할 수 없는, 결점없는, 탓할 나위 없는.

ir·re·sist·i·ble [ìrizístəbəl] *a.* 저 항할[수 없는; 제어할 수 없는; 불문 곡직의. **-bly** [-li] *ad.*

ir·res·o·lute [irézəlùːt] *a.* 결단력 없는, 우유부단한. **-lu·tion** [──lúːʃən] *n.*

ir·re·spec·tive [ìrispéktiv] *a.* …에 관계[상관]없는(*of*). **~·ly** *ad.*

ir·re·spon·si·ble [ìrispánsəbəl /-5-] *a.* 책임을 지지 않는; 무책임한.

ir·re·triev·a·ble [ìritríːvəbəl] *a.* 돌이킬[회복할] 수 없는. **-bly** *ad.*

ir·rev·er·ent [irévərənt] *a.* 불경한, 비례(非禮)의. **-ence** *n.*

ir·re·vers·i·ble [ìrivə́ːrsəbəl] *a.* 거꾸로할 수 없는; 취소할 수 없는.

ir·rev·o·ca·ble [irévəkəbəl] *a.* 무를 수[없는; 취소할 수 없는; 변경할 수 없는. **-bly** *ad.*

ir·ri·gate [írəgèit] *vt.* (…에) 관개

하다; 【醫】관주(灌注)하다. **-ga·tor**
[-tər] *n.* C 【醫】관주기, 이리게이
터. **-ga·tion**[>-géiʃən] *n.*

ir·ri·ta·ble[írətəbl] *a.* 성을 잘 내
는, 성마른; 【醫】과민한; 【病】
염증(炎症)을 잘 일으키는; 【生】자극
반응력이 있는. **-bly** *ad.* 【生】성마름, 과민성
[>—biləti] *n.* U 성마름, 과민성
【生】자극 반응.

ir·ri·tant[írətənt] *a.* 자극하는.
— *n.* C 자극(물질).

ir·ri·tate[írəteit] *vt.* 초조하게 만들
다; 노하게 하다; 흥을을 일으키게 하
다; 【病·生】(기관·조직을) 자극하
다; 【生】무효로 하다. **-tat·ing** *a.*
-ta·tion[>—téiʃən] *n.* U 성남, 성
나게 함; U 화냄; U 자극.

ir·rup·tion[iríʌpʃən] *n.* U.C 침입,
침략.

is[iz, 弱 z, s] *v.* be의 3인칭·단
수·직설법 현재.

Is. island; isle.

I.S.B.N. International Standard
Book Number 국제 표준 도서 번
호.

-ish *suf.* 「…다운」 「…같은」의 성질
의 「약간 …」의 뜻의 형용사를 만듦:
book*ish*, child*ish*, whit*ish* 등.
지명의 형용사를 만듦: Brit*ish*,
Engl*ish*, Pol*ish*, Swed*ish* 등.

is·lam[islám, íslam/ízləm] *n.*
U 이슬람교, 마호메트교; C 이슬람
교도[국]. **-ism**[íslæmìzəm, íz-]
n. U 이슬람교. **-ite**[-àit] *n.*
이슬람교도. **-ic**[isléemik/iz-] *a.*

is·land[áilənd] *n.* C 섬; 섬비
슷한 것, C (가로상의) 안전 지대.
③ 【배의】상부 구조, ③ 【항공 모함
따위의】사령탑, '아일랜드'(굴뚝·가
증기 따위가 있음). ④ 【解】(세포
의) 섬. **-er** *n.* C 섬사람.

isle[ail] *n.* C 섬, 작은 섬.

is·let[áilit] *n.* C 작은 섬.

ism[ízəm] *n.* C 이즘, 주의, 학설.

isn't[íznt] *is* not의 단축.

i·so·bar[áisəbàːr] *n.* C 【氣】등압
선; 【理·化】동중원소(同重核).

i·so·late[áisəleit] *vt.* ① 고립시키
다. ② 【電】절연하다. ③ 【化】단리(單
離)시키다; 【醫】격리시키다. **-lat·
ed**[-id] *a.* 고립[격리]된.

i·so·la·tion[àisəléiʃən] *n.* U 고
립; 절연; 격리; 격리. ~ *hospital*
격리 병원. ~*ism*[-ìzəm] *n.* U
(특히 미국의) 고립주의. ~*ist* *n.*

i·so·met·ric[àisəmétrik], **-ri·cal**
[-ri-] *a.* 크기가 같은, 같은 용적의.

i·sos·ce·les[aisásəliz/-5-] *a.* 이
등변의(삼각형 따위).

i·so·tope[áisətòup] *n.* C 【化】동
위체.

is·sue[íʃuː] *n.* ① U 발행, 발포,
발交. ② C 발행물[부수]; C (출판
물의) 제 …판(版). ③ C 출구, 강어
귀. ④ U 유출; C 유출물. ⑤ C 논
쟁(점); (계생) 문제, ⑥ C 자손. ⑦
U.C 지급(품). *at* ~ 는 쟁중의;
미해결의, *in the* ~ 결국은. *join*
~ *with* …와 논쟁하다. *make an*
~ *of* …을 문제삼다. *take* ~ *with*
…에 반대하다. — *vi.* ① (흘러) 나
오다, 나타나다. ② 유래하다; 태어나
다; 생기다(*from*). ③ 【古】결과가
…이 되다(*in*). — *vt.* ① (…에) 내
다; 발포하다(*send forth*); 출판하
다. ② (식량 따위를 군인·시민에게)
배급하다.

-ist[ist] *suf.* 「사람」을 나타내는 명
사를 만듦: chem*ist*, dramat*ist*.

isth·mus[ísməs] *n.* (*pl.* ~**es**, **-mi**
[-mai]) C 지협(地峽); (the I-)
Panama 지협.

it[it] *pron.* (*pl.* **they; them**) 그것
(은, 이, 에, 을), CATCH *it*. FOOT
it, LORD *it over.* ②그 (수레
잡기 따위의) 술래; C 《俗》성적 매력.

i·tal·ic[itélik] *a.* 【印】이탤릭체의
— *n.* ① (보통 *pl.*) 이탤릭
체의. *Author's* ~*s* 원저자에 의한 사
체강조(원래의 이탤릭으로). *The* ~*s*
are mine. 사체로는 (원저자가)
아니고 필자.

i·tal·i·cize[itéləsàiz] *vt.*, *vi.* (…
을) 이탤릭체로 나타내다[를 사용하
다]; 이탤릭체를 표시하기 위하여 밑
줄을 긋다.

itch[itʃ] *n.* ① (an ~) 가려움. ②
(the ~) 【病】옴. ③ (*sing.*) 열망.
— *vi.* 가렵다; 옴을 싫어서 좀이
쑤시다. **-y.-a** *a.* 가려운; 옴오른.

i·tem[áitəm, -tem] *n.* ① C 조목,
세목. ② 신문 기사(의 한 항목).

—— **[-tem]** *ad.* (항목 처음에 써서) 마찬가지로, 또. **~·ize**[-āiz] *vt.* 《美》조목별로 쓰다.

i·tin·er·ant[aitínərənt, it-] *a., n.* 순회하는; ⓒ 순회(설교)자; ⓒ 행상인. **-an·cy** *n.*

i·tin·er·ar·y[aitínərèri, it-/-rəri] *n.* ⓒ 여행 안내; 여행기; 여행 일정; 여정(旅程). —— *a.* 순회하는; 여행의, 여정의.

-i·tis[áitis] *suf.* '염증'의 뜻을 만듦: appendic*itis*, tonsil*litis*.

†**its**[its] *pron.* 그것의(it의 소유격).

†**it's**[its] it is(has)의 단축.

†**it·self**[itsélf] *pron.* (*pl.* **them·selves**) 그 자신, 그것 자체. **by ~** 자동적으로, 혼자 힘으로, 단독으로. **for ~** 그 자신을 위해. **in ~** 본래, 본질적으로. **of ~** 자연히, 저절로.

IUD intrauterine device.

-ive[iv] *suf.* '경향·성질·기능' 따위를 나타내는 형용사·명사를 만듦: act*ive*, destruct*ive*, pass*ive*; execut*ive*.

I've[aiv] I have의 단축.

i·vo·ry[áivəri] *n.* ① ⓤ 상아; 상아유사품. ② (*pl.*) 상아 제품. ③ ⓒ 《俗》주사위, 피아노의 건(鍵). ④ ⓤ 상아색.

ívory tówer 상아탑《실사회를 떠난 사색의 세계》; 세상에서 격리된 장소.

i·vy[áivi] *n.* ⓤ 《植》담쟁이덩굴.

Ívy léague (《植》형용사 취급) (Harvard, Yale, Columbia 등) 미국 동북부의 유서깊은 대학의[에 속하는].

-ize[aiz] *suf.* '…으로 하다, …화하다, …이 되다, …하게 하다'의 뜻의 동사를 만듦: American*ize*, western*ize*.

J

J, j [dʒei] *n.* (*pl.* **J's, j's** [-z]) ⓒ J 자 모양(의 것).

jab [dʒæb] *n., vt., vi.* (**-bb-**) ⓒ 콱 찌르기[찌르다](*into*); 〖拳〗 잽을 먹이다.

jab·ber [dʒǽbər] *n., vi., vt.* 재잘거림; 재잘거리다.

jack [dʒæk] *n.* ⓒ ① (또는 J-) 사나이, 젊은이, 소년; 놈. ② (or J-) 뱃사람, 선원. ③ 〖트럼프의〗 잭. ④ 〖機〗 잭 《밀어 올리는 기계》. ⑤ 〖海〗 〖국적을 나타내는〗 선수기(船首旗). ⑥ 〖당나귀와 토끼의〗 수컷(cf. jenny). ⑦ 플러그 〖꽂는〗 구멍. ⑧ 〖海〗 메인 큰 마스트(돛대) 꼭대기의 가로최. ⑨ (*pl.*) 공기놀이; 공깃돌의 일종(jackstones). *before you could* 〔*can*〕 *say J- Robinson* 느닷없이, 갑자기. *every man ~* (俗) 누구나나. *J- and Gill* 〔*Jill*〕 〔한 쌍의〕 젊은 남녀. — *vt.* 〔잭으로〕 들어 올리다. — *up* 〔잭으로〕 밀어 올리다; 〔임금·값을〕 올리다, 〔일·계획 등을〕 자극하다.

jack·al [dʒǽkɔːl] *n., vi.* 〖動〗 자칼; 알잡이〔노릇하다〕.

jáck·àss *n.* ⓒ 수탕나귀; 멍텅구리, 바보.

jáck·bòot *n.* ⓒ 긴 장화.

jack·dàw *n.* ⓒ 〖鳥〗 〔영국 등의〕 갈가마귀. *a ~ with borrowed plumes* 남의 위세를 따라가기.

jack·et [dʒǽkit] *n.* ① (양복) 상의, 저고리. ② 〖책의〗 커버 《책의 감자》껍질. ③ 모피, 외피.

Jáck Fróst *n.* (의인) 서리.

jáck-in-a(the)-bòx *n.* ① 꽃불의 일종: 도깨비 상자; 〖機〗 차동 장치(差動裝置).

jáck·knife *n.* ⓒ 대형 접칼; 〖水泳〗 잭나이프(다이빙형의 하나).

jáck·pòt *n.* ⓒ 〖포커놀이의〗 적립한 판돈; (口) 〖뜻밖의 대성공, 히트. *hit the ~* (俗) 크게 한몫 보다.

Jac·o·be·an [dʒ`ækəbíːən] *a., n.* ⓒ 〖英史〗 James 〔세 시대(1603-25)의 (사람).

jade¹ [dʒeid] *n.* ⓤ 옥(玉), 비취(빛).

jade² [dʒeid] *n.* 야윈〔못쓰게 된〕 말; 아내진 계집. — *vt., vi.* 피로하게 하다; 지치다; 물린; 〔여자가〕 달아빠지다. **jád·ed** [-id] *a.* 몹시 지친; 물린; 〔여자가〕 달아빠진.

JAG, J.A.G. Judge Advocate General.

jag·uar [dʒǽgwɑːr/-gjuər] *n.* ⓒ 〖動〗 아메리카표범.

jail [dʒeil] *n.* ⓒ 구치소(cf. prison); (一般) 교도소. — *vt.* (…에) 투옥하다. **~·er, ~·or** *n.* ⓒ 간수.

jáil·bìrd *n.* ⓒ (口) 죄수; 전과자; 상습범.

ja·lop·y [dʒəlɑ́pi/-ɔ́-] *n.* ⓒ (口) 구식의 낡은 자동차(비행기).

jam¹ [dʒæm] *n.* ⓤ 뿔빔, 혼잡, 잔뜩 채움〔넣음〕. ③ 〖美口〗 곤경(困境), 궁지. ③ 〖럼〗 잼질, 잼. — *vt.* (**-mm-**) ① 으깨다; 쑤셔넣다. ② 막다; 〖無電〗 〔비슷한 주파수의 전파로〕 방해하다. — *vi.* 〔기계 따위가 걸려서〕 움직이지 않게 되다; 〖재즈〗 즉흥적으로 연주하다.

jam² *n.* ⓒ 잼.

jamb [dʒæm] *n.* ⓒ 〖建〗 문설주.

jam·bo·ree [dʒ`æmbəríː] *n.* ⓒ (口) 흥겨운 잔치; 소년단의 대회, 잼버리.

jám-páck·ed *a.* 빈틈없이 꽉 채운.

jám sèssion 〔친구들끼리 기분을 내기 위해서 하는〕 즉흥 재즈 연주회(cf. jam¹).

Jan. January.

jan·gle [dʒǽŋgəl] *n., vt., vi.* (*sing.*) 시끄러운 소리(를 내다); 짤랑짤랑 (을 울다); 싸움(말다툼)(하다).

jan·i·tor [dʒǽnətər] (⟨ Janus) *n.*

J

†**Jan·u·ar·y** [dʒǽnjuèri/-ǝri] *n.* 1월 (생략 Jan.).

jape [dʒeip] *n., vi.* ⓒ 농담(하다); 장난(하다).

ja·pon·i·ca [dʒǝpánikǝ/-5-] *n.* ⓒ [植] 동백나무; 모과나무.

†**jar** [dʒɑːr] *n.* ⓒ 단지, 아가리 넓은 병; 항아리, 독.

†**jar** *n.* (*sing.*) ① 삐걱거리는 소리; 신경에 거슬리는 것(일). ② 충격, 충돌; 부조화; 싸움. —— *vi., vt.* (**-rr-**) 삐걱삐걱하다, 갈리(게 하)다; (…에) 거슬리(게 하)(**upon**); 진동하다 [시키다]; (의견 따위가) 맞지 않다(**with**). **～·ring** *n.* ⓤⓒ 진동(하는), 삐걱거림(거리는); 불화(한), 부조화(한), 귀에 거슬리는.

†**jar·gon** [dʒɑ́ːrgǝn, -gɑn] *n., vi.* 뜻을 알 수 없(는) 말을 쓰다, 횡설수설(하다). —— ⓤⓒ (특수한 직업·집단의) 변말(곁말)을 쓰다.

jas·min(e) [dʒǽzmin, -s-] *n.* ⓤⓒ [植] 재스민 향수.

jaun·dice [dʒɔ́ːndis, -ɑ́ː-] *n.* ⓒ 황달(黃疸); 편견, 빙퉁그러짐. ——**d**[-t] *a.* 황달병의; 빙퉁그러진, 질투에 불타는 견해. **～d view** 편견, 비뚤어진 견해.

jaunt [dʒɔːnt, dʒɑːnt] *n., vi.* ⓒ 소풍(산책)(가다).

jaun·ty [dʒɔ́ːnti, dʒɑ́ː-] *a.* 쾌활(명랑)한; 멋들어진. **-ti·ly** *ad.*

†**jav·e·lin** [dʒǽvǝlin] *n.* ⓒ (던지는) 창; 투창. **the ～** 그 경기.

†**jaw** [dʒɔː] *n.* ⓒ ① 턱(cf. chin). ② (*pl.*) 입 부분; (골짜기·산길 등의) 어귀. ③ ⓤⓒ (俗) 수다; 잔소리. **Hold your ～!** (입) 닥쳐! —— *vt., vi.* (俗) (…에게) 잔소리하다, 군소리하다.

jáw-bòne *n.* ⓒ 턱뼈, 특히 아래 턱뼈; (俗) 신용. **〜** (俗) 신용; (간이).

†**jay** [dʒei] *n.* ⓒ [鳥] 어치; (口) 수다쟁이; 얼간이.

jáy·wàlk *vi.* (美口) (교통 규칙을[신호를] 무시하고) 길을 횡단하다. **～·er** *n.*

†**jazz** [dʒæz] *n.* ⓤ ① 재즈(댄스). ② (美俗) 활기, 열광, 소동. ③ (美俗) 과장; 허튼소리. —— *a.* 재즈(조)의. —— *vi., vt.* 재즈를 연주하다, 재즈식으로 하다; (美俗) 활발하게 하다; 법석

<hr>

떨다.

†**jeal·ous** [dʒélǝs] *a.* ① 질투 많은, 샘내는(**of**). ② (신의) 불신앙[불충성]을 용서치 않는. ③ 경계심이 강한; (잃지 않으려고) 조심하는, 소중히 지키는(**of**). **：～·ly** *ad.* **～·ness** *n.* ⓤⓒ 경계심.

jean [dʒiːn/dʒein] *n.* ⓤ 진(튼튼한 능직(綾織) 무명); (*pl.*) 그 천의 작업복, 바지.

†**jeep** [dʒiːp] *n.* ⓒ (美) 지프(차); (J-) 그 상표명. —— *vi.* 지프로 가다[나르다].

jeer [dʒiǝr] *n., vi., vt.* ⓒ 조소(하다), 조롱(하다)(**at**).

Je·ho·vah [dʒihóuvǝ] *n.* [聖] 여호와(이스라엘 사람들의 신).

je·june [dʒidʒúːn] *a.* 영양분이 없는; 무미건조한; (땅이) 메마른.

Je·kyll [dʒíːkil, -kǝl-] *n.* 지킬 박사(R. L. Stevenson 작품 중의 의사). **(Dr.) ～ and (Mr.) Hyde** 인격적 2면[이중 인격자].

jell [dʒel] *n., vi., vt. = JELLY*; (계획 등이) 구체화하다[되다], 굳어지다.

†**jel·ly** [dʒéli] *n.* ⓤ 젤리; ⓒ 젤리 모양의 것. **beat to [into] a ～** 늘씬하게 두들겨패다. —— *vi., vt.* 젤리화되[게 하]다.

jélly·fìsh *n.* ⓒ 해파리; (口) 의지가 약한 사람.

jem·my [dʒémi] *n. = JIMMY*; (양고기 요리용) (羊)의 머리[요리용].

jeop·ar·dize [dʒépǝrdàiz] *vt.* 위험에 빠뜨리다, 위태롭게 하다.

jeop·ard·y [dʒépǝrdi] *n.* ⓤ 위험(cf. danger).

†**jerk** [dʒǝːrk] *vt., vi., n.* ① ⓒ 홱 당기다[당김], 홱 잡아채다[처음], 갑자기 밀다[밀기], 짝 비틀다[비틀기]; 홱 던지다[던지기]; (口) 갑작스런 말(이) 더듬다. ② ⓒ 경련(을 일으키다). ③ (俗) 바보. **the ～s** (종교적 감동에 의한) 손·발·안면의 발작적 경련.

jer·kin [dʒǝ́ːrkin] *n.* ⓒ (16·17세기) 남자의 가죽 조끼; (여성용) 조끼.

jerk·y [-i] *a.* 갑자기 움직이는, 경련하는; 경련적인; (俗) 바보 같은.

jérry-builder *n.* ⓒ 서투른 목수, **-building** *n.* ⓤ 날림 건축. **-built** *a.* 날림으로 지은.

J

Jer·sey [dʒə́:rzi] *n.* 영국 해협의
섬; ⓒ 저지종의 젖소; = NEW JER-
SEY; (j-) ⓒ 자락목 스웨터, 여자용
메리야스 속옷; ⓒ (j-) 저지(옷감).

jest [dʒest] *n.* ⓒ 농담; 희롱; 웃음
거리. *in* ~ 농담으로. — *vi.* 까불
다(*with*), 농담을 하다; 우롱하다,
놀리다(*at*). **~·er** *n.* 익살꾼; 조
롱꾼.

Jes·u·it [dʒéʒuit, -zu-/-zju-] *n.*
[가톨릭] (LOYOLA가 창설한) 예수회
의 수사; (j-) [蔑] 책략가; 궤변가.

Jé·sus (**Christ**) [dʒí:zəs(-)] *n.* 예
수(그리스도).

jet² [dʒet] *n.* ⓒ [鑛石] 흑옥(黑玉).

jet² [dʒet] *n., vi., vt.* (**-tt-**) 분출
사(하다, 시키다, 나오다); 분사(射出); 분출
구; 제트기; 제트 엔진.

jét-black *a.* 칠흑의, 새까만.

jét éngine 제트 엔진.

jét-propélled *a.* 분사 추진식의.

jét propúlsion 분사 추진.

jet·sam [dʒétsəm] *n.* Ⓤ [海保] (해난
때 배를 가볍게 하기 위한) 투하
화물; [법] = JETSAM. — *vt.* (바다로 짐을) 던
지다.

jet·ty *n.* ⓒ 방파제, 둑; 잔교(棧
橋).

Jew [dʒu:] *n.* ⓒ 유대인. **~·ess**
n. ⓒ 유대 여자. **~·ish** *a.*

jew·el [dʒú:əl] *n.* ⓒ 보석(박은 장
식품), (귀중한) 보배. — (**l)ed** (*-l*)
a. 보석박은(으로 꾸민). **~·(l)er**
n. ⓒ 보석상; 보석상. **~·ry,**
(**英**) **~·ler·y** [-ri] *n.* ⓒ 보석류(類).

Jnr., jnr. junior. [聖] 욥(구약 유
기(記))(the Book of Job)의 인내
심 강한 주인공).

job [dʒab/-ɔ-] *n.* ⓒ ① 일, 삯일.
② 일자리, 직업(*out of a* ~ 실직하
고). ③ (주로 못된) 일, 사건; 문제;
(공직을 이용한) 부정 행위, 독직(a
bad ~ 난처한 일). ④ 제품, 물건.
⑤ [俗] 도둑질, 강도. ⑥ [컴] 작
업. *by the* ~ 품삯을 정하여, 도급
으로. *do a* ~ *on a person,* or
do a person ~ 해치우다. *odd*
~*s* 허드렛일. *on the* ~ 열심히 일
하여; 일하는 중에; 방심하지 않고,

jig² [dʒig] *n., vi., vt.* (**-gg-**) 지그
(3박자의 경쾌한 댄스(곡)의 일종)(춤
을 추다); 상하로 움직이다.
The ~ *is up.* [俗] 끝장이다.

jig *n., vi.* (**-gg-**) ⓒ 낚싯봉 달린 낚
시(에 낚시질하다); [採] 체로 선광
(選鑛)하다.

jig·gle [dʒígl] *vt.* 가볍게 흔들다(당
기다). — *n.* ⓒ 가볍게 흔듦(당김).

jig·saw *n.* ⓒ 실톱의 일종).

ji·had [dʒiháːd] *n.* ⓒ (회교 옹호
의) 성전(聖戰); (주의·신앙의) 옹호
[박멸]을(의) 운동.

jilt [dʒilt] *vt., n.* ⓒ (남자를) 차버리
다(차버리는 여자); 탕녀.

jim·my [dʒími] *n.* ⓒ [美口] (강도가
쓰는) 쇠지렛대(로 비집어 열다).

jin·gle [dʒíŋgl] *n., vi., vt.* ⓒ ①
짤랑짤랑, 따르릉(울리다). ② 방울·
종 따위가 울리는 악곡. ③ 같은 음의
반복이 많은 시구(詩句).

jin·go [dʒíŋgou] *n.* (*pl.* ~**es**) ⓒ
주전론자(적인); 강경 외교론자.
By ~! 천만의 말씀! **~·ism** [-izəm]
n. **~·ist** *n.* **~·is·tic**
[-ístik] *a.*

jinx [dʒiŋks] *n.* ⓒ [美口] 재수 없는
것(사람). *break* [*smash*] *the* ~
징크스를 깨다; 액땜 후에 승리하다.
— *vt.* (…에게) 불행을 가져오다.

jit·ter [dʒítər] *vi.* [美口] 조바심하
다, 초조해하다. — *n.* (*pl.*) 신경
과민.

jive [dʒaiv] *n., vi.* Ⓤ 스윙곡(曲)(음
연주하다); (재즈계·마약 상용자 등의)
은어, 변말.

jib¹ [dʒib] *n.* ⓒ 뱃머리의 삼각돛.
— *vi., vt.* (**-bb-**) (풍향에 따라) 돛
이(활대를) 회전하다(을 회전시키다).
the cut of one's ~ [口] 풍채,
모차림.

jib² [dʒib] *vi.* (**-bb-**) (말 따위가) 앞
으로 나아가기 싫어하다, 갑자기 서
다; (사람이) 망설이다, 주저하다.

jibe¹ [dʒaib] *v., n.* = JIB¹.

jibe² *v., n.* = GIBE.

jibe³ *vi.* [美口] 일치(조화)하다.

jiff [dʒif], **jif·fy** [dʒífi] *n.* [口]

J

— *vi.* (**-bb-**) 삯일을 하다; (주식·상품을) 거간하다; (공익 사업으로) 사복을 채우다. — *vt.* (일을 몇사람에게) 분배[하청]하다; (말·마차를) 임대[임차]하다; 거간하다; 독직(瀆職)하다. ∼**·less** *a.*

jób lòt (다량구입하는) 염가품, 한 무더기로 파는 싸구려.

jock·ey [dʒɑ́ki/-] *n., vt., vi.* ① ⓒ 경마의 기수(로 일하다); 《口》 운전수, 조종사(로서 일하다). ② 속이다, 속여여一하게 하다. ③ 유리한 위치를 얻으려 하다.

jo·cose [dʒoukóus] *a.* 익살맞은, 우스운(facetious). ∼**·ly** *ad.* jo·cos·i·ty [-kɑ́səti/-] *n.*

joc·u·lar [dʒɑ́kjələr/-] *a.* 우스운, 익살맞은. ∼**·i·ty** [⁻lǽrəti] *n.*

jodh·purs [dʒɑ́dpərz/dʒɔ́dpuərz] *n. pl.* 승마 바지.

jog [dʒɑg/-] *vt.* ⓒ 살짝 밀다(닦기다), 콱 밀기(찌르기), (살짝) 흔들어 알리다(알리기), (기억을) 불러 일으키다(일으키는 것). — *vi.* 터벅터벅 걷다; 천천히 달리다.

jog·ging [dʒɑ́giŋ/-5-] *n.* 조깅(健康을 위해). **~·ging** (천천히 달리기)

jog·gle [dʒɑ́gəl/-5-] *vt., vi., n.* ⓒ 가볍게 흔들(리)다(흔들림, 흔들).

Jóhn Búll (집합적으로) (전형적) 영국인.

join [dʒɔin] *vt.* ① 연결하다, 잇다. ② 합병하다; 협력하다(시키다); 한패가 되다. ③ 입회(입대)하다. ④ (때에) 타다; (부대·배에) (되)돌아오다. ⑤ 함께 하다(합치다). — *vi.* ① 결합하다, 합하다, 만나다. ② 맞닿다; 한 패거리로 되다. ③ 참가하다. — *n.* 접합점(선, 면); 솔기; 〔컴〕 골라넣기. **~ hands with** …와 제휴하다. **~ the colors** 입대하다. — *n.* ⓒ 접합점[선, 면]; 솔기; 〔컴〕 골라넣기.

join·er [dʒɔ́inər] *n.* ⓒ 접합자(물); 소목장이; 《美》여러 단체 모임에 관계하고 있는 사람. ∼**·y** *n.* ⓤ 소목장이 일; ⓒ 목제 세공, 가구 제작.

‡**joint** [dʒɔint] *a.* 공동(합동, 연합)의; 연대(連帶)의; — **communiqué** 공동 코뮈니케. — *n.* ① 마디, 관절; 이음매, 맞춤 자리. ② 〔마디마다 토막내어〕 뼈 붙은 큰 살점. ③ 《美口》비밀 술집; 마리화나 담배. **out of ∼**

탈구(脫臼)되어; 문란해(져서), 뒤죽박죽이 되어. ~ **resolution** 《美》(양원의) 공동결의. — *vt.* 결합[접합]하다, 메지를 바르다. ∼**·less** *a.* ∼**·ly** *ad.*

Jóint Chiefs of Stáff 《美》합동 참모 본부[회의]《略 JCS》.

joist [dʒɔist] *n.* 〔建〕장선; 도리. — *vt.* (…에) 무엇을 달다.

†**joke** [dʒouk] *n., vi., vt.* ⓒ 농담(하다), 익살(부리다); 장난(치다), 놀리다. **~ for a ∼** 농담 삼아서. **in ∼** 농담으로. **joking apart** 농담은 그 만하고, **practical ∼** (행동으로 따르는) 몹쓸 장난. **take a ∼** 놀려도 화내지 않다.

jok·er [dʒóukər] *n.* ⓒ ① 농담하는 사람, 익살꾼. ② 〔카드〕 조커. ③ 《美》(정관·법안의 효력을 근본적으로 유효시키기 위해 슬쩍 삽입한) 사기 조항; 사기, 책략.

jok·ing [⁻iŋ] *a.* 농담하는, 장난치는. ∼**·ly** *ad.*

jol·li·fi·ca·tion [dʒɑ̀ləfikéiʃən/-ɔ̀-] *n.* ⓤ 흥겨워 떠들기; ⓒ 잔치 소동.

jol·li·ty [dʒɑ́ləti/-] *n.* ① ⓤ 즐거움, 명랑. ② (보통 *pl.*) 《英》흥청거리는 술잔치.

‡**jol·ly** [dʒɑ́li/-] *a.* ① 유쾌한, 즐거운; 얼근한 기분의. ② 《英口》대단히, 엄청난. — *ad.* 《英口》대단히. — *vt.* 《口》치살려서 기분내게 하다; 놀리다(kid).

jolt [dʒoult] *vi., vt.* 덜컥거리(게 하)다; (마차 따위가) 덜컹거리며 나아가다, 흔들리다. ② (정신적) 충격을 주다. — *n.* ① 급작스런 동요, 덜컥거림. ② 충격; 덜컹거림. ∼**·y** *a.*

josh [dʒɑʃ/-] 《美口》 *n., vt., vi.* ⓒ (악의 없는) 농담(을 하다), 놀리다.

jóss stick (중국 사원의) 선향(線香).

jos·tle [dʒɑ́sl/-5-] *vt.* 밀다, 찌르다(*away, from*). — *vi.* 서로 밀다; 부딪치다(*against*). — 다투다. — *n.* ① 서로 밀치기; 충돌.

jot [dʒɑt/-5-] *n.* (a ∼) 미소(微少), 소량. **not a ∼** 조금도 ―않다. — *vt.* (**-tt-**) 대강 적어 두다(*down*). ∼**·ting** *n.* (보통 *pl.*) 메모, 약기.

‡**joule** [dʒuːl, dʒaul] *n.* 〔電〕줄《에너지의 절대 단위》.

:jour·nal [dʒə́:rnəl] *n.* ⓒ ① 일지; 항해 일지. ② 〔簿〕 분개장. ③ (일 간) 신문; (정기 간행의) 잡지. ④ 〔機〕 굴대의 목. *the Journals* (英) 국회 의 의사록. **:-ese** [dʒə̀:rnəlí:z] *n.* ⓤ 신문 용어; 신문의 문체[말씨].

:jour·nal·ism [-izəm] *n.* ⓤ ① 저 널리즘, 신문(잡지)(기자)업. ② 〔集合的〕신문, 잡지, 정기 간행물. ③ 〔集合的〕신문〔잡지〕기자〔기자사무의 문제(文章). **:-ist** *n.* ⓒ 저널 리스트, 신문〔잡지〕기자〔기자사무의〕. **. *-is·tic** [▲-ístik] *a.* 신문 잡지 (업)의.

:jour·ney [dʒə́:rni] *n.* ⓒ (육상의) 여행; 여정. *break one's* ~ 여행 을 중단하다; 도중하차하다. *make (take) a* ~ 여행하다. — *vi.* 여행 하다.

:jour·ney·man [-mən] *n.* ⓒ (숙달 된) 직공; 〔古〕 날품팔이꾼.

joust [dʒaust] *n., vi.* 마상 창시합 〔馬上槍試合〕.

Jove [dʒouv] *n.* = JUPITER. *by* ~! 이크! 천만에.

jo·vi·al [dʒóuviəl, -vjəl] *a.* 쾌활〔유 쾌〕한, 즐거운. **.-i·ty** [▲-ǽləti] *n.*

jowl [dʒaul, dʒoul] *n.* (보통 *pl.*) (특히) 아래턱(jaw); 뺨(cheek). *CHEEK by* ~.

:joy [dʒɔi] *n.* ⓤ ① 기쁨. ② 기쁨거 리, 즐거움. *give* ~ 축하(치하)하다. *Give you* ~! or *I wish you* ~! 축하합니다. — *vi., vt.* 기뻐하다; 기쁘게 하다. **.<-ful** **.<-ful·ly** *ad.* **.<-ful·ness** *n.* **.<-less** *a.* **.<-ous** *a.* = JOYFUL.

jóy ride (美口) (남의 차를 무단히 몰고 다니는) 드라이브.

jóy stick (俗) (비행기의) 조종간 (桿); 음정; 〔컴〕 (수동) 제어 장치.

J.P. Justice of the Peace. **Jr.**, **jr.** junior.

ju·bi·lant [dʒú:bələnt] *a.* 기쁨에 넘 치는; 환성을 올리는. **.-lance** *n.* **.-late** [▲-lèit] *vi.* 환호하다. **.-la·tion** [▲- léiʃən] *n.* ⓤ 환희. ② 축제.

ju·bi·lee [dʒú:bəlì:] *n.* ① ⓒ 50년 제(祭); 축제. ② ⓤ 환희. *diamond (silver)* ~ 60(25)년제.

Ju·da·ic [dʒu:déiik] *a.* 유대인(민 족·문화)의(Jewish).

Ju·da·ism [dʒú:diìzəm, -dei-] *n.* 유대교(敎); 유대풍(風).

Ju·das [dʒú:dəs] *n.* 〔聖〕 (은전 30 냥으로 예수를 판) 〔가룟〕 유다; ⓒ 배 반자; (j-) 〔-〕 (문·벽의) 엿보는 구멍.

:judge [dʒʌdʒ] *n.* ⓒ ① 재판관, 판사. ② 〔유대사〕 사사 (士師)〔왕의 통치 전 이스라엘의 지배 자〕. ③ (Judges) 〔聖〕 사사기 (士師記). — *vt., vi.* 판결을 내리다, 재판하다[심판〔감정〕하다]; 비판(비난)하다. **~·ship** [-ʃip] *n.* ⓤ judge의 지위(임기·직(職)].

:judg·ment (英) **judge-** [-mənt] *n.* ① ⓤ〔ⓒ〕 판결. ② ⓒ 천벌 (on). ② ⓤ 심판, 감정; 비판. ③ ⓤ 판단력; 재판관; 견식, 분별. *sit in* ~ 재 판(비판)하다. *the Last J-* 〔聖〕 최 후의 심판.

Júdgment Dày 최후의 심판일.

ju·di·ca·ture [dʒú:dikèitʃər] *n.* ⓤ 사법권; ⓒ 〔集合的〕 사법 기관.

:ju·di·cial [dʒu:díʃəl] *a.* ① 사법(상) 의, 재판소의. ② 판단력이 있는; 공 평한; 비판적인. ~ *precedent* 판 례(判例).

ju·di·ci·ar·y [dʒu:díʃièri, -ʃəri] *a.* 사법(상)의; 재판(상)의. — *n.* ① (the ~) 사법부(judicature). ② 〔集合的〕 법관.

ju·di·cious [dʒu:díʃəs] *a.* 사려〔분별〕 있는, 현명한. **.-ly** *ad.* **.-ness** *n.*

ju·do [dʒú:dou] *n.* 유도.

:jug [dʒʌg] *n.* ⓒ (주둥이가 달린) 항아리; (주둥이가 넓은) 주전자, 조 끼(한 잔). ② (俗) 교도소(jail). — *vt.* (-*gg*-) (고기를) 항아리에 넣고 삶다; (俗) 교도소에 처넣다.

júg·ful [dʒʌgfùl] *n.* ⓒ 한 주전자 [조끼]의 하나 가득한 분〔한 양〕.

Jug·ger·naut [dʒʌgərnɔ̀:t] *n.* 〔印 度神話〕 Krishna 신의 우상〔이 우상 을 실은 수레에 치어 죽으면 극락에 갈 수 있다 했음〕; 〔종종 (J-) 희생에 따르 는 미신(제도, 풍습)〕; 불가항력.

jug·gle [dʒʌgl] *n.* ⓒ ① 요술〔기 교〕(을) 부리다. ② 속이다. — *vt.* 속이다, 속여서 빼앗다. **.-gler** [-ər] *n.* ⓒ 요술쟁이; 사기꾼. **.-y** *n.* ⓤ 요술; 사기.

jug·u·lar [dʒʌ́gjələr] *a., n.* 〔解〕

인후의, 목의; 경정맥(頸靜脈)(의);
= 약 **vein** 경정맥; (the ~) 최대의
절정.

juice[dʒuːs] n. ① ⓊⒸ 즙(液),
주스. ② Ⓤ《美俗》전기; 가솔린.
— vi., vt. (…의) 액을 짜내다; 《俗》
마약 주사를 놓다. ~ **up**《美》술을
가속(加速)하다. ~ **ed up**《美俗》술
취한. **júic・y** a. 즙(수분)이 많은;
재미(생기)있는, 윤기 도는.

júke・box n. ⓒ 주크박스《동전 투입
식 자동 전축》.

Jul. July.

Ju・ly[dʒuːlái]《〈Julius》n. 7월.

jum・ble[dʒʌ́mbəl] n., vi., vt.
(a ~) 뒤죽박죽(이 되다, 을 만들다)
(**up, together**); 혼란; 동요. ② Ⓤ
뒤죽박죽된 잡동사니.

júmble sàle《주로 英》(자선 바자
따위의) 잡화 특매(염가).

jum・bo[dʒʌ́mbou] a., n. (pl. ~**s**)
(Ⓒ) 엄청나게 큰 (것); 점보제트
기.

jump[dʒʌmp] vi. ① 뛰다, 뛰[튀]어
오르다; 움찔하다; 뛰어 옮기다; 비약
하다. ② 폭동하다.《속담》 **Great wits will ~**
(知者)의 생각은 일치하는
것《간담상조(肝膽相照)》. — vt. ①
뛰어 넘[게 하]다; 뛰어 오르게 하다.
② (물가를) 급등시키다. ③ (…에서)
벗어나다(~ **the track** 탈선하다). ④
생략하다, 건너뛰다. ⑤ (어린애를) 달
래[어르]다. ⑥ 훌쩍뛰게 하다; (사냥
감을) 날아오르게[뛰어 나오게] 하다.
⑦ (美俗》상대의 말을 건너 떨어져
서 잡다. ⑧《美俗》(…에서) 도망치
다. ~ **about** (美俗》(…에서) 조금
해 있다. ~ **a claim** 포지・광업권
(등을 가로채다. ~ **bail** 보석 중에
도망치다. ~ **down a person's throat**《口》 낙복하는 말대꾸로 하다;
《논쟁에서》꼼짝 못하게 하다. ~ **in**
[**into**] (…속에) 뛰어들다. ~ **off** 출
동을 (개시)하다. ~ **on** 덤벼(달려)
들다; 야단[흐통]치다, 비난하다. ~ **the queue** 차례로 선 줄을 무시하고
앞으로 나가다. ~ **to the eyes** 곧
눈에 띄다. ~ **up** 급히 일어서다;
(가격 등이) 급등하다. — n. ⓒ ①
도약(跳躍), 한번뛰기(뛴 길이); 《競

jump・er[-ər] n. ⓒ 점퍼, 잠바;
잠바 드레스《여자・어린이용의 소매 없
는 원피스》; 《英》《블라우스 겉에 입
는》 헐거운 여자용 상의; (pl.)
ROMPERS.

júmping-óff plàce [pòint] ① 문
명 세계의 끝, 한계. ② 출발점.

jump ròpe 줄넘기 줄. [기.
jump jèt 《英口》단거리 이착륙 제트
jump・suìt n. ⓒ ① 낙하산 강하
복; 그와 비슷한 상하가 붙은 작업복;
② 그 비슷한 여성복.

jump・y[-i] a. ① 튀어 오르는. ② 변
동하는. ③ 실룩거리는, 신경질적인.

Jun. June. **jun.** junior.

junc・tion[dʒʌ́ŋkʃən] n. ① Ⓤ 연
합, 연접, 연결; 접착; 접속. ② ⓒ
접합점, 접속역, (강의) 합류점. ③
ⓊⒸ 《文》 수식관계《the barking dog
n a man who sings와 같은 수식어와
수식 관계의 어군(語群)》(cf. nexus).

junc・ture[dʒʌ́ŋktʃər] n. ① Ⓤ 결합;
연접. ② Ⓒ 위기, 급한 경우; 이음매
(joint). ③ Ⓒ 접합점.

June[dʒuːn] n. 6월.

jun・gle[dʒʌ́ŋgl] n. ⓊⒸ ① 정글,
밀림(지대). ② Ⓤ 《美俗》 부랑자 소굴.

jun・ior[dʒuːnjər] (cf. **senior**) a.
연소한; 후배의, 하위(하급)의; 손아
랫편(자식)의(cf. **fils**). ~ **to** (one's)
~) 손아랫사람, 연소자; 후배; ② 《美
大學・高校》(4년제의) 3학년생 《4년
제의》 2학년생.

júnior cóllege 《美》 2년제 대학.

júnior hìgh schòol 《美》중학교.

júnior schòol 《英》(7-11세 아동
의) 초등학교.

ju・ni・per[dʒúːnəpər] n. ⓊⒸ 《植》
노간주나무(의 무리).

junk[1][dʒʌŋk] n. Ⓤ ① 《口》 쓰레기

고철, 헌신문. ② 낡은 밧줄. ③ 〔海〕 소금에 절인 고기. ④ 허튼 넌센스. ⑤ 〔口〕 마약. ── *vt.* 〔口〕 쓰레기〔폐물〕로 버리다. ── **~man** [-mæn] *n.* 〔美〕 고물〔폐품〕장수.

junk² *n.* ⓒ 정크(중국 연안의 너벅선 따위).

jun·ket [dʒʌ́ŋkit] *n., vi.* 〔U.C〕 응유 (凝乳) 식품의 일종; ⓒ 연회(宴會를 열 다), 피크닉(가다); 〔美〕 관비 여행 (官費旅行)

júnk màil 잡동사니 우편물〔쓰레기 취급받는 광고물·팸플릿 등〕.

jun·ta [dʒʌ́ntə, hú(ː)ntə] *n.* (*pl.* **~s**) ⓒ (쿠데타 직후의) 군사 정부; (스페인·남아메리카 등지의) 의회.

Ju·pi·ter [dʒúːpətər] *n.* ① 〔로 神〕 주피터(〔그神〕 Zeus); ② 〔天〕 목성.

ju·rid·i·cal [dʒuərídikəl] *a.* 재판 〔사법·법률〕상의; 재판소의. **~ days** 재판〔개정〕일. **~ person** 법인.

ju·ris·dic·tion [dʒùərisdíkʃən] *n.* ① U 재판〔사법〕권; 지배권. ② U 〔사법상의〕 관할권. ③ ⓒ 관할 지역.

ju·ris·pru·dence [dʒùərisprúː-dəns] *n.* U 법리(학); 법제, 법조직 〔체계〕. **medical ~** 법의학(法醫 學). **─dent** *a.* U 법률에 정통한; ⓒ 법률〔법리〕학자.

ju·rist [dʒúərist] *n.* ⓒ 법(리)학자; 〔英〕법학도(徒); 〔美〕 법관. **ju·ris·tic** [dʒuərístik], **-ti·cal** [-əl] *a.*

ju·ror [dʒúərər] *n.* ⓒ (개개의) 배심원; (콩쿠르 등의) 심사원.

ju·ry [dʒúəri] *n.* ① 〔法〕 배심. ② 〔집합적〕 배심원(보통 12명) (cf. VERDICT); (콩쿠르 대회 따위의) 심사 원(들). **grand ~** 대배심(12-13명으로 구성되어, 'trial jury'로 보내기 전에 기소장을 심리함). **trial** (**petty, common**) **~** 소배심(12명). **─man** *n.* ⓒ 배심원(juror).

just [dʒʌst] *a.* ① 올바른, 공정한. ② 정당한, 정당한. ③ 무리 없는, 지 당한. ④ 정확한, 꼭 들어맞는. ⑤ 에누리 없는, ── *ad.* ① 바르게, 에누리 없이. ② 겨우, 간신히. ③ 방금. ④ 지금, 불과, 아주, 전혀. ⑤ 〔명령법과 함께 쓰여서〕 (자) 좀(J- *fancy*! 자 좀 생각해 보렴). ⑥ 〔반어를

서〕 (…이다뿐인가) 아주('*Did he swear*?' '*Didn't he* ── !'; 그 사람 노했던가? ─노했다뿐만이냐 (아주 대단한 거 셀세). ── **now** 바로 지금; 이제 막; 이윽고 (곧). *** ~ly** *ad.* 바르게, 공정 하게, 정당하게. ***~ness** *n.*

jus·tice [dʒʌ́stis] *n.* ① U 정의; 공정; 공평, 정당, 타당; 적법(성). ② U 법의 시행(施行), 재판. ③ U 당연한 응보, 처벌. ④ ⓒ 재판관, 치 안 판사. ⑤ (J-) 정의의 여신. **bring a person to ~** 아무를 법대로 처벌 하다. **court of ~** 재판소. **do to** (**a person or thing**) **, or do** (**a person or thing**) **~** …을 공평 〔정당〕하게 다루다; 정확히 처리하다. **do oneself ~** 자기 능력을 충분히 발휘하다. **~ of the peace** 〔法〕 치 안 판사. **~·ship** [-ʃip] *n.* U 재판 관의 신분〔직분·임기〕.

jus·ti·fi·a·ble [dʒʌ́stəfàiəbl] *a.* 정당한, 정당하다고 인정할 수 있는.

jus·ti·fi·ca·tion [dʒʌ̀stəfikéiʃən] *n.* U ① 정당화, 옹호, 변호, 변명. ② 〔神〕의롭다고 인정됨. ③ 〔印〕 조정.

jus·ti·fy [dʒʌ́stəfài] *vt.* ① 정당화하 다, 정당함을 나타내다. ② 변명하 여 변명하다〔(…의) 이유가 되다〔서 다〕. ③ 〔印〕〔행간을〕 고르게 하라. ④ 〔컴〕 자리맞춤을 하라. **~ oneself** 자기의 주장을 변명하다.

jus·tle [dʒʌ́sl] *v., n.* = JOSTLE.

jut [dʒʌt] *n., vi.* (**-tt-**) ⓒ 돌출부. ── *vi.* (**-tt-**) (돌출부. 블록내민 곳; 돌출(하다).

jute [dʒuːt] *n.* ① (인도원산의) 황마 (黄麻); 황마·밧줄 따위의 재료).

ju·ve·nile [dʒúːvənəl, -nàil] *a.* 젊 은, 소년〔소녀〕(용)의; 어린애 같은. ── *n.* ① 청소년; 어린이; 아동복을 입을거리; 〔劇〕 어린이역의 소년〔소 녀〕. **~·nil·i·ty** [dʒùːvəníləti] *n.* U 연소, 젊음; 〔집합적〕 소년 소녀.

júvenile cóurt 소년 재판소.

júvenile delínquency 소년 범죄.

júvenile delínquent 비행 소년.

ju·ve·nil·i·a [dʒùːvəníliə] *n. pl.* (어떤 작가의) 젊었을 때의 작품〔집〕.

jux·ta·pose [dʒʌ̀kstəpóuz] *vt.* ① (…을) 나란히 놓다. **-po·si·tion** [-~pəzíʃən] *n.* U.C 병렬(並列).

J

K

K, k[kei] *n.* (*pl.* **K's, k's**[-z]).

K kelvin.

kale[keil] *n.* ⓤⓒ 양배추의 일종《결구(結球)하지 않음》; 양배추 수프; ⓤ 《美俗》 돈, 현금.

ka·lei·do·scope[kəláidəskòup] *n.* ⓒ 만화경(萬華鏡). **-scop·ic**[──skáp-/-ɔ́-] *a.* 만화경 같은, 변전(變轉) 무쌍한.

kan·ga·roo[kæ̀ŋgərúː] *n.* (*pl. ~s*,《집합적》 *~*) ⓒ 캥거루.

Kangaróo cóurt 인민 재판, 린치.

ka·o·lin(e)[kéiəlin] *n.* ⓤ 고령토, 자토(瓷土).

ka·pok[kéipak/-pɔk] *n.* ⓤ 케이폭《이불용·품솜》.

kar·at[kǽrət] *n.* = CARAT.

kar·ma[kɑ́ːrmə] *n.* (Skt. = action) ⓤ 《힌두敎·佛》 갈마(羯磨), 업(業); 《一般》 운명.

kay·ak[káiæk] *n.* ⓒ 카약《에스키모인의 작은 가죽배》.

K.C. King's Counsel.

keel[kiːl] *n.* ⓒ 《배》 ① 용골(龍骨); 《詩》 배. **on an even ~** 수평으로 되어. ── *vt., vi.* 《海》 (──)을 전복시키다[하다]. **~ over** 전복하다; 졸도하다.

keen[kiːn] *a.* ① 날카로운, 예리한; 예민한. ② 살을 에는 듯한, 모진; 신랄한; 강렬한, ③ 격렬한, 강한. ④ 열심인(*on, to do*). ◀**·ly** *ad.* ◀**·ness** *n.*

keen *n., vi., vt.* (Ir.) ⓒ 《죽은이를 애도하는》 곡성(을 내다), 통곡(하다); 장례식 노래.

K

keep[kiːp] *vt.* (**kept**) ① 간직하다, 갖고 있다; 보존하다; 말다. ② 맡아 두다, 지키다. ③ 《약속·비밀을》 지키다. ④ 《어떤 동작을》 계속하다. ⑤ 《의식을》 올리다; 축하하다. ⑥ 부양하다, 기르다, 돌보다. ⑦ 고용해 두다; 경영하다; 《상품을》 갖춰놓다. ⑧ (일기·장부에) 써넣다. ⑨ 《사람을》 붙들다[만류하다]; (집에) 가두다. ⑪ (어떤 위치·상태로) 하여 놓[두]다, (──을) 알리지 않다; 방해하다(*from*). **You may ~ it.** 너에게 준다. ① (어떤 위치·상태에) 있다. ② (──을) 계속하다[고] 견디다. ③ 머무르다. ④ 《음식물이 썩지 않고》 견디다. ⑤ 《口》 《수업을》 하고 있다. **~ away** 가까이 오지 않게 하다; 가까이 하지 않다. **~ back** 삼가다; 억제하다; 감추다. **~ down** 진압하다; 《감정을》 누르다; 가두다; 들어가 박히다. **~ in** 붙들어 두다; 《감정을》 누르다; 남에게 뒤지지 않다. **~ off** 막다; 가까이 못하게 하다; 떨어져 있다. **~ on** (──을) 입은 채로 있다; 계속하여 하다. **~ out** 배척하다; 참여하지[끼어들지] 않다. **~ to** 《규칙 등을》 굳게 지키다《K- to the right. 우측통행》. **~ to oneself** (*vi.*) 교제하지 않고 혼자 있다; (*vt.*) (사실을) 남에게 감추어 두다. **~ under** 누르다; 복종시키다. **~ up** 버티다; 유지[계속]하다; (밤에) 잠을 못자게 하다; (곤란·병세) 굴복하지 않다. **~ up with** (사람·시세에) 뒤지지 않다. ── *n.* ① ⓤ 보양; 음식물; 생활비, ② ⓒ 아성(牙城), ③ ⓒ 보존, 유지. **for ~s** 《口》 (내기에서) 딴 물건은 돌려주지 않는다는 약속으로; 영구히. **◀-er** *n.* ⓒ 지키는 사람, 파수꾼, ……지기; 보호자; 관리자; 임자; 사육자; (경기의) 수비자.

keep·ing *n.* ⓤ ① 보존, 보관, 관리; 유지; ② 부양, 사육, 조화(*with*). ③ 축하, (제전(祭典)의) 거행. **in [out of] ~ with** ……과 조화하여[되지 않아].

keep·sàke[kíːp-] *n.* ⓒ 유품(遺品)(*memento*); 기념품.

keg[keg] *n.* ⓒ 작은 나무통[술통 10갤런 이하] 《못》 100파운드.

kelp[kelp] *n.* ⓤ 켈프《요오드를 함유하는 거대한 해초》; 해초회(灰).

kel·vin[kélvin] *n.* ⓒ 《理》 켈빈《T

대 온도 단위》. — *a.* 〔理〕 켈빈(절대)의.

ken[ken] *n.* U 시계(視界); 지식(인식) 범위.

ken·nel[kénəl] *n., vt., vi.* 《英》 *-ll-* C 개집(에 넣다); 들어가다, 살다; C 개의 사육장; (pl.) 개의 사육장; 때; 오두막.

kept[kept] *v.* keep의 과거(분사).

ker·chief[kə́ːrtʃif] *n.* C 목도리 (neckerchief); 손수건.

ker·nel[kə́ːrnəl] *n.* C (과실의) 인(仁); 낟알; 핵심, 골수; 〔電〕 알맹이. 〜 **oil** 〔등유(燈油)〕.

ker·o·sene[kérəsìːn, ⌐ ⌐] *n.* U 《美》 등유.

kes·trel[késtrəl] *n.* C 〔鳥〕 황조롱이 《유럽산》; 〔일종.

ketch[ketʃ] *n.* C 두대박이 (범선).

ketch·up[kétʃəp] *n.* C 케첩.

ket·tle[kétl] *n.* C 솥; 주전자, 탕관. *a (nice, fine, pretty) ~ of fish* 대혼란, 곤란한 판국.

kéttle·drùm *n.* (pl.) = TIMPANI.

key[kiː] *n.* C ① 열쇠; 키 ② (국면을 지배하는, 해결의) 실마리, 열쇠; 해답(서), ③ 〔기계 장치의〕 핀, 설명 ④ 중요 지점, 요충지, 중요한 사람(물건). ⑤ 〔피아노·타이프라이터의〕 키, 건(鍵). ⑥ 〔樂〕 조(調) (~ *of C sharp minor* 올림 다단조(短調)). ⑦ (목소리 따위의) 가락; 색조; (전체 따위의) 기조(基調). ⑧ 〔電〕 전건. 개폐기; 전건(電鍵). ⑨ 〔廣告〕 광고 효과를 알기 위한 방법. *out of ~ with* … 와 조화를 이루지 못하고. — *vt.* ① 〔樂〕 음조를 맞추다 (in, on). ② 〔樂〕 정조를 (整調) 하다. ~ *up* 가락을 올리다; 고무하다.

keyed[-d] *a.* 건(鍵)이 있는.

kéy·bòard *n.* C 〔피아노·타이프라이터 따위의〕 건반; 〔電〕 자판.

kéy·hòle *n.* C 열쇠 구멍.

kéy·nòte *n.* C 〔樂〕 주조음; 으뜸음; (정책 따위의) 기조(基調).

kéy·stòne *n.* C (아치의) 마룻돌; 주추, 요지(要旨).

kg., kg kilogram(s).

khak·i[káːki, kǽki] *n., a.* U 카키

색(의) 《옷·옷감》.

kHz kilohertz.

kib·butz[kibúts] *n.* C 키부츠《이스라엘의 집단 공동농장》.

ki·bosh[káibaʃ/-bɔʃ] *n.* C 〔口〕 실없는 소리. *put the ~ on* 해치우다, 끝장내다.

:kick[kik] *vt.* ① (걷어) 차다 《공이 사수의 어깨를》 퇴짜놓다(등의). ② 《美方》 (구혼자 따위를) 퇴짜놓다; 〔蹴〕 공에 공을 차넣다. — *vi.* ① 차다(off); 공이 반동으로 뛰다. ② 〔口〕 반항하다, 불평을 말하다. ~ *back* 〔口〕 갑자기 되튀다; (훔친 금품 따위를) 되돌려주다; 《美俗》 수입 수수료로서 반환하다. ~ *in* 〔俗〕 죽다; 헌금하다; 돈을 갚다. ~ *it* 《美俗》 도망가다. ~ *off* 〔蹴〕 킥오프하다; 시작하다; 《俗》죽다. ~ *out* 〔口〕 걷어차 쫓아내다; 해고하다. ~ *up* 〔…을〕 처음으로 일으키다. — *n.* ① C 차기; 한번 차기; (총의) 반동. ② C 〔口〕 반항, 거절, 불평. ③ 《the ~》 〔蹴〕 킥. 차는 사람. ④ U 〔口〕 《위스키 등의》 자극성. ⑤ 〔병 밑의〕 볼록 올라온 바닥. *get (give) the ~* 해고당하다(시키다).

kíck·bàck *n.* U.C 《美口》반동, 반발; 부당한 수입의 상납; 〔급료의 일부를〕 떼어내기.

kíck·òff *n.* C 〔蹴〕 킥오프.

:kid[kid] *n.* ① C 새끼염소. ② C 키드 가죽(고기), 키드 가죽. (pl.) 키드 장갑(구두). ③ 《美口》 어린애.

kid² *vt., vi.* (*-dd-*) 〔口〕 놀리다; 속이다. *No ~ding!* 《美口》 농담 마라.

kid·nap[kídnæp] *vt.* 《英》 *-pp-* (어린애를) 채가다, 유괴하다. ~*er, *《美》~*per* n. 유괴자. ~*ing, ~*ping* n.U 유괴.

kid·ney[kídni] *n.* ① 신장(腎臟); 콩팥. ② (sing.) 성질, 종류. *contracted ~* 위축신(萎縮腎).

kidney bèan 강낭콩.

kidney machine 인공 신장.

:kill[kil] *vt.* ① 죽이다; 말라 죽게하다. ② (병·바람의) 기세를 꺾다. ③ (시간을) 보내다. ④ (소리를) 죽이다. ⑤ 엷게 하다; 약하게 하다. ⑥

(의안 따위를) 부결하다; 【電】 (회로를) 끊다. ⑦ 지치게하다; 뇌쇄(惱殺)하다. **dressed 〔got up〕 to ～** 를 딱 맞게 차려입다. **～ by inches** 애태우며〔괴롭히며〕 천천히 죽이다. **～ oneself** 자살하다. **～ or cure** 하늘을 하늘에 걸고. **～ with kindness** 친절이 지나쳐 도리어 화가미치게 하다. —— *n.* ⓒ 살생; (사냥의) 잡은 것; ⓤ 〖엽〗 없앰. *～er* *n.* ⓒ 죽이는 사람〔동물·것〕; 살인자. *～ing* *a.*, *n.* 죽이는; 힘겨운; 뇌쇄적인; ⓤ 우스워 죽을 지경인; ⓤⓒ 죽이는 일, 도살; ⓒ 사냥에서 잡은 것; (a ～) 〖口〗 큰 벌이〔수지〕.

kill-joy *n.* ⓒ 흥을 깨뜨리는 사람 (cf. **wet blanket**).

kiln [kiln] *n.* ⓒ 가마 (oven), 노(爐).

kil·o [kí(ː)lou/kíːlou] *n.* (*pl.* ～**s**) ⓒ 킬로그램, 킬로미터, 리터 따위).

ki·lo- [kílou, -lə] *pref.* '천'의 뜻. *～càlorie* *n.* ⓒ 킬로칼로리〔천칼로리〕. *～cycle* *n.* ＝ KILOHERTZ. *～électron vòlt* 【電】 킬로일렉트론 볼트〔생략 kev〕. *～gràm* *n.* ⓒ **gràm**, ⓒ 킬로그램〔생략 kg〕. *～gràmme* *n.* (英) ＝ **～gram**. *～gràmmetre** *n.* ⓒ 킬로그램미터 1kg의 물건을 1m 올리는 일의 양. *～hèrtz* *n.* ⓒ 킬로헤르츠〔주파수의 단위〕. *～liter, ～litre* (英) *～litre* *n.* ⓒ 킬로리터. *～mèter, (英) ～mètre* *n.* ⓒ 킬로미터. *～tòn* *n.* ⓒ 킬로톤, (원·수폭의) TNT 1000톤 상당의 폭파력. *～wàtt* *n.* ⓒ 킬로와트〔전력 단위, 1000와트〕. *～watthour** *n.* ⓒ 킬로와트 시(時)〔1시간 1킬로와트의 전력량〕.

kilt [kilt] *n.* ⓒ 킬트(스코틀랜드 고지 지방의 남자용 짧은 치마). —— *vt.* 접어〔걷어〕 올리다(tuck up). ② (에) 주름을 잡다. *～ed* [-id] *a.* 킬트를 입은; 세로 주름이 잡힌.

ki·mo·no [kimóunə] *n.* (*Jap.*) ⓒ 일본 옷; 여성용 느슨한 화장옷.

kin [kin] *n.* ⓤ 친척; 혈족 관계. **near 〔next〕 of ～** (최)근친인. **of ～** 친척인; 같은 종류의. *～ship* [-ʃip] *n.* 혈족 관계; (a ～) 유사 (類似).

kind¹ [kaind] *a.* 친절한; 상냥한. ***：～ness** *n.* ⓤⓒ 친절(한 태도·행위), 상냥함; 우정.

kind² *n.* ① 종류; 종족, 부류. ② 성질. **in ～** (돈 아닌) 물품으로(payment in ～ 현물 급여〔지급〕); 같은 종류의 물건으로; 본질적으로. **～ of** (口) 거의, 오히려; (…과) 한가지. **a ～ of** 일종의 ～; 같은 종류의; 이름〔명색〕뿐인, 엉터리의.

kin·der·gar·ten [kíndərgὰːrtn] *n.* (G.) ⓒ 유치원. *～er, ～gart·ner* *n.* ⓒ 유치원(의)의; 보모.

kin·dle [kindl] *vt.* ① (…에) 불을 붙이다; 점화하다. ② 밝게 하다. ③ (정열 따위를) 타오르게 하다. —— *vi.* 불이 붙다; 빛나다; 흥분하다.

kin·dling [kíndliŋ] *n.* ⓤ (보통 *pl.*) 불쏘시개.

kind·ly [káindli] *a.* ① 친절한, 상냥한. ② (기후가) 온화한. —— *ad.* ① 친절하게, 상냥하게. ② 기꺼이, 쾌히. **take (it)** (그것을) 선의로 해석하다; 쾌히 받아들이다. **take to** …을 좋아하다. *～li·ness* *n.*

kin·dred [kíndrid] *n.*, *a.* ⓤ 혈족(의), 일가 친척(의). ② 친척 관계(의); 동종의; 유사(類似)인.

ki·net·ic [kinétik, kai-] *a.* 【理】 운동의〔에 의한〕; 활동하는 힘이 있는. *～s* *n.* ⓤ 동역학(動力學).

king¹ [kiŋ] *n.* ① ⓒ 왕, 국왕. ② (K-) 신, 그리스도. ③ ⓒ (口) 왕에 비기는 것; 최상급의 종류. ④ ⓒ (장기의) 킹, (체스의) 킹, (Kings) 〖聖〗 열왕기(列王記)〔상·하 2부〕. **～ of beasts** 백수(百獸)의 왕 (lion). **～ of birds** ＝ EAGLE. **K- of Kings** 왕중왕(天帝), 황제; 예수. *～·of·ship*

king·ly [kíŋli] *a.* 왕의; 왕다운; 왕에 어울리는; 당당한. —— *ad.* 왕답게; 위엄 있게.

king·dom [-dəm] *n.* ① ⓒ 왕국. ② 〖生〗 …계(界). ③ (연구의) 영역. **～, the animal 〔vegetable, mineral〕 ～** 동물〔식물, 광물〕계.

king·fisher *n.* ⓒ 〖鳥〗 물총새.

king·pin *n.* ① (볼링의) 전면(중앙)의 기둥; (口) 중요 인물, 우두머리. ② 〖機〗 중심핀.

king·ship [kíŋʃip] *n.* ⓤ 왕의 신분〔자리·권리〕; 왕권, 왕위.

kíng-size(d) *a.* 《口》특대형의.

kink[kiŋk] *n.* ⓒ 엉클어서림, 꼬임; 비틀림(twist); 근육의 경련; 성질의 비뚤어짐; 괴팍한 성질; 응고점, 변덕; 결함. ― *vi., vt.* 엉클어지다(게 하다).

～y[kíŋki] *a.* 비꼬인; 꼬이기 쉬운.

kíns·man[kínzmən] *n.* ⓒ 남자 친척.

ki·osk[kíːɑsk/ki(ː)ɔsk] *n.* ⓒ (터키 등지의) 정자; (역·거리 등의 신문·잡지의) 매점; 전화걸의 구실(〔재즈 등의〕연주대(臺).

kip[kip] *n.* ⓒ 작은어린 짐승의 가죽; ⓒ 그 가죽의 묶음.

kíp·per[kípər] *n.* ①ⓤⓒ 말린(훈제〔燻製〕의〕) 청어(연어); ⓒ 산란기 중(후)의 연어 수컷. ― *vt.* 건물(乾物)(훈제)로 하다.

kirk[kəːrk] *n.* (Sc.) = CHURCH.

kiss[kis] *n., vt., vi.* ① 키스(입맞춤)(하다). ② 가볍게 스치다(스치기). ③ 당과(糖菓)의 일종. ― *and be friends* 키스하여 화해하다. *blow a ～* (손키스로) 키스를 보내다. *～ away* (눈물 등을) 키스로 닦아주다. *～ one's hand to* …에게 키스를 던지다. *the Bible (Book)* 성서에 입맞추고 선서하다. *～ the dust* 굴복하다. *～ the ground* 넙죽 엎드리다; 굴욕을 당하다.

kit[kit] *n.* ① ⓒ 《英》 나무통〔주머니〕, 통. ② ⓤⓒ 주로 英》 장구(산구의 연장(용구) 그릇, 용구 상자. ③ 《英口》 연장〔용구〕그릇, 용구 상자. ⑥ 《컴》 짝맞춤.

kít·bag *n.* ⓒ 《軍》 잡낭(雜囊); (아가리가 큰) 여행 가방.

kitch·en[kítʃən] *n.* ⓒ 부엌, 주방.

kitch·en·et(te)[kìtʃənét] *n.* (아파트 따위의) 간이 부엌, 작은 부엌.

kítchen gárden *n.* 남새밭, 채원(菜園).

kítchen·wàre *n.* ⓤ 취사 도구, 부엌 세간.

kite[kait] *n.* ① ⓒ 솔개. ② 연. ③ 사기꾼. ④ 《商》 융통어음. ― *fly a ～* 연을 날리다; 여론을 살피다. ― *vi.* 《口》 솔개처럼 날다; 빠르게 움직이다. ― *vt.* 《商》 융통 어음으로 바꾸다.

kith[kiθ] *n.* 《다음 용법으로만》 *～ and kin* 친척(연고자), 일가 친척.

kitsch[kitʃ] *n.* ⓤ 통속 문학(의 재료); 저속한 허식물.

kit·ten[kítn] *n.* ⓒ 새끼 고양이. ② 말괄량이. *have (a litter of) ～s* 《美口》 안절부절 못하다; 잔뜩 화내다. *～ish a.* 새끼 고양이 같은; 해롱거리는; 요염한.

kit·ty[kíti] *n.* ① ⓒ 새끼 고양이(kit·ten). ② ⓒ (포커의) 판돈; 공동 적립(금).

ki·wi[kíːwiː] *n.* ⓒ 키위(《뉴질랜드산의 날개 없는 새》; 《口》 뉴질랜드 사람; 《英口語》 (공군의) 지상 근무원.

Klax·on[klǽksən] *n.* 《商標》 클랙슨(자동차의 전기 경적).

Kleen·ex[klíːneks] *n.* 《商標》 클리넥스(tissue paper의 일종).

klep·to·ma·ni·a[klèptəméiniə, -njə] *n.* ⓤ 《병적》 도벽(盜癖), **-ac** [-niæk] *n.* 절도광.

km, km. kilometer(s).

K-mes·on[kéimézɑn, -míːsɑn] *n.* ⓒ 《理》 K 중간자(kaon).

knack[næk] *n.* (*sing.*) ① 숙련된 기술; 요령, 재주.

knap·sack[nǽpsæk] *n.* ⓒ 배낭.

knave[neiv] *n.* ① 악한, 무뢰한, 악당. ② 《카드》 잭.

knead[niːd] *vt.* 반죽하다; 안마하다.

knee[niː] *n.* ① 무릎, 무릎 모양의 것. ② (옷의) 무릎 (부분). *bring (a person) to one's ～s* 굴복시키다. *fall (go down) on one's ～s* 무릎을 꿇다. *on hands and ～s* 기어서. *on the ～s of the gods* 인력(人力)이 미치지 않는; 미정의. ― *vt.* 무릎으로 치다(밀다).

knée·cap *n.* ⓒ 무릎개골, 종지뼈, 무릎 방어.

knée-déep *a.* 무릎 깊이의.

knée-hígh *a.* (신발 따위) 무릎 높이의. ― *to a grasshopper* 《口》 아주 작은.

knee jèrk *n.* 무릎(슬개) 반사.

kneel[niːl] *vi.* (*knelt, ～ed*) 무릎을 꿇다(*before, down, to*); ~ 앞에 무릎 꿇다(~을 간원하다. *～ up* 무릎을 꿇고 곧 일어서다.

knell[nel] *n.* 조종(弔鐘) 소리; 불길한 징조. ― *vt., vi.* (조종을

[이)] 올리다; 슬픈 소리를 내다: 굿 은 일을 알리다.

†**knew**[nju:] v. know의 과거.

Knick·er·bock·er[níkərbàkər -bɔ̀-] n. ⓒ (네덜란드계(系)) 뉴욕 사람: (k-)(pl.) = **knickers** 무릎 아래에서 졸라매는 낙낙한 반바지.

knick·knack[níknæk] n. ⓒ 자질 구레한 장식품; (장식용) 골동품.

†**knife**[naif] n. (pl. **knives**) ⓒ 나이프, 식칼; 메스; 칼날 ～ **and fork** 식탁용 나이프와 포크; 식사. **before you can say** ～ 순식간에. **cut like a** ～ (바람 따위가) 살을 에는 듯하다. **play a good (capital)** ～ **and fork** 배불리 먹다. **under the** ～ 외과 수술을 받아. — vt. 나이프로 베다; 단도로 찌르다 [(칼러 죽이다); 비겁한 수법으로 해치 우려 하다.

knife-point n. ⓒ 나이프의 칼끝. **at** ～ 나이프로 위협받고.

†**knight**[nait] n. ⓒ (중세기) 기 사. (英) 나이트작(爵)의 사람 (baronet의 아래로 Sir의 칭호가 허용됨). [체스] 나이트. **Knights of columbus** 미국 가톨릭 자선회 (1882 창립). **Knights of the Round Table** (Arthur 왕의) 원탁 (圓卓) 기사단. — vt. (누구에게) 나이트작(爵)을 주다. ～·**hood** n. ⓤ 기사의 신분, 기사도, 기사 기질; [집 합적] 기사단, * ～·**ly** a, ad. 기사 의; 기사다운(답게), 용감한.

knight-errant n. (pl. **knights-errant**) ⓒ 무사 수행자, 모험자 (修行者). ～·**ry** n. ⓤ 무사 수행.

†**knit**[nit] vt. (~**ted, knit; -tt-**) ① 뜨다, 짜다, ② 밀착시키다. ③ (근 육을) 찌푸리다. — vi. 펀물[뜨개질] 하다; 접합하다. ～ **goods** 메리야 스류. ～(**frame**) 짜임새(직), 튼튼한. **well-~** **(frame)** 몸 째인(직), 튼튼한.

knit·ting[nítiŋ] n. ⓤ.ⓒ 뜨개질, 편물, 뜨개질옷 세공.

knitting needle 뜨개 바늘.

knit·wear n. ⓤ 니트웨어, 편물류.

***knob**[nab/-ɔ-] n. ⓒ 마디, 혹; (문·서 랍 등의) 손잡이; 쥐어 짜고 둥근 언 덕, **with ～s on** (俗) 게다가, 설상 가상으로. ～·**by** a. 마디[혹]가 많은,

마디[혹]같은.

†**knock**[nak/-ɔ-] vt. ① (문을) 두드리다. ② 부딪치다. ③ (俗) 깜짝 놀라게 하다. ④ (美口) 깎아내리다, 헐 뜯다. — vi. ① 치다: (문을) 두드리다: 부딪다. ② (엔진이) 덜거덕거리 다; (美口) 험담하다. ～ **about** (남을) 학대하다; 두들겨 패다; (口) 배회하다. ～ **against** 충돌하다; (공교롭게) 만나다. ～ **away** 두들겨서 떼다(벗기다). ～ **back** (口) 술을 단숨에 들이켜다. ～ **cold** 때려 기절 시키다; = ～ out. ～ **down** 때려 눕히다; 분해하다; (경매에서) 경락(競 落)시키다(to); (俗) (급료를) 타다. 벌다. ～ **for a goal** = ～ **for a loop.** ～ **for a loop** (美口) 완전히 쳐 치우다, 재빨리 처리[처리]하다, 아연하게 만들다. ～ **in** 두들겨 넣다. ～ **into a cocked hat** 처부수다, 엉망을 만들다. **K-it off!** (口) (이야기·농담을) 그만둬라! ～ **off** 두들겨 떨어버리다. (일을) 중지하다; (美口) 제격제격 해치우다; (美口) …을 죽이다. ～ **out** 들겨 몰아내다. [拳] 녹아웃시키다. ～ **over** 쳐서 쓰러뜨리다. ～ **together** 충돌시키다; 벼락치기로 만들다; 급조하다. ～ **up** 두들겨 일으키다; 쳐 올리다; (美口) 녹초가 되(게 하)다; 벼락치기로 만들다. — n. ⓒ 치기; (문을) 두드림, 그 소리, 노크; (엔진의) 노킹(소리). — a. 시끄러운; (노동복 등이) 튼튼한. ～·**er** n. ⓒ 두들 기는 사람(것); 문에 달린 노크하는 쇠. ～·**ing** n. ⓒ (엔진의) 노킹.

knock·about n. ⓒ [海] 소형 돛배의 일종.

knock·down a. 타도하는, 압도적인. ② (가구 등이) 조립식의. ③ 최저 가격의. — n. ① 때려 놓음, 압도적인 것. ② 조립식 가구(세간 위). ③ 할인. ④ 치고받음.

knock·kneed a. 안짱다리의.

knock·on n. (소리나 등이) 충격에 의해 방출되는.

knock·out n. ⓒ ① [拳] 녹아웃; 큰 타격. ② (口) 굉장한 것(사람).

knoll[noul] n. ⓒ 작은 둔덕(산).

:**knot**[nat/-ɔ-] n. ⓒ ① 매듭; 나비

매듭. ② 혹; (나무의) 마디. ③ 무리, 떼. ④ 곤란. 난국; 분규. ⑤《海》노트, 해리(海里). *cut the (Gordian) ~* 어려운 일을 과감하게 처리하다. *in ~s* 삼삼오오. — *vt.* (*-tt-*) 매다; 매듭을 짓다. — *vi.* 매어(맺어)지다. *~·ted*《=id》 *~·ty* a. 매듭 있는; 어려운.

know [nou] *vt., vi.* (*knew; ~n*) ① 알고 있다; 이해(체험)하고 있다. ② 인지하다; 분간(식별)하다. *all one ~s*《口》전력을 다해. *~a thing or two*《口》빈틈이 없다. 세상 물정에 밝다. *~ for certain* 확실히 알고 있다. *~ you* ~아 알고 있다. *~ what's what* 만사 (萬事)를 잘 알고 있다. *you ~* 시다시피. — *n.*《다음의 용법뿐》*be in the ~*《口》사정(내막)을 잘 알고 있다. *~·a·ble* a. 알 수 있는.

know-how *n.* ⓤ 《어떤 일을 하는 데의》지식, 요령.

:know·ing [nóuiŋ] a. ① 알고 있는; 빈틈없는. ② 능한 체하는. ③《口》멋진. *~·ly* ad. 아는 체하여; 약삭빠르게; 알면서, 일부러.

know-it-all *n.* ⓒ《口》《무엇이나》아는 체하는 사람.

:knowl·edge [nálidʒ/-ɔ-] *n.* ⓤ ① 지식; 이해. ② 학식, 학문. *come to one's ~* 알게 되다. *not to my ~* 내가 아는 바로는 그렇지 않다(not so far as I know). *~·a·ble* a. 지식이 있는; 교활한. 아는 체하는.

:known [noun] *v.* know의 과거 분사. — a. 알려진; 이미 알고 있는. *make ~* 공표[발표]하다.

knuck·le [nʌ́kl] *n.* ⓒ ① 손가락 관절《특히 손가락 뿌리의》. ② 《소·돼지 따위의》무릎 고기, 족 먹. *near the ~*《口》아슬아슬한 《농담 등》(risky). — *vi.* 《구슬치기 (marbles)할 때》손가락 마디를 땅에 대다. *~ down* 항복하다(to); 열심히 하다. *~ under* 항복하다(to). **knúckle-dùster** *n.* ⓒ《금속》너클 덕스터(knuckles)《격투할 때 무기로 씀》.

KO, K.O., k.o. knockout.

ko·a·la [kouɑ́:lə] *n.* ⓒ《動》코알라.

kohl·ra·bi [kòulrɑ́:bi, ⌐⌐/⌐⌐⌐] *n.* ⓒ《植》구경(球莖) 양배추.

kook [ku:k] *n., a.*《口》머리가 돈 《사람》.

ko·peck, -pek [kóupek] *n.* ⓒ《러시아》코페이카《동전》(1/100 루블).

Ko·ran [kərɑ́n, -rɑ́:n, kou-/kɔ́rɑːn] *n.* (the ~) 코란《이슬람교 경전》.

:ko·re·a [kəríːə, kɔː-/kəríə] *n.* 《 〈고려 (高麗)〉》한국. **—·an** [kəríːən, kɔː-/kəríən] a., n. 한국(인)의; ⓤ 한국어.

ko·sher [kóuʃər] a. 《유대敎》《음식·식기가》규정에 맞는; 정결한;《俗》정당한, 순수한, 좋은. — *vt., vi.* 《음식을》규정《법도》에 따라 요리하다《하는 식당》; 정결한 요리.

kow·tow [káutau, ⌐⌐] *n., vi.* ⓒ 《Chin.》고두(叩頭)하다.

k.p.h. kilometer(s) per hour.

Kraut [kraut] *n.* ⓒ《俗》독일 사람 《병사》.

Krem·lin [krémlin] *n.* (the ~) 《Moscow의》크렘린 궁전; 러시아 정부.

kro·na [króunə] *n.* (*pl. -nor* [-nɔːr]) ⓒ 크로나《아이슬란드의 화폐 단위》.

kro·ne [króunə] *n.* (*pl. -ner* [-nər]) ⓒ 크로네《덴마크·노르웨이 의 화폐 단위》; (*pl. -nen* [-nən] 크로네《예전의 10마르크 금화》; 오스트리아의 은화》.

kryp·ton [kríptɑn/-ɔ-] *n.* ⓤ《化》크립톤《기화 가스 원소; 기호 Kr》.

ku·dos [kjúːdɑs/kjúːdɔs] *n.* (Gk.) ⓤ《口》영예, 명성.

Ku Klux (Klan) [kjúː klʌ́ks (klǽn), kjúː-]《美》큐클럭스클랜, 3K단《남북 전쟁 후 남부 백인의 흑인 박해 비밀 결사; 또 그 재현이라고도 하는 1915년 조직의 비밀 결사》.

kum·quat [kʌ́mkwɑt/-ɔt] *n.* 《植》금귤.

kung fu [kʌŋ fúː] (Chin.)쿵후《중 국의 권법(拳法)》.

kW., kw. kilowatt.

kwash·i·or·kor [kwɑ̀ːʃiɔ́ːrkɔːr] *n.* ⓤ,ⓒ《醫》《열대 지방의》소아 영양 장애 질환.

L

L, l [el] *n.* (*pl.* **L's, l's**[-z]) ⓒ L 자 모양의 것; 【機】 L자관(管); (the L) 《美口》 고가 철도(*an L station*》 50(*LXX* = 70; *CL* = 150).

l. left; line; liter(s).

L.A. Los Angeles.

'la [lɑː] *n.* ⓤ,ⓒ 【樂】 (음계의) 라.

lab [læb] *n.* (ⓤ) = LABORATORY.

Lab. Labour; Labourite; Labrador.

:**la·bel** [léibəl] *n., vt.* 《美》 **-ll-**) ⓒ 라벨(을 붙이다), 꼬리표(를 달다); 레테르[꼬리]표[를-음]을 붙이다. …라고 부르다; 【地】 이름표(라벨)(물다을 붙이다).

la·bi·al [léibiəl] -jəl] *a.* 입술(모양)의; 【音聲】 순음(脣音)의. ── *n.* ⓒ 순음(p, b, m, w 따위).

:**la·bor, 《英》 -bour** [léibər] *n.* ① ⓤ,ⓒ 노동, 근로, 노력(勞力); 수고, 노고. ② ⓒ 《구체적인 개개의》 일. ③ 《자본·경영에 대한》 노동, 노동자 계급(《集合的》 노동자. ④ (L-) 《美》 노동당(의원들). ⑤ ⓤ 산고, 진통, 분만. **hard ~** 중노동, 고역. **in ~** 분만 중에. **~ and capital** 노사(勞使) ~ **of love** 좋아서 하는 일. ── *vi., vt.* 일하다(시키다); 애써 만들다; (이하 *vi.*) 피로워하다, 고생하다(*under*); 진통으로 괴로워하다; (배가) 몹시 흔들리다; 난항(難航)하다. **~ under**…에 괴로워하다. :**~·er** *n.* ⓒ 노동자. **~·ing** *a.* 노동하는 (*~ing classes* 노동자 계급).

lab·o·ra·to·ry [lǽbərətɔ̀ːri/ləbɔ́rətəri] *n.* ⓒ 실험실, 연구실[소]; 제약 실; 실험 (실기).

Lábor Dày 《美》 노동절《9월 첫째 월요일, 미국·캐나다 이외에서는 5월 1일》.

la·bored [léibərd] *a.* 애쓴(동작·호흡 따위가) 곤란한; 부자연한.

lábor fòrce 노동력; 노동 인구.

lábor-inténsive *a.* 노동 집약형의.

la·bo·ri·ous [ləbɔ́ːriəs] *a.* 힘드는; 부지런한; 공들인. **~·ly** *ad.*

lábor-sàving *a.* 노동 절약의(이 되는).

:**lábor únion** 《美》 노동 조합.

:**la·bour** [léibər] ⇨LABOR.

Lábour Pàrty, the 《英》 노동당.

la·bur·num [ləbə́ːrnəm] *n.* ⓤ,ⓒ 【植】 콩과의 낙엽 교목의 하나《부활절의 장식물》.

lab·y·rinth [lǽbərinθ] *n.* ① ⓒ 《L-》 【그神】 Daedalus가 설계한 미궁(迷宮). ② ⓒ 미궁, 미로: 복잡한 관계. ③ (the ~) 【解】 내이(內耳). **-rin·thine** [læ̀bərínθi(ə)n/-θain] *a.* 미궁의(과 같은).

:**lace** [leis] *n.* ① ⓒ 끈, 꼰 끈; ⓤ 레이스(가슴 장식, 테이블보, 커튼 등에 씀); 몰; ⓤ (커피 등에 탄) 소량의 브랜디(탄 따위). **gold ~** 금몰. ── *vt.* 끈으로 죄다 (장식하다); (…에) 끈을 꿰다; 줄무늬로 하다; (소량을) 가미하다; (口) 후려갈기다, 매질하다. ── *vi.* 끈으로 매다(죄어지다); 매질하다, 빈낭하다(*into*). **~ up one's shoes** 구두끈을 매다.

lac·er·ate [lǽsərèit] *vt.* (고기 따위를) 찢어 발기다; (마음을) 괴롭히다. **-a·tion** [~-éiʃən] *n.* ① ⓤ 잡아찢음, 고뇌. ② ⓒ 열상(裂傷).

lach·ry·mose [lǽkrəmòus] *a.* 눈물 잘 흘리는; 비통한, 슬픈, 슬픔을 자아내는.

:**lack** [læk] *n.* ① ⓤ,ⓒ 결핍, 부족. ② ⓤ 필요한 것. **by** [**for, from, through**] **~ of** …의 부족 때문에. **have** (**there is**) **no ~ of** …부족함이 없다, 많이 있다. ── *vt.* …이 결핍되다, 모자라다(*in*). ── *vt.* (…이) 결핍되다. **~·ing** *a., prep.* …이 결핍된; =WITHOUT.

lack·a·dai·si·cal [lǽkədéizikəl]

a. 생각[시름]에 잠긴, 감상적인.
~·ly *ad.*

lack·ey [lǽki] *n.* ⓒ 종자(從者), 하인; 추종자. — *vt., vi.* (…에) 따르다; 빌붙다.

láck·lùster, (英) **-tre** *n.,a.* ⓤ 광 택 없음; (눈·보석 등) 흐리터분한.

la·con·ic [ləkánik/-5-], **-i·cal** [-ʒl] *a.* 간결한(concise). 말(수·말) 수)이(를(을) 침하이), *a.* 《집합적》로 래커 칠기(漆器).

lac·o·nism [lǽkənizəm] *n.* ⓤ (표현의) 간결함; ⓒ 간결한 어구(문장), 경구(警句).

lac·quer [lǽkər] *n., vt.* ⓤ.ⓒ 래커 (옻)(를(을) 칠하다); *a.* 《집합적》로 칠기(漆器).

la·crosse [ləkrɔ́(ː)s, -rás] *n.* ⓤ 라 크로스(하키 비슷한 구기).

lac·tate [lǽkteit] *vt.* 유화(乳化)하 다. — *vi.* 젖을 내다; 젖을 빨리다 [먹이다]. **lac·tá·tion** *n.*

láctic ácid 젖산.

lac·tose [lǽktous] *n.* ⓤ 〔化〕 락토 오스, 젖당.

la·cu·na [ləkjúːnə] *n.* (*pl.* **~s,** **-nae**[-niː]) ⓒ 탈루, 발문(脫文) (*in*); 공백, 결함(gap); 작은 구멍, 우묵 팬 곳; 〔解〕 (뼈 따위의) 소와 (小窩).

lac·y [léisi] *a.* lace 같은.

:lad [læd] *n.* ⓒ 소년, 젊은이(opp. *lass*); 《口》 (친근을 주어) 녀석.

lad·der [lǽdər] *n.* ⓒ 사닥다리; (출세의) 연줄 《英》(양말의) '전선(傳線)'《《美》run》— 《美》. *get one's foot on the* ~ 출세의 발판이 되다, 《美》(직업을) 차버리다. *the (social)* ~ 사회 계층.

lad·die [lǽdi] *n.* 《Sc.》 = LAD.

lad·en [léidn] *v.* lade의 과거분사. — *a.* (무거운 짐이) 실린.

la·dle [léidl] *n.* ⓒ 국자(로 푸다, 퍼내다)(*out*). — **~·ful**[-fùl] *n.* ⓒ 한 국자 가득(한 양).

la·dy [léidi] *n.* ⓒ 숙녀, 귀부인; (신 분에 관계 없이) 기품있는 여성; (L-) 《英》(귀족의) 부인《'Lord' 나는 'Sir'로 호칭되는 이의 부인); 《영》《백작 이상의 딸에 대한 경칭》; (L-)

성모마리아; 《一般》여성에 대한 경칭 또는 호칭. (L-) 여자 연인. *my* ~ 《호칭》 마님, 부인, 아(가)씨; 집 사람(*my wife*). *Our L-* 성모 마리아. *the first* ~ 대통령(주지사)부인.

lády·bìrd[·bɜ̀d] *n.* ⓒ 무당벌레.

lády-in-wáiting *n.* ⓒ 시녀.

lády-kìller *n.* ⓒ 《俗》색한(色漢), 탕아; 호남자.

lády·lìke *a.* 귀부인다운[같은], 우아 한, 부드럽고 온화한.

lády·shìp *n.* ⓒ (Lady 칭호가 있는 이에 대한 경칭으로) 영부인, 영양《令 孃》《*your* [*her*] L-》: ⓤ 부인(귀부 인)임.

lag[læg] *vi.* (*-gg-*) 뒤떨어지다; 느 릿느릿 걷다; 늦다. — *n.* ⓒ 뒤떨어 짐, 늦음; 시간의 착오, 지연, *cul·tural* ~ 문화의 후진. *time* ~ 시간의 지체.

la·ger(*béer*)[láːgər(-)] *n.* ⓤ 저 장 맥주(일종의 약한 맥주).

lag·gard[lǽgərd] *n.* ⓒ 느림보. — (< lag) *a., n.* 늦은, 느린; ⓒ 느림보.

la·goon[ləgúːn] *n.* ⓒ 개펄, 석호 (潟湖)《바다에 접근한 호수(湖沼)》; 함수(鹹水)호, 못(pool); 초호(礁湖).

:laid [leid] *v.* lay¹의 과거(분사). — *a.* 가로놓인, 눕혀진. ~ *up* 저 장되어; 집에 들어박힘; 몸져 누워 있 는; 〔海〕 부두(dock)에 넣은.

:lain [lein] *v.* lie²의 과거 분사.

lair [lɛər] *n.* ⓒ 야수의 (굴); 숨는 장소; 《英》쉬는 장소, 침상.

laird [lɛərd] *n.* ⓒ 《Sc.》 (대)지주, 영주(領主).

lais·sez·faire [lèseifɛ́ər/léis-] (F.) 자유 방임주의; (상공업에 대한 정부의) 무간섭주의.

la·i·ty [léiəti] *n.* (the ~)《집합 적》성직에 대해서 속인; 풋내기.

lake [leik] *n.* ⓒ 호수; 못.

láke·sìde *n.* (the ~) 호반.

:lamb [læm] *n.* ① ⓒ 새끼[어린]양. ② ⓒ 새끼양 고기. ③ ⓒ 순한〔천진 한〕사람; 온화한 투기꾼. *a wolf (fox)* in ~'s skin 양의 탈을 쓴 이 리〔여우〕, 위선자. 僞善者 like a ~ 순하게, 검을집어먹고: 잘 속아 넘어가는. *the L-(of God)* 예수. — *vt., vi.* (새

L

끼얌음) 낳다.

lam·baste [læmbéist] *vt.* 《口》때려 갈기다; 몹시 꾸짖다.

lame[leim] *a.* 절름발이의; 불완전한: (논설·변명 따위가) 불충분한, 앞뒤가 맞지 않는; (시의) 운율이 고르지 못한. *go* (*walk*) ~ 발을 절다. — *vt.* 절름발이(불구)로 만들다. **ㅡ·ly** *ad.* **ㅡ·ness** *n.*

láme dúck 《口》불구자; 파산자; 《美口》잔여 임기중에 있는 재선 낙선 의원; 부서진 비행기.

la·ment[ləmént] *vt., vi.* 슬퍼하다, 한탄하다(*over, for*). *the* ~*ed* 고인. — *n.* ⓒ 비탄; 비가(悲歌).

lam·en·ta·ble[læməntəbl] *a.* 슬픈; 한심한. **-bly** *ad.*

lam·en·ta·tion[læməntéiʃən] *n.* ⓤ 슬픔, 비탄; (the L-s) 《聖》 예레미야의 애가(哀歌).

lam·i·nate[læmənèit] *vt., vi.* 얇은 판자로 만들다(가 되다). — [-nit] *a., n.* 얇은 판자 모양의; ⓒ 얇은 (葉狀) 플라스틱; 합판 제품. **-na·tion** [~néiʃən] *n.*

lamp[læmp] *n.* ⓒ 램프, 등불; (불) 빛. (*These books*) *smell of the* ~. (이 책들은) 애써 공부한 형적이 뚜렷하다.

lámp·light *n.* ⓒ 등불.

lam·poon[læmpú:n] *n.* ⓒ 풍자문, 풍자시. — *vt.* 풍자하다.

lámp·pòst *n.* ⓒ 가로등 기둥.

lámp·shàde *n.* ⓒ 램프의 갓.

LAN [랜] local area network (근거리 통신망).

lance[læns, -ɑ:-] *n., vt.* 창(으로 찌르다); (*pl.*) 창기병(槍騎兵); 《外》랜싯(lancet)(으로 절개하다).

lánce córporal 《英軍》병장.

lan·cet[lænsit, -ɑ:-] *n.* ⓒ 《外》피침(披針), 바소.

land[lænd] *n.* ① ⓤ 물, 육지, 지면, 토지. ② ⓤ 땅, 소유지. ③ ⓒ 국토, 나라, *by* ~로, *by* ~를로, *go on the* ~ 농부가 되다, 귀농하다. *in the* ~ *of the living* 이 세상에서, *see how the* ~ *lies* 사태를 미리 조사하다; 사정을 살피다. *the L- of Enchantment* 《美》 New Mexico주의 별칭. *the L- of Nod* 졸음(의

나라). *the L- of Promise* 《聖》약속의 땅(하느님이 Abraham에게 약속한 Canaan 땅); 천국; (the l-of p-) 희망의 땅. — *vt.* 상륙(양륙)시키다; 하차(하선·착륙)시키다. 《口》 (상·일거리 등을) 얻다; (타격을) 가하다; (…에) 빠지게 하다. — *vi.* 상륙[착륙·하차]하다(*at*); 빠지게 하다. ~ *all over* 《口》… 을 몹시 꾸짖다. *~·ed*[≤id] *a.* 토지를 갖고 있는, 소유지의. **ㅡ·er** *n.* ⓒ 상륙(양륙)자; 《宇宙》착륙선.

lánd ágent 《美》토지 매매 중개업자; 《英》토지 관리인.

lánd·fàll *n.* ⓒ 《海》육지 접근; 육지가 처음으로 보임; 처음으로 보인 육지; 산 사태, 사태; 《空》착륙.

lánd·fìll *n.* ⓤ (쓰레기) 매립; ⓒ (쓰레기) 매립지.

lánd·hòlding *n., a.* ⓤ 토지 보유(의).

land·ing[≤iŋ] *n.* ① ⓤⓒ 상륙, 착륙; 하차; 하선, 양륙(揚陸). ② ⓒ 층계참(platform).

lánding cràft 《美海軍》상륙용 주정.

lánding gèar 《空》착륙(착수) 장치.

lánding stàge 잔교(棧橋).

lánding strìp (가설) 활주로.

land·la·dy[lǽndlèidi] *n.* ⓒ ① 여자 지주(집주인); ② 여관(하숙)의 안[안]주인(cf. landlord).

lánd·lòcked *a.* 육지로 둘러싸인; 《魚》육봉형의(淸封形의).

lánd·lòrd[lǽndlɔ̀:rd] *n.* ⓒ ① 지주; 집주인; ② (여관·하숙의) 주인, 바깥 주인(cf. landlady).

lánd·màrk[lǽndmɑ̀:rk] *n.* ⓒ 경계표; (토지의) 표지(標識), 목표; 획기적 사건.

lánd·màss *n.* ⓒ 광대한 토지, 대륙.

lánd míne 지뢰.

lánd·òwner *n.* ⓒ 지주.

land·scape[lǽndskèip] *n., vt., vi.* ⓒ 풍경(화); 조망; 《컴》가로 방향; 정원을 꾸미다.

lándscape árchitecture [gàr·dening] 조경술.

lánd·slide *n.* ⓒ 사태; 산사태;

land·ward[∠wərd] *ad., a.* 육지 쪽으로(의). **~s** *ad.* =LANDWARD.

:**lane**[lein] *n.* ⓒ 작은 길, 시골길; 골목길; 차선(車線) ⓒ (선박·항공기의) 규정항로.

:**lan·guage**[læŋgwidʒ] *n.* ⓤ (넓은 뜻으로) 언어. ② ⓒ 국어. ③ ⓤ 말씨; 어법; 말. ④ ⓤ 전문어, 언어학. ⑤ ⓤ(종·컴퓨터) 나쁜 말. ⑥ [컴] 언어. **speak (talk) a person's (the same)** ~ 아무와 생각이나 태도(취미)가 같다. **use ~ to** 에게 욕을 하다.

lánguage láboratory (màster) 어학 실습실[교사].

lan·guid[læŋgwid] *a.* ① 느른한; 귀찮은; 무기력한. ② 불경기의; 침체한. **~·ly** *ad.*

lan·guish[læŋgwiʃ] *vi.* ① (쇠)약해지다, 시들다; 그리워하다; 고생하다; 번민하다. **~·ing** *a.* 쇠약해 가는; 번민하는; 감상적인; 계속되는, 꼬리를 끄는(lingering). **~·ment** *n.*

lan·guor[læŋgər] *n.* ⓤ 무기력, 나른함; 우울; 시름. **~·ous** *a.*

lank[læŋk] *a.* 호리호리한, 야윈; (털·풀잎 등이) 곱슬곱슬하지 않은. **~·y** *a.* 몹시 홀쭉한.

lan·o·lin(e)[lǽnəlin] *n.* ⓤ 라놀린, 양털 기름, 양모지(脂).

lan·tern[lǽntərn] *n.* ⓒ ① 초롱, 각등(角燈), 칸델라, 제등. ② (등대 꼭대기의) 둥근 유리창(燈火室). ③ [建] (채광을 위한) 정탑(頂塔). ④ 환등.

lan·yard[lǽnjərd] *n.* ⓒ [海] (낚시 등) 밧줄; (수부가 주머니칼 등을 목에 늘어뜨리는) 끈; [軍] (대포의) 방아줄.

:**lap**¹[læp] *n.* ⓒ ① (앉았을 때의) 무릎 (스커트 등의) 앞부분; (옷의) 처진 부분, 앞자락. ② 산골짜기; (산의) 우묵한 곳. ③ [競] (경주로의) 한 바퀴; 한 구비. **in Fortune's** ~ 운이 좋아서. **in the** ~ **of luxury** 호화롭게 사치를 다하여. — *vt., vi.* (**-pp-**) 접어 겹치다(**over**); 싸다; (vt.) 소중히 하다; 한 바퀴 돌다. **~·ful**[ful] *n.* ⓒ 무릎(앞치마)에 가득.

lap² *vt.* (**-pp-**)(할짝할짝) 핥다; (the ~) (파도가) 치다. — **up** 날름 핥다; (남의 말이나 아첨 따위를) 곧이듣다, 기꺼이 듣다. — *n.* ⓒ 핥음, 핥는 소리; (파도가 기슭을) 치는 소리; ⓤ (개의) 유동식.

láp dòg 애완견(말티리, 스피츠, 스파니엘 따위).

la·pel[ləpél] *n.* ⓒ (저고리의) 접어 젖힌 옷깃.

lap·i·dar·y[lǽpədèri/-dəri] *n.* ⓒ 보석(세공)사.

lap·is laz·u·li[lǽpis lǽzjulài/ ∠∼∠] *n.* [鑛] 유리(瑠璃)(빛).

lapse[læps] *n.* 〈L. *lapsus*〉ⓒ ① (때의) 추이(推移). ② 경과; 변천. ③ (허·붓끝의) 실수. 잘못. ③ (의) 상실; 폐지; 퇴화, **moral** ~ 도덕상의 과오, 타락. — *vi.* 모르는 사이에 빠지다(타락하다)(**into sin**); (재산·권리가) 옮겨지다, 소멸하다; 경과하다.

láp·tòp *n.* ⓒ [컴] 무릎에 놓을 크기의 퍼스널 컴퓨터.

lap·wing[lǽpwiŋ] *n.* ⓒ [鳥] 댕기물떼새.

lar·ce·ny[lɑ́ːrsəni] *n.* ① [法] ⓤ 절도죄. ② ⓒ 절도(행위).

larch[lɑːrtʃ] *n.* ⓒ 낙엽송.

lard[lɑːrd] *n.* ⓤ 라드, 돼지 기름, 돼지 비계. — *vt.* (…에) 라드를 바르다; (기름기 적은 고기에) 베이컨 따위를 끼우다; (애기·문장 따위를) 윤색하다.

lard·er[lɑ́ːrdər] *n.* ⓒ 식료 저장실, ⓤ 저장 식품.

:**large**[lɑːrdʒ] *a.* 큰, 커다란; 넓은; 다수의; 도량이 넓은, 관대한; (문장 등) 호방한. **as ~ as life** 실물 그 자체 크기의; (다름아닌) 실물 그대로가. **be ~ of limb** 손발이 큰. **on the ~ side** 어느쪽이나 하면 큰 쪽(의). — *ad.*(다음 성구로)**at ~** ① 상세히, 충분히; (범인이) 잡히지 않고; 널리, 일반적으로; 전체로서; 〔美〕전주(全州)를 대표하여; 막연히, 외연적으로, 제약없이; 무릎소리(**ambassador at ~** 무임소 대사·특사; **the nation at ~** 국민 일반), **in (the)** ~ 대규모로; 〈숨은 것이나〉큰 그대로. — *ad.* 크게(**write**~); 대대적으로; 자세히; 과대(誇大)하게(**talk**~ 큰소리

L

치다) BY¹ **and ~.** : **~·ly** ad. 크게; 주로; 풍부하게; 아낌없이; 너그러이; 커다랗게, 대규모로. **~·ness** n.

lárge-scále a. 대규모의; (지도 따위) 비율이 큰.

lar·gess(e) [lɑ:rdʒés, —] n. ⓊⒸ (주im함) 부조, 선물; Ⓤ 아낌없이 줌.

larg·ish [lɑ́:rdʒiʃ] a. 좀 큰[넓은], 큼직한.

lark¹ [lɑ:rk] n. Ⓒ 종달새(skylark).

lark² n., vi. Ⓒ 희롱(거리다); 농담(하다), 장난(치다).

lárk·spur n. [植] 참제비고깔속.

lar·va [lɑ́:rvə] n. (pl. **-vae** [-viː]) Ⓒ [動] 유충; [動] 유생(幼生)(tadpole, axolotl 따위). **~·l** a.

lar·ynx [lǽriŋks] n. (pl. **~·es,** **laryng·es** [ləríndʒiːz]) Ⓒ 후두.

las·civ·i·ous [ləsíviəs] a. 음탕한; 선정적인. **~·ly** ad.

la·ser [léizər] n. Ⓒ 레이저(빛의 증폭장치). **~ beam** 레이저 광선. **~ communication system** 레이저 통신 방식. **~ guided bomb** 레이저 유도 폭탄. **~ rifle** 레이저 총.

láser printer [컴] 레이저 인쇄기.

lash [læʃ] n. Ⓒ 챗열; 채찍질; (바의) 충격, 타격; Ⓤ 비꼼, 빈정댐; 비난; 혹평; Ⓤ 속눈썹(eyelash). — vt. ① 채찍질하다; (바람·파도가) 부딪치다. ② 빈정대며 욕설을 퍼붓다. ③ 성나게[노하게] 만들다. — (vt.) 세차게 움직이다, 흔들다; ⑤ 묶다, 매다. **~ out** (말이) 걸어차다; 폭언을 퍼붓다; 비난[난폭한 짓]을 시작하다; 《英方》(돈을) 낭비하다. **~·ing** [læʃiŋ] n. ⓊⒸ 채찍질; 질책; 묶음; 밧줄.

lash-ing [—] n. Ⓤ 묶음; Ⓒ 끈.

lass [læs] n. Ⓒ 젊은 여자, 소녀 (opp. lad). 애인. **las·sie** [—] n. Ⓒ 소녀; 애인.

las·si·tude [lǽsitjùːd] n. Ⓤ 무기력, 느른함.

las·so [lǽsou] n. (pl. **~(e)s**) vt. Ⓒ (던지는) 올가미(로 잡다).

last¹ [læst, -ɑː-] a. ① 최후[최종]의; 지난 번의 《~night, week, month, year, &c.》. ② 최근의; 최신 유행의. ③ 결코 …할 것 같지 않은(He is the ~ man to tell a lie. 거짓말 따위 할 사람이 아니다). ④ 최상의, 궁극의(This is of the ~ importance. 이것이 가장 중요하다). **for the ~ time** 그것을 마지막으로, — **but one [two]** 끝에서 둘[세]째. **the ~ day** 최후의 심판 날. **the ~ days [times]** (사람의) 죽을 시기; 세상의 종말, 말기. **the L- JUDG(E)MENT. the ~ offices** 장례(식); 죽은 사람을 위한 기도. **the ~ STRAW. the L- SUPPER. the ~ word** 마지막 말; 《口》최근의 것, 최신의 스타일. **to the ~ man** 마지막 한 사람까지. — ad. 최후에(로)(lastly). 요전, 지난 번에; 최근. **but not least** 마지막이 중요한 것을 말하건대. **of all** 마지막으로. — n. (the ~) 최후, 죽음; 최후[최근]의 것. **at ~** 드디어, 결국. **at long ~** 간신히, 마침내. **breathe one's ~** 숨을 거두다. **hear [see] the ~ of** (…을) 마지막으로 듣다[보다]. **look one's ~** 마지막으로 보다. **till the ~** 최후까지, 죽을 때까지. **~·ly** ad. 끝으로, 최후에(로).

last² vi., vt. 지속하다; 계속되다, 상하지 않고 견뎌내다. 오래 가다 《These shoes will ~ me three years. 이 구두는 3년을 신을 수 있겠다》. **~ out** 지탱[유지]하다. — n. Ⓤ 지속함, 끈기. **~·ing** 영속하는; 오래 가는.

last³ n. Ⓒ 구두 골. **stick to one's ~** 본분을 지키다, 쓸데 없는 일에 참견하지 않다.

lást náme 성(姓)(cf. first name).

latch [lætʃ] n., vt. Ⓒ 고리쇠[걸쇠](로 걸다). **~ on to** (…에) 꼭 달라붙다. **on the ~** (문이) 손에 넣다. **on the ~** 물쇠를 채우지 않고 걸쇠만 걸고.

late [leit] a. ① 늦은, 더딘(be ~ for school 학교에 지각하다). ② 요전의, 지난 번의(the ~ king 전왕). ③ 후기의, 말기의, 고(故)…의(the ~ Dr. Einstein). **keep ~ hours** 밤 늦게 자고 아침 늦게 일어나다. — LATIN. **of ~ (years)** 근 즈음, 근년. — ad. 늦게, 뒤늦게; 저물어, 밤늦도록; 최근, 요즈음.

L

Better ～ than never.《속담》늦음망정 안 하느니보다는 낫다. *early and ～* 아침부터 밤까지. *sit up (till) ～* 밤 늦게까지 일어나 있다. :**～ly** *ad.* 요즘을, 최근. ▷LATER, LATEST. **～ness** *n.*

la·tent [léitnt] *a.* 숨은, 보이지 않는, 잠재적인. *～ period* (병의)잠복기. **～ly** *ad.*

lat·er [léitər] (late의 비교급) *a.* 더 늦은, 더 이후의. — *ad.* 나중에. *～ on* 나중에, 추후에. SOONer or *～*

lat·er·al [lǽtərəl] *a.* 옆의, 가로의. 측면(에서, 으로)의; 옆으로의 《音聲》설측음의. — *n.* ⓒ 옆쪽, 측면부; 가로장; 《音聲》설측음《[l] 음》; 《職》 *～ pass* 래터럴 패스《골라인과 평행으로 패스하기》. **～ly** *ad.*

láteral thínking 수평 사고《기존사고 방식에서 탈피하여 새로운 해결법을 찾음》.

la·tex [léiteks] *n.* (*pl.* *～es*, *lat·ices* [lǽtəsìːz]) ⓤ 《植》 (고무나무 따위의) 유액(乳液).

lath [læθ, -aː-] *n.* (*pl.* *～s* [-s, -ðz]) ⓒ 욋가지. *as thin as a ～* 말라 빠져. **～·er** [-ər] *n.* ⓒ 욋(柴)를 대는 사람. **～·ing** *n.* ⓤ 욋 (얽기).

lathe [leið] *n.* ⓒ 《機》 선반(旋盤).

lath·er [lǽðər, láː-] *n.* ⓤ, *vt.*, *vi.* 비누 거품(을 칠하다); (말의)거품같은 땀; 거품 일다; (말이)땀투성이가 되다; (口) 갈기다.

:**Lat·in** [lǽtin] *a.* 라틴어(계통)의; Latium(사람)의; 로마 文化권의. — *n.* ⓤ 라틴어; ⓒ Latium(고대 로마) 사람. *classical ～* 75 B.C.-A.D. 175경까지의 라틴어. *late ～* 2-6 세기의 라틴어. *low (vulgar) ～* A.D. 175경 이후의 민간 라틴어. *medieval (middle) ～* 7-15세기의 라틴어. *modern ～* 16세기 이후의 라틴어. *thieves' ～* 도둑 은어. **～·ism** [-izəm] *n.* ⓤⓒ 라틴어풍(風) (법). **～·ist** *n.* ⓒ 라틴어 학자. **～·ize** [lǽtənàiz] *vt.*, *vi.* 라틴어로 번역하다《좋으로 만들다》.

:Látin América 라틴 아메리카《중남미, 멕시코, 서인도 제도 등》.

Látin Chúrch (가톨릭의) 라틴교회.

La·ti·no [lætíːnou] *n.* (*pl.* *～s*) ⓒ (米) 미국의 라틴 아메리카계 주민.

lat·i·tude [lǽtətjùːd] *n.* ⓤ 위도; 지역, 지대; (활동) 범위; (행동·해석의) 자유; 《寫》 관용도. *cold ～s* 한지(寒地), 한대 지방. *out of one's ～* 격에 맞지 않게. **-tu·di·nal** [∠∠∠] *a.* 위도의. *ad.* 위도로.

la·trine [lətríːn] *n.* ⓒ (공장·병사(兵舍) 등의) 변소.

lat·ter [lǽtər] *a.* 뒤(쪽)의, 끝의 *(the ～ half* 후반); (the ～) 후자의 《opp. the former》; 《대명사적으로》 후자; 근자의, 최근의(讚讚). *in these ～ day* 요즈음은. *one's ～ end* 죽음. *～ly* *ad.* 요즈음(lately).

látter·dày *a.* 근래《근래》의.

lat·tice [lǽtis] *n.*, *vt.* (《創》격자를 붙이다); (원자로 속 핵물질의) 격자형 배열. **～d** [-t] *a.* 격자를 붙인.

láttice·wòrk *n.* ⓤ 격자 만들기 《세공》.

laud [lɔːd] *n.*, *vt.* 찬미(하다), 칭송(하다); (pl.) 《宗》 찬가; (pl.) (새벽의 찬가도, 찬미(讚讚). **～·a·bly** *ad.* 칭찬할 만한. **～·a·ble** *a.* **lau·dá·tion** *n.* 요즈음찬미, 칭미.

lau·da·num [lɔ́ːdənəm/lɔ́dnəm] *n.* ⓤ 아편 정기(汀機).

laud·a·to·ry [lɔ́ːdətɔ̀ːri/-təri], **-tive** [-tiv] *a.* 칭찬의.

:**laugh** [læf, -aː-] *vi.* 웃음(소리). *get (have) the ～ of* (…을 되려) 이겨 되웃어 주다. *have the ～ on one's side* (이번에는) 이 쪽이 웃음을 차례다 되다. *raise a ～* (사람을) 웃기다. — *vi.* (소리내어) 웃다; 흥겨워하다; 조소(같이)하다(at); — *vt.* 웃으며 …하다(a reply). *He ～s best who ～s last.* 《속담》 지레 좋아하지 말라. *L- and grow fat.* 웃음은 집에 복이 온다. *～ away* 일소에 부치다; (시간을) 웃으며 보내다. *～ down* 웃어 대어 중지(침묵)시키다. *～ in a person's face* 남의 면상을 맞대놓고 조롱하다. *～ in (up) one's SLEEVE. *～ off* 웃음으로 얼버무리다. *～ on the other (wrong) side of one's mouth* 웃다가 갑자기 울상이

L

되다[풀이 죽다]. ~ **out** 웃음을 터
뜨리다. **~·a·ble**[⊃əbl] *a.* 우스운.
어리석은. **<·a·bly** *ad.* **~·ness** *n.*

laugh·ing[⊃iŋ] *a.* 웃는; 기뻐하
한; 우스운. 웃을(*It is no - mat-
ter*). *the* **L-** *Philosopher* 그리스
의 철인 Democritus의 별명. —
n. ⓤ 웃음, 웃는 일. **~·ly** *ad.*

láughing gàs *n.* 웃음 가스, 일산화
질소《마취용》.

láughing-stòck *n.* ⓒ 웃음거리.

laugh·ter[læftər, lá:f-] *n.* ⓤ 웃
음; 웃음소리.

launch[lɔ:ntʃ, -ɑ:-] *vt.* 진수(進水)
시키다, (보트를) 물에 띄우다; (투
표 등을) 세상에 내보내다[착수(시작)하
다; 발사하다; 내던지다. — *vi.* 배
를 타고 나아가다; 시작하다(*forth,
out into*). — *n.* ⓒ 진수《보트
(함)》; 런치《합대 대형 보트》; 기정
(汽艇). **~·er** *n.* ⓒ (유도탄 등의) 발
사대[장치].

láunch(ing) pàd 미사일[로켓] 발
사대[장치].

launch(ing) 미사일[로켓] 발

laun·der[lɔ:ndər] *vt., vi.* 세
탁하다, 세탁하여 다림질하다. **láun-
dress** *n.* ⓒ 세탁부(婦).

laun·der·ette[lɔ:ndərét, lɑ:n-]-,
-dro·mat[lɔ:ndrəmæt, lɑ:n-] *n.*
ⓒ 동전 투입식 세탁기, 빨래방.

laun·dress[lɔ:ndris, lɑ:n-] *n.* 세
탁부(婦).

laun·dry[lɔ:ndri, -ɑ:-] *n.* ⓒ 세
탁장[소]; 세탁소. **~·man** *n.* ⓒ 세
탁부(夫). **~·woman** *n.* = LAUN-
DRESS.

lau·re·ate[lɔ:riət] *a.* (영예의) 월계
관을 쓴[받을 만한]. *poet* **~** 계관
(桂冠)시인. — *n.* ⓒ 계관 시인.
~·ship[-ʃip] *n.* ⓤ 계관 시인의 지
위(임기).

lau·rel[lɔ:rəl, -ɑ-/-5-] *n.* ① ⓤⓒ
월계수; 《ⓤ》 미국석남화, ② (*pl.*) 월
계관, 영예; 승리, 월계관. *look to one's
~s* 명예를 잃지 않도록 조심하다.
rest on one's ~s 소성(小成)에 만
족하다. *win (gain)* ~*s* (*the* ~)
영관(榮冠)을 차지하다; 영예를 얻
다. **~(l)ed**[-d] *a.*
월계관을 쓴, 영예를 걸어진.

la·va[lɑ́:və, lǽ-] *n.* ⓤ 용암.
ⓒ 화산암층.

lav·a·to·ry[lǽvətɔ̀:ri/-təri] *n.* ⓒ

세면소; 세면대(臺); 변소.

lav·en·der[lǽvəndər] *n.*, *a.* ⓒ
《植》 라벤더《향수·세척제(劑) 원료》;
ⓤ 연보라색(의).

lav·ish[lǽviʃ] *vt.* 아낌없이 주다
(*on*); 낭비하다. — *a.* 손이 큰, 활
수한; 낭비적인, 사치스러운; 풍부한
(*of*). **~·er** *n.* **~·ly** *ad.* **~·ment** *n.* ⓤ
낭비. **~·ness** *n.*

law[lɔ:] *n.* ① ⓒⓤ 법률, 국법; 보통
법, ② ⓤ 규칙, 관례. ③ ⓤ 법칙;
원리(principle). ④ ⓤ 법(률)학. ⑤
ⓤ 소송. ⑥ (*the* ~) 버[법조]계.
경찰(판). ⑦ 《聖》 (규정에 의한) 선정(先進)[계
리, 율(*the* L-) 《구약 성서 중의 모
세의 율법. *be a (to) one-
self* 관습(등)을 무시하다. *give the
~ to* (…을) 마음대로 부리다. *go
to ~ (with [against] a person)*
고소하다. *lay down the ~* 평력적
으로 말하다; 꾸짖다. *read (go in
for)* ~ 법률을 공부하다. *take the
~ into one's own hands* 사적 제
재를 가하다.

láw-abíding *a.* 법을 지키는.

láw-bréaker *n.* ⓒ 법률 위반자.

láw còurt 법정.

law·ful[lɔ́:fəl] *a.* 합법적[법]인; 법정
의, 정당한(*~ money* 법화/*a ~ age*
성년(成年)). **~·ly** *ad.* **~·ness** *n.*

law·less[lɔ́:lis] *a.* ① 법률 없는, 법
을 지키지 않는. ② 무법의; (감정·
욕망 등) 누를 수 없는. **~·ly** *ad.*
~·ness *n.*

láw-màker *n.* ⓒ 입법자.

lawn[lɔ:n] *n.* 잔디(밭).

lawn[lɔ:n] *n.* ⓤ 론《한냉사(寒冷紗) 비슷
한 얇은 아마포[무명]; 영국 국교의
bishop의 소매로 쓰임》.

láwn mòwer 잔디 깎는 기계.

láwn tènnis 론 테니스.

láw·suit[-sù:t] *n.* ⓒ 소송, 고소.

law·yer[lɔ́:jər] *n.* ⓒ 법률가; 변호
사, 법학자.

lax[læks] *a.* 느슨한, 느즈러진; 모호
한; 단정치 못한; 설사하는. **~·i·ty** *n.*
ⓤ 이완(弛緩).

lax·a·tive[læksətiv] *a.*, *n.* 대변이
잘 오게 하는(약). ⓒ 하제(下劑).

lay[lei] *vt.* (*laid*) ① 누이다, 놓다;
가로[뉘어]놓다; 고정시키다, 늘어놓
다; 쌓다; 깔다. ② (평평하게) 바르
다, 바르다. ③ (올가미 등을) 장치하

다, 만들어 놓다. (식탁을) 차리다.
④ (알을) 낳다. ⑤ (무게를 세금·책
임을) 지우다, 과하다, 돌리다; (내기
에) 걸다. ⑥ (티끌·먼지를) 가라앉히
다; (망령 등을) 진정시키다. ⑦ 때려
눕히다. 넘어뜨리다. ⑧ 평평하게 하
다. 궁리하다. (계획을) 세우다. ⑨ 주장하다. (손해)액을 어림
잡다(정하다)(at). ⑩ (일·밧줄을)꼬
다. (가지를) 정돈하다. ⑪ (종을 조준하
다. ⑫ (어떤 상태로) 만들다. —vi.
알을 낳다; 내기하다(on, to). 진력하
다. ~ about 맹렬히 강타하다, 분투
하다. ~ aside [away, by] 떼어 두
다, 저장하다. ~ at (乃)에 덤벼
들다. 일밖에 바르다. ~ bare 벌거벗기다; 누설하
다, 폭로하다. ~ down 내리다.
놓다; 부설하다, 깔다, 건설하다; (계
획을) 세우다; (포도주를) 저장하다;
주장(단정)하다; 결정하다; 버리다,
사임하다; 지불하다; (내기에) 걸다;
적다. ~ fast 감금하다(confine).
~ for 준비하다; 《美口》 숨어 기다리
다. ~ hold of [on] 체포하다;
~ in 사들이다, 저장하다.
《美》 게걸스레 먹다. ~ into 《俗》 후려
갈기다. ~ it on 바가지 씌우다;
너무 야단치다; 무턱대고 칭찬하다
(~ it on thick); 때려눕히다. ~
off 떼어놓다; (일을) 중지하다. (잠
시) 해고하다; 구분하다; 《美》(…을)
피하다. ~ on (타격을) 가하다;
하다; 《수도를》 끌어 들이다; 칠하
다; 과하다; (명령을) 내리다; 준비하
다. ~ open 가린 것을 벗기다; 넓히
벗기다; 드러내다; 폭로하다; 절개(切
開)하다. ~ out 펼치다; 설계하다;
토지를 구분하다; 임관(入棺) 준비를
하다; 《俗》 때려 눕히다; 죽이다; 투
자(소비)하다; 폭로하다. ~ over 칠
하다; 연기하다; 《美》 (을) 정신 (停頓)하다(니다
키다). ~ to one's work 쓰지 않고
두다; 병이 사람을 들어박히게 하다.
《海》 멎다. You may ~
to that …이라는 것은 절대로 틀림없
다. ~ up (종종 再~) 위치, 지형(of); 상태, 형세, 정세, 사태.
lay² a. 속인의, 평신도의(opp. cleri-
cal). 전문가가 아닌.

lay³ n. ⓒ 노래; 민요; 시[짧은 이야
기체의 시]; (새의) 지저귐.

láy·a·bout n. ⓒ 《英》 부랑자.

láy·by n. ⓒ 《英》 (도로의) 대피소;
(철도의) 대피선.

láy·er n. ⓒ ① 놓는[까는, 쌓
는] 사람; (돈을) 거는 사람; 알 낳는
닭(a láy·ing ~); 알을 잘 안 낳는 닭.
② 층; 켜, (한 번) 칠함. ③ 《園藝》
휘묻이. 포갠 나무.

láy·ette [leiét] n. (F.) ⓒ 갓난아이
용품 일습(배내옷·침구 등).

láy·man [léimən] n. ⓒ ① 《성직자에
대하여》 속인, 평신도. ②

láy·off n. ⓒ 일시적 해고(휴직, 귀
휴](기간).

láy·out n. ⓤⓒ 설계, 지면 배치
[짜임] 레이아웃, 판짜기[책·신문의 지
면 배열], ② (도구·공장의) 배치.

laze [leiz] 《~》 vi. 게으름 피우다
(away).

lá·zy [léizi] a. 게으른; 느린. lá·zi-
ly ad. lá·zi·ness n.

lázy·bònes n. (pl.) ⓒ 《口》 게
으름뱅이.

Lázy Súsan (식탁 중앙의) 회전 쟁
반.

lb. [pl. lbs.] libra. (L. = pound).

LCD liquid crystal display 액정
디스플레이[표시].

leach [liːtʃ] vt., vi. 거르다; 걸러 내다
(나오다). —n. ⓒ 거르기. ① 잿
물. ~y·a. 다공질(多孔質)의(흙 따
위의).

lead¹ [led] n. ① ⓤ 납; ⓒ 납제품.
② ⓤⓒ (연필의) 심; ⓒ 측연(測鉛).
③ (pl.) 함석 지붕. ~ ⓒ 《印》 인테
르. heave the ~ 수심을 재다.
—vt. (—을) 납으로 씌우다[채워 메우
다]; 《印》 인테르를 끼우다.

lead² [liːd] vt. (led[led]) ① 인도하
[안내하여] 데리고 가다; 거느리다;
지도하다. ② (클라스의) 수석을 차지
하다. ③ 꾀다; 시작하다, 앞장서서
하다. ④ (수도 따위를) 끌다. ⑤ 지
내다; (생활을·일생을) 보내다. —vi.
안내하다; (길이) 통하다, 이르다(to);
귀착하다; 솔선(리드)하다; 끌려가다;
《카드》 맨먼저 패를 내다; 《拳》 치고
나가다. ~ away 데리고 가
공세를 취하다. ⑤ 꾀다; 맹종시키다.
~ by the

L

nose 맹종시키다, 마음대로 부리다. **~ off** 시작하다, 출발하다. 선도하여 꾀다, 꾀어 들이다. **~ on** 나아가다; 꾀다; 꾀어 들이다. **~ out** 시작하다; …하도록 하다. **~ out of** (…으로) 이끌어 내다. — *n.* ① (*sing.*) 선도, 솔선, 지휘; ⓒ 지점, 모범; 조언(助言), 실마리; ⓒ (a ~) ⓒ 【劇】 주역(배우); 【카드】 선수(先手); ⓒ (물을 끌어넣는) 도랑; 【電】 도선(導線); 개(를 끄는) 줄(leash); 광맥(鑛脈)(lode). ⓒ 【新聞】 허두(의 일절); 【映】 톱 뉴스. follow the ~ of …의 예에 따르다. give a person a ~ 모범을 보이다. take the ~ in (…을) 솔선하여 하다.

lead·en [lédn] *a.* 납(빛)의; 답답한; 활기 없는; 둔한; (날이) 무딘; 【】 (기운이) 활기 없는; (날이) 무딘; 활기 없는

†**lead·er** [líːdər] *n.* ⓒ ① 지도자, 솔선자, 주창; 【樂】 지휘자; 제1주자. ② (신문의) 사설. ③ (4두 마차의) 선두마; (손님을 끄는) 특가품; 유도 신문. ④ (낚시의) 목줄; (필름의) 양쪽 선단부. — (*pl.*) 【印】 점선. **:~·ship** [-ʃip] *n.*

lead·in [líːdìn] *n., a.* ⓒ 【電】 도입선; 끌어들이는 선; 【放】 (커머셜【광고의 말】을 이끄는) 도입 부분.

†**lead·ing** [líːdiŋ] *n.* Ⅱ 지도, 지표, 통솔(력). — *a.* 이끄는, 지휘하는; 주역의; 주요한, 일류의, 손꼽을; 선도하는, 세력 있는.

léading árticle [líːdiŋ-] 사설; (정기 간행물의) 주요 기사.

léading lády [màn] 주연 여우 [남우].

léading quéstion (호의적인) 유도 신문(leader).

†**leaf** [liːf] *n.* (*pl.* **leaves**) ①Ⅱⓒ (한 장의, 또는 집합적으로) 잎(사귀). ②ⓒ (책 따위의) 종이의 한 장. ③ ⓒ 꽃잎. ④ ⓒ 얇은 판자, 박(箔). ⑤ ⓒ (접는 문의) 문짝, (경첩따위의) 한 짝. **come into ~** 잎이 나오다. **gold ~** 금박(金箔). **in ~** (푸른) 잎이 나와, **the fall of the ~** 낙엽이 질때, 가을. **turn over a new ~** 생활을 일신하다. — *vi.* 잎이 나오다. — *vt.* (급히 책) 페이지를 넘기다. *** ~·less** *a.* 잎 없는.

léaf·let [líːflit] *n.* ⓒ 작은 잎; 광고지. 「(腺束)」

léaf móld 〖(英) **mould**〗 부엽토.

leaf·y [líːfi] *a.* 잎이 우거진, 잎이 많은; 잎으로 된; 잎 모양의.

:league[líːg] *n.* ⓒ 동맹, 연맹; 리그; (the) (the L-) 【史】 신성 동맹; (the L-) = (the) L- of Nations 국제 연맹(1919-46). **in ~ with** …와 맹약. — *vi., vt.* 동맹[연맹]하다[시키다]. 「(마일).

league [liːg] *n.* ⓒ 리그(거리의 단위, 약 3마일).

†**leak** [líːk] *n.* ⓒ 샘, 새는 곳[구멍]; 【電】 누전. **spring (start) a ~** 새는 곳[구멍]이 생기다, 새기 시작하다. — *vi., vt.* 새(어 나오)다, 새는 구멍이 있게 새다; 새게 하다.

leak·age [líːkidʒ] *n.* Ⅱ 누출; ⓒ 누출(량); 샘, 누설, 누전, 드러남; ⓒ 【商】 누손(漏損).

leak·y [líːki] *a.* 새는 구멍 있는, 새기 쉬운; 입이 가벼운; 새는 것을 지키는 수 없는(*He is a ~ vessel.* 그 친구에게 말하면 곧장 새어 버린다).

†**lean**[líːn] *n.* ① 야윈. ② 살코기의, 지방질의. ③ (식사·영양이·강의 따위가) 빈약한, 수확이 적은. — Ⅱ 살코기; ⓒ 야윈[가는] 부분.

lean[líːn] *vi.* (~ed [liːnd/lent, liːnd], 〖(英) **leant**] 기대다(against, on, over); (…의) 경향이 있다(to, toward); …의존하다. — *vt.* 기대어 하다; …에 대해 비우호적이다. **~ against** …에 찬성치 않다. **~ back** 뒤로 젖히다. **~ over backward** 자기까지와는 반대의 (태도로 나오다. **~ toward mercy** 조금 자비심을 내다. — *n.* Ⅱ 기울, 경사. **~·ing** *n.* Ⅱ 경사; 경향, 기호(嗜好).

léan-to 〖~s〗 *a.* 의지간; 달개지붕.

†**leap**[liːp] *vi.* (~t, ~ed[liːpt]) 뛰다, 도약하다; 약동하다 *for joy.* — [승마에서 뛸 때는 lep] 뛰어 넘(게) 하다. — *vi.* 가슴이 뛰다; ⓒ (의) ⓒ 눈에 뜨이다. **~ to one's feet** (기뻐서, 급히) 뛰어 일어나다. **~ to the eye** 눈에 띄다. **Look before you ~.** 《속담》 행동 전에 잘 생각하라. — *n.* ⓒ (한 번) 뛰기; 도약. **a ~-**

in the dark 난폭[무모]한 행동. *by ~s and bounds* 급속히, 일사 천리로.

leap·frog *n., vi.* (*-gg-*) ① 개구리 뜀(을 하다)(*over*). — *ving* ① ①

leap year 윤년.

learn[lə:rn] *vt., vi.* (*~ed*[-t, -d], *~t*) 배우다, 익히다; 외다; 알아내다 (*from, of*); 《古·俗·諺》 가르치다. ~ *a lesson* 교훈을 얻다; (경험으로) 교훈을 얻다. *by heart* [*rote*] 암기하다. ~*er* n. ↓~*ing* n. ① 학문; 박식. *man of ~ing* 학식 있는 사람.

learn·ed *a.* ① [lə:rnid] 학식 있는; 학구적인; 학자의. ② [lə:rnd, -t] 학습에 의해서 터득한, 조건반사적 ~ 학자들.

lease[li:s] *vt.* (토지를) 임대[임차]하다, 빌리다. ~*d territory* 조차지(租借地). — *n.* ① [토지·건물의] 임대차 계약(권·기간). ② 그 계약서; (계약 등) 정해진 기간. *by on* — 임대로; 임차로. *take a new ~ of life* (완쾌되어) 수명이 늘다.

léase·hòld *n.* ⓒ 차지. ~*er* n. ⓒ 차지인.

leash[li:ʃ] *n.* ⓒ (개 따위를 매는) 가 죽끈; (개·토끼·여우·사슴 따위의) 세 마리; ① 속박. *hold in ~* 속박[구 속]하다. — *vt.* 가죽끈으로 매다.

least[li:st] *a.* [little의 최상급] *n., a.* (보통에 the ~) 최소(의)(*There isn't the ~ danger.* 위험은 전혀 없다; *There is not*[nát/-5-] *the ~ danger.* 적지 않은 위험이 있다). *at (the) ~* 적어도; 하다 못해. *not in the ~* 조금도 …않다. *the ~ com- mon multiple* 최소공배수. *to say the ~ of it* 좋게야 말하더라도. — *ad.* 가장 적게. ~ *of all* 가장 …않다(*I like arrogance ~ of all.* 오 만이 무엇보다 싫다). ~*·wise*, ~*·ways* ad. 《口》 적어도, 하다 못 해; 하여튼.

leath·er[léðər] *n.* ① [U(무두질한) 가죽, 무두질한 가죽; 가죽 제품; 공. ③ ①《俗》 피부. ~ *and prunella* [pru(:)nélə] 아무래도 팬찮은 것; 잘게 않은 것(*Alexander Pope*의

Essay on Man에서). — *vt.* (… 에) 가죽을 씌우다[대다]; …을 가죽 끈으로 때리다. ~·*y*[-i] *a.*

leath·er·ette[lèðərét] *n.* ① [상 標] 레더, 인조 피혁.

†**leave**[li:v] *vt.* (*left*) 남기다; 놓고 가다, 두고 잊다; (유산으로) 남기다; 죽다; (뒤에 남기고) …에서 물러나 다; 지나가다; …께 하다(*His words left me angry.* 그의 말에 화가 났다); …인 채로 두다; 맡기다, 위탁하 다(*to, with*); 그만두다(*cease*). — *vi.* 떠나다, 출발하다. *be nice- ly left* 속다. *Better ~ it unsaid.* 말을 안하는 편이 낫다. *get left* 버림받 다; 지다. ~ *alone* 상관을 말 고 내버려 두세요. ~ *behind* 뒤 에 남기다; 놓아 두고 잊다; 앞지르 다. ~ *hold of* (잡은 것을) 놓아버 리다. ~ *much* [*nothing*] *to be desired* 유감스러운 점이 많다[나무 랄 데 없다]. ~ *off* 그만두다, 그치 다; 벗다, 버리다. ~ *out* 빠뜨리다, 생략하다; 무시하다. ~ *over* 남기다; 연기하다. ~ *a person to himself* 방임하다.

leave[li:v] *n.* ①.① 허가, ② ①.ⓒ 휴가 (기간); 말미, 고별, 작별. *by your ~* 실례입니다만, *have* [*go on*] ~ 휴가를 얻다. ~ *of absence* 말미, 휴가(기간). *on ~* 휴가로. *take French ~* 무단히[아무 말 없 이] 자리를 뜨다. *take ~ of one's senses* 미치다. *take one's ~* …에게 작별 인사를 하다. *without ~* 무단히.

leav·en[lévən] *n.* ① ① 효모, 누룩 (yeast). ② ①.ⓒ 영향(을[감화를] 주 는 것) 기미(氣味)(tinge), 기운. *the old ~* 묵은 누룩; 구폐(舊弊). — *vt.* 발효시키다; 영향을 주다; 기미를 띠게 하다.

leaves[li:vz] *n.* leaf의 복수.

léave-tàking *n.* ① 작별, 고별.

lech·er·ous [létʃərəs] *a.* 호색의, 음탕한 (lewd). ~*·y* n. ① 호색, 음란.

lec·tern[léktərn] *n.* ⓒ (교회의) 성서대; 연사용 탁자.

†**lec·ture**[léktʃər] *n., vt., vi.* ⓒ 강의

L

[강화·강연] (하다) (*on*); 훈제(하다) (*on*). **~ship**[-ʃip] *n.* ⓤ 강사직(의 지위). **~léc·tur·er** *n.* ⓒ 강사, 강연자.

:led[led] *v.* lead의 과거(분사).

ledge[ledʒ] *n.* ⓒ 좁은 선반; (암벽(岩壁)) 측면의 바위 선반; (암벽 근의) 암초; 암맥.

ledg·er[lédʒər] *n.* ⓒ [簿] 원장(元帳); (무덤의) 대석(臺石).

lee[liː] *n.* ⓒ (*the* ~) 바람이 불어가는 방향(의); 바람을 등진 쪽 (의); 가려진 곳(shelter); 보호, 비호.

lee[리] *n.* (보통 *pl.*) (술 종류의) 찌끼.

:leech[liːtʃ] *n.* ⓒ 거머리(특히 의료용의). ② 흡혈귀, 고리 대금업자. ③ 《古》 의사.

leek[liːk] *n.* ⓒ [植] 리크, 서양부추과; 희색(책색)의 반 녹색.

leer[liər] *n., vi., vt.* ⓒ 추파를 던지다; 곁눈질(하다), 곁눈으로 보다; 추파[곁눈](의). **~·y** [líːəri] *a.* 곁눈질하는; 《俗》 교활한; 《俗》 의심 많은(*of*).

lees[liːz] *n. pl.* ⇨LEE².

lee·ward[líːwərd] (海) [lúːərd] *n., a., ad.* 바람 불어가는 쪽(의, 으로).

lée·way *n.* ① ⓤ [海] 풍압(風壓)(바람 불어가는 쪽으로 밀려 내려감). ② ⓤ 풍압차(風壓差). ③ ⓤⓒ 시간[돈]의 여유; 활동의 여지; 시간적 손실. **make up ~** 뒤진 것을 만회하다; 곤경을 벗어나다.

:left[left] *a.* 좌측의, 왼쪽의, 좌의. **marry with the ~ hand** 지체 낮은 여자와 결혼하다. —— *ad.* 왼쪽에. **Eyes ～!** 좌로 나란히! **L- turn!** 좌향좌. —— *n.* (*the* ~) 좌측; (*the* L-) 좌익, 혁신파. **over the ~** 거꾸로 말하면, 정반대로. **<·ish** *a.* 좌익적인. **<·ism** *n.* ⓤ 좌익주의 (사상). **<·ist** *a., n.* 좌익(의) (사상가), 좌파(의). **<·y** *n.* ⓒ 《口》 왼손잡이; 《野》 왼손잡이 투수; 좌익(사람); 왼손잡이용 도구.

left² *v.* leave의 과거(분사).

left-hánd *a.* 왼손의, 왼쪽의. **~ed** *a.* 왼손잡이의; 왼손의; 왼쪽으로 도는(감는); 음험한; 불성실한, 말뿐인(~*ed compli-*

[제2단]

ment).

léft·over *n., a.* ⓒ (보통 ~s) 나머지(의), 남은 것.

léft·ward *a.* 왼쪽의, 좌측의.

léft·wing *a.* 좌익, 좌파, 혁신파.

léft·wing *a.* 좌익의, 좌파의. **~·er** *n.* ⓒ 좌익[좌파]의 사람.

:leg[leg] *n.* ⓒ ① 다리(부분), 정강이; (가구 따위의) 다리. ② 지주, 버팀대; (삼각형의 밑변 이외의) 변. ③ (옷)자락; ④ (여정·주행(走行)의) 구분, 한구간; (갈지자로 나아가는 법선 (疊線)의) 한구간[거리]. ⑤ 《美》 바지 가랑이. **as fast as one's ~s would [will]** carry one 전속력으로. **feel [find]** one's ~s (갓난아이가) 걸을 수 있게 되다. **get on one's ~s** 일어나다. **give a person a ～ up** 부축하여 태워 주다; 도와서 어려움을 헤어나게 하다; 출세시키다. **have ~s** (소문 등이) 널리 빠르다(는 평판이다). **have not a ～ to stand on** 거론(擧論)[변명]의 근거가 없다. **have the ~s of** …보다 빠르다. **keep one's ~s** 쓰러지지 않다. **on one's last ~s** 다 죽게 되어, 막다른 골목에 이르러. **pull [draw]** a person's ~ 《口》 속이다, 놀리다. **shake a ~** 춤추다. **stretch one's ~s** 산책하다. **take to one's ~s** 도망치다, 달아나다. **walk [run]** a person off his ～s 너무 걸려서 달리게 [달리어] 하다. —— *vi.* (-gg-) 걷다. **~ it** 《口》 걷다, 달리다.

leg·a·cy[légəsi] *n.* ⓒ 유산; 전승물(傳承物).

le·gal[líːgəl] *a.* 법률(상)의; 합법적인; 법정(法定)의. **~·ism**[-izəm] *n.* ⓤ (극단적인) 법률 존중주의, 형식주의. **~·ist** *n.* **~·ly** *ad.*

légal áid 《英》 법률 구조(재력이 없는 이의 소송비를 정부가 지불하는 일).

le·gal·i·ty[liːgǽləti] *n.* ⓤ 적법성; 합법성; 법률 준수.

le·gal·ize[líːgəlàiz] *vt.* 합법으로 인정하다; 합법화하다; 공인하다. **~·iza·tion**[-izéiʃən/-lai-] *n.*

légal ténder 법화(法貨).

leg·ate[légit] *n.* ⓒ 로마 교황 사절.

le·ga·tion[ligéiʃən] *n.* ⓒ 공사관; 《집합적》 공사관원.

le·ga·to [ligáːtou] *a., ad.* (It.) [樂] 부드럽게, 부드럽게.

leg·end [lédʒənd] *n.* ⓒ 전설; 성도전(聖徒傳) (도표 등의) 명(銘); (도표 등의) 설명문, 일러두기. **~·ary** [-èri-/-əri] *a.* 전설의, 전설적인.

leg·ging [légiŋ] *n.* ⓒ 각반; (*pl.*) 레깅스(어린이나 여성용 바지).

leg·gy [légi] *a.* 다리가 가늘고 긴(미 곤한).

leg·i·ble [lédʒəbəl] *a.* 읽을 수 있는, 읽기 쉬운 명백한. **~·bly** *ad.* **~·ness** [~-] **-bil·i·ty** [~-bíləti] *n.*

le·gion [líːdʒən] *n.* ⓒ (고대 로마의) 군단(보병 3000-6000명) ; 군세(軍勢); 다수. **L-of Honor** [Napoleon 이래의] 레지옹 도뇌르 훈장(勲位). **~·ary** [-èri-/-əri] *a.* 군단의 (병사); 미국 재향 군인회회원. ⓒ 군단의 병사; 미국 재향 군인회회원.

leg·is·late [lédʒisèit] *vi., vt.* 법률을 제정하다. **-la·tion** [~-léi-] *n.* ⓤ 입법; ⓒ 법률. **-la·tive** [-lèit-, -lət-] *a.* 입법의; 입법부의. **-la·tor** [-lèi-] *n.* ⓒ 입법자. **-la·ture** [-lèitʃər] *n.* ⓒ (국가의) 입법부.

le·git [lidʒít] *n., a.* (俗) = LEGITIMATE (drama).

le·git·i·ma·cy [lidʒítəməsi] *n.* ⓤ 합법, 정당성; 적출(嫡出).

le·git·i·mate [lidʒítəmit] *a.* 합법 (적)의; 정당한; 적출의; (이치·추론 등이) 올바른. [-mèit] *vt.* 합법이라고 하다; 적출로 (인정) 하다. **~·ly** *ad.*

le·git·i·mize [-màiz] *vt.* = LEGITIMATE.

leg·ume [légjuːm, ligjúːm], **le·gu·men** [ligjúːmən] *n.* ⓒ 콩과 식물의 열매.

lég·wòrk *n.* ⓤ 돌아다님; 취재 활동.

lei·sure [líːʒər, lé-] *n., a., ⓤ* 여가 (의); 안일. **at ~** 한가하여서; 천천히. **at one's ~** 한가할때[형편 좋을] 때.

leit·mo·tif, -tiv [láitmoʊtìːf] *n.* (G.) ⓒ (Wagner의 악극(樂劇)의)

시도동기(示導動機); 주목적.

lem·ming [lémiŋ] *n.* ⓒ [動] 나그네쥐(쥐극산).

lem·on [lémən] *n., a.* ⓒ 레몬《나무·과실》; ⓤ 레몬 빛(의), 레몬빛이 든. **~·y** *a.* 레몬 맛이[향기가] 있는.

lem·on·ade [lèmənéid] *n.* ⓤ 레몬 수. 레모네이드.

le·mur [líːmər] *n.* ⓒ 여우원숭이 《Madagascar산》.

lend [lend] *vt.* (*lent*) 빌려주다 (효과 따위를) 증대시키다. 더하다, 첨가하다; 공급하다, 주다. **~ a (helping) hand** 돕다, 손(힘)을 빌리다. **~ itself** (*oneself*) **to** …의 소용에 닿다; (나쁜, 또는 비열한 짓 등을) 굽히하다; 받아 들이다. **~·er** *n.* **~·ing** *n.* ⓤ 대여; ⓒ 대여물; (*pl.*) 빌려 입은 옷.

length [leŋkθ] *n.* ⓤ 길이, 기장, 세로; 기간; ⓒ (보트·경마의) 1정신(艇身); ⓒ 1마신(馬身). **at full ~** 길게; 네 활개를 펴고; 상세히. **at ~** 드디어, 겨우; 최대한의 길이로, 상세히. **go all ~s**, or **go to great** (*any*) **~** 어떤 일이라도 해내다. **go the ~ of** (*doing*) …까지도 하다. **go the whole ~** 끝까지 하다, 하고 싶은 말을 모두 하다. **know** (*find, get, have*) **the ~ of** …의 성질을 (급소를) 간파하다. **~·en** [~ən] *vi., vt.* 길게 하다[되다]; 늘이다, 늘어나다. **~·ways** [~wèiz] *ad.* 세로로. **~·wise** [~wàiz] *ad.* a. 세로로 (의). **~·y** *a.* 긴 (연설·글이) 장황한.

le·ni·ent [líːniənt, -jənt] *a.* 관대한; 온화한. **~·ly** *ad.* **-ence, -en·cy** *n.*

lens [lenz] *n.* ⓒ 렌즈; (눈알의) 수정체.

Lent [lent] *n.* 사순절四旬節(Ash Wednesday부터 Easter까지의 40일간; 이 동안에 단식·참회를 함).

lent [lent] *v.* lend의 과거(분사).

len·til [léntil] *n.* [植] 렌즈콩, 편두(扁豆).

Le·o [líːou] *n.* [天] 사자자리(the Lion); (황도의) 사자궁(宮).

le·o·nine [líːənàin] *a.* 사자의(같은); (L-) 교황 Leo의.

leop·ard [lépərd] *n.* ⓒ 《動》표범. **American ~** =JAGUAR. **~·ess** *n.* ⓒ 암표범.

lep·er [lépər] *n.* ① 나병 환자, 문둥이. ② 세상으로부터 배척당한 사람.

lep·re·chaun [léprəkɔ̀:n] *n.* ⓒ 《Ir.》난쟁이 노인 모습의 요괴(妖怪).

lep·ro·sy [léprəsi] *n.* Ⓤ 나병. **lép·rous** *a.* 나병(간의); 비늘 모양의.

les·bi·an [lézbiən] *a., n.* Ⓒ 동성애(의 여자). **~·ism** [-ìzəm] *n.* Ⓤ 여성의 동성애.

le·sion [lí:ʒən] *n.* ⓒ 상해(傷害); 《醫》(조직·기능의) 장애, 병소(病巢).

less [les] 《little의 비교급》 *a.* 보다 적은(작은), 보다 이하의(못한). *little ~ than* …과 같은 정도. *no ~ than* 꼭 …만큼; 적어도 …만큼; 다름 아닌 바로 그것. *nothing ~ than* 꼭 …만큼; 조금도 …이 아닌, 결코 그것. ── *ad.* 보다 적게, MUCH ~. *no* (none the, not the) ~ 역시, 그래도 역시, STILL¹~. ── *prep.* =MINUS(에서 …을 뺀). *a month ── two days* 이틀 모자라는 (한 달). ── *n.* Ⓤ 보다 적은 수량(액수). *in ~ than no time* 《諺》 곧, 이내.

-less [ləs, lis] *suf.* 명사에 붙여서 '…이 없는', 동사에 붙여서 '…할 수 없는'의 뜻의 형용사를 만듦: careless, wireless, countless.

les·see [lesíː] *n.* 《法》차지(차가)인(借地(借家)人).

less·en [lésn] *vt., vi.* 적게(작게) 하다(되다); 줄이(어)다.

less·er [lésər] 《little의 비교급》 *a.* 보다 작은(적은).

less·ness [lésnis] *n.* Ⓤ 한층 적음, 열등.

les·son [lésn] *n.* ⓒ 학과, 과업; (*pl.*) 수업, 강좌, 연습; 교훈; 훈계; (성서의) 일과. *give* (*have, take*) *~s in* (chemistry) (화학을) 가르치다(배우다). *read* (*teach*) *a person a ~* 호되게 야단치다. *take* (*give, have*) *~s in* (Latin) (라틴어를) 배우다.

les·sor [lésɔːr, ─] *n.* 《法》(토지·가옥 등을) 빌려 주는 사람, 임주인.

lest [lest] *conj.* 《문어적》…하지 않

도록; …하면 안 되므로, …을 두려워 하여.

let [let] *vt.* (*let; -tt-*) ① …시키다[하게 하다, 허가하다]. ② 빌려 주다. ③ (액체·음성·공기 등을) 내다, 새어 나오게 하다. (눈물을) 흘리다. ④ (등에) 사람을 통과시키다. ── *aux., v.* '권유·명령·허가·가정'의 뜻《*Let's take a rest.* 좀 쉬자》. ~ *alone* 내버려 두다; 《명령적》…은 그만두고, …은 물론 것도 없고《*He knows Latin, ── alone French.* 프랑스 말은 물론 라틴 말도 안다》. ~ *be* 내버려 두다; 그만두다. ~ *down* 내리다, 낙심케 하다; 부끄럽게 하다. ~ *fall* 떨어뜨리다. ~ *fly* 날리다. ~ *go* (쥔 것을) 놓다, 놓아 주다. ~ *in* 들이다《*Let me in!* 들여 보내 주세요》. ~ *into* 속에 넣다; 알리다, 참가케 하다, 해내다. ~ *loose* 놓아 주다. ~ *me see* (저) 글쎄, ~ *off* (총을) 쏘다; 농담을 하다; 석방하다; 내다, 폭발하다. ~ *on* (口) 새게 하다, 폭로하다; 《口》…체 하다. ~ *out* (*vt.*) 흘러나오게 하다, 새게 하다; 넓히다, 크게 하다; 빌려 주다; (*vi.*) 《美》(모임·학교 등이) 파하다; 후려 갈기다. (발로) 차다; 폭로하다(*at*). ~ *pass* 눈감아 주다. ~ *up* 그만두다(*on*); 느즈러지다, 바람이 자다.

-let [lət, lit] *suf.* '작은…'의 뜻: streamlet.

let·down *n.* ⓒ 감소, 이완(弛緩); 환멸, 실망; 《空》(착륙을 위한) 감속(減速).

le·thal [líːθəl] *a.* 치명(치사)적인.

le·thar·gic [liθáːrdʒik], **-gi·cal** [-əl] *a.* (몹시) 졸린, 노곤한; 혼수 상태의. **-gi·cal·ly** *ad.*

leth·ar·gy [léθərdʒi] *n.* Ⓤ 혼수; 활발치 못함.

let's [lets] let us의 단축형.

let·ter [létər] *n.* ⓒ 문자, 글자; 편지; (*pl.*) 문학, 학문, 문필업(a man of ~s 학자, 문인); (보통 *pl.*) 증서, …장(狀). ~ *of attorney* 위임장. ~ *of credit* 신용장(생략 L/C, l/c. l.c.). ~ *s of marque* (*and reprisal*) (정부 발행의) 적 상선 나포(敵商船拿捕)허가장. ~ *s patent*

허장, *to the* ~ 문자(그)대로.

létter bòmb *n.* 우편 폭탄(우편물에 폭탄을 장치한 것).

létter bòx (주로 英) 우편함(《美》 mail box).

létter·hèad *n.* ⓒ 편지지 위쪽의 인쇄물구(회사 이름·소재지·전화번호 등 위치); ⓤ 그것이 인쇄된 편지지.

let·ter·ing [-iŋ] *n.* ⓤ 자체(字體), 글자배치; 쓴(새긴) 글씨.

let·tuce [létis] *n.* ⓒⓤ 상추, 양상추.

let·up [Ⓤ,ⓒ] (口) 정지; 완화.

leu·ke·mi·a, -kae- [luːkíːmiə] *n.* ⓤ 백혈(구 과다)증.

lev·ee [lévi] *n.* ⓒ (강의) 제방, 둑; 부두.

lev·el [lévəl] *n.* ① ⓤⓒ 수평; 수준 ② ⓒ 평지, 평야 ③ ⓤ 높이; 수준; 수준기(器). *bring a surface to a* ~ 어떤 면을 수평하게 하다. *find one's (its)* ~ 실력에 맞는 지위를 얻다. *on a* ~ *with* ~과 동등하게. *on the* ~ 《俗》 공평한, 정직하게 (말하면). — *a.* 수평의; 평평한; 동일 수준의; 서로 우열이 없는; 한결같은· 분별있는. *do one's* ~ *best* 전력을 다하다. — ((英) *-ll-*) *vt.* 수평으로 하다. 고르다; (돌을 수준으로 만들다, 한결같게 하다; (건물등을 쓰러 뜨리다; 겨누다(*at*); (남·차보을 뭉자자를 뭉자를) 퍼붓다, (의도를) 돌리다(*at*, *against*). — *vi.* 겨누다, 조준하다. ~ *down* [*up*] (口의 표준을) 낮추다 [올리다], 균일화하다. **lév·eled,** 《英》 **-elled** [-d] *a.* [文] 등록(等磁)의; (악센트가) 없는(等高)의. **lév·el·er,** 《英》 **-el·ler** *n.* ⓒ 수평하게 만드는 것; 평등주의자, 수평 운동자.

lével cróssing 《英》 = GRADE CROSSING.

lével-héaded *a.* 냉정한, 온건한.

lever [líːvər, lévər] *n., vi., vt.* ⓒ 지 레(레버)로 움직이다, 비집어 열다. **-age** [-idʒ] *n.* ⓤ 지레의 힘(작용); (이용의) 수단; 세력.

le·vi·a·than [liváiəθən] *n.* ① (종 종) [大] 【聖】 거대한 바다짐승. ② ⓒ 큰 배; 거대한 물건; 거인.

lev·i·tate [lévəteit] *vt., vi.* (강신술 (降神術)등에서) 공중에 뜨(게 하다).

lev·i·ty [lévəti] *n.* ⓤ 경솔, 부박(浮

薄); ⓒ 경솔한 것.

lev·y [lévi] *vt.* (세금 따위를) 과하다, 거두어 들이다; (장정을) 징집하다. — *vi.* 세금(과세)하다. ~ *taxes (blackmail) upon* …에 과세하다 (공갈치다). ~ *war on* …에 전쟁을 걸다. — *n.* ⓒ 징세, 징집; 징집병력(兵).

lewd [luːd] *a.* 음탕한, 호색의; 외설한. **~·ly** *ad.* **~·ness** *n.*

lex·i·cal [léksikəl] *a.* 사전(상에서)의.

lex·i·cog·ra·phy [lèksəkɑ́grəfi/-5-] *n.* ⓤ 사전 편집. **-ra·pher** [-refər] *n.* **-co·graph·i·cal** [-sikougrǽfikəl] *a.*

lex·i·con [léksəkɑn] *n.* ⓒ 사전(특히 고전어의).

li·a·bil·i·ty [làiəbíləti] *n.* ① ⓤ 책임 (있음); 부담; 의무; 경향(*to*). ② ⓒ 불리한 일(for). ③ (*pl.*) 빚.

limited ~ 유한책임.

li·a·ble [láiəbl] *a.* ① 책임 있는 (*for*). ② (벌·부담·손해 등) 면할 수 없는. ② 빠지기 쉬운; (병에) 걸리기 쉬운; ~하기 쉬운.

li·ai·son [líːæzɔ̀n, liːéizɑn/liːéizɔ̀ːŋ] *n.* (F.) ① ⓤ 【軍】 연락. ② 【音聲】 (프랑스 말 등의) 연결 발음. ③ 간통, 밀통.

li·ar [láiər] *n.* ⓒ (‹ lie²) 거짓말쟁이.

lib [lib] *n.* ⓤ 해방 운동(의).

li·ba·tion [laibéiʃən] *n.* ⓒ 헌주(獻酒)(술을 마시거나 뿌려 술의 신에 게 제사하기); 신주(神酒)【謔】술; 음주.

li·bel [láibəl] *n.* ⓒ 중상문(서); ⓤ 【法】 명예 훼손죄; ⓒ (口 모욕이) 되는 것(*This portrait is a* ~ *on me.* 망측한 초상화다). — *vt.* 《英》 *-ll-* 중상하다; 고소하다. **-er,** 《英》 **-ler** *n.* **-ous,** 《英》 **-lous** *a.*

lib·er·al [líbərəl] *a.* ① 자유주의의. ② 활수한, 대범한, 관대한. ③ 풍부한. ④ 자유로운. ⑤ 자유민(신사)에게 어울리는, 교양적인. — *n.* ⓒ 자유주의자; (L-) 자유당원. * ~-**ism** [-izəm] *n.* ⓤ 자유주의. **~·ist** *n.* **~·is·tic** [-ístik] *a.* **~·i·ty** [-ǽləti] *n.* **~·ly** *ad.*

lib·er·al·ize [-àiz] *vt., vi.* 자유주의

화하다; 관대하게 하다〔되다〕. **-i·za·tion**[⊇─izéiʃən/‐laiz‐] *n.*

lib·er·ate[líbərèit] *vt.* ① 해방하다, 자유롭게 하다, (노예 따위를) 석방하다《from》. ② 〔化〕 유리시키다.

lib·er·a·tion[lìbəréiʃən] *n.* ① 해방, 석방; 〔化〕 유리; (무역 따위의) 자유화, (권리·지위의) 평등화. **-a·tor** *n.* ⓒ 해방자, 석방자.

lib·er·tine[líbərtìːn] *n.* ⓒ 방탕자, 난봉꾼; 〔宗〕 자유 사상가. **-tin·ism**[‐tìnìzəm] *n.* ① 방탕, 난봉; 〔宗〕 자유 사상.

lib·er·ty[líbərti] *n.* ① 자유; 해방. ② ⓤ 멋대로 함, 방자, 무람없(스러울)음. ③ (*pl.*) 특권. *at ~* 자유로, 마음대로, 멋대로; 일이 없어, (물건이) 쓰이지 않고, *be guilty of a ~* 마음대로 행동하다. *~ of conscience〔press〕* 신교〔출판〕의 자유. *take liberties with* …에게 무람없이 굴다; (명예를) 손상하다; 멋대로 변경하다, (사실을) 굽히다. *take the ~ (of doing, to do)* 실례를 무릅쓰고 …하다.

li·bid·i·nous[libídinəs] *a.* 호색의; 〔精神分析〕 애욕(愛欲)의. **·ly** *ad.* 〔析〕 애욕, 리비도.

li·bi·do[libíːdou] *n.* ⓤⓒ 〔精神分析〕 성적 본능; 〔一般〕 성적 충동, 리비도.

li·bra[láibrə] *n.* (*pl.* **‐brae**[‐briː]) ⓒ (무게의) 파운드(생략 lb. lb.); 〔l·bra〕 파운드(화)(생략 £); (L‐) 〔天〕 저울자리, (황도의) 천칭궁(宮).

li·brar·i·an[laibrɛ́əriən] *n.* ⓒ 도서관원, 사서(司書)

†**li·brar·y**[láibreri, ‐rəri] *n.* ⓒ ① 도서관〔실〕. ② 장서; 서재; 총서(叢書). ③ 〔컴〕 라이브러리. *a walking ~* 박물 군자.

li·bret·to[librétou] *n.* (*pl.* **~s, ‐ti**[‐ti]) ⓒ (가극 따위의) 가사, 대본.

lice[lais] *n.* louse의 복수.

†**li·cense, ‐cence**[láisəns] *n.* ① 면허, 인가; ⓒ 허가증, 면허장〔증〕, 감찰. ② ⓤ 방종, 방자, 멋대로 함. ③ ⓤ (기교상의) 파격(破格). *under* ─ 면허를 받고.─── *vt.* …에게 면허하다. **li·cen·see, ‐cee** [làisənsíː] *n.* ⓒ 면허 받은 사람; 공인 주류 판매인. **li·cens·er, ‐cen·sor** *n.* ⓒ 인가〔허가〕자; 검열관.

license pláte (공식 인가를 표시하는) 감찰, (자동차의) 번호판.

li·cen·tious[laisénʃəs] *a.* 방자한, 방탕한; 음탕한; 방탕적인, 《稀》 파격적인(문체). **·ly** *ad.* 음탕하게. **~·ness** *n.*

li·chen[láikən, ‐kin] *n.* ① 〔植〕 지의류(地衣類); 이끼; 〔醫〕 태선(苔癬).

lick[lik] *vt.* ① 핥다; (불길이) 넘실거리다, (불길이) 넘늘거리다. ② 때리다. ③ 해내다. ④ 《口》 (…에) 이기다. (…보다) 낫다.─── *vi.* ① (불꽃 따위가) 급속히 번지다; 너울거리다. ② 서두르다. ③ 《口》 이기다. *~ into shape* 《口》 제 구실을 할 만큼 길러내다. *~ one's chops〔lips〕* 입맛 다시다, *~ a (person's) shoes〔boots, spittle〕* (아무에게) 아첨하다. *~ the dust* 쓰러지다, 《~ up* 다 핥아 먹다. *This ~s me.* 도무지 모르겠다.─── *n.* ① ⓒ 핥음, 한 번 핥기. ② (a ~) 조금《*of*》. ③ ⓒ 《口》 일격. ④ ⓤ 《口》 속력. *give a ~ and a promise* (청소·일 등) 되는 대로 하다. **~·ing** *n.* ⓤⓒ 핥음. ② ⓒ 《口》 때림.

lic·o·rice[líkəris] *n.* ⓤ 〔植〕 감초 (甘草); 그 말린 뿌리.

lid[lid] *n.* ① 뚜껑; 눈꺼풀. ② 《俗》 모자. *flip one's* ─ 《俗》 격분하다.

li·do[líːdou] *n.* ⓒ《英》해변 유원지; 옥외 수영장.

lie¹[lai] *vi.* (**lay; lain; lying**) ① (사람·동물이) 누워〔자고〕 있다; 눕다; 기대다《*against*》; (지하에) 잠들고 있다. ② 놓여 있다; (어떤 상태에) 있다《~ *motionless* 가만히 있다); (어떤 장소 또는 위치에) 있다; 위치하다; (원인·이유 등이 …에) 있다; (지형이) 펼쳐〔전개되어〕 있다; (길이) 통해 있다; (군대 등이) 숙영(宿營)하다; (배가) 정박하다; *~ at anchor* 정박하다. ③ (사냥감이) 움츠리다, 움츠리다. ④ (소송 등이) 이유가 서다, 성립되다. 인정할 수 있다. *as far as in me ~s* 내 힘이 미치는 한은. *~ along* (배가) 옆바람을 받고 기울다; 쓰러지다; 녹초가 되다. *~ along the land〔shore〕* 〔海〕 (배가) 해안을

고 행하다. **~ asleep** 드러누워
자고 있다. **~ back against** …에
기대다. **~ by** 휴식하다; 곁에 있
다. 쓰여지지 않고 있다. …에 보관되
어 있다. **~ close** 숨어 있다; 한데
모이다. **~ down** 눕다; 굴복하다.
~ down on the job (口) (일을)
되는 대로 날리다, 게으름 피우다.
~ down under (모욕을) 달게 받
다. **~ heavy on** …을 괴롭히다, …에
있다. **~ in the way** 방해가 되다.
~ off 잠깐 (일을) 쉬다. 《海》 (배가
유지가 다른 배로부터) 조금 떨어져 있
다. **~ on [upon]** …의 의무[책임]이다.
…에게 달리다; …의 힘겨움·부담이 되다.
~ on (a person's) **head** (아무에게)
책임이 있다. **~ out of** (a person's)
money (아무에게서) 지불을 받지 않
고 있다. **~ over** …을 연기하다,
(기한이 지나도) 지불을 받지 못하고
있다. **~ to** 정돈(停頓)하려 하다;
…에 전력을 기울이다. **~ under**
…을 받다, …에 몰리다. **~ up** 병상
에 눕다, 휴양하다. (침에) 틀어박히
다, (겨울을 나기 위해서) 독에
매어두다. **~ with** …와 함께 자다
[묵다]; …의 소임[의무]이다. — *n.*
방향; (사물이 존재하는) 위치; 방
향; 상태, 형세, 모양. ② ⓒ (동물
의) 소굴. ③ ⓒ (골프) 공의 위치.
the ~ of the land (지세(地勢))

lie² *n.* ⓒ 거짓말, 허언; 사기; 협잡.
**give a person the ~, or give
the ~ to** …을 거짓말이라고 비난하다;
…을 거짓(말)이라고 증명하다.
white ~ 악의 없는 거짓말. — *vt.*
vi. (**~d; lying**) 거짓말하다
다. **~ a person into** (out of) …
…을 속여서 …에 빠뜨리다[…을 우려
내다].

lied [liːt, liːd] *n.* (*pl.* **~er**[líːdər]
(G.) ⓒ 리트, 가곡(歌曲).

lie-down *n.* ⓒ (주로 英) 낮잠.

lie detector 거짓말 탐지기.

liege [liːdʒ] *n.* ⓒ 군주; (the
~s) 신하. — *a.* 군주[가신]인; 충
성스러운. **~ lord** 군주. **~-man** *n.*
《史》 가신.

lien [liːn, líːən] *n.* ⓒ 《法》 유치권,
선취 특권(*on*).

lieu [luː] *n.* (다음 성구로) **in ~ of**
…의 대신으로.

Lieut. lieutenant.

lieu·ten·ant [luːténənt/ (육군)
leftén-, (해군) letén-] *n.* ⓒ 상관
대리, 부관. ② 《陸軍》 중 〔소〕위; 《英》
중위; 《海軍》 대〔중〕위. ② 《英》 대위
《소위》. **first** (**second**) **~** 《美》 육군 중위
〔소위〕. **~ senior** (**junior**) **grade**
《美》 해군 대〔중〕위. **~-an·cy** ⓝ Ⓤ
lieutenant의 직〔직위·직권〕.

life [laif] *n.* (*pl.* **lives**[laivz]) ①
Ⓤ,ⓒ 생명, 목숨. ② ⓒ 생애, 일생.
③ ⓒ 인생; (집합적) 생물. ④ Ⓒ,Ⓤ
생활, 생계. ⑤ Ⓤ 생기; 활력. ⑥ Ⓒ
전기(傳記). ⑦ ⓒ 실물; 실물 크기.
all one's ~ 평생. **as large** (**big**)
as ~ 실물 크기의 〔雷〕 틀림없다,
장본인이어서. **come** (**bring**) **to ~**
소생하다(시키다). **for ~** 종신으로.
for dear (**very**), **or for one's ~**
기를 쓰고, 필사적으로; 아무리 해도.
for the ~ of me 아무리 해도(생각
나지 않는 따위). **from** (**the**) **~** 실
물에서, 실물을 모델로 하여. **give
~ to** …에게 생기를 불어 넣다.
good (**bad**) **~** 〔保險〕 장수할 가망
이 있는(없는) 사람. **have the time
of one's** (口) 난생 처음으로 재
미있는 (일을) 경험하다. **in ~** 이 세상
에서, 살아가는 동안에. **matter of
~ and death** 사활 문제. **not on
your** (**~**) 《口》 결코 …않다. 《俗》
이거 놀랍는데! **see ~** 사람들과 널
리 사귀다, 세상을 알다(**I've seen
something of ~** 다소 세상이라는
것을 알게 되었다). **take ~** 죽이다.
take one's ~ in one's hands
그런 앞면으로 죽음의 위험을 무릅쓰
다, **take one's own ~** 자살하다.
this ~ 이 세상. **to the ~** 실물대
로, 정확하게; 완전히. **upon** (on)
one's ~ 목숨을 걸고, 맹세코; 어
렵소. 《의.

life-and-death *a.* 죽느냐 사느냐.

life belt 구명대(救命帶).

life·blood *n.* Ⓤ (생)피; 활력(소);
《俗》 (눈꺼풀 따위의) 경련.

L

life·bòat n. ⓒ 구명정(救命艇), 구조선; 《美俗》 은사, 특사.

life bùoy 구명 부낭(浮囊).

life cýcle 〔生〕 생활사(史), 라이프 사이클; 〔컴〕 생명 주기.

life expéctancy 평균 예상 수명.

life-gìving a. 생명을(정력을) 주는.

life·guàrd n. ⓒ 호위병, 경호원, 친위대; 《美》구명대(隊); 《美》(수영장 따위의) 구조원.

life history 일생, 생애; 생활사; 〔生〕 (개체의 발생에서 죽음까지의) 생활사.

life insùrance 《美》 생명 보험(《英》 보험금·보험료).

life jàcket 구명(救命) 재킷.

life·less /ˈlɪs/ a. 생명 없는; 죽은; ② 《술·액체》 김빠진, 시들한. **~·ly** ad.

life·like a. 살아 있는 것 같은, 실물과 아주 비슷한.

life line 구명삭(索); 생명선(線) (잠수부의) 생명줄.

life·lòng a. 일생의, 종신의, 평생의.

life péer (영국의) 일대(一代) 귀족.

life presèrver 《美》 구명구(帶); 호신용 단장.

lif·er /ˈlaɪfər/ n. ⓒ 《俗》종신수(囚).

life·sàver n. ⓒ 구조자; 《口》구원의 손길.

life scìences 생명 과학《생물학·생화학·醫學·심리학 따위》.

life sèntence 종신형, 무기 징역.

life-size(d) a. 등신대(等身大의).

life spàn 수명; 존속 기간.

life·stỳle n. ⓒ 《美口》 (개인에게 맞는) 생활 양식.

life-suppórt sýstem 생명 유지 장치《우주·해저 탐험용》.

:life·tìme n., a. ⓒ 평생(의).

life·wòrk n. ⓒ 필생의 사업.

lift [lift] vt. ① 들어(안아) 올리다(up, off, out), 올리다; 높이다, 향상시키다; 승급시키다. ② 제거하다. ③ 《美》(잡힌 물건을 찾아내다); 《俗》훔치다. 표절하다; 캐(파)내다. ④ (성형 수술로) 주름을 없애다. — vi. ① 높아지다, 올라가다; (구름이) 걷히다; (땅·막이가) 높아 오르다. ② 《美》잡힌 것을 찾아오다. **have one's face ~ed** (미장원 등에서) 얼굴의 주름살을 펴다. **~ a hand** 약간의 수고를 하다; 맞서다(against).

~ one's hat 모자를 약간 들어 인사하다. **~ up the hand** (손을 들고) 선서하다. — n. ① 《들어》올림; 위로 향함; 승진, 출세; 상승; (a ~) 정신의 앙양. ② 거들어 줌; 차에 태움. ③ 들어올린 거리; 상승력, 부력(浮力). ④ ⓒ 《英》승강기(《美》 elevator; = SKI LIFT; 승강; 공수(空輸). **~·er** n. **~·man** n. ⓒ 승강기 운전수.

lift-òff n. ⓒ (헬리콥터·로켓 따위의) 이륙, 떠오름.

lig·a·ment [lígəmənt] n. ⓒ 〔解〕 인대(靭帶).

lig·a·ture [lígətʃùər, -tʃər] n. ⓒ 〔外〕결찰사(結紮絲); 〔樂〕 = SLUR; 〔印〕 합자(合字)《Æ, æ 따위》. — vt. 동이다, 매다.

:light¹ [lait] n. ① ⓤ 빛, 광선; 일광, 햇빛; 조명; 새벽; 밝기; ② 등불; 채광창(採光窓); (성냥 따위) 불; 성냥(a box of ~s); (pl.) 안광; 눈. ③ ⓒ 견지; 형세. ④ ⓤⓒ 《문제 해결의》단서; ⓒ 모범이 되는 사람; 그 방면의 대가. ⑤ ⓤ 《정신적인》 광명; 계몽, 교화; 승인(the ~ of the king's countenance 왕의 재가·원조). **according to one's ~s** 그 식견에 따라서, **before the ~s** 무대에 나서서, **between the ~s** 저녁때, **bring (come) to ~** 폭로하다(되다), **by the ~ of nature** 직각(直覺)으로, 자연히, **get in a person's ~** 아무의 빛을 가로 막아 서다; 아무의 방해가 되다. **in the ~ of** …에 비추어 보아서, **~ and shade** 명암(明暗); 큰 차이, **place in a good (bad) ~** 좋게(나쁘게) 보이도록 하다, **see the ~ (of day)** 태어나다; 출판되다; 이해하다; 《美》개종하다, **stand in a person's ~** (출세를) 방해하다, **strike a ~** (성냥 따위로) 불을 켜다. — vt. ① (…에) 불을 켜다(불이다); 비추다; 환기띠게 하다. ② 불을 켜고 길 안내하다. — vi. 불이 켜지다(붙다); 불이 빛나다. ② a. 빛나다; 반짝이는, 밝은; (색이) 엷은. **~ed** [-id] a. 불이 켜진, ***~ing** n. ⓤ 조명. ***~·ness** n. ⓤ 밝기; 광량(光量).

z

:light² a. ① 가벼운; 간편한; 사소한. ② 경쾌한, 쾌활한; 기민한; 경솔한; 들뜬. ③ 경장비의, 가벼운 옷차림의. ④ (흙이) 흐슬부슬한, ⑤ (소리·술 등이) 약한; (잠이) 깊지 않은. ~ be ~ of heart 명랑하다. have a ~ hand (touch) 손재주가 있다, 민첩하다. ～ in the head 현기증이 나서; 머리가 돈, 경솔하여. ～ of foot 발이 빠른. make ～ of … 을 얕보다. — ad. 가볍게, 경쾌하게, 쉽게. L- come, ～ go. 《속담》 얻기 쉬운 것은 잃기도 쉽다. :~ly ad. ~ness² n.

:light-en¹ [láitn] vt. ① 비추다, 밝게 하다; 밝히다; (어떤) 광명을 주다. ② (얼굴을) 환하게 하다. ③ 빛깔을 엷게 하다. — vi. 빛나다, 밝아지다, 환해지다. It ~s. 번개가 친다.

light-en² vt., vi. 가볍게 하다(되다), 경감(완화)하다; 기분이 좋게 하다, 마음 편해지다.

light-er¹ [láitər] n. © 불켜는 사람, 점등부(點燈夫); ⓒ 점화기(點火器); 라이터.

light-er² n., vt. ⓒ 거룻배(로 운송하다). ~age [-idʒ] n. ⓤ 거룻배 운송; 거룻배 삯(船).

líght-fíngered a. 손버릇이 나쁜; (손끝이) 재빠른.

líght-héaded a. 경솔한; 머리가 어찔한 「마음 편한.

líght-héarted a. 마음이 쾌활한.

light héavyweight [拳·레슬링·力技] 라이트헤비급 선수.

:líght-hóuse n. ⓒ 등대.

líght índustry 경공업.

:líght-ning [láitniŋ] n. ⓤ 번개, 번갯불.

lightning arréster (condúctor, ròd) 피뢰침.

light pèn ⓒ 광펜《브라운관 위에 신호를 그려 컴퓨터에 입력함》.

líght-ship n. ⓒ 항로 표지등선(標識燈船).

líght-wèight n. ⓒ [拳·레슬링·力技] 라이트급 선수; ⓒ 《口》 시시한 사람; 표준 무게 이상의 사람.

líght-yèar n. ⓒ [天] 광년(光年).

líg-nite [lígnait] n. ⓤ 갈탄, 아탄

(亞炭).

†like [laik] vt. 좋아하다; 바라다. ～ to do; doing. — vi. 좋고 싶다고 생각하다. I ～ that. 《反語》이것봐라《건방진 것 같으니》. if you ～ 좋으시다면; …라고도 말할 수 있다《I am shy if you ～. 그럽니다, 숫기가 없다고 할 수 있겠죠《사람을 싫어하는 건 아니지만》. I should (would) ～ to do …하고 싶습니다. — n. (pl.) 기호(嗜好), 좋아함. ～s and dislikes 가리는 것.

†like² a. ① …닮은, …같은; 비슷한. ② …에 어울리는, …의 특징을 나타내는; …다운; 똑같은; ～ sum 같은 액수; ③ …이 될 것 같은《It looks ～ rain. 비가 올 듯하다《That's just ～ him. 꼭 그와 같다. like와 unlike의 차이). be ～ doing …하고 싶은 생각이 들다. L- master ～ man. 《속담》 그 주인에 그 머슴. ～ nothing on earth too. nothing ～ …보다 나은 것은 없다《There is nothing ～ home. 내집보다 나은 곳은 없다》. 조금도 …같지(닮지) 않다. nothing ～ as good 견줄 것이 없을 만큼. something …같은《다른》 것; 대략; 근사한《something ～ a day 청(快晴)《This is something ～! 이거 근사《정말》한데. — ad. …와 똑같이; …와 거의; 마치 …같이《He seemed angry, ～. 마치 성난 것 같았다》. ～ as as not 《口》 아마. — prep. …처럼, …같이. anything, or 《口》 blazes (fun, mad) 맹렬히, 몹시. very ～, or ～ enough 아마. — conj. …처럼, …같이; …처럼《as). — n. 비슷한 것(사람); 필적하는 것, 마찬가지, and the ～ = L- cures ～. 《속담》[마주제로(以毒制毒). L-draws to ～. 유유상종(類類相從). or the ～ …따위. the ～s of me 《낮추어》 나같은 것. ～wise [-wàiz] ad. 똑같이, 마찬가지로; 게다가 또.

-like [laik] suf. 《형용사 어미》 '…같은'의 뜻: childlike.

lik(e)·a·ble [láikəbəl] a. 마음에 드

는; 호감이 가는.

like·li·hood [láiklihùd] *n.* Ⓤ 있음직한 일, 가능성. *in all ~* 십중팔구.

like·ly [láikli] *a.* Ⓤ 있음직한, …할 듯한(*to do*); 유망한, 믿음직한. ② 적당한. ④ (美) 예쁜. *A ~ story!* 있을 법한 이야기다!(*反語*) 설마! — *ad.* 아마. *as ~ as not* 아마. *enough* 아마, 필경 ~. *most* ~ 아마.

like·mind·ed 한마음[동지]의; 같은 취미의.

lik·en [láikən] *vt.* (…에) 비유하다. 비기다.

like·ness [láiknis] *n.* ① Ⓤ 비슷함, 상사(相似)(性). ② Ⓒ 비슷한 것(사람); 초상. ③ Ⓤ 겉보임, 외관. *hit a ~* 꼭 닮다[비슷하다].

lik·ing [láikiŋ] *n.* Ⓤ 좋아함, 기호(嗜好)(*for*). *to one's ~* 마음에 드는.

li·lac [láilək] *n., a.* Ⓒ 〔植〕 라일락; Ⓤ 연보라색(의), 엷은 자색(의).

Lil·li·put [lílipət] *n.* 《Gulliver's Travels중의》 난쟁이 나라. **-pu·tian** [~pjú:ʃən] *a., n.* Ⓒ Lilliput 의 《사람》; 작은.

lilt [lilt] *n., vi.* 경쾌하게 노래 부르다; Ⓒ 그 노래; (a ~) 경쾌하게 움직임(움직임).

lil·y [líli] *n., a.* Ⓒ 〔植〕 백합(같은), 흰, 순결한, 사랑스러운. ② (the lilies) 프랑스 (국민)(⇒FLEUR-DE-LIS). *the lilies and roses* ① 백합과 장미처럼 아름다운 빛, 미모.

lily-livered *a.* 겁많은.

lily of the valley 은방울꽃.

limb [lim] *n.* Ⓒ ① 수족, 팔, 다리, 날개; 큰 가지. ② 앞잡이, 졸개. *be LARGE of ~. — from ~* 갈기갈기(찢다, 따위). *out of the law* 사직의 손(재판관, 경찰 등). *out on a ~* (美口)위태로운 입장에. — *vt.* (…의) 가지를[손발을] 자르다.

lim·ber¹ [límbər] *a., vt.* 유연(경쾌)한[하게 하다].

lim·ber² *n., vt.* 〔軍〕 전차(前車) (를 연결하다)[포차(砲車)에].

lim·bo¹ [límbou] *n.* (pl. ~s) ① (천국과 지옥의 중간에 있다는) 림보, 지옥의 변방(邊方). ② 잊혀진[버림받은] 상태; 망각.

lim·bo² *n.* (pl. ~s) 림보(댄스).

lime¹ [laim] *n., vt.* Ⓤ 석회(로 처리하다, 를 뿌리다); 끈끈이(를 바르다); = LIMELIGHT. ~ *and water* 석회수.

lime² *n.* Ⓒ 〔植〕 보리수, 참피나무(linden)(의 열매).

lime³ *n.* Ⓒ 레몬 비슷한 과실.

lime juice 라임 과즙(청량 음료).

lime·light *n.* ① (옛날, 무대 조명에 쓴) 석회광등(石灰光燈); (the ~) 주목의 대상(を). *be fond of the ~* 남의 앞에 서기를 좋아하다. *in the ~* 화려한 무대에 서서, 세상의 각광을 받고; 유명해져서.

lim·er·ick [límərik] *n.* Ⓒ 오행희시(五行戱詩).

lime·stone *n.* Ⓤ 석회석.

lime tree 〔植〕 보리수.

lim·it [límit] *n.* ① Ⓒ 한계, 한도, 제한; (종종 pl.) 경계. ② (the ~) 〔商〕 지정 가격; (내기의 한 번에 거는) 최대액. ③ (the ~) 참을 수 없는 일(것)(*That's the ~!* 더는 못 참겠다!). *go to any ~* 무슨 일이든 한다. *set ~s* [a ~] *to* …을 제한하다. *The sky is the ~.* (俗) 무제한이다. 기회는 얼마든지 있다. *to the ~* (美) 극단적으로. *within the ~s of* …의 범위내에, 내에 한정[제한]하여. **~·less** *a.*

lim·i·ta·tion [lìmətéiʃən] *n.* ① Ⓤ Ⓒ 제한, 한정. ② (보통 pl.) (지력·능력 등의) 한계, 한도. ③ 〔法〕 제소(提訴) 기한.

lim·it·ed [-id] *a.* ① 유한의; 제한된, 한정 안 되는. ② 좁은; *a ~ war* 국지전.

limited edition 한정판

limited liability company 유한 책임 회사, 주식 회사(생략 Ltd.)

lim·o [límou] *n.* (口) = LIMO(limousine)의 생략.

lim·ou·sine [líməzìn, ⌐⌐] *n.* Ⓒ 리무진(운전석과 객석의 사이에 유리 칸막이가 있는 대형 자동차); 호화로운 대형 승용차; (공항의) 여객 수송용 소형 버스.

limp¹ [limp] *vt., vi.* 절뚝거리다; (a ~) 절뚝거림; 서투름.

limp² *a.* 유연한, 나긋나긋한, 잘 휘는; 흐늘흐늘한; 약한, 힘[풀] 없는.

lim·pet [límpit] *n.* ① [貝] 삿갓조개: ~ *mine* 매립 밀착식 수뢰.

lim·pid [límpid] *a.* 맑은; 투명한. **~·ly** *ad.* **~·ness** *n.* **lim·pid·i·ty** *n.*

linch·pin [líntʃpin] *n.* ① (바퀴 굴대의) 비녀장.

lin·den [líndən] *n.* ① [植] 린덴(참피나무·보리수 따위).

line¹ [lain] *n.* ① ⓒ 선, 줄: 주름살; 철사; 전화선(Hold the ~, *please.* 잠깐만 기다리십시오); 실, 낚싯줄. ② ⓒ 고삐. ② ⓒ 노선, 항로, 궤도. ③ ⓒ 행렬, 열; (the ~) 정규군(cf. **column**). (*pl.*) 참호, 보루(堡壘)(선). (*pl.*) ⓒ 가게(序列). ⑥ ⓒ 경계(선). ⑦ ⓒ (종종 one's ~) 전문(분야), 능한 방면(*Drawing is in* [out of] *my* ~. 그림은 잘[못] 그린다); 장사; 직업; 매입품(買入品); (상품의) 품목, 재고품. ⑧ ⓒ (종종 *pl.*) 형상, 윤곽(*a yacht of fine* ~s 모양 좋은 요트). ⑨ ⓒ (종종 the ~) 진로(進路); (종종 *pl.*) 방침, 방법, 주의; (*pl.*) 운명(의 길); 처지. ⑩ ⓒ (굵자의) 행, 몇 마디 글자(*Drop* [*Send*] *me a* ~. 엽서를 띄워주세요); (시의) 행; (*pl.*) (학생에게 라틴어 등을 베끼게 하는) 벌(*You have a hundred* ~s. 백 줄 베껴라); (*pl.*) (연극의) 대사. ⑪ ⓒ [電] 직선; (오선지의) 선; (the ~) 적도; 라인(1인치의 12분의 1; 길이의 단위). ⑬ ⓒ [컴] (프로그램의) 행(行). *all along the* ~ 도처에, *bring into* ~ 일렬로 하다; 동의[협력]시키다. *by* (*rule and*) ~ 정확히, 정밀히. *come into* ~ 한 줄로 서다; 동의[협력]하다(*with*). *direct* ~ 직계. *do a* ~ *with* …에게 사랑을 호소하다, 구혼하다. *down the* ~ 도심(都心)을 통하여서: (…을) 구별하여 …에 한계를 두다(*at*); (…을) 구별하다(*between*). *draw up in* [*into*] ~ (군대를) 종대로 정렬시키다. *get* ~ *on* [美口] …에 관해서는 아는 바가 있다. *hard* ~s 불운(不運)

in ~ *with* …와 일직선으로; [美] …와 일치[조화]하여, *in* [out of] *one's* ~ 성미에 맞아[안맞아]; 장기(長技)[인(능)하지 못한]. ~ *of battle* 전선(戰線), ~ *of beauty,* S자 모양의 곡선, ~ *of fire* 탄도(彈道), ~ *of force* [理] 역선(力線), ~ *of fortune* (손금의) 운명선, ~ *of life* (손금의) 생명선. *on a* ~ 평균하여, *on the* ~ 꼭 눈높이에[그림 따위]; 이도 저도 아닌, 어중간한, 분류가 곤란한 것으로. *out of* ~ 일렬이 아닌; 일치되지 않은; [俗] 주제넘은. *read between the* ~s 언외(言外)의 뜻을 알아내다. *shoot a* ~ [俗] 자랑하다. *throw a good* ~ 낚시질을 잘하다. — *vt.* 선을 긋다; 주름살을 짓다; 한줄로[줄지어] 세우다[놓다]; 소묘(素描)하다. — *vi.* 나란히[줄지어] 서다. ~ *out* (설계도·그림 등의) 대략을 그리다; …에 선으로 표시하다. ~ *through* 줄을 그어서 지우다. ~ *up* (기계 등) 정돈하다; 정렬시키다[하다]; 전원 정렬해 서다. ~ *up behind* …의 뒤에 줄지어 서다.

line² *vt.* ① (의류·내벽 따위에) 안(감)을 대다. ② (속·주머니를 채우다.

— *통; 가문.*

lin·e·age [líniidʒ] *n.* ① 혈통, 가계. ② 계통, 종족.

lin·e·al [líniəl] *a.* 직계의, 독계의; 선(모양)의; ~ *ascendant* [*descendant*] 직계 존속[비속].

lin·e·a·ment [líniəmənt] *n.* (보통 *pl.*) 용모; 얼굴 생김새.

lin·e·ar [líniər] *a.* ① 직(선)의[으로 이루어진]. ② [植] 선형(線形)의, 리니어.

line drawing 선화(線畵), 대상.

line·man [láinmən] *n.* ⓒ 가선공(架線工), 보선공(保線工); [測] 측수수(測手); [美蹴] 전위(前衛).

lin·en [línin] *n.* ① ⓤ 아마포, 아마실, 린네르. ② (*pl.*) 린네르류. ③ ⓤ [집학적] 린네르 제품(시트·셔츠 따위). *wash one's dirty* ~ *at home* [*in public*] 집안의 수치를 감추다[드러내다]. — *a.* 린네르제의; 린네르[아마]실의.

line printer [컴] 라인 프린터.

lin·er [láinər] *n.* ⓒ ① 정기 항로선

〔항공기〕. ② 〔野〕 수평으로 친 공. ③ 줄 대는(붙이는) 사람, 안(감). ④ 깔리, 덧외.

lines·man [láinzmən] n. ⓒ 〔踰·테니스〕 선심(線審): =LINEMAN.

line·up n. ⓒ (보통 sing.) 〔野·蹴〕 진용, 라인업: (내각 따위의) 구성.

-ling [liŋ] suf. ① 지소사(指小辭)를 만듦(duckling, gosling). ② 경멸적인 뜻을 나타냄(hireling, lordling).

lin·ger [líŋgər] vi. ① (우물쭈물) 오래 머무르다, 꾸물거리다. ② (추위·감정 등이) 쉬어 사라지지(물러가지) 않다, 나중에까지 남다, (병이) 오래 끌다. ③ 어정거리다 (about). ── vt. 질질 끌다: (시각을) 우물쭈물 보내다. ~ **on** (a subject) (한 가지 일을 가지고) 언제까지나 꿈꿀 물다. ──**ing.a** 오래 끄는, 머뭇거리는: 병이 오래 끄는: 못내 아쉬운~. ──**ing·ly** [-ɡli] ad.

lin·ge·rie [lὰːnʒəréi, lὰnʒəríː] n. (F.) ① 여자의 속옷류, 란제리(여자용 린네르 속옷류) .

lin·go [líŋgou] n. (pl. ~**(e)s** ⓒ) 《蔑》 외국어; 술어, 전문어.

lin·gua fran·ca [líŋgwə fræŋkə] (It. = Frankish tongue) 프랑크 말 《Levant 지방에서 쓰이는 이탈리아·프랑스·그리스·스페인 말의 혼합어》·프랑과(混血語)혼합어.

lin·guist [líŋgwist] n. ⓒ 언어학자: = POLYGLOT.

lin·guis·tic [liŋgwístik], **-ti·cal** [-kl] a. 언어(학상)의. **-tics** ⓤ 언어학.

lin·i·ment [línəmənt] n. ⓤ,ⓒ 바르는 약, 도찰제(塗擦劑).

lin·ing [láiniŋ] n. ① ⓤ 안대기, 안 붙이기. ② ⓤ 안, 안감(the ~ of a stove 스토브의 안쪽).

link [liŋk] n. ① ⓒ (사슬의) 고리, 연쇄(連鎖), 연결(부). ② (편물의) 코. ③ ⓒ 연결, 연결로. ── vt., vi. 연접[연쇄]하다(together, to, with): 이어지다(into, onto). ~**·age** [ɮidʒ] n. ⓤ,ⓒ 연쇄, 연합.

links [liŋks] (link과 관계 없음) n. pl. (단수 취급할 때도 있음) 골프장.

link·up n. ⓒ 연결(우주선의 도

킹: 결합(연결)점.

lin·net [línit] n. ⓒ 홍방울새《유럽·아시아·아프리카산》.

li·no·le·um [linóuliəm] n. ⓤ (마룻바닥에 까는) 리놀륨.

linseed oil 아마유(亞麻仁油).

lint [lint] n. ⓤ 린트천《린네르의 한 면을 보풀 일게 하여 부드럽게 한 것》: 보풀부스러기; 조면(繰綿).

lin·tel [líntl] n. ⓒ 〔建〕 상인방(上引枋)《문·창구 따위의 위에 댄 가로대》.

li·on [láiən] n. ① ⓒ 라이온, 사자. ② ⓒ 인기물, 인기의 중심, 명사, 용사; (pl.) 명물, 명소. ③ ⓤ 《天》사자자리〔궁〕. ~ **in the way** (path) 앞길에 가로놓인 난관. ~**'s share** 가장 좋은 [큰] 몫, 단물. **make a ~ of** ~을 치켜 세우다. **the British L-** 영국(민). **twist the ~'s tail** (미국의 기자 등이) 영국에 관해서 나쁘게 말하다[쓰다]. ~**·ess** n. ⓒ 암사자.

li·on·ize [láiənàiz] vt. 치켜 세우다. ── 《英》 (~의) 명소를 구경하다.

lip [lip] n. ① ⓒ 입술: (pl.) 입; (물 따위의) 귀때. ② ⓤ 《俗》 수다(떨기), 건방진 말. **carry** (keep) **a stiff upper** ~ 어려움 당하고도 태연하다, 겁내지 않다; 끝끝내 고집을 세우다. **curl one's** ~ (경멸의 표정으로) 입을 비쭉하다. **es·cape one's** ~**s** (말이) 입에서 새다. **hang on a person's** ~**s** 감탄하여 듣다, 경청하다. **hang one's** ~ 입을 비쭉거리다, 입술을 삐죽거리다. **hang on the** ~**s of** (a person) (아무의) 말에 귀를 기울이다. **lick** (smack) **one's** ~**s** (맛이 있어) 입술을 핥다: 군침을 삼키다. **make** (up) **a** ~ (울려고) 입을 비쭉 내밀다, 뾰로통해지다. **None of your** ~! 입닥쳐! ── vi. (~·pp-) (…에) 입술을 대다: (피리 따위에) 입술을 쓰다: 중얼거리다: (파도가) 입을 찰찰 치다. ── a. 표면[말]만의. **lip·read** vt., vi. 시화(視話)하다; 독순(讀脣)하다; 입의 움직임으로 이해하다. **lip service** 입에 발린 아첨, 말뿐인 친절.

lip·stick n. ⓤ,ⓒ 입술연지, 립스틱.

liq·ue·fy [líkwifài] vt., vi. 액화하다.

li·queur[likə́ːr/-kjúər] *n.* [U][C] 리큐어술.

liq·uid[líkwid] *a.* [C] [물리] 유음(流音)(l, r, 때로는 m, n도 가리킴). — *a.* ① 액체[유동체]의; ② (작은 새 소리 따위) 맑은; 유창한; 유음의. ③ (공채 등) 돈으로 바꿀 수 있는.

liq·ui·date[líkwidèit] *vt.* (빚을) 갚다; (회사를) 청산[정리]하다; (사회상 등을) 일소하다, 전멸시키다, 죽이다. **-da·tor** *n.* [C] 청산인. **-da·tion** [ː-déiʃən] *n.* 변제(辨濟)[청산]; (파산자의) 정리; 일소; 살해, **go into liquidation** (회사가) 청산하다; 파산하다.

líquid crýstal 액정(液晶).

liq·uid·i·ty[likwídəti] *n.* [U] 유동성; 유창함.

liq·uor[líkər] *n.* [C] [U] 알코올음료 술(특히, 브랜디·진·럼·위스키). ② 액(液). *in* ~, *or* (*the*) *worse for* ~ 취해서. — *vt., vi.* (…에게) 술을 많이 먹이다[마시다].

liq·uo·rice[líkəris] *n.* [C] [英] [植] 감초(licorice).

li·ra[líːrə] *n.* (*pl.* ~*s, lire*[-rei]) [C] 리라(이탈리아의 은화).

lisp[lisp] *vt., vi.* (s는 θ, z는 ð처럼) 불분명하게 발음하다; 혀짤배기 소리로 말하다, 혀가 잘 돌지 않다. — *n.* (a ~) 혀짤배기 소리, 또렷하지 못한 말.

lis·som(e)[lísəm] *a.* 나굿나굿한; 재빠른, 기민한.

list[list] *n.* [C] ① 목록, (일람표) 명부. ② 명세서. ③ [컴] 목록, 죽보이기, *draw up a* ~ 목록을 만들다. *on the sick* ~ 병으로 알고. — *vt.* 목부[목록]에 올리다[등재하다]. — *vi.* 명부에 오르다(*at*).

list *n., vi.* (a ~) [海] 경사(지다).

lis·ten[lísən] *vi.* ① 경청하다, 듣다 (*to*). ② (충고 따위에) 따르다(*to*); 귀를 기울이다(*for*). ③ [라디오 등] 청취하다; (전화 따위로) 도청하다. **~·er** *n.* 경청[청취]자. ~**·ing** *n.* 경청; [通] 청음; (정보 등) 수집.

list·ing[lístiŋ] *n.* [U] 표에 올림;

[컴] 목록 작성, 죽보이(기).

líst príce 표시 가격.

lit[lit] *v.* light¹의 과거(분사).

lit·a·ny[lítəni] *n.* [C] [宗] 호칭 기도, 응답연도.

liter, (英) **-tre**[líːtər] *n.* [C] 리터(약 1.8홉 5작).

lit·er·a·cy[lítərəsi] *n.* [U] 읽고 쓰는 능력; 교양.

lit·er·al[lítərəl] *a.* ① 문자(그대로)의; 정확한, ② (과장·수식 따위가 아니라 되어 있다) 있는 그대로 말하는, ③ 문자 그대로 생각하는, 실제가(實際家) 기질의. ② [컴] 문자의, 리터럴의. ~ *translation* 축어역(逐語譯). ~**·ism** [-ìzəm] *n.* [U] (엄밀한) 직역주의; [美術·文學] 직사(直寫)주의, ~**·ist** *n.* ~**·ly** *ad.*

lit·er·ar·y[lítərèri/-əri] *a.* ① 문학(문예)의; 문학에 소양이 깊은. ② 문어의, ~ *property* 판권. ~ *style* 문어체. ~ *works* (*writings*) 문학작품. **-ar·i·ly**[lítərèrili/-ərəli-] *ad.*

lit·er·ate[lítərit] *a., n.* ① 글을 아는 (사람)(cf. illiterate); 교양 있는. ② (전문적인) 지식이 있는 (사람).

lit·e·ra·ti[lìtərάːti, -réitai] *n. pl.* (L.) 문인[학자]들, 문학자들.

lit·er·a·ture[lítərətʃər, -tʃùər] *n.* [U][C] 문학, 문예. ② 문헌(*the* ~ *of mathematics* 수학의 문헌). ③ 저술(엽)；인쇄물(광고 등).

lithe[laið], **lithe·some**[ːsəm] *a.* 나굿나굿한, 유연한.

lith·i·um[líθiəm] *n.* [化] 리듐.

lith·o·graph[líθəɡræf/-ɡrὰːf] *n.* 석판 인쇄, 석판화. — *vt.* 석판으로 인쇄하다. **li·thog·ra·pher** [liθɑ́ɡrəfər/-θɔ́ɡ-] *n.*

li·thog·ra·phy[liθɑ́ɡrəfi/-θɔ́ɡ-] *n.* [U] 석판 인쇄술. **lith·o·graph·ic**[lìθəɡrǽfik], **-i·cal**[-əl] *a.*

lit·i·gant[lítigənt] *a., n.* 소송하는; [C] 소송 관계자.

lit·i·gate[lítigèit] *vt., vi.* 법정에서 다투다; 법정으로 가져나다, 법정에서 다투다. **lit·i·ga·tion**[-ɡéiʃən] *n.* 소송.

li·ti·gious[litídʒəs] *a.* 소송의[을 좋아하는], 소송해야 할.

lit·mus[lítməs] *n.* [U] 리트머스 (리트머스 이끼에서 얻는 청색 색소).

L

li·tre [líːtər] *n.* (英) = LITER.

lit·ter [lítər] *n.* ① ⓒ 들것, 가마. ② ⓤ (집승의) 깔짚, 짚. ③ ⓤ (집합적) 어수선하게 흩어진 물건, 잡동사니; (a ~) 난잡. ④ ⓒ (집합적) (돼지따위의) 한 배 새끼. **in a** ~ 어지럽게 흩어져. — *vt.* ① (씨) 깃을 깔다; 난잡하게 어지럽히다(with); (돼지가 새끼를) 낳다. ② *vi.* (가축이) 새끼를 낳다.

litter·bug *n.* ⓒ (길거리 따위에) 쓰레기를 함부로 버리는 사람.

litter·lout *n.* (英口) = ⇧.

lit·tle [lítl] *a.* (**less, lesser; least;** (口) ~*r*; ~*st*) ① 작은. ② (부정적) 적은, 조금밖에 없는(There is ~ ink in it. 잉크는 조금밖에 없다). ③ (a ~) (긍정적) 얼마간, 조금은(There is a ~ ink in it. 잉크가 조금은 있다). ④ 어린애 같은, 하찮은, 비천한. **but** ~ 극히 조금의, 거의 없는. ~ **one(s)** 아이. **no** or **no** ~ 거의 없는. (my) ~ **man** (호칭) 악아. **the** ~ 얼마 안 되는 (것), 대수롭지 않은 소량. — *n., pron.* 조금; 잠깐. **for a** ~ 잠깐. ~ **by** ~ 조금씩. **in** ~ 소규모로. **make** ~ **of** 얕보다. **not a** ~ 적지 않게, 크게. **quite a** ~ (美口) 다량, 많이. — *ad.* ① (a ~) 조금은(I know it a ~). ② (관사 없이) (부정적) 거의 …않다; 전혀 …않음(You ~ know. 너는 …전혀 모른다). ~ **better** [**more**] than 거의 …나 마찬가지. ~ **less than** 거의 …와 같은. ~ **short of** …에 가까운, 거의 …와 마찬가지의. **think** ~ **of** 경시하다. …을 별것아니다. ~·**ness** *n.*

little finger 새끼손가락.

lit·to·ral [lítərəl] *a., n.* 바닷가의, 바닷가에 사는; 연해지(沿海地).

lit·ur·gy [lítərdʒi] *n.* ⓒ 예배식; (그리스정교회) 성찬식; (the ~) (영국국교회의) 기도서. **li·túr·gic, -gi·cal** *a.*

liv·a·ble [lívəbl] *a.* 살기에 알맞은; 사는 보람이 있는; 함께 지낼 수 있는, 무난한(with).

live[1] [liv] *vi.* ① 살(고 있)다; 살아 있다. ② 존속하다. (기억에) 남다. (…을) 상식(常食)으로 하다(on), (…으로) 생활을 이어가다(on, by). ③ (배가) 가라앉지 않고 있다. ⑤ (野) 아웃이 아니다. — *vt.* 보내다. 지내다; (이상 따위를) 실행[실현]하다. ~ **a life** 거짓에 가득 찬 생활을 하[살]다. ~ **and learn** 오래 살고 볼일. L- **and let** ~. 공존 공영(共存共榮); 세상은 서로 도와가며 사는 것. ~ **down** (오명을) 씻다; (슬픔 따위를) 잊게 되다. ~ **it up** 호화롭게 살다. ~ **on** [upon] …을 먹고 살다; …으로 생활하다. ~ **on air** 아무 것도 먹지 않고 살고 있다. ~ **off** …에 의존하여 생활하다. …의 신세를 지다(eat off). ~ **out** (**through**) …을 넘겨 목숨을 부지하다[살아 나다]. …을 헤어나다. ~ **to oneself** 고독하게[인가에서 멀리] 살다. ~ **up to** …에 따라 생활하다; 주의[대로] 살다. …에 맞는 생활을 하다. ~ **well** 잘 먹고 살다; 건전한 생활을 하다. **where one** ~**s** (美俗) 급소를[에].

live[2] [laiv] *a.* ① 살아 있는, 살아 있는(~ **coals**). ② 전류가 흐르고 있는, (석탄 따위가) 불 타고 있는. ④ (口) 활기 있는, 활동적인. ⑤ 장밋빛 띤. ⑥ [放] (녹음 아니라) 생방송의.

live·a·ble [lívəbl] *a.* = LIVABLE.

live·li·hood [láivlihùd] *n.* ⓒ (보통 *sing.*) 생계.

live·long (詩) 오랜(동안)의; 내내, 온 …내내.

live·ly [láivli] *a.* ① 활기 있는, 쾌활한, 명랑한. ② (공·마루 등이) 잘 튀는. ③ 선명한, 실감을 주는; (詩) 거의 살아 있는. — *ad.* 활발[쾌활]하게 힘차게. **make it** ~ **for** …을 곤란하게 하다. **live·li·ly** *ad.* **-·li·ness** *n.*

liv·en [láivən] *vt., vi.* 활기 띠(하)다(*up*).

liv·er[1] *n.* ① ⓒ 간장(肝臟). ② ⓤ (고기). ③ ⓤ 적갈색.

liver sausage = LIVERWURST.

liv·er·wurst [-wəːrst] *n.* ⓤⓒ (美) 간(肝)고기 소시지.

liv·er·y [lívəri] *n.* ① ⓤⓒ 일정한 옷, (하인의) 정복(正服); (직업상의) 제복. ② ⓤ (말의) 정식급여(定義料)

③ ⓤ 말[마차] 세놓는 업: =LIVERY STABLE. **in** (**out of**) ~ 제복을[평복]을 입고, **of grief** 상복.

livery stáble 말[마차] 세놓는 집.

lives[laivz] *n.* life의 복수.

live·stock[láiv-] *n.* ⓤ[집합적] 가축.

liv·id[lívid] *a.* 납빛의, 창백한; 퍼렇게 멍든; 격노하여.

:liv·ing[líviŋ] *a.* ① 살아 있는, 현대의, 현존의. ② 활기 있는, 힘찬; 불타고 있는. ③ 자연 그대로의, 생생한. ④ 생활에 관한, 생계의. ~ **death** 생지옥, 비참한 생활. ~ **within memory** 현재 세상 사람들의 기억에 생생한. — *n.* ① ⓤ 생활; ⓒ [보통 sing.] 생계(**earn one's** ~), 살림. ② ⓒ 목사(教會)의 수입.

líving ròom 거실(居室), 거처방.

líving wáge (최저의) 생활 임금.

liz·ard[lízərd] *n.* ⓒ ① 도마뱀. ② (英俗) (유흥가의) 건달.

lla·ma[lɑ́ːmə] *n.* ⓒ 야마(남아메리카산의 융짐 없는 낙타); ⓤ 야마직물.

lo[lou] *int.* (古) 보라(behold)!

load[loud] *n.* ⓒ ① 짐, 적하(積荷) 재적물. ② (정신적인) 무거운 짐, 부담, 근심, 걱정. ③ [理] 하중(荷重); [電] 부하(負荷). ④ (화약의) 장전. ⑤ (*pl.*) 많음(of); **a ~ of hay** 건초 한 집. **carry the ~** 책임을 다하고 있다. **get a ~ off one's chest** 털어놓고 마음의 짐을 덜다. **take a ~ off one's feet** (口) 걸터앉다, 드러눕다. — *vt.* ① 싣다, 적재하다; 마구 처넣다(주다). ② (주사위에) 납을 박아 무겁게 하다; (술에) 섞음질을 하여 독하게 만들다; (질문에) 비꼬는 뜻(따위)을 함축시키다; (탄알을) 재다; 필름을 넣다. ③ [프로그램·데이터를] 보조(外部) 기억 장치에서 주기억 장치로 옮기다, 올리다. — *vi.* 짐을 싣다; 총에 장전하다; (口) 잔뜩 채워넣다. **~·er** *n.* 짐을 싣는 사람; [컴] 올리개.

load·ed[-id] *a.* 짐을 실은, 짐을 채운; 필름을 넣은; 납을 박은; 화약을 잰; 돈 많은; 취한; (질문 따위가) 비꼬는 뜻을(악의를) 내포한; 이 심상한; 감정적으로 된.

loaf[louf] *n.* (*pl.* **loaves**[louvz]) ① ⓒ (일정한 모양으로 구워낸 빵의) 덩어리, 빵 한 덩어리; (설탕 등의) 원뿔꼴의 한 덩이. ② ⓤ (美俗) 머리(of bread). **loaves and fishes** 제 잇속. **use one's** ~ (of bread) (英俗) 머리를 쓰다.

loaf[louf] *vi.* 놀고 지내다; 빈둥거리다; 어정거리다. **~·er** *n.* 게으름뱅이; 간편한 구두(靴)의 일종.

loam[loum] *n.* ⓤ 양토; 비옥한 흙토; 롬(모래·진흙·짚이 섞인 비옥토). **~·y** *a.* 롬(질)의.

loan[loun] *n.* ① ⓤ 대부, 대차. ② ⓒ 공채, 차관; 대부금, 대부물. ③ ⓒ 외래어. **get** (**have**) **the ~ of** …을 빌리다(꾸다). **on ~** 대부하고; 차입하고. **public ~** 공채[국채]. — *vt., vi.* (주로 美) 빌려주다(out).

loath[louθ] *pred. a.* 싫어하여, 꺼려서(**to do**; **that**). **nothing ~** 기꺼이.

loathe[louð] *vt., vi.* 몹시 싫어하다.

loath·ing[-iŋ] *n.* ⓤ 몹시 싫어함, 혐오.

loath·some[lóuðsəm] *a.* 지긋지긋한, 구역질 나는. **~·ly** *ad.*

loaves[louvz] *n.* loaf의 복수.

lob[lɑb/ɔ-] *vt., vi.* (*-bb-*) ① [테니스] 높게 상대방의 뒤쪽으로 가볍게 쳐올리다(친 공).

lob·by[lɑ́bi/-] *n.* ⓒ ① (호텔·극장 등의) 로비, 현관의 홀, 복도. ② 원내(院內) 대기실. ③ (美) 원외단체(院外團體). — *vi., vt.* (美) (의회의 로비에서) 의원에게 압력을 가하다. **~·ing, ~·ism**[-izəm] *n.* ① (의원에 대한) 원외로부터의 운동; 의안 통과(반대) 운동. ~**·ist** *n.* ⓒ 원외 운동자; 의회 출입 기자.

lobe[loub] *n.* ⓒ 귓불; 잎사귀; [解] 엽(葉)(폐엽 따위). **small ~** 소엽(小葉).

lo·bel·ia[loubíːljə] *n.* ⓒ [植] 로벨리아(숫잔대속(屬)).

lo·bot·o·my[loubátəmi/-5-] *n.* ⓒ [醫] 뇌엽 절제(腦葉切除)(술).

lob·ster[lɑ́bstər/lɔ́b-] *n.* ⓒ 바닷가재, 대하(大蝦).

:lo·cal[lóukəl] *a.* ① 지방의, 지방적

L

인; 국부적인. ② 공간의, 장소의; 시
내 배달의; [數] 궤적(軌跡)(locus)
의. ③ 역차나 정거하는, 소구간(小區
間)의; (엘리베이터가) 각층마다 멈추
는, 완행의. ④ [醫] 윤약의.
— n. ⓒ 지방 주민, 구간 열차; (신문의)
지방 기사; [英口] 근처의 선술집.
~・ism [-kəlizəm] n. ① ⓤ 지방 근
성; 향토 편애, 편협성. ② ⓒ 지방 사투리. **~・ly** ad. 지방(국부)
적으로.

lócal cólo(u)r 지방색, 향토색.
lo・cale [loukǽl/-káːl] n. ⓒ 현장.
lócal góvernment 지방 자치;
(美) 지방 자치제의 행정(관들).
lo・cal・i・ty [loukǽləti] n. ① ⓒ 위
치, 방위성, 장소. ② ⓒ (사건의) 현
장; 산지(産地).
lo・cal・ize [lóukəlàiz] vt. 국한하다;
위치를 밝히내다; 지방화하다; 집중하
다(한정) ~d[-d] a. 지방[국부]적
인. **~・i・za・tion** [ㅡ-izéi-/-lai-] n.
lócal tíme 지방시(地方時), 현지
시간.
lo・cate [lóukeit, ㅡㅡ] vt. (관청・전
포 따위의) 위치를 정하다; (…에) 두
다; 소재를 밝히내다. **be ～d** 위치
하다, 있다. — vi. 거주하다(in).
lo・ca・tion [loukéiʃən] n. ① ⓒ 위
치, 배치, 소재. ② ⓒ [映] 야외 촬
영지; 로케이션; ⓤ 야외 촬영(on
location 로케 중에). ③ [컴] 기
억 장치의 배당 장소. ④ ⓤ 위치 선
정.
loch [lak, lax/lɔk, lɔx] n. ⓒ
(Sc.)호수; 후미.
lo・ci [lóusai] n. locus의 복수.
lock¹ [lak/lɔk] n. ① ⓒ 자물쇠; ②
(운하・선거(船渠)의) 수문(水門). ②
총기(銃機)(총의 발사 장치); 제품
(制輪)장치, ③ (차량의) 혼잡. ④
[레슬링] 조르기(cf. hold). ⑤ [機]
잠금. ~, **stock, and barrel** 전
부, 완전히. **on**[**off**] **the** ~ 자물
쇠로 잠그고[잠그지 않고]. **under
~ and key** 자물쇠를 채우고; 투옥
되어. — vt. ① (…에) 자물쇠를 채
우다. ② 챙겨 넣다, 가두다; 끌어안
다. ③ 고착(고정)시키다, 지봉하다.
④ 수문을 통과시키다. — vi. ① 자
물쇠가 채워지다[잠기다]. 단히다. ②

서로 맞물다. ③ 수문을 지나다. ~
in[**out**] 가두다[내쫓다]. ~ **up**
자물쇠로 잠그다; 감금[폐쇄]하다; 접
어[챙겨] 넣다; (자본을) 고정하다.
lock² n. ⓒ ① 한 줌의 털(머리・양털
따위의) 타래, 타래진 머리털; (pl.)
두발.
lock・er [lákər/-ɔ́-] n. ⓒ 로커, 자
물쇠 달린 장; 자물쇠를 채우는 사람
[것]. **have not a shot in the** ～
빈털터리다; 조금도 가망이 없다.
lock・et [lákit/-ɔ́-] n. ⓒ 로켓(사진
이나 머리카락 등을 넣어 목걸이에 다
는 조그만 금합).
lóck・jàw n. ⓤ 파상풍(tetanus).
lóck・kèeper n. 수문지기.
lóck・out n. ⓒ (경영자측의) 공장
폐쇄(opp. strike); 내쫓음.
lóck・smith n. ⓒ 자물쇠 제조공[장
수].
lóck・ùp n. = JAIL.
lo・co¹ [lóukou] n. (pl. ～**s**) 《口》 =
LOCOMOTIVE engine.
lo・co² n. (pl. ～(**e**)**s**) [植] 로코
초(草)《콩과 식물; 가축에 유독(有毒)
함》; ⓤ 로코병. — a. 《俗》 정신이
돈, 머리가 이상한.
lo・co・mo・tion [lòukəmóuʃən] n. ⓤ
운동(력), 이동(력); 여행; 교통 기관.
lo・co・mo・tive [lòukəmóutiv] a. 이
동하는, 이동력 있는. — n. ⓒ 기관
차. ～ **engine** 기관차. ～ **organs**
발, 다리(따위).
lo・cum [lóukəm] n. 《英口》 대리
의; 대리 목사; 대진(代診).
lo・cus [lóukəs] n. (pl. -**ci**[-sai])
(L.) ① 장소, 소재지; [數] 궤적.
lo・cust [lóukəst] n. ⓒ ① 메뚜기,
《美》메미. ② 대식가; 탐욕한 사람.
③ 취엽나무 비슷한 상록 교목《나무・
열매》; 아카시아.
lo・cu・tion [loukjúːʃən] n. ⓤ 화법
(話法); 어법(語法); ⓒ 어구, 관용어
법.
lode [loud] n. ⓒ 광맥(vein).
lóde・stàr n. (the ～) 북극성; [항
지침; 지도 원리.
lóde・stòne n. ⓤⓒ 천연 자석; ⓒ
사람을 끄는 것.
lodge [ladʒ/-ɔ-] n. ⓒ ① 파수막;
수위실; 오두막집. ② (비밀 결사의)

L

지부(집합소). ③ 해리(海狸)(수달 따위의) 굴. — *vi.* ① 묵다, 투숙하다 (*at*), (…내에) 하숙하다(셋방들다)(*with*), ② (화살 따위가) 꽂히다, 박히다, (탄알이) 들어가다, (바람에) 쓰러지다. — *vt.* ① 투숙시키다. ② 맡기다, 위탁하다. (화살 따위)를 꽂다. (탄알을) 박아 넣다. ③ 넘어(쓰러)뜨리다: (서류·소장(訴狀) 따위를) 제출하다. **lódg·er** *n.* ⓒ 숙박인, 투숙인, 동거인.

lodg·ing [⊂in] *n.* ① ⓤ 하숙, 숙박: ⓒ 숙소: (*pl.*) 셋방, 하숙집, *take* (*up*) *one's* ~*s* 하숙하다.

lódging hòuse 하숙집.

loft [lɔ(:)ft/lɔft] *n.*, *vt.* ① ⓒ 고미다락, (교회·강당 등의) 위층 (관람석). ② [골프] 올려치기(하다); (우주선을) 쏘아 올리다.

loft·y [lɔ́(:)fti/lɔ́f-] *a.* ① 대단히 높은, 치솟은. ② 숭고한, 당당한: 고상한. ③ 거만한, 거드름피우는. **-i·ly** *ad.* **-i·ness** *n.*

log [lɔ(:)g, lag] *n.* ① ⓒ 통나무(*in the* ~ 통나무 그대로). ② [海] 측정기(測程器). ③ [~ **bòok** 항공(항공) 일지. ④ [컴] 기록, 로그(오퍼레이션이나 입출력 데이터의 기록). — *vt.* (*-gg-*) (나무)를 베어 내다; 벌해 넘기다.

lo·gan·ber·ry [lóugənbèri/-bəri] *n.* ⓒ 로건베리(blackberry와 raspberry의 잡종). ② 그 열매.

log·a·rithm [lɔ́(:)gəriðəm, -θəm, lág-/lɔ́g-] *n.* ⓒ [數] 로그, 대수(對數). **-rith·mic, -mi·cal** *a.*

lóg·bòok *n.* ⓒ 항해 일지, 항공 일지; 여행 일지; 업무 기록.

lóg càbin 통나무집.

lógger·hèad *n.* ⓒ {古} 얼간이, 바보. *at* ~*s* 다투어(*with*).

log·gia [lád3ə/lɔ́-] *n.* (*pl.* ~*s*, *-gie* [-dʒe]) 로지아(한 쪽에 벽이 없는 복도 모양의 방).

log·ging [lɔ́(:)giŋ, lág-/lɔ́g-] *n.* ⓤ 통나무 벌채(業).

log·ic [ládʒik/-5-] *n.* ① ⓤ 논리학; 논리, 조리; ⓒ 논리학 서적. ② [컴] 논리 조작, **formal** [**symbolic**] ~ 형식(기호) 논리학.

lo·gi·cal [ládʒikəl/-5-] *a.* 논리적

인, 논리학상의; 필연의; [컴] 논리 ~. **-ly** *ad.*

lo·gi·cian [loudʒíʃən] *n.* ⓒ 논리학자, 논법가.

lo·gis·tic [loudʒístik] *a.* 병참술(兵站術)의. — *n.* ⓤ 기호 논리학. **~s** 병참술.

lo·go [lɔ́:gou, lág-/lɔ́g-] *n.* ⓒ (상품명·회사명 따위의) 의장(意匠) 문자, 로고(logotype).

-lo·gy [lədʒi] *suf.* '…학[론]'의 뜻(zoology): '말함, 이야기, 담화'의 뜻(eulogy).

loin [lɔin] *n.* ① (*pl.*) 허리. ② (소 등의) 허리 고기, GIRD¹ (*up*) *one's* ~*s*.

lóin·clòth *n.* ⓒ 허리에 두르는 간단한 옷.

loi·ter [lɔ́itər] *vi.*, *vt.* 어슬렁어슬렁 거닐다; 빈들빈들 지내다(시간을 보내다)(*away*). **~·er** *n.* **~·ing** *a.* **~·ing·ly** *ad.* 빈들빈들.

loll [lal/-ɔ-] *vi.* 축 기대(게 하)다(*on*), (혀 따위) 축 늘어지다(늘어 뜨리다)(*out*), (*vi.*) 빈둥거리다 (*about*).

lol·li·pop, lol·ly- [lálipàp/líslipɔp] *n.* ① (보통 꼬챙이 달린) 사탕; 캔디. ② {兒} (아동 교통 정리원이 드는) 교통 지시판.

lol·lop [lálap/-ɔ-] *vi.* {英口} 터벅터벅 걷다; 비실비실 걷다.

lol·ly [láli/-5-] *n.* ⓒ 캔디; {英口} = MONEY.

lone [loun] *a.* {詩} = LONELY.

lone·ly [lóunli] *a.* 외로운, 쓸쓸한; 고립한, 외딴. **·li·ness** *n.*

lónely hèarts (친구·배우자를 구하는) 고독한 사람들.

lone·some [⊂sam] *a.* (장소·사람 따위가) 외로운, 고독의, 외로운.

long¹ [lɔ(:)ŋ/lɔŋ] *a.* ① 긴; 길다란; 길이가 …인. ② 오래 걸리는; 지루한 (tedious); [컴] 장음[長音]의. ③ 키다리의. ④ [商] 강세[强勢]의. ⑤ …이상: 다량의, 다수의, **play off** (*from*). **Don't be** ~! 꾸물 거리지 마라. **in the** ~ **run** 결국,

마침내. **L- time no see!** 《口》야
아, 오래간만이 아닌가. **make a
~ arm** 손을 뻗치다. **take ~
views (of life)** 먼 장래의 일을 생각
하다. 길게. 오랫동안, 전부
터: ~을 줄곧 ~동일. **any
~er** 벌써, 이 이상. **at (the) ~est**
길어야, 기껏해야. **~ after** …의 칠
썬 후에. **no ~er …** 아니다(되
다). **so ~** 《口》= GOODBYE(E). **so
(as) ~ as …** 하는 한은, 이하며.
── **n.** ⓤ 오랫동안(*It will not take
~* 오래는 걸리지 않을 것이다); 《英
口》 하기 유가; (*pl.*) 《商》 시
세가 오를 것을 예상하여 사들이는 방
침을 취하는 패들; ⓒ 장모음(음절).
before (ere) … 머지 않아, **for ~**
오랫동안, **take ~** 장시간을 요하는.
**The ~ and the short of it is
that …** 간단히 말하면, 결국은.
long *vi.* 간절히 바라다(for; to do).
∴**~ing** *a., n.* ⓤⓒ
동경, 열망; 동경하다.
long·bow *n.* ⓒ 긴 활. **draw the
~** 크게 허풍 떨다.
long-dis·tance *a., ad.* 《美》먼 곳
의, 장거리 전화의(로). ── *vt.* (…
에게) 장거리 전화를 걸다.
long-drawn(-óut) *a.* 길게 뺀[늘
인], 긴.
lon·gev·i·ty [lɑndʒévəti/lə-] *n.* ⓤ
장수; 수명; 장기 근속.
long-hand *n.* ⓤ (속기에 대해) 보
통의 필기법(cf. shorthand).
lon·gi·tude [lándʒətjùːd/lɔ́n-] *n.*
경도(經度)(cf. latitude); 《天》 황경;
세로 길이, **-tu·di·nal** [∼dinəl] *a.*
경도의; 세로의.
long johns (손목·발목까지 덮는)
긴 속옷.
long jump 멀리뛰기.
long-lived [∼láivd, ∼lívd] *a.* 명이
긴, 장수의; 영속하는.
long-range *a.* 장거리의(에 달하
는); 원대한(~ *plans*).
long run 장기 홍행, 롱런.
long-sighted *a.* 멀리 볼 수 있
는, 선견지명이 있는.
long-standing *a.* 여러 해에 걸친.
long-suffering *n., a.* ⓤ 참을성
(있는), 인내심 (강한).

long-term *a.* 장기의.
long-ways, -wise *ad.* = LENGTH-
WISE.
long-winded *a.* 숨이 긴: 길다란.
loo [luː] *n.* ⓒ 카드놀이의 일종; ⓤ
《英俗》변소. ──[미의.
loo-fah [lúːfə/-faː] *n.* ⓒ 《植》 수세
look [luk] *vi.* ① 보다, 바라보다(at);
눈을 돌리다(*He ~ed but saw
nothing.* 쳐다보았지만 아무 것도 보
이지 않았다). ② …하게 보이다,
…의 얼굴[모양]을 하다, …처럼 보이
다; …듯 하다. ③ (집이) …에 면
하다(*into, toward*); (정세가 …
으로) 기울다(*toward*). ④ 조심하
다; 조사하다. 찾다. ⑤ 기대하다.
── *vt.* ① 눈(으)로 나타내다(…하
게 하다)(*He ~ed them into si-
lence.* 눈을 흘겨 침묵시켰다). ② 눈
여겨 들여다보다(*He ~ed me in
the face.* 내 얼굴을 자세히 들여다
보았다). ③ 확인해 보다, 조사하다.
~ about 둘러보다; 맘보다; 구하다
(for), 방심하지 않고, 보호하다(…
찾다; 배웅하다. **~ ahead** 장래 일
을 생각하다. **L- ALIVE!** 빨리 해
다, 바라보다, 조사하다(《부정적으로
써서》상대하다, 문제삼다(*I will not
~ at such a question.* 이런 문제는
상대하지 않는다)。 묘를 뒤돌아
(다)보다; 회고하다(on); 마음이 내키
지 않는다; 전보하지 않는다. **L- before
you LEAP.** **~ down** 아래를 보다
(향하다); (물가가) 내리다; …내려다
보다; 경멸하다(*upon*). **~ forward
to** …을 기대하다. **L- here!** 여보게:
이봐!《주의를 환기하여》. **~ in** 엿보
다; 잠깐 들르다. **~ into** 들여다보
다; 조사하다. **~ like** …처럼 보이
다; …할 것같이 보이다(*It ~s like
snow.* 눈이 올 것 같다). **~ off** 눈
으로부터 눈을 돌리다(떼다). **~ on
(…으로) 간주하다(*as*); 방관(구경)하
다; …에(길) 향해 있다. **~ one's
age** 제 나이에 걸맞아 보이다. **~
oneself** 여느 때와 다름이 없다. **~
out** 주의하다(*for*); 밖을
보다, 조망하다(on, over). **~ over**
대충 훑어보다; 간과하다
다. **~ round** 둘러보다; (사전에)
고려해 보다. **~ through** 간파하다.

흩어보다. **~ to** 기대〔의지〕하다
(for); …의 뒤를 보살피다; 조심하
다. **~ up** 우러러 보다, 위를 향하
다; 향상되다; (경기 등이) 좋아지다
(사전 따위를) 찾아보다; …을 방문하
다; 존경하다(to). — *n.* ① ⓒ 표
정, 눈매; 얼굴; (보통 *pl.*) 용모(容
貌); (전체의) 모양. ② ⓒ 외관; 기
색, 양상 ③ ⓒ 일견. **have** *give,*
take *a* **~ at** …을 (얼핏) 보다.
have a ~ of …와 비슷하다. **~·er**
n. ⓒ 보는 사람; 《美俗》 미녀.

look·er-in *n.* (*pl.* **-ers-in**) ⓒ 텔레
비전 시청자.

look·ing glàss *n.* ⓒ 거울.

look-out [lúkàut] *n.* ① ⓤ 감시, 경
계, 망; ⓒ 망보는 사람, 망루. ②
ⓒ 전망, 전도(의 형세). ③ ⓒ 《口》
관심사, 일(*That's his ~.* 내 알 바
아니다). **on the ~** 경계하여(for,
to do).

loom[luːm] *n.* ⓒ 베틀, 직기(織機).

loom² *vi., n.* (*a* ~) 어렴풋이 보이
다(보임); 섬쩍지근하게 나타나다(나
타남).

loon[luːn] *n.* 《鳥》 아비.

loon·y [lúːni] *n., a.* ⓒ 정신 병자.

lóony bìn *n.* 《俗》 정신 병원.

loop[luːp] *n.* ① ⓒ (실·철사 등의)
고리; 고리 모양의 물건[장식]. ②
《空》 공중 회전. ③ 《컴》 프로그램 중
에서 일련의 명령을 반복 실행하기;
반복 실행되는 일련의 명령. — *vt.,*
vi. 고리 모양으로 만들다[되다]; (vt.)
죄다, 동이다(*up*). **~ the ~** 《空》
공중제비하다. **~·er** *n.* ⓒ 자벌레.
~·y *a.* 《口》 정신이 (좀) 이상한.

looped [luːpt] *a.* 고리로 된; 《美
俗》 술 취한.

lóop·hòle *n.* ⓒ (성벽의) 총안;
(법망 따위에) 빠져 나갈 구멍.

loose[luːs] *a.* ① 매지 않은, 풀린,
느슨한, 영성한, 헐거운; (매듭 따위)
풀어 놓은; 자유로운; (의복 따위) 너
낙한, 헐렁헐렁한. ② (종이 따위) 따
로따로 된(문서이·못·딱딱한) 흔들
흔들하는; (흙 따위) 부슬부슬한. ③
포장이 나쁜; 상자에 넣지 않은, 통
(병)조림이 아닌, 포장되어 있지 않고
닳아 있는(~ *coffee*). ④ 설사하는.
⑤ 칠칠치 못한, 몸가짐이 헤픈. ⑥

(글이) 소루(疏漏)한. **at a ~ END.**
at ~ ENDs. break ~ 탈출하다.
cast ~ 풀다 — 플리다. 빠
져 나오다. **cut ~** 끊어 버리다; 관
계를 끊다; 도망치다; 《口》 법석을 펼
다. **get ~** 도망치다. **let** *set,*
turn) 놓아주다, 해방시키다. **give**
(*a*) **~ to** (감정 따위가) 쏠리는
대로. **on the ~** 자유로워. 방종하게;
속박을 받지 않고; 《口》 흥겹게 떠들
어. — *vt.* 놓아 주다, 풀어 (주)
다; (화살·탄환을) 쏘다. — *vi.* 《古》
헐거워지다; 총포를 쏘다. **~·ly** *ad.*
~·ness *n.*

lóose-léaf *a.* (장부 등의 페이지를)
마음대로 바꾸어 꽂을 수 있는, 루스
리프식의.

loos·en[lúːsn] *vi., vt.* 느즈러지(게
하)다; 늦추다; 풀(리)다; 흩어지(게
하)다.

loot[luːt] *n.* ⓤ 약탈품; 전리품; 부
정 이득; 《俗》 돈. — *vt., vi.* 약탈하
다, 부정 이득을 취하다. **~·er** *n.* ⓒ
약탈자. **~·ing** *n.* ⓤ 약탈; 부정이득.

lop[lap] *vt.* (**-pp-**) (가지 따위를) 자르
다, 쳐내다(*off, away*).

lope[loup] *vi., n.* (*a* ~) (말·토
끼 따위가) 가볍게 뛰다[달림].

lop-síded *a.* 한 쪽으로 기울어진.

lo·qua·cious [loukwéiʃəs] *a.* 말
많은; (새·물 따위가) 시끄러운. **lo·**
quac·i·ty[-kwǽsəti] *n.*

lord[lɔːrd] *n.* ① ⓒ 군주, 영주; 수
장(首長), 주인; 권력자. ② ⓒ (L-)
천주, 하느님, 신; (the *or* our L-)
예수. ③ ⓒ 《英》 귀족; 상원 의원
(L-) 《英》 경(卿)(*부자* 이하의 귀족
의 경칭). **drunk as a ~** 곤드레
만드레 취하여. **(Good) L-! or L-**
bless me [*my soul, us, you!*]
or L- have mercy (*upon us*)!
허, 어머(놀랐다)! **live like a ~** 사
치스럽게 지내다. — *and master*
《諧》 남편. **L- of hosts** 만군의 주
(Jehova). **the L- of Lords** =
CHRIST. **L- only knows.** 오직
하느님만이 아신다(아무도 모른다).
~s of creation 인간; 《諧》 남자.
my L- [mílɔːrd] 각하, 예하(猊下)
(*부자* 이하의 귀족, 시장, 고등 법원
판사, 주교 등을 부를 때의 경칭).

L

the (House of) Lords (英) 상원. **the Lord's Day** 주일(일요일). **the Lord's Prayer** 주기도문(마태복음 6:9-13). **the Lord's Supper** [table] 성찬식(대). — vi., tr. 주인(인) 체하다, 뻐기다(I will not be ~ed over. 위압당한 수야 없지.) 귀족으로 만들다. ~ it over …에 군림하다. **~.ling** n. ⓒ 소귀족. ***.ly** a., ad. 왕후(王侯)와 같은(같이), 귀족다운(답게), 당당한(히); 교만한(교만하게), 거만한 (his ~.ship). **.li-ness** n. **~.ship** [∫ip] n. ⓒ 귀족(군주)임; 주권; 지배하(your his ~.ship).

lore [lɔːr] n. ⓤ (특수한 일에 관한) 지식; 학문; (민간) 전승. ghost ~ 유령 전설.

lor-gnette [lɔːrnjét] n. ⓒ 자루 달린 안경 (자루 달린) 오페라 글라스.

lor-ry [lɔ́ːri, -ɑ́-/-5-] n. ⓒ (英) (대형) 화물자동차, 트럭; 목재차.

lose [luːz] vt. (lost) ① 잃다; 허비하다, (을 상 따위를) 놓치다; (차에) 늦어서 못 타다; (못 보고(듣고) 빠뜨리다. ③ 지다, 패하다. ④ (시계가) 늦다(opp. gain). ⑤ 벗어나다(I've lost my cold. 감기가 떨어졌다.) ⑥ (…에게) 손해 보게 하다(His insolence has lost him his popularity. 교만하여 인기가 떨어졌다.) — vi. ① 줄다, 쇠하다. ② 손해 보다 ③ 실패하다; 패하다. **be lost upon** …에 효과가 없다. ~ **oneself** 길을 잃다. 정신 팔리다(in); 보이지 않게 되다 (in). ~ **one's way** 길을 잃다. ~ **way** [海]속도가 줄다. ***lós-er** n. ⓒ 손실자(유실)자; 패자(He is a good loser. 깨끗이 진다.) **lós-ing** n., a. ⓤ 패배(의), 승산 없는 실패(의); (pl.) 손실.

loss [lɔ(ː)s, lɔs] n. ① ⓤⓒ 상실. ② ⓒ 손실(액), 손해. ③ ⓤ 감소 (in); 소모, 손모. ④ ⓤⓒ 패배, 패배, 실패, 손실. **at a** ~ 곤란하여, 어쩔 줄 몰라서 (for; to do). ② 원가 이하로 손해 보고.

lost [lɔ(ː)st, lɑst] v. lose의 과거(분사). — a. ① 잃은; 놓친; 진; 허비한; 길 잃은. ② (명예·건강 등을) 해친. ③ 정신 팔린(in). ④ 헛되어

(on). ⑤ 죽은, 파멸된, **be** ~ **in** …에 잠겨(빠져) 있다. **give up for** ~ 가망 없는 것으로 치고 단념하다. **be** ~ **to** …을 느끼지 않다(He is ~ to pity. 인정 머리가 없다.) …에 속하지 않다(He is ~ to the world. 세상을 버린 사람이다.) ~ **child** 미아(迷兒). ~ **sheep** 길잃은 양(인생의 바른 길을 벗어난 사람). ~ **souls** 지옥에 떨어진 영혼. ~ **world** 유사 이전의 세계. **the** ~ **and found** 유실물 취급소.

lóst cáuse 실패한[성공할 가망이 없는] 운동(주의).

lóst próperty ⓤ (집합적) 유실물.

lot [lɑt/-ɔ-] n. ① ⓤⓒ 운명, 몫. ② ⓒ 제비; 당첨. ③ ⓒ 몫; 한 벌 (무더기). ④ ⓒ (口) 놈. ⑤ ⓒ 한 구획의 토지. **a** ~ **of**, or ~**s of** (口) 많은(~s of ink). **cast** [cut, draw] ~**s** 제비를 뽑다. **sell by** (in) ~**s** 분매(分賣)하다. **the** ~ (口) 전부. **throw** [cast] **in one's** ~ **with** …와 운명을 함께 하다. — vt., vi. (-tt-) 구분하다.

loth [louθ] pred. a. = LOATH.

lo-tion [lóuʃən] n. ⓤⓒ 바르는 물약; 세제(洗劑); 화장수.

lot-ter-y [látəri/15-] n. ⓒ 복권(뽑기); 추첨; (…) 운.

lot-to [látou/15-] n. ⓒ (다섯 장 숫자맞추기[카드놀이]).

lo-tus, -tos [lóutəs] n. ⓒ 연(꽃); ⓤ [그神] 로터스, 망우수(忘憂樹)(의 열매)(먹으면 이 세상의 괴로움을 잊음).

lótus position (요가의) 연화좌(蓮花座)(양발끝을 각기 반대쪽 무릎 위에 올려 놓고 앉는 명상의 자세).

loud [laud] a. ① (목)소리가 큰; 떠들썩한. ② (빛깔·복장 따위가) 화려한. ③ (요구 따위가) 극성스러운; 주제넘은; 아비한. — ad. 큰 소리로; 야단치게, 불쾌히. ***ish** a. 좀 소리가 높은; 좀 지나치게 화려한. ***ly** ad. ***ness** n.

lóud-spéaker n. ⓒ 확성기, (美俗) 시끄러운 여자.

lough [lɑk/-ɔ-] n. (Ir-) = LOCH.

lounge [laundʒ] n. (a ~) 빈보(漫步); ⓒ (호텔·기선 등의) 휴게실(오락

실; = SOFA. — *vi., vt.* 한가롭게 거 닐다(*about*); 축 늘어지다[환가로이] 기 대다(*on*); 빈둥대며 지내다(*away*). 얼굴을 찌푸리다. 이 맛살을 찌푸리다(*at, upon*); (날씨) 나빠지다. ~·**ing** *a.* 기분이 좋지 않은, 잔뜩 찌푸린(날씨가) 험악 한.

louse [laus] *n.* (*pl. lice*) ⓒ ① 이. — [-s, -z] *vt.* (…의) 이를 잡 다. ~ **up** 결단내다.

lous·y [láuzi] *a.* 이투성이의; (口) 불결한; 지독한, 인색한; 많은(*with*).

lout [laut] *n.* ⓒ 무작한 자, 촌놈. ~·**ish** *a.*

lou·ver [lúːvər] *n.* ⓒ 미늘창(窓); (*pl.*) = ~ **boards** 미늘살.

lov·a·ble [lʌ́vəbl] *a.* 사랑스러운, 귀여운. **-bly** *ad.* ~·**ness** *n.*

love [lʌv] *n.* ① ① 사랑, 애정; 애 호.(*for, of, to, toward*). ② ⓤ (신 의) 자애; (신에 대한) 경모(敬慕). ③ ⓤ 동정; 연애; 색정. ④ ⓒ 애 인, 사랑하는 이darling; (L-) 애인. VENUS; (L-) = CUPID; (口) 즐거운 [귀여운] 것(*Isn't she a little ~ of a child?* 참 귀여운 애로구나). ⑤ ⓤ [테니스] 제로(*L-all!* 영 대 영). **fall in ~** with …을 사랑하다. **~ for** ~ 에게 반하다. **~ for** …을 거저; 아무 것도 내기를 걸지 않고, **for or money** 아무리 하여도, **for the ~ of** …때문에, 그 까닭에. **for the ~ of Heaven** 제발, **give [send] one's ~ to** …에게 안부 전하다. **in ~** 사랑하여, **make ~** (…에) 구애(求愛)하다(*to*). **out of ~ with** …이 싫어져, **There is no ~ lost between them.** 본래 피차 간 그들만큼의 애정도 없다. — *vt., vi.* 사랑하다; 좋아하다; 즐기다; 그 리워하다. **Lord ~ you!** 이건! 기가 막혀라! ~**d** [-d] *a.* 사랑을 받 고 있는.

lóve affáir 연애, 정사(情事).

lóve chíld 사생아.

lóve·less [~lis] *a.* 사랑하지 않는; 사랑을 못 받는.

lóve lètter 연애 편지.

lóve·lòrn 사랑(실연)에 고민하는.

love·ly [~li] *a., n.* ① ⓒ 사랑스러운 [아름다운, 귀여운] (처녀); ② (口) (눈에 나오는) 매력적인 여자; 아름다 운 것, ⓒ (口) 멋진, 즐거운. *love·li·ness. n.* 사랑스러움, 귀여움; 멋 짐.

lóve màtch 연애 결혼.

:**lov·er** [~ər] *n.* ⓒ ① 연인, 애인(남 자); ② (口) 애인 사이. ② 애호자; 찬 미자(*of*).

lóve·sick *a.* 사랑에 고민하는. ~·**ness** *n.* ⓤ 상사병.

lov·ing [~iŋ] *a.* 애정을 품고 있는, 사랑하는; 친애하는. ~·**ly** *ad.*

low¹ [lou] *vi., vt.* (소 따위가) 음매 하고 울다; 굵은 목소리로 말하다 (*forth*). — *n.* ⓒ 소의 울음소리.

*low*² *a.* ① 낮은; 저지(低地)의; 지급 한; 야비한, 천한. ② 침울한; 약한, 쇠약한. ③ 값싼; (수가) 적은; (돈주머니가) 빈; (음식물이) 담박[산뜻]한 ④ 낮은가; 검소한. ⑤ (시대가) 비교적 근대 가; ⑥ 저조[저급]의; [音聲] 혀의 위 치가 낮은. ⑥ (의의) 깊이 잠든. **be in ~ water** 돈에 궁하다. **bring** ~ 쇠퇴케 하다; 줄이다. **fall** ~ 타락하다. **feel** ~ 기분이 안 나 다, 소침하다. **lay** ~ 쓰러뜨리다. **lie** ~ 엎드리다; 나가떨어져[죽어] 있다; (口) 가만히 숨죽이고 있다. **run** ~ 결핍하다. **The glass is** ~. 수은주가 낮다. — *ad.* ① 낮게, 낮은 곳에; 야비[천]하게; 싸게, 적은 소리로. ② 검소한 음식으 로. ③ 적도(赤道) 가까이. ④ 최근 (*We find it as* ~ *as the 19th century*). **down** 훨씬 아래에, **play it** ~ (**down**) **upon** 그를 내 대하다(*They are playing it* (**down**) **upon him**. 괄시한다). **play** ~ 소액의 내기를 걸다. — *n.* ① ⓒ (차의) 저속 기어. ② ⓒ [氣] 저기 압. ③ ⓒ 최저 수준[기록].

lów·brow *a., n.* (口) 교양 없는 (사람); (영화·소설 등) 저급한.

lów·dówn *n., a.* (the ~)(俗) 실 정, 진상(*give the ~ on* …의 내막 을 알리다); (俗) 비열한, 시시한.

:**lower**¹ [lóuər] *vt.* (높이를) 내리다; 낮추다(기울을) 깎다, 누르다. — *vi.* 내려가다; 낮아지다; 싸지다; 보

L

트를[둘을] 내리다. —— 《low²의 비교급》 *a.*, *ad.* 더 낮은[게]; 하급[하층]의; 열등한, ~·**ing** 내려가는; 비천[비열]한; 저하시키는.

low·er·er [lóuər] *vi.* = LOUR.

lówer cáse [lóuər-] 《印》 소문자용 케이스.

Lówer Chámber = LOWER HOUSE.

Lówer House 하원.

lówer·mòst *a.* 최하[최저]의, 맨 밑바닥의.

lówest cómmon denómina·tor 최소 공분모(생략 L.C.D.).

low·land [lóulənd, -lænd] *n.* ⓒ (종종 *pl.*) 저지(低地), (the Lowlands 스코틀랜드 중남부 저지 지방, ~·er *n.* ⓒ 저지 사람; (L-) 스코틀랜드 저지 사람.

low·ly [lóuli] *a.*, *ad.* 신분이 낮은; 비천한; 천하게; 초라한; 겸손한[하여]. **-li·ness** *n.*

lów-lýing *a.* (땅이) 낮은.

lów-pitched *a.* 저조한; 경사가 뜬, **low séason** 《英》(장사·행락 따위의) 한산기, 시즌 오프.

lów tide 간조, 썰물.

lów-wáter màrk 간조표(標); 최저점, 최악 상태.

loy·al [lɔ́iəl] *a.* 충의의, 충성스러운, 충실한, ~·**ism** [-izəm] *n.* ⓒ 충절, 충성, ~·**ist** *n.* ~·**ly** *ad.* : ~·**ty** [-ti] *n.* ⓤ 충성; 충실; 충절.

loz·enge [lázindʒ/-5-] *n.* ⓒ 마름 모꼴(의 것·무늬); 《醫》마름모꼴 사탕(기침약 등에 씀); (보석의) 마름모꼴의 면, 마름모꼴로 갈라지다.

LP [élpíː] *n.* (《 long-playing》) ⓒ 《商標》(레코드의) 엘피판(cf. EP).

LSD **l**ysergic acid **d**iethylamide 《藥》 결정상(結晶狀)의 환각제의 일종 (LSD-25). **Lt.** Lieutenant. **Ltd.** Limited.

lu·bri·cant [lúːbrikənt] *a.*, *n.* 매끄럽게 하는; ⓤ·ⓒ 윤활유(劑)(기름).

lu·bri·cate [-kèit] *vt.*, *vi.* 기름을 (윤활유를) 바르다; 미끄럽게 하다; 《俗》뇌물을 주다; 술을 권하여, 취하게 하다. **-ca·tion** [-kéiʃən] *n.* **-ca·tive** *a.*, **-ca·tor** *n.* ⓒ 기름 치는 기구(사람).

lu·bri·cious [luːbríʃəs] **lu·bri·cous** [lúːbrəkəs] *a.* 매끄러운, 불결

기) 곤란한; 불안정한; 교활한; 음탕한.

lu·cern(e) [luːsɔ́ːrn] *n.* ⓤ 《植》《英》자주개자리.

lu·cid [lúːsid] *a.* 명백한; 맑은, 투명한; 《醫》제정신인; 밝게 빛나는; 맑은. ~·**ly** *ad.* ~·**ness** *n.* **lu·cíd·i·ty** *n.* ⓤ

luck [lʌk] *n.* ⓤ 운; 행운. **as ~ would have it** 다행히도; 공교롭게도 나쁘게. **bad** (**ill**) ~ 불행, 불운. **Bad ~ to** ……에게 천벌이 있기를! **down on one's ~** = UNLUCKY. **for ~** 운이 좋도록, **good ~** 행운. **Good ~ to you.** 행운을 빕니다. **in** (**out of, off**) ~ 운이 틔어서[나빠서]. **Just my ~ !** 아아 또구나《실 패했을 때, 운이 나빠서》. **try one's ~** 운을 시험하여 보다. **with one's ~** 운이 좋아서[나빠서]. **worse ~** 운수 사납게, 재수없게. 공교롭게. **~·less**(·**ly**) *a.* (*ad.*)

luck·y [lʌ́ki] *a.* 행운의, 운이 좋은; 상서로운. ~ **beggar** (**dog**) 행운 아, 재수 좋은 사나이. ~ **guess** (**hit**) 소경 문고리 잡기. **:lúck·i·ly** *ad.* **-i·ness** *n.*

lucky díp 《英》(바자회 등에서 뽑는) 복주머니.

lu·cra·tive [lúːkrətiv] *a.* 이익이 되는, 돈벌이가 되는. ~·**ness** *n.*

lu·cre [lúːkər] *n.* ⓤ 이익; 돈; 부 (**riches**). **filthy ~** 부정(不淨)한 돈.

lu·di·crous [lúːdəkrəs] *a.* 익살맞은, 우스운, 바보 같은, 시시한. ~·**ly** *ad.* ~·**ness** *n.* ⓤ 익살맞음; 익살; 우스움.

lug [lʌɡ] *vi.*, *vt.* (**-gg-**), *n.* 세게 끌다[잡아당기다], ⓒ 힘껏 끎[잡아당김]; (*pl.*) 《美俗》 젠체하는 태도 (**put on ~s** 젠체하다); 《俗》 정치 헌금의 강요); = **·wòrm** 갯지렁이.

lug·gage [lʌ́ɡidʒ] *n.* ⓤ 《英》《집합적》 수(手)하물(《美》 baggage).

lúggage vàn 《英》 = BAGGAGE CAR.

lu·gu·bri·ous [luːɡjúːbriəs] *a.* 슬 픈 듯한, 애처로운, 가엾은.

luke·warm [⌐wɔ́ːrm] *a.* 미지근한; 미적지근한; 열의 없는. ~·**ly** *ad.* ~·**ness** *n.* ⓤ 미적지근함; 열의 없음

L

음.

lull[lʌl] *vt.* (어린애를) 달래다, 어르다; (바람·병세·노염 등을) 가라앉히다, 진정시키다. —*vi.* 자다, 가라앉다. (폭풍우 따위가) 잠잠하다. —*n.* (a ~) (폭풍우 따위의) 잠잠함; 뜸함; (병세의) 소강 상태; (교통·회화의) 두절, 잠깐 중단.

lull·a·by[lʌ́ləbài] *n.* ⓒ 자장가.

lum·ba·go[lʌmbéigou] *n.* ⓤ [醫] 요통, 산기(疝氣). 「「분」의

lum·bar[lʌ́mbər] *a.* [解] 허리의(부

lum·ber[lʌ́mbər] *n.* ⓤ ① 《美·Can.》재목(《英》timber). ② 난 가구 따위의 잡동사니. —*vt.* 난잡하게 쌓아올리다; 목재로 장소를 막아버리다. —*vi.* 목재를 베어 내다. ~**er** *n.*

lum·ber[lʌ́mbər] *vi.* 쿵쿵 걷다; 무겁게 움직이다(*along, past, by*). 「목문.

lúmber-jàck *n.* ⓒ 《美·Can.》 벌

lúmber-yàrd *n.* ⓒ 《美·Can.》 재목 두는 곳.

lu·mi·nar·y[lú:mənèri/-nəri] *n.* ⓒ 발광체(태양, 달); 지도자; 명사.

lu·mi·nous[lú:mənəs] *a.* (스스로, 또는 반사로) 빛나는; 밝은. ② 명쾌한, 계몽적인. ~**ness, -nos·i·ty**[▷-nɑ́səti/-5-] *n.*

lump[lʌmp] *n.* ⓒ ① 덩어리(*a ~ of sugar* 각설탕 한 개). ② 혹, 기류. ③ 《口》 멍청이. *a ~ in one's* [*the*] *throat* (감격으로) 목이 메는 (가슴이 벅찬) 느낌, 흐느낌. *in by* (대충) 통틀어, 송두리째. —*vt., vi.* ① 덩어리로 만들다, 덩어리지다. ② 한묶음으로[총괄]되다[하다] (*together, with*). ③ 어슬렁어슬렁 걷다(*along*). ④ 털썩 주저앉다(*down*). ~**ish** *a.* 덩이져서 목직한; 잘답답한; 멍청구리의. ~**y** *a.* 혹투성이의; (바다가) 파도가 일고 있는; 투미한; 모양 없는.

lump[lʌmp] *vt.* 《口》참는다, 견디다.

lúmp súm 대충 잡은 금액.

lu·na·cy[lú:nəsi] *n.* ⓤ 정신 이상; 미친[어리석은] 짓(*folly*).

lu·nar[lú:nər] *a.* 달의(과 같은); 초승달 모양의. ~ CALENDAR.

lúnar mónth 태음월(太陰月)《약 29 1/2일》.

lu·na·tic[lú:nətik] *a., n.* 미친; ⓒ

미친 사람.

lúnatic asýlum 정신 병원.

lunch[lʌntʃ] *n., vi.* ⓤⓒ 점심[가벼운 식사](을 먹다).

lunch·eon[◁ən] *n.* ⓤⓒ (정식의) 오찬; 점심. ~**ette**[lʌ̀ntʃənét] *n.* ⓒ 간이 식당.

lúncheon vòucher 《英》식권(회사 따위에서 종업원에게 지급하는》.

lúnch-time *n.* ⓤ 점심 시간.

lung[lʌŋ] *n.* ⓒ 폐. *have good ~s* 목소리가 크다.

lunge[lʌndʒ] *n., vi.* 찌르기, 찌르다(*at*); 돌진(하다)(*at, out*); (말이) 차다. —*vt.* (칼을) 불쑥 내밀다.

lu·pin(e)[lú:pin] *n.* ⓒ 루핀풀(의 씨).

lurch[lə:rtʃ] *n.* (다음 성구로) *leave a person in the ~* (친구따위가) 곤경에 빠져 있는 것을 모른체하다.

lurch[lə:rtʃ] *n., vi.* 경사(지다); 비틀거림; 경향.

lure[luər] *n., vt.* (새 등의) 유혹물; 미끼(로 피어들이다); 유혹(하다).

lu·rid[lú:rid] *a.* (하늘 따위가) 섬찟 근근하게[타는 듯이] 붉은; 창백한 (*wan*) 무시무시한, 무서운. *cast a ~ light on ~* 을 무시무시하게 보이게 하다.

lurk[lə:rk] *vi.* 숨다, 잠복하다.

lus·cious[lʌ́ʃəs] *a.* 맛있는, 감미로운; 보기[듣기]에 즐거운; 촉감이 좋은; 《흔》 지루한.

lush[lʌʃ] *a.* (풀이) 파릇파릇하는; 우거진; 풍부한; 유리한.

lust[lʌst] *n., vi.* ⓤⓒ ① (종종 *pl.*) 육욕(이 있다). ② 열망(하다)(*after, for*). ~**ful** *a.* 음탕한, 색골의.

lus·ter[《英》**-tre**][lʌ́stər] *n.* ⓤ ① (은은한) 광택(*the ~ of pearls*) 광채; 빛남, 밝기. ② 명성. ③ 광택 있는 모직물. —*vt.* 광택을 내다.

lus·tre[lʌ́stər] *n.* ⇨LUSTER.

lus·trous[lʌ́strəs] *a.* 광택 있는. ~**ly** *ad.*

lust·y[lʌ́sti] *a.* 튼튼한; 원기 왕성한. **lúst·i·ly** *ad.* **lúst·i·ness** *n.*

lute[lu:t] *n.* ⓒ (15-17세기의) 기타 비슷한 악기.

L

luv[lʌv] *n.* 여보, 당신(love)《호칭》.

:lux·u·ri·ant[lʌgʒúəriənt, lʌkʃúər-] *a.* ① 무성한, 다산(多産)의. ② 《문체가》화려한. **~·ly** *ad.* **-ance** *n.* **-ate**[-èit] *vi.* 무성하다, 호사하다; 즐기다, 탐닉하다(*in*).

lux·u·ri·ous[-əs] *a.* 사치(호화)스런; 사치를 좋아하는; 매우 쾌적한. **~·ly** *ad.* **~·ness** *n.*

lux·u·ry[lʌ́kʃəri] *n.* ① Ⓤ 사치; 호화. ② Ⓒ 사치품, 비싼 물건. ③ Ⓤ 쾌락, 만족.

-ly[li] *suf.* ① 부사 어미: real*ly*, kind*ly*, month*ly*. ② '…과 같은'의 뜻의 형용사 어미: kind*ly*, love*ly*.

ly·cée[li:séi/─´] *n.* (F.) Ⓒ 《프랑스의》국립 고등 학교.

:ly·ing[láiiŋ] *a.* 거짓(말)의; 거짓말쟁이의.

:ly·ing[²] *a., n.* Ⓤ 드러누워 있는(있음).

lymph[limf] *n.* Ⓤ 『醫』 두포(痘苗) 액; 혈청; 『解·生』 림프액; 《詩》 물 수(淸水), 깨끗한 물. **lym·phat·ic** [limfǽtik] *a., n.* 림프액의(*the lymphatic gland* 림프샘); 연약한; 《성질이》굼뜬; Ⓒ 『解』 림프샘(관).

:lynch[lintʃ] *vt.* 사형(私刑)을[린치를] 가하다.

lynx[liŋks] *n.* (*pl.* ~es, ~) Ⓒ 살쾡이; Ⓤ 그 가죽: (the L-) 『天』살쾡이자리.

lyre[láiər] *n.* Ⓒ 리라《손에 들고 타는 옛날의 작은 수금(竪琴)》: (the L-) 『天』 거문고 자리.

:lyr·ic[lírik] (< lyre) *n., a.* Ⓒ 서정시(의, 적인)《cf. epic》. **-i·cal** *a.* 서정시조(調)의. **-i·cal·ly** *ad.*

lyr·i·cism[lírəsìzəm] *n.* Ⓤ 서정시체《풍》.

lyr·i·cist[lírəsist] *n.* Ⓒ 서정 시인.

L

M

M, m[em] (*pl.* **M's, m's**[-z]) *n.* ⓒ ⓊⒸ 알파벳의 열 셋째 글자. ⓒ M자 모양의 것.

M (로마 숫자)의 *mille* (L. = 1,000).

m. male; medium. **m., m** meter.

ma[mɑ:] *n.* ⓒ 《口》 엄마; 아줌마.

M.A. *Magister Artium* (L. = Master of Arts); mental age; Military Academy.

ma'am[mæm] *n.* ① [mam, m] 《口》 부인, 마님(큰뜻), (여선생 등 웃사람에 대한 호칭) ② [mæm, -ɑ:-] 《英》 여왕·공주에 대한 호칭 《madam의 단축》.

Mac[mæk] *n.* ①《口》 스코틀랜드 사람, 아일랜드 사람 ②《俗》 낯선 사람에 대한 호칭.

ma·ca·bre[məkɑ́:brə], **-ber** [-bər] *a.* 죽음의 무도의; 섬뜩한.

mac·ad·am[məkǽdəm] *n.* ⓊⒾⓉ 쇄석(碎石); 쇄석 포도(舖道). **～·ize** [-àiz] *vt.* (…에) 방자갈을 깔다.

mac·a·ro·ni[mæ̀kəróuni] *n.* (*pl.* **～(e)s**) ① Ⓤ 마카로니(이탈리아국수) ② ⓒ 18세기 영국에서 이탈리아를 숭상하던 멋쟁이. ③ ⓒ《俗》이탈리아 사람.

mac·a·roon[mæ̀kərú:n] *n.* ⓒ 카룹(달걀 흰자·편도·설탕으로 만든 과자).

ma·caw[məkɔ́:] *n.* ⓒ 【鳥】 마코앵무새; 【植】 야자의 일종.

mace[meis] *n.* ① ⓒ 갈고리 철퇴(중세의 무기); 권표(權標), 장장(杖長) 《시장·대학 학장 등의 앞에 세운 직권의 상징》; (구식) 당구봉; (M-) 《美》 지데지 핵 유도탄; 《比》 불능 화학제(不能化學劑); 최루 신경 가스.

mace² *n.* ⓊⒾ 육두구 껍질을 말린 향료.

Mach, m[mɑːk, mæk] *n.* 【理】 마하(고속도의 단위) ～ one은 20℃에서의 음속 770 마일/시에 상당).

---

ma·chet·e[məʃéti, -tʃé-] *n.* ⓒ (중남미 원주민의) 날이 넓은 큰 칼.

Mach·i·a·vel·li [mæ̀kiəvéli] (1469-1527) 책략 정치를 주장한 이탈리아의 정치가. **-vél·li·an** *a.* 권모 정치를 예사로 하는. **-vél·lism** *n.* ⓊⒾ 마키아벨리주의(목적을 위해서는 수단을 가리지 않음).

mach·i·nate[mǽkənèit] *vt., vi.* (음모를) 꾸미다. **-tor** *n.* ⓒ 책동; 음모. **-na·tor** *n.* ⓒ 책사(策士).

ma·chine[məʃí:n] *n.* ⓒ ① 기계, 기구. ② 자동차, 비행기, 자전거, 재봉틀, 타이프라이터, 인쇄 기계, 기계적으로 일하는 사람. ③ 기구(機構) *(the military ～* 군부*/the social ～* 사회 기구); (정당의) 지도부.

machine code [쥡] 기계 코드.
machine gun 기관총.
machine-màde *a.* 기계로 만든.
machine-réadable *a.* [컴] (전산 기가) 처리할 수 있는, 반응할 수 있는 꼴의.

ma·chin·er·y[məʃí:nəri] *n.* ⓊⒾ ① (집합적) 기계, 기계 장치. ② (정부 따위의) 기관; 기구; 조직. ③ (극 따위의) 꾸밈; (극 따위) 초자연적 사건. *government ～* 정부 기구.
machine tòol 공작 기계.
ma·chin·ist[məʃí:nist] *n.* ⓒ 기계공.
ma·chis·mo[mɑːtʃízmou] *n.* ⓊⒾ 남자의 긍지; 남자다움.

ma·cho[mɑ́:tʃou] *a., n.* (Sp.) 사내다운(늠름한) (사나이).

mack·er·el[mǽkərəl] *n.* (*pl.* **～s**,(집합적) **～**) 【魚】 고등어.

mack·in·tosh[mǽkintɑ̀ʃ/-tɔ̀ʃ] *n.* ⓊⒾ 고무 입힌 방수포; 방수 외투.

mac·ro-[mǽkrou, -rə] *pref.* 긴, 큰'의 뜻의 결합어.
màcro·biótic *a.* 장수(長壽)의, 장수식(食)의.

mac·ro·cosm [mǽkrəkàzəm/ -kɔ̀z-] *n.* (the ~) 대우주(opp. microcosm).

màc·ro·ecónomíc *a.* 거시 경제의. **~s** *n.* ⑥ 거시경제학.

mad [mæd] *a.* (-**dd**-) ① 미친. 무모한(wild). ② 열중한(after, about, for, on)《He is ~ about her. 그 여자에 미쳐 있다》. ④ 《口》 성난(angry) 《at, with》. **drive** (a person) ~ 미치게 하다. **go** (**run**) ~ 미치다. **like** ~ 미친 듯이, 맹렬히. **~·ly** *ad.* 미쳐서, 미친듯이, 몹시, 극단으로. **~·ness** *n.*

mad·am [mǽdəm] *n.* ⑥ 부인, 아씨《미혼·기혼에 관계 없이 여성에 대한 정중한 호칭》(cf. ma'am).

ma·dame [mǽdəm, mədǽm, mədǽm] *n.* (F.) 아씨, 마님, 부인《略 MRS.》.

mád·cáp *a., n.* ⑥ 무모한 (사람).

mad·cow diséase 광우병(狂牛病).

mad·den [mǽdn] *vt., vi.* 미치게 하다, 미치다. **~·ing** *a.* 미칠 듯한.

made [meid] *v.* make의 과거(분사). — *a.* ① 만든; 그러모은; 만들어진. ② 성공이 확실한. ~ **dish** 모듬요리. ~ **man** 성공자.

mad·e·moi·selle [mǽdəmwəzél] *n.* (F.) = MISS《略 Mlle.; (*pl.*) Mlles》.

máde-úp *a.* 만든, 지어낸, 메이크업한; 꾸며낸; 절림한; 《스타일 따위》지나치게 꾸민, 부자연한.

mád·house *n.* ⑥ 정신병원.

mád·màn *n.* ⑥ 미친 사람.

Ma·don·na [mədánə] *n.* (the ~) 성모 마리아; ⑥ 그 (초상).

mad·ri·gal [mǽdrigəl] *n.* ⑥ 사랑의 소곡; 합창곡(cf. motet).

mael·strom [méilstrəm/-róum] *n.* ⑥ 큰 소용돌이; 혼란; 《the M-》노르웨이 북서 해안의 큰 소용돌이.

ma·es·tro [máistrou/maɛ-] *n.* (It.) (*pl.* ~**s, -tri**[-tri:]) 대음악가; 거장(巨匠).

Ma(f)·fi·a [máːfiːə, mǽfiə] *n.* (It.) ⑥ 마피아단《법률과 질서를 무시한 시칠리아 섬의 폭력단》; 미국 등의 범죄 비밀 결사.

ma·fi·o·so [màːfiːóusou] *n.* (*pl.* -**si** [-si:]) 마피아의 일원.

mag·a·zine [mǽgəzìːn, ⌐-⌐] *n.* ⑥ ① 잡지. ② 《탄약·식량 따위의》 창고. ③ 《연발총의》 탄창. ④ 《寫》 필름 감는 통.

ma·gen·ta [mədʒéntə] *n.* ⑥ 빨간 아닐린 물감; 그 색《진홍색》.

mag·got [mǽgət] *n.* ⑥ 구더기; 변덕. ~ **in one's head** 변덕. ~**y** *a.* 구더기 천지의; 변덕스러운.

Ma·gi [méidʒai] *n. pl.* (*sing.* -**gus** [-gəs]) 《聖》 동방 박사《마태 복음 2:1》; 마기 승족(僧族)《고대 페르시아의》; 마술사. **~·an** [méidʒən] *a., n.* ⑥ 마기 승족의; 마술의; 마기승(僧); 마술사.

mag·ic [mǽdʒik] *a.* ① 마법의(cf. Magi); 기술(奇術)의. ② 불가사의한. — *n.* ⑥ ① 마법, 기술. ② 마력. 《black ~ 악마의 힘에 의한 마술. natural ~ 자연력 응용의 마술. white ~ 착한 요정(妖精)의 힘에 의한 마술》. **~·i·cal·ly** *ad.*

mágic cárpet (전설상의) 마법의 양탄자.

mágic éye (라디오·텔레비전 따위의) 매직아이《(同調) 지시 진공관》; 《M- E-》그 상표명.

ma·gi·cian [mədʒíʃən] *n.* ⑥ 마술사; 요술쟁이.

mag·is·te·ri·al [mǽdʒəstíəriəl] *a.* 위엄이 있는; 고압적인.

mag·is·trate [mǽdʒistrèit, -trit] *n.* ⑥ 《사법권을 가진》 행정 장관; 치안 판사(justice of the peace). **-tra·cy** *n.* ⑥ magistrate의 직(권·관구); 《집합적》 행정 장관.

mag·ma [mǽgmə] *n.* (*pl.* -**mas, -mata** [-mətə]) ⑥ 《地》 마그마(岩漿).

mag·nan·i·mous [mægnǽnəməs] *a.* 도량이 넓은, 아량 있는. **mag·na·nim·i·ty** [⌐-níməti] *n.* ⑥ 도량이 넓음, 아량; ⑥ 관대한 행위.

mag·nate [mǽgneit] *n.* ⑥ 거물, 유력자《an oil ~ 석유왕》.

mag·ne·sia [mægníːʃə, -ʒə] *n.* ⑥ 《化》 산화마그네슘. **-sian** *a.*

M

mag·ne·si·um [mægníːziəm, -3əm] *n.* ⓤ 〖化〗 마그네슘《금속 원소; 기호 Mg》.

:mag·net[mǽgnit] *n.* ⓒ 자석; 사람을 끄는 사람. *bar* ~ 막대 자석. *horseshoe* ~ 말굽 자석. *natural* ~ 천연 자석.

:mag·net·ic[mægnétik] *a.* 자기성이 있는; 매력 있는. **~s** *n.* ⓤ 자기학(磁氣學). **-i·cal·ly** *ad.*

magnétic cómpass 자기 컴퍼스 [나침의].

magnétic field 자장, 자계.

magnétic nórth, the 자북(磁北).

magnétic tápe (recòrder) 자기 테이프 (리코더).

mag·net·ism[mǽgnətìzəm] *n.* ⓤ 자기, 자력.

mag·net·ize[mǽgnətàiz] *vt.* 자력을 띠게 하다; (사람을) 끌어 당기다. (사람 마음을) 움직이다. — *vi.* 자력을 띠다. **-i·za·tion**[ㅡㅡizéiʃən]. ⓤ 자기화(化).

mag·ne·to[mægníːtou] *n.* (*pl.* ~**s**) ⓒ 〖電〗 자석 발전기.

mag·ni·fi·ca·tion [mægnəfikéiʃən] *n.* ⓤ 확대; 과장; 찬미; 〖光〗 배율 (倍率); ⓒ 확대도.

:mag·nif·i·cent[mægnífəsənt] *a.* 장려한; 장엄한; 웅대한; 훌륭한. **~·ly** *ad.* **·cence** *n.*

mag·ni·fi·er[mǽgnəfàiər] *n.* ⓒ 확대기, 확대경.

:mag·ni·fy[mǽgnəfài] *vt.* ① 확대하다, 확대하여 보다; 과장하다. ② 〈古〉 찬송하다.

mágnifying glàss 확대경, 돋보기.

mag·ni·tude[mǽgnətjùːd] *n.* ① 크기, 양. ② 중대함. ③ 〖天〗 광도(光度); 진도(震度).

mag·no·li·a[mægnóuliə, -ljə] *n.* ⓒ〖植〗 태산목(泰山木), 목련; 그 꽃.

mag·num[mǽgnəm] *n.* (L.) ⓒ 2 쿼트들이의 술병; 그 양.

mágnum ó·pus[-óupəs] (L.) 《문예·예술상의》 대작, 대표작; 주요 작품.

mag·pie[mǽgpài] *n.* ⓒ〖鳥〗 까

치; 비둘기의 일종; 수다쟁이.

ma·ha·ra·ja(h) [màːhəráːdʒə] *n.* (Hind.) ⓒ 《인도의》 대왕, 인도 토후국의 왕. **ma·ha·ra·nee**[-ráːni] *n.* ⓒ maharaja(h)의 부인.

ma·hog·a·ny[məhágəni/-hɔ́-] *n.* ① ⓒ 마호가니. ② ⓤ 그 목재. ② 적갈색. ③ 《the—》 식탁. *be under the—* 식탁 밑에 취해 곤드라지다. *with one's knees under the—* 식탁에 앉아.

:maid[meid] *n.* ⓒ ① 소녀, 아가씨; 미혼녀. ② 〈古〉 처녀. ③ 하녀. **—s of hono(u)r** 시녀; 《英》 신부의 들러리 (미혼녀). **—of work** 가사 일만을 맡아 보는 하녀. *old* ~ 노처녀; 잔소리꾼; (트럼프의) 조커 빼기.

:maid·en[méidn] *n.* ⓒ ① 아가씨, 미혼녀. ② 〖史〗 단두대. — *a.* 미혼의, 처녀의; 처음의, 처녀…《a ~ speech 처녀 연설/a ~ voyage 처녀 항해》.

máiden·hàir *n.* ⓒ〖植〗 공작고사리류(屬)의 속칭.

máiden·hèad *n.* ⓤ = MAIDEN-HOOD; ⓒ 처녀막.

máiden·hòod *n.* ⓤ 처녀성, 처녀 시대.

máiden nàme (여자의) 구성(舊 姓).

:mail [meil] *n.* ① ⓤ 우편낭. ② 《美》 우편(제도)《air ~ 항공 우편/firstclass ~ 제1종 우편》. ③ 《집합적》 우편물. *by* ~ 우편으로. — *vt.* 우송하다.

mail *n.* ⓤ 사슬미늘 갑옷. **~ed**[-d] *a.* 사슬미늘 갑옷을 입은.

máil·bàg *n.* ⓒ 우편낭.

máil·bòx *n.* ⓒ 우편함; 우체통.

máiling list 우편물 수취인 명부.

máil·màn *n.* ⓒ 우편 집배원.

máil òrder 〖商〗 통신 주문, 통신 판매.

maim[meim] *vt.* 불구자로 만들다.

:main[mein] *n.* ① ⓤ 힘, 세력. ② ⓒ 주된 것; 중요 부분. ③ 《the—》 〖詩〗 대해《main sea가 생략》《cf. mainland》《over land and ~》 육지와 바다에. ④ 《수도 따위의》 본관(本管), 간선. *in the—* 주로;

M

대체로. **with might and ~** 전력
을 다하는. — **a.** ① 힘[온 힘]을
다하는. ② 주요한, 제일의. **by ~
force** 전력을 다하여. **:~·ly ad.** 주
로, 대개.

main clause 〖文法〗 주절(主節).

main·frame [˷frèim] **n.** ⓒ 〖컴〗 컴퓨터의
본체(cf. peripheral); 대형 고속 컴
퓨터.

main·land [˷lænd, -lənd] **n.** ⓒ
본토《부근의 섬·반도에 대한》. **~·er**
n. ⓒ 본토 주민.

main line 간선, 본선.

main·sail [˷sèil, (海) -səl] **n.** ⓒ
주범(主帆) (mainmast의 mainsail).

main·spring [˷sprìŋ] **n.** ⓒ 〖시계 등의〗 큰
태엽; 주 동기.

main·stay [˷stèi] **n.** ⓒ 큰 돛대의 버팀줄;
대들보.

:main·tain [meintéin, mən-] **vt.** ① 유
지하다, 지탱하다. ② 지속[계속]하다. ③ 부
양하다, 《한 집안을》 지행하다. ④ 간
수하다, 관리하다. ⑤ 전사하다. ⑤ 주장하
다 《that》; 지지하다. **~ oneself** 자활
하다.

main·te·nance [méintənəns] **n.**
ⓤ 유지, 보존; 지속, 부양(료), 생
계; 주장.

mai·son·(n)ette [mèizounét] **n.**
(F.) ⓒ 〖英〗 작은 집; 《종종, 이층
건물의》 아파트, 셋방.

maize [meiz] **n.** ⓒ 옥수수; 그 열
매; ⓤ 담황색.

Maj. Major.

ma·jes·tic [mədʒéstik], **-ti·cal**
[-əl] **a.** 위엄 있는, 당당한. **-ti·cal·ly**
ad.

:maj·es·ty [mædʒisti] **n.** ① ⓤ 위
엄, 장엄, ② ⓤ 주권, 왕권(王權)②.
④ ⓒ 《美》 후광에 둘러싸인 신
[예수]의 상(像). **His** [**Her, Your**]
~ 폐하.

ma·jor [méidʒər] **n.** ① 《opp. minor》
① 《둘 중에서》 큰 쪽의, 대부분의.
② 주요한, 큰. ③ 〖樂〗 장조(長調)의.
④ 성년의. ⑤ 《M-》《같은 성(姓)에서》
연장의《Brown ~ 큰 브라운》.
— **n.** ① ⓒ 육군[해·공군] 소령
《軍俗》《특무》 상사. ② 〖法〗 성년
자. ③ 《古》 〖論〗 대전제; 〖樂〗 장조
《A ~ 가장조》; 장음계. ④ 《美》《대

학의》 전공 과목. — **vi.** 《美》 전공
하다《in》.

májor général 소장《육군·해병·공
군의》.

ma·jor·i·ty [mədʒɔ́(ː)rəti, -dʒɑ́r-]
n. ① ⓤ 대수, 과반수. 〖UC〗 과반의 수;
대수; 다수
파; ② 《득표》차. ② 〖法〗 성년.
③ ⓤ 소령의 지위. **attain one's
~** 성년이 되다. (**win**) **by a ~** 의
~의 차로 이기다. **join the ~** 죽
다, 故(古)인 ~의 죽은 사람.

májor léague 《美》 직업 야구 대
리그《National League 혹은 Amer-
ican League》.

:make [meik] **vt.** (**made**) ① 만들
다, 제조하다, 건설하다. ② 《시나
글을》짓다, 마련하다(arrange)
《~ a bed 잠자리를 마련하다》. ③
《…으로》만들다. ④ 《…이》되게 하
다《into》. (…을) …으로 하다《~ a
man of him 그를 당당한 사나이로
만들다》. ⑤ 《…을》…으로 보다《~
him a fool 우롱하다》; 판단하다《~
MUCH [LITTLE] of》. ⑥ 《법률 따위
를》제정하다; 구성하다《Oxygen
and hydrogen ~ water. 산소와 수
소로 물이 된다》. ⑦ 도합 《…이》되
다; 《…을》충분하다《One swallow
does not ~ a summer.》; 《…이》
되다《She will ~ a good wife. 좋은
은 아내가 될 것이다》. ⑧ 얻다, 《돈
을》벌다, ⑨ 행하다《~ a
bow 절을 하다》. ⑩ 가다, 나아가다.
달려가다《~ one's way 나아가다》.
~ **ten miles an hour** 한 시간에
10 마일 나아가다》. ⑪ 눈으로 확인하
다《~ land 육지가 보이다》; …이
보이는 데까지 가다; 도착하다《The
ship made port. 배는 입항했다》;
《口》시간에 대다《I've made it! 됐
다!》. ⑫ 말하다《~ a joke 농담하
다》. ⑬ 《트럼프에서》 이기다. ⑭
《…을》…으로 하다《~ her happy》;
《…을》…으로 어림잡다《I ~ the
distance 5 miles. 그 거리는 5 마일
로 생각된다》. ⑮ 《…에게》…하게 하
다《~ him go》. — **vi.** 나아가다;
행동하다《~ bold》; 조수가 차다.
~ **after** 《古》《…을》 뒤쫓다. ~
against 《…에》불리해지다; …을 방해
하다. ~ **away** 도망치다. ~ **away**

M

with 처치하다, 죽이다, 탕진하다.
~ for … 로 향하여 나아가다. …에
기여하다. ~ (*a thing*) *from* …을
재료로 하여 (물건을) 만들다. ~ *it*
(美口) 잘 해내다; 성공하다; 시간에
대다; (美俗) 성교하다. ~ *it up*
with …와 화해하다. ~ *off* 급히 떠
나다. ~ *off with* …을 가지고 달
아나다. ~ *or mar* (*break*) …의
안 되든) 성패를 가리다. ~ *out* (서
류를) 작성하다; 입증하다; 이해하다;
…와 같이 말하다; 암시하다; (美俗)
애무하다, 성교하다. ~ *over* 양도
하다. ~ *up* 보충(보충)하다; 메우
다; 조합(調合)하다; 편성하다; 화장
기를 조작하다; 화장[메이크업]하다.
분장하다; 결정짓다; 화해하다. ~
up one's MIND *to*. ~ *up to* 구
애(求愛)하다; 환심을 사다. ―
n. [U][C] ① 만듦새, 구조, 체격,
꼴, 형(型). ② 성질. ③ …제(製)
(*American*). ④ 조합(調合)하다; 제조(製)
접속(*at* … 회로의 접속점에서). *on*
the ~ (口) 성공·승진·이익 등을
얻으려고 열중하여.

make-be·lieve *n.* [U] 거짓, 겉꾸림,
가장.

mak·er[∠ər] *n.* [C] 제조업자; (M-)
조물주, 하느님.

make·shift *n., a.* [C] 임시 변통(의)
둘러맞춤.

make-up *n.* [C][U][C] 메이크업, 배
우의 얼굴 분장; 《집합적》화장품; ②
[C] 꾸밈(색); 조립(색); [印] (게라쇄(刷)
의) 종합 배열(대판 짜기); 구조;

make·weight *n.* [C] 부족한 중량을
채우는 물건; 무가치한 사람(물건);
균형을 잡게 하는 것.

mak·ing[∠iŋ] *n.* [U] 만들기, 제
조, 제작; 형성, 발달 과정. ■ 제작
품; 1회의 제작량. ② (*the* ~) (성
공·발달의) 수단(원인). ③ (*pl.*) 소
질. ④ (*pl.*) 벌이; 봉급. *be the*
~ *of* …의 성공의 원인이 되다. *in*
the ~ 제작 과정, 발달 과정의.

mal- [mæl] *pref.* '악(惡), 비(非)'의
따위의 뜻.

mal·a·chite[mǽləkàit] *n.* [U] [鑛]
공작석.

màl·ad·jústed *a.* 잘 조절되지 않
은; 환경에 적응 안 되는.

màl·adjústment *n.* [U][C] 부적응,
조절 불량.

mal·administrátion *n.* [U] 실정
(失政), 악정.

mal·a·droit[mæ̀lədrɔ́it] *a.* 서투른,
졸렬한. ~·ly *ad.* ~·ness *n.*

mal·a·dy[mǽlədi] *n.* [C] 병; 병폐,
폐해.

ma·laise[mælɛ́iz] *n.* (F.) [U][C] 불
쾌, 불안.

ma·lar·i·a[məlɛ́əriə/-lǽr-] *n.* [U]
① 말라리아. ② 늪의 독기. ~**l**,
~**n**, **-i·ous** *a.*

màl·con·tént[mǽlkəntènt] *a.* 불
평불만의, ― *n.* [C] 불평 분자.

male[meil] *a.* ① 남성(의), 수컷
(의)(opp. female).

male cháuvinism 남성 우월[중
심]주의.

male cháuvinist 남성 우월[중심]
주의자.

mal·e·fac·tor[mǽləfæ̀ktər] *n.* [C]
범인; 악인(opp. benefactor).

ma·lev·o·lent[məlévələnt] *a.* 악의
있는, 심술궂은. ~·ly *ad.* **-lence**
n. [U] 악의.

mal·formátion *n.* 불구, 기
형.

mal·fórmed *a.* 불꼴 사나운; 기형
의.

mal·fúnction *vi.* 고장나다, 기능
부전을 일으키다. ― *n.* [U][C] 기능
부전, 고장; [컴] 기능 불량.

mal·ice[mǽlis] *n.* [U] 악의, 해칠
마음; [法] 범의(犯意). ― AFORE-
THOUGHT (PREPENSE).

ma·li·cious[məlíʃəs] *a.* 악의 있
는, 속깊은. ~·ly *ad.* ~·ness *n.*

ma·lign[məláin] *a.* 유해한; [醫]
악성의(악성)의(opp. benign); 악의
있는. ― *vt.* 헐뜯다, 중상하다.

ma·lig·nant[məlígnənt] *a.* 유해
한; 악성의(악성을 품은. ― *n.*
[英史] Charles I 시대의 왕당원.
~·ly *ad.* **-nan·cy** *n.*

ma·lin·ger[məlíŋgər] *vi.* (특히 병
사·수병이) 피병을 부리다.

mall[mɔːl/mæl] *n.* [C] 나무 그늘진
산책길; (the M-) 런던의 St.
James's Park의 산책길; [U] 펠멜
구기(球技)(PALL MALL); [C] 펠멜용
의 망치.

mal·lard[mǽlərd] *n.* [C] [鳥] 물오

M

리. ⓤ 물오리 고기.

mal·le·a·ble [mǽliəbəl] *a.* (금속이) 전성(展性)이 있는; 순응성이 있는. **-bil·i·ty** [>—biləti] *n.* ⓤ.

mal·let [mǽlit] *n.* ⓒ 나무메; (croquet나 polo의) 공 치는 방망이.

mal·low [mǽlou] *n.* ⓒ [植] 당아욱속(屬).

mal·nutrition *n.* ⓤ 영양 장애(실조), 영양 부족.

mal·odorous *a.* 악취 나는.

mal·practice *n.* ⓤⓒ (의사의) 부당 치료; 직책상의 비행.

malt [mɔːlt] *n.* ⓤ 맥아(麥芽), 엿기름. —*vt., vi.* 엿기름을 만들다, 엿기름이 되다.

málted (mílk) 맥아 분유(를 넣은 우유).

mal·treat *vt.* 학대[혹사]하다. **~·ment** *n.* ⓤ 학대, 혹사, 냉대.

mam [mæm] *n.* 《英口·兒》 = ⇩.

ma·ma [máːmə, məmáː] *n.* ⓒ 《口》 = MAMMA.

mam·ma [máːmə, məmáː] *n.* ⓒ 《口》 엄마.

mam·ma [mǽmə] *n.* ⓒ 포유동물.

mam·ma·li·a [mæméiliə, -ljə] *n. pl.* 【動】 포유류. **~n** *n., a.*

mam·ma·ry [mǽməri] *a.* 【生】 유방의. **the ~ gland** 젖샘.

mam·mon [mǽmən] *n.* ⓤ 【聖】 (악덕으로서의) 부(富), 배금(拜金)《마태복음 6:24》. **~·ism** [-izm] *n.* ⓤ 배금주의. **~·ist** *n.*

mam·moth [mǽməθ] *n.* ⓒ 매머드. —*a.* 거대한.

mam·my [mǽmi] *n.* ⓒ 《口》 = MAMMA; 《美南部》 (아이 보는) 흑인 할멈.

man [mæn] *n.* (*pl.* **men**) ① ⓒ 인간, 사람(이라는 것). ② ⓒ 남자. 사내다운 남자. ③ ⓒ 하인(opp. master); 부하; 직공; 인부; (*pl.*) 졸병(opp. officer). ④ ⓒ 《호칭》 어이, 여보게. ⑤ (the *or* one's ~) 적격자; 상대; (제가의) 남편. **as one ~** 이구 동성으로; **be a ~,** *or* **play the ~** 사내답게 행동하다. **be one's own ~** 독립하고 있다. 남의 지배를 안 받다; 자유로이

행동하다. **between ~ and ~** 사내들 사이에, 남자 대 남자로서. **~ and wife** 부부. **~ of letters** 문인, 학자. **~ of the world** 세상 물정에 밝은 사람; 속물(俗物). **old ~** ⓒ 《口》 영감《아버지·남편·주인·선장 등》. **the ~ in the street** 《전문가에 대한》세상의 일반 사람. **to a ~,** *or* **to the last ~** 모조리, 마지막 한 사람까지. —*vt.* (-*nn*-) 사람을 배치하다; 태우다; 격려하다. **~ up** 인력을 공급하다.

man·a·cle [mǽnəkl] *n.* (보통 *pl.*) 쇠고랑; 속박. —*vt.* 고랑을 채우다.

man·age [mǽnidʒ] *vt.* ① (도구 따위를 손으로) 다루다; 조종하다. ② (말을) 어거하다. 조교(調敎)하다. ③ (업무를) 취급하다; 처리하다. ④ (사업을) 경영하다; 관리하다. ⑤ 먹다. ⑥ 이럭저럭해서 …하다(to do). ⑦ 《종종 비꼬는 투로》 잘 …하다《He ~*d to make a mess of it.* 엉망으로 만들어 버렸다》. —*vi.* 처리하다. 해내다가다. **~·a·ble** *a.* 다루기 쉬운. **:~·ment** *n.* ⓤⓒ 취급, 관리, 경영; 《집합적》 경영자측; 솜씨.

man·ag·ing *a.* 처리(관리)하는; 잘 꾸려 나가는; 간섭 잘 하는, 인색한. **managing director** 전무 (이사).

man·ag·er [mǽnidʒər] *n.* ⓒ 지배인, 경영자; 수완가; 관리인; 처리자; 《영국 양원의》 교섭 위원. **good ~** 살림을 잘 꾸려 나가는 주부. 경영을 잘 하는 사람, 두름성 좋은 사람.

man·da·rin [mǽndərin] *n.* ⓒ (중국 옷차림의) 머리 흔드는 인형; (M-) ⓤ 중국 관화(官語); 《일반》 중국 관리의 옷 빛깔과 비슷했던 데서》 중국 귤; ⓤ 귤빛(의 물감).

mándarin dúck 원앙새.

man·da·ta·ry [mǽndəteri, -təri] *n.* ⓒ 수탁자; 수탁국; 위임 통치국.

man·date [mǽndeit, -dit] *n.* ⓒ (보통 *sing.*) ① 명령, 훈령, 엄명, 위임 통치(령); ③ (교황으로부터의) 성직 수임(授任) 명령. —《선거 구민이 의원에게 내는》 요구. —[-deit] *vt.* 위임 통치령으로 하다. —(…에게) 권한을 위양하다; 명령하다.

man·da·to·ry [mǽndətɔ̀ːri/-təri] *a.*
명령의, 위임의. — *n.* = MANDA-
TARY.

man·di·ble [mǽndəbəl] *n.* C (포
유 동물·물고기의) 아래턱(뼈); 새의
부리.

man·drake [mǽndreik] *n.* C
휘독말풀(그 뿌리는 마약제).

mane [mein] *n.* C (사자 따위의)
갈기; (갈기 같은) 머리털.   「종.

mán·eat·er *n.* C 식인 동물; 식인

ma·neu·ver [mənúːvər] *n.* C
전략적 행동; 기동 연습. ② 책략,
책동; 교묘한 조치. — *vi.* 연습하
다; 술책을 부리다. — *vt.* 군대를
움직이다; 책략으로 움직이다 (*away,
into, out of*).

man·ful [mǽnfəl] *a.* 남자다운, 용
감한. **~·ly** *ad.*

man·ga·nese [mǽŋɡəniːz, -nìːs]
n. U 【化】망간.

mange [meindʒ] *n.* U (개·소의)
옴.

man·ger [méindʒər] *n.* C 구유,
구유. **dog in the ~** (버릴 것이라
도 남은 못 쓰게 하는) 짓궂은 사람.

man·gle [mǽŋɡl] *n., vt.* C 세탁 마
무림용의 압착 롤러(로 다리다).

man·gle *vt.* 토막토막 자르다; 형편
없이 하다.

man·go [mǽŋɡou] *n.* (*pl.* ~(*e*)*s*)
C 【植】 망고; UC 망고열매.

man·grove [mǽŋɡrouv] *n.* C 【植】
홍수림(紅樹林)《열대성 상록수》.

man·gy [méindʒi] *a.* 옴이 오른, 더
러운.

mán·han·dle *vt.* 인력으로 움직이
다; 거칠게 다루다.

mán·hole *n.* C 맨홀《하수도·도량
따위에 사람이 드나들도록 만든 구멍》.

man·hood [mǽnhùd] *n.* U ① 성
인감, 인격. ② 남자임; 성년; 남자
다움;《집합적으로》(한 나라의) 성년 남
자 전체. ③ (남성의) 성적 매력, 정
력.

mán·hour *n.* C 인시(人時)《한 사
람의 한 시간 작업량》.

mán·hunt *n.* C 범인 수사.

ma·ni·a [méiniə, -njə] *n.* ① U
【醫】 조병(躁病). ② C 열광; ~열,
~광《*for, of*》.

ma·ni·ac [méiniæ̀k] *a., n.* 미친; C
미치광이. **-a·cal** [mənáiəkəl] *a.* =
MANIAC.

man·ic [mǽnik, méi-] *a.* 【醫】 조
병(躁病)의.

mánic-dépressive *a., n.* C 【醫】
조울병의 (환자).

man·i·cure [mǽnikjùər] *n., vt.*
매니큐어(하다). **-cur·ist** *n.* C 손톱
미용사.

man·i·fest [mǽnəfèst] *a.* 명백한.
— *vt.* ① 명시하다; (감정을) 나타내
다; 입증하다. ② 【商】 적하 목록에
(積荷目錄)에 기재하다. *vi.* 나타나
다; 의견을 발표하다. **~ oneself**
(유령·징후가) 나타나다. — *n.* C
【商】 적하 목록. **~·ly** *ad.* **-fes·ta-
tion** [mæ̀nəfestéiʃən] *n.* UC 표명, 명시,
징표 발표.

man·i·fes·to [mæ̀nəféstou] *n.*
(*pl.* ~(*e*)*s*) C 선언(서), 성명서.

man·i·fold [mǽnəfòuld] *a.* 다수의,
여러 가지의, 다방면의. — *vt.* 복사
하다.

Ma·nil·a, -nil·la [mənílə] *n.* 필리
핀의 수도 (*or* m-). U 마닐라삼;
마닐라 여송연.

ma·nip·u·late [mənípjəlèit] *vt.* ①
(손으로) 다루다; 조종하다. ② 잘내
주를 부리다, 교묘히 조종하다. **-la-
tion** [-̀-léiʃən] *n.* ① C 교묘히 다
루기, 조작, 속임; 촉진(膨脹); ② 【컴】
조작《문제 해결을 위해 자료를 변화하
는 과정》. **-la·tor** *n.* C 조종하는 사
람; 속이는 자.

man·kind [mǽnkáind] *n.* U 인류,
인간; [ː∸] 남성.

man·ly [∸li] *a.* 사내다운; 남자 같
은. **mán·li·ly** *ad.* **mán·li·ness** *n.*

mán·máde *a.* 인공의, 인조의. **~
moon 〈satellite〉** 인공위성.

man·na [mǽnə] *n.* U 【聖】 만나《옛
날 이스라엘 사람이 황야에서 신으로
부터 받은 음식》; 마음의 양식; 맛 좋
은 것.

manned [mænd] *a.* 《우주선 등이》
사람이 탄, 유인의(cf. *unmanned*).

man·ne·quin [mǽnikin] *n.* C 마
네킹(걸); 모델 인형.

man·ner [mǽnər] *n.* ① 《보통
sing.》 방법; 방식. ② (*sing.*) 태도.

M

M

③ (*pl.*) 예절. ④ (*pl.*) 풍습: 생활 양식. ⑤ (*sing.*) (문학·미술의) 양식; 작풍(作風). ⑥ (*sing.*) 종류. **all** ~ **of** 모든 종류의. **have no** ~**s** 예의범절을 모르다. **in a** ~ 얼마간, 다소. **in like** ~ 《古》 마찬가지로. **to the** ~ **born** 나면서부터 적합한, 타고난. ~**less** *a.* 버릇 없는. ~**ly** *a.* 예절 바른, 정중한.

man·nered [mǽnərd] *a.* 틀에 박힌; 버릇이 있는.

man·ner·ism [mǽnərìzəm] *n.* ① 매너리즘(문제·태도·말투 따위가 틀에 박힌 것); 버릇. -**ist** *n.* ① 틀에 박힌 사람.

man·nish [mǽniʃ] *a.* (여자가) 남자 같은.

ma·noeu·vre [mənúːvər] *v., n.* 《英》 = MANEUVER.

mán-of-wár *n.* (*pl.* **men-**) ⓒ 군함.

man·or [mǽnər] *n.* ⓒ 영지(領地), 장원(莊園). **ma·no·ri·al** [mənɔ́ːriəl] *a.* 장원의.

mán pówer 인적 자원; 인력.

man·sard [mǽnsɑːrd] *n.* ⓒ 2단 경사 지붕.

manse [mæns] *n.* ⓒ 목사관(館).

mán·servant [mǽnsə̀ːrvənt] *n.* ⓒ 하인, 종복. (*pl.* **menservants**)

man·sion [mǽnʃən] *n.* ⓒ 대저택: 《英》 성수(星館).

mán-size(d) *a.* 《口》 어른용(用)의; 특대의(口) 힘드는.

mán·slaughter [mǽnslɔ̀ːtər] *n.* ① 살인(죄). 《法》 고살(故殺)죄.

:mántel·piece [mǽntlpìːs] *n.* ⓒ 벽로의 앞장식.

man·tis [mǽntis] *n.* (*pl.* ~**es**, **-tes** [-tiːz]) ⓒ 《蟲》 사마귀, 버마재비.

:man·tle [mǽntl] *n., vt.* ⓒ 망토; 여자의 소매 없는 외투; 덮개; (가스등의) 맨틀; 덮다.

:man·u·al [mǽnjuəl] *a.* 손의, 손으로 만든. — *n.* ⓒ 편람, 안내서. ② 《樂》 건반.

:man·u·fac·ture [mǽnjəfǽktʃər] *vt.* ① 제조하다. ② (대량 작품을) 남작(濫作)하다. ③ 날조하다. — *n.* ① ① 제작, 제조업. ② ⓒ 제품. **:-tur·er** *n.* ⓒ 제조업자, 생산자. **-tur·ing** *n., a.* 제조(업)의; 제조의.

:ma·nure [mənjúər] *n.* ① 비료 (를 주다).

man·u·script [mǽnjəskrìpt] *a., n.* 손으로 쓴, 필사(본)의; ⓒ (인쇄용) 원고 (생략 MS; (*pl.*) MSS).

Manx [mæŋks] *a., n.* 맨 섬 (the Isle of Man)의; ⓒ 맨섬 사람(말)의; ① 맨 섬 말(의). ~**man** [‑mən] *n.* 맨섬 사람.

Mánx cát (맨섬산의) 꼬리 없는 「고양이」.

:man·y [méni] *a.* (**more**; **most**) 많은. **a good** ~ 꽤 많은. **a great** ~ 아주 많은. **as** ~ 같은 수 의. **how** ~? 얼마, 몇 개? ~ **times**, **or** ~ **a time** 몇 번이고. **one too** ~ **for** …보다 한수 위인, …의 힘에 겨운(벅찬). **the** ~ 대중. — *n.* 《複數 취급》다수. **the** ~ (the ~) ① 《複數 취급》 다수.

Mao·ri [máuri] *n., a.* 마오리 사람(New Zealand 원주민); ① 마오리 말(의).

:map [mæp] *n.* ⓒ ① 지도. ② 《컴》 도표(기억장치의 각 부분이 어떻게 사용되는가를 보여주는 것). — *vt.* (**-pp-**) 지도를 만들다. ~ **out** 자세히 계획 하다. **off the** ~ 문제 안되는.

:ma·ple [méipl] *n.* 《植》 단풍: 단풍나무 재목.

máple sýrup 단풍 시럽.

mar [mɑːr] *vt.* (**-rr-**) 손상시키다, 홈 내다, 망쳐놓다.

Mar. March.

Mar·a·thon [mǽrəθàn, -θən] *n.* Athens 북동방의 옛 싸움터; (or m-) = **márathon ráce** 마라톤 경주. **már·a·thòn·er** *n.* 마라톤 선수.

ma·raud [mərɔ́ːd] *vt.* 약탈하다. ~**er** *n.*

:mar·ble [mɑ́ːrbəl] *n.* ① ① 대리석. ② (*pl.*) 조각물. ③ ① 공깃돌. **heart of** ~ 냉혹(무정)한 마음. — *vt.* 대리석 무늬를 넣다(책 가장자 리 따위에). ~**d** *a.* 대리석 무늬의.

:March¹ [mɑːrtʃ] *n.* 3월(생략 Mar.).

:march¹ [mɑːrtʃ] *n.* ⓒ (보통 pl.) 경계 지역; 경계(境界).

:march² *n.* ① ① 행진, 행군. ② (the ~) 사건의 진전. ③ ⓒ 행진곡. ④ (*pl.*) 데모 행진. **dead** [**funeral**] ~ 장송 행진곡. **double**

M

~ 구보(驅步). ~ *past* 분열식.

steal a ~ on [*upon*] …을 앞지르다, 기습하다. ── *vi., vt.* 행진하다 [시키다]; 진행하다; 끌고 가다(*off, on*). ─*ing order* 군장(軍裝). ─*ing orders* 출발 명령. ─*off* 출발하다. ~ *on* … 에 밀려 들다. ~ *past* 분열 행진하다.

mar·chion·ess [mɑ́ːrʃənis] *n.* C 후작(侯爵) 부인(cf. marquis).

mare [mɛər] *n.* C 암말.

mar·ga·rine [mɑ́ːrdʒərin, ~ríːn] *n.* U 마가린(인조 버터).

mar·gin [mɑ́ːrdʒin] *n.* C ① 가장자리, 변두리. ② 한계. ③ 난외 (欄外). ④ 여지; 여유. ⑤ 판매 수익, 이문; (주식의) 증거금. ─ *vt.* 【경】한계에 (신호의 바른 정보로 인식할 수 있는) 신호의 변형 한계. *go near the ~* (도덕상의 한계에) 육박하다. ── *vt.* (…에) 방주(傍註)를 달다; (…의) 증거금을 달다.

mar·gin·al [-əl] *a.* 언저리의, 가의; 한계의; 최저의; 난외의.

mar·gue·rite [mɑ̀ːrgərít] *n.* C 【植】 마거리트(데이지의 일종).

mar·i·gold [mǽrigould] *n.* C 금잔화.

ma·ri·hua·na, -jua- [mæ̀rə-hwɑ́ːnə, mɑ̀ːr-] *n.* U 삼(인도산); 마리화나(그 잎과 꽃에서 뽑은 마약; 담배로 피움).

ma·rim·ba [mərímbə] *n.* C 목금(木琴)의 일종.

ma·ri·na [mərí:nə] *n.* C (해안의) 산책길; (美) 요트·모터보트의 정박소.

ma·ri·nade [mæ̀rənéid] *n.* U.C 마리네이드《생선·고기·닭고기 따위를 담그는 양념 국물》; 마리네이드에 담근 생선[고기]. ── *vt.* 마리네이드에 담그다.

ma·ri·nate [mǽrəneit] *vt.* =↑.

ma·rine [mərí:n] *a.* 바다의, 바다에 사는; 해운의; 선박·항해의. ── *n.* C ① 【집합적】 (일국의) 선박, 함대. ② (the M-s) 해병대 ((英) the Royal Marines). *Tell that to the ~!* 거짓말도 작작 해라! *the mercantile ~* 상선대, 해운력. **mar·i·ner**

[mǽrənər] *n.* C 선원, 수부; (M-) (美) 화성·금성 탐사용의 우주선.

mar·i·on·ette [mæ̀riənét] *n.* C 꼭두각시, 마리오네트.

ma·ri·tal [mǽrətl] *a.* 남편의; 혼인의, 부부간의.

mar·i·time [mǽrətaim] *a.* 바다의, 해상의(~ *power* 제해권/~ *law* 해상법); 바다에 사는.

mar·jo·ram [mɑ́ːrdʒərəm] *n.* U 【植】 마요라나(약용·요리용).

mark [mɑːrk] *n.* C ① 과녁, 목표. ② (the ~) 표준; 안표(*touch the ~*, 1,000 *dollar* 천 달러대가 되다). ③ C 표, 자국, 흔적; 점수, 특징. ④ 중요성; 명성. ⑤ C 부호, 기호. ⑥ 【英】(종종 詩) ~ 점수; 주목; 현저. ⑦ 【컴】 마크. *below the ~* 표준 이하로, *beside the ~* 과녁에서 빗나간, 적절하지 않은. *full ~(s)* 만점. *get off the ~* (주자 (走者)가) 스타트하다. *(God) save bless the ~.* 어이쿠 실례했소(실언했을 때의 사과); 이거 참!, 원 별일 다. *good ~* 선행점(善行點). *hit the ~* 적중하다. *make one's ~* 저명해지다. *man of ~* 명사(名士). *miss the ~* 중과녁을 맞히지 못하다. *On your ~s!* 【競技】 제자리에! *short of the ~* 과녁에 미치지 못하는. *toe the ~* 【競技】 발가락을 출발점에 대다. *up to the ~* 표준에 달하여, 기대에 부응하여. *within the ~* 예상이 어긋나지 않은. ── *vt.* ① (…에) 표를 하다; 흠집을 남기다; 드러나게 하다. ② 점수를 매기다; 정찰을 붙이다. ③ (어떤 목적·운명을 위해) 골라내다; 운명지우다, 지정하다; 주시하다. ④ (징 승의) 숨은 곳을 알아두다. ⑤ 【競】 마크하다. ── *out* 구획하다; 설계하다, 예정하다. ─*er* *n.* (게임)의 득점 기록[장치]; 서표(書標); 표지; 이정표; (美) 조명탄.

mark *n.* C 마르크《독일의 화폐단위》. ─*하악.*

márk·dòwn *n.* C (값의) 인하, 인하액.

marked [mɑːrkt] *a.* 기호가 붙은, 현저한, 눈에 띄는, 뚜렷한; 저명한,

M

*mar·ket[máːrkit] n. ① ⓒ 장, 저 자, 시장. ② ⓒ 시장에 모인 사람 들. ③ Ⓤ (또는 a ~) 판로, 수요, 팔리는 곳; 거래선. ④ ⓒ 시가; 상 황(商況). — be in ~ 매매되고 있다. **be in the** ~ 매물 로 나와 있다. **black** ~ 암시장. **bring one's eggs (hogs) to a bad (the wrong)** ~ 예상이 어긋 나다. **come into (put on) the** ~ 매물로 내어지다(내놓다). **corner the** ~ 시장을 매점하다, 증권(상품) 을 매점하여 등귀시키다. **go to** ~ (시장에) 장보러 가다; 일을 꾀하다. **hold the** ~ 시장을 좌우하다. **lose one's** ~ 매매의 기회를 잃다. **make a** ~ **of** (…을) 이용한다, (…을) 써서 돈을 벌다. **The** ~ **fell.** 시세(시가)가 떨어졌다. — vt., vi. 시장에서 매매하다, 물건을 시장에 내다 팔다. ~·a·ble a. 팔릴, 판로가 좋은, 시장 성이 있는.

márket dày 장날.

mar·ket·eer[màːrkitíər] n. ⓒ 시 장상인; 《英》 영국의 유럽 공동시장 참가 지지자. **black** ~ 암상인, 잠 상(潛商).

márket gàrden (시장에 내기 위 한) 야채 재배 농원.

márket gàrdening (ò-)dener 시장 공급용 야채 재배(재배업 자).

*mar·ket·ing[máːrkitiŋ] n.** Ⓤ (시 장에서의) 매매; 〖經〗 마케팅《제조에 서 판매까지의 전과정》.

márket plàce n. ⓒ 장터.

márket príce (vàlue) 시장 가격.

márket resèarch 시장 조사《어 떤 상품의 수요를 위한 사전 조사》.

márk·ing[máːrkiŋ] n. Ⓤ ① 표하기. ② ⓒ 표, 점; ⓒ (새의 깃이나 짐승 가죽의) 반문 (斑紋).

marks·man[máːrksmən] n. ⓒ (명사수; 저격범.

márksman·ship n. Ⓤ 사격술.

márk·up.n. ⓒ 가격 인상; 인상 가 격; 《美》 법인의 최종 절충.

marl[maːrl] n. Ⓤ 이회토(泥灰土)《비 료·시멘트용》. ~·y·a.

mar·ma·lade[máːrməlèid] n. Ⓤ 마멀레이드《오렌지·레몬 따위의 잼》.

mar·mo·set[máːrməzèt] n. ⓒ 〖動〗 명주원숭이《라틴 아메리카산》.

mar·mot[máːrmət] n. ⓒ 〖動〗 마멋 《다람쥐의 일종: 모르모트와는 다름》.

ma·roon[mərúːn] n., a. Ⓤ 밤색 (의); 《주로 英》 불꽃의 일종.

ma·roon[mərúːn] n. ⓒ 탈주 흑인《의 자손》《서인도 제도·Guiana 산 중에 삶》: 무인도에 버려진 사람. — vt. 무인 도에 버리다, 고립시키다. — vi. 빈 둥거리다, 《美》 캠프 여행을 하다. ~·er n. ⓒ 해적.

mar·quee[maːrkíː] n. ⓒ 《주로 英》 큰 천막; (클럽·호텔 따위의 정문 앞 보도 위에 씌운) 텐트, 큰 차양.

mar·que·try, -te·rie[máːrkətri] n. Ⓤ 상감(象嵌) 세공, (가구 장식용의) 쪽매붙임 세공.

mar·quis, 《英》 -quess [máːrkwis] n. (fem. **marchioness** ~) 후작《duke의 아래》.

mar·ram[mǽrəm] n. ⓒ 《해변에 나 는 사방풀(砂防草)의》 볏과 식물.

mar·riage[mǽridʒ] n. ① Ⓤⓒ 결 혼; 결혼 생활. ② Ⓤ 결혼식. ③ ⓒ 밀접한 결합. **civil** ~ (종교 의식에 의하지 않는) 신고 결혼. **com·munal** ~ 잡혼(雜婚), **give (take) in** ~ 며느리 또는 사위로 주다(삼 다). **left-handed** ~ 신분이 다른 사 람끼리의 결혼. **take a person in** ~ 아무를 아내로(남편으로) 삼다(다).

mar·riage·a·ble [-əbəl] a. 결혼할 수 있는, 혼기가 된, ~·age 결혼 적령기.

marriage license 결혼허가(증).

*mar·ried[mǽrid] a.** 결혼한, 기혼 의; 부부의.

mar·row[mǽrou] n. ① Ⓤ 〖解〗 뼛 골, 골수; ② 정수(精髓), 알짜. ② ⓒ 《英》 호박의 일종. **to the** ~ 뼛 속까지; 순수한.

*mar·ry[mǽri] vt.** (…와) 결혼하다; 결혼시키다(one **to** another); 굳게 결합시키다. — vi. 결혼하다. ~ **age** 결혼기. — **~ing man** 결혼하기를 희망하는 남자. **be married** 결혼하고 있다. **get married** 결혼하다. ~ **beneath oneself** 지체가 낮은 상대와 결혼하 다. ~ **for love** 연애 결혼하다.

*Mars[maːrz] n.** ① 〖로神〗 (로마 신

M

신(軍神)) 마르스. ② 화성.

marsh[mɑːʃ] *n.* U.C 소택(沼澤), 습지. :∠·y *a.* 늪의; 소택이 많은; 늪 같은.

mar·shal[mɑ́ːʃəl] *n.* C ① (프랑스 등지의) 육군 원수. ② 《英》의전(儀典)관. ③ 《美》 사법 비서관; 《美》 연방 재판소의 집행관; 경찰서장. **M- of the Royal Air Force** 《英》공군 원수. — *vi., vt.* 《英》 -**ll-** 정렬하다[시키다]; 《vt.》(의식을 차리며) 안내하다.

már·shal·(l)ing yàrd[─jəliŋ─] 〖鐵〗 조차장(操車場).

mar·su·pi·al[mɑːs*j*úːpiəl─sjúː─] *a.* 〖動〗 유대류(有袋類)의; 주머니의, 주머니 모양의. — *n.* 유대 동물.

mart[mɑːrt] *n.* C 시장(市場).

mar·ten[mɑ́ːrtən] *n.* 〖動〗 담비; U 담비의 모피.

mar·tial[mɑ́ːrʃəl] *a.* 천災의; 무용(武勇)의; 호전적인. (M-) 군신(軍神) Mars의. **~·ly** *ad.* 용감하게.

mártial láw 계엄령.

Mar·tian[mɑ́ːrʃən] *a.* 군신(軍神) Mars의; 화성의. — *n.* C 화성인.

mar·tin[mɑ́ːrtən] *n.* C 흰털발제비.

mar·ti·net[mɑ̀ːrtənét, ─nít] *n.* C 규율에 엄격한 사람(특히 군인·공무원 등), 몹시 까다로운 사람.

mar·ti·ni[mɑːrtíːni] *n.* U.C 마티니(진과 베르무트의 칵테일).

mar·tyr[mɑ́ːrtər] *n.* C 순교자; (…에의) 피로애자하는 사람; 희생자. **make a ~ of oneself** 순교자연하다. **~ to** (gout) (통풍)으로 괴로워하는 사람. — *vt.* (신앙·주의·고집을 이유로) 죽이다; 박해하다. **~·dom** *n.* U.C 순교; 순사(殉死) 고난, 고뇌, 고통.

mar·vel[mɑ́ːrvəl] *n.* 경이, 놀라운 것[일], 경탄. — *vi.* 《美》-**ll-** 경탄하다(*at; that*); 괴이쩍게 여기다 (*why, how*).

mar·vel·ous[mɑ́ːrvələs], **-vel·lous** *a.* 불가사의한, 놀라운; 기적적인; 괴이적은; 《口》 훌륭한. **~·ly** *ad.*

Marx·i·an[mɑ́ːrksiən] *a.* 마르크스 (주의)의. **-ism** *n.* U 마르크스주의. **-ist** *n.* C 마르크스주의자.

mar·zi·pan[mɑ́ːrzəpæn] *n.* U 설탕·달걀·밀가루·호두와 으껜 아몬드를 섞어 만든 과자.

mas·ca·ra[mæskǽrə, ─áː─] *n.* U 마스카라(눈썹에 칠하는 물감).

mas·cot(te)[mǽskət] *n.* C 마스코트, 행운의 부적, 행운을 가져오는 사람[물건, 동물].

mas·cu·line[mǽskjəlin, mɑ́ːs─] *a., n.* C 남자(의); 남자다운; 남자 같은 여성; 〖文〗 남성(의). **-lin·i·ty**[─línə─ti] *n.*

mash[mæʃ] *n.* U ① 짓이긴 것. ② 엿기름물(양조용). ③ 곡물(穀物)이나 밀기울 따위를 더운 물에 개어 만든 (수로 가축에의 사료로) 걸쭉한 것. ④ 《英俗》(갑자의) 매시, *all to a ~* 아주 흐물어진 [질는] 때까지. — *vt.* 으깨다; (엿기름에) 더운 물을 섞다; 반죽게 하다. **∠·er** *n.*

mask[mæsk, ─áː─] *n.* C ① (출·연극용의) 가면 (방호용) 복면, 마스크; (가게의) 마스크; 탈. ② 가장한 사람. ③ 구실, 핑계. ④ 〖劇〗 본, 마스크(어떤 문자 패턴의 1부분을 보존·소거의 제어에 쓰이는 문자 패턴). *throw off the ~* 가면을 벗다; 정체를 드러내다. *under the ~ of* (…에게) 가면을 씌우다; 차폐(遮蔽)하다; (사격 따위를) 방해하다. — *vi.* 가면을 쓰다; 변장하다. **~ed**[─t] *a.* 가면을 쓴, 숨긴, 가장한. **∠·er** *n.* 가면(가장)무도자.

másked báll 가면[가장] 무도회.

mas·och·ism[mǽsəkìzəm, mǽz─] *n.* U 피학대 음란증(被虐待淫亂症), 마조히즘(opp. sadism). **-ist** *n.*

ma·son[méisn] *n.* ① 석수, 벽돌공. ② (M-) 프리메이슨(우애·공제를 목적으로 한 비밀 결사)의 일원 (→ **~ic**). ③ 돌[벽돌]을 쌓다. **~·ic**[məsánik/─sɔ́─] *a.* 석공의; (M-) 프리메이슨의. **~·ry** *n.* U 석공술(術); 석조 건축; (M-) 프리메이슨 결사.

mas·que[mæsk/─áː─] *n.* (16-17세기 영국의) 가면극 (각본); 가장 무도회.

mas·quer·ade[mæ̀skəréid] *n.* C 가장 무도회; 가장; 구실. — *vi.* 가장 무도하다; 가장하다; 체하다 (*as*). **-ád·er** *n.* C 가장 무도자.

M

mass¹, M- [mæs] *n.* ⓤ 미사(가톨릭교의 성체성사); 미사곡. **High M-** (분향·주악이 있는) 대미사.

mass² *n.* ① ⓒ 덩어리; 집단; (a ~) 다수, 다량 (*He is a ~ of bruises.* 전신 상처 투성이다). ② (the ~) 대부분. ③ ⓤ [理] 질량. *in the ~* 통틀어, *the (great) ~ of* …의 대부분. *the ~es* 대중(大衆). — *vt., vi.* 한 덩어리로 하다(되다); 집중시키다(하다).

mas·sa·cre [mǽsəkər] *n.* ⓒ 대학살. — *vt.* 학살하다.

mas·sage [məsɑ́:ʒ/mǽsɑ:ʒ] *n.* ⓤⓒ 마사지, 안마. — *vt.* 마사지 [안마]하다. **-ság·ist** *n.* ⓒ 안마사.

máss communicátion 대중 전달, 매스커뮤니케이션.

mas·seur [mæsə́:r] *n.* (F.) 《*fem.* **-seuse** [-sə́:z]》 마사지사, 안마사.

mas·sive [mǽsiv] *a.* ① 크고 무거운; 묵직한, 육중한; 굵고 덩어리 모양의. **~·ly** *ad.*

máss média (*sing.* **mass medium**) 대중 전달 기관(방송·신문 등).

máss prodúction 대량 생산.

mast [mæst, -ɑ:-] *n.* ⓒ 돛대, 마스트, 기둥. **before the ~** 돛대 앞에, 평수부로서(수부는 상갑판 앞의 수부실에 있으므로).

mas·tec·to·my [mæstéktəmi] *n.* ⓤⓒ [醫] 유방 절제술(술).

mas·ter [mǽstər, -ɑ:-] *n.* ⓒ ① 주인(opp. man); 소유주(主); 임자, 장(長), 우두머리; 가장; 선장; 교장; 《주로 英》 선생; 명인, 대가. ② 도련님. ⑤ 석사. ⑥ 숫자. ⑦ (the M-) 예수. *be ~ of* …을 갖고 있다. …을 터득하고 있다; …을 마음대로 할 수 있다. *be one's own ~* 자유로이 행동할 수 있다. *make oneself ~ of* …에 숙달하다. *M- of Arts* 문학 석사. *~ of ceremonies* (식·여흥의) 사회자(생략 M.C.); 《英》의견의. *pass ~* 급제級第 석사가 되다. *the old ~s* 문예 부흥기의 명(名)화가들의 작품. — *vt.* ① 지배하다; 정복하다; (정열을) 억제하다. ② 숙달하다. **~·ful** *a.* 주인티를 내는; 거만한. **~·ly**

a. 대가다운, 교묘한.

máster kéy 결쇠; 해결의 열쇠.

máster·mind *vt., n.* ⓒ 배후에서 조종하다(하는 사람); (어떤 계획의) 흑막, 지도자.

mas·ter·piece [mǽstərpi:s, mɑ́:s-] *n.* ⓒ 걸작.

máster plán 종합 기본 계획.

máster·stròke *n.* ⓒ 훌륭한 수완.

máster·wòrk *n.* ⓒ 대작, 걸작.

mas·ter·y [mǽstəri, -ɑ́:-] *n.* ⓤ ① 지배, 통어(統御)(*the ~ of the seas (air)* 제해(제공)권). ② 우위, 승리. ③ 숙달.

mást·hèad *n.* ⓒ 돛대 머리.

mas·ti·cate [mǽstəkèit] *vt.* 씹다. **-ca·tion** [≏-kéiʃən] *n.*

mas·tiff [mǽstif] *n.* ⓒ (큰) 맹견의 일종. 〔유선엽(乳腺炎)〕

mas·ti·tis [mæstáitis] *n.* [醫] 유선엽.

mas·tur·ba·tion [mæstərbéiʃən] *n.* ⓤ 수음(手淫).

mat¹ [mæt] *n.* ⓒ ① 매트, 멍석; 신바닥 문지르는 깔개; (식기의) 깔개. ② 엉킨 물건. *leave a person on the ~* 아무를 문전에서 쫓아 버리다. — *vt.* (-tt-) …에 매트를[멍석을] 깔다; 얽히게 하다. — *vi.* 엉키다. **~·ted hair** 헝클어진 머리.

mat² *a.* 광택이 없는, 윤이 ⓒ (그림의) 대지(臺紙).

ma·ta·dor [mǽtədɔ̀:r] *n.* ⓒ 투우사; (카드놀이의) 으뜸패의 일종; (M-) 미국의 지대지 미사일.

match¹ [mæʃ] *n.* ⓒ 성냥. ◇도화선.

mátch·bòx *n.* ⓒ 성냥통.

mátch·màker *n.* ⓒ 중매인; 경기의 대진 계획을 짜는 사람.

match² [mæʃ] *n.* ① ⓒ 상대, 적수(敵手); 맞수; 호적수; 한쪽. 경쟁; 필적하는 것; 맞붙음; 《주로 英》시합; 배우자. *be a ~ [no ~] for* 호적匹敵하다(하지 못하다). — 의 호적수다[…에겐 못당하다]. *be more than a ~ for* 보다 낫다. ② 결혼; 대비하는 것; 조화, 어울림. *make a ~ of it* 결혼하다. — *vt.* …에 필적하다; 결혼시키다(*with*); 맞붙게 하다(*against*); 어울리게 하다(*to*). …에 어울리다. ② 조화시키다. …에 어울리다; 결혼하다. — *vi.* 조화되다; 결혼하다. **~·less** *a.* 무적의수 비(無比)의.

M

mátch·wòod n. ⓤ 성냥개비.

*mate¹[meit] n. ⓒ ① 한패, 동료. ② (한쌍의 새의) 한편. ③ [海] 항해사〈선장의 대리로 함〉; 조수; 조력자. ~, 1등 항해사. ── vt. (…와) 짝지우다, 결혼시키다〈with〉. ── vi. 짝짓다; 한패가 되다.

mate² n., v. [체스] = CHECKMATE.

*ma·te·ri·al[mətíəriəl] a. ① 물질적인; 실질적인(opp. formal). ② 육체적인; 중요한(be ~ to). ~ **evidence** 물적 증거. ── n. ① ⓤⓒ 재료, 원료; 감. ② ⓤ 자료; 요소; 제재(題材). ③ (pl.) 용구(用具)〈**writing** ~s), **printed** ~ 인쇄물. **row** ~ 원료. ~**·ism**[-izəm] n. ⓤ 유물론, 물질주의. ~**·ist** n. ~ **·is·tic** [-`əlístik] a. 유물론의. *~**·is·ti·cal·ly** ad. 크게, 물질적으로.

ma·te·ri·al·ize[mətíəriəlàiz] vt. (…에) 형체를 부여하다; 구체화하다, 구현하다. 〈[降神術]〉(영혼을) 물질화하다. ~ **a spirit**(강신술로) 영혼을 물질화하여 눈앞에 나타내다. ── vi. 나타나다, 유형화되다, 실현되다. **-i·za·tion**[-`-izéiʃən] n.

*ma·ter·nal[mətə́ːrnl] a. 어머니의; 어머니다운(opp. paternal).

ma·ter·ni·ty[mətə́ːrnəti] n. ⓤ 어머니임, 모성, 어머니다움.

math·e·mat·ic[mæθəmǽtik], **-i·cal**[-əl] a. 수학의, 수리적인; 정확한. **-i·cal·ly** ad.

*math·e·mat·ics[mæθəmǽtiks] n. ⓤ 수학. *-ma·ti·cian[-mətíʃən] n. ⓒ 수학자.

*mat·i·née, mat·i·nee[mæ̀tənéi/mǽtinèi] n. (F.) ⓒ (연극 등의) 낮 흥행, 마티네.

ma·tri·arch[méitriàːrk] n. ⓒ 여자 가장; 가장인 여인.

ma·tri·ces[méitrisiːz, mǽt-] n. matrix의 복수.

mat·ri·cide[mǽtrəsàid, méit-] n. ⓤ 모친 살해(자). -cid·al[-sàidl] a. 어머니 살해(자)의.

ma·tric·u·late[mətríkjəlèit] vt., vi. 대학 입학(을 허가)하다. -la·tion[-`léiʃən] n. ⓤⓒ 대학 입학 허가; 대학 입학.

*mat·ri·mo·ny[mǽtrəmòuni] n. ⓤⓒ 결혼; 결혼 생활; [카드] 으뜸패 King과 Queen을 짝짓는 놀이. **-ni·al**[-`móuniəl] a.

ma·trix[méitriks, mǽt-] n. (pl. **-trices**, ~**es**) ⓒ 자궁; 모체; [生] 세포 간질(間質); [印] 자모; 지형(紙型); [컴] 행렬(行列)〈입력 도선과 출력 도선의 회로망.

*ma·tron[méitrən] n. ⓒ (나이 지긋한) 기혼 부인, ② 간호부장; 학교 여자 사감(숨監). ~**·ly** a. matron다운; 침착하고 품위 있는.

matt[mæt] a. = MAT².

*mat·ter[mǽtər] n. ① ⓤ 물질(opp. spirit, mind); 실질, 본질. ② ⓤ [哲] 재료(질료); [論] 명제의 본질(opp. form). ③ ⓤ 내용, 자료; 재료; [英病] 재질(材質), 마티에르. ④ ⓒ 사건, 일, 문제, ⓤ 중요성. ⑤ ⓤ …의 물건〈**postal** ~ 우편물/**printed** ~ 인쇄물). ⑥ ⓤ [醫] 고름. **of** ~ **of 10 years** 약 10년간). **as a** ~ **of fact** 실제로는, 실제에 있어서는. **as ~ stands**, or **as the ~ stands** 현상태로는. **for that** ~ 그 일에 대해서는, 그 **~ of** …에 대해서는. ~ **of course** 당연히 예기되는 일. ~ **of fact** 의견이 아니라 사실 문제. **no** ~ 대단한 일이 아니다. **no ~ how**〈**what, when, where, who**〉비록 어떻게〈무엇을, 언제, 어디에서, 누가〉 ~ 다 하더라도. **what is the ~ (with** ~)? 어찌된 일인가? **What ~?**, or **No ~.** 상관 없다는가. ── vi. 중요하다〈상처 따위가〉 곪다. **It does not ~ if** (…이라도) 괜찮다. **What does it ~?** 상관 없지 않은가.

mátter-of-fáct a. 사실의; 사무적인, 멋없는.

mat·ting[mǽtiŋ] n.〈집합적〉멍석, 매트, 돗자리; ⓤ 그 재료.

*mat·tress[mǽtris] n. ⓒ (짚·솜 따위를 둔) 매트리스, 침대요; [土] 침상(沈床).

mat·u·rate[mǽtʃərèit] vi., vt. 낫다; 곪다; 화농(케)하다. -ra·tion[-`réiʃən] n. ⓤ 화농; (과실 따위의)

M

ma·ture [mətʃúər, -tʃúə] *a.* ① 익은, 성숙한; (심신이) 충분히 발달한. ② 만기가 된. ③ 신중한. — *vt., vi.* 익히다, 성숙시키다[하다]; 완숙시키다; 만기가 되다.

ma·tu·ri·ty [mətʃúərəti, -tʃúə:-/-tjúərə-] *n.* ⓤ 성숙; 완성; 만기; 화농. **come to** ～ 성숙하다.

mat·zo [máːtsə, -tsou] *n.* (*pl.* ～**s**, ～**th**(-θ)) ⓒ Passover에 유대인이 먹는 밀가루만으로 된 빵.

maud·lin [mɔ́ːdlin] *a.* 걸핏하면 우는; 취하면 우는; 감상적인. — *n.* ⓤ 눈물 잘 흘림, 감상벽(感傷癖).

maul [mɔːl] *n.* ⓒ 큰 나무 망치, 메. — *vt.* 큰 메로 치다, 쳐서 부수다; 거칠게 다루다; 혹평하다.

maun·der [mɔ́ːndər] *vi.* 종작[두서]없이 지껄이다; 방황하다.

Máundy Thúrsday 세주 목요일 (부활절 전의 목요일).

mau·so·le·um [mɔ̀ːsəlíːəm] *n.* (*pl.* ～**s**, ～**lea**[-líːə]) ⓒ 장려한 무덤, 영묘(靈廟), 능.

mauve [mouv] *n., a.* ⓤ 연보라(의).

maw [mɔː] *n.* ⓒ 동물의 위(胃).

mawk·ish [mɔ́ːkiʃ] *a.* 구역질나는; 연약하고 감상적인.

max. maximum.

max·im [mǽksim] *n.* ⓒ 격언, 금언.

max·i·mal [mǽksəməl] *a.* 최대한의, 최고의.

max·i·mize [mǽksəmàiz] *vt.* 최대한으로 증가시키다.

max·i·mum [mǽksəməm] *n.* (*pl.* ～**s**, -**ma**[-mə]) ⓒ 최대 한도; (數) 극대(opp. *minimum*). — *a.* 최대(한의).

May [mei] *n.* ① 5월. ② ⓒ 청춘. ③ (m-) ⓒ (英) (植) 산사나무.

may [mei] *aux. v.* (과거 might [mait]) ① (가능성(부정은 *may not*)) …일지도 모른다(*It ~ be true.* 사실일지도 모른다/*It ~ not be true.* 사실이아닐지도 모른다). ② (허가(부정은 *must not, cannot*)) …해도 좋다 (*You ~ go./You must not* (*cannot*) *go.*) (정중한 금지에는 다음 과 같이 쓸 수 있음: *No tape or sticker*

may be attached. (스카치)테이프나 종이를 붙이지 마십시오(항공우편의 주의서)). ③ (용인(부정은 *cannot*)) …하여도 당연하다; …하는 것도 당연하다(*You ~ call him a great man, but you cannot call him a good man.*); 하여도 괜찮을 텐데(*You might offer to help.* 도와 주겠다는 말을 해줘도 좋을 것 아닌가). ④ (목적을 나타내는 부사절 속에서) …하기 위하여, …할 수 있도록(*We worked hard (so) that we might succeed.*). ⑤ (양보) 비록 …일지라도(*come what* ～ 무엇이 닥쳐오든). ⑥ (능력) …할 수 있나(*as best one* ～ 할 수 있는 대로; 이력저럭). ⑦ (희망·기원) 원컨대 …이기를(*M- you be happy!* 행복을 빕니다). ⑧ (희망적 명령) …을 바라다 (*You ~ imagine.* 바라대로 헤아려 주십시오). **be that as it** ～ 그것은 어떻든. **~ as well** …하는 편이 좋다.

may·be [méibi] *ad.* 아마, 어쩌면.

Máy Dáy 오월제(5월 1일 Maypole 춤을 춤); 노동절, 메이데이.

May·day, m- [méidèi] *n.* (〈F. *m'aidez* = help me) ⓒ 메이데이 (국제 조난 신호).

máy flý [mei] ⓒ 하루살이.

may·hem [méihem, méiəm] *n.* ⓤ (法) 신체 상해(죄); (一般) 파괴, 난동; 혼란.

mayn't [meimt] *may not*의 단축.

may·on·naise [mèiənéiz, ⎯⎯] *n.* ⓤ 마요네즈.

may·or [méər, méiər] *n.* ⓒ 시장, *Lord* ～ 런던시(기타 대도시)의 시장. ~**al·ty** [-ti] ⓤ 시장의 직.

may·or·ess [méəris, méiər-] *n.* ① 여시장; (英) 시장 부인.

may·pole [méipòul] *n.* ⓒ 오월제를 세우는 기둥(이 둘레에서 춤을 춤).

maze [meiz] *n.* ⓒ 미로(迷路); (a ～) 당혹, 곤혹. — *vt.* (주로 受) 얼떨떨하게[혼란하게] 하다.

ma·zur·ka, -zour- [məzə́ːrkə, -zúər-] *n.* (폴란드의) 마주르카춤(곡).

M.B. *medicinae baccalaureus* (L. = Bachelor of Medicine). **MBA**

Master of Business Administration. **M.C.** Master of Ceremonies; Member of Congress; 《英》 Military Cross.

Mc·Coy [məkɔ́i] *n., a.* (the ~) 《美俗》 진짜(=the real); 본인; 훌륭한, 인류의.

M.D. *Medicinae Doctor* (L. = Doctor of Medicine).

me [強 mi:, 弱 mi] *pron.* (I의 목적격) 나를, 나에게. *Dear me!* 어머! (보통, 여자의 말).

mead[mi:d] *n.* ⓤ 꿀술.

mead·ow[médou] *n.* ⓒ ⓤ 목초지; ⓒ 강변의 낮은 풀밭. **~·y** *a.* 목초지의.

mea·ger, 《英》**-gre** [mí:gər] *a.* 여윈, 불충분한; 빈약한; 무미건조한. **~·ly** *ad.* **~·ness** *n.*

meal[mi:l] *n.* ⓤ (옥수수 따위의) 거칠게 간 곡식; 굵은 가루. *make a ~ of* ···을 (음식으로서) 먹다; (일 따위를) 소중하게 다루다(생각하다). — *vt.* 갈다, 타다.

meal[mi:l] *n.* ⓒ 식사(시간).

meal-time [-tàim] *n.* ⓤⓒ 식사 시간.

mealy-mouthed [-máuðd, -θt] *a.* 말솜씨 좋은.

mean[mi:n] *n.* ⓒ ① 중간, 중위. ② 〔數〕 평균값, 평균(內中); 〔倫〕 중용(中庸); 〔論〕 매사(媒辭)(중간에 서는 것, 중개자로 되는 것), ③ (*pl.*) (보통 단수 취급) 수단, 방법. ④ (*pl.*) 자산(資産), 부(富). *by all (manner of) ~s* 반드시, 《口》 물론 (대답), *by any ~s* 어떻게 해서든지. *by fair or foul ~s* 수단을 안 가리고. *by no ~s* 결코···아니다. *by some ~s* 어떻게 해서. *by some ~s or other ~s* 어떤 방법으로든지, 이럭저럭. *happy (golden) ~* 중용, 중도. *man of ~s* 부자. *~s of living* 생활 방도. *~s test* (실업 수당 받는 자의) 가계 조사. *within [beyond] one's ~s* 분수에 맞게[넘게], ···의 중정도의, 보통의; 평균의 ~ *access time* 〔컴〕 평균 접근 시간. *in the ~ time* =MEANTIME. ~ *temperature* 평균 온도.

mean[mi:n] *a.* ① (태생이) 비천한; 초라한; 열등한. ② 인색한; 가치 없는; 비열한. *no ~* 훌륭한. **~·ly** *ad.* **~·ness** *n.*

mean[mi:n] *vt., vi.* (**meant**) ① 의미하다; ···할 셈이다. ② 예정하다. ③ 의미하다(*What do you ~ by that?* 그건 무슨 뜻이냐); ···의 뜻으로 말하다(*You don't ~ to say so!* 설마). *be meant for* ···에 맞게 돼 있다, ···될 예정이다; ···을 예정하다. *I ~ what I say.* 농담이 아니다, 진정이다. ~ *business* =BUSINESS. ~ *well by [to]* ···에게 호의를 갖다.

me·an·der [miǽndər] *n.* (보통 *pl.*) ① 강의 굽이침; 꼬부랑길. ② 산책, 우회(迂廻)하는 여행. — *vi.* 굽이쳐 흐르다; 정처 없이 거닐다; 만담 하다. **~·ing** [-iŋ] *n., a.* (*pl.*) 꼬부랑길; 만담; 두서 없다.

mean·ie [mí:ni] *n.* ⓒ 《美口》 치사한 놈; 불공평한 비평가; 독설가; (극, 소설의) 악역.

mean·ing[mí:niŋ] *n.* ⓤ 의미, 의의; 목적; 저의(底意). — 뜻 있는 듯한. ~ *·ful a.* 의미 심장한, 의의 있는. *~·less a.* 무의미한. **~·ly** *ad.* 의미 있는 듯, 일부러.

means[mi:nz] ⇨MEAN (*n.*).

means test 〔경〕 (실업 구제를 받는 사람의) 수업 [가계조사, 「사」].

meant[ment] *v.* mean 의 과거(분).

mean·time [mí:ntàim] *ad.* 이럭저럭 하는 동안에. — *n.* (the ~) 그 동안, *in the ~* 이럭저럭 하는 사이 에, 이야기는 바뀌어 (한편).

mean·while [-hwàil] *ad., n.* =⇧.

mea·sles [mí:zəlz] *n.* 〔醫〕 홍역. **mea·sly** [mí:zli] *a.* (구어로 걸 린) 홍역의; (고기에) 촌충(寸蟲)이 붙은; 《口》 빈약한, 지질한.

meas·ur·a·ble [méʒərəbl] *a.* 잴 수 있는; 알맞은. **-bly** *ad.* 잴 수 있을 정도로, 다소.

meas·ure [méʒər] *n.* ① ⓤ 측정, 측량; ② ⓒ 측정의 단위; 계량기, ⓤ (측정된) 크기; 양; 치수; 무게. ③ ⓤ 정도. ④ ⓤ 기준, 표준, 척도. ⑤ ⓤ 한도, 제한(limit); 적도 (適度). ⑥ ⓤ 운율; 〔樂〕 박자, 마디. ⓒ 마디. (종종 *pl.*) 수단

M

(step). 조처. ⑧ ⓒ 법안(bill). **above** [**beyond**] ~ 엄청나게, 엄청난. **common** ~ 공약수. **cubic** ~ 부피, 용량. **dry** [**liquid**] ~ 건(乾)[액(液)]량. **for good** ~ 됨으로. **full** [**short**] ~ 듬뿍[중량 부족]. **give full** ~ 듬뿍 주다. **in a great** ~ 크게. **in a** ~ 다소. **know no** ~ 한 없다. (**clothes**) **made to** ~ 치수에 맞추어 지은 (옷). ~ **for** ~ (동등한) 보복, 대갚음. **set ~s to** ~을 제한하다. **take a person's** ~ 아무의 치수를 재다; 인물을 보다. **take** ~ ……을 측정하다(**of**): 수단을 강구하다, **take the** ~ **of a person's foot** 아무의 인물[역량]을 평가하다. ~ **to** ~ 치수에 맞추어서. **waist** ~ 허리둘레. **within** ~ 알맞게. **without** [**out of**] ~ 엄청나게. ── *vt., vi.* ① 측정하다. (……의) 치수를 재다 ② 평가하다 ③ 길이[폭·높이]가 ……이다. ④ 겨루다, 경주시키다(**with**). ⑤ 구분하다(**off**). ⑥ 분배하다(**out**). ⑦ 적응시키다 ⑧ (詩) 걷다, 나아가다. ~ **back** 헤아림 수 있다. ⑧ 잰: 신중한; 운율이 고른; 리드미컬한. ~**less** *a*. 헤아릴 수 없는. ~**ment** *n*. ⓤ 측정, 측량: ⓒ 용량, 치수.

†**meat** [miːt] *n*. ① ⓤ (식용의) 고기. ② (古) 음식, 식사. **as full of ... as an egg is full of** ~ 가득히. **green** ~ 야채. ~ **and drink** ~ 즐거움(**to**). ~ **safe** (英) 귀막이 찬장; 냉장고. **One man's** ~ **is another man's poison.** (속담) 갑의 약은 을에게 독이다. ~**y** *a*. 고기가 많은; 내용이 풍부한.

méat-ball *n*. ⓒ 고기 완자(《美俗》 얼간이》; 지겨운 사람.

*Mec·ca [mékə] *n*. 메카(Arabia의 도시; Muhammed의 탄생지); (종 종~) 동경의 땅; 발상지.

me·chan·ic [məkǽnik] *n*. ⓒ 기계공. *~*s *n*. ⓤ 기계학, 역학.

*me·chan·i·cal [-əl] *a*. 기계의, 기계에 의한; 기계적인, 물리적인(opp. chemical); 기계적인; 창의성 없는. *~*ly *ad*. 기계적으로.

mech·a·nism [mékənizəm] *n*. ① ⓒ 기계 (장치); 기구, 조직. ② ⓤⓒ 기교. ③ ⓤ [哲] 우주 기계론.

mech·a·nis·tic [mèkənístik] *a*. 기계학[기계론]적인.

mech·a·nize [mékənàiz] *vt*. 기계화하다. ── *d unit* 기계화 부대. -**ni·za·tion** [▸-nizéiʃən] *n*.

†**med·al** [médl] *n*. ⓒ 메달, 상패, 기장, 훈장. ~ **war** ~ 종군 기장. ~ (**l**)**ist** [médəlist] *n*. ⓒ 메달 수상자. ~ 메달 제작자.

me·dal·lion [mədǽljən] *n*. ⓒ 큰 메달; (古) 원형 약각(陽刻).

med·dle [médl] *vi*. 쓸데없이 참견하다(**in**, **with**); (古) 주물럭거리다(**with**). -**dler** *n*. ⓒ 쓸데없이 참견하는 사람. ~**some** *a*. 참견하기 좋아하는.

me·di·a [míːdiə] *n*. medium의 pl. ~ = MASS MEDIA. [컴] 매체.

me·di·ae·val [mìːdiíːvəl, mèd-] ~**ism, &c.** = MEDIEVAL ~ ISM, &c.

me·di·an [míːdiən] *a*. 중간에 위치한. ── *n*. ⓒ [解] 정중 동맥[정맥]; [數] 메디안(중앙값); 중점(中點), 중선(中線).

me·di·ate [míːdièit] *a*. 중간의, 중개의. ─ [-èit] *vi*. 개재하다. ── *vt*. 조정하다; 중간에 서다, 중재하다. ~**ly** *ad*. 간접으로. -**a·tion** [mìːdiéiʃən] *n*. 매개; 조정. **mé·di·a·tor** *n*. ⓒ 조정자.

med·ic [médik] *n*. ⓒ (俗) 의사; 의학도; 위생병.

Med·i·caid, m- [médikèid] *n*. (美) 저소득자 의료 보조.

med·i·cal [médikəl] *a*. 의학의; 의료의; 내과적인(opp. surgical). ── *n*. ⓒ (口) 의사. ~**ly** *ad*.

médical exáminer 검시관(檢屍官)(《공장 등의》 전속 의사.

médical ófficer 보건소원.

me·dic·a·ment [médikəmənt] *n*. 의약, 약제, 약물.

Med·i·care, m- [médikèər] *n*. ⓤ 《美·캐나다》 국민 의료 보장.

med·i·cate [médəkèit] *vt*. 약으로 치료하다; 약을 섞다.

me·dic·i·nal [mədísənəl] *a*. 의약

M

의, 약효가 있는. ~ **plant** 약초(cf. simple). ~**ly** *ad.* 의약으로.

med·i·cine [médəsən] *n.* ⓤ ① 약, 약물, 내복약. ② ⓤ 의술, 의학. ③ ⓤ 마술, 주문. **take one's** ~ 벌을 감수하다. —— *vt.* 투약하다.

médicine màn (북아메리카 토인의) 마법사.

med·i·co [médikòu] *n.* (*pl.* ~**s**) ⓒ (口) 의사, 의학도.

me·di·e·val [mì:dií:vəl, mèd-] *a.* 중세(풍)의. **M- History** 중세사로마 제국의 멸망부터 동로마 제국의 멸망까지(476-1453)). ~**ism** [-ìzəm] *n.* ⓤ 중세풍, 중세 정신[존중]. ~**ist** *n.* ⓒ 중세 연구[존중]가.

me·di·o·cre [mì:dióukər, ∠-∠] *a.* 보통의, 평범한.

me·di·oc·ri·ty [mì:diákrəti/-5-] *n.* ⓤ 범용(凡庸). ⓒ 평범한 사람.

med·i·tate [médətèit] *vi., vt.* 숙고 [묵상]하다(*on, upon*); 꾀하다. ~: **revenge** 복수를 꾀하다. ~**·ta·tion** [mèdətéiʃən] *n.* ~**·ta·tive** [médətèitiv] *a.* 명상적인. ~**·ta·tor** [-tèitər] *n.* 명상에 잠기는 사람, 사색가.

Med·i·ter·ra·ne·an [mèdətəréiniən] *a.* 지중해의, **the ~ Sea** 지중해. —— *n.* (the ~) 지중해.

me·di·um [mì:diəm] *n.* (*pl.* ~**s**, **-dia**) ⓒ ① 중간, 중용. ② 매개(물), 매체, 매개. ③ (細菌) 배양기; 환경, 생활 조건, 수단, 방법. ③ (그림물감의) 용제(溶劑); 영매(靈媒). ~ **of circulation** 통화. —— *a.* 중정도의, 보통의. ~ **range ballistic missile** 중거리 탄도탄(생략 MRBM).

médium wáve (通信) 중파(中波).

med·ley [médli] *n.* ① 잡동사니, 혼합; 잡다한 집단; 잡색천. ② 접속곡 [혼성]곡. —— *a.* 그러모은, 혼합의.

meek [mi:k] *a.* 온순한, 겸손한. **as** ~ **as a lamb** 양처럼 순순한. ~**·ly** *ad.* ~**·ness** *n.*

meet [mi:t] *vt., vi.* (**met**) ① 만나다; 마주치다. ② 마중하다, (약속하고) 면회하다. ③ (정식 소개로) 사이가 되다; (…에) 직면하다. ④ 서로 만나지다. (…와) 싸우다. (희망·요구에) 응하다, 만족시

키다. ⑥ 지불하다(기에 충분하다). ⑦ (선·길 따위가) (…와) 합치다. ⑧ (피·우 따위가) 합치다. **I'm very glad to** ~ **you.** 처음 뵙겠습니다. ~ **one's ear (eye)** 들리다[눈에 들어오다]. ~ **expenses** 비용을 치르다. ~ (*a person*) **halfway** 타협하다. ~ **objections** 반대를 반박하다. ~ **with** …과 우연히 만나다; (사전에) 조우하다; 경험하다; 우연히 발견하다. **Well met!** 마침 잘 만났다. —— *n.* ⓒ 회합, 모임, (英) 사냥 전의 회합.

méeting hòuse 교회당.

méeting plàce 집회소, 회장.

meg·a· [méga] 大(大), 백만(배)의 뜻의 결합사.

még·a·bỳte *n.* ⓒ [컴] 메가바이트 (100만 바이트=800만 비트).

még·a·hèrtz *n.* ⓒ 메가헤르츠, 100만 헤르츠.

meg·a·lith [mégəliθ] *n.* ⓒ [考] 거석(巨石).

meg·a·lo·ma·ni·a [mègəloumèiniə] *n.* ⓤ 과대 망상광(狂). **-ac** [-nìæk] *a.*

meg·a·phone [mégəfòun] *n.* ⓒ 메가폰, 확성기.

még·a·tòn *n.* ⓒ 100만 톤; 메가톤 (핵무기 폭발력의 계량 단위).

mel·a·mine [méləmì:n] *n.* ⓤ 멜라민(에틸).

mel·an·cho·li·a [mèlənkóuliə] *n.* ⓤ [醫] 우울증. **-chol·ic** [-kálik/-5-] *a.* 우울한; 우울증의.

mel·an·chol·y [mélənkàli/-kòli] *n.* ⓤ (습관적·체질적인) 우울(증). —— *a.* 우울한, 생각에 잠긴; 침울한, 서글픈.

mé·lange [meiláːnʒ] *n.* (F.) ⓒ 혼합(물).

mel·a·nin [mélənin] *n.* ⓤ 멜라닌, 검은 색소.

meld [meld] *vt., vi.* (美) 섞다; 섞이다.

me·lee, mêl·ée [méilei, -∠]

mélei *n.* (F.) 치기받기, 난투, 혼전.

mel·lif·lu·ous [məlífluəs] *a.* 꿀같이 감미로운; 유창한.

mel·low [mélou] *a.* ① (과실이) 익어 달콤한; 익은; 향기 높은. ② 비옥한. ③ 원숙한. ④ 풍부하고 아름다운《음색·빛 따위》. ⑤ 기분 좋은. ― *vt.*, *vi.* 연하고 달게 익(히)다; 원숙하게 하다, 원숙해지다. ~·ly *ad.* ~·ness *n.*

me·lod·ic [milɑ́dik/-5-] *a.* 선율의; 선율적인; 곡조가 아름다운. ~ **minor scale** 《樂》선율적 단음계. **-i·cal·ly** *ad.*

me·lo·di·ous [məlóudiəs] *a.* 선율이 고운, ~·ly *ad.* ~·ness *n.*

mel·o·dra·ma [mélədrɑ̀ːmə, -rɛ̀-] *n.* ⓒ 통속극; 권선징악의 통속극, 멜로드라마. **-mat·ic** [mèlədrəmǽtik] *a.* ~·**tist** [mèlədrǽmətist] *n.* ⓒ 멜로드라마 작가.

mel·o·dy [mélədi] *n.* ⓒ 선율, 멜로디; 곡; ① 아름다운 음악(성), 가락.

mel·on [mélən] *n.* ① 《植》멜론, 참외류. **water ~** 수박.

melt [melt] *vi.* (~·**ed**, *ten*) ① 녹다. ② 녹아 없어지다. ③ (마음이) 풀리다, 가엾은 생각이 나다; (색이) 차차 섞이다. ④ 《口》몸이 녹을 정도로 더워들게 느끼다. ― *vt.* ① 녹이다. ② 흐트러뜨리다. ③ 풀리게 하다. ④ 《美口》낭비하다. ~ *away* 녹아 없어지다. ~ *into* 녹아서 …이 되다, 마음이 풀려 서 …하기 시작하다(~ *into tears*).

mélt·dòwn *n.* ⓤⓒ (원자로의) 노심(爐心) 융해《냉각 장치 등의 고장에 의함》.

mélting pòint 융해점.

mélting pòt 도가니; 온갖 인종이 융합해서 사는 곳《흔히 미국을 가리킴》.

mem·ber [mémbər] *n.* ⓒ ① (단체의) 일원, 구성원. ② 수족, 신체의 일부, 기관, 부분. ③ 《文》절, 구; 《數》변, 항. ④ 《컴》 원소, 멤버. **M-of Congress** 《美》국회의원. 하원 의원《생략 M.C.》. **M- of Parliament** 《英》 하원 의원《생략 M.P.》.

:~·ship [-ʃìp] *n.* ⓤ 일원임; 회원 자격; ⓒ 회원수.

mem·brane [mémbrein] *n.* ① ⓒ 《解》얇은 막, 막피(膜皮). ② ⓤ 양피지, 문서(文書). **-bra·nous** [-brənəs] *a.* 막 모양의.

me·men·to [miméntou] *n.* (*pl.* ~(**e**)**s**) ① 기념물. ② (추억이 되는) 유품.

mem·o [mémou] *n.* (*pl.* ~**s**) 《口》 = MEMORANDUM.

mem·oir [mémwɑːr, -wɔːr] *n.* ① 회상록, 실기; 전기; 연구 논문. ② 《*pl.*》 회고록.

mem·o·ra·ble [mémərəbəl] *a.* 잊지 못할, 유명한.

mem·o·ran·dum [mèmərǽn·dəm] *n.* (*pl.* ~**s**, **-da**[-də]) ⓒ ① 메모, 각서, 비망록; 《法》결산(定款); 매매 각서; 《서명 없는》비공식 서한. ② 적요, 기록; 각서. ③ 《商》 위탁 판매품.

me·mo·ri·al [mimɔ́ːriəl] *a.* 기념하는, 추도의; 기억의. ― *n.* ⓒ 기념물; 《*pl.*》연대기, 기록; 진정서; 청원서. ~·**ize**[-àiz] *vt.* 기념하다, 추도 연설을 하다.

Memórial (Decorátion) Dày, the 《美》현충일《대부분의 주에서는 5월 30일》.

mem·o·rize [méməràiz] *vt.* 암기하다, 기억하다; 명심하다.

mem·o·ry [mémɔri] *n.* ① ⓤ 기억; ② (개인의) 기억력. ③ ⓒ 추억. ④ ⓤ 죽은 뒤의 명성; ⓒ (고인의) 영(靈). ⑤ ⓤ 기억을 더듬을 수 있는 연한《*beyond* ~》. ⑤ ⓒ 기념. ⑥ 《컴》기억, 메모리《~ *capacity* 기억 용량/~ *density* 기억 밀도/~ *management* 기억 관리》. *in* ~ *of* …을 위해서, …을 기념하여《*King George*》의《조지왕》《죽은 왕·성인 등의 이름에 붙임》. *within living* ~ 아직도 사람들의 기억에 살아 있는.

men [men] *n.* man의 복수.

men·ace [ménəs] *n.* ⓤⓒ 협박, 공갈. ― *vt.* 협박하다. **-ac·ing·ly** *ad.* 위협적으로.

mé·nage, mé·nage [meinɑ́ːʒ] *n.* (F.) ① 가정(家政), 가사; ② 가족.

me·nag·er·ie [mináʒəri] *n.* (이동) 동물원; 구경거리의 동물.

:mend [mend] *vt.* ① 고치다, 수선하

M

다(repair). ② 정정하다(correct). ③ (행실을) 고치다(improve). ④ (사태를) 개선하다(~ *matters*). ⑤ 걸음을 빠르게 하다(quicken). — *vi.* 고쳐지다; 나아지다. **Least said soonest ~ed.** 《속담》 말은 적을수록 좋다. — **the fire** 꺼져 가는 불을 살리다; 불에 나무를 지피다. — **one's ways** 소행을 고치다. — n. ⓒ 수선한 부분. **be on the ~** 나아져 가고 있다. ◇~·**a·ble**[-əbəl] *a.* 수선되고칠 수 있는. ◇**~·er** n. ⓒ 수선인.

men·da·cious[mendéiʃəs] *a.* 허위의, 거짓말의.

men·dac·i·ty[mendǽsəti] n. ① U 허위; U 거짓말하는 버릇.

men·di·cant[méndikənt] *a.* 구걸하는; 탁발하는. — n. ⓒ 거지; 탁발 수사(修士). ◇**-can·cy**, **-dic·i·ty**[mendísəti] n. U 거지 생활.

mén·folk(**s**) n. (보통 the ~)《복수 취급》 남자들[특히 가족의].

me·ni·al[míːniəl, -njəl] *a.* (비)천한; 하인의. ◇~·**ly** ad. 천하게.

men·in·gi·tis[mènindʒáitis] n. U 《醫》 뇌막염.

men·o·pause[ménəpɔːz] n. (the ~) 폐경기(閉經期), 갱년기.

men·ses[ménsiːz] n. pl. (보통 the ~) 월경.

men·stru·al[ménstruəl] *a.* 월경의; 다달의(monthly).

men·stru·a·tion[mènstruéiʃən] n. U C 월경 (기간).

méns·wèar n. U 신사용품, 신사복, 남성용 의류.

-ment[mənt] *suf.* 결과·수단·상태 따위를 나타내는 명사 어미(achieve*ment*, develop*ment*, enjoy*ment*).

men·tal[méntl] *a.* ① 마음의, 정신의. ② U 마음으로 하는, 암산의. ④ 정신병의.

méntal áge 정신(지능) 연령(《생략 M.A.》).

méntal aríthmetic 암산.

men·tal·i·ty[mentǽləti] n. ① U 정신 활동, 심성. ② U 심적 상태. ③ U(능력) 지능.

men·tal·ly[méntəli] *ad.* 마음으로, 정신적으로; 지력(기질)상으로.

men·thol[ménθɔ(ː)l, -θəl] n. U

【化】 멘톨, 박하뇌(薄荷腦).

men·tion[ménʃən] *vt.* 언급하다, 이야기 들다, 진술하다. **Don't ~ it.** 천만의 말씀입니다. not to ~ …은 말할 것도 없고, …은 물론. U 언급, 진술, 기재. honorable ~ (상품에) 입선의 상장. **make ~ of** …에 관해서 말하다. …에 언급하다.

men·tor[méntər, -tɔːr] n. ⓒ 경험·신용 있는 조언자(助言者).

men·u[ménju, méi-] n. ⓒ ① 식단, 메뉴, 요리. ② 【컴】 메뉴(프로그램의 기능·항목을 일람표로 표시된 것).

mer·can·tile[mɔ́ːrkəntiːl, -tl:l] *a.* 상업의; 돈에 눈이 어두운. ◇**~-til·ism**[-lzəm] n. U 중상(重商)주의.

mer·ce·nar·y[mɔ́ːrsəneri] *a.* 돈을 목적으로 일하는; 고용된. — n. ⓒ 용병(傭兵).

mer·chan·dise[mɔ́ːrtʃəndáiz] n. U《집합적》 상품.

mer·chant[mɔ́ːrtʃənt] n. ⓒ 상인; ①《英》도매 상인; 무역 상인; 《美》 소매 상인. — *a.* 상업의, 상선의. ◇~·**a·ble** *a.* 팔기 쉬운, 수요가 있는.

mer·ci·ful[mɔ́ːrsifəl] *a.* 자비로운. ◇~·**ly** ad. ◇~·**ness** n.

mer·ci·less[mɔ́ːrsilis] *a.* 무자비한, 용서없는. ◇~·**ly** ad.

mer·cu·ri·al[məːrkjúəriəl] *a.* 기민한; 쾌활한; 마음이 변하기 쉬운; 수은의. — n. ⓒ 수은제. ◇~·**ism**[-lzəm] n. U《醫》 수은 중독(증).

mer·cu·ry[mɔ́ːrkjəri] n. ① (M-)《로마》 (여러 신의 심부름꾼) 머큐리 신《상업·웅변·숙련·도둑의 수호신》. ② (M-)《天》 수성. ③《美》 사자(使者). ④ U 수은. ⑤ ⓒ 온도계, 청우계. ⑥ ⓒ 원기. ⑦ ⓒ (M-) 1인승 우주선. **The ~ is rising.** 온도가 올라가고 있다; 형세가 좋아져 간다; 점점 흥분해 간다.

mer·cy[mɔ́ːrsi] n. ① U 자비, 연민; 고마움, 행운. **at the ~** (*mer·cies*) **of** …에 내맡기어 의, …에 좌우되어. **for ~('s sake**) 부디, 제발 비노니. **left to the tender ~ of** …로부터 가혹한 취급을 받고. ~ **flight** (*mis·sion*) 구조 비행. ~ **killing** 안락사

M

(安樂死)(술)(euthanasia). **M- on us!** 어머! 아뿔싸! **What a ～ that ... !** …이라니 고맙네라.

mere[1] [miər] *a.* 단순한, 명색뿐인. …에 지나지 않는(*the ～st folly* 아주 어리석은 짓). **～·ly** *ad.* 단지, 다만, 그저.

mere[2] *n.* ⓒ (주로 英方) 호수. 못.

mer·e·tri·cious [mèrətríʃəs] *a.* 야한; 매춘부 같은.

merge [mɔːrdʒ] *vt.* 몰입(沒入)하게 하다, ① 합병하다(*in*). — *vi.* ① 합병되다; 융합하다. ② 합병하다, 합동하다.

merg·er [mɔːrdʒər] *n.* ① (회사 등의) 합병; 합동.

me·rid·i·an [mərídiən] *n.* ⓒ ① 자오선. ② (古) 특성, 장소, 환경. ③ (古) 정오; ④ 절정, 전성기. — *a.* 정오의; 절정의, 전성기의. **calculated for the ～ of** …의 취미[특성]에 알맞은. **first ～** 본초(本初) 자오선.

me·ringue [məræ̃] *n.* ⓤ 머랭(설탕과 달걀 흰자위로 만든 푸딩의 거죽) ⓒ 그것을 입힌 과자.

me·ri·no [mərínou] *n.* (*pl.* ～**s**) ⓒ 메리노(양); ⓤ 메리노사.

mer·it [mérit] *n.* ① ⓤ 뛰어남, 가치. ② ⓒ 장점, 취할 점. ③ ⓤⓒ 공적, 공로; *(pl.)* 공죄 **make a ～ of** …를 제 공로인 양하다. **on one's own ～** 전가에 의하여; 실력으로. **the Order of M-** ⓒ 공로 훈장. — *vt.* (…을) 받을 만하다. **～ attention** 주목할 만하다.

mer·i·toc·ra·cy [mèritákrəsi/-5-] *n.* ⓤ 수재 교육제; ⓒ 실력 사회; 엘리트 지배층.

mer·i·to·ri·ous [mèritɔ́ːriəs] *a.* 공적 있는; 가치 있는; 칭찬할 만한.

mer·maid [mɔ́ːrmèid] *n.* ⓒ 인어 (여성); ⓒ 여자 수영 선수.

mer·ri·ly [mérəli] *ad.* 즐겁게, 명랑하게, 흥겹게.

mer·ri·ment [mérimənt] *n.* ⓤ 흥겹게 떠들기, 유쾌, 웃고 즐기기, 환락.

mer·ry [méri] *a.* ① 명랑한, 즐거운; 유쾌한. ② 거나한. ③ (古) 즐거운. **make ～** 흥겨워하다. **The more, the merrier.** (속담) 동행이 많으면 즐거움도 많다. **mér·ri·ness**

n. ⓤ 유쾌, 명랑.

mér·ry-go-róund *n.* ⓒ 회전 목마.

mér·ry-mák·ing *n.* ⓤ 흥겹게 떠들기.

me·sa [méisə] *n.* (Sp. = table) ⓒ (평원에 우뚝 솟은) 대지(臺地), 봉우리가 평평한 산.

mes·ca·line [méskəlìːn] *n.* ⓤ (藥) 메스칼린(메스칼로 만든 환각제).

mesh [meʃ] *n.* ① ⓒ 그물코; *(pl.)* 그물, 올가미 ② (톱니바퀴의) 맞물림. *in ～* 톱니바퀴가 맞물려서. — *vt.,* *vi.* 그물로 잡다; 그물에 걸리다; 맞물리다; 맞물다.

mes·mer·ic [mezmérik, mes-] *a.* 최면(술)의.

mes·mer·ize [mézməràiz, mes-] *vt.* (…에게) 최면술을 걸다; 홀리게 하다, 매혹시키다.

mess [mes] *n.* ① ⓤ 잡탕, 혼란식. ② ⓒ (군대의) 회식 동료; ⓤ 회식. ③ ⓒ 한끼분. ④ ⓤ 혼란, 분란. ⑤ ⓤ 실책. **at ～** 식사중. **get into a ～** 난처해지다. **in a ～** 더럽혀져; 혼란해져서; 당혹하여. **make a ～ of** …을 망치다. **～ of pottage** (聖) 한 그릇의 국(고귀한 희생으로 얻은 물질적인 것). — *vt.* 망쳐나, 혼란케 하다. — *vi.* 더럽히다; 회식하다. **～ about [around]** (口); 주물 럭거리다; (俗) 빈둥거리다; (俗) (나쁜 짓으로) 빠지다.

mes·sage [mésidʒ] *n.* ⓒ ① 전하는 말; 소식, 통신. ② 신탁(神託). ③ (美) 대통령 교서. ④ (慣) 메시지, 곧 내용의 말 《…의 의미를 파악하다, 이해하다. **go on a ～** 심부름가다. — *vt.* (…와) 통신하다; (…에게) 신호를 보내다; 편지하여 교섭을 요구하다.

mes·sen·ger [mésəndʒər] *n.* ① 사자(使者), 심부름꾼. ② (古) 전조, 선구(先驅). ③ 연줄에 딸아 바람 같이 하는 종이. ④ 닻줄을 이끌어 오는 밧줄.

Mes·si·ah [misáiə] *n.* (the ～) 메시아, 구세주, 예수. **-an·ic** [mèsiǽnik] *a.* Messiah의.

Messrs. [mésərz] *n. pl. messieurs* (의 생략으로) Mr.의 복수.

mess·y [mési] *a.* 어질러진, 더러운·

M

†**met**[met] *v.* meet의 과거(분사).

met. meteorological; metropolitan.

me·tab·o·lism[mətǽbəlìzəm] *n.* ① 【生】(세포의 물질) 대사 작용; 신진 대사. **met·a·bol·ic**[mètəbálik/-5-] *a.*

†**met·al**[métl] *n.* ⓤⓒ 금속; ⓒ (英) 받자갈; (*pl.*) (英) 레일; (비유) 소질. ─ *vt.* ((英) *-ll-*) (…에) 금속을 입히다. ~·(l)ed *a.* 자갈을 깐.

méta·làn·guage *n.* ⓤⓒ 【言】언어 분석용 언어, 실용용 언어; [컴] 메타 언어.

me·tal·lic[mitǽlik] *a.* 금속(질)의; 엄한; 냉철한.

met·al·lur·gy [métəlɔ̀ːrdʒi/metǽlərdʒi] *n.* ⓤ 야금학, 야금술. **-gi·cal**[mètəlɔ́ːrdʒikəl] *a.*

métal·wòrk *n.* ⓤ (집합적) 금속 세공(물). ~·**er** *n.* ⓒ 금속 세공인. ~·**ing** *n.* ⓤ 금속 가공(업).

met·a·mor·phose [-mɔ́ːrfouz, -s] *vt.* 변형시키다, 변질시키다. **-pho·sis**[-fəsis] *n.* ⓒ 변형, 변태.

met·a·phor [métəfər, -fɔ̀ːr] *n.* ⓤⓒ 【修】은유(隱喩); *a heart of stone*(이것을 a heart *like stone*으로 하면 SIMILE가 됨). ~·**i·cal** [->-fɔ́ːrikəl, - á-/-5-] *a.* **-i·cal·ly** *ad.*

met·a·phys·i·cal[mètəfízikəl] *a.* 형이상학의; 공론의; 추상적인. ~·**ly** *ad.* **-phy·si·cian** [-fizíʃən] *n.* 형이상학자; 추상론, 심리학. *-ics*[-fíziks] *n.* ⓤ 형이상학; 추상론, 심리학.

mete[miːt] *vt.* 할당하다(*out*); (古) 재다.

†**me·te·or**[míːtiər, -tiɔ̀ːr] *n.* ⓒ 유성(流星). ~·**ic**[miːtiárik, -ɔ́r-] *a.*

me·te·or·ite[míːtiəràit], **me·te·or·o·lite**[míːtiɔ́ːrəlàit] *n.* 운석(隕石).

me·te·or·ol·o·gy[mìːtiərálədʒi/-5-] *n.* ⓤ 기상학; 기상. **-o·log·ic** [-rəládʒik/-5-], **-i·cal**[-kəl] *a.* 기상(상)의(*meteorological satellite* 기상 위성). **-gist** *n.* ⓒ 기상학자.

†**me·ter, -tre**[míːtər] *n.* ① ⓒ 미터(미터법에서 길이의 단위). ② ⓒ

계량기: 미터 《가스·수도 따위의》. ③ ⓤ 운율; 박자; ⓒ 보격(步格).

-me·ter[mətər] *suf.* '계기, 미터' 또는 운율학의 '각수(脚數)'의 뜻: baro*meter*; kilo*meter*; penta*meter*.

meth·a·done[méθədòun], **-don** [-dàn/-dɔ̀n] *n.* ⓤ 【藥】메타돈《진통제·헤로인 중독 치료제》.

meth·ane[méθein] *n.* ⓤ 【化】메탄.

meth·od[méθəd] *n.* ① ⓒ 방법, 방식, 방법; ② ⓤ (규칙 바른) 순서, 질서. *deductive* (*inductive*) ~ 연역(귀납)법. **me·thod·i·cal**[miθádikəl/-5-] *a.* 조직적으로, 규율 바른. **-i·cal·ly** *ad.*

Meth·od·ist[méθədist] *n.* ⓒ ① 감리교도《기독교 신교의 한 파》. ② (m-) 엄격한 종교관을 가진 사람. ③ (廢) 격식 위주의 융통성이 없는 사람; 까다로운 사람. **-ic**[-ik], **-i·cal** [-əl] *a.* 감리교파의. **-ism**[-ìzəm] *n.* ⓤ 감리교주의.

meth·od·ol·o·gy[mèθədálədʒi/-5-] *n.* ⓤ 방법론.

meths[meθs] *n.* ⓤ 변성 알코올 (methylated spirits).

meth·yl·ate[méθəlèit] *vt.* (…에) 메틸을 섞다. ─*d spirit*(*s*) 변성(變性) 알코올.

me·tic·u·lous[mətíkjələs] *a.* 용출한; 지나치게 세심한. ~·**ly** *ad.*

mé·tier[méitjei, -^] *n.* (F.) ⓒ 직업; 전문; 장기(長技); (작가의) 수법, (화가의) '에티에'.

†**me·tre**[míːtər] *n.* (英) = METER.

met·ric[métrik] *a.* 미터법의; 계량의.

met·ri·cal[métrikəl] *a.* 운율의; 측량(용)의, 측량법의.

métric sýstem 미터법.

métric tòn ⇨ TON.

Met·ro[métrou] *n.* (the ~) (특히 파리의) 지하철; (m-) ⓒ (一般) 지하철.

met·ro·nome[métrənòum] *n.* ⓒ 【樂】박절기기(拍節器), 메트로놈.

me·trop·o·lis[mitrápəlis/-5-] *n.* ⓒ (일국의) 주요 도시; 수도(capital); 중심지.

met·ro·pol·i·tan [mètrəpálitən/

M

-5-] *a.* 수도의; 대교구[대감독] 교구의. **— n.** ⓒ 수도의 주민; 대주교; 대주교 관구민.

metropolitan políce 수도 경찰.

met·tle[métl] *n.* Ⓤ 기질, 성질; 용기; 정열. **on one's ~** 분발하여. **~d**[-d], **~·some**[-səm] *a.* 위세 좋은.

mew[mju:] *n.* ⓒ 야옹하는 소리. **— vi.** 야옹울다(고양이가).

mews[mju:z] *n. pl.* 《단수 취급》 《英》(빗터 주위의) 마구간.

mez·za·nine[mézənìːn] *n.* ⓒ 중이층(中二層); 무대 밑.

mézzo-sopráno[-s-] *(pl. ~s, -príni, -: -áː-)* ⓒ 메조소프라노; ⓒ 메조소프라노 가수.

mg, mg, milligram(s). Mgr. monseigneur. MHz, Mhz megahertz.

mi[mi] *n.* [U.C] 〖樂〗미(장음계의 제 3음).

mi. mile; mill.

mi·aow[miáu, mjau] *n., vi.* (고양이가) 야옹(울다).

mi·as·ma[maiǽzmə, mi-] *n.* ⓒ (늪에서 나오는) 독기; 말라리아 병독.

mi·ca[máikə] *n.* Ⓤ 운모(雲母), 돌비늘. **~·ceous**[maikéiʃəs] *a.* 운모(모양)의.

mice[mais] *n.* mouse의 복수.

Mich·ael·mas[míkəlməs] *n.* 미가엘 축일(9월 29일, 영국에서는 청산일(quarter days)의 하나).

mi·cro[máikrou] *n., a.* 매우 작은 (것); 마이크로스커트.

mi·cro-[máikrou, -krə] '소(小), 미(微), 100만 분의 1'의 뜻의 결합사. *(cf. macrocosm)*

mi·cro·fiche[máikrəfìːʃ] *n.* 〖컴〗 마이크로피시(여러 장의 마이크로 필름을 수록한 시트 모양의 것).

mi·cro·film[máikrəfìlm] *n., vt., vi.* [U.C] 마이크로 필름(에 찍다, 찍히다).

mi·cron[máikrɑn/-krɔn] *n. (pl. ~s, -cra[-krə])* ⓒ 미크론(길이의 미터의 천분의 1; 부호 μ). **~·ize**[máikrənàiz] *vt.* (미크론 정도로) 미소(微小)화하다.

mi·cro·phone[máikrəfòun] *n.* ⓒ 마이크(로폰).

micro·prócessor *n.* ⓒ 마이크로 프로세서.

mi·cro·scope[máikrəskòup] *n.* ⓒ 현미경.

mi·cro·scop·ic[màikrəskɑ́pik/-5-], **-i·cal**[-əl] *a.* 현미경의; 극히 미세(微細)한.

mi·cro·wave[máikrouwèiv] *n.* ⓒ 극(極)초단파(파장 1m-1cm); = MICROWAVE OVEN.

microwave óven 전자 레인지.

mid[mid] *a.* 중앙의, 중간의, 중부의. **in ~ air** 공중에, 허공에.

Mi·das[máidəs] *n.* 〖그神〗미다스(손에 닿는 모든 것을 황금으로 변하게 하는 힘을 부여받았던 프리지아의 왕); ⓒ 큰 부자; 《美》조기 경보용 위성.

mid·day[ˊdèi, ˊˋ] *n., a.* Ⓤ 정오(의), 한낮(의).

mid·dle[mídl] *n., a.* (the ~, one's ~) 중앙, 중간(의), 중부의); ⓒ 〖論〗중명사(中名辭); (the ~, one's ~) (사람의) 몸통, 허리. **at the ~ of** …의 중간에. **in the ~ of** …의 한가운데에; …에 몰두하여.

middle áge 중년(40-60세).

middle-áged *a.* 중년의.

Middle Áges, the 중세(기).

Middle América 중앙 아메리카, 미국의 중서부.

middle cláss(es) 중산 계급, 중류 사회.

middle dístance (그림의) 중경(中景)(middle ground); 중거리 (경주).

Middle Éast, the 중동《Far East와 Near East와의 중간》.

middle finger 가운뎃손가락.

middle·màn *n.* ⓒ 중매인, 매개자; 《美》 MINSTREL show의 중앙에 있는 사람(⇔INTERLOCUTOR).

middle náme 중간 이름(보기: Lyndon Baines Johnson의

Baines).

middle-of-the-róad *a.* 중용의, 중도의(中道)의. — **er** *a.*

míddle-wèight *n.* ⓒ (권투·레슬링의) 미들급 선수.

Middle Wést, the 미국 중서부 (Midwest).

mid·dling[mídliŋ] *a.* 중등의, 보통의. — *n.* (*pl.*) 중등품, 2급품. — *ad.* 중 정도로, 웬만큼(~ *good*), 꽤, 상당히.

míd·field *n., a.* (경기장의) 중앙부, 필드 중앙부(의). — **er**

midge *n.* ⓒ 모기, 파리매.

mid·get[mídʒit] *n., a.* ⓒ 난쟁이, 꼬마; 극소형의 (물건); 아주 작은.

mid·land[mídlənd] *n.* ⓒ 중부, 내지; (M-) 영국 중부 지방의; 육지로 둘러싸인. — *n.* 중부; (the ~) (나라의) 중부; (M-) 영국 중부 지방 방언. **the Midlands** 잉글랜드의 중부 여러 주

:**mid·night**[mídnàit] *n., a.* 자정(의), 한밤중(의). **burn the ~ oil** 밤 늦게까지 공부하다(일하다).

mid·riff *n.* ⓤ 횡격막; 몸통.

midship·man[—mən] *n.* ⓒ (英) 해군 소위 후보생; (美) (Annapolis 의) 해군 사관 학교 생도.

:**midst**[midst] *n.* ⓤ 중앙, 한가운데. **in our (your, their) ~** 우리들(당신들, 그 사람들) 가운데(사이)에서. **in the ~ of** 한 가운데에서. — 중앙에, 한가운데에, **first, ~, and last** 시종일관하여. — *prep.* …의 (한)가운데, 속.

mid·stream *n.* ⓤ 강 중류(中流).

mid·súmmer *n.* ⓤ 한여름(하지(夏至) 무렵).

Midsummer Dáy 세례자 요한 축일(6월 24일(영국에서는 quarter days 의 하나)).

míd·tèrm *n.* (美) (학기·대통령 임기 등의) 중간의(~ *election* 중간 선거). — *n.* (종종 *pl.*) (美口) 중간 시험.

mid·wáy *a., ad.* 중도의(에). — [—] *n.* ⓤ 중도; (美) (박람회 따위의) 중앙로; 복도.　〔WEST.

Míd·wèst *n.* (美) = MIDDLE

mid·wife[mídwàif] *n.* (*pl.* **-wives**)

ⓒ 조산원, 산파. **~·ry**[-wáifəri, -wíf-] *n.* ⓤ 조산술, 조산업.

míd·wìnter *n.* ⓤ 한겨울.

mien[miːn] *n.* ⓤ (雅) 풍채, 태도, (얼굴의) 표정, 모습.

miff[mif] *n.* (*sing.*) (口) 부질없는 씨움; 분개. — *vt., vi.* (口) 분개(하)게 하다.

:**might**[mait] *n.* ⓤ(정신적 육체적인) 힘; 우세. **with ~ and main, or with all one's ~** 전력을 다하여.

might[1] may의 과거. ① (might + 동사의 원형)〈가능성〉 *It ~ happen sometime.* 혹은 언젠가 일어날는지도 모른다(may 보다 가능성이 적음).〈허가〉 *M- I use your car?* 차를 빌려 주시겠습니까(may보다 공손).〈명령〉 *You ~ imagine.* 좀 생각해 주세요(may보다 공손).〈소망〉 *You ~ help me.* 도와 주면 좋으련만. ② (~ have + 과거분사) *They ~ have helped me.* 도와줄 수 있었던 것을. **as ~ be** (**have been**) *expected* … 에게 예상되는 대로이다. **as well ~** … 함이 좋을 것이다. **as well … as ~** …할 정도라면 …하는 편이 낫다(*You ~ as well do anything as do that.* 딴일을 할바엔 그것만은 그만두어라).

might·y[máiti] *a., ad.* ① 힘센, 강대한. ② 거대한, 굉장한, 대단한. ④ (口) 몹시. **high and ~** 교 만한. **míght·i·ly** *ad.* 힘차게,

mi·graine[máigrein / míː-] *n.* (F.) ⓤ ⓒ 〔醫〕 편두통.

mi·grant[máigrənt] *a.* 이주(移住)하는. — *n.* ⓒ 이주민; 철새.

mi·grate[máigreit, —] *vi.* ① 이주하다. ② (새·물고기가 정기적으로) 이동하다.

mi·gra·tion[maigréiʃən] *n.* ① ⓤ ⓒ 이주, 이전; ② 이주자〈동물〉 (떼). ③ ⓤ 〔化〕 (분자 내의) 원자 이동.

mi·gra·to·ry[máigrətə̀ːri/-təri] *a.*

mike *n.* ⓒ (口) 마이크(로폰).

:**mild**[maild] *a.* ① (태도가) 유순한, 온화한; ② (맛이) 순한, 달콤한 (opp. **bitter**), ③ (기후가) 온화한 (cf. **moderate**). ④ (병이) 가벼운 (opp. **serious**). **DRAW it ~. ~**

M

mil·dew [míldjùː] *n.* ① 곰팡이. 분백균(白粉病菌). — *vt., vi.* 곰팡이(게 하)다. ~**·y** *a.*

mile [mail] *n.* ① 마일(1,760야드, 1,609km). **not** 100 ~**s from** … 의 부근에(소재를 모호하게 말할 때).

mile·age [<ídʒ] *n.* ① 마일수(에 의한 운임). ② (마일수 계산에 의한) 여비 수당.

mile·stone [<-] *n.* ① 이정표. 리정석. ② 획기적 사건.

mil·i·tant [mílitənt] *a., n.* 싸우고 있는; 투쟁적인; ① 호전적인(사람); 투사. **the church** ~ 신전(神戰)의 교회(지상에서 악마나 사악과 싸우고 있는 기독교회). **-tan·cy** ① 투지; 교전 상태.

mil·i·ta·rize [mílitəràiz] *vt.* 군국화하다; 전시 체제로 하다.

mil·i·ta·ry [mílitèri/-təri] *a.* 군(인)의, 군인다운, 군용의; ② 군인의 경력이 있는; 군인의 특징이 있는. — *n.* (the ~) 《집합적》 군인, 군부. **military sérvice** 병역.

mil·i·tate [mílitèit] *vi.* 작용하다, 크게 힘이 되다《against; in favor of》.

mil·i·tia [milíʃə] *n.* ① 의용군; 《美》 국민군.

†**milk** [milk] *n.* ① 젖; 우유; 젖 모양 의 액體, 유액(乳液). **cry over spilt** ~ 돌이킬 수 없는 일을 후회하다. ~ **and honey** 풍요. ~ **and water** 묽은 우유; 시시한 감상(담화). ~ **for babies** 《서적·교리의》 어린이 상대의 것(opp. STRONG meat). ~ **of human kindness** 따뜻한 인정(Sh., Macb.). **separated** [**skim**] ~ 탈지유(脫脂乳). **whole** ~ 전유(全乳). — *vt.* (…의) 젖을 짜다; 착취하다. 받으로 삼다; 즙을 짜내다; 도청하다. ~ **the bull** [**ram**] 가망 없는 일을 하다.

milk-flòat *n.* ① 《英》 우유 배달차.

—— 우측 컬럼 ——

*†**milk·maid** *n.* ① 젖 짜는 여자.

milk·man [<mæn, -mən] *n.* ① 우유 배달부.

milk·sòp *n.* ① 유약한 사람.

milk tòoth 젖니.

*†**milk·y** [mílki] *a.* ① 젖의, 젖 같은. ② 무기력한. **the M- Way** 은하(銀河).

mill [mil] *n.* ① 물방앗간; 제분소. ② 제분기, 분쇄기; 공장. ③ 《俗》 권투 경기; 치고 받기. 《put》**through** the ~ 수련을 쌓다(쌓게 하다). **The ~s of God grind slowly, yet they grind exceeding small.** 《속담》하늘의 응보는 때로 늦기는 해도 언젠가는 반드시 온다. — *vt.* (곡물 등을) 갈아서 가루로 만들다; 분쇄하다; (나사 따위를) 음답으로 만들다; (화폐에) 깔쭉무늬를 내다; 주먹으로 때리다; (초콜릿 따위를) 저어서 거품을 일게 하다. — *vi.* 물방아를 쓰다; 《俗》서로 치고받다; (가축 따위가) 떼를 지어 빙빙 돌다.

mil·len·ni·um [miléniəm] *n.* (*pl.* ~**s, -nia**[-niə]) ① 천년의 기간; (the ~) 지복 천년(예수가 재림해서 지상을 지배한다).

mill·er [mílər] *n.* ① 물방앗간 주인; 제분업자. ② 밀나방. ③ (낚 시질에 쓰는) 나방의 일종. **drown the** ~ (화주·반죽에) 물을 타다.

mil·let [mílit] *n.* ① 《植》 기장.

mil·li- [mílə-/míli-] *pref.* '천분의 1'의 뜻; *milli*bar; *milli*gram(me); *milli*liter; *milli*litre; *milli*meter; *milli*metre.

mil·li·bar [míləbɑ̀ːr] *n.* ① 밀리바 《기압의 단위》.

mílli·gràm(me) *n.* ① 밀리그램《생략 mg.》.

mílli·lìter 《英》**-tre** *n.* ① 밀리 리터《생략 ml.》.

mílli·mèter 《英》**-tre** *n.* ① 밀리 미터《생략 mm.》.

mil·li·ner [mílinər] *n.* ① 부인 모자 제조인《판매인》.

mil·li·ner·y [-nèri/-nəri] *n.* ① 부인용 모자류(장신구류); ① 그 판매업.

*†**mil·lion** [míljən] *n.* ① 백만; 무수; 백만 달러; (the ~) 대중. — *a.* 백만

만의. *a ~ to one* 전혀 불가능한 것 같은. **~th** *n.*, *a.* 《the ~》 백만번째(의); 백만분의 1(의).

:mil·lion·(n)aire [∽*έər*] *n.* ⓒ 백만 장자(cf. billionaire).

mill·pond *n.* ⓒ 물방아용 저수지.

mill·stone ⓒ 맷돌. *between the upper and the nether ~(s)* 진퇴유곡에 빠져.

mill wheel 물방아 바퀴.

mime [maim] *n.* ⓒ 《고대 그리스·로마의》 몸짓 익살극; ⓒ 그 배우. ── *vt.* 몸짓으로 연극을 하다.

mi·met·ic [mimétik, mai-] *a.* 모방의; 의태의; 《醫》의사(擬似)의.

mim·ic [mímik] *a.* 흉내내는, 모방의; 가짜의. ── *vt.* (-**ck**-) 흉내 내어《조롱하나》; 모사(模寫)하다.

mim·ic·ry [mímikri] *n.* ⓤ 흉내; ⓒ 모조품; ⓤ 의태.

mi·mo·sa [mimóuzə, -sə] *n.* Ⓤⓒ 《植》 함수초의 무리 《자귀나무 따위》; 〈미나리아재비색〉.

min. minimum; 《자귀나무》; 〈미나리아재비색〉. minute(s).

min·a·ret [mínərèt, ⌐⌐] *n.* ⓒ 《회교 사원의》 뾰족탑.

min·a·to·ry [mínətɔ̀ri/-təri] *a.* 위협적[협박적인.

mince [mins] *vt.* 《고기 따위를》 잘게 《다지다》; 조심스럽게 말하다. ── *vi.* 맵시를 내며 종종걸음으로 걷다; 점잔 빼며 말하다. ── *n.* ~**=méat** 잘게 썬 고기. *make ~ meat of* ~를 난도질하다. ── *pie* 민스미트《잘게 썬 고기》를 넣은 파이. *mincing n.* ── *a.*, *n.* 점잔빼는 〈말〉. 《 점잔뺌 《*Let us have no mincing of matters* 〈*words*〉. 까놓고 말하자》.

†mind [maind] *n.* ⓤ 마음, 정신. ② ⓤ 기억(력). ③ Ⓤⓒ 생각, 의지. ④ ⓤ 지력, 이성. ⑤ Ⓤⓒ 기질, 기분. ⑥ 《마음의 소유자로서의》 사람 《마음의 소유자로서의》 사람. *bear* 〈*keep*〉 ~ 유념 하다. *be in two* ~**s** 결심을 못하 다. *be a person's* ~ ~와 같은 의견이다. *be out of one's* ~ 잃 고 있다; 미치다. *bring* 〈*call*〉 to ~ 상기하다. *come to one's* ~ 머리에 떠오르다. *give one's* ~ *to* ~에 전념하다. *have a great* ~ *to*

몹시 ~하고 싶어 하다. *have half a ~ to* ~할까 생각하고 있다. *know one's own* ~ 결심이 되어 있다. *make up one's* ~ 결심하다《re-solve》《*to do*》. ~**'s eye** 심안(心眼), 상상력. *of a* ~ 마음을 같이하는. *Out of sight, out of* ~. 《속담》 떠나면 마음도 멀어진다. *put a person in ~* 생각나게 하다. 연상시키다. *say* 〈*tell*〉 *one's* ~ 흉중을 털어 놓다; 직언하다. *time out of* ~ 태고적. 옛날. *to my* ~ 나의 생각으로는. ── *vt.* ① 《…에》 주의를 기울이다; 마음에 두다, 주의하다, 조심하는《다》. 《② *M- your own business.* 쓸데 없는 간섭을 《네 할일이나 해라》. ③ 《의문·부정문에서》 신경 쓰다, 염려하다, 싫어하다《*'Should you* ~ *my telling him?' 'No, not at all.'* 《그에게 이 야기해도 괜찮습니까》 《네, 괜찮고 말고요》 / *Would you* ~ *shutting the door?* 문을 좀 닫아 주시겠요?》. ④ 《주의해서》 돌보다. ⑤ 《古·方》 기억하다. ── *vi.* 정신차리다; 꺼리다; 걱정《조심》하다. *if you don't* ~ 괜찮으시다면. ~ *you!* 《삽입구》 알겠지, 잘 듣게. *M- your eye!* 정신차려! *Never* ~! 걱정마라; 상관 없다. *M- your eye!* 정 신차려! *Never* ~! 걱정마라; 상관 말아 주다. ── *er* [∽*ər*] *n.* ⓒ 《주로 復》 지키는 사람. ~**ful** *a.* 주의 깊은, 마음을 두는《*of*》. ~**less** *a.* 분별없는 무관심한. (-) **mind·ed** [∽id] *a.* 마음이 있는.

mind reading 독심술《讀心術》.

mine [main] *pron.* 《I의 소유대명사》 나의 것; 《詩·古》 모음 또는 h 의 앞에서》 나의《my》. *me and* ~ 나와 나의 가족.

§mine *n.* ⓒ ① 광산; 광갱(鑛坑). ② 《비유》보고(寶庫); 철광. ③ 《軍》 갱도(坑道). ④ 지뢰, 지뢰. *charge a* ~ 지뢰를 장치하다. *lay a* ~ 지 뢰《기뢰》를 부설하다; 전투를 기도하 다《*for*》. *spring a* ~ *on* ~을 기 습하다. ~에 폭발을 주다 ; 기뢰를 부설하다; 음모로 전복시 키다《undermine》.

mine·field 지《기》뢰원《原》; 광석매 장지.

M

min·er[máinər] *n.* ⓒ 갱부; 지뢰 공병.

min·er·al[mínərəl] *n.* ① ⓒ 광물; 【化】무기물. ② (*pl.*) 《英》 광천(鑛泉); 탄산수. ── *a.* 광물의[을 포함한]; 무기의.

min·er·al·o·gy[mìnərǽlədʒi] *n.* Ⓤ 광물학. **-og·i·cal** [mìnərəlɔ́dʒi-kəl/-5-] *a.* **-gist**[mìnərǽlədʒist] *n.* ⓒ 광물학자.

mineral wàter 광천수, 《英口》 탄산수.

mine swèeper 소해정(掃海艇).

min·gle[míŋɡl] *vt., vi.* ① 섞(이)다. ② 사귀다, 어울리다. ~ **their tears** 따라 울다.

min·gy[mínʒi] *a.* 인색한, 「깍」.

min·i[míni] *a., n.* ⓒ (口) (爽) 작은 것.

min·i·a·ture[mínjətʃər, -tʃùər] *n.* ⓒ (작은) 모형; 축소; 축도. ② Ⓤ 미세(微細)화법; 소규모로; 축도적인. ── *a.* 축도의; 소형의. ── *vt.* 미세하게 그리다; 축사(縮寫)하다. **-tur·ist** *n.* 세밀화가, 미니어처 화가.

mini·bùs *n.* ⓒ 마이크로버스.

mini·càb *n.* ⓒ 《英》 소형 콜택시.

mini·compùter *n.* ⓒ 【컴】 미니컴퓨터.

min·im[mínəm] *n.* ⓒ 【樂】 2분음표; 미세한 물건; 액량의 최소 단위 (1 dram의 1/60; 생략 min.).

min·i·mal[mínəməl] *a.* 최소량[수]의, 극소의.

min·i·mize[mínəmàiz] *vt.* 최소로 하다; 최소로 어림잡다; 경시하다.

min·i·mum[mínəməm] *n.* (*pl.* ~**s, -ma**[-mə]) ⓒ 최소량; 【數】 극소 (opp. *maximum*). ── *a.* 최소 한도의, 최저의.

mínimum wàge 최저 임금.

min·ing[máiniŋ] *n.* Ⓤ 채광, 광업 (採鑛). ── *a.* 채광의, 광산의(~ *industry* 광업).

min·ion[mínjən] *n.* ⓒ 《蔑》 총애받는 사람(아이·여자·하인 등); 앞잡이, 부하. ~ **of fortune** 행운아.

mini·skirt *n.* ⓒ 미니스커트.

min·is·ter[mínistər] *n.* ⓒ ① 성직자; ② 장관, 대신, 각료; ③ 공사 (公使). ④ 대리인; 하인. **the**

prime ~ 국무총리, 수상. **vice-** ~ 차관. ── *vi.* 힘을 빌리다; 공헌하다(*to*); 쓸모가 있다; 봉사하다. ── *vt.* (제사를) 올리다; 공급하다.

min·is·te·ri·al[mìnistíəriəl] *a.* 대리의, 대행의; 장관[각료]의, 정부측의, 공사의; 목사의; 종속적인. **the** ~ **party** 여당.

min·is·tra·tion[mìnistréiʃən] *n.* Ⓤ (목사의) 직무; ⓤⓒ 봉사; 보조.

min·is·try[mínistri] *n.* ① (**the** ~) 성직자(聖職). ② (M-) (장관 관할의) 부(部), 성(省); ③ 《英·英国의》 내각. ④ 【집합적】 목사들, 각료 (閣僚), ⑤ Ⓤ 직무, 봉사. **M- of Defense** 국방부.

mink[miŋk] *n.* ⓒ 【動】 밍크(족제비류); Ⓤ 그 모피.

min·now[mínou] *n.* ⓒ 황어(淡魚), 피라미; 작은 물고기. **throw out a** ~ **to catch a whale** 새우로 고래를 낚다; 큰 이익을 위해 작은 이익을 버리다.

mi·nor[máinər] *a.* 작은 쪽의 (opp. *major*). ② 중요하지 않은, 2류의; 【樂】 단음계의. ③ 손아래의 (*Jones* ~)(학교에서 같은 성이 두 사람 있을 때). ④ 《英》 부전공 과목의. ── *n.* ① 미성년자. ② 【論】 소명사(小名辭); 소전제; 【樂】 단조. ③ (M-) 프란체스코회의 수사. ④ 《美》 부전공 과목. **in a** ~ **key** 【樂】 단조로, 음울한 곡조로.

mi·nor·i·ty[minɔ́riti, mai-] *n.* ① Ⓤ 미성년(기). ② Ⓒ 소수(파); 소수당(opp. *majority*).

min·ster[mínstər] *n.* ⓒ 《英》 수도원 부속 교회[당]; 대성당.

min·strel[mínstrəl] *n.* ⓒ ① (중세의) 음유(吟遊) 시인; 가수, 시인. ② (*pl.*) = ~ **shòw** (흑인으로 분장한) 가극단. ~**·sy** *n.* Ⓤ 음유 시인의 예술; 음유 시인들.

mint[mint] *n.* ① 【植】 박하(薄荷); ⓒ 박하사탕.

mint[mint] *n.* ① ⓒ 조폐국; (*a* ~) 거액(*a* ~ *of money* 거액의 돈); (발행을 요하는) 근원, 원천. ── *vt.* (화폐를) 주조하다; (말을) 만들어 내다; 발명하다. ~**·age**[-idʒ] *n.* Ⓤ 조폐; 주조 화폐.

M

min·u·et[mìnjuét] *n.* ⓒ 미뉴에트 《3박자의 느린 춤》; 그 곡.

mi·nus[máinəs] *prep.* ① 〖數〗 마이너스한, …을 뺀(7 - 4 is (equal to) 3. 7 - 4 = 3); …을 잃은 (He came back ~ his arm. 한 쪽 팔을 잃고 돌아왔다). — *a.* 마이너스의, 음(陰)의. — *n.* ⓒ 음수(陰數); 마이너스 부호(-).

mi·nus·cule[mínəskjuːl, —²—] *a.* (필기체) 소문자의; 작은.

min·ute[mínit] *n.* ⓒ ① 분(시간·각도의 단위); 잠시. ② 간단한 메모. ③ (~s) 의사록. *any* ~ 지금 당장 에라도. *in a* ~ 곧. *not for a (one)* ~ 조금도 …않는. *the* ~ *(that)* …하자마자(The ~ (that) he saw me, he ran away.). *this* ~ 지금 곧. *to the* ~ 정확히(그 시간에). *up to the* ~ 최신 유행의. — *vt.* (…의) 시간을 정밀히 재다; 의사초안을 만들다; 기록하다. — *ly a., ad.* 일분마다(의).

mi·nute[mainjúːt, mi-] *a.* 자디잔, 미소한; ② 정밀한. — *ly ad.* 세세하게, 상세하게. — *ness n.*

mínute hánd (시계의) 분침.

mi·nu·ti·a[minjúːʃiə, mai-] *n.* (*pl.* *-tiae*[-ʃiìː])(L.) ⓒ (보통 *pl.*) 상세(한 사정), 세목.

minx[miŋks] *n.* ⓒ 말괄량이, 왈가닥, 바람난 처녀.

mir·a·cle[mírəkəl] *n.* ⓒ ① 기적. ② 불가사의한 물건[사람·일]. *to a* ~ 기적적으로, 신기할 정도로 훌륭히. *work (do) a* ~ 기적을 행하다.

míracle play (중세의) 기적극.

mi·rac·u·lous[mirǽkjələs] *a.* 기적적인, 놀랄 만한, 불가사의한. — *ly ad.* 기적적으로.

mi·rage[mirɑ́ːʒ/—́-] *n.* (F.) ⓒ 신기루; 망상(妄想).

mire[maiər] *n.* ⓤ ① 진흙; 진창; 늪지; 수렁. ② 궁지. *drag a person's name through the* ~ 아무의 이름을 더럽히다. *stick (find oneself) in the* ~ 진구렁에 빠지다. — *vt.* 진창에 몰아 넣다; 곤경에 빠뜨리다; 명예를 더럽히다; 더럽히다. — *vi.* 진창[곤경]에 빠지다.

mir·ror[mírər] *n.* ⓒ ① 거울(look-

ing glass). ② 모범, 전형(典型). ③ 있는 그대로 비추는 것. — *vt.* 비추다; 반사하다, 반영하다.

mirth[məːrθ] *n.* ⓤ 환락, 유쾌, 명랑. *~·less a.* 즐겁지 않은, 서글픈.

mis-[mis] *pref.* 잘못하여, 나쁘게, 불리하여의 뜻.

mis·ad·vénture *n.* ⓤ 불운; ⓒ 재난. *by* ~ 잘못하여(homicide by ~ 〖法〗과실 치사).

mis·an·thrope[mísənθroup, míz-], **-thro·pist**[misǽnθrəpist, miz-] *n.* ⓒ 사람이 싫은 사람, 염세가.

mis·an·throp·ic[mìsənθrápik, mìz-/-θrɔ́-] *a.* 사람 싫어하는, 염세적인.

mis·an·thro·py[misǽnθrəpi, miz-] *n.* ⓤ 사람을 싫어함, 인간 혐오.

mis·ap·pli·cá·tion *n.* ⓤⓒ 오용, 남용, 악용.

mis·ap·ply *vt.* 오용[악용]하다. **-applied** *a.* 오용[악용]한.

mis·ap·pre·hénd *vt.* 오해하다. **-apprehénsion** *n.* ⓤ 오해.

mis·ap·próp·ri·ate *vt.* (남의 돈을) 악용하다; 횡령하다.

mis·ap·pro·pri·á·tion *n.* ⓤ 악용; 남용; 〖法〗 횡령.

mis·be·háve *vi.* 무례한 짓을 하다; 방정치 못한 짓을 하다. **-behávior**, 《英》 **-háviour** *n.* ⓤ 비행(非行).

mis·cál·cu·late *vt., vi.* 오산하다; 잘못 예측하다. **-calculá·tion** *n.*

mis·cár·riage *n.* ⓤⓒ (편지의) 불착; 유산(流産); 실패.

mis·cár·ry *vi.* 실패하다; 유산(조산)하다; 편지가 도착하지 않다, 잘못 배달되다.

mis·cást *vt.* (아무에게) 부적당한 임무를 맡기다; (배우에게) 배역(配役)을 잘못하다.

mis·cel·la·ne·ous[mìsəléiniəs] *a.* 잡다한; 가지각색의(~ *goods* 잡화). *~·ly ad.*

mis·cel·la·ny[mísəlèini, misél-əni] *n.* 잡록, 논문집; 잡동사니.

mis·chance *n.* ⓤⓒ 불행, 재난.

mis·chief[místʃif] *n.* ⓤ (정신·도덕적인) 해; ⓒ (물질적인) 손해,

M

위해(危害), ② ⓒ 재난의 씨; 고장. ③ ⓤ 장난, 익살, **come to a ~** 아무에게 해를 가하다. **do a** *person* **a ~** 아무에게 해를 끼치다. **eyes full of ~** 장난기 가득 찬 눈. **like the ~**〔口〕몹시; 매우. **make ~ between** …의 사이를 이간시키다. … 을 이간시키다. **mean ~** 악의를 품다. **play the ~ with** 망치다; 엉망으로 하다.

mis·chie·vous [místʃivəs] *a.* 유해한; 장난치는. **~·ly** *ad.* **~·ness** *n.*

mis·con·ceive [mìskənsíːv] *vt., vi.* 오해하다, 잘못 생각하다(*of*). **-cep·tion** [-²-sépʃən] *n.* ⓤ 잘못된 생각, 오인.

mis·con·duct [miskándʌkt/-kɔ́n-] *n.* ⓤ 그릇된 불량, 간통. **~ oneself** 방정치 못한 행동을 하다. 품행이 나쁘다. — [mìskəndʌ́kt] *vt.* 실수하다.

mis·cón·strúction [-] *n.* ⓤ,ⓒ 그릇된 조립[구문]; 오해, 곡해.

mis·con·strue [mìskənstrúː] *vt.* 뜻을 잘못 해석하다. 오해하다, 그릇되다.

mis·count *n., vt., vi.* ⓒ 오산(하다), 계산 착오.

mis·cre·ant [mískriənt] *a.* 극악무도한; 이단의. — *n.* ⓒ 이단자, 극악 무도한 사람.

mis·deed *n.* ⓒ 범죄; 못된 짓.

mis·de·mean·or, 〔英〕 -our [mìsdimíːnər] *n.* ⓒ 비행, 행실이 나쁨;〔法〕경범죄.

mis·dir·ect *vt.* 그릇 지시하다; 잘못 겨냥하다; (편지의) 수취인 주소를 잘 못 쓰다.

mise en scène [míːz ɑːn séin] (F.) 무대 장치; 연출.

mi·ser [máizər] *n.* ⓒ 구두쇠, 수전 노. **~·ly** *a.*

mis·er·a·ble [mízərəbəl] *a.* 비참한, 불쌍한; 초라한. **-bly** *ad.*

mis·er·y [mízəri] *n.* ⓤⓒ 불행, 비참; 비참한 신세, 빈곤.

mis·fire *n., vi.* ⓒ (총 따위가) 불발(하다); 목적하는 효과를 못 내다.

mis·fit *n.* ⓒ 맞지 않는 것(옷·신 따위). — [-²-] *vt., vi.* 잘못 맞추다; 잘 맞지 않다.

mis·for·tune [misfɔ́ːrtʃən] *n.* ⓤ 불운, 불행; ⓒ 재난. **have the**

~ to (do) 불행하게도 …하다.

mis·giv·ing [-gíviŋ] *n.* ⓤ,ⓒ 걱정 불안, 의심. **have ~s about** …에 불안을 품다.

mis·guide *vt.* 잘못 지도하다, 잘못 생각하게 하다. **-guided** *a.* 오도된.

mis·hándle *vt.* 심하게 다루다, 학대하다.

mis·hap [-hæp, -²] *n.* ⓒ 재난, 불행한 사고; ⓤ 불운, 불행.

mish·mash [míʃmæʃ] *n.* (a ~) 뒤범벅.

mis·in·form *vt.* 오보하다; 오해시키다(mislead). **-in·for·ma·tion** *n.*

mis·in·terpret *vt.* 그릇 해석하다. **-inter·pre·tá·tion** *n.* ⓤ 오해; 오역.

mis·judge *vt., vi.* 그릇 판단하다. 오해하다. **~·ment** *n.*

mis·lay *vt.* (-**laid**) 놓고 잊어버리다; 잘못 놓다.

mis·lead [-líːd] *vt.* (-**led** [-léd]) 그릇 인도하다; 잘못하게 하다, 현혹시키다.

mis·lead·ing [mislíːdiŋ] *a.* 오도하는, 오해하게 하는, 현혹시키는.

mis·man·age *vt.* 잘못 관리[취급]하다, 잘못 처리하다. **~·ment** *n.*

mis·match *vt.* 짝을 잘못 짓다.

mis·name *vt.* 이름을 잘못 부르다.

mis·no·mer [-nóumər] *n.* ⓒ 잘못된 이름, 명칭의 오용, 잘못 부름.

mi·sog·y·ny [misádʒəni, mai-/-sɔ́dʒ-] *n.* ⓤ 여자를 싫어함. **-nist** *n.* ⓒ 여자를 싫어하는 사람.

mis·place *vt.* 잘못 놓다; (애정·신용을) 부당한 사람에게 주다; 때와 장소를 틀리다. **~d** *a.* **~·ment** *n.* 잘못 두기.

mis·print *n.* ⓒ 오식(誤植). — [-²-] *vt.* 오식하다.

mis·pronounce *vt., vi.* 잘못 발음하다. **-pronun·ci·á·tion** *n.* ⓤ,ⓒ 틀린 발음.

mis·quote *vt.* 잘못 인용하다. **-quota·tion** *n.* ⓤ 잘못된 인용; ⓒ 잘못된 인용구.

mis·read [-réd] *vt.* (-**read** [-réd]) 오독하다, 그릇 해석하다.

mis·represent *vt.* 잘못 전하다. 바르게 나타내지 않다. **-represen·tá·tion** *n.* 왜곡한 진술; 오선(誤

M

(傳).

mis·rule n., vi. ⓤ 악정(을 하다).
the Lord of M- 〖英史〗크리스마스
연희의 사회자.

miss [mis] n. ⓒ (M-) …양,
…씨, ② 아가씨《하녀·점원 등이 부르는 호칭》; 처녀.

miss vt. ① (과녁 따위에) 못 맞히다, 빗놓치다. ② (기회를) 놓치다; 길을 잃다; (기차 따위에) 타지 못하다; 빠뜨리고 듣다(빠뜨리고 쓰다), 잊어버리고 못하다; 없(있)지 않음을 깨닫다 (You were ~ed yesterday. 어제는 ~ 없었다). ⑥ 없(있)지 않음을 서운하게 생각하다 (The child ~ed his mother very much.) 없어서 부자유를 느끼다(I ~ it very much.) 그리워하다. ⑥ 모면하다(escape) (~ being killed 피살을 면하다). — vi. ① 과녁을 빗나가다; 실패하다. ② 보이지 않게 되다; 행방 불명이 되다; 잊지 못하다(of, in). ~ fire 불발로 끝나다(cf. misfire); 목적을 이루지 못하다. ~ one's step 발을 헛딛다; 실패하다. ~ out 생략하다. the point (이야기의) 요점을 모르다(빠뜨리다). — n. ⓒ 못맞힘; 못잡음; 실수; 탈락; 없앰.

mis·sal [mísəl] n. ⓒ 〖가톨릭〗미사 전서(典書).

mis·shap·en [misʃéipən] a. 보기 흉한; 기형의.

mis·sile [mísəl/-sail] n., a. 날아 가는 무기《팔매돌·화살·탄환 따위》(로서 쓰이는); 미사일(의)(cf. guided missile).

missing link, the 〖動〗잃어버린 고리《유인원과 사람 사이에 존재했다고 가상되는 동물》.

mis·sion [míʃən] n. ⓒ ① 사절(단), 전도(단) ② (사절의) 임무; 직무. ③ 사명, 천직. ④ 《美》해외 선교(단) 사관. ⑤ 〖軍〗(작전상의) 비행 임무; 우주 비행 계획.

mis·sion·ar·y [míʃənèri/-ri] a, n. 전도의; ⓒ 선교사.

Mis·sis [mísiz, -is] n. ⓒ ① 마님 《하녀 등의 용어》. ② (the ~) 아내, 마누라; (남의집의) 여주인.

mis·sive [mísiv] n. ⓒ 공식 서한; 편지.

mis·spell vt. 《~ed [-t, -d], -spelt》 (…의) 철자를 틀리다.

mist [mist] n. ⓤⓒ 안개. — vi., vt. 안개가 끼다, 흐려지게 하다. **~i·ly** ad. **~i·ness** n.

mis·take [mistéik] vt., vi. 《-took; -taken》틀리다, 잘못 생각하다. ~ **A for B, A를 B로 잘못 생각하다**. ~ 의 잘못 되다, 잘못 생각하다; 실책을 알다; 〖컴〗실수《원치 않는 결과를 초래하는 사람의 조작 실수》. and no ~ 《앞의 말을 강조하여》그것은 틀림없다. **by~** 잘못하여, 실수하다, 잘못 생각하다. **make a ~** 실수하다, 잘못 생각하다. **make no ~** (口) 틀림없이, 분명히. n. ⓒ 틀림, 잘못; 착오.

mis·tak·en [mistéikən] v. mistake의 과거분사. — a. 틀린, 잘못생각한(I'm sorry I was ~. 나의 잘못이었다. ~ **identity** 사람을 잘못 봄. **~·ly** ad.

mis·ter [místər] n. ⓒ (M-) 군, 씨, 귀하, 님《생략 Mr.》. ② 《美口》선생님, 나리, 여보시오, 당신《호칭》. — vt. …을 씨《님》을 붙여 부르다.

mis·time [mistáim] vt. 부적당한 때에 행하다 (말하다), 시기를 놓치다.

mis·tle·toe [mísltou, -zl-] n. ⓤ 〖植〗겨우살이, 기생목(寄生木).

mis·took [mistúk] v. mistake의 과거.

mis·treat vt. 학대하다. **~ment** n. ⓤ 학대.

mis·tress [místris] n. ⓒ ① 여주인, 주부. ② (M-) …씨 부인《보통 Mrs. [mísiz]로 생략함》. ③ 여교사; 선생; 여지배자 (She is her own ~. 그녀는 자유의 몸이다). ~ **of the situation** 형세를 좌우하는 것.

mis·trial n. ⓒ 〖法〗오판(誤判), 무효 심리《철차상 과오에 의한》.

mis·trust [mistrʌst] vt. 신용하지 않다, 의심하다. — n. ⓤ 불신, 의혹. **~·ful** a. 의심 많은.

mist·y [místi] a. 안개낀; 희미한; 애매한.

mis·un·der·stand [misʌndər-stǽnd] vt. 《-stood》오해하다. **~·ing** [-iŋ] n. ⓤ 오해; 불화(不和).

mis·un·der·stood [-ʌndərstúd] vt. misunderstand의 과거(분사). — a. 오해받은; 가치를 인정할 수

M

없는.

mis·use[-júːz] *vt.* ① 오용하다(《어구를》). ② 학대하다. — [-s] *n.* ⓊⒸ 오용. **-us·age** *n.* ⓊⒸ 오용; 학대, 혹사(illtreatment).

mite[mait] *n.* ⓒ 어린 아이; (보통 *sing.*) 적으나 가치롭한 기부; (a ~) 소량. **not a** ~ 조금도 …아니다. **widow's** ~ 가난한 과부의 한 푼은(마가복음 XII:42).

mite[mait] *n.* ⓒ 진드기.

mi·ter, (英) **-tre**[máitər] *n.* ① (bishop의) 주교관(主敎冠). ② 사교, 주교(bishop)로 임명하다. — *vt.* 주교관을 씌우다. **-tered,** (英) **-tred** *a.* 주교관을 쓴. **mí·tral** *a.* 주교관 모양의.

mit·i·gate[mítəgèit] *vt.* 누그러뜨리다, 완화〔경감〕하다. **-ga·tion**[-géiʃən] *n.* ⓊⒸ 완화〔됨〕.

mitt[mit] *n.* ① (여성용) 손가락 없는 긴 장갑. ② (야구의) 미트. ③ = MITTEN.

mit·ten[mítn] *n.* ⓒ ① 벙어리장갑. ② (*pl.*) (俗) 권투 글러브. **give**〔**get**〕**the** ~ 애인을 차다(에게 채이다).

mix[miks] *vt.* 섞다, 혼합하다; 사귀게하다. — *vi.* 섞이다(*in, with*); 교제하다(*with*). **be ~ed up** 뒤섞여서 혼란하다; (부정·나쁜 친구 따위에) 걸려들다. ~ **in** 잘 섞다; 갑자기 싸움을 벌이다. ~ **it with** …와 싸우다. **~er** *n.* 교제가(a good ~er); (주방용·콘크리트 등의) 믹서, 혼합기; [라디오·TV] 음량 등의 조정 기술자〔장치〕.

mixed[mikst] *a.* 섞인; 남녀 혼합한 복식.

mixed dóubles[테니스] 남녀 혼합 복식.

mixed ecónomy (자본주의·사회주의 병존의) 혼합 경제(영국에서 볼 수 있음). **~ 합 농업**.

mixed fárming (목축을 겸한) 혼합 농업.

mixed márriage (다른 종족·종교 간의) 결혼.

mix·ture[míkstʃər] *n.* ① ⓒ 혼합물(약); (감정의) 교차. ② ⓊⒸ 혼합. ③ Ⓤ 첨가물. ④ ⓒ 혼방 직물.

míx-ùp *n.* 혼란(口) 난투.

mk. mark. **ml. ml.** milliliter(s).

---

mm, mm. millimeter(s).

mne·mon·ic[niːmánik/-5-] *a.* 기억을 돕는; 기억(술)의. **a ~ code**[컴] 연상 기호 코드. — *n.* ⓒ[컴] 연상기호. **~s** *n.* Ⓤ 기억술.

MO, M.O. Medical Officer.

moan[moun] *vi., vt.* 신음하다; 꿍꿍거리다; 한탄하다. — *n.* ⓒ 신음소리. **~ful** *a.* 신음하는, 슬픈듯한, 구슬픈.

moat[mout] *n., vt.* ⓒ (성 둘레에) 해자(垓字)(를 두르다).

mob[mab/-ɔ-] *n.* ⓒ 군중, 폭도(暴徒), 오합지졸. — *vt., vi.* (-**bb**-) 떼지어 습격하다.

mo·bile[móubəl, -biːl/-bail] *a.* 자유로 움직이는, 변하기 쉬운. — *n.* ⓒ 가동물(可動物); (美俗) 자동차; [美術] 모빌 작품. **~ 동식 주택**.

móbile hóme 트레일러 주택, 이동 주택.

mo·bil·i·ty[moubíləti] *n.* Ⓤ 가동성, 이동성; 감격성.

mo·bi·lize[móubəlàiz] *vt.* 동원하다; 가동성을 부여하다; 유통시키다. **-li·za·tion**[móubəlizéiʃən] *n.* Ⓤ 동원; 유통시킴.

mob·ster[mábstər/-5-] *n.* ⓒ 갱의 한 사람(gangster).

moc·ca·sin [mákəsin, -zn/m5-kəsin] *n.* ⓒ 북아메리카 토인의 신발; 독사의 일종.

mo·cha[móukə] *n.* Ⓤ 모카(커피).

mock[mak, -ɔː-/-ɔ-] *vt., vi.* ① 조소하다(*at*); 흉내내어 우롱하다. ② 무시하다. — *n.* ① 조소(의 대상); 우롱; 모방; 모조품. — *a.* 모조의 (~ **diamond**); 거짓의(**with ~ gravity** 진지한 체하고서). **~er** *n.* ⓒ 조소하는 사람.

mock·er·y[mákəri, -5ː-/-5-] *n.* ① Ⓤ 조롱. ② ⓒ 조소의 대상, 웃음거리; 헛수고. **make a ~ of** 우롱하다, 놀리다.

mock·ing·bird [mákiŋbəːrd/m5(ɔ)k-] *n.* ⓒ (북아메리카 남부서인도 등지에 있는) 입내새; 지빠귀류의 새.

móck-ùp *n.* ⓒ 실물 크기의 모형. ~ **stage** 실험 단계.

mod[mad/-ɔ-] *n.* Gael 사람들의 시와 음악의 집회.

M

mod·al[móudl] *a.* 형태[형식]상의; [文] 법 (mood)의; [論] 양식의. **~·ly** *ad.* **mo·dal·i·ty**[moudǽləti] *n.* ⓊⒸ 형식성, 양식; [論](판단의) 양식; [醫·財] 실행 방법.

mode[moud] *n.* ⓒ ① 양식, 방식; 식, 습관 ② 유행; [樂] 선법 (旋法), 음계 (major ~ 장음계). ③ [컴] 방식, 모드, 모형. *out of ~* 유행에 뒤떨어진, 한물 지나고.

mod·el[mádl/-5-] *n.* ⓒ ① 모형, 원형, 본, 설계도, ② (화가 등의) 모델; 마네킹, ③ 모범, *a.* [컴] 모형. ── *vt.* ① 모범적인, 모형의. ── *vt.* (《美》 -ll-) 모양 (모형)을 만들다; (점 토 따위를) 어떤 형으로 뜨다, 설계하다, (…을) 본뜨다 (*after, on, upon*). *~ school* 시범학교. ──(l)ing *n.* ① 모형 제작 ② [美術] 살붙이기 ③ [컴] (현상의) 모형화. **~(l)ing clay** 소상용 (塑像用) 점 토.

mo·dem[móudem] *n.* [컴] 변복조 (變復調) 장치.

:mod·er·ate[mádərət/-5-] *a.* ① 온건한, 온화한 ② (양·정도가) 알 맞은, 웬만한, 보통의; 절제하는, ③ (병세가) 중간 정도의 (*a case ~ 'mild'과 'serious'의 중간*). ── *n.* ① 온건한 사람; (M-) [政] 온건파의 사람. ── [-dərèit] *vt., vi.* 삼가다, 완화하다(되다); 누그러지다; 중재의 노릇을 하다, 사회(司會)하다. **~·ly** *ad.* 적당하게, 중간 정도로.

mod·er·a·tion[màdəréiʃən] *n.* ① 적당함, 온화; 완화, 절제, 중∼ 정도에 알맞게.

mod·er·a·tor[mádərèitər/-5-] *n.* ⓒ 조정자; 조절기; 사회자, 의장; [the M-] (Oxford 대학의) B.A. 시험 위원; [理] (원자로의) 감속제 (減速劑).

:mod·ern[mádərn/-5-] *a.* 현대의; 근대의; 당세품의, 모던한. **mod·ern·ism**[-ìzm] *n.* Ⓤ 현대 식, 현대 사상; 근대 어법; [宗] 근대 주의. **-ist** *n.* ⓒ 현대주의자. **mod·ern·ize**[mádərnàiz/-5-] *vt., vi.* 근(현)대화하다. **-i·za·tion**[∼izéiʃən/-nai-] *n.* Ⓤ [현)대화.

mod·est[mádist/-5-] *a.* ① 조심 (操身)하는, 겸손한, ② 수줍은; 수

한, *~·ly ad.* **mód·es·ty** *n.*
ⓊⒸ 조심스러움; 수줍음; 겸양; 정숙.

mod·i·cum[mádikəm] *n.* (a ~) 소량, 소액.

mod·i·fy[mádəfài/-5-] *vt.* ① 가감 하다, 완화하다. ② 수정하다. 변경 하다. ③ [文] 수식하다. ④ [컴] 명 령의 일부분을 변경하다. **-fi·ca·tion**[∼fikéiʃən] *n.* Ⓤⓒ 가감; 수정; 수 식. **-fi·er** *n.* ⓒ ① 수정자; [文] 수 식어. ② [컴] 변경자.

mod·ish[móudiʃ] *a.* 유행의, 현대적인. **mod·u·late**[mádʒəlèit/mɔ́-] *vt.* 조절(조정)하다, 음조(音調)를 바꾸다. [無電] 변조하다. **-la·tion**[∼léiʃən] *n.* ⓊⒸ 조절, 억양; [無電] 변조; [컴] 변조. **-la·tor**[∼tər] *n.* ⓒ [컴] 변조기.

mod·ule[mádʒuːl/mɔ́dju:l] *n.* ⓒ (도량·치수의) 단위, 기준; [建] (각 부분의) 산출 기준; 모듈, ─ 모(船) (우주선의 구성 단위)(*a lunar ~* 달 착륙선); [컴] 모듈.

mo·dus op·e·ran·di[móudəs àpərǽndai/mɔ́dəs ɔ̀pərǽndi] (L.) 활동방식, 운용법; (범인의) 수 법; (일의) 작동방식.

mo·dus vi·ven·di [-vivéndi, -dai] (L.) 생활 양식; 잠정 협정.

mo·gul[móugəl, ─] *n.* ⓒ 무굴 사 람(인도를 정복한 몽골 사람); 거물. *the Great* (*Grand*) **~** 무굴 황제.

mo·hair[móuhɛər] *n.* ⓒ 모헤어(앙 고라 염소의 털); ⓊⒸ 모헤어 천.

Mo·ham·med[mouhǽmid, -med] *n.* (570?-632) 마호메트(이슬람교의 개조).

moist[moist] *a.* ① 습한, 축축한 ② 비가 많은. *~·en*[mɔ́isn] *vt.* 축이 게하다, 적시다.

mois·ture[mɔ́istʃər] *n.* Ⓤ 습기, 수분.

mo·lar[móulər] *n., a.* ⓒ 어금니 (의).

mo·las·ses[məlǽsiz] *n.* Ⓤ 당밀 (糖蜜).

mold[mould] *n.* ⓒ ① 형(型), 거푸집. ② (비유) 모양, 모습, ③ (*sing.*) 특성, 성격. ── *vt.* 거푸집에 넣어 만들다; 열마감하다. *~·ing n.* Ⓤ 주조; ⓒ 주조물; [建]

M

mold·y, (英) **mould·y** [móuldi] *a.* 곰팡난; 진부한.

mole [moul] *n.* ⓒ 사마귀.

mole [moul] *n.* [動] 두더지. **blind as a ~** 눈이 아주 먼.

mo·lec·u·lar [məlékjələr] *a.* 분자의, 분자로된.

mol·e·cule [málikjùː/-5-] *n.* ⓒ [理] 분자.

móle·hill *n.* ⓒ 두더지가 파올론 흙.

mo·lest [məlést] *vt.* ① 괴롭히다, 지분거리다. ② 방해(간섭)하다. **mo·les·ta·tion** [mòulestéiʃən] *n.* ⓒ 방해, 방해.

mol·li·fy [málifài/-5-] *vt.* 누그러지게 하다, 달래다. **-fi·ca·tion** [-fikéiʃən] *n.* ⓤⓒ 완화; 진통.

mol·lusc, -lusk [máləsk] *n.* ⓒ 연체 동물. **mol·lus·coid** [məláskɔid/mɔl-] *n., a.* ⓒ 의(擬)연체 동물(의).

mol·ly·cod·dle [málikàdl/móli-kɔ̀dl] *vt.* 응석받이로 기르다. — *n.* ⓒ 뱅충맞이.

Mól·o·tov cócktail [málətɔ̀f-/mɔ́lətɔ̀f-] 화염병(火焰甁).

molt [moult] *vi., vt.* (동물이) 탈피하다, 털을 갈(게 하)다. — *n.* ⓤⓒ 탈피, 털갈이, 그 시기.

mol·ten [móultn] *v.* melt의 과거분사. — *a.* 녹은; 주조된.

mom [mam/-ɔ-] *n.*(口) = MUMMY².

mo·ment [móumənt] *n.* ① ⓒ 순간; 때, 현재. ② ⓤ 중요성. ③ [物] 계기, 요소. ④ ⓤ [機] (축둘레의) 운동효과, 모멘트, 역률(力率). **at any ~** 언제라도. **at the ~** 는. **i. for the ~** 당장. **in a ~** 곧. **Just a ~., or One ~., or Wait a ~.** 잠깐 (기다려 주시오). **man of the ~** 시대의 각광을 받는 인물, 요인. **of no ~** 요치 않은, 시시한. **the (very) ~ that ...** 할 찰나, **this ~** 지금 곧. **to the ~** 제시각에, 일각도 어김없이.

mo·men·tar·y [móuməntèri/-təri] *a.* 순간의, 찰나의, 일시적. **-tar·i·ly** *ad.* 잠깐, 시시 각각.

mo·men·tous [mouméntəs] *a.* 중

대한, 중요한. **~·ly** *ad.*

mo·men·tum [mouméntəm] *n.* (*pl.* **~s, -ta**[-tə]) ⓤⓒ [물체의] 타성(惰性), 여세; ⓤ [機] 운동량.

mom·ma [mámə/-5-] *n.*《美口·小兒》 = MOTHER.

mom·my [mámi/mómi] *n.*《美·兒》 = MOM.

Mon. Monastery; Monday.

mon·arch [mánərk/-5-] *n.* ⓒ 군주. **mo·nar·chal** [məná·rkəl] *a.* 군주의, 군주다운.

mo·nar·chic, -chi·cal [məná·rkik, -əl] *a.* 군주국의; 군주(정치, 국의).

mon·ar·chism [mánərkìzəm/-5-] *n.* ⓤ 군주주의. **-chist** *n.* ⓒ 군주제 주의자.

mon·ar·chy [mánərki/-5-] *n.* ⓒ 군주 정치[국가]. ⓒ 군주국.

mon·as·ter·y [mánəstèri/mónəstəri] *n.* ⓒ 수도원.

mo·nas·tic [mənǽstik] *a.* 수도원의; 수도자의; 금욕(은둔)적인. **-ti·cism** [-təsìzəm] *n.* ⓤ 수도원 생활 [제도].

Mon·day [mándei, -di] *n.* 《보통 무관사》월요일. **~·ish** *a.* 느른한(월요일 다음의).

monde [mɔ̃ːnd] *n.* (F.) ⓒ 세상, 사회, 사교계.

mo·ne·tar·y [mánətèri/mánitəri] *a.* 화폐의, 금전상의.

mon·ey [máni] *n.* ⓤ 돈. **coin ~** (口)돈을 마구 벌다. **for ~** 돈으로; 돈을 위해. **hard ~** 경화(硬化); 정금(正金). **lucky ~** 행운이 온다고 몸에 지니고 다니는 돈. **make ~** 돈을 벌다. **for jam** 《英俗》거저 번 돈. **M- makes the mare to go.** 《속담》돈이면 귀신도 부린다. **on [at] call ~** = CALL ~. **~'s worth** 돈에 상당하는 물건, 돈만큼의 가치. **paper ~** 지폐. **raise ~ on ~** 저당하여 돈을 마련하다. **ready ~** 맞돈, 현금. **small ~** 잔돈. **soft ~** 지폐. **standard ~** 본위(本位)화폐.

móney·bàg *n.* ⓒ 지갑; (*pl.*) 부자; 부자.

móney·lènder *n.* ⓒ 대금업자.

móney·màking *n.* ⓤ 돈벌이.

M

móney màrket 금융 시장.

móney òrder (송금)환.

Mon·gol [máŋgal, -goul/mɔ́ŋgɔl] *n.,
a.* ⓒ 몽골 사람(의). **~·ism** [-ìzəm]
n. ⓤ [醫] 몽고증(症)(선천적 치매증
의 일종).

mon·goose [máŋgu:s, mán-/-5-] *n.*
(*pl.* **~s**) ⓒ 몽구스(인도산 족제
비 비슷한 육식 동물, 독사를 먹음).

mon·grel [máŋgrəl, -ʌ-] *n., a.* ⓒ
잡종(의)《주로 개》.

mon·i·tor [mánitər/mɔ́n-] *n.* ⓒ
① 권고자, 경고자, 충고가 되는 것.
② 학급 위원. ③ [軍] (회전 포탑이
있는) 저현(低舷) 장갑함. ④ [動] 왕
도마뱀의 일종《열대산; 악어의 존재
를 알린다 함》. ⑤ (레코드·방송 등의)
회전 청구(筒). ⑥ 외국방송 청취
원, 외전(外電) 방수(傍受)자. ⑦ [放
送] 모니터 텔레비전《음질·영상을 조정
하는; ~ screen이라고도 함》; 모니터
《방송에 대한 의견을 방송국에 보고하
는 사람》. ⑧ (원자력 공장의 위험방
지용) 방사능 탐지기, [電] 모니터
(~ mode 모니터 방식). ── *vt., vi.*
① (…을) 감시하다, 감독하다; (…을
데이터로) 추적하다. ② [放送] (…
을) 모니터(장치)로 감시(조정)하다;
(방송을) 모니터하다; (…을) 방수하
다; 외국방송을 청취하다; (…의) 방송
의 강도를) 검사하다. **-to·ri·al** [-
tɔ́:riəl] *a.* 충고의, 감시의.

monk [mʌŋk] *n.* ⓒ 수도사, 중.
<·ish *a.* 수도사 티가 나는, 중 냄새
나는(나쁜 의미로).

mon·key [máŋki] *n.* ⓒ ① 원숭이.
② 장난 꾸러기, 흉내를 내는 아이;
짓궂은 것 (말뚝 박는 기계의) 쇠달구.
③ 《俗》 500파운드. ── **get** 〔**put**〕
one's ~ up 성내다〔성내게 하다〕.
~ business 〔**tricks**〕 《口》 장난,
기만, **suck the ~** (병 따위에) 입을
대고 마시다. **young ~** 장난꾸러기.
── *vi.* 《口》 장난치다, 놀려대다
(**with**). ── *vt.* 흉내내다, 놀려대다.
~·ish *a.* 원숭이 같은, 장난 좋아하
는.

mónkey bùsiness 《口》 ① 기만,
사기. ② 장난, 짓궂은 짓.

mónkey wrench 자재(自在) 스패

mon·o- [mánou, -nə/mɔ́n-] '일
(一), 단(單)'의 뜻의 결합사.

mon·o·chrome [mánəkròum/-5-] *n.*
ⓤ 단색(화). ⓒ ① 그 화법 [畫] 단
색 *display* 단색 화면 표시(기)
~ *monitor* 단색 모니터). **-chro·
mat·ic** [◇–mǽtik] *a.*

mon·o·cle [mánəkəl/mɔ́-] *n.* ⓒ
단안경(單眼鏡).

mo·nog·a·my [mənǽgəmi/mənɔ́-]
n. ⓤ 일부 일처제(주의)(opp. poly-
gamy). **-mist** *n.* ⓒ 일부 일처주의
자. **-mous** *a.*

mon·o·gram [mánəgræm/mɔ́n-] *n.*
ⓒ 짜맞춘 글자《도형화한 머리 글자
등》.

mon·o·graph [mánəgræf/mɔ́nə-
grà:f] *n., vt.* ⓒ (특정 테마에 대한)
전공 논문(을 쓰다).

mon·o·lith [mánəliθ/-5-] *n.* ⓒ 돌
하나로 된 비석·기둥(記念); 통바위,
단암(單岩). **-ic** [◇–líθik] *a.* 단암
(單岩)의; (사상·정책이) 일관된, 혼
란이 없는.

mon·o·logue, 《美》 **-log** [mánə-
lɔ̀g, -ɑ-/mɔ́nəlɔ̀g] *n.* ⓒ 독백(극);
이야기의 독차지.

mon·o·plane [mánəplèin/-5-] *n.*
ⓒ 단엽 비행기.

mo·nop·o·list [mənápəlist/-nɔ́p-]
n. ⓒ 전매(론)(자); 독점(론)자. **-lis·
tic** [◇–lístik] *a.* 독점적인, 전매의.

mo·nop·o·lize [-làiz] *vt.* 독점하
다, 전매권을 얻다. **-li·za·tion** [◇–
lizéiʃən/-lai-] *n.* 독점, 전매.

mo·nop·o·ly [mənápəli/-nɔ́p-] *n.*
ⓒ 독점(권), 전매(권). ⓒ 독점
물, 전매품; 전매 회사, 독점자.

mon·o·rail [mánərèil] *n.* ⓒ
단궤(單軌) 철도. 모노레일.

mon·o·syl·la·ble [mánəsìləbəl/
-5-] *n.* ⓒ 단음절어. **speak**
〔**answer**〕 **in ~** 통명스럽게 말(대
답)하다. **-lab·ic** [◇–læbik] *a.*

mon·o·the·ism [mánəθi:ìzəm/-5-]
n. ⓤ 일신교, 일신론. **-is·tic** [◇–
ístik] *a.* 일신교[론]의.

mon·o·tone [mánətòun/-5-] *n.*
(a ~) 단조(음). ── *vt.* 단조롭게
이야기하다.

mo·not·o·nous [mənátənəs/-5-]

M

a. 단조로운, 변화가 없어 지루한.
~·ly *ad.* ~·ness *n.* -ny *n.* ⓒ
단음(單音); 단조; ⓤ 단조로움.

mon·sieur [məsjə́ːr] *n.* (*pl.* **messieurs** [mesjə́ːr]) (F.) 씨, 귀하, 님
(생략 M. = Mr.).

mon·soon [mɑnsúːn/-ɔ-] *n.* (the
~) (인도양·남아시아의) 계절풍.

mon·ster [mɑ́nstər] *n.* ⓒ ① 괴물, 도깨비; 거수(巨獸). ② 악독
한 사람. ― *a.* 거대한.

mon·stros·i·ty [mɑnstrásəti/
mɔnstrɔ́s-] *n.* ⓤ 기형(畸形); 괴물;
지독한 행위.

mon·strous [mɑ́nstrəs/-5-] *a.* ①
거대한; 괴물 같은; 기괴한. ② 어처
구니 없는; 극악 무도한. ~·ly *ad.*
~·ness *n.*

mon·tage [mɑntɑ́ːʒ/mɔn-] *n.*
ⓤⓒ 혼성화; 합성〔몽타주〕사진, 〔映〕
몽타주(작은 화면의 급속한 연속에 의
한 구성); 필름 편집.

month [mʌnθ] *n.* ⓒ 달, 월. *a* ~
of Sundays 오랫동안, 긴 동안. *a* ~'s
mind 〔가톨릭〕 사후 1개월째 되는 날
의 연(煉) 미사. *last* ~ 지난 ~.
by ~ 달달이. *this day* ~내달〔전
달〕의 오늘, *this* ~ 이달.

month·ly [-li] *a.* 매달의; 달 1회의.
― *n.* ⓒ 월간 잡지; (*pl.*) 《口》 월
경.

mon·u·ment [mɑ́njəmənt/-5-] *n.*
ⓒ ① 기념비, 기념상, 기념물, 기념관
(따위). ② 문헌, 기록. *the*
M- 1666년 런던 대화재 기념탑.

mon·u·men·tal [mɑ̀njəméntl/-ɔ-]
a. ① 기념(물)의, 기념되는. ② 불멸
의. ③ 기념비적인. ③ 어처구니 없는.
④ 〔美術〕 실물보다 큰. ~ **mason**
묘석 제조인. ~·ly [-təli] *ad.*

moo [muː] *vi.* (소가) 음매 울다.
― *n.* ⓒ 그 우는 소리.

mooch [muːtʃ] *vi.*, *vt.* 《俗》 전들전들
〔살금살금〕 거닐다, 배회하다; 훔치
다, 우려내다. ~·er *n.*

mood [muːd] *n.* ⓒ 마음의〔심적〕
기분. *a man of* ~*s* 변덕쟁이. *be*
in no ~ (*for*) ―할 마음이 없다.
in the ~ ―할 마음이 나서.

mood *n.* ⓤⓒ ① 〔文〕 법(cf.
indicative, imperative, sub-

junctive). ② 〔論〕 논식(論式). ③
〔樂〕 선법(旋法, mode).

mood·y [múːdi] *a.* 까다로운; 우울
한. **mood·i·ly** *ad.* -**i·ness** *n.*

moon [muːn] *n.* ① (보통 the ~) 달;
ⓒ 위성; (보통 *pl.*) 〔詩〕 월(month).
below the ~ 이 세상의, 지상의. *cry for*
the ~ 실현 불가능한 것을 바라다.
full ~ 만월. *shoot the* ~ 《俗》
야반 도주하다. ― *vi.*, *vt.* 멍하니
바라보다〔거닐다〕; 멍하니 시간을 보
내다(*away*).

móon·beam *n.* ⓒ 달빛.

móon·light *n.*, *a.* ⓤ 달빛(의).
― *vi.* ⓒ 아르바이트하다.

móon·lit *a.* 달빛에 비친, 달빛어린.

móon·shine *n.* ⓤ ① 달빛. ② 부
질없는 생각. ③ 《美口》 밀주, 밀수입
주. -**shiner** *n.* ⓒ 《美口》 주류 밀조
자〔밀수입자〕.

móon·struck *a.* 실성한〔광기(狂
氣)와 달빛과는 상관 관계가 있다고
여겨 왔음〕.

Moor [muər] *n.* ⓒ 무어 사람〔아프
리카 북서부에 사는 회교도〕. ~·**ish**
[múəriʃ] *a.* 무어 사람(의)의.

moor [muər] *n.* ⓤⓒ (heath가 무
성한) 황야, 사냥터.

moor *vt.* (배를) 계류하다, 정박시
키다.

moor·ing [múəriŋ] *n.* ⓒ (보통 *pl.*)
계류 기구; (*pl.*) 계선장; 정박장; ⓒ
계류, 정박.

moor·land [-lænd, -lənd] *n.* ⓒ
《英》 (heath가 무성한) 황야.

moose [muːs] *n.* (*pl.* ~) 〔動〕
큰사슴.

moot [muːt] *n.*, *a.*, *vt.* (a ~) 집회;
모의 재판; 논의의 여지가 있는; 토의
하다.

mop [map/-ɔ-] *n.* ⓒ 자루걸레(의).
a ~ *of hair* 더벅머리. ― *vt.*
(-*pp-*) 자루걸레로 닦다; 훔쳐 내다
(*up*); (이익을) 빨아 먹다.

mope [moup] *vi.*, *vt.* 침울해지다, 울
적하게 하다; 풀이 죽다, 풀죽게 하
다. ― *n.* ⓒ 침울한 사람; (*pl.*) 우
울. **móp·ish** *a.* 침울한.

mo·raine [mouréin, mɔ:-/mɔ-] *n.*
ⓒ 〔地〕 빙퇴석(氷堆石).

mor·al [mɔ́(ː)rəl, -ɑ́-] *a.* ① 도덕상

M

의; 윤리적인. ② 교훈적인; 도덕적인, 품행 방정한. ③ 정신적인〈저지·의미 따위의〉; 개연적인. — *n.* ① (우화·사건 등의) 교훈; (*pl.*) 수신; 도덕(학); 예절, 품행. **point a ~** 보기를 들어 교훈하다. **~·ly** *ad.* 도덕적으로; 실제로, 진실로.

mo·rale [mouræl/mɔráːl] *n.* □ 사기, 풍기(*the ~ of soldiers*).

mor·al·ist [mɔ́(ː)rəlist, -áː] *n.* □ 도학자, 도덕가, 윤리학자; 덕육가. **-is·tic** [⌐⌐stik] *a.* 도학(교훈)적인.

mo·ral·i·ty [mɔ(ː)rǽlti, mɑ-] *n.* ① □ 도덕성; 윤리학; 도덕; 율의; 덕성. ② □ 교훈적인 말, 훈화. ③ = ~ **plày** (16세기경의) 교훈극.

mor·al·ize [mɔ́(ː)rəlàiz, -áː] *vt.*, *vi.* 도를(도덕을) 설교하다; 도덕적으로 해석하다; 설교하다. **-iz·er** *n.* □ 도를 설교하는 사람.

móral víctory 정신적 승리〈지고도 사기가 왕성해지는 경우〉.

mo·rass [mərǽs] *n.* □ 소지(沼地); 늪.

mor·a·to·ri·um [mɔ̀(ː)rətɔ́ːriəm, mɑ̀r-] *n.* (*pl.* **~s**, **-ria** [-riə]) 【法】 일시적 정지(령), 지급 유예(령), 지급 유예(기간.

mor·bid [mɔ́ːrbid] *a.* ① 병적인, 불건전한. ② 섬뜩한, 무시무시한. ③ 병적 상태, 불건전. **~·ly** *ad.*

mor·dant [mɔ́ːrdənt] *a.* 비꼬는, 부식성(腐蝕性)의; 매염(媒染)의: 색을 정착시키는.

more [mɔːr] *a.* (**many** 또는 **much** 의 비교급) ① 더 많은; 더 큰. ② 그 이외의, (**and**) **what is ~** 더욱이 (중요한 것은). — *n., pron.* 더 많은 수(량, 정도); 그 이상의 것. — *ad.* (**much**의 비교급) 더욱 (많이); 더 일층. **all the ~** 더욱 더. **and no ~** ~에 불과하다. **be no ~** 이미 없다, 죽었다. **~ and ~** 점점 더. **~ or less** 다소, 얼마간. **than ever** 더욱 더, **much** (**still**) ~ 하물며. **no ~** 이미 ~하지 않다. **no ~ than** 겨우, ~밖에. **~ than** ~이 아닌 것과 마찬가지로, ~이 아니다(*I am no ~ mad than you are.* 네가 미치지 않았다면 나도 한 마찬가지다). **the ~ … the**

~ …하면 할수록 … 하다.

more·o·ver [mɔːróuvər] *ad.* 더욱이.

mo·res [mɔ́ːriːz, -reiz] *n. pl.* 관습, 습관.

morgue [mɔːrg] *n.* (F.) ① 시체 공시소; (美) (신문사의) 자료부, 자료칠.

mor·i·bund [mɔ́(ː)rəbʌnd, már-] *a.* (稀) 다 죽어가는, 소멸해가는.

Mor·mon [mɔ́ːrmən] *n.* 모르몬 교도. **~·ism** [-izəm] *n.* □ 모르몬교.

morn [mɔːrn] *n.* □ (詩) 아침. [고.

morn·ing [mɔ́ːrniŋ] *n.* ① □ 아침, 오전, 주간. ② □ 여명. 초. **in the ~** 오전중. **of a ~** 언제나 아침나절에.

mórning-áfter píll (성교 후에 먹는) 경구 피임약.

mórning cóat 모닝 코트.

mórning dréss 여성용 실내복; (남자의) 보통 예복(**morning coat**, **frock coat** 따위).

mórning sickness 입덧.

Mo·roc·co [mərákou/-5-] *n.* 아프리카 북서안의 회교국; (m-) □ 모로코 가죽.

mo·ron [mɔ́ːran/-rɔn] *n.* 【心】정신박약자(지능지수 50-69이고 정신 연령 8-12세인 성인); (口) 저능자.

mo·rose [mərous] *a.* 까다로운, 시무룩한, 부질없는.

mor·pheme [mɔ́ːrfiːm] *n.* □ 【言】 형태소(形態素)〈syntactical한 관계를 나타내는 요소; 예컨대 *Is Tom's sister singing?* 의 이탤릭 부분과 이 같은 발음할 때의 (rising) into-nation 따위〉(cf. **sememe**, **phoneme**).

mor·phi·a [mɔ́ːrfiə], **-phine** [-fiːn] *n.* □ 【化】 모르핀. **mor·phin·ism** [⌐⌐izəm] *n.* □ 【醫】 모르핀 중독. **mor·phi·(n)o·ma·ni·ac** [⌐⌐əmèiniæk] *n.* 모르핀 중독자.

mor·phol·o·gy [mɔːrfáladʒi/-5-] *n.* □ 【生】형태학; 【言】어형론, 형태론(**accident**) (cf. **syntax**).

mór·ris dánce [mɔ́ːris, már-] □ (英) 모리스춤(주로 May Day에 가지는 가장 무도).

M

mor·row[mɔ́(ː)rou, -á-] *n.* (the
~) 《雅》 ① 이튿날. ② (사건) 직후.
Mórse códe(**álphabet**) [mɔ́ːrs-]
모스 [전신] 부호.

mor·sel[mɔ́ːrsəl] *n.* ⓒ (음식의)
한입, 한 조각; (a~) 소량.

mor·tal[mɔ́ːrtl] *a.* ① 죽어야 할.
② 인간의. ③ 치명적인; 불치의. ④
불구대천의(敵 따위). ⑤ (口) 대단
한. ⑥ (口) 길고, 긴, 지루한. ⑦
(口) 생각할 수 있는, 가능한, **be of
no ~ use** 아무짝에도 쓸 데 없다. **in
a ~ hurry** 몹시 서둘러. ~
wound 치명상. ― *n.* ① 죽어야 할
것; 인간; 《諧》 사람, 놈. ~**·ly** *ad.*
치명적으로; 굉장히.

mor·tal·i·ty[mɔːrtǽləti] *n.* ① 죽
음을 면할수 없음; 죽어야 할 운명;
사망수, 사망.

mor·tar[mɔ́ːrtər] *n.* ⓤ 모르타르,
회반죽. ― *vt.* 모르타르로 굳히다.

mor·tar[mɔ́ːrtər] *n., vt.* ① 절구, 절구, 유
발; 박격포(로 사격하다).

mórtar·bòard *n.* ⓒ (모르타르로)
흙손; (대학의) 사각 모자.

mort·gage[mɔ́ːrgidʒ] *n.* ⓤⓒ [法]
저당(권), 저당잡히기. **on ~** 저당
잡혀. ― *vt.* 저당잡히다. **mort·ga·
gee**[mɔ̀ːrgædʒíː] *n.* ⓒ 저당권자.
mort·ga·gor[mɔ́ːrgidʒər, mɔ̀ːr-
gedʒɔ́ːr] *n.* ⓒ 저당권 설정자.

mor·ti·cian[mɔːrtíʃən] *n.* ⓒ 《美》
장의사(葬儀師)(undertaker).

mor·ti·fy[mɔ́ːrtəfài] *vt.* ① (고통·
욕정을) 억제[극복]하다. ② 굴욕을
느끼게 하다; (기분을) 상하게 하다.
― *vi.* 탈저(脫疽)에 걸리다. ***·fi·ca·
tion**[-fikéiʃən] *n.* ⓤ ① 《宗》 고행,
금욕; 굴욕, 억눌림; 탈저. ~**·ing** *a.*
분한; 모욕적인.

mor·tise, -tice[mɔ́ːrtis] *n.* ⓒ
[建] 장부구멍. ― *vt.* 장부촉 이음
으로 죄다.

mor·tu·ar·y[mɔ́ːrtʃuèri-tjuəri] *n.*
ⓒ 시체 임시 안치소. ― *a.* 죽음의,
매장의.

mo·sa·ic[mouzéiik] *n.* 모자이크(의),
쪽매붙임 세공(의); 모자이크식의.

Mo·ses[móuziz] *n.* [聖] 모세(헤브
라이의 입법자).

mosque[mask/-ɔ-] *n.* ⓒ 이슬람교
교당.

mos·qui·to [məskíːtou] *n.* (*pl.*
~(*e*)**s**) ⓒ [蟲] 모기.

mosquíto cúrtain [nèt] 모기장.

moss[mɔːs, -a-] *n.* ⓤⓒ 이끼.
― *vt.* 이끼로 덮다.

moss·y[-i] *a.* 이끼 낀, 이끼 같은;
케케 묵은.

most [moust] *a.* 《many 또는
much의 최상급》 ① 가장 큰[많은].
② 대부분의. ― *n., pron.* 가장 많
은 것, 대부분, 대개의 것; 최고의 정
도. **at** (**the**) ~ 많아야, 기껏해야.
for the ~ part 주로, 보통. **make
the ~ of** ~을 충분히 이용하다; ~
을 크게 소중히 여기다, 한껏 좋게[나
쁘게] 말하다. ― *ad.* 《much의 최
상급》 가장, 가장 많이; 매우. **≁·
ly** *ad.* 대개.

M.O.T. 《英》 Ministry of Trans-
port 운수성.

mote[mout] *n.* ⓒ (한 조각의) 티
끌; 아주 작은 조각[결점]. ~ **and
beam** 티와 들보; 남의 작은 과실과
자기의 큰 과실. ― **in another's
eye** 남의 사소한 결점[마태복음
7:3].

mo·tel[moutél] 《*motorists'*
hotel》 *n.* ⓒ 모텔(자동차 여행자 숙
박소).

mo·tet[moutét] *n.* ⓒ [樂] 경문가
(經文歌), 모테트.

moth[mɔːθ/-, maθ] *n.* ⓒ [蟲] 나
방; 좀벌레; 《비유》 유혹의 표적.

móth·bàll *n.* ⓒ 좀약(나프탈렌 따
위). **in ~s** 창고에 저장한; 퇴장하여.

móth-èaten *a.* 좀먹은; 시대에 뒤
진, 구식의.

mother[mʌ́ðər] *n.* ① ⓒ 어머니.
② ⓒ 수녀원장. (the ~) 《비
유》 근원, 원인. **artificial ~** (병아
리의) 인공 사육기. **every ~'s son**
누구나. ― *vt.* ① (~) 어머니
[어머니처럼] 돌보다. ② 어머니로서 돌보
다; (…의) 어머니라고 나서다. **~·
hood**[-hùd] *n.* ⓤ 어머니임, 모성
(애). ~**·ly** *a.* 어머니의; 어머니 같
은.

mother cóuntry 본국, 모국.

mother-in-làw *n.* ⓒ 장모, 시어머
니.

M

móther·lànd *n.* ⓒ 모국, 조국.

móther·less *a.* 어머니가 없는.

Móther Náture 어머니 같은 자연; (m- n-) 《美俗》 마리화나.

mother-of-péarl *n.* ⓤ 진주층 (層), 진주모(母), 자개.

Móther's Dày 《美》 어머니 날(5월의 둘째 일요일)(cf. Father's Day).

móther supérior 수녀원장.

móther tóngue 모국어.

*mo·tif [mouti:f] *n.* (F.) ⓒ (예술 작품의) 주제; 주선율; 레이스 장식.

*mo·tion [móuʃən] *n.* ① ⓤ 움직임, 운동. ② ⓒ 동작, 몸짓. ③ ⓒ (의회 등에서의) 동의(動議). ④ ⓒ《法》신청; 변통(便通). — *in* …을 움직여, 활동하여. *on the ~ of* …의 동의로. *put* [*set*] *in* ~ 움직이다. — *vi., vt.* 몸짓으로 신호하다(*to, toward, away; to do*). : ~·**less** *a.* 움직이지 않는, 정지한.

mótion pícture 《美》 영화.

*mo·ti·vate [móutəvèit] *vt.* 동기를 주다, 자극하다, 모드기다. **-va·tion** [²-véiʃən] *n.* ⓤⓒ 동기를 줌.

*mo·tive [móutiv] *n.* ① 운동을 일으키는, 기동이 되는. — *n.* ⓒ 동기, 동인(動因). — *vt.* = MOTIVATE. **~·less** *a.* 동기[이유] 없는.

mot·ley [mátli/-5-] *a.* 잡색의; 잡다한. ① 뒤범벅의; 어릿광대의 얼룩덜룩한 옷을. *wear* ~ 얼룩덜룩한 옷을 입다(cf. wear RUSSET).

*mo·tor [móutər] *n.* ① 원동력. ② 발동기, 전동기, 모터, 내연 기관. ③《英》 운동 기관(신경). ④《解》 운동 신경의. — *vt., vi.* 자동차로 가다(수송하다).

mótor·bìke *n.* ⓒ (口) 모터 달린 자전거; 소형 오토바이.

mótor·bòat *n.* ⓒ 모터보트, 발동 기선. 「행렬.

mo·tor·cade [-kèid] *n.* ⓒ 자동차

*mótor·càr *n.* ⓒ 자동차.

*mótor·cỳcle *n.* ⓒ 오토바이.

*mo·tor·ist [móutərist] *n.* ⓒ 자동차 운전(여행)자.

mo·tor·ize [móutəràiz] *vt.* (…에) 동력을 장치하다; 자동차화하다. **~d unit** 자동차 부대. **-i·za·tion** [²-

izéiʃən] *n.*

mótor scòoter 스쿠터.

mótor·wày *n.* ⓒ 《英》 고속도로.

mot·tled [mátld/-5-]   *a.* 얼룩진, 잡색의.

mot·to [mátou/-5-] *n.* (*pl.* ~(*e*)*s*) ⓒ ① (방패 등에 새긴) 명(銘). ② 금언; 표어, 모토. ③ (논문 등의 첫 머리의 인용한) 제구(題句). 《樂》 반복 악구.

moult [moult] *v., n.* 《英》 = MOLT.

*mound [maund] *n.* ① 흙무덤, 작은 언덕, 석가산(石假山). ②《野》투수판(*take the* ~ 투수가 되다).

*mount [maunt] *vi., vt.* 오르다, (말에) 타다; 앉히다; (보석을) 박다; (대지(臺紙)에) 붙이다; 무대에 올리다. (물가가) 오르다. — *guard over* …을 지키다. — *n.* ⓒ (승용) 말; 대지(臺紙); (보석의) 대좌(臺座), 포가(砲架).

mount² *n.* ⓒ 산, 언덕, (M-) …산《생략 Mt.》.

*moun·tain [máuntin] *n.* ⓒ 산. *a ~ of* 산더미 같은, 엄청난. *make a* ~ (*out*) *of a molehill* 침소봉대하다. **~ high** (파도 따위가) 산더미 같은[같이]. *remove* ~*s* 기적을 행하다. *the* ~ *in labor* 태산 명동 서일필; 애쓴 보람이 적음.

moun·tain·eer [màuntəníər] *n.* ⓒ 등산가; 산악 지대 주민. — *vi.* 등산하다. **~·ing** *n.* ⓤ 등산.

moun·tain·ous [máuntənəs] *a.* ① 산이 많은. ② (파도 따위가) 산더미 같은.

móuntain·sìde *n.* (the ~) 산허리.

*mount·ed [máuntid] *a.* ① 말 탄, 기마의. ②《軍》 기동력이 있는. ③ (보석이) 박힌; 부착된.

*mourn [mɔ:rn] *vi., vt.* 슬퍼하다(*for, over*); 애도하다, 몹살거하다. ***~·er** *n.* ⓒ 애도자, 상중(喪中의) 사람, 회장자(會葬者).

*mourn·ful [mɔ́:rnfəl] *a.* 슬픔에 잠긴, 슬픈; 애처로운. **~·ly** *ad.*

*mourn·ing [mɔ́:rniŋ] *n.* ① 슬픔, 애도. ② 상(喪); 《집합적》 상복. *go into* [*take to, put on*] ~ 거상하다; 상복을 입다. *half*

M

[**second**] ~ 악식 상복. **in** ~ 상 중인; 상복을 입고. **leave off** [**get out of**] ~ 탈상하다.

mouse [maus] *n.* (*pl.* **mice**) ⓒ ① 생쥐. ② (俗) 얻어맞은 눈두덩이의 멍. ③ [컴] 다람쥐, 마우스 (~ **button** 마우스 단추/~ **cursor** 마우스 깜박이/~ **driver** 다람쥐 돌리개/ ~ **pad** 다람쥐(마우스)판). (**as**) **poor as a chruch** ~ 매우 가난한, **like a drowned** ~ 비참한 몰골로. ~ **and man** 모든 생물. —— [mauz] *vt.* (고양이가) 쥐를 잡다; 찾아 헤매다.

móuse·tràp *n.* ⓒ 쥐덫.

mous·tache [mʌ́stæʃ, mʌstǽʃ] *n.* (주로 英) = MUSTACHE.

mouth [mauθ] *n.* ⓒ ① 입. ② 부양 가족, 식구. ③ 출입구. ④ 찡그린 얼굴. ⑤ 건방진 말투. **by word of** ~ 구두로. **down in the** ~ (口) 낙심하여, 풀이 죽어. **from hand to** ~ 하루 살이 생활의. **have a foul** ~ 입정 이 사납다. **in the** ~ **of** …에 말하 게 한다면, …의 말에 의하면, **laugh on the wrong side of one's** ~ 울면서 웃다, 갑자기 울상을 짓다. **make a** ~, **or make** ~**s** (입을 삐쭉 내밀고) 얼굴을 찡그리다 (cf. **make FACES**). **make a person's** ~ **water** (먹고 싶어) 군침을 흘리게 하다. **open one's** ~ **too wide** 지나친 요구를 하다. **put words into a person's** ~ 할 말을 가르쳐 주다; 하지도 않은 말을 했다고 하다. **take the words out of another's** ~ 남이 말하려는 것을 앞질러 말하다. **useless** ~ 밥벌레, 식충이. **with one** ~ 이구동성으로. ~**∼·ful** [‐fʊl] *n.* ⓒ 한 입(의 양), 입가 득, 소량.

móuth òrgan 하모니카.

móuth·piece *n.* ⓒ ① 빨대 구멍; (악기의) 부는 구멍. ② [拳] 마우스 피스; 재갈. ③ 대변자.

móuth-to-móuth *a.* (인공 호흡 이) 입으로 불어넣는 식의.

móuth·wàsh *n.* ⓤⓒ 양치질 약.

móuth-wàtering *a.* 군침을 흘리 게 하는, 맛있어 보이는.

mov·a·ble [múːvəbl] *a.* 움직일 수

있는, 이동할 수 있는. ~ **feast** 해 에 따라 날짜가 달라지는 축제일 (Easter 따위). —— *n.* ⓒ 가제, 가 구; (*pl.*) 동산. **-bil·i·ty** [‐ìləti] *n.* ⓤ 가동성.

move [muːv] *vt.* ① 움직이다, 이동 시키다 ; (정신적으로) 움직이다, 감동 시키다. ② (동의를) 제출하다, 호소 하다. ③ (창자의) 배설을 순하게 하 다. —— *vi.* ① 움직이다, 이전하다; 흔들리다; 나아가다. ② 활약하다; 행동하다; (사건이) 진행하다. ③ 제 안[신청]하다. ④ (창자의) 변이 통하 다. **feel ~d to do** (…하고) 싶은 마음이 들다. ~ **about** 몸을 움직이 다; 돌아다니다; 이리저리 거처를 옮 기다. ~ **for** …의 동의를 내다. ~ **heaven and earth to do** 온갖 노력을 다하여 …하다. ~ **in** …로 이사하다. **M- on!** 빨리 가라(교통 순 경의 명령). ~ **out** 물러나다 ; 이사 하다. ~ **a person to anger** [**tears**] 아무의 감정을 자극하여 성내 게 하다(울리다). —— *n.* ⓒ ① 움직 임, 운동, 이전. ② 행동, 조처; 진 행, 추이(推移). ③ [체스] 말의 움직 임. ④ [컴] 옮김. **be up to every** ~ **on the board, or be up to** (**know**) **a** ~ **or two** 민첩하다, 빈 틈 없다. **get a** ~ **on** (口) 전진하 다, 서두르다; 출발하다. **make a** ~ 움직이다; 떠나다; 행동을 취하 다; 이사하다; [체스] 말을 움직이다. **on the** ~ 이리저리 움직여; 진행 [활동]중인. **móv·er** *n.*

move·ment [múːvmənt] *n.* ① ⓤⓒ 움 직임, 운동. ② ⓒ 동작; 동정, 경향. ③ [시계] 톱니바퀴 따위의] 기계 장 치. ④ ⓒ (사회적·정치적) 운동, 동 향. ⑤ (소설 따위의) 줄거리의 진전. ⓒ [樂] 악장; 리듬. ⑦ ⓒ (시대 따위의) 동향; (시장·주가의) 활황, 변동(便通). **in the** ~ 시대의 풍조를 타고.

mov·ie [múːvi] *n.* ⓒ (口) 영화. (흔히 the ~) 영화관. **go to the ~s** 영화 구경 가다.

móvie·gòer *n.* ⓒ (口) 자주 영화 구경하는 사람.

mov·ing [múːviŋ] *a.* ① 움직이는. ② 감동시키는; 동기가 되는; 원동력

의. **~·ly** ad. 감동적으로.

mow [mou] vt. (**~ed; ~ed, mown**) ① (풀을) 깎다, 베다. ② 쓰러뜨리다. **~·er** n. ⓒ 풀 깎는 기계; 풀 베는 사람.

M.P. Military Police. **mpg, m.p.g.** miles per gallon. **mph, m.p.h.** miles per hour.

Mr. [místər] n. (*pl.* **Messrs** [mésərz]) 씨, 귀하, 님, 군(≒ mister, 남자의 성(姓)·직업 따위의 앞에 붙임) (*Mr. Smith; Mr. Ambassador, Mr. Mayor, &c.*).

Mrs. [mísiz] n. (*pl.* **Mmes** [meidáim]) …부인, 님, 여사.

Ms. [miz] n. (*pl.* **Mses, Ms's Mss** [-iz]) Miss와 Mrs.를 합친 여성에의 경칭.

MS (*pl.* **MSS**) manuscript. **M.S**(ⓒ) Master of Science.

Mt. [maunt] Mount².

much [mʌtʃ] a. (**more; most**) 다량의, 다액의, 많은, 흔한. Ⓤ 많이. **make** ① **of** ~을 중히 여기다; …을 떠받들다. ~ **of** 상당한, (언제나 부정으로)(*He is not* ~ *of a scholar.* 대단한 학자는 아니다). **so** ~ 같은 양의; 그만큼의. **so** ~ **for** ~은 이만, …이야기는 이것으로 끝. **this** ~ 이것 만큼, 여기까지는. **too** ~ **for** (*me*) 힘에 겨운. **too** ~ **of a good thing** 좋은 것도 지나치면 귀찮은 것. — ad. 크게 (비교급·최상급에 붙여서) 훨씬; 대략. **as** ~ **as** (…과 같은) 정도, ~ **as** ~ **to say** …이라는 듯이, ~ **less** 하물며 …않다. ~ **more** 더구나 …이다. **the same** 거의 같은. **not so** ~ **as** ~조차 아니하다. **... not so ~ as** ~조차 아니다. **without so ~ as** ~조차 아니고서.

much·ness [mʌtʃnis] n. (구) ⓤ 다량, 다액. **much of a** ~ (구) 거의 같은, 대동소이한.

muck [mʌk] n. ⓤ 퇴비; 오물; (구~) 불결한 상태.

múcous mémbrane 점막(粘膜).

mu·cus [mjúːkəs] n. ⓤ 점액; 진 (*nasal* ~) 콧물).

mud [mʌd] n. ⓤ 진흙, 진창, *stick*

in the ~ 궁지에 빠지다; 보수적이 다, 발전이 없다. **throw** *fling* ~ **at** 을 헐뜯다.

mud·dle [mʌdl] vt. ① 혼동하다, 뒤섞다; 엉망으로 만들다. ② 얼근히 취하게 하다; 어리둥절하게 하다. — vi. 갈피를 못 잡다. ~ **away** 낭비하다. ~ **on** 얼렁뚱땅 해나가다. ~ **through** 그럭저럭 해나가다.

múddle-héaded a. 당황한, 얼빠진, 멍청한, 멍텅구리의.

mud·dy [mʌdi] a. ① 진흙의, 진흙 투성이의, 질퍽거리는. ② 흐릿한(색); 혼란한; 흐린. — vt. 진흙투성이로 만들다; 흐리게 하다. **múd·di·ly** ad. **múd·di·ness** n.

múd flat (썰물 때의) 개펄.

múd·guàrd n. (차의) 흙받기.

mu·ez·zin [mju(ː)ézin] n. ⓒ 회교 교당에서 기도 시각을 알리는 사람.

muff [mʌf] n. ⓒ 머프(여자용, 모피로 만든 외팔 토시).

muff² n. ⓒ 엉뚱기; 스포츠에 서툰 사람. — vt. 실수하다; 공을 (못 잡고) 놓치다.

muf·fin [mʌfin] n. ⓒ 머핀(살짝 구운 빵, 버터를 발라 먹음).

muf·fle [mʌfəl] vt. 덮어 싸다; 따뜻하게 하기 위하여 싸다; 소리를 죽이 (려고 싸다); 누르다. — **d** a. (뒤덮여) 잘 들리지 않는. ~**d curse** 무언(無言)의 저주.

muf·fler [mʌflər] n. ⓒ 머플러, 목도리. ② 벙어리 장갑; 권투 장갑. ③ 소음(消音) 장치.

muf·ti [mʌfti] n. ① ⓒ 평복, 사복, 신사복. ② ⓒ 회교 법전 설명관. **in** ~ 평복으로.

mug [mʌg] n. ⓒ 원통형 찻잔, 머그(손잡이가 있는).

mug² vt., vi. (**-gg-**) (英口) 벼락 공부하다. — n. ⓒ (英口) 벼락 공부하는 사람.

mug·gy [mʌgi] a. 무더운.

múg shòt (美俗) 얼굴 사진.

mu·lat·to [mjuːlǽtou, mə-] n. (*pl.* **~es**) ⓒ 백인과 흑인과의 혼혈아, 一a. 황갈색의.

mul·ber·ry [mʌlbèri/-bəri] n. ① ⓒ 뽕나무; 오디. ② 짙은 자주

색.

mulch[mʌltʃ] *n.*, *vt.* Ⓤ (이식한 식물의) 뿌리 덮개[을 하다].

mule[mjuːl] *n.* Ⓒ ① [動] 노새(수나귀와 암말과의 잡종), ② 열간이, 고집쟁이. ③ 잡종. ④ (실내용) 슬리퍼. **múl·ish** *a.* 노새 같은, 고집센, 외고집의.

mul·lah[mʌ́lə, mú(ː)-] *n.* 몰라 《고승/학자에 대한 회교도의 경칭》; 회교의 성직자.

mul·let[mʌ́lit] *n.* (*pl.* ~s, 《집합적》 ~) [魚] 숭어[보라 물고기].

mul·li·ga·taw·ny[mʌ̀ligətɔ́ːni] *n.* (동인도의) 카레가 든 수프.

mul·lion[mʌ́ljən, -liən] *n.* Ⓒ [建] 창의 세로 찰살, 창살대.

mul·ti-[mʌ́lti, -tə] 「많은(many)」의 뜻의 결합사.

mul·ti·far·i·ous[mʌ̀ltəfɛ́əriəs] *a.* 가지 가지의, 각양 각색의.

mùlti·láteral *a.* 다변(형)의; 여러 나라가 참가하는. ~ **trade** 다변적 무역.

multi·média *n.* (*pl.*)《단수취급》 [컴] 다중 매체.

mùlti·nátional *a.*, *n.* 다국적의; 다국적 기업(의).

mul·ti·ple[mʌ́ltəpəl] *a.* ① 복합의; 다양한의. ② 배수의. —— *n.* Ⓒ 배수. **least common ~** 최소공배수.

múltiple-chóice *a.* 다항식 선택의.

mul·ti·plex[mʌ́ltəplèks] *a.*, *n.* 다양(복합)의; Ⓤ [컴] 다중(多重)의; 다중 송신(의). —~**·er** *n.* Ⓒ [컴] 다중화기. —~**·ing** *n.* Ⓤ [컴] 다중화.

mul·ti·pli·ca·tion[mʌ̀ltəplikéiʃən] *n.* ① Ⓤ,Ⓒ 곱셈. ② Ⓤ 증가, 번식[倍加], 증식.

multiplicátion táble (곱셈) 구구표《12×12까지 있음》.

mul·ti·plic·i·ty[mʌ̀ltəplísəti] *n.* Ⓤ (흔히 *a* ~) 중복; 다양성. *a* (*the*) ~ **of** 많은.

mul·ti·ply[mʌ́ltəplài] *vt.*, *vi.* 늘리다; 붇다, 번식시키다; 번식하다; 곱하다; Ⓤ,Ⓒ [수] 승수(乘數)[하다]. **-pli·er** *n.* Ⓒ [數] 승수(乘數); 《電·磁》 증폭기(增幅器), 배율기(倍率器); [컴]

곱함수.

mul·ti·tude[mʌ́ltətjùːd] *n.* ① Ⓒ,Ⓤ 다수. ② (the ~(s)) 군중. *a ~ of* 다수의. *the ~* 대중. **-tu·di·nous**[mʌ̀ltətjúːdənəs] *a.* 수많은.

mum[mʌm] *int.*, *a.* 쉿!; 말 마라! **Mum's the word!** 남에게 말 마라. —— *vi.* (*-mm-*) 무언극을 하다.

mum[2] *n.* Ⓒ《兒》 엄마(mummy).

mum·ble[mʌ́mbəl] *vi.*, *vt.* ① 중얼거리다. ② (이가 없는 입으로) 우물우물 먹다. —— *n.* Ⓒ 중얼거리는 말.

mum·bo jum·bo[mʌ́mbou dʒʌ́mbou] 무의미한 의식; 알아 들을 수 없는 말; 우상(偶像).

mum·mer[mʌ́mər] *n.* Ⓒ 무언극 배우; 배우.

mum·mi·fy[mʌ́mifài] *vt.* 미라로 만들다; 바짝 말리다.

mum·my[1][mʌ́mi] *n.* ① Ⓒ 미라. ② Ⓤ 갈색 안료(顔料)의 일종.

mum·my[2][mʌ́mi] *n.* Ⓒ《兒》 엄마.

mumps[mʌmps] *n. pl.* ① 《단수취급》[醫] 이하선염(耳下腺炎), 항아리 손님. ② 부루퉁한(성남) 얼굴.

munch[mʌntʃ] *vt.*, *vi.* 우적우적 먹다. 으드득으드득 깨물다.

mun·dane[mʌ́ndein, -́] *a.* 현세의, 속세(俗世)의, 우주의.

mu·nic·i·pal[mjuːnísəpəl] *a.* 지방자치체의, 시(市)의. ~ **government** 시당국. ~ **law** 국내법; 시법.

mu·nic·i·pal·i·ty[mjuːnìsəpǽləti] *n.* Ⓒ 자치체[시·읍 등]; 《집합적》 시당국.

mu·nif·i·cent[mjuːnífəsənt] *a.* 아낌 없이 주는, 손이 큰(opp. niggardly). **-cence** *n.*

mu·ni·tion[mjuːníʃən] *n.* Ⓒ (보통 *pl.*) 군수품; 필수품, 자금(*for*). —— *vt.* (…에) 군수품을 공급하다.

mu·ral[mjúərəl] *a.* 벽의, 벽에 쓰는. ~ **painting** 벽화.

mur·der[mə́ːrdər] *n.* Ⓤ 살인(M-!사람 살려!). [法] 모살(謀殺), 고살(故殺). **like blue ~. M- will out.** 《속담》 나쁜 짓은 드러나게 마련이다. —— *vt.* 살해하다; (곡을 서투르게 불러서[연주하여]) 망치다.

er n. © 살인자.

*mur·der·ous[mə́ːrdərəs] a. 살인의, 흉악한; 살인적인; 지독한(더위 따위).

murk·y[mə́ːrki] a. 어두운; 음침한.

mur·mur[mə́ːrmər] vi., vt. 웅성대다, 졸졸 소리내다, 속삭이다; 투덜거리다(at, against). © 중얼거림, 불평; (시베의) 졸졸거리는 소리·(파도의) 출렁거리는 소리, 속삭임.

mus·cle[mʌ́sl] n. ① ∪© 근육. ② ∪ 완력; 영향력. ③ ∪ (口) 완력, 압력. flex one's ~ⓢ (口) 비교적 쉬운 일로 힘을 시험해 보다. not move a ~ 까딱도 않다. — vi. (口) 완력을 휘두르다.

muscle-bound a. (운동과다로) 근육이 굳어버린.

mus·cu·lar[mʌ́skjələr] a. 근육의; 근육이 늠름한. ~·i·ty[—lǽrəti] n. ∪ 근육이 억셈, 힘셈.

Muse[mjuːz] n. © [그神] 뮤즈신 (시·음악·그 밖의 학예를 주관하는 9 여신 중의 하나); (보통 one's ~; the ~) 시적 영감, 시심(詩心); (m-) 시인. the Muses 뮤즈의 9여신.

muse[mjuːz] vi. ① 심사 묵고하다, 명상에 잠기다(on, upon). ② 골똘히 바라보다. mús·ing a. 생각에 잠긴.

mu·se·um[mjuːzíːəm—zíəm] n. © 박물관, 미술관.

muséum piece 박물관의 진열품; 박물관 진열물감, 진품(珍品).

mush[mʌʃ] n. ① ∪ (美) 옥수수 죽; 죽 모양의 것. ② ∪ (口) 값싼 감상(感傷).

mush·room[mʌ́ʃruːm] n. ① © 버섯, 버섯 모양의 것. ② © (古) 벼락출세자. ③ (俗) 여자용 밀짚 모자의 하나. = ⇩. — vi. 버섯을 따다 (딴릎 끝이) 납작해진다.

múshroom clóud (핵폭발에 의한) 버섯 구름.

mush·y[mʌ́ʃi] a. 죽 모양의, 걸쭉한; (口) 감상적인, 푸념 많은.

†mu·sic[mjúːzik] n. ① ∪ 음악, 악곡; 악보; 음악적인 것. ② ∪© 듣기 좋은 소리, 묘음(妙音). face the ~ 태연히 난국에 맞서다·기꺼하게 비판을 받다. to one's ears 기쁜 소리·좋은 것. rough ~, set (a poem)

to ~ (시에) 곡을 달다.

*mu·si·cal[mjúːzikəl] a. 음악의; 음악적인; 음악을 좋아하는; 음악이 따르는. — n. © 희가극, 뮤지컬. ~·ly ad. 음악적으로.

músical cháirs (음악이 따르는) 의자 빼앗기 놀이.

músical instrument 악기.

músic bòx 주크 박스(juke-box) ((英) musical box).

músic hàll (英) 연예관(演藝館) 음악당.

mu·si·cian[mjuːzíʃən] n. © 음악가, 악사, 작곡가; 음악을 잘 하는 사람.

músic stànd 악보대.

musk[mʌsk] n. ∪ 사향(의 냄새); [植] 사향 노루.

mus·ket[mʌ́skət] n. © 머스켓 총 (구식 소총).

mus·ket·eer[mʌ̀skətíər] n. © musket총을 가진 병사.

mus·ket·ry[mʌ́skətri] n. ∪ [집합적] 소총; 소총 부대, 소총 사격술.

músk·ràt n. © 사향쥐.

musk·y[mʌ́ski] a. 사향 냄새 나는; 사향의, 사향 비슷한.

Mus·lim, -lem[mʌ́zləm, múːz-, múːs-] n. (pl. ~s) a. © 이슬람교(회교)도(의). ~·ism[-ìzəm] n. ∪ 이슬람교.

†mus·lin[mʌ́zlin] n. ∪ 모슬린(무인복·커튼용·면직물의 일종).

mus·sel[mʌ́səl] n. © [貝] 홍합, 마합.

†must[強 mʌst, 弱 məst] aux. v. ① (必要·의무·의무·명령·명령) …하지 않으면 안 된다(부정은 need not; 과거·미래·완료형 따위는 have to do의 변화형을 사용함. must not은…해서는 안 된다의 뜻). ② (강한 추측·판단) …임에 틀림없다(It ~ be true. 그것은 정말임에 틀림없다/He ~ have written it. 그것을 썼음에 틀림없다). ③ (주장) (You ~ know. 네가 알아 두기 바란다). ④ (과거시제로, 그러나 지금은는 간접화법에 쓰임) …하지 않으면 안 되었다. ⑤ (과거 또는 역사적 현재로서) 운나쁘게 …해다(Just as I was busiest,

M

he ~ come worrying. 하필이면 가장 바쁠 때에 와서 훼방놓다니). — *a.* 절대 필요한(*a ~ book* 필독서, *~ bills* 중요 의안). — *n.* ⓒ 필요한 일(것)(*English is a ~.* 영어는 필수 과목이다).

must² [mʌst] *n.* ⓒ 곰팡 이 나는; 케케묵음; 무기력함.

mus·tache [mʌ́stæʃ, məstǽʃ] *n.* ⓒ 콧수염; (고양이 따위의) 수염.

mus·tang [mʌ́stæŋ] *n.* ⓒ 반야생의 말(소형, 미국 평원 지대산).

mus·tard [mʌ́stərd] *n.* Ⓤ 겨자; 갓. *as keen as ~* (□) 아주 열심인; 열망하여. *grain of ~ seed* 작지만 발전성이 있는 것(마태복음 13:31). *French ~* 초낼운 겨자.

mus·ter [mʌ́stər] *n.* ⓒ 소집, 점호, 검열. *pass* ~ 합격하다. — *vt.* ① 소집하다; 점호하다. ② (용기 를) 분발시키다(*up*). — *in [out]* 입대[제대]시키다.

mu·ta·ble [mjúːtəbəl] *a.* 변하기 쉬운, 변덕의. ~**-bil·i·ty** [-bíləti] *n.* Ⓤ 변하기 쉬움, 부정(不定); 변덕. ~**-bly** *ad.*

mu·tant [mjúːtənt] *n.* ⓒ 【生】 변종 (變種), 돌연 변이(체).

mu·ta·tion [mjuːtéiʃən] *n.* ① Ⓤⓒ 변화. ② 【生】 돌연 변이, 변종. ③ Ⓤⓒ 【音】 모음 변화.

mute [mjuːt] *a.* ① 벙어리의, 무언 의. ② 【音聲】 폐쇄음의; 묵자(黙字) 의(*k*now의 *k*따위). — *n.* ① 벙어리, 말 못하는 배우; (동양의) 벙어리 하인. ② (고용된) 회장(會葬)꾼. ③ 【樂】약음기(弱音器). ④ 【音聲】 (…의) 소리를 죽이는; (…에) 약음기를 달 다.

mu·ti·late [mjúːtəlèit] *vt.* ① (수족을) 절단하다, 병신을 만들다. ② (책 의) 일부를 삭제하여) 불완전하게 하다.

mu·ti·la·tion [mjùːtəléiʃən] *n.* Ⓤⓒ 절단, 훼손(毁損).

mu·ti·neer [mjùːtəníər] *n.* ⓒ 폭도, 반항자.

mu·ti·nous [mjúːtənəs] *a.* 폭동의; 반항적인.

mu·ti·ny [mjúːtəni] *n.* Ⓤⓒ 반란, 폭동, 반항. — *vt.* 반란을 일으키

다, 반항하다.

mutt [mʌt] *n.* ⓒ 《俗》 잡종개, 똥 개, 바보.

mut·ter [mʌ́tər] *vi., vt.* 중얼거리다; 투덜거리다. — *n.* (*sing.*) 중얼거 림; 불평.

mut·ton [mʌ́tn] *n.* Ⓤ 양고기. *dead as ~* 아주 죽어서.

mu·tu·al [mjúːtʃuəl] *a.* 상호의; 공통의(*common*). ~ *aid* 상호 부조. ~ *aid association* 공제 조합. ~ *friend* 공통의 친구. ~ *insur·ance* 상호 보험. ~**-ly** *ad.* 서로.

mu·tu·al·i·ty [mjùːtʃuǽləti] *n.* Ⓤ 상호 관계, 상호성.

Mu·zak [mjúːzæk] *n.* Ⓤ 【商標】 전화나 무선으로 식당·상점·공장에 음악을 보내주는 시스템.

muz·zle [mʌ́zəl] *n.* ① (동물의) 코·입부분. ② 총구(銃口). ③ 입마개, 부리망, 재갈. — *vt.* ① (개 따위에) 부리망을 씌우다. ② (언론을) 탄압하다, 말 못하게 하다.

M.V. motor vessel.

my [mai, mʌi] *pron.* (I의 소유격) 나의, *My!*, or *Oh, my!*, or *My eye!* 아이고!, 저런!

my·col·o·gy [maikɑ́lədʒi/-5-] *n.* Ⓤ 균학(菌學). ~**-gist** *n.* ⓒ 균학자.

my·o·pi·a [maióupiə], ~**-py** [máioupi] *n.* Ⓤ 근시, 근시안. **my·ope** [máioup] *n.* ⓒ 근시안의 사람 (short-sighted person). **my·op·ic** [-ɑ́p-/-5-] *a.* 근시의.

myr·i·ad [míriəd] *n., a.* ⓒ 만(萬) (의), 무수(의).

myrrh [məːr] *n.* Ⓤ 몰약(沒藥)《향료·약 따위로 쓰이는 고무 수지》.

myr·tle [mɔ́ːrtl] *n.* Ⓤⓒ 【植】 도금 양(桃金孃); 《美》 = PERIWINKLE.

my·self [maisélf, 弱 mə-] *pron.* (*pl.* **ourselves**) 나 자신, 몸소; 혼자서. *for ~* 나 자신을 위해서; 남의 부름을 받지 않고, 자력으로. *I am not ~.* 몸[머리] 상태가 아무래도 이상하다.

mys·te·ri·ous [mistíəriəs] *a.* 신비한; 불가사의한; 이상한. ~**-ly** *ad.* ~**-ness** *n.*

mys·ter·y [místəri] *n.* ① Ⓤ 신비, Ⓒ 불가사의한 것(사람); 비밀. ② Ⓒ 비결, 비전(秘傳). ③ (*pl.*)

의(秘儀); 비밀 의식. ④ ⓒ 중세 종교극. ⑤ ⓒ 괴기[추리] 소설. **be wrapped in ~** 비밀[수수께끼]에 싸여 있다, 전혀 모르다. **make a ~ of** …을 비밀로 하다. …을 신비화하다.

mýstery plày = MYSTERY ④.

mys·tic [místik] *a.* ① 신비한, 비법의. ② 비교(秘敎)의. ③ 신비주의자(명상·자기 포기로 신과의 합일을 구하는 자). *mýs·ti·cal a.* 신비의, 비법의. **mýs·ti·cal·ly** *ad.* 신비적으로.

mys·ti·cism [místəsìzəm] *n.* ⓤ 비교(秘敎), 신비주의.

mys·ti·fy [místəfài] *vt.* 신비화하다; 어리둥절하게 하다, 속이다. **-fi-**

ca·tion [ˌ--fikéiʃən] *n.* ⓤ 신비화; 당혹시킴; ⓒ 속이기.

mys·tique [mistíːk] *n.* ⓒ (보통 *sing.*) 신비(적인 분위기); 비법.

:myth [miθ] *n.* ① ⓒⓤ 신화(*the solar ~* 태양 신화/*the Greek ~s* 그리스 신화). ② ⓤⓒ 꾸민 이야기. ③ ⓒ 가공의 사람[물건].

myth·ic [míθik], **-i·cal** [-əl] *a.* 신화(가공)의.

myth·o·log·i·cal [mìθəládʒikəl/-5-] *a.* 신화의, 신화학(神話學)의, 가공의. **~·ly** [-kəli] *ad.*

:my·thol·o·gy [miθálədʒi/-5-] *n.* ⓤ 신화(집합적) 신화; ⓒ 신화집. **-gist** *n.* ⓒ 신화학자, 신화 작자[편집자].

M

N

N, n [en] *n.* (*pl.* **N's, n's**[-z]) ⓒ N자 모양(의 것); 〔數〕 부정 정수(不定整數).

N 〔電〕 neutral. **N, N., n.** north (-ern). **n.** noun.

NAAFI 〔英〕 Navy, Army and Air Force Institute(s).

nab [næb] *vt.* (**-bb-**) (口) (갑자기) 붙잡다; 잡아채다; 체포하다.

na·dir [néidər, -diər] *n.* (the ~) 〔天〕 천저(天底) (opp. zenith); (비유) 밑바닥; 침체기.

nag[næg] *vt., vi.* (**-gg-**) 성가시게 잔소리하여 괴롭히다(*at*).

nag² *n.* ⓒ (승용의) 조랑말(pony); 늙은 말.

:**nail**[neil] *n.* ① ⓒ 손톱, 발톱. ② 못. BITE **one's ~s. hit the (right) ~ on the head** 바로 맞히다; 정곡을 찌르다. **on the ~** 즉석에서. — *vt.* ① ~을 박다, 못박아 놓다(*on, to*). ② (口) 체포하다; (부정을) 찾아내다(detect). **~·less** *a.* 손톱[발톱]이 없는; 못이 필요 없는.

náil-bìting *n.* Ⓤ 손톱을 깨무는 버릇(불안 초조에서); (口) 욕구 불만. — *a.* (口) 초조하게 하는.

náil-brùsh *n.* ⓒ (매니큐어용의) 손톱솔.

náil file 손톱 다듬는 줄.

náil scìssors 손톱 깎는 가위.

na·ïve, na·ive[nɑːíːv] *a.* (F.) 순진한, 천진난만한. — **·ly** *ad.*

na·ive·ty[nɑːíːvəti] *n.* Ⓤ 순진; 천진난만한 말[행동].

:**na·ked**[néikid] *a.* ① 벌거벗은. ② 드러낸. ③ 있는 그대로의 **~ eyes** 육안. **~ truth** 있는 그대로의 사실. **~·ly** *ad.* **~·ness** *n.*

nam·by-pam·by[næmbipǽmbi] *a., n.* ① 지나치게 감상적인 (글·이야기); 유약한(여자 같은) (사람·태도).

†**name**[neim] *n.* ① ⓒ 이름; 명칭.

② (a ~) 평판, 명성; 허명(虛名). ③ ⓒ 명사(名士). ④ 〔컴〕 이름(《기록·철·정 이름, 프로그램 이름 등). **bad (ill) ~** 악평, 악명. **by ~** 이름을. **by (of) the ~ of** …라는 이름의. **call a person ~s, or** 〔稀〕 **say ~s to a person** (아무의) 욕을 하다, (큰소리로) 꾸짖다. **full ~** (생략하지 않은) 성명. **in God's ~** 신의 이름으로; 도대체; 제발 (부탁이니). **in ~ (only)** 명의상. **in the ~ of** …의 이름을 걸고; …에 대신하여. **make (win) a ~** 이름을 떨치다. **to one's ~** 자기 소유의. — *vt.* ① 명명하다; 임명하다. **~ after** 〔지명〕정하다; 임명하다. **~ after** …의 이름을 따서 명명하다. **~ed** 지명된; 잘 알려진. ***~·less** *a.* 이름 없는; 익명의; 세상에 알려지지 않은; 서출 (庶出)의(bastard); 말로 표현할 수 없는; 언어 도단의. **~·ly** *ad.* 즉.

náme-dròp *vi.* 유명한 사람의 이름을 아는 사람인 양 함부로 들먹이다. **~·per** *n.* **~·ping** *n.*

name·sàke *n.* ⓒ 같은 이름을 가진 사람(특히, 남의 이름을 따서 명명된 사람).

nan·ny[nǽni] *n.* ⓒ ① 유모; 아주머니. ② = **gòat** 암염소.

:**nap**[næp] *n., vi.* (**-pp-**) ① 졸다(들다), 깜빡 졸다. **catch a person ~·ping** 아무의 방심을 틈타다. **~·per** *n.*

nap² *n., vt.* (**-pp-**) ① (직물 따위의) 보풀을 일게 하다. **~·less** *a.* **~·per** *n.* ⓒ 보풀 세우는 사람(기계).

na·palm[néipɑːm] *n.* 〔軍〕 ⓒ 네이팜(가솔린의 젤리화제(化劑)). **~ bomb** 네이팜탄(napalm bomb).

nape[neip] *n.* ⓒ 목덜미.

nap·kin[nǽpkin] *n.* ⓒ 냅킨; 손수건; (주로 英) 기저귀.

nap·py[nǽpi] *n.* ⓒ (주로 英) 기저귀.

nar·cis·sism [ná:rsisìzəm] *n.* Ⓤ 〖心〗 자기 도취(cf. Narcissus).

·**nar·cis·sus** [na:rsísəs] *n.* (*pl.* **~es, -si** [-sai]) ① Ⓒ 수선화. ② (N-) 〖그神〗 물에 비친 자기 모습을 연모하여 빠져 죽어서 수선화가 된 미소년(cf. narcissism).

·**nar·cot·ic** [na:rkátik/-ɔ́-] *a.* 마취성의; 마약(중독자)의. — *n.* Ⓒ 마약 (중독자).

nark [na:rk] *n.* Ⓒ 《英俗》 (경찰의) 끄나풀, 경찰에 밀고하는 사람; 《주로 濠俗》 귀찮은 사람. — *vt.* 괴롭히다, 짜증나게 하다. ***N- it!*** 《英俗》 집어치워; 조용히 해.

nar·rate [nǽreit, ⌐⌐] *vt., vi.* 말하다, 이야기하다. ·**nar·rát·er, -rá·tor** *n.* Ⓒ 이야기하는 사람.

:**nar·ra·tion** [næréiʃən, nə-] *n.* ① Ⓤ 서술, 이야기하기. ② Ⓒ 이야기. ③ Ⓤ 〖文〗 화법(speech). ***direct* (*indirect*) ~** 직접(간접) 화법.

:**nar·ra·tive** [nǽrətiv] *n., a.* Ⓒ 이야기(의); Ⓤ 이야기체(의).

†**nar·row** [nǽrou] *a.* ① 좁은, 가는. ② 제한된. ③ 마음이 좁은. ④ 가까스로의, 아슬아슬한(close)(*We had a ~ escape.* 구사 일생했다). ⑤ (시험 따위) 엄밀한. ⑥ 〖音聲〗 (모음이) 긴장음의 (tense)(i, u에 대한 i:, u: 따위). ***the ~ bed* (*house*)** 무덤. — *n.* Ⓒ 협로(狹路); 산협; (*pl.*) 《단수 취급》 (좁은) 해협; 하협(河峽). — *vt., vi.* 좁히(어지)다; 제한하다. ·**~·ly** *ad.*

·**nárrow-mínded** *a.* 옹졸한. **~·ness** *n.*

nar·w(h)al [ná:rhwəl] *n.* Ⓒ 일각과(一角科)의 고래.

NASA National Aeronautics and Space Administration 미국 항공 우주국.

·**na·sal** [néizəl] *a., n.* ① 코의; 콧소리의. ② Ⓒ 〖音聲〗 비음(鼻音)(의). **~·ize** [-àiz] *vi., vt.* 콧소리로 말하다; 비음화하다. **~·i·za·tion** [⌐-izéiʃən] *n.* Ⓤ 비음화.

nas·cent [nǽsənt] *a.* 발생〔발전·성장〕하고 있는; 초기의; 〖化〗 발생 상태의. **nás·cen·cy** *n.*

na·stur·tium [nəstə́:rʃəm, næs-] *n.* Ⓒ 〖植〗 한련.

:**nas·ty** [nǽsti, -á:-] *n.* ① 더러운. ② 불쾌한. ③ 외설한, 천한. ④ (바다·날씨가) 험악한, 거친; 심한. ⑤ 심술궂은, 기분이 언짢은. ***a ~ one*** 거절, 타박. **nas·ti·ly** *ad.* **nas·ti·ness** *n.*

†**na·tion** [néiʃən] *n.* Ⓒ 국민, 국가; 민족.

†**na·tion·al** [nǽʃənəl] *a.* ① 전국민의, 국가 (특유)의. ② 국립의. ③ 애국적인. ***a ~ enterprise*** 국영 기업. ***the ~ flag*** 국기. **~ *government*** 거국 내각. ***a ~ park*** 국립공원. — *n.* Ⓒ (특히 외국에 거주하는) 동포. **~·ly** *ad.* 국가적으로; 거국 일치로.

nátional ánthem 국가(國歌).

Nátional Convéntion, the 〖프史〗 국민 의회; (n- c-) 《美》 (4년마다 행하는 정당의) 전국 대회.

nátional débt, the 국채.

nátional gríd 《英》 주요 발전소간의 고압선 회로망; 《英》 영국 제도(諸島)의 지도에 쓰이는 국정 좌표.

Nátional Guárd, the 《美》 주(州)방위군《연방 정부 직할의》.

Nátional Héalth Sèrvice, the 《英》 국민 건강 보험.

Nátional Insúrance 《英》 국가 보험 제도.

·**na·tion·al·ism** [nǽʃənəlìzəm] *n.* Ⓤ ① 애국심; 국가주의. ② 국민성; 산업 국유주의. ·**-ist** *n.* Ⓒ 국가〔민족〕주의자; (N-) 국민〔국수(國粹)〕당원. **-is·tic** *a.*

:**na·tion·al·i·ty** [næ̀ʃənǽləti] *n.* ① Ⓤ 국민성. ② Ⓤ,Ⓒ 국적. ③ Ⓒ 국민; 국가. ④ Ⓤ 애국심; 국민적 감정.

na·tion·al·ize [nǽʃənəlàiz] *vt.* 국가적으로 하다; 귀화시키다; 국유〔국영〕화하다. **-i·za·tion** [⌐--izéi-/-laiz-] *n.* Ⓤ 국민화, 국유화.

nátional sérvice 《英》 국민 병역 의무.

nátion-státe *n.* Ⓒ 민족 국가.

nátion·wíde *a.* 전국적인.

:**na·tive** [néitiv] *a.* ① 출생의, 자기 나라의. ② 토착의, 토착민의. ③ 국산의. ④ 타고난; 자연 그대로의; 소박한. ***go ~*** 《口》 (백인이 미개지에

N

서) 토착민과 같은 생활을 하다. ~ **land** 모국, 본국. ~ **place** 고향. ⑤ ⓒ 토착민, …태생의 사람(*of*). ② 원주민. ③ 토착 동물[식물].

Na·tive Américan 아메리카(북미) 인디언.

na·tiv·i·ty[nətívəti] *n.* ① Ⓤⓒ 출생, 출산(the N-) 예수 탄생, 크리스마스; (N-) ⓒ 예수 탄생의 그림. ③ ⓒ【占】천궁도(天宮圖).

NATO, Na·to[néitou] (《**N**orth **A**tlantic **T**reaty **O**rganization》) *n.* 나토(북대서양 조약 기구(1949)).

nat·ter[nǽtər] *vi.*(漢) 재잘거리다;(英) 투덜거리다. — *n.* (a ~)(주로 英) 잡담.

nat·ty[nǽti] *a.* 정연한(《복장 따위가》 말쑥한.

nat·u·ral[nǽtʃərəl] *a.* ① 자연(천연)의, 자연계의. ② 미개의. ③ 타고난; 본능적인; 본래의; 보통의. ④ 닮은; 사생의. ⑤【樂】본위(제자리)의. ~ one's ~ **life** 수명. — *n.* ① ⓒ 자연의 사물. ② 선천적인 백치. ③【樂】제자리(음)표(♮); (피아노의) 흰 건반. ④《口》타고난 재사(才士); 성공이 확실한 사람(일). **:~·ly** *ad.* 자연히; 날 때부터; 있는 그대로; 당연히. **~·ness** *n.*

nátural gás 천연 가스.

nátural history 박물학.

:nat·u·ral·ism[nǽtʃərəlìzm] *n.* Ⓤⓒ 자연의 본능에 따른 행동;【哲·文藝】자연주의; 사실(寫實)주의. **·ist** *n.* ⓒ 박물학자; 자연주의자.

nat·u·ral·is·tic[nǽtʃərəlístik] *a.* 자연의; 자연주의의; 박물학(자)의.

nat·u·ral·ize[nǽtʃərəlàiz] *vt., vi.* 귀화시키다(하다), 토착화하다; (외국어를) 받아들이다; 이식하다. **·i·za·tion**[♮♮♮izéiʃən/–lai–] *n.* Ⓤ 귀화; 토착화.

nátural science 자연 과학.

nátural seléction 자연 도태(선택).

:na·ture[néitʃər] *n.* ① Ⓤ 자연(계). ② ⓤ 천성, 성질. ③ …의 성질을 지닌 사람. ④ Ⓤ 원시 상태. ④ (sing.) 종류. ⑤ Ⓤ 체력; 생활 기능. ⑥ Ⓤ 본질. **against** ~ 부

자연한(하게). **by** ~ 타고난. **draw from** ~ 사생하다. **ease** ~ 대변(소변)보다. **go the way of** ~ 죽다. **in a** (**the**) **state of** ~ 자연 그대로; 벌거숭이로. **in** (**of**) **the** ~ **of** …의 성질을 지닌, …을 닮은. **in** (**by, from**) **the** ~ **of things** (**the case**) 사물의 본질상, 필연적으로. **pay one's debt to** ~ 죽다.

nature stùdy (초등 교육의) 자연 연구(관찰).

na·tur·ism[néitʃərìzm] *n.* = NATURALISM. ② 《英》 나체주의.

naught[nɔːt] *n.* ⓤ 무(nothing). ② ⓒ 영, 제로, 영점. ~ 무익하게. **bring** (**come**) **to** ~ 무효로 하다(되다). **set ... at** ~ 무시하다.

naugh·ty[♮i] *a.* ① 장난스러운; 버릇없는;《廢》못된, 사악한. **·ti·ly** *ad.* **·ti·ness** *n.*

nau·se·a[nɔ́ːziə, –ʃə, –siə] *n.* Ⓤ 욕지기, 메스꺼움; 뱃멀미; 혐오.

nau·se·ate[nɔ́ːzièit, –ʃi–, –si–] *vt., vi.* 메스껍게 (게 하)다; 구역질나(게 하)다(*at*).

nau·seous[nɔ́ːʃəs, –ziəs] *a.* 구역질나는, 싫은. 「의; 선원의.

nau·ti·cal[nɔ́ːtikəl] *a.* 항해의; 배

náutical míle 해리(海里).

na·val[néivəl] *a.* 해군의; 군함의.

nave[neiv] *n.* ⓒ (교회당의) 본당.

na·vel[néivəl] *n.* ⓒ 배꼽; (the ~) 중심, 중앙.

nav·i·ga·ble[nǽvigəbəl] *a.* ① 항행할 수 있는. ② 항해에 견디는. **·bil·i·ty**[♮—bíləti] *n.*

nav·i·gate[nǽvəgèit] *vt.* ① 항행하다; (배·비행기를) 조종(운전)하다. ② (교섭 따위를) 진행시키다. — *vi.* 항행(조종)하다. **:ga·tion**[♮—géiʃən] *n.* Ⓤ 항해(항공)(술), **:ga·tor** *n.* ⓒ 항해자, 항해장(원); 해양 탐험가;《英》= NAVVY.

nav·vy[nǽvi] *n.* ⓒ《英口》(운하·도로 공사의) 인부; (토목 공사용) 굴착기.

:na·vy[néivi] *n.* ① ⓒ 해군; 해군 장병. ② ⓒ《古》선대(船隊). ③ NAVY BLUE.

návy blúe 감색(영국 해군 제복의

밑깔).

nay[nei] *ad.* ① 《古》 아니(no). ② 그뿐만 아니라. ── *n.* ① 아님; 거절. ② ⓒ 반대, 반대 투표(자).

Na·zi[ná:tsi, -ái-] *n.* (G.) ⓒ 나치 당원(독일의 국가 사회당 당원). ── (기타 국가의) 국수주의자(國粹主義者). *the* ~**s** 나치당. ~, *a.* 나치당의. ~**·ism**[-izm] *n.* ① 국가 사회주의. ~**·fy** *vt.* 나치화하다. ~**·fi·ca·tion** [~fikéiʃən] *n.* ① 나치화(opp. denazification).

N.B., n.b. *nota bene.* **NBC** National Broadcasting Company.

N.C.O. noncommissioned officer. **NE, N.E.** northeast.

Ne·án·der·thal màn[niǽndər-tà:l-, -θɔ́:l-] 《人類學》 네안데르탈인 (구석기 시대 유럽에 살던 원시 인류).

néap tìde 소조(小潮).

near[niər] *ad.* ① 가까이, 접근하여 (closely). ② 거의(nearly). ③ 인색하게. ~ **at hand** (장소가) 가까이에; (때가) 멀지 않아 곧; ~ **by** 가까이에. ~ **upon** 거의 …무렵. ── *a.* ① 가까운; 근친의; 친밀한. ② 아주 닮은. ③ (마차 따위의) 왼쪽의(*the* ~ *ox, wheel, &c.*) (opp. off). ④ 인색한. ⑤ 아슬아슬한; 모조의, 진짜에 가까운(~ *silk*). ~ **and dear** 친밀한. ~ **race** 백중의 (치락치락의) 경쟁. ~ **work** 세밀 작업. ── *prep.* …의 가까이에. *come* 〔*go*〕 ~ *doing* 거의 …할 뻔하다. ── *vt., vi.* 가까이 가다; 접박하다, 닥치다. ~**·ly** *ad.* 거의; 거우; 밀접하게; 친하게; *not* ~*ly* 에는 (아직). ~**·ness** *n.*

near·by[níərbái] *a., ad.* 가까운; 가까이에의.

Néar East *the* 근동(近東)(영국 에서는 발칸 제국, 미국에서는 발칸과 서남 아시아를 가리킴).

néar míss 근접 폭격, 지근탄(至近彈);《항공기의》 이상 (異常) 접근.

néar·side *n.* 《英》 (차에서) 도로가에 가까운 쪽의.

néar-sìght·ed *a.* 근시의;《비유》 소견이 좁은.

neat[ni:t] *a.* ① 산뜻한; 단정한; 모

양 좋은. ② 적절한; 교묘한. ③ 섞인 것이 없는; 정미(正味)의(net²). ~**·ly** *ad.*

neb·u·la[nébjələ] *n.* (*pl.* ~, *-lae* [-li:]) ⓒ 성운(星雲). *-lar* *a.* 성운(모양)의(*the nebular hypothesis* 성운설(說)).

neb·u·lous[nébjələs] *a.* 운무(雲霧)와 같은; 흐린, 희미한; 성운(모양)의, *-los·i·ty* [-lásəti/-5-] *n.* ① 성운; 박무.

nec·es·sar·y[nésəsèri/-isəri] *a.* 필요한; 필연적인. ── *n.* (*pl.*) 필요품; 《口》 생활 필수품. **:-sar·i·ly** [nésəsérəli, nèsisæri-] *ad.* 필연적으로; 부득이; 《부정어를 수반하여》 반드시 …는 (아니다).

ne·ces·si·tate[nisésətèit] *vt.* 필요로 하다; 부득이 …하게 하다.

ne·ces·si·ty[nisésəti] *n.* ① UC 필요, 필연. ② ⓒ 필요물, 필수품. ③ 당연히 할 일을 하고죠 잘한 셈하다: 부득이한 일을 군실리 없이 하다. *of* ~ 필연적으로; 부득이.

neck[nek] *n.* ① 목, 옷깃; ② ⓒ (양 따위의) 목덜미살. ② ⓒ 《병·바이올린 따위의》 목. ③ ⓒ 지협, 해협, 좁은 통로. *a stiff* ~ 완고(한 사람). *bend* 〔*bow*〕 *the* ~ 굴복하다. *break the* ~ *of* (口) (일의) 고비를 넘기다. *harden the* ~ 완고하게 저항하다. ~ *and* ~ 나란히; 《경기에서》 비등하여, 동착게, ~ *or nothing* 필사적으로; *risk one's* ~ 목숨을 걸고 아하다. *save one's* ~ 교수형 《책임》을 모면하다, 목숨을 건지다. *win by a* ~ 《경마에서》 목길이만큼의 차로 이기다; 간신히 이기다. ── *vt., vi.* 《美口》 《목을》 껴안다, 네킹하다.

neck·lace[⁴lis] *n.* ⓒ 목걸이.

néck·line *n.* ⓒ 네크라인(여자 옷 드레스의 목 둘레에 관한선).

néck·tie[⁴tài] *n.* ⓒ 넥타이.《美俗》 교수형 밧줄.

nec·ro·man·cy[nékrəmænsi] *n.* ① 마술, 강신술(降神術). **-man·cer** *n.* ⓒ 마술사, 강신술자. **-man·tic** [~mǽntik] *a.* 마술의.

ne·crop·o·lis[nekrápəlis/-5-] *n.* ⓒ (큰) 묘지(cemetery).

nec·tar[néktər] *n.* ① 넥타, 감로 (甘露); 꽃의 꿀; 【그神】신들의 술. **~·e·ous**[nektéəriəs] *a.* nectar의 (같은).

nec·tar·ine[nèktəríːn/néktərin] *n.* ⓒ 승도복숭아.

née, nee[nei] *a.* (F. = born) 구성(舊姓)은(기혼 부인 이름 뒤에 붙여 결혼 전의 성을 나타냄).

need[niːd] *n.* ① ⓤⓒ 필요(성); 결핍, 빈곤. ② (보통 *pl.*) 요구물. ③ ⓤ 다급할 때. *a friend in* ~ 어려울 때의 친구. *be* [stand] *in* ~ *of* ~을 필요로 하다. *had* ~ *to* ~하지 않으면 안된다. *have* ~ *of* [for] ~을 필요로 하다. *if* ~ *be* [*were*] 필요하다면, *serve the* ~ 소용에 닿다. — *vt.* ① 필요로 하다. ② …할 필요가 있다. ——하여야 한다. — *vi.* 궁하다, 어렵다. ~ *not* (조동사 취급) (…할) 필요가 없다. **~·less** *a.* 불필요한. *—less to say* [*add*] 말할 [덧붙일] 필요도 없이. **~·less·ly** *ad.* *~·less·ness* *n.*

need·ful[níːdfəl] *a.* 필요한; (古) 가난한.

nee·dle[níːdl] *n.* ⓒ ① 바늘, 바느질 바늘, 뜨개바늘. ② 자침(磁針); 축침기(주사기) 바늘. ③ 침엽(針葉). *look for a* ~ *in a bottle* [*bundle*] *of hay* 헛고생하다.

needle·wòman *n.* ⓒ 재봉사, 침모, 바느질하는 여자.

néedle·wòrk *n.* ⓤ 바느질, 자수.

need·n't[níːdnt] need not의 단축.

need·y[níːdi] *a.* 가난한. **néed·i·ness** *n.* ⓤ 곤궁.

né'er-do-wèll *n., a.* ⓒ 쓸모 없는 사람(의); 무능한.

ne·far·i·ous[nifέəriəs] *a.* 악독한, 사악한. **~·ly** *ad.*

ne·gate[nigéit] *vt.* 부정하다, 취소하다; 【컴】 부정하다[부동의 작동을 하다]. **ne·ga·tion** *n.* ⓤ 부정; 취소; 거절; 존재치 않음 *n.*

neg·a·tive[négətiv] *a.* ① 부정의 (~ *sentence* 부정문); 반대의; 소극적인. ② 음전기의. ③ 【數】 마이너스의; 【理】 음화의; 【生】 반작용적인; 【醫】 음성의. — *n.* ⓒ ① 부정어; 부

정[반대]의 설. ② 반대측. ③ 소극성; (古) 거부권. ④ 음전기, (전지의) 음극판. ⑤ 【數】 음수; 음화. *in the* ~ 부정적으로(*He answered in the* ~. '아니'라고 대답했다). — *vt.* ① 거부하다; 부결하다. ② 반증하다. ③ 무효로 하다. **~·ly** *ad.* **-tiv·ism**[-ìzəm] *n.* ⓤ 부정론.

:ne·glect[niglékt] *vt.* ① 게을리하다, 소홀히하다. ② 무시하다. ③ 하지않을 (소홀히할) 정도로. — *n.* ⓤ 태만; 소홀; 무시. **~ed**[-id] *a.* 소홀하게 다룬; 무시된; 세인에게 인정 못받는. **~·ful** 태만한; 부주의한.

neg·li·gee, nég·li·gé[néglizèi, ―ˊ―] *n.* ⓒ (부인용의 낙낙한) 실내복, 네글리제; ⓤ 약복(略服), 평상복. *a.* 소탈한, 터놓은.

neg·li·gent[néglidʒənt] *a.* 태만한; 부주의한; 무관심[소홀]한; 내버려둔. **~·gence** *n.*

neg·li·gi·ble[néglidʒəbl] *a.* 하찮은; 무시해도 좋은; 극히 적은, 사소한. **-bly** *ad.*

ne·go·ti·a·ble[nigóuʃiəbl] *a.* 협정(협상)할 수 있는; 양도[유통]할 수 있는; 통행할 수 있는.

ne·go·ti·ate[nigóuʃièit] *vt.* ① 상의하다, 협상(협정)하다. ② 양도하다; 매도하다. ③ 통과하다; 뚫고 나가다; 뛰어넘다. — *vi.* 교섭하다, 양도로다. **-a·tor** *n.* ⓒ 교섭자, 양도자.

ne·go·ti·a·tion[―ˊ―éiʃən] *n.* ⓤ ① 협상, 교섭. ② (증권 따위의) 양도. ③ (장애·곤란의) 극복.

Ne·gress[níːgris] *n.* ⓒ (*or* n-) (黑人 여성) 흑인 여성.

Ne·gro[níːgrou] *n.* (*pl.* ―*es*) ① 니그로, 흑인. ② (흑인 피를 받은) 검은 피부의 사람.

Ne·groid[níːgrɔid] *a.* 흑인 비슷한; 흑인 계통의. — *n.* ⓒ 흑인.

neigh[nei] *n.* ⓒ (말의) 울음 소리. — *vi.* (말이) 울다.

neigh·bor, (英) -bour[néibər] *n.* ⓒ ① 이웃 사람; 이웃 나라 사람; 이웃의 것. — *a.* 이웃의. — *vt., vi.* (에) 이웃하다; 접근하다(*on, with*). **:~·ing** *a.* 근처의, 인접한; 가까이 있는. **~·ly** *a.* 이웃다운; 친절한. **~·li·ness** *n.*

N

:**neigh·bo(u)r·hood**[-hùd]〈⑤〉 *n.* ① (*sing.*) 근처. ② 《수식어와 함께》 지방. ③ (*sing.*) 《집합적》 이웃 사람들. ④ ⓤ 이웃의 정분. *in the* ~ *of* (口) …의 근처에; 대략.

:**nei·ther**[níːðər, nái-] *ad.* 〔~ … nor …의 형태로〕…도 아니고 …도 아니다; …도 또한 아니다. ~ *more* nor *less than* …와 꼭 같은. '*Tis* ~ *here nor there.* 그 것은 관계없는 일이다. — *conj.* (古) 또한 …도 않다("*I am not tired.*" "*N- am I.*" '나는 피곤하지 않다' '나도 그렇다'). — *pron.* 어느쪽의 …도 …아닌. — *pron.* 어느쪽도 …아니다.

Nem·e·sis[néməsis] *n.* ① 【그神】복수의 여신. ② (n-) ⓤ 천벌; ⓒ 응보를 주는 자.

ne·o-[níːou-] *pref.* '신(新)'의 뜻. ~·**clássic**[-ou-], ~·**sical** *a.* 신고전주의의. ~·**colónialism** *n.* ⓤ 신식민주의. ~·**Dáda** *n.* ⓤ 네오다다이즘. ~·**Dárwinism** *n.* ⓤ 신다윈설. ~·**Hegélian** *a.*, *n.* ⓒ 신헤겔 철학(파)의 (철학자). ~·**Im·préssionism** *n.* ⓤ 신인상주의. ~·**Kántianism** *n.* ⓤ 신칸트파 철학. ~·**Malthúsianism** *n.* ⓤ 신맬서스주의. ~·**plá·tonism** *n.* ⓤ 신플라톤파 철학. ~·**román·ti·cism** *n.* ⓤ 신낭만주의. ~·**trópical** *a.* (생물 지리학에서) 신열대의《중·남아프리카 및 서인도 제도》.

ne·o·lith·ic[nìːoulíθik] *a.* 신석기 시대의(*the* ~ *Age*).

ne·ol·o·gism[niːálədʒìzəm/-ɔ́-] *-gy*[-dʒi] *n.* ① ⓒ 신어(新語). ② ⓤ 신어 사용. ~·**gist** *n.* ⓒ 신어 창조자(사용자).

ne·on[níːɑn/-ɔn, -ən] *n.* ⓤ 【化】네온《희가스류 원소의 하나; 기호 Ne》.

neph·ew[néfjuː/-v-, -f-] *n.* ⓒ 조카.

nep·o·tism[népətìzəm] *n.* ⓤ (임용 등에서의) 연고자 편중, 동족 등용.

Nep·tune[néptjuːn, -tjuːn/-tjuːn] *n.* 【로神】바다의 신(cf. Poseidon); 〖天〗해왕성.

:**nerve**[nəːrv] *n.* ① ⓒ 신경. ② ⓤ

근(筋), 건(腱). ③ ⓤ 기력, 용기; 침착; 체력, 정력, 원기. ④ ⓤ (口) 뻔뻔스러움, ⑤ (*pl.*) 신경과민, 소심. ⑥ ⓒ 〖植〗 잎맥; 〖晶〗 시맥. *a bundle of* ~*s* 신경이 과민한 사람. *get on one's* ~*s* (口) …의 신경을 건드리다. *have no* ~*s* 냉정하다. *strain every* ~ …전력을 다하다. — *vt.* 힘을 북돋우다.

nerve cèll 신경 세포.
nerve cènter [cèntre] 신경 중추.
nerve gàs 【軍】 신경 가스.
nerve·less *a.* 힘없는; 기력(-용기)없는; 신경〔잎맥, 시맥〕이 없는. ~·**ly** *ad.*

:**nerve-rácking** *a.* 몹시 신경을 건드리는.

:**nerv·ous**[náːrvəs] *a.* ① 신경의, 신경이 있는. ② 신경질의; 침착하지 못한; 소심한(timid). ③ (문체 따위가) 힘찬. ~·**ly** *ad.* ~·**ness** *n.*

nérvous bréakdown (prostrátion) 신경 쇠약.
nérvous sýstem 신경 계통.

nerv·y[náːrvi] *a.* (口) 뻔뻔스러운; 신경질적인; 원기 있는; 용기가 필요한《주로 英》 신경에 거슬리는 것 같은.

:**nest**[nest] *n.* ⓒ ① 둥지, 보금자리; 안식처. ② (안락한 등의) 소굴. ③ (새·벌레 등의) 때 《둥지 속의》 새끼, 알(따위). ④ 《차례로 끼워 맞춘 물건의》 한 벌; 한짝. *feather* (*line*) *one's* ~ (口) 제 몸을 모으다, (부정하게) 사복을 채우다. *foul one's own* ~ (口) 자기 집(편)을 헐뜯다. — *vi.* 둥지를 만들다; 깃들이다. ② 새의 둥지를 찾다(cf. bird's-nesting).

nést ègg 밑알(거름 따위의) 밑돈.

nes·tle[nésəl] *vi.* ① 아늑하게〔편하게〕 자리잡다〔앉다〕(*in, into*) ② 어 른거리다(*among*). ③ 바싹 다가 붙다. — *vt.* 바싹 다가 붙이다.

nest·ling[néstlin] *n.* ⓒ 둥지를 떠나기 전의 새끼; 젖먹이, 어린애.

†**net**[net] *n.* ⓒ ① 그물, 네트. ② 망(레이스, 올가미, 함정. *a ~ fish* 그물로 잡은 물고기, *cast* (*throw*) *a* ~ 그물을 던지다. — *vt.* (*-tt-*) 그물로 잡다〔덮다〕; (…에) 그물을 치다.

net² *a.* (〈neat) 정량(正量)의(10

ozs. ~, 정량 10온스(cf. **gross**).
~ price 정가(正價). **~ profit** 순이익. ── *n.* ⓒ 정량(正量): 순이익: 정가(따위). ── *vt.* (**-tt-**) (…의) 순이익을 얻다.

neth·er[néðər] *a.* 아래의(cf. the Netherlands), **the ~ world** (*re-gion*) 지옥, 하계(下界). **~·most** [-mòust] *a.* 최하의.

net·ting[nétiŋ] *n.* ⓤ 그물 세공; 그물질.

net·tle[nétl] *n.* ⓒ 〔植〕 쐐기풀. ── *vt.* 초조하게 하다; 노하게 하다.

:net·work[nétwə̀ːrk] *n.* ⓒ ① 그물세공. ② 망상(網狀)조직. ③ 방송망. ④ 〔컴〕 네트워크: 망.

neu·ral[njúərəl] *a.* 〔解〕신경(계)의, 등골의: 신경의(~ **net** 신경망).

neu·ral·gia[njuəréldʒə] *n.* ⓤ 신경통. **-gic** *a.*

neu·ri·tis[njuəráitis] *n.* ⓤ 신경염(炎).

neu·ro-[njúərou, -rə]신경, '신경'의 뜻의 결합사.

neu·rol·o·gy[njuəráledʒi/-rɔ́l-] *n.* ⓤ 신경학. **-gist** *n.* 신경학자.

neu·ro·sis[njuəróusis] *n.* (*pl.* **-ses**[-si:z]) ⓤⓒ 신경증, 노이로제.

neu·rot·ic[njuərátik/-rɔ́t-] *a.* 신경증의; 노이로제의, ── *n.* ⓒ 신경증환자.

neu·ter[njúːtər] *a.* 〔文〕중성의; 〔生〕무성의; 중립의. ── *n.* ① (the ~)〔文〕중성. ② ⓒ 무성 동물[식물].

:neu·tral[njúːtrəl] *a.* ① 중립(국)의. ② 공평한. ③ 어느 편도 아닌, 어느 쪽에도 속하지 않은. ④ 〔生〕무성의. ── *n.* ① ⓒ 중립자[국]. ② ⓒ (톱니바퀴의) 중립 위치. ~·**ism**[-izəm] *n.* ⓤ (엄정) 중립주의. ~·**i·ty**[-træləti] *n.* ⓤ 중립(상태); 중립 정책; 〔化〕중성.

:neu·tral·ize[njúːtrəlàiz] *vt.* ① 중립시키다. ② 〔化〕중화하다; 〔電〕중성으로 하다. ③ 무효로 하다. **-iz·er** *n.* **~·i·za·tion**[~-izéiʃən/-lai-] *n.* 중립화(상태·선언).

neu·tron [njúːtran/njúːtrɔn] *n.*
ⓒ 〔理〕중성자.

nev·er[névər] *ad.* 결코[일찍이, 조금도] …않다. **~ again** 두 번 다시 …않다. **~ ever** 결코 …않다. *Well, I ~!* 설마!

nèver-énding *a.* 끝없는.

nèver·móre *ad.* 두 번 다시 …않다.

nèver·the·less[nèvərðəlés] *ad.* 그럼에도 불구하고, 그래도 역시.

:new[njuː/njuː] *a.* ① 새로운; 처음 보는(처음). ② 처음 사용하는, 처음의; 일신된; 신임의. ③ 최근의. ④ 익숙하지 않은; 풋내기의. ⑤ 신품의. ── *ad.* 새로이; 다시. **~·ness** *n.*

Néw Áge 뉴에이지(의)《환경·의학사상 등 광범위한 분야에 대하여 전체론적인 접근을 특징으로 함》.

néw·bórn *a.* 갓난; 재생한.

néw·còmer *n.* ⓒ 신참자.

Néw Déal, the (미국의 F.D. Roosevelt 대통령이 주장한) 뉴딜 정책: 루스벨트 정권.

new·el[njúːəl] *n.* ⓒ 〔建〕 (나선 계단의) 어미기둥.

new-fan·gled[ˈnjuːˈfæŋɡəld] *a.* (지나치게) 새로운, 신기한 것을 좋아하는.

new·ly[njúːli] *ad.* 최근, 요즈음; 새로이.

néwly-wéd *n.* ⓒ 신혼의 사람(종종 *pl.*) 신혼부부.

néw móon 초승달.

:news[njuːz/njuːz] *n.* ⓤ 뉴스, 보도; 색다른 사건; 소식. **break the ~** (흔히 나쁜) 소식을 알리다. **No ~ is good ~.** 《속담》 무소식이 희소식.

néws àgency 통신사.

néws·àgent *n.* ⓒ 〔英〕신문 판매인[점].

néws·càst *n.* ⓒ 뉴스 방송. **~·er** *n.* ⓒ 뉴스 방송자[해설자].

néws·dèaler *n.* 〔美〕= NEWS-AGENT.

néws·lètter *n.* ⓒ 주간 통신, 주보《17세기의 편지식 주간 신문; 현대 신문의 전신》: 삽보(*a market* ~).

:néws·pàper *n.* ⓒ 신문(지). ② ⓤ신문용지.

néwspaper·màn *n.* ⓒ 신문인, 신문 기자.

néws·print *n.* ⓊⒸ 신문용지.

néws·rèader *n.* = NEWSCASTER.

néws·rèel *n.* ⓒ 뉴스 영화.

néws·ròom *n.* ⓒ 《美》신문 열람실; 뉴스 편집실.

néws·shèet *n.* ⓒ (간단한) 한 장짜리 신문.

néws·stànd *n.* ⓒ (역 따위의) 신문 잡지 매점.

néws·wòrthy *a.* 보도 가치있는.

news·y[*z*í] *n.*, *a.* ⓒ 《口》뉴스가 많은; 이야기를 좋아하는; 신문 배달원, 신문팔이.

newt[nju:t/nju:t] *n.* ⓒ 〔動〕 영원.

Néw Téstament, the 신약 성서.

Néw Wórld, the 신세계.

néw year 새해: (N- Y-, N- Year's) 정월 초하루, 정초의 수일간.

Néw Year's Dáy 〔Éve〕 정월 초하루날〔섣달 그믐〕.

next[nekst] *a.* 다음의, 가장 가까운. **in the ~ place** 다음에; 둘째로. ~ **best** 차선(次善)의, 그 다음으로 가장 좋은. ~ **door to** 거의 …에 가까운, 거의 …이나 다름없는. ~ **of kin** 〔法〕 최근친(最近親). ~ **to** …의 다음에, 거의, 거의. — *ad.* 다음에, 그리고 나서, 그 다음 사람〔것〕. — *prep.* …의 이웃〔다음〕의.

néxt-bést *a.*, *n.* ⓒ 둘째로 좋은 〔것〕, 차선의〔것〕.

néxt-dóor *a.* 이웃의〔에〕.

nex·us[néksəs] *n.* (*pl.* ~·**es**) ⓊⒸ 이음, 연접, 연쇄(link); 연쇄적 계열; 〔文〕 넥서스(Jespersen의 용어로 주어와 술어의 관계): *Dogs bark.* 나 *I don't like them barking.* 의 이탤릭 부분; cf. junction).

N.H.S. National Health Service.

nib[nib] *n.*, *vt.* —(**bb-**) ⓒ 펜촉을 끼우다; (새의) 부리; 끝.

nib·ble[níbl] *vt.*, *vi.*, *n.* 조금씩 갉아먹다(갉아먹음); (물고기의) 입질; 한번 물어 떼기〔먹음〕.

nibs[nibz] *n.* 《俗》(his 〔her〕 ~) 거드름쟁이, 나리〔멸칭〕.

nice[nais] *a.* ① 좋은, 훌륭한; 유쾌한(pleasing). ② 《口》친절한(to). ③ 적당한. ④ 까다로운(*She is ~ in her eating.*) ⑤ 미묘한

(subtle); 정밀한(exact); 감상〔식별〕력 있는(*He has a ~ eye for china.*) ⑦ 꼼꼼한; 민감한, 교양이 있는(엿보이는). ⑧ 《口·反語》곤란한, 싫은, 귀찮은 (*and (warm)*=싫어 죽도록); 더할 나위 없는. ~·**ly** *ad.* ~·**ness** *n.*

ni·ce·ty[náisəti] *n.* Ⓤ 정밀; 미묘, 섬세; 까다로움; Ⓒ 우아한 것; 미세한 구별; (보통 *pl.*) 상세. **to a ~** 정확히, 꼭 알맞게.

niche[nit∫] *n.* ⓒ 벽감(壁龕)(조상(影像)·꽃병 따위를 놓는); 적소(適所). — *vt.* (보통 과거분사형으로) 벽감에 놓다; (제 자리에) 앉히다.

nick[nik] *n.* 새김눈, **in the (very) ~ (of time)** 아슬아슬한 때에, 꼭 알맞게, — *vt.* ① 새김눈을 내다; (칼로) 상처를 내다 ② 알아맞히다; 제시간에 꼭 대다. 꼭 알맞게〔하다〕.

nick·el[níkəl] *n.* ① Ⓤ 〔化〕 니켈. ② ⓒ 《美·캐나다》5센트 백통화. — *vt.* (—**《英》-ll-**) 니켈 도금하다.

nick·nack[níknæk] *n.* = KNICK-KNACK.

nick·name[níknèim] *n.*, *vt.* 별명〔을 붙이다〕.

nic·o·tine[níkəti:n], —*tin* [-tin] *n.* Ⓤ 니코틴. —**tin·ism** [-izəm] *n.* Ⓤ 니코틴 중독.

niece[niːs] *n.* ⓒ 조카딸, 질녀.

nif·ty[nífti] *a.* 《俗》 멋진(stylish).

nig·gard[nígərd] *n.* ⓒ 인색한 사람. —**ly** *a.*, *ad.* 인색한〔하게〕.

nig·ger[nígər] *n.* 《蔑》= NEGRO. ~ **minstrels** 흑인으로 분장한 백인 희극단.

nig·gle[nígl] *vi.* 하찮은 일에 안달하다〔시간을 낭비하다〕. **nig·gling** *a.*, *n.*

nigh[nai] *a.*, *ad.*, *prep.*, *v.* 《古·方》 = NEAR.

night[nait] *n.* Ⓤ Ⓒ 야간, 밤; 저녁 무렵, 일몰. ② Ⓤ (밤의) 어둠. ③ Ⓤ 무지; 맹각; 죽음. **by ~** 밤에는. **have 〔pass〕 a good 〔bad〕 ~** 편히 자다〔자지 못하다〕. **make a ~ of it** 놀며〔술마시며〕 밤을 새우다. ~ **after 〔by〕 ~** 매일 밤. **a ~ out** 밖에서 묵어〔새우는 밤〕 〔하녀 등의〕 외출이 자유로운 밤.

N

N

night·càp n. ⓒ 잠잘 때 쓰는 모자, 나이트 캡; 《口》 잘 때 마시는 술; 《口》 『野』 더블헤더의 제2경기, 당일 최후의 경기.

night clùb 나이트 클럽.

night·drèss n. ⓒ 잠옷.

night·fàll n. ⓤ 해질녘.

night·gòwn n. = NIGHTDRESS.

night·in·gale [náitiŋgèil, -tiŋ-] n. ⓒ 나이팅게일《유럽산 지빠귓과의 새, 밤에 욺》. ② 목청이 고운 가수.

night·jàr n. 〔鳥〕 쏙독새.

night lìfe (밤의) 환락.

night·lòng a. 밤을 새우는, 철야의.

night·ly [láitli] a., ad. 밤의[에], 밤마다의; 밤마다.

night·mare [<mɛ̀ər] n. ⓒ 몽마(夢魔); 악몽(惡夢)·전율·일; 가위눌림. **-mar·ish** [<mɛ̀əriʃ] a. 악몽 같은.

nights [naits] ad. 매일 밤, (거의) 밤마다.

night sàfe (은행 따위의) 야간(시간외) 예금 창구, 야간 금고.

night schòol 야간 학교.

night·shirt n. ⓒ (남자의) 긴 잠옷.

night·time n. ⓤ 밤, 야간.

night wátchman 야경꾼.

ni·hil·ism [náiəlìzm, náih-] n. ⓤ 허무주의, 니힐리즘. **-ist** n. **-is·tic** [~ístik] a.

nil [nil] n. ⓤ 무(nothing); 〔競〕 없음 (~ pointer 없음 알리게). **~ admi·rari** [ædmiréərai] (L. = to wonder at nothing) 무감동(한 태도).

nim·ble [nímbl] a. ① 재빠른, ② 영리한, 현명한. **~·ness** n. **-bly** ad.

nim·bus [nímbəs] n. (pl. **~·es, -bi** [-bai]) ① 후광(halo). ② 〔氣〕 비구름.

nim·by, NIM·BY [nímbi] (< not in my back yard) n. 주변에 꺼림칙한 건축물 설치를 반대하는 주민.

nin·com·poop [nínkəmpùːp, níŋ-] n. ⓒ 바보.

nine [nain] n., a. ① 9 《9명(개)의 1조, 야구 팀》. ② (the N-) 뮤즈의 아홉 여신. **a ~ day's wonder** 한 때의 소문, 남의 말도 사흘. **~ times** (in ~ cases) **out of ten** 십중팔구. **(up) to the ~s** 완전히.

nine·pìn n. ① (~s) 《단수 취급》 9주희(柱戱). ② 《pl.》 9주희에 쓰는 핀.

nine·teen [naintíːn, ˊ—] n., a. ⓤ ⓒ 19(의). **talk ~ to the dozen** 쉴 새 없이 지껄이다. **~·th** n., a. ⓤ 제19(의); ⓒ 19분의 1(의).

nine·ty [náinti] n., a. ⓤ ⓒ 90(의). **-ti·eth** n., a. ⓤ 제90(의); ⓒ 90분의 1(의).

nin·ny [níni] n. ⓒ 바보.

ninth [nainθ] n., a. ⓤ 제9(의); ⓒ 9분의 1(의).

nip [nip] vt. (**-pp-**) ① 《집게박 따위가》 집다; 물다, 꼬집다. ② 잘라내다, 따내다(off). ③ 상하게 하다; 해치다; 이울게 하다. ④ 《반어》 따위가 손·귀를》 얼게 하다. — vi. ① 집다; 물다. ② (추위가) 살을 에다; 《俗》 날쌔게 움직이다, 뛰다 (along, away, off). ~ **in** 《out》 《口》 급히 뛰어들다[나가다]. ~ **in the bud** 봉오리 때에 따다; 미연에 방지하다. — n. (a ~) ① 한번 물기(집음). ② 상해(霜害); 모진 추위. ③ 한 조각. — **and tuck** 《美口》 (경기 따위에서) 막상막하로, 호각(互角)으로. **~·ping** a. (바람 따위) 살을 에는 듯한; 신랄한.

nip[2] n. ⓒ (술 따위의) 한 모금. — vi., vt. (**-pp-**) 홀짝홀짝 마시다.

nip·per [nípər] n. ⓒ 집는[무는] 사람(것). ② (pl.) (게의) 집게발; 집게, 족집게, 못뽑이. ③ ⓒ 《英》 소년; (노점의) 사동.

nip·ple [nípl] n. ⓒ 젖꼭지; (젖병의) 고무 젖꼭지.

nip·py [nípi] a. (바람 따위) 살을 에는 듯한; 날카로운. 《英口》 기민한.

nir·va·na, N- [nərváːnə, niːr-, -vǽːnə] n. (Skt.) ① 〔佛〕 열반(涅槃). ② 별세계.

nit [nit] n. ⓒ (이 따위의) 알, 유충.

nit-picking n., a. 《美口》 ⓤ 흠을 들추는 일.

ni·trate [náitrit, -treit] n. ⓤ ⓒ 질산염; 질산칼륨[나트륨]. **~ of silver** 질산은. — vt. 질산(염)으로 처리하다; 니트로화(化)하다.

nítric ácid 질산.

ni·tro·gen [náitrədʒən] n. ⓤ 〔化〕 질소. **ni·trog·e·nous** [naitrá-/-5-] a.

nitro·glycerin, -glycerine *n.* Ⓤ[化] 니트로 글리세린.

nitrous óxide [化] 아산화 질소, 소기(笑氣).

nit·ty-grit·ty [nítigríti] *n.* (the ~) 《美俗》 빵빵한 현실; (문제의) 핵심.

nit·wit [nítwìt] *n.* Ⓒ《口》 바보, 명텅구리.

no [nou] *ad.* 아니오; ―이 아니다; 조금도 ―이 아니다. **No can do.** 《口》 그런 일은 못한다. ― *a.* (*pl. ~es*) Ⓤ Ⓒ '아니'라는 말; 부정, 거절; Ⓒ (보통 *pl.*) 반대 투표(자), **no man's land** 소유자가 없는 경계(境界) 지구; [軍] 적과 아군 최전선의 중간지(中間地);《美軍俗》 야군 숙영지. **no SHOW.** ― a. Ⓤ 없는; 아무 것도 없는; Ⓤ 결코 ―아닌[않는]. **There is no** (do)**ing.** (…하는) 것은 도저히 불가능하다.

No. [nÁmbər] 제—번(를) (number). **No. 1** 제1(일류, 최대)(의 것), **No. 1 Dress** 제1호 군복(예복 대신이 되는 군복).

No., no. north; northern; *numero* (L. = by number).

nob [nab/ɔ-] *n.* Ⓒ《俗》 머리.

nob·ble [nábl/nɔ́bl-] *vt.* 《英俗》(약품 투여 등으로 말을) 경마에서 이기게 하다; 속임수를 쓰다; (법인을) 잡다.

no·bil·i·ty [noubíləti, -li-] *n.* Ⓤ ① 숭고함, 고상함. ② 고귀한 태생 [신분]. (the ~) 귀족 (계급).

no·ble [nóubəl] *a.* ① 고귀한; 고상한. ② 훌륭한, 귀중한. ― *n.* Ⓒ 귀족. *~·ness n.* **no·bly** *ad.* 훌륭하게, 고결하게; 고귀하게, 귀족답게.

noble·man [-mən] *n.* Ⓒ 귀족.

nóble-mínded *a.* (마음이) 숭고한, 넓은, 고결한.

no·blesse o·blige [noublés oublíːʒ] (F.) 높은 신분에는 의무가 따른다.

nóble·wòman *n.* Ⓒ 귀부인.

no·body [nóubàdi, -bədi/-bòdi] *pron.* 아무도 …없다. ― *n.* Ⓒ《口》 하잘것 없는 사람.

noc·tur·nal [naktə́ːrnl/nɔk-] *a.* 밤의(opp. diurnal); [動] 밤에 활동하는; [植] 밤에 피는.

noc·turne [náktəːrn/-5-] *n.* Ⓒ [樂] 야상곡; [美術] 야경화(night piece).

nod [nad/ɔ-] *vi.* (*-dd-*) ① 끄덕이다; 끄덕하고 인사하다. ② 좋다; 방심(실수)하다. ③ (꽃 따위가) 흔들거리다. **Even Homer sometimes ~s.** 《속담》 원숭이도 나무에서 떨어질 때가 있다. **~ding acquaintance** 만나면 인사나 할 정도의 사이. ― *vt.* (머리를) 끄덕이다; 끄덕여 표시하다; 굽히다. ― *n.* Ⓒ 끄덕임(꾸벅임 따위); 졸음; (사람을 턱으로 부리는) 지배력. **be at a person's ~** 아무의 지배하에 있다, **the land of N-** [聖] 꿈의 나라; 수면.

nod·al [nóudl] *a.* node의 (마디의).

node [noud] *n.* Ⓒ 마디, 혹; [植] 마디(잎이 나는 곳); [理] 마디(진동의 정지점(靜止點); (조직의) 중심점; [컴] 마디, 노드(네트워크의 분기점이나 당말 장치의 접속점).

nod·ule [nádʒuːl/nɔ́dj-] *n.* Ⓒ 작은 혹(마디); 작은 덩이. **nód·u·lar** *a.*

no·el [nouél] *n.* Ⓒ 크리스마스의 축가; Ⓤ (N-) 크리스마스.

nó-fault *n., a.* Ⓤ《美》 (자동차 보험에서) 무과실 보험(과실 유무에 관계 없이 피해자 자신의 보험으로 지불되는 방식)(의).

nog·gin [nágin/-5-] *n.* Ⓒ 작은 잔; 액량 단위의 (1/4 pint); 《口》 머리, 두부.

nó·go *a.* 《口》 진행 준비가 잘 되어 있지 않은; 《英》 출입 금지의.

noise [nɔiz] *n.* ① Ⓤ Ⓒ 소음; 소리, 시끄러운 목소리, 법석. ② Ⓤ (TV·라디오의) 잡음; [컴] 잡음[혼선의 난 조로 생기는 자료의 착오). **make a ~ like** …의 흉내를 내다. **make a ~ in the world** 평판이 나다, 유명해지다. ― *vt.* 소문을 퍼뜨리다. **be ~d abroad that** …이라는 말이 퍼지다. ― *vi.* 떠들다, 큰 소리로 이야기나는, 조용하다. *~·less a.* 소리 안 나는, 조용한. *~·less·ly ad.*

noi·some [nɔ́isəm] *a.* 해로운; 악취 나는. *~·ly ad. ~·ness n.*

nois·y [nɔ́izi] *a.* 시끄러운; 법석거리는. **nóis·i·ly** *ad.* **nóis·i·ness** *n.*

no·mad [nóumæd, -məd, nɔ́mæd] *n.* Ⓒ 유목민; 방랑자. ― *a.* 유목의; 방랑의. *~·ic* [nouma̋dik] *a.* 유목

민의; 방랑의. ~·ism [-izəm] *n.*
유목(방랑) 생활.

nó màn's lànd ⇨NO.

no·men·cla·ture [nóumənklèi-
tʃər, nouménklə-] *n.* ① (전문어
의) 명명법; ② [집합적] 전문어, 학
술용어(분류학상) 학명.

nom·i·nal [nάmənl/-5-] *a.* ① 이름
의; 이름뿐인, 근소한. ② [文] 명사
의. ~·**ism** [-izəm] *n.* [哲] 유명
론(唯名論). 명목론. ~·**ly** *ad.*

nom·i·nate [nάmənèit/nɔ́mi-] *vt.*
임명하다; (후보자로) 지명하다.
·na·tion [~-néiʃən] *n.* [U][C] 임명
(지명)(권). **nόm·i·na·tor** *n.*

nom·i·na·tive [nάmənətiv/-5-]
n., a. [C] [文] 주격(의); 주어; 지명
에 의한; (증권 따위가) 기명식의.

nom·i·nee [nάməní:/-5-] *n.* [C]
임명(지명)된 사람.

~·**abstáiner** *n.* [C] 술 안먹는 사
가. ~·**accéptance** *n.* [U] 불승낙;
[商] (어음) 인수 거절. ~·**admís-
sion** *n.* [U] 입장 불허. ~·**aggrés-
sion** *n.* [U] 불침략. ~·**appéarance**
n. [U] [法] (법정에의) 불출두. ~·**at-
téndance** *n.* [U] 결석. ~·**bel-
ligerent** *n., a.* 비교전의; [C] 비교전
국(의). ~·**cértifiable** *a.* [英] 정신
병이나 증명할 수 없는 (法) 제정신
의. ~·**com** [nάnkəm/nɔ́nkɔ̀m] *n.*
([口]) = NON-COMMISSIONED offi-
cer. ~·**combátant** *n., a.* [C] [軍] 비
전투원(의); (전시의) 일반 시민(의).
~·**commissioned** *a.* 위임장이 없
는; (장교로) 임명되지 않은(a ~*com-
missioned officer*). ~·**committal**
a. 언질을 주지 않는; (태도 등이) 애
매한. ~·**compliance** *n.* [U] 불순종.
~·**conducting** *a.* [理] 부전도, [理] 부
도체. ~·**conductor** *n.* [理] 부도
체. ~·**confidence** *n.* [U] 불신임.
~·**conformance** *n.* [U] 순응하지 않
음; 불일치. ~·**convertible** *a.* (지
폐가) 불환의. ~·**cooperation** *n.*
비협력; (Gandhi 파의) 비협력 운동.
~·**delivery** *n.* [U] 인도 불능; 배
달 불능. ~·**esséntial** *a.* 긴요하지
않은. ~·**exístence** *n.* [U][C] 비존재.
~·**existent** *a.* 존재하지 않는. ~·

féasance *n.* [U] [法] 의무 불이행.
~·férrous *a.* 철을 함유하지 않은
비철의(~*ferrous metals* 비철금속
《금·은·구리·납 따위》). **~·fíction**
n. [U] 논픽션(소설 이외의 산문 문
학). **~·fulfillment** *n.* [U] 불이행.
~·**intervéntion** *n.* [U] (외교·내정상
의) 불간섭. ~·**júror** *n.* [C] 선서 거
부자; (N-) [英史] (1688년의 명예혁명
후, William Ⅲ 와 Mary에 대한) 충
성 선서 거부자(국교(國敎) 성직자).
~·**línear** *a.* 직선이 아닌, 비선형(非
線形)의. ~·**métal** *n.* [C] [化] 비금속
원소. ~·**metállic** *a.* [化] 비금속의.
~·**móral** *a.* 도덕과는 관계 없는(cf.
immoral). ~·**núclear** *a.* 비핵(非
核)의. ~·**objéctive** *a.* [美術] 비재
현적인, 추상적의. ~·**pártisan** *a.* 초
당파의; 무소속의; 객관적인(objec-
tive). ~·**prodúctive** *a.* 비생산적
의; 직접 생산에 관여하지 않는 ~·
prófit *a.* 비영리적인; 이익이 없는.
~·**proliferátion** *n.* [U] 비증식(非增
殖, (핵무기 등의) 확산 방지. ~·
prós *a.* (-**ss**-) (원고를 법정
결석의 이유로) 패소시키다. ~·**reader**
n. [C] 독서하지 않는(할 수 없는) 사
람; 읽는 법을 늦게 깨우치는 아이.
~·**representational** *a.* [美術] 비구
상적인. ~·**résident** *a., n.* [C] 어떤
장소(임지)에 거주하지 않는 (사람).
~·**resístant** *a., n.* 무저항의; 맹종적
인; [C] 무저항(주의)자. ~·**restríc-
tive** *a.* [文] (수식 어구가) 비제한적
인. ~·**schéduled áirline(s)** 부정
기 항공편(항공 수송을 주로 하지만 임
시로 여객 수송도 하는 것; =plane
nonsked). ~·**sectárian** *a.* 어느 종
파에도 관계하지 않는; 무종파의. ~·
sélf *n.* [C] 자기(自己)외의 것; [生]
~(非)자기《면역계에 의한 공격성을
유발하는 외래성 항원 물질》. ~·
skéd *n.* ([口]) = NONSCHEDULED
AIRLINE(S). ~·**skíd** *a.* (타이어가)
미끄러지지 않는. ~·**stíck** *a.* (특히
음식이) 눌어 붙지 않는. ~·**stóp**
a., ad. 도중 무착륙의(으로), 도중
무정차의(로), 직행의. ~·**súpport** *n.*
[法] 부양 의무 불이행. ~·**ténured**
a. (대학 교수가) 종신 재직권이 없는.
~·**únion** *a.* 노동 조합에 속하지 않는(을 인정치 않는).

∼∼∙víolence n. ⓤ 비폭력(주의).
∼∙vóter n. ⓒ (투표) 기권자.

nonce [nɑns/-ɔ-] n. 《다음 구로만 쓰임》 **for the ∼** 당분간, 목하. **— a.** 임시의. **∼ use [word]** 임시 용법(用法)[어].

non·cha·lant [nɑnʃəlɑ́:nt, nɑ́nʃələnt/nɔ́nʃələnt] a. 무관심한, 냉담한. **∼·ly** ad. **-lance** n.

non com·pos men·tis [nɑn kɑ́mpəs méntis/nɔn kɔ́mpəs-] (L.=not of sound mind) 정신이 건전치 못한, 정신 이상의.

nòn·confórming a. 복종치 않는; (英) 국교에 신봉치 않는. **-confor·mist** n. ⓒ 비동조자; (N-) (英) 비국교도. **-confórmity** n. ⓒ 비동조; (N-) (英) 비국교주의.

non·de·script [nɑ̀ndiskrípt/nɔ̀n-] a. ⓒ 정체 모를 (사람·것).

none [nʌn] pron. ① 아무도 …않다 [아니다]. ② 아무 것도[조금도] …않다[아니다](It is ∼ of your business. 쓸데 없는 참견이다). — ad. 조금도 …하지 않다. **∼ the less** 그런데도 불구하고.

non·éntity n. ⓤ 실재하지 않음; ⓒ 하찮은 사람[것].

non·pa·reil [nɑ̀npərél/nɔ́npərəl] a., n. ⓒ 비길 데 없는 (사람·것); 〔印〕 논파렐 활자(6포인트).

non·plus [nɑ̀nplʌ́s/nɔ̀n-] n., vt. 당혹(당황)(시키다). **put [reduce] to a ∼** 난처하게 하다. **stand at a ∼** 진퇴 양난이다.

non·sense [nɑ́nsens/nɔ́nsəns, -sns] n. ⓤ 어리석은 말(생각·짓). 넌센스. **N-!** 바보 같은 소리! **non·sén·si·cal** a. 무의미한, 엉터리 없는.

non se·qui·tur [nɑn sékwitər/nɔn-] (L.=it does not follow) 〔論〕 전제와 관계 없는 불합리한 추론(결론).

non-U [nɑ̀njúː/nɔ̀n-] a. (口) (특히 영국의) 상류 계급에 걸맞지 않는.

noo·dle [núːdl] n. ⓒ (흔히 pl.) 누들(달걀과 밀가루로 빚은 국수).

nook [nuk] n. ⓒ (아늑한) 구석; 피난처.

noon [nuːn] n. ⓤ 정오; (주로 雅) 한낮; (the ∼) 전성기. — a. 정오의,

의. **∼·dày** n., a. ⓤ 정오(의). **as clear [plain] as ∼·day** 아주 명백한.

no one, no-one [nóuwʌn] pron. =NOBODY.

nóon·time, ·tide n. =NOON.

noose [nuːs] n., vt. 올가미(에 걸다, 로 잡다) (cf. lasso): 속박하는 것.

nor [nɔːr; 弱 nər] conj. (and not; or not).

nor', nor' [nɔːr] n., a., ad. =NORTH.

Nor·dic [nɔ́ːrdik] n., a. 〔人類〕 북유럽인(의); 〔스키〕 노르딕 경기의.

norm [nɔːrm] n. ⓒ 규준; 규범. 노르마(노동 기준량); 〔數〕 기준.

nor·mal [nɔ́ːrməl] a. ① 정상의(regular): 보통의; 표준의; 전형적인. ② 〔數〕 수직의, 직각을 이루는. ③ 〔化〕 규정(規定)의; (실험 따위의) 처치를 받지 않은(등물 따위). — n. ⓤ 표준; 〔數〕 정규; ⓒ 정상상태(點). **∼·cy, ∼·i·ty** [nɔ́ːrmǽl-əti] n. ⓤ 정상. 정규: 상상으로 하다. **∼·i·za·tion** [∼izéi-ʃən/-laiz-] n. 정상화. **∼·ly** ad.

Nor·man [nɔ́ːrmən] a. 노르만 사람의. — n. ⓒ 노르만 사람.

nor·ma·tive [nɔ́ːrmətiv] a. 표준(규준)의, 규범이 되는. **∼ grammar** 〔文〕 규범 문법.

north [nɔːrθ] n. ① (the ∼) 북; 북방; (or N-) (한 나라의) 북부 지방. ② (N-) (美) 미국 북부(Maryland, Ohio 및 Missouri 주 이북). ③ ⓒ 〔詩〕 북풍. **in [on, to] the ∼ of** …의 북부에(으로) 접하여, 북쪽에 위치하여. **∼ by east [west]** 북미(微)동[서]. — a. 북(쪽)의, 북방의, 북향의; 북쪽에 있는; 북쪽으로부터의. — ad. 북쪽에, 북쪽으로. **∼·ward** n., a., ad. (the ∼) 북방: 북방(으로)의; 북쪽으로, 북방의. **∼·ward·ly** ad. a. 북방으로(의): 북방으로부터(의). **∼·wards** ad. =NORTHWARD.

North Cóuntry, the 영국 북부 지방; 〔美〕 알래스카와 캐나다의 Yucon 지방을 포함하는 지역.

:north·east [nɔ̀ːrθíːst; (海) nɔ̀ːr-íːst] *n.* (the ~) 북동(지방). ~ **by east** [north] 북동미동(北). ~ *a.* 북동(향)의; 북동쪽에 있는; 북동쪽으로부터의. — *ad.* 북동으로[에], 북동으로부터. ~ **·ward** *n., a., ad.* (the ~) 북동(의); 북동으로(의). ~ **ward·ly** *ad., a.* 북동으로부터의; 북동으로(의). ~ **·wards** *ad.* = NORTHEASTWARD.

north·east·er [-ər] *n.* ⓒ 북동풍, 북동의 폭풍. ~ **·ly** *ad., a.* 북동으로(의); 북동으로부터의.

:north·east·ern [-ərn] *a.* 북동의; 북동으로의; 북동으로부터의.

north·er [-n] *a.* ① 북의, 북으로 는; 북으로(부터)의. ② (N-) 《美》북부 여러 주의. ~ **·er** *n.* ⓒ 북국인; (N-) 《美》북부 제주(諸州)의 사람.

:north·ern [-n] *a.* ① 북의, 북으로 는; 북으로(부터)의. ② (N-)《美》 북부 여러 주의. ~ **·er** *n.* ⓒ 북국인; (N-)《美》북부 제주(諸州)의 사람.

northern·most *a.* 가장 북쪽의, 최북단의, 극북의.

North Póle, the 북극.

:north·west [nɔ̀ːrθwést; (海) nɔ̀ːr-wést] *n.* ① (the ~) 북서(지방). ② (N-)《美》 북서지방《워싱턴·오리건·아이다호의 3주》. ~ **by west** [north] 북서미서(北). — *a.* 북서의; 북서쪽에 있는; 북서쪽으로부터의. — *ad.* 북서쪽으로[에], 북서쪽으로부터. ~ **·ward** *n., a.* 북서(의). ~ **·ward·ly** *ad., a.* 북서로(의). ~ **·wards** *ad.* 북서 쪽으로부터 (의); 북서쪽으로부터 (의). ~ **·wards** *ad.* = NORTH-WESTWARD.

north·west·er [nɔ̀ːrθwéstər; (海) nɔ̀ːr-wéstər] *n.* ⓒ 북서풍; 북서의 강풍(nor'wester). ~ **·ly** *ad., a.* 북 서로(의); 북서쪽으로부터의.

:north·west·ern [-n] *a.* ① 북서의; 북서로의; 북서쪽으로부터의. ② (N-) 《美》미국 또는 캐나다 북서 지방의.

:nose [nouz] *n.* ⓒ ① 코; 코(의); 후각(기관). ② 직감력(直感力)《for》. ③ 돌출부; 뱃머리, 기수(機首); 원통 (圓筒)《대롱》의 끝; 총부리, 끝. **count** [**tell**] ~ **s** 찬성(출석)자의 수를 세 다. **cut off one's ~ to spite one's face** 홧김에 자기에게 손해되

는 일을 해[말해]버리다. **follow one's ~** ~ 곧바로 가다; 본능대로 행 동하다. **lead a person by the ~** (아무를) 마음대로 부리다; (아무를) 뜻대로 다루다. ~ **to ~** 얼굴을 맞대 고. **pay through the ~** 엄청난 값 을 치르다. **put** [**poke, thrust**] **one's ~ into** …에 쓸데없이 참견 하다, **put a person's ~ out of joint** 아무의 기선을 제하다, **turn up one's ~ at** …을 경멸하다. **under a person's ~** 아무의 코밑[면전]에 서; 상대방의 기분에 개의하지 않고. — *vt.* ① 냄새를 맡다; 냄새를 맡아 내다. 킁킁대다《out》. ② 코를 비벼 대다. ③ (배가) 전진하다. — *vi.* ① 냄새맡다《at, about》. ② 찾다《after, for》. ③ 캐내다《pry》《into》. ④ (배 가) 전진하다. ~ **down** 〔空〕 기수를 아래로 돌다. ~ **out** (은밀히) 찾아 내다. ~ **over** 〔空〕(착륙시 기수를 믿으로) 꼰다.

nose bàg (말 목에 거는) 꼴망태.

nose·blèed *n.* ⓤ 코피, 비(鼻)출혈.

nose dìve 〔空〕 급강하; (가격의) 폭락.

nose·gày *n.* ⓒ (향기가 좋은) 꽃다 발.

nose ring (소의) 코뚜레, (야만인 의) 코고리.

nos·ey [nóuzi] *a.* = NOSY.

nosh [naʃ/nɔʃ] *n.* ⓒ《口》가벼운 식사, 간식; 음식. — *vi., vt.* 가벼운 식사를 하다, 간식하다, 먹다.

nó·show *n.* ⓒ《美》(좌석을 예약 하고도) 출발할 때까지 나타나지 않는 손님.

nos·tal·gi·a [nɑstǽldʒiə/nɔs-] *n.* ⓤ 향수, 회향병(homesickness); 회 고의 정. **·gic** *a.* 향수적인; 회고적인.

nos·tril [nástril/-5-] *n.* ⓒ 콧구멍.

nos·trum [nástrəm/-5-] *n.* ⓒ 영 터리약; 매약; (문제 해결의) 묘안.

nosy [nóuzi] *a.* 《口》시시콜콜하게 캐기 좋아하는.

Nósy Párker 《口》참견 잘하는 사 람.

:not [强 nɑt/-ɔ-; 弱 nt] *ad.* …이 아니다, 아니다. **not...**

no·ta·ble [nóutəbəl] *a.* ① 주목할 만한; 현저한(striking); 저명한. ②

《古》(주부가) 살림 잘하는. — *n.* Ⓒ (보통 *pl.*) 명사. ***-bly** *ad.* 현저히; 특히. **-bil·i·ty** [⌐—bíləː] *n.* Ⓤ 저명; Ⓒ (보통 *pl.*) 명사.

nó·ta·ry (públic) [nóutəri(-)] *n.* Ⓒ 공증인.

no·ta·tion [noutéiʃən] *n.* Ⓤ 기호법; 〖數〗 기수(記數)법; 〖樂〗 기보(記譜)법; Ⓒ (수·양 따위의) 한조의 기호; 《美》 메모; 기록(record); 써놓음; 〖컴〗 표기법. ***decimal* ~** 10진법.

***notch** [nɑtʃ/-ɔ-] *n.* Ⓒ ① (V자형의) 새김눈. ② 《美》 (깊고 좁은) 산길. ③ 《口》 단(段), 급(級). — *vt.* (…에) 금[새김눈]을 내다(*into*); 금을 그어 기록하다(*up, down*).

†note [nout] *n.* ① Ⓒ 표; 기호. ② Ⓒ 메모; 주(註), 주석. ③ Ⓒ 짧은 편지. ④ Ⓒ (외교상의) 통첩, (간단한) 성명[보고]서; 초고. ⑤ Ⓒ 어음, 지폐. ⑥ Ⓒ 〖神〗 진정(眞正)이라는 증거. ⑦ Ⓒ 〖樂〗 음표, (전용되어서) 가락, 선율, 노래; 어조(語調). ⑧ Ⓒ (새의) 울음소리; (악기·목소리 등의) 소리. ⑨ Ⓒ (피아노 따위의) 건. ⑩ (보통 *sing.*) 특징; Ⓤ 주의, 주목(notice). ⑪ Ⓤ 저명, 중요(*a man of* ~ 명사). ***compare* ~*s*** 의견을 교환하다. ***make a* ~ [*take* ~*s*] *of*** …을 필기하다. ***take* ~ *of*** …에 주의하다. — *vt.* 적어두다(*down*); 주목[주의]하다; 주(註)를 달다; (글속에서) 특히 언급하다; 지시하다, 의미하다. ***not·ed** [⌐id] *a.* 유명한(*for*).

†note·book [⌐bùk] *n.* Ⓒ 공책, 노트; 어음장.

nótebook compùter 〖컴〗 노트북 컴퓨터.

nóte pàper 편지지.

:nóte·wòrthy *a.* 주목할만한, 현저한.

†noth·ing [nʌ́θiŋ] *pron.* 아무 일[것]도 …아님. — *n.* ① Ⓤ 무, 영; 존재하지 않는 것. ② Ⓒ 시시한 사람[것]. ***come to* ~** 실패로 끝나다. ***for* ~** 무료로; 무익하게; 이유없이. ***have* ~ *to do with*** …에 조금도 관계가 없다. ***make* ~ *of*** 대수롭게 보지 않다, …을 우습게 여기다; 이해할 수 없다. **~ *but*** = ONLY. ***think* ~** …을 경시하다[얕보다]. — *ad.* 조금도 …이 아니다[…않다]. **~·ness** *n.* Ⓤ 무, 공; 존재하지 않음; 무가치; Ⓒ 시시한 것; Ⓤ 인사 불성, 죽음.

†no·tice [nóutis] *n.* ① Ⓤ 주의, 주목. ② Ⓤ 통지, 신고. ③ Ⓤ 예고, 경고. ④ Ⓒ 공고, 게시; 소개, 비평. ⑤ Ⓤ 애고(愛顧). ***at a moment's* ~** 곧, 즉각. ***at short* ~** 갑자기. ***bring to* [*under*] *a person's* ~** 아무의 주의를 환기시키다. ***come into* [*under*] *a person's* ~** 아무의 눈에 띄다. ***give* ~** 통지하다; 예고하다. ***take* ~** 주의하다, 보다(*take no* ~ *of* …에 주의하지 않다). ***until further* ~** 추후에 통지가 있을 때까지. ***without* ~** 무단히, 통고 없이. — *vt.* ① 알게 되다, 인식하다; 주의하다. ② 통지하다; 언급하다; 평하다. ***~·a·ble** *a.* 눈에 띄는; 주목할 만한. **~·a·bly** *ad.*

nótice bòard 《주로 英》 게시판.

:no·ti·fy [nóutəfài] *vt.* (…에게) 통지[통고]하다; 공고하다; 신고하다. **-fi·a·ble** *a.* (전염병 따위가) 신고해야 할. **-fi·ca·tion** [⌐—fikéiʃən] *n.* Ⓤ 통지; Ⓒ 통지서, 신고서.

:no·tion [nóuʃən] *n.* Ⓒ ① 생각, 의견; 신념; 개념; 견해; 의지. ② 어리석은 생각[의견]; (*pl.*) 《美》 방물(*a* ~ *store*). **~·al** *a.* 개념적인; 비현실적인; 공상적인; 《美》 변덕스러운.

no·to·ri·e·ty [nòutəráiəti] *n.* Ⓤ (보통, 나쁜 뜻의) 평판, 악명; Ⓒ 《주로 英》 화제의 인물.

***no·to·ri·ous** [noutɔ́:riəs] *a.* (보통, 나쁜 의미로) 유명한, 악명 높은.

:not·with·stand·ing [nɑ̀twiðstǽndiŋ, -wiθ-/nɔ̀t-] *prep.* …에도 불구하고. — *ad.* 그런데도 불구하고. — *conj.* …에도 불구하고, …한데. 「《당과》.

***nou·gat** [nú:gət, -gɑ:] *n.* ⓊⒸ 누가

nought [nɔ:t] *n.* = NAUGHT. — *ad.* 《古》 조금도 …않다.

:noun [naun] *n., a.* Ⓒ 〖文〗 명사(용법의).

:nour·ish [nə́:riʃ, nʌ́r-] *vt.* ① (…에) 영양분을 주다; 기르다; 살찌게[기름지게] 하다; 육성하다(foster).

N

② (희망 따위를) 품다. * **~·ing** *a.* 영양분이 되는(많은). * **~·ment** *n.* Ⓤ 영양물, 음식물.

nou·veau riche [núːvou ríːʃ] *n.* (*pl.* *nouveaux riches*) 벼락 부자.

Nov. November.

no·va [nóuvə] *n.* (*pl.* **-vae** [-viː]. **~s**) Ⓒ 〔天〕 신성(新星).

nov·el [návəl/-] *a.* 신기한. — *n.* ① (장편) 소설. **~·ette** [≏-ét] *n.* Ⓒ 단편 소설. 〔樂〕 피아노 소곡. **~·ist** *n.* Ⓒ 소설가. **:~·ty** Ⓤ 새로움. Ⓒ 새로운(색다른) 물건. (*pl.*) 작은 신안물(新案物)〔장난감, 값싼 보석 따위〕.

:no·vem·ber [nouvémbər] *n.* 11월.

nov·ice [návis/-5-] *n.* Ⓒ ① 수련자(수녀나 수사)(가톨릭교회의 수사나 수녀); 수련 수사〔수녀〕(기독교나의 새 귀의자). ② 초심자(미숙)자.

:now [nau] *ad.* ① 지금, 지금은 : 지금 사정으로는, ② 곧; 방금. ③ 그리고는(then); 다음에; 그랬다(방금·감탄사적) 자, 그런데. — *a.* (美俗) 유행의, 최신 감각의. **~ and then** (again) 때때로, **~ ... ~** 혹은 … 혹은. — *~ that* (호칭) 에 애! — *conj.* …이냐마, 인 이상은(now that). — *n.* Ⓤ 지금, 현재.

:now·a·days [náuədèiz] *n.*, *ad.* Ⓤ 지금은(은).

:no·where [nóu*h*wɛ̀ər] *ad.* 어디에도 없는. **get ~** 얻는 바가 없다〔효과가 없다〕; (목적을) ………; 아무 쓸모〔효과〕도 없다. 〔독[낙독]

nox·ious [nákʃəs/-5-] *a.* 유해(유독)한.

noz·zle [názəl/-5-] *n.* 分 (대롱·파이프의) 주둥이, 노즐; (俗) 코.

N.S.P.C.C. National Society for the Prevention of Cruelty to Children.

nth [enθ] *a.* 〔數〕 n번째의. *to the ~ degree* (power) n차(次)까지(n승(乘)까지; 어디까지든지; 극도로.

nu·ance [njúːɑːns, -≏] *n.* Ⓒ (어조·의미·감정 등의) 미묘한 차이, 색

조(色調), 뉘앙스.

nub [nʌb] *n.* Ⓒ 혹, 매듭; 작은 덩이; (the ~) (口) (이야기의) 핵심.

nu·bile [njúːbil, njúːbail] *a.* (여자가) 혼기의.

nu·cle·ar [njúːkliər] *a.* 〔生〕 (세포) 핵의(을 이루는); 〔理〕 원자핵의, 핵무기의, 핵보유의.

núclear énergy 원자력, 핵 에너지.

núclear fámily 핵가족.

núclear-frée zòne 비핵(무장)지대.

núclear pówer ① 원자력, ② 핵 (무기) 보유국.

nu·cle·ic ácid [njuːklíːik-, -kléi-] 〔生化〕 핵산(核酸).

nu·cle·us [njúːkliəs] *n.* (*pl.* **-clei** [-kliài]) Ⓒ ① 핵, 심(心); 중심. ② 〔理〕 원자핵; 〔氣〕 응결 핵〔비 따위의〕; 〔生〕 세포핵; 〔天〕 혜성핵(彗星核).

nude [njuːd] *a.* 발가벗은; 드러내 놓은. — *n.* Ⓒ 〔美術〕 나체화(畵), 누드; 나체상. *in the ~* 나체로; 노골적으로.

núd·ism *n.* Ⓤ (건강·미용 따위의) 나체주의. **nú·di·ty** *n.* Ⓤ 벌거벗음; Ⓒ 나체의 것, 그림, 상.

nudge [nʌdʒ] *vt.*, *n.* Ⓒ (주의를 끌려고) 팔꿈치로 가볍게 찌르다(찌름).

nu·ga·to·ry [njúːgətɔ̀ːri/-tǝri] *a.* 하찮은, 무가치한; 쓸모없는.

nug·get [nágit] *n.* Ⓒ 덩어리; 천연 금괴; 귀중한 것(품); =MONEY.

nui·sance [njúːsəns] *n.* Ⓒ 폐, 귀찮은 일; 성가신 사람. ② 〔法〕 불법 방해(*a public* (*private*) ~). *Commit no ~.* 소변 금지(게시).

null [nʌl] *a.* 무효의; 무가치한; 아무 것도 없는; 영의; 〔數〕 공집합인(集無합의; 〔電〕 빈(정보의 부재)(~ *character* 빈문자·~ *string* 빈문자열).

~ and void 〔法〕 무효의.

nul·li·fy [nálifài] *vt.* (법적으로) 무효로 하다, 파기하다, 취소하다; 쓸모없게 만들다. **-fi·ca·tion** [≏-fikéiʃən] *n.*

nul·li·ty [náləti] *n.* Ⓤ 무효; Ⓒ 무효화한 일(것); 〔法〕 전무(全無); 인 시한 사람(것). *~ suit* 혼인 무효 소송.

numb [nʌm] *a.* 저린, 마비된; 감각하게 된. — *vt.* 감각을 잃게 하

다: 마비시키다. **∠·ly** ad. **∠·ness** n.

num·ber[nʌ́mbər] n. ① ⓒ 수; ⒰Ⓒ 총수. ② ⓒ 숫자. ③ 번호, 넘버, 제(째)호, (잡지의) 호(*the Coronation ∼ of 'The Listener'* '리스너'지(誌) 대관식(戴冠式)호) ④ ⓒ 동료. ⑤ ⓒ 【文】 수(단수·복수의). 【짐】 ∼s, 숫자, 수. ⑥ (pl.)(명) 산수. ⑦ (pl.) 다수. ⑧ (pl.) 수의 우세. ⑨ (pl.) 시(verse), 운율(韻律). ⑩ ⓒ 【樂】 박자, 악보. ⑪ ⓒ (口語) (특별히 지정된) 사람, 물건 (*This is our most popular ∼.*이 물건이 저희 가게에서 제일 잘 나갑니다). ⑫ (Numbers) 【聖約】 민수기. *a great (large) ∼ of* 대단히 많은, 엄청난. *a ∼ of* 다소의; 많은. *get have a person's ∼* 아무의 근성을 간파하다. *in ∼* 수 분책(分冊)하여. OPPOSITE *∼ without* 무수한. — vt. ① (…에) 번호를(붙이다); 세다. ② (…의 속에) 넣다, 산입하다; (…이 되다); ③ 총계 …이 되다. ④ 수명을 세다; 수명을 정하다. *∼·less* a. 무수한; 번호가 없는.

númber crùncher[口] (복잡한 계산을 하는) 대형 컴퓨터.

númber plàte (자동차의) 번호판, (가옥의) 번지 표시판.

nu·mer·al[njú:m*ə*r*ə*l] n. ⓒ 숫자[文] 수사(數詞). — a. 수의; 수를 나타내는.

nu·mer·ate[njú:m*ə*rèit] vt., vi. (…을) 세다, 계정하다; (숫자를) 읽다. — [-rit] a. 기본적인 계산 능력을 갖는.

nu·mer·a·cy[njú:m*ə*rəsi/njú:-] n. ⒰ 수량적 사고 능력, 기본적 계산력.

nu·mer·a·tor[njú:m*ə*rèit*ə*r] n. ⓒ【數】 (분수의) 분자(cf. denominator) 계산하는 사람, 계산기.

nu·mer·ic[nju:mérik], **-i·cal** [-*ə*l] a. 수의, 수를 나타내는; 【컴】 숫자(적). **-i·cal·ly** ad.

nu·mer·ous[njú:m*ə*rəs] a. 다수의

nu·mis·mat·ic[njù:məzmǽtik] a. 화폐(貨幣)의, 메달의. ∼s n. 화폐(메달) 연구, 고전학(古錢學).

nun[nʌn] n. ⓒ 수녀.

nun·ci·o[nʌ́nʃiòu] n. (pl. ∼s) ⓒ 로마 교황 사절(使節); (略) 사절.

nun·ner·y[nʌ́nəri] n. ⓒ 수녀원.

nup·tial[nʌ́pʃəl] a. 결혼(식)의. — n. (보통 pl.) 결혼(식).

nurse[nə:rs] n. ⓒ ① 유모(wet nurse); (젖을 먹이지 않는) 보모 (dry nurse). ② 간호원, 간호사. ③ 양육(보호)자. *put out to ∼* 수양 아이로 주다. — vt. ① 젖을 먹이다. ② 어린애를 보다. ③ 간호하다; 열심히 치료하다. ④ 양육하다; 보호하다. ⑤ 위로하다. — vi. 젖을 먹이다; 젖을 먹다; 간호사로 일하다, 간호하다.

núrse·màid n. ⓒ 애 보는 여자.

nurs·er·y[nə́:rs*ə*ri] n. ⓒ ① 육아실, 아이방. ② 묘상(苗床); 양어장. ③ 양성소, (악의) 온상(hot bed) *day ∼* 탁아소.

núrsery·màn n. ⓒ 종묘원(種苗園) 주인.

núrsery rhýme 동요, 자장가.

núrsery schòol 보육원.

nurs·ing hòme (사립의) 요양소.

nurs·ing n. ⒰ ① (직업으로서의) 양육[육아]하는. ② ⒰ (직업으로서의) 육아.

nur·ture[nə́:rtʃər] vt. 양육하다; 가르치다; 길들이다; 영양물을 주다. — n. ⒰ 양육; 교육; 영양물.

nut[nʌt] n. ⓒ ① 견과(堅果)[호두·밤·밤栗]. ② 난문제, 까다로운 사람. ③ 【機】 너트, 암나사. ④ (俗) 머리, 대가리. ⑤ 괴짜, 미치광이. ⑥ (俗) 불량배. *be ∼s to (for)* …이 가장 좋아하는 것이다. *be [dead] ∼s on* (俗) …을 썩 좋아 하다; …을 아주 미치다. *for ∼s* (俗)(부정문에서) 조금도. *a hard ∼ to crack* 난문제; 만만찮은 사람. *off one's ∼* (俗) 미쳐서(cf. off one's HEAD). — vi. (-tt-) 나무 열매를 줍다[찾다].

nút-brówn n., a. (口) 밤색(의).

nút-càse n. ⓒ (俗) 머리가 돈 사람.

nút·cràcker n. ⓒ (보통 pl.) 호두까는 기구; 【鳥】 잣까마귀.

nút hòuse n. ⓒ (俗) 정신 병원.

nut·meg[∠mèg] n. ⓒ【植】 육두구

(나무·열매), 육두구의 인(仁)《약용·
조미료》.

nu·tri·ent[njúːtriənt] *a., n.* 영양이
되는; ⓒ 영양물.

nu·tri·tion[njuːtríʃən] *n.* ⓤ ① 영
양(섭취, 상태). ② 영양물, 음식물.
③ 영양학. **~·al** *a.* **~·ist** *n.* ⓒ 영
양학자; 영양사(士).

nu·tri·tious[njuːtríʃəs] *a.* 영양이
되는[많은].

nu·tri·tive[njúːtrətiv] *a.* 영양의;
영양이 되는(있는).

nút·shell *n.* ⓒ 견과(堅果)의 껍질.
(*to say*) *in a* ~ 간단히[한 마디
로] (말하면).

nut·ty[←i] *a.* 견과(堅果)가 든; 견과
같은 (맛의); 《俗》 미친(crazy).

nuz·zle[nʌ́zəl] *vt.* (돼지가) 코로 파
헤치다[비비다], 코를 들이 밀다; 끌
어 안다. ── *vi.* 코로 구멍을 파다;
코로 밀어[비비]대다(*into, against*);

바싹 붙어 자다.

NW, N.W., n.w. northwest
(ern). *N.Y.* New York. **N.Y.C.**
New York City.

ny·lon[náilan/-lən, -lɔn] *n.* ⓒ 나
일론; (*pl.*) 나일론 양말, 《특히》스
타킹.

nymph[nimf] *n.* ⓒ ① 【神話】 님프
《바다·강·샘·숲 따위에 사는 요정(妖
精)》; 아름다운 소녀. ② (유충과 성
충 중간의) 어린 벌레; 번데기. ~
pink 적자색(赤紫色). **~·ish** *a.* 님
프의, 님프 같은.

nymph·et[nímfit] *n.* ⓒ 성에 눈뜬
10대 초의 소녀.

nym·pho·ma·ni·a[nìmfəméiniə]
n. ⓤ 【醫】 (여자의) 성욕 이상 항진
증, 색정광(色情狂). **-ni·ac**[-niæk]
a., n. ⓒ 색정증의 (여자).

N.Z., N.Zeal. New Zealand.

O

O¹, o[ou] *n.* (*pl.* **O's, o's**[-z]) ⓒ
O자형의 것.

O² *int.* 오!; 저런!; 아!

oaf[ouf] *n.* ⓒ 기형아; 백치(白痴);
천치, 뒤틈바리.

oak[ouk] *n.* ⓒ 떡갈나무[졸참나무]
(비슷한 관목); ⓤ 그 재목.

oak·en[⁴ən] *a.* 떡갈나무[졸참나무]
재(製)의.

O.A.P. (英) old-age pension(-er).

oar[ɔːr] *n.* ⓒ 노; 노 젓는 사람.
be chained to the ~ (노예선의
노에서럼) 고역을 강제당하다. **have
an ~ in every man's boat** 누구
의 일에나 말참견하다. **put** (*thrust*)
in one's ~ 쓸데 없는 참견을 하다
(*in* 은 문장 끝에 와도 무방함). —
vt., vi. 노젓다.

óar·lòck *n.* ⓒ 노받이.

óars·man[-zmən] *n.* ⓒ 노 젓는
사람(*rower*).

O.A.S. on active service; (F.)
Organisation de l'Armée secrète
비밀 군사 조직; Organization of
American States 아메리카주(洲)
기구.

o·a·sis[ouéisis] *n.* (*pl.* **-ses**
[-siːz]) ⓒ 오아시스; 위안의 장소.

oat[out] *n.* ⓒ (보통 *pl.*) 귀리[특히
말의 주식]; 《古》 보리피리, 목가(牧
歌). **feel one's ~s** 《口》 원기 왕
성하다; 《美》 보리피리, 잘난
체하다. **sow one's wild ~s** 젊은
혈기로 방탕을 하다 ▷ 귀리. **~**
비슷한 잡초; (*pl.*) 젊은 혈기의 도락.

oath[ouθ] *n.* (*pl.* **~s**[-ðz, -θs])
ⓒ ① 맹세, 선서. ② (강조·분노를
표시할 때의) 신명 남용(神名濫用).
③ 저주, 욕설. **make** (*take, swear*)
an ~ 선서하다. **on** (*upon*) **~** 맹
세코.

óat·meal[óutmiːl] *n.* ⓤ 오트밀
(죽). 굵게 빻은 귀리.

OAU Organization of African

Unity.

ob·du·rate[ábdjurit/ɔ́b-] *a.* 완고
한, 냉혹한. **~·ly** *ad.* **-ra·cy** *n.*

O.B.E. Officer of the British
Empire.

o·be·di·ence[oubíːdiəns] *n.* ⓤ
(권위·법률에 대한) 복종; [가톨릭]
귀의(歸依), (교회의) 권위, 지배.
in ~ to …에 복종하여.

o·be·di·ent[oubíːdiənt] *a.* 순종하
는, 유순한(*to*). **Your** (**most**) **~
servant** 근백(謹白)《공문서의 끝맺음
말》. **~·ly** *ad.* **Yours ~ly** 근백(謹
白)《공문서 등에서 끝맺음말》.

o·bei·sance[oubéis-, -bíː-] *n.*
ⓒ (존경을 표시하는 정중한) 인사;
ⓤ 존경, 복종. **do** (*make, pay*)
~ to …에게 경의를 표하다. **make**
(*an*) **~ to** …에게 경의하다.

ob·e·lisk[ábəlisk/ɔ́b-] *n.* ⓒ 방첨
탑(方尖搭); [印] 단검표(*dagger*)
(†).

o·bese[oubíːs] *a.* 뚱뚱한. **o·be·si·
ty** [-bíːsəti] *n.* ⓤ 비만, 비대.

o·bey[oubéi] *vt., vi.* 복종하다;
(*vt.*) …이 시키는) 대로 움직이다.

ob·fus·cate[abfΛskeit, -
ɔ́bfΛskèit] *vt.* (마음을) 어둡게 하
다; 어리둥절하게 하다; 멍하게 하다.
-ca·tion[-kéiʃən] *n.*

o·bit·u·ary[oubítʃuèri] *n., a.* ⓒ
(약력을 곁들인) 사망 기사; 사망의; 사
망을 기록하는.

ob·ject[ábdʒikt/ɔ́b-] *n.* ① 물
체, 대상 (*of, for*). 목적
(물). ② ⓒ 객관, 대상, 객체. ③
[文] 목적어. ④ 불쌍한《우스운, 어리
석은, 싫은》 사람《것》. ⑤ [컴] 목적,
객체《정보의 세트와 그 사용 설명》.
— [əbdʒékt] *vt.* 반대《불복》하다
(*to*). — *vt.* 반대 이유로 들다, 반
대하다. **~·less** *a.* 목적 없는. **ob·
jéc·tor** *n.* 반대자.

ob·jec·tion[əbdʒékʃən] *n.* ① ⓤⓒ

반대, 이의(異議); 혐오. ② ⓒ 반대 이유; 난점; 장애. **~·a·ble** *a.* 이의 있는; 싫은.

ob·jec·tive[əbdʒéktiv] *a.* ① 객관적인; 편견이 없는. ② 실제의; 외적 (外的)인. ③ 목표의; 〔文〕 목적(격)의. — *n.* ① 목표. 목적(물); 실제물. ② 〔文〕 목적격[어]. ③ 대물렌 즈. **~·ly** *ad.* 객관적으로. **-tiv·ism**[-tɔvìzəm] *n.* ⓤ 〔哲〕객관주의 (성). **-tiv·i·ty**[^~tívəti] *n.* ⓤ 객관성.

óbject lèsson 실물(實物) 수업.

ob·jet d'art[ɔbʒedάːr] (F.) (*pl.* **objets d'art**) 작은 미술품.

ob·li·gate[ɑ́bləgèit/5b-] *vt.* (도덕·법률상의) 의무를 지우다; 강제하다.

ob·li·ga·tion[ὰbləgéiʃən/ɔ̀blə-] *n.* ① ⓒ 계약서. ② ⓤⓒ 의무; 책임. ③ ⓒ 채무; 증서. be under a 의무(의리)가 있는. **put under an ~** (아무에게) 은혜를 베풀다.

ob·lig·a·to·ry[əblígɔtɔ̀ːri, ɑ́blig-/ɔblígətəri] *a.* (도덕·법률상의) 의무로서 지게 되는(*on, upon*); 강제적인.

ob·lige[əbláidʒ] *vt.* ① ~할 의무를 지우다; 별수 없이 ~하게 하다(*to do*); 강제하다. ② (~에게) 은혜를 베풀다; 고맙게 여기게 하다. **be ~d** 감사하다(*I am much ~d (to you)*, 참으로 고맙습니다). ~ **(a person) by doing** (아무에게) ~하여 주다. **o·blíg·ing** *a.* 친절한.

ob·lique[əblíːk] *a.* 비스듬한; 부정한; 간접의, 완곡한; 〔文〕 사격(斜格)의. — *vi.* 비스듬히 되다. **~·ly** *ad.* **-líq·ui·ty**[əblíkwəti] *n.* ⓤ 경사; 부정(행위).

ob·lit·er·ate[əblítərèit] *vt.* 지우다, 말살하다; 흔적을 없애다. **-a·tion**[^-réiʃən] *n.*

ob·liv·i·on[əblíviən] *n.* ① 망각; 잊기 쉬움. **fall (sink, pass) into** ~ 세상에서 잊혀지다.

ob·liv·i·ous[əblíviəs] *a.* 잊기 쉬운, (~을) 잊고(*of*); 관심 없는(un-mindful). **~·ly** *ad.* **~·ness** *n.*

ob·long[ɑ́blɔ(ː)ŋ/5blɔŋ] *n., a.* ⓒ 장방형(의).

ob·lo·quy[ɑ́bləkwi/5b-] *n.* ⓤ (항

간의) 욕; 비난; 오명; 불명예.

ob·nox·ious[əbnɑ́kʃəs/-5-] *a.* 불쾌한; 밉살스러운. **~·ly** *ad.*

o·boe[óubou] *n.* ⓒ 오보에(목관악기). **ó·bo·ist** *n.* ⓒ 오보에 취주자.

ob·scene[əbsíːn] *a.* 외설한; 추잡한. **~·ly** *ad.* **ob·scen·i·ty**[-sénəti, -síːn-] *n.*

ob·scur·ant·ist [əbskjúərəntist] *n.* ⓒ 비교화(非教化)주의자. **-ant·ism** [-ìzəm] *n.* ⓤ 비교화주의.

ob·scure[əbskjúər] *a.* 어두운; 불명료한; 모호한; 세상에 알려지지 않은; 눈에 띄지 않는, 숨은; 미천한. — *vt.* 어둡게 하다; 덮어 감추다; (주제 따위를) 불명료하게 하다; (남의 명성 따위의) 빛을 잃게 하다. **ob·scu·ra·tion**[ὰbskjuəréiʃən/ɔ̀b-] *n.*

ob·scu·ri·ty[əbskjúərəti] *n.* ⓤ ① 어두컴컴함; 불명료; ⓒ 난해한 곳. ② ⓤ 무명씨(장소). ③ ⓤ 미천함. **retire into** ~ 은퇴하다. **sink into** ~ 세상에 묻히다.

ob·se·quies[ɑ́bsəkwìz/5b-] *n. pl.* (흔히 *pl.*) 장례식. **-qui·al** [əbsíːkwiəl/ɔb-] *a.*

ob·se·qui·ous[əbsíːkwiəs] *a.* 아부적인.

ob·serv·a·ble[əbzə́ːrvəbl] *a.* 관찰할 수 있는; 주목할 만한; 주목할만할; 지켜지고 있는; 지켜야 할. **-bly** *ad.* 눈에 띄게.

ob·serv·ance[əbzə́ːrvəns] *n.* ① (법률·관례의) 준수(*of*). ② (지켜야 할) 의식; 습관; (수도회의) 규율.

ob·serv·ant[əbzə́ːrvənt] *a.* ① 주의 깊은(*of*); 관찰력이 예리한. ② (법률을) 준수하는(*of*). **~·ly** *ad.*

ob·ser·va·tion[ὰbzərvéiʃən/ɔ̀b-] *n.* ① ⓤⓒ 관찰(력); 주목; 감시. ② ⓤ (과학상의) 관찰; 〔海〕 천측(天測). ③ ⓒ 관찰 결과; (*pl.*) 관측 보고. ④ ⓒ (관찰한) 소견, 언설(言說). **~·al** *a.*

ob·serv·a·to·ry[əbzə́ːrvətɔ̀ːri/-təri] *n.* ① ⓒ 천문(기상)대. ② 관측소. ③ 전망대; 감시소.

ob·serve[əbzə́ːrv] *vt.* ① 주시(주목)하다; 관찰(관측)하다; 연구하다

② 지키다; (제례·의식을 규정대로) 거행하다, 축하하다. 말하다, 述 べる. ―― *vi.* 관찰하다, 소견을 말하다(*on, upon*).

ob·serv·er [-ər] *n.* ① 관찰(관측)자. ② (회의의) 옵서버, 준수자.

ob·sess [əbsés] *vt.* (악마·망상 등이) 들러붙다(haunt); 붙어 다니다.

ob·ses·sion [əbséʃən] *n.* ① 들러붙음; ⓒ 강박 관념, 망상.

ob·so·les·cent [àbsəlésənt/-b-] *a.* 쓸모 없이 되고 있는. **-cence** *n.*

ob·so·lete [àbsəlí:t/-5-] *a.* 쓸모 없이 된, 안 쓰이는; 구식의. 「애(물).

ob·sta·cle [ábstəkəl] *n.* ⓒ 장애(물).

ob·stet·ric [əbstétrik/ɔb-], **-ri·cal** [-əl] *a.* 산과(産科)의. **-rics** *n.* 산과학.

ob·ste·tri·cian [àbstetríʃən/ɔb-] *n.* ⓒ 산과의사.

ob·sti·nate [ábstanit/5bstə-] *a.* ① 완고한, 억지센, 끈질긴. ② (저항하기) 완강한. ③ (병 따위) 난치의. **:~·ly** *ad.* **-na·cy** *n.* ⓤ 완고; 난치; ⓒ 완고한 언행.

ob·strep·er·ous [əbstrépərəs] *a.* 소란한; 날뛰는; 다루기 힘든. **~·ly** *ad.*

ob·struct [əbstrʌ́kt] *vt., vi.* (통로 등을) 막다; (통행 등을) 가로막다; (사람의 진행이나 사람의 활동을) 방해하다. **ob·strúc·tion** *n.* ⓤ 장애; 방해; ⓒ 방해(방해)물. **ob·strúc·tive** *a.* 방해하는.

:**ob·tain** [əbtéin] *vt.* (노력의 결과 로) 얻다, 손에 넣다; 획득하다. ―― *vi.* (풍습 따위가) 행해지다. **'~·a·ble** *a.* 얻을(획득할) 수 있는.

ob·trude [əbtrú:d] *vt.* 떼밀치다, 불쑥 내밀다. ―― *vi.* 주제넘게 나서다. ― *oneself* 주제넘게 나서다(*upon, into*). **ob·tru·sion** [-ʒən] *n.* 무리한 강요(*on*); 주제넘은 참견. **ob·trú·sive** *a.* 강요하는 듯한; 중뿔나게 참견하는, 주제넘은.

ob·tuse [əbtjú:s] *a.* 둔한; ⓜ 무딘(opp. *acute*); 머리가 둔한, 둔감한. ~ **angle** [數] 둔각. ~ **triangle** [數] 둔각 삼각형. **~·ly** *ad.* **~·ness** *n.*

ob·verse [ábvəːrs/5b-] *n.* (the

~) (화폐·메달 등의) 표면(opp. reverse); 거죽; (사실의) 이면. ―― [əbvə́ːrs, ◂—/5bvəːrs] *a.* 표면의; 상대하는.

ob·vi·ate [ábvièit/5-] *vt.* (위험 등을) 제거하다; 미연에 방지하다.

:ob·vi·ous [ábviəs/5-] *a.* 명백한. **:~·ly** *ad.* **~·ness** *n.*

:oc·ca·sion [əkéiʒən] *n.* ⓒ (특수한) 경우, 기회. ② (*sing.*) (행동의 원인이 일어난 호기(好機)), 근거, 이유; 근거. ③ ⓤ특별한 행사, 축전(祝典). **give ~ to** …을 일으키다. **on** [*upon*] …이따금. **rise to the ~** 난국에 잘 대처하다. ―― *vt.* 일으키다.

:oc·ca·sion·al [əkéiʒənəl] *a.* 이따금의, 때때로의; 특별한 경우에 만든 (쓰는); 임시로 쓰는, ―― **ism** [-ìzəm] *n.* ⓤ 우인론(偶因論). **:~·ly** *ad.* 때때로(now and then).

:Oc·ci·dent [áksədənt/5-] *n.* (the ~) 서양, 구미(歐美); 서반구(西半球); (the o-) 서방(西方).

Oc·ci·den·tal [àksədéntl/5-] *a.,* *n.* 서양의; 서양 사람. **~·ism** [-təlìzəm] *n.* ⓤ 서양풍, 서양 문화. **~·ist** *n.* ⓒ 서양 숭배자.

oc·cult [əkʌ́lt, ákʌlt/ɔkʌ́lt] *a.* 신비(초자연)·마술)적인, 불가사의의. **~·ism** *n.* ⓤ 신비학(學). **oc·cul·ta·tion** [◂—téiʃən] *n.* ⓤⓒ [天] 엄폐(掩蔽).

:oc·cu·pan·cy [ákjəpənsi/5-] *n.* ⓤ (토지·가옥의) 점유, 거주; ⓒ 점유 기간.

:oc·cu·pant [ákjəpənt/5-] *n.* ⓒ (토지·가옥의) 점유(거주)자.

:oc·cu·pa·tion [àkjəpéiʃən/ɔ-] *n.* ① ⓤ 점유, 점령; 거주. ② ⓒ 직업, 업무.

:oc·cu·pa·tion·al [-əl] *a.* 직업의; 직업상의. **occupational thérapy** [醫] 작업요법.

:oc·cu·py [ákjəpài/5-] *vt.* ① 점령(거주)하다; 사용하다; (장소를) 잡다. ② (지위를) 차지하다. ③ (마음을) 사로잡다. ④ 종사시키다. **-pi·er** *n.* ⓒ 점유(거주)자, 점령자, 차지인(借地人), 차가인(借家人).

:**oc·cur** [əkə́:r] *vi.* (**-rr-**) 일어나다. 마음에 떠오르다; 나타나다, 존재하다 (exist). *It ~red to me that...* …라는 생각이 머리에 떠올랐다.

:**oc·cur·rence** [əkə́:rəns, əkʌ́r-] *n.* ⓤ 발생(happening); ⓒ 사건.

o·cean [óuʃən] *n.* ⓤ (the ~) 대양; …양. ② (an ~) 끝없이 넓음; (*pl.*) ⟨口⟩ 막대한 양. *~s of* 많은 ….

o·ce·an·ic [òuʃiǽnik] *a.* 대양산(大洋産)의, 대양에 사는; (O-) 대양주의. **-ics** *n.* ⓤ 해양공학.

o·cea·nog·ra·phy [òuʃiənágrəfi/-nɔ́g-] *n.* ⓤ 해양학. **-pher** *n.* ⓒ 해양학자.

o·ce·lot [óusəlàt, ás-/óusilɔ̀t] *n.* ⓒ (라틴 아메리카산) 표범 비슷한 스라소니.

o·cher, 《英》 o·chre [óukər] *n.* ⓤ 황토(색); 《俗》 금화.

†**o'clock** [əklák/-5k] *ad.* …시(時).

†**Oct.** October.

oct(**a**)- [ákt(ə)/5k-] '8'의 뜻의 결합사.

oc·ta·gon [áktəgàn/5ktəgən] *n.* ⓒ 팔변형; 팔각형. **oc·tag·o·nal** [-tǽg-] *a.*

oc·tane [áktein/5k-] *n.* ⓤ 옥탄⟨석유중의 무색 액체 탄화수소⟩.

oc·tave [áktiv, -teiv/5k-] *n.* ⓒ 【樂】옥타브, 8도 음정; 제8음.

oc·tet(**te**) [aktét/ɔ-] *n.* ⓒ 8중창(重唱)곡, 8중주(重奏)곡, 8중창단; 8개짜리 한 벌. 【詩】8행 2중주.

†**Oc·to·ber** [aktóubər/ɔk-] *n.* 10월.

oc·to·ge·nar·i·an [àktədʒənɛ́əriən/ɔ̀ktoudʒənɛ́ər-] *a., n.* ⓒ 80세의 (사람); 80대의 (사람).

oc·to·pus [áktəpəs/5-] *n.* ⓒ 【動】낙지(비슷한 것). ② 다방면으로 해로운 세력을 펼치는 단체.

oc·u·lar [ákjələr/5-] *a.* 눈의, 눈 같은; 눈으로 본; 시각(視覺)상의. ── *n.* ⓒ 접안경(接眼鏡).

oc·u·list [ákjulist/5-] *n.* ⓒ 안과의사.

OD [óudì] ⟨< *over dose*⟩ *n.* ⓒ 마약의 과용.

†**odd** [ad/ɔd] *a.* ① 나머지⟨여분⟩의;

우수리의. ② 때때로의, 임시의. ③ 홀수의(cf. even¹). ④ 묘한. *~ and even* 홀 짝(알아맞히기 놀이). **~·ly** *ad.* 괴상하게; 짝이 맞지 않게. **~ enough** 이상한 이야기지만. **~·ment** *n.* ⓒ 남은 물건; (*pl.*) 잡동사니.

odd·i·ty [ádəti/5-] *n.* ⓤ 이상함; ⓒ 기인, 괴짜; 야릇한 것.

odds [adz/ɔ-] *n. pl. & sing.* 불평등(한 것); 우열의 차, 승산(*The ~ are in his favor ⟨against him⟩.* 그에게 승산이 있다⟨없다⟩); 차이; 불화, 다툼; 가망, 가능성. *at ~ (with)* (…와) 사이가 좋지 않아. *by long ⟨all⟩ ~* 훨씬. *It is ~ that ...* 아마도…. *lay ⟨give⟩ ~ of ⟨three⟩ to ⟨one⟩* (상대의 하나에 대하여 ⟨셋⟩의 비율로 걸다. *make no ~* 아무래도 좋다. 벌차 없다. *~ and ends* 남은 것; 잡동사니. *The ~ are that ...* 아마도….

ode [oud] *n.* ⓒ (고아하고 장중한) 송시(頌詩).

o·di·ous [óudiəs] *a.* 밉살스러운, 싫은.

o·di·um [óudiəm] *n.* ⓤ 증오; 비난; 평판이 나쁨.

o·dom·e·ter [oudámitər/oud5-] *n.* ⓒ 【機】(차의) 주행거리계.

o·dor, 《英》 o·dour [óudər] *n.* ⓤ 냄새; 방향(芳香); 기미; ⓤ 평판. *be in ⟨fall into⟩ bad ⟨ill⟩ ~* 평이 나쁘다⟨나빠지다⟩. *be in good ~ with* …에게 평이 좋다.

Od·ys·sey [ádəsi/5d-] *n.* 트로이 전쟁 후의 Odysseus의 10년 방랑을 그린 Homer의 서사시; (o-) ⓒ 긴 방랑 여행.

O.E.C.D. Organization for Economic Cooperation and Development.

Oedipus complex [精神分析] 오이디푸스 콤플렉스, 친모복합(親母複合)⟨아들이 아버지에 반발하고 어머니를 사모하는 경향⟩(cf. Electra complex). ┌OVER.

o'er [5:r, ðuər] *ad., prep.* 《詩》 =

oe·soph·a·gus [isǽfəgəs/-5-] *n.* (*pl. -gi* [-dʒài, -gài]) = ESOPHAGUS.

†**of** [强 av, ʌv/ɔv; 弱 əv] *prep.* …

off (소유·귀속)의, …에 속하는. ② (거리·분리)…의, …부터(*north of Paris*). ③ (기원)…에서(out of) (*come of a noble family*). ④ (美口)…전(to)(*a quarter of ten*). ⑤ (원인·이유)…에서, …로 인하여(*die of cholera*). ⑥ (재료)…로 된; …로 만든(*The house was made of brick*). ⑦ (부분)…의(*a cup of tea*); …을 가진(*a house of five rooms*). ⑧ (부분)…의 가운데의, 중에(one of them). ⑨ (관계)…의, …에 관한, …의(*a story of adventure*). ⑩ (작자·행위자)…에 대해서는 …의 뜻에서. ⑪ …에 의한(by)(*That is very kind of you indeed*). 친절히 참으로 감사합니다). ⑫ (부사구를 만듦) of late 최근 / of an evening 흔히 저녁 나절 같은 때에 / all of a sudden 갑자기). ⑬ (목적격 관계)…의. the creation of man 인류의 창조(創造)). ⑭ (동격 관계)…의, …라는(named) (the city of Rome). ⑮ (형용사구를 만듦)…한, …이 있는(*a man of ability*).

off [ɔːf, ɔf] *ad.* ① (시간·공간적으로) 떨어져서, 저쪽으로; ② 절단되어서; (가스·전기 등이) 끊어져서. ③ 없어질 때까지; 남김없이. ④ (새로이) 생계를 이어; 기거하여. be ~ 떠나다. ~ and on, or on and ~ 때때로, 단속적으로. O-with you! 꺼져. take oneself ~ 떠나다. well [badly, ill] ~ 살림이 넉넉한[어려운](cf. COME). ── *a.* ③ (말·마차·도로의) 우측편(오른 쪽)의. 마차에 탈 때 왼쪽 말에서 탈 때 오른쪽. 의(원래 쌍두 마차에 탈 때 왼쪽 말에서 탄다). ② (본도(本道)에서) 갈라진, 지엽(枝葉)으로의(cf. DUTY). ④ 평상보다 좋지 못한, 흉작의; 담이 낮은. ⑤ (전기·가스·수도 등이) 나오지 않는; …에서 떨어져서, 벗어나서(away from); …에서 빗나가서. ── *int.* 가라. ── *n.* (the ~) [크리켓] (타자의) 우전방. ~ 끄기.

of·fal [ɔ́ːfəl, ɑ́f-/ɔ́f-] *n.* ⓤ 부스러기; 고깃부스러기; 겨, 기울.

off·beat *a.* 파격적인, 보통과 다른; 자유로운. ── *n.* ⓒ [樂] 오프비트.(4박자의 재즈곡)

off·chance *n.* (sing.) 만에 하나의 가능성, 도저히 있을 것 같지 않은 일.

of·fence [əféns] *n.* (英) = OFFENSE.

of·fend [əfénd] *vt.* 감정을 해치다; 성나게 하다. ── *vi.* 죄를 범하다; (법률·예의 등을) 어기다(against). **~·er** *n.* ⓒ 범죄자. **~·ing** *a.* 불쾌한.

of·fense, (英) -fence [əféns] *n.* ① ⓒ 죄; 위반, 반칙. ② ⓤ 감정을 해치기, 모욕; 손상받은 감정, 화냄, 불쾌. ③ ⓤⓒ 공격(자측). **give ~ to** …을 성나게 하다. **take ~** 성내다.

of·fen·sive [əfénsiv] *a.* ① 불쾌한, 싫은; 무례한; 괘씸한. ② 공격적인; 공격용의(opp. *defensive*). ── *n.* ① (보통 the ~) 공격, 공세. **peace ~** 평화 공세. **~·ly** *ad.* **~·ness** *n.*

of·fer [ɔ́ːfər, ɑ́f-/ɔ́f-] *vt.* ① 제공[제의]하다, 신청하다. ② 팔려고나 내놓다; 값을 부르다. ③ (신에게) 바치다. ④ 하려고 하다; 시도하다. ⑤ 나타내다. ── *vi.* 나타나다; 일어나다. **one's hand** (악수 따위를 위해) 손을 내밀다; 구혼하다. **~ up** (기도를) 드리다. ── *n.* ⓒ 제언; 신청; 제의; 매긴 값(bid). **~·ing** *n.* ⓒ 신청; 제공; 헌납; ⓒ 공물(供物); 선물; (특히 교회에의) 헌금.

of·fer·to·ry [ɔ́ːfərtɔ̀ːri, ɑ́f-/ɔ́fətɔ̀ri] *n.* ⓒ (교회에서 예배시 모으는) 헌금; 그 때 봉창하는 성구(聖句), 부르는 찬송가, 연주되는 음악.

off·hand *ad., a.* 즉석에서의[의]; 아무렇게나, 되는 대로의.

of·fice [ɔ́ːfis, ɑ́f-/ɔ́f-] *n.* ① ⓤⓒ 직무, 임무, 직. ② (pl.) 전력, 주선. ③ (the ~; one's ~) [宗] 의식, 기도, 근행(勤行). ④ ⓤⓒ 관공 서, 관청. ⑤ 영업실(소), 사무소. ⑥ ⓒ (美) 국, 부. ⑦ (the ~; one's ~) [宗] 의식, 기도, 근행(勤行). ④ ⓤⓒ 관공 서, 관청. ⑤ 영업실(소), 사무소. ⑥ ⓒ (美) 국, 부. ⑦ ⓒ 사무실, 사무소; 연구실. ⑧ (英) 성(省); (美) 국. ⑥ ⓒ (관청·회사·사무소 등의) 직원. ⑨ (pl.) (주택의) 가사실(부엌·세탁장·축사·헛간·변소 따위). **be in [out of] ~** = 재직하는 [직에 있지 않은]; (정당이) 정권을 잡고 있다[야당에서 물러나 있다]. **by [through] the good ~s**

of …의 앞선으로.

óffice bòy n. ⓒ 급사, 사환.

óffice-hòlder n. ⓒ 공무원. 「간.

óffice hòurs 집무 시간; 영업 시간.

of·fi·cer [-ər] n. ① 관리, 공무원(a police ~=경관). ② 군(軍) 등의) 간사, 임원. ③ 장교, 사관 (opp. man). ④ (상선의) 선장, 고급 선원. **an ～ of the day** 일직 사관. — vt. (보통 수동) 장교를 배치하다; (장교로서) 지휘(통솔)하다.

of·fi·cial [əfíʃəl] a. 직무(공무)상의; 공(公)의; 공식(공인)의; 관공서 공의. — n. ⓒ 공무원, 직원. ~**dom** n. [집합적] 관료(官界); 관료 (기질). ~**ese** [-∸íz] n. ⓤ (완곡하고 이해하기 어려운) 관청 독특한 문체[용어]. ~**ism** [-ìzəm] n. ⓤ 관료(官制) 형식주의, *~**·ly** adv.

of·fi·ci·ate [əfíʃièit] vt. 직무를 행하다; 사회하다; (신부가) 사회하다.

of·fi·cious [əfíʃəs] a. 참견 잘 하는 (meddlesome); 《外交》 비공식의. ~**·ly** adv. ~**ness**

off·ing [ɔ́ːfiŋ/ɔ́f-] n. (the~) 난바다. **gain** (**keep**) **the ～** 난바다로 나가다, 난바다를 항해하다. **in the ～** 난바다에; 눈으로 볼 수 있는 곳에; 가까이에; 절박하여.

óff·key a. 음정(가락·예상)이 벗어난.

óff·license n. ⓒ 《英》 (점내에서 술마는 허용되지 않는) 주류 판매 면허(가 있는 가게).

óff·line a. 《컴》 따로(딱)라인, 《중앙 처리 장치와》 직결되지 않은; 철도에서 떨어진. — n. 《컴》 따로잇기. 「음.

óff·peak a. 절정을 지나, 한산할 때

óff·putting a. 《英》 느낌이 나쁜; 당혹하게 하는.

óff·season n., a. ⓒ 한산기(閑散期), 시즌오프; 제철이 아닌.

off·set [∸sèt] n. ⓒ ① 차감 계산; 벌충. ② 《植》 분지(分枝). ③ 《印》 오프셋판; 《建》 턱받이(壁腰); 《고층 건물 상부의 물러난 부분. — [∸∸] vt. 차감 계산하다; 《印》 오프셋판으로 박다; 《建》 초고층 빌딩의》 벽단 식(壁腰式)으로 건축하다.

óff·shoot n. ⓒ 분지(分枝); 지맥(支脈); 지류, 갈래길; 분파(分派).

분가(分家).

óff·shòre ad. 난바다로 (향하여). — a. 난바다(로)의; 역외(域外)의; **～ fisheries** 근해 어업; **～ purchase** 역외 구입.

óff·side 반대측의; 《蹴·하키》 오프 사이드의.

óff·spring n. ⓒ 《집합적》 자식; 자손; 결과.

óff·stàge n. 무대 뒤의.

óff·stréet a. 뒷골목의.

oft [ɔːft/ɔft] ad. 《詩·古》 = OFTEN.

of·ten [ɔ́ːfən, -tən/ɔ́f-] ad. 종종, 자주. **as ～ as** …때마다. **as ～ as not** 종종, 빈번히.

o·gle [óugl] n., vt., vi. (보통 sing.) 추파(를 던지다).

o·gre [óugər] n. ⓒ (동화의) 사람 잡아 먹는 귀신; 무서운 사람, 귀신 같은, 무서운. ~**ish**, **ó·grish** a. 《뒷골목의.

oh [ou] int. 오!; 아!; 앗! — n. (pl.~**s,~'s**) ⓒ oh하고 외치는 소리; 《美》 제로.

oh [oum] n. ⓒ 《電》옴《저항의 MKS 단위; 기호 Ω》.

O.H.M.S. On His [Her] Majesty's Service 공용《공문서의 무료 배달 표시》.

oil [ɔil] n. ① ⓤ 기름; 광유, 석유; 원유(油油) 물감. ② ⓤ 유화. ③ (pl.) 유화 물감. ④ ⓤ 유화. ⓤ 유화 그림. **burn the midnight ～** 밤이 깊도록 공부하다. **～ of vitriol** 황산. **pour ～ on the (troubled) waters** 거친 수면에 기름을 퍼붓는; 분쟁을 가라앉히다. **smell of ～** 노고의 흔적이 보이다. **strike ～** 유맥(油脈)을 찾아내다; 노다지를 만나다. — vt. (…에) 기름을 바르다(치다); 기름을 먹이다. ② (지방 따위를) 녹이다; (바퀴 따위에) 기름을 발라서 움직이게 하다. ③ (…에) 뇌물을 쓰다, 매수하다(bribe); 《美俗》속이다. — vi. (지방 따위가) 녹다. **have a well ～ed tongue** 구변이 좋다, 말을 잘 하다. **～ a person's hand** (**palm**) 아무에게 뇌물을 주다(cf. butter (v.)). **～ one's tongue** 아첨하다. **～ the wheels** (뇌물 따위로) 일을 원활하게 해나가다. **～ed** [-d] a. 기름을 바…

른. **<.er** n. ⓒ 급유자; 급유기(器)
〔장치〕.

óil·clòth n. ⓤⓒ 유포(油布).

óil field 유전(油田).

óil páinting 유화(법).

óil·skin n. ⓒ 유포(油布), 방수포;
(pl.) 방수복(칠한비옷과 바지).

óil slíck (spill) 수면에 유출한 기
름막.

óil·tànker n. ⓒ 유조선.

óil wèll 유정(油井).

oil·y[5ili] a. (기름의(같은); 기름
바른) 기름 먹인; 번드르르한. ② 말
솜씨 좋은. **óil·i·ly** ad.

　　　a FLY *in the* ~.

óint·ment[5intmənt] n. ⓤⓒ 연
고, a FLY *in the* ~.

OK, O.K.[óukéi] a., ad. (ㅁ) 좋
아; 틀림없어, 승인필(畢). — vt.
승인하다. — n. (pl. ~'s) 승인.
— ad. (ㅁ) 좋아. a. (pl. ~'s) 승인.

o·kay, o·key[óukéi] a., ad., v.,
n. (ㅁ) = OK.

o·kra[óukrə] n. ⓒ 〔植〕 오크라,
오크라의 깍지.

old[ould] a. (older, elder, oldest,
eldest) ① 나이 먹은; …세의; 오
랜; 옛날(부터)의. ② 과거의, 시대
에 뒤떨어진, 옛날의; 헌; 묵은. ③
이전의; 전시대의, 고대의. ③ 늙은
이 같은, 고리타분한. ⑤ (ㅁ) 정든; 숙
련된. ⑤ 그리운. ⑥ (ㅁ) 굉장한다
른 형용사 뒤에 붙이는 강세어) (*have
a fine* ~ *time* 즐거운 때를 보내
다). ⑦ (ㅁ) 충충한, 갈색의. —
점쟎은 옷차림을 하다. *for an* ~
song 헐값으로. *for* ~ *sake's
sake* 옛날의 정을. *n.* ⓤ 옛
날. *of* ~ 옛날의; 옛날은(부터).

óld-áge a. 노년자의(를 위한), 늙은
의.

óld-áge pènsion [英] 양로 연금.

óld bóy *for* [英] (친근하게) 여보
게, 자네(← chap.,~ fellow); [英]
졸업생(특히 public school의). 패
활한 노인.

óld cóuntry, the (이민의) 조국,
고국(종종 Olympe 식민지의).

óld·en[<ən] a. 〔詩〕 오래된; 옛날의.

Old Énglish = ENGLISH.

óld-fáshioned a. 유행에 뒤떨어
진, 구식의.

óld guárd, the (집합적) 보수파.

óld hánd ⓒ 숙련자, 노런가(*at*).

② [美] 정당 내의 보수파.

old-ie, old·y[óuldi] n. ⓒ (ㅁ) 옛날
에 뒤떨어진 사람(것)(특히 유행가,
영화).

óld máid 올드미스, 노처녀; 잔소
리 심한 사람(카드) 도둑 같기.

óld-máidish a. 노처녀 같은, 잔소
리 심한; 딱딱한.

óld mán (ㅁ) 부친; 남편; 보스,
선장, 사장(우두머리를 가리킴); (호
칭) 여보게; 숙련자.

óld máster 대화가(특히 15-18세
기 유럽의); 거장의 작품.

Old Níck 악마.

óld schòol tíe (英) (public
school 출신자가 매는) 넥타이; pub-
lic school 출신자; 학벌 (의식).

óld stýle 구체 활자(the O- S-)
(율리우스력(曆)에 의한) 구력(舊曆).

Old Téstament a. ⇨TESTA-
MENT.

óld-tíme a. 옛날(부터)의. **-tímer**
n. ⓒ (ㅁ) 고참; 구식 사람.

óld wóman 노파; (ㅁ) 마누라; 어
머니; 소심한 남자.

Old Wórld, the 구세계(유럽·아시
아·아프리카의); 동반구.

óld-wórld a. 구세계의; 옛날의(종)의;
(O- W-) 구세계의(아메리카 대륙 이
외의) 구세계의(東半球의).

o·le·an·der [óuliǽndər] n. ⓒ
〔植〕 서양협죽도 (夾竹桃).

ó lèvel (英) 보통급(ordinary level)
(G.C.E.의 기초 시험).

ol·fac·to·ry[alfǽktəri/>-] a. 후각
(嗅覺)의. — n. ⓒ (보통
pl.) 후관(嗅官), 코.

ol·i·garch[áligɑ:rk/5-] n. ⓒ 과
두(寡頭) 정치의 집정자 (執政者)
두체 지지자. **-gar·chy** n. ⓤ 과두
정치; ⓒ 과두 정치의 집정자; 과두제
국가. **-gar·chic** [>-gá:rkik], **-chi·
cal**[-kəl] a.

ol·ive[áliv/5-] n., a. ① ⓒ 올리브
나무(열매); ② ⓤ 올리브 재목; 올리
브색(황록색(샌갈의) 미색)(의).

ólive bránch 올리브 가지(평화의
상징); 화평(和睦)의 표시; 자식.

ólive óil 올리브유, 황록색

ólive óil 올리브유(油)

O·lym·pi·ad[əlímpiǽd, ou-] n.

ⓒ (옛 그리스의) 올림피아기(紀)《한 올림피아드 경기로부터 다음 경기까지의 4년간》; 국제 올림픽 대회.

O·lym·pi·an [əlímpiən] *a.* 올림포스 산의; 신과 같은; 하늘(위)의; 당당한; 거드름 빼는. *— n.* Olympia 의, *the ~ Games* (고대의) 올림피아 경기. *— n.* ⓒ 올림포스 산의 신; 올림픽 대회 출전 선수.

:O·lym·pic [əlímpik, ou-] *a.* 올림피아 경기의; Olympia의. *— n.* (the ~s) 국제 올림픽 대회.

Olympic Games, the (고대의) 올림피아 경기; 국제 올림픽 대회.

O.M. (英) Order of Merit.

o·me·ga [oumégə, -mí:-, -méi-] *n.* Ⓤⓒ 그리스어 알파벳의 끝글자 《Ω, ω》; (the ~) 최후; ⓒ [理] 오메가 중간자. 《오믈렛.

om·e·let(te) [ámlit/5m-] *n.* ⓒ

:o·men [óumən] *n.* ⓒⓊ 전조; 예감, *an evil (ill) ~* 흉조. *be of good ~* 징조가 좋다. *— vt.* 전조가 되다.

om·i·nous [ámənəs/5mə-] *a.* 불길한; 험악한; 전조(前兆)의(*of*). *—ly ad.* 불길하게도.

:o·mis·sion [oumíʃən] *n.* ① Ⓤ 생략; 탈락; ⓒ 생략물, 탈락 부분. ② Ⓤ 태만. *sins of ~* 태만죄.

:o·mit [oumít] *vt.* (*-tt-*) 생략하다 (…하기를); 빠뜨리다; 게을리하다.

om·ni- [ámni/5m-] '전(全), 총(總), 범(汎)의 뜻의 결합사: *omnipotent.*

om·ni·bus [ámnəbʌs, -bəs/5m-] *n.* ⓒ 승합마차(자동차), 버스; *~ bóok* 한 작가의 한 권으로 된 작품집. *— a.* 잡다한 것을 포함한, 총괄적인. *~ film* 옴니버스 영화.

om·nip·o·tent [amnípətənt/5m-] *a.* 전능의. *the O-* 전능의 신. *-tence n.*

om·ni·pres·ent [àmnəprézənt/5-] *a.* 편재(遍在)하는. *-ence n.*

om·nis·cient [amníʃənt/5m-] *a.* 전지(全知)의. *the O-* 하느님. *-cience n.*

om·niv·o·rous [amnívərəs/5-] *a.* 무엇이나 먹는; 잡식성의; 무엇이든지 좋다는 식의(*an ~ reader* 남독가(濫

讀家)). *~ly ad.*

†on [an, ɔn/ɔn] *prep.* ① 《접촉》 … 의 위에(의), …에. ② 《근거·이유》 …에 의거하여(*act on principle*). ③ 《근접》 …의 가까이에. …에 접하여(*toward*)(*march on Paris*). ④ … 에 대하여. ⑤ 《날짜·때·결과》 …에, …와 동시에; … 한 다음에(*on Sunday / on the instant* 즉시로). ⑥ 《상태》 …하여(*be on fire* 타고 있다). ⑦ 《관계》 …관하여, …에 대하여(*about*)(*a book on music*). ⑧ 《수단》 …으로(*play on the piano*). ⑨ 《누가》 …에 더하여(*heaps on heaps* 겹겹이 쌓여). *— ad.* ① 위에. ② 향하여. ③ 진행하여, 행해져(*'Othello' is on* '오셀로' 상연중). ④ (가스·전기가) 통하여. *AND so on. be on* 《俗》 내기에 응하다. *be well on* 잘 되어가는; (내기에) 이길 듯하다. *be on about* (口) …에 대해 투덜거리다. *from that day on* 그날 이후. *later on* 나중에, 후에. *neither off nor on* 관계 없는 (to); 우유부단한. *on and off. on and on* 계속하여, 자꾸.

†once [wʌns] *ad.* ① 한 번, 한 곰. ① 일찍이; (장래) 언젠가. ② 일단 … 하면, *ever ~ in a while* 때때로, *more than ~* 한 번만이 아니고, 여러 번이나, *~ and again* 몇 번이고, *~ for all* 한(이)번만; 단호히, *~ in a way (while)* 간혹, *~ over* 다시 한 번, *~ too often* 늘, 자주, *~ upon a time* 옛날. *—* Ⓤ 한 번, 동시. *all at ~* 갑자기; 일제히. *at ~* 즉시; 동시에, *for (this)* …이번만은. *— conj.* 한 번 …하면, …하자마자. *— a.* 이전의.

ónce-òver *n.* (*sing.*) (美口) 대충 한 번 훑어보기. *give a person [thing] ~* 아무를 한 번 보아두다(물건을 대충 봐주다).

ón·còming *a.* 다가오는; 새로 생기는; 장래의. *— n.* ① 접근.

†one [wʌn] *a.* 하나의, 동일한; 일체 (一體)의; 어떤; (the ~) 하나의 (一個)의; 어떤; (the ~) 하나의. *be all ~* 전혀 같다, 어떻든 상관없다. *for ~ thing* 한 예를 들면, *~ and the same* 동일한. 것. Ⓤⓒ 하나, 한 개, 한 사람. *all in*

~ 전부가 하나로 되어서, *at* ~ 일치
하여. *make* ~ (모임이) 일원이 되
다; 하나로 되다; 결혼으로 결합하
다. ~ *and all* 누구나다. ~ *by*
~ 하나(한 사람)씩. — *pron.* 사
람; 누구나; (《명사의 반복을 피하여》)
그것, *no* ~ 아무도 ……않다. ~
another 서로 ~ ……, *another(the other)* 한 편은 ……, 한 편은……
the ~ ……, *the other* 전자는 ……후
자는. ~-*ness* n. Ⓤ 단일(동일, 통
일)성, 일치, 합일.

óne-armed bándit (《口》) 도박용
슬롯머신.

óne-mán n. 한 사람만의, 개인의
(*a* ~ *show* 개인전(展)).

óne-night stánd (《美》) 하룻밤만의
흥행.

óne-óff *a., n.* Ⓒ (《英》) 1회 한으로
(것), 한 사람을 위한(것), 한 사람
을 위한 (것).

on·er·ous [ánərəs/5-] *a.* 귀찮은,
부담이 되는.

one·self [wʌnsélf] *pron.* 스스로,
자기 자신을 *be* ~ 자제하다; 자연
스럽게 행동하다.

óne-síded *a.* 한 쪽만 있는; 한 쪽
으로 치우친; 균형이 맞지 않는; 일방
의 한 쪽 면밖에 보지 못하는, 편파적
인.

óne-tíme *a.* 이전의, [ㅣ인.

óne-to-óne *a.* 1대 1의, 한 쌍이
되는, 대조적인.

óne-tráck *a.* (철도의) 단선인; (《口》)
하나밖에 모르는, 편협한.

óne-úp·man·ship n. Ⓤ 상대보다
일보 앞서기; 우월감.

óne-wáy *a.* 한 방향만의; (교통의); 편
도(片道)의; 일방적인.

ón·góing *a.* 전진하여 있는, 진행하는.

on·ion [ʌ́njən] n. ① Ⓤ Ⓒ 양파; Ⓤ
양파 냄새. ② Ⓤ (《俗》) 인간, 머리.
know one's ~*s* (《俗》) 자기 일에 정통하고
있다. *off one's* ~(*s*) (주로 英) 머
리가: 머리가 돈. ~-*y* *a.*

ón-líne *a.* (《컴》) 온라인의, 바로잇기
의 (~ *help*/~ *processing*/~ *pro-
cessing system* 바로잇기 처리 체
계); (중앙 처리 장치에) 직결된.

ón·lóok·er n. Ⓤ 방관자. **ón·lóok-
ing** *a.* 방관하는.

on·ly [óunli] *a.* 유일한, 단 하나[한

사람]의; 최상의. — *ad.* 오직, 단
지; 겨우, ……하기만 하면 된다. *if* ……하기만
하면; ……라면 좋을 텐데. *not* ~ ……
but (*also*) ……뿐만 아니라 또한.
~ *just* 이제 막 ……. *not* ~ ~ …… *not* (*a
child*) 거의 ……(의 (어린이나) 마찬가지.
~ *too* 유감스럽게도; 대단히, ……하고
싶어하여. — *conj.* 단, 오직; 다만
(*that*).

on·o·mat·o·poe·ia [ànəmætə-
pí:ə/3-] n. Ⓤ (《言》) 의성(법); Ⓒ 의
성어; Ⓤ (말)음성 성감(擬聲) 조어 [-
pí:ik], **-po·et·ic** [-pouétik] *a.*

ón·rúsh n. Ⓤ 돌진, 분류.

ón·set n. (the~) 《공격; 개시.

ón·shóre *a., ad.* 육지를 향하는(향
하여); 육상의(에서).

ón·síde *a., ad.* (《美蹴·하키》) 정규
위치의(에).

ón·sláught n. Ⓒ 맹공격.

on·to [ántu: 5:n-, 弱 -tə] *prep.*
……의 위에.

on·tol·o·gy [ɑntálədʒi/ɔntɔ́l-] n.
Ⓤ (《哲》) 존재론, 실체론. **on·to·log-
ic** [ɑ̀ntəládʒik/ɔ̀ntɔ-], **-i·cal** [-
əl] *a.* [거운 짐.]

o·nus [óunəs] n. (the ~) 책임; 무
거운 의무, 부담 [거운 짐.

ón·ward [ánwərd/5-] *a.* 전방으로
의, 전진의. — *ad.* 전방에, 나아가
서. : ~**s** *ad.* = ONWARD.

on·yx [ániks/5-] n. (《鑛》) 오닉스,
얼룩마노(瑪瑙).

ooze [u:z] *vi.* 스며나오다, 줄줄 흘
러 나오다 (비밀 등이) 새다(*out*);
(용기 등이) 점점 없어지다(*away*).
— *vt.* 스며나오게 하다. — n. 스
며나옴; 분비물. **óoz·y¹** *a.* (줄줄)
스며나오는.

ooze n. Ⓤ (해저·강바닥 등의) 연한
개흙, 연니(軟泥). **óoz·y²** *a.* 진흙의;
곤죽 같은.

op. *opera*; *operation*; *opus*.

o·pac·i·ty [oupǽsəti] n. Ⓤ 불투명
(체); 모호(성); 우둔. [石]. 오팔.

o·pal [óupəl] n. (《鑛》) 단백석(蛋白

o·pal·esce [òupəlés] *vi.* (단백석
같은) 젖빛 광택을 내다. **-és·cence**
n. Ⓤ 젖빛 광택. **-cent** 젖빛 광택을 내
는.

o·paque [oupéik] *a.* 불투명한; 광
택 없는, 충충한(dull); 불명료한;

우둔한.

óp árt [áp-/5p-] 광학 예술《optical 「art」.

OPEC [óupek] Organization of Petroleum Exporting Countries 석유 수출국 기구.

o·pen [óupən] a. ① 열린; 드러나 있는; 노출된. ② 무릎(無蓋)의. ③ 펼쳐진; 넓은. ④ 공개의, 공공의; 이용할 수 있는; 자유로운. ⑤ 비어 있는(unfilled). ⑥ 관대한. ⑦ 솔직한. ⑧ 미결정의, 유동적인. ⑨ 【軍】 (도시가) 무방비의, 【국제법상】 보호를 받고 있는. ⑩ 공공연한. ⑪ (틈·구멍이) 많이 성긴. ⑫ 개점[개업·개회] 중인. 개최 중인. ⑬ (삼차를) 받기쉬운, (…을) 면할 수 없는(subject (to)). ⑭ (지식·사상 등을) 받아들이기 쉬운(to). ⑮ (강·바다 등이) 얼지 않는. ⑯ 해금(解禁)의. ⑰ 《美口》 주류 판매·도박을 허용하고 있는. ⑱ 【樂】 개방음의. ⑲ 【音聲】 (모음이) 개구음 (開口音)인, (자음이) 개구적인. ⑳ 【印】 (활자가) 음각(陰刻)의. *be ~ to* …을 쾌히 받아들이다; …을 받기 쉽다; …에 문호가 개방되어 있다. *be ~ with* …에게 숨김이 없다. *have an ~ hand* 인색하지 않다. *keep one's mouth ~* 결심불변하고 있다. — n. (the ~) 빈터, 공지; 넓은 장소[지역], 옥외[屋外]; 【컵】열기. — vt. 열다; 펴다; 트다; 개간하다; (대열 등을) 벌이다; 공개하다; 개업하다; 개시하다; 털어놓다; 누설하다(out). vi. 넓어지다; (마음 등이) 커지다; 시작하다(with); (대열 등이) 벌어지다; 【海】 보이게 되다. *~ into* …로 통하다. *~ on* …에 면하다[통하다]. *~ one's eyes* 깜짝 놀라다. *~ out* 펴(지)다; 발달시키다[하다]; 속을 터놓다. *~ the door to* …에 기회[편의]를 주다. *~ up* 열다; 펴다; 개발하다; 나타내다; 개시하다. *~·ly* ad. 솔직히; 공공연히.

:ópen-áir a. 옥외[屋外]의.

ópen-and-shút a. 명백한.

ópen·càst n., ad., a. 《주로 英》= OPEN-PIT.

ópen dóor (무역상의) 문호 개방.

o·pen·er [óupənər] n. ① 여는 사람, 개시자; 여는 도구, 병〔깡통〕따개.

ópen-hánded a. 활수한.

ópen-héarted a. 솔직한; 친절한.

ópen hóuse 공개 파티; 《학교 따위의》 공개일(日); 손님을 환대하는 집. *keep ~* 《언제나》 손님을 환대하다.

o·pen·ing [óupəniŋ] n. ① ⓤ 열기; 개방; 개시; 모두(冒頭). ② ⓒ 구멍, 틈. ③ ⓒ 빈터, 광장. ④ ⓒ 취직 자리, 공석. ⑤ ⓒ 기회. — a. 개시의.

ópening hóurs 영업 시간. 《도서관 따위의》 개관 시간.

ópening níght 《연극·영화 따위의》 초연; 첫날(밤).

ópening tíme 개점 시간, 《도서관 따위의》 개관 시간.

ópen-mínded a. 편견 없는.

ópen-móuthed a. 입을 벌린; (놀라서) 입이 딱 벌어진; 욕심사나운; 시끄러운.

ópen-pít n., ad., a. ⓒ 노천굴 (掘)(로[의]).

ópen-plán a. 《넓은 사무실·공간 따위를 벽없이》 낮은 칸막이로 구획을 하는 방의 배치의.

ópen príson 경비(警備)를 최소한으로 줄인 교도소.

ópen quéstion 미결문제.

ópen séa, the 공해(公海).

ópen sésame '열려라 참깨' 《주문》; 바라는 결과를 가져오는 유효한 수단.

op·er·a [ápərə/5-] n. ⓒ 가극, 오페라; ⓤ 가극의 상연; ⓒ 가극장.

op·er·a·ble [ápərəbəl/5-] a. 실시 가능한; 수술이 가능한.

ópera hóuse 가극장.

op·er·ate [ápərèit/5-] vi. ① (기계 등이) 움직이다. ② 작용하다. ③ 영향을 미치다(on, upon). ④ (약이) 듣다. ⑤ 수술을 하다(upon). ⑥ 군사 행동을 취하다. — vt. 운전[조종]하다; (기계를) 움직이다; 경영하다.

op·er·at·ic [àpərætik/5-] a. 오페라(풍)의.

óperating sýstem 【컴】 운영 체제《프로그램의 수행·데이터 관리 따위를 행하는 소프트웨어; 생략 OS》.

op·er·a·tion [àpəréiʃən/5-] n. ① ⓤ 가동, 작용. ② ⓤ 행동, 활동. ③ ⓤ 효과, 효능. ④ ⓤ,ⓒ 실시.

법: (기계의) 운전. ⑤ UC 사업, 경영. ⑥ U 실시. ⑦ C 수술. ⑧ C 『數』(運算). ⑨ (보통 pl.) 매매, (시장의) 조작. ⑩ UC 『컴』작동, 연산. **come (go) into ~** 운전(활동)을 실시되다: 실시되다; 운전(활동) 되다. **in ~** 운전(활동), 실시중에. **put into ~** 실시하다. ＊**~·al** a. 조작상의; 『軍』작전상의.

op·er·a·tive [ápərèitiv, -rèi-/-] a. ① (활동) 하는; 운전(작동)하는, a. 력 있는, (약 등이) 잘 듣는; 수술의, 실시의. **become ~** 실시되다. — n. C 직공; 《美口》탐정, 형사.

op·er·a·tor [ápərèitər/-] n. C ① (기계의) 운전자. (전신) 기사, (전화) 교환수. ② (외과) 수술자. ③ 《美》경영자. ④ 『數』연산자. ⑤ 『컴』연산자; 조작원. ⑥ 『遺』작동 유전자(← **gene**).

op·er·et·ta [àpərétə/-] n. C 소희가극, 오페레타.

oph·thal·mi·a [afθælmiə/-] n. U 안염(眼炎). **-mic** a. 눈의.

oph·thal·mol·o·gy [àfθælmálə-dʒi/3fθæləmɔ́l-] n. U 안과학. **-gist** n. C 안과 의사.

o·pi·ate [óupiit] n., a. 아편제 (劑); 《口》마취제; 진정제; 아편을 함유한; 진정시키는.

o·pin·ion [əpínjən] n. ① C 의견. ② C (보통 pl.) 소신, 소견; 학설, 평판, 성격. ③ UC 전문가의 의견, 감정; ④ 여론感. **act up to one's ~s** 소신을 실행하다. **be of (the) ~ that** …라고 믿다. **have a good (bad) ~ of** …을 좋게(나쁘게) 생각하다; …을 신용하다(하지 않다). **have the courage of one's ~s** 소신을 당당하게 표명하다.

o·pin·ion·at·ed [-èitid], **-a·tive** [-èitiv] a. 자설(自說)을 고집하는, 독단적인.

opinion poll 여론 조사.

o·pi·um [óupiəm] n. U 아편. **~·ism** [-ìzəm] n. U 아편 중독.

o·pos·sum [əpásəm/əpɔ́s-] n. C 『動』(미국 남부산) 주머니쥐(cf. possum). **play ~** 《美俗》죽은 시늉을 하다.

op·po·nent [əpóunənt] n. C 적, 상대; 반대자. — a. 대립(반대)하는.

op·por·tune [àpərtjúːn/ɔ́pər-] a. 형편 좋은; 적절한, 적절한. **~·ly** ad. **-tun·ism** [-ìzəm] n. U 기회주의. **-tun·ist** n.

op·por·tu·ni·ty [-əti] n. UC 기회, 호기.

op·pose [əpóuz] vt. (…에) 반대하다; 방해하다; 대항시키다; 대항(시)키다; 맞보이다. 대조시키다; 맞보게 하다.

op·posed [əpóuzd] a. 반대의, 적대 (대항)하는; 대립된; 마주 바라보는. **be ~ to** …에 반대이다.

op·po·site [ápəzit/-] a. 마주 보는; 반대의, 역(逆)의; 〔數〕대생(對生)의. — n. U 반대의 것; 반대어[어]. — ad. 반대(맞은)쪽에. — prep. …의 맞은〔반대〕쪽의(에).

opposite number 대등한 지위에 있는 사람; 대응물.

op·po·si·tion [àpəzíʃ(ə)n] n. ① U 반대, 저항; 대항; 방해; 대조. ② 〔집합적〕(종종 the O-) 반대당. **in ~ to** …에 반대하여, **the (His, Her) Majesty's O-** 《英》야당. — **ist** n. C 반대당원.

op·press [əprés] vt. 압제하다; 압박하다; 답답한 느낌을 주다; 우울하게 하다. **op·prés·sor** n. C 압제자.

op·pres·sion [əpréʃən] n. ① U 압박; 압제(tyranny). ② U 우울; 답답함(dullness).

op·pres·sive [əprésiv] a. ① 압제적인; 가혹한. ② 답답한. **~·ly** ad. **~·ness** n.

op·pro·bri·ous [əpróubriəs] a. 입이 건; 모욕적인, 욕설하는; 창피한, 불명예의. **~·ly** ad. **-bri·um** [-briəm] n. U 누명; 오명; 모욕.

opt [apt/ɔpt] vi. 선택하다 (for, between). **~ out** 《美》(특히 교육통의) 가입 특별 인출권의) 선택적 거부권.

op·tic [áptik/5-] a. 《解》눈, 시각의. *~**s** n. U 광학(光學). *·**óp·ti·cal** a. 눈의; 시력의 (을 돕는); 광학(상)의.

optical fiber 〔電·컴〕광(光)섬유.

op·ti·cian [aptíʃən/-] n. C 안경상, 광학 기계상.

op·ti·mism [áptəmìzəm/5pt-] *n.* U 낙천주의 (opp. pessimism). **-mist.** C 낙천가. **-mis·tic** [～místik] *a.* 낙천적인.

op·ti·mum [áptəməm/5p-] *n.* (*pl.* **~s, -ma** [-mə]) C (生) (성장·번식 등의) 최적(最適)의 조건. ── *a.* 최적의, 최선의(最善의).

op·tion [ápʃən/5p-] *n.* ① U 선택권, 선택의 자유, 수의(隨意). ② C 선택물. ③ C (商) (일정한 프리미엄을 지불하고 계약 기간 중 언제든지를 수 있는) 선택 매매권, C (商) [컴] 택일, 추가 선택. **have no ~ but to do** ...하는 수밖에 없다. **make one's ~** 선택하다. **～al** *a.*

op·u·lent [ápjələnt/5p-] *a.* 부유한; 풍부한. **-ly** *ad.* **-lence** U 부 (富); 풍부.

o·pus [óupəs] *n.* (*pl.* **opera**) (L.) C 삭(作), 저작; (樂) 작품(생략 op.).

or [ɔːr, 弱 ər] *conj.* 또는; 즉; 그렇지 않으면 else(～을 수반함).

-or [ər] *suf.* ...하는 사람, ...하는 것 ~을 나타냄: actor, refrigerator.

or·a·cle [5(ː)rəkəl, á-] *n.* ① C 신탁(神託)(소). ② (신탁을 전하는) 신 탁소; ③ 성언(聖言); ④ 현인(賢人).

†rac·u·lar [ɔːrækjulər/ɔ-] *a.* 신탁(神託)의; 뜻이 모호한; 현명한; 독 단적인; 점잔 빼는, 엔체하는.

†or·al [5ːrəl] *a.* 구두(구술)의; (解) 임의, 구강의. **-ly** *ad.*

†or·ange [5(ː)rindʒ, á-] *n.* ① CU 오렌지, 귤; C 오렌지나무. ② U 오렌지 빛깔. ── *a.* 오렌지의, 오렌지 같은; 오렌지 빛의.

or·ange·ade [～éid] *n.* U 오렌지에 이드, 오렌지즙.

órange blòssom 오렌지꽃(신부 가 순결의 표시로 머리에 꽂음).

or·ange·ry [5(ː)rindʒəri, á-] *n.* C 오렌지 재배원(온실).

o·rang·u·tan [ɔːrǽŋutæn, ərǽŋ-], **-ou·tang** [-ŋ] *n.* C (動) 성성이.

†o·ra·tion [ɔːréiʃən] *n.* C (형식을 갖춘) 연설.

†or·a·tor [5(ː)rətər, á-] *n.* C 연설자; 웅변가.

†or·a·to·ri·o [3(ː)rətɔ́ːriou, á-] *n.*

(*pl.* **~s**) C (樂) 오라토리오, 성담 곡(聖譚曲).

or·a·to·ry[5ːrətɔ̀ːri, á-/5rətə-] *n.* U 웅변(술). **-tor·i·cal** [～t-ɔ̀ːrikəl/ -t5r-] *a.* 「살.

or·a·to·ry[²] *n.* C 작은 예배당, 기도

†orb [ɔːrb] *n.* ① C 천체, 구(球), 구체(球體); 세계; 보주(寶珠)(왕권의 상징); 안구, 눈알.

†or·bit [5ːrbit] *n.* C (천체의) 궤도; (인생의) 행로; (解) 안와(眼窩); 세력 범위. ── *vt.* (지구 따위의) 주위를 돌다; (인공 위성을) 궤도에 올리다. ── *vi.* 선회 비행하다; 궤도를 돌다. **～al** *a.* 궤도의; 안와의.

or·chard [5ːrtʃərd] *n.* C 과수원; (집합적) 과수원의 과수, 「～ist** *n.* C 과수 재배자(orchardman).

†or·ches·tra [5ːrkistrə] *n.* C ① 오케스트라, 관현악단. ② (무대 앞의) 주악석. ③ (극장의) 일층석(1층의 앞자리). **-tral** [～késtrəl] *a.* 관현 악(단)의. 「단석.

órchestra pìt (무대 앞의) 관현악

or·ches·trate [5ːrkistrèit] *vt., vi.* 관현악으로 작곡[편곡]하다. **-tra·tion** [～tréiʃən] *n.*

†or·chid [5ːrkid] *n., a.* C (植) 난초 (꽃); U 연자줏빛(의).

or·dain [ɔːrdéin] *vt.* ① (신·운명 이) 정하다. ② (법률이) 규정하다. ③ (성직자로) 임명하다.

†or·deal [ɔːrdíːəl] *n.* ① C 혹된 시련; 쓰라린 경험. ② (古) (고대 튜턴 민족의) 죄인 판별법(불을 짧게 하거나 독약 등을 마시게 하고도 무사하면 무죄로 봄).

†or·der [5ːrdər] *n.* ① C (보통 *pl.*) 명령; (법정의) 지령(서). ② U 돈, 정리. ③ U 순서. ④ U 질서; 이치; 조리. ⑤ U 정돈된 상태. ⑥ (종종 *pl.*) 계급. ⑦ U 종류; 등급; 사회의 계급·신분. ⑧ U (數) 위수(授位式). ⑨ U 수도회; 기사단; 결사, 우애(友愛) 조합. ⑩ C (商) 주문(서); 지불 명령서, 환어음. ⑪ (O-) 훈위(動位), 훈장. ⑫ U (建) 주식(柱式). ⑬ (the) 계급의 의식) 규칙; U (宗) 의식. ⑭ U (數) 위수 (位數); U (化) 차수(次數). ⑮ C (建) 주식(柱式), 건축 양식. ⑯ C (주로 英) 무료 입장권. ⑰ C (음식점의)

일인분(의 식사)(portion). ⑱ ⓒ
【집】차례, 등급. **be on ~** 주문중
이다. **call to ~** (의장이) 정숙을
명하는 것이다. **give an ~ for ~** 을 주문
하다. **in ~ to [that]** …하기 위하
여. **in short ~** 곧. **made to ~**
맞춤. **on the ~ of ~** 와 비슷하여.
out of ~ 뒤죽박죽이 되어; 고장이
나서; 기분이 나빠서. **take ~s** 성직
자가 되다. **take ~ with** 을 처분
하다. **the ~ of the day** 일정.
— *vt.* (을) 명령[지시]하다; (…에
게) 가도록 명하다; 주문하다; 정돈하
다; (신·운명 등이) 정하다. — *vi.*
명령을 내리다. **~ about** [around]
여러 곳으로 심부름을 보내다[이것저것
명령하다].

órder bòok 주문 기록 장부.

órder fòrm 주문 용지.

or·der·ly [-li] *a.* 순서 바른, 정돈
된; 질서를 잘 지키는; 순종하는.
— *n.* ⓒ 전령, 연락병; 【軍】(軍隊)
병원 잡역부. **-li·ness** *n.*

órder pàper (英) 《하원의》 의사
일정표.

or·di·nal [5:rdənl] *a.* 순서를 나타
내는; 【生】목(目)의. — *n.* ⓒ 서수
(序數); 【英國敎】성직 수임식 규범
(규례); 【가톨릭】미사 규칙서.

órdinal númber 서수.

or·di·nance [5:rdənəns] *n.* ⓒ 법
령; 【宗】의식.

or·di·nar·y [5:rdəneri-dənri] *a.*
보통의, 평범한; 보통 이하의; 【法】
직할(直轄)의. — *n.* ① (the ~) 보
통(의 일·상태). ② ⓒ 《주로 英》
식(定食)(의 한 끼의 식당). ③ (the
~) 【宗】의식 차례서. ④ ⓒ 관할권
을 갖는 《대주교 또는 성직자》. ⑤ ⓒ
《美》유연 검인 판사. **in ~** 상임의;
(함선이) 대기중인. 《상비군이》 현역에
~ 상시 근무하는 시의(侍醫)/*a ship
in ~* 예비함. **out of the ~** 유다
른. **-na·ri·ly** [⌐⌐nérəli, ⌐⌐⌐⌐/
⌐dənri-] *ad.* 통상, 보통은.

órdinary lével 《英》 G.C.E.의 기
초 학력 시험.

órdinary séaman [英海軍] 3등
수병; [海] 2등 선원.

or·di·na·tion [3:rdənéiʃən] *n.*
ⓤⓒ 성직 수임(식), 서품식.

ord·nance [5:rdnəns] *n.* ⓤ【집합
적】포(砲). 병기, 군수품; 병참부.

órdnance sùrvey, the 《영국 정
부의》 육지 측량부.

or·dure [5:rdʒər-djuər] *n.* ⓤ 오
물; 똥; 외설한 말; 상스러운 말.

ore [ɔːr] *n.* ⓤⓒ 광석, 원광(原礦).

or·gan [5:rgən] *n.* ⓒ ① 오르간,
(특히) 파이프오르간; 배럴오르간
(barrel organ); 리드오르간(reed
organ). ② (생물의) 기관. ③ (정
치적) 기관(機關); 기관지(紙·誌).

or·gan·dy, -die [5:rgəndi] *n.* ⓤ
얇은 모슬린.

órgan grinder 배럴오르간 연주자.

or·gan·ic [ɔːrgǽnik] *a.* ① 【化】 유
기의; 탄소를 함유한. ② 유기체의. ②
조직[유기]적인. ③ 【醫】 기관(器官)
의; 장기(臟器)를 침범하는, 기질성
(器質性)의(*an ~ disease*)(opp.
functional). ④ 기본적인; 고유의,
유기체의 일부로.

orgánic chémistry 유기 화학.

or·gan·ism [5:rgənizəm] *n.* ⓒ 유
기체, 미(미)생물·유기적 조직체.

or·gan·ist [5:rgənist] *n.* ⓒ 오르간
연주자.

or·gan·i·za·tion [3:rgənəzéiʃən/
-nai-] *n.* ⓤ 조직, 구성, 편성.
② ⓒ 체계, 기구; 단체, 조합, 협회.
or·gan·ize [5:rgənàiz] *vt., vi.* 조
직[편성]하다; (노동자
를) 조합으로 조직하다; 창립하다; 계
획화하다; 조직화하다. **~d labor**
조합 가입 노동자. **~iz·er** *n.* ⓒ 조
직[편성]자, 발기인, 창립【주최】자. ►
【生】형성체.

or·gasm [5:rgæzəm] *n.* ⓤⓒ 《성
적》 흥분의 극치.

or·gy, -gie [5:rdʒi] *n.* ⓒ 《보통
pl.》 진탕 마시고 떠들기; 법석대기,
유흥; 《*pl.*》 《古二로二》 주신(酒神)
Bacchus(祭)= 《美俗》 섹스 파티.

o·ri·ent [5:riənt] *n.* ① (the O-)
동양. ② 《古》 (the ~) 동쪽. ③
(동양산의) 질이 좋은 진주; ② 광
택. — *ent*] *vt., vi.* 동쪽으로 향
하게 하다; (성당(聖堂)을) 교회의 동쪽
으로 오게 세우다; 바른 방위에 놓다;
《환경 등에》 바르게 순응하다. ~

oneself 자기의 태도를 정하다. —
a. (새가) 떠오르는; 《古》 동쪽의;
(보석의) 광택이 아름다운.

:**O·ri·en·tal**[ɔ̀:riéntl] *a.*, *n.* 동양의;
(o-) 동쪽의; ⓒ 동양 사람. **~·ism**,
o-[-təlìzəm] *n.* ⓤ 동양풍; 동양학.
~·ist, o- n. ⓒ 동양통(通), 동양학
자. **~·ize, o-**[-àiz] *vt.*, *vi.* 동양식
으로 하다(되다). —ENT.

o·ri·en·tate[ɔ́:riəntèit] *vt.* =ORI-
o·ri·en·ta·tion[ɔ̀:riəntéiʃən] *n.*
ⓤⓒ ① 동쪽으로 향하게 함; (교회
의) 성단을 동쪽으로 함. ② 방위 측
정. ③ 〔心〕 소재식 (所在識); 〔生〕
정위(定位). ④ 태도 지정; (새 환경
에의) 순응, 적화(適化); (신입생 등
의) 지도, 안내.

o·ri·en·teer·ing[ɔ̀:riəntíəriŋ] *n.*
ⓤ 오리엔티어링(지도와 나침반으로
목적지를 찾아가는 경기 ; 이 경기의
참가자를 orienteer이라 함). 〔가리.

'**or·i·fice**[ɔ́:rəfis, ɑ́-] *n.* ⓒ 구멍; 아
or·i·gin[ɔ́:radʒin/ɔ́ri-] *n.* ⓤⓒ 기
원; 근원; 〔生〕 근원; ② 가문(家門),
태생; 혈통.

:**o·rig·i·nal**[ərídʒənəl] *a.* 원시의;
최초의; 원물(原物)(원작·원문)의; 독
창적인, 발명의 재간이 있는; 〔신기
한. ⓒ 원물, 원작, (the ~) 〔原
원문; 원어; 《古》기인(奇人); 기원,
근원. **~·ly** *ad.* 본래; 최초에(는).

'**o·rig·i·nal·i·ty**[ərìdʒənæləti] *n.*
ⓤ 독창성[력], 신기 (新奇); 창
의, ② 기인(奇人); 진품; 진짜.

original sin 〔神〕 원죄

'**o·rig·i·nate**[ərídʒənèit] *vt.* 시작하
다; 일으키다; 발명하다. — *vi.* 시작
되다; 일어나다, 생기다. **-na·tor** *n.*
ⓒ 창작자, 발기인. **-na·tion**[—
néiʃən] *n.* ⓤ 시작; 창작; 발명; 기

or·mo·lu [ɔ́:rməlù:] *n.* ⓒ 오몰루
《구리·아연·주석의 합금; 모조금 (模造
金)용》.

:**or·na·ment**[ɔ́:rnəmənt] *n.*, *n.* ⓤ 장
식; ⓒ 장식품; 광채[명예]를 더하는
사람(명예). [—mènt] *vt.* 꾸미다.
'**-men·tal**[—méntl] *a.* 장식(용)
의; 장식적인. **-men·ta·tion**[—
téiʃən] *n.* ⓤ 장식(품).

or·nate[ɔ:rnéit] *a.* (문체 등) 화려

한.

or·ner·y[ɔ́:rnəri] *a.* 《美口》품성이
비열한; 《로 方》하품은, 흔한.

or·ni·thol·o·gy [ɔ̀:rnəθάlədʒi/
-ɔ̀5-] *n.* ⓤ 조류학(鳥類學). **-gist** *n.*
ⓒ 조류학자. **-tho·log·ic**[-θɑ̀lɑ́dʒik-
-5-], **-i·cal**[-əl] *a.*

o·ro·tund[ɔ́:rətʌ̀nd] *a.* (목소리가)
낭랑한; 호언 장담하는.

or·phan[ɔ́:rfən] *n.* ⓒ 고아; 한쪽
부모가 없는 아이. — *a.* 고아의(를
위한); (한쪽) 부모가 없는. — *vt.*
고아로 만들다. **~·age**[-idʒ] *n.* ⓒ
고아원; = ~·**hood**[-hùd] *n.* ⓤ 고
아임[신세].

orth(o)-[5:rθ(ou), -θ(ə)] '곧은(正),
직(直)'의 뜻의 결합사《모음 앞에서는
orth-》: *orthodox*.

or·tho·don·tics[ɔ̀:rθədántiks,
-dɔ́n-] *n.* ⓤ 치열 교정학.
or·tho·dox[ɔ́:rθədàks/-3-] *a.* ①
(특히 종교상) 정교(正教)의, 정통파
의, ② 일반적으로 옳다고 인정된; 전
통(보수)적인. **~·y n.** ⓤ 정교 (신
봉); 일반적인 설에 따름.

Orthodox Church, the 그리스
정교회.

or·thog·ra·phy[ɔ:rθάgrəfi/-5-]
n. ⓤ 바른 철자; 정서법(正書法).
-i·cal[-əl] *a.*

or·tho·graph·ic[ɔ̀:rθəgrǽfik,
-i·cal·] *a.*

or·tho·pe·dic, (英) -pae·dic
[ɔ̀:rθoupíːdik] *a.* 정형 외과의. **~s**
n. ⓤ 정형 유아의[의] 정형 외과 (수
술). **-dist** *n.* ⓒ 정형 외과 의사.

-ory[5:ri, əri/əri] *suf.* ① '…로서
의, …의 효력이 있는' 따위의 뜻의 형
용사를 만듦: *compulsory, prefa-*
tory. ② '…소(所)'의 뜻의 명사를
만듦: *dormitory, factory, labora-*
tory. 〔양 (羚羊).

o·ryx[5:riks] *n.* ⓒ (아프리카산) 영

Os·car[áskər, 5-] *n.* 〔映〕 아카데
미상 수상자에게 수여되는 작은 황금
상.

os·cil·late[ɑ́səlèit/5s-] *vi.* (진자
등이) 모양으로) 진동하다; (마음)의견
등이) 동요하다, — *vt.* 진동 진류를
진동시키다; 진동시키다.
-la·tion[—léiʃən] *n.* ⓤⓒ 진동; 한
번 흔들기. **-la·tor** [ɑ́səlèitər/5s-]

o

n. ⓒ〔電〕발진기(發振器)；〔理〕진동자(子)；동요하는 사람. **-la·to·ry**[ásələtɔ̀ːri/ɔ́silətòri] *a.* 진동[동요]하는.

os·cil·lo·scope[əsíləskòup] *n.* ⓒ〔電〕오실로스코프(전압·전류 등의 변화의 모양을 스크린에 나타내는 장치).

o·sier[óuʒər] *n.* ⓒ〔植〕꽃버들(의 가지)《바구니 세공용》.

os·mo·sis[azmóusis, as-/ɔz-] *n.* ⓤ〔理〕삼투(渗透)(성).

os·prey[áspri/5-] *n.* ⓒ〔鳥〕물수리(fishhawk).

os·si·fy[ásəfài] *vt., vi.* 골화(骨化)하다；경화(硬化)하다；냉혹하게 하다(되다)；보수화하다(되다). **-fi·ca·tion**[-fəkéiʃən] *n.*

os·ten·si·ble[asténsəbəl/ɔ-] *a.* 표면상의, 겉꾸밈의.

os·ten·ta·tion[àsténtéiʃən/ɔ-] *n.* ⓤ 자랑해 보임, 허식, 과시.

os·ten·ta·tious[-téiʃəs] *a.* 허세 부리는；겉꾸미는, 화려한. **~·ly** *ad.*

os·te·o-[ástiou, -tiə/5s-] '뼈'의 뜻의 결합사.

os·te·o·path[ástiəpæ̀θ/5-] *n.* ⓒ 정골의(整骨醫).

os·te·op·a·thy[àstiápəθi/òstiɔp-] *n.* ⓤ 정골 요법(整骨療法).

os·te·o·po·ro·sis[àstioupəróusis/ɔ̀s-] *n.* (*pl.* **-roses**[-siːz]) ⓒ〔醫〕골다공증(骨多孔症)；〔畜産〕골연증(骨軟症).

ost·ler[áslər/5-] *n.* ⓒ (여관의) 말구종(hostler).

os·tra·cism[ástrəsìzəm/5-] *n.* ⓤ (옛 그리스의) 패각 추방(貝殼追放)《투표에 의한 추방》.

os·tra·cize[ástrəsàiz/5-] *vt.* 패각 추방을 하다；(국외로) 추방하다；배척하다.

os·trich[5(ː)strit̃, á-] *n.* ⓒ〔鳥〕타조. **bury one's head in the sand like an ~** 어리석은 짓을 하다. **~ belief (policy)** 눈 가리고 아웅하기, 자기 기만의 얕은 지혜. **~ farm** 타조 사육장.

oth·er[ʌ́ðər] *a.* 딴, 다른《**than, from**》；또 그밖의；다음의；저쪽의；(**the ~**) 또 하나의, 나머지의. **every ~** 하나 걸러. **in ~ words**

바꿔 말하면. **none ~ than** 다름 아닌, **the ~ day (night)** 일전에. — *pron.* 딴 것(사람); (**the ~**) 다른 하나, 나머지 것. **of all ~s** 모든 것[사람] 중에서 특히. **some ... or ~** 무언가(누군가·어딘가). — *ad.* 그렇지 않고, 딴 방법으로.

oth·er·wise[-wàiz] *ad.* 딴 방법으로, 달리；다른 점에서는；다른 상태로；그렇지 않으면. — *a.* 다른.

óther·wórldly *a.* 내세(저승)의；공상적인.

o·ti·ose[óuʃiòus] *a.* 쓸모 없는；한가한；게으른.

ot·ter[átər/5-] *n.* (*pl.* **~s,** 〔집합적〕 **~**) ⓒ〔動〕수달；수달피.

Ot·to·man[átəmən/5-] *a.* 터키(사람)의. — *n.* (*pl.* **~s**) ⓒ 터키 사람；(o-)〔등널이 없는〕긴 소파.

ouch[autʃ] *int.* 아야!

ought[ɔːt] *aux. v.* …해야만 하다；…하는 것이 당연하다；…하기로 되어 있다；…으로 정해지고 있다.《축. = ~ have》.

ought·n't[5ːtnt] ought not의 단축형.

Oui·ja[wíːdʒə] *n.* ⓒ〔商標〕위저 《심령(心靈) 전달의 점판(占板)》.

ounce[auns] *n.* ⓒ 온스《상형(常衡)의 $1/16$ pound, 금형(金衡) $1/12$ pound；액량(美》《$1/16$ pint, 英》$1/20$ pint；생략 oz.，*pl.* ozs》；(an ~) 소량.

our[auər, aːr] *pron.* 우리의.

ours[auərz, aːr] *pron.* 우리의 것.

our·selves[àuərsélvz, aːr-] *pron.* 우리 자신；우리, 우리에게.

-ous[əs] *suf.* 형용사 어미를 만들다；**courageous, famous, monstrous**.

oust[aust] *vt.* 내쫓다《**from, of**》, 쫓아내다；(불법 수단에 의한) 부동산[권리]의 불법 몰수.

~·er *n.* ⓤⓒ 축출；몰수.

out[aut] *ad.* ① 밖으로, 밖에；떨어져서；부재 중으로；② 실직하여；정권을 떠나서；〔競〕아웃되어；③ 불화하여；스트라이크 중에. ④ 벗어나서；탈이 나서；잘못되어；못쓰게 되어；⑤ (불이) 꺼져서, ⑥ 공개되어；출판되어；사교계에 나와；나타나서；(꽃이) 피어；탄로되어．⑦

완전히; 끝까지. ⑧ 큰 소리로. ⑨ 돈에 궁해서. **be ~ for** [**to** do] …을 얻으려고[하려고] 애쓰다. **down and ~** 거딜이 나. **~ and about** (환자가) 외출할 수 있게 되어. **~ and away** 훨씬, 비길 데 없이. **~ and ~** 완전히, 철저히. **~ of** …의 안으로부터, …의 사이에서, …의 출신인; …의 범위 밖에; …이 없어서; (재료)로; …에게서, …에서 때문에. **~ there** 저쪽에, (俗) 싸움터에서, 열심히 하려고 하여서. — *a.* 밖의; 떨어진; 야말의; [野] 수비측의; 유별난; 활동[사용] 중이 아닌. — *n.* 지위[세력]을 잃은 사람; 못쓰게 된 것. ② (*sing.*) (俗) 도피구, 변명. ③ [野] 아웃. **at** [**on the**] **~s** 불화하여. **from ~ to ~** 끝에서 끝까지, 두드러지게 하다. **make a poor ~** 성공하지 못하다, 두드러지지 않다. — *prep.* …을 통하여 밖으로; (詩) …으로부터, …에서. — *vi.* 나타나다; 드러나다. — *vt.* 쫓아내다; 내쫓다; (英俗) 때려 눕히다. — *int.* 나가, 꺼져.

out [aut] *pref.* 밖의[으로], …이상으로, …을 넘어, 보다 많이 …하는 따위의 뜻: *outdoor, outlive.*

out·age [áutidʒ] *n.* U.C (정전에 따른) 기계의 운전 정지; 정전.

óut-and-óut *a.* 완전한, 철저한. — **~er** *n.* C (어떤 생각을) 철저히 갖춘 사람[물건], 전형; 극단으로 나가는[끝까지 하는] 사람.

òut·bíd *vt.* (**-bid, -bade; -bid, -bidden; -dd-**) …보다 비싼 값을 매기다.

óut·bóard *a., ad.* 배 밖의[에]; 뱃전의[에].

outboard mótor 선외(船外) 발동기.

òut·bóund *a.* 외국행의.

óut·bréak *n.* C (돌연한) 발발; 폭동.

óut·building *n.* C (본체의) 부속 건축물, 별채.

óut·búrst *n.* C 폭발.

óut·cást *a.* (집·친구로부터) 버림받은; 집 없는; 배척받은. — *n.* C 버림받은[집 없는] 사람, 추방자.

òut·cláss *vt.* …보다 고급이다[낫다], (…을) 능가하다.

óut·cóme *n.* C 결과.

óut·cròp *n.* C (광맥의) 노출, 노두(露頭). — [≤≤] *vi.* (**-pp-**) 노출하다.

óut·crý *n.* C 부르짖음, (갑작스러운) 외침; 떠들썩함; 경매. — [≤≤] *vt., vi.* …보다 큰 소리로 외치다; 아우성치다; 큰 소리로 외치다.

òut·distance *vt.* 훨씬 앞서다(경주·경마에서).

òut·dó *vt.* (**-did; -done**) …보다 낫다, 물리쳐 이기다.

:óut·dóor *a.* 문 밖의.

òut·dóors *ad.* 문밖(에서, 으로). **~ man** 옥외 생활[운동]을 좋아하는 사람.

out·er [áutər] *a.* 바깥(쪽)의, 외면의 (opp. inner). — *n.* [射擊] (표적과의) 과녁 밖. **~·mòst** *a.* 가장 밖의[먼].

óuter spáce (대기권 밖의) 우주, 외계(外界).

òut·fáce *vt.* 노려보다; 꿈쩍도 않다; (…에게) 대담하게 대항하다.

óut·field *n.* (the ~) ① [野·크리켓] 외야. ② (집합적) 외야수; 외진 곳의 밭. — *n.* C 외야수.

:óut·fít *n.* C ① (여행 따위의) 채비, 도구. ② (美口) (채광·철도 건설 사무 따위에 종사하는 사람들의) 일단. — *vt.* (**-tt-**) (…에게) 필수품을 공급하다, 채비를 차리다(with). — *vi.* 몸차림을 하다, 준비하다. **~ter** *n.* C 여행용품상.

òut·flánk *vt.* (적의) 측면을 포위하다(돌아서 후방으로 나가다); (…을) 선수치다; 허를 찌르다.

óut·flòw *n.* C 유출. — *vi.* 유출물.

óut·góing *a.* 나가는; 출발하는; 사교적인. — *n.* U 나감; (*pl.*) 경비.

òut·grów *vt.* (**-grew, -grown**) …보다 크게 되다. …보다 커지다.

óut·grówth *n.* C 자연의 결과 따지; 생성물; 성장.

óut·hòuse *n.* C = OUTBUILDING; 옥외 변소.

out·ing [áutiŋ] *n.* C 소풍.

out·land·ish [autlǽndiʃ] *a.* 이국풍의(異國風)의; 색다른.

òut·lást *vt.* …보다 오래 계속되다[가다], …보다 오래 견디다.

ópt·law [áutlɔ̀ː] n. ⓒ ① 법률의 보호를 빼앗긴 사람; 추방당한 사람(exile). ② 무법자; 상습범. — vt. (도 부터) 법률의 보호를 빼앗다; 비합법으로 하다; 법률의 효력을 잃게 하다. **~·ry** n. ⓤⓒ 법익(法益) 박탈; 법률 무시.

óut·lay [-lèi] n. ⓤ 지출; 경비. — [≠] vt. (-laid) 소비하다.

óut·let [-lèt] n. ⓒ 출구(出口); 배출구; 판로.

óut·line [-làin] n. ⓒ 윤곽; 약도 (법); 대요; 개략; (종종 pl.) 요강. in …의 윤곽만의; 대강의; 【영】 테두리, 아우트라인의. give an ~ of …의 대요를 그리다; 약술하다(sketch).

óut·live [àutlív] vt. …보다 오래 살다(계속하다·견디다).

óut·look [áutlùk] n. ⓒ ① 전망 (on); 展望. ② 예측(prospect)(for), 전지(on). ③ 망보기, 경계(lookout); 망루.

óut·lying a. 중심에서 떠난; 멀리

òut·manéu·ver [-《美》-manóeu·vre] vt. 책략으로 …에게 이기다.

out·mod·ed [-móudid] a. 시대에 뒤떨어진, 구식의.

òut·númber vt. …보다 수가 많다.

òut·of-dáte a. 시대에 뒤떨어진: 현재는 사용하지 않는.

óut·pàtient n. ⓒ 외래 환자(cf. inpatient).

òut·perfórm vt. (기계·사람이) …보다 우수하다.

òut·pláy vt. (경기에서) 이기다; 지다.

òut·póint vt. …보다 많이 득점하다; 【요트】…보다 이물을 바람받는 쪽으로 돌려서 범주(帆走)하다.

óut·pòst n. 【軍】 전초(진지). 전진 거점.

out·pour·ing [àutpɔ́ːriŋ] n. ⓒ 유출(물); (pl.) (감정의) 분출(발로).

òut·pút [-pút] n. ⓤⓒ 산출, 생산(고). ② 【電·機】 출력(出力). ③ 【컴】출력(컴퓨터 안에서 처리된 정보를 외부 장치로 끌어내는 일; 또 그 정보).

óut·rage [-rèidʒ] n., vt. ⓤⓒ 폭행(모욕)(난폭·부도덕 등을) 범하다; 난폭(한 짓을 하다).

out·ra·geous [àutréidʒəs] a. 난폭한; 포학한, 패덕한; 심한. **~·ly** ad.

òut·ránk vt. …보다 윗 자리에 있다.

ou·tré [uːtréi] a. (F.) 상도를 벗어난; 이상(기묘)한.

òut·réach vi., vt. …의 앞까지 도달하다(미치다); 펴다. 넓히다. — n. ⓤⓒ 뻗치기; 뻗친 거리.

óut·rider n. ⓒ 말탄 종자(從者)《마차의 전후(좌우)의》; 선도자(先導者)《경호 오토바이를 탄 경관 등》.

óut·rigger n. ⓒ 《카누의 전복 방지 용의》돌출 부재(浮材); 돌출 노받이(가 있는 보트).

òut·ríght [≠ràit] a. 명백한, 솔직한; 완전한, 철저한. — [≠] ad. 철저히, 완전히; 명백히; 당장; 솔직하게.

òut·rún vt. (-ran; -run; -nn-) …보다 빨리 달리다; 달려 앞지르다; 달아나다; (…의) 범위를 넘다.

òut·séll vt. (-sold) …보다 많이(비싸게) 팔다.

óut·sèt n. (the ~) 착수, 최초.

òut·shíne vt. (-shone) …보다 강하게 빛나다; …보다 우수하다. 낫다.

out·side [≠sàid, ≠≠] n. (sing.) (보통 the ~) 바깥쪽; 외관; 극한. at the (very) …기껏해야. ~ in 뒤집어서, 바깥쪽이 보이지 않아. those on the ~ 옥외의; 국외자 (자)의; 【컴】 최외의; 국외(局外)(자)의; 【컴】최외의. — a. 바깥쪽의; 외의의; 국외의(局外)(자)의; 【컴】최외의. — ad. 밖으로(에); 문밖으로(에서). be (get) ~ of 《英俗》…을 양껏 (이해하다); …을 마시다(먹다). ~ of …의 바깥에(으로). — prep. …의 밖에(으로, 의), …의 범위를 넘어 …이외에; 《美口》…을 제외하고(except).

óutside bróadcast 스튜디오 밖에서의 방송.

òut·síd·er [àutsáidər] n. ⓒ ① 외부 사람; 국외자; 문외한; 초심자. ② 승산이 적은 말(사람).

óut·size a., n. 특대의; ⓒ 특대품.

óut·skirts [≠skə̀ːrts] n. pl. (도시의) 교외, 변두리; 주변. on (at, in) the ~ of …의 변두리에.

òut·smárt vt. 《口》…보다 약다(꾀가 높다); (…을) 앞지르다.

òut·spóken a. 솔직한, 숨김없이

말하는; 거리낌 없는.

òut·spréad *vt., vi.* (~) 펼(벌어)지)다. — *a.* 펼쳐진.

:òut·stánding *a.* 눈에 띄는, 걸출한; 중요한; 돌출한; 미불(未拂)의; 미해결의.

òut·stáy *vt.* …보다 오래 머무르다.

òut·strétched *a.* 펼친, 뻗친.

òut·stríp *vt.* (**-pp-**) …보다 빨리 가다, 앞지르다; 능가하다.

òut·tráy *n.* ⓒ (서류의) 기결함(函) (cf. in-tray).

òut·vóte *vt.* 표수로 …에(게) 이기다.

òut·ward [áutwərd] *a.* ① 밖으로 향하는(가는); 바깥 쪽의; 표면의, 외면적인. ② 육체의. *the* ~ *eye* 육안. *the* ~ *man* 육체. — *ad.* 바깥 쪽에(으로). ~**ly** *ad.* 바깥 쪽으로(로); 외면에; 외형상; 외견상. ~**s** *ad.* = OUTWARD.

óutward-bóund *a.* 외국행의.

òut·wéigh *vt.* …보다 무겁다; (가치·세력 등이) (…을) 능가하다.

òut·wít *vt.* (**-tt-**) (…의) 허를 찌르다, 선수치다.

òut·wórn [△△] *a.* 입어〔써서〕 낡은.

o·va [óuvə] *n.* ovum의 복수.

o·val [óuvəl] *a., n.* ⓒ 달걀 모양의 (것), 타원형의 (물건). ~**씨방.

o·va·ry [óuvəri] *n.* ⓒ 난소; 〔植〕씨방.

o·va·tion [ouvéiʃən] *n.* ⓒ 대환영, 대갈채; 대인기.

:ov·en [ʌ́vən] *n.* ⓒ 솥, (요리용) 가마, 오븐; (난방·건조용) 작은 노(爐).

:o·ver [óuvər] *prep.* ① …의 위에, …을 덮어, ② 운동·이동. …을 넘어서, …을 통하여. ⑤ …의 저쪽에, …을 가로질러서. ⑦ 〔시간·장소〕 …중. ⑧ …의 위에, …을 지배하여. ⑨ …에 관하여(about). ⑩ …을 하면서. ⑪ …이상. *all* ~ 끝에서 끝까지. — *ad.* ① 위에(above). ② 넘어서; 건너서; 저쪽에. ③ 거꾸로; 넘어져서. ④ 온통, 널리. ⑤ 가외로, 끝나서. ⑦ 구석구석까지. ⑧ (어느 기간을) 통하여. ⑨ 되풀이하여. ⑩ 한번 더; 되돌이하여. *all* ~ (주로 복합어로) 너무나. *all* ~ 은 완전히 절망으로 이어서; …은 만사 끝나서. *It's all*

~ *with* ~ … (병 따위에서) 회복하다, …다시 한 번. ~ *against* …에 대(면)하여, …와 대조하여. ~ *and above* 그 밖에. ~ *and* ~ (*again*) 여러번 되풀이하여. ~ *here* (*there*) 이(저)쪽에. — *a.* 위의(upper): 끝의: 《복통 복합어로서》 상위의(~*lord*), 여분의(~*time*), 과도한(~*act*). — *n.* ⓒ 여분.

o·ver- [óuvər, ←] *pref.* 과도로(의), 여분의, 위의(로), 밖의(으로), 넘어서, 더하여, 아주' 따위의 뜻.

óver·áct *vt., vi.* …을 지나치게 하다; 장황하게 연기하다.

óver·áll *n.* (*pl.*)(가슴받이 붙은 작업 바지; (英)(의사·여자·아이의) 일옷, 덧옷. — *a.* 끝에서 끝까지의; 전반적인, 종합적인.

óver·árch *vt., vi.* (…의) 위에 아치를 만들다; 아치형을 이루다; (…의) 중심이 되다, 전체를 지배하다.

óver·árm *a.* 〔球技〕(어깨 위로 손을 들어 공을) 내리던지는; 내리뜨는; 〔水泳〕팔을 물 위로 내어 앞으로 쭉 뻗치는.

óver·áwe *vt.* 위압하다.

óver·bálance *vt.* …보다 균형을 잃게 하다. — *vi.* 넘어지다. — [←←] *n.* ⓒ 초과(량).

óver·béar *vt.* (**-bore; -borne**) 위압하다; 지배하다; 전복시키다. ~**ing** *a.* 거만한.

óver·blówn *a.* 과도한; (폭풍 따위가) 멎은; (꽃이) 활짝 핀 때를 지난.

óver·bóard *ad.* 배 밖으로, (배에서) 물 속으로; (美) 열차에서 밖으로. *throw* ~ 물 속으로 내던지다; 《口》 저버리다, 돌보지 않다.

óver·búrden *vt.* (…에게) 지나치게 적재(積載)하다(지우다).

óver·cást *vt.* (~) 구름으로 덮다; 어둡게 하다. — *a.* 흐린; 어두운; 음침한, 우울한.

óver·chárge *vt., vt.* ⓒ 엄청난 값(을 요구하다); 엄청난 값; 적재(積載) 초과; 짐을 지나치게 싣다; 과(過)충전(하다).

óver·cóat *n.* ⓒ 외투. ~**ing** *n.* 외투 감.

:óver·cóme *vt.* (**-came; -come**) ① 이겨내다; 극복하다; 압도하다.

O

② 《수동으로 써서》 지되다, 정신을 잃다(by, with).

óver·compensátion n. U 《精神分析》 (약점을 감추기 위한) 과잉 보상.

òver·cóoked a. 너무 익힌(삶은, 구운).

òver·crówd vt. (사람을) 너무 많이 들여 넣다, 혼잡하게 하다. *~ed a. 초만원의.

óver·dó vt. (-did; -done) 지나치게 하다; 과장하다; (보통 수동태로) 재귀적으로) (몸 따위를) 너무 쓰다, 과로케 하다; 너무 삶다(굽다), 너무 지나치게 하다; 과장하다. ~ one-self (one's strength) 무리를 하다.

óver·dóse n. ⓒ 약의 적량(適量) 초과. — [⌐⌐] vt. (…에) 약을 너무 많이 넣다(먹이다).

óver·dráft, -dráught n. ⓒ (은행의) 당좌 대월(當座貸越)(액)(예금 자족에서 보면 차월(借越)); (어음의) 초과 발행.

óver·dráw vt. (-drew; -drawn) (예금 등을) 초과 인출하다; (어음을) 초과 발행하다; 과장하다.

óver·dréss vt., vi. 옷치장을 지나치게 하다(oneself). — [⌐⌐] n. ⓒ (얇은 옷감으로 된) 윗덧옷.

óver·dríve vt. (-drove; -driven) (사람·동물을) 혹사하다. — [⌐⌐] n. ⓒ 【機】 오버드라이브, 증속 구동(增速驅動). 【연착막.

òver·dúe a. (지불) 기한이 지난;

óver·éat vt., vi. (-ate; -eaten) 과식하다(oneself).

óver·émphasize vt., vi. 지나치게 강조하다.

óver·éstimate vt. 과대 평가하다; 높이 사다. **-estimátion** n. U 과대 평가.

óver·expóse vt. 《寫》 지나치게 노출하다. **-expósure** n. UC 노출 과다.

òver·flów vt. (강 등이) 범람하다(물을) (…에서) 넘치다; (…에) 다 못들어가 넘치다. — vi. 범람하다; 넘치다; 넘칠 만큼 많다(with). — [⌐⌐] n. U 범람; ⓒ 충만; ⓒ 배

수기; ⓒ 【컴퓨터】 넘침(연산결과가 용량보다 커

집). **-ing** a. 넘쳐 흐르는; 넘칠 정도의.

o·ver·ground [óuvərgràund] a. 지상의. be still ~ 아직 살아 있다.

òver·grów vt. (-grew; -grown) (풀이) 만연하다; 너무 자라다; …보다도 커지다. — vi. 너무 커지다.

óver·grówth n. U 전면에 난 것; UC 과도 성장; 무성.

óver·háng vt. (-hung) (…의) 위에 걸치다; 닥쳐 불안케 하다, 위협하다. — vi. 돌출하다; 절박하다. — [⌐⌐] n. ⓒ 쑥 내밀; 쑥 내민 것 [부분].

o·ver·haul [òuvərhɔ́ːl] vt. (수리하려고) 분해 검사하다; 《海》 (삭구를) 늦추다. — [⌐⌐] n. UC 분해 검사.

òver·héad ad. 위로 (높이); 상공에; 위층에. — [⌐⌐] a. 머리 위의, 고가(高架)의; 전반적인, 일반의; 【商】 간접비, 제경비. ② 【컴】 부담.

óver·héar [-híər] vt. (-heard [-hə́ːrd]) 도청하다; 엿듣다.

óver·jóy vt. 매우 기쁘게 하다, 미칠듯이 기쁘게 하다. be ~ed (…에) 미칠 듯이 기뻐하다(at, with). **~ed** a. 대단히 기쁜. 【상력.

óver·kíll n. U (핵무기의) 과잉 살상.

óver·lánd ad. 육로로(를), 육상으로(을). — a. 육로의.

o·ver·lap [òuvərlǽp] vt., vi. (-pp-) (…에) 겹치(어 지)다; 일부분이 일치하다, 중복하다. — [⌐⌐] n. UC 겹침; 중복 (부분); 【映】 오버랩(한 장면을 다음 장면과 겹치는 일); 【컴】 겹침. **~ping** n. 【컴】 겹치기.

óver·láy vt. (-laid) 겹치다; 〔장식 등으로〕 덮다; 압도하다. — [⌐⌐] n. ⓒ 덮개, 씌우개; 덧칠막; 【컴】 오버레이(~ structure 오버레이 구조).

óver·léaf ad. (종이의) 뒷 면에, 다음 페이지에.

óver·lóad vt. 짐을 과적하다; 【컴】 과부하.

o·ver·look [òuvərlúk] vt. 내려다보다, 바라보다; 빠뜨리고 보다; 눈감아 주다; 감독하다; …보다 높은 곳에 있다; (…을) 넘어 저쪽을 보다.

óver·lòrd *n.* ⓒ (군주 위의) 대군주 (大君主)

o·ver·ly[-li] *ad.* 《美·Sc.》과도하 (하게).

óver·múch *a., ad.* 과다(한); 과도 (하게). — *n.* Ⓤ 과도.

óver·níght *ad.* 발새도록; 전날 밤 에. — [⌐∠] *a.* 밤중에 이루어지는 [일어나는]; 전날 밤의; 밤을 위한. — [∠⌐] *n.* (口) 일박(一泊) 숙 가중; Ⓤ 《古》전날 밤.

óver·páss *vt.* (~*ed, -past*) 넘다 (pass over); 빠뜨리다; 몹보고 넘 기다; 능가하다. — [∠⌐] *n.* ⓒ 육 교, 구름다리; 고가 도로[철도].

óver·páy *vt.* (*-paid*) (…에) 더 많 이 지불하다. ~**ment** *n.*

óver·pláy *vt.* 과장하여 연기하다; 보다 좋게 연기하다; 과장해서 말하다.

óver·pówer *vt.* ① (…을) 이겨내 다; 압도하다. ② 깊이 감동시키다; 못견디게 하다. ~**ing** *a.* 압도적인, 저항할 수 없는.

óver·ráte *vt.* 과대 평가하다.

óver·réach *vt.* 속이다; 지나쳐 가 다; 퍼지다; 두루 미치다. ~ *oneself* 몸을 지나치게 뻗다; 무리가(책략이) 지나쳐서 실패하다.

óver·ríde *vt.* (*-rode; -ridden*) (장 애물을) 타고 넘다; 짓밟다; 무시하다 무효로 하다, 뒤엎다; 이겨내다; (말 을) 타서 지치게 하다.

óver·rúle *vt.* 뒤엎[압도]하다; (의 론·주장 등을) 뒤엎다, 무효로 하다; 각하하다.

óver·rún *vt.* (*-ran; -run; -nn-*) (…의) 전반에 걸쳐 퍼지다; (잡초 등 이) 무성하다; (…을) 지나쳐 달리다; 초과하다; (강 등이) (…에) 범람하다; — [∠⌐] *n.* 범람, 무성; 잉여.

óver·séa(s) *ad.* 해외로, 외국으로, — *a.* 해외(에서)의; 외국의; 외국으 로 가는. — *Koreans [Chinese]* 해외 교포[화교].

óver·sée *vt.* (*-saw, -seen*) 감독 하다; 탐페[훑어] 보다. **óver·sèer** *n.* ⓒ 감독자.

óver·séxed *a.* 성욕 과잉의.

óver·shádow *vt.* (…에) 그늘지게 하다; 무색하게 만들다.

óver·shòe *n.* (보통 *pl.*) 오버슈즈, 방한[방수]용 덧신.

óver·shóot *vt.* (*-shot*) (과녁을) 넘 겨 쏘다; …보다 높게[멀리] 쏘아 넘 겨 떨어지다. — *vi.* 지나치게 멀리 날아가 다; 너무 빨리 가다. ~ *oneself* [*the mark*] 지나쳐 가게 하다; 과장하다. — [∠⌐] *n.* 지 나침(으로 인한 실패); 【컴】오버슈트.

óver·síght *n.* Ⓤ.ⓒ 빠뜨림, 실수; Ⓤ 감독. *by (an)* ~ 까딱 실수하여.

óver·símplify *vt.* (…을) 지나치게 간소화하다.

óver·síze *a.* 너무 큰, 특대의. — *n.* ⓒ 특대형의 것.

óver·sléep *vi., vt.* (*-slept*) 지나치 게 자다(*oneself*).

óver·spíll *n.* ⓒ 흘러떨어진 것, 넘 쳐나온 것; (대도시에서 넘치는) 과잉 인구.

óver·státe *vt.* 허풍을 떨다, 과장하 다. ~**ment** *n.*

óver·stáy *vt.* …보다 너무 오래 머무르다.

óver·stép *vt.* (*-pp-*) 지나치다, 한 도를 넘다.

óver·stóck *vt.* 지나치게 공급하다 (사들이다). — *n.* Ⓤ 공급 [재고] 과잉.

óver·subscríbe *vt., vi.* 모집액 이 상으로 신청하다(공채 등을).

o·vert[óuvəːrt, -∠] *a.* 명백한; 공 공연한(opp. *covert*). ~**·ly** *ad.* 명 백히, 공공연히.

o·ver·take[òuvərtéik] *vt.* (*-took; -taken*) ① (…에) 뒤따라 미치다. ② (폭풍·재난이) 갑자기 덮쳐오다.

óver·táx *vt.* (…에) 중세(重稅)를 과하다(…에) 과중한 짐 [부담]을 지 우다.

o·ver·throw [òuvərθróu] *vt.* (*-threw; -thrown*) ① 뒤집어엎다. ② 타도하다; (정부·국가 등을) 전복 시키다; 폐지하다. — [∠⌐] *n.* ⓒ 타도, 전복, 파괴.

óver·time *n.* Ⓤ 정시의 노동 시간, 잔업 시간; 초과 근무. — *a., ad.* 정 시 외의[에]. — [∠⌐] *n.* (口) 규정 시간을 너무 넘다.

óver·tòne *n.* ⓒ 【樂】상음(上音) (opp. *undertone*); 배음(倍音).

o·ver·ture[óuvərtʃər, -tʃùər] *n.* ① 【樂】서곡; (보통 *pl.*) 신청, 제안.

o·ver·turn[òuvərtəːrn] *vt., vi.* 뒤 엎다. 뒤집히다; 타도하다. 타도되

[스-스] n. ⓒ 전복, 타도, 파멸.

òver·úse vt. 과용하다. —
[스-ju스] n. ⓤ 과용, 남용.

[스-vju스] n. ⓒ 개관(槪觀).

o·ver·ween·ing[òuvərwíːniŋ] a. 뽐내는, 교만한.

óver·wèight n. ⓤ 초과 중량, 과중. — [스-스] a. 중량을 초과한. — vt. 지나치게 싣다; 부담을 지나치게 지우다.

o·ver·whelm[òuvərhwélm] vt. ① (큰 파도나 홍수가) 덮치다, 물에 잠그다. ② 압도하다. ③ (마음을) 꺾다. *~·ing a. 압도적인; 저항할 수 없는. ~·ing·ly ad.

òver·wórk vt. (~ed, -wrought) ① 지나치게 일을 시키다; 과로시키다. ② (…에) 지나치게 공들이다. — vi. 지나치게 일하다; 과로하다. — [스-스] n. ⓤ 과로; 초과 근무.

òver·write vt., vi. (-wrote, -written) 너무 쓰다; 다른 문자 위에 겹쳐서 쓰다. — [스] [컴] 겹쳐쓰기(《이전의 정보는 소멸》).

over·wrought v. overwork의 과거(분사). — a. 《古》 지나치게 일을 한. — 《古》 과로한; 흥분한; 지나치게 공들인.

o·void[óuvɔid] a., n. ⓒ 난형의 (것); 난형체. — [하다.

o·vu·late[óuvjuleit] vi. 배란(排卵)하다.

o·vum[óuvəm] n. (pl. ova) ⓒ [生] 난자, 알.

owe[ou] vt. ① 빚지고 있다. ② 은혜를 입고 있다(to). ③ (남의 (謝恩)·사죄·원한 등의 감정을) 품다. — vi. 빚이 있다(for).

ow·ing[óuiŋ] a. 빚지고 있는; 지불해야 할(due). ~ **to** …때문에, …로 인하여.

owl[aul] n. ⓒ ① 올빼미. ② 젠체하는 사람. ③ 밤을 새우는 사람, 밤에 나타나는 사람. **∠et** n. ⓒ 새끼 올빼미; 작은 올빼미. **∠ish** a. 올빼미 비슷한; 점잔 빼는 얼굴의.

own[oun] a. ① 자기 자신의, 그것 [의]. ② 독특한 (혈연 관계가) 친(親)인(real). **be one's ~** 자유의 몸이다. 남의 지배를 받지 않다. **get one's ~ back**

앙갚음하다(on). — n. ⓒ 자기(그) 자신의 것(사람). **come into one's ~** (당연한 권리로) 자기의 것이 되다; 정당한 신용(성공)을 얻다. **hold one's ~** 자기의 입장을 지키다, 지지 않다. **my ~** (호칭) 애야, 아아 (착한애구나). **on one's ~** 《口》 자기가, 자기의 돈(책임)으로, 혼자 힘으로. — vt. ① 소유하다. ② 승인하다; 자백하다; 자기의 것으로 인정하다. — vi. 자백하다(to). ~ **up** 모조리(깨끗이) 자백하다.

own·er[óunər] n. ⓒ 임자, 소유자. ~·**less** a. 임자 없는. ~·**ship** [-ʃip] n. ⓤ 임자임; 소유(권).

own góal [축구] 자살 골; 자신에게 불리한 행동(일).

ox[aks/ɔ-] n. (pl. ~**en**) ⓒ (특히 거세한) 수소, 소(속(屬)의 동물).

Ox·bridge[áksbridʒ/5-] n., a. 《英》 Oxford 대학과 Cambridge 대학(의)(의 특징을 가진) 대학(의).

ox·ide[áksaid/5-] n. [化] 산화물.

ox·id[-sid]

ox·i·dize[áksədàiz/5-] vt., vi. [化] 산화시키다(하다); 녹슬(게 하)다. **∠d silver** 그을린 은. -**di·za·tion** [àksədizéiʃən/5ksədai-] n. ⓤ 산화.

Oxon. Oxfordshire; *Oxinia* (L. = Oxford, Oxfordshire); Oxonian.

óx·tàil n. ⓤⓒ 쇠꼬리(《수프재료》).

ox·y·a·cet·y·lene[àksiæsétəlìn/-5-] a. 산소 아세틸렌의. ~ **blow-pipe** (**torch**) 산소 아세틸렌 용접기.

ox·y·gen[áksidʒən/5-] n. ⓤ [化] 산소.

ox·y·gen·ate[áksidʒəneit/5k-], **-gen·ize**[-dʒənàiz] vt. [化] 산소로 처리하다; 산화시키다. **-gen·a·tion**[-néiʃən] n. ⓤ 산소 처리법; 산화.

óxygen màsk [空] 산소 마스크.

óxygen tènt [醫] 산소 텐트.

oys·ter[ɔ́istər] n. ⓒ [貝] 굴.

oz. ounce(s).

o·zone[óuzoun, -스] n. ⓤ ① 오존. ② 《口》 신선한 공기. **o·zo·nif·er·ous**[òuzounífərəs] a. 오존을 함유한.

ózone làyer 오존층.

P

P, p[piː] *n.* (*pl.* **P's, p's**[-z]) ⓒ P자 모양의 것. **mind one's p's and q's** 언행을 조심하다.

p. page; penny. **p.**[樂] *piano²*.

p.a. PER annum.

pa[paː] *n.* (口) =PAPA.

pace[peis] *n.* ⓒ ① 한 걸음(step); 보폭(步幅)(약 2.5피트). ② 걸음걸이; 보조; 걷는 속도, 진도; (생활·일의) 페이스. ③ (말의) 측대보(側對步)(한 쪽 앞발다리를 동시에 드는 걸음걸이). **go a good ~, or go**[hit] **the ~** 대속력으로(상당한 속도로) 가다; 난봉 피우다, 방탕하게 지내다(GO it). **keep ~ with** …와 보조를 맞추다; …에 뒤지지 않도록 하다. **put a person through his ~s** 아무의 역량을 시험해 보다. **set**[make] **the ~** 보조를 정하다; 조정(調整)하다; 모범을 보이다(for). ── *vt.* ① (규칙 바르게) …을 걷다 다니다. ② 보측(步測)하다(out). ③ 보조를 바르게 하다. ── *vi.* 보조 바르게 걷다; (말이) 일정한 보조로 달리다.

páce・màker *n.* ⓒ 보조 조절자; (一般) 지도자; 주동자; [醫] 페이스메이커(전기의 자극으로 심장의 박동을 계속시키는 장치); [解] 박동원(搏動原).

páce・sètter *n.* ⓒ 보조 조절자; (一般) 지도자, 주동자(⇧).

pach・y・derm[pǽkidə:rm] *n.* ⓒ 후피(厚皮)동물《코끼리·하마 따위》; 둔감한 사람.

pa・cif・ic[pəsífik] *a.* ① 평화(롭게)를 사랑하는); 온화한; 화해적인; (P-) 태평양(연안)의, **the P-** (**Ocean**) 태평양.

pac・i・fi・ca・tion[pæsəfəkéiʃən] *n.* Ⓤ 강화(講和); 화해; 진압.

pac・i・fi・er[pǽsəfàiər] *n.* ⓒ 달래는 사람(것), 조정자; (고무) 젖꼭지.

pac・i・fism[pǽsəfìzm] *n.* Ⓤ 평화주의, 반전론. **'-fist** *n.* ⓒ 평화주의

자.

pac・i・fy[pǽsəfài] *vi.* ① 달래다. 가라앉히다. ② 평화를 수립하다.

pack[pæk] *n.* ⓒ ① 꾸러미, 다발, 묶음, 짐짝. ② (담배의) 갑; (카드의) 한 벌(52장). ③ (악한 등의) 일당; (사냥개・사냥감의) 한) 떼. ④ 총빙(叢氷), 큰 성에장 떼. ⑤ (조직화된) 일당, 단합한 (戰艦隊・비행) 슈포(編布), 찜질(하기); (미용술의) 팩. ⑦ [럭] 압축(자료를 압축시키는 일). **in ~s** 떼를 지어. ── *vt.* 싸다, 꾸리다, 포장하다. ② (과물・고기 따위를) 포장(통조림으로)하다. ③ 가득 채우다(*with*); 채워 넣다; 패킹하다. ④ (말 따위에) 짐을 지우다. ⑤ (美口) (포장하여) 운반하다. ⑥ [럭] 압축하다. ── *vi.* ① 짐을 꾸리다, 짐이 꾸려지다. 포장되다. ② (짐을 꾸려 가지고) 나가다. **~ off** 내쫓다; 급히 나가다. **send a person ~ing** 아무를 해고하다. 쫓아내다. **'~・er** *n.* ⓒ 짐 꾸리는 사람; 포장꾼(업자); 통조림업자; (美) 식료품 포장 출하(出荷)업자.

pack・age[pǽidʒ] *n., vt.* Ⓤ 짐꾸리기, 포장(하다). ② ⓒ 꾸러미, 짐. ③ ⓒ [컴] 꾸러미, 상자. ④ ⓒ [컴] 패키지(범용/凡用) 프로그램). **~(d) tour** (여행사 주최의) 비용 일체를 한목에 내고 하는 여행(all-expense tour).

páck ànimal 짐 나르는 짐승, 짐말.

packed lúnch (점심) 도시락.

pack・et[pǽkit] *n.* ⓒ ① 소포; (작은) 묶음. ② =~ **bòat** 우편선, 정기선. ③ 《英俗》(부기 등에서) 번일(들은) ④ 상당한 금액; 일격, 강타. ⑤ [컴] 패킷. **buy**[catch, get, stop] **a ~** 《英俗》총알에 맞다; 갑자기 변을 당하다.

pack・ing[-iŋ] *n.* Ⓤ ① 짐꾸리기, 포장(재료). ② 채워 넣는 것, 패

킹. ③ 통조림 제조(업).

páck·ing bòx 〔**càse**〕 포장 상자.

pact [pækt] n. ⓒ 계약, 협정, 조약.

pad[**¹**][pæd] n. ⓒ ① 덧대는 것, 채워넣는 것; 안장 밑(받침), ② 스탬프패드, ③ 한 장씩 떼어 쓰게 된 종이철(편지지 따위), ④ 〔개·여우 따위의〕 육지(肉趾)(발바닥), 발, ⑤ 수련의 큰 잎, ⑥ 〔俗〕 판. — vt. (-dd-) ① (…에) 채워 넣다. ② (군소리를 넣어 문장을) 길게 하다(out). ③ 〔인쇄·장부 따위의 숫자를〕 허위 조작하여 불려서 기입하다. ~ded cell (벽에 부드러운 것을 댄) 정신 병원의 병실. ~ding n. ⓤ 채워 넣는 물건; 메워서 채움.

pad[**²**] n. ⓒ 〔英俗〕 도로; 길을 밟는 (발소리 따위의) 무딘 소리, 쿵. — vt., vi. (-dd-) 터벅터벅 걷다; 도보 여행하다.

pad·dle[**¹**][pædl] n. ⓒ ① 노(젓기), 한 번 저음; 노(주걱 모양의 끝). ③ 〔英〕(탁구의) 라켓. ② (외륜선(外輪船)의) 물갈퀴; 〔工〕 날개 판; 〔컴〕 패들. ③ (빨래) 방망이. — vt. ① (…를) 노로 젓다, 경마장에 끌다. ② 철썩 때리다. ~ one's own canoe 독립독보(獨立獨步)하다. ~r n. ⓒ 노젓는 사람; 탁구 선수.

pad·dle[**²**] vi. (물속에서 손발을 철벅거리다; 물장난하다; (어린애가) 아장아장 걷다.

páddle bòat〔**stéamer**〕 외륜선.

páddling pòol (공원 등의) 어린이 물놀이터.

pad·dock[pædək] n. ⓒ (마구간 근처의) 작은 목장; 경마장에 딸린 울친 마당. ② 〔濠〕(계의) 사람(별명).

Pad·dy[pædi] n. ⓒ 〔俗〕 아일랜드 사람.

pad·dy[pædi] n. ⓤ 논; 벼; 쌀, 벼.

pad·lock[pædlὰk/-lɔ̀k] n. ⓒ 맹꽁이 자물쇠. — vt. …에 맹꽁이 자물쇠를 채우다.

pa·dre[páːdri, -drei] n. ⓒ 〔이탈리아·스페인 등지의〕 신부, 목사; 종군신부.

pae·an[píːən] n. ⓒ 기쁨의 노래, 찬가; 승리의 노래.

pa·gan[péigən] n., a. ⓒ 이교도의《기독교·유대교·이슬람교에서 본》의); 무종교자(의). ~·ism [-ìzəm] n. ⓤ 이교(신앙). ~·ize [-àiz] vt.

교(도)화하다.

page[**¹**][peidʒ] n. ⓒ ① 페이지. ② 〔印〕 한 페이지의 조판. ③ 기록, 문서. ④ (역사상의) 사건, 시기. ⑤ 〔컴〕 페이지. — vt. (…에) 페이지를 매기다.

page[**²**] n. ⓒ ① 시동(侍童), 근시(近侍); 수습 기사(騎士). ② (호텔 따위의 제복을 입은 급사(~ boy). — vt. (급사에게) 이름을 부르게 하여 (사람을) 찾다. (급사가 하듯이) 이름을 불러 (사람을) 찾다.

pag·eant[pædʒənt] n. ⓤ ① 장관(壯觀), 장려(壯麗)〔장엄〕한 행렬, 광경. ② (화려한) 야외극, 패전트, ④ ⓤ 허식, 걸치레. ~·ry n. ⓤⓒ 장관; 허식.

páge bòy = PAGE[²] (n.); 〔美容〕 안말이(머리 스타일).

pa·go·da[pəgóudə] n. ⓒ (동양의) 탑(a five-storied ~, 5층탑).

paid[peid] v. pay의 과거(분사). — a. 유급의; 고용된; 지급필(拂)의; 현금으로 치른.

pail[peil] n. ⓒ (물 담는) 들통, 양동이; 한 통의 양(量). ~·ful[-fòl] n. ⓒ 한 통 가득(의).

pain[pein] n. ① ⓤ 아픔, 고통, ② 괴로움, 고뇌, 고통, ③ (pl.) 고생, 애씀, ④ ⓤⓒ 형벌. be at the ~s of doing …하려고 애쓰다. for one's ~s 고생한 끝에 값으로 〔보람으로〕; 고생한 애쓴 보람도 없이 (혼나서). on 〔upon, under〕 ~ of …하면 …의 벌을 받는다는 조건으로. ~ in the neck 〔口〕 싫은 것 〔녀석〕. take (much) ~s (크게) 애쓰다. — vt. vi. 아프게 하다. 괴롭히다; 아프다.

pain·ful[-fəl] a. 아픈, 괴로운; 쓰라린. *~·ly ad. 고통스럽게; 애써. ~·ness n.

páin-kìller n. ⓒ 〔口〕 진통제.

pain·less[-lis] a. 아픔〔고통〕이 없는. ~·ly ad. ~·ness n.

pains·tak·ing[péinztèikiŋ] a., n. 부지런한; 공들인; 힘드는; ⓤ 수고, 고심. ~·ly ad.

paint[peint] n. ① ⓤⓒ 채료, 페인트, 칠, 도료, ② ⓤ 화장품, 연지, 루즈. — vt. ① 〔채료로〕 그리다;

P

채색[색칠]하다; 페인트 칠하다. ② 화장하다. ③ (생생하게) 묘사하다. ④ (약을) 바르다. — *vi.* ① 그림을 그리다. ② 화장하다, 연지[루즈]를 바르다. — *in* 그려넣다; 그림물감으로 두드러지게 하다. ~ **out** 페인트로 지우다. ~ **the town red** 《俗》 야단법석하다.

páint bòx 그림물감 상자.

páint brùsh *n.* ⓒ 화필(畫筆).

paint·er¹ [péintər] *n.* ⓒ 화가, 페인트공, 칠장이, 도장공.

paint·er² *n.* ⓒ 【海】 배를 매어 두는 밧줄.

paint·ing [⌐iŋ] *n.* ① ⓒ 그림. ② ⓤ 그리기; 화법. ③ ⓤ 페인트칠. ④ ⓤ 【컴】 색칠.

pair [pɛər] *n.* ⓒ ① 한 쌍(a ~ of shoes 신발 한 켤레); (두 부분으로 된 것의) 하나, 한 자루(a ~ of scissors 가위 한 자루); ② 부부, 약혼한 남녀; (동물의) 한 쌍. ③ (한 데 맨) 두 필의 말. ④ (짝지은 것의) 한 짝[짝]. ⑤ 【政】 서로 지고 투표를 기권하는 반대 양당 의원 두 사람(그 타합, another (a different) ~ of shoes (boots) 별문제다. in ~s, in a ~ 한 쌍이 되어. — *vt., vi.* ① 한 쌍이 되(게 하)다. ② 결혼시키다[하다](with); 짝지우다; 짝짓다. ③ (*vi.*) 【政】 반대당의 의원과 짝을 지어 기권하다. ~ **off** 둘[두 사람]씩 가르다[짝짓다].

pais·ley [péizli] *n., a.* ⓤ 페이즐리 (모직의).

pa·ja·ma [pədʒɑ́ːmə, -ʒǽ-] *n., a.* (*pl.*) 파자마(의), 잠옷(의).

pal [pæl] *n.* ⓒ ① 동료, 친구. ② 짝패, 공범. ③ = PEN PAL. — *vi.* (*-ll-*) 사이가 좋아지다.

pal·ace [pǽlis, -əs] *n.* ⓒ 궁전; 큰 저택.

pal·at·a·ble [pǽlətəbəl] *a.* 맛좋은; 상쾌한. **-bly** *ad.*

pal·a·tal [pǽlətl] *n.* 【解】 구개(口蓋)의; 【音聲】 구개음의. — *n.* 【音聲】 구개음([j] [ç] [ɪ] 따위). ~**ize** [-təlàiz] *vt.* 구개(음)화하다. ~**i·za·tion** [pælətəlizéiʃən] *n.* 구개음화.

pal·ate [pǽlit] *n.* ⓒ ① 【解】 구개,

입천장. ② (보통 *sing.*) 미각; 취미, 기호; 심미.

pa·la·tial [pəléiʃəl] *a.* 궁전의(궁 온); 웅장한.

pa·lav·er [pəlǽvər, -áː-] *n., vt., vi.* (특히 아프리카 토인과 무역상과의) 상담(을 하다); 잡담(하다), 수다(떨다); 아첨; 감언(甘言).

pale¹ [peil] *a.* ① 창백한. ② (빛깔이) 엷은. ③ (빛이) 어슴푸레한. — *vt., vi.* ① 창백하게 하다[되다]. ② 엷게 하다, 엷어지다. ~ **before** [**beside**] …와 비교하여 약해[빛이 엷어]지다. ~**ly** *ad.* ~**ness** *n.*

pa·le·o- [péiliou, pǽ-] '고(古), 구(舊), 원시'의 뜻의 결합사.

pa·le·o·lith·ic [pèiliəlíθik, pæ̀l-] *a.* 구석기 시대의.

pa·le·on·tol·o·gy [pèiliɑntɑ́lədʒi, pæ̀l-|-t⌐l-] *n.* ⓤ 고생물학.

pal·ette [pǽlit] *n.* ⓒ 팔레트, 조색 (調色)판; 팔레트 위의 (여러 색의) 그림물감.

pálette knìfe 팔레트 나이프《그림 물감을 섞는 데 씀》.

pal·imp·sest [pǽlimpsèst] *n.* 거듭 쓴 양피지(의 사본)《본디 문장을 긁어 지우고 그 위에 다시 쓴 것》.

pal·i·sade [pæ̀ləséid] *n.* ① ⓒ 뾰족 말뚝; 울타리. ② (*pl.*) (강가의) 벼랑. — *vt.* 방책(防柵)을 두르다.

pal·ish [péiliʃ] *a.* 좀 창백한; 파리 한.

pall¹ [pɔːl] *n.* ⓒ 관(棺) 덮는 천; 막. — *vt.* 관 씌우개로[처럼] 덮다.

pall² *vi.* (너무 먹거나 마셔) 맛이 없어지다; 물리다(*on, upon*). — *vt.* 물리게 하다.

páll-bèarer *n.* ⓒ 관을 들거나 옆을 따라가는 장송자(葬送者).

pal·let¹ [pǽlit] *n.* ⓒ 짚으로 된 이부 자리; 초라한 잠자리.

pal·let² *n.* ⓒ (도공(陶工)의) 주걱; (화가의) 팔레트; 【機】 (톱니바퀴의) 미늘, 바퀴 멈추개.

pal·li·ate [pǽlièit] *vt.* (병세가 잠정적으로) 누그러지게 하다; 변명하다. **-a·tion** [⌐⌐] *n.*

pal·li·a·tive [pǽlièitiv, -liə-] *a.* (병세 따위를) 완화시키는; (죄를) 경감하는; 변명하는. — *n.* ⓒ (일시 적) 완화제; 변명; 참작할 만한 사정;

고식적인 수단.

pal·lid [pǽlid] *a.* 해쓱한, 창백한
(cf. pale). **~·ly** *ad.* **~·ness** *n.*
(cf. pale)

pal·lor [pǽlər] *n.* Ⓤ 해쓱함, 창백
(cf. pale)

pal·ly [pǽli] *a.* 우호적인, 친한.

palm[pɑːm] *n.* ① ⓒ 손바닥. ② 손목에서 손가락
끝까지의 길이; 수척(手尺)〔폭 3-4인치,
길이 7-10인치〕. ③ 손바닥 모양
의 부분〔노의 편평한 부분, 사슴뿔의
넓적한 부분 따위〕. **grease** [**gild,
tickle**] **a** *person's* **~** 아무에게 뇌
물을 주다(cf. OIL a person's
hand). **have an itching ~** 뇌물을
탐내다; 욕심이 많다. ── *vt.* ① (요
술로) 손바닥에 감추다. **~ off** 속여
팔다〔가짜를 안기다(*off, upon*).

palm² *n.* ⓒ ① 〔植〕 종려, 야자. ②
종려나무의 가지[잎](승리의 상징)
③ (the ~) 승리. **bear** [**carry**
off] **the ~** 〔古·詩〕 우승하다. **yield**
[**give**] **the ~ to** 아무에게 승리를 양
보하다, 지다.

palm·ist [pɑ́ːmist] *n.* ⓒ 손금[수상]
쟁이. **-is·try** *n.* Ⓤ 수상술(手相術).

pálm òil 야자유; 《美俗》뇌물.

Pálm Súnday Easter 직전의 일
요일.

pal·pa·ble [pǽlpəbəl] *a.* 만질[감촉
할] 수 있는; 명백한. **-bly** *ad.* **-bil·
i·ty** [▸-bíləti] *n.*

pal·pi·tate [pǽlpətèit] *vi.* (가슴이)
두근거리다; 떨리다(*with*). **-ta·tion**
[▸-téiʃən] *n.* Ⓤ 두근댐, 동계(動
悸); 〔醫〕 심계항진(心悸亢進).

pal·sy [pɔ́ːlzi] *n., vt.* Ⓤ 중풍; 무기
력; 마비(시키다).

pal·try [pɔ́ːltri] *a.* 하찮은; 무가치
한; 얼마 안 되는.

pam·pas [pǽmpəz, -pəs] *n. pl.*
(the ~) (남아메리카, 특히 아르헨
티나의) 대초원.

pámpas gràss 팜파스초(草)〔남아
메리카 원산의 참억새; 잎에만 씀〕.

pam·per [pǽmpər] *vt.* 어하다, 지
나치게 떠받들다; 실컷 먹게 하다
(식욕 따위)를 지나치게 채우다.

pam·phlet [pǽmflit] *n.* ⓒ 팸플릿;
(시사 문제의) 소(小)논문. **~·eer**
[▸-flətíər] *n., vi.* ⓒ 팸플릿을 쓰는

사람[쓰다, 출판하다].

pan¹[pæn] *n.* ⓒ ① 납작한 냄비. ②
접시(모양의 것), 접시의 접시 (구
식총의) 약실. ③ 〔俗〕상판대기. ──
vt. (**-nn-**) ① (사금을 가려내기 위하
여) 냄비에 (감흙을) 일다(*off, out*).
② ⓒ 혹평하다. **~ out** 사금이
일어내다; 사금이 나오다; (口)…한
결과가 되다(*~ out well*).

pan² (〈 panorama) *vt., vi.* (**-nn-**)
(카메라를 좌우로 움직이다(cf. tilt);
(*vt.*) (카메라를 돌려 …을 촬영하다.

pan- [pæn-] '전(全), 범(汎)(all)'의
뜻의 결합사.

pan·a·ce·a [pæ̀nəsíːə] *n.* ⓒ 만능
약, 만병 통치약.

pa·nache [pənǽʃ, -náːʃ] *n.* Ⓤ 당
당한 태도; 겉치레, 허세; ⓒ (무구
의) 깃털장식.

Pan·a·ma [pǽnəmà:, ▸-△] *n.* ①
(the Isthmus of ~) 파나마 지
협. ② 파나마 공화국; 그 수도. ③
(p-) = **pánama hàt** 파나마 모자.

pan·cake [pǽnkèik] *n.* ① ⓒ,Ⓤ 팬
케이크(일종의 핫케이크). ② ⓒ 〔空〕
(비행기의) 수평 낙하. ── *vi.* 〔空〕 수
평 낙하하다.

Páncake Dày Ash Wednesday
바로 전 화요일(pancake를 먹는 습
관에서).

pan·cre·as [pǽŋkriəs] *n.* ⓒ 〔解〕
췌장(膵臓). **-cre·at·ic** [▸-ǽtik] *a.*

pan·da [pǽndə] *n.* ① 〔動〕 판다(히
말라야 등지에 서식하는 너구리 비슷
한 짐승); 흑백곰의 일종(giant ~)
(티베트·중국 남부산).

pánda càr 〔英〕(경찰의) 순찰차.

pan·dem·ic [pændémik] *a., n.* ⓒ
전국적[세계적] 유행의 (병)(cf. epi-
demic).

pan·de·mo·ni·um [pæ̀ndəmóuni-
əm, -njəm] *n.* ① (P-) 마귀궁, 복마
전(伏魔殿). ② ⓒ 수라장; Ⓤ 대혼란.

pan·der [pǽndər] *vt., vi., n.* 나쁜 일
[매춘]의 알선을 하다(*to*); ⓒ 그 사
람.

pane[pein] *n.* ⓒ 창유리의 창유리1.

pan·e·gyr·ic [pæ̀nədʒírik] *n.* ⓒ
칭찬의 연설[글], 찬사(*upon*); 격
찬. **-i·cal** [-əl] *a.* ⓒ

pan·el [pǽnl] *n.* ⓒ ① 판벽널, 판자

널. ② 화판(畫板): 패널판의 사진(4
×8.5인치): 폭이 좁고 긴 그림[장
식]. ③ 양피지 조각: 〖法〗배심원 명
부, 〖집합적〗배심원단: 〖英〗건강 보험
의사 명부. ② 〖집합적〗(3, 4명의) 그룹, 위원: 〖敍〗
(퀴즈 프로) 회답자들. — *vt.*
-ll- 판벽널을 끼우다. **~·(l)ist** *n.*
ⓒ (토론회 따위의) 토론자, 참석자.

pán·el·(l)ing[-iŋ] *n.* ⓤ 〖집합적〗
판벽널.

pang[pæŋ] *n.* (cf. pain) ① 고통:
격통, 심한 아픔.

pán·handle *n.* ⓒ 프라이팬의 자루.
(P-) (美) 좁고 긴 땅. — *vt., vi.*
(美) (길에서) 구걸하다. **-handler**
n. ⓒ 거지.

:pan·ic[pǽnik] *n.* ⓤⓒ 낭패, 당황
(sudden fear): ⓒ 〖經〗공황
— *a.* 공황적인, 낭패의. — *a.*
(-ck-) (俗) (청중을) 열광케 하다.
be at ~ stations (…을) 서둘러
하지 않으면 안 되다: (…때문에) 몹
시 당황하다(over). **pán·ick·y** *a.*
(口) ➡ PANIC.

pánic-stricken, -struck *a.* 공
황에 휩쓸린: 당황한, 허둥거리는.

pan·nier[pǽnjər, -niər] *n.* ⓒ
(말의 등 양쪽에 걸치는) 광주: (옛날
의) 스커트 버팀대.

pan·o·ply[pǽnəpli] *n.* ① ⓤ 성대
한 의식(of). ② (한 벌의) 갑주(甲
胄). ③ 완전한 장비[덮개].

pan·o·ra·ma[pæ̀nərǽmə, -áː-] *n.*
ⓒ 파노라마: 전경(全景): 개관(槪觀):
잇달아 변하는 광경[영상]. **-ram·ic**
[-rǽmik] *a.*

pán·pipe, Pán's pipes *n.* ⓒ
판(Pan)피리(파이프를 길이가 다른 대
로 묶은 옛 악기).

pan·sy[pǽnzi] *n.* ⓒ 〖植〗팬지(의
꽃): (俗) 여자 같은(나약한) 사내,
동성애의 남자.

:pant[pænt] *n., vi.* ⓒ 헐떡임, 헐떡
이다, 숨이 막히다: (엔진이 증기
따위를) 확 내뿜다(내뿜는 소리): 동
계(動悸), 두근거리다: 열망하다(for,
after). — *vt.* 헐떡거리며 말하다
(out, forth).

pan·ta·loon[pæ̀ntəlúːn] *n.* ⓒ ①
(근대 무언극(無言劇)의) 늙은이 어릿

광대(《clown의 상대역》). ② (주로
美) (*pl.*) 바지.

pan·tech·ni·con[pæntéknikàn
-kən/-kɔn] *n.* ⓒ 〖英〗가구 전열장
(장): 〖英〗가구 운반차.

pan·the·ism[pǽnθiìzəm] *n.* ⓤ
신론(汎神論): 다신교. **-ist** *n.* ⓒ 범
신론자. **-is·tic** [-⊃-ístik]. **i·ca**
[-ə] *a.*

pan·the·on[pǽnθiən] *n.* (the P-)
(로마의) 판테온, 만신전(萬神殿): ⓒ
한 나라 위인들의 무덤·기념비가 있는
건물: 〖집합적〗한 국민이 믿는 신들

pan·ther[pǽnθər] *n.* ⓒ 〖動〗표
마: 〖美〗아메리카표범(jaguar).

pant·ies[pǽntiz] *n. pl.* 팬티 (어
린애의) 잠방이.

pán·ti·hose *n.* 〖英〗= PANTY·
HOSE.

pan·to[pǽntou] *n.* 〖英〗= PAN·
TOMIME ②.

pan·to·mime[pǽntəmàim] *n., vt.,
vi.* ⓤ ⓒ 무언극(을 하다): 〖英〗
(크리스마스 때의) 동화극. ② 몸짓
으로 나타내다, 손짓.

pan·try[pǽntri] *n.* ⓒ 식료품[저장]
실(室), 식기실.

:pants[pænts] *n. pl.* (주로 美)바
지: (여자용) 드로어즈: 〖英〗(남
용)속바지, 팬츠. *beat the ~ of*
혼쭐나게 만들다, *bore the ~ of*
a person 아무를 질력나게 하다.
wear the ~ 내주장하다.

pánt·suit *n.* ⓒ 〖美〗 팬트수트(상의
와 바지로 된 여성용 슈트).

panty hose *n.* 〖美〗(복수 취급) 팬
티스타킹.

pap[pæp] *n.* ⓤ (어린애·환자용) 미
죽: 〖俗〗(관리의) 음성적 수입.

pa·pa[páːpə, pəpáː] *n.* ⓒ 아빠.

pa·pa·cy[péipəsi] *n.* ① (the ~)
교황의 지위[권력]. ② ⓒ 교황의 임
기. ③ ⓤ 교황 정치.

pa·pal[péipəl] *a.* 로마 교황의: 교
황 정치의: 로마 가톨릭 교회의.

pa·paw[pɔ́ːpɔː, pəpɔ́ː] *n.* ⓒ 〖북
산의〗포포 나무: ⓒⓤ 포포 열매.

pa·pa·ya[pəpáiə] *n.* ⓒ 〖열대산〗
파파야(나무): ⓒⓤ 파파야 열매.

:pa·per[péipər] *n.* ① ⓤ 종이, 벽
지, 도배지. ② ⓒ 신문. ③ ⓤ ~

음: 지체. ④ (pl.) 신분 증명서; 서류. ⑤ ⓒ 논문; 시험 문제; 답안. ⑥ ⓒ 종이 한 장, 포장지. on ~ 서류[이론]상으로는. put pen to ~ 붓을 들다, 쓰기 시작하다. — vt. ① 도배지[종이]를 바르다. [종이]로 싸다(up). ③ 틈을 메우다. — a. 종이의[로 만든], 종이 같은, 얇은, 무른. ③ 서류(상)의.

páper·bàck n. ⓒ (염가판) 종이 표지 책(paper book). 종이 표지의.

páper bòy (gìrl) 신문 파는 소년 (소녀).

páper chàse = HARE and hounds.

páper knìfe 종이 베는 칼.

páper mòney (cúrrency) 지폐.

páper-thín a. 종이처럼 얇은; 아슬 아슬한.

páper tíger 종이 호랑이, 허장성 세.

páper·wèight n. ⓒ 서진(書鎭).

páper·wòrk n. 탁상 사무, 문서 업무, 서류를 다루는 일.

pa·per·y [péipəri] a. 종이 모양의 [같은]; 종이같이 얇은; 취약한.

pa·pier-mâ·ché [péipərməʃéi, pæpjeimáʃéi] n. ⓤ a. (F.) 압축 풍이(混凝紙)(송진과 기름을 먹인 딱딱한 종이;세공·장식 등에 쓰임); 혼응지로 만든.

pa·pist [péipist] n., a. (종종 ⓒ (蔑) 가톨릭 교도(의).

pap·ri·ka [pæprí:kə] n. ⓒ 고 추의 일종. *Spanish ~ 피망.

pa·py·rus [pəpáirəs/-páiər-] n. (pl. ~·es, -ri[-rai]) ⓤ [植] 파피루스(고 대 이집트·그리스·로마 사람의 종이 원료); 파피루스 종이; ⓒ (파피루스로 쓴) 엣 문서.

par [pɑːr] n. ① (a ~) 동등. ② ⓤ [經] 평가(平價), 액면 ; 동 격; 환평가(換平價). ③ ⓤ [골프] 표 준 타수. above ~ 액면 이상으로; 평 균 이상으로. at ~ 액면 가격으로. below ~ 액 면 이하로; 평균 이하로. on a ~ with …와 같이(동등하여). ~ of exchange (외국환의) 법정 평가. — a. 평균(정상, 평가)의.

par. paragraph.

par·a-¹ [pærə] pref. '측면, 이 의, 이외, 부정, 물리적'의 뜻. ②

[醫] '의사(擬似), 부(副)'의 뜻.

par·a-² '보호, 방호'의 뜻의 결합 사. ② '낙하산'의 뜻의 결합사.

par·a·ble [pǽrəbl] n. ⓒ 비유 (담), 우화.

pa·rab·o·la [pərǽbələ] n. ⓒ [數] 포물선; 파라볼라.

par·a·bol·ic [pærəbálik/-5-], **-i·cal** [-əl] a. 우화적의; 포물선(모 양의). *parabolic antenna* 파라 볼라 안테나.

par·a·chute [pǽrəʃù:t] n., vi., vt., 낙하산으로 내리다. 낙하산으로 뛰어 내리다(강하하다). **-chùt·er, -chùt·ist** ⓒ 낙하산병(兵).

pa·rade [pəréid] n. ① 행렬, 퍼 위 행진. ② 과시, 자랑하여 보이기: 장관; [故] (프로·히트슐 따위의) 열 거(hit ~). ③ [軍] 열병식(閱兵式). ⓤ (주로 집합) 산책자; 산보하는 사람들, 인파. *make a ~ of* …을 자랑해 보이다. *on ~* (배우·등) 출연 중인; 정렬한. — vt. ① 열병하다; (열병을 위해) 정렬시키다. ② (거리 따위를) 누비고 다니다. ③ 과시하다. 뽐내다. — vi. ① 줄을 지어 행진하다. ② 과시하여 걸어가다, 뽐내며 걷다. **pa·rad·er** [-ər] n. ⓒ 행 진하는 사람.

paráde gròund 열병[연병]장.

par·a·digm [pǽrədàim, -dim] n. ① 범례; 모범. ② [文] 어형 변화표.

par·a·dise [pǽrədàis] n. ① (P-) 천국; 에덴 동산. ② ⓤ 낙원.

par·a·dox [pǽrədàks/-dɔks] n. ① ⓤⓒ 역설(일견 모순된 것 같으나 바른 이론); 보기: *The child is father of the man.*) ② 모순된 설(인물·일). ~·i·cal [²ᵘᵈ꒣kəl] a.

par·af·fin [pǽrəfin], **-fine** [-fì:n] n., vt. (파라핀(으로 처리하다)): 메 탄계의 탄화수소.

par·a·gon [pǽrəgən, -gàn] n. ① 모범, 전형; 뛰어난 인물; 일품(品). ② [印] 패러건 활자(20포인트).

par·a·graph [pǽrəgræf, -grà:f] n. ① (문장의) 마디, 절(節) ; 단락. ② 단락 부호(¶). ③ (신문 등의, 표제 없는) 단평(短評). — vt. ① (문장 을) 절로 나누다. ② (…의) 기사 를 쓰다. ~·er n. ⓒ 단평 기자.

par·a·keet [pǽrəkì:t] n. ⓒ 잉무

새의 일종.

:par·al·lel[pǽrəlèl] a. ① 평행의 (to, with). ② 동일 방향[목적]의 (to, with). ③ 대응하는; 유사한. ③ [컴] 병렬의. —n. ① ⓒ 평행선 [면]. ② 유사물; 대응자[물]. ③ 대비. ④ 위선(緯線). ⑤ [印] 평행 부호(‖). ⑥ [軍] 병렬. draw a ~ between …을 비교하다. have no ~ 유례가 없다. in ~ with …와 병행하여. without (a) ~ 유례 없 이. —vt. ① (美) -ll-) ① 평행하다 [시키다]. ② 필적하다[시키다]. ③ 비교하다(with). ~·ism n. 평행; 유사; 대응; [文] 평행법; [生] 평행 현상; [修] 대구법(對句法).

párallel bárs 평행봉.

par·al·lel·ism[pǽrəlelìzm] n. ⓤ 평행; ⓒ 비교, 대응; 유사.

par·al·lel·o·gram[pǽrəlélə-græm] n. ⓒ 평행 4변형.

pa·ral·y·sis[pərǽləsis] n. (pl. -ses[-siːz]) ⓤⓒ ① [醫] 마비, 불구, 중풍(中風). ② [醫] 마비. ③ 무기력, 정체(停滯).

par·a·lyt·ic[pærəlítik] a., n. 마비 (性)의; 무력한; ⓒ 중풍 환자.

:par·a·lyze[pǽrəlàiz] (英) -lyse[pǽrəlàiz] vt. 마비시키다; 무기력하게 하다.

par·a·med·ic[pærəmédik] n. ⓒ ① 낙하산 의무병[군의관]. ② 준의료 종사자(조산원 등).

par·a·med·i·cal[pærəmédikəl] a. 준의료 종사자의, 준의료 활동의.

pa·ram·e·ter[pərǽmitər] n. ① [數·컴] 매개 변수, 파라미터; [統] 모수(母數).

pàra·míl·i·tary a. 군 보조의, 준(準)군사적인.

par·a·mount[pǽrəmàunt] a. 최고의; 주요한; 보다 우수한(to).

par·a·noi·a[pærənɔ́iə] n. ⓤ 편집광의 (偏執狂). -ac[-nɔ́iæk] a., n. ⓒ 편집광의 (환자).

pàra·nórmal a. 과학적[합리적]으로는 설명할 수 없는.

par·a·pet[pǽrəpit, -pèt] n. ⓒ 난간; (성의) 흉장(胸墻).

par·a·pher·na·lia[pærəfər-néiljə] n. ⓤ (복수 취급)다종다양한 지품(細品); 장치, 여러 가지 도구.

:par·a·phrase[pǽrəfrèiz] n. ⓒ

(상세하고 쉽게) 바꿔쓰기, 말하기; 의역(意譯). —vt., vi. 의역하다.

par·a·ple·gi·a[pærəplíːdʒiə] n. ⓤ [醫]하반신 불수.

pàra·psychólogy n. ⓤ 초(超)심리학(심령 현상의 과학적 연구 분야).

par·a·site[pǽrəsàit] n. ① 기생 생물, 기생충[균]. ② 기식자, 식객. -sit·ism[-sàitìzəm] n. ⓤ 기생(상태). [病] 기생충 감염증. -sit·ic[pærəsítik], -sit·i·cal[-əl] a. 기생의, 기생적인; [醫] 와류(渦流)의.

par·a·sol[pǽrəsɔ̀ːl, -sὰl/-sɔ̀l] n. ⓒ 양산, 파라솔.

par·a·troop[pǽrətrùːp] a., n. (pl.) 공정대(空挺隊)(의). ~·er n. ⓒ 공정대원.

par·boil[pάːrbɔ̀il] vt. 반숙(半熟)이 되게 하다; 너무 뜨겁게 하다(over heat); (태양 따위가) 태우다.

par·cel[pάːrsəl] n. ① ⓒ 소포, 꾸러미, 소화물. ② (토지의) 한 구획. ③ (a ~) 한 떼, 한 무더기. by ~s 조금씩. PART and ~. —vt. (美) -ll-) ① 분배하다(out, into). ② 소포로 하다(up).

parch[pɑːrtʃ] vt. ① (콩 따위를) 볶다, 덖다, 태우다. ② 바싹 말리다. ③ 갈증을 느끼게 하다(with). —vi. 바싹 마르다; 타다. be ~ed with thirst 목이 타다. —ed[-t] a. 볶은, 덖은, 탄; 바싹 마른. ~·ing a. 타는[태우는] 듯한.

parch·ment[pάːrtʃmənt] n. ① ⓤ 양피지. ② ⓒ 양피지 문서.

:par·don[pάːrdn] n. ① ⓤⓒ 용서. ② ⓒ [宗] 면죄; [法] 사면. I beg your ~. 죄송합니다만; 실례입니다만(상대방의 말을 반대할 때); 《끝을 올려 발음하면》 다시 한 번 말씀해 주시오; 《성난 어조로》 다시 한 번 말해 봐라! —vt. 용서하다; [法] 사면하다. ~·a·ble a. 용서할 수 있는. -·er n. ⓒ 용서하는 사람; [史] 면죄부 파는 사람.

pare[peər] vt. (…의) 껍질을 벗기다. ② 잘라[깎아] 내다(off away). ③ (예산 따위를) 조금씩 줄이다, 절감하다(away, down).

:par·ent[pǽərənt] n. ⓒ ① 어버이. ② (pl.) 조상. ③ (동식물의) 어미,

체. ④ 근원, 원인. **~·hood**[-hùd] *n.* ⓤ 어버이임; 친자 관계.

par·ent·age [-idʒ] *n.* ⓤ 어버이임; 태생; 혈통; 가문. 「서」의.

pa·ren·tal [pəréntl] *a.* 어버이(로)

pár·ent còmpany 모(母)회사.

pa·ren·the·sis [pərénθəsis] *n.* (*pl.* **-ses**[-siːz]) ⓒ ① 삽입구. ② (보통 *pl.*) (둥근) 괄호. ③ 간격. **-size** [-θəsàiz] *vt.* 괄호 속에 넣다; 삽입구를 넣다. **par·en·thet·ic** [pærənθétik], **-i·cal**[-əl] *a.* 삽입구의; 설명적인.

parent-téacher associàtion 사친회《略 P.T.A.》.

par ex·cel·lence [páːr èksəláːns] (F.) 특히 뛰어난.

pa·ri·ah [pəráiə, páːriə] *n.* ⓒ (남부 인도의) 최하층민; 사회에서 버림받은 자.

par·ish [pǽriʃ] *n.* ⓒ ① (교회의) 교구, 본당(本堂). ② (잉글랜드의) 군. ③ (미국 Louisiana주의) 군. *all over the* ~ 《英》 어디에나, 도처에(everywhere). *go on the* ~ 구제의 신세를 지다.

párish clèrk 《英》 교회의 서무원. 「교구민.

pa·rish·ion·er [pəríʃənər] *n.* ⓒ

párish régister 교구 기록부《세례·결혼·사망 따위》.

Pa·ri·sian [pəríʒiən, -ziən] *a.* 파리(식·사람)의. — *n.* ⓒ 파리 사람.

par·i·ty [pǽrəti] *n.* ⓤ 동등, 동격; 일치; 《商》 등가(等價), 평가(平價); 유사; 《經》 「패리티」《농가의 수입과 생활필수품의 비율》; 《컴》 패리티. 패리티 비트.

park [paːrk] *n.* ⓒ ① 공원. ② 큰 정원. ③ 《英》 사냥터. ③ 주차장. ④ 《軍》 (군대 숙영 중의 차들의 주차 장소, 차량(砲車)). *the* P- 하이드 파크《런던의 유명한 공원》. — *vt.* ① 공원으로 따위를) 기지에 집결시키다. ③ 주차시키다. ④ 《口》 두다, 두고 가다.

par·ka [páːrkə] *n.* ⓒ (알래스카·시베리아의) 후드 달린 털가죽 재킷; 후드 달린 재킷(스목)(cf. anorak).

park·ing [-iŋ] *n., a.* 주차(의); 《컴》 멈춤, 파킹. *No* ~. 주차 금지.

---

párking lòt 《美》 주차장《英》 car park).

párking mèter 주차 시간 표시기.

párking ticket 주차 위반 호출장.

Pár·kin·son's disèase [páːrkin-sənz-] 《醫》 진전(震顫) 마비(paralysis agitans).

Párkinson's láw 파킨슨의 법칙《영국의 C. Parkinson이 제창한 풍자적 경제 법칙》.

párk·land *n.* ⓤ 수목이 듬성듬성 있는 초원지, 풀치 지구.

párk·way *n.* ⓒ 《美》 공원도로《중앙에 가로수나 잔디가 있는 큰 길》.

par·lance [páːrləns] *n.* ⓤ 말투, 어조, 어법(語法).

par·ley [páːrli] *n., vi.* ⓒ 상의, 협의, 교섭; (특히 전쟁터에서 적과의) 담판(을 하다).

par·lia·ment [páːrləmənt] *n.* ① ⓤ 의회, 국회(cf. congress). ② (P-) 영국 의회.

par·lia·men·tar·i·an [pàːrlə-mentέəriən] *n.* ⓒ 의회 법규(정치)에 정통한 사람.

par·lia·men·ta·ry [-méntəri] *a.* ① 의회의, 의회가 있는. ② 의회에서 제정된. ③ 의회 법규(관습)에 따른.

par·lor, 《英》 **-lour** [páːrlər] *n., a.* ① 객실(의), 거실; 응접실·클럽의 담화실; 《美》 영업실, …점(店).

párlor gàme 실내의 놀이.

par·lous [páːrləs] *a.* 《古》 위험한(perilous); 빈틈 없는. — *ad.* 몹시.

pa·ro·chi·al [pəróukiəl] *a.* 교구의《를 하의》; 지방적인; 편협한. **~·ism**[-izəm] *n.* ⓤ 교구 제도; 지방 근성; 편협.

par·o·dy [pǽrədi] *n.* ⓤ,ⓒ 풍자적《조롱적》 모방 시문(詩文); 서투른 모방. — *vt.* 풍자적으로 모방하다; 서투르게 흉내내다. **-dist** *n.* ⓒ 《조롱적》 모방 시문 작가.

pa·role [pəróul] *n., vi.* ① 포로의 선서; 가석방; 집행 유예; (포로들에) 선서시키고 석방하다; 가석방하다.

par·ox·ysm [pǽrəksizəm] *n.* ⓒ 발작; (감정의) 격발(激發). **-ys·mal** [pæ̀rəksízməl] *a.*

par·quet [paːrkéi] *n.* ⓤ 쪽모이

세공한 마루. ② ⓒ 《美》 (극장의) 아래층 앞자리, 오케스트라 박스로 parquet circle(⑤) 사이의 자리. —— vt. (《美》 -tt-) 쪽모이 세공 마루를 깔다. **~·ry** [pɑ́ːrkətri] n. ⓤ 쪽모이 세공[깔기].

parquet circle 《美》 (극장의 2층 관람석 밑) parquet ②의 뒤쪽.

par·ri·cide [pǽrəsàid] n. ① 어버이[존속] 살해(죄). ② ⓒ 그 범인. **-cid·al**[>-sáidl] a.

‡**par·rot** [pǽrət] n., vt. ⓒ 〔鳥〕 앵무새; 앵무새처럼 말을 되뇌다〔입내내다〕; 그 사람.

par·ry [pǽri] vt. 받아넘기다, 슬쩍 피하다; 비키다; 얼버무리다, 둘러〔꾸며〕대다. —— n. ⓒ (펜싱의) 받아넘김, 슬쩍 피함; (말을) 둘러댐.

parse [pɑːrs] vt. (글을 문법적으로) 해부하다; (어구의 품사·문법 관계를) 설명하다.

Par·see, -si [pɑ́ːrsiː, -´] n. ⓒ 페르시아계의 조로아스터 교도.

par·si·mo·ni·ous [pɑ̀ːrsəmóuniəs] a. 인색한. **~·ly** ad. **-ny** [pɑ́ːrsə-mòuni/-məni] n.

pars·ley [pɑ́ːrsli] n. ⓤ 〔植〕 양미나리, 파슬리.

pars·nip [pɑ́ːrsnip] n. ⓒ 〔植〕 양〔아메리카〕방풍나물.

‡**par·son** [pɑ́ːrsən] n. ⓒ 교구 목사; 《口》 목사. **~·age**[-idʒ] n. ⓒ 목사관.

‡**part** [pɑːrt] n. ① ⓒ 부분, 일부(책 따위의) 부, 편; 신체의 부분 ② ⓤ (일의) 역할, 구실. ③ ⓒ (배우의) 역, 대사. ④ ⓤ (상대방과) 한쪽 편, 쪽, 편(side). ⑤ (pl.) 지방, 지구. ⑥ (pl.) 재능. ⑦ ⓒ 〔樂〕 음부[部], 성부(聲部), 악곡(樂曲). ⑧ ⓒ 《美》 머리의 가르마. **a ~ of speech** 품사. **for my ~** 나(로서)는. **for the most ~** 대부분은. **in ~** 일부분. **~ and parcel** 중요 부분. **play a ~** 한몫을 하다; 시치미를 떼다. **take (it) in good〔bad〕~** (그것을 선의〔악의〕로 해석하다. **take ~ in** ...에 관계〔참가〕하다. **take ~ with, or take the ~ of** ...에 편들다〔가담하다〕. —— vt. ① 나누다. ② (머리를) 가르다.

③ 절단하다; 매어 놓다. ④ 《古》 분배하다. —— vi. ① 갈라지다, 떨어지다; 터지다, 쪼개지다. ② (···과) 헤어지다(from). ③ (남에게) 넘겨주다(with). ④ 떠나다, 죽다. ~ **company with** ...와 헤어지다. ~ **with** ...을 헤어주다; (남에게) 넘겨주다; (略)...와 헤어지다. —— a. 부분의. —— ad. 일부분(a part ~ study, ~ studio 서재 겸 아틀리에); 어느 정도; **∠·ly** ad. 일부분. 얼마간.

par·take [pɑːrtéik] vi. (**-took; -taken**) ① 한 몫 끼다, 참여하다 (share)(of, in); 같이〔똑같이〕받다. ② 얼마큼 먹다〔마시다〕(of). ③ (성질 따위가 ...의) 기미가 있다(of). —— vt. (...에) 참여하다, 함께하다. **par·ták·er** n. ⓒ 함께하는 사람, 관여자(of, in).

‡**par·tial** [pɑ́ːrʃəl] a. ① 부분적인, 불완전한〔불공평〕한. ② 특히 좋아하는 (to). **~·ly** ad. **~·ness** n.

par·ti·al·i·ty [pɑ̀ːrʃiǽləti] n. ⓤ 불공평, 편파(한 (a ~) 편애, 기호(for, to).

par·tic·i·pant [pɑːrtísəpənt] a. 관계하는(of). n. ⓒ 참가자, 관계자. 협동자.

par·tic·i·pate [pɑːrtísəpèit] vi., vt. ① 관여〔관계〕하다; 가담〔참여〕하다(in, with). ② (···한) 기미가 있다(of). **-pa·tor** n. ⓒ 관계자, 참가자, 협동자. **∶-pa·tion**[>-péiʃən] n. 관여, 관계; 협동.

par·ti·ci·ple [pɑ́ːrtəsìpəl] n. 〔文〕 분사. **-cip·i·al**[pɑ̀ːrtəsípiəl] a. 〔文〕 분사의. **participial construction** 〔文〕 분사 구문.

par·ti·cle [pɑ́ːrtikl] n. ⓒ ① 미분자 (微分子); 미량(微量), 극소 ② 〔理〕 질점 (質點). ③ 〔文〕 불변화사(不變化詞) (관사·전치사, 접속사, 감탄사); 접두〔접미〕사.

‡**par·tic·u·lar** [pərtíkjələr] a. ① 특수한, 특정의(cf. special); 고유의, 독특한. ② 각별한; 현저한; 상세한. ③ 까다로운(about, in, over). —— n. ① ⓒ 사항, 항목. ② (pl.) 자세한 내용〔점〕. ③ (the ~) 자세한 in ~ 특히, 상세하게. **the London in ~** 특히, 상세하게, **the London**

~ 런던의 명물《안개 따위》; **:~·ly**
ad. 특히; 낱낱이; 상세히.

par·tic·u·lar·i·ty[pərtìkjəlǽrəti]
n. ⓤ 특성, 특이성, 특색; 상세함;
세밀한 주의; 까다로움.

par·tic·u·lar·ize[pərtíkjələràiz]
vt., vi. 상술하다; 열거하다[하나하나].
-i·za·tion[-̀--lərizéiʃən/-rai-] *n.*

part·ing[pá:rtiŋ] *n.* ① ⓤ© 이별,
고별; 벗셈. ② ⓤ 분리; 출발. ③
© 분기점. ─ *a.* ① 고별[이별]의;
최후의. ② 떠나가는. ③ 나누는.

par·ti·san[pá:rtəzən/pà:tizǽn]
n., a. ① 도당(徒黨)《의 한 사람》,
한 동아리; 당파심. ② 〖軍〗유격병
(의). ─**·ship**[-ʃìp] *n.* ⓤ 당파
심; 가담.

par·ti·tion[pa:rtíʃən] *n., vt.* ① 분
할(하다); 구획(하다). ② ⓒ 부분; 칸막
이; 벽; 칸막이(의 하나). ③ ⓤ 분할.

par·ti·tive[pá:rtətiv] *a., n.*
〖文〗부분을 나타내는《말》《some,
few, any 등》.

part·ner[pá:rtnər] *n.* ⓒ ① 협동
자; 동아리, 공동자(共同者). ② 〖商〗
조합원, 사원. ③ 배우자《댄스의》파
트너(《경기의》짝패. ─**·less** *a.* 상
대가 없는. **~·ship**[-ʃìp] *n.* ⓤ 공
동, 협력; ⓒ 조합, 상사, 합명(合名)
회사; ⓤ© 조합 계약, 공동 경영.

párt ównership 공동 소유.

par·took[pa:rtúk] *v.* partake 의
과거.

par·tridge[pá:rtridʒ] *n.* (*pl.* **~s,**
《집합적》**~**) 〖鳥〗반시·자고의 무리
《미국의》 목도리뇌조.

part-time[pá:rttàim] *a.* 시간제의,
파트타임의. **~·timer** *n.* 시간제의
근무자(cf. full-timer) ① 정시제(定時
制) 학교의 학생.

par·ty[pá:rti] *n.* ① 당(黨): 정
당; (the P-) 《공산당》. ② 〖軍〗분
견대(分遣隊), 부대; 일행; 대(隊)
한동아리, 자기편. ③ 《사교의》모
임, 연회·소송의 당사자, (증인
(the third ~ 제삼자), ⑥ 《口》사
람. **be a ~ to** …에 관계하다.
make one's ~ good 자기 주장을
관철하다《입장을 유리하게 하다》.
─ *a.* 정당《당파》의.

párty line (전화의) 공동 가입선;

(정당의) 정책 노선; (공산당의) 당
강령.

párty pólitics 정당 본위 정치《자
기 당의 이익만 생각하는》; 당략.

párty spírit 당파심, 애당심; 파티
열《熱》.

párty wáll 〖法〗 (이웃집과의) 경계
벽.

par·ve·nu[pá:rvənjù:] *n.* (F.) 벼
락부자, 졸부.

pas[pɑ:] *n.* (F.)(*pl.* ~ [-z]) ⓒ 《댄
스의》스텝, 선행로, 우선권.

pass[pæs, pɑ:s] *vi.* (~*ed*[-t],
past) ① 지나가다; 나아가다《*away,
out, by*》; 통과하다《*by, over*》. ②
《때가》경과하다. ③ 변화하다《~
into nothingness 무《無》로 돌아가
다), 되다《*become*(*to, in*)). ④ 《시
험에》합격하다《의안의》통과하다.
⑤ 소실《소멸》하다; 떠나다; 끝나다;
죽다《의 사전이》유나하다. ⑦ 통
용하다《*for, as*》. ⑧ 판결을 내리다;
《판결이》내려지다《*on, upon*》. ⑨
《재산 따위가》남의 손에》넘어가다
《공잔 따위가》돌다, ⑩ 《(구기 따
구)에서》공을 패스하다; 《카드 패스
하다; 《팬싱》찌르다《*on, upon*》.
─ *vt.* ① 지나가다; 통과(통행)》넘
《어 가다, 건너다, 횡단하다. ② 《시
간을》보내다, 지내다. ③ 움직이다;
《붕중 따위》휘감다: 쾌다, 꿰들다.
④ 《의안이》통과《가결》하다. ⑤ 《시
험에》합격하다, 급제시키다. ⑥ 양도
하다, 넘겨주다; 돌리다. ⑦ 못보고
지나치다, 눈감아 주다, 간과하다; 아
무것도 않고 그대로 두다. ⑧ 《판결
을》선고하다; 《판단을》내리다; 《의
견을》말하다, ⑨ 약속하다; 《한도
를》넘다; …보다 낫다. ⑩ 《美》 겨루
다, 패스하다, 생략하다. ⑫ 《공을》패
스하다: 〖野〗 《구주 또는 히트로 주자
를》1루에서 나가게 하다. ⑬ 《대
소변을》보다다; ~ *water* 소변보다다. **~
away** 지나가다; 끝나다; 스러지다,
안쓰이게 되다; 죽다; 《때가》지나
지나《가다》; 《때가》지나가다; 눈감아
주다; 못보고 지나치다《빠뜨리다》; 무
시하다; 《부》지나치다《빠뜨리다》: 무
시하다. ~ *into* …으로 변하다; ~
의 손으로 넘어가다. ~ *off* 떠나
다; 차차 사라지다; 잘 되어가다; 일
어나다《happen》; 《가짜를 쥐어줌다
《갖게 하다《*on*》; 《그 자리를》얼버

무려 꾸미다; 가짜로 통하다 (~
oneself off as 짐짓 …으로 행세하
다). ~ **on** 나아가다; 넘겨주다.
~ **out** 나가다; 《口》의식을 잃다.
~ **over** 건너다; 통과하다; (때를)
보내다; 생략하다; 못보고 빠뜨리다
(넘어가다), 무시하다. ~ **the**
BABY. ~ **through** 빠져 나가다; 관
통하다; 경험하다, 간과하다; 포기하다.
~ **up** 《美俗》그
대로 보내다; 간과하다; 포기하다.
— *n.* ⓒ 합격, 급제; 《英》무료
급제(무등 급제가 아닌), 패스《무
료 입장(승차)권》; 통행(입장)허가,
③ 모양, 상태; 위기, 《위험중의》
안수(按手); 요술, 속임수, ⑤ 산길
(path), ⑥ 물길, 수로, ⑦ 《펜싱》
찌르기; 《球技·카드》패스; 《野》사구
(四球); 출루(出壘)(walk). ⑧ 【컴】
과정. *bring to* ~ 이룩하다; 야기
시키다. *come to* ~ 일어나다
(happen)《*come to a nice* 〔*pretty*〕
~ 낭패〔곤란〕하게 되다). ~*er n.*

pass·a·ble [pǽsəbl, -á:-] *a.* ①
통행할 수 있는, 건너갈 수 있는, (성적
이) 보통인, ③ (화폐 따위) 통용되
는; (의안이) 통과될 수 있는. **-bly**
ad.

pas·sage [pǽsidʒ] *n.* ① ⓤⓒ 통
행, 통과; 통행권 ② ⓤ (사건의)
진행; (배의) 경과; 추이, ③ ⓤ 여
행, 항해. ④ ⓤ 뱃삯; 찻삯; 항행
권. ⑤ 통로, 샛길; 《英》복도,
수로(水路). ⑥ ⓒ (문장·연설의) 한
절; 【樂】악절. ⑦ ⓤⓒ (의안의) 통
과, 가결. ⑧ (*pl.*) 밀담, 교섭. *make
a* ~ 항해하다. ~ *of arms* 시합,
싸움, 격투; 논쟁, 언쟁. *take* ~ *in* …을
타고 도항(渡航)하다. *work one's*
~ 뱃삯 대신 배에서 일하다.

páss·bòok *n.* ⓒ 은행 통장 (외
상) 거래장.

pas·sé [pæséi, ˈ-ˈ] *a.* (F.) 과거
의, 한창때가 지난; 시대에 뒤진.

pas·sen·ger [pǽsəndʒər] *n.* ⓒ 여
객, (특히) 선객.

pas·ser-by [pǽsərbái] *n.* (*pl.*
-s-by) ⓒ 지나가는 사람, 통행인.

pas·sim [pǽsim] *ad.* (L.) 《인용서
(書)의》여기저기에.

pass·ing [pǽsiŋ, -á:-] *a.* ① 통행

〔통과〕하는, ② 목전〔현재〕의, ③ 삼
시〔순식〕간의, ④ 대충의; 우연의, ⑤
합격의; 채점의. — *n.* ⓤ 통행, 통
과; 경과; 죽음; (의안의)통과, 가결.
in …하는 김에. — *ad.* 《古》매우
단히. ~*ly ad.* 대충, 대강; 《古》몹
시.

pas·sion [pǽʃən] *n.* ⓤⓒ 격정,
열정, ② ⓤ 감정의 폭발; 격노, ③
ⓤ 열렬한 애정; 정욕, ④ 정열,
집념 (*for*); 열중(대상). ⑤ (the
P-) 예수의 수난; ⓤ 《古》(순교자의)
수난. *fall* 〔*fly, get*〕*into a* ~ 벌
컥 성내다. ~*less* *a.* 정열이 없는;
냉정한.

pas·sion·ate [pǽʃənit] *a.* ① 감정
에 치우치는, ② 성을 잘 내는, ③ 열
렬한, 감정적인. ~*ly ad.*

pássion·flòwer *n.* ⓒ 【植】 시계초
(時計草).

Pássion plày 예수 수난극(劇).

Pássion Wèek 수난 주간.

pas·sive [pǽsiv] *a.* ① 수동의, ②
무저항의, ③ 활발하지 못한, ④ 【文】
수동(태)의. — *n.* (the ~) 【文】
수동태. ~*ly ad.* **pas·siv·i·ty** [pæ-
] *n.* ⓤ 수동(성).

passive resistance (정부에 대
한) 소극적 저항.

passive smoking 간접적 끽연(타
인이 내뿜는 담배 연기를 들이마시는
일).

páss·kèy *n.* ⓒ 결쇠; 사용(私用)의
열쇠.

Páss·over *n.* (the ~) (유대인의)
유월절(踰越節).

páss·port [ˈ-pɔ̀:rt] *n.* ⓒ 여권(旅
券), 패스포트; …호.

páss·wòrd *n.* ⓒ 【軍】암호(말); 암
호.

past [pæst, pɑ:st] *a.* ① 과거의,
(이제 막) 지나간, ② 요전의, ③ 【文】
과거의, — *ad.* 지나쳐서(by). —
n. ① (the ~) 과거; (sing.) 과거
의 일; 경력; 수상쩍은(아름답지 못
한) 경력, ② 【文】과거시제, ③
과거형. — *prep.* ① (시간이)
…을 지나서(after)《*half* ~ *two*, 2
시 반》, ② …을 넘어서, ③ …에 미
치지 않는, …이상, ~ *belief* 믿을
수 없는.

paste [peist] *n.* ⓤⓒ ① 풀. ② (과

자음의) 반죽(dough). ③ 반죽해 이 긴 것, 페이스트《생선고기·뭉갠 고기· 크림 치약, 연고(軟膏), 이긴 흙, 목조보석의 원료를 납위리 따위》. ④ 【조】붙임. 붙이기. SCISSORS *and* ~. — *vt.* 풀로 붙이다(*up, on, down, together*). 《俗》 (주먹으로) 때리다. **pást·er** *n.* ⓒ 고무풀 칠한 붙임용지; 풀칠하는 사람.

páste·bòard *n.* ⓤ 판지(板紙).

pas·tel[pæstél/ㅡ-] *n.* ⓤ 파스텔; 파스텔 화법; 파스텔종의 색조(色調); ⓒ 파스텔화(畫).

pas·tern[pǽstə:rn] *n.* ⓒ (말의) 발회목뼈《뒷발톱과 발굽사이, 구절》.

pas·teur·ize[pǽstəràiz, -tʃə-] *vt.* (개에) 광견병 예방 접종을 하다. **·i·za·tion**[-⁓izéiʃən] *n.*

pas·til[pǽstil], **pas·tille**[pæstí:l] *n.* ⓒ 정제(錠劑); 향정(香錠).

pas·time[pǽstàim, -á:-] *n.* ⓤⓒ 오락; 기분 전환.

pást máster 명인, 대가; (조합·협회 따위의) 전(前)회장.

pas·tor[pǽstər, -á:-] *n.* ⓒ 주임 목사; 정신적 지도자.

pas·to·ral[pǽstərəl, -á:-] *a.* 목자 (牧者)의; 전원(생활)의; 목사의: *the P- Symphony* 전원 교향곡(Bee- thoven의 교향곡 제 6 번). — *n.* ⓒ 목가, 전원시[극·화]; (bishop) 교서 (教書).

pást párticiple 【文】과거분사.

pást pérfect 【文】과거완료.

pas·try[péistri] *n.* ⓤⓒ 반죽 과자 [식품].

pas·ture[pǽstʃər, -á:-] *n.* ⓤ 목장, 방목장; 목초지; 목초, — *vt., vi.* 방목하다; (풀을) 뜯어 먹 다. **pas·tur·er**[-ər] *n.* 목장주.

pásture·land *n.* ⓤⓒ 목장, 목초 지.

pasty¹[pǽsti, pá:-] *n.* ⓤⓒ 《주로 英》고기 파이.

pasty²[péisti] *a.* 반죽[풀] 같은; (얼굴이 부증으로 들떠) 누런; 창백 한, 늘어진(flabby).

pasty-fáced *a.* 창백한 얼굴의.

pat[pæt] *n., vi.* (**-tt-**) ① 처서 모 양을 만들다. — *n.* ⓒ 가볍게 두드

드리기[두드리는 소리]. ② (버터 따 위의) 작은 덩어리.

pat *a.* 꼭맞는, 안성맞춤의; 적절한 (*to*). — *ad.* 꼭[들어 맞추어]; 적절히. **stand** ~ (트럼프 따위) 처음 패 그대로 하다; (결의 등을) 고수하다.

patch[pætʃ] *n.* ⓒ ① 깁는 헝겊. ② (상처에 붙이는) 조각, 안대(眼 帶). ③ (불규칙한) 반점. ④ 작은 땅. ⑤ 【컴】깁기《프로그램이나 데 이터의 장애 부분에 대한 임시 교체 수정》. *not a* ~ *on* …에는 비교가 안 되는. — *vt.* ① (…에) 헝겊을 대 고 깁다(*up*); 수선하다. ② (사건·분 쟁 따위를) 가라앉히다(*up*). ③ 일시 미봉하다(*up*). **·y-a** 누덕누덕 기 운; 이것 저것 모은; 조화되지 않은. **~·ing** *n.* 【컴】 깁기.

patch·wòrk *n.* ⓤⓒ 쪽모이로 세공 (細工); 주워 모은 것.

pate[peit] *n.* ⓒ 《口》머리; 두뇌.

pâ·té de foie gras[pɑːtéi də fwá: grá:] (F.) (지방이 많은 거위 의) 간(肝) 파이.

pa·tel·la[pətélə] *n.* (*pl. -lae*[-li:]) ⓒ 종지뼈, 슬개골.

pat·ent[pǽtənt, péit-] *n.* ⓒ 특허 《품·증》. — *a.* ① (전매) 특허의, 《口》신안의. ② 명백한. ③ 열려 있 는, -4 【醫】(결핵 따위가) 개방성의. — *vt.* (…의 전매) 특허권을 얻다. **~·ly** *ad.* 명백히, 공공연히.

pa·tent·ee[pǽtəntì:, pèi-] *n.* ⓒ 전매특허의 소유자.

pátent léather (검은 광택이 나 는) 에나멜 가죽.

Pátent Óffice 특허청.

pa·ter·fa·mil·i·as[pèitərfəmíli- əs, -æs] *n.* ⓒ 【로마】가장(家長).

pa·ter·nal[pətə́:rnl] *a.* 아버지의 [편)의, 아버지다운(opp. mater- nal); 아버지로부터 물려받은, **~·ism**[-izəm] *n.* ① (정치·고용 관계 의) 부자(父子)의; 온정주의; 간섭 주의. **~·ly** *ad.* 아버지로서, 아버지 답게.

pa·ter·nal·is·tic[pətə̀:rnəlístik] *a.* 온정주의의. **-ti·cal·ly** *ad.*

pa·ter·ni·ty[pətə́:rnəti] *n.* ⓤ 아버지임, 부계(父系)(cf. maternity).

patérnity léave (맞벌이 부부의)

남편의 출산·육아 휴가.

path[pæθ, -ɑː-] *n.* (*pl.* **~s**[-ðz, -θz/-ɔz]) ① (사람이 다녀서 난 길, 작은 길; 보도; (정원·공원 안의) 통로; 진로. ② (인생의) 행로. ③ 궤도. ~·less *a.* 길 없는; 인적 끊긴.

pa·thet·ic[pəθétik], **-i·cal**[-*a. 가련한; 감동시키는; the ~ 감상 적인 것. **-i·cal·ly** *ad.*

páth·find·er *n.* ① 개척자, 탐험자. ② (폭격기를 이끄는) 선도기(先導機)(의 조정사).

path·o·gen·ic[pæθədʒénik] *a.* 발 병시키는, 병원(病原)이 되는.

pa·thol·o·gy[pəθάlədʒi/-ɔ-] *n.* ⓤ 병리학; 병상·병증. **path·o·log·ic**[pæθəlάdʒik/-ɔ-], **path·o·log·i·cal**[-*al] *a.* 병리학의; 병적인.

pa·thos[péiθas/-θɔs] *n.* ⓤ (문장·음악·사건 따위의) 애틋함을 자아내는 힘, 애수감, 비애; [藝] '파토스', 정감(情感)(opp. ethos).

pa·tience[péiʃəns] *n.* ⓤ ① 인내 (심); 끈기. ② 《英》 혼자 노는 카드 놀이(solitaire).

pa·tient[péiʃənt] *a.* ① 인내력이 강한. ② 근면한. — *n.* ① 환자. **~·ly** *ad.*

pat·i·na[pætənə] *n.* 녹색 녹.

pa·ti·o[pǽtiòu, pάː-] *n.* (*pl.* **~s**) (스페인·라틴 아메리카식 집의) 안 뜰.

pat·ois[pǽtwɑː] *n.* (*pl.* **~**[-z]) 방언.

pa·tri·arch[péitriὰːrk] *n.* ⓒ 가장, 족장(族長); 개조(開祖), 창설자; 장로, 고로(古老); 초기 교회·그리스 정교회의 주교. **-ar·chal**[²-άːrkəl] *a.* **-ar·chate**[²-άːrkit] *n.* ⓒ patriarch의 지위(직권·임기). **-ar·chy** *n.* ⓤ 가장(족장) 정치(제도).

pa·tri·cian[pətríʃən] *n.* ⓒ (고대 로마의) 귀족(의); (一般) 귀족적 인, 귀족에 어울리는.

pat·ri·cide[pætrəsàid] *n.* ⓒ 부친 살해범); ⓤ 부친 살해. **-cid·al**[²-sáidl] *a.*

pat·ri·mo·ny[pætrəmòuni/-məni] *n.* ⓤ,ⓒ 세습 재산; 어버이로 부터 물려받은 것; 교회 재산. **-ni·al**[pætrəmóuniəl, -njəl] *a.*

pa·tri·ot[péitriət, -ὰt/pǽtriət] *n.* ⓒ 애국자; (점령군의) 협력 거부자 (cf. collaborator). **~·ism**[-triὰtìzəm/pǽtri-] *n.* ⓤ 애국심. **~·ic**[pèitriὰtik/pǽtriɔ́t-] *a.* 애국의; 애국심 이 강한.

pa·trol[pətróul] *n.* ① 순찰, 순시, 정찰, 경계. ② 순시반, 순경; 정찰대(斥후·비행기·함선 따위의). ③ ⓒ (집합적) 소년단의 반(8명). **on** ~ 순찰 중. — *vt., vi.* 순찰하다; (거리를) 행진하다. **~·ler** *n.*

patról wàgon 《美》 죄수 호송차.

pa·tron[péitrən] *n.* ⓒ 후원자, 패트런; ② (상점의) 단골 손님, 고 객. ③ 수호 성인(聖人). ④ [古로] (해방된 노예의) 옛 주인. **~·age**[pǽtrənidʒ, péit-] *n.* ⓤ 후원, 보호(愛顧); 은혜를 베푸는 듯한 태도, 덕 색(德色); 《美》 서임권(敍任權). **~·ess** *n.* ⓒ patron의 여성. **~·ize**[-àiz] *vt.* 후원하다; 아끼고 사랑하 다; 덕색(德色)을 부리다. **~·iz·ing**[-àiziŋ] *a.* 은혜인 체하는, 생색 내는 듯한. ~하는 듯 거만하게 베푸는 듯싶은.

pátron sáint 수호 성인.

pat·sy[pǽtsi] *n.* ⓒ 《美俗》 쉬이 속 아 넘어가는 사람. '봉'.

pat·ter[pǽtər] *vt., vi.* ① 또닥또닥 [후두두후두두] 소리를 내다; 후두 후두두 비가 뿌리다. ② 타닥타닥 걷는 결음으로 달리다. — *n.* (*sing.*) 그 소리.

pat·ter *n., vt., vi.* ⓤ 재게 재잘거 림; 재잘대다; (도박·거지 등의) 변설.

pat·tern[pǽtərn] *n.* ① 모범; 본보기; 본. ② 양식; 모형. ③ 무 늬, 바탕, (옷 따위의) 견본. ④ [美] (양복지의) 1착분. ⑤ [렁] 패턴. **run to** ~ 틀에 박히다. — *vt., vi.* 본을 따라) 만들다(after, upon); (행위의) 본에 따르다; 무늬를 넣다.

pau·ci·ty[pɔ́ːsəti] *n.* (a·) 소수; 소량; 결핍.

paunch[pɔːntʃ] *n.* ⓒ 배(belly); 똥배. **~·y** *a.* 올챙이배의.

pau·per[pɔ́ːpər] *n.* ⓒ (생활 보호를 받는) 빈곤자, 가난한 사람. **~·ism**[-ìzəm] *n.* ⓤ 빈곤. **~·ize**[-àiz]

vt. 가난하게 하다; 피구호자가 되게 하다.

pause [pɔːz] *n.* ① 휴지(休止), 중단, 중지. ② 지체; 주저. ③ 단락, 구두(句讀); [樂] 늘임표(ᴖ, ᴗ), ᴖ [컴] (프로그램 실행의) 쉼. *give* **to** …을 주저하게 하는다. — *vi.* ① 휴지(休止)하다; 기다리다(*for*). ② 머뭇거리다(*upon*).

pave [peiv] *vt.* ① 포장하다(*with*). ② 덮다; 까는다 하다. — *the way for* [*to*] …을 위해 길을 열다(트다); …을 수월하게 하다. **páv·ing** *n.* ⓤ 포장 (재료).

pave·ment [≤mənt] *n.* ⓒ ① (美) 포장 도로, 인도(cf. (美) sidewalk). ② (美) 차도. ② ⓤ 포장 (재료).
pávement àrtist (英) 거리의 화가(포도 위에 색분필로 그림을 그려 돈을 얻음; (英) 길가에서 그런걸 하는 화가.

pa·vil·ion [pəvíljən] *n.* ⓒ ① 큰 천막. ② (야외 경기장 따위의) 관람석. ③ (병원의 독립된) 병동(病棟); (공원·정원의) 정자, 별채. ④ [詩] 하늘. — *vt.* 큰 천막을 치다(으로 덮다).

paw [pɔː] *n.* ⓒ ① (개·고양이 따위의) 발. ② (口) (사람의) 손. — *vi., vt.* ① (앞)발로 치다(긁다). ② 서투르(거칠게) 다루다; 만지작거리다(*over*).

pawn[1] [pɔːn] *n.* ⓤⓒ 저당물, 질물(質物), *in* (*at*) 전당(전당)잡혀. — *vt.* ① 전당잡히다. ② 생명 따위를 걸다. (口) 걸고 맹세하다.

pawn[2] *n.* ⓒ ① (장기의) 졸(卒); 남의 꾸뚜불[앞잡이] 짓하는 사람.
páwn·bròker *n.* ⓒ 전당포 주인.
páwn·shòp *n.* ⓒ 전당포.
paw-paw [pɔːpɔː] *n.* = PAPAW.

pay [pei] *vt.* (**paid**) ① 치르다; (대금·봉급 등을) 지불하다. ② 변제하다. ③ (사업 따위가) 이익이 되다; 수지맞다, 채 대갚음하다. ④ (방문 따위를) 하다(give); (주의·존경 따위를) 하다; (벌을) 주다. — *vi.* ① 지불하다, 변제하다. ② (일 따위가) 수지맞다, 채산이 맞다. ③ (벌을) 받다(*for*). — *as you go* (빚을 지지 않고) 현금으로 메나가다; 수

입에 따른 지출을 하다; 원천과세(源泉課稅)를 물다. — *back* 도로 갚다; 보복하다. — *down* 맞돈으로 지불하다. — *for* …의 대가를 치르다; …을 보상하다. — *in* 불입하다. — *off* (빚을) 전부 갚다; 봉급을 주고 해고하다; 앙갚음하다(口)(*to*); [海] (이물을) 바람 아래쪽으로 돌리다. — *one's way* 빚을 지지 않고 살다. — *out* (빚을) 지불하다; (口) 에게(앙갚음)하다; [海] (밧줄을) 풀어내다. — *up* 전부 지불하다. — *n.* (주(株))된 지불 (능력이 있는 사람). ① 급료, 보수. ② 갚음, 응보. *in the ~ of* …에게 고용되어. *~·a·ble a.* 지불해야 할; 지불할 수 있는; (광산 따위) 수지 맞는을 듯싶은.
páy-as-you-éarn *n., a.* (英) 원천 과세(源泉課稅) (제도)(의)(의)생략 P. A.Y.E.)
páy·dày *n.* ⓒ 지불일, 봉급날.
P.A.Y.E. pay-as-you-earn.
pay·ee [peiíː] *n.* ⓒ 수취인.
pay·er [péiər] *n.* ⓒ 지불인.
páying guèst 하숙인.
páy lòad 인건비; 수익 하중(收益하重); 유도탄의 탄두; 그 폭발력.
páy·màster *n.* ⓒ 회계원; [軍] 재정관.
pay·ment [≤mənt] *n.* ⓤⓒ 지불 (액), 납부, 불입; 변상; 보상.
páy·òff *n.* (*sing.*) 급료 지불(일); 청산; 보상, 응보; (口) 예기치 않은 사건; (이야기의) 클라이맥스.
páy phòne *n.* (英) (화폐를 넣어 쓰는) 공중 전화(실).
páy·ròll *n.* ⓒ 급료 지불부; 지불 급료의 총액. *off the ~* 해고되어. *on the ~* 고용되어.

P.C. Police Constable. **PC** personal computer 개인용 컴퓨터.
p.c. per cent.
PE [píːíː] (《*physical education*) *n.* ⓤ 체육.
pea [píː] *n.* (*pl.* ~s) ⓒ 완두(콩). (BEAN과 구별하여) [집합적] 콩(알); 콩과 비슷한 식물. *green ~* 푸른 완두. — *a.* 완두콩 만한 (것의).
peace [píːs] *n.* ① ⓤ 평화. ② (the ~) 치안, 공안(公安). ③ (종종 P-)

Ⓤ 강화 (조약)(*the P- of Paris* 파리 강화 조약). ④ Ⓤ 안심, 평안(平安). **at** ~ 평화롭게; 사이좋게 (*with*), **hold** 〔*keep*〕 *one's* ~ 침묵을 지키다. **in** ~ 평화롭게; 안심하여. **make** *one's* ~ *with* ~ 화해하다. **make** ~ 화해(강화)하다. **wage the** ~ 《美》평화를 유지하다. — *int.* 조용히! *˜·a·ble a.* 평화로운, 평화를 좋아하는; 평온한. *˜·ful a.* 평화로운(적인); 평온한. *˜·ful·ly ad.*

Péace Còrps 평화 봉사대 「인.
péace·màker *n.* Ⓒ 조정자, 중재
péace óffering (신에게 바치는) 사은의 제물; 화해의 선물.
péace·time *n., a.* Ⓤ 평시(의).
peach [piːtʃ] *n.* ① Ⓒ 【植】 복숭아; Ⓒ 복숭아 나무. ② ⓊⒸ 복숭아빛(색). ③ Ⓒ 《俗》 미인; 멋진 것. *˜·y a.* 복숭아 같은; 복숭아빛의.
pea·cock [píːkàk·-kɔ̀k] *n.* (*pl.* ~**s**, 《집합적》 ~) ① Ⓒ 공작(의 수컷). ② 허영 부리는 사람.
péacock blúe 광택 있는 청록.
péa gréen 연두빛(light green).
péa·hèn *n.* Ⓒ 암공작.
peak [piːk] *n.* Ⓒ ① 봉오리, 산꼭대기; 고봉(孤峰). ② 첨단, 뾰족한 끝. ③ 최고점, 절정. ④ (모자의) 앞챙. ~**ed** [píːkt, píːkid] *a.* 뾰족한.
peal [piːl] *n.* Ⓒ ① (포성·천둥·웃음소리 등의) 길게 크는 울림; 종소리의 울림. ② 【음악】 음색을 고른 한 벌의 종, 종악 (鐘樂) (chime). — *vi., vt.* (종 따위가) 울려 퍼지(게)하다. (우렁차게) 울리다.
pea·nut [píːnʌt] *n.* ① Ⓒ 땅콩, 낙화생. ② Ⓒ 《俗》 변변치 않은 사람. ③ (*pl.*) 하찮은 것, 적은 액수.
péanut bútter 땅콩 버터.
pear [pɛər] *n.* Ⓒ Ⓤ 서양배; Ⓒ 서양배 나무.
pearl [pəːrl] *n.* ① Ⓒ 진주. ② Ⓒ 일품(逸品), 정화(精華). ③ Ⓒ 진주 같은 것(이슬·눈물 따위). ④ Ⓤ 진주빛 (bluish gray); Ⓒ 【印】 펄활자(5포인트). **cast** 〔**throw**〕 ~**s** **before swine** 돼지에 진주를 던져 주다. — *a.* 진주(빛·모양)의. — *vt., vi.* 진주로 장식하다; 진주를 캐다.

péarl bàrley 정백(精白)한 보리.
pearl·y [pɔ́ːrli] *a.* 진주 같은(로 장식한).
peas·ant [pézənt] *n.* Ⓒ 소농(小農), 농부; Ⓒ 시골뜨기, 《집합적》 소작인, 농민. ~**·ry** *n.* Ⓤ 《집합적》 소작인, 농민.
pease púdding 《주로 英》콩가루 푸딩.
péa·shòoter *n.* Ⓒ 콩알총.
peat [piːt] *n.* Ⓤ 토탄(土炭)(덩어리). ~**·y** *a.* 토탄 같은, 토탄이 많은.
peb·ble [pébəl] *n., vt.* ① (둥근 조약돌; (가죽 따위의) 표면을 도돌도돌하게 하다. **péb·bly** *a.* 자갈이 많은.
pe·can [pikæn, -kán] *n.* Ⓒ 《미국 남부산》 피칸(나무)(hickory의 일종).
pec·ca·dil·lo [pèkədílou] *n.* (*pl.* ~(**e**)**s**) Ⓒ 가벼운 죄, 조그마한 과오; 작은 결함.
pec·ca·ry [pékəri] *n.* (*pl.* ~**·ries**, 《집합적》 ~) Ⓒ 《미국산》 산돼지류.
peck [pek] *vi., vt.* ① (부리 따위로) 쪼다, 쪼아 먹다; 쪼아 줍다(*up*); 쪼아 파다; 조금씩 먹다; 흠을 잡다(*at*); (타이프로) 쳐내다. — *n.* ① 쪼기; 쪼아낸 구멍(자국); 가벼운 키스.
pec·tin [péktin] *n.* Ⓤ 【化】 펙틴.
pec·to·ral [péktərəl] *a.* 가슴의 (~ *fin* 가슴지느러미).
pe·cu·liar [pikjúːljər] *a.* 독특한, 특유한(*to*); 특별한; 묘한(odd). *˜·ly ad.* **-li·ar·i·ty** [-lièræti] *n.* 【U】 특(수)성, 특질; Ⓒ 괴상함; 기이한 버릇.
pe·cu·ni·ar·y [pikjúːnièri/-njəri] *a.* 금전(상)의.
ped·a·gog·ic [pèdəgádʒik,-góu/-5-], **-i·cal** [-əl] *a.* 교육학(자)의. **-ics** *n.* = PEDAGOGY.
ped·a·gog(ue) [pédəgàg, -gɔ̀ːg/-gɔ̀g] *n.* Ⓒ 《蔑》 교사; 현학자(衒學者).
ped·a·go·gy [pédəgòudʒi,-à-/-ɔ̀-] *n.* Ⓤ 교육(학).
ped·al [pédl] *n., a.* 페달(의), 발판의; 발의. — *vi., vt.* 《英》 **-ll-**) 페달을 밟아 움직이다.
ped·a·lo [pédəlou] *n.* Ⓒ 페달식 보트.
ped·ant [pédənt] *n.* Ⓒ 학자연하는 사람; 공론가(空論家). **pe·dan·tic** [pidǽntik] *a.* 학자연하는. **péd·ant-**

ry *n.* ⓤ 학자연합; 현학(衒學).

ped·dle [pédl] *vt., vi.* 행상하다; 소매하다. ***ped·dler** *n.* ⓒ 행상인.

***ped·es·tal** [pédəstl] *n.* ① (상·기둥 등의) 주춧대, 대좌(臺座); (꽃병 등의) 받침. ② 근거; 기초. ③ [機] 축받이. **put** [**set**] *a person on a ~* 아무를 받들어 모시다. — *vt.* (英) *-ll-* ①에 (臺)에 올려 놓다.

pe·des·tri·an [pədéstriən] *a.* 도보의; 단조로운; 진부한. — *n.* 보행자; 도보주의자. **~·ism** [-izəm] *n.* ⓤ 도보주의.

pedéstrian précinct 보행자 전용 도로 구획.

pe·di·a·tri·cian [pì:diətríʃən] **-at·rist** [-ǽtrist] *n.* 소아과 의사. **-át·rics** *n.* ⓤ 소아과학.

ped·i·cure [pédikjùər] *n.* ⓤ 발 치료(티눈·물집 따위의); ⓤⓒ 페디큐어(발톱가꾸기)(cf. **manicure**).

ped·i·gree [pédəgrì:] *n.* ⓤ 계도(系圖); ⓤⓒ 가계(家系), 가문; ⓒ (美俗) (경찰관의) 전과 기록부. **~d** [-d] *a.* 순수한; 혈통이 확실한.

ped·i·ment [pédəmənt] *n.* ⓒ [建] (그리스식 건축의) 박공(牔栱).

ped·lar [pédlər] *n.* = PEDDLER.

pee [pi:] *vi.* (俗) 쉬하다, 오줌누다. — *n.* ⓤ 오줌(piss).

peek [pi:k] *vi.* 엿보다(*in, out*). — *n.* (*sing.*) 엿보기; [컴] 집어내기.

peek·a·boo [pí:kəbù:] *n.* 「이웅」 「까꿍」 놀이; ⓒ 비치는 옷. — *a.* 비치는, 잔 구멍이 많은.

***peel** [pi:l] *n.* ⓤ (과일·야채 등의) 껍질. — *vt., vi.* (…의) 껍질을 벗기다; 껍질이 벗겨지다(*off*). 옷을 벗다. **~·ing** *n.* ⓤ 껍질을 벗김; (*pl.*) (벗긴) 껍질.

peel·er *n.* ⓒ 껍질 벗기는 사람[기구]; (俗) 스트리퍼.

***peep** [pi:p] *n.* (a ~) 엿보기, 훔쳐봄; ⓤ 출현, 보이기 시작함. **have** [**get**] *a ~ at* …을 잠깐 보다. **~ of day** [**dawn**] 새벽. — *vi.* 엿보다; 나타나다(*at, into, through*); (성질 따위가) 부지중 드러나다(*out, forth*).

peep[2] *n.* ⓒ (새·쥐 등의) 삐약

삐악(삐악) 우는 소리. — *vi.* 삐약삐약(삐악) 울다; 작은 소리로 이야기하다.

***peep·hole** *n.* ⓒ 들여다 보는 구멍.

Péeping Tóm 엿보기 좋아하는 사내.

peep shòw 요지경. — *n.* 내막.

peer[1] [piər] *vi.* (눈을 한데 모아) 응시하다(*into, at*); 희미하게 나타나다. 보이기 시작하다(*out*).

peer[2] *n.* ⓒ 귀족; 동배(同輩), 동등한 사람. **without a ~** 비길 데 없는. **~·less** *a.* 비길 데 없는.

peer·age [píəridʒ] *n.* (the ~) (集합的) 귀족; 귀족 계급(의 지위); ⓒ 귀족 명감(名鑑).

peeve [pi:v] *vt., vi., n.* 짜증나게[속타게] 하다; ⓒ 짜증나게 하는 것.

pee·vish [pí:viʃ] *a.* 성마른, 짜증이 난; 투정부리는. **~·ly** *ad.*

pee·wit [pí:wit] *n.* = PEWIT.

peg [peg] *n.* ⓒ 나무못; 나무핀; 걸이; (악기의) 줄조르개; (천막의) 말뚝; 이유, 구실, 계기; ⓒ (평가 따위의) 등급 단계(degree); (口) 다리, (나무로 만든) 의족(義足); (英) 빨래집게. *a ~ to hang on* 구실; 계기. *a round ~ in a square hole, or a square ~ in a round hole* 부적임자(不適任者). *take a person down a ~* (*or two*) (口) 아무의 콧대를 꺾다. — *vt.* **-gg-** (…에) 나무못을 박다[으로 고정시키다], 죄다(*down, in, out*); (주가 등을) 안정시키다. — *vi.* 부지런히 일하다(*away*).

pe·jo·ra·tive [pidʒɔ́:rətiv, pí:dʒərèi-, pédʒə-] *a., n.* 경멸의; ⓒ 경멸어(보기: poetaster).

Pe·kin·ese [pì:kiní:z], **-king·ese** [-kiŋí:z] *n.* 북경(인)의. — *n.* ⓒ 북경 사람; 발바리.

pe·lag·ic [pəlǽdʒik] *a.* 대양(원양)의(~ fishing 원양 어업).

pel·i·can [pélikən] *n.* ⓒ [鳥] 펠리컨.

pélican cróssing (英) 누름버튼식 횡단 보도(pedestrian light controlled crossing 에서).

pel·la·gra [pəlǽgrə, -lǽg-] *n.* ⓤ [醫] 펠라그라, 옥수수중독(紅斑)(《비타민 부병).

pel·let [pélit] *n., vt.* ⓒ (진흙·종이 의) 뭉친 알(로 맞히다); (육식조(肉食鳥)가) 게워낸 덩어리; 알약; 작은 총알.

pell-mell [pélmél] *n., ad., a.* (a ~) 혼란, 난잡(하게), 무질서(한); 엉망진창(으로, 의); 몹시 허둥대어.

pel·lu·cid [pəlú:sid] *a.* 투명한; (뜻 따위가) 명백한.

pelt¹ [pelt] *vt.* (…에) (내)던지다; (질문·욕설 따위를) 퍼붓다(with); 급히 가다. — *vi.* (비 따위가) 세차게 퍼붓다; (at) full ~ 전속력으로.

pelt² *n.* ⓒ (양·염소 따위의) 생가죽(獵)); (사람의) 피부, **~·ry** *n.* ⓒ(집합적) 생가죽(pelts or furs); ⓒ (한 장의) 생가죽(a pelt; a fur).

pel·vis [pélvis] *n.* (*pl.* **pelves** [pélvi:z]) ⓒ 〖解〗골반. **~·ic** *a.*

†**pen**¹ [pen] *n.* ⓒ 펜. — *vt.* (-nn-) …을 쓰다.

pen² *n.* ⓒ (가축의) 우리, 축사(畜舍); (지하의) 잠수함 대피소. — *vt.* (penned, pent; -nn-) …을 우리에 넣다; 가두다(in, up).

pen³ *n.* ⓒ 《美俗》구치소.

pe·nal [pí:nəl] *a.* 형(벌)의, 형(벌)을 받아야 할; 형사(형법)상의. ~·ize [-àiz] *vt.* 유죄로 선고하다 (경기에서 반칙자에게) 벌을 주다; 벌칙을 과하다.

pénal còde 형법(전).

†**pen·al·ty** [pénəlti] *n.* ⓒ ① 형벌; 벌금. ② (경기의 반칙에 대한) 벌, 페널티; *n.* under **~** of … 으로 하면 …한 벌을 받는다는 조건으로.

†**pen·ance** [pénəns] *n.* Ⓤ 참회, 고행; 〖가톨릭〗고해(성사).

pén·and-ink *a.* 펜으로 쓴.

†**pence** [pens] *n.* 《英》 penny의 복수.

pen·chant [pentʃənt; pɑ̃:ʃɑ̃ːŋ] *n.* (F.) (강한 경향, 기호, 취미(for).

†**pen·cil** [pénsəl] *n.* ⓒ 연필(모양의 것); 《古》화필; 〖光〗광속(光束). — *vt.* (-l-, 《英》 -ll-) 연필로 쓰다(그리다). — (·l)ed *a.* 연필로 쓴.

péncil shàrpener 연필 깎이.

†**pend·ant** [péndənt] *n.* ⓒ (로켓 (locket) 같은) 드림 장식; (지붕·천장에서의) 늘임 장식; 매단 램프; 〖海〗 = PENNANT.

†**pend·ing** [péndiŋ] *a.* 미결정의,

— *prep.* …동안, …중(during); … 까지.

pen·du·lous [péndʒələs] *a.* 매달린, 늘어진; 흔들리는.

†**pen·du·lum** [péndʒələm] *n.* ⓒ 진 자(振子), 추, 흔들이.

pen·e·tra·ble [pénitrəbəl] *a.* 스며 들(침투할) 수 있는; 관통(간파)할 수 있는.

pen·e·trate [pénətrèit] *vt.* 꿰뚫다, 스며들다; 관통하다; 통찰하다; (빛 따위가) 통하다; 간파하다; 깊이 감명시키다. — *vi.* 스며들어가다; 들어가다(into, through, to). **·trat·ing** *a.* 꿰뚫는, 스며드는; 날 카로운; 통찰력이 있는; (목소리 따위) 새된. **·tra·tion** [-tréiʃən] *n.* ⓒ 관통·투철(력); 통찰력, 안식(眼識); 새된 침투; **·tra·tive** *a.* 관통력 있는, 스며드는; 마음에 사무치는; 예리한. **·tra·tive·ly** *ad.*

pen·guin [péŋgwin, pén-] *n.* ⓒ 펭 귄.

pen·i·cil·lin [pènəsílin] *n.* Ⓤ 〖藥〗 페니실린(항생물질요법).

pen·in·su·la [pənínsələ, -sjə-] *n.* ⓒ 반도. **~r** *a.*

pe·nis [pí:nis] *n.* (L. = tail) (*pl.* **~es, -nes** [-ni:z]) ⓒ 음경(陰莖).

pen·i·tent [pénətənt] *a., n.* 뉘우치 는, 회개하는 (사람); 〖가톨릭〗고 해자. **·tence** *n.* — **·ly** *ad.*

pen·i·ten·tial [pènəténʃəl] *a.* 회오 의; 속죄의, 고해의. **~** = 〖가톨릭〗 고해 세칙집. — **·ly** *ad.*

pen·i·ten·tia·ry [pènəténʃəri] *n.* ⓒ 〖가톨릭〗고해 신부; 《英》감화원; 《美》주(연방) 교도소. — *a.* 회오 의; 장벌의; 감옥에 갈[될 따위의].

pén-knife *n.* (*pl.* **-knives**) ⓒ 주 머니칼.

pén nàme 필명(筆名), 펜네임.

†**pen·nant** [pénənt] *n.* ⓒ 길고 조붓 한 삼각기; 《美》펜넌트, 우승기.

pen·ni·less [pénilis] *a.* 무일푼의, 몹시 가난한.

pen·non [pénən] *n.* ⓒ (본래 기사의 창에 단) 긴 삼각기(三角旗); 《一般》기.

†**pen·ny** [péni] *n.* (*pl.* (액수) **pence**, (개수) **pennies**) ⓒ 페니(영국의 동화. $1/12$ shilling; 《美·캐나다》 1 cent 동전); 금전; 〖聖〗 *a bad* ~ 달갑잖은

은 사람(물건). *A ~ for them! = A ~ for your thoughts!* 무얼 그리 생각하고 있지. *a pretty ~* 큰 돈. *In for a ~, in for a pound.* ⇒IN(ad.). *turn an honest ~* 정 직하게 일하여 돈을 벌다. *Take care of the pence, and the pounds will take care of themselves.* 《속담》 티끌 모아 태산.

pénny pìncher 구두쇠, 노랑이.

pén pàl 펜팔(pen-friend).

pen·sion[pénʃən] *n., vt.* ⓒ (…에게) 연금(을 주다). ~ *off* 연금을 주어 퇴직시키다. ~**a·ble** *a.* 연금을 받을 자격이 있는, ~**ar·y** *a., n.* 연금의, 연금을 받는; ⓒ 연금 타는 사람. ~**er** *n.* ⓒ 연금 타는 사람.

pen·si·on[pɑːnsjɔ́ːŋ] *n.* (F.) ⓒ (프랑스·벨기에 등지의) 하숙.

pen·sive[pénsiv] *a.* 생각에 잠긴, 구슬픈. ~**ly** *ad.* ~**ness** *n.*

pen·t(a)·[-pént(ə)-] '다섯'의 뜻의 결합사.

pen·ta·gon[péntəɡɑn/-gɔn] *n.* ⓒ 5각형, 5변형(築城) 5능보(稜堡); (the P-) 미국 국방부. **-tag·o·nal**[pentǽɡənəl] *a.* 5각(변)형의.

pen·tam·e·ter[pentǽmitər] *n.* (韻) 오보격(五步格).

pen·tath·lon[pentǽθlɑn, -lən] *n.* ⓒ (보통 the ~) 5종 경기.

Pen·te·cost[péntikɔːst/-kɔ̀st] *n.* 오순절(五旬節)(Passover 후 50일째의 유대의 축일); 성령 강림절(聖靈降臨節)(Whitsunday).

pént·hòuse *n.* ⓒ 닿개 지붕; 옥상의 소옥(小屋).

pént·úp *a.* 억제된; 갇힌.

pe·nult[piːnʌlt, pinʌ́lt] *n.* ⓒ 어미 에서 둘째의 음절. **pe·nul·ti·mate** [-təmit] *a., n.* 어미에서 둘째의 (음절).

pe·nu·ri·ous[pinjú(ə)riəs] *a.* 인색한; 가난한. 〔窮〕

pen·u·ry[pénjəri] *n.* ⓤ 빈궁; 결핍.

pe·o·ny[píːəni] *n.* ⓒ (植) 작약(꽃).

peo·ple[píːpl] *n.* ⓒ 국민, 민족; 《이하 모두 복수 취급》 인민; 《一般》 사람들; (the ~) 민중; 《the ~》 하 층 계급; 인종; 신민, 종자(從者); (one's ~)

가족, 친척. *P- say that...* 세상에서는 …라고들 말한다. ―― *vt.* 살게 하다; 사람을 살게 하다(채우다); (동물 따위 를) 많이 살게 하다(with).

pep[pep] 《口》 *n.* ⓤ 《美口》 원기. ―― *vt.* (**-pp-**) 기운을 북돋다.

pep·per[pépər] *n.* ⓤ 후추; ⓒ (植) 후춧과의 식물; 고추. ―― *vt.* (…에) 후춧가루를 치다, 후춧가루로 양념하다; 들뿍 뿌리다; (총알·질문 따위를) 퍼붓다.

pépper·còrn *n.* ⓒ (말린) 후추 열매; 하찮은 것.

pep·per·mint[-mìnt] *n.* ⓤ (植) 박하; ⓒ 박하 사탕.

pep·per·y[pépəri] *a.* 후추의(같 은); 매운, ⓒ 격렬한(연설 따위) ⓒ 성마른.

pép pìll 《美俗》 각성제.

pép tàlk 격려 연설, 격려의 말.

pep·tic[péptik] *a.* 소화를 돕는, 소화력을 주는; 펩신의. ―― *n.* ⓤ 소화제.

per[강 pəːr, 弱 pər] *prep.* (L.) … 에 의하여, …에 대해, …마다. *as* … 에 의하여. *as ~ usual* 《口》 평상시(여느 때)와 같이.

per·am·bu·late[parǽmbjəlèit] *vt., vi.* 돌아다니다; 순시(순회)하다. **-la·tor**[-∴-] 유모차(車); 순회자. **-la·tion**[-∴-léiʃən] *n.*

per án·num (L.) 1년에 대해, 1년 마다(생략 per an(n)., p.a.).

per cáp·i·ta[-kǽpətə] (L.) 1인 당, 머릿수로 나누어.

per·ceive[pərsíːv] *vt.* 지각(知覺) 하다; 알아(눈치) 채다, 인식하다, 이 해하다.

per·cent, per cént[pərsént] *n.* (*pl.* ~, ~**s**) 퍼센트, 100분《기 호, %》 ⇒℁.

per·cent·age[pərséntidʒ] *n.* ⓒ 백분율; 비율; 율; 부분; 수수료; ⓒ 이익.

per·cep·ti·ble[pərséptəbəl] *a.* 지 각할 수 있는. **-bly** *ad.*

per·cep·tion[pərsépʃən] *n.* ⓤⓒ 지각(작용·력·대상)(perceiving).

per·cep·tive[pərséptiv] *a.* 지각하 는; 지각력 있는.

perch[pəːrtʃ] *n.* ⓒ (새의) 홰대;

높은 지위《장소》; 퍼치《길이의 단위, 5.03m; 면적의 단위, 25.3m²》.
hop [*tip over*] *the* ~ 죽다《본디 새에 일컬음》(cf. hop the TWIG).
knock a person off his ~ 아무를 이기다《해치우다》. — *vi.* (새가) 횃대에 앉다(*on*); 앉다(*on*, *upon*). — *vt.* (높은 곳에) 두다, 얹다.

perch² *n.* (*pl.* ~**es**,《집합적》~) C 농어류(類)의 물고기.

per·chance[pərtʃǽns, -ɑ́:-] *ad.* 《古·詩》=MAYBE.

per·cip·i·ent[pərsípiənt] *a.* 지각하는; 지각력 있는. — *n.* C 지각자 (知覺者) 《정신 감응술의》 영통자.

per·co·late[pə́:rkəlèit] *vt.* (액체를) 거르다; 스며나오게 하다. — *vi.* 스며나오다. **-la·tor** [──lèitər] *n.* C 여과기《특히 커피 끓이는》. **-la·tion**[──léiʃən] *n.* UC 여과, 침투; 《醫》침윤(浸潤).

per·cus·sion[pərkʌ́ʃən] *n.* UC 충격, 진동; 타악기의 연주; 《醫》타진(打診); (*pl.*) (악단의) 타악기부.

percússion séction (악단의) 타악기부.

per·di·tion[pərdíʃən] *n.* U 멸망, 전멸; 지옥; 지옥에 떨어짐; (정신적) 파멸.

per·e·gri·nate[pérəɡrinèit] *vi.*, *vt.* 편력(遍歷)하다, 여행하다. **-na·tion** [──néiʃən] *n.* **-na·tor** *n.*

per·e·grine[pérəɡrin] *a.* 외국(외래)의; (새 따위의) 이주(移住)의. **péregrine fálcon** 《鳥》 매 사냥에 쓰던 송골매.

per·emp·to·ry[pərémptəri] *a.* 단호한; 거만한, 도도한; 결정[절대]적인. **-ri·ly** *ad.* **-ri·ness** *n.*

per·en·ni·al[pəréniəl, -njəl] *a.* 연중(年中) 끊이지 않는; 영원한; 《植》다년생의 (식물). — *n.* C 다년생 식물. ~**·ly** *ad.*

per·fect[pə́:rfikt] *a.* 완전한, 결점 없는; 숙달한(*in*); 전적인;《文》완료의. — [pərfékt] 《文》완료 시제[형]. — [pərfékt] *vt.* 완성[개선]하다; 완전하게 하다. ~**·er** *n.* ~**·ly** *ad.* ~**·ness** *n.* ~**·i·ble** *a.* 완전히 할 수 있는, 완성해질 수 있는.

per·fec·tion[pərfékʃən] *n.* U 완전; C 완전한 사람[물건]. U 완성; 극치. *to* ~ 완전히.

per·fid·i·ous[pərfídiəs] *a.* 불성실한, 배반하는. ~**·ly** *ad.* ~**·ness** *n.* 「반.

per·fi·dy[pə́:rfədi] *n.* 불신; 배반.

per·fo·rate[pə́:rfərèit] *vt.* 구멍을 뚫다[내다]; (우표 등에) 줄 구멍을 내다. — *vi.* 꿰뚫다(*into*, *through*). — [-rit] *a.* 관통된. **-ra·tor** *n.* C 구멍 뚫는 기구. **-ra·tion**[──réiʃən] *n.* U 관통; C (필름·우표 등의) 줄 구멍.

per·force[pərfɔ́:rs] *ad.* 무리하게; 부득이, 필연적으로.

per·form[pərfɔ́:rm] *vt.*, *vi.* 하다 (do); 실행하다; 성취하다; 연기(演技)하다; 연주하다; (*vi.*) (동물이) 재주를 부리다 * ~*at.* C 행위자. 실행[수행]자; 연기[연주]자.

per·form·ance[-əns] *n.* C 수행, 성취; U 수행, 성취; 실행; C 일; 작업; (기계류의) 성능; 공적; 성과; 공연; U 《劇》 공연; 연기[연주].

perfórming árts 공연[무대]예술 《연극·음악·무용 따위》.

per·fume[pə́:rfju:m] *n.* ① U 방향(芳香), 향기; C 향수, 향료. ② [pə(:)rfjú:m] *vt.* 방향으로 채우다; 향수를 뿌리다.

per·func·to·ry[pərfʌ́ŋktəri] *a.* 되는 대로의, 마지못해 하는, 기계적인; 형식적인. **-ri·ly** *ad.*

per·go·la[pə́:rɡələ] *n.* C 퍼골라 《덩굴을 지붕처럼 올린 정자 또는 길》, 등나무 시렁.

per·haps[pərhǽps, pərǽps] *ad.* 아마, 혹시(maybe), 어쩌면(possibly).

per·i·gee[pérədʒì:] *n.* C 《天》 근지점(近地點)(opp. apogee).

per·il[pérəl, -ril] *n.* C 위험; U (do); 모험.《英》(-**ll**-) 위험에 빠뜨리다. *at one's* ~ 위험을 무릅쓰고. *at the* ~ *of* …을 걸고. *in* ~ *of* …이 위험에 직면하여.

per·il·ous[pérələs, -ril-] *a.* 위험한. ~**·ly** *ad.* ~**·ness** *n.*

per·im·e·ter[pərímitər] *n.* 《數》 주변; 주변의 길이; 《眼》 (전선의) 시야계.

per·i·od[píəriəd] *n.* C 기간; 시대; (어느 기간의) 완결; 수업 시간,

교시(校時);(경기의) 한 구분(전반·후반 등);【天·理】주기(週期);【天文】주기:【修】도미문(掉尾文)으로 하는 글;(*pl.*) 미문(美文);(병의) 경과. **come to a ~** 끝나다.

·pe·ri·od·ic [pìəríádik/-ɔ́d-] *a.* 주기[단속]적인;【修】도미문[掉尾文]의.

·pe·ri·od·i·cal [-əl] *a.* 정기 간행 (물)의; = ⌃. — *n.* ⓒ 정기 간행물, 잡지. **~·ly** *ad.* **-di·cI·ty** [-ədísə-ti] *n.* ⓤ 주기성(週期性); 주율(週律).

periodic table 【化】주기율(律)표.

per·i·pa·tet·ic [pèrəpətétik] *a.* (걸어) 돌아다니는; 여행하며 다니는; (P-) 소요(逍遙)학파의, 아리스토텔레스 학파의. — *n.* ⓒ 걸어 돌아다니는 사람, 행상인; (P-) 소요학파의 학도.

pe·riph·er·al [pərífərəl] *a.* ① 주위(주변의), 말초의. ② 주변적(말초적)인; (…에 대해) 중요하지 않은(to). ③ 【컴】주변 장치의. **~ device** 주변 장치. **~ equipment** 주변 장비. **~ nerves** 말초신경. **~·ly** *ad.*

pe·riph·er·y [pərífəri] *n.* ⓒ (*sing.*) (원(圓)·타원의) 둘레, 원주(圓周); 바깥면.

per·i·scope [pérəskòup] *n.* ⓒ 잠망경(潛望鏡).

·per·ish [périʃ] *vi.* 죽다, 멸망하다; 썩어(사라져) 없어지다; 말라(시들어) 죽다, 무너지다. — *vt.* (보통 수동) 몹시 곤란하게 하다, 괴롭히다(*with*). **~·a·ble** *a.* 부패(파멸)하기 쉬운; (*pl.*) (수송 중에) 부패하기 쉬운 것. **~·ing** *a.* (추위 따위) 혹독한; (부사적으로) 지독하게, 몹시.

per·i·to·ni·tis [pèrətəwínklə] *n.* ⓤ 【病】복막염.

per·i·win·kle [pèrəwíŋkl] *n.* 【植】협죽도과(科)의 식물.

per·i·win·kle *n.* ⓒ 경단고둥류(類).

per·jure [pɔ́ːrdʒər] *vt.* 《~ oneself로 하여》 거짓 맹세하다, 위증(僞證)하다. **-d**[-d] *a.* 거짓 맹세(증)한, 위증의. **pér·jur·er** *n.* 위증자.

per·ju·ry [pɔ́ːrdʒəri] *n.* ⓤⓒ 거짓

맹세, 위증.

perk [pəːrk] *vi., vt.* 머리를 쳐들다. 새침빼다, 점잔빼다, 의기 양양해 하다(*up*). **~·y** *a.* 건방진, 오지랖넓은; 의기 양양한.

perm [pəːrm] *n.* ⓒ 《口》파마(per-manent wave).

per·ma·frost [pɔ́ːrməfrɔ̀st/-frɔ̀st] *n.* ⓤ 영구 동토대(凍土帶)《북극지방의》.

per·ma·nence [pɔ́ːrmənəns] *n.* ⓤ 영속(성); 영구. **-nen·cy** *n.* = PERMANENCE. ⓒ 영속물; 종신관 (終身官), 종신 고용.

·per·ma·nent [pɔ́ːrmənənt] *a.* 영구한, 불변의; 영속하는. — *n.* 《口》 = **wáve** 퍼머넌트, **~·ly** *ad.*

per·me·a·ble [pɔ́ːrmiəbəl] *a.* 침투할 수 있는, **-bil·i·ty** [〜〜bíləti] *n.* ⓤ 침투성.

per·me·ate [pɔ́ːrmièit] *vt.* 침투하다; 스며들다; 충만하다. — *vi.* 스며퍼지다; 널리 퍼지다(*in, among, through*). **-a·tion** [〜〜éiʃən] *n.* ⓤ 침투, 충만; 보급.

per·mis·si·ble [pərmísəbəl] *a.* 허용되는, 지장 없는.

:per·mis·sion [pərmíʃən] *n.* ⓤ 허가; 면허; 허용.

per·mis·sive [pərmísiv] *a.* 허가하는; 허용된; 수의(隨意)의.

:per·mit [pərmít] *vt., vi.* (**-tt-**) 허락[허용]하다; (…하게) 내버려 두다 《방임하다》; 가능하게 하다. 용납하다 (*admit*)(*of*). **weather ~ting** 날씨만 좋으면. — [〜] *n.* ⓒ 허가증, 면허장.

per·mu·ta·tion [pɔ̀ːrmjutéiʃən] *n.* ⓒ 교환;【數】순열(cf. combi-nation).

per·ni·cious [pərníʃəs] *a.* 유해한; 치명적인(*fatal*). 파괴적인. **~·ly** *ad.* **~·ness** *n.*

per·nick·et·y [pərníkəti] *a.* 《口》 곰상스러운, 까다로운; 다루기 힘든.

per·o·rate [pérərèit] *vi.* (연설을) 끝맺다; 결론짓다; 열변을 토하다. **-ra·tion** [〜réiʃən] *n.* ⓤⓒ 【修】(연설의) 결론, 끝맺음.

per·ox·ide [pərάksaid/-5-] *n.* **-ox·id** [-sid] *n.* ⓤ 【化】과산화물[수소].

P

~ of hydrogen 과산화수소. —
vt. (머리털을) 과산화물로 표백하다.

per·pen·dic·u·lar [pə̀ːrpəndíkjə-
lər] *a.* 수직의; 【幾】 직각을 이루는;
깎아지른 듯한. — *n.* ⓒ 수선(垂
線); 수직면; ⓤ (the ~) 수직의 위
치. **~·ly** *ad.* **~·i·ty** [-[▵]-lǽrəti]
n. ⓤ 수직, 직립.

per·pe·trate [pə́ːrpətrèit] *vt.* (나
쁜짓·죄를) 저지르다, 범하다. **-tra-
tor** *n.* ⓒ 범인. **-tra·tion** [-[▵]-tréi-
ʃən] *n.* ⓒ 범행, 범죄; ⓤ 나쁜 짓을
행함.

per·pet·u·al [pərpétʃuəl] *a.* 영구
한; (관직 따위) 종신의; 끊임없는.
*~·ly *ad.*

per·pet·u·ate [pə(ː)rpétʃuèit] *vt.*
영속(영존)시키다; 불후(不朽)하게하
다. **-a·tor** *n.* **-a·tion** [-[▵]-éiʃən] *n.*
ⓤ 영속, 불후(不朽).

per·pe·tu·i·ty [pə̀ːrpətʃúːəti] *n.*
ⓤ 영속, 영존(永存); ⓒ 종신 연금;
ⓒ 영대(永代) 재산(소유권). **in (to,
for)** ~ 영구히.

per·plex [pərpléks] *vt.* 곤란하게 하
다, 당황하게 하다; 복잡하게 (혼란)한.
~ed [-t] *a.* 당황(혼란)한. **~·ing** *a.* 곤
란(당황)하게 하는; 복잡한. **~·i·ty** *n.*
ⓤ 당황; 혼란, 곤란하게 하는 것[일].

per·qui·site [pə́ːrkwəzit] *n.* ⓒ
(*sing.*) 임시 수입, 팁; (직무상의) 부수입.

per se [pəːr séi, -síː] *ad.* (L.) 그
자체, 본질적으로.

*per·se·cute [pə́ːrsikjùːt] *vt.* (이
교도를) 박해(학대)하다; 지근거리다
괴롭히다(**with**). **-cu·tive** *a.* **-cu·
tor** *n.* ⓒ 박해자. ***-cu·tion** [-[▵]-
kjúːʃən] *n.* ⓤ (종교적) 박해.

*per·se·vere [pə̀ːrsəvíər/-si-] *vi.*
인내하다, 굴치 않고 계속하다(**in,
with**). **-ver·ance** [-víːrəns/-
víər-] *n.* ⓤ 인내; 고집. **-vér·ing**
a. 참을성 있는.

Per·sian [pə́ːrʒən, -ʃən/-ʃən] *a.*
페르시아(사람·말)의. — *n.* ⓒ 페르
시아 사람; ⓤ 페르시아어.

*per·sim·mon [pə(ː)rsímən] *n.* ⓒ
감(나무).

*per·sist [pərsíst, -zíst] *vi.* 고집
하다; 주장하다(**in**); 지속하다.

per·sist·ent [pərsístənt, -zís-]
a. 고집하는, 불굴의; 지속하는;
상록의. **~·ly** *ad.* **-ence, -en·cy**
n. ⓤ 고집; 지속(성).

*per·son [pə́ːrsən] *n.* ⓒ 사람; 보
통 *sing.* 신체, 인체, 인품, 인격,
개성; ⓤ 【文】 인칭; 【法】 인(人)(자
연인과 법인의 총칭). **in** ~ 스스로,
몸소. **~·a·ble** *a.* 풍채가 좋은, 품
위 있는.

per·so·na [pərsóunə] *n.* (*pl.* **-nae**
[-niː]) (L.) 【극·소설의 등장】 인
물, 역. **DRAMATIS PERSONAE.
— grata** [**non grata**] (외교관으로
서) 탐탁스러운(스럽지 않은) 인물(주
재국 입장에서).

per·son·age [pə́ːrsənidʒ] *n.* ⓒ 사
람; 저명 인사; (소설 따위의) 인물.

*per·son·al [pə́ːrsənəl] *a.* ① 개인
의, 사적(私的)인(**private**). ② 본인
(직접)의(**a ~ interview** 면접). ③ 신
체의; 용모(품위)의. ④ 개인에 관한,
개인적인. ⑤ 【文】
인칭의. ⑥ 【法】 (재산이) 개인에 속
하는, 동산의(動産의). **become** ~ 인
신 공격을 하다. — *n.* ⓒ 【美】 (신문
의) 인사란(欄). **~·ize** [-àiz] *vt.*
개인적으로 하다; 인격화하다.

pérsonal cólumn (신문의) 개인
광고란.

pérsonal compúter 【컴】 개인용
컴퓨터.

per·son·al·i·ty [pə̀ːrsənǽləti/-li-]
n. ⓤⓒ 인격; 인물; 사람됨;
(보통 *pl.*) 인물 비평; 인신 공격.

personálity cúlt 개인 숭배.

*per·son·al·ly [pə́ːrsənəli] *ad.* 몸
소, 스스로; 나 개인적으로(는), 자기
로서는; 자기의 일로서, 빗대어; 친히
으로서(이)가).

pérsonal prónoun 인칭 대명사.

per·son·i·fy [pərsánəfài/-5-] *vt.*
①의인(擬人)화하다; 체화(體化)하
다. ②…의 권화(權化)이다. **-fi·ca·
tion** [-[▵]-fikéiʃən] *n.* ⓤ 의인(인격)
화; ⓤⓒ 【修】 의인법; 체현, 화신, 전형(典型).

*per·son·nel [pə̀ːrsənél] *n.* ⓒ 【集
合的으로】 인원, 전직원; 【軍】 요원(要
員); (회사 따위의) 인사과.

personnel càrrier (장갑한) 군
(軍)수송차.

per·spec·tive[pərspéktiv] *n.* ⓤ 원근(遠近)화법; 투시도(透視圖); 전망; 균형. — *a.* 원근화법에 의한.

Per·spex[pɔ́ːrspeks] *n.* ⓤ《商標》《英》(항공기의) 방풍 유리《투명 플라스틱》.

per·spi·ca·cious[pə̀ːrspəkéiʃəs] *a.* 이해가 빠른, 명민한. **-cac·i·ty** [-kǽsəti]

per·spire[pərspáiər] *vi., vt.* 땀 흘리다. ***per·spi·ra·tion**[pə̀ːrspə réiʃən] *n.* ⓤ 발한(發汗) 작용;ⒸⓊ 땀.

per·suade[pərswéid] *vt.* 설복[설득]하다(*to, into*)(opp. dissuade); 납득시키다(*of; that*); 납득시키려 하다; 주장하다.

per·sua·sion[pərswéiʒən] *n.* ① ⓤ 설득(력). ② Ⓒⓤ 확신, 신념; 신앙, 신조. ③ Ⓒ 종파. ④ Ⓒ 《戲》*a* ⟨*a man of military* ~ 군인⟩.

per·sua·sive[pərswéisiv] *a.* 설득력 있는.

pert[pɔ:rt] *a.* 버릇(거리낌)없는, 건방진;《口》활발한, 기운찬.

per·tain[pərtéin] *vi.* 속하다(*to*); 관계하다(*to*); 적합하다(*to*).

per·ti·na·cious[pə̀ːrtənéiʃəs] *a.* 끈질긴, 집요한, 완고한; 끈기 있는. **~·ly** *ad.* **-nac·i·ty**[-nǽsəti] *n.*

per·ti·nent[pɔ́ːrtənənt] *a.* 적절한 (타당)한, (…에) 관한(*to*). **~·ly** *ad.* **-nence, -nen·cy** *n.*

per·turb[pərtɔ́:rb] *vt.* 교란하다, 혼란하게 하다; 당황[불안]하게 하다. **per·tur·ba·tion**[pə̀ːrtərbéiʃən] *n.*

pe·ruse[pərúːz] *vt.* 숙독(정독)하다; 읽다. ***pe·rús·al** *n.* ⓊⒸ 숙독; 통독.

per·vade[pərvéid] *vt.* (…에) 널리 퍼지다(*to*). **per·va·sion** [-ʒən] *n.* **per·va·sive** [-siv] *a.*

per·verse[pərvɔ́ːrs] *a.* 심술궂은, 빙퉁그러진; 사악한, 나쁜. **~·ly** *ad.* **~·ness** *n.* **per·vér·si·ty** *n.* ⓤ 빙퉁그러짐, 외고집; 사악. **per·vér·sive** *a.* 곡해하는; 그르치게 하는.

per·ver·sion[pərvɔ́ːrʒən, -ʃən] *n.* ⓒ 곡해; 악용; ⓤ 악화(성적) 도착(到着).

per·vert[pərvɔ́ːrt] *vt.* ① (정도에서) 벗어나게 하다. ② 곡해하다. ③ 악용(오용)하다. — [pɔ́ːrvəːrt] *n.* ⓒ 배교자(背敎者); 성욕 도착자.

pe·se·ta[pəséitə] *n.* ⓒ 페세타《스페인의 화폐 단위》; 페세타 은화.

pes·ky[péski] *a.*《美口》성가신, 귀찮은.

pe·so[péisou] *n.* (*pl.* ~s) 페소《멕시코·쿠바·라틴 아메리카 등지의 화폐 단위》; 페소 은화.

pes·si·mism[pésəmizəm, -si-] *n.* ⓤ 비관(주의·론); 염세관(opp. optimism), 염세주의. **-mist** *n.* Ⓒ 비관론자, 염세가. **-mis·tic**[∼místik] *a.*

pest[pest] *n.* ⓒ 유해물; 성가신 사람(물건); 해충; ⓤ 악성 유행병, 페스트.

pes·ter[péstər] *vt.* 괴롭히다.

pes·ti·cide[péstəsàid] *n.* ⓊⒸ 살충제.

pes·ti·lence[péstələns, -ti-] *n.* ① ⓊⒸ 악성 유행병. ② Ⓒ 페스트. **-lent** *a.* 치명적인; 유해한; 평화를 파괴하는; 성가신.

pes·ti·len·tial[pèstəlénʃəl] *a.* 악역(惡疫)의; 유행병[전염병]을 발생하는; 유해한; 성가신.

pes·tle[pésl] *n.* Ⓒ 막자, 공이. — *vt., vi.* pestle로 갈다(찧다).

pet[pet] *n.* Ⓒ 페트, 애완 동물; 마음에 드는 물건(사람). — *a.* 귀여워하는, 마음에 드는; 애정을 나타내는; 득의의. — *vt., vi.* (**-tt-**) 귀여워하다; 간《口》(이성을) 애무(르)하다(페트하다).

pet·al[pétl] *n.* Ⓒ 꽃잎.

pe·tard[pitá:rd] *n.* Ⓒ 《옛적의 성 문 파괴용》폭발물; 폭죽.

pe·ter[pí:tər] *vi.* 《口》(광맥 따위) 가 점점 소멸하다(fail)(*out*).

pe·tite[pətíːt] *a.* (F.) (여자가) 몸집이 작고 맵시 있는.

petite bour·geoi·sie [-buər-ʒwɑ:zí:] 소시민(小市民) 계급.

pe·ti·tion[pitíʃən] *n.* 탄원, 진정; 애원; 탄원(진정)서. — *vt.* 탄원[진정]하다. — *vi.* 청원[신청]하다(*for, to*); 기원하다. **~·ar·y**[-èri-/-nəri] *a.* **~·er** *n.*

pét name 애칭.

pet·rel[pétrəl] *n.* Ⓒ 바다제비류(類).

pet·ri·fy[pétrəfài] *vt., vi.* 돌이 되게 하다, 돌이 되다; (굳어 지게)하다; 둔하게 하다; 망연자실하게 (하)다; 제정신을 잃게 하다.

pet·ro-[pétrou, -rə] '바위, 돌, 석유'의 뜻의 결합사.

pèt·ro-chémical *n., a.* ⓒ (보통 *pl.*) 석유 화학 제품[약품](의).

pet·rol[pétrəl] *n.* ⓤ 《英》 가솔린.

pe·tro·la·tum[pètrəléitəm] *n.* ⓤ[化] 바셀린; 광유(鑛油).

pétrol bòmb 《英》 화염병.

pe·tro·le·um[pitróuliəm, -jəm] *n.* ⓤ 석유.

pe·trol·o·gy[pitrálədʒi/-5-] *n.* ⓤ 암석학(cf. petrography).

pet·ti·coat[pétikòut] *n., a.* ⓒ 페티코트《여자·어린이의 속치마》; 스커트; (*pl.*) 《口》 여자, 여성(의). — *a. government* 치맛바람, 내주장.

pet·ti·fog[pétifɑ̀g, -fɔ̀ːg] *vi.* (**-gg-**) 되잖은[억지] 이론을 늘어 놓다. **~·ger** *n.* 궤변가, 엉터리 변호사. **~·ging** *a.* 궤변으로 살아가는; 속임수의; 보잘 것 없는.

pet·tish[péti∫] *a.* 까다로운, 성 잘 부림.

pet·ty[péti] *a.* ① 사소한, 하찮은. ② 옹졸한, 인색한. ③ 소규모의.

pétty cásh 소액 지불 자금; 용돈.

pétty òfficer (해군의) 하사관.

pet·u·lant[pét∫ələnt] *a.* 까다로운; 성마른. **~·ly** *ad.* **-lance, -lan·cy** *n.*

pe·tu·nia[pit∫úːniə, -njə] *n.* ⓒ [植] 피튜니아(꽃).

pew[pju:] *n.* ⓒ (교회의) 벤치형 좌석; 교회의 가족석.

pe·wit[píːwit] *n.* ⓒ [鳥] 댕기물떼새; (유럽산) 갈매기의 일종; 《미국 산》 딱새의 일종.

pew·ter[pjúːtər] *n.* ⓤ 백랍(白鑞), 맵납(주석과 납의 합금); 《집합적》 백랍제의 기물(器物).

Pha·lanx[féilæŋks, fǽl-] *n.* (*pl.* **~·es, phalanges** [fəlǽndʒiːz]) ⓒ 《古그리스》 방진(方陣); 밀집대(隊); 결사 (結社); 집단(指導), 지골(趾骨).

phal·lus[fǽləs] *n.* (*pl.* **-li**[-lai]) ⓒ 남근상(像); [解] = PENIS; CLITORIS.

phan·tasm[fǽntæzəm] *n.* ⓒ 곡

두, 환영(幻影); 환상. **-tas·mal**[fæntǽzməl] *a.* 환영의[같은]; 공상의.

phan·tas·ma·go·ri·a[fæntæzməgɔ́ːriə] *n.* ⓒ (초기) 환등의 일종; 주마등 같은 광경. **-gór·ic** *a.*

phan·tom[fǽntəm] *n.* ⓒ 곡두, 환영; 유령, 도깨비; 착각, 환상. — *a.* 유령 같은; 환영의; 가공의.

Phar·aoh[fɛ́ərou] *n.* ⓒ 고대 이집트왕의 존칭.

Phar·i·see[fǽrəsiː] *n.* ⓒ 바리새(파의) 사람; (p-) 형식주의자, 위선자. **~·ism** *n.*

phar·ma·ceu·tic[fàːrməsúːtik/-sjúːt-], **-ti·cal**[-əl] *a.* 조제(調製)(상)의; 제약의. **-céu·tist** *n.* 약제사. **-céu·tics** *n.* ⓤ 조제학.

phar·ma·cist[fáːrməsist] *n.* = DRUGGIST.

phar·ma·col·o·gy[fàːrməkálədʒi/-5-] *n.* ⓤ 약리학.

phar·ma·co·poe·ia[fàːrməkəpíːə] *n.* ⓒ 약전(藥典).

phar·ma·cy[fáːrməsi] *n.* ⓤ 조제법(調劑法); 약학; [集合的] 약제; ⓒ 약국; 약종상.

phar·yn·gi·tis[færindʒáitis] *n.* ⓤ [醫] 인두염.

phar·ynx[fǽriŋks] *n.* (*pl.* **~·es, pharynges**[fərindʒiːz]) ⓒ [解] 인두(咽頭).

phase[feiz] *n.* ⓒ (변화·발달의) 단계, 형세, 국면; (문제의) 면(面), 상(相); [天] (달, 기타 유성의) 상(象); [物] 위상(位相); [電] 상(相); [결] 위상, 단계. — *vt.* 위상으로[단계로] 나누어 나타내다(in).

Ph.d. [píːeitʃ díː] *Philosophiae Doctor*(L.= Doctor of Philosophy).

pheas·ant[fézənt] *n.* ⓒ 꿩.

phe·nol[fíːnoul, -nɑl/-nɔl] *n.* ⓤ [化] 페놀, 석탄산(酸).

phe·nom·e·nal[finámənəl, -5-] *a.* 현상의; 자연 현상의; 경이적인, 굉장한. **~·ism**[-lzəm] *n.* [哲] 현상론.

phe·nom·e·non[finámənàn/-nɔ́minən] *n.* (*pl.* **-na**) ⓒ 현상; (*pl.* **~s**) 경이(적인 것), 진기한 사람[사물].

pher·o·mone[férəmòun] *n.* ⓒ

【生】페로몬《어느 개체에서 분비되어, 동종의 다른 개체의 성적·사회적 행동에 변화를 주는 유인 물질》.

phew [ɔ:, fju:] *int.* 휫!《초조·혐오·놀람 따위를 나타내는 소리》.

phi·al [fáiəl] *n.* ⓒ 작은 유리병; 약병.

phi·lan·der [filǽndər] *vi.* (남자가) 엽색하다; 여자를 쫓아다니다(*with*). **-er** *n.*

phi·lan·thro·py [filǽnθrəpi] *n.* ⓤ 박애, 자선; ⓒ 자선 행위(사업, 단체). **-thro·pist** *n.* 박애주의자. **-throp·ic** [filənθrápik/-5-] *a.* 박애의.

phi·lat·e·ly [filǽtəli] *n.* ⓤ 우표 수집(연구). **-list** *n.* ⓒ 우표 수집가.

phil·har·mon·ic [fìləhɑːrmɑ́nik, fìlər-/-mɔ́n-] *a.* 음악 애호의(주로 악단 이름에 쓰임) (*London P- Orchestra*).

Phi·lis·tine [fíləstiːn, filístin, fìlistáin] *n.* ⓒ 필리스틴 사람《옛날, 유대인의 강적》; 《慶》 잔인한 적《집달리·빚쟁이 등》; (*or p-*) 속물 (俗物). —— *a.* 필리스틴 사람의; (*p-*)교양이 없는. **-tin·ism** [fíləstinìzəm] *n.* ⓤ 속물 근성, 무교양.

phi·lol·o·gy [filɑ́lədʒi/-5-] *n.* ⓤ (주로 英) 문헌학; 언어학(linguistics). **-gist** *n.* ⓒ 문헌(언어)학자. **phil·o·log·i·cal** [fìləládʒikəl/-5-] *a.* 문헌(언어)학(상)의. **-i·cal·ly** *ad.*

phi·los·o·pher [filɑ́səfər/-5-] *n.* ⓒ 철학자; 현인.

phil·o·soph·ic [fìləsɑ́fik/-5-], **-i·cal** [-əl] *a.* 철학의; 철학에 통달한(몰두하는); 현명한, 냉철한. **-i·cal·ly** *ad.*

phi·los·o·phize [filɑ́səfàiz/-5-] *vi.* 철학적으로 사색하다; 이론을 세우다.

phi·los·o·phy [filɑ́səfi/-5-] *n.* ① ⓤ 철학; ⓒ 철리, 원리, ② ⓤ 달관; 깨달음.

phlegm [flem] *n.* ⓤ 담, 가래; 《慶》점액; 냉담, 무기력; 지둔(遲鈍).

phleg·mat·ic [flegmǽtik], **-i·cal** [-əl] *a.* 《慶》점액질의; 냉담한; 둔감한.

pho·bi·a [fóubiə] *n.* ⓤⓒ 공포증.

-pho·bi·a [fóubiə] *suf.* ‘···(공포)병’의 뜻의 명사를 만듦: Anglo-phobia.

pho·nix [fíːniks] *n.* 《이집트神話》 불사조, **the Chinese ~** 봉황새.

phone [foun] *n., v.* (口) = TELE-PHONE.

-phone [foun] 음·소리’의 뜻의 결합사.

phóne bòok 전화번호부.

phóne bòoth (공중) 전화 박스 (《英》 phone box).

pho·neme [fóuniːm] *n.* ⓒ 【音聲】음소《어떤 언어에 있어서 음성상의 최소의 단위》.

pho·ne·mic [founíːmik] *a.* 【音聲】음소의; 음소론의. **~s** *n.* ⓤ 음소론.

pho·net·ic [founétik] *a.* 음성(상)의, 음성을 나타내는; 음성 표기의. **~ notation** 음성 표기법. **~ signs (symbols)** 음표 문자. **~ transcription** 표음 문자 표기(轉寫). **-i·cal·ly** *ad.* **~s** *n.* ⓤ 음성학.

pho·ney [fóuni] *a., n.* = PHONY.

pho·no- [fóunou, -nə] ‘음, 소리’란 뜻의 결합사.

pho·nol·o·gy [founɑ́lədʒi/-5-] *n.* ⓤ 음성학(phonetics); 음운학; 음성론《음韻史論》; 사적(史的) 음운론.

pho·ny [fóuni] *a., n.* ⓒ (口) 가짜(의).

phos·phate [fɑ́sfeit/-5-] *n.* ⓤⓒ 《化》 인산염; (소량의 인산을 함유한) 탄산수; (보통 *pl.*) 인산 비료.

phos·pho·rate [fɑ́sfəreit/-5-] *vt.* 인(燐)과 화합시키다, 인을 가하다.

phos·pho·resce [fɑ̀sfərés/-5-] *vi.* 인광(燐光)을 발하다. **-res·cence** [-résns] *n.* ⓤ 인광(의 발산). **-res·cent** *a.* 인광을 발하는.

phos·pho·rous [fɑ́sfərəs/-5-] *a.* 인(燐)의; 인을 함유하는.

pho·to [fóutou] *n.* (*pl.* **~s**) (口) = PHOTOGRAPH.

pho·to- [fóutou, -tə] ‘사진·빛·광·전자’란 뜻의 결합사.

phòto-fínish *n.* (경마 따위) 사진 판정의.

pho·to·gen·ic [fòutədʒénik] *a.* (풍경·얼굴·배우 등) 촬영에 알맞은; 《生》 발광성(發光性)의.

pho·to·graph[fóutəgræf, -grɑ̀:f] *n., vt., vi.* ⓒ 사진(으로 찍다, 을 찍히, 에 찍히다), 촬영하다.

pho·tog·ra·phy[fətágrəfi/-5-] *n.,* ⓤ 사진술, 촬영술. ***-pher** *n.* ⓒ 사진사. ***pho·to·graph·ic**[fòutəgrǽfik] *a.* 사진술의, 사진 같은; 극히 사실적인(정밀한).

pho·ton[fóutan/-tɔn] *n.* ⓒ 【理】 광자.

phóto oppórtunity (정부 고관·유명 인사 등의) 카메라맨과의 회견.

pho·to·stat[fóutoustæt] *n.* ⓒ 직접 복사 사진기; 직접 복사 사진. — *vt.* 직접 복사 사진기로 촬영하다.

phòto·sýnthesis *n.* ⓤ 【生·化】 (탄수화물 따위의) 광합성(光合成).

phrase[freiz] *n.* ⓒ 말(씨). ② 성구(成句), 관용구; 금언. ③ 【文】 구(句); 【樂】 악구(樂句), **set ~** 상투 문구, 성구. — *vt.* 말로 표현하다; 【樂】 악구로 구분하다. **phràs·ing** *n.* ⓤ 말씨; 어법; 【樂】 구절법.

phráse bòok 숙어집, 관용구책.

phra·se·ol·o·gy[frèiziáləʒi/-5-] *n.* ⓤ 말(씨), 어법.

phy·lum[fáiləm] *n.* (*pl.* **-la**[-lə]) ① 【生】 (분류상의) 문(門)(종족).

phys·i·cal[fízikəl] *a.* 물질의, 물질적인; 자연의(물질에 관련한); 물리학상의(적인).; 육체의. **~·ly** *ad.*

phýsical jérks (英) 미용 체조.

phy·si·cian[fizíʃən] *n.* (내과) 의사.

phys·i·cist[fízisist] *n.* ⓒ 물리학자.

phys·ics[fíziks] *n.* ⓤ 물리학.

phys·i·og·no·my[fìziágnəmi/-5-] *n.* ① 인상(관상)학; ② 인상, 상모(인상·관상에 나타난); ③ 지형; 특징. **-nom·i·cal**[-əgnámikəl] *a.* 관상(학)의. **-nom·i·cal·ly** *ad.* 인상(관상)(학)상(학)상. **-mist** *n.* ⓒ 인상(관상)학자, 관상가.

phys·i·ol·o·gy[fìziálədʒi/-5-] *n.* ⓤ 생리학; 생리 현상(기능). ***-o·log·ic**[-əládʒik/-5-], **-i·cal**[-əl] *a.* 생리학(상)의. **-gist** *n.* ⓒ 생리학자.

phys·i·o·ther·a·py[fìziouθérəpi] *n.* 물리(이학) 요법.

phy·sique[fizí:k] *n.* ⓒ 체격.

pi[pai] *n.* ⓤ,ⓒ 그리스 알파벳의 16째 글자(π, n_영어의 P, p에 해당함); 【數】 원주율.

pi·an·ist[piǽnist, píːə-, pjǽn-] *n.* ⓒ 피아니스트.

pi·an·o[piǽnou, pjǽn-] *n.* (*pl.* **~s**) 피아노.

pi·a·no[piɑ́:nou] *ad., a.* (It.) 【樂】 여리게; 여린.

pi·az·za[piǽzə/-ǽtsə] *n.* ⓒ (이탈리아 도시의) 광장; (美) =VERANDA.

pic·a·resque[pìkərésk] *a.* 악한을 다룬(소설 따위의). — *n.* (the ~) 악한을 소재로 한 소설.

pic·co·lo[píkəlòu] *n.* (*pl.* **~s**) ⓒ 피콜로(높은 음의 작은 피리).

pick[pik] *vt.* ① 따다, 뜯다. ② 쪼아먹다(쪼다), 파다(구멍을) 뚫다. ③ (귀·이 따위를) 우비다, 쑤시다. ④ (새로부터 깃털을) 쥐어(잡아)뜯다. ⑤ (뼈에 붙은 고기를) 뜯다. ⑥ 골라잡다, 고르다. ⑦ (주머니에서) 훔치다, 소매치기하다(~ pockets). ⑧ (자물쇠 등을) 비집어 열다. ⑨ (…에 대해 싸움할) 계기(口實)를 잡다(with); (싸움을) 걸다. ⑩ 【樂】 (현악기를) 손가락으로 타다. — *vi.* 쑤시다, 찌르다(at); 고르다; 훔치다, 소매치기하다. **~ a quarrel with** …에 싸움을[시비를] 걸다. **~ at** 조금씩 먹다; (美口) 트집잡다, 잔소리하다. **~ holes a (a hole) in** …의 트집을 잡다. **~ off** 뜯다; 하나씩 겨누어 쏘다. **~ on** …을 고르다; (口) …을 혹평하다, 괴롭히다. **~ oneself up** (넘어진 사람이) 스스로 일어서다. **~ out** 고르다; 장식하다. 돋보이게 하다(with); 분간하다(무늬 등을) 잡다, 파악하다. **~ over** (가장 좋은 것을) 고르다. **~ up** 주워 올리다; (배·차 따위가) 도중에서 태우다, (手나 손으로) 집어들다; 우연히 손에 넣다; (라디오 따위로) 청취하다; (말 따위를) 어렵지 않고 습득하다; (美口) (여자를) 꾀다; (원기 따위를) 회복하다; 속력을 늘리다; (口) 우연히 아는 사이가 되다(with); (美) 정돈하다, 청소하다. — *n.* ① 선택; (보통 the ~) 가장 좋은 물건, 정선품(精選品). ② ⓒ (한 시기의) 수확 작물; (현악기의)

의) 채, 피크. ④ 찍는[찌르는] 도
구, 곡괭이, 이쑤시개, 송곳 (따위).
─ed[-t] a. 쥐어 뜯은 (귀퉁이 한)
정신한.

pick·ax(e)[<ǽks] n., vt. ⓒ 곡괭
이(로 파다).

pick·et[píkit] n., vt., vi. ⓒ 말뚝
(을 둘러치다, 에 매다); 【軍】 소초
(小哨)(를 배치하다), 초병(哨兵)(근
무를 하다); (노동 쟁의의) 감시원(로
롯을 하다), 피켓(을 치다).

pícket line (노동 쟁의시의) 피켓라인
인;【軍】 전초선; (말을 매는) 고삐.

pick·ing[píkiŋ] n. ① ⓤ 뜯음, 채
집(採集). ② (pl.) 이삭; 남은 것;
훔친 물품.

pick·le[píkl] n. ⓤ (고기나 야채
를) 절이는 물[소금물·초 따위]; (금
속 따위를 씻는) 산(酸). ⓤⓒ
절인 것[특히 오이지]; (a ~) 【口】
곤경. ─ vt. 절이 국물에 절이다;
묽은 산으로 씻다.

pick-me-up n. ⓒ 【口】 각성제[술
따위]; 흥분제.

pick·pocket n. ⓒ 소매치기.

pick·up n. ① ⓒ 우연히 알게
된 사람; 습득물. ② ⓒ 【口】 (경기·
건강의) 호전. ③ ⓤ (자동차의) 가
속; ⓒ 픽업, 소형 트럭. ④ 【野】
타구를 튀어 오르기. ⑤ ⓒ (라디오·
전축의) 픽업. ⑥ ⓒ (자동차 등) 무
료 편승자.

pic·nic[píknik] n. ⓒ 소풍, 피크
닉;【俗】 즐거운 일, 쉬운 일. ─ vi.
(-ck-) 소풍을 가다; 피크닉식으로 식
사를 하다.

pic·to·ri·al[piktɔ́:riəl] a. 그림의
[으로 나타낸]; 그림이 든; 그림 것
그림[같은]. ─ n. 화보, 그림이
실린 잡지[신문]. **~·ly** ad.

pic·ture[píktʃər] n. ⓒ 그림; 초
상; 사진; 아름다운 풍경, 아름다운
것; 사실(적인 묘사); 상(像); 심상
(心像)(mental image). 꼭 닮은 것;
화신(化身); 영화; 【映】 【종】 그
림. out of the ~ 엉뚱하게 잘못
짚어, 무관계하여. ─ vt. 그리다;
묘사하다; 상상하다(to oneself).

picture gàllery 화랑(畫廊).

pic·tur·esque[pìktʃərésk] a. 그
림같은, 아름다운; 생생한.

pid·dle[pídl] vi. 【美】 (…을) 낭비
하다; (…을) 질질 끌다, 빈들거리며
다, 오줌누다. **pid·dling**[-dliŋ] a.
사소한, 시시한.

pidg·in[pídʒin] n. ⓤ【英口】 (볼)
일, 거래; (몇 언어가 섞인) 혼용어
(jargon).

pie[pai] n. ⓤⓒ ① 파이[과일이나
고기를 밀가루반죽에 싸서 구운 것].
② 【美口】썩 좋은 것; 거저먹기; 뇌
물. **have a FINGER in the ~**.

pie·bald a., n. ⓒ 얼룩의 (흑백) 얼룩의
(말).

piece[piːs] n. ⓒ 조각, 단편; 한
장; 부분(品); 한 구획, 한 개, 한
장; 한 개; (일정한 분량을 나타내는)
한 필, 한 통(따위); 화폐; 한 편,
한 편; 한 곡(따위); 총, 대포; (장
기 등의) 말. **all to ~s** 산산조각으
로; 【方】 철저히. **a ~ of water**
작은 호수. **come to ~s** 산산조각이
나다. **go to ~s** 자제심을 잃다. 신
경 쇠약이 되다(cf. collect
oneself); collect one's thoughts
냉정을 찾다). **into (to) ~s** 산산조
각으로. **of a ~** 같은 종류의, 일치
하여(with). ─ vt. 접합(接合)하다,
잇대어서 수리하다[만들다](on, out,
together, up).

pièce de ré·sis·tance[pjéis
də rèzistɑ́:ns] (F.) 식사 중의 주요
요리; 주요물, 백미(白眉).

piece·work n. ⓒ 도급일, 삯일.

pie chàrt (원을 반지름으로
구분하는) 파이 도표.

pied[paid] a., n. ⓒ 얼룩덜룩한
(말); 잡색의.

pie-eyed[páiàid] a. 《俗》 술취
한.

pier[piər] n. ⓒ 부두, 선창; 방파
제; 교각(橋脚);【建】 창문 사이 벽
~·age[píəridʒ] n. ⓤ 부두세(稅).

pierce[piərs] vt. 꿰찌르다; 꿰뚫
다, 관통하다; (…에) 구멍을 내다;
돌파하다; (곡까 소리 따위가) 날카롭
게 울리다; 감동시키다; 통찰하다
(…에) 스며들다. ─ vi. 들어가다.
꿰뚫다. **pierc·ing** a. 꿰찌르는; 뼈
에 사무치는; 날카로운; 통찰력 있는.

pi·er·rot[píːərðu] n. (P- Pierre
Peter) n. (F.) (P-) 피에로[프랑
스 무언극의 어릿광대]; 어릿광대.

pi·e·ty [páiəti] *n.* U.C 경건(한 언행); U (어버이·웃어른 등에 대한) 공손(恭順), 순종, 효성.

pif·fle [pifəl] *n., vi.* U □(口) 허튼소리(를 하다).

pif·fling [piflin] *a.* (口) 하찮은, 시시한.

pig [pig] *n.* C 돼지, 새끼 돼지; U 돼지고기; □ (추접스러운, 게걸스러운, 또는 욕심 많은) 돼지 같은 사람; □(야금) 무쇠; □. **bring (sell) one's ~s to a pretty (a fine, the wrong) market** 잘 보지도 않고 물건을 사다. **buy a ~ in a poke (bag)** 잘 보지도 않고 물건을 사다. **make a ~ of oneself** 잔뜩 먹다; 욕심부리다.

pi·geon [pidʒən] *n.* C 비둘기.

pi·geon·hòle *n., vi.* C 비둘기장의 출입 구멍; 서류 정리장(에 넣다); 정리하다, 기억해 두다; 뒤로 미루다; 묵살하다.

pig·ger·y [pigəri] *n.* C 돼지우리; U 불결한 곳.

pig·gy, -gie [pigi] *n.* C 돼지새끼. ── *a.* 욕심 많은.

piggy·bàck [—bæk] *a., ad.* 등에 업힌(업혀서).

piggy bank 돼지 저금통.

pig·hèaded *a.* 고집센, 완고한.

pig iron 무쇠, 선철(銑鐵).

pig·ment [pigmənt] *n.* U.C 그림물감; 색소. ── *vt.* 착색하다.

pig·men·ta·tion [pìgməntéiʃən] *n.* U [生] 염색; 색소 형성.

pig·my, P- [pigmi] *n., a.* = PYGMY.

pig·skin *n.* U.C 돼지의 생가죽(무두질한 가죽); □(口) 축구공.

pig·sty *n.* C 돼지우리.

pig·tàil *n.* C 돼지꼬리; 변발(辮髮); 꼰 담배.

pike [paik] *n.* C □ [史] 미늘창(槍); '창'.

pike² *n.* (*pl.* **~s,** (집합적) **~**) C [魚] 창꼬치(cf. pickerel).

pike·stàff *n.* (*pl.* **-staves** [—stèivz]) C 창자루. **as plain as ~** 아주 명백한.

pi·laf [pilɑ́ːf/ pílæf] *n.* U.C 필라프(肉飯)(볶은 쌀에 고기·후춧가루를 섞은 요리).

pil·chard [piltʃərd] *n.* C 정어리류(類)(sardine의 성어(成魚)).

pile¹ [pail] *n.* C ① 퇴적(堆積), 더미(heap). ② 화장(火葬)의 장작더미. ③□(口) 대량(의 돈). ④ 대건축물의 집단. ⑤ 쌓은 재화(財貨); 재산. ⑥ [電] 전퇴(電堆), 전지. ⑦ [理] 원자로(爐)(reactor의 구칭). ── *vt.* 쌓아 올리다(on, up); 축적하다; 산더미처럼 쌓다. ── *vi.* □(口) 와글와글 몰려(타거나 타지 않거나)(in, off, out, down). **~ arms** [軍] 걸어총하다. **~ it or** □(口) 과장하다. **~ up** (배를) 좌초시키다; (비행기를) 결판내다; (*vi.*) 충돌하다.

pile² *n., vt.* C (건조물의 기초로서의) 큰 말뚝(을 박아 넣다). **pil·ing** *n.* (집합적) 큰 말뚝; 말뚝 박기.

pile³ *n.* C 솜털(down); 양털; (우단(羽緞) 따위의) 보풀.

pile driver 말뚝 박는 기구.

piles [pailz] *n. pl.* [病] 치질.

pile·ùp *n.* C (자동차의) 다중 충돌.

pil·fer [pilfər] *vt., vi.* 훔치다, 좀도둑질하다. **~age** [—fəridʒ] 발화(拔貨).

pil·grim [pilgrim] *n.* C 순례(방랑·여행)자; (美) (P-) Pilgrim Fathers의 한 사람.

pil·grim·age [pilgrimidʒ] *n., vi.* C 순례 여행; 긴 여행(나그네길); 인생행로; 순례하다.

pill [pil] *n.* C ① 알약, 환약; 작은 구형의 것. ② (俗) (야구·골프의) 공. ③ (俗) 싫은 사람.

pil·lage [pilidʒ] *n., vt., vi.* U 약탈(하다).

pil·lar [pilər] *n.* C 기둥(모양의 것); 주석(柱石). **from ~ to post** 여기저기서.

pillar bòx (英) 우체통.

pill·bòx *n.* C (작은) 환약 상자, 작은 요새, 토치카.

pil·lion [piljən] *n.* C (같이 타는 여자용의) 뒷안장.

pil·lo·ry [pilari] *n.* C [史] 칼(틀)(죄인의 목과 양손을 널빤지 구멍에 끼운 채의 형벌). ── *vt.* 칼을 씌워 세우다; 웃음거리로 만들다.

pil·low [pilou] *n.* C 베개; 방석, 덧대는 물건(pad). ── *vt.* 베개로 하다.

pil·low·càse, -slìp n. ⓒ 베갯잇.

pi·lot [páilət] n. ⓒ 도선사(導船士); 수로(水路) 안내인; 키잡이; [空] 조종사; 지도자; [機] 조절기. *drop the* ~를 훌륭한 지도자를 물리치다. — vt. 도선(導船)하다; 지도하다; (비행기를) 조종하다. ~ *age*[-idʒ] n. ⓤ 도선(료); 비행기 조종술. ~*less* a. 조종사 없는(a ~*less airplane* 무인기).

pílot líght 표시등(火氣) (가스 점화용의) 불씨.

pílot òfficer 《英》 공군 소위.

pi·men·to [piméntou] n. (pl. ~*s*) [植] 피망《요리용》; ⓤ 《서인도산의》향료; ⓤ 선명한 적색.

pimp [pimp] n., v. = PANDER.

pim·ple [pímpl] n. ⓒ 여드름, 뾰루지. ~*d*[-d] a. 여드름난(부스럼 의).

pin [pin] n. ⓒ 핀, 못바늘, 핀 달린 기장(記章); 장식 핀, 브로치; ③ (나무)못; 빗장. ④ 《활》밧줄을 비끄러매는 말뚝(belaying pin)등 마개; (현악기)줄감개, 주감이. ⑥ 《볼링》병 모양의 표주(標柱), 핀. ⑥ 《골프》 hole을 표시하는 깃대. ⑦ (pl.) 《口》 다리(leg). ⑧ 하찮은 것. *in a merry* ~ 기분이 매우 좋아. *not care a* ~ 조금도 개의(상관)치 않다. ~*s and needles* (손발의) 저림. *on* ~*s and needles* 조마조마하여. — vt. (-*nn*-) (……에) 핀을 꽂다(*up, together, on, to*); 핀을 꽂이 누르다; 움쭉달싹 못하게 하다. (그 자리에) 못박다; 억누르다; 속박하다(*down*). ~ *one's faith on* [*to*] ……을 신뢰하다.

pin·a·fore [pínəfɔ̀ːr] n. ⓒ 《어린애의》앞치마가 달린 간이복.

pin·ball [pínbɔ̀ːl] n. ⓤ 핀볼, 코리 게임.

pince-nez [pǽnsnèi] n. 《F.》 ⓒ 코안경.

pin·cers [pínsərz] n. pl. 집게, 펜치, 못뽑이; [動] (게 따위의) 집게 발; 협공(전).

pincers mòvement 《軍》협공작 전.

pinch [pintʃ] vt. ① 꼬집다, 집다.

물다. ② 잘라내다, 따다(*out*). ③ (구두 따위가) 죄다. ④ 괴롭히다 (*for*); 수척하게 하다; (추위 따위로) 움츠러(지러)들게 하다; 바싹 조리 차하다(줄이다). ⑤ 《俗》체포하다 (*from, out, of*). ⑥ 《口》훔치다. — vi. 죄어들다. (구두 따위가) 아프다; 인색하게 굴다; (맘살이) 가늘어지다. — n. ① 꼬집음, 집음; 소량, 조금; (the ~) 압박; 어려움, 곤란; 위기; ② 《俗》훔침; 《俗》포박(捕縛). *at* [*in, on*] *a* ~ 절박한 때에. ~*er* n. ⓒ 집는(무는) 사람(도구); (pl.) PINCERS.

pín·cùshion n. ⓒ 바늘 겨레.

pine [pain] n. ⓒ 소나무; ⓒ 그 재목.

pine vi. 수척해지다(*out, away*); 몹시 그리다[동경하다], 갈망하다 (*for, after*).

pìne·àpple n. ⓒ [植] 파인애플; 《軍俗》폭탄, 수류탄.

ping [piŋ] n., vi. (a ~) 핑 《소리가 나다》《총탄이 나는 소리》.

ping-pong [píŋpàŋ, -pɔ̀ŋ] n. ⓒ 핑퐁, 탁구.

pin·ion [pínjən] n. ⓒ 새의 날개 끝부분; 날개; 깃촉, 날개깃; ⓒ 《시》 (날지 못하도록) 날개 끝을 자르다(날개를 묶다); (……의) 양팔을 동이다; 묶다; 속박하다(*to*).

pink [piŋk] n. ⓒ 석죽, 패랭이(의 꽃); ⓤ 도홍《분홍》색, 핑크빛; (the ~) 전형(典刑), 극치; ⓒ 《美俗》《口》좌경한 사람. — a. ⓒ 도홍《분홍》색의; 《俗》좌경적인. ~. *ish* a. 불그레한, 핑크빛을 띤.

pink·ie [píŋki] n. ⓒ 새끼 손가락.

pín mòney 《아내·딸에게 주는, 또는 자기것의》용돈.

pin·na·cle [pínəkəl] n. ⓒ [建] 작은 뾰족탑; 높은 산봉우리, 정점(頂點)을 붙이다; 정점의 높은 곳에 두다.

pín·pòint n. ⓒ 핀(바늘) 끝; 아주 작은 물건; 소량; 정확한 위치 결정. — a. 핀 끝(만큼)의; (폭격이) 정확한. — vt., vi. 정확히 가리키다(폭격하다).

pín·strìpe n. ⓒ 가는 세로 줄무늬 (의 옷감·옷).

pint [paint] *n.* ⓒ 파인트(1/2 quater; 《英》= 0.57리터, 《美》= 0.47리터》; 1파인트들이 그릇. 《한.

pínt-size *a.* 《美口》 비교적 자그마 한.

pín·up [píp] *n.* ⓒ 《口》 벽에 핀으로 꽂는 (사진); 매력적인 (여자).

pi·o·neer [pàiəníər] *n., vt., vi.* ⓒ 개척자; 선구자; (P-) 미국의 혹성 탐사기; 《軍》 공병; 개척하다; 솔선하다.

pi·ous [páiəs] *a.* 신앙심이 깊은, 경건한; 신앙이 깊은 체하는; 종교적인; 《古》 효성스러운(opp. impious). ~**ly** *ad.*

pip [pip] *n.* ⓒ (사과·귤 따위의) 씨.

pip² *vi.* (**-pp-**) (병아리가) 삐악삐악 울다; (보르 時期가 바이 삐삐약약 울다. — *vt.* (병아리가 껍질을) 깨고 나오 다. — *n.* (삐약) (삐약)의 (소리).

pipe [paip] *n.* ⓒ ① 관(管), 도관(導管), ② (담배의) 파이프; 한 대의 담배, ③ 피리, 관악기, (파이프 오르간의) 관; (*pl.*) = BAGPIPE; 《海》 호적 (號笛), ④ 노래 소리; 새의 울음소리, ⑤ 송풍, ⑥ 《컴》 연결, 파이프. — *vt.* (피리를) 불다; 노래하다; 새된 소리로 말하다; 《海》 호적으로 부르다; 도관(導管)으로 나르다《공급하다》; (옷 따위에) 가는 끈을 달다. — *vi.* 피리를 불다; 새된 소리를 내다; 《海》 호적으로 명령《신호》하다. ~ **down** 《海》 호적을 불어 일을 끝마치게 하다; 《俗》 조용(沈默)히 하다; 침묵하다. ~ **up** 취주(吹奏)하기 시작하다; 소리치르다. ~**ful** [-fəl] *n.* ⓒ (담배) 파이프 하나 가득.

pípe dréam 《口》 (아편 흡연자가 하는 따위의) 큰 공상(空想).

pípe-line *n.* ⓒ 송유관; 정보 루트. **in the** ~ 수송《진행》중에. — *vt.* 도관으로 보내다.

píp·er [páipər] *n.* ⓒ 피리 부는 사람. **pay the** ~ 비용을 부담하다.

pi·pette [paipét] *n.* ⓒ 《化》 피펫.

pip·ing [páipiŋ] *n.* ⓤ 피리를 붊; 관악기(pipe music); 피리 소리; 《집합적》관(管)류의 재료들; (옷의) 가선단. — *a.* 새된, 피리의《지글 지글끓는》; 태평한《the ~ times of peace》(복의 시인이 아니고, 피리소리 울리 는) 태평 성세《Sh.》; **hot** ~ 데서 끓을 정도로 뜨거운.

pip·it [pípit] *n.* ⓒ 종다리의 무리.

pi·quant [píːkənt] *a.* 얼얼한, 톡 쏘는(맛 따위); 시원스런, 통쾌한; 《古》 신랄한. **pí·quan·cy** *n.*

pique [piːk] *n.* ⓤ 성남; 기분이 언 짢음, 지르퉁함. — *vt.* 성나게 하 다; (감정을) 상하게 하다; (흥미 따 위를) 자아내다; 《古》 자랑하다. ~ **oneself** (**upon**) …을 자랑하다.

pi·ra·cy [páiərəsi] *n.* ⓤⓒ 해적 행위; 저작권 침해.

pi·rate [páiərət] *n.* ⓒ 해적(선); 저작권 침해자; 약탈자. — *vt., vi.* 해적질하다; 약탈하다; 저작권을 침해 하다. **pi·rat·ic** [paiərǽtik] -**i·cal** [-əl] *a.*

pir·ou·ette [pìruét] *n.* ⓒ 《스케이트·댄스에서》 발끝 돌기; 발끝으로 급선회하다.

Pis·ces [páisiːz, pis-] *n. pl.* 《天》 물고기자리; 쌍어궁(雙魚宮)《황도대 (黃道帶) 12궁(宮)의 하나》.

piss [pis] *n., vi., vt.* 《卑》 ⓤⓒ 오줌 (누다).

pissed [pist] *a.* 《美俗》 화난; 《英 俗》 곤드레만드레 취한.

pis·ta·chi·o [pistáːʃiòu] *n.* (*pl.* ~**s**) ⓒ 《植》 피스타치오; 그 열매 《향료》; ⓤ 산뜻한 녹색.

pis·tol [pístl] *n., vt.* (《英》 -**ll-**) ⓒ 권총으로 쏘다.

pis·ton [pístən] *n.* ⓒ 《機》 피스톤.

píston ród 피스톤간(桿).

pit¹ [pit] *n.* ⓒ ① 구덩이, 움푹한 곳, ② 함정, ③ 《詩》 곰보 자국, ④ (**the** ~) 지옥. ⑤ 《英》 (극장의 아래층 뒤쪽 좌석《의 관객》). ⑥ 투계(鬪鷄)(투견(鬪犬))장, ⑦ 입 운. 《자⑧ 《美》 거래소의 일구획. **the** ~ **of the stomach** 명치. — *vt.* (**-tt-**) 구멍을 내다. 구덩이를 《우묵하게》 만들다; 곰보를 만들다; (사람·개 등을) 싸움붙이다《**against**》.

pit² *n., vt.* (**-tt-**) ⓒ 《美》 복숭아 따 위의 핵을 빼다.

pitch¹ [pitʃ] *n.* ⓤ 피치, 역청(瀝青); 수지, 송진. — *vt.* 피치를 칠하다.

pitch² *vt.* ① (말뚝을) 세우다; (천

막음)] 치다; (주거를) 정하다. ② (목표를 향해) 던지다; (투수가 타자에게) 투구하다. ③ [컴] 조절하다. —— vi. 던지다; [野] 투수를 맡다; 아래로 기울다. (배가) 뒷질하다; 천막을 치다. ~ed battle 정정당당한 싸움; 격전, 격론. ~ in (美口) 기운차게 하다, 시작하다. ~ into (口) 맹렬히 공격하다; 호되이 꾸짖다. ~ on (upon) 고르다. —— n. ⓒ 던짐. 고정위치; 투구; 던짐(the one's (배의) 뒷질; 점(point); 정도; [UC] [樂] 음의 높이; 경사도; ⓒ 피치 (뱃머리와의 뱃머리와 뱃머리 사이의 거리); [컴] 문자 밀도, 피치.

pitch-black n. 새까만, 칠흑의.

pitch-dark n. 칠흑의.

pitch-er[-ər] n. ⓒ 물주전자. The ~ goes to the well once too often. (속담) 꼬리가 길면 밟힌다. ~ful[-fùl] n. ⓒ 물주전자 하나 가득(분량).

pitch-er n. ⓒ 던지는 사람; [野] 투수.

pitch-fork n. ⓒ 건초용 쇠스랑[갈퀴]; [樂] 음차(音叉).

pit-e-ous[pítiəs] a. 불쌍한, 애처로운.

pit-fall n. ⓒ 함정, 유혹.

pith[piθ] n. ① [植] 수(髓); ⓒ (眞髓), 요점; [古] 정력, 원기; 힘. the ~ and marrow 가장 중요한 점. ~·less a. 수(髓)가 없는; 기력이 없는.

pit-head n. ⓒ 갱구(坑口); 그 부근의 건물.

pith-y[píθi] a. 수(髓)의[같은], 수가 많은; 기력이 있는; 간결한.

pit-i-a-ble[pítiəbəl] a. 가엾은; 비천한. **-bly** ad.

pit-i-ful[pítifəl] a. 불쌍한; 비루한; (古) 인정 많은. ~·ly ad.

pit-i-less[-lis] a. 무정한, 무자비한. ~·ly ad.

pi-ton[pí:tan/-ɔ-] n. ⓒ [登] 뾰족 한 산꼭대기; (등산용으로) 바위에 박는 못, 마우어하켄.

pit-ter-pat-ter[pítərpætər] n. (sing.) 후두두(비 따위의 소리); 푸드득(하는 소리).

pi-tu-i-tar-y[pitjú:ətèri/-təri] n.

ⓒ 뇌하수체(제제(製劑)).

pit-y[píti] n. ① 연민, 동정; ⓒ 석하일;[유감]의 원인. for ~'s sake 제발, have (take) ~ on ~을 불쌍히 여기다. It is a ~ [a thousand pities] that ~이라니 딱한 [가엾은] 일, 유감천만이다. out of ~ 딱하게(가엾게) 여겨. What a ~! 참으로 딱하여라(유감이다). —— vt. ~을 가엾게 여기다. ~·ing a. 불쌍히 여기는, 동정하는. ~·ing·ly ad.

piv-ot[pívət] n. ⓒ 선회축(回軸) (부채의) 사북; 중심점, 요점, —— vt. 선회축에 얹어 놓다, 선회축을 달다. —— vi. 축으로 회전하다; 축상(軸上)에 회전하다. ~·al a.

pix-el[píksəl] n. ⓒ [컴] 픽셀, 화소(畫素).

pix-y, pix-ie[píksi] n. ⓒ 요정(妖精).

piz-za[pí:tsə] n. (It.) [UC] 토마토·치즈·고기 따위가 얹힌 큰 파이.

piz-zi-ca-to[pìtsiká:tou] a., ad. (It.) [樂] 피치카토의(로); 현(絃)을 손톱으로 타는(뜯어). —— n. (pl. -ti [-ti:]) ⓒ 피치카토곡(曲).

pkt. packet. **pl.** plural; plate.

plac-ard[plæka:rd, -kərd] n. ⓒ 벽보; 간판; 포스터; 플래카드. —— [-ˊ-] vt. 간판을[벽보를] 붙이다; 벽보로 광고하다; 게시하다.

pla-cate[pléikeit, plæk-/pləkéit] vt. 달래다.

pla-ca-to-ry[pléikətɔ̀:ri, plæk-] a. 달래는, 회유[융화]적인(~ policies 회유책).

place[pleis] n. ① ⓒ 장소; 곳. ② ⓒ 광장, 여지. ③ ⓒ 지방, 소재지 (시읍·면 따위). ④ ⓒ 거소, 주소, 주택, 저택, 건축물. ⑤ ⓒ 위치, 지위, 계급, 관직(office); 근무처. ⑥ ⓒ 본분, 역할, 직무; (현재 차지하고 있는) 위치, 지위. ⑦ ⓒ (공간에 있어서의) 순서, [數] 선착(첫째에서 3착까지). ⑧ ⓒ 좌석. ⑨ [數] 자리, 위(位)(to 3 decimal ~s 소수점 이하 세 자리까지). ⑩ ⓒ 여지, 기회, 입장(好機)(a ~ in the sun 출세의 좋은 기회). give ~ to ~에게 자리[지위]를 물려 주다. in (out

of ~ 적당[부적당]한 (위치에), **in ~ of** …의 대신으로, **know one's ~** 자기 자리를 알다. **make ~ for** …을 위해 자리를 만들다. **take ~** 일어나다(happen); 개최되다; **take the ~ of** …의 대리를 하다. — **vt.** 두다, 놓다; 배치[정돈]하다; 직위에 앉히다, 임명하다; (주문을) 내다; 투자하다; 장소를[억척·등급을] 정하다; 인정[확인]하다; 생각해 내다.

pla·ce·bo[pləsíːbou] **n.** ⓒ (효력 없는) 안심시키기 위한 약; 《一般》 위안.

place·ment[pléismənt] **n.** ⓤ 놓음, 배치; 직업 소개; 채용, 고용; 【蹴】 플레이스킥(= ~ kíck)(place kick 을 위해); 그 위치; 《교육》 학력에 의한 반 편성.

pláce-nàme **n.** ⓒ 지명.

pla·cen·ta[pləséntə] **n.** (*pl.* ~**s**, **-tae**[-tiː]) ⓒ 《解·動》 태반.

plac·id[plǽsid] **a.** 평온한; 침착[잔잔]한. ~**·ly** **ad.** ~**·ness** **n.** **pla·cid·i·ty** **n.** ⓤ 평정, 평온.

pla·gia·rize[pléidʒiəràiz, -dʒiə-] **vt., vi.** (남의 문장·고안 등을) 표절하다, 도용하다. **-rism**[-rìzəm] **n.** ⓤ 표절. **-rist** ⓒ 표절자.

plague[pleig] **n.** ① ⓒ 역병(疫病). ② (the ~) 페스트; 흑사병. ③ ⓤⓒ 천재, 재해; 천벌. ④ ⓒ 《口》성가신 사람; 귀찮은 일; 말썽. — **vt.** 역병에 걸리게 하다; 괴롭히다. **plá·gu(e)y** **a.** 《古·方》성가신.

plaice[pleis] **n.** (*pl.* ~**s**, 《집합적》 ~) ⓒ 가오리·넙치의 무리.

plaid[plæd] **n.** ⓤ 격자무늬. — **a.** 격자무늬의; 《스코틀랜드 고지인이 걸치는》 격자무늬 나사의 견직; 격자무늬나사. ~**ed**[⊲id] **a.**

plain[plein] **a.** ① 명백한; 평이한; 쉬운; 단순한. ② 무늬[장식]없는; 보통의. ③ 소박[순수]한; (음식이) 담백한. ④ 솔직한. ⑤ (여자가) 예쁘지 않은. ⑥ 평범한. **in ~ terms** [**words**] 솔직히 말하면; **:~·ly ad.** 명백하게; 솔직히. ~**·ness n.**

pláin clóthes 평복, 통상복.

pláin sòng 《宗》 단선율 성가; 정선

율(定旋律); 단순·소박한 곡[선율].

pláin·tiff[pléintif] **n.** ⓒ 《法》 원고 (原告)(opp. defendant).

plain·tive[pléintiv] **a.** 애처로운, 슬픈. ~**·ly ad.** ~**·ness n.**

plait[pleit, plæt] **n., vi.** ⓒ 《옷의 주름을 잡다》; 끈 끝; 땋은 머리; 엮은 밀집(braid); 짜다, 엮다, 땋다.

plan[plæn] **n.** 계획, 설계; 방책; 방법; 도면, 설계도; (시가 등의) 지도. — **vt., vi.** (-**nn**-) 계획 (설계)하다; 설계도를 그리다; 뜻하다 (to do).

plane[plein] **n.** ⓒ ① (수)평면. ② (발달의) 정도, 수준. ③ 비행기; 【空】 날개. — **a.** 평평한, 수평면의; 평면의. — **vi.** 평면이 되다; (보트가 닿린면이) 수면에서 떠오르다.

plane[plein] **n.** 대패; 평평하게 하는 기계. — **vt.** 대패질하다; 대패로 밀다. **plán·er n.** ⓒ 평삭기(平削機).

plane[tree] **n.** ⓒ 플라타너스.

plan·et[plǽnit] **n.** ⓒ 유성(遊星). 혹성: 운성(運星).

plan·e·tar·i·um[plǽnətɛ́əriəm] **n.** (*pl.* ~**s, -ia**[-iə]) ⓒ 플라네타륨, 행성의(儀). (천상의를 설비한): 천문관(館).

plan·e·tar·y[plǽnətɛri/-təri] **a.** 혹성의 (작용에 의한); 방랑하는, 떠도는; 부정(不定)한; 지상[현세]의.

plank[plæŋk] **n.** ⓒ ① 두꺼운 판자. ② 정강(政綱)의 조항. **walk the ~** 뱃전 밖으로 내민 판자 위를 눈을 가린 채 걸림을 당하는(해적의 사형). — **vt.** ① 판자를 깔다; 밑에 놓다(down). ② 《口》 즉시 지불하다 (down, out). ③ 《美》 (고기를) 판자위에서 구워 내놓다. ~**·ing n.** ⓤ 판자깔기; 《집합적》 두꺼운 판자.

plank·ton[plǽŋktən] **n.** ⓤ 《生》 플랑크톤, 부유(浮游) 생물.

plant[plænt, plɑːnt] **n.** ① ⓒ 식물; 《협의》 (수목에 대한) 풀, 초본(草本); 묘목; 접눈무. ② ⓒ 기계 일습, 《공장의》 설비; 공장; 장치. ③ ⓒ 《보통 *sing.*》 《俗》 책략, 속임수; 《청중 등 사이에 끼어드는》 한통속; 밀정. — **vt.** ① 심다. 싹트다. ② (굴있다을) 뿌린(放流)하다, (굴 따위를) 양식하다. ③ 놓다, 설비하다;

P

건설하다. ④ 식민(植民)하다. ⑤ 처 박아 넣다, 찌르다(*in, on*); ⟨I⟩ 강 타를 주다. ⑥ ⟨주의·교의(敎義)를⟩ 주입하다. ⑦ ⟨俗⟩ ⟨훔친 물건을⟩ 감 추다. ~ **on** 이용하여 약이 다. ~ **out** ⟨묘목에서⟩ 많이로 옮겨 심다 ⟨모종을 간격을 두어 넓게 심다. **∠·er** *n.* ⓒ 심는⟨씨 뿌리는⟩ 사람; 파종기(機); 재배자, 농장 주인; 식민 자.

plan·tain¹ [plǽntin] *n.* ⓒ 【植】 질 경이.

plan·tain² *n.* ⓤⓒ ⟨요리용⟩ 바나나.

plan·ta·tion [plæntéiʃən] *n.* ⓒ 대 농원, 재배장; 식림(植林)(지); 식민 (지).

plaque [plæk/plɑːk] *n.* ⓒ ⟨벽에 거는⟩ 장식물, 액자.

* **plas·ma** [plǽzmə],   **plasm** [plǽzəm] *n.* ⓤ ① 【生】 원형질; 【解·生】 혈장(血漿), 임파액; 유장(乳漿). ② 【理】 플라스마⟨자유로 움직일 수 있 는 하전(荷電)입자의 집단⟩.

plas·ter [plǽstər, -ɑ́ːs-] *n.* ⓤ 회반죽; 석고, ⓒ 반창고, 고 약. ~ **of Paris** 구운 석고. —— *vt.* 회반죽을 바르다; 온통 발라 붙이다; 고약을 붙이다. **∠·er** *n.* ⓒ 미장이, 석고장(匠).

pláster cást 석고상(像); 【醫】 깁 스 붕대. **get out of the ~** 깁스 가 떼어지다.

* **plas·tic** [plǽstik] *a.* ① 형성하는; 소조(塑造)할 수 있는, 어떤 형태로도 될 수 있는. ② 유연한; 감수성이 강 한. ③ 소조(술)의; 【醫】 성형의. —— *n.* ⓤ 가소성(可塑性) 물질, 플라 스틱. **plas·tic·i·ty** [plæstísəti] *n.* ⓤ 가소성, 유연성.

plástic árt 조형 미술.

plástic súrgery 성형 외과.

* **plate** [pleit] *n.* ⓤⓒ 판금; 판유리. ② ⓒ 표찰. ③ ⓒ 도금, 전기판. 연판(鉛版); 금속 판화(版畫); 도판 (圖版). ④ ⓒ 감광판(版); 종판(種板). ⑤ 【史】 쇠미늘 갑 옷. ⑥ ⓒ ⟨납작하고 둥근⟩ 접시; 접 시 모양의 것; 요리 한 접시 ⟨1인분 접 시 요리. ⑦ ⟨the ~⟩ ⟨교회의⟩ 헌 금 접시. ⑧ ⟨집합적⟩ ⟨주로 英⟩ 금 ⟨은⟩ 식기; 금⟨은⟩ 상패. ⑨

ⓒ 【齒】 의치 가상(假床). ⑩ ⓒ 【解·動】 딱딱한 껍질⟨층⟩. ⑪ ⓒ 【建】 ⟨벽 위의⟩ 도리. ⑫ ⓒ 【野】 본루, 투수 판. ⑬ ⓒ 【電】 ⟨진공관의⟩ 양극. ⑭ ⓒ 소의 갈비 밑의 얇은 고기. —— *vt.* ⟨금·은 따위로⟩ 입히다, 도금하 다; 금박(箔金)으로 하다; 【印】 연판으 로 하다. **∠·ful** [pléitful] *n.*

ⓒ 한 접시(분).

pla·teau [plætóu/—] *n.* (*pl.* ~**s**, ~**x**[-z]) ⓒ 고원; 【心】 플라토 상태 ⟨학습의 안정기⟩.

pláte gláss 두꺼운 판유리.

pláte·làyer *n.* ⓒ ⟨英⟩ 【鐵】 선로 공.

plat·form [plǽtfɔ̀ːrm] *n.* ⓒ ① 단 (壇), 교단, 연단; ⟨계단의⟩ 층계참 ② ⟨역의⟩ 플랫폼; 〈美〉 ⟨객차의⟩ 승 강단. ⑤ 【美】 ⟨정당의⟩ 강령; 계획.

plat·ing [pléitiŋ] *n.* ⓤ 도금; 철판 쐬우기, 장갑(裝甲); 그 철판.

plat·i·num [plǽtənəm] *n.* ⓤ 백 금; 백금족.

plátinum blónde 엷은 금발(의 여자).

plat·i·tude [plǽtətjùːd/-tjùːd] *n.* ① 단조, 평범; ⓒ 평범⟨진부⟩한 이 야기. **-tu·di·nous** [⊃-tjúːdənəs/ -tjúː-] *a.*

Pla·ton·ic [plətánik/-5-] *a.* 플라 톤(철학)의; ⟨연애 따위⟩ 정신적인; 이상(비현실)적인.

pla·toon [plətúːn] *n.* ⓒ⟨집합적⟩ 【軍】 소대(company와 squad의 중 간).

plat·ter [plǽtər] *n.* ⓒ ⟨타원 형의 얕은⟩ 큰 접시; 〈美俗〉 레코드, 음반; 【野】 본루; 【컴】 원판.

plat·y·pus [plǽtipəs] *n.* (*pl.* ~**es**, *-pi* [-pài-]) ⓒ 【動】 오리너구리 (duckbill).

plau·dit [plɔ́ːdət] *n.* ⓒ ⟨보통 *pl.*⟩ 박수, 갈채; 칭찬.

plau·si·ble [plɔ́ːzəbəl] *a.* ⟨핑계가⟩ 그럴 듯한; 말솜씨가 좋은. **-bly** *ad.* **-bil·i·ty** [⊃-bíləti]

* **play** [plei] *vi.* ① 놀다, 장난치며 놀 다, 뛰놀다. ② 살랑거리다. 흔들거 리다; 어른거리다, 번뜩이며 비치다. ③ 분출하다. ④ 경기를 하다. ⑤ 내 기⟨노름⟩하다. ⑥ 거동하다. ⑦ 연주

P

하다(on, upon). ⑧ 연극을 하다. ⑨ 가지고 놀다, 농락하다(with, on, upon). —— vt. ① (놀이를) 하다. (사람·팀과) 승부를 겨루다. (…의) 상대가 되다. ② (극을) 상연하다. (…의) 역(役)을 하다. ③ (악기를) 타다(켜다), (곡을) 연주하다. ④ (낚시에 걸린 고기를) 가지고 어르다. ⑤ 가지고 놀다, 우롱하다. ⑦ (탄알 따위를) 발사하다. ⑧ [카드] 패를 내어놓다. ~ **at** …을 하며 놀다. ~ **away** (재산을) 탕진하다; 놀며[때를] 보내다. ~ **both ends against the middle** 양다리 걸치다; 어부지리를 노리다. ~ **down** 얕보다(mini-mize). (회화·연기의) 정도를 낮추다. ~ **fair** 공명정대하게 행하다. ~ **foul (false)** 속임수를 쓰다, 아비위치다. ~ **into the hands of** …에게 유리하게 행동하다, …을 일부러 이기게 하다. ~ **it low down on** (俗)…에게 대해 불공평[부정]한 짓을 하다. ~ **off** 속이다; …에 참피를 주다, 업신여기다; 결승전을 하다. ~ **on [upon]** …을 이용하다, …에 편승하다. ~ **out** (연극·경기 따위를) 끝까지 다하다; 다 써버리다, 기진맥진케 하다. ~ **to the GALLERY** (경기 따위에서) 분투하다. ~ **up** (俗) 떠들어대다. ~ **up to** …을 후원하다. …에게 아첨하다. —— n. ① U 놀이, 유희, 오락. ② C 장난, 농담. ③ UC 내기, 노름. ④ U 경기; 경기의 차례; 경기 태도. ⑤ UC 연극, 희곡. ⑥ U 활동, 운동의 작용; 마음대로의 움직임, 운동. ⑦ UC 번쩍임, 어른거림. **at** ~ 놀고, **come into** ~ 일[작용]하기 시작하다, **give** ~ **(free)** …을 자유로이 …하게 하다. **in full** ~ 충분히 활동하고 있는. **in** ~ 농으로; 활동하고 있는. ~ **on words** 익살.

pláy·bàck n. C 녹음 재생(기 장치).

pláy·bòy n. C (돈많은) 난봉꾼, 밤아.

†**play·er**[pléiər] n. C 경기자; 직업 선수; 배우; 연주자; 자동 연주 장치.

play·ful[∠fəl] a. 놀기 좋아하는;

농담의. ~·**ly** ad.

pláy·gròund[∠graund] n. C 운동장.

pláy·hòuse n. C 극장; (아이들) 놀이집.

pláying càrd 트럼프 패.

pláy·màte n. C 놀이 친구.

pláy·òff n. C (비기거나 동점일 경우의) 결승 경기.

pláy·pèn[∠pèn] n. C (격자로 둘러친) 어린이 놀이터.

pláy·thìng n. C 장난감(toy).

pláy·tìme n. U 노는 시간.

pláy·wright n. C 극작가.

pla·za[plɑ́ːzə, plǽzə] n. (Sp.) C (도시의) 광장.

†**plea**[pliː] n. C 탄원, 구실; 변명. [法] 항변(抗辯).

†**plead**[pliːd] vt. (~**ed**, (美口·方) **ple(a)d**[pled]) ① [항변]하다, 주장하다; 변명으로서 말하다. —— vi. 변호[연기]하다(**against**). ① 탄원하다(**for**); [法] 답변하다. ~ **guilty [not guilty]** (심문에 대해 피고가) 죄상을 인정하다[인정하지 않다]. ~·**er** n. C 변론자; 변호사; 탄원자. ~·**ing** n. U 변론; 변명; [法] 변호.

†**pleas·ant**[plɛ́znt] a. 유쾌한(pleasing), 즐거운; 쾌활한; 맑은. ~·**ly** ad. ~·**ness** n. ~·**ry** n. UC 농담.

†**please**[pliːz] vt. ① 기쁘게 하다, 만족시키다(의) 마음에 들다, 부디, 제발, …을. —— vi. 기뻐하다; 좋아하다, 하고 싶어하다. **be** ~**d** …이 마음에 들다; (…을) 기뻐하다. **be** ~**d to do** 기꺼이 …하다; …해주다. **~ god** 신의 뜻이라면, 잘만 나간다면, **with if you** ~ 부디; 실례를 무릅쓰고; 글쎄 말해보, 놀랍게도. ~·**d**[-d] a. : **pléas·ing** a. 유쾌한; 만족한; 붙임성 있는.

pleas·ur·a·ble[plɛ́ʒərəbl] a. 유쾌한; 즐거운; 기분좋은.

†**pleas·ure**[plɛ́ʒər] n. ① U 즐거움; ② U 유쾌한 것[일], C 오락. ③ U 의지; 욕구; 기호. **at** ~ 마음대로, **take a** ~ **in** 을 즐기다, 좋아하다. **with** ~ 기꺼이.

pléasure bòat 유람선.

pleat[pliːt] n., vt. 주름(을 잡다).

ple·be·ian [plibíːən] *n.* ⓒ (옛 로 마의) 평민. — *a.* 평민[보통]의; 비 속한.

pleb·i·scite [plébəsàit, -sit] *n.* ⓒ 국민 투표.

plebs [plebz] *n.* (*pl.* **plebes** [plíːbiːz]) (the ~) (옛 로마의) 평 민; 민중.

plec·trum [pléktrəm] *n.* (*pl.* **~s**, **-tra** [-trə]) ⓒ (현악기의) 채.

pled [pled] *v.* plead 의 과거(분사).

pledge [pledʒ] *n.* ① ⓤⓒ 서약, ⓒ (the ~) 금주의 맹세. ② ⓒ 담보 [저당](물); 질물(質物). ③ ⓒ 표시; 의회 서약자. **take [sign] the ~** 금주의 맹세를 하다. — *vt.* 서약하(시키)다; 저당[전당]잡히다, 담보로 넣다; (건강을 위해) 축배를 들다. **pledg·ee** *n.* ⓒ 질권자. **pledg·er,** [法] **pledg(e)·or** *n.* ⓒ 전당 잡히는 사 람; (금주의) 서약자.

ple·na·ry [plíːnəri, plén-] *a.* 충분 한; 완전한; 절대적인; 전원 출석의. **~ meeting [session]** 본회의.

plen·i·po·ten·ti·a·ry [plènipəténʃəri, -ʃìèri] *n.* ⓒ 전권 대사[위원]. — *a.* 전권을 가지는.

plen·te·ous [pléntiəs, -tjəs] *a.* = PLENTIFUL.

plen·ti·ful [pléntifəl] *a.* 많은. **~·ly** *ad.*

plen·ty [plénti] *n.* ⓤ 풍부, 많음. 충분(*of*). **in** ~ 많이; 충분히. — *a.* (ㅁ) 많은, 충분한. — *ad.* (ㅁ) 충분히.

pleth·o·ra [pléθərə] *n.* ⓤ 과다(過 多). (假) 다혈증. [醫] 다혈증.

pleu·ri·sy [plúərəsi] *n.* ⓤ [醫] 늑 막염.

plex·us [pléksəs] *n.* (*pl.* **~·es**, ~) ⓒ [解] 망(網). 총(叢). (義) 복잡한 관계.

pli·a·ble [pláiəbəl] *a.* 휘기 쉬운, 유연(柔軟)한; 고분고분한, 유순한. **-bil·i·ty** [〜biləti] *n.* ⓤ 유연(성); 유순(성).

pli·ant [pláiənt] *a.* = PLIABLE. **-an·cy** *n.* = PLIABILITY.

pli·ers [pláiərz] *n. pl.* 집게, 펜치, 뻰찌 [下本]. 펜치질하는 사람[것].

plight[1] [plait] *n.* ⓒ (보통 *sing.*) (나쁜) 상태, 곤경.

plight[2] *n., vt.* 서약[약혼](하다). — **one's troth** 서약[약혼]하다.

plinth [plinθ] *n.* ⓒ [建] 원주(圓柱) 의 토대(土臺), 주각(柱脚).

plod [plɑd/-ɔd] *v., vt.* (**-dd-**) (느릿 느릿 걷다), ⓒ 무거운 발걸음으로 걷 다[걷기](*on, along*); 그 발걸음; (*vi.*) 꾸준히 일(공부)하다(*at, away, through*).

plonk [plaŋk/-ɔ-] *v., n., ad.* = PLUNK.

plonk[2] *n.* ⓤ (英口) 값싼 포도주.

plop [plɑp/-ɔ-] *n.* (a ~) 풍덩[첨 벙] 떨어짐. — *ad.* 풍덩, 첨벙하게. — *vi., vt.* (**-pp-**) 풍덩하고 떨어지다 [떨어뜨리다].

plo·sive [plóusiv] *n., a.* ⓒ [音聲] 파열음(의).

plot [plɑt/-ɔ-] *n.* ⓒ (나쁜) 계획, 음모; (소설·극 따위의) 줄거리; 작은 지면(地面); 도면(圖面). — *vt.* (**-tt-**) 계획하다, 음모를 꾸미다; 도면을 작 성하다; (토지를) 구획하다(*out*); 도 면에 기입하다. — *vi.* 음모를 꾸미다 (*for, against*). **〜·ter** *n.* ⓒ 음모 자; [컴] 도형 출력 장치, 플로터.

plough [plau] *n., v.* (英) = PLOW.

plov·er [plʌ́vər] *n.* ⓒ [鳥] 물떼새.

plow [plau] *n.* ⓒ 쟁기; 제설기(除 雪機)(snowplow); ⓤ (英) 경작지; (the ~) 농업; 경작. — *vt.* (밭을) 갈다, 경작하다; 파헤치다, 갈다; (배가) 물을 헤치고 나아가다; 쟁기 로 갈다; 갈듯이 나아가다(*through*); (英口) 낙제시키다. — *vi.* 쟁기 [써래]질하다; (英) 고생하며 나아가다. **〜 back** 재투자하 다. **put [set] one's hand to the ~** 일을 시작하다. **under the ~** 경 작되어, 경지로서. **follow the ~** 농업에 종사하다. **plow·man** [〜mən] *n.* ⓒ 쟁기질하 는 사람; 농부.

plow·share [〜ʃὲər] *vt.* ⓒ 보습.

pluck [plʌk] *vt.* ① (새의) 털을 잡 아 뽑다; (꽃·과실 따위를) 따다; 잡 아당기다[뜯다]. ② (英) (용기를) 불 러 일으키다(*at*). ③ (俗) 잡아채다, 탈취[사취]하다. ④ (현악기의 줄을)

P

통겨 소리내다. ⑤《英俗》낙제시키다. — vi. 획 당기다(at); 불쑥으러고 하다(at). get — ed 낙제하다. ~ up 잡아넣다; 뿌리째뽑다; (용기들) 불어넣다. — n. (a ~) 잡아당김, 쥐어뜯음; ⓤ (소 따위의) 내장; 용기. ～y a. 용기 있는, 기력이 좋은, 단호한.

:**plug** [plʌg] n. ⓒ 마개, ⓤ 충전물(充填物); 소화전(栓) (fire-plug); 〔機〕 (내연 기관의) 점화전(栓) (spark plug); 〔電·컴〕 플러그, 고형(固形) 담배, 씹는 담배. 《주로 美》늙어 빠진 말(馬), 스 〔口〕 (라디오·텔레비전 프로 사이에 끼우는) 짧은 광고 방송; 선전(문구). ⑤ 실해트. — vt. (-gg-) 마개를 하다, 틀어 막다; 《俗》탄환을 쏘다; 치다, 때리다; 〔口〕 (라디오·텔레비전 등에서) 집요하게 광고하다. — 《口》부지런히 일하다. ～ in 〔電〕 플러그를 꽂다, 큰 재산.

:**plum** [plʌm] n. ⓒ 양오얏(나무); (케이크에 넣는) 건포도; ⓒ《俗》정수(精粹), 일품;《英俗》10만 파운드의 돈, 큰 재산.

***plum·age** [plúːmidʒ] n. ⓤ《집합적》 깃털.

plumb [plʌm] n. ⓒ 추(錘); 측연 (測鉛); ⓤ 수직, off (out of) ~ 수직이 아닌. — a. 수직의(으로); 《口》순전한; 전위; 정확한. — vt. 다림을으로 조사하다; 수직되게 하다(up); 깊이를 재다; 헤아려 알다.

plumb·er [plʌmər] n. ⓒ 연관공(鉛管工), 배관공

plumb·ing [-iŋ] n. ⓤ 배관 공사[업]; 수심 측량;《집합적》연관류.

plúmb line 추선(錘線), 다림줄.

plúm cáke (púdding) 건포도가든 케이크[푸딩].

*plume** [pluːm] n. ⓒ ① (보통 pl.) (큰) 깃털; 깃털 장식, ② (원추운의 구름 폭발로 인한) 물기둥. borrowed ~s 빌러 입은 옷; 남에게서 빌린 지식. — vt. (새가 부리로) 깃털을고르다; 깃털로 장식하다. ~ oneself on 을 자랑하다.

plum·met [plʌmit] n. ⓒ 추. — vi. 수직으로 떨어지다.

plump [plʌmp] a. 부푼, 통통하게

살진. — vi., vt. 통통히 살찌다(out, up); 살찌게 하다(up).

plump² [plʌmp] vi. 털썩(쿵) 떨어지다(down, into, upon); 《주로 英》(연기(連記) 투표에서) 한 사람에게만 투표하다 (for). — vt. 털썩 떨어뜨리다, 그 소리, — ad. 털썩; 갑자기; 곧장; 노골적으로, — a. 노골적인; 통명스런.

plun·der [plʌndər] vt., vi., n. 약 탈하다; 착복하다; ⓤ 약탈(품).

plunge [plʌndʒ] vt. ① 처박다 (into), 던져넣다, 찌르다(into); (어떤 상태로) 몰아넣다[빠뜨리다] (into). — vi. ① 뛰어들다, 다이빙하다(into); 돌진하다(into, down); (말이) 뒷다리를 들고 뛰어오르다. ③ (배가) 뒷질하다. ④《口》큰 도박을 하다. — n. (sing.) 처박음; 뛰어듦; 돌진; 배의 뒷질. take the ~ 모험하다, 과감한 행동을 취하다.

plúng·er n. ⓒ 뛰어드는 사람; 〔機〕 (펌프 따위의) 피스톤;《口》무모한도박꾼[투기꾼].

plunk [plʌŋk] vt., vi. (기타 따위) 통 소리나게 하다[소리나다]; 《口》쿵하고 내던지다[떨어지다]; 그 소리 (sing.) 쿵하고 던짐[떨어짐]; 그 소리. — ad. 쿵하고; 정확히, 정확히.

plu·per·fect [pluːpə́ːrfikt] n., a. ⓤⓒ 〔文法〕 과거완료(의), 과거완료의.

plu·ral [plúərəl] a., n. ① 복수 (의); ⓒ 복수형, ～·ism [-izəm] n. 〔哲〕 다원론. ～·ist n. ⓒ 〔哲〕 다원론자. ～·is·tic [-stik] a. 〔哲〕 다원론의.

plu·ral·i·ty [pluərǽləti] n. ⓤ 복수성(性); ⓒ 다수; ⓒ 득표차[최고 득표자와 차점자의].

*plus** [plʌs] prep. …을 더하여, — a. 더하기의, 정(正)의; 〔電〕 양(陽)의; 여분의. — n. ⓒ 플러스 기호; 정(正量), 정량(正量); 여분의.

plús fóurs 골프 바지《무릎 아래 4인치로 내려서》.

plush [plʌʃ] n. ⓤ 견면 벨벳, 플러시천. — (pl.) 플러시로 만든 바지. — a. 플러시의; 《口》호화로운.

Plu·to [plúːtou] n. 〔神〕 저승의 왕; 〔天〕 명왕성(冥王星).

plu·toc·ra·cy [pluːtɑ́krəsi/-5-] n. ⓤ 금권 정치; ⓒ 부호 계급, 재벌.

plu·to·crat [plúːtoukræt] n. ⓒ

호 (정치가). **plu·to·crat·ic**[즈-krǽtik] *a.* 금권 정치의; 재벌의.

plu·to·ni·um [plu:tóuniəm, -njəm] *n.* ⓤ [化] 플루토늄《방사성 원소의 하나; 기호 Pu》.

:ply[plai] *vt.* ① (도구 등을) 부지런히 쓰다. ② (…에) 열성을 내다. 부지런히 일하다. ③ (음식 따위를) 강요하다, ④ (질문 등을) 퍼붓다(*with*). ⑤ (강 등을) 정기적으로 건너다. — *vi.* ① 정기적으로 왕복하다(*between*). ② 부지런히 일하다.

ply² *n.* ⓤ (밧줄의) 가닥; 올; 겹 (fold); 두께; 경향, 버릇.

plý·wood [-] *n.* ⓤ 합판, 베니어 합판 ("veneer"의 다름).

P.M. Prime Minister.

:P.M., p.m.[pí:ém] 오후《post meridiem (L. = afternoon)》.

pneu·mat·ic[nju:mǽtik/nju(:)-] *a.* 공기의 (작용에 의한); 공기를 함유한《제운:》; 기학(氣學)(상)의. **-i·cal·ly** *ad.* **~s** *n.* ⓤ 기체 역학(氣體力學).

pneu·mo·ni·a[nju:móunjə,-niə] *n.* ⓤ [醫] 폐렴. **pneu·mon·ic** [-mɑ́-/-5-] *a.*

P.O., p.o. postal order; post office.

poach¹[pouʃ] *vt., vi.* (밀렵하러 남의 땅에) 침입하다(*on*); 밀렵하다; 빗발 나. **~er** *n.* ⓒ 밀렵[침입]자.

poach² *vt.* 수란(水卵)을 뜨다.

Po·ca·hon·tas[pòukəhɑ́ntəs/-5-] *n.* (1595?-1617) Captain Smith 의 목숨을 구하였다고 전해지는 북아 메리카 토인의 소녀.

pock·et[pɑ́kit/-5-] *n.* ⓒ ① 포켓; 주머니; (*sing.*) (포켓 속의) 돈; 자력. ② [撞] 당구대 네 모서리의 그물. ③ [探] 광혈(鑛穴), 광괴혈(塊). ④ 우묵한 땅; 굴. ⑤ [軍] (포위된) 고립 지역. **be in** [*out of*] ~ 돈이 있다[없다]; 따들을[손해를] 보다. **empty** ~ 한 푼도 없는 사람. **have a person in one's** ~ 아무를 마음대로 다루다. **in** ~ 접어 끼우게 된 (*a book with a map in one's* ~ 접지도가 든 책). **put one's hand in one's** ~ 돈을 내

다, 기부하다. **put one's pride in one's** ~ 자존심을 억누르다. **suffer in one's** ~ 손해를 보다. — *vt.* ① 포켓에 넣다; 착복하다, ② (모욕 등을) 꾹 참다; (감정 등을) 억누르다. ③ (주기(走者)를) 둘러싸고 방해하다. ④ [撞] (공을) (의안 등을) 옥살하다. — *a.* 포켓용(소형)의. **~·ful**[-fùl] *n.* ⓒ 주머니 가득(한 분량).

pócket·bòok *n.* ⓒ 지갑; (美) 핸드백; 포켓북; 수첩; (one's ~) 재원.

pócket·knìfe *n.* ⓒ 접칼, 주머니 칼.

pócket mòney 용돈.

póck·màrk *n., vt.* ⓒ 곰보(를 만들다). **~ed**[-t] *a.* 마마 자국이 있는, 얽은 얼굴의.

pod[pɑd/-ɔ-] *n.* ⓒ ① (완두 등의) 꼬투리, ② (제트 엔진·화물·무기 등을 넣는) 비행기 날개의 부분 꾸. ③ (우선산의) 분해 가능한 구성 단위. — *vi.* (-*dd*-) 꼬투리가 생기다 [맺다]. — *vt.* 꼬투리를 까다.

podg·y[pɑ́dʒi/-5-] *a.* 《주로 英》 땅 딸막한(pudgy).

po·di·a·try[poudáiətri] *n.* ⓤ [醫] 족병학(足病學); 족부 치료. **-trist** *n.* ⓒ 족병의(醫).

po·di·um[póudiəm] *n.* (*pl.* **-dia** [-diə]) ⓒ 대(臺); [動·解] 발.

po·em[póuim] *n.* ⓒ 시; 시적인 문장; 아름다운 물건.

po·et[póuit] *n.* ⓒ 시인; 시인 기질의 사람.

po·et·ess[póuitis] *n.* ⓒ 여류 시인.

po·et·ic[pouétik], **-i·cal**[-əl] *a.* 시의; 시인의, 시인 같은; 시적인; 시취(詩趣)가 풍부한; 시작에 적합한.

poétic jústice (시에 나타나는 것과 같은) 이상적 정의, 인과 응보.

poétic lícense 시적 허용《시적 효과를 위해 문법·형식·사실 따위의 파격(破格)》.

póet láureate 《英》 계관 시인.

po·et·ry[póuitri] *n.* ⓤ 《집합적》 시, 운문. ② 작시; 시정(詩情). ③ 시적 요소; 시적인 것.

pó·faced *a.* 《英口》 무뚝 진지(심각한 얼굴의.

po·go (**stick**)[póugou(-)] *n.* (*pl.* ~**s**) ⓒ 포고《용수철 달린 한 막대로, 이를 타고 뜀》.

po·grom [pougrám, póugram/ pɔ́grəm] n. (Russ.) (조직적인) 학살, (특히) 유대인 학살.

poign·ant [pɔ́injənt] a. 찌르는 듯한, 매서운; 통렬한; (혀를) 톡 쏘는, (코를) 찌르는. **póign·an·cy** n.

poin·set·ti·a [pɔinséttiə] n. [植] 포인세티아.

point [point] n. ① ⓒ (뾰족한) 끝, 첨단, 끝; 곶; 끝. ② [數] 점, 소수점 (4. 6 = four point six); 구두점; 콤마. ③ (온도계·나침반의 도(度)); 점 (the boiling ~ 비등점). ③ ⓒ 점도. ④ ⓒ 득점. ⑤ ⓒ 시점(時點), 순간; 지점. ⑥ ⓤ (특수한) 목적, ⑦ ⓒ 항목, 세목. ⑧ ⓒ 특징, 특질. ⑨ ⓒ 요점, 논점; (우스운 이야기 따위의) 골자. ⑩ ⓒ (美) (학과의) 단위; (pl.) (英) (철도의) 전철기; [海] 방위; ⓤ 점. ⑪ ⓒ 포인트(활자 크기의 단위, 약 1/72 인치). ⑫ ⓤ 손으로 쓴 레이스. ⑬ ⓒ [컴] 포인트 (그림 정보의 가장 작은 단위). **at the ~ of** …의 직전에, …하려고 하여. **at the ~ of the sword [bayonet]** 칼을 들이대어, 무력으로. **carry [gain] one's ~** 주장을 관철하다. **come to the ~** 요점을 찌르다. **full ~** 종지부. **give ~ to** …에게 핸디캡을 주다, …보다 낫다. **in ~** 적절한(a case in ~ 적절한 예). **in ~ of** …에 관하여, …의 점에서. **make a ~ of** …을 강조하다; 반드시 …하려고(…ing) 애쓰다. **on the ~ of doing** 바야흐로 …하려하여. **~ of view** 견지; 마음가짐, 입장. **to the ~** 적절한(하게), 요점을 벗어나지 않은. — vt. 뾰족하게 하다; 끝을 돌이 다, 강조하다; (손가락·무기 따위를) 향하게 하다(at); 주의하게 가리키다. ④ (사냥개가 사냥감을 알) 리다. ⑤ 점을 찍다, 구두점을 찍다. ⑥ 메지에 회반죽을 바르다. — vi. 가리키다, 보이다(at, to); (…의) 경향이 있다(toward); (사냥개가 엎드 려서 사냥감 있는 곳을 알리다. **~ off** 점으로 구별하다. **~ out** 지적하다.

póint-blánk a., ad. 직사(直射)의; 직사하여의; 솔직한[히].

póint dùty (英) (교통 순경 등의)

교통 정리 근무.

:**póint·ed** [pɔ́intid] a. 뾰족한; (말이) 가시돋힌; 빈정대는, 노골적인; 두드러진. **~·ly** ad.

point·er [-ər] n. ⓒ ① 지시하는 사람[물건]. ② (시계·계기의) 지침; 교편(敎鞭). ③ (美) 암시, 주의; 포인터(사냥개). ⑤ (pl.) (the P-) [天] 지극성(指極星)(큰 곰자리 중의 두 별). ⑥ [컴] 포인터.

poin·til·lism [pwǽntəlizəm] n. ⓤ (프랑스 인상파 화가의) 점묘법(點描法).

point·ing [-iŋ] n. ⓤ 뾰족하게 함, 가늘게 함; (뾰족한 것을 향하게 하여) 지시(하기); 구두법(句讀法); [建] 메지 바르기.

point·less a. 뾰족한 끝이 없는; 무딘; 요령 없는; 무의미한.

póint-to-póint ráce [競馬] 자유 코스의 크로스컨트리.

poise [pɔiz] vt. 균형 잡히게 하다; (창 따위를 잡고) 자세를 취하다. — vi. 균형잡히다; 허공에 매달리다; (새 따위가) 하늘을 돌다. — n. ① ⓤ 평형, 균형, 안정. ② (몸·머리 따위의) 자세, 평형; 미결상태. ③ ⓒ (몸·머리 따위의) 자세.

:**poi·son** [pɔ́izən] n. ⓤⓒ 독(약); 해독, 폐해. — vt. …에게 독을 넣다 [바르다]; 독살하다; 악화시키다; 해치다, 못쓰게 하다. — a. 해로운. **~·ing** n. ⓤ 중독.

poi·son·ous [pɔ́izənəs] a. 유독[유해]한; 악의 있는.

póison-pén a. 독필을 휘두르는; 악의로 쓰여진.

poke [pouk] vt. ① (손가락·막대기 따위로) 찌르다, 밀다(away, in, into, out). ② (구멍을) 찔러서 뚫다. ③ (英俗) …와) 성교하다. ④ [컴] (자료를) 어느 번지에 넣다. — vi. 찌르다(at); 천착하다; 어정거리다. **~ fun at** …을 놀리다. **~ one's nose into** …에 말참견을 하다. 주제넘은 참견을 하다. — n. ⓒ 찌름; (口) 게으름뱅이; [컴] 집어넣기.

pok·er [póukər] n. ⓒ 찌르는 (물건); 부지깽이; 낙화용구(烙畫用具).

pok·er² n. ⓤ 포커(카드 놀이).

póker fàce 《口》 (의식적인) 무표
정한 얼굴.

pok·(e)y[póuki] *a.* 느린, 둔한; 다
정치 못한; 비좁은; 초라한; 시시한.

po·lar[póulər] *a.* ① 극의, 극지(極
地)의. ② 전극(자극)의. ③ 《化》 이
온화한. ④ 정반대의 성질의.

pólar bèar 북극곰; 흰곰.

po·lar·i·ty[poulǽrəti] *n.* Ⓤ 극성
(極性), (전기의) 양극성(兩極性).

po·lar·ize[póuləràiz] *vt.* 《電》 극
성(極性)을 주다; 《光》 편광(扁光)시
키다. **-iz·er** *n.* 《光》 편광기(扁光
器). **-i·za·tion**[⌐rizéiʃən/-raiz-]
n. Ⓤ 귀극(歸極), 분극; 《電》 성극
(成極) (작용); 《光》 편광.

po·lar·oid[póulərɔ̀id] *n.* Ⓤ 폴라
로이드, *(pl.)* 인조 편광판. (P-) 그
상표명. **P- camera** 폴라로이드 카
메라 《촬영후 곧 양화가 됨》.

pole[[poul] *n.* Ⓒ ① 막대기, 기둥,
장대. ② 척도의 단위(rod) 《5.03 미
터》; 면적의 단위(25.3 평방 미터》.
── *vt.* (배에) 상대질하다.

pole[2] *n.* Ⓒ 《천구(天球)·구체(球體)
따위의》 극; (지구의) 극; 【理】 전
극, 자극(磁極); (성격·학설 따위) 정
반대面.

póle·àx(e) *n.* Ⓒ 자루가 긴 전부
(戰斧); 도살용의 도끼.

póle·càt *n.* Ⓒ 【動】 (유럽산) 족제
비의 일종; (북아메리카산) 스컹크.

po·lem·ic[poulémik/pə-] *n.* Ⓒ
논쟁(가). ── *a.* 논쟁의, =**i·cal**[-ə]
a. =**s** *n.* Ⓤ 논쟁법, (신학상의) 논
증법.

póle·stàr *n.* (the ~) 북극성; Ⓒ
목표.

póle·vàult *vi.* 장대높이뛰기를 하
다.

po·lice[pəlíːs] *n., vt.* Ⓤ 경찰; 《집
합적》 경찰관; 공안; 치안(을 유지하
다).

políce cónstable 《英》 순경(po-
liceman).

políce dòg 경찰견.

políce fòrce 경찰대; 경찰력.

po·líce·man[-mən] *n.* Ⓒ 경관,
순경.

políce stàte 경찰 국가.

políce stàtion 경찰서.

po·líce·wom·an[-wùmən] *n.* Ⓒ

여자 경찰관, 여순경.

pol·i·cy[páləsi/pɔ́li-] *n.* Ⓤ Ⓒ 정
책, 방침; 수단: Ⓤ 심려(深慮).

pol·i·cy[2] *n.* Ⓒ 보험 증서; 《美》 숫
자 도박.

pólicy·hòlder *n.* Ⓒ 보험 계약자.

po·li·o[póuliòu] *n.* Ⓒ 소아마
비.

pol·ish[pális/-ɔ́-] *vt., vi.* 닦다, 광
나게 하다, 윤을 내다(이 나다); 되고
(洗練)하다, 개선하다; 《俗》 세련되게
하다, 품위있게 하다(되다). **── off**
《口》 재빨리 끝내다; (적수를) 제압하
다. **── up** 《口》 마무리하다; 광택을
내다. ── *n.* Ⓤ Ⓒ 닦기; Ⓤ Ⓒ 광택
(제), 닦는 가루약; Ⓤ 세련, 품위 있
음. **──ed**[-t] *a.* 닦은; 광택이 있는;
세련된.

Po·lit·bu·reau, -bu·ro [pálit-
bjùərou, pəlit-/pɔ́litbjùər-, pəlit-]
n. (Russ.) (the ~) (러시아의 당
중앙 위원회의) 정치국(1952년부터
Presidium(최고 회의 간부회)으로
되었음).

po·lite[pəláit] *a.* 공손한, 예절 바
른; 세련된, 품위 있는. : **~·ly** *ad.*
: **~·ness** *n.*

pol·i·tic[pálitik/-5-] *a.* 사려 깊
은; 교활한; 시기에 적합한; 정치상
의. **the body ~** 정치적 통일체,
국가; :**~ s** *n.* Ⓤ 정치(학); 정략;
정견; 경략.

po·lit·i·cal[pəlítikəl] *a.* 정치(상)
의; 국가의; 정당(활동)의; 당략의;
행정의. : **~·ly** *ad.*

political asylum (정치적 망명자
에 대한) 정부의 보호.

political science 정치학.

pol·i·ti·cian[pəlàtiʃən/pɔ̀li-] *n.*
Ⓒ 정치가; 정객(政客); 행정관.

pol·i·tick[pálitik/-5-] *vi.* 《美口》
정치(운동)에 손을 대다.

po·li·ty[páləti/pɔ́li-] *n.* Ⓤ 정치;
Ⓒ 정체; 국가.

pol·ka[póulkə/pɔ́lkə] *n.* Ⓒ 폴카
《경쾌한 춤》; 그 곡. ── *vi.* 폴카를
추다.

pólka dòt 물방울 (무늬).

poll[poul] *n.* Ⓒ 머리(head); 여론
의 머릿수, 즉) 투표(수)=계산; 선거
인 명부; (보통 *sing.*) 투표: 투표수,

투표 결과: (pl.)(the ~)《美》투표 소; ⓒ 여론 조사. ── vt. 명부에 올리다; (표를) 얻다(기록하다): 투표하다; (머리를) 깎다; (머리카락·가지 등을) 자르다, (가축의 뿔을) 잘라내다.

*pol·len [pálən/-ɔ-] n. ⓤ 꽃가루.

pol·li·nate [pálənèit/-5-] vt. 《植》 수분(授粉)〔가루받이〕하다. -na·tion [〜-néiʃən] n.

poll·ing [póuliŋ] n. ⓤ 투표; 《컴》 폴링.

pólling bòoth 기표소(記票所).

poll·ster [póulstər] n. 《종종 蔑》 여론 조사자.

póll tàx 인두세.

*pol·lu·tant [pəlúːtənt] n. ⓒ 오염 물질.

*pol·lute [pəlúːt] vt. 더럽히다, 불결 하게 하다; (신성을) 더럽히다.

pol·lut·er [pəlúːtər] n. ⓒ 오염자; 오염원.

:pol·lu·tion [pəlúːʃən] n. ⓤ 오염: 공해; 불결: 모독; 夢精(夢精).

*po·lo [póulou] n. ⓤ 폴로《마상 구기(馬上球技)》.

pol·o·naise [pàlənéiz/-5-] n. ⓒ 폴로네즈《폴란드의 무도(곡)》; 여자옷의 일종.

pólo-nèck n. 접는〔자라목〕 깃의《스웨터 등》.

poly- [páli/páli] '다(多), 복(複)'의 뜻의 결합사.

*pol·y·an·dry [páliǽndri/pɔ́-] n. ⓤ 일처 다부(一妻多夫).

pol·y·an·thus [pàliǽnθəs/pɔ̀-] n. ⓤ.ⓒ 《植》 앵초(수선)의 일종.

pól·y·es·ter (rèsin) [pálièstər(-)/-ɔ̀-] n. ⓤ 《化》 폴리에스테르 합성수지.

pol·y·eth·y·lene [pàliéθəliːn/-ɔ̀-] n. ⓤ 《化》 폴리에틸렌《합성수지》.

po·lyg·a·my [pəlígəmi] n. ⓤ 일부다처제《opp. monogamy》. -mist n. -mous a.

pol·y·glot [páliglàt/pɔ́liglɔ̀t] a., n. ⓒ 수개 국어에 능통한《사람》; 수개 국어로 쓴《책》; (특히) 수개 국어로 대역(對譯)한 성서.

pol·y·gon [páligàn/pɔ́ligɔ̀n] n. ⓒ 다각〔다변〕형. po·lyg·o·nal [pəlígə-

nl] a.

pol·y·math [pálimæθ/pɔ́l-] n. ⓒ 박학자, 박식한 사람.

pol·y·mer [pálimər/-5-] n. ⓒ 《化》 중합체(重合體). ~·ize [páliməraiz, pálə-/pɔ́lə-] vt., vi. 《化》 중합하다〔시키다〕.

pol·yp [pálip/-5-] n. ⓒ 《動》 폴립 《산호의 무리》; 《醫》 식육(瘜肉), 폴립《코의 점막 따위에 생기는 줄기 있는 말랑말랑한 종기》.

po·lyph·o·ny [pəlífəni] n. ⓤ 《音聲》 다음(多音); 《樂》 다성곡《多聲》; 대위법. pol·y·phon·ic [pàli-fánik/pɔ̀lif5-] a. 《樂》 대위법의.

pol·y·pro·pyl·ene [pàlipróupəl-iːn/-ɔ̀-] n. ⓤ 폴리프로필렌《폴리에틸렌 비슷한 합성 수지》.

pol·y·sty·rene [pàlistáiriːn] n. ⓤ 《化》 폴리스티렌《무색 투명한 합성 수지의 하나》.

pol·y·syl·la·ble [pálisìləbəl/-5-] n. ⓒ 다음절어《3음절 이상》. -lab·ic [〜-lǽbik] a.

pol·y·tech·nic [pàlitéknik/-5-] a. 공예의. ── n. ⓤ.ⓒ 공예 학교.

pol·y·the·ism [páliθìːizəm/-5-] n. ⓤ 다신론《多神論》, 다신교《敎》. -ist n. ⓒ 다신론자《교도》. -is·tic [〜-ístik] a.

pol·y·u·rethane [pàlijúərəθèin] n. ⓤ 《化》 폴리우레탄.

pome·gran·ate [páməgrænit, pám-/pɔm-] n. ⓒ 《植》 석류 (나무).

pom·mel [páməl, pám-] n. ⓒ (검(劍)의) 자루 끝; 안장의 앞머리. ── vt. (-l-) 자루 끝〔주먹〕으로 연달아 치다.

pomp [pamp/pɔmp] n. ⓤ 장관, 화려; (보통 pl.) 허식.

pom-pom [pámpàm/pɔ́mpɔ̀m] n. ⓒ 자동 고사포; 자동 기관총.

pom·pon [pámpɔn/-5-] n. ⓒ 호화로운; 거드름 피우는; 건방진; (말 따위) 과장된. ~·ly ad. pom·pos·i·ty [pampásəti/pɔmpɔ́-] n.

ponce [pɑns/-5-] n. ⓒ 《英俗》 (매춘부의) 정부. ── vi. 정부가 되다. ── vt. 정부가 되다; 몰래 지내다.

pon·cho [pántʃou/-5-] n. (pl. ~s) ⓒ 판초《한가운데 구멍을 뚫어

머리를 내놓게 만든 외투): (판초식) 비옷.

pond [pand/-ɔ-] *n.* ⓒ (연)못.

'pon·der [pándər/-5-] *vt., vi.* 숙고하다(*on, over*).

pon·der·ous [pándərəs/-5-] *a.* 대단히 무거운; (무거워서) 다루기 힘든; 묵직한, 육중한; 답답한.

pon·tiff [pántif/-ɔ-] *n.* ⓒ 교황; 주교; (유대교의) 제사장; 고위 성직자.

pon·tif·i·cal [pantífikəl] *a.* 교황 [주교]의. — *n.* (pl.) 주교의 제복 (祭服).

pon·tif·i·cate [pantífikit/-ɔ-] *n.* ⓒ 교황[주교]의 지위[직책·임기]. — [-kèit] *vt., vi.* 거드름 피우며 이야기하다.

pon·toon [pantú:n/-ɔ-] *n.* ⓒ [軍] (배다리용의) 납작한 배; (수상 비행기의) 플로트; (침몰선 인양용의) 잠함(潛函).

'po·ny [póuni] *n.* ⓒ 조랑말; 《美俗》 집승류; (口) 작은 잔.

póny táil (뒤에 묶어) 드리운 머리.

pooch [pu:tʃ] *n.* ⓒ 《美俗》 (시시한) 개, 잡종개.

poo·dle [pú:dl] *n.* ⓒ 푸들(작고 영리한 복슬개).

poof [pu:/puf] *int.* (숨을 세게 내뿜어) 휙; =POOH.

pooh [pu:] *int. &* 피! 체!

pooh-pooh [pú:pú:] *vt., int.* 경멸하다; =POOH.

pool¹ [pu:l] *n.* ⓒ 웅덩이; 작은 못 (냇물이) 괸 곳; (수영용) 풀; 《美》 유충(油層), 천연 가스층.

pool² *n.* ⓒ (카드·경마 등의) 건 돈; 기업가 합동의 (구성원); 합동 자금; 《美俗》 (단체 등에서 공유하는) 시설, 설비; (口) 《美》 내기 당구의 일종 (포켓볼). — *vt.* 자금을(물자를) 합동하다.

poop¹ [pu:p] *n.* ⓒ (배의 상갑판). — *vt.* (파도가) 고물을 치다.

poop² *vt.* 《美俗》 (보통 수동으로) 피로하게 하다(*I'm ~ed* 지쳤다).

'poor [puər] *a.* 가난한; 부족한; 빈약한; 초라한; 열등한; 조잡한; 불쌍한; 불운한; 시시한; 운수 나쁜; 형편이 좋지 못한. **~·ly**, *ad.* (口) 건강이 시원찮은; 가난하

게; 초라하게; 빈약하게; 서투르게.

póor white (미국 남부의) 가난한 백인.

pop¹ [pap/-ɔ-] *vi* (**-pp-**) 뻥 울리다 [소리내어 터지다]; 탕 쏘다(fire) (*at*); (口) 불쑥 움직이다(들어오다 나가다, 가다, 오다). — *vt.* (口) 뻥 소리를 내게 하다; (마개를) 뻥 뽑다; 《美》 (옥수수를) 튀기다; (口) 갑자기 찌르다(놀다, 넣다, 내다)(*in, out, on*); 《英口》 전당 잡히다; 부풀게 하다; [野] 내야 플라이를 치다 (口) (경구 피임약을) 함부로 먹다. **~ the question** (口) (여자에게) 청혼하다. — *n.* ⓒ 펑(뻥)하는 소리; 발포; 탄산수. — *ad.* 뻥하고; 갑자기; 돌연히.

pop² 〈*popular*〉 *a.* 통속적인. — *n.* ① 대중 가요; ⓒ 그 곡.

pop³ 〈*papa*〉 *n.* 《美口》 아버지; 아저씨(연장의 남성에 대한 호칭).

pop. population.

póp árt 〔口〕 대중 미술 (광고·만화·상업 미술 따위를 모방하는).

pop·corn [<kɔːrn] *n.* ① 《美》 옥수수의 일종(잘 튀겨짐); 튀긴 옥수수, 팝콘.

Pope, p- [poup] *n.* ⓒ 로마 교황.

pop·er·y [póupəri] *n.* ① [蔑] 가톨릭교(의 제도), 관습.

pop·eyed *a.* (口) 퉁방울눈의; 눈이 휘둥그레진.

pop·gun *n.* ⓒ (장난감의) 공기총.

pop·ish [póupiʃ] *a.* [蔑] 가톨릭교의, 로마 교황의.

'pop·lar [páplər/-5-] *n.* ⓒ 포플라, 사시나무; ① 그 재목.

pop·lin [páplin/-ɔ-] *n.* ① 포플린 (옷감류).

pop·per [pápər/-5-] *n.* ⓒ 펑 소리를 내는 사람(물건); 《美》 옥수수 튀기는 기구.

pop·pet [pápit/-5-] *n.* ⓒ 《英口》 여자(남자)아이, (호칭으로) 애인; [機] 양판; 선반 머리; [海] 침목(진수할 때에 배를 괴는 굄).

'pop·py [pápi/-5-] *n.* ⓒ [植] 양귀비(의 꽃); ① 진홍색.

póppy·còck *n., int.* ① 《美口》 허튼 소리; 어처구니 없는(bosh).

pop·si·cle [pápsikəl/-5-] *n.* ⓒ 《美》 아이스 캔디.

pop·lace [pápjələs/-5-] *n.* (the ~) 서민, 대중; 하층 계급.

pop·u·lar [pápjələr/-5-] *a.* ① 대중의 [에 의한]; 민중의; 대중적(통속적) 인; 인기 있는, 평판이 좋은; 대중용 의; 유행의, 널리 행해지는. **° ~·ly** *ad.* 일반적으로; 통속적으로.

pópular frónt, P- F-, the 인민 전선.

pop·u·lar·i·ty [pàpjəlǽrəti/-ɔ-] *n.* ⓤ 인기, 인망; 통속.

pop·u·lar·ize [pápjələráiz/-5-] *vt.* 통속적으로 하다. 일반화하다, 보급시키다. **-i·za·tion** [pàpjələrizéiʃən/pɔ̀pjələrai-] *n.*

pop·u·late [pápjəlèit/-5-] *vt.* (…에) 주민을 거주시키다; 식민(植民)하다; (…에) 살다.

pop·u·la·tion [pàpjəléiʃən/-5-] *n.* ⓤⓒ 인구; 주민; 《統》 모(母)집단.

Pop·u·list [pápjəlist/-5-] *n.* ⓒ 《美史》 인민당원. **-lism** [-lìzəm] *n.* ⓤ 《美史》 인민당의 주의.

pop·u·lous [pápjələs/-5-] *a.* 인구가 조밀한; 사람이 붐비는, 사람수가 많은.

póp-up *n.* ⓒ 《野》 내야 플라이. **—** *a.* ① 평 튀어나오는, 立 《컴》 팝업(~ *menu* 팝업 메뉴/*a* ~ *window* 팝업 윈도).

por·ce·lain [pɔ́ːrsəlin] *n.* ⓤ 자기 (磁器); ⓒ《집합적》자기 제품.

porch [pɔːrtʃ] *n.* ⓒ 현관, 차 대는 곳; 《美》 베란다.

por·cu·pine [pɔ́ːrkjəpàin] *n.* ⓒ 《動》 호저(豪猪).

pore¹ [pɔːr] *vi.* 몰두하다, 숙고[주시]하다(*on, upon, over*).

pore² [pɔːr] *n.* 털구멍; 세공(細孔); 기공(氣孔).

pork [pɔːrk] *n.* ⓤ ① 돼지고기, 2 《俗史》 (정부의 정략적인 보조금, ~·**er** *n.* ⓒ 식용 돼지. ~·**y** *a.* 돼지의, 돼지 같은, 살찐.

pórk bárrel 《美俗》 선심 교부금 《여당 의원의 인기를 높이기 위해 정부가 주는 정책적인 국고 교부금》.

porn [pɔːrn] *n.* (俗) = PORNO.

por·no [pɔ́ːrnou] *n.* = PORNOGRA-

PHY. — *a.* = PORNOGRAPHIC.

por·nog·ra·phy [pɔːrnágrəfi/-5-] *n.* ⓤ 포르노, 호색 문학; 《집합적》 포르노 영화[그림, 사진 따위]. **por·no·graph·ic** [pɔ̀ːrnəgrǽfik] *a.*

po·rous [pɔ́ːrəs] *a.* 작은 구멍(기 공)이 많은[있는]; 삼투성(滲透性)의. **po·ros·i·ty** [pourɑ́səti/pɔːrɔ́-] *n.* ⓤ 다공성(多孔性), 유공성; 삼투성.

por·phy·ry [pɔ́ːrfəri] *n.* ⓤ《地》 반암(斑岩).

por·poise [pɔ́ːrpəs] *n.* ⓒ 돌고래.

por·ridge [pɔ́ːridʒ, pá-/-5-] *n.* ⓤ 죽《오트밀》, 수프 《英》 (오트밀) 죽.

port¹ [pɔːrt] *n.* ⓒ 항구(harbor), 무역항; 《세관이 있는》 항구; 항구 도 시; 《배의》 피난소; 공항. *any ~ in a storm* 궁여지책.

port² *n.* *a.* ⓤ 좌현(左舷)(의). — *vt., vi.* 좌현으로 향(하게)하다.

port³ *n.* ⓤ 《담고 독한》 붉은 포도 주; 포트 와인.

port·a·ble [pɔ́ːrtəbəl] *a., n.* 들고 다닐 수 있는; 《전물, 도서관 따위의》 이동[순회]할 수 있는 ⓒ 휴대용의 《라디오, 텔레비전, 타이프라이터》; 《컴》 《프로그램이 다른 기종에》 이식 (移植) 가능한; 휴대용의. **-bil·i·ty** [-bíləti] *n.*

por·tal [pɔ́ːrtl] *n.* ⓒ 《당당한》 문, 입구; 정문.

port·cul·lis [pɔːrtkʌ́lis] *n.* ⓒ 《옛 날 성문의》 내리닫이 쇠살문.

por·tend [pɔːrténd] *vt.* (…의) 전조가 되다, 예고하다.

por·tent [pɔ́ːrtənt] *n.* ⓒ 《흉사의》 전조; 흉조. **por·tén·tous** *a.* 불길 한; 이상한; 놀라운.

por·ter¹ [pɔ́ːrtər] *n.* ⓒ ① 운반인, 《역의》 짐꾼. ② 《美 특등(침대)차의》 사환. 「리어」.

por·ter² *n.* ⓒ 문지기; 《건물의》 관

port·fo·li·o [pɔːrtfóuliòu] *n.* (*pl. ~s*) ⓒ 종이끼우개, 손가방; 장관의 직, 각료 지위. *a minister without ~* 무임소 장관.

port·hole *n.* ⓒ 《海》 현창(舷窓) 포트(砲門).

por·ti·co [pɔ́ːrtikòu] *n.* (*pl. ~(e)s* 《建》 주랑(柱廊) 현관.

por·tion [pɔ́ːrʃən] *n.* ⓒ ① 부분.

분; (음식의) 일인분. ② 〖法〗 상속
재산; 지참금이. ③ (sing.) 운명. ─
vt. 분배하다(out); 〖美 상속분·지참
금〗을 주다.

port·ly[pɔ́ːrtli] a. 비만한; 당당한.

portmánteau wòrd [-] 두 단
어가 합쳐진 단어의 된 말(brunch
(<breakfast + lunch) 따위).

por·trait[pɔ́ːrtrit, -treit] n. ⓒ ①
초상(화); 인물 사진. ② (말에 의한)
묘사. ③ 〖컴〗 세로(방향).

por·trai·ture[pɔ́ːrtrətʃər] n. U
초상화법.

por·tray[pɔːrtréi] vt. ① (…의) 그
림을 그리다. ② (말로) 묘사하다.
③ (극으로) 표현하다. ~·al n. ⓒ
묘사; 인물 묘사.

pose[pouz] n. ⓒ ① 자세, 포즈.
② 꾸민 태도, 걸꾸밈. ─ vi. ① 자
세[포즈]를 취하다. ② 짐짓 꾸미다.
가장하다(as). ─ vt. ① 자세[포즈]
를 취하게 하다. ② (문제 따위를) 제
출[제의]하다. **pós·er**¹ n. ⓒ 짐짓
꾸미는 사람.

pose² vt. (어려운 문제로) 괴롭히다.
pós·er² n. ⓒ 난문(難問).

po·seur[pouzə́ːr] n. (F.) ⓒ 젠체
하는 사람.

posh a. (口) 멋진; 호화로운.

pos·it[pázit/-5-] vt. 놓다, 두다;
〖論〗 가정하다.

po·si·tion[pəzíʃən] n. ① ⓒ 위치;
장소. ② ∪ⓒ 적소(適所), 소정의 위
치(be in ~). ③ ⓒ 자세; 태도. ⓒ
해, 4 ∪ⓒ 지위, (특히 높은) 신
분. ⑤ ⓒ 일자리, 직(職). ⑥ ⓒ 주
장, 입장. **be in a ~** to do …할
수 있다. **be out of ~** 적소를 얻
지 못하고 있다.

pos·i·tive[pázətiv/-5-] a. ① 확
실한; 명확한. ② 독단적인; 우쭐하
는; 확신하는. ③ 적극적인; 절대적인.
④ 실재의; 실제적인; 실증적인. ⑤
(口) 순전한. ⑥ 〖理·醫〗 양성(의);
〖數〗양(陽)의; 〖寫〗 양화(陽畫)의;
〖文〗 원급(原級)의. ─ n. ① ⓒ 실
재; 현실. ② (the ~) 〖文〗 원급
(原級). ③ (전의의) 양극판; 〖寫〗 양화
(陽畫). ④ 〖數〗 양수. *~·ly ad. 명백히; 절대
적으로; 적극적으로. ~·ness n.

pos·i·tiv·ism[pázətìvìzəm/-5-]

n. ∪ 실증주의 [철학]; 확신; 독단(주
의). ─**ist** n. ⓒ 실증주의자 [철학자].

pos·se[pási/-5-] n. ⓒ 경관대.
(sheriff 가 징집하는) 민병대.

pos·sess[pəzés] vt. ① 소유[점유]
하다. ② (악령 따위가) 들리다. ③
(마음·감정을) 지배하다; 유지하다.
④ (言) 억제, 소유 … 에게 넣다, 획득하다.
be ~ed by [with] (악령 따위에)
들려 있다. **be ~ed of** …을 소유
하고 있다. ~ **oneself** 자제하다.
~ **oneself of** …을 획득하다. **~ed**
[-t] a. 열광한; 미친; 침착한.

pos·ses·sion[pəzéʃən] n. ① ∪
소유; 점유. ② (pl.) 소유물; 재산.
③ ⓒ 영지, 속령(屬領). ④ ∪ 자제
(自制). **get ~ of** …을 손에 넣다.
~ in of …을 소유
하여. **in the ~ of** …의 소유의.

pos·ses·sive[pəzésiv] a. ① 소유
의; 소유욕이 강한; 소유를 주장하는
② 〖文〗 소유격의. ─ n. 〖文〗
(the ~) 소유격; 소유대명사.

pos·ses·sor[pəzésər] n. ⓒ 소유
자; 점유자. **-so·ry**[-ri] a.

pos·si·bil·i·ty[pàsəbíləti/-5-] n.
① ∪ 가능성. ② ⓒ 가능한 일. ③
ⓒ (보통 pl.) 가망. **by any ~**
《조건의 수반하여》 만일이나, 혹시; 《부
정에 수반하여》 도저히 …않다), 아무
무래도 …않다). **by some ~** 어
쩌면, 혹시.

pos·si·ble[pásəbəl/-5-] a. ① 있
을[일어날] 수 있는; 가능한. ② (口)
웬만한, 참을 수 있는. **-bly** ad. 어
쩌면, 아마; 무슨 일이 있어도, 부디
…겐든지 제발.

pos·sum[pásəm/-5-] n. (口) =
OPOSSUM. **play [act]** … 피병부리
다; 죽은 체하다; 시치미떼다.

post¹[poust] n. ① ⓒ 기둥. ② 〖競
馬〗 (the ~) 출발[결승]의 표주(標
柱). ─ vt. ① (고시 따위를 기둥에)
붙이다; (벽 따위에) 빽빽 붙이다
(P- no bills. 벽보 엄금); 게시하다.
② 〖英〗 (대학에서, 불합격자를) 게시
하다; 〖美〗 사냥 금지를 게시하다.

post² n. ⓒ ① 지위, 맡은 자리; 직
분. ② (초병)위치·경찰관의) 부서.
③ 주둔지; 주둔 부대. ④ (美) (대학
군인회의) 지방 지부. ⑤ (미개지의

통상(通常) 거류지. —— *vt.* (보초 등을) 배치하다. ~ **a cordon** 비상선을 펴다.

post³ *n.* ① (the ~) 《英》 우편. ② U 《집합적》 《英》 우편물. ③ (the ~) 《英》 우체국; 우체통. ④ (P-) …신문(the Sunday P-). **by** ~ 우편으로. **by return of** ~ 편지받는 대로 곧(회답 바람). **general** ~ 우체국 놀이(실내 유희의 일종); 아침의 (제1회) 배달 우편. —— *vt.* (편지를) 부치다; 《簿》 (분개장에서) 원장에 기입하다; (최신 정보 등을) 알리다. 정통하다(on). —— *vi.* 역마(역마차)로 여행하다; 급히 여행하다; (말의 보조에 맞추어) 몸을 상하로 흔들다. —— *ad.* [poust] 급한 말(馬)로; 황급히.

post·age[póustidʒ] *n.* U 우편 요금.

póstage stàmp 우표.

post·al[póustəl] *a.* 우편의; 우체국의. 《美》① ⇒.

póstal càrd 《美》 우편 엽서.

póstal còde =POST-CODE.

póstal (mòney) òrder 우편환.

póst-bàg *n.* C 《英》 =MAILBAG.

póst-bòx *n.* C 우체통; 《美》 mail-box); (각 가정의) 우편함.

póst-càrd *n.* C 《英》 우편 엽서; 《美》 사제 (그림) 엽서.

póst-còde *n.* 《英》 우편 번호 《美》 zip code).

póst-dàte *vt.* 날짜를 실제보다 늦추어 달다.

post·er[póustər] *n.* C ① 포스터, 벽보. ② 전단 붙이는 사람.

poste res·tante[pòust restánt] (F.) 유치(留置) 우편(분주에 표기).

pos·te·ri·or[pastíəriər/pǒstíə~] *a.* (위치가) 뒤의, 후부의. ② (순서·시간이) 뒤의, 다음의(to). ③ 《動》 미부(尾部)의. ~ 엉덩이 (buttocks). ~·**i·ty** [−−árəti/−−] *n.* U (위치·시간이) 다음임.

pos·ter·i·ty[pastérəti/pos−] *n.* ① 《집합적》 자손, 후세.

póst-frée *a.* 우편 요금 무료의.

pòst·gráduate *a., n.* (대학 졸업 후의) 연구과의; C 연구과(대학원)

학생(의, 을 위한).

post·hu·mous[pástʃuməs/pɔ́s−] *a.* 유복자(遺腹子)로 태어난; (저자) 사후에 출판된; 사후의; 사후의.
 [′pěˌkȷin].

post·man [póustmən] *n.* C 우편 집배인.

póst·màrk *n., vt.* C 소인(消印)(을 찍다); 우체국장.

póstmaster *n.* C 우체국장.

póstmaster géneral 《美》 우정 공사 총재; 《英》 체신 공사 총재.

póst·mistress *n.* C 여자 우체국 장.

post·mor·tem[pòustmɔ́ːrtəm] *a., ad.* 사후(死後)의; C 검시(檢屍)(의); 사후(事後) 토의.

póst office ① 우체국. ② (the P-O-) 《英》 체신 공사; 《美》 우정성 《1971년 the Postal Service로 개편》. ③ 우체국 놀이(《눈가린 애로》 어진 아이는 벌로서 키스를 청구당함).

póst-office bòx 사서함(생략 P. O. Box).

pòst·óperative *a.* 수술 후의.

pòst·páid *a., ad.* 《美》 우편 요금 선불의(로).

post·pone[poustpóun] *vt.* 연기하다. ~·**ment** *n.*

post·pran·di·al[pòustprǽndiəl] *a.* 식후의.

póst·script[póustskrìpt] *n.* C (편지의) 추신(追伸), 추백(追白)(생략 P.S.); 《英》 뉴스 방송 후의 해설.

pos·tu·lant[pástʃələnt/pɔ́s−] *n.* C (특히 성직) 지원자(지망)자.

pos·tu·late[pástʃəlèit/pɔ́s−] *vt., vi.* 요구하다(for); (자명한 것으로) 가정하다. —— [−lit] *n.* C 가정; 선결 원리, 필요 조건.

pos·ture[pástʃər/−s] *n.* U, C 자세; 상태. —— *vi., vt.* 자세를 취하다(취하게 하다); …인 체하다. **pos·tur·al** *a.* 자세(상태)의; 위치상의.

póst·wár *n.* 전후의.

po·sy[póuzi] *n.* C 꽃; 꽃다발.

pot[pat/−ɔ−] *n.* ① C 단지, 항아리, 화분, 병, 속깊은 냄비; 단지 하나 가득(한 물건); (물고기나 새우를 잡는) 바구니. ② C 《口》 상품; 한 번에 건 돈. ③ U 《美俗》 마리화나. **go to** ~ 영락(파멸)하다, 결딴나

다. **keep the ~ boiling** 살림을
꾸려나가다; 경기를 계속하다.
make the ~ boil 생계를 세우다.
take a ~ at …을 겨냥하여 쏘다.
— *vt.* (**-tt-**) 단지[항아리]에 넣다:
화분에 심다: 쏘다(shoot). — *vi.*
쏘다(at).

po·ta·ble [póutəbəl] *a.* (물이) 음
료에 적합한. — *n.* (*pl.*) 음료.

pot·ash [pátæʃ/-ɔ] *n.* ⓤ 잿물:
POTASSIUM.

po·tas·si·um [pətǽsiəm] *n.* ⓤ
〖化〗 포타슘, 칼륨《기호 K》.

po·ta·to [pətéitou] *n.* (*pl.* ~es)
ⓒ 감자. 《美》 고구마. **drop a
thing like a hot ~** 당황하여 버리
다. **Irish** 〖**white**〗 ~ 감자. **sweet**
〖**Spanish**〗 ~ 고구마.

potato chip 〖〖美〗 **crisp**〗 얇게
썬 감자 튀김.

pot·bel·ly *n.* ⓒ 올챙이배《의 사람》:
《배가 불룩한》 낭로.

pot·boiler *n.* ⓒ 생활을 위한 문학
《미술》 작품《을 만드는 사람》.

po·tent [póutənt] *a.* ① 힘센, 유력
한; 세력〖효력〗이 있는. ② 《남성이》
성적(性的) 능력이 있는. ③ 《약 등》
효력이 있는. ④ 《도덕적으로》 영향력
이 강한. **~·ly** *ad.* **po·ten·cy** *n.*
세력; 효력.

po·ten·tate [póutənteit] *n.* ⓒ 유
력자; 세력가, 군주.

po·ten·tial [pouténʃəl] *a.* ① 가능
한; 잠재적인. ② 〖理〗 전위(電位)
의; 〖文〗 가능법의《~ mood》. —
n. ⓤ ① 가능성; 잠세(潛勢). 잠재
《능력》. ② 〖理〗 전위. ③ 〖文〗 가능법
《'mood'》. **~·ly** *ad.* **-ti·al·i·ty** [-ʃ
iǽləti] *n.* ⓤ 가능성; ⓒ 잠재력.

pot·hole *n.* ⓒ 〖地〗 돌개 구멍
《하상의 암석에 생긴》; 《노면의》 팬
구멍. ② 《수직으로 구멍이 난》 깊은
동굴. **-holer** *n.* ⓒ 동굴 탐험자.
-holing *n.* ⓒ 동굴 탐험.

po·tion [póuʃən] *n.* ⓒ 《약 따위의》
1회 분량, 한 잔.

pot plant 《관상용의》 화분 식물,
분종(盆種).

pot·pour·ri [pòupurí:, poupúəri]
n. (F.) ⓒ 화향(花香)《꽃잎과 향료를

섞은 실내 방향제》; 혼성곡; 《문학의》
잡집(雜集).

pot·shot *n.* ⓒ 식용만을 목적으로
하는 총사냥; 《잘 조준하지 않는》 근
거리 사격.

pot·ted [pátid/-5-] *a.* 화분에 심
은; 단지[항아리]에 넣은; 병조림의.

pot·ter [pátər/-5-] *n.* ⓒ 도공(陶
工), 옹기장이. — *v.* ~**y**. *n.* ⓤ 가늘
오지 일으는; 도기 제조(업); 도기계
조소. 가마.

potter's wheel 녹로(轆轤), 물레.

pot·ty [páti/-5-] *a.* 《英口》 ⓒ 사소
한; 쉬운; 미친 듯한. **pot·ti·ness** *n.*

pot·ty *n.* ⓒ 어린이용 변기, 《兒》 쉬
리도록 길들임.

potty-training *n.* ⓤ 대소변을 가
리도록 길들임.

pouch [pautʃ] *n.* ⓒ 작은 주머니;
《動》 《캥거루 따위의》 육아 주머니.
— *vt.* 주머니에 넣다; 자루처럼 만들
다; 오므라지게 하다. — *vi.* 자루 모
양으로 되다. ~**ed**[-t] *a.* 주머니 모
양의《주머니가 있는》.

poul·tice [póultis] *n., vt.* ⓒ 《…
에》 찜질약《습포약》을 붙이다.

poul·try [póultri] *n.* ⓤ 《집합적》 가금
《家禽》《닭·칠면조·오리 따위》.

pounce [pauns] *vi., vt.* 붙잡으려
들다《upon, on》; 갑자기 덤벼들다
《내, 뛰다》. — *n.* 움켜잡은데 덤벼
들, 급습.

pound [paund] *n.* ⓒ 파운드《무게
의 단위, 16온스, 453.6그램, 생략 lb.》;
파운드《영국 화폐 단위, 100 pence,
기호 £》.

pound *vt.* 세게 연타하다; 짓찧다.
— *vi.* ① 세게 치다《on》; 난타하다
《on, at》. ② 《심장이》 두근거리다.
③ 쿵쿵 걷다《about, along》. — *n.*
타격; 치는 소리; 강타.

pound *n., vi.* ⓒ 《주인 잃은 소·개
따위의》 우리《에 넣다》; 동물을 넣는
울; 구치소; 구류한다.

pound·age [-idʒ] *n.* ⓤ 《무게·금
액》 1파운드에 대한 수수료《세금》.

pour [pɔ:r] *vt.* ① 쏟다, 붓다《into,
in, on》《 《총알을》 퍼붓다. 《은혜
를》 많이 베풀다. ③ 도도히 말한다.
— *vi.* 흘러 나오다《down, forth,
out》; 억수같이 퍼붓다. **It never**

P

rains BUT *it* ～*s.* — *n.* ⓒ 유출
(流出); 호우(豪雨).

pout[paut] *vi., n.* ⓒ 입을 삐죽다
[삐죽거림]; 뿌루퉁해지[하기]. —
vt. (입을) 삐죽 삐죽다[고 말하다].
～**·y** *a.* 쩌무룩한.

pov·er·ty[pάvərti/-ɔ-] *n.* ⓤ ①
가난. ② 빈약; (필요물의) 결핍(*in,
of*). ③ 불모.

poverty line 빈곤(소득)선(최저
생활 유지에 필요한 소득 수준).

poverty-stricken *a.* 매우 가난한.

poverty trap (英) 빈곤의 올가미
(《수입이 늘면 국가의 보호 수당을 받
지 못해 오히려 빈곤에서 벗어나지 못
하는 상황을 이름).

POW, P.O.W. prisoner of war.

pow·der[pάudər] *n.* ① ⓤ 가루.
분말. ② ⓤ 가루분(*face pow-
der*); ⓒ 가루약; ⓤ 화약(gunpow-
der). ③ ＝POWDER BLUE. — *vt.,
vi.* 가루로 하다 [가 되다](*—ed egg*
분말 달걀 /～*ed milk* 분유); 가루를
뿌리다; 가루분을 바르다. ～**·y**[-i]
a. 가루(모양)의; 가루분성의(性)의; 가루
가 되기 쉬운; 무른.

powder blue 담청색(light blue)
(가루 물감).

powder keg (옛날의) 화약통; 위
험한 상황.

powder puff 분첩.

powder room 화장실; 여성용 세
면소; 욕실(浴室).

pow·er[pάuər] *n.* ① ⓤ 힘; 능력.
② (*pl.*) 체력; 지력, 정신력. ③ ⓤ
세력, 권력; 지배력; 정권. ④ ⓤ 유
력자; 강국. ⑤ ⓒ 《數》 멱(冪); 거듭
제곱. ⑥ ⓤ 《理》 작업력, 공률; 《機》
동력; (렌즈의) 확대력. ⑦ ⓒ (보통
pl.) 신(神). *a ～ of* 《口》 많은. *in
one's ～* 힘이 미치는 범위내에서; 지
배하여. ～ *of attorney* 위임장.
the Great Powers 열강(列强).
the ～s that be 당국.

power base (정치 운동의) 지반.

power·boat [-bòut] *n.* 발동기선, 모터
보트.

power cut (일시적) 송전 정지, 정
전.

pow·er·ful[pάuərfəl] *a.* 강력한;
유력한; 《주로 方》 많은. ～**·ly** *ad.*

～**·ness** *n.*

power·house [-hàus] *n.* ⓒ 발전소.

power·less *a.* 무력한, 무능한.
～**·ly** *ad.* ～**·ness** *n.*

power line 《電》 송전선.

power plant 발전소; 발전 장치.

power station ＝POWERHOUSE.

pox [pɑks/-ɔ-] *n.* (the ～) 매독.

pp 《樂》 *pianissimo*. **pp.** pages.

pr. pair(s).　**P.R.** Proportional
Representation 비례 대표; public
relations.

prac·ti·ca·ble [prǽktikəbəl] *a.*
① 실행할 수 있는. ② 실용에 맞는
③ (도로 따위가) 통행할 수 있는. **-bil·
i·ty**[>—bíləti] *n.*

prac·ti·cal [prǽktikəl] *a.* ① 실제
의, 실제적인. ② 실용적인; 유용한.
③ 실지 경험이 있는; 노련한. ④ 실
질상의; 분별 있는(*a ～ mind*).
:～·ly *ad.* 실제로; 실질상. 실용적
으로; 거의.

practical joke 못된 장난.

practical nurse 환자 시중 전문
의 간호사.

:prac·tice [prǽktis] *n.* ① ⓤ 실시,
실행; 실제. ② ⓤⓒ (개인의) 습관,
(사회의) 관습. ③ ⓒ 연습; 숙련. ④
ⓒ (의사·변호사 등의) 업무. ⑤ ⓤ
《法》 소송 절차. *be in ～* 연습[숙
련]돼 있다; 개업하고 있다. *in ～* —
실제상으로는. *out of ～* 연습 부족
으로. *put ... into* [*in*] ～ 을 실행
하다. — *vt.* ① 을 행하다; 실행하
다. ② 연습[훈련]하다. — *vi.* ①
습관적으로 하다. ② 연습하다(*on,
at, with*). ③ (의사·변호사 등이)
개업하다. ④ (약점에) 편승하다. 속
이다(*on, upon*). ～**d**[-t] *a.* 연습
[경험]을 쌓은. ～**d hand** 숙련가.

prac·tise [prǽktis] *vt., vi.* 《英》 ＝
PRACTICE.

prac·ti·tion·er [prǽktíʃənər] *n.* ⓒ
개업자, 개업의(醫), 변호사.

prag·mat·ic [prægmǽtik], **-i·cal**
[-əl] *a.* 쓸데없이 참견하는; 독단적
인; 《哲》 실용주의의; 실제적인; 활동
적인. **-i·cal·ly** *ad.*

prag·ma·tism [prǽgmətizəm] *n.*
ⓤ 쓸데없는 참견; 독단(성); 실제적

임: 【哲】실용주의. **-tist** n. ⓒ 【哲】실용주의자; 참견하는 사람.

prai·rie[prέəri] n. ⓒ 대초원(특히 북아메리카의).

praise[preiz] n., vt. ⓤ 칭찬(하다); (신을) 찬미(하다).

práise·wòrthy a. 칭찬할 만한, 기특한.

pram[præm] n. ⓒ 《英口》유모차. (< **perambulator**)

prance[præns/-ɑː-] vi ① (말이 기운이 뻗쳐) 뒷다리로 뛰다(along). ② (사람이) 말을 껑충껑충 뛰게 하여 나아가다. ③ 뽐기며 걷다(about); 뛰어돌아다니다. — n. (a ~) 도약.

prank[præŋk] n. ⓒ 농담, 못된 장난. **⬦·ish** a. 장난의; 장난을 좋아하는.

prat[præt] n. 《俗》궁둥이.

prate[preit] n., vt., vi. ⓤ (재잘재잘) 쓸데 없는 말(을 하다), 수다 떨다.

prat·tle[prætl] vi., vt., n. ⓤ 어린애 같이 (멋대로) 지껄이다; 혀짤배기 소리(를 하다); 수다 (떨다); 졸졸 흐르는 소리.

prawn[prɔːn] n. ⓒ 【動】참새우.

prax·is[préksis] n. 《pl. praxes [-siːz]》 ⓤⓒ 습관, 관례; 연습; 응용; 【文】에제, 연습 문제(집).

pray[prei] vi. 간원하다(for); 빌다; 기도하다(to). — vt. (…에게) 바라다; 기원하다; 기원하여 이루어지게하다(out, into); 제발. **be past ~ing for** 개전(改悛)의 가망이 없다. **⬦·er** n. ⓒ 기도(기원)하는 사람.

prayer[prέər] n. ① ⓤ 기원; 간원. ② ⓤ 기도식; 기도(문)식. ③ ⓒ 기도의 목적물. **the Book of Common P-** (영국 국교회의) 기도서. **the LORD's P-**.

práyer bòok[prέər-] 기도서.

práying mántis 【蟲】사마귀.

pre-[priː, pri] pref. '전, 앞, 미리' 따위의 뜻.

preach[priːtʃ] vi. 설교하다; 전도하다. — vt. (도를) 전하다; 창도(唱道)하다. **⬦·er** n. ⓒ 설교자; 목사. **~·i·fy**[⬦faī] vi. 《口》지루하게 설교하다. **⬦·ing** a.

설교, **⬦·ment** n. ⓤⓒ 설교; 지루한 설교. **⬦·y** a. 《口》설교하기 좋아하는, 설교적인.

pre·am·ble[priːémbl/-⬦-] n. ① 【법률·조약】전문(前文). ② 머리말.

prè·ar·ránge vt. 미리 타합[상의]하다; 예정하다. **~·ment** n.

pre·car·i·ous[prikέəriəs] a. ① 남의 뜻에 좌우되는. ② 불안정한. ③ 위험한. 의심스러운.

pre·cast[priːkǽst/-ɑː-] vt. (~), a. 【建】(콘크리트를) 미리 틀에 넣어 만들다(만든). 프리캐스트의.

pre·cau·tion[prikɔ́ːʃən] n. ① 조심, 경계. ② 예방책(against). **~·ar·y**[-nèri/-nə-] a.

pre·cede[prisíːd] vt., vi. ① 앞서 다; 선행(先行)하다. ② (…의) 상위에 있다. —보다 중요하다(낫다); (…에) 우선하다. **-cé·dence, -den·cy** n. ⓤ 선행; 상위; 우선(권); 【집】우선 순위. ***·céd·ing** a. 선행하는, 앞의(前述)의.

prec·e·dent[présədənt] n. ⓒ 선례, 전례; 【法】판례. **pre·céd·ent** [prisíːdənt] a. 앞에 앞서는, 앞의.

pre·cept[príːsept] n. ① ⓤⓒ 교훈; 격언. ② ⓒ 【法】명령서.

pre·cinct[príːsiŋkt] n. ① ⓒ 《주로 美》 경내(境內), 구내. ② (행정) 관구(管區). ③ (pl.) 경계, 주위, 부근.

pre·cious[préʃəs] a. ① 귀중한, 비싼; 소중한. ② 귀여운. ③ 점잔빼는; 꾀까다로운. ④ 《口》지독한, 순전한(反語) 대단한(a ~ fool). — ad. 《口》대단히. — n. 《애칭》 소중한 사람(My ~!). **~·ly** ad. **~·ness** n.

prec·i·pice[présəpis] n. ⓒ 절벽, 벼랑.

pre·cip·i·tate[prisípətèit] vt., vi. ① 거꾸로 떨어뜨리다[떨어지다]. 곧 두박이치게 하다. ② 무턱대고 재촉하다, 촉진하다. ③ 【化】침전시키다 (하다). ④ 【氣】응결시키다[하다]. — [-tit, -tèit] a. 거꾸로의; 무모 [경솔]한; 돌연한. — [-tit, -tèit] n. ⓤⓒ 【化】침전물; 【氣】응결한 수분[비·이슬 따위]. **~·ly**[-titli] ad.

pre·cip·i·ta·tion[prisìpətéiʃən]

n. ① U 거꾸로 놓[낙하]하기; 투하, 낙하. ② U 화급(火急), 황급(惶急); 경솔. ③ U 침전; C 침전물; U 강수[강우량 따위]; C 강수량.

:**pre·cip·i·tous** [prisípətəs] *a.* 험한; 성급한, 경솔한.

:**pré·cis** [préisi:, -⌐] *n.* (F.) (*pl.* ~ [-z]) C 대요, 개략.

:**pre·cise** [prisáis] *a.* ① 정확한, 세심한; 꼼꼼한. ② 조금도 틀림없는, ~ **to be** ~ 《독립구》정확히 말하면; :~**·ly** *ad.* 정확히; 《대답으로서》바로 그렇다. ─**ness** *n.*

:**pre·ci·sion** [prisíʒən] *n., a.* U 정확(성), 정밀(한); 《컴》정밀도.

:**pre·clude** [priklú:d] *vt.* 제외하다; 방해하다(*from*); 불가능하게 하다. **pre·clu·sion** [-ʒən] *n.* **pre·clú·sive** *a.* 방해하는(*of*).

pre·co·cious [prikóuʃəs] *a.* 조숙한, 올된; 《植》 일되는, 올벼의. **pre·coc·i·ty** [-kásəti/-]*n.*

pre·con·ceive [prì:kənsí:v] *vt.* 예상하다, 예단하다. ~**d idea** 선입관, 편견. **pre·con·cep·tion** [prì:kənsépʃən] *n.* C 예상; 선입관.

pre·con·di·tion [prì:kəndíʃən] *n.* C 전제 조건. ─ *vt.* 미리 조건을 조성해 놓다.

pre·cur·sor [prikə́:rsər] *n.* C 선구자; 선배; 전조(前兆). -**so·ry** *a.* 전조의.

pre·da·cious, -ceous [pridéiʃəs] *a.* 《動》 포식성(捕食性)의, 육식성의.

pre·da·tor [prédətər] *n.* C 약탈자; 《生》 포식자, 육식 동물.

pred·a·to·ry [prédətɔ̀:ri/-təri] *a.* 약탈하는; = PREDACIOUS.

pred·e·ces·sor [prèdisésər, △△▽/prí:disèsər] *n.* C ① 전임자. ② 앞서的 것. ③ 《古》 선조.

pre·de·ter·mine [prì:ditə́:rmin] *vt.* 미리 결정하다[방향을 정하다]; 예정하다. -**mi·na·tion** [-▽mæinéiʃən] *n.*

pre·dic·a·ment [pridíkəmənt] *n.* C 상태; 궁경(窮境).

pred·i·cate [prédikit] *n., a.* C 《文》 술부의(部), 서부(술부); 《論》 빈사 (賓辭)(의); 《컴》 술어. ─ [-kèit] *vt.* 단언하다; 서술하다. -**ca·tion** *n.*

[△-kéiʃən] *n.* U.C 단언; 《文》 서술.

pred·i·ca·tive [prédikèitiv/pridíkativ] *a.* 《文》 서술[술어]적인(opp. *attributive*). ─ *adv.* ~**·ly** *ad.*

:**pre·dict** [pridíkt] *vt., vi.* 예언하다, **·pre·díc·tion** *n.* U 예언(하기). **pre·díc·tive** *a.* **pre·díc·tor** *n.* C 예언자; 《軍》 대공(對空) 조준 산정기 (算定機).

pre·di·lec·tion [prì:dəlékʃən] *n.* C 좋아함, 편애(偏愛)(*for*).

pre·dis·pose [prì:dispóuz] *vt.* 미리 (…에) 기울게 하다(*to, toward*); (병에) 걸리기 쉽게 하다(*to*). **·po·si·tion** [-pəzíʃən] *n.* C 경향(*to*); 《病》 소인(素因)(*to*).

pre·dom·i·nant [pridámənənt/-] *a.* 뛰어난; 현저한. ~**·ly** *ad.* **-nance** *n.*

pre·dom·i·nate [pridámənèit/-] *vi.* 지배하다(*over*); 우세하다(*over*). **-na·tion** [-▽néiʃən] *n.*

pre·em·i·nent [priémənənt] *a.* 발군의, 뛰어난; 현저한. ~**·ly** *ad.* **-nence** *n.*

pre·empt [priémpt] *vt.* 선매권(先買權)에 의하여 (공유지를) 획득하다; 선취하다. **pre·émp·tion** *n.* U 선매 (권). **pre·émp·tive** *a.* 선매의, 선매권 있는.

preen [prin] *vt.* (새가) 부리로 (날개를) 다듬다; 몸단장[몸치장]하다 (~ *oneself*).

prè·ex·íst *vi.* 선재(先在)하다. ~**·ence** *n.* U 선재; 선재.

pre·fab [pri:fǽb] *n., a.* C 조립(組立) 가옥(의). ─ *vt.* (*-bb-*) = 다음.

pre·fab·ri·cate [pri:fǽbrikèit] *vt.* (가옥 따위의) 조립 부분품을 제조하다. -**d house** 조립 가옥(주택).

pref·ace [préfis] *n., vt.* C 머리말; 서문[머리말](을 쓰다); 허두(虛頭)(를 말하다), 시작하다(*by, with*).

pref·a·to·ry [préfətɔ̀:ri/-tə-], **-ri·al** [prèfætɔ́:riəl] *a.* 서문의, 머리말의; 허두의, 서두의.

pre·fect [pri:fekt] *n.* C (고대 로마의) 장관; (프랑스의) 지사(知事); 《英》 (public school의) 반장.

pre·fec·ture [pri:fektʃər] *n.* C prefect의 직(職)[직권·임기]; C

pre·fect의 관할 구역[관저]; 도(道), 현(縣). **-tur·al**[-ʃ[-ʃ]ərəl] a.

pre·fer[prifə́:r] vt. (**-rr-**) ① (오히려 …을) 좋아하다, 택하다(∼ *tea to coffee* 커피보다 홍차를 좋아하다). ② 제출하다. ③ 승진시키다. ④ [法] 우선권을 주다. **~·ment** n. ① 승진; [宗] 고위(高位).

pref·er·a·ble[préfərəbl] a. 택할 만한, 오히려 나은, 바람직한. **·bly** ad. 오히려, 즐겨, 이쪽을.

pref·er·ence[préfərəns] n. ① ⓤ 선택; 편애(*to, for, over*). ② ⓒ 좋아하는 것. ③ ⓤ 우선권; (관세의) 특혜.

préference shàre (**stòck**) 우선주.

pref·er·en·tial[prèfərénʃəl] a. 우선의; 선택적인; 특혜의.

pre·fig·ure[pri:fígər] vt. 미리 나타내다, 예시하다; 예상하다.

pre·fix[prí:fiks] n. ⓒ [文] 접두사 (cf. affix, suffix). —— [ᴗ ᴗ] vt. 앞에 놓다; 접두사로 붙이다(*to*).

preg·nant[prégnənt] a. ① 임신한. ② (…의) 가득 찬(*with*). ③ 뜻깊은, 함축성 있는. **-nan·cy** n.

pre·hen·sile[prihénsil/-sail] a. [動] (발·꼬리따위) 잡기[감기]에 알맞은, 휘감기는.

pre·his·tor·ic[prì:histɔ́:rik/-tɔ́r-], **-i·cal**[-əl] a. 유사 이전의.

pre·judge[pri:dʒʌ́dʒ] vt. 미리 판단하다; 심리(審理)하지 않고 판결하다. **~·ment** n.

prej·u·dice[prédʒədis] n. ① ⓤⓒ 편견, 비뚤어진 생각(*against*). ② ⓤ [法] 손해, 불리. —— vt. 편견을 갖게 하다; 해치다, 손상시키다. —**d** [-t] a. 편견을 가진.

prej·u·di·cial[prèdʒədíʃəl] a. 편견을 품게 하는, 불리한, 손해를 주는(*to*).

prel·ate[prélit] n. ⓒ 고위 성직자 (bishop, archbishop 등).

pre·lim·i·na·ry[prilímənèri/-nə-] a. 예비의, 준비적인. **∼ examina·tion** 예비 시험. **∼ hearing** [法] 예심. — n. ⓒ (보통 *pl.*) ① 예비 행위. ② 예선.

prel·ude[prélju:d, préi-] n.

[樂] 전주곡; 서막; 준비 행위. — vt. 전주곡으로 [서두가] 되다; 서두가 되다(*to*). —— vi. 전주곡을 연주하다; 서막이 되다(*to*).

pre·ma·ture[prì:mətʃúər, ᴗᴗ] a. 너무 이른; 때 아닌; 너무 서두른. **∼·ly** ad. **-tú·ri·ty** n.

pre·med·i·tate[pri:médətèit] vt, vi. 미리 생각(계획)하다. **-tat·ed**[-id] a. 미리 생각한. **-ta·tion**[ᴗᴗtéiʃən] n.

pre·mier[primíər, prí:miər] n. ① (종종 P-) 수상. —— a. 제일위의; 최초의, 가장 오래된. **∼·ship**[-ʃip] n. ⓤⓒ 수상의 직[임기].

pre·mière[primíər, -mjéər] n. (F.) ① (연극의) 첫날, 초연(初演); 주연 여배우.

prem·ise[prémis] n. ① ⓒ [論] 전제, (*pl.*) (the ∼) [法] 전술한 사항(재산). ② (*pl.*) (대지가 딸린) 집, 구내. — [primáiz] vt, vi. 미리 말하다; 전제로 하다.

pre·mi·um[prí:miəm] n. ① ⓒ 보수·(여)금(bonus). ② 덧돈, 프리미엄. ② 보험료; 사례, 수업료. ④ [經] 할증 가격, 수수료(agio) (화폐 교환 때의) 초과 가치(금화의 지폐에 대한 경우 따위). **at a ∼** 프리미엄이 붙어; 액면 이상으로; 진중(珍重)되어.

pre·mo·ni·tion[prìmən[i:mən]íʃən] n. ① 예고; 예감.

pre·mon·i·to·ry[primánitɔ̀:ri/-mɔ́nitəri] a. 예고적인; 전조(前兆)의.

pre·na·tal[prì:néitl] a. 출생 전의.

pre·oc·cu·pa·tion[prì:ɑkjəpéiʃən/-ɔ-] n. ① 선취; 선입관; 열중.

pre·oc·cu·py[pri:ɑ́kjəpài/-ɔ́-] vt. ① 먼저 차지하다. ② 마음을 빼앗다; 깊이 생각하게 하다. **-pied** a. 몰두한, 열중한; 선취되어 있는.

pre·or·dain[prì:ɔ:rdéin] vt. (운명을) 예정하다. **-di·na·tion**[ᴗᴗdə-néiʃən] n.

prep[prep] n. ⓤ (口) 예습; 사전 준비; = PREPARATORY SCHOOL.

pre·paid[pri:péid] v. prepay의 과거(분사). — a. 선불(先拂)의.

prep·a·ra·tion[prèpəréiʃən] n.

① ⓤⓒ 준비: 예습(*for*). ② ⓒ 조합제(調合劑); 조제 식품. *in ~ for* …의 준비로.

pre·par·a·to·ry [pripǽrətɔ̀ːri/-təri] a. 준비의, 예비의. — *course* 예과. ~ *to* …의 준비로서, …에 앞서.

preparatory schòol [英] (public school 진학을 위한) 예비교. [美] (대학 진학을 위한) 대학 예비교.

pre·pare [pripέər] vt. ① 준비하다 [시키다](*for*), 마련하다, 준비시키다(*for*, *to*). ② 조리[조정·조합]하다. — vi. ① 준비[각오]하다(*for*, be ~d to …의 준비[각오]를 하고 있다. **pre·par·ed·ly** [-pέ(:)ridli/-péər-] ad. 준비[각오]하여. **pre·pár·ed·ness** n. ⓤ 준비의 충실.

pre·pay [priːpéi] vt. (**-paid**) 선불 하다. ~**ment** n.

pre·pon·der·ant [pripάndərənt/ -5-] a. 무게[수·세력 따위]에 있어 더한; 우세한; 압도적인(*over*). -**ance** n. (a ~) 무게에 있어서의 우위; 우세.

prep·o·si·tion [prèpəzíʃən] n. [文] 전치사. **~·al** a. 전치사의(~al phrase 전치사구).

pre·pos·sess [priːpəzés] vt. 보통, 수동] 좋은 인상을 주다; [보통 수동] 선입된이 되다. **~·ing** a. 귀염성 있는, 호감을 갖게 하는. **-sés·sion** n. ⓤ 선입관(적 호감)[드물게], 편애(偏愛).

pre·pos·ter·ous [pripάstərəs/-5-] a. 비상식의, 터무니없는. **~·ly** ad. **Pre-Raph·a·el·ite** [priːrǽfiəlàit] a., n. ⓒ 라파엘 전파(前派)의 (화가).

pre·re·cord [priːrikɔ́ːrd] vt. (라디오·텔레비전 프로를) 방송 전에 녹음 [녹화]하다[해 두다].

pre·req·ui·site [priːrékwəzit] a., n. ⓒ 미리 필요한 [물건], 없어서는 안 될(*to*, *for*); 필요 조건(*to*, *for*).

pre·rog·a·tive [prirǽgətiv/-5-] n. ⓒ 특권, (제왕의) 대권(大權).

Pres. President; Presbyter(ian).

pres·age [présidʒ] n. ⓒ 전조: 예

감; 예언. — [ˈpriséidʒ] vt. 전조가 되다; 예감하다; 예언하다.

Pres·by·te·ri·an [prèzbitíəriən] a. 장로회의; 장로교회의. — n. ⓒ 장로교회원. ~**·ism** [-izəm] n. ⓤ 장로교 제도.

pres·by·ter·y [prézbiteri/-təri] n. ⓒ 장로회의; 장로회 관할구; 교회 내 성직자석.

pre·school [priːskúːl] a. 학령 미달의.

pre·sci·ent [préʃənt, priː-] a. 미리 아는, 선견지명이 있는. **-ence** n.

pre·scribe [priskráib] vt. ① 명하다, ② (약을) 처방하다, (요법을) 지시하다. ③ 시효로써 무효로 하다. — vi. ① 명령하다(*for*). ② 처방을 쓰다(*to*, *for*). ③ 시효에 의하여 청구하다[무효로 되다](*to*, *for*). **pre·scríp·tion** [-ʃən] n. ⓤ 명령, 규정; 규정; 처방(전〈箋〉); 처방약; ⓤ 시효. **pre·scríp·tive** [priskríptiv] a. 규정[지시]하는; 시효에 의한.

pres·ence [prézns] n. ① ⓤ 있음, 존재. ② ⓤ 출석. ③ [사람이] 있는 곳; 면전. ④ (the) ⓤⓒ 풍채, 태도. ⑤ 유령. ⑥ ⓤ (라디오·스테레오 따위의) 현장감(現場感)。 *in the ~ of* …의 면전에서. ~ *of mind* 침착.

pres·ent¹ [prézənt] a. ① 있는; 출석하고 있는. ② 현재의. ③ [文] 현재(시제)의. — n. (the) ① 현재. ② (보통 the ~) [文] 현재 시제; (*pl.*) [法] 본문, 본 증서, 본 문서. 현재. *for the ~* 당분간, 현재로서는. *Know all men by these ~s that…* …이 서류에 의하여 증명하다.

pres·ent² n. ⓒ 선물.

pre·sent³ [prizént] vt. ① 선사하다; (정식으로) 제출하다. ① (광경을) 나타내다, (극을) 상연하다. ③ 말하다. ④ 넘겨[건네]주다, 내놓다. ⑤ 소개하다, 배알[알현]시키다. ⑥ (무기를) 들이대다, 겨누다(*at*). ⑦ (무기를) 추켜들다. *P- arms!* [구령] 받들어총. ~ *oneself* 출두하다. 나타나다. **~·a·ble** a. 남에게 내 놓을 수 있는, 보기 흉하지 않은; 선물에 적합한.

pres·en·ta·tion [prì:zentéiʃən, prèzən-] *n.* ① ⓤⓒ 증정; 선물. ② ① 소개; 배알. ③ ① 제출; 제시. ④ ① 표현; 상연; (극사의) 추천.

présent-dáy *a.* 현대의.

pre·sen·ti·ment [prizéntəmənt] *n.* ⓒ (불길한) 예감, 불안감.

pres·ent·ly [prézntli] *ad.* 이내, 곧; 목하, 현재; (古) 즉시.

pres·er·va·tion [prèzərvéiʃən] *n.* ⓤ보존, 저장; 보관. ②ⓤ 유지; 보존 (상태).

pre·serv·a·tive [prizə́:rvətiv] *a.* 보존하는, 보존력이 있는; 방부(防腐)의. ─ *n.* ⓤⓒ방부제, 예방약.

pre·serve [prizə́:rv] *vt.* ① 보존하다; 유지하다. ② 방부 조치를 하다; (음식물을) 저장하다. ③ 보호하다; 사냥을 금하다. ─ *n.* ① ⓒ (*pl.*) (과일의) 설탕 절임. ② ⓒ 금렵지(禁獵地), 양어장. **pre·sérv·er** *n.* ⓒ 보호자; 구조자.

pre·side [prizáid] *vi.* 사회(통할)하다 (*at, over*).

pres·i·den·cy [prézidənsi] *n.* ⓤ president의 직(임기).

pres·i·dent [prézidənt] *n.* (종종 P-) ① ⓒ 대통령. ② 총재, 장관, 의장, 회장, 총장, 학장, 사장 (등).

pres·i·den·tial [prèzidénʃəl] *a.* president의. ─ *timber* 대통령감.

pre·sid·i·um [prisídiəm] *n.* (the P-) (구소련 최고 회의의) 간부회.

press [pres] *vt.* ① 누르다, 밀어넣 이다. ② 눌러대다. (다리미로) 다리 다. ③ 짜다, 쩌내다; (…즙) 액(液) 을 짜다. ④ 압박하다; 꼭 껴안다. ⑤ (의론 따위를) 밀고 나아가다; (의견 따위를) 강조하다. 강요하다. ⑥ 서르 르게 하다; 간청하다; 조르다; 괴 롭히다. ⑦ 【컴】 누르다〔글쇠판이나 마우스의 버튼을 아래로 누르는〕. ─ *vi.* ① 누르다(*up, down, against*); 밀고 나아가다(*up, down, against*). ② 서두르다(*on, forward, against*). ③ 몰려(밀려) 들다(*up, round*). ④ (마음을 무겁게 하다(*upon*). ⑤ 급박하다(*on, upon*). ⑥ …에 궁하다. **be ~ed for** …이 절박하다. ─ *n.* ① ⓤⓒ 누름; 압박. ② ⓤ (밀치락 달치락의) 혼잡.

군집. ③ ⓤ 압착기; 인쇄기. ④ ⓤ 인쇄소. ⑤ ⓒ (보통 P-) 인쇄소(인쇄소(인쇄소 사); 출판사, ⑥ (the ~) (집합적) 신문, 잡지, 정기 간행물; ⓤ (신문·잡지의) 논평. ⑦ ⓤ 급박, 박망(煩忙 등). ⑧ ⓒ 찬장, 서가(書架). ***go*** [***come***] *to* (***the***) ~ 인쇄에 돌려지 다. *in the* ~ 인쇄중. *send to* (***the***) ~ 인쇄에 돌리다. ─**er** *n.* ⓒ 압착기(공).

préss àgency 통신사(**news agency**).

préss àgent (극단 따위의) 선전 원, 홍보 담당원, 대변인.

préss bòx (경기장의) 기자석.

préss cònference 기자 회견.

préss cútting (英) 신문 기사 오려낸 것.

préss gàllery 신문 기자석(단).

press·ing [présiŋ] *a., n.* 화급한, 긴급 한; 무리하게 조르는; ⓒ 프레스레이 코드.

press·man [-mən] *n.* ⓒ 인쇄 공; (英) 신 문 기자.

préss òfficer (큰 조직·기관의) 공보관(담당자).

préss-stùd *n.* ⓒ (장갑 따위의) 스 냅 단추.

préss-ùp *n.* ⓒ (英) (체조의) 엎드 려 팔굽혀기.

pres·sure [préʃər] *n.* ① ⓤⓒ 압 력, 압력도(度), 전압. ② ⓤ 압박, 강제. ③ ⓤⓒ 절박, 번망(煩忙). ④ ⓤⓒ 어려움, 궁핍(~ *for money* 돈 에 궁함). ⑤ (*pl.*) 곤경. *put* ~ *on* …을 압박(강압)하다.

préssure còoker 압력 솥.

préssure gròup (政) 압력 단체.

pres·su·rize [préʃəràiz] *vt.* (고도 비행중인 비행기 밀실의) 기압을 정상 으로 유지하다; 고압 상태에 두다; 압 력솥으로 요리하다.

pres·tige [prestí:ʒ] *n.* ⓤ 위신, 명 성.

pres·ti·gious [prestídʒəs] *a.* (古) *a.* 명성이 높은.

pres·to [préstou] *a., ad.* (It.) 〔樂〕 빠른; 빠르게. 《요술쟁이의 주문》번 개같이(*Hey* ~, *pass!* 자, 빨리 변해 라). ─ *n.* (*pl.* ~**s**) ⓒ 빠른 곡.

pre·sum·a·ble [prizú:məbl] *a.* 가정(추정)할 수 있는, 그럴 듯한.

*-bly *ad.* 아마; 그럴 듯하게.

pre·sume [prizú:m] *vt.* ① 추정(가정)하다; …이라고 생각하다. ② 대담하게도 〔뻔뻔스럽게도〕 …하다 (*to do*). — *vi.* (남의 약점 따위를) 기화로 삼다〔이용하다〕 (*on, upon*). **pre·súm·ing** *a.* 주제넘은.

pre·sump·tion [prizámp∫ən] *n.* ① ⓒ 추정(推定)〔가정〕의 근거)— 할 것 같음, 가망. ② Ⓤ 주제넘음, 뻔뻔스러움.

pre·sump·tive [prizámptiv] *a.* 추정(推定)의에 의거한; 추정의 근거가 되는, *heir* ~ 추정 상속인(cf. heir apparent).— **·ly** *ad.*

pre·sump·tu·ous [prizámpt∫uəs] *a.* 주제넘은, 뻔뻔스러운, 건방진. **~·ly** *ad.* **~·ness** *n.*

pre·sup·pose [prì:səpóuz] *vt.* 미리 상상하다; 필요 조건으로서 요구하다, 전제하다. **-po·si·tion** [-sΛpəzí-∫ən] *n.* Ⓤ 예상, 가정; Ⓒ전제(조건).

pre·tax [prì:tǽks] *a.* 세금 포함전(수입 등).

pre·tence [priténs] *n.*《英》= PRE-TENSE.

pre·tend [priténd] *vt.* ① …인 체하다, 가장하다; 속이다. ② 감히〔억지로〕 …하려고 하다. — *vi.* 속이다; 요구하다 (*to*). 자부하다 (*to*). **~·ed** [-id] *a.* …체한, 거짓의. **~·er** *n.* ⓒ …체하는 사람; 사기꾼; 왕위를 노리는 사람.

pre·tense [priténs] *n.* ① Ⓤⓒ 구실. ② ⓒⓊ 허위, 거짓 꾸밈, 가장. ③ Ⓤ (허위의) 주장, 요구; 허세 (부리기), *make a* ~ *of* …하는 체하다. *on the* 〔*under* (*the*)〕 ~ *of* …을 구실로 〔하여〕.

pre·ten·sion [pritén∫ən] *n.* Ⓤⓒ 주장, 요구. ② Ⓒ 권리, 자격. ③ Ⓤ 가장; 과시; Ⓤ 빙자.

pre·ten·tious [priténʃəs] *a.* 자부하는; 뽐내는; 허세를 부리는. **·ly** *ad.* **~·ness** *n.*

pre·ter·nat·u·ral [prì:tərnǽtʃərəl] *a.* 초자연적인; 이상한. **~·ly** *ad.*

pre·text [prí:tekst] *n.* ⓒ 구실, 변명.

pret·ti·fy [prítifài] *vt.*《俗》야단스 레 꾸미다, 아름답게 하다.

pret·ty [príti] *a.* 예쁜, 아름다운, 귀여운; 멋진. ②《口》(수량이) 상당한;《反語》심한. *sitting* ~《俗》유복하여, 안락한〔하게〕. — *ad.* 꽤; 매우. — *n.* ⓒ《호칭》귀여운 애〔사람〕; (*pl.*) 고운 물건〔장신구 따위〕. **prét·ti·ly** *ad.* **-ti·ness** *n.*

pret·zel [prétsəl] *n.* ⓒ 담닫한 비 스킷(소금을 묻힌 것; 맥주 안주).

pre·vail [privéil] *vi.* ① 이기다 (*over, against*). ② 우세하다; 유행 (보급)되다. ③ 잘 되다; 설득하다 (*on, upon*; *with*). *~·ing* *a.* 널리 행해지는; 유행의; 일반의, 보통의; 우세한, 유력한.

prev·a·lent [prévələnt] *a.* ① 널리 행해지는(퍼진), 유행하고 있는; 일반적인. ② 우세한. **·lence** *n.* Ⓤ 널리 행해짐, 유행; 우세.

pre·var·i·cate [privǽrəkèit] *vi.* 얼버무려 넘기다(equivocate), 속이다. **-ca·tor** *n.* ⓒ 얼버무려 넘기는 사람. **-ca·tion** [-—-kéiʃən] *n.*

pre·vent [privént] *vt.* ① 방해하다, 방해하여 …하지 못하게 하다(hin-der); ~ *him from going*; ~ *his* 〔*him*〕 *going*). ② 예방하다, 일어나지 않게 하다(check) (*from*). **~·a·ble, ~·i·ble** *a.* 방해〔예방〕할 수 있는. **:pre·vén·tion** *n.* Ⓤ 방지, 예방 (법)(*against*).

pre·ven·tive [privéntiv] *a.* 예방의, 방지하는(*of*). ② 방지하는. — *n.* 예방법, 예방약; 예방책(책, 약).

pre·view [prí:vjù:] *n., vt.* ⓒ 〔영화의〕시연(試演)(을 보다), 시사(試寫)를 보다(check); 예고편 〔컷〕 미리보기.

:pre·vi·ous [prí:viəs] *a.* ① 앞서의, 이전의(*to*). ②《口》너무 일찍 서두른, 조급한. **~·ly** *ad.*

pre·war [prí:wɔ́:r] *a.* 전전(戰前)의.

prex·y [préksi] *n.*《俗》학장, 총장.

prey [prei] *n.* ① Ⓤ 먹이. ② Ⓤ 희생; Ⓤ 포식(飽食). ② Ⓤ 약탈물. *beast* 〔*bird*〕 *of* ~ 맹수〔맹조〕. — *vi.* 먹이로 하다(*on, upon*). 잡아먹다; 괴롭히다; 약탈하다 (*on, upon*).

†price [prais] *n.* ① ⓒ 값, 대가. ②

(*sing.*) 대상(代償); 보수, 현상; 회생. ③ ⓤ 〔古〕 가치. *above* 〔*beyond, without*〕 ~ 값을 헤아릴 수 없을 만큼 귀중한. *at any* ~ 값이 얼마이든, 어떤 희생을 치르더라도. *at the* ~ *of* …을 걸고서, *what* ~ 〔競馬〕 (인기말의) 승산은 어떠한가, 〔口〕 어떻게 생각하는가, 〔口〕 무슨 소용 있나 〔*What* ~ *going there?* 거기 가서 무슨 소용이 있는가〕. — *vt.* 값을 매기다, 〔口〕값을 매기다. ~ (*a thing*) *out of the market* (살 수 없을 만큼) 터무니없는 값을 매기다. *~ -less* a. 돈으로 살 수 없는, 대단히 귀중한; 〔俗·反語〕말도 아닌, 어처구니 없는.

price fixing 가격 협정(조작).
price list 정가표, 시세표.
price tag (상품에 붙이는) 정찰.
price war 에누리 경쟁.

prick[prik] *n.* ① 찌름. ② 찔린 상처, 쑤시는 구멍; 격렬한 아픔; (양심의) 가책. ③ 날카로운 끝. *kick against the ~s* 쓸데 없는 저항을 하다. — *vt.* ① 찌르다; (뾰족한 것으로) 구멍을 뚫다(표를 하다). ② 아프게 하다, 괴롭히다. ③ 〔古〕(말에) 박차를 가하다. — *vi.* ① 따끔하게 찌르다; 따끔따끔 쑤시다. ② (귀가) 쫑긋 서다(*up*). ③ 〔古〕 (박차를 가해) 말을 달리다(*on, forward*). ~ *up one's ears* (개 따위가) 귀를 쫑긋하다; (사람이) 귀를 기울이다.

prick·le[príkl] *n.* ⓒ 가시, 바늘. (*sing.*) 따끔따끔한 느낌 〔아픔〕. — *vt., vi.* 찌르다; 따끔따끔 쑤시게 하다.

prick·ly[-li] *a.* 가시가 많은; 따끔 따끔 쑤시는.

prickly heat 땀띠.

prickly pear 〔植〕 선인장의 일종; 그 열매(식물).

pride[praid] *n.* ① ⓤ 자만, 자부. 거만; 자존심. ② ⓤⓒ 자랑(으로 삼는 것). ③ ⓤ 득의, 만족; 경멸; 득의의 절정은. ④ (*sing.*) 한창. *take a ~ in* …에 긍지를 갖다. *the ~ of manhood* 남자의 한창 때. — *vt.* 뽐내다, 자랑하다(*oneself on*).

priest[priːst] *n.* ⓒ 성직자, 목사;

사제. ~·*ness* *n.* ⓒ (주로 기독교 이외의) 수녀, 여승. ~·*ly* *a.* 성직자의; 성직자 다운(답은).

priest·hood[-hùd] *n.* ⓤ 성직; 〔집합적〕 성직자.

prig[prig] *n.* ⓒ 딱딱한(젠체하는) 사람, 뽐내는 사람, 학자연하는 사람. ~·*ger·y* *n.* ⓤ 젠체함(함). ~·*gish* *a.* 딱딱한; 아는 체하는.

prim[prim] *a.* (*-mm-*) 꼼꼼한, 딱딱한, 새침빼는; 얌전빼는, 짐짓 점잔 빼는. — *vt., vi.* …을 꼼꼼하게 하다. ~·*ness* *n.*

pri·ma·cy[práiməsi] *n.* ⓤ 제1위; primate의 직(지위); 〔가톨릭〕 교황의 수위권(首位權).

pri·ma don·na [príːmə dánə/ -dɔ́nə] (*It.*) (*pl. ~s*) (가극의) 주역 여가수.

pri·ma fa·ci·e[práimə féiʃiː, -iː] (*L.*) 일견한 바(로는).

pri·mal[práiməl] *a.* 최초의, 원시의; 주요한; 근본의.

pri·ma·ry[práiməri, -məri] *a.* ① 최초의, 원시적인. ② 수위의, 주요한. ③ 본래의, 근본의. ④ 초보의. 〔醫〕제1기의; 〔電〕1차의. — *n.* ⓒ ① 제1위의(주요한) 사물. ② 원색. ③ 〔文〕일차어(一次語)(명사 상당어). ④ 〔美〕대통령 후보 예비 선거. -**ri·ly** *ad.* 첫째로; 주로.

primary accent 제1 악센트.
primary education 초등 교육.
primary election 〔美〕예비 선거.
primary school 초등 학교; 〔美〕3(4)학년급의 초등 학교.

pri·mate[práimit, -meit] *n.* ⓒ ① 수석주교, 대감독 ② 〔動〕영장류(靈長類). *P- of All England,* Canterbury 의 대감독. *P- of England,* York 의 대감독.

prime¹[praim] *a.* ① 최초의; 원시적인. ② 근본적인; 수위의, 주된. ③ 최상의, 우수한. ④ 〔數〕소(素)수(의). — *n.* ① (the ~) 최초, 초기; 봄. ② (the ~, *one's* ~) 전성; 청춘; 최량의 상태(부분). ③ ⓒ 〔數〕소수(素數). ④ ⓒ 〔分〕(分)(*minute*), 프라임 부호(')(분, 의 수학의 대시 따위를 나타냄).

prime² *vt.* (총포에) 화약을 재다; 충분히 먹게[마시게]하다(*with*); 미리 가르치다, 코치[훈수]하다(*with*); (펌프에) 마중물을 붓다; (페인트나 기름의) 초벌칠을 하다.

prime mínister 수상, 국무총리.

prime móver 원동력, 원동기.

prime númber [數] 소수(素數).

prím·er [práimər/práim-] *n.* ⓒ 입문서. ─ [prímər] ⓤ [印] 프리머 활자. *great* (*long*) ─ 대[소] 프리머[18(10) 포인트 활자].

prime tíme (라디오·텔레비전의) 골든 아워.

pri·me·val [praimíːvəl] *a.* 태고의; 원시(시대)의.

pri·m·i·tive [prímətiv] *a.* 태고의; 초기의; 원시의; 원시적인, 소박한. ─ *n.* ⓒ 문예부흥기 이전의 화가; 그 작품.

pri·mo·gen·i·ture [-dʒénətʃər] *n.* ⓤ 장자(맏아들)임; 장자 상속권.

pri·mor·di·al [praimɔ́ːrdiəl] *a.* 태고 시의; 원시 시대부터 존재하는; 근본적인.

prim·rose [prímròuz] *n.* ⓒ [植] 앵초(櫻草), 그 꽃; ⓤ 앵초색, 연노랑. ─ *a.* 앵초(색)의; 화려한.

Pri·mus [práiməs] *n.* [商標] 석유 스토브의 일종.

prince [prins] *n.* ⓒ 왕자, 황자, 왕손(親王)(영국에서는 왕(여왕)의 아들 또는 손자); (봉건 시대의) 제후, 영주; (작은 나라의) 왕; (영국 이외의) 공작(公爵); (보통 *sing.*) 제1인자, 거물. ~ *of evil* (*darkness*) 악마의 왕(魔王). ~ *of the blood* 왕족. P~ *of Wales* 웨일즈 공(영국 왕세자). **<·ly** *a.* 왕자(왕자)의, 왕자(왕자)에 어울리는, 장려한, 훌륭한. **prince cónsort** 여왕의 부군(夫君).

prin·cess [prínsis, -səs, prinsés] *n.* ⓒ 공주, 왕녀; 황태자빈, 왕자비; (영국 이외의) 공작 부인, ~ *of the blood* (여자의) 황족, 왕족.

princess róyal 제1공주.

prin·ci·pal [prínsəpəl] *a.* 주된; 가장 중요한. ② 원금(元金)의. ─

n. ⓒ 장(長), 우두머리; (초등학교·중학교의) 교장; 사장, 회장. ② (*sing.*) 원금; 기본 재산. ③ [法] 주범; (채무자의) 제1(연대) 책임자. ~·**ly** *ad.* 주로; 대개.

prin·ci·pal·i·ty [prìnsəpǽləti] *n.* ⓒ 공국(公國)(prince가 통치하는 나라). ② (the P-) [英] =WALES. ③ (*pl.*) 제7위의 천사, 권품(權品)천사. ─ [화학]

principal párts (동사의) 주요 변화.

prin·ci·ple [prínsəpəl] *n.* ① ⓒ 원리, 원칙; 법칙. ② ⓒ 주의. ③ ⓤ 도의, 절조. ④ ⓒ 동력(動力), 소인(素因); 본원(本源). ⑤ ⓒ [化] (素), 정(精). *in* ~ 원칙적으로, *on* ~ 주의에 따라. **~d** [-d] *a.* 주의가 있는; 주의(원칙)에 의거한.

print [print] *n.* ① 찍다, 자국을 내다. ② 인쇄하다; 출판하다, 발행하다. ③ 날염(捺染)하다; (마음에) 새기다; [印] 인화(印畵)하다 (*out, off*); (···의) 지문을 채취하다 (~ *him*). ⑤ [寫] 인쇄[프린트]하다. ─ *vi.* 인쇄(출판)하다; 활자체로 쓰다; (사진 따위가) 인화되다. ─ *n.* ① ⓤ 인쇄(자체, 상태). ② ⓒ 인쇄물; 출판물, 신문(지), 간행물. ③ 판화(版畵). ④ 자국, 자취. ⑤ [寫] 인화(燒染), 사라사. ⑥ [U.C] 날염포(捺染布), 양화(陽畵). ⑦ [컴] 인쇄, 프린트. *blue* ~ 청사진. *in* ~ 인쇄 [출판]되어. *out of* ~ 절판되어.

print·a·ble [príntəbl] *a.* 인쇄(출판)할 가치가 있는; 인쇄(印刷)할 수 있는.

printed círcuit 인쇄 회로(回路), 프린트 배선.

printed mátter [páper] 인쇄물.

print·er [-ər] *n.* ⓒ 인쇄인, 인쇄공; ② 인쇄(식자)공. ③ [컴] 프린터.

print·ing [-iŋ] *n.* ① ⓤ 인쇄(술, 업), ② ⓒ 인쇄물; 인쇄 부수. ③ ⓤ 활자체의 문자. ④ ⓒ [寫] 인화; ⑤ 인화(印畵).

printing préss 인쇄기; 날염기.

print-òut *n.* ⓒ [컴] 출력 정보 모든 시트(인쇄).

pri·or¹ [práiər] *a.* 전의, 앞(서)의

보다 중요한(to).

pri·or n. ⓒ 수도원 부원장(abbot 의 다음), 소(小)수도원의 원장.

pri·or·i·ty [prai5:rəti, -ár-/-5-] n. ① ① (시간적으로) 먼저임(to); (순위·중요성의) 앞섬, 보다 중요함, 우선권. ② (국방상의 중요도에 따라 정해진) 교통(수송) 순위 우선; ③ (美) (전시 생산물의) 우선 배급, 그 순위. ③ [컴] 우선 순위.

pri·o·ry [práiəri] n. ⓒ 소(小)수도원(그 원장은 prior, 또는 prioress).

prism [prízəm] n. ⓒ [光學] 프리즘; [數] 각기둥. **pris·mat·ic** [prizmǽtik], **-i·cal** [-əl] a. 분광(分光)의; 무지개빛의; 찬란한; 각기둥의.

pris·on [prízn] n. ⓒ 형무소, 감옥, 구치소.

príson càmp 포로 수용소.

pris·on·er [príznər] n. ⓒ ① 죄수; 형사 피고, ② 포로. ③ 불잡힌 사람(물건). *hold* [*keep*] *a per son* ~ 아무를 포로로 잡아두다. *make* [*take*] *a person* ~ 아무를 포로로 하다.

pris·sy [prísi] a. (美口) 신경질의; 지나치게 꼼꼼한. **pris·si·ly** ad.

pris·tine [prísti:n], -tain] a. 원래의, 원시 시대의, 원시적인, 소박한.

pri·va·cy [práivəsi/prív-] n. ① 은둔, 은퇴; 사생활, 프라이버시. ② 비밀, 비밀성.

pri·vate [práivit] a. ① 사사로운, 개인의, 개인적인; 사용(私用)(사유)의. ② 비밀의; 비밀개최, 공개치 않는; 관직을 갖지 않은, 평민의; 남의 눈에 띄지 않는, 은둔한. ~ *citizen* 평민. ~ *law* 사법, 졸병. *in* ~ 비공개로, 비밀로. *~·ly* ad.

private detective 사설 탐정.

private enterprise 민영 사업.

pri·va·teer [pràivətíər] n. ⓒ 사략선(私掠船)(전시중 적함 약탈의 허가를 받은 민간 무장선); 사략선 선장; (pl.) 그 승무원. — vi. 사략선으로 순항(巡航)하다.

private éye (俗) 사설 탐정.

Private Mémber (종종 p- m-) (英) (각료 이외의) 일반 의원.

private párts 음부.

private sécretary (개인) 비서.

pri·va·tion [praivéiʃən] n. ①ⓒ (생활 필수품 등의) 결핍; 상실, 결여; 박탈.

pri·vat·ize [práivətàiz] vt. (국유 (공용) 기업을) 사기업(민영)화하다. **prì·va·ti·zá·tion** n. [무.

priv·et [prívit] n. (植) 쥐똥나무

priv·i·lege [prívilidʒ] n., vt. ①ⓒ 특권(특전); 은전 (주다). *~d* a. 특권 [특전]이 있는[주어젠].

priv·y [prívi] a. ① 내밀히 관여하는(to), (古) 비밀의. — n. ⓒ 옥외(屋外) 변소.

Prívy Cóuncil (英) 추밀원(樞密院).

prívy pùrse (英) 내탕금(內帑金).

prize [praiz] n. ⓒ ① 상품(賞品), 경품. ② (경주의) 목적물. a. 상품으로 주어지는; 상품을 줄 가치가 있는[줄 만한]; 입상한; 현상의.

príze-gìving n. ① 표창식, 상품 [상금] 수여식. a. 상품[상금]을 주여의.

pro¹ [prou] ad. 찬성하여. ~ *and con* 찬부 양론 갈려로. ~ n. (pl. ~s) ⓒ 찬성론. ~ *s and cons* 찬부 양론; 찬부의 이유.

pro² n. [prou] (pl. ~s) ⓒ (口) 프로 직 업 선수. — a. 직업적인.

pro- pref. [대리, 부(副), 찬성, 편드는, 친(親)…(for)] 등의 뜻 (*proctor*, *proslavery*).

prob·a·bil·i·ty [pràbəbíləti/-ɔ-] n. ① ① 있음직함. ② 가망, 공산. [數] 개연성; [論·確·算] 확률. *in all* ~ 아마, 십중팔구는.

prob·a·ble [prábəbl/-5-] a. 있음 직한, 사실 같은; ~할[일] 듯 싶은, 확실할 듯 한. **·bly** ad. 아마.

pro·bate [próubeit] n., a., vt. ⓒ 유언 검인(檢認)(의). a. (美) (유언서 등) 검인하다.

pro·ba·tion [proubéiʃən] n. ① 시험, 검정(檢定). ② ①ⓒ 수습 (기간). ③ [法] 집행 유예; 보호 관찰. *on* ~ 시험 삼아; 집행 유예로, 보호 관찰로. **~·ar·y** [-nèri/-nəri] a. ~할 때. **~·er** n. ⓒ 수습 [집행유예]중인 사람.

probe [proub] n. ① ① (外) 탐침(探針), 소식자(消息子). ② 시험. ③

P

pro·bi·ty [próubəti, práb-] *n.* [U] 성실, 청렴.

prob·lem [prábləm/-5-] *n.* © 문제; 난문(難問); 의문. — *a.* 문제의. *a ~ child* 문제아(兒).

prob·lem·at·ic [pràbləmǽtik/-5-] , **-i·cal** [-əl] *a.* 문제의, 의문의. **-cal·ly** *ad.*

pro·ce·dure [prəsí:dʒər] *n.* [U,C] 절차; 조치; (행위·상태 등의) 진행; [컴] 프로시저.

pro·ceed [prousí:d] *vi.* ① 나아가다(*to*). ② 시작하다; 착수하다(*to*). ③ 계속하다(*in*, *with*). ④ 발생하다, 생기다(*from*, *out of*). ⑤ 처분하다, (소송 절차를 밟다(*against*). — [próusi:d] *n.* (pl.) 수입, 매상고. **:~·ing** [U,C] 행동; ① 조치, 조처; (pl.) 소송 절차; (pl.) 의사록(학회의) 회보.

proc·ess [práses/próu-] *n.* ① [U,C] 진행, 경과; 과정. ② 순서, 방법. ③ [컴] 처리. ④ [生] 돌기. ④ [法] 피고 소환장, 영장. ⑤ [印] 사진 제판법. — *vt.* ① 진행하여, …중(*of*). — *a.* (화학적으로) 가공한. — *vt.* …에 처리(가공)하다; 기소하다. **próc·es·sor** *n.* © (美) 농산물 가공업자; [컴] 처리기, 프로세서.

pro·ces·sion [prəséʃən] *n.* © 행렬; [U] 행진. **~·al** *a.*, *n.* 행렬(용)의; © 행렬 성가(聖歌)

pro·claim [proukl:éim, prə-] *vt.* 선언하다; 공포하다; 나타내다.

proc·la·ma·tion [prὰkləméiʃən/-5-] *n.* [U,C] 선언, 포고; © 선언서.

pro·cliv·i·ty [prəklívəti] *n.* © 경향, 성벽(性癖)(*for, to, to do*).

pro·cras·ti·nate [proukrǽstə-nèit] *vi., vt.* 지연하다, 꾸물거리다. **-na·tor** *n.* © 미루는 사람. **-na·tion** [-̠-̠néiʃən] *n.* © 지연.

pro·cre·ate [próukrièit] *vt.* (아버지로서) 아이를 낳다; 자손을 낳다; (신종(新種)따위를) 내다. **-a·tion** [-̠-̠éiʃən] *n.* [U] 출산; 생식. **-a·tive**

a. 낳는; 생식력 있는.

proc·tor [práktər/-5-] *n.* © [法] 대소인(代訴人), 대리인; 학생감.

proc·u·ra·tor [̠-rèitər] *n.* © (소송) 대리인; [古로] 행정(재무)관.

pro·cure [proukjúər, prə-] *vt.* ① (노력하여) 얻다. ② 가져오다, …시키다. ③ (매춘부를) 알선하다. **~·ment** *n.* [U] 획득; (美) 조달.

prod [prad/-ɔ-] *vt.* (*-dd-*) 찌르다; 자극하다, 격려(편달)하다. — *n.* © 찌르는 바늘; (가축 모는) 막대기; 찌름; 자극, 촉진.

prod·i·gal [prádigəl/-5-] *a.* 낭비하는; 아낌없이 주는(*of*); 풍부한. — *n.* © 낭비자, 방랑한 아들. **~·i·ty** [-̠gǽləti] *n.* [U] 낭비; 풍부, 활수함.

pro·di·gious [prədídʒəs] *a.* 거대(막대)한; 놀랄 만한, 놀라운.

prod·i·gy [prádədʒi/-5-] *n.* © 천재(天才); [複] 천재(신동·일).

:pro·duce [prədjú:s] *vt.* ① 생기게 하다, 산출(생산)하다; 낳다. ② 초래하다. ③ 만들다, 제조하다. ③ 공급하다; 보이다; 제출하다. ⑤ (극 따위를) 상연하다(英) 연출하다(美) direct); ⑥ [幾] 연장하다. ~ *on the line* 대량 생산하다(cf. assembly line). — [prάdjus:/prɔ́d-] *n.* [U] 산물, 농산물; 생산액.

pro·duc·er [-ər] *n.* © ① 생산자. ② (英) 연출가(美) director). ③ [映] 프로듀서.

:prod·uct [prάdʌkt/-5-] *n.* © ① [數수] 곱, 적(積).

:pro·duc·tion [prədʌ́kʃən] *n.* ① [U] 생산; 제작. ② [U] 생산(제작)물, 작품. ③ (영화의) 제작; (제작된) 작품, 제작소. — *a.* 산 공정.

production line (일관 작업의) 제작선.

pro·duc·tive [prədʌktiv] *a.* 생산적인; (…을 낳는, 산출하는(*of*); 다산(多産)의; 비옥한. **~·tiv·i·ty** [prὸu-dʌktívəti, prὰ-/prɔ̀-] *n.* [U] 생산력; 다산; 생산력.

prof [praf/-ɔ-] *n.* © (口) 교수.

Prof. Professor.

pro·fane [prəféin] *a.* (신성) 모독의, 불경한; 세속적인; 이교적인, 사

교(邪敎)의. — *vt.* (신성을) 더럽히
다; 남용하다. **~·ly** *ad.* **~·ness** *n.*

pro·fan·i·ty[prəfǽnəti] *n.* ⓤ 모
독, 불경; ⓒ 모독적인 언행.

pro·fess[prəfés] *vt.* ① 공언(명언
(明言))하다. ② …라고 자칭(주장)하
다. ③ (…을) 신앙한다고 공언하다.
④ …인 체하다. ⑤ (어떤 일을) 직업
으로 삼다. (학문·기술 따위를) 지니
고 있다고 공언하다. ⑥ (…을) 교수
(敎授)하다. — *vi.* 공언하다; 신앙을
고백하다; 대학 교수로 있다.

pro·fessed[prəfést] *a.* 공언한;
공공연한; 서약하고 종교단에 든; 겉
꾸밈의, 가장한, 자칭의. **-fess·ed·ly**
[-fésidli] *ad.*

pro·fes·sion[prəféʃən] *n.* ⓤⓒ
(전문적, 지적) 직업. ② ⓤ (the
~) 《집합적》 동업자들. ③ ⓒ 배우들.
③ ⓒ 공언; 신앙 고백. 선언. *by* ~ 직업
은.

pro·fes·sion·al[prəféʃənəl] *a.* 직
업상의; 지적(知的)인 직업에 종사하는;
전문의. — *n.* ⓒ 지적 직업인; 직업적
선수. **~·ism** [-ʃənəlìzəm] *n.* ⓤ 전
문가(직업 선수)기질. **~·al·ize**[-ʃən-
əlàiz] *vt.* 직업화하다. **~·ly** *ad.*

pro·fes·sor[prəfésər] *n.* ⓒ ①
(대학의) 교수 (남자 선생. ② 공언
자(公言者).《英》신앙 고백자. **~·
ship**[-ʃìp] *n.* ⓒ 교수의 직(직위).

pro·fes·so·ri·al[próufəsɔ́ːriəl,
pràf-/prɔ̀-] *a.* 교수의, 교수다운;
학자여하다.

pro·fer[prɑ́fər/-5-] *vt.* 제공하다;
제의하다. — *n.* ⓒ 제공 ⓒ 제공
물.

pro·fi·cient[prəfíʃənt] *a.* 숙련된;
숙달한(*in, at*). — *n.* ⓒ 능수, 익
달(達人)(*in*). **~·ly** *ad.* **-cien·cy**
n. ⓤ 숙달.

pro·file[próufail] *n.* ⓒ 옆얼굴, 측
면, 윤곽; 인물 단평(短評); 소묘(素
描); 측면도. *in* ~ 측면에서 보아.
옆모습으로는. — (의) 윤곽을
[측면도를] 그리다; 인물평을 쓰다.

prof·it[prɑ́fit/-5-] *n.* ⓒ 이윤, 이익
pl.) (장사의) 이문; 이익. *make a
~ of* …로 이익을 보다. *make
one's ~ of* …을 이용하다. — *vt.*
(…에) 이익이 되다. — *vi.* 이익을

얻다, 남다(*by, from, of*). **~·less**
a.

prof·it·a·ble[-əbəl] *a.* 유익한; 이
문이 있는. **-bly** *ad.*

prof·it·eer[prɑ̀fitíər/prɔ̀fi-] *vi.*
n. 폭리를 탐하다(는) ⓒ 그 사람.

prófit màrgin 《商》 이윤폭(幅).

prófit shàring 《노사간의》 이익
분배제.

prof·li·gate[prɑ́fliget/-5-] *a.*, *n.*
품행(행실)이 나쁜; 낭비하는; ⓒ 방
탕자. **-ga·cy** *n.*

pro·found[prəfáund] *a.* 깊은; 심
원한; 마음으로부터의; 정중(공손)한
《절 따위》. * **~·ly** *ad.* **pro·fun·di·ty**
[prəfʌ́ndəti] *n.*

pro·fuse[prəfjúːs] *a.* 아낌없는(*in,
of*); 풍부한, 다량의, 풍부, 분수, 낭비.
pro·fu·sion[-fjúː-
ʒən] *n.* ⓤ (또는 a ~) 다량, 풍부,
풍족함; ⓒ 대량.

pro·gen·i·tor[proudʒénətər] *n.*
ⓒ 조상, 선조; 선배; 원본(original).

prog·e·ny[prɑ́dʒəni/-5-] *n.* ⓤ《집
합적》자손.

pro·ges·ter·one[proudʒéstər-
òun], **-gen·tin**[-dʒéstin] *n.* ⓤ
《生化》프로게스테론《여성 호르몬의
일종》.

prog·no·sis[pragnóusis/-ɔ-] *n.*
(*pl.* **-ses**[-siːz] ⓤⓒ 《醫》 예후(豫
後); 예측. **prog·nos·tic**[-nɑ́s-/
-5-] *a.*, *n.* 《醫》예후의; 전조를 보
이는(*of*). ⓒ 전조, 징후; 예측.

prog·nos·ti·cate[pragnɑ́stikèit/
prɔgnɔ́s-] *vt.* (전조에 의하여 미리)
알다; 예언[예시(豫示)]하다. **-ca-
tion**[-------kèiʃən] *n.* ⓤ (전조에 의
한) 예지(豫知); 예언, 예시; ⓒ 전
조.

pro·gram, 《英》 **-gramme**[próu-
græm, -grəm] *n.* ⓒ 프로그램, 차
례표; 예정, 계획(안). ⓒ 《컴》프로그램
《처리 절차를 지시한 것》.

pro·gram·ma·ble[próugræməbəl,
---ǽ-] *a.* 프로그램으로 제어할 수
있는; 《컴》프로그램할 수 있는. —
n. ⓒ (특정한 일을 행할 수 있게)
프로그램할 수 있는 전자 기기(전산
기)·타원름.

pro·gram·(m)er[-ər] *n.* ⓒ 《放》
프로그램 제작자; 《컴》프로그래머.

pro·gram·(m)ing[-iŋ] *n.* ⓤ 프로

그램의 작성[실시]; 〔컴〕 프로그래밍.

prógram mùsic 〔樂〕 표제 음악.

:prog·ress [prɑ́gres/-óu-] n. ① 전진, 진보; 발달. *in* ~ 진행중. *make* ~ 진행하다; 전진하다. ── [prəgrés] vi. 전진[진행, 진보]하다.

:pro·gres·sion [prəgréʃən] n. ① 전진, 진행. ② 〔數〕 수열.

:pro·gres·sive [prəgrésiv] a. 전진 [진보]하는; 누진적인; 진보주의의; 〔文〕 진행형의 (*the ~ form*). ── *jazz* 비(非)재즈적 요소를 가미한 모던 재즈의 한 양식. ~ *taxation* 누진 과세. ── n. ① 진보론자(P-) 〔美〕 진보당원; (진산업의 영향으로) 적화(赤化)된 포로. ~·ly ad.

:pro·hib·it [prouhíbit] vt. 금지[방해]하다.

:pro·hi·bi·tion [pròuhəbíʃən] n. ① 금지; ① 금령(禁令); (P-) ① (美) 주류 제조 판매 금지법. ~·ism [-izəm] n. ① 주류 제조 판매 금지주의. ~·ist n. ① 그 주의자.

:pro·hib·i·tive [prouhíbitiv] a. 금지하는; 금제의. ── a. 금지[방해]하는.

:pro·ject [prɑ́dʒekt] vi., vt. ① 고안 [계획]하다. ② 내던지다. ③ 불쑥 내밀(게 하)다. ④ (탄환 따위를) 발사하다. ⑤ 投射[(구)계획하다. 투 영하다; 영사하다. ⑦ 〔幾〕 투영도를 만들다. ⑧ 〔化〕 (…을) 투입하다. ── [prɑ́dʒekt/-5-] n. ① 계획, 기업; 〔敎育〕 연구 과제; 개발 토목 계획. ② (美) 공영 단지, 주택 단지. **Project Apollo** 〔Mercury, Surveyor〕 (美) (우주선) 아폴로[머큐리, 서베이어] 계획.

pro·jec·tile [prədʒéktil, -tail] a. 발사하는; 추진되는. ── [prədʒéktl, -tail] 발사물 [체], 탄환.

:pro·jec·tion [prədʒékʃən] n. ①C 돌출(부); ① 사출, 발사. ②C 〔數〕 투영(법); 투영도 (畵); 〔地〕 투영 도법. ③ ① 〔映〕 영사, 투영. ④ ① 계획. ⑤ ① 〔心〕주관의 객관화, 〔컴〕 비치 내기. ~ *television* 투사식 텔레비전. ~·ist n. ⓒ 〔映〕 영사기사(映寫技師); TV기사.

pro·jec·tor [prədʒéktər] n. ⓒ 계

획자; 엉터리 회사의 창립자; 투사기(投射機) 영사기.

pro·le·tar·i·an [pròulətɛ́əriən] n., a. ⓒ 프롤레타리아(무산 계급)(의). ~·i·ate[-iət] n. (the ~) ⓒ 〔집합적〕 프롤레타리아트, 무산 계급; 〔로봇〕 최하층 사회.

pro·lif·er·ate [proulífərèit] vt., vi. 〔生〕(생(生)에 의해) 증식[번식]시키다(하다). ~·a·tion[-~-éiʃən] n. ① [細] 급생(增殖)의 총칭의 꽃에서 새로운 줄기나 눈이 자라나는 일).

pro·lif·ic [proulífik] a. 아이를 (많이) 낳는; 다산(多産)의; (토지가) 비옥한; 풍부한(*in, of* …), ··i·ca·cy n. ① 출산력; 다산; 풍부.

pro·lix [proulíks] a. 장황한, 지루한, 지루하게 말하는. ~·i·ty[proulíksəti] n.

pro·log(ue) [próulɔ:g, -lɑg/-lɔg] n. ⓒ (연극의) 개막사(opp. epi-log(ue)); 서막; (소설·시 따위의) 머리말; 서막적 행동(사건).

pro·long [proulɔ́:ŋ/-lɔ́ŋ] vt. 늘이다, 연장하다. ~·ed[-d] a. 오래 끈. **pro·lon·ga·tion** [pròulɔːŋgéiʃən] n. ① 연장; ⓒ 연장 부분.

prom [prɑm/-ɔ-] n. ⓒ (美口) (대학·고교 따위의) 무도회.

prom·e·nade [prɑ̀mənéid, -náːd/prɔ̀mənɑ́ːd] n. ① 산책, 산보. ② 산책하는 길. ③ (무도회 개시 때의) 내객 전원의 행진. ── vi., vt. 산책하다. **-nád·er** n.

prómenáde còncert 야외 음악회[산책·댄스회]에서 듣는).

prom·i·nent [prɑ́mənənt/prɔ́m-] a. 돌출한; 눈에 띄는; 현저한, 중요한; 저명한. **-nence** n. ① 돌출; 돌출물; ① 현저. ~·ly ad.

pro·mis·cu·ous [prəmískjuəs] a. 난잡한; 무차별의; 우연한, 되는 대로의. **-cu·i·ty** [prɑ̀miskjúːəti/prɔ̀m-] n.

:prom·ise [prɑ́mis/-5-] n. ⓒ 약속 (한 일, 물건); ① 촉망, 가망. **the Land of P-** = the Promised Land. ── vi. 약속하다; 가망이 [유허가] 있다. **the Promised Land** 〔聖〕 약속의 땅; 천국(天國)(the p- l-) 희망의 땅. **próm·is·ing** a.

유망한.

prómissòry nóte 약속 어음.

pro·mo [próumou] (《 *promotion* 》)
a. 선전의, 선전에 도움이 되는.

prom·on·to·ry [práməntɔ̀ːri/prɔ́mənt(ə)ri] *n.* ⓒ 곶, 갑(岬).

pro·mote [prəmóut] *vt.* ① 촉진(조장)하다. ② 승진(진급)시키다(to) (opp. demote). ③ (남을) 성장하다. ④《美》선전하여 (상품의) 판매를 촉진하다. **pro·mót·er** *n.* ⓒ 촉진자; (주식 회사의) 발기인; 주창자; 후원자(者). **pro·mó·tion** *n.* ① ① 승진, 진급; 촉진; 발기, 주창.

prompt [prɑmpt] *a.* 신속한; 곧(기꺼이) …하는; 즉석의. — *vt.* ① 촉진하다, 자극하다; 생각나게 하다; (사상·감정을) 환기시키다(배우에게 숨어서) 대사를 일러주다. (퀴즈 따위에서) 사회자가 힌트를 주다. — *n.* ⓒ (숨어서) 대사를 일러줌; [商] 길잡이, 프롬프트. **-er** *n.* ⓒ [劇] (숨어서) 배우에게 대사를 일러주는 사람. **∠·ly** *ad.* **∠·ness** *n.*

prom·ul·gate [práməlgèit, proumʌ́l-/prɔ́mʌl-] *vt.* 공포(반포)하다; (교의·등을) 널리 펴다. **-ga·tor** *n.* ⓒ 위의 일을 하는 사람. **-ga·tion** [∠-géiʃən] *n.*

prone [proun] *a.* ① 수그린; 납작 엎드린. ② 내리받이의, (…의) 경향이 있는, …하기 쉬운(to).

prong [prɔːŋ/-ɔ-] *n., vt.* (포크나 사슴의 뿔 따위) 갈래진 물건의 끝으로 찌르다.

:**pro·noun** [próunàun] *n.* ⓒ [文] 대명사. **pro·nom·i·nal** [prounámanəl/prənɔ́m-] *a.* 대명사의, 대명사적인.

:**pro·nounce** [prənáuns] *vt.* ① 발음하다. ②(의견·등을) 말하다(to); 단언하다. — *vi.* ① 발음하다. ② 의견을 말하다; 판단을 내리다 (on, upon). **∠·ment** *n.* ① 선언; 선고, 의견; 결정.

pro·nóunced *a.* 뚜렷한, 단호한. **-nounc·ed·ly** [∼-sidli] *ad.*

pron·to [prántou/-tɔ-] *ad.* 《美俗》 급속히.

pro·nun·ci·a·tion [prənʌ̀nsiéiʃən] *n.* ①ⓒ 발음(하는 법).

:**proof** [pruːf] *n.* ① ①ⓒ 증명; 증거, 자연, …ⓒ 시험(필)(畢)의 상태); ⓒ① [印] 교정쇄(刷). ⓒ ① (주류의) 표준 강도. in ~ of ~의 증거로서. put (bring) to the ~ 시험하다. — *a.* 시험필의 ~ 견디는(against) : (주류가) 표준 강도의.

proof·read [prúːfrìːd] *vt., vi.* (**-read** [-rèd]) 교정하다. **~·er** *n.* ⓒ 교정원. **~·ing** *n.*

:**prop** [prɑp/-ɔ-] *vt.* (**-pp-**) 버티다 (up); 받침대를 대다. — *n.* ⓒ 지주(支柱), 버팀대; 지지자.

prop² [prɑp/-ɔ-] *n.* ⓒ [劇] (가끔 *pl.*) [空] = PROPELLER.

prop·a·gan·da [prɑ̀pəgǽndə/prɔ̀-] *n.* ① ① 선전(된 주의·주장). ② 선전 기관, 선전 활동, 영화. **~ film** 선전 (사업) 영화. **-gán·dism** *n.* ① 선전 (사업); 전도, 포교. **-gán·dist** *n.* ⓒ 선전자. **-gán·dize** *vt., vi.* 선전(포교)하다.

prop·a·gate [prɑ́pəgèit/-5-] *vt.* ① 번식시키다; 선전하다, 보급시키다; (빛·소리 등을) 전하다. — *vi.* 번식하다; 보급하다. **-ga·tor** *n.* ⓒ 선전자. **-ga·tion** [∠-géiʃən] *n.*

pro·pane [próupein] *n.* ① [化] 프로판 (가스)(탄화수소의 일종).

pro·pel [prəpél] *vt.* (**-ll-**) 추진하다; (종포의) 발사 화약; (로켓의) 추진제. **-lent, -lant** *a., n.* 추진하는; =PROPELLANT. **~·ler** *n.* ⓒ 프로펠러, 추진기; 추진자.

propélling péncil 《英》 샤프 펜슬 (《美》 mechanical pencil).

pro·pen·si·ty [prəpénsəti] *n.* ⓒ 경향, 버릇, …벽(癖)(to, for).

:**prop·er** [prɑ́pər/-5-] *a.* ① 적당한, 올바른. ② 예의바른. ③ 독특한; 《文》 고유의. ④ 엄밀한 의미에서의. ⑤ 《보통 명사 뒤에 붙임》: 진정한. 《英》 순전한. **China** ~ 중국 본토. **in a rage** 불같이 노하여. **~·ly** *ad.* **~·ly speaking** 바르게 말하면.

:**próper nóun (náme)** [文] 고유 명사.

:**prop·er·ty** [prɑ́pərti/-5-] *n.* ① ① 재산; 소유물. ② ①ⓒ 소유지, 소유권. ④ ⓒ 특성. ⑤ (*pl.*) [劇]

P

P

소품(小品). **man of ~** 자산가. **real** (**personal, movable**) 부동산(동산). **-tied** *a.* (美) 재산 있는.

proph·e·cy [práfəsi/prɔ́fə-] *n.* ⓊⒸ 예언; 신의 계시; ⓒ [聖] 예언서.

proph·e·sy [práfəsài/prɔ́fə-] *vt., vi.* 예언하다.

proph·et [práfit/-5-] *n.* ⓒ 예언자; 신의 뜻을 알리는 사람; (the Prophets) [聖徒] 예언서. **~ess** *n.* ⓒ 여자 예언자.

pro·phet·ic [prəfétik] **-i·cal** [-əl] *a.* 예언자의; 예언적인(**of**); 경고의. **-i·cal·ly** *ad.*

pro·phy·lac·tic [pròufəlǽktik/prɔ̀f-] *a., n.* (병을 예방하는; ⓒ 예방약(법); 콘돔.

pro·pin·qui·ty [prəpíŋkwəti] *n.* Ⓤ (장소·때·관계의) 가까움; 근사; 친근.

pro·pi·ti·ate [prəpíʃièit] *vt.* 달래다; 화해시키다(…의) 비위를 맞추다. **-a·to·ry** [-ʃiətɔ̀ːri/-təri] *a.* **-a·tion** [-∽ʃiéiʃən] *n.*

pro·pi·tious [prəpíʃəs] *a.* 순조로운, 형편이 (…에) 좋은(**for, to**); 상서로운. **~·ly** *ad.* **~·ness** *n.*

pro·po·nent [prəpóunənt] *n.* ⓒ 제안자; 지지자.

pro·por·tion [prəpɔ́ːrʃən] *n.* ① Ⓤ 비율; ⓒ 할당; 비례; ③ Ⓤ (각 부분의) 균형, 조화; ④ Ⓤ 몫, 부분, ⑤ (pl.) (각 부분을 모은) 면적, 용적, 크기, size. **in ~ to** …에 비례하여; …와 균형이 잡혀. **out of ~ to** …와 균형이 안 잡혀. **sense of ~** (영동한 것을 하지 않는) 신사적 양식(良識). — *vt.* 균형잡히게 하다; 비례시키다(**to**); 할당[배분]하다(**to**). **~·a·ble** *a.* 균형이 잡힌; 균형이 ∽한(**ill-**). **~·ed** [-d] *a.* 균형이 잡힌; 균형이 ∽한(**ill- ~ed**) 균형이 안 잡힌.

pro·por·tion·al [-əl] *a.* 균형이 잡힌; [數] 비례의. **~·ly** *ad.* 비례하여. **proportional representation** (선거의) 비례 대표(제).

pro·por·tion·ate [prəpɔ́ːrʃənit] *a.* 균형 잡힌, 비례한(**to**). **~·ly** *ad.*

pro·pose [prəpóuz] *vt.* 신청하다; 제안하다; 추천(지명)하다; 기도하다;

피하다. — *vi.* 계획하다; 청혼하다. **-pos·al** *n.* ⓊⒸ 신청; 제안, 계획; 청혼. **-pos·er** *n.* ⓒ 신청인; 제안자.

prop·o·si·tion [pràpəzíʃən/-ɔ̃-] *n.* ⓒ ① 제의, 제안, ② 서술 (叙述) ③ [數] 정리(定理), [論] 명제, ④ (美口) 기업, 사업; 상품; 문제; (어려운) 것; 상대, 놈, 녀석, ⑥ (美口) (여자에의) 유혹.

pro·pound [prəpáund] *vt.* (문제·계획을) 제출하다; 제기(제의)하다.

pro·pri·e·tary [prəpráiətèri/-təri] *a.* 소유주(주)의; 재산이 있는; 독점의, 전매의. **~ classes** 유산(지주) 계급. **~ medicine** 특허 매약, 가정약. — *n.* ⓒ 소유자; [집합적] 소유자들; ⓊⒸ 소유(권).

pro·pri·e·tor [prəpráiətər] *n.* (**fem. -tress** [-tris]) ⓒ 소유자; 경영자. **~·ship** [-ʃip] *n.* Ⓤ 소유권.

pro·pri·e·ty [prəpráiəti] *n.* Ⓤ ① 적당, 타당, ② 예의 바름; 교양; (**the proprieties**) 예의 범절.

pro·pul·sion [prəpʌ́lʃən] *n.* 추진(력). **-sive** *a.*

próp wòrd [文] 지주어(支柱語)《형용사나 형용사 상당 어구에 붙어 이를 명사의 구실을 하게 하는 말; **a white sheep and a black one**의 **one**》.

pro·sa·ic [prouzéiik] 《<prose》 *a.* 산문(체)의; 평범한, 지루한. **-i·cal·ly** *ad.*

pro·sce·ni·um [prousíːniəm] *n.* (*pl.* **-nia**[-niə]) (the ~) 앞 무대(막과 주악석(奏樂席) 사이).

pro·scribe [prouskráib] *vt.* (사람을) 법률의 보호 밖에 두다; 추방하다; 금지(매척)하다. **-scríp·tion** *n.* **-scríp·tive** *a.*

prose [prouz] *n.* Ⓤ 산문(체); 평범 [지루]한 이야기. — *a.* 산문의; 평범한, 공상력이 부족한. — *vi.* 평범하게 쓰다[이야기하다].

pros·e·cute [prásəkjùːt/prɔ́s-] *vt.* (조사를) 수행하다; (사업을) 경영하다; [法] (사람·죄를) 기소(기소)하다. — *vi.* 기소하다. **-cu·tor** *n.* ⓒ 수행자; 기소자; **public prosecutor** 검찰관, 검사. **-cu·tion** [-∽kjúːʃən] *n.* Ⓤ 수행; 종사;

소; ⓤ (the ~)《집합적》기초자음.

pros·e·lyte [prásəlàit/prɔ́s-] *n.*
ⓒ 개종자; 전향자. ── *vt.*, *vi.* 개종
[전향]시키다(하다). **-lyt·ize** [-lətàiz]
vt., *vi.* = PROSELYTE.

pros·o·dy [prásədi/-5-] *n.* ⓤ 운
율학, 작시법.

pros·pect [práspekt/-5-] *n.* ① ⓤ
조망(眺望); 경치; 전망. ② ⓤⓒ 예
상; 기대; 가망, ③ ⓤ 단골이 될 듯
한 손님. *in* ~ 예기(예상)되어, 가망
이 있어, 유망하여. ── [prəspékt]
vt., *vi.* (광산 따위를) 찾다; 시굴(試
掘)하다. **-pec·tor** [práspektər/
prəspék-] *n.* ⓒ 탐광자(探鑛者), 시
굴자.

pro·spec·tive [prəspéktiv] *a.* 예
기된, 유망한; 장래의. ── **-ly** *ad.*

pro·spec·tus [prəspéktəs] *n.* (학
교·회사 설립 등의) 취지서, 내용, 견
본, 안내서.

pros·per [práspər/-5-] *vi.*, *vt.* 번
영(성공)하다(시키다).

pros·per·i·ty [prəspérəti/prɔspé-]
n. ⓤ 번영; 성공; 행운.

pros·per·ous [práspərəs/-5-] *a.*
번영하는; 운이 좋은, 행운의; 잘 되
어가는, 순조로운. ── **-ly** *ad.*

prós·tate (glànd) [prásteit(-)/
-5-] *n.* ⓒ《解》전립샘, 섭호선(攝
護腺).

pros·ti·tute [prástət/ut/-5/prɔ́stə-
tju̇t] *n.* ⓒ 매춘부; 돈의 노예. ──
vt. 매음시키다(하다); (능력 등을)
악용하다. **-tu·tion** [-ʃ̀/-nprɔ́s-] *n.*
매춘; 타락.

pros·trate [prástreit/-5-] *a.* 부복
한, 엎드린, 넘어진; 패배(항복)한.
── *vt.* 엎드리게 하다, 넘어뜨리다);
굴복시키다; 극도로 피곤하게 하다.
pros·trá·tion *n.* ⓤⓒ 부복; ⓤ 피
로, 의기 소침.

pros·y [próuzi] *a.* 산문적인; 평범
한.

pro·tag·o·nist [proutǽgənist] *n.*
ⓒ 《소설·극 따위의》주인공. cf.
pro·tect [prətékt] *vt.* 지키다, 막
다; 보호하다(*from*, *against*);《經》
(외국 물품에 과세하여 국내 산업을)
보호하다.

pro·tec·tion [prətékʃən] *n.* ① ⓤ
보호, 방어(*from*, *against*). ② ⓒ

보호하는 사람(물건). ③ ⓤ《經》보
호 무역 (제도) (opp. *free trade*).
④ⓒ 여권(旅券). ⑤ ⓤ 【競】보호.
── **~·ism** [-izm] *n.* ⓤ 보호 무역론
[무역주의]. ── **~·ist** *n.* ⓒ 보호 무역
론자; 야생 동물 보호론자.

pro·tec·tive [prətéktiv] *a.* 보호
[방어]하는; 상해(傷害) 방지의;《經》
보호 무역의.

protéctive cústody 보호 구치.

pro·tec·tor [prətéktər] *n.* ① ⓒ 보
호(옹호, 방어)자. ② 보호물[기, 장
치]. ③ 【英史】섭정자.

pro·tec·tor·ate [prətéktərit] *n.*
ⓒ 보호국[령].

pro·té·gé [próutəʒèi, ⌐─⌐] *n.*
(*fem.* **-gée** [-ʒèi]) (F.) ⓒ 피보호자.

pro·tein [próuti:n] *n.* ⓤⓒ 단백질.
── **-teid**
[-ti:d] *n.* = 단백질의(을 함유하는).

pro tem. *pro tempore.*

pro·test [prətést] *n.*, *vi.* 항의하다
(*against*); 단언(주장)하다; (*vt.*)
(약속 어음 따위의) 지급을 거절하다.
── [próutest] *n.* ⓒ 이의; 언명; 항
의. under ~ (어음의) 거절 증서.
── *n.* 마지못해서.

n. ⓒ 【基】신교도. ── (p-) 항의하는
── *a.* 신교도의; (p-) 이의를 제기하는
── **~·ism** [-izm] *n.* ⓤ 신교(의 교
리); 《집합적》신교도; 신교 교회.

prot·es·ta·tion [pràtistéiʃən,
proutes-] *n.* ⓤⓒ 항의(*against*);
단언(*of*, *that*).

pro·to·col [próutəkàl, -kɔ̀:l/-kɔ̀l]
n. ⓤⓒ 《외교상의》의례(儀
禮); 【컴】(통신) 규약.

pro·ton [próutan/-tɔn] *n.* ⓒ 【理·
化】프로톤, 양자(陽子).

pro·to·plasm [próutouplǽzəm] *n.*
ⓤ 【生】원형질.

pro·to·type [próutoutàip] *n.* ⓒ
원형; 모범; 【컴】원형.

pro·to·zo·an [pròutəzóuən] *n.*,
a. ⓒ 【動】원생 동물(의).

pro·tract [proutrǽkt, prə-] *vt.* 오
래(질질) 끌게 하다, 연장하다; 뻗치
게, 내밀다; (각도기·비례자로) 제도
하다. **~·ed** [-id] *a.* 오래 끈. **-trac·
tile** [-til, -tail] *a.* (동물의 기관 따

위) 신장성(伸張性)을. **-trác·tion** n.

pro·trac·tor [-ər] n. ⓒ 각도기.

pro·trude [proutrúːd] vt., vi. 내밀다; 불쑥 나오다. **-trúd·ent** [-ənt] a. **-tru·sion** [-ʒən] n. ⓤ 돌출; ⓒ 돌출부. **-trú·sive** a.

pro·tu·ber·ant [proutjúːbərənt] a. 불룩 솟은, 불쑥 나온. **-ance, -an·cy** n. ⓤ 돌출, 융기; ⓒ 융기(솟을)기·부, 혹.

proud [praud] a. ① 자랑(자만)하고 있는; 자랑으로 생각하고 있는(of). ② 자존심이 있는, 거만한. ③ 영광으로 여기는; 자랑할 만한; 당당한. **be ~ of** …을 자랑하는; …을 영광으로 생각하다. **do a person ~** 《口》아무를 우쭐하게 하다. **~·ly** ad.

prove [pruːv] vt. (**~d;~d,** 《美·古》**proven**) ① 입증(증명)하다. ② (유언서를) 검인(檢認)하다. **—** vi. …임이 판명되다; …이 되다. **próv·a·ble** a. 증명할 수 있는.

prov·en [prúːvən] v. 《美·古》prove 의 과거분사.

prov·e·nance [právənəns/próv-] n. ⓤ 기원, 출처.

prov·en·der [právindər/pró-] n. ⓤ 꼴, 여물; 음식물.

prov·erb [právəːrb/-5-] n. ⓒ 속담; 평판(정평)이 있는 것, 웃음거리(the **Book of**)**Proverbs** 《略約》잠언(箴言).

pro·ver·bi·al [prəvə́ːrbiəl] a. ① 속담(투)의; 속담으로 표현된; 속담으로 된. ② 평판 있는. **~·ly** ad. 속담대로; 일반으로 널리 알려져.

pro·vide [prəváid] vt. 준비(마련)하다(for, against); 조선을 정해두다, 규정하다(that); 공급하다(with). **—** vi. 대비(조선)하다(for, against); 예방책을 취하다; 부양하다(for). **be ~d with** …의 설비가 있다, …비가 되어 있다. ***-víd·ed** [-id] ***víd·ing** conj. …할 조선으로(that), 만약 …이라면.

prov·i·dence [právədəns/próv-] n. ⓤⓒ ① 섭리. ② (神) 의 뜻, 신조(神助). ② 장래에 대한 배려, 조심, 검약. ③ (P-) 신(神).

prov·i·dent [právədənt/próv-] a. 선견지명이 있는, 신중한, 알뜰한.

prov·i·den·tial [pràvədénʃəl/

próv-] a. 섭리의, 하느님 뜻에 의한; 행운의. **~·ly** ad.

prov·ince [právins/-5-] n. ⓒ ① 주(州), 성(省). ② (the ~s) (수도·주요 도시 이외의) 지방, 시골. ③ (활동의) 범위, (학문의) 부문.

pro·vin·cial [prəvínʃəl] a. ① (영토)의. ② 지방[시골]의, 촌스러운, 조야(粗野)한; 편협한. **—** n. 지방인, 시골뜨기. **~·ism** [-izəm] n. ⓤⓒ 시골티; ⓤ 조야; 편협; 지방 사투리.

pro·vi·sion [prəvíʒən] n. ① ⓤ 공급(for, against); 공급, 지급. ② ⓤ 공급량; (pl.) 식량, 저장품. ③ (法) 조항, 규정. **make** ~ 준비하다(for, against). **—** vi. 식량을 공급하다.

pro·vi·sion·al [prəvíʒənəl] a. 임시의, 일시(잠정)적인. **~·ly** ad.

pro·vi·so [prəváizou] n. (pl. ~(e)s) 단서(但書); 조선.

prov·o·ca·tion [pràvəkéiʃən] n. ⓤ 성나게 함; 자극; 성남, 화. **under** ~ 성을 내어.

pro·voc·a·tive [prəvákətiv/-vɔ́k-] a., n. ⓒ 성나게 하는 (것); 자극하는 (것); 도발적인.

pro·voke [prəvóuk] vt. ① 성나게 하다, 자극하다, (감정 따위를) 불러일으키다; 일으키다(of). **pro·vók·ing** a. 성이 나는, 속타게(울화가) 치미는; 짜증나는. **-vók·ing·ly** ad. 자극적으로; 성(화)날 정도로.

prov·ost [právəst/-5-] n. ⓒ (영국의 college의) 학장; 《옛》= DEAN; 《Sc.》 시장(市長).

prow [prau] n. ⓒ 이물 (모양의 물건); 비행기 따위의) 기수(機首).

prow·ess [práuis] n. ① 용기, 무용(武勇). ② 훌륭한 솜씨.

prowl [praul] vt., vi. (먹이를 찾아) 헤매다. **—** n. (a ~) 배회, 찾아 헤맴. **—er** n. ⓒ 배회자, 좀도둑.

prox·i·mate [práksəmit/prɔ́k-] a. (장소·시간이) 가장 가까운; 근사한.

prox·im·i·ty [praksíməti/-ɔ́-] n. ⓤ (장소·시간·관계의) 접근(to).

prox·y [práksi/-5-] n. ⓒ 대리(인); 대용물; 대리 투표; 위임장.

prude [pruːd] n. ⓒ (남녀 관계에서

얌전한 체하는 여자, 숙녀연하는 여자.

:pru·dent[prú:dənt] *a.* 조심성 있는, 신중한; 분별 있는. **~·ly** *ad.* **-dence** *n.* ⓤ 사려, 분별; 신중; 검소(economy).

prud·er·y[prú:dəri] *n.* ⓤⓒ [점잖은] 체함, 숙녀연함; ⓒ 짐짓 점잔빼는 행위[말].

prud·ish[prú:diʃ] *a.* 숙녀인 체하는, 새침떠는.

prune[¹prun] *n.* ⓒ 서양 자두; 말린 자두; **~s and prism(s)** 점잔빼는 말투, 특별히 공든 말씨.

prune² *vt.* ① (나무를) 잘라 내다 (away, off, down). ② (여분의 것을) 없애다, 바싹 줄이다, (문장을) 간결하게 하다.

prun·ing[prú:niŋ] *n.* ⓤ (심은 나무들의) 가지치기, 전지(剪枝).

pru·ri·ent[prúəriənt] *a.* 호색(好色)의, 음탕한. **-ri·ence** *n.* ⓤ 호색, 음탕.

prús·sic ácid[prʎsik-] [化] 청산(靑酸).

pry¹[prai] *vi.* 엿보다(peep)(about, into); 일일이 알고 싶어하다. ── *n.* ⓒ 꼬치꼬치 캐기 좋아하는 사람.

pry² *n.* ⓒ 지레. ── *vt.* 지레로 올리다(up)(out); 애써서 얻다(out).

P.S. postscript.

psalm[sɑːm] *n.* ⓒ 찬송가, 성가; (P-) (시편중의) 성가 **the (Book of) Psalms** [舊約] 시편. ── *vt.* 성가를 불러 찬미하다. **~·ist** *n.* ⓒ 찬송가 작자; (the P-) (시편의 작자라고 일컬어지는) 다윗왕.

Psal·ter[sɔ́ːltər] *n.* (the ~) 시편; (p-) ⓒ (예배용 기도서) 성가집.

pseud. pseudonym.

pseu·do(-)[sú:dou] *a.* (口) 가짜의, 거짓의; 유사한.

pseu·do·nym[súːdənim] *n.* ⓒ (저자의) 아호(雅號), 필명.

psst [pst] *int.* 쉬, 여보세요, 잠깐(주의를 끌기 위해 부르는 말).

psych[saik] *vt.* (美俗) 정신적으로 혼란케 하다[해치다]; (속담으로) 꿰뚫다; 정신 분석을 하다.

Psy·che[sáiki] *n.* [그神] 프시케, 사이키(나비의 날개를 가진 미소녀로 표현되는 인간의 영혼); (p-) (보통 단수형) ⓒ 영혼, 정신.

psy·che·del·ic[sàikədélik] *a.* 도취(감)의; 환각을 일으키는; 사이키풍의. ── ⓒ 환각제 (사용자).

psy·chi·a·try[saikáiətri] *n.* ⓤ 정신병학. **-trist** *n.* ⓒ 정신병 의사[학]. **-at·ric**[sàikiǽtrik] *a.*

psy·chic[sáik], **-chi·cal**[-kəl] *a.* 혼의; 정신의; 심령(현상)의, 초자연적인; 정신 작용을 받기 쉬운. ── *n.* ⓒ 영매(靈媒), 무당.

psy·cho[sáikou] *n.* ⓒ (俗) 정신병자; ⓤ 정신 분석. ── *a.* 정신병학의, 신경증의.

psych(o)-[sáik(ou)] '정신, 영혼, 심리학'의 뜻의 결합사.

psycho·analysis *n.* ⓤ 정신 분석(학). **-analyst** *n.* ⓒ 정신 분석학자.

psy·cho·log·i·cal[sàikəládʒikəl/-5-] *a.* 심리학의, 심리(학)적인(~ acting 심리 연기). **~·ly** *ad.* **psychological warfare** 심리전, 신경전.

psy·chol·o·gy[saikálədʒi/-5-] *n.* ⓤ 심리학; 심리 (상태). **'-gist** *n.* ⓒ 심리학자.

psy·cho·path[sáikoupæθ] *n.* ⓒ 정신병자.

psy·cho·sis[saikóusis] *n.* (*pl.* **-ses**[-siːz]) ⓤⓒ (심한) 정신병, 정신 이상.

psy·cho·so·mat·ic[sàikousoumǽtik] *a.* 정신 신체 양쪽의, 심신의. **~s** *n.* ⓤ 정신 신체의학.

psycho·therapy *n.* ⓤ 심리나 최면술에 의한 정신 요법.

psy·chot·ic[saikátik/-5-] *a.* 정신병의. ── ⓒ 정신병자.

pt. part; pint(s); point; port.

P.T. physical training. **PTA, P.T.A.** Parent-Teacher Association.

PT bóat (美) 어뢰정(PT = Patrol Torpedo).

Pte. Private(軍) (cf. Pvt.).

pter·o·dac·tyl[tèroudǽktil] *n.* ⓒ [古生] 익수룡(翼手龍).

P.T.O., p.t.o. please turn over.

pub[pʌb] *n.* ⓒ (英口) 목로술집, 선

P

술집(public house).

púb cràwl 《英俗》 술집 순례(2차, 3차 marring).

pu·ber·ty[pjúːbərti] *n.* U 사춘기 (남자 14세, 여자 12세경); 묘령.

pu·bes·cent[pjuːbésnt] *a.* 사춘기의; 《動·植》 솜털로 뒤덮인.

pu·bic[pjúːbik] *a.* 음모의; 음부의; 치골의 — *the ~ region* 음부; *the ~ hair* 음모.

†**pub·lic**[páblik] *a.* ① 공중의; 공공의. ② 공립의, 공영(公營)의. ③ 공개의; 공공연한; 널리 알려진. ④ 국제적인. — *n.* U (the ~)《集合的》 공중; 국민, 사회. ② (대로 ~)《集合的》 …계(界); 동아리, 패거리. 酒. *in* ~ 공공연히. *~ good* (*benefit, interests*) 공익. "*~·ly* *ad.* 공공연히; 여론으로.

pub·li·can[páblikən] *n.* ⓒ 《英口》 선술집(public house)의 주인; (고대 로마의) 수세리(收稅吏).

‡**pub·li·ca·tion**[pÀbləkéiʃən] *n.* ① U 발표, 공표. ② U 발행; 출판. ② ⓒ 출판물.

públic hòuse《英》 선술집; 여인숙.

pub·li·cist[páblisist] *n.* ⓒ 국제법 학자; 정치 평론가; 광고 취급인.

pub·lic·i·ty[pʌblísəti] *n.* ⓒ 널리 알려짐; 공표; 평판; 선전.

pub·li·cize[páblisàiz] *vt.* 선전[공표] 하다.

public-minded *a.* 공공심(公共心) 이 있는.

públic-mínded *a.* 공공심(公共心) 있는.

públic relátions 홍보(선전) 활동 《생략 P.R.》; 섭외 사무; P.R. 담당 원.

‡**públic schóol** 《美》 공립 학교; 《英》 기숙사제의 사립 중등 학교《귀족 주의적인 대학 예비교; Eton, Harrow, Winchester, Rugby 등 이 특히 유명》.

públic séctor 공공 부문.

públic spírit 공공심(公共心).

públic-spírited *a.* PUBLIC-MINDED.

públic útility 공익 사업(체).

públic wórks 공공 토목 공사.

‡**pub·lish**[pábliʃ] *vt.* ① 발표[공표] 하다; (법률 따위를) 공포하다. ② 출 판[발행]하다. "*~·er* *n.* ⓒ 출판업

자; 발행자; 《美》 신문 경영자.

puck *n.* ⓒ 퍽(아이스하키용의 고무 로 만든 원반).

puck·a[pákə] *a.*《印英》 일류의, 고급품의; 진짜의; 신뢰할 수 있는.

puck·er[pákər] *vt., vi.* 주름을 잡 다; 주름잡히다; 주름살지다; 주름지 다. 오므라(들)다; 오므라지다(*up*). — *n.* 주름, 주름살.

‡**pud·ding**[púdiŋ] *n.* ① U C 푸딩 《과자》; 《英》 (식사 끝에 나오는) 디 저트; 소시지의 일종. ② U 푸딩 모양의 것; 《口》 말랑보. *more praise than* ~ (실속 없는) 헛 칭찬.

pud·dle[pádl] *n.* ① 웅덩이; (길 위 의) 진흙물《진흙과 모래를 물에 이긴 것》. — *vt.* 흙탕물로 적시다; 흙탕물이 되 게 하다; 이긴 진흙으로 되게 하다; (물 의 유출을 막기 위해) 이긴 진흙을 바 르다. (산화제를 넣어 녹은 쇠를) 정련 하다. — *vi.* 흙탕을 휘젓다《*about, in*》. **púd·dling** *n.* U 교련 (攪鍊) (법). **púd·dly** *a.* (길 따위) 웅덩이 많은; 흙탕투성이의, 흙탕의.

pu·den·da [pjuːdéndə] *n. pl.* (*sing. -dum* [-dəm]) 《解》 (여성의) 외음부.

pudg·y[pádʒi] *a.* 땅딸막한, 몽톡한.

pu·er·ile [pjúːəril, -ràil] *a.* 어린 애 같은, 유치한. **-il·i·ty**[pjùːərílati] *n.* 어린애 같음; 유년기; ⓒ 어린애 같은 언행.

puff [pʌf] *n.* ⓒ ① 한 번 불, 그 양, 훅불기. ② 부풀음. ③ (머리털 따위의) 숱; (화장용의) 분첩. ④ 슈크림(모양 의 과자). ⑤ 과장된 칭찬; 과대 광 고. ⑥ (여자 옷 소매의) 부푼 주름. — *vi.* ① 입김을[연기를] 혹 뿜다 (*out, up*). ② 폭폭거리며 움직이다 (뛰다)《*away, along*》. ③ 헐떡이다. ④ 부풀어 오르다(*out, up*). — *vt.* ① (연기 따위를) 혹 내뿜다; (담배를) 피우다; 혹 불어 버리다《*away*》. ③ 헐떡이게 하다. ④ 부풀어 오르게 하다, 과장하여 칭찬하다. "*~·er* *n.* ⓒ 혹 부는 사람[물건]; 《動》 복어류. *~·er·y* *n.* U C 과대 선전《*mutual ~ery* 상호 칭찬》. *~·y* *a.* 혹 부는; 한 바탕 부는(바람); 부푼; 동풍하는; 숨찬.

púff·bàll *n.* ⓒ 《植》 말불버섯.

P

puf·fin[pʌ́fin] *n.* ⓒ 바다쇠오리의 일종⟨海鳥⟩(sea parrot).

púff sleeve 퍼프 소매.

pug[pʌg] *n.* ⓒ ① 발바리의 일종; 사자코. ② ⟨자로.

pu·gil·ism[pjúːdʒəlìzəm] *n.* ⓤ 권투. **-ist** *n.* ⓒ (프로) 권투 선수. **-is·tic**[—ístik] *a.*

pug·na·cious[pʌɡnéiʃəs] *a.* 툭하면 싸우는. ~·**ly** *ad.* **pug·nac·i·ty**[—nǽsəti] *n.*

puke[pjuːk] *n., v.* ⟨口⟩ =VOMIT.

puk·ka[pʌ́kə] *a.* ⟨印英⟩ =PUCKA.

pull[pul] *vt.* ① 당기다. ② ⟨口⟩ 빼내다(*up*). ③ (꽃·과실 따위를) 따다; 뜯다; 당기다 손상시키다. ④ (수레 따위를) 끌어 움직이다; (배를) 젓다. ⑤ (고삐를 당겨 말을) 멈추다;⟨競馬⟩ (지려고 말을) 적당히 다루다. ⑥ (찌푸린 얼굴을) 하다(~ *a face*); ⟨口⟩ 행하다. ⑧ ⟨印⟩ [인쇄] 손으로 떠어내다. — *vi.* 끌다. 잡아당기다(*at*); 당기어지다; (배가) 저어지다, 배를 젓다(*away, for, out*); 마시다(*at*); (담배를) 피우다(*at*). P- *devil*, ~ *baker!* (줄다리기 등에서) 이기 한편도 지지 마라! ~ *down* 헐다. (정부 등을) 넘어뜨리다. (병 따위가 사람을) 쇠약하게 하다. ~ *foot* ⟨俗⟩ 줄자하고 뛰다; 도망가다. ~ *for* ⟨口⟩ …을 응원하다. ~ *in* (목 따위를) 움츠리다; 절약하다(살을) 제어하다;⟨俗⟩ 체포하다; (기차가) 들어오다. (배가 물가 따위에) 접근하다. ~ *off* 잘해내다, (상을) 타다; 잘 해내다. ~ *on* (잡아당겨) 입다. ~ *one·self together* 원기를 회복하다(cf. COLLECT¹ oneself). ~ *out* 잡아빼다; 배를 저어나가다; (기차가 역을) 떠나다; (이야기 따위를) 끝내다. ~ *out of the fire* 실패를 성공으로 돌리다. ~ *round* (병을) 회복시키다, (병·난국을) 회복시키다. ~ *through* (병·난국을) 견디어내게 하다; 곤란을 겪어내다. — *to pieces* 갈기갈기 찢다; 혹평하다. ~ *up* 뽑다; 근절하다; (말·수레를) 정지시키다, 정지하다. — *n.* ① ⓒ ⟨口⟩ (술·담배 따위의) 한 모

금. ② ⓤ 끄는 힘, 인력. ③ ⓒ 당기는 손잡이(handle), 당기는 줄. ④ ⓤ 곤란한 등산(登攀) 노력, 노력, ⟨俗⟩ 연고, 연줄; (개인적인)

púll·back *n.* ⓒ ⟨英⟩ (길가의) 간이식당.

Púll·man (**càr**)[púlmən—] *n.* (*pl.* ~**s**) 풀먼식 차량⟨침대차차·특등차⟩.

púll·out *n.* ⓒ (잡지 따위의) 접어 넣는 페이지; 철수?

púll·o·ver *n.* ⓒ 스웨터.

pul·mo·nar·y[pʌ́lmənèri, púl-/pʌ́lmənəri] *a.* 폐의; 폐를 침범하는; 폐병의; 폐를 가진.

pulp[pʌlp] *n.* ① ⓤ 과육(果肉). 육(肉); 치수(齒髓); 펄프(제지 원료). ② (보통 *pl.*) ⟨俗⟩ (질이 나쁜 종이의) 저속한 잡지, 싸구려 책. ~·**y** *a.* 과육 모양의; 펄프 모양의, 걸쭉한.

pul·pit[púlpit, pʌ́l-] *n.* ⓒ 설교단; (the ~) ⟨집합적⟩ 목사. (the ~) 설교; ⟨英字軍隊⟩ 조종석.

pul·sate[pʌ́lseit/—′] *vi.* 맥이 뛰다, 고동하다; 진동하다. 오싹오싹하다. **pul·sá·tion** *n.* **pul·sá·tor** *n.* [심장?] 박동기; 진동부(機).

:pulse[pʌls] *n.* ⓒ ① 맥박; 고동. ② (생명·감정·의지) 움직임; 느낌, 의향, 성향. ③ (규칙적으로) 뜀. ④ [전파 등의] 순간 파동, 펄스. ⑤ [電] 펄스. — *vi.* 맥이 뛰다다; 진동하다.

pulse² *n.* ⓒ 콩류, 콩(beans, peas, lentils 따위).

pul·ver·ize[pʌ́lvəràiz] *vt.* 가루로 만들다; (액체를) 안개 모양으로 만들다; ⟨口⟩ (의론 따위를) 분쇄하다. — *vi.* 가루가 되다. **-iz·er**[—àizər] *n.* ⓒ 분쇄자[기]. 분무기. **-i·za·tion**[pʌ̀lvərizéiʃən] *n.* ⓤ 분쇄.

pu·ma[pjúːmə] *n.* (*pl.* ~**s**,⟨집합적⟩ ~) ⓒ 아메리카사자자, 퓨마⟨미 그〕. 그 모피.

pum·ice[pʌ́mis] *n., vt.* ⓤ 경석(輕石)(으로 닦다).

pum·mel[pʌ́məl] *vt.* ((英)) -**ll**-) 주먹으로 연거푸 치다.

P

pump¹ [pʌmp] *n.* ⓒ 펌프 (달린 우물). — *vt., vi.* ① 펌프로 (물을) 올리다, 퍼내다(*out, up*). ② 펌프로 공기를 넣다(*up*). ③ 펌프의 손잡이 같이 위아래로 움직이다. ④ (머리를) 짜내다. ⑤ 《口》넘겨짚어 알아내다. 유도심문하다. ~·ly *ad.* ~·i·ty [≥−ə́l∂-ti] *n.*

pump² *n.* ⓒ (보통 *pl.*) 끈 없는 가벼운 신(야회용·무도용). 펌프스.

pum·per·nick·el [pʌ́mpərnìkəl] *n.* ⓤⓒ 조밀(粗密)의 호밀빵.

pump·kin [pʌ́mpkin, pʌ́ŋkin] *n.* ⓒⓤ 《서양》호박. **be some ~s** 《美俗》 대단한 인물[물건, 곳]이다.

pun [pʌn] *n.* ⓒ (동음 이의어를) 재담, 신소리(*on, upon*). — *vi.* (*-nn-*) 신소리[재담]하다 (*on, upon*).

Punch [pʌntʃ] *n.* 펀치《영국 인형극 ~ *and Judy*의 주인공, 곱사등이며 코가 닮은 것; Judy의 남편》; 《誌》《영국의 풍류 만화 잡지》 **as pleased as ~** 매우 기뻐서.

punch¹ *vt.* 주먹으로 때리다; 《美南部》(가축을) 몰다. — *n.* ① ⓒ 주먹으로 때리기(*on*). 치기. ② ⓤ 《口》 박력; 활기; 효과.

punch² *n.* ⓒ 구멍 뚫는 기구, 타인기(打印器), 표 찍는 가위, 적어서 도려 내는 기구, 펀치; 《印》 구멍뚫이, 천공기. — *vt.* (구멍을) 뚫다; 찍어내다(표를).

punch³ *n.* ⓤⓒ 펀치《포도주·설탕·레몬즙·우유 따위의 혼합 음료》.

púnch·ball [-] *n.* 《英》=PUNCHING-BAG.

púnch·drunk *a.* 《권투 선수가》 맞고 비틀비틀하는; 《口》(머리가) 혼란한; 망연 자실한.

púnching bag 《권투 연습용》의 매달아 놓은 주머니 (《英》 punchball).

púnch line 급소를 찌른 명문구.

punc·til·i·o [pʌŋktíliòu] *n.* (*pl. ~s*) ⓒ (의식(儀式) 따위의) 미세한 점; 형식 차림. **punc·til·i·ous** *a.* (예의범절에) 까다로운, 형식을 차리는, 꼼꼼한.

punc·tu·al [pʌ́ŋktʃuəl] *a.* 시간을

엄수하는. ~·ly *ad.* ~·i·ty [≥−≤−] *n.*

punc·tu·ate [pʌ́ŋktʃuèit] *vt.* 구두점을 찍다; (이야기를) 중단하다; 강조하다.

punc·tu·a·tion [≥−éiʃən] *n.* ⓤ 구두(법); 《집합적》 구두점.

punctuátion màrk 구두점.

punc·ture [pʌ́ŋktʃər] *n.* ⓤ 찌르기; ⓒ (찔러 생긴) 구멍, (타이어의) 펑크. — *vi.* 펑크나다. — *vt.* 찌르다; 구멍을 뚫다.

pun·dit [pʌ́ndit] *n.* (인도의) 학자; 《諧》 박식한 사람.

pun·gent [pʌ́ndʒənt] *a.* (허나 코를) 찌르는; 날카로운; 신랄한; 가슴을 에는 듯한; 마음을 찌르는.

pún·gen·cy [-ʃi] *n.* ⓤ 자극; 신랄; 통렬함[자극이 강함].

pun·ish [pʌ́niʃ] *vt.* 벌하다, 응징하다(*for, with, by*); 흐되게 해치우다, 혼내주다. ~·a·ble *a.* 벌 줄 수 있는, 벌주어야 할. ~·ment *n.* ⓤ 벌, 형벌(*for, of*); ⓒ 가혹한 처치, 학대; 《拳》 강타.

pu·ni·tive [pjúːnətiv], **-to·ry** [-nɑ̀tɔ̀ːri/-tərì] *a.* 형벌의; 벌 주는.

punk [pʌŋk] *n.* ⓤ 《美》불쏘시개(용의 썩은 나무); ⓒ 《美俗》젊은이, 풋내기; 쓸모 없는 인간; 《美俗》면, 연동(戀童); ⓤ 《美俗》실없는 소리. — *a.* 《美俗》빈약한, 하찮은.

pun·ster [pʌ́nstər] *n.* ⓒ 신소리를 잘하는 사람.

punt¹ [pʌnt] *n.* 《삿대로 젓는 양끝이 네모진》 너벅선; 《美式蹴》 펀트《손에서 떨어뜨린 공을 땅에 닿기 전에 차기》. — *vt., vi.* (보트를) 상대로 젓다; 《美式蹴》 펀트하다.

punt² *vt.* 《카드》 물주에게 대항하여 걸다; 《英》 (경마 따위에) 돈을 걸다.

pu·ny [pjúːni] *a.* 아주 작은, 미약한; 보잘 것 없는.

pup [pʌp] *n.* ⓒ ① 강아지; (여우·이리·바다표범 등의) 새끼. ② 건방진 풋내기. — *vi.* (*-pp-*) (암 개가) 새끼를 낳다.

pu·pa [pjúːpə] *n.* (*pl. -pae* [-pi] *~s*) ⓒ 번데기 《chrysalis의 과학적 명칭》. **pú·pal** [-pəl] *a.*

pu·pate [pjúːpeit] *vi.* 번데기가 되다, 용화(蛹化)하다.

pu·pil [pjúːpəl] *n.* ⓒ 학생.

pu·pil *n.* ⓒ [解] 눈동자, 동공.

pup·pet [pʌ́pit] *n.* ① ⓒ 감아치, 꼭두각시, 꾀뢰; 전방위 못내기.

pup·py [pʌ́pi] *n.* ① ⓒ 강아지; 전방위 못내기.

pur·chase [pə́ːrtʃəs] *vt.* ① 사다; 노력하여 얻다. ② 지레(도르래)로 올려다 ─. *n.* ① ⓒ 구입; ⓤ 구입품. ② ⓤ (토지로부터의 해마다의) 수익(고). ③ ⓤ (당기거나 오르거나 할 때의) 쥔 잡을(발 붙일)데. **°púr·chas·er** *n.* ⓒ 사는 사람, 구매자.

púrchasing pówer 구매력.

pure [pjuər] *a.* 순수한, 더러움 없는; 순혈[순종]의; 순결한; 순정(純正)의; 오점 없는, 순전한; 단순한; 순이본적인(바보). (*a fool*) ── **and simple** 순전한 (바보). ~**·ly** *ad.* ~**·ness** *n.*

púre·bréd *a., n.* 순종의; ⓒ 순종 동물[식물].

pu·rée, pu·ree [pjuréi, pjúri/ ─ ─] *n.* (F.) ⓒⓤ 퓌레(야채 등을 삶아 거른 것); 그것으로 만든 진한 스프.

pur·ga·tive [pə́ːrɡətiv] *a.* 설사하게 하제(의).

pur·ga·to·ry [pə́ːrɡətɔ̀ːri/ ─tɑri] *n.* ⓤ [가톨릭] 연옥(煉獄); ⓤⓒ 고행, 지옥 같은 곳. **-to·ri·al** [─tɔ́ːriəl] *a.* 연옥의; 정죄적(淨罪的)인, 속죄의.

purge [pəːrdʒ] *vt.* ① (몸·마음을) 깨끗이 하다(*of, from*). ② 일소하다 (*away, off, out*). ③ (정당·반대분자 따위를) 추방(숙청)하다 ④ (죄·혐의를) 풀다(*of*). ⑤ 변통(便痛)시키다 ⑥ 깨끗이 하다, ⑦ 정화; 추방; 하제(下劑). ── *vi.* 깨끗이 하다; (설사로)추방하다. **pur·gée** *n.* ⓒ (피)추방자.

pu·ri·fy [pjúərəfài] *vt.* 정화하다, 깨끗이 하다(*of, from*); (심신을 깨끗이 하다); 정련(精鍊)하다. **-fi·er** *n.* ⓒ 깨끗이 하는 사람; 청정기(淸淨器), 청정 장치. **-fi·ca·tion** [─fi·kéiʃən] *n.*

pur·ism [pjúərizm] *n.* ⓤ (언어 따위의) 순수주의, 국어 순정(純正)주의.

Pu·ri·tan [pjúərətən] *n., a.* ⓒ 청교

도(의); (p-) (도덕·종교상) 엄격한 (사람). ~**·ism** [─izəm] *n.* ⓤ 청교 (주의). (p-) (도덕·종교상의) 엄정 주의.

pu·ri·tan·ic [pjùərətǽnik], **-i·cal** [─əl] *a.* 청교도적인; 엄격한.

pu·ri·ty [pjúərəti] *n.* ⓤ 청정(淸淨), 청결. ② 결백, ③ (언어의) 순정(純正).

purl *n., vt., vi.* ⓒ (고리 모양의) 가장 자리 장식(을 달다); ⓤ [編物] 집어 뜨기(뜨다).

pur·lieu [pə́ːrljuː] *n.* ⓒ 세력권내, (*pl.*) 근처, 주변, 교외.

pur·loin [pəːrlɔ́in] *vt., vi.* 도둑질하다.

pur·ple [pə́ːrpl] *n.* ① ⓤⓒ 자줏빛, 자줏빛 (옛날 황제나 왕이 입던) 자줏 빛 옷. ② (**the** ~) 왕위; 고위; 추기경의 직(위). **be born in the** ~ 왕후(王侯)의 신분으로 태어나다. ── *a.* 자줏빛의; 제왕의; 화려한; 호화로운 ~ (**the** ~) 왕후의 신분으로 태어나다. **pur·plish, pur·ply** [-li] *a.* 자줏빛을 띤.

Púrple Héart [美陸軍] 명예 상이 기장; (p- h-) (俗) (보랏빛 하트형) 흥분제.

pur·port [pə́ːrpɔːrt] *n.* ⓤ 의미, 요지, 취지. ── [─ ─] 의미하다, 취지로 하다; ……라 칭하다.

pur·pose [pə́ːrpəs] *n.* ① ⓒ 목적, 의도, 용도. ② ⓤ 의지, 결심. ③ ⓤ 효과. **on** ~ 일부러, 고의로. **to good** ~ 매우 효과적으로. **to little** [**no**] ~ 거의[아주] 헛되이. ── *vt.* 계획하다, ……하려고 생각하다. ~**·ly** *ad.* 일부러, 고의로.

pur·pose·ful [-fəl] *a.* 목적 있는; 고의의; 의미심장한, 중대한; 과단성 있는. ~**·ly** *ad.*

pur·pose·less [-lis] *a.* 목적이 없는; 무의미한, 무익한. ~**·ly** *ad.*

pur·pos·ive [pə́ːrpəsiv] *a.* 목적이 있는; 목적에 맞는; 과단성의.

purr [pəːr] *vi., vt., n.* (고양이가 만족하여) 가르랑거리다; ⓒ 그 소리; 목을 울리다(울려서 알리다).

purse [pəːrs] *n.* ① ⓒ 돈주머니, 돈지갑; (*sing.*) 금전, 자력, 국고, ③ 상금, 기부금. **hold the** ~ **strings** 금전 출납을 취급하다.

make a SILK ~ **out of a sow's ear.** — vt., vi. (돈주머니 아가리를 켕기다(up); 오므라지다.

purs·er [pə́ːrsər] n. ⓒ (선박의) 사무장.

purse strings 돈주머니끈; 재산상의 권한.

pur·su·ance [pərsúːəns/-sjúː-] n. ⓤ 추구; 속행(續行); 수행, 이행. **in ~ of** …을 좇아서, …을 이행하여. *~ant a. (…에) 따른(to).

:pur·sue [pərsúː/-sjúː] vt. ① 추적하다, 추구하다. ③ 종사하다; 속행하다. ④ (길을) 찾아 가다. — vi. 쫓아가다, 따라가다. *~r n. ⓒ 추적자, 추구자; 수행자; 연구자.

*pur·su·er n. ⓒ 추적자, 추구자; 수행자; 연구자.

:pur·suit [pərsúːt/-sjúːt] n. ① 추적, 추격; 추구. ② ⓤ 속행, 수행; 종사. ③ 직업, 일; 연구. **in ~ of** …을 좇아서.

pu·ru·lent [pjúərələnt] a. 곪은, 화농성의; 곪을 것 같은. **-lence** n.

pur·vey [pərvéi] vt. (식료품을) 공급[조달]하다. **~·ance** n. ⓤ 식료품의 조달; (廢) 조달(식료)품. — n. ⓒ 이용(御用) 상인, 식료품 조달인.

pur·view [pə́ːrvjuː] n. ⓤ (활동) 범위(한계); 【法】 요항, 조항.

pus [pʌs] n. ⓤ 고름, 농즙.

†push [puʃ] vt. ① 밀다; 밀어 움직이다. ③ 쑥 내밀다. ③ (계획 등을) 밀고 나가다; 강하게 주장하다; 추구하다. ④ 확장하다. ⑤ (상품 등을) 억지로 떠맡기다. ⑥ 궁박케 하다. — vi. 밀다; 밀고 나가다(on); 늘어나다; 돌출하다; (싹이) 나다. **be ~ed for** (돈·시간 따위에) 쪼들리다 ~ **along** 출발하다; (다시) 걸음을 나아가다. ~ **off** (배를) 밀어내다; 《口》 떠나다, 돌아가다. ~ **out** 밀어내다; (싹 따위를) 내밀다. ~ **over** 밀어 넘어뜨리다. ~ **up** 《口》 증가하다. — n. ① ⓒ 밂, 한 번 밀기; 추진; 돌진; 분투. ② ⓤ 기력, 진취적 기상. ③ ⓤ 《口》 역지, 적극성. ④ 《집합적》 《口》 동아리, 일당. ⑤ 【컴】 밀어넣기. **~·er** n. ⓒ 미는 사람[것]; 【컴】 추진식 비행기; 보조 기관차. **~·ful** [-fəl] a.

적극적인; 오지랖넓은. **~·ing** a. 미는; 활동적인; 억지가 셈.

push button (벨·컴퓨터 등) 누름단추.

púsh·càrt n. ⓒ 《美》 손수레.

púsh·chàir n. ⓒ 《英》 접는 식의 유모차.

púsh·òver n. ⓒ 《美俗》 편한(쉬운) 일, 경기(에서) 약한 상대.

púsh·ùp n. ⓒ 《美》 (체조의) 엎드려 팔굽히기(press-up). ② ⓤ 【컴】 위로 먼저내기.

push·y [-i] a. 《美口》 자신 만만한, 오지랖넓은.

pu·sil·lan·i·mous [pjùːsəlǽnəməs] a. 겁많은, 무기력한. **-la·nim·i·ty** [-sələnímiti] n.

puss [pus] n. ⓒ (兒) 고양이, 야옹(cf. chanticleer); 소녀.

puss·y [púsi] n. ⓒ 《兒》 ① 고양이. ② 털이 있는 부드러운 것(버들개지 등) (catkin). ③ 《卑》 여자의 음부; 성교.

pússy·càt n. ⓒ 《兒》 고양이.

pússy·fòot vi., n. (pl. ~s) ⓒ 《美口》 살그머니 걷다(걷는 사람); 소극적인 생각을 하다(하는 사람); 《주로 美》 금주주의자.

pússy willow (미국산) 갯버들.

pus·tule [pʌ́stʃuːl] n. 【醫】 농포 (膿疱); 【動·植】 소돌기(小突起); 여드름, 물집, 사마귀.

†put [put] vt. (~; -tt-) ① 놓다, 두다, 고정시키다; 넣다(in, to). ② (어떤 물건에) 붙이다(to). ③ (어떤 상태·관계에) 두다, 하다(in, to, at, on, under). ④ 기록하다; 설명하다; 표현(번역)하다(into). ⑤ (문제를) 제출하다(into). ⑤ (질문을) 하다. ⑥ 평가하다, 어림잡다(at). ⑦ (방향으로) 돌리다. 진로를 잡다(off, out). ⑧ (손을 어깨까지 굽혀) 던지다. ⑨ 사용하다(to). ⑩ (일, 책임, 세금 등을) 지우다; …에게 돌리다. ⑪ 그 탓으로 하다. **be ~ to it** 강권에 못이 겨 …하게 하다; 몹시 곤란받다. ~ **about** (배의 방향을 바꾸다; 퍼뜨리다; 공표하다. ~ **aside** (away, by) 치우다, 떼어(남겨) 두다; 버리다. ~ **back** (본래의 장소·상태로) 되돌리다; …을 방해하다; 진행을 늦추다;

~ down 내려놓다: 억누르다, 진정하게 하다, 말 못하게 하다; 줄이다; 적어 두다, 지불하다; 기입하다; 평가하다(**at, as, for**): (…의) 탓으로 하다(**to**); 〖空〗착륙하다. **~ forth** 내밀다: (싹·힘 따위를) 내다; 제언(주장)하다; 촉진하다; 추천하다; 눈에 띄게 하다. **~ in** 넣다; 제출하다; 신청하다(**for**); (口) (시간을) 보내다; 입항하다. **Put it there!** 찬성(화해)하자; 〖美俗〗악수(화해)하자. **~ off** (옷을)〖美〗제거하다; 연기하다, 기다리게 하다: (가짜 물건을) 안기다(**on, upon**); 피하다, 회피하다(**from**); 출발하다. **~ on** 입다, 몸에 걸치다; …세하다; 늘다; 일시키다, 부추기다. **~ oneself forward** 주제넘게 나서다(불을) 끄다; 방해하다, 난처하게 하다; (싹·힘 따위를) 내다; (눈을) 상하게 하다; 출판하다; 〖크리켓·野〗아웃시키다; 출범하다. **~ over** 연기하다; 호평을 얻게 하다, 성공하다. **~ through** 꿰뚫다; 해내다; (전화를) 연결하다. **~ together** 모으다; 합계하다. **~ (a person) to it** 강제하다; 괴롭히다. **~ up** 올리다, 걸다; 보이다; 상연하다; (기도를) 올리다; (청원을) 제출하다; 입후보로 내세우다, 건립하다; 저장하다; 제자리에 두다, 치우다; (칼집에) 넣다; 숙박시키다; (口) (몰래) 피하다. **~ upon** 속이다. **~ (a person) up to** (아무에게) 알리다; 부추기다. **~ up with** …을 참다(견디다).

pu·ta·tive [pjúːtətiv] a. 추정(상) 의.

pu·tre·fac·tion [pjùːtrəfǽkʃən] n. ① 부패 (작용): 부패물. **-tive** a.

pu·tre·fy [pjúːtrəfài] vt., vi. 부패시키다(하다); 썩다(하다); 짓무르게 하다.

pu·tres·cent [pjuːtrésənt] a. 썩어가는; 부패의. **-cence** n.

pu·trid [pjúːtrid] a. 부패한; 타락한.

putsch [putʃ] n. (G.) ⓒ 소폭동, 소란.

putt [pʌt] vt., vi. 〖골프〗(홀 쪽으로 공을) 가볍게 치다. — n. ⓒ 경타(輕打).

put·ter [pʌtər] vi. 꾸물꾸물 일하다.

put·ter [pʌtər] n. ⓒ 〖골프〗경타자; 경타용 퍼터.

pútting grèen 〖골프〗(홀 주위의) 경타 구역(cf. tee, fairway).

put·ty [pʌti] n. ① (유리 접합용) 퍼티. — vt. 퍼티(로 고정하다, 로 메우다).

pút-up a. (口) 미리 꾸민, 미리 짠.

puz·zle [pʌzl] n. ⓒ 수수께끼, 난문; (sing.) 당혹. — vt. 당혹시키다, (머리를) 괴롭히다(짜내다)(over); 생각해내다(over). — vi. 당혹하다(about, over); 머리를 짜다(over). **~ out** 생각해내다.

PVA polyvinyl alcohol [acetate].

PVC polyvinyl chloride. **Pvt.** Private 〖美〗병사(cf. Pte.).

pyg·my [pígmi] n. ⓒ 난쟁이; (P-) 〖人〗(아프리카·동남 아시아의) 피그미족: 아주 작은.

py·jam·as [pədʒǽːməz, -ǽ-] n. pl. (英) =PAJAMAS.

py·lon [páilɑn/-lɔn] n. ⓒ (고대 이집트 사원의) 탑문 (고압선의) 철탑; 〖空〗(비행장의) 목표탑.

pyr·a·mid [pírəmid] n. ⓒ 피라미드, 금자탑; 각추(角錐). **py·ram·i·dal** [pirǽmədəl] a. 〖미.

pyre [páiər] n. ⓒ 화장용의 장작더미.

Py·rex [páiəreks] n., a. ① 〖商標〗(내열용의) 파이렉스 유리(로 만든).

py·ri·tes [paiəráitiːz, pə-] n. ① 〖鑛〗황철광; 황화(黃化) 금속의 총칭.

py·ro·ma·ni·a [pàiərəméiniə] n. ① 방화광.

py·ro·tech·nic [pàiəroutéknik], **-ni·cal** [-əl] a. 불꽃의, 불꽃 같은: 불꽃 제조(술)의. **~s** n. ① 불꽃 제조(술)(복수 취급) 불꽃(올리기); (변설 따위의) 멋짐.

Pýrrhic víctory 막대한 희생을 치르고 얻은 승리.

py·thon [páiθɑn, -θən] n. ⓒ (열 대산의) 비단뱀.

Q

Q, q [kju:] *n.* (*pl.* **Q's, q's** [-z])
ⓒ Q자형의 것; (Question and Answer)
질의 응답.
Q. question.
Q.B. Queen's Bench.
Q.C. Queen's Counsel.
qr. quarter; quire. **qt.** quart(s).
qua [kwei, kwɑ] *ad.* (L.) …로서, …의 자격으로.
*****quack** [kwæk] *vi.* (집오리 따위가) 꽥꽥 울다. — *n.* ⓒ 우는 소리.
quack *n.* ⓒ 돌팔이 의사; 식자연하는 사람; 사기꾼. — *a.* 가짜(협잡)의;
사기의; 돌팔이 의사가 쓰는. ~ **doctor** 돌팔이 의사. ~ **medicine**
가짜 약. **~·er·y** ⓤ 엉터리 치료; 사기꾼 같은 짓.
quad [kwɑd/-ɔ-] *n.* ⓒ (口) = QUAD-RANGLE; ⓒ 《口》네 쌍둥이(의 한 사람); 4배널 (스테레오).
quad·ran·gle [kwɑ́dræ̀ŋgl/-5-] *n.* ⓒ 사변(사각)형, 정방형; (건물에 둘러 싸인 네모꼴의) 안뜰; 안뜰 둘러싼 건물. **quad·rán·gu·lar** *a.* 사변형의.
quad·rant [kwɑ́drənt/-5-] *n.* ⓒ 【幾】사분원(주), 사분면; 사분의(四分儀).
quad·ra·phon·ic [kwɑ̀drəfɑ́nik/kwɔ̀drəfɔ́nik] *a.* (녹음 재생이) 4채 널의.
quad·ri- [kwɑ́drə/-5-] '4'의 뜻의 결합사.
quadri·lat·er·al *n., a.* ⓒ 4변형(의); 4변의.
qua·drille [kwədríl, kwɑ-] *n.* ⓒ 카드리유(네 사람이 추는 춤; 그 곡).
quad·ru·ped [kwɑ́drupèd/-5-] *n.* ⓒ 네발 짐승. — *a.* 네발 가진.
quad·ru·ple [kwɑdrúːpəl, kwɑ́dru-/kwɔ́dru-] *a.* 4겹의; 4부분으로 [4단위로] 된; 4배의; 【樂】4박자의. — *n.* ⓤ (the ~) 4배. — *vt., vi.* 4배로 만들다[되다]. **-ply** [-i] *ad.*

quad·ru·plet [kwɑ́drʌplit/-5-] *n.* ⓒ 4개 한 조[벌]; 네 쌍둥이의 한 사람; (*pl.*) 네 쌍둥이(cf. triplet).
quaff [kwɑf, kwæf] *n., vt., vi.* ⓒ 꿀꺽꿀꺽 마심[마시다].
quag·mire [kwǽgmàiər] *n.* ⓒ 늪; 궁지.
*****quail** [kweil] *n.* (*pl.* ~**s,** ⓒ《집합 적》 ~) ⓒ 메추라기.
quail *vi.* 주눅들다, 기가 죽다(*at, before, to*).
quaint [kweint] *a.* 색다르고 재미있는, 괴상한 조[맛]; 고풍이어서 흥미있는; 기이(奇異)한. **~·ly** *ad.* **~·ness** *n.*
quake [kweik] *n., vi.* ⓒ 흔들림, 떨리는(진동)함); 떨림, 떨리다(*with, for*). — *n.* (口) 지진.
Quak·er [kwéikər] *n.* ⓒ 퀘이커교도. **~·ess** *n.* ⓒ 여자 퀘이커교도. **~·ish** *a.* 퀘이커교도와 같은; 근엄(謹嚴)한. **~·ism** [-izəm] *n.* ⓤ 퀘이커교도의 교의[습관·언행].
qual·i·fi·ca·tion [kwɑ̀ləfəkéiʃən/kwɔ̀l-] *n.* ① ⓒ (*pl.*) 자격(부여) (*for*). ② ⓒ 자격 증명서. ③ ⓤⓒ 제한, 조절.
*****qual·i·fy** [kwɑ́ləfài/-5-] *vt.* ① (…에게) 자격(권한)을 주다, 적격으로 하다; 《美》(…에) 선서하고 법적 자격을 주다. ② 제한하다, 한정하다; 완화하다; 약하게 하다, 경감 (…으로) 감하다; 한정(수식)하다. ④ 《文》한정〔수식〕하다. — *vi.* 자격을 얻다, 적격성을 보이다. ***-fied** *a.* 자격 있는 적임의; 면허받은; 한정된, 조건부의. **-fi·er** *n.* 자격을 주는 사람; 【文】한정〔수식〕어구; 【語】정성자. **~·ing** *a.* 자격을 주는; 한정(수식)하는. ~**ing examination** (자격) 검정 시험.
qual·i·ta·tive [kwɑ́lətèitiv/kwɔ́lətə-] *a.* 성질상의, 질적인.
*****qual·i·ty** [kwɑ́ləti/-5-] *n.* ① ⓤ 질; 성질; 품질. ② ⓒ 특질, 재능,

재능. ③ Ⓤ 음질; 음색. ④ Ⓤ 양질 (良質), 우량성. ⑤ Ⓤ 《古》 고위 (高位), (높은) 사회적 지위; (the ~) 상류 사회(의 사람들).

quality contròl 품질 관리.

qualm [kwɑːm] *n.* Ⓒ (*pl.*) 현 기증; 메스꺼움, 구역질; (갑작스런) 불안, 의구심, (양심의) 가책. **~s of conscience** 양심의 가책. **~·ish** *a.*

quan·da·ry [kwándəri/-5-] *n.* Ⓒ 당혹; 당황; 궁지(predicament).

quan·ti·ta·tive [kwántətèitiv/ kwón-] *a.* 양적인, 양에 관한; 계량 (計量)할 수 있는.

quan·ti·ty [kwántəti/kwón-] *n.* Ⓤ 양; Ⓒ (특정한) 수량, 분량; (*pl.*) 다량, 다수. **a ~ of** 다소의. **in ~** (**quantities**) 많이; 다량으로.

quántity survèyor 【建】 견적사 (見積士).

quan·tum [kwántəm/-5-] *n.* (*pl.* **-ta** [-tə]) Ⓒ 양; 정량; 몫; 【理】 양자 (量子).

quántum jùmp [**lèap**] 【理】 양자 도약; 돌연한 비약; 약진.

quántum mechánics 양자 역학.

quar·an·tine [kwɔ́ːrəntìːn, -áɪ-] *n.* Ⓤ 검역 정선(停船); 기간; 검역소; Ⓤ 격리, 교통 차단. — *vt.* 검역하다; 격리하다; (한 나라를) 고립시키다.

quark [kwɔːrk] *n.* Ⓒ 【理】 쿼크 모 형(가설의 입장치).

quar·rel [kwɔ́ːrəl, -áɪ-] *n.* Ⓒ ① 싸움, 말다툼; 불화. ② 싸움[말다 툼]의 원인; 불화의 씨; ③ 불평. — *vt.* (《英》 **-ll-**) ① 싸움[말다 툼]하다(*with, for*); 티격나다; 불평 하다(*with*). *~ some* *a.* 싸움[말 다툼] 좋아하는.

quar·ry [kwɔ́ːri, -áɪ-] *n.* Ⓒ 채석 장; (지식·자료 따위의) 원천. — *vi.* 채석장에서 떠내다; (책에서) 찾아내 다.

quar·ry *n.* (*sing.*) 사냥감; 먹이; 추구물(追求物); 복수의 대상.

quart [kwɔːrt] *n.* Ⓒ 쿼트《액량의 단 위: 4분의 1갤런, 약 1.14 리터; 건 량(乾量)의 단위는 1/8 펙》: 1쿼트 들이 그릇.

quar·ter [kwɔ́ːrtər] *n.* Ⓒ ① 4분의

1; 《美》 25 센트 (은화); 15분(간); 4분기, 3개월, 1기(期)《1년을 4계절 기로 나눈 하나》; 《美》 (4학기제의) 한 학기. ② 4방위《동서남북의 하 나, 방향, 방위, 그 방향의 장소. ③ 지역, 지구, …가(街). ④ (정보의) 출처, 소식통. ⑤ (항복자 등의) 구명(救命) (을) 청하다. ⑥ (항복자 등의) 구명(救命) (을) 청하다. ⑦ 집승의 네 발의 하 나, 각(脚). 【海】 선미부(船尾部), 후 부. ⑨ 【紋】 방패를 직교선 [直交 線)으로 4분한 그 부분; 방패의(가 진 사람이 보아) 오른쪽 위 4분의 1 의 부분에 있는 문장(紋章). ⑩ 【職】 (수비 위치는) Ⓤ 쿼터째. **at close ~s** 접근하여. **give ~ to** …에게 구명(救命)을 허하다. — *vt.* ①4등분하다. ②(죄인을) 네 갈래로 찢 다; 숙박시키다; 【海】 부서에 배치하 다; 【紋】 (4분한) 방패에 (무늬를) 배 치하다. — *vi.* 【海】 고물에 바람을 받고 달리다. …을 4분하다.

quárter dày 4째(季) 지불일《영국 에서는 Lady Day 25일), Mid-summer day(6월 24일), Mich-aelmas(9월 29일), Xmas(12월 25 일); 미국에서는 1월, 4월, 7월, 10 월의 각 초하루》.

quárter-dèck *n.* (the ~) 【海】 후 갑판(상)(cf. semifinal).

quar·ter·fínal *n., a.* 준준결승 (의)(cf. semifinal).

quar·ter·ly [-li] *a., ad.* 연 4회의 (로); 철마다의[에]. — *ad.* 연 4 회 간행물, 계간지(季刊誌).

quárter·màster *n.* Ⓒ 【美陸軍】 병 참 장교;【軍】조타(操舵)수.

quárter nòte 【樂】 4분음표.

quárter sèssions 【英法】 (연(年) 4회의) 주(州)계재판소《1971년 폐지되 고 Crown Court가 설치됨》.

quar·tet(te) [kwɔːrtét] *n.* Ⓒ 4중 주[창]단; 4중주[창]단; 4개 한 벌.

quar·to [kwɔ́ːrtou] *n.* (*pl.* **~s**) Ⓒ 4절판; Ⓒ 4절판의 책《약 9× 12인치》. — *a.* 4절판의.

quartz [kwɔːrts] *n.* Ⓤ 【鑛】 석영, 수정.

qua·sar [kwéisɑːr, -zɑːr] *n.* Ⓒ 【天】 항성상(恒星狀) 천체.

quash [kwɔʃ/-ɔ-] *vt.* 누르다, 진압 하다, 가라앉히다;【法】 취소하다, 폐

기하다.

qua·si- [kwéizai, -sai] *pref.* 「준
(準)…」, 유사(類似)…」의 뜻.

qua·ter·cen·te·na·ry [kwὰtər-
séntənèri/kwӕtərsentí:nəri] *n.* ⓒ
4백년제(祭).

quat·rain [kwátrein/-ɔ́-] *n.* ⓒ 4
행시(詩).

qua·ver [kwéivər] *vi.* (목소리가)
떨리다; 떨리는 목소리로 노래하다(말
하다); (악기로) 떠는 소리를 내다.
— *n.,* ⓒ 떨리는 목소리(로 노래
하다, 말하다); 진음(震音) [『樂』 8
분음표. — **~y** *a.* 떨리는 목소리의.

quay [ki:] *n.* ⓒ 부두, 안벽(岸壁).

quáy·side *n.* ⓒ 부두 지대.

quea·sy [kwí:zi] *a.* (음식물 따위
가) 구역질나는 (위·사람이) 메슥거
리기 잘하는; 안정되지 않는, 불쾌한;
까다로운. **-si·ly** *ad.* **-si·ness** *n.*

queen [kwi:n] *n.* ① 왕비; 여왕
(…의) 여왕; 여왕님[개비]. ② 여왕,
연인. ③ (카드·체스의) 퀸. ④ 《속
俗》여왕을 조각하는) 모기(母機).
⑤《美俗》 (남색의) 여자 역 (cf. punk).
— *vt., vi.* 여왕으로서 군림하다.
~ly *a., ad.* 여왕다운(같은, 같이); 여왕다
운[답게]; 위엄 있는.

quéen bée 여왕벌.

quéen cónsort 왕비, 황후.

quéen mother 태후, 대비.

queer [kwiər] *a.* ① 기묘한, 우스
운; 별난. ② 몸[기분]이 좋지 않은;
기분[정신]이 좀 이상한. ③ 수상한;
《美俗》가짜의; 나쁜, 부정한. ④ 《英
俗》 술취한. — *n.* ⓒ 《美俗》가짜
돈; 《英俗》남색자[여자]. — *vt.* 결
망내다. **~·ly** *ad.* **~·ness** *n.*

quell [kwel] *vt.* (반란을) 진압하다;
(감정을) 가라앉히다; 소멸시키다.

quench [kwentʃ] *vt.* 《文》 (불 따위
를) 끄다; (욕망 등을) 억제하다; (갈
증을) 풀다. **~·less** *a.* 끌[누를] 수
없는.

quer·u·lous [kwérjələs] *a.* 불툴거
리는; 성마른.

que·ry [kwíəri] *n.* ⓒ 질문; 의문;
의문 부호. 〔컴〕 질문, 조회(data
base에 대한 특정 정보의 검색 요구)
(~ *language* 〔조회〕 문자). — *vt.*
(…에게) 묻다; 질문하다.

— *vi.* 질문을 하다; 의문을 나타내
다.

quest [kwest] *n.* ⓒ 탐색, 탐구
(물). *in ~ of* (…을) 찾아. — *vt.*
탐색하다.

ques·tion [kwéstʃən] *n.* ⓒ 질문;
ⓤ 의심, 의문; ⓒ 『文』의문문; 심
문; 논쟁; 문제; 사건; (의안의) 채결
(의 제의). *beside the ~* 문제 밖
이어서. *beyond〔without〕~* 의심
할 나위 없이, 확실히. *call in ~*
의심을 품다. 이론(異論)을 제기하다.
in ~ 논의 중의; 문제의. *out of*
~《古》확실히. *out of the ~* 논
할 가치가 없는, 문제가 안되는. *put*
the ~ (의장이) 가부를 채결하다.
Q-! (연사를 주의시켜) 본론을 말하시
오!; 이의 있소! — *vt.* (…에게) 묻
다, 질문하다; 심문하다; 탐구하다;
의심하다; 심문하다; 수상쩍은. *~·a·ble a.* 의
심스러운; 수상쩍은. *~·less a.* 의
심 없는, 명백한.

ques·tion·ing [-iŋ] *n.* ⓤ 질문, 심
문. — *a.* 의심스러운, 묻는 듯한.
~·ly *ad.*

quéstion màrk 의문부호[?].

quéstion màster 《英》 (퀴즈 프
로 등의) 질문자, 사회자.

ques·tion·naire [kwèstʃənέər] *n.*
(F.) (조목별로 쓴) 질문서, 앙케
트(cf. opinionaire). 「시간.

quéstion tìme 《英》 (의회의) 질문

queue [kju:] *n.* ① 땋아 늘인 머리
변발(辮髮); 《英》 (순번을 기다리는
사람이나 자동차 따위의) 긴 열; 〔컴〕
큐. JUMP *the ~.* — *vi.* 《英》 (열
을 지어) 줄을 서다[이루어 기다리다]; 긴
대기 행렬을 짓다.

quib·ble [kwíbl] *n.* ⓒ 둔사(遁辭)
핑계, 견강 부회; (수수께끼) 익살.
— *vi.* 쓸데 없는 의론을 하다, 신소
리하다.

†quick [kwik] *a.* ① 빠른, 재빠른
민속한; 즉석의, 당장의. ② 성급한
(커브가) 급한. ③ 이해가 빠른; 영리
한; 날카로운. ④《古》살아 있는.
— *ad.* 서둘러서, 빨리. — *n.* ⓤ
(the ~) (손·발톱 밑의) 생살; 상처
의 붉은 살. ② 감정의 중추(中樞);
급소; 중요 부분. ③ 살아 있는 사람
들. *the ~ and the dead* 생존자

와 사망까지. **to the ~** 속살까지; 통
렬히; 순수하게. ↑**<.ly** *ad.* 서둘러
서; 빨리, ↑**<.ness** *n.*

quick·en [kwíkən] *vt.* ① (…에게) 생
명을 주다, 살리다. ② 고무하다. 활
기 있게 하다. ③ 서두르게 하다, 속
력을 올리다. ── *vi.* 살다; 활기띠
다; (속력이) 빨라지다.

quick-fire *a.* 속사(速射)의.

quick·ie, quick·y [kwíki] *n.* ⓒ
(俗) (급히 서둘러 만든) 날림 영화
[소설]; (美俗) (술을) 단숨에 들이
켬, 서둘러서 하는 일(여행, 성교 따
위). ── *a.* 속성의.

quick-lime *n.* ⓤ 생석회.

quick óne *n.* (口) (주욱) 단숨에 들
이키는 술.

quick·sànd *n.* ⓒ (*pl.*) 유사(流砂).

quick·sìlver *n.* ⓤ 수은.

quick·stép *n.* (*sing.*) 속보 (행
진); 속보(速步) 행진곡; 활발하는 춤의
스텝. ── *vi.* 속보로 춤을 추다.

quick-témpered *a.* 성마른, 성잘
quick-wítted *a.* 기지에 찬, 재치
있는.

quid *n.* (*pl.* **~**) (英俗) 1파운드
금화(지폐); 1파운드스.

quid pro quo [kwíd prou kwóu]
(L.) 대상물(代償物); 대갚음.

qui·es·cent [kwaiésnt] *a.* 조용한;
활동없는. **-cence, -cen·cy** *n.*

qui·et [kwáiət] *a.* 조용[고요]한; 평
정(平靜)한; (마음이) 평온한; 얌전
한; 침착한; 점잖은, 수수한. ── *n.*
조용함; 고요히, 평온히. ── *vt.*
조용케하다; 정지[静止]; 침착, 평정.
── *vt.* 고요[조용]하게 하다(잠재우
다); 누그러뜨리다, 가라앉히다. ── *vi.* 조
용해지다(down). ── **-ism**[-izəm] *n.*
ⓤ 정적주의(静寂主義)(17세기 말의
신비적 종교 운동). ── **-ist** *n.* (英)
= QUIET. ── **~ist** *n.* ↑**~.ly** *ad.*
~.ness *n.*

qui·e·tude [kwáiətjù:d] *n.* ⓤ 고
요, 조용함; 정온(靜穩); 평온.

quiff [kwif] *n.* ⓒ (英) (이마에 드
리) 만 머리 (남자의) 앞머리.

quill [kwil] *n.* ⓒ ① 큰 깃(날개·꼬
리 따위의 든든한); 깃촉. ② ⓒ
pén 깃촉 펜; 이쑤시개, (남식의) 깃털.
③ (보통 *pl.*) (호저(豪猪)의) 가시.

quilt [kwilt] *n.* ⓒ 누비 이불; 침상
덮개. ── *vt.* 누비질하여 (꿰매)다;
(지폐·편지 등을)…갈피에 채워 넣
다. ── *vi.* (美) 누비 이불을 만들다.
<·ing *n.* ⓤ 누비질; 누비 이불감들.

quin [kwin] *n.* = QUINTUPLET.

quince [kwins] *n.* ⓒ 마르멜로 (열
매).

quin·cen·te·na·ry [kwìnsénténèri], **-ten·ni·al** [kwìnsenténiəl]
a. 500년(째)의; 500년 계속되는;
500세의. ── *n.* ⓒ 500년제(祭).

qui·nine [kwáinain/kwiní:n] *n.*
ⓤ 키니네, 퀴닌.

quint [kwint] *n.* (口) = QUINTU-
PLET.

quin·tes·sence [kwintésns] *n.*
ⓒ 정수(精髓), 진수(眞髓); 전
형(典型)(*of*). **-sen·tial** [kwìntəsén-
ʃəl] *a.*

quin·tet(te) [kwintét] *n.* ⓒ 5중주
단; 5중주단[창]; 5개 한 벌 [의].

quin·tu·plet [kwíntʌplət, -tjú:-/
kwíntju-] *n.* ⓒ 다섯 쌍둥이 중의
한 사람; 5개 한 벌.

quip [kwip] *n.* ⓒ 명언(名言), 경구
(警句); 빈정대는 말; 신랄한 말; 둔
사(遁辭)(quibble). ── *vi.* 기묘한 것,
(서화의) 멋부려 쓰기(그리기).

quirk [kwə:rk] *n.* ⓒ 빈정거림, 기벽
(奇癖); 둔사(遁辭); 갑작스런 굽이;
(서화의) 멋부려 쓰기(그리기).

quis·ling [kwízliŋ] *n.* ⓒ 매국노,
배반자. **quis·le** *vi.* 조국을 팔다.

quis·ler *n.* ⓒ 매국노, 배반자.

quit [kwit] *a.* (**~, ~ted; -tt-**)
(the ~) 그만두다; 사퇴하다; 떠나다; 포기하
다; 놓아버리다. ② 청산하다. 면하
게 하다; 갚다; 떠하게 하다(~ *oneself
of …을 면하다). ── *oneself* 처신
하다. ── *n.* (컴) 끝냄(현 체계에
서 시작 상태로의 복귀)처리 중지들
뜻하는 명령어[키]; 그 신호로. ──
pred., a. 자유로워; (의무·부담 따위
를) 면하여서.

quite [kwait] *ad.* 아주, 전혀, 완전
히; 실로, 거의; (口) 꽤, 대단히.

quits [kwits] *pred. a.* 승패 없이 대
등한(*with*). **call** (**cry**) ~ 비긴
것으로 하다.

quit·ter [kwítər] *n.* ⓒ (경쟁·
일·의무 등을) 이유없이 중지[포기]하

는 사람.

:**quiv·er**¹[kwívər] *vi., vt., n.* 떨다, 떨게 하다; ⓒ 진동, 떨림.

quiv·er² *n.* ⓒ 전통(箭筒), 화살통.

quix·ot·ic[kwiksátik/-5-] *a.* 돈키호테식의; 기사(騎士)연하는; 공상적인, 비현실적인. **-i·cal·ly** *ad.*

:**quiz**[kwiz] *vt.* (**-zz-**) ① 《美》 (…에게) 질문하다, (…의) 지식을 시험하다. ② 놀리다, 희롱하다. — *n.* (*pl.* ~**zes** [kwíziz]) ⓒ 《美》 시문(試問), 질문; 퀴즈; 장난; 놀리는[희롱하는] 사람.

quíz·màster *n.* ⓒ (퀴즈 프로의) 사회자.

quiz·zi·cal[kwízikəl] *a.* 놀리는, 희롱하는; 지나친 장난을 하는; 기묘한, 우스꽝스러운. **~·ly** *ad.*

quoit [kwait/kwɔit] *n.* ⓒ 고리던지기; (*pl.*) 쇠고리던지기.

quo·rum[kwɔ́ːrəm] *n.* ⓒ (회의의) 정족수(定足數).

quo·ta[kwóutə] *n.* ⓒ 몫; 할당; 할당액(額).

quot·a·ble[kwóutəbəl] *a.* 인용할 수 있는; 인용할 만한; 인용에 적당한.

:**quo·ta·tion**[kwoutéiʃən] *n.* ① ⓤ 인용; ⓒ 인용어[구·문]. ② ⓤⓒ 견적(見積).

:**quotátion màrks** 인용 부호(" " 또는 ' ') (inverted commas).

:**quote**[kwout] *vt.* ① 인용하다; 인증(引證)하다. ② 〖商〗 (…의) 시세를 말하다; 견적하다(*at*). — *vi.* 인용하다(*from*); 〖商〗 시세를[견적을] 말하다(*for*). — *n.* ⓒ 인용구[문], 인용 부호.

quoth[kwouθ] *vt.* 〖古〗 말하였다《1인칭·3인칭 직설법 과거, 언제나 주어 앞에 놓음》 "*Yes*," ~ *he*, "*I will*."

quo·tient[kwóuʃənt] *n.* ⓒ 〖數〗 몫.

q.v.[kjúː víː, hwítʃ síː] *quod vide* (L. = which see) 이 문구를[말을] 참조하라.

R

R, r[ɑːr] *n.* (*pl.* **R's, r's**[-z]) *the r months* R자(가 들어) 있는 달(9월부터 이듬해 4월까지; 굴(oyster)의 식용 기간). *the three R's* 읽기·쓰기·셈(reading, writing and arithmetic).

R. Republican. **R.,r.** regina(L.= queen); rex (L.= king); right; river. ⓡregistered trademark.

rab·bi[rǽbai] *n.* 랍비.

rab·bin[rǽbin] *n.* (*pl.* ~(e)s) 랍비.

rab·bin·i·cal[rəbínikəl] *a.* 랍비의; 랍비의 교의(敎義)(말투, 저작)의.

rab·bit[rǽbit] *n.* ⓒ (집)토끼(의 털가죽)(cf. hare).

rábbit wárren 토끼 사육장; 길이 복잡한 장소.

rab·ble[rǽbəl] *n.* ① ⓒ (집합적) 와글대는 어중이떠중이, 무질서한 군중(mob). ② (the ~) 하층 사회. **~ment** *n.* 소동.

rab·id[rǽbid] *a.* 맹렬한, 열광적인; 광포한; 미친. **~·ness, ra·bíd·i·ty** *n.* 광견병.

ra·bies[réibiːz] *n.* Ⓤ (病) 공수병.

rac·coon[rækúːn, rə-] *n.* ⓒ 완응(浣熊)(북아메리카산 곰의 일종); 그 털가죽.

race[reis] *n.* ① ⓒ 경주, 경마; (the ~s) 경마대회; Ⓒ …싸움; 경쟁. ② ⓒ (사람의) 일생; (태양·달의) 운행; (시간의) 경과; (이야기의) 진전. ③ ⓒ 수로(水路); **run a ~** 경주하다. — *vi., vt.* (…와) 경주(경쟁)하다(*with*); 질주하다; (기관 따위가) 헛돌다(on). — *vt.* (재산을) 경마로 날리다(*away*).

race[reis] *n.* ① Ⓤ Ⓒ 인종, 민족, 종족, 인종. ② Ⓒ 가문, 가계(家系); 자손. ③ Ⓒ 품종. ④ Ⓒ 부류, 패거리, 동아리. **finny ~** 어류(魚類).

ráce·còurse *n.* ⓒ 경마장.

ráce·gòer *n.* ⓒ 경마팬(광).

ráce·hòrse *n.* ⓒ 경주마.

rac·er[réisər] *n.* ⓒ 경주자; 경마말; 경주 자전거[요트](따위).

ráce ríot 인종 폭동(특히 미국의).

ráce·tràck *n.* ⓒ 경마장.

ra·cial[réiʃəl] *a.* 인종상의.

rac·ing[réisiŋ] *n.* Ⓤ 경주, 경마. — *a.* 경주(용)의; 경마광의.

rac·ism[réisizəm] *n.* Ⓤ, **ra·cial·ism**[réiʃəlizəm] *n.* Ⓤ 민족주의, 민족 우월 사상.

rack[ræk] *n.* ① ⓒ 선반 (기차 등의) 그물 선반; 모자(옷·짐)걸이; 꼴·자료 시렁. ② (the ~) 고문대(이 위에서 사지를 잡아당김); 괴롭힘. ③ ⓒ (톱니가 맞물리는) 톱니판. **live at ~ and manger** 유복하게 살다. **on the ~** 고문을 받고; 괴로워하여, 걱정하여. — *vt.* 선반 [시렁]에 얹다; 고문하다; 괴롭히다; 잡아당기다. **~ one's brains** 머리를 짜내다.

rack[ræk] *n.* 둥구덤, 조각구름; 파괴(wreck), 황폐. **go to ~ and ruin** 파멸(황폐)하다.

rack[ræk] *n., vi.* (말의) 가볍게 달리다[달리다].

rack·et[rǽkit] *n.* (a ~) 소동, 소음(騷音)(din); ⓒ 들치기, 공갈; 속임, 협잡(수단); ⓒ (美俗) 직업, 장사. **go on the ~** 들떠서 떠들다[법석대다]. **stand the ~** 시련에 견디 내다; 책임을 지다; 셈을 치르다. **~·y** *a.* 떠들썩한; 떠들썩하거나를 좋아하는. 「켓.

rack·et[rǽkit] *n.* ⓒ (정구·탁구 등의) 라

rack·et·eer[rǽkitíər] *n., vi.* 공갈치기; 공갈 취재하다.

rac·on·teur[rækɑntɔ́ːr/-kɔn-] *n.* (F.) ⓒ 말솜씨 좋은 사람. 「COON.

ra·coon[rækúːn, rə-] *n.* = RAC-

rac·y[réisi] *a.* 팔팔[발랄]한, 생기

있는(lively); 신랄한(pungent); 본
바다의; 풍미있는; (풍류담(談) 등이)
외설한(risqué). **rác·i·ly** *ad.* **rác·i·ness** *n.*

ra·dar [réidɑːr] *n.* ⓒ 전파 탐지기,
레이더.

ra·di·al [réidiəl] *a.* 방사상(放射狀)
의. **~·ly** *ad.*

ra·di·ance [réidiəns], **-an·cy** [-i]
n. ⓤ 빛남, 광휘.

ra·di·ant [-diənt] *a.* ① 빛나는, 밝
[열]을 발하는; ② 방사(복사(輻射))
의, ③ (표정이) 밝은.

ra·di·ate [réidièit] *vi., vt.* ① (빛·
열 따위를) 방사(발산)하다; 빛나다.
② (얼굴이 기쁨 따위로) 나타내다;
(도로 따위가) 팔방으로 뻗(치)다.
── [-diit] *a.* 방사상(放射狀)의.

ra·di·a·tion [rèidiéiʃən] *n.* ① ⓤ
(열·빛 따위의) 방사, 발광(發光), 방
열(放熱). ② ⓒ 방사물[선].

radiation sickness 방사선병.

ra·di·a·tor [réidièitər] *n.* ① ⓒ 라
디에이터, 방열기; (자동차·비행기
따위의) 냉각기. ② ⓒ無線體 공중선.

rad·i·cal [rædikəl] *a.* ① 근본[기
본]의; 철저한. ② 급진적인, 과격한.
── *n.* ⓒ ① 급진주의자. ② 化 기
(基); 數 근호(√); 言 어근.
~·ism [-izəm] *n.* ⓤ 급진론(주의).
~·ly *ad.*

ra·di·i [réidiai] *n.* radius의 복수.

ra·di·o [réidiòu] *n.* (*pl.* **~s**) ⓒ 라
디오(수신 장치). **listen** (**in**) **to the**
~ 라디오를 듣다. ── *vt., vi.* 무선 통신하다.

ra·di·o- [réidiou,-diə] '방사·복사·
반소립자·라듐·무선'의 뜻의 결합사.

rà·di·o·ác·tive *a.* 방사성의, 방사능
이 있는; 방사성의. by. ~ **burn**
열상(熱傷)(원자로의 재해물로 인한 화
상). ~ **isotope** 化 방사성 동위
원소. **-activity** *n.* ⓤ 방사능.

rà·di·o·cár·bon *n.* ⓤ 방사성 탄소(화
석 등의 연대 측정에 씀).

rádio contról 무선 조종.

ra·di·og·ra·phy [rèidiágrəfi/-5-]
n. ⓤ X선 사진술.

rádio télescope [天] 전파 망원
경.

rà·di·o·thérapy *n.* ⓤ 방사선 요법.

rad·ish [rædiʃ] *n.* ⓒ 植 무.

ra·di·um [réidiəm] *n.* ⓤ 化 라듐.

ra·di·us [réidiəs] *n.* (*pl.* **-dii**
[-diài]) ⓒ ① 반지름, 반경. ② 지
역, 범위; (활동의) 살. ③ 解 요골
(橈骨). ~ **of action** 행동 반경.

ra·don [réidɑn/-dɔn] *n.* ⓤ 化 라
돈(방사성 희(稀)가스류 원소).

RAF, R.A.F. Royal Air Force.

raf·fi·a [ræfiə] *n.* ⓒ Madagascar
산의 종려나무; ⓤ 그 잎의 섬유.

raf·fle [ræfəl] *n.* ⓒ 복권식(福券式)
판매. ── *vi., vt.* 복권식 판매에 가입
하다(로 팔다).

raft [ræft, rɑːft] *n., vt., vi.* ⓒ 뗏목
(으로 짜다, 가다, 보내다). **~·er**[-ər],
ráfts·man *n.* ⓒ 뗏사공.

raft[ræft] *n.* (a ~) (美口) 다수. 다량.

raft·er [ræftər, rɑːf-] *n.* ⓒ 서까래.

rag [ræg] *n.* ① ⓒ 넝마(조각), 단
편(斷片); (*pl.*) 누더기, 남루한 옷.
~~ ② ⓒ 걸레 같은 것; 《戲》(극장의)
막(幕); 손수건; 신문; 지폐. **chew**
the ~ 불평을 하다; 졸라거리다.
take the ~ off 《美》 …보다 낫다. ~
~를 능가하다. **the R-** 《英俗》육·해
군의 클럽. ── ⓒ 누더기의, 너덜너
덜한 것.

rag[ræg] *vt.* (**-gg-**), *n.* (俗) (못살게) 괴
롭히다, 꾸짖다; 놀리다. ⓒ (…에게)
못된 장난을 하다; 법석(떨다).

rag·a·muf·fin [rǽgəmʌ̀fin] *n.* ⓒ
남루한 옷을 입은 부랑아.

rág báby [**dóll**] 봉제 인형(stuffed
doll).

rág·bàg *n.* ⓒ 넝마 주머니.

rage [reidʒ] *n.* ① ⓤ 격노; 격렬,
맹위(바람·파도·역병 따위의). ②
(*sing.*) 열망, 열광. ③ (the ~) 대
유행(하는 것). **in a ~** 격노하여.
── *vi.* 격노하다; 맹위를 떨치다; 크
게 성하다.

rag·ged [rǽgid] *a.* ① 남루한(tat-
tered), 해지는, 찢어진; 초라한. ②
울퉁불퉁(깔쭉깔쭉)한, 껑거리운 (암
석이) 비죽비죽한. ③ 고르지 못한,
조화되지 않은, 불완전한. **~·ly** *ad.*

rag·lan [rǽglən] *n.* ⓒ 래글런(소매
가 솔기없이 깃까지 이어진 외투).

ra·gout [ræguː] *n.* (F.) ⓤ ⓒ 라구
(스튜의 일종).

rag·time[rǽgtàim] *n.* ⓤ 〔樂〕 래그 타임; 재즈.

rág tràde, the〔俗〕피복 산업, 양복업(특히 여성의 겉옷).

raid[reid] *n., vt., vi.* 습격〔침입〕하다 (*into*); ⓒ (경찰의) 급습(하다)(*on*). ◦—**er** *n.* 습격자; 습격기; 〔軍〕특 공대원.

rail¹[reil] *n.* ① 가로장(대), 난 간; (*pl.*) 울타리. ② ⓒ 궤조(軌條), 레일; ⓤⓒ 철도; **by** ~ 기차로; 철 도편으로. **off the** ~**s** 탈선하여, 문란하여. 어지러워. — *vt.* 가로장 〔난간〕으로 튼튼히 하다〔둘을 붙이다〕 (*fence*). ◦—**ing** *n.* ⓒ (보통 *pl.*) 레일; 난간; 울; ⓤ〔집합적〕그 재 료.

rail² *vi.* 몹시 욕하다(revile), 비웃다 (scoff)(*at, against*). ◦—**ing** *n.* ⓤ 욕설. 푸념.

rail·ler·y[réiləri] *n.* ⓤ (악의 없는) 놀림(말), 농담(banter).

rail·road[réilròud] *n., vt.* ⓒ〔美〕 철도(종업원도 포함하며); 철도를 놓 다(로 보내다); 〔美口〕(의안을) 무리 하게 통과시키다〔귀찮은 존재 따위 를 없애려고 부당한 죄목으로〕투옥하 다. ⓒ *n.* ⓒ〔美〕철도(종업)원; 철도 부설(업)자.

ráilroad stàtion 철도역.

rail·way[réilwèi] *n.* ⓒ〔英〕철도. **rail·way·man**[-mən] *n.* = RAIL-ROAD MAN.

ráilway stàtion = RAILROAD STATION.

rai·ment[réimənt] *n.* ⓤ〔집합적〕〔雅〕 의류(衣類)(garments).

rain[rein] *n., vi., vt.* ⓤⓒ 비(가 오 다), 빗발처럼 쏟아지다〔퍼붓다〕; (*pl.*) 우기(雨期). *It never* ~*s but it pours.* 〔속담〕비만 오면 (반 드시) 억수같이 쏟아진다; 엎친데 덮 치기. *It* ~**s** CATs *and* DOGs. ― *or* shine 비가 오건 날이 개건. ◦— less *a.* 비오지 않는.

rain·bow[⌐bòu] *n.* ⓒ 무지개.

ráin chèck 우천 유회 입장 보상권(경기 를 중도할 때, 관객에게 내주는 차회 유효권).

rain·coat[⌐kòut] *n.* ⓒ 비옷, 레인 코트.

rain·drop *n.* ⓒ 빗방울.

rain·fall[⌐fɔ̀ːl] *n.* ⓤ 강우량(降雨量).

rain·proof *a.* 비가 새들지 않는, 방 수의.

rain·storm *n.* ⓒ 폭풍우, 호우.

rain·wàter *n.* ⓒ 빗물.

rain·y[⌐i] *a.* 비의, 우천의, 비가 많은. ~ **season** 장마철, 우기.

raise[reiz] *vt.* ① 일으키다, 세우다. ② 올리다; 올리다; (먼지 따위를) 일 으키다; 승진시키다. ③ (집을) 짓다; (외치는 소리를) 지르다; (질문·이의 를) 제기하다; (군인을) 모집하다; (돈을) 거두다; (동식물·아이를) 기르 다. ④ 가져오다, 야기시키다; 출현시 키다; (망령 등을) 불러내다; (죽은 자를) 소생시키다. ⑤ (사냥개가) 물 어내다; (빵을) 부풀리다(~**d bread**); (포위·금지 따위를) 풀다. ⑥〔海〕 ~ 이 보이는 곳까지 오다(*The ship* ~**d land.**); 〔카드〕…보다 더 많이 걸다. — ⑦ 〔數〕제곱하다. ~ **a dust** 먼지를 일으키다; 남의 눈을 속 이다; 소동을 일으키다. ~ **Cain** (**hell, the devil**) 〔俗〕큰 법석을 벌이다(일으키다). ~ **MONEY on.** ~ **oneself** 뻗어 올라가다; 출세하 다. — *n.* ⓒ〔美〕올림; 오르막(길); 높은 곳; 증가, 가격〔임금〕인상; 그 러모으기. **make a** ~ 변통〔조달〕하 다; 창출하다. **ráis·er** *n.*

raised[reizd] *a.* 높인; 돋을새김의. ~ **type** (맹인용) 점자(點字). ~ **work** 돋을새김 세공.

rai·sin[réizən] *n.* ⓤⓒ 건포도.

rai·son d'ê·tre[réizoun détrə] (F.) 존재 이유.

ra·ja(h)[rɑːdʒə] *n.* (the ~) 〔Ind.〕지배, 통치(rule).

ra·ja(h)[rɑːdʒə] *n.* ⓒ〔Ind.〕왕, 군주; (Java, Borneo의) 추장.

rake¹[reik] *n.* ① 갈퀴, 쇠스랑; 써 레; 고무래. — *vt.* ① 갈퀴로 그러 모으다; 써레질; 긁어〔긁어 고르다〕. ② (불을) 헤집어 일으키다; (불을) 젓 속에 묻다. ③ 찾아 다니다; 내다보다. ④〔軍〕 소사(掃射)하다(enfilade). ◦— **down**〔美俗〕꾸짖다; (내기 등에 서) 따다.

rake² *n., vi., vt.* ⓒ 경사(지다, 지게

ráke-off n. ⓒ (ㅁ) (부정한) 배당, 몫, 리베이트(rebate).

rak·ish a. 발랄한.

râle[rɑːl] n. ⓒ [병리] 수포음(水泡音).

ral·ly[ræli] vt., vi. (다시) 모으다[모이다]; (세력·기력·체력을) 회복(케)하다; (힘을) 집중하다; (vi.) [테니스] (쌍방이) 연타하다 되받아치다. — n. (1~장) 재집합, 재거(再擧); 되돌림, 되찾음, 회복. ② ⓒ 시위 운동, 대회. ③ ⓒ [테니스] 계속하여 되받아치기.

ram[ræm] n. ① ⓒ 숫양(ㅁ); (R-) [천] 양자리(ㅁ). ② ⓒ [史] 파성(破城) 메(battering ram); (항을) 충격(衝擊); (땅을 다지는) 달구(rammer). — vt. (-mm-) 부딪다; 파성 메로 치다; 충각(衝角)으로 부딪다; 달구로 다지다.

RAM[ræm] (＜random-access memory) n. ⓒ [컴] 램, 임의 접근 기억 장치.

ram·ble[ræmbəl] n., vi. ① 산책(하다), 어정거림(거리다); 종작[두서] 없는 이야기(를 하다); (담쟁이 덩굴 따위가) 뻗어 퍼지다(over). **rám·bler** n. ⓒ 산보하는 사람; 덩굴장미; ＝RANCH HOUSE.

ram·bling[ræmbliŋ] a. 어슬렁어슬렁 거니는; 산만한; 어수선한; (덩굴이) 뻗어 나간, 널리 퍼지는.

ram·bunc·tious[ræmbʌ́ŋkʃəs] a.《美口》 몹시 난폭한(unruly); 시끄러운.

ram·e·kin, -quin[ræmikin] n. ⓤⓒ [요리] 치즈 그래탱(cheese gratin); 그것을 담는 그릇, 접시.

ram·i·fy[ræməfài] vt., vi. 분지(分枝)하다; 분파하다. **-fi·ca·tion**[—fikéiʃən] n.

ramp[ræmp] vi. (사자가) 뒷다리로 서다, 덤벼들다[들려하다](cf. rampant); 날뛰다(rush about); [建] 몰매치다(slope). — n. ⓒ 몰매, 경사(면로·(路)), 루프식 입체 교차로.

ram·page[v. ræmpéidʒ, n. ―] vi., n. 날뛰다; ⓤ 날뜀, 설침. **go**

[be] on the [a] ~ 날뛰다.

ramp·ant[ræmpənt] a. ① 마구 날뛰는, 만연[창궐]하는; 분방한; (유행병 등이) 맹렬한. ② [紋] 뒷발로 일어선 사자(의 자세로 있는). — ad. [後置] (a lion ~ 뒷발로 일어선 사자)(cf. ramp). **rámp·an·cy** n. ⓤ 만연; 맹렬; 창궐, 무성함.

ram·part[ræmpɑːrt, -pərt] n., vt. ① ⓒ 누벽(壘壁)[성벽](을 두르다); 방어물. ② 방어. — vt. …에 누벽을 두르다; 방어하다.

ram·rod[ræmrɑd·rɔd] n. ⓒ 꽂을대.

rám·shackle a. 쓰러질 듯한; 흔들흔들하는.

ran[ræn] v. run의 과거.

ranch[rænt, rɑːntʃ] n., vi. ⓒ 큰 농장(을 경영하다, …에서 일하다); 농장(에서 일하는 사람들). **~·er, ~·man**[—mən] n. ⓒ 농장[목장] 경영자[노무자].

ránch hòuse《美》목장주의 가옥; 지붕의 경사가 완만한 단층집.

ran·cid[rænsid] a. 악취가 나는, 썩은 냄새(맛이)나는; 불유쾌한. **~·ly** ad. **~·ness**, **~·i·ty**[rænsídəti] n.

ran·cor, ~·cour[ræŋkər] n. ⓤ 원한, 증오. **~·ous** a. 원한을 품은, 증오하는.

R & D research and development.

ran·dom[rændəm] n., a. ⓤ 마구잡이; 닥치는(되는) 대로의(a ~ guess 어림 짐작); [컴] 막—, 무작위. **at ~** 되는대로, 닥치는대로.

rándom áccess [컴] 비순차적 접근, 임의 접근.

rang[ræŋ] v. ring¹의 과거.

range[reindʒ] n. ① ⓒ 열(列), 줄, 연속(series); 산맥. ② ⓤⓒ 범위; 한계; 음역; 사정(射程). ③ ⓒ 사격 장. ④ ⓒ 방목지; 분류. ⑤ ⓒ 목장. ⑥ ⓒ (요리용 가스·전기) 레인지(cookstove)(a gas ~ 가스 레인지). ⑦ [컴] 범위. — vt. 늘어 놓다, 정렬시키다;《美》가지런히 하다; 분류하다. ② (…의) 편에 서다(He is ~d against [with] us. 우리의 적 [편]이다). ③ (…을) 배회하다; (연해를) 순항(巡航)하다. ④ (총·망원경 따위를) 가늠하다; …에게 사정을 정하다. — vi. ① 늘어서다. 일직선으로

로 되어 있다(*with*): 잇달리다: (범위가) 걸치다, 미치다(*over*; *from ...to...*). ② 어깨를 나란히 하다(rank)(*with*). ③ 배회(방황)하다, 서성거리다: 순항하다: 변동하다(*between*). ~ **oneself** (결혼·취직 따위로) 신상을 안정시키다: 편들다(*with*).

ránge finder (사격용) 거리 측정기: 〖寫〗 거리계(計).

rang·er [réindʒər] *n.* ⓒ ① 돌아다니는 사람, 순회자. ② (숲·공원 따위를) 지키는 사람, 감시인, 무장 경비원(*a Texas R-*): (R-) 《美》《宇宙》 레인저 계획.

rang·y [réindʒi] *a.* 발 다리가 가늘고 긴: (동물 따위가) 돌아다니기에 알맞은: 산(山)이 많은.

rank [ræŋk] *n.* ① ⓤⓒ 열, 횡렬: 정렬. ② (*pl.*) 군대, 대열: 졸병 ⓤⓒ 계급(grade): 직위, 신분: 품위: 순서. ③ ⓤ 고위, 고관. ⑤ 〖장〗 순번. **break ~(s)** 열을 흩뜨리다: 낙오하다. **fall into ~** 정렬하다, 줄에 늘어서다. ~ **and fashion** 상류사회. ~ **and file** 하사관병, 사병: 대중, 졸병(미천한 신분)에서 출세하다. — *vi., vt.* 자리(지위)를 차지하다: 등급을 매기다, 평가하다(*above, below*): 늘어서다(세우다): 부류에 넣다. ~**ing** ⓤ 등급(자리, 지위) 매기기: 서열, 랭킹.

rank² *a.* 조대(粗大)한(large and coarse): 우거진: 널리 퍼진: 냄새나는: 지독한: 천한, 외설한. ~**ly** *ad.* ~**ness** *n.*

ran·kle [ræŋkəl] *vt.* (경멸·원한 따위가) 괴롭히다. *vi.* 곪다.

ran·sack [rænsæk] *vt.* 샅샅이 뒤지다: 약탈하다.

ran·som [rænsəm] *n., vt.* 몸값 (을 치르고 자유롭게 하다): ⓤ 〖神〗 속죄(하다).

rant [rænt] *vi., n.* ⓤ 고함(치다), 폭언(노호)(하다).

rap [ræp] *n., vt., vi.* 〘-pp-〙 가볍게 두드림[두드리다]: 비난(하다) (*take the ~* 비난을 받다): 내뱉듯 (말)하다(*out*).

ra·pa·cious [rəpéiʃəs] *a.* 강탈하는: 욕심 사나운(greedy): 〖動〗 생물

을 잡아먹는. ~**ly** *ad.* **ra·pac·i·ty** [rəpǽsəti] *n.* ⓤ 탐욕.

rape [reip] *n., vt.* ⓤⓒ 강간(하다): 강탈(하다).

rape² *n.* ⓤ 〖植〗 평지.

rap·id [rǽpid] *a.* 신속한, 빠른, 급한(swift): 가파른(steep). — *n.* (보통 *pl.*) 여울. *ra·pid·i·ty* [rəpídəti] *n.* ⓤ 신속: 속도. *~·ly* *ad.* 빠르게: 서둘러.

rápid-fíre *a.* 속사(連射)의, ~ **gun** 속사포.

rápid tránsit (고가 철도·지하철에 의한) 고속 수송.

ra·pi·er [réipiər] *n.* ⓒ 〖찌르기에 쓰는〗 양날의 장검(長劍).

rap·port [ræpɔ́ːr] *n.* (F.) ⓤ 〔친밀·조화된〕관계: 일치.

rap·proche·ment [ræprouʃmáːn/ ræprɔ́ʃmàːŋ] *n.* (F.) ⓤ 〔국가간의〕 친선: 국교 회복.

rapt [ræpt] *a.* ① (육체·영혼을 이승으로부터) 빼앗긴(*away, up*). ② (생각에) 마음을 빼앗긴, 골똘한, 열중한(absorbed): 황홀한(*with attention*): 열심인.

rap·ture [rǽptʃər] *n.* ⓤⓒ 미칠 듯한 기쁨, 광희(狂喜), 무아(無我) 황홀(ecstasy). **ráp·tur·ous** *a.*

rare¹ [rεər] *a.* 드문, 드물게 보는: (공기가) 희박한(thin). *~·ly* *ad.* 드물게도, 썩 잘. *~·ness* *n.*

rare² *a.* (고기가) 설구워진, 설익은.

rare·bit [rέərbit] *n.* = WELSH RABBIT.

rar·e·fy [rέərəfài] *vt., vi.* 희박하게 하다(되다): 순화(純化)하다, 정화하다: (*vt.*) 정미(精微)하게 하다(sub-). **-fac·tion** [-fǽkʃən] *n.*

rar·i·ty [rέərəti] *n.* ⓤ 드묾, 진기: 희박: ⓒ 진품.

ras·cal [rǽskəl/-áː-] *n.* ⓒ 악당(rogue), 악한: 〖口·戱〗 개구장이, 놈. *~·i·ty* [ræskǽləti/raːs-] *n.* ⓤ 악당 근성: ⓒ 악당 행위.

rash¹ [ræʃ] *a.* 성급한: 무모한. *~·ly* *ad.* *~·ness* *n.*

rash² *n.* (a ~) 뾰루지, 발진(發疹), 부스럼.

rash·er [rǽʃər] *n.* ⓒ 〖베이컨·햄의〕얇게 썬 조각.

rasp [ræsp, -ɑ:-] *n.* ⓒ 이가 굵고 거친 줄, 강판. —— *vt.* 줄질하다, 강판으로 갈다; 신문지르며 말하다; 속을 지글지글 태우다. —— *vi.* 북북문지르다[소리 나다], 쓸리다, 갈리다 (grate). —— *on* (신경에) 거슬리다.

rasp·ber·ry [rǽzbèri, rɑ́:zbəri] *n.* ⓒ ① 나무딸기(의 열매), ② (俗)입술과 혀를 진동시켜 내는 소리(야유·경멸 따위를 나타냄).

rat [ræt] *n.* ⓒ ① 쥐(cf. mouse). ② 배반자; 파업 불참 직공. ③ (美) (여자 머리의) 다리. *smell a ～* 배반[알아]채다. —— *vi.* (-tt-) 쥐를 잡다; (집) 변절하다, 파업을 깨다. *～* (俗) 변절하다, 파업을 깨다.

rat-(a-)tat [rǽt(ə)tæt] *n.* ⓒ 광광(문 두드리는 소리 등).

rát·bàg *n.* ⓒ (英俗) 불쾌한 사람.

ratch·et [rǽtʃət], **ratch** [rætʃ] *n.,* *vt.* ① 미늘 톱니(를 붙이다); 깔쭉톱니(N자 톱니) 모양(으로 하다).

rate [reit] *n.* ⓒ ① 비율, 율; 정도, 속도. ② (비·선원 따위의) 등급; 시세(*the ～ of exchange* 환율); 값(*at a high ～*). ③ (보통 *pl.*) (英) 세금; 지방세(*～s and taxes* 지방세와 국세). *at a great ～* 대속력으로, 크게. *at any ～* 하여튼, 좌우간, *at that ～* (口) 저런 상태(분수)로는, 저 정편으로는, *give special ～s* 할인하다. —— *vt.* 견적(평가)하다; …으로 보다(여기다); 도수(度數)를 재다; 등급을 정하다; 지방세를 과하다. —— *vi.* 가치가 있다. 견적(평가)되다; (…의) 등급을 가지다.

ráte·pàyer *n.* ⓒ (英) 납세자.

rath·er [rǽðər, rɑ́:-] *ad.* ① 오히려, 차라리; 다소, 약간. ② (or ～) 좀더 적절히 말하면, 젓확히(Certainly!), 물론이지(Yes, indeed!) (*"Do you like Mozart?" "R-!"*) *had (would) ～...than* …보다는 (하느니) 오히려 …하고 싶다(하는 편이 낫다)(*He would ～ ski than eat.* 밥먹기보다도 스키를 좋아한다) (cf. had BETTER). *I should ～,* *I would ～ not* …하고 싶지 않다.

rat·i·fy [rǽtəfài] *vt.* 비준(제가)하다. **～·fi·ca·tion** [²⁻⁻fikéi-] *n.*

rat·ing [réitiŋ] *n.* ⓒ 평점; [U,ⓒ] 평가, 견적; [U,ⓒ] 과세(액); ⓒ (배·선원의) 등급; [電] 정격(定格); (라디오·TV의) 시청률.

ra·tio [réiʃou, -ʃiou-ʃiou] *n.* (*pl.* *～s*) [U,ⓒ] 비(율). *direct (inverse) ～* 정(반)비례.

ra·ti·oc·i·nate [ræʃióuʃənèit, -tiós-] *vi.* 추리(추론)하다. **·na·tive** **·na·tion** [²⁻⁻⁻néiʃən] *n.*

ra·tion [rǽʃən, réi-] *n.* ⓒ 정액, 정량; 1일분의 양식; 배급량(*the sugar ～*). ② (*pl.*) 식료(食料). *iron ～* 비상용휴대 식량, K RATION. *～ing by the purse* (英) 물가의 (부담)힘) 인상. —— *vt.* 급식(배급)하다. *～·ing system* 배급 제도.

ra·tion·al [rǽʃənl] *a.* ① 이성 있는, 이성적인; 합리적인. ② [數] 유리수 (有理數)의(opp. *irrational*). **～·ism** [-ʃənìzəm] *n.* [U] 합리주의. **～·ist** [-ʃənəlist] *n.* **～·ly** *ad.* **～·i·ty** [ʃənǽləti] *n.* [U] 합리성, 순리성. (보통 *pl.*) 이성적 행동.

the Saint of ～ism 이성신=J.S. MILL.

ra·tion·ale [ræʃənǽl/-nɑ́:l] *n.* (L.) (the ～) 이론적 해석; (稀) 근본적 이유, 이론적 근거.

ra·tion·al·ize [rǽʃənəlàiz] *vt.* 합리화하다; 합리적으로 다루다; 이유를 부(설명)(생각)하다; 이유를 붙이다; [數] 유리화하다. **·i·za·tion** [²⁻⁻zéiʃən/-laiz-] *n.*

rát·ràce (美) 무의미한 경쟁; 악순환.

rat·tan [rætǽn, rə-] *n.* ⓒ 등(籐).

rat-tat [rǽttǽt] *n.* (a ～) 쾅쾅, 똑똑(문의 knocker 소리 등).

rat·ter [rǽtər] *n.* ⓒ 쥐잡는 짐승; (俗) 배반자.

rat·tle [rǽtl] *vi.* 왈각달각(덜거덕덜거덕)하다(소리나다), 왈각달각 달리다; 우르르 떨어지다 (*along, by, down, &c.*). —— *vt.* 왈각달각(덜거덕덜거덕)소리내다; 빨리 말하다(*away, off, out, over*); 놀라게 하다, 혼란시키다 (confuse), 갈광거리게 하다; (사냥 감을) 몰아내다. —— *n.* ① [U,ⓒ] 왈각달각(소리); ⓒ 딸랑이(장난감)

ⓒ 수다[수선]쟁이. ③ ⓒ (목구멍의) 꼬르륵 소리(특히 죽을 때). ④ ⓒ 뱀의 둥근 고리 모양. ⑤ ⓒ 야단법석.

rattle·snake n. ⓒ 방울뱀.

rat·tling [rǽtliŋ] a. 덜거덕거리는; 활발한; 굉장[훌륭]한[하게](*That's ~ fine.*).

rat·ty [rǽti] a. 쥐의, 쥐 같은, 쥐가 많은; 《俗》 초라한.

rau·cous [rɔ́ːkəs] a. 쉰목소리의 (hoarse), 귀에 거슬리는.

rav·age [rǽvidʒ] n., vt., vi. ⓤ 파괴 (하다); 침략, 황폐하게 하다; (the ~s) 파괴된 자취, 참해.

rave [reiv] vi., vt. (미친 사람같이) 헛소리하다, 소리치다; 정신 없이 떠들다, 격찬하다; (풍랑이) 사납게 일다.

rav·el [rǽvəl] vt., vi. (《英》 *-ll-*) 엉클어지(게 하)다, 풀(리)다. — n. ⓒ 엉클림; 풀린 실. **~·(l)ing** n. ⓒ 풀린 실.

ra·ven[réivən] n., a. ⓒ 큰까마귀; 새까만, 칠흑 같은.

rav·en[rǽvən] n., vt. ⓤ 약탈(하 다). 굶주리다; 탐욕스런. **~·ing** a. 탐욕스런(greedy). **~·ous·ly** ad.

ráve-úp n. ⓒ 《英》 떠들썩한 파티.

ra·vine [rəvíːn] n. ⓒ 협곡(峽谷).

ra·vi·o·li [rævióuli] n. (It.) ⓤ 매콤한 다진 고기로 속 넣(은 납작한 당자.

rav·ish [rǽviʃ] vt. (여자를) 능욕하다(violate); 황홀케 하다(enrapture); (빼앗아 가다. **~·ing** a. 마음을 빼앗는, 황홀케 하는. **~·ment** n. ⓤ 무아(無我), 황홀; 강탈; 강간.

raw [rɔː] a. ① 생[날]것의(~ *fish*). 원료 그대로의, 요리를 안 한; 타지 않은 ② 세련되지 않은, 미숙한(*a ~ soldier*). ③ (날씨가) 굶고 으스스한. ④ 껍질이 벗겨진, 따끔따끔 쓰리는(sore), 얼덜한. ⑤ 《俗》 잔혹한, 불공평한(*a ~ deal* 심한 대우). ⑥ 〖컴〗 (입력된 그대로의) 원, 미가공, ~ **silk** 생사(生絲). — n. (the ~)의 〖벗겨진〗 살갗(*touch a person on the ~* 아무의 약점을 찌르다). **~·ness** n.

ráw·boned a. 깡마른.

ráw·hide n., vt. (~d) 생가죽, 원피(原皮); ⓒ 가죽 채찍(으로 때리다). [나다).

raw material 원료. 〔나다).

:**ray**[rei] n. ① 광선; 방사선, 광 선(熱線) ② 광명, 번득임, 서광 (*a ~ of hope* 한가닥의 희망). ③ (보통 *pl.*) 방사상(狀)의 것. — vt., vi. (빛을) 내쏘다, 방사하다; (방사) 변화하다(forth, off, out).

ray·on [réiən/-ɔn] n. ⓤ 인조견 (사), 레이온.

raze [reiz] vt. 지우다(erase); (집·도시를) 파괴하다.

ra·zor [réizər] n. ⓒ 면도칼. [도시를) 파괴하다.

razz [ræz] n., vt., vi.ⓒ 《俗》 혹평(조소)(하다).

raz·zle (**-daz·zle**) [rǽzl(dǽzəl)] n. ⓒ 《俗》 대법석; (길쭉으로) 화려한 움직임(쇼 따위).

RC Roman Catholic.

Rd., road.

re[rei, riː] n. ⓒ 〖樂〗 레(장음계의 둘째 음).

re²[riː] *prep.* (L.) 〖法·商〗 …에 관하여.

re³[rei, riː] *pref.* '다시, 다시 …하다, 거듭 …하다'의 뜻; *recover*.

:**reach**[riːtʃ] vt. ① (손을) 뻗치다, 내밀다; 뻗어서 잡다[집다]; 집어들어 넘겨주다(*Please ~ me the book.*). ② 도착하다; 닿다, 미치다, 이르다. 닿아서[손을 써서] (마음을) 움직이다, 감동시키다(*Men are ~ed by flattery*). ④ (…에) 영향이 되다. — vi. 손[발]을 뻗치다; 발을돋우다; 뻗다; 얻으려고 애쓰다(*after, at, for*); 닿다, 퍼지다(*to, into*). — n. ① (손을) 뻗침. ② ⓤ 손발을 뻗을 수 있는 범위; 미치는 [닿는] 범위, 한계; 세력 범위; 이해력. ④ 조분한 후미, *within* (*easy* ~) (용이하게) 닿을[얻을] 수 있는.

re·act [riækt] vi. ① (자극에) 반응하다(*on, upon*); 〖理〗 반작용하다. ② 반동[반발]하다(*to*). ③ 반항하다(*against*); 역행하다.

re·ac·tion [riækʃən] n. ① ⓤ 반작용, 반응, 반향; ② 〖政〗 (보수) 반동. ② 〖電〗 재생. **~·ar·y** [-ʃənèri]

-∫ənəri] *a., n.* 반동의, 보수적인; 반작용의; 〖化〗 반응의; ⓒ 반동(보수)주의자.

re·ac·tive[riːǽktiv] *a.* 반동[반응]의. **~·ly** *ad.*

†re·ac·tor[riːǽktər] *n.* ⓒ 반응을 보이는 사람[물건]; ⓒ 원자로(爐) (atomic reactor; *cf.* pile).

†read[riːd] *vt.* (**read**[red]) 읽다, 독서하다; 낭독하다. ② 이해하다; 해득하다; (꿈 따위를) 판단하다; 알아내다, 간파하다; 배우다 (~ *law*). ③ (···의) 뜻으로 읽다; (···라고) 읽을 수 있다; (···을) 가리키다(*The thermometer ~s 85 degrees.*) (청의료 따위에), ···라고 있는 것은 ···의 잘못(*For "set" ~ "sit".*). ④ (컴퓨터에 정보를) 주다(*in*); (컴퓨터에서 정보를 꺼내)읽다(*out*). ── *vi.* ① 읽다, 독서[공부]하다; 낭독하다. ② ···라고 씌어져 있다; ···라고 읽다; ···라고 해석할 수 있다. 읽어 들려 주다(*to, from*). ④ 〖컴〗데이터를 읽다. **be well ~** [in] ···에 정통하다, ···에 밝다(환하다). **~ a person's hand** 손금을 보다. **~ between the lines** 언외(言外)의 뜻을 알아내다. **~ into** ···의 뜻으로 해석[곡해]하다. **~ out of** ···에서 제명하다. **~ to oneself** 묵독하다. **~ up** 시험공부하다; 전공하다(*on*). **~ with** ···의 공부 상대를 하다(가정교사가). **<·a·ble** *a.* 읽을 만한, 읽어 재미있는; (글자가) 읽기 쉬운. ── *n.* 〖컴〗 읽기.

:read·er[riːdər] *n.* ⓒ ① 독본, 리더. ② 독자, 독서가. ③ (대학) 강사(lecturer). ④ 출판사 고문(원고를 읽고 채부(採否) 결정에 참여함); 교정원(proof-reader). ⑤ 〖컴〗 읽개, 판독기.

†read·ing[riːdiŋ] *n.* ① U 읽기, 독서(법); 학식. ② 낭독; 의회의 독회(讀會). ③ 읽을 거리, 글. ⑤ 해석, 판단. ⑤ (계기의) 시도(示

reading ròom 열람실.

re·ad·just[riːədʒʌ́st] *vt.* 다시 맞추다; 재조정하다. **~·ment** *n.*

re·ad·mit[riːədmít] *vt.* 다시 인정[허가]하다; 재입학시키다.

réad-ònly *n.* 〖컴〗읽기 전용의(~ *memory* 늘기억 장치, 읽기 전용 기억 장치[ROM]).

réad-òut *n.* U.ⓒ 〖컴〗정보 판독[추득].

†read·y[rédi] *a.* ① 준비된, 채비된(prepared)(*to, for*). ② 기꺼이 ···하는(willing); 이제라도 ···할 것 같은(be about)(*to do*); 걸핏하면 ···하는, ···하기 쉬운(be apt)(*to do*). ③ 즉석의, 곧바른(*a ~ welcome*). 교묘한; 곧 나오는; 손쉬운, 편리한, 곧 쓸 수 있는. **get [make ~** 준비[채비]하다. **~ to hand** 손 가까이에 있다. ── *vt.* 준비[채비]하다. ── *n.* U 〖컴〗준비(실행 준비가 완료된 상태)(~ *list* 준비 목록, ~ *time* 준비 시간). **:réad·i·ly** *ad.* 쾌히; 곧, 즉시; 쉽사리. **'réad·i·ness** *n.*

:réady-máde *a.* 만들어 놓은, 기성품의(opp. custom-made); (의견이) 얻어 들은, 독창성이 없는.

réady móney 현금.

re·a·gent[riːéidʒənt] *n.* ⓒ 시약(試藥).

:re·al[ríːəl, ríəl] *a.* ① 실재[실존]하는, 현실의. ② 진실한; 진정한, 진짜의(*cf.* personal); 〖數〗 실수(實數)의. **~ life** 실생활. ── *ad.* (美口) = REALLY. **~·ism** [ríːəlizəm, ríəl-] *n.* U 현실[사실]주의; 현실성; 〖哲〗 실재론. **~·ist** [ríːəlist/ríəl-] *n.* 「~적」실재론; 정밀로.

réal estàte 부동산.

re·al·is·tic[riːəlístik] *a.* 사실[현실·실제]적인. **-ti·cal·ly** *ad.*

re·al·i·ty[riːǽləti] *n.* ① U 진실[실제]임; 실재(함); 현실성(actuality). ② ⓒ 사실, 현실. ③ 〖哲〗 실재. **in ~** 실제로는(in fact); 실은(truly).

re·al·ize[ríːəlàiz] *vt.* ① 실현하다 사실[현실]로 표현하다; 현실감이 보이게 하다, 실감하다. (절실히) 깨닫다. ③ (증권·부동산을) 현금으로 바꾸다, (···에) 팔리다. **~-iz·a·ble** *a.* **~-i·za·tion**[~-izéiʃ*ə*n/-laiz-] *n.*

:realm[relm] *n.* ⓒ 〖法〗현국

(kingdom). ② 영토, 범위. ③ 분야, 부문, 영역.

re·al·po·li·tik [reiá:lpòulìtì:k] *n.* (G.) ⓤ 현실정치.

réal tíme [컴] 실(實)시간.

re·al·tor [rí:əltər] *n.* ⓒ (美) 부동산 중매인.

re·al·ty [rí:əlti] *n.* ⓤ 부동산.

ream [ri:m] *n.* ⓒ (連)(20 quires (=480 장 또는 500 장)에 상당하는 종이의 단위).

reap [ri:p] *vt.* ① 베다, 베어(거두어) 들이다. ② 획득하다; 얻다, (행위의 결과로서) 거두다. ─ *as* (*what*) *one has sown* 뿌린 씨를 거두다 (자업 자득). **˜·er.** ⓒ 베어 들이는 사람; 수확기(機). **˜·ing.** *a.*

re·ap·pear [rì:əpíər] *vi.* 다시 나타나다; 재발하다. **˜·ance** [-əpíərəns] *n.* 재현, 재발.

re·ap·point [rì:əpɔ́int] *vt.* 다시 임명하다, 복직(재선)시키다.

re·ap·prais·al [rì:əpréizəl] *n.* ⓤⓒ 재평가.

re·ap·praise [rì:əpréiz] *vt.* (…을) 재평가하다.

rear[1] [riər] *vt.* ① 기르다, 키우다; 사육하다; 재배하다. ② 올리다(lift), 일으키다(raise); 세우다 (a temple), ─ *vi.* (말이) 뒷발로 서다. **˜·er.** ⓒ 양육자; 사육자; 재배자. 뒷다리로 서는 버릇이 있는 말.

rear[2] *n.* ① ⓤ (the ~) 뒤, 뒷면. 배후; [軍] 후위. ② ⓒ ⓤ (口) 변소; 엉덩이. *bring* (*close*) *up the* ~ 맨 뒤를 맡다. 맨 뒤에 오다. ─ *a.* 뒤(후방)의; 배후(로부터)의, 뒷면의 (a ~ *window* 뒷창). [軍] 후위의. ─ *vi.* (英俗) 변소에 가다.

réar ádmiral 해군 소장.

réar guárd [軍] 후위(군).

re·arm [rì:á:rm] *vi., vt.* 재무장하다 [시키다]; 재군비하다. **re·ár·ma·ment** *n.*

réar·mòst *a.* 맨 뒤의.

re·ar·range [rì:əréindʒ] *vt.* 재정리 [재배열]하다; 배치 전환하다; 다시 정하다. **˜·ment** *n.*

réar·view mírror [riərvjùː-] (자동차의) 백미러.

rear·ward [riərwərd] *ad., a.* 뒤로

(의), 후부의[에]. **˜·s** *ad.* 뒤로.

rea·son [rí:zən] *n.* ① ⓒ 이유, 동기. ② 사리, 이성, 제정신, 분별. *as* ~ *was* 이성에 따라서. *be restored to* ~ 제정신으로 돌아오다. *bring to* ~ 사리를 깨닫게 하다. *by* ~ *of* …때문에, …의 이유로, *hear* (*listen to*) ~ 도리에 따르다. *in* ~ 사리에 맞는, *lose one's* ~ 미치다. *practical* (*pure*) ~ 실천(순수) 이성. *stand to* ~ 사리에 맞다. *with* ~ (충분한) 이유가 있어서. ─ *vt.* 논하다, 추론하다 (*about, of, upon*); 설복하다. ─ *a person into* (*out of*) 사리로 타일러 …시키다(그만두게 하다). **˜·ing** 추론, 추리; 논증.

rea·son·a·ble [-əbl] *a.* ① 합리적인, 분별 있는. ② 무리 없는, 온당한; (값이) 알맞은. **˜·ness** *n.* **˜·bly** *ad.* 합리적으로, 온당하게; 꽤, 상당히.

re·as·sem·ble [rì:əsémbl] *vt., vi.* 다시 모으다(모이다). [(주장)하다.

re·as·sert [rì:əsə́:rt] *vt.* 거듭 단언하다; (…을) 다시 주장하다(주장).

re·as·sess [rì:əsés] *vt.* 재평가하다; (…을) 다시 평가하다(…에) 재과세하다. **˜·ment** *n.*

re·as·sure [rì:əʃúər] *vt.* 안심시키다; 재보증[재보험]하다. **˜·sur·ing** *a.* 안심시키는; 믿음직한. **˜·sur·ance** *n.* ⓒ

re·bate [rí:beit, ribéit] *n.* ⓒ 할인(하다); 일부 환불(하다).

reb·el [rébəl] *n.* 반역자. ─ [ribél] *vi.* (*-ll-*) 모반(반역)하다 (*against*); 싫어하다(*at*); 반발하다 (*against*).

re·bel·lion [ribéljən] *n.* ⓤⓒ 모반. 반란. **˜·lious** [-ljəs] *a.* 모반의; 반항적인; 다루기 어려운.

re·birth [rì:bə́:rθ] *n.* (*sing.*) 다시 태어남, 갱생, 재생, 부활.

re·born [rì:bɔ́:rn] *a.* 재생한, 갱생한.

re·bound [ribáund] *vi., n.* 되튀다. ⓒ 되튐(이); (감정 따위의) 반발, 반동 (reaction). ─ [籠] 리바운드; 잡다. 리바운드.

re·buff [ribʌ́f] *n., vt.* ⓒ 거절 (하다). 박정, 박차다; 좌절 (시키다).

re·build [rì:bíld] *vt.* (*-built* [-bílt]) 재건하다, 다시 세우다.

:re·buke [ribjúːk] *n., vt.* ⓊⒸ 비난 (하다), 징계(하다).

re·but [ribʌ́t] *vt.* (**-tt-**) 반박(반증) 하다(disprove). ~·tal *n.*

re·cal·ci·trant [rikǽlsətrənt] *a., n.* 반항적인 (사람), 복종하지 않 는, 다루기 힘든, 어기대는 (사람). **-trance, -tran·cy** *n.*

re·call [rikɔ́ːl] *vt.* ① 다시 불러 들이 다; (외교관 따위) 소환하다. ② 취소 하다; (일반 투표로) 해임하다. ③ 생 각나(게 하)다, 상기시키다. —— *n.* ① 다시 불러들임, 소환; 취소; (결함 상 품의) 회수; 해임; 상기; (입력된 정보의) 되부르기, **beyond** 〈**past**〉 ~ 돌이킬 수 없는. ~·a·ble *a.* ~·ment *n.*

re·cant [rikǽnt] *vt.* 취소하다, 철회 하다. —— *vi.* 자설(自說)이나 주장한 것의 철회를 공표하다. **re·can·ta·tion** [riːkæntéiʃən] *n.*

re·cap [riːkǽp] *vt.* (**-pp-**) (타이어 표면을 가류(加硫) 처리하고 고무조각 을 대서) 재생시키다(cf. retread). —— [ㅡㅡ] *n.* ⓊⒸ (고무 댄) 재생 타이 어.

re·ca·pit·u·late [riːkəpítʃəleit] *vt.* 요점을 되풀이하다; 요약하다. **-la·tion** [ㅡㅡㅡㅡléi-] *n.* ⓊⒸ 요약; 【生】 발생 반복(개체의 발달 단계의 개체 에서의 요약적 되풀이); 【樂】 (소나타 형식의) 재현부.

re·cap·ture [riːkǽptʃər] *n., vt.* Ⓤ 탈환(하다).

re·cast [riːkǽst, -kàːst] *n.* Ⓒ 개 주(改鑄); 개작; 배역(캐스트) 변경; 재계산. —— [ㅡㅡ] *vt.* (recast) 재 주(改鑄)하다; 개작하다; 배역을 바꾸 다.

rec·ce [réki] *n.* ⓊⒸ《軍 □》 정찰 (reconnaissance).

recd. received.

re·ceipt [risíːt] *n.* ① Ⓤ 수령, 수 취, 수납 ② Ⓒ 영수증; (*pl.*) 영수액 ③ Ⓒ《古》 처방, 제법(recipe), **be in** ~ **of** 〈商〉 ~을 받고 있다. —— *vt.* 영수 필(畢)이라고 쓰다; 영수증을 떼다.

re·ceive [risíːv] *vt.* ① 받다, 수취

하다; 수령하다. ② (공격·질문 따위 를) 받아 넘기다, 수신(受信)하다. 수 용하다; 맞이하다; 대접〔접대〕하다 (entertain). ③ 이해〔용인〕하다. ~ 【컴】 수신하다. ~d[-d] *a.* 일반적으 로 인정된, 용인된. **re·céiv·er** *n.* Ⓒ 수취인; 받는 그릇; 수신〔수화〕기; 【컴】 수신기. **re·céiv·ing** *a.* 수신 (용)의.

re·cent [ríːsənt] *a.* 최근의(late) 새로운; :~·ly *ad.* 요사이, 최근 (lately). ~·ness, ré·cen·cy *n.* Ⓤ (시간적인) 새로움.

re·cep·ta·cle [riséptəkəl] *n.* Ⓒ 용기(容器); 저장소.

re·cep·tion [risépʃən] *n.* ① Ⓤ 받 아들임, 수령, 수리(受理); 수용. ② Ⓒ 응접, 접대, 환영(의 모임). ③ Ⓤ 입회 (허가). ④ Ⓤ 평판; 시인; 수 신(상태). ~·ist [-ʃənist] *n.* 응접 계원, 접수계원.

recéption ròom 응접실; 접견실.

re·cep·tive [riséptiv] *a.* 잘 받아들 이는(of), 민감한. **-tiv·i·ty** [ㅡtív ət̬i, riːsep-] *n.*

re·cess [ríːses, risés] *n.* ⓊⒸ 휴식; 쉬는 시간; (대학 따위의) 휴 가; (의회의) 휴회. ② (보통 *pl.*) 깊 숙한(후미진) 곳; (마음) 속; 은거처, 구석; 벽에 움푹 들어간 선반(niche); 방안의 후미져서 구석진 곳(alcove). —— *vt.* (벽에) 움푹 들어간 선반을 만 들다, 구석에 두다; 감추다; 뒤로 물 리다. —— *vi.* 휴업하다, 쉬다.

re·ces·sion [riséʃən] *n.* ① Ⓤ 토 거, 퇴장(receding). ② Ⓒ (경기 등 의) 후퇴(기). ③ Ⓒ (벽 등의) 움푹 들어간 선반(recess). ~·al [-ʃənəl] *a., n.* ① 퇴장할 때 부르는 (찬송가) ② 휴회의 (휴정)의.

re·ces·sive [risésiv] *a.* 퇴행의, 역 행의; 【遺傳】 열성의(劣性의).

re·cher·ché [rəʃɛərʃéi] *a.* (F.) 정 선된(choice), 꼼꼼한, 정성들인.

re·cid·i·vism [risídəvìzəm] *n.* Ⓤ 상습적 범행, 반복 범죄 성향. **-vist** *n.* Ⓒ 상습범.

re·ci·pe [résəpi] *n.* Ⓒ 처방; 조리 법; 비결(for).

re·cip·i·ent [risípiənt] *n.* Ⓒ 받는 사람, 받아들이는 (사람), 수취인.

re·cip·ro·cal [risíprəkəl] *a.* 상호의, 호혜적(互惠的)인; 역(逆)의*(a* ~ *ratio* 역비). ─ *n.* ① 상대되는 것; 【數】 역수(1/3과 5 따위). **~·ly** [-kəli] *ad.*

re·cip·ro·cate [-rèkèit] *vt., vi.* 교환하다; 보답하다, 답례하다*(with);* 【機】왕복 운동시키다(하다). **-ca----**[───kéiʃən] *n.*

rec·i·proc·i·ty [rèsəprásəti/-5-] *n.* ① 교호 작용; 호혜주의.

re·cit·al [risáitl] *n.* ① 암송; 상술(詳述); 이야기. ② 독주(독창)(회).

rec·i·ta·tion [rèsətéiʃən] *n.* ①[U.C] 자세한 이야기; 암송, 낭독; ② 암송문. ③ 《美》(예습 과목의) 암송; 그 수업.

rec·i·ta·tive [rèsətətí:v] *n.* C (가극의) 서창(敍唱)부·(조)(노래와 대사의 중간의 창법(唱法)).

re·cite [risáit] *vt., vi.* ① 암송(음송)하다. ② (자세히) 이야기하다, 말하다(narrate).

reck·less [-lis] *a.* 무모한; 개의치 않는*(of).* **~·ly** *ad.* **~·ness** *n.*

reck·on [rékən] *vt.* ① 세다, 계산하다. ② 평가하다; 단정하다*(that);* 생각하다, 간주하다(regard)(as, for, to be). ③ 돌리다*(to).* ─ *vi.* 세다, 계산하다; 《美》 생각하다; 기대하다*(on, upon).* ; 고려에 넣다, (…와) 셈*(청산)*하다*(with).* **~·er** *n.* **~·ing** [U.C] 계산(이), 셈; 청산. **~·ing** *n.* 청산일; 최후의 심판일. **out in one's ~·ing** 기대하가 어긋나서.

re·claim [rikléim] *vt.* ① (…의) 반환을 요구하다; 되찾다. ② 교화(교정)하다; 《古》(매사냥의 매를) 길들이다. ③ 개척하다; 매립(埋立)하다. ─ *n.* 교화, 개심(의 가능성). *past* ─ 회복(교화)의 가망이 없는. **rec·la·ma·tion** [rèkləméiʃən] *n.* [U.C] 개간, 매립; 개선, 교정.

re·cline [rikláin] *vi., vt.* 기대다(게 하다)*(on);* (vi.) 의지하다(rely)*(upon).*

re·cluse [riklú:s, réklus; *a.* riklú:s] *a., n.* 속세를 버린; C 속세를 떠난 사람.

rec·og·ni·tion [rèkəgníʃən] *n.* [U.C] ① 인식, 승인. ② 표창. ③ 아는 사이; 인사(greeting). *in* ~ *of* …을 인정하여; …의 보수(답례)로서.

rec·og·nize [rékəgnàiz] *vt.* ① 인정하다. ② 승인하다. ③ (사람을) 알아보다; (아무개로) 알아보고 인사하다. ④ 《美》(의회에서) 발언을 허가하다. **~·niz·a·ble** *a.*

re·coil [rikɔ́il] *n., vi.* ① 튀어(튀기어) 되돌아옴(오다), 반동(하다). ② (공포·혐오 따위로) 뒷걸음질(치다)*(from);* 움츠리다; 회고하다*(from, at, before).*

rec·ol·lect [rèkəlékt] *vt.* 회상하다. **-léc·tion** *n.* [U.C] 회상; 기억.

rec·om·mend [rèkəménd] *vt.* 추천하다. ② 권고(충고)하다*(to do; that).* ③ 좋은 느낌을 갖게 하다 *(Her elegance* ~s *her.* 그녀는 품위가 있어서 호감을 준다). **~·a·ble** *a.* 추천할 수 있는; 훌륭한.

rec·om·men·da·tion [rèkəmendéiʃən] *n.* ① 추천; 추천장; 칭찬. ② 권고(충고), 반동(하다). ③ 장점. **-men·da·to·ry** [-méndətɔ̀:ri/-təri] *a.* 추천의; 장점이 되는; 권고하는.

rec·om·pense [rékəmpèns] *n., v.* 갚다; C 보답(하다); 보상(하다).

re·con·cile [rékənsàil] *vt.* ① 화해시키다*(to, with).* ② 단념시키다. ③ 조화(일치)시키다*(to, with).* ~ *oneself to* …에 만족하다, 단념하고 따르다. **~·ment,** **~·cil·i·a·tion** [-sìliéiʃən] *n.* [U.C] 조정; 화해; 조화, 일치. **~·cil·i·a·to·ry** [-síliətɔ̀:ri/-təri] *a.*

rec·on·dite [rékəndàit, rikándit/rikɔ́n-] *a.* 심원한; 난해한; 숨겨진.

re·con·nais·sance [rikánəsəns/-5-] *n.* 정찰(대).

re·con·noi·ter, **《英》-tre** [rèkənɔ́itər, rì:-] *vt.* (적정(敵情)을) 정찰하다. ─ *vi.* (토지를) 조사(답사)하다.

re·con·sid·er [rì:kənsídər] *vt., vi.* 재고하다. **~·a·tion** [-sìdəréiʃən] *n.*

re·con·struct [rì:kənstrʌ́kt] *vt.* 재건(개조)하다. **:-strúc·tion** *n.* **-tive** *a.*

re·cord [rikɔ́:rd] *vt.* 기록하다. ─ [rékərd/-kɔ:rd] *n.* C ① 기록; (경기의) (최고) 기록; ② 음반, 레코드(disc). ③ 이력; (학교의) 성적; 전과(前科).

record-breaking 〖컴〗 레코드(file의 구성 요소가 되는 정보의 단위)의. **on** 〔**off**〕 **the** ～ 공식(비공식)으로. **:～er**〔-ər〕 *n.* ⓒ 기록원(기구); 녹음기.

récord-brèaking *a.* 기록 돌파의, 공전의.

récord brèaker 기록 경신자.

récord hòlder (최고) 기록 보유자.

re·cord·ing[-iŋ] *a.* 기록〔녹음〕하는, 기록용의, 기록계원의. — *n.* Ⓤ,ⓒ 기록; 녹음; ⓒ 녹음 테이프, 음반.

récord plàyer 레코드 플레이어.

re·count[rikáunt] *vt.* (자세히) 이야기하다.

re·count[ríːkáunt] *n.* ⓒ 재(再)계산. — 〔-ʹ〕 *vt.* 다시 계산하다.

re·coup[rikúːp] *vt.* 벌충하다, 보상하다; 메우다. ～ **oneself** 손실(등)을 회복하다.

re·course[ríːkɔːrs, rikɔ́ːrs] *n.* ① Ⓤ,ⓒ 의지(가 되는 것). ② Ⓤ 〖法〗 상환 청구. **have ～ to** …에 의지하다, …을 사용하다.

:re·cov·er[rikʌ́vər] *vt.* ① 되찾다, 회복하다. ② 회복시키다. ③ 보상하다, 벌충하다. ④〔~몸〕복구시키다(정상태에서 정상 상태로 되돌리다. — *vi.* 회복〔완쾌〕하다; 소생하다; 소송에 이기다; 〖컴〗복구하다. ～ **oneself** 소생하다; 제정신〔침착〕을 되찾다. **:～y**[-vəri] *n.* Ⓤ,ⓒ 회복, 쾌유; 되찾음, 회수; 소생; 〖컴〗복구.

re-cov·er[riːkʌ́vər] *vt.* …덮개(표지)를 갈아붙이다.

re·cre·ate[riːkriéit] *vt.* 재창조하다; 개조하다.

†rec·re·a·tion[rèkriéiʃən] *n.* Ⓤ,ⓒ 휴양, 기분 전환, 오락.

rec·re·a·tion·al[rèkriéiʃənəl] *a.* 오락적인, 기분 전환이 되는; 휴양의.

recreation gròund (英) 운동장, 유원지.

recreation hàll 오락실.

re·crim·i·nate[rikrímənèit] *vi.* 되받아 비난하다, 응수하다. **-na·tion**[-∸néiʃən] *n.*

re·cru·des·cence[rìːkruːdésns] *n.* Ⓤ,ⓒ 재발(再發).

†re·cruit[rikrúːt] *vt.* ① (신병·신회

원을) 모집하다; (…에) 신병(등)을 넣다; 보충하다. ② (수를) 유지하거나 증가하다; 원기를 북돋우다. — *v* 신병을 모집하다; 보충하다; 보양하다, 원기가 회복되다. — *n.* ⓒ 신병, 신입 사원, 신회원; 신참자.

rec·tal[réktl] *a.* 〖解〗직장의.

rec·tan·gle[réktæŋgl] *n.* ⓒ 직사각형, **`-gu·lar**[-∸gjələr] *a.* 직사각형의.

rec·ti·fy[réktəfài] *vt.* 고치다, 바로잡다(correct); 수정하다; 〖電〗정류(整流)하다. **～ing tube** 〔**valve**〕정류관. **-fi·er** *n.* **-fi·ca·tion**[-∸ fi kéiʃən] *n.* Ⓤ 시정; 수정; 정류.

rec·ti·lin·e·ar *a.* 직선의〔을 이루는〕 직선으로 움직이는.

rec·ti·tude[réktətjùːd] *n.* Ⓤ 정직, 성실(integrity).

rec·to[réktou] *n.* (*pl.* ～**s**) ⓒ (책의) 오른쪽 페이지, (종이의) 표면(opp. *verso*).

rec·tor[réktər] *n.* ⓒ ① 〖英國敎〗 교구 사제(敎區敎會) ② 장로 목사; 〖가톨릭〗(수도)원장. ② 교장, 학장 총장. **～ship**[-ʃìp] *n.* **rec·to·ry** [réktəri] *n.* ⓒ rector의 저택(주임) **rec·to·ri·al**[rektɔ́ːriəl] *a.*

rec·tum[réktəm] *n.* (*pl.* **-ta**[-tə]) ⓒ 직장(直腸).

re·cum·bent[rikʌ́mbənt] *a.* 가로누운, 가댄; 경사진; 활발하지 못한, **-ben·cy** *n.*

re·cu·per·ate[rikjúːpərèit] *vt* *vi.* (건강원기 따위를) 회복시키다(다). **-a·tion**[-∸ʹéiʃən] *n.* **-a·tiv** [-rètiv, -rə-] *a.*

†re·cur[rikʌ́ːr] *vi.* (*-rr-*) (이야기가 되돌아가다(*to*); 회상하다; (생각다시 떠오르다; 재발하다; 되풀이한다.

re·cur·rent[rikə́ːrənt, -ʌ́-] *a.* 회귀(再歸·순환)하는, **-rence** *n.*

recúrring décimal 〖數〗순환소

re·cy·cle[riːsáikəl] *vt.*, *vi.* (불용물을) 재생하다, 원상으로 하다, **-clin** *n.* Ⓤ 재생 이용.

†red[red] *a.* (*-dd-*) ① 빨간; 작열하는, ② 피에 물든, 잔인한(a ～ **ven** *geance*). ③ (정치적) 적색의, 혁

R

적인, 공산주의의, 과격한(radical);
(R-) 러시아의. — *turn* ~ 붉어지다;
적화하다. — *n.* ① *U C* 빨강 (물
감); *U* 붉은 옷, ② (종종 R-) 공
산당원, ③ (the ~) 적자(opp.
black). *in the* ~ 적자를 내어(in
debt). *see* ~ 격노하다. *the
Reds* 적군(赤軍).

réd alért (공습의) 적색 경보; 긴
급 비상 사태.

réd·bréast *n.* *C* 울새(robin); (미
국산) 도요새의 일종.

réd-brick *a.* (英) (대학의) 역사가
짧은, 신설 대학의.

réd cárpet 정중[성대]한 대우, 환
대; (고관을 맞는) 붉은 융단.

réd cént (美) 1센트 동전; 피천;
보잘것 없는 액수(양).

réd córpuscle 적혈구(red blood
cell).

Réd Cróss 적십자. 적십자사;
(r- c-) 성(聖)조지 십자장(章)(영국
국장).

Réd Cróss Society, the 적십
자사.

red·den [rédn] *vt., vi.* 붉게 하다,
붉어지다.

red·dish [rédiʃ] *a.* 불그스름한.

re·deem [ridíːm] *vt.* ① 되사다, 되
찾다, 회복하다. ② 속죄하다; 구조
하다(rescue) ③ (약속을) 이행하다
(fulfill). ④ 보상하다; (결점을) 보
충하다. ⑤ 태환(兌換)하다; (국채 따
위를) 상환하다. ⑥ (몰값을 치르고)
구해 내다. ~**·a·ble** *a.* 되살[되받을]
수 있는; 상환[태환]할 수 있는; 속죄
할 수 있는. ~**·er** *n.* ⓒ 되찾는[속죄]
하는 사람; (저당물을) 찾는 사람; 구
조자. *the Redeemer* 예수, 구세주.

re·demp·tion [ridémpʃən] *n.* *U* ①
되사기, 되받기(redeeming). ②
(속죄를 내고) 죄악을 구제함; 생각
(償却); 구출(rescue). ③ (예수에
의한) 속죄, 구원(salvation). ④ 벌
충.

re·de·ploy [riːdiplɔ́i] *vt.* (부대 따
위를) 전진[이동]시키다; (노동력을)
재배치하다. ~**·ment** *n.*

réd flág 적기(赤旗)(위험 신호기);
혁명기); (the R- F-) 적기가(歌)
성나게 하는 물건.

réd-hánded *a.* 잔인한; 현행범의.

réd·héad *n.* ⓒ 빨간 머리의 사
람; [鳥] 흰죽지류(類)의 새.

réd hérring 훈제(燻製) 청어; 사람
의 주의를 딴 데로 돌리게 하는 것[구
두, 수단].

réd-hót *a.* ① 빨갛게 단, ② 열의에
찬; 격렬한(violent); ③ (뉴스가)
새로운, 최신의.

Réd Índian 아메리카 토인, 인디
언.

re·di·rect [riːdirékt, -dai-] *vt.* 방
향을 고치다; 수신인 주소를 고쳐 쓰
다. — *a.* [法] 재(再)직접의. ~
examination 재직접 심문.

réd-létter *a.* 붉은 글자의, 기념할
만한(*a* ~ *day* 경축일).

réd líght (교통의) 붉은 신호; 위험
신호. *see the* ~ 위험을 느끼다,
겁내다.

réd-líght dístrict 홍등가.

réd méat 붉은 고기[쇠·양고기 등].

re·do·lent [rédələnt] *a.* 향기로운;
(…의) 향기가 나는; (…을) 생각나게
하는(suggestive)(*of*); (…을) 암시
하는, -**lence** *n.* ~**·ly** *ad.*

re·dou·ble [ridʌ́bəl] *vt., vi.* 강화하
다[되다]; 배가하다; (古)되풀이하다
(repeat); [브리지] (상대가 배액을
건 때) 다시 그 배액을 걸다.

re·doubt [ridáut] *n.* ⓒ [築城] (요
충지의) 각면 보루(角面堡壘); 요새.

re·doubt·a·ble [-əbəl] *a.* 무서운;
존경할 만한. -**bly** *ad.*

re·dound [ridáund] *vi.* (…)에 기여
하다(contribute)(*to*); (결과로서)
(…에) 되돌아오다(*upon*).

réd pépper 고추(가루)(cayenne
pepper).

re·dress [ridrés] *vt., n.* *U C* (부정
따위를) 바로잡다[바로잡음]; 개선[구
제]를 주다(하다). ~**·a·ble** *a.*
~**·er, re·drés·sor** *n.*

réd·skin *n.* = RED INDIAN.

réd tápe [tápism] (공문서 매는)
붉은 끈; 관공서식, 형식[관료]주의,
번문욕례(煩文縟禮).

re·duce [ridjúːs] *vt.* ① 줄이다, 축
소하다, ② (어떤 상태로) 떨어뜨리
다, ③ 말라빠지게 하다, ④ 진압하
다, 항복시키다, ⑤ 변형시키다, 간단
히 하다; 분류[분해]하다, ⑥ 격하시

키다(degrade); 영락[약화]시키다(제
(페인트 등을) 묽게 하다(dilute); 퇴
화시키다. ⑦ 【化】 환원하다; 【數】 환
산하다, 약분하다; 【治】 제련하다;
【外】 (탈구 따위를) 정복(整復)하다.
— vi. 줄다; (식이요법으로) 체중을
줄이다. —d[-t] a. 감소[축소]한,
할인한; 영락한; 환원한. re·dúc·er
n. re·dúc·i·ble a.

:re·duc·tion[ridʌ́kʃən] n. ① U 변
형, ② U.C 감소(액), 축소, ③ U
저하, 쇠미. ④ U 정복, 정끌(整骨).
⑤ U 【化】 환원. ⑥ 【治】 환산, 약
분. ⑦ U.C 【論】 환원법. ~ to
absurdity[論] 귀류법.

re·dun·dant[ridʌ́ndənt] a. 쓸데없
는, 군; 장황한; 번거로운. ~·ly ad.
-dance, -dan·cy n. U.C 과잉, 여
분. 【컴】 중복(redundancy check 중
복 검사).

réd wine 붉은 포도주.

réd·wòod[-wùd] n. C 미국 삼나무; U 붉
은색의 목재.

re·ech·o[ri:ékou] n. (pl. ~es)
vt., vi. C 다시 반향(하다).

reed[ri:d] n. C ① 갈대. ② (피리
의) 허. ③【詩】 갈대 피리; 전원시;
화살. a broken ~ 믿지 못할 사
람. ~·y a. 갈대 같은(가 많은); 갈
대 피리 비슷한 소리의; (목소리가)
새된.

re·ed·u·cate[ri:édʒukèit] vt. 재
교육하다, 세뇌하다.

:reef[ri:f] n. C 암초(strike a ~
좌초하다); 광맥.

reef² n., vt. C 【海】 (돛의) 축범부
(縮帆部); 축범하다, 짧게 하다. ~·er
n. ⓒ 돛 줄이는 사람; (선원 등의)
두꺼운 상의; 《美俗》 마약이 든 궐
련; 《美俗》 냉동차, 냉동선(船).

réef knòt 옭매듭(square knot).

reek[ri:k] n., vi. C 김(을 내다)
U.C 악취(를 풍기다); (…의) 냄새가
나다(~ of blood 피비린내 나다).
~·y a.

:reel[ri:l] n. C ① (전선·필름 따위
를 감는) 얼레, 릴; 실패. ② 【映】 1
권(약 1000 ft.)(a six ~ film, 6
권 짜리). ③ (낚싯대의) 줄 감개, 릴.
④ 【컴】 릴(자기 테이프 또는 종이 테이
프를 감는 틀; 또 그 테이프). (right

off the ~ (실 따위가) 술술 풀려;
막힘 없이[이야기를]; 주저없이, 즉
시. — vt. 얼레에 감다, (실을) 것
다. — vi. (귀뚜라미 따위가) 귀뚤귀
뚤울다.

reel² vi. 비틀거리다; (대오·전열이)
흐트러지다; 현기증나다.

reel³ n. (Scotland의) 릴(춤).

*re·e·lect[ri:ilékt] vt. 재선하다.
*-léc·tion n.

re·en·ter[ri:éntər] vi., vt. 다시 들
어가다[넣다]; (우주선이) 재돌입하다.
~·a·ble a. 【컴】 재입(再入) 가능한.
-try n.

reeve n. C 《英史》 (고을의) 수령,
(지방의) 장관; (장원(莊園)의) 감독.

re·ex·am·ine[ri:egzǽmin] vt. 재
시험[재심리]하다. -i·na·tion[~ ~
ənéiʃən] n.

ref. referee; reference.

re·fec·to·ry[riféktəri] n. C (수도
원·학교 등의) 식당.

:re·fer[rifɔ́:r] vt. (-rr-) ① 문의(조
회)하다; 참조시키다(~ a person to
a book). ② (…에) 돌리다, (…에)
속하는 것으로 하다(attribute)
(to). — vi. ① 인증(引證)하다, 참
조[참고]하다(to). ② 관계하다, 대상
으로 삼다(to). ③ 언급하다, 암암리
에 가리키다(to). ~ oneself to …
에게 의뢰하다, …에게 맡기다. ~·a·
ble[réfərəbl, rifɔ́:r-] a.

ref·er·ee[rèfərí:] n., vt. C 중재인;
심판원, 중재[심판]하다.

ref·er·ence[réfərəns] n. ① U 참
조; 참고; C 참조문; 참고 자료. ②
U 참조 부호(* † § 따위). ~
mark); 인용문; 표제. ③ U 언급;
관계; 【文】 (대명사가) 가리킴, 관계;
웅. ④ U 문의; 조회; C 조회처,
신원 보증인. ⑤ U 위탁, 부탁. ⑥
C 【컴】 참조(a manual 참조 설
명서). cross ~ (같은 책 중의) 전
후 참조. frame of ~ (일관된) 몇
개의 사실을 체계적인 원리, in(with)
~ to …에 관하여. make ~ to …
에 언급하다. without ~ to …에
관계 없이, …에 불구하고.

reference book 참고 도서《사전·
연감 등》.

reference library 참고 도서관《C

좋은 않음)

ref·er·en·dum[rèfəréndəm] *n.* (*pl.* ~**s**, **-da**[-də]) ⓒ 국민 투표.

re·fill[riːfíl] *vt.* ① 다시 채우다[채워 넣기]. ② [—ː] ⓒ 다시 채워 넣기 [넣은 것].

re·fine[rifáin] *vt.* ① 정제[정련]하다. 순화(純化)하다. ② 세련되게 하다. 고상(우아)하게 하다. (문장을) 다듬다. —— *vi.* ① 순수해지다, 세련되다, 개선되다(*on*, *upon*). ② 정밀 [교묘]하게 논하다(*on*, *upon*).

re·fined[rifáind] *a.* 정제[정련]한; 세련된, 우아한.

re·fine·ment[-mənt] *n.* ① U 정제, 정련, 순화. ② 세련, 고상함, 우아. ③ 세밀한 구별(구분); 정교함. 극치(~*s of cruelty* 몹시도 잔학한 행위)

re·fin·er[rifáinər] *n.* ⓒ 정제[정련]기. *~·y* *n.* ⓒ 정련[정련]소.

re·fit[riːfít] *vt.*, *vi.* (-**tt-**) (배 따위를) 수리(개장(改裝))하다(for); 수리(개장)되다. —— [riːfít] *n.* ⓒ 수리, 개장. ~**·ment** *n.*

re·fla·tion[rifléiʃən] *n.* U 통화 재팽창, 리플레이션(cf. deflation, inflation).

re·flect[riflékt] *vt.* ① 반사(반향)하다; 비치다; 반영하다. ② (명예·불빛 따위를) 가져오다(*on*, *upon*). —— *vi.* ① 반사(반향)하다; 반성(숙고)하다. ② (…에) 불명예를 끼치다(*on*, *upon*). ③ (인물 또는 그 미점 따위를) 이러저러히 되생각하다(숙고하여) 하다; 트집을 잡다; 비방하다(blame)(*on*, *upon*). —— **on oneself** 반성하다. *·*reflec·tive *a.*

re·flec·tion, re·flex·ion[riflékʃən] *n.* (英) ① U 반사(광·열); ⓒ 반영, 영상, 반사광. ② U 반사물; 숙고(*on*·*upon* ~ 숙고한 끝에). ③ ⓒ (*pl.*) 감상(感想), 비난, 착류(*on*, *upon*), **angle of** ~ 반사각. **cast a** ~ **on** …을 비난하다. ——의 수치가(치욕이) 되다.

re·flec·tor[rifléktər] *n.* ⓒ 반사물, 반사기. ② 반사(망원)경.

re·flex[riːfleks] *a.* 반사의, 반사적인; 굽은, 꺾인, 반대 방향의. —— *n.* ⓒ 반사; 반사광; 영상; 반영. ② [生]

반사 작용. ③ 리플렉스 수신기. **conditioned** ~ 조건 반사.

re·flex·ion[riflékʃən] *n.* 《英》 = RE-FLECTION.

re·flex·ive[rifléksiv] *a.*, *n.* ⓒ [文]재귀의; 재귀 동사(대명사)(He *behaved himself* like a man.). ~**·ly** *ad.*

re·form[rifɔ́ːrm] *vt.* 개혁하다. 개정[개량]하다; 교정(矯正)하다(~ *oneself* 개심하다). —— *vi.* 좋아지다; 개심하다. —— *n.* U.ⓒ 개정, 개량; 교정, 감화. ~**·a·ble** *a.* ~**·er** *n.* 개혁가, 혁신가.

re-form[riːfɔ́ːrm] *vt.*, *vi.* 고쳐[다시] 만들다. **re-for·ma·tion**[-méiʃən] *n.* 재구(편)성.

ref·or·ma·tion[rèfərméiʃən] *n.* ① U.ⓒ 개정, 개혁, 혁신. ② (the R-) 종교개혁.

re·form·a·to·ry [rifɔ́ːrmətɔ̀ːri/-təri] *a.* 개혁의; 교정의. —— *n.* ⓒ (美) 감화원, 소년원.

re·fract[rifrǽkt] *vt.* [理] 굴절시키다. **re·frác·tive** *a.* 굴절의, 굴절하는. **re·frác·tion** *n.* ⓒ 굴절 (작용) (*the index of refraction* 굴절률). **re·frác·tor** *n.* ⓒ 굴절 매체(렌즈, 망원경).

re·frac·to·ry[rifrǽktəri] *a.* 다루기 힘든, 고집이 센; (병이) 난치의; 용해(가공)하기 어려운.

re·frain¹[rifréin] *vi.* 그만두다, 자제하다(*from*).

re·frain²[rifréin] *n.* ⓒ (노래의) 후렴 (구); 상투 문구(常套文句).

re·fresh[rifréʃ] *vt.*, *vi.* ① 청신하게 하다(되다), 새롭게 하다(되다)(re-new). ② (심신을) 상쾌하게(시키다). ③ (컴) (화상이나 기억 장치의 내용을) 재생하다(~ *memory* 재생 기억 장치). —— *oneself* 음식을 들다. **·er** *n.*, *a.* 원기를 북돋우는 것; 청량음료; 보수(복습)의. *~* **·ing** *a.* 상쾌하게 하는.

refresher còurse 재교육 과정, 보습과.

re·fresh·ment[-mənt] *n.* ① U 원기 회복, 유쾌. ② ⓒ 원기를 북돋우는 것, 기분전환. ③ (흔히 *pl.*) (간단한) 음식물, 다과.

re·frig·er·ate[rifrídʒərèit] *vt.* 차

re·fuel [riːfjúəl] *vt., vi.* (…에) 연료를 보급하다.

ref·uge [réfjuːdʒ] *n.* ⓤ 피난; 은신, 도피; ⓒ 피난처; 은신(도피)처, ⓒ 의지가 되는 물건(사람); ⓒ 핑계, 구실; ⓒ (가로의) 안전 지대 (safety island).

ref·u·gee [rèfjudʒíː, <—'—] *n.* ⓒ 피난자, 망명자, 난민.

re·ful·gent [rifʌ́ldʒənt] *a.* 찬란하게 빛나는(radiant). **-gence** *n.* 광채.

re·fund[1] [riːfʌ́nd] *vt., vi.* 환불[상환]하다. — [—'—] *n.* ⓒ 환불, 상환. **~·ment** *n.*

re·fund[2] [riːfʌ́nd] *vt.* (채무·공채 등을) 차환하다 (借換)하다.

re·fur·bish [riːfə́ːrbiʃ] *vt.* 다시 닦다(polish).

re·fus·al [rifjúːzəl] *n.* ⓤ[ⓒ] 거절, 사퇴; ⓤ (the ~) 우선 선택권, 선매권 (先買權).

re·fuse[1] [rifjúːz] *vt., vi.* ① (부탁을) 거구·명령·청혼 등을) 거절[사퇴]하다. ② (말이) 안 뛰어넘으려고 하다. **re·fús·er** *n.*

ref·use[2] [réfjuːs, -z] *n., a.* ⓤ 폐물 (의), 쓰레기 (의) (물건).

re·fute [rifjúːt] *vt.* (설·의견 따위를) 논박(반박)하다. **re·fu·ta·ble** [-əbəl, réfjə-] *a.* **ref·u·ta·tion** [rèfjutéiʃən] *n.*

re·gain [rigéin] *vt.* ① 되찾다, 회복하다. ② (…을) 되돌아가다.

re·gal [ríːgəl] *a.* 국왕의; 국왕다운; 당당한.

re·gale [rigéil] *vt.* 대접하다; 즐겁게 하다 (entertain) (with). — *vi.* 성찬을 먹다 (on); 크게 기뻐하다. **oneself** 먹다, 마시다.

re·ga·li·a [rigéiliə, -ljə] *n. pl.* 왕위를 나타내는 보기(寶器) 《왕관·홀 (sceptre) 따위》; 《집합적》 (회의장 등을 표시하는) 기장(emblems).

re·gard [rigáːrd] *vt.* ① 주시하다. ② (…을) 간주하다 (as) 관계하다. — *vi.* 유의하다.

as ~ …에 관하여는. — *n.* ① ⓤ 주의, 관심(to). ② 배려, 걱정(care) (for). ③ ⓤ 존경, 호의. ③ ⓤ 관계, 관련; ⓤ 점(in this ~에 이 점에 관하여). ④ (pl.) (안부 전래·축사)로는 안부(Give my kindest ~s to your family. 여러분에게 안부 전해 주십시오). **in** (**with**) ~ **to** …에 관하여. **without** ~ **to** …에 관계(상관) 없이. **~·a·ble** *a.* **~·er** *n.* **~·ful** *a.* 存意하는; (…을) 존중하는 (of). **:~·ing** *prep.* …에 관하여. 에 관한 점에서는. **~·less** *a., ad.* 부주의한; (…에) 관계[상관]없는 (없이); 《口》 (비용에) 개의치 않고; 그럼에도 어쨌든.

re·gat·ta [rigǽtə] *n.* ⓒ 레가타 (회) 《보트 경조(競漕)(회)》.

re·gen·cy [ríːdʒənsi] *n.* ⓤ 섭정정치(시대); 섭정의 지위; ⓒ 섭정정부.

re·gen·er·ate [ridʒénərèit] *vt., vi.* 갱생(시킨)·개심시키다(하다). — [-rit] *a.* 개심[갱생]한; 쇄신된. **-a·cy** *n.* **-a·tive** *a.* **-a·tion** [-—'—-éiʃən] *n.*

re·gent [ríːdʒənt] *n., a.* (the) 섭정(의). **Prince (Queen) R-** 섭정의 왕자(여왕).

reg·i·cide [rédʒəsàid] *n.* ⓤ 국왕 시해(弑害), 대역; ⓒ 국왕 시해자, 대역 죄인.

re·gime, ré·gime [reiʒíːm] *n.* ⓒ 정체, 정권; 정부; (사회) 제도; 《一般》.

reg·i·men [rédʒəmən, -mèn] *n.* ⓒ 《醫》섭생(법), 식이 요법, 양생; 《文》 지배; (Jespersen의 문법에서, 전치사의) 목적어.

reg·i·ment [rédʒəmənt] *n.* ⓒ 연대; (보통 pl.) 많은 무리. — [-mènt] *vt.* 연대[단체]로 편성하다, 조직화하다, 통제하다.

reg·i·men·tal [rèdʒəméntl] *a., n.* 연대의 (the ~ colors 연대기); 《pl.》 군복.

re·gion [ríːdʒən] *n.* ⓒ ① (pl.) 지방, 지구; ② (신체의) 부위. ③ 지방, 영역, 지역. ④ 《컴》영역《기억 장치의 구역》. **in the ~ of** …의 부근에. **the airy ~s** 하늘, **the upper (lower, nether) ~s** 천국(지옥).

~·al *a.* 지방의(~ *government* 지방 자치체).

reg·is·ter [rédʒəstər] *n.* ① ⓒ 기록(부). 표기, 등록, 자동 기록기, 급전 등록기. ② 표기 ⓒ (난방의) 환기통풍통) 장치. ③ ⓤⓒ [樂] 음역(聲域), 음역. 《종급의》 음전(音栓). ④ ⓤ [印] (선·색 등의) 정합(整合). ⑤ [컴] 기록기(소규모의 기억 장치). — *vt., vi.* ① 기록[등록·등기]하다, 기명(記名)하다, 등기우편으로 하다; (계기가) 나타내다. ② (…의) 표정을 짓다(*Her face* ~ed *joy*). ③ [印] (선·난·색 따위를(가)) 바르게 맞(추)다. — *~ed* [-d] *a.* 등록된; 등기우편의.

régistered núrse 《美》 공인 간호사.

régister òffice 등기소(registry); 《美》 직업 소개소.

reg·is·trar [rédʒəstràːr, ⌐⌐⌐] *n.* ⓒ 등록[등기]계원; 등기 관리자 (대학의) 사무관학적(學籍)원.

reg·is·tra·tion [rèdʒəstréiʃən] *n.* ① ⓤ ⓒ 기입, 기록, 등기; (우편물의) 등기. ② ⓒ [집합적] 등록자수. ③ ⓒ (온도계 등의) 표시.

registrátion númber (**màrk**) (자동차의) 등록 번호, 차량 번호.

reg·is·try [rédʒəstri] *n.* ⓤ 기입, 등기, 등록; ⓒ 등기소; ⓤ 기입.

re·gress [riːgrés] *vi.* 복귀하다, 회 보(復歸)하다. — [rígres] *n.* 복귀. 귀, 퇴보, 역행. **re·gres·sion** [rigréʃən] *n.* = REGRESS. **~·sive** *a.*

re·gret [rigrét] *vt., vi.* (**-tt-**) ① 유감으로 생각하다, 애석(하게 여기다)·후회(하다); 아쉬움을 느끼다(~ *one's happy days* 즐거웠던 때를 못 내 아쉬워하다); (*pl.*) (초대·안내 따위의) 사절장(*Please accept my* ~s.) **express** ~ **to my** ~ 유감 스럽게도, 아쉽게도 내게 ~ 후 회하고 있는. **~·ful** *a.* 유감스러운, 애석한; 아쉬운. **~·ful·ly** *ad.*

re·gret·ta·ble [rigrétəbəl] *a.* 유감 스러운, 애석한; 섭섭한; 가엾은. 분한.

reg·u·lar [régjələr] *a.* ① 규칙적인; 정례(의, 관례)의. ② 정연한, 계통이 선. ③ 정식의, 정규의, 상비의(the ~ *soldier* 정규병). ④ 일상의, 통례의

⑤ 면허증이 있는, 본직의. ⑥ 《美政》 공인된. ⑦ [文] 규칙 변화의. ⑧ 본 격적인; 《口》 완전한, 틀림 없는(a ~ *rascal* 철저한 악당). ⑨ 정해 쯤 는(*his* ~ *joke* 늘 하는 농담). ⑩ 《美》 충실한 (~ a *Democrat*). **keep** ~ **hours** 규칙적인 생활을 하다. ~ **fellow** 호한(好漢). — *n.* ⓒ정병(cf. vol-unteer); 상용 고용인; 《美》 충실한 당원. **~·ize** [-àiz] *vt.* 규칙 바르게 하다, 질서를 세우다. **~·i·za·tion** [⌐⌐rizéiʃən/-rai-] *n.* **~·ly** *ad.* 규칙 바르게; 정식으로; 《俗》 아주. **~·i·ty** [⌐⌐lǽrəti] *n.*

reg·u·late [régjəlèit] *vt.* ① 규칙바르게 하다. ② 단속(통제)·다스리다. ③ 조절하다. — **la·tor** [⌐⌐] *n.* ⓒ 조절기(장치); (시계의) 조정기; 표준 (시계). **-la·tion** [⌐⌐léi-] *n.* ① ⓒ 규칙 (의), 규정(의)·단속《한 a *regulation uni-form* 제복》; 보통의, 통례의. **traf-fic regulations** 교통 법규.

re·gur·gi·tate [rigə́ːrdʒətèit] *vi., vt.* (세차게) 역류하다; 토하다, 게우다. **-ta·tion** [⌐⌐téiʃən] *n.*

re·ha·bil·i·tate [riːhəbílətèit] *vt.* 원상태대로 하다; 복권[복직]시키다; (…의) 명예를 회복하다. **ta·tion** [⌐⌐téiʃən] *n.*

re·hash [riːhǽʃ] *vt.* 다시 저미다(굽 다); 개작하다(특히 문학적 소재를). 바꿔 말하다. — [⌐⌐] *n.* ⓒ (sing.) 재탕, 개작.

re·hear [riːhíər] *vt.* (**-heard**) 다시 듣다; [法] 재심(再審)하다.

re·hears·al [rihə́ːrsəl] *n.* ⓤ ⓒ (연극·음악의) 연습, 리허설. **dress** ~ (실제 의상을 입고 하는) 최종 연습.

re·hearse [rihə́ːrs] *vt., vi.* 복창하 다; (예행) 연습을 하다; (…을) 되풀이하다; 암송[복창]하다.

Reich [raik, raiç] *n.* (G.) (the ~) 독일 (국가), **the Third** ~ (나 치의) 제 3 제국(1933-45).

reign [rein] *n.* ① ⓤ 통치, 지배, 권세; ⓒ 왕조, 성대(聖代). — *vi.* 군림[지 배]하다(*over*); 널리 퍼지다(*Silence* ~ed. 침묵이 갈려 있었다.

re·im·burse [riːimbə́ːrs] *vt.* 변상

〔상환·환불〕하다. **~·ment** n.

*:**rein** [rein] n. ⓒ (보통 *pl.*) 고삐;
권력; 억제 (수단). *draw ~* (말을
멈추기 위해) 고삐를 당기다; 속력을
늦추다; 그만두다. *give ~ (the
~s)* (to) (말을) 마음대로 가게 하다;
자유를 주다. *hold a ~ on* …을
억제〔제어〕하다.

re·in·car·nate [rìːinkάːrneit] vt.
(영혼에게) 다시 육체를 주다, 다시
태어나게 하다, 화신(化身)시키다.
-na·tion [>—néiʃən] n. ⓒ 재생,
환생, 화신.

*:**rein·deer** [réindiər] n. ⓒ *sing. &
pl.* 순록(馴鹿).

*:**re·in·force** [rìːinfɔ́ːrs] vt. 보강〔증
강〕하다, 강화하다; 증원(增員·增强)
하다.
         「리트」

reinforced cóncrete 철근 콘크
re·in·force·ment [-mənt] n. ⓤ
보강, 강화; 증원. ⓒ (보통 *pl.*) 증원
병. **~ bar** (*iron*) 〔콘크리트용〕 철근.

re·in·state [rìːinstéit] vt. 원상태로
하다; 회복〔복위·복직·복권〕시키다.
~·ment n.

re·in·sure [rìːinʃúər] vt. 재보험하
다. **-súr·ance** n.

re·is·sue [riːíʃuː-/-íʃjuː] n., vt. ⓒ
재발행(하다); ⓤ 〔映〕신판.

re·it·er·ate [riːítərèit] vt. (행위·
요구 등을) 되풀이하다. **-a·tion** [>—
éiʃən] n.

*:**re·ject** [ridʒékt] vt. ① 물리치다,
거절하다(*refuse*). ② 토하나(*vom-
it*). ***re·jéc·tion** n.

re·jig [riːdʒíg] vt. (*-gg-*) 〔공장에〕
다시 설비를 하다.

*:**re·joice** [ridʒɔ́is] vi. 기뻐하다(*at,
in, over; to do*); 즐기다; 축하하다.
   — vt. 기쁘게 하다. **~ in** …을 향
유하다, …을 누리고 있다(*I ~ in
health.* ***re·jóic·ing** **·ly** n. (ad.)

*:**re·join¹** [riːdʒɔ́in] vi., vt. 재결합〔재
결합〕하다(시키다).

re·join² [ridʒɔ́in] vt. 대답하다. **~·
der** n. ⓒ 답변, 대구(*retort*). ② 〔法〕
고의 답변에 대한 피고의 항변.

*:**re·ju·ve·nate** [ridʒúːvənèit] vt., vi.
다시 젊어지게 하다; 원기를 회복하
다(시키다). **-na·tor** n. **-na·tion**
[>—néiʃən] n.

re·kin·dle [riːkíndl] vt., vi. 다시 점
화시키다(하다); 다시 불붙다.

re·laid [riːléid] v. re·lay의 과거
(분사).

re·lapse [rilǽps] n., vi. ⓒ (나쁜
길로) 되돌아감〔가다〕; 타락(하다);
(병이) 재발(하다).

*:**re·late** [riléit] vt. 이야기하다; 관계
〔관련〕시키다(*to, with*); 친척으로
삼다(*to*). — vi. 관계가 있다(*to,
with*). ***re·lat·ed**[-id] a. 관계 있는
(*to*).

*:**re·la·tion** [riléiʃən] n. ① ⓤⓒ 관계,
관련. ② ⓤ 친척 관계, 연고(緣故);
ⓒ 친척. ③ ⓒ 이야기(*account*);
ⓤ 진술. *in ~ to* …에 관련(하여).
*~·ship [-ʃip] n. ⓤⓒ 관계; 친척
관계.

*:**re·la·tion·al** [riléiʃənl] a. 관계가
있는; 친족의; 〔文法〕 문법 관계를 나
타내는; 상대적인(*a ~ data base*
〔컴〕 관계 자료틀〕.

*:**rel·a·tive** [rélətiv] a. ① 관계 있는,
관련되는(*to*). ② 상대〔비교〕적인; 비례
하는(*to*). ③ 〔文〕 관계를 나타내는
(*~ merits* 우열(優劣)). — n. ⓒ 친
척; 〔文〕 관계사. ***~·ly** ad. 상대
〔상관〕적으로, 비교적으로.

rel·a·tiv·ism [rélətivìzəm] n. ⓤ
〔哲〕 상대론, 상대주의. **-ist** n. ⓒ 상
대론자, 상대주의자; 상대성 원리 연
구자.

rel·a·tiv·i·ty [rèlətívəti] n. ⓤ 관
련성; 상호 의존; 〔理〕 상대성(원리).

*:**re·lax** [rilǽks] vt., vi. 늦추다〔어지다〕;
긴장을 풀(게 하)다; 편히 쉬(게 하)
다; 관대하게(하게 하)다; 약해지
다. ***re·lax·a·tion** [rìːlækséiʃən] n.
ⓤ 느즈러짐, 이완; 경감, 완화. ② 긴장
풀기; 기분 전환; ⓒ 소창거리, 오
락.

re·lay [ríːlei] n. ① ⓒ 갈아 타는
말, 역말. ② ⓒ 갈아 쓰는 재료(교
대). ③ ⓒ 교대자, 새 사람. ④ ⓒ
계주(繼走). ⑤ 〔放〕 중계. ⑥ ⓒ
〔컴〕 계전기(繼電器). — 〔—, rìléi〕
vt. 중계로 전하다; 교체시키다, 〔放〕
중계하다.

re·lay² [riːléi] vt. (*-laid*) 바꿔 놓다;
고쳐 칠하다; 〔세금을〕 다시 부과하다.

re·lease [rilíːs] *n.*, *vt.* ⓤ 해방[석방](하다)(*from*); 해제[면제](하다)(*from*); (권리를) 포기(하다), 양도(하다); (폭탄을) 투하(하다); ⓒ [법] 릴리스; [컴] 안전띠; ⓤ 공연, 공개, 판매; [映] 개봉(하다); [컴] 배포《하드웨어나 소프트웨어 신제품을 시장에 내놓음》.

rel·e·gate [réləgèit] *vt.* 좌천하다; 추방하다(banish); (사건 등을) 위탁[이관]하다(hand over). **-ga·tion** [∼-géiʃən] *n.*

re·lent [rilént] *vt.* 누그러지다, 상냥해지다; 측은하게[가엾게] 생각하다(*toward*). **∼·ing·ly** *ad.* 상냥하게, **∼·less·a.** 무자비한. **∼·less·ly** *ad.*

rel·e·vant [réləvənt] *a.* 관련된; 적절한(*to*). **-vance, -van·cy** *n.*

re·li·a·bil·i·ty [rilàiəbíləti] *n.* ⓤ 확실성; 신빙성; [컴] 믿음성, 신뢰도.

re·li·a·ble [rilàiəbəl] *a.* 신뢰할[믿을] 수 있는, 확실한. **-bly** *ad.*, **-ant** *a.*

re·li·ance [rilàiəns] *n.* ⓤ 신뢰; 의지.

rel·ic [rélik] *n.* ⓒ ① (*pl.*) 유물, 유적. ② 유습, 유풍. ③ (성인·순교자의) 유물, 유보(遺寶). ④ 기념품. (*pl.*) 《古·詩》유골.

re·lief [rilíːf] *n.* ① ⓤ 구조, 구출; (고통·걱정 따위의) 제거, 경감. ② 안심, 기분 전환; 소창, 휴식. ③ ⓤ 구제금, 보조금. ④ ⓤ 교체, 증원; ⓒ 교대자. ⑤ ⓤ (토지의) 기복, 고저. ⑥ ⓤ 돋을새김; ⓒ (부채) 세공; 릴리프. ⑦ [그림의] 윤곽의 선명, 현저, 탁월. **bring into** ∼ 두드러지게[뚜렷하게] 하다. **give a sigh of ∼** 한숨 돌리다. **high ∼** 높은 돋을새김. **in (bold) ∼** 부조되어서, 뚜렷하게.

relief màp 모형 지도[지형의 기복을 돋을새김한].

relief ròad (혼잡 완화를 위한) 우회 도로.

re·lieve [rilíːv] *vt.* ① (고통·걱정 등을) 경감하다, 덜다(ease). ② 덜어 주다(*of*, *from*); 안심시키다. ③ 교대하다(*of*, *from*); 해방[면제]하다(*of*, *from*). ④ 단조로움을 깨뜨리다, 변화를 주다. ④ 돋보이게 하다; 대조시키다.

be ∼d (*to hear*)(…를 듣고) 안심하다, **nature** (*oneself*) 대변(소변)을 본다. **∼ one's feelings** (울거나 말을 해서) 후련하게 하다. (*a person of*) (아무에게서) …을 덜(제거해) 주다; 《婉》 훔치다, 빼앗다.

re·li·gion [rilídʒən] *n.* ⓤ 종교; 신앙(심), **make (a) ∼ of (do**ing**), or make it ∼ to (do)** 반드시 …하다.

re·li·gious [rilídʒəs] *a.* ① 종교상(의), 종교적인; 종단(宗團)에 속하는. ② 신앙 깊은; 양심적인; 엄정한(strict). **with ∼ care** 세심한 주의를 기울여. **∼·ly** *ad.* **∼·ness** *n.*

re·lin·quish [rilíŋkwiʃ] *vt.* ① 포기하다; 양도하다. ② 놓아주다(let go). **∼·ment** *n.*

rel·i·quar·y [rélikwèri/-əri] *n.* 성골함(聖骨函).

rel·ish [réliʃ] *n.* ① ⓤ 풍미(flavor), 향미. ② ⓤ 식욕, 흥미, 의욕, 기호(*for*). ③ ⓤⓒ 조미료, 양념. ④ ⓤ 기미, 소량(의) *with* ∼ 맛있게; 재미있게. — *vt.* 맛보다; 좋아하다. — *vi.* 맛을 들이다. ∼ **of** [풍미가] 있다(*of*); 기미가 있다, 냄새가 나다(*of*). **∼·a·ble** *a.* **∼·er** *n.* **∼·ing·ly** *ad.*

re·live [riːlív] *vt.* (상상 속에서) 재생하다; 다시 체험하다. — *vi.* 되살아나다.

re·load [riːlóud] *vt.*, *vi.* (…에) 다시 짐을 싣다[신다]; 다시 탄약을 재다.

re·lo·cate [riːlóukeit] *vt.* ① 다시 배치하다; (주거·공장 등을) 새 장소로 옮기다. ② [컴] 다시 배치하다.

re·lo·ca·tion [rìːloukéiʃən] *n.* ⓤ 재배치; 《美》 (적(敵)) 국민의 강제 격리 수용.

re·luc·tant [rilʌ́ktənt] *a.* 마지못해 하는, 마음이 내키지 않는(unwilling); 《詩》 다루기 힘든. **∼·ly** *ad.* **-tance** *n.* ⓤ 싫어함; 본의 아님.

re·ly [rilái] *vi.* 의지하다, 기대를 걸다, 믿다(depend)(*on*, *upon*).

re·main [riméin] *vi.* ① 남다, 살아남다. ② 머무르다(at, in, with). ③ …한 채로[대로]이다. ④ 본래대로 (의연히 등이) 존속하다. **I ∼ yours faithfully.** 돈수(頓首), 경구(敬具)

《편지의 끝맺음 말》. ~ **with** (…
의) 수중에 있다. (…에) 속하다.
— **n.** (*pl.*) ① 잔존물: 유해, 유골.
② 유품, 유적: 화석.

re·main·der [riméindər] **n.**
(the ~) 나머지: [C] [數] 잉여: [컴]
나머지. ② [C] 잔류자: (팔다가 처치
난) 남은 책. — **vt.** 남은 책을 싸게
처분하다.

re·make [ri:méik] **vt.** (-**made**) 고
치(다시) 만들다, 개조하다.

re·mand [rimǽnd, -áː-] **n., vt.**
재구류(하다): 송환(하다).

re·mark [rimáːrk] **n.** ① ⓤ 주의,
주목, 관찰. ② [C] 의견, 비평. ③
[C] [컴] 설명. **make ~s** 의견을 말
하다: 비난하다. **pass a ~** 의견을
말하다. **pass without ~** 묵과하
다. — **vt.** 알아채다. (한 마디) 말하다. — **vi.** 유의하다: 비
평하다(**on, upon**).

re·mark·a·ble [-əbəl] **a.** 주목할
만한, 현저한, 비범한, 보통이 아닌.
-bly ad. 현저하게나, 눈에 띄게.

re·mar·ry [ri:mǽri] **vi., vt.** (…와)
재혼하다(시키다).

re·me·di·a·ble [rimí:diəbəl] **a.** 치
료[구제]할 수 있는.

re·me·di·al [rimí:diəl] **a.** 치료[구
제하는], 바로잡을 수 있는.

rem·e·dy [rémədi] **n.** ⓤⓒ ① 의
약; 의료(법); 구제책[교정](법)(**for**).
② 배상, 변상. — **vt.** 치료[구제·교
정]하다(시키다).

re·mem·ber [rimémbər] **vt.** ① 기
억하고 있다: 생각해 내다. ② 선물
[팁]을 주다. ③ 안부를 전하다, 전언
하다(**R- me kindly to** …에게 안부
전해 주시오). — **vi.** 생각해 내다:
기억하고 있다: 기억력이 있다.

re·mem·brance [-brəns] **n.** ①
ⓤⓒ 기억(memory); 회상: ⓤ 기억
력. ② [C] 기념물(souvenir); (*pl.*)
전언.

re·mind [rimáind] **vt.** 생각나게 하
다, 깨우치다(~ **him of; to do;
that**). *~**er n.** [C] 생각나게 하는
사람[것]; 조언; [商] 독촉장.

rem·i·nisce [rèmənís] **vt., vi.** 추억
에 잠기다[을 이야기하다].

rem·i·nis·cence [rèmənísns] **n.**

① ⓤ 회상, 추억. ② (*pl.*) 회상록,
경험담. **:-cent a.** 추억의, 회상하는
인: (…을) 생각나게 하는(**of**).

re·miss [rimís] **a.** 부주의한; 태만한
(negligent); 무기력한(languid).

re·mis·sion [rimíʃən] **n.** ⓤⓒ 용서:
사면; ⓤⓒ (일시적인) 경감.

:re·mit [rimít] **vt.** (-**tt**-) ① (돈·짐
따위를) 보내다. ② (죄·세금을) 면제
[경감]하다. ③ (노염·고통을) 누그러뜨
리다. ③ (소송을) 하급 법원에 환송
하다; 조회하다(**to**); (사건의 결정을
다른 곳에) 의뢰하다; (재조사를 위
해) 연기하다. ④ 〈古〉 다시 부축하
다. — **vi.** 송금하다; 지불하다; 경
감하다, 누그러지다. **~·tance**
[-əns] **n.** ⓤ 송금; [C] 송금액.
~·ter n. [C] 송금인.

rem·nant [rémnənt] **n.** ① ⓒ 나머
지: 자투리; 찌꺼기, 끄트러기. ② 유
물, 유풍.

re·mod·el [ri:mádl/-mɔ́dl] **vt.** (**-l-,**
-ll-) 개조[개축]하다, 모델을 고치다.

re·mon·strance [rimánstrəns/-5-]
n. ⓤⓒ 항의, 반대; 충고. **-stran·ce**
a., n. [C] 항의[반대·충고]하는 (사
람).

re·mon·strate [rimánstreit/-5-]
vi. 항의[반대]하다(**against**); 충
고하다(~ **with him on a matter**).
-stra·tion [rèmɑnstréiʃən/rìmɔn-]
n. ⓤⓒ 항의; 충고, 간언. **re·món·
stra·tive a. re·món·stra·**
tor n.

re·morse [rimɔ́rs] **n.** ⓤ (심한) 회
한, 회오, 양심의 가책. ~·**ful** a.
~·**ful·ly ad.** ~·**less·ly** a. (ad.)
무정한(무정하게도).

re·mote [rimóut] **a.** ① 먼, 아득한;
멀리 떨어진, 궁벽한, 외딴. ② (혈연
이) 먼. ③ 미미한, 근소한. ~·**ly**
ad. ~·**ness n.**

remóte contról [機] 원격 조절
[제어].

re·mount [ri:máunt] **vi., vt.** ①
(말을) 타다; 다시 오르다; 말을 갈아
타다; 말을 끼우다[대다]; 되돌아가
다, 거슬러 올라가다. — [≏] **n.** ⓒ
갈아 탈 말.

re·mov·a·ble [rimú:vəbəl] **a.** 제거
[철거]할 수 있는; 해임할 수 있는.

re·mov·al [rimú:vəl] **n.** ⓤⓒ ① 이
사, 이동. ② 제거, 살해. ③ 해임.

R

해직.

re·move [rimúːv] *vt.* ① (…을) 옮기다. ② 없애다. 치우다. 죽이다. ③ 벗(기)다. 끄르다. ④ 떠나게[물러나게] 하다; 해임(해직)하다. —*vi.* 옮기다. 이사하다. 떠나다. —*oneself* 물러가다. —*n.* ① 이전, 이동. ② 간격, 거리. ③ 단계(*It is but one ~ from beggary.* 거지꼴이나 다름이가지다). 촌수(寸數). ④ 진급. *~d* [-d] *a.* 떨어진, 먼; 관계가 먼; …촌(寸)의. **first cousin once ~d** 사촌의 자녀(손자), 양친[촌부모]의 사촌.

re·mu·ner·ate [rimjúːnərèit] *vt.* 보수를 주다, 보상[보답]하다(reward). —*a·tive* [-rèitiv] *a.* 보답이 있는, 유리한. -**a·tion** [-≥éiʃən] *n.*

re·nais·sance [rènəsάːns, -zάː-/rinéisəns] *n.* ① 부활, 재생; 부흥. ② (the R-) (14-16세기의) 문예 부흥, 르네상스.

re·nal [ríːnəl] *a.* 신장의, 콩팥의.

re·name [riːnéim] *vt.* 개명(개칭)하다. —*n.* [컴] 세이브[파일 이름의] 변경.

re·nas·cent [rinǽsənt] *a.* 재생하는; 부흥하는. -**cence**-[-səns] *n.*

rend [rend] *vt., vi.* (**rent**) 째(지다. 찢기)다(tear). 쪼개(지)다, 갈라지다(split). (마음을) 괴롭히다; 잡아떼다, 강탈하다(away, off).

ren·der [réndər] *vt.* ① 돌려주다 (*R- unto Caesar the things that are Caesar's.* [聖] 가이사의 것은 가이사에게 돌리라.) ② 지불하다. ③ 돌보다, 진력하다(give). ④ 제출하다(submit). ⑤ 표현[묘사]하다; 번역하다(into). 연출[연주]하다. ⑥ …로 만들다(make). 바꾸다. ⑦ (기름을) 녹이다. 녹여서 정제(精製)하다. -**a·ble** [-dərəbl] *a.*

ren·dez·vous [rάːndivùː/-5-] *n.* (*pl.* ~ [-z]) (특정 장소에서의) 만날 약속(을 한 장소), 회합. (우주선의) 궤도 회합, 랑데부. —*vi., vt.* 집합하다[시키다]. 약속한 장소에서 만나다.

ren·di·tion [rendíʃən] *n.* [C] 번역; 연출, 연주(rendering).

ren·e·gade [rénigèid] *n.* ① 배교자(背敎者): 변절자, 탈당원. —*a.* 저버린; 배반의.

ren·ege [riníg, -nég/-niːg] *vi.* [카드] 선의 패와 똑같은 색의 패를 (가지고 있으면서) 안 내다; 약속을 어기다.

re·new [rinjúː] *vt.* ① 개신(갱신)하다. ② 되찾다, 회복하다. ③ 재개(再開)하다. ④ (계약 따위를) 고쳐 쓰다; 바꾸다. **~·al** *n.* [U] [C] 재개; 갱신. —**ed** [-d] *a.* 갱신한, 새로운.

ren·net [rénit] *n.* [U] 레닛(송아지의 위벽에 있는 rennin 함유 물질, 치즈 따위를 만드는 데 씀).

re·nounce [rináuns] *vt., vi.* 포기하다, 양도[단념]하다; 부인(거절)하다. (저)버리다, 관계를 끊다(~ *a friend/~ friendship*)의절하다(disown). -**ment** *n.*

ren·o·vate [rénəvèit] *vt.* 혁신(새롭게)하다; 회복하다. -**va·tion** [≥-véiʃən] *n.*

re·nown [rináun] *n.* [U] 명성(fame). **ed** [-d] *a.* 유명한.

rent [rent] *n.* [U] 지대(地代), 집세, 방세, 빌리는 삯. **For ~** (美) 셋집[셋방] (을 놓는(貸)). **to let ~**. —*vt.* (…에) 지대[집세]를 물다; 빌려 주다, 임대[임차]하다(貸借)한다. —*vi.* 임대되다. **~·al** *n.* [U] 임대료. **er** *n.* [C] 차지인(借地人), 세든 사람.

rent *n.* [C] (구름의) 갈라진 틈; 균열; 골짜기; 대립, 분열.

rent *v.* rend의 과거(분사).

rent·al [réntl] *n.* ① 임대(임차)료; 임대료 수입. ② (美) 셋집, 셋방, 렌터카. ③ 임대. ④ [컴] 임차(賃借). —*a.* (美) 임대의.

re·nun·ci·a·tion [rinÀnsiéiʃən, -ʃi-] *n.* ① 포기, 부인, 단념(renouncing).

re·o·pen [riːóupən] *vt., vi.* 다시 열다. 재개하다, 개학하다; 정리하다.

re·or·gan·ize [riːɔ́ːrgənaiz] *vt., vi.* 재편성하다, 개혁하다; 정리하다. **-i·za·tion** [≥-nizéiʃən] *n.*

Rep. Representative; Republic(an).

re·paid [riːpéid] *v.* repay의 과거

R

(분사).

re·pair¹ [ripέər] *n.* ① 수선(수리)(하다); 회복[교정(矯正)](하다); 배상(보상)(하다), *under* ~s 수리 중. ~·**a·ble** [-əbl] *a.*

re·pair² *vi.* 가다; 종종 다니다; 찾아가다.

rep·a·ra·tion [rèpəréiʃən] *n.* ① ⓤ 배상; 보상. ② (*pl.*) 배상금. ③ ⓤ 수리. **re·par·a·tive** [ripǽrətiv] *a.*

rep·ar·tee [rèpɑːrtíː] *n.* ⓒ 재치 있는 answer(응답); ⓤ 재치, 기지.

re·past [ripǽst, -áː-] *n.* ⓒ 식사 (meal).

re·pa·tri·ate [ri:péitrièit/-ǽ-] *vt., n.* (포로 따위를) 본국에 송환하다(한 송환(귀환)자. -**a·tion** [-⁀--éiʃən] *n.*

re·pay [ripéi] *vt.* (*-paid*) 갚다; 보답하다. ~·**ment** *n.*

re·peal [ripíːl] *n., vt.* 무효로 하다; ⓤ 폐지(철폐)(하다).

re·peat [ripíːt] *n.* ⓒ 반복, 되풀이; 〖樂〗 반복절(기호). — *vt.* ① 되풀이하다; 암송하다. ②《美》이중 투표하다《선거의 부정 행위》. ~ *oneself* 같은 말을 되풀이하다. *~·**ed** [-id] *a.* 되풀이한, 종종 있는. *~·**ed·ly** *ad.* 되풀이하여, 몇번이고. ~·**er** *n.* ⓒ 되풀이하는 물건(사람); 연발총; 《불법의》이중 투표자.

re·pel [ripél] *vt.* (*-ll-*) ① 쫓아버리다, 격퇴[거절·반박]하다. ② 〖理〗 반발하다. ③ 불쾌[역겨움]감을 주다. **re·pel·lent** [-ənt] *a.* 튀기는, 반발하는; 느낌이 나쁜, 싫은. — *n.* 〖化〗 방충제; 방수 가공제; 〖醫〗 (종기 따위를) 삭혀 하는 약.

re·pent [ripént] *vi., vt.* 후회하다(regret) 《*of*》. *~·**ance** *n.* ⓤ 후회, 회개. ~·**ant** *a.*

re·per·cus·sion [rìːpərkΛʃən] *n.* ⓤⓒ 되튀기(recoil), 되퉁김; 반향; ⓒ (보통 *pl.*) 영향.

rep·er·toire [répərtwὰːr] *n.* ⓒ 레퍼토리, 연예(상연) 목록.

rep·er·to·ry [répərtɔ̀ːri/-tèri] *n.* ① (지식 등의) 축적; 저장(소), 보고(寶庫); = REPERTOIRE.

rep·e·ti·tion [rèpətíʃən] *n.* ⓤⓒ 반복, 되풀이; ⓒ 암송문; 복사, **re-**

pet·i·tive [ripétətiv] *a.*

re·place [ripléis] *vt.* ① 제자리에 놓다, 되돌리다; 돌려 주다. ② 복직 [복위]시키다. ③ (…에) 대신하다, 교대시키다(*by, with*). — *n.* ⓤ 〖컴〗 새로바꾸기. *~·**ment** *n.* ⓤⓒ 반환; 교체; 〖컴〗 대체.

re·plen·ish [ripléniʃ] *vt.* 보충[추가]하다; 다시 채우다(*with*). ~·**ed** [-t] *a.* 가득해진. ~·**ment** *n.*

re·plete [riplíːt] *a.* 가득 찬, 충분한; 포식한(*with*). **re·plé·tion** *n.*

rep·li·ca [réplikə] *n.* (It.) ⓒ 복제(模寫); 복제(複製)(facsimile).

rep·li·cate [réplikèit] *vt.* 복제하다; 사본을 뜨다; 되접다.

rep·li·ca·tion [rèplikéiʃən] *n.* ① 답; 대답에 대한 응답; 〖法〗 원고의 재반박; ② 복사, 모사. ③ 반향; ④ 〖統計〗 실험의 반복.

re·ply [riplái] *n., vi., vt.* ⓒ 대답(대답)(하다)(answer), 응답(하다); 답을 주다; 반향(反響)(하다).

re·port [ripɔ́ːrt] *n., vt., vi.* ① ⓒ 보고[보도](하다). ⓤⓒ 소문(내다). ② (보고하기 위해) 출두하다. ③ ⓒ (보통 *pl.*) 판결(의사)록. ④ ⓒ 총성, 포성, 폭음. ⑤ 〖컴〗 보고서. ~ *oneself* 신고하다; 출두하다; 도착을 알리다. *R- to the Nation* (영국 정부가 2주일마다 일류 신문에 발표하는) 「국민에의 보고」. *through good and evil* 평판이 좋든 나쁘든 ~·**ed·ly** [-idli] *ad.* 보도〔세평·전하는 바〕에 의하면. *~·**er** *n.* 통신(보도)원, 탐방 기자; 보고(통보)자; 의사(판결) 기록원; 기록자.

re·por·tage [ripɔ́ːrtidʒ, rèpɔːrtɑ́ːʒ] *n.* (F.) ① ⓤ 보고 문학, 르포르타주 (문체).

repórt càrd (학교) 성적표.

repórted spéech 〖文〗 간접화법 (indirect narration).

re·pose [ripóuz] *vt.* 쉬게 하다, 휴식하다(*on, in*). — *vi.* 쉬다, 눕자다, 놓여 있다(*in, on*). ~ *oneself* 쉬다. — *n.* ① ⓤ 휴식, 안면; 영면(永眠); 휴식(休止). ② 침착, 평정. ~·**ful** *a.* 평온한. ~·**ful·ly** *ad.*

re·pos·i·to·ry [ripázitɔ̀ːri/-pɔ́zitəri] *n.* ⓒ 창고; 용기(容器); (지식

등의) 보고(寶庫); 납골당(納骨堂); 믿을 수 있는 사람(confidant).

re·pos·sess[rìːpəzés] *vt.* 되찾(게하)다.

:rep·re·hend[rèprihénd] *vt.* 꾸짖다, 비난하다. **-hén·sion** *n.* **-hén·si·ble** *a.* 비난할 만한.

:rep·re·sent[rèprizént] *vt.* ① 묘사하다, 나타내다; 의미하다. ② 말하다, 기술하다, 단언하다. ③ 상연(연출)하다. ④ 대표하다; (……을) 대표자(대의원)이다. ⑤ (……에) 상당하다(correspond to). **~ed** SPEECH. **-sen·ta·tion**[シーンtéiʃ*ə*n] *n.* 표현, 묘사; [劇] 표현; ⓒ 설명; 진술; (*pl.*) 진정; Ⓤⓒ 상연, 연출; ⓒ 대표(권).

rep·re·sent·a·tive [rèprizéntətiv] *a.* ① 대표(전형)적인. ② 대리의; 대의제의. ③ 표현하는(*of*). **~ government** 대의 정체. — *n.* ① ⓒ 대표자, 대리인, 대의원. ② ⓒ 상속인. ③ 대표물, 견본; 전형. **the House of Representatives**(美) 하원; 민의원.

:re·press[riprés] *vt.* 억제하다(restrain); 억압하다, 억누르다; 진압하다. **re·prés·sion** *n.* **-sive** *a.*

re·prieve[riprí:v] *n., vt.* ① (……형의) 집행 유예(일시적 연기)(를 하다)(cf. probation).

rep·ri·mand[réprəmænd/-mà:nd] *n., vt.* Ⓤⓒ 징계(하다).

:re·print[ríːprìnt] *n.* ⓒ 재판(再版), 번각(飜刻). — [シーシ] *vt.* 재판(번각)하다. ── [무력 재판.

re·pris·al[ripráizəl] *n.* Ⓤⓒ 보복;

:re·proach[ripróutʃ] *n.* ⓒ 비난; 불명예, 一 *vt.* 비난하다; 책면을 느끼게하다. **~·ful** *a.* 책망하는, 책망하는 듯한, 비난하는; 부끄러운, **-ful·ly, ─ing·ly** *ad.* **~·less** *a.* 더할 나위 없는.

rep·ro·bate[réprəbèit] *vt.* 비난하다; (신이) 저버리다. — *a., n.* ① 구제될 길 없는 (무뢰한); 신에게 버림 받은 (사람). **-ba·tion**[─béiʃ*ə*n] *n.* ⓒ 비난, 견검; (신의) 저버림.

:re·pro·duce[rìːprədjúːs] *vt.* 재현(재현)하다; 복사하다, 모조(복제)하다; 재연(재판)하다; 생식(번식)하

다. **-duc·i·ble**[-əbəl] *a.* 재생(복제)할 수 있는.

:re·pro·duc·tion[rìːprədÁkʃ*ə*n] *n.* ① Ⓤ 재생, 재현; 재연, Ⓤ 재생산. ② ⓒ 모조, 복제; ⓒ 모조(복제)품. ③ Ⓤ 생식[번식]. **-dúc·tive** *a.*

re·proof[riprúːf] *n.* Ⓤ 비난(rebuke), 질책; ⓒ 비난의 말.

re·prove[riprúːv] *vt.* 비난하다.

rep·tile[réptil, -tail] *n.* ⓒ 파충류; 비열한(漢). — *a.* 파충류의, 기어다니는; 비열한. **rep·til·i·an**[reptíliən] *a., n.*

re·pub·lic[ripÁblik] *n.* ⓒ 공화국. **R- of Korea** 대한민국(약칭 ROK). **R- of South Africa** 남아프리카 공화국.

re·pub·li·can[ripÁblikən] *a.* 공화국[제·주의]의, 공화주의의, **the R- Party** (美) 공화당원. — *n.* (R-)(美) 공화당원. **~·ism**[-izəm] *n.* Ⓤ 공화주의, 공화 정치, 공화제.

re·pu·di·ate[ripjúːdièit] *vt.* 의절(義絶)하다; 거절[거부]하다; 부인하다. **-a·tion**[─-éiʃ*ə*n] *n.*

re·pug·nance[ripÁgnəns] *n.* Ⓤ 반감, 증오(aversion). **-nant** *a.*

re·pulse[ripÁls] *n., vt.* (*sing.*) 격퇴[논박·거절](하다). **re·púl·sion** *n.* Ⓤ 반발, 증오; 격퇴; 격렬; [理] 반발 (작용). **re·púl·sive**[-siv] *a.* 남을 싫어하는; 쌀쌀한; [理] 반발하는.

rep·u·ta·ble[répjətəbəl] *a.* 평판 좋은, 평판 있는; 훌륭한.

rep·u·ta·tion[rèpjətéiʃ*ə*n] *n.* Ⓤ 평판; 명성.

re·pute[ripjúːt] *n.* Ⓤⓒ 세평, 평판; 명성(good fame). — *vt.* (보통 수동) ……라 평(생각)하다; ……로 보다(*He is ~d as* (*to be*) *honest.*). **re·put·ed**[-id] *a.* 평판이 좋은; ……라고 일컬어지는(*the ~d author* (불명)라는 저자). **re·put·ed·ly**[-idli] *ad.* 세평으로는.

:re·quest[rikwést] *vt.* 바라다; 요구하다, (신)청하다(ask for). — *n.* Ⓤⓒ 요구, 소원, 의뢰, 청구; 수요. **by** (*at*) **the ~ of** ……의 요구 [요청]에 따라. **much in ~** 인기가 있어서 사방에서 끄는.

req·ui·em, R-[rékwiəm, ríː-] *n.*

ⓒ 『가톨릭』 진혼 미사(곡): 진혼혼곡, 레퀴엠.

re·quire [rikwáiər] *vt.* 요구하다, 구하다; (…을) 필요로 하다; 명하다. **:~·ment** [-] *n.* ⓒ 요구; 필요물[조건]: 자격.

req·ui·site [rékwəzit] *a., n.* ⓒ 필요한 (물건), 요건.

req·ui·si·tion [rèkwəzíʃən] *n.* Ⓤ 요구; 수요, 징발, 징용; ⓒ (전시의) 징발[징집] 명령(서). — *vt.* 징발[징용]·접수(接收)]하다; (문서로) 요구하다.

re·quit·al [rikwáitl] *n.* Ⓤ 보답; 보상; 보복.

re·quite [rikwáit] *vt.* 보답[답례]하다; 보상하다; **~·ment** *n.*

re·route [ri:rú:t, -ráut] *vt., vi.* (…의) 여정을 변경하다.

re·run [rì:rʌ́n] *vt.* -*ran*; -*run*; -*nn*-) (…을) 다시 실행하다. — [ᅳ] *n.* ⓒ 재상연; 『컴』 재실행.

re·scind [risínd] *vt.* 폐지하다; (repeal); 무효로 하다; 취소하다. **~·ment** *n.*

:res·cue [réskju:] *n., vt.* Ⓤⓒ 구조 (구제)(하다); (불법으로) 탈환(하다). **rés·cu·er** *n.* ⓒ 구조[구원]자.

:re·search [risə́:rtʃ, rí:sə:rtʃ] *n.* Ⓤ (종종 *pl.*) 연구, 조사(*after, for*). — *vi.* 연구[조사]하다(*into*). **~·er** *n.*

:re·sem·ble [rizémbəl] *vt.* (…과) 비슷하다, ***-blance** [-] *n.* Ⓤⓒ 유사, 닮음, 비슷함(*between, to, of*); ⓒ 초상.

re·sent [rizént] *vt.* …분개하다; 원망하다, **~·ful·(ly)** *a. (ad.)* **~·ment** *n.* Ⓤ 노함, 분개, 원한.

:res·er·va·tion [rèzərvéiʃən] *n.* ① Ⓤⓒ 보류, 삼가함; 조건, 제한. ② Ⓤⓒ (좌석 따위의) 예약. ③ ⓒⓒ (인디언) 보호 지역. **without** ~ 거리낌[기탄]없이; 무조건으로.

:re·serve [rizə́:rv] *vt.* ① 보류하다; (따로) 떼어 두다; 보존[보유]하다. ② (좌석을) 예약하다; 따로 잡아 운명짓다. ③ (토론·판결 등을) 삼가하다, 보류해 두다. *All rights* ~*d.* (일체의) 판권 소유. ~ *oneself for*

…에 대비하여 정력을 길러두다. — *n.* Ⓤ 보류, 유보. Ⓤ ⓒ 예비: 『컴』 예약; ⓒ 예비품, (은행의) 예비[적립]금: 보류지; ~*s* (the ~) 예비 부대, 예비[후비]병; ⓒ 특별 보류지 (*a game* ~ 금렵 지역); 침착; 사양. *in* ~ 따로 떼어(둔); 예비 [예정]의. *without* ~ 거리낌[기탄]없이. **~*d* [-d]** *a.* 겸양하는, 수줍어하는; 예약필: 보류된. **re·serv·ed·ly** [-idli] *ad.* 조심스레, 터놓지 않고.

re·serv·ist [-ist] *n.* ⓒ 예비병, 재향 군인.

:res·er·voir [rézərvwɑːr, -vwɔːr] *n.* ⓒ 저장소; 저수지; 석유(가스) 저장; (램프의) 기름통; (지식·경험의) 축적.

re·set [risét] *vt.* (~; -*tt*-) 다시 놓다(맞추다, 끼우다, 짜다); 『컴』 (기기를) 리셋[하다. — [ᅳᅳ] *n.* ⓒ 바꾸기; 『컴』 재삽동, 리셋(*a ~ key* 재삽동키).

re·shuf·fle [ri:ʃʌ́fl] *vt., n.* ⓒ (카드패를) 다시 치다[침]; 개각(改閣) (하다); (인원의) 배치 변경, 재편(하다).

re·side [rizáid] *vi.* ① 살다, 주재하다(*at, in*). ② 존재하다, 있다(*in*).

:res·i·dence [rézidəns] *n.* Ⓤ 거주, 주재; ⓒ 주재 기간; 주택, 저택. **-den·cy** *n.* Ⓤ 전문의의 실습 기간; 관저.

:res·i·dent [-dənt] *a.* ① 거주하는; 숙식(입주)하는. ② 고유의, 내재하는 (inherent); 『컴』 상주의. — *n.* ① 거주(주재)자; 레지던트(*병원에서의 전문의(專門醫) 실습생); 『컴』 상주. *foreign* ~*s* 재류(在留) 외국인; ~ *minister* 변리 공사. ~ *tutor* 입주 가정 교사.

res·i·den·tial [rèzidénʃəl] *a.* 거주 (지)의; 주택의.

re·sid·u·al [rizídʒuəl] *n., a.* ⓒ 나머지[잉여](의); (*pl.*) (출연자에게 지급되는) 재방송료. ~ *property* 잔여 재산.

re·sid·u·ar·y [-èri/-əri] *a.* 잔여 (재산)의; ~ *legatee* 잔여 재산 수증자(受贈者).

res·i·due [rézidjù:] *n.* ⓒ 『法』 잔여 (재산); 『數』 잉여.

re·sign [rizáin] *vt.* (직을) 사임하
다; 포기[단념]하다. ━ *vi.* 사직하다
(from). **be ~ed, or ~ oneself**
체념하다; 몸을 맡기[다](*to*). ━ **ed**
[-d] *a.* 복종적인; 체념한; 사직한.
~·ed·ly [-idli] *ad.*

res·ig·na·tion [rèzignéiʃən] *n.*
[U.C] 사직; 양위, 물러남; [C] 사표;
[U] 체념(*to*); 포기.

re·sil·i·ent [rizíljənt, -liənt] *a.* 되튀
는; 탄력성 있는. **-ience, -ien·cy** *n.*

res·in [rézin] *n.* [U.C] 수지(樹脂);
송진; 합성 수지. ━ **ous** [rézənəs]
a. 수지질의, 진이 있는.

re·sist [rizíst] *vt.* 반항[반항]하다
(oppose); 방해하다; 무시하다; 참
다; 격퇴하다. ━ **ance** [-əns] *n.*
저항, 반항; 반대. ━ **ant** *a.* ━ **er**
n. [C] 저항하는자; 반항자주의자. ━ **less**
a. 저항하기[억누르기] 어려운. ━
sís·tor *n.* [C] [電·機] 저항기.

res·o·lute [rézəljùːt] *a.* 굳은 결의
의, 단호한. ━ **·ness** *n.*

res·o·lu·tion [rèzəlúːʃən] *n.* ① [U] 분해
결심; 판단; 결의(안). ② [U] 분해
분석(*into*); 해결, 해답(solution).
③ [U] [樂] 해상도.

re·solve [rizálv/-zɔ́lv] *vt.* ① 분해[분
석]하다; 해체하다; 변해 (變轉)(변형
변모)시키다. ② (분석하여) 해설하
다; 결심[각오]하다. ③ 결정[표결]하
다, 의결하다. ④ (종기를) 삭게 하다.
━ *vi.* 결심[결정]하다(*on, upon*);
분해하다 (결국 …이) 되다, (…로)
귀착하다(*into*); (종기가) 삭다; 결의
무효로 되다. ━ *n.* [U.C] 결심, 결
의; 결의안. ━ *d a.* 결의한, 단호
한. **re·solv·ed·ly** [-idli] *ad.*

res·o·nance [rézənəns] *n.* [U] 공
명; [理] 공진 (共振). **-nant** *a.*

re·sort [rizɔ́ːrt] *vi.* ① 자주 가는
모여드는 (사람이) 모여드다 (…에) 의지하다(*to*), 힘을
빌리다. ━ *n.* ① [C] 유흥지; 사람
많이 모이는 장소, 번화가; 드나드는
[자주 가는] 장소. ② [U] 의지; [C] 수
단(recourse), **health [summer,
winter]** ~ 보양[피서·피한]지, 휴
양지. **in the last** ~ 최후 수단으로, 결국에
는.

re·sound [rizáund] *vi., vt.* 울리다
울려퍼지다; 반향하다; 평판이 자자하

re·source [ríːsɔːrs, rizɔ́ːrs] *n.*
[C] (보통 *pl.*) 자원; 물자; 재원, 자
금(資金); [理] 자력(資力); 기략(機略)
법; 무료를 달래기; [U] 기략(機略).
━ **·ful** *a.* 자력[기략]이 풍부한. ━
less *a.* 기략 [자력]이 부족한.

re·spect [rispékt] *n.* ① [U] 존경
(esteem) *(for)*. ② *(pl.)* 경의, 안
부; 전언. ③ [U] 주의, 관심, 고려.
④ [U.C] 관계; 점. **give one's ~s
to** …에게 안부 전하다. **have ~**
(…을) 존경하다(*for*); (…을) 고려하
고 있다. (…을) 고려하다(*to*). **in no
~** 아무리[어느 모로] 보아도 …아니
다. **in ~ of** …에 관하여는. **in ~
that** (古) …인 고로, …때문에. **in
this ~** 이 점에서. ~ **of persons**
편벽된 특별 대우. 편애, 편파. **without
~ to [of]** …을 고려하지 않고, **with
~ to** …에 관하여, …에 대하여. ━ *vt.* ①
존경하다; 존중하다. ② …에 주의
[관계]하다. 고려[관계]하다. **as ~s**
…에 관하여(는), …에 대하여는. ~
oneself 자중하다. ~ **persons** 사
람을 차별 대우하다, 편애하다. ~
ful *a.* (*ad.*) 정중한(하게), 공손한. ━
ing *prep.* …에 관하여.

re·spect·a·ble [rispéktəbl] *a.* 존경할
만한, 훌륭한; 신분[평판]이 좋은; 품
위 있는; 보기 흉치 않은; 상당한.
~ **minority** 소수이지만 무시할 수
없는 수의 사람들). **-bly** *ad.* **-bil·
ity** [~~bíləti] *n.* [U] 존경할 만한
일; 체면; (집·복수 취급) 훌륭한 사
람들; 명사들; (*pl.*) 인습적 의례[관
습].

re·spec·tive [rispéktiv] *a.* 각자
의; 각각(각기)의. ~ **·ly** *ad.* 각각.
각기(각자의) 따로따로. [호흡 [작용)].

res·pi·ra·tion [rèspəréiʃən] *n.* [U.C]

res·pi·ra·tor [réspərèitər] *n.* [C]
(인공 호흡용) 마스크; 인공 호흡기;
(英) 방독면.

re·spir·a·to·ry [réspərətɔ̀ːri, ri-
spáiərə-/rispáiərətəri] *a.* 호흡의.

re·spire [rispáiər] *vi., vt.* 호흡하다.

res·pite [réspit] *n., vt.* …을 연기
(하다); (사형 집행을) 유예(하다);
휴식(시키다).

re·splend·ent [rispléndənt] *a.* 찬
란한, 눈부신. **-ence, -ency** *n.*

R

:re·spond [rispánd/-5-] *vi.* 대답하다; 응하다; 감응이 있다. **~ent** *a.*, *n.* ⓒ 대답(응답)하는 (사람); [法] (이혼 소송 따위의) 피고(소).

:re·sponse [rispáns/-5-] *n.* Ⓤⓒ 응답; ⓒ (보통 *pl.*) (교회에서의) 응답송; Ⓤⓒ 감응; [컴] 응답. **in ~ to** …에 응하여(답하여).

:re·spon·si·bil·i·ty [rispànsə-bíləti/-pɔ̀n-] *n.* Ⓤⓒ 책임; 책무(*of, for*); 책임 대상(가족, 부채 따위).

:re·spon·si·ble [rispánsəbl/-5-] *a.* 책임 있는, 책임을 져야 할(*to a person; for a thing*); (지위가) 중대한; 책임을 다할 수 있는, 신뢰할 수 있는(reliable). **-bly** *ad.* **~ness** *n.*

:re·spon·sive [rispánsiv/-5-] *a.* 대답하는; 감응(감동)하기 쉬운(*to*). **cast a ~ glance** 눈으로 대답하다. **~ly** *ad.* **~ness** *n.*

†rest [rest] *n.* ① Ⓤⓒ 휴식, 휴양 (*take a ~*); 수면; 죽음, 영면; ② 안심, ③ Ⓒ 휴식(숙박)처(for), ④ Ⓒ 대(臺), 지주(支柱) ⑤ Ⓒ 【樂】 휴지(부), 쉼표. **at ~** 휴식(안심)하고, 잠들어; 영면하여, 안식하여, 잠들어. **day of ~** 자다는 날. **lay to ~** 매장하다. — *vi.*, *vt.* ① 쉬(게 하)다, 정지(靜止)하다(시키다), ② 눕다, 눕히다, 기대(게 하)다 (*on, upon, against*), (이하 *vi.*) ③ 자다; 영면하다, ④ 의지하다(*in, on, upon*); (…에) 있다(*It ~s with you to decide.* 결정은 네게 달려 있다). **be ~ed** 쉬다. — **in peace** (지하에) 고이 잠들다. — **on one's arms** 무장한 채 쉬다; 방심하지 다. **~ful** *a.* 마음을 편안케 하는; 편안한, 평온한.

:rest[2] *n.* (the ~) 나머지. 그 밖의 것(사람들), **among the ~** 그 중에서도 (특히); 그 중에 끼어서, **for the ~** 그 외는, 나머지는, …인(한) 채이다(로 있다). — *vi.* assured (satisfied, content) 안심(만족)하고 있다.

rést àrea (英) (고속도로 따위의) 대피소(《美》 lay-by).

re·state [riːstéit] *vt.* 재진술하다, 고쳐 말하다. **~ment** *n.*

:res·tau·rant [réstərənt, -rùːnt/

-rɔ̀ːŋ] *n.* (F.) 요리(음식)점.

res·tau·ra·teur [rèstaurató:r/-tɔːr-] *n.* (F.) 요리점 주인.

rést cùre [醫] (정신병 등의) 안정요법.

rést dày 휴일; 안식일.

rést hòme 요양소, 보양소.

résting plàce 휴게소; (계단의) 층계참.

res·ti·tu·tion [rèstətjúːʃən] *n.* Ⓤ 반환, 상환, 배상; 회복; 복직; [理] 복원. **make ~** 배상하다.

res·tive [réstiv] *a.* 침착하지 못한, 불안해 하는(uneasy); 다루기 힘든, 고집 센; (말 따위가) 앞으로 나아가려 않는, 어거하기 힘든.

rest·less [réstlis] *a.* 침착하지 않은; 불안한; 부단한, 끊임없는; 쉬지 않는; 잠잘 수 없는; 활동적인. **~ly** *ad.* **~ness** *n.*

re·stock [riːsták/-stɔ́k] *vt., vi.* (을) 새로 사들이다; (농장에) 다시 가축을 들이다; (…을) 보급하다.

re·sto·ra·tion [rèstəréiʃən] *n.* Ⓤ 회복; 복구; 복고; 복위; 복원; (the R-) 【英史】 (Charles Ⅱ의) 왕정 복고(시대)(1660-88).

re·stor·a·tive [ristɔ́rətiv] *a., n.* ① 원기를 회복하는 (약), 강장제.

re·store [ristɔ́ːr] *vt.* 본래대로 하다, 복구하다; 회복[부흥]하다; (건강 등) 되찾게, 복귀시키다; 돌려주다; [컴] 되찾기하다. **re·stór·er** *n.* **re·stór·ing** *a.*

re·strain [ristréin] *vt.* 억제[제지·억압]하다; 구속(감금)하다(confine). **~ oneself** 자제하다. **~ed** *a.* 온당한; 구속(억제)된. **~ed·ly** [-idli] *ad.*

re·straint [ristréint] *n.* ① Ⓤⓒ 억제; ② 구속, 속박; 감금; 검속; ③ Ⓤⓒ 자제, 삼감, 제한. **~ of trade** 거래 제한. **without ~** 거리낌없이.

re·strict [ristríkt] *vt.* 제한하다(*to, within*). **~ed** *a.* **re·stríc·tion** *n.* Ⓤⓒ 제한; 구속. **re·stríc·tion·ism** [-izəm] *n.* Ⓤ (무역 등의) 제한주의. **-ist** *n.* **re·stríc·tive** *a., n.* 제한하는는; 【文】 제한적(한정적)인; Ⓒ 【文】 한정체사.

R

rést ròom 휴게실; 변소.

rést stòp = REST AREA.

re·sult[rizΛlt] n. U.C 결과; C (보통 pl.) (시험의) 성적; C (계산의) 답. — vi. (결과로서) 생기다, 일어나다(from); (에) 귀착하다, (끝이) 되다(in). `~ant` n., a. C 결과(로서) 발생하는; 【理】 합성적인; 합력. 【數】

re·sume[rizú:m/-zjú:m] vt. ① 다시 시작하다; 다시 잡다(~ one's seat 자리에 돌아오다); (건강을) 회복하다. ② (다시 초들어) 요약하다(summarize). `re·sump·tion`[rizΛmpʃən] n. U.C 재개시.

ré·su·mé[rézuméi, ⏤⏤] n. (F.) 적요(摘要); 이력서.

re·sur·face[ri:sə́:rfis] vi. (잠수함이) 떠오르다.

re·surge[risə́:rdʒ] vi. 재기하다; 부활하다, 되살아나다; 재현하다. **re·sur·gence**[-dʒəns] n. U 재기; 부활. **re·sur·gent**[-dʒənt] a.

res·ur·rect[rèzərékt] vt. 소생시키다; 다시 소용되게 하다; 파내다. **~·réc·tion** n. U 부활; 소생(하다); (the R-) 예수의 부활; (시체) 발굴.

re·sus·ci·tate[risΛsətèit] vt., vi. 소생(부활)하다(시키다).

re·tail[rí:teil] n., a. U 소매(小賣)(의). — ad. 소매로. [rí:téil] vt., vi. 소매하다(되다); [ritéil] 이야기를 받아 옮기다. `~·er` n.

re·tain[ritéin] vt. ① 보유하다, 지지(유지)하다. ② 계속 실행하는; 기억하고 있다; (변호사·하인을) 고용해 두다. `~·er` n. C 보유자; 【史】 부하, 종자, 가신(家臣); = RETAINING FEE.

retáining fèe (고용 변호사의) 고용료, 변호사 수당.

re·take [v. ri:téik; n. ⏤⏤] vt. (-took, -taken) ① 다시 취(取)하다; 되찾다; C【寫·映】 재촬영(하다); 재시험.

re·tal·i·ate[ritǽlièit] vt., vi. 앙갚음(보복)하다. `-a·tive` a. `-a·to·ry`[-tɔ̀:ri/-təri] a.

re·tard[ritɑ́:rd] vt., vi. 늦게 하다, 늦추다, 늦추어지다; (vt.) 방해하다. — [⏤⏤] n. U.C 지연; 방해.

re·tar·da·tion[ri:tɑ:rdéiʃən] n. 지연; 방해(물); U.C 감속도.

re·tard·ed[ritɑ́:rdid] a. 지능이 뒤진, 지진의(IQ 70〜85정도)(a ~ child 지진아).

retch[retʃ] n., vi. C 구역질(나다).

re·tell[ri:tél] vt. (-told) 다시 이야기하다; 되풀이하다; 다시 세다.

re·ten·tion[riténʃən] n. U 보지(保持), 보유, 유지; 기억(력); 【醫】 (요(尿)) 폐색. `-tive` a. 보지하는(of), 보지력이 있는; 기억력 좋은.

ret·i·cence[rétəsəns], **-cen·cy** [-si] n. U.C 침묵, 과묵; 삼감. `-cent·a·` cent·ly ad.

ret·i·cule[rétikjù:l] n. (그물 모양의) 핸드백.

ret·i·na[rétənə] n. (pl. ~s, -nae [-ni:]) C【解】 망막(網膜).

ret·i·nue[rétənjù:] n., C【집합적】 수행원.

re·tire[ritáiər] vi. 물러나다, 퇴각하다(from, to); 자다; 퇴직[은퇴]하다. — vt. 물러나게 하다; (지폐 따위를) 회수하다; 【野·크리켓】 아웃시키다(put out). — vt. 퇴직[은퇴]한; 궁벽한, 외딴(secluded). `~·ment` n. U.C 퇴직, 퇴역; 퇴각; 수줍음, 내성적임, 겸손한. **re·tír·ing** a. 은퇴하는, 물러나는; 수줍음, 내성적임, 겸손한.

re·tort[ritɔ́:rt] n., vi., vt. U.C (…라고) 말대꾸(하다), 대갚음(하다); 역습(을 가하다); 보복(하다)(on, upon, against).

re·touch[ri:tΛtʃ] n., vt. C 수정(하다).

re·trace[ritréis] vt. 근본[근원]을 찾다; 거슬러 올라가(서 조사하)다, 회고하다; (왔던 길을) 되돌아가다, 되돌아나다. `~ one's steps` 되돌아가다; 다시 하다.

re·tract[ritrǽkt] vt. 뒤로 끌어서 움츠러들이다; 철회(취소)하다. `~·able` a. **re·trac·ta·tion** n. **re·trac·tile**[ritrǽktil, -tail] a. 움츠릴 수 있는. **re·trác·tion** n. **re·trác·tive** a.

re·tread[ri:tréd] vt. (~ed) (타이어의) 바닥을 갈아 대다(cf. recap). — [⏤⏤] n. 재생 타이어; 《美俗》 재소집병.

:re·treat[ritríːt] *n.* ① *U.C.* 〔軍〕 퇴각(의 신호); 귀영 나팔[북](소리). ② *C* 은퇴[피난](처). ③ *U.C.* 〔敎會〕 묵상(시간), 강화(靜修). *beat a ~* 퇴각하다; 사업을 그만두다. ── *vi., vt.* 물러나(게 하)다; 퇴각하다.

re·trench[ritréntʃ] *vt., vi.* 삭제[단축]하다, 절약하다. **~·ment** *n.*

re·tri·al[ríːtráiəl] *n.* 〔法〕 재심.

ret·ri·bu·tion[rètrəbjúːʃən] *n. U* 보복; 벌; 응보. **re·trib·u·tive**[ritríbjətiv] *a.* **re·trib·u·to·ry**[-tɔ̀ːri/-təri] *a.*

re·triev·al[ritríːvəl] *n. U* 만회; 〔컴〕 (정보)의 검색.

:re·trieve[ritríːv] *vt.* ① (잃어버린 명예·신용 따위를) 회복하다, (손해본 것을) 되찾다. ② 정정(訂正)하다; (과실을) 보상(벌충)하다. ③ 구하다 (*from, out of*); 생각해 내다. ④ 〔컴〕 (정보를) 검색하다. ── *vi.* (사냥개가) 잠은 것을 찾아와 가져오다. ── *n.* 만회, 되찾음. **re·triev·a·ble** *a.* **re·triev·al** *n.* **re·triev·er** *n.* *C* retrieve하는 사람; 사냥개(의 일종).

ret·ro-[rétrou, -rə] *pref.* 뒤로, 거꾸로, 거슬러, 재복귀의 등의 뜻.

rèt·ro·áctive *a.* 소급하는; ~ *law* [*tax*] 소급법[세].

ret·ro·grade[rétrəgrèid] *vi.* 후퇴[퇴보·역행]하다; 쇠퇴(악화)하다. ── *a.* 후퇴[퇴보·쇠퇴]하는.

ret·ro·gress[-gres, ⌐-⌐] *vi.* 후퇴[퇴보·악화]하다. **-gres·sion** [⌐-gréʃən] *n.* **-gres·sive** *a.*

ret·ro·spect[rétrəspèkt] *n., vi.* 회고 하여(보면), *in ~* 회상하여. **-spec·tion** *n.* **-spéc·tive** *a.*

:re·turn[ritə́ːrn] *vi.* 돌아가(오)다, 되돌아가(오)다; 대답하다. ── *vt.* ① 돌려주다, 되돌리다; 반사하다. ② 보답[대갚음]하다; 답례하다; 대답(보고)하다. ③ (이익 따위를) 낳다. ④ (선거구가, 국회의원을) 뽑다. ── *n.* ① *U.C.* 돌아옴[감]; 반환; 대갚음. ② *U.C.* 복귀, 회복; (병의) 재발; 〔컴〕 복귀. ③ (보통 *pl.*) 수익; 〔컴〕 (보통 *pl.*) 통계표. ④ 국회의원 당선; *C* 왕복표. *by ~ of post*

(편지 답장을) 되짚어 곧, 지금으로. *in ~* 보수[보답·답례]로서, 그 대신으로(*for*). *Many happy ~s (of the day)!* 축하합니다(생일 따위의 축사). *secure a ~* (국회의원에) 선출되다. **~ed[-d]** *a.* 돌아온 ~.

re·turn·ee[ritə̀ːrníː] *n. C* 귀환[반송(返送)]자; 복학자.

retúrn gàme [mátch] 설욕전.

retúrning òfficer 〔英〕 선거 관리관.

retúrn ticket 〔英〕 왕복표.

:re·un·ion[riːjúːnjən] *n. U* 재결합; *C* 친목회.

re·u·nite[riːjuːnáit] *vi., vt.* 재결합 [화해]하다(시키다).

Rev. Reverend.

re·val·ue[riːvǽljuː] *vt.* 재평가하다. **-u·a·tion**[-⌐-⌐éiʃən] *n.*

re·vamp[riːvǽmp] *vt.* 조각을(새 갑 피를) 대고 깁다; 수선하다; 개작 [개선]하다; 쇄신하다.

Revd. Reverend.

:re·veal[rivíːl] *vt.* 들추어내다; 나타 내다; 보이다; (신이) 계시하다. ~ *itself* 드러[나타]나다; 알려지다. ~ *oneself* 이름을 밝히다. **~·ment** *n.*

C 폭로; 계시.

rev·eille[révəli/rivǽli] *n.* (F.) 〔軍〕 (종종 the ~) 기상 나팔[북] 소리.

rev·el[révəl] *n., vi.* (〈英〉 *-ll-*) 술잔치(를 베풀다, 를 벌이고 법석 대다); 한껏 즐기다(*in*). ~ *it* 술에서 며 떠들다. ~(l)er *n.*

rev·e·la·tion[rèvəléiʃən] *n.* ① (비밀의) 폭로, 누설; 발각; *C* 뜻밖 의 새 사실(*What a ~!* 천만 뜻밖 인데!). ② *U* 〔神〕 (신의) 묵시, 계 시(cf. reveal); (the R-, the Revelations) 〔聖〕 요한 계시록.

rev·el·ry[révəlri] *n. U* (술잔치의) 술잔치, 주연, 술마시고 법석댐.

:re·venge[rivéndʒ] *n., vt.* 복수; 앙 갚음[복수]; 원한(을 풀다). *have* [*take*] *one's* ~ 원한을 풀다. *in ~ for* …의 대갚음 으로서. ── *vt.* (…의) 복수를 하다

R

(*She ~d her husband.* 남편의 원수를 갚았다); 《수동 또는 재귀적》원한을 풀다(*She was ~d* (*She ~d herself*) on 〔upon〕 *her husband.*). ~**ful** *a.* 앙심 깊은; 복수의.

rev·e·nue[révənjù:] *n.* ① 〔U〕 〔국가의〕세입; 수익; 수입원〔항목〕; (*pl.*) 〔국가·개인의〕총수입, 소득 총액. ② (the ~) 국세청, 세무서.

re·ver·ber·ate [rivə́ːrbərèit] *vi., vt.* 반향〔반사〕하다〔시키다〕. **-ant** *a.* **-a·to·ry** [-tɔ̀ːri/-təri] *a.* 반향의. **-a·tion** [-⌐rèiʃən] *n.*

re·vere[riviər] *vt.* 존경하다.

rev·er·ence[révərəns] *n.* 〔U〕존경; 〔U〕존경심(deep respect) (*We hold him in ~.*); 경례(deep bow); (R-) 님(성직자에 대한 경칭) (*his* 〔*your*〕 *R-*).

rev·er·end[-d] *a.* 존경할 만한, 존귀한; (보통 the R-)…신부《경칭; 생략 Rev.》; 성직의, *Right* 〔*Most*〕 *R-* bishop 〔archbishop〕의 존칭. — *n.* 《口》성직자, 목사.

rev·er·ent[-t] *a.* 경건한. ~**·ly** *ad.*

rev·er·en·tial[rèvərénʃəl] *a.* = ⇧. ~**·ly** *ad.*

rev·er·ie[révəri] *n.* 〔U〕몽상, 공상.

re·vers[rivíər, -véər] *n.* 〔pl. ~[-z]〕(F.) 〔옷깃·소매 등의〕접어 젖힌 단.

re·ver·sal[rivə́ːrsəl] *n.* 〔U〕역전, 뒤집힘; 역전〔역류〕하다; 〔법〕파기하다. — *vi.* 거꾸로 되다〔놓이다〕. — *a.* 거꾸로의 (*inv.*)의; 뒤〔이면〕의. — *n.* (the ~) 반대; (화폐·메달 등의) 뒷면(opp. *obverse*); 〔U〕역(회전)의; 〔U〕불행. ~**·ly** *ad.*

reverse géar (자동차의) 후진 기어.

re·vers·i·ble[rivə́ːrsəbəl] *a.* 거꾸로 할〔뒤집을〕수 있는; 취소할 수 있는.

re·ver·sion[rivə́ːrʒən, -ʃən] *n.* 〔U〕역전, 복귀; 귀속; 격세〔隔世〕유전; 〔U〕복귀권, 상속권. ~**·al** [-əl], ~**·ar·y** [-èri/-əri] *a.*

re·vert[rivə́ːrt] *vi.* ① 본래의〔예전〕상태로 돌아가다, 되돌아가다; 〔법〕복귀〔귀속〕하다(*to*). ② 회상하다(*to*).

③ 격세 유전하다(*to*). ~**·i·ble** *a.*

re·vet[rivét] *vt.* (**-tt-**) 돌·콘크리트 등으로 덮다《제방·벽 등의 겉을》. ~**·ment** *n.* 〔土〕기슭막이, 호안 (護岸), 옹벽.

re·view[rivjú:] *n., vt.* 〔U〕C 재검토(하다). ② 검열〔검사·사열〕(하다); 사례시. ② 평론, 비평(하다); 평론 잡지(*the Edinburgh R-*). ③ 〔C〕복습(하다); 연습〔문제〕. ④ 〔U〕C 회상(하다); 회고(하다). ⑤ 〔법〕재심(리)(하다). *court of ~* 재심 법원. *naval ~* 관함식〔열병식〕. *pass in ~* 검사하다; 검사받다. — *vi.* 평론을 쓰다. ~**·al** *n.* ~**·er** *n.* 평론자; 검열자.

re·vile[riváil] *vt., vi.* 욕설(하다).

re·vise[riváiz] *vt.* 개정(改訂)〔교정(校訂)〕하다; 교정(校正)하다. ~**d edition** 개정판. — *n.* 〔인〕재교정(지)〔판〕; 교정〔재교〕쇄(刷). **re·vís·er** *n.*

Revísed Stándard Vérsion, the 개정 표준 성서.

Revísed Vérsion (of the Bible), the 개역(改譯) 성서.

re·vi·sion[riviʒən] *n.* 〔U〕C 개정, 교정; 〔C〕개정판.

re·vis·it[ri:vízit] *n., vt.* 〔C〕재방문 〔再유(再遊)〕(하다).

re·viv·al[riváivəl] *n.* 〔U〕C 재생; 부활; 부흥; 〔U〕신앙 부흥; (R-) 문예부흥; 〔극·영화 따위의〕재상연; *R- of Learning* = RENAISSANCE. ~**·ist** *n.* 〔C〕신앙 부흥 운동자.

re·vive[riváiv] *vi., vt.* 부활하다(시키다).

re·viv·i·fy[ri:vívəfài] *vt.* 부활시키다.

re·voke[rivóuk] *vt., n.* 폐기하다; 취소하다; 〔C〕카드〕낼 수 있는 패를 갖고 있으면서 딴 패를 내다〔냄〕.

re·vo·ca·tion[rèvəkéiʃən] *n.*

re·volt[rivóult] *vi., n.* 〔U〕C 반란을 일으키다 (*against*); 반항 (하다); 〔U〕반감을 품다, 구역질나다(*at, against, from*). — *vt.* 구역질나게 하다, 비위를 거스르다. 반감을 품게 하다. ~**·ing** *a.* 구역나는, 싫은.

re·vo·lu·tion[rèvəlú:ʃən] *n.* 〔U〕C 혁명; 〔C〕회전; 〔U〕주기(cycle).

AMERICAN REVOLUTION. **English R-** 영국 혁명(1688). **French R-** 프랑스 혁명(1789-99; 1830). *~**·ar·y** [-nèri-/-nəri] *a.* 혁명의; 혁명적(인). *~**·ist** [-ʃənist] *n.* 혁명가. *~**·ize** [-ʃənàiz] *vt.* 혁명을 일으키다.

*re·**volve** [riválv/-5-] *vi.,vt.* 회전하다[시키다](*about, round*); (*vt.*) 궁리(숙고)하다. *re·**vól·ver** *n.* ⓒ 연발권총.

*re·**volv·ing** [riválviŋ/-5-] *a.* 회전하는, 선회하는; 회전식의, 윤전식의. **~ a chair** 회전 의자. **~ a door** 회전 도어. **~ credit** [商] 회전 신용장(소정액 한도내에서 계속 이용이 되는). **~ fund** 회전 자금(대출과 회수의 이용으로 자금을 회전시키는).

*re·**vue** [rivjú:] *n.* (F.) Ⓤⓒ (본디, 프랑스의) 시사(時事) 풍자극; 레뷔《경쾌한 음악·무용극》.

*re·**vul·sion** [riválʃən] *n.* Ⓤ (감정 따위의) 격변; (자본 따위의) 회수.

*re·**ward** [riwɔ́:rd] *n., vt.* 보수[상여·사례금](을 주다); 보답하다. **~·ing** *a.* 할 만한 보람이 있는.

*re·**write** [ri:ráit] *vt.* (*-wrote; -written*) 다시(고쳐) 쓰다.

rhap·so·dy [rǽpsədi] *n.* ⓒ (고대 그리스의) 서사시의 음송부(吟誦部); 광상시[문], 열광적인 말; [樂] 광상곡. **-dize** [-dàiz] *vt., vi.* 열광적으로 쓰다(얘기하다); 광상곡을 짓다. **rhap·sod·ic** [ræpsádik/-5-] , **-i·cal** [-əl] *a.*

rhe·sus [rí:səs] *n.* ⓒ [動] 원숭이의 일종(인도산)《 ~ *factor* : 의학 실험용》.

rhet·o·ric [rétərik] *n.* ⓒ 수사(修辞)[학]; Ⓤ ⓒ 미사(美辞).

rhe·tor·i·cal [rit5:rikəl, -tár-] *a.* 수사(修辞)적인.

rheu·mat·ic [rumǽtik] *a., n.* ⓒ 류머티스의 (환자).

rheu·ma·tism [rú:mətizəm] *n.* Ⓤ 류머티즘.

rheu·ma·toid arthrítis [-tɔ̀id-] 류머티스성 관절염.

rhine·stone [ˈstòun] *n.* Ⓤ (유리의) 모조 다이아몬드.

rhi·no [ráinou] *n.* (*pl. ~s*) ⓒ 《英俗》돈〔=~〕.

*·**rhi·noc·er·os** [rainásərəs/-nɔ́s-]

n. (*pl. ~, ~es*) ⓒ [動] 무소.

rhi·zome [ráizoum] *n.* ⓒ [植] 뿌리줄기, 땅속줄기.

rho·do·den·dron [ròudədéndrən] *n.* ⓒ [植] 철쭉속의 식물《만병초 따위》.

rhom·boid [rámbɔid/-5-] *n., a.* ⓒ 마름모꼴(의). **~·al** [-əl] *a.* = RHOMBOID.

rhom·bus [rámbəs/-5-] *n.* (*pl. ~·es, -bi* [-bai]) ⓒ 마름모꼴.

rhu·barb [rú:ba:rb] *n.* ① Ⓤ [植] 대황(장군풀)《뿌리는 하제(下劑)용》; ② Ⓤ 대황 소스. ② ⓒ 격론, 말다툼.

*·**rhyme** [raim] *n.* Ⓤ 운(韻), 각운(脚韻)의 글자(押韻); ⓒ 동운어(同韻語); [集合的;詩] 시; Ⓤ 운문, 압운시. *double* ~ 중음운(二重音韻) = 여성운; 이중운(의 시구); *eye* (*printer's, sight, spelling, visual*) ~ 시각운(視覺韻)《발음과 관계 없는, 철자만의 운 : 보기 : *mountain, fountain*》; *nasal, canal*》; *nursery* ~ 동요; *single* (*male, masculine*) ~ 남성운, 단운(單韻)《보기 : eagle *eyes, surmíse*》 *without ~ or reason* 영문 모를. ── *vi.* 시를 짓다; 운이 맞다(*to, with*). ── *vt.* 시로 만들다; 운이 맞게 하다(*with*).

*·**rhythm** [ríðəm, ríθ-] *n.* Ⓤⓒ 율동, 리듬; 운율.

rhýthm and blúes 리듬 앤드 블루스《흑인 음악의 일종; 생략 R&B》.

*·**rhyth·mic** [ríðmik] *a.* 율동적인; 운율이 있는; 규칙적으로 순환하는. *~*[애 불순은 고기]. ② [造船] (배의) 늑재(肋材); [植] 엽맥(葉脈)(= *leaf ~*); ⓒ (우산의) 살. ③ (논·밭의) 지맥(翅脈); (우산의) 살; ④ 두렁, 둑, 이랑, (퍼)골. *~ ward* [刑] 아내《신이 아담의 갈빗대로 이브를 창조했다는 데에서》. *poke* (*nudge*) *a person in the ~s* 아무의 옆구리를 살짝 찔러 주의시키다. ── *vt.* (*-bb-*) (…에) 갈빗대를 붙이다; 늑재를 대다; 이랑을 만들다; ~을 놀리다, 조롱하다(*tease*).

rib·ald [ríbəld] *a., n.* ⓒ 입이 더러운 (사람); 상스러운 (사람). *~*·**ry** *n.* Ⓤ 야비한 말.

rib·bon [ríbən] *n., vi.* Ⓤⓒ 끈(을 다

다), 리본(으로 꾸미다). ~ed [-d] *a.* 리본을 단.

rice [rais] *n.* U 쌀; 벼; 밥(*boil* (*cook*) ~ 밥을 짓다). ─ *vt.* (美) (삶은 감자 따위를) 으깨다. ~ **ríc·er** *n.* C 라이서(다공(多孔) 압착기로서 삶은 감자 따위를 쌀알만한 크기로 뽑아내는 취사용구).

ríce pàper 라이스 페이퍼, 얇은 고급 종이.

rich [ritʃ] *a.* ① 부자의, 부유한. ② ···이 풍부한(*in*); 풍요한(*a harvest* 풍작). ③ (토지가) 비옥한. ④ 값진, 귀중한(복장 따위가) 훌륭한, 사치한. ⑤ 맛(자양)이 있는; 진한, 짙은 맛이 있는(~ *wine*). ⑥ (빛깔이) 선명한; (소리·목소리가) 잘 울리는. ⑦ (口) 재미있는, 우스운; 당치도 않은(*That's a* ~ *idea.*). **the** ~ 부자(들). **rích·es** [-iz] *n. pl.* (보통 복수 취급) 부(富), 재산, 재보. **~·ly** *ad.* **~·ness** *n.*

Rích·ter scàle [ríktər~] 지진의 진도 눈금(magnitude 1-10).

rick [rik] *n., vt.* (베를 피하기 위해 들로 이엉을 해 씌운) 건초·짚 따위의 가리; (볏)가리(로 하다).

rick·ets [ríkits] *n. pl.* 〔단수 취급〕〔病〕구루병(佝僂病)(rachitis) 곱사등. **rick·et·y** [ríkiti] *a.* 구루병의; 쓰러지기 쉬운, 비슬비슬하는; 약한.

rick·shaw [ríkʃɔ:] ─ **sha** [-ɑ:] *n.* (Jap.) C 인력거.

ric·o·chet [ríkəʃèi] *vi., vt., n.* 튀어서(물을 차고) 날다(날기); 도탄(跳彈)(하다).

:rid [rid] *vt.* (*rid, ~·ded; -dd-*) 제거하다, 면하게 하다(*of*). **be** (*get*) ~ **of, or** ~ **oneself of** ···을 면하다; 쫓아버리다. **∠·dance** *n.* U 면함; 쫓아버림. **make clean ~·dance of** ···을 일소하다.

:rid·den [rídn] *v.* ride의 과거 분사.

rid·dle¹ [rídl] *n., vt.* ① 수수께끼를 내다. ─ *vt.* (수수께끼를) 풀다 (unriddle).

rid·dle² *n.* C 어레미, 도드미. ─ *vt.* ① 체질해 내다(sift). ② 정사(精査)하다. ③ (총알로) 구멍 투성이를 만들다.

:ride [raid] *vi.* (*rode, (古) rid; rid·den, (古) rid*) ① (말·차·기차 따위에) 타고 가다, 타다(~ *in* (*on*) *a train*). ② 걸터 타다, 말을 몰다; (말·차 따위가) 태우고 가다(*This camel* ~*s easily.* 편하게 탈 수 있음(승차감이 좋음)). ③ 닻 기슭의 ···을 하다. ④ (물위·하늘에·뜨다(~ *at anchor* 정박하다)). ─ *vt.* ① (말을) 타다, 탈 수 있게 되다. ② 말을(말을) 타고 지나가다(건너다). ③ 지배하다; (俗) 괴롭히다(보통 p.p.형: cf. bedridden, hagridden). ④ (俗) 돌리다. ⑤ 태우고 가다(나르다). *let* ~ (俗) 방치하다. ~ **down** (말을 타고) 내 나치게 타서 기진맥진케 하다; 말을 타고 쫓아가다; 넘어뜨리다; 이기다 (overcome). ~ **for a fall** (口) 무모한 짓을 하다. ~ **herd on** 카우보이로서 일하다. ~ **no hands** 양 손을 놓고 자전거를 타다. ~ **out** (폭풍우·곤란 따위를) 헤쳐 나아가다. ~ **over** 짓밟다, 압도하다. ~ **up** (셔츠·넥타이 따위가) 비어져 올라와 다니빌다(move up). ─ *n.* ① 탐, 말(기차·배)을 타는 여행; 말길; *have* (*give*) *a* ~ (말·차에) 타다 (태워주다).

rid·er [∠ər] *n.* C 타는 사람, 기수 (騎手); 추가 조항. **~·less** *a.* 탈 사람이 없는.

ridge [ridʒ] *n., vt., vi.* 산마루, 산등성이, 분수선(分水線); 산맥; (지붕의) 마룻대(를 대다); 이랑(을 짓다) 지다.

rid·i·cule [rídikjù:l] *n., vt.* U 비웃음, 놀림, 조롱. ─ *vt.* U 비웃다.

ri·dic·u·lous [ridíkjələs] *a.* 우스운, 어리석은. **~·ly** *ad.* **~·ness** *n.*

:rid·ing [ráidiŋ] *n.* U 승마; 승차; 승마(차)길.

rife [raif] *a.* 유행하는, 한창인.

riff [rif] *n.* (樂) 리프(반복 악절 (선율)(재즈에서).

rif·fle [rífəl] *n., vt.* ① (美) 여울이 되다, 이 되다; 〔카드〕 양쪽에 나뉘 건 패를 퀴기어 한데 섞다(섞기).

riff·raff [ráfræf] *n., a.* (*the ~*)(복수 취급) 하층은(발전·사람들); U 쓰레기, 폐물.

R

ri·fle [ráifəl] *n.* ⓒ 강선총(腔線銃), 라이플총; (*pl.*) 소총부대. — *vt.* ① (총·포신의 내부에) 강선(腔線)을 넣다; 소총으로 쏘다. ② 강탈하다; 훔치다; 발가벗기다. ~·man *n.* ⓒ 총사수(射手). **ri·fling** *n.* ⓤ 강선을 넣음.

rift [rift] *n., vt., vi.* ⓒ (벗어[갈라]진) 틈, 균열(을 만들다, 이 생기다).

rig [rig] *vt.* (**-gg-**) ① 선구(船具)를 장치하다[배에]; 의장(艤裝)(하다); 범장(帆裝)(하다). ② (口) 차려 입히다 (*out*); 날림(임시변통)으로 만들다(*up*); (美) 말을 맨 마차. ~·**ging** *n.* (집합적) 삭구(索具).

rig *n.* (**-gg-**) ⓤⓒ 장난; 속임수 (농간)(하다). — **the market** 시세(時勢)를 조작하다.

right [rait] *a.* ① 곧은(a ~ line), 올바른, 정당(당연)한; 직각의. ② 적절한; 바람직한; 건강한; 제정신인. ③ 정면의, 바깥쪽의. ④ (물건을 오른손으로 잡는 경우 바르다고 보이) 오른쪽(손)의, 오른쪽의. **at** ~ **angles with** …와 직각을 이루어. **do the** ~ **thing by** …에(게) 의무를 다하다. **get it** ~ 올바르게 이해하다[시키다]. **get on the** ~ **side of** …의 마음에 들다. **get (make)** ~ 바르게 되다(하다), 고치다, 고쳐지다. **one's** ~ **hand** 오른팔(미더운 사람). **on the** ~ **side of** (*fifty*) (50세) 이하로, **put (set)** ~ 고치다, 바로잡다. R- (**you are**)! 맞았어!, 알았어. ~ **as rain** 매우 건강하여. ~ **the man in the** ~ **place** 적재 적소. **the** ~ **way** 올바른 방법(으로), 바르게. — *ad.* 바르게; 정당하게; 직접, 곧장. ~ **away** (*now, off, straight*) (美) 곧, 즉시, 당장. R- **dress!** (구령) 우로 나란히! ~ **here** (美) 바로 여기서

[곧]. R- **turn!** (구령) 우향우! **turn** ~ **round** 완전히 빙 돌다[돌리다]. — *n.* ① ⓤ 정의, 공정; (*pl.*) (을) 바른 상태; (*pl.*) 진상. ② (종종 *pl.*) 권리, (주주의) 신주(新株) 우선권. ③ ⓤ 오른쪽; (the R-) 우익, 우파. **be in the** ~ 옳다. BILL of Rights. **by** [*of*] ~(-)**s** 당연히, 의당히; 본래 당연히(if rights were done). **by** [*in*] ~ **of** …의 의하여, …의 권한으로, **civil** ~**s** 공민권. **do a person** ~**s** 공평히 다루다(평판하다). **get** (**be**) **in with** …의 마음에 들(어 있) 다. **in one's** (**own**) ~ 자기의 정당한 자격으로서; 부모에게서 물려받은(받아)(a peeress in her own ~) (결혼으로 해진 것이 아닌) 귀족 부인. ~ **of way** (남의 토지내의) 통행권; 우선 권. **to** ~**s** 정연하게, **to the** ~ 오른쪽에. — *vt.* 곧바로 세우다 (일으키다); 바르게 하다, 바로 잡다 (adjust); (방 따위를) 정돈하다; 구제(救)하다. — *vi.* 똑바로 되다, (기울 어진 배 따위가) 제 위치로 돌아가다. ~ **itself** 원상태로 돌아가다, 똑바로 되다. ~ **oneself** (쓰러질 듯한) 몸의 균형을 바로 잡다.

right ángle 직각.

right-ángled *a.* 직각의.

right·eous [ráitʃəs] *a.* 바른, 공정한, 고결한; 당연한. ~·**ly** *ad.* ~·**ness** *n.*

right·ful [-fəl] *a.* 올바른, 합법의; 정당한. ~·**ly** *ad.*

right-hánd *a.* 오른쪽(손)의, 오른의; 의지가 되는, 심복의.

right-hánded *a.* 오른손잡이의; 오른손으로 한; 오른손용의; 오른쪽으로 도는(시계와 같은 방향의).

right·ist [-ist] *a., n.* ⓒ 우익(右派)의 (사람), 보수파의.

right·ly [ráitli] *ad.* ① 바르게, 틀림없이; ② 공정하게; 정당하게. ③ 적절히.

right-minded *a.* 공정한 (의견을 가진) 마음이 바른.

right-ón *a.* (美俗) 바로 그대로의, 정보에 정통한; 현대적인; 시대의 첨단을 가는; 세련된.

right wing 우파, 우익.

right-wíng *a.* 우익의. **~er** *n.* ⓒ 우파(우익)의 사람.

rig·id [rídʒid] *a.* 굳은; 엄정한, 엄(격)한; (비행선이) 경식(硬式)인. **~·ly** *ad.* **~·ness**, **ri·gíd·i·ty** *n.*

rig·ma·role [rígməròul] *n.* ⓤ 지지한 소리, 조리 없이 긴 글.

rig·or, (英) **-our** [rígər] *n.* ⓤ 엄하기, 엄격함(severity); 굳음(stiffness).

rigor mór·tis [─mɔ́ːrtis] 〔生〕 사후 경직(死後硬直).

rig·or·ous [rígərəs] *a.* 엄한; 엄정 (엄격)한. **~·ly** *ad.* **~·ness** *n.*

rile [rail] *vt.* (주로 美) 흐리게 하다; 성나게 하다.

rim[rim] *n., vt.* (**-mm-**) ⓒ 가장자리 (테·링)(을) 대다.

rime, *n., vt.* ⓤ 서리, 흰 서리로 덮다.

rim·less [rímlis] *a.* 테 없는.

rind [raind] *n.* ⓤⓒ (과일의) 껍질 (peel); 나무껍질(bark); (치즈의) 굳은 껍질.

ring¹ [riŋ] *n.* ⓒ ① 고리, 반지, 귀[코]고리, 팔찌. ② 나이테, 연륜; 고리 모양의 물건; 빙 둘러 앉은[선] 사람들; (*pl.*) 물결무늬. ③ 경마장; 경기장, 권투장. ④ (the ~) (현상 붙은) 권투(prize fighting); 경쟁, 내건걸. ⑤ (美) 도당(徒黨), 한패. **be in the ~ for** 경쟁에 나서다. **have the ~ of truth** 사실처럼 들리다. **make a ~** (상인이) 한패를 맺어 시장을 좌우하다. **make** (**run**) **~s round a person** (口) 아무보다 훨씬 빨리 달리다(하다). **ride** (**run, tilt**) **at the ~** 〔史〕말을 달려 높이 매단 고리를 창으로 찔러 떼다(옛날의 서양식 무술). **win the ~** (古)상을 받다, 이기다. ── *vt.* (**~ed**) 둘러싸다(about, in, round); 반지[고리]를 끼다. **~·er** *n.*

ríng fínger 약손가락, 무명지.

ring·léader *n.* ⓒ 장본인, 괴수.

ring·let [ríŋlit] *n.* ⓒ 작은 고리; 고수머리(curl).

ring·máster *n.* ⓒ (곡마단 등의) 조련사(단장이 아님).

ríng·side *n.* (the ~) (서커스·권투 등의) 링사이드, 맨 앞 자리.

ríng·wòrm *n.* ⓒ 〔醫〕 윤선(輪癬), 백선(白癬).

rink [riŋk] *n.* ⓒ (빙판의, 또는 롤러 스케이트)장, 스케이트장.

rinse [rins] *vt., n.* ⓒ 헹구다(기), 가셔 지다(기)(*away, out*).

R

ri·ot [ráiət] *n.* ① ⓒ 폭동, 소동. ② ⓤ 야단 법석; 방탕. ③ (a ~) 색채 [음향]의 난무(The garden was a ~ of color. 정원은 울긋불긋 몹시 아름다웠다). **read the ~ act** (소란 따위를) 단속하도록 낭독하면서 폭도의 해산을 명하다; 엄중히 경고하다. **run ~** 난동을 부리다; 널리 (뻗어) 퍼지다, (온갖 꽃이) 만발하다. ── *vi.* (술마시고) 법석을 떨다, 폭동을 일으키다. ── *vt.* 법석대며 보내다. **~·ous** *a.* 폭동의; 소란스러운; 분방한.

ríot squàd (**police**) 폭동 진압 대, 경찰 기동대.

rip¹ [rip] *vt.* (**-pp-**) 찢다, 쪼개다; 벗 어내다, (칼로) 갈라 헤치다; 날쪽하게 말하다(out). ── *vi.* 찢어지다, 터지다. 쪼개지다; 돌진하다. **Let him ~.** 말리지 마라, 내버려 둬라. ── *n.* ① 갈아[찢어], 터짐; 찢긴 [터진, 갈라진] 테. ② = RIPSAW. ③ 〔美(古)〕 난봉꾼, 깡패. ④ 급류. 스피드.

R.I.P. *requiesca(n)t in pace*(L. = May he [she, they] rest in peace.).

ripe [raip] *a.* 익은; 잘 발달된, 원숙

한, 품만한, 나이 지긋한: (종기가)
푹 곪은…: …할 때인 (ready) (for).
man ~ of years 나이 지긋한 사
람. **~ age** 고령(高齡). **~ beauty**
여자의 한창때.

ˈrip·en [ráipən] *vi., vt.* 익(히)다, 원
숙하(게 하)다.

ˈríp·ˈóff *n.* ⓒ 《美俗》 도둑; 착취; 사취, 엉터리 상품.

ːrip·ple [rípl] *n., vi., vt.* ⓒ 잔 물결
(이 일다, 을 일으키다); (머리 따위)
웨이브(가 되다, 를 만들다); (*pl.*) 찰
랑찰랑 (수런수런)(소리 나다, 소리내
다)(*a ~ of laughter*). **-ply** *a.*

ˈrip·ˈroar·ing [ríprɔ́ːriŋ] *a.* 《口》 큰
소동의.

ˈrípˈsàw *n.* ⓒ 내릴톱.

ːrise [raiz] *vi.* (*rose; risen*) ① 일
어나다, 일어서다. ② 떠오르다, 우
뚝 솟다. ③ 오르다; 솟다, 높아지
다, 증대(증수(增水))하다, 증대하
다; 부풀다. ④ 떠오르다; 남아오르
다, 이룩하다. ⑤ 발(생)하다
(*from*); 봉기하다, 반란을 일으키다
(*rebel*) (*against*). ⑥ 자리를 뜨다,
떠나다, 산회(散會)하다; 철회하다.
⑧ 용기(승진)하다. ~ *in arms* 무
장 궐기 하다. ~ *in the world* 출세
하다. ~ *to one's feet* 일어서
다. — *n.* ⓒ 상승, 오르막길; 대두
(臺頭); 증대, 등귀; 승진, 출세; (계
단의) 높이; ⓤ 발생, 기원. **give**
~ *to* …을 일으키다. **on the** ~ 증
가하여, 올라서. **ríser** *n.* ⓒ 일어나는
사람(*an early riser*); (계단의) 층
뒤판(디딤판에 수직된 부분).

ris·i·ble [rízəbəl] *a.* 웃음의, (잘)
웃는, 웃기는, 우스운(funny). **ris·
i·bíl·i·ty** *n.* ⓤ 우스움.

ˈris·ing [ráiziŋ] *a.* 올라가는, 오르는;
오르막길(의); 자라(증수)하는; 승진
하는, 늘어가는. the ~ **generation** 청년(의).
— *n.* ⓤ 상승; 등귀; 기립, 기상;
ⓒ 반란. — *prep.* 《方》 (나이가) …
에 가까운; 《口》 …이상의(의).

ˈrisk [risk] *n.* ① ⓤ 위험, 모험. ②
ⓒ 《保險》 위험물; 보험 금액, 피보험
자(물); 위험 분자. **at all ~s** 만난
을 무릅쓰고, 반드시, 꼭. **at the ~
of** …을 걸고. **run a (the) ~, or**

run ~s 위험을 무릅쓰다. — *vt.*
위태롭게 하다; 걸다: 대담하게 해보
다. **~·y** *a.* 위험한; = RISQUÉ.

ri·sot·to [risɔ́ːtou/-sɔ́t-] *n.* (It.)
쌀이 든 스튜.

ris·qué [riskéi/⸚] *a.* (F.) 문란한
외설의.

ˈrite [rait] *n.* ⓒ 의식(儀式); 전례(典
禮); 관습.

ˈrit·u·al [rítʃuəl] *n., a.* ⓒ 의식서
(書); 의식(의). **~·ism** [-izəm]
n. ⓤ 의식 존중(연구); 의식주의.
~·ist *n.* ⓒ
의식 존중주의자.

ːri·val [ráivəl] *n.* ⓒ 경쟁 상대, 적수;
호적수, 맞수, 필적자(equal). — *a.*
경쟁 상대의. — *vt., vi.* 《英》 (-ll-)
(…과) 경쟁(필적)하다. **~·ry** *n.*
ⓤⓒ 경쟁, 대항.

ˈriv·er [rívər] *n.* ⓒ 강. **sell a per-
son down the** ~ 《美》 = DOUBLE-
CROSS.

ríver bèd 강바닥, 하상(河床).

ríver·sìde *n., a.* (the ~) 강변(의).

ˈriv·et [rívit] *n., vt.* ⓒ 대갈못(리벳)
(으로 죄다, 을 박다); (애정을) 굳게
하다, 두텁게 하다; (마음·시선을) 집
중하다(*on, upon*).

Riv·i·er·a [rìviéərə] *n.* (보통 the ~)
남프랑스의 Nice에서 북이탈리아의
Spezia에 이르는 피한지(避寒地).

ˈriv·u·let [rívjəlit] *n.* ⓒ 개울, 시내
(brook).

R.M. Royal Marines. **R.N.**
Registered Nurse; Royal Navy.
RNA ribonucleic acid.

roach[rout] *n.* = COCKROACH.

roach² *n.* (*pl.* ~es, 《집합적》 ~)
ⓒ 《魚》 붕어·황어류의 민물고기.

ːroad [roud] *n.* ⓒ 도로, 가로; 방도;
방법(to); 《美》 = RAILROAD. (*pl.*)
= ROADSTEAD. **be in one's (the)**
~ 방해가 되다. **be on the** ~ 여
행하고 있다. **get out of one's
(the)** ~ …길을 비켜주다. **hit the**
《俗》 여행을 떠나다, 여행을 계속하
다. **on the** ~ (상습) 여행 중에;
순회 공연 중에. **take to the** ~ 여
행을 떠나다; 《古》 노상 강도가 되다.

róad·blòck *n.* ⓒ 《美》 노상방책(장
책)(barricade); 장해물.

róad hòg 타차선으로 나와 다른 차

róad·house n. © (운전자 상대의) 여인숙(inn).

róad·show n., vt. © 순회 흥행; [映] 특별 흥행, 로드쇼(로서 상영하다).

róad·side n.,a. (the ~) 길가(의).

róad·test n., vt. © (차를 노상에서) 시운전하다; © 그 시운전.

róad·way n. (the ~) 도로; 차도.

róad·work n. ① (운동 선수 등의) 로드워크; (pl.) 도로 공사.

roam [roum] vi., vt., n. © 돌아다니다(다님); 배회(하다).

roan [roun] a., n. © 황회색 또는 적 갈색 바탕에 흰색 또는 흰 얼룩이 선 (말·소 따위).

roar [rɔːr] vi. ① (맹수가) 포효하다, 으르렁거리다. ② 와글거려 웃다, 울리다, 반향하다(again). — vt. 소리쳐 말하다, 외치다. — n. 포효; 노호; 폭소. **~·ing** [-iŋ] a. 으르렁하는, 짖는; 떠들썩한; 경기가 좋은.

roast [roust] vt. ① (고기를) 굽다. ② (오븐으로) 익히다; 볶다; 데우다. ③ 《口》 놀리다(chaff), 조롱하다(banter). — vi. (생선이(고기가)) 구워지다, 뜨거워지다. — oneself 불을 쬐다. — a. 불고기의. — n. ① beef (소의) 불고기. ② ① 로스트; 불고기; 《口》 조롱, 놀림. **rule the ~** 주인 노릇을 하다. **~·er** n. © 굽는(볶는) 기구(사람).

rob [rab/-ɔ-] vt. (**-bb-**) 강탈하다 (~ him of his purse); 훔치다; (…의) 속을 털다 훔치다(~ a house). — vi. 강도질을 하다. **~·ber** n. © 도둑, 강도. **'~·ber·y** n. ①© 강탈.

robe [roub] n. © 길고 품이 큰 겉옷; (pl.) 의복; 법복; 긴 유아복. **the** (**long**) ~ 법복 (성직자의) 법의. — vt., vi. (…에게) 입히다; 법복을[법의를] 입다.

rob·in [rábin/-ɔ-] n. © ① 울새 (~ redbreast). ② 개똥지빠귀.

ro·bot [róubət, ráb-/róubɔt, rɔ́b-, -bət] n. ① 인조 인간, 로봇 (같은 사람).

ro·bot·ics [roubátiks/-bɔ́t-] n. ① 로봇 공학.

ro·bust [roubʌ́st, róubʌst] a. 억 센, 튼튼한(sturdy), 정력적인; (연습 따위가) 격심한; 조야한.

:rock [rak/-ɔ-] n. ①© 바위, 암석; © 《美》 돌(any piece of stone); ① 암반; [地] 견고한 기초(버팀); © 암초; 화근. **on the ~s** 《口》 난파[파멸]하여; 《口》 빈털터리가 되어; (칵테일이) 얼음덩이리 위에 (부은) 얼음 스키 따위). **sunken ~** 암초. **the R- of ages** 예수.

:rock vt. 흔들어 움직이다; 흔들다. — vi. 흔들리다[림]. **~·ing chair** [**horse**] 흔들 의자(목마). **~·er** n. © 흔들 의자(목마)의 (다리).

rock·a·bil·ly [rákəbili/rɔ́k-] n. ① 로커빌리(비트가 강한 곡조의 음악).

róck and róll ⇒ ROCK·'N'·ROLL.

róck bóttom 밑바닥; 기저(基底); 깊은 속, 진상; 밑병의 바위.

róck cáke 겉이 딱딱하고 꺼칠한 쿠키.

róck-climbing n. ① 암벽 등반, 록클라이밍.

rock·et [rákit/-ɔ-] n., vt. ① © 봉화(火箭)(를 올리다). ② © 로켓(을 쏴 올리다). ③ (a ~) 《英俗》 심한 질책. **get a ~** 《口俗》 심하게 혼나다. — vi. (새가) 불쑥 날아오르다; (값이) 갑자기 뛰어오르다; 급속도로 출세하다 (로켓처럼) 질주하다. **~·ry** n. ① 로켓 공학[공작].

róck gárden 암석 정원; 석가산 (石假山)이 있는 정원.

rócking cháir [**hórse**] ⇒ ROCK.

rock·'n'-roll [rákənróul/rɔ́k-] n. ① 로큰롤(박자가 격렬한 재즈곡 ; 춤).

róck sàlt 암염(巖鹽).

rock·y [-i] a. ① 바위의(같은, 많은); 암석질의. ② 완고한; 냉혹한. **the Rockies** 로키 산맥.

rock·y a. 흔들흔들하는(skaky); 《口》 위태로운.

ro·co·co [rəkóukou] n., a. ① 로코 코 양식(18세기 전반(前半)에 유행한 화려한 건축 양식); 로코코풍의.

:rod [rad/-ɔ-] n. © 장대, 긴 막대기.

낚싯대; 작은 가지; 지팡이, 회초리;
권표(權標); 권력; 로드(길이의 단위,
약 5m); 《美俗》권총; 간균(桿菌).
kiss the ~ 매를 달게 받다. **Spare
the ~ and spoil the child.** 《속
담》귀한 자식 매로 키워라.

:**rode** [roud] v. ride의 과거.

ro·dent [róudənt] a., n. 갉는, ⓒ 설
치류(齧齒類)의 (동물).

ro·de·o [róudiou, roudéiou] n. 《pl.
~s》(카우보이들의 승마술·
올가미 던지기 따위의) 경기대회; 소
메들 몰이 모음.

roe [rou] n. Ⓤⓒ 물고기의 알, 곤
이. **soft ~** 이리.

roe [rou] n. ⓒ 노루의 일종《~ deer라고
도 함》.

rog·er [rádʒər/-ɛ-] int. 《美俗》좋
아; 알았어!

:**rogue** [roug] n. ⓒ 악한(rascal).
개구쟁이; 짓궂은 장난꾸러기; 악대(惡隊);
무리에서 따로 떨어진 동물(코끼리).
ro·guer·y [-əri] n. Ⓤⓒ 나쁜짓; 장
난. **ro·guish** [-iʃ] a. 깡패의; 장난
치는.

rogues' gállery 전과자 사진첩.

rois·ter [róistər] vi. 술마시며 떠들
다. **~·er** n. **~·er** a.

:**role, rôle** [roul] n. (F.) ⓒ 구실,
역할, 역(役).

róle-pláying n. Ⓤ 【心】역할 연기
《심리극 따위에서》.

:**roll** [roul] vt., vi. 굴리다; 구르다
①(눈알을) 굴리다; 구르다 ② 둥그렇
게 하다, 동그래지다(in, into, up).
휘감(기)다, 휘말(리)다. ③ 《vt.》 바
퀴를 모우려 발음하다. ⑤ 《vi.》《파도·
물결·땅 따위가》 굽이치다, 완만하게 기
복(起伏)하다. ⑥ 《구름·안개·연기
가》 뭉게뭉게 피어 오르다, 퍼져 가다
로 피어 오르다《The mist ~ed away. 안
개가 걷혔다). ⑦ 《vt.》 눌러로 (판판
하게) 밀어《늘이》다. ⑧ 《배·비행기
를》 열질하게 《하다 ④ 하다(cf. pitch²).
⑨ 허리를 좌우로 흔들며 걷다《뱃사람
의 걸음걸이》. ⑩ 《vt.》 숙고하다. ⑪
《북 따위를(가)》 둥둥 울리다. ⑫
이 울리다 ⑬ 떠는 소리로 울다《노
래하다》, 《목소리를》 떨다. ⑬ 《vt.》
《俗》《만취한 사람 등의》 주머니를 털
다. ⑭ 《vi.》 《口》 세고났다《She is

~**ing in money.**). — **back** 되돌
리다; 《통제에 의해 물가를》 원래대로
내리다. — **in** 꾸역꾸역 모여 들다.
— **on** 굴러 나아가다; 세월이 흐르
다. — **up** (차) 감다, 휘말다; 둥그
래지다; 감아 올리다, 갑자기 올라가
다; 피어 오르다; (돈이) 모이다; 나
타나다. — n. ⓒ ① 회전, 구르기.
② 굽이침. ③ 두루마리, 한 통(捲),
(말린) 한 개(a ~ of bread). ④
롤빵; 말다. ⑤ (원래는 갂고 다니기
위해 둘둘 만) 기록; 표, 명부(call
the ~ 점호하다). ⑥ 울림. ⑦《海》
열질. ⑧ 《꼴》횡전(橫轉). ⑨《美
俗》돈 뭉치, 자본, 잔돈. **on the ~s** 명
부에 올라. **on the ~s of fame**
역사에 이름을 남기어. **of hon-
o(u)r** 전사자 명부. **strike off the
~s** 제명하다.

róll càll 점호. 【軍】점호 나팔[신
호].

roll·er [-ər] n. ⓒ (땅고르기·인쇄·
압연용) 롤러; 큰 널; 【鳥】롤러카나
리아.

róller cóaster 《美》(스릴을 즐기
는) 환주로(環走路).

róller skáte 롤러 스케이트 (구두).

róller-skàte vi. ⓒ 로 스케이트 타
다.

rol·lick [rálik/-5-] vi. 시시덕거리다
(frolic). ~·ing, ~·some a. 쾌활
한, 명랑하게 떠드는.

roll·ing [róuliŋ] a., n. 구르는; Ⓤ
구르긴, 굴리긴[하기], 구름. **A ~
stone gathers no moss.** 《속담》 우물쭈
파도 한 우물을 파라.

rólling pín 밀방망이.

rólling stóck 《집합적》철도 차량
《기관차·객차》.

róll-tòp désk 접는 뚜껑이 달린
책상.

róly-póly a., n. 토실토실한 《아이
등》; 《主美英》《주로英》파배기 푸딩.

ROM [컴] read only memory 롬
《늘 기억 장치》.

ro·maine [rouméin] n. Ⓤ 상처의
일종.

Ro·man [róumən] a. 로마(사람)의;
(로마) 가톨릭교의; 로마(숫자)의.
— n. ⓒ 로마 사람; ⓒ 《pl.》 가톨릭
[천주]교도; Ⓤ 《印》로마체 (활자).

(The Epistle of Paul the Apostle to the) ~**s** 『新約』 로마서.
Róman álphabet 로마자.
Róman cándle 꽃불의 일종.
Róman Cátholic 가톨릭교의 (교도).
Róman Cathólicism 천주교, (로마) 가톨릭교; 그 교의·의식.
ro·mance [rouméns, róumæns] *n.* ⓒ 중세 기사 이야기, 전기(傳奇) 소설, 연애(모험) 소설, 정화(情話); 소설적인 사건, 로맨스(love affair); ⓤⓒ 꾸며낸 이야기, 공상 (이야기); ⓤ (R-) 로마스어(파). ⟨the (R-) 로마스말의. ── *vi.* 꾸며낸 이야기를 하다; 거짓말하다(lie); 공상하다.
ro·máncer *n.* ⓒ 전기 소설 작가; 공상(과장)가; 꾸며낸 이야기를 하는 사람.
Ro·man·esque [ròumænésk] *n., a.* ⓤ (중세 초기의)로마네스크 건축 양식의『아치 꼭대기가 둥금』(의).
Róman nóse 매부리코(cf. aquiline).
Róman númerals 로마숫자(Ⅰ, Ⅴ, Ⅹ, L(50), C(100), D(500), M(1000), MCMLXIX(1969) 따위).
ro·man·tic [rouméntik, rə-] *a.* 전기(傳奇) (소설)적인, 공상(비현실)적인; 로맨틱한; 낭만주의의. **R-Movement** (19세기 초엽의) 낭만주의 운동. ~ **school** 낭만파. ~ **age** 낭만파의 예술가(시인); (*pl.*) 낭만적 사상.
ro·man·ti·cism [rouméntisizəm] *n.* ⓤ 낭만적 정신; 낭만주의(형식을 배제하고 분방한 상상력을 중시하는 18세기 말부터 19세기 초엽의 사조) (cf. classicism, realism). **-cist** *n.* ⓒ 낭만주의자.
Rom·a·ny [rámənĳ /-5-] *n., a.* ⓒ 집시말(의). ── ⓒ 집시(의).
romp [ramp/-ɔ-] *vi.* 까불(며 놀)다, 뛰놀다(frolic (*about*). ── *n.* ⓒ 까불며 뛰노는 아이; 장난꾸러기. ── *n.* *pl.* 놀이옷, 롬퍼스.
ron·do [rándou/-5-] *n.* (*pl.* ~**s**) (It.) ⓒ 『樂』 론도, 회선곡(回旋曲).
rood [ru:d] *n.* ⓒ 십자가 (거상);(英) 루드(면적 단위= ¼ acre 약 1단=300평)). **by the R-** 신에 맹세로.
roof [ru:f] *n.* (*pl.* ~**s**; 때로 *rooves* [-vz], *vt.* ⓒ 지붕(을 달다); 집. ~ **of the mouth** 입천장, 구개. ~ **of the world** 높은 산맥, (특히) Pamir 고원. *under the parental* ~. ~**er** *n.* ~**ing** *n.* 지붕이기; 지붕이는 재료. ~**less** *a.*
róof gárden 옥상 정원.
rook[ruk] *n., vi., vt.* 『鳥』(유럽 산) 띠까마귀; (카드놀이에서) 속임수 쓰다(쓰는 사람). ── ⓒ 띠까마귀 (따위)가 떼지어 사는 곳; 빈민굴.
rook[ruk] *n.* ⓒ 『체스』 성장(城將)(castle)(장기의 차(車)에 해당).
rook·ie[rúki] *n.* ⓒ 《俗》 신병, 신참, 풋내기.
room[ru:m] *n.* ⓒ 방(의 사람들)·방;(*pl.*) 셋방, 하숙(lodgings) ⓤ 장소, 여지(*for*; *to* do). *in the* ~ *of* …의 대신으로. *make* ~ 자리를 양보하다, 장소를 마련하다(*for*). (*There is*) *no* ~ *to turn in*. 비좁다, 답답하다. ── *vt., vi.* 방을 주다, 하숙시키다; 유숙하다(*at, with, together*). ~**er** *n.* 《美》 세든 사람, 숙객. ~**étte** *n.* ⓒ 《美》 (Pullman car의) 개인용 침실. ~**·ful**[-fùl] *n.* ⓒ 방(한가득 그득(한 사람)·물건). ~**·ie** *n.* ⓒ 동숙자. ~**·y** *a.* 널찍한 (spacious).
róoming hóuse 《美》 하숙집.
róom-máte *n.* ⓒ 같은 방(을 쓰는) 사람, 동숙자.
róom sérvice (호텔 등의) 룸서비스; 룸서비스계.
roost [ru:st] *n.* ⓒ (닭장의) 홰 (perch); 휴식처, 잠자리. *at* ~ 취침중에. *Curses, like chickens, come home to* ~ 《속담》 남에게 침뱉기, *go to* ~ 홰에 오르다, 잠자리에 들다. *rule the* ~ ── *vi., vt.* (홰에) 앉다; 보금자리에 들다. ~**·er** *n.* ⓒ 《美》 수탉((英) cock).
root [ru:t] *n.* ⓒ ① 뿌리; (*pl.*) 뿌리(根本), 지하경. ② 근본, 근저(根底), 근거지. ③ 근원, 기초. ④ 《數』 근, 방정식의 근. 본질. ⑤ 『文』 어간(stem); 『言』 어근; 『數』 근; 『樂』 기음(基音)『기초

화음). ⑤ 〖컴〗 뿌리. **pull up by the ~s** 뿌리째 뽑다. **~ and branch** 전부 완전히, **strike 〔take〕 ~** 뿌리 박히다.

root・le [rú:tl] *vt.* ① 뿌리박(게 하)다; 정착하다〔시키다〕. ② 뿌리째 뽑아 내다, 근절하다 (*up, out*). **~ed** [‐id] *a.* 뿌리 박은. *a.*~**let** *n.* 잔뿌리 가는 뿌리.

róot bèer 탄산수의 일종(sassafras 등의 뿌리로 만듦).

rope [roup] *n.* ① 〖U.C〗 (밧)줄, 새끼. ② (the ~) 교수형(絞首刑)(용 밧줄). ③ 〖C〗 (*pl.*) 둘러선 줄(권투 장 등의 밧줄). ④ (*pl.*) 비결, 요령. **a ~ of sand** 못믿을 것. **come to the end of one's ~** 진 퇴유에 빠지다. **give 〔a person〕 ~ (enough to hang himself)** 멋 대로 하게 내버려 두어 자업자득이 되게 하다. **on the high ~s** 사람 을 앝(보아); 의기 양양하여, 열광하 여. **on the ~** (등산가들이) 로프로 몸을 이어 매고. — *vt.* (밧)줄로 잡아(묶다, 동이다); 올가미를 던져 잡 다. — *vi.* (끈적끈적하게) 실이 늘어지다. **~ in** (俗) 끌어〔꾀어〕 들이다.

róp・y *a.* 밧줄 같은; 끈끈한, 실이 늘어지는.

rópe làdder 줄사다리.

ro・sa・ry [róuzəri] *n.* 〖C〗 (가톨릭) 묵주, 로자리오; 장미원.

rose [rouz] *n.* ① 〖C〗 장미(꽃)(영국 의 국화). ② 〖U〗 장미빛. ③ 〖U〗 장미 무늬(매듭); 원화창(圓花窓). ④ (*pl.*) 불그레한 얼굴빛. ⑤ 미인. Alpine ~ 〖植〗석남. **bed of ~s** 안락한 지위〔신분〕. **gather 〔life's〕 ~s** 향락을 일삼다. **~ of Sharon** 무궁화; 〖聖〗 사론의 장미〔실제는 무궁화 非詳〕. **under the ~** = 비밀히(C.f. sub rosa). **Wars of the Roses** 〖英史〗 장미 전쟁(York가(家)(흰 장미의 문장)와 Lancaster가(家)(붉은 장미의 문장)의 싸움(1455-85)). — *a.* 장미빛의.

†rose *v.* rise의 과거.

ro・se・ate [róuziit] *a.* 장미빛의 (rosy); 밝은, 행복한; 낙관적인 (optimistic).

†róse・bùd *n.* 〖C〗 ① 장미 봉오리. ② 아름다운 소녀.

rose・mar・y [∠mἐəri] *n.* 〖植〗 로즈메리(상록 관목(灌木); 절개 등의 상징).

ro・sette [rouzét] *n.* 〖C〗 장미 매듭 (의 리본); 장미꼴 장식; 〖建〗 원화창 (圓花窓).

róse wàter 장미 향수; 겉발림말.

róse window 원화창(圓花窓).

róse・wòod *n.* 〖C〗 자단(紫檀)(콩과 의 나무(열대산)); 〖U〗 그 재목.

ros・in [rázən, ‐zn] *n.*, *vt.* 〖U〗 송 지(樹脂)〔송진 따위〕(를 바르다). — *vt.* (근무)명부.

ros・ter [rástər/rós-] *n.* 〖C〗 (근무)명부.

ros・trum [rástrəm/-5-] *n.* (*pl. ~s, -tra* [-trə]) 〖C〗 연단(演壇)(platform).

ros・y [róuzi] *a.* ① 장미빛의, 불그스름한; 장미로 꾸민, ② 유망한, 밝은 (기분의)(cheerful).

rot [rɑt/-ɔ-] *vi., vt.* (**-tt-**) 썩(게 하)다; 썩어 문드러지(게 하다). — *n.* ① 부패, 썩음; 〔俗〕 케케묵은 농담 (*Don't talk ~!* 허튼 수작 그만둬!).

ro・ta・ry [róutəri] *a.* ① 회전하는. — *n.* 〖C〗 윤전기; 환상 교차점; 〖電〗 회전 변류기.

†ro・tate [róuteit/-∠] *vi., vt.* 회전하다〔시키다〕; 교대하다〔시키다〕. **~ crops** 윤작하다. ***ro・ta・tion** *n.* 〖U.C〗 회전; 공전(by 〔in〕 rotation 교대 로, 차례로; 돌려짓기; 〖컴〗 회전(컴 퓨터 그래픽에서 모델화된 물체가 좌 표계의 한 점을 중심으로 도는 것).

ro・ta・tion・al *a.* 회전의, 회전하는.

ró・ta・tor *n.* 〖C〗 회전하는 것, 회전 기. **ro・ta・to・ry** [róutətɔ̀:ri/-təri] *a.*

rote [rout] *n.* 〖U〗 기계적인 방식〔암 기〕. **by ~** 기계에 의하여, 기계적으로.

†rot・ten [rátn/-5-] *a.* 부패한; 썩어 부서지기 쉬운(*a ~ ice*); 〔俗〕 나쁜, 더러운(nasty). **R- Row** 런던의 Hyde Park의 승마길(the Row).

rot・ter [rátər/-5-] *n.* 〖C〗 (英 俗) 변변찮은 녀석, 보기싫은 녀석.

ro・tund [routʌ́nd] *a.* 토실토실 살 찐; 낭랑한. **ro・tún・di・ty** *n.*

ro・tun・da [routʌ́ndə] *n.* 〖C〗 (둥근 지붕의) 원형 건물; 둥근 천장의 큰 홀.

rou・ble [rú:bəl] *n.* = RUBLE.

rou・e [ru:éi, ∠‐] *n.* (F.) 〖C〗 방탕아

(rake). 「지(를) 바르다.」

rouge[ruːʒ] *n., vi., vt.* ⓤ (입술·뺨에 바르는) 루주, 연지;(미장용) 화장 홍분; *vt.* …에 연지를 바르다.

rough[rʌf] *a.* ① 거친, 껄껄한(울퉁불퉁한). ② 텁수룩한(shaggy). ③ 거센, 파도치는. ⑤ 사나운, 난폭한; 예의없는. ③ (보석 따위) 닦지 않은. ⑥ 가공되지 않은. ⑦ 개략(槪略)의(개산의). ⑦ 서투른; 불친절한, 냉혹한. ~ **on** (…에) 심한. ⑩ = ASPIRATE. **have a ~ time** 되게 혼나다, 고생하다. ~ **rice** 현미(玄米). ~ **work** 고된(거친) 일. — *ad.* 거칠게; 대충. — *n.* ⓤⓒ 거칠음, 거친 물건(재료); ⓤ 난폭한(우악스런) 사람; ⓤ [골프] 불량 지역, 러프. **in the ~** 미가공(미완성)의 채 대체로. — *vt.* 거칠게 하다, 껄껄한 물들들하게 하다; 난폭하게 다루다; 대충 해내다(모양을 만들다). ~ **it** 비참한(고된) 생활에 견디다; 난폭한 짓을 하다. ~ **out** 대충 마무리하다. **~·ly** *ad.* 거칠게; 대강, 대충. ~ **estimated** 개산(槪算)으로, 대충잡아. **~·ly speaking** 대충 말해서.

rough·age[rʌfidʒ] *n.* ⓤ 거친 물건(재료); 섬유질 식품.

róugh-and-réady *a.* 조잡한; (인품이) 세련되지 못한, 무뚝한.

róugh-and-túmble *a., n.* 뒤범벅이 된, 어지러운; ⓤⓒ 난투.

rough·càst *n.* 러프코트로 마무리하다; (…의) 대체적인 줄거리를 세우다. — *n.* ⓤ 러프코트(외벽과 내부 벽에 작은 자갈을 섞어 바른 벽) 대체적인 줄거리.

rough·en[rʌfən] *vi., vt.* 거칠게 하다(되다).

róugh·héwn *a.* 대충 깎은; 건목친; 조야한.

róugh·nèck *n.* ⓒ《美口》 우락부락한 사람, 건달.

róugh·shòd *a.* (말이) 못이 나온 편자를 신은. **ride ~ over** …을 난폭하게(냉혹하게) 다루다.

rou·lette[ruːlét] *n.* ⓤ 룰렛(공굴리기 도박).

round[raund] *a.* ① 둥근, ② 토실토실 살찐. ③ 한바퀴[일주]의. ⑦ 완전한(*a* ~ *dozen* 꼭 1다스). ③ 대강의, 끝수(우수리)가 없는(*a* ~ *number* 개수, 어림수《500·3,000 이 위》). ⑥ 상당한(*a good* ~ *sum*). ⑦ 잘 울리는, 낭랑한. ⑧ 활발한. ⑨ 솔직한(frank). ⑩《音聲》입술을 동그렇게 해서 내는 음; *n.* ⓑ(原) 둥근 물건 (조각의) 환조(丸彫); (빵의) 얇게 썬 조각; 사다리의 가로장(둥글린 것)(rung). ② 한바퀴, 순회(지구) **go** (*make*) *one's* ~ *s* 순회하다. ③ 회전, 주기, ④ 범위, ⑤ (승부의) 한판(*play a* ~), ⑥ 연속. ⑦ (탄약의)한 발분, 일제 사격. ⑧ 원무(圓舞), 윤창(輪唱). **daily** ~ 매일의 일(근무), ~ *in the* ~ 모든 점으로 보아《*Seoul in the* ~ 서울의 전모》. — *ad.* 둥글게; 둘레에; 둥글게; 가까이; 차례차례로. **all** ~ 널리 이곳저곳에. **all the year** ~, 1년 내내. **ask** (*a person*) ~ (아무를) 초대하다. **come** ~ 돌아오다; 회복하다. **come ~ to a person's view** 의견에 동의하다. ~ **about** 원을 이루어, 둘레에; 멀리 빙 돌아서; 반대 미치어. ~ **and** ~ 빙빙; 사방에 널리 미치어. **win** *a person* ~ 자기편으로 끌어들이다. — *prep.* ① …을 돌아서, …의 둘레를, ② …의 근처 [주변·일대]에. ③ …을 고루살피어서, 모퉁이를 돈 곳에(*the corner*). **come** ~ (*a person*) 꾀로 앞지르다 [넘기다]; 갑(便)으로 돌다. — *vi.,* *vt.* 둥글게 되다(하다); 돌다; (*vt.*) 완성하다, (*vi.*) 토실토실 살찌다, 원숙해지다. ~ **down** (수금은 등의) 우수리를 잘라 버리다. ~ **off** 둥글게 하다; (모진 것을) 둥글게(하다); 잘 다듬어 마무리하다; 원숙하게 하다. ~ **on** (친구 등을) 역습하다, 찍 소리 못하게 하다; 고자질[밀고] 하다. ~ **out** 둥글게 하다; 살찌게 하다; 완성하다. ~ **up** 둥글게 뭉치다; 숫자를 우수리 없게 하다; 몰아 대다(들이). 《口》 검거하다. — *n.* ⓒ 원. 《컴》 맴돌.

róund·about *a., n.* ⓒ 멀리 도는; 에움길, 에두름; 에두르는; 사내아이의 짧은 웃옷;《英》회전 목마;《英》환상 십자로, 로터리.

round·ed[⊿id] *a.* 둥글게 한(만든).

round·del[ráundl] *n.* ⓒ 고리, 둥근 것, 원반; (날개의) 라운드 마크.

róund·er *n.* ⓒ 순회자; 주정뱅이.

상습범; (*pl.*) 구기(球技)의 일종.

róund·eyed *a.* (깜짝 놀라) 눈을 둥그렇게 뜬.

Róund·head *n.* ⓒ 〔英史〕원두당원 (圓頭黨員)〔1642-52의 내란 당시 머리를 짧게 깎은 청교도 의원; Charles I 에 반항〕.

round·head 〔-hèd〕 *a.* 둥그스름한.

round·ly 〔-li〕 *ad.* 둥글게; 완전히, 충분히; 솔직하게, 단호히; 몹시, 기운차게; 대충.

round·ness 〔-nis〕 *n.* ⓤ 둥긂의 완전함, 솔직함; 리그럼; 연속.

róund róbin 사발통문의 탄원서; 원탁회의〔리그전; 연속.

róund-shóuldered *a.* 새우등의.

rounds·man 〔-zmən〕 *n.* ⓒ 〔英〕주문 받으러 다니는 사람, 외무원; 〔美〕순찰 경관.

round-táble *a.* 원탁의(~ *conference* 원탁 회의).

róund tríp 왕복 여행; 주유(周遊)여행.

róund-úp *n.* ⓒ 가축을 몰아 한데 모으기; (범인 등의) 일제 검거.

rouse 〔rauz〕 *vt.* 일으키다; 날아오르게 하다; 격려하다; 성나게 하다; 휘젓다. — *vi., n.* 일어나다; 잠깨다; (감정이) 격해지다. **róus·er** *n.* ⓒ 환기〔각성〕시키는 사람. **róus·ing** *a.* 격려하는; 활발한; 터무니없는.

roust·a·bout 〔ráustəbàut〕 *n.* ⓒ 〔美〕부두 노무자.

rout 〔raut〕 *n.* ⓤⓒ 패배; 무질서한 군중(mob). — *vt.* 패주시키다.

route 〔ruːt, raut〕 *n.* ⓒ 길, 코스, 노정; 항로; 〔軍〕(신문 등의) 배달 구역, *go the* ~ (임무 따위를) 끝까지 완수하다; 완투하다. — *vt.* (…의) 길(노선)을 정하다; 발송하다.

rou·tine 〔ruːtíːn〕 *n.* ⓒⓤ 상례적인 일, 판에 박힌, 정해짐, 정해진 순서; 〔컴〕루틴〔어떤 작업에 대한 일련의 명령군(群); 완성된 프로그램〕. — *a.* 일상의, 판에 박힌.

roux 〔ruː〕 *n.* (F.) 〔料理〕루(녹인 버터에 밀가루를 섞은 것).

rove 〔rouv〕 *vt.* 헤매다. 배회하다 (wander)(over). — *n., vt.* 유력(遊歷)〔유랑〕(하다). 배회(하다).

(R-) 개 이름. *on the* ~ 배회하고.

rov·er 〔róuvər〕 *n.* ⓒ 배회자; 해적; 월여만(月面車). *at* ~*s* 막연히.

row[1] 〔rou〕 *n.* ⓒ 열, 줄; 죽 늘어선〔즐비한〕 집; 거리; 가로수; (the R-) 〔英〕 = ROTTEN ROW; 〔컵〕행렬. *a hard* (*long, tough*) ~ *to hoe* 〔美〕힘드는〔고된〕 일, 큰 일.

row[2] *vt.* (배를) 젓다, 저어서 운반하다; (…으로) 젓다. — *vi., n.* (a ~) 젓다; 젓기; 경조(競漕)(하다). ~*down* 저어서 따라 미치다. ~*ing boat* 〔英〕 = ROWBOAT. ~ *over* 상대방의 배를 훨씬 따돌리다. ~*er* *n.* ~*ing* *n.*

row[3] 〔rau〕 *n.* ⓒ ⓤ ⓒ 〔口〕 소동, 법석. ⓒ 〔口〕 꾸짖음(*get into a* ~ 꾸지람을 듣다). ⓒ 〔口〕 말다툼. *make kick up a* ~ 법석을 일으키다; 항의하다. — *vt., vi.* 〔口〕 욕설하다. 〔口〕 떠들다. 말다툼하다.

row·an 〔róuən, ráu-〕 *n.* ⓒ 〔植〕마가목의 일종; 그 열매.

row·dy 〔ráudi〕 *n., a.* ⓒ 난폭자; 난폭한. ~*ism*〔-ìzm〕 *n.*

row·lock 〔rálək, rá-/ró-〕 *n.* ⓒ 〔英〕(보트의) 노겹이, 노받이.

roy·al 〔rɔ́iəl〕 *a.* 왕(여왕)의; 국왕의; 왕자의; 왕자(王者)다운; 훌륭한, 당당한(*a* ~ *game*); 장엄한; 왕립의; 치하(勅許)의; 거창한, *have a* ~ *time* 굉장히 즐겁게 지내다. *His* [*Her*] *R- Highness* 전하[비](妃)전하). ~ *assent* (의회를 통과한 법안에 대한) 국왕의 재가. ~ *household* 왕실. ~ *touch* 연주창 환자에게 왕이 손을 댐(왕이 손을 대면 낫는다고 생각했음). *the R- Air Force* 영국 공군. *the R- Marines* 영국 해병대. *the R- Navy* 영국 해군. ~*ist* *n.* ⓒ 왕당원(cf. Roundhead). ~*ly* *ad.* 왕답게, 당당하게.

róyal blúe 진한 청색.

roy·al·ty 〔rɔ́iəlti〕 *n.* ⓤ 왕(여왕)임, 왕권; (보통 *pl.*) 왕의 특권; 왕족; 특허권. ② ⓒ (본래는 왕실에 국한된) 상납금; 채굴권; 인세; (회죽의) 상연료, 저작권의 사용료.

rpm, r.p.m. revolutions per minute.

R.S.P.C.A. Royal Society for the Prevention of Cruelty to Animals. **R.S.V.P.** *Répondez s'il vous plaît*(F. = please reply). **Rt. Hon.** Right Honorable. **R.U.** Rugby Union.

rub[rʌb] *vt., vi.* (**-bb-**) ① 문지르다, 마찰하다; 닦다. ② (*vt.*) 문질러 (비벼) 지우다(없애다). ③ (*vt.*) 조화에 만들다. ④ (*vi.*) 문질리다. ⑤ (口) 그럭저럭 살아 나가다(*along, on, through*). ~ **down** 문질러 없애다; 마사지하다. ~ **in** (口) 되풀이 말하다. ~ **off** 문질러(문대어) 묻혀 없애다. ~ **one's hands** 두 손을 비비다(득의·만족을 나타냄). ~ **up** 닦다; 복습하다; ~ **up Latin** : 한테 개다(섞다)(mix). ─ *n.* (a ~) 문지름, 마찰; 마찰 □장애, 곤란; 빈정거림, 욕설. **~s and worries of life** 인생의 고초. **There's the ~.** 그것이 골치아픈(곤 태로운) 점이다(Sh(ak)). **~-bing** *n.* 연마; 연마; 마사지, 박문.

rub·ber[rʌ́bər] *n.* ① ⓤ 고무; ⓒ 고무 제품; ⓒ 고무 지우개(*India* ~); (*pl.*) (美) 고무신; ② ⓒ 문지르는 (비비는) 사람, 마찰사; 칠판 지우개. ③ ⓒ 숫돌, 줄, 고무. ─ *vt.* (천에) 고무를 입히다. ─ *vi.* (美俗)남을 목을 길이고(보고), 뒤돌아보다. **~·ize** [-ràiz] *vt.* (…에) 고무를 입히다(코팅하다). **~·ly** *a.* 고무같은, 탄력 있는.

rub·ber *n.* ⓒ 3판 승부(의 결승전).

rúbber bánd 고무 밴드.
rúbber plánt(trée) 고무 나무.
rúbber stámp 고무 도장.
rúbber-stámp *vt.* (…에) 고무도장을 찍다; (口) 무턱대고 도장을 찍다(받아들이다).

rub·bish[rʌ́biʃ] *n.* ⓤ 쓰레기; 잡초대, 허튼 소리, 실없는 소리. **~·y** *a.*
rub·ble[rʌ́bl] *n.* ⓤ 잡석, 밭자갈, 깨진 조각.
ru·bel·la[ruːbélə] *n.* (醫) 풍진 (風疹)(German measles).
Ru·bi·con [rúːbikàn/-kən] *n.* (the ~)이탈리아 중부의 강. **cross the ~** 결행하다.
ru·bi·cund[rúːbikànd/-kənd] *a.* (얼굴 따위가) 붉은(ruddy).

단위; = 100 kopecks; 기호 R, r).
ru·bric[rúːbrik] *n.* ⓒ 주서(朱書), 붉은 인쇄(글씨); 예배 규정.
ru·by [rúːbi] *n., a.* 홍옥, 루비 (빛의); ⓤ 진홍색(의); (拳) 피; (英) (印) 루비 활자(agate).

ruck[rʌk] *n.* ⓒ 다수; 대중; 잡동사니.
ruck·sack[rʌ́ksæk, -û-] *n.* ⓒ 륙색, 배낭.
ruck·us[rʌ́kəs] *n.* ⓤⓒ (美口) 야단 법석.
ruc·tion[rʌ́kʃən] *n.* ⓤ (口) 소동, 싸움, 난투.
rud·der[rʌ́dər] *n.* ⓒ (배의) 키; (空) 방향타(舵). **~·less** *a.* 키가 없는; 지도자가 없는.
rud·dy[rʌ́di] *a.* 붉은; 혈색이 좋은.
rude[ruːd] *a.* ① 버릇없는, 난폭한. ② (날씨 따위가) 거친, 거센. ③ 자연 그대로의, (어림 따위) 대강의(rough). **be ~ to** … 을 욕보다. **say ~ things** 무례한 말을 하다. **~·ness** *n.*
rude·ly[rúːdli] *ad.* 거칠게; 버릇없게; 아무렇게나.
ru·di·ment[rúːdəmənt] *n.* (*pl.*) 기본, 초보. ⓒ 발육 불완전 기관. **-men·tal**[-méntl], **-men·ta·ry** [-təri] *a.* 초보의; (生) 발육 부전의; 흔적의.
rue[ruː] *vt., vi.* 뉘우치다, 슬퍼하다, 한탄하다. ─ *n.* (古) 회한, 비탄. **~·ful**(-ly) *a.* (-ad.)
ruff[rʌf] *n.* ⓒ (16세기경 남녀 옷의) 수레바퀴 모양의 주름 옷깃, 주름깃 [-t] *n.* 주름 옷깃이 있는.
ruf·fi·an[rʌ́fiən, -fjən] *n., a.* 깡 악한, 불량배; 흉악한. **~·ism** [-izəm] *n.* **~·ly** *a.* 흉악한.
ruf·fle[rʌ́fəl] *vt.* ① 물결을 일으키다, (것털을) 세우다. ② 교란시키다, 속타게(초조하게)하다. ③ (물결 따위의) 주름 가장자리를 달다. (트럼프 패를) 쳐서 뒤섞다. ─ *vi.* 물결이 일다; 속타다; 뽐내다. ─ *n.* ⓒ 주름 가장자리(장식). ② ⓒ 잔 물결. ③ ⓤⓒ 동요; 속탐, 화(냄).
rug[rʌg] *n.* ⓒ 깔개, 융단, 양탄자; (주로 英) 무릎 덮개.
rug·by (**fóotball**)[rʌ́gbi(-)] *n.* (종종 R-) ⓤ 럭비(축구).

R

:rug・ged [rʌ́gid] *a.* 울퉁불퉁한, 껄껄한(*rough*); 엄격한; 험악한(~ *weather*); 피로운; 조야한; 단단한; 귀에 거슬리는; 튼튼한(*a* ~ *child*). **~・ly** *ad.* **~・ness** *n.*

rug・ger [rʌ́gər] *n.* U 《英口》럭비.

:ru・in [rúːin] *n.* (*pl.*) 폐허; U 파멸(의 상태); 몰락; 파산; 황폐; 손해. **be the ~ of** (…의) 파멸의 원인이 되다. **bring to ~** 실패시키다. **go to ~** 멸망하다. — *vt., vi.* 파괴하다, 파멸시키다; 영락시키다[하다]. **~・a・tion** [━éiʃən] *n.* **~・ous** *a.* 파괴적인, 파멸을 가져오는; 황폐한; 영락한.

†rule [ruːl] *n.* ① C 규칙, 표준, 법칙. ② C 관례, 정례, 습관. ③ U 통치. ④ C 규준; 자(*ruler*). ⑤ C 괘(罫), 괘선(線); 1 자 — 대개, 일반적으로 **by ~** 규칙적으로(대로). **hard and fast a ~** 까다로운 표준 [규정]. **make it a ~ to** 하는 것을 상례로 하다, 늘 ~하기로 하고 있다. **~ of the road** 교통 규칙. **~ of three** 비례. **~ of thumb** 개략의 측정, 개산(槪算); 실제 경험에서 얻은 법칙. — *vt.* 규정하다; 통치[지배]하다; 판정하다; 자로 줄을 긋다; 억제하다. — *vi.* 지배하다(*over*); [商] 어떤 값(稙)을 이루다(*Prices ~ high.* 높은 시세에 머물러 있다). **~ out** 제외(배제)하다. **~・less** *a.* 규칙이 없는; 지배되지 않는.

rul・er [rúːlər] *n.* ① C 통치(지배)자, 주권자.

rul・ing [rúːliŋ] *a.* 통치(지배)하는; 우세한; 일반의. — *n.* U C 판정; 선(긋기). **~ class** 지배 계급. **~ passion** (행동의 근원이 되는) 주정(主情). **~ price** 시세 시가. **~・ly** *ad.*

†rum¹ [rʌm] *n.* U 럼주(당밀 따위로 만듦); 《美·一般》 주(酒).

rum² *a.* (*-mm-*) 《英口》 이상한, 별스런(*odd*). **feel ~** 기분이 나쁘다.

rum・ba [rʌ́mbə, rúm-] *n., vi.* (Sp.) 룸바(본디 쿠바 토인의 춤) (를 추다).

rum・ble [rʌ́mbəl] *n.* (*sing.*) 우르르 소리, 덜커덕(요란한) 소리; = ↙

sèat (구식 자동차 후부의) 접었다 폈다 하는 식의 좌석; 소문; 불평. — *vi.* 우르르 울리다; 덜커덕덜커덕 소리가 나다.

ru・mi・nant [rúːmənənt] *a., n.* 되새기는; 심사(묵상)하는; 반추 동물 《소·양·낙타 따위》.

ru・mi・nate [rúːmənèit] *vi., vt.* 되새기다; 심사(묵상)하다(*ponder*) (*about, of, on, over*). **-na・tion** [━néiʃən] *n.* U 반추; 생각에 잠김, 명상.

rum・mage [rʌ́midʒ] *vt., vi.* 뒤적거리며(뒤져) 찾아내다(*out, up*). — *n.* (*a* ~) 샅샅이 뒤짐; U 잡동사니, 허섭스레기(*odds and ends*).

rúmmage sàle 자선 바자; 재고품 정리 판매.

rum・my¹ *n.* U 카드놀이의 일종.

rum・my² [rʌ́mi] 《美》 *a.* ⇒ RUM². *n.* 《美》 주정뱅이.

†ru・mor, 《英》 **-mour** [rúːmər] *n., vt.* U C 풍문, 소문(을 내다).

rump [rʌmp] *n.* C (사람·새·짐승의) 궁둥이; 《英》 (소고기의) 엉덩이살; 나머지; 잔당, 잔류파.

rum・ple [rʌ́mpəl] *vt.* 구기다, 주름 지게 하다; 헝크러뜨리다.

rum・pus [rʌ́mpəs] *n.* (*sing.*) 《口》 소음, 소란(*row*).

rúm-shòp *n.* 《美口》 술집, 주류 판매점.

†run [rʌn] *vi.* (*ran; run; -nn-*) ① 달리다; 급히 가다. ~ *for one's life.* ② 달아나다; 도망하다. ③ 나아가다(*creep*); (담쟁이 덩굴·포도 따위가) 휘감겨 오르다(*climb*). ⑥ 대강 훑어보다. (때가) 지나다. ⑧ 뻗다, 퍼지다. ⑨ (강 따위가) 흐르다; 콧물(눈물·피가) 나오다, 흘러나오다(*My nose ~s.*); 흘리고 있다(*You're ~ning at the nose.*). ⑩ (…하게) 되다(~ *dry* 말라붙다/~ *hard* 몹시 엄하다/~ *low* 적어지다). ⑫ (모양·크기 등이) …이다(*These apples ~ large.*). ⑬ 계속하다(*last*). ⑭ 일어나다. 행해지다. ⑮ (기억이) 떠오르다. ⑯ [法] 효력이 있다. ⑰ (경기·선거 등에) 나가다(*for*); (경주·경마에서) …등이 되다.

⑱ 수월하게[스르르] 움직이다. ⑲ 말은(문구는)…이다. ⑳ 멋대로 행동하다. 어거하기 힘들다. (~ *wild*). ㉑ (물고기떼가) 이동하다. ㉒ 풀리다 (*ravel*): 녹다. — *vt.* ① 달리게 하다(~ *a horse*). (길을) 가다(~ *a course*). (길을) 몰다(~ *a hare*). 알아내다(~ *the rumor to its source*). ③ (…와) 경쟁하다(*I'll* ~ *him a mile.*). (말을) 경마에 내보내다. ④ (아무를) 들이 마시키다(~ *him for the Senate* 상원의원에 입후보시키다). ⑤ (칼로) 꿰찌르다(*into*). ⑥ 꿰매다. ⑦ (…을) 흐르게 하다(*flow with*) (*The streets ran blood.* 거리는 온통 피바다였다). ⑧ (어떤 상태로) 만들다. ⑨ 무릅쓰다(~ *a risk*). ⑩ 지장없이 움직이다. 잘나아가다. ⑪ (물건을) 밀수(입)하다(*smuggle*). ⑭ 《美》(광고·기사 따위를) 내다. 발표하다(~ *an ad in The Times* 타임즈지(紙)에 광고를 내다).

~ *about* 뛰어다니다. ~ *across* 뜻밖에 만나다. ~ *after* …을 뒤쫓다: 추구하다. ~ *against* 충돌하다; 뜻하지 않게 만나다. ~ *away* 도망치다. ~ *away with* …을 가지고 달아나다; …와 사랑의 도피를 하다; 지례짐작하다. ~ *close* 바싹 뒤쫓다; 육박하다. ~ *down* (*vi.*) 뛰어내려가다; (아무를 방문하려) 시골에 가다; (태엽이 풀려서 시계가) 서다; 쇠약해지(게 하)다; (*vt.*) 바싹 뒤쫓다(뒤쫓다); 부딪쳐 넘어뜨리다. 충돌하다. ~ 찾아내다. 《口》 헐뜯다. ~ *for* 뿌리어 가다. ~의 후보로 나서다(~ *for Congress*. 하원에 입후보하다). ~ *for it* 도망치다. ~ *in* (사) 잠깐 들르다; 일치(동의)하다; (*vt.*) 《印》행을 바꾸지 않고 조판하다; 《俗》체포하여 교도소에 집어 넣다. ~ *into* 뛰어들다; 빠지다(~ *into debt* 빚을 지다); (강물이 바다로) 흘러 들어가다; …에 출돌하다; 딱 마주치다; …으로 기울다; 달하다. ~ *off* (슬쩍) 도망치다; (이야기가) 갑자기 탈선하다; 유출하다(시키다); 거침없이 말(줄줄)하다(낭독하다); 《美》(연극을) 연속 공연하다; 인쇄하다. ~ *a* (*person*) *off his legs* 지치게 하다.

on 계속하다; 도도하게 말을 계속하다; 《印》이어쓰다; 경과하다; (…에) 미치다; 좌초하다. ~ *out* 뛰어(흘러)나오다; 끝나다; 다하다; 만기가 되다; (시계가) 서다; (원고를 인쇄에 넘길 때) 예정 이상으로 늘어나다; 《野》 러너를 아웃시키다; (뱃줄을) 풀어내다. ~ *out of* (차가 사람 등을) 치다. 넘치다. ~ *over* (차가 사람 등을) 치다. 넘치다. 피아노를 빨리 치다. *through* 꿰뚫다; 대강 훑어 읽다; 소비하다; (글씨를) 줄을 그어 지우다. ~ *up* (*vi.*) 뛰어 오르다; 증가하다. 부쩍부쩍 자라다; 달하다(*to*); (*vt.*) 올리다; 증가하다(急造)하다.

— *n.* ① 달림; 한달음, 《野》구보(*cf.* double time); 경주. ② (a ~) 여행. ③ (a ~) 진행, 행정(行程). ④ Ⓤ 유출; 유출; Ⓒ 시내; 수관(水管), 파이프, Ⓒ (the ~) 유행, 주문 쇄도; (은행의) 지불 청구의 쇄도(*on*). ⑥ (the ~) 방향, 추세; 형세, 경향(*trend*). ⑦ (a ~) 흐름과 같이 잇따름; 한 연속; 연속. ⑧ Ⓒ 보통(의 것), 종류, 계급(*class*). ⑨ Ⓒ 도로. ⑩ Ⓒ 방목장, 사육장(*a chicken*~). ⑪ (the ~) 사용(출입)의 자유. ⑫ (the ~) 조업(운전) (시간); 작업량. ⑬ Ⓒ 생반(生殖)(1점); 《크리켓》 득점; 1점. ⑭ Ⓒ 급주(急奏); Ⓒ (양말의) 전선(傳線)《英》*ladder*)(*in*); Ⓤ 메기어 이동하는 물고기, Ⓒ 《컴》 실행. *at a*~ 구보로 감, *by the* ~, *or with a*~ 갑자기, 왈칵, *common*~ *of people* 보통의 사람, 대중, *have a good*~ 굉장한 인기를 얻다. *have a*~ *for one's money* 노력(고생)한 만큼의 보람이 있다. 《美》이익을 얻고자 기를 쓰다. *have the*~ *of one's teeth* (노동의 보수로서) 식사를 제공받다. *in the long*~ 마침내, 결국(結局), 요컨대. *keep the*~ *of*《美》뒤(비)지지 않다. *let* (*a person*) *have his*~ …에게 자유를 주다. 마음대로 하게 하다. *on the*~ 《口》도주하여; 떠나서. ~(*s*) *batted in* 《野》타점(생환 득점), 생략 r. b. i.)

rún·about *n.* Ⓒ 떠돌이, 부랑자; 소형 자동차(발동선).

rún·aróund *n.* (the ~) 《口》회피,

도피; 어물쩍거림, 핑계.

rún・a・way *n., a.* ⓒ 도망(자), 달아 난 (말), 사랑의 도피; 눈맞아 도피 한; (경주에서) 쉽게 이긴.

rune [ruːn] *n.* ⓒ (보통 *pl.*) 룬 문자 《북유럽의 고대 문자》; 룬 문자와의 시; 신비로운 기호. **rú・nic** *a, n.* 룬 문자의; 룬 문자체의 활자.

rung[rʌŋ] *n.* ⓒ (사닥다리의) 가로장.

rung² *v.* ring의 과거분사(分詞).

rún-in *n.* ⓒ (印) 이어쓰기 (부분); 추가의 (원고·교정); 《美口》 말다툼.

run-let [rʌ́nlit] *n.* ⓒ 시내, 개울.

run-ner [rʌ́nər] *n.* ⓒ ① 달리는 사람, 경주자(말). ② (스케이트·썰매 의) 활주면. ③ 좁고 길쭉한 테이블보 〈융단〉. ④ [植] 덩굴. ⑤ (양말의) 전선(ladder). ⑥ 《美》유객(誘客) 꾼; 밀수업자; 심부름꾼.

rúnner-úp *n.* (*pl.* **-s-up**) ⓒ (경기 따위의) 차점자(팀).

rún・ning [rʌ́niŋ] *n.* ① ⓤ 달리기, 경주, 운전; 유출, 고름이 나옴. *be in 〔out of〕 the ~* 경주·경쟁에 참가 〔불참〕하다; 승산이 있다〔없다〕. *take up the ~* 앞장서다, 솔선하다. — *a.* 달리는, 흐르는; 잇따른, 연속 하는〈for six days ~ 연(連) 6일간〉; 미끄러운, 원활하게 되어가는〈나아가 는〉; 〈덩굴 따위가〉 뻗는.

rúnning cómmentary (스포츠· 프로 등의) 실황 방송; 필요에 따라 수시로 하는 설명〔해설〕.

rúnning máte 짝지은 입후보자 중 하위의 사람.

run・ny [rʌ́ni] *a.* 액체 비슷한, 점액 을 분비하는〈a ~ nose〉.

rún-off *n.* ① ⓤⓒ 흘러 없어지는 것; (도로의) 배수(排水)(기). ② ⓒ (동점자의) 결승전.

rún-of-(the-)míll *a.* 보통의.

runt [rʌnt] *n.* ⓒ 송아지; [蔑] 난쟁 이; 작은 동물(식물). **～・y** *a.*

rún-through *n.* ⓒ 통독(通讀); 예 행 연습.

rún-up *n.* ⓒ 도움닫기.

rún・wày *n., vt.* ⓒ 주로(走路); 활주

로(를 만들다); (동물의) 다니는 길; (재목 등을 굴려내리는) 비탈길.

ru・pee [ruːpíː] *n.* ⓒ 루피《인도·파 키스탄·스리랑카의 화폐 단위: 생략 r. R, Re》; 루피 은화.

rup・ture [rʌ́ptʃər] *n.* ⓤⓒ 파열; ⓒ 헤르니아, 탈장(脫腸). — *vt., vi.* 깨뜨리다; 찢(어지)게 하다, 터지다, 터지게 하다; 헤르니아에 걸리(게 하)다.

ru・ral [rúərəl] *a.* 시골풍의, 전원의. **～・ize** [-àiz] *vt., vi.* 전원화하다.

ruse [ruːz] *n.* ⓒ 계략(stratagem).

rush¹ [rʌʃ] *vi.* 돌진(돌격)하다(*on, upon*); 급행하다. — *vt.* 돌진시키 다, 재촉하다, 몰아치다; 돌격하다; (공을) 급송구하다; 《美口》(여자를) 빈질나게 교제하다. — *n.* ① 돌 진, 돌격, ② (*sing.*) 몰려듦, 닥침 (遝至). ③ (a ~) 쇄도, 갑자기 ~ 《美》 대학? 을 다루러 보도(步道)·막대기 따 위를 다투어 빼앗는 학생간의) 난투. ⑤ ⓒ (보통 *pl.*) 《美》[映] (제작 도중의) 편집용 프린트. *in a ~* 갑자 기, 와아하고, 한꺼번에). *～ hour* (교통의) 한 도기하여, 와아하고 (한꺼번에). — *a.* 쇄도하는; 지급(至急)의.

rush² *n.* ⓒ 등심초, 골풀; 하찮은 물건. *not care a ～* 아무렇지도 않게 생각하다. *～・y* *a.* 등심초 뿌리 로 만든.

rusk [rʌsk] *n.* ⓒ 러스크《살짝 구운 비스킷》; 오븐(oven)으로 토스트한 빵(과자).

rus・set [rʌ́sit] *n., a.* ⓤ 황(적)갈색 의 《황》; 황갈색의 천《농부용》; [植] 갈색 사과의 일종.

Rus・sia [rʌ́ʃə] *n.* 러시아: (r-) ~ *léather* 《calf》 러시아 가죽. **:Rús・sian** *a., n.* 러시아의; ⓒ 러시아 사람 (의); ⓤ 러시아 말(의).

Rússian roulétte 탄환이 1개 든 권총의 탄창을 회전시켜 총구를 자기 머리에 대고 방아쇠를 당기는 무모한 내기: 생사를 건 무서운 짓.

rust [rʌst] *n.* ⓤ 녹(슨 빛); ⓒ 녹 병; 부피(無皮). *gather ～* 녹슬다. *keep from ～* 녹슬지 않게 하다. — *vi., vt.* 녹슬(게 하)다; 녹벳게 하 리(게 하)다; 둔해지다. **～・less** *a.*

녹슬지 않는.

rus·tic[rʌ́stik] *a.* ① 시골(풍)의, 전원(생활)의(rural). ② 조야한, 우락부락한. ③ 소박한, 순수한. ④ 통나무로 만든(*a ~ bridge*). — *n.* ⓒ 시골뜨기. **rús·ti·cal·ly** *ad.*

rus·tle[rʌ́səl] *vi., vt.* 바스락바스락 《와삭와삭》 소리나다[소리내다]; 《美口》 기운차게 하다[일하다]; (가축을) 훔치다. — *n.* [UC] 살랑[바스락]거리는 소리; 옷 스치는 소리; 《美口》 도둑질. ~ **in silks** 비단옷을 입고 있다[건다]. **rús·tler** *n.* ⓒ 《美口》 활동가; 가축 도둑. **rús·tling** *a., n.* **rúst·proof** *a.* 녹 안나게 한.

rust·y[rʌ́sti] *a.* 녹슨, 부식한, 녹빛의, 퇴색한; 낡아빠진; (목) 쉰; 【植】 녹병의.

rut[rʌt] *n.* ⓒ 바퀴 자국; 상례(*get into a ~* 틀에 박히다). — *vt.* (**-tt-**) 바퀴 자국을 남기다. **rut·ted** [-id] *a.* **rút·ty** *a.*

rut[rʌt] *n.* [U] (동물의) 발정(기), 암내남. *at* [*in*] *the* ~ 발정기가 되어. *go to* (*the*) ~ 암내를 내다. — *vi.* (**-tt-**) 발정기가 되다.

ru·ta·ba·ga[rùːtəbéigə] *n.* ⓒ 황대 큰 순무의 일종.

ruth·less[rúːθlis] *a.* 무정한(pitiless); 잔인한(cruel). ~·**ly** *ad.*

-**ry**[ri] *suf.* 《명사어미》 ① 상태·성질: bigotry, rivalry. ② 학술: chemistry. ③ 행위: mimicry. ④ 총칭: jewelry, peasantry.

rye[rai] *n.* [U] 호밀(《빵 원료·가축 사료》); 호밀 위스키.

R

S

S, s [es] *n.* (*pl.* **S's, s's** [ɛiz]) ⓒ S자 모양의 것.

s. saint; south; southern; shilling; son.

S.A. South Africa.

Sab·bath [sǽbəθ] *n.* *a.* (the ~) 안식일(~ **day**)《기독교에서는 일요일, 유대교에서는 토요일》(의).

Sab·bat·i·cal [səbǽtikəl] *a.* 안식일의.

sa·ber, 《英》**-bre** [séibər] *n.,* *vt.* ⓒ (특히 기병의) 군도(軍刀); 사브르 (로 베다, 죽이다); 《美空軍》 F-86형 제트 전투기.

sáber ràttling 무력의 과시; 무력에 의한 위협.

sa·ble [séibəl] *n.,* *a.* ⓒ 《動》 검은 담비; ⓤ 그 가죽; 《詩》 《紋》 흑색(의), 암흑(의).

sab·o·tage [sǽbətɑːʒ, -tidʒ] *vi.,* *vt.* (F.) ⓒ 사보타주《노동생의 중, 고의로 생산·작업을 방해하는 일》(하다); 《패전후 국민의 점령군에 대한》 반항 행위(를 하다).

sab·o·teur [sæbətə́ːr] *n.* (F.) ⓒ sabotage하는 사람.

sac [sæk] *n.* ⓒ 《動·植물의》 주머니 모양의 부분, 낭(囊).

sac·cha·rin [sǽkərin] *n.* ⓤ 사카린.

sac·cha·rine [sǽkəràin, -rìn] *a.* (목소리 등이) 감미로운; 당질(糖質)의. ── [-rin, -rìn] *n.* ⓤ 당질, 사카린.

sac·er·do·tal [sæsərdóutl] *a.* 성직자의; 성직자 같은(priestly); 사제(司祭)《제》의. **~·ism** [-təlizəm] *n.* ⓤ 성직자《사제제(制)》(기질).

sa·chet [sæʃéi/∠] *n.* (F.) ⓒ 작은 향낭《香囊》.

sack¹ [sæk] *n.* ⓒ ① 마대, 부대, 큰 자루. ② 《美·一般》 주머니 봉지(bag). ③ 《野俗》 누(壘). ④ 《美俗》 침낭(寢囊), 잠자리. ⑤ 여자·어린이 용의 헐렁한 상의. ⑥ 해고; 퇴짜. **get** 〔**give**〕 **the ~** 《俗》 해고되

다〔하다〕 (cf. send (a person) PACKing). **hold the ~** 《美口》 남의 뒤치닥거리를 하다, 억지로 책임을 지다. ── ① 자루(부대)에 넣다. ② 《俗》 목자르다, 해고하다. ③ 《俗》 《경기에서》 패배시키다. ~ **out** 《美口》 잠자리에 들다, 눕다.

sack² *n.,* *vt.* ⓤ (the ~) 약탈(품); 약탈하다.

sáck·clòth *n.* ⓤ 즈크, 두꺼운 삼베; (뉘우치는 표시로 입던) 거친 삼베옷. ~ **and ashes** 회오(悔悟), 비탄.

sáck ràce 자루뛰기 경주《두 다리를 자루에 넣고 껑충껑충 뜀》.

sac·ra·ment [sǽkrəmənt] *n.* ⓒ 《宗》 성예전(聖禮典), 성사《신교에서는 세례와 성찬; 가톨릭 및 동방교회에서는 영세, 견진, 성체, 고해, 혼배, 신품, 종부의 7성사(聖事)》; (the ~, the S-) 성체성사《용의 빵》, 성찬《聖體》의 빵물; 상징; 선서(oath). **-men·tal** [∠-méntl] *a.*

:sa·cred [séikrid] *a.* ① 신성한; (신에게) 바친, (신을) 모신. ② (…에게) 바쳐진(to). ③ 종교적인; 신성 불가침의. **~·ly** *ad.* **~·ness** *n.*

sácred ców 인도의 성우(聖牛); 《비유》 신성 불가침의 일《물건》.

sac·ri·fice [sǽkrəfàis, -ri-] *n.,* *vt.,* *vi.* ⓒ 제물. ② ⓒⓤ 희생으로 바치다, 산 제물로 바치다. ── *vt.* ① 《野俗》 희생타를 치다; (*vt.*) 희생타로 진루(進壘)시키다. **at a ~** 손해를 보고, 싸구려로. **-fi·cial** [sækrəfíʃəl] *a.*

sac·ri·lege [sǽkrəlidʒ] *n.* ⓤ 성물·성소 따위의 (에 대한) 불경, 모독. **-le·gious** [∠-lídʒəs] *a.*

sac·ris·tan [sǽkristən] *n.* ⓒ 교회의 성물 관리인, 성당지기.

sac·ris·ty [sǽkristi] *n.* ⓒ 성물실 (聖物室), 성물 안치소.

sac·ro·sanct[sǽkrousæ̀ŋkt] *a.* 신성 불가침의, 지성(至聖)의, **-sanc·ti·ty**[-tǽti] *n.*

sad[sæd] *a.* (**-dd-**) ① 슬픈; 슬퍼하는. ② (빛깔이) 어두운, 우중충한. ③ (口) 지독한, 어이없는. ④ 《古》 진지한 [퓨근한]; 《方》 (빵이) 설구워진. *a ~der and a wiser man* 고생을 맛본 사람. *in ~ earnest* 진짜 진지하게. *~ to say* 불행하게도, 슬프게도. **:~·ly** *ad.* **:~·ness** *n.*

sad·den[sǽdn] *vt., vi.* 슬프게 하다[되다]. 우중충하게 하다[해지다].

:sad·dle[sǽdl] *n.* ⓒ ① (말·자전거 따위의) 안장. ② (말 따위의) 등심고기; 안장 모양의 물건. ③ 산등성이. *in the ~* 말을 타고; 권력을 쥐고. — *vt., vi.* ① (…에) 안장을 놓다. ② (…에게) (부담·책임을) 짊어지우다.

sáddle·bàg *n.* ⓒ 안낭(鞍囊).

sad·dler[sǽdlər] *n.* ⓒ 마구상(商), 마구 파는(만드는) 사람. **~·y** *n.* ①《집합적》 마구; ⓒ 마구 제조(판매)업; ⓒ 마구상.

sáddle·sòre *a.* 말탄 후에 몸이 아픈[뻐근한]. (말이) 안장에 쓸린.

sad·ism[sǽdizəm, séid-] *n.* Ⓤ 가학 병(성), 일반적으로) 잔학(행위)(opp. masochism). **sád·ist** *n.* ⓒ 가학성 변태 성욕자.

sad·o·mas·o·chism [sæ̀dou-mǽzəkìzəm, sèid-, -mæs-] *n.* Ⓤ 가학 피학성(被虐性) 변태욕구.

S.A.E., s.a.e.《英》 stamped addressed envelope 회신(回信)용 봉투.

sa·fa·ri[səfɑ́ːri] *n.* ① (아프리카에서의) 《서의》사냥[탐험] 여행.

:safe[seif] *a.* ① 안전한(*from*). 무사한. ② 틀림 없는; 몹시 조심하는, 믿을 수 있는. ③ (좌수 등이) 도망칠 [난폭할] 우려가 없는. *from a ~ quarter* 확실한 소식통으로부터. *on the ~ side* 만일을 염려하여, 안전을 기하여. *~ and sound* 무사히. *~ hit* [野] 안타. **:~·less** *ad.*

sáfe·cón·duct *n.* ⓒ (전시의) 안전 통행증; ⓒ 그 통행권.

sáfe·depòsit *a.* 안전 보관의(*~ box* 대여 금고).

sáfe·guàrd *n., vt.* ⓒ 보호(하다);

호위(하다); 보호(방호)물; = SAFE-CONDUCT.

:safe·ty[séifti] *n.* Ⓤ 안전; ⓒ 안전 기(器)(판(瓣)). *in ~* 안전한(무사)히. *play for ~* 안전을 기하다.

sáfety bèlt 구명대(帶); [空] (자석의) 안전 벨트.

sáfety càtch (총포의) 안전 장치.

sáfety cùrtain (극장의) 방화막.

sáfety glàss 안전 유리.

sáfety ísland (*ísle*) (가로의) 안전 지대(safety zone).

sáfety màtch 안전 성냥.

sáfety nèt (서커스 등의) 안전망(비유); 안전책.

sáfety pìn 안전핀.

sáfety ràzor 안전 면도(날).

sáfety vàlve 안전판(瓣).

sáfety zòne (도로 위의) 안전 지대.

saf·fron[sǽfrən] *n., a.* ⓒ [植] 사프란; Ⓤ 사프란색(의), 샛노란색(의) (orange yellow).

sag[sæg] *vi.* (**-gg-**) ① (밧줄 따위가) 축 처지다[늘어지다], 휘다, 굽다. ② (땅이) 내려앉다. ③ (물가가) 내리다; 하락하다. ④ (기가 죽어서) 약해지다, 맥이 풀리다; (배가) 침로에서 벗어나 표류하다(drift). — *n.* ⓒ (*a ~*) 처짐, 늘어짐, 휨; 침하(沈下); 하락; 표류. **sa·ga·cious**[səgéiʃəs] *a.* 현명한; 명민한. **~·ly** *ad.* **~·ness** *n.*

sa·gac·i·ty[səgǽsəti] *n.* Ⓤ 총명, 현명, 영리함.

sage[seidʒ] *a., n.* 현명한, 어진; 현인의 체하는; ⓒ 현인. 《용.》

sage ¹ *n.* ⓒ [植] 샐비어(속)(요리•약 용); Ⓤ 그 잎.

ságe·brùsh *n.* Ⓤ [植] 산쑥 무리.

sag·gy[sǽgi] *a.* 밑으로 처진.

Sag·it·ta·ri·us [sædʒitɛ́əriəs] *n.* [天] 궁수자리, 인마궁.

sa·go[séigou] *n.* (*pl.* **~s**) ⓒ [植] 사고야자(사고야자의 녹말)나무.

sa·hib[sɑ́ːhib] *n.* ⓒ (印英) 나리. (S-) 각하, 선생님.

:said[sed] *v.* say의 과거 (분사). *a.* 전기(前記)의, 앞서 말한.

:sail[seil] *n.* ① ⓒ 돛; ② ⓒ 돛배, …척의 배; (*a ~*) 범주(帆走), 항정(航程); 범주력. ④ ⓒ (풍차의)

sail·boat *n.* ⓒ 돛단배, 범선.

make *~* 출범하다; 돛을 늘려 달고 가다. **set** *~* 출범하다(for). **strike** ~ 돛을 내리다; 이상을 억누르다, **take in** ~ 돛을 줄이다; 이상을 억누르다. **take the WIND** *out of a person's ~s* (남의 의기를) 꺾다. ~ **under** 항해중, ~, *vt.* *vi.* ① (범선으로)항행하다. ② (*vt.*) (수중을) 미끄러지다 가다. ③ (하늘을) 날다; 선드러지게 걷다. (*vt.*) (배를) 달리다. ~ *close to the wind* 바람을 옆으로 받으며 범주하다; (법망을 뚫으며) 위태롭게 처세하다. ~ **in** 입항하다; (俗) 마음을 다지면서 착수하다, 《俗》 공격하다, 나쁘게 말하다; 대담하게 시작하다.

sáil·bòat *n.* ⓒ 요트, 범선.

sáil·clòth *n.* ⓤ 범포(帆布), 즈크.

sáil·ing *n.* ① ⓤ 범주학(帆走), ② ⓒ 항행(력). ③ ⓤ(ⓒ) 출범. **plain** *(smooth)* ~ 평탄한 항해; (일의) 순조로운 진행.

sáiling bòat 《英》 범선, 요트.

sáiling shìp *[vèssel]* 범선, 돛배.

sail·or *[⌐ər]* *n.* ① 선원, 수부, 수병. **bad** *[good]* ~ 뱃멀미하는[안하는] 사람. ~·**ing** *n.* ⓤ 선원 생활; 선원의 일. ~·**ly** *a.* 뱃사람다운[에 적합한].

saint *[seint]* *n.* (*fem.* ~·**ess**) ① ⓒ 성인, 성도. (S-) [⁎ sənt, sint] 성(聖)··· 《생략 St.》 (St. *Paul* 성 바울). ― *vt.* 성인으로 하다, 시성(諡聖)하다. ~·**ed** *a.* ① 신성한; ② 덕이 높은. ~·**ly** *a.* 성인(성도)같은, 거룩한. ~·**hood** *n.* ⓤ 성인의 지위; 《집합적》 성인, 성도.

Sáint's dày 성인(성도) 축일.

sake *[seik]* *n.* ⓤ 위함, 목적, 이유. *for convenience'* ~ 편의상. *for God's* *[goodness', heaven's, mercy's]* ~ 부디, 제발. *for his name's* ~ 그의 이름을 생각해서[의], (명성의) 덕분으로. *for old ~'s* ~ 옛정을[에 정분을] 생각해서[해서], *for the ~ of* (···을) 위하여, (···을) 생각하여. *Sakes (alive)!* 《美》 이거 놀랍군걸.

sa·la·cious *[səléiʃəs]* *a.* 호색적인 (lewd); 외설적인. **sa·lac·i·ty** *[-lǽs-]* *n.*

sal·ad *[sǽləd]* *n.* ⓤ,ⓒ 샐러드; ⓤ 샐러드용 야채.

sálad dréssing 샐러드용 소스.

sal·a·man·der *[sǽləmændər]* *n.* ① 【動】 도롱뇽, 영원; 《傳說》 불도마뱀; 불의 정(精); 휴대용 난로.

sa·la·mi *[səlɑ́ːmi]* *n.* ⓒ,ⓤ 살라미《이탈리아산의 훈제(燻製) 소시지》.

sal·a·ry *[sǽləri]* *n.*, *vt.* ⓤ,ⓒ (···에게) 봉급(을 주다), 지불하다(cf. wages).

sale *[seil]* *n.* ① ⓤ,ⓒ 판매, 매각. ② (*pl.*) 매상고. ③ ⓒ 팔림세. ④ ⓒ (보통 *pl.*) 특매(特賣), *a bill of ~* 【法】 매매 증서. *... for ~* 팔려고 내놓은; *~ on* = *for ~*; ⓒ 《美》 특가로. *~ on credit* 외상 판매.

sale·a·ble *[séiləbl]* *a.* 팔기에 알맞은, 팔림새가 좋은; (값이)적당한. **-bil·i·ty** *[⌐bíləti]* *n.*

sáles·clerk *[séizklə̀ːrk/-klàːk]* *n.* ⓒ 《美》 판매원, 점원.

sáles·man *[séilzmən]* *n.* ⓒ ① 점원. ② 《美》 세일즈맨, 외판원. ~·**ship** *n.* ⓤ 판매(술).

sáles·pèrson, -pèople *n.* ⓒ 판매원.

sáles representàtive 외판원(부).

sáles·ròom *n.* ⓒ (판)매장; 경매장.

sáles slìp 매상 전표.

sáles tàlk 상담(商談); 설득력 있는 권유[의론].

sáles tàx 물품 판매세.

sáles·wòman *n.* ⓒ 여점원.

sa·li·ent *[séiliənt, -ljə-]* *a.* ① 현저한; 돌출한, 철각(凸角)의. ― *n.* ① 철각; (참호 등의) 돌출부. ~·**ence** *n.*

sa·line *[séilain]* *a.* 소금의, 소금 분[을 함유한, 짠. ― [⁎ səláin] ⓤ 식염제; 짠물.

sa·lin·i·ty *[səlínəti]* *n.* ⓤ 염분, 염도.

sa·li·va *[səláivə]* *n.* ⓤ 침, 타액.

sal·i·var·y *[sǽləvèri/-vəri]* *a.* 침[타액]의.

sal·i·vate *[sǽləvèit]* *vi.*, *vt.* 침을 흘리다(수은을 써서 침이 많이 나오게 하다). **-va·tion** *[⌐véiʃən]* *n.* ⓤ 타액 분비; 유연증(流涎症).

sal·low¹ *[sǽlou]* *a.* 누르스름한;

색이 나쁜. — *vt., vi.* 창백하게 하다〔되다〕.

sal·low² *n.* ⓒ 땅버들(가지).

:sal·ly[sǽli] *n.* ⓒ ① 《농성군(軍)의》 출격, 돌격. ② 외출·소풍, 여행. 《감정·기지 따위의》 용솟음; 경구(警句), 익살, 경구. — *vi.* 출격하다, 여행길을 떠나다; 뛰어〔뿅어〕나오다.

salm·on[sǽmən] *n.* (*pl.* ~**s**, 《집합적》 ~), *a.* ① 연어(고기) ② 연어 살빛(의).

sal·mo·nel·la [sæ̀lmənélə] *n.* (*pl.* ~**(s)**, *-lae* [-néli:]) ⓒ 살모넬라균(菌).

*sa·lon[səlán/sǽlɔn] *n.* (F.) ⓒ ① 객실, 응접실; 명사의 모임; 상류사회. ② 미술 전람회장.

*sa·loon[səlú:n] *n.* ⓒ ① 큰 방, 홀. ② 《여객기의 객실: 《배》등의 큰 교실. ③ 《美》바, 술집《英》⇒↓.

saloon bàr 고급 바〔술집〕.

saloon càr《英》특별 객차; 세단 형 승용차.

sal·si·fy[sǽlsəfi, -fài] *n.* ⓤ 《植》선모(仙茅)《뿌리는 식용》.

SALT[sɔ:lt] Strategic Arms Limitation Talks 전략 무기 제한 협정.

:salt[sɔ:lt] *n.* ① ⓤ 소금, 식염. ② 《化》염(鹽)《류》. ③ *(pl.)* 염제(鹽劑). ④ 자극, 흥미; 풍자, 기지. ⑤ 식탁용 소금 그릇. ⑥ 《노련한》뱃사람. *eat (a person's)* ~ …의 손님〔식객〕이 되다. *in* ~ 소금을 친〔뿌린〕, 소금에 절인, not *worth one's* ~ 봉급만큼의 일을 못하는. *the* ~ *of the earth* 세상의 소금《마태복음 5 : 13》; 사회의 중견. *take (a person's words) with a grain of* ~ 《무의 이야기를》에누리하여 듣다. — *a.* 소금에 절인, 짠. ① 소금에 절이는, 소금으로 간을 맞추다. 《사람을 속이기》위해》다른 물건을 섞다. — *a mine* (비싸게 팔 아넘기고자) 광산에 딴 광산의 질좋은 광석을 넣어 놓다. ~ *away (down)* 소금에 절이다. ① 《구어》〔모아두〕다; 《증권을 안전히》투자하다《store away》. — **·ed**[-id] *a.* 짠맛의; 소금에 절인. **⁄·ish** *a.* 소금기가 있는, 짭잘한.

sált·cèllar *n.* ⓒ 《식탁용》소금 그 릇.

sált·pe·ter,《英》**-tre**[sɔ́:ltpiːtər/ ㅡ—] *n.* ⓤ 초석(硝石); 칠레 초석.

sált·wáter *n.* 소금물의, 바닷물 속에 사는.

salt·y[sɔ́:lti] *a.* ① 소금기가 있는; 바다 냄새가 풍기는; 짜릿한; 기지에 찬. ② 《말이》신랄한.

sa·lu·bri·ous [səlú:briəs] *a.* 건강에 좋은; 건강한. **-bri·ty** ⓤ.

sal·u·tar·y[sǽljətèri/-təri] *a.* 유익한; 건강에 좋은.

sal·u·ta·tion [sæ̀ljətéiʃən] *n.* ⓤ 인사; ⓒ 그 말.

*sa·lute[səlú:t] *n., vi., vt.* ⓒ ① 인사(하다, 하여 맞이하다). ② 경례(하다); 받들어 총을 하다; 에포. ③ 《광경이》비치다; 《소리가》들리다. *fire a* ~ 에포를 쏘다.

*sal·vage[sǽlvidʒ] *n.* ⓤ ① 해난《화재》구조, 재산 구조; ② 구조 화물〔재산〕, 구조료. ③ 폐물 이용, 폐 품 수집. — *vt.* 구조하다.

sal·va·tion [sælvéiʃən] *n.* ⓤ ① 구조; ② 구조자〔범〕; ⓤ 《포의》구제. *find* ~ 개종하다. **-·ist** ⓒ 구세군 군인.

Salvátion Army, the 구세군.

salve[sæ(:)v, sɑ:v/sælv] *n., vt.* 《ⓤⓒ》《詩》연고(軟膏) ① 덜어주는 것, 위안《for》; 위안하다, 가라앉히 다; 《口》연고를 바르다.

sal·ver[sǽlvər] *n.* ⓒ 《금속의 둥근》쟁반(tray).

sal·vo[sǽlvou] *n., (pl. ~**s**)* ① 일제 사격; 《또》《폭탄의》일제 투하 《cf. stick》; 《일제히 하는》박수 갈 채.

Sa·mar·i·tan [səmǽrətn] *n.* ⓒ 사마리아《사람》; 사마리아 사람. *good* ~ 착한 사마리아인 《人》; 자선가《누가복음 10 : 30-37》.

sam·ba[sǽmbə] *n.* ⓒ 삼바《아프 리카 기원의 브라질 댄스곡》.

same[seim] *a.* (*the* ~) ① 같은, 동일한, 마찬가지의, 똑같은《as》 《종종 度》전술한, 예의. ② 다름 없 는; 《the ~》단조로운. — *ad.* 《the ~》마찬가지로, 동일하게 ALL 《ad.》 ~. *at the* ~ *time* 동시에; 그러

나, 그래도. **the ~ ... that** …과 동
일한 …. **the very** ~ 바로 그 …
pron. (the ~) 동일인(同一人), 그
사람[것, 일]; (the 없이) 【法·商】
《單》 동인(同人)(들); 동격(同格)(이),
물건[것]. **~·ness** *n.* 〖 동일, 일률.

sam·o·var [sǽməvàːr, ⌐⌐⌐] *n.*
ⓒ 사모바르(러시아의 물 끓이는 주전
자).

sam·pan [sǽmpæn] *n.* ⓒ 삼판(중
국의 거룻배).

:sam·ple [sǽmpl/-áː] *n., a.* 견
본(표본)(의); 〖見〗 표본, 본보기, 샘
플. ── *vt.* (…의) 견본을 뽑다, 시식
(試食)하다. **-pler** *n.* ⓒ 견본 검사
원; 견본 채취구; 서식[시음]자; (여
학생의) 자수 견본 작품.

:san·a·to·ri·um [sænətɔ́ːriəm] *n.*
ⓒ 요양소(기).

sanc·ti·fy [sǽŋktəfài] *vt.* 신성하
(별)게)하다, 신성하게 하다; 정화
하다(purify); 정당화하다. **sancti-
fied airs** 성자연하는 태도. **-fica-
tion**[⌐─fikéiʃən] *n.*

sanc·ti·mo·ni·ous [sæ̀ŋktəmóu-
niəs, -njəs] *a.* 신앙이 깊은 체하는; 신
앙이 깊은 체하는. **~·ness** *n.*

:sanc·tion [sǽŋkʃən] *n.* 〖 인
가, 재가; 지지 (도덕률 등의) 구
속(력), 〖際 재제, 상벌; 처벌, 국
제적 제재(制裁). ── *vt.* 인가[재가]
시인]하다.

:sanc·ti·ty [sǽŋktəti] *n.* 〖 신성
(함); (*pl.*) 신성한 의무[감정].

:sanc·tu·ar·y [sǽŋktʃuèri/-tʃuəri]
n. ⓒ 성소(聖所), 신전, 성당; (교
회당의) 지성소 (법률이 미치지 않
는) 피난처, 피난처; 〖 보호.

sanc·tum [sǽŋktəm] *n.* ⓒ 성소;
서재, 사실(私室).

†sand [sænd] *n.* 〖 모래; (*pl.*)
모래벌판; (*pl.*) 사막.

sándal·wòod *n.* ⓒ 〖植〗 백단향;
〖 제목. **red** ~ 자단(紫檀).

sánd·bàg *n., vi., vt.* (*-gg-*) ⓒ 모
래 주머니(로 치다); (흉기용의)
모래 부대(로 치다).

sánd·bànk *n.* ⓒ (하구 따위의) 모
래톱; 사구(砂丘).

sánd·bàr *n.* ⓒ (하구 따위의) 모래
톱.

sánd·blàst *n.* ⓒ (연마용의) 모래
뿜는 기구, 〖 분사(噴射).

sánd·bòx *n.* ⓒ 모래통(기관차의
미끄럼 방지용); (어린이의) 모래놀이
통; 모래 거푸집.

sánd dúne 사구(砂丘).

sánd·flý *n.* ⓒ 〖蟲〗 눈에놀이(피똥
빨).

sánd·màn *n.* (the ~) 잠귀신(모
래를 어린이 눈에 뿌려 졸음이 오게
한다는).

sánd·pàper *n., vt.* 〖 사포(砂
布)(로 닦다).

sánd·pìper *n.* ⓒ 〖鳥〗 도요과의 새
(뻑뻑도요·깝작도요 따위).

sánd pìt 모래 채취장, 사갱(砂坑).

sánd·stòne *n.* 〖 사암(砂巖).

sánd·stòrm *n.* ⓒ 모래 폭풍.

:sand·wich [sǽndwit(/sǽnwidʒ,
-tʃ] *n.* 〖.ⓒ 샌드위치. ── *vt.* 사이
에 끼우다.

sándwich bòard 샌드위치맨이 걸
치는 광고판.

sándwich còurse 《英》 샌드위치
코스(실업 학교 따위에서 실습과 이론
연구를 3개월 내지 6개월씩 번갈아
하는 교육 제도).

:san·dy [sǽndi] *a.* 모래(빛)의; 모래
투성이의; 불안정한.

:sane [sein] *a.* 제정신의; (사고방식
이) 건전한, 분별 있는; 합리적인.
·ly *ad.* **·ness** *n.*

sang [sæŋ] *v.* sing의 과거.

sang-froid [sɑːŋfrwɑ́ː, sæŋ-]
(F. = cold blood) 〖 냉정, 침착.

san·gui·nar·y [sǽŋgwənèri/
-nəri] *a.* 피비린내 나는; 잔인한.

san·guine [sǽŋgwin] *a.* ① 명랑
한; 희망에 찬, (…을 확신하는(*of*);
혈색이 좋은(ruddy). ② = SAN-
GUINARY.

san·i·tar·i·um [sæ̀nitɛ́əriəm] *n.*

(*pl.* **~s, -ia**[-iə]) 《美》= SANA-TORIUM.

:san·i·tar·y [sǽnətèri/-təri] *a., n.* 위생(상)의, 청결한; ⓒ 공중 변소.

sánitary nápkin (bélt) 월경대.

san·i·tate [sǽnəteit] *vt.* (…을) 위생적으로 하다; (…에) 위생 시설을 하다.

*san·i·ta·tion [sæ̀nətéiʃən] *n.* ⓤ 위생 (시설); 하수구 설비.

san·i·tize [sǽnətàiz] *vt.* = SAN-ITATE.

san·i·ty [sǽnəti] *n.* ⓤ 정신이 건전함, 온전, 건전.

sank [sæŋk] *v.* sink의 과거.

*San·ta Claus [sǽntə klɔ̀:z/─ ─] (《 *St. Nicholas*) 산타클로스.

sap¹ [sæp] *n.* ① ⓤ 수액(樹液); 기운, 생기, 원기, 활력. ② ⓒ 《美俗》 바보(saphead). **◆-less** *a.* 시든, 활기 없는; 재미 없는.

sap² *n., vt., vi.* (**-pp-**) ① 《軍》 대호(對壕)를 파서 (성 따위에) 접근하다; (신앙·신념 따위를) 점점 무너뜨리다(무너지다); 그 무너짐; 점점 약화시키다.

sa·pi·ent [séipiənt, -pjə-] *a.* 현명한, 슬기로운. **-ence, -en·cy** *n.* ⓤ 아는 체하는 태도, 아는 체함.

*sap·ling [sǽpliŋ] *n.* ⓒ 어린 나무, 묘목; 젊은이.

sap·per [sǽpər] *n.* ⓒ 《英》 공병 (工兵).

*sap·phire [sǽfaiər] *n., a.* ⓤⓒ 사파이어, 청옥(靑玉); ⓤ 사파이어의 빛 깔(의).

sap·py [sǽpi] *a.* 수액(樹液)이 많은; 싱싱한, 기운 좋은; 《俗》 어리석은.

sáp·wòod *n.* ⓤ 《식물》 백목질, 변재(邊材)《나무껍질과 심재(心材) 중간의 연한 부분》.

Sar·a·cen [sǽrəsən] *n.* ⓒ 사라센 사람(십자군에 대항한 이슬람교도). **─·ic** [─sénik] *a.*

sar·casm [sáːrkæzm] *n.* ⓤ 비꼬는 말, 빈정댐, 풍자; ⓒ 빈정대는[비꼬는] 말. ***sar·cas·tic** [saːrkǽstik] *a.*

sar·coph·a·gus [saːrkάfəgəs/-ɔ́-] *n.* (*pl.* **-gi**[-gài, -dʒài], **~es**) 석관(石棺).

*sar·dine [saːrdíːn] *n.* ⓒ 《魚》 정어

리. **packed like ~s** 빽빽이[꽉] 들어차서.

sar·don·ic [saːrdάnik/-ɔ́-] *a.* 냉소적인, 빈정대는. **-i·cal·ly** *ad.*

sarge [saːrdʒ] *n.* 《口》= SER-GEANT.

sa·ri [sάːri(ː)] *n.* (인도 여성의) 사리《휘감는 옷》.

sa·rong [sərɔ́ːŋ, -άːŋ-/-ɔ́ŋ] *n.* ⓒ 사롱 (말레이) 제도 원주민의 허리 두르 개); ⓤ 사롱용 옷감.

sar·to·ri·al [saːrtɔ́ːriəl] *a.* 재봉(바느질)의, 양복장이의.

sash¹ [sǽʃ] *n.* ⓒ 장식띠; (여성·어린이의) 허리띠, 어깨띠.

sash² [sǽʃ] *n.* ⓒ (내리닫이 창의) 창, 창틀. **─ vt.** (…에) 새시를 달다.

sa·shay [sæʃéi] *vi.* 《口》 미끄러지 듯이 나아가다; 움직이다, 돌아다니다.

sásh còrd (line) (내리닫이 창의) 도르래 줄.

sásh window 내리닫이 창(cf. casement window).

sas·sy [sǽsi] *a.* 《口》 = SAUCY.

*Sat. Saturday.

*Sa·tan [séitən] *n.* 사탄, 마왕. **sa·tan·ic** [seitǽnik, sə-] *a.*

satch·el [sǽtʃəl] *n.* ⓒ (멜빵이 달 린) 학생 가방; 손가방.

sate [seit] *vt.* 물리게[넌더리 나게] 하다(*with*).

sat·el·lite [sǽtəlàit] *n.* ⓒ ① 《天》 위성. ② 종자(從者). ③ 위성국, 위성 도시. ④ 인공 위성.

sa·ti·ate [séiʃièit] *vt.* 물리게[넌더 리 나게] 하다, 물릴 정도로 주다. **-a·tion** [─éiʃən] *n.*

sa·ti·e·ty [sətáiəti] *n.* ⓤ 포만, 만 끽; 과다(*of*).

*sat·in [sǽtin] *n., a.* 새틴, 수자 (繻子)(의), 비슷한), 매끄러운 (smooth and glossy). **─·ly** *a.*

*sat·ire [sǽtaiər] *n.* ⓤ 풍자(문학). ② 풍자시(文), 빈정댐(*on*). **sa·tir·ic** [sətírik], **-i·cal** [-əl] *a.* **sat·i·rize** [sǽtəràiz] *vt.* 풍자하다. 빗대 어 말하다.

:sat·is·fac·tion [sæ̀tisfǽkʃən] *n.* ① ⓤ 만족(*at, with*); 만족시킴; ⓒ 만족시키는 물건, 흐믓함. ② 이행; 변제;

S

(辨濟). ③ ⓤ 사죄; 결투(duel). ④ ⓤ[神] 속죄. **demand ~** 사죄를 요구하다; 결투를 신청하다. **give ~** 만족시키다; 사죄하다; 결투 신청에 응하다. **in ~ of** …의 보상으로. **make ~** …을 변제[배상]하다.

†**sat·is·fac·to·ry**[sǽtisfǽktəri] *a.* 만족한, 더할 나위 없는. ***-ri·ly** *ad.*

†**sat·is·fy**[sǽtisfài] *vt.* ① (욕망 따위를) 만족시키다, 채우다. ② (부채 따위를) 지불하다, 갚다. ③ (아무를) 안심시키다; (걱정·불안을) 가라앉히다. ④ (의심·의문을) 풀게 하다. **be satisfied** 만족하다, 기뻐하다(*with; with doing; to do*); 납득[확신]하다(*of; that*). **rest satisfied** 만족하고 있다. **~ oneself** 족[납득]하다; 확인하다(*of; that*). ***~ing** *a.*

†**sat·u·rate**[sǽtʃərèit] *vt.* ① 적시다, 배어들게 하다, 흠뻑 적시다(*soak*). ② (전magnet·편견 따위를) 배어들게 하다(*with, in*). ③ [化] 포화시키다(*with*). ④ 집중 폭격하다.

sat·u·ra·tion[sæ̀tʃəréiʃən] *n.* ⓤ 침윤(浸潤); 포화; (밝기에 대한) 채도(彩度)(색의 포화도).

sáturation póint 포화점; 인내 [참을성]의 한계점.

†**Sat·ur·day**[sǽtərdèi, -di] *n.* (보통 무관사) 토요일.

†**Sat·urn**[sǽtərn] *n.* ① [로마神] 농사의 신. ② [天] 토성.

sat·ur·nine[sǽtərnàin] *a.* [占星] 토성의 정기를 받은(태어난); 뚱한, 음침한.

sa·tyr[sǽtər, séi-] *n.* (종종 S-) [그神] 사티로스(반신 반수의 숲의 신, Bacchus의 종자); ⓒ 호색한(漢). **~·ic**[sətírik] *a.*

†**sauce**[sɔːs] *n.* ① ⓤⓒ 소스. ② ⓤ 《美》파일의 설탕 조림(apple ~). ③ ⓤⓒ흥미를 더하는 것. ④ 《ⓤⓒ口》건방짐. *Hunger is the best ~!* 건방진 소리 마라! *What's for the goose is ~ for the gander.* 《속담》남쪽에서 제찮은; (말다툼에서) 그것은 네가 할 말이다. — *vt.* ① 맛을 내다(*season*). ② 《口》…에게 무례한 말을 하다.

sáuce·bòat *n.* ⓒ 배 모양의 소스 그릇.

sáuce·pàn *n.* ⓒ 손잡이 달린 속깊은 냄비, 스튜 냄비.

sáu·cer *n.* ⓒ 받침접시.

sau·cy[sɔ́ːsi] *a.* 건방진(pert); 멋진, 스마트한. **sáu·ci·ly** *ad.* **sáu·ci·ness** *n.*

sau·na[sáunə] *n.* ⓒ (핀란드식) 증기목욕.

saun·ter[sɔ́ːntər] *vi.,n.* 산책하다, 어정거리다. (a ~) 어슬렁어슬렁 거닐다[거닐기].

sau·sage[sɔ́ːsidʒ/sɔ́s-] *n.* ① ⓤ 소시지, 순대. ② 《口》소시지 비슷한 기구(관속음). 〖HUND.〗

sáusage-dòg *n.* 《口》= DACHSHUND.

sau·té[soutéi, sɔː-/ ─ ─] *a., vt.* (F.) ⓤⓒ 기름에 살짝 튀긴 (요리). **~ pork** 포크소테.

sav·age[sǽvidʒ] *a., n.* 야만적인; 사나운; ⓒ 야만인(사람), 야만인; 잔인한 사람. **·ly** *ad.* **·ry**[-əri] *n.* ⓤ 만행; 잔인.

sa·van·na(h)[səvǽnə] *n.* ⓤⓒ (특히 열대·아열대의) 대초원.

sa·vant[səváːnt/sǽvənt] *n.* ⓒ (대)학자, 석학.

†**save**[seiv] *vt.* ① (…에서) 구해내다, 구조하다, 살리다. ② (죄에서) 전지다, 제도(濟度)하다(*from*). ③ (금전·곤란·노고 따위를) 덜다, 면하다. ④ 절약[저축]하다, 모으다. (버리지 않고) 떼어 두다. — *vi.* 구하다; 모으다; 절약하다; (음식·생선 따위가) 오래 가다. *A stitch in time ~s nine.* 《속담》제때의 한 땀은 아홉 수고를 던다. *(God) defend me from my friends!* 부릴없는 참견(걱정) 마라! *one's breath* 쓸데 없는 말을 않다. *~ oneself* 수고를 아끼다. *~ one's face* 면목(체면)이 서다. *S- the mark!* 《삽입구》이거참 실례!; 의 말을 용서하십시오. *~ up* 저축하다. *n.* ⓒ (축구 등에서) 상대편의 득점을 막는 일.

†**save²** *prep.* …을 제외하고, …은 별도로 치고(*except*), …이외에는. — *conj.* …을 제외하고, …이외에는.

sav·er[─ər] *n.* ⓒ 구조자; 절약가.

:sav·ing [séiviŋ] *a.* ① 구(제)하는, ② 절약하는, ③ …을 더는, 보상(벌충)이 되는, ④ 〔법〕제외하는. — *n.* ⓤⓒ 구조, 구제; 저축, (*pl.*) 저금; 절약. ~ **clause** 단서. — *prep.* …을 제외하고, …에 대하여 실례지만. ~ *your presence (reverence)* 당신 앞에서 실례입니다만. — *conj.* …에 관하는.

sávings accòunt 보통 예금 계좌 (cf. checking account).

sávings and lóan associàtion (美) 저축 대부 조합.

sávings bànk 저축 은행.

:sav·ior, -iour [séivjər] *n.* ⓒ 구조자, 구제자; (the S-) 구세주(에수). ~**hòod**, ~**shìp** *n.*

sa·voir-faire [sǽvwɑːrfɛ́ər] *n.* (F.) ⓤ 재치, 수완(tact).

:sa·vor, (英) -vour [séivər] *n.* ⓒ 맛, 풍미; 향기; 기미(*of*); (古) 명성. — *vt., vi.* (…에) 맛을 내다; (…의) 맛이 나다, (…한) 기미가 있다. ~**ous** *a.* 맛 좋은.

sa·vor·y, (英) -vour·y [séivəri] *a.* 맛좋은, 풍미 있는; 평판 좋은. — *n.* ⓒ (英) (식사 전후의) 짭짤한 맛이 나는 요리, 입가심 요리.

sav·vy [sǽvi] (美俗) *vt., vi.* 알다, 이해하다. — *n.* ⓤ 상식, 이해, 재치.

:saw¹ [sɔː] *v.* see¹의 과거. [치.

saw² *n.* ⓒ 격언, 속담.

:saw³ *n., vt.* (~*ed; ~ed; ~n*[sɔːn], (稀)~*ed*) ⓒ 톱으로 자르다, 으로 켜서 만들다.) — *vi.* 톱질하다; 톱으로 켜지다. ~ *the air* 팔을 앞뒤로 휘두르다.

sáw·dùst *n.* ⓤ 톱밥. *let the ~ out of* (인형 속에서 톱밥을 고집어 내듯) …의 약점을 들춰내다; 콧대를 꺾어놓다.

sáw·mill *n.* ⓒ 제재소.

sax [sæks] *n.* ⓒ (口) 색소폰(saxophone).

sax·i·frage [sǽksəfridʒ] *n.* ⓤ 〔植〕 범의귀.

Sax·on [sǽksn] *n., a.* ⓒ (앵글로)색슨 사람(의); (독일의) Saxony 사람(의); ⓤ 색슨 말(의). ~ *word* (외래어에 대해) 본래의 영어(보기): *dog, father, glad, house, love,*

&*c.*).

sax·o·phone [sǽksəfòun] *n.* ⓒ 색소폰(목관 악기).

:say [sei] *vt., vi.* (**said**) ① 말하다, ② (기도를) 외다; 암송하다(…의 *one's lessons*) ③ 이를테면, 글쎄(*Call on me tomorrow, ~, in the evening.* 내일 저녁께라도 와주게). ④ (美口) 이봐, 잠깐((美》 I say). *have nothing to ~ for oneself* 변명하지 않다. *hear ~* 소문(풍문)에 듣다. *I ~!* (英口) 이봐; 저어; 그래 (놀랐을 때); (강조) …이 나면; (반복) 지금 말했듯이. *It goes without ~ing (that)* …은 말할 것 (까지)도 없다. *let us ~* 에컨대, 이를테면, 글쎄. *not to ~* …라고는 말할 수 없을지라도. *~ for oneself* 변명하다. *~ out* 속을 털어놓다. *~ over* 되풀이하다; 암송하다. 될 말하다. *~s I (俗)* …라고 내가 말한다 말하는, …라고 하면서. *something* [sᴧmθiŋ] …고 단락한 연설을 하다; = say GRACE. *This is ~ing a great deal.* 그거 큰일이군. *that is to ~* 즉, 바꾸어 말하면; 적어도, *though I ~ it (who should not)* 내 입으로 말하기는 쑥스럽지만(뭣하지만), *to ~ nothing of* …은 말할 것도 없고, *What you (do you) ~ to…?* …은 어떤가. *You don't ~ so!* 설마(하니)! — *n.* ① ⓤ 할 말, 주장. ② ⓤ 발언의 차례(기회), 발언권. ③ (美) (the ~) (최종) 결정권. *have* (**say**) *one's ~* 말하다, 발언하다. *~*'s *·ing* 은 말하다; 말. **say·so** [séisòu] *n.* (*sing.*) (美口) 독단(적 성명); 최종 결정권.

S-bànd *n.* ⓒ S밴드(1550-5200 메가헤르츠의 초단파대(帶)).

scab [skæb] *n.* ① ⓒ 딱지, ② 비조합원 노동자; (口) 파업 파괴자, 배반자; 무뢰한. — *vi.* (-*bb-*) ① (상처에) 딱지가 앉다. ② 파업을 깨다. *~·by* *a.* 딱지투성이의; 붉은 곰팡이 병에 걸린; 천한, 비열한, 더 러운.

scab·bard [skǽbərd] *n., vt.* ⓒ 칼집(에 꽂다, 넣다).

sca·bies[skéibiːz, -biːz] *n.* ⓤ
〖醫〗 개선(疥癬).

scab·rous[skǽbrəs/skéi-] *a.* 껄
껄한(울퉁불퉁)한; 다루기 어려운; =
RISQUÉ.

scad[skæd] *n.* (*pl.*) 《美俗》 많음;
거액(巨額); 경화(coin).

scaf·fold[skǽfəld, -fould] *n.*, *vt.*
ⓒ 〖建〗 비계(를 만들다); 교수대(에
매달다); (야외의) 관람석. ─**·ing** *n.*
ⓤ 비계 (재료).

sca·lar[skéilər] *a.* 층계를 이루는,
단계적인; 눈금의 수치로 나타낼 수
있는(이를테면 온도). ─ *n.* ⓒ 〖數〗
스칼라.

scal·a·wag, 《英》 **scal·la·wag**[skǽlə-
wæg] *n.* ⓒ 무뢰한, 깡패.

scald[skɔːld] *vt.* ① (뜨거운 물·김
에) 화상을 입히다. ② 데치다, 삶
다. ─ *n.* ① (뜨거운 물 따위에)
뎀, 화상. ② ⓤ (더위로) 나뭇잎이
시들시들함; (과일의) 썩음.

scale[skeil] *n.* ① 눈금, 척도(尺
度); 비율; 축척(縮尺); 자. ② 〖樂〗
음계. ③ 진법(進法); 등급, 계급;
순차로 비교된 크기, 규모, 스케
일. ⑤ (물가·임금 등의) 비율, 율(to
─ 일정한 비율로), 《給》 사다리 모양
리, 계단. ⑥ 〖컴〗 크기 조정, 스케
일. *at a ~ of one inch to one
mile*, 1마일 1인치의 축척. *decimal
~* 십진법. *folding ~* 접자. *on a
large ~* 대규모로. *play*〔*sing*〕
one's ~s 음계를 연주〔노래〕하다.
out of ~ 일정한 척도에서 벗어나,
균형을 잃고. *social ~* 사회의 계
급. ─ *vt.* 사다리로 오르다, 기어오
르다; 축척으로 제도하다; (비율에
따라) 사정(증대)하다(*down*, *up*); 적
당히 판단하다.

scale² *n.* ⓒ 천칭(天秤)의 접시, 저
울 접시. *pl.* 저울, 천칭, 체중계;
(the Scales) 〖天〗 천칭자리(= Li-
bra). *hold the ~s even* 공평하게 판단하다.
throw one's sword into the ~
힘(무력)에 의하여 요구를 관철하다.
tip the ~s 한쪽을 우세하게 하다;
무게가 ……나가다. *turn the ~ at*
(……*pounds*) (……파운드)의 무게가 나
가다. ─ *vt.*, *vi.* 천칭으로 달다; 무
게가 ……이다.

scale³ *n.* ① ⓒ 비늘(모양의 것);
〖植〗 인편(鱗片). ② ⓤ 물때; 버캐;
쇠똥; 이똥. ③ = **~insect** 개각충
(介殼蟲), 깍지진다. *remove the
~s from a person's eyes* 아무의
눈을 뜨게 하다. *Scales fell from
his eyes.* 잘못을 깨달았다(사도행전
9:18). ─ *vt.* (……의) 비늘을 벗기
다; 비늘로 덮다; 껍데기〔물때·이똥〕
를 떼다. ─ *vi.* 비늘이 떨어지다;
작은 조각으로 되어 떨어지다.

scal·lion[skǽljən] *n.* ⓒ 골파
(shallot)의 무리(leek).

scal·lop[skáləp, skǽl-/-5-] *n.*, *vt.*
ⓒ 가리비(의 조개비), 속이 얕은 냄
비(에 요리하다); 부채꼴(로 하다, 로
자르다).

scalp[skælp] *n.* ① ⓒ (벌이 붙은
채로의) 머릿가죽; (적의 머리에서의)
① 머릿가죽. ② 승리의 징표, 전리
품. ─ *vt.* (……의) 머릿가죽을 벗기
다; 《美口》(증권·표 등을) 이문 남겨
팔다; 작은 이문을 남기다; 혹평하
다. *~·er* *n.* ⓒ (주식 매매의) 약간
의 이문을 남기는 사람, 암표상.

scal·pel[skǽlpəl] *n.* ⓒ 〖外〗 메스.

scal·y[skéili] *a.* 비늘이 있는, 비늘
모양의; 《俗》천한; 인색한.

scam[skæm] *n.* ⓒ 《美俗》 사기, 야
바위.

scamp[skæmp] *n.* ⓒ 무뢰한, 깡
패. ─ *vi.* (일을) 되는 대로 해치우
다. *~·ish* *a.* 망나니 같은.

scamp·er[skǽmpər] *n.*, *vi.* 급히
달음질(도주하기); ⓒ 급한 여행; 급
하게 훑어 읽기.

scam·pi[skǽmpi] *n.* (*pl.* ~, ~, ~
~es) ⓒ 참새우; 〖컴〗 참새우나 게의
새우를 기름에 튀긴 이탈리아 요리.

scan[skæn] *vt.* (**-nn-**) ① (시의)
운율을 고르다(낭독하다). ② 세밀히
조사하다. ③ (책 등을) 죽 흩어 보다.
④ 〖TV·레이더〗 주사(走査)하다; 〖컴〗
훑다, 주사하다.

scan·dal[skǽndl] *n.* ① ⓤⓒ 물의;
추문, 의혹(疑惑). ② ⓒ 치욕이 되는 물
건(사람). ② ⓒ (추문에 의한 세상의)
반감, 분개. ③ ⓤ 중상, 욕. *~·ize*
[-dəlàiz] *vt.* 분개시키다; 중상하다.
be ~ized 분개하다(*at*). *~·ous*
a. 명예훼손이 못한, 못된; 중상적인.

scándal·mònger *n.* ⓒ 추문을 퍼뜨리는 사람.

scan·ner[skǽnər] *n.* ⓒ 정밀히 조사하는 사람; [TV] 주사기(走査機) [판(板)]; 주사 공중선; [軍] 훑개, 주사기, 스캐너.

scan·sion[skǽnʃən] *n.* ⓤ (시의) 운율 분석(scanning); 율독(律讀) (법).

scant[skænt] *a., vt.* 불충분한, 모자라는(of); 가까스로의; 인색한; 인색하게 굴다. **←·ly** *ad.*

scant·y[skǽnti] *a.* 부족한[결핍]한, 모자라는(of). **scánt·i·ly** *ad.* **scánt·i·ness** *n.*

scape·goat[skéipgòut] *n.* ⓒ [聖] (사람 대신의) 속죄의 염소; 남의 죄를 대신 짊어지는 사람.

scap·u·la[skǽpjələ] *n.* (*pl.* **-lae** [-liː]) ⓒ 견갑골(肩胛骨). **←·r** *a.*

scar[skɑːr] *n., vt.* (*-rr-*) 상처(를 남기다); (마음의) 상처, 흉터를 남기다; 낫다.

scarce[skɛərs] *a.* ① 결핍한, 부족한(of). ② 드문, 희귀한, **make oneself ～** ⟨口⟩ 가만히 떠나(가)다; 결석하다. **～ books** 진서(珍書). **— ad.** ⟨古⟩ =**～·ness** *n.*

scarce·ly[<li] *ad.* 겨우; 거의[좀처럼] ～. **～ any** 거의 아무 것도 없다. **～ ... but** ～하지 않는 일은 좀처럼 없다. **～ ... ever** 좀처럼 [결코] ～않다. **～ less** 그에 못지 않게. **～ ... when** [before] ～하자마자.

scar·ci·ty[skɛərsəti] *n.* ⓤⓒ 결핍, 부족, 기근; ⓤ 드묾.

scare[skɛər] *vt., vi.* 으르다; 겁을 집어먹다; 깜짝 놀라(게 하)다. **～ the pants off** ⟨口⟩ 놀래다. **— *n.*** (a ～) 놀람, 겁냄; ⓒ 깜짝 놀라(게 하)는 일.

scáre·cròw *n.* ⓒ 허수아비; 넝마를 걸친 사람; 말라깽이.

scáre·mònger *n.* ⓒ 유언비어를 퍼뜨리는 사람.

scarf[skɑːrf] *n.* (*pl.* **～s, scarves**) ⓒ 스카프, 목도리, 어깨걸이, 넥타이; ⓤ 〖美〗 테이블보[피아노·장롱] 보.

scar·let[skɑ́ːrlit] *n., a.* ⓤ 주홍색(의 옷·천); 주홍의; (죄악을 상징하

는) 주홍빛.

scárlet féver 성홍열.

scar·y[skɛ́əri] *a.* ⟨口⟩ 겁많은 (timid); 무서운(dreadful).

scath·ing[skéiðiŋ] *a.* 해치는, 호된.

scat·ter[skǽtər] *vt., vi.* 흩뿌리다[기]; 뿔뿔이 흩어지다[기]. **～·ing** [-iŋ] *a.* 산재한, 흩어진, 성긴.

scát·ter·brain *n.* ⓒ 덤벙거리는(차분하지 못한) 사람.

scav·enge[skǽvəndʒ] *vt., vi.* (시가를) 청소하다. **scáv·en·ger** *n.* ⓒ 가로청소부; 썩은 고기를 먹는 동물.

sce·nar·i·o[sinɛ́əriòu, -nɑ́ːr-] *n.* (*pl.* **-os**) ⓒ [劇] 극본(劇本); [映] 각본, 시나리오. **sce·nar·ist** [sinɛ́ərist, -nɑ́ːr-] *n.*

scene[siːn] *n.* ⓒ ① (극의) 장(場) (생략 sc.) (cf. act). ② (무대의) 배경이나 무대, (사건 따위의) 장면이나 배경. ② 사건; 큰 소동, 추태. ② (한 구획의) 경치(cf. scenery). ⑤ (*pl.*) 광경, 실황(實況). **behind the ～s** 무대 뒤에서; 몰래, 음으로, 은밀히. **change of ～** 장면의 전환[변화]; 전지(轉地). **make a ～** 활극을 동을 벌이다; 연설하다. **make the ～** ⟨美俗⟩ (행사·활동에) 참가하다, 나타나다. **on the ～** 그 자리(현장)에서, 출현 또는 ～로 퇴장하다; 죽다.

scen·er·y[síːnəri] *n.* ⓤ(집합적) [劇] 무대 배경(화), 세트. ② 경치, 풍경.

sce·nic[síːnik, sén-] *a.* ① 무대의, 극적; 배경의. ② 풍경의.

scent[sent] *vt.* 냄새 맡다, 알아채다(out). ② 냄새를 풍기다; 향수를 뿌리다. **— *n.*** ① 향기; 향수. ② (구·英) 향수. ③ (사냥감이 지나간) 냄새자취, 흔적; 실마리. **follow up the ～** 냄새 자취를 쫓다. **put** [throw] **a person off the ～** 뒤쫓는 자의 방향을 따돌리다; 자취를 감추다. **～·less** *a.* 무취의; 냄새 자취를 남기지 않는.

scep·ter, ⟨英⟩ **-tre**[séptər] *n., vt.* ⓒ (왕이 가지는) 홀(笏); (the) 왕권(을 주다). **— ed** [-d] *a.* 홀을 가진; 왕위에 있는. **&c.**

scep·tic[sképtik], **&c.** = SKEPTIC.

sched·ule[skédʒu(ː)l/ʃédju:l]

ⓒ ① 《美》예정(표), 계획(표); 《略》
일정 스케줄; 시간표. ② 《본문에 딸
린》 별표, 명세표. **on ~** 예정(시간)
대로. —— *vt.* ① 표(목록)을 만들
다, 표[목록]에 올리다. ② 예정하
다(하다.

sche·ma [skíːmə] *n.* (*pl.* ~**ta** [-tə])
ⓒ 개요; 설계(도); 도표, 도식, (칸
트 철학의) 선험적 (先驗的) 도식.

sche·mat·ic [skiːmǽtik] *a.* 도식
해(圖解)의[에 의한]; 개요의.

:**scheme** [skiːm] *n.* ⓒ ① 안(案),
계획, 방법. ② 획책, 음모. ③ 조직,
기구. —— *vt., vi.* 계획하다; 획책(음
모)하다(*for; to do*). **schém·er** *n.*
schém·ing *a.*

scher·zo [skéərtsou] *n.* (It.) ⓒ
《樂》해학곡, 스케르초.

schism [sízəm] *n.* ⓤⓒ 분열; (교
회의) 분립, 분파. **schis·mat·ic** [siz-
mǽtik] *a., n.* 분열(의). ⓒ 분립론자.

schist [ʃist] *n.* ⓤ 편암(片岩).

schiz·oid [skítsɔid] *a.* 정신 분열증
의[비슷한].

schiz·o·phre·ni·a [skìtsəfríːniə,
skìzə-] *n.* ⓤ 정신 분열증. **-phrén·
ic** *a., n.* 정신 분열증의(환자).

schlock [ʃlak/-ɔ-] *a., n.* ⓤ 《美
口》 싸구려의(물건); 값싼(물건).

schmal(t)z [ʃmɑːlts] *n.* (G.) ⓤ
《口》(음악·문학 따위의) 극단적 감상
주의.

schmo(e) [ʃmou] *n.* (*pl.* **schmoes**)
ⓒ 《美俗》 얼간이.

schmuck [ʃmʌk] *n.* ⓒ 《美俗》얼간
[이.

schnap(p)s [ʃnæps] *n.* ⓤ 네덜
란드 진(술); 독한 술.

:**schol·ar** [skálər/-ɔ-] *n.* ⓒ ① 학
자, 학도. 학생. ② 학식이 있는 사람.
~·ly *a., ad.* 학자다운(답게); 학문을 좋아
하는; 학식이 있는. *~·ship* [-ʃip] *n.*
ⓤ 학식; 장학[육], 장학금의 자격. ⓒ 장학
금.

scho·las·tic [skəlǽstik] *a.* ① 학
교(교육)의, 학교(학생)의; 학자적
하는, ② 스콜라 철학(풍)의. ——
year 학년. *n.* (종종 S-) 스콜
라 철학자; (현학)형식적인 사람. **-ti·
cism** [-təsizm] *n.* (종종 S-) ⓤ 스
콜라 철학(중세의 사변(思辨)적 종교
철학); 방법(론)의 고수(固守).

school[skuːl] *n., vi.* ⓒ (물고기
따위의) 떼(를 이루다.

:**school**[skuːl] *n.* ⓤ ① 학교(교육), 수업
(시간)(*after* ~ 방과 후). ② ⓒ 학
교(건물), 교사(校舍), 교실(*the fifth-
form* = 《英》 5학년 교실). ③ (the
~) 《집합적》 전교 학생. ④ ⓒ 양성
소, 학관. ⑤ ⓒ (대학의) 학부, 대학
원. ⑥ ⓒ 학파, 유파(流派). ⑦ 《the
~》《대학법》 교(직)본. ***of the old
~*** ~ 식이고; 고집한. —— *vt.* 훈련하
다, 교육하다.

†**schóol àge** 학령(學齡); 의무 교육
연한.

†**school·boy** *n.* ⓒ 남학생.

†**school day** 수업일; (*pl.*) 학교 시
절.

†**school·fel·low** *n.* ⓒ 동창생, 학우.

†**school·girl** *n.* ⓒ 여학생.

†**school·house** *n.* ⓒ 교사(校舍).

†**school·ing** [-iŋ] *n.* ⓤ 교육(비).

†**school·mas·ter** *n.* ⓒ 교사; 교장;
《古》도미의 일종.

†**school·mate** *n.* ⓒ 학우(學友).

†**school·teach·er** *n.* ⓒ (초·중등
학교의) 교사.

schoon·er [skúːnər] *n.* ⓒ 스쿠너
《쌍돛의 종범(縱帆)식 돛배》; 《美口》
포장 마차; 《美口》 큰 맥주잔.

schwa [ʃwɑː] *n.* ⓒ 《音聲》 약모음《에
대한 모음 [ə]의 기호명; 헤브라이어의
의 *she wa*에서 옴》; *hooked ~* 갈
고리 쉬와[ə]의 기호 이름; 이 사전
에서는 [ər]로 표시》.

sci·at·i·ca [saiǽtikə] *a.* 좌골 신경통.
불기의.

sci·at·i·ca [-ə] *n.* ⓤ 좌골 신경통.

:**sci·ence** [sáiəns] *n.* ① ⓤ (자연)
과학. ② …학《개개의 학문 분
야》. ③ ⓤ (권투 따위의) 기술. *nat-
ural (social)* ~ 자연(사회) 과학.

science fiction 공상 과학 소설
《생략 **SF**》.

:**sci·en·tif·ic** [sàiəntífik] *a.* ① 과
학의. ② 과학적인; 학술상의; 정확
한. ③ 기량이 있는, 숙련된(*a ~
boxer*). **-i·cal·ly** *ad.*

:**sci·en·tist** [sáiəntist] *n.* ⓒ 《美》 공상
과학자.

sci-fi [sáifái] *a., n.* ⓒ 《美》 공상
과학 소설 (science fiction)(의).

S

scim·i·tar, -e·tar [símətər] *n.* Ⓒ (아라비아인 등의) 언월도(偃月刀).

scin·til·la [sintílə] *n.* (a ~) (…의) 미량(微量), 극히 소량(*of*).

scin·til·late [síntəlèit] *vi.* 불꽃을 내다; 번쩍이다. **-lant** *a.* **-la·tion** [∸-léiʃən] *n.* Ⓤ 불꽃을 냄; 번쩍임; 재기의 번득임; 신틸레이션《형광체에 방사선을 쬐었을 때의 섬광》.

sci·on [sáiən] *n.* Ⓒ (접목의) 접지(接枝); (귀족 등의) 자손.

:scis·sors [-z] *n. pl.* ① 《보통 복수 취급》 가위(*a ~, a pair of ~* 가위 한 개). ② 《단수 취급》 『레슬링』 가위 조르기. **~ *and paste*** 풀칠과 가위질(의 편집).

scle·ro·sis [sklərόusis, skliər-] *n.* Ⓤ,Ⓒ 『醫』 경화(硬化)(증).

'scoff [skɔːf, -ɑ-/-ɔ-] *vi., vt., n.* 비웃다(*at*); Ⓒ 비웃음; (the ~) 웃음거리(*of*). **∠·er** *n.* **∠·ing** *a.* **∠·ing·ly** *ad.* 냉소적으로.

:scold [skould] *vt.* 꾸짖다. — *vi., n.* 쨍쨍[앙앙]거리다(*at*); Ⓒ 그런 여자. ***common* ~** (이웃을 안 꺼리고) 쨍쨍거리는 여자. **∠·ing** *n., a.* Ⓤ,Ⓒ 잔소리(가 심한).

scone [skoun/-ɔn] *n.* Ⓒ,Ⓤ 납작한 빵.

'scoop [skuːp] *n.* Ⓒ ① (밀가루·설탕을 뜨는) 작은 삽, (아이스크림 따위를 뜨는 반구(半球)형의) 큰 숟갈, 스쿱. ② 한 삽[숟갈]. ③ 구멍; 움푹 팬 곳. ④ 《口》 『新聞』 스쿠프, 특종. ⑤ 《口》 큰 벌이, 크게 벎. — *vt.* 푸다, 뜨다(*up*); 도려내다(*out*); 《口》 (타사(他社)를) 특종으로 앞지르다; 크게 벌다. **~·ful** [∸fùl] *n.* Ⓒ 한 삽[숟갈]분.

scoot [skuːt] *vi., vt.* 《口》 휙 달리(게 하)다. **∠·er** *n.* Ⓒ 스쿠터《한쪽 발로 땅을 차며 나아가는 어린이용 핸들 달린 스케이트》; (모터) 스쿠터《소형 오토바이》; 《美》 빙상 겸용 활주범선.

scope [skoup] *n.* Ⓤ ① (능력·지식의) 범위; 『컴』 유효 범위. ② (발휘할) 기회, 여지; 배출구. ③ 안계; 시계, 시야. ***give a person* (*ample* [*full*]) ~** (충분한) 활동의 자유를 주다(*to*). ***seek* ~** 배출구를 찾다(*for*).

:scorch [skɔːrtʃ] *vt., vi.* ① 그슬리다, 태우다; 그을다, 타다. ② (가뭄으로) 말리다, 시들(게 하)다. ③ (*vt.*) (적이 오기 전에) (…을) 초토화하다. ④ 독이 오르다. ⑤ (*vi.*) 《口》 (차가) 질주하다. — *n.* Ⓒ 탐, 그을음, 눌음. **~ed** [-t] *a.* 탄. **∠·er** *n.* Ⓒ 태우는 물건[사람]; (a ~) 《口》 몹시 뜨거운 날, 맹렬한 비난, 혹평; 《口》 (엔진이 과열될 정도로) 질주시키는 사람. **∠·ing**(**·ly**) *a.* (*ad.*)

scórched éarth pólicy 초토 전술.

:score [skɔːr] *n.* Ⓒ ① 벤 자리[자국], 상처(자국); (기록·셈을 위한) 새긴 금. ② 계산; (술값 따위의) 셈, 빚. ③ 득점(표)(*win by a ~ of 2 to 0,* 2대 0으로 이기다). ④ (*pl.* ~) 20(개)《옛날 셈할 때 20까지 막대에 금을 새긴 데서》(*three ~ and ten* (인생) 70년); (*pl.*) 다수. ⑤ 성공; 행운; 멋진 응수. ⑥ 이유, 근거(*on that ~* 그 때문에; 그 점에서). ⑦ 《口》 진상. ⑧ 『樂』 총보(總譜), 악보(*in ~*). ⑨ (경기의) 출발선. ***by* [*in*] *~s*** 몇 십이나 되게, 많이. ***go off at ~*** 전속력으로 달리기 시작하다, (좋아하는 일을) 힘차게 시작하다; 신이 나게 이야기하다. ***keep the ~*** 점수를 매기다. ***know the ~*** 사실을 알고 있다; 일을 낙관하지 않다. ***settle* [*clear, pay off*] *old ~s,*** or ***quit the ~s*** 원한을 풀다(*with*). ***What a ~!*** 운이 억세게 좋기도 하군! — *vt.* ① 눈금[벤[칼] 자국]을 내다. ② 계산하다, (숫자를) 기록하다. ③ (원한을) 가슴 속에 새기다. ④ 득점하다, (승리를) 얻다, (성공을) 거두다. ⑤ 《美》 말로 해내다, 욱박지르다. ⑥ (곡을) 총보에 기입하다. — *vi.* 채점하다; 득점하다; 이기다(*against*). **~ *off*** 《英》 욱박지르다, 해내다. **~ *out*** 지우다, 삭제하다. **~ *under*** …글자 밑에 줄을 긋다. **~ *up*** 기록[기입]하다; 외상으로 달아놓다. **scór·er** *n.* Ⓒ 득점 기록원; 득점자.

'scóre·bòard *n.* Ⓒ 득점판.

:scorn [skɔːrn] *n.* Ⓤ 경멸, 비웃음; (the ~) 경멸의 대상. ***hold* [*think*]**

it ~ *to* (do) …하는 일을 멋없게 여기지 않다. *laugh* (*at a person*) *to* ~ 냉소하다. *think* ~ *of* …을 경멸하다. — *vt.*, *vi.* 경멸하다; 멋없게 여기지 않다(*to do*).

scorn·ful [skɔ́:rnfəl] *a.* 경멸하는, 비웃는. ~·**ly** *ad.* 경멸하여.

Scor·pi·o [skɔ́:rpiòu] *n.* 〔天〕 전갈(全蠍)자리, 천갈궁(天蠍宮).

scor·pi·on [skɔ́:rpiən] *n.* ⓒ ① 〔動〕 전갈, 도마뱀의 일종. ② 음흉한 사나이. ③ 〔聖〕 전갈 채찍. ⑤ (the S-) = SCORPIO.

Scot [skat/-ɔ-] *n.* ⓒ 스코틀랜드 사람.

:**Scotch** [skatʃ/-ɔ-] *a.* 스코틀랜드 (사람·말)의. — *n.* ① ⓤ 스코틀랜드 드말[방언]. ⓤⓒ 스카치 위스키. ② (the ~) 《집합적》 스코틀랜드 사람.

scotch *n.*, *vt.* ⓒ 얕은 상처(를 입히 다); 반죽음시키다; 바퀴 멈추개(로 멎게 하다). ★ = SCORPION.

Scótch tápe 〔商標〕 셀로판 테이 프의 일종.

scot-free [skátfrí:/-ɔ́-] *a.* 처벌을 〔피해를〕 면한; 무세(無稅)의.

Scótland Yárd 런던 경찰청(의 수 사과).

Scots [skats/-ɔ-] *a.*, *n.* (the ~) 《집합적》 스코틀랜드 사람; 〔古〕 스코 틀랜드의 (말). **ㄷ ~ 사람**.

Scots·man [skátsmən] *n.* ⓒ 스코 틀랜드 사람.

Scot·tish [skátiʃ/skɔ́t-] *a.*, *n.* = SCOTCH.

scoun·drel [skáundrəl] *n.* ⓒ 악 당, 깡패.

scour [skauər] *vt.*, *vi.*, *n.* (a ~) 문질러 닦다[닦기], 갈다, 갈기; 물로 씻어내다[내기], 일소(一掃)하다(away 등), ~·**ings** *n. pl.* 오물, 찌꺼기.

scour [skauər] *vi.* 급히 찾아 다니다; 질주하다.

scour·er [skáuərər] *n.* ⓒ 〔특히〕 나일론수세미.

scourge [skə:rdʒ] *n.* ⓒ ① 매, 채 찍. ② 천벌[유행병·기근·전쟁 따 위]. — *vt.* 매질하다; 벌하다; 몹시 괴롭히다.

:**scout** [skaut] *n.* ⓒ ① 정찰병(기·함). ② 소년[소녀]단원. ③ ⓤ 녀 석; (경기·예능 따위에서) 신인을 물

색하는 사람. — *vi.*, *vt.* 정찰하다; 소년[소녀]단원으로서 일하다(*for*) (신인을) 물색하다.

scóut·màster *n.* ⓒ 소년단 단장; 정찰 대장.

scowl [skaul] *n.*, *vi.* 찌푸린 얼 굴(을 하다), 오만상(을 찡그리다(*at*, *on*); 잔뜩 찌푸린 낯색(가 되다).

scrab·ble [skrǽbəl] *n.*, *vi.*, *vt.* (*sing.*) 갈겨 쓰기(쓰다), 손으로[발 로] 비비다(긁다); 손으로[발로] 비빔 (긁음); 손톱으로 할큄(할큄다); (S-) 〔商標〕 글씨 짜추기 게임.

scrag [skræg] *n.*, *vt.* (*-gg-*) ① 말 라빼진 사람[동물]; 마른[가는] 부분; 《俗》 (…의) 목을 조르다. ~·**gy** *a.* 말라빠진, 울퉁불퉁한.

scram [skræm] *vi.* (*-mm-*) 《口》 도 망하다. 《주로 명령형》 (나)가다.

scram·ble [skrǽmbəl] *vi.* ① 기 다, 기어 오르다. ② 서로 다투어 빼 앗다(*for*). ③ 퍼지다; 불규칙하게 행 하다. — *vi.* ① (카드패 따위를) 뒤섞 다; 그러모으다(*up*). ② 우유[버터] 를 넣어 휘저어 익히다. ~ *d eggs* 우유·버터를 섞어 저은 달걀; 《英口》 장교 군모의 챙을 장식하는 금몰. ~ *on* (along) 그럭저럭 해나가다. ~ *through* 간신히 지내다. — *n.* ⓒ (*sing.*) 기어오름; 쟁탈(전) (*for*) ~·**bler** *n.* scramble하는 사람[무 전]; (비밀 통신의) 주파수대 변환기.

scrap[skræp] *n.* ① ⓒ 작은 조각 나부랭이, 파편. ② (*pl.*) 남은 것. ③ (*pl.*) (신문 등의) 오려낸 것, 스 크랩. ④ ⓤ 《집합적》 폐물, 잡동사 니; (美) 부스러기, 파쇠. *a ~ of paper* 종잇조각; 《比》 휴지나 다름없 는 조약. — *vt.* (*-pp-*) 폐기하다, 부스러기로 하다.

scrap[skræp] *n.*, *vi.* (*-pp-*) 《口》 주먹다 짐[싸움](하다). ~·**per** *n.* ⓒ 《口》 싸 움꾼.

scráp·bòok *n.* ⓒ 스크랩북.

scrape [skreip] *vt.* ① 문지르다 비벼 떼다[벗기다](*away*, *off*), ② 면도하다. 문질러 만들다. ③ 긁어모 으다; (돈을) 푼푼이 모으다. ④ (ㅇ 기름) 쩍쩍 칠하다, 타다. — *vi.* ① 문질러 지다(*against*); 스치며 나아가다 (*along*, *past*). ② (악기를) 타다[ᄀ

다). ③ 푼돈이 모으다. ④ 오른발을 뒤로 빼고 절하다. ⑤ 근근이 살아가다(along). **~ an acquaintance** …의 환심을 사고자 억지로 가까워지다(with). **~ and screw** 인색하여 절약하다. **~ down** 발을 구르며 야유하다; 반반하게 하다. **~ through** 간신히 통과〔합격〕하다. — n. ⓒ ① 문지르는〔비비는〕일, 문질문〔비빔〕 자국. ② 발을 뒤로 빼는 절. ③ 스치는〔비비적거리는〕 소리; 긍긍〔특히, 자초(自招)한〕. **get into a ~** 곤경에 빠지다. **scráp·er** n. ⓒ 스크레이퍼, 깎는〔긁는〕 도구; 신흙털개; 가죽 벗기는〔긁는〕 기구; 구두쇠; 이발사.

scráp héap 쓰레기 더미, 쓰레기 버리는 곳.

scrap·py [skrǽpi] a. 부스러기〔나부랭이〕의; 남은 것의; 단편적인, 토리멸렬한.

scratch [skrætʃ] vt., vi. ① 긁(히)다, 긋다. ② 우비어 (구멍을) 파다. ③ 지우다, 말살하다. ④ 갈겨 쓰다. ⑤ 근근히 살아가다. ⑥ 그러모으다 (together, up). **~ about** 뒤져 찾다(for). — n. ⓒ ① 긁은 일〔소리〕; 긁힌〔할퀸〕 상처, 찰과상. ② 『競』 어제자 뜻금. ③ 긁는 소리. ④ 〔경주에서, 핸디도 벌칙도 적용되지 않는〕 스타트선〔시간〕; 영(零), 무(無). ⑤ 휘갈겨 쓰기〔씀〕. **come (up) to the ~** 〔口〕 싸울 준비가 되다; 소정의 규준에 달하다. **from ~** 최초부터; 영(零)에서. **~ the surface of** …의 겉을 만지다〔핵심에 닿지 않다〕. **up to ~** 표준〔역량〕에 달하여, 호조로; 급조한; 핸디 없는(a ~ race). **—er** n. ⓒ 날림의, 갈겨 쓴 (벼 따위가) 긁는; 주워〔그러〕모은.

scrátch pàd 〔英〕 떼어 쓰게 된 〔메모〕 용지(〔英〕 scribbling block; 〔컴〕 임시 저장용 기억 장소.

scrawl [skrɔːl] n., vi., vt. ⓒ 〔보통 sing.〕 갈겨씀; 갈겨쓰다; (…에) 낙서하다. 〔전.

scrawn·y [skrɔːni] a. 야윈, 말라빠진.

scream [skriːm] vi., vt. 소리치다; 깔깔대다, 날카로운 소리를 지르다〔로 소리, 날카로운 소리 외치다; 〔口〕 매우 우스꽝

스러운 사람〔물건〕. **—er** n. ⓒ scream 하는 사람; 〔口〕깜짝 놀라게 하는 것(일웃음거리 등); 〔美俗〕 〔新聞〕 큼직한 표제(~er bomb 음향폭탄). **—ing** a.

screech [skriːtʃ] vt., vi. 날카로운 소리를 지르다; (끼이는 자동차의) 급정거 소리를 내다. — n. ⓒ 날카로운 소리; 비명. **—y** a.

screed [skriːd] n. 〔보통 pl.〕 긴 이야기〔편지〕.

screen [skriːn] n. ⓒ ① 병풍; 칸막이, 장지, 칸막이 커튼. ② 〔軍隊〕; 영사막; (the ~) 영화. ② 〔TV·컴〕 화면(~ dump 화면퍼내기); editing (editor) 화면 편집〔편집〕자). ④ 망(網); 어레미. ⑤ 전위 부대〔함대〕. folding ~ 병풍. mosquito ~ 방충망. — vt. ① 가리다, 가로막다. ② 숨기다(from); 칸막이. ③ (모래·석탄 따위를) 체질하여 가려내다(적격·자격자를). ③ 영사〔상영〕하다. 촬영〔영화화〕하다. — vi. 영화에 맞다(She ~s well. 그녀는 화면에 잘 맞는다); 상영할 수 있다.

scréen·play n. ⓒ 〔映〕 시나리오, 영화 대본.

scréen tèst 스크린 테스트(영화 배우의 적성(배역) 심사.

scréen-writer n. ⓒ 시나리오 작가(scenarist).

screw [skruː] n. ⓒ ① 나사(못). 한 번 비틀기〔쥠〕. ② (배의) 스크루 추진기. ③ (보통 the ~) 압박, 강제. ④ 구두쇠. a ~ loose 고장난 나사, 고장. **put the ~ on, or apply the ~ to** …을 압박하다. — vt. ① 비틀어〔꾸〕 죄다. ② (용기 따위를) 봉〔封〕시키다; 굳히다. ③ (얼굴을) 찡그리다. ④ (값을) 억지로 깎다(down); 무리하게 거두어〔이야기거리〕다. 단념시키다다. ⑤ 꾀 롭히다. **—er** n. ⓒ 날림의 갈겨 쓴.

scréw·bàll n. ⓒ 〔野〕 곡구;〔美俗〕

scréw·driver n. ⓒ 드라이버; 나사돌리개.

scréw-tòpped a. 돌리는 마개용의 나사식 달린(병 따위).

scrib·ble [skríbl] n., vt., vi. 갈겨 씀〔쓰다〕; 낙서(하다) (No

scrib·bling. 낙서 금지(게시)). **-bler** n. ⓒ 갈겨 쓰는 사람; 잡문 쓰는 사람.

scribe[skraib] n. ⓒ 필기자; [史] 서기; 저술가; [野] 야구 기자.

scrim·mage[skrímidʒ] n., vi., vt. ⓒ 격투(를 하다). 드잡이(하다); [럭비] 스크리미지(를 짜다)(scrummage).

scrimp[skrimp] vt. 긴축하다; (음식 등을) 바짝 줄이다. ─ vi. 인색하게 굴다. 아끼다. **~·y** a. 부족한; 인색한.

scrip [skrip] n. ① ⓒ 종이 쪽지; 《美》메모, 적요. ② ⓤ《집합적》주《(假)주권, 가증권》. ③ ⓤ 영수증. ④ ⓒ 《美史》1달러 이하의 소액 지폐.

:**script**[skript] n. ① ⓤ 손으로 쓴 것, 필기(글씨), 필기체 활자. ② ⓒ [法] 원본, 정본(cf. copy). ─ vt. 각색하다, (이야기를) 시나리오화하다.

script·ture[skríptʃər] n.ⓤ 경전(經典), 성전. **(Holy) S-, the Scriptures** 성서(聖書)(the Bible). **-tural** a. 성서의.

script·writer n. ⓒ 《영화·방송의》 대본 작가.

scroll [skroul] n. ⓒ ① 두루마리, 족자. ② 소용돌이 장식(무늬). ③ 명수결(手決). ④ [컴] 두루마리(~ *bar* *Scroll Lock key* 두루마리 고리).

Scrooge[skruːdʒ] n. 스크루지 (C. Dickens 작품의 한 주인공 이름); ⓒ 《보통~》수전노.

scro·tum[skróutəm] n. (*pl.* **-ta** [-tə]) ⓒ [解] 음낭(陰囊).

scrounge[skraundz] vi., vt. 후무리다(pilfer). 훔치다.

:**scrub**[skrʌb] n., vi.(**-bb-**) n. 박 박 문지르다(비비다, 닦다); [가] 그렇게 힘드려 일하다(하는 사람); ⓤ 로켓 미사일 발사(를) 중지 (하다).

scrub² n., a. ⓤ 덤불, 관목(숲); ⓒ 《美口》 2류의 (선수). **~·by** a.

scrúb brùsh 세탁솔, 수세미.

scruff[skrʌf] n. ⓒ 목덜미(nape).

scrum[skrʌm] **scrum·mage** [skrámidʒ] n., v. = SCRIMMAGE.

scrump·tious[skrʌmpʃəs] a. 《口》 멋진, 훌륭한.

scru·ple[skrúːpl] n. ① ⓤⓒ 망설임; 주저. ② ⓒ《약의 양 단위》 스크 루플(= 20 grains = ⅓ dram = 1.296g). ③ ⓒ 미량(微量). **make no ~ to do** 아무 ~(를) 하다. **man of no ~s** 못된 짓을 예사로 하는 사람. **without ~** 예사로, 태연히. ─ vt., vi. 주저하다(hesitate)《to do》.

scru·pu·lous [skrúːpjələs] a. ① 고지식한; 양심적인. ② 빈틈없는, 주의 깊은; 신중한; 정확한. **~·ly** ad. **~·ness** n.

scru·ti·neer [skrùːtəníər] n. ⓒ 《주로 英》검사자; 《英》 (특히) 투표 검사인(《美》 canvasser).

scru·ti·nize[skrúːtənàiz] vt., vi. ① 자세히 조사하다. ② 《사람을》 뚫 어지게(빤히) 보다.

scru·ti·ny[skrúːtəni] n. ⓤⓒ 정밀 검사, 음미; 유심히 보는 일.

scúba diving 스쿠버 다이빙.

scud[skʌd] n., vi. (**-dd-**) ⓒ 질주 (하다); (구름 따위를) 떠돌다.

scuff[skʌf] vi. 발을 질질 끌며 건 다; (구두 따위를) 닳도록 신다. ─ n. ⓒ 발을 질질 끌며 걷는 걸음; 그 소리; slipper.

scuf·fle[skʌfl] n., vi. 격투(난투) (하다).

scull[skʌl] n. ⓒ 고물에 달아 좌우 로 저어 나아가는 외노; 스컬《혼자서 양손에 하나씩 쥐고 젓는 노》; 그것으 로 젓는 경조(競漕) 보트). **~·er** n.

scul·ler·y[skʌléri] n. ⓒ 《부엌의》 그릇 씻어 두는 곳.

sculpt[skʌlpt] vt. **sculpsit**. (L. = he 《or she》 carved it); sculptor; sculpture.

sculp·tor [skʌ́lptər] n. (*fem* **-tress**[-tris]) ⓒ 조각가.

sculp·ture [skʌ́lptʃər] n., vt. ① 조각(술). ② ⓒ 조각품; 조각하다. **~d**[-d] a. 조각된. **scúlp·tur·al** a.

scum[skʌm] n., vi., vt. (**-mm-**) ① 《표면에 뜨는》 찌끼, 더껑이《가 생기 다, 를 걷어내다》; 찌꺼기》, 인간 쓰레기. **~·my** a. 뜬 찌끼투성이의; 비열한.

scup·per [skʌ́pər] *n.* ⓒ (보통 *pl.*) (갑판의) 배수구.

scur·ril·ous [skə́rələs/skʌ́r-] *a.* 쌍스러운, 입이 건(사나운). **~·ness** *n.* **~·ly** *ad.* **-ril·i·ty** *n.*

scur·ry [skə́ːri, skʌ́ri] *vi., vt., n.* (a ~; the ~) 서두르다[름]; (특히 말라고) 달림; 달리다.

scur·vy [skə́ːrvi] *n.* ⓤ 괴혈병. — *a.* 상스러운, 야비한.

scut·tle¹ [skʌ́tl] *n.* ⓒ (실내용) 석탄 그릇[통].

scut·tle² *vi.* 허둥지둥 달리어[급히 치다]. — *n.* ⓤ (또는 a ~) 급한 걸음, 줄행랑.

scut·tle³ *n.* ⓒ (뱃전·갑판·지붕·벽 등의) 작은 창(의 뚜껑). — *vt.* 구멍을 내어 (배를) 침몰시키다 (희망 등을) 포기하다.

scythe [saið] *n., vt.* (자루가 긴) 큰낫(으로 베다); [로史] (chariot 등의) 수레바퀴에 단 낫.

SE, S.E., s.e. southeast.

sea¹ [siː] *n.* ① ⓒ 바다. ② ⓒ 큰 호수, 늪(a high ~). ③ (the ~) 해수(the S-of Galilee). ④ ⓒ (광대한) 벌판, 넓음; 바다; 일대, 운동, 다량, 다수(a ~ of blood, troubles, faces, &c.). **at ~** 항해 중에; 할 바를 모르고. **by ~** 배[바닷길]로, 배편으로. **follow the ~, go to ~** 선원[뱃사람]이 되다. **half-⟨half⟩·seas(·)over** 항정(航程)의 절반을 끝내고[지쳐서]; 얼근히 취하여. **keep the ~** 제해권을 유지하다. **on the ~** 배를 타고, 해상에(서), 해변에. **put (out) to ~** 출범[출항]하다. **the seven ~s** 칠대양.

séa anémone [動] 말미잘.

séa·bed *n.* (the ~) 해저.

séa bird 바닷새, 해조.

séa·bòard *n.* ⓒ 해안(선), 해안 지방.

séa·bòrne *a.* 배로 운반된; 해상 수송의.

séa brèeze (시원한) 바닷바람.

séa chànge 바다(또는 水)에 의한 변화; 변화, 변모. **suffer a ~** 변화 [변모]하다 (Sh., *Tempest*).

séa dòg 바다표범의 일종; 노련한 선원; 해적.

séa·fàrer *n.* ⓒ 뱃사람. **-fàring** *a.* 선원 생활을 직업으로 하는 (일), 선원 생활; ⓤ 바다 여행.

séa·fòod *n.* ⓤ 해산물(생선·조개류); 어개(魚介).

séa·frònt *n.* ⓤⓒ (도시·건물의) 바다로 향한 면; 해안 거리.

séa·gòing *a.* 배로 가는; 원양 항해에 알맞은.

séa grèen 바다빛, 청녹색.

séa gùll 갈매기.

séa hòrse [動話] 해마(海馬); [魚·動] 해마.

seal¹ [siːl] *n.* ⓒ 바다표범, 물개, 강치; ⓤ 그 털가죽. **fur ~** 물개. — *vi.* 바다표범 사냥을 하다.

seal² [siːl] *n.* ⓒ ① 인(印), 인장; 도장. ② 봉인(지): 압밀음, 함구, ③ 확증, 보증: 표시, 징후. **break the ~** 개봉하다. **Lord (Keeper of the) Privy S-** 국새 상서(國璽尙書). **put (set) one's ~** 날인[인가·보증]하다 (to). **~ of love** 사랑의 표시[입맞춤·결혼]. **set the ~ on** ...을 결정적인 것으로 하다. **the Great S-** 국새. **under [with] a flying ~** 개봉하여. — *vt.* ① (...에) 날인 [조인]하다, 확인 [보증·납인]하다. ② (봉람(封蠟) 따위로] 봉인[밀폐]하다 (up); 봉쇄하다, 꼼짝 못하게 움직이지 못하게 하다. ③ (아무의 입을) 틀어막다. ④ 확정하다.

séal·ant [síːlənt] *n.* ⓤⓒ 밀봉제(密 封劑).

séa lègs (*pl.*) 배가 흔들려도 예사 로 걷는.

séa lèvel 해면(above ~) 해발.

séaling wàx 봉랍(封蠟).

séa lìon [動] 강치(태평양산).

seam [siːm] *n.* ① ⓒ 솔기; 갈라진 틈. ② 상처 자국. ③ [解] 봉합선(線); 얇은 층. — *vt., vi.* 꿰매어] 맞추다; 붉[금]을 내다[에 생기다], (...에) 솔기[금]을 내다. **~·less** *a.*

séa·man [síːmən] *n.* ⓒ 뱃사람, 수병. **~·like, ~·ly** *a.* **~·ship**[-ʃip] *n.* ⓤ 해원 기술.

séam·strèss [síːmstris/sém-] *n.* ⓒ 여자 재봉사, 침모.

seam·y [síːmi] *a.* ① 솔기가 있는[드러난]; 보기 흉한; 이면의. **the ~**

S

side (옷의) 안; (사회의) 이면, 암흑면(Sh., *Othello*).

se·ance, sé·ance [séiɑːns] *n.* (F.) (기재) (개최 중인) 회합; (특히) 강신술(降神術)의 회.

séa·plane *n.* ⓒ 비행기.

:séa·port *n.* ⓒ 항구; 항구 도시.

séa pówer 해군력; 해군국(國).

sear [siər] *vt.*, *vi.* ① 태우다, 타다, 그을(리)다; (양심 따위) 마비시키(되)다; (을)게 하다. — *n.* ⓒ 탄(눌은) 자국, 그을림. — *a.* 시든, 말라 죽은. *the* ~ *and the yellow leaf* 노경, 늘그막(Sh., *Macb.*).

:search [sə:rtʃ] *vt.* ① 찾다; 뒤지다, 조사하다. ② (상처를) 찾다, (마음을) 탐색하다(떠보다). — *vi.* 찾다 *(after, for)*. *S- me!* (口) I don't know. ~ *out* 찾아 내다. — ⓒ 수색, 탐색; [컴] 검색 (~ *key* 검색 키). *in* ~ *of* …을 찾아. *ℒ~er* *n.* ⓒ 탐색자; 검사관; [컴] 탐침(探針).

séarch·ing [sə́:rtʃiŋ] *a.* 수색하는; 엄중(엄격)한; 날카로운; (찬 바람 등이) 스며드는. — *n.* ⓤ 수색, 음미. *~s of heart* 양심의 가책.

séarch·light *n.* ⓒ 탐조등.

séarch párty 수색대.

séarch wárrant 가택 수색 영장.

séa·scàpe *n.* ⓒ 바다 풍경(화).

séa shèll 조가비.

:sea·shore [-ʃɔ́ːr] *n.* ⓤ 해안.

:séa·sick *a.* 뱃멀미하는. *—ness* *n.*

:sea·side [-sàid] *n.*, *a.* (the ~) 해변(의). *go to the* ~ (해수욕하러) 해변으로 가다.

:sea·son [síːzən] *n.* ① 철, 계절. ② 한물때, 한창 때; 호기. ③ 《英口》정기권(season ticket). *at all* ~*s* 1년 내내. *close* [*open*] ~ 금〔수〕렵기, 금렵〔수〕기. *dead* [*off*] ~ 제절이 아닌 시기, 비철. *for a* ~ 잠시. *in good* ~ 꼭 알맞은 때에. *in* ~ 마침 알맞은 때의, 한물의 한창의 (과일 따위). *in* ~ *and out of* ~ 노상, 언제나. *out of* ~ 제철이 아닌, 철 지난; 때를 놓치어; 불법으로; 금렵기의. *the London* ~ 런던의 사교 계절《초여름》. — *vt.* ①

익히다; 단련하다; (재목을) 말리다. ② (…에) 간을 맞추다(*highly* ~*ed dishes* 매운 요리). ③ (…에) 흥미를 돋구다. ④ 누그러뜨리다. — *vi.* ① 익숙해지다, 익다. ② (새목 등이) 마르다. *~ed*[-d] *a.* 익은; (목재 따위) 말린; 익숙한, 단련된; 풍미를 절들인; 조절(가감)한.

sea·son·a·ble [síːzənəbəl] *a.* 계절〔철〕에 맞는; 때에 알맞은; 순조로운.

:sea·son·al [síːzənəl] *a.* 계절의; 때에 맞는; 계절에 의한. *~·ly ad.* 계절적으로.

:sea·son·ing [síːzəniŋ] *n.* ⓤ 조미; ⓒ 조미료; 양념; 가미(加味)(물); 교정; 건조(乾燥)(법).

séason tícket 《英》정기권.

:seat [siːt] *n.* ⓒ ① 자리, 좌석. ② 의자; (의자의 앉는 부분, 바지의) 궁둥이. ③ 예약석(席), 의석; 의원의 지위; 왕위, 왕권. ⑤ (말타기) 기. ⑥ 소재지(*the* ~ *of war* 싸움터); 중심지; 별장. — *vt.* ① (자리에) 앉게 하다; 좌석을〔지위를〕 주다. ② …사람분의 좌석을 가지다(*The theater will* ~ *1,200.*). …명분의 설비를 하다(*The Public Hall is* ~*ed for 3,000.*). *be* ~*ed* 앉다(*Pray be* ~*ed.* 앉아 주십시오.) 있다, 위치하다. *keep one's* ~ 자리에 앉은 채로 있다; 지위를 유지하다. *oneself* 착석하다(위치하다); …에 있다. *~ing* 《집합적》 좌석, 수용력. *~ing* *n.* ⓤ 착석(시킴); 수용력; 앉히기; 의 재료; 승마 자세.

séat bèlt (여객기의) 좌석 벨트.

séa úrchin [動] 성게.

séa wàll (해안의) 방파벽(防波壁).

:sea·ward [síːwərd] *a.*, *ad.* 바다쪽의(으로). 《WARD.

séa·wards [-wərdz] *ad.* = SEA·WARD.

séa wàter 바닷물.

séa·way *n.* ⓤⓒ 항로; 항행; 으는 바다(*in a* ~ 파도에 시달려).

séa·wèed *n.* ⓤⓒ 해초, 바닷말.

séa·wòrthy *a.* (배가) 항해에 알맞은, 내항성(耐航性)이 있는.

se·ba·ceous [sibéiʃəs] *a.* 지방(질)의 [이 많은]; 지방샘의.

sec. second(s); secretary section(s).

sec·a·teurs[sékətə:rz] *n. pl.*(주로 英)(한 손으로 쓰는) 전정 가위

se·cede[sisí:d] *vi.* 탈퇴[분리]하다 (*from*).

se·ces·sion[siséʃən] *n.* ⓤⓒ 탈퇴, 분리(*from*); (S-) 〖美史〗남북 전쟁의 원인으로 남부 11주의 분리. **~·ism**[-ìzəm] *n.* ⓤ (종종 S-) 분리론[주의]. 〖美史〗연 방이탈론. 연방 탈퇴에 의한 연방 탈퇴(운동)의 주의). **~·ist** ⓝ

se·clude[siklú:d] *vt.* 격리하다; 은 폐시키다. **se·clud·ed**(·ly) *a.*, (*ad.*) 인가에서 멀리 떨어진[져], 외진(외처); 은퇴한[하여]. **se·clu·sion**[-ʒən] *n.* ⓤ 격리; 은폐. **se·clú·sive** *a.*

se·cond¹[sékənd] *a.* ① 제 2의, 두번째의, 둘째의, 2위의, …다음의 버금가는, 부수적인(*to*). (*a ~*) 또 하나의, 다른. ③ 다음의, 보조[대용]의. *a ~ time* 두번째, 재차. *in the ~ place* 둘째로; 다음으로, 또 (*be*) *~ to none* 누구(무엇)에도 못(하)지 않은. — *ad.* 둘째로. — *n.* ① ⓒ (보통 *sing.*) 둘째(의 것); 2등[차점]의 것; 제2의 것, 후보; 이동차. ② ⓒ 조수; (결투·권투의)입회자, 세컨드; 다른 사람, 후원자. ③ (*pl.*) 2급품, 2급 밀가루(의 빵); ⓤ 2류(품). ④ ⓤⓒ 〖樂〗2도 (음정); (혼히) 알토, 5루(의). ⑤ ⓒ (흔히) 잠깐; 순간. *~ of exchange* (환의)제2 어음. — *vt.*, *vi.* ① 원조[지지]하다; (권투 선수 등의) 입회하다. ② (제안에) 찬성하다.

se·cond² *n.* ⓒ 초(시간·각도의 단위). *in a ~* 삽시간에.

Sécond Ádvent 예수의 재림.

sec·ond·ar·y[sékəndèri／-dəri] *a.* ① 둘째의, 제2(위)의, 부(副) 의; 보조의. ③ 중등의. — *n.* ⓒ ① 둘째의 사람, 보조자, 대리자. ② 〖文〗2차어(형용사 상당어(구): *school boy*).

secondary education 중등 교육

secondary school 중등 학교.

sécond chámber 상원(上院).

sécond-cláss *a.*, *ad.* 2등의(으로); 이류의.

Sécond Cóming = SECOND ADVENT.

sec·ond·er[sékəndər] *n.* ⓒ 후원자; (동의의) 찬성자.

sécond hánd (시계의) 초침.

sec·ond·hand[-hǽnd] *a.* ① 두 번째의; 간접의, 전해[언어]들은, (남의 학설·의견을) 되받아 먹는. ② 중고의, 헌; 헌 물건을 파는.

sécond lieuténant 소위.

sec·ond·ly[sékəndli] *ad.* 둘째(두번째)로.

sécond náture 제2의 천성(習性).

sécond pérson 〖文〗(제)2인칭.

sécond-ráte 2류의, …만 못한.

sécond síght 천리안; 선견지명.

sécond-síghted *a.* 선견지명이 있는.

sécond-strínger *n.* ⓒ 〖口〗2류쯤 되는 선수; 시시한 것[사람]; 대안(代案), 차선책.

sécond wind (격심한 운동 뒤의) 되돌린 숨, 원기의 회복.

se·cre·cy[sí:krəsi] *n.* ⓤ 비밀(성); 기밀 엄수(능력).

se·cret[sí:krit] *a.* ① 비밀의; 비밀을 지키는. ② 숨은, 외딴, 으슥한. ③ 신비스러운. — *n.* ⓒ ① 비밀, 기밀(*in ~* 비밀히; (*the ~*) 비밀, 비결. ③ (종종 ~s) (대자연의) 신비, 기적. ④ (*pl.*) 음부. *be in the ~* 기밀을 알고 있다. *let a person into the ~* 비밀을 밝히다; 비법을 가르치다. *open ~* 공공연한 비밀. *~·ly ad.* 비밀로 (히).

sécret ágent 첩보원, 정보원, 간첩.

sec·re·tar·i·al[sèkrətéəriəl] *a.* secretary의.

sec·re·tar·i·at(e)[-téəriət] *n.* ⓒ 서기(관)의 직; 장관직; 비서과, 문서 과, 총무처; (유엔) 사무국.

sec·re·tar·y[sékrətèri／-tri] *n.* ⓒ ① 비서(관), 서기(관); (회의) 간사. ② 장관; ③ 사자대(寫字臺). *Home S-* 내상(內相). *S- of State* 국무 대신; 《美》국무장관. *~·ship* [-ʃìp] *n.* ⓤ ⓒ secretary의 직(임기).

sécretary bird 뱀독수리《뱀을 먹음》. 〖장(속)〗.

secretary-géneral *n.* ⓒ 사무 총

S

sécret bállot 비밀 투표.

se·crete [sikríːt] *vt.* 비밀로 하다, 숨기다; 〖生〗 분비하다. **se·cré·tion** *n.* 〖U〗 비밀; 〖C〗 분비물[액]. **secre·to·ry** [-tǝri] *a., n.* 분비하는 (腺).

se·cre·tive [síːkrǝtiv, sikríː-] *a.* 비밀의, 숨기는, 솔직하지 않은; 분비(성)의, 분비를 촉진하는. **~·ly** *ad.*

sécret políce 비밀 경찰.

sécret sérvice (국가의) 첩보 기관; 첩보 활동; (S- S-) 〖美〗 재무부 비밀검찰부(대통령 경호, 위폐범 적발 등을 담당).

sect [sekt] *n.* 〖C〗 종파, 교파; 당파. *n.* 〖U〗 분파; 〖C〗 종파, 교파. **~·ism** [-ìzǝm] *n.* 〖U〗 당파심; 학벌.

sec·tar·i·an [sektέǝriǝn] *a., n.* 〖C〗 종파(당파)적인 (사람). **~·ism** [-ìzǝm] *n.* 〖U〗 당파심.

sec·tion [sékʃǝn] *n.* ① 절단(切開), 절단, ② 단면(도); 절단면; 단면, 부분(部). ③ 부(部), 과(課); 구분, 구(區), 구역, 구간, 구간. ④ (당파의) 파, ⑤ (단락) 절(節), 단락; 악절; 분대(分隊). **in ～ s** 해체[분해]하여. ── *vt.* ① 해체(구분)하다. ② 단면도를[박편(薄片)을] 만들다.

sec·tion·al [sékʃǝnǝl] *a.* 부분(구분·단락)의[의 되는], 지방(부분)적인; 조립식의. **~·ism** [-ìzǝm] *n.* 〖U〗 지방주의(열); 당파심, 파벌주의. **~·ly** *ad.*

sec·tor [séktǝr] *n.* 〖C〗 ① 〖幾〗 부채꼴, ② 〖數〗 함수척(尺), ③ 부문, 분야, ④ 부채꼴의 전투 지역, ⑤ 〖컴〗 (저장)데이터 섹터, 섹터.

sec·u·lar [sékjǝlǝr] *a.* ① 세속의, 현세의, ② 한 세기 만 번의; 백년마다의, 백년 계속되는, 불후의(the *~ bird* 봉사조). ── *n.* 〖C〗 재속(在俗) 신부, 속인. **~·ism** [-rìzǝm] *n.* 〖U〗 현세주의; 종교 분리교육론[주의]. **~·ize** [-rāiz] *vt.* 환속시키다; 속화(俗用)으로 제공하다; (…을) 종교에서 분리시키다. **~·i·za·tion** [ˌ────izéiʃǝn] *n.*

se·cure [sikjúǝr] *a.* ① 안전한, ② 확실한, ③ 튼튼한(*against, from*). ④ 안심한[을 하는](*of*). ── *vt.* ① 안전[확실]히 하다, ② 획득하다, 구하다(*from*). ③ 보증하다; 보험에 넣다(*against*). ④ 단단히 잠그다[채우다]; 가두다, 붙들어매다(*to*). ── *vi.*

안전하게 되다. **~·ly** *ad.*

se·cu·ri·ty [sikjúǝriti] *n.* ① 안전; 안심; 확실, ② 〖U,C〗 보호; 보장; 보증(금·인); 담보(물); 차용증서(*for*), ③ (*pl.*) 증권, 증서, 채권, 공채. **give [go]～ for** …의 보증인이 되다. **government securities** 공채, 국채. **in ～ for** …의 담보로서.

Secúrity Cóuncil, the (유엔) 안전 보장 이사회(생략 SC).

secúrity rísk (치안상의) 위험 인물.

se·dan [sidǽn] *n.* 〖C〗 세단형 자동차. **~ chàir** 가마, 남여(藍輿).

se·date [sidéit] *a.* 침착한; 진지한; 수수한. **~·ly** *ad.*

sed·a·tive [sédǝtiv] *a., n.* 가라앉히는; 〖C〗 진정제.

sed·en·tar·y [sédǝntèri/-tǝri] *a.* 줄곧 앉아 있는, 앉아서 일하는; 〖動〗 정주성(定住性)의. **～ occupation** 앉아서 하는 직업.

sedge [sedʒ] *n.* 〖U〗 사초속(屬)의 식물. **sédg·y** *a.* 사초 같은[가 무성한].

sed·i·ment [sédǝmǝnt] *n.* 앙금, 침전물. **-men·tal** [sèdǝméntl]. **-men·ta·ry** *a.* **-men·ta·tion** [ˌ───mentéiʃǝn] *n.* 〖U〗 침전 (작용), 침강.

se·di·tion [sidíʃǝn] *n.* 소요; 치안 방해, 폭동 교사(행위). **-tious** *a.* 선동적인.

se·duce [sidjúːs] *vt.* ① (여자를) 유혹하다, 피어내다, ② 홀께 하다. **-ment** *n.* **se·dúc·er** *n.* **se·dúc·tion** [sidʌ́kʃǝn] *n.* **se·dúc·tive** *a.*

sed·u·lous [sédʒulǝs] *a.* 부지런한; 애써 공들인. **~·ly** *ad.* **~·ness** *n.* 〖U〗 근면. **se·du·li·ty** [sidjúːlǝti] *n.*

see¹ [siː] *vt.* (*saw*; *seen*) ① 구경하다, ② 식별하다, 이해하다; 조사하다; 알다, ③ 만나다; 방문하다(*the ~ the doctor*) ④ 경험하다; 의 견을 갖다, 생각하다, ⑤ 목격하다. ⑥ 유의하다. ── *vi.* ① 보이다, 보다, 물체를 보다, ② 알다(*Well, I'll ~.*). ③ 주의하다. 돌보다. **have seen (one's) better days** 좋은 (팬빤디리)에 때도 있었다. **let me ～** 글쎄; 가만 있자. **～ about**

정신 차리다, 조심하다; 고려하다. **~** *ad.*
after 돌보다. **~ a person home**
집에까지 바래다 주다. **~ ... done**
…이 …되는 것을 확인〔목적〕하다; 틀
림없이 …되도록 하다. **See here!**
《美》어이, 여봐, 여보세요.(《英》I
say!; Look here!). **Seeing is
believing.** 《속담》백문이 불여일견.
~ into 조사〔간파〕하다. **~ much**
〔**something, nothing**〕**of** …을〕
자주 만나게〔더러 만나게, 거의 만나지
않게〕되다. **~ a person off** 배웅하
다, 작별하다. **~ out** 현관까지 배웅하
지 보다; 완수하다. 해내다; 《口》끝까
지 버티다. **~ over** 검사〔시찰〕하다. **~
that** …하도록 주선〔주의〕하다. **~
things** 환시〔幻視〕를 일으켜 보
다(You're ~*ing* things! 꿈이라도
꾸고 있는게나). **~ through** 간파하
다. **~** (a thing) **through** 끝까
지 해내다. **~** (a person) **through** 도
와서 완수시키다. **~ to** …에 주의하
다. **~ to it that** …하도록 노력〔배
려〕하다. **you ~** 이봐, 아시겠소.
You shall ~. 후에 얘기하겠다. 차차
알게 될 게다. **~~a•ble** *a.*

see² *n.* ⓒ bishop의 지위〔교구〕; =
DIOCESE. **the Holy S-** 로마 교황의
지위; 교황청.

seed [siːd] *n.* (*pl.* **~s, ~**) ① ⓤⓒ
씨, 종자. ② ⓤ《물고기의》알; 《동
물의》정충. ③ 《흔히 *pl.*》《집합적》
자손(*of*); 근원(*of*). **go** 〔**run**〕**to
~** 꽃이 지고 열매를 맺다. 장다리가
돋아나다; 초췌해지다. **raise up ~**
자식을 낳다. **sow the good ~**
복음을 전하다. —— *vi.* ① 씨를 뿌리
다〔가 생기다〕. ② 성숙하다. —— *vt.*
① …에 씨를 뿌리다. ② 《野》시드
하다《우수 선수끼리 처음부터 맞붙지
않도록 대진표를 짜다》. **~ down**
…에 씨를 뿌리다.

séed•bèd *n.* ⓒ 묘상(苗床), 모판.
séed•ling [síːdliŋ] *n.* ⓒ 실생(實生)
식물; 모종, 묘목.
séed péarl 알이 작은 진주《¼
grain 이하》.
seeds•man [síːdzmən] *n.* ⓒ 씨뿌
리는 사람; 종자 장수.
seed•y [síːdi] *a.* 씨 많은; 야원, 초
라한, 기분이 좋지 않은. **séed•i•ly**

seek [siːk] *vt.* (**sought**) ① 찾다.
구하다. ② 하고자 하다; 《…에》
가다〔一one's bed 취침하다〕. —
vi. 찾다, 탐구하다(*after, for*). **~ a
person's life** 아무의 목숨을 노리다.
~ out 찾아내다〔내려고 하다〕. …와의 교
제를 바라다. —— *n.* 〔열·소리·광선
등의〕목표를 탐색. 《탐구자리 찾기
〔~ *time* 자리 찾기 시간〕. **~~er** *n.*
ⓒ 탐구자; 《미사일의》목표를 탐색
장치; 그 장치를 한 미사일.

seem [siːm] *vi.* ① …로 보이다. …
〔인 것〕 같다. ② 생각이 들다, 있을
것〔…한 것〕처럼 보이다(There *~s
no point in going.* 갔댔자 아무 소
용도 없을 것 같다). **it ~s ...** …인
것 같다〔처럼 생각되다〕. **It ~s to
me that** …생각된다. **It should
~** = it ~s. **~~ing** *n.,
a.* 외견〔외관〕의); 겉보기〔만의〕.
~~ing•ly *ad.* **~~ly** *ad.* 적당한
〔히〕; 점잖은〔게〕; = HANDSOME.

seen [siːn] *v.* see의 과거분사.
seep [siːp] *vi.* 스며나오다, 새다.
~~age *n.* ⓤ 스며나옴, 삼출〔배어
나온 것〕.
se•er [síər] *n.* (*fem.* **~ess** [sí(ː)-
ris/síər~]) ⓒ ① 보는 사람. ②
[síər] 예언자; 환상가; 점쟁이.
seer•suck•er [síərsʌkər] *n.* ⓤ 세로
줄무늬를 도드라지게 한 인도산 피륙.
see-saw [síːsɔ̀ː] *n.* ⓒ ① 시소놀
이; ⓒ 시소판. 》 ② ⓤ 동요, 변동;
일진일퇴. —— *a.* 위아래로 움직이는,
동요하는. **~ game** 접전, 백중전.
seethe [siːð] *vi.* (~**d**, 《古》**sod**;
~**d**, 《古》**sodden**) 끓어 오르다. 》 끓
끓다; 소연해지다. **seeth•ing** [~iŋ] *a.*
see-through [síːθrùː] *a.* 《옷의》내
비치는. —— *n.* ⓤ 내 비치는 것.
seg•ment [ségmənt] *n.* ⓒ ① 단
각, 부분, 분절(分節). ② [生] 환절
(環節); 【幾】호(弧). ③ 【컴】칸살.
—— *vt., vi.* 【生】분열하다〔시키다〕;
(*vt.*) 분할하다. **~~al** *a.*
seg•men•tal [segméntl] *a.* 분할된,
분절의. **seg•men•ta•tion** [~-
méntl] *a.* **seg•men•ta•tion** [~-
téiʃən] *n.* ⓤ 【生】분열; 【컴】세그멘테이션.
seg•re•gate [ségrigèit] *vt., vi.* 분
리〔격리〕시키다〔하다〕(*from*); 인종차
별 대우를 하다. — [~git] *a.* 분리된.

S

-ga·tion [~géiʃən] n.

seis·mic [sáizmik] a. 지진의.

seis·mo·graph [sáizməgræf, -graːf] n. ⓒ 지진계(計). **seis·mog·ra·phy** [-mágrəfi/-5] n. ⓤ 지진 관측(법).

seis·mol·o·gy [saizmálədʒi/-5-] n. ⓤ 지진학. **seis·mo·log·i·cal** [~məládʒikəl/-5-] a.

seize [siːz] vt. ① 〔붙〕잡다, 압류하다. ② 이해〔파악〕하다, (병이) 침습하다. ③ 〔海〕잡아〔동여〕매다. — vi. 움켜쥐다, 잡다. be ~d of ···을 가지고 있다. be ~d with (a fever) (열병)에 걸리다. on (upon) 왁 붙잡다; 이용하다.

sei·zure [síːʒər] n. ① ⓒ 〔붙〕잡음, 〔붙〕잡기; 압류, 몰수. ② ⓤ 발작.

sel·dom [séldəm] ad. 드물게, 좀처럼 ···않는, not ~나 때때로, 흔히.

se·lect [silékt] vt. 고르다, 뽑다. 뽑아〔가려〕내다. — a. ① 뽑아〔가려〕낸, 극상의. ② 선택에 까다로운 (in); (호텔 등) 상류 계급을 위한. ~·man [silékmən] n. ⓒ 〔美〕(New England) 도시 행정 위원. **select committee** 특별 위원회.

se·lec·tion [silékʃən] n. ① ⓤⓒ 선택(물); 선발, 발췌; 가려〔골라〕낸 것. ② ⓤ 도태(淘汰). ③ 〔理〕선택(~ sort 선택 정렬), artificial (natural) ~ 인위〔자연〕도태.

se·lec·tive [-tiv] a. ① 선택적인, 선택하는, 도태의. ② 〔無電〕분리식의. **se·lec·tiv·i·ty** [silèktívəti] n. ⓤ 선택성; 〔無電〕분리도.

se·lec·tor [siléktər] n. ⓒ 선택자; 선택기; 〔無電〕분리 장치.

:self [self] n. (pl. **selves**) ① ⓤⓒ 자기, 자신; ⓤ 〔哲〕자아, 나(ego). ② ⓤ 진수(眞髓). ③ ⓤ 사욕, 이기심. ④ ⓤ 〔商〕본인; 〔譜·單〕나〔당신〕자신, your good selves 〔당신〕귀점(들), 귀사. — a. (성질·색·재료 따위가) 단일의. **~-ab·sorbed** a. 여념이 없는; 자기 중심의. **~-ab·sorp·tion** n. ⓤ 몰두, 자기 도취. **~-ad·dressed** n. 반송용의, 자기 앞으로의(쓴). **~-ad·he·sive** a. 풀이 묻은 《봉투 따위》. **~-as·ser·tion** n. ⓤ

주제넘게 나섬, 자기 주장. **~-as·ser·tive** a. 자기를 주장하는, 주제넘은. **~-as·sur·ance** n. ⓤ 자신(自信). **~-cen·tered** a. 〔-céntred a. 자기 중심의. **~-con·fi·dence** n. ⓤ 자신, **~-con·fi·dent** a. ~ **~-con·scious** a. 자의식이 있는〔센〕; 남의 눈을 꺼리는, 수줍어하는. **~-con·tained** a. 말없는, 속을 털어 놓지 않는; 자기 충족의; 〔機〕그 자체만으로 완비한; 독립한 (아파트 등). **~-con·tra·dic·to·ry** a. 자가당착의. *~-con·trol n. ⓤ 자제, 극기(克己). **~-de·feat·ing** a. 자기 파멸로 이끄는; 의도와 반대로 작용하는. **~-de·fense** [,英] -fence n. ⓤ 자위. **~-de·ni·al** n. ⓤ 자제, 극기. **~-de·ter·mi·na·tion** n. ⓤ (남의 지시에 의하지 않은) 자기 결정; 민족 자결. **~-dis·ci·pline** n. ⓤ 자기 훈련 (수양). **~-drive** a. 〔英〕렌터카의. **~-ed·u·cat·ed** a. 독학의; 자학자습의. **~-ef·face·ment** n. ⓤ 표면에 나서지 않음, 자기 말살. **~-em·ployed** a. 자가(自家) 경영의, 자영의. **~-es·teem** n. ⓤ 자부(심), 자존(심). *~-ev·i·dent a. 자명한. **~-ex·am·i·na·tion** n.ⓤ 자기 반성. **~-ex·pla·na·to·ry** a. 자명한. **~-ex·pres·sion** n. ⓤ 자기 표현. **~-gov·ern·ment** n. ⓤ 자치; 자제. **~-help** n. ⓤ 자조, 자립. **~-im·por·tant** a. 젠체하는. **~-im·por·tance** n. 거만. **~-im·posed** a. 스스로 과한; 자진해서 하는. **~-in·dul·gence** n. ⓤ 방종. **-gent** a. **~-in·flict·ed** a. 스스로 초래한(부른). *~-in·ter·est n. ⓤ 사리(私利), 사욕. **~-in·ter·est·ed** a.자기 본위의. **~-made** a. 자력으로 출세(성공)한. **~-opin·ion·at·ed** a. 자부하고 있는; 완고한, 외고집의. **~-per·cep·tion** n. ⓤ 자각. **~-pity** n. ⓤ 자기 연민. **~-por·trait** n. ⓒ 자화상. **~-pos·sessed** a. 침착한, 냉정. **~-pos·ses·sion** n. ⓤ 침착. **~-pre·ser·va·tion** n. ⓤ 자기 보존. **~-re·li·ance** n. ⓤ 독립, 독행, 자립. **~-re·spect(ing)** n., a. 자존(심)(이 있는). **~-right·eous** a. 독선적인. **~-sac·ri·fice** n. ⓤⓒ 자기 희생, 헌신. **-fic·ing** a. 자기희생적인. **~-sat·is·fied** a. 자기만족의. **~-seek·ing** n.,a. 이기주의(의), 제멋대로의.

∠-sérv·ice *n., a.* ⓤ (식당 등) 자급 (自給)식(의). **∠-styled** *a.* 자임하는, 자칭의. **∠-suf·fi·cien·cy** *n.* ⓤ 자급, 자족. **∠-suf·fi·cient**, **-suffic·ing** *a.* (자급) 자족하는; 자부심이 강한. **∠-sup·port·(-ing)** *n., a.* 자각(이 있는), 자급(의); 자활(하는). **∠-will** *n.* ⓤ 아집(我執), 억지, 고집. **∠-willed** *a.*

self·ish [sélfiʃ] *a.* 이기적인, 자기 본위의, 제멋대로의. **~·ly** *ad.* **~·ness** *n.*

self·same [∠sèim] *a.* 꼭[아주] 같은, 동일한.

sell [sel] *vt.* (**sold**) ① 팔다; 장사하다. ② 선전하다. ③ 배신하다; 《ㅁ》 속이다(Sold again! 또 속았다!). ④ 납득[수락, 승낙]시키다, 강제하다. — *vi.* 팔리다. **be sold on** (+*a game* [*match*]) 몰두하고 있다. — *a game* [*match*] 몰두하고 있다. **~ off** 싸구려로 처분하다. **~ one's life dearly** 적에게 손해를 입히고 전사하다. **~ out** 매진하다; 《美ㅁ》배반하다. **~ up** (英) 경매에 부치다. — *n.* ① ⓒ 판매 전술, ② ⓒ 《俗》속임(수). ③ ⓤ 《ㅁ》실망. **∠·òut** *n.* 매진; (흥행물 따위의) 초만원; 배신.

sell·er [sélər] *n.* ① 파는 사람; 팔리는 물건. **best** ~ 날개 돋친 듯 잘 팔리는 물건[책], 베스트셀러.

séllers' márket 매주(賣主) 시장 《수요에 비해 공급이 달려 매주에게 유리한 시황(市況)》.

séll-óff *n.* ⓤ (주식·채권 따위의) 급락.

Sel·lo·tape [sélətèip] *n.* ⓤ 《商標》셀로테이프.

sel·vage, -vedge [sélvidʒ] *n.* (피륙의) 변폭(邊幅)[식서(飾緣)].

selves [selvz] *n.* self의 복수.

se·man·tic [siméntik] *a.* 의미(意義)에 관한. **~s** *n.* ⓤ 《言》어의론(語義論), 의미론. **-ti·cist** *n.*

sem·a·phore [séməfɔ̀:r] *n., vt., vi.* 수기(手旗)[까치발] 신호(로 신호하다).

se·men [sí:mən/-men] *n.* ⓤ 정액.

se·mes·ter [siméstər] *n.* (2학기 제도의) 학기(the first ~, 1학기).

sem·i· [sémi, -mai/-mi] *pref.* '반, 얼마간의 뜻, ~·ánnual *a.* 반년마다의, 연 2회의; 반년마다의. ~·ánnually *ad.* ~·árid *a.* 강수량 과소의. ~·automátic *a.* 반자동식의 《기계·총 따위》. ~·barbárian *a.* 반미개의; 반미개인. ~·brève *n.* 《樂》온음표. ~·centénnial *a.* 50년 마다의. ~·círcle *n.* ⓒ 반원(형)(의)(~ *circular canals* 삼반규관(三半規管)). ~·cívilized *a.* 반문명의. : ~·cólon *n.* ⓒ 세미콜론(;). ~·condúctor *n.* ⓒ 《電·電》반도체. ~·cónscious *a.* 의식이 반쯤 있는(불완전한). ~·detáched *a.* 《建》반쯤 분리식의. ~·devéloped *a.* 반쯤 발달한, 발육 부전(不全)의. ~·docu·méntary *n.* ⓒ 《映》반기록영화(기록 영화를 극영화식으로 구성한 것). ~·final *a.* ② 준결승(의). ~·flúid, ~·líquid *n., a.* ⓤⓒ 반유동(체)(의). ~·lúnar *a.* 반월형의(~ *lunar valve* 반월판). ~·máde *a.* 반제품으로 만든(성공된). ~·manufác·tures *n.* ⓒ 반(중간)제품. ~·món·thly *a., ad.* 월 2회(보름)마다(의); ⓒ 월 2회의 출판물. ~·offícial *a.* 반관(半官)적인. ~·párasite *n.* 《植》반기생(半寄生). ~·pérmeable *a.* 《生》반투성(성)(의). ~·précious *a.* 약간 귀중한(貴重)한, 준(準)보석의, ~·pro·, ~·proféssional *a., n.* 반직업적인(선수). ~·quáver *n.* 《樂》16분 음표(의). ~·sólid *a., n.* 반고체(의). ~·tóne *n.* ⓒ 반음. ~·transpárent *a.* 반투명의. ~·trópical *a.* 아열대의. ② 반모음(w. j 따위)의. ~·vówel *n.* ⓒ 반모음(w, j 따위). ~·wéekly *a., ad., n.* 주 2(회)(의): 주 2회 간행물. ~·yéarly *ad., a., n.* 연2회의; 연2회 간행물.

sem·i·nal [sémənl, sí:m-] *a.* 정액의; 《植》배자(胚子)의, 종자의; 생식의; 발생상의; 장래성이 있는.

: **sem·i·nar** [sémənɑːr, ∠∠∠] *n.* ⓒ (집합적) (대학의) 세미나; 연습; 연구실.

sem·i·nar·y [sémənèri/-nə-] *n.* ⓒ

(고등학교 이상의) 학교; 〖가톨릭〗신학교; 온상. **-nar·i·an** [그-nɛ́əriən/-nɛ́ɑr-] *n.* ⓒ 신학교의 학생.

Sem·ite [sémait/sí:m-] *n.* ⓒ 셈어족(語族)의 사람. **Se·mit·ic** [simítik] *a.*, *n.* ⓒ 셈 사람[족]의; ⓔ 셈말(의).

sem·o·li·na [sèməlí:nə] *n.* ⓤ 밀가루.

Sen., sen. senate; senator; senior.

sen·ate [sénət] *n.* ⓒ ① (고대 로마의) 원로원. ② 입법부, 의회. ③ (S-) (미국·프랑스의) 상원. ④ (대학의) 평의원회, 이사회.

sen·a·tor [sénətər] *n.* ⓒ 원로원 의원; (S-) 〖美〗상원 의원; 평의원, 이사. **~ship** [-ʃip] *n.* ⓤ ~의 직[지위]. **-to·ri·al** [그-tɔ́:riəl] *a.*

†**send** [send] *vt.* (**sent**) ① 보내다; 가게 하다; 차례로 돌리다. ② 내다, 발하다, 쏘다, 던지다. ③ (신이) 배풀다, 주시다, 내리다; 빠지게 하다; …되게(되도록) 하다. **— vt.** 《~+목+to do》 (S~ him victorious). 그를[왕을] 이기게 해 주소서《영국 국가의 구절》). ② 〖電〗전도하다 (transmit). **— vi.** 심부름꾼[사람]을 보내다 (for), 편지를 부치다. **~ a person about his business** 쫓아내다, 해고하다. **~ away** 해고하다, 내쫓다. **~ back** 돌려주다. **~ down** 하강[하락]시키다; 〖英學〗정학[퇴학]을 명하다. **~ for** 부르러[가지러] 보내다. **~ forth** 보내다, 내다, 발[방송]하다; 파견하다. **~ in** 보내다, 제출하다. **~ off** (편지·소포를) 발송하다, 내다; 쫓아버리다; 배웅하다. **~ on** 회송(回送)하다. **~ out** 내다; (싹 따위가) 돋아나다. **~ over** 파견하다; 방송하다. **~ round** 돌리다, 회송하다. **~ up** 올리다; 제출하다; (공을) 보내다; 〖美俗〗교도소에 처넣다. **~ word** 전언하다, 알리다. **★~·er** *n.* ⓒ 발송인; 발신(송신, 송화)기.

sénd-òff *n.* ⓒ 《口》송별, 배웅; (첫) 출발 (a ~ party 송별회).

sénd-ùp *n.* ⓒ 《英口》흉내, 비꼼.

se·nes·cent [sinésənt] *a.* 늙은, 노쇠한. **-cence** *n.* ⓤ 노후, 노쇠.

se·nile [sí:nail, sén-] *a.* 고령(高

齡)의; 노쇠의[에 의한]. **se·nil·i·ty** [siníləti] *n.*

†**sen·ior** [sí:njər] *n.* (cf. junior) *a.* ① 나이 많은, 연장(年長)의, 나이가 위인, 나이 더 먹은 (쪽의)생각한. 사람, Sr. 《John Jones, Sr.》). ③ 선임의, 상급의, 원자리의, ③ 《美》선임자, 고참자. ② 《美》연장자; 선배; 상급생; 《美》최상급생.

sénior cítizen 《美》65세 이상의 시민; 연금 생활자.

sen·ior·i·ty [si:njɔ́:riti, -njɑ́r-] *n.* 연장, 고참(권), 선임(임).

†**sen·sa·tion** [senséiʃən] *n.* ① ⓤ 감각, 지각; 기분적 느낌(feeling). ② ⓤⓒ 감동, (대)인기(의 것), 센세이션 (the latest ~ 최근 평판이 된 사건(연극 따위)).

sen·sa·tion·al [-ʃənəl] *a.* ① 감각의(에 있는). ② 감동적인; 선풍적인 기의, 선정적인; 대평판의. **~·ly** *ad.* **~·ism** [-lzəm] *n.* ⓤ 선정주의; 〖哲〗감각론. **~·ist** *n.* ⓒ 선정적 작가; 선동 정치가; 감각론자.

†**sense** [sens] *n.* ① ⓒ 감각(기관). ② 느낌; 의식, 자각, 감수력. ② (*pl.*) 제정신. ③ ⓤ 분별 (a man of ~ 지각 있는 사람). ④ ⓒ 의미. ⑤ 다수의 의견, 여론 (the ~ of the meeting 회의(会)의 의향). **come to one's ~s** 제정신으로 돌아오다. **common ~** 상식, 五今 오감 (五感), **good ~** 양식, 사려 (in one's (right) ~s 제정신으로, in a ~ 어떤 의미로는, **make ~** (아무의 말이) 사리에 맞다. **make ~ of** …의 뜻을 이해하다. **out of one's ~s** 제정신을 잃어, **stand to ~** 이치에 맞다. **take leave of one's ~s** 정신이 돌다. **talk** (**speak**) ~ 사리에 맞는 말을 하다. **— vt.** 느껴 알다, 《美口》알다, 납득하다; 〖컴〗데이터·테이프·펀치 구멍을 읽다.

sénse·less *a.* 무감각한, 무의식의; 무분별한. **fall ~** 졸도하다. **~·ly** *ad.* **~·ness** *n.*

sen·si·bil·i·ty [sènsəbíləti, -sibíli-] *n.* ① ⓤ 감각(력), 감성; 감도, ② (종종 *pl.*) 감정, 민감; (*pl.*)(예술 등에 대한) 감수성; 의식.

†**sen·si·ble** [sénsəbəl] *a.* ① 지각할

수 있는; 느낄 정도의. ② 알아채고, 깨닫고, 알고(*of*). ③ 분별있는, 현명한. **-bly** *ad*.

sen·si·tive [sénsitiv] *a*. ① 느끼기 쉬운; 민감한; 성 잘내는; 반응하는; 감광성(感光性)의. ② (정부 기밀등) 극비의 부서 또 할, 절대적 출 성을 요하는. **~·ly** *ad*. **~·ness** *n*.

sen·si·tiv·i·ty [sènsitívəti] *n*. Ⓤ Ⓒ 민감(성), 감(수)성; 【電】 감광도; 【電】 감도도.

sen·si·tize [sénsitàiz] *vt*. 민감하게 하다; 감광성(感光性)을 주다. **~d paper** 인화지. **-tiz·er** [-tàizər] *n*. 증감제(增感劑).

sen·sor [sénsər] *n*. Ⓒ 【機·컴】 감지기(열·온도·방사능 따위의).

sen·so·ry [sénsəri] *n*. **sen·so·ri·al** [sensɔ́riəl] *a*. 지각의, 감각의; 감관(感官)의. **~** *n*. Ⓒ 감각 기관.

sen·su·al [sénʃual/-sju-] *a*. ① 판능적인(~ *pleasures*); 육욕의, 호색의. ② 감각의. **~·ism** [-izəm] *n*. Ⓤ 쾌락(육욕)주의. **~·ist** *n*. **~·ly** *ad*.

sen·su·ous [sénʃuəs/-sju-] *a*. 감각적인; 민감한; 심미적인.

sent [sent] *v*. send의 과거(분사).

sen·tence [séntəns] *n*. ① Ⓒ 【文】 문장, 글(*a simple* (*compound*, *complex*) ~ 단순, 복[복]문). ② Ⓤ Ⓒ 판결, 선고, 형 벌. **~** *n*. Ⓒ 【古】 격언. ② Ⓒ 【樂구. *pass* ~ …에게 판결을 내리다 (*upon*). *serve one's* ~ 형을 살다. — *vt*. 판결(선고)하다(*He was* ~*d to death by hanging*. 교수형을 선고 받았다). **-ten·tial** *a*.

sen·ten·tious [senténʃəs] *a*. 격언이 많은(것 같은); 금언적인, 교훈조의, 짐짓 젠체하는. **~·ly** *ad*.

sen·tient [sénʃənt] *a*. 감각(지각)력이 있는; 지각하는(*of*). **sen·tience**, **sen·tien·cy** *n*.

sen·ti·ment [séntəmənt, -ti-] *n*. ① Ⓤ Ⓒ 감정, 정서(*a man of* ~ 감상적인 사람); 정서(cf. emotion). ② 정취, 다정. ③ Ⓤ 감상; 의견. ■

sen·ti·men·tal [◌méntl] *a*. 감정의; 다감한; 감상적인. **~·ism** [-təl-

─ 세로단 ─

zəm] *n*. Ⓤ 감상주의[벽(癖)], 다정 다감. **~·ist** *n*. **~·ize** *vt*. **~·ly** *ad*.

sen·ti·nel [séntinl] *n*. Ⓒ 보초, 파수병. **stand** ~ 보초서다. **keep** ~ 파수[망]보다.

sen·try [séntri] *n*. Ⓒ 보초, 초병; 감시병. **sentry box** 보초막, 파수병막.

se·pal [sí:pəl] *n*. Ⓒ 꽃받침조각.

sep·a·ra·ble [sépərəbl] *a*. 분리할 수 있는.

sep·a·rate [sépəreit] *vt*., *vi*. 가르 다; 갈라지다; 분리하다; 벌거시키다 [하다]; (*vt*.) 식별하다, 분별하게 하 다. ─ [sépərət] *a*. 갈라진, 분리 한; 따로따로의, 단독의. ─ **but equal** (美) (흑인에 대한) 차별 평등 병행(주의)《차별은 하면서 교육·교통 기관 따위의 이용은 평등으로 하자는 주장》. ─ [sépərət] *n*. ① 분책(分 冊); 발췌 인쇄; (*pl*.) 【服飾】 세퍼레 이츠. **~·ly** [sépəritli] *ad*. 따로따로 로, 하나하나. **-ra·tor** *n*. Ⓒ (우유 의) 분리기.

sep·a·ra·tion [sèpəréiʃən] *n*. Ⓤ Ⓒ ① 분리, 이탈. ② 별거, 이혼. ③ 【化】 분석(析出).

sep·a·ra·tism [sépərətizəm] *n*. Ⓤ (정치·종교의) 분리주의(opp. union-ism). **-tist** *n*.

se·pi·a [sí:piə, -pjə] *n*. 오징어의 먹물; 세피아 (그림물감), 세피아색《고동색》. *a*.

Sep(t). September.

Sep·tem·ber [septémbər, səp-] *n*. 9월.

sep·tet [septét] *n*. Ⓒ 【樂】 (주로 英) **-tette** [septét] *n*. Ⓒ 칠중주(곡); 7부 합창(곡); 일곱개의 조합, 7인조.

sep·tic [séptik] *a*. 【醫】 부패(성)의.

sep·ti·ce·mi·a, **-cae-** [sèptəsí:-miə] *n*. Ⓤ 패혈증. **-mic** *a*.

septic tank 오수 정화조(淨化槽).

sep·tu·a·ge·nar·i·an [sèptjuə-dʒənɛ́əriən, -tju-] *a*., *n*. Ⓒ 70세 [대]의 (사람).

sep·ul·cher, (英) **-chre** [sépəl-kər] *n*. Ⓒ 무덤, 매장소. **the** (**Holy**) **S-** 성묘《예수의 무덤》. **whited** ~ 회칠한 무덤, 위선자《마 태복음 23 : 27》. ─ *vt*. 매장하다.

se·pul·chral [sipʌ́lkrəl] *a*. 무덤

의; 음침한.

se·quel [síːkwəl] *n.* ⓒ 계속, 연속, 후편(*to*); 결과(*to*). **in the** — 결국, 뒤에.

:**se·quence** [síːkwəns] *n.* ① ⓤ 연속, 연쇄, 계속. ② ⓤ (계속되는) 순서, 차례. ③ ⓒⓤ 순서, 차례. ④ ⓒⓤ [카드] 순서로 된 동종의 패의 한 조. ⑤ [컴] 순서. **in regular** — 차례대로. — *of tenses* [文] 시제의 일치. — *vt.* [컴] (자료를) 배열하다. **sé·quent** *n.*, *a.* ⓒ 귀결, 결과; 뒤에 잇달아 일어나는; 필연적인 결과로서 일어나는(*on, upon*).

se·quen·tial [sikwénʃəl] *a.* 잇따라 일어나는; 결과로서 따르는(*to*); [컴] 순서의 순차[기록]철). **~ly** *ad.*

se·ques·ter [sikwéstər] *vt.* 은퇴시키다. ② (재산을) 압류[몰수]하다. **~ oneself** 은퇴하다, 칩거하다. **—ed** [-d] *a.* 은퇴한, 격리된; 외딴.

se·ques·trate [sikwéstreit] *vt.* 몰수하다; = 윗. **-tra·tion** [sìːkwestréiʃən] *n.* ⓤ 압류, 몰수; 은퇴.

se·quin [síːkwin] *n.* ⓒ 이탈리아·터키의 금화; 옷장식용의 둥근 금속판.

se·quoi·a [sikwɔ́iə] *n.* ⓒ 세쿼이아(미국 Calif. 주산의 삼나뭇과의 거목).

ser·aph [sérəf] *n.* (*pl.* ~s, ~im) ⓒ 3等 날개의 천사(cf. cherub). **se·raph·ic** [səráefik/se-] *a.*

sere [siər] *a.* (詩) = SEAR.

ser·e·nade [sèrənéid, -ri-] *n.* ⓒ 소야곡, 세레나데(사랑하는 여인 창 밑에서 연주[노래]함). — *vt., vi.* (…에게) 세레나데를 들려주다[노래하다].

:**se·rene** [siríːn] *a.* (하늘이) 맑게 갠(clear); 고요한, 온화[잔잔]한(a ~ smile); 평화로운; *Your Serene Highness(es)* 전하(의 호칭). **~ly** *ad.* *se·ren·i·ty* [sirénəti] *n.*

serf [səːrf] *n.* ⓒ 농노(農奴)(토지와 함께 매매되는); 혹사당하는 사람. **~·age, ~·dom, ~·hood** *n.*

serge [səːrdʒ] *n.* ⓤ 서지, 세루(직물)). — 료).

ser·geant [sáːrdʒənt] *n.* ⓒ 하사관, 중사, 상사(생략 Sergt., Sgt.); 경사(警査): — ⬥ **at arms** (英) (의회 등의) 수위. **—ship·**[-ʃip] *n.*

sérgeant májor 선사.

:**se·ri·al** [síəriəl] *n.* ⓒ 연속(물)의; [컴] (자료의 전송·연산이) 직렬의. — *n.* ① (신문·잡지·방송의 따위의) 연속물 정기 간행물, 분책(分冊)의 ② [컴] 직렬. **—ist** *n.* ⓒ 연속물 작가. **~·ly** *ad.*

se·ri·al·ize [síəriəlàiz] *vt.* 연재하다, 연속물로서 방영하다.

sérial number 일련 번호.

se·ries [síəriːz] *n.* *sing.* & *pl.* ① 일련, 연속, 계열. ② 총서, 시리즈. ③ [數] 수열, 급수; [化] 열(列); [地] 통(統)(system(계)보다 하위의 지층(地層) 단위); [電] 직렬; 물림 (12音 음악의) 음렬(音列). *arithmetical* [*geometrical*] ~ 등차[등비] 급수.

ser·if [sérif] *n.* ⓒ [印] 세리프(H, I 따위의 아래위가 가늘고 짧은 선).

:**se·ri·ous** [síəriəs] *a.* ① 엄숙한, 진 지한(얼굴 등) 짐짓 꾸며낸 차림. ② 중대한; (병·상처가) 중환(opp. mild). **~·ly** *ad.* **~·ness** *n.*

ser·mon [sáːrmən] *n.* ⓒ 설교; 잔소리; **the S· on the Mount** 산상 수훈(山上垂訓)(마태복음 5: 7). **~·ize** [-àiz] *vt.* 설교하다.

ser·pent [sáːrpənt] *n.* ① (큰) 뱀; ② 음험한 사람; ③ [天] 뱀 자리, **the (Old) S·** [聖] 악마, 유혹 자.

ser·pen·tine [sáːrpəntàin, -tìn] *a.* 뱀의[같은]; 꾸불꾸불한, 음험한. — *n.* ⓤ [鑛] 사문석(蛇紋石).

ser·rate [sérit] — *rat·ed* [séreitid/-ˈ-—] *a.* 톱니 모양의.

ser·ried [sérid] *n.* 밀집한, 빽빽이 들어찬.

se·rum [síərəm] *n.* (*pl.* ~s, ~ra [-rə]) ⓒⓤ 장액(漿液); 혈청.

ser·vant [sáːrvənt] *n.* ⓒ 하인, 머슴, 고용원; ② 봉사자(the ~ of God 목사); **civil** ~ 공무원, 문관. **public** ~ 공복(公僕), 공무원.

:**serve** [səːrv] *vt.* ⓒ (…을) 섬기다, 봉사하다; 시중들다, 접대하다; (음식

service

을) 차려내다, 제공하다. ② (…의)
소용에 닿다. 충분하다. ⑵ (…에) 도움
되다; 만족시키다; 돕다(aid). ③ 다
루다, 대(우)하다; 보답[보복]하다.
④ 근무하다; (형기·병역 등을) 보내
다. ⑤ (영장 따위) 송달하다(deliver);
[테니스] 서브하다. ⑥ 교미하다; (대
포동을) 조작(발사)하다. — vi.
섬기다, 봉사하다(근무, 병역에), (손님
을) 시중들다. ② 소용[도움]되다. ③
서브하다. as memory ~s 생각
날 때에, as occasion ~s 기회
있는대로. Serve(s) him [you]
right! 《口》꼴 좋다! ~ one's
time 임기(연한, 형기)를 (끝)마치
다. ~ out 분배하다; 복수하다.
— n. U.C 서브(방법, 차례). *sérv·er
n.

serv·ice [sɔ́ːrvis] n. ① (종종 pl.)
봉사, 공헌, 애용; 도움, 조력.
② U.C 근무 직무 공무 군무
(enter the ~). (관청의) 부문,
부. ③ U 고용(살이). ④ C.U 매매
(식). (의) 시중, 서비스. ⑤ C.U 식
기(다구(茶具)) 한벌(a tea ~ 차세
트). ⑥ C.U 기차편(便), 선편, 운
행; (우편·전화·가스·수도 등의) 사
설; 사업. ⑦ U (영장의) 송달. ⑧
C.U (海) 갖다 바치는~; [테니스] 서브, 받는쪽.
be at a person's ~ …의 마음대
로, 임의로(I am at your ~). ~
have seen ~ 실전(實戰)의 경험이 있다, 써서
낡았다. in active ~ 재직중. in
the ~ 《英》군무에 종사하다. on
his [her] Majesty's ~ 《英》공용(公
用)《공문서에 O.H.M.S.로 생략》.
on ~ 재직(현역)의. take into
one's ~ 고용하다. take ~ with
[in] …에게 고용되다. the Civil S-
문관. ~ water (수도) 급수. —
vt. ① (가스·수도 등을) 공급하다.
② 무료로 수리하다; (…을) 수리하
다. 정비하다 암컷과 교미하다.
— a. ① 실용의, 고용인용의
일상용의(cf. fulldress) ~·a·ble
a. 쓸모 있는, 소용에 닿는(to); 오래
쓸 수 있는.

service àrea 《放》(TV·라디오의)
시청 가능 구역.

(암닭이) 알을 품다(brood), **be hard ~** 곤궁한 처지에 있다. **~ about** 시작하다(~ *about doing*). ~ 《英》 말을 퍼뜨리다. **~ against** 비교(대조)하다; 균형잡다; 대항시키다, 이간하다. **~ apart** 따로 떼어(남겨) 두다(reserve). **~ aside** 치우다. 남겨두다; 버리다, 폐기하다. **~ at** …을 덮치다, 부추기다. **~ back** 뒤로 지하다; (시계 바늘을) 뒤로 돌리다. **~ bread** 〖料理〗 빵을 이스트로 부풀리다. **~ by** 곁에 두다(놓다), 치우다; 존중하다. **~ down** (내려) 놓다; (차에서) 내리게 하다; 정하다; 두다(내리다); (…의) 탓(원인)으로 돌리다(ascribe)(to); (…라고) 생각하다(as), **~ forth** 진술(말)하다, 설명하다; 출발하다. **~** 《原》 발포[발행]하다. **~** 《古》 촉진하다. **~ forward** (조수가) 밀다; 밀어닥치다, (계절이) 밀다; 정해지다, 확정되다. **~ in** 밀물지다, 밀어닥치다, (계절이) 밀다; 정해지다, 확정되다. **~ light (little) by** 을 경시하다 (cf. ~ by). **~ off** 구획짓다, 가르다; (대조로) 드러나게(두드러지게) 하다, 꾸미다, 강조하다; 에끼다(against); 발사하다, (꽃불을) 올리다; 크게 칭찬하다; 폭발(폭소)시키다; 출발시키다(하다). **~ on** 부추기다; 덮치다, 공격하다; 착수(출발)하다. **~ on foot** 시작하다. **~ oneself against** …에 대적하다. **~ out** 표시하다, 발포하다; 진술(말)하다, 설명하다; 구획짓다; 분계(分界)하다, 측정하다, 할당하다; 제한하다; 진열하다, 〖土木〗 (계획 위치를) 현장(現場)에 설정하다; (돌을) 쭉 내밀게 놓다, (간격을 두고 나무를) 심다; 〖印〗 활자 사이를 떼어 벌리다; (여행)길을 떠나다, 착수하다; (조수가) 빠지다. **~ over** …위에 놓(두)다; 양도하다; 지배하다. **~ to** 시작하다. **~ up** 세우다, 일으키다, 올리다; 설립하다; 개업하다; 공급하다; (마련하여) 내다; 〖俗〗 한턱내다; (소리를) 높이다; 제출(신고)하다; …인 체하다; 입신(출세)시키다; 원기를 복돋우다, 튼튼하게 하다; (활자를) 짜다. **~ up for** …라고 【을】 자칭하다. **~ upon** 공격하다. **— a.** 고정된; (눈길 따위가) 응직이지 않는; 단호한; 규정된(대로

의), 정식의; 예정(지정)된(*at the ~ time*). …일 하려 지은(꾸민), 억색한(*a ~ smile* 억지웃음). **all ~** 《口》 만반의 준비를 갖추어. **of** (*on, upon*) …을 일부러. ~ **phrase** 성구(成句), 상투어구. ~ **with teeth** 이를 악물고. **— n.** ① ⓒ (시) (해가) 짐, 저물, 일몰. ② ⓒ (한) 세트, 한 벌(*a radio (TV)* ~/ *a ~ of dishes*) (책·잡지의) 한 질; (서화의) 한 벌; 〖테니스〗 세트, 집합, 세트. ③ ⓒ 〖테니스〗 세트. ④ ⓒ 〖劇〗 (측 벽의) 동발; 어린 나무, 모(꺾꽂이)나무. ⑤ 《sing.》 (집합적) (둥지 속의) 한 배에 낳은 알들, 동아리, 한 패(곡 리), 동무; 사람들(*the literary ~* 문단인). ⑥ 《sing.》 추세, 경향 (*drift*); 정해진 변형; 휨; 굳음; (*the ~*) 모양(새), 태도. ⑦ ⓒ 무대 장치, 대도구, 세트. ⑧ 〖數〗 = **dead ~** (사냥개가) 사냥돌을 발견하고 꼼짝않음. ⑨ ⓒ 〖數·論〗 집합. **best ~** 상류 사회.

sét·back n. ⓒ 좌절, 차질; 퇴보, 역류(逆流); 〖建〗 (고층 빌딩 상부의) 단형(段形) 물림.

set piece 〖劇〗 소품(小品).

set squàre 삼각자(triangle).

set·tee[seti:] n. ⓒ (등받이 있는) 긴 의자.

set·ter[sétər] n. ⓒ ① set하는 사람, 공구; 세터(사냥을 가리키는 사냥개). ② 식자공; 선동자; 밀고자.

set·ting[sétiŋ] n. ① ⓒ 둠, 놓음, 불박이들; (보석) 박아넣기; ⓒ 박아 넣는 대. ② ⓤ (틀) 낱물음. ③ ⓤ 작곡; ⓒ (작곡된) 곡. ④ ⓤ 〖劇〗 장치, 배경; 환경. ⑤ ⓤ (해·달의) 짐, 몰입. ⑥ ⓒ (한 배의 알) 면. ⑦ ⓤ 〖印〗 식자.

set·tle[sétl] vt. ① (…에) 놓다, 앉히다 《定置》(설정) 하다; 자리잡게 하다, 안정(정주, 취업)시키다, 식민하다. ② 결정하다; 해결하다, 조정하다. ③ 진정시키다; 말게하다, 침전시키다; 굳어지게 하다. ④ 결산(청산)하다; 정돈(정리)하다. ⑤ (유산·연금 따위를) 주다, 양도하여 주다(*on, upon*). **— vi.** ① 자리잡다; 정주(정착)하다; 안정되다. ② 결심하다; 결말짓다, 해결되다.

리)되다. ③ 가라앉았다; 침하(沈下)[침전]하다. 맑아지다. ④ (새 따위가) 앉았다. ⑤ 기울다. ~ **accounts with a person** 아무에게 셈을 치르다, 아무와 셈을 청산하다. ~ **down** (흥분 따위가) 가라앉다; 진정해지다[시키다]; 침전하다; 정주하다; 자리잡다, 이주하다; (일 따위를) 본격적으로 하다. ~ **in** 정주[거류]하다; 식민하다; (새 집에) 자리잡게 하다. ~ **into shape** 모양[윤곽]이 잡히다. ~ **on** [**upon**] (법적으로) 정하다; (재산을) 물려주다. ~ **one's affairs** 유언을 써 (사후를 정해) 두다. ~ **oneself** 거처를 정하다[잡다]; 자리잡다; 털썩 앉다. ~ **up** 처리[해결]하다; 지불하다. ~ **with** …와 화해[사화]하다; 결말[타결]을 짓다; 결제하다. **~ed**[-d] *a.*

set·tle *n.* ⓒ (팔걸이가 있고, 등널이 높은) 긴 벤치.

set·tle·ment[-mənt] *n.* ① ⓒ 낙착, 결말, 해결, 화해, 결정. ② ⓤ 정주(定住); 생활의 안정, 자리잡음. ③ ⓒ 정주지. ③ ⓤ 침전. ④ ⓤ 변제, 결산[法] (권리·재산 등의) 수여, 증여[法] ⓤ 《英》 부락. ⑤ ⓒ 인보(隣保) 사업단체[빈민가 개선 사업단체]. **Act of S-** [英史] 왕위 계승령(令).

set·tler[sétlər] *n.* ① ⓒ 식민하여 사는 사람. ② 식민자. ③ 해결자; 침전기. ④ ⓒ 마지막 결말을 짓는 것; 마무리.

sét·tò *n.* (a ~) ⓒ 주먹다짐[싸움]; 말다툼, 시비.

sét·ùp *n.* ⓒ ① (기계 따위의) 조립; 구성; 기구, 조직; 설비, 자세, 몸가짐. ② 《美口》짤막한 경기. ③ 《美》(술에 필요한) 소다수·얼음·잔 등의 일습. ③ [컴] 준비, 세트업.

sev·en[sévən] *n., a.* ⓤⓒ 일곱 (의), 7(의); 일곱개[명]의. **seventy times ~** [聖] 몇 번이고(→마태복음 18: 22).

sev·en·teen[-tí:n] *n., a.* ⓤⓒ 17 (의). **sweet ~** 꽃다운 17. :**~th** *n., a.* ⓤ 열일곱(번)째(의); ⓒ 17분의 1 (의).

:**sev·enth**[-θ] *n., a.* ⓤ 일곱째(의); ⓒ 7분의 1 (의).

:**sev·en·ty**[sévənti] *n., a.* ⓤⓒ 70 (의). ~ **times** SEVEN. **the seventies** (나이의) 70대; 70년대. **-ti·eth**[-iθ] *n., a.* ⓤ 70번째(의); ⓒ 70분의 1 (의).

sev·er[sévər] *vt.* 절단[분활, 분리]하다. ──*vi.* 떨어[갈라, 끊어]지다. ~ **one's connection with** …와 관계를 끊다.

:**sev·er·al**[sévərəl] *a.* ① 몇몇의, 몇 개(사람)의. ② 여러 가지의(various); 각기[각각, 각자]의. **S-men,** 70분의 1 (의). ──*pron.* 몇몇, 몇 개(사람). ~**·fold**[-fòuld] *a., ad.* 몇 겹의[으로], 몇 배의(로). ~**·ly** *ad.* 각자, 제각기; 따로따로.

sev·er·ance[sévərəns] *n.* ⓤⓒ 분리; 단절; 해직.

séverance pày 해직 수당.

:**se·vere**[siviər] *a.* ① 엄한, 호된, 모진, 가혹한. ② 격렬한; (병이) 중한; 중대한; 곤란한. ③ 엄숙한 (추론(推論) 따위) 정밀한. ④ (문체가) 군더더기 없는, 수수한; (건축 양식이) 간소한. ~**·ness** *n.*

:**se·vere·ly**[siviərli] *ad.* ① 호되게; 격심하게; 간소하게.

se·ver·i·ty[sivérəti] *n.* ⓤ ① 엄격, 가혹; 엄중; 통렬함. ② 간소, 수수함.

sew[sou] *vt.* (~**ed;** sewn, ~**ed**) 꿰매다, 박다, 깁다; 꿰매어 붙이다 (**on**). ──*vi.* 바느질하다. ~ **in** 꿰매[박아] 넣다. ~ **up** 꿰매[박아] 붙이다, 꿰매 붙이다.

sew·age[sú:idʒ/sjú(:)-] *n.* ⓤ 시궁창 오수, 하수 오물.

sew·er[súər/sjúər] *n.* ⓒ 하수구(溝). **~age-** *n.* ⓤ 하수 설비.

sew·ing[sóuiŋ] *n.* ⓤ 재봉.

séwing machine 재봉틀.

sewn[soun] *v.* sew의 과거분사.

:**sex**[seks] *n.* ① 성(性). ② ⓤ (보통 the ~) ⓒ(집합적) 남성, 여성. ③ ⓤ 성교, 성욕. **the fair** (**gentle**(**r**), **softer, weaker**) ~ 여성. **the rough** [**sterner, stronger**] ~ 남성.

sex- [seks] '여섯, 6'의 뜻의 결합사.

séx appéal 성적 매력.

sex·ism[séksizəm] *n.* ⓤ 남녀 차

별(주의).

sex·less[sékslis] *a.* 무성(無性)의.

sex·ol·o·gy[seksálədʒi/-ɔ́l-] [미] 성학(性學).

sex·tant[sékstənt] *n.* ⓒ [海] 육분의(六分儀). 원의 6분의 1.

sex·tet(te)[sekstét] *n.* ⓒ 6중창[주]; 여섯(개) 한 짝[조].

sex·ton[sékstən] *n.* ⓒ 교회 관리인, 교회의 사찰.

sex·u·al[sékʃuəl/-sju-] *a.* ① 성(性)의. ② [生] 유성(有性)의. ~ **appetite** [**intercourse**] 성욕[성교]. ~ **generation** [生] 유성(有性) 세대. **~·ly** *ad.* ***~·i·ty**[sèkʃuǽləti/-sju-] *n.* [미] 성별; 성적임; 성욕.

sex·y[séksi] *a.* 《口》 성적인; 성적 매력이 있는.

Sgt. sergeant.

‡shab·by[ʃǽbi] *a.* ① 초라한; (선물 따위가) 빈약한. ② 입어서 낡은. **-bi·ly** *ad.* **-bi·ness** *n.*

shack[ʃæk] *n.* ⓒ 《口》(초라한) 오두막. — *vi.* 살다, 머무르다. ~ **up** 《美俗》동서(同棲)하다; 숙박하다.

shack·le[ʃǽkl] *n.*, *vt.* ⓒ (보통 *pl.*) 수갑, 차꼬, 쇠고랑(을 채우다); 속박(하다), 방해(하다).

‡shade[ʃeid] *n.* ① [미] (종종 the ~) 그늘; 응달; [영] 그늘, 음영(陰影). ② (*pl.*) (해질녘의) 어둠, 땅거미. ③ ⓒ 차양, 차일, 채일. ④ ⓒ (명암의 도에 따른) 색조, 색의 뉘앙스. ⑤ ⓒ 미미한 차이. 약간; (마음에) 좀(*a ~ larger* 좀 큰 듯싶은). ⑥ ⓒ 망령(亡靈); (*pl.*) 저승(Hades). *cast* [*put, throw*] *into the* ~ 무색케 하다. *without light and* ~ (그림·문장에) 단조로운. — *vt.* ① 그늘지게 하다. ~으로부터 빛을 막다, 가리다; 어둡게 하다. ② 바림하다; (그림에) 음영[그늘]을 나타내다. ③ 조금씩 변화시키다. — *vi.* (색조·의미 따위가) 조금씩 변해[달라지]다 (*into, off, away*). **shád·ing** *n.* [미] 그늘지게 하기; (그림의) 명암[음영]법; (빛깔·명암 따위의) 미세한 [점차적인] 변화. **~·less** *a.*

shad·ow[ʃǽdou] *n.* ① ⓒ 그림자; 영상(映像). ② [미] 명목뿐인 것; 곡두, 환영, 유령. ③ ⓒ 미행자; 종자

(從者). ④ (the ~s) 어둠, 땅거미. ⑤ ⓒ (명성 등에) 던지는 어두운 그림자; 우울. ⑥ (*sing.*) 흔적, 자취, 조금, 약간. ⑦ ⓒ 조짐, 징조. *be* *worn to a* ~ 몹시 수척하다. *catch at* ~**s** 허황한 것을 구하다. *live in the* ~ 세상에 알려지지 않고 살다. *quarrel with one's own* ~ 하찮은 일에 화를 내다. *the* ~ *of a* *shade* 환영(幻影). *the* ~ *of* *night* 어둠, *under* [*in*] *the* ~ *of* …의 보호 밑에서, …의 바로 곁에. *a.* 《美俗》 그늘진(다음할 수 있도록) 대강 모양이 된. — *vt.* ① 가리다, 어둡게 하다; 덮다; 그림자를 만들다; 《古》 보호하다. ② (그림처럼) 붙어 다니다, 미행하다. ③ 조짐을 보이다(*forth*). ④ 우울하게 하다.

shádow-bòxing *n.* [拳] 단독 연습.

‡shad·ow·y[ʃǽdoui] *a.* ① 그림자 있는, 어두운; 몽롱한, 어렴풋한. ② 유령과 같은; 공허한, 덧없는.

shad·y[ʃéidi] *a.* ① 그늘(응달)의, 그늘을 이루는; 희미한. ② 《口》뒤가 구린, 수상한, 좋지 않은. *keep* ~ 《美俗》 비밀로 하다. *on the* *side of* (*forty*) (사십)의 고개를 넘어. **shád·i·ly** *ad.* **shád·i·ness** *n.*

shaft[ʃæft, -a-] *n.* ⓒ ① 화살대, 창자루, 살대, 창, 창자루. ② 샤프트, 축(軸); 굴대; (수레의) 채; 굴뚝; [植] 나무 줄기; [動] (새의) 깃촉; [建] 기둥몸. ③ (엘리베이터의) 통로; [鑛] 수갱(竪坑); 배기 구멍. ④ 광선. ⑤ (빛·눈 따위의) 화살.

shag[ʃæg] *n.* [미] 더부룩한 털, 거친 털; 보풀(얽혀 뭔친); 거친 살담배. — *vt.* (*-gg-*) 더부룩하게 하다.

‡shag·gy[ʃǽgi] *a.* 털북숭이의, 털이 더부룩한(많은). **-gi·ly** *ad.* **-gi·ness** *n.*

shággy-dóg stòry 듣는 이에게는 지루한 얼빠진 이야기; 말하는 동물 이야기.

shah[ʃɑː] *n.* (Per.) ⓒ 이란 국왕의 칭호.

‡shake[ʃeik] *vt.* (*shook; shaken*) ① 흔들다, 떨다, 진동시키다. ② 뿌리다; 휘두르다; 흔들어 깨우다 (*up*); 흔들어 떨어뜨리다; 떨어버리다(*from; out of*). ③ 놀래다(*be* ~*n*

at …에 흠칫 놀라다). ④ 흔들리게 하다. — *vi.* ① 떨다, 전동하다; 흔들리다. ② 〔樂〕 전음(顫音)을 쓰다. ③ 악수하다. ~ **a foot** 〔**a leg**〕 발 빼 걷다, 댄스하다. ~ (**a person**) **by the hand** 악수하다. ~ **down** 흔들어 떨어뜨리다; 자리잡다(하게 하); ⑤ 동료와〔환경에〕 익숙해지다; 〔美俗〕 돈을 뺏내다, 둥치다. ~ **hands with** 악수하다. ~ **in one's shoes** 전전긍긍하다, 벌벌 떨다. ~ **off** 떨어 버리다, 쫓아 버리다; (버릇·병 따위를) 고치다. ~ **oneself together** 용기를 내다. ~ **one's head** 고개를 가로 젓다《거절·비난》. ~ **one's sides** 배를 움켜쥐고 웃다. ~ **out** (속의 것을) 흔들어 떨다; (기 따위를) 펼치다. ~ **up** 세게 흔들다, (액체를) 흔들어 섞다; (베개를) 흔들어 모양을 바로잡다; 깨게 하다; 편달하다; 섭력하게 하다. — *n.* ⓒ 셔 흔들림, 동요; (口) 의지; (the ~s) (口) 오한; ② 〔美〕 흔들어 만드는 음료《a milk ~ 밀크 셰이크》. ③ 순간, 찰나《in two ~s 눈깜짝할 사이에, 삽시간에.

sháke·down *n.*, *a.* ⓒ 조정; 가〔임시〕침대; 이잘듯하는 수색; 〔UC〕공갈 탈취; 등칭, 강취(强取), 수색(收索); 성능 테스트의〔를 위한〕《항해·비행 따위》.

shak·er [ʃéikər] *n.* ① 흔드는 사람〔도구〕; 교반기. ② 뿌리개《소금·후추 따위를 담은》. ③ (S-) 진교도(교敎徒)《미국 기독교의 일파》(cf. Quaker).

shak·y [ʃéiki] *a.* 흔들리는, 떠는; 비슬비슬하는, 위태로운, 불확실한. **look** ~ 얼굴빛이 나쁘다.

shale [ʃeil] *n.* ⓒ 혈암(頁岩), 이판암(泥板岩).

shall [強 ʃæl, 弱 ʃəl] *aux. v.* (p. **should**) ① 1인칭에서 단순 미래를 〔예정을〕 나타냄《I ~ be away tomorrow.》《美口語에서는 이 때에 will이 보통》. ② 2〔3〕인칭에서 말하는 사람의 의사를 나타냄《You ~

have it. 자네에서 주겠네/*He ~ come.* 그를 오게 하시오. ③ 1인칭에서 말하는 사람의 강한 의사를 나타냄《I ~ 〔強 ʃél〕 go. 무슨 일이 있어도 간다〕. 상대의 의사를 물을 때·예언 따위를 나타냄《Rome ~ perish. 로마는 망하리라). ③ 〔의문문〕 3〔1〕인칭에서 상대의 의사를 물음《S-I do it?, S- she sing? 그 여자에게 노래를 시킬까?〕 2인칭에서 상대의 예정을 물음《S- you be at home tomorrow?》; ⇨ **should**.

shal·lot [ʃəlát/-ɔ́t] *n.* ⓒ 〔植〕 골파 류.

shal·low [ʃǽlou] *a.*, *n.* 얕은; 천박한; ⓒ (보통 *pl.*) 여울. — *vt.*, *vi.* 얕게 하다〔되다〕.

sham [ʃæm] *n.* ① ⓒ 가짜(의), 속임(의); ⓒ 협잡꾼, 사기꾼. ~ **fight** 모의전, 군사 연습. — *vt.*, *vi.* (*-mm-*) 짐짓 …하는 체하다《시늉을 하다》, 으스대다. — *a.* 가짜의, 거짓의.

sha·man [ʃɑ́ːmən, ʃǽm-] *n.* ⓒ 사면, 무당; 〔一般〕 주술사.

sham·ble [ʃǽmbl] *n.*, *vi.* ⓒ 비틀 걸음; 비틀비슬 걷다.

sham·bles [ʃǽmblz] *n. sing. & pl.* ① ⓒ 도살장. ② (a ~) 수라 장; 대혼란.

shame [ʃeim] *n.* ① ⓤ 부끄럼, 수치; 불명예; 치욕. ② ⓒ 창피 〔지독〕한 일《What a ~! 이거 무슨 창피인가! 그거 너무하군》. **cannot do … for very** ~ 너무 부끄러워서 …할 수 없다. **from** 〔**for**, **out of**〕 ~ 부끄러워. **life of** ~ 부끄럽고 더러운 생활, 부끄럼(醜業). **past** 〔**dead to**〕 ~ 수치심 〔수치를〕 모르는. **put a person to** ~ …에게 창피를 주다. **S-** (**on you**)!, **For** ~!, or **Fie, for** ~! 부끄럽지, 부끄럽지도 않으느니!; 그게 무슨 망신이냐! **think** ~ 수치로 알다《to do》. — *vt.* 부끄럽게 하다《*into; out of doing*》; 모욕하다.

sháme·fáced *a.* 부끄러워〔수줄어〕하는; 스스러워하는, 숫기 없는. ~·**ly** *ad.* ~·**ness** *n.*

sháme·ful [ʃ-fəl] *a.* 부끄러운, 창피한. ~·**ly** *ad.* ~·**ness** *n.*

shame·less [ʃ-lis] *a.* 부끄럼을 모

르는, 파렴치한.

sham·my[ʃǽmi] *n.* = CHAMOIS.

†**sham·poo**[ʃæmpúː] *vt.* (비누·샴푸로 머리를) 감다, 씻다; 《古》 마사지하다. — *n.* (*pl.* ~**s**) ⓒ 머리감기; UC 세발제, 샴푸.

sham·rock[ʃǽmrɑk/-rɔk] *n.* UC 토끼풀, 클로버.

shan·dy(·**gaff**) [ʃǽndi(gæf)] *n.* UC 맥주와 진저에일의 혼합주. 「海」

shank[ʃæŋk] *n.* ⓒ 정강이; 다리, 손잡이, 자루, 긴 축(軸); 활자의 몸체(의 손에 드는 부분); 구두창의 땅 안 닿는 부분; 《美口》끝, 마지막. the ~ of the evening 저녁 무렵. **ride** 〔**go on**〕**Shank's mare** 걸어서 가다, 정강말 타다.

shan't[ʃænt, -ɑː-] *shall not*의 단축. 「집」; 《濠》선술집.

shan·ty[ʃǽnti] *n.* ⓒ 오두막, 판잣집.

shan·ty *n.* ⓒ 뱃노래(chant(e)y).

†**shape**[ʃeip] *n.* ① UC 모양, 형상; ⓒ 형(型), 꼴. ② ⓒ 자태. 꼴, 모습; ⓒ 어렴풋한 모습(*a* ~ *of fear* 무서운 모습, 유령). ③ U 상태. 형편. **get** 〔**put**〕**into** ~ 모습(꼴)을 갖추다, 형태를 이루다. 구체화하다. **take** ~ 구체화하다, 실현하다. — *vt.* ① 모양짓다, 형태를 이루다. ② 맞추다(*to*); (진로 등을) 정하다, 방향짓다. ③ 말로 표현하다(~ *a question*). — *vi.* ① 형태를[모양을] 취하다, 모양이 되다. ② 다 되다, 구체화하다; 발전하다. ~ **up** 《口》 일정한 형태[상태]가 되다; 잘 되어가다(*Everything is shaping up well.* 만사가 잘 되어 간다), 동조하다; 굳다; 몸의 상태를 조절하다. ~·**less** *a.* 꼴 없는. ~·**ly** *a.* 모양이 좋은.

shard[ʃɑːrd] *n.* ⓒ 사금파리, 파편, 단편; 〔딱정벌레의〕 겉날개, 시초.

†**share**[ʃɛər] *n.* ① (*sing.*) 몫, 할당; 분담. ② U 역할. ③ ⓒ 《주로》 (식), **go** ~**s** 똑같이 나누다[분담하다](*in, with*). **on** ~**s** 손익을 공동으로 분담하여. ~ **and** ~ **alike** 똑같이 나누어. — *vt.* 분배[등분, 배당]하다; 함께 하다; 분담하다(*in, with; between, among*).

shár·er *n.*

share *n.* ⓒ 보습의 날.

sháre·cròp *vi.* (-*pp-*) 《美》 소작하다. ~·**per** *n.* ⓒ 《美》 소작인.

sháre·hòlder *n.* ⓒ 주주(株主).

sha·ri·a[ʃəríːə] *n.* ⓒ 이슬람법, 성법(聖法), 샤리아.

†**shark**[ʃɑːrk] *n.*, *vt.*, *vi.* ⓒ 상어; 사기꾼; 《美俗》 수완가; 속여 빼앗는, 사기치다.

†**sharp**[ʃɑːrp] *a.* ① 날카로운; 예민한, 빈틈없는, 교활한; (물매가) 가파른. ③ 매서운, 통렬한(~ *words*); 살을 에는 듯한, 차가운. ④ 또렷한, 선명한; 활발한, 빠른(*a* ~ *walk*). ⑤ 《俗》 멋진. ⑤ 새된, 드높은(*a* ~ *voice*); 〔樂〕 반음 높은(opp. flat); 〔音〕 무성음의(p, t, k, 따위). ~ **as a needle** 몹시 야무진, 빈틈없는. **Sharp's the word!** 자, 빨리, 서둘러라! ~ **practices** 사기. ~ **tongue** 독설. — *ad.* ① 날카롭게. ② 갑자기; 꼭, 정각(*at two o'clock* ~). ③ 기민하게, 날쌔게(*Look* ~! 조심해!; 빨리!); 빈틈 없이. ④ 〔樂〕 반음 높게. — *n.* ⓒ ① 〔樂〕 샤프, 올림표, ♯. ② 《口》 사기꾼. ③ 《口》 전문가.

shárp·en[-ən] *vt.*, *vi.* 날카롭게 하다[되다], 갈다. ~·**er** *n.* ⓒ 가는 사람; 가는[깎는] 기구. 「운」.

shárp·eyed *a.* 눈이 날카로운[매서운].

shárp·ly[ʃɑːrpli] *ad.* ① 날카롭게. ② 세게, 호되게. ③ 급격하게; 날쌔게. ④ 빈틈없이. ⑤ 뚜렷이.

shárp·shòoter *n.* ⓒ 사격의 명수. 명사수, 저격수.

shat·ter[ʃǽtər] *vt.* ① 부수다, 분쇄하다. ② (손)상하다, 파괴하다[의]. — *n.* (*pl.*) 파편, 엉망이 된 상태. (깨어져도), 조각나 흩어지지 않는(유리 따위).

shátter·pròof *a.* (깨어져도) 조각나 흩어지지 않는[유리 따위].

†**shave**[ʃeiv] *vt.* (~*d*; ~*d*, *shav·en*) ① 면도하다; 깎다; 밀다. ② 스쳐 지나가다, 스치다. — *vi.* 수염을 깎다. — *n.* ① 면도; 깎음; 깎은 부스러기, 깎는 연장. ② 스칠뜻 닿을 듯한 통과, 가까스로의 탈출, **be** 〔**have**〕 **a close** ~ (*of it*) 아슬아슬하게 모면하다. **by a** (*close, narrow, near*) 하마터면, 아슬아슬하게. **sháv·er** *n.* ⓒ 깎는[면도하는] 사람; 이발사; 대패질하는 사람.

기구; 《口》 꼬마, 풋내기.

shav·ing [ʃéiviŋ] *n.* ① ⓤ 면도하기〔질〕, 깎음. ② ⓒ (보통 *pl.*) 깎아낸 부스러기, 대팻밥.

sháving brùsh 면도용 솔.

sháving crèam 면도용 크림.

shawl [ʃɔːl] *n.* ⓒ 숄, 어깨에 걸치개.

she [ʃiː, 弱 ʃi] *pron.* 그 여자(는, 가)(★國·家나 지나치게 아끼는 것을 가리킴). — *n., a.* ⓒ 여자, 아가씨; 암컷(의) (*a ~ cat* 암고양이(↑)/*a ~ goat* 암염소/*two ~s and a he*).

sheaf [ʃiːf] *n.* (*pl.* **sheaves** [ʃiːvz]) ⓒ (벼·밀·화살 따위의) 묶음, 다발. — *vt.* 다발〔단〕짓다, 묶다.

shear [ʃiər] *vt., vi.* (~**ed**, 《方·古》 **shore**; ~**ed, shorn**) ① (가위로) 잘라내다(*off*), 베다, 깎다. ② (양을) 깎다. ③ 《…에게서》 빼앗다, 박탈하다. — *n.* (*pl.*) 큰가위; 전단기 (剪斷機); 《比》 (깎은 양털의) 회수; (양의) 나이(*year*). ⓤ 《機》 전단; 변형.

sheath [ʃiːθ] *n.* (*pl.* ~**s** [-ðz, -θz]) ⓒ ① 칼집, 씌우개. ② 《植》 엽초(葉鞘); (벌레의) 시초(翅鞘).

sheathe [ʃiːð] *vt.* 칼집에 꽂다(넣다); 덮다, 싸다.

sheaves [ʃiːvz] *n.* sheaf의 복수; 다수, 다발.

shed[ʃed] *n.* ⓒ 헛간, 의지간; 격납[기관]고.

shed[2] *vt.* (**shed; -dd-**) ① (눈물·피를) 흘리다; (빛을) 내(쏘)다, 발하다. ② (껍질·깃털 따위를) 벗어버리(다), (뿔·깃털·이를) 갈다. — *vi.* 탈피〔탈모(脫毛)〕하다, 깃털을 갈다. ~ **the blood of** …의 피를 흘리다, …을 죽이다.

she'd [ʃiːd, 弱 ʃid] she had 〔would〕의 단축형.

sheen [ʃiːn] *n.* ⓤ 빛남; 광채, 광택, 윤. ~**.y** *a.*

sheep[ʃiːp] *n.* *sing. & pl.* 양; 면양〔양가죽〕; ⓒ 온순한(기가 약한) 사람; 어리석은 사람; 《집합적》 교구민, 신자. **cast** 〔**make**〕

~**'s eyes** 추파를 보내다(*at*). LOST ~. **One may as well be hanged for a ~ as a lamb**. 《俗》 기왕 내친 걸음이면 끝까지(cf. *In for the lamb, in for the ~*. 새끼양을 훔쳐 사형이 될 바에는 아예 어미양을 훔쳐 당하는 게 더 낫겠다). **separate the ~ from the goats** 《聖》 선인과 악인을 구별하다(마태복음 25:32).

shéep dòg 양치기 개.

sheep·ish [ʃiːpiʃ] *a.* 기가 약한, 수줍어하는; 겁많은; 어리석은.

shéep·skin *n.* 양피지; 《美口》 졸업증서.

sheer[1] [ʃiər] *a.* ① 순전한(= *non-sense*). ② 속이 비치는 (천이) 얇은; 가파른; 수직의. — *ad.* 전혀, 아주; 수직으로, 깎아지른 듯이. ~**.ly** *ad.*

sheer[2] *vi.* 《海》 침로를 바꾸다; 벗어나다.

sheet[ʃiːt] *n.* ⓒ ① 시트, 홑이불 (침대·침구 등의 커버). ② 한 장(의 종이), 편지, 《口》 신문. ③ (쇠·유리 따위의) 얇은 판; 퍼진(질퍽한) 면 ④ 온통 …의 바다(*a ~ of water* 〔*fire*〕 온통 물〔불〕바다). ④ 《詩》 돛; 돛들의 아딧줄; (*pl.*) (이물(고물)의) 공간. **be** 〔**have**〕 **a ~** 〔**three ~s**〕 **in the wind**('**s eye**) 거나하게(어지간히) 취하다. **between the ~s** 잠자리(속)에 들어. **in ~s** 얇은 판이 되어; 억수같이 퍼부어; 인쇄한 채로 제본되지 않고, 가제본으로. **pale as a ~** 새파랗게 질리어. — *vt.* (…에) 시트를 깔다. ~**·ing** ⓤ 시트 감; ± 판지틀; 판금 (가루).

shéet ànchor 《海》 (비상용)큰 닻; 최후의 의지(가 되는 사람·물건).

shéet líghtning 막을 친 듯한 번개.

shéet músic 책으로 철하지 않은) 낱장 악보.

sheikh [ʃiːk/ʃeik] *n.* (아라비아 사람의) 추장, 족장(族長), 촌장; (회교도의) 교주; 《俗》(여자를 끄는) 난봉꾼. ~**·dom** ⓒ ~의 영지(領地).

shek·el [ʃékəl] *n.* ⓒ 세켈(옛 유대인의 무게 단위·은화·고대 이스라엘의 통화 (단위)); (*pl.*) 《俗》 = MONEY.

shelf [ʃelf] *n.* (*pl.* **shelves**[ʃelvz])

shelf life (포장 식품 따위의) 보존 기간.

shell [ʃel] *n.* ⓒ ① 껍질, 껍데기, 외 피, 깍지, 조가비; (거북의) 등껍질. ② 약협(藥莢), 파열탄(彈), 포탄. ③ 외관. ④ 가벼운 보트(경조용). ⑤ 《美》여성용의 소매 없는 헐렁한 블 라우스. ⑥ 『컴』조가비. — *vt.* (…을) 껍데기[껍질, 깍지]에서 빼내다, (…에서) 껍질을 〔껍데기를, 깍지를〕 벗 기다; 알맹이를 빼내다. — *vi.* (껍 질 따위가) 벗겨지다, 까(빠)지다. ~ **off** 벗 겨〔떨어〕지다. ~ **out** 《俗》(돈을) 지불하다, 넘겨 주다.

she'll [ʃiːl, 弱 ʃil] she will (shall) 의 단축.

shel·lac [ʃəlǽk] *n., vt.* (**-ck-**) ⓒ 셸락(칠감을 칠하나다). 《美俗》(느닷없 이) 때리다, 참패시키다. **-láck·ing** *n.* ⓒ 채찍질(의 벌); 때려눕힘; 대패.

shéll·fire *n.* ⓒ 포화(砲火).

shéll·fish *n.* ⓊⒸ 조개; 갑각(甲 殼) 동물《새우·게 따위》.

shéll shóck 전쟁성이 정신 이상.

shel·ter [ʃéltər] *n.* ① ⓒ 은신처, 피난〔도피〕처(from); 방공호. ② Ⓤ 차폐, 보호; ⓒ 차폐물, 보호물 (from). — *vt., vi.* 보호하다; 피난 하다. ~**ed** [-d] *a.* ~**·less** *a.*

shelve [ʃelv] *vt., vi.* (…에) 선반을 달다; 선반에 얹다. 처박아 두다. 묵 살하다. 깔아뭉개다.

shelve *vi.* 완만히 물매(경사)지다.

shelves [ʃelvz] *n.* shelf의 복수.

shelv·ing [ʃélviŋ] *n.* Ⓤ 선반에 얹 기; 묵살, 연기; 덴직; 선반 재료.

she·nan·i·gan [ʃinǽnigən] *n.* ⓒ (보통 *pl.*) 《美口》허튼소리; 사기, 속 임수.

shep·herd [ʃépərd] *n.* (*fem.* ~**ess**) ⓒ 양 치는 사람; 목사(pas-tor). *the Good* S- 예수. — *vt.* (양을) 지키다. 이끌다.

sher·bet [ʃə́ːrbit] *n.* ⒸⓊ 셔벗《빙

과의 일종》; ⓊⒸ 《英》 찬 과즙 음료.

sherd [ʃəːrd] *n.* =SHARD.

sher·iff [ʃérif] *n.* ① 《英》 주(州) 장관. ② 《美》 보안관(county의 치 안 책임자).

sher·ry [ʃéri] *n.* ⓊⒸ 셰리《스페인 산 흰 포도주》.

she's [ʃiːz, 弱 ʃiz] she is (has)의 단축.

Shétland póny Shetland 군도 원산의 힘센 조랑말.

shib·bo·leth [ʃíbəliθ/-leθ] *n.* (Heb.) ⓒ (인종·계급·충성 따위를 간파하기 위해) 시험삼아 보는 물음말; (당파의) 구호, 표어.

shield [ʃiːld] *n.* ⓒ 방패; 보호물 (자); (방패 모양의) 무늬. — *vt.* 수호(보호)하다. ~**·er** *n.* ⓒ 방호자 (물).

shift [ʃift] *vt.* 바꾸다. 옮기다, 제거 하다. — *vi.* ① 바뀌다. 옮다, 움직 이다. ② 이리저리 변통하다〔둘러대 다〕, 꾸려나가다; 속이다. ③ (자동 차의) 기어를 바꿔 넣다. ~ **about** 방향이 바뀌다. — *n.* ① 변경, 변화, 바꿔 넣음, 교대, 교체. ② (보통 *pl.*) 수단, 방책, 이리저리 변통함. ③ 속 임. ④ 『컴』이동, 시프트. *for a* ~ 임시변통으로, *make* (*a*) ~ 이리저 리 변통하다. *one's last* ~ 마지막 수단. ~ *of crops* 돌려짓기, 윤작 (輪作). ~**·less** *a.* 주변머리 없는, 무능한; 게으른. ~**·ly** *ad.* ~**·ness** *n.*

shift·y [ʃífti] *a.* 책략가(두름성)가 풍부 한; 잘 속이는(tricky).

shil·ling [ʃíliŋ] *n.* ⓒ 실링《영국의 화폐 단위; 1파운드의 20분의 1; 생 략 s.; 1971년 2월 폐지》; 1실링 은 화. *CUT off with a* ~. *take the (King's 〔Queen's〕)* ~ 《英》 입대 하다.

shil·ly-shal·ly [ʃíliʃǽli] *n., a., ad.,* *vi.* ⓊⒸ 망설임; 망설이는; 망설 여; 망설이다.

shim·mer [ʃímər] *vi., n.* (…이) 가물가물 〔어렴풋이〕 비치다; Ⓤ 희미한 빛.

shin [ʃin] *n., vi., vt.* (**-nn-**) ⓒ 정강 이(를 차다); 기어오르다.

shín·bòne *n.* ⓒ 정강이뼈, 경골(頸

骨)(tibia).

†**shin·dig**[ʃíndig] *n.* ⓒ《美口》시끄 러운《즐거운》모임, 댄스 파티.

shin·dy[ʃíndi] *n.* ⓒ《口》야단법 석, 소동; = SHINDIG.

†**shine**[ʃain] *vi.* (**shone**) ① 빛나다, 반짝이다, 비치다. ② 빼어나다, 두 드러지다. —— *vt.* ① 비추다, 빛내다. ② (*p. & p.p.* **shined**) (구두·놋 쇠 따위를) 닦다, 윤내다. *~ up to* …에게 환심을 사려고 하다. —— *n.* ① 빛남, 번쩍 임, 광. (날씨의) 맑음(*rain or* ~) 오전 날씨가 맑건 흐리건》. ② 빛; 빛남, 반짝임, 윤기. ③ (신 따위를) 닦음. ④《口》좋아함, 애착. ⑤ 《보통 *pl.*》《口》장난; 《俗》협잡 (*make* {*kick up*} *no end of a* ~ 큰법석을 떨다).

shin·er *n.* ⓒ 빛나는 물건, 번쩍 띄 는 것; 《美》은빛의 작은 담수어; 《俗》퍼렇게 멍든 눈; 《俗》 금화; (*pl.*) 돈.

shin·gle¹[ʃíŋgəl] *n., vt.* ⓒ 지붕널 (로 이다); [ʃíŋgəl] (여성 머리의) 치깎기(깎 다).

shin·gle² *n.* ⓤ 《英》《집합적》(바닷 가 따위의) 조약돌. **shín·gly** *a.*

shín guàrd 정강이받침대.

shin·y[ʃáini] *a.* ① 빛나는, 번쩍거리 는, 광이 나는 (때 묻은 옷 따위의) 번 들거림. ② 햇빛이 쬐는.

†**ship**[ʃip] *n.* 배, 함(艦); 《집합 적》(함선의) 전승무원. ~ *of the line* [海] 전열함(戰列艦). *take ~* 승선하다, 배로 가다. *when one's* ~ *comes home* 운이 트이면, 돈 이 생기면. —— *vt.* (**-pp-**) ① (…을) 배에 싣다(태우다). ② 수송하다; 《口》쫓아버리다. ③ 선원으로 고용하다. ④ 파도를 뒤집어 쓰다(~ *a sea*). ⑤ (배에) 설비하다. —— *vi.* 배에 타 다. ② 선원[뱃사람]으로 근무하다.

-ship[ʃip] *suf.* 명사나 형용사에 붙여 '상태, 역할, 직책, 신분, 술' 따위를 나타냄: sportsman*ship*, hard*ship*.

shíp·bòard *n.* ⓤ 배《*go on a* ~ 승 선하다》.

ship·builder *n.* ⓒ 조선(造船) 기 사, 배 만드는 사람.

ship·building *n.* ⓤ 조선.

shíp·lòad *n.* ⓒ 배 한 척분의 적하

(積荷)(량), 한 배분.

†**shíp·màte** *n.* ⓒ 동료 선원.

†**ship·ment**[∠mənt] *n.* ① ⓤⓒ 선 적. ② ⓒ 《배·철도·트럭 따위의》적 하(積荷)(량); 적하물.

ship·owner *n.* ⓒ 배 임자, 선주.

ship·per *n.* ⓒ 선적인, 하주.

†**ship·ping** *n.* ⓤ ① 배에 싣기, 선 적, 실어 보내기, 출하(出荷), 하송; 운송; 《美》수송. ② 《집합적》선박; 선박 톤수(total tonnage).

†**ship·shape** *ad., a.* 정연히(한).

†**ship·wreck** *n., vi., vt.* ⓤⓒ 파선, 난파; ⓒ 난파선; ⓤ 파멸(*make* ~ *of* …을 잃다); 파선하다《시키다》; 파 멸하다《시키다》.

ship·yard *n.* ⓒ 조선소.

shire[ʃáiər] *n.* (영국의) 주(coun-ty).

shíre hòrse 《英》짐말, 복마.

shirk[ʃəːrk] *vt., vi.* (책임을) 피하 다, 게을리하다. —— *n.* = SHIRKER. **∠·er** *n.* ⓒ 게으름뱅이, 회피자.

†**shirt**[ʃəːrt] *n.* ⓒ 와이셔츠; 셔츠. *keep one's* ~ *on* 《俗》냉정하다. 성내지 않다. **∠·ing** *n.* ⓤ 와이셔 츠 감, 셔츠감. **∠·y** *a.* 《英》기분이 언짢은, 성난.

shirt frònt 와이셔츠의 앞가슴《풀 먹인》.

shirt-slèeve *n.* 와이셔츠 바람의 (*in one's* ~ 웃옷을 벗고); 소탈한, 편의한, 비공식의; 평범한.

shit[ʃit] *n., vi.* (~; **-tt-**) 《卑》 똥(누다). —— *int.* 염병할, 빌어먹을.

shiv·er¹[ʃívər] *vi., vt.* ⓒ 부들 부들떨(떨게 하다), *give a per-son the* ~ *s* 오싹하게 하다. **∠·y** [-vəri] *a.*

shiv·er² *n.* 파편, 조각. —— *vi., vt.* 산산이 부서지다.

†**shoal**¹[ʃoul] *n., vi., a.* ⓒ 모래톱 여울목이 되다; 얕아지다; 얕은. **∠·y** *a.* 여울이 많은.

shoal² *n., vi.* ⓒ 무리; 떼; 다수; 어 군; 떼를 짓다(이루다) 유영하다. *~s of* 다수의.

†**shock**¹[ʃak/∠ɔ-] *n.* ⓤⓒ 충격, 충돌, 격동; 진동. ② (정신적) 타격 쇼크, —— *vt.* (…에게) 충격(쇼크) 를) 주다 ; …에 충돌하다. **∠·er** *n.* ⓒ 오싹하게 하는 것; 《口》와이셔 인 소설. **∠·ing** *a., ad.* 충격적이다, 오싹[섬뜩]하게 하는, 무서운; 지독

한, 맞추면; 《口》 지독하게.

shock² *n.* ⓒ 헝클어진 머리; 부스스한[더부룩한].

shóck absórber 완충기(器)[장치].

shóck·proof *a.* 충격에 견디는.

shóck táctics (장갑 부대 등의) 급습 전술; 급격한 행동.

shóck thérapy (정신병의) 충격 [전격] 요법.

shóck tròops 특공대.

shóck wàve [理] 충격파(波).

shod [ʃɑd/-ɔ-] *v.* shoe의 과거(분사).

shod·dy [ʃɑ́di/-ʃɔ-] *n.* ⓤ 재생 털실; 재생 나사; 가짜, 위조품. — *a.* (헌 털실로) 재생한; 가짜의, 굴통같은, (pretentious).

shoe [ʃuː] *n.* (*pl.* ~s, 《古》 shoon [ʃuːn]) ⓒ ① 신, 구두, 《英》 단화. ② 편자; (지팡이 등의) 끝쇠; (브레이크의) 접촉부; 타이어의 외피(外皮). DIE *in* one's ~s. *look after [wait for] dead men's* ~s 남의 유산(등)을 노리다. *Over* ~s, *over boots.* 《속담》 이왕 내친 걸음이면 끝까지. *stand in another's* ~s 아무 들[남을] 대신하다, 남의 입장이 돼보다. *That's another pair of* ~s. 그것과는 전혀 별개 문제다. *The* ~ *is on the other foot.* 형세가 역전되었다, *where the* ~ *pinches* 곤란한[성가신] 점. — *vt.* (shoed; shod, shodden) 신을[구두를] 신기다; 편자(끝쇠)를 대다.

shóe·hòrn *n.* ⓒ 구둣주걱.

shóe·làce *n.* ⓒ 구두끈.

shóe·màker *n.* ⓒ 구두 만드는[고치는] 사람, 제화공.

shóe·shìne *n.* 《美》 신을 닦음; 닦인 신의 겉면. 「셔 저다」

shóe·strìng *n.* ⓒ 구두끈; 《口》 영

shone [ʃoun/ʃɔn] *v.* shine의 과거 (분사). 「다」.

shoo [ʃuː] *int., vt., vi.* 쉿(하고 쫓다).

shóo-ìn [ʃíːin] *n.* 《口》 당선이 확실시되는 후보[경기자].

shook [ʃuk] *v.* shake의 과거.

shoot [ʃuːt] *v.* (*shot* [ʃɑt]) ① 발사하다; (활·총을) 쏘다. 쏴 죽이다; 던지다; (질문을) 퍼붓다. ② 쑥 내밀다 (~

out one's tongue). ③ (공을) 슈트하다, 《축》 (금을) 내려가다. ③ 《映》 촬영하다 (cf. SHOT). ⑥ (대패로) 곧게 밀다[깎다], (금·은실을) 짜넣다 (*silk shot with gold*). ⑦ (옥분으로) 고도를 재다 (~ *the sun*). — *vi.* ① 쏘다, 쏴쏘다; 사출하다; 질주하다. ② (털이) 나다; (싹이) 나오다. ③ 싹을 내다; 돌출하다(out). ③ 물이 쏟아지다, *be shot through with* …로 그득차 있다. *I'll be shot if* … 결단코 …아니다. ~ *down* (적 기를) 쏘아떨어뜨리다; (논쟁 등에서) 꼼짝 못하게 해내다; 실망시키다. ~ *out* 무력으로 해결하다. ~ *the moon* 《英俗》 야반도주하다. ~ *the works* 《美俗》 전력을 다하다; 전재산을 걸다. — *n.* ⓒ ① 사격(회); 《俗》 주사. ② 급류. ③ 어린 가지, 싹; ④ 물건을 미끄러져 내리는 장치 (chute). ~·er *n.*

shoot·ing [⌐iŋ] *n.* ① ⓤ 사격, 발사; 사수하기, 수렵(권). ② 사출; (영화) 촬영. ③ ⓤⓒ 격통.

shop [ʃɑp/-ɔ-] *n.* ① 《英》 가게 (미국에서는 보통 store), 《美》 공장, 작업장. ② 일터, 직장, 근무처, *all over the* ~ 《英》사방팔방으로; 어수선하게 흩뜨려, 엉망으로, *talk* ~ 장사[전문] 얘기만 하다, *the other* ~ 경쟁 상대가 되는 가게. — *vi.* (*-pp-*) 물건을 사다, 물건 사러[장보러].

shóp assistant 《英》 점원.

shóp flòor (공장 등의) 작업장 (the ~)《집합적》공장 근로자.

shóp·kèeper *n.* ⓒ 《英》 가게 주인. *the nation of* ~s 영국(민) (Napoleon이 경멸적으로 이렇게 불렀음).

shóp·lìfter *n.* ⓒ 들치기[사람].

shóp·lìfting *n.* ⓤ 들치기[행위].

shóp·per *n.* ⓒ (물건) 사는 손님.

shóp·pìng [⌐iŋ] *n.* ⓤ 물건사기, 쇼핑, *go* ~ 물건 사러 다녀.

shópping cènter 《美》 상점가[街].

shópping màll 보행자 전용 상점가.

shóp·sòiled *a.* (점포에) 오랫동안 내놓아 쩌든.

shóp stèward 《주로 英》(노조의) 직장 대표.

shore[ʃɔːr] n. ⓒ (강·호수의) 언덕; ⓒ 해안; ⓤ 물, 육지. *in* ~ 해안 가까이. *off* ~ 해안에서 (멀리) 떨어져, *on* ~ 육지(물)에서, 육지로.

shore² *vt.*, *vi.* ~을 지주(支柱)로 버티다(*up*). **shór·ing** n. 《집합적》 지주.

shóre·line n. ⓒ 해안선.

shorn[ʃɔːrn] v. shear의 과거분사.

short[ʃɔːrt] a. ① 짧은; 키가 작은; 간단한. ② (길이·폭에 따라서) 부족한, 모자라는; 【商】 공매(空賣)하는; 물품 부족의. ③ (딱딱하고도) 퉁명스러운(a ~ answer). ④ 무른, 깨지기 쉬운; 부서지기 쉬운. 석약한(cf. shorten) (This cake eats ~. 이에 대면 파삭파삭하다). ⑤ 독한(술 따위). 【音聲】 단음의; 음의 ~ *vowels*. *be* ~ *of* …에 미치지 못하다(달하다). *be* ~ *with* …에게 대하여 상냥하지 않다. *in the* ~ *run* 요컨대. *little* ~ *of* …이나 다름없는, 거의. *make* ~ *work of* 재빨리 처리하다. *nothing* ~ *of* 참으로(아주) …한. *run* ~ 부족(결핍)하다. *to be* ~ 요컨대, 간단히 말하면. — ad. 짧게; 부족하여; 갑자기; 무르게; 무뚝뚝하게. *bring* (*pull*) *up* 갑자기 멈추다(서다). *come* (*fall*) ~ *of* 미달하다, 미치지 못하다. (기대에) 어긋나다. *jump* ~ 잘못 뛰다, 뛰어 ~ 없어지다. 바닥나다(*of*). *sell* ~ 공매(空賣)하다. — *of* …이 아닌. …을 제외하고(~ *of lying* 거짓말만은 빼고). ~ *of that* 게까지는 못 간다 하더라도. *stop* ~ 갑자기 그치다, 중단하다. *take* (*a person*) *up* ~ 이야기를 가로막다. — n. ① 짧음, 간결, 간단. ② (*the* ~) 요점. ③ 【電】 단락(短絡)(쇼트). 《z.*ly ad.* 짧게; 무뚝뚝하게; 짧지 않아; 무뚝뚝하게; 쌀쌀하게. **⟨·ness** n.

:short·age[ʃɔ́ːtidʒ] n. ⓤⓒ 부족, 결핍. ② ⓤⓒ 부족(량).

shórt·brèad, -càke n. ⓤⓒ 쇼

트 케이크.

short·chánge vt. 《口》(…에게) 거스름돈을 덜 주다; 속이다.

short·círcuit vt., vi. 【電】 단락(短絡)(쇼트, 합선)시키다(하다); 간략히 하다. — [⁴ːº; 결힘].

shórt·cóming n. 《보통 pl.》 결점.

shórt cút 지름길.

short·en[⁴n] vt., vi. 짧게 하다. 짧아지다; (vt.) 무르게(부석부석하게) 하다. **~·ing** n. ⓤ 단축; 쇼트닝(빵·과자를 녹이는 것); 버터 따위.

shórt·fàll n. 부족액, 적자.

shórt·hànd n., a. ⓤ 속기(의).

short·hánded a. 일손(사람) 부족의.

short·líved a. 단명의, 덧없는, 일시적인.

shórt órder (식당의) 즉석 요리.

shórt·síghted a. 근시의, 선견지명이 없는. **~·ness** n.

shórt stóry 단편 소설.

shórt témper 성마름.

short·témpered a. 성마른.

shórt·tèrm a. 단기의.

shórt tíme 【經】 조업 단축.

shórt wáve 단파.

shot¹[ʃɑt/-ɔ] n. (*pl.* ~s) ① 탄환, 포탄; ⓤ 《집합적》 산탄(散彈); ⓒⓤ 《軍》(16파운드 이상의) 포환. ② ⓒ 발포, 발사; 사정(射程); 겨냥, 저격; 사격수(a *good* ~). ③ 《俗》(약의) 한 번 복용; (1회의) 주사. ④ ⓒ 【映】 촬영 거리, 샷. ⑤ 명사. *have a* ~ 시도하다, 해보다(*at, for*); 노리다, 겨누다(~ *at*). *like a* ~ 곧, 원사(遠寫); 어림 짐작; 곤란한 기도(企圖). *put* *the* ~ 포환을 던지다. — vt. (*-tt-*) …에 탄알을 재다, 장탄하다.

shot² v. shoot의 과거(분사). — a. (직물이) 보기에 따라 빛이 변하는, 잔, 양색(兩色)의(~ *silk*).

shót·gùn n. 산탄총, 엽총.

shótgun márriage [wédding] (임신으로 인한) 강제적 결혼.

should[強 ʃud, 弱 ʃəd] *aux. v.* ① **shall** 의 과거 《간접화법에서 표면상의 과거》 …을(일) 것이다(He *said* he ~ *be at home.*=He said, "I *shall* be at home."). ② 《조건문

에서, 인칭에 관계없이 (If I [he]
~ fail 만일 실패한다면). ③ 《조건
문의 귀결의 단순미래》 (If he should
do it, I ~ be angry. 만약 그가 그
런 일을 한다면 나는 화낼걸세). ④
《의무·책임》 당연히 …해야한다 (You
~ do it at once). ⑤ 《이성적·감정
적 판단에 수반하여》 (It is only nat-
ural that you ~ say so; It is a
pity he ~ be so ignorant; Why
~ he be so stubborn?). ⑥ 《완곡한
표현을 수반하여》 …하겠죠, …일[할]
테지요 (I ~ think so. 그러리라 생각
합니다(만)). I ~ like to …하고 싶
은데요 (싶습니다만). It ~ seem …인것
[한 것] 같습니다. …처럼 생각되다
(It seems …보다 정중한 표현).

shoul·der [ʃóuldər] n. ⓒ 어깨, 어
깨죽지 《앞발의》 (the cold ~ of
mutton 양의 냉동 견육(肩肉)): 어깨
에 해당하는 부분 (the ~ of a bot-
tle; the ~ of a road 도로 양쪽 변
두리): 《軍》 어깨에 총의 자세. have
broad ~s 든든한 어깨를 가지고 있
다. put [set] one's ~ to the
wheel 《전력(全力)》. rub ~s
with …와 사귀다 《유명 인사 따위》.
~ to ~ 밀집하여: 협력하여, …
straight from the ~ 《욕설·타격
따위가》 곧장, 정면[정통]으로, 호되
게, turn [give] the cold ~ to …
《전에 친했던 사람》에게 냉담히 굴다.
— vt. 짊어지다: 지다. 떠맡다: 밀
어 헤치며 나아가다. S~ arms! 《구
령》 어깨에 총!

shóulder bàg 어깨에 걸고 다니는
핸드백.
shóulder blàde [bòne] 《解》 견
갑골, 어깨뼈.
shóulder stràp 전장.

shout [ʃaut] vi. 외치다, 소리치다,
부르짖다, 큰소리로 말하다(at): 고함
치다(for, to): 때들다(for, with)
(All is over but the ~ing. 승부는
났다《남은 것은 끝뿐이》). — vt. 외
치(큰소리로) 말하다. — n. ⓒ 외
침, 소리침, 큰소리: (sing.; one's
~)《俗》 한 턱낼 차례 (It's my ~).
~·er n. ⓒ 외치는 사람; 《美》 열렬
한 지지자.

shove [ʃʌv] vt., vi., n. 밀(치)다: 찌

르다; ⓒ 《보통 sing.》 밀기: 찌르기.
~ **off** 《배를》 밀어내다: 저어 나아가
다. 《口》 떠나다, 출발하다.
:shov·el [ʃʌ́vəl] n. ⓒ 삽; 큰 숟갈.
— vt. 《英》-ll- 삽으로 푸다(만들
다).
:show [ʃou] vt. (~ed; ~n,
~ed) ① 보이다, 나타내다 ② 알리
다, 가리키다. ③ 진열(출품)하다 ④
안내하다: 설명하다. ⑤ 《감정을》 나
타내다, 《호의를》 보이다(~ mercy).
— vi. ① 보이다, 밖에 나오다(Par-
don, your slip is ~ing. 실례입니
다만 부인의 슬립(자락)이 밖으로 비
져 나왔군요). ② 《口》 얼굴을 내밀
다. ③ 《美》 경마에서 3착이내에
들다. ④ 흥행하다. ~ (a person)
over 안내하며 돌아다니다. ~ off
자랑해 보이다: 잘 보이다, 드러내서
[돋보이게] 하다. ~ up 폭로하다:
나타나다: 두드러지다: 나타나
다. — n. ① 보임, 표시, ⓒ 《보통
전람(회)》, 구경(거리), 연극, 쇼;
화; 웃음거리. ③ ⓤⓒ 겉모습, 과시,
외관. ④ 징후. 흔적. ⓤ 외관. ⓒ
《sing.》 《口》 기회 (He hasn't a
~ of winning. 이길 가망은 없다).
⑥ ⓤ 《美》 경마에서 3착. for ~
자랑해 보이려고, give away the ~
…의 내막을 폭로하다: 마각(약점)을 드
러내다: 실언하다. in ~ 표면은.
make a ~ of …을 자랑해 보이다.
make a ~ of oneself 창피를 당하
게되다. no ~ 결석대 《축》 《여객기의
좌석 예약을 취소 안한 채로》. ~ of
hands 《정식》 거수(擧手). ~ with
some ~ of reason 그럴듯하게.
shów·er n.   [NESS.
shów-biz n. 《美俗》 = SHOW BUSI-
shów búsiness 흥행업.
shów-càse n. ⓒ 진열장.
shów-dòwn n. ⓒ 《보통 sing.》 폭
로: 대결.
show·er² [ʃáuər] n. ⓒ ① 소나기.
② 《눈물이》 쏟아짐; 《탄알 따위가》
빗발쳐 쏟아짐. 많음, ③ 《美》 《결혼식
전의 신부에의》 선물 (증정회). ④ =
SHOWER BATH. — vt. 소나기로 적
시다: 뿌리다. — vi. 소나기가 쏟아
지다: 빗발치듯 내리다[오다]. ~·y a.
shówer bàth 샤워: 샤워 목욕

show·ing [ʃóuiŋ] n. ⓒ 전시; 진열; 꾸밈; 전람[전시]회; (보통 *sing.*) 외관, 모양새; 성적; 주장. **make a good ~** 모양새가 좋다; 좋은 성적을 올리다. **on your own ~** 당신 자신의 변명에 의하여.

show jùmping [馬] 장애물 뛰어넘기(경기).

show·man [ʃóumən] n. ⓒ 흥행사, 흥행주. **~·ship**·[-ʃip] ⓤ 흥행술, 흥행적 수완[재능].

shown [ʃoun] n. show의 과거분사.

shów-òff n. ⓤ 자랑해 보임, 과시; ⓒ 자랑해 보이는 사람.

shów·piece n. ⓒ (전시용의) 우수 견본, 특별품.

shów·ròom n. ⓒ 진열실.

show·y [ʃóui] a. 화려한; 허세를[허영을] 부리는.

shrank [ʃræŋk] v. shrink의 과거.

shrap·nel [ʃræpnəl] n. ⓤ(집합적) [軍] 유산탄(溜散彈) (파편).

shred [ʃred] n. (보통 *pl.*) 조각, 끄트러기, 단편; 소량. — *vt.*, *vi.* (~*ded, shred; -dd-*) 조각조각으로 하다[이 되다].

shred·der [ʃrédər] n. ⓒ 강판; 파서 찢는기구.

shrew [ʃru:] n. ⓒ 앙알[으드등]거리는 여자; [動] 뽀족뒤쥐. **~·ish** a.

shrewd [ʃru:d] a. ① 빈틈없는, 기민한, 약빠른. ② 모진, 심한. **~·ly** ad. **~·ness** n.

shriek [ʃri:k] n., vi. ⓒ 비명(을 지르다). 새된 소리를 지르다; 그 소리.

shrift [ʃrift] n. ⓤ (古) 참회, 뉘우침.

shrill [ʃril] a., n. ⓒ 날카로운 소리(의); 강렬한. — ad., vi., a. 높은 소리로 (말하다), 새된[날카로운] 소리로 (소리치다); 날카롭게 (울리다). **shríll·ly** ad.

shrimp [ʃrimp] n. ⓒ 작은 새우; 난쟁이, 열간이.

shrine [ʃrain] n. ⓒ ① 감실(龕室), 성체 용기. ② 사당, 신전(神殿), 묘(廟). — vt. 감실(사당)에 모시다.

shrink [ʃriŋk] vi. (*shrank, shrunk, shrunk(en)*) 줄어(오므라, 움츠러)들다; 뒷걸음질 치다(*away, back, from doing*). — vt. 줄어들게 하

다, 움츠리다. — n. ⓒ 수축; 뒷걸음질; [美俗] 정신과 의사. **~·age** [-idʒ] n. ⓤ 수축(력); 감소, 하락.

shriv·el [ʃrívəl] vi., vt. (《英》*-ll-*) 시들(이을)게 하다.

shroud [ʃraud] n., vt. ⓒ 수의(壽 衣)·입히다); 덮개(로 가리다(싸다)); (*pl.*) [海] 양쪽 뱃전에 버틴 돛 대줄.

shrub [ʃrʌb] n. ⓒ 관목(bush). **~·ber·y** n. ⓤ 관목 심은 곳; ⓤ(집합적) 관목숲. **~·by** a. 관목의[이 우거진]; 관목 성(性)의.

shrug [ʃrʌg] vt., vi. (*-gg-*), n. ⓒ (보통 *sing.*) (어깨를) 으쓱하다(하기). **~ one's shoulders** (양손바닥을 위로 하여) 어깨를 으쓱하다(불쾌·완강함·절망·경멸 따위의 기분을 나타냄).

shrunk [ʃrʌŋk] v. shrink의 과거분사.

shrunk·en [ʃrʌŋkən] v. shrink의 과거분사.

shuck [ʃʌk] n. ⓒ 껍질(껍데기·꼬투리); (~ 을 벗기다); 《美》 don't care a ~. 조금도 상관 없다).

shucks [-s] int. (口) 쳇!, 빌어먹을!(불쾌·초조·후회 등을 나타냄)

shud·der [ʃʌdər] n., vi. 떨다; 떨다.

shuf·fle [ʃʌfl] vt., vi. ① 발을 질질 끌다; (댄스에) 발을 끌며 나아가다. ② 뒤섞다. (트럼프를) 섞어서 떼다(cf. cut). ③ 이러저리 움직이다; 속이다. ④ (옷 따위를) 걸치다, 벗다(*into, out of*). **~ off** (벗어) 피하다. — n. ⓒ (보통 *sing.*) 발을 질질 끄는 걸음; [댄스] 발끌기. ② 뒤섞음; 트럼프를 쳐서 멤[메는 차례). ③ 잔재주·속임. (말을) 어물거림 [꾸며댐]. **~r** n. ⓒ shuffle 하는 사람.

shun [ʃʌn] vt. (*-nn-*) (기)피하다 (avoid).

shunt [ʃʌnt] vt. 옆으로 돌리다(비키다]; 제거하다; [鐵] 측선(側線)에 넣다, 전철(轉轍)[입환]하다. — vi., n. (보통 *sing.*) 한쪽으로 비키아[비킴]; 측선으로 들어가기[넣기; [電] 전철量(기(器)]; [電] 분로(分路).

shut [ʃʌt] vt., vi. (*shut; -tt-*) 닫

S

(히)다; 잠그다, 잠기다. ~ *away* 격리하다, 가두다. ~ *down* 닫다; 《口》(일시적으로) 휴업(폐쇄)하다. ~ *in* 가두다; (가로) 막다. ~ *into* …에 가두다; (도어 따위에 손가락이) 끼이다. ~ *off* (가스·물 따위가) 잠그다, (소리 따위가) 가로막다; 제외하다(*from*). ~ *one's teeth* 이를 악물다. ~ *out* 내쫓다; 영패시키다. ~ *to* (문 따위를) 꼭 닫다, 투명을 닫다; (문이) 닫히다. ~ *up* (집을) 아주 닫다(폐쇄하다); 감금(유폐)하다; (口) 침묵하(시키)다. —— *n.* ⓤ 닫음, 닫는 시간; 끝; [쥄] 폐색音(p1ʃb) 따위).—— *a.* 닫은, 잠근, 둘러싸인; 폐쇄적인; (음절이) 자음으로 끝나는.

shút·dòwn *n.* ⓒ 덧문으로 닫다, 닫다.) [寫] 셔터.

shut·ter [ʃʌ́tər] *n., vt.* ⓒ 덧문으로 닫다, 닫다.) [寫] 셔터.

shut·tle [ʃʌ́tl] *n.* ⓒ (베틀의) 북(처럼 움직이다); 왕복 운동(운전) (하다); 우주 왕복선.

shuttle·còck *n., vt., vi.* ⓒ (배드민턴의) 깃털공 치기 놀이; (깃털공을) 서로 받아 치다; 이리저리 움직이다.

:**shy**[ʃai] *a.* ① 내성적인, 수줍어(부끄러워)하는. ② 겁많은. ③ 조심성 많은(*of*). ④ 《俗》부족한(*of, on*). *fight ~ of* (…을) 피하다. *look ~* (…을) 의심스러워하다(*at, on*). —— *vi.* ⓒ 뒷걸음질(치다); (말이) 놀라 물러서다(물러섬). **'<·ly** *ad.* **'<·ness** *n.*

shy[sup]2[/sup] *vt., vi., n.* ⓒ (몸을 들어) 확 (내) 던지(기); 《口》 냉소.

shy·ster [ʃáistər] *n.* ⓒ 《美口》악덕 변호사.

SI Système International d'Unité (= International System of Units) 국제 단위.

Si·a·mese [sàiəmíːz] *a., n.* 샴의(〈 삼사람(?)); ⓤ 삼 말(?).

sib·i·lant [síbələnt] *a., n.* 쉬쉬 소리를 내는(hissing); [音聲] 치찰음(齒擦音)(〈 s[z]ʃ[ʒ] 따위).

sib·ling [síbliŋ] *a., n.* ⓒ 형제의 (한 사람).

sic[sik] *ad.* (L.) (원문) 그대로 (so, thus).

†**sick**[sik] *a.* ① 병의(《英》 ill); 병 자용의(*a ~ room* 병실). ② 《주로 로文》 욕지기가 나는(*feel ~*). ③ 싫증 이 나는, 물린; 넌더리나는(*of*). ④ 아니꼬운, 역겨운(*at*). ⑤ 그리워하는, 동경하는(*for home*). ⑥ (색·빛이) 바랜, 창백한; 상태(기분)이 좋지 않은; (슬픔이) 변한; 《農》 (땅이) (…의 생각에) 맞지 않는(*clover-~*). *be ~ at heart* 비관하다. *fall* (*get*) ~ 병에 걸리다. *go* (*report*) ~ 《軍》 병결로 신고를 내다.

sick báy (군함의) 병실.

sick·bèd *n.* ⓒ 병상(病床).

sick·en [síkən] *vt., vi.* ① 병나게하다, 병이 되다. ② 역겹게 하다, 역겨워하다(*at*). ③ 넌더리(싫증) 나게 하다, 넌더리(싫증)내다(*of*). **~·ing** *a.*

sick héadache 편두통(migraine)(구역질나는 것의).

sick·le [síkl] *n.* ⓒ (작은) 낫. *~ cell anemia* [醫] 겸형(鎌形) 적혈구 빈혈증.

sick lèave 병가(病暇).

sick·ly [síkli] *a.* ① 골골하는, 병약한, 창백한. ② 몸에 나쁜(*a ~ season*). ③ 감상적(병적)인. ④ 역겨워하는, —— *ad.* 병적으로. —— *vt.* 창백하게 하다. **-li·ness** *n.*

sick·ness [-nis] *n.* ① ⓤⓒ 병; 병태. ② 《英》 욕지기. ③ 역겨움, 싫증.

sick páy 병가(病暇) 중의 수당.

sick·ròom *n.* ⓒ 병실.

†**side** [said] *n.* ① ⓒ 곁, 옆. ② ⓒ 사면, (물체의) 측면, 쪽; 면(面). ③ ⓒ 옆(허)구리(고기). ④ ⓒ (찍과 자기편의) 편, 소(所); 자기편, 당(黨). ⑤ ⓒ 가, 물가, 변두리(*the ~ of the river* 강변, 강가); 변천. ⑥ ⓤ (no pl. sing. 부모의 한쪽, 계(系) 혈통. ⑦ ⓤ 《英俗》 젠체(거 만 남세)하기; (His has lots of ~) 굉장히 뽐내는 기색이다. *by the ~ of* …의 곁[옆]에; …와 비교하여. *change ~s* 변절하다. *hold* (*shake*) *one's ~s for* (*with*) *laughter* 배를 움켜쥐고 웃다. *on all ~s* 사면팔방에. *on the large* (*small, high*) ~ 좀 큰 (작은, 높은) 편인. *on the right*

[better, bright] ~ of (fifty), (50
세) 전인. **on the wrong** [shady]
~ of (fifty), (50)의 고개를 넘어.
put on 《俗》 젠체하다. 뽐내다:
(撐)을 틀어 올리다. **~ by** 나란
히(with). **split one's ~s** 매를 옴
켜려고 우다. **take ~ s [a ~]** 편들
다(with). — *a.* 한[옆]쪽의; 옆
[결](으로부터)의: *a* ~ *view* 측면
도; 그다지 중요하지 않은: 부[이]차적
인: *a* ~ *issue* 지엽적인 문제). —
vi. 편들다, 찬성하다(with). — *vt.*
치우다, 밀어젖히다: 측면을 붙이다
(~ *a house*).

side-board *n.* ⓒ 살강, 식기 선반.

side-burns *n. pl.* 짧은 구레나룻.

side-car *n.* Ⓤⓒ (오토바이의) 사이
드카.

side dish (주요리에) 곁들여 내는
요리.

side effect 부작용.

side issue 지엽적인 문제.

side-kick(er) *n.* ⓒ (한) 동아리,
짝패(partner); 친구.

side light 측면광(光); 옆창; 우연
한 정보.

side-line 측선(側線); 《競》 사이드
라인; 《美》 사이드라인의 바깥쪽; 부
업, 내직.

side-line *vt.* (병·부상으로, 선
수에게) 참가를 안 시키다.

side-long *a., ad.* 옆의[으로], 곁에
[으로], (엇)비스듬한(히).

side order 별도 주문(의)《좀 더
먹고 싶을 때의 주문》.

side-saddle *n.* ⓒ (여자용의) 모로
앉는 안장.

side show 여흥; 지엽적인 문제.

side-splitting (허리를 잡게 할 만큼)
포복절도할(만큼).

side step (한걸음) 옆으로 비키기*
(책임 따위의) 회피.

side-step *vi., vt.* (**-pp-**) (한 걸음)
옆으로 비키다*(책임을)회피하다*《책임을》.

side street 옆길, 뒷골목.

side-swipe *n., vt., vi.* ⓒ 옆을 (스
쳐) 치다(치기).

side-track *n., vt.* ⓒ 《鐵》 측선(대
피선)(에 넣다); 피하다.

side-walk *n.* ⓒ 《美》 보도, 인도
《《英》 pavement》.

side-ways[-z]. **side-wise** *a.,*

ad. 옆에(서), 옆의: 옆으로(옆을) 향
해.

sid-ing[sáidiŋ] *n.* ⓒ 《鐵》 측선(側
線)=대피선; Ⓤ 《美》 (가옥의) 미늘
판벽; 편들기, 가담.

si-dle[sáidl] *vi.* 옆걸음질하다; (가
만히) 다가서다.

siege[si:dʒ] *n.* ⓒⓊ 포위(공격).
lay ~ to …을 포위공격하다;
공격하다. **raise the ~** …에 대
한 포위를 풀다. **stand a ~** 포위
(공격)에 굴하지 않다.

si-en-na[siénə] *n.* Ⓤ 시에나 색,
황갈색(의 그림물감).

si-er-ra[siérə] *n.* ⓒ (보통 *pl.*)
톱니처럼 솟은 산맥.

si-es-ta[siéstə] *n.* (Sp.) ⓒ 낮잠.

sieve[siv] *n., vt.* ⓒ 체(질하다).

sift[sift] *vt.* 체질하다, 받다: (증언
따위를) 정사(精査)[음미]하다. —
vi. 체질하다: 새어들다: (나오듯이) 떨어지다; (빛
이) 새어들다. **~er.** *n.*

sigh[sai] *n., vi.* ① ⓒ 탄식, 한숨
(짓다). ② ⓒ (바람이) 살랑거리다(거
리는 소리). ③ 그리(워 한)다(for).
④ 슬퍼하다(over). — *vt.* 한숨쉬며
말하다(out); (…을) 슬퍼하다.

sight[sait] *n.* ① Ⓤ 시각, 시력. ②
Ⓤ 시계(視界). ③ Ⓤ 봄, 일견. 힐끗
봄(glimpse), 목격, 관찰. ④ ⓒ 구
경거리, 웃음거리. ⑤ Ⓤ 광경: (*pl.*)
(*the ~*) 명승지; 겸치. ⑥ ⓒ 일람(一
覽). ⑦ ⓒ 보기, 견해. ⑦ ⓒ (총의)
가늠자(자). ⑧ ⓒ 《口》 많음. **a
(long) ~ better** 《口》 훨씬 좋은(나
은). **a ~ for sore eyes** 보기만
해도 반가운 것(귀한 손님·진품). **at
first ~** 한 번 보아: 일견한 바로.
at [on] …보자 곧, 보자마자: 보는 대로[즉시]. **catch [get] ~ of**
…을 발견하다. **in a person's ~** 아
무의 눈 앞에서; …의 눈으로 보아서.
in ~ (of) …에서 보이는[보일 정
도로 가까운 곳에]. **keep in ~**
…의 모습을[자태를] 놓치지 않도록 하
다. **know by ~** …의 모습으로 알
다. **lose ~ of** …의 모습을 잃다(놓치다).
out of ~ 안 보이는, 숨은. **Out of
~, out of mind.** 《속담》 헤어지면
마음조차 멀어진다. **see [do] the**

~**s** 명소를 구경하다. ***take a*** ~ ***of*** …을 보다〔바로보다〕. ***take*** ~ 노리다, 겨누다. — *vt.* 보다, 목격하다; 관측하다; 겨누다, 조준하다; 일람(一覽)시키다. **∠·less** *a.* 보지 못하는, 맹목의. **∠·ly** *a.* 보기 싫지 않은; 전망이〔경치가〕 좋은.

síght-rèad *vt., vi.* (~ [-red])〘樂〙 악보를 보고 거침없이 연주하다, 시주〔시창〕(視奏〔視唱〕)하다.

:**síght-sèeing** *n., a.* Ⓤ 관광〔구경〕(의). ~ ***bus*** 관광 버스.

†**sign**[sain] *n.* Ⓒ ① 기호, 부호. ② (신호의) 손짓, 사인; 암호. ③ 간판, 길잡이. ④ 증거, 표시, 징후; 흔적, 자취. ⑤〘聖〙 기적(***seek a*** ~ 기적을 찾다). ⑥〘天〙(12궁(宮)의) 궁(宮). ***make no*** ~ (기절하여) 꿈쩍않다. ~ ***manual*** (국왕 등의) 친서, 서명. ~***s and wonders*** 기적. — *vt., vi.* ① 신호〔군호〕하다. ② 서명〔조인〕하다. ③ (*vt.*) (상대에게) 서명시켜 고용〔계약〕하다. ④ (*vt.*) 기호를 달다. ⑤ (*vi.*) 서명하여 고용되다(*She* ~*ed for a year.*). ~ ***away*** 〔***over***〕 (서명한 다음) 양도하다. ~ ***off*** 방송이 끝남을 알리다; 서명하고 …을 끊다《술 따위》. ~ ***on*** 계약서에 서명시키고 고용하다〔서명을 하고 고용되다〕. ~ ***on the dotted line*** 사후(事後) 승낙을 강요당하다; 상대방의 조건을 묵인하다. ~ ***up*** 《口》(계약서에) 서명하고 고용되다; 참가하다.

:**sig·nal**[sígnəl] *n.* Ⓒ 신호, 군호; 도화선(*for*);〘카드〙 짝패에게 보내는 암호의 수. — *a.* 신호(용)의; 뛰어난, 훌륭한. — *vi., vt.* (《英》 **-ll-**) 신호〔군호〕로 알리다; (*vt.*) (…의) 전조가〔조짐이〕 되다. ~·(**l**)**ing** *n.* Ⓒ 신호. ~·**ly** *ad.* 「호소.

sígnal-bòx *n.* Ⓒ《英》(철도의) 신

sígnal·man[-mən, -mæ̀n] *n.* Ⓒ (철도 따위의) 신호수.

sig·na·to·ry[sígnətɔ̀:ri/-təri] *a., n.* 서명〔조인〕한; Ⓒ 서명인, 조인국.

:**sig·na·ture**[sígnətʃər] *n.* Ⓒ ① 서명. ②〘樂〙(조·박자) 기호. ③〘印〙 접지 번호, (번호 매긴) 전지(全紙). ④ (방송 프로 전후의) 테마 음악.

sígnet rìng 인장을 새긴 반지.

:**sig·nif·i·cance**[signífikəns] *n.* Ⓤ 의미(심장), 중대성. :**-cant** *a.* 의미 심장한; 중대한; …을 뜻하는(*of*). **-cant·ly** *ad.*

sig·ni·fi·ca·tion [sìgnəfikéiʃən] *n.* Ⓤ 의미, 의의, Ⓒ 어의; Ⓤ,Ⓒ 표시, 지시. **sig·nif·i·ca·tive**[signífəkèitiv/-kətiv] *a.* 나타내는(*of*); 뜻이 있는.

˙**sig·ni·fy**[sígnəfài] *vt., vi.* 나타내다, 의미〔뜻〕하다; 예시하다; 중대하다.

sígn lànguage 수화(手話), 지화법(指話法); 손짓〔몸짓〕말.

sígn·pòst *n.* Ⓒ 길잡이, 도표(道標).

Sikh[si:k] *n., a.* Ⓒ 시크교도(의). ~·**ism**[∠izəm] *n.* Ⓤ 시크교《인도 북부의 종교》.

si·lage[sáilidʒ] *n., vt.* Ⓤ 건초실(silo)에 저장하다〔하기〕; (저장한) 생(生)목초(~*d green fodder*).

†**si·lence**[sáiləns] *n.* ① Ⓤ 침묵; 정적. ② Ⓤ,Ⓒ 무소식(*Excuse me for my long* ~.). ③ Ⓤ 망각(*pass into* ~ 잊혀지다); 침묵을 지킴, 비밀; 묵살. ***keep*** ~ 침묵을 지키다. ***put to*** ~ 윽박질러 침묵시키다, 잠잠하게 하다. — *vt.* 침묵시키다. — *int.* 조용히!; 입닥쳐! **sí·lenc·er** *n.* Ⓒ 침묵 시키는 사람〔것〕; 소음(消音)장치.

†**si·lent**[sáilənt] *a.* ① 침묵하는, 무언의. ② 조용한; 활동하지 않는. ③ 익명의. ④〘音聲〙 묵음의. :~·**ly** *ad.* 무언으로, 잠자코; 조용히.

sílent pártner 《美》 익명 조합원 (《英》 sleeping partner).

˙**sil·hou·ette**[sìlu(:)ét] *n.* Ⓒ 실루엣, 그림자(그림); (옆얼굴의) 흑색 반면 영상(半面影像); 영상. — *vt.* 실루엣으로 하다(*a tree* ~*d against the blue sky* 파란 하늘을 배경으로 검게 보이는 나무).

sil·i·ca[sílikə] *n.* Ⓤ〘化〙 실리카, 규토(珪土), (무수) 규산.

sil·i·cate[síləkit, -kèit] *n.* Ⓤ,Ⓒ〘化〙 규산염.

sil·i·con[sílikən] *n.* Ⓤ〘化〙 규소.

†**silk**[silk] *n.* Ⓤ ① 비단, 견사(絹絲) (*raw* ~ 생사). ② (*pl.*) 견직물, 비

S

단운. ③ 《英口》 왕실 변호사(의 제복). **hit the ~** 《美空軍俗》 낙하산으로 뛰어 내리다. **take (the) ~** 왕실 변호사가 되다. **You cannot make a ~ purse out of a sow's ear.** 《속담》 돼지 귀로 비단 염낭은 만들 수 없다; 콩심은 데 콩나고 팥 심은 데 팥 난다.

silk·en [⌐n] a. 비단의[으로 만든]; 비단 같은 (윤이) 나는, 부드러운 비단옷을 입은, 사치스런.

silk-scréen a. 실크 스크린의. ~ **print** (**process**) 실크 스크린 인쇄 [날염법].

silk·wòrm n. ⓒ 누에.

silk·y [⌐i] a. 비단의(같은); 부드러운; 반드러운, 창백, 감미.

sil·ly [síli] a. ① 어리석은, 바보 같은, ② 《古》 단순한, 천진한. ③ 《古》 아연한(stunned), 아찔한(dazed). — n. ⓒ 《口》 바보. **síl·li·ness** n.

si·lo [sáilou] n. (pl. **~s** [-z]) ⓒ ① (옥초 저장용의) 사일로(에 저장하다). ② 《美》 사일로(발사 준비된 미사일 지하 격납고).

silt [silt] n., vt., vi. ① 침니(沈泥) (로 막다·막히다)(**up**).

sil·ver [sílvər] n. ① 은; 은화; 은그릇; 질산은; 은빛. — a. 은의; 은색의, 은으로 만든; 은방울을 굴리는 듯한, 낭랑한, 소리가 맑은. — vt. (…에) 은을 입히다, 은도금(鍍金)하다; 질산은을 칠하다; 백발이 되게 하다.

silver·fish n. ⓒ 《一般》 (작종 은빛 물고기; 《蟲》 반대좀.

silver páper n. 은종이; 《英》 은감광지.

silver pláte n. 《집합적》 은(銀)식기.

silver-pláted a. 은을 입힌, 은도금한.

silver scréen, the 영화; 은막.

silver-smíth n. 은세공인.

silver-tóngued a. 웅변의, 구변이 좋은, 설득력이 있는.

silver-wáre n. ① 《집합적》 은제품.

silver wédding 은혼식(결혼 25주년의 축하식).

sil·ver·y [-i] a. 은과 같은; 은빛의, (의, 같은).

sim·i·an [símiən] n., a. ⓒ 원숭이

sim·i·lar [símələr] a. 유사한, 닮은 꼴의. **~ly** ad. 똑같이.

sim·i·lar·i·ty [simələˈrɛti] n. ① 비슷함; 유사, 상사.

sim·i·le [síməli; -li] n. ⓒ⑪ 《修》 직유(直喩)(보기): as busy as a bee)(cf. metaphor).

sim·mer [símər] vi., vt. ① (…에) 부글부글 끓다, (끓어 오르기) 직전이 소리나(게 하다). ② 몽글 물로 익히다. ③ 《격노를 참고느라고 속을[이]) 지글지글 끓(이)다 (웃음을) 지그시 참다. — **down** 천천히 식다, 가라 앉다. — n. (sing.) simmer 하기.

sim·per [símpər] n., vi., vt. ① 억지(빠진) 웃음(을 짓다, 지어 말하다), 섞음음(치다).

sim·ple [símpl] a. ① 단순한, 간단한, 쉬운. ② 간소한, 질박한, 검소한. ③ 자연스러운; 솔직한. ④ 티없는, 천진한; 유치한. ⑤ 하찮은; 신분이 낮은; 순한. ⑥ 순진한, 순진한. ⑦ 《植》 (잎이) 갈라지지 않은; 《化》 단체(單體)의(a ~ eye). **pure and ~** 순전한. — n. ① 단순한 것; 단체(單體). 《古》 약초 (**medicinal plant**). **~·ness** = SIMPLICITY.

simple ínterest n. 《商》 단리(單利).

símple-mínded a. 순진한; 단순한; 어리석은; 정신 박약의.

sim·ple·ton [símpltən] n. ⓒ 바보.

sim·plic·i·ty [simplísəti] n. ① 단순(간단); 간소; 소박; 순진; 무지.

sim·pli·fi·ca·tion [simpləfikéiʃən] n. ①ⓒ 단일화; 간소화; 평이화.

sim·pli·fy [símpləfài] vt. 단일[단순]하게 하다; 간단[평이]하게 하다.

sim·ply [símpli] ad. 솔직히; 단순히; 다만; 어리석게; 전혀.

sim·u·la·crum [simjuléikrəm] n. (pl. **-cra** [-krə], **~s**) 모습, 환영(幻影); 상(像); 가짜.

sim·u·late [símjulèit] vt. (…으로) 가장하다(겉꾸미다), (징짓) …인 체하다(pretend); 흉내내다, — [-lit, lèit] a. 짐짓 꾸민, 가장한; 의태(擬態)의. **-lant, -la·tion** [-ʃən] n. ①ⓒ 가장; 흉내; 꾀병; 《컴·우주공》 시뮬레이션; 모의 실험. **-la·tive** a. **-la·tor** n.

si·mul·ta·ne·ous [sàiməltéiniəs,

S

sim-] *a.* 동시에 (에 일어나는). *~-**ly** *ad.* ~**ness** *n.* **-ne·i·ty**[-taníːəti] *n.*

:sin[sin] *n.* ① (도덕상의) 죄, (cf. crime); ⓒ 잘못; 위반(against). **for my ~s**[諧] 무엇에 대한 벌인지. **like ~** (俗) 몹시. **the seven deadly ~s** [宗] 7가지 큰 죄, 칠죄종(七罪宗). — *vi., vt.* (-**nn**-) (죄를) 짓다(against). — **one's mercies** 행운의 감사하지 않다. **♦less** *a.*

sin²[sain] *n.* = SINE.

:since[sins] *ad.* 그후, 그 이래; 그 다음. (지금부터 몇 해·며칠) 전에. *ever* ~ (지금부터 몇 해·며칠) 전에 (지금에서 지금까지에 걸쳐 (내내)). *long* ~ 훨씬 이전에 (전부터). *not long* ~ 바로 최근. — *prep.* ...이래 (내내). — *conj.* ...한) 이래; ...이 [하] 므로 (because)

:sin·cere[sinsíər] *a.* 성실한, 진실의.

sin·cere·ly[sinsíərli] *ad.* 성실하게; 충심으로. *Yours* ~, *or* *Sincerely yours* 돈수(頓首), 경구(敬具)[편지의 끝맺음말].

sin·cer·i·ty[sinsérəti] *n.* ⓤ 성실; 성의; 정직.

sine[sain] *n.* ⓒ 〔數〕 사인(생략 sin).

si·ne·cure[sáinikjùər, síni-] *n.* ⓒ (명목뿐인) 직위.

si·ne die [sáini dáii] (L.) 무기한으로의.

si·ne qua non [-kwei nán/-5-] (L.) 필요 조건[자격].

sin·ew[sínju:] *n.* ⓤⓒ 힘줄; (*pl.*) 근육(筋肉)[힘의 원천]. **the ~s of war** 군자금; 돈. — *vt.* 건(腱)으로 잇다; 근력을[원기를] 북돋우다. **~y** *a.* 근골이 늠름한.

sin·ful[sínfəl] *a.* 죄있는, 죄많은; 죄받을. **~-ly** *ad.* **~-ness** *n.*

:sing[sin] *vi., vt.* (*sang*, (古) (稀) *sung; sung*) 노래하다, 울다, 지저귀다; (*vi.*) 울리다, (벌레·바람·미사일 따위가) 윙윙거리다; (주전자 물이 끓어) 펄펄거리다. ~ *another song [tune]* (가락을[태도를] 바꾸어) 겸손하게 나오다(cf. ~ *the same old song* 같은 말을 되풀이 하다). ~ *out* (口) 큰소리로 부르다; 소리치다. ~ *small* (口) 풀이 죽다. —

n. ⓒ 노랫소리, 우는 소리; (탄환·바람의) 윙윙 울림. **:~-er** *n.*

sing·a·long[síŋəlɔ̀:ŋ/-lɔ̀ŋ] *n.* ⓒ 노래 부르기 위한 모임.

singe[sindʒ] *vt., vi.* 태워 그스르다 [그슬다]; (*vt.*) (새나 돼지 따위의) 털을 그스르다. ~ *one's feathers [wings]* 명성을 손상하다; 실패하다. — *n.* ⓒ (조금) 탐, 눌음.

sing·ing[síŋiŋ] *n.* ⓤ 노래하기; 노랫소리; 지저귐; 귀울림.

:sin·gle[síŋgl] *a.* ① 단 하나의, ② 혼자의, 독신의, ③ (英) 편도의 (a ~ *ticket*). ④ 단식의, 홑의, 단식 시합의. ⑤ [植] 홀잎의(꽃)의. ⑥ 성실한; 열의 겸의(꽃)의. ⑦ 일 치한, 단결한. ~ *blessedness*[諧] 독신(Sh.). ~ *combat* 〔둘의〕 맞싸움. *with a ~ eye* 성실성의로, ~ ① 한개, 단일, [野] 단타(單打); ② [테니스] 단식 시합, 싱글. — *vt.* 단독으로 하다.

single-bréasted *a.* (윗도리·코트 가) 싱글의, 홀 단추의.

single-handed *a., ad.* 한 손[사람]의; 한패음의, 성실한; 단독으로 하는.

single-minded *a.* 성실한.

sin·gle·ness[síŋglnis] *n.* ⓤ 단일, 단독; 성의.   〔親〕 가정.

single párent fámily 편친(子가.

sin·gly[síŋgli] *ad.* 혼자서, 단독으로; 하나씩; 차례로.

sing·song[síŋsɔ̀:ŋ/-sɔ̀ŋ] *n., a., vi.* *a.* ~, (단조(로운)); ⓒ(英)즉흥 노래(성악) 대회; 단조롭게 노래하다.

:sin·gu·lar[síŋgjələr] *a.* ① 단 하나의, 개개의; 각각의; [文] 단수의, ② 독특한; 훌륭한, 멋진; 이상(기묘)한, 현저한. — *n.* ~ (the ~) [文] 단수(형). ~ *ly* *ad.* ~ *ness*, **-lar·i·ty**[̀-lǽrəti] *n.* ① 이상, 기이; 기이한 버릇; 비범; 단독.

sin·is·ter[sínistər] *a.* ① 불길한; 사악한, 음험한, 부정직한; 불행한. ② [紋] 방패의 왼쪽(마주 보아 오른쪽)의, 왼쪽의. ~ *ly* *ad.*

:sink[siŋk] *vi.* (*sank, sunk; sunk, sunken*) ① 가라앉다, 침몰하다; (해·달 등이) 지다; 내려앉다. ③ 쇠약해지다; 몰락[타락]하다. ④ 스며

다(*in, into, through*). ⑤ 우묵(홀
쪽)해지다, 쑥 빠지다; 처지다, 낮아
지다, (바람이) 잔잔해진다. — *vt.*
① 가라앉히다, 침몰시키다 — 낮추
다, 내리다, 떨어뜨리다. ③ 약하게
하다; 낮게 하다; 줄이다. ⑤ (재산
을) 잃다; (자본을) 무익하게 투자하
다. ③ 조각하다, 새겨 넣다; 파다.
④ (국채를) 상환하다; ⑦ (이름·신분
을) 숨기다; 무시하다. — **oneself**
사리(私利)를 버리고 (남을 위하다).
~ **or swim** 운을 하늘에 맡기고, 성
패간에. ~ **the shop** 직업(전문)을
숨기다. — *n.* ⓒ (부엌의) 수채; 하
수구(溝), 구정물통; 소굴(*a* ~ *of
iniquity* 악덕의 소굴). ~**er** *n.* ⓒ
[野] '싱커'(드롭시킨 투수가 던지는
공); 《美俗》 도넛.

sin·less [sínlis] *a.* 죄 없는. 「인.
sin·ner [sínər] *n.* ⓒ (도덕상의) 죄
Si·no· [sáinou, -nə, sín-] '중국의
뜻의 결합사.
sin·u·ous [sínjuəs] *a.* 꾸불꾸불한;
빙빙그러진; 복잡한. ~**ly** *ad.*
si·nus [sáinəs] *n.* (*pl.* ~**es**; ~)
ⓒ 꾹묵한 데; [解] 동(洞), 두(竇),
(특히) 정맥동; [植] 누(縷).
si·nus·i·tis [sàinəsáitis] *n.* Ⓤ
[醫] 정맥동염 (靜脈洞炎); 부비강염(副
鼻腔炎).

sip [sip] *n.* ⓒ 한 모금, 한번 홀짝임
[마심], *v.*, *vi.* (**-pp-**) 홀짝홀짝
마시다[빨다].
si·phon [sáifən] *n.*, *vt.*, *vi.* ⓒ 사
이펀(으로 빨아올리다), 을 통하하다.
sir [強 səːr, 弱 sər] *n.* ① 님, 선생
(님), 나리, 각하! 이봐! (상대를 때 부
위칭). ② (*pl.*) (상용문구) 각위(各位),
여러분. ③ [S-] 경(卿)(*knight*
또는 *baronet*의 이름 또는 성에 붙
임.
sire [saiər] *n.* ⓒ ① 노년자; 장로.
② 폐하, 전하(군주에의 경칭). ③
《詩》아버지, 부조(父祖). ④ 씨말.
— *vt.* (씨말이) 낳다(beget).
si·ren [sáiərən] *n.* ① [S-] 【그神】
사이렌(아름다운 노랫소리로 뱃사람을
유혹하여 난파시켰다는 요정). ② 《比》
미성(美聲)의 가수; 인어. ③ 경고
신호; 사이렌. — *a.* 매혹적인.
sir·loin [sə́ːrlɔin] *n.* Ⓤⓒ 소의 윗

부분의 허리고기.
si·roc·co [sirákou/-5-] *n.* (*pl.*
~**s**) ⓒ 시로코 바람; (기분이 나쁜)
열풍.
si·sal (**hemp**)[sáisəl(-), sfs-] *n.*
Ⓤ 사이잘삼(로프용).
sis·sy [sísi] *n.* ⓒ 소녀; 《口》여자
같은(나약한) 사내(아이).
sis·ter [sístər] *n.* ⓒ ① 자매, 언
니, 누이(누나·여동생). ② 여자 친구
[회원]. ③ 【가톨릭】수녀. *be like*
~**s** 매우 다정하다. — *a.* 자매의[와
같은]; 짝(쌍)의. ~ **language**
어. *the* **three Sisters** 【그神】운명
의 3여신. ~**hood** [-hûd] *n.* Ⓤ 자
매의 관계[정]; Ⓒ (종교적인) 여성
단체, 부인회. ~**ly** *ad.*
sister-in-law *n.* (*pl.* **sisters-**)
올케·시누이·형수·제수·처남댁·처형
처제 등.
sit [sit] *vi.* (**sat,** 《古》 **sate; sat;**
-tt-) ① 앉다, 걸터 앉다, 착석하다.
② (선반 따위의) 얹혀 있다. ③ (새
가) 앉다; 알을 품다. ④ (옷이) 맞다
(~ *well* [*ill*] *on him*). ⑤ (바람
이) 불다; 출석하다. ⑥ (지위를 갖
다; 의원이 되다(~ *in Congress*).
⑧ 개최(개정)하다. — *vt.* 착석시키
다; (말을) 타다. *make* (*a person*)
~ *up* 《俗》깜짝 놀라게 하다; 고생
시키다. ~ *at home* 집에 틀어박히
다. ~ *back* (의자에) 깊숙이 앉다;
일을 끝마치다; 아무 일도 하지 않고
일이 일어나기를 기다리다. ~ *down*
앉다; 착수하다(*to*); (모욕을) 감수하
다(*under*). ~ *for* (시험을) 치르다;
(초상화를) 그리게 하다, (사진을) 찍
게 하다; (선거구를) 대표하다. ~
heavy on (*a person*) 먹은 것이 얹
히다. 정체하다; 괴롭히다. ~ *in*
judgment on (의견·태도를) 비판하
다; 판정하다. ~ *light on* 부담(고통)이 되지
않다. ~ *loosely on* (의견·주의 등
이) 중요치 않다. 아무래도 좋
다. ~ *on* [*upon*] (위원회 따위의)
일원이다; 【口】 억제하다.
~ *on one's* HANDs. ~ *on the*
fence 형세(기회)를 관망하다. ~
out (댄스 따위에) 속에 끼지 않
다; (음악회·시험장에서) 마지막까지
남다; (딴 손님보다) 오래 앉아 있다.

S

~ under …의 설교를 듣다. **~ up** 일어나다; 상반신을 일으키다; 자지 않고 있다(~ **up late** 밤 늦게까지 안 자다); 깜짝 놀라다, 깜짝 놀라 정신차리다. **'sít·ter** n. ⓒ sit하는 사람, 착석자; BABY-SITTER(俗) 수월한 일. **sit·ting** [sítiŋ] n. ⓤ 착석; ⓒ 한 차례의; 회기; 개정(기간). **at a** [**one**] **sitting** 단숨에.

sit·com [sítkàm/-ɔ̀-] n.(美俗)= SITUATION COMEDY.

sít·dòwn (**strike**) [´-dàun(-)] n. ⓒ 좌업 파업. 「부지.

site [sait] n. ⓒ 위치, 장소; 용지.

sit-in n. ⓒ 연좌 (농성) 항의(특히 미국의 인종차별에 대한).

sitting dúck 손쉬운 표적(easy

'sitting ròom 거실. 「target).

sit·u·ate [sítʃuèit] a.(古) 위치한(at, on); 입장에 놓인.

'sit·u·at·ed [sítʃuèitid] a. 있는, 위치한(at, on); 입장에 놓인.

'sit·u·a·tion [sìtʃuéiʃən] n. ⓒ ① 위치, 장소; ② 형세; 입장, 처지, ③ 지위, 직(職); ④ (연극의) 아슬아슬한 고비. 「미디.

situátion còmedy [TV] 연속 코

sít·ùp n. ⓒ 반듯이 누워다가 상체만 일으키는 복근(腹筋) 운동.

'six [siks] n., a. ⓒ,ⓤ 6(의). **at ~es and sevens** 혼란하여; 불일치하여. **gone for ~**(英軍) 전무슨 행방불명되어; It's ~ of one and half-a-dozen of the other. 오십보 백보다. ~-**fòld** a., ad. 6배의(로), 6 겹의(으로).

'six·pence n. ⓒ(英) 6펜스; 6펜스 은화(1971년 2월 폐지).

síx-shóoter n. ⓒ 6연발 권총.

'six·teen [síkstín] n., a.(ⓒ,ⓤ) 16 (의). ~**th** n., a. 제16(의); 16분의 1(의)(a sixteenth note [樂] 16분음표).

'sixth [siksθ] n., a.,ⓤ 여섯째(의); 6분의 1(의); [樂] 제 6 도(음정); (英) 6학년(=~ form).

síxth sénse 제6감, 직감.

'six·ty [síksti] n., a.ⓒ,ⓤ 60(의). ~**·ti·eth** n., a.ⓤ 60(번)째(의); 60 분의 1(의).

siz·a·ble [sáizəbl] a. 꽤 큰.

†**size**[saiz] n. ① ⓤ,ⓒ 크기, 치수; ⓒ (모자·구두 따위의) 사이즈, 형. ② (the ~)(口) 실정. **be of a ~** 같은 크기(with). — vt. 어느 크기로 짓다; (…을) 크기별로 가르다; (…의) 치수를 재다. ~**down** 축소하다. ~**up**(口) 치수를 어림잡다; (남을) 평가하다; 어떤 크기(치수)에 달하다.

size[saiz] n., vt. ⓤ 반수(攀水)(를 칠하다); 풀(먹이다.

siz·zle [sízl] vi. 지글지글하다. — n.(sing.) 지글지글하는 소리.

'skate[skeit] n., vi. ⓒ 스케이트 구두(의 날); 롤러 스케이트; 스케이팅을 지치다. **get** [**put**] **one's ~ on**(口) 서두르다. ~**over**(이야기 중에서) 잠깐 언급하다[지나치다]. **'skát·er** n. ⓒ 스케이트 타는 사람.

skate² n. ⓒ [魚] 홍어.

skáte·bòard n. ⓒ 스케이트보드(바퀴 달린 길이 60cm 정도의 활주판, 그 위에 타고 서서 지침).

skát·ing [´-iŋ] n. ⓤ 스케이트.

skáting rìnk 스케이트장.

skein [skein] n. ⓒ 타래 다발; 엉클림 (기러기 따위의) 떼.

skel·e·tal [skélətl] a. 골격의; 해골의(같은).

skel·e·ton [skélətn] n. ⓒ 골격; 해골; 여윈 사람[동물]; 해골의, 골자, 윤곽. — a. 해골의; 여윈(family ~; ~ **in the cupboard** (남에게 숨기고 싶은) 집안의 비밀. ~ **at the feast** 흥을 깨뜨리는 것. ~**·ize**[-àiz] vt. 해골로 하다; 개요를 추리다 (summarize); 인원을 대폭 줄이다.

skéleton kéy (여러 자물쇠에 맞는) 결쇠.

skep·tic,(英) **scep-** [sképtik] n. ⓒ 의심 많은 사람, 회의론자. — a. 의심 많은. **skep·ti·cism** [-təsìzəm] n. ⓤ 회의주의.

skep·ti·cal [sképtikəl] a. 의심사는, 회의적인.

'sketch [sketʃ] n. ⓒ 스케치; 사생화; 애벌[대충] 그림; 초안, — vt., vi. (…의) 약도[스케치]를 그리다; 사생하다; (…의) 개략을 진술하다.

sketch·bòok n. ⓒ 사생첩, 스케치북; 소품[단편, 수필]집.

sketch màp 약도, 겨냥도.

sketch-y[∠i] *a.* 사생(풍)의; 개략 [대강]의.

skew [skju:] *n.* 비스듬한, 굽은: *[數]* 비대칭의. ── *n.* [UC] 비뚤어짐, 휨; 잘못. ── *vi., vt.* 비뚤어진[일그러진](게 하다); 굽다, 구부리다.

skew-er[skjú:ər] *n., vt.* ⓒ 꼬챙이(에 꿰다)(고기를).

skéw-whiff *a., ad.* 《英口》 비뚤어져.

ski [ski:] *n. (pl.~(s)), vi.* ⓒ 스키(를 타다). ~**er** *n.* ┼~**ing** *n.* [U] 스키(를 타기); 스키술.

skid [skid] *n., vi.* (a ~) (-**dd**-)으로 미끄러지기[지다]《자가》; 옆으로 미끄러짐을 막다; 미끄럼막이;《美俗》 (the ~s) 몰락의 길.

skiff [skif] *n.* ⓒ (혼자 젓는) 작은 배.

ski-ffle[skifəl] *n.* [U] 재즈와 포크송을 혼합한 음악의 일종《냄비·손 따위도 즉석에서 악기로 씀》.

skí jùmp 스키 점프(장).

skil-ful[skilfəl] *a.* = SKILLFUL.

ski lìft 스키어 운반기《케이블 의자》, 리프트.

skill[skil] *n.* [U] 숙련, 교묘, 솜씨 *(in, to to). *~**ed**[-d] *a.* 숙련된.
:skil·l·ful[∠fəl] *a.* 숙련된, 교묘한. *skill·ful·ly ad.*

skil·let[skílit] *n.* ⓒ 《美》 프라이팬; 《英》 스튜 냄비.

skim[skim] *vt. (-mm-)* ① (찌끼 따위를) 떠[걷어]내다(off). ② (표면을) 스치다, 미끄러져 나가다. ③ 대충 훑어 읽다. ── *vi.* 스쳐 지나가다(along, over); (살얼음·찌끼 등이) 덮이다. ── *the cream off …*의 노른자위를 빼내다. ∠·**mer** *n.* ⓒ skim하는 사람(기); 그물 국자.

skim mílk 탈지유.

skimp[skimp] *vi.* 찔끔찔끔[감질나게] 주다; 바싹 줄이다[조리차하다], 절약하다 (일을) 날림으로 하다.

:skin[skin] *n.* [UC] 피부, 가죽. ② [UC] 가죽 제품; (술의) 가죽 부대. ③ ⓒ 《美俗》 구두쇠; 사기꾼. *be in (a person's) ~* (아무의) 입장이[처지가] 되다. *by [with] the ~ of one's teeth* 가까스로, 간신히.

have a thick [thin] ~ 둔감[민감]하다. *in (with) a whole ~* (口) 무사히. *jump out of one's ~* (기쁨·놀람 따위로) 펄떡 뛰다. *save one's ~* (口) 부상을 안 입다. ── *vt. (-nn-)* … 의 가죽을 벗기다; 살가죽이 벗어지게[까지] 하다. ② 가죽으로 덮다(over). ③ 《俗》빼앗다, 속이다.
━━━━ 〔한.

skin-déep *a.* 얕은, 피상적인; 천박한.

skin-diver *n.* ⓒ 스킨다이빙하는 사람.

skin díving 스킨다이빙.

skin-flint *n.* ⓒ 구두쇠.

skin-ful[skínfùl] *n. (a ~)* 가죽 부대 하나 가득; (口) 배불리, 잔뜩.

skin-hèad *n.* ⓒ 《英》스킨헤드족《장발족에 대항하여 머리를 빡빡 깎은 전투적 보수파 청년》.

skin-ny[∠i] *a.* 가죽과 같은; 바싹 마른.

skin-tight *a.* 몸에 꼭 끼는.

skip[skip] *vi. (-pp-)* ① 뛰다, 줄넘기하다; 뛰놀다, 뛰어다니다. ② 건너뛰다, 빠뜨리다(over). ③ (口) 급히 떠나다. ── *vt.* ① 가볍게 뛰다(물을 뛰어 스치거나 《stones on a pond》); (군데군데) 건너 뛰다, 빠뜨리다. ── *n.* ⓒ 도약(跳躍); 줄넘기; 건너뜀; [컴] 넘김, (行·페이지의) 뛰어 넘어 물림.

skip·per *n., vt.* ⓒ (어선·작은) 상선 선장의 선장(으로 근무하다); (팀의) 주장; 《美空軍》 기장(機長).

skípping ròpe 줄넘기줄.

skirt[skə:rt] *n.* ① ⓒ (옷의) 자락, 스커트. ② (pl.) 가장자리, 변두리; 교외(outskirts). ③ ⓒ 《俗》계집(애). ── *vt.* …의 가장자리를[스커트를] 달다; (…과) 경계를 접하다. ── *vi.* 변두리(경계)에 있다[살다]; 가에 따라 나아가다(along).

skit[skit] *n.* ⓒ 풍자문(文), 희문(戱文); 익살극.

skit-tish[skítiʃ] *a.* (말 따위) 잘 놀라는; 변덕스러운(fickle); 수줍어하는(shy).

skit·tles[skítlz] n. pl. 구주희(九柱戱). **beer and ～** 마시며 놀며 (하는 태평 생활). **S-!** 시시하게!

skú·a(*gúll*)[skjúːə(-)] n. ⓒ 〔鳥〕 큰갈매기; 도둑갈매기.

skul·dug·ger·y[skʌldʌ́gəri] n. ⓤ 《美口》 부정 행위; 사기, 속임수.

skulk[skʌlk] vi. 숨으머니·(몰래) 달아나다(behind); 기피하다; = **∠·er** skulk하는 자; 이러däì.

skull[skʌl] n. ⓒ 두개골; 머리; 두뇌. **have a thick ～** 둔감하다.

skúll and cróssbones (죽음의 상징인) 해골 밑에 대퇴골을 열십자로 짝지은 그림(해적기, 독약의 표지).

skúll·càp n. ⓒ 테 없는 모자.

skunk[skʌŋk] n. ⓒ 《북미산》 스컹크; ⓤ 그 털가죽; ⓒ 《口》 역겨운 녀석. — vt.《美俗》 《競》 영패시키다.

sky[skai] n. (종종 pl.) 하늘; (the ～) 천국; (종종 pl.) 날씨. **laud [praise] to the skies** 몹시 칭찬하다[치살리다]. **out of a clear ～** 갑자기, 느닷없이.

ský-blúe a. 하늘색의.

ský-diving n. 스카이 다이빙.

ský-hígh a., ad. 까마득히 높은[높이].

ský·làrk n. ⓒ 종달새. — vi. 법석대다, 희롱거리다.

ský·light n. ⓒ 천창(天窓).

ský·line n. ⓒ 지평선; 하늘을 배경으로 한 윤곽선(산·나무 따위의).

ský·rocket n., vi., vt. ⓒ 쏴올리는 꽃불(처럼 높이 솟구치며), 폭등하다 [시키다] (값이 유별하게 하다).

ský·scraper n. ⓒ 마천루, 고층 건축물.

ský·ward ad., a. 하늘 위로(의). **～s** ad.

slab[slæb] n., vt. (**-bb-**) ⓒ 석판 (石版), 두꺼운 판(평판(平板))(으로) 하다); (고기의) 두껍게 베 조각.

slack[slæk] a. ① 느슨한, 느즈러진, 늘어진. ② 느린 느슨한; 긴장이 풀린, 느린 ③ 침체된, (날씨가) 활발치 못한; 경기 나쁜. — n. ① ⓤⓒ 느즈러짐, 느즈러짐. ② ⓒ 불황기. ③ (pl.) 슬랙스(느슨한 바지). — vi., vt. ① 느슨[느즈러]지다, 늦추다. ② 약해지다, 약하게

하다. ③ 게으름 부리다. **～ off** 늦추다; 게으름피다. **～ up** 속력을 늦추다; 게으름피다. **∗∠·en** vi., vt. = SLACK. **∠·er** n. ⓒ 게으름뱅이; 병역 기피자. **∠·ly** ad. **∠·ness** n.

slack[slæk] n. ⓤ 분탄(粉炭).

slacks[slæks] n., pl. ⇨SLACK¹.

slag[slæg] n., vt., vi. (**-gg-**) ⓤ (광석의) 용재(鎔滓)[슬래그](로 만들다, 가 되다.

slain[slein] v. slay의 과거분사.

slake[sleik] vt. (불을) 끄다, (갈증을) 풀다, (노여움을) 누그러뜨리다; (원한을) 풀다; (석회를) 소화(消和) 하다. — vi. 꺼지다, 풀리다, 누그러지다; (석회가) 소화되다.

sla·lom[sláː-ləm, -loum] n. (Norw.) ⓤ (보통 the ～) 《스키》 회전 경기.

slam[slæm] n., vt., vi. (**-mm-**) ⓒ (문을) 쾅(하고 닫다, 닫히다); 쾅(하고 내던지다); (vt.) 《美口》 흑평 (하다); 《카드》 전승(하다).

slan·der[slǽndər, -áː-] n., vt. ⓤ,ⓒ 중상(하다); 〔法〕 비훼(誹毁)하 다. **∠·er**[-ər] n. **～·ous**[-əs] a. 중상적인, 헐뜯는. **～·ous·ly** ad.

slang[slæŋ] n. ⓤ 속어. — vi. 속어를[야비한 말을] 쓰다. **∠·y** a.

slant[slænt, -áː-] n., vi., vt. (sing.) 경사(경사)(지다), 기울(지게 하다). ① 경향(의 있다); 기울(게 하)다, (vt.) 편견으로 말하다[쓰다]. ② ⓒ 《美口》 (특수한) 견지, **∠·ing·ly** a. (ad.) **∠·wise** ad., a. 비스듬히[한].

slap[slæp] n., ad., vt. (**-pp-**) ⓒ 철썩(하고), 손바닥으로 때림[때리다], 모욕; 털복[쾅](놓다, 던지다) 《口》 정면으로.

sláp-báng, **sláp-dàsh** ad., a. 무턱대고(인); 엉터리로[인].

sláp-háppy a. 《口》 (펀치를 맞고) 비틀거리는; 머리가 문란.

sláp·stick n., a. 《어릿광대의》 끝이 갈라진 타봉=타령(打棒); ⓤ 익살극.

slash[slæʃ] n. ① ⓒ 획 내리침, 벰[베기], 난도질(치다); 깊숙이 베인 (벰). ② ⓒ 폭빽 책책질하다(함). (옷의 일부가) 터놓은 자리(를 내다). ④ 삭제[삭감](하다). ⑤ 흑평(하다). ⑥ 사선(/). **∠·ing** a. 맹렬한, 신랄

한. 《口》 멋진, 훌륭한.

slat[slæt] *n., vt.* (**-tt-**) ⓒ (나무·금속의) 얇고 좋은 조각(으로 대다).

slate[sleit] *n., vt.* ① ⓒ 슬레이트(로 지붕을 이다); ⓤ 점판암(차색岩). ② ⓒ 석판(石板)[예정표](에 적다); ⓤ 석판색(靑회색). ③ ⓒ 《美》후보자 명부(에 등록하다). *clean* ~ 훌륭한 기록[경력]. *clean the* ~ (공약·의무 등을) 일체 백지로 돌리다. 과거를 청산하다(口 새 출발하다).

slate² *vt.* 《英》혹평하다.

slat·tern[slætərn] *n.* 칠칠치 못한[흘게늦은] 계집. ~·ly *a.*

slaugh·ter[slɔ́ːtər] *n., vt.* ⓤ 도살(하다); ⓤⓒ (대량) 학살(하다). ~·**ous**[-əs] *a.* 잔학한.

sláughter hòuse 도살장; 수라장.

Slav[slɑːv, slæv] *n., a.* ⓒ 슬라브인(의); 슬라브어의; (the ~s) 슬라브 민족(의).

slave[sleiv] *n., vi.* ⓒ 노예(처럼 일하는 사람); 뼈빠지게 일하다(*at*). **sláve driver** 노예 감독인; 무자비하게 부리는 주인.

slav·er¹[sléivər] *n.* ⓒ 노예상(인); 노예(무역)선.

slav·er²[slǽvər] *n., vi., vt.* 침(을 흘리다, 으로 더럽히다); 낮간지러운 아첨을 하다.

slav·er·y[sléivəri] *n.* ⓤ 노예의 신분; 노예 제도; 고역, 중노동.

sláve tràde 노예 매매.

slav·ish[sléiviʃ] *a.* 노예적인; 비열한, 비굴한, 천한; 독창성이 없는. ~·ly *ad.*

Sla·von·ic[sləvánik/-ʃ] *a., n.* ⓒ (유고 북부의) Slavonia의(사람). ⓤ 슬라브어의.

slay[slei] *vt.* (**slew; slain**) 《詩》 끔찍하게 죽이다, 학살하다, 죽이다(kill); 파괴하다.

slea·zy[slíːzi] *a.* (천 따위) 여린, 얄팍한.

sled[sled] *n., vi., vt.* (**-dd-**) 썰매(로 가다, 로 나르다).

sledge[sledʒ] *n., vi., vt.* = SLED; 《英》= SLEIGH.

sleek[sliːk] *a.* (털이) 야드르르하고 부드러운, 함함한; 단정한(tidy); 말솜씨가 번드러운. ― *vt.* 매끄럽게 하

다, 매만지다; 단정히 하다. ~·**ly** *ad.*

sleep[sliːp] *vi., vt.* (**slept**) ① 자다; 묵다, 숙박시키다; 《口》이성과 자다. ② (*vi.*) 마비되다; 정지되어 있다. ~ *around* 《俗》아무하고나 (성적으로) 헤프다. ~ *away* 잠을 자며 보내다; (두통 따위를) 잠을 자서 고치다. ~ *off* 잠을 자 잊어버리다(고치다). ~ *on* (*over, upon*) 《口》…을 하룻밤 자며 생각하다. 내일까지 미루다. ~ *out* 자며 보내다; 잠을 자는 동안 내내 …하다 ― *out the whisk(e)y, wine, &c.*) 외박하다. (고용인이) 통근하다. ― *n.* ① (a ~) 수면 (시간); ② ⓤ 잠들, 영면; 동면(冬眠). ② ⓤ 마비; 정지(靜止) (상태). *go to* ~ 잠자리에 들다. 자다. *one's last* [*long*] ~ 죽음. ~·**er** *n.* ⓒ 자는 사람; 침대차; 《英》 침목(tie); 《美口》뜻밖에 성공하는 사람. ~·**less** *a.*

sléeping bàg (등산·탐험용의) 침낭(寢囊).

sléeping càr [[《英》càrriage]] 침대차.

sléeping pártner 《英》익명 조합원[관계자]. 《제.

sléeping píll (정제·캡슐의) 수면제.

sléeping sìckness 수면병.

sléep·wàlker 《美》몽유병자.

sleep·y[slíːpi] *a.* 졸린; 졸음이 오는 듯한. **sléep·i·ly** *ad.* **sléep·i·ness** *n.*

sleet[sliːt] *n., vi.* ① 진눈깨비(가 내리다). ~·**y** *a.*

sleeve[sliːv] *n., vt.* ⓒ 소매(를 달다). *have* ... *up* [*in*] *one's* ~ (…을) 몰래(口가) 준비하다. *laugh in* [*up*] *one's* ~ 속으로 웃다(우스워하다). ~·**less** *a.* 소매 없는.

sleigh[slei] *n., vi., vt.* ⓒ (대형) 썰매(로 가다, 로 나르다). ~·**ing** *n.* ⓤ 썰매 타기.

sleight[slait] *n.* ⓤⓒ 책략, 술수, 속씨. ~ *of hand* 재빠른 손재주; 요술.

slen·der[sléndər] *a.* ① 가느다란, 가냘픈, 마른(slim). ② 빈약한, 얼마 안 되는, 미덥지 못한(*a* ~ *meal, hope, ground, &c.*). ~·**ize**[-ràiz]

slept [slept] *n.* sleep의 과거(분사). ―(으)로야 일하다.

sleuth [sluːθ] *n., vi.* 《口》탐정〔탐정하다〕.

Š lèvel 대학 장학금 과정(Scholarship *level*의 단축형).

†**slew¹** [sluː] *v.* slay의 과거.

slew² *v.* =SLUE.

slew³ *n.* (a ~) 《口》많음.

†**slice** [slais] *n.* ⓒ① 《빵·고기 등의》 베어낸 한 조각,《생선의》한 점. ② 부분, 몫(share). ③ 얇게 저미는 식칼, 얇은 쇠주걱(spatula). ④《골 프》곡구(曲球)《오른손잡이면 오른쪽으로, 왼손잡이면 왼쪽으로 날아감》. ―*vt., vi.* 얇게 베다〔베어내다〕; 나누다；《골프》곡구로 치다.

†**slick** [slik] *a.* ① 매끄러운; 번드르르한. ②《口》말솜씨가 번지르르한; 교활한(sly); 교묘한. ③《美俗》최상의. ―*n.* ⓒ 매끄러운 곳; 《口》《광택지를 사용한》 잡지. ―*ad.* ① 매끄럽게; 교묘하게; 교활하게. ② 바로, 정면으로. **run ~ into** ……과 정면으로 충돌하다. **~·er** *n.* ⓒ《美口》레인코트; 《美口》사기꾼; 도시 출신의 세련된 사람.

†**slide** [slaid] *vi., vt.* **slid; slid, 《美》slidden**》미끄러지다〔게 하다〕; 미끄러져 가다〔지나가다〕; 《수렁·죄악 따위에》 스르르 빠져들다(*into*). **let things ~** 일이 되어가는 대로 내버려두다. ―*n.* ⓒ① 미끄러짐, 활주; 《野》슬라이딩. ② 단층(斷層); 《砂汰》》③《화물용의》미끄러져 떨어뜨리는 대(臺). ④ 슬라이드《환등·현미경용의》.

slide rúle 계산자.

sliding dóor 미닫이.

sliding scále 《經》슬라이딩 스케일, 종가 임금(從價賃金) 제도; 《物》= SLIDE RULE.

†**slight** [slait] *a.* 근소한, 적은; 모자라는; 가냘픈, 홀쪽한; 약한, 하찮은. ―*n., vt.* 경멸(*to, upon*); 얕〔깔〕보다. **~·ly** *ad.* 조금, 약간. **~·ing·ly** *ad.*

†**slim** [slim] *a.* (**-mm-**) 홀쪽한, 가느른; 약한; 빈약한; 하찮은, 근소한. ―*vi., vt.* (**-mm-**) 가늘어〔홀쪽

해〕지(게 하)다. **~·ly** *ad.*

slime [slaim] *n.* Ⓤ 찰흙(물로기 따위의》점액(粘液). ―*vt.* 찰흙〔점액〕을 칠하다〔벗기다〕. **slím·y** *a.* 끈적끈적한; 불쾌할 만큼 더러운; 굽실굽실하는.

slim·ming *n.* Ⓤ 살빼기 위한 감식(減食)·운동.

†**sling** [sliŋ] *n.* ⓒ 투석(기); 삼각붕대; 《총의》 멜빵; 매다는 사슬. ―*vt.* **slung,** 《古》**slang; slung**》투석기로 던지다; 매달아 올리다; 매달다.

slíng·shòt *n.* ⓒ《美》《고무줄》새총, 투석기.

slink [sliŋk] *vi.* (**slunk, 《古》slank; slunk**) 살금살금《가만히》걷다, 가만히〔살며시〕 도망치다(sneak).

slink·y [⁼] *a.* 살금살금하는, 사람 눈을 피하는;《여성복이》부드럽고 몸에 쪽 맞는; 날씬하고 우미한.

†**slip¹** [slip] *vi.* (**~ped,《古》slipt; ~ped; ~ping**) ① 《쪼르르》 미끄러지다, 살짝《가만히》들어가〔나가〕다. ② 모르는 사이에 지나가다〔by〕. ③ 깜박 틀리다(*in*). ④ 스르르 빠지다〔벗어지다, 떨어지다〕. ⑤ 몰래〔슬그머니〕 달아나다. ―*vt.* ①《쪼르르》 미끄러뜨리다, 쑥 집어넣다〔끼다(*into*)〕. ② 쑥 절치 입다〔신다〕(*on*); 벗다(*off*), 풀다(*from*). ③ 풀어 놓다. ④《기회 등》 놓치다; 《……할 것을》 슬쩍 무심코 입밖에 내다.《가축이》조산하다. **let ~** 열결에 지껄이다〔이야기하다〕. **~ along** 《俗》 황급히 가다. **~ a** 《*person*》**over on** 《口》…속여서 …에게 이기다. **~ up** 헛딛다〔디디다〕, 틀리다, 실수〔실패〕하다. ―*n.* ⓒ① 미끄러짐, 실수. ②《地》 사태, 단층(斷層). ③ 과실, 실패. ④ 쑥《홀러〕 벗어지는〔빠지는〕 물건, 베갯잇,《여성용의》슬립, 속옷. ⑤ 개의 사슬《줄》. ⑥ 조선대《造船臺》; 《양륙용》사면.《give a 《*person*》*a ~* 《누구의》 눈을 속여》 자취를 감추다.

†**slip²** *n.* ⓒ 나뭇조각, 지저깨비, 전표, 쪽지, 부전(付箋); 꺾꽂이, 가지 접붙이기; 호리호리한 소년〔소녀〕. ―*vt.* (**-pp-**) 《…의》 가지를 자르다〔꺾꽂이하으로〕.

slíp·knòt *n.* ⓒ 풀매듭.

slíp·òn *a., n.* 입거나 벗기가 간단한; ⓒ 머리로부터 입는 식의 (스웨터).

slíp·per [slípər] *n.* ⓒ (보통 *pl.*) 실내화; (마차의) 바퀴멈춤대, **bed** ~ 환자용 변기. — *vt.* (어린이를 징계하기 위해) slipper로 때리다.

slip·per·y [slípəri] *a.* 미끄러운; 믿을 수 없는; 속임수의, 불안정한.

slíp·shòd *a.* 뒤축이 닳은 신을 신은; 단정치 못한(slovenly); (문장 등) 엉성한.

slíp·ùp *n.* ⓒ 잘못, 실책.

slit [slit] *n., vt.* (**slit; ·tt-**) ⓒ 길게 벤자리(를 만들다), 틈[금](을 만들다).

slith·er [slíðər] *vi., vt.* ⓒ 주르르 미끄러지다[짐], ~·**y** [-i] *a.* 미끄러운, 미끌미끌한.

sliv·er [slívər] *vt., vi.* 세로 짜개(지)다[갈라지다], 찢어지다. — *n.* ⓒ 찢어[째]진 조각; 나뭇조각; [紡] 소모(梳毛), 소면(梳綿).

slob [slab] *n.* ⓒ [口] 얼간이, 추레한 사람.

slob·ber [slábər/-5-] *n.* ⓤ 침을 우는 소리; ⓒ 퍼붓는 키스. — *vi., vt.* 침을 흘리다; 우는 소리를 하다. ~·**ly** *a.*

sloe [slou] *n.* ⓒ (미국산의) 야생 자두(열매); = BLACKTHORN.

slog [slag/slɔg] *n., vi., vt.* (**-gg-**) ⓒ 강타(하다); ⓤ 무거운 발걸음으로 걷다[걸음]; 꾸준히 일하다[일함].

slo·gan [slóugən] *n.* ⓒ 함성(**war cry**); 슬로건, (선전) 표어.

sloop [slu:p] *n.* ⓒ [海] 외대박이 돛배.

slop [slap/-ɔ-] *n.* ⓒ 엎지른 물, 흙탕물; (*pl.*) (부엌의) 찌꺼기(돼지 등의 사료); 유동물(流動物)(식食). — *vt., vi.* (**-pp-**) 엎지르다. 엎질러지다. ~ **over** 넘쳐 흐르다; [口] 재잘거리다, 감상에 흐르다.

slope [sloup] *n., vi., vt.* ⓒ 경사면; ⓤⓒ 경사(도). ⓤⓒ 비탈; 경사로를 매기다[게 하다].

slop·py [slápi/-5-] *a.* 젖은, 젖어서 더러워진; 질척질척한; 단정치 못한, 너절한(slovenly); 조잡한; [口] 무척 감상적인.

slosh [slaʃ/-ɔ-] *n.* ⓤ [口] 묽은 음식; = SLUSH. — *vi., vt.* [진창 속을 뛰어다니(게 하)다; 철벅철벅 젓다[씻다]; (*vi.*) 배회하다.

slot [slat/-ɔ-] *n., vt.* (**-tt-**) ⓒ 가늘고 긴 구멍(을 내다); 요금 (넣는) 구멍: [컴] 구멍.

sloth [slouθ, slɔːθ] (〈slov+-TH〉) *n.* ⓤ 나태, 게으름; ⓒ [動] 나무늘보. ~·**ful** *a.* 게으른.

slót machine [英] 자동 판매기; [美] 자동 도박기, 슬롯머신.

slouch [slaut] *n., vi.* ⓒ (앞으로) 수그리다[기], 구부리다[기], 구부정하게 서다[앉다, 걷다]; 그렇게 서기[앉기, 걷기]; [口] 너절한 사람, 게으름뱅이; (모자챙이) 늘어지다. — *vt.* 늘어뜨리다. ~·**y** *a.*

slough[1] [slau] *n.* ⓒ 수렁, 진창; 타락(의 구렁텅이); [slu:] [美·캐나다] 진구렁. ~·**y** *a.*

slough[2] [slʌf] *n.* ⓒ (뱀의) 벗은 허물; 딱지. — *vi., vt.* 탈피하다. (딱지가) 떨어지다. 떼다. ~·**y**[2] *a.*

slov·en [slʌvən] *n.* ⓒ 단정치 못한 사람. ~·**ly** *a., ad.* 단정치 못한[하게]; 되는 대로(의).

slow [slou] *a.* 느린, 더딘; (시계가) 늦은, 둔한; 좀처럼(…에 관해서) 않는(**to do**). ③ 재미없는(dull). — *ad.* 느리(더딘)게, 느릿느릿. — *vt., vi.* 더디게[느리게] 하다[되다] (**down, up, off**). ~·**ly** *ad.*

slów-mótion *a.* 느린, 굼뜬; [映] 고속도 촬영의.

slów·pòke *n.* ⓒ [俗] 머리회전이느린 사람, 굼뱅이.

sludge [slʌdʒ] *n.* ⓤ 진흙, 진창; 질척질척한 눈; 작은 부빙(浮氷)(성엣장); [機] (기름)찌꺼기; 진흙[진창] (지(沚)리다).

slue [slu:] *n.* 돌(리)다; 비틀[돌리]다.

slug[1] [slʌg] *n.* ① 행동이 느린[게으른] 사람(동물, 사람 따위); ② [動] 괄태충(느린 잎벌레); ③ (구식총의 작은 거룬) 산탄(散彈); 작은 금속 덩어리; ④ [印] 대형의 공목; (라이노타이프의) 1행(분의 활자). — *vi.* [다(하다).

slug[2] [slʌg] *n., vt.* (**-gg-**) ⓒ [美口] 강타(하다).

slug·gish [slʌgiʃ] *a.* 게으른, 게으름 피우는[굼뜬]; 활발하지 못한; 불경기인. ~·**ly** *ad.* ~·**ness** *n.*

sluice[slu:s] *n., vi.* Ⓒ 수문(水門); 봇물, 분류(奔流)(하다). — *vt.* 수문을 열고 흘려보내다; (…에) 물을 끼얹다; 〖採〗 (감흙을) 유수(流水)로 일다; (통나무를) 물에 띄워 보내다.

slum[slʌm] *n., vi.* (**-mm-**) Ⓒ (*pl.*) (더러운) 뒷거리; (the ~s) 빈민굴〔촌〕(을 방문하다).

:**slum·ber**[slʌ́mbər] *n., vi., vt.* Ⓒ,Ⓤ (종종 *pl.*) 잠(자다, 자며 보내다); 휴지(休止)하다. **~·ous**[-əs] *a.* 졸린(듯한); 졸음이 오게 하는; 조용한.

slump[slʌmp] *n., vi.* Ⓒ (가격·인기 따위) 폭락(하다); 부진, 슬럼프.

*__slung__[slʌŋ] *v.* sling의 과거(분사).

slunk[slʌŋk] *v.* slink의 과거(분사).

slur[sləːr] *vt.* (**-rr-**) 가볍게 다루다, 대충 훑어보다, 소홀히〔되는 대로〕하다(*over*); 분명치 않게 계속 말하다〔쓰다〕; 〖樂〗 계속해서 연주〔노래〕하다; 모욕〔중상〕하다, 헐뜯다. — *n.* Ⓒ 또렷치 않은 연속 발음; 〖樂〗 연결기호, 슬러《또는》; 모욕, 중상(*on, at*).

slur·ry[slə́:ri] *n.* Ⓤ 슬러리《물에 점토, 시멘트 등을 혼합한 현탁액》.

slush[slʌʃ] *n.* Ⓤ 눈석임, 진창, 곤죽; 푸념; 윤활유(grease); 《美俗》 뇌물; 위조 지폐. **∠·y** *a.*

slúsh fùnd 《美》 부정 자금, 뇌물〔매수〕 자금; (배·군함의 승무원·봉급자 따위의).

slut[slʌt] *n.* Ⓒ 흘게늦은〔칠칠지 못한〕 계집; 몸가짐이 헤픈 여자, 계명워리, 《美》 매춘부; 《諧》 계집애; 암캐. **∠·tish** *a.* 단정치 못한.

:**sly**[slai] *a.* ① 교활한, 음흉한. ② 은밀한. ③ (눈·윙크 등) 장난스러운, 익살맞은. ***on the*** **~** 은밀히, 몰래. **~ *dog*** 교활한 자식. **∠·ly** *ad.* 교활하게; 음험하게; 익살맞게.

*__smack__[1][smæk] *n.* Ⓒ 맛, 풍미; (a ~) 기미. — *vi.* 맛이〔기미가〕 있다(*of*).

*__smack__[2] *n., vt., vi.* Ⓒ 혀차기, 입맛다심; 혀를 차다, 입맛을 쩍쩍 다시다; 찰싹 때리다; (입술을) 쪽하고 소리내다; 쪽하는 키스(를 하다). — *ad.* 《口》 찰싹; 갑자기, 정면〔정통〕으로. **∠·ing** *a.* 입맛다시는; 빠른; 강한.

smack[3] *n.* Ⓒ 《美》 활어조(活魚槽)가 있는 어선.

smack·er[smǽkər] *n.* Ⓒ 입맛 다시는 사람; 철썩 때리는 일격; 《美俗》 달러; 《英俗》 파운드; 《英》 굉장한 물건, 일품.

†**small**[smɔːl] *a.* 작은; 좁은; (수입 따위) 적은; 시시한, 하찮은, 인색한(*a man of* **~** *mind* 소인(小人)); 떳떳지 못한, 부끄러운. ***and*** **~** ***wonder*** …이라고 해서 놀랄 것은 못 된다. ***feel*** **~** 떳떳지 못하게〔부끄럽게〕 여기다. ***look*** **~** 풀이 죽다. ***no*** **~** 적지 않은, 대단한. — *ad.* 작게, 잘게; 작은 (목)소리로. ***sing*** **~** 겸손하다. — *n.* (the ~) 작은 부분〔물건〕, 소량; 세부; (*pl.*) 《英口》 (자질한) 빨래. ***a*** **~** ***and early*** 빨리 파해버리는 적은 인원의 만찬회. ***in*** **~** 작게, 소규모로. ***the*** **~** ***of*** …의 가장 가는 부분(*the* ~ *of back* 잔허리).

smáll árms 휴대용 무기.

smáll béer 《英古》 약한 맥주; 《집합적》 《英口》 하찮은 것〔사람〕.

smáll chánge 잔돈; 시시한 이야기〔소문〕.

smáll frý 《집합적》 어린애들, 갓난애, 작은 동물, 동물의 새끼, 작은 물고기; 시시한 친구들〔것〕.

smáll hólder 《英》 소(小)자작농.

smáll hólding 《英》 소자작 농지.

smáll hóurs 한밤중《1·2·3시경》.

smáll-mínded *a.* 도량이 좁은, 비열한, 째째한.

small·ness[smɔ́:lnis] *n.* Ⓤ 미소(微小); 미소(微少); 빈약.

*__smáll·pòx__ *n.* Ⓤ 〖醫〗 천연두.

smáll·scále *a.* 소규모의; 소축척의《지도》.

smáll tàlk 잡담, 세상 이야기.

smáll-tíme *a.* 《口》 시시한, 보잘것없는, 삼류의.

smarm[smɑːrm] *vt.* 《英口》 (기름쳐) 매끄럽게 하다; 뒤바르다; 빌붙다. **∠·y** *a.* 《英口》 몹시 알랑대는.

:**smart**[smɑːrt] *a.* ① 약삭빠른, 똑똑한. ② 멋진, 스마트한; 유행의. ③ 빈틈없는, 교활한, 방심할 수 없는. ④ 야발스러운, 깜찍한, 건방진. ⑤ 욱신욱신 쑤시는; 날카로운, 강한. ⑥

돌한, 재빠른; 날렵; 활발한. ⑦ 머
리가 빨리 도는. ⑧《口·方》《금액·
사람·수 따위》 많은(상당한). *a
few* 꽤 많은(많은). —— *n.* ⓒ 아
품. 격통; 고통. 비통. 분개. —— *vi.*
욱신욱신 아프다; 괴로워하다. 분개하
다(*under*). 대갚음을 받다. —— *for*
~ 때문에 벌받다. **<-ness** *n.*

smart al·eck **[àl·ec]** [-álik]
《口》 전방진《잘난 체하는》 녀석.

smart·en [smáːrtn] *vt.*, *vi.* smart
하게 하다(되다).

smart·ly [smáːrtli] *ad.* 세게; 호되
게; 재빠르게.

smash [smæʃ] *vt.*, *vi.* ① 분쇄하다.
박살내다(나다). ② 《사업의》 실패《파
멸, 파산)시키다(하다). ③ 충돌시키다
(하다). —— 《*vi.*》 맹렬
히 나아가다. ③ 《테니스》 스매시하다.
맹렬하게 내리치다《*vt.*》. —— *n.* ⓒ ①
매트러 부숨. ② 엄그럭렁하고 부서지는
소리. ③ 대패; 파손. 충돌. ⑤
스매시. ⑥ 《美》 《음악회·극장의》 대
성공, 대만원. *go to* ~ 《口》 부서
지다; 파산《완패》하다. —— *ad.* 철썩;
철커덩. **<-ing** *a.* ① 분쇄하는. ②
맹렬한; 《상황(商況)이》 활발한 《口》
굉장한.

smash·er [smæʃər] *n.* ⓒ《俗》①
맹렬한 타격《추락》; 적소리 못하게 하
는 의론. ② 분쇄자. 《테니스》 스매시
를 잘하는(선수). ③ 《英》 멋진 사람
[것].

smat·ter·ing [smætəriŋ] *n.* 《a
~》 어설픈(섣부른) 지식.

smear [smiər] *vt.* 《기름 따위를》 바
르다; 《기름 따위로》 더럽히다; 문질
러 더럽히다; 《명성·명예 등》 손상
시키다. 《美俗》 철저하게 해치우다.
—— *vi.* 더럽혀지다. —— *n.* ⓒ 얼룩.
더럽; 중상. **~·y** [smíəri] *a.*
더럽; 얼룩이 진.

smell [smel] *vt.* 《smelt, ~ed》 냄
새맡다; 말아내다. 알아[짐작]채다
《out》. —— *vi.* 냄새맡다; 냄새가 나다
《at》; 악취가 나는; 냄새맡고 다니다;
《…의》 냄새《낌새》가 나다《of》. ——
n. ⓒ 냄새맡음; ⓤ 후각《嗅覺》; 《C.U》
냄새, 《악》취. 《C.U》

smell·ing salts 정신들게 하는 약
《반산암모니아가 주제(主劑)로 됨》.

:smelt [smelt] *v.* smell의 과거《분
사》.

smelt *vt.*, *vi.* 《冶》 용해하다, 제련
하다. 《~er 《冶》 용광로; 제련소.

smid·gen, -gin [smídʒin] *n.* 《a
~》《美口》 소량, 미량.

:smile [smail] *n.*, *vi.* ⓒ 미소《하다》.
방긋거림《거리다》; 방소《하다》《*at*》.
은혜《호의》를 보이다. *smil·ing*
a. 방글거리는, 명랑한.

smirk [sməːrk] *n.*, *vi.*, *vt.* 능글
[능글]맞은 웃음《을 웃다》.

smite [smait] *vt.* 《smote, smit;
smitten, 《古》 smit》 ① 《文語》 때리
다, 강타하다; 죽이다. ② 《병이》 덮
치다; 《욕망이》 치밀다; 《마음을》사
로잡다《*with*》. —— *vi.* 때
리다. 부딪치다《*on*》.

smith [smiθ] *n.* ⓒ 대장장이; 금속
세공장《匠》《cf. goldsmith》.

smith·er·eens [smìðəríːnz] *n. pl.*
《口》 산산조각, 파편.

smith·y [smíθi, -ði] *n.* ⓒ 대장간.
smit·ten [smítn] *v.* smite의 과거
분사.

smock [smɑk/-ɔ-] *n.* ⓒ 작업복,
스목《작업용, 부인·어린이용의 덧옷》.
—— *vt.* 턱을 잡아서 잔주름 주름을
내다. **<-ing** *n.* ⓤ 장식 주름.

:smog [smɑg, -ɔ(-)] *n.* ⓤ 스모그,
연무《煙霧》《spog = smoke + fog》 ——
vt. 《-gg-》 스모그로 덮다. **<-gy** *a.*
스모그가 많은.

:smoke [smouk] *n.* ① ⓤ 연기《같은
것》《연기·먼지 따위》. ② ⓒ 실체
가 없는 것, 공(空). ③ ⓤ 흡연, 담
배 피움(피우는 시간). ④ ⓒ 《보통
pl.》 담배, 엽궐련. ⑤ ⓒ 모깃불;
《口》 모깃불 연기. *end in* ~ 《중도에》
흐지부지되다. *from* ~ *into smother*
갈수록 태산. *like* ~ 《口》 순조롭게; 빨리.
—— *vi.* 연기를 내다, 잘 타지 않
고 연기를 내다《난로 등이 나다》; 담배를
피우다; 얼굴을 붉히다《俗》 대마초
를 피우다. —— *vt.* 그을리다; 연기를
《훈제(燻製)로 하다; 연기를 피워 구제《驅
除》하다《소독》하다 《*out*》; 담배를 피우
다; 담배를 피워 《담배 따위를》 피우
다; 담배를 피워 하다. *~ one's*
time away 담배를 피우며 시간을 보
내다. *~ out* 연기를 피워 몰아내다
(탐지하여) 폭로하다.

smóke·less a. 연기 없는.

smok·er [²ər] n. ⓒ 흡연자(가 a heavy ~); 흡연실[차]; 《美》남자만의 흡연 담화회.

smóke scrèen 연막; 《비유》위장.

smóke·stàck n. ⓒ (공장·기관차·기선 따위의) 큰 굴뚝. ── a. 《철강·화학·자동차 등의》중공업의.

smok·ing [²iŋ] n. ⓒ 흡연. **No** ~ (within these walls). 《구내》 금연 《게시》.

smóking jàcket (남자의) 헐렁한 평상복.

smok·y [²i] a. 연기 나는, 매운; 연기와 같은; 거무칙칙한, 그을은.

smol·der [《英》 **smoul·der**─ [smóuldər] vi. 연기 나다, 내뿜내다; (불만 이) 쌓이다. ── n. ⓒ 《보통 sing.》 내는 불; 연기 나는 [피움].

smooch [smu:tʃ] n., vi. 《a ~》《口》 키스(하다), 애무(하다).

smooth [smu:ð] a. ① 반드러운; 수염 없는; 매끄러운. ② 유창한; 귀에 거슬리지 않은; (소리가) 부드러운; 온화한, 매력으로[비위 맞춰] 남을 끄는, (말 따위가) 번지르르한. ③ 《바다가》 잔잔한. ④ (음료가) 입에 당기는. 《美俗》멋진, **in ~ water** 장해를 돌파하여서. **make things ~** 장해를 제거하고 일을 쉽게 만들다. ── **things ~** 일을 잘됩말다. ── vt. 반드럽 게 하다; 편편하게 고르다, 다리다; 매끈지다; 잘 보이다; 달래다, 가라앉 히다. ── vi. 반드러워[평온해]지다. ── **away [off]** (장애·곤란 등을 없 애다, 반드럽게 하다. ── n. 《a ~》 반드러이 함; 반드러운 부분= 《口》 평 지; 《美》초원. **take the rough with the ~** 곤경에 처해도 태연하 게 행동하다. **◁ness** n.

smooth·ly [smú:ðli] ad. 매끈하게, 유창하게; 평온하게; 거리낌없이.

smor·gas·bord, smör·gas─ [smɔ́:rɡəsbɔ̀:rd] n. (Sw.) 《또》여러 가지 전채(前菜)가 나오는 스웨덴식 식사《때로는 50점시에 이름》.

smote [smout] v. smite의 과거.

smoth·er [smʌ́ðər] vt. (…에게) 숨막히게 하다, 질식시키다; (재를 덮 어) 끄다; (불을) 묻다; (친절·키스 따위를) 퍼붓다; (하품을) 눌러 참다;

쑥쑥[쉬쉬]하다, 묵살하다; 점으로 하 다. ── n. 《a ~》자욱한 연기(먼지, 물보라); 대혼란, 야단법석.

smudge [smʌdʒ] n., vt., vi. 더 럽혀(을 묻히다), 오점(을 찍다), 더럽 히다(더러움); 《美》모깃불(을 피우 다). **smúdg·y** a. 더럽혀진; 선명치 못한; 매운.

smug [smʌɡ] a. (-gg-) 혼자 우쭐대 는, 젠체하는; 말쑥한(neat). **~·ly** a. **~·ness** n. 《새침떼», 젠체함.

smug·gle [smʌ́ɡəl] vt., vi. 밀수(입· 출)하다(in, out, over); 밀항[밀입 국]하다. **smúg·gler** n. ⓒ 밀수업 《선》. **smúg·gling** n. ⓤ 밀수.

smut [smʌt] n. U.C. 그을음, 검댕 (soot); 탄(炭)가루; 얼룩; U 혹구 병, 깜부기병; 외설한 이야기[말]. ── vt., vi. (-tt-) 더럽히다(혀지다); 검게 하다(되다); 깜부기병에 걸리 (게 하)다. **~·ty** a. 그을은, 더럽혀진(깨); 깜부기병의; 외설한.

snack [snæk] n. ⓒ 가벼운 식사, 간식; 맛, 퉁이(smack¹); 몫. **go ~s** (몫을) 반분하다. **Snacks!** 독점 이 나눠라!

snáck bàr 《美》 **còunter** 《美》 간이 식당.

snaf·fle [snæfəl] n., vt. ⓒ (말의) 작은 재갈(로 제어하다); 《英俗》훔쳐 내다, 후무리다(pinch).

snag [snæɡ] n. ⓒ 꺾어진 가지; 가 지 그루터기; 빠진[부러진] 이, 뻐드 렁니; 물에 쓰러진[잠긴] 나무《배의 진행을 방해》; 뜻하지 않은 장애. **strike a ~** 장애에 부딪치다. ── vt. (-gg-) 방해하다; 잠긴 나무에 걸 리게 하다[를 제거하다]. **◁·gy** a.

snail [sneil] n. ⓒ 달팽이; 《비유》굼 벵이, 느림광이. **at a ~'s pace** 《gallop》느릿느릿.

snake [sneik] n. ⓒ 뱀; 《비유》음흉 한 사람. **raise** 《wake》 ~ 소동을 일으키다. **see** ~ 《美口》알코올 중 독에 걸려 있다. ── **in the grass** 숨어 있는 적《위험》. **Snakes!** 빌어 먹을! **warm** 《cherish》 **a ~ in one's bosom** 믿는 도끼에 발등 찍 히다《은혜를 원수로 갚받다》. ── vt. 꿈틀거리다, 뒤틀다; 《美口》잡아 끌 다. ── vi. 꿈틀꿈틀 움직이다.

snák·y *a.* 뱀과 같은; 뱀이 많은; 음 흉한.

snáke·bìte *n.* ⓒ 뱀에게 물린 상 처.

snáke chàrmer 뱀 부리는 사람.

snáke·skin *n.* ⓒ 뱀 가죽; ⓤ 무 두질한 뱀 가죽.

snap [snæp] *vt., vi.* (**-pp-**) 덥석 물 다, 물어뜯다(at); 달려들다; 똑 꺾 다(부러뜨리다); 툭 끊다(끊어지다), 퐝 닫(히)다; (탁) 통기다, 딸깍 소리 내 다; (권총을) 쏘다; 《口》 딱딱거리다; 버럭 소리치다(out); 찰싹때리다; 스냅 사진을 찍다; (vi.) (총이) 불발로 그 치다; 번쩍 빛나(게) 하다; (신경 따위가) 못 견디게 되다; 재빨리 움직이다. ~ **at** 달려들다; 쾌히 응낙하다. ~ **into it** 《美口》본격적으로 시작하다. ~ **one's fingers at** …을 경멸하다, 무시하다. ~ **short** 똑 부러지다; 툭 끊어지다; (이야기를) 가로막다. ~ **up** 덥석 물다; 잡아채다; 버릇없 이 남의 말을 가로채다. — *n.* ⓒ 덥석 물음; 버럭 소리침; 똑부러짐 (따 위), 잘깍 하는 소리; 딱딱 또는 (날 씨의) 급변, 갑작스런 추위; 스냅 사 진; 【野】 급투(急投); ⓤ 《口》활기, 민활함, 정력, 활력; 《口》 수월한 일(과목); 허둥대는 식사; 《美方》 난 동자·여행짜위의) 도시락, 간식; ⓒ 뱀 과자. **not care a** ~ 조금도 상관치 않다. **with a** ~ 뚝하고, ~하고. — *a.* 재빠른, 급한; 《俗》 쉬운. *~·per n.* ⓒ 딱딱거리는 사람; = **snápping túr·tle** (북아메리카의) 큰 자라.

snáp·drágon *n.* ⓒ 금어초(金魚 草).

snáp fàstener 똑딱단추.

snap·py [snǽpi] *a.* 딸깍딸깍(바지 직바지직) 소리나는; 《口》 활기있는; (추위가) 살을 에는 듯한; 스마트한; **snáp·shòt** *n.* ⓒ 속사(速射); 스냅 사진(을 찍다).

snare [snɛər] *n., vt.* ⓒ 덫(함정) (에 걸리게 하다); 올가미; (보통 *pl.*) (복의) 향현(響絃)(장선(腸線)의 일종).

snáre drùm (잘 울리게 향현을 댄) 작은 북.

snarl [snɑːrl] *vi.* (개가 이빨을 드러 내고) 으르렁거리다; 고함치다. —

vt. 호통치다, 소리지르며 말하다. — *n.* ⓒ 으르렁거림; 고함; 으르렁 거리는 소리.

snarl² *n., vi., vt.* ⓒ 엉클어짐; 엉킴 리다, 엉클어지게 하다; 혼란(하다, 시키다).

snatch [snætʃ] *vt.* 와락 붙잡다, 잡 아채다, 급히 먹다(away, off); 용하 게(운좋게) 얻다; 간신히 …에게 넣다 [구해내다](from); 《俗》 (어린이를) 유괴하다(kidnap). — *vi.* 잡으려고 하다, 움켜잡으려 달려들다(at); (제의에) 기꺼이(덥썩) 응하다(at). ~ **a kiss** 갑자기 키스하다. ~ **a nap** 한숨 자 다. ~ **up** 홱 잡아 채(들)다. — *n.* ⓒ 잡아챔, 강탈; 《俗》 유괴 (보통 *pl.*); 짧은 조각, 단편, (음식의) 한 입; 단 시간(*a ~ of sleep* 한잠); ⓒ 《美俗》 여자의 성기, 성교. **by ~es** 때때로 (생각날 때마다). *~·y a.* 단속적(斷續) 의; 불규칙한; 이따금씩의.

snáz·zy [snǽzi] *a.* 《美》 멋진, 일류 의; 매력적인.

***sneak** [sniːk] *vi., vt.* 슬그머니 움직 이다(달아나다), 도망치다, 나가다 (away, in, out); 《口》 후림치기 (vi.) 《英學生俗》 고자질하다; 《英俗》 슬쩍 가지다(from). ~ **out of** …을 슬 쩍(가만히) 빠져나가다. — *n.* ⓒ 비 겁한 사람, 고자질꾼, 밀고자. *~·er n.* ⓒ 비겁한 사람 (고무 바닥밑의) 스니신. *~·ing a.* 슬금슬금(몰래) 하는(달아나 는); 비열한.

snéak thíef 좀도둑; 빈집털이.

sneer [sniər] *n., vi.* 비웃다; ⓒ 조 소(에)(at). — *vt.* 비웃어 말하다.

sneeze [sniːz] *n., vi.* ⓒ 재채기(하 다); 《口》 업신여기다(at). **not to be ~d at** 깔볼 수 없는, 상당한.

snick·er [snʃkər] *n., v.* = SNIGGER.

snide [snaid] *a.* (보석 따위가) 가짜 의; (사람이) 비열한.

sniff [snif] *vi.* 코로 들이쉬다(in, up); 냄새맡다. — *vi.* 킁킁 냄새말 다(at); 콧방귀 뀌다(at); 경멸하다 (at); 코웃음; 콧방귀. *~·y a.*

snif·fle [snʃfl] *vi.* = SNUFFLE. **the ~s** 코막힘, 코감기; 훌쩍이며 울다.

snig·ger [snʃgər] *n., vi.* 《주로

英〕 킬킬거리며 웃음[웃다].

snip [snip] *vt., vi.* (**-pp-**) 가위로 싹 독 자르다. — *n.* ⓒ 싹둑 자름; 끄 트러기, 자투리; 조금; (*pl.*) 함석 가 위; 〔美口〕 하찮은것; 풋내기.

snipe [snaip] *n.* 〔鳥〕 도요새; 〔軍〕 저격(狙擊); 〔美俗〕 담배 꽁초. — *vt., vi.* 도요새 사냥을 하다; 저격 하다. **snip·er** *n.* ⓒ 저격병.

snip·pet [snípit] *n.* ⓒ 단편; 〔美 口〕 하찮은 인물.

sniv·el [snívəl] *vi.* (《英》 **-ll-**) 콧물 을 흘리다; 훌쩍거리며 울다; 우는 소리 를 하다. — *n.* ⓒ 콧물; ⓤ 우는 소 리, 코멘 소리.

snob [snɑb/ɔ-] *n.* ⓒ 〔신사연하는〕 속물(俗物); 금권(金權)주의자; 名士 람에게 아첨하고 아랫사람에게 교만한 인간; 〔英〕 동맹파업 불참 직공. ~**·bery**·*y* 〔英〕 ⓤ 속물 근성; ⓒ 속물적 언동. ~**·bish** *a.*

snook [snu(:)k] *n.* ⓒ 〔俗〕 엄지손 가락을 코끝에 대고 다른 네 손가락을 펴보이는 경멸의 몸짓. **cut [cock] a ~ at** 〔口〕 냉소하다, 조롱하다.

snoop [snu:p] *vi., vi.* 〔口〕 〔못된 짓을 목적으로〕 기웃거리며 서성대 다(서성대는 사람, 서성대기).

snoot·y [snú:ti] *a.* 〔口〕 우쭐거리 는, 건방진.

snooze [snu:z] *n.* (a ~) 〔口〕 겉잠. — *vi., vt.* 꾸벅꾸벅 졸다; 빈둥거리 며 시간을 보내다.

snore [snɔ:r] *n., vi., vt.* 코를 골다; 《英》 (한) 잠; 코를 골다.

snor·kel [snɔ́:rkəl] *n.* ⓒ 스노클(잠수 함의 환기 장치; 잠수용 호흡 기구).

snort [snɔ:rt] *vi., vt.* (말이) 콧김을 뿜다; (사람이) 씩씩거리 며 말하다(경멸·노엽 표시). — *n.* ⓒ 콧김; 씩씩 소리내다. — *vt.* 콧김 (엔진이) 씩씩 내뿜다.

snot·ty [snɑ́ti/snɔ́ti] *a.* ① 〔卑〕 콧 물투성이의; 추레한. ② 〔俗〕 어쩐지 싫은, 하찮은(《이상은 ~ nosed 라고 도 함》). ③ 건방진, 얕잡은.

snout [snaut] *n.* ⓒ (돼지·악어 따위의) 주둥이; (사람의) 크고 못생 긴 코; 바위끝; = NOZZLE.

†**snow** [snou] *n.* ⓤⓒ 눈(내림); ⓤⓒ 강설; ⓤ 〔詩〕 순백, 백발; 〔俗〕 코카

인〔헤로인〕 가루; 〔TV〕 화면에 나타 나는 흰 반점. — *vi.* 눈이 내리다(*It ~s.*); 눈처럼 내리다. — *vt.* 눈으로 파묻히게〔갇히게〕 하다(*in, up*); 눈 같이 뿌리다; 백발로 하다. **be ~ed under** 눈에 묻히다. 〔美口〕 압도되다 (be overwhelmed).

snow·ball *n.* ⓒ 눈뭉치(를 던지다); 《英》 차례차례 편우이르는 모금(募金)(법); 눈사람식으로 붇다; 〔植〕 불두화나무(guelder-rose).

snow·bound *a.* 눈에 갇힌.

snow·capped *a.* (산 꼭대기가) 눈으 로 덮인.

snow·drift *n.* ⓒ 휘몰아쳐 쌓인 눈.

snow·drop *n.* ⓒ 〔植〕 눈 꽃 아네 모네; 〔英軍俗〕 헌병.

snow·fall *n.* ⓒ 강설; ⓤ 강설량.

snow field 설원(雪原), 만년설.

snow·flake *n.* ⓒ 눈송이.

snow line [limit] 설선(雪線)(만 년설의 최저선).

†**snow·man** *n.* ⓒ 눈사람; (히말라 야의) 설인(雪人)(보통 the abominable ~).

snow·plow, 《英》 **-plough** *n.* ⓒ (눈 치우는) 넉가래, 제설기.

†**snow·shoe** *n., vi.* ⓒ (보통 *pl.*) 설화(雪靴) (로 걷다).

snow·storm *n.* ⓒ 눈보라.

snow-white *a.* 눈같이 흰, 순백의.

snow·y [snóui] *a.* ① 눈의, 눈이 오 는, 눈이 많은. ② 눈이 쌓인, 눈으 로 덮인. ③ 눈 같은, 순백의, 깨끗 한, 오점이 없는.

snub [snʌb] *n., vt.* (**-bb-**) 몰아세 세움; 몰아세우다; 냉대(하다); (말·밧 배를) 급정거(시키다). — *a.* 들창 코의; 코웃음하는.

snuff[snʌf] *n., vt.* ① (까맣게 탄 양초의 심지를) 잘라 밝게 하다; (촛 불을) 끄다. ~ **out** (촛불을) 끄다, 소멸시키다; 〔口〕 죽다.

snuff² *vt.* 냄새맡다. — *vi.* 코로 들 이쉬다, 냄새 맡아보다(*at*); 코를 킁킁거리다. — *n.* ⓒ 냄새; 코로 들이 쉼; ⓤ 코담배. **in high ~** 의기양 양하게. **up to ~** 〔美俗〕 빈틈없는; 〔口〕 병이 완성하게, 좋은 상태로.

snuff·box *n.* ⓒ 코담배갑.

snuf·fle [snʌ́fəl] *n., vi., vt.* ⓒ 콧소

소리(가 되다, 로 노래하다); (the ~s) 코감기, 코가 멤[메다]; 코를 콩 킁거리다.

snug [snʌg] *a.* (**-gg-**) 《장소가》 아늑한(*in a ～corner*); 깨끗한, 조촐한 (담)집; 넉넉한; 숨은; (배가) 정비가 된. **as ～ as a bug in a rug** 매우 편안하게, 포근히. **lie ～** 숨어서 보이지 않는. **～ly** *ad.* **～ness** *n.*

snug‧gle [snʌ́gl] *vi., vt.* 다가붙다 [들다]; 끌어안다(*up, to*).

so [sou] *ad.* 그렇게; 그와 같이, 마찬가지로(*So am I.*); 맞았어, (당신의 말) 그대로("*They say he is honest.*" "*So he is.*"); 그만큼; 그정도로; 《口》 매우; 그래서, 그러므로; 《문두에서》 그럼. **and so** 그리고 (…하였다); 그래서. **as ～ as** …과 같이 또한. **It so happened that …** 때마침《공교롭게도》 …이었다. **or so** 만큼, (*not*) *so … as* …은 아니다. *so … as to* …할 만큼, *so as to (do)* …하기 위하여, …하도록, **So be it!** 그렇다면 좋다 《승낙·단념의 말투》. **so far** *as* …하는 한《에서는》. **So long!** 《口》 안녕. **so long as** …하는 한에는, …이면. **So many men, so many minds.** 《속담》 각인 각색. *so so* 《口》 그저 그렇다, 이럭저럭. **so that** …하기 위하여, …하도록; 따라서, 그러므로; 만일 …하기만 한다면. *so … that* 대단히 …이《므로》, …한 식으로, 공교롭게도 …하게. *so to say* [*speak*] 말하자면. **So what?** 《美口》《반문》 그래서 어쨌다는 거야. ── *conj.* …할 만큼; 그러므로, 따라서; …하기만 한다면, …하여, 그대로 《가만히》. ── *int.* 정말이냐! ── *pron.* 《*say, think, tell* 따위의 목적어로서》 그렇게, 그같이(*I suppose so.*); 정도, 가량, 쯤(*a mile or so,*).

soak [souk] *vt.* 《물에》 잠[담]그다, 적시다; 흠뻑 젖게 하다; 스며들게 하다; 빨아들이다(*in, up*); 《비유》 《지식 등을》 흡수하다; 《口》 많이 마시다; 《俗》 벌하다, 때리다; 《俗》 우려내다, 중세(重稅)를 과하다. ── *vi.*

잠기다; 담기다; 《흠뻑》 젖다; 스며들다(나오다)(*in, into, through; out*); 많은 술을 마시다. *be ～ed* 《*oneself* in* …에 몰두하다. *～ up* 흡수하다; 이해하다. ── *n.* 《물에》 잠김, 잠금; 젖음; 큰비; 《俗》 술잔치; 《俗》 술고래.

so-and-so *n.* (*pl.* ～s) 《口》아무, 누구 누구, 무엇 무엇. ── *a.* 지겨운(*damned*).

soap [soup] *n.* ⓤ 비누; ⓒ 《俗》 금전; (특히 정치적) 뇌물. ── *vt., vi.* (…에) 비누를 칠하다 [로 씻다]. **～y** *a.* 비누의; 비누투성이의《를 함유한》; 《口》 낯간지러운 겉발림말의.

sóap-bòx *n., vi.* 《美》 비누 상자 《포장용》; 빈 비누 궤짝《가두 연설의 연단으로 씀》; 가두 연설하다.

sóap flàkes [**chips**] 《선전용의》 작은 비누.

sóap òpera 《美口》 《라디오·TV》 《주부들을 위한 낮의》 연속 가정극《원래 비누 회사 제공》.

sóap pòwder 가루 비누.

sóap-stòne *n.* ⓤ 동석(凍石)《비누 비슷한 부드러움》.

sóap-sùds *n. pl.* 거품이 인 비눗물, 비누 거품.

soar [sɔːr] *vi.* ① 높이《두둥실》 올라 가다. ② 《희망·사상 등이》 치솟다, 부풀다. ③ 《물가가》 폭등하다. ④ 《空》 일정한 높이로 날다.

sob [sab/ɔ-] *vi.* (**-bb-**) 흐느끼다; 《바람 따위가》 흐느끼는 듯한 소리를 내다. ── *vt.* 흐느끼면서 이야기하다 (*out*); 흐느껴 …이 되게 하다. ── *n.* ⓒ 흐느낌, 오열. ── *a.* 《美俗》 《한정적》 눈물을 자아내는.

so‧ber [sóubər] *a.* 취하지《술 마시지》 않은; 맑은 정신의; 진지한; 냉정한, 분별 있는; 과장 없는; 《빛깔이》 수수한. *appeal from Philip drunk to Philip ～* 상대방이 술 깨면 다시 이야기하다. ── *vt.* (…의) 술 깨게 하다(*down*). ── *vi.* 술이 깨다《*up, off*》; 마음이 가라앉다(*down*). **～ness** *n.* **～ly** *ad.*

so‧bri‧e‧ty [səbráiəti] *n.* ⓤ 절주 《節酒》; 제정신, 진지함, 근엄.

sób stòry [**stùff**] 《美口》 감상적

인 애기, 애화(哀話); 상대의 동정을 일으키는 변명.

Soc. society.

so-called[sóukɔ́:ld] *a.* 이른바, 소위의.

soc·cer[sákər/-5-] *n.* C̲ 축구.

so·cia·ble[sóuʃəbəl] *a.* 사교적인, 사교를 좋아하는; 사귀기 쉬운, 붙임성 있는. — *n.* C̲ (美) 친목회(親) 睦會)(서로 좌석이 있는) 사륜차; S(자형) 소파. **-bly** *ad.* 사교적으로, 상냥하게. **-bil·i·ty**[〜bíləti] *n.* U̲ 사교성, 사교적임.

so·cial[sóuʃəl] *a.* 사회의[에 관한]; 사회[사교]의; 붙임성 있는; 사교계의; 사회 생활을 영위하는; (動·植) 군거(群居)하는(gregarious); 사회주의의; 성교의[에 관한]. — *n.* C̲ 친목회.

so·cial·i·ty[sòuʃiǽləti] *n.* U̲ 사교(성). **〜ly** *ad.* 〔가.

sócial clímber 출세주의자, 야심

sócial demócracy 사회 민주주의.

so·cial·ism[sóuʃəlìzəm] *n.* U̲ 사회주의. **-ist** *n.* C̲ 사회주의자·사회파. **-is·tic**[〜ɪstik] *a.*

so·cial·ite[sóuʃəlàit] *n.* C̲ 사교계의 명사(名士).

so·cial·ize[sóuʃəlàiz] *vt.* 사회(사교)적으로 하다; 사회주의화하다. **—d medicine** 의료 사회화 제도. **-i·za·tion**[〜izéiʃən] *n.*

sócial science 사회 과학.

sócial secúrity 사회 보장 (제도).

sócial sérvice [wòrk] 사회 사업(복지) 사업.

sócial stúdies 사회과(학교의 교과).

sócial wórker 사회 사업가.

so·ci·e·ty[səsáiəti] *n.* ① U̲ 사회; 세상, 세상. ② U̲ 사교계; 상류 사회(의 사람들). ③ U̲.C̲ (특정한) 사회, 공동체. ④ U̲ 사교; 교제; 남의 앞; C̲ 회, 협회, 조합. **S- of Friends** 프렌드(퀘이커)교회. **S- of Jesus** 예수회(cf. Jesuit).

so·ci·o-[sóusiou, -siə, -ʃi-] '사회, 사회학'의 뜻의 결합사.

so·ci·ol·o·gy[sòusiálədʒi, -ʃi-/-51-] *n.* U̲ 사회학. **-gist** *n.* C̲ 사회학자. **-o·log·i·cal**[sòusiəlɑ́dʒi-kəl, -ʃi-/-l5dʒ-] *a.*

---

sock[sɑk/-ɔ-] *n.* C̲ (보통 *pl.*) 속스, 짧은 양말.

sock *vt.* C̲ (보통 *sing.*) (俗) 강타(强打)(하다).

sock·et[sákit/-5-] *n.* C̲ (꽂는) 구멍, (전구) 소켓. — *vt.* 소켓에 끼우다; 접속하다.

sod[sad/-ɔ-] *n.* U̲.C̲ 잔디, 뗏장. **under the ~** 지하에 묻혀, 저승에서. — *vt.* (**-dd-**) 잔디로 덮다.

sod[《 <sodomite》] *n.* C̲ (英俗) 비역쟁이.

so·da[sóudə] *n.* ① C̲.U̲ 소다(중)탄산소다·가성 소다 등). ② U̲.C̲ 소다수(水), 탄산수.

sóda fountain 소다수(水) 탱크 (판매장).

sóda wàter 소다수.

sod·den[sádn/-ɔ-] *a.* 흠뻑 젖은(**with**); 물기를 빨아들어 무거운; (빵이) 설구워진; 술에 젖은; 멍청한, 얼빠진. — *vt., vi.* (물에) 잠그다, 잠기다, 흠뻑 젖(게 하다)(**with**); 잠기(게 하)다.

so·di·um[sóudiəm] *n.* U̲ (化) 나트륨(금속 원소; 기호 Na).

sódium bicárbonate (化·藥) 중탄산나트륨. 〔금.

sódium chlóride 염화나트륨, 소금.

sódium nítrate 질산 나트륨.

So·dom[sádəm/-5-] *n.* 소돔(악덕·남색의 땅); 수간(獸姦). **-om·ite** [-əmàit] *n.* C̲ 남색가; 수간자.

so·fa[sóufə] *n.* C̲ 소파, C̲ 의자.

soft[sɔ(:)ft, saft] *a.* ① (유)연한; 부드러운; 매끈한. ② (윤곽이) 흐릿한; (음성이) 조용한, (광선이) 부드러운; (기후가) 상쾌한, 온난한. ③ 온화한, 상냥한; 약한, 나약한; 어리석은. ④ (색이) 관대한, ⑤ (英) (낚싯)가 누진, 구중중한; (물이) 연성(軟性)의, 알코올분(分)이 없는. ⑤ 수월한, 손쉬운. ⑥ (音聲) 연음(連音)의(gem의 g, cent의 c 따위). — *ad.* 부드럽게, 조용하게, 상냥하게. — *n.* C̲ 부드러운 물건(부분). — *int.* (古) 쉿!, 잠깐! ~ **glances** 추파. ~ **news** 생각하지 않은 뉴스. ~ **nothings** (잠자리에서의) 사랑의 속삭임. ~ **thing** [**job**] 즐거운(쉬운) 일, 수월한 일. ~ **things** 걸밤밭말; (잠자리에서의) 사랑의 말. **the ~(er)**

sex 여성. ：**∠ly** *ad.* **∠ness** *n.*

sóft·báll *n.* ⓒ 연식 야구; ⓒ 그 공.

sóft-bóiled *a.* 반숙(半熟)의.

soft drúg 약한 마약(마리화나 따위).

sof·ten[sɔ́(ː)fən, sáfən] *vt., vi.* 부드럽게 하다(되다); 연성(軟性)으로 하다(되다); 상냥(온화)하게 하다(되다); (*vt.*) (폭격 따위로 적의) 저항력을 약화시키다(*up*).

sóft-héarted *a.* 마음씨가 상냥한.

sóft pálate 연구개(軟口蓋).

sóft-pédal *vi.* (피아노의) 약음 페달을 밟다. — *vt.* (□) (태도·어조를) 부드럽게 하다.

sóft séll, the 온건한 판매술.

sóft shóulder 비포장 갓길.

sóft-sóap *vt., vi.* (□) 아첨하다; 물비누로 씻다. — **er** *n.* ⓒ 아첨하는 사람; 비누 바르는 사람. 「득력 있는.

sóft-spóken *a.* 말씨가 상냥한; 설

soft·ware[<swèə] *n.* ⓒ [컴] 소프트웨어(프로그램 체계의 총칭)(로 켓·미사일의) 설계, 연료 (따위).

sóft-wóod *n.* ⓤ 연목(재); ⓒⓤ 침엽수 (목재).

soft·y, -ie[sɔ́(ː)fti] *n.* ⓒ (□) 감상적인 (무기력한) 남자; 바보, 얼간이.

sog·gy[sági/-ɔ́-] *a.* 물에 적신, 흠뻑 젖은; (빵이) 덜 구워져 눅눅한; 둔한.

soil[sɔil] *n.* ⓤ 흙, 토양; ⓤⓒ 토지; 생육지; 나라.

soil *vt.* 더럽히다, (…에) 얼룩·오점을 묻히다; (가명(家名) 따위를) 더럽히다; 타락시키다. — *vi.* 더러워지다. — *n.* ⓤ 더럼, 오물; ⓤ 거름, 비료. **ed**[-d] *a.* 더러워진.

soi·ree, soi·rée[swɑːréi/<] *n.* (F.) 야회(夜會).

so·journ[sóudʒəːrn/sɔ́-] *vi.* (…에) ⓒ 체재(하다). 머무르다.

sol[soul] *n.* ⓤⓒ [樂] 솔.

sol·ace[sáləs/sɔ́l-] *n., vt., vi.* 위안, 위로(를 주다, 주게 하다). — *n.* 위안물.

so·lar[sóulər] *a.* 태양의(에 관한); 태양에서 오는, 햇빛[태양열]을 이용한; 태양의 운행에 의해 측정하는.

sólar báttery (céll) 태양 전지.

so·lar·i·um[soulɛ́əriəm] *n.* (*pl.*

-ia[-riə]) ⓒ 일광욕실; 해시계(sun·dial).

sólar pléxus[解] 태양 신경총(叢).

sólar sýstem [天] 태양계.

sólar yéar [天] 태양년(365일 5시간 48분 46초).

sold[sould] *v.* sell의 과거(분사).

sol·der[sάdər/sɔ́ldər] *n.* ⓤ 땜납; ⓒ 결합물. **soft** — 아연. — *vt.* 납땜하다; 결합하다; 수선하다. **~ing iron** 납땜 인두.

sol·dier[sóuldʒər] *n.* ⓒ (육군의) 군인; (officer에 대하여) 사병; (역전의) 용사; 전사(戰士). — **of fortune** (돈이나 모험을 위해 무엇이든 하는) 용병(傭兵). — *vi.* 군대에 복무하다; (□) 뺀들거린다. 피우리다. **~ing** *n.* ⓤ 군대 복무. **~like**, **~ly** *a.* 군인다운, 용감한. **~y**[-i] *n.* ⓤ [집합적] 군인; 군사 관련(조직).

sole[soul] *a.* 유일한; 독점적인; 단독의; 미혼의. — *agent* 총대리점. ：**∠ly** *ad.* 단독으로; 오로지, 단지, 전혀.

sole *n.* ⓒ 발바닥; 신바닥(가죽); 밑바닥, 밑바닥; — *vt.* (…에) 구두 밑창을 대다.

sole *n.* ⓒ [魚] 혀넙치, 혀가자미.

sol·e·cism[sάləsizm/-5-] *n.* ⓒ 문법(어법) 위반; 예법에 어긋남; 잘못·부적절.

sol·emn[sάləm/-5-] *a.* 엄숙한; 격식 차린, 진지한(진중한); 종교상의, 신성한; [法] 정식의. **S- Mass** = HIGH MASS. **~ly** *ad.* **~ness** *n.*

so·lem·ni·ty[səlémnəti] *n.* ⓤ 엄숙, 장엄; 점잔뺌; ⓒ (종종 *pl.*) 의식.

sol·em·nize[sάləmnàiz/-5-] *vt.* (특히, 결혼식을) 올리다; (식을 올려) 축하하다; 장엄하게 하다. **-ni·za·tion**[∠--zéi∫ən] *n.*

sol·fa[sóulfά/sɔl-] *n., vt., vi.* [樂] 계명 창법(으로 노래하다).

so·lic·it[səlísit] *vt., vi.* (일거리·주문 따위를) 구하다, 찾다(*for*); 간청(간원)하다(*for*); (매춘부가 남자를) 끌다, (나쁜 짓을) 교사하다. **-i·ta·tion**[səlìsətéi∫ən] *n.*

so·lic·i·tor[səlísətər] *n.* ⓒ 간청

S

하는 사람; 《美》 외판원; 〖英法〗(사무) 변호사; 《美》(시·읍의) 법무관.

so·lic·i·tor géneral (*pl.* **-s general** [sə-]) 법무 차관, 차장 검사; 《美》 수석 검사.

so·lic·i·tous [səlísətəs] *a.* 걱정하는(*for, about*); 열심인; 열망하는(*to do*). **~·ly** *ad.*

so·lic·i·tude [səlísətjùːd] *n.* ⓤ 걱정; 열망, 갈망; (*pl.*) 격정거리.

sol·id [sάlid/-5-] *a.* ① 고체의; 속이 비지 않은. ② 〖數〗입방의, 입체의. ③ 짙은, 두꺼운; ④ 꽉 찬 (*with*); 견고한, 튼튼한; 독같은; 순수한. ⑤ 완전한; 단결된; (학문이) 진실의, 신뢰할 수 있는; 분별 있는 (재정적으로) 건실한. ⑥ 연속된; (복합어가) 하이픈 없이 보낸기; *softball*); 〖印〗행간을 떠지 않고 짠. ⑦ 《美口》 사이가 좋은; 《美俗》 훌륭한, 멋진. — *n.* ⓒ 고체; 〖數〗 입(방)체. **~·ly** *ad.*

sol·i·dar·i·ty [sὰlədǽrəti/-ɔ-] *n.* ⓤ 단결; 연대 책임.

so·lid·i·fy [səlídəfài] *vt., vi.* 응고(凝固)시키다(하다); 단결시키다(하다). **-fi·ca·tion** [-̀-fikéiʃən] *n.*

so·lid·i·ty [səlídəti] *n.* ⓤ 단단함; 고체성; 견고; 견실; 고밀도.

so·lil·o·quy [səlíləkwi] *n.* ⓤⓒ 혼잣말; ⓤ (연극의) 독백. **-quize** [-kwàiz] *vi.* 혼잣말[독백]하다.

sol·i·tar·y [sάliteri/sɔ́litəri] *a.* 혼자의, 단독의; 단일의. ② 고독한, 외로운. ③ 쓸쓸한. — *n.* ⓒ 혼자 사는 사람; 은둔자. **-tar·i·ly** *ad.* **-tar·i·ness** *n.*

sólitary confínement 독방 감금.

sol·i·tude [sάlitjùːd/sɔ́li-] *n.* ⓤ 고독, 외로움, 쓸쓸함; ⓒ 쓸쓸한 장소.

so·lo [sóulou] *n.* (*pl.* **~s, -li** [-li:]) ⓒ 독주(곡), 독창(곡); 독주대; 단독 비행; 〖카드〗 whist의 일종. — *a.* 독주(독창)의; 독주부를 연주하는; 단독의. — *vi.* 단독 비행하다. **~·ist** *n.* ⓒ 독주[창]자.

sol·stice [sάlstis/-5-] *n.* ⓒ 〖天〗

자(至). **summer** [**winter**] ～ 하지(동지).

sol·u·ble [sάljəbəl/-5-] *a.* 용해될 수 있는; 해결할 수 있는. **-bil·i·ty** [sὰljəbíləti/-ɔ̀-] *n.* ⓤ 가용성(可溶性).

so·lu·tion [səlúːʃən] *n.* ① ⓤ 해결, 해명, ② ⓤⓒ 용해 (상태); 용액. **-ist** *n.* ⓒ (신문·텔레비전 따위의) 퀴즈 해답 전문가.

solve [salv/-ɔ-] *vt.* 해결하다; 설명하다. **sólv·a·ble** *a.* 해결할 수 있는.

sol·vent [sάlvənt/-5-] *a.* 용해력이 있는; 지불 능력이 있는; 마음을 누그러지게 하는. — *n.* ⓒ 용재(溶剤), 용매(*of, for*); 약화시키는 것. **sólven·cy** *n.* ⓤ 용해력; 지불 능력.

som·ber [**英**]**-bre** [sάmbər/-5-] *a.* 어둠침침한; 거무스름한; 음침한, 우울한.

som·bre·ro [sɑmbrέərou/sɔm-] *n.* (*pl.* **~s**) (Sp. = hat) ⓒ 챙 넓은 중절모(멕시코 모자).

some [sʌm, 弱 səm] *a.* 어느, 어떤; 얼마간(의)(수·양); 누군가의(필 략; 《口》 상당한, 대단한. **in ~ way (or other)** 이럭저럭 해서. ～ **day** 언젠가, 저날. ～ **one** 어떤 사람, 누군가; 어느 것인그 하나(의); 누군가 한 사람(의). ～ **time** 언젠가, 뒷날. ～ **time or other** 저날이나 언젠가는. — *pron.* 어떤 사람들[물건]; 얼마간; 다소. — *ad.* 《口》 얼마쯤, 다소; 《俗》 상당히.

some·bod·y [sʌ́mbàdi, -bədi-bὰdi] *pron.* 어떤 사람, 누군가. — *n.* ⓒ 상당한 인물.

some·how [sʌ́mhàu] *ad.* 어떻게 돼든지 하여, 그럭저럭; 어떻든지, 좌우간. ② 웬일인지나. ～ **or other** 이럭저럭 해서든지 하여.

some·one [sʌ́mwʌn, -wən] *pron.* = SOMEBODY.

some·place *ad.* 《美口》 = SOMEWHERE.

som·er·sault [sʌ́mərsɔ̀lt] *n., vi.* 공중 제비; 재주넘기, 공중제비(하다). **turn a ～** 재주넘다.

some·thing [sʌ́mθiŋ] *pron., n.* 어떤 물건[일], 무엇인가; 얼마간; 다

소: ⓤ 가치 있는 물건(사람). **be** **~** **of a** 조금(종) …하다, 줄 …한 잔이 있다. **take a drop of** …한 잔하 다. **That is** ~. 그것은 다소 위안이 된다. **There is** ~ **in it.** 그건 일리 가 있다. **think ~ of oneself** (시 원찮은데도) 자기를 상당한 인물로 여 기다. — *ad.* 얼마쯤, 다소; 꽤.

*some·time[sΛmtàim] *ad., a.* 언젠 가, 조만간에; 이전(의).

*some·times[sΛmtàimz, səm- táimz] *ad.* 때때로, 때로는, 이따금.

*some·what[sΛmhwàt/-hwɔt] *ad.* 얼마쯤, 다소. — *pron.* 어느 정도.

*some·where[sΛmhwὲər] *ad.* 어딘 가에, 어딘론가; 어느때가(~ *in the last century*).

som·nam·bu·lism[samnǽmbjəli- zəm] *n.* ⓤ 몽유병. **-list** *n.* ⓒ 몽유 병자.

som·no·lent[sάmnələnt/-5-] *a.* 졸린; 최면(催眠)의. **-lence** *n.*

*son[sΛn] *n.* ① ⓒ 아들; 사위, 양 자; (보통 *pl.*) (남자의) 자손 ② ⓒ (…의) 아들, 계승자. ③ ⓒ (호칭) 젊은이. ④ (the S~) 예수. *his father's* 아버지를 빼닮은 아들(cf. CHIP of the old block). *~ of a bitch*(廢) 개자식, 빈신 같은 놈, 치사한 놈.

so·nar[sóunɑːr] *n.* ⓒ (美) 수중 음 파 탐지기(美) asdic).

so·na·ta[sənάːtə] *n.* ⓒ (樂) 소나 타, 주명곡(奏鳴曲).

*song[sɔ(ː)ŋ] *n.* ① ⓒ 노래, 창가 가곡; 가창; 시; ⓤ (새의) 지저귐, (시냇물의) 졸졸하는 소리. *for a* (*mere*) *~, or for an old ~* 아주 헐값으 로. *make a ~ about a* (美 口) (대단찮은 일을) 떠들어 대다, 자랑(자만)하다. *~ and dance* (美 口) (거짓말 등을 늘어놓는) 변 명, 변명; the S~ of Solomon, or the S~ of Songs (舊約) 아가(雅歌)(Canticles). *~ bird ~ 가수.*

*song·bird *n.* ⓒ 명금(鳴禽)

*song·ster[<stər] *n.* ⓒ 가수(sing- er); 가인(歌人); 명금(鳴禽).

song·stress[<stris] *n.* ⓒ 앞의 여성.

son·ic[sάnik/-5-] *a.* 음(파)의; 음속 의.

sónic bóom 충격 음파(항공기가

음속을 돌파할 때 내는 폭발음과 비슷 한 소리).

són·in·làw *n.* (*pl.* **sons-in-law**) ⓒ 사위.

*son·net[sάnət/-5-] *n., vi.* (韻) 소네트, 14행시(를 짓다). **~eer** [ˋ-ʌ̀iər] *n.* ⓒ 소네트 시인.

son·ny[sΛni] *n.* ⓒ (ㅁ) 아가, 애야 (애칭).

so·nor·i·ty[sənɔːriti, -ɑ́-] *n.* ⓤ 울려퍼짐; [音響] (음의) 울림.

*so·no·rous[sənɔːrəs] *a.* 울려퍼지 는, 낭랑한; 당당한, (표현이) 화려한.

*soon[suːn] *ad.* 이윽고, 이내, 곧; 빨리; 기꺼이. *as* (*so*) *~ as* …하 자 마자 (곧). *as ~ as possible* 될 수 있는 대로 빨리, *no ~er than* …하자 마자, *~er or later* 조만간, *would* (*had*) *~er … than* …보다 는 차라리 …하고 싶다.

*soot[sut, suːt] *n., vt.* 그을음, 검댕(으로 덮다, 더럽히다). *~·y* *a.* 그을은.

soothe[suːð] *vt.* 위로하다; 가라앉 히다, (고통 등을) 완화시키다(re- lieve); 달래다.

sóoth·sàyer *n.* ⓒ 예언자, 점쟁이.

sop[sαp/-5-] *n.* (우유·수프 따 위에 적신) 빵 조각; 뇌물. — *vt.* (*-pp-*) (빵 조각을) 적시다; 흠뻑 적시다; 빨아들이다(*up*), 닦아(훔쳐) 내다, — *vi.* (옷 등이) 흠뻑 젖다. ***~·cat·ed**[-id] *a.* 세파에 닳 고 닳은; 억지로 교묘한; 섬손잡한; (작품·문체가) 몹시 기교적인; 고도로 세련된. **-ca·tion**[ˋ-ˋkéiʃən] *n.*

soph·ist·ry[sάfistri/-5-] *n.* ⓤⓒ 궤변술; 궤변; 구차 한 이론.

*soph·o·more[sάfəmɔ̀ːr/sɔf-] *n.* (美) (고교·대학의) 2년생.

sop·o·rif·ic[sὰpərífik/sɔ̀p-] *a., n.* 최면의; 졸린; ⓒ 수면제. 온.

sop·ping[sάpiŋ/-5-] *a.* 흠뻑 젖은.

sop·py[sάpi] *a.* 젖은, 흠뻑 젖 은.

*so·pra·no [səprǽnou/-rá:-] *n.*
(pl. ~s, -ni[-ni:]) ⓒ 소프라노; ⓒ 소
프라노부(部) ⓒ 소프라노 가수.
— *a.* 소프라노의[로 노래하는], 소
프라노용의.

sor·cer·er [sɔ́ːrsərər] *n.* (*fem.*
-ceress) ⓒ 마술사, 마법사.

sor·cer·y [sɔ́ːrsəri] *n.* (cf. ⇧) ⓤ
마법, 마술. ✦한.

*sor·did [sɔ́ːrdid] *a.* 더러운; 아비
한. ✦ly *ad.* ✦ness *n.*

*sore [sɔːr] *a.* 아픈, 따끔따끔 쓰리
는, 열덕한; 슬픈; 성가쉰; 성난; 고
통을[분노를] 일으키는; 격심한, 지독
한. — *n.* 상처, 진무른데; 고통
거리, 비통; 옛 상처, 언짢은 추억.
— *ad.* (古·詩) 아프게, 심하게.
✦ly *ad.* ✦ness *n.*

sor·ghum [sɔ́ːrɡəm] *n.* ⓤ 수수; 사
탕수수의 시럽.

so·ror·i·ty [sərɔ́ːrəti, -áː-] *n.* ⓒ
(美) 여성 클럽 단체;《美大學》여학
생회(cf. fraternity).

sor·rel[sɔ́ːrəl, -áː-] *n., a.* ⓤ 밤색
(의); ⓒ 구렁말.

sor·rel[~] *n.* [植] 참소리쟁이·수
영·패이밤파류(類).

*sor·row [sárou, sɔ́ːr-] *n.* ① ⓤ 슬
픔(의 원인). ② ⓒ (종종 *pl.*) 고
난, 불행. — *vi.* 슬퍼[비탄]하다(for,
at, over). ✦ful *a.* 슬픈; 슬퍼 보
이는; 애처로운, 가슴아픈.

*sor·ry [sári, sɔ́ːr-] *a.* (동정을)
미안한(for; that, to do); 후회하
는;《限定的》슬픈─가엾은, 딱한.

*sort [sɔːrt] *n.* ① ⓒ 종류; 품질,
성질. ③ 어떤 종류의 사람[것], 약
간 정도, 범위; 방식, 방법. ③ 〔컴〕차
례짓기, 정렬, 가냘픈. *a ~ of* …과 같은 물
건, 일종의 것 *in (after) a ~* 얼마
간, 다소. *in some ~* 어느 정도.
of a ~, of ~s 일종의, 신통찮은 것
여러 가지 종류의; 그저 그만한. *of
the ~* 그러한. *out of ~s* 기분이
(건강이) 언짢은. *~ of; ~er*
(口) 얼마간; 말하자면, …같은(She
~ of smiled. 웃은 것도 같았다). —
vt. 분류하다(over, out); 구분하다
(out).

sor·tie [sɔ́ːrti:] *n.* (동성공의) 반
격, 출격;《空軍》단기(單機) 출격.

*SOS [ɛ́souɛ́s] *n.* ⓒ (무전) 조난 신

호;《一般》구조 신호, 구원 요청.

so-so, so·so [sóusou] *a.* 좋지도
나쁘지도 않은, 그저 그렇고 그런.
— *ad.* 그저 그만하게, 그러저럭.

sot [sɑt/-ɔ] *n.* ⓒ 주정뱅이, 모주
(drunkard). ✦tish *a.*

sot·to vo·ce [sátou vóutʃi/sɔ́t-]
ad. (It.) 낮은 소리로; 방백(傍白)으
로(aside); 비밀히.

sou [su:] *n.* (*pl.* ~**s**)(F.) ⓒ 수(5
상팀 상당의 구(舊) 프랑스 화폐); ⓒ
) 하찮은 물건.

souf·flé[su:fléi/─] *n.* ⓤ, ⓒ 수플
레(오믈렛의 일종, 달걀을 거품 내서
구운 음식). — *a.* 부푼.

sough [sau, sʌf] *vi., n.* 윙윙거리
다, 쏴쏴하다; ⓒ 그 소리.

*sought [sɔːt] *v.* seek의 과거(분사).

*soul [soul] *n.* ① ⓒ 영혼, 정신. ②
ⓤ 기백, 열정; ⓒ (*sing.*) 정수(精
髓); ⓒ (the ~) 전형; 화신(化身);
ⓒ 사람. *by (for) my ~* 맹세코,
단연코. *for the ~ of me* 아무리
해도. *keep ~ and body togeth-
er* = keep BODY and ~ togeth-
er. *upon my ~* 맹세코, 확실히.
✦ful *a.* 감정어린, 감정적인. ✦
less *a.* 영혼[정신]이 없는; 기백없
는; 무정한.

soul food (美口) 흑인 특유의 음
식.

soul màte (美口) (이성의) 마음의
친구; 애인, 정부(情夫·情婦); 지지자.

soul mùsic (美口) 흑인 음악
(rhythm and blues의 일종).

*sound[saund] *n.* ⓤⓒ 소리, 음;
ⓤ 소음, 잡음; 음조; 들리는 범
위; ⓤ 〔音聲〕음(phone); ⓒ (목
소리의) 인상, 느낌. — *vi.* 소리 나
다, 울리다; 울려퍼지다; 소리가 나
다, 들리다; 생각(으로) 군호[명령]하
게 하다; (복 따위의) 군호[명령]하
다; 알리다; 발음하다; 타진하다.

*sound² *a.* 건전(건강)한; 상하지[썩지]
않은; 확실한, 안전한, 견실한;
올바른, 합리적인; 철저(충분)한;
〔法〕유효한, 근본적인(sleep
깊은). ✦ly *ad.* ✦ness *n.*

*sound³ *vt.* (수면 (測船)의 깊이를)
깊이를 측량하다, 〔醫〕소식자(消息
子)로 진찰하다(종종 *out*); (사람의

의중[속]을 떠보다(*on, about; as to*). — *vi.* 수심을 재다: (고래 따위가) 물밑으로 잠기다. — *n.* ⓒ [醫] 소식자.

sound *n.* ⓒ 해협; 후미(후미); (물고기의) 부레.

sound bàrrier 음속 장벽(sonic barrier).

sóund effécts 음향 효과.

sóunding bòard (악기의) 공명판 (soundboard).

sóund·less *a.* 소리나지 않는.

sóund·pròof *a., vt.* 방음의; (…에) 방음 장치를 하다.

sóund tràck [映] (필름 가장자리의) 녹음대.

sóund wàve [理] 음파.

soup [suːp] *n.* ⓤ 수프 <종류에서는 ⓒ>; (the ~) (俗) 짙은 안개. *from ~ to nuts* 처음부터 끝까지, 일일이. *in the ~* (俗) 곤경에 빠져. *~·y a.* 수프의 맛이.

soup *vt.* (俗) 〖~ *up*〗 (의 형태론임) (모터의) 마력을 늘리다; 〖空〗속력을 늘리다; (의 매력을 늘리다.

soup·con [suːpsɔ́ːn/—] *n.* (F.) (a ~) 소량; 기미(氣味) (*of*).

sour [sauər] *a.* 시큼한, 신; 산패(酸敗)한; 발효한; 시큼한[쉰] 냄새가 나는; 까다로운, 찌푸룩한; (날씨가) 냉습한: (토지가) 척박한. — *grapes* 지기싫어함(자기 힘에 겨운 것을 비웃음). *~ gum* [化] 북아메리카산소(産)의 큰 고무나무. — *ad.* 찌무룩[지르퉁]하게. — *vt., vi.* 시큼하게 하다[되다]; 지르퉁하게 하다[되다]. — *n.* ⓒ 신 것; 신 것; 불쾌한 일; [ⓤ,ⓒ] (美) 사워(산성 알코올 음료).

source [sɔːrs] *n.* ⓒ 수원(지) 원, 원천, 출처, 출전(出典); 원인 [첨] 바탕, 원천, 소스.

sóur crèam 사워크림, 산패유(酸敗乳).

sóur·dòugh *n.* ⓒ 알래스카(캐나다)의 탐광(개척)자.

souse [saus] *vt.* 물에 담그다[다](*in, into*); 흠뻑 적시다; 식초[소금물]에 담그다; (俗) 취하게 하다. — *vi.* 물에 담기다; 흠뻑 젖다; (俗) 취하다. — *n.* ⓒ 물에 담그기, 흠뻑 젖음; [ⓒ] (절임용) 소금물; 돼지 대가리·귀·나

리[의 소금절임; ⓒ (美俗) 주정뱅이], 모주꾼. — *a.* 첨범, 풍덩, ~ *d a.* (俗) 몹시 취한(*get ~ d*).

south [sauθ] *n.* (the ~) 남(쪽), 남부(지방). (S-) (美) 남부 제국(諸州). 州. *in* [*on, to*] *the ~ of* …의 남부에[남쪽에 접하여]. 남쪽에서. *by east* [*west*] 남미동(南微東) [서]. — *a.* 남(향)의; 남쪽에 있는; 남쪽에서의; 남쪽의. — *ad.* 남 (쪽으로)[에서]. ~·*ward a., ad., n.* 남(향)의; 남쪽에 있는; (the ~) 남(쪽으로)[에서]. ~·*ward·ly a., ad.* 남(쪽으로)의; (바람이) 남으로부터의. ~·*wards ad.* = SOUTHWARD.

south·east [sàuθíːst: (海) sau·íːst] *n.* (the ~) 남동(지방). ~ *by east* [*south*] 남동미(微)동[남]. — *a.* 남동의; 남동에 있는; 남동에서의. — *ad.* 남동으로[에, 에서]. ~·*er n.* ⓒ 남동풍. ~·*er·ly ad., a.* 남동쪽으로[에서]의. ~·*ern a.* (the ~) 남동(에 있는)의. ~·*ward n., a., ad.* (the ~) 남동(에 있는)의; 남동으로(부터)(의). ~·*wards ad.* = SOUTHEASTWARD.

south·er·ly [sʌ́ðərli] *ad., a.* 남쪽으로[에서의]. — *n.* 남풍.

south·ern [sʌ́ðərn] *a.* 남쪽의; 남쪽으로[에서]의; 남쪽에 있는; (S-) (美) 남부 제주(諸州)의. — *n.* ⓒ 남부사람. ~·*er n.* ⓒ 남부[남국]사람; (S-) (美) 미국 남부의 사람. ~·*mòst a.* 남단의.

sóuth·pàw *n.* ⓒ (口) [野] 왼손잡이의 [투수].

Sóuth Pòle, the 남극.

south·west [sàuθwést; (海) sàu·wést] *n.* (the ~) 남서(지방). (S-) (美) 남서부 지방. ~ *by west* [*south*] 남서미(微)서[남]. — *a.* 남서(향)의; 남서에 있는; 남서에서의. — *ad.* 남서(쪽)으로[에, 에서]. ~·*er n.* ⓒ 남서풍. ~·*er·ly ad., a.* 남서쪽으로[부터]의; 남서로[에서]의. ~·*ward n., a., ad.* (the ~) 남서(에 있는)의; 남서로(부터)의. ~·*ward·ly a., ad.* 남서로(부터)의. ~·*wards ad.* = SOUTHWESTWARD.

sou·ve·nir [sù:vəníər,] n. ⓒ 기념품, 선물.

sou´·west·er [sàuwéstər] n. = SOUTHWESTER; ⓒ (수부(水夫)가 쓰는 챙 넓은) 폭풍우용 방수모(帽).

:sov·er·eign [sávərin/sɔ́v-] n. ⓒ 군주, 주권자; 영국의 옛 1파운드 금화. — a. 주권이 있는; (지위·권력이) 최고의; 자주[독립]의; 최상의; (약 따위가) 특효 있는. **~ power** 주권. **~·ty** n. ⓤ 주권; 주권자의 지위; ⓒ 독립국.

:so·vi·et [sóuviet] n. (Russ.) 회의, 평의회; (종종 S-) 소비에트(소련의 평의회);. (the S-) 소비에트 연방의, **~·ize** [-tàiz] vt. 소비에트화(化)하다.

sow[sou] vt. (~ed; sown, ~ed) (씨를) 뿌리다; (……에) 뿌리다; 흩뿌리다, 파종하다. — vi. 씨를 뿌리다. **·er** n. ⓒ 씨 뿌리는 사람, 파종자.

sow²[sau] n. ⓒ (성장한) 암퇘지.

soy[sɔi], **soy·a**[sɔ́iə] n. 간장 (~ sauce); = ** bèan** 콩.

sóy sàuce 간장.

spa[spɑː] n. ⓒ 광천(鑛泉), 온천(장).

space [speis] n. ① ⓤ 공간. ② ⓤ 우주 (공간), 대기권밖. ③ ⓒ 구역, 공지, ⓤ 여지, 빈 곳, 여백. ⑤ ⓤⓒ 간격, 거리, 사이(특정한 거리의). ⑥ ⓤ 〖라디오·TV〗 (스폰서를 위한) 광고 시간. ⑦ ⓒ 〖印〗 행간, 어간(語間). ⑧ ⓤⓒ (약[여백]의) 줄자 이, ⑨ ⓤ (기차·비행기 등의) 좌석. ⑩ 〖컴〗 사이, 스페이스, **blank ~** 여백. **open ~** 빈 터, 공지. — vt., vi. (……에) 간격을 두다; 〖행간을〗 띄우다.

spáce bàr 〖컴〗 사이 피(우)개, 스 페이스 바.

space·craft [kræft, -krɑ̀ːft] n. ⓒ = SPACESHIP.《美俗》마약을 써서 멍해진다.

spáce hèater 실내 난방기.

spáce·màn n. ⓒ 우주 비행사.

:space·ship [ʃîp] n. ⓒ 우주선, 우주 여행기(機) (spacecraft)

spáce shùttle 우주 왕복선.

spáce stàtion 우주 정거장.

spáce sùit 우주복.

spac·ing [spéisiŋ] n. ⓤ 간격을 두기; 〖印〗 간격, 어간(語間), 행간.

spa·cious [spéiʃəs] a. 넓은, 널찍한.

spade¹[speid] n. ⓒ 가래, 삽; 〖軍〗 포미(砲尾)받기대(발사시의 후회를 막음); (그래를 세는) 골. **call a ~ a** **~** 직언(直言)하다. — vt. 가래로[삽으로] 파다. **~·ful**[-fûl] n. ⓒ 한 삽 가득, 한 삽(분).

spade² n. ⓒ 〖카드〗 스페이드 패; (pl.) 스페이드 한 벌; ⓒ《俗》흑인.

spáde·wòrk n. ⓤ 삽질; 힘드는 기초 공작(연구).

spa·ghet·ti [spəgéti] n. (It.) 스파게티.

Spam [spæm] n. 〖商標〗 (미국제의) 돼지고기 통조림.

span¹[spæn] n. ⓒ ① 한 뼘(보통 9인치); 경간(徑間)(다리·아치 따위의 지주(支柱) 사이의 간격). ② 짧은 길이(거리·시간); 전장(全長). ③ 〖空〗 (비행기의) 날개걸이. ④ 〖컴〗 범위. — vt. (~·nn-) 뼘으로 재다; (강에 다리 따위를) 놓다(with); (다리가 강에) 걸치다; (……에) 걸치다, 미치다.

span² v.《古》spin의 과거.

span·gle [spǽŋgəl] n. ⓒ 스팽글(무대 의상 따위에 이는 번쩍이는 장식); 번쩍번쩍 빛나는 작은 조각[렌·운모·서리 따위). — vt. 스팽글로 장식하다; 번쩍번쩍 빛나게 하다; (반짝이) 빛 뿌려 깔다[박다](with). — vi. 번쩍번쩍 빛나다.

span·iel [spǽnjəl] n. ⓒ 스패니얼 (털이 길고 귀가 늘어진 개); 비굴한 앞잡이.

Span·ish [spǽniʃ] n. (the ~) 《집합적》스페인 사람; ⓤ 스페인어(語). — a. 스페인의, 스페인풍의; 스페인 사람(말)의.

Spánish Máin, the 《역사》카리브 해 연안 지방; (지금의) 카리브해.

:spank [spæŋk] vt., n. ⓒ (엉덩이를 손바닥 따위로) 철썩 갈기다[갈김]. **·ing** n. ⓤ 손바닥으로 불기치기.

span·ner [spǽnər] n. ⓒ 뼘으로 재는 사람; 《주로 英》스패너(《공구》.

spar¹ [spɑ:r] *n.* ⓒ 〖海〗 원재(圓材)
《돛대·활대 따위》; 〖空〗 익형(翼桁).
— *vt.* (**-rr-**) 《배에》 원재를 달다.

spar² *vi.* (**-rr-**) (권투 선수등이) 주
먹으로 치고 받다; (닭이) 차서 싸우
다; 말다툼하다. — *n.* 권투; 투계(鬪
鷄); 언쟁.

spar³ *n.* ⓤ 〖鑛〗 철렁석(쉽게平石)《판
상(板狀)의 결이 있는 광석의 총칭》.
calcareous ~ 방해석(方解石).

spare [spɛər] *vt.* 아끼다, 절약하다; (…
없는 대로 지내다[넘기다]; (어떤 목
적에) 떼어두다; 나누어 주다; (시간
따위를) 할애하다(*for*); 《古》 억누르
르다, 삼가다; 용서하다, 살려주다;
(수고 따위를) 끼치지 않게 하다; (아무를)
…한 변을 당하지 않게 하다. — *vi.*
검약하다; 삼가다. — *a.* 여분의,
예비의; 야윈; 부족한, 빈약한. — *n.*
ⓒ 예비품. **spáring·ly** *ad.* 검약하여,
아끼어; 삼가서.

spáre·rib *n.* (보통 *pl.*) 돼지 갈비.

spark [spɑ:rk] *n.* ⓒ 불꽃, 불똥; 〖電〗
스파크; (내연 기관의) 점화 장
치; 섬광; 생기, 활기; 〖종종 부정문
에서〗 극히 조금, 흔적. **as the ~s**
fly upward 필연적으로. — *vi., vt.*
불꽃을 튀기다; 번쩍이다; 활기를[자
극을] 주다. (…의) 도화선이 되다.

spar·kle [spɑ́:rkl] *n., vi., vt.* ⓤⓒ
불꽃을 튀기(게 하다); 번쩍임; 번
쩍이다; 광채가 나다, 빛나다; 생
기(가 있다). **-kling** *a.*

spar·kler [-ər] *n.* ⓒ 불꽃을 내는
물건; 미인, 재사(才士); 불꽃; 번쩍
이는 보석, (특히) 다이아몬드; 《口》
반짝이는 눈.

spárk plug (내연 기관의) 점화전
(點火栓); 《口》 (일·사업의) 중심 인
물; 격려자.

spárring pàrtner (권투의) 연습
상대; (우호적인) 논쟁 상대.

spar·row [spǽrou] *n.* ⓒ 참새.

sparse [spɑ:rs] *a.* ① (머리털이) 성
긴, 듬성한 ② (인구·분포가) 희소한, 희박한
③ 빈약한. **~·ly** *ad.*

Spar·ta [spɑ́:rtə] *n.* 스파르타. **~·tan**
a., n. ⓒ 스파르타(식)의 (사
람); 검소하고 굳센 (사람).

spasm [spǽzəm] *n.* ⓤⓒ 〖醫〗 경련;

ⓒ 발작(fit²).

spas·mod·ic [spæzmɑ́dik/-5-],
-i·cal [-əl] *a.* 경련(성)의; 단속적
인; 발작적인. **-i·cal·ly** *ad.*

spas·tic [spǽstik] *a.* 〖病〗 경련
(성)의에 의한. — *n.* ⓒ 경련[뇌
성 마비] 환자.

spat¹ [spæt] *v. spit¹* 의 과거(분사).

spat² *n., v.* (**-tt-**) ⓒ 가벼운 싸움
(을 하다); 가볍게 때림[때리다] (비)
따위가) 후두두 뿌리다.

spat³ *n.* (보통 *pl.*) 짧은 각반.

spate [speit] *n.* ⓒ 《英》 홍수; 큰
비; 급류; (감정의) 격발.

spa·tial [spéiʃəl] *a.* 공간의; 공간적
인; 장소의; 공간적인.

spat·ter [spǽtər] *vt.* 튀기다, 뿌리
다(*with, on*); (욕설을) 퍼붓다
(*with*). — *vi.* 뛰다, 흩어지다.
— *n.* ⓒ 뿌림, 튀김; 빗소리, 면
데서의 총소리.

spat·u·la [spǽtʃulə/-tju-] *n.* ⓒ
(보통 주걱 모양의) 주걱; 〖醫〗 압설자
(壓舌子).

spawn [spɔ:n] *n.* ⓤ ① (집합적) (물
고기·개구리 따위의) 알 ②
〖植〗 균사(菌絲), ③ 〖蔑〗 우글거리는
아이들; 산물, 결과물. — *vt., vi.* (물
고기 따위가) (알을) 낳다.

spay [spei] *vt.* (동물의) 난소(卵巢)
를 떼내다.

speak [spi:k] *vi.* (**spoke, 《古》**
spake; spoken) 이야기하다[말하다
다]; 연설하다; (의견·감정을) 표명
[전]하다; 탄원하다; (대포·시계 따위
가) 울리다; (개가) 짖다. — *vt.* 이
야기[말]하다; (말을) 하다; 말을
나타내다(*His conduct ~s a small
mind.* 행동만 보아도 알 수 있듯이
소인(小人)이다). **generally** ~**ing**
대체로 말하면, **properly** ~**ing**
정확히 말하면; (roughly,
strictly) ~**ing** (대충, 엄밀
히) 말하면. **not to** ~ **of** ~ 은 말할
것도 없고, 물론. **so to** ~ 말하자
면. ~ **by the book** 정확히[딱딱하
게] 말하다 [전하다]. ~ **for** 대변[변호]하다; …
요구(주장)하다 (*well, ill*) **of** (…
을) (좋게, 나쁘게) 말하다. ~ **out**
[*up*] 큰 소리로 이야기하다; 거리낌
없이 말하다. ~ **to** 에게 이야기하다; 언
급하다; 꾸짖다; 증명하다. **:~·er** *n.*

ⓒ 이야기하는 사람; 연설자, 변사; (S-) (영·미의) 하원 의장; 확성기.

spéak·èasy n. ⓒ 주류 밀매점, 무허가 술집.

spear[spiər] n., vt. ⓒ 창(으로 찌르다).

spear² n., vi. ⓒ (식물의) 싹; 어린 가지(shoot); 싹이 트다.

spéar·hèad n. ⓒ 창끝; (공격·사업 따위의) 선두, 선봉.

spéar·mint n. Ⓤ 〔植〕 양(洋)박하.

spec [spek] n. Ⓤ,ⓒ 〔英口〕 투기 (speculation). **on** ~ 투기적으로, 요행수를 바라고.

spe·cial [spéʃəl] a. 특별(특수)한; 전문의; 특별한 기능(목적)을 가진; 특정의; 예외적인; 각별한. — n. ⓒ 특별한 사람(것); 특별편, 임시 시험; 특별 열차; (신문의) 호외; 특별 요리, 특별식. ~·**ist** n. ⓒ 전문가(의) (醫)(in). ~·**ly** ad.

Spécial Bránch 〔英〕 (런던 경시청의) 공안부(公安部).

spécial delívery 〔美〕 속달 우편 (롱)·〔英〕 express delivery); 속달 취급인(印).

spécial effécts (영화·TV의) 특수 효과; 특수 촬영.

spe·ci·al·i·ty [spèʃiǽləti] n. 〔英〕 = SPECIALTY.

spe·cial·ize [spéʃəlàiz] vt., vi. 특수화하다; 한정하다; 상술(詳說)하다; 전문적으로 다루다. 전공하다(in). ~·**i·za·tion** [~izéi-/~lai-] n. Ⓤ증.

spécial license 특별 허가증.

spe·cial·ty [spéʃəlti] n. ⓒ 전문, 전공; 특질; 특제품; 특별 사항; 〔法〕 날인증서.

spe·cies [-z] n. sing. & pl. ⓒ 〔生〕 종(種)(the Origin of S-); 종류 (kind)²; 〔論〕 종(種)개념; 〔가톨릭〕 (미사용의) 빵과 포도주; (the ···) 인류.

spe·cif·ic [spisífik] a. 특수(특정)한; 독특한; 명확한; 특효 있는; 〔論〕 종(種)의. — n. ⓒ 특효약 (for); (pl.) 세목; 명세. **-i·cal·ly** ad. 특효적으로.

spec·i·fi·ca·tion [spèsəfikéiʃən] n. Ⓤ 상술, 지정; 〔컴〕명세; ⓒ명 세 사항; (보통 pl.) (공사·설계 따위

의) 명세서.

specífic grávity 〔理〕 비중.

spec·i·fy [spésəfài] vt. 일일이 열거하다; 명세서에 적다.

spec·i·men [spésəmin, -si-] n. ⓒ 견본, 표본; 〔口〕 (특이한) 인물, 괴짜.

spe·cious [spíːʃəs] a. 허울좋은, 그럴듯한. ~·**ly** ad.

speck [spek] n. ⓒ 작은 반점(斑點); 얼룩; 극히 적은 조각. — vt. (···에) 반점을 찍다. ~·**less** a. 얼룩 (반점)이 없는.

speck·le [spékəl] n. ⓒ 반점, 얼룩; (피부의) 기미. — vt. (···에) 작은 반점을 찍다. **~d** a. 얼룩진.

specs [speks] n. pl. 〔口〕 안경.

spec·ta·cle [spéktəkəl] n. ⓒ (눈으로 본) 광경; 장관(壯觀); 구경거리; (pl.) 안경. **~d** [-d] a. 안경을 쓴.

spec·tac·u·lar [spektǽkjələr] a. 구경거리의; 장관의, 눈부신.

spec·ta·tor [spékteitər, ⸺] n. ⓒ 구경꾼; 관찰자, 목격자; 방관자.

spectátor spórt 관객 동원력이 있는 스포츠.

spec·ter, 〔英〕 **-tre** [spéktər] n. ⓒ 유령.

spec·tral [spéktrəl] a. 유령의[같은]; 〔理〕 스펙트럼의[에 관한].

spec·trom·e·ter [spektrámitər/-trɔ́mi-] n. ⓒ 〔光〕 분광계(分光計).

spec·tro·scope [spéktrəskòup] n. ⓒ 〔光〕 분광기.

spec·tros·co·py [spektrɔ́skəpi/-5-] n. Ⓤ 분광학(學).

spec·trum [spéktrəm] n. (pl. ~**s**, **-tra**) ⓒ 스펙트럼, 분광; (눈의) 잔상(殘像); 〔라디오〕 주파수 전파.

spec·u·late [spékjəlèit] vi. 사색하다(on, upon); 추측하다(about); 투기(投機)를 하다(in, on). — vt. (···의) 투기를 하다. **-la·tion** [~léiʃən] n. Ⓤ,ⓒ 사색, 추측; 투기 (in).

spec·u·la·tive [spékjəlèitiv, -lə-] a. 사색적인; 순이론적인; 위험을 내포한; 투기의, 투기적인. **~·ly** ad.

spec·u·la·tor [spékjəlèitər] n. ⓒ 사색가; 투기(업)자; 암표상.

sped [sped] v. speed의 과거(분사).

speech [spiːtʃ] *n.* ① ⓤ 말, 언어; 국어, 방언; 표현력. ② ⓤ 이야기, 담화; ⓒ 말[얘기]하려는 능력. ③ ⓒ 연설; ⓤ 연설법; 《文》 화법. **direct** [**indirect, represented**] ~ 직접[간접·묘출] 화법.   **~·ly** [-əfài] *vi.* (諺·戱) 연설하다, 열변을 토하다. **'~·less** *a.* 말을 못 하는, 잠자코 있는.

spéech dày (英) (학교) 졸업식날.

spéech thèrapy 언어장애 교정 (술).

speed [spiːd] *n.* ① ⓤ 신속, 빠르기; ⓤⓒ 속도, 속력. ② ⓤ 《機》 변속 장치. ③ ⓤ 《寫》 성공, 번영. ③ ⓤ 《俗》 각성(흥분)제 (methamphetamine). **at full** ~ 전속력으로. **wish good** ~ 성공을 빌다. — *vi.* (**sped, ~ed**) 급히 가다, 질주하다 (**along**). (자동차로) 빨리 속도를 내다; 진행하다; 急[살아]나가다. 《古》 성공하다. — *vt.* 서두르게 하다; 속력을 빨리하다; 촉진하다. 《古》 성공시키다. 돕다(*God* ~ *you!* 《古》성공을 빕니다); 성공을[도중 무사함을] 빌다(wish Godspeed to). ~ *up* 속도를 내다.

spéed·bòat *n.* ⓒ 쾌속정.

spéed·ing *n.* ⓤ 속도 위반. (차가) 속도를 위반함.

spéed límit 제한 속도.

spéed·om·e·ter [spiːdάmitər, -5mi-] *n.* ⓒ 속도계.

spéed tràp 속도 감시 구역.

spéed-úp *n.* ⓒ 가속(加速); 생산 증가, 능률 촉진.

spéed·wày *n.* ⓒ 《美》 고속 도로, 오토바이 경주장.   《종.

spéed·wèll *n.* ⓒ 《植》 꼬리풀의 일종. **speed·y** [spíːdi] *a.* 민속한, 재빠른; 조속한, 즉시의. **spéed·i·ly** *ad.*

spe·la(e)·ol·o·gy [spìːláládʒi／-5l-] *n.* ⓤ 동굴학.

spell[1] [spel] *vt.* (**spelt, ~ed**) (낱말을) 철자하다; 철자하여 ~이 되다; 의미하다; (···의) 결과가 되다. — *vi.* 철자하다. ~ *out* (어려운 낱말을) 판독하다; 상세히[명료하게] 설명하다; (생략 않고) 써 내다. **'~·er** *n.* ⓒ 철자자하는 사람; 철자 교본.

spell[2] *n.* ⓒ 주문(呪文), 주술; 마력

(魔力), 매력. **cast a** ~ **on** ···에 마술을 걸다, ···을 매혹하다. **under a** ~ 마술에 걸려, 매혹되어. — *vt.* 주문으로 얽어매다; 매혹하다.

spell[3] *n.* ⓒ 한 바탕의 일; (날씨 따위의) 한 동안의 계속; 한 동안; 《美》 ⓤ 병의 발작, 기분이 나쁜 때; 교대. — *vt.* (주로 美) 일시 교대하다; (襤) (···에) 휴식을 주다.

spell·bóund *a.* 주문에 걸린; 홀린; 넋을 잃은.

spell·ing [spéliŋ] *n.* ⓒ 철자; ⓤ 철자법.

spelt [spelt] *v.* spell[1]의 과거(분사).

spend [spend] *vt.* (**spent**) ① (돈을) 쓰다(*in, on, upon*) (노력 따위를) 들이다, 바치다. (시간을) 보내다 다. ② 써버리다, 지쳐빠지게 하다. — *vi.* 돈을 쓰다; 낭비하다.

spénd·ing *n.* ⓤ 소비; 소비.

spénding mòney 용돈.

spénd·thrift *n.* ⓒ 낭비가; 방탕자. — *a.* 돈을 헤프게 쓰는.

spent [spent] *v.* spend의 과거(분사). — *a.* 지쳐빠진, 기진맥진한; 다 써버린, 효력을 잃은.

sperm[1] [spəːrm] *n.* ⓒ 정충, 정자; ⓤ 정액.

sper·ma·to·zo·on [spəːrmətə-zóuɑn／spɔ́ːrmətə-] *n.* (*pl.* **-zoa** [-zóuə]) ⓒ 정충.

spérm whàle 향유고래.

spew [spjuː] *vt., vi.* 토하다, 게우다.

sphag·num [sfǽɡnəm] *n.* (*pl.* **-na** [-nə]) 물이끼.

sphere [sfiər] *n.* ① ⓒ 구(球), 구체(球體), 구면(球面). ② 《古》 천체; 지구본, 천구의(儀); 하늘, 천공(天空). ③ 활동 범위, 영역.

spher·i·cal [sférikəl] *a.* 구형의, 구면의; (천)체의.

spher·oid [sfíərɔid] *n.*, *a.* 《幾》 구형(球形체)의; 회전 타원체의. **sphe·roi·dal** *a.*

sphinc·ter [sfíŋktər] *n.* ⓒ 《解》 괄약근(括約筋).

sphinx [sfiŋks] *n.* (*pl.* **~es**, **sphinges** [sfíndʒiːz]) ① (the S-) 《그神》 스핑크스《여자 머리, 사자 몸에, 날개를 가진 괴물》; 《카이로 부근에 있는》 사자 몸·남자 얼굴의 스핑크스 석상(石像). ② ⓒ 스핑크스의 상

S (우측 탭)

수수께끼의 인물.

:**spice** [spais] *n., vt.* ⒸⓊ 조미료, 향신료(를 치다)(*with*); 정취를 (곁들이다); (a ~)(古) 기미(*of*).

spick-and-span [spíkənspǽn] *a.* 아주 새로운; 말쑥한, 산뜻한.

spic·y [spáisi] *a.* 향료 같은(를 넣은); 방향이 있는; 짜릿한; (口) 생기가 있는; 상스런.

:**spi·der** [spáidər] *n.* Ⓒ [蟲] 거미 (비슷한 것); 계략을 꾸미는 사람; 프라이팬; 삼발이. ~**·y** [-i] *a.* 거미(집) 같은; 아주 가느다란.

spiel [spi:l] (口) *n.* ⓊⒸ (손님을 끌기 위한) 너스레, 수다. — *vi.* 떠벌리다.

spig·ot [spígət] *n.* (통 따위의) 주둥이, 마개, 꼭지(faucet).

:**spike** [spaik] *n., vt.* Ⓒ 큰 못(을 박다); (신바닥의) 스파이크(로 상대를 입히다); 방해하다; (美俗) (음료에) 술을 타다.

spike[2] *n.* 이삭; 수상(穗狀) 꽃차례.

spik·y [spáiki] *a.* (口) (철도의) 큰 못 같은, 끝이 뾰족한; 큰 못 부심이인. ②(英口) 골치 아픈(상대 따위). 완고한, 성마른.

:**spill** [spil] *vt.* (*spilt, ~ed*) ① (액체·가루를) 엎지르다. (피를) 흘리다; 흩뿌리다. ② (口) (차·말에서) 내동댕이 치다. ③ [海] (돛의) 바람을 새게 하다. ④ (俗) 지껄이다, 누설하다. — *vi.* 엎질러지다. — *n.* ① 엎질러짐; (가격 따위의) 급락.

:**spin** [spin] *vt., vi.* (*spun, (古) span; spun; -nn-*) 잣다, 방적(紡績)하다; (선반 따위를) 회전시키다; (실을) 토하다; (거미가) (집을) 짓다; (이야기를) 장황하게 돌리다; (英口俗) 낙제시키다(하다); (*vi.*) 질주하다; 눈이 핑 돌다. 어질어질해하다. **send a person** ~ **·ning** 몹시 후려쳐 비틀거리게 하다. ~ **a yarn** 장황하게 말을 늘어놓다. ~ **out** (길이를) 질질 끌다. — *n.* ① 회전; (a ~)(자전거·말 따위의) 한번 달리기; (口) 나선상 강하(降下); (a ~)(물가 따위의) 급락.

spin·ach [spínitʃ/-nidʒ, -nitʃ] *n.* Ⓤ 시금치. 〔뼈의, 척추의〕

spi·nal [spáinl] *a.* 가시의; [解] 등

spínal còlumn [解] 등마루, 척주 (backbone).

spínal còrd 척수(脊髓).

spin·dle [spíndl] *n.* Ⓒ 방추(紡錘); 물렛가락; 굴대. — *vi.* 가늘게 길어지다. **spín·dling** *a.*, Ⓒ 껑충한 (사람·꼬). **spín·dly** *a.* 껑충한.

spin-dry *vt.* (탈수기에서 빨래를) 원심력으로 탈수하다.

spine [spain] *n.* Ⓒ 등뼈, 척주; [植動] 가시; (책의) 등; ~**·d** [-d] *a.* 척주가 있는. ~**·less** *a.* 척주(가시)가 없는; 무골충의.

spin·et [spínit, spinét] *n.* Ⓒ 하프시코드 비슷한 옛 악기; 소형 피아노.

spin·na·ker [spínikər] *n.* [海] (요트의) 큰 삼각돛.

spin·ner [spínər] *n.* Ⓒ 실 잣는 사람; 방적기(機); 거미. ~**·et**[-nər- èt] *n.* Ⓒ (누에 따위의) 방적돌기.

spin·ney [spíni] *n.* Ⓒ (英) 잡목숲.

spin·ning [spíniŋ] *n., a.* Ⓤ 방적(의); 방적업의.

spínning whèel 물레.

spin-off *n.* Ⓤ 모회사가 주주에게 자회사의 주를 배분하는 일. Ⓒ 부산물; 파생물.

spin·ster [spínstər] *n.* Ⓒ 미혼여성; 노처녀(old maid); 실 잣는 여자. ~**·hood**[-hùd] *n.*

spin·y [spáini] *a.* 가시가 많은(돋은) 같은); 어려운.

:**spi·ral** [spáiərəl] *a., n.* Ⓒ 나선형의 (것), 나선(용수철); [空] 나선 비행; [經] (악순환의) 연속적 변동. **inflationary** ~ 악(순환)성 인플레. — *vt., vi.* 나선형으로 하다(되다). ~**·ly** *ad.*

:**spire** [spaiər] *n., vt.* Ⓒ 뾰족탑을 세우다; (식물의) 가는 줄기(싹). — *vi.* 쑥 내밀다; 싹 트다.

:**spir·it** [spírit] *n.* ① Ⓤ (사람의) 정신, 영혼, 넋(the S- 신, 성령. ③ Ⓒ 신령, 유령, 악마. ④ Ⓤ 원기; 생기; 기운; (*pl.*) 기분. ⑤ Ⓒ (정신면에서 본) 사람, 인물. ⑥ Ⓤ (사람들의) 기풍, 기질; (*pl.*) 시대 정신; (입법의 따위의) 정신. ⑦ Ⓤ 알코올, 주정; Ⓒ (보통 *pl.*) (독한) 술; 알코올 용액. **catch a person's** ~ 의기에 감동하다. **give up the** ~ 죽다. **in**

high 〔**low, poor**〕**~s** 원기 있게〔없이〕, 기분이 좋아〔언짢아〕, 명랑〔발랄〕하게. **in ~** 내심, 상상으로. **people of ~** 패기 있는 사람들. **~ of the staircase** 이따가 생각나는 (사후(事後)의) 명안(名案). **~ of wine** 주정(酒精), (에틸) 알코올. **~** *vt.* 돌다(up); 채가다, (아이를) 유괴하다 (*away, off*). **~·less** *a.* 생기 없는.

spir·it·ed[spíritid] *a.* 원기 있는, 활기찬; …정신의, …기질의. **~·ly** *ad.* **~·ness** *n.*

spírit lèvel 주정 수준기(水準器).

spir·it·u·al[spíritʃuəl/-tju-] *a.* 영적인, 정신의〔적인〕; 신성한; 종교(교회)의. **~ father** 신부(神父). **—** *n.* [美] 대부(代父). **—** *n.* (미국 남부의) 흑인 영가. **~·is·tic**[≳—ístik] **~·ly** *ad.* **—·ist·ic** 유심론적인; 강신술적인.

spir·it·u·al·i·ty[spìritʃuǽləti/-tju-] *n.* ⓤⓒ 영성(靈性).

spit[spit] *vt., vi.* (**spat**, 〈古〉**spit**; **-tt-**) (침을) 뱉다(*at*); (俗) 내뱉 듯 말하다(*out*). **—** (*vi.*) (고양이 가) 성나서 그르렁거리다. 〈方〉 (비가) 후두두후두두 내리다; (눈이) 한두송 이씩 흩날리다. **—** *n.* ⓤ 침⦅출혈⦆; (곤충의) 게거품. **the (very, dead) ~ of** (口) …을 꼭 닮음. **~** 을 뺌으로.

spit *n., vt.* (**-tt-**) ⓒ 꼬챙이(에 꿰 다); (사람을) 꿰찌르다(**stab**); 꽂. 돌출한 모래톱.

spite[spait] *n.* ⓤ 악의, 원한. **in ~ of** …에도 불구하고; …을 іmmerse하지 않고. **in ~ of oneself** 저도 모르 게. **out of ~** 분풀이로, 앙심으로. **—** *vt.* (…에) 짖궂게 굴다. **~·ful** *a.* 악의 있는, 짖궂은. **~·ful·ly** *ad.*

spit·fire [spítfàiər] *n.* 화염(火焔); 불동이〔사람〕. (**S-**)〈英〉스피트파이어(機)⦅제2차 대전 중의⦆.

spit·tle[spítl] *n.* ⓤ 침.

spit·toon[spitúːn] *n.* ⓒ 타구(唾 具).

spiv[spiv] *n.* ⓒ〈英〉얌생이꾼. 건달.

splash[splæʃ] *vt., vi.* ⓒ (물·흙탕 물을) 튀기다; 튀기며 가다. **—** (*vt.*) 흠뻑칠 것 같은 무늬로 하다. **—** (*vi.*) 튀다. **—** *n.* 튀김, 철벅

철벅; 첨벙; 반점(斑點). **make a ~** 떠벌리고 소리내다⦆; (口) 큰 호평 을 얻다. **~·y** *a.* 튀는; 철벅철벅 소 리내는; 반점〔얼룩〕투성이의.

splásh·dòwn *n.* ⓒ (우주선의) 착 수(着水).

splat[splæt] *n.* ⓒ (특히, 의자의) 등널.

splat·ter[splǽtər] *vi., vt.* ⓒ ⦅물·진흙 따위를⦆ 튀기다⦅뀌김⦆.

splay[splei] *vt., vi.* (창틀 따위) 바 깥쪽으로 벌어지(게 하)다. 외면 경사 로 하다. **—** *a.* 바깥으로 벌어진. 모 양새 없는. **—** *n.* ⓒ[建] 바깥쪽으로 벌어짐〔넓힘〕.

spláy·fòot *n.* ⓒ 펼발, 편평족(扁平 足). **~ed** *a.*

spleen[spliːn] *n.* ⓒ 비장(脾臟), 지라; ⓤ 언짢음, 노여움, 원한 (*against*); ⦅古⦆ 우울. **~·ful** *a.* **~·ish** *a.*

splen·did[spléndid] *a.* 화려〔장려〕 한; 빛나는, 훌륭한, 장렬한; (口) 근사한. **~·ly** *ad.* **~·ness** *n.*

splen·dor, 〈英〉**-dour**[spléndər] *n.* ⓤ (종종 pl.) 광휘, 광채; 화려; 훌륭함; (명성의) 혁혁함.

sple·net·ic[splinétik] *a.* 비장(脾 臟)의, 지라의; 성마른, 까다로운.

splice[splais] *n., vt.* ⓒ (밧줄의 가 닥을) 꼬아 잇기〔잇다〕; (俗) 결혼시 키다.

splint[splint] *n., vt.* ⓒ [外] 부목 (副木)(을 대다); 얇은 널조각; 비골 (脾骨).

splin·ter[splíntər] *n.* ⓒ 지저깨 비; 파편. **—** *vt., vi.* 쪼개지다(다, 찢 (기)다, 깎이다. **—** *a.* 분리된. **~·y** *a.* 쪼개〔쪼개지기〕 쉬운, 파편의, 파 편투성이의.

splínter gròup 〔**pàrty**〕 분파, 분파.

split[split] *vt., vi.* (**~; -tt-**) ⓒ 분열 〔분리〕시키다〔하다〕(*away*), 쪼개〔빠 개〕지다(*上*) 물〈俗〉 밀고하다. **~ hairs** 〔**straws**〕 지나치게 세세한 구별을 짓다. **~ one's sides** 배를 움켜 쥐고 웃다. **~ one's vote** 〔**ticket**〕(같은 선거에서) 별개의 당 〔후보자에〕 (연기(連記)) 투표하다. **~ the difference** 타협〔접근〕하다.

split infinitive 〔文〕 분리 부정사
〔보기: He has began to really *understand* it.〕.

split personality 정신 분열증; 이중 인격.

splodge [splɑdʒ/-ɔ-] *n., v.* = SPLOTCH.

splotch [splɑtʃ/-ɔ-] *n.* ⓒ 큰 얼룩(을 묻히다). **~·y** *a.* 얼룩진.

splurge [spləːrdʒ] *n., vt., vi.* ⓒ 《美口》 과시(誇示)(하다).

splut·ter [splʌ́tər] *v., n.* = SPUTTER.

:**spoil** [spɔil] *vt., vi.* (**spoilt, ~ed**) ① 망치다. 못쓰게 되다[하다]. 손상케 하다; 《vi.》(음식이) 상하다. ② 약탈하다. — 《vi.》 아이를 응석받이로 키우다(a ~ed child 버릇 없는 아이). **be ~ing for** …이 하고 싶어 좀이 쑤시다. — *n.* ① ⓤ (또는 *pl.*) 약탈품(수집가의) 발굴물. ② 《*pl.*》《美》(여당이 얻는) 관직, 이권.

spoil·age [ɔidʒ] *n.* ⓤ 못쓰게 됨[됨], 손상(물); (음식의) 부패.

spoke [spouk] *v.* speak의 과거.

spoke² *n.* ① (수레바퀴의) 살; (사다리의) 가로장; 바퀴 멈추개. **put a ~ in a person's wheel** 남의 일을 훼방놓다. — *vt.* (…에) 살을 달다.

spo·ken [spóukən] *v.* speak의 과거분사. — *a.* 입으로 말하는, 구두 [구어(口語)]의. **~ language** 구어. **—spoken** (連結形) 《…하게》 말하는.

spokes·man [spóuksmən] *n.* ⓒ 대변인.

:**sponge** [spʌndʒ] *n.* ① ⓤⓒ 해면 (海綿); 해면 모양의 물건·과자 따위). ② ⓒ 《動》 해면동물; 《口》 식객. 술고래. **pass the ~ over** 해면으로 닦다; …을 아주 잊어버리다. **throw** (**chuck**) **up the ~** 《拳》 졌다는 표시로 해면을 던지다; 패배를 자인하다. — *vt.* ① 해면으로 닦다[문지르

다]《*down, over*》; 해면에 흡수시키다《*up*》. ② 우려내다, 둥치다. — *vi.* ① 흡수하다. ② 해면을 따다. ③ 기식(寄食)하다《*on, upon*》.

sponge bag 화장실 주머니.

sponge biscuit 〔**cake**〕 카스텔라의 일종.

spong·er [ɔr] *n.* ⓒ 《口》 객식구, 식객.

:**spon·gy** [spʌ́ndʒi] *a.* 해면질[모양]의, 구멍이 많은, 흡수성의, 폭신폭신한.

:**spon·sor** [spɑ́nsər/-ɔ-] *n.* ⓒ ① 대부(代父), 대모(代母). ② 보증인 후원자; (방송의) 광고주, 스폰서. — *vt.* ① 보증하다, 후원하다. ② 방송 광고주가 되다. ③ (신입 회원을) 소개하다. **~·ship**—[ʃip] *n.*

spon·ta·ne·ous [spɑntéiniəs/spɔn-] *a.* 자발적인; 자연 발생적인, 천연의; (문장이) 시원스러운. **~ combustion** 자연 발화(發火). **~·ly** *ad.* ~**·ness** *n.* **·ne·i·ty** [ɔtænʃ-] *n.* ⓤ 자발[자연]성; ⓒ 자발 행위.

spoof [spuːf] *n., vi., vt.* ⓒ 《俗》 장난으로, 속임수(속임); 놀리다; 흘리다[내다].

spook [spuːk] *n.* ⓒ 《口》 유령. **~·y** *a.* 《口》 유령 같은; 무시무시한; 접질은.

spool [spuːl] *n., vt.* ⓒ 실패(에 감다); (테이프 등의) 릴, 스풀.

:**spoon** [spuːn] *n.* ⓒ ① 숟가락 (모양의 물건). ② 놀이외치용(用)의 골프채의 일종(끝이 나무로 됨). ③ (낚시의) 미끼로. **be born with a silver** 〔**gold**〕 ~ **in one's mouth** 부잣집에 태어나다. **be ~s on** 《俗》에 반하다. **hang up the ~** 《俗》 죽다. — *vt., vi.* ① 숟가락으로 뜨다《*out, up*》. ② 《俗》 새롱거리다. 애무하다. **~·fúl** *n.* 한 숟가락 가득.

spoon·feed *vt.* (**-fed**) (…에게) 숟가락으로 떠먹이다; 떠먹이듯이 키우다; 너무 어하다.

spoor [spuər] *n., vt., vi.* ⓤⓒ 자취 (짚다).

spo·rad·ic [spərǽdik] **-i·cal** [-əl] *a.* 산발적인; 산재(散在)하는; 드문드문한; 돌발적인. **-i·cal·ly** *ad.*

*spore[spɔ:r] *n., vi.* ⓒ〔植〕홀씨〔포자·종자〕(가 생기다).

spor·ran[spɔ́rən/-5-] *n.* ⓒ (정장한 스코틀랜드 고지 사람이 kilt 앞에 차는) 털가죽 주머니.

*sport[spɔ:rt] *n.* ① ⓤ 오락; 운동, 경기. ② (*pl.*) 운동[경기]회. ③ ⓤ 농담, 장난, 회롱; ⓒ 웃음[농롱]거리. ④ (돌연) 변종(變種). ⑤ ⓒ 농락당하는 것(*the ~ of the fortune*). ⑥ ⓒ 운동가, 사냥꾼; 《口》노름꾼; 좋은 녀석; 시원시원한 남자. **for**〔**in**〕**~** 농으로. **make ~ of**(…을) 놀리다. ─ *vi.* 놀다, 장난치다; 까불다, 희롱하다(*with*), 《口》과시하다. ***~ing** *a.* 스포츠에 관한, 스포츠를 좋아하는, 스포츠용의; 정정당당한; 모험적인.

sport(s) càr 스포츠카.

spórts·càst *n.* ⓒ 스포츠 방송.

spórts·man [-mən] *n.* (*fem* **-woman**) ⓒ 스포츠맨, 운동가, 사냥꾼; 정정당당히 행동하는 사람, 사나이 도박사. **~·like**[-làik] *a.* **:~·ship**[-ʃip] *n.*

spórts·wèar *n.* ⓤ (집합적) 운동복; 간이복.

sport·y[spɔ́:rti] *a.* 《口》운동가다운; 발랄한; (복장이) 멋진, 스포티한 (*opp.* dressy); 화려한; 태도가 팔팔한.

*spot[spat/-ɔ-] *n.* ⓒ ① 점, 얼룩, 반점; 〔天〕(태양의) 흑점. ② 오점, 오명. ③ (어떤) 지점, 장소. ④ (一) ⓒ 조금. ⑤ 《美口》1달러(*a ten ~*), 10달러 지폐). ⑥ 집비둘기의 일종; 〔魚〕 조기류(類). ⑦ (*pl.*) 〔商〕현물. **hit the ~** 《口》 만족하다, 꼭 알맞다. 더할 나위없다. **on**〔**upon**〕**the ~** 즉석에서, 당장; 그 장소에서; 《俗》 위험에 빠져; 《俗》곤경에 처하여, 준비가 되어; 《俗》곤경에 빠져; 《俗》위험에 노출되어서 **be put on the ~** 《美俗》위험에 노출되어 살해되다. ─ *vt.* (*-tt-*) ① (…에) 반점[얼룩·오점]을 묻히다; 얼룩지게 하다. ② 산재(散在)시키다. ③ ⓒ 《口》 숫자·반인 등을 점찍다, 알아내다, 발견하다. ─ *a.* 당장의, 현금(거래)의; 《美》(방송인도(放送引渡)의); 《TV·라디오》현지(중계) 프로의.

spót chèck 《美》무작위

[임의] 견본 추출; 불시 점검(點檢).

*spót·less *a.* 얼룩(결점)이 없는, 결백한.

*spót·light *n., vt.* ⓒ 〔劇〕스포트라이트(로 비추다); (the ~) (세인의) 주시.

spót·òn *a., ad.* 《英口》정확한[히], 확실한[히].

spot·ted[-id] *a.* 반점(오점)이 있는, 얼룩덕덕한; (명예를) 손상당한.

spot·ty[-i] *a.* 얼룩(반점) 투성이의; 한결같지 않은.

spouse[spaus, -z/-z] *n.* ⓒ 배우자; (*pl.*) 부부.

spout[spaut] *vt., vi.* ① 내뿜다. ② (으스대며) 도도히 말하다. ─ *vt.* 《俗》전당잡히다. ─ *n.* ⓒ ① (주전자·펌프 등의) 주둥이, 꼭지. ② 분출, 분류; 회오리, 물기둥. ③ (옛날 전당포의) 물건의 반송(搬送) 승강기. **up the** ~ 《英俗》전당잡혀; 곤경에 놓여.

sprain[sprein] *n., vt.* ⓒ (손목 등을) 삠; 빼다.

sprang[spræŋ] *v.* spring의 과거.

sprat[spræt] *n.* 〔魚〕청어속(屬)의 작은 물고기. **throw a ~ to catch a herring** 새우로 잉어를 낚다(작은 밑천으로 큰 것을 바라다).

sprawl[sprɔ:l] *vi., vt., n.* ⓒ (보통 *sing.*) 큰대자로 드러눕다(눕힘). 큰대로 때려 눕히다[눕힘]; 마구 퍼지다[퍼짐].

:spray[sprei] *n.* ① ⓤ 물보라. ② 물입기(吸入器), 분무기. ③ ⓒ (잎·꽃·열매 등이 달린) 작은 가지, 가지 모니(장식). ─ *vt., vi.* 물보라를 일으키다[일게 하다], 안개(살충제)를 뿜다(*upon*). ② 산탄(散彈)을 퍼붓다(*upon*). **~·er** *n.* 분무기, 흡입기.

spráy gùn (도료·살충제의) 분무기.

*spread[spred] *vt., vi.* (~·ㅅ) 펴다, 펼치다, 퍼뜨리다. 퍼지다, 유포(流布)하다. ② (*vt.*) 흩뿌리다. 바르다(~ *bread with jam* 빵에 잼을 바르다). ③ 배치하다; (식사를) 차리다(~ *for dinner*; ~ *the table*; ~ *tea on the table* 차를 내다). ④ (*vi.*) 걸치다, 미치다; 열리다, 번지다. ~ *oneself* 퍼지다, 뻗

다; 《口》 자신을 잘 보이려고 노력하
다; 분발하다; 출분한 실력을 나타내
다; 자랑하다. ── *n.* ① U 폭, 퍼
짐, 범위, 고간 ② (*sing.*) (보통 the ～)
유포(流布); 유행, 보급. ③ C 《口》
성찬. ④ C 시트, 식탁보. ⑤ UC
(빵에) 바르는 것(치즈·잼 따위). ⑥
C《美》(신문의) 큰 광고, 큰 기사,
2페이지에 걸친 삽화. ⑦ UC 허리
둘이 굵어짐.

spread-eagle *n., vt.* 날개를 편 독
수리 형태의(로 하다); 《美口》(특히
미국이) 제나라 자랑을 하다.

spréad-shèet *n.* C 〖計〗 매
트릭스 정산표. ② 《컴》 스프레드 시
트, 펼친 셈판, 확장 문서.

spree[spriː] *n.* C 법석댐, 흥청거
림; 술잔치. **on the ～** 들떠서.

sprig[sprig] *n., vt.* (**-gg-**) ① 어린
가지(를 치다); (도기·천에) 잔가지
(무늬)(를 넣다); 《詩》 애송이.

spright-ly[spráitli] *a., ad.* 쾌활한
[하게].

†**spring**[spriŋ] *n.* ① (종종 *pl.*)
샘(a hot ～ 온천). ② 원천, 원동력.
② C 기원, 근원, 시작. ③ U 봄.
④ UC 청춘 (시절). ③ C 도약(跳
躍), ⑥ U 뛰어듦; 탄력, ⑦ C 용수
철, 태엽, 스프링. ── *vi.* (**sprang,
sprung; sprung**) ① (근원을) 발하
다, 싹트다, 생기다, 일어나다. ② 도
약하다, 뛰다, 튀다; 튀기다(off); 우
뚝 솟다 (판자가) 휘다, 굽다.
── *vt.* ① 뛰어 넘다, 뛰어오르게 하
다. ② 젖히다, 가르다; 휘게 하다; 폭
발시키다. ③ 용수철을 되튀기게 하
다. 용수철을 달다 ⑤ 느닷없이 꺼내
다(He sprang a surprise on me.)
⑤ 날아가게 하다. ⑥《美俗》석방하
다. ～ a leak 물새 구멍이 생기다.
～ a mine 지뢰를 폭발시키다. ～ a
somersault 재주 넘다. ～ on
[upon] …에 덤벼 들다.

spring-bòard *n.* C 뛰판.

spring-bòk *n.* C 《남아프리카의
영양(羚羊)의 일종.》 『풋내기』

spring chicken *n.* C 영계; 《俗》
풋나기.

spring-cléan *vt.* 춘계 대청소를 하
다. ～ing *n.*

spring-er[spríŋər] *n.* C 뛰는 것
(사람·개·물고기 따위), 《특히》 범고

래; 햇닭.

spring tíde 한사리; 분류.

spring-time *n.* U (the ～) 봄; 청
춘.

spring-y[spríŋi] *a.* 용수철 같은,
탄력 있는; 경쾌한; 샘이 많은; 습한.

†**sprin-kle**[spríŋkl] *vt.* (물·재 따
위를) 끼얹다. 붓다, 뿌리다. ── *vi.*
물을 뿌리다; 비가 뿌리다(It ～s.)
── *n.* ① 홀뿌림, ② 부슬비. ③
(*sing.*) 드문드문함, 소량. *-kling
n.* U 홀뿌리기, 살수(撒水) ② U (비 따위
의) 뿌림; 조금, 드문드문함(a sprin-
kling of gray hairs 희끗희끗한 머
리).

sprin-kler[-ər] *n.* C 살수기[차];
스프링클러, 물뿌리개.

†**sprint**[sprint] *n., vi.* 단거리 경
주; 단시간의 대활동; 단거리를 질주
하다. ～-*er n.* C 단거리 선수.

sprite[sprait] (＜*spirit*) *n.* C 요정
(妖精); 도깨비, 요귀. 〖컴〗 쪽화면.

sprock-et[sprákit/-5-] *n.* C 사슬
톱니바퀴(～ **wheel**)(자전거 등의).

†**sprout**[spraut] *n.* C 눈, 새싹; (*pl.*)
싹양배추(Brussels sprouts). ──
vi. 싹이 트다; 갑자기 자라다. ── *vt.*
① 싹트게 하다. ② (뿔·수염을) 기르
다. ③ (…의) 싹(순)을 따다.

†**spruce**[spruːs] *n.* UC 가문비나
무속(屬)의 나무; U 제목.

spruce[2] *a.* 말쑥한(trim), ── *vt.,*
vi. (옷차림을) 말쑥하게[맵시 있게]
하다(*up*). ～-*ly ad.*

†**sprung**[sprʌŋ] *v.* spring의 과거
(분사).

spry[sprai] *a.* 활발한; 재빠른(nim-
ble).

spud[spʌd] *n., vt.* (**-dd-**) ① 포크
가래(로 파다); 로 제거하다; 《口》감
자.

spume[spjuːm] *n., vi.* 거품(이
일다)(foam). **spúm-y** *a.*

†**spun**[spʌn] *v.* spin의 과거(분사).
── *a.* 자은; 실 모양을 한; 잡아늘
인; 지쳐빠진.

spunk[spʌŋk] *n.* C 《口》용기; 부
싯깃(tinder). *get one's ～ up*
《口》 발끈 성내다. ～-*y a.* 《口》용기
있는; 성마른.

†**spur**[spəːr] *n.* C ① 박차. ② 자
극. ③ (새의) 머느리발톱. ④ 짧은

가지; (바위·산의) 돌출부. ⑤ (등산용) 아이젠. **give the ~** 격려[자극]하다. **on the ~ of the moment** 얼떨결에, 앞뒤 생각 없이, 순간적으로…로. **win one's ~s** 《史》(황금의 박차와 함께) knight 작위를 받다; 이름을 떨치다. ── *vt., vi.* (**-rr-**) (에) 박차를 가하다[주다]; (자극)하다. ── *a willing horse* 필요 이상으로 재촉하다.

spu·ri·ous [spjúəriəs] *a.* 가짜의(false); 그럴싸한; 사생아의.

spurn [spə:rn] *vt., vi.* 쫓아버리다; 걷어차다; 일축하다. ── *n.* ⓒ 걷어차기; 일축; 퇴짜; 매몰찬 거절.

spurt [spə:rt] *vt., vi.* ⓒ 분출(하다); 한바탕 분발(하다); 역주(力走)(하다).

sput·ter [spʌ́tər] *vi., vt.* 침을 튀기다[뿌리며] 말하다; (불통 따위) 탁탁 뛰다. ── *n.* Ⓤ 입에서 튀김[튀어나오는] 것; 빨리 말함; 탁탁하는 소리.

spu·tum [spjú:təm] *n.* (*pl.* **-ta** [-tə]) Ⓤⓒ (saliva); 담, 가래.

spy [spai] *n.* ⓒ 스파이, 탐정. ── *vt., vi.* 탐정(염탐)하다(*on*); 찾아내다(*out*); 면밀히 조사하다(*into*).

squab·ble [skwábəl/-ɔ-] *n., vi.* (사소한 일로) 싸움(을 하다)(*with*).

squad [skwad/-ɔ-] *n.* ⓒ(집합적)《軍》분대, 반; 팀.

squad·ron [ʃ-rən] *n.* ⓒ (집합적) 기병 대대(120-200 명); 소함대; 비행 중대; 집단. 《海》《空군》《장(소령).

squadron lèader (英) 비행 중대장.

squal·id [skwálid/-5-] *a.* 더러운, 너저분한; 천한(mean); (비참한). **~·ly** *ad.* **~·ness** *n.* **squa·lid·i·ty** *n.*

squall [skwɔ:l] *n.* ⓒ 돌풍, 질풍, 스콜; (口) 싸움, 소동. ── *vi.* 질풍이 휘몰아치다. **~·y** *a.* 돌풍의; (口) 험악한.

squal·or [skwálər/-5-] *n.* Ⓤ 불결함; 비참함; 비열.

squan·der [skwándər] *vt., vi.* 낭비하다.

square [skwɛər] *n.* ⓒ ① 정사각형. ② (사각) 광장; (사각의) 부지·구획. ③ T자, 곱자. ④ 평방, 제곱(생략 sq.). ⑤ 방진(方陣)(*a magic ~* (魔)방진). 동치는 ── *a.* 정방형의

on the ~ 직각으로; 《口》정직(공평)하게. **out of ~** 직각을 이루지 않고; 비스듬하게; 부정확(부정확)하게. ── *a.* ① 정사각형(네모)의. ② 모난; 튼튼한. ③ 정직한, 꼼꼼한; 공평한. ④ 수평의; 평등의, 대차(貸借)가 ── ⑤ 평방의(*six feet ~*, 6피트 평방/*six ~ feet*, 6평방 피트). ⑥ 《口》(식사 따위) 충분한. **get (things)** ── (일을) 정돈하다. **get ~ with** ── 와 (貸借) 없이 되다; 비기다; 보복《대갚음》하다. ── *vt.* ① 정사각형[직각·수평]으로 하다. ② (대차 관계를) 결산(청산)하다(settle). ③ 시합의 득점을 동점으로 하다. ④ 일치(조화)시키다. ⑤ 《數》제곱하다. ⑥ (어깨를) 펴다. 《俗》매수하다. ── *vi.* ① 직각을 이루다. ② 일치하다. ③ 청산하다. **~ accounts** (대갚음[청산]을 하다)(*with*). **~ away** 《海》순풍을 받고 달리다. **~ off** 자세를 취하다. **~ oneself** (과거의 잘못을) 청산하다, 보상하다. **~ the circle** 불가능한 일을 피하다. ── *ad.* ① 직각(사각)으로. ② 정통(정면)으로, ③ 공정(정직)하게; 정면으로; 단호히, 정통으로. **~·ly** *ad.* 정사각형[사각·직각]으로; 정통(공정)하게; 정면으로; 단호히. **~·ness** *n.*

square-bàshing *n.* Ⓤ 《英軍俗》 군사 교련.

square bráckets 《타》 꺾쇠괄호.

square dánce 스퀘어댄스.

square knót = REEF KNOT.

square mátrix ① 《數》 사각형 행렬. ② 《컴》 정방(正方) 행렬.

square róot 제곱근.

squar·ish [skwɛ́əriʃ] *a.* 네모진, 정방형에 가까운.

squash [skwɔʃ/-ɔ-] *vt., vi.* ① ⓒ 깨다; 으깨다[으스러] 지다; 짓눌러 흐물흐물하게 하다[되다]. ② 억지로 밀어넣다. [혜치고 들어가다](*into*). ── *vt.* ① 진압하다, 《口》 찍소리 못하게 하다. ── *n.* ① 짜그러짐[뜨림]; 와삭하는 소리. ② ⓒⓤ 으스러져 흐물흐물한 물건. ③ ⓒ 과즙 음료. ④ Ⓤ 스쿼시 비슷한 공놀이, 스퀴시. **~·y** *a.* 으스러지기 쉬운; 흐물흐물한; 모양이 찌그러진.

squash² *n.* ⓒ 호박류(類).

S

squásh rácquets [**ràckets**] 스퀴시《사방이 벽으로 둘러싸인 코트에서 자루가 긴 라켓과 고무공으로 하는 구기》.

squat [skwɑt/-ɔ-] *vi.* (**~ted; squat, -tt-**) 웅크리다, 쭈그리다; 《口》펄썩 앉다; 공유지(남의 땅)에 무단히 거주하다. —— *a.* 웅크린(*a ~ figure*); 땅딸막한. —— *n.* ⓤ 웅크리기; 쭈그린 자세. **∠ter** *n.* **∠ty** *a.* 땅딸막한.

squaw [skwɔː] *n.* ⓒ 북아메리카 토인의 여자《아내》; 결혼.

squawk [skwɔːk] *vi.* (물새 따위가) 꽥꽥《깍깍》거리다; 《美俗》큰 소리로 불평을 하다. —— *n.* ⓒ 꽥꽥《깍깍》거리는 소리; 불평.

squeak [skwiːk] *vi., vt.* (쥐 따위가) 찍찍 울다, 끽끽거리다; 삐걱거리다; 찍찍하는 소리로 말하다; 《英俗》밀고하다. —— *n.* ⓒ 찍찍《끽끽》거리는 소리; 밀고. **narrow ~** 《俗》위기 일발. **∠y** *a.* 찍찍거리는, 삐걱거리는. **∠er** *n.* ⓒ 찍찍 우는 것; 꽥꽥 거리는 사람; 《英俗》밀고자.

squeal [skwiːl] *vi., vt.* 깩깩 울다; 비명을 올리다; 《俗》밀고하다. —— *n.* ⓒ 깩깩 우는 소리; 비명. **∠er** *n.* ⓒ 깩깩 우는 동물; 《俗》밀고자.

squeam·ish [skwíːmiʃ] *a.* (쉬)가 까다로운, 결벽한; 곧잘 느글거려지는; 점잔빼는.

squee·gee [skwíːdʒi, -∠∠, -∠] *n., vt.* (물기를 닦아내는) 고무 걸레(로 훔치다).

squeeze [skwiːz] *vt.* ① 굳게 쥐다(악수하다), 꼭 껴안다. ② 밀어(들어) 넣다(*in, into*); 압착하다; 짜내다(*out, from*). ③ 착취하다. **∠d orange** 좀 짜낸 찌기; 더 이상 이용 가치가 없는 것. —— *vi.* ① 압착되다, 죄이다. ② 밀어 헤치고 나아가다 (*in, into, out, through*). —— *n.* ⓒ ① 꼭 쥠(껴안음). ② 압착; 착취. ③ (a ~) 혼잡, 붐빔. ④ 짜낸 (소량의) 과일즙 (따위). ⑤ 곤경. ⑥ 본드기. **squéez·er** *n.* ⓒ 압착기.

squelch [skweltʃ] *vt.* 짓누르다, 찌부러뜨리다; 진압하다. —— *vi.* 《口》찌걱찌걱 소리 못하게 하다. —— *vi.* 철벅철벅하는

리를 내다. —— *n.* ⓒ (보통 *sing.*) 철벅철벅하는 소리; 찌부러진 물건; 《口》찌걱 소리 못하게 하는.

squib [skwib] *n.* ⓒ 폭죽, 도화 폭죽(導火爆竹); 풍자문. —— *vt., vi.* (**-bb-**) 풍자하다(폭죽을 터뜨리다.

squid [skwid] *n.* ⓒ 오징어.

squif·fy [skwífi] *a.* 《英俗》거나하게 취한; 일그러진, 비스듬한.

squint [skwint] *n.* ⓒ 흡보기, 사팔 눈(뜨기); 《口》흘깃 보기, 일별; 경향(*to, toward*). —— *vi.* 사팔눈이다; 곁눈질로(눈을 가늘게 뜨고) 보다(*at, through*); 얼핏 보다(*at*); 경향이 있다. —— *vt.* 사팔눈으로 하다; (눈을) 가늘게 뜨다.

squire [skwaiər] *n.* ⓒ 《美》시골 유지, (지방의) 대(大)지주; 《美》치안 판사; 기사의 종자(從者); 여자를 모시고 다니는 신사. —— *vt.* (주인·여자를) 모시고 다니다.

squir(e)·ar·chy [skwáiərɑːrki] *n.* (**the ~**) (영국의) 지주 계급; ⓤ 지주 정치.

squirm [skwəːrm] *vi., n.* 꿈틀[허위적]거리다(거림); 몹시부끄러워[침]; 머뭇거리다(거림); 어색해 하다[하기]. **∠·y** *a.*

squir·rel [skwɔ́ːrəl/skwír-] *n.* ⓒ 다람쥐; ⓤ 그 털가죽.

squirt [skwəːrt] *n., vt., vi.* ⓒ 분출(하다); 분수; 주사기; 《口》건방진 풋내기(*upstart*).

Sr. Senior; Sister.

SS *Sancti* (L. = Saints); Saints; steamship.

St. [seint, sənt, sint] *n.* = SAINT.

St. Street. **st.** stone.

stab [stæb] *vt.* (**-bb-**), *n.* ⓒ (푹) 찌르다; ⓒ 찌름; 상처(하다); 《口》기도(企圖). —— *vi.* 찌르려 덤비들다(*at*). —— *vt.* (*a person*) *in the back* (아무를) 중상하다. **∠·ber** *n.* ⓒ 찌르는 것; 자객.

sta·bil·i·ty [stəbíləti, -li-] *n.* ⓤ 안정성; 고정, 불변; 확실.

sta·bi·lize [stéibəlàiz] *vt.* 안정시키다; (……에) 안정 장치를 달다. **-liz·er** *n.* ⓒ 안정시키는 사람(것); 안정 장치. **·-li·za·tion** [-lizéiʃən/-lai-] *n.* ⓤ 안정, 고정.

sta·ble¹ [stéibl] *a.* 안정된, 견고한; [理·化] 안정(성)의; 영속성의; 착실한; 복원력(復原力)이 있는.

sta·ble² *n.* ⓒ ① (종종 *pl.*) 마구간. 외양간. ② [集合的] (마구간의) 말. ③ [競馬] 말 조련실(기수). ④ 《俗》 말들[권투선수, 매춘부들]. — *vt., vi.* 마구간에 넣다[살다].

stáble·boy *n.* ⓒ 마부(특히 소년).

sta·ble·man [-mən] *n.* ⓒ 마부.

stac·ca·to [stəkάːtou] *ad., a.* (It.) [樂] 단음적(斷音的)으로; 단음적인.

stack [stæk] *n.* ⓒ ① (건초·밀짚 따위의) 더미, 날가리. ② [軍] 걸어총. ③ (*pl.* 또는 a ∼) 굴뚝, 땁음. ④ 조립 굴뚝. (기차·기선의) 굴뚝. ⑤ (*pl.*) 서가(書架). ⑥ 《美》 스택. 동전통. *S- arms!* 걸어총. — *vt.* ① 날가리를 쌓다. ② 겹쳐 쌓다. ③ 《空》 (착륙 대기 비행기를) 고도차를 두어 대기시키다. ④ 《카드》 부정한 수로 카드를 치다. *have the cards ∼ed against one* 대단히 불리한 입장에 놓이다.

sta·di·um [stéidiəm, -djəm] *n.* (*pl.* ∼**s**, **-dia** [-diə]) ⓒ ① 육상 경기장, 스타디움. ② 《古그》 경주장.

staff [stæf, -ɑː-] *n.* (*pl.* ∼**s**, **staves** [-z]) ⓒ ① 지팡이, 막대기, 장대. ② 지팡이, 의지. ③ 권표(權標). ④ (창 따위의) 자루. ⑤ (이하 *pl.* ∼**s**) 직원, 부원; [軍] 참모. ⑥ [樂] 보표. *be on the ∼* 직원[간부]이다. *editorial ∼* 《집합적》 편집국(원). *general ∼* 일반 참모; 참모부. *∼ of old age* 노후의 의지, 노구. *∼ of life* 생명의 양식. — *vt.* (…에) 직원을 두다.

stáff sérgeant [軍] 하사.

stag [stæg] *n.* ⓒ ① (특히) 수사슴; (거세한) 수짐승; [美] (파티에서) 여자를 동반치 않은 남자 = STAG PARTY. — *a.* 남자들만의.

stage [steidʒ] *n.* ⓒ ① 무대 (the ∼); 연극; 배우업(業). ② 활동 무대. ③ 연단, 마루; 발판. ④ 역, 역참(驛站); (역참까지의) 여정; 역(승합)마차. ⑤ (발달의) 단계, *by easy ∼* 천천히, 쉬엄쉬엄. *go on the ∼* 배우가 되다. — *vt.* 상연하다; 연출하다; 계

획(피)하다. — *vi.* 상연에 알맞다.

stage·còach *n.* ⓒ 역마차, (정기의) 승합마차.

stage·cràft *n.* Ⓤ 극작(연출)법.

stage diréction 연출; 각본 (脚本)에서의 지시서(생략 S.D.).

stage fríght (배우의) 무대 공포증.

stage·hànd *n.* ⓒ 무대 담당.

stage mànager 무대 조감독.

stage ríght (극의) 상연권, 흥행권.

stage·strúck *a.* 무대 생활을 하는.

stage whísper [劇] 큰 소리로 하는 "는 속삭임.

stag·ger [stǽgər] *vi., v.* ① 비틀거리(게 하)다, 흔들리(게 하)다. ② 망설이(게 하)다, 주춤하(게 하)다. ③ (이하 *vt.*) 깜짝 놀라게 하다. ④ 충격을 주다. ⑤ 서로 엇갈리게 배열하다; (시업 시간·휴식 시간 따위를) 시차제로 하다. — *n.* ① 비틀거림. ② (*pl.*) 현기, 어지러움. ③ (*pl.*) 《(단수 취급》 (양·말의) 휸도증(暈倒症). ④ 엇갈림(의 배열), 시차(時差) 방식. *∼·er n.* 비틀거리는 사람; 대사건, 난문제. *∼·ing* 비틀거리(게 하)는, 깜짝 놀라게 하는. *∼·ing·ly ad.*

stag·ing [stéidʒiŋ] *n.* ① (건축물의) 비계; [UC] (연극의) 상연; Ⓤ 역마차 여행; 역마차업(業); Ⓤ 《宇宙》 (로켓의) 다단식(多段式).

stáging pòst 《空》 중간 착륙지.

stag·nant [stǽgnənt] *a.* 흐르지 않는, 고여 있는; 활발치 못한, 불경기의. *∼·nan·cy n.* 침체. *∼·ly ad.*

stag·nate [stǽgneit] *vi., vt.* 괴다; 괴게 하다; 침체하다(시키다); 불경기가 되(게 하)다. **stag·ná·tion** *n.*

stág pàrty 남자만의 연회.

stag·y [stéidʒi] *a.* 연극의[같은], 연극조의, 과장된. **stág·i·ness** *n.*

staid [steid] *a.* 침착한, 차분한; 착실한. — *v.* 《古》 stay의 과거(분사).

stain [stein] *vt.* ① (얼룩을) 묻히다, 더럽히다(*with*). ② (명예를) 손상시키다, 더럽히다. ③ (유리 따위에) 착색하다. — *vi.* 더러워지다, 얼룩지다. *∼ed glass* 착색 유리, 색유리. — *n.* ① 얼룩(*on, upon*); 흠, 오점; [UC] 착색(제). *∼·less a.* 더럽

허지지 않은; 녹슬지 않는; 흠 없는; 스테인리스(제)의.

stáinless stéel 스테인리스(강(鋼)).

:**stair** [stɛər] *n.* ⓒ (계단의) 한 단; (pl.) 계단. **below ~s** 지하실[하인 방](에서). **flight** (**pair**) **of ~s** (한 줄로 이어진) 계단.

'**stáir-càse** *n.* ⓒ 계단.

'**stáir-wày** *n.* =⇨

:**stake** [steik] *n.* ⓒ 말뚝; 화형주(火刑柱); (pl.) 화형. 일 처형 **pull up ~s** 《美口》 떠나다, 이사[전직]하다. — *vt.* 말뚝에 매다; 말뚝으로 둘러치다(out, off, in).

'**stake** *n.* ⓒ 내기; 내기에 돈 걸기; (pl.) (경마 따위의) 상금(sing.) 건 내기 경마; (내기돈을 건 것 같은) 이해 관계. **at ~** 문제가 되어서; 위태로워져서. — *vt.* 걸다; 재정적으로 원 조하다; 《口》 (수익·영업) 계약에 의하여 탐광자(探鑛者)에게 의식을 공급하다(grubstake).

stáke-hòlder *n.* ⓒ 내기 돈을 맡는 사람.

stáke-òut *n.* ⓒ 《美口》 (경찰의) 잠 복 감시.

sta·lac·tite [stəlǽktàit, stǽlæk-tàit] *n.* ⓤ 종유석(鍾乳石).

sta·lag·mite [stəlǽgmait, stǽlæg-màit] *n.* ⓒ 석순(石筍).

'**stale** [steil] *a.* ① (음식물이) 신선하지 않은; (빵이) 굳어진; (술이) 김빠진. ② 케케묵은, 시시한. ③ (연습 으로) 피로한. — *vt., vi.* stale하게 하다(해지다). **~ly ad.**

'**stále-màte** [stéilmèit] *n., vt.* 《체스》 수가 막힘[막히게 하다]; 막다름; 막다른 상태. — *vt.* ① 수가 막히게[막히게 하다]; 막다름; 막다 름; 막다르게 하다.

:**stalk** [stɔ:k] *n.* ⓒ 《植》 대, 줄기, 꽃꼭지, 잎꼭지; 《動》 꽃꼭지부(葉柄部).

'**stalk** *vi.* ① (적·사냥감에) 몰래 접근하다(along). ② (병이) 퍼지다(through). ③ 유유히[뽐내며] 걷다, 활보하다. — *vt.* (적·사냥감에) 몰래 접근하다; (…에) 퍼지다, 퍼지다. — *n.* 몰래 접근(추적)함; 활 보(imposing gait).

stálking-hòrse *n.* ⓒ 숨을 말(사 냥꾼이 몸을 숨기어 사냥감에 몰래 접 근하기 위한 말, 또는 말 모양의 가 진); 구실, 핑계.

:**stall** [stɔ:l] *n.* ⓒ ① 축사, 마구간 [외양간]의 한 구획. ② 매점, 노점.

③ (교회의) 성가대석, 성직자석; (the ~s) 《英》 (극장의) 아래층 정면의 일 등석. ④ 《空》 실속(失速). — *vt.* ① (마구간[외양간]에) 칸막이를 하 다. ② 말·마차를 진창[눈구덩이] 속 에서 오도가도[꼼짝] 못하게 하다; 저지하다. ② (발동기를) 멈추게 하 다. ④ 《空》 실속시키다. — *vi.* ① 마구간[외양간]에 들어가다. ② 진창 [눈구덩이] 속에 빠지다, 오도가도 못 하다. ③ (발동기가) 서다. ④ 《空》 실속하다.

stáll-hòlder *n.* ⓒ 《英》 (시장의) 노점상. [말, 종마.

stal·lion [stǽljən] *n.* ⓒ 씨말, 수

'**stal·wart** [stɔ́:lwərt] *a., n.* ① 튼 튼한[억센] (사람); 용감한 (사람); 충실한 (지지자). ② 억센.

sta·men [stéimən/-men] *n.* (pl. ~s, *stamina*[stǽmənə]) ⓒ 《植》 수술.

stam·i·na [stǽmənə] *n.* ⓤ 정력, 스태미너; 인내(력).

stam·mer [stǽmər] *vi.* 말을 더 듬다; 더듬으며 말하다(out). — *n.* ⓒ 더듬음 (sing.) 말더듬기.

'**stamp** [stæmp] *n.* ⓒ ① 발을 구름. ② 《機》 쇄석기(碎石機)의 공이. ② 타인기(打印器); 도장, 소인(消印), 스탬프. ④ 표, 상표. ⑤ 인상, 표정. ⑥ 특징, 특질. ⑦ 종류, 형 (型). ⑧ 우표, 수입 인지. — *vt.* ① 짓밟다(~ *one's foot* 발을 구르다[짖 난 표정]). ② 깊이 인상짓다. ③ 분 쇄하다. ④ (형(型)을) 찍다, 날인 하 다(out). ⑤ 표시하다; 도장[소인] 을 찍다. ⑥ (…에) 우표[인지]를 붙 이다. **of the same ~** 같은 종류 의. **put to ~** 인쇄에 부치다. — *vi.* 발을 구르다; 발을 구르며 걷다. **~ down** 짓밟다. **~ out** (불을) 밟 아 끄다; (폭동·병을) 누르다, 가라앉 히다, 진압하다.

stámp collèctor 우표 수집가.

stámp dùty (**tàx**) 인지세.

stam·pede [stæmpíːd] *vi., vt.* ⓒ (가축 떼가) 후닥닥 도망치다[침]; (군대·폭도가) 궤주(潰走)(하다)[하 게], 쇄도(하다, 시키다).

stance [stæns] *n.* (보통 *pl.*) 발의 자세; 위치; (공을 칠 때의) 위

치.

stan·chion [stǽnʃən/stǽnʃən] *n.*
© (창·지붕 따위의) 지주(支柱); (가
축을 매는) 칸막이 기둥.

stand [stænd] *vi.* (**stood**) ① 서
다; 멈취 서다. ② 일어서다(*up*); 일
어서면 높이가 …이다; 커 있다. ③
놓여 있다; 위치하다; (…에) 있다.
④ 《보어·부사(구)를 수반하여》 어떤
위치(상태)에 있다(*I ~ his friend.*
그 사람 편이다); 변경되지 않다, 그
대로 있다(*It ~s good.* 여전히 유효
하다), ⑤ (물이) 괴다; (눈물이) 어
리다(*on, in*), ⑥ (배가 어떤 방향으
로) 침로를 잡다. — *vt.* ① 세
우다, 세워 놓다. (입장을) 고수하
다; 참다; 받다, 오래 가다. ③ (비
용을 치러 주다, 한턱 내다. *as things*
[*matters*] — 현상태로는. — *a chance*
기회가 있다, 유망하다. *S- and*
deliver! 가진 돈을 모조리 털어 내
놓아라(강도의 말). — *aside* 비켜
서다; 동아리에 끼지 않다. — *at*
ease [*attention*] 쉬어[차려] 자세를
취하다. — *by* 곁에 서다; 방관하다;
지지하다, 돕다; 고수하다; 준비하다.
— *clear* 떨어져 가다. — *correct-*
ed 수정함을 인정하다. — *for*
…을 나타내다; …에 입후보하다; (주
의 따위를) 제창하다, 옹호하다; …에
편들다(《口》참다, 견디다; 《海》…
로 향하다, …의 방향으로 나아가다).
— *good* 진실[유효]하다. — *in*
…에 참가하다; …와 사이가 좋
다; 《俗》돈이 들다. — *in for* 을
대표하다. — *in with* …에 편들다.
— *on* …에 의거하다. …에 달려
있다. — *out* 튀어 나오다; 두드러지다; 끝까지
버티다. — *over* 연기되다. — *pat*
(포커에서) 돌려준 패 그대로를 가지
다. — *to* 지키다; 끝까지 버티다.
— *up* 일어서다; 지속하다. — *up*
to 에 용감히 맞서다. — *well*
with 에게 평판이 좋다. — *n.* ©

기립; 정지; 입장, 위치, 방어, 저
항 (보통 *sing.*) 관람석, 스탠드; ©
(通)···세우개, ···걸이; 매점; 《美》
(법정의) 증인석; 주차장; (순회 중
인 흥행의) (어떤 지역의) 상연(立
다), 작물. **bring** [**come**] **to a ~**
정지시키다(멎다). **make a ~** 멈춰
서다(*at*); 끝내 버티며 싸우다.

stánd-alóne *a.* 《컴》 (주변 장치가)
독립(형)의 (~ *system* 독립 시스템).

stand·ard [stǽndərd] *n.* © ① (지
배자의 상징인) (군)기, 기치 (旗)(gles)
② (본디 지배자가 정한) 도량형의 원
기(原器), 기본 단위, 표준, 모범. ③
수준. ④ 《英》(초등 학교의) 학년.
⑤ 《造幣》 본위(本位)(*the gold* (*sil-*
ver) ~ 금(은) 본위제). ⑥ 《동사
stand 의 의미와 함께》 똑바로 곧은
지주(支柱), 남포레; (장미 따위의)
입목수. ⑦ (곧바로) 자연목(특히 과수
(果樹)). ⑧ 《컴》 표준. — *of living*
생활 수준. **under the ~ of** …의
기치 아래로. **up to the ~** 합격하
여. — *a.* ① 표준의, 모범적인 ②
일류의, 권위 있는. **coin** 본위 화
폐.

stándard-bèarer *n.* © 《軍》 기수
(旗手); 지도자.

stand·ard·ize [-àiz] *vt.* 표준에 맞
추다; 규격화(통일)하다; 《化》 표준에
의하여 시험하다. **-i·za·tion** [ˌ—
zéiʃən] *n.*

stándard làmp 《英》플로어 스탠
드(마루에 놓는 전기 스탠드).

stándard tíme 표준시.

stánd-by *n.* © 의지가 되는 사람
[것]; 구급선; 대기의 구령(신호).
on ~ 대기하고 있는.

stand-in *n.* © (유리한 지위;
(映) 대역(代役).

stand·ing [stǽndiŋ] *n.* ① 서 있
는, 선 채로의, ② 베지 않은, 입목
(立木)의. ③ 움직이지 않는; (물 따
위) 괴어 있는(~ *water* 흐르지 않는
물); 고정된. ④ 영구적인. ⑤ 상비
[상치(常置)]의 ⑥ 정해진, 일정한.
판에 박힌 (*Enough of your ~*
joke!) — *n.* ① 섬, 서 있음, 서는
곳; 지위, 명성; 존속.

stánding órder 군대 내무 규정;
(의회의) 의사 규칙.

stánding ròom 서 있을 만한 여지; (극장의) 입석(立席)(*S-R-Only* 입석뿐임(생략 S.R.O.)).

stánd·òff[⌐] *a.* ① 떨어져 있(음); 냉담(한). ② (경기의) 동점, 무승부.

stand·off·ish[⌐5(:)fi∫, -áf-] *a.* 쌀쌀한, 냉담한; 물의절한.

stánd·pìpe *n.* ⓒ 배수탑(塔), 급수탱크.

†**stánd·pòint** *n.* ⓒ 입장, 입각점; 관점, 견지.

stánd·still *n.* ⓤ ⓒ 정지, 휴지, 막다름; 「침.

stánd·ùp *a.* 서 있는, 곧추 선; 선 채로의; 정정당당한.

stank[stæŋk] *v.* stink의 과거.

stan·za[stǽnzə] *n.* ⓒ (시의) 절, 연(聯).

†**sta·ple**[stéipəl] *n.* ① ⓒ (보통 *pl.*) 주요 산물[상품]. ② ⓒ 주성분. ③ ⓤ 원료. ④ ⓤ (솜·양털 따위의) 섬유. ― *a.* 주요한; 대량 생산의. ― *vt.* (섬유를) 분류하다. ⌐r¹ *n.* ⓒ 양털 선별공[상(商)].

sta·ple² *n., a.* ⓒ U자형의 거멀못(을 박다); 스테이플, 서류철쇠(로 철(綴)하다). *stapling machine* 호치키스(종이 철하는 기구), 호치키스. ⌐r² *n.* ⓒ 철하는 기구, 호치키스.

†**star**[stɑːr] *n.* ⓒ ① 별, 항성(☆~). ② (詩) 지구; 천체. ③ 별 모양의 것, 별표 훈장; 별표(·)(asterisk). ④ 인기 있는 사람, 대가; 인기 배우, 스타. ⑤ (보통 *pl.*) 운성[운수]. ⑥ (마소 이마의) 흰점. ◆~s 《언어 맞아》 눈에서 불꽃이 튀다. *the Stars and Stripes* 성조기. ― *vt.* (-rr-) 별로 장식하다; 별표를 달다; (…을) 주역으로 하다. ― *vi.* 뛰어나다; 주연(主演)하다. ― *a.* 별의; 주요한; 스타의.

stár·bòard *n., ad.* 【海】 우현(右舷)(으로). ― *vt.* (키를) 우현으로 돌리다; (진로를) 오른쪽으로 잡다.

starch[stɑːrt∫] *n.* ① ⓤ ⓒ 전분, 녹말, 풀. ② (*pl.*) 전분성 음식물. ③ ⓤ 딱딱함, 형식차림. ④ ⓤ 정력, 활기. ― *vt.* (의류에) 풀을 먹이다. ⌐ed[-t] *a.* 풀 먹인; 빳빳한. ⌐y *a.* 전분(질)의; 풀을 먹인; 빳빳한; 딱딱한.

star·dom[stɑːrdəm] *n.* ⓤ 스타의 지위; 《집합적》 스타들.

†**stare**[stɛər] *vi.* 응시하다, 빤히 보다(*at, upon*); (색채 따위가) 두드러지다. ― *vt.* 응시하다. 노려보아 …시키다. ◆*~ a person down* [*out of countenance*] 아무를 빤히 보아 무안하게 하다. ◆*~ a person in the face* 아무의 얼굴을 빤히 쳐다보다; (죽음·위험 따위가) 눈앞에 닥치다. ― *n.* ⓒ 응시. * **stár·ing** *a.* 응시하는; (색채가) 혼란한, 야한.

stár·fish *n.* ⓒ 【動】 불가사리.

stark[stɑːrk] *a.* ① (시체 따위가) 뻣뻣해진. ② 순전한, 완전한. ③ 강한, 엄한. ― *ad.* 순전히; 뻣뻣해져서.

stark·ers[stɑːrkərz] *a.* 《英俗》 모두 벗은; 아주 미친 듯한.

stár·less *a.* 별 없는.

stár·let[⌐lit] *n.* ⓒ 작은 별; 신진 여배우.

stár·light *n., a.* 별빛(의).

stár·ling[⌐liŋ] *n.* ⓒ 【鳥】 찌르레기.

stár·lit[⌐lit] *a.* 별빛의.

stár·ry[stɑːri] *a.* 별의; 별이 많은; 별빛의; 별처럼 빛나는; 별 모양의.

stárry-èyed *a.* 공상적인.

†**start**[stɑːrt] *vi.* ① 출발하다(*on, for, from*); (기계가) 움직이기 시작하다; 시작되다(*on*). ② 일어나다 생기다(*at, in, from*). ③ (놀람·공포로 눈 따위가) 튀어나오다(*out forward*). 펄쩍 뛰다, 흠칫 놀라다(*at, with*). ④ (눈물 따위가) 갑자기 나오다. ⑤ 뛰어 비키다[물러나다](*aside, away, back*). 뛰어 오르다(*up, from*). ⑥ (선재(船材)·못 따위가) 느슨해지다. ― *vt.* ① 출발시키다. ② 운전시키다; 시작하다; (선재·못 따위를) 느슨하게 하다 ◆*~ in* [*out, up*] = START. ― *n.* ① ⓒ 출발(점); 개시; ⓤⓒ 움찔하기. ② ⓒ (보통 *sing.*) 뛰어 오르기. ④ ⓒ (경주의) 선발권, 출발. ⑤ ⓤⓒ 유리, 우세; (*pl.*) 발작; 충동. ◆*a the ~* 처음에는, 최초에. *get ~* 흠칫 놀라다. *get* [*have*] *the ~ of* …의 기선을 제압하다. * ⌐·e *n.* ⓒ 시작하는 사람[것]; (경주·경마의)

따위의) 출발 신호원; (기차 따위의)
발차계획; 【機】 시동 장치.

starting block (競技) 스타팅 블
록, 출발대(臺).

starting point 출발점.

star·tle [stάːrtl] *vt.* 깜짝 놀라게 하
(여 …시키다. — *vi.* 깜짝 놀라다
(*at*). — *n.* ⓒ 놀람. **-tler** ⓒ 놀
라게 하는 사람(일); 놀라운 사건. ‖
stártling *a.* 놀릴 만한.

star·va·tion [staːrvéiʃən] *n.* Ⓤ 굶
주림; 아사(餓死).

starve [staːrv] *vi.* 굶주리다, 아사
하다; (口) 배고프다; 갈망하다(*for*).
— *vt.* 굶주리게 하다; 결핍으로 …
굶주려 …하게 하다. **~ out** 굶주리
게 하다. **~·ling** *a., n.* ⓒ 굶주려서
야윈 (사람·동물).

stash [stæʃ] *vt., n.* (美俗) 따로 떼
어 간수함(두다); 그 물건.

sta·sis [stéisis] *n.* (*pl.* **-ses**
[-siːz]) ⓤⓒ 【醫】 혈행 정지, 울혈
(鬱血); 정체, 정지.

state [steit] *n.* ① ⓒ (보통 *sing.*)
상태, 형세. ② ⓒ 계급; 지위, 신분;
고위(高位). ③ ⓒ (*or* S-) 국가; 나
라. ④ ⓒ 국민, 흥분(불만) 상
태. ⑤ ⓤ 위엄, 당당함; 장관; 의식.
⑥ ⓒ (보통 S-) (미국·오스트레일리
아의) 주(州)(cf. territory). ⑦
(the States) 미국. ⑧ 【컴】 (컴퓨
터를 포함한 automation의) 상태
(~ table 상태표). **Department**
[Secretary] of S- (美) 국무부(장
관). **in ~** 공식으로, 당당히. **lie
in ~** (매장 전에) 유해가 정장(正
裝) 안치되다. **S- of the Union
message** (美) 대통령의 연두 교서.
States Rights (美) (중앙 정부에
위임치 않은) 주의 권리. — *a.* 국가
의(에 관한); (*or* S-) (美) 주(州)의;
의식용의; ~ criminal 국사범(犯).
~ property 국유 재산. ~ social·
ism 국가 사회주의. (turn) ~'s
evidence (美) 공범 증거(로 을 하다.
visit of ~ 공식 방문. — *vt.* 진
술(주장)하다; (날짜 등을) 지정하다,
정하다; (문제 등을) 명시하다. **stat·**
ed [-id] *a.* 진술된; 정해진. ‖**~·**
hood *n.* ⓤ 국가의 지위; (美)
(州)의 지위.

state·cràft *n.* ⓤ 정치적 수완.

State Depártment, the (美) 국
무부.

state·less *a.* 국적(나라) 없는;(英)
위엄이 없는.

state·ly [-li] *a.* 위엄 있는, 장엄한.
state·li·ness *n.* ⓤ 위엄, 장엄.

state·ment [-mənt] *n.* ① ⓤⓒ 진
술, 성명. ② ⓒ 진술서, 성명서;
[商] 보고(계산)서. ③ 【컴】 명령문.

state-of-the-árt *a.* 최신식의, 최
신기술을 도입한.

state·ròom *n.* ⓒ (궁전의) 큰 응
접실; (기차·기선의) 특별실.

states·man [stéitsmən] *n.* (*fem.*
-woman [-lwùmən]) 정치가. **~·like**
[-làik], **~·ly** *a.* 정치가다운. **~·ship**
[-ʃip] *n.* ⓤ 정치적 수완.

státe(s)·side *a., ad.* (美口) 미국
(본토)의(에).

stat·ic [stǽtik], **-i·cal** [-əl] *a.* 정
지(靜止)의; 움직이지 않는; 정세(靜靜)의;
【電】 정전(공전(空電))의; 【컴】 정적인,
공전 (방해). — *n.* (-ic) Ⓤ 정전기,
공전; 【컴】 국(네트워크를 구
성하는 각 컴퓨터). **stát·ics** Ⓤ 정역학
(靜力學).

státic electrícity 정전기.

sta·tion [stéiʃən] *n.* ① 위치,
장소. ② 정거장, 역. ③ …국(局),
…소(所). ④ (경찰의) 파출소, …서
(군대의) 주둔지. ⑥ 방송국. ⑦ 지
위, 신분. ⑧ 【컴】 국(네트워크를 구
성하는 각 컴퓨터).

státion àgent (美) 역장.

sta·tion·ar·y [stéiʃəneri/-nəri] *a.*
정지(靜止)한; 고정된.

sta·tion·er [stéiʃənər] *n.* ⓒ 문방
구상. **~·y** [-nèri/-nəri] *n.* ⓤ 문
방구, 문구.

státion·màster *n.* ⓒ 역장.

státion wàg(g)on ⓒ 좌석을 접
히 놓을 수 있는 상자형 자동차(英)
estate car).

sta·tis·tic [stətístik], **·ti·cal**
[-əl] *a.* 통계의, 통계학(상)의. —
n. (-tic) ⓒ 통계 항목(의 하나).
·ti·cal·ly *ad.*

stat·is·ti·cian [stætistíʃən] *n.* ⓒ
통계학자.

sta·tis·tics [stətístiks] *n.* Ⓤ 통계

학. 《복수 취급》 통계(자료).

stat·u·ar·y [stǽtʃuèri/-tjuəri] *n.* ⓤ《집합적》조상(彫像)(군(群)); 조상술; ⓒ《稀》조상가. — *a.* 조상(용)의, 「(像), 조상(彫像).

stat·ue [stǽtʃuː, -tjuː] *n.* ⓒ 상

stat·u·esque [stæ̀tʃuésk/-tju-] *a.* 조상 같은, 윤곽이 고른; 위엄이 있는 「조상(小像).

stat·u·ette [stæ̀tʃuét/-tju-] *n.* ⓒ

stat·ure [stǽtʃər] *n.* ⓤ 신장(身長); (신선의) 성장, 발달.

sta·tus [stéitəs, stǽt-] *n.* ⓤⓒ ① 상태; 지위; 《法》신분. ② 【컴】 (입출력 장치의 동작) 상태. ~ **in quo** (L.) 현황. ~ **quo ante** 이전의 상태.

státus sýmbol 신분의 상징(소유물·재산·습관 따위).

stat·ute [stǽtʃuːt/-tjuːt] *n.* ⓤ 법령; 규칙.

státute bóok 법령 전서.

státute láw 성문법.

stat·u·to·ry [stǽtʃutɔ̀ːri/-tjutəri] *a.* 법령의; 법정의; 법에 저촉되는.

staunch [stɔːntʃ, ―ɑː-] *a.* (사람·주장 따위가) 신조에 철두철미한, 충실한, 신뢰할 수 있는.

stave [steiv] *n.* ① ⓒ 통널; (사닥다리의) 디딤대; 막대; 장대(《시각의》) 절, 연(聯); 시구; 【樂】 보표(譜表)). — *vt.* (~*d*, **stove**) 통널을 붙이다; (통·배 따위에) 구멍을 뚫다(*in*). — *vi.* 깨지다, 부서지다. ~ **off** 간신히 막다.

staves [steivz] *n.* stave, staff의

†**stay** [stei] *vi.* (~*ed*, 《英古》~ **staid**) ① 머무르다; 체재하다(*at, in, with*). ② 묵다, 멈춰서다; 기다리다. ③ …인 채로 있다; 견디다; 지탱하다, 지속하다. ④ 《古》굳게서 있다. — *vt.* ① 막아내다, 방지하다. ② (식욕 따위를) 만족시키다. ③ (판결 따위를) 연기하다. ④ 지속하다. **come to ~** 계속되다, 영속적인 것으로 되다. ~ **away** (집을) 비우다 (*from*). — *n.* ① ⓤ 멈춤(*sing.*) 체재 (기간). ② ⓤⓒ 억제, 방해. ③ ⓤⓒ 【法】 연기, 중지. ④ ⓤ《口》체재 기; 지구력, 견디는 힘. *✓·er n.* ⓒ 체재자; 끈기 있는 (동물); 지지자(者).

stáy-at-hòme *a., n.* ⓒ 집에만 틀어박히는 (사람).

stáying pówer 내구력, 인내력.

stead [sted] *n.* ① ⓤ 대신(*in his* ~ 그 대신에). ② ⓤ 이익; 장소, *in (the)* ~ *of* = INSTEAD of. **stand** (*a person*) **in good** ~ (아무에게) 도움이 되다.

†**stead·fast** [stédfæst, -fəst/-fɑːst] *a.* 견실(착실)한; 부동(불변)의. — *ly ad.* ~**·ness** *n.*

stead·y [stédi] *a.* ① 흔들리지 않는; 견고한, 안정된. ② 한결같은; 꾸준한, 끊임 없는. ③ 규칙적인, 꾸준한; 착실한. ④ 《海》(침로·바람 따위가) 변치 않는. — *vt., vi.* 견고하게하다(해지다), 안정시키다(되다). — *ad.* 《美俗》이미 정해진 친구(애인). :**stead·i·ly** *ad.* 견실하게; 착실히, 꾸준히. **stéad·i·ness** *n.*

steak [steik] *n.* ⓒⓤ (쇠고기·생선의) 베낸 고깃점; 불고기, (비프)스테이크. 「식당.

stéak·hòuse *n.* ⓒ 스테이크 전문

†**steal** [stiːl] *vt.* (**stole**; **stolen**) 훔치다(몰래); 몰래 손에 넣다(몰래 (슬쩍) 손에 넣다); 《野》 도루하다. — *vi.* 도둑질하다; 몰래 가다(침입하다 나가다); 조용히 움직이다. — *n.* ⓒ 《口》 도둑질; 훔침; 장물; 《野》 도루 횡재, 싸게 산 물건. *✓·er n.* ⓒ 도둑. 「《野》도루. ⓒ 훔침; ⓒ 《野》도루; *(pl.)* 훔친 물건.

†**stealth** [stelθ] *n.* ⓤ 비밀. **by** ~ 몰래, 가만히. *✓-ily* 【레이더 포착 불능성》.

stealth·y [stélθi] *a.* 비밀의, 몰래의 한. **stéalth·i·ly** *ad.*

†**steam** [stiːm] *n.* ⓤ (수)증기, 김 《口》원기, 정력. *at full* ~ 전속력으로. *by* ~ 기선으로. *get up* ~ 증기를 올리다, 김을 내다; 「기운을 내다. *let off* ~ 여분의 증기를 빼다; 울분을 풀다. *under* ~ (기선이) 증기로 움직여; 기운(힘)을 내어. — *vi.* 증기(김)을 내다; 증발하다; 증기로 움직이다; 김이 서려 흐려지다. — *vt.* 찌다; (…에) 증기를 쐬다. ~ *along* [*ahead, away*] 김 힘껏 일하다, 착착 진척되다. *✓·ing hot* 몹시 뜨거운. *✓·ing n., a.* 김나는

내뿜는[내뿜을 만듦]; ⓤ 김쐬기; 기
선 여행(거리); ⌒ ⋅y ⋅a 증기[김]의,
김이 오르는; 안개가 짙은.

stéam·boat n. ⓒ 기선.

stéam èngine 증기 기관(機關).

steam·er[-ər] n. ⓒ ① 기선. ②
증기 기관. ③ 찌는 기구.

stéam íron 증기 다리미.

stéam róller (땅 고르는 데 쓰는)
증기 롤러; 강압 수단.

stéam-róller vt. 강행[압도]하다.

stéam·ship n. ⓒ 기선.

stéam shóvel 증기삽.

steed[sti:d] n. ⓒ 《詩·雅》 (승용)
말; 기운찬 말.

steel[sti:l] n. ① ⓤ 강철. ②《집합
적》 ③ ⓤ 강강(鋼) ⋅③ 강철같은 단단함
(세기·빛깔); **cast 〔forged〕** ~ 불
림강철, 주강(鑄鋼), 단강(鍛鋼); **cold**
~ 칼(권총을 뽑아들다); **grip of** ~
~ 쥐기, **(foe worthy of one's**
~ 상대로서 부족이 없는 (적), — a.
강철의; 강철로 만든; 강철같이 단단한; 강철
빛의, — vt. ① 강철로 날을 만들다;
강철을 입히다; 강철같이 단단하게 하
다. ② 무감각(무정)하게 하다. ⌒ ⋅y
⋅a. 강철[같은]의; 강철로 만든; 단단
한; 무정한.

stéel bánd 《樂》 스틸 밴드(드럼통
을 이용한 타악기 밴드; Trinidad에
서 시작됨).

stéel wóol 강모[剛毛](금속 연마
재).

stéel·wòrk n. ⓒ 강철 제품.(~s
sing. & pl. 제강소.

steep[sti:p] a. 험한, 가파른; 《口》
엄청난, — n. ⓒ 가파른 곳, 절벽.

steep vt. (…에) 적시다, 담그다
(in); 몰두시키다(in). — n. ⓤ
담금, 적심; ⓤ 담그는 액체.

steep·en[stí:pən] vt., vi. 험하게
[가파르게] 하다[되다].

stee·ple[stí:pl] n. ⓒ (교회의) 뾰
족탑. ⌒d a.

stéeple·chàse n. ⓒ 교회 횡단 경
마(장애물 경주).

stéeple·jàck n. ⓒ (뾰족탑·높은
굴뚝 따위의) 수리공.

steep·ly[stí:pli] ad. 가파르게,
험하게.

:steer[stiər] vt. (…의) 키를 잡다,
조종하다; (어떤 방향으로) 돌리다; 인
도하다. — vi. 키를 잡다; 향하다, 나
아가다(for, to). ~ **clear of** …을 피
하다; …에 관계하지 않다. — n. ⓒ
《美口》 조언, 충고.

steer[2] n. ⓒ (2-4살의) 어린 수소;
식육용의 불깐 소.

steer·age[-idʒ] n. ⓤ (상선에서) 3
등 선실; 고물, 선미; 조타(操舵)(법),
조종.

stéering commìttee 《美》 운영
위원회.

stéering whèel (자동차의) 핸들;
(배의) 타륜(舵輪).

stem[stem] n. ⓒ ① (초목의) 대,
줄기, 꽃자루. 일자루[꼭지], 열매꽃
지. ② 줄기 모양의 부분. (연장의)
자루, (잔의) 굽, (파이프의) 축). ③
종족, 혈통. ④ 《言》 어간(語幹)
《변하지 않는 부분》. ⑤ 《海》 이물.
work the ~ 《美俗》 구걸하다. —
vt. (-mm-) (과일 따위에서) 줄기[뿌리]
를 떼다. — vi. 《美》 발생하다; 유
래하다(from, in; out of). ⌒ ⋅
less a. 줄기[대(줄기, 자루, 축)]없
는.

stem[2] vt. (-mm-) 저지하다, 막다;
(바람·파도를) 거슬러 나아가다; 저항
하다.

stench[stentʃ] n. ⓒ (보통 sing.)
악취.

sten·cil[sténsil] n., ⓒ 스텐실
[형판(型板)] (으로 형을 뜨다). 등사
원지; 등사하다.

ste·nog·ra·pher [stənɑ́grəfər/
-5-] n. ⓒ 속기사.

ste·nog·ra·phy [stənɑ́grəfi/-5-]
n. ⓤ 속기(술). **sten·o·graph·ic**
[stènəgrǽfik] a.

Sten·tor[sténtɔːr] n. ① 50명몫의 목
소리를 냈다고 하는 그리스의 전령;
(s-) ⓒ 목소리가 큰 사람. **sten·to·
ri·an**[stentɔ́ːriən] a. 우레같은 목소
리의.

†step[step] n. ⓒ ① 걸음. ② ⓒ 한
걸음, 일보(의 거리); 짧은 거리.
③ⓤ 걸음걸이; (댄스의) 스텝, 추는
법; 보조. ④ (pl.) 보행(步程). ⑤
디딤판; (사다리의) 단(段). (pl.)

발판 사다리다리, 발판. ⑥ □ 발소리.
발자국. ⑦ □ 진일보(進一步), 수단,
조치. ⑧ □ (사회 계층 중 하나의)
계급: 승급. ⑨ □ 【舞】(온)음정. 운
in *a person's* ~ 아무의 전례를 따라.
in (*out of*) ~ 보조를 맞추어(흐트
러어). ~ **by** ~ 한걸음 한걸음. 착
실히. *watch one's* ~ (美) 조심
하다. ─ *vi.* ((詩)) **stept**; ~, *pp:*) 걸
다, 가다, 일정한 걸음거리로 나아가
다: (자동차의 스타터 따위를) 밟다
(*on*): □ 급히 가다: (좋은 것 따위
에) 얼어 걸리나(*into*). ─ *vt.* 걷다;
(…을) (춤)추다; 보측(步測)하다(*off,
out*). ~ **down** 내리다: (전압 따위
를) 낮추다. ~ **in** 들어가다; 간섭하
다: 참가하다. ~ **on** **it** □ 서두르
다. ~ **out**(美□) 놀라 나가다. **S-
this way, please.** 이리로 오십시오.
~ **up** 접근하다. 다가가다(*to*; 美
□) 빠르게 하다.

step-[step] *pref.* '배다른, 계(繼)
…'의 뜻. **↙-bróther** *n.* □ 이부(異
父)형제. **↙-child** *n.* (*pl.*
-children) □ 의붓 자식. **↙-dáugh-
ter** *n.* ~**father** *n.* *·*~**mother** *n.*
↙-mótherly *a.* **↙-párent** *n.* **↙-
sister** *n.* **↙-són** *n.*

stép-làdder *n.* □ 발판 사다리다리.
발판.

steppe[step] *n.* (the S-s) 스텝
지대. □ (나무가 없는) 대초원.

stépping stòne 디딤돌, 징검돌;
수단.

ster·e·o[stériòu, stíər-] *n.* *a.* □ 입
체 음향, 스테레오; □ 스테레오 조
축, 재생 장치; = STEREOTYPE.

ster·e·o·phon·ic [stèriəfánik/
stɔ̀ːriəfɔ́n-] *a.* 입체 음향(효과)의.

ster·e·o·type[stériətàip/stíər-]
n. □ 【印】 연판(鉛版) (제조법);
연판 제조(인쇄). ② 판에 박은 문구;
상투(항용) 수단. ─ *vt.* 연판으로 하
다(인쇄하다); 판에 박다. ─**d**[-t] *a.*
연판으로 인쇄한; 판에 박은. **-typ·y**
n. □ 연판 인쇄술(제조법).

ster·ile[stéril/-rail] *a.* (땅·여성
tile) 균 없는, 살균한; 메마른, 불모
의; 자식을 못 낳는(*of*); 효과 없는
(*of*). **ste·ril·i·ty** [stəríləti] *n.*

ster·i·lize[stérəlàiz] *vt.* 살균(소

독)하다; 불모로(불임케) 하다; 무효
로(무익하게) 하다. **-liz·er** *n.* □ 소
독기. **-li·za·tion** [>–lizéiʃən/–lai–]
n.

ster·ling[stə́ːrliŋ] *n.*, *a.* □ 영화
(英貨) [파운드] (의); □ 순금(純銀)
92.5%를 함유하는) 표준량의; 표준
은으로 만든; 순수한, 훌륭한, 신뢰할
만한. ~ *area* [*bloc*, *zone*] 파운
드 지역. ~ *silver* 순은, 표준은.

stern¹[stəːrn] *a.* 엄격한, 준엄한;
단호한, 굳은; 쓸쓸한, 황량한. **-ly**
ad. **-ness** *n.*

stern² *n.* □ 고물, 선미(船尾).
② (一般) 뒷부분; (동물의) 엉덩이.
down by the ~ 【海】 고물이 물
속에 내려 않아.

ster·num[stə́ːrnəm] *n.* (*pl.* *-na*
[-nə], ~**s**) □【解】흉골(胸骨).

ster·oid[stéróid] *n.*【生化】스
테로이드.

ster·to·rous[stə́ːrtərəs] *a.*【醫】
코고는 소리가 큰; 숨이 거친.

steth·o·scope[stéθəskòup] *n.* □
【醫】청진기.

ste·ve·dore[stíːvədɔ̀ːr] *n.* □ 부
두 인부.

stew[stjuː/stjuː] *vt.*, *vi.* 뭉근한 불
로 끓이다(에 끓다)《*The tea is* ~*ea*
차가 너무 진해졌다); (*vt.*) 스튜 요리
로 하다; □ 마음 졸이(게 하)다
~ *in one's own juice* 자업 자득
으로 고생하다. ─ *n.* □【UC】스튜
② (a ~) 근심, 초조, 걱정. **ge·
into** *a* ~ 속이 타다, 마음 졸이게
되다. *in* *a* ~ □ 마음 졸이며.

stew·ard[stjúːərd/stjú(ə)əd] *n.* □
집사; (클럽·병원 따위의) 식사 담당
원; (기선·여객기 따위의) 급사, 여
객계원; (연회 따위의) 간사.

stew·ard·ess[-is] *n.* □ 여자 집사.
steward; (기선·여객기 따위의) 여자
안내원, 스튜어디스. ~**·ship** *n.* □
~의 직.

stewed[stjuːd] *a.* 뭉근한 불로 끓
인; 스튜로 한; (美) (차가) 너무 진
한.

stick¹[stik] *n.* □ ① 나무 토막
(나무에서 쳐낸, 꺾은, 또는 주워 모
은) 잔가지, 물동이. ② 단장, 지팡
이; 막대 모양의 물건; (야구에서)

(하키의) 스틱; ⦗空⦘ 조종간(桿). ③
⦗英空⦘ 연속 투하 폭탄(cf. salvo).
③ ⦗印⦘ 시작용품 스틱. ④ ⦗口⦘ 명령
이. ⑤ (pl.) (美口) 오지(奧
地), 시골. get (have) ~s (美口) (奧
the wrong end of the ~ (이론·
이야기를) 오해하다, 잘못 알다.
in a cleft ~ 진퇴 유곡에 빠져.
— vt. 대내리고 버티다.

:stick¹ vt. (stuck) ① (…으로) 찌르
다, 꿰찌르다(into, through). ② 찔
러 죽이다; 찔러 넣다(in, into); 찔
러 꿰뚫다(꽂다), 꿰찌르다(on); 불쑥
내밀다(out). ② 붙이다, 들러붙게
하다(on); 고착시키다. ④ 걸리게 하
다(My zipper's stuck. 지퍼 멈추개가
걸려 움직이지 않는다). ⑤ 막다르게
[꼼짝 못하게] 하다; (口) 난처(당황)
하게 하다. (손해 따위를) 떠맡기다
[입히다]. ⑦ (俗) 엄청난 값을
부르다; 떼어먹다, 속이다. ⑦(증정 따
위를) — vi. ① 찔리다. ② 불쑥 내밀
다. ③ 들러붙다. 점착하다(on, to).
④ 빠져서 박히다. ⑤ 고집하다, 집착
하다(to, by). ⑥ 멈추다. ⑦ (口)난
처하게 되다, 망설이다. be stuck
on (口) …에 홀딱 반하다. ~ to
around (口) 옆에서 기다리다. ~
at …을 열심히 하다, 파고들다; …에
구애되다; 망설이다. ~ fast 고착하
다; 막다르다. ~ out ① 내밀다. ②
불쑥 내밀다; (美口) 두드러지다. 좀
처럼 들어가지 않는다; 끝까지 버티다.
~ up 솟아 나와 있다. 곧추 서다;
(口) 곤란하게 하다; (俗) (강도 따위
가) 흉기로 위협하다. 강탈하다. ~
up for (口) …을 지지[변호]하다.
— n. ⦗口⦘ 한번 찌름. 돌기. 달라붙
는 사람(연장); (美) 풀 묻힌 레테
르, 스티커; (美) 방송이, 가지; (口)
수수께끼.

sticking place (point) 발화; 나
사가 걸리는 곳. screw one's
courage to the ~ 단행할 결의를
굳히다.

sticking plaster 반창고.

stick-in-the-mud a, n. (口)
고루한 (사람), 시대에 뒤진 (사람),
꿈뜬 (사람).

stick·le [stíkl] vi. 하찮은 일에 이
의를 말하다, 완고하게 주장하다; 망

설이다. -ler n. ⦗C⦘ 까다로운 사람
(for).

stickle·back n. ⦗C⦘ ⦗魚⦘ 큰가시고

stick-pin n. ⦗C⦘ (美) 넥타이핀.

stick·up n. ⦗C⦘ (美俗) (특히, 권총)
강도, 강탈.

*stick·y[stíki] a. 끈적끈적한, 점착
성의(gum) ① 의를 말하는; 무더운;
(口) 귀찮은. stick·i·ly ad.

:stiff[stif] a. ① 뻣뻣한, 경직(硬直
한; 잘 움직이지 않는, 빳빳한. ②
(반죽 따위) 뻑뻑한. ③ 반죽이 되게
된. ④ 딱딱한, 거북한, 격식을 차린.
⑤ (바람 따위) 심한. ⑥ 곤란한.
⑦ 완고한. ⑧ (술 따위) 독한. ⑨
비싼. ⑩ ⦗商⦘ 강세(强勢)의. — n.
⦗C⦘(俗) 시체; ⦗口⦘ 딱딱한 사람; (俗)
뒤틀리다. ~·ly ad. ~·ness n.

*stiff·en [stífən] vt., vi. ① 뻣뻣(딱딱)
하게 하다; 뻣뻣(딱딱)해지다. ② 세
게 하다. 세어지다. ③ 강경하게 하
다. 강경해지다. ①·①·①·①·① 【완고한】.

stiff-nécked a. 목덜미가 뻣뻣한;

*sti·fle[stáifl] vt. 질식시키다. 숨막
히게 하다; (불을) 끄다; 억(짓)누르
다; 진압하다; 숨겨 두다. — vi. 질
식하다; (연기가) 나다. …in the
cradle 채 자라기 전에 …을 없애다.

stí·fling n. 숨 막히는.

*stig·ma[stígma] n. (pl. ~s, -mata
[-mata]) ⦗C⦘ ① (古) (노예나 죄수에
게 찍었던) 낙인. ② 오명, 치욕. ③
눈에 띄게 하기 위한 기호. ④ ⦗植⦘
암술머리. ⑤ ⦗動⦘ 기공(氣孔), 순구
멍. ⑥ ⦗醫⦘ (피부의) 소적반(小赤
斑). stig·mat·ic [stigmætik] a. 낙
인의·명예훼손; 명예롭게 하는; 암술머리
[기공, 소적반]의.

stig·ma·tize[스tàiz] vt. (…에) 낙
인하다; (…에) 오명을 씌우다. 비
난하다(as). -ti·za·tion[스~tizéiʃən/
-tai-] n.

*stile[stail] n. ⦗C⦘ (사람은 넘게 하나
소·말 따위는 나들 수 없게, 울타리
따위에) 계단; 층계. = TURNSTILE.

sti·let·to[stilétou] n. (pl. ~(e)s)
⦗C⦘ 가는 단검(으로 찌르다, 죽이
다.

:still¹ [stil] a. ① 고요한; 정지(靜止
한, 움직이지 않는. ② (목소리가) 낮
은, 물결이 일지 않는; (포도주 따

S

위) 거품이 일지 않는. ~ **small voice** 양심의 속삭임. — **ad.** ① 상금, 아직, 여전히. ② 더욱 더, 한층: 그럼에도 불구하고, 그래도. ④ 《古(詩)》늘. — **less** 《부정구 다음에》하물며[더군다나]…않다(*He does not know English, ~ less Latin.* 영어도 모르거늘 하물며 라틴어 따위를 알 턱이 있나). ~ **more** 《긍정구 다음에》더군다나…이다, 하물며… 에 있어서랴(*He knows Latin, ~ more English.* 라틴어도 알고 있다. 영어야 잘 할 것도 없다). — **vt., vi.** 고요[조용]하게 하다. 진정시키다. 잠잠[고요]케하다; 누그러뜨리다, 누그러지다. — **n.** ① 《the ~》침묵, 고요. ② ⓒ 정물(靜物) 사진; (영화에 대하여) 보통의 사진; (영화의) 스틸. — **conj.** 그럼에도 불구하고. ✦ **<-ness** *n.* ⓤ 고요, 침묵; 정지(靜止). **~·y¹** [stíli] *a.* 《詩》고요한. **stil·ly²** [stíli] *ad.* 고요히.

still² *n.* ⓒ 증류기(蒸溜器) [소]. [산실(室)] 〔산산아(兒).〕

still-birth *n.* ⓤ.ⓒ 사산(死産).

still-born *n.* 사산(死産)의.

still life (*pl.* **~s**) 정물(靜物)(화).

stilt [stilt] *n.* ① (보통 *pl.*) 죽마(竹馬). — **ed** [-id] *a.* 죽마를 탄; (문체 따위가) 과장하는; 딱딱한.

stim·u·lant [stímjələnt] *a.* 자극성의. — *n.* ⓒ 자극제; 흥분제; 술; 자극(물), 흥분(물).

stim·u·late [stímjəleit] *vt.* ① 자극하다; 격려하다. ② 술로 기운을 돋우다, 취하게 하다. ③ 흥분시키다. — *vi.* 자극이 되다. **-la·tive** [-leitiv/-lə-] *a.* 자극하는. **-la·tor** [-tər] *n.* ⓒ 자극[격려]하는 사람[것]. **✦-la·tion** [≧-léi∫ən] *n.*

stim·u·lus [stímjələs] *n.* (*pl.* **-li** [-lai]) ① ⓤ 자극, 흥분. ② ⓒ 자극물, 흥분물.

sting [stiŋ] *vt.* (**stung**, 《古》 **stang**, **stung**) ① (바늘 따위로) 찌르다, 쏘다. ② 얼얼하게(따끔따끔 쑤시게) 하다. ③ 괴롭히다; (허 따위를) 자극하다; 자극하여 …시키다(*into, to*). ④ 《俗》 속이다, 엄청난 값을 부르다. — *vi.* ① 찌르다, 바늘이[가시가] 돋

치다(*a ~ing tongue* 독설). ② 얼얼하게(따끔따끔하게) 하다(*Mustard ~s.*). 욱신욱신 쑤시다. — *n.* ① ⓒ 찌르기; 찔린 상처. ② ⓒ 《動·植》바늘, 가시[털]; 독아(毒牙). ③ 격통, 고통(거리), 비꼼; 자극(물). **<-er** *n.* ⓒ 쏘는 동물[식물]; 침, 가시; 《口》 빈정거림; 빈정거리는 사람.

sting·ray *n.* ⓒ 《魚》가오리.

stin·gy [stíndʒi] *a.* 인색한; 부족한, 빈약한.

stink [stiŋk] *n., vi., vt.* (**stank, stunk; stunk**) ⓒ 악취(惡臭)를 풍기다, 풍기어 (하다); (*vi.*) 평판이 나쁘다; 《口》 악취를 풍겨 내쫓다(*out*); (*vt.*) 《俗》 (…의) 냄새를 맡아내다. **<-ing** *a.* (고약한) 냄새나는, 구린.

stink bòmb 악취탄.

stint [stint] *vt.* 바싹 줄이다. 절약하다. — *n.* ⓤ 제한, 절약, 내기 아까워함; ⓒ 정량(定量), 할당(된 일) *without* — 아낌없이.

sti·pend [stáipend] *n.* ⓒ 급료(cf. wages). **sti·pen·di·ar·y** [staipéndi-èri/-diəri] *a.* 유급의; *n.* ⓒ 유급자(有給者).

stip·ple [stípəl] *vt.* 점화(點畫)[점각(點刻)]하다; ⓒ 점화[점각·점영]법, ⓒ 점화. **-pler** *n.*

stip·u·late [stípjəleit] *vt.* (계약서 따위에) 규정하다; 계약의 조건으로서 요구하다. — *vi.* 계약(규정)하다, 명기하다(*for*). **-la·tion** [≧-léi∫ən] *n.* ⓒ 조건, 약정; ⓤ 계약(규정); 규정자. **-la·tor** [-lèitər] *n.* ⓒ 계약자; 규정자.

stir [stəːr] *vt., vi.* (**-rr-**) ① 움직이다; 휘젓다, 뒤섞(어지)다. ② 흥분(분발)시키다(*up*). ③ (이하 *vi.*) 활동하다; 유동하다, 전해지다. *S-your* **STUMPS!** — *n.* ⓒ 움직임, 활동; 휘젓기, 뒤섞기. ② 혼란, 큰 법석: 흥분. ③ ⓒ 찌르기, 큰 법석. *make a* ~ 평판이 나다. *~ and bustle* 큰 법석. **<-rer** *n.* ⓒ 휘젓는 사람; 교반기(器); 활동가. **~·ring** *a.* 활동적인; 감동시키는, 복돋우는.

stir·rup [stə́ːrəp, stírəp] *n.* ⓒ 등자 줄(가죽).

stitch [stit∫] *n.* ① ⓒ 한 바늘[땀

들); 꿰매는(뜨는) 법, 스티치; (실)
땀, (뜨개질의) 코. ② (a ~) (턱
따위의) 조각. ③ (a ~) 《口》약간.
④ (a ~) (옔구리 따위의) 격통.
— *vt.*, *vi.* 깁다, 꿰매다; 꿰매어 꾸미
다; (벽을) 철하다, 매다.

stoat [stout] *n.* ○《動》(특히, 여
름철 털이 갈색인) 담비; 족제비.

:stock [stak/-ɔ-] *n.* ① ○ (초목의)
줄기. ② 《古》 그루터기; (접목의) 대목
(臺木). ② ○ (기계·연장의) 대(臺);
자루; (총의) 개머리. ② (the ~s)
《史》 (죄인의) 발싫 차꼬대. ④ 《*pl.*》
조선대(造船臺). ⑤ ○ 가계(家系),
혈통, 가문. ⑥ ○○ 증권, (자본) 주
식, 공채(증서). ⑦ ○○ 저축; ○ 저
장물; 재고품. ⑧ ○○《집합적》
가축. ⑨ ○ (공업의) 원료; (수프나
소스 재료의) 삶아낸 국물. ⑩ ○
《劇》레퍼토리 전속 극단. ① ○ 바
보, 비웃음의 대상. **dead** ~ 재고품.
~ **farm** ~ 농장 자산(농구·가축·작물
따위). **in [out of]** ~ (상품이) 재고
가 있는(품절되어). **live** ~ 가축.
on the ~**s** (배가) 건조중; 계획중.
~ **in trade** 재고품; (목수 등의) 연
장; 필요 수단. ~ **of knowledge**
쌓아올린 지식. ~**s and stones**
목석, 무정한 사람. **take** ~ 재고품
을 조사하다; 평가하다. **take ~ in**
《口》…에 흥미를 가지다, …을 존중
[신용]하다. **take ~ of** …을 검사하
다. — *a.* ① 수중에 있는, 재고의.
② 보통의, 흔한. ③ 가축 사육의; 주
(畜類)의. — *vt.* ① 사들이다. ②
저장하다, 공급하다(*with*). ③ …에
대(臺)를 달다. ④ (농장에) 가축을
넣다. ⑤ …에 씨를 뿌리다(*with*).
— *vi.* 사들이다(*up*).

stóck·ade [stakéid/-ɔ-] *n.* ○ 방
책(防柵); 울타리를 둘러친 곳, 가축
우리. 《美》포로 영창. — *vt.* 울타리를
둘러치다(막다).

stóck·bròker *n.* ○ 증권 중매인.

stóck càr 가축 운반 화차.

stóck exchànge 증권 거래소; 증
권 매매인 조합.

stóck·hòlder *n.* ○《美》주주(株
主)《英》shareholder.

stóck·ing [stákiŋ/-ɔ-] *n.* ○ (보통

pl.) 스타킹, 긴 양말 (모양의 것).
(six feet) in one's ~s [~ feet]
양말만 신고, 구두를 벗고 (키가 6피
트, 따위). ~**less** *a.*

stóck·man [-mən] *n.* ○《美》목
축업자, 창고 계원.

stóck márket 증권 시장[매매, 시
세]; 가축 시장.

stóck·pìle *n.*, *vt.*, *vi.* ○ (긴급용
자재의) 축적; 재고; 핵무기 저장용; 비
축하다.

stóck-stìll *a.* 움직이지 않는.

stóck·tàking *n.* ○○ 재고 (時古)
조사, 재고(품) 조사; (사업 따위의) 조
사, 점검.

stock·y [<i] *a.* 땅딸막한, 단단한.

stodg·y [stádʒi/-5-] *a.* (음식이)
진한, 소화가 잘 아 되는; (색이) 칙칙
한; (문체 따위가) 답답
한; 진부한.

Sto·ic [stóuik] *n.* ○ (아테네의) 스
토아 철학자; (s-) 금욕주의자. —
a. 스토아 학파의; (s-) = STOICAL.

Sto·i·cism [<-sìzəm] *n.* ○ 스토아
철학; (s-) 금욕주의, 견인(堅忍)(pa-
tient endurance); 냉정.

sto·i·cal [-əl] *a.* 금욕의; 냉철한.
~**·ly** *ad.*

stoke [stouk] *vt.* (불을) 쑤셔 일으
키다; (노로 따위에) 불을 때다. —
vi. 불을 때다. **stók·er** *n.* ○ 화부;
자동 급탄기(給炭機).

stole[1] [stoul] *v.* steal의 과거.

stole[2] *n.* ○ (끝을 앞으로 늘어뜨린
는) 여자용 어깨걸이; 《宗》영대(領帶)
《성직자가 목에 둘러 양끝으로 늘이는
가늘한 천). 《사, —을 홈빈.

:sto·len [stóulən] *a.* steal의 과거분
사.

stol·id [stálid/-5-] *a.* 둔감한, 명청
한. ~**·ly** *ad.* **sto·lid·i·ty** [stalídəti/
stɔ-] *n.*

:stom·ach [stámək] *n.* ○ 위
(胃); 배; ○ 식욕(for). ○ 마
음, 기호, 기분(for). — *vt.* 삼키다;
먹다, 소화하다; (모욕 따위를) 참다
(bear).

stómach·àche *n.* ○ 복통.

stómach pùmp 《醫》위세척기.

stomp [stamp/stomp] 《口》*vt.* (…
을) 짓밟다; 쿵쿵 밟다. — *vi.* 쿵쿵
발을 구르다; (…을) 짓밟다(on).

n. ⓒ 쿵쿵 밟음; 스텀프《세 마루를 구르는 재즈 댄스의 일종》.

†**stone** [stoun] n. ① ⓒ 돌; Ⓤ 석재 (石材). ② ⓒ 포비, 숫돌, 맷돌. ③ ⓒ 보석《a nineteen ~ watch 19석 시계》. ④ ⓒ 〖醫〗 결석 (結石) (병). ⑤ ⓒ (굳은) 씨, 핵(核). ⑥ (sing. & pl.) 《英》 스톤《중량의 단위, 14 파운드》. *at a ~'s throw* 돌을 던져 주 가까운 곳에. *cast the first ~* 맨 먼저 비난하다. *cast* 〖throw〗 *~s* (*a ~*) *at* …을 비난하다. *leave no ~ unturned* 온갖 수단을 다하다(*to do*). — a. 돌의, 석조(石造)의; 막사기그릇의. — vt. ① …에 돌을 깔다(놓다); (…에) 돌을 던지다 [던져 맞혀 비난하다. ② (…에) 씨를 빼다. ~*less* a. 돌(씨)이 없는.

Stóne Àge the 석기 시대.

stone-còld a. 돌같이 차가운.

stone-déad a. 완전히 죽은.

stone-déaf a. 전혀 못 듣는.

stone-màson n. ⓒ 석공, 석수.

stone-wàll n, a. ⓒ 돌담(같이 튼튼한). — vt, vi 《크리켓》신중히 타구하다; 《英》(의사를) 방해하다(filibuster).

stóne-wàre n. Ⓤ 석기; 막사기그릇.

stóne-wòrk n. Ⓤ 돌세공; 〖建〗 석조 부분, 석조(건축)물.

ston·y [stóuni] a. 돌 많은, 돌 같은, 돌이 많은; 무정한, 무표정한.

†**stood** [stud] v. stand의 과거(분사).

stooge [stu:dʒ] n, vi. ⓒ 《俗》배우 뒷받쳐대의 보조(얼간이) 역(을 하다); 보조역(보좌역) (을 하다); 조수; 남의 뜻대로 하는 사람, 부하각색; 뛰어(날아) 다니다. (비행기로) 선회하다 (*about, around*).

‡**stool** [stu:l] n. ① ⓒ (등·팔걸이가 없는) 걸상. ② ⓒ 걸상 받치는 궤. ③ ⓒ 걸상 비슷한 물건; 실내용 변기, 변소. ④ Ⓤ (대)변(green ~ 녹변). *fall between two ~s* 욕심부리다 모두 실패하다.

stóol pigeon 후림 비둘기; 한통 속; 경찰의 끄나풀.

stoop [stu:p] vi. ① 몸을(허리를) 굽히다(*over*). 허리가 굽다. ② (나무

·벼랑 등이) 구부러지다. ③ 자신을 낮추이(겸허이) …하다(*to do*). ④ …으로 전락하다(*to*). — vt. (머리·등 따위를) 굽히다. ~ *to conquer* 굴욕을 참고 목적을 이루다. — n. (a ~) 앞으로 몸을 굽힘; 새우등; 굴종, 겸손.

‡**stop** [stap/-ɔ-] vt. (*-pp-*) ① 멈추다, 그만두다, 세우다. ② 중지하다; 그만두게 하다, 방해하다. ③ (교통을) 스톱하다; 막다. ④ (속이 쪄져 나오는 것을) 멈추게 하다, 마개를 하다, 틀어 막다. ⑤ 〖拳〗 K.O.시키다. — vi. ① 서다, 멈추다, 중지하다. ② (비 따위가) 멎다. ③ 《口》묵다. ~ *down* 〖寫〗 렌즈를 조르다. ~ *off* 《美口》 단기간 머무르다. ~ *over* 《美》 도중 하차하다. = STOP OFF. ~ *to think* 멈추어 생각하다. — n. ⓒ 멈춤, 멎음, 중지, 휴식(休止). ② 정류소, 정류장. ④ 〖機〗 멈추대, 제재; 정지(終止); 구두점 (*a full* ~ 종지부). ④ 〖樂〗 (오르간의) 스톱, 음전(音栓). ⑤ 〖音聲〗 폐쇄음(p, t, k; b, d, g 등). ⑥ 〖寫〗 멈춤대. *put a ~ to* …을 그치게(끝내게) 하다.

stóp·còck n. ⓒ (수도 따위의) 꼭 지.

stóp·gàp n, a. ⓒ 임시 변통(의), 빈 곳 메우기(에 쓰는).

stóp-go sìgn 《英口》 교통 신호.

stóp·lìght n. ⓒ 정지 신호; 《자동차 뒤의》 스탑라이트, 정지등.

stóp·òver n. ⓒ 도중 하차.

stop·page [스idʒ] n. Ⓤⓒ 정지, 중지; 장애.

stóp·per n, vt. ⓒ 멈추는(막는 사람(장치)); 마개를 하다, 틀어 막다.

stóp prèss 《英》 (윤전기를 멈추고 삽입하는) 최신 뉴스.

stóp·wàtch n. ⓒ 스톱워치.

†**stor·age** [stɔ́:ridʒ] n. ① Ⓤ 보관, 저장; 보관소, 창고. ② Ⓤ 보관료. ③ Ⓤ 〖컴〗 기억 (장치).

‡**store** [stɔːr] n. ① (종종 pl.) 비축, 저장, 준비, (지식 따위의) 축적; 다량(*of*). ② (pl.) 필수품; 저장소, 창고. ③ ⓒ 《美》 상점, 가게. ④ 백화점. ⑤ ⓒ 〖컴〗 기억《데이터를 기억 장치에 저장하는 것》. *in ~* 있

store·house *n.* ① 창고; (지식의)
보고. ② 창고 관리인.

store·keep·er *n.* ① 창고지기. ② 《美》 가게
주인. ② 창고 관리인.

store·room *n.* ⓒ 저장실.

sto·rey [stɔ́ːri] *n.* 《英》 = STORY².

sto·ried, -reyed *a.* …층으로 지
은, …층의.

stork [stɔːrk] *n.* ⓒ 황새(갓난아기는
이 새가 갖다 주는 것이라고 아이들은
배움).

storm [stɔːrm] *n.* ⓒ ① 폭풍우; 큰
비(눈); 심한 천둥. ② 빗발치듯하는
총알(질문); 우레 같은 박수; 노여움
따위의) 폭발, 격정. ③ 강습(强襲).
a ~ in a teacup 집안 바
움. *the ~ and stress* 질풍 노도
(18세기 후반의 독일 문예 운동 (시
대); 〈G. *Sturm und Drang*〉.
— *vi.* ① (날씨가) 험악해지다. ② 돌
진하다; 날뛰다. ③ 호통치다(*at*).
— *vt.* 강습(쇄도)하다.

stórm clòud 폭풍우를 동반한 먹
구름; 동란의 조짐.

stórm tròoper (특히) 나치 돌격
대원.

storm·y [-i] *a.* ① 폭풍우의, 날씨
가 험악한. ② 격렬한, 소란스러운.

sto·ry [stɔ́ːri] *n.* ① ⓒ 설화, 이야
기; 소설; ① 전설. ② ⓒ 신상 이야
기; 경력; 전기 일화; 소문. ③ ⓒ
(口) 꾸며낸 이야기; 거짓말. ④ ⓒ
(소설·극의) 줄거리. ⑤ ⓒ (신문) 기
사. *to make a long — short* 간
단히 말하면. — *vt.* (이야기·사실〈史
實〉을) …

sto·ry² *n.* ⓒ (집의)층. *the upper*
~ 위층; 두뇌.

sto·ry·book *n.* 얘기(소설)책.

sto·ry·tell·er *n.* ⓒ 이야기꾼; 작
가; (口) 거짓말쟁이.

sto·ry·tell·ing *n.* ① 이야기하기;
(口) 거짓말하기.

stoup [stuːp] *n.* ⓒ 물 따르는 그릇,

큰 컵; (교회 입구의) 성수반(聖水盤).

stout [staut] *a.* ① 살찐, 뚱뚱한.
② 억센, 튼튼한; 용감한. — *n.* ①
ⓤ 흑맥주. ② ⓒ 살찐 사람; (*pl.*)
비만형의 옷. ∼·**ly** *ad.* ∼·**ness** *n.*

stout-héarted *a.* 용감한.

stove [stouv] *n.* ⓒ 스토브; 난로.

stove² *v.* stave의 과거 (분사).

stow [stou] *vt.* 챙겨(꼭꼭 채워, 집
어) 넣다(*in, into*); 가득 채워넣다
(*with*). ∼ *away* 치우다; 말항하
다. *S- it!* (俗) 입다취! 그만둬! ∼·
age [-idʒ] *n.* ① 쌓아 넣기(넣는 장
소); 적하(積荷)(료(料)).

stów·awày *n.* ⓒ 밀항자, 무임 승
객; 숨는 장소.

strad·dle [strǽdl] *vi., vt.* 두 다리
를 벌리다, 다리를 벌리고 걷다(서다,
앉다); ② 그렇게 하다; 《口》 애매한
입장을 취하[다]; 양다리 걸치다;
【美陸軍】 협차(夾叉) 포격(하다)
(*bracket*). — *vt.* (걸터) 타다, 걸
치다; 《口》 (…에 대해) 애매한 입장을
취하다, 양다리 걸치다(∼ *a ques-
tion*).

strafe [streif, -raːf] 《G.》 *vt.* (하
늘의 적을) 기총소사(폭격)하다; 맹사
격(맹폭격)하다; (俗) 벌주다.

strag·gle [strǽgl] *vi.* 뿔뿔이(산발
이) 흩어지다; 무질서하게 나아가다;
(일행에서) 뒤떨어지다; (어지럽게)
뻗쳐 퍼지다, 우거지다(*gad*); 산재하
다. ∼·**gler** *n.* ⓒ 낙오(부랑)자; 우거
져 퍼지는 풀(가지). ∼·**gling, -gly** *a.*

straight [streit] *a.* ① 곧은, 일직선
의; 곧추 선. ② 솔직한; 올바른; 정직
한. ③ 틀림없는(∼ *news*,
tips, &c.). ④ 《美》 철저한. ⑤ (유료
가) 순수한, 섞음질하지 않은(∼
whiskey). ⑥ 연속의(∼ *A's* (성적
이) 전수〈全秀〉)); 【포커】 다섯 장 연속
의(*a ~ flush* 같은 짝 패의 5장 연
속(ace, king, queen, jack, ten)). ⑦
에누리 없는. *get* 〔*make, put,
set*〕 *things* ~ 물건을 정돈하다.
∼ *angle* 평각. — *ad.* ① 곧게, 일
직선으로; 곧추 서서. ② 정직하게;
솔직하게. ③ 연속하여; 원상대로, 직
접. ∼ *away* 〔*off*〕 즉시, 곧. ∼ *out*
솔직히 하게. ∼ *n.* (the ~) 직선 【競馬】
(최후의) 직선 코스; ⓒ 【포커】 5장

연속. **out of the ～** 비뚤어져.

stráight·awày *n., a.* ⓒ 《競馬》 직선 코스(의).

:stráight·en [-ən] *vt., vi.* ① 똑바르게 하다[되다]. ② 정돈하다.

:stráight·fórward *a., ad.* ① 똑바로 (향하는). ② 솔직한[하게], 간단한[하게]. **～s**[-z] *ad.* = STRAIGHT-FORWARD.

:strain[strein] *vt.* ① 잡아당기다, 팽팽하게 켕기다. ② 긴장시키다; 있는 껏 …하게 하다(눈을 크게 뜨다, 목소리를 짜내다, 따위). ③ 너무 써서 손상시키다; (힘줄 따위를) 접질리다, 삐다; 곡해하다; 남용하다. ④ 꼭 껴안다. ⑤ 거르다, 걸러내다(*out, off*). — *vi.* ① 잡아당기다, 켕기다(*at*). ② 긴장하다; 노력하다(*after; to do*). ③ 스며나오다. **～ a póint** 억지로 갖다 붙이다. **～ at** a GNAT. — *n.* ① Ⓤ.ⓒ 당기기, 켕김, 긴장. ② Ⓤ.ⓒ 큰 수고; 과로; ③ Ⓤ 《口》 무거운 부담. ④ Ⓤ.ⓒ 어긋남, 뺌. ④ Ⓤ.ⓒ 변형, 찌그러짐. ⑤ 《종종 *pl.*》 선율, 노래; 가락(*in the same ～*). 말투. *at* (*full ～*, or *on the ～*) 긴장하여. **～ed**[-d] *a.* 긴장된; 무리한, 부자연한. **～·er** *n.* Ⓒ 잡아당기는(켕기는) 사람[기구]; 여과기(濾過器).

strain²[strein] *n.* Ⓒ 종족, 혈통; (a～) 특징, 기미; 기풍, 경향.

:strait[streit] *a.* 《古》 좁은. ② 엄중한. **the ～ gate** 《聖》 좁은 문(마태복음 7:14). — *n.* ① 《해협 (고유명사에는 보통 *pl.*》. ② (보통 *pl.*》 궁핍, 곤란. **Straits Settlements, the** 해협 식민지.

strait·en[-ən] *vt.* ① 궁핍하게 하다; 제한하다. ② 《古》 좁히다. **～ed**[-d] *a.* 궁핍한.

stráit jàcket (미치광이나 난폭한 죄수 등에 입히는) 구속복(拘束服) (camisole).

stráit-láced *a.* 엄격한.

strand¹[strænd] *n.* Ⓒ 《詩》 물가, 바닷가. — *vt., vi.* 좌초시키다[하다]; 궁지에 빠지다[에 처하게 하다].

strand² *n.* Ⓒ (밧줄·철사 따위의) 가닥, 낌; (한 가닥의) 실, 끈. — *vt.* (밧줄을) 가닥을 꼬다; 꼬다.

:strange[streindʒ] *a.* ① 이상한, 묘한. ② 모르는, 눈(귀)에 선; 생소한, 익숙하지 못한, 경험이 없는(*to*); 낯선; 서먹서먹한. ③ 《古》 타국의. — *ad.* 《口》 묘하게. **:～·ly** *ad.* **～·ness** *n.*

:stran·ger[streindʒər] *n.* Ⓒ ① 낯선 사람; 새로 온 사람. ② 제삼자, 문외한, 무경험자. ③ 손님, 숙객. ④ 외국인. **make a [no] ～ of** …을 쌀쌀하게 대하다[허물없이 대하다].

:stran·gle[strǽŋgl] *vt.* ① 교살하다; 질식시키다. ② 억압[묵살]하다.

stràngle hóld [레슬링] 목조르기; 자유 행동(발전 등)을 방해하는 것.

stran·gu·late[strǽŋgjəlèit] *vt.* 목졸라 죽이다; 《醫》 괄약(括約)하다. **-la·tion**[-léiʃən] *n.*

strap[stræp] *n., vt.* (*-pp-*) ① 가죽끈(으로 묶다, 때리다). ② 가죽 손잡이. ③ (가죽) 숫돌(로 갈다). **～·ping** *a.* 《口》 몸집이 큰(*a ～ping girl*); Ⓤ.ⓒ 매질, 채찍질; Ⓤ 반창고.

stra·ta[stréitə, -ɛ̀-] *n.* stratum 의 복수.

strat·a·gem[strǽtədʒəm] *n.* Ⓤ.ⓒ 전략; 전략.

stra·te·gic[strəti:dʒik] **-gi·cal** [-əl] *a.* ① 전략(상)의; 전략상 중요한. ② 국외 의존의 군수품 원료의. ③ 전략 작용(상)의(cf. *tactical*). **-gi·cal·ly** *ad.* **-gics** *n.* Ⓤ 전략, 병법.

strat·e·gy[strǽtidʒi] *n.* Ⓤ.ⓒ 용병학, 병법. ② 전략; 교묘한 술책. **-gist** *n.* Ⓒ 전략가.

strat·i·fi·ca·tion[strætəfikéiʃən] *n.* Ⓤ.ⓒ 성층(成層). ① 《地》 (조직의) 층(層) 형성; 사회 계층.

strat·i·fy[strǽtəfài] *vt., vi.* 층을 이루다[하게 하다].

strat·o·sphere[strǽtəsfìər] *n.* (the ～) 성층권; 최고(위).

stra·tum[stréitəm, -ɛ̀-] *n.* (*pl.* **-ta**[-tə], **～s**) 층; 지층; 사회 계층.

:straw[strɔ:] *n.* ① Ⓤ 짚, 밀짚. ② 짚 한 오라기(; 유료품); 빨대. ③ 밀짚모자; Ⓒ 하찮은 물건, 시시한 것. **a ～ in the wind** 풍향[여론]을 나타

내는 것. *catch* [*snatch*] *at a ~* [*two ~s*] 조금도 개의치 않다. *make bricks without ~* 불가능한 일을 꾀하다. *man of ~* 꼴 인형; 가공 인물; 재산 없는 사람; 믿을 수 없는 사람. *the last ~* (끝내 파멸로 이끄는) 최후의 사소한 일. ― *a ~* ① (밀)짚의, 짚으로 만든. ② 하찮은. ③ 가짜의.

straw·ber·ry [strɔ́ːbèri/-bəri] *n.* U,C 딸기.

stráw-còlo(u)red *a.* 밀짚 빛깔 (담황색)의.

stráw pòll (美) 비공식적인 여론조사.

stray [strei] *vi.* ① 길을 잃다; 헤매다, 방황하다. ② 옆길로 빗나가다; 못된 길로 빠지다. ― *a.* ① 길잃은, 일행에서 뒤쳐진. ② 뿔뿔이 흩어진 [산발적]. ③ C 길 잃은 가축; 집(길) 잃은 아이. ― *ed* [-d] *a.* 길잃은, 일행에서 뒤쳐진.

streak [striːk] *n.* C ① 줄, 줄무늬; 팽개, ② 성향(性向), 기미(*a ~ of genius* 천재성의 번득임). ③ (美) 단기간. *like a ~ (of lightning)* 전광석화와 같이; 전속력으로. ― *vt.* ① (…에) 줄을 긋다. 줄무늬를 넣다. ② 질주하다. 나체로 대중 앞을 달리다. ― *er.* C 스트리킹하는 사람. *~·ing* U 스트리킹(나체로 대중 앞을 달리기). *~·y a.* 줄이(줄무늬가), 얼룩이 있는.

stream [striːm] *n.* C ① 흐름, 시내. ② (사람·물건의) 흐름, 물결, 연속; 경향, 풍조. ③ (컴) 정보의 흐름. ― *of CONSCIOUSNESS.* ― *vi.* ① 흐르다, 끊임없이 잇따르다. ② 펄럭이다, 나부끼다. ― *vt.* ① 흐르다. 유출시키다. ② 펄럭이게 하다. ③ (학생을) 능력별로 편성하다.

stream·er [-ər] *n.* ① 기(旗)드림; (펄럭이는) 장식 리본; (배가 출발할 때 던지는) 테이프. ② (북극광 따위의) 사광(射光), 유광(流光). ③ (美) (신문의) 전단(全段) 표제.

stréam·line *n., a, v.* C U 유선(流線), 유선형의, ~으로 하다); 간소화(합리화)하다. *~d a.* 유선형의. *-lin·er n.* U 유선형(능률)화한. C 유선형 열차.

street [striːt] *n.* ① C 가로, 거리 ② C 차도에 면한 주민들; 특히 동서로 뚫린 길(cf. avenue). ③ C 차도(車道); ―가(街), …로(路). ③ (the ~)(집합적)한 구역(동네) 사람들. *not in the same ~ with* (구어)에는 도저히 못 미치는. *the man in the ~* 보통 사람.

stréet·càr *n.* C (美) 시가 전차.

stréet·wàlker *n.* C 매춘부.

strength [streŋkθ] *n.* ① U 힘; 강하기, 강도; 농도. ② U 저항(내구)력, 강인성. ③ U 병력, ③ U 효력, ④ U 힘이 되는 사람, 의지. *on the ~ of* …을 의지하여.

strength·en [⌐ən] *vt., vi.* ① 강하게 하다; 강해지다. ② 기운을 돋우다; 기운이 나다.

stren·u·ous [strénjuəs] *a.* 분투적인; 정력적인. *~·ly ad.*

strep·to·coc·cus [strèptəkάkəs/-5] *n.* (*pl. -coc·ci* [-kάksai/-5-]) C 연쇄상 구균.

strep·to·my·cin [strèptoumáisən] *n.* U 스트렙토마이신(항생물질).

stress [stres] *n.* ① U 압력, 압박; 강제; 긴장(*times of ~* 비상시). ② U 노력. ③ U,C 강조; 중요성. ④ U 악센트. 강세. *lay ~* 중점을 두다(*on*). *under ~ of* …때문에, …에 몰려(쫓겨서). ― *vt.* ① (…에) 압력을 가하다. ② 중점(역점)을 두다, 강조하다. ③ 강세하다.

stretch [stretʃ] *vt.* ① 뻗치다, 잡아당기다(늘이다); 펴다, 펼치다. ② 길게 긴장하다; 억지로 갖다붙이다; 남용하다. ― *vi.* ① 뻗다, 퍼지다. ② 기지개를 켜다, 손발을 뻗다; 손을 내밀다(*out*). ③ (일정의) 길이가 …이다(토지가 …에) 미치다, 뻗치다. ④ [TV] (시간을 끌기 위해) 천천히 하다. ― *~ oneself* (1) 기지개를 켜다. ― *n.* ① C (보통 *sing.*) 신장(伸張), 확장, 퍼짐. ② C 긴장. ③ C 벌림, 한동안의 시간(일, 노력; 범위). ④ C (보통 *sing.*). ⑤ (俗) 징역. ⑥ C 건강부회; 남용. ⑦ C (경마장 양쪽의) 직선 코스. *at a ~* 단숨에, 연속해서. *on the ~* 긴장하여.

stretch·er [strétʃər] *n.* C ① 뻗는

S

[펴는, 펼치는] 사람[도구]. ② (화포 (畫布)를 켕기는) 틀. ③ 들것.

strétcher-bèarer *n.* ⓒ 들것 메는 사람.

strew[stru:] *vt.* (**~ed; strewn, ~ed**) ① 흩뿌리다. ② 흩뿌려 뒤덮다(**with**).

stri·at·ed[stráieitid/-<] *a.* 줄 [홈이] 있는. **stri·a·tion** *n.* ① 줄 [홈]을 침; 줄무늬[자국], 가는 홈.

strick·en[stríkən] *v.* (古) strike 의 과거분사. — *a.* ① (탄환 등에) 맞은, 다친. ② (병·곤란 따위가) 침 《with》. ~ **in years** 나이 먹은.

strict[strikt] *a.* ① 엄격한, 정확한. ② 절대적인: **~·ly** *ad.* **~·ness** *n.*

stric·ture[stríktʃər] *n.* ⓒ (보통 *pl.*) 비난, 혹평《on, upon》; (醫) 협착.

stride[straid] *vi.* (**strode; stridden,** (古) **strid**) ① 큰걸음으로 걷다, 활보하다. ② (…을 성큼 (뛰어) 넘다《over, across》. — *vt.* 성큼 (뛰어) 넘다. — *n.* ⓒ ① 큰 걸음. ② 한 걸음의 폭. **hit one's ~** 《口》 제 걸음으로 되찾다. **make great (rapid) ~s** 장족의 진보를 이루다; 급히 가다. **take (a thing) in one's ~** 뛰어넘다; 쉽사리 해 내다.

stri·dent[stráidənt] *a.* 귀에 거슬리는, 삐걱[끽끽]거리는; (빛깔 등이) 야한. **-den·cy** *n.*

strife[straif] *n.* UⓒO 다툼, 투쟁, 싸움.

strike[straik] *vt.* (**struck; struck;** (美) **stricken**) ① 치다, 때리다, 두드리다 《타격을》 가하다; 공격하다. ② 부딪다; 말하다; 푹 찌르다 《화살 따위를》 쏘아넣다 《성냥을》 긋다. ③ 뜻밖에 만나다, 발견하다; (…에) 충돌하다; 인상지우다. ④ 《시계가 시각을》 치다. ⑤ 갑자기 …하게 하다; (공포 따위를) 느끼게 하다, 괴롭히다(cf. **stricken**). ⑥ 생각나다, 발견하다. ⑦ 삭제하다. ⑧ (태도를) 취하다; (식물을 뿌리박게 하다); (되의 곡물을) 평미레로 밀어 고르다. ⑨ 결산하다; (경)직하다. ⑩ (돛·기를) 내리다; (천막을)

거두다; (일을) 그만두다. ⑪ (물고기를) 낚아채다. — *vi.* ① 치다, 때리다, 두들기다. ② 충돌하다. 좌초하다《against, on》. ③ 불붙다; (빛이) 닿다, (소리가) 귀를 때리다. ④ (새 방향으로) 향하다; 갑자기[뜻밖에] 만나다《on, upon, into》. ⑤ 꿰뚫다《through, into》; (식물이) 뿌리내리다. ⑥ (시계가) 치다; (항복·인사의 표시로) 기를 내리다. ⑦ 동맹파업을 하다. — **a balance** 수지를 결산하다. ~ **at** …에게 치고 덤비다. ~ **home** 치명 상을 입히다; 급소를 찌르다. ~ **in** 불쑥 말참견하다; 발병하다; (병이) 내공(內攻)하다. ~ **into** 찌르다; 갑자기 …하기 시작하다. ~ **it rich** 《美》 (부광(富鑛)·유전 따위를) 발견하다; 뜻하지 않게 성공하다. ~ **off** (목 따위를) 쳐서 떨어뜨리다; 삭제하다; 인쇄하다; (길을) 옆으로 벗어나다, 떨어지다. ~ **OIL.** ~ **out** (불꽃을) 쳐내다; …하기 시작하다; 손발로 물을 헤치며 헤엄치다; 생각해 내다; 삭제하다. 《野》 삼진아웃시키다. ~ **up** 노래[연주]하기 시작하다; (교제를) 시작하다. — *n.* ⓒ ① 치기, 타격. ② 파업, 스트라이크 《*They are on* ~》. 파업중/*go on* ~ 파업을 하다 (cf. lockout). ③ 《野·볼링》 스트라이크. ④ 《美》 (부광(富鑛)·유전의) 발견; 대성공, 《口》 **call a** ~ 파업을 일으키다.

strike·bòund *a.* 파업으로 기능이 정지된.

strike·brèaker *n.* ⓒ 파업 파괴자; 파업을 깨뜨릴 직공을 주선하는 사람.

strike·brèaking *n.* ① 파업 파괴

strike pày (조합으로부터의) 파업 수당.

strik·er[<ər] *n.* ⓒ 치는 사람[것]; 동맹 파업자; 《美》 잠역부; 당번병.

strik·ing[<iŋ] *a.* ① 치는. 때리는. ② 현저한, 두드러진; 인상적인. **~·ly** *ad.*

string[strin] *n.* UⓒO ① 끈, 끈목. ② 실에 꿴 것. ③ (활·악기 따위의) 현(弦); (*pl.*) 현악기; (the ~s) (관현악단의) 현악기부(部) (cf. the winds). ④ ⓒ 《植》 섬유, 덩굴; 힘줄 ⑤ 《美》 (일련·일렬, 《美口》 부대 조건, 단서(但書). ⑥ ⓒ 《집》 현

자열(文字列). **attach** ~**s** 조건을 붙이다. **get** [**have**] **a person on** **a** ~ 아무를 마음대로 조종하다. **on** **a** ~ 허둥에 따서, 아슬아슬 하여; (아이) 시키는 대로. **pull the** ~**s** 배후에서 조종하다. 흑막이 되다. — **vt.** (**strung**) ① 실에 꿰다; 끈으로 묶다; 현[줄]을 달다; (…)의 현을 조르다; (기분을) 긴장시키다(**up**); 흥분시키다. ② (콩 따위의) 덩굴손을 없애다. ③ 일렬로 늘어세우다(**out**). ④ 《美俗》속이다. — **vi.** ① 실이 되다. ② 줄지어 나아가다. — **string** (口) 늘어다. 펼치다. ~ **up** (口) 목 졸라 죽이다. **~ed**[-d] **a.** 현(弦)이 있는; 현악기의(에 의한).

string bèan 깍지를 먹는 콩(어떤 종류의 강낭콩·완두 등); 그 깍지.

strin·gent[stríndʒənt] **a.** (규칙 따위가) 엄중한; (금융 사정이) 절박[핍박]한, 돈이 잘 안 도는; (의론 따위) 설득력이 있는, 유력한. **-gen·cy** **n.** **-ly ad.**

string·er[strínər] **n.** ⓒ (활의) 저 메우는 장색(匠色); (철도)의 세로 침목; (배의) 종통재(縱通材); (建) 세로 도리; 《美·Can.》 (신문·잡지 따위의) 지방 통신원; …급 선수(**a sec·ond**~) 2군(보결) 선수.

string·y[stríŋi] **a.** 실의, 실 같은; (액체가) 실오리처럼 늘어지는, 끈적 끈적한; 섬유질의 힘줄이 많은.

strip[strip] **vt.** (**-pp-**) 벌거숭이로 만들다; (…)의 덮개를 벗기다, 벗기 다; (배·포(砲) 따위의) 장비를 떼다; 나삿니를 마멸시키다. — **vi.** 옷을 벗 다. ~ **off** 벗기다, 빼앗다. **~·per** **n.**

strip² **n., vt.** (**-pp-**) ⓒ ① 길고 가는 조각(으로 만들다). ② (신문·잡지의) 연재 만화(**comic strip**). ③ 활주로; (메어낼 수 있게 된) 철판 활주로.

stripe[straip] **n.** ⓒ ① 줄; 줄무늬. ② 《軍》 수장(袖章); 줄무늬, 형 (型). — **vt.** (…에) 줄무늬를[줄을] 달다. **~d**[-t] **a.**

stríp·lìghting **n.** Ⓤ (가늘고 긴) 형광등에 의한 조명.

strip·ling[-liŋ] **n.** 애송이, 젊은이.

strip·tease **n.** ⓤⓒ 《美》 스트립쇼.

strive[straiv] **vi.** (**strove; striven**) ① 애쓰다, 노력하다(**to do; for, after**). ② 싸우다; 겨루다(**against, with**).

strode[stroud] **v.** stride의 과거.

stroke[strouk] **n.** ⓒ ① 침, 때림, 일격. ② (시계의) 치는 소리(**on the** ~ **of six**, 6시를 칠 때). ③ (운 명의) 도래, 우연한 운(**a** ~ **of good luck**). ④ (심장의) 고동, 맥박. ⑤ (수영의) 한 번 손발 놀리기; 날개치 기; 붓의 일필; 한 획, 한 번 새김; (손이나 기구의) 한 번 움직임[놀림, 내리두름]. ⑥ (**a** ~) 한바탕 일하기, 한 차례의 일; 수완; ⑦ (병의) 발작; 졸도. ⑧ (보트의) 한 번 젓기; 정조 수(整漕手). ⑨ 《컴》 스트로크; (키보 드 상의) 누르기, 치기(자판). **at** **a** ~ 일격으로, 단번에. **finishing** ~ 최후의 일격(下回). **keep** ~ 박자를 맞추어 노를 젓다. — **vt.** (…에) 선을 긋다; (보트의) 정조수 노릇 을 하다.

stroke² **vt., n.** ⓒ 쓰다듬다[듣기]; 어루만지기(기).

stroll[stroul] **vi.** ① 어슬렁어슬렁 거닐다, 산책하다. ② 방랑[순회 공 연]하다. — **vt.** (…을) 어슬렁어슬렁 거닐다. ~**ing company** 순회 공연 극단. — **n.** ⓒ 어슬렁어슬렁 거닐 기, 산책. ~**er** **n.** ⓒ 어슬렁거리는 사람; 순회 배우; 간편한 유모차, (아이의) 보행기.

strong[strɔːŋ/-ɔŋ] **a.** ① 강한, 힘 찬; 튼튼한; (성격이) 굳센; 견고한. ② 잘 하는(~ **in mathematics**; (의론 따위가) 유력한. ③ 인원(병력 등)이 …인, 강한. ④ (목소리가) 큰; (자 가) 진한; (맛 따위) 짙은; (술 따위) 독한; 고약한 (냄새)냄새); (말씨가) 격렬한, 난폭한. ⑤ 열심인; 강력한. ⑥ 《文》 강변화(불규칙 변화)의; 《晉 聲》 강음(强音)의; 《晉》 강세(强勢)의. **be** ~ **against** …에 절대 반대다. **have a** ~ **head** [**stomach**] (사람 이) 술이 세다. — **meat** 어려운 교의 (敎義)(opp. milk for babies). **the** ~**er sex** 남성. — **ad.** (口)에게, 힘차게; 격렬하게.

stróng·àrm **a.** (口 완력[폭력]을 쓰는. — **vt.** (…에게) 폭력을 쓰다; (…에게서) 강탈하다.

stróng·box n. ⓒ 금고.
stróng·hòld n. ⓒ 요새; 본거지.
stróng·ly[strɔ́(ː)ŋli, stráŋ-] ad. 강하게; 튼튼하게; 열심히.
stróng màn 독재자, 유력자.
stróng-mínded a. 마음이 굳센, 과단성[결단력] 있는, 기력이 센 있는, 오기 있는.
stróng·ròom n. ⓒ 금고실, 귀중품실, 광포한 정신병자 수용실.
stron·ti·um[stránʃiəm, -ti-/-5-] n. ⓤ 스트론튬[금속 원소; 기호 Sr].
strop·py[strápi/-5-] a. 《英俗》 삐딱할 때 곧이 나 있는, 기분이 언짢은. (거칠어) 다루기 어려운.
strove[strouv] v. strive의 과거.
struck[strʌk] v. strike의 과거(분사). — a. 파업으로 폐쇄된[영향을 받은].
struc·tur·al[strʌ́ktʃərəl] a. ① 구조(상)의, 조직(상)의 ② 건축의. ~·ly ad. ~·ism n. ⓤ 구조주의.
struc·ture[strʌ́ktʃər] n. ① ⓤ 구조; 조직, 조립; 《집》 구조. ② ⓒ 구조물[건조물].
stru·del[strúːdl] n. ⓒⓤ 파일이나 치즈에 밀가루를 입혀 구운 과자.
strug·gle[strʌ́gl] vi. ① 허위적거리다(to); 고투(苦鬪)하다, 싸우다(against, with). ② 노력하다(to do, for). ③ 밀어 헤치고 나아가다(along, in, through). ~ to one's feet 간신히 일어나다. — n. ⓒ 버둥질. ② 노력, 고투, 격투. ~ for existence 생존 경쟁. ~ for life 필사적인 노력. **strúg·gling** a. 허위적거리는; 고투하는, (특히) 생활난과 싸우는.
strum[strʌm] vt., vi. (-mm-) (악기를) 서투르게[되는 대로] 울리다[타다](on). — n. ⓒ (악기를) 서투르게 타기; 그 소리.
strum·pet[strʌ́mpit] n. ⓒ 매춘부.
strung[strʌŋ] v. string의 과거(분사). highly ~ 몹시 흥분하기 쉬운.
strut[strʌt] vi. (-tt-) n. 점잔빼며 걷다(about, along); 뽐내는 걸음. **strut** n. vt. (-tt-) 《建》 버팀목(을 대다), 지주(支柱)로 받치다.
strych·nine[stríknain -ni(ː)n],

-nin[-nin] n. ⓤ 《藥》 스트리키닌.
stub[stʌb] n. ⓒ ① 그루터기, ② (연필·양초 따위의) 토막, 동강; 담배꽁초; (이의) 뿌리, ③ 《美》 (수표장(帳)票의) 지닐[베낌]쪽, 부본. ④ 유달리 닳은 물건. — vt. (-bb-) ① (…을) 그루터기로 하다; 그루터기를 뽑아내다. ② (발부리를 그루터기·돌부리 등에) 부딪치다. ~·by a. 그루터기 같은[가 많은]; 땅딸막한; (턱 등이) 짧고 뻣뻣한.
stub·ble[stʌ́bl] n. ① ① (보리 따위의) 그루터기, ② 짧게 깎은 머리 [수염]. **stúb·bly** a. 그루터기 많은의[같은]; 꺼끌꺼끌한.
stub·born[stʌ́bərn] a. ① 완고한; 말 안 듣는, 완강한. ② 다루기 어려운. ~·ly ad. ~·ness n.
stuc·co[stʌ́kou] n. ⓤ (pl. ~(e)s) vt. ⓒ 치장 벽토(를 바르다); 그 세공.
stuck[stʌk] v. stick의 과거(분사).
stúck-úp a. 《口》 거만한.
stud[stʌd] n. ⓒ ① 장식 징[못]. ② (남자 셔츠의) 장식 단추; (기계에 박는) 볼트, 나사; 마개. ③ 《建》 샛기둥. — vt. (-dd-) ① 장식못을 박다. ② 점점이 박다. ③ 산재시키다. ④ 샛기둥을 세우다. **be ~ded with** …이 점재하다; …이 점점 박혀 있다.
stud n. ⓒ ① 《집합적》 (번식·사냥·경마용으로 기르는) 말들. ② 씨말; 《口》 호색한(漢).
stu·dent[stjúːdənt] n. ⓒ ① 《대학·고교 등의》학생; 연구가, 학자.
stúdent·shìp n. ⓤ 학생 신분; ② 《美》대학 장학금.
stud·ied[stʌ́did] a. 일부로 꾸민. (문체가) 부자연스러운; 심사 숙고한; 《古》 박식한, 정통한.
stu·di·o[stjúːdiòu] n. (pl. ~s) ① 《화가·사진사 등의》 작업장, 아틀리에, ② 영화 촬영소; 《방송국의》 방송실, 스튜디오.
stúdio apártment 거실 겸 침실 겸·부엌·욕실로 된 아파트.
stu·di·ous[stjúːdiəs] a. 공부를 좋아하는; 열심인; 애쓰는(of); 꼼꼼한. ~·ly ad.
stud·y[stʌ́di] n. ① ⓤ 공부, 면학. ⓤⓒ 조사; 연구. ③ ⓒ 연구 대상[과

목]; (*sing.*) 연구할[볼] 만한 것. ④ Ⓒ 습작; 스케치, 시작(試作); 연습곡(*étude*). ⑤ Ⓒ 서재, 연구실, 공부방. ⑥ Ⓒ 〖劇〗 대사 암송이 …한 배우(*a slow* [*quick*] ~ 대사 암송이 느린[빠른] 배우). — *vt.* ① 연구[공부]하다, 잘 조사하다, 유심히[눈여겨] 보다. ② 고려[꾀]하다. ③ (대사 등을) 암기하다. — *vi.* ① 연구[공부]하다. ② 애쓰다. ③ 《美》 숙고하다.

stuff [stʌf] *n.* Ⓤ ① 원료. ② 요소, 소질. ③ 《주로 英》 (모)직물; (불특정의) 물건, 물질. ④ 《口》 소지품. ⑤ 잡동사니; 잠꼬대, 허튼 소리[생각]. ***doctor's*** ~ 《口》 약. ***Do your*** ~*!* 《美俗》 네 생각대로 (말)해 버려라! ***S-*** (***and nonsense***)! 바보 같은 소리. — *vt.* ① (…에) 채우다; 《俗》 배불리 먹다[먹이다]. ② 《美》 (투표함을) 부정 투표로 채우다. ③ (귀·구멍 따위를) 틀어막다(*up*); 〖料理〗 소를 넣다; 메워[틀어, 밀어]넣다(*into*); 박제(剝製)로 하다. — *vi.* 게걸스럽게[배불리] 먹다. **∠·ing** *n.* Ⓤ 채워넣기; (가구 따위에) 채워 넣는 깃털[솜]; 요리의 소[속].

stúffed shírt 《美俗》 (하찮은 주제에) 뽐내는 사람.

stuff·y [∠i] *a.* 통풍이 안 되는; 답답한, 나른한; (머리가) 무거운; 딱딱한; 성난, 부루퉁한.

stul·ti·fy [stʌ́ltəfài] *vt.* 어리석어 보이게 하다, 무의미하게 하다; (나중의 모순된 행위로써) 무효가 되게 하다. **-fi·ca·tion** [∠–fikéiʃən] *n.*

:**stum·ble** [stʌ́mbəl] *vi.* ① 헛딛어 곱드러지다(*at, over*); 비틀거리다. ② 말을 더듬다, 더듬거리다(*through, over*), 망설이다. ③ 잘못을 저지르다, (도덕상의) 죄를 범하다. ④ 우연히 만나다, 마주치다(*across, on, upon*). — *vt.* 비틀거리게 하다, 망설이게 하다. — *n.* Ⓒ 비틀거림; 실책, 실수.

stúmbling blòck 장애물, 방해물; 고민거리.

:**stump** [stʌmp] *n.* Ⓒ ① 그루터기; (부러진 이의) 뿌리, (손이나 발의) 잘리고 남은 부분; (연필 따위의) 쓰다 남은 몽당이, (담배, 양초의) 꼬투리. ② 의족(義足); (*pl.*) 《俗·諧》 다리. ③ 똥똥한 사람; 무거운 발걸음[발소리]. ④ 〖크리켓〗 (삼주문의) 기둥(cf. bail[2]); (정치 연설할 때 올라서는) 나무 그루터기, 연단. ⑤ 《美口》 감행, 도전. ***on the*** ~ 정치 운동을 하여. ***Stir your*** ~***s!*** 빨리 서둘러라. ***up a*** ~ 《美口》 꼼짝달싹 못하게 되어, 곤경에 빠져. — *vt.* ① 《口》 괴롭히다, 난처하게 하다(*I am* ~*ed.* 난처하게 됐다). ② 《美》 (지방을) 유세하다. ③ 《美口》 도전하다. — *vi.* 의족[무거운 발걸음]으로 걷다; 《美》 유세하다. **∠·er** *n.* Ⓒ 난문(難問); =STUMP ORATOR. **∠·y** *a.* 그루터기가 많은; 땅딸막한.

stúmp òrator [**spèaker**] 선거[정치] 연설자.

˙**stun** [stʌn] *vt.* (**-nn-**) ① (때려서) 기절시키다. ② 귀를 먹먹하게 하다; 어리벙벙하게 하다, 간담을 서늘케 하다. **∠·ner** *n.* Ⓒ 기절시키는 사람[것·타격]; 《口》 멋진 사람; 근사한 것. ˙**∠·ning** *a.* 기절시키는; 간담을 서늘케 하는; 《口》 근사한, 멋진.

˙**stung** [stʌŋ] *v.* sting의 과거(분사).

stunk [stʌŋk] *v.* stink의 과거(분사).

stunt[1] [stʌnt] *vt.* 발육을 방해하다, 주접들게 하다. — *n.* Ⓒ 주접들기; 주접든 동식물. **∠·ed** *a.* 발육 부전의; 지지러진.

˙**stunt**[2] *n., vi., vt.* Ⓒ 묘기, 곡예(를 하다), 스턴트; 곡예 비행[운전](을 하다).

stúnt màn 〖映〗 스턴트맨《위험한 장면의 대리역》.

˙**stu·pe·fy** [stjú:pəfài] *vt.* 마취시키다; (…의) 지각을 잃게 하다; 멍하게 하다. **-fac·tion** [∠–fǽkʃən] *n.*

˙**stu·pen·dous** [stju:péndəs] *a.* 엄청난, 굉장[거대]한. **~·ly** *ad.*

:**stu·pid** [stjú:pid] *a.* 어리석은; 시시한; 멍청한, 무감각한; 《英方》 고집센. **~·ly** *ad.*

˙**stu·pid·i·ty** [stju:pídəti] *n.* Ⓤ 우둔; Ⓒ (보통 *pl.*) 어리석은 짓.

stu·por [stjú:pər] *n.* Ⓤ 무감각, 혼수; 망연.

˙**stur·dy** [stə́:rdi] *a.* 억센; 건전한; 완강한; 불굴의. **stúr·di·ly** *ad.* **stúr·di·ness** *n.*

S

stur·geon[stə́:rdʒən] *n.* ⓊⒸ 〖魚〗 철갑상어.

stut·ter[stʌ́tər] *vi., n.* ⓒ 말을 더듬다[더듬기]. 말을 떠듬거[우물거리]기[거림]. — *vt.* 떠듬거리다(*out*). ~·**er** *n.*

sty[stai] *n.* ⓒ 돼지우리; 더러운 집 [장소].

sty[stai], **stye**[stai] *n.* ⓒ 〖眼科〗 다래끼.

Styg·i·an[stídʒiən] *a.* 삼도(三途) 내의, 하계(下界)의; 지옥의; 어두운, 음침한.

:style[stail] *n.* 〖원뜻: 첨필(尖筆)〗 ① ⓒ 첨필; (해시계의) 바늘. ② ⓊⒸ 문체, 말투. ③ ⓊⒸ 스타일, 양식, 형(型), 품(品), 모양새, 〖컴〗 스타일(그래픽에서 선부리나 글씨의 그려지는 형태나 지정). ④ ⓒ (복수형의) 방법, 방식. ⑤ Ⓤ 고상함, 품위. ⑥ ⓒ 호칭, 칭호, 직함. ⑦ ⓒ 역법(曆法). ⑧ ⓒ 〖植〗 화주(花柱). **in good ~** 고상하게. **in ~** 화려하게. **the New [Old] S-** 신(구)력(新舊曆). — *vt.* 이름 짓다, 부르다.

styl·ist[stáilist] *n.* ⓒ 문장가, 명문가(名文家); (의복·실내 장식의) 의장가(意匠家). **sty·lís·tic** *a.* 문체(상)의; 문체의 style. **sty·lís·tics** *n.* ⓊⒸ 문체론.

styl·ize[stáilaiz] *vt.* 스타일에 순응 시키다, 양식에 맞추다; 인습적으로 하다.

sty·lus[stáiləs] *n.* ⓒ 첨필(尖筆), 철필; 축음기 바늘, (레코드 취입용) 바늘.

sty·mie, -my[stáimi] *n.* ⓒ 〖골프〗 방해구(〖자기 공과 홀과의 사이에 상대방의 공이 있고, 두 공의 거리가 6인치 이상인 상태). 그 공(위치). — *vt.* 방해구로 방해하다; 훼방놓다, 좌절시키다, 어찌할 도리가 없다.

suave[swɑːv] *a.* 상냥한, 유순한, 정중한. ~·**ly** *ad.* ~·**ness** *n.*

suav·i·ty[swɑ́ːvəti, -ɛ-] *n.* ① 온화함 ② (보통 *pl.*) 정중한 태도.

sub[sʌb] *n.* ⓒ 보충원, 보결 선수; 잠수함; 중위, 소위 하위(下位)의 것. — *vi.* (**-bb-**) 대신하다; 보결이 되다(*for*).

sub[sʌb] *prep.* (L.) …의 아래[밑]

sub. submarine; substitute.

sub·al·tern[səbɔ́ːltərn/sʌ́bltən] *n.* ⓒ 차관, 부관; 〖英陸軍〗 대위 이하의 사관. — *a.* 하위의; 속관의; 〖英陸軍〗대위 이하의.

sub·a·que·ous[sʌbéikwiəs] *a.* 수중(水中)의·(용)의.

sub·atom *n.* ⓒ 아원자(亞原子)〖양자·전자의 따위〗. ~·**ic**[sʌbətámik/-5-] *a.*

sub·committee *n.* ⓒ 분과(소)위원회.

sub·conscious *n., a.* (the ~) 잠재 의식(의), 어렴풋이 의식하고 있는(의식하기). ~·**ly** *ad.* ~·**ness** *n.*

sub·con·tract[sʌbkántrækt/-5-] *n.* ⓒ 하청(계약), 도급계약. — [sʌbkəntrækt] *vt., vi.* 하청(계약)하다. **-trac·tor**[sʌbkántræktər/-kɔntrǽkt-] *n.* ⓒ 하청인.

sub·culture *n.* Ⓤ 〖社〗 소(小)문화, 하위 문화.

sub·cutaneous *a.* 피하(皮下)의.

sub·divide *vt., vi.* 재분(再分)[세분]하다. **·-division** *n.* Ⓤ 재분, 세분; Ⓒ (세분된) 일부; 분할 부지.

sub·due[səbdjúː] *vt.* ① 정복하다. 이기다; 복종시키다, 회유하다. ② 억제하다, 누르다. ③ 부드러운(*a color of subdued tone* 차분한 빛깔); (목소리를) 낮추는, 누그러뜨리는. **sub·dú·al** *n.*

sub·édit[- -] *vt.* (英) …의 부(副)주필 일을 보다. **-éditor** *n.*

sub·héad(ing) *n.* ⓒ 작은 표제(표제의 세분).

sub·human *a.* 인간 이하의; 인간에 가까운.

:sub·ject[sʌ́bdʒikt] *a.* ① 지배를 받는, 종속하는(*to*). ② 받는, 받기 [걸리기] 쉬운(*to*). ③ (…을) 받을 필요가 있는(*This treaty is to ratification.* 이 조약은 비준이 필요하다); (…을) 조건으로 하는, …여하에 달린(*~ to changes*). — *n.* ⓒ ① 권력(지배)하에 있는 사람; 국민, 신하. ② 학과, 과목. ③ 주제, 화제. 〖文〗주어. 〖論〗주사. ⑤ 〖哲〗주체, 주관, 자아; 〖樂·美術〗주제, 테마. ⑥ 피(被)실험자, 실험 자료를 보다.

표. ⑤ …질(質)의 사람, (…성) 환자.
on the ~ of …에 관하여. —
[-sǝbdʒékt] *vt.* ① 복종시키다(*to*); 받게[걸리게] 하다(*to*), ② 제시하다. 맡기다(*to*). ③ 종속시키다. **~·ness** *n.* ⓤ 복종.

sub·jec·tive [sǝbdʒéktiv, sʌb-] *a.* ① 주관의, 주관적인; 개인적인 ② [文] 주격의, 주어의. **~·ly** *ad.* **-tiv·i·ty** [sʌ̀bdʒektívəti] *n.* ⓤ 주관(성).

súbject màtter 주제, 내용.

sub ju·di·ce [sʌ̀b dʒúːdisi] (L.) 심리 중의, 미결의.

sub·ju·gate [sʌ́bdʒugèit] *vt.* 정복하다, 복종시키다. **-ga·tor** *n.* **-ga·tion** [-→géiʃən] *n.*

sub·junc·tive [-tiv] *a.* [文] 가정(가상)법의. — *n.* [the ~] 가정[가상]법; ⓒ 가정법의 동사(보기: were I a bird; if it *rain*; God *save* the Queen.) (cf. imperative, indicative).

sùb·lét *vt.* (**~; -tt-**) 다시 빌려주다; 하청시키다.

sub·lieu·ten·ant [sʌ̀blu:ténənt, -lət-] *n.* ⓒ [英] 해군 중위.

sub·li·mate [sʌ́bləmèit] *vt.* 승화(純化)하다, [化·心] 승화시키다 — [-mit] *a.* 순화된; 승화(昇華)된 — *n.* ⓒ 승화물. **-ma·tion** [-→méiʃən] *n.* ⓤ 순화; 승화.

sub·lime [səbláim] *a.* ① 고상[숭고]한, 장엄[웅대]한. — *n.* [the ~] 숭고(함), 장엄. — *vt., vi.* ① [化] 승화시키다[하다], ② 고상하게 하다(되다). **~·ly** *ad.* **sub·lim·i·ty** [-límǝti] *n.* ⓤ 숭고, 장엄; ⓒ 숭고한 사람[물건].

sub·lim·i·nal [sʌ̀blímǝnəl] *a.* [心] 식역하의(識閾下의), 잠재 의식의.

sub·ma·chine [sʌ̀bməʃíːn] *n.* [美] (휴대용) 소형 기관총.

sub·ma·rine [sʌ́bmǝriːn, --́-] *n.* ⓒ 잠수함. *a.* 바다 속의[에서 쓰는]; 잠수함의; 잠수함으로 하는.

sub·merge [səbmə́ːrdʒ] *vt.* ① 물속에 가라앉히다. ② 물에 잠그다. ③ 잠수하다. — *vi.* 가라앉다; 잠수[잠항]하다. **the ~d tenth** 사회의 맨밑바닥 사람들. **sub·mér·gence** *n.* ⓤ 잠수, 잠항; 침수, 수(冠水).

sub·mers·i·ble [səbmə́ːrsəbəl] *a.* 수중에 가라앉힐 수 있는. ⓒ 잠수(잠항)정.

sub·mis·sion [-míʃən] *n.* ① ⓤⓒ 복종, 항복. ② ⓤ 순종(*to*). ③ ⓒ (의견의) 개진(開陳), 제안. **-sive** *a.* 복종하는, 유순한.

sub·mit [-mít] *vt.* (**-tt-**) ① 복종시키다(*to*). ② 제출하다(*to*). ③ 부탁하다, 공손히 아뢰다(*that*). — *vi.* 복종하다(*to*).

sùb·nórmal *a., n.* 정상 이하의; ⓒ 정신 박약의 (사람).

sub·or·di·nate [səbɔ́ːrdənit] *a.* ① 하위[차위]의; 부수하는. ② [文] 종속의. ⓒ ①종속하는 사람[것], 부하. — [-nèit] *vt.* 하위에 두다; 경시하다(*to*); 종속시키다(*to*). **-na·tive** [-nèitiv, -nə-] *a.* **-na·tion** *n.*

subórdinate cláuse [文] 종속절.

sub·orn [səbɔ́ːrn/sʌb-] *vt.* 거짓 맹세(위증)시키다; 매수하다, 나쁜 일을 교사하다. **-er** *n.* **sub·or·na·tion** *n.*

súb·plòt *n.* (극·소설의) 부차적 줄거리.

sub·po·e·na, -pe- [səbpíːnə] *n., vt.* ⓒ [法]소환장; 소환하다.

sub·scribe [səbskráib] *vt.* ① 서명하다(기부금 등에) 서명하여 동의하다. ② 기부하다. ③ (신문·잡지 등을) 예약하다. ④ (주식 등에) 응모하다. — *vi.* ① 서명[기부]하다(*to*). ② 기부 명부에 써넣다. ② 찬성하다(*to*). ④ 예약[구독]하다; (주식에) 응모하다(*for*). **sub·scrib·er** *n.* ⓒ 기부자; 응모자[예약자]; 서명자.

sub·scrip·tion [səbskrípʃən] *n.* ① ⓒ 서명(signing), 찬성; 기부; ⓒ 기부금, 응모; ② ⓒ 예약 구독료[구독 기간]; 예약, 응모.

subscríption còncert 예약(제) 음악회.

sub·sec·tion [sʌ̀bsèkʃən] *n.* ⓒ (section의) 세분, 소부(小部).

sub·se·quent [sʌ́bsikwənt] *a.* 뒤[다음]의; 뒤이어(따르는)(*to*). **~·ly** *ad.* **quence** *n.*

sub·ser·vi·ent [-sə́ːrviənt] *a.* 복

S

종하는; 도움이 되는(*to*); 비굴한.
-ence *n.*

sub·side[-sáid] *vi.* ① 가라앉다.
(건물 따위가) 내려앉다; 침전하다.
② (홍수 따위가) 빠다; (폭풍·소동
따위가) 잠잠해지다.

sub·sid·i·ar·y[səbsídièri] *a.* ① 보
조의; 보충적인. ② 종속(부차)적인.
③ 보조금의[을 받을]. ── *n.* ⓒ 보
조물; 보조자; 자(子)회사.

sub·si·dize[sʌ́bsidàiz] *vt.* 보조금
을 주다; 돈을 주어 협력을 얻다. 매
수하다. 【俗】성금.

sub·si·dy[-sidi] *n.* ⓒ 보조금.

sub·sist[səbsíst] *vi.* ① 생존하다.
생활하다(*on, by*); ② 존재하다. ──
vt. 밥[양식]을 대다, 급양하다.

sub·sist·ence[-sístəns] *n.* Ⓤ ①
생존, 현존, 존재, 생활; 생계; 생활
수단.

subsistence lèvel, the 최저 생
활 수준.

súb·sòil *n.* Ⓤ (보통 the ~) 하층토
(土), 저토(底土).

sùb·sónic *a.* 음속 이하의(cf. son-ic).

sub·stance[sʌ́bstəns] *n.* ① Ⓤ 물
질; (어떤 종류의) 물질. ② Ⓤ【哲】
실체, 본질. ③ (the ~) 요지; 실질;
알맹이; (재물의) 바탕. ④ Ⓤ 재산.
in ~ 대체로; 실질적으로, 사실상.

sùb·stándard *a.* 표준 이하의.

sub·stan·tial [səbstǽnʃəl] *a.*
실질의; 실재하는, 참다운, ②【哲】
실체[본체]의. ③ 다대한, 중요한, 충
분한. ④ 실질[본질]적인, 내용[알맹
이]이 있는; 견고한; 사실상의. ⑤ 자산
이 있는, 유복한; 유력한. **~·ly**[-ʃəli] *ad.*
-ti·al·i·ty[─ʃiǽləti] *n.* Ⓤ 실질(이
있음); 실체; 견고.

sub·stan·ti·ate[-stǽnʃièit] *vt.*
입증하다; 실체화하다. **-a·tion**[─
èiʃən] *n.*

sub·stan·tive[sʌ́bstəntiv] *a.*【文】
(실(實)명사의, 명사로 쓰이는; 존재를
나타내는; 독립의; 현실의; 본질적인.
── ⓒ【文】(실)명사. **-ti·val**[─
táivəl] *a.* (실)명사의.

súb·stàtion *n.* ⓒ 지서(支署), 출
장소.

sub·sti·tute[sʌ́bstitjù:t] *n.* ⓒ 대

리인; 대체물, 대용품; 【컴】 바꾸기.
── *vt.* 바꾸다, 대용하다, 대체하다,
대리[시키다. ── *vi.* 대리를 하다.
── *a.* 대리의. **-tu·tion**[─ʃən] *n.*
ⓊⒸ 대리; 교체; 【化】 치환; 【數】 대
입(代入).

sub·stra·tum[sʌ́bstrèitəm, -ræ-]
n. (*pl.* **-ta**[-tə], **~s**) ⓒ 하층(토);
기초.

súb·strùcture *n.* ⓒ 기초 공사.

sub·tend[səbténd] *vt.* 【幾】(현(弦)
이 호(弧)에, 변이 각에) 대(對)하다.

sub·ter·fuge[sʌ́btərfjù:dʒ] *n.* ⓒ
구실; Ⓤ 속임수.

sub·ter·ra·ne·an[sʌ̀btəréiniən],
-ne·ous[-réiniəs, -njəs] *a.* 지하
의; 비밀의, 숨은.

súb·title *n.* ⓒ (책의) 부제(副題);
(*pl.*) 【映】 설명 자막.

sub·tle[sʌ́tl] *a.* ① 포착하기[잡기]
어려운, 미묘한, 미세한. ② (약·독
따위) 서서히 효과가 나타나는; (미소·
표정 따위) 신비스런. ③ 예민한; 교
묘한. ④ 솜씨좋은, 교활한. ⑤ 희박한,
(공기 따위) 엷은. **~·ty** *n.* 희박(함).
~·ty *n.* Ⓤ 희박(함); 예민; 세밀한
구별. **súb·tly** *ad.*

sùb·tótal *n.* 소계(小計).

sub·tract[səbtrǽkt] *vt.* 【數】 덜
다, 빼다(~ *2 from 7*, 7에서 2를 빼
다)(cf. deduct). **~·er** *n.* ⓒ【컴】
뺄셈기. 감산기. **sub·trác·tion** *n.*
ⓊⒸ 감법(減法). 뺄셈. **sub·trác-
tive** *a.*

sùb·trópic, -ical *a.* 아열대의.

sùb·trópics *n. pl.* 아열대 지방.

sub·urb[sʌ́bə:rb] *n.* ① ⓒ (도시
의) 변두리 지역, 교외. ② (*pl.*) 주
변; (the ~s) 변두리 주택 지역.
sub·ur·ban[səbə́:rbən] *a.* 교외의;
교외[변두리]에 사는; 교외의 주
민] 특유의, **sub·ur·ban·ite**[-
àit] *n.* ⓒ 교외 거주자.

sub·ur·bi·a[səbə́:rbiə] *n.* Ⓤ 《집
합적》 교외 거주자; 교외 생활 양식.

sub·ven·tion[səbvénʃən] *n.* ⓒ
보조금.

sub·ver·sion[səbvə́:rʒən] *n.* Ⓤ
전복[파괴]하는 것(것).

sub·ver·sive[səbvə́:rsiv] *a.* 전복
하는, 파괴하는(*of*). ── *n.* ⓒ 파괴
[불온]분자.

S

sub·vert [səbvə́ːrt] *vt.* (국가·정체 따위를) 전복시키다, 파괴하다. (주의·주장을) 뒤엎다, 타락시키다.

sub·way [sʌ́bwèi] *n.* ⓒ (보통 the ~) 지하철. 《英》지하도.

sùb-zéro *a.* (특히 화씨의) 영도 이하의; 영하 기온용의.

suc·ceed [səksíːd] *vt.* (…에) 계속하다. ② (…의) 뒤를 잇다. ─ *vi.* ① 계속되다, 잇따라 일어나다(*to*); 계승(상속)하다(*to*). ② 성공하다(*in*); (좋은) 결과를 가져오다. ③ 입신(출세)하다.

suc·cess [səksés] *n.* Ⓤ 성공, 행운; 출세; ⓒ 성공자. **:~·ful** *a.* 성공한, 행운의. **~·ful·ly** *ad.*

suc·ces·sion [-séʃ*ə*n] *n.* ① Ⓤ 연속; ② 연속물. ② Ⓤ 상속, 계승, 상속 순위.《집합적》상속자들. **in ~** 연속하여. **the law of ~** 상속법.

suc·ces·sive [-sésiv] *a.* 연속적인, 잇따른. **~·ly** *ad.*

suc·ces·sor [-sésər] *n.* 뒤를 잇는 사람; 후임(후계)자; 상속인.

suc·cinct [səksíŋkt] *a.* 간결한.

suc·cor, 《英》**-cour** [sʌ́kər] *n.* *vt.* 구조(하다).

suc·cu·lent [sʌ́kjələnt] *a.* (과일 따위) 즙이 많은; 흥미진진한; 《植》다육(多肉)의. **-lence** *n.*

suc·cumb [səkʌ́m] *vi.* ① 굴복하다, 지다(*to*). ② (…으로) 죽다(*to*).

such [强 sʌtʃ, 弱 sət] *a.* ① 이(그)러한, 이(그)와 같은; 같은. ② (~ ...as의 형식으로) …와 같은; 이와 같은 그러한. ③ 앞서 말한, 상기(上記)의; 전술한; 대단한, 심한(*He's ~ a liar!*). ─ *and ~* 이러이러한. ─ *pron.* 이(그)러한 사람(물건). ② 《商》전기한 물건. *and ~* 그러 …따위. *as ~* 그 자격으로; 그것[자체]. ─ [전].

súch·like *a.*, *pron.* 그러한 사람[물건].

suck [sʌk] *vt.* ① 빨다; 빨아들이다 (*in, down*). ② (젖·지식 따위를) 흡수하다(*in*); (이익을) 얻다, 착취하다(*from, out of*). ─ *vi.* 빨다; 흡착하다(*at*); 젖을 빨다. ─ *in (up)* 빨아들이다[올리다], 흡수하다. ─ *n.* ① Ⓤ (젖을) 빨기[빠는 소리]. ② Ⓒ(Ⓤ) 한 번 빨기, 한 모금.

at ~ 젖을 빨고. *give ~ to* …에 게 젖을 먹이다. **~ er** *n.*, *vt.*, *vi.* ① 빠는 사람(물건); 젖먹이; 빨판, 흡반(이 있는 물고기); 《植》흡지(吸枝); 흡입관(펌프), 《美俗》(잘 속는) 얼간이; 《口》 막대기 사탕(lollipop). ② 옥수수·담배 등의 곁순을 떼 어버리다; 흡지가 나다. **~·ing** *a.* (젖을) 빠는 젖먹이는; 젖떨어지지 않은; 《口》 젖비린내 나는, 미숙한.

suck·le [sʌ́kl] *vt.* (…에게) 젖을 먹이다; 기르다, 키우다. **súck·ling** *n.*, *a.* 젖먹이; 어린 (짐승); 젖떨 어지지 않은.

su·crose [súːkrous] *n.* 《化》 자당 (蔗糖).

suc·tion [sʌ́kʃ*ə*n] *n.* Ⓤ 빨기; 흡인 (력). ─ *a.* 빨아들이기 하는; 흡인 력에 의하여 움직이는.

sud·den [sʌ́dn] *a.* 돌연한, 갑작스 런. ─ *n.* 돌연. *on* [*of, all of*] *a ~* 갑자기. **↑~·ly** *ad.* 갑자기, 돌연, 불시에. **~·ness** *n.*

suds [sʌdz] *n. pl.* (거품이 인) 비눗 물; 비누 거품. 《俗》 맥주.

sue [suː/sjuː] *vt.*, *vi.* ① 고소하다. 소송을 제기하다(*for damages* 손 해 배상 청구 소송을 제기하다). ② 간청하다(*to, for*). ③《古》(여자에 게) 구혼(구애)하다.

suède [sweid] *n.* (F. = Sweden). Ⓤ 스웨드 가죽(비슷한 천)(으로 만든).

su·et [súːət] *n.* Ⓤ 쇠기름, 양기름. **sú·ety** *a.* 쇠(양)기름 같은.

suf·fer [sʌ́fər] *vt.* ① (고통·재난 따 위를) 입다, 당하다. 겪다. ② 견디다. ③ 허용하여 …하게 하다. ─ *vi.* ① 괴로워하다, 고생하다(*from, for*). ② 병에 걸리다(*from*); 손해를 입다. **~·a·ble** [-rəbl] *a.* 참을 수 있는; 허용할 수 있는. **~·er** *n.* Ⓒ 괴로 워하는 사람; 피해자. **~·ing** *n.* Ⓤ 고통, 괴로움; Ⓒ (종종 *pl.*) 재해; 피해; 손해.

suf·fer·ance [sʌ́f*ə*rəns] *n.* Ⓤ 묵인, 묵허(默許); 인내력. *on* ~ 눈감 아 주어, 덕분에.

suf·fice [səfáis] *vi.* 충분하다, 족하 다. ─ *vt.* (…에) 충분하다; 만족시 키다. *S- it to say that ...* …라고 하면 충분한.

suf·fi·cient [səfíʃənt] *a.* 충분한(*to do, for*). ⓒ 충분한. **─·ly** *ad.* **-cien·cy** *n.* Ⓤ 《古》 능력, 자격.

suf·fix [sʌ́fiks] *n., vt.* ⓒ 《文》 접미사(로서 붙이다); 첨부하다.

suf·fo·cate [sʌ́fəkèit] *vt.* ① (…의) 숨을 막다; 질식(사)시키다 ② (불 따위를) 끄다. ─ *vi.* 질식하다. **-ca·tion** [─kéiʃən] *n.*

suf·fra·gan [sʌ́frəgən] *n., a.* ⓒ 《宗》 부감독[부주교](의); 보좌(補佐)의.

suf·frage [sʌ́frid3] *n.* ⓒ (찬성) 투표. Ⓤ 투표(선거·참정)권. **man·hood** ─ 성년 남자 선거권. **uni·versal** ─ 보통 선거. **woman** ─ 여성 선거(참정)권. **súf·fra·gist** *n.* ⓒ 참정권 확장론자, (특히) 여성 참정권자.

suf·fra·gette [sʌ̀frəd3ét] *n.* ⓒ (여자의) 여성 참정권론자.

suf·fuse [səfjúːz] *vt.* (액체·빛·빛깔 따위가) 뒤덮다, 채우다. **suf·fu·sion** [─ʒən] *n.*

sug·ar [ʃúgər] *n.* Ⓤ 설탕, ⓒ (糖)(*granulated* ─ 그래뉴당(糖), 굵은 설탕); ⓒ 각설탕. **─ of lead** [*milk*] 연당(鉛糖)[유당(乳糖)]. ─ *vt.* ① (…에) 설탕을 넣다, 설탕을 입히다(뿌리다); 설탕으로 달게 하다. ② (말을) 달콤하게[사탕발림] 하다. ③ 《俗》《수동태로》 저주하다 (*I'm ~ed!* 빌어먹을!/*Pedantics be ~ed!* 갈쌍께 학자인 체하다니!). ─ *vi.* ① 당화(糖化)하다. ②《美》단풍당(糖)을 만들다; 당액을 바싹 줄이다(*off*). **~ed** [-d] *a.* 설탕을 뿌린[쳔], (말이) 달콤한, 겉발림의.

súgar bèet 사탕무.

súgar càne 사탕수수.

súgar-còat *vt.* (알약 따위에) 당의(糖衣)를 입히다; 잘 꾸미게 하다.

súgar dàddy 《美俗》 금품 따위로 젊은 여성을 후리는 중년의 부자.

sug·gest [səgd3ést] *vt.* ① 암시(시사)하다, 넌지시 비추다; ② 말을 꺼내다, 제안하다(*that*). ③ 연상시키다, 생각나게 하다. **~ itself to** ~의 머리(염두)에 떠오르다. **~·i·ble** *a.* 암시할 수 있는; (최면술에서) 암

시에 걸리기 쉬운.

sug·ges·tion [səgd3éstʃən] *n.* ① Ⓤⓒ 암시, 시사 ② Ⓤⓒ 생각남; 연상. ③ Ⓤⓒ 제안; 제의. ④ 《*sing.*》 투, 기미(*a ~ of fatigue*). ⑤ Ⓤ (최면술에서) 암시; ⓒ 암시된 사물.

sug·ges·tive [səgd3éstiv] *a.* ① 암시적인; 암시하는, 연상시키는(*of*). ② 유혹적인.

su·i·cide [súːəsàid] *n.* ① Ⓤⓒ 자살; 자멸. ② ⓒ 자살자. **-ci·dal** [─sáidl] *a.*

suit [suːt] *n.* ①《원뜻 '따르는 것'》 Ⓤⓒ 탄원, 청원, 간청 (懇願); ⓒ 《法》 소송; 고소. ② Ⓤ 구애(求愛), 구혼. ③ ⓒ (우) 한 벌, 갖춘빔(특히, 남자의 상의·조끼·바지). ④ ⓒ (카드의) 짝패 한 벌(《각 13매》(동 종류의 것의) 한 벌. *follow* ~ (카드놀이에서) 처음 내놓은 패와 같은 짝패를 내다; 남이 하는 대로 하다. ─ *vt.* ① (…에) 갖춘빔(의) 옷을 입히다. ② (갖추게 한다는 뜻에서) 적합(일치)하게 하다(*to, for*). ③ 적합하다, (…에) 어울리다. ④ (…의) 마음에 들다. ─ *vi.* ① 형편이 좋다. ② 적합하다. **~ oneself** 제 멋대로 하다. **~ the action to the word** 대사대로 행동하다(Sh., *Ham.*); (약속·협박 등을) 곧 실행하다. **~·ing** *n.* Ⓤ 양복지, 지어 입을 옷감. **~·or** *n.* Ⓒ 원고; 간청자; 구혼자(男子).

suit·a·ble [súːtəbəl] *a.* 적당한, 어울리는. **-bly** *ad.* **-bil·i·ty** [─bíləti] *n.*

suit·case [súːtkèis] *n.* ⓒ (소형) 여행 가방, 슈트케이스.

suite [swiːt] *n.* Ⓒ ① 수행원, 일행; 한 벌 갖춤. ②《목록실 따위가 있는 붙은 방⟨호텔의⟩(*a ~ of rooms*); 한 벌의 가구. ③《樂》 조곡(組曲).

sul·fate [sʌ́lfeit] *n., a.* Ⓤⓒ 《化》 황산염(鹽)(화하다). ─ *vt.* 황산과 화합시키다[으로 처리하다]; (축전지의 극판에) 황산염 작용을 일으키다.

súl·fide, -phide [sʌ́lfaid] *n.* Ⓤⓒ 《化》 황화물.

sul·fur [sʌ́lfər] *n., a.* Ⓤ 유황(색의), 황록색(의).

sul·fu·re·ous [sʌlfjúəriəs] *a.* 유황(질·모양)의; 황내 나는.

sulfúric ácid 황산.

sul·fur·ous[sʌ́lfərəs] *a.* 유황의
[같은]; (4가(價)의) 유황을 함유하
는; 지옥불의(같은).

sulk[sʌlk] *vi., n.* (the ~s) 시무룩
해지다[함]; 지루룩함, 부루룩함.

sulk·y[ʃi] *a.* 찌무룩한(지르퉁한), 부
루룩한. — *n.* 1인승 2륜 경마차
(혼자라서, 재미가 없다는 뜻에서).
súlk·i·ly *ad.* **súlk·i·ness** *n.*

sul·len[sʌ́lən] *a.* 찌무룩한, 부
[루퉁]한(날씨가) 음산한. **~·ly**
ad. **~·ness** *n.*

sul·ly[sʌ́li] *vt.* (명성 따위를) 더럽히
다; 더럽혀지다.

sul·tan[sʌ́ltən] *n.* ⓒ 회교국 군주,
술탄 (the S-) [史] 터키 황제.

sul·tan·a[sʌltǽnə, -ɑ́ː-] *n.* ⓒ 회
교국 왕비; 회교국 군주의 어머니[자
매·딸]; (주로 英) 포도의 일종;
그 포도로 만든 건포도.

sul·tan·ate[sʌ́ltənit] *n.* ⓤⓒ 술탄
의 지위[권력·통치 기간·영토].

sul·try[sʌ́ltri] *a.* 무더운(close
and hot), 숨막히게 더운. **súl·tri·ly**
ad. **súl·tri·ness** *n.*

sum[sʌm] *n.* ① (the ~) 합계, 총
계, ② 개략, 요점. ③ (종종 *pl.*) 금액. ④ ⓒ (口) 산수 문
제; 계산(do a ~ 계산하다). ⑤
결정. *in ~* 요약하면. **— and sub·
stance** 요점. **— total** 총계. —
vt. (-**mm**-) 합계하다(*up*); 요약(해서)
말하다, (…을) 재빨리 평가하다(*up*).
— *vi.* 요약(해서) 말하다(*up*). **~
to** 합계하면 …이 되다. **to ~ up** 요약
하면.

sum·ma·rize[sʌ́məraiz] *vt.* 요약
하다, 요약하여 말하다.

sum·ma·ry[sʌ́məri] *a.* ① 개략의,
간결한; ② 즉결의; 즉결의. —
n. ⓒ 적요, 요약. **·ri·ly** *ad.*

sum·ma·tion[sʌméiʃən] *n.* ① 합계,
덧셈; 합계; ② (배심에 돌리기)
전의 반대측 변호인의 최종 변론.

sum·mer[sʌ́mər] *n.* ① ⓤⓒ 여름
(철), 하계. ② (the ~) 한창때, 성
춘. ③ (*pl.*) (詩) 연령. — *a.* 여름
의. — *vi.* 여름을 지내다, 피서
하다(*at, in*). — *vt.* (여름을 동안 에) 방목
하다. **súm·mer·y** *a.* 여름의; 여름

다운.

súmmer càmp (아동 등의) 여름
캠프. 「용 별장」

súmmer hòuse 정자; (英) 피서

súmmer schòol 하계 학교, 하계
강습회.

súmmer·tìme *n.* ⓤ 여름철, 하계;
한여름.

súmming-úp *n.* ⓒ 총괄제; 요약.

sum·mit[sʌ́mit] *n.* ⓒ 정상, 절정;
수뇌부, 수뇌 회담.

sum·mon[sʌ́mən] *vt.* ① 호출[소
환]하다. ② (회의를) 소집하다. ③
(…에게) 항복을 권고하다; 요구하다.
④ (용기를) 불러 일으키다(*up*). **~·
er** *n.* ⓒ 소환자.

sum·mons[-z] *n.* (*pl.* **-es**) ⓒ 소
환(장), 호출(장); 소집(*serve with
a ~*). — *vt.* (口) 법정에 소환하
다, 호출하다.

sump[sʌmp] *n.* ⓒ 오수(汚水) [구정
물] 모으는 웅덩이; (鑛) 물웅덩이;
(엔진의) 기름통.

sump·tu·ous[sʌ́mptʃuəs] *a.* 값진, 사
치스런. **·ly** *ad.* **·ness** *n.*

súm tótal 총계; 실질; 요지.

sun[sʌn] *n.* ① (보통 the ~)
태양. ② (어떤) 햇빛, 양지쪽. ③
(위성을 가진) 항성; 태양처럼 빛나는
것. ④ ⓒ (詩) 낮(day), 해(year).
from ~ to ~ 해가 떠서 질 때까
지. *in the ~* 양지쪽에서; 유리한
지위에서. *see the ~* 살아 있다.
under the ~ 천하에, 이 세상에;
도대체. — *vt.* (-**nn**-) 햇볕에 쬐다.
— *vi.* 일광욕하다.

Sun. Sunday.

sún·bàthe *vi.* 일광욕을 하다.

sún·bèam *n.* ⓒ 햇빛, 광선.

sún·blìnd *n.* (주로 英) (창밖의)
차양.

sún·blòck *n.* ⓤⓒ 선블록, 햇빛 차
단 크림(로션).

sún·bùrn *n.* ⓤ 볕에 탐(탄 빛깔).
— *vt., vi.* 햇볕에 태우다[타다].

Sun·day[sʌ́ndei, -di] *n.* ⓒ (보통
무관사) 일요일; (기독교도의) 안식
일.

Súnday schòol 주일 학교(의 학
생[직원]들).

sun·der[sʌ́ndər] *vt.* 가르다, 메다.

S

젖다. — *vi.* 갈라지다, 분리되다.
— *n.* 《다음 성구로만》 **in ～** 떨어져
서, 따로따로.

sún·dial *n.* ⓒ 해시계.

sún·down *n.* ⓤ 일몰(시).

sún·dress *n.* ⓒ 선드레스《어깨·팔
이 노출된 하복》.

sun·dry [sΛndri] *a.* 잡다한, 여러
가지의. **ALL and ～**.

sún·flower *n.* ⓒ 〖植〗 해바라기
(따위).

sung [sΛŋ] *v.* sing의 과거(분사).

sún·glàsses *n. pl.* 선글라스.

sún·gòd *n.* ⓒ 태양신.

sunk [sΛŋk] *v.* sink의 과거(분사).

sunk·en [-ən] *v.* sink의 과거분사.
— *a.* 내려앉은; 물밑의; 내려앉은;
(눈 따위) 움푹 들어간; 살이 빠진.

sún lamp (인공) 태양등(燈).

sún·less *a.* 볕이 안 드는; 어두운,
음산한.

sún·light [-làit] *n.* ⓤ 일광, 햇빛.

sún·lit *a.* 햇볕에 쬐인, 볕이 드는.

sun·ny [sΛni] *a.* ① 별 잘 드는, 양
지 바른. ② 태양 같은; ③ 밝은, 명
랑한, **on the ～ side of** (fifty)
(50세)는 아직 안 된.

sun·rise [-ràiz] *n.* ⓤⓒ ① 해돋
이, 해돋녘. ② 《비유》 초기.

sunrise industry (특히 전자·통
신 방면의) 신흥 산업.

sun·set [-sèt] *n.* ⓤⓒ ① 일몰,
저녁녘. ② 《비유》 말기. ③ 양.

sún·shàde *n.* (대형) 양산; 차
양.

sún·shine [-ʃàin] *n.* ⓤ 햇빛; 양
지(陽地); 맑은 날씨; 명랑. **sun·
shin·y** [-ʃàini] *a.*

sún·spòt *n.* ⓒ 태양 흑점.

sún·stròke *n.* ⓤ 일사병.

sún·tàn *n.* ⓒ 햇볕에 탐; (*pl.*) 카
키색) 군복.

sún·tràp *n.* (찬 바람이 들어오지
않는) 양지 바른 곳.

sún·ùp *n.* 《美》 = SUNRISE.

sup [sΛp] *vt., vi.* (**-pp-**) 홀짝홀짝 마
시다; 경험하다. — ⓒ 한 모금,
한 번 마시기.

su·per [sú:pər/sjú:-] *n.* ⓒ 〖劇〗
단역(端役)(supernumerary); 여분
[가외]의 것; 감독자(superinten-
dent), 지휘자; 〖商〗 특등품. — *a.*

특급품의(superfine).

su·per- [sú:pər/sjú:-] *pref.* 위에,
더욱 더, 대단히, 초(超)… 따위의
뜻.

sùper·abúndant *a.* 매우 많은·남
아 돌아가는. **-abúndance** *n.*

su·per·an·nu·ate [-ænjuèit] *vt.*
(연금을 주어) 퇴직시키다; 시대에 뒤
진다 하여 물리치다. **-at·ed** [-id] *a.*
퇴직한; 노쇠한; 시대에 뒤진.
-a·tion [-éiʃən] *n.* ⓤⓒ 노령; 노
년(정년) 퇴직; ⓒ 정년 퇴직 연금.

su·perb [supə́:rb] *a.* 장려한; 화려
한; 굉장한, 멋진. **～·ly** *ad.*

súper·chàrge *vt.* (발동기 따위에)
과급(過給)하다; (…에) 과급기(機)를
사용하다; = PRESSURIZE. **-chárg·
er** *n.* 〖機〗 과급기(機).

su·per·cil·i·ous [-síliəs] *a.* 거만
한.

súper·compùter *n.* ⓒ 슈퍼컴퓨
터, 초고속 전자계산기.

sùper·conductívity *n.* ⓤ 〖理〗
초전도스.

súper·condùctor *n.* ⓒ 〖理〗 초전
도자(超電導).

súper·égo *n.* ⓒ 《보통 the ～》 초
자아(超自我).

su·per·fi·cial [sù:pərfíʃəl/sjú:-]
a. ① 표면의; 면적(평방)의 ② 피상
적인, 천박한. **～·ly** *ad.* **-ci·al·i·ty**
[-fìʃiǽləti] *n.*

súper·fìne *a.* 극상의; 지나치게 정
세한; 너무 점잔빼는.

su·per·flu·ous [supə́:rfluəs/sju-]
a. 여분의 ... 과잉의. **-flu·i·ty** [-flú(ː)əti] *n.*
ⓤⓒ 여분(의 것), 남아 돌아가는 돈.

súper·húman *a.* 초인적인.

sùper·impóse *vt.* 위에 놓다; 덧
붙이다. 〖映〗 2중 인화(印畵)하다.

su·per·in·tend [-inténd] *vt., vi.*
감독[관리]하다. **～·ence** *n.* ⓤ 지
휘, 관리, 감독. **～·ent** *n.*, *a.* ⓒ 감독(관
리)자; 공장장; 교장; 총경; 감독(관
리)하는.

su·pe·ri·or [səpíəriər, su-] *a.*
(opp. **inferior**) ① 우수한 〔우위의,
to, in〕. ② 양질(良質)의, 우량한;
우세한. ③ 보다 높은, 보다 고위의;
④ …을 초월한, …에 동요되지 않는
〔to〕. ⑤ 거만한. ⑥ 〖印〗 어깨 글자
의《x^2, 2^n의 ^{2} 따위의 일렬숫》.

person 《비교어서》높은 양반, 학자
선생. ~ 는 ―보다 우수한: …에필
요되지 않는, 굴복하지 않는다. ― 동
C ① 윗사람, 상급자, 뛰어난 사람
② ⟨S⟩ 수도《수녀》원장. **~ly** *ad.*
『~·i·ty[~−5(r)ati, -ár-] *n.* U
무세, 우월(*to, over*).

su·per·la·tive[səpə:rlətiv, su:-]
a. ① 최고의. ② 〖文〗최상급의. ―
n. C ① 최고의 사람(것), 극치. ②
〖文〗최상급. **speak**〖**talk**〗**in ~s**
과장하여 이야기하다.

su·per·man[-mæn] *n.* C 슈퍼맨
초인(超人).

su·per·mar·ket[-mὰːrkit] *n.* C
슈퍼마켓(cash-and-carry 식입).

sùper·nátural *a., n.* 초자연의, 불
가사의한(the ~) 초자연적인 힘
[영향·현상].

sùper·nóva *n.* C 〖天〗신신성(超
新星)(갑자기 태양의 천-억배의 빛을
냄).

su·per·nu·mer·ary[sù:pərnjú:-
məreri/sju:pən;ú:məræri] *a., n.* 정
수(定數) 이상의 ① 가외의 사람(·
것). 〖劇〗단역.

súper·power *n.* C 초강대국, 강력
한 국제 권력 기관. U 〖電〗초출력.

su·per·sede[-síːd] *vt.* ① (…에)
대신하다, 갈마들다. ② 면직시키다,
바꾸다. ③ 폐지하다.

su·per·son·ic[-sánik/-sɔn-] *a.*
초음파의, 초음속의, 초음속으로 나는
(cf. transsonic).

súper·stàr *n.* C 슈퍼스타, 뛰어난
인기 배우.

su·per·sti·tion[sù:pərstíʃən/
sju:-] *n.* U.C 미신, 사교(邪教).
·tious *a.* 미신적인, 미신에 사로잡힌.

súper·strúcture *n.* C 상부 구조
(토대 위의 구조물). 〖船〗(중갑판 이
상의)상부 구조: 〖哲〗원리의 체계.

súper·tànker *n.* C 초대형 유조
선.

su·per·vene[sù:pərvíːn] *vi.* 잇따
라 일어나다, 병발하다. **-ven·tion**
[-vénʃən] *n.*

su·per·vise[sú:pərvàiz/sjú:-] *vt.*
감독하다. **-vi·sion**[~-víʒən] *n.*
-vi·sor[~-vàizər] *n.* C 감독자,
〖컴〗감독자, 슈퍼바이저. **-vi·so·ry**

[~-váizəri] *a.* 감독의.

su·pine[su:páin] *a.* 번듯이 누운:
게으른. **·ly** *ad.*

su·per[sʌpər] *n.* U.C 저녁 식사
《특히, 낮에 'dinner'를 먹었을 경우
의》. **the Last S~** 최후의 만찬.

sup·plant[səplǽnt, -áː-] *vt.* (부
정 수단 따위로) 대신 들어앉다, 밀어
내고 대신하다. (…에) 대신하다.

sup·ple[sʌpl] *a.* 나긋나긋한, 유연
한; 경쾌한: 유순한, 고분고분한. ―
vt., vi. 유연(유순)하게 하다(되다).

sup·ple·ment[sʌpləmənt] *n.* C
보충, 보충(補足), 보유(補遺), 부록
(*to*). 〖數〗보각(補角). ― [-mènt]
vt. 보충하다, 추가하다: 보유를《부록
을》덧붙이다. **-men·tal** [-méntl].
·men·ta·ry[-təri] *a.*

sup·pli·ant[sʌpliənt] *a., n.* 탄
원(간원)하는(사람). **-ance** *n.*

sup·pli·cant[-kənt] *n., a.* =SUP·
PLIANT.

sup·pli·cate[sʌplikèit] *vt., vi.*
탄원하다(*to, for*), 기원하다(*for*).
·ca·tion[~-kéiʃən] *n.* U.C 탄원:
기원.

sup·ply[səplái] *vt.* ① 공급하다
(*with*). ② 보충하다. ③ (희망·필요
를) 만족시키다. ④ (지위 따위를) 대
신 차지하다. ― *n.* ① 공급, 급양.
급: 《종종 *pl.*》공급품, 저장 물
자. ② U 대리자. ③《*pl.*》필요 물
자, 군수품. **sup·pli·er** *n.* C sup-
ply 하는 사람.

supply-side[səplái-] *a.* 〖경제〗
공급면 중시의.

sup·port[səpɔ́ːrt] *vt.* ① 지탱하다,
버티다: 견디다. ② 지지〖부지〗하다.
③ 부양하다. ④ 원조하다. ⑤ 옹호하
다. ⑥ 입증하다. ⑦ 〖軍〗지원하다.
⑧ 〖劇〗(남·역을) 충분히 연기하
다: 조연〖공연〗하다. ― *n.* ① U 지
지, C 지주〖支持〗: 지지물〖자〗. ②
U 원조: 부양. ③ 〖軍〗지원(부
대). 예비대. ④ 〖컴〗지원하다. **give ~
to** ···을 지지하다. **in ~ of** ···을 응
호《변호》하여. **~·a·ble** *a.* 지탱할
〖참을〗수 있는: 지지(부양)할 수 있
는. **~·er** *n.* C 지지자, 지지물, 버
팀. **~·ing** *a.*

sup·pose[səpóuz] *vt.* ① 가정하

S

다, 상상하다, 생각하다. ② 믿다. ③ 상정(想定)하다, (…을) 필요 조건으로 하다, 의미하다. ④《명령형 또는 현재 분사형으로》만약 …이라면, ⑤《명령형으로》…하면 어떨까(S- we try?). *sup·posed[-d] a. 상상된, 가정의; 소문난. sup·pos·ed·ly[-idli] ad. 상상(추정)상, 아마. *sup·pós·ing conj. 만약 …이라면(if).

*sup·po·si·tion[sλpəzíʃən] n. Ū 상상; ② 가정. **--al a.

sup·pos·i·to·ry [səpázətɔ̀ːri/-pɔ́zətɔ̀ri] n. Ｃ〖醫〗 좌약(坐藥).

*sup·press[səprés] vt. ① (감정 따위를) 억누르다, 참다. ② (반란 따위를) 진압하다. ③ (진상 따위를) 발표하지 않다; 발표를 금지하다; 삭제하다. ④ (출혈 따위를) 막다. *sup·prés·sion n. Ū 억제; 진압; 발매금지; 삭제.

sup·pres·sor[səprésər] n. Ｃ 진압자; 억제자; 금지자.

sup·pu·rate[sʌ́pjərèit] vi. 곪다. 고름이 나오다. **-ra·tive a. 화농성의, 화농을 촉진하는. **-ra·tion[-̀réiʃən] n. Ū 화농; 고름.

su·pra-[súːprə/sjúː-] pref. 위의〔에〕의 뜻.

*su·prem·a·cy[səpréməsi, su(ː)-] n. Ū 지고(至高), 최상; 주권, 대권 (大權), 지상권(至上權).

*su·preme[səprím, su(ː)-] a. 지고 [최상]의; 최후의. make the ~ sacrifice 목숨을 바치다. **-ly ad. Suprème Béing, the 신, 하느님. Suprème Cóurt, the《美》(연방 또는 여러 州의) 최고 재판소.

Supt. Superintendent.

sur·charge[səːrtʃɑ̀ːrdʒ] n. Ｃ 과 (過) 적재; 과중; 과충전(過充電); (대금 등의) 부담(금)액; 청구; 추가 요금; (우표들의) 가격(날짜) 정정인(訂正印); (우편의) 부족세(額). --[-̸] vt. 지나치게 싣다(채우다); 과중부담하다; 과충전하다; (우표에) 가격(날짜) 정정인을 찍다.

sure[ʃuər] a. ① 틀림없는; 확실한, 신뢰할 수 있는. ② 자신 있는, 확신하는(of; that). ③ 확실히 …하는(to do, to be). ④ 튼튼한, 안전한. be ~ 꼭 …하다(to do). for ~ 확실히.

make ~ 확보하다; 확인하다. S- thing!《美口》그렇고 말고요. to be ~《口》 과연; 물론; 참말(To be ~ he is clever. 물론 머리는 좋지만; 저런! 원!(따위). Well, I'm ~! 원, 놀랍는걸. --ad.《美口》확실히, 꼭; 그럴고말고요! *~ enough《美口》과연, 아니나 다를까; 참말로, 정말로. *~ly ad. 확실히; 틀림없이; 반드시.

*sure-fire a.《美口》확실한, (성공이) 틀림없는. 「확실한, 틀림없는.

*sure·ty[⁻ti] n. Ｃ.Ū 보증; 담보(물건); Ū 보증인; Ū《古》확실한 것. súrf[səːrf] n. Ū 밀려오는 파도.

*sur·face[səːrfis] n., a. ① 표면 (의); 외관(의), 겉보기(의); 〖幾〗 면(面). --vt. 표면을 붙이다; 판판하게 하다; 포장(鋪裝)하다.

súrface màil (항공 우편에 대하여) 지상〔해상〕수송 우편.

súrface ténsion 〖理〗 표면 장력 (張力). 「〔對空〕미사일.

súrface-to-áir missile 지대공(地

súrf·bòard n. Ū 파도타기 널.

*sur·feit[səːrfit] n., vt., vi. Ū.Ｃ 과다; 과식(過食)(시키다, 하다)(of, on, upon); 식상(食傷), 포만(飽滿); 식상하(게 하)다(with); 물리(게 하)다 (with).

súrf·er[səːrfər] n. Ｃ 파도타기를 하는 사람.

súrf·ing n. Ū 서핑, 파도타기; 파도 위를 미끄러져 나아가는 놀이.

surge[səːrdʒ] vi. 파도 치다, 밀려닥치다; (감정이) 끓어오르다. --n. 〖海〗 (밀물 등이) 늘추듯, 물결 침. --n. Ｃ 큰 파도, 물결 침(surging); (감정의) 격동; (전류의) 파동, 서지 (바뀌 따위) 헛돌기; 〖컴〗 전기놀,의 파도.

*sur·geon[səːrdʒən] n. Ｃ 외과 의사; 군의관; 선의(船醫).

súrgeon géneral《美》의무당 (監); (S- G-) 공중(公衆) 위생국 장관.

sur·ger·y[səːrdʒəri] n. Ū 외과 (술); Ｃ 수술실;《英》의원, 진료소.

*sur·gi·cal[səːrdʒikəl] a. 외과의, 외과용의. **-ly ad.

sur·ly [sə́ːrli] *a.* 지르퉁한, 까다로운, 무뚝뚝한. **-li·ly** *ad.* **-li·ness** *n.*

sur·mise [sərmáiz, sə́ːrmaiz] *n.* ⓊⒸ 추량(推量); 추측(상의 일). — *vt.* 추측하다.

sur·mount [sərmáunt] *vt.* 오르다; (…의) 위에 놓다, 얹다; 극복하다, (곤란을) 이겨내다.

sur·name [sə́ːrnèim] *n., vt.* Ⓒ 성(姓); 별명(을 붙이다, 으로 부르다).

sur·pass [sərpǽs, -páːs] *vt.* …보다 낫다; (…을) 초월하다. **~·ing** *a.* 뛰어난, 탁월한.

sur·plice [sə́ːrplis] *n.* Ⓒ (성직자나 성가대원이 입는, 소매 넓은) 중백의(中白衣). **sur·pliced** [-t] *a.* 중백의를 입은.

sur·plus [sə́ːrpləs] *n., a.* ⓊⒸ 여분(의); [經] 잉여(금).

sur·prise [sərpráiz] *n.* ① Ⓤ 놀람. ② Ⓒ 놀라운[뜻 밖의] 일; 불시의 공격, 기습. **by ~** 불시에; *take by ~* 불시에 습격하여 붙잡다; 기습을 하다; 깜짝 놀라게 하다. **to one's (great)** ~ (대단히) 놀랍게도. — *vt.* ① 놀라게 하다. ② 불시에 습격하다; 불시에 쳐서 …시키다. ③ 현행(現行) 중에 붙잡다. **be ~d at (by)** …에 놀라다. **:sur·prise** *n.* 놀라게 함. **sur·prís·ing** *a.* 놀라운, 뜻밖의. ***sur·prís·ing·ly** *ad.*

sur·re·al·ism [sərí:əlìzəm] *n.* Ⓤ 〖美術·文學〗 초현실주의.

sur·ren·der [səréndər] *vt.* ① 인도[引渡]하다, 넘겨주다; 포기하다. ② (몸을) 내맡기다; (습관 따위에) 빠지다, 항복[굴복]하다; 빠지다[to]. — *vi.* 항복하다. ~ **oneself** 항복하다; 몸을 맡기다[to]. — *n.* ⓊⒸ 인도; 단념; 항복.

sur·rep·ti·tious [sə̀ːrəptíʃəs/sàr-] *a.* 비밀의, 내밀[부정]한; 뒤가 구린. **~·ly** *ad.*

sur·ro·gate [sə́ːrəgèit, -git/sʌ́r-] *n.* Ⓒ 대리인; 〖英國國教〗 주교 대리; (美) (어떤 주에서) 유언 검증 판사. — *vt.* [-git] (…의) 대리를 하다.

sur·round [səráund] *vt.* 둘러[에워]싸다, 두르다. **:~·ing** *n., a.* Ⓒ 둘러싸는 것; (*pl.*) 주위(의 상황); 환경; 둘러 싸는 것, 주위의 것.

sur·tax [sə́ːrtæks] *n., vt.* Ⓒ 부가세(를 과하다); (英) 소득세 특별

부가세.

sur·veil·lance [sərvéiləns, -ljəns] *n.* Ⓤ 감시, 감독. **under ~** 감독을 받고.

sur·vey [sərvéi] *vt.* 바라다보다, 전망하다; 개관[概觀]하다; 조사하다; 측량하다. — *vi.* 측량하다. — [sə́ːrvei, sərvéi] *n.* ⓊⒸ 개관; 조사(표), 측량(도). **~·or** *n.* Ⓒ 측량 기사; (美) (세관의) 검사관; (S-) 미국의 달무 감독(無) 탐측 계획에 의한 인공위성. **~·or's measure** (60피트의 측량 단위).

sur·viv·al [sərváivəl] *n.* ① Ⓤ 잔존(殘存); 살아남음. ② Ⓒ 생존자, 잔존물; 예부터의 풍습[신앙]. ~ **of the fittest** 적자 생존(適者生存).

sur·vive [sərváiv] *vt.* (…의) 후까지 생존하다; …보다 오래 살다; (…에서) 살아남다. — *vi.* 살아 남다; 잔존하다, …보다 오래 살다, 존속하다. **sur·ví·vor** *n.* Ⓒ 살아 남은 사람, 생존자.

sus·cep·ti·ble [səséptəbl] *a.* 예민하게 느끼는, 민감한; 동하기 쉬운; 정에 무른(*to*); …할 수 있는(*of*). **-bly** *ad.* 느끼기 쉽게. **-bil·i·ty** [-təbíləti] *n.* Ⓤ 감수성(*to*); Ⓒ (*pl.*) 감정.

sus·pect [səspékt] *vt.* 알아채다, …이 아닐까 하고 생각하다; 의심하다; 수상쩍게 여기다(*of*). — [sʌ́spekt] *n., pred. a.* Ⓤ 용의자다, 의심스러운.

sus·pend [səspénd] *vt.* ① 매달다. ② 허공에 뜨게 하다. ③ 일시 중지하다, 정지시키다; (기능을) 일시 정지시키다; ④ 미결로 두다, 유보하다. — *vi.* (은행 등이) 지불을 정지하다. **~·ers** *n. pl.* (美) 바지 멜빵; (英) 양말 대님.

suspénded animátion 가사(假死), 인사 불성.

sus·pense [səspéns] *n.* Ⓤ 걱정, 불안; (소설·영화 따위의) 서스펜스; 미결정; 이도저도 아님. **keep a person in ~** 아무를 마음 졸이게 하다.

sus·pen·sion [səspénʃən] *n.* ① Ⓤ 매달기; 매달림. ② 매다는 지주(支柱). ③ (…의) (일시적) 일시 정지, 정지; 중지, 미결정; 지불 정지. ④

ⓒ 차체(車體) 버팀 장치. ⑤ 현탁액(懸濁液). **-sive** *a.* 중지[정지]의; 불안한; 이도저도 아닌.

suspénsion brídge 조교(弔橋).

sus·pi·cion[səspíʃən] *n.* ① 느낌, 짐작째; 의심; 혐의. ② ⓤ 소량, 미량(*a ~ of brandy*): 기미(*of*), ... *on ~ of ...*의 혐의로 (있는)는. **~ of ...**의 혐의로.

sus·pi·cious[səspíʃəs] *a.* 의심스러운, 괴이쩍은; 의심받는[많은]; 의심을 나타내는. **~·ly** *ad.* **~·ness** *n.*

sus·tain[səstéin] *vt.* ① 버티다, 지지하다, 유지하다, 지속하다(*~ed efforts* 부단한 노력). ② 부양하다. ③ 견디다. ④ 받다, 입다. 승인[시인]하다, 확인[확증]하다. **~·ing** *a.* 버티는, 지구적(持久的)인; 몸에 좋은; 힘을 북돋는(*~ing food*). **~·ing program** (스폰서 없는) 자주(自主) 프로, 비상업적 프로.

sus·te·nance[sástənəns] *n.* ⓤ ① 생명을 유지하는 것, 음식물; 영양물, 운양물; 자양물. ③ 유지; 지지.

su·ture[sútʃər] *n.* ① 《外》봉합(縫合), 께맨 자리(의 한 바늘); 《動·植》봉합; 《解》(두개골의) 봉합선.

svelte[svelt] *a.* (F.) (여자의 자태가) 미끈한, 날씬한.

SW shortwave. **SW, S.W., s.w.** southwest; southwestern.

swab[swɑb/-ɔ-] *n.* ① ⓒ 자루 걸레; (소독 또는 약을 바르는 데 쓰는) 스펀지, 헝겊, 탈지면; 포강(砲腔) 소제 봉(棒); 《俗》솜씨 없는 사람. ── *vt.* (*-bb-*) 자루 걸레로 훔치다(*down*) (약을) 바르다, 닦아(들이다 묻히다.

swad·dle[swɑdl/-5] *vt.* 포대기로 싸다(갓난 아기를); 옷으로[봉대로] 감다.

swáddling bànds[clòthes] 기저귀, (특히, 갓난 아기의) 배내옷; 유년기; 《比喩》자유를 속박하는 것.

swag[swæg] *n.* ⓤ 《俗》장물, 약탈품. 부정 이득; ⓒ 《濠》(삼림 여행자의) 휴대품 보따리; 꽃줄(festoon).

swag·ger[swǽgər] *vi.* 거드럭거리며 걷다; 자랑하다(*about*); 으스대다, 뻐기다. ── *vt.* 을러대어 시키다. ── *n.* ⓤ 거드럭거리는 걸음걸이[태도], 뻐김. *a.* 《英口》스마트한, 멋진.

~·ing·ly *ad.* 뽐내어.

swágger stìck〔《英》**càne**〕(군인 등이 외출시에 들고 다니는) 단장.

swain[swein] *n.* ⓒ 《古·詩》시골 멋쟁이; = LOVER.

swal·low[swɑlou/-5-] *vt., vi.* ① 삼키다. ② 빨아들이다. ③ 《口》받아들이다, 곧이듣다. ④ 참다; 《노여움을》 억누르다. ⑤ (말한 것을) 취소하다. ── *n.* ⓒ 삼킴; 한 모금(의 양); 식도.

swal·low[swɑlou/-5-] *n.* ⓒ 제비.

swam[swæm] *v.* swim의 과거.

swa·mi[swɑːmi] *n.* (*pl.* **~s**) ⓒ 인도 종교가의 존칭.

swamp[swɑmp/-ɔ-] *n.* ⓒ,ⓤ 늪, 습지. ── *vt.* (물 속에) 처박다(가라앉히다); 물에 잠기게 하다; 궁지에 몰아 넣다, 압도하다. **~·y** *a.* 늪의, 늪이 많은; 질퍽질퍽한.

swan[swɑn/-ɔ-] *n.* ⓒ 백조; 가수; 시인. **black ~** (호주산) 흑조; 희귀한 존재[인물]. **the S- of Avon** Shakespeare의 별칭.

swank[swæŋk] *vi., n.* ⓤ 자랑해 보이다(자랑); 허세(부리다), 뽐내며 건다; 《俗》멋부림; 스마트함. ── *a.* = SWANKY. **~·y** *a.* 《口》멋진.

swán sòng 백조의 노래(백조가 죽을 때 부른다는); 마지막 작품.

swap[swɑp/-ɔ-] *n., vt., vi.* (*-pp-*) ⓒ (물물) 교환(하다); 《俗》부부 교환(을 하다); 《컴》교환, 갈마들임.

sward[swɔːrd] *n., vt., vi.* ⓤ 잔디(로 덮다).

swarm[swɔːrm] *n.* ⓒ ① (곤충의) 떼, 군 (2 (분봉하는, 또는 벌집 속의) 꿀벌 떼, ③ 《比》부유(浮遊) (단) 보군(群), ④ (물건의) 다수, 무리, 군중. ── *vi.* 떼짓다; (꿀벌이) 떼지어 분봉하다.

swarm[swɔːrm] *vt., vi.* 기어 오르다(*up*).

swarth·y[swɔːrði, -ði] *a.* (피부가) 거무스름한, 거무튀튀한.

swásh·bùckler *n.* ⓒ 허세부리는 사람(군인 등). **~·bùckling** *n.* ⓒ 허세(부리는).

swas·ti·ka[swɑstikə] *n.* ⓒ 《卍》 (나치 독일의) 갈고리 십자 문장(十字記章)(卐).

swat[swɑt/-ɔ-] *vt.* (*-tt-*) *n.* ⓒ

swatch [swɑtʃ/-ɔ-] *n.* Ⓒ 견본(조각).

swathe [sweið, swɑð] *vt.* 싸다; 붕대로 감다; 포위하다. ─ Ⓒ 싸는 천, 붕대.

sway [swei] *vt., vi.* 흔들(리)다(지배하다, 좌우하다. ─ *n.* UⒸ 동요; U 지배(권).

swear [swɛər] *vi.* (**swore**, 《古》**sware**; **sworn**) 맹세하다; 〖法〗 선서하다; 서약하다; 밉받을 소리를 하다; 욕지거리하다(*at*). ─ *vt.* 맹세하다; 선서하다; 단언하다; 선서(서약)시키다; 맹세코 …한 상태로 하다. ～ **by** (…을) 두고 맹세하다; (…를) 크게 신용하다. ～ **in** 선서시키고 취임시키다. ～ **off** (술 따위를) 맹세코 끊다. ～ **to** (맹세코) 단언하다, 확언하다. ─ *n.* Ⓒ 저주, 욕설, ✓ing *n.* Ⓒ 맹세(의 말); 저주, 욕설 ('Damn it!' 따위).

swéar·wòrd *n.* Ⓒ 재수 없는 말, 욕, 저주.

sweat [swet] *n.* ① U 땀. ② (a ～) 발한(發汗)(작용). ③ UⒸ (표면에 꺼는) 물기. ④ (a ～) 《口》 불안. ⑤ (a ～) 힘드는 일, 고역. 뼈 빠지는 일. *by* [*in*] *the* ～ *of* one's *brow* 이마에 땀을 흘려, 열심히 일하여. *in* a ～ 땀을 흘려; 《口》 걱정하여. ─ *vi.* ① 땀을 흘리다. ② 습기가 생기다; 스며 나오다. ③ 뼈빠지게 일하다. ─ *vt.* ① 땀을 흘리게 하다. ② 땀으로 적시다(더럽히다). ③ 습기를 생기게 하다; ④ 《공업적 제조 과정에서》 스며나오게 하다; 발효시키다. ⑤ 혹사하다. ⑥ 《口》 고문하다. ⑦ 《범어를》 녹음 때까지 가열하다. 가열 응결하다; ⑧ 열하여 가용물(可鎔物)을 제거하다. ～ **down** 《美俗》 몹시 성내게 하다. 소 형으로 하다. ～ **out** 《감기 따위를》 땀을 내어 고치다.

swéat·bànd *n.* Ⓒ (모자 안쪽의) 땀받이.

sweat·ed [swétid] *a.* 저임금 노동의. ～ **goods** 저임금 노동으로 만든 제품. ～ **labor** 저임금 노동.

sweat·er [⁓ər] *n.* Ⓒ 스웨터; 땀내

리는 사람; 발한제(劑); 싼 임금으로 혹사하는 고용주.

swéat glànd 〖解〗 땀샘.

swéat shìrt (두꺼운 감의) 낙낙한 스웨터.

swéat·shòp *n.* Ⓒ 노동자 착취 공장.

sweat·y [swéti] *a.* 땀투성이의; 땀 흘리게 하는.

sweep [swiːp] *vt.* (**swept**) ① 청소하다, 털다(*away, off, up*). ② 일소하다(*away*). 쓸어 보내다, 날려버리다. ④ 둘러 보다. ⑤ (…을) 스치듯 지나가다. ⑥ 살짝 어루만지다. ⑦ (악기를) 타다. ─ *vi.* ① 청소하다. ② 쭉 지나(가)다. ③ 엄습하다; 휩쓸어가다. ④ 웃자락을 끌며(사뿐사뿐) 당당히 걷다. ⑤ 멀리 바라다보다. ～ *be swept off one's feet* (파도에) 발이 휩쓸리다; 열중하다. ～ *the board* (내기에 이겨) 탁상의 돈을 몽땅 쓸어내다, 전승하다. ～ *the seas* 소해(掃海)하다; 해상의 적을 일소하다. ─ *n.* ① 청소, 일소; ② 불어제침. 한 번 휘두름. ③ 밀어 닥침. 일(물·바람 따위의) 맹렬한 흐름. ⑤ 만곡(彎曲). ⑥ 뻗침; 범위; 시계(視界). ⑦ (*pl.*) 굴뚝 청소부. ⑧ 《주로 英》 굴뚝(도로) 청소부. ⑨ 〖海〗 길고 큰 노. ⑩ (두레박틀의) 장대. ⑪ = SWEEPSTAKE(S). *make* a *clean* ～ *of* …을 전폐하다. ✓**·er** *n.* Ⓒ 청소부(기).

sweep·ing *a.* ① 청소하는; 불어제치는. ② 파죽지세(破竹之勢)다. ③ 전반에 걸친, 대충의, ④ 대대적이고 철저한. ─ *n.* ① UⒸ 청소, 일소; 불어제침, 쓸어내림; ② (*pl.*) 쓸어모은 것, 먼지, 쓰레기. ✓**·ly** *ad.*

swéep·stàke(s) *n.* Ⓒ 건 돈을 독점하는 경마, 또 그 상금; 건 돈을 독점(獨占)하는 내기.

sweet [swiːt] *a.* ① 달콤한, 맛있는. ② 향기로운. ③ 맛이(냄새가) 좋은. ④ 신선한, 기분 좋은, 유쾌한. ⑤ 목소리가(가락이) 감미로운. ⑥ 《美口》우월하게 잘하는. ⑦ 친절한, 상냥한. ⑧ (땅이) 경작에 알맞은. ⑧ 《口》 애튼, 귀여운. *be* ～ *on* [*upon*] 《口》 (…을) 그리워하다. *have* a ～ *tooth* 단 것을 좋아하다. ─ *n.* Ⓒ 단것(*pl.*); 《英》식후에 먹는 단것(*pl.*)

사랑, 캔디; (*pl.*) 즐거움, 쾌락; 연
인, 애인. — *ad.* 달게; 즐겁게; 상
냥하게; 순조롭게. **✍·ly ad. ✍·**
ness n.

swéet-and-sóur *a.* 새콤달콤하고
얌밉한.

swéet·bréad *n.* ⓒ (송아지·새끼양
의) 지라, 흉선(胸腺)(식용).

swéet córn *n.* 사탕옥수수.

swéet·en [‹n] *vt., vi.* 달게 하다
[되다]; (향기 따위) 좋게 하다, 좋아
지다; 유쾌하게 하다, 유쾌해지다; 누
그러지(게 하)다. **✍·ing** *U.ⓒ* 달
게 하는 것; 감미료.

swéet·heart *n.* ⓒ 애인, 연
인; 연애하다. **~ contract [agree·**
ment] 회사와 노조가 공모하여 낮은
임금을 주는 노동 계약.

sweet·ie [swíːti] *n.* (口) ① 애
인. ② (흔히 *pl.*) (英) 단 과자류.

swéet potáto *n.* 고구마.

swéet-tàlk *vt., vi.* (美口) 감언으로 설
득하다; 아첨하다.

:swell [swel] *vt., vi.* (~**ed**, ~**ed**,
swollen) ① 부풀리(다. ② 부어오
르(게 하)다(*out, up*). ③ (수량이)
붇다, 늘다; (수량을) 불리다. ④ 음을
기화대(시키다). ⑤ (소리 따위) 높아
지다, 높이다. ⑥ 우쭐해지다, 우쭐대
게 하다. ⑦ (가슴이) 뿌듯해지다, 벅
(가슴을) 뿌듯하게 하다(*with*). ⑧
(*vi.*) 물결이 일다. — *n.* ① ⓤ 커
짐; 증대; ⓒ 부풂(*sing.*) (땅의) 융
기), 구릉(丘陵). ② 큰 파도, 놀. ③ ⓤ
높은 소리; 【樂】 (음향의) 증감(강·약)
⑤ ⓒ 그 기호(<, >). ⑥ ⓒ (口) 명사
(名士), 댄인(達人)(*in, at*); (상류의)
멋쟁이. — *a.* ① (口) 멋있는,
멋진. ② 훌륭한, 일류의. **✍·ing**
n., a. *U.ⓒ* 증대; 팽창; ② 종기; 융
기; 돌출부; ⓤ.ⓒ 놀; 부푼, 부분; (말의)
과장됨.

swel·ter [swéltər] *vi.* 더위로 몸이
나른해지다, 더위 먹다; 땀투성이가
되다. — *n.* ⓒ 무더움; 땀투성이.

:swept [swept] *v.* sweep의 과거(분
사).

swerve [swəːrv] *vi., vt.* ① 빗나가
(게 하)다, 벗어나(게 하)다(*from*).
② (공을) 커브시키다. ③ 바른 길에서
벗어나(게 하)다(*from*). — *n.* ⓒ 벗

어남, 빗나감; 【크리켓】 곡구(曲球).

:swift [swift] *a., ad.* 빠른; 빨리; 즉
석의; 수월한(*to do*). — *n.* ⓒ
【鳥】 칼새. **✍·ly ad. *·ness n.**

swig [swig] *n., vi., vt.* (口) (-**gg-**)
(口) 꿀꺽꿀꺽 들이켬[들이켜다].

swill [swil] *n., vt.* (口) 꿀꺽꿀꺽
들이켬[들이켜다]; 씻가시기; 씻가시
다(*out*); ⓤ 부엌찌꺼기(돼지먹이).

:swim [swim] *vi.* (**swam**, (古)
swum; **swum**; **-mm-**) 헤엄치다; 뜨
다; 넘치다(*with*); 미끄러지다. **~**
with 술이 돌다, 어지럽다. — *vt.* 헤
엄치(게 하)다; 띄우다. **~ the tide**
[**stream**] 시대 조류에 따르다. —
n. ⓒ 수영, 헤엄치는 시간(거리); 물
고기의 부레; (the ~) (口) 시류(時
流), 정세. **be in [out of] the ~**
실정에 밝다[어둡다]. **✍·mer n.**

swim·ming [‹in] *n.* ⓤ 수영. **✍·**
ly ad. 거침 없이, 쉽게; 일사 천리로.

swímming báth (英) (보통 *pl.*
의) 수영장.

swímming cóstume (英) 수영복.

swímming póol (美) 수영 풀.

swímming trùnks (南) 수영 팬츠.

swin·dle [swíndl] *vt., vi.* 속이다;
사취(詐取)하다(*out of*). — *n.* ⓒ
사취, 사기, 협잡. **swín·dler n.** 사기꾼.

swine [swain] *n.* (*pl.* ~) ⓒ (가축
으로서의) 돼지; 야비한 사람.

:swing [swiŋ] *vi.* ① 흔들거리다, 흔
들리다. ② 회전하다. ③ 몸을 좌우로
흔들며 걷다. ④ 매달려 늘어지다. 그
네 뛰다. ⑤ (口) 교수형을 받다. ⑥
(美俗) 성의 모험을 하다, 부부 교환
을 하다; 실컷 즐기다. — *vt.* ① 흔
들(거리게 하)다. ② 매달다. ③ 방향
을 바꾸다. ④ (美口) 교묘히 처리하
다; 좌우하다. ⑤ 스윙식으로 연주하
다. **~ the lead** [led] (英軍俗) 꾀병
부리다; 게으름 피우다. — *n.* ① ⓤ
삐걱 움직여 닫히며. — *n.* ① ⓤ
동요, 진동(량); 진폭. ② ⓒ.ⓤ 요동,
가락. ③ ⓒ 그네(뛰기). ④ ⓒ.ⓤ 권투
투·야구·정구의) 휘두르기. ⑤ ⓒ 활
보, ⑥ ⓤ (일 따위의) 진행, 진척
⑦ ⓤ 활동의 자유·범위). ⑧ ⓤ 스
윙 음악. **give full ~ to** (…을) 충
분히 활동시키다. **go with a ~**
조롭게[척척] 진행되다. **in full ~**

한창 진행중인, 한창인; **the ~ of the pendulum** 진자(振子)의 진폭; 엷고 성쇠(榮枯盛衰). — *a.* 스윙음악(식)의; *swing·ing* 흔들흔들하는; 경쾌한; 《美口》활발한.

swing dòor 《안팎으로 열리는》자동식 문.

swinge [swindʒ] *vt.* 《古》매질하다; 벌하다. *~ing* 《英口》최고의; 굉장한; 거대한.

swing wìng 《空》가변익(可變翼).

swipe [swaip] *n.* 《크리켓》강타; (두레박틀의) 장대(well sweep); 들이켜기; (*pl.*) 싼 맥주; 《英口》말 사육자. — *vt.*, *vi.* 《口》강타하다; 《俗》훔치다.

Swiss [swis] *a.* 스위스의(사람·식)의. — *n.* 《口》스위스 사람 《용》.

Swiss chárd [-tʃáːrd] 《植》근대(식용).

switch [switʃ] *n.* ⓒ 위칭회초리의 나뭇가지(회초리); ⓒ 회초리의(한번 치기, ③ 《여자의》딴꼭지, ③ (*pl.*) 《鐵》전철기; 《電》스위치. ⑤ 《美》스위치. — *vt.* ⓒ 《美》회초리로 치다; 휘두르다; 전철하다; 스위치를 끄다(켜다)(*on*, *off*); — *vi.* 회초리로 때리다; 전철(전환)하다. **~ off** (a person) (아무의) 방송 도중에 스위치를 끄다; 《美俗》환각 상태를 하다(에 깨다다). **~ on** to (a person) (아무의) 방송을 듣게끔하다. **switch**·**báck** *n.* ⓒ 《登山》의 차의》갈짓자 모양의 선로, 스위치백; 《英》(오락용의) 롤러 코스터.

switch·bláde (**knife**) [-bléid(-)] *n.* ⓒ 날이 튀어나오게 된 나이프.

switch·bòard *n.* ⓒ 《電》배전판(配電盤); 《전화의》교환대.

swiv·el [swívəl] *n.* ⓒ 전환(轉環)

회전고리; 회전대(臺); (회전 의자의) 대(臺); 회전 포가(砲架), 선회포(砲).

swol·len [swóulən] *v.* swell의 과거분사. — *a.* 부푼; 붓이 불은 부; 과장된.

swoon [swuːn] *n.*, *vi.* ⓒ 기절[졸도]하다; 차츰 사라져가다[쇠약해지다].

swoop [swuːp] *vi.* 《맹조(猛鳥) 따위가》위에서 와락 덮치다, 급습하다. — *vt.* 움켜잡다, 잡아채다(*up*). *n.* ⓒ위로부터의 습격[급습]. **at one fell ~** 일거에.

swop [swap/-ɔ-] *n.*, *v.* (**-pp-**) = SWAP.

sword [sɔːrd] *n.* ⓒ 검(劍), 칼; (the ~) 무력; 전쟁. **at the point of the ~** 무력으로; **be at ~'s points** 매우 사이가 나쁘다; **cross ~s with** …와 싸우다; **measure ~s with** (결투 전에)…와 칼의 길이를 대보다; …와 싸우다; **put to the ~** 칼로 베어 죽이다.

sword dànce 칼춤, 검무.

sword·fish *n.* ⓒ 《魚》황새치.

sword·plày *n.* ⓤ 검술.

swords·man [sɔ́ːrdzmən] *n.* (명검객) 《古》군인. **~ship** *n.* ⓤ 검술(솜씨).

swore [swɔːr] *v.* swear의 과거.

sworn [swɔːrn] *v.* swear의 과거분사. — *a.* 맹세한; 선서[서약]한. **~ enemies** 불구대천의 원수.

swung [swʌŋ] *v.* swing의 과거(분사). — *a.* 흔들리는; 물결 모양의.

syb·a·rite [síbəràit] *n.* ⓒ 사치·쾌락을 추구하는 사람. **-rit·ic** [sìbərítik], **-i·cal** *a.*

syc·a·more [síkəmɔ̀ːr] *n.* ⓒ 《美》플라타너스; 《英》단풍나무의 일종; 《이집트 등지의》무화과나무.

syc·o·phant [síkəfənt] *n.* ⓒ 아첨쟁이. **-phan·cy** *n.* ⓤ 추종, 아첨.

syl·la·ble [síləbl] *n.* ⓒ 음절; 일언 절음을 나타내는] 철자; 한마디, 일언. — *vt.* 음절로 나누어(어 발음하다).

syl·la·bus [síləbəs] *n.* (*pl.* **~es**, **-bi** [-bai]) ⓒ 《강의·교수 과정의》대요, 요.

syl·lo·gism [sílədʒìzəm] *n.* ⓒ 《論》삼단 논법; ⓤ 연역(법). **-gis·tic** [-̀dʒístik] **-ti·cal·ly** *ad.*

S

syl·van[sílvən] *a.* 삼림의; 나무가 무성한; 숲이 있는. — *n.* ⓒ 삼림에 사는(출입하는) 사람(동물).

sym·bi·o·sis[sìmbaióusis] *n.* (*pl.* **-ses**[-siːz]) ⓤ,ⓒ 〔生〕 공생(共生), 공동 생활.

:sym·bol[símbəl] *n.,* *vt.* (표상)기호, 기호(로 나타내다). ~**ism**[-izəm] *n.* ⓤ 기호의 사용, 기호로 나타냄; 상징적 의미; 상징주의; 〔劇〕 기호. ~**·ist** *n.* ⓒ 기호 사용자; 상징주의자. *~·ize*[-àiz] *vt.* 상징하다; (…의) 상징이다; 기호로 나타내다(기호를 사용하다); 상징화하다. ~**·is·tic**[²-ístik] *a.* 상징주의(자)의.

sym·bol·ic[simbálik/-5], **-i·cal**[-əl] *a.* 상징의; 상징적인; ~을 상징하는(*of*). 기호를 사용하는. **-i·cal·ly** *ad.*

sym·me·try[símətri] *n.* ① ⓤ,ⓒ 대칭; 좌우 대칭; 균형 (부분과 전체의) 조화. **-trize**[-tràiz] *vt.* 대칭적으로 하다. 균형을 이루게 하다; 조화시키다.

sym·met·ric[simétrik], **-ri·cal**[-əl] *a.* (좌우) 대칭(對稱)적인, 균형잡힌. **-ri·cal·ly** *ad.*

sym·pa·thet·ic[sìmpəθétik] *a.* ① 동정적인(*to*). ② 마음이 맞는, (口) 호의적인, 찬성하는, ④ 〔生〕 교감(交感)의(*the* ~ *nerve* 교감 신경). ⑤ 〔理〕 공명하는. ~ **ink** 은현잉크. **-i·cal·ly** *ad.*

sym·pa·thize[símpəθàiz] *vi.* ① 동정(공명)하다, 동의하다(*with*). ② 조화(일치)하다(*with*). **-thiz·er** *n.* ⓒ 동정(동조)자.

sym·pa·thy[símpəθi] *n.* ① ⓤ,ⓒ 동정, 연민(*for*). ② ⓤ 동조, 찬성, 공명(*with*). ③ ⓤ 조화, 일치(*with*). ④ 〔生〕 교감(交感).

sym·phon·ic[simfánik/-5] *a.* 교향악적인.

sym·pho·ny[símfəni] *n.* ⓒ 심포니, 교향곡; ⓤ 음(색채)의 조화.

sym·po·si·um[simpóuziəm, -zjəm] *n.* (*pl.* **~s, ·sia**[-ziə]) ① 토론(좌담)회; ② (고대 그리스의) 향연(음악을 듣고 담론함); (같은 테마에 관한 여러 사람의) 논(문)집.

:symp·tom[símptəm] *n.* 징후,

조짐; 〔醫〕 증후(症候). **symp·to·mat·ic**[²-mǽtik], **-i·cal**[-əl] *a.* 징후(증후)가 되는(출을 나타내는)(*of*); 징후의, 증후의에 의한.

:syn·a·gogue[sínəgàg, -gɔ̀(ː)g] *n.* ⓒ (예배를 위한) 유대인 집회; 유 대교 회당.

syn·apse[sínæps, sáinæps] *n.* ⓒ 〔生〕 시냅스, 신경 세포 연접(부).

sync, synch[siŋk] *n.* = SYN-CHRONIZATION. — *vi., vt.* = SYNCHRONIZE.

syn·chro·mesh[síŋkrəmèʃ] *n., a.* ⓒ (자동차의) 톱니바퀴를 동시에 맞물게 하는 장치(의).

syn·chro·nize[síŋkrənàiz] *vi.* ① 동시에 일어나다(*with*); 시간이 일치하다. ② (둘 이상의 시계가) 같은 시간을 가리키다. ③ 〔映〕 화면과 음향이 일치하다; 〔劇〕 (셔터와 플래시가) 동조(同調)하다. — *vt.* 동시에 일어나게 하다; (…에) 시간을 일치시키다. **~d** [-d] *a.* **-ni·za·tion**[²-nizéiʃən, -naiz-] *n.* ⓤ 시간을 일치시킴; 동시에 함; 동시성; (영화의) 화면과 음향과의 일치; 동시 녹음; 〔劇〕 (동기)화.

syn·chro·nous[síŋkrənəs] *a.* 동시에 일어나는(움직이는); 〔理·電〕 동일 주파수의, 동기(同期)의; (위성이) 정지(靜止)의; 〔劇〕 동기(同期)의(적). **~·ly** *ad.*

syn·co·pate[síŋkəpèit] *vt.* 〔文〕 (말의) 중간의 음을(문자를) 생략하 다; 〔樂〕 절분(切分)하다, (악구에) 절분음을 쓰다. **-pa·tion**[²-péiʃən] *n.* 〔文〕 중음탈락(中音脫落), 중략(中略).

syn·di·cal·ism[síndikəlìzəm] *n.* ⓤ 신디칼리즘(산업·정치를 노동 조합의 지배하에 두려는). **~·ist** *n.*

syn·di·cate[síndikit] *n.* ⓒ ① (기업적) ① 신디케이트, 기업 연합(*cf.* trust, cartel). ② 신문 잡지 배급망《뉴스나 기사를 써서, 많은 신문·잡지에 동시에 공급함》. ③ 평의원단. — [-dəkèit] *vt., vi.* 신디케이트를 만드는데의 관리하다; 신문 잡지 연맹을 통하여 발표하다(공급하다).

syn·drome[síndroum] *n.* ⓒ 〔醫〕 증후군(症候群); 병적 현상.

syn·er·gy[sínərdʒi] *n.* ① ⓤ ⓒ 협력 작용; 공력 작용. ② 상승 작용. ⓒ [社] 공동 작업.

syn·od[sínəd] *n.* ⓒ ① 종교 회의(장로 교회의) 대회; 회의. ~**·ic**[sinádik/-5-], **-i·cal**[-əl] *a.* 종교 회의의의; [天] 합(合)의.

syn·o·nym[sínənim] *n.* ⓒ 동의 어; 표시어('letter'가 'literature'를 나타내는 따위).

syn·on·y·mous[sinánəməs/-nón-] *a.* 동의(어)의(with). **~·ly** *ad.*

syn·op·sis[sinápsis/-5-] *n.* (*pl.* **-ses**[-si:z]) ⓒ 적요, 대의.

syn·op·tic[sináptik/-5-], **-ti·cal** [-əl] *a.* 개관[대의]의; (종종 S-) 공 관적(共觀的), 일괄 복음서의. **-ti·cal·ly** *ad.*

syn·tax[síntæks] *n.* ⓤ [文] 구문론, 문장론, 통어법(統語法); [컴] 구문. **syn·tac·tic**[sintæktik], **-ti·cal** [-əl] *a.*

syn·the·sis[sínθəsis] *n.* (*pl.* **-ses** [-si:z]) ① ⓤ 종합; 통합. ⓒ 합성물, 합성. ② ⓤ [化] 합성. ③ ⓤ [哲] 종 합변증법에서, 정·반에 대하여) 합(合), 진테제(cf. thesis, antithesis). ④ ⓤ 접물.

syn·the·size[sínθəsàiz] *vt.* 종합하다; 합성으로 취급하다; 합성하다. **-siz·er** *n.* ⓒ 종합하는 사람

[것]; 신시사이저(음의 합성 장치); [컴] 합성기, 신시사이저.

syn·thet·ic[sinθétik], **-i·cal**[-əl] *a.* ① 종합의, 종합적인. ② [化] 합성의; 인조의. ③ 진짜가 아닌, 합성의. ④ [言]('분석적'에 대하여) 종합적인. 　*n.* **fiber** 합성 섬유. **-i·cal·ly** *ad.* 종합[합성]적으로.

syph·i·lis[sífəlis] *n.* ⓤ [病] 매독. **-lit·ic**[⌐-lítik] *a.*

sy·ringe[səríndʒ, 5⌐] *n.* ⓒ 주사기; 세척기(洗滌器); 주수기(注水器), 관장기. 　*vt.* 주사(주입)하다; 세척하다. **syr·up**[sírəp, sə́:r-] *n.* ⓤ 시럽; 당밀. **~·y** *a.*

sys·tem[sístəm] *n.* ① ⓒ 조직; 체계; 계통; 학설; 제도. ② ⓒ 방식; 방법. ③ ⓤ 순서, 계통. ④ [天] 계(系); [地] 계(系); (the ~) 신체. ⑤ [컴] 시스템.

sys·tem·at·ic[sìstəmǽtik], **-i·cal**[-əl] *a.* 조직(계통)적인; 정연한; 규칙바른; [生] 분류상의. **-i·cal·ly** *ad.*

sys·tem·a·tize[sístəmətàiz] *vt.* 조직을 세우다; 조직(체계)화하다; 분류하다. **-ti·za·tion**[⌐-tizéiʃən/-taiz-] *n.*

sys·tem·ic[sistémik] *a.* 조직[계통]의; [生] 전신의.

systems anàlysis (능률·정밀도를 높이기 위한) 시스템 분석.

T

T, t [ti:] *n.* (*pl.* **T's, t's**[-z]) ⓒ T 자 모양의 것. **cross one's the t's,** t자의 횡선(橫線)을 긋다; 사소 한 점도 소홀히 하지 않다. **to a T** 정확히, 꼭 들어맞게(to a nicety).

ta [ta:] *int.* 《英俗·兒》 thank you 의 단축·전화(轉化).

T.A. Territorial Army.

tab [tæb] *n., vt.* (**-bb-**) ⓒ 드림(끈·고리·휘장·찌지(tag))(을 달다); 《美口》 계산서; 《컴》 징검(돌), 태브(《세트해 둔 장소로 커서를 옮기는 기능》). **keep ~(s) on** (口) …의 셈을 하다; …을 지켜보다. **pick up the ~** 《美口》 셈을 치르다, 값을 지불하다.

Ta·bas·co [təbǽskou] *n.* ⓤⓒ 《商標》 고추(capsicum)로 만든 매운 소스.

tab·by [tǽbi] *n.* (갈[회]색 바탕에 검은 줄무늬의) 얼룩고양이; 암코양이; 《주로 英》 심술궂고 수다스러운 여자; = TAFFETA. — *a.* 얼룩진(눈). ~ **cat** 얼룩고양이).

tab·er·na·cle [tǽbərnæk(ə)l] *n.* ⓒ ① 가옥(假屋), 천막집. ② (이스라엘 사람이 방랑 중 성전으로 사용한) 장막(tent), 유대 성소(聖所). ③ 《英》 (비국교파의) 예배소. ④ 닫집 달린 감실 [제단], 닫집 달린 벽가(壁龕) 상자. **-nac·u·lar** [tæbərnǽkjələr] *a.* tabernacle 의; 비속한.

ta·ble [téibəl] *n.* ① ⓒ 테이블, 탁자, 식탁; (sing., **~s** 총칭 ⓤ) 음식. ② 《집합적》 식탁을 둘러싼 사람들. ③ 《地》 고원(高原), 대지. ④ 서판(書板)에 새긴 글자(에서) cf. tablet). ⑤ (수상(手相)이 나타나 있는) 손바닥. ⑥ 표(the ~ of contents). 리스트. ⑦ 《컴》 표, 테이블. **at ~** 식사 중. **keep a good ~** (언제나) 잘 먹다. **lay on the ~** (심의를) 일시 중지하다, 무기 연기하다. **lay** (**set, spread**) **the ~** 식탁을 차리

다. **learn one's ~s** 구구단을 외다. **the Twelve Tables** 12동판법 (銅版法) (로마법 원전(451 B.C.)). **turn the ~s** 형세를 역전시키다, 역습하다(*on, upon*). **wait at** (《美》 *on*) ~ 식탁을 시중을 들다. — *vt.* 탁상에 놓다; 표로 만들다. — 《美》 (의안 등을) 묵살하다.

·táble·leau [tǽblou] *n.* (*pl.* **~s, ~x** [-z]) ⓒ 극적 장면; 그림; 회화적 묘사; 활인화(活人畫).

·table·clòth *n.* ⓒ 테이블 보.

ta·ble d'hôte [tá:bəl dóut, tǽb-] (F.) 정식(定食).

táble mànners 식사 예법.

táble màt (식탁에서 뜨거운 접시 따위의 밑에 까는) 받침, 깔개.

·table·spòon *n.* ⓒ 식탁용 큰 스푼; 식탁용 큰 스푼 하나 가득한 분량.

·tab·let [tǽblit] *n.* ⓒ ① (나무·상아·점토·돌 등의) 평판, 서판. ② (美) 메모장(帳), 편지지 첩. ③ 《鐵》 타블렛(안전 통과표). ④ 정제(錠劑). ⑤ 판자리편.

táble tènnis 탁구.

táble·tòp *n.* ⓒ 테이블의 표면. — *a.* 탁상(용)의.

táble·wàre *n.* ⓤ 《집합적》 식탁용구, 식기류.

tab·loid [tǽbloid] *n.* ⓒ 타블로이드 판 신문; (T-) 《商標》 정제(tablet). — *a.* 타블로이드판의.

·ta·boo, -bu [təbú:, tæ-] *n., a.* 《폴리네시아 아사람 등의》 금기(禁忌) [터부](의)(*a ~ word*); 금제(禁制) (ban)(의). — *vt.* …을 금기하다; …을 금제하다. **put the ~ on, or put under the ~** 금기[금제]하다.

tab·u·lar [tǽbjələr] *a.* 표의, 표로 된; 얇은 판자(모양)의.

tab·u·late [tǽbjəlèit] *vt.* 평판 (모양)으로 하다; (일람)표로 만들다. — [-lit] *a.* 평편(평판 모양)의. **-la·tor** *n.* ⓒ 도표 작성자; (컴퓨터 따위의) 도표 작성 장치. **-la·tion** [>-

léi[léiʃn] *n.* ⓤ 표로 만듦, 도표화.

tac·it[tǽsit] *a.* 무언의, 침묵의; 암
묵(暗默)의. **~·ly** *ad.*

tac·i·turn[tǽsətə̀ːrn] *a.* 말 없는,
과묵한. **-turn·i·ty**[ə̀ːtə́ːrnəti] *n.*
ⓤ 과묵, 침묵.

tack¹[tæk] *n.* ① ⓒ (납작한) 못, 압
정. ② ⓒ《裁縫》가봉, 시침질. ③
ⓒ《海》지그재그 항행(航程); ⓤ 바
람의 위치에 따라 결정되는 배의 침
로. ④ ⓤⓒ 방침, 정책. **be on the
wrong [right] ~** 방침이(취로가) 틀
리다(옳다). **~ and ~** 《海》계속적
인 지그재그 항법으로. — *vt.* ① 못
으로 고정시키다. ② 가봉하다, 시침
질하다. ③ 덧붙이다, 부가하다
(add). ④ 뱃머리를 바람쪽으로 돌
려 진로를 바꾸다; 갈짓자로 나아가
하다(about). ⑤ 방침을 바꾸다.

tack² *n.* ⓤ《海》음식물. **be on
the ~** 《俗》술을 끊고 있다. **hard
~** 건빵.

tack·le[tǽkəl] *n.* ① ⓤ 도구(*fish-
ing ~* 낚시 도구). ② [tǽkl] ⓤⓒ
《海》테이클《선구·삭구(索具)》. ③
ⓤ 복활차《復滑車》. ④ ⓒ《美式蹴》
태클. — *vt., vi.* ① (말에) 마구를
달다(harness). ② 도르래로 끌어
올리다[고정하다]. ③ 붙잡다. ④ 태
클하다. ⑤ (일에) 달려들다. 부지런
히 시작하다(to).

tack·y¹[tǽki] *a.* 《美口》초라한; 야
한; 시대에 뒤진.

ta·co[tɑ́ːkou] *n.* (*pl.* **~s**[-z, -s])
ⓒ 타코스《멕시코 요리; 저민 고기 등
을 tortilla로 싼 것》.

tact[tækt] *n.* ① ⓤ 재치; 솜씨. ②
ⓒⓤ 촉각. **✓·ful** *a.* 솜씨 좋
은; 재치 있는. **✓·ful·ly** *ad.*

tac·ti·cal[tǽktikəl] *a.* 병학(兵學)
의; 전술(상)의; 전술적이고(cf. strate-
gic)。 책략[술책]이 능란한; 빈틈없
는. **T- Air Command** 《美》전술
공군 사령부《생략 TAC》.

tac·ti·cian[tæktíʃən] *n.* ⓒ 전술
가; 책사(策士).

tac·tics[tǽktiks] *n.* ⓤ《단·복수
취급》전술, 용병학(cf. strategy).
《복수 취급》전술, 술책.

tac·tile[tǽktil/-tail] *a.* 촉각의; 만
져서 알 수 있는.

táct·less *a.* 재치[요령] 없는, 서투
른. **~·ly** *ad.* **~·ness** *n.*

tad[tæd] *n.*《美口》꼬마《특히 사
내아이》.

tad·pole[tǽdpoul] *n.* ⓒ 올챙이.

taf·fe·ta[tǽfitə] *n., a.* ⓤ(얇은)
호박단(琥珀緞)(의).

taf·fy[tǽfi] *n.* = TOFFEE. ②《口》
아첨, 아부.

tag¹[tæg] *n.* ① ⓒ 꼬리표, 찌지,
정가[번호]표. ② 늘어뜨린 끝; 끈 끝
의 쇠붙이; (동물의) 꼬리. ③ (문장·
연설 끝의) 판에 박힌 문구; 노래의
후렴; [劇] 끝맺는 말. ④ 부가어귀.
⑤ [컴] 꼬리표《이것을 부착한 것의
소재를 추적하는데 만든 전자 장치》.
keep a ~ on... 《英口》···을 감시하
다. **~ and rag,** or **~, rag and
bobtail** 아료군; 사회의 찌꺼기.
— *vt.* (**-gg-**) tag를 달다; 잇다; 압
운(押韻)하다;《口》붙어 다니다.

tag² *n.* ⓤ 술래잡기(play ~).

tag³ *n.* ⓒ 【野】터치아웃. — *vt.* ① (술
래잡기에서) 술래가》붙잡다. ②【野】
터치아웃시키다. **~ up**《野》《주자가》
베이스에 이르다, 터치업하다.

tág dày《美》가두 모금일《《英》
flag day》.

tail¹[teil] *n.* ① 꼬리, 꽁지. ②
꼬리 모양의 것; 말미, 후부; (비행기
등의) 미미(機尾); [컴] 꼬리. ③ 옷자
락; (*pl.*) 연미복; 옷자락 같은 것. ④
수행원들; 군속(軍屬)들; 줄
(로 늘어선 사람)(queue). ⑤ (보통
pl.) 화폐의 뒷면(opp. *heads*).
cannot make head, or **~ of** 무
슨 뜻인지 전혀 알 수 없다. **get
one's ~ down** 작아지다, 기가 죽
다. **get one's ~ up** 기가 나다.
go into ~s (아이가 자라서) 연미
복을 입게 되다. **keep one's ~
up** 기운이 나 있다. **~ of the eye**
눈초리. **turn ~** 달아나다. **with the
~ between legs** 기가 죽어서, 위
축되어, 겁에 질려. **~ it.** (…에)
꼬리를 달다(on, on to). ② 꼬리
를(끝을) 자르다; (…의) 꼬리를 물고
당기다;《口》미행하다. — *vi.* 축 늘
어뜨리다, 꼬리를 끌다; 뒤를 따르
다. **~ after** ···의 뒤를[줄에] 따르
다. **~ away [off]** 낙오하다; 《뒤처

져) 뾸뿌리가 되다; 점점 가늘어지다.

tail² *n., a.*, ⓤ 《法》제사 한정(繼嗣限定); 한사(限嗣) 상속 재산(*estate in* 이라고도 함); 한사의.

táil·bòard *n.* ⓒ (짐마차의) 떼어낼 수 있는 뒷널.

táil·còat *n.* ⓒ 연미복, 모닝코트.

táil énd 꼬리, 끝.

táil làmp (**light**) 미등(尾燈).

ˈtai·lor [téilər] *n.* ⓒ 재봉사, (남성복의) 재단사. *Nine ~ s make* (**go to**) *a man.* 《속담》양복 짓고 아름 사람이란 옷 하나 구실을 한다(이로 인하여 양복 짓고 앞날으는 *a ninth part of a man* (9분의 1의 사나이) 따위로 부르기도 함). *The ~ makes the man.* 《속담》옷이 날개. — *vi.* 양복점을 경영하다. — *vt.* (양복을) 짓다. **~ed**[-d] *a.* = TAILOR-MADE. **~·ing** *n.* ⓤ 재봉업, 양복 기술.

táilor·máde *a.* 양복점에서 지은; (특히 여성복을) 남자 옷처럼 지은, 산뜻한; 맞춘. — *n.* ⓤ 맞춤 여성복.

táil·piece *n.* ⓒ 꼬리 조각; (책의) 장말(章末)·권말의 컷.

táil·spìn *n.* ⓒ① 《空》(비행기의) 나선식 급강하. ② 낙폭, 혼란, 의기 소침.

ˈtaint [teint] *n., vi.* ① 더럽히다, 더러워지다, 오염시키다. ② 해독을 끼치다(부패시키다), 썩(히)다. — *n.* ⓤⓒ 더럼, 오염. ② (잠재된) 병독; 감염; 타락. ③ ⓤ (또는 a ~) 기미(氣味)(*of*). **~·ed**[-id] *a.* 썩은; 더럽혀진.

ˈtake [teik] *vt.* (**took; taken**) ① 취하다, 잡다; 붙잡다. ② 받다, 획득하다(gain, win). ③ 접하하다, 받아들이다(submit to). ④ 필요로 하다(*It will ~ two days.*). ⑩ 고르다, 채용하다. ⑪ (병에) 걸리다; (생명을) 빼앗다. ⑫ 빼다, 감하다 (subtract). ⑬ 데리고 가다; (…으로) 통하다(lead); (여자 등을) 안내하다, 방안하다(escort); 가지고 가다(carry)(*~ one's umbrella, lunch, &c.*). ⑮ (어떤 행동을) 취하

다, 하다(*~ a walk, swim, trip*). ⑯ (사진을) 찍다, 촬영하다. ⑰ 느끼다(*~ pride, delight, &c.*). ⑱ 조사하다, 재다(*~ one's temperature*). 온을 재다). ⑲ 알다, 이해하다; 믿고 맞이하다. ㉑ 빌다(hire); 사다, (신문 따위를) 구독하다. ㉒ 받아 쓰다 (*~ dictation*). ㉓ (음식을) 잘 나다(*Mahogany ~ s a polish.* 마호가니 재목은 닦으면 윤이 난다). (색을) 흡수하다(…에 잘 물들다). ㉙ 끌다. (…의) 비위를 끌다; (잘) 타고 넘다(*~ a fence*). 뚫고 나아가다. ㉚ 《文》(어미·격·어형 변화형 따위를) 취하다(*'Ox' ~ s '-en' in the plural.*). — *vi.* ① 취하다. (불) 잡다. ② (장치가) 걸리다(catch); (톱니바퀴가) 맞물리다. ③ (물고기·새 등이) 걸리다, 잠히다. ④ 뿌리가 내리다. ⑤ (약이) 듣다. (우두가) 되다. ⑥ (극·약이) 평을 받다, 인기(끌)·(카)·으로 되다(become)(*~ ill (sick)* 별다). ⑦ 《口》(사진으로) 찍히다. ⑨ (색 따위가) 잘 묻다, 스며들다. ⑩ 제거하다, 떼어내다. ⑪ 매력이 있다. 당기다(*It ~ s apart easily.*). ⑫ 가다(across, down, to). ~ *after* …를 닮다. ~ *away* 제거하다; 식탁을 치우다. ~ *back* 도로 찾다; 취소하다. ~ *down* 적어두다; (음을) 헐다; (머리를) 풀다; 《口》 속이다; 끌어 납작하게 만들다. ~ (A) *for* (B). (A를 B)로 잘못 알다. ~ *from* 감하다(*Her voice ~s from her charm.* 그 목소리는 매력을 반감시킨다). ~ *in* 받아들이다; 수용하다, 이해하다; (여성을 객실로부터 식당으로) 맞아내다; (매가) 화물을 싣다; (영토 등을) 합병하다(주로 美); (신문 따위를) 구독하다; 포괄하다; 고려에 넣다; (옷 따위를) 줄이다; (돛을) 접다; 《口》 속이다. ~ *it easy* 《보통 명령법》마음을 편하게 가지다, 서두르지 않고 하다. 심하지 않다. ~ *it hard* 걱정하다. 슬퍼하다. ~ *it out on* 《口》…에게 마구 화풀이하다. ~ *off* 제거하다, 벗다; 없다, 옮기다; 하락하다; 목자르다; 면직시키다; 감하하다; 베끼다; 《口》 흉내내다, 흉내내며 놀리

리다; (이하 *vi.*) 《口》 떠나다; 이륙 [이수]하다. **~ on** (*vt.*) 떠맡다; …을 가장하다; 채용하다; (형세를) 드러내다; (살이) 찌다; 고용하다; 《口》 흥분되다; 떠들어대다. **~ out** 꺼내다; 고립어내다; 없애다. **~ over** 이어받다, 떠맡다; 접수하다. **~ to** …을 좋아지다. 따르다; …을 돌보다; …의 버릇이 생기다; …에 몰두하다. **~ up** 집어들다; (손님을) 잡다; 보호하다; (시간·장소를) 차지하다; (마음·주의를) 끌다; 말을 가로막다; 비난하다; (일을) 시작하다; (이것저것) 빌리다; (중단된 이야기를) 계속하다; 빚을 모두 갚다; (거처를) 줄이다; (옷을) 줄이다; 지다; 마음먹고 …하다. **~ upon oneself** (책임 등을) 지다; 마음먹고 …하다. **~ up with** …에 흥미를 갖다; 《口》…와 사귀다(기 시작하다)《口》…에 동의하다, 찬성하다. — *n.* C 포획(수확)(물·고기); (입장권) 매상고; 촬영.

táke·awày *a.*, *n.* (美) = TAKEOUT.

táke-hòme (pày) (세금 등을 공제한) 실수령 급료.

táke-òff *n.* ① C 《口》(익살스러운) 흉내(mimicking). ② U C 《空》이륙, 이수(離水).

táke-òut *a.*, *n.* C (美) 집으로 사가는 (요리)(英) takeaway.

táke-òver *n.* U C 인계; 접수; 경영권 취득.

tak·ing[téikiŋ] *a.* ① 매력 있는. ② C 《美》 전염성인. — *n.* ① C 획득. ② C (물고기 따위의) 포획고. ③ (*pl.*) 수입.

talc[tælk] *n.*, *vt.* (**~ked**, **~ed**; **~(k)ing**) U 곱돌(로 문지르다).

tal·cum[tælkəm] *n.* U 활석(滑石), 곱돌(talc); = **powder** (면도 후에 바르는) 화장 분말.

tale[teil] *n.* ① C 이야기, 고설; 소문; 거짓말. **a ~ of a tub** 무니 없는 이야기. **carry ~s** 소문을 퍼뜨리고 다니다. **tell its own ~** 자명하다. **tell ~s** (**out of school**) 고자질하다, 비밀을 퍼뜨리다.

tal·ent[tælənt] *n.* ① C 고대 그리

스·헤브라이의 무게[화폐] 이름. ② U 재능(for). ③ 《집합적》 재능 있는 사람들; 인재; C 연예인. **~·ed** [-id] *a.* 재능 있는. **~·less** *a.*

tálent scòut (운동·실업·연예계의) 인재(신인) 발굴 담당자.

ta·les·man[téilzmən, -liːz-] *n.* C 보결 배심원.

talk[tɔːk] *vi.* 말[이야기]하다; 의논하다(over a matter = ~ a matter over); (종합급을) 지껄이다. — *vt.* 말[이야기]하다; 논하다; 이야기하여 …시키다(into; out of). **~ about** …에 대해 말하다. **~** 을 비로다. **~ away** 이야기하여 시간을 보내다; 노다거리며 보내다. **~ back** 말대꾸하다. **~ down** 말로 지우다, 말로 꼼짝 못하게 하다; 《空》 무리한 유도하다. **~ freely of** …을 거리낌 없이 말하다. **~ing of** …으로 말하면, …말이 났으니 말이지. **~ out** 기탄없이 이야기하다, 끝까지 이야기하다. **~ over** 논하다. **~ round** (*vi.*) 장황하게 이야기하여 언제까지나 결말을 못내다; (*vt.*) 이야기하여 설득하다. **~ to** …에게 말을 걸다; 《口》 군소리하다, 꾸짖다. **~ to oneself** 혼잣말하다. **~ up** 큰 소리로 말하다; 똑똑히 말하다. — *n.* ① C 이야기, 담화, 의논. ② U 소문; 객담, 빈말; (the ~) 이야깃거리. ③ 언어, 방언. **make ~** 소문거리가 되다; 시간을 보내기 위해 그저 지껄이다. **~·er** *n.*

talk·a·tive[tɔ́ːkətiv] *a.* 말 많은.

talk·ie[tɔ́ːki] *n.* C 《口》 토키, 발성 영화.

tálking pòint 화제. 「리.

tálking-tò *n.* C 《口》 꾸짖기, 잔소

tálk shòw (美) (방송에서) 유명 인사 특별 출연 프로글[토론회·인터뷰].

tall[tɔːl] *a.* ① 키, 높은(a ~ man, tower, tree, &c.). ② 《길이》의 (six feet foot) ~ 신장 6피트). ③ 《口》 엄청난, 터무니없는; 《口》 과장된 ~ talk 횡소리/a ~ story 과장된 이야기).

táll·bòy *n.* C 《英》 다리가 높은 장롱(cf. highboy).

tal·low[tǽlou] *n.*, *vt.* U 수지(獸

脂[최기름](를) 바르다); = **∠ càn-dle** 수지 양초. ~식 明.

tal·ly[tǽli] *n.* ⓒ [史] (대차(貸借) 금액을 새긴) 부신(符信); 그 눈금·막의 한 쪽; 일치; 꼬표, 표, 패(tag); 계산, 득점. — *vt.* 부신(符信)에 새기다; 계산하다(up); 패를 달다; 대조하다. — *vi.* (꼭) 부합하다(with).

Tal·mud[tɑ́:lmud, tǽl-/tǽl-] *n.* (the ~) 탈무드(유대 법전의 율법과 전설집).

tal·on[tǽlən] *n.* ⓒ (맹금(猛禽)의) 발톱(claw); (*pl.*) 움켜쥔 손.

tam·bou·rin[tǽmbərin] *n.* ⓒ 탐부랭(남(南)프랑스의 무용곡).

tame[teim] *a.* ① 길든, 길들인; 순한, ② 무기력한, ③ 재미 없는, 단조한. — *vt., vi.* (길러) 길들(이)다; (*vt.*) 복종시키다, 누르다, 무력하게 하다; (색을) 부드럽게 하다. **∠ less** *a.* 길들이기 힘든. **∠ly** *ad.* **∠ness** *n.*

tamp[tæmp] *vt.* (흙을) 밟아(다져) 단단하게 하다; (폭약을 잰 구멍을) 진흙으로 틀어막다.

tam·per[tǽmpər] *vi.* 간섭하다(meddle); 만지작거리다, 장난하다(with); (원문을) 함부로 변경하다(with); 뇌물을 쓰다(with).

tan[tæn] *vt.* (**-nn-**) (가죽을) 무두질하다; (피부를) 햇볕에 태우다; 《口》매질하다(thrash). — *vi.* 햇볕에 타다. — *n., a.* ⓤ 탠 껍질(무두질용의 나무 껍질); 황갈색(의); ⓒ 햇볕에 탄 빛깔(의); (*pl.*) 황갈색 옷(구두).

tan, tan. tangent.

tan·dem[tǽndəm] *ad.* (한 줄로) 세로로 늘어서서. — *a.* 세로로 늘어선(말·마차); 2인승 자전거의. — *n.* ⓒ 2인승 자전거; 「의 일종.

tang[tæŋ] *n.* (*sing.*) 싸한 맛; 특소는 냄새; 특성; 기미(氣味)(smack); 슴베(칼자루·창·굴 등의).

tan·gent[tǽndʒənt] *n., a.* [數] 탄젠트(의); [幾] 접하다, 접선(의). **fly [go] off at a ~** 갑자기 얼길로 벗어나다. 「의 일종.

tan·ge·rine[tǽndʒəríːn] *n.* ⓒ 귤

tan·gi·ble[tǽndʒəbəl] *a.* 만져서 알 수 있는; 확실[명백]한. — *n.*

(*pl.*) [法] 유형(有形) 재산. **-bly** *ad.* **-bil·i·ty**[~əbíləti] *n.*

tan·gle[tǽŋgəl] *vt., vi.* 엉키(게 하)다; 얽히(게 하)다, 빠뜨리다, 빠지다. — *n.* ⓤ 엉킴, 분규, 혼란. **tan·gled, -gly** *a.* 엉킨.

tan·go[tǽŋgou] *n.* ⓒ 탱고 [U.C] 탱고 곡.

tank[tæŋk] *n.* ⓒ (물·가스 등의) 탱크, 통; 저수지; [軍] 전차(戰車), 탱크. *vt.* 탱크에 넣다(저장하다). **~·age**[~idʒ] *n.* ⓤ 탱크 용량(저장·사용량); (도살장의) 탱크 찌꺼기[비료]. **~ed**[-t] *a.* 탱크에 저장한; 《美口》 술취한. **∗ ~·er** *n.* 탱커, 유조선; 공중 급유기; 《美》 전차대원.

tank·ard[tǽrd] *n.* ⓒ (뚜껑·손잡이 달린) 큰맥주컵.

tan·ner[tǽnər] *n.* ⓒ 무두장이. **~·y** *n.* ⓒ 제혁소(製革所); 무두질 공장.

tan·nic[tǽnik] *a.* [化] 탄(tan)질에서 얻은; 타닌성의.

tan·nin[tǽnin] *n.* ⓤ [化] 타닌산.

tan·ta·lize[tǽntəlaiz] *vt.* 보여주고 감질나게 하다, 주는 체하고 안 주며 애타게 하다 (cf. Tantalus). **-li·za·tion**[~lizéiʃ*ə*n/-lai-] *n.* **-liz·ing(·ly)** *a.* (*ad.*)

tan·ta·mount[tǽntəmaunt] *a.* (보통 *pred. a.*) 동등한, 같은(to).

tan·trum[tǽntrəm] *n.* ⓒ 울화.

tap[tæp] *vt., vi.* (**-pp-**) 가볍게 치다(두드리다); 똑똑 두드리다. — (*vt.*) (구두 바닥에) 가죽을 대다. — *n.* ⓒ 가볍게 치기; 그 소리. ② 창갈이 가죽. (*pl.*) [軍] 소등(消燈) 나팔.

tap[tæp] *n.* ⓒ ① 꼭지, 통주둥이(faucet). ② 마개(plug). ③ [電] 탭, 콘센트. ④ 술의 종류[품질]. ⑤ 《英》술집. **on** ~ (언제나 마실 수 있게) 꼭지가 달려, 마실수있게 준비되어. — *vt.* (**-pp-**) ① (통에) 꼭지를 달다; 꼭지로부터 술을 따르다(~ *a cask*). ② (…의) 마개를 따다, (나무에서 진을내어 수액(樹液)을) 받다. ③ [醫] 째고 물[피위]를 빼다. ④ (전기 본선에서) 분기를 끌다; (본질에서) 샛길을 내다(전화에) 도청하다.

táp dánce 탭댄스.

tape[teip] *n.* ① ⓤⓒ (납작한) 끈; 테이프. ② ⓒ (천 따위의) 철사로 만든 줄자. ③ ⓒ 녹음 테이프, 스카치테이프 (따위). **breast the ~** 가슴으로 테이프를 끊다. (경주에서) 1착이 되다. ── *vt.* (…에) 납작한 끈을(테이프를) 달다, 납작한 끈으로(테이프로) 묶다(매다·칠하다); 테이프에 녹음하다; 《俗》(인물을) 평가하다(size up).

tápe déck 테이프 덱(앰프·스피커가 없는 테이프 리코더).

tápe-line, tápe méasure 줄자.

ta·per[téipər] *n.* ⓒ 가는 초, 초먼 인 심지; 《雅》약한 빛; (끝이 뾰 족한 모양). ── *a.* 끝이 가는. ── *vi., vt.* 점점 가늘어지다(가늘게 하다), 점점 줄다(away, off, down). ── *ing.* 끝이 가는.

tápe-recórd *vt.* (…을) 테이프에 녹음하다.

tápe recórder 테이프 리코더, 녹음기.

tápe recórding 테이프 녹음.

tap·es·try[tǽpistri] *n., vt.* ⓤⓒ 무늬 놓은 두꺼운 천(의 벽걸이)(으로) 꾸미다. **-tried** *a.*

tápe·wòrm *n.* ⓒ 촌충.

tap·i·o·ca[tæpióukə] *n.* ⓤ 타피오카(cassava 뿌리의 전분).

ta·pir[téipər] *n.* ⓒ 《動》맥(貘)(라틴 아메리카).

táp·ròot *n.* 《植》직근(直根).

tar[taːr] *n., vt.* (-**rr**-) ⓤ (콜)타르 (를 칠하다); ⓒ 《口》뱃사람. ── *and feather* 뜨거운 타르를 온몸에 칠하고 나서 새털을 꽂아(啓罰).

ta·ran·tu·la[tərǽntʃələ] *n.* ⓒ 독거미의 일종.

tar·dy[táːrdi] *a.* (걸음걸이 등이) 느린(slow); 더딘(late); 늦은(late). **tár·di·ly** *ad.* **tár·di·ness** *n.*

tar·get[táːrgit] *n.* ⓒ 과녁, 목표; 목표액; 【컴】대상. **hit a ~** 과녁에 맞히다; 목표액에 달하다.

tar·iff[tǽrif] *n.* ⓒ ① 관세(세율) 표. ② 관세(on). ③ 《英》(여관 등의) 요금표; 《口》운임(표). ④ 《口》

tar·mac[táːrmæk] (< *tar* + *macadam*) *n.* ⓒ 타맥(포장용 아스팔트 응고제); 타르머캐덤 도로 (활주로).

tarn[taːrn] *n.* ⓒ (산 속의) 작은 호수.

tar·nish[táːrniʃ] *vt., vi.* 흐리(게 하)다; (명예 따위) 손상시키다(되다). ── *n.* ⓤ (a ~) (광물 따위의) 흐림, 녹; 더러움, 오점. **~ed**[-t] *a.*

tar·pau·lin[taːrpɔ́ːlin] *n.* ⓤ 방수포; ⓒ 방수 외투(모자).

tar·ry[tǽri] *vi.* 머무르다(stay) (at, in); 말성이다, 늘어지다, 기다리다. ── *vt.* 기다리다.

tar·ry²[táːri] *a.* 타르질(質)의; 타르를 칠한, 타르로 더럽혀진.

tart[taːrt] *a.* 시큼한, 짜릿한; 신랄한, 호된. **~·ly** *ad.* **~·ness** *n.*

tart² *n.* ⓤⓒ 《英》과일을 넣은 과자 (타트); 《英俗》매춘부.

tar·tan[táːrtn] *n.* ⓒ 《스코틀랜드의 고지 사람이 입는》격자 무늬의 모직물(옷); ⓤ 격자 무늬.

tar·tar[táːrtər] *n.* ⓒ 《(the ~) 타타르사람, 깔은이; (t-) ⓒ 난폭자 (a young ~ 다루기 힘든 아이). **catch a ~** 만만치 않은 상대를 만나다.

tar·tar²[táːrtər] *n.* ⓤ 【化】주석(酒石). 치석(齒石). **~·ic**[-tǽrik] *a.* 주석 성분의.

tár·tar(e) sàuce[táːtər-] 마요네 즈에 셀 오니아 올리브 등을 넣어 만 든 소스.

task[tæsk, taːsk] *n.* ⓒ (의무적인) 일; 직무; 작업, 사업; 고된 일; 【컴】태스크(컴퓨터에서 처리되는 일의 단위). **call (take) (a person) to ~** 비난하다, 꾸짖다(for). ── *vt.* (…에) 일을 과(課)하다; 혹사하다.

tásk fòrce 《美》《軍》기동 부대; 특수 임무 부대; 특별 전문 위원회; 프로젝트 팀.

tásk·màster *n.* ⓒ 십장, 감독.

tas·sel[tǽsəl] *n., vt.* ⓒ 술(장식) (을 달다); (옥수수의 수염(을 뜯다); 【植】의 서표(갈피) 끈. ── *vi.* (《美》-*ll*-) (옥수수 따위가) 수염이 나다. **~·(l)ed** [-d] *a.*

taste[teist] *vt.* (…의) 맛을 보다;

T

먹다, 마시다; 경험하다. — vi. (…
의) 맛이 나다, 풍미(기미)가 있다
(of). — n. ① U (a ~) 맛, 풍미.
② U (the ~) 미각. ③ (a ~) 경
험, 시식(試食); 한 입, 한 번
맛보기. ⑤ U,C 취미, 기호. ⑥ 심미
안(審美眼)(for). ⑥ U 액밥(뒷
의 미각 기관). **a bad
~ in the mouth** 개운치 않은 뒷
맛, 불쾌한 인상. **in good [bad] ~**
품위 있게[없게]. **to the King's
[Queen's] ~** 더할나위없이. **tast-
er** n. ⓒ 맛[술맛]을 감정하는 사람;
[史] 독이 있는지 없는지 맛보는 사
람. **tasty·a.** 맛있는; (口) 멋진.

taste bud 미뢰(味蕾), 맛봉오리(혀
의 미각 기관).

taste·ful [-fəl] a. 풍류 있는; 풍취
있는, 풍아한(風雅的). ~·**ly** ad.

taste·less a. 맛 없는; 아취 없는,
풍미 없는. ~·**ly** ad.

ta·ta [táːtάː/tǽtάː] int. (주로 英)
(兒·俗)안녕, 빠이빠이.

tat·ter [tǽtər] n. ⓒ 넝마; (보통
pl.) 누더기 옷. — vt. 너덜너덜 해
뜨리다(떨다). ~**ed** [-d] a.

tat·tle [tǽtl] n., vi., vt. (쓸데없
공론)을 하다; 고자질(하다). **tát-
tler** n.

tat·too¹ [tætúː/tə-, tæ-] n. (pl.
~**s**), vt. ⓒ 귀영(歸營) 나팔(을 불
다), 귀영북(을 치다); 똑똑 두드리다
[두드리는 소리]. **beat the devil's
~** 손가락으로 책상 등을 똑똑 두드
리다(초조·기분이 언짢을 때).

tat·too² n. (pl. ~**s**), vt. ⓒ 문신
(文身)(을 넣다). — a. 싸구려의.

tat·ty [tǽti] a. (英) 초라한, 남루의;
taught [tɔːt] v. teach의 과거(분
사).

taunt [tɔːnt, -αː-] vt., n. ⓒ (보통
pl.) 욕을 퍼붓다; 조롱, 냉소;
(廢) 조롱거리; 욕하여 …시키다.

Tau·rus [tɔ́ːrəs] n. 〔天〕 황소자리,
금우궁(金牛宮).

taut [tɔːt] a. 〔海〕 팽팽하게 친
(tight)(a ~ rope); (옷차림이) 단
정한(tidy).

taut·en [tɔ́ːtn] vt., vi. (…을) 팽팽
하게 켕기다.

tau·to·l·o·gy [tɔːtάlədʒi/-] n.
U,C 뜻이 같은 말의 반복(보기: sur-
rounding circumstances). tau-

to·log·i·cal(·**ly**) [-tΘládʒikəl(i)/-5-]
a. (ad.)

tav·ern [tǽvərn] n. ⓒ 선술집, 여
인숙(inn).

taw·dry [tɔ́ːdri] a., n. ⓒ 몹시 야
한; 값싼 (물건).

taw·ny [tɔ́ːni] n., a. 황갈색(의)
(사자의 빛갈).

:tax [tæks] n. ① U,C 세금, 조세
(on, upon). ② U (a ~) (무리한)
요구; 과로(strain). — vt. ① (…
에) 과세하다. ② 무거운 짐을 지우
다, 혹사하다; 무리한 요구를 하다.
③ 청구하다. ④ 비난하다(accuse).
⑤ 〔法〕 (소송 비용 등을) 사정(査定)
하다. ~·**a·ble** a. 과세의 대상이 되
는, 유세의(稅納의).

:tax·a·tion [tækséiʃən] n. U 과세;
세수(稅收).

táx evásion 탈세.

táx-exémpt a. 면세의.

táx-frée a. = TAX-EXEMPT.

tax·i [tǽksi] n., vi., vt. ⓒ 택시(로
가다, 로 운반하다); (비행기가) 육상
[수상]을 활주하다(시키다).

tax·i·der·my·[-dəːmi] n. U 박제술
(剝製술). -**mist** n.

táxi stànd 택시 승차장.

táxi·wày n. 〔空〕 (비행장의) 유
도로(誘導路).

tax·on·o·my [tæksάnəmi/-5-] n.
U 분류학(分類學).

táx·pàyer n. ⓒ 납세자.

táx retúrn 납세액(소득세) 신고서.

tbsp tablespoon(ful).

:tea [tiː] n. ① U 차(보통, 홍차)
(make ~ 차를 끓이다). ② U 〔집
합적〕 찻잎. ③ U 차나무. ③ (차 비
숫한) 당음(beef ~). ④ U,C
(英) 티(5시경 홍차와 함께 드는 가
벼운 식사); U 저녁 식사(supper
('dinner'는 낮에 들었을 때의)).
black ~ 홍(녹
차. high [meat] ~ 고기 요리가
곁들은 오후의 차.

téa brèak (英) 차 마시는 (휴게)
시간(cf. coffee break).

téa càddy (英) 차통(筒).

téa càrt [wàg(g)on] 다구(茶具)
운반대.

teach [tiːtʃ] vt. (**taught**) 가르치다

교수〔훈련〕하다. — *vi.* 가르치다, 선생 노릇을 하다(*at*). ***I will* ~ *you to*** (*tell a lie, betray us, & c.*) (거짓말을, 배반을) 하면 용서 안할 테다. †**∠·er** *n.* Ⓒ 선생, (여)교사; (도덕적) 지도자; 사표(師表). ***∠·ing*** *n.* Ⓤ 교수; 교의, 가르침.

téa còzy (차 끓이는 주전자의) 보온 커버.

téa·cùp *n.* Ⓒ 찻잔; 찻잔 한 잔(의 양).

teak[ti:k] *n.* Ⓒ 〖植〗 티크; Ⓤ 티크재(材)《가구재·조선재(造船材)》.

teal[ti:l] *n.* Ⓒ 〖鳥〗 상오리.

téa lèaf 차잎; 엽차; (*pl.*) 차찌끼.

·**team**[ti:m] *n.* Ⓒ 《집합적》 ① 팀. ② (수레에 맨) 한 떼의 짐승《소·말 등》. — *vi.* 한 떼의 짐승을 몰다; 팀이 되다. — *vt.* 한 수레에 매다; 한 데 맨 짐승으로 나르다.

téam·màte *n.* Ⓒ 팀의 일원.

téam spírit 단체〔공동〕 정신.

team·ster[tì:mstər] *n.* Ⓒ 한무리의 말·소를 부리는 사람; 트럭 운전기사; 두목, 왕초.

téam·wòrk *n.* Ⓤ 협동 (작업).

téa pàrty 다과회(茶菓會).

téa·pòt *n.* Ⓒ 찻주전자.

·**tear**¹[tiər] *n.* Ⓒ 눈물; (*pl.*) 비애. ***in ~s*** 울며. ***∠·ful*** *a.* 눈물어린; 슬픈. ***∠·ful·ly*** *ad.* ***∠·less*** *a.*

tear²[tɛər] *vt., vi.* (***tore; torn***) ① 찢(어 지)다, 잡아뜯다, 할퀴다, 쥐어뜯다(~ *one's hair*). ② 분열시키다〔하다〕. ③ (*vt.*) 괴롭히다. ④ (*vi.*) 돌진하다, 미친듯이 날뛰다(*about, along*). ~ ***away*** 잡아째다〔떼다〕; 질주하다. ~ ***down*** 당겨 벗기다, 부수다. ~ ***round*** 법석떨(며 돌아다니)다. ~ ***up*** 잡아찢다〔뽑다〕; 근절시키다. — *n.* Ⓒ 째진〔뜯어진, 찢어진〕 곳; 돌진, 날뛰기, 격노; 《俗》 야단법석. ~ ***and wear*** 소모(消耗). ***∠·ing*** *a.* 격렬한; 잡아 째는.

téar·awày[tɛ́ər-] *n.* Ⓒ 난폭한 사람〔동물〕; 불량배.

téar·dròp[tíər-] *n.* Ⓒ 눈물방울.

téar·gàs[tíər-] *vt.* (***-ss-***) (폭도 등에) 최루가스를 사용하다〔쏘다〕.

téar-jèrker[tíər-] *n.* Ⓒ 《口》 눈물을 짜게 하는 영화〔노래·이야기〕.

téa·ròom *n.* Ⓒ 다방.

:**tease**[ti:z] *vt.* 괴롭히다; 놀려대다; 조르다. — *n.* Ⓒ 괴롭히는 사람, 괴롭히기; 놀려대는 사람, 놀려대기; 조르는 사람, 조르기; tease 당하기. **téas·er** *n.*

tea·sel[tí:zəl] *n.* Ⓒ 〖植〗 산토끼꽃; 산토끼꽃의 구과(毬果)《모직의 보풀 세우는 데 씀》; 보풀세우는 기구. — *vt.* (《英》 ***-ll-***) 티즐〔보풀 세우는 기구〕로 보풀을 세우다.

téa sèrvice 〔**sèt**〕 찻그릇 한 세트, 티세트.

:**téa·spòon** *n.* Ⓒ 찻숟가락; =⇩.

téa·spoonfùl *n.* (*pl.* ***~s, -tea-spoonsful***) Ⓒ 찻숟가락 하나의 양.

teat[ti:t] *n.* Ⓒ 젖꼭지(nipple).

Tec(h)[tek] *n.* Ⓒ 《口》 공예 학교, 공업〔공과〕 대학〔학교〕.

:**tech·ni·cal**[téknikəl] *a.* ① 공업의, 공예의. ② 전문의; 기술(상)의; 학술의. ~**·ly** *ad.*

tech·ni·cal·i·ty[tèknəkǽləti] *n.* Ⓤ 전문〔학술〕적임; Ⓒ 학술〔전문〕 사항; 전문어.

·**tech·ni·cian**[tekníʃən] *n.* Ⓒ 기술자; 전문가.

Tech·ni·col·or [téknikʌ̀lər] *n.* Ⓒ 〖商標〗 (미국의) 테크니컬러식 천연색 촬영법(에 의한 천연색 영화).

:**tech·nique**[tekní:k] *n.* Ⓒ (예술상의) 기법, 기교. 「등의 결합사.

tech·no-[téknou, -nə] 기술·응용

tech·noc·ra·cy[teknákrəsi/-ɔ́-] *n.* Ⓤ,Ⓒ 기술자 정치, 기술 중심주의《1932년경 미국서 제창》. **tech·no·crat**[téknəkræ̀t] *n.*

tech·no·log·i·cal[tèknəládʒikəl/-ɔ́-] *a.* 공예의; 공예학의. **-gist** *n.*

·**tech·nol·o·gy**[teknálədʒi/-ɔ́-] *n.* Ⓤ,Ⓒ 과학〔공업〕 기술; Ⓤ 공예(학); Ⓤ 전문어.

téd·dy bèar[tédi-] (특히 봉제품의) 장난감 곰.

Téddy bòy 《口》 (1950년대의 영국의) 반항적 청소년.

:**te·di·ous**[tí:diəs, -dʒəs] *a.* 지루한, 장황한. ~**·ly** *ad.*

te·di·um[tí:diəm] *n.* Ⓤ 권태.

tee[ti:] *n., vt., vi.* Ⓒ ① 〖골프〗 공자리(위에 놓다《공을》); (QUOITS 따

위의) 목표; 정확한 점. ② T자형의
물건. **～ off** (공을 공자리에서 차
기 시작하다); (제안 따위를) 개시하
다. **tee a ～, or to a T-** 정연히.

*teem[tiːm] vi. 충만하다, 많이 있다
(abound) (**with**). **～·ing** a.

*téen-àge a. 10대의. **-àger** n. ⓒ
10대의 소년(소녀).

*teens[tiːnz] n. pl. 10대 (a girl in
her ～, 10대의 소녀). (**high** [**mid-
dle, low**] ～ 18-19[15-16(低는
16-17), 13-14]세.

*tee·ny·bop·per[tíːnibɑ̀pər/-bɔ̀-]
n. ⓒ 10대의 소녀; 히피의 흉내를 내
거나 일시적 유행을 쫓는 10대.

tee·ter[tíːtər] n. 《주로 美》 vi., vt.,
ⓒ 시소(seesaw); 전후[상하]로 혼
들어 움직이다.

*teeth[tiːθ] n. tooth의 복수.

teethe[tiːð] vi. 이[젖니]가 나다.
téeth·ing n. Ⓤ 젖니의 발생.

tee·to·tal[tiːtóutl] a. 절대 금주의;
《口》 절대적인, 완전한. **-er, 《英》**
-ler n. ⓒ 절대 금주가.

Tef·lon[téflɑn/-lɔn] n. Ⓤ《商標》
테플론(열에 강한 수지).

tel. telephone.

tel·e-[télə], tel-[tel-] 《원거리의,
전신, 전송, 텔레비전》의 뜻의 결합사.

tèle·com·mu·ni·cá·tion n.《보통
pl.》《단수 취급》《컴》 원격[전자] 통
신.

*tel·e·gram[téləgræm] n. ⓒ 전보.

*tel·e·graph[téləgræf, -grɑ̀ːf] n.,
vt., vi. Ⓤ,ⓒ 전신(기); 타전하다;
《컴》 전신. **-graph·ic[tèləgræfik]**
a.

*te·leg·ra·phy[təlégrəfi] n. Ⓤ 전
신(술). **-pher** n. ⓒ 전신 기수.

*tel·e·ol·o·gy[tèliɑ́lədʒi/-5-] n.
《哲》 목적론. **-o·log·i·cal[-əlɑ́dʒi-
kəl/-5-]** a. **-gist** n.

*te·lep·a·thy[təlépəθi] n. Ⓤ 텔레
파시, 정신 감응; 이심전심(以心傳心)
현상. **tel·e·path·ic[tèləpǽθik]** a.
-thist n. ⓒ 정신 감응(가능)론자.

*tel·e·phone[téləfòun] n. Ⓤ 《종
종 the ～》 전화(기). **by ～** 전화
로. 전화로. **～ booth** 전화 공중 박스.
～ directory 전화 번호부. **～
exchange (office)** 전화 교환국.

— vt., vi. (…와) 전화로 이야기하
다; (…에게) 전화를 걸다(**to**), 전화
로 불러내다.

te·leph·o·ny[təléfəni] n. Ⓤ 전화
통화법; 전화 통신. **tel·e·phon·ic**
[tèləfɑ́nik/-5-] a.

tel·e·pho·to[tèləfóutou] n., ⓒ 망원
사진(의). **～ lens** 망원 렌즈.

*tèle·phóto·graph n., vt., vi. ⓒ 망원
사진(을 찍다); 전송 사진(을 보내
다). **-photográphic** a. **-phótog·
raphy** n. Ⓤ 망원[전송] 사진술.

tèle·prín·ter n.《주로 英》= TELE-
TYPEWRITER.

Tel·e·Promp·Ter[-prʌ̀mptər/-ɔ̀-]
n. ⓒ《商標》 텔레프롬프터《글씨가 테
이프처럼 움직여 연기자에 대사 등을
일러주는 장치》.

:tel·e·scope[téləskòup] n., vi., vt.
ⓒ 망원경(으로 본다[보여 주다]); 짧
아지다, 짧게 하다.

tel·e·scop·ic[tèləskɑ́pik/-5-] a.
망원경의; 망원경으로 본[볼 수 있
는]; 멀리 볼 수 있는; 뽑았다 끼웠다
할 수 있는, 신축 자재의.

*tel·e·text[télətèkst] n. Ⓤ 문자 다
중(多重) 방송; 《컴》 텔레 텍스트.

tel·e·thon[téləθɑ̀n/-θɔ̀n] n. ⓒ
(자선 모금을 위한) 장시간 텔레비전 프
로그램.

tèle·týpe·writ·er n. ⓒ 텔레타이프,
전신 타자기.

*tel·e·vise[-vàiz] vt. 텔레비전으로
보내다[받다].

*tel·e·vi·sion[téləvìʒən] n. Ⓤ 텔
레비전; ⓒ 텔레비전 수상기.

tel·ex[téleks] n. Ⓤ 텔렉스《국제 텔
레타이프 자동 교환기》.

:tell[tel] vt., vi. (**told**) ① 말하다, 이
야기하다, 언급하다. ② 고하다; 누
설하다. ③ 명하다. ④ 알다(**Who can
～?**《反語》누가 알 수 있겠는가?).
⑤ (vt.) 분간하다(~ **silk from
nylon** 비단과 나일론을 분간하다).
⑥ (vt.) 세다(~ **one's beads** 염주를
세다). ⑦ (이하 vi.) 고자질하다 (**on,
of**). ⑧ 영향·타격이 있다(take effects)
(**on, upon**). **All told** 전부 다 해서.
명령하다 (**can**) **～ you, or Let me ～
you.** 확실히, …이다《확신의 표현》. **Don't**

~ me... 설마 …은 아니겠지. **I'll ~ you what** 할 이야기가 있다. **~ apart** 식별하다. **~ off** 세어서 갈라놓다; (대(隊)를) 분견하다, 일을 할당하다; (번호를 붙이다; 말을 들어서) 몹시 나무라다. **~ on (him)** (그의 일을) 고자질하다. **~ the world** 단정(공언)하다. **You're ~ing me!** 《俗》 알고 있네! **〜er** 이야기하는 사람; 금전 출납원; 투표 계표원. **〜ing** n. 잘 듣는, 효과적인

tell·tale n., a. 고자질쟁이, 수다 쟁이; (감정·비밀 등의) 표시, 증거; 자연히 나타나는, 숨길 수 없는.

tel·ly [téli] n. 《英口》 텔레비전.

te·mer·i·ty [təmérəti] n. Ⓤ 만용, 무모.

tem·per [témpər] n. ① Ⓤ (여러 가지 재료의) 알맞은 조합(調合) 정도, 적당한 정도; ② Ⓤ (마음의) 침착, 평정, ③ Ⓤ (강철의) 되불림; (회반죽의) 굳기, ④ Ⓒ 기질. ⓊⒸ 기분; 화. **hot ~** 발끈거리는 성미. **in a good (bad) ~** 기분이 좋아서(나빠서). **in a ~, or out of ~** 화가 나서. **lose one's ~** 화내다. **show ~** 화내다. ─ vt. 눅이다; 달래다; 경감하다; (악기·소리의 높이를) 조정하다; (강철 따위를) 단련하다; (진흙을) 반 죽하다. ─ vi. 부드러워지다; (강철 이) 불려지다.

tem·per·a [témpərə] n. Ⓤ 템페라 화(畵).

tem·per·a·ment [témpərəmənt] n. ⓊⒸ 기질, 체질; 격정, ③ 《樂》 (12) 평균율(法). **-men·tal** [〜méntl] a. 기질(상의); 성미가 까다로운; 변덕스러운; 신경질의.

tem·per·ance [témpərəns] n. Ⓤ 절제, 삼감; 금주.

tem·per·ate [témpərit] a. 절제하는, 삼가는; 온건한; 절(금)주의 의; (기후·계절의) 온난한.

tem·per·a·ture [témpərətʃər] n. ⓊⒸ 온도; 체온; 열. **run a ~** 열이 있다, 열을 내다. **take one's ~** 체온을 재다.

tem·pest [témpist] a. 사나운 비바 람, 폭풍우(설); 대소동.

tem·pes·tu·ous [tempéstʃuəs] a. 사나운 비바람의; 폭풍(우) 같은; 격 렬한. **〜ly** ad.

tem·plate, -plet [témplit] n. (수지 등의) 형판, 본뜨는 자; 《컴》 순서있음 자, 템플릿.

tem·ple¹ [témpl] n. Ⓒ 성당, 신전 (神殿); 절; (T-) (Jerusalem의) 성전; (기독교의 어떤 종파의) 교회

tem·ple² n. Ⓒ (보통 pl.) 관자놀이.

tem·po [témpou] n. (It.) Ⓤ 《樂》 속도; 템포, 빠르기.

tem·po·ral [témpərəl] a. ① 현세 [뜬 세상]의; 세속의, ② 때의, 시간 의; ③ 순간적인; 일시적인. **lords, or ~ peers** (성직자 아닌) 상원 의원 (cf. LORD spiritual).

tem·po·rary [témpərèri/-rə] a. 일시의, 잠시의; 임시의; 덧없는. **~rar·i·ly** ad.

tem·po·rize [témpəràiz] vi. 형세 에 따르다, 기회주의적 태도를 취하 다; 타협하다; (시간을 벌기 위해) 꾸 물거리다. **-ri·za·tion** [〜rizéiʃən/-rai-] n.

tempt [tempt] vt. ① 유혹하다, ② (식욕을) 당기게 하다; 꾀다(to do). ③ 성나게 하다. 무릅쓰다(~ a storm 폭풍우를 무릅쓰고 가다). ④ 《古》 시도하다(attempt). **~ prov·idence** 모험을 하다. **〜er** n. Ⓒ 유혹 자; (T-) 악마. **〜ing** a. 유혹적인, 마음을 끄는; 먹음직한, 탐이 나 보이는.

temp·ta·tion [temptéiʃən] n. ① 유혹; ② Ⓒ 유혹물.

tempt·ress [témptris] n. Ⓒ 유혹 하는 여자.

ten [ten] n., a. Ⓤ 10(의); Ⓒ 열 개(사람)의. **~ to one** 십중팔구 (까지), **the best ~** 베스트 텐, 베 스트텐. **the T- COMMANDments**. **the upper ~** 귀족, 상류 사회(< the upper ten thousand).

ten·a·ble [ténəbl] a. (성·진지 등) 지킬 수 있는; (학설 등) 조리에 닿 는. **-bly** ad.

te·na·cious [tinéiʃəs] a. 고집하는, 완고한; (기억력이) 강한; 끈질긴 (sticky). **〜ly** ad. **te·nac·i·ty** [-nǽsəti] n. Ⓤ 고집; 완강, 끈질 김

T

김; 강한 기억력: 끈기.

ten·an·cy [ténənsi] *n.* ① (땅·집의) 임차(賃借). ② 그 기간.

ten·ant [ténənt] *n.* ⓒ 차지인(借地人), 차가인(借家人), 소작인; 거주자. — *vt.* 빌다, 임차하다; (…에) 살다. — **ry** *n.* 〖집합적〗 차지인, 차가인, 소작인(들).

tend [tend] *vt.* 지키다(watch over); 돌보다, 간호하다. — *vi.* 시중들다(on, upon); 주의하다(to). **ance** *n.* 시중; 간호.

tend² [tend] *vi.* 향하다(to); 경향이 있다, …하기 쉽다(be apt)(to do); 도움이 되다(to).

ten·den·cious, -tious [tendénʃəs] *a.* 경향적인, 목적이 있는, 선전적인.

ten·den·cy [téndənsi] *n.* ⓒ 경향(to, toward); 버릇; (이야기의) 취지.

tend·er¹ [téndər] *n.* ⓒ 감시인; 돌보는 사람, 간호인; 부속선(附屬船) (기관차의) 탄수차(炭水車).

tend·er² [téndər] *vt.* 제출 〖제공·제의〗하다(감사 등을) 말하다, (돈을) 지급하다. — *vi.* 입찰하다(for). — *n.* ① 제공(물), 신청; 입찰. ② 〖美〗 법화(法貨) (legal tender).

ten·der³ [téndər] *a.* ① (살·피부·색·맛 따위가) 부드러운; ② 허약한, 무른; 부서지기[상하기] 쉬운. ③ 민감한 ④ 상냥한, 친절한. ⑤ 젊은(of ~ age 나이 어린), 연약한. ⑥ 미묘한: 다루기 까다로운(a ~ problem): (…을) 조심 [걱정]하는(of, for). — **ly** *ad.* 상냥하게, 친절히; 유약하게; 두려워하며. **ness** *n.*

tén·der-héarted *a.* 상냥한, 인정 많은.

tén·der-lóin *n.* Ū.ⓒ (소·돼지의) 연한 등심; (T-) (유흥에 있던 악덕으로 이름난) 환락가; 부패한 거리.

ten·don [téndən] *n.* ⓒ 〖解〗 건(腱).

ten·dril [téndril] *n.* ⓒ 〖植〗 덩굴손.

ten·e·ment [ténəmənt] *n.* ⓒ 보유물; 차가(借家), 가옥.

ténement hóuse 싸구려 아파트; 연립 주택.

ten·et [ténət, tí:-] *n.* ⓒ 신조; 주의; 교의.

ten·fold [ténfòuld] *a., ad.* 10배의[로], 열 겹의[으로].

ten·ner [ténər] *n.* ⓒ 〖英口〗10파운드 지폐; 〖美口〗10달러 지폐.

ten·nis [ténis] *n.* Ū 테니스.

ténnis cóurt 테니스 코트.

ténnis élbow 테니스 등이 원인으로 생기는 팔꿈치의 관절염.

ten·on [ténən] *n.*, *vt.* 〖木工〗 장부(를 만들다); 장부이음하다.

ten·or [ténər] *n.* ① (the ~) 진로; 취지, 대의. ② 〖樂〗 테너; 테너 가수.

tense¹ [tens] *a.* 팽팽한; 긴장한. — *vt.* 팽팽하게 하다; 긴장시키다. — **ly** *ad.* — **ness** *n.*

tense² [tens] *n.* Ū.ⓒ 〖文〗 시제(時制).

ten·sile [ténsəl/-sail] *a.* 장력(張力)의; 잡아늘일 수 있는(ductile). ~ **strength** 항장력(抗張力).

ten·sil·i·ty [tensíləti] *n.*

ten·sion [ténʃən] *n.* ① Ū.ⓒ 팽팽함, 긴장; (정신·국제 관계의) 긴장. ② Ū 〖理〗 장력(surface ~ 표면 장력); 팽창력, (기체의) 압력; 〖電〗 전압. — *vt.* 긴장시키다.

tent [tent] *n.*, *vt.*, *vi.* ⓒ 텐트(에서 자다), 천막으로 덮다; 주거. **pitch** [strike] a ~ 텐트를 치다[걷다].

ten·ta·cle [téntəkl] *n.* ⓒ 촉수(觸手), 촉각; 〖植〗 촉모(觸毛). **d**[-d] *a.* 촉각[촉모] 있는.

ten·ta·tive [téntətiv] *a.* 시험적인, 시험삼아 하는.

ten·ter·hook [téntərhùk] *n.* ⓒ 재양틀의 갈고리. **be on ~s** 조바심하다.

tenth [tenθ] *n.*, *a.* ① Ū (the ~) 제 10(의), 10째(의). ② ⓒ 10분의 1(의). ③ Ū (the ~) (달의) 10일. **ly** *ad.* 열번째로[에].

ten·u·ous [ténjuəs] *a.* 가는, 얇은; 희박한; 미미한.

ten·ure [ténjuər] *n.* Ū.ⓒ (재산·지위 등의) 보유(권); 그 기간·조건. ~ **of life** 수명. **ten·úr·i·al** *a.*

te·pee [tíːpiː] *n.* ⓒ (아메리카 토인의) 천막집.

tep·id [tépid] *a.* 미지근한, 미온의 (lukewarm). **ly** *ad.* **ness** *n.* **te·píd·i·ty** *n.*

ter·cen·te·nary [tə:rséntənèri, --ténəri/tə:sénti:nəri] *n., a.* 300年(의); 300년제(祭)(의).

:term [tə:rm] *n.* ① (原來의 뜻) 한계, 한정; (cf. **terminus**.) ② ⓒ 기한, 기간; 학기. ② ⓒ (법원의) 개정기(開廷期); (지불의) 기일, (pl.) (한정하는) 조건, 조항; (계약·지불·값 따위의) 약정. ④ (pl.) 요구액, 값. ⑤ (pl.) 친교 관계. ⑥ (한정된) 개념 (用語). ⑦ (pl.) 말투. ⑧ ⓒ 【論】명사; 【數】항(項). **bring a person to ~s** 항복시키다. **come to ~s** 절충이 되다, 타협하다. **in ~s of** …에 의해서; …의 점에서(보면). **make ~s with** …와 타협하다. **not on any ~s** 결코 …아니다. **on good [bad] ~s** 사이가 좋아서(나 빠서) (with). **on speaking ~s** 말을 건넬 정도의 사이에서(with). — *vt.* 이름짓다, 부르다.

ter·mi·nal [tə́:rmənəl] *a.* ① 마지막의; 종점의(a ~ station 종착역). ② 정기(定期)의; 학기의. — *n.* ⓒ ① 말단; (美) 종착역(英) terminus). ② 【電】단자(端子). ③ 학기말 시험. ④ 【컴】단말(端末기). ⑤ 터미널 (데이터 입출력 장치). **~·ly** *ad.* ① 매기(每期)마다, 정기적.

ter·mi·nate [tə́:rmənèit] *vi., vt.* ① 끝나다, 끝내다; (vi.) 다하다. ② (vt.) 한정하다, (…의) 한계를 이루다. **·na·tion** [∼ʃən] *n.* ⓒ 종결; 기말; 말단; 한계; 【文】(굴절) 어미.

ter·mi·nol·o·gy [tə̀:rmənálədʒi/-mɔ́nl-] *n.* ⓤ 술어, 용어; 용어(법), 전문어. **-no·log·i·cal** [∼nəládʒikəl/-ɔ́l-] *a.*

ter·mi·nus [tə́:rmənəs] *n.* (pl. **-ni** [-nài], **~·es**) ① 종점(英) 종착역(cf. (美) terminal). ② 경계(점).

ter·mite [tə́:rmait] *n.* ⓒ 흰개미.

tern [tə:rn] *n.* ⓒ 【鳥】제비갈매기.

:ter·race [térəs] *n.* ⓒ 대지(臺地), 높은 지대(에 늘어선 집들); 단(段). ② (집에 이어진) 테라스. ③ 납작한 지붕. — *vt.* 대지[단, 테라스]로 하다. **~d** [-t] *a.* 테라스로 된; 테라스가 있는; 계단식의.

ter·ra-cot·ta [térəká/-kɔ́-] *n., a.* 붉은 질그릇(꽃병·기와·상(像) 따위); 적갈색의.

ter·ra fir·ma [térə fə́:rmə] (L.) 육지; 견고한 지위.

ter·rain [təréin] *n.* ⓤⓒ 지대, 지세; 【軍】지역.

ter·ra·pin [térəpin] *n.* ⓒ (북아메리카산) 식용거북.

·ter·res·tri·al [tiréstriəl] *a., n.* 지구의; 육지의; 육상의, 육지에 사는; 지상의; 속세의(worldly); ⓒ 지상에 사는 것, 인간.

ter·ri·ble [térəbəl] *a.* 무서운; (口) 서투른. — *ad.* (口) 몹시. **:·bly** *ad.*

ter·ri·er [tériər] *n.* ⓒ 테리어(품종이 작은 개).

ter·rif·ic [tərífik] *a.* 무서운; (口) 대단한, 굉장한.

ter·ri·fy [térəfài] *vi.* 겁나게(놀라게) 하다.

ter·ri·to·ri·al [tèritɔ́:riəl] *a.* 영토의, 토지의; 지역적인; (T-) (美) 준주(州)의. **~ waters** 영해. **~ principle** 【法】속지(屬地)주의.

:ter·ri·to·ry [tératɔ̀:ri/-təri] *n.* ① ⓤⓒ 영토, 판도(版圖). ② ⓤⓒ (ту 따위의) 분야; 지역, 지방; (행상인의) 담당 구역. ③ ⓒ (T-) (美史) 준주(準州).

:ter·ror [térər] *n.* ① ⓤ 공포, 두려움(*in* ~ 무서워서). ② ⓤ 무서운 사람(것). ③ ⓒ (口) 성가신 녀석. **the king of ~s** 죽음. **the Reign of T-** 공포 시대(프랑스 혁명중 1793년 5월부터 이듬해 7월까지). **~·is·tic** [∼ístik] *a.* 공포의. **~·ize** [-àiz] *vt.* 무서워하게 하다; 공포 정치로 누르다.

térror-stricken, -strúck *a.* 겁(공포)에 질린.

terse [tə:rs] *a.* (문체가) 간결한 (succinct). **~·ly** *ad.* **~·ness** *n.*

ter·ti·ar·y [tə́:rʃièri, -ʃiəri] *a.* 제 3 (위)의; (T-) 【地】제 3 기(紀)의; (美·宗)의.

Ter·y·lene [térəli:n] *n.* ⓤ 【商標】테릴렌(폴리에스터 섬유).

TESL[tesl] teaching English as a second language 제2외국어로서의 영어 교육.

tes·sel·late[tésəlèit] vt. 조각맞춤 세공을 하다. 모자이크로 하다. —[-lit] a. **-la·tion**[≧-léiʃən] n.

†**test**[test] n. ① ㉿ 테스트, 검사, 시험(put to the ~ 시험하다). ② 시험(물); 시약(試藥); 시금석. ③ 〖컴〗시험, 테스트, stand the ~ 합격하다. 시험에 견디다. — vt. 검사 [시험]하다. **~·a·ble** a. **~·er** n.

***tes·ta·ment**[téstəmənt] n. 〖聖〗성약(聖約)(서); 〖法〗유언(서); (T-) 신약성서. the New [Old] T- 신[구]약성서.

tést càse 테스트 케이스, 첫 시도; 〖法〗시소(試訴).

tést-drive vt. (-drove; -driven) (자동차에) 시험운전하다.

tes·ti·cle[téstikəl] n. ㉿ (보통 pl.) 〖解·動〗고환(睾丸).

‡**tes·ti·fy**[téstəfài] vi., vt. 증명[입증]하다. (vi.) 증인이 되다(to); (vt.) 확언하다. ~ **one's regret** 유감의 뜻을 표하다.

tes·ti·mo·ni·al[tèstəmóuniəl] n. ㉿ 증명서; 표창장; 기념품; 사례.

***tes·ti·mo·ny**[téstəmòuni / -məni] n. ㉿ ① 증거; 증명, 증언. ② 신앙 설명. ③ 〖聖〗 항의(against). ④ (pl.) 신의 가르침, 성서; 십계.

tes·tis[téstis] n. (pl. **-tes**[-tiːz]) = TESTICLE.

tes·tos·ter·one[testástəroun/-5-] n. ㉿ 테스토스테론(남성 호르몬).

tést pilot (신조기(新造機)의) 시험 조종사.

tést rùn 시운전, 〖컴〗모의 실행.

tést tùbe 시험관.

tést-tube bàby 시험관 아기.

tes·ty[tésti] a. 성미 급한. **-ti·ly** ad. **-ti·ness** n.

tet·a·nus[tétənəs] n. ㉿ 〖病〗파상풍(cf. lockjaw).

tetch·y[tétʃi] a. 성미 까다로운.

tête-à-tête[téitətéit, tètətét] ad., a., n. ㉿ 단 둘이서(의). ② 마주 보고, 마주 앉은; ② 비밀 이야기, 밀담; 마주 앉은 두 사람; 2인용 의자.

teth·er[téðər] n., vt. ㉿ (소·말의) 매는 사슬(밧줄)로 (매다); 한계, 범위. **at the end of one's ~** 갖은 수가 다하여, 힘이 빠져서.

tet·ra-[tétrə] '넷'의 뜻의 결합사.

Teu·ton[tjúːtən] n. ㉿ 튜턴 사람(〖영국·독일·네덜란드·스칸디나비아 사람 등〗) 독일 사람(German). ~**ic**[tjuːtán-/-i] a. 튜턴(게르만)의 [족·말]의. ~**ism**[tjúːtənìzəm] n. ㉿[독일]어[민족]문화].

***text**[tekst] n. ㉿㉿ 본문; ② 원문, 텍스트; 성구(聖句)(특히 설교 제목으로 인용되는); 화제(topic), 논제; 〖컴〗문서, 교재, 텍스트.

***text·book**[≧bùk] n. ② 교과서.

***tex·tile**[tékstail, -til] a., n. 직물의, 옷감; ② 직물; 직물 원료. ~ **fabrics** 직물 ~ **industry** 직물 공업.

tex·tu·al[tékstʃuəl] a. 본문[원문]의. ~**·ly** ad.

***tex·ture**[tékstʃər] n. ㉿㉿ ① 천감; 직물. ② (피부의) 결; (돌·목재의) 결, 조직. ③ (문장·그림·악곡의 심리적인) 감촉. ④ 〖컴〗그물 구성. **téx·tur·al** a.

-th[θ], **-eth**[θ, iθ] suf. '4' 이상의 서수 어미(fifth, sixtieth); (古) 3인칭 단수·직설법 현재의 동사 어미(doth, doeth).

tha·lid·o·mide[θəlídəmàid] n. ㉿ 탈리도마이드(전에 진정·수면제로 쓰이던 약). ~ **baby** 기형아(탈리도마이드제 수면제의 영향에 의한 기형아).

‡**than**[強 ðæn, 弱 ðən] conj. ① ···보다(도) (He is taller ~ I (am) =···《口》 ~ me.). ② (rather, sooner 등의 다음에서) ···하기보다는 (차라리). ③ (other, else 등의 다음에서) ···밖에 먼, ···이외에는, ···과 다른. — prep. ···보다; (than whom 의 꼴로) ···보다.

‡**thank**[θæŋk] vt. 감사하다. **I will ~ you to** (shut the window) (창문을) 닫아 주시오. **No,** ~ **you.** 아니오, 괜찮습니다《사양》. **T- God [Heaven]!** 옳지 됐다! **T- you for nothing!** 쓸데 없는 참견이다! **Thanking you in anticipation.**

이만 부탁드리면서(편지). **T- you for that ball!** 미안하네만(불을 남에게 집어 달랄 때의 상투적인 말). **You may ~ yourself for** (*that*) 자업자득일세. — *n.* (*pl.*) 감사, 사의(謝意), 사례(*Thanks!* 고맙소). **~s to** …덕택에(반어적으로도).

thank·ful [θǽŋkfəl] *a.* 감사하고 있는 (*to* him *for* it). **~·ly** *ad.* **~·ness** *n.*

thank·less [⹃lis] *a.* 감사하는 마음이 없는, 은혜를 모르는(ungrateful); 감사를 받지 못하는(*a ~ task*) 공을 알아 주지 않는(일).

thanks·giv·ing [θæ̀ŋksgívíŋ/⹃⹃] *n.* ⓤ 감사, 사은.

that [強 ðæt, 弱 ðət] (*rel.*) *pron.* (*pl.* those) ① 저것; 그것; 저 사람[일·것]. ② (**this**는 「후자」로 쓰여) 전자, 그것. ③ …의 그것, (*rel. pron.*) (…에 관한) 바의, **and all ~** 및 그런 등속; …따위(등등). **and ~** …게다가. **at ~** 그렇다 치더라도; (口) 게다가, 또; (口) 하여튼 는(일은) 그쯤하고, 끝내고; (美) 만사 (여러 가지)를 생각하여 본다. **in ~** = BECAUSE. **is** (*to say*) 즉, 다시 말하면. **So ~'s ~.** (口) 이것으로 그만(끝)이다. — [ðæt] *conj.* …이라는 (것); (이유)이므로(*I'm glad* (~) *you've come.*); (목적을) ~하기 위하여(*We work — we may live.*); (결과) …만큼, 그러므로; (판단) …하다니 (*Is he mad ~ he should speak so wild?* 그렇게 터무니 없는 말을 하다니 미쳤는가?); (소원) …이면 좋을 런만(*O* (*Would*) ~ *he might come soon!*); (놀람·불길한 분개 등) …되다니(*T- it should ever come to this!* 아아! 일이 이 지경이 될 줄이야!). — *ad.* (口) 그렇게 (so), 그 정도로(*I can't stay ~ long.* / (俗) *I am ~ sad I could cry.* 나는 그 정도로 슬프다).

thatch [θæt] *n., vt.* 이엉(을 이다); 짚으로 이다; (口) 초가식붕, 짚으로 이은 지붕. **~ed** [-t] *a.* 짚지붕의. **~·ing** *n.* 지붕이기, 지붕이기는 재료.

thaw [θɔː] *n., vi.* ① 해동, 눈이 녹으리기 녹음, (눈·서리가) 녹다, 날씨

가 풀리다; (몸이) 차차 녹다; (마음·태도가) 누그러지다, 풀리다. — *vt.* 녹이다; 녹이다; 풀리게 하다.

the [強 ðiː, 弱 자음 앞 ðə, 모음의 앞] *def. art.* 그, 저, 예(例)의, — (*rel. & dem.*) 하면 할수록 그만큼. **T- sooner, ~ better.** 빠르면 빠를수록 좋다, **ALL ~ better. none ~ better for doing** …해도 마찬가지야.

the·a·ter, (英) **-tre** [θíːətər] *n.* ① ⓒ 극장. ② ⓤ (the ~) (연극·극작물: 연극계. ③ ⓒ (계단식) 강당, 수술 교실 실. ④ ⓒ 전투지역(*the ~ of war* 전쟁터). **be** [make] **good ~** (그 연극은) 상연에 적합하다.

théater·góer *n.* ⓒ 자주 연극을 보러 가는 사람. **-going** *n., a.* ⓤ 관극(의).

the·at·ri·cal [θiǽtrikəl] *a.* 극장의; 연극(상)의; 연극 같은. **~·ly** *ad.* **~·s** *n. pl.* 연극(조의 몸짓), 소인극.

thee [強 ðiː, 弱 ði] *pron.* thou의 목적격.

theft [θeft] *n.* ⓤⓒ 도둑질(도둑; 절도.

their [強 ðɛər, 弱 ðər] *pron.* they의 소유격. **~s** *pron.* 그들의 것.

the·ism [θíːizəm] *n.* ⓤ 유신론. **-ist** *n.* **the·ís·tic** *a.*

them [強 ðem, 弱 ðəm] *pron.* they의 목적격.

theme [θíːm] *n.* ① ⓒ 논제, 화제, 테마. ② 과제 작문. ③ 〔樂〕 주제, 주선율; 〔라디오·TV〕 주제 음악(signature).

them·selves [ðəmsélvz] *pron. pl.* 그들 자신.

then [ðen] *ad.* ① 그때, 그 당시. ② 그리고 나서, 이어서; 다음에(next). ③ 그러면; 그래서, 그러므로, — **and ~** 그리고 나서, 그 위에, **but ~** 그러나 (또 한편으로는), **now —** … 어떤 때에는 … 또 어떤 때에는 …. **~ and there** 그 때 그 자리에서; 즉석에서.

thence [ðens] *ad.* 그러므로; 거기서부터; (口) 그후로부터, **~·fórth, ~·fór·ward**(**s**) *ad.* 그때 이래.

the·o- [θíːə] 「신(神)」의 뜻의 결합사.

the·od·o·lite [θiːάdəlàit] n. ⓒ 〔測〕 경위의(經緯儀).

the·o·lo·gian [θìːəlóudʒiən] n. ⓒ 신학자.

the·o·log·ic, the·o·log·i·cal [θìːəlɑ́dʒik/ -ls-], **-i·cal** [-əl] a. **-i·cal·ly** ad.

the·ol·o·gy [θiːɑ́lədʒi/θiɔ́-] n. ① ⓤ 신학. ② ⓒ (학문상의) 법칙. ③ ⓒ (탁상의) 공론. ③ ⓒ 의견.

the·o·ret·ic, the·o·ret·i·cal [θìːərétik], **-i·cal** [-əl] a. 이론(상)의; 공론(空論)의. **-i·cal·ly** ad.

the·o·rist [θíːərist] n. ⓒ 이론〔공론〕가.

the·o·rize [θíːəràiz] vi., vt. 이론을 세우다; 이론을 붙이다.

the·o·ry [θíːəri] n. ① ⓒ 학설, 설 (說), (학문상의) 법칙. ② ⓤ 이론; (탁상의) 공론. ③ ⓒ (俗) 의견.

the·os·o·phy [θiːɑ́səfi/θiɔ́-] n. ⓤ 접신론(接神); 신지학(神智學). **-phist** n. ⓒ 접신론자, 신지학자.

ther·a·peu·tic [θèrəpjúːtik] a. 치료(학)의. **-tics** n. ⓤ 치료학(법). **-tist** n.

ther·a·py [θérəpi] n. ⓤⓒ 치료.

there [ðɛər] ad. 그곳에, 거기에서〔로〕, 저곳에〔서〕〔으로〕; 그 점에서〔는〕. **Are you ~ ?** 〔전화〕 여보세요 (당신이오)?. **be all ~** 〔俗〕 정신 바로 차리고 있다, 제정신이다; 빈틈 없다. **get ~** 〔俗〕 성공하다. **T- is 〔are〕...** 〜이 있다. **There's a good boy!** 아아 착한 아이지, 그 **you are!** 거봐; (물건·돈 등을 내밀 면서) 자, 여기 있습니다. **You have me ~!** 졌다; 손들었네. — n. 〔전 치사 다음에〕 ⓤ 거기〔from ~〕. — int. 자!; 야!; 자봐!; 저런!; 그 것 봐라! **T- now !** 그것 봐라!

there·about, -a·bouts [ðɛ́ərəbàut] ad. 그곳에, 거기에〔로〕, 저곳에〔서〕〔으로〕; 그 점에서〔는〕. 그 무렵에; 대략, ...쯤.

there·af·ter [ðɛ̀ərǽftər] ad. 그 뒤로, 그 이후; 그것에 의해서.

there·by [ðɛ̀əbái] ad. 그것에 의해서, 그 때 문에, **T- hangs a tale.** 거기에는 까닭이 있다.

there·for [ðɛ̀əfɔ́ːr] ad. 《古》 그 때문에; 그 대신에.

there·fore [ðɛ́ərfɔ̀ːr] ad. 그러므 로; 그 결과.

there·from [ðɛ̀əfrɑ́m] ad. 《古》 거기서〔그것으로〕부터.

there·in [ðɛ̀əín] ad. 《古》 그 속에, 그 점에 서.

there·of [ðɛ̀əάv] ad. 《古》 그것에 관해서; 그것의, 거기서〔그것으로〕부터.

there·on [ðɛ̀əάn] ad. 《古》 게다가, 그 위에; 그 즉시.

there·upon [ðɛ̀ərəpɑ́n] ad. 그리하여 (즉시); 그러므로; 그 위에.

therm [θəːrm] n. ⓒ 〔理〕 섬(열량 단위).

ther·mal [θə́ːrməl] a., n. 열(량)의; 열에 의한; 열되한; 따뜻한; ③ 상승 기류.

therm(o)- [θə́ːrmou, -mə] '열 (熱)'의 뜻의 결합사.

ther·mo·dy·nam·ics n. ⓤ 열역학 (熱力學). **-dynamic, -ical** a.

ther·mom·e·ter [θərmάmitər/ -mɔ́mi-] n. ⓒ 온도계. 한란계, 체 온계(clinical ~). **ther·mo·met·ric** [θə̀ːrmoumétrik] **-ri·cal** [-əl] a.

ther·mo·nu·clear a. 열핵의.

ther·mos [θə́ːrmɑs/-mɔs] n. ⓒ 보 온병(保溫瓶). **T- bottle** 〔flask〕 〔商標〕 = THERMOS.

ther·mo·stat [θə́ːrməstæt] n. ⓒ 〔자동〕 온도 조절기.

the·sau·rus [θiːsɔ́ːrəs] n. (pl. **-ri** [-rai]) ⓒ 보고(寶庫); 사전; 백과 사전; 〔컴〕 관련어집, 시소러스.

these [ðiːz] pron. a. this의 복수.

the·sis [θíːsis] n. (pl. **-ses** [-siːz]) ⓒ ① 논제, 주제; 〔論〕 정립(定立); 〔哲〕(변증법에서) 정(正), 테제(cf. antithesis, synthesis). ② (졸업 학위) 논문.

they [강 ðei, 弱 ðe] pron. ① he, she, it의 복수. ② (세상) 사람들. ③ (군 또는 민간의) 높은 양반; 당국 자. **T- say that** ...이라는 소문이 다; ...이라고 한다. **~'d** [ðeid] they would 〔had〕의 단축. **~'ll** they will 〔shall〕의 단축. **~'re** [ðeiər] they are의 단축. **~'ve** they have의 단축.

thick [θik] a. ① 두꺼운, 굵은; 두께 가 ...인. ② 빽빽한, 우거진, 털 많 은. ③ 혼잡한, 많은(with); (...로) 가득 찬, 들이〔with〕. ④ 짙은, 진한, 걸쭉한. ⑤ (연기·안개 따위로) 짙은, 흐린, 자욱한. ⑥ (목소리가)

탁한, 묵선, 탁한 목소리의. ⑦ (머리가) 둔한, 우둔한(cf. thickhead). ⑧(口)친밀한. ⑨《英口》견딜 수 없는, 지독한, **as ～ as thieves** 매우 친밀한. **have a ～ head** 머리가 나쁘다. **with honors ～ upon** 넘치는 영광을 한몸에 받다. —ad. 두껍게; 진하게; 빽빽하게; 빈번하게; 탁한 소리로. —n. (sing.) 가장 두꺼운(굵은) 부분. 우거진(전쟁 따위의) 한창때. **through ～ and thin** 좋을 때나 나쁠 때나, 만난(萬難)을 무릅쓰고. **～·ly** ad.

thick·en[θíkən] vt., vi. ① 두껍게 하다, 두꺼워지다; 굵게, 굵어지다. ② 진하게 하다, 진해지다. 빽빽하게 하다, 빽빽해지다. ③ 흐리게 하다, 흐려지다. 탁하게 하다, 탁해지다. 안개를 자욱하게 하다, 안개가 자욱해지다. ④ (이야기·줄거리 따위) 복잡하게 하다, 복잡해지다. ⑤ 심하게 하다, 심해지다. 강하게 하다, 강해지다. **～·ing** n. 두껍게(굵게, 진하게) 하기(만든 부분). U 농후(濃厚) 재료.

thick·et[θíkit] n. ℂ 덤불, 잡목숲.

thick·head[̃hèd] n. ℂ 바보. **～·ed** a. 머리가 둔한.

thick·ness[θíknis] n. ① U 두께; 진함, 농도; 밀생. ② ℂ 불투명(으로)된 탁. ③ ℂ 가장 두꺼운 부분. ④ U 빈번.

thick·set[a. ✓sét; n. ⌐] a., n. 옹창한, 빽빽한; 땅딸막한; ℂ 옹창히 우거진(옹창한) 산울타리.

thick-skinned [⌐] a. (살가죽이) 두꺼운; 철면피한; 둔감한.

thief[θi:f] n. (pl. thieves[-vz]) ℂ 도둑.

thieve[θi:v] vt., vi. 훔치다; 도둑질 하다. ─ 하다.

thigh[θai] n. ℂ 넓적다리, 가랑이.

thim·ble[θímbəl] n. ℂ (재봉용) 골무; [機] 끼움쇠테(밧줄의 마찰에 방호).

thim·ble·ful[−fùl] n. ℂ (술 따위의) 극소량.

thin[θin] a. (**-nn-**) ① 얇은, 가는. ② 야윈. ③ (청중이) 드문드문한, 얼마 안 되는. ④ 희박한(rare). ⑤ (목소리가) 가는, 가냘픈; 힘 없는.

⑥ 깊이[충실감·강도] 없는; (변명 따위) 희는 들여다보이는; 천박한, 빈약한. **have a ～ time**(俗)언짢은 일을 당하다. ─ vt., vi (**-nn-**) 얇게[가늘게, 드문드문하게] 하다[되다]; ~ 아위(게) 하다; 약하게 하다[되다]. **～ down** 가늘게 하다[되다]. **～ out** (식물을) 솎다; (청중이) 드문드문해지다.

thine[ðain] pron. (古·詩)《thou의 소유대명사》너의 것; 《모음 또는 h자 앞에서》너의(in ~ eyes).

thing[θiŋ] n. ① ℂ (유형·무형의) 물건, 무생물, 일. (pl.) 사물(~s Korean 한국의 풍물). ② (pl.) 사정, 사태. ③ ℂ 말하는 것, 말; 문 위, 생각, 의견. ④ ℂ 작품의 일. ⑤ ℂ 생물, 동물; 사람, 여자(《경멸·연민·애정 등을 나타내어》(a little young ～ 귀여운 ~ 제집애). ⑥ U 사항, 점. ⑦ (pl.) (口) 소지품; 의복(주로 외의); 도구; 재산, 물건. ⑧ (the ～) 바른 일, 요긴한 일[생각]. ⑨ (the ～) 바른 일, 요긴한 일[생각]. **know a ～ or two** 빈틈없다, 익숙하다. **make a good ～ of (口)** ~으로 이익을 보다. **Poor ～!** 가엾어라! **see ～s** 착각[환각]을 일으키다.

thing·a·my, thing·um·my[θíŋəmi], **thing·um·a·jig**[θíŋmədʒìg], **thing·um·a·bob** [θíŋəm(ə)bàb/-bɔ̀b] n. 뭐라는가 하는 사람[것?], 아무개.

think[θiŋk] vt. (**thought**) ① 생각하다. ② ...라고 생각하다, 믿다. ③ (...으로) 생각하다, 간주하다. ④ 상상하다; ~하려고 하다(to). ⑤ 기하다. ⑦ 생각하여, 궁리[숙고]하다. ─ vi. 생각하다(into). (over, about, of, on)I'll ～ about. 생각해 봅시다[숙고하겠다]. ② 생각해 내다(of, on). ③ 에기하다. ~ **aloud** 무심코 혼잣말하다. ~ **BETTER**①. ~ **highly (nothing) of** ~을 존중하게 보다. ~ **of** ~의 일을 생각하다; 생각해 내다; 숙고하다; 을 해볼까 생각하다(doing). ~ **out** 안출하다; 곰곰이 생각하다; 생각 끝에 해결하다. ~ **over** 숙고하다.

through 해결할 때까지 생각하다. **~ twice** 재고하다. **~ up** 생각하다. **~ well** [**ill**] **of** …을 좋게[나쁘게] 생각하다. **~‧a‧ble** *a.* 생각할 수 있는. **~‧er** *n.* ⓒ 생각하는 사람, 사상가. **:~‧ing** [ɪ́ŋ] *n.*, *a.* Ⓤ 생각(하는); 사려 깊은; 사고 (思考)

thinking càp 마음의 반성[집중] 상태.

think tànk 《口》 두뇌 집단.

thin-skinned *a.* (살)가죽이 얇은; 민감한; 성마른.

third [θəːrd] *n.*, *a.* Ⓤ 제3(의), 세번째(의) ⓒ 3분의 1(의); 《樂》 《pl.》 남계 유산의 3분의 1(미망인에게의); Ⓤ《法》 3루; 《樂》제3음, 3도 (음정). **~‧ly** *ad.* 세째로.

third-class *a., ad.* 3등의(으로).

third degrée 《美》 (경찰관의) 고문 (拷問), 가혹한 심문.

third párty 《法》 제3자. 「칭.

third pérson 제3자; 《文》 제3인

third-rate *a.* 3등의; 열등한.

third wórld 제3 세계.

thirst [θəːrst] *n.* ① Ⓤ 목마름, 갈증. ② 《sing.》 갈망(*after, for, of*》 **have a ~** 목이 마르다; 《口》 한잔 마시고 싶다. ─ *vi.* 갈망하다 (*after, for*》

thirst‧y [θəːrsti] *a.* 목마른; 술을 좋아하는; 건조한; 갈망하는(*for*》 **thirst‧i‧ly** *ad.* **thírst‧i‧ness** *n.*

:thir‧teen [θəːrtíːn] *n.*, *a.* ⓊⒸ 13(의), **~‧th** *n.*, *a.* Ⓤ 제13의 1(의).

:thir‧ti‧eth [θəːrtiìθ] *n.*, *a.* Ⓒ 제 30(의); ⓒ 30분의 1(의).

:thir‧ty [θəːrti] *n.*, *a.* ⓊⒸ 30(의). **:this** [ðis] *pron.* 《*pl.* **these**》 ① 이 것, 이 물건(사람). ② 지금, 오늘, 여기. ③ (that에 대해서) 후자. **at ~** 이때에. **by ~** 이 때까지에. **~, that, and the other** 이것 저것. ─ *a.* 이것의; 지금의. **for ~ ONCE.** **~ day week** 지난 주(내주)의 오늘. ─ *ad.* 《口》 이 정도까지, 이만큼. **~ much** 이만큼 (은), 이 정도.

this‧tle [θisl] *n.* ⓒ 《植》 엉겅퀴. **this‧tle‧dòwn** *n.* Ⓤ 엉겅퀴의 관모

(冠毛)

thith‧er [θíðər, ðíð—] *ad., a.* 《古》 저쪽에[으로], 저기에[로]; 저쪽의. **~‧ward(s)** *ad.* 저쪽으로.

tho(')[ðou] *conj.*, *ad.* 《口》 = THOUGH.

thong [θɔːŋ, θɑŋ/θɔŋ] *n.* ⓒ 가죽 끈; 회초리끈.

tho‧rax [θɔːræks] *n.* 《*pl.* **~es**, **-ra‧ces**[—rəsìːz]》 ⓒ 가슴, 흉부. **tho‧rac‧ic** *a.*

thorn [θɔːrn] *n.* ① ⓒ (식물의) 가시. ② ⓊⒸ 가시 있는 식물《산사나무 따위》. ③ 《*pl.*》 고통[고민]거리. **a ~ in the flesh** [**one's side**] 고 생거리. **crown of ~s** (예수의) 가시 면류관. **~‧less** *a.*

thorn‧y [θɔːrni] *a.* 가시가 있는(많은), 가시 같은; 고통스러운, 곤란 한.

thor‧ough [θəːrou, θʌ́rə] *a.* 완전한, 충분한; 철저한; 순전한. **~‧ly** *ad.* **~‧ness** *n.*

thor‧ough-bred [—brèd] *a.* Ⓤ 순종의(말‧동물); 혈통이 좋은(사람), 교양 있는. ─ (**T**-) 서러브레드(말).

thor‧ough‧fare [—fɛ̀ər] *n.* ① ⓒ 통로, 가로; 본도. ② Ⓤ 왕래, 통행 《*No* ~ 통행 금지》

thor‧ough-gòing *a.* 철저한.

:those [ðouz] *a., pron.* that의 복수.

thou [ðau] *pron.* 《*pl.* **ye**》 너는, 네가《현재는 古‧詩》. 신에 기도할 때, 또는 퀘이커 교도끼리 쓰이며, 일반적으로는 you를 씀.

:though [ðou] *conj.* …에도 불구하고, …이지만; 설사 …라도 : …라 하더라도. **as ~** …인 것처럼. **even ~** = EVEN IF. ─ *ad.* 《문장 끝에서》 그래도.

:thought [θɔːt] *v.* think의 과거(과거분사). ─ *n.* ① Ⓤ 사고(력), 사색; (어떤 시대의 특징적인) 사상, 사조. ② Ⓤⓒ 생각, 착상; (보통 *pl.*) 의견. ③ ⓊⒸ 사려, 배려, 고려. ④ Ⓤ 의 향, (…할) 작정; 기대. ⑤ (*a* ~) 좀, 약간. **at the ~ of** …을 생각 하면. **have some ~s of** do**ing** …할 생각이 있다. **quick as ~** 순식간에. **take ~ for** …을 걱정하다. **upon** [**with**] **a ~** 즉시.

:**thought·ful**[∠fəl] *a.* 사려 깊은; 주의 깊은; 인정 있는(*of*); 생각에 잠긴. ˙**~·ly** *ad.*

˙**thought·less**[∠lis] *a.* 사려가 없는; 경솔한(*of*); 인정 없는. **~·ly** *ad.* ˙**~·ness** *n.*

†**thou·sand**[θáuzənd] *n., a.* Ⓒ 천(의); (*pl.*) 무수(한). (*a*) **~ *and one*** 무수한. ***A ~ thanks*** 〔***pardons, applogies***〕. 참으로 감사합니다〔미안합니다〕. ***a ~ to one*** 거의 절대적인. ***one in a ~*** 희귀한〔뛰어난〕 것; 예외. ***~s of*** 몇 천의. **~·fold** *a., ad.* 천 배의〔로〕; 천의 부분으로 된. **~th**[-dθ/-tθ] *n., a.* Ⓤ 제 1 천(의); Ⓒ 천분의 1(의).

˙**thrash**[θræʃ] *vt.* 때리다; 채찍질하다; 도리깨질하다. **—** *vi.* 도리깨질하다; (고통으로) 뒹굴다(*about*). ***~ out*** (안을) 충분히 검토하다. ***~ over*** 되풀이하다. **—** *n.* (a ~) (회초리로) 때리기; Ⓒ 물장구질. **∠·er** *n.* Ⓒ 때리는 사람〔물건〕; 도리깨질하는 사람, 탈곡기(脫穀機); 환도상어; (미국산) 앵무새류. **∠·ing** *n.* Ⓒ 채찍질; Ⓤ 도리깨질, 타작.

:**thread**[θred] *n.* ① Ⓤ,Ⓒ 실; 섬유; 재봉실, 꼰 실. ② Ⓒ 가는 것, 줄, 섬조(纖條); 나삿니. ③ Ⓒ (이야기의) 줄거리, 연속. ④ (the 〔one's〕 ~) (인간의) 수명. ***cut one's mortal ~*** 죽다. ***hang by*** 〔***on, upon***〕 ***a ~*** 위기 일발이다. ***~ and thrum*** 모조리, 전부; 옥석 혼효(玉石混淆)《선악이 뒤섞임》. **—** *vt.* (바늘에) 실을 꿰다; (구슬 따위를) 실에 꿰다; 누비듯이〔헤치며〕 지나가다; 나삿니를 내다. **—** *vi.* 요리조리 헤치며 가다〔지나가다〕; 〖料理〗 (시럽 따위가) 실 모양으로 늘어지다.

thréad·bàre *a.* 해어져서 실이 드러난, 입어서 다 떨어진; 누더기를 걸친; 진부한, 케케 묵은.

:**threat**[θret] *n.* Ⓒ 위협, 협박; 흉조.

:**threat·en**[θrétn] *vt., vi.* ① 위협하다(*with; to* do). ② …할 듯하다, (…의) 우려가 있다; 닥치고 있다. **~·ing** *a.* 으르는; 험악한; (날씨가) 찌푸린.

†**three**[θri:] *n., a.* Ⓤ,Ⓒ 3(의); 《복수 취급》 세 사람〔개〕(의). **~·fold** [∠fòuld] *a., ad.* 3배의〔로〕.

three-D[∠dí:] *a.* 입체 영화의.

thrée-diménsional *a.* 3차원의; 입체(영화)의; 〖軍〗 육해공군 입체 작전의.

thrée-légged *a.* 다리가 셋인(*a ~ stool*).

three·pence[θrépəns, θríp-] *n.* 《英》 Ⓤ 3펜스; Ⓒ 3펜스 동전.

thrée-plý *a.* 세 겹의; (밧줄 따위) 세 겹으로 꼰.

thrée-quáter *a.* 4분의 3의; (초상화 등이) 칠분신(七分身)의; (의복이) 칠분(길이)의. **—** *n.* Ⓒ 칠분신 초상화〔사진〕; 〖럭비〗 스리쿼터백.

three·some[∠səm] *n.* Ⓒ 3인조; 3인경기(자).

thresh[θreʃ] *vt., vi.* = THRASH. **∠·er** *n.* Ⓒ 매질하는 사람〔것〕; 타작하는 사람〔것〕; 탈곡기; = **thrésher shàrk** 〖魚〗 환도상어.

:**thresh·old**[θréʃhould] *n.* Ⓒ ① 문지방; 문간, 입구. ② 출발점, 시초. ③ 〖心〗 역(閾). ④ 〖컴〗 임계값. ***at*** 〔***on***〕 ***the ~ of*** …의 시초에.

:**threw**[θru:] *v.* throw의 과거.

:**thrice**[θrais] *ad.* 《古·雅》 세 번; 3배로; 매우(*~ blessed* 〔*happy, favo(u)red*〕 매우 혜택받은〔행복한〕).

˙**thrift**[θrift] *n.* Ⓤ ① 검약(의 습관). ② 〖植〗 아르메리아. **∠·less** *a.* 절약하지 않는; 낭비하는; 사치스러운. **∠·less·ly** *ad.*

˙**thrift·y**[θrífti] *a.* ① 절약하는, 검소한; 알뜰한. ② 무성하는; 번영하는. **thríft·i·ly** *ad.* **thríft·i·ness** *n.*

:**thrill**[θril] *n.* Ⓒ (공포·쾌감의) 오싹〔자릿자릿〕하는 느낌, 전율, 스릴; 몸떨림. **—** *vt., vi.* 오싹〔자릿자릿〕하(게 하)다(*with*); 떨리(게 하)다; 몸에 사무치다(*along, in, over, through*). ˙**∠·er** *n.* Ⓒ 오싹하게 하는 것〔사람〕; 선정 소설〔극〕, 스릴러. **:∠·ing** *a.* 오싹〔자릿자릿, 조마조마〕하게 하는.

:**thrive**[θraiv] *vi.* (***throve, ~d; thriven, ~d***) 성공하다; 번영하다; 부자가 되다; (동·식물이) 성장하다. **thrív·ing** *a.*

:**throat**[θrout] *n.* Ⓒ 〖解〗 목, 기관

T

(氣管); 목소리; 좁은 통로; 《기물(器物)의》 목. *a LUMP in one's [the] ~. clear one's ~* 헛기침하다. *cut one another's ~s* 서로 맞힐 짓을 하다. *cut one's (own) ~* 자멸할 짓을 하다. *jump down (a person's) ~* 《俗》 아무 잘못도 못하게 만들다. *lie in one's ~* 맹렬히 거짓말을 하다. *stick in one's ~* 목에 걸리다; 말하기 어렵다; 맘에 들지 않다. **─y a.** 후음의; 목(喉)의; 목된 소리의; (소리 등이) 목이 쉬는 듯이의.

†**throb** [θrɑb/-ɔ-] *n., vi.* (-**bb**-) ⓒ (빠른, 심한) 동계(動悸), 《빠르게, 심하게》 두근거리다(*with*); 고동(치다); (백 따위가) 뛰다(뜀); 떨림, 떨리다.

throe [θrou] *n.* (*pl.*) 격통; 산고(産苦), 고민, 사투(死鬪).

throm·bo·sis [θrɑmbóusis/θrɔm-] *n.* ⓤⓒ 〔病〕 혈전(증)(血栓症).

†**throne** [θroun] *n.* ⓒ 왕좌, 옥좌; (the ~) 왕위, 왕권; 교황(敎皇)·주교(主敎)의 자리. **─ vt.** 《p.p.》이와는 (詩) 왕좌에 앉히다, 즉위시키다.

:**throng** [θrɔːŋ/θrɔŋ] *n.* ⓒ 〔집합적〕 군중; 다수(의 사람들 따위). **─ vt., vi.** (…에) 모여들다, 쇄도하다(*about, (a) round*).

T

throt·tle [θrɑ́tl/-5-] *n.* ⓒ 목; 〔機〕 조절판(調節瓣)(의 레버·페달), *at full ~* = **with the ~ against the stop** 전속력으로. **─ vt.** 《…의》 목을 조르다, 질식시키다; 억압하다; 〔機〕 (조절판을) 죄다, 감속(減速)시키다.

†**through** [θruː] *prep.* ① …을 통하여; …을 지나서, ② …의 처음부터 끝까지, ③ …동안, 도처에. ④ …때문에. ⑤ …에 의하여. **─ ad.** ① 통해서, ② 처음부터 끝까지, 쪽 계속하여, 시종 일관. ~ *and* ~ 완전히, 철저히. **─ a.** 쪽 통한, 철두 철미한; 직통의; 끝난.

:**through·out** [θruːáut] *prep.* …의 도처에. **─ (prep.)** …동안, 통해서.

through·put [θruːpùt] *n.* ⓤⓒ 《공장의》 생산(고); 〔컴〕 처리량.

†**throw** [θrou] *vt.* (**threw; thrown**)

① (내)던지다(*at, after, into, on*). ② 내동댕이치다, (말이) 흔들어 떨어뜨리다. ③ 《배를 앞으로》 얹히게 하다. ④ 급히 《몸에》 걸치다(*on, round, over*), 벗다(*off*), ⑤ 《어떤 상태로》 빠르게 하다. ⑥ 갑자기 움직이다; (스위치, 클러치 등의 레버 등을) 움직이다. ⑦ 《생사를》 꼬다. ⑧ 《美口》 짜고 일부러 지다. ⑨ 《口》 (회의 등을) 열다(*give*). ~ *about* 던져 흩뜨리다; 휘두르다. ~ *away* 내버리다; 낭비하다(*upon*); 헛되이 하다. ~ *back* 되던지다; 반사하다; (동·식물이) 격세유전(隔世遺傳)을 하다. ~ *cold water* 실망시키다(*on*). ~ *down* 던져서 떨어뜨리다(쓰러뜨리다); 뒤집어 엎다. 《美》 박차버리다. ~ *in* 던져 넣다; 주입[삽입]하다; 덤으로 곁들이다. ~ *off* (벗어)버리다; (병을) 모로 다; 《口》 (시 등을) 즉석에서 짓다; 사냥을 시작하다. ~ *oneself at* 의 사랑(우정 등)을 얻으려고 무진 애를 쓰다. ~ *oneself down [upon]* …에 몸을 맡기다, …을 의지하다. ~ *open* 열어 젖히다; 개방하다(*to*). ~ *out* 내던지다; 내쐤다; 내치어 축하다; 발산하다; 부정하다. ~ *over* 저버리다, 포기하다. ~ *up* 《창문을》 밀어 올리다; 《口》 토하다; (직책을) 포기하다; (직책을) 사퇴하다. **─ n.** ⓒ 던지기; 던져서 닿는 거리; (스위치·클러치의) 연결; 던진 스카프, 가벼운 두르개; 《크레인·피스톤 등의》 행정(行程). **─er** *n.* ⓒ 던지는 사람; 《도자기 따위의》 녹로공(轆轤工); 폭뢰(爆雷) 발사관.

†**throw·away** *n.* ⓒ 되던지기, 《야구》 빠른 전단(傳單).

†**throw·back** *n.* ⓒ 되던지기; (동·식물의) 격세(隔世) 유전.

thru [θruː] *prep., ad., a.* 《美口》= THROUGH.

†**thrush** [θrʌʃ] *n.* ⓒ 〔鳥〕 개똥지빠귀.

†**thrust** [θrʌst] *vt.* (**thrust**) (쑥) 찌르다; 찔러넣다(*into, through*). ② 무리하게 …시키다(*into*). **─ vi.** 밀다, 찌르다; 돌진하다. **─ n.** ⓒ 밀기, 찌르기; 공격; 돌격; 혹평; 귀.

【機】 추진력.

thrú·wày *n.* Ⓒ 《美》 고속 도로(expressway).

thud [θʌd] *vi.* (**-dd-**) 털썩 떨어지다, 쾅(쿵) 울리다. — *n.* Ⓒ 털썩《쾅, 쿵》 소리.

thug [θʌg] *n.* Ⓒ (종종 T-) 《옛 인도의 종교적》 암살단원; 자객, 흉한.

thug·ger·y [θʌ́gəri] *n.* Ⓤ 살해 행위.

thumb [θʌm] *n.* Ⓒ (손·장갑의)엄지 손가락. (*His*) *fingers are all* ~*s.* 손재주가 없다. *bite one's* ~ *at* 모욕하다. *Thumb down* [*up*] 안된다[좋다]《엄지 손가락으로 찬부를 나타냄》. *under* (*a person's*) ~, *or under the* ~ *of* (*a person*) (아무)의 세력(지배) 하에 있어. — *vt.* (책의 페이지를) (엄지)손가락으로 넘겨서 더럽히다(상하게 하다); (페이지를) 빨리 넘기다; 서투르게 다루다. ~ *a ride* 엄지손가락을 세워 지나가는 차에 태워 달라고 하다(cf. hitchhike).

thúmb index (페이지 가장자리의) 반달 색인.

thúmb·nàil *n., a.* Ⓒ 엄지손톱; 극히 작은 (것); 스케치(의), 소(小)논문 (따위).

thúmb·scrèw *n.* Ⓒ 나비나사; 〔史〕 엄지손가락을 죄는 형틀.

thúmb·tàck *n.* Ⓒ 《美》 압정(押釘).

thump [θʌmp] *vt.* Ⓒ 탁(쾅) 때리다 [부딪치다]. ② 심하게 때리다. — *vi.* Ⓒ 탁 부딪치다(소리 내다). ② (심장이) 두근거리다. — *n.* Ⓒ 탁(쿵) 하는 소리.

thump·ing [-iŋ] *a.* 《口》 거대한; 놀랄 만한, 터무니 없는. — *ad.* 《口》 엄청나게.

:thun·der [θʌ́ndər] *n.* ① Ⓤ 우레, 천동, 천둥. ② 우레 같은 소리, 요란한 울림. ③ Ⓤ 위협, 호통; 비난, 꾸짖음. (*By*) ~*!* 이런, 제기랄, 빌어먹을! *look like* ~ 몹시 화가 난 모양이다. *steal* (*a person's*) ~ 아무의 생각 [방법]을 도용하다. 장기(長技)를 가로채다. — *vi.* ① 천둥치다; 요란한 소리를 내다; 큰 소리로 이야기하다. ② 위협하다, 비난하다(*against*). — *vt.* 호통치다. ~·**er** *n.* Ⓒ 호통치는 사

람. ~·**ing** *n.* 천동치는; 요란하게 우는; 《口》 엄청남. *~·**ous** *a.* 천동을 일으키는; 우레 같은(같이 울리는).

thúnder·bòlt *n.* Ⓒ 뇌전(雷電), 벼락; 청천 벽력.

thúnder·clàp *n.* Ⓒ 우뢰 소리, 청천 벽력.

thúnder·clòud *n.* Ⓒ 뇌운(雷雲).

thúnder·stòrm *n.* Ⓒ 천둥치는 비바람.

thúnder·strùck, -stricken *a.* 벼락 맞은; 깜짝 놀래어.

thun·der·y [θʌ́ndəri] *a.* 천동 같은; 천둥을 가져오는 (날씨가) 고약한; (얼굴이) 험상궂은.

Thur., Thurs. Thursday.

:Thurs·day [θə́:rzdei, -di] *n.* Ⓒ 《보통 무관사》 목요일.

thus [ðʌs] *ad.* ① 이와 같이, 이런 식으로. ② 따라서, 그러므로. ③ 이 정도까지. ~ *and* ~ 이러이러하게. ~ *far* 여기(지금)까지는. ~ *much* 이것(만큼).

thwart [θwɔ:rt] *vt.* (계획 등을) 방해하다; 반대하다, 좌절시키다. — *n.* Ⓒ 보트나 카누의 가로장《노젓는 사람이 앉음》; 카누의 창막이. — *ad., a.* 가로질러, 가로지른.

thy [ðai] *pron., a.* 너(thou)의 소유격.《里香》

thyme [taim] *n.* Ⓤ 〔植〕 백리향[류].

thy·roid [θáirɔid] *n., a.* Ⓒ 갑상선 [갑상 연골](의); 갑상선제(劑); 방패 모양의(무늬의). — *cartilage* (*gland, body*) 갑상연골[선].

thy·self [ðaisélf] *pron.* 〈thou, thee의 재귀형〉 너 자신.

ti [ti:] *n.* Ⓒ 〔樂〕 시《음계의 제7음 (si)》.

ti·ar·a [tiáːrə, -ǽərə] *n.* Ⓒ 로마 교황의 삼중관(三重冠); 《금·보석·꽃 따위를 단 부인용의》 장식관; 고대 페르시아 남자의 관(冠). — ~*s)* Ⓒ 경골(脛骨); 《옛날의》 플루트.

tic [tik] *n.* (F.) Ⓤ,Ⓒ 〔醫〕 안면(顔面) 경련.

tick¹ [tik] *n.* Ⓒ ① 똑딱 (소리). ② 《주로 英口》 순간. ③ 대조[체크]의 표시《✓따위》. — *vi.* (시계가) 째깍째까

T

tick²

리다. — vt. ① 재깍재깍 가다《시계가》《away, off》. ② 체크를 하다, 꺾자치러다《off》. ~ **out** 《전신기가 전신을》똑똑 쳐내다.

tick² n. ⓒ 《蟲》진드기.

tick³ n. 이불잇, 베갯잇; 《口》= **ticking** 이불잇감.

tick⁴ n., vi. ⓤ《주로 英口》신용 대부(하다), 외상(으로 사다).

tick·er [tíkər] n. ① 똑딱거리는 물건; 재깍하는 사람(것); 전신 수신 인자기(印字機); 증권 시세 표시기; 《俗》심장.

tícker tàpe (통신·시세에 찍혀 ticker에서 자동적으로 나오는 수신용 테이프《환영을 위해 건물에서 던지는 색종이 테이프).

tick·et [tíkit] n. ⓒ ① 표, 숫자[입장]권. ② 게시표, 정찰, 셋딱 표찰(따위). ③ 《美口》《口》(교통 위반의) 소환장, 딱지. ④ 《美》(정당의) 공천 후보자 명부. ⑤ (the ~) 《口》적당한 물건[일], 안성맞춤의 일. — vt. (…에) 표찰을 달다;《美》표를 팔다.

tick·le [tíkl] vt. ① 간질이다. ② 즐겁게 하다, 재미나게 하다. ③ 가볍게 대다(움직이다). ④《속어 따위를》손으로 잡다. — vi. 간질거리다. — n. ⓤⓒ 간질임; 간질이기. -**lish**, -**ly** a. 간질이기 쉬운; 다루기 어려운, 델리컷한; 불안정한; 성마른. -**r** n. 《口》간질이는 사람《것》. 《美》비망록.

tick-tack-toe [~-tóu] n. ⓤ (오목 (五目) 비슷한) 세목[三] 놓기 게임.

tick·tock [tíktὰk/~tɔ̀k] n. ⓒ (큰 시계의) 똑딱똑딱(하는 소리).

tíd·al [táidl] a. 조수의《작용에 의한》; 간만(干滿)이 있는.

tídal wáve 큰 파도, (지진에 의한) 해일; 조수의 물결; (인심의) 대동요.

tid·bit [tídbit] n. ⓒ (맛있는 것의) 한 입; 재미있는 뉴스.

tid·dler [tídlər] n. ⓒ《英·兒》작은 물고기, 특히 가시고기;《口》《取》꼬마.

tid·dly [tídli] a.《英口》얼근한.

tíd·dly-winks [tídliwìŋks], **tíd·dle·dy-winks** [tídldi-] n. ⓤ 책세 한 작은 원반을 종지에 튀겨 넣는 유희.

:tide [taid] n. ① ⓒ 조수; 조류, 흐

름; 풍조, 경향; 성쇠. ②《복합어 이외는 古》ⓤ 계절, 때《even~ 저녁》. **turn the ~** 형세를 일변시키다. — vi. 조수를 타고 가다; 극복하다. — vt. ① 《조수에 태워》나르다. ② (곤란 따위를) 헤어나게 하다.《어떻게 해서든지》 견디내게 하다《over》. **~·less** a. 조수의 간만이 없는.

·ti·dings [táidiŋz] n. pl. 통지, 소식.

·ti·dy [táidi] a. ① 단정한, 깨끗한 걸 좋아하는. ②《口》(금액이) 상당한. ③《口》꽤 좋은. — vt., vi. 정돈하다(up). — n. ① 의자의 등의자. ② 자질구레한 것을 넣는 그릇. **ti·di·ly** ad. **ti·di·ness** n.

·tie [tai] vt. (**tying**) ① 매다, 동이다, 붙들어매다《to》; (…의) 끈을 매다. ② 결합[접합(接合)]하다;《口》결혼시키다; 속박하다. ③ (경기에서) 동점이 되다.《樂》(음표를) 연결하다. — vi. 매이다; 동점[타이로] 되다. **be much ~d** 조금도 틈이 없다. **~ down** 제한하다, 구속하다. **~ up** 단단히 묶다; 싸다; 방해하다, 못 하게 하다《美》; 짜다, 연합하다《to, with》; 구속하다《재산 따위를 자유로 사용(처분) 못 하게 하다. — n. ① 매듭; 끈, 구두끈; 끈목, 의자술 (따위). ②《pl.》끈으로 매는 단화의 일종; 넥타이. ③《pl.》 연분, 기반(羈絆). ④ 속박, 거추장스러운 것, 귀찮은 사람. ⑤ 동점의 경기). ⑥《工》버팀목;《美》침목(枕木);《樂》붙임줄, 타이. **play** [**shoot**] **off the ~** 결승 시합을 하다.

tíe·brèak·(er) n. ⓒ 테니스 따위의 동점결승 경기.

tíed hóuse 《英》(어느 특정 회사의 술만 파는) 주점.

tíe-dye n., vt. ⓤ 홀치기 염색(하다); 그 옷.

tíe-in a. 함께 끼어 파는.

tíe·pin n. ⓒ 넥타이 핀.

tíer [tiər] n. ⓒ (관람석 따위의) 1단(段); 열. — vt., vi. 충충이 쌓다, 쌓아(올리다.

tíe-up n. ⓒ ① (스트라이크·사고 등에 의한) 교통 두절, 업무 정지. ②《口》 (철도 종업원의) 준비상태(違法) 투쟁. ③ 제휴, 타이업, 협력.

tiff [tif] *n., vi.* ① 말다툼(을 하다); 기분이 언짢음[언짢다]; 기분을 상하다.

ti·ger [táigər] *n.* ① 〖動〗 범, 호랑이. ② 포악한 사람. ③ 〖美〗 (만세 삼창 끝에) 지르는 소리. (three cheers) ④ 〖美〗 만세를 부르는 환호성. **~·ish** *a.* 범 같은; 잔악한.

tight [tait] *a.* ① 탄탄한, 단단히 맨, 꽉 채운; 팽팽하게 켕긴 《옷 따위》 꼭 맞는. ② 〖方〗 아담한; 말쑥한(neat). ③ 빈틈없는, 방이 없는 ④ 《口》 인색한. ⑤ 〖俗〗 술취한. **be in a ~ place** 궁지에 빠지다. — *ad.* 단단히, 굳게; 꼭, **sit ~** 버티다, 주장을 굽히지 않다. — *n.* **~·ly** *ad.* **~·ness** *n.*

tight·en [∠n] *vt., vi.* 바짝 죄(어지)다, 탄탄하게 하다[되다].

tight-fisted *a.* 인색한, 구두쇠의.

tight-knit *a.* 조직이 탄탄한, 단단하게 조립된.

tight-lipped *a.* 입을 꼭 다문; 말이 적은.

tight-rope [∠] *n.* 팽팽한 줄. ~ **dancer** [**walker**] 줄타기 곡예사.

ti·gress [táigris] *n.* ① 암범.

til·de [tíldə] *n.* ① 스페인 말의 n 위에 붙이는 파선(波線) 부호(보기: cañon).

tile [tail] *n.* ① 기와, 타일 《집합적으로도》. ② 하수 토관(下水土管). ③ 《口》 실크해트. (pass a night) **on the ~s** 흥청거리며 《밤을 보내다》. — *vt.* 기와를 이다, 타일을 붙이다. **tíl·er** *n.* 기와[타일]장이 《제조인》; (Freemason의) 집회소 망꾼. **tíl·ing** *n.* 기와(타일)잇기; 기와(타일) 이기, 타일 붙이기; 기와 지붕, 타일을 붙인 바닥 《목욕통 따위》.

till¹ [til] *prep., conj.* ① ~까지.

till² *vt., vi.* 갈다(cf. tilth). **~·a·ble** *a.* 경작에 알맞은. **~·age** *n.* 경작 《상태》; 경작지; 농작물. **~·er¹** *n.* 경작자, 농부.

till³ *n.* 돈궤, 귀중품함, 서랍.

till·er² [tílər] *n.* 〖海〗 키의 손잡이.

tilt [tilt] *vi.* ① 기울다. ② 창으로 찌르다(at); 마상(馬上) 창 경기를 하다. — *vt.* ① 기울이다(up). ② 《창으로》 찌르다; 공격하다. ③ 《口》 (카메라) 를 상하로 움직이다(cf. pan²). **~ at windmills** 가상의 적과 싸우다, 불가능한 일을 시도하다(Don Quixote 의 이야기에서). — *n.* ① 기울기, 경사; 기울임. ② 《창의 (한 번) 찌르기; 마상 창 경기. ③ 논쟁. (at) **full ~** 전속력으로; 전력을 다하여. **have a ~ at** …을 공격하다. **on the ~** 기울어.

tilth [tilθ] *n.* ① 〖영국〗 경작; 경지(cf. till²).

tim·ber [tímbər] *n.* ① 〖美〗 재목, 용재(用材); 큰 재목. ② 〖海〗 선재(船材), 늑재(肋材). ③ 〖집합적〗 (제목용의) 수목; 〖美〗 삼림. ④ 〖U〗 인품, 소질. — *vt.* 재목으로 건축하다(버티다). **~ed** [-d] *a.* 목조의; 수목이 많은. **~·ing** *n.* 〖집합적〗 건축용재; 목공품.

tim·bre [tǽmbər, tím-] *n.* 〖UC〗 음색(音色).

time [taim] *n.* ① 〖U〗 시간, 때; 세월; 기간; 시각, 시(時); 시절; 표준시. ② 《one's》 생애, 수명. ③ 《보통 pl.》 시대. ④ 〖UC〗 시기, 기회. ⑤ 〖U〗 《부악》 연한; 《one's》 죽을 때: 분만기. ⑥ 《口》 형기(刑期): 근무 시간; 시급(時給). ⑤ 〖C〗 경험, 《흔히 pl.》 일 《따위》. ⑥ 〖C〗 시세; 경기. ⑦ 〖U〗 여가, 여유. ⑧ 《~ (回)…》 《pl.》 …배(倍)(ten~s larger than that; Six ~s five (are) thirty. 6×5=30). ⑨ 〖U〗 박자. ~~ 음표[음부]의 길이; 〖軍〗 보조(步調). ⑩ 〖U〗 《붙임》 소요 시간, 시작[시간]. **AGAINST~. at a~** 한 번에; 동시에. **at the same~** 에; 그러나, 그래도. **at~s** 때때로, **behind the~s** 구식을 좇는. **for a~** 한때, 잠시. **for the ~ being** 당분간. **from ~ to ~** 때때로, 가끔. **gain~** 시간을 벌다; 여유를 얻다. **in good (bad)~** 꼭 맞춰; 늦지 않게. **in (less than) no ~** 즉

시. **in** ~ 이윽고; 시간에 대어(**for**); 장단을 맞추(**with**). **keep good** [**bad**] ~ (시계가) 잘[안] 맞다. **keep** ~ 장단을 맞추(**with**). on ~ 시간대로; 분할 지불로, 후불로. **pass the ~ of day** (아침·저녁의) 인사를 하다. ~ **after ~, or ~ and again** 여러 번. **T- flies.** (속담) 세월은 쏜살같다. ~ **out of mind** 아득한 옛날부터. **to** ~ 시간 대로. — **vt.** ① 시간을 재다. ② (···의) 박자를 맞추다. ③ 좋은 시기에 맞추다; (···의) 시간을 정하다. — **vi.** 박자를 맞추다, 장단이 맞다(**with**). — **a.** ① 때의. ② 시한(時限)의. ③ 후불의. **≤less** ad. 영원한; 부정기(不定期)의. **~·ly** a. 때에 알맞은, 적시의. — ad. 알맞게.

time bomb 시한 폭탄.

time càpsule 타임 캡슐(그 시대를 대표하는 기물·기록들을 미래에 남기기 위해서 넣어두는 그릇).

time fràme [英] (어떤 일이 행해지는) 시기, 기간.

time-hòno(u)red a. 옛날 그대로의, 유서 깊은.

time-kèeper n. ⓒ 계시기(計時器)[인(人)]; 시계.

time làg (두 관련된 일의) 시간적 차, 시차.

time-làpse a. 게시(繼時) 노출(활영)(식물의 성장처럼 더딘 경과의 촬영).

time lìmit 시한(時限). [촬영법].

time-òut n. ⓒ [競技] (경기중 작전 협의 등을 위해 요구되는) 타임; (중 간) 휴식 (시간).

time-pìece n. 시계.

tim·er [⌐ər] n. ⓒ 시간 기록계[원], 게시기(計時器); (내연 기관의) 점화 조정 장치; [컴] 시계, 타이머(시간 간격 측정을 위한 장치·프로그램).

time-sèrver n. ⓒ 기회주의자, 시대에 영합하는 사람.

time-sèrving a., n. ⓤ 사대적(事大的)의; 기회주의(의).

time-shàring [컴] 시(時) 분할 (~ **system** 시분할 시스템).

time signal [放] 시보(時報).

time signature [樂] 박자 기호.

Time Square New York 시의 극 장가.

time·ta·ble [⌐tèibl] n. ⓒ 시간표 (특히 철도의).

time-wòrn a. 낡은.

time zòne (지방) 표준 시간대(帶).

tim·id [tímid] a. 겁많은, 수줍어하 는. ~**·ly** ad. ~·**ness** n. **ti·mid·i·ty** n.

tim·ing [táimiŋ] n. ⓤ 타이밍(음악· 경기 등에서 최대의 효과를 얻기 위한 스피드 조절).

tim·or·ous [tímərəs] a. = TIMID.

tim·pa·ni [tímpəni] n. pl. (sing. -**no**[-nòu]) (단수 취급) 팀파니(바닥 이 둥근 북). -**nist** n.

tin [tin] n. ① ⓤ 주석; 양철. ② ⓒ (주로 英) 주석 그릇, 양철 깡통. — a. 주석으로[양철로] 만든. — vt. (-**nn**-) ① 주석을 입히다. ② [英] 통조림하다.

tin cán 양철 깡통; 《美海軍俗》구축함.

tinc·ture [tíŋktʃər] n. (a ~) 색, 색조; 기미, ···한 티(기·기미); ⓤ [醫] 정기제(丁幾劑). — vt. 착색하다; 풍미를 곁들이다; (···의) 기미(색조)를 띠게 하다(**with**).

tin·der [tíndər] n. ⓤ 부싯깃.

tínder-bòx n. ⓒ 부싯깃통; 타기 쉬운 것, 성마른 사람.

tine [tain] n. ⓒ (포크 따위의) 가지, (빗 따위의) 살(사슴뿔의) 가지.

tín fòil 주석박(箔); 은종이.

ting [tiŋ] n., vt., vi. 땡그렁[딸랑] (거리다).

ting-a-ling [⌐] n. ⓤ 방울 소리; 딸랑 딸랑, 따르릉.

tinge [tindʒ] n. (a ~) ① 엷은 색 (조), ② 기미, ···기, ···티. — vt. ① 엷게 착색하다, 물들이다. ② 가미 하다, (···에) 기미를 띠게 하다(**with**); 조금 섞다[변질시키다].

tin·gle [tíŋgl] vi. (a ~) ① 따끔따끔 아프다[아픔], 쑤시다. ② 마음을 죄이다, 조마조마하다, 흥분(하다). ③ 딸랑딸랑 울리다(tinkle). -**gling** n. 쑤시는; 오싹 소름끼치는.

tín hát (口) 헬멧, 철모, 안전모.

tink·er [tíŋkər] n. ⓒ ① 땜장이. ② 서투른 일[장색]. — vi., vt. ① 땜장 이 노릇을 하다. ② 서투른 수선을 하

다(away, at, with); 만지작거리다.

tin·kle[tíŋkl] *n., vi., vt.* ⓒ (보통 *sing.*) 딸랑딸랑 (울리다) : 딸랑딸랑 울리며 움직이다(부르다, 알리다) ; 딸랑딸랑 울리는 소리.

tin·kling *a., n.* ⓒ (보통 *sing.*) 딸랑딸랑 울리는 (소리).

tin·ny[tíni] *a.* 주석(tin)의[을 함유한] : 양철 같은 (소리의).

tín ópener (英) 깡통따개.

tín-pan álley[tínpæn-] (美) 음악가·유행가 작사자[출판사] 등이 모이는 지역.

tín plate 양철.

tin·sel[tínsəl] *n., vt.* ((英) **-ll-**) ① (크리스마스 따위의) 번쩍번쩍하는 쇠붙이; 금[은]실을 넣은 얇은 천 ; 번드르르하고 값싼 물건(으로 장식하다). ── *a.* 번쩍거리는 ; 값싸고 번드르르한.

tint[tint] *n.* ⓒ 엷은 빛깔 ; (푸른기, 붉은기 따위의) …기 ; 백색 바탕에 (백색을 가해서 되는 변화짐), (색의 농담) ; 색채(의 배합), 색조, 조 ; (影彫) 선음영(線陰影). ── *vt.* (…에 색(色)을 칠하다, 엷게 물들이다. ── **·ed**[-id] *a.* 착색의[한].

ti·ny[táini] *a.* 아주 작은.

tip[tip] *n.* ⓒ ① 끝, 선단 ; ② 정상, 꼭대기 ; ③ 끝에 붙이는 것, *at the ~s of one's fingers* 손끝에 서 : *on [at] the ~ of one's tongue* (말이) 목구멍까지 나와, 하마터면. *to the ~s of one's fingers* 모조리, 철두철미. ── (*-pp-*) (…에) 끝을 붙이 다 ; 끝에 씌우다.

tip² *vt. (-pp-*) ① 기울이다 ; 뒤집어 엎다(*over, up*), ② (英) (뒤엎어) 비우다(*off, out*). ③ 슬쩍 치다. ── *vi.* 기울다, 뒤집히 다(모자들). ── *n.* ⓒ 기울임, 기울어짐, 기 울기.

:tip³ *n.* ⓒ ① 팁, 행하, ② 내밀(정 보), (경마 등의) 예상 ; 좋은 힌트, 비결, ③ 살짝 치기 ; [野·크리켓] '팁'. ── (*-pp-*) (…에) 팁을 주다 ; (口) (경마나 투기에서) 정보를 제공하다. *~ off* (口·크리켓) 팁을 제공하다 ; 경고하다. *~ off* 내보하다, 경고하다.

tip-off *n.* ⓒ (口) 내보 : 경고.

tip·pet[típit] *n.* ⓒ (끝이 앞으로 늘어진 여자용) 어깨걸이 ; 목도리 ; (특히) (성직자·재판관의) 검은 스카프 ; (스미·스카프 등의) 길게 늘어뜨린.

tip·ple[típəl] *vi., vt.* (술을) 잘(습관적으로) 마시다. ── *n.* ⓒ (술을 *sing.*) (독한) 술. *~r n.* ⓒ 술고래.

tip·ster[típstər] *n.* ⓒ (口) (경마·투기 따위의) 정보 제공자.

tip·sy[típsi] *a.* 기울이진 ; 비틀거리는 ; 거나하게 취한.

:tip·toe[típtòu] *n.* ⓒ 발끝. *on ~* 발끝으로 (걸어서) ; 살그머니 ; 열심히. ── *vi.* 발끝으로 걷다. ── *a.* ① 발끝으로 서 있는(걷는) ; 주의 깊은, 살그머니 하는, ② 크게 기대하고 있 는. ── *ad.* 발끝으로.

tip-tóp *n., a.* (the ~) ① 정상(의) ; 절정. ② 극상(極上)의, (의).

ti·rade[táireid, -´] *n.* ⓒ긴 열변 ; 긴 비난 연설.

tire[taiər] *vt., vi.* ① 피로하게 하다, 지치다(*with, by*). ② 넌더리나 게 하다(*with*) ; 물리다(*of*). *~ out, ~ to death* 녹초가 되다 하다. *~d*[-d] *a.* 피로한(*with*) ; 싫증난(*of*). *~·less* 지치지 않는, 꾸준한, 부단한. *~·some* ① 지루한, 싫증나는 ; 성가신. **tír·ing** *a.* 피로하게 하는 ; 싫증나는.

tire² (英) **tyre**[taiər] *n., vt.* ⓒ 타이어(고무의)[을 달다].

'tis[tiz] (古·詩) *it is*의 단축.

tis·sue[tíʃuː] *n.* ① ⓒ [生] 조직. ② ⓒⓒ 얇은 직물. ③ ⓒ (거짓말 따위의) 뒤범벅, 연속. ④ = *~ páper* 미농지.

tit¹[tit] *n.* ⓒ 박새류(類)의 새.

tit² *n.* ⓒ 젖꼭지.

tit³ *n.* ⓒ (다음 성구로) *~ for tat* 받아 쏘아 붙이기, 대갚음.

Ti·tan[táitən] *n.* ① (the ~s) (그 神) 타이탄(Olympus의 신들보다 앞서 세계를 지배하였던 거인족의 한 사람). ② (t-) 거인, 위인; 태양신. ── *a.* = TITANIC. *~·ic*[taitǽn-ik] *a.* 타이탄(의)[같은]; (t-) 거대한, 힘센.

ti·ta·ni·um[titéiniəm] *n.* ⓤ [化] 티탄(금속 원소; 기호 Ti).

tit·bit[títbìt] *n.* (주로 英) = TIDBIT.

tithe[taið] *n.* © ① (종종 *pl.*) 《英》 십일조(十一租)《①1년 수익의 10분의 1을 바치며, 교회 유지에 쓰임》. ② 작은 부분; 소액의 세금. — *vt.* 십일조들 부과하다(바치다).

tit·il·late[títəleit] *vt.* 간질이다; (…의) 흥을 돋우다. **-la·tion**[≈-léiʃən] *n.* © 간질임; 기분좋은 자극, 감흥.

:ti·tle[táitl] *n.* ① © 표제, 제목; 책이름; 《映》 자막, 타이틀. ② © [C.U] 명칭; 직함; 직함; 학위 ③ [U.C] 권리, 자격(*to, in, of, to do*); 《法》 재산 소유권; 권리증. ④ © 선수권 (*a ~ match*). — *vt.* ① 표제를 [책 이름을] 붙이다. ② (칭름에) 자막을 넣다. ③ (…에) 칭호를[직함을] 주다. **~d** *a.* 직함 있는.

títle dèed *n.* 부동산 권리 증서.

title-hòlder *n.* © 선수권 보유자.

títle pàge 타이틀 페이지《책의 속표지》.

tit·ter[títər] *n., vi.* © 킥킥 웃음; 킥킥 거리다.

tittle-tàttle *n., vi.* © 객적인 이야기(를 하다).

tit·u·lar[títʃulər] *a.* 이름뿐인; 직함이 있는; 표제[제목]의. **~ly** *ad.*

tiz·zy[tízi] *n.* © (보통 *sing.*) 《俗》 흥분(dither); 《英俗》 6펜스.

T-júnction *n.* © T자(字)형; T자꼴의 연결부.

TNT, T.N.T. trinitrotoluene.

:to [強 túː; 弱 tu, tə] *prep.* ① (방향) …으로, …에(go to Paris). ② 《정도》 …까지(a socialist to the backbone). ③ (목적) 위해(sit down to dinner). ④ (추이·변화) …에, …으로(turn to red). ⑤ (결과) …으로[하였던] 것으로는, …하게(도)(to my joy). ⑥ 《적합》 …에 맞추어(sing to the piano/It is not to my liking. 취미에 맞지 않는다). ⑦ (비교·대조·비율) …에 비례서, …에 대해서(ten cents to the dollar, 1달러에 대하여 10센트). ⑧ (소유) …의(the key to this safe) 이 금고의 열쇠. ⑨ (대상) …에(Let us drink to Helen. 헬렌을 위해서 축배들 들다). ⑩ 《접촉》 …에(attach it to the tree). ⑪ (관계) …에 대해서, 관해서(an answer to that

question/kind to us). ⑫ 《시간》…(분)전(a quarter to six). ⑬ (부칙사와 함께)(It began to rain). — [tuː] *ad.* 평상 상태로, 정리하여(The door is to. 닫혀 있다). 앞에, 앞으로(wear a cap wrong side to 모자를 거꾸로 쓰고 있다). **come to** 의식을 회복하다. **to and fro** 여기저기에, 이리저리.

toad[toud] *n.* © 두꺼비; 지겨운 놈. *eat a person's ~s* (아무)에게 아첨하다.

tóad·stòol *n.* © 버섯, 독버섯.

toad·y[−i] *n., vi.* © 아첨꾼; 아첨하다. — *vi.* (…에게) 아첨하다. **~ism**[−izəm] *n.* [U] 아첨.

toast[toust] *n.* 토스트. — *vt., vi.* (빵을) 토스트하다, 굽다; 불로 따뜻이 하다(따뜻해지다). **~er** *n.* 토스터.

tóast·màster *n.* © 축배를 제창하는 사람; 연회의 말을 하는 사람《연회의》사회자.

:to·bac·co[təbǽkou] *n.* (*pl.* ~(e)s) 《종류는 ©》담배. **~·nist**[−kə-nist] *n.* © 《주로 英》담배 장수.

to·bog·gan[təbɑ́gən/−5−] *n., vi.* © 터보건(바닥이 판판한 썰매)《으로 달리다》; 《美》(물가가) 폭락하다.

toc·ca·ta[təkɑ́ːtə] *n.* (It.) 《樂》 토카타(오르간·하프시코드용의 화려한 환상곡).

tod[tad/−ɔ−] *n.* 《英俗》 《다음 성구로》 *on one's ~* 혼자서, 자신이.

:to·day, to·day[tədéi, tuː] *n., ad.* © 오늘; 현재, 오늘날.

tod·dle[tɑ́dl/−5−] *n., vi.* © 아장아장 걷기[걷다]. **-dler** *n.* © 아장아장 걷는 사람; 유아, 유아.

tod·dy[tɑ́di/−5−] *n.* [U] 야자술[즙]; [U.C] 토디(더운 물을 탄 위스키에 설탕을 넣은 음료).

to-dó *n.* © (보통 *sing.*) 《口》 소동.

toe[tou] *n.* © ① 발가락. ② 발끝. ③ 도구의 끝. *on one's ~s* 활기있는. **turn up one's ~s** 《俗》 죽다. — *vt.* 발가락으로 대다; (양말 따위의) 앞부리를 대다.

— *vi.* 발끝을 돌리다(*in, out*).
~ the line [*mark, scratch*] 스타트 라인에 서다; 명령[규칙, 관습]에 따르다.

tóe·hòld [–] 조그마한 발판; [레슬링] 발목 비틀기.

tóe·nàil [–] *n.* 발톱; 비스듬히 박은 못.

tof·fee, -fy [tɔ́:fi, -á-/-] *n.* ⓊⒸ (주로 英) 토피(캔디).

tog [tag/-ɔ-] *n., vt.* (*-gg-*) ⓒ (보통 *pl.*) (口) 옷(을 입히다) (*out, up*).

to·ga [tóugə] *n., pl. ~s, -gae* [-dʒiː] ⓒ 토가(고대 로마인의 헐렁한 걸옷); (재판관 등의) 직복(職服).

to·geth·er [təgéðər] *ad.* ① 함께, 공동으로. ② 서로, 동시에, 일제히. ④ 계속하여 (*for days ~*). **~ with** …과 함께.

to·geth·er·ness [-nis] *n.* Ⓤ 연대성; 연대감, 동류 의식.

tog·gle [tágəl/tɔ́-] *n., vt.* [海] 비녀장(으로 고정시키다); [컴] 토글.

tóggle swìtch [컴] 토글 스위치.

toil [tɔil] *n., vi.* 수고; 고생하다; 힘드는 일, 수고하다; 고생(하다) (*at, on, for*); 애써 나아가다(*along, up, through*). **~ and moil** 뼈빠지게 일하다. **~·er** *n.*

toil *n.* ⓒ (보통 *pl.*) 올가미(snare); 그물.

toi·let [tɔ́ilit] *n.*, ⓤ 화장; 복장, 의상. ② ⓒ 화장실, 변소. **make one's ~** 몸치장하다.

tóilet pàper [**tìssue**] (부드러운) 휴지, 뒤지.

toi·let·ry [-ri] *n.* (*pl.*) 화장품류.

tóilet sòap 화장 비누.

tóilet tràining (어린이에 대한) 용변 훈련.

tóilet wàter 화장수.

to·ing and fro·ing [túːiŋ ənd fróuiŋ] 앞뒤로[이리저리] 왔다갔다 하기.

to·ken [tóukən] *n.* ⓒ ① 표, 증거, 표시. ② (古) 전조(前兆). ③ 기념품, 유물(keepsake). ④ 대용 화폐(*a bus ~*). ⑤ [컴] 징조. **by the same ~, or by this** [*that*] 그 증거로; 그것으로 생각하는데, 그 위에 (moreover). **in** [*as a*] **~ of** …

의 표시[증거]로서. **more by ~ of** (古)더 한층, 점점. —*a.* 명목상의, 이름만의(nominal).

told [tould] *v.* tell의 과거(분사).

tol·er·a·ble [tálərəbəl/-] *a.* 참을 수 있는, 웬만한, 상당한(passable). **-bly** *ad.*

tol·er·ance [tálərəns/-] *n.* ① 관용, 아량, 점잖. ② 내약력(耐藥力). ③ ⓊⒸ [造幣] 공차(公差). ④ [機] 허용한도(허용공차), 여유. ⑤ ⓊⒸ [컴] 허용 한도. **-ant** *a.*

tol·er·ate [-rèit] *vt.* ① 참다, 견디다(endure). ② 관대히 다루다, 묵인하다. ③ [의…에 대해서] 내약력이 있다. **-a·tion** [–éiʃən] *n.* ① 관용, 묵인(indulgence); 신앙의 자유, 이교(異敎) 묵인.

toll [toul] *n., vi.* (*sing.*) (죽음·장례식의) 종(을)이 천천히 울리다.

toll *n.* ⓒ ① 사용료; 통행세, 통행료, 교통 통행료, 항세비; 운임, 장거리 전화료. ② (보통 *sing.*) 사상자(死傷者).

tóll·bòoth *n.* ⓒ (유료 도로의) 통행세 징수소.

tóll brìdge 유료교(橋).

tóll-frèe *a.* (美) 무료 장거리 전화의(기업의 선전·공공 서비스 등에서 요금이 수화자 부담인).

tóll ròad 유료 도로.

tom [tam/-ɔ-] *n.* (T-) Thomas의 애칭; (동물의 수컷. **T- and Jerry** 달걀술을 넣은 럼술. **T-, Dick, and Harry** (口) 보통 사람; 너나할것.

tom·a·hawk [táməhɔ̀ːk/-5-] *n., vt.* ⓒ 북아메리카 토인의 도끼, 전부(戰斧)(로 찍다). **bury the ~** 화해하다.

to·ma·to [təméitou/-máː-] *n.* (*pl. -es*) ⓊⒸ 토마토.

tomb [tuːm] *n., vt.* 무덤; 매장하다, [the ~] 죽음.

tom·boy [támbɔ̀i/tɔ́m-] *n.* ⓒ 말괄량이.

tómb·stòne *n.* ⓒ 묘석.

tóm·càt *n.* ⓒ 수고양이.

tome [toum] *n.* ⓒ (내용이 방대한) 큰 책(large volume).

tóm·fóol *n.* ⓒ 바보; 어릿광대. **-er·y** [–ʒəri] *n.* ⓊⒸ 바보짓.

tommy-gún 경기관총.

tómmy·ròt n. U 《口》 허튼 소리, 바보짓.

to·mor·row, to-mor·row [təmɔ́ːrou, -ə, tu-/-5-] n., ad. 내일(은). **the day after ~** 모레.

tom-tom [támtàm/tɔ́mtɔ̀m] n. C (인도 등지의) 큰 북(소리).

:ton [tʌn] n. ① C 톤《중량 단위: 영 (英)톤(long or gross ton) = 2,240파운드; 미(美)톤(short or American ton) = 2,000파운드; 미 터톤(metric ton) = 1,000kg). ② C 톤《용적 단위; 배는 100 입방 피트; 화물은 40입방 피트》. ③ C 《보통 pl.》 다수. ④ 《口》 다수.

ton·al [tóunəl] a. 음조의, 음색의; 색조의.

to·nal·i·ty [tounǽləti] n. U.C 음 조, 색조.

:tone [toun] n. ① C 음질, 가락 (조); 논조; 어조, 말투. ② C 기 풍, 품격. ③ C 《樂》 온음(정). ④ U (몸의) 호조, 건강 상태. ⑤ C 색 조, 명암. ⑥ C 《컴퓨터 그래픽에서의》 (1)그래 픽 아트·컴퓨터 그래픽에서의 명도. (2)오디오에서 특정 주파수의 소리·신 호의 강도. —— vt., vi. ① 가락(억양)을 붙 이다, 가락[억양]이 붙다. ② 조화시키 키다(하다). **~ down** 부드럽게 하 다, 부드러워지다. **~ up** 강해지다. 강하게 하다.

tóne-dèaf a. 음치의(音痴)의.

tongs [tɔ(ː)ŋz, -a-] n. pl. 부젓가락, 집게.

:tongue [tʌŋ] n. ① C 혀 U.C 《料 理》 탕(소의 허). ② U.C 말; 국어; 방 언(方言). ③ C 말; 국어. ④ C 혀 모양의 것 **coated [furred] ~** 《醫》 설태(舌苔). **hold one's ~** (놀란 뒤 따위) 겨우 말문 이 열리다. **long ~** 수다. **lose one's ~** (부끄러움 따위에) 말문이 막히 다. **on the TIP of one's ~.** **on the ~s of men** 소문에 나서. **with one's ~ in one's cheek** 느끼면서인 조로; 비꼬아. —— vt., vi. ① 《플루트 따위를》 혀를 사용하여 불다. ② (vi.) 혀를 사용하다. ③ (허화영에) 널름거리다(up).

tóngue-tìe [-tài] n. ① U 혀짤배기임, 혀가 돌아가지 않게 하다. **·tied** a.

혀가 짧은; (무안·당혹 따위로) 말을 못하는.

tóngue twíster 빨리 하면 혀가 잘 안 돌아가는 말.

·ton·ic [tánik/-5-] a. ① (약이) 강장 (強壯)용의. ② 《醫》 강직성의; 《樂》 으뜸음의; 《音聲》 강세가 있 는. —— n. C ① 강장제. ② 으뜸음.

to-night, to-níght [tənáit, tu-] n., ad. U 오늘밤(에).

ton·nage [tʌ́nidʒ] n. U.C ① 《배 의》 용적 톤수; 용적량. ② (한 나라 상선의) 총톤수; (배의) 톤세(稅). ③ (화물 따위의) 톤수 **gross [net] ~** (상선의) 총 [순]톤수(cf. dis-placement).

ton·sil [tánsil/-5-] n. C 편도선.

ton·sil·li·tis [-̀-láitis] n. U 편도 선염.

ton·sure [tánʃər/-5-] n. U 《宗》 삭 발례(削髮禮). ② C 삭발한 부분. —— vt. …의 머리털을 밀다.

:too [tuː] ad. ① 또한, 그 위에. ② 너무, 지나치게. ③ 대단히. **all ~** 너무나. **none ~** 조금도 …않은. **only ~** 유감이나; 더할 나위 없이.

:took [tuk] v. take의 과거.

:tool [tuːl] n. C ① 도구, 공구, 연 장; 공작 기계(선반 따위). ② 끄나 풀, 앞잡이. ③ 《製本》 압형기(押型 器). ④ 《컴》 도구(software 개발을 위한 프로그램》 —— vt. ① (…에) 도 구를 쓰다. ② 《製本》 압형기로 무늬 (글자)를 박다. ③ 《英口》 (마차를) 천천히 몰다. —— vi. ① 도구를 사 용하여 일하다. ② 《英口》 마차를 몰 다(along). **~·ing** n. U 연장으로 세공하기; 압형기로 무늬(글자)박기.

toot [tuːt] n., vt., vi. C 뚜우뚜우 (울리다).

:tooth [tuːθ] n. (pl. **teeth**) ① C 이; 이 모양의 것, (톱의) 이. ③ C 좋아하는 것, **armed to the teeth** 완전 무장하고. **between the teeth** 목소리를 죽이고. **cast [throw] something in a person's teeth** 의 일로) 책망하다. **in the teeth of** …의 면전에서; …을 무릅쓰고; …에 도 불구하고. **show one's teeth** 이를 드러내다. 성내다; 거역한다.

~ and nail 필사적으로. **to the 〔one's〕 ~** 충분히, 완전히. — vt. ① (…에) 톱니를 붙이다, 깔쭉깔쭉〔톱니〕하게 하다. ② 물다. ③ (톱니바퀴가) 맞물다. **—ed**[-θt, -θd] a. 이가 있는, 깔쭉깔쭉한. **~·less** a. 이빨이, 이가 빠진.

tóoth·àche n. ⓊⒸ 치통.

tóoth·brùsh n. ⓒ 칫솔.

tóoth·pàste n. 크림 모양의 치약.

tóoth·pìck n. ⓒ 이쑤시개.

tóoth·some a. 맛있는.

too·tle[túːtl] vi. (피리 따위를) 가볍게 불다. — n. 피리 소리.

top[tap/ɔp] n. ⓊⒸ ① 정상, 위끝; 정점. ② 표면. ③ 수위, 수석; 상석 (보트의) 키 노잡이; 최량(最良)부 분. ④ 지붕, 뚜껑; 머리, 두부. ⑤ 〔製本〕 (책의) 상변(上邊)(a **gilt ~** 천금(天金)). ⑥ (구두의) 상부; (투구의) 닫음, 섬유 다발. ⑦ 〔海〕 장루(檣樓). **at the ~ of** 최고의. **from ~ to toe** (bottom, tail) 머리끝에서 발끝까지; 온통. **on ~ of it** 게다가(besides). **over the ~** 참호에서 뛰어나와. **the ~ of the milk** (口) 프로그램 중에서 가장 좋은 것, 백미(白眉). — a. 제일 위의, 최고의; 수석의. — vt. **(-pp-)** ① (…의) 꼭대기를〔표면을〕 덮다(with). ② 꼭대기에 있다〔이르다〕; (…의) 위에 올라가다. ③ (…을) 넘다. (…을) 능가하다. ④ 〔골프〕 (공의) 윗쪽을 치다. — vi. 우뚝 솟다. **~ off** [up] 완성하다, 매듭을 짓다.

top² n. ⓒ 팽이(a ~ 표). **sleep like a ~** 새근새근 잘 자다.

to·paz[tóupæz] n. ⓊⒸ 〔鑛〕 황옥(黃玉).

tóp·còat n. ⓒ (가벼운) 외투.

tóp dráwer 맨 윗서랍; (사회·권력 등의) 최상층.

tóp-drèss vt. (밭에) 비료를 주다; (도로 따위에) 자갈을 깔다.

to·pee, to·pi[tóupiː, -/-] n. ⓒ 헬멧.

tóp·flìght a. 일류의.

tóp hát 실크 해트.

tóp-héavy a. 머리가 큰

to·pi·ar·y[tóupièri-/-piəri] a., n. 장식적으로 전정(剪定)한 (정원); ⓊⒸ 장식적 전정법.

top·ic[tápik/-5-] n. ⓒ 화제, 논제; (연설의) 제목 **tóp·i·cal** a. 화제의; 제목의; 시사 문제의; 〔醫〕 국소(局所)의.

tóp·i·cal·ly ad.

tóp·knòt n. ⓒ (머리의) 다발; (새의) 도가머리.

tóp·less a. 가슴 부분을 드러낸 (옷·수영복); 매우 높은.

tóp·mòst a. 최고의, 절정의.

tóp·nòtch a. (美口) 일류의, 최고의.

to·pog·ra·phy[toupágrəfi/-5-] n. Ⓤ 지형학; 지세; Ⓤ 지지(地誌)(학); 풍토지(風土記)학지; 지형학. **-pher** n. ⓒ 지지(地誌)학자, 풍토지(風土記)학자; 지형학자. **top·o·graph·ic** [tàpəgræfik], **-i·cal**[-əl] a.

top·per[tápər/tɔp-] n. ⓒ 위〔상〕의 것; (과일 따위) 잘 보이려고 위에 얹은 좋은 것; (口) 뛰어난 것; (口) = TOP HAT; TOPCOAT.

top·ping[tápiŋ/-5-] a. 우뚝 솟은; (英口) 뛰어난.

top·ple[tápl/-5-] vi., vt. 쓰러지다, 쓰러뜨리다(down, over); 흔들거리다, 흔들리게 하다.

tóp-ránking a. 최고위의, 일류의.

tóp-sécret a. (口) 극비의.

tóp·side n. ⓒ 흘수선 위의 현측(舷側).

tóp·sòil n. Ⓤ 표토(表土); 상층토.

top·sy-tur·vy[tápsitə́rvi/tɔ́p-] n., ad., a Ⓤ 전도(顚倒); 거꾸로 (뒴): 뒤죽박죽으로 된. — a. 거꾸로의, 뒤죽박죽의. — n. Ⓤ (俗) 전도, 뒤죽박죽, 혼란. **-dom** n. Ⓤ 전도 세계. **-vi·ly** ad.

tor[tɔːr] n. ⓒ (울퉁불퉁한) 바위산.

torch[tɔːrtʃ] n., ⓒ ① 횃불. ② (연관공(鉛管工)이 쓰는) 토치 램프. ③ (英) 막대 모양의 회중 전등. ④ (지식·문화의) 빛.

tórch·lìght n. Ⓤ 횃불빛.

tore[tɔːr] v. tear¹의 과거.

tor·e·a·dor[tɔ́ːriədɔ̀r/tɔ́r-] n. (Sp.) ⓒ (말탄) 투우사(cf. mata-dor).

tor·ment[tɔ́ːrment] n. ⓒ 고통, 고민(거리); ⓒ 그 원인. — [-´-] vt. 괴롭히다; 못살게 굴다; 나무라다.

~ing *a.* tor·men·ter, -tor *n.*

:torn[tɔːrn] *v.* tear의 과거분사.

tor·na·do[tɔːrnéidou] *n.* (*pl.* ~es) ⓒ 큰 회오리바람.

:tor·pe·do[tɔːrpíːdou] *n.* ⓒ ① 어뢰, 수뢰. ② 〖鐵〗(경보용) 신호 뇌관. ③ 〖魚〗 시끈가오리. ─ *aerial ~* 공뢰. ─ *vt.* 어뢰(따위)로 파괴하다; 좌절 시키다.

tor·pid[tɔːrpid] *a.* 마비된, 무감각한; (동면 중과 같이) 활발치 않은; 둔한. ~·ly *ad.* ~·ness *n.* tor·píd·i·ty *n.*

tor·por[tɔːrpər] *n.* 마비, 활동 정지; 지둔(至鈍).

torque[tɔːrk] *n.* ① ⓒ 〖機〗 비트는 힘, 우력(偶力); ② ⓒ (고대 사람의 비비꼰 목걸이).

tor·rent[tɔːrənt/-5-] *n.* ⓒ ① 분류(奔流), 급류. ② 억수같이 퍼붓는 비 (*in ~s*). ③ (질문·욕 등의) 연발. tor·ren·tial [tɔːrénʃəl, tar-] *a.*

tor·rid[tɔːrid, -á-/-5-] *a.* (햇볕에) 탄, 열열(炎熱)의; 열렬한.

tor·sion[tɔːrʃən] *n.* ⓤ 비틀림. ~·al *a.*

tor·so[tɔːrsou] *n.* (*pl.* ~s, -si [-si]) ⓒ ① 토르소(머리·손발이 없는 나체 조상(彫像)); 허리통. ② (인체의) 몸통.

tort[tɔːrt] *n.* ⓒ 〖法〗 불법 행위.

tor·til·la[tɔːrtíːlə] *n.* ⓤⓒ (남아한) 옥수수빵(멕시코인의 주식).

tor·toise[tɔːrtəs] *n.* ⓒ 거북; 느림보.

tórtoise-shèll *n.* ⓤ 별갑(鼈甲). ─ *a.* 별갑의, 별갑으로 만든; 별갑 무늬의; 얼룩(三色)의.

tor·tu·ous[tɔːrtʃuəs] *a.* 꼬불꼬불한, 비틀린; 마음이 꼬부장스러운. 속임수. ~·ly *ad.* ~·ness *n.* tor·tu·os·i·ty[>-ɑsəti/-5-] *n.*

:tor·ture[tɔːrtʃər] *n.* ① ⓒ 고문; ⓤⓒ 고통. *in ~* 괴로워 나머지[김에]. ─ *vt.* ① (…을) 고문하다; 몹시 괴롭히다. ② 억지로 비틀다; 곡해하다; 억지로 갖다 붙이다(*into; out of*).

:To·ry[tɔːri] *n.* 〖英史〗 왕당원(王黨員)[Eton교 출신이 많았음); ⓒ 보수당원; 〖美史〗 (미국 독립 전쟁 당시의) 영국 왕당원; (t-) 보수적인 사람.

─ *a.* 왕당(원)의; 보수주의자의. ~·ism[-izəm] *n.*

tosh[taʃ/tɔʃ] *n.* ⓤ 〖英俗〗 허튼[잠 꼬대 같은] 소리; 〖크리켓·테니스〗 완구(緩球). ─ *vt.* 느린 서브.

:toss[tɔːs/-ɔ-] *vt.* (~*ed*, 〖詩〗*tost*) ① 던져 올리다; 던지다(fling) (~ *a ball*). ② 아래위로 몹시 흔들다; (파도가 배를) 번롱하다. ③ (손이 무와) 돈닢기기를 하여 결정짓다 (*I'll ~ you for it*. 돈닢기기로 결정하자). ④ 〖테니스〗 토스하다; 높이 처올리다. ─ *vi.* 흔들리다; 뒹굴다; 돈던지기를 하다. ~ *oars* (보트의) 노를 세워 경례하다. ~ *off* (말이) 흔들어 떨어뜨리다; 손쉽게 해 치우다; 단숨에 들이켜다. ─ *n.* ① 던지기, 던져 올리기, 던지는[던져올리는] 거리. ② 흔듦. ③ 〖英〗 낙마; 추락. ④ (the ~) 돈던지기.

tóss-ùp *n.* (보통 *sing.*) (승부를 가리는) 돈던지기; 〖口〗 반반의 가망성.

tot¹[tɑt/-ɔ-] *n.* ⓒ 어린 아이.

tot²(< total) *n.*, *vt.*, *vi.* (**-tt-**) ⓒ 합계하다.

to·tal[tóutl] *n.*, *a.* ⓒ ① 전체(의), 합계(의). ② 완전한 (*a ~ failure*). ─ *vt.*, *vi.* 합계하다. 합계 …이 되다. ~·ize[-təlàiz] *vt.* ~·ly[-təli] *ad.*

to·tal·i·tar·i·an[toutælətɛəriən] *a.*, *n.* 전체주의의(자) (*a ~ state*); 전체 주의자. ~·ism[-izəm] *n.*

to·tal·i·ty[toutælətì] *n.* 전체; ⓒ 합계, 전수. ─ *n.* 전체의.

tote[tout] *vt.*, *n.* ⓒ 〖美口〗 나르다, 나르기, 짊어지다, 짊어지기; [짊어진] 물건. tót·er *n.*

to·tem[tóutəm] *n.* ⓒ 토템[북아메리카 토인이 종족·가족의 상징을 숭배하는 동물·자연물); 토템상(像). ~·ism[-izəm] *n.*

tótem pòle (pòst) 토템 기둥[토템을 새겨 북아메리카 토인이 집 앞에 세움].

tot·ter[tɑtər/-5-] *vi.*, *n.* ⓒ 비틀거리다, 비틀거림, 뒤뚱뒤뚝 걷다[걸음]; 흔들리다(~*y a.*).

tou·can[túːkæn, -kən] *n.* ⓒ 큰부리새[巨嘴鳥][남아메리카산의 부리 큰 새].

†**touch** [tʌtʃ] *vt.* ① (…에) 대다, 만지다; 접촉[인접]하다. ② 필적하다. ③ (악기의 줄을) 가볍게 타다; (돈을) 청하다; 접촉시키다; 조금 해치다[손상하다]. ④ 감동시키다(move). ⑤ 가볍게 쓰다[그리다]; 색깔을 띠게 하다; 가미하다; 언급하다. ⑥ 닿다, 달하다[부정구문]; 사용하다, 먹다, 마시다; (…에) 손을 대다, 관계하다. ⑦ (…에) 들르다, 기항(寄港)하다. ⑧ 《俗》(아무에게) 돈을 꾸다 (~ *him for fifty dollars*). —— *vi.* 대다; 접하다; (…에) 가까이 있다(*at, to, on, upon*); 기항하다(*at*). ~ *and go* 잠깐 들렀다가[연급하고] 나아가다. ~ *down* 《美蹴》 터치다운하다《공을 가지고자가 상대방 골 라인을 넘어서는 일》. 【空】 착륙하다. ~ *off* 정확히[솜씨 좋게] 나타내다; 휘갈겨 쓰다; (그림을) 가필하다; 발사하다; 개시시키다. ~ *on* [*upon*] 간단히 언급하다; 대강하다; 가까워지다. ~ *out* 【野】 척살(刺殺)하다. ~ *up* (사진·그림 등) 수정하다; 가볍게 때리다. ~ *up* ~시키다. **~**-*as of salt*) 파기(狂氣), 가벼운 병. ② ⓤ 성질, 특성; 수법, 솜씨. ⓒ 가필, 일필(一筆), 필력, 솜씨. ⑦ 《美俗》 돈을 우려냄; ⓒ 그 돈. *keep in* ~ *with* …와 접촉을 유지하다. *put* [*bring*] *to the* ~ 시험하다. **~**-*a•ble* *a.* 만질[감촉할] 수 있는; 감동시킬 수 있는.

tóuch-and-gó *a.* 아슬아슬한, 위태로운; 불안정한; 개략적.

tóuch-dòwn *n.* [U.C] 【럭비】 터치다운(의 득점); 【空】 당시간의 착륙.

touched [tʌtʃt] *a.* 머리가 약간 돈; 감동된.

touch-ing [⁓iŋ] *a., prep.* ① 감동시키는, 애처로운. ② …에 관해서. **~**-*ly ad.* 비장하게, 애처롭게.

tóuch-line *n.* ⓒ 【럭비·蹴】 측선, 터치라인.

tóuch-stòne *n.* ⓒ 시금석; (시험의) 표준.

touch-y [⁓i] *a.* 성마른, 성미 까다로운; 다루기 힘든; 인화(引火)성의.

tough [tʌf] *a.* ① 강인한, 구부러지지 않는; (줏대가) 센; 끈기 있는; 완강한(hard); 《美俗》 난폭한, 다루기 힘든. —— *vt., vi.* tough하게 하다, tough 해지다. **~**-*ly ad.*

tóugh-mínded *a.* 감상적이 아닌, 굳센.

tou-pee, tou-pet [tuːpéi / ⁓] *n.* ⓒ 가발(假髮), 다리.

tour [tuər] *n., vi., vt.* ⓒ 관광여행(하다); 주유(周遊)(하다); 소풍(가다). *go on a* ~ 순유(巡遊)(만행)하다 (…을) 만유(순업)여행하여. **~**-*ism* [túarizəm] *n.* ⓤ 관광 여행(사업); 관광적 취향.

tour de force [tuər də fɔːrs] *n.* ⓒ 힘부림 재주, 놀라운 재주.

†**tour-ist** [túarist] *n.* ⓒ 관광객.

tóurist clàss (기선·비행기의) 2등.

tourist tràp (관광 여행자 상대로) 폭리를 취하는 장사.

†**tour-na-ment** [túarnəmənt, tɔ́ːr-] *n.* ⓒ ① 《중세》 마상(馬上) 시합. ② 시합, 경기, 숫자 진출전, 토너먼트(*a chess* ~).

tour-ni-quet [túarnikit, tɔ́ːr-] *n.* ⓒ 지혈기(止血器).

tou-sle [táuzl] *vt., n.* 헝클어뜨리다; (*sing.*) 헝클어진 머리. **~**-*d* [-d] *a.* 헝클어진.

tout [taut] *vi.* (口) 성가시도록 권유하다; 강매하다(*for*); 《英》(연습 중의 경마말의) 상태를 몰래 살펴보다[내보를 제공하다]. 《美俗》 정보 제공을 으로 삼다. —— *vt.* (…에게) 끈질기게 요구하다; 졸라대다(*importune*). 《美》(말의) 상태를 살피다; 《美》 상금의 배당에 활동 끼려고, 말의 정보를 제공하다. **~**-*er n.*

†**tow** [tou] *vt.* [U.C] ① (연안을 따라서) 밧줄[배]로, 끌려가는 배. ② (소·개·수레 따위를) 밧줄로 끌다 [끌기], 끄는 밧줄. *take in* ~ 밧줄로 끌다[끌리다]; 거느리다; 돌보아 주다.

†**to-ward** [təwɔ́ːrd, tɔːrd] *prep.* ① 의 쪽으로, …에 대하여, …으로,

…가까이, 무렵(~ the end of July 7월이 끝날 무렵이 되어서). ② …을 위하여(생각하여)(for). — [tɔ́:rd/tóuəd] a. ⓛ 온순한; (pred. a.) 절박해 있는(*There is a wedding ~.* 곧 결혼식이 있다).

:to·wards [tɔwɔ́:rdz, tɔ:rdz] *prep.* (英)= TOWARD.

tow·el [táuəl] *n., vt.* (英) -**ll-)** ① 타월, 세수 수건(으로 닦다). **throw [toss] in the ~** 【拳】 (패배의 인정으로) 타월을 (링에) 던지다; (口) 패배를 인정하다, 항복하다. ~·(l)ing *n.* ⓤ 타월감[천].

†tow·er [táuər] *n.* ⓒ 탑. 성루(城樓); 성채, 요새. — *vi.* 높이 솟아 오르다, 우뚝 솟다. *~·ing a.* 높이 솟은; 거대한; 맹렬한. ~·y *a.* 탑이 있는(많은); 높이 솟은.

tów·line *n.* ⓒ (배의) 끄는 밧줄.

†**town** [taun] *n.* ① ⓒ 읍, 소도시; (관사 없이) (자기 고장) 근처의 주요 도시, 지방의 중심지, 번화가, 상가; 【英史】 성(郭) (마을). ② ⓤ 【집합적】 (the ~) 읍민, 시민. **a man about ~** 놀고 지내는 사람(특히 런던의). **go down ~** (美) 상가에 가다. **~ and gown** (Oxf. 와 Camb. 의) 시민사회와 대학가.

tówn crìer (옛날에 공지사항을) 알리면서 다니던 읍직원.

tówn háll 읍사무소, 시청, 공회당.

tówn hòuse 도시의 저택(시골에 country house가 있는 사람의).

tówn plánning 도시 계획.

tówn·scàpe *n.* ⓒ 도시 풍경(화); ⓤ 도시 조경법.

tówns·fòlk *n. pl.* 【집합적】 도시 주민; 읍민.

tówn·shìp *n.* ⓒ 군구(郡區); (美·캐나다) 군구(郡區); 【英史】 군구의 분구(分區).

tów·pàth *n.* ⓒ (강·운하 연안의) 배 끄는 길.

tów·ròpe *n.* = TOWLINE.

tox·ae·mi·a, tox·e·mi·a [taks-mí:mːə/tɔk-] *n.* ⓤ 독혈증(毒血症).

tox·ic [táksik/-5-] *a.* (중)독의.

tox·i·col·o·gy [tàksikálədʒi/tɔ̀ksikɔ́l-] *n.* ⓤ 독물학. -**co·log·i·cal**

[ᷣ-kəlɔ́dʒikəl/-5-] *a.* -**cól·o·gist** *n.* ⓒ 독물학자.

tox·in [táksin/-5-] *n.* ⓒ 독소.

†**toy** [tɔi] *n.* ⓒ ① 장난감(같은 물건). ② 하찮은 것. **make a ~ of** 회롱하다. — *vi.* 장난하다; 회롱하다 (*with*); 시시덕거리다(*with*).

†**trace** [treis] *n.* ⓤⓒ (보통 *pl.*) 발자국; 형적, 흔적. ② (a ~) 기미, 조금(*of*). ③ ⓒ 선, 도형. ④ 【컴】 뒤쫓기, 추적. (hot or the ~s of (…을) 추적하여. — *vt.* ① (…의) 추적하다; 발견하다; 더듬어 가다, (…의) 유래를 조사하다. ② (선율) 긋다, (그림을) 그리다, 베끼다, 투사(透寫)하다. ③ (장문에) 장식 무늬(tracery)를 붙이다. — *vi* 뒤를 밟다; 나아가다. ~ **back** 더듬어 올라가다. ~ **out** 행방을 찾다; 베끼다, 그리다; 획책하다. ~·**a·ble** *a.* trace할 수 있는.

trace² *n.* ⓒ (마차 말의) 봇줄. **in the ~s** 봇줄에 매이어; 매일의 일에 종사하여(in harness). **kick over the ~s** 말을 안 듣다.

tráce èlement 【生化】 미량(微量) 원소(세네의 미네랄 따위).

trac·er [tréisər] *n.* ⓒ 추적자; 추적기(追蹤機); 추적자; 분실물[분실 우편]수사 수사 연락[조회]; 【軍】 예광탄; 【化·生】 추적자(子)(유기체내의 물질의 진로·변화 등을 조사하기 위한 방사성 동위원소); 【컴】 추적 룸틴 (routine). 「너 창살.

trac·er·y [tréisəri] *n.* ⓤⓒ 장식 무늬, 투사(透寫)하다. ~ 장식 무늬(tracery)를 붙이다.

tra·che·a [tréikiə/trəkíːə] *n.* (*pl.* -**cheae** [-kiː], ~**s**) 【解】 기관(氣管).

tra·che·ot·o·my [trèikiátəmi, trækíət-] *n.* ⓤ.ⓒ 【醫】 기관 절제술.

†**trac·ing** [tréisiŋ] *n.* ⓤ 추적; 투사, 복사; ⓒ 자동 기록 장치의 기록.

trácing pàper 투사지, 복사지.

†**track** [træk] *n.* ① ⓒ 지나간 자국, 흔적; 흔적 (보통 *pl.*) 발자국. ② ⓒ 통로; (인생의) 행로; 상도(常道); 궤도; 선로; 경주로, 트랙(a race ~). ③ ⓤ 【집합적】 육상 경기. ④ ⓒ 궤도, 트랙. **in one's ~s** (口) 즉석에서, 곧. **in the ~ of** …의 예에 따라서; …의 뒤를 따라; …의 도중에

keep [*lose*] ~ *of* …을 놓치지 않다(놓치다). *make* ~*s* (俗) 떠나다. 도망치다. *off the* ~ 탈선해서; 주제에서 탈선해서; (사냥개가) 냄새 자취를 잃고, 잘못되어. *on the* ~ 올바로, 단서를 잡아서(*of*); 올바르게. ─ *vt.* ① (…에) 발자국을 남기다; (진흙·눈 따위로) 신발에 묻혀 들이다(*into*). ② 추적하다(*down*). 찾아 내다(*out*). ③ (배를) 끌다. ─*er*. ⓒ 추적자; 배를 끄는 사람; 사냥 안내인. ─*less* *a.* 길(발자국) 없는.

tráck evènts 트랙 종목(러닝·허들 따위).

trácking stàtion (인공위성) 추적소, 추적소.

tract[trækt] *n.* ⓒ ① 넓은 땅, 지역; (하늘·바다의) 넓이. ② (古) 기간. ③ [解] 관(管), 계통.

tract[2] (〈tractate〉의) *n.* ⓒ 소논문, 소책자, (종교 관계의) 팸플릿. *Tracts for the Times*, Oxford movement의 소론집.

trac·ta·ble[træktəbl] *a.* 유순한; 세공하기 쉬운. ─**bil·i·ty**[⁻bíləti] *n.*

trac·tion[trækʃən] *n.* U 견인(력) (牽引(力)), (바퀴 따위의) 마찰(friction). ─*al* *a.* **trác·tive** *a.* 견인하는.

tráction èngine 노면(路面) 견인 기관차.

trac·tor[træktər] *n.* ⓒ ① 끄는 도구. ② 트랙터; 견인차. ③ 앞 프로펠러식 비행기.

tráctor-tráiler *n.* ⓒ 견인 트레일러.

trad[træd] *a.* (주로 英口) = TRADITIONAL.

trade[treid] *n.* ① U 매매, 상업; 거래(*make a good* ~); 무역. ② ⓒ 직업, 손일(목수·장인 등). ③ U (집합적) 동업자들; 고객. ④ (美) (정당간의) 거래, 타협. ⑤ (the ~s) 무역풍. *be good for* ~ 장사가 잘되게 하다, *première* ①. ⑥ (동업자만의) 마음을 일으키게 하다. ─ *vi.* 장사(거래)하다(*in, with*); 사다; 교환하다(~ *seats*). ② (정당 따위) 뒷거래하다; 팔다. 매매하다. ~ *away* [*off*] 팔아버리다.

~ *in* (물품을) 대가로 제공하다. ~ *on* (…을) 이용하다.

tráde gáp 무역의 불균형.

tráde-ìn. ⓒ 대가의 일부로서 제공하는 물품(중고차 따위).

tráde·màrk *n.* ⓒ (登録) 상표.

tráde nàme 상표(상품명); 상호.

tráde príce 도매 가격.

trád·er *n.* ⓒ 상인; 상선.

trádes·man[⁻zmən] *n.* ⓒ (英) 소매상인.

trádes·pèople *n.* 《복수 취급》 상인; (英) 《집합적》 소매상 (가족·계급).

tráde(s) únion (직업별) 노동 조합. [도.

tráde(s) únionism 노동 조합 주의.

tráde(s) únionist 노동 조합원(조합주의자).

tráde wìnd 무역풍. ⎱ (pl.) 무역풍(지대).

tráding cómpany (concern) 상사(商事) 회사.

tráding estàte 공업 지구.

tráding pòst 미개지의 교역소(交易所)

tráding stàmp 경품권(및 장세 모아서 경품과 교환함).

tra·di·tion[trədíʃən] *n.* U.ⓒ ① 전설, 구전, 전래, 인습, 전통. ③ (宗) (모세 또는 예수로부터 그 제자로부터 계승한) 성전, 성전. ─*al*, ─*ar·y* *a.* 전설(상)의; 전통(인습)적인.

tra·duce[trədjúːs] *vt.* 중상하다 (slander). ─*ment* *n.* **tra·dúc·er** [⁻ər] *n.*

traf·fic[træfik] *n.* U ① (사람·수레·배의) 왕래; 교통, 운수(량). ② 거래, 무역(*in*); 교제. ③ 화물의 양), 승객(수), 수송; ④ [컴] 소통(량). ─ *vt., vi.* (-*ck*-) 장사(거래)하다, 무역하다(*in, with*); (명예를) 팔다 (*for, away*).

tráffic círcle (美) 원형 교차점, 로터리.

tráffic còp (美口) 교통 순경.

tráffic ìsland (가로의) 안전지대.

tráffic jàm 교통 마비(체증).

traf·fick·er[træfikər] *n.* (蔑) 상인, 무역업자.

tráffic sìgnal (light) 교통 신호(기)(신호등).

tráffic wàrden (英) 교통 지도원.

:**trag·e·dy**[trǽdʒədi] *n.* Ⓤⓒ 비극: 참사. **tra·ge·di·an**[trədʒíːdi-ən] *n.* (*fem.* **-dienne**[-dién]) ⓒ 비극 배우(작가).

:**trag·ic**[trǽdʒik] *a.* 비극의; 비극적인; 비참한. **trag·i·cal·ly** *ad.*

trag·i·com·e·dy[trædʒəkámədi/-5-] *n.* Ⓤⓒ 희비극. **-com·ic, -i·cal** *a.*

:**trail**[treil] *vt.* (옷자락 따위를) 질질 끌다, 늘어뜨리다: 끌며 [늘어 뜨리며] 가다. ② (…의) 뒤를 쫓다 (follow); 길게 이야기하다; (몸을) 밟아서 길을 내다. ── *vi.* ① 질질 끌리다; (머리카락·밧줄 따위가) 늘어지다; 꼬리를 끌다. ② (담쟁이·베 따위가) 기다; 옆으로 뻗치다; 발을 끌며 걷다(*along*). ③ (목소리 따위가) 점점 사라지다. ── *n.* ① (발) 자국; (사냥 짐승의) 냄새 자국. ② 오솔길; 늘어진 것; (연기·구름의) 옆으로 퍼짐. ③ 단서. **off the ~** 냄새 자국을 잃고, 길을 잃고. **on the ~ of** …을 추적하여.

†**trail·er**[-ər] *n.* ⓒ ① 끄는 사람 [것], ② 만초(蔓草). ③ 추적자; 동력차에 끌리는 차, 트레일러. ④ [映] 예고편; (필름의) 감은 끝의 공백의 부분(cf. leader). ⑤ [植] 포복 식물.

:**train**[trein] *vt.* ① 훈련(양성·교육) 하다; (말·개 따위를) 훈련시키다, 길들이다. ② [圓藝] 손질하여 가꾸다 (~ *the vine over a pergola* 퍼골러에 포도 덩굴을 뻗어 나가게 하다). ③ (포를) 돌리다(*upon*). ④ (古) 꾀다(allure). ── *vi.* 훈련[연습]하다; 몸을 단련하다(~ *for races*); (美俗) 사이좋게 어울리다(*with*). ~ *down* (선수가) 단련하여 체중을 줄이다. ~ *it* 기차로 가다. ── *n.* ① 뒤에 끄는 것, 옷자락; (새·혜성의) 꼬리. ② ⓒ 열차(보통 ~); (기차 여행; (보통 *sing.*) 열, 행렬; 연속(되는 것), ③ [집합적으로] 종자(從者), 수행원. ⑤ Ⓤ(古) 차례, 순서(in good ~ 준비가 잘 갖추어져). **down**[**up, through**] ~ 하행(상행, 직통) 열차. ~**a·ble** *a.* ~**ed**[-d] *a.* (정식으로) 양성[단 련]된, 단련된. ~**ée** *n.* ⓒ 훈련

받는 사람; 직접 교육을 받는 사람; (美) 신병. ~**er** *n.* ⓒ 훈련자; 조교 사(調敎師); 지도자, 트레이너; [美軍] 조준수(照準手); [圓藝] 덩굴 식물을 얽는 시렁, [英空軍] 훈련용 비행기.

train·ing[∠iŋ] *n.* Ⓤ 훈련, 교련, 트레이닝; (말의) 조교(調敎). ② (경기의) 컨디션. ③ 정지법(整枝法), 가지 다듬기, 가꾸기.

tráining còllege (英) 교원 양성소, 교육 대학.

train·man[∠mən] *n.* ⓒ (美) 승무원; (특히) 제동수.

tráin·spòtter (열차의 형이나 번호를 외어 분별하는) 열차 매니아.

traipse[treips] *vi.* (口) 싸다니다. 어정거리다. ── *n.* 질질 끌리다(치마 등의).

†**trait**[treit] *n.* ⓒ 특색; 특징; 얼굴 모습.

trai·tor[tréitər] *n.* (*fem.* **-tress** [-tris]) ⓒ 반역자, 매국노; 배반자 (*to*). ~**ous** *a.*

tra·jec·to·ry[trədʒéktəri, trǽdʒik-] *n.* ⓒ 탄도; (혜성·혹성의) 궤도.

tram[træm] *n.* ① 궤도차(車); (英) 시가 전차; 석탄차, 광차(鑛車).

trám·car *n.* ① (英) 시가 전차; (美) streetcar. 「(美) 전차선로」

trám·line[∠làin] *n.* ⓒ (보통 *pl.*)

tram·mel[trǽməl] *n.* ⓒ 말의 족쇄 (조교용(助敎用)); (보통 *pl.*) 속박: 구속(을); 물고기[새] 그물; (pot 따위를 거는) 만능 갈고리; (*pl.*) 타원 컴퍼스. ── *vt.* (*-l-*, (英) *-ll-*) 구속하다; 방해하다. ~**·l)ed**[-d] *a.* 구속된.

†**tramp**[træmp] *vi.* ① 짓밟다(*on, upon*); (무겁게) 쿵쿵 걷다. ② 터벅터벅 걷다; 도보 여행하다, 방랑하다. ── *vt.* (…을) 걷다; 짓밟다. ── *n.* ① (*sing.* 보통 the ~) 무거운 발소리. ② ⓒ 방랑자; 방랑 생활; 긴 도보 여행. ③ [海] 부정기 화물선. ④ ⓒ (美俗) 매춘부. 창부 (the ~). ~**·er** *n.*

tram·ple[trǽmpəl] *vt., vi.* ① 짓밟다 유린하다; 심하게 다루다, 무시하다 (~ *down*; ~ *under foot*). ── *n.* ⓒ 짓밟음, 짓밟는 소리.

tram·po·lin(e)[trǽmpəliːn, ∠∠∠] *n.* ⓒ 트램펄린(체를 안에 스프링으로

tramp steamer 탄성을 이용하여 도약하는 운동 용구).

trámp stéamer 부정기 화물선.

trance [træns, -ɑ:-] *n.*, *vt.* ⓒ 꿈 낀 상태, 비몽 사몽, 황홀[혼수] 상태(로 만들다).

tran·quil [trǽŋkwil] *a.* (《英》 *-ll-*) 조용한; 평온한. **~·lize**[-laiz] *vt.* 진정시키다[하다]; 조용하게 하다, 조용해지다. **~·ly** *ad.* **~·ness** *n.* **tran·quil·(l)i·ty** *n.*

trans- [træns, trænz] *pref.* 횡단; 관통(*transatlantic*). '초월, 지족(*transalpine*).' 초월, 지족(*transalpine*). '변화(*transform*)' 등의 뜻.

trans·act [trænsǽkt, -z-] *vt.* 취급하다, 처리하다. 하다 (do). ─ *vi.* 거래하다(deal)(*with*). **trans·ác·tion** *n.* Ⓤⓒ 처리; 거래; 《물》 (학회의) 보고서, 의사록; 《컴》 변동 자료(략자:TA). **-ác·tor** *n.*

trans·at·lan·tic [trænsətlǽntik, -z-] *a.*, *n.* ⓒ 대서양 유럽[여쪽]에서 대서양 건너의 (사람), 아메리카의 (사람); 대서양 횡단의 (기선).

tran·scend [trænsénd] *vt.*, *vi.* 초월하다; 능가하다(excel). (*It*) ─*s description*. 필설로는 다할 수 없다.

tran·scend·ence [trænséndəns], **-en·cy** [-i] *n.* Ⓤ 초월; 탁월; 《신》 초절성(超絶性). **-ent** *a.*, *n.* 뛰어난, ⓒ 탁월한(superior) (사람·물건); 물질계를 초월한 (기선).

tran·scen·den·tal [trænsendéntl] *a.* =TRANSCENDENT; 초자연적인; 모호한; 추상적인; 이해할 수 없는; 《칸트哲學》('transcendent'와 구별하여) 선험적인; 《數》 초월 함수의. **~·ism** [-təlìzəm] *n.* Ⓤ 모호; 《哲》 초월론, 선험론; (Emerson의) 초절론, 《哲》 (Kant의) 초절론, 선험론. **~·ist** [-təlist] *n.* ⓒ 선험론자, 초절론자.

trans·con·ti·nen·tal [trænskɑntənéntl, trænz-/trǽnzkɔn-] *a.* 대륙 횡단의, 대륙 저쪽의.

tran·scribe [trænskráib] *vt.* 베끼다; 전사(轉寫)하다; (다른 악기용 따위로) 편곡하다; 녹음(방송)하다. **·U** 편곡; 녹음.

tran·scrip·tion *n.* Ⓤ 필사(筆寫); 《U》 편곡; 녹음.

tran·script [trǽnskript] *n.* ⓒ 베낀 것, 사본, 등본.

trans·duc·er [trænsdjúːsər] *n.* ⓒ 《電》 변환기(變換器).

tráns·earth [*宇宙*] 지구로 향하는.

trans·sept [trǽnsept] *n.* ⓒ 《建》 (십자형식 교회당의 좌우의) 수랑(袖廊)(의 좌우).

trans·fer [trænsfər] *n.* ① Ⓤⓒ 전환, 이동, 전임, 전학; Ⓤ (권리의) 이양, (재산의) 양도, ② Ⓤ 차환(置換), (명의의) 변경. ③ Ⓤ 대체(對替), 환(換). ④ Ⓤ 갈아타기; Ⓒ 갈아타는 표. ⑤ 《컴》 이송, 옮김. ─ [trænsfə́r] *vt.*, *vi.* 옮기(기)다, 나르다; 양도하다; 전사(轉寫)하다; 전임시키다[되다]; 갈아타다. **trans·ferred epithet** [文] 전이(轉移) 수식 어구(「보기」: a man of *hairy strength* 털 많은 힘센 남자). **-a·ble**, **-·ee**[-fərː]. *n.* **-·ence** [trænsfə́rəns, -fɚ-] *n.* Ⓤⓒ 이동, 전송(轉送); 《精神分析》(어릴 때 감정이, 새 대상으로의) 전이(轉移). **~·(r)er**, 《法》**~·or**[-fɔ́:rər] *n.*

trans·fig·u·ra·tion [trænsfìgjəréiʃən] *n.* Ⓤ 변형, 변모; (the T-) (예수의) 변형(마태 복음 17:2). 변성용(變容)(8월 6일).

trans·fig·ure [trænsfíɡjər, -gɚ-] *vt.* 변모(변용)시키다; 거룩하게 하다, 이상화하다.

trans·fix [-fíks] *vt.* 꿰찌르다 (못박은 것처럼) 그 자리에서 꼼짝 못 하게 하다. **~·ion** *n.*

trans·form [-fɔ́rm] *vt.* ① 변형시키다, 바꾸다(*into*). ② 《電》 변압하다. ③ 《컴》 변화하다. **-a·ble** *a.* **~·er** *n.* 《電》 변압기; 변형시키는 사람 [것]; 변압기. **trans·for·ma·tion** [-fərméiʃən] *n.* Ⓤⓒ 변형, 변화; 변압; 《電》 변압기; 《여자의》 가발.

trans·fuse [trænsfjúːz] *vt.* 옮겨 붓다; 따라 넣다; 스며들게 하다(*into*); 고취하다(instill)(*into*); 《醫》 수혈

하다. **trans·fú·sion** n.

trans·gress[trænsgrés, -z-] vt. (…의) 한계를 넘다; (법을) 범하다 (violate). — vi. 법률을 범하다; 죄를 범하다(sin). **-grés·sor** n. **-grés·sion** n.

tran·sient[trǽnʃənt, -ziənt] a. ① 일시적인, 덧없는. ② 《美》 단기 체류의 (손님). — n. ⓒ 《美》 단기 체류객; (손님). ~·ly ad. ~·ness n. -sence, -sien·cy n.

tran·sis·tor[trænzístər, -sís-] n. ⓒ 〔無電〕 트랜지스터(게르마늄 따위의 반도체(半導體)를 이용한 증폭 장치).

tran·sit[trǽnsit, -z-] n. ① 통과, 통행; 운송; ② 통로, 운로. ⓒ ⓤ.ⓒ 〔天〕 자오선 통과. ③ ⓤ 경과; 변천. ④ ⓤ 〔컴〕 거쳐 보냄. — vt. 횡단하다; (…을) 통과하다.

tran·si·tion[trænzíʃən, -síʒən, -zíʃən] n.ⓤ.ⓒ 변천, 변이(變移); 과도기; 〔樂〕 (일시적) 전조(轉調) (cf. transposition). ~·al a.

tran·si·tive[trǽnsətiv, -zi-] a., n. 〔文〕 타동사. ~·ly ad.

tran·si·to·ry[trǽnsətɔ̀ːri, -z-/-təri] a. 일시의, 일시적인, 오래 가지 않는, 덧없는, 무상한. -ri·ly ad.

trans·late[trænsléit, -z-, ⁻⁻] vt. 번역하다; 해석하다; 《俗》 (구두 따위를) 고쳐 만들다; 이동시키다; (행동으로) 옮기다; 〔컴〕 (프로그램·자료·부호 등을 딴 언어로) 번역하다. — vi. 번역하다(되다). **trans·lá·tion** n. ⓤ.ⓒ 번역. **trans·lá·tor** n. ⓒ 번역자; 〔컴〕.

trans·lit·er·ate[trænslítərèit, -z-] vt. 자역(字譯)하다, 음역하다. **-a·tion**[⁻⁻⁻⁻éiʃən] n. 〔어〕.

trans·lu·cent[-lúːsənt] a. 반투명의. **-cence**, **-cen·cy** n.

trans·mi·grate[-máigreit] vi. 이 주하다; 다시 태어나다. **-gra·tor** n. **-gra·tion**[⁻⁻⁻gréiʃən] n. ⓤ.ⓒ 이주; 전생(轉生), 윤회(輪廻).

trans·mis·si·ble[-mísəbəl] a. 전달[옮길] 수 있는; 전달되는, 보내지는. **-sion** n. ⓤ 전달, 송달; 전송; ⓒ 전달되는 것; (자동차의) 전동(電動) 장치; 전송, 방송; ⓤ 〔理〕 (빛 따위의) 전도; 〔生〕 형질(形質) 유전.

〔컴〕 전송. **-sive** a. 보내지는, 보내는.

trans·mit[-mít] vt. (-**tt**-) ① 보내다, 회송하다. ② 전달(매개)하다. ③ (빛·열을) 전도하다. ④ 송신하다, 방송하다. ⑤ (재산을 전해 물리다; (못된 버릇을) 유전하다. ⑥ 〔컴〕 (정보를) 전송하다. ~·tal n. ~·ta·ble a. ~·tance n. ⓤ 송신; 송화 회송(전달)나; 유전체; 송신기, 송화기; (전달하는) 유전.

trans·mute[-mjúːt] vt. 변화[변질]시키다. **trans·mu·ta·tion**[⁻⁻⁻⁻] n.

tran·som[trǽnsəm] n. 〔建〕 상인방, 가로대; 《美》 = ◁ **window** 교창(交窓).

:trans·par·ent[trænspɛ́ərənt] a. 투명한; (문제 등이) 명료한; 솔직한; (변명이) 빤히 들여다보이는. **-ence** n. ⓤ 투명(도), **-en·cy** n. ⓤ 투명(도); ⓒ 투명화(畵). ~·ly ad.

trans·pire[trænspáiər] vi., vt. 증발[배출]하다[시키다]; 배출하다; 분 밀이가 새다(become known); (비) 이 일어나다.

:trans·plant[trænsplǽnt, -plɔ́ːnt/⁻⁻] vt. (식물·피부 등을) 이식하다; 이주시키다. **trans·plan·ta·tion**[⁻⁻⁻téiʃən] n.

:trans·port[trænspɔ́ːrt] vt. 수송하다; 도취[열중]게 하다; 유형(流刑)에 처하다; 《廢》 죽이다. — [⁻⁻] n. ⓤ 수송. ② 수송기기, 수송선; 수송기; ③ (a ~ 또는 pl.) 황홀, 도취, 열중; ④ ⓒ 유형수. ~·a·ble a. ~·er n. ~·ive a.

:trans·por·ta·tion [trǽnspərtéiʃən/⁻pɔːrt-] n. ⓤ 수송; 수송료; 수송 기관; 유형(流刑).

tránsport càfe 《英》 (간선 도로변의) 장거리 운전자용 간이 식당.

trans·pose[trænspóuz] vt. (위치·순서 따위를) 바꾸어 놓다, 전치(轉置)하다; 〔數〕 이항 (移項)하다; 〔樂〕 이조(移調)하다. **trans·po·si·tion** [⁻pəzíʃən] n. (cf. transition).

:trans·séxual a., n. 성전환의; 성전환자.

tran·sub·stan·ti·a·tion [trǽnsəbstǽnʃièiʃən] n. ⓤ 변질; 《神》

체(化體), 【가톨릭】 성변화(聖變化)
《성체성사의 빵과 포도주가 예수의 살
과 피로 변질하기》.

trans·verse [trænsvə́ːrs, -z,
́-/-] *a.* 가로의, 횡단하는, 교차
하는.

trans·ves·(ti·)tism [trænsvés-
(tə)tìzəm, trænz-] *n.* ⓤ 복장 도
착《이성의 복장을 하는 성도착》.

trans·ves·tite [-tait] *n.* 복장
도착자, 이성의 복장을 하는 성도착자.

trap [træp] *n., vt.* (**-pp-**) ⓒ ① 덫
《에 걸리게 하는》, 계략(에 빠뜨리다)
② 《사격 연습용》 표적 날리는 장치
(cf. trapshooting). ③ 방화(防火)
U자관(管)(을 장치하다) ④ 뚜껑문
(을 달다), 함정 마차. ⑥ 【口】 타
악기류. ⑦ 《俗》 입, 목구멍; 《俗》
잎. 【口】 사다리. —— *vi.* 덫을 놓
다; 덫을 장치하다. —— *vi.* 덫을 놓
다; 덫 사냥을 직업으로 하다.

tráp·dóor 《지붕·마루의》 뚜껑문.

tra·peze [træpíːz/trə-] *n.* ⓒ 《체
조·곡예용》 대형 그네.

tra·pe·zi·um [trəpíːziəm] *n.* (*pl.*
~s, -zia [-ziə]) ⓒ 《英》 사다리꼴;
《美》 【幾】 부등변 사각형.

trap·e·zoid [trǽpəzɔ̀id] *n., a.* ⓒ
《美》 사다리꼴; 《英》 【幾】 부등변
사각형(의).

trap·per [trǽpər] *n.* ⓒ 덫을 놓는
사람, 《모피를 얻기 위해》 덫으로 새·
짐승을 잡는 사냥꾼(cf. hunter).

trap·pings [trǽpiŋz] *n. pl.* 장식,
장신구; 말 장식.

trash [træʃ] *n.* ⓤ 쓰레기, 잡동사
니; 깡패. **~·y** *a.*

trásh càn 쓰레기통.

trau·ma [trɔ́ːmə, tráu-] *n.* (*pl.*
-ma·ta [-mətə]) ⓤⓒ 【醫】 외상(성
), 쇼크. **trau·mat·ic** [-mǽtik] *a.*

tra·vail [trəvéil, trǽveil] *n.* 【雅】
산고(産苦), 진통(苦痛). ⓒ 고생, 노
고. —— *vi.* 【雅】 고생하다; 진통으로
괴로워하다.

trav·el [trǽvəl] *vi.* (《英》**-ll-**) ①
여행하다; 이동하다; 팔고 다니다(for,
in); 《퍼스톤이》 움직이다; 《생각이》
미치다; 가다. 《…을》 향다, 지나가
다(~ a road). 《…을》 여행하다.
—— *n.* ⓤ 여행; (*pl.*) 여행기, 기행

(*Gulliver's Travels*). **~ed**, 《英》
~led [-d] *a.* 여행에 익숙한, 여행을
많이 한. **~·er**, 《英》 **~·ler** *n.* ⓒ
여행자; 순회 외교원; 이동 기중기. ⓒ
【船】 고리도르래.

trável àgency (bùreau) 여행사.

trável àgent 여행 안내소.

tráv·el·ing, 《英》 **-el·ling** [trǽv-
liŋ] *n., a.* 【口】 여행(의); 이동(하
는).

tráveling sálesman 《美》 순회
판매원, 도붓장수하는 사람.

trav·e·log(ue) [trǽvəlɔ̀ɡ, -lɑ̀ɡ/
-lɔ̀ɡ, -lɔ̀uɡ] *n.* ⓒ 《슬라이드·영화
등을 이용하는》 여행담; 기행 영화.

trav·erse [trǽvəːrs, trəvə́ːrs]
vt. 가로지르다, 횡단하다; 방해하다
(thwart). —— *vi.* 가로지르다; 《산
에》 지그재그 모양으로 오르다. —— *n.*
ⓒ 횡단(거리); 가로장; 방해(물);
《돛·배의》 지그재그 항로; 지그재그 등
산(길). —— *a.* 횡단의, 횡단하는.

trawl [trɔːl] *n., vi., vt.* 트롤망
(으로 잡다), 【美】 트롤 어업을 하다;
《美》 주낙(으로 낚다). **~·er** *n.* ⓒ
트롤선《船》[어부].

tray [trei] *n.* ⓒ 쟁반; 얕은 접시
《상자》.

treach·er·y [trétʃəri] *n.* ⓤ 배신,
배반; 반역(treason). ⓒ (보통 *pl.*)
배신 행위. **treach·er·ous** *a.* 배반
《반역》의; 믿을 수 없는.

trea·cle [tríːkəl] *n.* ⓤ 당밀
《糖蜜》.

trea·cly [tríːkəli] *a.* 당밀 같은《말
따위가》 달콤한; 끈적거리는.

tread [tred] *vi., vt.* (**trod**, 《古》
trode; trodden, trod) ① 밟다, 걸
어가다, 짓밟다; 밟아 뭉개다(on, upon).
② 《수새가》 교미하다(with). ~
down 밟아 다지다, 짓밟다; 《감정
상대를》 억누르다. ~ **in a person
steps** 아무의 본을 받다, 아무의 전
철을 밟다. ~ **lightly** 《미묘한 문제
따위를》 교묘하게 다루다(show
tact). ~ **on air** 기뻐 날뛰다. ~
on a person's corns 화나게 하다.
~ **on eggs** 미묘한 문제에 직면하
다. ~ **on the neck of** …을 정복

하다. ~ **out** (불을) 밟아 끄다 : (포도를) 밟아서 짜다. — **on a person's toes** 화나게 하다 ; 괴롭히다. ~ **the boards** 무대를 밟다. — n. ① (sing.) 밟기, 밟는 소리 ; 발걸음, 걸음걸이. ② ⓒ (계단의) 디딤판, (사다리의) 가로장(rung). ⓤⓒ (바퀴·타이어의) 레일(지면) 접촉부. ④ ⓒ (자동차의) (좌우) 바퀴 거리.

trea·dle[trédl] n., vi., vt. ⓒ (페달) (을 밟다) ; 발판을 밟아 움직이다(재봉틀을 밟다).

tréad·mill n. ⓒ ① (옛날, 죄수에게 밟게 한) 답차(踏車) ; (the ~) 단조로운 일(생활).

trea·son[trízn] n. ⓤ (국가에 대한) 반역(죄). ~**a·ble**, ~**ous** a.

trea·sure[tréʒər] n. ⓤ (집합적) 보배, 보물, 재보 ; **spend blood and** ~ 생명과 재산을 허비하다. — vt. 비장(秘藏)하다, 진중히 여기다 ; 명기(銘記)하다(up).

tréasure hòuse 보고(寶庫).

tréasure hùnt 보물찾기(놀이).

treas·ur·er[tréʒərər] n. ⓒ 회계원, 출납원(출납관). **Lord High T-** [英史] 재무장관. ~**ship**—[-ʃìp] n.

treasure-trove[-tròuv] n. ⓒ 소유자 불명의 발굴재(發掘財) 《금화·보석 따위》.

treas·ur·y[tréʒəri] n. ⓒ 보고, 보물 ; 국고 ; 기금, 자금, (T-) 재무성(보건) (寶典).

treat[tríːt] vt., vi. 취급하다, 다루다, 대우하다. ② 대접하다, 한턱내다(to). ③ 논하다(of, upon). 항응하다(of, upon). ③ 논하다(of, upon). … 라고) 생각하다, 간주하다(regard) (as). ④ (vi.) (약품 따위로) 처리하다(with). ③ (vi.) 상담(교섭)하다 (for, with). — n. ⓒ 한턱 : (one's ~) 한턱(낼 차례) ; 즐거운 일(소풍 따위). **STAND** ~. ~**·ment** n. ⓤⓒ 취급, 대우, 처치, 처리, 논술.

trea·tise[tríːtis, -z, -s] n. ⓒ 논설, (학술) 논문(on).

trea·ty[tríːti] n. ⓒ 조약, 맹약(盟約) ; 약정, 협정.

tre·ble[trébəl] n., a. ⓒ 3배(의).

세 겹(의). — ⓤ [樂] 최고음부(의), 소프라노(의) ; ⓒ 새된 (목소리·음). — vt., vi. 3배로 하다, 3배가 되다. -**bly** ad.

tree[tríː] n. ⓒ ① 나무, 수목(cf. shrub). ② 목제품(shoe ~ 구두골) ⓒ (신) 골) ③ 계통수(樹), 가계도(family tree). ④ [컴] 나무틀(나무처럼 편성된 정보 구조). ~ **of heaven** = 가죽나무. ~ **of knowledge** (of good and evil) [聖] 지혜의 나무 《Adam과 Eve가 그 열매를 먹고 천국에서 추방됨》. ~ **of life** [聖] 생명의 나무. **up a** ~ 《俗》진퇴 양난에 빠져. — vt. ① (짐승을) 나무 위로 쫓다, 궁지에 몰아 넣다. ② (구두에) 골을 끼다. ③ 나무(가로대·지주)를 대다. ~**·less** a. ~**·like**[-làik] a.

trée line (고산·극지의) 수목 한계선.

trée·tòp n. ⓒ 우듬지.

tre·foil[tríːfɔil, tré-] n. ⓒ 클로버, 토끼풀속(屬)의 풀 ; [建] 세잎 장식.

trek[trek] n., vi., vi. (-**kk**-) 《南阿》(달구지) 여행(을 하다) ; (달구지여행의) 한 구간.

trel·lis[trélis] n., vt. ⓒ 격자(세공) (을 만들다) ; 격자 시렁(으로 버티다). — vt. (…으로) 두르다.

trem·ble[trémbəl] vi., vt., n. 떨(게 하다), (a ~) 진동(하다, 시키다) ; (vi.) 흔들리다(at) ; 두려워하다, 조마조마하다(at, for). **trem·bler** n. ~**·bling** a., n. **trem·bly** a. 떨리는.

tre·men·dous[triméndəs] a. ① 무시무시한, 굉장한 ; ② 《口》대단한, 굉장한 : 멋진, 멋있는. **have a ~ time** 아주 멋있게 놀다. ~**·ly** ad.

trem·o·lo[trémolòu] n. 《pl. ~s》[It.] ⓒ [樂] 전음(顫音), 트레몰로, 트레몰로.

trem·or[trémər] n. ⓒ 떨림, 진동 ; 떨리는 목소리(음) ; 오싹오싹하는 흥분(thrill).

trem·u·lous[trémjələs] a. 떨리는 ; 전율하는 ; 겁많은. ~**·ly** ad.

trench[trentʃ] n. ⓒ 도랑, 참호로. — vt. (홈을) 새기다 : (논밭을) 파치다 : (…에) 도랑을(참호를) 파다

— vi. 참호를 만들다(along, down); 장식(裝飾)〔접근〕하다(on, upon).

trench·ant[tréntʃənt] a. 찌르는 듯한; 통렬한(cutting); 효과적인, 강력한, 가치있는; 뚜렷한(clearcut) (in ～ outline 뚜렷하게). **-ly** ad. **-ness** n. **-an·cy** n.

trénch còat 참호용 방수 외투; 그 모양의 비옷.

trend[trend] n., vi. 향(向); 경향(이 있다); 향하다 (toward, upward, downward). 「사람」.

trénd-sètter n. C 유행을 만드는

trend·y[tréndi] a. 최신 유행의; C 유행의 첨단을 가는 (사람).

trep·i·da·tion[trèpədéiʃən] n. U 공포, 전율.

tres·pass[tréspəs] n., vi. U.C ① 침입(하다)〔남의 토지 따위에〕 침해(하다)(on, upon). ② 방해(하다)〔남의 시간 따위를〕, (호의에) 편승하다, 기회삼다(on, upon). — on a person's preserves 아무의 영역을 침범하다. 주제 넘게 굴다. **～er** n.

tress[tres] n. C (머리털의) 한 다발; 많은 머리; (pl.) 삼단 같은 머리.

tres·tle[trésl] n. C 가대(架臺); 버팀다리, 구각(構脚).

tri-[trai] pref. 셋, 세겹의 뜻 (triangle).

tri·ad[tráiæd, -əd] n. C 3개 한 벌, 세 짝짜리; 3부작; 〔樂〕3화음; 〔化〕3가 원소.

tri·al[tráiəl] n. ① U.C 시도, 시험. ② U.C 시련, 곤란, 재난; 귀찮은 사람〔것〕. ③ U.C 〔法〕재판, 심리. **bring to〔put on〕 ～** 공판에 부치다. **make ～ of** …을 시험해 보다. **on ～** 시험적으로; 시험의 결과(로); 취조를 받고. **～ and error** 〔心〕시행착오. 「乘〕; 실험, 시험 (試行).

trial rún 〔trip〕 시운전, 시승

tri·an·gle[tráiæŋgl] n. C ① 삼각(형). ② 3개 한 벌, 3인조. ③ 삼각자. ④ 〔樂〕트라이앵글. **the eternal ～** 삼각 관계.

tri·an·gu·lar[traiæŋgjələr] a. ① 삼각형의. ② 3자간의(among 따위); 3국간의(조약 따위).

tri·an·gu·late[traiæŋgjəlèit] vt.

삼각형으로 하다〔가르다〕; 삼각 측량을 하다. — [-lit, -lèit] a. 삼각의 (무늬 있는); 삼각형으로 된. **-la·tion**[-²-léiʃən] n. U 삼각 측량〔구분〕.

trib·al[tráibəl] a. 부족의, 종족의. **～ism**[-bəlizm] n. U 부족제, 부족 근성.

:**tribe**[traib] n. C ① (집합적) ① 부족, 종족. ② (藐) 패거리. ③ 〔生〕족 (族). **the scribbling ～** 문인들. **tribes·man**[²zmən] n. C 부족〔종족〕의 일원.

trib·u·la·tion[trìbjəléiʃən] n. U.C 고난; 시련.

tri·bu·nal[traibjúːnl, tri-] n. ① C 재판소; 법정. ② C 여론의 심판, 흐 (the ～) 판사석, 법관석.

trib·u·tar·y[tríbjətèri/-təri] a. 공물을 바치는; 종속하는; 보조의; 지류의. — n. C 공물을 바치는 사람; 속국; 지류.

trib·ute[tríbjuːt] n. C U.C 공물, 조세. ② C 선물; 감사의 말〔표시〕, 찬사.

trice n. (다음 성구로) **in a ～** 순식간에; 갑자기.

tri·ceps[tráiseps] n. (pl. ～**es**) 〔解〕삼두근(三頭筋).

:**trick**[trik] n. ① 계략, 계교; 속임수, 요술; 〔映〕트릭; (동물의) 재주(feat). ② 요령, 비결(knack). ③ (나쁜) 장난; (독특한) 버릇. ④ (美) 장난감(값은 장난); (pl.) 방물. ⑤ 〔카드〕한 바퀴(분의 패). ⑥ 교대의 근무 시간; (일의) 당번. ⑦ (美口) 소녀, 아이. **do〔turn〕 the ～** (口) 목적을 달성하다. **know a ～ worth two of that** 그것보다 훨씬 좋은 방법을 알고 있다. **not〔never〕 miss a ～** (口) 호기를 놓치지 않다, 주위 사정에 밝다. **play a ～ on** (a person) (아무에게) 장난을 하다. **play ～s** on …와 장난하다. …을 놀리다. **the whole bag of ～s** 전부. — vt. 속이다; (…의) 기대를 저버리다(도양내다)(out, up). — vi. 요술부리다; 장난하다. **～ a person into〔out of〕** 속여서 ～시키다〔를 빼앗다〕. **～·er·y** n. U 책략; 속임수.

T

trick·le [tríkəl] *vi., vt.* 똑똑 떨어지다(떨어뜨리다) (along, down, out); (비밀 따위) 조금씩 누설되다(하다) (out). — *n.* ⓒ (보통 a ~) 똑똑 떨어짐; 실개천; 소량.

trick·ster [tríkstər] *n.* ⓒ 사기꾼 (cheat); 책략가.

trick·sy [tríksi] *a.* 장난치는; 《古》 다루기 어려운; 《古》 교활한.

trick·y [tríki] *a.* 교활한(wily); 속이는; 복잡한, 까다로운; 다루기 어려운. **tríck·i·ly** *ad.*

tri·col·or, 《英》 **-our** [tráikʌlər/ tríkə-] *n.* 삼색기; ⓒ 삼색기(旗).

tri·cy·cle [tráisikəl] *n.* ⓒ 세발 자전거; 삼륜 오토바이. **-cler, -clist** *n.*

tri·dent [tráidənt] *n., a.* ⓒ 삼지창 (槍) 《Neptune 이 가진 것》; 세 갈래진.

tried [traid] *v.* try의 과거(분사). — *a.* 시험이 끝난; 확실한.

tri·en·ni·al [traiéniəl] *a., n.* 3년 계속되는; ⓒ 3년마다의 〈축제〉; 3년 생의 〈식물〉. **-ly** *ad.*

tri·er [tráiər] *n.* ⓒ 실험자, 시험관 (官)〈물〉; 심문자, 판사.

tri·fle [tráifəl] *n.* ① ⓒ 하찮은[시시한] 물건[일]. ② ⓒ 소량, 조금; 푼돈. ③ ⓤⓒ 트라이플《카스텔라류에 크림·포도주를 넣은 과자》. — *v.* 좀, 약간, **not stick at ~s** 하찮은 일에 구애를 받지 않다. — *vi.* 실없거리다, 실없는 짓[말]을 하다; 소홀히 하다(with); 가지고 장난하다. 만지작거리다(with). — *vt.* (돈이나 시간을) 낭비하다(away).

trig·ger [trígər] *n.* ⓒ 방아쇠; 《컴》 트리거《기계가 프로그램이 자동적으로 동작을 개시하도록 하는 것》. **quick on the ~** 《美口》 사격이 빠른; 재빠른; 빈틈 없는.

trigger-happy *a.* 《口》 권총 쏘기 좋아하는; 호전[공격]적인.

trig·o·nom·e·try [trìgənάmətri/ -nɔ́-] *n.* ⓤ 삼각법. **-no·met·ric** [-nəmétrik], **-no·met·ri·cal** [-əl] *a.* 삼각법의, 삼각법에 의한.

tril·by [trílbi] *n.* ⓒ 《英口》 펠트 모자의 일종; (*pl.*) 《俗》 발.

trill [tril] *n., vt., vi.* 떨리는 목소

리[로 말하다, 노래하다]; 지저귐, 지저귀다; 《音樂》 전동음(顫動音)《으로 발음하다》《으로 울리다》. ⓒ을 울림.

tril·lion [tríljən] *n., a.* ⓒ 《英》 백만의 3제곱(의); 《美》 백만의 제곱(의); ⓒ 1조(兆)의.

tril·o·gy [trílədʒi] *n.* ⓒ 3부작; 3부 극.

trim [trim] *a.* (**-mm-**) 말쑥한, 정연한, 정돈된. — *n.* ⓤ ① 정돈[된 상태]; 정비; 준비, 채비; 복장, 장식; (배의) 장비. ② 건강 상태; 기분. ③ (또는 a ~) 손질, 깎아 다듬기. *in* (*good*) ~ 상태가 좋아, 《海》 균형이 잘 잡혀, *into* ~ 적당한 상태로. *in traveling* ~ 여장(旅裝)하고. *out of* ~ 상태가 나빠. — *vt.* (**-mm-**) 말쑥하게 하다, 정돈하다; 장식하다(with); 깎아 다듬다; 잘라 버리다(away, off); 《海·空》 (화물·승객의 위치를 정리하여) 균형을 잡다; (돛을) 조절하다; 《口》 지우다; 《口》 야단치다. — *vi.* (두 세력의) 균형을 잡다, 기회주의적 태도를 취하다(between); 《海·空》 균형이 잘 잡히다; 돛을 조절하다. *~ a person's jacket* 《俗》 때리다. *~ in* (목재를) 잘라 맞추다. *~ one's course* 돛을 조절하여 나아가다. **-ly** *ad.* **-ness** *n.* **-mer** *n.* ⓒ 정돈하는 사람[물건]; 기회주의자.

trim·ming [trímiŋ] *n.* ⓤⓒ 정돈; 손질, 깎아 다듬기. ② (보통 *pl.*) (요리의) 고명. ③ (보통 *pl.*) 의복·모자 등의 장식; 잘라낸 부스러기, 가윗밥.

trin·i·ty [trínəti] *n.* (the T-) 《神》 삼위일체《성부·성자·성신》; ⓒ 《美術》 삼위일체의 상징; 3인조, 3개 한 벌의 것.

trin·ket [tríŋkit] *n.* ⓒ 작은 장식; 방물; 시시한 것.

tri·o [tríːou] *n.* ⓒ ① 《음악합주》 3인, 3개 한 벌; 세루 한박의(triad). ② 《樂》 삼중주, 삼중창. *piano* ~ 피아노 삼중주《피아노·바이올린·첼로》.

trip [trip] *n.* ⓒ ① (짧은) 여행, 소풍; 짧은 항해. ② 경쾌한 발걸음. ③ 실족; 재주; 실언. ④ 헛디딤; 곱드러짐, 헛디딤. ⑤ 《機》 벗기는 장치, 급(急) 시동. *a round* ~ 왕복

여행; 《美》 왕복 여행. *make a ~* 여행하다; 과실을 범하다. — *vi.* (*-pp-*) ① 가볍게 걷다(춤추다). ② 실수하다(stumble), 걸려서 넘어지다, 헛디디다(*on, over*). ③ 실수하다; 잘못 말하다. — *vt.* ① 실족시키다; 헛디디게 하다. ② 딴죽걸다; (남의) 실수를 들춰 내다, 딸 꼬리를 잡다. ③ 〖機〗 (톱니바퀴 따위의 제륜자(制輪子)를) 벗기다, 시동(始動)시키다. 〖海〗 (닻을) 떼다. *catch (a person) ~ping,* or *~ up* 실수를 들춰 내다, 말꼬리를 잡다. *go ~ping(ly)* 착착 진행되다. — *it* 춤추다.

tri·par·tite[traipɑːrtait] *a.* 3부로 나뉘어진; 3자간의 (*a ~ treaty,* 3국 조약); 세 개ان 벌의, 세 부짜리의; (정부(正副)) 3통 작성한.

tripe[traip] *n.* ① U (음식으로 하는) 반추동물의 위. ② 《俗》 하찮은 것; 졸작.

tri·ple[trípl] *a., n.* ⓒ 3배의 (수·양), 세 겹의, 세 부분으로 된; 3루타. — *vt., vi.* 3배로 [3겹으로] 하다 (되다); 3루타를 치다.

tríple júmp 삼단 뛰기.

tri·plet[tríplit] *n.* ⓒ 3개 한 벌, 세 폭 한 짝(trio); 〖樂〗 3연음표소; 《口》 세쌍둥이 중의 하나.

trip·li·cate[tríplikət] *a., n.* 3배의, 세 겹의; 제3의 (하나); — [-kèit] *vt.* 3배로 하다, 3중으로 하다; 3통으로 로 작성하다. **-ca·tion**[—kéiʃən] *n.*

tri·pod[tráipɑd/-pɔd] *n.* ⓒ 〖寫〗 삼각(三脚)(*a ~ affair* 사진 촬영); 삼각형상.

trip·per[trípər] *n.* ⓒ 여행하는 사람(各); 《英》 (톱니바퀴의) 시동기구.

trip·tych[tríptik] *n.* ⓒ (그림·조각 따위의) 석 장 연속된 것, 세 폭짜리.

trite[trait] *a.* 진부한. **~·ly** *ad.*

tri·umph[tráiəmf] *n.* ① 〖古로〗 개선식; 승리(*over*); 대성공. ② U 승리의 기쁨, 의기 양양. *in* —의기양양하여, *the ~ of ugliness* 추악 무비(醜惡無比). — *vi.* 승리를 거두다 (*over*); 승리를 자랑하다; 기뻐하다.

tri·um·phal[traiʌ́mfəl] *a.* 승리(개

선의. **tri·um·phant**[traiʌ́mfənt] *a.* 승리를 거둔; 의기양양한. **~·ly** *ad.*

tri·um·vi·rate[traiʌ́mvirit, -rèit] *n.* ⓒ 삼두(三頭) 정치; 3인 관리제; 3인조.

triv·et[trívit] *n.* ⓒ 삼발이; 삼각대 (三脚臺). 〖것〗.

triv·i·a[tríviə] *n. pl.* 하찮은 일

triv·i·al[trívial] *a.* ① 하찮은; 보잘 것 없는, 사소한, 평범한, 일상의. ② (사람이) 경박한, 천한. **~·ly** *ad.*

triv·i·al·i·ty[trìviæləti] *n.* U 하찮음, 평범; 진부한 것(생각·작품).

trod[trɑd/-ɔ-] *v.* tread의 과거(분사). └─과거·과거분사.

trod·den[trɑ́dn/-ɔ-] *v.* tread의

trog·lo·dyte[trɑ́glədait/-lɔ-] *n.* ⓒ 혈거인(穴居人); 은자(隱者)(hermit); 〖動〗 유인원(類人猿); 〖鳥〗 굴 뚝새.

troi·ka[trɔ́ikə] *n.* (Russ.) ⓒ 트로 이카; 열으로 늘어선 세 마리의 말; 삼두제(三頭制); 〖국제 정치의〗 트로이카 방식(공산권·서유럽·중립국의 3자 협조).

Tro·jan[tróudʒən] *a., n.* ⓒ Troy 의 (사람); 용사; 정력가.

Trójan hórse [그려은 큰 목마(옛날 그리스군이 Troy군 공략에 썼음). 선 전공작의 내통, 제5열.

troll[troul] *vt., vi.* 돌림노래하다 (일하면서). 낚시하다; 견지질하다; 굴리다, 굴러다니다(roll). — *n.* ⓒ 돌림노래; 견지; 제물낚시.

troll *n.* 〖北歐神話〗 트롤도깨비(땅속·동굴에 사는 거인).

trol·ley[trɑ́li/-5-] *n.* ⓒ 손수레, 광차; (시가 전차의 폴 끝의) 촉롱(觸轮). *slip (be off) one's ~* 《美俗》 머리가 돌다.

trólley bùs 무궤도 전차.

trol·lop[trɑ́ləp/-5-] *n.* ⓒ 음란녀 여성; 매춘부.

trom·bone[trɑ́mboun, —/trɔ́m-bóun] *n.* ⓒ 트롬본(신축식 장음 나팔). **-bón·ist** *n.* ⓒ 트롬본 주자.

troop[tru:p] *n.* ① ⓒ (집단의) 일단, 무리, ② (보통 *pl.*) 군대, 군세(軍勢). ③ (소년단의) 분대(16~32명); 기병중대(대위가 지휘하는 60~100명; 현

군의 company에 해당). — *vi.* ① 모이다, 몰리다(*up, together*). ② 떼지어 나가다(오다, 가다)(*off, away*). ③ 사귀다. — *vt.* 편성하다; (대를) 수송하다. — **ing the colour(s)** 《英》군기(軍旗) 경례 분열식. ~**er** *n.* ① 수송선; 《美》 기마경관; 기병대의 말; 수송선.

tróop·ship *n.* ⓒ (군대) 수송선.

trope [troup] *n.* ⓒ 《修》 비유(적용법).

tro·phy [tróufi] *n.* ⓒ 전리품; 전승 기념물[적의 군기·무기 따위]; (경기 등의) 트로피, 상품, 상배(賞杯).

trop·ic [trápik/-5-] *n.* ⓒ 회귀선 (回歸線); (the ~s) 열대(지방). — *a.* **the ~ of Cancer [Capricorn]** 북 [남]회귀선.

trop·i·cal [trápikəl/-5-] *a.* ① 열대 의; 열대적인; 열정적인. ② (< *trope*) 비유의, 비유적인.

trop·o·sphere [trápəsfìər/-1-] *n.* (the ~) 대류권(對流圈)[지구 표면의 대기층].

trot [trat/-ɔ-] *n.* ① (a ~) (말의) 속보(速步). ② (사람의) 총총걸음, 빠른 운동. ③ ⓒ 《美俗》 자습서, 자습용 번역서. ④ (the ~s) 《口》 설사. **on the ~** 쉴새없이 움직여서; 도주 중에. — *vi., vt.* (-*tt*-) ① 《馬術》 (~을) 속보로 달리(게 하)다; (*vt.*) 총총걸음으로 걷다, 서두르며 가다. ② 빠른 걸음으로 안내하다(*round, to*); (*vt.*)《美俗》자습서로 공부하다. ~ **about** 분주히 뛰어다니다. ~ **out** 끌어내어 걸려보이다; (물건을) 자랑하여 내보이다. ~**ter** *n.* ⓒ 속보로 뛰는 말; (보통 *pl.*)《口》 (돼지·양의) 족(足) [식용].

troth [trɔːθ, trouθ] *n.* ⓤ 《古》 성실, 충절; 약속; 약혼(betrothal). **plight one's ~** 약혼하다. — *vt.* 《古》 약혼(약속)하다.

trou·ba·dour [trúːbədɔ̀ːr,-dùər] *n.* 11-13세기의 남프랑스·북이탈리아 등지의 서정 시인.

trou·ble [trʌ́bəl] *n.* ① ⓤ.ⓒ 걱정 (거리), 고생; 어려움; 귀찮음. ② ⓒ 귀찮은 일[사람]. ③ ⓤ.ⓒ 분쟁, 소동. ④ ⓤ.ⓒ 병(*I have a*

~ *with my teeth*. 이가 아프다); 고장, 장애. **ask for** ~ 《俗》 곤경(困境)을 자초하다, 쓸데없는 간섭을 하다. **get into** ~ 문제를 일으키다, 벌을 받다. — *n.* 곤란에서, 병을 먹어서, 벌을 받고, 걱정되어. **It is too much** ~. 달갑지 않은 친절이다. **take** ~ 수고하다, 노고를 아끼지 않다. — *vt.* ① 어지럽히다, 소란하게 하다. ② 괴롭히다, 부탁하다 (*May I* ~ *you to do it for me?* 그것을 하여 주시겠습니까?); 애먹이다. — *vi.* ① 애먹다, 애쓰다(*Pray don't* ~. 염려[걱정]하지 마십시오). ② 걱정하다. ~**d**[-d] *a.* 곤란한, 난처한; 거친; ~**d waters** 거친 바다; 혼란 상태).

trou·ble·mak·er [-] *n.* ⓒ 말썽 꾸러기.

trou·ble·shoot *vt.* (~**ed, -shot**) (기계를) 수리하다; (분쟁을) 조정하다. — *vi.* 수리를 맡아 하다; 분쟁을 조정하다. ~**er** *n.* ⓒ 수리원; 분쟁 조정자.

trou·ble·some [-səm] *a.* 귀찮은, 골치 아픈; 다루기 힘든.

trough [trɔːf, traf/trɔf] *n.* ⓒ ① (단벽이 V자형인 긴) 구유, 반죽 그릇; 여물통. ② 골; 《氣》 기압골; 홈. ③ (특히) 낙수받이.

trounce [trauns] *vt.* 호되게 때리다 (beat); 벌주다; 《口》 경기 등에서 압도적으로 이기다.

troupe [truːp] *n.* ⓒ (배우·곡예사 등의) 일단(一團). **tróup·er** *n.*

trou·sers [tráuzərz] *n. pl.* 바지 (*a pair of* ~ 바지 한 벌)《구어로는 'pants'》.

trous·seau [trúːsou, -] *n.* (*pl.* ~**s, -x**[-z]) ⓒ 혼수 옷가지, 혼수.

trout [traut] *n., vi.* ⓒ 《魚》 송어(낚시질하다).

trow·el [tráuəl] *n.* ⓒ 흙손; 모종삽, **lay it on with a** ~ 흙손으로 바르다; 극구 칭찬하다. — *vt.* 《英》 (흙손으로) 바르다.

Troy [trɔi] *n.* 소아시아 북서부의 옛 도시.

tru·ant [trúːənt] *n., a.* 농땡이, 무단 결석하는(사람·학생). **play** ~ 무단 결석하다. — *vi.* 농땡이 치다, 무단 결석하다. **tru·an·cy** *n.*

truce[tru:s] *n.* ⓊⒸ 휴전; 중지.

truck[trʌk] *vt., vi.* 물물 교환하다 (barter); 거래하다. — *n.* ⓊⒸ **《英》** 교환; 현물 지급(제); **《口》** 거래; 교제(*with*); ⓒ⑴ 시장에 낼 야채; 잡동사니. — *a.* 물물 교환용의; 시장에 낼 야채의.

truck[trʌk] *n.* ⓒ ① 손수레, 광차(鑛車); **《美》** 화물 자동차, 트럭; ⓒ⑴ 무개 화차. ∠**·age** *n.* ⓊⒸ (수레·트럭의) 운임; **《美》** 운송업자. ∠**·er** *n.* ⓒ 트럭 운전자 《운송업자》.

trúck fàrm (**gàrden**) **《美》** 시판 용 **《주로 美》** 야채의 재배 농원.

trúck fàrmer *n.* **《美》** ⓒ 위의 경영자.

truc·u·lent[trʌkjələnt] *a.* 야만스 런, 모질고 사나운, 잔인한. **-lence, -len·cy** *n.*

trudge[trʌdʒ] *vi.* 무겁게 터벅터벅 걷다. — *it* 터벅터벅 걷다. — *n.* ⓊⒸ 무거운 걸음.

true[tru:] *a.* ① 참다운, 틀림없는. ② 성실(충실)한. ③ 정확한, 바른 (기계가) 정밀한. ④ 진짜의; 순종의; 합법의. ⑤ (가능성·기대 따위를) 믿을 수 있는. ⑥ (방향·힘 등이) 일정한, 벗어 나지 않는. **come** ~ 정말이 되다, (희망이) 실현되다. **hold** ~ 사실로서 들어맞다. **prove** ~ 사실로 판명되다. ~ **bill 《法》** (대배심 (grand jury)이) 공소(公訴) 인정 서. ~ **to life** 실물 그대로의. ~ **to nature** 핌진(逼真)의. — *ad.* 틀림없이; 정확하게. — *n.* (the ~) 진실; 정확한 상태. — 【컴】 참. — *vt.* 바르게 맞추다.

trúe-blúe *n., a.* ① **《英》** (퇴색 않는) 남빛(의). ② 주의에 충실한 (사람).

truf·fle[trʌfəl] *n.* ⓒ 송로(松露) 무리의 버섯.

trug[trʌg] *n.* ⓒ **《英》** 야채·과일 을 담는 직사각형의 운두 낮은 나무 그릇.

tru·ism[trú:izəm] *n.* ⓒ 자명한 이치; 뻔한(판에 박은) 문구.

tru·ly[trú:li] *ad.* 참으로; 성실(충 실)히; 바르게, 정확히. **Yours (very)** ~ 구자(敬具) 《편지의 끝맺는 말》.

trump[trʌmp] *n.* ⓒ ① (트럼프의) 으뜸패의 패. ② 비법, 비방. ③ **《口》** 믿음직한 사람. **play a** ~ ①

뜸패를〔비방을〕 내놓다. **turn up** ~**s 《口》** 예상외로〔순조롭게〕 잘 되어 가다. — *vt., vi.* 으뜸패를 내놓다 (고 따다); 비방을 쓰다; ‥보다 낫다(*over*); 날조하다, 조작하다(*up*).

trúmp càrd 으뜸패; 비법; 비방.

trump·er·y[trʌmpəri] *a., n.* **《口》** **《집합적》** 겉만 번드르르한〔물건〕, 굴 퉁이; 하찮은 〔물건〕; 허튼 소리, 굴 쭈데.

trum·pet[trʌmpit] *n.* ⓒ 트럼펫, 나팔(소리); 나팔 모양의 물건, 나팔 형 확성기. **blow one's own** ∼ 제 자랑하다. — *vi.* 나팔 불다; (코 끼리 등이) 나팔 같은 (복소리를) 내 다. — *vt.* 나팔로 알리다; 퍼뜨려 알 리다. ∼**·er** *n.* ⓒ 나팔수; 떠벌이; **《美》** (북아메리카산의) 백조의 일종; (남아메리카산의) 두루미의 일종; 집 비둘기.

trun·cate[trʌŋkeit] *vt.* (원뿔·나무 따위의) 끄트머리〔끝을〕 자르다; (긴 인 용구 따위를) 잘라 줄이다; 【컴】 긺다. — *a.* 끝을(꾸리 등 (頭部)를) 자른; 잘라 줄인; **~ cone (pyramid)** 【幾】 원 〔각〕뿔대. **-ca·tion**[trʌŋkéiʃən] *n.* 비롯기.

trun·cheon[trʌntʃən] *n.* ⓒ **《주로 英》** 경찰봉; 권표(權標), 지휘봉. — *vt.* ~으로 곤봉으로 때리다.

trun·dle[trʌndl] *n.* ⓒ 작은 바퀴, 각륜(脚輪); 바퀴 달린 침대〔손수레〕. — *vt., vi.* 굴리다, 구르다, 밀고나가 다(*along*); 놀리다.

trunk[trʌŋk] *n.* ⓒ ① 줄기, 몸통. ② (대형) 트렁크. ③ 본체(本體), 주 요부. ④ 간선의 중계선; (철도 따 위의) 간선(幹線). ⑤ (코끼리의) 코. ⑥ (*pl.*) (선수·곡예사의) 짧은 팬츠. — *a.* 주요한.

trúnk càll 《英》 장거리 전화 호출.

trúnk ròad 《英》 간선 도로.

truss[trʌs] *n.* 【建】 가〔형〕구(桁 구(構), 트러스; 【醫】 탈장대(脫腸 帶); 다발; 건초의 다발(56~60파운 드); 꼴(36파운드); 【海】 아래 활대 중앙부를 돛대에 고정시키는 쇠. — *vt.* 【料理】 (요리하는) 날개 와 다리를 몸통에 꼬챙이로 꿰다; (교 량 따위를) 형구로 버티다; 다발지다.

trust[trʌst] *n.* ① Ⓤ 신임, 신뢰

© 신용(*in*). ② ⓒ 믿는 사람(것).
③ ⓤ 희망, 확신. ④ ⓤ 신용 대부.
외상 판매. ⑤ ⓤ 책임. ⑥ 위탁·
신탁: ⓒ 신탁물. ⑦ ⓒ [經] 기업 합
동. 트러스트(cf. cartel, syndi-
cate). — 위탁하여. **on** ~ 외
상으로; 남의 말대로. — *a.* 신탁의.
— *vt.* 신뢰[신용]하다; 의지하다
맡기다, 위탁하다. ② (비밀을 털어
놓다(*with*). ③ 희망[기대]하다(*to
do; that*); 신용(信用)하다(*on*). ③
확신하다(*in*). — *vi.* 믿다(*in*); 신
뢰하다(*on*); 맡기다(*to*). ② 기대하
다(*for*). ③ 외상 판매하다. **<-a•ble**
a. **<-ful** *a.* 신용[신뢰]하고 있는
<-ing *a.* 믿는.

trus•tee [trʌstíː] *n.* ⓒ 피신탁인,
보관인, 관재인(管財人). **~•ship**
[-ʃip] *n.* ⓤⓒ 수탁자의 직무;
(국제 연합의) 신탁 통치(지역).

trúst fúnd 신탁 자금[기금].

trúst tèrritory 신탁 통치지역.

trust•wor•thy [⌐wə̀ːrði] *a.* 신뢰할
수 있는, 확실한. **-thi•ness** *n.*

trust•y [trʌ́sti] *a.,* (*pl.* **-ies**) 믿을 수 있
는(충실한) (사람). (《美》 모범수(囚).

truth [truːθ] *n.* **—s** [-ðz, -θs]
ⓤ 진리, 진실, 사실; ⓤ 성실;
정직. *n* — 실제, 사실로. **of a** ~
(古) 참으로. **to tell the** ~, or
~ **to tell** 실은, 사실을 말하면.

truth•ful [-ʃfl] *a.* 정직한; 성실한;
진실의. **-ly** *ad.* **-ness** *n.*

try [trai] *vt.* ① (시험삼아) 해보다:
노력하다; 시험해 보다. ② [法] 심리
하다, 공판에 부치다. ③ 괴롭히다, 시련을 겪게 하
다. ④ 정련[정제]하다. — *vi.* 시도
해 보다, 노력해보다(*at, for*). **~ on**
(옷을) 입어보다; 시험해 보다. **~**
one's hand at …을 해보다. ~
out …을 철저히 해보다; 엄밀히 시
험하다. 《美》 자기 적성을 시험해 보
다(*for*). — *n.* ① 시도, 시험, 노
력. **<-ing** *a.* 시련의; 괴로운: 하나
는

trý-òn *n.* ⓒ 《英口》 (옷의) 입어봄.

trý-òut *n.* 《美口》 적성 검사.

tsar [tsɑːr, zɑːr], **tsar•e•vitch,**
&c. ⇨CZAR, CZAREVITCH, &c.

tsét•se (**flý**) [tsétsi(-)] *n.* ⓒ 체체
파리(남아프리카산, 수면병의 매개충).

T-shirt [tíːʃəː̀rt] *n.* ⓒ 티셔츠.

tsp. teaspoon(ful).

T square T자.

tub [tʌb] *n.* 통, 동이; 목욕통;
《英口》목욕. ② 《美俗》뚱보. ③ 한
통의 분량. ④ 《口·蔑》느리고 모양
없는 배. — *vt., vi.* (**-bb-**) 통에 넣다
[저장하다]. 《英口》목욕시키다[하다].

tu•ba [tjúːbə] *n.* ⓒ 처음의 (큰) 나
팔통.

tub•by [tʌ́bi] *a.* 통 모양의; 땅딸막
한, 똥똥한(corpulent).

tube [tjuːb] *n.* ⓒ ① 관(pipe), 통
(cylinder); 관(통) 모양의 물건[기
관(器官)]; (치약·그림물감 등의) 관
튜브. ② (특히 런던의) 지하철도. ③
《美》진공관. **<-less** *a.* 튜브[관]
없는.

tu•ber [tjúːbər] *n.* ⓒ 【植】 괴경(塊
莖); 【解】 결절(結節). **~•cle** *n.* ②
작은 돌기, 소결절(小結節); 【醫】 결
핵 결절. **tu•bér•cu•lar** *a.*

tu•ber•cu•lo•sis [⌐⌐-lóusis] *n.*
ⓤ 【醫】 폐결핵《생략 T.B.》. **tu-
bér•cu•lous** *a.*

tu•ber•ous [tjúːbərəs] *a.* 괴경(塊
莖)이; 괴경(tuber)이 있는.

túb-thùmper *n.* ⓒ 《美》 보도관
대변인.

tu•bu•lar [tjúːbjələr] *a.* 관 모양의
파이프의.

TUC, T.U.C. Trades Union
Congress (영국의) 노동 조합 회의.

tuck [tʌk] *vt.* ① (옷단을) 징그다
(주름을 접어) 호다; (소매·옷자락을)
걷어 올리다. ② 말다, 싸다; 포근하
게 감싸다(~ *the children in
bed*). ③ (좁은 곳에) 밀어넣다, 쑤
셔넣다(*in, into, away*). ④ 《俗》
잔뜩 먹다(*in, away*). — *vi.* 징그
다, 주름을 잡다; 《俗》(음식을) 긁어
넣듯이 처먹다(*in*). ~ *the sheets
in* 시트 끝을 요 밑으로 접어넣다.
— *n.* ① ⓒ (큰 옷을 줄이기 위해) 징그
기, (겹쳐 넣은) 단. ② ⓤ 《英俗》 먹
을 것, 과자.

tuck•er [⌐ər] *n.* ⓒ (옷단을) 징그는
사람; (재봉틀의) 주름잡는 기계;
(17·18세기의 여성용의) 깃에 대는

천; 수미켓《여성의 목·가슴을 가리는
속옷》; 《濠俗》음식물. **one's best
bid and ~** 나들이옷.

túck-in n. ⓒ (*sing.*)《英俗》많은
음식, 굉장한 진수 성찬.

Tue(s). Tuesday.

Tues·day[tjúːzdei, -di] n. ⓒ (보
통 무관사》 화요일.

tuft[tʌft] n. ⓒ (머리털·실 따위의)
술, 타래; 덤불; 꽃[잎]의 송이(덩
이). ─ *vt.*, *vi.* (…에) 술을 달다;
송이져 나다. ~**ed**[⁻id] *a*. **∼·y** *a*.

tug[tʌɡ] *vt.* (**-gg-**), n. ⓒ (힘껏) 잡아
당기다[당기기]; (배를) 끌다
(tow). ~ **of war** 줄다리기; 맹렬
한 싸움.

túg·bòat n. ⓒ 예인선(船).

tu·i·tion[tjuːíʃən] n. Ⓤ 교수; 수업
표. ~**·al, ~·ar·y**[-èri-/-əri] *a*.

tu·lip[tjúːlip] n. ⓒ 《植》 튤립.

tulle[tjuːl] n. Ⓤ 튤《베일용의 얇은
비단 망사》.

tum·ble[tʌ́mbəl] *vi.* ① 구르다, 넘
어지다. ② 전락하다; 폭락하다. ③
뒹굴다; 좌우로 흔들리다; 공중제비
하다. ④ 《俗》마구[허둥지둥] 달려오다
[달려나오다](*in, into, out, down,
up*). ⑤ 부닥치다, 딱 마주치다(*on,
into*). ─ *vt.* 넘어뜨리다, 뒤집어엎
다, 내동댕이치다, 내던지다, 던져 흩
어지게 하다(*out, in, about*); 헝클
어[구겨]뜨리다(rumple); 쏘아 떨어
뜨리다. ─ n. ① 전도(轉倒), 전락;
공중제비, 재주넘기; (a ~ 혼란), **all
in a ~** 뒤죽박죽이 되어. ~**·bling** *n*.
Ⓤ 텀블링《매트에서 하는 곡예》.

túmble·dòwn *a*. (집이) 쓰러져 갈
듯한, 황폐한.

tum·bler[-ər] n. ⓒ ① 곡예사; 오
뚝이(장난감). ② 큰 컵 (하나 그득)
《전에는 밑이 뾰어나와서 탁자에 놓을
수 없었음》. ③ 공중제비하는 비둘기.

túmble·wèed n. Ⓤ 회전초《가을
바람에 쓰러져 날리는 명아주·엉겅퀴
따위의 잡초; 북아메리카산》.

tum·brel[tʌ́mbrəl], **-bril**[-bril]
n. ⓒ 비료차; 《프랑스 혁명 때의》사
형수 호송차; 《軍》 두 바퀴의 탄약차.

tu·mes·cent[tjuːmésənt] *a*. 부어
오르는; 종창(腫脹)성의. ~**·cence** *n*.

tum·my[tʌ́mi] n. ⓒ 《兒》 배(腹).

tu·mor, 《英》**-mour**[tjúːmər] n.
ⓒ 종양(腫瘍), 부기; 종기. ~**·ous**
a. 종양의, 종양 모양의.

tu·mult[tjúːmʌlt, -məlt] n. Ⓤⓒ
소동; 떠들썩함; 소동; 혼란; 흥분.

tu·mul·tu·ous[tjuːmʌ́ltʃuəs] *a*. 떠
들썩한; 흥분한, 혼란한. ~**·ly** *ad*.
~**·ness** *n*.

tu·mu·lus[tjúːmjələs] n. (*pl. -li*
[-lài]) ⓒ 고분(古墳).

tun[tʌn] n., *vt.* (**-nn-**) 큰 술통
(에 넣다); 턴《액량의 단위(= 252갤
런)》.

tu·na[tjúːnə] n. ⓒ 다랑어.

tun·dra[tʌ́ndrə, tún-] n. Ⓤ 《북시
베리아 북부의》툰드라, 동토대(凍土
帶).

tune[tjuːn] n. ① ⓒⓊ 곡조 (노
래) 곡. ② Ⓤ 장단이 맞음, 조화,
협조; ③ Ⓤ (마음의) 상태, 기분.
in [out of] ~ 장단이 맞아서[안맞
아]; 사이좋게[나쁘게](*with*). **sing
another [a different] ~** 논조[태
도]를 바꾸다; 갑자기 겸손해진다.
to the ~ of (fifty dollars) (50
달러)라는 다액의. ─ *vt.* (악기의)
음조를 맞추다; 조율(調律)하다; 조화
시키다(*to*); (詩) 노래하다. ~ **to**
(라디오 등) 파장(波長)을 맞추다. ~
out (라디오 따위를) 끄다. ~
up (악기의) 음조를 정조(整調)하다;
노래하기[연주하기] 시작하다; (詩)
울기 시작하다. ~**·ful** *a*. 음조가 좋
은, 음악적인. ~**·ful·ly** *ad*. ~**·less**
a. ~**·less·ly** *ad*. **tún(e)·a·ble** *a*.
가락을 맞출 수 있는. **-bly** *ad*.

tun·er[tjúːnər] n. ⓒ 조율사(師);
【라디오·TV》 파장 조정기, 튜너.

tung·sten[tʌ́ŋstən] n. Ⓤ 《化》 텅
스텐.

tu·nic[tjúːnik] n. ⓒ (고대 그리스·
로마인의) 소매 짧은 윗도리; 허리에
착달라붙는 가벼운 군인·경관의
웃옷의 일종; 【動》 피막(被膜);
【植》 종피(種皮).

túning fòrk 소리굽쇠, 음차(音叉).

tun·nel[tʌ́nl] n., *vt.*, *vi.* 《英》**-ll-**》
① 터널(을 파다); 지하도.

tun·ny[tʌ́ni] n. ⓒ 《주로英》 다랑
어.

tup·pence[tʌ́pəns] n. 《英》 = TWO-

PENCE.

tur·ban[tə́ːrbən] *n.* ⓒ (회교도의)
터번; 터번식 부인 모자. **~ed**[-d] *a.*

tur·bid[tə́ːrbid] *a.* 흐린; 흙탕물의;
어지러운. **tur·bíd·i·ty** *n.*

tur·bine[tə́ːrbin, -bain] *n.* ⓒ 터
빈.

tur·bo·jet[tə́ːrboudʒèt] *n.* ⓒ
【空】터보 제트(엔진).

tur·bo·prop (**éngine**)[-prɑ̀p(-)/
-3-] *n.* ⓒ 터보프롭 엔진.

tur·bot[tə́ːrbət] *n.* (*pl.* **~s**, 《집합
적》 **~**) ⓒ 가자미류(類).

tur·bu·lent[tə́ːrbjələnt] *a.* (파도·
바람이) 거친(furious); (군중이)
소란스러운. **-lence, -len·cy** *n.*
~·ly *ad.*

tu·reen[tjuríːn] *n.* ⓒ (뚜껑 달린)
수프 그릇.

turf[təːrf] *n.* (*pl.* **~s**, 《稀》 **turves**)
① ⓒ 잔디, 떼. ② ⓒ 한 장의 뗏장.
③ Ⓤ,ⓒ 토탄(peat). ④ Ⓤ (the
~) 경마(장). **on the ~** 경마를
업으로 하여. — *vt.* 잔디로 덮다.
<·man *n.* ⓒ 경마꾼. **<·y** *a.*

tur·gid[tə́ːrdʒid] *a.* 부은(swollen);
과장된. **~·ness, tur·gíd·i·ty** *n.*

tur·key[tə́ːrki] *n.* ① ⓒ 칠면조; 그
고기. ② ⓒ 《俗》실패; 《美俗》(영
화·연극의) 실패작. **talk (cold) ~**
《美俗》입바른 소리를 하다.

Turk·ish[tə́ːrkiʃ] *a., n.* ⓒ 터키(인·
식)의; Ⓤ 터키어(의).

Túrkish báth 터키탕.

tur·mer·ic[tə́ːrmarik] *n.* Ⓤ (인도
산) 심황; 심황 뿌리의 (가루)《조미료·
염·감료》.

tur·moil[tə́ːrmɔil] *n.* Ⓤ (a ~)
혼란, 소동.

turn[təːrn] *vt.* ① 돌리다; (고동을)
틀다. ② (…을) 돌아가다(~ the
corner). ③ 뒤집다(back, in, up);
(책장을) 넘기다; 뒤집어 엎다. ④ 뒤
져 보내다, 받아 막다(a punch).
⑤ 향하게 하다, 바꾸다(~ water
into ice). ⑥ 번역하다. ⑦ 나쁘게
하다, (음식 따위를) 시게(상하게)하
다(~ his stomach 메스껍게 하다 /
Warm weather will ~ milk.). ⑧
둥게 만들다(His head is ~ed. 머리
가 돌았다). ⑨ (선반·녹로 따위로)

갈리다; 형(形)을 만들다(Her person
is well ~ed. 그녀의 모양이 아름답다.
⑩ 생각해[짜]내다, 그럴듯하게 표현하
다(She can ~ pretty compliments.
겉발림말을 잘 한다). ⑪ 넘기다, 지
나다(He has ~ed his fourteeth
year. 저 앤 벌써 14세다 / I'm ~ed
of forty. 사십고개를 넘었다). — *vi.*
① 돌다, 회전하다. ② 구르다, 뒹굴
다; 굼틀대다(A worm will ~.《속
담》지렁이도 밟으면 꿈틀한다). ③
방향을 바꾸다, 전향하다; 뒤돌아 보
다. ④ 돌다, 구부러지다(~ to the
left); 되돌아가다. ⑤ 기울다, 의지하
다(to); …에 의(依)하다(depend(on).
⑥ 변하다, 일변[격전]하다; 단풍이
들다(《보어와 함께》으로 번하다,
…이 되다(She grew pale). ⑦ (머
리가) 어찔어찔하다, 핑 돌다; (속이)
메스껍다. ⑧ 선반(旋盤)을 돌리다;
(선반으로) 깎이다, 만들어지
다. **make (a person) ~ in his
grave** 지하에서 편히 잠들지 못하게
하다(유쾌하게 만들다). ~ **about**
뒤돌아 보다; 방향을 바꾸다(돌리다).
~ **against** 반항하다, 싫어하다. ~
(a person) **round one's finger**
제마음대로 다루다. ~ **aside** 비키
다. 옆으로 피하다; 빗나가다; 외면하
다. ~ **away** (얼굴을) 돌리다; 쫓아
버리다; 해고하다; 피하다. ~ **down**
뒤집다, 접다; 엎어 놓다(가스칼 따
위를) 낮추다, (라디오 소리를) 작게
하다; 거절하다. ~ **in** 안쪽으로 구
부러지다(구부리다), 향하(게 하다);
들이다; 《口》잠자리에 들다; 접어 넣
다; 《美》제출하다. ~ **loose** (풀어
서) 놓아주다. ~ **off** (고동·스위치
를) 틀어 멈추게 하다, 끄다; (이야기
를) 딴 데로 돌리다(主로 茶)하고
하다; 얼결로 ~하다, (길이) 갈라
지다. ~ **on** (고동·스위치를) 틀어
나오게 하다, 켜다; …에 적대하다;
(이야기가) …으로 돌아가다; …여하
에 달(리)다(on), 이해하다. ~ **out**
(밖으로) 향하(게 하)다; 쫓아 내어
러지다(구부리다), 향하(게 하)다; 내
쫓다; 스트라이크를 시작하다; 《口》
잠자리에서 나오다; 외출[출근]하다;
결과가 …이 되다, …으로 판명되다
(prove) 《to be; that》; 내쫓다, 해고
하다; (속에 있는 물건을) 내놓다; 포

T

로하다; 만들어내다, 생산하다; 차려
입히다, 성장(盛裝)시키다(fit out).
~ over 뒹굴리다, 돌아눕다; 넘어
뜨리다; 인도(引渡)하다(첫장을 넘
기다; (…만큼의) 거래를 하다; (자금
을) 회전시키다; 전업(轉
業)하다; 숙고(熟考)하다. ~ round
기향(港)하다; ~ to …이 되다;
조회하다, 조사하다(refer to); …에
게 조력을 구하다; 일을 착수하게
하다; (페이지를) 펴다(Please ~ to
page 10). ~ up 위로 구부러지(게
하)다(향(한 게)하다); 위를 보(게
하)다; 나타나다, 생기다; 일어나다;
접어 올리다(가스를 따위를)세게
하다, (라디오 소리를) 크게하다
(얻어놓은 트럼프 패를 뒤집다; 파며
짐다, 찾아내다; (口) 구역질나게 하
다. ~ upon (口)에 여하에 달리다;
…적 대적(敵對)하다. — n. ① 회
전; 전향, 빗나감: 구부러짐, 모퉁이,
비틀림. ② 말투. ③ (a ~) 변화,
변화점. ④ 순번, 차례. ⑤ (a ~) 경
향, 기질. ⑥ 모양, 형. ⑦ 한 바탕의
놀이, 한 판, 한 바퀴 돌기, 한 차례의
놀이, 산책, (연극·쇼의) 한 차례. ⑧
(새기 등의) 한 사리. ⑨ 행위(a
good (an ill) ~). ⑩ (口) 놀
람; 어지러움. ⑪ (印) 복자(伏字).
⑫ (pl.) 경도, 월경. ⑬ (樂) 돈꾸밈
음. About (Left) ~! 뒤로 돌아
(좌향좌). at every ~ 어느 곳에나,
언제든지. by ~s 교대로, 번갈아.
give (a person) a ~ 놀라게하다.
in ~ 차례로. on the ~ (口) 변
하기 시작하여. out of (one's) ~
순서없이, 순서에 어긋나게; 제가 나
설 제가 아닌데도(말할것없이, 따
위). serve one's ~ 소용(도움)이
되다. take a favorable ~ 차도가
있다. take ~s 교대로 하다. to a
~ 알맞게(구워진 불고기 따위). 충분
히. ~ and ~ 돌아가며, 윤
번으로. ~ of speed 속력.

túrn·a·bout n. ⓒ 방향 전환; 변절,
전향; 회전 목마.

túrn·a·round n. ⓒ 전환; 전향, 변
절; (배 따위의) 왕복 시간.

túrn·còat n. ⓒ 변절자.

turn·ing [tə́ːniŋ] n. ① ⓒ 회전, 선회.
변절, 변화. ⓒ 굴곡. ② ⓤ 녹로[선

반] 세공.

túrning póint 변환점, 전(환)기.

tur·nip [tə́ːrnip] n. ⓒ (植) 순무.

túrn·òn n. ⓤ (환각제 등에 의한)
도취(상태); 흥분(자극)되는 것.

túrn·òut n. ⓒ ① (집합적) (구경·
행렬 따위에) 나온 사람들; 출석자.
② 대피선. ③ 생산액, 산출고. ④
(英) 동맹 파업(一시). ⑤ 마차와
구종. ⑥ 채비.

túrn·òver n. ⓒ 전복; 접은 것; (노
동자의) 인사 이동(異動)·배치 전환;
투하 자본 회전율; (일기(一期)의)
총매상고. — a. 접어 접힌(칼라 따
위).

túrn·pike n. ⓒ 유료 도로, 통행료
를 받는 곳[길].

túrn·ròund n. ⓒ 반환 지점; 안팎
경용호.

túrn signal (light) 방향 지시등.

túrn·stìle n. ⓒ 회전식 문.

túrn·tàble n. ⓒ (鐵) 전차대(轉車
臺); (축음기) 회전반.

túrn·ùp n. ⓒ 뜻밖에 나타난 사
람; 돌발 사건; (英口) 격투; (英)
(바지 따위의) 접어 올린 (부분).

tur·pen·tine [tə́ːrpəntàin] n., vt.
테레빈; 테레빈유(油)(를 바르다).

tur·pi·tude [tə́ːrpətjùːd] n. ⓤ 비
열, 야비(卑劣).

tur·quoise [tə́ːrkwɔiz] n., a. (鑛)
터키옥(玉)(보석); 청록색(의).

tur·ret [tə́ːrit, tʌr-] n. ⓒ ① (성벽
의) 작은 탑, 망루; (선회) 포탑(砲
塔). ② (전투기의) 조종석.

túr·tle [tə́ːrtl] n. ⓒ 바다거북; ≈
dòve (鳥) 호도애. turn ≈ (배 따
위가) 뒤집히다.

túrtle·nèck n. ⓒ (스웨터 따위의)
터틀넥; 터틀넥 스웨터.

tusk [tʌsk] n., vt. ⓒ (긴) 엄니(로
찌르다).

tus·sle [tə́sl] n., vi. 격투(하다).

tus·sock [tə́sək] n. ⓒ 풀숲, 덤
불.

tut [tʌt, ǀ] int. 체! — vi. (-tt-) 혀
를 차다.

tu·te·lage [tjúːtəlidʒ] n. ⓤ 보호
(감독)받음, 후견(자)임(guardian-
ship); 교육, 지도; 피(被)후견.

tu·tor [tjúːtər] n. (fem. ~ess)

가정 교사; 《英》 (대학·고교의) 개인 지도 교사(《보통 fellow가 담당》; 《美 大學》 강사(**instructor**의 아래); 《法》 후견인. — *vt.* 가정 교사로서 가르치다; (학생을) 지도하다; 개인 지도 교사 노릇을 하다; 억제하다; 《美다》 개인 교수를 받다. ~**age**, ~**ship**-[ʃip] *n.*

tu·to·ri·al [tju:tɔ́:riəl] *a.* tutor의. — *n.* ⓒ ① (대학에서 tutor에 의한) 특별지도 시간(학급). ② 【컴】 지침(서).

tut·ti-fruit·ti [tú:tifrú:ti] *n.* (= all fruits) ⓤⓒ 설탕에 절인 과일 (을 넣은 아이스크림).

tu·tu [tú:tu:] *n.* (F.) 뛰뛰(발레용 짧은 스커트).

tux·e·do [tʌksíːdou] *n.* (*pl.* ~**es** [-z]) ⓒ 《美》 턱시도(남자의 약식 야회복).

TV [tíːvíː] *n.* ⓤ 텔레비전.

twad·dle [twάdəl/-5-] *n.*, *vi.* ⓤ 객적은 소리(하다).

twang [twæŋ] *n.*, *vt.*, *vi.* ⓒ 현(弦)의 소리, 딩 (울리게 하다, 울리다); 콧소리(로 말하다).

tweak [twiːk] *n.*, *vt.* ⓒ 비틀기, 꼬집다; 왁자(홱) 당김[당기다] (마음의) 동요, 고통.

twee [twiː] *a.* 《英俗》 귀여운.

tweed [twiːd] *n.* ⓤ 트위드(스카치 나사(羅紗)); (*pl.*) 트위드 옷.

tweez·ers [twíːzərz] *n. pl.* 족집게, 핀셋.

twelfth [twelfθ] *n.*, *a.* ⓤ (보통 the ~) 제12(의); ⓒ 12분의 1(의).

twelve [twelv] *n.*, *a.* ⓤⓒ 12(의). **the T-** (예수의) 12사도. **~-fóld** *ad.*, *a.* 12배(의).

twelve-mònth *n.* ⓤ 12개월, 1년.

twen·ty [twénti] *n.* ⓤ 20(의). ***twen·ti·eth** [-iθ] *n.*, *a.* ⓤ (보통 the ~) 제20(의). 스무번째(의); ⓒ 20분의 1(의).

twerp [twəːrp] *n.* ⓒ 《俗》 너절한 놈.

†**twice** [twais] *ad.* 두 번, 2회, 2배로(만큼). **think ~** 재고(숙고)하다.

twid·dle [twídl] *n.*, *vi.*, *vt.* 만지작거리다, 가지고 놀다(with); (a ~) 가지고 놀기. ~ [twirl] **one's thumbs**

(지루하여) 양손의 엄지손가락을 빙빙 돌리다.

twig[twig] *n.* ⓒ 잔 가지, 가는 가지. **hop the ~** 《俗》 갑작스레 죽다.

twig[twig] *vt.*, *vi.* (**-gg-**) 《英俗》 이해하다, 알다; 깨닫다; 알아차리다.

twi·light[twáilait] *n.* ⓤ 어둑새벽, 여명; 황혼, 땅거미; 희미한 빛, 쇠멸기(期). — *a.*, *vt.* 어스레하게 밝은 (밝히다).

twílight zòne 중간 지대, 경계 영역; 도시의 노후화 지역.

twill [twil] *n.* ⓤ 능직(綾織), 능직물. **~ed** [-d] *a.* 능직의.

twin[twin] *a.*, *n.* ⓒ 쌍둥이의 (한 사람); 닮은 (것); (*pl.*) 쌍둥이; (the Twins) 《단수 취급》 【天】 쌍둥이자리. — *vt.*, *vi.* (**-nn-**) 쌍둥이를 낳다; 《版》 짝을 이루다(**with**).

twin béd 트윈베드(둘을 합치면 더블베드가 됨).

twine [twain] *n.*, *vt.*, *vi.* ⓒ 꼰실 (실)을 꼬다, 꼬기; (사리어) 감기(감다); 얽힘, 얽히다.

twin-éngined *a.* (비행기가) 쌍발의.

twinge [twindʒ] *n.*, *vi.*, *vt.* ⓒ 쑤시는 듯한 아픔; 쑤시(욱신) 아프(게 하)다, 쑤시다.

twin·kle [twíŋkəl] *vi.*, *vt.*, *n.* 반짝 반짝 빛나(게 하)다; (눈을) 깜짝거리다(감다). 반짝임, 깜짝임; 깜짝할 사이. **twín·kling** *a.*, *n.*

twín sèt cardigan과 pullover 의 앙상블(여자용).

twín tòwn 자매 도시.

twirl [twəːrl] *vt.*, *vi.* 빙글빙글 돌리다, 손끝으로 이리저리 만지작거리다. ~ **one's thumbs** ⇨TWIDDLE. — *n.* ① 회전; 빙글빙글 돌리기. ② (장식) 장식 글씨. ~**er** *n.* ⓒ 배턴걸(고적대의 선두에서 지휘봉을 들고 나아가는 사람).

†**twist**[twist] *vt.*, *vi.* 뉘 비틀(리)다, 꼬(이)다; 감(기)다, 구부리다, 곡 부러지다; 나사 모양으로 만들다, 소용돌이치다. ④ (나) 곡해하다, 억지로 갖다 붙이다; 왜곡하여 말하다 (misrepresent). ⑤ 누비고 나아가다, 비틀거리며 걷다. ~ **off** 비틀어 떼다. ~ **up** 꼬다. (종이 등을) 나사 모양으로 꼬다

— n. ① ⓒ 뒤틀림, 꼬임, 비틀림. ② ⓒ 꼰 실, 새기, 끈; 파쇄기 빵. ③ ⓒ (성격의) 비꼬임, 기벽(奇癖); 괴락탈(kink); 《美口》사기. ④ ⓤ 《英》혼합주; the ~ (the …); 트위스트 (춤). **✍.er** n. ⓒ (새기 따위를) 꼬는(비트는) 사람; 실꼬는 기계; 건강 부회하는 사람; 《주로 英》부정직한 사람; 《球技》곡구(曲球); 《美》회오리바람.

twis·ty [twísti] a. (길 따위가) 구불구불한. ② 부정직한.

twit [twit] n. 꾸짖음; 면책(하다), 힐책(하다), 조소(하다)(taunt).

twitch [twitʃ] vt., vi. n. 씰룩씰룩 움직이(게 하)다; 경련(하다, 시키다); 《vt.》잡아채다(off). **✍.ing (·ly)** a. (動 ·)

twit·ter [twítər] n., vi., vt. ⓤ (새 따위가) 지저귐, 지저귀다; ⓒ 벌 벌 떨다(뗌); 킥킥 웃다(웃음); 안절 부절 못하다(못하는); 《vi.》지저귀듯이 재잘거리다.

two [tuː] n., a. ⓤ,ⓒ 2 《사람》(의). a day or ~ 하루이틀. by ~s and threes 드문드문 삼삼오오. in ~ 두 동강으로, in ~s 《俗》곧, 순식간에. put ~ and ~ together 이것 저것 종합하여 생각하다. 결론을 내다. That makes ~ of us. 《口》나도 마찬가지다. ~ and ~, or ~ by ~ 둘씩. T- can play at that game. (그렇다면) 이족에도 각오가 있다. 반드시 그 (앙)갚음을 한다.

twó-bít a. 《美俗》25센트의; 근소한, 보잘것 없는.

twó-diménsional a. 2차원의; 평면적인, 깊이 없는(~ array 《컴》2 차원 배열).

twó-édged a. = DOUBLE-EDGED.

twó-fáced a. 양비의; (언행에) 표리가 있는, 위선적인.

twó-fóld a., ad. 두 배의[로], 2중 의[으로]; 두 부분이(로가) 있는.

twó-hánded a. 양손이 있는, 양손 을 쓸수 있는; 두 손의.

two·pence [tʌpəns] n. 《英》ⓤ 2펜스; ⓒ 2펜스 은화.

twó-pen·ny [tʌpəni] a. 《英》2 펜스의, 싸구려의; ⓤ 《美》 맥주의 일

종; ⓒ 《英俗》머리(Tuck in your ~! 머리를 더 숙여라《둘넘기놀이에서》). **✍.싸구려의.

twópenny-hálfpenny a. 하찮은.

twó-píece a. ⓒ 투피스(의).

twó-plý a. 두 겹으로 짠; (실이) 두 겹인.

twó-séater n. ⓒ 2인승 비행기[자 동차].

twó-síded a. 양면이[코리가] 있는.

twó-some [-səm] n., ⓒ 《俗》 (sing.) 둘이 하는 경기[댄스].

twó-time vt. n. 《俗》배신하다, 속 이다(특히 남편, 아내, 애인을).

twó-tóne a. 두 색의(같은 또는 다 른 계통의 색을 배열한다).

twó-wáy a. 두 길의; 양면 교통의; 상호적인; 송수신 겸용의.

ty·coon [taikúːn] n. (Jap.) 《美》실업계의 거물.

ty·ing [táiiŋ] v. tie의 현재 분사. — n. ⓤ 매듭; ⓒ 매는(tie) 일.

tyke [taik] n. ⓒ 똥개(dur); 개구쟁 이, 아이.

type [taip] n. ① ⓒ 형(型), 유형; 양식(style). ② ⓒ 전형, 견본, 모 범; 실례(가 되는 물건·사람). ③ ⓤ 표, 부호, 상징. ④ ⓤ,ⓒ 활자, 자체 (字體). ⑤ ⓒ 혈액형, ⑥ ⓒ 《컴》 형, 유형, 타입. in ~ 활자로 짠[짜여 서], set ~ 조판하다. — vt. 타이 프라이터로 찍다(typewrite); (혈액형 을 검사하다; (稱) 상징하다; (…)의 전형이 되다.

type·cast vt. (~ed)) (극중 인 물의 신장·목소리 따위에 맞는) 배우 를 배역하다.

type·setter n. ⓒ 식자공.

type·write vt. (-wrote; -written) 타이프라이터로 찍다(치다). **-writing** n.ⓤ 타이프라이터 사용(법). **-writer** n. ⓒ 타이프라이터; = TYPIST. **-written** a. 타이프라이터로 찍은.

typh·li·tis [tifláitis] n. ⓤ 맹장염.

ty·phoid [táifoid] a., n. ⓤ 장티푸 스(의)(같은); = ✍ féver 장티푸스.

ty·phoon [taifúːn] n. ⓤ 태풍.

ty·phus [táifəs] n. ⓤ 발진티푸스.

typ·i·cal [típikəl] a. 전형적인; 대표 적인; 상징적인(of); 특징 있는(of). ~**·ly** ad.

typ·i·fy[típəfài] *vt.* 대표하다; (…의) 전형이 되다; 상징하다; 예시(豫示)하다(foreshadow).

typ·ing[táipiŋ] *n.* ⓤ 타이프라이터 치기[사용법].

:**typ·ist**[táipist] *n.* ⓒ 타이피스트.

ty·pog·ra·pher[taipágrəfər/-5-] *n.* ⓒ 인쇄공, 식자공.

ty·po·graph·ic [tàipəgrǽfik], **-i·cal**[-əl] *a.* 인쇄(상)의(**typographic errors** 오식(誤植)).

ty·pog·ra·phy[taipágrəfi/-5-] *n.* ⓤ 인쇄(술).

ty·ran·nic[tirǽnik, tai-], **-ni·cal** [-əl] *a.* 포학한, 무도한; 압제적인. ~**·ly** *ad.*

tyr·an·nize[tírənàiz] *vi., vt.* 학정을 행하다, 학대하다(*over*).

:**tyr·an·ny**[tírəni] *n.* ① ⓤⓒ 전제 정치, 폭정. ② ⓤ 포학, 학대; ⓒ 포학한 행위. ③ ⓤ 〖그史〗 참주(僭主)정치(cf. tyrant).

:**ty·rant**[táiərənt] *n.* ⓒ 〖그史〗 참주(僭主)《전제 군주; 선정을 베푼 이도 있었음》. ② 폭군.

tyre[taiər] *n., v.* 《英》 = TIRE².

ty·ro[táiərou] *n.* (*pl.* ~**s**) ⓒ 초심자; 신참자.

tzar[zɑːr, tsɑːr], **tza·ri·na**[zɑːríːnə, tsɑː-], **&c.** = CZAR, CZARINA, &c.

U

U, u [juː] *n.* (*pl.* **U's, u's**[-z]) ⓒ U자형의 물건.

u·biq·ui·tous [juːbíkwətəs] *a.* (동시에) 도처에 있는, 편재(遍在)하는; 《數》 여기저기 모습을 나타내는. **~·ity** *n.* ⓤ 동시 편재(성: 능력).

UFO, U.F.O. [júːfou, ʌ́éfóu] *n.* 미확인 비행 물체((*unidentified flying object*)(cf. flying saucer)). **u·fol·o·gy** [juːfálədʒi/-ɔ́-] *n.* ⓤ 미확인 비행 물체학.

ugh [ux, ʌx, ʌ] *int.* 억!; 욱!(혐오·공포 따위를 나타내는).

ug·ly [ʌ́gli] *a.* ① 추한; 못생긴. ② 불쾌한, 지겨운. ③ (날씨가) 잔뜩 찌푸린, 험악한; 위험한. ④ 《美口》심술궂은, 꾀까다로운, 싸우기 좋아하는. — *n.* ⓒ 추한 것; 추남, 추녀; 《英》(19세기에 유행한) 여자 모자의 챙. **úg·li·ly** *ad.* **úg·li·ness** *n.*

úgly dúckling 못난 오리새끼(처음 집안 식구로부터 못난이 취급받다가 후에 잘되는 아이).

UHF, uhf [칭] ultrahigh frequency. **U.K.** United Kingdom (of Great Britain and Northern Ireland).

u·ku·le·le [júːkəléili] *n.* 우쿨렐레(기타 비슷한 4현(弦) 악기).

ul·cer [ʌ́lsər] *n.* 궤양, 종기. **~·ate** [-èit] *vi., vt.* 궤양이 생기(게 하)다, 궤양화(化)하다. **~·a·tion** [≻-éiʃən] *n.* ⓤ 궤양. **~·ous** *a.* 궤양성의, 궤양에 걸린.

ul·na [ʌ́lnə] *n.* (*pl.* **-nae** [-niː]; **~s**) 《解》 척골(尺骨). **ul·nar** [-r] *a.* 척골의.

ul·te·ri·or [ʌltíəriər] *a.* 저쪽의; 장래의, 차후의; (표면에) 나타나지 않는, (마음) 속의, 이면(裏面)의.

ul·ti·mate [ʌ́ltəmit] *a.* 최후의, 궁극적인; 본질적인; 본원적인, 근본의; 가장 먼. — *n.* ⓒ 최종점, 결론. *in the* ~ 최후로. **~·ly** *ad.* 최후의, 결국.

ul·ti·ma·tum [ʌ̀ltəméitəm] *n.* (*pl.* **~s, -ta**[-tə]) ⓒ 최후의 말(제의·조건), 최후 통고(통첩).

ul·tra [ʌ́ltrə] *pref.* '극단으로, 초(超), 과(過)' 따위의 뜻.

ul·tra·ma·rine [ʌ̀ltrəməríːn] *a.* 해외의(overseas); 감청색(紺青色)의. — *n.* ⓤ 감청색; 울트라마린(감청색 그림물감).

ùltra·sónic [-] 초음파의(매초 2만회 이상의로 사람 귀에 들리지 않음).

últra·sóund *n.* ⓤ 《理》 초음파.

ùltra·víolet [-] *a.* 자외(紫外)의 (cf. infrared). — *n.* 자외선. ◊ *rays* 자외선.

um·ber [ʌ́mbər] *n.* ⓤ 엄버(천연 안료(顔料); 원래는 갈색, 태우면 밤색이 됨); 갈색, 암갈색, 밤색. — *a.* 갈색(의).

umbílical córd 《解》 탯줄.

um·brage [ʌ́mbridʒ] *n.* ⓤ 노여움, 화냄, 분해; 《古·詩》 그림자; 나무 늘. *take* ~ *at* …을 불쾌하게 여기다. **um·bra·geous** [ʌmbréidʒəs] *a.* 그늘을 만드는, 그늘이 많은.

um·brel·la [ʌmbrélə] *n.* ⓒ 우산; 비호; 《軍》 지상군 원호 항공대; 핵(核)우산.

um·laut [úmlaut] *n.* (G.) 《言》 ① 움라우트, 모음 변이. ② ⓤ 움라우트의 부호.

um·pire [ʌ́mpaiər] *n.* ① (경기의) 심판원, 엄파이어; 중재인; 《法》 재정인(裁定人). — *vi., vt.* 심판(중재)하다(*for*).

ump·teen [ʌ́mptíːn, ≏≏] *a.* 《俗》 아주 많은, 다수의.

'un[ən] *pron.*《方》= ONE (*a little young*) ~ 아이, 젊은이).

un-[ʌn] ① 형용사나 부사에 붙여서 '부정(否定)'의 뜻을 나타냄. ② 동사에 붙여서 그 반대의 동작을 나타냄. ③ 명사에 붙여서 그 명사가 나타내는 성질·상태를 '제거'하는 뜻을 나타내는 동사를 만듦: *unman*.

un·a·bashed[ʌnəbǽʃt] *a.* 부끄러워하지 않는, 태연한, 뻔뻔스러운.

un·a·bat·ed[ʌnəbéitid] *a.* 줄지 않는, 약해지지 않는.

un·a·ble[ʌnéibəl] *a.* …할 수 없는 (*to do*); 자격이 없는.

un·a·bridged[ʌnəbrídʒd] *a.* 생략하지 않은, 완전한.

un·ac·com·pa·nied[ʌnəkʌ́mpə-nid] *a.* 동반자가 없는, (…에) 따르지 않는; 【樂】 무반주의.

un·ac·count·a·ble[ʌnəkáunt-əbəl] *a.* 설명할 수 없는, 까닭을 알 수 없는, 책임 없는(*for*), **-bly** *ad.*

un·ac·count·ed-for[ʌnəkáunt-idfɔ̀ːr] *a.* 설명이 안 된.

un·ac·cus·tomed[ʌnəkʌ́stəmd] *a.* 익숙하지 않은(*to*); 보통이 아닌, 별난.

un·ac·quaint·ed[ʌnəkwéintid] *a.* 알지 못하는, 낯선, 생소한(*with*).

un·a·dorned[ʌnədɔ́ːrnd] *a.* 꾸밈 [장식]이 없는; 있는 그대로의.

un·a·dul·ter·at·ed[ʌnədʌ́ltə-rèitid] *a.* 섞인 것이 없는; 순수한, 진짜의.

un·af·fect·ed[ʌnəféktid] *a.* 움직이지[변하지] 않는; 영향을 안 받는.

un·af·fect·ed[ʌnəféktid] *a.* 젠체하지 않는, 있는 그대로의; 꾸밈 없는, 진실한.

un·a·fraid[ʌnəfréid] *a.* 두려워하지 않는(*of*).

un·aid·ed[ʌnéidid] *a.* 도움을 받지 않는, ~ **eyes** 육안.

un·al·loyed[ʌnəlɔ́id] *a.* 【化】 합금이 아닌, 순수한; (비유) (감정 등이) 진실한.

un·al·ter·a·ble[ʌnɔ́ːltərəbəl] *a.* 변경할[바꿀] 수 없는. **-bly** *ad.*

un·al·tered[ʌnɔ́ːltərd] *a.* 불변의.

un·am·big·u·ous[ʌnæmbíɡjuəs] *a.* 애매하지 않은, 명백한.

un-A·mer·i·can[ʌnəmérikən] *a.* (풍속·슈퍼 따위가) 아메리카식이 아닌; 비미(非美)[반미]적인.

u·nan·i·mous[juːnǽnəməs] *a.* 동의의(*for, in*); 만장일치의, 이구동성의. **‥·ly** *ad.* **u·na·nim·i·ty**[jùːnəníməti] *n.* U 이의 없음; 만장 일치.

un·an·swer·a·ble[ʌnǽnsərəbəl, -áː-] *a.* 대답할 수 없는; 논박할 수 없는; 책임 없는.

un·an·swered[ʌnǽnsərd, -áː-] *a.* 대답 없는; 논박되지 않은; 보답되지 않은.

un·ap·pre·ci·at·ed[ʌnəprìːʃi-tid] *a.* 진가(真價)가 인정되지 않은; 고맙게 여겨지지 않는.

un·ap·proach·a·ble[ʌnəpróutʃ-əbəl] *a.* 접근하기 어려운; 따르기 어려운; (태도 따위가) 쌀쌀한.

'un·armed[ʌnáːrmd] *a.* 무기가 없는; 무장하지 않은.

un·a·shamed[ʌnəʃéimd] *a.* 창피를 모르는, 몰염치한, 뻔뻔스러운.

un·asked[ʌnǽskt, -áː-] *a.* 부탁 [요구]받지 않은; 초대받지 않은.

un·as·sum·ing[ʌnəsjúːmiŋ] *a.* 겸손한.

un·at·tached[ʌnətǽtʃt] *a.* 부속되어 있지 않은; 무소속의, 중립의; 약혼[결혼]하지 않은; (장교가) 무보직의(*cf.* attaché).

un·at·tain·a·ble[ʌnətéinəbəl] *a.* 이룰 수 없는, 도달[달성]하기 어려운.

un·at·tend·ed[ʌnəténdid] *a.* 수행원(시종군)이 없는; 방치된; (의사의) 치료를 받지 않은.

un·at·trac·tive[ʌnətrǽktiv] *a.* 남의 눈을 끌지 않는; 매력적이 아닌.

un·au·thor·ized[ʌnɔ́ːθəràizd] *a.* 권한 밖의, 공인되지 않은; 독단의.

un·a·vail·ing[ʌnəvéiliŋ] *a.* 무익한; 무효의; 헛된. **‥·ly** *ad.*

un·a·void·a·ble[ʌnəvɔ́idəbəl] *a.* 피할 수 없는. **-bly** *ad.*

'un·a·ware[ʌnəwέər] *a.* 눈치채지 못하는, 알지 못하는(*of, that*); 부주의한, 방심하는. *ad.* 뜻밖에, 불의에, 갑자기; 무심히. **‥s** *ad.* = UNAWARE.

'un·bal·ance[ʌnbǽləns] *n., vt*

Ⓤ 불균형(하게 하다); 평형을 깨뜨리다. ~d[-t] *a.* 평형이 깨진; 불안정한; 마음(정신)이 혼란된.

un·bear·a·ble [ʌnbɛ́ərəbəl] *a.* 참기(견디기) 어려운. **-bly** *ad.*

un·beat·en [ʌnbíːtn] *a.* (채찍에) 매맞지 않은; 진 적이 없는; 사람이 다닌 일이 없는, 인적 미답의.

un·be·com·ing [ʌnbikʌ́miŋ] *a.* 어울리지 않는; (격에) 맞지 않는(*to, of, for*); 보기 흉한, 버릇 없는.

un·be·known [ʌnbinóun] *a.* 《口》 미지(未知)의, 알려지지 않은(*to*).

un·be·lief [ʌnbilíːf] *n.* Ⓤ 불신앙; 불신; 의혹.

un·be·liev·a·ble [ʌnbilíːvəbəl] *a.* 믿기 어려운, 믿을 수 없는.

un·be·liev·er [ʌnbilíːvər] *n.* Ⓒ 믿지 않는 사람; 불신앙자, 회의자.

un·be·liev·ing [ʌnbilíːviŋ] *a.* 안 믿는; 믿으려 하지 않는, 회의적인.

un·bend [ʌnbénd] *vi., vt.* (*-bent, -ed*) (굽은 것을) 곧게 하다(되다); (긴장 따위를) 늦추다(하다), 편히 쉬게 하다; 〔海〕 (돛을) 끄르다, (밧줄·매듭을) 풀다. ─ ~ing *a.* 굽지 않는, 단단한; 고집센; 확고한.

un·bi·as(s)ed [ʌnbáiəst] *a.* 편견이 없는, 공평한.

un·bid·den [ʌnbídn] *a.* 명령[지시]받지 않은, 자발적인; 초대받지 않은.

un·bleached [ʌnblíːtʃt] *a.* 표백하지 않은, 바래지 않은.

un·blem·ished [ʌnblémiʃt] *a.* 흠이 없는; 오점이 없는; 결백한, 깨끗한.

un·blink·ing [ʌnblíŋkiŋ] *a.* 눈 하나 깜짝 않는; 태연한.

un·born [ʌnbɔ́ːrn] *a.* 아직 태어나지 않은; 태내(胎內)의; 미래의, 후세의.

un·bound·ed [ʌnbáundid] *a.* 무제한의.

un·bri·dled [ʌnbráidld] *a.* 굴레[고삐]를 매지 않은; 구속이 없는; 방일(放逸)한.

un·bro·ken [ʌnbróukən] *a.* ① 파손되지 않은, 완전한. ② 중단되지 않은(끊기지 않은); 꺾이지 않은. ③ (말·망아지가) 길들여지지 않은. ④ 미개간의.

un·buck·le [ʌnbʌ́kəl] *vt.* (…의)

최쇠를 끄르다[벗기다].

un·bur·den [ʌnbɔ́ːrdn] *vt.* (…의) 무거운 짐을 내리다; (마음의) 무거운 짐을 덜다. (마음을) 편하게 하다.

un·but·ton [ʌnbʌ́tn] *vt.* (…의) 단추를 끄르다; 흉금을 털어놓다.

un·called-for [ʌnkɔ́ːldfɔ̀ːr] *a.* 불필요한, 쓸데 없는; 지나친, 주제넘은.

un·can·ny [ʌnkǽni] *a.* 초자연적인, 신비적인; 기분 나쁜, 피히한.

un·cap [ʌnkǽp] *vt.* (*-pp-*) 모자를[뚜껑을] 벗기다. ─ *vi.* (경의를 표하여) 모자를 벗다.

un·cared-for [ʌnkɛ́ərdfɔ̀ːr] *a.* 돌보는 사람이 없는; 황폐한.

un·cer·e·mo·ni·ous [ʌnserəmóu-niəs] *a.* 격식[형식]을 차리지 않는, 스스럼 없는, 무간한; 버릇[예의] 없는. ~·ly *ad.*

un·cer·tain [ʌnsɔ́ːrtn] *a.* ① 불확실한; 의심스러운; 분명치 않은. ② 일정치 않은; 변하기 쉬운, 믿을 수 없는; (빛이) 흔들거리는. ~·ly *ad.*

un·cer·tain·ty [ʌnsɔ́ːrtnti] *n.* ① Ⓤ 반신반의; 불확정. ② Ⓒ 불명료, 확신하 할 수 없는 일[물건]. *the principle*, or *the principle of* 〔理〕 불확정성 원리.

un·chal·lenged [ʌntʃǽlindʒd] *a.* 도전을 받지 않는; 문제가 안 되는; 논쟁되지 않는.

un·change·a·ble [ʌntʃéindʒəbəl] *a.* 변하지 않는, 불변의, 일정한.

un·changed [ʌntʃéindʒd] *a.* 변화되지 않는, 불변의.

un·char·i·ta·ble [ʌntʃǽrətəbəl] *a.* 무자비한; (비평 등이) 가차 없는, 엄한.

un·chart·ed [ʌntʃáːrtid] *a.* 해도 (海圖)에 기재돼 있지 않은; 미지의.

un·checked [ʌntʃékt] *a.* 억제되지 않은; 조회(검사)되지 않은.

un·civ·il [ʌnsívəl] *a.* 예절 없는, 야만적인, 미개한. **-i·lized** [-əláizd] *a.* 미개한, 야만적인.

un·cle [ʌ́ŋkl] *n.* Ⓒ 백부, 숙부, 아저씨; 《口》 (친척 아닌) 아저씨. *cry (say)* ~ 《美口》 졌다고 말하다.

un·clean [ʌnklíːn] *a.* 더러운, 불결한; (도덕적으로) 더럽혀진; 사악(邪惡)한, 외설한; 〔종교 의식상〕 부정

Ⓤ

(不淨)한. **~·ly** [-li] *ad.*, [Anklén-li] *a.* 불결하게(한); 부정(不貞)하게(한).

un·coil [ʌnkɔ́il] *vt.*, *vi.* (감긴 것을) 풀다, 풀리다.

un·com·fort·a·ble [ʌnkʌ́mfərt-əbəl] *a.* 불쾌한, 불안(부자유)한. **-bly** *ad.*

un·com·mit·ted [ʌnkəmítid] *a.* 미수행의; 연질에 구속(구애)되지 않는; 의무가 없는; (법안이) 위원회에 회부되지 않은.

un·com·mon [ʌnkámən/-ɔ́n] *a.* 흔하지 않은, 드문, 이상(非常)한; 비범한. **~·ly** *ad.* 드물게; 매우, 진귀하게.

un·com·mu·ni·ca·tive [ʌnkəm-júːnəkèitiv/-kə-] *a.* 속을 털어놓지 않는; 수줍어하는, 말이 없는.

un·com·plain·ing [ʌnkəmpléiniŋ] *a.* 불평하지 않는.

un·com·pro·mis·ing [ʌnkámprə-màiziŋ/-5-] *a.* 양보(타협)하지 않는; 강경[단호]한.

un·con·cern [ʌnkənsɔ́ːrn] *n.* ⓤ 무관심, 태연, 냉담. **~ed** *a.* 무관심한(*with*, *at*); 관계가 없는(*in*).

un·con·di·tion·al [ʌnkəndíʃənəl] *a.* 무조건적; 절대적인. **~·ly** *ad.*

un·con·di·tioned [ʌnkəndíʃənd] *a.* 무조건적; 절대적인; 본능적인.

un·con·gen·ial [ʌnkəndʒíːniəl, -njəl] *a.* 성미에 안 맞는, 싫은; 부적당한, 맞지 않는.

un·con·nect·ed [ʌnkənéktid] *a.* 관계가(관련이) 없는(*with*); (논리적으로) 앞뒤가 맞지 않는.

un·con·scion·a·ble [ʌnkánʃənə-bəl/-5-] *a.* 비양심적인; 터무니없는.

un·con·scious [ʌnkánʃəs/-5-] *a.* 무의식의, 모르는(*of*); 부지중의; 의식 불명의. — *n.* (the ~) 『精神分析』 무의식. **~·ly** *ad.*

un·con·sti·tu·tion·al [ʌnkànstə-tjúːʃənəl/-kɔ̀n-] *a.* 헌법에 위배되는, 위헌의

un·con·trol·la·ble [ʌnkəntróulə-bəl] *a.* 억제(통제)할 수 없는.

un·con·trolled [ʌnkəntróuld] *a.* 억제되지 않는, 자유로운.

un·con·ven·tion·al [ʌnkənvén-ʃənəl] *a.* 관습(선례)에 매이지 않는.

un·con·vinced [ʌnkənvínst] *a.* 납득을 않는, 모호한, 미심쩍어하는.

un·cooked [ʌnkúkt] *a.* 날것의, 요리하지 않은.

un·cork [ʌnkɔ́ːrk] *vt.* 코르크 마개를 빼다; 《口》 (감정을) 토로하다.

un·count·a·ble [ʌnkáuntəbəl] *a.* 무수한, 셀 수 없는. — *n.* ⓒ 『文』 불가산(不可算) 명사.

un·cou·ple [ʌnkʌ́pəl] *vt.* (…의) 연결을 끊다; (개를 맨) 가죽끈을 풀다.

un·couth [ʌnkúːθ] *a.* (언행이) 무지하고 서투른, 거친, 서툰; 기묘한; 기분 나쁜.

un·cov·er [ʌnkʌ́vər] *vt.* ① (…의) 덮개를 벗기다; 모자를 벗다, ② 털어 놓다, 폭로하다. — *vi.* 《古》 (경의를 표하여) 탈모하다.

un·cross [ʌnkrɔ́(ː)s, -krás] *vt.* (…의) 교차된 것을 풀다.

un·crown [ʌnkráun] *vt.* (…의) 왕위를 빼앗다. **~ed** [-d] *a.* 아직 대관식을 안 올린; 무관(無冠)의.

unc·tion [ʌ́ŋkʃən] *n.* ⓤ (성별(聖別)의) 도유(塗油); (대관식의) 도유식; (바르는) 기름약, 연고 (도포(塗布)); 성유(聖油); 《聖》 달래는(녹이는, 기쁘게 하는) 것, 감언; 종교적 열정; 겉으로만의 열심(감동).

unc·tu·ous [ʌ́ŋktʃuəs] *a.* 기름[연고] 같은; 기름기가 도는; 미끈미끈한; 말치레가 번드레한; 짐짓 감동한 듯싶은. **~·ly** *ad.*

un·curl [ʌnkɔ́ːrl] *vt.*, *vi.* (고불고불한 것, 말린 것 따위를) 펴다; (…이) 펴지다, 곧게 되다.

un·cut [ʌnkʌ́t] *a.* 자르지 않은; (책이) 도련(刀鍊)되지 않은; 삭제된 데가 없는; 《美俗》 (마약 따위가) 잡물이 안 섞인.

un·dam·aged [ʌndǽmidʒd] *a.* 손해를 받지 않은, 무사한.

un·dat·ed [ʌndéitid] *a.* 날짜 표시가 없는; 무기한의.

un·daunt·ed [ʌndɔ́ːntid] *a.* 겁내지 않는, 불굴의, 용감한.

un·de·cid·ed [ʌndisáidid] *a.* 미결의, 미정의 (未定)의; 우유 부단한; (날씨 따위가) 어떻게 될지 모르는

un·de·fend·ed[ʌ̀ndiféndid] *a.* 방비가 없는; 변호인이 없는; (고소 따위) 항변이 없는.

un·de·fined[ʌ̀ndifáind] *a.* 확정되지 않은; 정의가 내려지지 않은; 【컴】 미정의.

un·dem·o·crat·ic[ʌ̀ndeməkrǽt-ik] *a.* 비민주적인.

un·de·ni·a·ble[ʌ̀ndináiəbəl] *a.* 부정할 수 없는; 다툴 여지가 없는; 우수한. **-bly** *ad.*

un·der[ʌ́ndər] *prep.* ① …의 아래[밑]에; …의 바로밑에, …보다 아래쪽[밑]을). ② (연령·시간·가격·수량 등) 이하의(지위가) …보다 아래인(의). ③ (지배·영향·보호·감독·지도 등의) 밑에, …의(지도·책임)하에(~ *one's hand and seal* 서명 날인하여). ④ (압박·제제·형벌·부담 등)을 받고, (조건·상태) 하(下)에 (~ *the new rules*). ⑤ …때문에(~ *the circumstances*). ⑥ …에 따라(서)(~ *the law*). ⑦ …에 속하는, …중의; ⑧ …중에(~ *discussion* 토의 중에); …의 밑에 (숨어)의; 필계로(빙자하여). — *a.* 아래의, 하부의; 하급의; 부족한.

un·der-[ʌ́ndər, ◀—] *pref.* 아래에 [에], 밑에; 하급의, 보다 낮은; 보다 작은, 불충분한 따위의 뜻.

ùn·der·achíeve *vi.* 【教育】 자기 지능 지수 이하의 성적을 나타내다(演技하다).

ùn·der·áct *vt., vi.* 불충분하게 연기하다.

ún·der·bèlly *n.* □ 하부, 아랫 배; **soft ~** (군사상의) 약점, 무방비 지대.

ùn·der·bíd *vt.* (~; ~, *-bidden*; *-dd-*) 보다 싼 값을 붙이다(싸게 입찰하다).

ún·der·brùsh *n.* □ (큰 나무 밑에서 자라는) 작은 나무.

ún·der·càrriage *n.* □ (차량의) 차대, (비행기의) 착륙 장치(바퀴와 다리).

ùn·der·chárge *vt.* 제값보다 싸게 청구하다(*for, on*) (포에) 충분히 장약(裝藥)을 넣지 않다.

ún·der·clàss *n.* □ (the ~) 하층 계급, 최하층 계급.

ún·der·clòthes *n. pl.* 속옷, 내의.

ún·der·còver *n.* 비밀의 한, 비밀의; 첩보 활동의 ~ *agent* (*man*) 첩보원, 스파이.

ún·der·cùrrent *n.* □ 저류(底流), 암류(暗流); 표면에 나타나지 않는 경향.

ún·der·cùt *n.* □ [~] vt. (~; *-tt-*) [밑을] 잘라(도려)내다; (남보다) 싼 값으로 팔다(팔게 하다).

ùn·der·devéloped *a.* 개발[발전] 현상(現象)이 덜된, 후진(국)의.

ún·der·dòg *n.* □ 싸움에 진 개; (생존 경쟁의) 패배자.

ùn·der·dóne *a.* 설구운, 설익은.

ùn·der·éstimate *vt.* 싸게 어림하다; 과소 평가하다. — *n.* □ 싼어림, 과소 평가.

ùn·der·expóse *vt.* 【寫】 노출 부족으로 하다. *-exposure* *n.*

ùn·der·féed *vt.* (*-fed*) 먹을 것을 충분히 주지 않다.

ún·der·fòot *ad.* 발 밑[아래]에; (美) 가는 길에 방해가 되어; 짓밟아, 멸시하여.

ún·der·gàrment *n.* □ 속옷, 내의.

un·der·gó[ʌ̀ndərgóu] *vt.* (*-went*; *-gone*) 경험하다; (시련을) 겪다. (시험·수술·치료를) 받다; (재난·위험 따위를) 당하다; 만나다; 견디다.

ún·der·gràdu·ate *n.* [-grǽdʒuit, -èit] *n.* □ (대학의) 재학생.

ún·der·gròund *n.* [ʌ̀ndərgráund] 지하[에서 하는]; 비밀의. — *ad.* 지하에[에서]; 비밀히, 몰래. — *n.* □ 지하(도); (보통 the ~) (美) 지하철 (美) subway; 【政】 지하 조직(운동).

ún·der·gròwth *n.* □ 발육 부진; (큰 나무 밑의) 관목, 덤불.

ún·der·hànd *a.* (구기에서) 밑으로 던지는(치는); 비밀의, 부정한 구린. — *ad.* 밑으로 던져[쳐]; 비밀히. *-ed* *a.* = UNDERHAND; 일손 이 부족한.

ùn·der·líe *vt.* (*-lay; -lain; -lying*) (…의) 밑에 눕다[가로놓이다]; (…의) 기초를 이루다.

ún·der·line *n.* [ʌ̀ndərláin] *vt.* …의 밑에 선을 긋다; 강조하다. — [◀—]

U

n. ⓒ 밀줄; (삼화·사진의) 해설 문구.

un·der·ling [ʌ́ndərliŋ] n. ⓒ (보통 蔑) 아랫 사람, 졸때기, 졸개.

under·lying a. 밑에 있는; 기초를 이루는, 근본적인.

under·mine vt. (…의) 밑을 파다; 밑에 갱도를 파다; 토대를 침식하다; (명성 등을) 은밀히 손상시키다; (건강 등을) 서서히 해치다.

un·der·neath [ʌ̀ndərní:θ] prep., ad. (…의) 밑에(의, 을). — n. (the ~) 밑바닥, 하면(下面).

under·nourished a. 영양 부족의.
-nourishment n.

under·pants n. pl. 하의; (남자용) 팬츠.

under·pass n. ⓒ (철도·도로의 밑을 통하는) 지하도.

under·pay vt. (-**paid**) (급료·임금을) 충분히 주지 않다.

under·pin vt. (-**nn**-) (건축물의) 토대를 갈아 놓다, 기초를 보강하다; 지지하다, 입증하다. **-pinning** n. ⓤⓒ (건축물의) 토대, 버팀; 지주; (추가적인) 버팀대.

under·privileged a. (경제·사회적으로) 충분한 권리를 못 누리는.

under·rate vt. 낮게 평가하다, 얕보다.

under·score [-skɔ́ːr] vt. (…의) 밑에 선을 긋다; 강조하다. — n. [⌒⌒] 밑줄.

under·sea a. 바다 속의[에서 하는]. — ad. 바다속에[에서]. **-seas** ad. = UNDERSEA.

under·secretary n. (종종 U-) ⓒ 차관(次官).

under·sell vt. (-**sold**) (…보다) 싸게 팔다.

under·shirt n. ⓒ 내의, 속셔츠.

un·der·sign [-sáin] vt. (편지·서류의) 끝에 서명하다. **~ed** [-d] a. 아래 기명한. — n. [⌒⌒] (the ~ed) 서명자, (서류의) 필자.

under·sized a. 보통보다 작은 크기의, 소형의.

un·der·stand [-stǽnd] vt. (-**stood**) 1 이해하다; 깨쳐 알다; (…을) 다루는 요령을 알고 있다. 2 (학문 등에) 정통하다; 들어서 알고

있다. 3 당연하다고 생각하다; 추측하다, (…의) 뜻으로 해석하다. 4 (수 동으로) 마음으로 보충 해석하다 (말을) 생략하다. — vi. 이해하다; 전해 듣고 있다. **~ each other** 서로 양해하다; 동의하다. *~·a·ble* a.

under·standing [-stǽndiŋ] n. ⓤ 이해(력); 지력(知力); 깨달음, 지식; 〔또는 sing.〕 (의견 충돌 따위의) 일치, 동의, 양해. **on the ~ that** …라는 조건으로[양해 아래]. **with this ~** 이 조건으로.

under·state vt. 삼가서 말하다; 줄잡아 말하다. **~ment** n.

under·study n. ⓒ 〔劇〕 대역(代役)의 연습을 하다. — n. ⓒ 〔劇〕 대역(代役) 배우; 〔俗〕 보결 선수.

un·der·take [ʌ̀ndərtéik] vt. (-**took; -taken**) 떠맡다, 인수하다; 약속하다 (to do); 보증하다; 착수하다, 기도(企圖)하다. **-tak·er** ⓒ [⌒⌒⌒] 장의사업자. **:-tak·ing** n. ⓒ 인수한[떠맡은] 일, 기업, 사업; 약속, 보증; [⌒⌒⌒] ⓤ 장의사업(業).

under·tone n. ⓒ 저음, 작은 소리; 얕은 빛깔, 다른 빛깔을 통해서 본 빛깔; 저류(底流), 잠재적 요소.

under·tow n. ⓤ 해안에서 되돌아치는 물결; 해저의 역류(逆流).

under·value vt. 싸게[과소] 평가하다; 얕보다. **-valuation** n.

under·water a. 수중(물속)(용)의; 흡수선(吃水線) 밑의. — n. 〔俗〕속옷.

under·wear n. ⓤ 〔집합적〕 내의.

under·weight n. ⓤⓒ 중량 부족. — a. 중량 부족의.

un·der·went [ʌ̀ndərwént] v. undergo의 과거.

under·world n. ⓒ 하층 사회, 하류; 저승; 지옥; 이승.

under·write vt. (-**wrote; -written**) (…의) 아래[밑]에 쓰다 (과거분사에 주로); (특히 해상 보험업) 인수하다; (회사의 발행 주식·사채(社債) 중, 응모자 없는 부분을) 인수하다; (…의) 비용을 떠맡다. **-writer** n. ⓒ (특히 해상) 보험업자; 주식·사채 응모인.

un·de·served [ʌ̀ndizɔ́:rvd] a. (받을) 가치[자격]이 없는, 과분한

un·de·sir·a·ble [ʌndizáirəbəl] *a.*, *n.* ⓒ 바람직하지[탐탁지] 않은 (사람·물건).

un·de·vel·oped [ʌndivéləpt] *a.* (심신이) 충분히 발달하지 못한 (토지가) 미개발의; 현상(現像)이 안 된.

un·did [ʌndíd] *v.* undo의 과거.

un·dies [ʌndíz] *n. pl.* 《口》 (여성·아동용) 내의, 속옷.

un·dig·ni·fied [ʌndígnəfàid] *a.* 위엄이 없는.

un·di·lut·ed [ʌndilú:tid, -dai-] *a.* 물 타지 않은, 희석하지 않은.

un·di·min·ished [ʌndimíniʃt] *a.* 줄지 않는, 쇠퇴되지 않은.

un·dis·ci·plined [ʌndísəplind] *a.* 훈련이 안 된; 군기(軍紀)가 없는.

un·dis·cov·ered [ʌndiskʌ́vərd] *a.* 발견되지 않은, 미지의.

un·dis·guised [ʌndisgáizd] *a.* 있는 그대로의, 가면을 쓰지 않은, 드러낸, 숨김 없는.

un·dis·put·ed [ʌndispjú:tid] *a.* 의심[이의] 없는, 확실한; 당연한.

un·dis·turbed [ʌndistɔ́:rbd] *a.* 방해되지 않는; 평온한.

un·di·vid·ed [ʌndiváidid] *a.* 나눌 수 없는, 연속된, 완전한; 전념하는.

un·do [ʌndú:] *vt.* **-did**; **-done** ① 원상태로 돌리다; 취소하다; 제거하다. ② 풀다, 끄르다, 늦추다(의복 따위를) 벗기다. ③ 파멸[영락]시키다; 결딴내다. ④ 《古》 (수수께끼 등을) 풀다. **~·ing** *n.* ⓤ 원상태로 돌리기; 끄름; 파멸, 파면.

un·done [ʌndʌ́n] *v.* undo의 과거분사. ~ 풀어지다, 끌러진; 파멸 [영락]한; 하지 않은, 미완성의.

un·doubt·ed [ʌndáutid] *a.* 의심할 여지 없는, 확실한. **~·ly** *ad.*

un·dreamed-of [ʌndrémtəv, -drí:md-/-ɔ́v], **un·dreamt-of** [-drémt-] *a.* 꿈에도 생각 못한, 생각조차 못한, 뜻하지 않은.

un·dress [ʌndrés] *vt.* 옷을 벗기다; 장식을 떼다; 붕대를 끄르다. —— *vi.* 옷을 벗다. —— *n.* ⓤ 평상복, 약복(略服). —— [≦] *a.* 평복의.

un·due [ʌndjú:/-djú:] *a.* 과도한; 지나치게 심한; 부적당한; 매우 심한 (지불) 기한이 되지 않은.

un·du·late [ʌndʒəléit, -djə-] *vi.* 물결이 일다, 물결 치다; (땅이) 기복(起伏)하다, 굽이치다. —— *vt.* 물결 치게 하다; 기복지게[굽이치게] 하다. **-lat·ing** *a.* **-la·tion** [-léiʃən] *n.*

un·du·ly [ʌndjú:li/-djú:-] *ad.* 과도하게; 부당하게.

un·dy·ing [ʌndáiiŋ] *a.* 불사(不死)의, 불멸[불후]의; 영원한.

un·earned [ʌnɔ́:rnd] *a.* 노력하지 않고 얻은. **~ income** 불로 소득.

únearned íncrement (토지 등의) 자연적 가치 증가.

un·earth [ʌnɔ́:rθ] *vt.* 발굴하다; (사냥감을) 굴에서 몰아내다; 발견[적발]하다. **~·ly** *a.* 이 세상 것이라고는 생각 안 되는; 이상한; 기분나쁜; 신비로운; 《口》 터무니 없는.

un·eas·y [ʌní:zi] *a.* 불안한, 걱정되는; 불쾌한; 힘드는; 편치 못한; 불편한; 딱딱한, 딱딱한 (태도 등). **un·éas·i·ly** *ad.* **un·éas·i·ness** *n.*

un·ed·u·cat·ed [ʌnédʒukèitid] *a.* 교육을 받지 못한, 무지한.

un·em·ploy·a·ble [ʌnimplɔ́iəbəl] *a.* (노령·병 등으로) 고용 불가능한.

un·em·ployed [ʌnimplɔ́id] *a.* 일이 없는, 실직한; 사용[이용]되고 있지 않은; 한가한.

un·em·ploy·ment [-mənt] *n.* ⓤ 실업(失業). **~** 《美》 실업 보상.

unemplóyment bènefit 실업 수당.

unemplóyment compensátion 《美》 실업 보상.

un·end·ing [ʌnéndiŋ] *a.* 끝없는; 무한한, 영원한.

un·en·vi·a·ble [ʌnénviəbəl] *a.* 부럽지 않은, 부러워할 것 없는.

un·e·qual [ʌní:kwəl] *a.* ① 같지 않은; 불평등[불균등]한. ② 《敍》 불공평한, 일방적인. ③ 한결같지 않은, 변하기 쉬운. ④ 불충분한, 감당 못하는(to). **~ (l)ed** *a.* 견줄 데 없는. **~·ly** *ad.*

un·e·quiv·o·cal [ʌnikwívəkəl] *a.* 모호하지 않은, 명백한.

un·err·ing [ʌnɔ́:riŋ] *a.* 잘못이 없는; 틀림 없는; 정확[확실]한.

UNESCO [ju:néskou] (〈 United Nations Educational, Scien- tific, and Cultural Organiza-

tion) n. 유네스코《국제 연합 교육과
학 문화 기구》.

un·e·ven [ʌníːvən] a. ① 평탄하지
않은. ② 한결같지[고르지] 않은. ③
격차가 있는. ④ 홀수의. **~·ly** ad.
~·ness n.

un·e·vent·ful [ʌnivéntfəl] a. 평
온 무사한.

un·ex·cep·tion·a·ble [ʌniksép-
[ʃənəbəl] a. 나무랄 데[더할 나위] 없
는, 완전한.

un·ex·cep·tion·al [ʌniksépʃənəl]
a. 예외가 아닌, 보통의.

:un·ex·pect·ed [ʌnikspéktid] a.
뜻밖의, 예기치 않은, 불의의. ***~·ly**
ad. **~·ness** n.

un·fail·ing [ʌnféiliŋ] a. 틀림[실
수]이 없는, 신뢰할 수 있는; 확실한;
다함이 없는, 끊임없는.

:un·fair [ʌnfɛ́ər] a. ① 불공평한, 부
당한. ② 부정한(不正한).

un·faith·ful [ʌnféiθfəl] a. 성실[충
실]하지 않은, 부정(不貞)한; 부정확
한. **~·ly** ad.

*un·fa·mil·iar [ʌnfəmíljər] a. ①
잘 알지 못하는; 진기한. ② 생소한;
익숙하지 않은; 경험이 없는(with, to).

un·fash·ion·a·ble [ʌnfǽʃənəbəl]
a. 유행에 뒤진, 멋없는.

un·fas·ten [ʌnfǽsn/-áː-] vt., vi.
풀다, 풀리다, 늦추다, 헐거워[느슨
해]지다, 열(리)다.

un·fath·om·a·ble [ʌnfǽðəməbəl]
a. 깊이를 헤아릴 수 없는, 불가해한.

*un·fa·vor·a·ble, 《英》**-vour-**
[ʌnféivərəbəl] a. 형편이 나쁜, 불리
한; 역(逆)의; 불친절한. **-bly** ad.

un·feel·ing [ʌnfíːliŋ] a. 느낌이 없
는; 무정한, 잔인한. 「는.

un·feigned [ʌnféind] a. 거짓 없
는, 진실한.

un·fet·tered [-d] a. 차꼬가 [속박
이] 풀린, 자유로운.

un·fin·ished [ʌnfíniʃt] a. 미완성
의; 완전히 마무리(가공)되지 않은.

un·fit [ʌnfít] a. 부적당한, 부적절한
아닌(to, for); (육체적·정신적으로)
적당하지 않은. — n. (the ~) 부적
임자. — vt. (-tt-) 부적당하게 하다,
자격을 잃게 하다(for).

un·flag·ging [ʌnflǽgiŋ] a. 쇠(衰)
하지 않는, 지칠 줄 모르는.

un·flinch·ing [ʌnflíntʃiŋ] a. 움츠
리지[주춤하지] 않는, 단호한.

un·forced [ʌnfɔ́ːrst] a. 강제되지
않은, 자발적인.

un·fore·seen [ʌnfɔːrsíːn] a. 예기
치 못한, 뜻밖의.

un·for·get·ta·ble [ʌnfərɡétəbəl]
a. 잊을 수 없는.

:un·for·tu·nate [ʌnfɔ́ːrtʃənit] a., n.
ⓒ 불행한 (사람); (특히) 배운부;
불길한; 유감스러운. **~·ly** ad.

un·found·ed [ʌnfáundid] a. 근거
없는.

un·freeze [ʌnfríːz] vt. 녹이다;
《經》동결을 해제하다.

un·friend·ly [ʌnfréndli] a. 우정이
없는, 불친절한, 적의 있는; 형편이
나쁜. — ad. 비(非)우호적으로.

un·furl [ʌnfɔ́ːrl] vt., vi. 펼치다;
펼치다; 올리다, 올라가다.

un·fur·nished [ʌnfɔ́ːrniʃt] a. 공
급되지 않은; 설비가 안 된; 비품이
(가구가) 없는.

un·gain·ly [ʌnɡéinli] a. 보기 흉한,
꼴사나운.

un·god·ly [ʌnɡádli/-5-] a. 신앙심
없는; 죄많은; 《口》 지독한, 심한.

un·gov·ern·a·ble [ʌnɡʌ́vərnəbəl]
a. 제어할 수 없는, 제어하기 어려운,
어찌할 수 없는.

un·gra·cious [ʌnɡréiʃəs] a. 예절
없는, 무례(난폭)한, 불쾌한.

un·gram·mat·i·cal [ʌnɡrəmǽti-
kəl] a. 문법에 맞지 않는.

un·grate·ful [ʌnɡréitfəl] a. ①
혜를 모르는. ② 애쓴 보람 없는, 헛
수고의; 불쾌한.

un·guard·ed [ʌnɡáːrdid] a. 부주
의한; 방심하고 있는; 무방비의.

un·hap·py [ʌnhǽpi] a. ① 불행한,
비참한, 슬픈. ② 계운가 나쁜; 부적
당한. ***-pi·ly** ad. ***-pi·ness** n.

un·health·y [ʌnhélθi] a. ① 건강치
하지 못한, 병약한; 건강을 해치는.
② (정신적으로) 불건전한, 유해한.

un·heard [ʌnhɔ́ːrd] a. 들리지 않
는; 변명이 허용되지 않는; 《古》 들은
바가 없는.

un·heard-of [ʌnhɔ́ːrdʌv/-ɔ́v] a.
들은 적이 없는; 전례가 없는.

un·heed·ed [ʌnhíːdid] a. 돌봐지

지 않는, 주목되지 않는, 무시된.
un·hes·i·tat·ing [ʌnhézətèitiŋ] a.
망설이지 않는; 기민한. **~·ly** ad.

un·hinge [ʌnhíndʒ] vt. (…의)돌쩌귀를 떼다; 떼어놓다 (정신을) 어지럽히다.

un·ho·ly [ʌnhóuli] a. 신성치 않은, 부정(不正)한; 신앙심이 없는 =사악한; 《口》심한한, 발칙한. **-li·ness** n.

un·hook [ʌnhúk] vt. 갈고리에서 벗기다; (의복의) 훅을 끄르다.

un·hoped-for [ʌnhóuptfɔ̀ːr] a. 뜻밖의, 예기치 않은, 바라지도 않은.

un·hurt [ʌnhə́rt] a. 다치지 않은, 무사한.

u·ni- [júːnə] pref. '일(一), 단(單)'의 뜻.

UNICEF [júːnəsèf] ⟨⟨U.N. International Children's Emergency Fund⟩⟩ n. 유니세프(⟨유엔⟩ 국제 아동 긴급 기금: 현재는 United Nations Children's Fund)지만 약어는 같음⟩.

úni·còrn n. ⓒ 일각수(一角獸)《이마에 한 개의 뿔이 있는 말 비슷한 상상의 동물》.

un·i·den·ti·fied [ʌnaidéntəfàid] a. 동일한 것으로 확인되지 않은.

unidentified flying óbject n. 확인 비행 물체《생략 UFO》.

u·ni·form [júːnəfɔ̀ːrm] a. 일정한, 한결같은; 균일한. — n. ⓒⓤ 제복, 유니폼. — vt. 제복을 입히다. **-ed** [-d] a. 제복을 입은. **~·ly** ad. **~·i·ty** [-fɔ̀ːrməti] n. ⓤⓒ 한결같음; 동일(성); 일정(일치).

u·ni·fy [júːnəfài] vt. 한결같게 하다; 통일하다.

u·ni·lat·er·al [júːnəlǽtərəl] a. 한쪽만의; 일방적인; 【植】편무(片務)의.

un·im·ag·i·na·ble [ʌnimǽdʒənəbəl] a. 상상할 수 없는. **-bly** ad.

un·im·ag·i·na·tive [ʌnimǽdʒənətiv] a. 상상력이 없는.

un·im·paired [ʌnimpɛ́ərd] a. 손상되지 않는; 약화되지 않은.

un·im·peach·a·ble [ʌnimpíːtʃəbəl] a. 나무랄 데 없는, 죄가 없는, 흠잡을 데 없는.

un·im·por·tant [ʌnimpɔ́ːrtənt] a. 중요하지 않은, 보잘 것 없는.

un·in·hab·it·ed [ʌninhǽbitid] a. 무인(無人)의; 사람이 살지 않는.

un·in·tel·li·gi·ble [ʌnintélədʒəbəl] a. 이해할 수 없는; 분명치 않은.

un·in·ten·tion·al [ʌninténʃənəl] a. 고의가 아닌, 무심코 한.

un·in·ter·rupt·ed [ʌnintərʌ́ptid] a. 끊임없는, 연속적인.

:un·ion [júːnjən] n. ① ⓤ 결합, 연합, 합동. ② ⓤⓒ 결혼, 화합. ③ ⓒ 노동조합, 조합. ⑤ (U-) 연방; (the U-) 아메리카 합중국; (연방을 나타내는) 연방 기장《영국의 Union Jack, 미국 국기의 별 있는 부분 따위》. ⑥ 《보통 No·U·》《美》 학생 클럽《회관》. ⑥ ⓒ 【機】접합관 (管); 【鑛】유착(癒着), 유합. ⑦ 【鑛】합집합. **trade** ⟨⟨英⟩⟩ **labo(u)r ~** 노동조합. **~·ism** [-ìzəm] n. ⓤ 노동조합 주의(opp. separatism); (U-) 《美》(남북 전쟁때의) 연방주의. **~·ist** n. ⓒ 노동조합주의자. ~ 노동조합원.

un·ion·ize [júːnjənàiz] vt., vi. 노동조합으로 조직하다, 노동조합에 가입시키다「가입하다」. **-i·za·tion** [–izéi-/-nai-] n.

únion jáck 연합 국기; (the U-J-) 영국 국기.

u·nique [juːníːk] a. 유일(무이)한, 독특한; 진기한.

u·ni·sex [júːnəsèks] a. 《口》(복장 등이) 남녀 공통의.

u·ni·son [júːnəsən, -zən] n. ⓤ 조화, 일치; 【樂】동음, 화음, 제창(齊唱). — n. 제창으로; 일치하여.

:u·nit [júːnit] n. ⓒ ① 한 개, 한 사람, ② 【집합적】(구성) 단위. ③ 【軍】 부대; 【理】 단위. ③ 【數】 최소 완전수《주 1》. ④ 【敎育】(학과의) 단위, 단원(單元). ⑤ 【컴】단위. — **price** 단가.

U·ni·tar·i·an [júːnətɛ́əriən] a., n. ① 유니테리언파(派)의 (사람). **~·ism** [-izəm] n. ① 유니테리언파(派)의 교의《신교의 일파로, 그리스도의 유일함을 신조로 하여 예수를 신격화하지 않음》.

u·ni·tar·y [júːnətèri/-təri] a. 단일의; 단위(單位)의; 【數】 일원(一元)의, 귀일(歸一)의《법》의.

:u·nite [juːnáit] vt. 하나로 하다, 결합《접합》하다; 합병하다; 결혼시키다; (성질 따위를) 겸비하다; (의견 등을

U

u·nit·ed [juːnáitid] *a.* 결합[연합]한; 일치[협조]하는.

:United Nátions, the 국제 연합 《생략 U.N.》.

†United Státes (of América), the 아메리카 합중국. 미국《생략 U.S.(A.).》

*u·ni·ty [júːnəti] *n.* ① U 단일(성); ⓒ 개체, 통일(체); ⓒ 조화, 통일; 일 관성; ⓒ 〖數〗 1. **live in ~** 사이 좋게 살다.

Univ. University.

:u·ni·ver·sal [jùːnəvə́ːrsəl] *a.* ① 우주의, 만유의, 전세계의. ② 만인의, 널리[일반적으로] 행해지는; 보편적인 (opp. individual). ③ 만능의. ④ 〖論〗 전칭 (全稱)의. ⑤ 〖論〗 전칭 명제. — **·ly** *ad.* 일반(적)으로, 널리; 어느 곳이나. — **·i·ty** [〜sǽləti] *n.* U 보편성.

:u·ni·verse [júːnəvə̀ːrs] *n.* (the ~) 우주, 만물; 전세계.

:u·ni·ver·si·ty [jùːnəvə́ːrsəti] *n.* ⓒ 대학(교). 종합대학. ~ EXTENSION.

:un·just [ʌndʒʌ́st] *a.* 부정[불법·불공평]한. — **·ly** *ad.*

un·kempt [ʌnkémpt] *a.* (머리에) 빗질을 안 한; (옷차림이) 단정하지 못한.

:un·kind [ʌnkáind] *a.* 불친절한, 물 인정한, 냉혹한. ~**·ly** *ad.* ~**·ness** *n.*

U

un·know·a·ble [ʌnnóuəbəl] *a.* 알 수 없는; 〖哲〗 불가지 (不可知)의.

un·know·ing [ʌnnóuiŋ] *a.* 무지한; 모르는, 알(아채)지 못하는(of). ~**·ly** *ad.*

:un·known [ʌnnóun] *a.* 알려지지 않은; 미지의, 무명의, *U- Soldier* 《英》 *Warrior* 전몰 무명 용사(勇士). — *n.* ⓒ 미지의 인물[물건]; 〖數〗 미지수(數).

un·lace [ʌnléis] *vt.* (구두·코르셋 따위의) 끈을 풀다[늦추다].

un·law·ful [ʌnlɔ́ːfəl] *a.* 불법[위법]의, 비합법의; 사생(아)의. — **·ly** *ad.*

un·lead·ed [ʌnlédid] *a.* 무연(無鉛)의《가솔린 등》.

un·learn [ʌnlə́ːrn] *vt.* (~*ed* [-d,

-t], ~*t*) (배운 것을) 잊다; (버릇·잘못 등을) 버리다. 염두에서 없애다. — **·ed** [-id] *a.* 무식한, 무교육의; [-d] 배우지 않고 아는.

un·leash [ʌnlíːʃ] *vt.* (···의) 가죽끈을 끄르다.

un·leav·ened [ʌnlévənd] *a.* 발효시키지 않은; (비유) 영향을 안 받은.

un·less [ənlés] *conj.* 만약 ···이 아니면[하지 않으면], ···(이)외에는, — *prep.* ···을 제외하고는.

un·like [ʌnláik] *a.* 닮지 않은, 다른. — *prep.* ···와 같지 않고, ···과 달라서.

un·like·ly [ʌnláikli] *a.* 있을 것 같지 않은; 가망 없는, 성공할 것 같지 않은. **-li·hood** [-hùd] *n.*

un·lim·it·ed [ʌnlímitid] *a.* 끝없는, 무한한; 무제한의, 부정(不定)의.

un·lined [ʌnláind] *a.* 안을 대지 않은, 심을 넣지 않은.

un·load [ʌnlóud] *vt.* (짐을) 부리다; (마음 따위의) 무거운 짐을 덜다; (총·포의) 탄약[탄약]을 빼내다; (소유주(株)를) 처분하다. — *vi.* 짐을 풀다.

un·lock [ʌnlák/-lɔ́k] *vt.* 자물쇠를 열다[(잠긴 것을) 열다]; (비밀·비밀 따위를) 털어놓다. — *vi* 자물쇠가 열리다.

un·looked-for [ʌnlúktfɔ̀ːr] *a.* 예기치 않은, 의외의.

un·loose [ʌnlúːs], **un·loos·en** [ʌnlúːsn] *vt.* 풀다, 늦추다; 해방하다.

un·luck·y [ʌnláki] *a.* 불행한, 불운을 가져오는; 잘되지 않는; 불길한; 공교로운. **un·luck·i·ly** *ad.*

un·made [ʌnméid] *v.* unmake의 과거(분사).

un·man [ʌnmǽn] *vt.* (*-nn-*) 남자 다움을 잃게 하다; 용기를 꺾다. ~**·ly** *a.* 사내답지 못한; 비겁한.

un·man·age·a·ble [ʌnmǽnidʒə bəl] *a.* 다루기 힘든, 제어하기 어려운.

un·manned [ʌnmǽnd] *a.*, *ad.* 예절(버릇)없는[(없게], (언행이) 무지 하고 서투른[게].

un·man·ner·ly [ʌnmǽnərli] *a.*, *ad.* 예절(버릇) 없는[(없게], (언행이)

un·mar·ried[ʌnmǽrid] *a.* 미혼의.

un·mask[ʌnmǽsk/-ɑ́ːsk] *vt.* 가면을 벗기다; 정체를 폭로하다. — *vi.* 가면을 벗다.

un·matched[ʌnmǽtʃt] *a.* 상대가 없는, 비할[견줄] 데 없는.

un·men·tion·a·ble[ʌnmɛ́nʃənə-bəl] *a.* 입에 담을수 없는; (상스럽거나 해서) 말해선 안 될.

un·mind·ful[ʌnmáindfəl] *a.* 마음에 두지 않는, 염두에 없는, 부주의한, 무관심한(*of; that*).

un·mis·tak·a·ble[ʌnmistéika-bəl] *a.* 틀릴 리 없는, 명백한. **-bly** *ad.*

un·mit·i·gat·ed[ʌnmítəgèitid] *a.* 누그러뜨리지 않은, 완화[경감]되지 않은; 순전한, 완전한.

un·mo·lest·ed[ʌnməléstid] *a.* 곤란[괴로움]받지 않는; 평온한.

un·moved[ʌnmúːvd] *a.* (결심 등이) 흔들리지 않는, 확고한; 냉정한.

un·named[ʌnnéimd] *a.* 무명의; 지명되지 않은.

un·nat·u·ral[ʌnnǽtʃərəl] *a.* ① 부자연한, ② 보통이 아닌, 이상한, ③ 인도(人道)에 어긋나는, 몰인정한. **~·ly** *ad.* **~·ness** *n.*

un·nec·es·sar·y[ʌnnésəsèri/-səri] *a.* 불필요한, 무익한. **-sar·i·ly** *ad.* 「기불」필요하게.

un·nerve[ʌnnə́ːrv] *vt.* 기력을[용기를] 잃게 하다.

un·no·ticed[ʌnnóutist] *a.* 주의를[남의 눈을] 끌지 않는, 눈에 띄지 않는; 돌보아지지 않는.

un·num·bered[ʌnnʌ́mbərd] *a.* 세지 않은; 헤아릴 수 없는, 무수한.

UNO, U.N.O. United Nations Organization(U.N.의 구칭).

un·ob·tru·sive[ʌnəbtrúːsiv] *a.* 겸손한.

un·oc·cu·pied[ʌnɑ́kjəpàid/-5-] *a.* ① (집·토지 따위가) 임자가 없는, 사람이 살고 있지 않는, ② 일이 없는, 한가한.

un·of·fi·cial[ʌnəfíʃəl] *a.* 비공식적인.

un·or·tho·dox[ʌnɔ́ːrθədàks/-dɔ̀ks] *a.* 정통이 아닌, 이단적인; 파격적인.

un·pack[ʌnpǽk] *vt.* (꾸러미·짐 등을) 풀다; (속의 것을) 꺼내다; 짐을 풀다(압축된 데이터를 원형으로 되돌림). **[컴]** — *vi.* 꾸러미를[짐을] 끄르다.

un·paid[ʌnpéid] *a.* 지불되지 않은; 무급(無給)의, 무보수의; 명예직의, *the great ~* (명예직인) 치안 판사.

un·pal·at·a·ble[ʌnpǽlətəbəl] *a.* 입에 맞지 않는, 맛 없는; 불쾌한.

un·par·al·leled[ʌnpǽrəlèld] *a.* 견줄[비할] 데 없는, 전대 미문의.

un·par·lia·men·ta·ry[ʌnpɑ̀ːrlə-méntəri] *a.* 의회의 관례[국회법]에 어긋나는.

un·pick[ʌnpík] *vt.* (바늘 끝 따위로) 실밥을 뜯다.

un·placed[ʌnpléist] *a.* 〖競馬〗 등외의, 3등 안에 들지 않는.

un·pleas·ant[ʌnplézənt] *a.* 불쾌한. **~·ly** *ad.* **~·ness** *n.* ① 불쾌. *the late ~ness* 「유럽 대전; 남북 전쟁.

un·pop·u·lar[ʌnpɑ́pjələr/-5-] *a.* 인기(인망)없는, 시세 없는.

un·prec·e·dent·ed[ʌnprésə-dèntid] *a.* 선례가 없는; 신기한.

un·pre·med·i·tat·ed[ʌnpriméd-ətèitid] *a.* 미리 생각되지 않은; 고의가 아닌, 우연한; 준비 없는.

un·pre·pared[ʌnpripɛ́ərd] *a.* 준비가 없는, 즉석의; 각오가 안된.

un·pre·ten·tious[ʌnpriténʃəs] *a.* 젠체 않는, 겸손한.

un·prin·ci·pled[ʌnprínsəpəld] *a.* 절조가 없는; 교리를 배우지 않은.

un·pro·duc·tive[ʌnprədʌ́ktiv] *a.* 비생산적인; 불모(不毛)의; 헛된.

un·pro·fes·sion·al[ʌnprəféʃənl] *a.* 전문가가 아닌, 비직업적인; 풋나기의; 직업 윤리에 어긋나는.

un·prof·it·a·ble[ʌnprɑ́fitəbl/-5-] *a.* 이익 없는; 무익한. **-bly** *ad.*

un·pro·voked[ʌnprəvóukt] *a.* 자극 받지[되지] 않은, 정당한 이유가 [까닭이] 없는. **-vok·ed·ly**[-vóuk-idli] *ad.*

un·pun·ished[ʌnpʌ́niʃt] *a.* 벌받지 않은, 처벌을 면한.

un·qual·i·fied[ʌnkwɑ́ləfàid/-5-] *a.* 자격이 없는; 적임이 아닌; 제한 없는, 무조건의; 순전한.

un·quench·a·ble[ʌnkwéntʃəbəl] *a.* 끌 수 없는, 억제할 수 없는. **-bly** *ad.*

un·ques·tion·a·ble[ʌnkwéstʃənəbəl] *a.* ① 의심할 여지가 없는, 확실한. ② 더할 나위 없는. ***-bly** *ad.*

un·ques·tioned[ʌnkwéstʃənd] *a.* 문제되지 않는; 의심 없는.

un·ques·tion·ing[ʌnkwéstʃəniŋ] *a.* 의심치 않는; 주저하지 않는; 무조건의, 절대적인. **~·ly** *ad.*

un·qui·et[ʌnkwáiət] *a.* 침착하지 못한, 들뜬, 불안한, 불안정한.

un·quote[ʌnkwóut] *vi.* 인용을 끝내다.

un·rav·el[ʌnrǽvəl] *vt.* (《美》 -ll-) (얽힌 실 따위를) 풀다; 해명하다, (이야기의 줄거리 따위를) 해결짓다. —— *vi.* 풀리다, 풀어지다.

un·read[ʌnréd] *a.* (책 등이) 읽히지 않는; 책을 많이 읽지 않은, 무식한.

un·read·a·ble[ʌnríːdəbəl] *a.* 읽을 수 없는, 읽기 어려운; 읽을 가치가 없는, 시시한.

un·re·al[ʌnríːəl] *a.* 실재(實在)하지 않는, 공상적.

:un·rea·son·a·ble[ʌnríːzənəbəl] *a.* 비합리적인; 부조리한; (요구 따위) 부당한, 터무니없는. **-bly** *ad.*

un·rea·son·ing[ʌnríːzəniŋ] *a.* 이성적으로 생각하지 않는, 사리에 맞지 않는.

un·re·lent·ing[ʌnriléntiŋ] *a.* 용서 없는, 무자비한; 굽힐 줄 모르는.

un·re·li·a·ble[ʌnriláiəbəl] *a.* 신뢰할(믿을) 수 없는.

un·re·mit·ting[ʌnrimítiŋ] *a.* 끊임없는; 끈질긴.

un·re·quit·ed[ʌnrikwáitid] *a.* 보답받지 못하는; 보복을 당하지 않는.

un·re·served[ʌnrizə́ːrvd] *a.* 거리낌 없는, 솔직한(frank); 제한이 없는, 예약되지 않은. **-serv·ed·ly** [-vidli] *ad.* [상태].

un·rest[ʌnrést] *n.* ⓤ 불안, 불온

un·re·strained[ʌnristréind] *a.* 억제되지 않은, 무제한의, 제멋대로의. **-strain·ed·ly**[-stréinidli] *ad.*

un·ripe[ʌnráip] *a.* 익지 않은; 시기 상조의.

*un·ri·valed, (《英》) **-valled** [ʌnráivəld] *a.* 경쟁자가 없는, 비할 데 없는.

un·roll[ʌnróul] *vi., vt.* (말린 것을) (것이)) 풀(리)다, 펴다, 펼치다; 나타내다.

un·ruf·fled[ʌnrʌ́fld] *a.* 떠들어대지 않는, 혼란되지 않은; 물결이 일지 않는, 조용한, 냉정한.

un·ru·ly[ʌnrúːli] *a.* 제어하기[다루기] 어려운, 무법한. **-li·ness** *n.*

un·safe[ʌnséif] *a.* 위험한; 불안한, 안전하지 않은.

un·said[ʌnséd] *v.* unsay의 과거 (분사). —— *a.* 말하지 않는.

un·sat·is·fac·to·ry [ʌ̀nsætisfǽktəri] *a.* 마음에 차지 않는, 불충분한. **-ri·ly** *ad.*

un·sa·vor·y,(《英》) **-vour·y** [ʌnséivəri] *a.* 맛없는; 향기(냄새가) 나쁜; (도덕상) 불미한.

un·scathed[ʌnskéiðd] *a.* 다치지 않은, 상처 없는.

un·sci·en·tif·ic[ʌ̀nsaiəntifik] *a.* 비과학적인. **-i·cal·ly** *ad.*

un·scram·ble[ʌnskrǽmbəl] *vt.* (혼란에서) 원상태로 돌리다; (암호를) 해독하다.

un·screw[ʌnskrúː] *vt.* 나사를 돌리다; 나사를 풀어서 늦추다.

un·scru·pu·lous[ʌnskrúːpjələs] *a.* 거리낌 없는, 예사로 나쁜 짓하는; 무법한, 비양심적인. **~·ly** *ad.*

un·seat[ʌnsíːt] *vt.* 자리에서 내동 댕이치다(떨어뜨리다); (의원의) 의석(議席)을 빼앗다; 낙마시키다.

un·seem·ly[ʌnsíːmli] *a., ad.* 보기 흉한(하게), 꼴사나운, 꼴사납게, 부적당한(하게).

*un·seen[ʌnsíːn] *a.* 본 적이 없는; 보이지 않는.

un·self·ish[ʌnsélfiʃ] *a.* 이기적이 아닌, 욕심(사심)이 없는. **~·ness** *n.*

un·set·tle[ʌnsétl] *vt.* 어지럽히다 동요시키다; 침착성을 잃게 하다. —— *vi.* 동요하다. ***-tled**[-d] *a.* (날씨 따위가) 변하기 쉬운; 불안정한 동요하는; 미결제의; (문제가) 미해결의; (주소 따위가) 일정치 않은; 거주자(定住者)가 없는.

U

un·sight·ly [ʌnsáitli] *a.* 꼴사나운, 보기 거북한(흉한).

*un·skilled [ʌnskíld] *a.* 익숙하지 [숙련되지] 못한; 숙련이 필요로 하지 않은.

un·so·cia·ble [ʌnsóuʃəbəl] *a.* 교제를 싫어하는, 비사교적인. **~·ness** *n.* **·bly** *ad.* 「인」 비사교적인.

un·so·cial [ʌnsóuʃəl] *a.* 비사회적

un·so·lic·it·ed [ʌnsəlísitid] *a.* 탄원(歎願)을 받지 않은; 의뢰 받지도 않은, 쓸데 없는.

un·so·phis·ti·cat·ed [ʌnsəfístəkèitid] *a.* 단순한; 순진한; 섞지 않은, 순수한; 진짜의.

un·sound [ʌnsáund] *a.* 건전[건강]하지 않은; 근거가 박약한; (잠이) 깊지 아니한.

un·spar·ing [ʌnspέəriŋ] *a.* (물건 따위를) 아끼지 않는, 손이 큰(of, in); 무자비한, 혹된. **~·ly** *ad.*

*un·speak·a·ble [ʌnspíːkəbəl] *a.* ① 이루 말할 수 없는; ② 언어 도단의; 심한. **·bly** *ad.*

un·spec·i·fied [ʌnspésəfàid] *a.* 특기(명기)하지 않은.

*un·sta·ble [ʌnstéibəl] *a.* 불안정한; 변하기 쉬운; [化] (화합물이) 분해하기[다른 화합물로 변하기] 쉬운.

*un·stead·y [ʌnstédi] *a.* ① 불안정한; 변하기 쉬운, 미덥지 못한. ② 소행이 나쁜.

un·stop [ʌnstáp/-stɔ́p] *vt.* (**-pp-**) (…의) 마개를 뽑다; 장애를 없애다.

*un·suc·cess·ful [ʌnsəksésfəl] *a.* 성공하지 못한, 잘되지 못한, 실패한. **~·ly** *ad.*

*un·suit·a·ble [ʌnsúːtəbəl] *a.* 부적당한, 어울리지 않은. **·bly** *ad.*

un·suit·ed [ʌnsúːtid] *a.* 부적당한 (*to, for*); 어울리지 않는.

un·sul·lied [ʌnsʌ́lid] *a.* 더럽히지 지 않은.

un·sung [ʌnsʌ́ŋ] *a.* 노래되지 않은; 시가(詩歌)에 의해 찬미되지 않은.

un·sup·port·ed [ʌnsəpɔ́ːrtid] *a.* 받쳐지지 않은; 지지되지 않은.

un·sur·passed [ʌnsərpǽst, -áː-] *a.* 능가할 자 없는; 탁월한.

un·sus·pect·ed [ʌnsəspéktid] *a.* 의심받지 않는; 생각지도 않는.

un·sys·tem·at·ic [ʌnsìstəmǽtik] *a.* 조직적이 아닌, 계통이 안선; 무질서한.

un·taint·ed [ʌntéintid] *a.* 때묻지 [더럽혀지지] 않은, 오점이 없는.

un·tamed [ʌntéimd] *a.* 길들이지 않은.

un·tan·gle [ʌntǽŋgəl] *vt.* (…의) 엉킨 것을 풀다; (곤란 등을) 해결하다.

un·tapped [ʌntǽpt] *a.* (통의) 마개를 딴 뽑은; 이용[활용]되지 않은 〈자원 등〉.

un·ten·a·ble [ʌnténəbəl] *a.* 옹호할 수 없는; (집 등의) 거주할 수 없는.

un·think·a·ble [ʌnθíŋkəbəl] *a.* 생각할 수 없는; 있을 성 싶지(도) 않은.

un·think·ing [ʌnθíŋkiŋ] *a.* 생각 [사려] 없는; 부주의한.

un·ti·dy [ʌntáidi] *a.* 단정치 못한.

un·tie [ʌntái] *vt.* (**untying**) 풀다, 끄르다; 속박을 풀다; (곤란 등을) 해결하다.

*un·til [əntíl] *prep.* 《때》 …까지, …에 이르기까지, …이 될 때까지. — *conj.* ① 《때》 …까지, …할때까지; 마침내. ② 《정도》 …할 때까지.

un·time·ly [ʌntáimli] *a.* 때 아닌; 철 아닌; 계절이 나쁜. — *ad.* 때 아닌 때에; 계절이 나쁘게.

un·tir·ing [ʌntáiəriŋ] *a.* 지치지 않는, 끈질기는, 불굴의.

un·ti·tled [ʌntáitld] *a.* 칭호(작위)가 없는; 귀족이 아닌; 제목이 없는.

*un·to [ʌ́ntu, (자음 앞) ʌ́ntə] *prep.* 《古·詩》 …에; …까지(*to*와 같이 부정사에는 안 씀).

*un·told [ʌntóuld] *a.* 이야기되지 않은, 밝혀지지 않은; 셀 수 없는.

*un·touch·a·ble [ʌntʌ́tʃəbəl] *a.* 만질[손댈] 수 없는; (손) 대면 안되는. — *n.* [인도에서 최하층의] 천민.

*un·touched [ʌntʌ́tʃt] *a.* 손대지 않은; 언급되지 않은; 감동되지 않은.

un·to·ward [ʌntóuərd, -tɔ́ːrd] *a.* 운이 나쁜; 부적당한; 《古》 완고한.

un·trained [ʌntréind] *a.* 훈련받지 않은.

un·tried [ʌntráid] *a.* (시험)해 보지 않은; 경험이 없는; [法] 미심리의

(未審理)의.

un·true[ʌntrúː] *a.* 진실이 아닌; 불성실한 (표준·치수에) 맞지 않는.
~·ly *ad.* ~·ness *n.*

un·truth[ʌntrúːθ] *n.* ⓤ 진실이 아님, 허위; ⓒ 거짓말. ~·**ful** *a.* 진실이 아닌, 거짓(말)의. ~·**ful·ly** *ad.* ~·**ful·ness** *n.*

un·tu·tored[ʌntjúːtərd] *a.* 교사에게 배우지 않은, 교육 받지 않은; (언행이) 무지하고 서투른; 소박한.

un·used [ʌnjúːzd] *a.* ① 쓰지 않는, 사용한 적이 없는. ② [-júːst] 익숙하지 않은(*to*).

un·u·su·al[ʌnjúːʒuəl, -ʒəl] *a.* 보통이 아닌; 유별난, 진기한. ~·**ly** *ad.* ~·**ness** *n.*

un·ut·ter·a·ble [ʌnʌ́tərəbəl] *a.* 발음할 수 없는; 이루 말할 수 없는; 말도 안 되는. **-bly** *ad.*

un·var·nished[ʌnváːrniʃt] *a.* 니스칠을 안 칠한; 꾸밈 없는; 있는 그대로의.

un·veil[ʌnvéil] *vt.* (…의) 베일을 벗기다; (…의) 제막식을 올리다; (비밀을) 털어 놓다, 정체를 드러내다. ─ *vi.* 베일을 벗다; 나타나다.

un·voiced[ʌnvɔ́ist] *a.* (목)소리로 내지 않는; 〖音聲〗 무성(음)의.

un·want·ed[ʌnwántid, -wɔ́nt-] *a.* 바람직하지 못한, 쓸모없는; 불필요한.

un·war·rant·ed [ʌnwɔ́ːrəntid/-d] *a.* 보증되어 있지 않은; 부당한.

un·war·y[ʌnwέəri] *a.* 부주의한; 경솔한.

un·washed[ʌnwáʃt, -ːʃ/-ʃ] *a.* 씻지 않은; 불결한. **the great~** 하층 사회 (사람들).

un·wa·ver·ing[ʌnwéivəriŋ] *a.* 동요하지 않는, 확고한.

un·wel·come[ʌnwélkəm] *a.* 환영받지 못하는; 달갑지 않은, 싫은.

un·well[ʌnwél] *a.* 기분이 좋지 않은, 건강이 좋지 않은, 불쾌한; 《口》월경중인.

un·whole·some[ʌnhóulsəm] *a.* 건강에 좋지 않은; 불건전한, 유해한. ~·**ly** *ad.* ~·**ness** *n.*

un·wield·y[ʌnwíːldi] *a.* 다루기 힘든; 부피가 큰, 모양이 없는.

un·will·ing[ʌnwíliŋ] *a.* 바라지 않

는, 마음 내키지 않는. ~·**ly** *ad.* ~·**ness** *n.*

un·wind [ʌnwáind] *vt., vi.* (*-wound*) 풀(리)다, 되감(기)다.

un·wise[ʌnwáiz] *a.* 슬기 없는, 약지 못한, 어리석은. ~·**ly** *ad.*

un·wit·ting[ʌnwítiŋ] *a.* 모르는, 무의식의. ~·**ly** *ad.* 부지불식간에.

un·wont·ed[ʌnwóuntid, -wɔ́nt-] *a.* 보통이 아닌, 이상한; 드문; 《古》 익숙하지 않은(*to*).

un·world·ly[ʌnwə́ːrldli] *a.* 비세속적인; 정신계의.

un·wor·thy[ʌnwə́ːrði] *a.* ① 가치 없는, ② …의(할) 가치 없는(*of*). ③ 천박한, 부끄러운.

un·wound[ʌnwáund] *v.* unwind 의 과거(분사). ─ *a.* 감긴 것이 풀린; 감기지 않은.

un·writ·ten[ʌnrítn] *a.* 써 넣지 않은; 불문(不文)의; 글씨가 씌어 있지 않은; 백지의.

un·yield·ing[ʌnjíːldiŋ] *a.* 굽히지 않는, 단단한; 굽히거나〖굽히지〗 않는, 단호한. ~·**ly** *ad.*

un·zip[ʌnzíp] *vt.* (*-pp-*) (…의) 지퍼를 열다. ─ *vi.* 지퍼가 열리다.

up[ʌp] *ad.* ① 위(쪽으)로, 위에. ② (남에서) 북으로. ③ 일어나서, 서서 (*get up*). ④ 《美》(해가, 수평선 위로) 떠올라서. ⑤ (값·온도·위치가) 높이 올라(서). ⑥ …쪽으로, 접근하여 (He came up to me.) ⑦ 아주, 완전히 (The house burned up. 집이 전소했다). ⑧ 끝나서, 다하여 (It's all up with him. 그는 이제 글렀다). ⑨ 일어(발생), 나타나, What is up? 무슨〔웬〕 일이냐. ⑩ 숙달하여 (be up in mathematics 수학을 잘 하다). ⑪ 저장하여, 가두어 (up riches 부(富)를 쌓다). ⑫ 〖野〗 타수(打數)…. ⑬ 〖투표〗 득점하여. ⑭ 《口》〖테니스 따위〗 각(apiece). **be up and doing** 크게 활약하다. **up against** 《口》에 직면하여. **up and down** 올라갔다 내려갔다, 위 아래로; 이리 저리, *Up Jenkins* 동전찾기게임 놀이. *up* 에 …에 종사하여, …하려고 하여; …에 견디어, …할 수 있어; 계획 중에; …(에 이르기)까지; 《口》…에게

무인. **Up with it!** 세워라!; 들어 올려라! **Up with you!** 일어서라!; 분발하라! ── *prep.* …의 위로에서; 위쪽으로, …을 끼고(따라서); (강의) 상류에, 오지 (奥地)로, *up hill and down dale* 산 넘고 골짜기를 건너. ── *a.* 나아간, 올라간; 위의, 올라가는(*an up line*); 지상의; 가까운; 〔野〕타수(打數)…의 (뒤에); 상승; 오르막; 출세, 행운. *on the up and up* (美)성공하여; 정직하여, *ups and downs* 높낮이, 고저(高低); 상하; 영고 성쇠. ── *vt.* 들어 올리다; 증대하다. ── *vi.* (口) (갑자기) 일어서다; 치켜들다.

úp-and-cóming *a.* 《美》진취적인, 정력적인; 유망한.

up-beat *n., a.* (the ～)〔樂〕약박(弱拍); (the ～) 상승 경향; 명랑한, 낙관적인.

up-braid [ʌpbréid] *vt.* 꾸짖다. 책하다, 비난하다. ── **~ing** *n.* ⓤ 비난(하는 듯한). 　　　　　　　　[교육.
úp-bringing *n.* ⓤ 양육, (가정)
úp-còming *n.* 다가오는, (간행·발표등이) 곧 예정된.
úp-còuntry *a.* (구두의) 연내의 (内地)(의), 해안(국경)에서 먼. ── *ad.* 내지의[로].
up-dáte *vt.* (기사 따위를) 아주 새롭게 하다; (口) 극히 최근의 사전 [것]까지 넓다[십다]. ── [ʌ△] *n.* ⓤⓒ 〔컴〕최신 정보, 갱신.
ùp-énd *vt., vi.* 거꾸로 세우다[하다]; 서다; 일으켜 세우다.
úp-frónt *a.* 정직한; 솔직한; 맨 앞줄의; 중요한; 선불의.
up-gráde [ʌpgréid] *n.* 오르막; 〔컴〕향상(제품의 품질·성능 등이 좋아짐). *on the ～* a. ad. 치받이에서; [ʌ△] *vt.* 승격시키다; 품질을 높이다.
ùp-héave *vt., vi.* (～d, -hove) 밀어 올리다; 치오르다; 상승시키다[하다].
úp-héaval *n.* ⓤⓒ 들어 올림; 융기; 격변, 동란.
úp-hill *a.* 오르막의; 올라가는; 치받이의; 힘드는. ── *ad.* 치받이를 올라; 고개(언덕) 위로.

úp-hold [ʌphóuld] *vt.* (-held) ① 떠)받치다. ② 후원(고무)하다; 인정하다, 지지하다. ③ 〔法〕(판결 따위를) 확인하다. ── **~·er** *n.* ⓒ 지지자.
up-hol-ster [ʌphóulstər] *vt.* (방을) 꾸미다, (…에) 가구를 설비하다; (가구에) 덮개스프링·속 뭐)속 를 씌우다(달다, 대다). ── **~·er** [-stərər] *n.* ⓒ 실내 장식업자, 가구상. **~·y** *n.* ⓒ 가구의 덮개(씌우개); ⓤ 〔집합적〕가구류(실내 장식업.
úp-kèep *n.* ⓤ 유지(비).
úp-land [ʌplənd, -lænd] *n.* ⓒ (종종 *pl.*) 고지, 산지(山地). ── *a.* 고지의, 고지에 사는(에서 자라는).
up-lift [ʌplíft] *vt.* ① 들어 올리다. ② (정신을) 고양(高揚)하다. ③ (사회적·도덕적·지적으로) 향상시키다. ── [△△] *n.* ⓒ ① 들어 올림. ② (정신적) 고양(高揚); (사회적·도덕적 향상의 노력).
up-mar-ket [ʌpmɑːrkit] *a.* 《英》고 금품으로의.
up-on [əpɔ́n, -pɑ́-/ -pɔ́-] *prep.* = ON.
up-per [ʌpər] *a.* ① (더) 위의, 상부의. ② 상위(상급)의. ③ (지층(地層) 따위의) 후기의(*more recent*). *get* (*have*) *the ～ hand of* …을 이기다, …에 이기다. ── *n.* ⓒ 갑피. *on one's ～s* (口) 창이다 떨어진 구두를 신은; 초라한 모습으로; 가난하여.
úpper cáse 〔印〕대문자 활자 케이스.
úpper-cláss *a.* 상류의; 《美》(학교에서) 상급(학년)의. **~·man** [-mən] *n.* ⓒ (대학의) 상급생(*junior*(3년생) 또는 *senior*(4년생)).
úpper crúst *n.* (파이 따위의) 겉껍질; ① (口) 상류 사회.
úpper-cùt *n., vt., vi.* (-*cut*; -*tt*-) ⓒ 어퍼컷(으로 치다).
Úpper Hóuse, the 상원(上院).
úpper-mòst *a.* 최상(최고)의; 맨먼저 마음에 떠오르는, 가장 눈에 띄는. ── *ad.* 최상에, 최고위에, 최초로(에).
up-pish [ʌpíʃ] *a.* (口) 건방진.
up-pi-ty [ʌpəti] *a.* 《美》= UP-PISH.

U

ùp·ráise vt. 들어 올리다.

:up·right[Áprait] a. 곧은, 곧게 선; 올바른, 정직한. — [⌐] ad. 똑바로, 곧추 서서. — [⌐] n. ① 똑바른(상태), 수직. ② 곧은 물건. **~·ly** ad. **~·ness** n.

úpright piáno 수형(豎型)피아노.

ùp·rís·ing[Ápràiziŋ, —⌐] n. ① 일어남. ② 오르막. ③ 반란, 폭동. — 동, 소음.

ùp·róar[Áprɔːr] n. 큰 소란; 소동.

up·roar·i·ous[aprɔ́ːriəs] a. 몹시 떠들어 대는; 시끄러운. **~·ly** ad.

úp·root[aprúːt] vt. 뿌리째 뽑다; 근절시키다.

:up·set[Ápsét] vt. (**-set; -tt-**) ① 뒤집어 엎다. (계획 따위를) 망치다. ② 마음을 혼란하게 놓다. 당황하게 하다. ③ 몸을 해치다; 지게 하다. — vi. 뒤집히다. — [⌐] n. U.C 전복; 마음의 뒤틀림; 혼란. C (口) 불화·패배. — [⌐⌐] a. 뒤집힌; 혼란한.

úp·shot n. (the ~) ① 결과; 결말; (의론의) 요지(gist).

úpside-dówn a. 거꾸로의.

úp·stáge a. 무대의 뒤[안]쪽으로[에서]. — a. 무대 뒤[안]쪽의; 거만한, 뽐내는.

:up·stairs[Ápstɛ́ərz] ad. 2층에[으로], 위층에[으로]; (口) 空 상공으로. — a. 2층의. — n. (單수취급) 2층, 위층.

ùp·stánd·ing a. 곧추선, 직립한; 훌륭한.

úp·stàrt n. C 벼락 출세자; 건방진 너석.

úp·státe[Áps-] a. (美) 주(州)의 북부[해안·도회에서 멀리 떨어진 곳]의. — [⌐⌐] ad. (특히 N.Y.) 주의 오지 (奧地).

úp·stréam ad., a. 상류[로] 향하는; 흐름을 거슬러 올라가는(는).

ùp·súrge vi. 파도가 일다 (감정 이) 솟구치다; 급증하다. — [⌐] n. C 솟구쳐 오름; 급증.

úp·swing n. C 위쪽으로 흔듦[흔들림], 상승(운동); 향상, 약진.

úp·tàke n. (the ~) 이해, 이해력; 흡수. **be quick in the ~** 이해가 빠르다.

úp·tíght a. 《俗》 (경제적으로) 곤란한; 긴장하고 있는; 흥분한, 초조한.

up-to-date[Áptədéit] a. 최신의, 최근의 자료[정보 등]에 의거한; 최신식, 현대적인, 시대에 뒤지지 않는; 최신의 정보에 밝은.

úp-to-the-minute a. 극히 최근 [최신]의, 최신식의.

úp·tówn a. 《美》(도시의) 높은 지대에[로]. — [⌐⌐] a. 《美》(도시의) 높은 지대의; 주택 지구[주택가] 의. — [⌐⌐] n. C 《美》 주택 지구, 주택가.

úp·túrn vt. 위로 향하게 하다; 뒤집다. 파헤치다. — [⌐] n. C 혼란, 격동; 상승; (경제의) 호전. **~·ed a.** 위로 향한; 뒤집힌.

:up·ward[Ápwərd] a. 위(쪽으)로 향하는[향한]; 상승하는.

up·ward(s)[Ápwərd(z)] ad. 위쪽으로, 위를 향해서; …이상. **~ of** …이상.

u·ra·ni·um [juréiniəm, -njəm/ juər-] n. U [化] 우라늄(방사성 금속 원소; 기호 Ur). **enriched (concentrated)** ~ 농축 우라늄. **natural** ~ 천연 우라늄. ~ **fission** 우라늄 핵분열. ~ **pile** 우라늄 원자로.

U·ra·nus [júərənəs] n. [그神] 우라누스(神)《하늘의 화신》; [天] 천왕성.

ur·ban[ə́ːrbən] a. 도회(都會)의, 도시에 사는. ~ **district** 《英》 준(準)자치 도시. ~ **renewal** [**redevelopment**] 도시 재개발. ~ **sprawl** 스프롤 현상《도시의 물리학적으로 무계 획적인 교외 발전》.

ur·bane[əːrbéin] a. 도회적인, 세련된, 예의 바른, 점잖은, 품위 있는. **ur·ban·i·ty**[-bǽnəti] n. 도회풍.

ur·ban·ize[ə́ːrbənàiz] vt. 도회화 하다.

úr·chin n. C 개구쟁이, 선머슴; 소년.

u·re·a[juríːə, júəriə] n. U [化] 요소(尿素).

u·re·thra[juːríːθrə] n. (pl. **-thrae** [-θriː], **~s**) [解] 요도(尿道).

u·re·thri·tis [jùərəθráitis] n. U [醫] 요도염.

urge[əːrdʒ] vt. ① 몰아대다, 쫓치다. ② 재촉하다. ③ 격려하다; 권고하다. ④ 주장하다. ⑤ 강요하다.

— n. ⓒ 충동, 자극.

ur·gent[ə́ːrdʒənt] a. 긴급한, 중요한, ② 강요하는. **~·ly** ad. 절박하여; 빈번히, 자주. **úr·gen·cy** n.

u·ri·nate[júːərəneit] vi. 소변을 보다.

u·rine[júːərin] n. U 오줌, 소변.

u·ri·nal[júːərənl] n. ⓒ 소변기, 소변소. **u·ri·nar·y**[-rəneri] a., n. 오줌의, 비뇨기의; ⓒ 소변소.

urn[əːrn] n. ⓒ ① (뚜껑 붙은 발침이 달린) 항아리. ② 납골(納骨) 단지; 무덤. ③ (따르는 꼭지가 달린) 커피 끓이는 기.

us[강 ʌs, 弱 əs] pron. 《we의 목적격》 우리들을[에게].

:US, U.S. United States (of America). **:USA, U.S.A.** United States of America.

us·a·ble[júːzəbl] a. 사용할 수 있는, 사용에 적합한.

U.S.A.F. U.S. Air Force.

:us·age[júːsidʒ, -z-] n. ① U 사용법, 취급법. ② U 관습, 관용(법). ③ U (언어의) 관용법, 어법(語法).

:use[juːs] n. ① U 사용, 이용. ② U,ⓒ 효용, 이익. ③ U 사용 목적, 용도. ④ U 사용법; 다루는 법. ⑤ U,ⓒ 필요(for). ⑥ U 사용권(권리). ⑦ U 습관. ⑧ U 〖法〗(토지 따위의) 수익권. ⑨ ⓒ 각교회·교구 특유의 예식(禮式). **have no ~ for** …의 필요가 없다; 《□》…은 싫다. **in〔out of〕~** 사용되고〔되지 않고〕행해져서〔폐지되어〕. **lose the ~ of** …이 쓰지 못하게 되다. **make ~ of** …을 이용〔사용〕하다. **of ~** 쓸모 있는, 유용한. **put to ~** 쓰다; 이용하다. **~ and wont** 관습, 관례. — [juːz] vt. 《□》① …을 소비하다; 활동시키다. ② 대우〔취급〕하다. **~ up** 다 써버리다. 《□》지치게〔기진케〕하다. **~·a·ble** a. = USABLE.

:us·er n. 사용자.

†used[juːst, (to의 앞) juːst] a. ① …에 익숙하여(to). ② [juːzd] 써서〔사용하여〕낡은(up), 사용한〔된〕.

†used[juːst] vi. 《□》…하는 것이 보통이었다. …하곤 했다(to do).

:use·ful[júːsfəl] a. 유용한; 편리한;

도움이 되는. **~·ly** ad. **~·ness** n.

:use·less a. 쓸모〔소용〕 없는; 무익한. **~·ly** ad. **~·ness** n.

user-friendly a. (컴퓨터 따위가) 쓰기 쉬운, 다루기 간단한.

ush·er[ʌ́ʃər] n. ⓒ ① (교회·극장 따위의) 안내인; 수위, 접수계, 전갈하는 사람. ② (결혼식장에서) 안내를 맡은 사람. ③ 《古·戲》(영국 사립 학교의) 조교사(助敎師). — vt. 안내하다; 전갈하다. **~ in〔out〕** 맞아 들이다〔배웅하다〕.

U.S.N. U.S. Navy.

USS, U.S.S. United States Ship. **U.S.S.R.** Union of Soviet Socialist Republics.

†u·su·al[júːʒuəl, -ʒəl] a. 보통의; 언제나의, 통상의; 일상〔평소〕의. 《예》**as ~** 여느때처럼. **†~·ly** ad. 보통, 대개.

u·su·rer[júːʒərər] n. ⓒ 고리 대금업자.

u·surp[juːsə́ːrp, -z-/-z-] vt. (권력·지위 따위를) 빼앗다, 강탈〔횡령〕하다. **u·sur·pa·tion**[-péiʃən] n. **~·er** n.

u·su·ry[júːʒəri] n. ⓒ 고리(高利); 고리 대금업.

u·ten·sil[juːténsəl] n. ⓒ (부엌·농장 등의) 도구, 기구, 가정용품.

u·ter·ine[júːtərin, -ràin/-ràin] a. 자궁의; 동복 이부(同腹異父)의.

u·ter·us[júːtərəs] n. (pl. **-teri** [-tərài]) ⓒ 〖解〗자궁(子宮).

u·til·i·tar·i·an[juːtìlitɛ́əriən] a. 공리적인; 실용적인; 공리주의의. — n. ⓒ 공리주의자. **~·ism**[-izəm] n. ⓒ 〖哲〗공리설〔주의〕(유용성이 선〔善〕이라는 주장).

u·til·i·ty[juːtíləti] n. ① U 유용, 효용, 실용성; 유익; 도움됨, 유틸리티. ② ⓒ (보통 pl.) 유용물. ③ ⓒ (보통 pl.) 공익 사업, **public ~s** 공익 사업. — a. (옷·가구 등) 실용 본위의.

utility room 허드렛방《세탁기·난방 기구 등을 두는 방》.

u·ti·lize[júːtəlàiz] vt. 이용하다. **u·ti·liz·a·ble** a. **u·ti·li·za·tion**[-lizéiʃən/-lai-] n.

ut·most[ʌ́tmoust/-məst] a. 가장 먼; 최대(한도)의. — n. (the

[(one's) ~] 최대 한도, 극한. *at the ~* 기껏해야. *do one's ~* 전력을 다하다. *to the ~* 극도로.

ˈUˈtoˈpiˈa[juːtóupiə] *n.* ① 유토피아《Thomas More의 *Utopia* 속의 이상국가》. ② Ⓤⓒ (u-) 이상향(鄕); (u-) 공상적 정치(사회) 체제. **~n** *a.*, *n.* ⓒ 유토피아의 (주민); (u-) 공상적 사회 개혁론자, 몽상가.

ːutˈter[ʌ́tər] *a.* 전적인, 완전한; 절대적인. **ˈ~ˈly** *ad.* 전혀, 아주, 전연.

ːutˈter[2] *vt.* ① 발음[발언]하다, ② ((목)소리 등을) 내다. ③ (생각 따위

를) 말하다, 나타내다. ④ (위조 지폐 따위를) 행사하다.

ˈutˈterˈance[ʌ́tərəns] *n.* ① Ⓤ 말함, 발언, 발성. ② Ⓤ 말씨, 어조, 발음. ③ ⓒ (입 밖에 낸) 말, 언설, 소리. *give ~ to* …을 입 밖에 내다. 말로 나타내다.

ˈútterˈmost *a.*, *n.* = UTMOST.

Úˈturn *n.*, *vi.* ⓒ (자동차 따위의) U턴(을 하다), U자형 회전.

uˈvuˈla[júːvjələ] *n.* (*pl.* **~s, -lae** [-liː])ⓒ 【解】현옹(懸壅), 목젖. **-lar** *a.* 목젖의; 【音聲】목젖을 진동시켜 발성하는.

V

V, v[vi:] *n.* (*pl.* **V's, v's**[-z]) ⓒ V 자형의 것; Ⓤ (로마 숫자의) 5.

v. *verse; bersus* (L. = against); volt.

vac[væk] *n.* ⓒ 《英口》 휴가(vacation); = VACUUM CLEANER.

va·can·cy[véikənsi] *n.* ① Ⓤ 공허. ② ⓒ 빈 자리, 공석, 결원(*on, in, for*). ③ ⓒ 공백, (빈)틈. ④ Ⓤ 빈 터[방 따위]. ⑤ Ⓤ 방심 (상태).

va·cant[véikənt] *a.* ① 공허한, 빈. ② 비어 있는, 사람이 안 사는; 결원의. ③ 멍한, 허탈한, 한가한. **~·ly** *ad.* 멍청하게, 멍하니.

va·cate[véikeit, -≤/vəkéit] *vt.* 비우다; (집 등을) 퇴거하다; (직·지위 등에서) 물러나다; 《法》무효로 하다, 취소하다. — *vi.* 떠나가다; 《美》떠나가다; 휴가를 보내다[얻다].

va·ca·tion[veikéiʃən, vək-] *n.* ① 《학교 따위의》 휴가[방학], 휴일. ② Ⓤⓒ 《법정의》 휴정기(休廷期). — *vi.* 휴가를 보내다.

vac·ci·nate[væksənèit] *vt.* (····에게) 우두를 접종하다; 백신 주사[예방 접종]하다. **·na·tion** [væksənéiʃən] *n.* Ⓤⓒ 종두; 백신 주사, 예방 접종.

vac·cine[væksí:n, ⌐/≤≤] *n.* Ⓤⓒ 우두종; 백신.

vac·il·late[væsəlèit] *vi.* 동요하다; (마음·생각이) 흔들리다. **-tion** [⌐léiʃən] *n.*

va·cu·i·ty[vækjú:əti] *n.* Ⓤ 공허; 빈 곳, 진공; Ⓤ 《마음의》 공허, 방심; Ⓤ 얼빠진 것.

vac·u·ous[vǽkjuəs] *a.* 빈; 공허한 《마음이》 얼빠진; 무의미한.

vac·u·um[vǽkjuəm] *n.* (*pl.* **~s, vacua**[vǽkjuə]) ⓒ 진공; 빈 공간; 공허; Ⓤ 《口》= VACUUM CLEANER. — *vt.* 《口》 진공 청소기로 청소하다.

vácuum bòttle[flàsk] 보온병.

vácuum clèaner 진공 청소기.

vácuum-pácked *a.* 진공 포장의.

vácuum pùmp 진공(배기) 펌프.

va·de me·cum [véidi mí:kəm] (L. = go with me) 편람(必携); 편람.

vag·a·bond[vǽgəbànd/-ɔ̀-] *n.* ⓒ 방랑[부랑]자; 불량배. — *a.* 방랑하는, 방랑성의; 변변찮은; 떠도는. **-age**[-idʒ] *n.* Ⓤ 방랑 (생활); 방랑성.

va·gar·y[véigəri, vəgɛ́əri] *n.* ⓒ (보통 *pl.*) 변덕; 취향; 색다른 생각.

va·gi·na[vədʒáinə] *n.* (*pl.* **~s, -nae** [-ni:]) ⓒ 《解》질[膣]; 칼집 (같이 생긴 부분); 《植》엽초(葉鞘). **~·ly** *ad.*

va·grant [véigrənt] *a.* ① 방랑하는, 방랑성의; 방랑(자)의. ② 변하기 쉬운, 변덕스러운. — *n.* ⓒ 부랑[방랑]자. **vá·gran·cy** *n.* Ⓤ 방랑 (생활); 환상, 공상.

vague[veig] *a.* 모호[막연]한; 분명치 않은. **~·ly** *ad.* **~·ness** *n.*

vain[vein] *a.* ① 쓸데 없는, 헛된. ② 가치 없는; 공허한. ③ 자부[허영]심이 강한(*of*). **in ~** 헛되이, 헛되게; 경솔하게. **~·ly** *ad.*

vain·glo·ry[véinglɔ́:ri/≤≤⌐] *n.* Ⓤ 자부(심), 자만; 허영, 허식. **-rious** [≤≤riəs] *a.*

val·ance[vǽləns, véil-] *n.* ⓒ (침대의 주위·창의 위쪽 등에) 짧게 드리운 천.

vale[veil] *n.* ⓒ 《詩》 골짜기.

val·e·dic·tion[vælədíkʃən] *n.* 고별.

val·e·dic·to·ry [vælədíktəri] *a.* 고별의. — *n.* ⓒ 《美》 (졸업생 대표의) 고별사.

va·lence [véiləns], **-len·cy** [-lənsi] *n.* ⓒ 《化》 원자가(原子價).

val·en·tine[vǽləntàin] *n.* ① St. Valentine's Day에 이성에게 보내

는 카드·선물 등; 그날에 택한 연인.

val·et[vǽlit] *n., vt., vi.* ⓒ (남자의 치다꺼리를 하는) 종자(從者)(로서 섬기다); (호텔의) 보이.

val·iant[vǽljant] *a.* 용감한, 씩씩한. **~·ly** *ad.*

val·id[vǽlid] *a.* ① 근거가 확실하고 정당한, 타당한; 『法』 정당한 수속을 밟은, 유효한. **~·ly** *ad.* **~·ness** *n.* ***va·lid·i·ty** *n.* ⓤ 정당, 확실성; 유효; 『法』 효력.

val·i·date[vǽlədèit] *vt.* (법적으로) 유효케 하다; 확인하다; 비준하다. **-da·tion**[²-déiʃən] *n.*

va·lise[vəlíːs/-líːz, -líːs] *n.* ⓒ 여행 가방.

†**val·ley**[vǽli] *n.* ⓒ 골짜기, 계곡; 골짜기 비슷한 것; (큰 강의) 유역.

†**val·or**, 《英》 **val·our**[vǽlər] *n.* ⓤ 용맹, 용기, 무용(武勇). **val·or·ous**[vǽlərəs] *a.* 용감한.

†**val·u·a·ble**[vǽljuəbl] *a.* 값비싼; 가치 있는; 귀중한; 평가할 수 있는. — *n.* ⓒ (보통 *pl.*) 귀중품.

†**val·u·a·tion**[væ̀ljuéiʃən] *n.* ① ⓤ 평가, 사정. ② ⓒ 사정 가격.

†**val·ue**[vǽljuː] *n.* ① ⓤ 가치, 유용성. ② ⓤ (a ~) 평가. ③ ⓤⓒ 값어치, 액면 금액. ④ ⓒ 대가(代價)(물), 상당 가격(물). ⑤ ⓒ 의의(意義). ⑥ ⓒ 『數』값. ⑦ (*pl.*) (사회적) 가치(기준)(이상·습관·제도 등). ⑧ ⓒ 『樂』음의 장단. ⑨ ⓒ (*pl.*) 《美術》명암(明暗)의 (정도)도. — *vt.* 평가(존중)하다. — **~ oneself** 뽐내다 《*for, on*》. **~·less** *a.* 가치 없는, 하찮은.

value-added táx 부가 가치세《생략 VAT》.

válue júdg(e)ment 가치 판단.

val·u·er[vǽljuər] *n.* ⓒ 평가자.

valve[vælv] *n.* ⓒ ① 『機』판(瓣). ② 『解』판(막)(瓣膜). ③ 《쌍질조개 의》조가비; 『植』(꼬투리, 포(苞), 깍지)의 한 조각. ④ 《관악기의》판. ⑤ 《英》『電子』진공관.

vamp[væmp] *n.* ⓒ 요부, 탕녀. — *vt.* (남자를) 홀리다.

vam·pire[vǽmpaiər] *n.* ⓒ 흡혈귀(鬼); 남의 고혈을 짜는 사람; 요부, 탕녀; (중·남아메리카산) 흡혈박쥐.

van[væn] *n.* (the ~) 『軍』 전위

(前衛), 선봉, 선진(先陣); 선구; ⓒ 선도자. **in the ~ of** …의 선두에 서서, **lead the ~ of** …의 선두에 서다.

van[²] *n.* ⓒ 《가구 운반용》 유개(有蓋) 트럭(마차); 《英》《철도의》 유개 화차. **guard's ~** 차장차(cf. caboose).

va·na·di·um[vənéidiəm, -djəm] *n.* ⓤ 『化』바나듐《희금속 원소; 기호 V》.

Van·dal[vǽndəl] *n.* 반달 사람《5세기에 Gaul, Spain, Rome을 휩쓴 민족》; (v-) ⓒ 문화·예술의 파괴자. — *a.* 반달 사람의; 문화·예술을 파괴하는. **~·ism**[-lìzəm] *n.* ⓤ 반달 사람식; (v-) 문화·예술의 파괴, 만행.

vane[vein] *n.* ⓒ ① 바람개비(풍차·추진기 따위의) 날개. ② (새의) 날갯죽지(깃털속의 축) 양쪽의).

van·guard[vǽngɑːrd] *n.* 《집합적》『軍』전위; (the ~) 선구자; ⓒ 선도자; 지도적 지위.

va·nil·la[vənílə] *n.* ① ⓒ 『植』바닐라《열대 아메리카산 난초과 식물》; 그 열매. ② ⓤ 바닐라 에센스《아이스 크림·캔디 따위의 향료》.

van·ish[vǽniʃ] *vi.* 사라지다《*into*》; 소멸하다; 『數』영이 되다.

vánishing póint 《美術·寫》《무시화법에서》소실점(消失點); 물건이 다하는 소멸점.

van·i·ty[vǽnəti, -ni-] *n.* ① ⓤ 공허. ② ⓤⓒ 무가치(한 것), 헛됨. ③ ⓤⓒ 무상한 것. ④ ⓤ 허영(심). ⑤ = VANITY CASE. ⑥ ⓒ (셀을 달린) 화장대.

vánity bàg〔bòx, càse〕 (휴대용) 화장용 케이스.

van·quish[vǽnkwiʃ] *vt.* 정복하다; …에게 이기다.

van·tage[vǽntidʒ/-áː-] *n.* ① 유리, 유리한 지위(상태). ② 《英》『테니스』편위(便位)《deuce 후 얻은 한 점》.

va·pid[vǽpid] *a.* 김(빠진), 흥미없는; 생기(김) 없는. **~·ly** *ad.* **~·ness** *n.* **va·pid·i·ty**[væpídəti, və-] *n.*

va·por, 《英》 **-pour**[véipər] *n.* ① ⓤ 증기, 수증기, 김, 연무(煙霧), 안개, 아지랑이. ② ⓤ 『理』《액체

고체의) 기화 가스. ③ ⓒ 실질이 없는 물건, 공상, 환상. **the ~s** (古) 우울. — **vi.** 증기를 내다; 증발하다; 뽐내다, 허세부리다. **~·ish** *a.* 증기 같은; 증기가 많은; 우울하게 하는. **~·ly** *ad.* = VAPOROUS.

va·por·ize [véipəràiz] *vt., vi.* 증발시키다(하다), 기화시키다(하다). **-iz·er** *n.* ⓒ 증발기, 분무기. **-i·za·tion** [vèipərizéiʃən/-rai-] *n.*

va·por·ous [véipərəs] *a.* 증기 같은, 증기가 많은; 안개 낀; (古) 덧없는, 공상적인.

vápo(u)r tràil 비행운(雲)(con-trail).

var·i·a·ble [véəriəbəl] *a.* ① 변하기 쉬운, 변(變)할 수 있는. ② 【生】 변이(變異)하는. ③ ⓒ 변하기 쉬운[변하는] 물건[양(量)]. ③ 【數】 변수(變數). ③ 【氣】 변풍(變風), ④ 【컴】 변수 **-bly** *ad.* **-bil·i·ty** [̄-bíləti] *n.* ⓤ 변하기 쉬움; 【生】 변이성(變異性).

var·i·ance [véəriəns] *n.* ⓤ ⓒ 변화, 변동. ② 상위(相違), 불일치. ③ 불화, 다툼(discord). *at ~ with* …와 불화하여; …와 달라[달라]. *set at ~* 버성기게 하다, 이간하다.

var·i·ant [véəriənt] *a.* ① 상이한. ② 가지가지의. ③ 변하는. — *n.* ⓒ ① 변형, 변체(變體). ② (동일어(語)의) 이형(異形), 다른 발음; 이문(異文). ③ 이설(異說).

var·i·a·tion [vèəriéiʃən] *n.* ① ⓤⓒ 변화, 변동. ② ⓒ 변화량[정도]; 변화율. ③ ⓒ 【樂】 변주곡. ④ ⓒ 【天】 변차. ⑤ ⓒ 【生】 변이.

var·i·cose [vǽrəkòus] *a.* 정맥 팽창의, 정맥류(瘤)의; 정맥류 치료용의.

var·ied [véərid] *a.* ① 가지가지의, 변화 있는. ② 변한. **~·ly** *ad.*

var·i·e·gate [véəriəgèit] *vt.* 잡색으로 하다; 얼룩덜룩하게 하다; (…에게) 변화를 주다. **-gat·ed** [-id] *a.* ① 잡색의; 다채로운, 변화가 많은.

va·ri·e·ty [vəráiəti] *n.* ① ⓤ 변화, 다양(성). ② ⓤ 여러 가지를 그려 모은 것. ③ (a ~) 종류. ③ ⓒ 【生】 변종. ⑤ ⓤ 【흥】 변형. ⑥ ⓤⓒ 버라이어티쇼. *a ~ of* 갖가

지의.

variéty stòre [shòp] 잡화점.

var·i·ous [véəriəs] *a.* ① 다른, 틀리는. ② 가지각색의. ③ (口) 다수의. ④ 변화 많은, 다방면의. **~·ly** *ad.*

var·nish [vá:rniʃ] *n.* ① ⓤ (종류는 ⓒ) 니스. ② ⓤ 니스를 칠한 표면; ⓤ 광택면; 속임. — ⓒ (…에) 니스 칠하[다]; 겉치레하다; 겉꾸미다. **~·ing** *a.* 속임수.

var·si·ty [vá:rsəti] *n.* ⓒ 대학 등의 대표팀[스포츠]. 《英口》 = UNI-VERSITY.

var·y [véəri] *vt.* ① (…에) 변화를 주다, 수정하다. ② 다양하게 하다. — *vi.* 변하다. ② (…와) 다르다(*from*). ③ 가지각색이다. **-ing** *a.* 변화 있는, 다양한.

vas·cu·lar [vǽskjələr] *a.* 맥관(혈관)의, 맥관(혈관)이 있는[으로 된].

vase [veis, 《英》 -z/va:z] *n.* ⓒ (장식용의) 병, 단지; 꽃병.

vas·ec·to·my [væséktəmi] *n.* ⓤ ⓒ 정관(精管) 절제술.

vas·sal [vǽsəl] *n.* ⓒ ① (봉건 군주에게서 영지를 받은) 가신(家臣); 종자, 노예. — *a.* 가신의[같은은]; 예속하는. **~·age** [-idʒ] *n.* ⓤ 가신임[일], 가신의 신분[일]; 예속; 《집합적》 가신의 영지.

vast [væst, vɑːst] *a.* 거대한, 광대한, 막대한; (口) 대단한. **~·ly** *ad.* **~·ness** *n.* **~·y** *a.* (古) = VAST.

vat [væt] *n., vt.* (-*tt*-) ⓒ (the ~) (양조·염색용의) 큰 통(에 넣다, 속에 넣다).

VAT value-added tax.

Vat·i·can [vǽtikən] *n.* (the ~) ① 바티칸 궁전, 로마 교황청. ② 교황의 정치, 교황권.

vaude·ville [vóudəvil] *n.* ⓤ 《美》 보드빌 쇼; 《古》 가벼운 희가극.

vault¹ [vɔːlt] *n.* ⓒ ① 둥근 지붕, 둥근 천장(모양의 것). ② 둥근 천장이 있는 장소(복도). ③ 푸른 하늘(*the ~ of heaven*). ④ 지하(저장)실; (은행 등의) 귀중품 보관실; 지하 납골소(納骨所). — *vt.* 둥근 천장으로 하다, 둥근 천장을 만들다. **~·ing¹** [vɔːltiŋ] *n.* ⓤ 둥근 천장 건

축물: 《집합적》 둥근 천장.

vault² *vi., n.* ⓒ (높이) 뛰다, (장대·손을 짚고) 도약(하다). — *vt.* 뛰어넘다. **~·ing** *n.* ⓤ 도약하는, 도약용의; 과대한.

váult·ed *a.* 아치형 천장의[이 있는], 아치형의.

váulting hòrse (체조용의) 뜀틀.

V.C. Vice-Chancellor; Victoria Cross. **VCR** video cassette recorder 카세트 녹화기. **V.D.** venereal disease. **VDU** visual display unit 브라운관 디스플레이 장치.

veal [viːl] *n.* ⓤ 송아지 고기.

vec·tor [véktər] *n.* ⓒ 《理·數》 벡터; 매개(動物); 방향(량); 【컴】 선도 그림(화상의 표현 요소로서의 방향을 지닌 선). — *vt.* (지상에서 전파로 비행기의) 진로를 인도하다.

Veep [viːp] *n.* 《美俗》 미국 부통령; (v-) = VICE-PRESIDENT.

veer [viər] *vi.* (바람의) 방향이 바뀌다; 방향[위치]을 바꾸다; (의견·태도가) 바뀌다(*round*). **~ and haul** (밧줄을) 당겼다 늦췄다 하다 (풍향이) 변갈아 바뀌다. — *n.* ⓒ 방향 전환. **~·ing** [víərin]/víər-] *a.* 늘 변하는, 불안정한.

veg [vedʒ] *n. sing. & pl.* 《英口》 야채 (보통 요리됨) 야채.

veg·e·ta·ble [védʒətəbəl] *n.* ⓒ 야채, 푸성귀. ② ⓤ 식물. ③ 식물 인간. **green ~s** 푸성귀. — *a.* [야채]의 [같은]; 식물로 된.

veg·e·tar·i·an [vèdʒətέəriən] *n.* ⓒ 채식주의자. — *a.* 식물 (주의)의; 고기가 들지 않은. **~·ism** [-ìzəm] *n.* ⓤ 채식주의[의 생활].

veg·e·tate [védʒətèit] *vi.* 식물처럼 자라다; 무위 단조한 생활을 하다.

veg·e·ta·tion [vèdʒətéiʃən, -dʒi-] *n.* ① ⓤ 《집합적》 식물(plants). ② 식물의 성장.

ve·he·ment [víːəmənt, víː-i-] *a.* 열정적인, 열렬한; 격렬한. **~·mence** *n.* **~·ly** *ad.*

ve·hi·cle [víːikl] *n.* ⓒ ① 차량; 탈것, ② 매개물, 전달 수단. ③ 《繪畵》(그림 물감을 녹이는) 용제. ④ 우주 차량(로켓·우주선 따위). **ve-**

hic·u·lar [viːhíkjələr] *a.*

veil [veil] *n.* ⓒ ① 베일, 너울. ② 가리개, 막; 덮어 가리는 물건. ③ 구실. **beyond the ~** 저승에. **take the ~** 수녀가 되다. **under the ~ of** …에 숨어서. — *vt.* ① (…에) 베일을 걸치다[로 가리다]. ② 싸다; 감추다. **~ed** [-d] *a.* 베일로 가린; 감춰진. **~·ing** *n.* ⓤ 베일로 가림; 베일; 베일용 천.

vein [vein] *n.* ① ⓒ 정맥(靜脈). ② 《俗》 혈관. ③ 【植】 엽맥(葉脈); (곤충의) 시맥(翅脈); 나뭇결, 돌결; 기질, 결. ④ (a ~) 광맥. ④ (a ~) 특질, 성격, 기질. *a ~ of cruelty* 잔학성). — *vt.* (…에) 맥을[줄기를] 내다. **~ed** [-d] *a.* 맥[줄기·엽맥·나뭇결·돌결]이 있는. **~·y** *a.* 정맥[심줄]이 있는[많은].

ve·lar [víːlər] *a., n.* ⓒ 《音聲》 연구개(음)의; 연구개 (자)음의(k, g, ŋ, x).

Veld(t) [velt, felt] *n.* ⓒ (the ~) (남아프리카의) 초원.

vel·lum [véləm] *n.* ⓤ (필기·제본용의) 고급 피지(皮紙)《새끼양·송아지 가죽》; 모조 피지, 벨럼.

ve·loc·i·ty [vilásəti/-5-] *n.* ⓤ (또는 a ~) 빠르기, 속력. ② ⓒ 속도.

ve·lour(s) [vəlúər] *n.* ⓤ 벨루어, 플러시 천《비단·양털·무명제(製) 벨벳의 일종》.

vel·vet [vélvit] *n.* ① ⓤⓒ 벨벳(우단) (같은 물건). ② ⓤ 《俗》 고스란한 이익. — *a.* ① 벨벳제(製)의, 우단과 같은. ② 보드라운. **~·y** *a.* 벨벳과 같은, 부드러운; (술이) 감친 맛이 있는.

vel·vet·een [vèlvətíːn] *n.* 무명 벨벳; (*pl.*) 면 비로드의 옷.

ve·nal [víːnl] *a.* 돈으로 좌우되는, 돈 많으면[돈으로 얻을 수 있는] 매수되기 쉬운; 타락한, 매수 …**·i·ty** [viːnǽləti] *n.*

vend·er [véndər] *n.* = VENDOR.

ven·det·ta [vendétə] *n.* ⓒ (Corsica 섬 등지의) 근친 복수《피해자의 친척이 가해자의 친척에의 목숨을 노리는》(blood feud).

vénding machine 자동 판매기.

ven·dor [véndər, vendɔ́ːr] *n.* ⓒ ① 《法》 매주(賣主), 매각인; 행상인

노점상인(street ~). ② = VEND-
ING MACHINE.

ve·neer[viníər] *n.* ① ⓒⓊ 베니어
《합판(plywood)의 맨 윗겨죽 판, 또
는 합판 각 겨죽의 한 장》. ② ⓒ 겉치레
《구밈》, 허식. —— *vt.* (…에) 겉꾸밈
널을 대다; 겉바르기하다; 겉치레하다.

ven·er·a·ble[vénərəbəl] *a.* ① 존
경할 만한. ② 나이 먹어(오래 되어)
존엄한; 오래 되어 숭엄한. ③ 〖英國
國敎〗 …부주교님; 〖가톨릭〗 가경자
(可敬者)〖열者〗에의 과정에 있
는 사람에 대한 존칭》.

ven·er·ate[vénərèit] *vt.* 존경〔숭
배〕하다. **-ation**[~⌐ʃən] *n.*

ve·ne·re·al[vəníəriəl] *a.* 성교의,
성교에서 오는; 성병의〔에 걸린〕.
~ disease 성병〔생약 V.D.〕.

Ve·ne·tian[vəníʃən] *a.* 베니스(사
람)의, 베니스풍〔식〕의. —— *n.* ⓒ 베
니스 사람; 《□》 = ∠ **blind** 베네션
블라인드《끈으로 올리고 내리고 채
광 조절을 하는 발》.

venge·ance[véndʒəns] *n.* Ⓤ 복
수, 원수 갚기. **take**〔**inflict, wreak**〕
~ on …에게 복수하다, with a
~ 《□》 맹렬하게, 철저하게.

venge·ful[véndʒfəl] *a.* 복수심에
불타는. —— **·ly** *ad.*

ve·ni·al[víːniəl, -njəl] *a.* 《죄·과
오 등이》 가벼운, 용서될 수 있는.
~·i·ty[∼ǽləti] *n.* Ⓤⓒ 경죄(輕罪).

ven·i·son[vénəsən, -zən/vénizən]
n. Ⓤ 사슴 고기.

ven·om[vénəm] *n.* Ⓤ ① 《뱀·거미
따위의》 독. ② 악의, 원한, 독설.
–ous *a.* 유독한; 악의에 찬.

ve·nous[víːnəs] *a.* 정맥(속)의; 맥
이(줄기가)있는.

vent[vent] *n.* ⓒ ① 구멍, 빠지는 구
멍. ② 바람 구멍, 《자동차 등의》 환
기용 작은 창, 《판막기의》 손구멍.
③ 《옷의》 터진 구멍〔자리〕. ④ 《물고
기·새 등의》 항문(肛門). ⑤ 《감정 등
의》 배출구, find〔make〕a ~ in
…에 배출구를 내다, 나오다. give
~ to 《감정을》 터뜨리다, 나타내다.
—— *vt.* ① 《…에》 구멍을 내다; 낼감
구멍을 터주다. ② 《감정 등을》 터뜨리
다; 배출구를 찾아내다(*oneself*). ③
공표하다.

ven·ti·late[véntəlèit, -ti-] *vt.* ①
환기하다. ② 《혈액을》 신선한 공기로
정화하다. ③ 환기 장치를 달다. ④
《문제를》 공표하다, 자유롭게 토론하
다. **-la·tor**[⌐] *n.* ⓒ 환기하는 사람〔도
구〕, 환기 장치; **·la·tion**[∼⌐léiʃən]
n. Ⓤ 통풍 (상태), 환기 (장치); 《문
제의》 자유 토론.

ven·tri·cle[véntrikəl] *n.* ⓒ 〖解〗
실(室), 심실(心室). **ven·tric·u·lar**
[∼kjələr] *a.*

ven·tril·o·quism [ventrílə-
kwìzəm], **-quy**[-kwi] *n.* Ⓤ 복화
(腹話)〔술〕. **-quist**[∼⌐] *n.* ⓒ 복화술사.

ven·ture[véntʃər] *n.* ⓒ ① 모험
《적 사업》. ② 투기; 전 굴전. *at*
a ~ 모험적으로; 되는 대로. —— *vt.*
① 위험에 직면하는 사람에〔에〕 두다. ②
결행하다. 《의견 따위를》 내어 두어
내어 발표하다. —— *vi.* ① 위험을 무
릅쓰고 행하다〔*on, upon*〕. ② 대담하
게도 《…을》 하다. ③ 용기를 내어 나아
다오다, 나아가다. —— **·some** *a.*
모험적인, 대담한; 위험한.

ven·ue[vénjuː] *n.* ⓒ 〖法〗 범행지
《부근, 현장; 재판지; 《□》 집합지,
밀회 (장소).

Ve·nus[víːnəs] *n.* ① 〖로神〗 비너스
《사랑과 미의 여신》; 절세의 미인.
② 〖天〗 금성. ③ 〖천문〗 정화.

ve·rac·i·ty[vərǽsəti] *n.* Ⓤ 정직;
진실함; 정확.

ve·ran·da(h)[vərǽndə] *n.* ⓒ 베
란다.

verb[vəːrb] *n.* ⓒ 〖文〗 동사.

ver·bal[vɔ́ːrbəl] *a.* ① 말의, 말에
관한. ② 말로 나타낸, 구두의. ③
축어적인. ④ 말뿐인. ⑤ 〖文〗 동사
의 동사에서 난. —— *n.* ⓒ 〖文〗 준동사
《동명사·부정사·분사》. —— **·ly** *ad.*

ver·bal·ize[vɔ́ːrbəlàiz] *vt.* 말로
나타내다; 〖文〗 동사로 바꾸다. ——
vi. 말이 지나치게 많다.

ver·ba·tim[vəːrbéitim] *ad., a.* 축
어(逐語)적인〔으로〕.

ver·bi·age[vɔ́ːrbiidʒ] *n.* Ⓤ 군말
이 많음.

ver·bose[vəːrbóus] *a.* 말이 많은
번거로운. **ver·bos·i·ty**[-bɑ́sə-/-5-]
n. Ⓤ 다변(多辯), 용장(冗長).

ver·dant[vɔ́ːrdənt] *a.* 푸른 잎이

무성한, 청청한, 미숙한. **ver·dan·cy** *n.*

***ver·dict** [vɔ́ːrdikt] *n.* ⓒ 〖法〗 (배심원의) 답신, 평결. ② 판단, 의견.

ver·di·gris [vɔ́ːrdəgrìːs, -grìs] *n.* ① 녹청(綠靑), 푸른 녹.

***verge** [vɔːrdʒ] *n.* ⓒ ① 가, 가장자리; (화단 등의) 가장자리. ② 끝, 경계, 한계. *on the ~ of* 막 …하려는 참에, 바야흐로 …하려고 하여. — *vi.* (…에) 직면하다; 접하다(*on*).

verge[2] *vi.* 바싹 다가가다(*on*); (…에) 향하다, 기울다(*to, toward*).

ver·ger [vɔ́ːrdʒər] *n.* ⓒ 〖英〗 (성당·대학 따위의) 권표(權標) 받드는 사람; 사찰(司察).

***ver·i·fy** [vérəfài, -ri-] *vt.* ① (…으로) 입증[증명]하다. ② 확인하다. ③ (사실·행위 따위가 예언·약속 따위를) 실증하다. ④ 〖法〗 (선서·증거에 의하여) 입증하다. ⑤ 〖컴〗 검증하다. **-fi·ca·tion** [~fikéiʃən] *n.* 입증; 확인; 〖컴〗 검증. **-fi·er** *n.* 입증[증명]자, 검증자; 가스 계량기; 〖컴〗 검증자(檢査機).

ver·i·si·mil·i·tude [vèrəsimílətjùːd] *n.* ⓤ 정말 같음(likelihood), 박진(迫眞)함; ⓒ 정말 같은 이야기[일].

***ver·i·ta·ble** [véritəbəl] *a.* 진실의.

ver·i·ty [vérəti] *n.* ⓤ 진실(성); 진리; ⓒ 진실한 진술.

ver·mi·cel·li [vɔ̀ːrməséli, -tʃéli] *n.* 〔단수취급〕 버미첼리(spaghetti 보다 가는 국수류(類)).

ver·mil·ion [vərmíljən] *n.* ⓤ (朱) 진사(辰砂)―; 주홍색. — *a.* 주사의; 주홍색[빛]의.

ver·min [vɔ́ːrmin] *n.* ⓤ 〔집합적〕 (보통 *pl.*) 해로운 새나 벌레(쥐·두더지 따위); 영국에서는 여우(狐)나 족제비 따위); 사회의 해충, 암, 올빼미·여우·족제비 따위); 사회의 해충, 깡패. **~·ous** *a.* 해충이 많은, 벌레로 인해 생기는; 벼룩·이가 꾄; 벌레 같은; 비열한; 해독을 끼치는.

ver·mouth, -muth [vərmúːθ／vɔ́ːməθ] *n.* 버르무트(약이 달콤한 백포도주).

***ver·nac·u·lar** [vərnǽkjələr] *n.* ⓒ ① (the ~) 제나라 말. ② 방언; (직업상의) 전문어. ③ (학명이 아닌) 속칭. — *a.* ① (언어가) 제나라의. ② 제고장 말로 쓰여지는.

ver·nal [vɔ́ːrnl] *a.* 봄의, 봄같은; 청춘의, 싱싱한.

ver·ru·ca [verúːkə] *n.* (*pl.* **-cae** [-riːsiː]) ① 〖醫〗 무사마귀; 〖動·植〗 사마귀 모양의 돌기.

ver·sa·tile [vɔ́ːrsətl/-tail] *a.* 재주가 많은, 다예한, 다방면의; 변하기 쉬운, 변덕스러운. **~·ness** *n.* **-til·i·ty** [~tíləti] *n.*

***verse** [vəːrs] *a.* ① ⓤ 시(poem), 〔집합적〕 시가(poetry). ② ⓒ 시의 한 행. ③ ⓤ 시형(詩形). ④ ⓒ (시의) 귀절. ⑤ ⓒ (성서의) 절. *give chapter and ~ for* (인용구 따위의) 출처를 명세히 하다.

versed [vəːrst] *a.* 숙달[정통]한, …에 환하(*in*).

ver·si·fy [vɔ́ːrsəfài] *vi.* 시를 짓다. — *vt.* 시로 말하다, 시로 만들다; (산문을) 시로 고치다. **-fi·er** ⓒ 시인; 엉터리 시인.

***ver·sion** [vɔ́ːrʒən, -ʃən] *n.* ⓒ ① 번역, 역서(譯書). ② (예술상의) 해석(*a Dali or ~ of Lady Macbeth* 달리가 묘사한 맥베스 부인). ③ (개인적인[특수한]) 입장에서 본 어떤 사건의 설명. ④ 〖컴〗 버전.

ver·so [vɔ́ːrsou] *n.* (*pl.* **~s**) (책의) 왼쪽 페이지; (화폐의) 뒷면.

***ver·sus** [vɔ́ːrsəs] *prep.* (L.) (소송·경기 등에서) …대(對)(생략 v., vs.).

ver·te·bra [vɔ́ːrtəbrə] *n.* (*pl.* **-brae** [-briː], **~s**) ⓒ 척추골, 등뼈. **-bral** *a.*

ver·te·brate [vɔ́ːrtəbrit, -brèit] *n., a.* ① 척추 동물; 척추[등뼈]가 있는.

ver·tex [vɔ́ːrteks] *n.* (*pl.* **~es**, **-tices** [-təsìːz]) ⓒ 최고점, 절정; 〖數〗정점.

***ver·ti·cal** [vɔ́ːrtikəl] *a.* ① 수직의, 연직의(opp. horizontal). ② 정상의. ③ 천정(天頂)의. ④ 〖經〗 (생산 공정·따위의) 종(縱)으로 연결한, 수직의. ⑤ 〖幾〗 정점의, 대칭(對頂)의. — *n.* ⓒ 수직선[면·권·위], 세로. **~·ly** *ad.*

ver·tig·i·nous [vəːrtídʒənəs] a. (《⤸》) ① 빙빙 도는: 빙빙 도는; 어지러운: 눈이 빙빙 도는 듯한; (눈이) 아찔아찔하는. **──ly** ad.

ver·ti·go [vəːrtigòu] n. (pl. **∼es**, **-gines** [vəːrtídʒəniːz]) [UC] [醫] 현기증, 어지러움.

verve [vəːrv] n. [U] (예술품의) 정열, 힘, 활기.

ver·y [véri] ad. ① 대단히, 매우. ②《강조》참말로, 아주. **V- fíne!** 훌륭하다. 멋지다; 《反語》훌륭하지 해라. **V- góod.** 좋습니다, 알았습니다 (승낙). **──** a. ① 참된, 정말의. ② 순전한. ③《강조》바로 그, 같은. ④ …까지도. ⑤ 현실의.

véry hígh fréquency [電] 초단파(超短波)(略 VHF, vhf).

Véry líght [**sígnal**] (Very pistol로 쏘아올리는) 베리식 신호광(光).

ves·i·cle [vésikəl] n. [C] [醫·解·動] 소포(水疱); [植] 기포(氣泡); [地] 기공(氣孔).

ves·per [véspər] n. (V-) 개밥바라기, 태백성(太白星); [詩] 저녁; 밤; 저녁 기도; 저녁에 울리는 종; (pl.) [宗] 만도(晩禱), 저녁 기도의 시각((canonical hours의 6번째)).

ves·sel [vésəl] n. [C] ① 용기(容器), 그릇. ② (대형의) 배. 비행선. ③ [解·生] 관(管)(導管), 맥관(脈管). **∼s of wráth** [**mércy**] [聖] 노여움(자비)의 그릇(하느님의 노여움을(자비를) 받을 사람들).

vest [vest] n. [C] ① 조끼. ② (여성용의 V자형) 앞장식. ③ (여성용의) 속옷. **──** vt. ① 옷을 입히다, (특히) 제복을 입히다. ② (권리 따위를) 부여하다. ③ 소유(지배)권을 귀속시키다. **──** vi. ① 옷을 입다. ② (권리·재산·따위가) 귀속하다(in). **∼ing órder** [法] 재산권 이전 명령.

vest·ed [véstid] a. ① (재산 등의) 귀속이 정해진, 기득의(권리, 이권 등). ② (특히) 제의(祭衣)를 입은. **∼ ríghts** [**ínterests**] 기득권(권익).

ves·ti·bule [véstəbjùːl] n. ① 현관, 문간방; 《美》(객차의) 연락(連絡); [解·動] 전정(前庭).

ves·tige [véstidʒ] n. [C] ① 흔적. ②《보통 부정을 수반하여》극히 조금(of). ③ [生] 퇴화 기관(器官). ④ (稀) 발자취. **ves·tig·i·al** [vestídʒiəl] a. 흔적의; [生] 퇴화한.

vest·ment [véstmənt] n. [C] (보통 pl.) 의복; [宗] 법의(法衣), 제복.

ves·try [véstri] n. [C] (교회의) 제복실; 교회 부속실((일요 학교·기도회 등에 쓰이는); (영국 국교회·미국 성공회의) 교구 위원회(教區委員會).
∼·man [-mən] n. [C] 교구위원, 교구 위원.

vet [vet] n. [口] (= VETERINARIAN.
vet² [vet] n. 《美口》(= VETERAN.
vet. veteran; veterinarian; veterinary. ["칙].

vetch [vetʃ] n. [U] [植] 살갈퀴(갈퀴

vet·er·an [vétərən] n. [C] ① 고참병; 노련가, 베테랑. ②《美》퇴역(제향) 군인. **──** a. 실전의 경험이 많은; 노련한.

vet·er·i·nar·i·an [vètərənɛ́əriən] n. 《美》수의(獸醫).

vet·er·i·nar·y [vétərəneri/-nəri] a. 수의(獸醫)(의)(의). **──** a. **∼ hóspital** 가축 병원.

vex [veks] vt. (사소한 일로) 성나게 하다, 짜증(나게)(속타게) 하다; 괴롭히다. ②《古·詩》뒤흔들리게(물결치게) 하다, 동요시키다. (태풍 따위가) 뒤엎다. **be∼ed at …**을 분해하다. **be∼ed with** (a person) 아무에게 화를 내다. **∼·ed**[-t] a. 속타는, 짜증난, 성난; 말썽 있는. **∼·ed·ly**[-idli] ad. **∼·ing** a. 화나는, 속상한, 성가신.

vex·a·tion [vekséiʃən] n. [U] ① 애태움, 화냄, 괴롭힘, 괴로움. ② (정신적) 고통, 고민. ③ 고민거리, 귀찮은 사물. **∼·tious** a. 화나는, 짜증나는, 속타는.

VHF, V.H.F., vhf very high frequency.

vi·a[váiə, víːə] *prep.* (L.) …경유, …을 거쳐.

vi·a·ble[váiəbəl] *a.* 생존할 수 있는 : (태아·갓난애 등이) 자랄 수 있는.

vi·a·duct[váiədʌ̀kt] *n.* ⓒ 고가교(高架橋), 육교.

vi·al[váiəl] *n.* ⓒ 작은 유리병, 약병(phial).

vi·brant[váibrənt] *a.* 진동하는 ; 울려 퍼지는 ; 활기찬 ; 《音聲》 유성(有聲)의.

vi·brate[váibreit/−́] *vi.* ① 진동하다, 떨다. ② 감동하다 ; 마음이 떨리다, 후들거리다. ③ (진자처럼) 흔들리다. ── *vt.* ① 진동시키다. ② 감응시키다. ③ 오싹하게[떨리게, 후들거리게]하다. ④ (진자가) 흔들어 표시하다.

vi·bra·tion[vaibréiʃən] *n.* ⓤⓒ 진동, 떨림. ② ⓒ (보통 *pl.*) 마음의 동요. ③ ⓤⓒ 《理》 진동.

vi·bra·to[vibrɑ́ːtou] *n.* ⓒ《樂》(~s) (It.) ⓤⓒ《樂》비브라토《소리를 떨어서 내는 효과》.

vi·bra·tor[váibreitər/−́−́] *n.* ⓒ 진동하는[시키는] 물건 ; 《電》진동기.

vic·ar[víkər] *n.* ⓒ ①《英國國敎》교구 성직부. ②《美國聖公會》회당 신부《교구 부속의 교회를 관리함》. ③《가톨릭》대리 감목(監牧), 교황 대리 감목 ; 대리자, 대리자. ~**·age**[-idʒ] *n.* ⓒ vicar의 주택《봉급》; ⓤ 그 지위[직].

vic·ar·i·ous[vaikɛ́əriəs, vik-] *a.* 대신의 ; 대리의 ; 《生》 대상(代償)의. ~**·ly** *ad.* ~**·ness** *n.*

vice[vais] *n.* ① ⓤⓒ 악, 사악, 부도덕, 악습. ② ⓒ (말(馬) 따위의) 나쁜 버릇. ③ ⓒ (인격·문장 등의) 결점.

vice[vais] *n., v.* 《英》= VISE.

vice- [váis, vàis] *pref.* 관직을 나타내는 명사에 붙여서 '부(副)·대리·차(次)'의 뜻을 나타냄.

vice-président *n.* ⓒ 부통령, 부총재[회장(사장·총장)].

vice-régal *a.* 부왕(副王)의, 태수[총독]의.

vice·roy[−́rɔi] *n.* ⓒ 부왕(副王), 태수, 총독.

vice ver·sa[váisi və́ːrsə] (L.) 반대로[역으로] ; 역(逆) 또한 같음.

vi·cin·i·ty[visínəti] *n.* ⓤⓒ 근처, 근방, 주변. ② 근접(to).

vi·cious[víʃəs] *a.* ① 사악한, 부도덕한, 타락한. ② 악습이 있는, (馬 따위의) 버릇 나쁜. ③ 악의 있는. ④ 부정확한 ; 결함이 있는. ⑤ 지독한, 심한. ~**·ly** *ad.* ~**·ness** *n.*

vícious círcle [cýcle]《經》악순환 ; 《論》 순환 논법.

vi·cis·si·tude[visísətjùːd] *n.* ① 변화, 변천. ② (*pl.*) 흥망, 성쇠.

vic·tim[víktim] *n.* ① 희생(자), 피해자(*of*). ② 밥, 봉. ③ 산 제물. **fall a ~ to** …의 희생이 되다.

vic·tim·ize[víktəmàiz] *vt.* 희생으로 삼다, 괴롭히다 ; 속이다. **-i·za·tion**[⁻timizéiʃən/-maiz-] *n.* ── *a.* 승리(자)의.

Vic·to·ri·an[viktɔ́ːriən] *a.* ① 빅토리아 여왕(시대)의. ② 빅토리아 왕조풍의. ③ 구식의, 낡은. ── **age** 빅토리아 여왕 시대의《1837-1901》. ── *n.* ⓒ 빅토리아 여왕 시대의 사람《특히 문학자》. ~**·ism**[-ìzəm] *n.* ⓤ 빅토리아 왕조풍.

vic·to·ri·ous[viktɔ́ːriəs] *a.* ① 이긴, 승리를 얻은. ② 승리를 가져오는.

vic·to·ry[víktəri] *n.* ① ⓤⓒ 승리. ② (V-) 《로마 신화》 승리의 여신(상).

vict·ual[vítl] *n.* (보통 *pl.*) 식료품. ── *vt.* …에 식량을[식량이] 공급하다[싣다]. ~**·(l)er** *n.* ⓒ 《해·군대의》 식량 공급자 ; ⓒ 《英》 음식점《여관》의 주인 ; 식량 운송선.

vi·de·li·cet[vidéləsèt] *ad.* (L.) 즉(略.viz.로 생략하고 보통 namely라 읽음).

vid·e·o[vídiou] *a., n.* 《TV》영상 수송(용)의 ; ⓤ 비디오 ; 텔레비전.

vídeo tàpe 비디오 테이프.

vídeo·tàpe *vt.* (…을) 테이프 녹화하다.

vie[vai] *vi.* (**vying**) 경쟁하다, 다투다(*with*).

view[vjuː] *n.* ① ⓒ (*sing.*) 봄. ② ⓤ 시력, 시계. ③ ⓒ 보이는

view finder 것. 정치. 광경. ④ ⓒ 풍경화[사진]. ⑤ ⓒ 보기. 관찰. ⑥ ⓒ 고찰: 생각. 의견. ⑦ ⓤ ⓒ 전망. 의도. 목적. 가망. 기대. ⑧ 【영】보임. 회사하여. **in** ~ 목적으로. **in** ~ 보이어. 보이는 곳에: 목적으로서: 기대하여. **in** ~ **of** ⋯에[에서] 보이는 곳에: ⋯을 고려하여: ⋯때문에. **on** ~ 전시되어. 공개하여. **point of** ~ 견지. 견해. **private** ~ (전람회 따위의) 비공개[검사(檢査)]하다. **take a dim (poor)** ~ **of** 비관적으로 보다. 찬성않다. **with a** ~ **to (do)ing.** **(俗) (do)**할 목적으로. ⋯을 기대하여. **with the** ~ **of (do)ing** 할 목적으로. ─ vt. ① 보다. 바라보다. ② 관찰하다: 검사[임검(臨檢)]하다. ③ 이리저리 생각하다: 생각하다. ~ (口)텔레비전을 보다. ─ vi. (口)텔레비전을 보다. *~**er** n. ⓒ 보는 사람: 텔레비전 시청자(televiewer). ~**less** a. 눈에[눈이 미치지 는: 의견 없는. 선견지명이 없는.

view finder [寫] 파인더.

view·point [ɛ́pɔ̀int] n. ⓒ ① 견해. 견지. ② 보이는 곳.

vig·il [vídʒil] n. ① ⓤ ⓒ 밤샘. 철야. 불침번. ② ⓤ 불면. ③ (the ~) 교회 축일의 전날[전야)]: 철야로 기도하는 날: (보통 *pl.*) 축일 전날밤의 철야 기도.

vig·i·lance [vídʒələns] n. ⓤ ① 경계. 조심. ② 불침번. 불면. ③ 【醫】불면증.

vig·i·lant[-lənt] a. 자지 않고 지키는. 경계하는: 방심하지 않는. ~**ly** ad. 『자경자(自警自)』 단위.

vig·i·lan·te [vídʒəlǽnti] n. ⓒ 자경단원.

vi·gnette [vinjét] n. ⓒ 당초문(唐草紋). (책의 타이틀 페이지·장(章) 머리(끝)의 장식 무늬). 윤곽을 흐리게 한 그림[사진]: 인물 스케치. ─ vt. 장식 무늬를 달다: (인물을 뚜렷이 드러내기 위해). 초상화[사진]의 배경을 흐리게 바림하여 하다.

vig·or, (英) ─our[vígər] n. ⓤ ① 활기. 원기: 정력: 활력. ② 【法】효력. 유효성.

vig·or·ous[vígərəs] a. ① 원기가 있는. 활기차는. ② 힘찬. 기운찬. ③ 정력적인. **~·ly** ad.

Vi·king, v-[váikiŋ] n. 바이킹《8-10세기경 유럽의 스칸디나비아 해적》. (一般) 해적.

vile[vail] a. ① 대단히 나쁜[싫은]. ② 상스러운. 야비한. ③ 부도덕한. ④ 비참한. 하찮은. 변변찮은. ⑤ 지독한.

vil·i·fy[víləfài] vt. 비난하다: 중상하다. **-fi·ca·tion**[~fikéiʃən] n. 비난. 중상.

vil·la[vílə] n. ⓒ (시골·교외의 큰) 별장.

vil·lage[vílidʒ] n. ⓒ ① 마을. 촌 (락)(town보다 작음). ② 《집합적》 (the ~) 촌민. ***vil·lag·er** n. ⓒ 마을 사람. 촌민.

vil·lain[vílən] n. ⓒ ① 악한. 악인. ② (劇) 악인: 이 자식[녀석]. ③ = VILLEIN. ~**ous** a. 악인의: 악인 [악당] 같은: 비열[악랄]한: 매우나쁜. 지독한. ~**y** n. ⓤ 극악. 무도(無道); ⓒ 나쁜 짓.

vil·lein[vílən] n. ⓒ (봉) 농노(農奴). ~**age** n. ⓤ 농노의 신분: 농노의 토지 보유 (조건).

vim[vim] n. ⓤ 힘. 정력. 활기.

vin·ai·grette[vìnəgrét] n. ① 각성제 약병(통): 냄새 맡는 약병(통).

vin·di·cate[víndəkèit] vt. (명예·의심 따위를) 풀다. (⋯의) 정당함 [진실]을 입증하다: 변호하다: 주장하다. **-ca·tor** n. ⓒ 옹호[변호]자. **-ca·tion**[~kéiʃən] n. ⓤ ⓒ 변호; 증명.

vin·dic·tive[vindíktiv] a. 복수심이 있는. 앙심 깊은.

vine[vain] n. ⓒ 덩굴(식물); 포도나무.

vin·e·gar[vínigər] n. ⓤ (식)초.

vine·yard[vínjərd] n. ⓒ 포도밭.

vin·tage[víntidʒ] n. ① ⓒ (한 철의) 포도 수확량: 거기서 나는 포도주(포도주 양조용의) 포도 수확. ② = VINTAGE WINE. ③ ⓤ (어떤 시기·해의) 수확. 생산품.

vintage wine (포도의 질에 따라 담근) 정선(精選) 포도주[한 해의 연호를 붙여 팖].

vint·ner[víntnər] n. ⓒ 포도주 (도·매)상.

vi·nyl[váinəl, vínəl] n. ⓤ (化) 비닐기(基): ⓤ ⓒ 비닐. ~ **chloride**

염화 비닐. **~ *polymer*** 비닐 중합체. **— *resin*** [*plastic*] 비닐 수지.

vi·ol [váiəl] *n.* ⓒ 중세의 현악기.

vi·o·la [vióulə] *n.* ⓒ 【樂】 비올라. **~ *da gamba*** [də gάːmbə] 비올류의 옛날 악기(bass viol).

:vi·o·late [váiəlèit] *vt.* ① (법률·규칙 따위를) 범하다, 깨뜨리다. ② (맹세·약속을) 어기다. ③ 침입(침해)하다. ④ (불법으로) 통과하다. ⑤ (신성을) 더럽히다, 강간(능욕)하다. **-la·tor** *n.* ⓒ 위의 행위를 하는 사람. **∗-la·tion** [~léiʃən] *n.* ⓤⓒ 위반: 침해: 모독: 폭행.

:vi·o·lence [váiələns] *n.* ⓤ ① 맹렬, 격렬. ② 난폭, 폭력, ③ 손해, 침해. ④ 모독을. ⑤ 【法】 폭행.

:vi·o·lent [váiələnt] *a.* ① 맹렬한, 격심한. ② (언사 따위가) 과격한. ③ 난폭한, 폭력에 의한. ④ 지독한. **~ *death* 변사, 횡사. **:~·ly *ad.*

:vi·o·let [váiəlit] *n.* ⓒ 【植】 제비꽃(의 꽃). — *a.* ⓤ 보라빛[bluish purple]. — *a.* 보라빛의, 자비빛 향기가 나는. **~ *rays* 자선(紫線); (X선). = ULTRAVIOLET RAYS.

:vi·o·lin [vàiəlín] *n.* ⓒ ① 바이올린. ② 현악기. ③ 관현악 중의 바이올린 연주자. **∗~·ist** [-ist] *n.*

VIP, V.I.P. [víːáipíː] *n.* (*pl.* **∼ s**) ⓒ [口] 높은 양반(사람), 요인, 고관 ((*very important person*)).

:vi·per [váipər] *n.* ⓒ ① 독사, 살무사. ② 독사(살무사) 같은 사람. **∼·ous** [-əs] *a.* 살무사의(같은), 독이 있는: 악의의.

vi·ra·go [virá:gou, -réi-] *n.* (*pl.* **∼(e)s**) ⓒ 잔소리 많은 여자, (표독스런 계집.

:vir·gin [vɔ́ːrdʒin] *n.* ① 처녀. 미혼녀. ② 동정(童貞)인 사람. ③ (the V-) 성모 마리아. ④ (V-) = VIRGO. — *a.* ① 처녀의, 처녀다운; 순결한. ② 아직 사용되지(밟히지) 않은. ③ 경험이 없는, 처음의, 신선한.

vir·gin·al [vɔ́ːrdʒənəl] *a.* 처녀의(같은, 다운); 순결한. — *n.* ① 【樂】 16-17 세기에 사용된 방형(方形) 무각(無脚)의 소형 피아노 비슷한 악기.

Virgínia créeper [植] 양담쟁이.

vir·gin·i·ty [vərdʒínəti] *n.* ⓤ 처녀임, 처녀성; 순결.

Vir·go [vɔ́ːrgou] *n.* 【天】 처녀자리, (황도대(黃道帶)의) 처녀궁(宮).

vir·ile [vírəl, -rail] *a.* ① 성년 남자 (의), 남성적인; 힘찬; 생식력이 있는.

vi·ril·i·ty [viríləti] *n.* ⓤ 남자다움; 힘참, 강건; 생식력.

vi·rol·o·gy [vaiɑrάlədʒi, -rɔl-] *n.* ⓤ 바이러스학(學). **-gist** *n.*

vir·tu·al [vɔ́ːrtʃuəl] *a.* ① 사실(실질)상의. ② 【理·컴】 가상의. **∗~·ly** *ad.* 사실상.

vírtual reálity 가상 현실(감)(【컴퓨터가 만든 가상 공간에 들어가, 막 현실세계처럼 체험하는 기술》).

:vir·tue [vɔ́ːrtʃuː] *n.* ⓤ ① 도덕적 우수성, 선량; 미덕; 고결. ② ⓒ 정조. ③ ⓤ 미점, 장점; 가치. ④ ⓤ 효력, 효능. *by* [*in*] **∼ *of*** …의 힘으로, …에 의하여. *make a* **∼ *of* NECESSITY.

vir·tu·os·i·ty [vɔ̀ːrtʃuάsəti/-ɔ́s-] *n.* ⓤ 예술(연주)상의 묘기; 미술 취미, 골동품을 보는 안식.

vir·tu·o·so [vɔ̀ːrtʃuóusou/-zou] *n.* (*pl.* **∼s, -si**[-siː]) ⓒ 미술품 감정가, 골동품에 정통한 사람; 예술 거장, 음악의 거장(巨匠).

vir·tu·ous [vɔ́ːrtʃuəs] *a.* ① 선량한, 도덕적인; 덕이 있는. ② 정숙한, 순결한. **~·ness** *n.*

vir·u·lent [vírjulənt] *a.* 맹독의, 치명적인; 악의에 찬; (병이) 악성의. **~·ly *ad.* **-lence, -len·cy** *n.*

:vi·rus [váiərəs] *n.* ⓒ ① 바이러스, 여과성(濾過性) 병원체. ② (정신·도덕적) 해독. ③ 【컴】 전산균, 샘들균(컴퓨터의 데이터를 파괴하는 프로그램).

:vi·sa [víːzə] *n.* ⓒ (여권·서류 따위의) 배서(背書), 사증(査證). — *vt.* (여권 따위에) 배서(사증)하다.

vis·age [vízidʒ] *n.* ⓒ 얼굴, 얼굴 모습.

vis-a-vis [vìːzəvíː] *a. ad.* (F.) 마주 보는(보아), 마주 대하여 (*to, with*). — *n.* ① (특히 춤에서) 마주 보고 있는 사람; 마주 보고 앉게 된 마차(의자).

vis·cer·a [vísərə] *n. pl.* (*sing.*

vis·cus[vískəs] ((the ~)) 내장
(內臟).

vis·cer·al[vísərəl] *a.* ① 내장(창
자)의; 내장을 해치는(병). ② 《美·좋
아[나쁘]》 뱃속에서의; 감정적인, 본능에
드러내는; 비이성적인; 도리를 모르는.

vis·cose[vískous] *n.* □ 비스코스
《인견·셀로판 따위의 원료》.

vis·cos·i·ty[viskásəti/-5-] *n.* □
점착성, 점질 (粘質); 점도(粘度).

vis·count[váikaunt] *n.* © 자작
(子爵). **~·cy** *n.* □ 자작의 지위.
~·ess *n.* © 자작 부인(미망인); 여
(女)자작.

vis·cous[vískəs] *a.* 끈적이는; 첨
착성의; 가소성 (可塑性)의.

vise,《英》 **vice** [vais] *n., vt.* ©
《機》 바이스(로 죄다).

vis·i·ble[vízəbl] *a.* ① 눈에 보이
는, 손에 잡히는; 명백한. ② 면회할 수 있
는. **-bly** *ad.* 눈에 띄게; 명백하게. **vis·
i·bil·i·ty**[∽bíləti] *n.* □ 눈에 보이
는 것(상태); □© 시계(視界), 시거
(視距).

vi·sion[víʒən] *n.* ① □ 시력, 시
각. ② © 광경, 아름다운 사람[광
경]. ③ □ 상상력, (미래) 투시력,
예견력. ④ © 환영(幻影); 허깨비,
유령. *see* ∽s 꿈을 갖다; 미래의
일을 상상하다.

vi·sion·ar·y[víʒənèri/-nəri] *a.* ①
환영의, 환영으로 나타나는. ② 공상
적인, 비현실적인; 환상에 잠기는. —
n. © 환영을 보는 사람; 공상가.

vis·it[vízit] *vt.* ① 방문하다; 문병
하다. ② 체재하다, 손님으로 가다.
③ 구경[보러] 가다; 시찰 가다; 왕진
하다. ④ (병·재해 따위가) 닥치다
(재난을) 당하게[입게] 하다. — *vi.*
① 방문하다; 구경하다; 체재하다.
② 《美口》 지껄이다, 얘기하다(chat)
(∽ *over the telephone* 전화로 얘
기하다). — *with* 《美口》에 체재
하다. — *n.* © 방문; 문병; 구
경; 시찰; 왕진; 체재. ② (병으
로 없는) 이야기, 담화. *pay a* ∽
방문하다.

vis·it·a·tion[vìzətéiʃən] *n.* ① ©
방문. ② (고관·고위 성직자 등의)
시찰, 순시; 선박 임검. ③ (V-) 성모
마리아의 Elizabeth 방문, 그 축

일(7월 2일). ④ © 천벌; 천혜(天
惠).

vis·i·tor[vízitər] *n.* ① 방문자,
문병객; 체재객; 관광객. ② 순시자;
(대학의) 장학사.

visitors' bòok 《英》 숙박계 명부,
내객 방명록.

vi·sor[váizər] *n.* © (투구의) 얼굴
가리개; (모자의) 챙; 마스크, 복면.

vis·ta[vístə] *n.* © (가로수·거리
따위를 통해 본 좁은) 전망, 멀리 보
이는 경치 (특 터진) 가로수 길, 구
경. ② 예상; 전망.

vis·u·al[víʒuəl] *a.* 시각의, 시각에
인식되는; 보기 위한; 눈에 보이는.
·ly *ad.*

vísual áids 시각 교육용 기구.

vísual displáy (ùnit) 《컴》 영상
표시 (장치).

vis·u·al·ize[víʒuəlàiz] *vi., vt.* 눈
에 보이게 하다; 생생하게 마음 속에
그리다. **-i·za·tion**[∽əlizéiʃən] *n.*
□ 구상화하기; © 시각화한 사물.

vi·tal[váitl] *a.* ① 생명의(에 관한);
생명이 있는, 살아 있는; 생명 유지에
필요한. ② 대단히 중요[중요]한; 치
명적인. ③ 활기에 찬, 생생한. —
n. (*pl.*) 급소, 핵심.
·ism[-izəm] *n.* □ 《生》생명력론;
《生》생명력설. **·ly** *ad.* 중대하게,
치명적으로.

vi·tal·i·ty[vaitǽləti] *n.* □ 생명
력, 활력, 원기; 활기.

vítal statístics 인구 동태 통계.

vi·ta·min ⓔ[váitəmin/vít-] *n.* ©
비타민.

vi·ti·ate[víʃièit] *vt.* (…의) 질을 손
상시키다, 나쁘게 하다, 더럽히다, 부
식하다; 무효로 하다. **vi·ti·a·tion**[∽-
éiʃən] *n.*

vi·ti·cul·ture[vítəkλltʃər] *n.* ©
포도 재배.

vit·re·ous[vítriəs] *a.* 유리(질)의; 유
리질 (상)의.

vit·ri·fy[vítrəfài] *vt., vi.* 유리화하
다, 유리질로 화(化)하다(되다). **vit·
ri·fac·tion**[∽fækʃən], **vit·ri·fi·ca·
tion**[∽fikéiʃən] *n.* 유리화; 투
명; © 유리화된 것.

vit·ri·ol[vítriəl] *n.* □ 《化》황산염.

반류(繁類); 황산; 신랄한 말(비꼼).

blue (copper) ~ 담반(膽礬), 황산동, **green** ~ 녹반(綠礬), 황산철(鐵), **oil of** ~ 황산. 硫酸, ~ of 반(晧礬), 황산아연, ~·**ic** [>̲ə̀lik/-5] a. 황산의[같은]; 황산에서 얻어지는; 통렬한.

vi·tu·per·ate [vaitjúːpərèit, vi-] vt. 욕설(질)하다. **-a·tion** [>̲-éiʃən] n. **-a·tive** [-rèitiv] a.

vi·va [víːvɑ] n., vt. 구두 시험 [시문(試問)](을 하다).

vi·va·cious [vivéiʃəs, vai-] a. 활발한, 명랑한. ~·**ly** ad. **vi·vac·i·ty** [-væsəti] n.

vi·va vo·ce [váivə vóusi] (L.) 구두(口頭)로(의); 구술·시험.

viv·id [vívid] a. ① (색·빛 등이) 선명한, 산뜻한, ② (기억 따위가) 뚜렷한; 생생한. ~·**ly** ad. ~·**ness** n.

viv·i·sect [vívəsèkt, ✔✔] vt., vi. 산채로 해부하다; 생체 해부를 하다. **-sec·tion** [>̲-sékʃən] n. ⓤ 생체 해부. **-sec·tor** n. ⓒ 생체 해부자.

vix·en [víksən] n. ⓒ 암여우; 쌩쌩대는(짖궂은) 여자. ~·**ish** a. 쌩쌩대는, 짖궂은.

viz. = videlicet (L. = namely).

V neck (의복의) V 꼴 깃.

vo·cab·u·lar·y [voukǽbjəlèri/-ləri] n. ① ⓤ.ⓒ 어휘. ② ⓒ (알파벳순의) 단어집.

vo·cal [vóukəl] a. ① 목소리의, 음성의(에 관한). ② 목소리를 내는, 구두(口頭)의; (흐르는 물 등이) 속삭이는, 소리 나는. ③ 【樂】성악의; 【音聲】유성음의. ~ **music** 성악. — n. ⓒ 목소리. ~·**ist** n. ~·**ly** ad.

vócal córds (chórds) 성대.

vo·cal·ize [vóukəlàiz] vt. 목소리로 내다, 발음하다; 【音聲】모음(유성)화하다. — vi. 발성하다, 말하다, 노래하다, 소리치다. **·i·za·tion** [>̲-izéiʃən] n.

vo·ca·tion [voukéiʃən] n. ① ⓒ 직업, 장사, 업. ② 【宗】신(神)의 부르심, 신명(神命). ③ ⓤ (특정 직업에 대한) 적성, 재능, ④ ⓒ 천직, 사명. ~·**al** [-əl] a. 직업(상)의; 직업 보도의.

voc·a·tive [vákətiv/vɔ́-] n., a. ⓒ

[文] 호격(呼格)(의).

vo·cif·er·ous [vousífərəs] a. 큰 소리로 외치는, 시끄러운. ~·**ly** ad.

vod·ka [vádkə/vɔ́-] n. ⓤ 보드카(러시아의 화주(火酒)).

vogue [voug] n. (the ~) 유행. ② (a ~) 인기. **be in** ~ 유행하고 있다. **be out of** ~ (유행·인기가) 없어지다. **bring (come) into** ~ 유행시키다[되기 시작하다].

voice [vɔis] n. ① ⓤ.ⓒ (인간의) 목소리, 음성; (새의) 울음 소리. ② ⓒ (바람·파도와 같은 자연물의) 소리. ③ ⓤ 발성력, 발언력, 표현(력)의 자유. ④ ⓤ 발언권, 투표권(in); ⓒ 가수(의 능력); 【樂】성악(기악곡의) 성부(聲部). ⑤ ⓤ 【文】태(態); ⓤ 【音聲】유성음(有聲音). **be in (good)** ~ (성악가·연설가 등이) 목소리가 잘 나오다. **find one's** ~ 입밖에 내서 말하다, 용기를 내서 말하다. **give** ~ **to** (…을) 입밖에 내다, 표명하다. **lift up one's** ~ 소리치다; 항의하다. **mixed** ~**s** 혼성. **raise one's** ~**s** 언성을 높이다. **with one** ~ 이구동성으로. — vi. ① 목소리를 내다, 말로 나타내다. ② 【音聲】유성음으로 발음하다. ~**d** [-t] a. 목소리로 낸; 【音聲】유성음의.

voice-box n. ⓒ 후두(喉頭)(larynx).

voice·less a. 목소리가 없는; 무능의, 벙어리의; 【音聲】무성음의. ~·**ly** ad.

voice-over n. ⓒ (TV 따위의 화면 밖의) 해설 소리.

void [vɔid] a. ① 빈, 공허한; (집·토지 따위가) 비어 있는. ② (…이) 없는, 결한(of). ② 무익한; 【法】무효의. — n. (a ~) 빈 곳(공간). ② 공간; (a ~) 공허(감), 쓸쓸함. — vt. 무효로 하다, 취소하다; 배설하다; 【法】무효로 할 수 없는; 배출[배설]할 수 있는.

voile [vɔil] n. ⓤ 보일(얇은 직물).

vol. volume; volunteer.

vol·a·tile [válətil/vɔ́lətàil] a. ① 휘발성의. ② 쾌활한; 변덕스러운; 일시적인, 덧없는. ③ 【컴】(기억이) 휘발성의(전원을 끄면 데이터가 지워지는)(~ **memory** 휘발성 기억 장

치). **-til·i·ty** [∼tíləti] *n.*

vol·can·ic [valkǽnik/vɔl-] *a.* ① 화산(성)의; 화산이 있는. ② (성질 따위가) 폭발성의, 격렬한.

vol·ca·no [valkéinou/vɔl-] *n.* (*pl.* **∼(e)s**) ⓒ 화산. (**active** 〈**active** 〈**dormant**, **extinct**〉 활화〈휴, 사〉화산.)

vole [voul] *n.* ⓒ 들쥐류(類).

vo·li·tion [voulíʃən] *n.* ① 의지의 작용, 의욕; 의지력, 의지, 결의; 선택. **∼·al** *a.* 의지의, 의욕적인.

vol·ley [váli/vɔ́-] *n.* ⓒ ① 일제 사격; 빗발치듯하는 탄환〈화살〉발? 문·욕설의) 연발. ② 〖테니스·蹴〗 발리(공이 땅에 닿기 전에 치거나 차보내기). — *vt.* ① 일제 사격하다; 〖질문 따위를〗 연발하다. ② 발리로 되치〈떨어뜨리〉다. — *vi.* ① 일제히 발사되다. ② 발리를 하다.

vol·ley·ball [∼bɔ̀ːl] *n.* ⓤ 배구; ⓒ 그 공.

volt [voult] *n.* 〖電〗 볼트. **-age** [∼idʒ] *n.* ⓤⓒ 전압(電壓)(량).

volte-face [vɔ́ltəfɑ́ːs, vɔ̀(ː)l-] *n.* (F.) ① 방향 전환; 〖軍·정책〗설책 따위의) 전향. ② 180도 대전환.

vol·u·ble [váljəbəl/vɔ́-] *a.* 수다스러운, 입심 좋은, 말 잘하는, 유창한. **-bly** *ad.* **∼·ness** *n.* **-bil·i·ty** [∼bíləti] *n.*

vol·ume [váljum/vɔ́-] *n.* ① ⓒ 책(卷), 책, 서적. ② ⓤ 제책의 부피; 용적; 양(量); 음량. ③ ⓒ 덩어리, 대량. ④ ⓤ 〖컴〗 용량, 부피, 볼륨 양(量). **speak ∼s** 웅변으로 말하다, 의미 심장하다.

vo·lu·mi·nous [vəlúːmənəs] *a.* ① (부피가) 큰 책의; 권수가 많은; 큰 부수(部數)의. ② 저서가 많은, 다작(多作)의. ③ 부피가 큰.

vol·un·tar·y [váləntèri/vɔ́ləntəri] *a.* ① 자유 의사의, 자발적인. ② 의지에 의한; 임의의, 지원〈자원〉의. ③ 〖解〗 수의적인. — *muscle* 수의근(隨意筋). — *service* 지원병역. — *n.* ⓒ 자발적 행동; (교회에서 예배의 전, 중간, 후의) 오르간 독주. **-tar·i·ly** *ad.* 자발적으로. **-ta·rism** [-tərìzəm] *n.* ① 〖哲〗 주의설(主意說); 자유 지원제.

vol·un·teer [vàləntíər/vɔ̀l-] *n.* ⓒ ① 유지(有志), 지원자〈병〉. — *a.*

유지의; 지원병의; 자발적인. — *vt.* ① 자발적으로 나서다; 지원 봉사하다. — *vi.* 자진해서 일을 맡다; 지원병이 되다(*for*).

vo·lup·tu·ary [vəlʌ́ptʃuèri/-əri] *n.* ⓒ 주색(욕욕)에 빠진 사람.

vo·lup·tu·ous [vəlʌ́ptʃuəs] *a.* 오 관(五官)의 즐거움을 찾는, 관능적 쾌락에 빠진; 육욕을 자극하는; 관능적인. (미술·음악 따위) 관능에 호소하는. **∼·ly** *ad.* **∼·ness** *n.*

vom·it [vámit/vɔ́-] *vt.* ① (먹은 것을) 게우다. ② (연기 따위를) 내뿜다; (욕설을) 퍼붓다. — *vi.* 토하다. (화산이) 용암 따위를 내뿜다. — *n.* ① ⓤ 게움, 구토. ⓒ 구토물, 게운 것; ② ⓤ 토제(吐劑).

voo·doo [vúːduː] *n.* (*pl.* **∼s**) ⓤ 부두교(아프리카에서 발생하여 서 인도 제도, 미국 남부의 흑인들이 믿는 원시 종교); ⓒ 부두 도사(道士). — *vt.* 부두교로. **∼·ism** [-ìzəm] *n.* 부두교.

vo·ra·cious [vouréiʃəs] *a.* 게걸스레 먹는, 대식(大食)하는; 대단히 열심인, 물릴 줄을 모르는. **∼·ly** *ad.* **∼·ness** *n.* **vo·rac·i·ty** [-rǽsəti] *a.*

vor·tex [vɔ́ːrteks] *n.* (*pl.* **∼·es**, **-ti·ces** [-təsìːz]) ⓒ ① (물·공기 따위의) 소용돌이; (**the∼**) (사회적·지적(知的)인) 운동 투쟁의 소용돌이.

:vote [vout] *n.* ① ⓒ 한부 표시, 투표; (**the∼**) 투표〈선거〉권; ② 표결 사항; 투표수. 투표율, 투표 총수. — *vi.* 투표로 결정하다〈지지하다〉. 《口》 (세상 여론이) 평하다. — *vt.* ① 투표로 가결하다. ② 《口》 제의하다. 《口》 제의하다, 부결하다(**down**). — *in* 선출 하다. **∼vot·er.** ⓒ 투표자; 유권 자. **∼vot·ing** *n.* ⓤ 투표(법).

vo·tive [vóutiv] *a.* 《맹세를 지키기 위해》 바친; 기원의.

vouch [vautʃ] *vi.* 보증하다; 확증하다(*for*). **∼·er.** ⓒ 보증인; 증거; 증빙 서류; 영수증.

vouch·safe [vautʃséif] *vt.* 허용하다, 주다, 내리다. — *vi.* …해 주시다(*to do*).

:vow [vau] *n.* ⓒ (신에의 맹세, 서약, 서원(誓願). **take ∼s** 종교단의 일원이 되다. **under a ∼** 맹세

를 하고. —— *vt., vi.* 맹세하다; (…
을) 할[줄] 것을 맹세하다; 단언하다.
:vow·el[váuəl] *n.* ⓒ 모음(자).
:voy·age[vɔ́iidʒ] *n.* ⓒ (먼 거리의)
항해. —— *vi., vt.* 항해하다. **vóy·ag·
er** *n.* ⓒ 항해자.
vo·yeur[vwɑːjɔ́ːr] *n.* (F.) ⓒ 관음
자(觀淫者).
V.P. Vice-President.
vs. versus.
V-sign *n.* ⓒ 승리의 사인《집게손가
락과 가운뎃손가락으로 만들어 보이
는 V자》.
vul·can·ize[vΛlkənàiz] *vt.* (고무
를) 유황 처리하다. 경화하다. **-i·zation**
[∼-izéiʃən] *n.*
:vul·gar[vΛlgər] *a.* ① 상스러운. 야
비[저속]한. ② 일반의. 통속적인;
(상류 계급에 대해) 서민의; 일반 대
중의. *the* ~ (*herd*) 일반 대중.
~·**ism**[-lzəm] *n.* Ⓤ 속악(俗惡). 상
스러움; Ⓤ,ⓒ 저속한 말. ~·**ly** *ad.*

vul·gar·i·ty[vΛlgǽrəti] *n.* Ⓤ 속악
(俗惡). 상스러움. 예의 없음. 야비
함.
vul·gar·i·ze[vΛlgəràiz] *vt.* 속되게
하다; 대중화(大衆化)하다. **-za·tion**
[∼-izéiʃən/-raiz-] *n.*
:vul·ner·a·ble[vΛlnərəbəl] *a.* 부상
하기[다치기] 쉬운, 공격 받기 쉬운;
(비난·유혹·영향 따위를) 받기 쉬운,
약점이 있는(*to*); [카드놀이] (세판 승
부 브리지에서 한 번 이겼기 때문에)
두 배의 벌금을 짊어질 위험이 있는
(입장의). — *point* 약점. **-bil·i·ty**
[∼-bíləti] *n.*
vul·pine[vΛlpain] *a.* 여우의(같은)
(foxy). 교활한(sly).
vul·ture[vΛltʃər] *n.* ⓒ 독수리; 욕
심쟁이.
vul·va[vΛlvə] *n.* (*pl.* **-vae**[-viː],
∼s) ⓒ [解] 음문(陰門).
vy·ing[váiiŋ] 《<vie》 *a.* 다투는, 경
쟁하는. ~·**ly** *ad.*

V

W

W, w [dʌ́bljuː] *n.* (*pl.* **W's, w's** [-z]) ⓒ W자 모양의 것.

W watt. **W, w.** **w.** west(ern).

wack·y[wǽki] *a.* 《美俗》괴짝한; 괭기가 있는.

wad[wad/-ɔ-] *n.* ① (부드러운 것의) 작은 뭉치; 섬고만 껌; (가득 찬) 뭉치, 덩어리; 채워[베워] 넣는 물건 [솜]; 장전된 탄환을 고정시키는 충전물; 지폐 뭉치; 《美俗》많은 돈. — *vt.* (**-dd-**) 작은 뭉치로 만들다; 채워 넣다; (속에) 알마개를 틀어 넣다. **~·ding** ⓤ 채우는 물건[솜].

wad·dle[wɑ́dl/-ɔ-] *vi.* (오리처럼) 어기적어기적 걷다. — *n.* (a ~) 어기적어기적 걸음; 그 걸음걸이.

wade[weid] *vi.* ① (물 속을) 걸어서 건너다; (진창·눈 따위) 걷기 힘든 곳을) 간신히 지나가다. ② 애를 써 나아가다(*through*). — *vt.* (강 따위를) 걸어서 건너다. **~ in** 물 속에 들어가다; 간섭하다; 상대를 맹렬히 공격하다. **~ into** (口) 맹렬히 공격하다; 힘차게 일에 착수하다. **~ through slaughter** [*blood*] **to** (*the throne*) 살육을 해서 (왕위)에 임다. — *n.* (a ~) 도섭(徒涉).

wád·er *n.* ⓒ 걸어서 건너는 사람; 《鳥》섭금(涉禽); (*pl.*) 《英》(낚시꾼의) 긴 장화.

wa·di[wɑ́di/-ɔ-] *n.* ⓒ (아라비아·북아프리카) 등지의, 우기 이외는 말라붙는) 마른 골짜기; 그 곳을 흐르는 강.

wa·fer[wéifər] *n.* ① ⓤⓒ 웨이퍼, 올챙과자. ② ⓒ 《가톨릭》(미사용의) 제병(祭餠)《얇은 빵》. ③ ⓒ 봉합 (封緘)紙. **~·ly** 웨이퍼 같은; 얇은.

wáfer-thín *a.* 아주 얇은. 「《과자》

wa·ffle[wɑ́fəl/-ɔ-] *n.* ⓤⓒ 와플

waf·fle *n.* ⓤ 《英》쓸데 없는 소리. — *vi.* 쓸데 없는 소리를 지껄이다.

wáffle ìron 와플 굽는 틀.

waft[wæft, -ɑ́ː-] *vt.* (냄새·공중을) 부동(浮動)시키다. 띄웃게 하다. —

n. ⓒ 부동: (냄새 따위의) 풍김; (바람의) 한바탕 불기.

wag[wæg] *vt., vi.* (**-gg-**) (상하·좌우로 빨리) 흔들(리)다. **~ the tongue** (쉴새없이) 지껄이다. — *n.* ⓒ 흔들; 흔들거림.

wag *n.* ⓒ 익살꾸러기.

wage[weidʒ] *n.* ① (보통 *pl.*) 임금, 급료《일급·주급 따위》. ② (古) (보통 *pl.*) 갚음, 보답. — *vt.* (전쟁·투쟁을) 하다(*against*). **~ the peace** 평화를 유지하다.

wáge clàim 임금 인상 요구.

wáge èarner 급료[임금] 생활자.

wáge pàcket 《英》 급료 봉투(《美》pay envelope).

wa·ger[wéidʒər] *n.* ⓒ 노름; 내기에 건 돈[물건]. **~ of battle** [法] 결투(에 의한) 재판. — *vt.* (내기에) 걸다.

wag·gle[wǽgl] *v., n.* = WAG¹.

wag·on, 《英》**wag·gon**[wǽgən] *n.* ⓒ (4輪) 4輪차, 짐차; 《英》무개화차. HITCH **one's ~ to a star.** **on** (*off*) **the ~** 《美俗》술을 끊고 [또 시작하고]. — *vt.* wagon으로 나르다. **~·er** ⓒ (짐마차의) 마차꾼.

wa·gon-lit[vægɔ́ːn líː] *n.* (F.) (기차) 침대차.

wágon-lòad *n.* ⓒ wagon 한 대분의 짐.

wág·tail *n.* ⓒ 《鳥》할미새.

waif[weif] *n.* ⓒ 부랑자, 부랑아; 임자 없는 물건[동물]; 표착물(漂着物); 《古》〔迷兒〕. **~s and strays** 부랑아의 떼; 그러모은 것.

wail[weil] *vi.* ① 울부짖다; 비탄하다(*over*). ② (바람이) 구슬픈 소리를 내다. — *vt.* 비탄하다. — *n.* ① 울부짖는 소리, 통곡(*sing.*) (바람의) 처량하게 울리는 소리.

wain·scot[wéinskət, -skɔ̀t] *n.*, *vt.* (美) 《建》벽판(壁板) (을 대다). 징두리널(재료). **~·(t)ing** *n.*

Ⓤ 벽material, 징두리널; 그 재료.

:waist [weist] n. Ⓒ ① 허리, 요부
(腰部); 허리의 잘록한 곳. ② (의복
의) 허리; (美) (여자·어린이의) 몸통
옷, 블라우스. ③ (美) (현악기 따위) 가운
데의 잘록한 곳. —— 「허리띠.

waist・band n. Ⓒ (스커트 등의)

waist・coat n. Ⓒ (英) 조끼(Ⓤ美).

waist・deep a., ad. 깊이가 허리까
지 차는(차게).

waist・ed [wéistid] a. 허리 모양으로
한; (복합어) ―한 허리의.

waist・high a. 허리 높이의.

waist・line n. Ⓒ 허리의 잘록한 곳,
웨이스트 (라인), 허리통.

:wait [weit] vi. ① 기다리다(for). ②
시중들다(at, on). ③ 하지 않고
내버려 두다, 미루다. —— vt. ① 기
다리다. ② 시중을 들다. ③ (口) 늦
추다. ~ on (upon) ···에게 시중을 들
다; ···을 섬기다 (연장자를 의례적으
로) 방문하다; (결과가) 따르다. ——
n. Ⓒ ① 기다림, 기다리는 시간. ②
(보통 pl.) (英) (크리스마스의) 성가
대. ③ 〔劍〕 기다림, 대기. **lie in**
(lay) ~ for ···을 숨어(매복해) 기
다리다. `~er` n. Ⓒ 급사, 심부름하
는 하인; 기다리는 사람; ⇒ DUMB-
WAITER.

wáiting gàme (게임 등에서의) 지
연 작전.

wáiting list 순번 명부; 보궐인 명
단.

wáiting ròom 대기실. —— 「여급.

:wait・ress [wéitris] n. Ⓒ 여급사.

waive [weiv] vt. (권리·요구 등을)
포기하다; 그만두다; (결정(보류)하
다. **wáiv・er** n. Ⓤ (法) 포기; Ⓒ 기
권 증서.

:wake[weik] vi. (**woke, ~d;** **~d,**
(稀) **woke, woken**) ① 잠깨다, 일
어나다(up). ② 깨어 있다. ③ (정신적으
로) 눈뜨다(up, to). ④ 활기 띠다;
되살아나다. —— vt. ① 깨우다, 일으
키다(up). ② (정신적으로) 각성시키
다; 분기시키다(up); 되살리다. 환기
하다. `~ to` ···을 깨닫다. **waking**
or sleeping 자나깨나. —— n. Ⓒ
(현당시(獻堂式)의) 철야제(徹夜祭);
(Ir.) 밤샘, 경야.

wake² n. Ⓒ 항적(航跡); (물체가)

지나간 자국. **in the ~ of** ···의 자
국을 따라; ···에 잇따라; ···을 따라.

wake・ful [wéikfəl] a. 잠 못이루는,
잘 깨는; 자지 않는; 방심하지 않는,
~・ly ad. **~・ness** n.

:wak・en [wéikən] vt. ① 깨우다, 일
으키다. ② (정신적으로) 눈뜨게 하
다, 분기시키다. —— vi. 잠이 깨다,
일어나다; 깨닫다.

:walk [wɔːk] vi. ① 걷다; 걸어가다;
산책하다. ② (유령이) 나오다. ③
〔野〕 (사구(四球)로) 걸어 나가다.
—— vt. ① (길·장소를) 걷다; (말·개
따위를) 걸리다. ② 데리고 걷다, 동
행하다. ③ 〔野〕 (사구로) 걸리다. ④
(무거운 것을) 걸리듯 좌우로 움직여
운반하다. ⑤ ···이 걷기 경쟁을 하
다. ~ **about** 걸어다니다, 산책하다.
~ **away from** ···의 곁을 떠나다;
(경주 등) 쉽사리 앞지르다. ~ **away**
(**off**) **with** ···을 가지고 도망하다;
(상 따위를) 타다. ~ **in** 들어가다.
~ **into** (俗) 때리다, 욕하다; (俗)
배불리 먹다. ~ **off** (노하여) 가버리
다; (죄인 등을) 데려가다; 걸어서
···을 없애다(~ **off a headache**).
~ **out** 나아가다; 퇴장해 버리다; 갑
자기 떠나다; (口) 파업하다. ~ **out**
on (美口) 버리다. ~ **over** (대항자
말이 없어서) 코스를) 보통 걸음으로
걸어 수월히 이기다. ~ **tall** 가슴을
펴고 걷다, 스스로 긍지를 갖다. ~
the boards 무대에 서다. ~ **the**
chalk (취하지 않았음을 경찰관에게
보이기 위해서) 똑바로 걸어 보이다.
~ **the hospitals** (의학생이) 병원
에서 실습하다. ~ **the street** 거리
를 걷다. ~ **through life** 세상을 살아가
다. **W-up!** 어서 오십시오! (손님을
끄는 소리). ~ **upon air** 정신 없이
기뻐하다. ~ **up to** ···에 걸어와 다
가가다. ~ **with God** 하느님의 길을
걷다. —— n. Ⓒ ① (sing.) 걷기, 보행;
걸음; 걸음걸이; (말의) 보통 걸음. ②
산책. ③ 보도; 인도; 산책길. ④ 〔野〕
사구출루(四球出壘). ⑤ (가축의) 사
육장. **a ~ of** (in) **life** 직업; 신
분. **go for** (**take**) **a ~** 산책하러(산
책가다). `~・er` n. Ⓒ 보행자; 산책
하는 사람; (날거나 헤엄치지 못하고)
걷는 새.

walk·ie-talk·ie, walk·y-talk·y [ʃítːɔ̀kki] *n.* 휴대용 무선 전화기.

wálk-in *n.* ① 밖에서 직접 들어갈 수 있는 아파트; (선거시) 낙승; 대형 냉장고.

wálk·ing [ʃín] *n., a.* ⓤ 걷기; 걷는; 보행(의).

wálk·up *n.* ⓒ (美口) 엘리베이터가 없는 (건물).

wálk·way *n.* ⓒ (美口) 보도; (특히 공원, 정원 내의) (공장 내의) 통로.

wan [wɑn/-ɔ-] *a.* (-**nn**-) ① 창백한, 해쓱한. ② 약한. **~·nish** *n.* 해쓱한.

wand [wɑnd/-ɔ-] *n.* ① (마술사의) 지팡이; (직권을 나타내는) 관장(官杖); 【樂】 지휘봉; 《美》 (활의) 과녁판.

wall painting 벽화.

wáll·pàper *n., vt.* ⓤ (벽·방 등에) 벽지(를 바르다).

Wáll Strèet 월가(街) [스트리트]; 미국 금융시장.

wall-to-wall *a.* 바닥 전체를 덮은 (카펫 따위); ⓤ 포괄적인.

wal·nut [wɔ́ːlnʌ̀t, -nət] *n.* ⓒ 호두 (열매·나무); ⓤ 그 목재; 호두색.

wal·rus [wɔ́ːl(ju) rəs, wɑ́l-] *n.* ⓒ 【動】해마.

wálrus moustáche 팔자수염.

waltz [wɔːlts] *n.* ⓒ 왈츠. — *vi.* 왈츠를 추다; 들떠서 춤추다; (口) 홀 가볍게 춤추듯 걷다. — *off with* (口) 경쟁자를 쉽게 물리치고 (상을) 획득하다; 유괴하다.

wan·der [wɑ́ndər/-5-] *vi.* ① 걸어 돌아다니다, 헤매다(*about*). ② 길을 잘못 들다, 옆길로 벗어나다(*off, out, of, from*). ③ 두서(종잡을 수) 없이 되다; (열·꿈 따위로) 헛소리하다; (정신이) 오락가락하다. **~·er** *n.*

wan·der·ing [-iŋ] *a.* ① 헤매는; 옆길로 새는; ② 두서 없는. — *n.* (*pl.*) 산보, 방랑, 만유(漫遊); 헛소리. **~·ly** *ad.*

wan·der·lust [-lʌ̀st] *n.* ⓤ 여행열; 방랑벽.

wáll·flòwer *n.* 【植】 계란풀; 무도회에서 상대가 없는 젊은 여자.

wal·lop [wɑ́ləp/-5-] *vt.* (口) 때리다, 강타하다. — *n.* ⓒ (口) 강타, 타격력.

wal·lop·ing [-iŋ] *a.* (口) 육중한, 커다란, 굉장히 큰; 센, 강한. — *n.* ⓒ 강타; 완패.

wal·low [wɑ́lou/-5-] *vi.* ① 장물·물 속 따위에) 뒹굴다, 허우적거리다 (주색 따위에) 빠지다, 탐닉하다(*in*).

~ in money 돈에 파묻혀 있다, 돈이 주체 못할 만큼 많다. — *n.* (*a* ~) 뒹굶; ⓒ (늪소 따위가) 뒹구는 수렁.

wan·der [다시 열거된 예문 —]

wan·gle [wǽŋgl] *vt.* (口) 책략으로 손에 넣다, 책략을 쓰다, 에어내다.

wan·na [wɔ́ːnə, wɑ́-] 《美口》 = WANT to.

want [wɔ(ː)nt, wɑnt] *vt.* ① 없다, 모자라다(*of*). ② 바라다; 필요하다.

③ 《부정사와 더불어》 …하고 싶다. 해주기를 바라다. ④ 해야 한다, 하는 편이 낫다. — *vi.* 부족하다(*in, for*); 곤궁하다. — *n.* ① ⓤ 부족; 결핍; 필요; 곤궁. ② ⓒ (보통 *pl.*) 필요품. **for ～ of** …의 결핍 때문에. **in ～ of** …이 필요하여, …이 없이. **:～ing** *a., prep.* 결핍한; 불충분하여; …이 없는, 부족하여.

'wan·ton [wɑ́ntən, -5(ː)-] *a.* ① 까닭 없는; 악의 있는. ② 분방한, 광란의; 바람난. ③ 《詩》 들떠 날뛰는, 변덕스러운; 개구쟁이의. ④ (초목 따위가) 우거진. — *n.* ① 바람둥이, 바람난 여자. — *vi.* ② 뛰어 돌아다니다, 장난치다, 까불다. ② 우거지다. — **～·ly** *ad.* **～·ness** *n.*

†war [wɔːr] *n.* ① ⓤⓒ 전쟁. ② ⓤ 군사, 전술. ③ ⓤⓒ 싸움. **at ～** 교전 중인(*with*). **declare ～** 선전하다(*on, upon, against*). **go to ～** 전쟁하다(*with*). **make** 《*wage*》 **～** 전쟁을 시작하다(*on, upon, against*). **the ～ to end ～** 제1차 대전의 일컬음. **W- between the States** = CIVIL WAR. **～ of nerves** 신경전. — *vi.* (-*rr*-) 전쟁하다, 싸우다.

'war·ble [wɔ́ːrbl] *vi., vt.* 지저귀다; 지저귀듯 노래하다; 《美》 = YODEL. — *n.* (a ～) 지저귐. **wár·bler** *n.* ⓒ 지저귀는 새, 《鳥》 (특히 색채가 고운) 명금(鳴禽); 가수.

wár crìme 전쟁 범죄. **wár crìminal** 전쟁 범죄인. **wár crỳ** 함성; (정당의) 표어. **:ward** [wɔːrd] *n.* ① ⓤ 감시, 감독; 보호; 후견. ② ⓒ 병실, 병동; (양로원 등의) 수용실; 감방; ⓒ 피후견인. ③ ⓒ (도시의) 구(區). ⑤ ⓤ 《古》 감금. **be in ～ of** …의 후견을 받고 있다. **be under ～** 감금되어 있다. — *vt.* 막다(*off*); 병실에 수용하다(*in*); 《古》 보호하다.

-ward [wərd] *suf.* '…쪽으로'의 뜻: northward.

wár dànce (토인의) 출진(出陣)[전승(戰勝)]춤.

'war·den [wɔ́ːrdn] *n.* ⓒ ① 감시인, 문지기. ② 간수장(관공서의 장); 《英》 학장, 교장, 교구(敎區) 위원.

ward·er [wɔ́ːrdər] *n.* ⓒ 지키는 사람, 감시인; 《주로 英》 간수.

:ward·robe [wɔ́ːrdròub] *n.* ① ⓒ 옷장; 의상실. ② ⓒ 《집합적》 (개인 소유의) 의류, 의상 (전부).

wárd·ròom *n.* ⓒ (군함의) 사관실.

-wards [wərdz] *suf.* 《주로 英》 = -WARD.

ward·ship [wɔ́ːrdʃip] *n.* ⓤ 후견, 보호; 피후견인임.

:ware [wɛər] *n.* ① (*pl.*) 상품. ② ⓤ 《집합적》 제품; 도자기.

:ware·house [wɛ́ərhàus] *n.* ⓒ 창고. 《주로 英》 도매상, 큰 상점. — [-hàuz, -hàus] *vt.* 창고에 넣다[저장하다]. **-·man** *n.* ⓒ 창고업자(주); 창고 노동자, 창고계.

:war·fare [wɔ́ːrfɛ̀ər] *n.* ⓤ 전투(행위), 전쟁, 교전 (상태).

wár·hèad *n.* ⓒ (어뢰·미사일의) 탄두(*an atomic ～* 핵탄두).

wár·hòrse *n.* ⓒ 군마; 《口》 노병; 노련가.

'war·like [⎺làik] *a.* ① 전쟁[군사]의. ② 호전적인; 전투[도전]적인. ③ 군사(軍武)의.

warm [wɔːrm] *a.* ① 따뜻한; 몸이 더운. ② (마음씨·색이) 따뜻한; 친밀한; 마음에서 우러나는. ③ 열렬한, 흥분한. ④ 《獵》 (냄새·자취가) 생생한. ⑤ 《口》 (숨바꼭질 따위에서) 숨바꼭질 따위에서 술래가 숨은 사람에게 가까운. ⑥ 불유쾌한. ⑦ 《口》 살림이 유복한. **get·ting ～** 《口》 (숨바꼭질의 술래가》 숨은 사람 쪽으로 다가가는; 진실에 가까워지는. **grow ～** 흥분하다. **in ～ blood** 격분하여. **with ～** 더운 물과 설탕을 섞은 브랜디(cf. COLD without). **～ work** 힘드는 일. — *vt., vi.* ① 따뜻하게 하다. 데우다. ② 열중(하게)하다; 흥분시키다 (하다). ③ 동정을 느끼게[하다]. **～ up** 《競》 준비 운동을 하다. — *n.* (a ～) 《口》 따뜻하게 하기, 따뜻해지기. **ᐸᴇ·er** *n.* ⓒ 따뜻하게 하는 사람[장치].

wárm-blóoded *a.* 온혈(溫血)의; 열혈의; 온정이 있는.

wárm-héarted *a.* 친절한, 온정이 있는.

wárming pàn 긴 손잡이가 달린 난로기(暖床器).

W

warming-úp *n.* ⓒ [競] 워밍업, 준비 운동.

warm·ly [wɔ́ːrmli] *ad.* 따뜻이, 정 겨하게; 흥분되어.

wár·mònger *n.* ⓒ 전쟁 도발자, 주전론자. **~·ing** *n.* ⓤ 전쟁 도발 행위.

warmth [wɔːrmθ] *n.* ① (기온·마음·태도의) 따뜻함 ② 열성, 열렬; 흥분, 화. ③ 온정.

wárm·ùp *n.* = WARMING-UP.

warn [wɔːrn] *vt.* ① 경고하다 《*against, of*》; ~ …시키다. ② 훈계하다; 예고[통고]하다.

warn·ing [wɔ́ːrniŋ] *n.* ① ⓤⓒ 경고, 훈계 ② ⓒ 정보; 훈계가 되는 것 [사람]. ③ ⓤ 예고, 통지. ④ ⓒ 전조. *take ~ by* …을 교훈으로 삼다.

warp [wɔːrp] *vt.* ① (판자 따위를) 뒤틀리게 하다, 구부리다, 휘다. ② (마음·진실 등을) 뒤틀리게 하다, 왜곡하다. ③ [海] …을 밧줄로 끌다. — *vi.* 뒤틀리다[구부러지다]; 뒤틀리어 움직이다. ④ ~ (the ~) (피륙의) 날실(opp. *woof*). ② (a ~) 뒤틀기러짐; 비뚤어짐; 뒤틀림.

wár páint 아메리카 인디언이 출전 때에 얼굴·몸에 바르는 물감; 《口》성장(盛裝).

wár·páth *n.* ⓒ (북아메리카 원주민의) 출정의 길. *on the ~* 싸우려고; 노하여.

war·rant [wɔ́(ː)rənt, -ɑ̀-] *n.* ① ⓒⓤ 정당한 이유, 근거, 권한, 권능 ② ⓒ 보증(이 되는 것). ③ ⓒ 영장《a ~ of *arrest* 구속 영장/a ~ of ATTOR-NEY; 지급 명령서; 허가증》. ④ ⓒ [軍] 하사관 사령(辭令). — *vt.* 권한을 부여하다; 정당화하다; 보증하다; 《口》단언하다. *I'll ~ (you)* 《삽입구》확실히. **~·a·ble** *a.* 보증할 수 있는; 정당한. **~·ed**[-id] *a.* 보증된 《위.

wárrant òfficer [軍] 하사관, 준위.

war·ran·ty [wɔ́(ː)rənti, -ɑ̀-] *n.* ⓒ 보증, 담보; (확고한) 이유, 근거.

war·ren [wɔ́(ː)rən, -ɑ̀-] *n.* ⓒ 양토장《養兎場》; 토끼의 번식지; 사람이 몰려 들끓는 지역.

war·ring [wɔ́ːriŋ] *a.* 서로 싸우는; 적대하는; 양립하지 않는.

war·ri·or [wɔ́(ː)riər, -ɑ̀-] *n.* ⓒ 무

인(武人); 노병(老兵), 용사.

:war·ship [wɔ́ːrʃìp] *n.* ⓒ 군함(war vessel).

wart [wɔːrt] *n.* ⓒ 사마귀 (나무의) 옹이. **~·y** *a.* 사마귀 모양의[가 많은].

wár·time *n.,* *a.* 전시(의).

war·y [wɛ́əri] *a.* 주의 깊은(*of*). **wár·i·ly** *ad.* **wár·i·ness** *n.*

was [waz, 弱 wəz/-ɔ-] *v.* be의 1 인칭 3인칭 단수·직설법 과거.

wash [waʃ, -ɔ(-)] *vt.* ① 씻다, 빨다 《종교적으로》 씻어 정하게 하다. ③ (물결이) 씻다, 밀려다니다. 쓸어 떠내려 보내다, 쓸어 가다《*away, off, along, up, down*》; 침식하다. ④ (색·금속 등을) 엷게 입히다, 도금하다. ⑤ [鑛] 세광하다《ore ~》. — *vi.* ① 씻다; 세탁하다. ② 《英口》믿을 만하다고; ③ 물결이 씻다《*upon, against*》. *~ down* 씻어내다. 《음식을 씻을 듯이 마시다. *~ one's hands* (완곡히) 변소에 가다. *one's hands of* …에서 손을 떼다. *~ out* 씻어내다; 버리다. *~ up* (식후) 설거지하다. — *n.* ① (a ~) 씻기, 2 (the ~) 세탁(물)《*sing.*》세탁물. ③ ⓤ (파도의) 밀려옴, 그 소리; 배 지나간 뒤의 물결, 비행기 지나간 뒤의 기류의 소용돌이. ④ ⓤ 물기 많은 음식, 도료《*ore ~*》 세면(洗面), 화장수. ⑥ ⓒ (그림 물감의) 엷게 칠한 것 ⑦ ⓤ [鑛] 세광 원료.

~·a·ble *a.* 세탁이 잘 되는.

wásh·bàsin *n.* ⓒ 《美》세숫대야.

wásh·bòard *n.* ⓒ 빨래판.

wásh·clòth *n.* ⓒ 세수《목욕용》 수건; 행주.

wásh·dày *n.* ⓤⓒ (가정에서의) 정한 세탁날.

wàshed-óut *a.* 빨아서 바랜; 《口》 기운 없는.

wàshed-úp *a.* 《俗》 실패한, 퇴짜 맞은; 《口》 기진한.

wash·er [-ər] *n.* ⓒ 세탁하는 사 람; 좌철(座鐵), 와셔.

:wash·ing [-iŋ] *n.* ⓤⓒ 빨래, 세탁, 웾음; ④ 《집합적》세탁물; (*pl.*) 빨래(한) 물; 씻겨 나온 것《때·사금(砂金) 따위》.

wáshing machìne 세탁기.

wáshing sòda 세탁용 소다.

wáshing-úp n. ⓤ 설거지.

wásh·òut n. ⓒ (도로·철도의) 유실, 붕괴; 붕괴된 곳; (俗) 실패(자), 실망.

wásh·ròom n. ⓒ (美) ① 화장실. ② 세탁실. ③ 세면소.

wásh·stànd n. ⓒ (美) 세면대.

was·n't[wʌ́znt, wʌ́z-/wɔ́z-] was not의 단축.

wasp[wasp, -ɔ(ː)-] n. ⓒ ① [蟲] 장수말벌. ② 성을 잘 내는 사람. **<·ish** a. 말벌 같은; 허리가 가는; 성잘 내는; 심술궂은.

WASP, Wasp (< White Anglo-Saxon Protestant) n. (蔑) 백인 앵글로색슨 신교도(美국 사회의 주류).

wast·age[wéistidʒ] n. ⓤ 소모.

waste[weist] a. ① 황폐한, 미개간의, 불모의. ② 쓸모 없는; 페물의; 여분의. **lay** ~ (땅을) 황폐케하다, 파괴하다. **lie** ~ (땅이) 황폐해져 있다. **——** vt. ① 낭비하다 (on, upon). ② 황폐시키다. **——** vi. 소모하다; 헛되이 (낭비)되다; 쇠약해지다(away). **——** n. ① ⓤ (종종 pl.) 황무지; 황량한 전망. ② ⓤ 낭비, ⓤ 쇠약; ⓤ 페물, 찌꺼기, 쓰레기. **go** 〔**run**〕 **to** ~ 헛되이 되다, 낭비되다. **<·less** a. 낭비 없는.

wáste·bàsket n. ⓒ 휴지통.

wáste·ful[-fəl] a. 낭비하는, 불경제의. **·ly** ad. **·ness** n.

wáste lànd(s) 황무지.

wáste·pàper n. ⓤ 휴지.

wástepaper bàsket (英) 휴지통.

wáste pìpe 배수관.

wast·rel[wéistrəl] n. ⓒ 낭비가; (주로 英) 부랑자(아); (제품의) 파치.

watch[watʃ, -ɔ:-] n. (원뜻은 wake) ① ⓒ 회중[손목]시계. ② ⓤ 지켜봄, 감시; 주의, 경계. ③ ⓤ [史] 불침번, 야경. ④ ⓒ (밤을 3[4]분한) 1구분, 경(更). ⑤ ⓒⓤ [海] (4시간 교대의) 당직, 당직 시간, 당직 원. **be on the** ~ **for** …을 감시하고 있다; 방심치 않고 있다; 대기하고 있다. **in the ~es of the night** 밤에 자지 않고 있을 때에. **keep**

(**a**) ~ 감시하다. **on** 〔**off**〕 ~ 당번[비번]의. **pass as a** ~ **in the night** 곧 잊혀지다. **——** **and ward** 밤낮없는 감시; 부단한 경계. **——** vt. ① 주시하다; 지켜보다; 감시하다. ② 간호하다, 돌보다. ③ (기회를) 엿보다. **——** vi. ① 지켜보다; 주의하다. ② 경계하다; 기대하다(for). ③ 자지 않고 있다, 간호하다. ~ **out** (美口) 조심하다, 경계하다. ~ **over** 감시하다; 간호하다, 돌보다. ~ **er** n. ⓒ 감시인; 간호인; (美) 투표 참관인. **<·ful** a. 주의깊은; 방심하지 않는(of, against). **<·ful·ness** n.

wátch·dòg n. ⓒ 집 지키는 개; (엄밀) 감시인.

wátch·màker n. ⓒ 시계 제조[수리]

wátch·man[-mən] n. ⓒ 야경꾼; (美) 수위.

wátch·tòwer n. ⓒ 감시탑, 망루.

wátch·wòrd n. [史] 암호; 표어, 슬로건.

wa·ter[wɔ́ːtər, wɑ́tər] n. ① ⓤ 물. ② ⓤ 분비액(눈물·땀·침·오줌 따위). ③ ⓤ 광물, 화장수; (종종 pl.) 광천수. ④ (종종 pl.) 바다, 호수, 강; (pl.) 조수, 흐름, 물결, 놀. ⑤ (pl.) 영해, 근해. ⑥ ⓤ (보석의) 품질, 등급; ⓤ (피륙의) 물결 무늬. ⑦ ⓒ 자산의 과대 평가 등에 의하여 불어난 자본(주식). **above** ~ (경제적인) 어려움을 모면하여, **back** ~배를 후진(後進)시키다. **bring the** ~ **to a person's mouth** 군침을 돌리게 하다. **by** ~ 배로, 해로로. **cast one's bread upon the** ~ 음덕(陰德)을 베풀다. **get into hot** ~ 곤경에 빠져서, **hold** ~ (그릇이) 물이 새지 않다; (이론·학설 따위가) 정연하다, 빈틈이 없다, 옳다. **in deep ~s** (俗) 곤경에 빠져서, **in low ~s** 돈에 옹색하여, 기운이 없어서, **in smooth ~s** 평온하여, 순조로이, **like ~** 물쓰듯, 평평, **make** 〔**pass**〕 ~ (보석 따위) 최고급의; 일류의 **take** (**the**) ~ (배가) 진수하다; (비행기)가 착수하다. **take** ~ (배가) 물을 뒤집어 쓰다. (俗) 기운을 잃다, 지치다. ~ **of crystallization** [化] 결정수, **the** ~ **of forgetful**

ness 〔그神〕 망각의 강; 망각; 죽
음. **throw cold ～ on** …에 트집을
잡다. **tread** ― 쉬엄쉬엄치다, **written
in** ― 허망한. ― *vt.* ① …에 물
을 끼얹다(뿌리다, 주다); 적시다. ②
물을 따서 묽게 하다. ③ (피류 등에)
물질 무늬를 넣다. ④ 불의 자본을 늘
리지 않고 명의상의 주식을 증가(增株)
하다. ― *vi.* ① (동물이) 물을 마시
다. ② (배·기관이) 급수를 받다. ③
눈물이 나다, 침을 흘리다.

wáter bèd 물을 넣는 매트리스.

wáter bìrd 물새.

wáter-bòrne *a.* 수상 운송의; 물
에 떠 있는.

wáter bòttle (세면대·식탁용의 유
리로 만든) 물병; 《주로 英》 수통.

wáter búffalo 물소.

wáter cànnon trùck 방수차(데
모 진압용).

wáter clòset 변소.

wáter còlo(u)r 수채화 물감; 수채
화(법).

wáter-còol *vt.* 〔機〕 수냉(水冷)
(식)으로 하다.

wáter còoler 음료수 냉각기.

wáter-còurse *n.* ⓒ 물줄기, 강;
수로.

wáter crèss 〔植〕 양갓냉이.

wa·ter·fall[-fɔːl] *n.* ⓒ 폭포.

wátering càn 물뿌리개.

wátering hòle 《美口》 술집.

wátering plàce (마소의) 물 마시
는 곳; (대상·동물들을 위한) 급수
장; 온천장; 해수욕장. [LINE.

wáter lèvel 수평면; =WATER-

wáter lìly 〔植〕 수련.

wáter-lìne *n.* ⓒ 흘수선(吃水線).

wáter-lògged *a.* (목재 등) 물이
스며든; (배가) 침수한.

Wa·ter·loo[wɔ̀ːtərlúː, ⌐⌐⌐] *n.*
워털루(《벨기에 중부의 마을; 1815년
나폴레옹의 패전지》의 싸움); ⓒ 대
패전; 대결전. **meet one's ～** 참패

하다.

wáter màin 수도 본관(本管).

wáter·màrk *n., vt.* ⓒ (강의) 수위
표; (종이의) 투문(透紋)(은 넣다).

wáter·mèlon *n.* ⓒ 〔植〕 수박(덩).

wáter mìll 물레방아. [굴).

wáter pòlo 〔競〕 수구(水球).

wáter pòwer 수력.

wa·ter·proof[-prùːf] *a., n., vt.*
방수(防水)의; ⓤ 방수 재료(포·복),
ⓒ 레인코트; 방수처리(하게).

wáter·shèd *n.* ⓒ 분수계; 유역.

wáter-sìde *n.* (the ～) 물가.

wáter skì 수상스키(의 용구).

wáter-skì *vi.* 수상스키를 타다.

wáter sòftener 연수제(軟水劑);
경수기.

wáter·spòut *n.* ⓒ 물기둥, 바다회
오리; 홈통.

wáter supplý 상수도; 급수(량).

wáter tàble 〔土〕 지하수면.

wáter·tìght *a.* 물을 통하지 않는;
(의론 따위) 빈틈없는.

wáter tòwer 급수탑; 《美》소화용
급수탑(사다리차).

wáter·wày *n.* ⓒ 수로, 운하.

wáter whèel 수차(水車); 양수차.

wáter wìngs (수영용의) 날개형
부낭(浮囊).

wáter·wòrks *n. pl.* 급수 설비, 급
수소.

wa·ter·y[wɔ́ːtəri, wɑ́t-] *a.* ① 물
의; 물이(물기) 많은; 비 올 듯한;
수중의. ② 눈물어린. ③ (액체가) 묽
은, (색 따위) 엷은; 물빛의; (문장
따위) 약한, 맥빠진.

watt[wɑt/-ɔ-] *n.* ⓒ 와트(전력의 단
위). **～·age**[-idʒ] *n.* ⓤ 와트 수.

wat·tle[wɑ́tl/-ɔ́-] *n.* ⓤ 외리
(세공), 휘추리로 엮은 울타리; ⓒ
(닭·칠면조 따위의), 목 아래의 늘어
진 살; ⓤ 아카시아의 일종. ― *vt.*
(울타리를) 휘추리로 엮어
만들다; 겯다. **～·tled**[-d] *a.* 휘추
리로 겯어 만든; 늘어선 살이 있는.

wave[weiv] *n.* ⓒ ① 물결, 파도.
② 〔詩〕 (강·바다 따위) 물결, 바다.
③ 파동, 기복, 굽이침; 파상 곡선;
(머리털의) 웨이브; (감정 등의) 고
조, ④ 격변, 속발(續發); *a crime*
～ 범죄의 연발). ⑤ (신호의) 한 번
흔듦, 신호. ⑥ 〔理〕 파(波) ― 파동.

⑦ 〖컴〗 파, 파동. **make ~s**《美口》풍파〔소동〕를 일으키다. ── *vi.* ① 물결치다; 흔들리다; 너울거리다; 펄럭이다《파상으로》기록하다, 굽이치다. ② 흔들어 신호하다《*to*》. ── *vt.* ① 흔들다; 휘두르다; 펄럭이게 하다; 흔들어 신호하다〔나타내다〕(*She ~d him nearer.* 손짓으로 불렀다). ② 물결치게 하다, (머리털에) 웨이브를 내다. **~ aside** 물리치다. **~ away** 〔*off*〕손을 흔들어 쫓아버리다, 거절하다.

wáve bànd n. 〖無電·TV〗주파대(周波帶).

wáve·length n. 〖理〗파장.

wa·ver[wéivər] *vi.* ① 흔들리다《빛이》반짝이다. ② 비틀거리다; 망설이다. ── n. ⓤ 망설임.

wav·y[wéivi] *a.* 파상의, 파도〔물결〕치는; 파도 많은; 물결이 일고 있는.

:wax[wæks] n. ⓤ 밀랍(蜜蠟); 왁스; 납(蠟)(모양의 것). **~ in one's hands** 뜻대로 다룰 수 있는 사람. ── *vt.* (…에) 밀을 바르다, 밀을 입히다, 밀을 닦다. ── *a.* 밀의, 밀로 만든. **~ed**[-t] *a.* 밀을 바른. **~·en** *a.* 밀로 만든; (밀처럼) 말랑말랑한, 부드러운, 창백한. **~·y** *a.* 밀 같은; 밀로 만든, 밀을 입힌; 밀을 함유한; 창백한; 유연(柔軟)한.

wax[2] *vi.* 차차 커지다; 증대하다; (달이) 차다; …(하게) 되다.

wáx·wòrk n. ⓒ 납(蠟) 세공〔인형〕.

:way[1][wei] n. ① ⓒ 길, 가로, ② ⓤ 진로; 진행, 전진, ③ (*sing.*) 거리; 방향; 근처, 부근, 방면(*He lives somewhere Seoul ~*). ④ ⓒ 방법, 수단; 풍(風), 방식; 습관, 풍습, 풍. ⑤ (종종 *pl.*) 버릇; 방침, 의향; (처세의) 길, ⑥ ⓤ 〖海〗 장사(進水); 진행; (*He is in the toy ~.* 장난감 장사를 하고 있다). ⑦ ⓒ (…한) 점, 사항; (경험·주의 따위의) 방면, ⑧ 《~口》 상태, ⑨ (*pl.*) 진수대(進水臺). **all the ~** 도중 내내; 멀리(서), 일부러. 《美》 = ANYWHERE. **a long ~ off** 멀리 떨어져서, 먼 곳에. **by the ~** 도중에서; 그런데. **by ~ of** …을 경유하여서; …로서; …을 위하여, …할 셈으로. **by ~ of doing** 《英口》…하는 버릇으로; …을 직업으

로 하여; …으로 유명하여, …라는 상태(지위)로 (돼 있다)(*She's by ~ of being a pianist.*) **come a person's ~** (아무에게) 일어나다(일이 잘 돼 나가다. **find one's ~** …에 다다르다, 고생하여 나아가다 (*to, in, out*). **force one's ~** 무리하여 나아가다. **gather (lose) ~** 〖海〗속력을 내다(늦추다). **get in (into) the ~** 방해가 되다. **get out of the ~** 제거하다, 처분하다; 피하다, 비키다. **get under ~** 진행하기 시작하다, 시작되다; 출발(出發)하다. **give ~** 무너지다, 허물어지다; 굴복하다, 물러나다; 양보하다(*to*); 참다 못해 …하다(*give ~ to tears* 울음을 터뜨리다). **go a good (long ~)** 크게 도움이 되다(*to, toward*). **go little ~** 그다지 도움이 안되다(*to, toward*). **go (take) one's own ~** 제멋대로 하다. **go one's ~** 출발하다. 떠나다, **go out of the ~** 딴데를 돌르다; 일부러 예정에 없던 일을 하다; 일부러 (주제넘게) …하다. **go the ~ of all the earth (all flesh, all living)** 죽다. **have a ~ with a person** (사람) 다룰 줄 안다. **have one's (own) ~** 제 마음〔멋〕대로 하다. **in a bad ~** 형편이 나빠져서; 경기가 나빠, **in a great ~** 대규모로(《英》(감정이) 격해서. **in a small ~** 소규모로, **in a ~** 어떤 점으로는, 보기에 따라서는; 어느 정도(;《英》(감정이) 격해서. **in no ~** 결코 …아니다. **in one's ~** 능사로, 전문으로. **(in) one ~ or another (other)** 어떻게든 해서, 이력저럭. **in the ~** 도중에; 방해가 되어. **in the ~ of** …의 버릇이 있어; …에 대하여; …에 유망하여, **look nine ~s, or look two ~s to find Sunday** 지독한 사팔뜨기다. **make one's ~** 가다, 나아가다; 성공하다. **make ~** 길을 열다(양보하다)(*for*); 나아가다, 진보하다, **once in a ~** 이따금, **on the ~** 도중에서, 가는 도중, 《口》 (아기가) 태어나려고 하여. **out of one's ~** 자기 쪽에서 (일부러). **out of the ~** 방해가 안되는 곳에; 길에서 벗어나; 이상(異常)한; 살해되어, **pay one's ~** 빚지지 않고

내다. **put** *a person in the* ~ *of*
…할 기회를 주다. **see one's** ~
수 있을 것으로 생각하다(*to*). **take**
one's ~ 나아가다(*to, toward*). **the**
~ **of the world** 세상의 관습. **un-**
der ~ 진행중에; 항해중에. **~s and**
means 수단, 방법; 재원(財源).

way² *ad.* 《美口》 훨씬, 멀리(*away*).
— **back** 훨씬 이전.

way·far·er [ㅗㅿㅔㄱㅓㄱ] *n.* ⓒ 《雅》
(특히 도보의) 나그네.

way·lay [wèiléi] *vt.* (-**laid**) 숨어서
다리다(…을 가로막다가 말을 걸다.

wáy·out *a.* 《美俗》 이상한, 색다른;
전위적인, 탁월한.

-ways [wèiz] *suf.* '방향·위치·상태'
를 보이는 부사를 만듦.

wáy·side *n. a.* (the ~) 길가(의).

way·ward [wéiwərd] *a.* ① 정도
(正道)를 벗어난; 말을 안 듣는; 외고
집의. ② 고집 센. ③ 변덕스러운; 일정하
지 않은. **~·ly** *ad.* **~·ness** *n.*

W.C. West Central (London);
w.c. water closet.

we [wi:, 弱 wi] *pron.* ① 우리는
(가). ②《제왕의 자칭》짐(朕). ③
(부모가 자식에게)·나, (간호사가
환자에게) 당신(*How are we today?*
오늘 좀 어떠십니까?

weak [wi:k] *a.* ① 약한; 힘없는;
(권력·근거 등이) 박약한. ② 어리석
은, 결단력이 없는; (용해이) 묽은.
④ 약점을 잡는; 불충분한. ③ 《文》
약세화의; 《聲》 (소리가) 약센트 없
는, 약한. ⑥ 《商》 (시장의) 약세인,
내림세인. ~ **point** [**side**] 약점.
— **verb** 약변화, 동사. ~·**ly** *a. ad.*
약한, 박약히; 약하게. ~·**ness** *n.*
ⓤ 약점; 허약; 박약; 우둔; 결함. ② ⓒ
못견디게 좋아하는 것; 편애(偏
愛)(*for*).

weak·en [ㅗ] *vt., vi.* ① 약하게
하다; 약해지다. ② 묽게 하다. ③
단성이 없어지다, 우유부단하게 되다.

weal *n.* ⓒ 책찍 맞아 지령이처럼 부
르튼 곳.

wealth [welθ] *n.* ① ⓤ 부(富); ⓤⓒ
재산; 재화. ② ⓤ 풍부(*of*). ③ ⓤⓒ
~ 유복함; 풍부함.

wean [wi:n] *vt.* 젖떼다(*from*): 떼
어놓다, 버리게 하다, 단념시키다

weap·on [wépən] *n.* ⓒ 무기, 병
기, 흉기. **women's** ~**s** (여자의
무기인) 눈물《*Shak., Lear*, II. iv.
280》. ~·**ry** *n.* ⓒ《집합적》무기
(weapons).

wear [wɛər] *vt.* (**wore; worn**) ①
몸에 지니고 있다; 입고[신고, 쓰고,
차고] 있다. ② (수염을) 기르고 있
다. ③ 얼굴에 나타내다. ④ 닳게 하
다; 써서 낡게 하다; 닳아서 구멍이
생기게 하다. ⑤ 지치게 하다. ⑥
《海》(배를) 바람을 등지게 돌리다.
— *vi.* ① 사용에 견디다, (옷 따위
가)… ② 닳아져 해지다(*away, down,*
out, off). ③ (때 따위가) 점점 지나
다(*away, on*). ~ **away** 닳(게)다;
경과하다. ~ **down** 닳(게)하다; 닳
려서 낮아지(게)하다; 지치게 하다.
(반항 등을) 꺾다. ~ **off** 점점 줄어
들다[닳게 하다]. ~ **one's years**
well 젊어 뵈다. ~ **out** 써서[입어]
낡게 하다; 닳리다; 지치(하게)하다. —
n. ⓤ 착용. ②
옷(*everyday* ~ 평상복). ③ ⓤ 입어
남, 닳아 해짐. ④ 지탱함. **be in** ~
(옷이) 유행되고 있다. ~ **and tear**
닳아해짐, 마손, 소모.

wea·ry [wíəri] *a.* ① 피로한; 싫어
싫증난(*of*). ② 지치게 하는; 넌
더리 나는. — *vt.* 지치게 하다; 지루
하게 하다. — *vi.* ① 지치다; 지루해
지다, 싫증나다(*of*). ② 동경하다
(*for*). **·wéa·ri·ly** *ad.* **·wéa·ri·ness**
n. **·wéa·ri·some** *a.* 피곤하게 하는;
싫증나는.

wea·sel [wíːzəl] *n.* ⓒ ① 족제비.
② 교활한 사람. ③ 수륙 양용차.
wéasel wòrds 핑계.

weath·er [wéðər] *n.* ① ⓤ 일기,
날씨. ② 황천(荒天). *April* ~ 비가
오다 개다 하는 날씨; 울다 웃다 하는
날씨. *make heavy* ~ (작은 일을) 과
장하여 말하다. *under the* ~
《口》 몸이 편찮아; 얼근히 취하여;
안은. — *vt.* ① 비바람에 맞히다;
외기(外氣)에 쐬다. 말리다; (암석을)
풍화시키다. ② 《海》 (…의) 바람을
거슬러 달리다. ③ (곤란 따위를) 뚫

고 나아가다. — vi. 외기에 쐬어 변화하다. 풍화하다.

wéather-bèaten a. 비바람에 시달린. 햇볕에 탄.

wéather-bòard n., vt., vi. ⓒ 미늘 판자(를 대다).

wéather-còck n. ⓒ 바람개비, 변덕쟁이.

weather forecast 일기예보.

wéather-màn n. ⓒ 《美》 일기예보자, 예보관, 기상대 직원.

wéather-pròof a., vt. 비바람에 견디는(견디게 하다). 《축소.

wéather stàtion 측후소, 기상 관측소.

weather vàne 바람개비(weather-ercock).

weave [wiːv] vt. (wove, 《稀》~d; woven, 《稀》wove) ① 짜다, 엮다. ② (이야기 따위를) 꾸미다, 얽다. ~ one's way 누비듯이 나아가다. (길을) 이리저리 헤치고 나아가다. — vi. ① 짜다. ② (좌우로) 몸을 치고 나아가다《空軍服》 적기를 누비면서 잘 피하다. — ⓤ (a ~) 짜기, 짜는 법. *wéav·er n. ⓒ 짜는 사람, 직공(織工); 피리새.

web [web] n. ① 거미집, 거미줄 모양의 것. ② 피륙; 한 필분의 천. ③ 꾸민 것 《a ~ of lies 거짓말 투성이》. ④ (물새의) 물갈퀴. ⑤ 한 두루마리의 인쇄용지. ~**bed** [-d] a. 물갈퀴 있는. ~**bing** n. ⓤ (피대 따위로 쓰는 튼튼한) 띠; (깔개 따위의) 두꺼운 가장자리; 물갈퀴.

:**wed** [wed] vt. (~**ded**, ~**ded**, 《稀》**wed**; -**dd**-) (…와) 결혼하다《시키다》; 결합하다《to》. — vi. 결혼하다. *~**·ded** [-id] a. 결혼한; 결합한; 집착한《to》.

:**we'd** [wiːd, 弱 wid] we had 〔would, should〕의 단축.

Wed. Wednesday.

wéd·ding [wédiŋ] n. ⓒ 결혼(식); 결혼 기념일.

wédding brèakfast 결혼 피로연.

wédding càke 혼례 케이크.

wédding rìng 결혼 반지.

wedge [wedʒ] n. ⓒ 쐐기. — vt. ① 쐐기로 짜개다(쪼개다). ② 무리하게 밀어 넣다《in, into》. 밀고 나가다. ~ **away** 〔off〕 밀어 제치다.

wed·lock [wédlɑk/-lɔk] n. ⓤ 결혼 (생활).

Wednes·day [wénzdei, -di] n. ⓒ 《보통 무관사》 수요일.

wee [wiː] a. 《주로 Sc.》 조그마한.

weed [wiːd] n. ① 잡초. (the ~) 《ⓤ》 담배; 엽궐련. ② 《美俗》 마리화나. ③ 깡마르고 못생긴 사람 (말). — vt., vi. 잡초를 뽑다. ~ **out** 잡초를〔못 쓸 것을〕 제거하다. ~**·er** n. ⓒ 제초기, 제초하는 사람. ~**·y** a. 잡초의, 잡초 같은; 잡초가 많은; 호리호리한.

wéed-killer n. ⓒ 제초제.

:**week** [wiːk] n. ⓒ 주(週). ② 평일, 취업일. this day ~ 전주〔내주〕의 오늘. ~ **in**, ~ **out** 매주마다.

wéek·day [ⁿdèi] n., a. ⓒ 평일(의).

wéek·end [ⁿènd] n., a. 주말(토요일 오후 또는 금요일 밤부터 월요일 아침까지); 주말의; 주말을 보내다. ~**·er** n. ⓒ 주말 여행자.

wéek·ends [ⁿènz] ad. 주말에.

wéek·ly [ⁿli] a. ① 1주간의; 1주간 계속되는. ② 주 1회의, 매주의. — ad. 주 1회, 매주. — n. ⓒ 주간지(紙-誌).

wee·ny [wíːni] a. 《口》 작은, 조그마한.

weep [wiːp] vi. (**wept**) ① 울다, 눈물을 흘리다. ② 슬퍼하다, 비탄하다《for, over》. ③ 물기가 듣다. — vt. ① (눈물을) 흘리다. ② (수분을) 스며 나오게 하다. ~ **away** 울며 지내다. ~ **oneself out** 실컷 울다. ~ **out** 울며 말하다. ~**·er** n. ⓒ 우는 사람; (장례식의 상복으로) 우는 남자〔여자〕. *~**·ing** a. 우는, 눈물을 흘리는; (가지가) 늘어진.

wéeping wíllow 《植》 수양버들.

weep·y [wíːpi] a. 《口》 눈물 잘 흘리는.

wee·vil [wíːvəl] n. ⓒ 《蟲》 바구미과의 곤충.

wee·wee [wíːwiː] n., vi. 《兒》 쉬(하다).

weft [weft] n. (the ~) 《집합적》 (피륙의) 씨실(woof).

weigh [wei] vt. ① 저울에 달다, 무게를 재다. ② (비교해서) 잘 생각하다. ③ (닻을) 올리다.

 W

내리 누르다(*down*). ④ (닻을) 올리다. — *vi.* ① 무게를 달다; 무게가 …나가다. ② 중요시되다, 존중되다(*with*). ③ 무거운 짐이 되다, 압박하다(*on, up*); 숙고하다. ~ **in** (기수가 경마 후 [권투 선수가 시합 전]에) 몸무게를 달다. ~ **one's words** 숙고하여 말하다, 말을 음미하다. ~ **out** 달아 나누다; (기수가 경마 전에) 몸무게를 달다.

weigh·bridge *n.* ⓒ 계량대(臺)(차량·가축 등을 재는, 노면과 같은 높이의 대형저울).

weigh·in *n.* ⓒ 기수(騎手)의 레이스 직후의 계량.

weight[weit] *n.* ① ⓤ 무게, 중량. ② ⓒ 저울눈, 형량(衡量). ③ ⓤ 무거운 물건, 추, 분동(分銅). ④ ⓤ 압박; 부담, 짐. ⑤ ⓤ 중요성; 영향력. ⑥ ⓤ [稅] 가중치. **by** ~ 무게로. **give short** ~ 무게를 속이다. **have** ~ **with** …에 있어 중요하다. **pull one's** ~ 자기 책임을 이행하여 배를 젓다; 제구실을 다하다. ~**s and measures** 도량형. — *vt.* (…에) 무겁게 하다, 무게를 가하다; 무거운 짐을 지우다; 괴롭히다(*with*). * ~·**y** *a.* 무거운, 유력한; 중요한; 영향력이 있는; 견디기 어려운.

weight·less *a.* 무중력 상태의.

weight lifter 역도 선수.

weight lifting 역도.

weir[wiər] *n.* ⓒ 둑(dam) ; (물고기를 잡는) 어살.

***weird**[wiərd] *a.* 초(超)자연의; 이상한, ⓤ 기묘한. — *n.* ⓤⓒ (古·Sc.) 운명, (특히) 불운.

weird·ie, -y[wíərdi], -o [-ou] *n.* ⓒ (미)괴짜.

***wel·come**[wélkəm] *a.* ① 환영받는, ② 고마운, ③ 마음대로 …할 수 있는(*to*). **and** ~ 그것으로 됐다. **You are** (*quite*) ~. (美) 'Thank you.'에 대한 대답으로) 천만의 말씀. — *int.* 어서 오십시오! 잘 오셨소! — *n.* ⓒ 환영(인사). — *vi.* 환영하다.

***weld**[weld] *vt.* 용접(溶接)[단접]하다; 결합하다, 밀착시키다(*into*). — *vi.* 용접[단접]되다. ~·**ment** *n.*

ⓤ ⓒ 용접(한 것).

***wel·fare**[wélfèər] *n.* ⓤ 복지, 후생, 복리 (사업). ~·**ism** [-fèər-izm] *n.* ⓤ 복지 정책(보조금).

welfare state 복지 국가.

welfare work 복지 후생 사업.

welfare worker 복지 사업원.

***well**[wel] *n.* ⓒ ① 우물, 샘; 샘물. ② (층계의) 물린 공간, (엘리베이터의) 종갱(縱坑). ③ 우묵한 곳, 책상의 잉크병 받이. — *vi.* 솟아나다(*up, out, forth*).

***well** *ad.* (*better*; *best*) ① 잘, 훌륭히; 만족스럽게. ② 적당히, ③ 충분히; 크게, 꽤; 상세히. **as** ~ …도 또한, 그 위에; 마찬가지로. **as** ~ **as** …과 같이; …하는 것이 좋다. **may** (**as**) ~ …하는 것이나 마찬가지다. **might as** ~ …하는 것이나 마찬가지다. **W- done!** 잘한다! ① (美) 건강한. ② 적당한. ③ 좋은, 만족한, 형편(운)좋은. **get** ~ 좋아지다, 낫다. — *int.* ① (놀라움) 어머, 저런. ② (승인·양보) 과연; 그래, 그럼. ③ (기대·이야기의 계속) 그런데; 그래서; 자. ④ (안심) 그것이 그랬단 말야(*W-?*) ⑤ (항의) 그거야. **W-, to be sure!** 저런, 이것 참 놀랄 노릇! **W- then?** 아하, 그래서? **well**[wi:l] we **shall** (**will**)의 단축형.

we'll[wi:l] we **shall** (**will**)의 단축형.

well-advised *a.* 사려깊은, 현명한.

well-appointed *a.* 충분히 장비(설비·준비)된.

well-balanced *a.* 균형잡힌; 상식있는; 제정신의.

well-behaved *a.* 행실(품행)좋은.

well-being *n.* ⓤ 복지, 안녕, 행복.

well-born *a.* 집안이 좋은.

well-bred *a.* 교양 있게 자란, 품위가 있는; (말 따위) 씨가 좋은.

well-built *a.* 체격이 튼튼한(만들어진); (특히) 체격이 튼튼한(사람).

well-connected *a.* 좋은 친척[연줄]이 있는.

well-defined *a.* (정의가) 명확한; 윤곽이 뚜렷한.

well-disposed *a.* 호의 있는; 선의의; 마음씨 좋은, 친절한.

well-done *a.* (고기가) 잘 구워진(익은); 잘한.

well-earned *a.* 제 힘으로 얻은.

W

wéll-estáblished *a.* 기초가 튼튼한; 안정된, 확립된.

wéll-féd *a.* 영양이 충분한; 살찐.

wéll-fóunded *a.* 근거[이유] 있는, 사실에 입각한.

wéll-gróomed *a.* 옷차림이 단정한.

wéll-héeled *a.* 《俗》부유한, 아주 돈 많은.

wéll-infórmed *a.* 정보에 밝은, 박식한.

wéll-inténtioned *a.* 선의의, 선의로 한.

wéll-képt *a.* 손질이 잘 된.

wéll-knówn *a.* 유명한; 친한; 잘 알려진.

wéll-méaning *a.* 선의의, 선의에서 나온.

wéll-méant *a.* 선의로 한.

wéll-nígh *ad.* 거의.

wéll-óiled *a.* 《비유》기름진; 능률적인; 《俗》취한.

wéll-presérved *a.* 잘 보존된 (나이에 비해) 젊게 보이는.

well-réad[-réd] *a.* 다독한; 박학한.

wéll-róunded *a.* (통통히) 살찐; (문제 따위가) 균형잡힌.

wéll-spóken *a.* 말씨가 점잖은; (표현이) 적절한.

wéll-thóught-òf *a.* 평판이 좋은.

wéll-tímed *a.* 때를 잘 맞춘.

wéll-to-dó *a.* 유복한. **the ～** *n.* 부유 계급.

wéll-tríed *a.* 숱한 시련을 견디어낸.

wéll-túrned *a.* 잘 표현된.

wéll-wísher *n.* 호의를 보이는 사람.

wéll-wórn *a.* 써서 낡은; 진부한.

Welsh[welʃ, weltʃ] *a.* 웨일스(사람·말)의. — *n.* (the ～)(*pl.*)《집합적》웨일스 사람; 《U》웨일스어(語).

welsh[welʃ, weltʃ] *vi., vt.* 《俗》경마에서 돈 을 숫자쇠에 치르지 않고 달아나다; 꾼 돈을 떼어먹다.

Welsh·man[-mən] *n.* 《C》웨일스 사람.

Wélsh rábbit〔rárebit〕 녹인 치 즈를 부은 토스트.

welt[welt] *n., vt.* 《C》대다리(구두창에 갑피를 대고 맞꿰매는 가죽테)를 대다; 가장자리 장식(을 하다); 채찍(및)자국, 구타(하다).

wel·ter[wéltər] *vi.* 뒹굴다, 허위적[버둥]거리다(*in*); 묻히다, 잠기다,

빠지다(*in*). — *n.* (*sing.*) 뒹굶; 동요, 혼란.

wélter-wéight *n.* 《C》《競馬》 (장애물 경주 따위에서) 말에 지우는 중량물; 웰터급 권투선수[레슬러].

wench[wentʃ] *n.* 《C》《諧·廢》젊은 여자, 소녀; 《古》하녀.

wend[wend] *vt.* (～*ed*, 《古》**went**) 돌리다. — *vi.* 《古》가다.

†**went**[went] *v.* go의 과거. 《古》wend의 과거(분사) (분사).

†**wept**[wept] *v.* weep의 과거(분사).

†**were**[wər, *强* wəːr] *v.* be의 과거 《직설법 복수, 가정법 단수·복수》.

†**we're**[wiər] 《미국의》we are의 단축.《구어》

†**were·n't**[wəːrnt] were not의 단축.

wer·e·wolf[wíərwùlf, wɔ́ːr-] *n.* (*pl.* **-wolves**) 《C》(전설에서) 이리가 된 사람, 이리 인간.

Wes·ley[wésli, -z-]. **John** (1703-91) 영국의 목사; 감리교회의 창시자. — **·an** *a.*, *n.* 웨슬리의; 《C》감리교회의 (교도).

†**west**[west] *n.* ① (the ～) 서쪽, 서부 (지방). ② (the W-) 서양. ③ (the W-) (미국의) 서부지방. **in** 〔**on, to**〕 **the ～ of** (…의) 서부에 〔서쪽에 접하여, 서쪽에 위치하여〕. **～ by north〔south〕** 서미(微) 북 〔남〕. **～-north〔-south〕** ～ 서북 〔남〕서. — *a.* 서쪽(으로)의; 서쪽에서의. — *ad.* 서쪽에(으로, 에서). **go** ～ 서쪽으로 가다; 《俗》죽다.

Wést Cóuntry 잉글랜드의 Southampton과 Severn 강 어귀를 잇는 선의 서쪽 지방.

Wést Énd, the (런던의) 서부 지구《상류 지역》.

west·er·ly[wéstərli] *a., ad.*, *n.* 서쪽으로 향한〔향하게〕; 서쪽에서(의); 《C》서풍.

†**west·ern**[wéstərn] *a.* ① 서쪽의, 서쪽으로 향한, 서쪽에서의. ② (W-) 서양의. ③ (W-) 《美》서부 지방의. ④ (W-) 서쪽으로의. — *n.* (종종 W-) 《美》(문학·영화의) 서부물, 서부극(음악). **～·er** *n.* 《C》서양에 사는 사람; (W-) (미국의) 서부 사람. **～·most**[-mòust] *a.* 가장 서쪽의.

west·ern·ize[wéstərnàiz] *vt.* 서양식으로 하다, 서구화하다. **·i·za-**

W

tion[〜-izéiʃən] n.

west·ward[wéstwərd] n., a., ad. (the 〜) 서쪽; 서쪽(으로)의; 서방에(으로). **〜·ly** a., ad. 서쪽으로의. 서쪽에; 서쪽에서의. **;〜s** ad.

wet[wet] a. **(-tt-)** ① 젖은. 축축한. ② 비의, 비가 잦은. ③ 《美》 주류 제조 판매를 허가하는 사람, **be all** — 《美俗》 완전히 잘못되다. — **through (to the skin)** 흠뻑 젖어서. — n. ① 《the 〜》 비; 우천. ② 《the 〜》 《美》 주류 제조 판매에 찬성하는 사람. — vt., vi. **(wet, wetted; -tt-)** 적시다; 젖다. — **the bed** 자다가 오줌을 싸다. 〜**·tish** a. 축축한.

wét·bàck n. ⓒ 《美口》 (Rio Grande 강을 헤엄처 건너) 미국으로 밀입국한 멕시코 사람.

wét blànket 흥을 깨뜨리는[발을 잡는] 사람[것].

wét drèam 몽정(夢精).

wét nùrse 젖을 주는 유모(cf. dry nurse).

wét sùit 잠수용 고무옷. 〔축.

we've[wiːv, 弱 wiv] we have의

whack[hwæk] vt., vi. 찰싹 때리다. — n. ⓒ 구타; 몫; 시도. — **ing** n. ⓒ 《美口》 엄청난; ⓒ 때림(세게 치기), 강타. 〜**·y** a. = WACKY.

whacked[hwækt] a. 《주로 英口》 기진맥진한.

whale[hweil] n. ⓒ 고래; 《口》 꽹장히 큰 것(청난) 것. — vi. 고래잡이에 종사하다.

whal·er[〜ər] n. ⓒ 포경선.

whal·ing[〜iŋ] n. ⓤ 고래잡이.

wham[hwæm] n. ⓒ 꽝치는 소리; 충격. — vt., vi. **(-mm-)** 꽝치다, 후려갈기다.

wham·my[hwǽmi] n. ⓒ 《美俗》 재수없음(불길한) 주문; 주문, 마력, **put a (the) 〜 on** (…을) 트집잡다.

wharf[hwɔːrf] n. **(pl. 〜s, wharves**[〜idʒ] n. ⓤ 부두 사용(료). 〔집합적) 부두.

what[hwɑt/hwɔt] (rel.) pron. ① 《의문사》 무엇; 어떤 것(사람); 얼마

(금액). ② 《감탄》 얼마나. ③ 《の문사》〜(는)하는 바의 것(일); 〜(는)하는 것(일)는 무엇이나(**do — you please** 네가 무엇을 하든); 〜하는(의〔것)(He is **not — he was.** 옛날의 그가 아니다). **and — not** 그밖의 여러 가지, …등등. **but —** 《부정문에서》 〜않는, …이외의다는. **I'll TELL you. 〜 about (it)?** (그것은) 어떠한가, **W· for?** 〜 WHY? **W· if…?** 만약 …이라면 어찌 될 것인가? = WHAT THOUGH? **〜 is called** 이른바. **〜 is more** 그게다가. **W· of it?** 그게 어쨌다는 거냐. **〜's** 《口》 사물의 도리, 일의 진상. **W· though …?** 설사 …라도 그것이 어떻단 말인가. 〜 **with** (…and) — **with** (…) ① 하거나 또 (…을) 하거나하여. …다 …다하여. — a. ① 《의문사》 무엇, 어떤; 얼마나. ② 《감탄사》 정말이지, 어머나. ③ 《관계사》 〜(는)하는 바의; …할 만큼의.

what·ev·er [hwɑtevər/hwɔt-] (rel.) pron. 〜(는)하는 것(일)는 무엇이나. — a. 《강조》 대체 무엇이(을) (**W· do you mean?** 대체 무엇을 셈이냐?). — a. ① 《관계사》(비록) 어떤 …이라도; 어떤 …을 하더라도, 《no나 any 다음에서》 조금의 〜도.

whát·nòt n. ⓒ 《책·장식물을 얹어 놓는 (장식) 선반.

wheat[hwiːt] n. ⓤ 밀. 〜**·en** a. 밀의, 밀로 된.

whee·dle[hwíːdl] vt. 감언으로 유혹하다(**into**); 감언이설로 속여 빼앗다(**out of**).

wheel[hwiːl] n. ⓒ ① 바퀴, 수레바퀴. ② (운명의) 수레바퀴. ③ 《美口》 자전거. ④ (자동차의) 핸들, 윤(舵輪); 물레. ⑤ **(pl.)** 기계; 회전. ⑥ 《美俗》 거물 세력가. ⑦ 〜 the 〜를 잡고; 지배하고 여. **at the 〜** 운명의 변천. **go on 〜s** 순조롭게 나아가다. **grease the 〜s** 바퀴에 기름을 치어; 일을 원활하게 진행시키다. 뇌물을 쓰다. **〜 within 〜s** 착잡한 사정, 복잡한 기구. — vt. ① 〜(를) 움직이다; 수레로 나르다. ② 선회시키다; 수레로 만들다. — vi.

W

선회하다, 방향을 바꾸다(*about*, *round*). 자전거를 타다; (새 따위가) 원을 그리며 날다(따위). **~ed[-d]** *a.* 바퀴 있는. **~·er** *n.* ⓒ 수레로 나르는 사람; ―뮤차 (마차의) 뒷발; = WHEELWRIGHT. 【레.

wheel·bàrrow *n.* ⓒ 외바퀴 손수

wheel·bàse *n.* ⓒ 축거(軸距)《자동차 전후의 차축간의 거리》

wheel·chàir *n.* ⓒ (환자용의) 바퀴 달린 의자. 【완가.

wheeler·dèaler *n.* ⓒ 《美俗》수

wheel·wright *n.* ⓒ 수레목수.

wheeze [hwiːz] *vi., vt.* 씩씩거리며 소리내다; 씩씩거리며 말하다. ― *n.* ⓒ 씩씩거리는 소리; (배우의) 진부한 익살; 진부한 이야기.
wheez·y[hwíːzi] *a.*

whelk [hwelk] *n.* ⓒ 쇠고둥《7cm 정도의 식용 고둥》.

whelp [hwelp] *n.* ⓒ 강아지; (사자·법·곰 등의) 새끼; 《廢》 개구쟁이, 변변치 못한 아이. ― *vi., vt.* (개 따위가) 새끼를 낳다.

†**when** [hwen] *(rel.) ad.* ① 언제. ② 한 바의, ―한〔하는〕 때, 바로 그 때. ― *conj.* ① …하는〔한〕 때에, …때에는 언제나; …할 때는 불구하고, …할 때〔한〕에도. ― *(rel.) pron.* 언제; 그때. ― *n.* (the ~)때.

*†**whence** [hwens] *(rel.) ad.* 《雅》 ① 어디서, 어디로부터. ② …한 바의, …하는 그 곳으로〔부터〕.

:**when·ev·er** [-évər] *(rel.) ad.* …할 때에는 언제든지; 언제 …하더라 도; 《口》 (도대체) 언제.

:**where** [hwɛər] *(rel.) ad.* ① 어디에서, 로, 에서; 어느 위치에서〔방향으로〕, 어느 점에서 ② …하는 바의 《장소》, 그러자 거기에, …하는 장소에로, 에서. ― *n.* (the ~) 어디; 장소.

*†**where·abouts** *ad., n.* 어디쯤에; ⓒ U 《복수 취급》 소재, 있는 곳, 행방.

:**where·as** [hwɛəræz] *conj.* ① … 인 까닭에, …을 고려하여. ② …에 반하여, 그러나, 그런데. ┃ Whereas(…인 까닭에)로 시작하는 문서.

*†**where·by** *(rel.) ad.* ① 《古》 어떻

게. ② 그에 의하여.

:**where·fòre** *(rel.) ad.* 어째서 그러므로; (종종 ~s) 이유.

†**where·ín** *(rel.) ad.* 《雅》 무엇 가운데에, 어떤 점에서. ② 그 중에서, 그 점에서.

where·up·on [hwɛərəpάn/-pɔ́n] *(rel.) ad.* 거기서, 그래서, 그때문에.

:**wher·ev·er** [hwɛərévər] *(rel.) ad.* ① 어디에든지, 어디로든지. ② 《口》 대체 어디에.

where·withál *n.* (the ~) 《필요 한》 자금, 수단.

whet [hwet] *vt.* (**-tt-**) ① (칼 따위 를) 갈다. ② (식욕을) 자극하다. 돋우다. ― *n.* ⓒ ① 갊, 자극 (물); 식욕을 돋우는 물건. ② 《美》 잠시 동안.

:**wheth·er** [hwéðər] *conj.* …인지 어떤지, …인지 또는 …인지, …하는 지. …또는 …인지. **~ or no** 어떻든, 하여간.

whét·stòne *n.* ⓒ 숫돌. 【간.

whew [hwjuː] *int.* 아, 와이!; 후!《놀라움·실망·안도 등을 나타냄》

whey [hwei] *n.* U 유장(乳漿)《우유에서 curd를 빼낸 나머지 액체》.

:**which** [hwitʃ] *(rel.) pron.* ① 어느것〔쪽〕. ② …하는 바의《것·일》, 어느 것이든. ― *(rel.) pron.* 어느 것(쪽)이; 그리고 그, 그런데 그.

:**which·ev·er** [-évər] *(rel.) pron., a.* …에서나 …이든지. ② 어느 쪽이 …하든지.

whiff [hwif] *n.* (a ~) ① (바람의) 한 번 붊. ② 확 풍기는 냄새. ③ 담배의 한 모금, 그 연기. ― *vt., vi.* 훅 불다; 담배 피우다.

:**while** [hwail] *n.* (a ~) 《잠시》동 안, 때, 시간. **after a ~** 잠시 후. **between ~s** 틈틈이. **for a ~** 잠시 동안. **in a little** ~ 얼마 안 있어. **once in a ~** 가끔. **the ~** 그 동안, 그렇게 하고 있는 동안에. **worth (one's)** ~ 가치 있는. ― *conj.* …하는 동안에; …하는 한〔동안〕, …에 대하여; 그런데, 그러나 한편, …하면서. ― *vt.* 빈둥빈둥 (때를) 보내다(*away*).

whim [hwim] *n.* ⓒ 변덕, 일시적 기분. **full of ~s (and fancies)** 변덕스러운.

whim·per [hwímpər] vi., vt. 훌쩍 훌쩍 울다; (개 따위가) 낑낑거리다. ~·er n. ⓒ 훌쩍훌쩍우는 사람. ~·ing·ly ad. 훌쩍거리며, 킁킁거리며

whim·s·ey [hwímzi] n. (pl. 색다른; ⓒ 색다른 언동. *whím·si·cal a. 변덕스러운.

whine [hwain] vi., vt. ① 애처롭게 울다; (개 따위가) 낑낑거리다. ② 우는 소리를 하다. ③ (탄 등이) 낑낑거리는 소리. ② 우는 소리.

whin·ny [hwíni] vt. (말이 낮은 소리로) 울다 ① 우는 소리.

:whip [hwip] n. ⓒ ① 매(채찍)(질). ② ⓒ(주로 英) (議)소속 의원의 원내 총무(중대 의결을 할 때 가끔 당원의 출석을 독려함). ④ ⓤ.ⓒ 크림넣어 갈 때위를 거품일게 한 디저트 과자. — vt. (-pp-) ① 채찍질하다. ② 갑자기 움직이다(away, into, off, out, up). ③ (달걀 따위를 거품일게) 하다. ④ (口)(경기 등에서) 이기다. ⑤ 단단히 감다, 휘감다; (가장자리를) 감치다. ⑥ 낚시대를 휘 던져 낚다(a stream). — vi. 채찍을 사용하다. ② 갑자기 움직이다(behind; into; out of; round). ~ away 뿌리치다. ~ in (사냥개 따위를) 채찍으로 몰리모으다. ~ ... into shape ...을 억지로 써서 이룩하다. ~ up (말 따위에) 채찍질하여 달리게 하다; 그러모으다; 갑자기 부여잡다; 흥분시키다.

whip·lash n. ⓒ 채찍끈; =ᵈ.

whíplash injury n. (자동차의 충돌로 인한) 목뼈의 골절상 및 뇌진탕.

whip·per·snap·per n. ⓒ 시시한 인간, 건방진 녀석.

whip·pet [hwípit] n. ⓒ 경주용 작은 개(英국산).

whip·ping [hwípiŋ] n. ⓤⓒ 채찍질 (형벌).

whip·py [hwípi] a. 탄력성이 있고 부드러운.

whip·round n. ⓒ (英) 모금, 기부

whir [hwəːr] vi., vt. (-rr-) 휙 날다; 윙윙 돌다. — n. ⓒ 휙하는 소리; 윙하고 도는 소리.

:whirl [hwəːrl] vt. ① 빙빙 돌리다. ② 차로 신속히 실어가다. — vi. ① 빙빙 돌다. ② 질주하다. ③ 현기증나다. — n. ⓒ 선회; 소용돌이. ② 잇따라 일어나는 일. ③ 혼란.

whirl·i·gig [hwə́ːrligig] n. ⓒ 회전하는 장난감(팽이·팔랑개비 따위); 회전 목마; 회전 운동; 【蟲】 물매암이.

whírl·pool n. ⓒ (강·바다의) 소용돌이(모양의 물건).

whirl·wind n. ① ⓒ 회오리바람, 선풍. ② 급격한 행동. ride (in) the ~ (사태가) 선풍을 다스리다.

whirr [hwəːr] vi., n. = WHIR.

whisk [hwisk] n. ① 주방 비(모양의 솔). ② 철사로 만든 거품내는 기구. (총채·솔 따위의) 한 번질. ③ 민첩한 행동. — vt. ① (먼지 따위를) 털다(away, off). ② (달걀 따위를) 거품일게 하다. ③ 급히 채가다(데려가다)(away, off). 가볍게 휘두르다. — vi. (급히) 사라지다(out of, into).

whisk·er [hwískər] n. ① (보통 pl.) 구레나룻. (고양이·쥐 등의) 수염. ② (가느다란) 질상 결정(針狀結晶). ~ed[-d] a. 구레나룻 있는.

whis·key [hwíski] n. ⓤ(종류는 ⓒ) 위스키.

whis·per [hwíspər] vi. ① 속삭이다; 몰래 말하다. ② (바람·냇물 따위가) 살랑살랑(졸졸) 소리를 내다. ③ 은밀히 일을 퍼뜨리다. — in a person's ear 아무에게 귀띔하다. — vt. ① ⓒ 속삭임; 소곤거림; 살랑살랑(졸졸) 소리.

whispering campaign 계획적 데마 (작전).

whist [hwist] n. ⓤ 휘스트(카드놀이의 일종).

whis·tle [hwísl] vi. ① 휘파람(을) 불다; 기적을 울리다. ② (탄환 등이) 쌩하고 날아가다. — vt. ① 휘파람을 불다(불어 부르다), 신호하다. ~ for ...을 휘파람을 불어 부르다; 헛되이 바라다. — n. ⓒ 휘파람; 호각, 경적. wet one's ~ (口)한 잔 하다. ~ r n.

whistle stòp (경적 신호가 있을 때만 열차가 서는) 작은 역; 작은 음; (유세 중 작은 음의) 단기 체류.

whit [hwit] n. ⓤ 조금, 미소(微少) 《보통 부정할 때 씀》. **not a ~** 조금도 …않다.

†**white** [hwait] a. ① 흰, 백색의, 하얀. ② 창백한; 무명한, 색없는. ③ 흰 옷의; (머리 따위) 은백색의. ④ 백색 인종의. ⑤ 결백한; 공평한, 흠잡을 데 없는. ⑥ 왕당파의, 반공산주의의. ⑦ 눈이 많은; 공백의. **bleed a person ~** (아무)에게서 (돈 따위를) 짜내다. — n. ① ⓤ 흰색, 백색. ② ⓤ 흰 그림 물감의(안료). ③ ⓤ 흰옷. 흰 천. ④ ⓒ 백인. — vt. …을 희게 하다. *~**ness** n. ⓤ 흰; 백, ⓒ 결백, 청백.

white ánt 흰개미(termite).

white báit n. ⓤ [魚] 정어리(청어리의 새끼); 뱅어.

white-cóllar a. 사무 계통의, 샐러 리맨의.

white córpuscle 백혈구.

white élephant 흰코끼리; 성가신 소유물, 무용지물.

white flág 《항복·휴전의》 백기.

White-hall [ㅡㅡ] n. 런던의 관청 가; ⓤ《집합적》 영국 정부(의 정책).

white héat 백열; 격노.

white hópe 《美口》 촉망되는 사람.

white-hót a. 백열한(의); 열렬한.

·**White House, the** 백악관《미국 대통령 관저》; 미국 대통령의 직권; 미국 정부.

white líe 가벼운〔악의없는〕 거짓 말.

white líght 대낮의 빛; 공정한 판 단.

·**whit-en** [hwáitn] vt., vi. 희게 (되다); 표백하다. ~**ing** n. ⓤ 호 분(胡粉), 백악(白堊).

white-óut [U.C] [氣] 눈의 난반 사로 떨어지는 눈에 되어 방향 감각이 없어 지는 극지 대기 현상. 《白霧》

white pépper 백지; (정부의) 보도

white pépper 흰 후추.

white sáuce 화이트소스《버터·우유·밀가루로 만든》.

white tíe 흰 나비 넥타이; 연미복

·**white-wásh** [hwáitwɔ̀ʃ] n. ① ⓤ 백색 도료. ② [U.C] 실패를 걸무림하는 (수단). — vt. ① 백색 도료를(희반죽을) 칠하다. ② 실패를 걸무림하다. ③ 《美口》 영패시키다.

white wáter 급류; 물보라; 《여울

따위의》 흰 물결.

white wíne 백포도주.

whith-er [hwíðər] (rel.) ad. 《古·雅》 ① 어디로; 《…하는》 곳으로, 으로. ② 《…하는》 어디로든지.

whit-ing [hwáitiŋ] n. ⓒ 《魚》 대구의 일종.

whit-ish [hwáitiʃ] a. 희읍스름한.

Whit-sun [hwítsn] n. = Whit-sunday.

Whit·sun·day [hwítsándei, ㅡ-səndèi] n. U.C 성신 강림절《부활절 후의 제7 일요일》.

whit-tle [hwitl] vt. 《칼로 나무를》 깎다; 깎아 모양을 다듬다, 새기다; 삭감하다(**down, away, off**) … 하다. 《칼로》 나무를 깎다. 새기다.

whiz(z) [hwiz] vi. 윙윙(쌩쌩)하다, 붕 날다《달리다》. — n. ⓒ 윙하는 소리; 《美口》 숙련가.

WHO World Health Organization.

†**who** [huː, 弱 hu] (rel.) pron. ① 누구, 어떤 사람; 《…하는》 사람, 그리고 그 사람은《사람이》, …하는 사람《은 누구든지》.

whoa [hwou/wou] int. 위! 《말을 멈추게 할 때 내는 소리》.

who'd [huːd] who had [would] 의 단축.

who·dun·it [huːdʌ́nit] 《《who done it》 n. ⓒ 《口》 추리 소설《극·영화》.

who·ev·er [huːévər] (rel.) pron. …하는 사람은 누구든(지), 누가 …을 하더라도(하든).

†**whole** [houl] a. ① 전체의, 전…, 완전한. ② 건강한. ③ 통째 《로, 의). ④ 《형태 등》 흰…든. ⑤ 고스란한. ⑥ 다치지 않은; 《數》 정수(整數)의. **a ~ lot of** 《俗》 많은. **out of ~ cloth** 터무니없는, 날조한. — n. ① 전부, 전체. ② 완전한 것; 통일 체. **as a ~** 전체로서. **on [upon] the ~** 전체로 보아서; 대체로. ~**ness** n.

whóle·héart·ed(ly) a. (ad.) 성심 어린, 진심으로.

whóle nóte 《樂》 온음표.

whóle númber 《數》 정수《整數》

whole·sale [hóulsèil] n., vt., a.

Ⓤ 도매(하다). — a. 도매의: 대대적인; 대강의. — ad. 도매로; 대대적으로: 통틀어, 완전히; 대강. **~er** n.

whole·some [≤səm] a. 건강에 좋은; 전전한, 유익한. **~·ly** ad. **~·ness** n.

whole-wheat [≤hwíːt] a. (밀기울을 빼지 않은) 전 밀가루로 만든.

who'll [huːl, 弱 hul] who will [shall]의 단축.

whol·ly [hóulli] ad. ① 아주, 완전히. ② 오로지.

whom [huːm, 弱 hum] (rel.) pron. who의 목적격.

whom·so·ever (rel.) pron. whoever의 목적격.

***whoop** [huːp, hwuːp] n. ① 큰 소리로 외치다. ② (윤뼈미가) 후우우우 울다. ③ (백일해로) 그르렁거리다. — vt. 소리치므로 말하다. **~ it up** (俗) 와아 떠들어대다. — n. ① 외치는 소리. ② 후우우우 우는 소리. ③ 그르렁거리는 소리.

whoop·ee [hwúːpiː, wúːpiː] int., n. 〔美口〕 와아(환희·흥분을 나타냄): 야단 법석.

whóop·ing cough [húːpiŋ~] 〔醫〕 백일해병.

whop·per [≤ər] n. Ⓒ 〔口〕 엄청나게 큰 것; 엄청난 거짓말.

whop·ping [≤iŋ] a., ad. 〔口〕 터무니 없는[없이]; 엄청난; 몹시.

whore [hɔːr] n. Ⓒ 매춘부. — vi. 매춘 행위를 하다; 매춘부와 놀다. — vt. (여자를) 타락시키다; 갈보 짓 삼하다.

who're [húːər] who are의 단축.

whore·house n. Ⓒ 매음굴.

whorl [hwɔːrl] n. Ⓒ 〔植〕 윤생체 (輪生體): 소용돌이: 〔動〕 (고둥의) 나선. ① 한 사리; 〔解〕 (내이(內耳)의) 미로(迷路). **~ed** [-d] a. 나선 모양으로 된; 소용돌이가 있는.

who's [huːz] who is [has]의 단축.

whose [huːz] (rel.) pron. who [which]의 소유격.

who·so·ev·er [hùːsouévər] (rel.) pron. 〔강의어〕 = WHOEVER.

***why** [hwai] (rel.) ad. ① 왜, 어째서. ② ...한 (이유로). ③ (...한 이유를 나타내는 관계부사). **W- not?** 왜 안되는

가. **W- so?** 왜 그런가. — n. (pl.) 이유. — int. ① 어머, 저런. ② 뭐. ③ 물론(W-, yes.).

W.I. West Indies.

wick [wik] n. Ⓒ (양초·램프 따위의) 심지. **∠·ing** n. Ⓤ 심지의 재료.

:wick·ed [wíkid] a. ① 나쁜, 사악한; 심술궂은: 장난이 심한. ② 위험한 (말 따위의) 버릇이 나쁜(a horse). **~·ly** ad. **~·ness** n.

wick·er [wíkər] n. Ⓤ (겯어 만드는) 채그릇 세공. — a. 채로 만든, 채그릇 세공의. ~ .공.

wicker·work n. Ⓤ 고리버들 세공.

wick·et [wíkit] n. Ⓒ 작은 문, 쪽문, 회전식 입구; 개찰구: 창(窓): 수문(水門): 〔크리켓〕 삼주문(三柱門), 위켓(장) (타자의) 칠 차례, 〔크리켓〕 삼주문 사이의.

wícket·keeper n. 〔크리켓〕 삼주문의 수비자.

:wide [waid] a. ① 폭이 넓은; 폭이 ...되는; 너른. ② (지식 등이) 해박한; 편견없는, 활짝(넓게) 열린. ③ (의복 등) 헐렁헐렁한, 헐거운. ④ (표적에서) 벗어난, 잘못 짚은, 동떨어진(of). ⑤ 〔音聲〕 개구음(開口音)의. **~ of the mark** 과녁을 벗어나서; 엉뚱하게 잘못 짚어. — ad. 넓게; 크게 벌리고; 멀리; 빗나가, 잘못 짚어. **have one's eyes ~ open** 정신을 바짝 차리다. — n. Ⓒ 넓은 곳; 〔크리켓〕 빗나간 공.

:wide-angle a. (렌즈가) 광각(廣角)의.

:wide·ly [wáidli] ad. 널리; 먼곳에, ② 크게, 대단히.

wid·en [wáidn] vt., vi. 넓히다, 넓어지다.

wide·spread a. 널리 퍼진, 일반적인, 만연한. 〔머리오리.

widg·eon [wídʒən] n. Ⓒ 〔鳥〕 홍머리오리.

wid·ow [wídou] n. Ⓒ 미망인, 과부; 〔카드〕 돌리고 남은 패. — vt. 과부[홀아비]로 만들다. **~ed** [-d] a. 아내를 [남편을] 여읜. **~er** n. Ⓒ 홀아비. **~·hood** [-hùd] n. Ⓤ 과부[홀아비]의 신세[살이].

:width [widθ, witθ] n. ① Ⓤ.Ⓒ 넓이, 폭. ② Ⓒ (피륙 등의) 한 폭. **~·ways** [≤wèiz], **~·wise** [≤wàiz]

ad. 옆(쪽)으로.

wield [wiːld] *vt.* ① (칼·필봉 등을) 휘두르다. ② (권력을) 휘두르다, 지배하다.

wie·ner·wurst [wíːnərwə̀ːrst] *n.* ⓤⓒ(美) 위너 소시지.

†**wife** [waif] *n.* (*pl.* **wives**) ⓒ ① 처. ②(古) 여자. **old wives' tale** 허황된 이야기. **take to ~** 아내로 삼다. **~·like**[⌐làik], **~·ly** *a.* 아내다운; 아내에 어울리는.

†**wig** [wig] *n.* ⓒ 가발. ── *vt.* (**-gg-**) (…에) 가발을 씌우다; 《口》몹시 꾸짖다. **~ged**[-d] *a.* 가발을 쓴.

wig·gle [wíɡl] *vi., vt.* (꼬리 등을) 뒤흔들(리)다. ── *n.* 뒤흔듦, 뒤흔드는 것(사람); 장구벌레. **wig·gly** *a.*

wig·wam [wíɡwɑm/-wɔm] *n.* ⓒ (북아메리카 토인의) 오두막집.

†**wild** [waild] *a.* ① 야생의. ② (토지가) 황폐한. ③ 사람이 살지 않는. ④ 야만의; 난폭한; 어거하기 힘든; 제멋대로의, 방랑적. ⑤ 소란스런(폭풍우 따위가) 모진; 어지러운; 미친듯한, 열광적인(*with, about, for*); 《口》열중한(*to do*). ⑥ 공상적인; 무모한; 빗나간. **grow ~** 야생하다. **run ~** 제멋대로 하다; 제멋대로 자라다 방치되어 있다. ── *n.* (the ~) 황무지, 황야; (*pl.*) 미개지. ── *ad.* 난폭하게; 되는 대로. **~·ly** *ad.* 난폭하게; 황폐하여; 무턱대고. **~·ness** *n.*

wild cárd ① 〖카드놀이에서〗 자유패, 만능패. ② 〖컴퓨터〗 만능 문자 기호(~ *character* 와일드 카드 문자).

wild·cat *n.* ① 살쾡이. ② 무법자. ③ 《美》(작자·화차가 연결 안 된) 기관차. ④ (석유의) 시굴정(試掘井). ── *a.* 무모한; 당돌한; 비합법적인(기관차 등이) 폭주(暴走)하는. ── *vt.* (석유 등을) 시굴하다.

†**wil·der·ness** [wíldərnis] *n.* ⓒ 황야, 사람이 살지 않는 땅. ② ⓤ 끝없이 넓음.

wild·fire *n.* ⓤ 옛날 공격(火攻)에 쓰인 화염제. **spread like ~** (소문 등이) 삽시간에 퍼지다.

wild fówl 엽조(獵鳥). [도.

wild-góose chàse 헛된 수색[시

Wild Wést, the 《美》(개척 시대의) 미국 서부 지방.

wile [wail] *n.* (보통 *pl.*) 책략, 간계(奸計). ── *vt.* 속이다(*away, into, from*; *out of*). **~ away** 시간을 이럭저럭 보내다. [&c.

†**wil·ful** [wílfəl] *a.* =WILLFUL.

‡**will** [强 wil, 弱 wəl, l] *aux. v.* (*p.* **would**) ①〖단순미래〗…할 것이다. ②〖의지미래〗…할 작정이다. ③〖성질·습관·경향〗종종[늘]…하다 (*People ~ talk.* 남의 입방아 시끄러운 법); 원하다; …할 수 있다(*The theater ~ hold two thousand persons.* 그 극장엔 2천명은 들어갈 수 있다). ④〖공손한 명령〗…해 주십시오(*You ~ not play here.* 이 곳에서 놀지 말아 주시오). ⑤〖추측〗…일 것이다(*He ~ be there now.* 지금쯤은 거기 있을 것이다).

†**will** [wil] *n.* ⓤⓒ 의지(력); 결의; 소원; 목적; 결심에 대한 감정(good [ill] ~ 선의[악의]). ⑤〖法〗유언 (장). **at ~** 마음대로. **do the ~ of** (…의 뜻에 따르다, have one's ~ 자기 뜻[의사]대로 하다. **with a ~** 정성껏, 열심히. **~** *vt.* 결의하다; 바라다; 원하다; 의지의 힘으로 시키다; 유증(遺贈)하다. **willed**[-d] *a.* …의 뜻을 가진.

will·ful [wílfəl] *a.* 계획적인, 고의의; 고집센. **~·ly** *ad.* **~·ness** *n.*

will·ies [wíliz] *n. pl.* (the ~) 《口》겁, 섭뜩한 느낌.

will·ing [wíliŋ] *a.* 기꺼이 …하는; 자진해서 하는. **~·ly** *ad.* **~·ness** *n.*

will-o'-the-wisp [wíləðəwísp] *n.* ① 도깨비불. ② 사람을 호리는 것.

wil·low [wílou] *n.* ⓒ 버드나무; 《口》버드나무 제품. WEEPING ~. **~·y** *a.* 버들이 우거진; 버들 같은; 낭창낭창한; 우아한.

wíll pówer 의지력, 정신력.

wil·ly-nil·ly [wíliníli] *ad.* 싫든 좋든, 유무를 불문하고.

wilt¹ [wilt] *vi., vt.* (초목이) 시들(게) 하다, 이울(게 하)다; (사람이) 풀이 죽(게) 하다. ── *n.* ⓤ〖植〗 위조병(萎凋病).

wilt² *aux.* *v.*《古》=will〔주어가 thou일 때〕.

wil·y[wáili] *a.* 책략이 있는, 교활한.

wimp[wimp] *n.* ⓒ《口》겁쟁이.

wim·ple[wímpəl] *n.* ⓒ 수녀용의, 원래는 보통 연인도 썼던 두건;《古》 잘 물결을 일으키다. —*vt.* 두건으로 싸다; 잔물 결을 일으키다. —*vi.* 잔물결이 일다.

†**win**[win] *vt.* (**won; -nn-**) ① 쟁취하다; 획득하다; 이기다. ② 명성을 얻다; (노력하여) 이르다; 설득하여 구워삶아 결혼을 승낙시키다. —*vi.* 이기다; 다다르다; 소망을 이루다; (노력하여) …이 되다; (사람의 마음을) 끌다(*on, upon*). *~ out* 〔*through*〕 뚫고 나가다, 성공하다. *~ over* 자기편으로 끌어 들이다, 회유하다. —*n.* ⓒ 승리, 성공; 번 돈; 상금.

wince[wins] *vi.* 주춤〔멈칫〕하다; 움츠리다(*under, at*). —*n.* ⓒ《보통 *sing.*》주춤함, 흠칫〔움찔〕함. 《動》 크랭크.

winch[wintʃ] *n.* ⓒ 윈치, 기중기; 손잡이.

†**wind¹**[wind] *n.* ① ⓒ〔U〕 바람; 질풍. ② U 바람에 불려오는 냄새; 소문. ③ U 《위·장에 괴는》 가스; 고창. ④ U 숨, 호흡. ⑤ U 객담, 빈말. ⑥ 《the ~》《집합적》 관악기(류); U 《the ~》 《단수 취급》 (오케스트라의) 관악부 (cf. *the strings*). *before* 〔*down*〕 *the ~* 《海》 바람을 등지고, 바람이 불어가는 쪽에. *between ~ and water* (배의) 흘수선에; 급소에. *cast* 〔*fling*〕 *to the ~* 을 내버리다, 포기하다. *find out how the ~ blows* 〔*lies*〕 풍향(風向)을 살피다; 형세를 엿보다. *get* 〔*recover*〕 *one's ~* 숨을 돌리다. *get ~ of* …한 풍문을 바람결에 듣다. *in the teeth* 〔*eye*〕 *of ~* 바람을 안고, 바람에 거슬려 나가며; 진행중에. *kick the ~* 《俗》 교살당하다. *lose one's ~* 숨을 헐떡이다. *off the ~* 《海》 바람을 등지고. *on the ~* 바람을 타고. *raise the ~* 《俗》 자금〔돈〕 을 모으다. SAIL *close to the ~*. SECOND *~*. *take the ~ of* (다른 배의) 바람 웃녘으로 나가다. *take the*

~ out of a person's sails (아무의) 선수를 치다, …을 알지르다. *the four ~s* 사면 팔방. —*vt.* 바람에 쐬다, 통풍하다; 짐새 채다; 숨가쁘게 하다; 숨을 돌리게 하다.

wind²[waind] *vt.* (**wound**) ① (시계 태엽을) 감다; (털실 등을) 감아서 토리를 짓다(*into*); 휘감다. ② 구불구불 나아가게 하다. —*vi.* 휘감기다(*about, round*); 구불구불 구부러지다. 구불구불 나아가다. *~* (시계 태엽이) 감기다; 교묘히 돌려 말하다. *~ off* 풀리다. *~ up* (실 등을) 다 감다; (맞춤) 잡아 감다; (시계 태엽을) 감다; 긴장시키다; (연설을) 끝맺다(*by, with*); 결말을 짓다; (회사 따위를) 해산하다(*up*); 《野》(투수가) 팔을 돌리다. —*n.* ⓒ 감는 일, 한 번 감기; 굽이굽이.

wind³[waind, wind] *vt.* (~*ed*, **wound**) (피리, 나팔 등을) 불다 . 여 소리하다.

wind-bag *n.* ⓒ 《백파이프의》공기 주머니;《口》수다쟁이.

wind-blown *a.* 바람에 날린; 《머리 등》짧게 잘라 앞에 착 붙인.

wind-break *n.* ⓒ 방풍림(林); 바람막이 (설비).

wind-cheater *n.* 《英》=PARKA.

wind cone (비행장의) 원뿔꼴 바람개비(wind sock).

wind-fall *n.* ⓒ 바람에 떨어진 과일; 뜻밖의 횡재《유산 등》.

wind instrument 관악기, 취주 악기. 〔원치(winch).

wind-lass[wíndləs] *n.* ⓒ 자아틀,

wind-less *a.* 바람 없는, 잔잔한.

wind-mill[wíndmìl] *n.* ⓒ 풍차. *fight* 〔*tilt at*〕 ~*s* 《俗》 헬리콥터, 가상(假想)의 적과 싸우다.

†**win-dow**[wíndou] *n.* ⓒ 창, 창구; 유리창; (교회의) 채돌음[회랑] [그림] 창, 윈도. *have all one's goods in the* (*front*) ~ 겉치례뿐이다, 피 상적이다. 〔상자.

window box (창가에 놓는) 화초 상자.

window dressing 진열창 장식 (법); 걸꾸밈.

window-pane (창유리) ⓒ 창유리.

window-shop *vi.* (-*pp*-) 사지 않

window sill 창턱.

wind·pipe *n.* ⓒ 〔解〕 기관(氣管).

wind·shield 《英》 **-screen** *n.* ⓒ (자동차 앞의) 바람막이 유리.

windshield 《英》 **windscreen**〕 **wiper** (자동차 따위의) 와이퍼.

wind sleeve(**sock**) = WIND CONE.

wind·swept *a.* 바람에 시달리는, 바람에 노출된.

wind·up [wáind-] *n.* ⓒ 종결, 마무리; 〔野〕 와인드업〔투구의 동작〕.

wind·ward [wíndwərd] *a., ad.* 바람 불어오는 쪽의〔으로〕. ── *n.* ⓤ 바람 불어오는 쪽. *get to(*the*)*~ *of* (다른 배·냄새 따위의) 바람 불어오는 쪽으로 돌다; ─을 앞지르다.

:**wind·y** [wíndi] *a.* 바람이 센, 바람받이의; (장(腸)에) 가스가 생기는; 수다스러운; 말뿐인; 공허한.

:**wine** [wain] *n.* ⓤ 포도주; ① 과실주. ② ⓒ (포도주처럼) 기운을 돋우는 것, 흥분시키는 것. ③ ⓤ 붉은 포도주빛. *in* ~에 취하여. *new* ~ *in old bottles* 새로운 새 부대에; 옛 형식에서는 다룰 수 없는 새로운 주의. ── *vt., vi.* 포도주로 대접하다; 포도주를 마시다. *「*그 포도주*.*」

wine cellar 포도주 저장 지하실;

wine cooler 포도주 냉각기.

wine·glass *n.* ⓒ 포도주잔.

win·er·y [wáinəri] *n.* ⓒ 포도주 양조장.

:**win·now** [wínou] *vt.* (곡식에서) ~를 까부르다(*away, out, from*); (진실을) 식별하다; (좋은 부분을 골라)가려 내다; 《古》 날개치다. ── *vi.* 키질하다; 까불질하다. ~ *er n.*

win·o [wáinou] *n.* 《俗》 주정뱅이, 알코올 중독자.

win·some [wínsəm] *a.* 사람의 마음을 끄는; 쾌활한.

:**win·ter** [wíntər] *n., a.* ⓤⓒ 겨울(의); 만년(晩年); ⓒ 나이, 세(歲). ── *vi.* 겨울을 나다; 피한(避寒)하다 (*at, in*). ── *vt.* (동·식물을) 월동시키다; 겨울동안 기르다.

winter·time, **〔詩〕 -tide** *n.* ⓤ 겨울(철).

:**win·try** [wíntri], **win·ter·y** [wín-

~ *its way* (새가) 날아가다. ── **ed** [-d] *a.* 날개 있는; 고속(高速)의; (새가) 날개를 단친; (사람이) 상처를 입은. **< less** *a.*

wing commander 《英》 공군 중령. *「*끔찍한 파티.*」

wing·ding [wíndiŋ] *n.* ⓒ 《美俗》 시

wing ship 〔空〕 (편대의) 선두기의 좌〔우?〕날개를 나는 비행기?

wing·span *n.* ⓒ (항공기) 양 날개의 길이.

wink [wiŋk] *vi.* 눈을 깜박이다; 눈짓하다(*at*); 보고도 못 본 체하다(*at*); (별 등이) 반짝이다. ── *vt.* (눈을) 깜박이다; 눈짓으로 신호하다. *like* ~ *ing* 《俗》 순식간에; 기운차게. ── *n.* ⓒ 눈깜박임; (별 등의) 반짝임; ⓤⓒ 순간; 수잠. *not sleep a* ~, *or not get a* ~ *of sleep* 한숨도 못 자다. *tip a person the* ~ 《俗》 남에게 눈짓하다. *」은*[눈짓하는] 사람[것]. ── *er n.* ⓒ 깜박이는[눈짓하는] 사람; 《口》 속눈썹.

win·kle [wíŋkl] *n.* ⓒ 〔貝〕 경단고 둥〔식용〕. ── *vt.* 《口》 (조개딱지 따위를) 뽑아내다(*out*).

win·ner [wínər] *n.* ⓒ ① 승리자. ② 이긴 말. ③ 수상자. ④ ─을 얻는 사람.

:**win·ning** *a.* 결승의; 이긴; 사람의 마음을 끄는, 매력적인. ── *n.* ① ⓤ 승리; 성공; ② ⓒ 《상금》, 상품.

winning post (경마장의) 결승점, 결승표.

:**wing** [wiŋ] *n.* ① ⓒ 날개; 날개 모양을 한(구실을 하는) 물건. ② 《口·諺》 (동물의) 앞발, (사람의) 팔. ③ 〔建〕 날개; 무대의 양 옆. ④ 비행; 〔軍〕 비행편; 〔軍司〕 (*pl.*) (미국 공군의) 기장. ⑤ (보통 *sing.*) 〔政〕 (좌익·우익의) 익. *add*(*lend*) ~s *to* ─을 촉진하다. *give* ~(*s*) *to* 날 수 있게 하다. *on the* ~ 비행중에; 비행중의, 활동중에; 출발하려고 하여. *show the* ~s 〔軍〕 (평시에) 시위 비행을 하다. *take under one's* ~ 비호하다. *take* ~ 날아가다. *under the* ~ *of* ─의 보호 하에, ~의 (…에) 날 개를〔길을〕 달다, 날 수 있게 하다; 날리다; (새의) 날개〔팔〕을 쏘다. ── *vi.* 날다; 비행하다. *winged* [wiŋd] 날개쳐서 가다.

 W

tɔri] *a.* 겨울의(같은); 겨울다운; 추운; 냉담한.

wipe[waip] *vt.* 닦다, 훔치다; 닦아 내다(*away, off, up*); 비비다, 문지르다. ~ (*a person's*) *eye* 앞질러서 알지르다, 선수 치다. ~ *out* (얼룩을) 깨끗이 하다(비유) (부끄러움을) 씻다; 전멸 시키다. — *n.* ⓒ 닦기 한 번 닦기; (俗) 찰싹 때리기; 손수건.

wire[wáiər] *n.*, *a.* ① Ⓤⓒ 철사(로 만든); 선선; [電] 줄, 유선. ② Ⓤ 전선; ② 전보. ③ Ⓤ 철(조)망; (악기의) 금속현(弦). ④ Ⓤ 분해(속태우고 있다. *get under the* ~ 간신히 시간에 대다. *pull* (*the*) ~*s* 뒤(배후)에서 조종(책동)하다. — *vt.* 철사로 묶다; 전선을 설치하다(긇다); (새를) 철망으로 잡다; (口) 전보를 치다. — *vi.* (口) 전보 치다.

wire cùtter 철사 끊는 펜치.

wire·less[-lis] *a.* 무선(전신)의; (英) 라디오의. ~ *set* 라디오 수신기. ~ *station* 무전국. ~ *tele·graph* [*telephone*] 무선 전보(전화). — *n.* ① Ⓤ 무선 전신(전화); = RADIO. — *vi.*, *vt.* 무전을 치다.

wire nètting 철망.

wire·tàp *vt.* *vi.* 도청하다. — *n.* ⓒ 도청 장치.

wir·ing[wáiəriŋ] *n.* ② (집합적) 가선; [電] (集合的) 배선.

wir·y[wáiəri] *a.* 철사 같은; 철사로 만든; (사람의) 질싹진.

wis·dom[wízdəm] *n.* Ⓤ 지혜, 현명; 학문, 지식; 분별; 명언(名言); 금언; (집합적) (古) 현인(賢人).

wisdom tòoth 사랑니. *cut one's* ~ 사랑니가 나다; 철이 나다(俗).

wise[waiz] *a.* 현명한, 분별 있는; 영리해 보이는; 학문이 있는; (美俗) 알고 있는. *be* [*get*] ~ *to* [*on*] (美俗) 알고 있다. *look* ~ (잘난체) 점잔빼다. *none the* ~*r*, *or no* ~ *r than* [*as* ~ *as*] 여전히 모르고. *put a person* ~ *to* 아무에게 알리다. ~ *after the event* (어리석은 짜위) 일을 늦게 깨닫다(俗). ~ *woman* 여자 마술사; 여자 점쟁이; 산파. ~*·ly ad.* 현명하게, 분별 있게. *not* ~*·ly but too well* 사랑법은 서툴지만 열심히(Sh.). — *vt.*,

vi. 《흔히 다음 구로만》 ~ *up* 《美俗》 알다, 알리다(*up*).

wise²[wiz] *n.* (*sing.*) 방법; 정도; 양식, …식. *in any* ~ 아무리 해도, (*in*) *no* ~ 결코 …아니다(않다). …*in some* ~ 어떤지, 어떤든. *on this* ~ 《방법으로》 이 방식.

-wise[wàiz] *suf.* …같이; …의 쪽으로, …의.

wise·cráck *n., vi.* ⓒ (口) 재치 있는 (멋진) 대답(을 하다).

wish[wiʃ] *vt.* ① 바라다, 원하다; …하고 싶어 하다; …면 좋겠다고 생각한다. ② 빌다, 기원한다. ~ *well* 바라다(*for*) …이기를 빌다(*I* ~ *you a merry Christmas!* 크리스마스를 축하합니다). *have nothing left to* ~ *for* 만족스럽다, 더할 나위 없다. ~ *on*(美俗) (남에게) 강제하다, 떠맡기다. — *n.* Ⓤⓒ 소원, 바람; ② 원하는(소원하는) 일(것); (*pl.*) 기원.

wish·bòne *n.* ⓒ (새 가슴의) Y자 형의 뼈(dinner 후 여흥으로 두 사람이 서로 당기어, 긴 쪽을 쥔 사람은 소원이 이루어진다 함).

wish·ful [-fəl] *a.* 원하는(*to do*; *for*); 갖고 싶은 듯한.

wishful thínking 희망적 관측.

wisp[wisp] *n.* ⓒ (건초 등의) 한 모숨; (머리칼의) 가닥; 작은 것, 조금깨비를 (will-o'-the-wisp) 작은 비, 양짝불. ~*·y a.* …나무.

wis·te·ri·a [wistíəriə] *n.* Ⓤⓒ 등 나무.

wist·ful[wístfəl] *a.* 탐내는 듯한; 생각에 잠긴.

wit[wit] *n.* Ⓤⓒ 기지, 재치(cf. humor); ② 재치 있는 사람, 재사. ③ Ⓤ 지력, 이해. ④ (*pl.*) (전연한) 정신, 분별, 조심. *at one's* ~*s'* [~*s*] *end* 어찌할 바를 몰라. *have* [*keep*] *one's* ~*s about one* 틈이 없다. *have quick* [*slow*] ~*s* 약삭빠르다(빠르지 않다). *live by one's* ~*s* 약삭빠르게 처세하다, 이럭저럭 둘러대며 살아간다. *out of one's* ~*s* 제정신을 잃어.

witch[witʃ] *n.* ⓒ 마녀; 쭈그렁 할멈, 못된 할멈; (英) 매혹적인 여자. — *vt.* (…에게) 마법을 쓰다; 호리다. ~ *a.* 마녀의.

witch·craft *n.* ② 마법; 마력; 매

wítch dòctor 마술사.

witch házel [植] 조롱나무의 일종; 그 잎·껍질로 낸 약(외상(外傷)·용).

wítch hùnt [美俗] 마녀 사냥; (비유) 정적을 박해하기 위한 모함·중상.

with [wið, wiθ] *prep.* ① …와 (함께); …의 속에(*mix with the crowd*), ② …을 가진(지니고 있는)(*a man with glasses*), ③ …으로, …을 써서, 《행동의 양식·상태를 나타내어》…을 사용하여, 보여(~ *care* 주의해서). ⑤ …에 관하여 (*What is the matter ~ you?*). ⑥ …때문에, …으로 인하여. ⑧ 보관하여, …에 있어서, ⑨ …와 동시에 《같은 방향에》, …의 쪽에(*vote the Democrat*). ⑪ …와 《떼어내》 (*part ~ a thing* 물건을 내놓다). ⑫ …을 상대로, ⑬ …의 허가를 받고. ⑭ …에도 불구하고.

with·draw [wiðdrɔ́ː, wiθ-] *vt.* (-**drew**; -**drawn**) 움츠리다(*from*); 물러서게 하다, 그만두게 하다(*from*); 철수하다; 취소하다 (특히 등을) 빼앗다(*from*). — *vi.* 물러서다(나다), 퇴출하다; (회 따위를) 탈퇴하다(*from*); (군대가) 철수하다(*from*). **~·al** *n.*

with·drawn [-drɔ́ːn] *v.* withdraw 의 과거분사. — *a.* (사람이) 내성적인; 외진, 인적이 드문.

with·er [wíðər] *vt.* 시들다, 이울다, 시들게 하다; 말라 죽다(*up*); (애정이) 시들다(*away*). — *vt.* 이울게(시들게) 하다, 말라 죽게 하다(*up*); 의기소침케 하다, 약해지게 하다; 움츠러들게 하다. **~ed** *a.* 이운, 시든, 쇠퇴한.

with·ers [wíðərz] *n. pl.* (말 따위의) 두 어깨뼈 사이의 융기.

with·hold [wiðhóuld, wiθ-] *vt.* (-**held**) 억누르다; 주지(허락하지) 않다(*from*); 보류하다.

with·in [wiðín, wiθ-] *prep.* ① …의 안쪽에(으로), …의(안에)에로; …의 한도 내에(서), …이내에(로), …의 범위내에서. — *ad.* 안에, 속으로; 옥내(집안)에; 마음 속에.

with·out [wiðáut, wiθ-] *prep.* …없이; …하지 않고, …이 없으면; …의 밖에(서). *do* 《*go*》 ~ …없이 때

우다. ~ *day* 무기한으로. ~ *leave* 무단히. ~ *reserve* 사양 않고, 거리 김 없이. — *ad.* 외부에; 밖에; 외(表)면은; …없이. — *conj.* 《古·方》…하지 않고서는.

with·stand [wiðstǽnd, wiθ-] *vt.* (-**stood**) …에 저항하다; …에 …반항 [거역]하다; …에 잘 견디다.

wít·less *a.* 지혜가 모자란.

wit·ness [wítnis] *n.* ① ⓒ [法] 증인, 목격자, ② ⓤ 증거, 증언. ③ ⓒ 연서인(連署人). *bear* ~ *to* 《*of*》 …의 증거가 되다, …을 입증하다. *call a person to* ~ …을 증인으로 세우다. — *vt.* 목격하다; 입증하다; 서명하다. — *vi.* 증언하다(나다](*against, for, to*). *W- Heaven!* 《古》하느님 굽어 살피소서.

wítness bòx [(美) **stànd**] 증인석.

wit·ti·cism [wítəsìzəm] *n.* ⓒ 명언.

wit·ting [wítiŋ] *a.* 《古》알고 있는; 고의의, 알면서. **~·ly** *ad.*

wit·ty [wíti] *a.* 재치(기지) 있는, 재치 떠는. **wít·ti·ly** *ad.* **wít·ti·ness** *n.*

wives [waivz] *n.* wife의 복수.

wiz·ard [wízərd] *n., a.* ⓒ (남자) 마술사; 요술쟁이; [口] 천재, 귀재(鬼才); 천재꾼, 명장이다. **~·ry** *n.* ⓤ 마술, 마법.

woad [woud] *n.* ⓤ [植] 대청(大青); 그 잎에서 낸 물감.

wob·ble [wábəl/-5-] *vi.* 동요하다, 떨리다; (마음·평정 등이) 흔들리다, 불안정하다. — *n.* ⓒ (보통 *sing.*) 비틀거림, 동요; 불안정.

woe [wou] *n.* ⓤ 비애; (큰) 고뇌. 슬픔; (*pl.*) 재난, 一 *int.* 슬프도다! 아아! *W- be to* 《*betide*》 …에 화가 있을진저, …의 재앙이 있으리라. *W- worth the day!* 오늘은 왜 이렇게 재수가 없을까!

woe·be·gone [<bigɔ̀(ː)n, -ɑ̀n] *a.* 수심(슬픔)에 잠긴 비탄의, 비통한.

woe·ful [<fəl] *a.* 슬픔에 찬, 애처로운; 애처로운; [諧] 심한, 지독한(~ *ignorance* 일자무식). **~·ly** *ad.*

woke [wouk] *v.* wake의 과거(분사).

wok·en [wóukən] *v.* wake의 과

wold [would] *n.* ⓤⓒ 《英》《보통의》 고원(高原).

wolf [wulf] *n.* (*pl.* **wolves**) ⓒ 이리, 잔인(탐욕스런) 사람; 《口》색광, 엽색꾼. **cry ~** 거짓말을 하여 법석 떨게 하다. **keep the ~ from the door** 굶주림을 면하다. **a ~ in a lamb's skin** 양의 탈을 쓴 이리. — *vi.* 이리 사냥을 하다. — *vt.* 게걸스레 먹다(*down*). **~ish** *a.* 이리 같은; 잔인한; 탐욕스런.

wólf-hòund *n.* ⓒ 옛날 이리 사냥에 쓰던 큰 사냥개.

wom·an [wúmən] *n.* (*pl.* **women**) ⓒ 《성인》여자; 부인; 《집합적》 여성; 여인; 여자다운 여자; 여자의 본성. **play the ~** 여자답게 굴다; 여성적으로 되다; 눈물짓다. **~ of the world** 세상 일에 밝은 여자. — *a.* 여자의. **~·hood** [-hùd] *n.* ⓤ 여자임. **~·ish** *a.* 여성 특유의; 여자 같은. **~·like** [-làik] *a.* 여자다운; 여성에게 알맞은. **~·ly** *a.* 여자 같은; 여자다운; 여자에게 어울리는.

wóman·kìnd *n.* ⓤ 《집합적》 여성.

womb [wuːm] *n.* ⓒ 자궁(子宮); 《비유》 사물이 발생하는 곳. **from the ~ to the tomb** 요람에서 무덤까지. **in the ~ of time** 장래.

wom·bat [wɑ́mbæt/wɔ́mbət] *n.* ⓒ 웜뱃류《오스트레일리아의 곰 비슷한 유대(有袋) 동물》.

wómen·fòlk(s) *n. pl.* 부인, 여성; 여자들.

won [wʌn] *v.* win의 과거(분사).

won·der [wʌ́ndər] *n.* ⓤ 놀라움, 불가사의. ⓒ 놀라운 사물(일). **and no ~** …도 무리가 아니다, 당연한 이야기다. **a NINE day's ~** 일시적인 평판. **do 〔work〕 ~s** 기적을 행하다. **for a ~** 이상하게도. **No 〔Small〕 ~ 〔that〕** …도 당연하다. **to a ~** 놀랄 만큼. — *vi., vt.* 이상하게 생각하다(*that*); 놀라다(*at; to*); …이 아닐까 생각하다, 알고 싶어지다(*if, whether, who, what, why, how*). **~·ing** *a.* 이상한 듯한《표정 따위》. **~·ment** *n.* 놀라움, 경이.

won·der·ful [wʌ́ndərfəl] *a.* 놀라운, 이상한. ② 《口》굉장한. **~·ly** *ad.* **~·ness** *n.*

wónder·lànd *n.* ⓤ 이상한 나라.

won·drous [wʌ́ndrəs] *a.* 《古·雅》놀라운, 이상한. — *ad.* 《古》놀랄 만큼.

wont [wɔnt, wount, wʌnt] *a.* 버릇처럼 된, 《버릇처럼》 늘 …하는(*to do*). — *n.* ⓤ 습관, 버릇. **~·ed** [-id] *a.* 버릇처럼 된, 예(例)의.

won't [wount, wʌnt] will not의 단축.

woo [wuː] *vt.* 구혼(구애)하다; 《명예 등을 추구하다; 《아무에게》 조르다(*to do*). **~·er** *n.*

wood [wud] *n.* ① 《종종 *pl.*》 숲, 수풀. ② ⓤⓒ 나무, 재목; 목질(木質). ③ ⓤ 장작, 땔나무. (*the ~*) 술통. ⑤ (*the ~*) 목관 악기; 《집합적》《악단의》 목관 악기부; (*pl.*) 《악단의》 목관 악기 주자들. **cannot see the ~ for the trees** 작은 일에 구애되어 대국을 그르치다. **from the ~** (술 따위를) 술통에서 따낸. **out of the ~(s)** 어려움을 《위기를》 벗어나. **~·ed** *a.* 나무가 무성한; 《복합어로》 …한 목질의.

wóod blòck 목판(화); 《포장용》 나무 벽돌.

wóod·chùck *n.* ⓒ 《動》《북아메리카산의》 마멋(類).

wóod·còck *n.* ⓒ 《鳥》누른도요.

wóod·cùt *n.* ⓒ 목판(화). 《각판.

wóod·cùtter *n.* ⓒ 나무꾼; 목판공.

wóod·en [wúdn] *a.* ① 목제의, 나무로 만든. ② 무뚝뚝한, 얼빠진.

wóod·land [wúdlənd, -lènd] *n., a.* 《집합적》 삼림지대(森林地)의. **~·er** *n.*

wóod·man [wúdmən] *n.* ⓒ 나무꾼; 《英》 영림서원; 숲에서 사는 사람.

wóod·pècker *n.* ⓒ 딱따구리.

wóod·shèd *n.* ⓒ 장작 쌓는 헛간.

wóod wìnd *n.* ⓒ 《樂》 (*pl.*) 《오케스트라의》 목관 악기부.

wóod·wòrk *n.* ⓤ 나무 제품; 《가

옥의) 목조부.

wóod-wòrm *n.* ⓒ 〔蟲〕 나무좀.

***wood-y**[*wúdi*] *a.* ① 나무가 무성한. ② 나무의, 목질(木質)의.

woof[wuːf] *n.* (the ~) 〔집합적〕 (피륙의) 씨〈줄〕 (opp. warp).

†**wool**[wul] *n.* ⓤ 양털; 털실; 모직물; 모직의 옷; 양털 모양의 물건; (흑인 등의) 고수머리. **go for and come home shorn** 혹 떼러 갔다가 혹 붙여 오다. **much cry and little ~** 태산 명동(泰山鳴動)에 서일필(鼠一匹).

:**wool-en, (英) wool-len**[wúlən] *a.* 양털(제)의. — *n.* (*pl.*) 모직물; 모직의 옷.

wóol-gàthering *n., a.* ⓤ 얼빠짐, 멍청함; 방심(한).

***wool-(l)y**[wúli] *a.* ① 양털(모양)의. ② 〔動·植〕 털(솜털)로 덮인. ③ (생각, 소리가) 희미한. — *n.* (*pl.*) (□) 모직의 운동둥이 스웨터 등).

wóolly-héaded, -mínded *a.* 생각이 혼란한, 머리가 멍한.

wooz-y[wúːzi] *a.* (□) (술 따위로) 멍청해진, 멍한.

†**word**[wəːrd] *n.* ① ⓒ 말, 단어; 〔컴〕 낱말, 워드(machineword). ② ⓒ (종종 *pl.*) (짧은) 이야기, 담화 (입으로 하는) 말(*a ~ of praise*). ③ ⓒ 명령(*His ~ is law.* 그의 명령은 곧 법률이다); 암호; 군호. ④ ⓤ 기별, 소식. ⑤ (*pl.*) 말다툼. ⑥ (*pl.*) 가사(歌詞). ⑦ (the W-) 표상되는 하느님의 뜻. **be GOOD as one's ~.** **big ~s** 호언 장담. **break one's ~** 약속을 어기다. **bring ~** 알리다. **by ~ of mouth** 구두로, 입말로. **eat one's ~s** 식언하다. **give (pledge, pass) one's ~** 약속하다. **hang on a person's ~s** 아무의 말을 열심히 듣다. **have the last ~** 논쟁에서 상대방을 이기다; 최후의 단을 내리다. **have ~s with** …와 말다툼하다. **in a (one) ~** 요컨대. **keep one's ~** 약속을 지키다. **man of his ~** 약속을 지키는 사람. **My ~!** 이런! 이번! 놀랐는데. (**up)on(with) the ~** 말이 떨어지기가 무섭게. **take a person at his ~** 남의 말을 곧이곧

다. **the last ~** 마지막〔결론적인〕 말; 유언; 〔□〕 최신 유행 〔발명〕품; 최우수품, 최고 권위. **upon my ~** 맹세코; 이런! 저런! **~ for ~** 축어적으로, 한마디 한마디로. **~ of honor** 명예를 건 약속 〔언맹 (盟誓)〕. — *vt.* (*sing.*) 말씨, 어법. ***~·less** *a.* 말 없는, 무언의; 벙어리의.

wórd·plày *n.* ⓒ 말다툼, 언쟁; 익살, 둘러대기.

wórd pròcessing 〔컴〕 워드 프로세싱(생략 WP)(~ *program* 워드 프로세싱 프로그램／~ *system* 워드 프로세싱 시스템〔체계〕).

wórd prócessor 〔컴〕 워드 프로세서, 문서(글짜)처리기.

word·y[wə́ːrdi] *a.* 말의; 말이 많은; 장황한. **word·i·ness** *n.* ⓤ 말이 많음, 수다(스러움).

†**wore**[wɔːr] *v.* **wear**의 과거.

:**work**[wəːrk] *n.* ① ⓤ 일; 직업; 노동, 공부; 직무; 사업; 짓; 〔理〕 일(의 양). ② ⓒ 제작물 (예술상의) 작품, 저작; (보통 *pl.*) 토목(방어) 공사. ③ (*pl.*) (흔히 복합어로) 공장; (기계의) 움직이는 부분, 장치, 기계. ④ (*pl.*) 〔神〕 (신의 하신) 일, 행위. **at ~** 일하고, 운전(활동) 중에; **fall (get, go) to ~** 일에 착수하다; 작용하기 시작하다. **in ~** 취업하여. **make short of ~** 일을 재빨리 해치우다. **man of all ~** 만능꾼. **out of ~** 실직하여. **set to ~** 일에 착수(케)하다. **~ in process** 반제품. **~ in progress** 미완성품. **~ of art** 예술품. — *vi.* (**~ed, wrought**) ① 일하다, 작업을 하다(*at, in*). ② 공부하다. 노력하다(*against, for*). ③ 근무하다 있다. 바느질하다. ④ (기관·기계가) 움직이다. 돌다, 운전하다. ⑤ 서서히〔노력하여〕 나아가다〔들어가다〕. ⑥ 발효(醱酵)하다; 작용하다. ⑦ (마음·얼굴 등이) 심하게 움직이다, 실룩거리다. — *vt.* ① 일시키다; (종업원등을) 부리다; (손가락·기계 따위를) 움직이다; (차·배 등을) 운전하다; (광산·사업 등을) 경영하다. ⑧ (계획 등을) 실시하다. 세우다. ③ (문제 따위를

을) 풀다. ④ 초래하다. (영향 따위
를) 생기게 하다; 행하다. ⑤ 서서히
[애써서] 나아가다 하다. ⑥ 세공(細
工)하다; 반죽하다. ⑦ 단련하다. (사
람을) 차차로 움직이다; 홍분시키다
(into). ⑧ 발효시키다. ~ 《口》(아무
를) 움직이며[속여서] …을 얻게 하다. ~
away 계속해서[부지런히] 일하다. ~
in 삽입하다; 조화되다. ~ loose 느
즈러지다. ~ off 서서히 제거하다;
처리하다. ~ on [upon] …에 작용
하다; = work away. ~ one's
way 일하면서 애쓰면서 나아
가다. ~ out (계획을) 세밀하게 작
성하다; (문제 등을) 풀다; (광산을) 다
파서 바닥내다; 써서 낡게 하다; (빚
을 돈으로 갚는 대신) 일하여 갚다;
연습시키다; 일하여 완성하다; 《합계
를》 산출하다; (사람을) 지치게 하다;
결국 …이 되다. ~ up 점차로 만들
어내다; 서서히 흥분시키다, 선동하
다; (이야기의 줄거리 따위를) 발전시
키다(to); 정성들여 만들다; 뒤섞다;
대성《집성》하다. —a. 일하는, 노동
의(을 위한).

work·a·day[wə́ːrkədèi] a. 일하는
날의, 평일의; 평범한; 실제적인.

wórk·bàg n. ⓒ (특히, 재봉의) 도
구 주머니. 「히 재봉(바느질)함.

wórk·bàsket n. ⓒ 도구 바구니(특

wórk·bènch n. ⓒ (목수·직공 등
의) 작업대. 「ⓒ 《美》작업(실).

wórk·bòok n. ⓒ 연습장, 규정집,
(예정·완성한) 작업 일람표.

wórk·dày n. ⓒ 작업일, 근무일.
(하루의) 취업 시간. —a. = WORKA-
DAY.

wórk·er n. ⓒ ① 일[공부]하는 사
람, 일손, 일꾼, 노동자; 세공장
(匠). ② 일벌, 일개미 (따위).

work fòrce 노동 인구, 노동력.

wórk·hòuse n. ① 《美》소년원.
(경범죄자의 취[노]역소);《英》구빈원
(救貧院).

wórk·ing[wə́ːrkiŋ] n. ① 작용,움 직임, ①
작동, 활동; 노동; 운전; 경영; 일,
ⓒ (보통 pl.) (광산·채석장 등의) 작
업장. —a. 일하는; 노동(자)의; 작
용(을)의; 경영의; 실제로 일하는, 실
용의; 유효한.

wórking càpital 운전 자본.

wórking clàss(es) 노동 계급.

wórking dày = WORKDAY (n.)

wórking pàrty 특별 작업반;《英》
(기업의 능률 향상을 위한) 노사(勞
使)위원회.

:wórk·man[wə́ːrkmən] n. ⓒ 노동
자, 장색. ~·like[-làik] a., ad. 직공
다운; 능숙한; 능란하게; 솜씨 있게.
《종종 蔑》손재주 있는. *~·ship
[-ʃìp] n. ① (장색의) 솜씨; (제품의)
완성된 품; (제)작품.

wórk·òut n. ⓒ (경기의) 연습, 연습
경기; (일반적으로) 운동; 고된 일.

wórk·ròom n. ⓒ 작업실.

wórk shèet 《會計》시산표(試算票).

:wórk·shop[-ʃàp/-ʃɔ̀-] n. ⓒ 작업
장, 일터; 공장; 《美》강습회, 연구회,

wórk·stàtion n. ⓒ 《컴》작업(실)
전산기.

wórk·tàble n. ⓒ 작업대.

:world[wə́ːrld] n. ① (the ~) 세
계, 지구; 지구상의 한 구분. ② ⓒ
(보통 the ~) 천체;《界》③ ⓒ
(the ~) 인류. ④ ⓒ (보통 the ~)
세상; 세상사(事), 인간사. ⑤ ⓒ 별,
천체. ⑥ ⓒ 이승. ⑦ (the ~) 만
물, 우주; 왕황한 퍼짐[영역]. ⑧ a
(the) ~ 다수, 다량(of). as the
~ goes 일반적으로 말하면. come
into the ~ 태어나다. for all
the ~ 무슨 일이 있어도; 아무리 없
어도, 꼭. for the ~ 세상 없어도.
get on in the ~ 출세하다. How
goes the ~ with you? 경기[재미]
가 어떠십니까? in the ~《의문문
다음에 써서》 도대체. make the
best of both ~s 세속(世俗)의 이
해와 정신적 이해를 조화시키다.
man of the ~ 세상 경험이 많은
사람, 세상꾼. the next [other] ~ 저승,
내세(來世). to the ~ 《俗》아주,
완전히. ~ without end 영원히,

wórld·ly[wə́ːrldli] a. ① 이 세상
의, 현세의; ② 세속적인. **wórld·
li·ness** n. ① 속된 마음.

wórld·ly-wíse a. 세파(世波)가 뛰
어난, 세상 물정에 밝은.

wórld pówer 세계 열강.

Wórld Wár I[Ⅱ] [-wʌ́n [túː]] 제
1 [2]차 세계 대전.

wórld-wèary *a.* 세상이 싫어진, 생활에 지친.

world-wide [‑ʃwáid] *a.* 세상에 널리 알려진(퍼진), 세계적인.

worm [wəːrm] *n.* ⓒ ① 벌레《지렁이·구더기 따위 같이 발이 없이 물렁한 것》. ② 벌레 같은 모양(동작)의 물건(나삿니 따위). ③ (*pl.*) 기생충병. *A ~ will turn.* 《속담》지렁이도 밟으면 꿈틀한다. — *vi.* 벌레처럼 기다, 기듯 나아가다(*into, out of, through*); 교묘히 환심을 사다(*into*). — *vt.* ① (벌레처럼) 서서히 나아가게 하다; 서서히 들어가게하다(*into*). ② (비밀을) 캐내다(*out, out of*). ③ 벌레를 없애다. *~·y* *a.* 벌레가 붙은, 많은; 벌레 같은.

wórm-èaten *a.* 벌레 먹은; 케케묵은.

wórm·wòod *n.* ⓤ ① 다북쑥속《식물》; 고민. 「식물; 고민.

worn [wɔːrn] *v.* wear의 과거 분사. — *a.* ① 닳아[낡아]빠진. ② 녹초가된. 「진; 진부한.

wórn-óut *a.* ① 다 써버린; 닳아빠진. ② 진부한.

worry [wə́ːri, wʌ́ri] *vt.* ① 피롭히다; 걱정[근심]시키다. ② 물어뜯어 괴롭히다; 물고 흔들다. — *vi.* ① 걱정[근심]하다, 괴로워하다(*about*). ② (개 따위가) 동물을《토끼·토기 등을》물어뜯어 괴롭히다. *I should ~.* 《美》조금도 상관 없네. 괴로와할 게 아무것도 없네. *~ along* 고생하며 헤쳐 나아가다. — *n.* ⓤ 근심, 걱정, 고생; ⓒ 걱정거리, 고생거리. **wór·ried** [‑d] *a.* 곤란한, 당혹한; 걱정스런. **wór·ri·er** [‑ər] *n.* ⓒ 괴롭히는 사람; 잔걱정이 많은 사람. **wór·ri·ment** [‑mənt] *n.* 《美》 ⓤ 근심, 괴로움. **wór·ri·some** *a.* 귀찮은; 성가신.

worse [wəːrs] *a.* (bad, evil, ill의 비교급) 더욱 나쁜. *be ~ off* 살림이 어렵다. (and) *what is ~*, 또 *to make matters ~* 설상가상으로. — *ad.* (badly, ill의 비교급) 더욱 나쁘게. — *n.* ⓤ 더욱 나쁜 일 [물건] (a change for the ~ 악화). *have* [*put*] *to the ~* 패배하다(시키다).

wors·en [wə́ːrsn] *vt., vi.* 악화시키다[하다].

worship [wə́ːrʃip] *n.* ⓤ ① 숭배,

경모. ② 예배(식). ③ 각하(閣下). *place of ~* 교회. *Your* [*His*] *W-* 각하. — *vt., vi.* 《(英) **-pp-**》① 숭배[존경]하다. ② 예배하다. **-ful** [‑fəl] *a.* 존경할 만한; 경건한. 「*·*(p)er *n.* ⓒ 숭배[예배]자.

worst [wəːrst] *a.* (bad, evil, ill의 최상급) 가장 나쁜. — *ad.* (badly, ill의 최상급으로) 가장 나쁘게. (the ~) 최악의 것[상태·일]. *at* (the) ~ 아무리 나빠도; 최악의 상태로. *get* [*have*] *the ~ of it* 패배하다, 지다. *give* (*a person*) *the ~ of it* (아무를) 지우다. *if* (the) ~ *comes to* (the) ~ 최악의 경우에는. *put* (*a person*) *to the ~* (아무를) 지우다. — *vt.* 지우다, 무찌르다.

wor·sted [wústid, wɔ́ːr‑] *n.* ⓤ 소모사(梳毛絲), 털실; 소모직물. — *a.* 털실의, 털실로 만든.

worth [wəːrθ] *pred. a.* …만큼의 값어치가 있는; …만큼의 재산이 있는. *for all one is ~* 전력을 다하여. *for what it is ~* 《사실 여부는 차치했든》그 대로, 진위 선악은 차치하고. — (*one's*) *while* 시간을 들일 [애쓸] 만한 가치가 있는. — *n.* ⓤ 값어치; (일정한 금액에) 상당하는 분량; 재산. *~·less* *a.* 가치 없는.

wórth-whíle *a.* 할 만한 가치[보람]가 있는.

wor·thy [wə́ːrði] *a.* ① 가치 있는, 훌륭한, 상당한. ② (…하기에) 족한, (…할) 만한; (…에) 어울리는(of; to do). ③ 훌륭한 인물. 명사. **wór·thi·ly** *ad.* **wór·thi·ness** *n.*

would [wud, 弱 wəd, əd] *aux. v.* (will의 과거) ① 《미래》…할 것이다. …할 작정이다. ② 《과거 습관》가끔[곧잘]…했다. ③ 《소원》…하고 싶다. …하여 주시지 않겠는가, 《가정》…할 텐데, 하였을 것을; 기어코 …하려고 하다. ⑤ 《추량》…일 것이다.

would-be [wúdbìː] *a.* ① 자칭(自稱)의, 제딴은 …인 줄 아는, 으레 …이 되고 싶은[되려고 하는].

wouldst [wudst] *aux. v.* 《古·詩》 = WOULD.

wound¹ [wuːnd] *n.* ⓒ ① 부상,

처. ② 손해; 고통; 굴욕. — vt. 상처를 입히다; (감정 등을) 해치다. ── : ~ed[<id] a. 부상한, 상처 입은 (the ~ed 부상자들).

wound³[waund] v. wind²의 과거(분사).

wove[wouv] v. weave의 과거(분사).

wo·ven[wóuvən] v. weave의 과거분사.

wow[wau] n. (sing.)《美俗》(연극 따위의) 대히트; 대성공. — int. 야아, 이거 참.

W.P.C.《英》 woman police constable. **wpm** words per minute. **W.R.A.C.** Women's Royal Army Corps.

wrack[ræk] n. ① 파괴, 파멸. ② 《英俗》 난파선(의 표류물). 해가에 밀린 해초. **go to ~** and **ruin** 파멸하다, 거덜나다.

W.R.A.F. Women's Royal Air Force.

wraith[reiθ] n. ① (사람의 죽음 전후에 나타난다는) 생령(生靈); 유령. ② 그림자 같은 것.

wran·gle[ræŋgl] vi. 말다툼(논쟁)하다. — vt. 논쟁하다. 《美》 목장에서 (말 따위를) 보살피다. — n. 말다툼. **-gler.** n. ⓒ 《美》 말지기; 《英》 (Cambridge 대학에서) 수학 우위 시험 1급 합격자.

wrap[ræp] vt. (~ped, wrapt; -pp-) ① 싸다; 두르다; 휩싸다. ② 덮다, 가리다. — vi. 싸다, 휩싸이다. **be ~ped up in** …에 열중되다, …에 말려들다. ~ **up** (방한구로) 휩싸다. — n. (보통 pl.) 몸을 싸는 것; 어깨 두르개, 무릎 가리개, 외투. **~-page**[<idʒ] n. (신문 잡지) 포장지(재료). ~ 은 사람들; (물건); 포장(지); 봉(封) 띠; (책의) 커버; 낙서한 실내옷, 화장옷. **~-ping** n. ⓒ (보통 pl.) 포장(지); 보자기.

wrath[ræθ, rɑ:θ/rɔ:θ] n. ① 격노. ② 복수; 벌. **~·ful, ~·y** a. ① 격노한.

wreak[ri:k] vt. (성을) 내다 (원한을) 풀다 (복수·벌 따위를) 가하다 (upon).

: **wreath**[ri:θ] n. (pl. ~s [-ríːðz, -ríːθs]) ① 화환(花環). ② (연기·구름 따위의) 소용돌이.

wreathe[ri:ð] vt. ① 화환으로 만들다(꾸미다) ② 두르다; 싸다. — vi. (연기 등이) 동그라미를 지으며 오르다.

wreck[rek] n. ① 파괴; 난파; ② 난파선, 잔해. ③ ⓒ 영락한 사람. ④ ⓒ (난파선의) 표류물. **go to ~** (**and ruin**) 파멸하다; 영락시키다. — vi. 난파(파멸)하다; (아무를) 영락시키다. — vi. 난파하다; 조난(파괴)하다; ~ **age**[<idʒ] n. ⓒ (집합적) 난파, 파괴; 잔해, 난파 화물. **~·er** n. ⓒ 난파선 약탈자; 건물 철거업자; 레커차(車), 구난(救難)차(열차); 난파선 구조원(선).

wren[ren] n. ⓒ 《鳥》 굴뚝새.

wrench[rentʃ] n. ⓒ ① (급격한) 비틀림; 염좌(捻挫). ② 《機》 렌치(너트볼트 따위를 돌리는 공구). ③ (이별의) 비통. — vt. (급격히) 비틀다. 비틀어 떼다(away, off, from, out of). ② 삐다, 접질리다. ③ (뜻·사실을) 왜곡하다; 억지로 갖다 붙이다(from). ④ (…에게) 몹시 사무치게(영향을 미치다)(affect badly).

wrest[rest] vt. ① 비틀다, 비틀어 떼다(from). ② 억지로 빼앗다(from). ③ (사실·뜻을) 억지로 갖다 대다, 왜곡하다. — n. ⓒ 비틀; 접질림.

wres·tle[résl] vi. ① 레슬링(씨름)하다; 맞붙어 싸움(with). ② (역경·난관·유혹 등과) 싸우다(with, against). (어려운 문제와) 씨름하다(with). — vt. (…와) 레슬링(씨름)하다. — n. ⓒ 레슬링 경기; 맞붙어 싸움; 분투. **~·tler** n. ⓒ 레슬링 선수; 씨름꾼. **~·tling** n. ⓒ 레슬링, 씨름.

wretch[retʃ] n. ⓒ 불운한 사람. **wretch·ed**[rétʃid] a. ① 불운한, 비참한; ② 나쁜; 지독한. **~·ly** ad. **~·ness** ad.

wrig·gle[rígl] vi. ① 꿈틀거리다. 꿈틀[허위]거리며 나아가다(along, through, out, in). ② 교묘하게 몸을 빼다(into); 잘 헤어나다(out of). — vt. 꿈틀[허위]거리게 하다. — n. (보통 sing.) 꿈틀거림. **wrig·gler** n. ⓒ 꿈틀거리는 사람; 장구벌레. **-gly** a.

wring[riŋ] vt. (**wrung**) ① 짜다; (새의 목 따위를) 비틀다; (물을) 짜내다, 쥐어짜다(from, out, out of). ② 꽉 쥐다; 어거지로 얻다(from, out of). ③ 괴롭히다; (말의 뜻을) 왜곡하다. ~ **ing wet** 흠뻑 젖어. ~ **out** (돈·물을) 짜내다. ~ **er** ⓒ 짜는 사람; (세탁물) 짜는 기계.

wrin·kle[ríŋkəl] n., vt., vi. ① (보통 pl.) 주름(잡다, 지다). **-kled**[-d] a. 주름진. **wrin·kly** a. 주름진, 주름 많은.

wrin·kle² n. ⓒ (口) 좋은 생각, 묘 안.

wrist[rist] n. ⓒ 손목; 손목 관절.

wrist watch 손목시계.

writ[rit] n.〖法〗영장; 문서. **Holy** [**Sacred**] **W-** 성서. ~ **large** 대서 특필하여; (폐해 따위가) 증대하여.

write[rait] vt. (**wrote, 〈古〉writ; written, 〈古〉writ**) ① (글씨·문장 따위를) 쓰다; 문자로 나타내다, 기록하다. ② 편지로 알리다. ③ (얼굴 따위에) 똑똑히 나타내다, 써넣다. — vi. ① 글씨를 쓰다. ② 저작하다. ③ 편지를 쓰다(to). ④〖컴〗(기억 장치에) 쓰다. ~ **a good** [**bad**] **hand** 글씨를 잘[못] 쓰다. ~ **down** 써 두다; (자산 가격의) 장부 가격을 내리다. ~ **off** 장부에서 지우다; 꺽자내다. ~ **out** 써 두다; 다 써버리다; 정서하다. ~ **over** 다시 쓰다; 가득히 쓰다. ~ **up** 게시하다; 지상에서 칭찬하다; 상세히 쓰다. **:writ·er** n. ⓒ 쓰는 사람, 필자, 기자; 저자, 작가.

write-down n. ⓒ 평가 절하, 삭감 《자산 장부상의 장부 가격의 절하》.

write-off n. ⓒ (장부에서의) 삭제 《세금 따위의》.

writer's cràmp〖醫〗서경(書痙).

write-up n. ⓒ (口) 기사, (특히) 칭찬 기사, 남을 추어올리기.

writhe[raið] vt. (~**d; ~d, 〈古·詩〉writhen**[ríðn]) 뒤틀다; (괴로움으로) 몸부림치다. — vi. 몸부림치다; 고민하다(at, under, with).

writ·ing[ráitiŋ] n. ① ⓤ 씀; 습자; 필적. ② ⓤ 저술(업). ③ ⓤ 문서, 편지, 서류, 문장. ④ (pl.) 저작. **in ~** 써서, 문장으로. ~ **on the wall** 절박한 재앙의 징조. — a. 문자로 쓰는; 필기용의.

writ·ten[rítn] v. write의 과거분사. — a. 문자로 쓴; 성문의. ~ **examination** 필기 시험. ~ **language** 문어(文語). ~ **law** 성문법.

wrong[rɔ(ː)ŋ, rɑŋ] a. ① 나쁜, 부정한. ② 틀린; 부적당한. ③ 역(逆)의; 이면의. ④ 고장난; 상태가 나쁜. **get** [**have**] **hold of the ~ end of the stick** (이론·입장 등을) 잘못 알다. ~ **side out** 뒤집어서. — ad. 나쁘게; 틀려서; 고장나서. **go ~** 길을 잘못 들다; 고장나다; (여자가) 몸을 그르치다. — n. ① ⓤ 나쁨[짓]; 부정. ② ⓤⓒ 해(害). **do ~** 나쁜 짓을 하다. **do a** (**person**) ~, or **do ~ to** (a person) (아무에게) 나쁜 짓을 하다; 아무를 부당하게 다루다; (아무를) 오해하다. **in the ~** 잘못되어 있는; 틀려서. **put** (a person) **in the ~** 잘못을 남의 탓으로 돌리다. **suffer ~** 해를 입다; 부당한 처사를 당하다. — vt. ① 해치다; 부당하게 다루다. ② 치욕을 주다; 오해하다. **~·ful** a. 나쁜, 부정한, 불법의. **~·ful·ly** ad.

wróng·dòer n. ⓒ 나쁜 짓을 하는 사람, 범(죄)자.

wróng·dòing n. ⓤⓒ 나쁜 짓(하기).

wróng-héaded a. 판단[생각·사상]이 틀린, 완미한.

wróng·ly[-li] ad. 잘못되어; 부당하게; 나쁘게.

wrote[rout] v. write의 과거.

wrought[rɔːt] v. work의 과거(분사). — a. 만든; 가공한; 세공한; 불린.

wróught íron 단철(鍛鐵).

wrung[rʌŋ] v. wring의 과거(분사).

wry[rai] a. ① 뒤틀린, 일그러진. ② (얼굴 따위) 찌푸린. **make a ~ face** 얼굴을 찡그리다. **~·ly** ad. 냉담하여, 심술궂게, 비꼬는 투로 (dry·ly). **~·neck** n. ⓒ 목이 비뚤어진 사람; 딱따구릿과의 일종.

wt. weight.

W

X

X, x[eks] *n.* (*pl.* **X's, x's**[éksiz]) ⓒ X자 모양의 것; Ⓤ (로마 숫자의) 10; ⓒ 미지의 사람[것]; 【數】 미지수 [량]; 《美》 성인 영화의 기호(*an X-rated film* 성인용 영화).

X chrómosome 【生】 X염색체.

xen·o·pho·bi·a [zènəfóubiə, zìnə–] *n.* Ⓤ 외국(인) 혐오.

Xe·rox [zíərɑks/–rɔ–] *n.* ① ⓒ 【商標】 제록스《전자 복사 장치》. ② ⓒ

제록스에 의한 복사.

-xion[kʃən] *suf.* 《주로 英》 = -TION.

XL extra large.

Xmas [krísməs] *n.* = CHRISTMAS.

X-ray [éksrèi] *n., vt., a.* 엑스선 (사진); X선으로 검사[치료]하다; 뢴트겐 사진을 찍다; X선의[에 의한].

xy·lo·phone [záiləfòun, zíl–] *n.* ⓒ 목금, 실로폰. **-phon·ist**[–nist] *n.* ⓒ 목금 연주자.

Y

Y, y[wai] *n.* (*pl.* **Y's, y's**[–z]) ⓒ Y자 모양의 것; ⒰ⓒ 【數】 (제2의) 미지 수[량].

Y 〖化〗 yen; Y.M.C.A. *or* Y.W. C.A.(*I'm staying at Y.*).

-y, -ie, -ey[i] *suf.* 사람·동물을 나타내는 단음절의 말에 '애착·친밀'의 뜻을 더함: aunt*y*, bird*ie*, nurs*ey*.

yacht[jɑt/–ɔ–] *n., vi.* ⓒ 요트(를 달리다, 경주를 하다). **⟨·ing** ⒰ⓒ 요트 조종[놀이].

yachts·man [jɑ́tmən] *n.* ⓒ 요트조종[소유자], 요트 애호가.

Ya·hoo [jɑ́ːhuː, jeí–] *n.* ⓒ 야후《'걸리버 여행기' 속의, 인간의 모습을 한 짐승들》.

yak[jæk] *n.* ⓒ 야크, 이우(犛牛)《티베트·중앙 아시아산의 털이 긴 소》.

yam·mer [jémər] *n., vi., vt., n.* 《口》 공공[낑낑]거리다[거리기]; 불평을 늘어놓다[늘어놓음], 투덜거리며 말하다; (새가) 높은 소리로 울다〈우는 소리, 울음〉.

Yank [jæŋk] *n., a.* 《俗》 = YANKEE.

yank [jæŋk] *vt., vi., n.* 《口》 홱 잡아당기다[당김].

:Yan·kee [jǽŋki] *n.* ⓒ ① 《美》 뉴잉글랜드 사람. ② 《남북 전쟁시》 북군 병사; 북부 여러 주 사람. ③ 미국인. — *a.* 양키의. **~·ism** [–izəm] *n.* ⒰ 양키 기질; 미국식.

yap[jæp] *n.* ⓒ 요란스럽게 짖는 소리; 《俗》 시끄러운〈객쩍은〉 잔소리; 얼빠진 놈, 바보. — *vi.* (*-pp-*) (개가) 요란스럽게 짖다; 《俗》 시끄럽게《재잘 재잘》 지껄이다.

yard¹[jɑːrd] *n.* ⓒ ① 울안, 마당, (안)뜰. ② 작업장, 물건 두는 곳, (일 따위의) 사육장. ③ (철도의) 조차장(操車場). — *vt.* (가축 등을) 울 안에 넣다.

yard² *n.* ⓒ 야드《길이의 단위》 2피트, 약 91.4cm), 마《碼》; 〖海〗 활대. **by the ~** 《比》 상세히, 장황하게.

yard·age [–idʒ] *n.* ⒰ 야드로 잼; 그 길이.

yárd·àrm *n.* ⓒ 〖海〗 활대끝.

yárd·stìck *n.* ⓒ 야드 자《대자》; 판단(비교)의 표준.

yarn[jɑːrn] *n.* ① ⒰ 방(紡)사(絲)絲), 뜨개실, 피륙 짜는 실, 실. ② ⓒ 《항해자 등의 긴 이야기》; 허풍. ***spin a ~*** 긴 이야기를 하다.

X

— *vi.* 《口》 (긴) 이야기를 하다.

yar·row [jǽrou] *n.* ⓤⓒ 〔植〕 서양
톱풀.

yash·mak [jǽʃmæk] *n.* ⓒ (이슬람교
국 여성이 남 앞에서 쓰는) 이중 베일.

yaw [jɔː] *vi., n.* ⓒ 침로(針路)에서
벗어나다(하다).

yawl [jɔːl] *n.* ⓒ 고물 근처에 두 개
째의 돛대가 있는 범선; 4(6)개
의 노로 젓는 함재(艦載) 보트.

yawn [jɔːn] *vi.* ① 하품하다. ② (입
틈 등이) 크게 벌어져 있다. — *vt.*
① 하품하며 말하다. **make** (*a person*)
~ (아무를) 지루하게 하다. — *n.* ⓒ
① 하품. ② 틈, 금. ~·**ing** *a.* 하품
하고 있는; 지루한.

yaws [jɔːz] *n.* ⓤ 〔醫〕 인도 마마.

Y chromosome 〔生〕 ⓒ Y염색체.

yd. yard(s).

ye [jiː, 弱 ji] *pron.* ⓒ(古·詩) (=thou
의 복수) 너희들; 《口》 =YOU.

Ye, ye [ðiː, 弱 ðə, ði] *def. art.*
《古》 =THE.

yea [jei] *ad.* ⓒ 그렇다, 그렇지
(yes), 《古》 실로, 참으로. — *n.* ⓒ 찬성 찬성 투표(자); ~**s and
nays** 찬부의 투표).

yeah [jɛə, jaː] *ad.* 《口》 =YES (*Oh ~*? 정말이냐?).

year [jiər/jəːr] *n.* ⓒ ① …년, 해.
② …살, 연도, 학년. ③ (태양년 등의)
성(恒星年 등의) 1년 (유성의) 공전
주기. ④ *(pl.)* 연령; *(pl.)* 노년.
for ~s 몇 년이나 넘이나. ~ **after** [*by*]
~ 해마다, 매년. …, **in ~, out** 연년
세세세, 끊임없이. *~·ly a.* (연 1회
의; 매년의; 그 해만의; 1년간의.

year·book [<리ŋ] *n.* ⓒ 연감(年鑑), 연보.

year·ling [<리ŋ] *n., a.* ⓒ (동물의)
1년생; 한 살짜리; 1년된(된).

yéar·lòng *a.* 1년 (오랜)동안 계속

yearn [jəːrn] *vi.* ① 동경하다. 그리
워하다(*for, after*) ② 그립게 생각하다
(*to, toward*). ③ 동정하다(*for*).
④ 간절히 …하고 싶어하다(*to do*).
~·**ing** *n., a.* ⓤⓒ 동경(열망) (의
는). ~·**ing·ly** *ad.*

yéar·róund *a.* 1년중 계속되는.

yeast [jiːst] *n.* ⓤ ① 이스트, 빵누
룩; 효모(균). ② 고체 이스트, 조금
영향을(감화를) 주는 것. ③ 거품.

~·y a. 이스트의(같은); 발효되는;
불안정한.

yell [jel] *vi.* 큰 소리로 외치다, 고
함치다. — *vt.* 외쳐 말하다. — *n.*
ⓒ ① 외치는 소리, 아우성. ② 《美
口》(대학생 등의 응원의 고함).

yel·low [jélou] *a.* ① 황색의; 노란
가 누런. ② 편견을 가진; 질투심 많
은. ③《口》 겁많은. ④ 《신문 기사
등이》 선정적인. **the sear** (*sere*)
and ~ leaf 늙그막, 노년. — *n.*
① ⓤ ⓒ 노랑, 황색. ② ⓤ 황색 (그
림) 물감. ③ 노란 옷; ⓤⓒ (달걀
의) 노른자위. — *vt., vi.* 황색으로
하다(되다). *~·ish a.* 누르스름한.

yéllow féver 황열병(黃熱病).

yéllow flág 검역기(전염병 환자가
있는 표시), 또는 검역으로 정박중이라
해서 배에 달는 황색기기; quarantine
flag라고도 함). 『의 일종

yéllow·hàmmer *n.* ⓒ 〔鳥〕 멧새

yéllow pàges 전화부의 직업별
난. 『의 신문.

yéllow préss, the 선정적(인) 저널

yelp [jelp] *vi.* (개·여우 따위의) 날
카로운 울음 소리를 내다, 깽깽 짖다.
— *n.* ⓒ 깽깽 짖는(우는) 소리.

yen [jen] *n.* (Jap.) *sing. & pl.*
엔(円)(일본의 화폐 단위).

yen *n., vi.* (**-nn-**) ⓒ 《美口》열망
(하다); 동경 (하다)(*for*). **have a**
~ for 열망하다.

yeo·man [jóumən] *n.* (*pl. -men*)
ⓒ ① 《英史》 자유민; ② 《美》 소지
주, 자작농. ③《英》기마 의용병. ④
(古)《국왕·귀족의》 종자(從者). ⑤
《美海軍》 갑판·서무계의) 하사관
(~('s) service) (일단 유사시의) 충
성, 급할 때의 원조(도움) (Sh.
Haml.). ~·**ly a.** yeoman적
(다운, 다운); 용감한(하게); 정직한.

yeo·man·ry [jóumənri] *n.* ⓤ (집
합적) 자유민; 소지주, 자작농; 기마
의용병.

yes [jes] *ad.* ① 네, 그렇습니다; 그렇
말, 과연 (긍정·동의의 뜻으로 쓰임.
그래요?, 설마? ② 그 위에, 게다가
(~, and …). ③ (부름에 대답하는)
네(대답)(동의·긍정을 나타내는)
say ~ '네'라고 (말)하다, 승낙하
다. — *vi.* '네'라고 (말)하다.

yés màn 《口》예스맨《윗사람 하는 말에 무엇이나 예예하는 사람》.

yes·ter·day [jéstərdèi, -di] *n., ad.* 어제, 어저께; 최근.

yes·ter·year [jéstərjìər/-jɪ̀ər] *n.* 〖U〗 《古·詩》 작년; 지난 세월.

yet [jet] *ad.* ① 아직; 지금까지, 이 《부정사》 아직 (…않다), 당장은, 우선은 《의문문》 이미《 이미《의문문》 이미 (…되었나》: Is Dinner ready ~? 이미 식사 준비가 됐습니까; 먼저 말아, 언제가나? (I'll do it ~ ! 언제가는 하고 말 걸》; 더우기, 그 위에, ④《nor와 함께》…조차도, ⑤《비교급과 함께》더 한층; 그럼에도 불구하고, 그러나   **as** ~ 지금까지로서   **(be)** ~ to 아직 …않다(Three are ~ to return. 미귀환 3명》.   ~ **again** 다시 한번.   — *conj.* 그럼에도 불구하고, 그러나

ye·ti [jéti] *n.* (히말라야의) 설인(雪人)(the abominable SNOWMAN).

yew [ju:] *n.* 〖C〗〖植〗 주목(朱木); 〖U〗 그 재목.

Y.H.A. Youth Hostels Association.

Yid·dish [jídiʃ] *n., a.* 〖U〗이디시어 (語)(의)《독일어·헤브라이어·슬라브어의 혼합으로, 헤브라이 문자로 쓰며 러시아·중유럽의 유대인이 씀》.

yield [ji:ld] *vt.* ① 생산[산출]하다, 생기게 하다. ② (이익을) 가져오다. ③ 주다, 허락하다; 양도하다; 포기하다; ④ 명도[개명]하다. ④ 항복하다; — *vi.* ① (토지 등에서) 농작물이 산출되다. ② (눌리어서) 구부러지다, 우그러지다. ③ (놀리어서) 굴복 승낙하다, 양보하다. ④ (…에) 못들하다   ~ **oneself** (up) to …에 양보하다.   ~ **the [a] point** 논점을 양보하다.   — *n.* 〖U〗 생산(량); 산출(額); 수확; **~·ing** *a.* 생산적인; 하라는 대로 하는, 순종하는; 구부러지기 쉬운.

Y.M.C.A. Young Men's Christian Association.

yob [jɑb/jɔb], **yob·bo** [jɑ́bou/jɔ́b-] *n.* 〖英俗〗 신병, 전달, 무지령이(boy를 거꾸로 한 것).

yo·del [jóudl] *n., vt., vi.* 〖U〗 요들(로 노래하다 [노래 부르다》(본성(本聲)과 가성(假聲)을 엇바꾸어 가며 내는 스위스나 티롤 지방의 노래).

yo·ga, Y- [jóuɡə] *n.* 〖U〗〖힌두교〗 요가, 유가(瑜伽).

yo·g(h)urt [jóuɡərt] *n.* 요구르트

yo·gi [jóuɡi] *n.* 요가 수도자.

yoke [jouk] *n.* 〖C〗 《2마리의 가축의 목을 잇는 멍에(의 것)》, ② (멍에에 맨 한 쌍의 가축(소). ③ 멜대(물라운스 따위의) 어깨, 《스커트의) 허리, ④ 인연, 굴레; 구속, 속박; 지배, 압제, **pass [come] under the ~** 굴복하다.   — *vt.* (…에) 멍에를 씌우다 [에 매다]; 결합시키다; 한데 맺다(to).   — *vi.* 결합하다; 어울리다.

yo·kel [jóukəl] *n.* 〖C〗 시골뜨기.

yolk [jouk] *n.* 〖U.C〗 (달걀의) 노른자 위; 양모지(羊毛脂). 「方」=

yon [d] [jɑn(d)/-ɔ-] *a., ad.* 〖古〗 (저기)에(의); 훤씬 저쪽의.

yore [jɔr] *n.* 《다음 용법으로》 **in days of ~** 옛날에는, **of ~** 옛날의.

you [ju: 강 ju, jə] *pron.* ① 당신 (들)은[이], 자네(당신)(들)에게(을), 당신(들)을, 누구든지, **Are ~ there?** 〖電話〗 여보세요. **Y- there!** 《호칭》 여보세요, ~! 이 바보야.

you-all [ju:ɔ́l, jɔ:l] *pron.* 《美南部口》(2 사람 이상에 대한 호칭으로) 너희들아, 여러분.

you'd [ju:d] you had [would]의 단축.

young [jʌŋ] *a.* ① (나이) 젊은; 어린; 어린. ② (같은 이름의 사람·부자·형제를 구분할 때) 나이 어린 (편)의(junior). ③ (시일·계절·밤 따위) 초기의; 초기의; 미숙한(in, at). ④ (정치 등 등이) 진보적인, — *n.* (the ~) 《(집합적) 새끼 배어, **~·ish** *a.* 약간 젊은; **~·ish** *a.* 약간 젊은이의.

young·ster [-stər] *n.* 〖C〗 어린이.

your [juər, jɔ:r, 弱 jər] *pron.* ① (you의 소유격) 당신(들)의, ② 《古》예(例)의(familiar), 이른바. ③ (경칭으로) (Good morning, Y- Majesty! 폐하, 안녕히 주무셨습니까).

you're [juər, 弱 jər] you are의 단축.

yours [juərz, jɔ:rz] *pron.* ① 당신

의 것; 댁내. ② 당신의 편지. *of ~* 당신의. *~ truly* 여불비례(餘不備禮); 《謹》 = I, ME.

†**your·self**[juərsélf, jər-, joɪr-] *pron.* (*pl.* **-selves**) 당신 자신. *Be ~!* 《口》정신 차려.

:**youth**[juːθ] *n.* ① ⓤ 젊음, 연소(年少). ② 청춘; 초기; 청년기. ③ ⓒ 《집합적》젊은이들.

:**youth·ful**[júːθfəl] *a.* ① 젊은; 젊음에 넘치는. ② 젊은이의(에 적합한). **~·ly** *ad.* **~·ness** *n.*

youth hóstel 유스 호스텔《주로 청년을 위한 비영리 간이 숙소》.

†**you've**[juːv, 弱 juv] you have의 단축.

yowl[jaul] *vi.* 길고 슬프게 (우)짖다; 비통한 소리로 불만을 호소하다. — *n.* ⓒ 우는 소리.

Yo-yo[jóujòu] *n.* (*pl.* **~s**) ⓒ 《商標》 요요《장난감의 일종》.

yr. year(s); your.

yu·an[juːάːn] *n.* ⓒ 원(元)《중국의 화폐 단위》.

yuc·ca[jʌ́kə] *n.* ⓒ 《植》유카속의 목본 식물. 「결.

yule, Y-[juːl] *n.* ⓤ 크리스마스 (계

yúle·tìde *n.* ⓤ 크리스마스 계절.

yum-yum[jʌ́mì] *a.* 《口》맛나는.

yum-yum[jʌ́mjʌ́m] *int.* 냠냠.

Y.W.C.A.   Young   Women's Christian Association.

Z

Z, z[ziː/zed] *n.* (*pl.* **Z's, z's**[-z]) ⓒ Z자 모양의 것; 《數》(제 3의) 미지수(量). *from A to Z* 처음부터 끝까지, 철두철미.

za·ny[zéini] *n.* ⓒ 익살꾼; 바보. 타살꾼이; 숙겨버리다. — *vi.* ① 정력, 원기. ② 《컴》(EPROM상의 프로그램을) 지움.

zeal[ziːl] *n.* ⓤ 열심, 열중(*for*).

zeal·ot[zélət] *n.* ⓒ 열중(열광)자. **~·ry** *n.* ⓤ 열광.

:**zeal·ous**[zéləs] *a.* 열심인, 열광적인. **~·ly** *ad.*

†**ze·bra**[zíːbrə] *n.* ⓒ 얼룩말.

zébra cróssing《英》(흑백의 얼룩 무늬를 칠한) 횡단 보도.

Zeit·geist[tsáitgàist] *n.* (G.) (the ~) 시대 정신[사조].

†**ze·nith**[zíːniθ/zé-] *n.* ⓒ ① 천정 (天頂). ② 정섬(頂點), 절정.

zeph·yr[zéfər] *n.* 《雅》 ① (Z-) (의인(擬人化)한》 서풍; ② 산들바람, 연풍(軟風); ⓤⓒ 가볍고 부드러운 실·천·숄.

Zep·pe·lin, z-[zépəlin] *n.* ⓒ 체펠린 비행선《一般》비행선.

:**ze·ro**[zíərou] *n.* (*pl.* **~(e)s**) ①

ⓒ 영. ② ⓤ 영점; (온도계의) 영도. ③ ⓤ 무; 최하점. ④ ⓤ 《空》제로 고도(高度)《500피트 이하》. *fly at ~* 제로 고도로 날다. — *a.* 영의; 전무한. — *vi.* 고도를 겨냥하다. (…에) 표준을 맞추는(*in*).

zéro hour《軍》 예정 행동[공격] 개시 시각; 위기, 결정적 순간.

zest[zest] *n.* ① ⓤ 풍미(를 돋우는 것)《레몬 접질 등》. ② ⓤ 묘미, 풍취. ③ 대단한 흥미, 열심, 열성. *with ~* 대단한 흥미(흥미)로. — *vt.* (…에) 풍미(흥미)를 더하다. **~·y** *a.* (짜릿하게) 기분 좋은 풍미가 있는; 뜨거운. **~·ful**[-fəl] *a.*

zig·zag[zígzæg] *a., ad.* 지그재그의 [로]. — *vi.*, *vt.* (*-gg-*) 지그재그로 나아가(게 하)다. — *n.* ⓒ 지그재그 《Z자》형의 것.

zil·lion[zíljən] *n., a.* 《美口》막대 칠나게 많은 수(의).

zinc[zink] *n.* ⓤ 《化》 아연.

zing[ziŋ] *int.*, *n.* ⓒ 《美口》쌩(소리), — *vi.* (물체가 날아갈 경우) 쌩쌩소리를 내다.

Zi·on[záiən] *n.* 시온 산《에루살렘에 있는 신성한 산》; 《집합적》유대 족; ⓤ 천국; ⓒ 그리스도 교회

~·**ism**[-ìzəm] *n.* ⓤ 시온주의《유대인을 Palestine에 복귀시키려는 민족 운동》. ~·**ist** *n.* ⓒ 시온주의자.

zip[zip] *n.* ⓒ (총알 따위의) 핑 (소리); ⓤ (口) 원기; 지퍼. ── *vi.* (**-pp-**) 핑 소리를 내다; (口) 기운차게 나아가다; 지퍼를 닫다(열다). ── *vt.* 빠르게 하다; 활발히 하다; 지퍼(를) 닫(아 채우다[열다]). ~ **across the horizon** 갑자기 유명해지다. ~·**per** *n.* ⓒ 지퍼, 척. ~·**py** *a.* (口) 기운찬.

zíp code (美) 우편 번호((英) post-code).

zith·er(**n**)[zíθə*r*(n), zíð-] *n.* ⓒ 30-40줄의 양금 비슷한 현악기.

zo·di·ac[zóudiæk] *n.* (the ~) 〔天〕 황도대(黄道帶), 수대(獸帶); 12 궁도(宮圖). *signs of the ~* 〔天〕 12궁(宮). **-a·cal**[zoudáiəkəl] *a.*

zom·bi(**e**)[zámbi/-5-] *n.* ⓒ ① 초자연력에 의해 되살아난 시체; 《俗》 바보. ② ⓤ (럼과 브랜디로 만든) 독한 술.

zon·al[zóunəl] *a.* 띠(모양)의; 지역[구역]으로 갈린.

zone[zoun] *n.* ⓒ ① 〔地〕 대(帶). ② 지대, 구역. ③ 《美》(교통·우편 등의) 동일 요금 구역. ④ 〔컴〕 존. *in* **a** ~ 멍청히, 집중이 안 되는 상태에. *loose the maiden ~ of* …의 처녀성을 빼앗다. *the Frigid [Tem-*

perate, Torrid] **Z-** 한(온·열)대.── *vt., vi.* 지대로 나누다[를 이루다].

zon·ing[zóuniŋ] *n.* ⓤ 《美》(도시 의) 지구제; (소포 우편의) 구역제.

zonked[zaŋkt/-ɔ-] *a.* 《美俗》취한; (약물으로) 흐리멍덩한.

zoo[zu:] *n.* ⓒ 동물원.

zo·o·log·i·cal[zòuəládʒikəl/-ɔ́-] *a.* 동물학(상)의.

zoológical garden(**s**) 동물원.

zo·ol·o·gy[zouálədʒi/-ɔ́-] *n.* ⓤ ①동물학. ②(집합적) (어떤 지방의) 동물상(相)(fauna). **·gist** *n.* ⓒ 동물학자.

zoom[zu:m] *n., vi.* ① (a ~) 〔空〕 급상승(하다), 붕 (소리) 나다. ② 《俗》인기가 오르다, 붐을 이루다(cf. boom). ③ 〔映·寫〕(줌 렌즈 효과로, 화면이) 갑자기 확대[축소]되다. ── *vt.* (화면을) 갑자기 확대[축소]시키다.

zóom lèns 〔寫〕줌 렌즈(경동(鏡胴)의 신축으로 초점 거리·사각(寫角)을 자유롭게 조절할 수 있는 렌즈).

zuc·chi·ni[zu:kí:ni] *n.* (*pl.* ~(**s**)) ⓒ 《美》(오이 비슷한) 서양호박.

Zu·lu[zú:lu:] *n.* (*pl.* ~(**s**)), *a.* ⓒ 줄루 사람(아프리카 남동부의 호전적인 종족)(의); ⓤ 줄루어(語)(의); ⓒ 원뿔꼴의 밀짚 모자.

부록

I. SIGNS and SYMBOLS (기호와 약호)

.	period, full stop	¢	cent(s)
,	comma	$	dollar(s)
;	semicolon	£	pound(s)
:	colon	₩	won
'	apostrophe	#	number: a #6 bolt
?	question mark		pounds: 53#
!	exclamation mark	×	crossed with (of a hybrid)
-	dash	+	plus
-	hyphen	-	minus
" "	double quotation marks	×	multiplied by, times
' '	single quotation marks	÷	divided by
/	virgule, slant	=	equals
...(***)	ellipsis	<	is less than
'''	suspension points	>	is greater than
~	swung dash	∞	infinity
·	dot	‖	parallel: AB ‖ CD
( )	parentheses	$\frac{1}{2}$	a half
[ ]	brackets	$\frac{2}{3}$	two thirds
< >	angle brackets	$\frac{1}{4}$	a quarter
{ }	braces	$7\frac{2}{5}$	seven and two fifths
*	asterisk	0.314	zero point three one four
§	section: § 12	$\sqrt{9}$	the square root of 9
¶	paragraph	x^2	x squared
©	copyright(ed)	x^3	x cubed
®	registered trademark	50℃	fifty degrees centigrade
@	at: 300@ $700 each	90℉	ninety degrees Fahrenheit
%	percent		
&	ampersand: Brown & Co.		

II. WEIGHTS and MEASURES (도량형)

Linear Measure (길이)

	1 inch	= 2.54 cm	(1 cm = 0.3937 in.)
12 inches =	1 foot	= 0.3048 m	(1 m = 3.2808 ft.)
3 feet =	1 yard	= 0.9144 m	(1 m = 1.0936 yd.)
5.5 yard =	1 rod	= 5.029 m	(1 m = 0.1988 rd.)
302 rods =	1 mile	= 1.6093 km	(1 km = 0.6214 mi.)

Square Measure (넓이)

	1 square inch	= 6.452 cm²	(1 cm² = 0.1550 sq. in.)
144 square inches =	1 square foot	= 929.0 cm²	(1 cm² = 0.0011 sq. ft.)
9 square feet =	1 square yard	= 0.8361 m²	(1 m² = 1.1960 sq. yd.)
30.25 square yards =	1 square rod	= 25.29 m²	(1 m² = 0.0395 sq. rd.)
160 square rods =	1 acre	= 0.4047 ha	(1 ha = 2.4711 acres)
640 acres =	1 square mile	= 2.590 km²	(1 km² = 0.3861 sq. mi.)

Cubic Measure (부피)

	1 cubic inch	= 16.387 cm³	(1 cm³ = 0.0610 cu. in.)
1728 cubic inches =	1 cubic foot	= 0.0283 m³	(1 m³ = 35.3148 cu. ft.)
27 cubic feet =	1 cubic yard	= 0.7646 m³	(1 m³ = 1.3080 cu. yd.)

Liquid Measure (액량) USA〔Great Britain〕

	1 gill	= 0.1183〔0.142〕l	(1 lit. = 8.4531〔7.0423〕gi.)
4 gills =	1 pint	= 0.4732〔0.568〕l	(1 lit. = 2.1133〔1.7606〕pt.)
2 pints =	1 quart	= 0.9464〔1.136〕l	(1 lit. = 1.0566〔0.8803〕qt.)
4 quarts =	1 gallon	= 3.7853〔4.546〕l	(1 lit. = 0.2642〔0.2200〕gal.)

Avoirdupois Weight (무게)

	1 dram	= 1.772 g	(1 g = 0.5643 dr. av.)
16 drams =	1 ounce	= 28.35 g	(1 g = 0.0353 oz. av.)
16 ounces =	1 pound	= 453.59 g	(1 kg = 2.2046 lb. av.)
2000 pounds =	1 (short) ton	= 907.185 kg	(1 kg = 0.0011 s. t.)
2240 pounds =	1 (long) ton	= 1016.05 kg	(1 kg = 0.00101. t.)

III. 불 규 칙 동 사 표

1. 이탤릭체는 《古》 또는 《稀》　　2. 오른쪽 숫자는 본문 참조

현　　　재	과　　　거	과　거　분　사
abide	abode; abided	abode; abided
arise	arose	arisen
awake	awoke, awaked	awoken, awaked
be (am, *art*, is; are)	was, *wast, wert*; were	been
bear[2]	bore, *bare*	borne, born
beat	beat	beaten, beat
become	became	become
befall	befell	befallen
begin	began	begun
behold	beheld	beheld, *beholden*
bend	bent; *bended*	bent; *bended*
beseech	besought	besought
beset	beset	beset
bet	bet; betted	bet; betted
bid	bade, bad; bid	bidden; bid
bind	bound	bound
bite	bit	bitten, bit
bleed	bled	bled
blend	blended; blent	blended; blent
bless	blessed; blest	blessed; blest
blow[1]	blew	blown, 《俗》 blowed
break	broke; *brake*	broken; *broke*
breed	bred	bred
bring	brought	brought
broadcast	broadcast; broadcasted	broadcast; broadcasted
build	built	built
burn	burnt; burned	burnt; burned
burst	burst	burst
buy	bought	bought
can[1]	could	—
cast	cast	cast
catch	caught	caught
choose	chose	chosen
cleave[1]	cleft; cleaved; clove	cleft; cleaved; clove
cling	clung	clung
come	came	come
cost	cost	cost
creep	crept	crept
crow[2]	crowed, crew	crowed

현 재	과 거	과 거 분 사
cut	cut	cut
deal	dealt	dealt
dig	dug; 《英古》 *digged*	dug; 《英古》 *digged*
do, does	did	done
draw	drew	drawn
dream	dreamed; dreamt	dreamed; dreamt
drink	drank, *drunk*	drunk, drunken
drive	drove	driven
dwell	dwelt; 《稀》 *dwelled*	dwelt; 《稀》 *dwelled*
eat	ate; *eat*	eaten; *eat*
fall	fell	fallen
feed	fed	fed
feel	felt	felt
fight	fought	fought
find	found	found
flee	fled	fled
fling	flung	flung
fly[1]	flew; fled	flown; fled
forbid	forbade, forbad	forbidden
forecast	forecast; forecasted	forecast; forecasted
foresee	foresaw	foreseen
forget	forgot, *forgat*	forgotten, forgot
forgive	forgave	forgiven
forsake	forsook	forsaken
freeze	froze	frozen
get	got, *gat*	got, 《英古·美》 gotten
give	gave	given
go	went	gone
grind	ground; 《稀》 *grinded*	ground; 《稀》 *grinded*
grow	grew	grown
hang	hung; hanged	hung; hanged
have, *hast,* has	had, *hadst*	had
hear	heard	heard
hide[1]	hid	hidden, hid
hit	hit	hit
hold	held	held, *holden*
hurt	hurt	hurt
keep	kept	kept
kneel	knelt; kneeled	knelt; kneeled
knit	knitted; knit	knitted; knit
know	knew	known
lay	laid	laid
lead[2]	led	led
lean[2]	leaned; 《英》 leant	leaned; 《英》 leant
leap	leaped; leapt	leaped; leapt

현 재	과 거	과 거 분 사
learn	learned; learnt	learned; learnt
leave¹	left	left
lend	lent	lent
let	let	let
lie²	lay	lain
light¹,²	lighted; lit	lighted; lit
lose	lost	lost
make	made	made
may	might	—
mean³	meant	meant
meet	met	met
melt	melted	melted, molten
mislay	mislaid	mislaid
mislead	misled	misled
misspell	misspelled; misspelt	misspelled; misspelt
mistake	mistook	mistaken
misunderstand	misunderstood	misunderstood
mow	mowed	mowed, mown
must	(must)	—
ought	(ought)	—
outdo	outdid	outdone
outgrow	outgrew	outgrown
outrun	outran	outrun
overcome	overcame	overcome
overdo	overdid	overdone
overhang	overhung	overhung
overhear	overheard	overheard
overrun	overran	overrun
oversee	oversaw	overseen
oversleep	overslept	overslept
overtake	overtook	overtaken
overthrow	overthrew	overthrown
pay	paid	paid
prove	proved	proved, 《英古·美》 proven
put	put	put
quit	quitted; quit	quitted; quit
read	read	read
rebuild	rebuilt	rebuilt
recast	recast	recast
rend	rent	rent
reset	reset	reset
rid	rid; ridded	rid; ridded
ride	rode; *rid*	ridden; *rid*
ring¹	rang, 《稀》 *rung*	rung
rise	rose	risen

현　　　　재	과　　　　거	과　거　분　사
run	ran	run
saw³	sawed	sawn, 《稀》 sawed
say, *saith*	said	said
see	saw	seen
seek	sought	sought
sell	sold	sold
send	sent	sent
set	set	set
sew	sewed	sewed, sewn
shake	shook	shaken
shall, *shalt*	should	—
shave	shaved	shaved, shaven
shear	sheared, *shore*	sheared; shorn
shed²	shed	shed
shine	shone; shined	shone; shined
shoe	shod	shod, shodden
shoot	shot	shot
show	showed	shown, 《稀》 *showed*
shred	shredded; *shred*	shredded, *shred*
shrink	shrank; *shrunk*	shrunk; shrunken
shut	shut	shut
sing	sang; sung	sung
sink	sank; sunk	sunk; sunken
sit	sat, *sate*	sat
slay	slew	slain
sleep	slept	slept
slide	slid	slid, 《美》 slidden
sling	slung, *slang*	slung
slit	slit; *slitted*	slit; *slitted*
smell	smelled; smelt	smelled; smelt
sow	sowed	sown, sowed
speak	spoke; *spake*	spoken; *spoke*
spell	spelled; spelt	spelled; spelt
spend	spent	spent
spill	spilled; spilt	spilled; spilt
spin	spun, span 《美에선 古》	spun
spit¹	spat; spit 《英에선 古》	spat; spit 《英에선 古》
split	split	split
spoil	spoiled; spoilt	spoiled; spoilt
spread	spread	spread
spring	sprang, sprung	sprung
stand	stood	stood
steal	stole	stolen
stick	stuck	stuck
sting	stung, *stang*	stung

현 재	과 거	과 거 분 사
stink	stank, stunk	stunk
stride	strode	stridden
strike	struck	struck, 《때로》 *stricken*
string	strung	strung
strive	strove	striven
swear	swore, *sware*	sworn
sweat	sweat; sweated	sweat; sweated
sweep	swept	swept
swell	swelled	swelled, swollen
swim	swam, *swum*	swum
swing	swung, *swang*	swung
take	took	taken
teach	taught	taught
tear²	tore	torn
tell	told	told
think	thought	thought
thrive	throve; thrived 《英에선 └稀》	thriven; thrived 《英에선 └稀》
throw	threw	thrown
thrust	thrust	thrust
tread	trod; *trode*	trodden; trod
undergo	underwent	undergone
understand	understood	understood
undertake	undertook	undertaken
undo, undoes	undid	undone
uphold	upheld	upheld
upset	upset	upset
wake¹	waked; woke	waked; woken, woke
wear	wore	worn
weave	wove, *weaved*	woven, 〖商〗 wove
weep	wept	wept
wet	wet; wetted	wet; wetted
will, *wilt*	would	—
win²	won	won
wind²	wound; 《稀》 *winded*	wound; 《稀》 *winded*
withdraw	withdrew	withdrawn
withhold	withheld	withheld
withstand	withstood	withstood
wring	wrung	wrung
write	wrote; *writ*	written; *writ*

머 리 말

 해외 출장, 어학 연수, 여행, 그리고 영작문 시간 등등…
 이런 경우 가장 든든한 동반자가 되는 것이 한영사전일 것
입니다. 앞서 나온 영한소사전에 여러분이 보내주신 성원에
힘입어 한영소사전을 제작하였습니다. 영한소사전과 마찬가
지로 휴대와 사용이 간편한 크기에 꼭 필요한 일상어에서 전
문어, 시사용어까지 폭넓게 수록했습니다. 이 자그마한 사전
이 여러분의 영어 학습에 큰 도움이 되기를 바랍니다.

                                              민중서림 편집국

일 러 두 기

이 사전의 구성

이 사전은 현재 널리 쓰이고 있는 우리말과 외래어, 학술 용어 및 시사어 등을 가나다순으로 배열하였다.

A. 표제어

(1) 표제어는 고딕 활자로 보였고 한문에서 온 말은 괄호 속에 한자를 병기하였으며 일부가 우리말이고 다른 일부가 한자어인 것은 ―과 한자를 붙여 병기하였다.

　　보기 **가난**, **상임**(常任), **도도하다**(滔滔―)

(2) 접두사, 접미사 및 어미(語尾)로 쓰이는 표제어는 각기 그 앞에서 … 을 붙였다.

　　보기 **가―**(假), **…강**(强), **…도록**

(3) 낱말은 각각 독립 표제어로 내놓는 것을 원칙으로 하되, 지면 절약을 위하여 경우에 따라서는 다음과 같은 방법을 쓰기도 하였다.

　　a) 표제어를 어간(語幹)으로 한 낱말은 역어가 길지 않을 때 독립 표제어로 내세우지 않고 어간의 표제어의 역어 다음에 병기해 주었다.

　　　　보기 **ㄱ. 억지** unreasonableness: obstancy; compulsion. ¶ ～부리 다〔쓰다〕 insist on having *one's* own way; persist stubbornly.

　　　　　　ㄴ. 엄살 ～하다 pretend pain 〔hardship〕.

　　b) 동의어 및 원말과 준말 등은 병기해 준 것도 있다.

　　　　보기 **덕적덕적, 덕지덕지, 가마(니)**

B. 역어와 용례

(1) 역어와 용례는 현대 영어를 표준으로 하였으며, 속어·전문어 및 속담 등도 필요에 따라서 적절히 곁들였다.

(2) 영어의 철자는 미식을 위주로 하되, 특히 주의를 요하는 말은 영식을 아울러 보인 것도 있다. 단, 이 때에는 역어 뒤에 《英》을 보임으로써 그 구별을 나타냈다.

　　보기 **수표**(手票) a check 《美》; a cheque 《英》.

(3) 역어에 있어 미식·영식이 각기 그 표현을 달리할 때에는 다음처럼 표시했다.

　　보기 **왕복**(往復) ..., ∥―차표 a round-trip ticket 《美》; a return ticket 《英》.

(4) 외래어(外來語)로서 아직 영어에 완전히 동화되지 않은 것은 이탤릭체(體)로 표시했다.

　　보기 **사후**(事後) ～ ～ *ex post facto* 《라》.

(5) 표제어가 형용動사일 때에는 (be) 형식에 붙여 형용사임을 나타냈다. 단, 동사로 밖에 표현되지 않는 경우, 그 구분을 명백히 할 필요가 있을 때는 역어 앞에 〔서술적〕, 역어 뒤라면 (서술적)이라고 표시했다.

　　보기 **어리둥절하다** (be) dazed 〔stunned〕; bewildered; 〔서술적〕 be 〔get〕 confused: be puzzled.

(6) **one** (*oneself*), *a person*: 이것들은 일반적으로 「사람」을 가리키는 명사·대 명사임을 나타낸다. **one**은 주어와 같은 사람을, *a person*은 주어와 다른 사람임을 나타낸다.

보기 **가로막다** interrupt 《*a person*》.
　　　　생활(生活) ~ 하다 support *oneself*.

(7) 마찬가지로, *a thing*은 「물건」을, *a matter*는 「일」을, *a place*는 「장소」를 가리킨다.

(8) **do**는 일반적인 동사를 대표하며, *to do*는 부정사, *doing*은 동명사를 표시한다.
　　보기 **떳떳하다…. ¶**~을 떳떳하지 않게 여기다 be too proud 《*to do*》; be above 《*doing*》.

C. 기호의 용법

(1) 〖 〗의 용법
　　학술어와 기타 전문 용어 및 그 약어를 표시할 때
　　보기 **양서류**(兩棲類) 〖動〗 Amphibia.

(2) 《 》의 용법
　　표제어 또는 용례를 설명하거나 어법·용법상의 설명을 가할 때
　　보기 **양여**(讓與) 《영토의》 cession.
　　　　가게…. ¶~를 닫다 close the store; 《폐업》 shut 〔close〕 up store.
　　　　가곡(歌曲) 《노래》 a song; 《곡조》 a melody.

(3) 《 》의 용법
　　a) 역어의 각국별 용법 및 어원 등을 표시할 때
　　　보기 **감옥**(監獄) a jail 《美》; a gaol 《英》.
　　　　　마티네 a *matinée* 《프》.
　　b) 그 역어가 취하는 관련 전치사·형용사·동사 및 보충 설명적인 목적어 등을 보인다.
　　　보기 **거처**(居處)…. **¶**~를 정하다 take up *one's* residence 〔quarters〕 《*at, in*》.
　　　　　개진(開陳) ~하다…: express 《*one's* opinion》.
　　　　　반소(反訴) (bring) a cross action.

(4) ( )의 용법
　　a) 생략이 가능한 말을 쓸 때
　　　보기 **프로그램** a program(me)
　　　　　　　　{ = a program
　　　　　　　　{ = a programme
　　　　　데이트…. ¶~하다 date (with) 《*a girl*》.
　　　　　　　　{ = date 《*a girl*》
　　　　　　　　{ = date with 《*a girl*》
　　b) 역어의 보충 설명 및 생략어·기호 따위
　　　보기 **붕사**(硼砂) borax; tincal 《천연의》.
　　　　　붕소(硼素) 〖化〗 boron 《기호 B》.
　　　　　삼월(三月) March 《생략 Mar.》.
　　c) 복합어에 결달린 말들을 보였다.
　　　보기 **양도**(讓渡) **¶**~인 a grantor; a transferer 《피~인 a transferee》.
　　d) 머리글자로 만들어진 생략형 역어의 원어를 표시할 때
　　　보기 **아이오시 IOC.** 《◀ the International Olympic Committee》.
　　e) 표제어가 형용사임을 보이기 위해 be를 사용할 때
　　　보기 **아름답다** (be) beautiful; pretty.

(5) 〔 〕의 용법
　　그 부분이 대치될 수 있음을 표시할 때

보기 **양원**(兩院) both〔the two〕Houses.
{ = both Houses
= the two Houses

(6)〔 〕의 용법
그 역어의 복수형을 보였다.
보기 **용매**(溶媒) a menstruum〔*pl.* ～s, -strua〕

(7) ～는 표제어와 일치한다.
보기 **가속**(加速)…. ¶ ～적으로 with increasing speed.

(8) ☞는 「다음의 항을 보라」, =은 「다음 것과 같다」의 뜻임.

(9) ‖ 이하는 복합어, 연어를 보인다.
보기 **양심**(良心)…. ‖ ～선언 a declaration of conscience.

(10) 「=」는 본래의 하이픈이 행말(行末)에 왔을 때 표시했다.
보기 **양화**(洋畫) ① 《서양화》 a Western=
style painting.

약어풀이

(자명한 것은 생략)

《美》	美國用法	《獨》	獨逸語
《英》	英國用法	《그》	그리스語
《러》	러시아語	《라》	라틴語
《이》	이탈리아語	《梵》	梵語
《中》	中國語	《口》	口語
《프》	프랑스語	《俗》	俗語
【建】	建築	【野】	野球
【經】	經濟	【藥】	藥學
【工】	工業	【魚】	魚類
【鑛】	鑛物·鑛山	【言】	言語學
【教】	教育	【倫】	倫理學
【軍】	軍事	【衣】	衣服
【基】	基督教	【醫】	醫學
【幾】	幾何	【理】	物理學
【氣】	氣象	【印】	印刷
【論】	論理學	【電】	電氣
【農】	農業·農學	【鳥】	鳥類
【動】	動物學	【宗】	宗教
【文】	文法	【證】	證券
【法】	法律	【地】	地質·地理學
【寫】	寫眞	【天】	天文學
【商】	商業	【哲】	哲學
【生】	生理學·生物學	【鐵】	鐵道
【船】	造船	【蟲】	昆蟲
【聖】	聖經	【컴】	컴퓨터
【數】	數學	【土】	土木
【植】	植物學	【韓醫】,【漢醫】	韓醫學·漢醫學
【心】	心理學	【海】	航海·海事
【樂】	音樂	【解】	解剖學
【冶】	冶金	【化】	化學

KOREAN-ENGLISH
DICTIONARY

ㄱ

가 《가장자리》 an edge; a border; a brink; a verge; 《옆》 a side.

가(可) 《성적》 fairly good; 《좋음》 good. ¶ ~히 (may) well; fairly well.

가…《假》《임시의》 temporary; provisional; 《잠시의》 transient; 《비공식의》 informal. ¶ ~계약 provisional contract / ~처분 (make) provisional disposition.

…가(街) a street; St. (고유명사에). ¶ 3 ~ the 3rd St.

가가대소(呵呵大笑) ~하다 have a good laugh; laugh heartily.

가가호호(家家戶戶) each (every) house; from door to door.

가감(加減) ~하다 add and deduct; moderate; adjust(조절). ‖ ~ 승제(乘除) addition, subtraction, multiplication and division. 「rary building [house].

가건물(假建物)《build》a tempo-

가게 a shop; a store 《美》; a booth(노점). ¶ ~를 닫다 close the store; 《폐업》 shut [close] up store; wind up business.

가격(價格) 《가치》worth; value; 《값》 price. ‖ ~인상 a price advance / ~인하 a price reduction; discount / ~차 a price margin / ~표 a price list.

가결(可決) approval; adoption; passage. ~하다 pass [adopt] 《a bill》; carry 《a motion》; approve; vote. ‖ ~원안대로 pass a bill as drafted.

가결의(假決議) a temporary decision; a provisional resolution.

가경(佳景) fine scenery; a wonderful view.

가경(佳境) ① 《고비》 the most interesting (exciting) part 《of a story》; the climax. ② = 가경(佳景).

가계(家系) a family line; lineage; pedigree. ‖ ~도 a family tree.

가계(家計) a family budget; household economy; 《생계》 livelihood; living (expense). ‖ ~부 a household account book / ~비 household expenses.

가곡(歌曲) 《노래》 a song; 《곡조》 a melody; a tune.

가공(加工) processing. ~하다 process; manufacture. ‖ ~무역 processing trade / ~식품 processed foods / ~업 processing industries / ~품 processed [manufactured] goods.

가공(可恐) ¶ ~할 fearful; terrible.

가공(架空) ① 《허구적》 ¶ ~의 unreal; imaginary; fictitious / ~의 인물 an unreal person. ② 《공중 가설》 ¶ ~의 overhead; aerial.

가공사(假工事) provisional construction work.

가관(可觀) ¶ ~이다 《볼 만하다》 be well worth seeing; 《꼴이》 be a sight.

가교(架橋) ~하다 (build a) bridge;

ㄱ

span 《*a river*》 with a bridge.
∥ ~ 공사 bridging works.

가교(假橋) a temporary bridge.

가구(家口) a household; a house
〔집〕. ∥ ~ 수 the number of
households; ~ 주 a household-
er; the head of a family.

가구(家具) 〔household〕 furniture.
¶ ~ 한 점〔set〕 a piece〔set〕of
furniture; ~ 상 a furniture
store / ~ 장이 a furniture maker.

가극(歌劇) a musical drama; an
opera; an operetta〔소가극〕. ∥ ~
단〔장, 배우〕 an opera company
〔house, singer〕. ┃poultry.

가금(家禽) a domestic fowl; 〔총칭〕

가급적(可及的) as … as possible;
as … as one can. ¶ ~ 빨리 as
soon as possible.

가까스로 with difficulty; narrow-
ly; barely. ¶ ~ 도망치다 have a
narrow escape / ~ 제시간에 대다
be barely in time (for).

가까워지다 《때·거리가》 approach;
draw〔get〕 near; be near
〔close〕 at hand; 《사이가》 be-
come friendly; make friends
with.

가까이 near; nearby; close by;
《친밀하게》 intimately. ~하다
make friends 〔with〕; keep com-
pany 《with》. ¶ ~ 가다 appro-
ach; draw〔come〕near.

가깝다 《거리》 (be) near; close〔near〕
by; 《시간》 (be) near; immedi-
ate; 《관계》 (be) close; familiar;
friendly; near; 《근사》 (be) akin
to; close upon. ¶ 가까운 친구 a
good〔close, best〕 friend / 가까
운 친척 a near relative.

가꾸다 《식물을》 grow; cultivate;
raise; 《치장하다》 dress 《*oneself*》
up 〔옷으로〕; make *oneself* up〔얼
굴을〕; decorate 〔꾸미다〕.

가끔 occasionally; once in a
while; from time to time.

가나다 the Korean alphabet.
¶ ~ 순으로 하다 alphabetize; ar-
range in alphabetical order.

가난 poverty; want; ~하다 (be)

poor; destitute; needy; in want.
¶ ~ 한 집에 태어나다 be born
poor / ~하게 살다 live in poverty
〔need, want〕.

가난뱅이 a poor man; the poor 〔총
칭〕.

가내(家內) 《가족들》 a family; a
household. ∥ ~공업 home 〔do-
mestic〕 industry.

가날프다 (be) slender; slim; 《목
소리가》 (be) feeble; faint. ¶ 몸이
~ be a slender build.

가누다 keep under control; keep
steady. ¶ 고개를 ~ hold up *one's*
head.

가날다 (be) thin; slender; fine
〔실 따위〕. ¶ 가는 목소리 a thin
voice / 가는 다리 slender legs.

가늠 《헤아림》 guess; 《겨냥》 aim;
sight; 《식별·어림》 discernment;
estimate. ~하다 ~보다 (take)
aim 《*at*》; sight 《*on*》; guess;
weigh; estimate. ¶ ~쇠 the
bead; the foresight / ~자 the
sight(s); a gun sight.

가능(可能) ~하다 (be) possible.
¶ ~하다면 if 〔it is〕 possible /
~한 한 빨리 as soon as possi-
ble / ~한 범위 내에서 as far as
possible; ~성 possibility;
potential 〔잠재적인〕.

가다 ① 《일반적》 go; come 《상대
방 본위》 visit; 《방문》 call on 《*a
person*》; 《출석》 attend; go to
《*church*》; 《떠나다》 go away 《*to*》;
leave. ¶ …을 타고 ~ go by
《*train, bus*》. ② 《시간이》 pass
《by》; go by; elapse; fly. ¶ 시간
이 ~ time passes. ③ 《죽다》
die; pass away. 《꺼지다》 go
〔die〕 out. ¶ 전깃불이 ~ electric
light fails. ④ 《지탱하다》 wear;
last; hold; be durable. ⑤ 《변하
다》 go bad; rot; turn sour 《시어
지다》; get stale 〔생선 따위〕. ¶ 맥
주 맛이 ~ beer gets flat. ⑥ 《요
다》 take; need; be required
〔needed〕. ⑦ 《값어치》 be worth.
⑨ 《이해·짐작되》 ¶ 이해가 가는
an understandable measure

[step].

가다가 《때때로》 at times; now and then; once in a while.

가다듬다 《마음을》 brace *oneself* (up); collect *oneself*; 《목소리를》 put *one's* voice in tune.

가닥 a ply; a strand. ¶실 한 ~ a piece of string / 세 ~으로 꼰 밧줄 a rope of three strands.

가담《加擔》《원조》 assistance; support; 《참여》 participation; 《공모》 conspiracy. ―하다 《돕다》 assist; aid; 《참여하다》 take part (participate) in; be involved in. ¶~자 an accomplice; a conspirator.

가당《可當―》 (be) unreasonable, unjust; excessive(지나치다).

가도《街道》 a highway; a main road. ¶경인《京仁》~ the *Gyeongin* Highway.

가동《稼動》 operation; work. ―하다 operate; run; 《~중이다》 be working; be in operation; be at work. ¶~률(率) the rate of operation; the capacity utilization rate / 완전 ~ full(-scale) operation.

가동성《可動性》 mobility; movability.

가두《街頭》《모퉁이》 a street corner; 《십자로》 a crossing; 《가로》 a street. ¶~시위 a street demonstration / 모금 street fund raising / ~선전 street (wayside) propaganda (advertising) / ~연설 a street (wayside, stump) speech.

가두다 shut (lock) in (up); confine.

가두리 《모자: 그릇의》 a brim; 《천·옷의》 a fringe; a hem; a frill. ¶~양식 fish farming.

가득 full; crowded. ―하다 be full (of). ¶한 잔 ~ a glassful / ~ 채우다 (차다) fill (be filled) up.

가득이나 to add to; in addition to; moreover.

가뜬하다 《복장이》 (be) light; casual; 《몸놀림이》 (be) light; nimble;

《심신이》 feel light (good). ¶ 가뜬히 lightly; 《쉽게》 without difficulty.

가라사대 say. ¶ 성경에 ~ The Bible says ….

가라앉다 ① 《밑으로》 sink; go down; go to the bottom; fall (cave) in (지반이). ¶물속으로 ~ sink (be submerged) under water. ② 《고요해지다》 become quiet; calm (quiet) down; 《풍파가》 《딸》 die down; subside. ¶바람이 ~ the wind dies down. ③ 《마음·성정이》 recover *one's* composure; restore the presence of mind; calm down. ④ 《부기·고통》 abate; subside; go down. ⑤ 《진압되다》 be put down; be suppressed.

가라앉히다 ① 《물속에》 sink; send to the bottom; 《배를》 ~ sink a vessel. ② 《마음·신경을》 compose *oneself*; calm down one's feelings. ¶노여움을 ~ calm (a person's) anger; quell one's anger. ③ 《아픔·부기를》 relieve; allay; abate. ¶ ~ allay (ease) the pain. ④ 《진압·수습》 suppress; quell. ¶ 《긴장된》 정세를 ~ cool off the situation.

가락 ① 《음조》 a key; a pitch; a tune; tone. ② 《박자·장단》 time; (a) rhythm. ¶ ~에 맞춰 to the time of (the music).

가락 《가늘고 긴 물건》 a stick.

가락국수 wheat vermicelli; Korean noodle; noodles.

가락지 a set of twin rings.

가람《伽籃》 a Buddhist temple; a cathedral.

가랑눈 powdery (light) snow.

가랑머리 hair braided in two plaits.

가랑비 a drizzle; a light rain. ¶ ~가 내리다 drizzle.

가랑이 a crotch; a fork. ¶ ~를 벌리다 set *one's* legs apart.

가랑잎 dead (withered) leaves.

가래《농기구》 a spade. ¶ ~질 spading (~ 하다 plow; spade).

가래²《痰》 phlegm; sputum

〔*pl.* sputa〕. ¶ ~를 뱉다 spit phlegm out. ¶ ~침 spittle.

가래 《긴 토막》 a piece; a stick. ¶ ~떡 bar rice cake.

가래톳 a bubo 《*pl.* -es》.

가량(假量) 《쯤》 about; some; more or less; or so; approximately. ¶ 30명 ~ some thirty people / 1마일 ~ a mile or so / ~ 없다 《어림없다》 be poor at guessing; 《당찮다》 be wide of the mark.

가련하다(可憐─) (be) poor; pitiful; pathetic; sad; wretched; miserable. ¶ 가련한 처지 a 'miserable condition / 가련히 여기다 take pity on 《*a person*》.

가렴주구(苛斂誅求) extortion 〔exaction〕 of taxes; laying 〔imposing〕 heavy taxes 《on》.

가렵다 (be) itchy; itchy; feel itchy. ¶ 가려운 데를 긁다 scratch an itchy spot.

가령(假令) (even) if; though; although; supposing that. ¶ ~ 그렇다 치더라도 admitting that it is so.

가로 《폭》 width; breadth; 《부사적》 across; sideways; horizontally; from side to side 《좌우로》. ~ 선 sidelong; horizontal / ~ 2피트 two feet wide 〔in width〕 / ~ 쓰다 write sideways.

가로(街路) a street; a road; an avenue 《美》; a boulevard. ¶ ~등 a street lamp / ~수 street 〔roadside〕 trees.

가로되 say. ¶ 옛말에 ~ An old saying has it that …

가로막다 interrupt 《*a person*》; obstruct 《*the view*》; block 〔bar〕 《*the way*》. ¶ 입구를 ~ block 〔obstruct〕 the entrance 〔road〕 / 그녀의 말을 ~ interrupt her; cut her short.

가로막히다 (be) obstructed; be blocked 〔up〕; be barred.

가로맡다 take over; take upon oneself.

가로세로 《명사적》 breadth and

length; 《부사적》 breadthwise and lengthwise; horizontally and vertically.

가로쓰기 writing in a lateral line; writing from left to right.

가로지르다 《건너지름》 put 《*a bar*》 across; 《가로긋다》 draw 《*a line*》 across; 《건너감》 cross; go across.

가로채다 seize 《*a thing*》 by force; snatch 《away》 《*from, off*》; intercept.

가로퍼지다 grow broad; 《똥똥하다》 be thickset 〔stout〕. 〔ment.

가료(加療) (be under) medical treat-

가루 《분말》 powder; dust; 《곡식가루》 flour; meal. ¶ ~로 만들다 reduce to 〔grind into〕 powder. ∥ ~비누 soap powder 〔flakes〕 / ~약 powdered medicine / ~우유 powder(ed) milk.

가르다 ① 《분할·분배》 divide; part; sever; split; distribute. ¶ 다섯으로 ~ divide into five parts / 이익을 반반으로 ~ split the profit half-and-half. ② 《분류》 sort 〔out〕; group; classify; assort. ③ 《구별》 discriminate; know 〔tell〕 《A》 from 《B》.

가르마, 가리마 ¶ ~를 타다 part one's hair 《on the left》.

가르치다 《지식을》 teach; instruct; give lessons 《in》; educate(교육); coach(지도); enlighten(알아듣게); show; tell. ¶ 수영을 ~ teach 〔show〕 《*a person*》 (how) to swim / 피아노를 ~ give lessons in piano

가르침 《교훈》 teachings; an instruction; 《교의》 a doctrine. ¶ 소 크라테스의 ~ the teachings of Socrates / ~을 받다 receive one's instruction; be taught 《by》.

가름하다 divide 〔up〕; separate; discriminate; 《대신하다》 substitute 《one thing for another》.

가리 《더미》 a stack; a pile.

가리가리 〔to〕 in〔to〕 pieces; into〔to〕 in〕 shreds. ¶ 편지를 ~ 찢다 tear a letter into pieces.

가리개 a cover; a shade 《over》.

a two-fold screen(병풍).
가리나무 tinder of pine needles
and twigs.
가리다¹ ① 《고르다》 choose; select;
pick 〔sort〕 out. ¶ ~ 날을 ~ choose
〔select〕 a day. ② 《까다롭다》 be
fastidious 〔particular〕 《about》.
¶ 음식을 ~ be fastidious about
food. ③ 《분별》 distinguish 《be-
tween》; tell 《discern》 《A》 from
《B》; have the sense 《to do》.
¶ 시비를 ~ tell right from wrong.
④ 《셈을》 square 〔settle〕 accounts
《with a person》. ⑤ 《낯을》 be shy
《of strangers》. 「heap 《up》.」
가리다² 《쌓다》 pile up; stack; rick.
가리다³ 《막다》 shield; screen; shel-
ter; cover; shade(빛을); hide;
conceal. ¶ 눈을 ~ blindfold.
가리키다 point to 〔at〕; indicate;
show. ¶ 방향을 ~ point the
direction.
가마¹ 《머리의》 the whirl of hair
on the head; a hair whirl.
가마² ① 《가마솥》. ② 《기와·질그릇
을 굽는》 a kiln; a stove; 《빵굽
는》 an oven.
가마³ 《낱것》 a palanquin; a se-
dan chair 《주로 유럽의》. ¶ ~꾼
a palanquin bearer.
가마(니)⁴ a straw-bag(-sack).
가마솥 a cauldron; a large iron
pot; 《기관〔汽罐〕》 a boiler.
가마우지 《鳥》 a cormorant.
가락조개 《貝》 a corbicula.
가만가만 stealthily; quietly; gen-
tly; softly; lightly.
가만있자 well; let me see.
가만히 ① 《넌지시》 covertly; tacit-
ly; stealthily; 《몰래》 in secret
〔private〕; privately; secretly.
② 《조용히》 still; calmly; quietly;
silently. ¶ ~ 놓다 put 〔place〕 《a
thing》 cautiously / ~ 있다 keep
still; remain quiet.
가망(可望) hope; promise; chance:
probability; possibility 《가능성》;
a prospect(전망). ¶ ~ 없는 hope-
less / 성공할 ~ 이 있다 have a
good chance of success.

가매장(假埋葬) temporary interment
〔burial〕. ~하다 bury temporari-
ly; be provisionally buried.
가맹(加盟) joining; participation;
alliance; affiliation. ~하다 get
affiliated 《with》; join; take part
in. ¶ ~국 a member nation 《of
the UN》; a signatory 《조약의》 /
~ 단체 a member 〔affiliated〕
organization / ~ 자 a mem-
ber / ~ 점 a member store 《of
a chain store association》.
가면(假面) a mask. ¶ ~ 을 쓰다
mask one's face; wear a mask /
~ 을 벗다 unmask; throw off
one's mask. ¶ ~ 극 a masque /
~ 무도회 a mask(ed) ball.
가면허(假免許) a temporary license.
가명(家名) the family name.
가명(假名) an assumed 〔a false〕
name; a fictitious name; an
alias. ¶ ~ 을 쓰다 use a false
〔fictitious〕 name. ¶ ~ 계좌 a
deposit 〔bank account〕 in a
fictitious name.
가묘(家廟) a family shrine.
가무(歌舞) singing and dancing;
all musical and other enter-
tainments.
가무잡잡하다 (be) darkish; dingy;
dusky.
가문(家門) one's family 〔clan〕.
¶ ~의 영예 an honor 〔a credit〕
to one's family.
가문비 《植》 a spruce; a silver fir.
가물거리다 ① 《불빛이》 flicker; glim-
mer; blink. ¶ 가물거리는 불빛
a flickering light. ② 《희미하다》 be
dim 《misty》; 《정신이》 have a
dim consciousness 《memory,
etc.》. ¶ 가물거리는 기억을 더듬다
trace back a vague memory.
가물다 be droughty 〔dry〕; have a
spell of dry weather.
가물치 《魚》 a snakehead.
가물타다 be easily affected by
dry weather.
가뭄 dry weather; a drought.
가미(加味) 《맛》 seasoning; flavor-
ing; 《부가》 an addition; an ad-

ditive. ～하다 season [flavor, add] (*something*) with (*another*).
가발 (假髮) (wear) a wig; false hair; (부분적인) a hair piece.
가방 a bag; a satchel; a trunk (대형의); a suitcase(소형의).
가법 (家法) family rules [traditions]; household etiquette.
가벼이, 가볍게 lightly; rashly (경솔하게). ￤ ～ 보아 넘기다 overlook (*a person's fault*).
가변 (可變) variableness; 《형용사적》 variable. ￤ ～비용 variable expenses / ～의〔翼〕 variable wings / ～ 자본 variable capital / ～ 저항기 a variable resistor / ～ 전압발전기 a variable voltage generator.
가볍다 ① 《무게가》 (be) light; not heavy. ￤ 가볍다 ～ be as light as a feather / 체중이 ～ be light in weight. ② 《경미》 (be) slight; not serious; trifling. ￤ ～ 두통 a slight headache / 가벼운 범죄 minor offenses. ③ 《수월함》 (be) simple; easy; light. ￤ 가벼운 일 a light (an easy) work. ④ 《식사 등》 (be) light; not heavy; plain. ￤ 가벼운 식사 a light meal; a snack. ⑤ 《사람의》 (be) rash; imprudent; indiscreet. ￤ 입이 ～ be glib tongued; be too talkative.
가보 (家寶) a family treasure.
가봉 (加俸) an extra [additional] allowance.
가봉 (假縫) a fitting; basting; tacking. ～하다 baste; tack; try [fit] (*a coat*) on.
가부 (可否) 《옳고 그름》 right or wrong; (적부) suitableness; propriety; 《찬부》 ayes and noes; pros and cons; for and against; yes or no. ￤ ～를 논하다 argue for and against (*a matter*); discuss whether (it) is appropriate or not.
가부장 (家父長) a patriarch. ￤ ～제도 patriarchy; patriarchal system.
가불 (假拂) an advance; advance payment. ～하다 pay in ad-

vance; make an advance. ￤ ～ an advance.
가뿐하다 (be) light; not heavy.
가쁘다 《서술적》 pant [gasp] (for breath); be out of breath.
가사 (家事) household affairs [chores]; domestic duties; housework; housekeeping.
가사 (假死) apparent death; syncope; suspended animation. ￤ ～ 상태에 있다 be in a syncopic state.
가사 (袈裟) a (Buddhist priest's) stole; a surplice; a cope.
가사 (歌詞) the text [words] of a song; the (song) lyrics.
가산 (加算) addition. ～하다 add; include. ￤ ～금 additional dues / ～세 an additional tax / 중～세 a heavy additional tax.
가산 (家産) family property [estate]; *one's* fortune. ￤ ～을 탕진하다 go through *one's* fortune.
가상 (假想) imagination; supposition. ～하다 imagine; suppose. ￤ ～적인 imaginary; hypothetical / ～의 적(敵) a hypothetical [potential, supposed] enemy. ￤ ～현실 《컴퓨터》 virtual reality.
가상 (假像) a false image; a ghost.
가상하다 (嘉尙―) ￤ ～ 여기다 applaud (*a person for his deed*).
가새지르다 cross (*A and B*); place (*things*) crosswise.
가새풀 〔植〕 a milfoil; a yarrow.
가석방 (假釋放) release on parole. ～하다 put [release] (*a person*) on parole. ￤ ～자 a parolee; a criminal on parole.
가선 (架線) wiring(공사); a wire(선). ￤ ～공사 wiring works.
가설 (架設) construction; building; installation. ～하다 construct; (build) (build a bridge); install (a telephone). ￤ ～공사 building [construction] work / ～비 the installation [building] cost.
가설 (假設) temporary construction. ￤ ～의 temporary; transient. ￤ ～무대 (put up) a make-

ㄱ

shift stage.

가설(假說) 〔論〕 a hypothesis; assumption: supposition(가정). ‖ ～적인 hypothetical.

가성(苛性) causticity. ‖ ～석회(石灰) quicklime / ～소다〔알칼리〕 caustic soda〔alkali〕.

가성(假性) ～이 false; pseud(o)-. ‖ ～근시 pseudomyopia / ～콜레라 pseudocholera.

가성(假聲) a feigned voice.

가세(加勢) ～하다 〔조력〕 help; aid; assist; 〔지지〕 support; take sides 《with》.

가세(家勢) the fortunes of a family. ‖ ～가 기울었다 The family is down on its luck.

가소(可塑) ～의 plastic. ‖ ～물 plastics; plastic material / ～성 plasticity / ～제 a plasticizer.

가소롭다(可笑一) (be) laughable; ridiculous; nonsensical.

가속(加速) acceleration. ～하다 accelerate; speed up. ‖ ～계 an accelerometer / ～도 (degree of) acceleration / ～력 an accelerating force / ～운동 accelerated motion / ～장치 an accelerator.

가솔린(위발유) gasoline.

가수(歌手) a singer; a vocalist(성악가). ‖ 대중 ～ a pop singer.

가수금(假受金) a suspense receipt.

가수분해(加水分解) 〔化〕 hydrolysis.

가수요(假需要) fictitious (disguised, speculative) demand.

가스 gas. ‖ ～를 켜다〔잠그다〕 turn on〔off〕 the gas / ～불을 올리다〔내리다〕 turn the gas up〔down〕. ‖ ～검침원 a gas-meter reader / ～계량기 a gas meter / ～관(管) a gas pipe / ～레인지 〔오븐〕 a gas range〔oven〕 / ～수금원 a gas-bill collector / ～요금 a gas rate / ～전(栓) a gas tap / ～탱크 a gas tank; a gasholder / ～폭발 a gas explosion / 도시 ～ city gas.

가스가스하다(皮) rough; peevish.

가슴 the breast; the chest(흉

곽); the bosom(품); heart, mind (마음). ‖ ～이 설레다 feel excited (elated); 〔사물이 주의〕 cause in 《a person》 a lift of the heart.

가슴앓이〔醫〕 heartburn.

가습(加濕) humidification. ～하다 humidify. ‖ ～기 a humidifier.

가시 《장미 따위의》 a thorn; 《풀잎 등의》 a prickle; 《밤송이의》 a bur; 《나무·대·뼈 따위의》 a splinter; 《물고기의》 a spine. ‖ ～ 많은 thorny; spiny / ～가 목에 걸리다 have a bone stuck in one's throat. ‖ ～나무 a thorn (bush); a bramble / ～덤불 a thorn thicket / ～밭길 a thorny path.

가사〔구더기의〕 a worm; a maggot.

가시광선(可視光線) visible rays.

가시다 ① 〔씻어내다〕 rinse; wash out. ② 〔맛을〕 take off 《away》; get rid of. ③ 〔없어지다〕 disappear; leave; pass 《off》; 〔누그러지다〕 soften; lessen; calm down.

가시세다〔완고〕 (be) stubborn; wilful; obstinate; headstrong.

가시철(一鐵) barbed wire. ‖ ～망 (barbed-)wire entanglements.

가식(假飾) affectation; hypocrisy. ～하다 affect; pretend; play the hypocrite. ‖ ～적(인) hypocritical; false; affected / ～이 없는 unaffected; unpretentious; frank(솔직한).

가심 a rinse; a wash(ing). ～하다 wash out.   〔column.

가십 gossip. ‖ ～난 a gossip

가압(加壓) pressurization. ～하다 pressurize; apply 〔give〕 pressure 《to》. ‖ ～장치 a pressure device.

가압류(假押留) provisional seizure. ～하다 seize 《another's》 property provisionally.

가야금(伽倻琴) a gayageum; a Korean harp.

가약(佳約) the pledge of eternal love; a deep pledge.

가언(假言) 〔論〕 a conditional (word). ‖ ～적 conditional; hypo-

ㄱ

thetic(al). ∥ ~ 명제 a hypothetical proposition.
가업(家業) one's family trade (business). ¶ ~을 잇다 succeed to one's father's business.
가없다 (be) boundless; endless. ¶ 가없는 바다 a boundless ocean.
가연(可燃) ¶ ~성 inflammability; combustibility / ~성의 combustible; inflammable. ∥ ~물 combustibles; inflammables.
가열(加熱) heating. ~하다 heat. ¶ ~ 살균하다 sterilize (milk) by heating. ∥ ~기 a heater; a heating apparatus.
가엾다(불쌍하다) (be) pitiable; pitiful; poor; sad; miserable; 〈애틋하다〉 be pathetic; touching. ¶ ~게 여기다 feel pity (sorry) for.
가오리〔魚〕 a stingray.
가옥(家屋) a house; a building. ∥ ~대장 a house register / ~세 a house tax.
가외(加外) ¶ ~의 extra; spare; excessive / 가욋일을 하다 do extra work. ∥ ~수입 extra income.
가요(歌謠) a song; a melody. ∥ ~곡 a popular song.
가용(可溶) ¶ ~물 a soluble body / ~성 solubility (~성의 soluble).
가용(可鎔) ¶ ~물 a fusible body / ~성 fusibility (~성의 fusible).
가용(家用)(비용) cost of household; household expenses; 〈자가용〉 domestic use; family use.
가운(家運) (retrieve one's) family fortune.
가운 a gown.
가운데 ① 〈중간〉 the middle; the center, the heart(복판); 〈안쪽〉 the interior; the inside. ② 〈…에서〉 between (둘); among(셋 이상); out of (…中); ③ 〈…하는 중〉 in; amid(st).
가운뎃손가락 the middle finger.
가웃 (and) a half. ¶ 서 말 ~ three mal and a half.
가위 scissors; shears; clippers (털 베는). ¶ ~ 한 자루 a pair of

scissors. ∥ ~질 scissoring.
가위(可謂)〈과연·참〉truly; really; indeed.
가위눌리다 have a nightmare.
가을내 throughout the autumn (fall).
가을 autumn; fall (美). ¶ ~의 autumn(al); fall. ∥ ~같이 autumn plowing / 늦 ~ late autumn (fall) / 초 ~ early autumn (fall).
가이드(tour) guide (사람); a guide book (안내서).
가인(佳人) a beautiful woman; a beauty. ¶ ~박명(薄命) Beauties die young.
가일(佳日) an auspicious day.
가일층(加一層) (the) more; still more; all the more. ¶ ~ 노력하다 make still more efforts.
가입(加入) joining; admission; subscription (전화 따위의). ~하다 join (an association); become a member of (a club). ∥ ~금 an entrance (a membership) fee / ~신청 application for admission; subscription (전화 따위의) / ~자 a member; a (telephone) subscriber.
가자미〔魚〕 a flatfish; a flounder.
가작(佳作) a fine piece (of work); a work of merit.
가장(家長) the head of a family; one's husband(남편).
가장(假葬) temporary burial. ~하다 bury temporarily.
가장(假裝) ① 〈변장〉 disguise; fancy dress. ~하다 disguise oneself (as); dress up (be disguised) (as). ∥ ~무도회 a fancy (dress) ball; a masquerade / ~행렬 a fancy dress parade. ② 〈거짓〉 pretence; camouflage. ~하다 feign; pretend; make believe (to do).
가장 most; least(적을 때). ¶ ~ 쉬운 방법 the easiest method.
가장귀 a crotch (fork) of a tree.
가장이 a branch; a twig.
가장자리 the edge; the verge; the brink; the margin.

가재 〔動〕 a crawfish; a crayfish.

가재(家財) household belongings 〔goods〕; furniture and effects.

가전(家傳) ¶ ~의 hereditary; proprietary.

가전(家電) ‖ ~산업 a home appliance industry / ~제품 electric home appliances.

가절(佳節) an auspicious occasion.

가정(家政) household management; housekeeping. ‖ ~과 the department of domestic science 《대학의》 / ~부 a housekeeper; a lady-help.

가정(家庭) home; a family. ¶ ~의 home; domestic; family / ~용의 for domestic use / ~을 갖다 start a home; get married and settle down. ‖ ~경제 household 〔domestic〕 economy / ~교사 a private teacher; a tutor / ~교육 home education / ~방문 a home visit 《부모의》 / ~불화 family trouble 〔discord〕; friction between man and wife 《의(醫)》 / ~생활 home life / ~의(醫) one's family doctor / ~의례 family rite / ~의례준칙 the Simplified Family Rite 〔Ritual〕 Standards / ~쟁의 a family dispute; a domestic trouble / ~환경 one's family background; home environment.

가정(假定) (a) supposition; (an) assumption; a hypothesis. ¶ ~하다 suppose; assume. ¶ …이라 하여 on the assumption that …; supposing that …. ‖ ~법 〔文〕 the subjunctive mood.

가정법원(家庭法院) a family 〔domestic relations〕 court.

가제 (cotton, antiseptic) gauze. ‖ ~소독 sterilized gauze.

가져가다 take 〔carry〕 away; take 《a thing》 along 《with one》; walk off with《훔치다》.

가져오다 ① 《지참》 bring (over); get; fetch. ② 《초래》 invite; cause; result 〔end〕 in; bring about.

가조(―調) 〔樂〕 the tone A.

가조약(假條約) a provisional treaty. ¶ ~을 맺다 conclude 〔enter into〕 a provisional treaty 《with another country》.

가조인(假調印) an initial signature. ¶ ~하다 sign provisionally; initial (a treaty). ‖ ~식 an initialing ceremony.

가족(家族) a family; one's folks 〔people〕 《英》. ¶ 6인 ~ a family of six / ~이 몇입니가 How large 〔big〕 is your family? ¶ ~계획 family planning / ~구성 a family structure / ~묘지 a family burial ground / ~수당 a family allowance / ~제도 the family system / ~회사 a family firm 〔concern〕 / ~회의 (have, hold) a family council.

가주소(假住所) one's temporary residence 〔address〕.

가죽 《표피》 the skin; a hide(주로 마소의); 《무두질한》 (tanned) leather; 《모피》 (a) fur, 《무두질 안한》 skin. ¶ ~을 벗기다 skin / ~공장 a tannery / ~세공 leather work / ~장갑 leather gloves / ~제품 leather goods 〔products〕 / ~표지 a leather cover.

가죽나무 〔植〕 a tree of heaven.

가중(加重) ① 《무겁게 함》 weighting. ¶ ~한 weight. ¶ ~평균 weighted average. ② 《형벌》 ¶ ~하다 aggravate.

가증서(假證書) a provisional certificate; an interim bond.

가증하다(可憎―) (be) hateful; disgusting; detestable.

가지 a branch; a bough(큰); a twig, a sprig(작은); a spray(꽃 있는). ¶ ~를 꺾다 break (off) a branch / ~를 치다 cut (lop) off branches; prune (trim) (a tree).

가지² 〔植〕 an eggplant; an egg apple 《英》.

가지³ 《종류》 a kind; a sort; a variety.

가지다 ① 《손에 쥐다》 have; take; hold; 《휴대·운반》 carry; have

《something》 with one. ② 《소유》 have; own; possess; keep; 《마음에》 have; cherish; harbor; hold. ③ 《임신》 conceive; become pregnant.

가지런하다 (be) neat and trim; even; be of equal 〔uniform〕 size 〔height, *etc.*〕; be in order. ¶ 가지런히 trimly; evenly.

가집행(假執行) 〔法〕 provisional execution. ∼하다 execute provisionally.

가짜(假-) an imitation; a sham; 《위조품》 a forgery; a counterfeit; a fake; a bogus. ¶ ∼의 false; sham; bogus; fake(d); forged. ‖ ∼ 다이아 a faked 〔sham〕 diamond / ∼ 돈 counterfeit money; false money / ∼ 박사학위 a faked doctoral degree / ∼ 수표 a bogus check / ∼ 편지 a forged letter / ∼ 형사 a phony detective.

가차없다(假借-) (be) merciless; relentless; ruthless. ¶ 가차없이 without mercy; relentlessly; unscrupulously.

가책(呵責) blame; rebuke; censure; pangs〔양심의〕. ¶ 양심의 ∼을 받다 feel the pangs of conscience.

가처분(假處分) provisional disposition. ∼하다 make 〔apply for〕 provisional disposition 《of》. ‖ ∼ 소득 a disposable income.

가청(可聽) 《형용사적》 audible; audio. ‖ ∼ 거리 (within) earshot / ∼ 범위 the audible range.

가축(家畜) domestic animals; livestock〔총칭〕. ¶ ∼을 치다 raise livestock. ‖ ∼ 병원 a veterinary hospital; a pet's hospital〔애완 동물의〕 / ∼ 사료 stock feed.

가출(家出) ∼하다 run 〔go〕 away from home; leave home.

가출옥(假出獄) ☞ 가석방.

가치(價値) value; worth; merit. ¶ ∼ 있는 valuable; worthy / ∼ 없는 worthless; of no value. ‖ ∼관 one's sense of values /

∼ 기준〔척도〕 a standard 〔measure〕 of value / ∼ 판단 valuation; evaluation / 실용 ∼ utility value.

가친(家親) my father. ‖value.

가칭(假稱) 《잠정의》 a provisional 〔tentative〕 name; 《사칭》 an assumed 〔a fake〕 name. ∼하다 call 《a thing》 tentatively; assume a false name〔사칭하다〕.

가탈부리다 make trouble; raise problems; hinder.

가택(家宅) a house; a residence. ‖ ∼ 수색 a house search / ∼ 수색하다 search a house / ∼ 수색을 당하다 have 〔get〕 one's house searched) / ∼ 수색영장 a search warrant / ∼ 침입 (the charge of) housebreaking; (a) trespass.

가톨릭교(─教) Catholicism; the Roman Catholic Church. ¶ ∼의 Catholic. ‖ ∼도 a (Roman) Catholic.

가트《관세와 무역에 관한 일반 협정》 GATT. (◁General Agreement on Tariffs and Trade)(WTO의 전신).

가파르다《경사가》 (be) steep; precipitous.

가표(可票) an affirmative vote. ¶ ∼를 던지다 cast an aye vote for 《a bill》; vote in favor of 《a bill》.

가풍(家風) the family tradition 〔custom〕; the ways of a family.

가필(加筆) ∼하다 correct; revise; retouch; touch up.

가하다(可─)《옳다》 (be) right; rightful; reasonable; 《좋다》 (be) good.

가하다(加─) ① 《가산》 add (up); sum up; 《부가》 add. ¶ 원금에 이자를 ∼ add interest to the principal. ② 《주다》 give; inflict 《on》. ¶ 압력을 ∼ pressure 《a person》; 일력을 ∼ deal 《a person》 a blow / 열을 ∼ apply heat. ③ 《증가》 increase. ¶ 속도를 ∼ speed up.

가해(加害) ①《손해줌》 doing harm; causing damage 〔losses〕; ∼ 하다 damage; do harm 《to》; inflict a loss 《on》. ②《상해를》 inflicting injury; doing violence; ∼하다

do violence (*to*); assault. ‖ ∼자 an assaulter; an assailant.

가호(加護) divine protection; providence; guardianship. ¶신의 ∼를 빌다 pray to God for help.

가혹(苛酷)〔무참〕cruelty; 〔잔인〕brutality; 〔엄혹〕severity; harshness. ∼하다 (be) merciless; severe; cruel; harsh. ‖ ∼하게 cruelly; harshly; severely; brutally / ∼한 벌 a severe punishment / ∼한 취우 cruel treatment.

가훈(家訓)〈observe〉family precepts (mottos).

각(各) each; every. ¶ ∼자 each one; everybody.

각(角) ① 〔動〕〔뿔〕a horn; an antler(사슴의). ② 〔도장 따위 made of horn〕a corner; a turn(ing)(돌아가는). ③ 〔四角〕square. ④ 〔각도〕an angle.

각가지(各一) various kinds; all sorts. ¶ ∼의 various kinds (all sorts) of.

각각(各各)〔따로따로〕separately; 〔각기〕respectively; each; every. ¶ ∼의 each; respective; individual.

각각으로(刻刻一) every moment; moment by moment.

각개(各個) each; every one; one by one.

각개인(各個人) each; each (every) individual; each person.

각계(各界) every field (sphere, walk) of life; various circles (quarters).

각고(刻苦) hard work; arduous labor. ∼하다 work hard. ¶ ∼의 노력 끝에 after years of hard work.

각골난망(刻骨難忘) ∼하다 indelibly engraved on *one's* memory.

각광(脚光) footlights. ¶ ∼을 받다〔사람·일이〕be in the limelight; be highlighted (spotlighted).

각국(各國)〔각 나라〕every country; each nation; 〔여러 나라〕various countries. ¶세계 ∼ all countries

of the world.

각기(脚氣) beriberi. ¶ ∼에 걸리다 have an attack of beriberi.

각기(各其) each; respectively. ¶ ∼ 제― respectively.

각도(角度) an angle; 〔관점〕a viewpoint; a point of view; a standpoint. ‖ ∼기 a protractor; a graduator.

각론(各論) an itemized discussion; particulars; details.

각료(閣僚) a cabinet member (minister); a member of the Cabinet. ‖ ∼급 회담 a minister-level conference / ∼회의 a Cabinet meeting / 주요 ∼ key ministers of the Cabinet.

각막(角膜)〔解〕the cornea. ‖ ∼염 keratitis / ∼은행 an eye bank / ∼이식 corneal transplant(ation). 「stick」.

각목(角木) a square wooden club.

각박(刻薄) ∼하다 (be) hard; severe; harsh; stern; heartless; stingy(인색한). ¶ ∼한 세상 a hard (tough) world.

각반(脚絆)〈wear〉leggings; gaiters.

각방(各方), 각방면(各方面) every direction; all directions. ¶ ∼으로 in every direction.

각별(各別)〔특별〕① 〔특별〕(be) special; particular; exceptional(파격적). ¶ 각별한 사랑〔호의〕special love 〔favor〕/ 각별히 especially; particularly; exceptionally / 각별히 주의하다 pay special attention. ② 〔깍듯하다〕be polite; courteous. ¶ 각별히 courteously.

각본(脚本)〔연극의〕a play(book); a drama; 〔영화의〕a (film) script; a scenario; a screenplay. ‖ ∼가 a playwright; a dramatist; a scenario writer.

각부(各部) each (every) part (section); every department (ministry)(정부의). ‖ ∼장관 the minister of each department.

각부분(各部分) each (every) part; all (various) parts.

각살림(各一) ∼하다 live separate-

ly [apart] 《from》.

각색(各色) ① 《종류》 every kind; all sorts. ¶ ~각양 ~의 various: of every kind: of all sorts. ② 《빛 깔》 various [all] colors; each color.

각색(脚色) dramatization. ~하다 dramatize 《a story》; adapt 《a novel》 for a play. ‖ ~가 a dramatizer; an adapter.

각서(覺書) a memorandum; a memo; 《외교상의》 a note; 《의정서》 a protocol.

각선미(脚線美) the beauty of leg lines.

각설(却說) 《화제를 돌림》. ~하다 change the subject.

각설이(却說이) 〖民俗〗 a singing beggar (at the marketplace).

각설탕(角雪糖) cube [lump] sugar. ¶ ~ 한 개 a lump of sugar.

각섬석(角閃石) 〖鑛〗 amphibole.

각성(覺醒) awakening. ~하다 awake 《from》; wake up 《to》. ~시키다 awaken; bring 《a person》 to 《his》 senses. ‖ ~제 a stimulant; a pep pill 《美俗》.

각시(인형) a doll bride; 《새색시》 a bride.

각양(各樣) ¶ ~ 각색의 various; all sorts of: a variety of.

각오(覺悟) 《마음의 준비》 preparedness; readiness; 《결심》 (a) resolution; 《체념》 resignation. ~하 다 be prepared [ready] 《for》; be resolved 《to do》; be determined; be resigned.

각운(脚韻) a rhyme.

각위(各位) every one (of you); 《편지에서》 Gentlemen; Sirs. ¶ 관계자 ~ 《서한에서》 To whom it may concern.

각의(閣議) a Cabinet council. ‖ 정례 〔임시〕 ~ an ordinary 〔extraordinary〕 session of the Cabinet council.

각인(各人) each person; every one; everybody.

각자(各自) each; each [every] one. ¶ ~의 each; respective;

one's own.

각재(角材) square lumber.

각적(角笛) a horn; a bugle.

각종(各種) every kind; various kinds; all kinds [sorts] 《of》. ¶ ~ 동물 all kinds of animal.

각주(角柱) a square pillar.

각주(脚註) footnotes. ¶ ~를 달다 give footnotes 《to》.

각지(各地) every [each] place; 《여러 지방》 various places; 《전 지방》 all parts of the country. ¶ 세계 ~로부터 from every corner [all parts] of the world.

각질(角質) horniness; 〖生·化〗 keratin; chitin 《곤충 등의》. ‖ ~층 horny layer; stratum corneum.

각추렴(各추렴) collecting from each: a Dutch treat. ~하다 collect from each; split the cost [account]; go Dutch.

각축(角逐) (a) competition; rivalry; contest. ¶ ~ (전)을 벌이다 compete [contend, vie] 《with》. ‖ ~장 the arena of competition.

각층(各層) each class (of society). ¶ 각계 ~의 of all social standings.

각파(各派) each party; all political parties [groups] 《정당》; each faction《파벌》; all sects 《종교》; all schools《유파, 학파》.

각하(閣下) 《2인칭》 Your Excellency; 《3인칭》 His [Her] Excellency; Their Excellencies 《복수》.

각항(各項) each item [paragraph]; every clause.

각형(角形) 《모난 형상》 a square shape; 《사각형》 a quadrangle.

간 《짠 정도·맛》 seasoning (with salt); a salty taste; saltiness. ¶ ~이 맞다 be well (properly) seasoned.

간(肝) ① 〖解〗 the liver. ¶ ~경변 (증) cirrhosis of the liver. ② 《배짱》 pluck; courage; guts 《口》. ¶ ~이 큰 daring; bold; plucky. ¶ ~이 콩알만 해지다 be terrified [panic-stricken].

간(間) ① 《길이》 a *kan* (= 5.965ft.)

② 《면적》 ☞ 칸. ③ ☞ 칸살.

…간(間) 《기간》 for: during: a period: 《사이》 from … to …: between: among: 《간격》 an interval: 《관계》 relation(ship). ¶ 형제 ~ brotherly relation / 형제 ~의 싸움 a quarrel between brothers / 3일 ~에 in three days.

간간이(間間이) occasionally: at times: (every) now and then: once in a while: at intervals: from time to time. 「salty.

간간하다 《맛이》 be somewhat

간격(間隔) 《시간·공간》 a space: an interval.

간결(簡潔) brevity: conciseness. ~하다 be brief: concise: succinct. ¶ ~히 briefly: concisely.

관계(奸計) a trick: an evil design: a vicious plan: a sly artifice.

간곡(懇曲) hardships: suffering. ~하다 《정중》 (be) polite: courteous: 《친절》 (be) kind: cordial. ¶ ~한 부탁 a polite request.

간과(看過) ~하다 fail to notice: overlook: pass over.

간교(奸巧) ~하다 (be) cunning: wily: sly: crafty: artful.

간국 salt 〔brine〕 water.

간균(桿菌) 〔生〕 a bacillus 〔pl. -il〕: a bacterium 〔pl. -ria〕.

간극(間隙) a gap: an opening.

간기능검사(肝機能檢査) 〔醫〕 a liver-function exam(ination).

간난(艱難) hardship: privations. ¶ ~을 겪다 undergo 〔suffer, go through〕 hardships.

간단(間斷) ~ 없는 continual: incessant: continuous / ~ 없이 incessantly: ceaselessly: continuously.

간단(簡單) brevity: simplicity. ~하다 (be) brief: simple: short. ¶ ~한 수속 a simple procedure / ~히 simply: briefly: in brief: easily: with ease 《손쉽게》 / 간단히 말하면 to put it simply: in brief: 명료하다 to be brief / ~

simple and plain 〔clear〕 / ~히 말하다 give a short account 《of》: explain briefly.

간담(肝膽) ① 《간과 쓸개》 liver and gall. ② 《속마음》 one's innermost heart.

간담(懇談) a chat: a familiar talk. ~하다 have a familiar talk 《with》: chat 《with》. ¶ ~회 a social gathering 〔meeting〕.

간댕거리다 dangle: tremble. 「간 댕간댕 danglingly. 「지름길」

간도(間道) a bypath: a short cut

간동그리다 arrange neatly: bundle 《something》 up.   「gle.

간들거리다 swing gently: dan-

간드러지다 (be) charming: coquettish: fascinating. ¶ 간드러지게 웃다 laugh coquettishly.

간들간들 《태도》 charmingly: in fascinating manners: 《바람》 gently: lightly: 《물체》 rockingly: unsteadily.

간들거리다 《태도》 act coquettishly: put on coquettish air. ② 《바람》 blow gently: breeze. ③ 《물체》 shake: rock: totter.

간디스토마(肝─) 〔醫〕 distoma hepaticum: a liver fluke.

간략(簡略) simplicity: brevity. ~한 simple: brief: informal 《약식》 / ~히 simply: briefly: succinctly / ~한 기사 a short account / ~하게 하다 make simple 〔brief〕: simplify: shorten.

간만(干滿) ebb and flow: flux and reflux: tide. ¶ ~의 차 the range of tide: a tidal range.

간망(懇望) an entreaty: an earnest request. ~하다 entreat 《a person》 to 《do》: beg earnestly.

간명(簡明) ☞ 간단. ¶ ~한 brief and to the point.

간물 salt(y) water: brine.

간밤(乾밤) ☞ 전물(乾物).

간밤 last night.

간병(看病) nursing. ☞ 병구완.

간부(幹部) the leading members: the (managing) staff: the executives. ¶ ~요원 a staff in a

ㄱ

responsible post / ～회 an executive council; a staff meeting / ～후보생 a military cadet.

간사(奸邪·奸詐) cunningness; wickedness. ～하다〔스럽다〕(be) wicked; cunning; sly; crafty. ¶ ～한 사람 a wicked person.

간사(幹事)〔사람〕a manager; a secretary. ‖ ～장 a chief secretary / 원내～ the whip〔英〕; an executive secretary〔美〕.

간살부리다 flatter; adulate; fawn upon; curry favor with 《*a person*》.

간상(奸商) a dishonest merchant; a fraudulent dealer. ‖ ～배 dishonest〔crooked〕merchants.

간상균(桿狀菌) a bacillus〔*pl.* -il〕.

간색(間色) a compound〔secondary〕color.

간석지(干潟地) a dry beach; a tideland; a beach at ebb tide.

간선(幹線) a trunk〔main〕line. ‖ ～도로 a highway; a main road.

간섭(干涉) interference; intervention; meddling. ～하다 interfere 《*in, with*》; meddle 《*in, with*》; put *one's* nose into 《口》 ¶ 무력～ armed intervention.

간소(簡素) simplicity. ¶ ～한 simple; plain 《and simple》. ‖ ～화 simplification 《～화하다 simplify》.

간수(∼水) ☞ 간물.

간수(看守) ☞ 교도관(矯導官).

간수하다 keep; have 《*a thing*》in *one's* keeping; take custody 〔charge〕《*of*》.

간식(間食) eating between meals; a snack. ～하다 eat 《*something*》between meals; have a snack.

간신(奸臣) a treacherous〔unfaithful〕retainer; a traitor.

간신(諫臣) a faithful advisor to the king; a devoted retainer.

간신히(艱辛-) narrowly; barely; with difficulty〔힘겹게〕. ¶ ～ 살아 가다 make〔earn〕a bare living; barely make a living / ～ 도망

치다 have a narrow escape.

간악(奸惡) wickedness; treachery. ～하다 (be) wicked.

간암(肝癌) cancer of the liver.

간언(諫言) admonition; advice. ～하다 advise; admonish.

간염(肝炎) hepatitis. ‖ ～예방접종 the anti-hepatitis inoculation / 바이러스성～ viral hepatitis / A형〔B형〕～ hepatitis A〔B〕/ 전염성 ～ infectious hepatitis.

간유(肝油) cod-liver oil.

간음(姦淫) adultery; misconduct; illicit intercourse. ～하다 commit adultery 《*with*》; have illicit intercourse 《*with*》. ‖ ～죄 adultery.

간이(簡易) simplicity; handiness; easiness. ～하다 (be) simple; easy; handy. ‖ ～수도 a provisional water supply system / ～ 숙박소 a cheap lodging house; a flophouse〔美俗〕/ ～식당 a quick-lunch room; a snack bar / ～ 주택 a simple frame house.

간작(間作) catch cropping. ～하다 intercrop; grow 《*beans*》as a catch crop. ‖ ～물 a catch crop.

간장(-醬) soy (sauce).

간장(肝腸)〔간과 창자〕the liver and intestines; 〔마음〕(the) heart; the seat of emotion〔sorrow〕. ¶ ～을 태우다 torture with anxiety / ～을 녹이다 《매료하다》 charm; captivate.

간장(肝臟)〔解〕the liver. ‖ ～병 liver trouble / ～염 간염.

간절(懇切) ～하다 (be) earnest; eager; fervent. ¶ ～한 부탁 *one's* earnest request / ～한 소원 *one's* fervent desire / ～히 earnestly; sincerely.

간접(間接) indirectness. ¶ ～의 indirect; roundabout; second-hand / ～적인 영향 an indirect influence / ～적으로 indirectly; at second hand. ‖ ～목적어 an indirect object / ～무역 indirect trade / ～선거 indirect election / ～세 an indirect tax /

indirect [concealed] lighting / ~화법 indirect narration [speech] / ~흡연 indirect smoke pollution; secondhand smoke.

간조(干潮) ebb tide; low water.

간주(看做) ~하다 consider [regard, look upon] 《as》; take 《for》.

간주곡(間奏曲) 〖樂〗an interlude; an intermezzo.

간지(干支) the sexagenary cycle.

간지(奸智) cunning; craft; guile; wiles; subtlety.

간지럼 a ticklish sensation. ¶ ~타다 be ticklish; be sensitive to tickling.

간지럽다 ① 《몸이》 (feel) ticklish. ¶발이 ~ My foot tickles. ② 《마음·낯이》 be [feel] abashed.

간직하다 keep; store; put away; harbor 《in one's mind》. ¶~ 간직해 두다 keep in one's heart.

간질(癇疾) 〖醫〗epilepsy; an epileptic fit 《발작》. ‖ ~ 환자 an epileptic.

간질이다 tickle; titillate.

간책(奸策) 《play》 a dirty [shrewd] trick 《on》: a crafty design.

간척(干拓) land reclamation by drainage. ~하다 reclaim 《land》 by drainage. / ~사업(공사) reclamation works / ~지(地) reclaimed land.

간첩(間諜) a spy; a secret agent. ¶~단 a spy ring / ~망 a espionage chain: a spy network / ~활동 (do, have) espionage activities / 고정 ~ a resident spy; a sleeper agent / 이중 ~ a double agent.

간청(懇請) entreaty; solicitation; an earnest request. ~하다 entreat; implore; solicit 《a person for》; earnestly request.

간추리다 sum up; summerize; abridge. ¶ 간추린 summarized; abridged.

간통(姦通) adultery; illicit intercourse. ~하다 have (illicit) intercourse 《with》; commit adultery 《with》. / ~죄 adultery.

간파(看破) ~하다 see through 《a fraud》; read 《a person's thought》.

간판(看板) ① 《상점 따위의》 a sign (-board); a billboard; 《사무소·병원 등의》a doorplate; a shingle 《美》. ¶ ~을 내걸다 set up [hang out] a signboard. ② 《학벌; 경력 따위의》 a school(business) career; 《내세우는 것》 a draw; an attraction; 《허울》 a (false) front; a figurehead.

간편(簡便) ~하다 (be) simple; easy; handy; convenient. ¶ ~한 방법 an easy (a simple) method.

간하다(諫 一) advise 《a person》 not to do.

간행(刊行) publication. ~하다 publish; issue; bring out. ‖ ~물 a publication.

간헐(間歇) intermittence. ~적 (으로) intermittent(ly). ‖ ~열 intermittent fever / ~천 a geyser; an intermittent spring.

간호(看護) nursing; tending. ~하다 nurse; care for; attend on 《a sick person》. ‖ ~보조원 a nurse's aide / ~학 the science [study] of nursing / ~학교 a nurses' school.

간호사(看護師) a (sick) nurse. ¶ ~ ~ a head (chief, staff) nurse / 정 ~ a registered nurse 《美》 (생략 RN) / 준 ~ a practical nurse 《美》.

간혹(間或) occasionally; sometimes; once in a while. ¶ ~ 있는 occasional; infrequent / ~ 오는 손님 a casual visitor / ~ 찾아오다 show up once in a while.

갇히다 be confined; be shut up; be locked up in; be imprisoned 《감옥에》.

갈가마귀 〖鳥〗a jackdaw.

갈거미 〖蟲〗a long-legged spider.

갈겨쓰다 scrawl; scribble 《a letter》.

갈고랑쇠 ① 《쇠》 an iron hook; a fluke. ② 《사람》 perverse [cross minded] person.

갈고랑이 a hook; a gaff 《작살의》.

갈구하다(渴求一) crave ⟨long, yearn, thirst⟩ for; be thirsty after ⟨for⟩; desire eagerly.　　　　　「root.

갈근(葛根) the root of an arrow-

갈기(鬣) a mane. ¶～ 있는 짐승 a maned beast.

갈기갈기 to pieces; (in)to shreds. ¶～ 찢다 tear to pieces; tear into strips ⟨shreds⟩.

갈기다 《때리다》 beat; strike; hit; knock; thrash; 《베다》 cut; slash. ¶따귀를 ～ slap ⟨a person's⟩ cheeks ⟨face⟩.

갈길 one's way; one's path.

갈다 《땅을》 till; plow; plough 《英》; cultivate; get ⟨the soil⟩ turned over.

갈다 《바꾸다》 renew; change; replace.

갈다 《숫돌에》 whet; sharpen; grind. ¶칼을 ～ sharpen a knife. ②《광이 나게》 polish; burnish; cut 《광석을》. ③ 《문지르다》 rub; file《줄로》. ④ 《가루로》 grind ⟨down⟩; rub fine; reduce to powder. ⑤《이를》 grind ⟨grit⟩ one's teeth.

갈대 〔植〕 a reed. ∥～밭 a reed blind ⟨screen⟩ / ～밭 a field of reeds.

갈등(葛藤) trouble; discord; 《마음의》 mental ⟨emotional⟩ conflict. ¶～을 일으키다 cause trouble; breed discord.

갈라서다 break ⟨off relations⟩ ⟨with⟩; separate; divorce one-self ⟨from⟩; be divorced ⟨from⟩ 《이혼》.

갈라지다 ① 《물체가》 split; be split; crack; be cracked; break; cleave. ¶두 조각으로 ～ be split into two pieces. ②《사람 사이가》 split ⟨break⟩ ⟨with a person⟩; be divided.

갈래 《분기》 a fork; a divergence; 《분파》 a branch; a sect. ¶두 ～ 길 a crossroad(s) / ～지다 fork; diverge ⟨from, into⟩.

갈륨 〔化〕 gallium.

갈리다 ① 《갈게 하다》 get ⟨a per-

son⟩ to change; have ⟨get⟩ ⟨something⟩ replaced. ②《바뀌다》 be replaced ⟨changed⟩.

갈리다 《칼 따위를》 have ⟨a knife⟩ sharpened ⟨갈게 하다⟩; be sharpened; be whetted.

갈리다 《가루로》 make ⟨a person⟩ grind ⟨up⟩; have ⟨grain⟩ ground ⟨갈게 하다⟩; be ground to powder ⟨갈아지다⟩.

갈리다 《분리》 be divided ⟨into⟩; break into; branch off ⟨from⟩; fork.

갈리다 《논밭을》 make ⟨a person⟩ plow ⟨plough 《英》⟩; have ⟨land⟩ cultivated ⟨갈게 함⟩; be cultivated.

갈림길 a forked ⟨branch⟩ road; a fork (in the road); a cross-road(s) ⟨십자로⟩; a turning point ⟨전회점⟩.

갈마들다 take turns; take by spells; alternate ⟨with another⟩.

갈망(渴望) ～하다 long ⟨yearn, thirst, crave⟩ ⟨for⟩; be anxious ⟨for, to do⟩.

갈망하다 《수습·처리하다》 deal ⟨cope⟩ with; manage ⟨a matter⟩; set ⟨matters⟩ right.

갈매 Chinese green; lokato. ∥～나무 〔植〕 a kind of buck-

갈매기 〔鳥〕 a sea gull. 「thorn.

갈무리하다 put ⟨a thing⟩ away in order; finish ⟨a thing⟩ up.

갈보 a harlot; a prostitute; a street walker. ∥～집 a brothel; a whorehouse.

갈비 the ribs; a rib 《요리》. ∥～구이 roasted ribs / ～찜 beef-rib stew / ～탕 beef-rib soup / 갈빗대 a rib / 쇠～ ribs of beef.

갈색(褐色) brown. ¶～의 brown.

갈수(渴水) a shortage of water; a water famine. ∥～기 the drought ⟨dry⟩ season.

갈수록 more and more; as time goes on ⟨시간이⟩. ¶～ 태산이다 things get worse and worse.

갈쌍거리다 be close to almost reach ⟨touch⟩.

갈아내다 change; replace ⟨an old

갈아대다 *thing with a new one*); renew.

갈아대다 replace; change; substitute; put in 《*something*》 new 《*for replacement*》.

갈음하다 supplant; supersede; take the place of.

갈음하다 replace 《*A*》 with 《*B*》; substitute 《*B*》 for 《*A*》.

갈아입다 change 《*one's*》 clothes.

갈아타다 change cars (trains) 《*at*》; transfer 《*to another train*》; transship(배를).

갈이 ① 〔논밭의〕 plowing; ploughing 《英》; tillage; cultivating. ‖ ~질 farming. ② 〔넓이〕 the acreage that can be plowed by 《*a person*》 (in a day).

갈잎 〔가랑잎〕 fallen (dead) leaves; 〔떡갈잎〕 leaves of an oak.

갈증 (渴症) 〔목마름〕 thirst. ¶ ~이 나다 feel thirsty.

갈참나무 〔植〕 a white oak.

갈채 (喝采) cheers; applause. ~하다 applaud; cheer; give 《*a person*》 a cheer. ¶우뢰 같은 ~를 〔storm 〔thunder〕 of applause / ~를 받다 win (receive) applause.

갈취 (喝取) ~하다 extort 《*money from a person*》 by threats. 〔fish

갈치 〔魚〕 a hairtail; a scabbard

갈퀴 a rake. ¶ ~로 긁어모으다 rake together 《up》.

갈탄 (褐炭) brown coal; lignite.

갈파 (喝破) ~하다 outshout; declare; proclaim.

갈팡질팡 confusedly; in a flurry; waveringly; this way and that. ~하다 be confused 《by》 [perplexed] get flurried; do not know what to do; be at a loss.

갈포 (葛布) hemp cloth.

갈피 ① a space between folds 〔layers〕; ② 〔요점〕 the point; the sense; the gist. ¶ ~를 잡을 수 없다 cannot make head or tail 《of》; cannot catch 〔grasp〕 the meaning 《of》.

갉다 〔쏠다〕 gnaw; nibble 《at》; 〔긁다〕 scratch; scrape.

갉아먹다 ① 〔이로〕 gnaw; nibble

《*at*》. ② 〔재물을〕 squeeze; extort.

감 〔植〕 a persimmon. ‖ ~나무 a persimmon tree.

감² (재료) material; stuff; 〔옷감〕 texture; 〔비유적〕 a suitable person 《*for*》; good material 《*for*》. ¶기둥~ wood for a pillar / 사윗~ a likely son-in-law / ~이 좋다 That's good material.

감 (減) (a) decrease; 〔공제〕 (a) deduction.

감 (感) 〔느낌〕 feeling; sense; touch 〔촉감〕; 〔인상〕 an impression. ¶ 5~ the five senses / 공복~ a sense of hunger.

감가 (減價) reduction of price; depreciation; a discount. ~하다 reduce 〔discount〕 the price 《*of*》. ‖ ~상각 depreciation / ~상각 준비 적립금 a depreciation reserve.

감각 (感覺) sense; feeling; sensation(감성). ¶미적(美的)~ *one's* sense of beauty / ~적 sensible; sensual / ~이 없는 senseless; numb. ‖ ~기관 a sense organ / ~력 sensibility / ~마비 sensory paralysis / ~신경 a sensory nerve / ~중추 a sensory center.

감감하다 ① 〔소식이〕 hear nothing of; learn no news of 《*a person*》. ② 〔차이·시간 등이〕 (be) far above; long (before). ③ 〔기억이〕 forget entirely.

감개 (感慨) deep emotion. ¶ ~무량하다 be deeply moved; be filled with deep emotion.

감격 (感激) strong (deep) emotion. ~하다 be deeply moved 〔impressed, touched〕 《by, with》. ¶ ~시키다 impress; give a deep impression 《*to a person*》 / ~의 눈물을 흘리다 be moved to tears.

감광 (感光) 〔사진의〕 exposure (to light); sensitization. ¶ ~시키다 expose 〔the film〕 to light. ‖ ~계 a sensitometer / ~지 sensitive

paper / ~ 판(板) a sensitive plate.

감군(減軍) arms [armament] reduction. ~ 하다 cut[reduce] armed forces.

감금(監禁) confinement; imprisonment. ~ 하다 confine; imprison; detain; lock up.

감기(感氣) a cold. ¶심한 ~ a bad cold / ~ 에 걸리다 catch [take] (a) cold; have a cold. ‖ ~ 약 medicine for a cold; a cold remedy.

감기다 ① 〔넝쿨 따위가〕 twine[coil] around; wind itself round; entwine; 〔태엽 따위가〕 be wound; 〔거치적거리다〕 cling to; 〔걸리다〕 be caught in. 〔감기 하다〕 let [make] (a person) wind.

감기다 〔눈이〕 (one's eyes) be closed [shut] of their own accord; 〔눈을〕 close [shut] (a person's eyes).

감기다 〔씻기다〕 wash [bathe] (a baby).

감내(堪耐) ~ 하다 bear; endure; stand; put up with.

감다[1] 〔눈을〕 shut [close] (one's eyes).

감다[2] 〔씻다〕 wash; bathe; have a bath.

감다[3] 〔실 따위를〕 wind; coil; twine; bind round.

감당(堪當) ~ 하다 be equal to (a task); be capable of (doing); cope [deal] with; be competent for.

감도(感度) sensitivity; reception. ¶ ~ 가 좋다 be highly sensitive (to).

감독(監督) superintendence; supervision; control; 〔사람〕 a supervisor; a superintendent; a manager(운동의); a director (영화의); a foreman(현장 근로자의). ~ 하다 superintend; supervise; control; oversee; direct; be in charge of. ¶ …의 ~ 하에 under the supervision [direction] of (a person). ‖ ~ 관 an inspector / ~ 관청 the supervisory [compe-

tent] authorities.

감돌다 〔둘레를〕 go [turn] round; 〔굽이치다〕 wind; meander; curve; 〔…기운이〕 linger; hang low.

감동(感動) impression; deep emotion. ~ 하다 be moved (touched, affected) (by). ¶ ~ 시키다 impress; move; affect; appeal to (a person) / 크게 ~ 하다 be deeply moved.

감람(橄欖) an olive. ‖ ~ 나무 (樹) an olive tree / ~ 빛 olive color [green] / ~ 석 (石) olivine; peridot.

감량(減量) a loss in weight [quantity]. ~ 하다 (양을) reduce the quantity (of); (체중을) reduce [lower] one's weight. ¶ ~ 경영 belt-tightening management [~ 경영] streamline management / ~ 식품 diet (low-caloried) food.

감로(甘露) nectar; honeydew. ‖ ~ 주 sweet liquor.

감리(監理) supervision; superintendence. ~ 하다 supervise.

감리교(監理敎) Methodism. ‖ ~ 신자 a Methodist / ~ 회 the Methodist Church.

감마선(一線) 〔理〕 gamma rays.

감면(減免) (세금의) reduction and exemption; 〔형벌의〕 mitigation and remission. ~ 하다 exempt; remit. ¶세금의 ~ reduction of and exemption from taxes.

감명(感銘) (deep) impression. ~ 하다 be (deeply) impressed (moved, touched) (by).

감미(甘味) sweetness; a sweet taste. ¶ ~ 롭다 (be) sweet. ‖ ~ 료 sweetener / 인공 ~ 료 an artificial sweetener.

감방(監房) a cell; a ward.

감별(鑑別) discrimination; discernment. ~ 하다 discriminate; discern.

감복(感服) admiration. ~ 하다 admire; be struck with admiration (at).

감봉(減俸) a pay [salary] cut.

ㄱ

감사 하다 reduce 《*a person's*》 salary.

감사(感謝) thanks; gratitude; appreciation; 《신의의》 thanksgiving. ~하다 thank; be thankful [grateful] 《*for*》; feel grateful. ‖ ~장 a letter of thanks (appreciation) / ~패 an appreciation plaque.

감사(監事) 《사람》 an inspector; a supervisor; an auditor 《회계의》.

감사(監査) 《검사》 (an) inspection; audit 《회계의》. ~하다 inspect; audit 《*accounts*》 《회계를》. ‖ ~ 보고 an audit report / ~역 an auditor / ~원(장) (the Chairman of) the Board of Audit and Inspection / ~증명 an audit certificate.

감산(減産) 《자연적인》 a decrease [drop] in production 《output》; 《인위적》 a reduction of production; 《a 20 *percent*》 production cut. ~하다 cut [reduce] production 《*by 20 percent*》. ‖ ~체제 (introduce) a policy of reducing production.

감상(感傷) sentimentality. ‖ ~적인 sentimental; emotional. ‖ ~주의 sentimentalism / ~주의자 a sentimentalist.

감상(感想) feelings; thoughts; impression(s). ¶ ~을 말하다 state [give] *one's* impressions 《*of*》. ‖ ~문 a description of *one's* impressions.

감상(鑑賞) appreciation. ~하다 appreciate; enjoy. ‖ ~력 an appreciative power; an eye 《*for beauty*》.

감색(紺色) dark 《navy》 blue; indigo.

감성(感性) sensitivity; sensibility; susceptibility 《감수성》.

감세(減稅) reduction of taxes; a tax cut. ~하다 reduce [cut, lower] taxes. ‖ ~법안 a tax reduction bill / ~안 a tax cut program.

감소(減少) (a) decrease; (a) reduction. ~하다 decrease; fall off; decrease; lessen; be reduced. ¶ 인구〔수입〕의 ~ a decrease in population[*one's* income] / 출생율이 10% ~했다 The birth rate has decreased [dropped] by ten percent.

감속(減速) speed reduction. ~하다 reduce the speed 《*of*》; slow down; decelerate. ¶ 교차점 앞에서 ~하다 slow down before the crossroads. ‖ ~장치 reduction gear.

감손(減損) decrease; diminution; loss 《손해》; wear 《마손》.

감수(甘受) ~하다 be resigned to; submit 《*to*》; put up with. ¶ 비난을 ~하다 submit to reproach / 모욕을 ~하다 swallow [put up with] an insult.

감수(減水) the receding [subsiding] of water. ~하다 fall; subside; go down.

감수(減收) (suffer) a decrease in income 《harvest; production》.

감수(減壽) ~하다 shorten *one's* life; *one's* life is shortened.

감수(監修) (editorial) supervision. ~하다 supervise. ‖ ~자 an editorial supervisor.

감수성(感受性) sensibility; susceptibility; sensitivity. ‖ ~이 강한 sensitive 《*to*》; susceptible 《*to, of*》.

감시(監視) 《파수》 watch; lookout; observation; surveillance. ~하다 watch; observe; keep watch 《*on, over*》. ¶ ~하에 두다 put 《*a person*》 under observation. ‖ ~기구 a supervisory organization / ~망 a surveillance network [system] / ~병 a guard / ~선 a patrol boat / ~소 a lookout; an observation post / ~원 a watchman.

감식(減食) reduction of *one's* diet; dieting. ~하다 go [be] on a diet; eat less. ‖ ~요법 a reduced diet cure.

감식(鑑識) judgment; discernment; 《범죄의》 (criminal) identification. ~하다 judge; discern; discriminate. ‖ ~가 a

judge: a connoisseur 《of》(미술품의) / 범죄〔지문〕~ criminal 〔fingerprint〕identification.

감실거리다 flicker: glimmer.

감싸다 (감아 싸다) wrap 《in》: wind 《something》round: (비호) protect: shield: take 《a person》under *one's* wings.

감안 (勘案) consideration. ~하다 take 《something》 into consideration (account).

감액 (減額) a reduction: a cut: a curtailment. ~하다 reduce: curtail: cut down.

감언 (甘言) sweet talk: honeyed 〔sweet〕words: flattery: cajolery. ¶ ~이설 soft and seductive language: flattery.

감연히 (敢然—) boldly: daringly: fearlessly: resolutely.

감염 (感染) 〔간접의〕infection: (접촉의) contagion. ~하다, ~되다 《병·악습이》infect: (사람이 병에) get infected 《with》: catch. ¶ ~성의 infectious: contagious. ‖ ~경로 an infection route / ~원 the source of infection.

감염식 (減鹽食) a low-salt diet.

감옥 (監獄) a prison: a jail 〔美〕: a gaol 〔英〕. ~살이 a prison life: serving *one's* term.

감원 (減員) reduction of the staff: a personnel cut. ~하다 lay off: reduce the personnel 《of》. ‖ ~바람 a sweeping reduction of the personnel. 「gratefulness.

감은 (感恩) gratitude 《for kindness》.

감읍 (感泣) ~하다 be moved to tears: shed tears of gratitude 《for》.

감응 (感應) (전기의) induction: influence: (공감) sympathy: (영감) inspiration: (신명의) (divine) response: answer. ~하다 induce: sympathize 《with》: respond 《to》. ‖ ~전기 induced electric current / ~코일 an induction coil.

감자 (㊀) a (white) potato. 「coil.

감자 (減資) (a) reduction of capital: capital reduction. ~하다

reduce the capital 《from ... to ...》.

감작 (減作) a short crop.

감전 (感電) (receiving) an electric shock. ~하다 get shocked: be struck by electricity. ¶ ~되어 죽다 be killed by an electric shock: be electrocuted. ‖ ~사 electrocution.

감점 (減點) a demerit mark. ~하다 give 《a person》a demerit mark: take off 〔deduct〕points. ¶ ~을 당하다 receive a cut in marks. ‖ ~법 《스포츠의》the bad-mark system: a penalty count system.

감정 (感情) feeling(s): (an) emotion(정서): (a) passion(격정): (a) sentiment. ¶ ~적인 〔으로〕 sentimental(ly): emotional(ly) / ~을 자극하다 stir 〔excite〕《a person's》 emotion / ~을 해치다 hurt 《a person's》feelings: offend 《a person》 / ~을 나타내다 〔억제하다〕 express 〔control〕*one's* feeling. ‖ ~이입 〔心〕 empathy.

감정 (鑑定) ① (판단) judgment: an expert opinion(전문가의). ~하다 judge: give an (expert) opinion. ② (가격의) (an) appraisal. ~하다 appraise: estimate. ¶ 허위 ~을 하다 give a false appraisal. ‖ ~가격 an appraisal: the estimated value / 한국 ~원 the Korea Appraisal Board. ③ (소송의) legal advice. ~하다 give legal advice.

감정인 (鑑定人) a judge: (미술품의) a connoisseur: (술 따위의) a taster: (자산의) an appraiser: (법정의) an expert witness.

감주 (甘酒) rice nectar.

감지 (感知) perception. ~하다 perceive: sense: become aware of. ‖ ~장치 〔電子〕 a sensor: a detector.

감지덕지하다 (感之德之—) be 〔feel〕 very thankful 〔grateful〕《for》.

감질나다 (疳疾—) feel insatiable: never feel satisfied: feel 〔be〕 dying for more.

갑쪽같다 《수선해서》 (be) as good as new [before]; just as it was; 《꾸민 일이》 (be) successful. ¶ 감 쪽같이 nicely; successfully; artfully.

갑찰(監察) 《행위》 inspection; 《사람》 an inspector; a supervisor. ~하다 inspect; supervise. ‖ ~ 원[軍] an inspector general.

갑찰(鑑札) a license. ¶ ~을 내주다 [내다] grant[take (out)] a license. ¶ ~료 a license fee / 영업 ~ a business[trade] license.

갑채(減債) partial payment of a debt. ‖ ~기금 a sinking fund; an amortization fund.

갑청(紺青) deep [ultramarine] blue; navy [dark] blue.

갑초(甘草) 《植》 a licorice (root). ¶약방의 ~ an indispensable man; a key person; a person active in all sorts of affairs.

갑촉(感觸) the (sense of) touch; the feel; feeling. ~하다 touch; feel; perceive through the senses.

갑추다 《숨겨두다》 hide; conceal; put out of sight; keep secret; 《드러나지 않게》 cover; veil; cloak; disguise.

갑축(減縮) reduction; diminution; retrenchment. ~하다 reduce; diminish; retrench; curtail; cut down. ¶군비의 ~ the reduction of armaments.

갑축(感祝) ~하다 celebrate [congratulate] enthusiastically; thank heartily.

갑치다 《꿰매다》 hem; sew up.

갑칠맛(맛) good flavor; savory taste; 《끄는 힘》 charm; attraction.

갑탄(感歎) admiration; wonder; marvel. ~하다 admire; be struck with admiration; marvel (at). ¶ ~할 만한 admirable; wonderful. ¶ ~문 an exclamatory sentence / ~부호 an exclamation mark / ~사 an interjection; an exclamation.

갑퇴(減退) (a) decline; (a) decrease; (a) loss. ~하다 decline; lose; decrease; fall off.

갑투(坎頭) ① 《모자》 a horsehair cap formerly worn by the common people. ② 《벼슬》 a high office; a distinguished post. ¶ ~를 쓰다 assume office; hold a prominent post.

갑투(敢鬪) ~하다 fight courageously [bravely]. ‖ ~상 a prize for fighting-spirit / ~정신 a fighting spirit.

갑하다(減一) 《빼다》 subtract; deduct 《from》; 《줄이다》 decrease; lessen; reduce; diminish; 《경감》 mitigate. ¶ 값을 ~ cut down a price / 형[刑]을 ~ reduce a penalty 《by》.

갑행(敢行) ~하다 venture 《to do》; carry out; risk.

갑형(減刑) reduction of penalty; commutation of a sentence. ~하다 commute [mitigate] 《a sentence》.

갑호처분(監護處分) preventive custody.

갑화(感化) influence; reform[교정]. ~하다 influence; inspire; reform. ‖ ~력 power to influence / ~원 a reformatory; a reform school.

갑회(感懷) deep emotion; impressions; sentiments; reminiscences. ¶ ~에 젖다 be overcome by deep emotion.

갑흥(感興) interest; fun.

갑히(敢一) boldly; daringly; positively. ¶ ~하다 dare [venture] to 《do》.

갑(甲) 《앞의 것》 the former; the one; 《등급》 grade "A".

갑(匣) a case; a box; a pack 《담배 따위의》.

갑(甲) a cape.

갑각(甲殼) a shell; a crust; a carapace. ‖ ~류 《動》 Crustacea.

갑갑증(一症) tedium; boredom.

갑갑하다 《지루하다》 (be) bored; tedious; 《답답하다》 (be) stuffy; stifling; suffocating; heavy.

갑골문자(甲骨文字) inscriptions on bones and tortoise carapaces.

갑근세(甲勤稅) the earned income tax (of Grade A).

갑론을박(甲論乙駁) the pros and cons. ‖ ~하다 argue for and against 《*a matter*》; argue pro and con.

갑문(閘門) a lock gate; a sluice 《gate》; a floodgate.

갑부(甲富) the richest man; the wealthiest; a millionaire.

갑상선(甲狀腺) 【醫】 the thyroid gland. ‖ ~비대 hypertrophied thyroid gland / ~염 thyroiditis / ~호르몬 thyroid hormone.

갑옷(甲─) (a suit of) armor.

갑자기(별안간) suddenly; all of a sudden; all at once; (뜻밖에) unexpectedly.

갑작스럽다 (be) sudden; abrupt; unexpected.

갑절(倍) 배(倍).

갑종(甲種) grade A; first grade; top-grade. ‖ ~합격자 a first grade conscript 《*in physical check-up*》.

갑충(甲蟲) 【蟲】 a beetle.

갑판(甲板) a deck. ‖ ~에 나가다 go on deck. ‖ ~사관 a deck officer / ~선원 a deck hand / ~승강구 a hatchway / ~실 a deckhouse / ~장 a boatswain.

값(價格) price; cost; (가치) value; worth. ‖ 알맞은 ~ a reasonable price / ~나가는 expensive; dear / ~(이) 싼 lowpriced; cheap / ~지다 be valuable / ~을 치르다 pay for 《*an article*》 / ~을 올리다 [내리다] raise [lower] the price.

값어치(價値) value; worth.

갓《쓰는》 a Korean top hat (made of horsehair).

갓《방금》 fresh from; just (now); newly. ‖ ~구운 빵 bread fresh from the oven / ~결혼한 부부 a newly wedded couple; newlyweds. 　　　　　[baby.

갓난아이, 갓난애 a (newborn)

강(江) a river. ‖ ~ 건너(에) across the river / ~을 따라 along the river / ~을 건너다 cross the river / ~을 거슬러 올라 [내려] 가다 go up [down] the river. ‖ ~가 (기슭) a riverside / ~바닥 the bottom of a river; a riverbed / ~어귀 the mouth of a river.

강간(强姦) (a) rape. ~하다 rape; commit rape 《*upon*》; violate. ‖ ~범 a rapist(사람) / ~죄 rape; criminal assault.

강강술래 a Korean circle dance (under the bright full moon).

강건(强健) robust health. ‖ ~한 robust; healthy; strong.

강경(强硬) ~하다 (be) strong; firm; resolute. ‖ ~히 반대하다 oppose 《*something*》 strongly. ‖ ~노선 a hard (tough) line / ~수단 a drastic measure; a resolute step / ~파 the hardliners; the hawks.

강관(鋼管) a steel pipe [tube].

강구(講究) ~하다 study; consider; contrive; take measures [steps].

강국(强國) a great [strong] power; a strong nation [country].

강권(强勸) ~하다 press; urge; recommend against 《*a person's*》 will.

강권(强權) authority; state power. ‖ ~발동 the invocation of the state power / ~정치 power [a high-handed] politics.

강남(江南) 《서울의》 the south of the Han River.

강낭콩 【植】 a kidney bean.

강다짐하다 ① 《마른밥을》 eat boiled rice without water or soup. ② 《까닭 없이 꾸짖음》 scold 《*a person*》 without listening to *his* story. ③ 《부림》 force 《*a person*》 to work without pay.

강단(講壇) a (lecture) platform(학술의); a pulpit(설교단); a rostrum (연단). ‖ ~에 서다 stand on a platform; teach school.

강당(講堂) a (lecture) hall; an auditorium; an assembly hall.

강대(强大) ~하다 (be) mighty; powerful; strong. ‖ ~국 a powerful country; a big power.

강도(强度) strength; intensity; tenacity〔질김〕; solidity〔단단함〕.

강도(强盜) a burglar; a robber; ~질 a burglary; robbery〔~질하다 commit burglary〔robbery〕〕.

강동거리다 leap lightly; skip.

강등(降等) demotion; degradation. ~하다 demote; reduce〔degrade〕 to a lower rank.

강력(强力) ~하다 (be) strong; powerful; mighty. ‖ ~범 a violent crime〔죄〕; a criminal of violence〔사람〕 / ~접착제 a high-strength adhesive.

강렬(强烈) ~하다 (be) severe; intense; strong / ~한 색채 a loud color / ~한 인상 a strong impression.

강령(綱領) general principles; 《정당의》 a platform. ‖ 10대 ~ a 10-point platform.

강론(講論) a lecture. ~하다 lecture 《on》.

강림(降臨) descent from Heaven; advent. ~하다 descend (from Heaven). ‖성령이 ~하셨다 The Holy spirit descended upon them. / ~절 the Advent.

강매(强賣) ~하다 force a sale 《on》; force〔press〕 《a person》 to buy 《a thing》.

강모(剛毛) 〔動·植〕 a bristle; a seta.

강물(江─) a river; a stream; river water. ‖ ~이 분다 the river rises.

강박(强迫) coercion; compulsion. ~하다 compel; coerce; force. ‖ ~관념 an obsession (~관념에 사로잡히다 suffer from an obsession).

강변(江邊) a riverside. ‖ ~도로 a riverside road / ~도시고속도로 the riverside urban expressway.

강변하다(强辯─) reason against reason; insist obstinately 《on

doing, that ...》; quibble.

강병(强兵) 《군사》 a strong soldier; 《병력》 a powerful〔strong〕 army.

강보(襁褓) swaddling clothes.

강보합(保合) ‖ ~의 〔깝〕 (be) firm〔steady〕 with an upward tendency.

강북(江北) the north of a river; 《서울의》 the north of the Han River.

강사(講士) a speaker.

강사(講師) a lecturer; an instructor; 〔직〕 lectureship.

강산(江山) 《강과 산》 rivers and mountains; 《강토》 one's native land.

강생(降生) incarnation. ~하다 be incarnated.

강선(鋼線) a steel wire.

강설(降雪) snowing; a snowfall. ‖ ~량 the (amount of) snowfall.

강성(强盛) ~하다 (be) powerful; thriving; flourishing.

강세(强勢) 《음의》 (a) stress; emphasis; 《시세의》 a strong〔firm〕 tone. ‖ ~를 두다 emphasize; lay〔put〕 emphasis〔stress〕 《on》.

강속구(强速球) 〔野〕 fast〔speed〕 ball. ‖ ~투수 a strong-armed pitcher; a speed ball hurler.

강쇠바람 the east wind in early autumn.

강수(降水) precipitation. ☞ 강우. ‖ ~량 precipitation.

강술(强─) ‖ ~을 마시다 drink liquor without snack 〔food〕.

강습(强襲) ~하다 storm 《into》; assault 《on》; take 《a fort》 by storm.

강습(講習) a (short) course; a class. ‖ ~을 받다 〔행하다〕 take 〔give〕 a course 《in first aid》. ‖ ~생 a student / ~소 a training school / 여름〔겨울〕~회 a summer 〔winter〕 school.

강시(僵屍) the body of a person frozen to death.

강신술(降神術) spiritualism.

강심(江心) the center of a river.

강심제(强心劑) a heart stimulant

[medicine]; a cardiotonic drug.

강아지 a pup; a puppy.

강아지풀 〔植〕 a foxtail.

강압(強壓) pressure; oppression. ~ 하다 coerce; oppress; put pressure 《on》. ¶ ~적 high-handed; coercive. ~수단 high-handed [coercive] measure / ~ 정책 high-handed [coercive] policy; a big-stick policy 《美俗》.

강약(強弱) strength and weakness; the strong and the weak; stress(유의).

강연(講演) a lecture; an address. ~ 하다 (give a) lecture 《on》; address 《a meeting》. ‖ ~자 a lecturer; a speaker / ~회 a lecture meeting.

강온(強穩) toughness and moderateness. ¶ ~ 양면정책 a carrot-and-stick policy / ~ 양파 the hawks and the doves.

강요(強要) forcible demand; coercion. ~ 하다 force; coerce; demand; compel.

강우(降雨) rain; a rainfall. ‖ ~기 the wet [rainy] season / ~량 the amount of rainfall (rain) / ~ 전선 a rain front / ~ 량 the annual rainfall 《in Seoul》.

강의(講義) a lecture; an explanation(설명); an exposition(해설). ~ 하다 lecture; give a lecture; explain 《a book》. ‖ ~록 a transcript of lectures.

강인(強靭) ~ 하다 (be) tough; stiff; tenacious; unyielding. ¶ ~한 의지 a tough spirit; an iron will. ‖ ~성 strength; toughness; solidarity.

강자(強者) a strong man; the powerful, the strong(총칭).

강장(強壯) ¶ ~한 strong; robust; sturdy; sound; stout. ‖ ~제 a tonic; a bracer 《美口》.

강장동물(腔腸動物) a coelenterate.

강재(鋼材) steel [materials]; rolled steel(압연강).

강적(強敵) a powerful enemy; a formidable rival (foe).

강점(強占) ~ 하다 occupy [possess] 《a person's house》 by force.

강점(強點) [이점] a strong point; an advantage; one's strength.

강정 a glutinous rice cake coated with rice (sesame, etc.).

강정제(強精劑) a tonic.

강제(強制) compulsion; coercion; enforcement; compel. ¶ ~적인 compulsory; forced / ~ 적으로 by force [compulsion]; forcibly / ~적으로 …하게 하다 compel [force] 《a person》 to do. ‖ ~노동 forced labor / ~송환 enforced repatriation / ~수단 a coercive measure / ~수용소 a concentration camp / ~조정 [집행] compulsory mediation [execution] / ~처분 disposition by legal force.

강조(強調) stress; emphasis. ~ 하다 stress; emphasize; put [lay] stress on. ¶ 지나치게 ~ 하다 overemphasize.

강좌(講座) a (professional) chair; 《강의》 a lecture 《on music》; a course. ¶ ~를 개설하다 establish [create] a chair 《of》.

강직(剛直) ~ 하다 (be) upright; incorruptible. ¶ ~한 사람 a man of integrity. ¶quake.

강진(強震) a violent [severe] earth-

강짜 (unreasonable) jealousy(cf. 안달).

강철(鋼鐵) steel. ¶ ~ 같은 an iron will. ‖ ~판 a steel plate.

강청(強請) exaction; persistent demand. ~ 하다 extort 《money》.

강촌(江村) a riverside village.

강추위 severe [dry] cold weather.

강타(強打) a hard [heavy] blow; 《야구의》 a heavy hit; a blast; 《골프·테니스의》 a (powerful) drive. ~ 하다 hit hard. ‖ ~ 자 a heavy hitter; a slugger.

강탈(強奪) seizure; (a) robbery; hijacking 《美口》. ~ 하다 seize; rob 《a person》 of 《a thing》; hijack. ‖ ~품 plunder; spoils; booty / ~자 a plunderer; a

robber: a hijacker.
강태공(姜太公) an angler.
강토(疆土) a territory; a realm.
강판(鋼板) a steel plate(주께운); a steel sheet(얇은).
강판(薑板) a grater. ¶ ~에 갈다 grate 《a radish》.
강평(講評) (a) comment; (a) review; (a) criticism. ─하다 comment on 《papers》; make comments on; review.
강풍(强風) a strong [high] wind; a gale. ¶ ~주의보 a strong-wind warning.
강하(降下) (a) descent; a fall; a drop. ─하다 descend; fall; drop. ¶기온의 ~ a drop in temperature. / ~물 (radioactive) fallout / 급 ~ a sudden [steep] descent; a nose dive.
강하다(强─) (be) strong; 《힘이》 powerful; mighty; 《세기》 intense; hard; 《능력·지식이》 competent; good 《at》. 강하게 hard; severely; strongly; powerfully / 강해지다 grow strong / 강하게 하다 make strong; strengthen / 의지가 강한 사람 a man of strong will / 강한 빛 strong [intense] light / 그는 수학에 ~ He is good at mathematics.
강행(强行) ─하다 enforce; force.
강행군(强行軍) a forced march; 《비유적》 a very vigorous [tight] schedule. ─하다 make a forced march.
강호(江湖) 《세상》 the (reading) public; ~제현 the general public; people at large.
강호(强豪) a veteran (player).
강화(强化) ─하다 strengthen; toughen(산업 따위); enforce; tighten(단속을); reinforce(세력·구조 따위); consolidate(지위 따위); intensify(훈련 따위). ¶국방을 ~ 하다 strengthen the national defense / ~식품 enriched foods / ~유리 tempered glass.
강화(講和) peace; reconciliation.

~하다 make peace 《with》. ¶굴욕적인 ~ a humiliating peace. ‖ ─조건 conditions [terms] of peace / ~조약 《conclude》 a peace treaty / ~협상 [제의] peace negotiations [proposals].
갖 《가죽》 leather; fur. ‖ ~장이 a shoemaker / ~신 leather shoes / ~옷 clothes lined with fur.
갖은 all (sorts of); every (possible). ¶ ~ 고생 《go through》 all sorts [kinds] of hardships / ~수단 《try》 every means available [conceivable]; every possible means.
갖추다 《구비하다》 have; possess; be endowed with 《talents》; 《준비하다》 prepare 《for》; make preparations 《for》; make [get] 《a thing》 ready.
같다 ① 《동일》 be (one and) the same; be identical. ¶똑 ~ be the very same; be just the same / 거의 ~ be much [about, almost] the same 《as》. ② 《동등》 (be) equal 《to》; uniform; equivalent 《to》. ¶같은 액수 a like sum / 같은 자격으로 협상하다 negotiate on equal terms. ③ 《같은정도》 (be) similar; like; alike; such ... as. ¶새것이나 ~ be as good as new / 꼭 ~ be exactly alike. ④ 《공통》 (be) common; 《불변》 (be) changeless; 《서술적》 be (remain) unchanged; be the same. ⑤ 《생각되다》 seem; 《보이다》 look (like); appear; seem; 《될 것 같다》 be likely 《to》; probably. ¶비가 올 것 ~ It looks like rain. *or* It is likely to rain. 《가정》 if it were. ¶나 같으면 if it were me; if I were you.
같은 값이면 if ... at all; if possible.
같이 ① 《같게》 like; as; likewise; similarly; (in the same (way)); equally 《동등하게》; 《여느 때와》 as usual / 말씀하시는 바와 as

you say. ② 〈함께〉 (along, together) with; in company with. ¶ ~ 살다 live together / 운명〔기쁨〕을 ~ 하다 share *one's* fate 〔joy〕.

같잖다 (be) trivial; worthless.

갚다 ① 〈돈을〉 repay; pay back; refund. ¶ 빚을 ~ pay the money back. ② 〈물어주다〉 indemnify; compensate 〔for〕; requite. ¶ 손해본 것을 갚아주다 compensate 〔indemnify〕 《a person》 for the loss. ③ 〈죄를〉 atone〔expiate〕 for. ¶ 죄를 ~ expiate for an offense. ④ 〈은혜를〉 return; repay; requite. ¶ 공을 ~ reward 《a person》 for his service. ⑤ 〈원수를〉 revenge 〈자신의〉; avenge 〔타인의〕; requite; take vengeance 《upon》.

개 〔動〕 a dog; a puppy 〈강아지〉; a hound 〈사냥개〉; a spy 〈앞잡이〉. ¶ ~ 같은 doggish; doglike / ~ 를 기르다 keep a dog.

개 〔箇〕 a piece. ¶ 비누 두 ~ two pieces 〔cakes〕 of soap.

개가 〔改嫁〕 remarriage (of a woman); ~ 하다 marry again; remarry.

개가 〔凱歌〕 a triumphal 〔victory〕 song. ¶ ~ 를 올리다 sing in triumph; win a victory 《over》.

개각 〔改閣〕 a cabinet shake-up 〔reshuffle〕. ~ 하다 reorganize 〔reshuffle〕 the Cabinet.

개간 〔改刊〕 revision. ~ 하다 reprint; issue a revised edition.

개간 〔開墾〕 cultivation; reclamation. ~ 하다 bring under cultivation; clear 《the land》; reclaim 《wasteland》. ‖ ~ 사업 reclamation 〔work〕 / ~ 지 a reclaimed land / 미 ~ 지 a virgin soil.

개강 〔開講〕 ~ 하다 begin *one's* first lecture 《on》; open a course.

개개 〔箇箇〕 ¶ ~ 의 individual; each one of.

개개풀어지다 ① 〈국수 등이〉 lose 《its》 stickiness; come loose. ② 〈눈이〉 get bleary; be bleary-eyed 〔heavy-eyed〕.

개고 〔改稿〕 rewriting *one's* manuscript; 〈원고〉 a rewritten manuscript. ~ 하다 rewrite *one's* manuscript.

개고기 ① 〈고기〉 dog meat. ② 〈사람〉 a rude and bad-tempered person 〔美〕.

개골창 a drain; a gutter; a ditch

개과 〔改過〕 ~ 하다 repent; mend *oneself*; turn over a new leaf.

개관 〔開館〕 the opening. ~ 하다 open 《a hall》. ‖ ~ 식 〔hold〕 an opening ceremony.

개관 〔概觀〕 a general survey 〔view〕; an outline. ~ 하다 survey; take a bird's-eye 〔general〕 view 《of》.

개괄 〔概括〕 a summary. ~ 하다 summarize; sum up. ¶ ~ 적인 general.

개교 〔開校〕 ~ 하다 open 〔found〕 a school. ‖ ~ 기념일 the anniversary of the founding of a school / ~ 식 the opening ceremony of a school.

개구리 a frog. ¶ 우물 안 ~ 식 a man of narrow views. ‖ ~ 헤엄 평영.

개구리밥 〔植〕 a great duckweed.

개구멍 a doghole. ‖ ~ 받이 a foundling; an abandoned child (found on a doorstep).

개구쟁이 a naughty 〔mischievous〕 boy; a brat.

개국 〔開國〕 ~ 하다 〈건국〉 found a state; 〈개방〉 open the country to the world. 〔gagster.

개그 a gag. ‖ ~ 맨 a gagman; a **개근** 〔皆勤〕 perfect attendance. ~ 하다 do not miss a single day. ‖ ~ 상 a reward for perfect attendance 《for two years》.

개기 〔皆旣〕 〔天〕 a total eclipse. ‖ ~ 일〔월〕식 a total solar 〔lunar〕 eclipse. 〔face.

개기름 〔natural〕 grease on *one's*

개꿈 a wild 〔silly〕 dream.

개나리 〔植〕 a forsythia; the golden bell.

개념 〔概念〕 a general idea; a con-

cept. ¶ ~적인 conceptional; notional. ¶ ~론 conceptualism / 기본 ~ fundamental notions.

개다 《날씨·안개 따위가》 clear up 〔away, off〕; 《비가 주어》 be fine.

개다 《물에》 knead (*flour*); mix up. ¶ 진흙을 ~ knead clay.

개다 《접어서》 fold (up). ¶ 옷을 ~ fold (up) clothes.

개떡 a bran cake; steamed bread of rough flour.

개떡 같다 (be) worthless; rubbish.

개똥밭 〔전밭〕 a fertile land; 〔더러운 곳〕 a place all dirty with dog droppings. 【 ☞ worm.

개동벌레 〔蟲〕 a firefly; a glowworm.

개략(概略) (give) an outline (of); a summary.

개량(改良) (an) improvement; a reform; betterment. ~하다 improve; reform; better. ¶ ~종 an improved breed / ~형 an improved model.

개런티 a guarantee.

개론(概論) an introduction; an outline. ~하다 outline; survey.

개막(開幕) ~하다 raise the curtain; begin the performance; open; start. ‖ ~식 (전) the opening ceremony (game).

개머루 〔植〕 a wild grape.

개머리 a gunstock; a butt. ¶ ~ 판 the butt of a rifle.

개명(改名) ~하다 change *one's* name; rename.

개문(開門) opening a gate. ¶ ~ 발차 starting with doors open.

개미 〔蟲〕 an ant. ¶ ~ 떼 a swarm of ants / ~집 an ant nest; an anthill〔독〕.

개미핥기 〔動〕 an anteater.

개미허리 a slender 〔slim〕 waist.

개발(開發) development; exploitation〔자원 등의〕; cultivation〔능력 의〕. ~하다 develop; exploit; cultivate. ‖ ~계획 a development project (program, plan) / ~도 상국 a developing country / 저~ 국 an underdeveloped country.

개발코 a snub nose.

개밥 dog food. ¶ ~에 도토리다 be an outcast of *one's* associates.

개방(開放) ~하다 open. ¶ …에 대 하여 문호를 ~하다 open doors to ….

개벽(開闢) the Creation. ¶ ~ 이 래 since the beginning of the world.

개변(改變) 〔고침〕 change; alteration. ~하다 change; alter.

개별(個別) ¶ ~적(으로) individual(ly); separate(ly). ‖ ~심사 individual screening / ~절충 a separate negotiation (*with*).

개병 제도(皆兵制度) a universal conscription system.

개복 수술(開腹手術) 〔醫〕 an abdominal operation; laparotomy.

개봉(開封) unsealing; (a) release 〔영화의〕. ~하다 release (*a film*); open (*a letter*); break a seal. ¶ ~관 a firstrunner; a first-run theater / ~영화 a first-run 〔a newly released〕 film.

개비 a piece (of split wood); a stick. ¶ 성냥 ~ a matchstick.

개비(改備) ~하다 renew; refurnish; replace (*A with B*).

개산(概算) a rough calculation. ~하다 make a rough estimate (*of*).

개살구 〔植〕 a wild apricot. ¶ 빛좋은 ~다 be not so good as it looks; be deceptive.

개새끼 〔강아지〕 a pup; a puppy; 〔개자식〕 a "son-of-a-bitch".

개서(改書) 〔다시〕 rewriting; 〔어 음·증서 등의〕 (a) renewal. ~하 다 〔어음 따위〕 renew (*a bill*). ‖ ~어음 a renewed bill.

개선(改善) improvement; betterment; reformation. ~하다 improve; reform; better; make (*something*) better. ‖ ~책 a reform measure; a remedy.

개선(改選) reelection. ~하다 reelect.

개선(疥癬) the itch. ☞ 옴.

개선(凱旋) a triumphal return.

ㄱ

개설(開設) opening; establishment. ∥ ~하다 open; establish; set up. ¶ 신용장을 ~하다 open [establish] an L/C / 전화를 ~하다 have a telephone installed.

개설(概說) a summary; an outline. ~하다 give an outline 《of》.

개성(個性) individuality; personality.

개소(個所) 〔곳〕 a place; a spot; 〔부분〕 a part; a portion.

개소리 silly talk; nonsense.

개수(改修) repair; improvement. ~하다 repair; improve. ∥ 하천 ~ 공사 river improvement [conservation] works.

개수작(一酬酌) silly talk; nonsense; a foolish remark.

개술(概述) ~하다 summarize; give an outline 《of》.

개시(開市) ① 〔시장을 엶〕 ~하다 open a market. ② 〔마수걸이〕 ~하다 make the first sale of the day.

개시(開始) start; opening; beginning. ~하다 open; start; begin. ¶ 영업을 ~하다 start business / 공격을 ~하다 launch [open] an attack 《on, against》.

개신(改新) reformation; renovation. ~하다 reform; renew.

개심(改心) ~하다 reform *oneself*; turn over a new leaf.

개악(改惡) a change for the worse. ~하다 change for the worse. ¶ 헌법의 ~ an undesirable amendment to the constitution.

개안(開眼) opening *one's* eyes; gaining eyesight. ∥ ~수술 an eyesight recovery operation.

개암(열매) a hazelnut.

개업(開業) ~하다 start (a) business; open a store; start practice (의사·변호사의). ∥ ~비 the initial cost of business / ~의 a general [medical] practitioner (일

반 〔내과〕의).

개역(改譯) a revision of a translation. ~하다 revise [correct] a translation. ∥ ~판 a revised [corrected] version.

개연성(蓋然性) probability. ¶ ~이 높다 be highly probable.

개오(開悟) spiritual awakening. ~하다 be spiritually awakened.

개요(槪要) an outline; a summary.

개운하다〔기분이〕 feel refreshed 〔relieved〕; 〔맛이〕 (be) plain; simple. ¶ 맛이 개운한 음식 plain food.

개울 a brook; a streamlet.

개원(開院) ~하다 open the House (의회의); open a hospital [an institution] (병원·기관의). ∥ ~식 the opening ceremony of the House [Diet, National Assembly].

개의(介意) ~하다 mind; care about; pay regard to. ¶ ~치 않다 do not care about; pay no attention 《to》.

개인(個人) an individual; a private person. ~의, ~적인 individual; personal; private / ~적으로 individually; personally; privately / ~용의 for private [personal] use / ~주택 a private residence / ~교수 private lessons / ~기업 a private enterprise / ~문제 a private affair / ~소득 a personal income / ~용 컴퓨터 a personal computer / ~전(展) a private exhibition / ~전(戰) an individual match / ~주의 individualism.

개입(介入) intervention. ~하다 intervene 《in》; meddle 《in》. ¶ 무력 ~ armed intervention.

개자리〔植〕 a snail clover.

개작(改作) (an) adaptation 《from》. ~하다 adapt. ∥ ~자 an adapter.

개장(改裝) remodeling; redecoration. ~하다 remodel.

개장(開場) ~하다 open (the doors). ∥ ~식 the opening ceremony.

개장(국)(一 뽑(一)) dog-meat broth

개재(介在) ~하다 lie (stand) between.

개전(改悛) repentance; penitence; reform. ~하다 repent (be penitent) (of).

개전(開戰) the outbreak of war. ~하다 start (open, begin) war (on, against).

개점(開店) ~하다 open (set up) a store.

개정(改正) 《수정》 revision; amendment; 《변경》 alteration. ~하다 revise; amend; alter. ‖ ~세율 revised tax rates / ~안 a bill (proposal) to revise; a reform bill.

개정(改定) a reform; a revision. ~하다 reform; revise (the tariff).

개정(改訂) revision. ~하다 revise. ‖ ~증보판 a revised and enlarged edition.

개정(開廷) ~하다 open (hold) a court; give a hearing. ~중이다 The court is sitting.

개조(改造) remodeling; reconstruction; reorganization. ~하다 remodel; reconstruct; reorganize.

개종(改宗) conversion. ~하다 get (be) converted; change one's religion (sect). ‖ ~자 a convert.

개죽음 useless death. ~하다 die to no purpose; die in vain.

개중(個中) ‖ ~에는 among them (the rest).

개진(開陳) ~하다 state (express, give) (one's opinion).

개집 a doghouse; a kennel.

개차반 the filthy scum (of the earth).

개착(開鑿) excavation. ~하다 excavate; cut; dig.

개찰(改札) the examination of tickets. ~하다 examine (punch) tickets. ‖ ~구 a ticket barrier (gate).

개척(開拓) 《토지의》 cultivation; reclamation; 《개발》 exploitation. ~하다 reclaim (wasteland);

bring (land) into cultivation (개간); open up (새로 열다); exploit. ‖ ~사업 reclamation work / ~자 a pioneer; a frontiersman / ~자 정신 the pioneer (frontier) spirit / ~지 reclaimed land / 미~지 undeveloped land.

개천(開川) an open sewer (ditch). ¶ ~에서 용난다 《俗談》 It's really a case of a kite breeding a hawk.

개천절(開天節) the National Foundation Day (of Korea).

개체(個體) an individual. ‖ ~발생 《生》 ontogeny.

개최(開催) ~하다 hold; open. ¶ ~중이다 be open; be in session(회의가). ‖ ~국 the host country (for) / ~일 the date(s) (for (of) the exhibition) / ~지 the site (of (for) a meeting).

개축(改築) rebuilding; reconstruction. ~하다 rebuild; reconstruct. ‖ ~공사 reconstruction works.

개칭(改稱) ~하다 change the name (title) (of); rename.

개키다 fold (up). ¶ 옷을 ~ fold the clothes up (neatly).

개탄(慨歎) ~하다 deplore; lament; regret. ¶ ~할 만한 deplorable; lamentable; regrettable.

개통(開通) ~하다 be opened to (for) traffic; 《복구》 be reopened (for service). ‖ ~식 the opening ceremony (of a railroad).

개판(改版) 《印》 revision; 《개정판》 a revised edition. ~하다 revise; issue a revised edition.

개펄 a tidal (mud) flat.

개편(改編) reorganization. ~하다 reorganize.

개평 《노름판의》 the winner's tip. ‖ ~꾼 onlookers expecting for the winner's tip.

개폐(改廢) ~하다 reorganize; make a change (in).

개폐(開閉) opening and shutting (closing). ~하다 open and shut. ‖ ~교 a drawbridge / ~

기 a circuit breaker; a switch.

개표(開票) ballot counting. ‖ ~하다 open[count] the ballots[votes]. ‖ ~소 a ballot counting office / ~속보 up-to-the-minute [election] returns / ~참관인 a ballot counting witness.

개피떡 a rice-cake stuffed with bean jam.

개학(開學) the beginning of school. ~하다 school begins.

개함(開函) opening of a ballot box. ~하다 open the ballot boxes.

개항(開港) ~하다 open a port [an airport] (to foreign trade).

개헌(改憲) a constitutional amendment[revision]. ~하다 amend [revise] a constitution. ‖ ~론자[지지자] an advocate of constitutional amendment / ~안 a bill for amending the constitution.

개혁(改革) reform(ation); innovation. ~하다 reform; innovate. ‖ ~안 a reform bill / ~자 a reformer.

개화(開化) civilization; enlightenment. ~하다 be civilized[enlightened].

개화(開花) flowering; efflorescence. ~하다 flower; bloom. ‖ ~기 the flowering[blooming] season[time].

개황(槪況) a general condition; an outlook.

개회(開會) ~하다 open a meeting. ‖ ~를 선언하다 declare the *meeting* open; call *the meeting* to order (議). ‖ ~사 an opening address / ~식 the opening ceremony.

개흙 slime[mud] on the bank of an inlet; silt.

객고(客苦) discomfort suffered in a strange land; weariness from travel.

객관(客觀) 【哲】 the object; 《객관성》 objectivity. ‖ ~적인 objective / ~화하다 objectify. ‖ ~식 테스트[문제] an objective test

[question].

객기(客氣) ill-advised bravery; blind daring.

객담(客談) (an) idle[empty] talk.

객담(喀痰) expectorating; spitting. ‖ ~검사 the examination of one's sputum.

객사(客死) ~하다 die abroad.

객석(客席) a seat (for a guest).

객선(客船) a passenger boat.

객소리(客-) useless[idle] talk. ~하다 say useless things.

객식구(客食口) a dependent; a hanger-on.

객실(客室) a guest room(여관 등의); a passenger cabin(배 비행기의).

객원(客員) a guest[non-regular] member. ‖ ~교수 a guest[visiting] professor.

객주(客主) 《거간》 a commission merchant[agency]; 《객줏집》 a peddler's inn; a commission agency home.

객지(客地) a strange[an alien] land; one's staying place on a journey.

객쩍다(客-) (be) unnecessary; useless.

객차(客車) a passenger car[coach].

객토(客土) soil brought from another place to improve the soil).

객혈(喀血) hemoptysis. ~하다 expectorate blood; spit[cough[out] blood.

갯가재 【動】 a squilla.

갯지렁이 【動】 a lugworm; a lobworm; a nereid.

갱(坑) a (mining) pit; a shaft.

갱(강도) a gangster; a gang (강합적). ‖ ~단(團) a gang of robbers / ~영화 a gangster movie (film).

갱내(坑內) 《in》 the pit[shaft]. ‖ ~사고 an underground mine accident.

갱년기(更年期) the turn[change] of one's life; a Critical Period; the menopause(여성). ‖ ~장애 a menopausal disorder.

갱도(坑道) a (mining) gallery; a drift〈가로〉; a shaft, a pit〈세로〉; ‖ ~를 파다 mine. 「pillar [post].

갱도(坑道) a pit prop: mine

갱부(坑夫) a miner: a mine worker; a pitman: a digger.

갱생(更生) rebirth; revival: regeneration. ‖ ~하다 be born again; start one's life afresh: be regenerated. ‖ ~시키다 rehabilitate 《a person》.

갱신(更新) renewal; renovation. ‖ ~하다 renew; renovate.

갱지(更紙)〈거친 종이〉 pulp paper; rough (printing) paper.

갱충쩍다 (be) loose and stupid; imprudent; careless.

가륵하다 (be) praiseworthy; laudable; admirable; commendable.

가름하다 (be) pleasantly oval; nicely slender. ‖ ~기름하다.

갹금(醵金)〈기부금〉 a contribution; 〈모금〉 a collection. ‖ ~하다 contribute; raise money; collect funds.

갹출(醵出) ~하다 contribute; chip in; donate 《to》.

거간(居間)〈행위〉 brokerage; 〈사람〉 a broker. ‖ ~하다 do (the) brokerage; act as a broker. ‖ ~꾼 a broker; a middleman.

거구(巨軀) a gigantic [massive] figure; a big frame.

거국(擧國) the whole country 〔nation〕. ‖ ~적(인) nationwide / ~적으로 on a nationwide scale. ‖ ~일치내각 a cabinet supported by the whole nation.

거금(巨金) big money; a large sum of money.

거기 ① 〈장소〉 that place; there. ‖ ~서 〔기다려라〕 (Wait) there. ② 〈그것〉 that; 〈범위〉 so far; to that extent.

거꾸러뜨리다 〈사람·물체를〉 throw [bring, knock, push] down; 〈패배·실패하게 하다〉 overthrow; topple; defeat; ruin; 〈죽일〉 kill.

거꾸러지다 fall (down); collapse;

tumble down; 〈죽다〉 die. ‖ 앞으로 ~ fall forward.

거꾸로 reversely; (in) the wrong way; 〈안팎을〉 inside out; 〈아래위를〉 upside down; wrong side 〔end〕 up. ‖ ~하다 invert; turn 《a thing》 upside down / ~ 떨어지다 fall head over heels.

…거나 whether … or. ‖ 너야 하 ~ 말 ~ whether you do it or not.

거나하다 (be) half-tipsy; slightly drunk 〔intoxicated〕.

거느리다 〈인솔하다〉 be accompanied 〔followed〕 by 《a person》; lead 《a party》; 〈지휘하다〉 be in command 《of an army》; 〈부양하다〉 have a family 《to support》.

…거니 much 〔still〕 more; much 〔still〕 less; while.

…거니와 not only … but also …; as well as; admitting that.

거닐다 take a walk 〔stroll〕.

거담(去痰) the discharge of phlegm. ‖ ~제 an expectorant.

거당(擧黨) the whole party.

거대(巨大) ‖ ~한 huge; gigantic; enormous; colossal / ~한 배 a mammoth ship / ~한 도시 a megalopolis.

거덜거덜하다 (be) shaky; unsteady; rickety.

거덜나다 be ruined; become 〔go〕 bankrupt: fail; go broke.

거동(擧動) 〈처신〉 conduct; behavior; 〈행동〉 action; movement.

거두(巨頭) a leader; a prominent figure. ‖ 정계 〔재계〕의 ~ a leading politician 〔financier〕. ‖ ~회담 a top-level 〔summit〕 talk 〔conference〕.

거두다 ① 〈모으다〉 gather (in); collect〈돈을〉; harvest〈곡식을〉. ② 〈성과 등을〉 gain; obtain. ③ 〈돌보다〉 take care of; look after. ④ 〈숨을〉 die; breathe one's last.

거두절미(去頭截尾) ① 〈자르기〉 cut off the head and tail 《of it》. ② 〈요약〉 ~하다 summarize; leave out details; make a long

story short.

거드럭거리다 assume an air of importance; swagger.

거들 a haughty attitude; an air of importance. ‖~ 피우며 haughtily ; 부리다 give *oneself* airs; act with an important air; behave haughtily.

…**거든** ① 〈가정〉 if; when. ‖그를 만나∼ 오라고 전해라 If you meet him, tell him to come here. ② 〈더구나〉 much 〔still〕.

거들다 help; assist; aid; give 〔lend〕 a helping hand 〔*to*〕.

거들떠보다 pay attention 〔*to*〕; take notice 〔*of*〕. ‖거들떠보지도 않다 take no notice 〔*of*〕; ignore completely.

거듭 (over) again; repeatedly. ∼하다 repeat 《*mistakes*》; do 《*a thing*》 over again. ‖∼되는 실패 repeated failures / ∼되는 불운 a series of misfortunes.

거래 (去來) transactions; dealings; business; trade. ∼하다 do 〔transact〕 business 《*with*》; deal 〔have dealings〕 《*with*》; trade 《*in silk with a person*》. ‖∼를 개시하다 〔중지하다〕 open 〔close〕 an account in 《*tea*》 《*with*》. / 돈∼ lending and borrowing money. ‖∼관계 business relations 〔connections〕 / ∼소 an exchange / ∼액〔口〕 the volume 〔amount〕 of business; a turnover / ∼은행 *one's* bank / ∼처〔선〕 a customer; a client; a business connection 〔총칭〕.

거론 (擧論) ∼하다 take up a problem 〔subject〕 for discussion; make 《*it*》 a subject of discussion.

거룩하다 (be) divine; sublime; sacred; holy.

거룻배 a barge; a lighter; a sampan.

거류 (居留) residence. ∼하다 live 〔reside〕 《*in*》. ‖∼민 residents; a settlement 〔concession〕.

거르다¹ 〈여과〉 filter; strain; percolate.

거르다² 〈차례를〉 skip 《*over*》; omit.

¶하루〔이틀〕 걸러 every other 〔third〕 day.

거름 (肥料) manure; muck; a fertilizer. ¶∼ 주다 manure; fertilize.

거리¹ a street; an avenue; a road.

거리² 〈재료〉 material; matter; stuff; 〈대상〉 the cause; a butt. ¶∼ soup makings / 걱정∼ the cause of *one's* anxiety.

거리 (距離) (a) distance; an interval 〈간격〉; a range; 〈차이〉 a gap; (a) difference. ¶∼가 있다 be distant; 〈차이〉 be different 《*from*》. ‖∼감 a sense of distance / 직선∼ distance in a straight line.

거리끼다 be afraid 《*of doing*》; hesitate 《*to do*》; refrain from 《*doing*》. ¶거리낌없이 openly; without hesitation 〔reserve〕.

거마비 (車馬費) traffic expenses; a carfare; a car 〔taxi, bus, train〕 fare.

거만 (巨萬) ¶∼의 부를 쌓다 amass a vast fortune; become a millionaire.

거만 (倨慢) ∼하다 (be) arrogant; haughty; insolent.

거머리 ① 〔蛭〕 a leech. ② 〈사람〉 a bur.

거머삼키다 swallow; gulp (down).

거머쥐다 take hold of; seize 《*on, upon*》; grasp.

거멓다 (be) deep black; jet-black.

거메지다 turn black; get tanned 〔볕에 타서〕.

거목 (巨木) a great 〔big, monster〕 tree. 〔ish; swarthy.

거무스름하다 (be) dark(ish); black-

거문고 a *geomungo*; a Korean harp.

거물 (巨物) 〈사람〉 a leading 〔prominent〕 figure; a bigwig 〔口〕. ¶당대의 ∼ the lion of the day / 재계의 ∼ a financial magnate / 정계의 ∼ a leading figure in politics.

거미 a spider. ‖∼줄 a spider's

thread / ～집 a spider's web; a cobweb.

거미줄치다 ① spin〔weave〕 a web. ②《굶주리다》go hungry; starve.

거병하다《擧兵》rise in arms; raise an army; take up arms.

거보《巨步》¶ ～를 내딛다 make a giant step 《toward》.

거부《巨富》a man of great wealth; a (multi)millionaire.

거부《拒否》(a) refusal; denial. ～하다 deny; refuse; reject; veto 《on》. ‖ ～권《exercise》a veto / ～반응 a rejection symptom; an immune response《항원항체 반응》.

거북《一船》a tortoise; a (sea) turtle.

거북선《一船》the "Turtle Boat"; an ironclad battleship shaped like a turtle.

거북하다《몸이》feel〔be〕unwell;《형편이》(be) awkward; uncomfortable; ill at ease.

거사《擧事》～하다《반란·거병하다》rise in revolt〔arms〕; raise an army;《큰 사업을》start〔launch〕a big enterprise.

거상《巨商》a wealthy merchant; a merchant prince; a business magnate.

거상《巨像》a colossus; a gigantic statue.

거상《居喪》～하다 be in mourning 《for》. ¶ ～을 입다 go into mourning 《for two weeks》.

거석《巨石》a huge stone; a mega-lith《기념물》. ‖ ～문화 megalithic culture.

거성《巨星》a giant star;《비유적》a great man; a big shot《口》.

거세《去勢》① 《가축의》castration; emasculation. ～하다 castrate; emasculate; geld; sterilize《마종》. ¶ ～한 소《말》a bullock《gelding》. ② 《세력의》a purge《숙청》; weakening《약화》; exclusion《배제》; eradication《근절》. ～하다 purge; weaken; exclude.

거세다 (be) rough; wild; vio-

lent. ¶ 거센 여자 an unruly woman. 　〔abode〔residence〕.

거소《居所》a dwelling place; one's

거수《擧手》～하다 raise one's hand; show one's hand《표결에》. ‖ ～경례 a military salute《～경례하다 salute; give〔make〕a salute》/ ～표결 voting by show of hands.

거스러미《손톱의》an agnail; a hangnail;《나무의》a splinter.

거스러지다《성질이》grow wild; become rough《rude》. ② 《털이》bristle; get ruffled.

거스르다 ① 《거역》oppose;《act》against; disobey 《one's parents》; resist《반항하다》; contradict《반항하다》. ¶ 거슬러 올라가다《강을》go upstream;《과거로》《date》back to; retroact (소급). ② 《잔돈을》give the change. ¶ 거슬러 받다 get the change.

거스름돈 change. ¶ ～을 받다《주다》get〔give〕the change.

거슬리다 offend; be offensive; displease; get on one's nerves. ¶ 귀에 ～ be harsh《unpleasant》to the ear / 눈에 ～ offend the eye; be an eyesore.

거슴츠레하다《눈이》(be) sleepy; drowsy; dull; fishy.

거시《巨視》¶ ～적인 macroscopic / ～적으로 보다 take a broad view 《of》. ‖ ～경제학 macroeconomics / ～이론 a macroscopic theory.

거실《居室》a living〔sitting《英》〕room.

거액《巨額》big《great, large, enormous》sum《amount》(of money).

거여목《桶》a (snail) clover.

거역《拒逆》～하다 disobey; oppose; go against; contradict; offend.

거울 ①《모양을 보는》a mirror; a looking glass. ¶ ～을 보다 look in a glass. ② 《모범》a mirror; a pattern; a model; an example. ¶ ～을 ～로 삼다 model〔pattern〕after 《a person》; follow the example of 《a person》.

거웃 pubic hair; pubes.
거위 ① 〔鳥〕 a goose 〔*pl.* geese〕; 《수컷》 a gander.
거위 《회충》 a roundworm.
거유(巨儒) a great scholar (of Confucianism).
거의 《대체로》 almost; nearly; practically; 《부정》 little; hardly; scarcely. ¶ ~ 다 almost all; mostly; the greater part 《of》.
거인(巨人) a giant; a great man (위인).
거장(巨匠) a (great) master; a *maestro*.
거재(巨財) an enormous 〔a huge〕 fortune.
거저 free (of charge); for nothing.
거저먹기 an easy task 〔job〕; a cinch 《美俗》.
거적 a (straw) mat.
거절(拒絶) (a) refusal; (a) rejection; (a) denial. ~하다 refuse; reject; turn down. ¶ 《인수·지불의》 ~ 증서 〔法〕 a protest for nonacceptance 〔nonpayment〕.
거점(據點) a position; a foothold; a base(기지).
거족(巨族) a powerful family; a mighty clan.
거주(居住) residence; dwelling. ~하다 live 〔dwell, reside〕《at, in》; inhabit 《a place》. ¶ ~권 the right of residence / ~자 a resident / ~증명서 a certificate of residence / ~지 one's place of residence.
거죽 《표면》 the face; the surface; 《외면부》 the exterior; 《외견》 the appearance.
거중조정(居中調停) (inter)mediation; intervention; arbitration.
거증(擧證) ~하다 establish a fact (by evidence). ¶ ~책임 the burden of proof.
거지 a beggar; a mendicant. ¶ ~근성 a mean spirit.
거지반(居之半) 거의.
거짓 fraud; falsehood; untruth; a lie(거짓말). ¶ ~의 false; un-

true; unreal. ¶ ~웃음 a feigned smile / ~증언 false testimony.
거짓말 a lie. ~하다 (tell a) lie. ¶ ~의 false / ~ 같은 이야기 an incredible story / 새빨간 《속이 들여다보는, 그럴듯한》 ~ a downright 〔transparent, plausible〕 lie. ¶ ~쟁이 a liar; a storyteller / ~탐지기 a lie detector.
거찰(巨刹) a big Buddhist temple.
거창(巨刱) ~한 great; huge; gigantic; colossal. ¶ ~한 계획 a mammoth enterprise.
거처(居處) one's (place of) residence; one's abode 〔address〕. ~하다 reside; live. ¶ ~를 정하다 take up one's residence 〔quarters〕《at, in》/ 임시 ~ a temporary abode 〔residence〕.
거추장스럽다 《거북함》 (be) burdensome; cumbersome; troublesome.
거취(去就) 《행동》 one's course of action; 《태도》 one's attitude. ¶ ~를 정하다 determine 〔decide〕 one's attitude.
거치(据置) 《거금 등의》 deferment. ~하다 leave unredeemed. ¶ ~의 unredeemable; deferred / ~된 ~의 대부 a loan unredeemable for five years. ¶ ~기간 a period of deferment / ~예금 deferred savings.
거치다 pass 〔go〕 through; go by way 《of》; stop 〔call〕 at one's way. ¶ ~을 거쳐 through; by way of; via.
거치적거리다 cause hindrance to; be a drag 〔burden〕 on 〔to〕 《a person》.
거칠다 (be) coarse; rough; harsh; violent. ¶ 바닥이 거친 천 coarse cloth / 거친 바다 the rough sea / 말씨가 ~ be rough on one's speech; use harsh 〔violent〕 language.
거칠하다 (be) haggard; 《수척적》 look emaciated. ☞ 까칠하다.
거침 ¶ ~없이 without a hitch; without hesitation(서슴지 않고).
거탄(巨彈) ① 《탄환》 a heavy 〔huge〕

shell. ② 《비유적》 a hit; a feature(영화의).

거포(巨砲) a big (huge) gun; 《강타자》 a slugger 《口》.

거푸 again and again; over again; repeatedly.

거푸집(鑄型) a mold; a cast.

거풀거리다 flutter; flap; wave.

거품 a bubble; foam; froth. ‖ ~이 이는 foamy; frothy / ~이 일다 foam; froth; bubble / 물 ~이 되다 come to nothing.

거한(巨漢) a giant; a big (large-built) fellow 〔man〕.

거함(巨艦) a big warship.

거행(擧行) performance; celebration. ~하다 hold 〔give〕 《a reception》; perform 《a ceremony》.

걱정 ① 《근심》 apprehensions; anxiety; concern; 《불안》 uneasiness; fear; 《신경 씀》 care; worry; trouble. ~하다 feel anxiey; be anxious 《about》; be concerned; be worried 《by》; trouble oneself 《about》 (☞ 근심). ‖ ~거리 a cause for anxiety; cares; worries; troubles. ② 《꾸중》 scolding; lecture; reproach. ~하다 scold; reprove; reprimand.

건(巾) ① ☞ 두건. ② a hood.

건(件) a matter; a case; an affair.

건(腱) 〔解〕 a tendon.

건(鍵) 〔樂〕 a key.

건각(健脚) strong legs.

건강(健康) health. ~하다 (be) well; healthy; sound; 《신체가》 be in good health. ‖ ~에 좋은(나쁜) (un)healthful; good (bad) for one's health / ~을 회복하다 get one's health back; regain one's health / ~을 잃다 ruin(injure) one's health. ‖ ~관리 health care 《for the aged》 / ~상태 the condition of one's health / ~식품 health food / ~진단 (undergo) a medical examination; a physical checkup 《x》.

건강하다 (be) salty; brackish.

건곤일척(乾坤一擲) ~하다 stake all

upon the cast.

건국(建國) the founding of a country 〔state〕. ~하다 found a state 〔nation〕. ‖ ~공로훈장 the Order of Merit for National Foundation / ~기념일 National Foundation Day.

건너 the opposite 〔other〕 side. ‖ ~편에 on the opposite 〔other〕 side / 강 ~에 살다 live across the river.

건너다 cross 《a bridge》; walk 〔run, ride〕 across; sail 〔swim, wade〕 across 《a river》; go 〔pass〕 over 《口》.

건널목 a (railroad) crossing. ‖ ~지기 a watchman; a flagman 《美》 / ~차단기 a crossing barrier.

건네다 ① 《건너게 하다》 pass 〔set〕 《a person》 over 〔across〕; take 〔ferry〕 over 《배로》. ② 《주다》 hand (over); deliver; transfer.

건달(乾達) a good-for-nothing; a libertine; a scamp.

건답(乾畓) a rice field that dries easily; a dry paddy field.

…건대 when; if; according to; that; according to. ‖ 듣 ~ as I hear; according to what people say.

건더기 《국의》 solid stuff in soup; 《내용》 a ground; substance.

건드레하다 《술 취해》 be mellow; tipsy; 《서술적》 be a bit high.

건드리다 《손대다》 touch; jog; 《감정을》 provoke; fret; tease(집적대다); 《여자를》 become intimate 《with》. 《비위를》 get 〔jar〕 on 《a person's》 nerve.

건들거리다 《바람이》 blow gently; 《물체가》 sway; dangle; 《사람이》 idle(dawdle) one's time away.

건류(乾溜) dry distillation; carbonization. ~하다 dry (up) by distillation; carbonize.

건립(建立) ~하다 build; erect.

…건만 …건마는 but; though; although; still; while.

건망증(健忘症) forgetfulness; amnesia(병명). ‖ ~증이 심하다 be

건목치다 〈일을〉 do a cursory 〔rough〕 job of 《it》.

건물달다 get all heated up for nothing: run madly about to no purpose.

건물(建物) a building; a structure: an edifice(큰).

건반(鍵盤) a keyboard. ∥ ~악기 keyboard instruments.

건방지다 〈뻔뻔하다〉 (be) (self-)conceited; affected; 《주제넘다》 cheeky; saucy; impudent; forward; impertinent; haughty; freshy 《口》. ¶ 건방진 태도 an impudent manner / 건방지게 굴다 behave *oneself* haughtily.

건배(乾杯) a toast. ☞ 축배(祝杯)

건빵(乾─) a cracker; hardtack; a (hard) biscuit 《英》.

건사하다 〈일거리를〉 provide work 《for》. ② 〈수습〉 manage; control; deal 〔cope〕 with. ③ 〈간수〉 keep; preserve; 《보살피다》 take care of.

건선거(乾船渠) a dry dock.

건설(建設) construction; erection; building. ~하다 construct; build; erect; establish. ¶ ~적 constructive. ∥ ~공사 construction works / ~교통부 the Ministry of Construction & Transportation / ~현장 a construction site / 대한 ~협회 the Construction Association of Korea.

건성(乾性) ¶ ~의 dry. ∥ ~ing oil / ~피부 dry skin.

건성(乾性) 《목적없이》 aimlessly; 《정신없이》 absent-mindedly; halfheartedly. 〔cases of theft.

건수(件數) ∥ 도난 ~ the number of

건습(乾濕) ∥ ~계 a psychrometer.

건시(乾柿) a dried persimmon.

건실(健實) ~하다 (be) steady; solid; sound; reliable; safe. ¶ ~하게 steadily; soundly.

건아(健兒) a healthy young man.

건어(乾魚) dried fish. 〔mitment.

건옥(建玉) 〔證〕 engagement; a com-

건울음 make-believe crying. ¶ ~을 울다 shed crocodile tears.

건위(健胃) ∥ ~제 a peptic; a stomachic; a digestive.

건으로(乾─) without reason 〔cause〕; to no purpose 〔avail〕.

건의(建議) 《제의》 a proposal; a suggestion. ~하다 propose; suggest; move. ∥ ~서 a memorial / ~안 a proposition; a motion / ~자 a proposer.

건장(健壯) ¶ ~한 strong; stout; robust; sturdy / ~한 세격 a tough 〔robust〕 constitution.

건재(建材) building 〔construction〕 materials. ∥ ~상 building materials shop 〔dealer(상인)〕.

건재(健在) ~하다 be well; be in good health 〔shape〕.

건재(乾材) dried medicinal herbs.

건전(健全) ~하다 (be) healthy; sound; wholesome. ¶ ~한 신체에 ~한 정신 A sound mind in a sound body.

건전지(乾電池) a dry cell 〔battery〕.

건조(建造) building; construction. ~하다 build; construct. ¶ ~중이다 be under construction / ~물 a building; a structure.

건조(乾燥) ¶ ~한 dry; dried; arid / 무미~한 dry; tasteless; dull / ~시키다 dry (up). / ~기(期) the dry season / ~기(機) a dryer; a desiccator. ∥ ~기 a dryer; a desiccator.

건주정(乾酒酊) ~하다 pretend to be drunk.

건지다 ① 《물에서》 take 〔bring〕 《a thing》 out of water; pick up. ② 《구멍·구제》 save 〔rescue〕 《a person from》; help 《a person》 out of; relieve 《a person from》. ③ 《손해에서》 save 《from》; retrieve. ¶ 밑천을 ~ recoup *one's* capital.

건초(乾草) dry grass; hay.

건축(建築) construction; building; erection. ~하다 build; construct; erect. ¶ ~중이다 be under construction / ~가 〔~家〕 an architect / ~물 a building

~법규 the building code / ~비[재료] building expenses [materials] / ~사 a qualified [registered] architect / ~양식 a style of architecture.

건투(健鬪) a good fight; strenuous efforts(노력). ¶ ~를 빕니다 Good luck to you！ or We wish you good luck.

건판(乾版) 〖寫〗 a dry plate.

건평(建坪) a floor space.

건폐율(建蔽率) building coverage; the building-to-land ratio.

건포(乾脯) dried slices of meat [fish].

건포도(乾葡萄) raisins.

건필(健筆) a ready (facile, powerful) pen.

건함(建艦) naval construction.

걷다 ① 〈걷어올리다〉 tuck (roll) up 〈one's sleeves〉. ¶ ~를 빕니다 gather up 〈curtain〉; fold up(개키다). ② 〈치우다〉 take away; remove.

걷다 〈발로〉 walk; go on foot; stroll; trudge(터벅터벅).

걷어차다 kick hard; give 〈a person〉 a hard kick.

걷어치우다 ① 〈치우다〉 put [take] away; clear off; remove. ② 〈그만두다〉 stop; quit; shut [close] up 〈점포 등을〉. ¶ 하던 일을 ~ stop doing a job; leave off one's work.

걷잡다 hold; stay; stop(막다) check; keep 〈a danger〉 at bay.

걷히다 ① 〈비·안개 등이〉 clear up 〈away, off〉; lift. ¶ 안개가 ~ a fog lifts. ② 〈돈 따위가〉 be collected; be gathered.

걸걸하다(傑傑─) (be) openhearted; free and easy; (쾌활) cheerful; sprightly.

걸근거리다 〈욕심내다〉 covet; be greedy 〈for, of〉; 〈목구멍이〉 be scratchy.

걸다 ① 〈땅이〉 (be) rich; fertile. ② 〈액세가〉 (be) thick; heavy; turbid. ③ 〈식성이〉 (be) not particular; not fastidious. ④ 〈언사가〉 (be) foulmouthed; abusive.

걸다 〈매달다〉 hang; suspend

〈from〉; put 〈a cloth〉 on 〈over〉. ¶ 간판을 ~ put up a signboard. ② 〈올가미를〉 lay 〈a snare〉; set 〈a trap〉. ③ 〈시비를〉 pick; provoke; fasten; force. ¶ 싸움을 ~ pick a quarrel 〈with a person〉. ④ 〈돈을〉 pay; advance; bet(노름에서). ¶ 계약금을 ~ advance money on a contract; pay earnest money. ⑤ 〈목숨을〉 stake; risk 〈one's life〉. ¶ 목숨을 걸고 싸우다 fight at the risk of one's life. ⑥ 〈말을〉 talk 〈speak〉 to 〈a person〉; address 〈a person〉. ⑦ 〈전화를〉 call (up); ring 〈a person〉 up; telephone 〈a person〉; make a (phone) call to 〈a person〉. ⑧ 〈문고리를〉 lock(자물쇠를). ⑨ 〈발동을〉 set 〈a machine〉 going; start 〈an engine〉.

걸러 at intervals of. ¶ 하루[이틀] ~ every other [third] day. 거르다.

걸레 a dustcloth; a floor cloth; a mop(자루 달린). ¶ ~질 질하다 wipe with a wet [damp] cloth; mop 〈the floor〉.

걸리다 ① 〈매달리〉 hang 〈from, on〉; be suspended 〈from〉. ¶ 〈걸려 안 떨어지다〉 catch 〈on a nail〉; be caught 〈in, on〉; stick 〈in one's throat〉. ③ 〈병에〉 fall 〈be taken〉 ill; catch. ¶ 감기에 ~ catch a cold. ④ 〈잡히다〉 be 〈get〉 caught; be pinched 〈손에〉. ⑤ 〈빠지다〉 fall 〈into〉. ¶ 〈말려 들다〉 be involved 〈in〉; be entangled 〈with〉. ⑥ 〈시간이〉 take; require. ⑦ 〈마음에〉 worry; weigh on one's mind. ⑧ 〈작동〉 work; run.

걸리다 〈걷게 하다〉 make 〈a person〉 walk (go on foot); walk 〈a person〉; 〖野〗 walk a batter.

걸림돌 a stumbling block; an obstacle.

걸맞다 (be) suitable 〈for, to〉; becoming 〈to〉. ¶ 걸맞은 becoming; suitable 〈for〉; well-matched; 〈정도 따위가〉 well-balanced [-proportioned].

걸머잡다 catch hold of; clutch at.

걸머지다 ① 《등에》 carry 《a thing》 on one's shoulder; 《책임을》 bear; take upon oneself. ② 《빚을》 be saddled with 《a debt》; get 〔run〕 into 《debt》. ‖ ～ man.

걸물(傑物) a great 〔remarkable〕 man.

걸상(一床) 《sit on 〔in〕》 a chair; a seat; a bench; a stool.

걸쇠 a latch; a catch.

걸식(乞食) ～하다 go begging; beg one's bread.

걸신(乞神) ‖ ～들리다 have a voracious appetite; have a wolf in one's stomach; 《들린 듯이》 hungrily; greedily. ‖ ～ 든 arms.

걸어총(一銃) 《구명》 Stack 〔Pile〕 Arms.

걸음 walking; a step; pace(보조). ‖ 한 ～ 한 ～ step by step; by degrees / ～이 빠르다〔느리다〕 be quick〔slow〕 of foot. ‖ ～ 걸이 one's manner of walking.

걸음마 ‖ ～를 하다 toddle; find its feet.

…걸이 《거는 제구》 a peg; a rack; 《얹는 것》 a rest. ‖ 모자～ a hat-rack / 옷～ a clothes hanger.

걸작(傑作) a masterpiece; one's best work.

걸차다 (be) fertile; rich; productive.

걸출(傑出) ～하다 be outstanding 〔distinguished, prominent〕 《at, in》.

걸치다 ① 《건너 걸치다》 lay 〔place, build〕 over 〔across〕; 《기대어 놓다》 place 〔set up〕 《a thing against》; put up 《against》. ② 《얹어 놓다》 put 〔drape〕 《a thing》 over; 《어깨에 손을 ～ put 〔lay〕 one's hand on 《a person's》 shoulder. ③ 《옷을》 slip 〔throw〕 on. ④ 《범위가》 cover; range 《from … to》; 《시간·거리가》 extend 《over》.

걸터앉다 sit 《on, in》; sit astride.

걸터타다 mount; straddle.

걸프 〔地〕 the Gulf. ‖ ～전쟁 the war in the Gulf.

걸핏하면 too often; readily; with-

out reason. ‖ ～ …하다 be apt 〔liable〕 to 《do》 / ～ 울다 tend to cry over nothing.

검(劍) a sword; a saber(군도); a bayonet(총검); a dagger(단검).

검객(劍客) a swordsman.

검거(檢擧) an arrest; 《일제히》 a roundup. ～하다 arrest; 《일제히》 round up.

검경판(檢鏡板) 《현미경의》 an object plate; a slide.

검뇨(檢尿) a urine test. ‖ ～기 a urinometer.

검누렇다 (be) dark yellow.

검다 (be) black; dark; swarthy; sooty(그을러).

검댕 soot. ‖ ～투성이의 sooty; sooted.

검도(劍道) (the art of) fencing.

검둥이 《살갗 검은 이》 a dark-skinned person; 《흑인》 a black 〔colored〕 person.

검량(檢量) measuring; weighing; 《적하의》 metage. ‖ ～기 a gauging rod / ～료 a weighing charge. 〔ter; a galvanoscope.

검류계(檢流計) 〔電〕 a galvanome-

검무(劍舞) a sword dance.

검문(檢問) an inspection; a check; a search. ～하다 inspect; check up 《passers-by》. ‖ ～차를 ～하다 check up on 〔search〕 a car. ～소 a checkpoint.

검버섯 dark spots 《on the skin of an old man》; a blotch.

검변(檢便) a stool test; scatoscopy.

검불 dry grass; dead leaves.

검붉다 (be) dark-red.

검사(檢事) a public prosecutor; a district attorney 《美》.

검사(檢査) (an) inspection; 《undergo》 an examination; a test; an overhaul(기계의). ～하다 inspect; examine; test; overhaul. ‖ ～를 받다 go through an inspection 〔examination〕; be examined 〔inspected〕 / ～관 an inspector 〔examiner〕 / ～소 an inspecting office / ～필 《게시

Examined. 「accounts.
검산(檢算) ~하다 verify〔check〕
검색(檢索) reference〔*to*〕. ~하다
refer to〔*a dictionary*〕; look up
〔*a word*〕 in〔*a dictionary*〕.
검소(儉素) frugality; simplicity.
~하다 (be) frugal; simple;
plain.
검속(檢束) (an) arrest. ~하다 ar-
rest; take〔*a person*〕 into cus-
tody.
검술(劍術) fencing; swordsman-
ship.
검시(檢屍) (hold) an inquest (au-
topsy)〔*over*〕. ~하다 examine a
corpse. ∥ ~관 a coroner.
검안(檢眼) an eye examination.
~하다 examine〔test〕〔*a person's*〕
eyes〔eyesight〕. ∥ ~경 an
ophthalmoscope.
검약(儉約) thrift; economy. ~하
다 economize〔*on a thing*〕; be
thrifty〔frugal〕.
검역(檢疫) quarantine; medical
inspection. ~하다 quarantine.
∥ ~관〔소〕 a quarantine officer
〔station〕.
검열(檢閱) censorship〔간행물의〕;
(an) inspection. ~하다 censor;
inspect; examine. ∥ ~관 an
inspector; a film censor〔영화의〕
/ ~필〔게시〕 Censored. / 사전
~ pre-censorship / 신문 ~ press
censorship.
검온기(檢溫器) a clinical thermo-
meter.
검이경(檢耳鏡) an auriscope.
검인(檢印) a seal〔stamp〕(of ap-
proval).
검전기(檢電器) an electroscope; a
detector〔누전의〕.
검정 black (color).
검정(檢定) (give) official approval
〔sanction〕〔*to*〕. ~하다 approve;
authorize. ∥ ~고시〔시험〕 a quali-
fying〔license〕 examination /
교과서 an authorized textbook /
~료 an authorization fee.
검증(檢證) verification; an inspec-
tion. ~하다 verify; inspect;

probate〔유언을〕.
검진(檢診) a medical examina-
tion; a physical checkup. ~하
다 examine; check up. ∥ 정기~
a regular health checkup.
검질기다 (be) persistent; tena-
cious.
검찰(檢察) (investigation and) prose-
cution. ∥ ~관 a public prose-
cutor; a prosecuting attorney
〔美〕 / ~당국 the prosecution /
~청 the Public Prosecutor's
Office / ~총장 the Public Pro-
secutor-General; the Attorney
General〔美〕.
검출(檢出)〔化〕 detection. ~하다
detect; find. ∥ ~기 a detector.
검침(檢針) meter-reading. ~하다
check〔read〕〔gas〕 meter. ∥ ~
원 a 〔gas-〕meter reader.
검토(檢討) (an) examination; (an)
investigation. ~하다 examine;
investigate; study; think over.
∥ 재~ re-examination; review.
검푸르다 (be) dark-blue.
겁(怯)〔소심〕 cowardice; timidity;
〔공포〕 fear; fright. ¶ ~ 많은
cowardly; timid; weak-kneed /
~(이) 나다 be seized with
fear / ~내다 fear; dread; be
afraid of / ~을 주다 threaten;
frighten; terrify; scare. ∥ ~쟁이
a coward; a chicken.
겁탈(劫奪) plunderage; (a)
robbery; 〔강간〕 rape. ~하다
plunder; rape〔violate〕〔*a woman*〕.
것〔사람·물건〕 a one; the one;
a thing; an object; 〔…껏〕 the
one that …; 〔소유〕 the one of;
-'s. ¶ 새로운 ~ a new one / 이~
this; this one / 저~ that; that
one.
겉〔표면〕 the face; the surface;
the right side〔옷의〕; 〔외면〕 the
outside; the exterior; outward
appearance〔외관〕. ¶ ~으로는 out-
wardly; on the surface. ∥ ~모
양 outward appearance; show;
look.
겉가량(一假量) (make) a rough

estimate; eye measure(눈대중).

걸날리다 scamp 《one's work》.

걸놀다 ① 《못·나사 따위가》 slip; do not fit. ② ☞ 걸돌다

걸늙다 look older than one's age; look old for one's age.

걸다 ①《바퀴·기계가》 spin free; run idle; race 《물레가》 do not mix freely; 《사람이》 do not get along well; be left alone; be left out of 《the class》 [age].

걸말 mere talk; lip service(hom-

걸맞추다 ① gloss over; smooth over; temporize. 「the exterior.

걸면(-面) the surface; the face;

걸보기 ¶ ～에는 outwardly; seem-

걸보리 unhulled barley. [ingly.

걸봉(-封) an envelope; 《걸에 쓴 말》 an address(주소 성명).

걸약다 be clever in a superficial way; smart merely in

걸어림(걸어림) [show.

걸잡다(걸어림) make a rough estimate[calculation]; measure 《something》 by (the) eye 《헤아리다》 guess; get a rough idea 《of》.

걸장(一面) the first [front] page; 《표지》 the cover of a book.

걸짐작 a rough estimate.

걸치레 outward show; ostensible display; a show. ～하다 dress up; make outward show.

걸치장(一治粧) an outward show; ostensible decoration. ～하다 put on a fair show; dress up

게 《動》 a crab. ¶ ～의 집게발 claws; nippers.

게걸 greed for food. ¶ ～스럽다 (be) greedy 《for food》; voracious.

게놈 《遺傳》 a genom(e). ‖ ～분석 genome analysis.

게다가 moreover; besides; what is more; in addition 《to that》.

게르만 ¶ ～의 Germanic. ‖ ～민족 the Germanic race.

게릴라 a guerilla. ¶ ～대원 a guerilla / ～전 guerilla war(fare) / ～전술 (use) guerilla tactics.

게시(揭示) a notice; a bulletin.

～하다 post [put up] a notice 《on the wall》; notify. ‖ ～판 notice [bulletin] board.

게양(揭揚) hoisting; raising. ～하다 hoist; raise 《a flag》.

게우다 vomit; throw [fetch] up.

게으르다 (be) idle; lazy; tardy; indolent.

게으름 idleness; laziness; indolence. ¶ ～부리다 [피우다] be idle [lazy]; loaf. ‖ ～뱅이 an idle [lazy] fellow; a lazybones.

게을리하다 neglect 《one's work》; be negligent 《of duty》.

게이지 a gauge.

게임 a game; a match(경기). ¶ ～을 하다 play a game. ‖ ～세트 game and set; 《일반적》 Game (is) over.

게장(一醬) 《간장》 soy sauce in which crabs are preserved.

게재(揭載) ～하다 publish; print; carry 《the news》; insert; run 《美》. ¶ 신문에 광고를 ～하다 run an ad in the paper. ‖ ～금지 a press ban.

게저분하다 be laden with unwanted [dirty] things; be untidy.

게젓 pickled crabs; crabs preserved in soy sauce.

겨 chaff; hulls [husks] of grain; bran. ‖ ～죽 rice-bran gruel.

겨냥 ① 《조준》 an aim; aiming. ～하다 (take) aim 《at》; aim one's gun 《at》. ② 《치수》 measure; size. ～하다 measure; take measure of. ‖ ～도 a (rough) sketch.

겨누다 ① 《겨냥하다》 (take) aim at; level 《a gun》 at. ② 《대보다》 compare 《A with B》; measure.

겨드랑(이) 《몸의》 the armpit. ¶ ～에 끼다 carry [hold] 《a thing》 under one's arm. 《옷의》 the armhole.

겨레 《한 자손》 offspring of the same forefather; 《동포》 a fellow countryman; a compatriot; brethren; 《민족》 a race; a people; a nation.

겨루다 compete [contend, vie] with 《*a person for a thing*》: pit 《*one's skill against*》.

겨를 leisure: spare moments: time to spare.

겨우 barely: narrowly: with difficulty: only 《*fifty won*》. ¶ ～ 살아가다 make a bare living.

겨우내 throughout the winter: all winter through. [asite.

겨우살이 [植] a mistletoe: a parasite. ¶ ～발학 the winter vacation [holidays] / ～철 the winter season.

겨워하다 feel 《*something*》 to be too much 《*for one*》: feel 《*something*》 to be beyond *one's* control.

겨자 (양념) mustard: 《풀》 a mustard (plant). 《文》 the case. ¶ ～채 mustard salad.

격(格) 《지위·등급》 rank: status: standing: class: capacity(자격): [文] the case. ¶ ～이 오르다(내리다) rise [fall] in rank / ～을 올리다 raise 《*a person*》 to higher status: upgrade.

격감(激減) a sharp decrease. ～하다 decrease sharply: show a marked decrease.

격납고(激納庫) a hangar: an airplane [aviation] shed.

격년(隔年) ¶ ～으로 every other [second] year.

격노(激怒) wild rage: fury. ～하다 rage: be enraged 《*with* [*into, against*] *a person*》.

격돌(激突) a crash. ～하다 crash.

격동(激動) turbulence: excitement (인심의): agitation(동요). ～하다 shake violently: be thrown into turmoil. ¶ ～의 시대 turbulent times.

격랑(激浪) raging [stormy] waves: heavy seas.

격려(激勵) encouragement. ～하다 encourage: urge 《*a person to do*》: cheer 《*a person*》 up.

격렬(激烈) ～한(하게) violent(ly): severe(ly): vehement(ly):

(ly).

격론(激論) 〈have〉 a heated discussion 《*with*》: a hot argument. ～하다 argue hotly.

격류(激流) a rapid [swift] current: a torrent.

격리(隔離) isolation: segregation. ～하다 isolate: segregate 《*A from B*》. ¶ ～실[병동] an isolation room [ward].

격막(隔膜) the diaphragm.

격멸(擊滅) destruction: annihilation. ～하다 destroy: exterminate: annihilate.

격무(激務) a busy office [post]: hard [pressing] work. ¶ ～에 쫓기다 feel hard pressed.

격문(檄文) 〈issue〉 manifesto: an appeal: a declaration.

격발(激發) an outburst 《*of emotion*》. ～하다 burst (out): explode.

격발(擊發) percussion. ¶ ～신관 a percussion fuse / ～장치 percussion lock.

격벽(隔壁) a partition. ¶ 방화용 ～ a fire wall.

격변(激變) a sudden change: revulsion (감정의). ～하다 undergo a sudden change: change violently [suddenly].

격분(激忿) wild rage: vehement: indignation. ～하다 be enraged: fly into a fury: blow up.

격상(格上) ～하다 raise [promote] 《*a person*》 to higher status [to a higher rank]: upgrade 《*a person*》.

격세(隔世) 〈quite〉 different age. ¶ ～유전 [生] atavism: reversion: (a) throwback.

격식(格式) 〈a〉 formality: established formalities: social rules. ¶ ～을 차리다 formal: ceremonious.

격심하다(激甚 一) 〈be〉 extreme: intense: severe: fierce: keen.

격앙(激昻) 〈in〉 excitement: rage: fury. ～하다 get excited: be enraged.　　　[a 〈wise〉 saying.

격언(格言) a proverb: a maxim:

격월(隔月) every other month. ‖ ~ 간행물 a bimonthly.

격의(隔意) ‖ ~ 없는 unreserved; frank. ~없이 이야기하다 talk frankly; have a frank talk; talk without reserve.

격일(隔日) a day's interval. ‖ ~로 every other day; on alternate days / ~제로 근무하다 shift once in two days. ‖ ~열 [醫] a tertian (fever).

격자(格子) 〖무늬〗 a lattice: lattice-work; a grille(금속성의). ‖ ~무늬 cross stripes; a checkered pattern / ~창 a lattice window.

격전(激戰) hot fighting; a fierce 〖severe〗 battle; a hot contest (선거 등의). ~하다 have a fierce battle. ‖ ~지 a hard-fought field; 〖선거의〗 a closely contested constituency.

격정(激情) a violent emotion; (in a fit of) passion.

격조(格調) 〖작품의〗 style; gusto; tone; 〖사람의〗 character; personality. ‖ ~ 높은 sonorous; refined; high-toned.

격조(隔阻) long silence; neglect to write(call). ~하다 be remiss in writing(calling).

격주(隔週) a weekly interval. ‖ ~의 fortnightly; biweekly / ~로 every two weeks; every other week.

격증(激增) a sudden 〖rapid〗 increase 〖in〗. ~하다 increase suddenly 〖markedly〗; 〖수량이〗 rise 〖swell〗 rapidly.

격지다(隔─) get estranged; be at odds 〖outs〗 〖with〗.

격차(格差·隔差) a gap; a difference; a disparity; a differential. ¶임금의 ~ a wage differential.

격찬(激讚) 〖win〗 high praise. ~하다 praise highly; extol; speak highly of.

격추(擊墜) ~하다 shoot 〖bring〗 down; down 〖a plane〗.

격침(擊沈) ~하다 (attack and) sink 〖a ship〗; send 〖a ship〗 to the bottom.

격통(激痛) an acute 〖a sharp〗 pain.

격퇴(擊退) ~하다 repulse; repel; drive back; beat off.

격투(格鬪) a grapple; a 〖hand-to-hand〗 fight. ~하다 grapple 〖fight〗〖with〗. 「smash 〖up〗.

격파(擊破) ~하다 defeat; crush;」

격하(格下) degradation; demotion (美). ~하다 degrade; demote (美); lower the status 〖of〗.

격하(隔─) 〖시간·공간적〗 leave an interval; 〖사이에 두다〗 interpose; 〖막다〗 screen.

격하다(激─) be 〖get〗 excited; be enraged. ¶격한 감정 an intense feeling / 격한 어조 a violent tone.

격화(激化) ~하다 grow more intense 〖violent〗; intensify.

격화소양(隔靴搔癢) scratching through the sole of one's shoes; feeling irritated(impatient); (have) an itch one can't scratch.

겪다 ① 〖경험〗 experience; go through; undergo; suffer. ¶어려움을 ~ experience hardships. ② 〖치르다〗 receive; entertain; treat hospitably.

견(絹) silk. ‖ ~방적 silk spinning / ~방직 silk weaving.

견갑(肩胛) the shoulder. ‖ ~골 the shoulder blade.

견강부회(牽强附會) a far-fetched interpretation; distortion. ~하다 force 〖wrench〗 the meaning; draw a forced inference.

견고(堅固) ~한 strong; solid; stout; firm; 〖~히〗 하다 solidify; strengthen.

견과(堅果) 〖植〗 a nut. ¶ ~상(狀)의 glandiform.

견디다 ① 〖참다〗 bear; endure; put up with; stand; tolerate. ¶견딜 수 있는 bearable; endurable; tolerable / 견디기 어려운 unbearable; intolerable / 견딜 수 없다 be unable to bear; cannot

견딜성(一性) endurance; perseverance; patience.

견마지로(犬馬之勞) ¶ ～를 다하다 do one's best (for a person).

견문(見聞) information; knowledge; experience(경험). ¶ ～이 넓다 (좁다) be well-informed (poorly informed) / ～을 넓히다 add to one's information (knowledge); see more of life (the world).

견본(見本) a sample; a specimen(표본); a pattern(무늬, 천의). ¶ ～대로 as per sample. ～시 a trade (sample) fair.

견사(絹絲) silk thread (yarn).

견사(繭絲) raw silk.

견습(見習) apprenticeship; probation; (사람) an apprentice (to). ¶ ～ 수습(修習).

견식(見識) 〔의견〕 a view; an opinion; judgment(판단력); insight(통찰력). ¶ ～이 넓다 have a broad vision.

견실하다(堅實一) (be) steady; reliable; sound; solid. ¶ 견실하게 steadily; reliably; soundly.

견우성(牽牛星)〔天〕Altair.

견원(犬猿) ¶ ～지간이다 lead a cat-and-dog life(특히 부부가); be on bad terms (with).

견장(肩章) a shoulder strap; an epaulet(te).

견적(見積) an estimate; estimation; a quotation. ¶ ～하다 make an estimate (of); estimate (at). ¶ ～가격 an estimated cost / ～서 a written estimate / ～액 an estimated amount (sum).

견제(牽制) ～하다 (hold in) check; restrain; 〔軍〕Contain. ¶ 주자를 ～하다 〔野〕check (peg) a runner. ¶ ～공격 a containing attack / ～구 (make) a feint ball; a pick-off throw.

견제품(絹製品) silk manufactures; silk goods(견직물).

견주다(比較) compare (A) with (B); (겨루다) compete (contend, vie) (with).

견지 a fishing troll (reel, spool). ¶ ～질하다 fish with a reel.

견지(見地) a standpoint; a viewpoint; a point of view; an angle.

견지(堅持) ～하다 stick (hold fast) (to); maintain firmly.

견직물(絹織物) silk fabrics; silk goods; silks.

견진(堅振)〔가톨릭〕confirmation. ¶ ～성사 the sacrament of confirmation.

견책(譴責) a reprimand; (a) reproof. ¶ ～하다 reprimand; reprove. ¶ ～처분 an official reprimand.

견치(犬齒) a canine; an eyetooth.

견학(見學) study by observation (inspection). ～하다 visit (a place) for study; make a field trip to (a museum). ¶ ～여행 a tour study (실지); ～을 a field trip.

견해(見解) an opinion; (give) one's view (on a subject). ¶ ～차 divergence of opinion.

결① (나무・피부 따위의) grain; texture. ¶ ～이 고운 fine-grained (-textured); delicate (skin). ② (물결) a wave; (숨결) breathing. ③ (마음의) disposition; temper. ④ (…하는 겨를) a while; an occasion; a chance;《때》the time (moment).

결가부좌(結跏趺坐)〔佛〕sitting with legs crossed (as in Buddhist statues).

결강(缺講) ～하다 (교수가) do not give one's lecture; (학생이) cut a lecture.

결격(缺格) disqualification. ∥ ~
자 a person disqualified 《for》.

결과(結果) (a) result; (a) conse-
quence; an outcome; an effect;
(good, bad) fruit(성과). ¶ …의
~로서 as a result of; in conse-
quence of / …한 ~가 되다 result
in; come (turn) out.

결국(結局) in the end; in the
long run; finally; eventually;
after all.

결근(缺勤) absence 《from》. ~하
다 be absent oneself
《from work》. ∥ ~계 (tender) a
report of absence / ~자 an
absentee / 무단 ~ absence with-
out notice.

결기(一氣) impetuosity; vehe-
mence; hot temper.

결단(決斷) decision; determina-
tion; resolution. ~하다 decide;
determine; resolve. ¶ …코
never; by no means / ~력이
강한 사람 a man of decision / ~
을 내리다 reach (come to) a
definite decision.

결단(結團) ~하다 form a group
(team). ∥ ~식 an inaugural
meeting (rally).

결당(結黨) formation of a party.
~하다 form a party. ∥ ~식
the inaugural ceremony of a
party.

결딴 ruin; collapse; destruction.
¶ ~나다 be spoilt(ruined); come
to nothing / ~내다 spoil; mar;
ruin; destroy; make a mess of.

결렬(決裂) a rupture; a break-
down. ~하다 come to a rup-
ture; break down; be broken
off.

결례(缺禮) failure to pay one's
compliments. ~하다 fail (omit)
to pay one's compliments (greet-
ings).

결론(結論) a conclusion; a con-
cluding remark. ~짓다 con-
clude; close. ¶ …에 도달하다
reach (come to) a conclusion.

결리다 feel a stitch (have a crick)

《in》; get stiff.

결막(結膜) the conjunctiva. ∥ ~
염 〔醫〕 conjunctivitis.

결말(結末) (끝) an end; a close;
a conclusion; settlement(낙착);
(결과) a result; an outcome.
¶ ~나다 be settled; come to a
conclusion (an end) / ~내다 (짓
다) settle; bring 《a matter》 to a
conclusion (close); put an end
to.

결박(結縛) ~하다 bind; tie (up);
pinion.

결백(潔白) purity (순결); 《prove
one's》 innocence(무죄); integrity
(청렴). ~하다 (be) pure; inno-
cent; cleanhanded.

결번(缺番) a missing number.

결벽(潔癖) ~하다 (be) fastidious;
dainty; overnice.

결별(訣別) ~하다 part from; bid
farewell 《to》.

결부(結付) ~하다 connect 《A》
with 《B》; link (tie) together.
¶ …와 ~시켜 생각하다 consider
《A》 in relation to 《B》.

결빙(結氷) freezing. ~하다 freeze
(be frozen) over. ∥ ~기 the
freezing season (time).

결사(決死) ¶ ~적인 desperate;
~의 각오로 with desperate cour-
age; with a "do-or-die" spirit /
~투쟁하다 struggle desperately.
∥ ~대 a suicide corps.

결사(結社) (form) an association.
¶ ~의 자유 the freedom of asso-
ciation.

결삭다 soften; become mild; be
mollified.

결산(決算) settlement (closing) (of
accounts). ~하다 settle (balance)
an account. ∥ ~보고 a state-
ment of accounts / ~일 a
settling day.

결석(缺席) absence; nonattend-
ance. ~하다 be absent 《from》;
absent oneself 《from》; fail to at-
tend. ∥ ~계 a report of
absence / ~자 an absentee.

결석(結石) 〔醫〕 a 《renal》 calculus;

a stone 《*in the bladder*》.

결선(決選) a final vote 〔election〕. ‖ ~ 투표 (take) the final vote 〔ballot〕 《*on*》.

결성(結成) ~하다 organize; form. ‖ ~식 an inaugural ceremony 〔meeting〕.

결속(結束) union; unity. ~하다 unite; band together. ~을 강화하다 strengthen the unity 《*of*》.

결손(缺損) 《손실》 a loss; 《적자》 deficit. ¶ ~이 생기다 〔나다〕 have a deficit of 《one million won》; suffer a loss 〔make up〕 the loss. ~액 the amount of loss; a deficit / ~ 처분 deficits disposal.

결승(決勝) a final match 〔game〕; the finals. ~전 the final round 〔game, match〕; the final《의》/ ~ 점 《reach》 the finishing line; the goal.

결식(缺食) ~하다 go without a meal; skip 〔miss〕 a meal. ‖ ~ 아동 undernourished 〔poorly-fed〕 children.

결실(結實) ~하다 bear fruit; 《비유적》 produce good results. ‖ ~기 the fruiting season.

결심(決心) determination; resolution. ~하다 make up *one's* mind; determine; resolve 《*to do, that*》; decide 《*to do, on a matter, that*》. ~을 굳히다 make a firm resolution.

결심(結審) the conclusion of a hearing 〔trial〕. ~하다 close 《*a hearing*》.

결여(缺如) (a) lack; (a) want. ~ 하다 lack; be lacking 〔wanting〕 《*in*》.

결연(結緣) ~하다 form 〔establish〕 a relationship 《*with*》.

결연하다(決然一) (be) determined; firm; resolute; decisive. ¶ 결연히 resolutely; firmly; in a decisive manner.

결원(缺員) a vacancy; a vacant post; an opening. ¶ ~을 보충하

다 fill (up) a vacancy.

결의(決意) resolution; determination《= 결심》.

결의(決議) 《의안》 a decision; ~하다 resolve; pass a resolution; decide. ‖ ~ 사항 resolutions / ~안〔문〕 a resolution.

결의(結義) ~하다 swear 《*to be brothers*》; take an oath 《*of*》.

결장(結腸) 〔解〕 the colon.

결재(決裁) decision; approval. ~ 하다 decide 《*on*》; make a decision 《*on, about*》. ~를 맡다 obtain 《*a person's*》 approval 〔sanction〕. ‖ ~권 the right of decision.

결전(決戰) a decisive battle 《전쟁》; 《경기의》 finals. ~하다 fight a decisive battle; fight to a 〔the〕 finish.

결점(缺點) a fault; a defect; a flaw; a shortcoming; a weak point《약점》. ¶ ~이 있는 defective; faulty / ~이 없는 flawless; faultless.

결정(決定) (a) decision; (a) determination; (a) conclusion; (a) settlement. ~하다 decide; determine; settle; fix《날짜 따위의》. ¶ ~적(으로) definite(ly); decisive (-ly) / ~적인 순간 a crucial moment. ‖ ~권 the decisive power / ~ 타 〔野〕 a game-winning hit; a decisive blow / ~표 a deciding 〔casting〕 vote.

결정(結晶) crystallization; a crystal《결정체》. ~하다 crystallize 《*into*》.

결제(決濟) (a) settlement. ~하다 settle 〔square〕 accounts. ‖ ~자 금 a settlement fund.

결집(結集) ~하다 concentrate; gather together.

결초보은(結草報恩) ~하다 carry *one's* gratitude beyond the grave.

결코(決一) never; by no means; not ... in the least; on no account; not ... at all.

결탁(結託) ~하다 conspire 《*with*》. ¶ …과 ~하여 in conspiracy 〔col-

lusion] with.

결투(決鬪) a duel. ～하다 duel 《with》. ¶ ～를 신청하다 challenge 《a person》 to a duel.

결판(決判) ¶ ～ 내다 bring 《a matter》 to an end; settle 《a quarrel》 / ～ 나다 be settled 〔brought to an end〕.

결핍(缺乏) want; lack; 〔부족〕 shortage; scarcity; deficiency. ～하다 lack; want; be wanting 〔lacking〕 《in》; run short 《of》. ¶ ～증 a 《vitamin》 deficiency disease.

결하다(決-) decide 〔resolve〕 《to do, on》; determine.

결함(缺陷) a defect; a fault; shortcomings. ¶ ～이 있는 defective; faulty. ¶ ～제품 a faulty 〔defective〕 product.

결합(結合) union; combination. ～하다 unite; combine. ¶ A와 B 를 ～하다 unite 〔combine〕 A with B.

결항(缺航) the cancellation of a sailing 〔flight〕. ～하다 cancel.

결핵(結核) tuberculosis〔생략 TB; T.B.〕. ¶ ～성의 tubercular; tuberculous. ¶ ～균 tubercle bacilli / ～ 환자 a T.B. patient.

결행(決行) ～하다 carry out resolutely; take a resolute step.

결혼(結婚) marriage. ～하다 marry; get married 《to a person》. ¶ ～을 신청하다 propose 《to》; make a proposal of marriage / ～을 승낙〔거절〕하다 accept 〔reject〕 a proposal of marriage. ¶ ～상대 a marriage partner; one's fiancé 《남자》; one's fiancée《여자》 / ～생활 a married life / ～식 a wedding 〔ceremony〕 / ～피로연 a wedding reception.

결혼사기(結婚詐欺) a matrimonial 〔marriage〕 fraud; a false 〔fake〕 marriage.

겸(兼) and; in addition; concurrently; at the same time. ¶ 침실 ～ 거실 a bed-cum-living room / 사업도 할 ～ 관광도 할 ～

with a double purpose of business and sightseeing.

겸무(兼務) ～하다 serve 〔hold〕 the post concurrently 《as》.

겸비(兼備) ～하다 have 《two things》 at the same time.

겸사(謙辭) 〔말〕 humble speech; 《사양》 declining humbly.

겸사겸사(兼事-) for a double purpose; partly ... and partly ....

겸상(兼床) a table for two; 《식사》 a tête-à-tête dinner. ～하다 sit at the same dinner table; take a tête-à-tête dinner.

겸손(謙遜) modesty; humility. ～하다 (be) modest; humble. ¶ ～하게 with modesty; in a modest way.

겸양(謙讓) modesty; humility. ¶ ～지덕 the virtue of modesty.

겸업(兼業) a side job; a sideline. ～하다 take up a side job; pursue 《another trade》 as a side job. ¶ ～농부 a farmer with a side job.

겸연쩍다(慊然-) 《서술적》 be embarrassed; be abashed; feel awkward.

겸용(兼用) combined use. ～하다 use 《a thing》 both as ... and ....

겸유(兼有) ～하다 have 〔possess, own〕 both; combine.

겸임(兼任) ～하다 hold an additional post; serve concurrently 《as》.

겸직(兼職) ～하다 have 〔hold〕 more than one job.

겸하다(兼-) ① combine 《A with B》; serve both as 《A and B》. ② 겸적, 겸임.

겸행(兼行) ¶ 주야 ～으로 일하다 work day and night.

겸허(謙虛) ～한 humble; modest; ～하게 in a humble way; with modesty.

겹 a layer; a ply. ¶ 두 ～ twofold / 여러 ～ many folds.

겹겹이 ply on ply; in many folds; one upon another.

겹다 (be) uncontrollable; (be)

beyond *one's* capacity (power); too much for (*one*).

겹옷 lined clothes.

겹질리다 be sprained.

겹치다 ① (…에) put one upon another; pile up. ② (…이) be piled up; overlap (*each other*); (날짜가) fall on (*Sunday*).

경(更) one of the five watches of the night. ¶ 삼 ～ midnight.

경(卿) (호칭) Lord; Sir.

경(經) (불경) a sutra; the Buddhist scriptures. ¶ ～을 읽다 chant a sutra.

경(輕) light; light-weight.

ㅡ**경**(頃) about; around. ¶ 월말～ around the end of month.

경각(頃刻) a moment; an instant. ¶ ～에 in a moment.

경각심(警覺心) (self-)consciousness; (self-)awakening.

경감(輕減) ～하다 reduce (lighten (*the tax*); mitigate; alleviate.

경감(警監) a senior inspector.

경거(輕擧) a rash (hasty) act; rashness. ¶ ～망동 rash and thoughtless act.

경건(敬虔) piety; devotion. ～하다 (be) pious; devout.

경계(境界) a boundary; a border; a frontier. (국경) ¶ ～선 a border line (*between*) / ～표 a landmark; a boundary stone.

경계(警戒) (pre)caution; lookout (감시); guard (물질); ～하다 take precautions (*against*); look out (watch) (*for*); guard (*against*). ¶ ～ 태세를 취하다 be on the alert. ‖ ～경보 a preliminary alert / ～망 a police cordon / ～색 sematic coloration.

경고(警告) (a) warning; (a) caution. ～하다 warn (*a person against* ～); give warning (*to*).

경골(脛骨) [解] the shinbone; the tibia.

경골(硬骨) ① (굳은 뼈) hard bone. ② (기골성) inflexibility; ‖ ～한(漢) a man of firm character.

경골(頸骨) [解] the neck bone.

경공업(輕工業) light industries.

경과(經過) ① (일의) progress; a development; course. ～하다 progress; develop ¶ 수술 후의 ～ progress after an operation / 사건의 ～ the development of an affair. ② (시간의) lapse (*of time*); expiration (기한의); ～하다 elapse; pass; go by.

경관(景觀) a scene; a spectacle; a view. ¶ 일대 ～ a grand sight.

경관(警官) a police officer; a policeman(남); a policewoman (여); a constable (英); a cop (俗); the police(총칭).

경구(硬球) a hard (regulation) ball.

경구(經口) ¶ ～의 oral. ‖ ～감염 oral infection. [gram.

경구(警句) an aphorism; an epi-

경구개(硬口蓋) the hard palate.

경국(傾國) ‖ ～지색 a woman of matchless (peerless) beauty; a Helen of Troy.

경국(經國) ‖ ～지사 a statesman / ～지재 the capacity of a states-

경금속(輕金屬) light metals. [man.

경기(景氣) ① (시황) business (conditions); market. ¶ ～의 회복 business recovery / ～의 후퇴(불황) business recession. ¶ ～가 좋다 (나쁘다) Business is brisk (dull). ‖ ～변동 business fluctuations / ～부양책 measures to boost the economy / ～지표 a business barometer. ② (세상 전반의) the times; things.

경기(競技) a game; a match; a contest; an event(종목). ～하다 have a game (match); play a game (match). ‖ ～장 a ground; a field(육상).

경기(輕機關銃) a light machine

경기구(輕氣球) a balloon. [gun.

경내(境內) (in) the grounds (precincts; the premises.

경단(瓊團) a rice cake dumpling (covered with powdered bean); a

경대(鏡臺) a dressing table; a

ㄱ

mirror stand.

경도(硬度) hardness; solidity. ∥ ～계 a durometer.

경도(經度)¹〈윙경〉 the menses.

경도(經度)²〈지구상의〉 longitude.

경도(傾度) gradient; inclination.

경도(傾倒) ～하다 devote *oneself* 《*to literature*》; be devoted 《*to*》.

경동맥(頸動脈)〔解〕 the carotid artery.

경락(經絡)〔韓醫〕 special nerve parts around the body which shows the signs of illness for acupuncture.

경량(輕量) light weight.

경력(經歷) a career; (a) personal) history.

경련(痙攣) convulsions; (a) cramp (근육의); a spasm. ∥ ～성의 spasmodic; convulsive / ～이 일어나다 have a convulsive fit (a cramp).

경례(敬禮) (make) a bow; a salute. ～하다 salute; bow 《*to*》.

경로(敬老) respect for the old. ∥ ～잔치 a feast in honor of the aged.

경로(經路) a course; a route; a channel(정보·전달의); a process (과정).

경륜(經綸) statesmanship; statecraft. ∥ ～을 펴다 administer state affairs.

경륜(競輪) a cycle race. ∥ ～선수 a cycle racer.

경리(經理) accounting. ∥ ～과〔부〕 the accounting section 〔department〕.

경마 a rein; a bridle. ∥ ～ 잡다 hold a horse by the bridle / ～ 잡히다 have a groom lead a horse.

경마(競馬) horse racing; a horse race. ∥ ～말 a race horse / ～장 a race horse track.

경망(輕妄) ～하다 (be) thoughtless; rash; imprudent.

경매(競賣) auction; public sale. ～하다 sell by 〔at〕 auction; put 《*an article*》 at auction. ∥ ～에 부쳐지다 come under 〔go to〕 the hammer. ∥ ～인 an auctioneer /

～장 an auction room.

경멸(輕蔑) contempt; disdain; scorn. ～하다 despise; scorn; look down on; make light of. ∥ ～할 만한 contemptible; despicable / ～적인 scornful; contemptuous. 「general.

경무관(警務官) a superintendent

경미하다(輕微 —) (be) slight; trifling.

경박하다(輕薄 —) (be) frivolous; flippant; fickle.

경백(敬白) Yours respectfully.

경범죄(輕犯罪) a minor offense; misdemeanor. ∥ ～처벌법(위반) (a violation) of the Minor Offense Law.

경변증(硬變症)〔醫〕 cirrhosis.

경보(競步) a walking race. ∥ ～선수 a walker.

경보(警報) an alarm; a warning. ∥ ～를 발하다 give a warning; raise an alarm. ∥ ～기 an alarm (signal) / ～해제 All Clear.

경부(京釜) Seoul and Busan. ∥ ～고속도로 the Seoul-Busan expressway 〔speedway(美)〕 / ～선(線) the Seoul-Busan line.

경부(頸部)〔解〕 the neck (area).

경비(經費) expenses; cost; 〈지출〉expenditure; an outlay. ∥ ～를 줄이다 cut down the expenses. / ～절약〔절감〕 curtailment of expenditure / 제(諸) ～ overhead expenses.

경비(警備) defense; guard. ～하다 defend; guard. ∥ ～대 a garrison / ～병〔원〕 a guard / ～정 a patrol boat / ～회사 a security company.

경사(傾斜) (an) inclination; a slant; a slope(비탈). ∥ ～지다 incline; slant; slope / 급한〔완만한〕 ～ a steep 〔gentle〕 slant 〔slope〕. ∥ ～도 a gradient / ～면 an incline; a slope.

경사(慶事) a happy event; a matter for congratulation.

경사(警査) an assitant inspector.

경상(經常) ～의 ordinary; current; working. ∥ ～비

[running] expenses / ～세입 [세출] ordinary revenue [outlay] / ～이익 [손실] (an) ordinary profit [loss].

경상 (輕傷) a slight injury [wound]; ～을 입다 be slightly injured; suffer a slight injury. ‖ ～자 the slightly injured [wounded].

경색 (梗塞) stoppage; blocking; tightness (핍박); 〖醫〗 infarction. ‖ 금융 ～ monetary [financial] stringency; tight money (시장을).

경서 (經書) Chinese classics.

경선 (頸線) 〖解〗 cervical gland.

경성 (硬性) hardness. ‖ ～하감 〖醫〗 chancre.

경세 (經世) administration; statesmanship. ‖ ～가 a statesman.

경솔 (輕率) rashness; carelessness. ～하다 be rash; hasty; careless. ‖ ～히 rashly; hastily; thoughtlessly.

경수 (硬水) hard water.

경수 (輕水) light water. ‖ ～로 a light-water reactor.

경승 (景勝) picturesque scenery. ～지 a scenic spot.

경시 (輕視) ～하다 slight; neglect; make light [little] of.

경식 (硬式) ‖ ～의 hard; rigid; regulation-ball / ～테니스 tennis.

경신 (更新) renewal. ～하다 renew; renovate. ¶God.

경신 (敬神) piety; reverence for

경악 (驚愕) 〈놀라움〉 astonishment; amazement. ～하다 be astonished [amazed] 《at, by》.

경애 (敬愛) respect and affection. ～하다 love and respect. ¶ ～하는 dear; venerable.

경야 (經夜) 〈지냄〉 passing a night; 〈새움〉 staying awake for a night. ～하다 stay [sit] up all night.

경어 (敬語) a term of respect; an honorific.

경연 (競演) a contest. ～하다 compete 《on the stage》. ¶음악 ～회 〈hold〉 a music contest.

경영 (經營) management; admin-

istration; operation (운영). ～하다 manage 《a bank》; run 《a hotel》; keep 《a store》; operate 《a railroad》. ¶ 사업을 ～하다 run [carry on, operate] a business. ‖ ～자 a manager / ～진 management / ～학 business administration [management] / ～합리화 business rationalization.

경영 (競泳) a swimming race [contest]. ‖ ～회 a swimming meet.

경옥 (硬玉) 〖鑛〗 a jade; a jadeite.

경우 (境遇) 〈때〉 an occasion; a time; 〈사정〉 circumstances; a case. ¶ …한 ～에는 in case of … / 그런 ～에는 in that [such a] case / 어떤 ～에도 under any circumstances / ～에 따라서는 according to circumstances.

경운 (耕耘) 〈drive, run〉 a cultivator 〈farm tractor〉.

경원 (敬遠) ～하다 keep 《a person》 at a respectful distance; give 《a person》 a wide berth.

경위 (經緯) ① 〈위도도〉 longitude and latitude. ¶ ～선 lines of longitude and latitude. ③ 〈날과씨〉 warp and woof. ③ 〈사건 따위의 전말〉 the sequence of events; details; particulars; 〈사정〉 the circumstance. ¶ 사고의 ～ the details of an accident. ④ 〈시비의 구별〉 discernment; judgment. ¶ ～에 어긋난 짓 an improper act; unreasonable doings.

경위 (警衛) 〈직위〉 an Inspector; a (police) lieutenant 《美》; 〈경호〉 guard; escort.

경유 (經由) ～하다 go by way of; pass [go] through. ¶ …을 ～하여 via; by way of.

경유 (輕油) light oil; diesel oil.

경유 (鯨油) whale oil; train oil.

경음 (硬音) a fortis (consonant).

경음악 (輕音樂) light music.

경의 (敬意) respect; regard; homage. ¶ ～를 표하다 pay one's respects [regards] 《to》; do [pay, offer] homage 《to》; defer 《to》.

ㄱ

경이(驚異) (a) wonder; a marvel. ¶ ~적 wonderful; marvelous.

경인(京仁) Seoul and Incheon. ∥ ~고속도로 the *Gyeongin* Expressway / ~지방 the Seoul-Incheon area; the *Gyeongin* district(s).

경작(耕作) cultivation; farming. ~하다 cultivate; farm. ¶ ~에 (부)적합한 (un)arable. / ~물 farm products / ~자 a farmer / ~지 cultivated land.

경장(警長) a senior policeman.

경쟁(競爭) competition; a contest. ~하다 compete; contest. ∥ ~가격 a competitive price / ~상품 competitive goods / ~심 a competitive spirit / ~율 the competitive rate / ~자 a rival; a competitor.

경쟁력(競爭力) competitive power. ¶ ~을 약화시키다(기르다) weaken [increase] *one's* competitiveness.

경적(警笛) an alarm whistle; a (warning) horn. ¶ ~을 울리다 give an alarm whistle; sound a horn(자동차 따위의).

경전(經典) sacred books; the Sutra(불교의); the Koran(회교의).

경정(更正) correction; revision. ~하다 correct; revise; rectify. ∥ ~정(訂正) a superintendent.

경정맥(頸靜脈) the jugular vein.

경제(經濟) ① 《일반적》 economy; finance(재정). ¶ ~의 economic / ~적(으로) economical(ly) / ~적 난국 an economic deadlock. ∥ ~개발 economic development / ~개발 5개년계획 a five-year plan for economic development / ~기반 the economic infrastructure (*of a country*) / ~봉쇄 an economic blockade / ~부양책 an economic stimulus package / ~성장(률)(the rate of) economic growth / ~지표 an (economic) indicator / ~학 economics / ~활동 (행위) economic activities (actions). ② 《절약》 thrift; frugality; economy.

¶ ~적인 economical.

경제계(經濟界) financial circles; the economic world. [sis.

경제공황(經濟恐慌) a financial crisis.

경제권(經濟圈) an economic bloc.

경제대국(經濟大國) a great economic nation (power).

경제란(經濟欄) financial columns.

경제력(經濟力) economic strength; financial power.

경제면(經濟面) 《신문 따위의》 the financial page (columns).

경제백서(經濟白書) an economic white paper.

경제사범(經濟事犯) 《죄》 an economic offense; 《사람》 an economic criminal; an offender of economic law. [soft landing.

경제연착륙(經濟軟着陸) an economic

경제원조(經濟援助) financial support (aid, help). ∥ ~계획 an economic aid program.

경제위기(經濟危機) an economic (financial) crisis.

경제윤리(經濟倫理) economic (business) ethics. ∥ ~강령 the Economic Ethics Charter (Code) / ~위원회 the Economic Ethics Commission. [a businessman.

경제인(經濟人) an economic man;

경제전(經濟戰) an economic war; a white war.

경제정책(經濟政策) (an) economic policy. [tions.

경제제재(經濟制裁) economic sanc-

경제질서(經濟秩序) the economic order. [cial) figures.

경제통계(經濟統計) economic (finan-

경제특구(經濟特區) 《중국 등지의》 a special economic zone.

경제협력(經濟協力) economic cooperation. ∥ ~개발기구 the Organization for Economic Cooperation and Development (생략 OECD).

경제회복(經濟回復) economic recovery.

경조(競漕) a boat race.

경조부박(輕佻浮薄) frivolity; levity. ¶ ~한 fickle and frivolous.

경조비(慶弔費) expenses for congratulations and condolences.

경종(警鐘) an alarm [a fire] bell; a warning(경고). ¶ ~을 울리다 ring (sound) an alarm bell; (경고하다) give a warning to.

경주(傾注) ~하다 devote *oneself* 《to》; concentrate 《on》.

경주(競走) (run) a race; a sprint (단거리의).

경중(輕重) 《중요도》 importance; value; gravity; 《무게》 weight. ¶병의 ~ the relative seriousness of an illness.

경증(輕症) a mild illness; a mild case.

경지(耕地) a cultivated field [area]; arable land. ‖ ~면적 acreage under cultivation / ~정리 readjustment of arable lands.

경지(地地) ① 《상태》 a state; a condition; a stage. ¶ …의 ~에 이르다 reach [attain] a stage of. ② 《분야·영역》 a sphere; territory; ground. ﹝come﹞ stiff.

경직(硬直) ~하다 stiffen; get [become] stiff.

경질(更迭) a change; a reshuffle. ~하다 (make a change); reshuffle; switch.

경질(硬質) ~의 hard. ‖~유리 [고무] hard glass [rubber].

경찰(警察) the police (force); a police station(경찰서). ¶~의 조사 a police inquiry / ~에 알리다 (고발하다) report [inform] to the police / ~의 보호를 받다 get [receive] police protection / ~을 부르다 call the police. ‖~견 a police dog / ~관 a police officer; a policeman / ~국가 a police state / ~대학 the National Police College / ~서장 the chief of a police station / ~청 the National Police Agency / 서울 ~청 the Seoul Metropolitan Police Agency.

경천동지(驚天動地) ~하다 astound [startle] the world; take the world by surprise.

경첩 a hinge. ¶ ~이 빠지다 be off the hinges.

경청(傾聽) ~하다 listen (intently) 《to》.

경축(慶祝) congratulation; celebration. ~하다 congratulate; celebrate; ~일 a national holiday; a festival [feast] day / ~ 행사 festivities.

경치(景致) scenery; a landscape; a scene.

경치다《벌을 받다》 suffer torture; be heavily punished; (혼나다) have a hard [rough] time (of it).

경칭(敬稱) a title of honor; a term of respect.

경쾌(輕快) ~하다 (be) light; nimble; light-hearted(마음이). ¶ ~하게 lightly; with a light heart.

경탄(驚歎) wonder; admiration. ~하다 wonder [marvel] 《at》; admire. ¶ ~할 만한 wonderful; admirable; marvelous.

경편(輕便) ~하다 (be) convenient; handy; portable; light(간이).

경품(景品) a gift; a premium; a giveaway《美》. ‖~권 a premium ticket; a gift coupon.

경풍(驚風) (children's) fits; convulsions.

경하(慶賀) congratulation. ~하다 congratulate 《a person on his success》.

경합(競合) concurrence; rivalry; competition. ~하다 compete [conflict] 《with》.

경합금(輕合金) a light alloy.

경향(京鄕) the capital and (the rest of) the country.

경향(傾向) a tendency; a trend; an inclination(성격상의). ¶ …하는 ~이 있다 have a tendency to *do*; be apt to *do*; tend to *do*.

경험(經驗) (an) experience. ~하다 experience; go through. ¶ ~이 있다 have experience in / ~을 쌓다 gain experience / ~담 a story of *one's* experience / ~론 empiricism / ~자 a person of experience; an expert (~자를

구함 《광고》 Wanted: experienced hands (*in trade*). / ~불문 experience not required.

경혈 《穴》 《韓醫》 spots on the body suitable for acupuncture.

경호 《警護》 guard; escort. ~하다 guard; escort. ‖ ~원 a (body-) guard; a security guard.

경화 《硬化》 hardening; stiffening. ~하다 become hard [stiff]; harden; stiffen. ‖ ~a coin.

경화 《硬貨》 hard money [currency].

경화기 《輕火器》 《軍》 light firearms.

경황 《景況》 ‖ ~이 없다 have no mind [time] for; have no interest in; be too busy for.

곁 side. ‖ ~에 by (the side of); at *one's* side / ~에 두다 keep (*a thing*) at hand / ~에 앉다 sit by (*a person*).

곁가지 a side branch.

곁눈 a side glance. ‖ ~으로 보다 cast a side glance (*at*) / ~질 하다 look askant (sideways).

곁두리 snacks for farmhands at work.

곁들다 assist [help] (*a person*) in lifting (*something*); 《돕다》 help; lend [give] a helping hand (*to*).

곁들이다 《음식을》 garnish (*with*); add (*some vegetables*) as trimmings; 《일을》 do (*something*) along with. ‖ ~a key.

곁쇠 a passkey; a duplicate key.

계 《戒》 ① 《훈계》 a precept. ② 《계율》 a Buddhist commandment.

계 《計》 ① 《총계》 the total; 《합계서》 in total; in all; all told. ② 《계기》 a meter; a gauge. ③ 《계략》 a scheme.

계 《係》 《기구》 a section (*in an office*); 《담당》 charge; 《담당자》 a person [clerk] in charge. ‖ 접수 ~ a reception clerk.

계 《契》 a (mutual) loan club; a credit union; a mutual financing [assistance] association (society).

…계 《系》 《조직》 a system; 《혈통》 a family line; lineage; 《당파》 a faction; a clique; a party; 《수학의》 a corollary. ‖ 한국~ 미국인 a Korean-American.

…계 《界》 circles; a community; a world; a kingdom.

계간 《季刊》 (a) quarterly publication. / ~지 a quarterly (magazine).

계간 《鷄姦》 sodomy; buggery.

계고 《戒告》 ~하다 give a warning to; caution; warn.

계곡 《溪谷》 a valley; a dale.

계관 《桂冠》 a laurel. ‖ ~시인 a poet laureate.

계구역진 《計窮力盡》 ~하다 come to the end of *one's* tether.

계급 《階級》 《신분》 a class; 《지위》 a rank; 《등급》 a grade. ‖ ~이 상위나 상위에 있다 be senior to (*a person*) in rank. ‖ ~장 《군인의》 a badge of rank / ~투쟁 [의식] class strife [consciousness].

계기 《計器》 a gauge; a meter; an instrument. / ~비행 《착륙》 an instrument flight [landing] / ~판 an instrument board 《비행기의》; a dashboard 《자동차의》.

계기 《契機》 a chance; an opportunity.

계단 《階段》 (a flight of) stairs [steps]; 《현관의》 doorsteps. ‖ ~을 오르다 [내리다] go up [down] the stairs. ‖ ~family tree.

계도 《系圖》 genealogy; lineage.

계도 《啓導》 guidance; leading; instruction; teaching; enlightenment. ~하다 guide; lead; instruct; teach; enlighten.

계란 《鷄卵》 a hen's egg; an egg.

계략 《計略》 a design; a plot; a trick. ‖ ~에 빠뜨리다 entrap; ensnare / ~을 꾸미다 lay a plan; think out a scheme.

계량 《計量》 ~하다 measure; weigh. ‖ ~경제학 econometrics / ~기 a meter; a gauge 《가스 등의》; a scale.

계류 《溪流》 a mountain stream.

계류 《繫留》 mooring. ~하다 moor (*at, to*). ‖ ~기구 《氣球》 a captive

balloon / ～탑 a mooring mast.

계리사(計理士) 『공인 회계사.

계면(界面) 〔物〕 the interface 《between two liquids》. ～장력 interfacial tension《a surfactant: an interface activator.

계명(戒名) a (posthumous) Buddhist name.

계명(誡命) 〔宗〕 commandments.

계모(繼母) a stepmother.

계몽(啓蒙) enlightenment. ～하다 enlighten; educate. ¶ ～적인 enlightening《books》. ¶ ～운동 an enlightening movement / 〔史〕 the Enlightenment.

계보(系譜) pedigree; genealogy; lineage.

계부(季父) an uncle.

계부(繼父) a stepfather.

계사(鷄舍) a henhouse; a poultry《fowl》house.

계산(計算) calculation; counting; computation. ～하다 calculate; count; reckon; compute: do sums. ¶ ～에 넣다 take 《a thing》into account. ‖ ～서 a check; a bill; an account.

계상(計上) ～하다《합게》add up; sum《count》up; 《충당》appropriate《a sum》.

계선(繋船) mooring;《배》a laid-up《an idle》ship. ～하다 moor《lay up》a ship. ‖ ～료 a mooring fee.

계속(繼續) continuance; continuation; renewal《갱신》. ～하다 continue; go on with; last. ¶ ～적인 continuous; continual. / ～기간 period of duration / ～심의 continuous deliberation / ～예산 a rolling budget.

계수(季嫂) a sister-in-law.

계수(計數) calculation; computation. ～하다 count; calculate; compute. ‖ ～기 a calculating machine.

계수(係數) 〔數〕 a coefficient.

계수나무(桂樹─) 〔植〕 a (Chinese) cinnamon; a cassia (bark).

계승(繼承) succession. ～하다 suc-

ceed to; accede to; inherit. ‖ ～자 a successor《to the throne》; an inheritor.

계시(計時) clocking. ～하다《경기 따위에서》(check) time. ‖ ～원(員) a timekeeper.

계시(啓示) revelation; apocalypse. ～하다 reveal. ¶ 신의 ～ a revelation of God. ‖ ～록 〔聖〕 the Book of Revelation; the Apocalypse《요한 게시록》.

게시다 be; stay.

계약(契約) a contract; an agreement. ～하다 make a contract《with》; enter into an agreement《with》. ¶ ～을 이행하다 fulfill《carry out》a contract / ～을 취소《하다 cancel《break off》a contract / ～을 갱신하다 renew a contract. ‖ ～고(高) contract money / ～기간 the term of contract / ～서 a (written) contract / ～위반 (a) breach of contract / ～자 a contractor《개인》: the parties to a contract《단체》 / ～조건 the terms〔conditions〕of a contract / ～수의 ～ a private contract.

계엄(戒嚴) ‖ ～령 martial law《～령을 해제하다 lift martial law》 / ～사령관 the Martial Law Commander / ～사령부 the Martial Law Command.

계열(系列) a series; a group《회사 따위의》; a chain《상점 · 호텔의》; a category《유파 따위의》. ¶ 기업의 ～ 화 the grouping of enterprises. / ～회사 an affiliated company.

계원(係員) a clerk.

계원(契員) a member of a credit union〔loan club, mutual aid association〕.

계율(戒律) commandments; religious law; Buddhist precepts.

계인(契印) a tally impression; a joint seal. ～하다 put〔affix〕a seal over two edges.

계장(係長) a subsection head〔chief〕; a chief clerk.

계쟁(係爭) dispute; a lawsuit. ∥ ~ 당사자 a litigant / ~ 점 a point at issue; a disputed point.
계절(季節) a season. ¶ ~ 의 seasonal. ∥ ~ 풍 the monsoon.
계정(計定) an account〈생략 a/c〉.
계제(階梯) steps; stages; the course 《of things》. ② 《기회》 an opportunity; a chance; an occasion.
계좌(計座) 《open》an account 《with a bank》.
계주(契主) the organizer of a mutual finance association 〔credit union〕.
계주경기(繼走競技) a relay 《race》.
계집 ① 《여자》 a female; the fair sex. ¶ ~ 아이 a girl / ~ 종 a maid〔servant〕; a servant girl. ② 《아내》 a wife; 《정부》 a mistress. ¶ ~ 질 keeping a mistress 〔첩질〕; debauchery〔난봉〕.
계책(計策) a stratagem; a scheme; a plot.
계체량(計體量) 《체중검사》 a weigh-in.
계측(計測) ~ 하다 measure; 《토지 따위를》 survey. ∥ ~ 공학 instrumentation engineering.
계층(階層) a class; a social stratum. ¶ ~ 사회 a stratified society.
계통(系統) 《조직》 a system; 《계 도》 a family line; lineage; 《당 파》 a party. ¶ ~ 적인 systematic / ~ 적으로 systematically; methodically / ~ 을 세우다 systematize. ∥ 소화기 ~ the digestive system.
계투(繼投) 《야구에서》 a relief. ~ 하다 pitch in relief.
계표(界標) a boundary mark.
계피(桂皮) cinnamon bark. ∥ ~ 가루 cinnamon 《powder》.
계획(計劃) a plan; a project; a scheme; a program. ~ 하다 plan; 《make《form》a plan; project; scheme. ¶ ~ 적인 intentional〔고의의〕; deliberate 《숙고한》; premeditated 〈사전 고려된〉 / ~ 적으로 intentionally; deliberately /

~ 을 실행하다 carry out a plan. ∥ ~ 경제 (a) planned economy / ~ 안 a draft / 5개년 ~ a five-year plan.
곗돈(契一) money for 〔from〕 the mutual financing association.
고(꼰 따위의) a loop 《of a string》.
고(故) the late. ¶ ~ A 씨 the late 〔Mr. A.〕
고가(古家) an old house. 〔Mr. A.〕
고가(高架) ¶ ~ 의 elevated; overhead; high-level. ∥ ~ 도로 a high-level road / ~ 선 overhead wires / ~ 철도 an elevated railroad.
고가(高價) a high price. ¶ ~ 의 expensive; costly; high-priced. ∥ ~ 품 a costly 〔high-priced〕 article.
고갈(枯渇) drying up; running dry. ~ 하다 be dried up; run dry; be drained 〔exhausted〕.
고개 ① 《목의》 the nape; the scruff of the neck; the head 《비리》. ¶ ~ 를 들다 raise 《hold up》 one's head. ② 《산·언덕의》 a slope; a 《mountain》 pass. ¶ ~ 를 넘다 cross over a pass. ¶ ~ 턱 the head of a pass 〔slope〕 / 고갯길 an uphill 《ascending》 pass. ③ 《절정》 the crest; the height; the summit.
고객(顧客) a customer; a patron; a client; custom 《총칭》. ¶ ~ 이 많다 have a large custom.
고갱이(柄) the heart of a plant; the pith.
고견(高見) ① 《남의 의견》 your opinion 《view, idea》. ② 《뛰어난 의견》 an excellent opinion; a fine idea.
고결(高潔) ~ 하다 (be) noble; lofty; noble-minded.
고경(苦境) adverse circumstances; a difficult position; a fix.
고계(苦界) the bitter world; the world 《of mortals》.
고고학(考古學) archeology. ¶ ~ 의 archeological / ~ 상으로 archeologically; ∥ ~ 자 an archeologist.
고공(高空) a high in the sky;

high altitude. ¶ ~을 날다 fly high up in the air. ¶ ~비행 high-altitude flying (flight).

고과(考課) evaluation of 《*a person's*》 merits. ¶ ~표 《사람의》 a personnel record; 《회사의》 a business record / 인사의 (a) merit [efficiency] rating.

고관(高官) a high official [officer]; a dignitary; 《직위》 a high office.

고교(高校) a high school. ‖ ~내 신성적화 high school records / ~평준화 the academic standardization of high schools.

고구마 a sweet potato.

고국(故國) one's native country; 《*leave*》 one's homeland.

고군(孤軍) an isolated force. ¶ ~분투하다 fight alone [unsupported]; put up a solitary struggle.

고궁(古宮) an old palace.

고귀하다(高貴一) (be) noble; highborn; exalted.

고금(古今) ancient and modern ages; all ages. ¶ ~에 유례 없는 unprecedented.

고급(高級) ¶ ~의 high-class [-grade]; higher. ‖ ~공무원 higher (government) officials / ~장교 a high-ranking officer; the brass 《집합적》 / ~차 a high-class [deluxe] car / ~품 goods of superior quality; high-grade articles.

고급(高給) a high [big] salary. ‖ ~사원 high-salaried employees.

고기(~) ¶ 《동물의》 meat; beef 《소의》; pork 《돼지의》. ②《물고기의》 fish. ‖ ~잡이 fishing, fishery 《어렵》; a fisher 《어부》.

고기압(高氣壓) high atmospheric pressure. ‖ 대륙성~ the continental high pressure. 「role.

고기전골(─煎─) a hot beef casse-

고깔 a cowl; a monk's hood.

고깝다(be) vexing; disgusting; disagreeable; unpleasant.

고난(苦難) distress; suffering;

hardship; affliction. ¶ ~을 겪다 undergo hardships.

고뇌(苦惱) suffering; distress; affliction: anguish.

고니 〖鳥〗 a swan.

고다 ①《끓이다》 boil hard; boil down. ②《양조》 brew; distil.

고단하다(be) tired; fatigued.

고달이 a loop 《of a string》.

고달프다(be) exhausted; fatigued; tired out; done up.

고담(古談) an old tale; folklore.

고답(高踏) ¶ ~적인 highbrow; hightoned.

고대(古代) ancient [old] times; the remote past. ¶ ~의 ancient. ‖ ~사 ancient history / ~인 the ancients; ancient people.

고대(苦待) ~하다 wait eagerly for; eagerly look forward to.

고대(막) just now; a moment ago.

고대광실(高大廣室) a grand house; a lordly mansion.

고도(古都) an ancient city.

고도(孤島) a solitary [an isolated] island.

고도(高度) ①《높이》 altitude; height. ¶ ~계 an altimeter / ~비행 an altitude flight. ②《정도》 a high power [degree]. ¶ ~의 high; powerful; high-degree [-grade]; advanced 《*civilization*》. ‖ ~로 발달된 기술 highly-developed technology / ~성장기 a high-growth period.

고도리 〖魚〗 a young mackerel.

고독(孤獨) solitude; loneliness. ¶ ~하다 solitary; lonely.

고동 ①《장치》 a starter; a switch; a stopcock 《수도 등의》; a handle. ¶ ~을 틀다 [잠그다] turn on [off] 《*the water*》. ②《기적》 a steam whistle; a siren.

고동(鼓動) beat(ing); pulsation; palpitation. ¶ ~하다 beat; palpitate; throb. ¶ 심장의 ~ (a) heartbeat.

고되다(be) hard (to bear); pain-

ful. ¶ 고된 일 hard work.
고두밥 rice cooked hard.
고둥 〔貝〕 a conch; a spiral.
고드름 an icicle. 〔hard.
고들고들 ～하다 (be) dry and
고등(高等) ～의 high; higher;
advanced; high-class[-grade].
‖ ～교육 (a man with) higher
education / ～법원 a high court
(of justice) / ～학교 a (senior)
high school.
고등어 〔魚〕 a mackerel.
고딕 Gothic. ‖ ～식 건축 Gothic
architecture / ～체 《활자의》 Gothic
고라니 〔動〕 an elk. 〔type.
고락(苦樂) pleasure and pain;
joys and sorrows.
고랑《수갑》 handcuffs; mana-
cles.
고랑《두둑 사이》 a furrow. ¶ ～을
짓다 make furrows.
고래 〔動〕 a whale. ‖ ～기름
whale oil / ～수염 a whale fin.
고래(古來) ～로 from ancient
〔old〕 times; of old; time-hon-
ored.
고래고래 loudly; snarlingly. ¶ ～
소리지르다 roar; brawl.
고량(高粱) 〔植〕 kaoliang; African
〔Indian〕 millet. ‖ ～주 kaoliang
wine.
고량진미(膏粱珍味) rich and deli-
cious food; all sorts of deli-
cacies.
고려(考慮) consideration; deliber-
ation. ～하다 consider; think (a
matter) over; take (a matter)
into account [consideration].
¶ ～하지 않다 disregard;
leave (a matter) out of consid-
eration.
고려자기(高麗磁器) Goryeo ceramics
(porcelain, pottery).
고령(高齢) an advanced age ‖ ～
자 the aged; the elderly; a
person of advanced age / ～화
사회 an aging society.
고령토(高嶺土) kaolin(e).
고로(高爐) a blast furnace.
고로(故—) and so; accordingly;

therefore. ☞ 그러므로
고료(稿料) fee for a manuscript
[an article]; a manuscript fee.
고루(高樓) a lofty building.
고루(高樓) evenly; fairly.
고루하다(固陋—) (be) bigoted;
narrow-minded; conservative.
고르다 ① (be) even; equal; uni-
form. ¶ 고르지 않은 uneven; un-
equal; rugged / 고르게 evenly;
equally. ② (평평하게) level; make
even; roll(몰다로).
고르다(선택) choose; select. ¶ 골
라내다 pick out; select.
고름 pus; purulent matter. ¶ ～
을 짜다 press [squeeze] out the
pus.
고리《둥근 것》 a ring; a link; a
loop (실 따위의).
고리(高利) high interest; usury.
‖ ～대금업 usury / ～대금업자 a
usurer; a loan shark (俗) / ～채
usurious loan.
고리타분하다 ① (냄새가) stink-
ing; rancid; fetid; rank. ② (성
질이) (be) narrow-minded; small;
stingy; hackneyed(진부한).
고린내 a bad smell; an offen-
sive odor; a stench.
고릴라 〔動〕 a gorilla.
고립(孤立) isolation. ～하다 be
isolated; stand alone. ¶ ～한
isolated; solitary. ‖ ～정책 an
isolationist policy / ～주의 isola-
tionism.
고마움《감사》 gratitude; thankful-
ness; 《가치》 value; blessing (of
health).
고막〔貝〕 an ark shell.
고막(鼓膜) 〔解〕 the eardrum.
고맙다《감사하는》 (be) thankful;
grateful; obliged; appreciative;
《환영할 만한》 (be) welcome; 《친절
한》 (be) kind. ¶ 고맙게 (도)
gratefully; thankfully; fortunate-
ly; luckily.
고매하다(高邁—) (be) lofty; noble;
high-minded.
고명《양념》 a garnish; a relish; a
condiment.

고명(高名) a famous name. ～하다 (be) famous. 「many sons.

고명딸 the only daughter among

고모(姑母) one's father's sister; a paternal aunt. ‖ ～부 the husband of one's paternal aunt: an ┌uncle.

고목(古木) an old tree.

고목(枯木) a dead tree.

고무(鼓舞) encouragement. ～하다 cheer up; encourage; inspire; stir up.

고무 rubber; gum; 《지우개》 an eraser. 「～창을 댄 rubber-soled 《shoes》. ‖ ～제품 rubber goods; ～줄 an elastic cord [string]; a rubber band(둥근).

고무래 a wood rake.

고문(古文) ancient [archaic] writing; classics(고전).

고문(拷問) torture: the third degree 《美》. ～하다 torture; give 《a person》 the third degree. ‖ ～대 a rack.

고문(顧問) an adviser; a counselor; a consultant. ‖ ～변호사 a consulting lawyer.

고물[1] *gomul*: ground grain for coating rice-cakes.

고물[2] 《배의》 the stern.

고물(古物) 《① 골동품. ② 《낡은 것》 an old article; a secondhand article. ‖ ～상 a secondhand dealer(사람); a secondhand store(가게).

고미(苦味) a bitter taste.

고미다락 a kind of attic; a garret.

고민(苦悶) agony; anguish. ～하다 be in agony [anguish]; writhe in agony.

고발(告發) accusation; charge. ～하다 accuse 《a person》 of 《a crime》; bring a charge against 《a person》. ‖ ～자 an accuser; an informant / ～장 a bill of indictment.

고배(苦杯) a bitter cup. 「～를 마시다 drink a bitter cup; go through an ordeal; be miserably defeated(승부에서).

고백(告白) (a) confession. ～하다

confess; own up; admit.

고별(告別) leave-taking; parting. ～하다 take one's leave 《of》; say good-bye 《to》; bid adieu [farewell] 《to》. ‖ ～사 a farewell address / ～식 a farewell ceremony; a farewell [funeral] service(사자에 대한).

고본(古本) a secondhand book; an old book.

고봉(高峰) a lofty peak; a high mountain. ‖ ～준령 high mountains and steep peaks.

고부(姑婦) a mother-in-law and a daughter-in-law.

고분(古墳) an old mound [tomb]; a tumulus.

고분고분 gently; meekly; obediently. ～하다 (be) gentle; meek; mild; obedient.

고분자(高分子) 《化》 a high molecule(polymer).

고비[1] 《절정》 the climax; the crest; the height; 《위기》 the brink; the verge; a critical moment; a crisis. 「～를 넘다 pass the critical moment (병 따위); pass the peak 《of》 (물가 따위).

고비[2] 《植》 a flowering fern.

고비사막(―沙漠) the Gobi desert.

고뿔 a cold. 「감기.

고삐 reins; a bridle. 「～를 당기다 tighten [pull up] the reins / ～를 늦추다 slacken the reins; give the reins 《to the horse》.

고사(古史) ancient history.

고사(考査) an examination; a test. ～하다 examine; test.

고사(告祀) a traditional practice [rite] appeasing household gods; *gosa*.

고사(固辭) ～하다 refuse [decline] positively.

고사(枯死) withering to death and die; be dead.

고사(故事) 《유래》 an origin; a historical fact; an ancient event; 《전설》 (a) tradition.

고사(高射) ‖ ～기관총 an anti-air-

ㄱ

craft machine gun / ～포 an anti-aircraft gun; an A.A. gun / ～포 부대 an anti-aircraft battery.

고사리 〖植〗 a bracken.

고사하고(姑捨―) apart from; setting aside; 《말할 것도 없고》 to say nothing 《*of*》; not to mention; 《커녕》 anything but; far from; not at all.

고산(高山) a high [lofty] mountain. ‖ ～병 〖醫〗 mountain sickness / ～식물 〖植〗 an alpine plant; alpine flora(총칭).

고상하다(高尙―) (be) lofty; noble; refined; elegant.

고색(古色) an antique look. ¶ ～창연한 antique-looking.

고생(苦生) 《곤란》 trouble(s); hardship(s); difficulties; sufferings; 《수고》 labor; pains; toil. ～하다 have a hard time; suffer hardships; have difficulty [trouble] 《*in doing*》; take pains. ‖ ～살이 a hard life; a life full of hardships.

고생대(古生代) 〖地〗 the Paleozoic (era). ¶ ～의 Paleozoic.

고생물(古生物) extinct animals and plants. ‖ ～학 paleontology.

고서(古書) an old book; rare books(진귀본); a secondhand book(헌 책).

고성(古城) an old [ancient] castle.

고성(高聲) a loud voice. ¶ ～으로 loudly; aloud.

고성능(高性能) high performance [efficiency]. ¶ ～의 highly efficient; high-performance [-powered]. ‖ ～수신기 a high-fidelity receiver.

고소(告訴) 〖法〗 an accusation; a complaint; a legal action. ～하다 accuse 《*a person of a crime*》; bring a charge [suit] 《*against*》; sue 《*a person*》 (for a crime). ¶ ～를 수리[기각, 취하]하다 accept [reject, withdraw] a complaint. ‖ ～인 an accuser; a complainant / ～장 a letter of complaint.

고소(苦笑) bitter [grim, forced] smile. ～하다 smile bitterly [grimly]; force a smile.

고소(高所) a high place [ground]; a height. ‖ ～공포증 acrophobia.

고소득(高所得) a high [large] income.

고소하다 ① 《맛·냄새가》 taste [smell] like sesame; (be) tasty; savory; nice-smelling. ② 《남의 일이》 be pleased 《*to see other's fault*》.

고속(高速) high speed; superspeed. ‖ ～도로 a freeway; an expressway; a motorway 《英》 (경부～도로 the Seoul-Busan Expressway) / ～버스 an express bus / ～철도 a high-speed railway / ～화 도로 a semi-expressway.

고수(固守) ～하다 adhere [stick] to.

고수(鼓手) a drummer.

고수머리 《머리》 curly [frizzled] hair; 《사람》 a curly-pate; a curly-pated person.

고수부지(高水敷地) the riverside highlands; the terrace land on the river.

고스란히 all; altogether; wholely; untouched; intact.

고슬고슬하다 《밥이》 be cooked just right(서술적).

고슴도치 〖動〗 a hedgehog.

고승(高僧) a high priest.

고시(告示) a notice; a bulletin; an announcement. ～하다 notify; give notice 《*of*》. ‖ ～가격 an officially fixed price / ～판 a bulletin board; a message board.

고시(考試) (an) examination. ‖ 고등～ the higher civil service examination / 국가～ a state examination.

고식(姑息) ¶ ～적인 temporizing; makeshift.

고실(鼓室) 〖解〗 the eardrum.

고심(苦心) 《노력》 pains; hard work. ～하다 work hard; take

pains; make every possible effort.

고아(孤兒) an orphan. ∥ ~원 an orphanage.

고아하다(古雅─) (be) antique and elegant; quaint; classical.

고안(考案) an idea; a design. ∥ ~하다 devise; contrive; design; work out. ∥ ~자 a designer; an originator.

고압(高壓) 《기압의》 high pressure; 《전기의》 high voltage. ∥ ~적인 high-handed; oppressive. ∥ ~선 a high-voltage cable / ~전류 a high-voltage current.

고액(高額) a large sum (of money). ∥ ~권 a bill of high denomination / ~납세자 a high [an upper-bracket] taxpayer / ~소득자 a large-income earner.

고약(膏藥) a plaster; an ointment.

고약하다(생김새가) (be) ugly; bad-looking; 《성미가》 (be) ill-natured; crooked; wicked; 《냄새·맛·날씨 따위가》 (be) bad; nasty; foul; disgusting; offensive. ¶ 고약한 놈 an ill-natured [a nasty] fellow / 고약한 냄새 a nasty [foul] smell / 고약한 성미 an ugly temper.

고양이 a cat; a puss(y) 《애칭》. ∥ 새끼 ~ a kitten.

고어(古語) an archaic word.

고언(苦言) bitter counsel; candid [outspoken] advice.

고역(苦役) hard work; a tough job; toil; drudgery.

고열(高熱) a high fever [temperature]. ¶ ~이 있다 have [get] a high fever.

고엽(枯葉) a dead [withered] leaf. ∥ ~작전 defoliation tactics / ~제 a defoliant.

고옥(古屋) an old house.

고온(高溫) a high temperature. ∥ ~계(計) a pyrometer.

고요하다 (be) quiet; silent; still; calm; placid; tranquil.

고용(雇用) employment; hire. ∥ ~하다 employ; hire. ∥ ~주 an employer.

고용(雇傭) 《피고용》 employment; engagement. ~ 하다 be employed [hired]. ∥ ~계약 an employment contract / ~관계 employment relationship / ~인《피고용자》 an employee / ~조건 employment conditions [terms].

고원(高原) a plateau; a highland. ∥ ~지대 a plateau area.

고위(高位) a high rank. ∥ ~관리 a ranking government official / ~급 회담 a high-level talk.

고위도(高緯度) a high latitude.

고유(固有) 《to》 characteristic 《of》; of one's own 《독특한》; native 《자국의》. ∥ ~명사 a proper noun / ~성 peculiarity.

고육지계(苦肉之計) ¶ ~를 쓰다 have recourse to the last resort; take a desperate measure 《under the circumstances》.

고율(高率) a high rate. ¶ ~의 이자 a high (rate of) interest; ∥ ~관세 a high tariff / ~배당 a high rate dividend.

고을 a county; a district.

고음(高音) a high-pitched tone; a high key. ∥ ~부 《樂》 the soprano; the treble.

고의(故意) ¶ ~의 intentional; deliberate; willful / ~로 intentionally; on purpose; deliberately / ~가 아닌 unintentional / ~적 과실 《法》 willful negligence.

고이 ①《곱게》 beautifully; finely; gracefully. ②《조용히》 peacefully; gently; quietly; carefully. ∥ ~ 하다 《故人》 the deceased [departed]; the dead 《총칭》. ¶ ~이 되다 die; pass away.

고인돌 a dolmen.

고자(鼓子) a man with under-developed genital organs.

…고자《in order to》 wishing to; to. ¶ 하~ 하다 intend 《to》; plan.

고자세(高姿勢) a high-handed attitude.

고자쟁이(告者─) an informant; a

ㄱ

taleteller.

고자질(一) ~하다 tell on 《a person》; tell 〔bring〕 tales 《about》.

고작 at (the) most; at best; no more than; only.

고장〔지방〕 locality; 《산물의》 the place of production; 《동식물의》 the home; the best place 《for》.

고장〔故障〕 《기계 따위의》 a breakdown; a fault; trouble. ¶ ~ 나다 get out of order; break down; go wrong.

고쟁이 a woman's drawers 〔panty〕.

고저(高低) 《기복》 unevenness; undulations; 《시세의》 fluctuations; height(높이); pitch; modulation (음성의). ¶ ~ 있는 undulating; uneven; fluctuating.

고적(古蹟) historic remains; a place of historical interest.

고적(孤寂) solitude; loneliness. ~하다 (be) solitary; lonely.

고적대(鼓笛隊) a drum and fife band.

고적운(高積雲) an altocumulus.

고전(古典) the classics. ¶ ~적인 classic(al). ‖ ~주의 classicism.

고전(古錢) an ancient 〔old〕 coin. ‖ ~수집가 a collector of old coins.

고전(苦戰) a hard fight〔battle〕; 《경기의》 a close game; a tight 〔tough〕 game. ~하다 fight hard 〔desperately〕; have a close contest.

고정(固定) ~하다 fix; settle. ¶ ~된 fixed; regular; stationary. ‖ ~관념 a fixed idea / ~급 a regular pay / ~손님 a regular customer / ~수입 a fixed income / ~자산 fixed property 〔assets〕 / ~표 solid 〔loyal〕 votes.

고제(古制) old systems; ancient institutions.

고조(高潮) 《밀물》 the high tide; flood tide; 《고비》 the climax.

고조모(高祖母) one's great-great-grandmother. 「grandfather.

고조부(高祖父) one's great-great-

고종 사촌(姑從四寸) a cousin; a child of one's father's sister.

고주망태(dead) drunkenness.

고주파(高周波) 〔理〕 high-frequency.

고증(考證) (a) historical research 〔investigation, study〕. ~하다 study 〔ascertain〕 the historical evidence 《for》. ‖ ~학 the methodology of historical researches.

고지(호박 따위의) chopped and dried pumpkins, eggplant, etc.

고지(告知) a notice; a notification. ~하다 notify 《a person》 of 《a matter》. ‖ ~서 a tax bill; tax papers.

고지(高地) highlands; 《고원》 heights; a plateau. ‖ ~훈련 high altitude training.

고지대(高地帶) the lully sections 《of a city》. 「grosbeak.

고지새〔鳥〕 a migratory Chinese

고지식하다 (be) simple and honest; simple-minded; tactless.

고진감래(苦盡甘來) Sweet after bitter. or Pleasure follows pain.

고질(痼疾) a chronic disease.

고집(固執) stubbornness; persistence; adherence. ~하다 persist in; adhere 〔stick〕 to; hold fast to; insist on. ¶ ~센 stubborn. ‖ ~불통 extreme stubbornness 〔persistence〕 / ~쟁이 a head-strong person; a stubborn one.

고착(固着) ~하다 adhere〔stick〕 to. ‖ ~관념 a fixed idea.

고찰(古刹) an old 〔ancient〕 temple.

고찰(考察) consideration; (a) study. ~하다 consider; study; examine.

고참(古參) 《사람》 a senior; a veteran; an old-timer. ¶ ~된 senior; veteran. ‖ ~병 a veteran soldier; a senior comrade.

고철(古鐵) scrap iron; steel scraps. ¶ ~상 a junk dealer.

고체(古體) archaic style; archaism.

고체(固體) 〔理〕 a solid (body). ¶ ~의 solid / ~화하다 solidify. ‖ ~연료 solid fuel.

고초(苦楚) hardships; sufferings; troubles; trials. ¶ ~를 겪다 suffer hardships. 「ancient tomb.
고총(古塚) an old mound; an
고추(椒) a red pepper. ¶~잠자리 a red dragonfly / ~장 Korean hot pepper paste / 고춧가루 powdered red pepper.
고충(苦衷) a painful position; a dilemma; a predicament.
고취(鼓吹) ~ 하다 inspire (*a person*) with an idea; put (*an idea*) into (*a person's*) mind; advocate (*nationalism*).
고층(高層) 《건물의》 higher stories; upper floors; 《대기의》 a high layer. ‖ ~건(축)물 a high (tall) building; a skyscraper / ~기류 the upper air (current) / ~단지 a high-rise housing (apartment) complex.
고치 a (silk) cocoon. ¶ ~에서 실을 잣다 reel silk off cocoons.
고치다 ① 《치료》 cure; heal; remedy. ¶병을 ~ cure a disease. ② 《수리》 mend; repair; fix (up) 《美》. ¶기계를 ~ repair a machine. ③ 《교정》 remedy; reform; correct. ¶나쁜 버릇을 ~ correct (get rid of, get over) a bad habit. ¶《맞춤법을》 correct; amend. ¶틀린 데를 ~ correct errors (mistakes). ⑤ 《변경》 alter; change; shift. ¶예정표를 ~ change the schedule. ⑥ 《조정》 set right; put in order; adjust. ¶복장을 ~ adjust *one's* dress; tidy *oneself*.
고토(故土) *one's* native land (place).
고토(苦土) 【化】 magnesia. ‖ ~운모(雲母) 【鑛】 biotitite.
고통(苦痛) pain; suffering; agony; anguish. ¶ ~스러운 painful; afflicting; tormenting / ~을 느끼다 feel a pain; suffer pain; be in pain / ~을 참다 endure the pain; ~을 주다 give (*a person*) pain; hurt (*a person*) / ~을 덜다 relieve (ease) the pain.
고패 a pulley. ‖ 고팻줄 a pulley cord (rope).
고풍(古風) an antique style; an old fashion. 「feel hungry.
고프다 (be) hungry. ¶배가 ~
고하(高下) 《지위의》 rank; 《품질의》 quality; 《시세의》 fluctuations.
고하다(告―) tell; inform; announce. ¶ ~에게 작별을 ~ bid farewell to ....
고학(苦學) ~ 하다 study under adversity; work *one's* way through school (college). ‖ ~생 a self-supporting (working) student.
고함(高喊) a shout; a roar; a yell. ¶ ~ 지르다 shout; yell; roar.
고해(苦海) this (bitter human) world.
고행(苦行) asceticism; penance. ~ 하다 practice asceticism; do penance. ‖ ~자 an ascetic.
고향(故鄕) *one's* home; *one's* native place; *one's* birthplace.
고혈(膏血) sweat and blood.
고혈압(高血壓) 【醫】 high blood pressure; hypertension. ‖ ~환자 a hypertensive.
고형(固形) solidity. ¶ ~의 solid / ~화하다 solidify. ‖ ~물(체) a solid body; a solid.
고혼(孤魂) a solitary spirit.
고화(古畵) an ancient picture; an old painting.
고환(睾丸) 【解】 the testicles; ~염 orchitis.
고희(古稀) seventy years of age; *one's* 70th birthday.
곡(曲) 《음악의》 a tune; an air; a piece of music.
곡(哭) wailing; lamentation. ~ 하다 lament; weep; bewail.
곡가(穀價) the price of grain.
곡괭이 a pick; a pickax.
곡구(曲球) 《野》 a curve (ball); a bender; 《拳》 a fancy shot.
곡기(穀氣) food. ¶ ~를 끊다 go without meals. 「《英》.
곡류(穀類) cereals; grain 《美》; corn
곡률(曲率) curvature. ‖ 공간 ~ a space curvature.

곡마(曲馬) a circus (show). ‖ ~단 a circus (troupe).

곡목(曲目) a program; a selection (*for a concert*); a number.

곡물(穀物) cereals; grain 《美》; corn 《英》. ‖ ~가격 grain [cereal] prices / ~상 the grain market / ~상 a grain dealer.

곡사(曲射) high-angle fire. ‖ ~포 a howitzer; a high-angle gun.

곡선(曲線) a curve; a curved line. ‖ ~을 그리다 curve; describe a curve.

곡성(哭聲) a cry; a wail.

곡식(穀—) cereals; corn 《英》; grain 《美》.

곡예(曲藝) a (an acrobatic) feat; a stunt; a trick. ‖ ~사 an acrobat; a tumbler / 공중 ~ an aerial stunt performance (서커스의); stunt flying, aerobatics (항공기의).

곡절(曲折) ① 《까닭》 reasons; the whys and hows. ② 《복잡》 complications; 《변천》 vicissitudes; ups and downs (부침).

곡조(曲調) a tune; an air; a melody.

곡창(穀倉) a granary; a grain elevator 《美》. ‖ ~지대 a granary.

곡해(曲解) misconstruction; (willful) distortion. ~하다 misconstrue; interpret wrongly; distort.

곤경(困境) an awkward position; a predicament; a fix. ‖ ~에 빠지다 be thrown into a fix.

곤궁(困窮) poverty; destitution. ‖ ~한 poor; needy; destitute / ~한 사람은 the poor; the needy.

곤돌라 a gondola.

곤두박이치다 fall headlong; fall head over heels.

곤두서다 stand on end; 《머리털이》 bristle up.

곤두세우다 set on end; erect; bristle up(머리털을); ruffle up(깃털을).

곤두라지다 drop off to sleep; sink into a slumber.

곤드레만드레 dead-drunk.

곤란(困難) difficulty; trouble; 《곤궁》 distress; 《고난》 hardships. ‖ ~ 難 difficult; hard; troublesome / 생활이 ~하다 be hard up; be in needy circumstances.

곤룡포(袞龍袍) an Imperial [a Royal] robe.

곤봉(棍棒) a club; a cudgel; 《경찰봉》 a billy 《美》; a truncheon 《英》.

곤약(蒟蒻) paste made from the arum root.

곤욕(困辱) bitter insult; extreme affront.

곤장(棍杖) a club (for beating criminals). ‖ ~을 안기다 flog.

곤쟁이 a kind of tiny shrimp.

곤죽 ① 《진창》 sludge; quagmire. ② 《뒤범벅》 a mess. 『mouse.

곤줄박이 〖鳥〗 a varied tit; a tit-『곤지 the red spot on a bride's brow.

곤충(昆蟲) an insect. ‖ ~망 an insect net / ~채집 insect collecting / ~학 entomology / ~학자 an entomologist.

곤하다(困—) (be) exhausted; weary; fatigued; dog-tired. ‖ 곤히 be tired to death.

곧 ① 《바로》 at once; immediately; directly; without delay; 《머지않아》 soon; before long. 『지금 ~ this very instant; right now. ② 《쉽게》 easily; readily; straight off. ③ 《즉》 namely; that is (to say).

곧다 ① 《물건이》 (be) straight; upright. 『~은 길 a straight road. ② 《마음이》 (be) honest; upright.

곧바로 straight; at once.

곧이곧대로 honestly; straightforwardly. ‖ ~ 말하다 tell it straight; speak out in a straightforward manner.

곧이듣다 take 《a person's》 words seriously; believe 《what a person says》; accept 《a thing》 as true.

곧잘 《제 잘》 fairly [pretty] well-

readily.

곧장 directly; straight; without delay.

골¹ 【의학】 ~【골수】 the (bone) marrow; 〔머릿골〕 the brain.

골² 〔틀〕 a block; a mold.

골³ 〔성〕 anger; rage. ~이 나다 이 나라 be angry / ~내다 get 〔become〕 angry 《*with, at*》 / ~풀다 lose *one's* temper.

골⁴ 〔문〕 the goal. ‖ ~라인[포스트] a goal line 〔post〕 / ~키퍼 a goalkeeper.

골간(骨幹) 〔뼈대〕 physique; framework; 〔분자〕 essentials; the basis; the fundamentals.

골격(骨格) 〔체격〕 frame; build; 〔건물의〕 a framework.

골골하다 suffer from a chronic disease; suffer constantly from weak health.

골다 〔코를〕 snore. ‖ 드렁드렁 코를 ~ snore heavily.

골동품(骨董品) a curio; an antique. ‖ ~상 a curio 〔antique〕 store; an antique dealer 〔사람〕 / ~애호가 a virtuoso; a curioso.

골든아워 (at) the prime time; the peak listening 〔viewing〕 hour.

골몰하다 (be) absorbed 〔engrossed, lost〕 《*in*》; intent 《*on*》; given 《*to*》. ‖ ~히 absorbedly.

골라잡다 choose; take *one's* choice.

골마루 a rear veranda(h).

골막(骨膜) 【解】 the periosteum. ‖ ~염 【醫】 periostitis.

골머리 the brain; the head. ‖ ~를 앓다 be troubled; be annoyed.

골목 an alley; a side street 〔road〕; a byway. ‖ 막다른 ~ a blind alley; the dead end. ‖ ~대장 the cock of the walk; the boss of youngsters.

골몰하다(汨沒—) (be) immersed 〔absorbed, engrossed〕 《*in*》.

골무 a thimble.

골반(骨盤) 【解】 the pelvis.

골방(—房) a back room; a closet.

골병들다(—病—) get injured internally.

골분(骨粉) powdered bones; bone dust. ‖ ~비료 bone manure.

골상(骨相) physiognomy; *one's* features. ‖ ~학 phrenology / ~학자 a phrenologist.

골생원(—生員) 〔옹졸한〕 a narrow-minded person; 《허약한》 a weak 〔sickly〕 man.

골수(骨髓) 【解】 the (bone) marrow; the medulla. ‖ ~에 사무치다 cut 〔go〕 deep into *one's* heart. ‖ ~기증자 a bone-marrow donor / ~이식 a hard core / ~염 【醫】 osteomyelitis / ~이식 a marrow transplant / ~종 a myeloma.

골육(骨肉) *one's* own flesh and blood; kindred; blood relations. ‖ ~종〔腫〕 an osteosarcoma.

골자(骨子) the gist; the essence; the main point.

골절(骨折) a fracture (of a bone). ‖ ~하다 break a bone; suffer a fracture.

골질(骨質) bony 〔osseous〕 tissue.

골짜기 a valley; a gorge; a ravine; a dale.

골초(— 草) 〔담배〕 poor-quality tobacco; 《사람》 a heavy smoker.

골치 the head. ‖ ~ 아픈 문제 a troublesome question / ~가 아프다 have a headache. ‖ 골칫거리 a pain in the neck.

골탄(骨炭) animal 〔bone〕 charcoal; boneblack.

골탕(—湯) great injury 〔insult〕. ‖ ~먹다 suffer a big loss; have a hard 〔rough〕 time of it.

골통대 a tobacco pipe.

골패(骨牌) domino(e)s.

골풀 【植】 a rush.

골프 golf. ‖ ~를 치다 play golf. ‖ ~연습장 a driving range / ~장 golf links; a golf course / ~채 〔공〕 a golf club 〔ball〕.

골학(骨學)〖解〗osteology.
골회(骨灰) bone ashes.
곪다 ① 《상처가》 form pus; fester; gather. ②《사물이》 come to a head; ripen.
곯다¹ 《덜 차다》 remain unfilled; be still not full; be a little short of full. ②《배가》 go hungry.
곯다² ① 《썩다》 rot; go bad; spoil; get stale. 《연결들다》 suffer (receive) damage (a loss); get injured internally(내발).
곯리다 ① 《그릇을》 fill short of the full measure. ②《배를》 underfeed; let (a person) go hungry.
곯리다² 《썩게하다》 rot; spoil; 《해롭게 하다》 inflict injury (damage) upon (a person); do harm to; cause damage to; 《약자를》 bully; play trick on.
곯아떨어지다《술에》 lie with liquor; drink oneself to sleep; 《잠에》 be dead asleep.
곰 ① 〖動〗a bear. 〖 ~ 새끼 a bear's cub. 《사람》 a fathead; a slow-witted person.
곰곰(이) carefully; deeply; deliberately. ¶~ 생각하다 think it over; mull (the matter) over.
곰국 thick soup of meat; beef broth.
곰방대 a short tobacco pipe.
곰배팔이 a person with a deformed (mutilated) arm.
곰보 a pockmarked person.
곰살궂다 《be gentle; meek; kind.
곰탕(─湯) ① ☞ 곰국. 《밥을 넣은》 meat and rice soup.
곰팡(이) mold; mildew; must. ¶~나 나는 musty; fusty; moldy / ~ 나다 《슬다》 get (become) moldy (musty); be covered with mold. 〖 ~균 a mold (fungus).
곱 《곱절》 times; double.
곱다¹ 《모습·소리 따위가》(be) beautiful; pretty; lovely; fine; 《마음씨가》(be) tender; kindly; gentle. ¶ 곱게 beautifully; prettily; charmingly.

곱다² 《손발이》(be) numb; benumbed (with cold).
곱똥 mucous feces (stools).
곱빼기 ①《음식의》 a double-measure of (liquor); a double-the-ordinary dish(요리). ② 《갑절》 double; two times. 〖back.
곱사등이 a humpback; a hunchback.
곱살기다 fret; be fretful.
곱상스럽다 (be) pretty(얼굴이); gentle(마음씨가).
곱새기다 《오해》 misunderstand; misconstrue; 《곡해》 misinterpret; 《고깝게 여기다》 think ill of; 《거듭 생각하다》 think (a matter) over and over.
곱셈 multiplication. ~하다 multiply; do multiplication.
곱슬곱슬하다 (be) curled; curly; 〖wavy.
곱자 a square.
곱절 double.
곱절 《배(倍)》 times; double. ~하다 double (it). 두 ~ double; twice; two times / 두 ~ 〔수〕twice as much (many) as.
곱창 the small intestines of cattle.
곱하다 multiply. ¶3에 2를 ~ multiply 3 by 2. 〖곱하기 multiplication.
곳《장소》a place; a spot(좁은); a scene(현장); 《사는 곳》 one's home (address).
곳간(庫間) a warehouse; a storehouse. 〖 ~차 a box waggon (美); a boxcar (美). 〖house.
곳집(庫 ─) a warehouse; a store
공 a ball. ¶~을 차다 (던지다) kick (throw) a ball.
공(公) ① 《공사》 public matters; public affairs. ②《공작》 a prince; a duke (영국의).
공(功) a meritorious service; merits. ¶~을 들이다 elaborate; exert oneself (to do); work hard.
공(空) 《영》 zero; 〔수〕naught; nothing (허사); 《법》 emptiness; 《원》 a circle; an 'O'.

공 a gong. ¶ ~이 울렸다《권투》 There is the bell.

공가(空家) an empty [an unoccupied, a vacant] house.

공간(空間) space; room. ¶ ~의 spacial; spatial. ∥ ~감각 a sense of space / ~ 예술 spatial art.

공갈(恐喝) a threat; a menace; blackmail. ~하다 threat; blackmail; menace. ∥ ~죄 the crime of blackmail.

공감(共感) sympathy. ~하다 sympathize 《with》.

공개(公開) ~하다 open 《a thing》 to the public; exhibit. ¶ ~된 open (to the public). ~ 석상에서 in public. ∥ ~강좌 an open class; an extension course / ~수사 an open investigation / ~토론회 an open forum.

공개념(公概念) the public concept.

공개방송(公開放送) open broadcasting.

공개입찰(公開入札) a public [an open] bidding.

공격(攻擊) an attack; an assault; an offense; an assault; a charge; censure. ~하다 attack; assault; criticize. ∥ ~군 an attacking force / ~력 striking [offensive] power / ~무기 offensive weapons [arms] / ~정신 [자세] an offensive spirit [posture].

공경(恭敬) respect; reverence. ~하다 respect 《one's teacher》; revere. ¶ ~할 만한 respectable; venerable.

공고(工高) a technical high school.

공고(公告) a public [an official] announcement [notice]. ~하다 notify publicly; announce.

공고하다(鞏固 ─) (be) firm; solid; strong. ¶ ~한 유대 strong ties.

공공(公共) ~의 public; common. ∥ ~기관 a public institu-tion / ~기업체 a public corporation / ~단체 a public body / ~복지 public welfare / ~사업 a public enterprise / ~요금 public utility charges / ~위생[시설, 재산] public health [facilities, property].

공공(空空)《형용사적》undisclosed; a certain; unidentified.

공공연하다(公公然 ─) (be) open; public. ¶공공연히 openly; publicly; in public.

공과(工科) the engineering department. ∥ ~대학 an engineering college; an institute of technology.

공과(功過) merits and demerits.

공과금(公課金) public imposts [charges]; taxes.

공관(公館) an official residence; Government establishments. ∥ ~장 회의 a conference of the heads of diplomatic mission abroad.

공교롭다(工巧 ─)《뜻밖》(be) unexpected; coincidental; (in)opportune; casual; accidental. ¶공교롭게 by chance (우연히); unluckily; unfortunately 《제수없게》; unexpectedly 《의외로》.

공구(工具) a tool; an implement. ∥ ~상자 a toolbox.

공구(工區) a section of works.

공국(公國) a dukedom.

공군(空軍) an air force. ∥ ~기지 an air base / ~력 air power / ~사관학교 an air force academy / 한국 ~ the Republic of Korea Air Force (ROKAF).

공권(公權) ① 《국가의》 = ~력. ② 《개인의》 civil rights; citizenship. ∥ ~력 governmental authority; public power / ~박탈 [정지] deprivation [suspension] of civil rights.

공권(空拳) a bare hand.

공극(空隙) an opening; a gap.

공금(公金) public funds [money]. ¶ ~을 횡령하다 embezzle public money.

공급(供給) supply; provision. ~하다 supply (furnish, provide) 《a person》 with. ▮ ~원(源) a source of supply / ~자 a supplier.

공기(工期) 【建】 a term of works.

공기(公器) a public organ (institution).

공기(空氣) air; atmosphere(분위기). ▮ 탁한[신선한] ~ foul [fresh] air / ~ 유통이 좋은[나쁜] well-[poorly-] ventilated; airy (stuffy). ▮ ~냉각기 an air cooler / ~오염 air pollution; atmospheric pollution / ~전염 infection by air / ~정화기 an air purifier / ~총 an air gun.

공기업(公企業) public enterprise; a government project.

공납금(公納金) 《부과금》 public imposts; 《학교의》 regular school payments.

공단(工團) an industrial complex.

공단(公團) a public corporation.

공대(恭待) ~하다 receive 《a person》 cordially 《대접》; address with respect 《존대》.

공대공(空對空) air-to-air 《missile》.

공대지(空對地) air-to-surface 《missile》.

공대함(空對艦) air-to-ship 《missile》.

공덕(公德) public morality. ▮ ~심 sense of public morality; public spirit.

공덕(功德) charity; a pious act.

공도(公道) 《도로》 a highway; a public way; 《정의》 justice; equity.

공돈(空–) easy money; unearned [easily gained] money.

공동(共同) cooperation; collaboration. ~하다 cooperate with; work together. ▮ ~으로 in cooperation with / ~의 적 a common enemy. ▮ ~개발 joint development / ~경영 joint operation / ~기자회견 a joint press conference / ~묘지 《대중의》 cemetery / ~성명 《issue》 a joint communiqué (statement) / ~연구 joint (group) researches; a joint study / ~제작 joint production / ~출자 joint investment.

공동(空洞) a cave; a cavern. ▮ ~화하다 become hollow; lose substance.

공동가입(共同加入) 《전화》 joint subscription. ▮ ~선 a party line / ~자 a joint subscriber.

공동생활(共同生活) community (communal) life. ~하다 live together.

공동체(共同體) a community; a communal society.

공들다(功–) require (take) much labor; cost strenuous effort.

공들이다(功–) elaborate; do elaborate (careful) work; exert one-self; apply oneself to.

공략(攻略) take 《a castle》; capture 《a fort》.

공란(空欄) a blank; a blank space (column).

공람(供覽) ~하다 submit 《things》 to public inspection; exhibit 《things》 before the public.

공랭(空冷) air cooling. ▮ ~의 air-cooled 《engine》.

공략(攻略) capture; invasion(침략). ~하다 capture; invade.

공로(功勞) meritorious services; merits. ▮ ~자 a person (man) of merits / ~장 a distinguished service medal / ~주(株) 【商】 a bonus stock.

공로(空路) an air route (lane); an airway.

공론(公論) public opinion; the consensus (of opinion).

공론(空論) an empty theory; a futile argument; an academic argument (discussion). ▮ ~가 a doctrinaire / 탁상~ an armchair theory (plan).

공룡(恐龍) a dinosaur.

공률(工率) rate of production.

공리(公利) public welfare (interests).

공리(功利) utility. ▮ ~적인 utilitarian. ▮ ~주의 utilitarianism /

~ 주의자 a utilitarian.

공립(公立) ¶ ~의 public: municipal (시립의). ‖ ~ 학교 a public school.

공매(公賣) public auction (sale). ‖ ~ 하다 sell by auction: sell at auction (美). ‖ ~ 처분 disposition by public sale.

공명(公明) fairness: justice: openness. ‖ ~ 선거 a clean (corruption-free) election.

공명(功名) a great exploit (achievement): a glorious deed: a feat of arms (무공). ‖ ~ 심 aspiration: ambition.

공명(共鳴) 【理】 resonance: (공감) sympathy: response. ~ 하다 (울 채가) be resonant with: (마음이) sympathize (feel) with: respond to. ‖ ~ 기 a resonator.

공모(公募) a public appeal (*for contribution*): an offer for public subscription (주식 등의): public advertisement (of a post). ~ 하 다 offer shares for public subscription (주식을): raise (*a fund*) by subscription (기부를).

공모(共謀) conspiracy. ~ 하다 conspire (plot) together: conspire (plot) with *a person*. ‖ ~ 자 a conspirator: an accomplice.

공무(公務) official business (duties): government affairs. ‖ ~ 집행방해 interference with a government official in the exercise of his duties.

공무원(公務員) an official: a public official: a civil servant.

공문(公文) (문서) an official document (paper): ‖ ~ 서를 위조하다 forge official documents.

공문(空文) a dead letter.

공물(供物) an offering (*to the spirits of one's ancestors*): a tribute.

공민(公民) a citizen. ‖ ~ 교육 civic education / ~ 권 citizenship: civil rights.

공박(攻駁) refutation: attack. ~ 하다 refute: confute: argue against.

공방(攻防) offense and defense. ‖ ~ 전 an offensive and defensive battle. (tiple.

공배수(公倍數) 【數】 a common multiple.

공백(空白) a blank: blank (unfilled) space: (비유적) a vacuum. *(with)*. ‖ ~ 을 메우다 fill (in) the blank (accomplice.

공범(共犯) conspiracy. ‖ ~ 자 an

공법(工法) a method of construction. ‖ 실드 ~ 【建】 the shield method.

공법(公法) public law. ‖ 국제 ~ international law.

공병(工兵) a military engineer. ‖ ~ 대 a military engineer corps.

공보(公報) an official report (bulletin). ‖ 선거 ~ an election bulletin. ‖ ~ 실 (국) the Office (Bureau) of Public Information / 미국 ~ 원 the U.S. Information Service (생략 USIS).

공복(公僕) a public servant.

공복(空腹) hunger: an empty stomach.

공부(工夫) study. ~ 하다 study. ‖ 시험 ~ study for an examination.

공분(公憤) righteous indignation.

공비(工費) the cost of construction: construction expenses.

공비(公費) public expense.

공비(共匪) red (communist) guerrillas. ‖ 무장 ~ armed red guerrillas.

공사(工事) (construction) works: construction. ~ 하다 construct: do construction work (*at, on*). ¶ ~ 중이다 be under construction. ‖ ~ 비 the cost of construction / ~ 현장 (판) a site of construction.

공사(公私) official (public) and private matters.

공사(公社) a public corporation.

공사(公使) a minister. ¶ 주한 프랑 스 ~ the French Minister to Korea / 특명전권 ~ an envoy extraordinary and minister

plenipotentiary. ‖ ~관 a legation / ~관원 the personnel [staff] of a legation(총칭).

공사(公事) public [official] affairs.

공사채(公社債) bonds; (public) bonds and coporate debentures. ‖ ~시장 the bond market / ~형 투자신탁 a bond investment trust.

공산(公算) probability. ‖ …할 ~이 크다 There is a strong probability that ....

공산(共産) ¶ ~화하다 communize. ‖ ~권 the Communist bloc / ~당 the Communist Party / ~주의 communism.

공산명월(空山明月) ① the moon shining on a lone mountain. ② 〔대머리〕 a bald head.

공산품(工産品) industrial products.

공상(空想) an idle fancy; a daydream; imagination. ~하다 fancy; imagine; daydream. ‖ ~적인 fanciful; imaginary. ‖ ~가 a (day)dreamer / ~과학소설 science fiction (생략 SF).

공생(共生) 〔生〕 symbiosis. ‖ ~관계 a symbiotic relationship.

공서양속(公序良俗) 〔法〕 good public order and customs.

공석(公席) ① 〔공식 회합〕 a public occasion; the meeting. ¶ ~에서 on a lone occasion. ② 〔공무 보는 자리〕 an official post.

공석(空席) a vacant seat; a vacancy. ¶ ~을 채우다 fill (up) a vacancy.

공설(公設) ¶ ~의 public; municipal. ‖ ~시장 a public market.

공세(攻勢) the offensive [aggressive]. ‖ 외교~ a diplomatic offensive.

공소(公訴) 〔法〕 arraignment; prosecution; public action. ~하다 arraign; prosecute. ‖ ~장 a written arraignment.

공손(恭遜) ¶ ~한 polite; civil; courteous / ~히 politely; civilly; humbly; courteously.

공수(攻守) offense and defense:

〔野〕 batting and fielding.

공수(空輸) air transport; an airlift. ~하다 transport (a thing) by air; airlift. ‖ ~부대 an airborne unit [corps]; an airlift troop / ~작전 an airlift operation.

공수병(恐水病) ☞ 광견병.

공수표(空手票) a fictitious bill; a bad check; (비유적) an empty promise. 　　　　　　　　　〔uor.

공술(空─) a free drink; free liq**공술**(供述) a statement; a deposition(법정에서의). ~하다 depose; state; testify. ‖ ~서 a written statement / ~자 a deponent.

공습(空襲) an air raid [attack]. ~하다 make an air raid (on). ‖ ~경보 (give) an air-raid alarm [warning].

공시(公示) public announcement [notice]. ~하다 announce publicly. ‖ ~가격 a posted price; the publicly assessed value (of land) / ~최고 〔法〕 a public summons.

공식(公式) 〔수학의〕 a formula; 〔정식〕 formality. ‖ ~의 formal; official; state. ‖ ~ [비공식] 발표 an official [unofficial] statement / ~방문 a formal visit; a state visit(국가 원수의).

공신(功臣) a meritorious retainer. 　　　　　　　〔dence [trust].

공신력(公信力) (lose) public confi**공안**(公安) public peace [and order]; public security [safety].

공알(孕─) the clitoris.

공약(公約) a public pledge [promise]; a commitment. ~하다 pledge [commit] *oneself*.

공약수(公約數) 〔數〕 a common measure [divisor]. ‖ 최대~ greatest common measure(생략 G.C.M.).

공양(供養) ~하다 provide (one's elders) with food; hold a mass [memorial service] for (the dead). ‖ ~미 rice offered to Buddha.

공언(公言) (open) declaration. ~

하다 declare (openly); profess.

공업(工業) (manufacturing) industry. ¶ ~ 의 industrial; manufacturing; technical / ~ 용의 for industrial use (purpose). ‖ ~ 계 industrial circles / ~ 고등학교 a technical high school / ~ 국 an industrial nation / ~ 규격 산업규격 / ~ 단지 an industrial complex / ~ 도시 an industrial city / ~ 용수 water for industrial use / ~ 용지 an industrial site / ~ 지대 an industrial area [district] / ~ 화 industrialization(~ 화하다 industrialize).

공여(供與) giving; a grant. ~ 하다 give; grant; make a grant (of).

공역(共譯) joint translation.

공연(公演) a public performance. ~ 하다 perform; play. ‖ 위문~ a consolation performance.

공연(共演) ~ 하다 coact; play together.

공연(空然) ¶ ~ 한 useless; futile; needless; unnecessary / ~ 히 to no purpose; uselessly; unnecessarily; in vain.

공염불(空念佛) a fair but empty phrase.

공영(公營) public management. ‖ ~ 주택 public [municipal] housing (집합의).

공영(共榮) mutual prosperity.

공영(共營) joint management. ~ 하다 operate jointly (with).

공예(工藝) industrial arts; a craft. ‖ ~ 가 a craftsman / ~ 미술 applied fine arts / ~ 품 an art work.

공용(公用) public use; official [public] business. ¶ ~ 으로 on official business (duty). ‖ ~ 어 an official language / ~ 차 an official vehicle.

공용(共用) common use. ~ 하다 use (a thing) in common; share (a thing) with (another).

공원(工員) a (factory) worker.

공원(公園) a park. ‖ 국립~ a national park.

공유(公有) public ownership. ¶ ~ 의 public; public(ly) owned. ‖ ~ 물 [재산] public property / ~ 지 public land.

공유(共有) joint (common) ownership. ~ 하다 hold (a thing) in common; own (a thing) jointly. ‖ ~ 자 a joint owner / ~ 재산 common property / ~ 지 a common land.

공으로(空-) free (of charge); for nothing; gratis.

공의(公醫) a community doctor.

공이 a pestle; a pounder; a firing pin(총의). ¶ ~ 로 찧다 pestle.

공이치기(총의) a hammer. [tle.

공익(公益) the public benefit(interest; good); the common good. ‖ ~ 단체 (사업) a public corporation (utility works).

공인(公人) a public man (figure).

공인(公認) authorization; official approval (recognition). ~ 하다 recognize officially; authorize. ¶ ~ 의 authorized; official / ~ 을 받다 gain official approval. ‖ ~ 기록 an official record / ~ 중개사 a licensed real estate agent / ~ 회계사 a certified public accountant(생략 CPA, C.P.A.).

공일(空-) (거저일) ~ 하다 work for nothing.

공임(工賃) a wage; wages; pay.

공자(公子) a little prince.

공자(孔子) Confucius.

공작(工作) handicraft; (책동) maneuvering. ~ 하다 (제작) work; make; (책동) maneuver. ¶ ~ 금 operational funds / ~ 물 a structure; a building / ~ 실 a workshop / ~ 원 an agent; an operative / ~ 품 handicrafts.

공작(孔雀) (鳥) a peacock; a peahen(암컷).

공작(公爵) a prince; a duke (英). ‖ ~ 부인 a princess; a duchess.

공장(工匠) a craftsman; an artisan.

공장(工場) a factory; a plant; a

workshop; a mill(종이·목재의).
∥~관리 factory management /
~옳지 a factory site / ~장 a
plant manager / ~지대 a fac-
tory district [area] / ~폐쇄 a
lockout (파업에 의한); a (factory)
closure(불경기에 의한).

공장도(工場渡) 〖商〗 ex factory.
∥~가격 the factory price.

공저(共著) collaboration; a joint
work(책). ∥~자 a joint author;
a coauthor.

공적(公的) public; formal; official.
¶~으로 officially; publicly; for-
mally.

공적(公敵) a public [common]
enemy.

공적(功績) a meritorious deed;
merits; services. ¶~을 세우다
render distinguished services
to ⟨the country⟩.

공전(公轉) revolution. ~하다
revolve; move around the sun.

공전(空前) ~의 unprecedented;
unheard-of; record-breaking.

공전하다(空轉一) ⟨기계 따위가⟩ race;
run idle⟨논의 따위가⟩ argue in
a circle; ⟨국회 따위가⟩ stall;
remain idle⟨since⟩.

공정(工程) the progress of work;
a (manufacturing) process. ∥~
관리 process control / ~표 a
work schedule.

공정(公正) justice; fairness; im-
partiality. ~한 just; impartial;
fair. ∥~거래위원회 the Fair Trade
Commission / ~증서 〖法〗 a
notarial deed.

공정(公定) ¶~의 official; legal;
(officially) fixed. ∥~가격 an
official price / ~환율 an official
exchange rate.

공정(부)대(空挺(部)隊) 〖軍〗 air-
borne troops; paratroops.

공제(共濟) mutual aid (relief).
∥~사업 a mutual benefit (aid)
project / ~조합 a mutual-aid
association; a (mutual) benefit
society.

공제(控除) subtraction; deduction.

~하다 subtract; deduct ⟨from⟩.
¶~액 an amount deducted.

공존(共存) coexistence. ~하다
coexist; live together.

공죄(功罪) merits and demerits.

공주(公主) a princess.

공중(公衆) the (general) public.
¶~의 public; common. ∥~도
덕 public morality / ~목욕탕 a
public bath / ~변소 a public
lavatory / ~전화 a public tele-
phone.

공중(空中) the air. ¶~의 aerial;
in the air. ∥~급유 air(-to-air)
refueling / ~보급 an airlift /
~분해 a midair disintegration /
~수송 air transportation / ~전
an air battle / ~충돌 a midair
collision / ~폭발 an explosion
in the air.

공중감시(空中監視) (an) air surveil-
lance; aerial inspection.

공중납치(空中拉致) hijacking of
an airplane; skyjacking. ~하
다 highjack [hijack] a (passen-
ger) plane. ∥~범 a hijacker.

공중누각(空中樓閣) a castle in the
air; an air castle; a dream.

공중제비(空中一) a somersault; a
tumble.

공증인(公證人) a notary (public).

공지(空地) vacant ground [land];
a vacant lot.

공지(公知) common [universal]
knowledge. ¶~사항 the official
announcement.

공직(公職) (a) public office. ∥~
생활 a public career [life].

공직자(公職者) a public [govern-
ment] official; a holder of
(public) office; an officeholder.
∥~사회 the bureaucratic soci-
ety / ~윤리법 the Public Ser-
vants' Ethics Law.

공짜(空一) an article got for
nothing; gratis. ¶~로 for free (noth-
ing); gratis.

공차(空車)〈빈차〉an empty car;
⟨무료 승차⟩ a free [stolen] ride.

공창(工廠) an arsenal.

공창(公娼) a licensed prostitute(사락); licensed prostitution (제도).

공채(公債) 《재무》 a public loan [debt] 《증권》 a public (loan) bond. ‖ ~를 발행하다 issue bonds / ~를 상환하다 redeem a loan. ‖ ~시장 the bond market.

공처가(恐妻家) a henpecked [submissive] husband.

공천(公薦) public nomination. ~하다 nominate publicly.

공청회(公聽會) (hold) a public [an open] hearing.

공출(供出) delivery; offering. ~하다 tender; offer; turn in.

공치다(空一) 《허탕》 be unsuccessful (fruitless) / 《동그라미》 draw a circle.

공치사(功致辭) self-praise; admiration of one's own merit. ~하다 praise one's own service; brag of one's merit.

공칭(公稱) ¶ ~의 nominal; official.

공탁(供託) a deposit; a trust. ~하다 deposit 《money》 in [with]; give 《a thing》 in trust. ‖ ~금 deposit money / ~물 a deposit; a deposited article / ~소 a depository / ~자 a depositor.

공터(空一) a vacant lot; an open space.

공통(共通) ¶ ~의 common 《to》; ~ 되는 점이 있다 [없다] have something [nothing] in common / ~점 a point in common 《between》; something they have in common.

공판(公判) a (public) trial [hearing]. ¶ ~을 열다 hold [a court] / ~중이다 be on trial. ‖ ~정 the court (of trial).

공판장(共販場) a joint market.

공편(共編) coeditorship.

공평(公平) impartiality; justice. ¶ ~한 fair; just; impartial / ~히 impartially; fairly; equally.

공포(公布) promulgation; proclamation. ~하다 promulgate; proclaim.

공포(空砲) a blank shot.

공포(恐怖) fear; terror; horror. ‖ ~영화 a horror film / ~증 a phobia; a morbid fear.

공폭(空爆) an air bombardment.

공표(公表) 《공포》 official [public] announcement; 《발표》 publication. ~하다 announce officially; publish; make public.

공학(工學) engineering (science). ‖ ~부 the department of technology / ~사 [박사] a bachelor [doctor] of engineering.

공학(共學) coeducation.

공한지(空閑地) idle land.

공항(空港) an airport. ‖ ~출입국관리소 [세관] the airport immigration office [customs house] / ~국제 ~ an international airport.

공해(公海) the open sea; the high seas; international waters. ‖ ~어업 high sea fishery.

공해(公害) 《환경오염》 environmental pollution. ‖ ~대책 antipollution measures / ~방지조례 pollution control ordinance / ~산업 industrial pollution.

공허(空虛) emptiness. ¶ ~한 empty; vacant. ‖ ~감 a sense of emptiness; a hollow feeling.

공헌(貢獻) (a) contribution; service. ~하다 contribute 《to》; make a contribution 《to》.

공화(共和) ¶ ~의 republican. ‖ ~국 a republic / ~당 《미국의》 the Republican Party; the Grand Old Party 《~ 당원 a Republican / ~정치 republican government / ~제 republicanism.

공황(恐慌) (a) panic; consternation. ‖ 금융~ a financial panic.

공회전(空回轉) 《엔진의》 the idling of an engine. ~시키다 《엔진을》 keep an engine idling.

공훈(功勳) merits; an exploit. ¶ ~을 세우다 perform meritorious deeds.

공휴일(公休日) 《법정의》 a (legal)

holiday; a red-letter day 《일반적인》.

···꽃 (串) a cape; a headland.

곶감 a dried persimmon.

과(科) 《학과》 a department; 《과정》 a course; 《동식물의》 a family. ‖ ~ 문 [이] ~ the literature [science] course / 영어 ~ the English Department.

과(課) 《학과》 a lesson; 《분과》 a section. ¶ 제2 ~ Lesson 2 [two] / ~ 원 the staff of a section / ~ 장 the head of a section / 인사 ~ the personnel section.

과 and: 《함께·대항·분리·비교》 with; against; from.

과감(果敢) ¶ ~ 한 daring; bold.

과객(過客) a passer-by; a foot passenger.

과거(科擧) the state examination (during the *Goryeo* and *Joseon* Dynasty).

과거(過去) the past (days); 《과거 생활》 one's past; 《시제의》 the past tense. ¶ ~ 분사 a past participle / ~ 완료 the past perfect / ~ 지사 past events; bygones.

과격(過激) ¶ ~ 한 excessive; violent; radical; extreme. ‖ ~ 분자 a radical element / ~ 주의 extremism; radicalism / ~ 파 the radicals; the extremists.

과꽃 (椊) a China aster.

과납(過納) ¶ ~ 하다 pay in excess. ‖ ~ 액 an amount paid in excess.

과녁 a target; a mark. ¶ ~ 을 맞히다 [못 맞히다] hit [miss] the target.

과년도(過年度) last [the previous] year; 《회계상의》 the past financial [fiscal] year.

과년하다(過年 —) (be) past the marriageable age.

과다(過多) excess; overplus. ¶ ~ 한 excessive; superabundant. ‖ 공급 ~ an excess of supply; oversupply.

과단(果斷) ¶ ~ 적 decisive; resolute. ‖ ~ 성 decisiveness; promptness in decision.

과당(果糖) fruit sugar; fructose.

과당경쟁(過當競爭) excessive [cutthroat] competition.

과대(過大) ¶ ~ 한 [하게] excessive (-ly); too much / ~ 시 overrating. ‖ ~ 평가 overestimation.

과대(誇大) ¶ ~ 과장(誇張). ‖ ~ 광고 an extravagant advertisement; 《口》 a puff / ~ 망상 megalomania / ~ 망상환자 a megalomaniac.

과도(果刀) a fruit knife.

과도(過度) excess. ¶ ~ 한 excessive; immoderate; too much / ~ 하게 excessively; immoderately; too much.

과도(過渡) ‖ ~ 내각 [정부] an interim [a caretaker] cabinet [government].

과도기(過渡期) a transitional period [stage]; an age [a period] of transition; ‖ ~ 현상 a transient phenomenon.

과두정치(寡頭政治) oligarchy.

과로(過勞) excessive labor; overwork. ¶ ~ 하다 work too hard; overwork oneself.

과료(科料) a fine. ¶ ~ 에 처하다 fine; impose a fine 《upon》.

과립(顆粒) a granule. ¶ ~ 모양의 granular.

과목(科目) a subject; a lesson; a course (과정); a curriculum (전과정); items (항목).

과묵(寡默) taciturnity. ¶ ~ 한 reserved; taciturn; terse.

과문하다(寡聞 —) be ill-informed 《as to》; have little knowledge 《of》.

과물(菓物) ¶ ~ 과실. ㄴ(of).

과민(過敏) ¶ ~ 한 nervous; too sensitive; oversensitive; keen. ‖ ~ 증 《醫》 hypersensitivity 《to》.

과밀(過密) overcrowding; overpopulation (인구의). ‖ ~ 도시 an overpopulated [overcrowed] city.

과반수(過半數) the majority; 《대부분》 the greater part [number] 《of》. ¶ ~ 를 얻다 get [win, obtain] a majority / ~ 를 차지하다 hold a majority 《in the Assembly》.

과보(果報) 【佛】 retribution.

과부(寡婦) a widow. ¶ ~가 되다 be widowed; lose *one's* husband.

과부족(過不足) overs and shorts. ¶ ~ 없이 neither too much nor too less.

과분(過分) ¶ ~한 excessive; undue; undeserved.

과산화(過酸化) ~물 peroxides / ~ 수소 hydrogen peroxide.

과세(過歲) ~하다 greet [celebrate] the New Year.

과세(課稅) taxation. ~하다 tax; impose a tax 《on》. ¶ ~율 the tax rate / ~품 an article subject to taxation; a customable goods 《關》.

과소(過小) ¶ ~한 too little [small]. ¶ ~평가 underestimation 〔~평가하다 underrate; underestimate〕.

과소비(過消費) overconsumption; conspicuous consumption.

과속(過速) overspeed. ¶ ~차량 an overspeeding vehicle.

과수(果樹) a fruit tree. ¶ ~원 an orchard / ~ 재배 fruit culture.

과시(誇示) ~하다 display; show off; make a display of.

과식(過食) overeating. ~하다 overeat *oneself*; eat too much.

과신(過信) overconfidence. ~하다 put [place] too much confidence 《in》; be overconfident 《of》.

과실(果實) ☞ 과일. ¶ 법정 ~ legal fruits / ~주 fruit wine.

과실(過失) ① 《과오》 a fault; a mistake; an error. ② 《사고》 an accident. ‖ ~상해죄 accidental [unintentional] infliction of injury / ~치사 accidental homicide. ③ 《태만》 negligence; carelessness. ‖ ~범 a careless offense.

과언(過言) ¶ ~ saying too much; 《과장》 exaggeration.

과업(課業) ① 《학업》 a lesson; schoolwork; a task. ② 《임무》 a task; a duty. ¶ ~을 수행하다 perform [carry out] *one's* duties.

과연(果然) as expected; just as

one thought; sure enough; really 《정말》.

과열(過熱) ~하다 overheat. ¶ ~된 경제 an overheated economy.

과오(過誤) ¶ ~의 extracurricular; extraclassroom. ‖ ~활동 extracurricular [after-school] activities.

과오(過誤) a fault; an error; a mistake.

과욕(過慾) avarice; greed. ¶ ~을 부리다 be greedy 《avaricious, covetous》 《of》; expect too much.

과욕(寡慾) ¶ ~한 unselfish; disinterested.

과용하다(過用─) spend 《*money*》 too much 《in excess》; take an overdose of 《*heroin*》.

과원(課員) a member of the section staff; a staff of a section.

과유불급(過猶不及) Too much is as bad as too little.

과음(過飮) excessive drinking. ~하다 drink too much; drink to excess; overdrink *oneself*.

과인산(過燐酸) 【化】 perphosphoric acid. ¶ ~비료 a superphosphate.

과일 a fruit; fruit(age) 《총칭》.

과잉(過剩) an excess; a surplus. ¶ ~의 surplus; superfluous.

과자(菓子) 《총칭》 confectionery; 《생과자》 cake; 《파이 따위》 pastry; cookie; biscuit; cracker. ‖ ~점 a confectionery; a candy store 《美》.

과장(誇張) exaggeration. ~하다 exaggerate; overstate. ¶ ~된 exaggerated; bombastic.

과장(課長) a section(al) chief.

과정(過程) (a) process; a course.

과정(課程) a course; a curriculum.

과제(課題) 《제목》 a subject; a theme; 《임무》 a task; an assignment; 《숙제》 homework; 《문제》 a problem. ¶ 논문의 ~ the subject of *one's* thesis / 연구 ~ a study assignment.

과줄 a fried cake made of flour,

honey and oil.

과중(過重) ¶ ~한 too heavy; burdensome / ~한 노동 overwork / ~ 부담 [책임] too heavy a burden [responsibility].

과즙(果汁) fruit juice.

과찬(過讚) ~하다 praise excessively; overpraise.

과태료(過怠料) a fine for default; a negligence fine.

과표(課標) 《과세표준》 a standard of assessment. ¶ ~액 the taxable amount.

과하(過一) (be) too much; excessive; undue. ¶ 과하게 to excess; excessively; unduly.

과하다(課一) impose; assign.

과학(科學) science. ¶ ~적(으로) scientific(ally). ‖ ~기술 science technique / ~기술처 the Ministry of Science and Technology / ~ 용어 a scientific term / ~자 a scientist / 한국~기술연구원 the Korea Institute of Science and Technology (생략 KIST) / 한국 ~기술원 the Korea Advanced Institute for Science and Technology (생략 KAIST).

과히(過一) 《너무나》 too (much); excessively; overly; to excess 《부정과 함께》 very [quite]; (not) so much. ¶ ~ 좋지 않다 be not very [so] good.

관(棺) a coffin.

관(管) a pipe; a tube. 「rant.

관(館) a Korean-style restau

관(貫) 《무게》 a *gwan* (= 3.75kg).

관(觀) a view; an outlook.

관개(灌漑) irrigation; watering. ~하다 irrigate; water. ‖ ~공사 irrigation works / ~용수 irrigation water. 「ence(충칭).

관객(觀客) a spectator; the audi

관건(關鍵) 《핵심》 a key [pivotal] point.

관계(官界) the official world; official circles; officialdom.

관계(關係) ①《관련》 relation; (a) connection; (a) relationship (연 고). ~하다 be related (to); be

connected 《with》; have 《something》 to do with. ¶ ~ 가 없다 have no relation (to); have nothing to do 《with》. ‖ ~대명사 a relative pronoun / ~법규 the related laws and regulations / ~ 외교 diplomatic relations. ②《관여》 (a) participation; concern; 《연루》 involvement. ~하다 participate (take part) in 《a plot》; be concerned (in); be involved (in). ‖ ~기관 〔당국〕 the organizations 〔authorities〕 concerned / ~자 a person 〔party〕 concerned; an interested party(이해 의). ③《영향》 influence; effect. ~ 하다 affect; have influence on.

관공(官公) ‖ ~서 government and municipal offices.

관광(觀光) sightseeing; tourism. ~하다 go sightseeing; do (see) the sights (of). ¶ ~의 명소 tourist attractions. ‖ ~객 a sightseer; a tourist / ~사업 the tourist industry; tourism / ~여행 a sightseeing tour.

관구(管區) a district (under jurisdiction); a jurisdiction.

관군(官軍) the government forces (troops). 「power.」

관권(官權) government authority

관급(官給) government supply (issue). ‖ ~품 government issue articles (물).

관기(官紀) official discipline. ‖ ~문란 a laxity in official discipline.

관내(管內) (an area) within the jurisdiction (of).

관념(觀念) ①《의식》 a sense. ¶ 시 간 ~이 없다 have no sense of time. ②《철학·심리학의》 an idea; a conception (개념). ¶ ~적인 ideal / ~상의 추상적 ~ an abstract idea. ‖ ~론 idealism.

관능(官能) sense. ‖ ~적인 sensuous(감각적); sensual(육감적). / ~주의 sensualism.

관대(寬大) broad-mindedness; gen

erosity; tolerance. ¶ ～한 broad-minded; generous; liberal; tolerant / ～히 generously; liberally; tolerantly.

관등(官等) official rank. ‖ ～성명 *one's* official rank and name.

관등(觀燈) the celebration of the birthday of *Buddha*; the Lantern Festival.

관람(觀覽) inspection; viewing. ～하다 see; view; watch. ‖ ～객 a spectator; a visitor / ～권 an admission ticket / ～료 admission fee / ～석《극장의》 a seat; a box;《야구장 따위의》 a stand.

관련(關聯) relation; connection. ～하다 relate《to》; be related《to》; be connected《with》. ～와 ～하여 in connection with ...; in relation to .... ‖ ～성 relevance.

관례(冠禮) a ceremony to celebrate《*a person's*》coming of age.

관례(慣例) a custom; a usage; a usual practice; a precedent《선례》. ¶ ～에 따르다[를 깨다] follow [break] custom.

관록(官祿) a stipend; a salary.

관록(貫祿) dignity; weight. ¶ ～이 붙다 gain in dignity.

관료(官僚) bureaucracy; officialdom;《사람》a bureaucrat. ¶ ～적인 bureaucratic. ‖ ～주의 bureaucratism.

관류하다(貫流~) run [flow] through.

관리(官吏) a government official; a public servant.

관리(管理)《경영·운영》management; administration; control;《보관》charge; care. ～하다 administer; manage; control; take charge of. ‖ ～가격 an administered price / ～인[자] a manager; an administrator; a superintendent; a custodian《공공시설의》; a caretaker《집의》; an executor《유산의》 / ～직 an administrative post; the managerial class《집합적》.

관립(官立) ¶ ～의 government(al).

관망(觀望) ～하다 observe; watch;《형세를》wait and see; sit on the fence.

관명(官名) an official title.

관명(官命)《by》official [government] orders.

관모(冠毛)《植》a pappus;《動》a crest.

관목(灌木) a shrub; a bush.

관문(關門) a barrier; a gateway《to》; a difficulty《어려움》.

관물(官物) government property; article supplied by the government.

관민(官民) officials and people; the government and the people. ‖ ～계 official quarters.

관변(官邊) government circles; official.

관보(官報) the official gazette.

관복(官服) an official outfit.

관비(官費) government expense(s).

관사(官舍) an official residence.

관사(冠詞)《文》an article. ¶ 정[부정]～ a definite [an indefinite] article.

관상(冠狀) ¶ ～의 coronary; coronal; crown-shaped. ‖ ～동맥《정맥》the coronary arteries [veins].

관상(管狀) ¶ ～의 tubular; tubulous; tube-shaped.

관상(觀相) phrenological interpretation.

관상(觀象) meteorological observation. ¶ ～대 a weather station; a meteorological observatory.

관상(觀賞) ～하다 admire; enjoy. ¶ ～식물 a decorative plant / ～어 an aquarium fish.

관서(官署) a government office.

관선(官選) ¶ ～의 chosen [appointed] by the government. ‖ ～이사 a government-appointed trustee.　　　　　[the government.

관설(官設) ¶ ～의 established by the government.

관성(慣性)《理》inertia. ‖ ～의 법칙 the law of inertia. ‖ ～유도 inertial guidance.

관세(關稅) customs (duties); a (customs) tariff; a duty. ¶ ～가

붙지 않는 duty-free / ～가 붙는 dutiable. ‖ ～면제품 a duty-free article / ～법 the Customs Law / ～율 a tariff rate / ～장벽 a tariff barrier [wall] / ～청 the Customs Administration.

관세음보살(觀世音菩薩) the Buddhist Goddess of Mercy.

관수(官需) an official demand. ‖ ～물자 supplies for government use.

관습(慣習) a custom; a convention(인습); 관습. ‖ ～법 the customary [common] law.

관심(關心) concern; interest. ¶ …에 ～을 갖다 be interested in [concerned with]; take interest in / …에 ～이 없다 be indifferent to; take no interest in. ‖ ～사 a matter of concern.

관악(管樂) pipe-music; wind music. ‖ ～기 a wind instrument.

관업(官業) a government enterprise.

관여(關與) participation. ～하다 participate [take part, have a share] 《in》.

관영(官營) ⇒ 국영(國營).

관용(官用) 〖用務〗 government (official) business [duty]; 《私用》 official use. ¶ ～으로 on official business [use]. ‖ ～차 an official vehicle.

관용(寬容) tolerance; generosity. ～하다 tolerate; be generous. ¶ ～의 정신 the spirit of tolerance.

관용(慣用) usage; common use. ¶ ～의 common; usual; idiomatic(어구의). ‖ ～어구 an idiomatic expression; an idiom.

관인(官印) an official [a government] seal. 　　[one's head.

관자놀이(貫子—) the temple of

관장(管掌) management; charge; control. ～하다 manage; take charge of; have 《a matter》 in charge.

관장(館長) a director; a (chief) librarian (도서관의); a curator (박물관의).

관장(灌腸) (an) enema. ～하다 give an enema to 《a person》. ‖ ～기 an enema.

관재(管財) administration of property. ～하다 manage [administer] property. ‖ ～국 the bureau of property custody / ～인 a trustee (공공물의); an administrator (유산의); a receiver (청산시의); a property custodian (정부 등의).

관전(觀戰) ～하다 witness a battle; watch a game (경기를). ‖ ～기 a witness's account 《of a chess match》.

관절(關節) a joint; an articulation. ¶ ～의 articular. ‖ ～류머티스 articular (joint) rheumatism / ～염 arthritis / ～통 arthralgia.

관점(觀點) a point of view; a viewpoint; a standpoint.

관제(官製) ¶ ～의 government-made; manufactured by the government. ‖ ～엽서 a postal card (美); a postcard (美).

관제(管制) control; controlling. ‖ ～사 a controller / ～장치 a controlling gear / ～탑 a control tower (공항의).

관조(觀照) 〖佛〗 contemplation; meditation. ～하다 contemplate.

관존민비(官尊民卑) the preponderance of official power.

관중(觀衆) spectators; an audience; onlookers.

관직(官職) government service; an official post.

관찰(觀察) observation. ～하다 observe; watch closely. ¶ ～력 the power of observation / ～자 an observer. 　　[governor.

관찰사(觀察使) 〖史〗 a (provincial)

관철(貫徹) accomplishment; realization. ～하다 accomplish; realize; carry out.

관청(官廳) a government office [agency]. ‖ ～가 a government office quarter / ～용어 officialese.

관측(觀測) observation. ~하다 observe; survey. ‖ ~기구 an observation balloon; 《비유적》 a trial balloon / ~소 an observatory / ~자 an observer.

관통(貫通) 《뚫음》 penetration. ~하다 pierce; penetrate; pass through; shoot through (탄알 이 光).

관포지교(管鮑之交) 《중국 고사에서》 an intimate [inseparable] friendship.

관하(管下) ‖ ~의 [에] under the jurisdiction [control] (of).

관하다(關一) ① 《관계》 be connected [concerned] with; concern; be related to. ¶…에 관하여(는) about; on; regarding; concerning / …에 관한 about; on; relating to / …에 관한 한 as (so far as (it is)) concerned. ② 《영향》 affect; concern.

관할(管轄) jurisdiction; control. ~하다 have [exercise] jurisdiction 〔over〕; control. ¶…의 하에 있다 be [fall] under the jurisdiction [control] of …. ‖ ~관청 the competent [proper] authorities / ~구역 the district [sphere] of jurisdiction / ~권 jurisdiction.

관함식(觀艦式) a naval review.

관행(慣行) (a) habitual practice; a custom; a practice. ¶~의 customary / 국제적 ~ an international practice.

관허(官許) government permission. ¶~의 licensed.

관헌(官憲) the authorities; the officials.

관현악(管絃樂) orchestral music. ¶~의 반주로 an orchestral accompaniment / ~단 an orchestra.

관혼상제(冠婚喪祭) ceremonial occasions.

괄괄하다(性질이) (be) brisk; fiery; impetuous; hot-tempered.

괄다(화력이) (be) strong; high.

괄시(恝視) ~하다 《박대》 treat (a

person) coldly; 《경멸》 hold (a person) in contempt; make light of.

괄약근(括約筋) a sphincter (muscle).

괄태충(括胎蟲) 《動》 a slug.

괄호(括弧) 《둥근》 parenthesis; 《각》 brackets; 《큰》 a brace. ¶~ 속에 넣다 put (a word) in parenthesis.

광(光) light; brightness. ☞ 빛.

광(廣) 《넓이》 width; breadth.

광(狂) ~메모리 (an) optical memory.

광(廣) 《넓이》 area; extent; 《나비》 width; breadth.

광(鑛) 《갱》 a pit; a mine; 《덩어리》 a (mineral) ore.

-광(狂) a fan; a maniac; a fanatic; an addict.

광각(光角) 《理》 an optic angle.

광각렌즈(廣角一) a wide-angle lens.

광갱(鑛坑) a mine (shaft); a pit.

광견(狂犬) a mad dog. ‖ ~병 rabies; hydrophobia.

광경(光景) a sight; a view; a scene.

광고(廣告) an advertisement; an ad 《口》; publicity《선전》; 《고지》 an announcement; a notice. ~하다 advertise; announce. ¶전면에 걸친 ~ a fullpage advertisement / ~대리점 an advertising agent / ~란 an ad column / ~료 advertisement rates / ~매체 the advertising media / ~방송 a commercial broadcast / ~전 단 a (show) bill; a handbill / ~탑 a poster column; an advertising tower〔pillar〕(옥상의).

광공업(鑛工業) the mining and manufacturing industries.

광구(鑛區) 《鑛》 a mining area.

광궤(廣軌) a broad gauge. ‖ ~ 철도 a broad-gauge railroad.

광기(狂氣) madness; insanity.

광나다(光一) (be) glossy; lustrous; polished. 《glossy.

광내다(光一) polish up; make

광년(光年) 《天》 a light-year.

광대 a feat actor〔actress〕; an acrobatic (a stunt) performer 〔곡 예〕; a mask performer〔탈춤〕.

광대(廣大) ¶ ～한 immense; vast; extensive; ～무한한 (vast and) boundless; infinite.

광대뼈 the cheekbones; the malar bone.

광도(光度) 【理】 luminous intensity; luminosity; (the degree of) brightness. ‖ ～계 a photometer.

광독(鑛毒) mineral pollution; copper poisoning.

광란(狂亂) madness; craziness. ～하다 go mad [crazy] 《with grief》; become frantic.

광막(廣漠) ¶ ～한 vast; wide; boundless.

광맥(鑛脈) a vein (of ore); a lode.

광명(光明) 《빛》 light; 《희망》 hope; a bright future.

광목(廣木) cotton cloth.

광물(鑛物) a mineral. ‖ ～계 the mineral kingdom / ～자원 mineral resources / ～질 mineral matter / ～학 mineralogy.

광범(廣範) ¶ ～한 extensive; wide; broad; far-reaching.

광범위(廣範圍) 《지역》 a large [wide] area; 《넓은 범위》 a large extent; a wide range.

광복(光復) the restoration of independence. ～하다 regain 《a country's》 independence. ‖ ～절 Independence [Liberation] Day of Korea.

광부(鑛夫) a miner; a mineworker.

광분(狂奔) ～하다 make desperate [frantic] efforts 《to do》; be very busy 《in doing》; busy one self about 《something》.

광산(鑛山) a mine. ‖ ～을 채굴하다 work a mine, / ～공학 mining engineering / ～기사 a mining engineer / ～노동자 a miner; a mineworker / ～물 mineral products / ～업 the mining industry / ～채굴권 mining concessions.

광상(鑛床) (mineral) deposits.

광상곡(狂想曲) a rhapsody.

광석(鑛石) a mineral; an ore; a crystal (라디오의). ‖ ～검파기[(수신기)] a crystal detector [set].

광선(光線) light; a ray; a beam. ‖ ～analysis spectrum analysis / ～요법 phototherapy.

광섬유(光纖維) optical fiber.

광속(光束) 【理】 luminous flux.

광속(光速) the velocity of light; light speed.

광신(狂信) fanaticism. ¶ ～적인 fanatic(al). / ～자 a fanatic.

광야(曠野) a wild [desolate] plain; a wilderness; the wilds.

광양자(光量子), **광자**(光子) 【理】 a photon; light quantum. [marks.

광언(狂言) mad talk; crazy re-

광업(鑛業) mining (industry). ‖ ～권 a mining right / ～소 a mining station [office].

광역(廣域) a wide [large] area. ‖ ～경제 great-sphere economy / ～도시 a metropolitan city / ～수사 a search 《for a criminal》 conducted over a wide area / ～지방의원선거 a large-unit local election / ～행정 integrated administration of a large region.

광열(光熱) light and heat. ‖ ～비 lighting and heating expenses.

광영(光榮) honor; glory. ☞ 영광.

광원(光源) a source of light; a luminous source; an illuminant.

광의(廣義) a broad sense.

광인(狂人) an insane person; a lunatic.

광장(廣場) an open space; a plaza; a (public) square. ‖ ～공포증 agoraphobia.

광재(鑛滓) slag; dross.

광적(狂的) mad; insane; lunatic; wild; frantic.

광전(光電) 【電】 photoelectricity. ‖ ～관 a phototube; a cathode ray tube(TV의) / ～자 a photo electron / ～지 a photovoltaic cell; a photocell.

광주리 a round wicker [bamboo] basket.

광채(光彩) luster; brilliancy. ¶ ～

가 나다 be brilliant (lustrous); show luster; shine.

광천(鑛泉) a mineral spring; mineral water (광수).

광체(光體) a luminous body.

광태(狂態) a shameful (crazy) conduct.

광택(光澤) luster; gross; shine. ～있는 lustrous; glossy; ～을 내다 polish; burnish; shine.

광통신(光通信) optical communication.

광파(光波) 〔理〕 a light wave. 〔tion.

광포(狂暴) ¶～한 furious; frenzied; outrageous; violent.

광풍(狂風) a raging wind.

광학(光學) optics; optical science. ¶～기계 an optical instrument / ～병기 an optical weapon.

광합성(光合成) 〔植〕 photosynthesis.

광활(廣闊) spaciousness; extensiveness. ¶～한 spacious; extensive; wide.

광휘(光輝) brilliance; glory; splendor. ¶～ 있는 brilliant; splendid.

광희(狂喜) wild joy; (a) rapture; (an) ecstasy. ～하다 go (be) mad with joy; be in raptures.

괘념(掛念) ¶～하다 mind; care; worry about.

괘도(掛圖) a wall map (chart) (지도); a hanging scroll (전축).

괘력(掛曆) a wall calendar.

괘선(罫線) a ruled line; a rule mark. ¶～지 ruled (lined) paper.

괘씸하다 (be) rude; impertinent; unpardonable; ungrateful; outrageous.

괘종(掛鐘) a (wall) clock.

괜찮다 ① (쓸만하다) (be) passable; not so bad; good; will do. (맛이) ～ taste good. ② (상관없다) do not care (mind); may, can; be all right. ¶괜찮으시다면 if you don't mind …; if it is convenient to you.

괭이 (농기구) a hoe; a mattock.

괴경(塊莖) 〔植〕 a tuber. ¶～식물 a tuber plant. 〔fed.

괴괴하다 (be) quiet; calm; desert

괴근(塊根) 〔植〕 a tuberous root.

괴나리봇짐 a traveller's back bundle.

괴다《(물이)》 gather; form a puddle; collect; stagnate; stay.

괴다《(받치다)》 support; prop; 《쌓아 pile up 《(nuts)》 on the plate.

괴담(怪談) a ghost (weird) story.

괴도(怪盜) a mysterious (phantom) thief.

괴력(怪力) superhuman strength.

괴로움(오뇌) agony; trouble; 《(곤고)》 sufferings; distress; hardship; 《(고통)》 pain.

괴로워하다 be troubled 《(with)》; be worried 《(about)》; suffer 《(from)》; be sick at heart; be cursed with.

괴롭다 《(고통)》 painful; distressing; trying; tormenting; 《(곤란)》 (be) hard; difficult; 《(경제적으로)》 (be) straitened; needy; 《(거북하다)》 (be) awkward; embarrassing.

괴롭히다 trouble; annoy; worry; bother; harass; 《(고통으로)》 afflict; give 《(a person)》 pain.

괴뢰(傀儡) 《(꼭두각시)》 a puppet. ¶～정부 a puppet government.

괴멸(壞滅) distruction; annihilation 《(전멸)》. ～하다 be destroyed (ruined, annihilated). ¶～시키다 destroy; annihilate.

괴물(怪物) a monster; 《(사람)》 a mysterious person.

괴변(怪變) a strange accident; a curious affair.

괴상(怪常) ¶～한 일 a strange (queer) thing; an oddity.

괴상(塊狀) ¶～의 massive. ‖～암 〔鑛〕 a massive rock; ～용암 block lava. 〔animal.

괴수(怪獸) a monster; a monstrous

괴수(魁首) the ringleader.

괴이하다(怪異―) (be) mysterious; strange; odd; funny.

괴질(怪疾) a mystery disease; an unidentified disease.

괴짜(怪―) an odd (eccentric) person; a queer sort of fellow.

괴팍하다(怪愎―) (be) fastidious; finicky;

괴한(怪漢) a suspicious fellow.

괴혈병(壞血病) 〖醫〗 scurvy.

괴화(怪火) a mysterious fire; a fire of unknown origin.

굄목 a stone prop (support).

굉음(轟音) a roaring sound; a deafening roar; an earsplitting sound.

굉장하다(宏壯─) 〔넓고 큰〕(be) grand; magnificent; imposing; 〔엄청난〕(be) terrible; awful; tremendous. ¶ 굉장히 magnificently; awfully.

교가(校歌) a school (college) song.

교각(橋脚) a (bridge) pier; a bent.

교각살우(矯角殺牛) a deadly effect of a good intention: "The remedy is worse than the disease."

교감(校監) a head teacher; an assistant [acting] principal.

교감신경(交感神經) the sympathetic nerve.

교과(教科) a course of study; the curriculum 〔과목의〕a subject. ‖ ～서 a textbook; a schoolbook / ～서 검정 the screening of school textbooks. 〔ing staff〕(전체).

교관(教官) an instructor; the teach-

교구(教區) a parish. ‖ ～민 a parishioner.

교구(教具) teaching tools.

교권(教權) 〔종교상의〕ecclesiastical authority; 〔교육상의〕educational authority.

교근(咬筋) the masticatory muscle.

교기(校紀) school discipline.

교기(校旗) a school banner.

교기(驕氣) a proud air; haughtiness.

교내(校內) the school grounds; the campus. ¶ ～의 interclass; intramural. ‖ ～운동대회 an interclass athletic meet / ～폭력 school violence; violence in the classroom.

교단(教團) 〔종교 단체의〕a religious body; an order; a brotherhood. ¶ ～에 서다 teach at school; be

a teacher.

교당(教堂) a church; a temple; a cathedral; a mosque(회교의).

교대(交代) change; a shift. ～다 take turns; take (a person's) place; relieve (each other); change places (with). ¶ ～로 by turns; in shifts; alternately. ‖ ～시간 the changing time; a shift / ～자 a relief; a next shift / ～ 조업 shift operation; working in shift / 2 ～제 a double shift; a two-shift system.

교도(教徒) a believer; a follower (of). ¶ 이슬람～ a Muslim / 불～ a Buddhist / 기독～ a Christian.

교도(教導) instruction; teaching; guidance. ～하다 instruct; teach; guide.

교도(矯導) ‖ ～관 a prison officer; a (prison) guard; a warder / ～소 a prison; a jail; a penitentiary.

교두보(橋頭堡) 〖軍〗 a bridgehead; a beachhead (해안의).

교란(攪亂) disturbance; derangement. ～하다 disturb; derange; stir up; throw into confusion.

교량(橋梁) a bridge. ‖ ～을 놓다 construct (build) a bridge (over).

교련(教鍊) (a) military drill. ～하다 drill.

교료(校了) O.K. ～하다 finish proofreading; be OK'd.

교류(交流) interchange; exchange (교환); 〖電〗 alternating current 〔AC〕. ‖ ～발전기 an AC generator.

교리(教理) a doctrine; a dogma; a tenet. ‖ ～문답 catechism.

교린(交隣) relations of neighboring countries. ‖ ～정책 a good-neighbor policy.

교만(驕慢) haughtiness; arrogance. ¶ ～한 haughty; arrogant; insolent. 〔arbor.

교목(喬木) a tall (forest) tree; an

교묘(巧妙) ～하다 (be) clever; skill-

ful; dexterous; deft; tactful. ¶ ~하게 cleverly; skillfully; deftly; expertly.

교무(教務) ① 《학교》 school 〔academic〕 affairs 〔administration〕. ‖ ~과 the educational affairs section / ~주임 a curriculum coordinator. ② 《교회》 religious affairs.

교문(校門) a school gate.

교미(交尾) copulation; mating. ─하다 copulate; mate. ‖ ~기 the mating season.

교배(交配) crossbreeding; crossing; hybridization. ─하다 crossbreed; cross; hybridize. ‖ ~종 a crossbreed; a hybrid.

교복(校服) a school uniform.

교부(交付) delivery; grant. ─하다 deliver; issue; grant. ‖ ~금 a grant; a subsidy / ~자 a deliverer.

교분(交分) friendship. 「building.」

교사(校舍) a schoolhouse; a school

교사(教師) a teacher; an instructor; a schoolteacher; a master (무용 따위의). ‖ ~용 지도서 a teacher's manual / ~자격증 a teacher's license; a teaching certificate.

교사(教唆) incitement; instigation. ─하다 incite; instigate. ‖ ~자 an instigator / ~죄 the crime of instigation.

교살(絞殺) strangulation. ─하다 strangle; hang.

교생(教生) a student teacher.

교서(教書) a message.

교섭(交涉) negotiations; bargaining; 《관계》 connection. ─하다 negotiate with 《a person》 about 《a matter》; bargain with 《a person》 about 《a matter》(값을). ‖ ~단체 a bargaining 〔negotiating〕 body.

교수(教授) 《가르치기》 teaching; instruction; tuition; 《사람》 a professor; the faculty (전체). ─하다 teach; instruct; give lesson 《in French》. ‖ ~법 a teaching

method / ~진 the faculty; the professors / ~회 a faculty meeting.

교수(絞首) hanging; strangulation. ─하다 hang; strangle. ‖ ~대 the gallows / ~형 hanging.

교습(教習) ~하다 give 《a person》 lessons 《in》; instruct. ‖ ~소 a training school.

교시(教示) teaching; instruction. ─하다 instruct; teach.

교신(交信) exchanges of communications. ─하다 communicate 《with》; conduct a correspondence 《with》.

교실(教室) a classroom; a schoolroom; a lecture room.

교안(教案) a teaching 〔lesson〕 plan.

교양(教養) culture; education. ¶ ~(이) 있는 cultured; 《well-》educated; refined / ~이 없는 uneducated. ‖ ~과목 liberal arts / ~과정 the liberal arts course / ~학부 the department of liberal arts and sciences; the college of general education.

교역(交易) trade; commerce; barter(교환). ─하다 trade 〔barter〕 with.

교역자(教役者) a religious worker.

교열(校閲) reading and correcting 《a person's》 manuscript; review. ─하다 read and correct; review. ‖ ~자 a reviewer; a person who checks the accuracy of 《another's》 manuscripts.

교외(郊外) the suburbs; the outskirts. ‖ ~거주자 a suburban resident.

교외(校外) ¶ ~의 〔에〕 outside the school; out of school. ‖ ~활동 extramural activities.

교우(交友) 《사귐》 making friends 《with》; 《관계》 association 《교제》; a friend; a companion; an acquaintance. ‖ ~관계 one's associates 〔company〕.

교우(校友) a schoolfellow; a schoolmate; 《동창생》 a graduate (of the same school); 《美》 an

ㄱ

alumnus(남); an alumna(여). ‖ ~회 a students' association.

교우(敎友) a fellow believer (Christian, Buddhist); a brother in the same faith.

교원(敎員) a teacher; an instructor; the (teaching) staff (총칭). ‖ ~검정시험 a certificate examination for teachers / ~양성소 a teachers' training school.

교류(交遊) companionship; friendship; ~하다 associate 《with》; keep company 《with》.

교육(敎育) education; schooling (교습); teaching; instruction; 《훈련》 training. ~하다 educate; instruct; train. ¶ ~ 받은 educated; cultured / ~ 받지 못한 uneducated; illiterate. ‖ ~감 the superintendent of education / ~개혁 educational reform / ~공무원 an educational public service employee / ~과정 a curriculum; a course of study / ~기관 an educational institution / ~대학 a college of education; a teachers' college / ~비 educational [school] expenses / ~산업 the education industry 《business》/ ~시설 《행정》 educational facilities 〔administration〕/ ~위원회 the Board of Education; a school board 《美》/ ~자 an educator / ~제도 a school 〔an educational〕 system.

교육인적자원부(敎育人的資源部) the Ministry of Education and Human Resources Development.

교의(交誼) friendship; friendly relationship.

교의(校醫) a school physician 〔doctor〕.

교의(敎義) a doctrine; a creed; 「dogma.

교인(敎人) a believer; a follower.

교자상(交子床) a large (dining) table.

교장(校長) a director (고등의); a principal (중학의); a headmaster (초등학교의).

교장(校葬) a school funeral.

교장(敎場) a drill ground 〔field〕.

교재(敎材) teaching materials; training aids.

교전(交戰) 〈전쟁〉 war; hostilities; 《전투》 a battle; an action. ~하다 fight 《with, against》; engage in a battle; wage war. ‖ ~국 a belligerent; warring nations / ~상태 (be in) a state of war.

교접(交接) 《성교》 (have) sexual intercourse. ‖ ~기관 【解】 a copulatory organ.

교정(校正) proofreading. ~하다 read proofs; proofread 《an article》. ‖ ~쇄 a proof sheet; proofs / ~필 a corrected proof 《기호》 Corrected; O.K.

교정(校訂) revision. ~하다 revise. ‖ ~본 〔판〕 a revised edition / ~자 a revisor.

교정(校庭) a schoolyard; 《초·중등학교 운동장》 a (school) playground; 《대학 구내의》 the campus.

교정(矯正) correction; reform; remedy. ~하다 correct; reform; remedy; cure. ‖ ~시력 corrected sight.

교제(交際) association; company; friendship; acquaintance; relations. ~하다 associate with; keep company with. ‖ ~비 social expenses; 《기업의》 an expense account.

교조주의(敎條主義) doctrinism. ‖ ~자 a doctrinist. 「school.

교주(校主) the proprietor of a

교주(敎主) the founder of a religion; the head of a sect.

교직(交織) a mixed 〔combined〕 weave.

교직(敎職) 《학교의》 the teaching profession. ‖ ~과정 a course of study for the teaching profession / ~원 the teaching staff; the faculty / ~원조합 a teachers' union.

교질(膠質) stickiness; a colloid.

교차(交叉) intersection; crossing. ~하다 cross 〔intersect〕 《each other》. ‖ ~로 (a) crossroads

an intersection / ～ 승인 cross-recognition / ～ 점 a cross(ing); a junction.

교착(膠着) complication; intricacy; blending; mixture. ～ 하다 be complicated [intricated, entangled]; cross [mingle with] each other.

교착(膠着) agglutination; 《시세 위의》 stalemate. ～ 하다 stick (to); adhere (to); agglutinate. ¶ ～ 상태에 빠지다 come to a standstill; become deadlocked.

교체(交替) replacement; a change; a switch (투수의). ～ 하다 change; replace.

교칙(校則) school regulations.

교탁(敎卓) a teacher's desk.

교태(嬌態) coquetry.

교통(交通) 《왕래》 traffic; 《연락》 communication; 《운수》 transport; transportation. ¶ ～ 규칙 traffic regulations [rules] / ～ 기관 a means of transportation / ～ 난 〔정체〕 a traffic congestion [jam] / ～ 망 a traffic network / ～ 비 traffic expenses; carfare / ～ 사고 a traffic accident / ～ 순경 a traffic policeman / ～ 신호 a traffic signal / ～ 위반 a traffic offense / ～ 위반자 a traffic offender [violator] / ～ 정리 traffic control / ～ 체증 a traffic backup [holdup] / ～ 표지 a traffic sign / 건설 ～ 부 the Ministry of Construction & Transportation.

교파(敎派) a denomination; a (religious) sect.

교편(敎鞭) ¶ ～ 을 잡다 be a teacher; teach (at) a school.

교포(僑胞) a Korean resident abroad; overseas Koreans(총칭).

교풍(校風) school traditions.

교합(交合) sexual union.

교향(交響) ¶ ～ 곡 [악] a symphony / ～ 악단 a symphony orchestra.

교화(化化) enlightenment. ～ 하다 educate; enlighten; civilize. ¶ ～ 사업 educational work.

교환(交換) (an) exchange; (an) interchange; barter 《물물의》; 《어음의》 clearing. ～ 하다 exchange; interchange; barter; clear (어음을). ¶ ～ 파 ～ 으로 in exchange [return] for ...; ～ 가격 (가치) the exchange price [value] / ～ 소 changes(어음의) / ～ 교수 [학생] an exchange professor [student] / ～ 조건 a bargaining point.

교환(交歡 · 交驩) an exchange of courtesies. ～ 하다 exchange courtesies [greetings]; fraternize 《with》. ¶ ～ 경기 a good-will match.

교활(狡猾) ¶ ～ 한 cunning; sly; crafty.

교황(敎皇) the Pope. ¶ ～ 의 papal. ‖ ～ 청 the Vatican.

교회(敎會) a church; a chapel.

교훈(校訓) school precepts; a motto for school discipline.

교훈(敎訓) a lesson; teachings; a moral(우화). ¶ ～ 적 instructive; edifying / ～ 을 얻다 learn [get] a lesson 《from》.

구(句) 《어구》 a phrase; 《표현》 an expression.

구(球) [數] a globe; a sphere; 《공》 a ball.

구(區) 《도시의》 a ward; 《구역》 a section; a district.

구(九) nine; 《아홉째》 the ninth. ¶ 9분의 1, a ninth.

구(舊) former, ex-(전); old(낡은). ¶ ～ 세대 the old generation / ～ 소련 the former Soviet Union.

구가(謳歌) ～ 하다 glorify; eulogize; sing the praises [joys] of 《life》.

구각(舊殼) ¶ ～ 을 벗다 break with [discard] the tradition.

구간(區間) the section 《between A and B》.

구강(口腔) the mouth; the oral cavity. ¶ ～ 외과 oral surgery.

구개(口蓋) [解] the palate; the roof of the mouth. ‖ ～ 음 a palatal (sound).

구걸(求乞) begging. ～ 하다 beg;

ask charity; go (about) begging.

구경 a visit; sightseeing. ~하다 see; see [do] the sights of 《*a city*》; visit. ‖ ~거리 a sight; a spectacle; an object of interest / ~꾼 a spectator; a sight-seer; a visitor; an onlooker(방관자).

구경(口徑) caliber; calibre 《英》.

구곡(舊穀) grain produced in the previous year; long-stored grain.

구관(舊館) the old(er) building.

구관조(九官鳥) 【鳥】 a (hill) myna.

구교(舊交) 《오랜 정분》 old friendship 《acquaintance》.

구구(九九) the rules of multiplication. ‖ ~표 the multiplication table.

구구하다(區區─) 《변변찮음》 (be) petty; small; insignificant; minor; trivial; 《각각》 (be) various; diverse; divided. ¶ 구구한 변명 a lame [poor] excuse.

구국(救國) national salvation. ‖ ~운동 the save-the-nation movement.

구균(球菌) a micrococcus(*pl.* -ci).

구근(球根) a bulb. ‖ ~식물 a bulbous plant.

구금(拘禁) detention; confinement; custody. ~하다 detain; confine; imprison; keep 《*a person*》 in custody.

구급(救急) ¶ ~의 emergency; first-aid. ‖ ~상자 [약, 치료] a first-aid kit [medicine, treatment] / ~차 an ambulance.

구기(球技) a ball game.

구기다 crumple; wrinkle; rumple; crush.

구기자(枸杞子) 【植】 a Chinese matrimony vine.

구김살 wrinkles; creases; rumples; folds.

구깃구깃하다 (be) creasy; crumpled; wrinkled.

구난(救難) rescue; salvage. ‖ ~선 a rescue [salvage] ship / ~작업 rescue [salvage] work.

구내(構內) premises; a compound; an enclosure; the yard. ‖ ~식당 a refectory(학교 등의); a refreshment room(역 따위의).

구내염(口內炎) 【醫】 stomatitis.

구년(舊年) the old [past] year; last year.

구더기 a maggot.

구덩이 a hollow; a cavity; a pit; a sunken place.

구도(求道) seeking after truth. ‖ ~자 a seeker after truth.

구도(構圖) composition.

구도(舊都) an old city; a former capital.

구독(購讀) subscription. ~하다 subscribe to 《*a newspaper*》; take 《*a newspaper*》. ‖ ~료 subscription (rates) / ~자 a subscriber.

구두 《a pair of》 shoes; boots(장화). ¶ ~를 신다 (벗다) put on [take off] one's shoes / ~를 닦다 shine (polish) one's shoes. ‖ ~끈 a shoelace; a shoestring / ~닦이 shoe polishing; a shoeshiner(사람) / ~수선 shoe mending / ~약 shoe [boot] polish / ~창 the sole of a shoe.

구두(口頭) ¶ ~의 oral; verbal; spoken / ~로 orally; verbally. ‖ ~계약 a verbal contract / ~변론 【法】 oral proceedings / ~시험 an oral test.

구두(句讀) punctuation. ‖ ~점 punctuation marks [points].

구두쇠 a miser; a stingy person; a closefisted person. 「dry up.」

구드러지다 become hard and dry;

구들장 flat pieces of stone used for flooring a Korean 《an *ondol*》 room. 「end of last year.」

구랍(舊臘) last December;

구렁 《패인 곳》 a dent; a hollow; a cavity; a pit; 《비유적》 a chasem; an abyss; the depths.

구렁이 ① 《뱀》 a large snake; a serpent. ② 《사람》 a crafty (black-hearted) fellow.

구레나룻 whiskers.

구력(舊曆) the old〔lunar〕calendar.

구령(口令) a〔word of〕command. ~하다 give〔shout〕an order.

구루(佝僂) a hunchback. ‖ ~병〔僂〕rickets.

구류(拘留) detention; custody. ~하다 detain; keep〔hold〕(*a person*) in custody.

구르다(데굴데굴) roll (over). ¶ 굴러 떨어지다 roll in; fall into *one's* hands (유산 등이).

구르다(발을) stamp *one's* feet; stamp with impatience (vexation).

구름 a cloud; the clouds (총칭). ¶ ~이 낀 cloudy.

구름다리 an overpass; a foot-bridge; a viaduct.

구릉(丘陵) a hill; a hillock. ‖ ~지대 hilly districts.

구리 copper. ¶ ~빛의 copper-colored. ‖ ~철사 copper wire.

구리다 ① (냄새가) smell bad; stink; foul-smelling. ② (행동이) (be) suspicious; shady; nasty.

구매(購買) purchase; buying. ~하다 purchase; buy. ‖ ~력 purchasing〔buying〕power / ~자 a purchaser; a buyer.

구멍 ① a hole; an opening (개구부); a gap; crack (갈라진 틈); a hollow (공동). ② (결점·결함) a fault; a defect; a loss; a deficit (결손).

구멍가게 a small store; a mom-and-pop store; a penny candy store.

구메농사(一農事) (소농) small-scale farming.

구면(球面) 〔數〕 a spherical surface.

구면(舊面) an old acquaintance.

구명(究明) ~하다 study; investigate; look〔inquire〕into (*a matter*); bring (*a matter*) to light.

구명(救命) life saving. ¶ ~용의 life-saving. ‖ ~구 a life preserver; a life jacket〔vest〕(재킷); a life belt (벨트형의) / ~정 a lifeboat.

구명(舊名) an old name.

구무럭거리다 be slow〔tardy〕; move slowly; hesitate.

구문(口文) 구전.

구문(構文) sentence structure; construction of a sentence. ‖ ~법 syntax.

구문(舊聞) old〔stale〕news.

구미(口味) appetite; taste; (흥미) *one's* interest. ¶ ~가 당기다 appeal to *one's* appetite (interest) / ~에 맞다 be pleasant to *one's* taste; suite *one's* taste.

구미(歐美) Europe and America; the West. ¶ ~의 European and American; Western. ‖ ~인 Europeans and Americans; Westerners.

구박(驅迫) cold〔harsh, cruel〕treatment; maltreatment. ~하다 maltreat; treat (*a person*) badly; be hard upon (*a person*).

구변(口辯) ¶ ~이 좋다 have a fluent〔ready〕tongue.

구별(區別) distinction; discrimination; (a) difference. ~하다 distinguish〔discriminate〕(*A from B, between A and B*); tell〔know〕(*A from B*).

구보(驅步) a run; (말의) a canter; a gallop. ¶ ~로 가다 go at a run〔gallop〕; (군인의) march at the double.

구부러지다 ① (몸을) stoop; bend forward; bow; crouch. ② (물건이) bend; curve.

구부정하다 (be) somewhat bent.

구분(區分) division; (부문) a section; (분류) classification. ~하다 divide (*into*); sort; section; classify.

구불구불 ¶ ~한 winding; meandering; curved.

구비(口碑) oral tradition; a legend; folklore.

구비(具備) ~하다 have; be possessed of; be furnished〔equipped〕(*with*). ‖ ~서류 required documents.

구사(驅使) ~하다 《사람·동물을 부리다》 have (*a person*) at *one's* beck

and call: keep 《*a person*》 on the trot 《기계·기능을 활용하다》 use freely; have a good command of

구사일생(九死一生) a narrow escape from death.

구상(求償) ║ ~ 무역 compensation trade.

구상(具象) ║ ~적인 concrete; figurative / ~ 화하다 exteriorize; reify. ║ ~ 개념 a concrete concept / ~화 a representational painting.

구상(球狀) a spherical shape. ║ ~의 spherical; globular.

구상(鉤狀) ║ ~의 hook-shaped. ║ ~골(骨) an unciform bone.

구상(構想) an idea; a plan; (a) conception; a plot.

구색(具色) an assortment 《*of goods*》. ║ ~을 갖추다 assort; provide an assortment of 《*goods*》.

구석 a corner. ║ ~ ~에 in every nook and corner; in every corner 《*of*》. ║ ~자리 a corner seat.

구석기(舊石器) a paleolith. ║ ~시대 the Old Stone Age.

구석지다 (be) secluded; inmost; sequestered.

구설(口舌) public censure; malicious gossip. ║ ~수 the bad luck to be verbally abused.

구성(構成) constitution; composition; organization; make-up. ~하다 constitute; organize; make up; compose; form. ║ ~비(比)〔統〕 a component ratio / ~요소〔分子〕 a component / ~원 a member / 문장 ~법 syntax.

구세(救世) salvation (of the world). ║ ~군 the Salvation Army / ~주 the Savior; the Messiah.

구세계(舊世界) the Old World.

구세대(舊世代) the old generation.

구속(拘束) restriction; restraint; confinement; custody. ~하다 restrict; restrain; bind; confine. ║ ~력 (have) binding force 《*for a person*》 / ~시간 《노

동의》 actual working hours / ~ 영장 a warrant of arrest.

구속(球速)〔野〕(a pitcher's) pace; the speed of a pitched ball.

구수하다 《맛·냄새가》 (be) tasty; pleasant; good; 《이야기·따위가》 (be) interesting; humorous; delightful.

구수회의(鳩首會議) a conference. ~ 하다 counsel together; lay 〔put〕 《*their*》 heads together.

구술(口述) an oral statement; a dictation; ~하다 state orally; dictate. ║ ~의 oral; verbal. ║ ~서 a verbal note.

구슬 glass beads; 《보옥》 a gem; a jewel; 《진주》 a pearl.

구슬땀 beads of sweat.

구슬리다 coax 〔cajole, wheedle〕 《*a person into*》.

구슬프다 (be) sad; touching; sorrowful; mournful; plaintive.

구습(舊習) old 〔time-honored〕 customs.

구승(口承) (an) oral tradition. ~ 하다 hand down orally; pass 《*a story*》 down from generation to generation by oral tradition. ║ ~문학 oral literature.

구시대(舊時代) the old era. ║ ~의 an old-school politician.

구시렁거리다 keep grumbling 《*at, over, about*》; nag 《*at*》.

구식(舊式) an old style (fashion, school).

구실(역할·직무) one's function; a role; a duty; one's business; a part; one's share(몫).

구실(口實) an excuse; a pretext; a pretence. ║ ~을 만들다 make up an excuse.

구심(求心) ║ ~적(으로) centripetal(ly). ║ ~력 centripetal force.

구심(球審)〔野〕a ball 〔chief〕 umpire.

구십(九十) ninety. ║ ~째 the ninetieth.

구악(舊惡) one's past crime (misdeed); the old evils(社會 등의). ║ ~을 일소하다 make a clean sweep of the old evil.

ㄱ

구애(求愛) courting; courtship. ~ 하다 woo; court.

구애(拘礙) adhesion. ~ 하다 stick [adhere]; to; keep to.

구약성서(舊約聖書) the Old Testament.

구어(口語) (the) spoken [colloquial] language. ‖ ~ 의 spoken; colloquial / ~ 로 in spoken language; colloquially. ‖ ~ 체 a colloquial (conversational) style.

구역(區域) a zone; an area; a district; the limits. ‖ ~ 의 내에서 within the limits of / ~ 안에 inside the boundary of.

구역(嘔逆) nausea. ‖ ~ 나다 feel sick [nausea]. / ~ 질 질 nauseate (~ 질 나는 sickening; nauseating). ‖ 하다 recite; tell (a story).

구연(口演) an oral narration.

구연산(枸櫞酸) 〖化〗 citric acid.

구우일모(九牛一毛) a mere fraction; a drop in the bucket.

구워지다(빵 따위가) be baked; be toasted(토스트); (석쇠로) be grilled; (고기가) be roasted (생선이) be broiled. ‖ 잘 ~ be well-done.

구원(救援) relief; rescue; aid(국제적인). ~ 하다 rescue; relieve; aid. ‖ ~ 물자 relief goods / ~ 투수(投手) 〖野〗 a relief pitcher / ~ 활동 a rescue operation.

구원(舊怨) an old grudge.

구월(九月) September (생략 Sept.).

구유 a manger; a trough.

구의(舊誼) old friendship.

구이 roast meat(고기); broiled fish (생선); 〖돼지고기 ~〗 roast pork / 생선 ~ fish broiled with salt / 통닭 ~ a roast chicken.

구인(求人) a job offer; the offer of a position; 〖게시〗 Help Wanted. ~ 하다 offer a job; seek help. ‖ ~ 광고 a help-wanted advertisement [ad (略)] / ~ 난(難) a labor shortage / ~ 란(欄) the help-wanted column.

구일(九日) ① 〖초아흐렛날〗 the ninth [day] of a month. ② 〖9일간〗 nine days.

구입(購入) purchase; buying. ~ 하다 purchase; buy; get. ‖ ~ 가격 the purchase price / ~ 자 a purchaser.

구장(球場) a baseball ground (stadium)(야구); a soccer ground (축구).

구적법(求積法) 〖數〗 stereometry(체적의); planimetry(면적의).

구전(口傳) oral tradition (instruction). ~ 하다 instruct [teach] orally; hand down by word of mouth.

구전(口錢) a commission; brokerage.

구절(句節) a phrase and a clause; 〖문장〗 a paragraph.

구절양장(九折羊腸) a meandering path; a winding road.

구절초(九節草) 〖植〗 the Siberian chrysanthemum.

구절판(찬합)(九折坂[饌盒]) a nine sectioned lacquer ware serving plate. ‖ 〖fy: mean; untidy.

구저분하다 (be) dirty; filthy; nas-

구정(舊正) the Lunar New Year.

구정(舊情) old friendship.

구정물 filthy [dirty] water; sewage (하수).

구제(救濟) relief; help; aid; salvation(영혼의). ~ 하다 relieve; give relief (to); help; save. ‖ ~ 금융 (조치) 〖경제학적〗 a bailout / ~ 기금 relief funds / ~ 사업 relief work / ~ 책 a relief measure; a remedy.

구제(驅除) extermination. ~ 하다 exterminate; get rid of; stamp out.

구제도(舊制度) the old [former] system.

구조(救助) rescue; aid; relief; help. ~ 하다 rescue; save; help. ‖ ~ 대 a rescue team (party) / ~ 선 a lifeboat; a rescue boat / ~ 신호 a Mayday (call) / ~ 원 a rescue man / ~ 작업 a rescue operation.

구조(構造) structure; organization

(조직). ¶ ～상의 structural. ‖ ～개혁 structural reform / ～식[化] a structural formula.

구좌(口座) an account. ☞ 계좌.

구주(舊株)[證] an old stock (share).

구중궁궐(九重宮闕) the Royal Palace; the Court.

구중중하다 (be) damp; moist; wet; 「nasty.

구지레하다 (be) dirty; unclean; untidy.

구직(求職) job hunting. ～하다 seek(hunt for) a job. ¶ ～광고 a situation-wanted advertisement / ～란 a situation-wanted column / ～자 a job seeker.

구질구질하다 ① ☞ 구중중하다. ② 《지저분》 (be) dirty; filthy; untidy; sordid. ③ 《언행이》 (be) mean; base.

구차하다, 구차스럽다(苟且一) 《가난하다》 (be) very poor; destitute; needy; miserable; be badly off; be hard up; 《구구함》 (be) ignoble; humiliating; unworthy; clumsy(변명 따위).

구척장신(九尺長身) a person of extraordinary stature; a giant.

구천(九泉) Hades; the nether world; the grave.

구청(區廳) a ward(district) office. ‖ ～장 the chief of a ward / ～직원 a ward official.

구체(具體) concreteness. ¶ ～적인 concrete; definite / ～적으로 concretely; definitely / ～적으로 말하면 to put it concretely. ‖ ～화 embodiment; materialization.

구체제(舊體制) an old structure(system); the old order.

구축(驅逐) ～하다 drive away; expel; oust. ‖ ～함 a destroyer.

구축(構築) ～하다 build; construct.

구출(救出) rescue. ～하다 rescue; save. ‖ ～작업 a rescue operation.

구충(驅蟲) ～약[劑] an insecticide; a vermifuge (회충약).

구취(口臭) 《have》 (a) bad (foul) breath.

구치(臼齒)[解] a molar (tooth).

구치(拘置) confinement. ～하다 confine; detain; keep 《a person》 in custody. ‖ ～소 a prison; a jail. 「title.

구칭(舊稱) an old name; a former

구타(毆打) beating; [法] battery. ～하다 beat(strike, hit) 《a person》 on 《the head》.

구태(舊態) the old(former) state of things. / ～의연하다 remain unchanged (as it was).

구태여(일부러) purposely; deliberately; intentionally; daringly(감히); knowingly(알면서).

구토(嘔吐) vomiting. ～하다 vomit; throw(bring) up 《one's food》. ‖ ～실사 vomiting and diarrhea / ～제 an emetic.

구파(舊派) an old school (유파); the conservatives(보수파).

구판(舊版) an old [former] edition; an old book.

구푸리다 ☞ 구부리다.

구하다(求一) ① 《얻다》 get; obtain; gain; acquire; 《사다》 buy; purchase. ② 《찾다》 seek; search for(after); look for; pursue; 《요구하다》 ask for; request; demand.

구하다(救一) relieve(rescue) 《a person》 from 《danger》; help 《a person》 out of 《fire》; save.

구현(具現) embodiment. ～하다 embody.

구형(求刑) prosecution. ～하다 prosecute; demand a penalty 《for》.

구형(球形) a globular(spherical) spape. ¶ ～의 spherical; globular; globe-shaped.

구형(舊型) an old model(type, style). ¶ ～의 old-fashioned; outmoded; out-of-date.

구호(口號) a slogan; a motto; a catchword; a rallying word. ‖ 선거～ an election slogan.

구호(救護) relief; rescue; aid;

help. ~하다 relieve; rescue; aid; help. ¶ ~금 (a) relief fund [money] / ~물자 relief goods / ~소 a first-aid station.

구혼(求婚) a proposal [an offer] of marriage; courtship. ~하다 court; propose 〔to〕. ¶ ~을 승낙 〔거절〕하다 accept 〔decline〕 (a man's) hand. ‖ ~광고 a matrimonial advertisement / ~자 a wooer.

구황(救荒) ~하다 relieve (the sufferers from) famine.

구획(區劃) 《구분》 a division; a section; a lot 〔토지〕. ~하다 divide; partition; mark off. ‖ ~정리 land readjustment.

구휼(救恤) relief (of the poor). ~하다 relieve; aid.

국 soup; broth. ¶ 진한 〔맑은〕 ~ thick 〔clear〕 soup.

국(局) ① 《관서》 a government office; a bureau; a department 《英》. ② 《바둑 따위의 승부》 a game.

국가(國家) a state; a country; a nation. ¶ ~의 national; state, national. ‖ ~경제 the national economy / ~공무원 a government official; a national public service personnel(총칭) / ~권력 state power / ~기관 a state organ / ~대표팀 the 《Korea》 national team / ~보 안법 the National Security Law / ~비상사태 《declare》 a state of national emergency / ~시험 a state examination / ~재정 the finances of the state / ~주 의 nationalism.

국가(國歌) the national anthem.

국경(國境) the frontier; the border; the boundaries (of a country). ¶ ~경비대 〔분쟁, 선〕 a border garrison 〔dispute, line〕.

국경일(國慶日) a national holiday.

국고(國庫) the (National) Treasury. ¶ ~보조 a state 〔government〕 subsidy / ~부담 state liability / ~수입 national revenues / ~채권 《美》 a treasury bond 〔bill〕.

국교(國交) diplomatic relations. ‖ ~단절 〔회복〕 of a severance 〔restoration〕 of diplomatic relations / ~정상화 normalization of diplomatic relations.

국교(國敎) a state religion. ¶ 영국 ~회 성공회.

국군(國軍) 《일반적인》 the armed forces of a nation; 《한국 군대》 the Korean army; ROK Army 〔Armed Forces〕. ¶ ~의 날 the (ROK) Armed Forces' Day.

국권(國權) national 〔state〕 power 〔rights〕; sovereign rights(통치권).

국기(國技) a national sport 〔game〕.

국기(國旗) the national flag. ‖ ~게양식 a flag hoisting ceremony.

국난(國難) a national crisis.

국내(國內) the interior; 《~의 internal; domestic; home. ‖ ~문제 〔사정〕 internal 〔domestic〕 affairs / ~법 municipal 〔civil〕 law / ~산업 domestic indus-tries / ~선 a domestic line 〔flight〕 / ~시장 the domestic market / ~우편 a domestic mail.

국도(國道) a national road 〔highway〕. ¶ ~ 2호선 National Highway 2; Route 2.

국란(國亂) a civil war; an internal disturbance.

국력(國力) national strength 〔power〕; 《자원·부》 national resources 〔wealth〕. ¶ ~을 기르다 〔증진하다〕 build up 〔increase〕 national power.

국록(國祿) a government salary. ¶ ~을 먹다 be in government service.

국론(國論) national 〔public〕 opinion.

국리(國利) ¶ ~민복을 도모하다 promote national interests and the welfare of the people.

국립(國立) ¶ ~의 national; state; government. ‖ ~경기장 the National Athletic Stadium / ~국악원 the National Classical

Music Institute / ~극장 a national theater / ~대학 a national university / ~묘지 the National Cemetery / ~박물관 the National Museum / ~병원 a national hospital.

국면(局面) 《판국》 the situation; the aspect of affairs; a phase.

국명(局名) 〖無電〗 a call sign; call letters; 《방송국의》 the name of a station.

국명(國名) the name of a country.

국모(國母) 《황후》 an empress; 《왕후》 a queen.

국무(國務) state affairs; the affairs of state. ‖ ~부 the Department of State 《美》 / ~위원 a minister of state; a minister without portfolio 《무임소장관》 / ~장관〔차관, 차관보〕 the Secretary〔Undersecretary, Assistant Undersecretary〕 of State 《美》 / ~총리 the Prime Minister; the Premier / ~회의 a Cabinet council〔meeting〕.

국문(國文) 《문학》 national〔Korean〕 literature; 《국어》 the national〔Korean〕 language; 《문자》 the Korean alphabet. ‖ ~법 the Korean grammer / ~학과 the Korean literature course / ~학자 a scholar of Korean literature.

국민(國民) a nation; a people; 《개인》 a citizen; a national. ¶ ~의 national. ‖ ~개병(주의) universal conscription〔system〕 / ~건강보험 national health insurance / ~경제 the national economy / ~군 the militia / ~복지연금 the citizen's welfare pension / ~성 the national character〔traits〕 / ~소득 the national income / ~연금 a national pension / ~운동 a national campaign〔movement〕 / ~의례 national ceremony / ~장 a people's〔public〕 funeral / ~생산 gross national product〔생략 GNP〕 / ~투표 a plebiscite; a

(national) referendum.

국밥 rice-and-meat soup.

국방(國防) national defense. ‖ ~부〔장관〕 the Ministry〔Minister〕 of National Defense / ~비 national defense expenditure / ~성 《美》 the Department of Defense; the Pentagon / ~자원 national defense resources.

국번(局番) an exchange number.

국법(國法) the national law; the laws of the country.

국보(國寶) a national treasure. ¶ ~적 존재 a national asset / ~지정을 받다 be designated a national treasure.

국부(局部) 《일부》 a part; a section; 《국지》 a local area; 《환부》 the affected part; 《음부》 the private parts. ¶ ~적(으로) local (-ly); sectional(ly); partial(ly) / ~화하다 localize. ‖ ~마취 local an(a)esthesia.

국부(國父) the father of the country.

국부(國富) 〖經〗 national wealth.

국비(國費) the national expenditure〔expenses〕. ‖ ~유학생 a government student abroad / ~장학생 a holder of a scholarship from the government.

국빈(國賓) a guest of the state; a national guest.

국사(國史) the national history; 《한국의》 the history of Korea; Korean history.

국사(國事) a national affair; the affairs of state.

국산(國産) domestic production. ¶ ~의 homemade; domestic. ‖ ~품 home products; homemade articles.

국상(國喪) national mourning.

국새(國璽) the Seal of the State.

국선변호인(國選辯護人) a court-appointed lawyer.

국세(國稅) a national tax. ‖ ~청 the Office of National Tax Administration; the Internal Revenue Service 《美》.

국세(國勢) the state of a country. ∥ ~ 조사 a national census / ~ 조사원 a census taker.

국수 noodles; spaghetti; vermicelli.

국수(國手) 〔바둑·장기의〕 a national champion 〔master player〕 of 《baduk, etc》; 〔명의〕 a noted physician.

국수주의(國粹主義) ultranationalism; extreme patriotism.

국시(國是) 〔fix〕 a national 〔state〕 policy.

국악(國樂) (traditional) Korean music.

국어(國語) the national 〔Korean〕 language; one's mother tongue. ¶ 2개 ~ 의 bilingual.

국영(國營) state 〔government〕 operation; 〔국영화〕 nationalization. ¶ ~ 의 state-operated; state-run. ∥ ~ 기업 a state 〔national〕 enterprise; a government-run corporation.

국왕(國王) a king; a monarch; a sovereign.

국외(局外) the outside; an independent position. ¶ ~ 의 outside; external. ∥ ~ 자 an outsider; a looker-on / ~ 중립 neutrality.

국외(國外) ¶ ~ 에서〔로〕 abroad; overseas; outside the country / ~ 로 추방하다 expel 《a person》 from the country; expatriate. ∥ ~ 추방 deportation; expatriation.

국운(國運) national fortunes; the destiny 〔fate〕 of a country. ¶ ~ 의 성쇠 the prosperity and decline of a country.

국위(國威) national prestige 〔dignity〕. ¶ ~ 를 선양하다 〔손상시키다〕 enhance 〔damage〕 the national prestige.

국유(國有) ¶ ~ 의 state-〔government-〕 owned; national(ized). ∥ ~ 림 〔철도〕 a national 〔state〕 forest 〔railway〕 / ~ 재산 national 〔state〕 property 〔assets〕 / ~ 지 state 〔national〕 land / ~ 화

nationalization. (~ 화하다 nationalize).

국자 a (large) ladle; a dipper.

국장(局長) the director 〔chief〕 of a bureau; a postmaster 〔우체국의〕. 「al.

국장(國章) a national emblem.

국적(國籍) nationality; citizenship 〔美〕. ¶ ~ 을 취득 〔상실〕 하다 acquire 〔lose〕 citizenship / ~ 상실 loss of nationality / 이중 ~ dual 〔double〕 nationality. 「bition.

국전(國展) the National Art Exhi-

국정(國政) (national) administration; 〔국무〕 state affairs. ∥ ~ 감사 (parliamentary) inspection on state administration / ~ 조사권 〔국회의〕 the right to conduct investigations in relation to government.

국정(國定) ¶ ~ 의 state; national. ∥ ~ 교과서 a government-designated textbook; a school textbook compiled by the state.

국정(國情) the state of affairs in a country; the social 〔political〕 conditions of a country.

국제(國際) ¶ ~ 적(인) international / ~ 적으로 internationally; universally. ∥ ~ 견본시 an international trade fair / ~ 결제은행 the Bank of International Settlement / ~ 결혼 intermarriage; international marriage / ~ 공항 an international airport / ~ 관계 international relations / ~ 노동기구 the International Labor Organization 〔생략 ILO〕 / ~ 도시 a cosmopolitan city / ~ 법 international law / ~ 부흥개발은행 the International Bank for Reconstruction and Development 〔생략 IBRD〕 / ~ 분쟁 international disputes / ~ 선 an international flight / ~ 수지 the balance of international payment / ~ 어 〔문제, 정세〕 an international language 〔problem, situation〕 / ~ 연합 the United Na-

tions(생략 UN) / ～연합 안전보장이 사회 the United Nations Security Council / ～의원연맹 the Inter-Parliamentary Union(생략 IPU) / ～인 a cosmopolitan; a citizen of the world / ～전화 the international telephone service / ～ 친선 international amity / ～통화 (通貨) international currency / ～ 통화기금 the International Monetary Fund (생략 IMF) / ～ 협력 international cooperation / ～ 화 internationalization / ～회의 an international conference.

국지(局地) a locality. ¶ ～적(的) local; regional / ～화하다 localize. ‖ ～전쟁 a local war; a limited warfare.

국채(國債) 《증권》 a national 〔government〕 bond; 《공채》 a government loan.

국책(國策) a national 〔state〕 policy. ¶ ～은행 a government-run bank / ～회사 a national policy concern 〔company〕.

국체(國體) national constitution; national structure.

국치(國恥) ‖ ～일 the National Humiliation Day; a day of national infamy.

국태민안(國泰民安) national prosperity and the welfare of the people.

국토(國土) a country; a territory; a domain. ¶ ～개발 national land development / ～방위 national defense / ～보전 territorial integrity / ～분단 territorial division.

국판(菊判) a small octavo; a medium octavo 《美》.

국학(國學) Korean (classical) literature.

국한(局限) localization; limitation. ～하다 localize; limit; set limits (*to*).

국헌(國憲) the national constitution.

국호(國號) the name of a country.

국화(國花) the national flower.

국화(菊花) a chrysanthemum.

국회(國會) the National Assembly (한국, 프랑스); Parliament(영국); the (National) Diet(일본, 덴마크, 스웨덴); Congress(미국). ¶ ～는 개회 〔폐회〕 중이다 The National Assembly is now in 〔out of〕 session. / ～가 소집 〔해산〕 되었다 The National Assembly was convened 〔dissolved〕. ‖ 〔법〕 ～도서관 the National Assembly Library 〔Law〕 / ～사무처 the Secretariat of the National Assembly / ～의사당 the Assembly Hall; the Parliamentary Building 《英》; the Capitol 《美》 / ～의원 an Assemblyman; a member of parliament(생략 an M.P.); a Congressman(미국의) / ～ 청문회 a parliamentary hearing 《*on the Hanbo corruption scandal*》 / 정기 〔특별, 임시〕 ～ an ordinary 〔a special, an extraordinary〕 session of the National Assembly.

군(君) 《자네》 you; 《이름에》 Mister; Mr. (*Kim*).

군(軍) 《군대》 an army; a force; troops.

군(郡) a district; a county.

군 余다 (가외); superfluous; unnecessary. ¶ ～식구 a freeloader; a sponger; a defendent.

군가(軍歌) a war 〔military〕 song.

군거(群居) gregarious life. ～하다 live gregariously 〔in flocks〕. ‖ ～본능 the herd instinct / ～성 gregariousness; sociability.

군것질 a snack; between-meals refreshments. ～하다 spend *one's* pocket money on candy 〔sweets〕.

군경(軍警) the military and the police.

군계(群鷄) ‖ ～일학(一鶴) a jewel on a dunghill; a Triton among the minnows.

군관구(軍管區) a military district.

군국(軍國) ‖ ～주의 militarism / ～주의자 a militarist.

군기(軍紀) military discipline;

troop morals.

군기(軍旗) the 《*regimental*》 colors; a battle flag; an ensign; a standard.

군기(軍機) a military secret. ‖ ~ 누설 leakage of military secrets.

군납(軍納) supply of goods and services to the military. ~하다 provide supplies or services for an army; purvey for an army. ‖ ~업자 a military goods supplier(물품업); service contractors for the army (용역의) / ~회사 military supply contract firm.

군내 an unpleasant [unwanted] smell.

군단(軍團) an army corps; a corps. ‖ 제2 ~ the 2nd Corps / ~사령부 the corps headquarters.

군대(軍隊) an army; troops; forces; the military. ‖ ~에 입대하다 join [enlist] in the army / ~ 생활을 하다 serve in the army. ‖ ~ 생활 army life.

군더더기 a superfluity.

군데(곳) a place; a spot; a point (지점); 《부분》 a part.

군도(軍刀) a saber; a sword.

군도(群島) an archipelago; a group of islands. ‖ 말레이 ~ the Malay Archipelago.

군란(軍亂) an army insurrection [rebellion]; a *coup d'état*.

군략(軍略) strategy; a stratagem; tactics.

군량(軍糧) military provisions.

군령(軍令) a military command.

군림(君臨) reigning. ~하다 reign [rule] 《*over*》.

군말 idle [empty] talk; an unnecessary [uncalled-for] remark; prattle. ~하다 say useless [irrelevant] things; talk nonsense.

군모(軍帽) a military cap.

군목(軍牧) 【軍】 a chaplain.

군무(軍務) military affairs [service, duty].

군문(軍門) a military camp; an army.

군민(軍民) soldiers and civilians.

군번(軍番) a (soldier's) serial number; service number (생략 SN).

군벌(軍閥) the military clique. ‖ ~ 정치 militaristic government.

군법(軍法) martial [military] law.

군복(軍服) a military [naval] uniform.

군부(軍部) the military authorities; the military.

군불 ‖ ~(을) 때다 heat the floor (of a Korean *ondol*).

군비(軍備) armaments; military preparedness (美). ‖ ~ 경쟁 an armament race / ~ 철폐 disarmament / ~ 축소 [확장] reduction [expansion] of armaments.

군비(軍費) war expenditure.

군사(軍事) military affairs. ‖ ~상의 military; strategic (작전상의) / ~ 제재를 가하다 impose military sanctions (*on*). ‖ ~개입 (a) military intervention / ~거점 a strategic position / ~고문단 the Military Advisory Group / ~기지 a military base / ~대국 a major military power / ~동맹 a military alliance / ~력 military [armed] strength [capacity] / ~법원 a court-martial / ~분계선 the Military Demarcation Line / ~시설 military establishments [installations] / ~원조 [우편] military aid [mail] / ~위성 a military satellite / ~재판 court-martial / ~점권 a military regime / ~행동 military movements [action] / ~훈련 military drill [training].

군사령관(軍司令官) an army commander.

군사령부(軍司令部) the army headquarters.

군살(굳은살) proud flesh; granulation; 《손바에 생기는》 a callus; 《군더더기살》 superfluous flesh; fat (지방).

군상(群像) ① 《조각》 a sculptured group. ② 《많은 사람들》 a large group of people.

98

군색하다(窘塞―)《구차》(be) indigent; poor; needy; 《어렵게 보임》(be) lame; clumsy; (be) in a fix.

군서(群棲) gregarious life. ～하다 live gregariously.

군세(軍勢)《병력》the number of soldiers; troops; forces; 《형세》the military situation 《*of a country*》.

군소(群小) minor; petty; lesser. ‖ ～정당 minor political parties.

군소리 ① 《군말》superfluous words; an uncall-for remark; nonsense. ～하다 talk nonsense. ② 《헛소리》[the army 〔navy〕.

군속(軍屬) a civilian employee of

군수(軍需) ‖ ～공장 a munitions factory / ～산업 the munitions 〔war〕industry / ～품 〔물자〕war supplies; munitions.

군수(郡守) the magistrate of a county; a county headman.

군식구(―食口) ☞ 군.

군신(君臣) sovereign and subject; lord and vassal.

군신(軍神) the god of war; Mars (로마 신화); Ares(그리스 신화).

군악(軍樂) military music. ‖ ～대 a military band.

군영(軍營) a military camp 〔base〕.

군용(軍用)《for》military use 〔purpose〕. ‖ ～견 a war 〔military〕dog / ～기 a warplane / ～도로 a military road.

군웅(群雄) a number of rival leaders. ‖ ～할거 rivalry between warlords.

군원(軍援) military aid 〔assistance〕.

군율(軍律)《군법》martial law; 《군기》military discipline.

군의(軍醫) an army 〔a naval〕doctor 〔surgeon〕. ‖ ～관 a medical officer.

군인(軍人) a serviceman; a soldier(육군); a sailor(해군); an airman(공군). ‖ ～사회 military circles / ～생활 military life / ～연금 a soldier's pension / ～정신 the military spirit.

군자(君子) a man of virtue 〔noble

character〕; a wise man.

군자금(軍資金) war funds; campaign funds (선거 자금 등).

군장(軍裝)《명시의》military uniform; 《전투시의》war outfit 〔attire〕.

군장(軍葬) a military funeral.

군적(軍籍) the military register; 《신분》military status 〔position〕.

군정(軍政)《establish; be under》military administration. ‖ ～청 the Military Government Office.

군제(軍制) a military system.

군주(君主) a monarch; a sovereign; a ruler. ‖ ～국 a monarchy / ～정체 monarchism.

군중(群衆) a crowd 〔throng〕《of people》; the masses(대중). ‖ ～심리 mob 〔mass〕psychology.

군집(群集) ～하다 gather; throng; crowd together.

군짓 ～하다 do unnecessary 〔useless〕things.

군청(郡廳) a county office.

군축(軍縮) disarmament; arms reduction. ～하다 reduce armament. ‖ ～회담 disarmament talks / ～회의 a disarmament conference.

군침 slaver; saliva; slobber; drool. ‖ ～을 흘리다 drivel; slaver; run at the mouth; 《욕심내다》lust 《for》; be envious 《of》.

군턱 a double chin.

군함(軍艦) a warship; a vessel of war; a battleship. ‖ ～기 a naval ensign.

군항(軍港) a naval port 〔station〕.

군호(軍號) a (military) password; a watchword.

군화(軍靴) military shoes; combat 〔army〕boots; GI shoes (美).

굳건하다 (be) strong and steady; firm.

굳다¹《물체가》(be) hard; solid; 《정신·태도가》(be) firm; strong; adamant; 《인색하다》(be) frugal; tight-fisted; stingy; 《표정·몸이》(be) stiff. ¶ 굳게 strongly; firmly; solidly.

ㄱ

굳다 《동사》 become stiff [hard]; harden; stiffen; set.
굳세다 (be) firm; strong; stout; adamant. ¶ 굳세게 stoutly; undauntedly; firmly.
굳이 positively; firmly; solidly; obstinately.
굳히다 make 《something》 hard; harden; stiffen; 《공고히》 strengthen; consolidate.
굴 〔貝〕 an oyster. ‖ ~ 껍질 an oyster shell / ~ 양식장 an oyster bed [farm].
굴(窟) ① 《짐승의》 a lair; a den; a burrow 《여우의》; an earth 《여우의》. ② 《동혈》 a cave; a cavern. ③ 《터널》 a tunnel.
굴곡(屈曲) bending; winding; 《해안의》 indentation. ~ 하다 bend; wind; be crooked. ¶ ~이 진 winding; meandering 《강이》; 《도로가》 zigzagging; crooked. ‖ ~부 a bent; a turn.
굴다 《행동하다》 act; behave; conduct oneself 《like a gentleman》.
굴다리 an overpass; a viaduct.
굴대 an axle; an axis; a shaft.
굴도리 a round [cylindrical] beam.
굴뚝 a chimney; a (smoke) stack; a funnel 《기선의》; a (stove) pipe 《낙로의》. ‖ ~ 청소 chimney sweeping / ~ 새 〔鳥〕 a wren. Ling.
굴렁쇠 a hoop.
굴레 a bridle. ¶ ~ 를 씌우다 bridle; 《속박》 restrain; curb.
굴리다 ① 《굴러가게》 roll 《a ball》. ② 《한구석에》 throw 《a thing》 on one side; leave 《a thing》 negligently. ③ 《돈을》 lend out 《money》. ④ 《운영》 run.
굴복(屈服) surrender; submission. ~ 하다 yield; submit; surrender; give in 《to》. ¶ ~ 시키다 bring 《a person》 to his knees; make 《a person》 give in.
굴비 a dried yellow corvina.
굴신(屈伸) extension and flexion. ~ 하다 bend and stretch; extend and contract.
굴욕(屈辱) humiliation; disgrace.

an insult. ¶ ~ 적인 humiliating; disgraceful / ~ 을 주다 humiliate; insult; put a person to shame / ~ 을 참다 swallow an insult. ‖ ~ 외교 a submissive foreign policy.
굴절(屈折) bending; winding; 〔理〕 refraction. ~ 하다 refract; bend. ‖ ~ 광선 a refracted light [ray] / ~ 렌즈 a refracting lens; a refractor / ~ 률 a refractive index / ~ 어 〔語〕 an inflectional language.
굴젓 salted [pickled] oysters.
굴종(屈從) submission. ~ 하다 submit; yield; succumb 《to》.
굴지(屈指) 《~의》 leading; prominent; outstanding.
굴진(屈進) ~ 하다 dig through.
굴착(掘鑿) digging; excavation. ~ 하다 excavate; dig out. ‖ ~ 기 an excavator.
굵다(一) ① ~ 굵히다 ①. ② 《복종》 yield [submit 《to》]; give in; bow 《to》.
굵다 (be) big; thick; deep《음성이》; bold 《활자가》.
굶기다 starve; let [make] 《a person》 go hungry.
굶다 go without food [eating]; go hungry; starve; famish. ¶ 굶어 죽다 die of hunger; starve to death.
굶주리다 《못 먹다》 starve; be hungry; be starving 《갈망하다》 hanker 《after》; be hungry [thirsty] for; starve for.
굼뜨다 (be) slow; tardy; sluggish.
굼벵이 ① 《벌레》 a white grub; a maggot. ② 《사람》 a laggard; a sluggard.
굼틀거리다 writhe; wriggle; twist; wiggle.
굽 ① 《아소의》 a hoof. ¶ 갈라진 ~ cloven hoofs. ② 《신발의》 a heel. ¶ ~ 이 높은 [낮은] 구두 high-[low-] heeled shoes. ③ 《그릇의》 a foot 《of a glass》.
굽다 《휘다》 (be) bent; curved;

ㄱ

crooked; winding; stooped. ¶ 굽은 나무 a crooked tree / 나이가들어 허리가 ~ be stooped (bent) with age.

굽다² 《음식물》 roast 《meat》; broil 《fish》; barbecue 《fish or meat》; grill 《a steak, a chicken》; toast 《a slice of bread》; bake 《potatoes》; 《벽돌 등을》 make (burn; bake) 《bricks》. ¶ 잘 구워진 well-done; 《빵이》 well-baked / 덜 구워진 《중간》 medium; 《설 구워진》 rare.   「of a room.

굽도리 the lower parts of walls

굽실거리다 cringe (kowtow; crawl) 《to》; be obsequious 《to》.

굽어보다 《내려다보다》 look down; overlook; 《굽어 살피다》 condescend to help.

굽이 a turn; a curve; a bend.

굽이치다 wind; meander; roll(파도가).

굽히다 ① 《무릎·허리를》 bend; bow; stoop. ¶ 무릎을 ~ bend one's knees. ② 《뜻을》 yield; submit; give in.

굿 《무당의》 an exorcism; a shaman ritual, *Gut*; 《구경거리》 a spectacle; a show. ¶ ~을 하다 exorcise; perform an exorcism.

굿바이히트 【野】 a game ending hit.

궁 《宮》 a palace.

궁경 《窮境》 ① 《가난》 poverty; needy circumstances; destitution. ② ☞ 궁지.

궁궐 《宮闕》 the royal palace.

궁극 《窮極》 extremity; finality. ¶ ~의 final; ultimate; eventual / ~에 가서는 finally; eventually; in the end; in the long run.

궁금하다 (be) anxious; worried; concerned 《about, for》; interested 《in》.

궁녀 《宮女》 a court lady (maid).

궁노루 【動】 a musk deer.

궁도 《弓道》 archery; bowmanship.

궁도련님 《宮—》 a green youth 《of noble birth》.

궁둥이 the hips; the buttocks;

the behinds; the backside; the butt 《口》; the ass 《俗》; the rump(동물의).

궁리 《窮理》 《생각》 deliberation; consideration; meditation; 《연구》 study [research] of the reason of affairs 《things》. ~ 하다 ponder 《on》; think (mull) over.

궁벽하다 《窮僻—》 (be) out-of-the-way; remote; secluded.

궁상 《弓狀》 arch. ¶ ~의 arched; bow-shaped; curved.

궁상 《窮狀》 a sad plight; straitened circumstances; wretched condition. ¶ ~스럽다 《맞다》 (be) miserable looking; wretched; have a look of poverty.

궁수 《弓手》 an archer; a bowman.

궁술 《弓術》 archery; bowmanship. ‖ ~ 대회 an archery match.

궁시 《弓矢》 bow and arrow.

궁여지책 《窮餘之策》 (a plan as) a last resort; a desperate shift [measure].

궁전 《宮殿》 a (royal) palace.

궁정 《宮廷》 the Court. ‖ ~ 문학 《생활》 court literature [life] / ~ 화가 a court painter.

궁중 《宮中》 the (royal) Court. ‖ ~ 요리 the (Korean) royal cuisine.

궁지 《窮地》 a predicament; an awkward position; a difficult situation; a dilemma.

궁핍 《窮乏》 poverty; destitution. ~ 하다 (be) poor; be in needy circumstances; be badly off.

궁하다 《窮—》 《살림이》 be in distress (want); be destitute; needy; 《입장이》 be in an awkward position; be in a dilemma; be at a loss.

궁합 《宮合》 【民俗】 marital harmony predicted by a fortune-teller.

궁형 《弓形》 a crescent (form); a segment of a circle; a lune.

궂다 ① 《언짢다》 be cross; bad; undesirable. ¶ 궂은 일 an ungrateful affair; a disaster. ② 《날씨가》 (be) bad; foul; nasty;

rainy; wet. ¶ 궂은 날씨 nasty weather.

권(卷) ① 《책 따위의》 a volume; a book; 《영화의》 a reel. ¶ 제1~ the first volume; vol. I, ② 《종이의》 twenty sheets of Korean paper; a Korean quire.

권고(勸告) 《a piece of》 advice; counsel; recommendation. ~ 하 다 advise; counsel; give advice [counsel]; recommend. ¶ ~서 a written advice / ~안 a recommendation.

권내(圈內) (be) within the range [sphere] 《of influence》.

권농(勸農) ~ 하다 encourage [promote] agriculture.

권두(卷頭) the beginning [opening page] of a book. ¶ ~ 논문 the opening article 《of a journal》 / ~ 사 a foreword; a preface.

권력(權力) power; authority; influence(세력). ¶ ~ 있는 powerful; influential / ~ 을 얻다〔잃다〕 gain [lose] power / ~ 을 행사하다 wield [exercise] authority [power] / ~ 을 잡다 seize power. ¶ ~가 a man of power 《influence》 / ~주의 authoritarianism / ~투쟁 a struggle for power.

권리(權利) a right; a claim(요구권); a title(소유권); a privilege (특권). ¶ ~를 행사 [남용]하다 exercise [abuse] one's rights / ~을 침해하다 infringe on another's rights. ¶ ~금 a premium; key [concession] money / ~의식 a sense of entitlement / ~이전 a transfer of rights / ~증서 a certificate of title.

권말(卷末) the end of a book.

권모술수(權謀術數) trickery; scheming; machinations. ¶ ~를 쓰다 resort to trickery.   [family.

권문세가(權門勢家) an influential

권불십년(權不十年) Every flow has its ebb. or Pride goes before a fall. or Pride will have a fall.

권선(捲線) a coil; winding. ¶ ~기 a (coil) winding machine.

권선징악(勸善懲惡) encouraging the good and punishing the evil; poetic justice. ☞ 권력.

권속(眷屬) ① 《식구》 one's family [dependents]. ¶ 일가~ a whole family. ② 《아내》 my wife.

권솔(眷率) one's family [dependents].   [powerful courtier.

권신(權臣) an influential vassal; a

권업(勸業) ~하다 promote [encourage] industry.

권외(圈外) (be) outside of the range [circle]; out of range.

권위(權威) authority; power; 《위엄》 dignity; 《대가》 an authority. ¶ ~ 있는 authoritative; authentic.

권유(勸誘) invitation; solicitation; persuasion; canvass. ¶ ~ 하다 invite; solicit; canvass; persuade.

권익(權益) 《protect one's》 rights and interests.

권장(勸獎) ~하다 encourage; urge; promote; recommend.

권좌(權座) 《the seat of》 power. ¶ ~ 에 오르다 come [rise] to power.

권총(拳銃) a pistol; a revolver(회전식); a gun(美); a handgun(美). ¶ ~강도 a burglar armed with a pistol / 6연발~ a six-shooter(美).

권태(倦怠) boredom; weariness; fatigue. ¶ ~기 a stage of weariness [tedium].

권토중래(捲土重來) ~하다 make another attempt with redoubled efforts; resume one's activities with redoubled energies.

권투(拳鬪) boxing; pugilism. ~하 다 box 《with》. ¶ ~선수 a boxer / 《프로의》 a prizefighter / ~시합 a boxing match [bout] / ~장 a boxing ring.

권하다(勸一) ① 《추천》 recommend. ② 《권고》 ask; advise; suggest; persuade. ③ 《권유》 invite; 《강권》 press on 《a person》; urge; 《내놓다》 offer.

권한(權限) authority; power; competence(력량에 근거한). ¶ ～을 행사하다 exercise *one's* authority / ～을 부여하다 authorize (*a person*) (*to do*); give (*a person*) authority (*to do*). ‖ ～대행 the acting (*President*).

권화(權化) incarnation; embodiment; avatar. ¶ ～ 화신(化身).

궐기(蹶起) ～하다 rise (to action); rouse *oneself* to action. ¶ ～대회 a rally.

궐내(闕內) (within) the royal palace. ［num.

궐위(闕位) (왕위의) the interreg-

궤(櫃) a chest; a coffer; a box.

궤도(軌道) (천체의) an orbit; (철도의) a (railroad) track 《美》; a railway. ¶ ～비행 [단선 [복선]의] a single [double] track(철도의).

궤멸(潰滅) a rout; a collapse; annihilation (전멸). ～하다 be defeated; be routed; destroy.

궤변(詭辯) sophism; sophistry. ¶ ～을 부리다 quibble; sophisticate. ‖ ～가 a sophist; a quibbler. ～론자 an ulcer. bler.

궤양(潰瘍) an ulcer.

궤적(軌跡) 〔數〕 a locus; (바퀴자국의) the trace of wheels. ¶ ～을 구하다 find a locus.

궤주(潰走) a rout. ～하다 be routed; be put to rout [flight].

궤짝(櫃─) (상자) a box; a chest.

귀 《듣는》 an ear; 《청각》 hearing; 《가장자리》 an edge (물건의); a selvage(직물의). ¶ ～가 멀다 [밝다] be hard [quick] of hearing / ～에 익다 be familiar (한쪽에) / ～가 안 들리다 be deaf (of one ear). ‖ ～뿌리 the root of *one's* ear / ～앓이 an earache / ～약 an ear remedy; eardrops.

귀…(貴) 《당신의》 your esteemed, your. ¶ ～사(社) your company / ～정부 your government.

귀가(歸家) return(ing) home. ～하다 return [come, go] home.

귀감(龜鑑) a model; a pattern; a mirror.

귀갑(龜甲) a tortoise shell.

귀걸이(─) earmuffs; an earcap; 《장식용》 an earring; a pendant.

귀결(歸結) a conclusion; an end; (결과) a result; a consequence. ¶ ～짓다 bring to a conclusion.

귀경(歸京) ～하다 return to Seoul.

귀고리 an earring; an eardrop.

귀골(貴骨) 《사람》 people of noble birth; 《얼굴》 noble features.

귀공자(貴公子) a young nobleman (-man).

귀국(歸國) ～하다 return [come back] to *one's* country; go [come, get] home.

귀금속(貴金屬) precious metals. ¶ ～상 (상인) a dealer in jewelry; a jeweler 《美》; (상점) a jewelry store.

귀납(歸納) induction. ～하다 induce (*A from B*); make an induction (*from the facts*). ¶ ～적 (으로) inductive(ly). ‖ ～법 (론) (duction) the inductive method.

귀농(歸農) ～하다 return to the farm [farming]. ［fully].

귀담아듣다 listen willingly [carefully].

귀동냥 knowledge picked up by listening to others. ～하다 learn by listening to others carefully.

귀두(龜頭) 〔解〕 the glans (of the penis); ～염 〔醫〕 balanitis.

귀때 a spout; a tap (술통 따위의).

귀뚜라미 〔蟲〕 a cricket. ¶ ～가 울다 a cricket chirps.

귀트다 (a baby) start to hear for the first time.

귀띔 a tip; a hint; a suggestion. ～하다 give a tip; hint (*at*); whisper (*something*) into (*a person's*) ear.

귀로(歸路) *one's* way home (back); *one's* return journey [trip].

귀리 〔植〕 oats.

귀머거리 a deaf person.

귀먹다 become deaf; be deafened (일시적으로).

귀물(貴物) a rare [precious] thing.

ㄱ

귀밝다 (be) sharp-eared; be quick [to hear.

귀부인(貴夫人) a (titled) lady; a noblewoman. ‖ ～다운 ladylike.

귀빈(貴賓) a guest of honor; a distinguished [an honored] guest. ‖ ～석〔室〕 seats (a room) reserved for distinguished guests (VIPs).

귀설다 (be) unfamiliar (unaccustomed, strange) to one's ear.

귀성(歸省) home-coming. ～하다 return (go, come) home; go back to one's hometown (village). ‖ ～객 homecoming people / ～열차 a train for homecoming passengers.

귀소본능(歸巢本能) the homing instinct.

귀속(歸屬) reversion; return. ～하다 revert (to); be restored (to). ‖ ～의식 (a feeling of) identification (with); a sense of belonging.

귀순(歸順) submission; surrender. ～하다 submit (to); (망명하다) defect (to). ‖ ～병 a defecting soldier / ～자 a defector.

귀신(鬼神) (망령) a departed soul; a ghost; (악령) a demon; a fierce ghost.

귀아프다 be fed up with; have heard enough; be harsh (offensive) to the ear.

귀양 〔史〕 exile; banishment. ‖ ～가다 be sent into exile; be banished (exiled) / ～보내다 condemn (a person) to exile; banish. ‖ ～살이 living in exile; an exile (사람).

귓엣말 a whisper; whispering. ～하다 whisper (speak) in (a person's) ear; talk in whispers.

귀여겨듣다 listen attentively (to); be all ears.

귀여리다 (be) credulous; gullible; be easily convinced.

귀염 love; favor; affection. ‖ ～받다 be loved; be liked; obtain a person's favor. ‖ ～성 charm; attractiveness; lovableness.

귀엽다 (be) lovely; charming; attractive; lovable; sweet. ～여워하다 love; pet; be affectionate (to); fondle; caress.

귀영(歸營) ～하다 return to one's barracks. ‖ ～시간 the hour for returning to barracks.

귀의(歸依) devotion; (개종) conversion. ～하다 become a devout believer (in Buddhism); embrace (Christianity). ‖ ～자 a believer; an adherent; (개종자) a convert.

귀이개 an earpick.

귀인(貴人) a nobleman; a dignitary.

귀일(歸一) ～하다 be united (unified) into one; be reduced to one.

귀임(歸任) ～하다 return (come back, go back) to one's post.

귀잠 a sound (deep) sleep.

귀재(鬼才) (사람) a genius; an outstandingly talented person; a wizard; (재주) remarkable talent; unusual ability.

귀접스럽다 ① (더럽다) (be) dirty; filthy. ② (천하다) (be) mean; base; low; nasty.

귀접이하다 round the edges off.

귀족(貴族) (총칭) the nobility; nobles; the peerage; (개인) a noble(man); a peer; an aristocrat. ‖ ～의, ～적인 noble; aristocratic. ‖ ～계급 the aristocratic class / ～정치 aristocracy.

귀중(貴中) Messrs. ‖ 스미스 상회 ～ Messrs. Smith & Co.

귀중(貴重) ～하다 (be) precious; valuable. ‖ ～품 a valuable; valuables (총칭).

귀지 ear wax.

귀질기다 (be) unresponsive; insensitive; be slow to understand.

귀착(歸着) ～하다 (돌아오다) return; come back; (귀결되다) arrive at (a conclusion); result (end) in.

귀찮다 (be) troublesome; annoying; bothering; irksome. ‖ (아무에게) 귀찮게 굴다 trouble (a

귀천(貴賤) high and low; the noble and the mean.

귀청〔解〕 the eardrum. ¶ ~이 터질 듯한 deafening; ear-splitting.

귀추(歸趨) a trend; a tendency; 〔결과〕 an issue; a consequence.

귀퉁이 a corner; an angle.

귀틀집 a log hut〔cabin〕.

귀하(貴下) Mr. (남성); Mrs. (기혼여성); M(d)me(부인); Miss(미혼여성); you(당신).

귀하다(貴―) ① 〔드물다〕 (be) rare; uncommon. ② 〔고귀〕 (be) precious; valuable. ② 〔고귀〕 (be) noble; august; honorable.

귀함(歸艦) ~하다 return to *one's* warship.

귀항(歸航) a return passage; a homeward voyage〔trip〕. ~하다 sail for home; make a homeward voyage〔trip〕.

귀항(歸港) ~하다 return to port.

귀향(歸鄕) home-coming. ~하다 go〔come, return〕home.

귀화(歸化) naturalization. ~하다 be naturalized 《as a Korean citizen》 ¶ ~식물 a naturalized plant / ~인 a naturalized citizen.

귀환(歸還) (a) return. ~하다 return. ¶ ~병 a returned soldier / ~자 a repatriate; a returnee.

귀휴(歸休) 《근로자의》 (a) layoff. ¶ ~병 a soldier on (terminal) leave / (일시) ~제도 〔經〕 the layoff system.

귓결 ¶ ~에 듣다 just happen to hear 《a story》.

귓구멍 an ear-hole; the ear.

귓등 the back of an ear. ¶ ~으로 듣다 do not listen carefully.

귓바퀴 a pinna; an auricle.

귓밥 (the thickness of) an earlobe; an earlobe.

귓속말 a whisper.

귓전 ¶ ~에 대고 속삭이다 whisper in 《a person's》 ear.

규격(規格) a standard. ¶ ~외 〔미달〕의 non-standardized; substandard / ~화하다 standardize. ¶ ~통일〔화〕 standardization / ~판 a standard size / ~품 a standardized article.

규명(糾明) a close examination. ~하다 examine closely; look into 《a matter》 minutely〔to〕; investigate; study.

규모(規模) a scale; 《범위》 a scope; 《구조》 structure. ¶ 대〔소〕~로 on a large〔small〕 scale; in a large〔small〕 way.

규방(閨房) a boudoir; women's quarters.

규범(規範) a rule; a pattern; 《표준》 a standard; a criterion; a norm.

규사(硅砂)〔鑛〕 silica.

규산(硅酸)〔化〕 silicic acid. ~염 a silicate.

규석(硅石)〔鑛〕 silex; silica.

규소(硅素)〔化〕 silicon (기호 Si). ~수지 silicone resins.

규수(閨秀) ① 《처녀》 a young unmarried woman; a maiden. ② 《학에 뛰어난 여자》 a literary woman; a bluestocking.

규약(規約) a rule; 《규정》 a rule; 《협약》 an agreement; 《정관》 the article; a statute.

규율(規律) discipline; order; 《규칙》 rules; regulations.

규정(規定) 《규칙》 rules; regulations; 《조항》 provisions; stipulations(계약의). ~하다 prescribe; provide; stipulate 《for》. ¶ ~요금 the regulation charge / ~종목 《제조 동의》 compulsory exercises.

규정(規程) official regulations; inner rules; a bylaw.

규제(規制) regulation; control; restriction. ~하다 regulate; control; restrict.

규조(硅藻) a diatom. ¶ ~토 diatom earth.

규칙(規則) a rule; a regulation. ¶ ~적인 regular; methodical; systematic. ¶ ~동사 a regular

verb / ~위반 violation of regulations; a breach of the rules.

규탄(糾彈) censure; impeachment. ~하다 censure; impeach; denounce; accuse.

규토(硅土) 【化】 silica; silex.

규폐(症)(硅肺(症)) 【醫】 silicosis. ‖ ~환자 a silicosis sufferer (victim).

규합(糾合) ~하다 rally; muster; call together.

균(菌)(細菌) a bacillus (pl. bacilli); a bacterium (pl. -ria); a germ. ‖ ~류 a fungus (pl. -gi) / ~류학 fungology / ~배양 germiculture; cultivation of bacteria.

균등(均等) equality. ‖ ~한 equal; even / 기회 ~의 원칙 the principle of equal opportunity. ‖ ~분배 equal division.

균분(均分) equal division. ~하다 divide equally; equalize.

균열(龜裂) a crack; a fissure. ‖ ~이 생기다 crack 《벽 따위에》 be cracked; crack; split.

균일(一) uniformity. ‖ ~한 uniform; equal; flat / ~하게 하다 unify; make 《a thing》 uniform. ‖ ~요금 a uniform (flat) rate.

균점(均霑) equal allotment of profits. ~하다 get 《share》 an equal allotment of profit.

균질(均質) homogeneity. ‖ ~의 homogeneous / ~화 하다 homogenize.

균형(均衡) balance; equilibrium. ‖ ~이 잡힌 well-balanced. ‖ ~예산 a balanced budget. ‖ ~

귤(橘) 【植】 a tangerine. ‖ ~밭 a tangerine orchard (plantation).

그¹(사람) that (the) man; he; that (the) woman; she. ‖ ~의 his; her.

그²(형용적으로) that; those; the; its. ‖ ~ 날 that (the) day / ~ 때 then; that time / ~같이 thus; so; like that; in that manner.

그건그렇고 by the way; well; now.

그것 it; that (one).

그곳 there; that place.

그글피 three days after tomorrow; four days hence.

그까짓 such; so trivial (trifling).

그끄저께 three days ago; two days before yesterday.

그나마 even that; and (at) that.

그냥(그대로) as it is (stands); as you find it; with no change; (내쳐) all the way; continuously; (…않고) without doing anything; just as one is (무료로) free of charge.

그네 a swing. ‖ ~를 타다 get on a swing.

그녀 she. ‖ ~의(를, 에게) her.

그늘 ① (응달) shade. ② (남의 보호) protection; patronage. ③ (배후) the back (behind).

그늘지다 get (be) shaded; be shady.

그다지 (not) so much; so very.

그대 you; thou. ‖ ~들 you all; all of you; you people.

그대로 as it is (stands); intact; just like that.

그동안 the while; during that time; these (those) days.

그들 they; them. ‖ ~의 their.

그따위 such a one; that kind (sort) of.

그랑프리 a grand prix (프); a grand prize.

그래 ① (동료·아랫사람에 대한 대답) yes; all right; So it is.; That's right. ② ☞ 그래서.

그래도 but; still; and yet.

그래서 (and) then; and (so); so; therefore.

그래야 ~ 사나이다 That's worthy of a man.

그래프 a graph; a graphic chart. ‖ ~용지 graph (section) paper.

그랜드 ~오페라 a grand opera / ~피아노 a grand piano.

그램 a gram(me).

그러구러 (manage to do) somehow (or other); in someway or other; barely.

그러나 but; still; however.

그러나저러나 anyway; anyhow; in any case; either way.

그러니까 so; thus; for that reason; therefore; accordingly.

그러담다 gather [rake] up 《something》 into.

그러면 then; if so; in that case. ¶ ～ 내일 오겠다 Well then, I'll come tomorrow.

그러모으다 rake [scrape] up [together].

그러므로 so; therefore; accordingly; hence. 「hold of.

그러잡다 clasp; grasp; take [get]

그러저러하다 (be) so and so; such and such.

그러하다 (be) so; such; like that.

그럭저럭 somehow (or other); one way or another.

그런고로 ⇨ 그러므로.

그런데 but; however; and yet.

그런즉 therefore; so; then.

그럴싸(듯)하다 (be) plausible; likely specious.

그럼 《긍정의 대답》 yes; certainly; 《그러면》 then; well.

그렁그렁하다 《눈물이》 be almost tearful; be suffused with tears.

그렇게 so (much); to that extent; 《부정어와 함께》 (not) very [so]; 《그런 식으로》 in that manner [way]; like that. ¶ ～까지 so far [much]; to such an extent.

그렇고말고 indeed; of course; certainly; You're right.

그렇다 《그러하다》 (be) so; (be) like that; 《대답》 That's right.; You're right.; Yes; No.

그렇지 yes; So it is.; That's right.; You are right.

그로기 groggy.

그로스 a gross (= 12 dozen).

그루 《나무의》 a stump 《베고난 것》; 《셀 때》 a plant; a tree.

그룹 a group. ¶ ～을 이루다 form a group / ～으로 나누다 divide into groups. ‖ ～활동 group activities / 삼성 ～ the Samsung Business Group.

그르다 ① 《옳지 않다》 (be) wrong;

bad; blamable; be to blame; be in the wrong. ② 《가망이 없다》 (be) no good; hopeless; go wrong.

그렁거리다 《소리가》 wheeze; be wheezy; 《소리를》 make wheeze; gurgle.

그르치다 spoil; ruin; err; make a failure of.

그릇 ① 《용기》 a vessel; a container. ② 《기량》 caliber; capacity; ability.

그릇되다 go wrong [amiss]; fail; be mistaken; be ruined 《결판나다》. ¶ 그릇된 wrong; mistaken.

그리니치 Greenwich. ‖ ～ 표준시 Greenwich (mean) time 《생략 G.M.T.》.

그리다 《그림을》 draw 《무채색》; paint 《채색함》; portray 《인물화》; sketch 《약도를》; picture 《마음에》; 《표현하다》 describe; depict.

그리다 《사모·동경》 long [yearn] for. ¶ 그리워하다.

그리스 Greece. ¶ ～의 Greek; Grecian. ‖ ～말 Greek / ～문명 Greek civilization / ～사람 a Greek; the Greeks 《총칭》.

그리스도 《Jesus》 Christ. ‖ ～교 Christianity.

그리움 yearning; longing; nostalgia; a dear feeling.

그리워하다 yearn for [after] 《a person》; miss 《a friend》; long for 《one's home》; think fondly of 《a person》.

그린란드 Greenland.

그릴 a grill (room).

그림 a picture 《일반적》; a painting 《채색화》; a drawing 《무채색》; a sketch 《사생·약도》; an illustration 《삽화》. ¶ 피카소의 ～ a 《picture by》 Picasso / ～의 떡 《비유적》 (be) nothing but) pie in the sky. ‖ ～ 물감 pigments; paints; oil [water] colors / ～엽서 a picture [post] card / ～책 a picture book.

그림자 《투영》 a shadow; a silhouette 《영상》 a reflection; an im-

age; (모습) a figure.

그립다 《동사적》 feel yearning for; long for; yearn after [for]. ¶ 그리운 dear; dearest; beloved.

그만 (그 정도로) to that extent; so much [many]; that much (and no more).

그만그만하다 be much [almost] the same.

그만두다 ① (중단) stop; cease; discontinue; give up; quit. ② (사직) resign (one's post); quit; leave.

그만저만하다 (be) so-so; not too good and not too bad; about the same.

그만큼 as much (as that); so [that] much; to that extent.

그만하다 ① (정도) be nearly [about] the same; be neither better nor worse. ② (크기·수량 등이) be about [much] the same; be as much [many] as; be neither more nor less. ③ (중지하다) stop; cease; leave off.

그맘때 about [around] that time; about the age (나이).

그물 a net; a dragnet (고는); a casting net (펭이); netting (총칭).

그믐 the end [last day] of the month. ¶ ~께 around the end of the month / ~밤 the last night of the (lunar) month / 설달 ~ (on) New Year's Eve.

그밖 the rest; the others. ¶ ~의 other; further / ~에 besides; moreover; on top of that.

그스르다 smoke; scorch; sear; fumigate.

그슬리다 ① ☞ 그스르다. ② 《피동》 get smoked [scorched].

그악스럽다 (장난이 심하다) be mischievous; naughty; (부지런하다) (be) hardworking; industrious.

그야말로 really; quite; indeed.

그에 at last; finally; in the end; literally; after all.

그윽하다 ① (고요하다) (be) deep and quiet; secluded; still; silent. ② (생각이) be deep; pro-

found.

그을다 (햇볕에) get sunburned; get a tan; (연기에) be sooted (up); be stained with soot.

그을음 soot. ¶ ~이 앉다 [끼다] be sooted; become sooty; be soot-covered.

그저 ① (줄곧) still; without ceasing [stopping]. ② (이유없이) without any reason; (목적없이) casually; recklessly; aimlessly. ③ (그런대로) so and so; not so (good). (단지) only; just; (제발) please.

그저께 the day before yesterday.

그전 (一 前) before that; previous [prior] to that time; former times [days]; the past. ¶ ~에는 formerly; before; in old days / ~같이 as before.

그제야 only then; not ... until; only when.

그중 (一 中) ① (그것 중) among the rest [others]; of them. ② (제일) most; best.

그지없다 (한이 없다) (be) endless; boundless; eternal; (be) beyond description (expression).

그치다 stop; cease; end; be over.

그후 (一 後) after that; thereafter; (이래로) (ever) since; since then.

극 (極) ① (지구·자석의) a pole; the poles(양극). ¶ ~지방 the polar regions. ② (절정·극도) the height; the extreme; the climax; the zenith.

극 (劇) a drama; a play. ¶ ~적 (으로) dramatic(ally). ¶ ~을 공연하다 perform [stage] a play / ~화(化)하다 dramatize; adapt [turn] (a novel) into a play; make a dramatic version of (a story). ¶ ~영화 a film [feature] play.

극광 (極光) 〖地〗 the aurora; the polar lights.

극구 (極口) ~칭찬하다 speak highly of (a person).

극기 (克己) self-control [-denial].

~하다 deny *oneself*; exercise self-denial.

극단(極端) an extreme; extremity. ¶ ~적인 〔으로〕 extreme(ly); excessive(ly). ‖ ~론 an extreme view 〔opinion〕 / ~론자 an extremist.

극단(劇團) a theatrical company; a troupe. ‖ 순회 ~ a traveling troupe. 「the maximum value.

극대(極大) the maximum. ‖ ~치

극도(極度) the utmost; extreme; maximum / ~로 extremely; to the utmost.

극동(極東) the Far East. ¶ ~의 Far Eastern.

극락(極樂) 〔佛〕 (the Buddhist) paradise; the home of the happy dead. ¶ ~왕생하다 die a peaceful death. ‖ ~정토 the land of Perfect Bliss / ~조 a bird of paradise.

극력(極力) to the utmost; to the best of *one's* ability; strenuously.

극렬분자(極烈分子) a radical; an extremist.

극론(極論) ~하다 make an extreme argument.

극미(極微) ¶ ~한 microscopic; infinitesimal.

극복(克服) conquest; overcome; get 〔tide〕 over. 「~하다 conquer;

극비(極秘) strict secrecy; a top secret; ¶ ~의 top-secret; strictly confidential. ‖ ~문서 a classified 〔top-secret〕 document.

극빈(極貧) extreme poverty. ¶ ~한 extremely poor; destitute. ‖ ~자 a needy 〔destitute〕 person.

극상(極上) ¶ ~의 the best; first-rate; the highest quality; of the finest quality.

극성(極盛) ¶ ~스러운 extreme; overeager; impetuous.

극소(極小) minimum. ¶ ~의 smallest; minimum; infinitesimal. ‖ ~량 the minimum / ~수 the minimum number / ~치 the mini-

mum value.

극심(極甚) ¶ ~한 extreme; excessive; intense; severe; fierce; keen / ~한 경쟁 a keen 〔tough〕 competition.

극악(極惡) ¶ ~한 heinous; atrocious; extremely wicked; villainous. 「icine; a poison.

극약(劇藥) a powerful 〔drastic〕 med-

극언(極言) ~하다 be bold enough to say 《that ...》; go so far as to say 《that ...》.

극영화(劇映畵) a dramatic movie.

극우(極右) an ultra-rightist; the extreme right. ¶ ~의 ultranationalistic. ‖ ~파 the extreme right; an extreme right wing.

극작(劇作) playwriting. ¶ ~하다 write a play 〔drama〕. ‖ ~가 a dramatist; a playwright.

극장(劇場) a theater; a playhouse. ‖ ~가(街) a theater district.

극점(極點) 《한도》 the extreme point; a climax; 《北극·남극》 the North 〔South〕 pole.

극좌(極左) the extreme left. ¶ ~의 ultraleftist. ‖ ~파 extreme leftist.

극지(極地) the pole; the polar regions. ‖ ~탐험 a polar expedition.

극진(極盡) ¶ ~한 very kind 〔cordial, warm, courteous〕 / ~히 kindly; cordially; heartily; hospitably / ~한 대접 heartwarming hospitality.

극초단파(極超短波) microwave.

극치(極致) the perfection; the zenith; the acme; the culmination. 「derm.

극피동물(棘皮動物) 〔動〕 an echino-

극한(極限) the limit; an extremity; the bounds. ‖ ~상황 (be placed in) an extreme situation / ~치 a limiting value / ~투쟁 struggle to the extremes.

극한(極寒) severe 〔intense〕 cold.

극형(極刑) capital punishment;

the death penalty. ¶ ~에 처하다 condemn 《*a person*》 to capital punishment.

극히(極─) 《심히》 very; highly; 《가장》 most; 《아주》 quite.

근(斤) a *geun*(=0.6 kilogram).

근(根) 《생기의》 the core 《of a boil》; 【數】 a root; 【化】 a radical.

근간(近刊) a recent [forthcoming] publication.

근간(近間) one of these days. ☞요새.

근간(根幹) 《뿌리와 줄기》 root and trunk; 《근본》 the basis; the root; 《기조》 the keynote.

근거(根據) a basis; a foundation; ground(s); authority〈전거〉. ¶ ~가 없는 groundless; unfounded.

근거리(近距離) a short distance. ¶ ~에 있다 be a little way off.

근검(勤儉) thrift and diligence. ¶ ~한 thrifty; frugal. ∥ ~저축 thrift and saving. 「zome.

근경(根莖) 【植】 a rootstock; a rhi-

근계(謹啓) Dear ...; Dear Sir [Sirs](회사·단체 앞에); Gentlemen〈美〉; My dear ...; Dear Mr. [Miss, Mrs., Ms.(여성에게).

근골(筋骨) bones and sinews.《체격》 build; physique.

근교(近郊) the suburbs; the outskirts. ¶ ~의 suburban; neighboring.

근근이(僅僅─) barely; narrowly; with difficulty 《겨우 간신히》. ¶ ~ 살아가다 eke out 《barely make》 a living; live from hand to mouth.

근기(根氣) perseverance; patience; endurance; energy〈정력〉.

근년(近年) recent [late] years.

근농(勤農) diligent farming.

근대 【植】 a (red) beet; a chard.

근대(近代) the modern age; recent [modern] times. ¶ ~의 modern / ~적인 modern(istic); up-to-date〈최신식의〉. ∥ ~국가 a modern nation / ~사 [영어] modern history [English] / ~화 modernization〈~화하다 modernize〉.

근동(近東) 【地】 the Near East.

근들거리다 sway [rock] slightly.

근래(近來) these days; recently; lately. ¶ ~의 recent; late.

근력(筋力) muscular strength [power]; 기력〈氣力〉.

근로(勤勞) labor; work; service. ∥ ~기준법 the Labor Standard Law / ~봉사 a labor service / ~소득 an earned income / ~자 a worker; a laborer; a workman; a workingman; labor〈총칭〉 / ~조건 working conditions.

근린(近隣) a neighborhood.

근면(勤勉) diligence; industry. ¶ ~한 industrious; diligent; hardworking.

근무(勤務) service; duty; work; ~하다 serve; work; be on duty. ∥ ~능률 service efficiency / ~성적 *one's* service record / ~시 office [working, business] hours / ~연한 the length of *one's* service / ~자 a man on duty [in service] / ~지 수당 an area allowance / ~처 *one's* place of employment [work] / ~태도 assiduity / ~평정 [서] the efficiency rating [reports].

근묵자흑(近墨者黑) He who touches pitch shall be defiled therewith.

근배(謹拜) 《편지의 맺음말》 Yours truly [sincerely, respectfully].

근본(根本) 《기초》 the foundation; the basis; 《근원》 the root; the source; the origin. ¶ ~적인 fundamental; basic; radical / ~적으로 fundamentally; radically; completely. ∥ ~원리 fundamental [basic] principles / ~원인 the root cause.

근사(近似) ¶ ~한 《비슷한》 approximate; closely resembled; 《멋진》 fine, nice. ∥ ~치 approximate quantity [value].

근성(根性) 《근본성질》 disposition; nature; 《기질》 temper; spirit〈정신〉; 《투지》 will power; guts.

근세(近世) 〖史〗 modern times; modern age.

근소(僅少) ¶ ~한 a few(수); a little(양); small; trifling.

근속(勤續) continuous〖long〗 service. ¶ 30년 ~하다 serve〖work〗 *(in a firm)* for thirty years. ‖ ~수당 a long-service allowance / ~연한 the length of one's service. 〖*geun*.〗

근수(斤數) the weight expressed in *geun*.

근시(近視) nearsightedness 〖美〗; shortsightedness 〖英〗; near〖short〗 sight. ¶ ~의 near-〖short-〗sighted. ‖ ~안경 spectacles for shortsightedness.

근신(近臣) one's trusted vassal; a close court attendant.

근신(謹愼) ~하다 〖언행을 조심하다〗 be on one's good behavior; behave oneself; 〖과오를 반성하다〗 be penitent; be confined at home (자택에서).

근실(勤實) ¶ ~한 diligent; assiduous.

근실거리다 itch; feel itchy.

근심 anxiety; concern; worry; cares; trouble. ~하다 be anxious 〖concerned〗 about; be worried 〖troubled〗 about; feel uneasy; care; worry.

근엄(謹嚴) sobriety. ¶ ~한 serious; grave; stern.

근원(根源) 〖시초〗 the source; 〖원인〗 the cause; 〖근본〗 the root.

근위대(近衛隊) the Royal Guards.

근육(筋肉) muscles; sinews. ‖ ~조직 muscular tissue / ~주사 an intramuscular injection.

근인(近因) an immediate cause.

근일(近日) 〖부사적〗 soon; shortly; at an early date.

근자(近者) these days; 〖부사적〗 lately; nowadays.

근작(近作), 근저(近著) one's latest 〖recent〗 work.

근저당(根抵當) fixed collateral.

근절(根絶) extermination; eradication. ~하다 exterminate; eradicate; root 〖stamp〗 out.

근접(近接) approach; proximity. ~하다 draw near; come 〖go〗 close *(to)*; approach. ¶ ~한 neighboring; adjacent.

근정(謹呈) presentation; 〖저자가 책에 서명할 때〗 With the Compliments of the Author. ~하다 present; make a present of *(a thing)*.

근제(謹製) carefully produced *(by)*. ~하다 make 〖prepare〗 carefully.

근지점(近地點) 〖天〗 the perigee.

근지럽다 feel ticklish〖itchy〗.

근착(近着) recent〖new〗 arrivals.

근처(近處) the neighborhood; the vicinity.

근청(謹聽) ~하다 listen to *(a person)* with attention.

근치(根治) complete cure. ~하다 cure completely.

근친(近親) a near 〖close〗 relative; a kin(집합적). ‖ ~결혼 an intermarriage / ~상간(相姦) incest. 〖ence.〗

근태(勤怠) diligence and〖or indo-

근하신년(謹賀新年) (I wish you) a Happy New Year.

근해(近海) the neighboring 〖home〗 waters; the nearby seas. ‖ ~어 shore fish / ~어업 inshore fishery〖fishing〗 / ~항로 a coastal route.

근황(近況) the present condition.

글 writings; a composition; prose (산문); an article; a sentence (문장); letters(문학); a letter 〖character〗(문자); learning (학문). ¶ ~짓기 composition.

글귀 words; a phrase(구); a clause(절); 〖인용절〗 a passage; an expression.

글동무 a schoolmate.

글라디올러스 〖植〗 a gladiolus.

글라스 〖杯〗 a glass.

글라이더 a glider.

글래머걸 a glamor girl.

글러브 〖野〗 a glove; 〖拳〗 gloves.

글러지다 go amiss〖wrong〗; 〖악화〗 get〖grow〗 worse.

글루탐산(一般) glutamic acid. ‖ ～나트륨 monosodium glutamate.

글리세린(化) glycerin(e).

글리코겐(化) glycogen.

글방(一房) a private school for Chinese classics.

글썽글썽 with tearful eyes. ‖ ～하다 be in tears; be moved to tears.

글쎄 well; let me see; I say(단정).

글씨 a letter; a character; 《글씨쓰기》writing; handwriting. ‖ ～쓰는 법 penmanship / ～를 잘[못] 쓰다 write a good[poor] hand. ‖ ～체 a style of handwriting.

글월 a sentence(문장); a letter(편지).

글자(一字) a letter; a character.

글재주 literary talent[ability, genius].

글제(一題) a subject[title, theme] of an article. 〔three day hence.

글피 two days after tomorrow;

긁다 ① scratch; scrape. ② 《그러모으다》 rake. ③ 《감정·비위를》 provoke; nag.

긁어먹다 ① 《이 따위로》 scrape(out) and eat. ② 《재물을》 extort; squeeze. 〔착취.

긁적거리다 scratch and scratch; scrape and scrape.

긁히다 be scratched[scraped].

금¹(값) a price. ‖ ～을 놓다 bid[name] a price(for); make an offer / ～이 나가다 cost much; be high in price.

금²(線) a line. ‖ ～을 긋다 draw a line. 《균열》 a cleft; a crack. ‖ ～이 가다 crack; be cracked.

금(金) ① gold(기호 Au). ‖ ～의 gold; golden / 18—의 시계 an 18-karat gold watch. / ～반지 a gold ring. ② 《金액》 money.

금강사(金剛砂) emery(powder).

금강산(金剛山) Mt. Geumgang; the Diamond Mountains. ‖ ～도 식후경이라 《俗談》 Bread is better than

the song of the birds.

금강석(金剛石) a diamond.

금계(界界) the forbidden ground.

금계랍(金鷄蠟) quinine.

금고(金庫) a safe; a strongbox; a vault(은행의 금고실). ‖ 《행위》 safebreaking, safecracking; 《사람》 a safebreaker, a safecracker / 대여 ～ a safe-deposit box.

금고(禁錮) 〔法〕 confinement; imprisonment. ‖ ～ 3개월형에 처해지다 be sentenced to three months' imprisonment.

금과옥조(金科玉條) a golden rule.

금관(金冠) a gold crown.

금관악기(金管樂器) 〔樂〕 brass.

금광(金鑛) a gold mine; 《광석》 gold ore. 〔a gold bar.

금괴(金塊) a nugget; a gold ingot;

금권(金權) the power of money; financial[monetary] influence. ‖ ～정치 plutocracy; money politics.

금궤(金櫃) a money chest[box].

금귤(金橘) 〔植〕 a kumquat.

금기(禁忌) taboo; 〔醫〕 contraindication.

금남(禁男) 《게시》 No men admitted.

금낭화(錦囊花) 〔植〕 a dicentra.

금년(今年) this year; 올해.

금니(金一) a gold tooth.

금단(禁斷) ～하다 prohibit; forbid. ‖ ～의 prohibited; forbidden / ～의 열매 the forbidden fruit. ‖ ～증상 《suffer from》 withdrawal symptoms; an abstinence syndrome(중독증).

금도금(金鍍金) gilding; gold plating. ～하다 plate 《a thing》 with gold; gild.

금란지계(金蘭之契) close friendship.

금력(金力) the power of money[wealth]. ‖ ～으로 by employing one's financial power; through the influence of money.

금렵(禁獵) prohibition of hunting. ‖ ～기 the off-season; the

closed season / ~ 지구 a (game) preserve; a no-hunting area.

금령(禁令) a prohibition; a ban. ~ 을 내리다 issue a ban 《on》 / ~ 을 풀다 lift the ban 《on》.

금리(金利) interest (on money); a rate of interest. ~ 를 올리다(내리다) raise [lower] the rate of interest / ~ 가 높다(낮다) Interest rates are high [low].

금맥(金脈) a vein of gold; 《자금주》(shady) sources of funds.

금메달(金一) a gold medal. ~ 을 따다 win [be awarded] a gold medal. ‖ ~ 수상자 a gold medal winner; a gold medalist.

금명간(今明間) today or tomorrow; in a couple of days.

금물(金一) gold braid [lace]. ‖ ~ 의 gold-braided.

금물(禁物) (a) taboo; a prohibited [forbidden] thing.

금박(金箔) gold foil; gold leaf.

금발(金髮) golden [fair] hair. ‖ ~ 의 blonde《여자》; blond《남자》.

금방(金房) a goldsmith's shop.

금번(今番) this time; lately.

금보다(鑑定하다) make an appraisal [estimate, evaluation]; put a value 《on》; value.

금본위(制度)(金本位(制度)) the gold standard [system].

금분(金粉) gold dust.

금불(金佛) a gold image of Buddha.

금붕어(金一) a goldfish.

금불이(金一) things made of gold.

금비(金肥) (a) chemical fertilizer.

금빛(金一) golden color.

금상(金像) a gold [gilt] statue.

금상첨화(錦上添花) ~ 이다 add luster to what is already brilliant; add something more to the beauty [honor] 《of》.

금새 price.

금서(禁書) a banned [forbidden] book.

금석(今昔) past and present.

금석(金石) minerals and rocks. ‖ ~ 지약(之約) a firm promise / ~ 학 epigraphy.

금성(金星) 〖天〗 Venus; the day-

금성철벽(金城鐵壁) a citadel; an impregnable fortress.

금세공(金細工) goldwork. ‖ ~ 장이 a goldsmith.

금속(金屬) 〖化〗(a) metal. ¶ ~ (제)의 metal; metallic. ‖ ~ 가공 (加工) the processing of a metal / ~ 공 a metal worker / ~ 공업 the metal industry / ~ 공학 metal engineering / ~ 성 (性) metallic character / ~ 원소 a metallic element / ~ 제품 metal goods; hardware《집합적》.

금수(禁輸) an embargo on the export [import] of. ~ 하다 embargo; ban the export [import] 《of》. ‖ ~ 품 articles under an embargo; contraband (goods).

금수(禽獸) birds and beasts; animals. ¶ ~ 와 같은 행동 beastly conduct.

금수강산(錦繡—) ~ 강산 the land of beautiful scenery; Korea《별칭》.

금슬(琴瑟) ~ 이 좋다 live in conjugal harmony; lead a happy married life.

금시(今始) ~ 초문이다 have never heard of before; be news to one.

금시계(金時計) a gold watch.

금식(禁食) fasting. ~ 하다 fast; go without food. ‖ ~ 일 a fast day.

금실(金—) gold thread; spun [gold.

금싸라기(金—) a thing of great value.

금액(金額) an amount [a sum] of money.

금어(禁漁) a ban on fishing.《게시》 No Fishing. ‖ ~ 구(역) a marine preserve / ~ 기 the closed season for fishing.

금언(金言) a golden [wise] saying; a proverb; a maxim.

금연(禁煙)《게시》 No Smoking; Smoking prohibited. ~ 하다 prohibit smoking《못 피우게》; 《give up》 stop smoking《끊음》. ‖ ~ 일 No-Smoking Day.

금요일(金曜日) Friday.

금욕(禁慾) abstinence; continence(성욕의). ~하다 control the passions; be ascetic (continent). ‖ ~생활 (lead) an ascetic life / ~주의 stoicism / ~주의자 a stoic.

금융(金融) finance; the money market. ‖ ~계 the financial circles / ~공황 a financial crisis [panic] / ~기관 a banking [financial] institution / ~경색 money [monetary] stringency; a tight-money market (situation) / ~사고 a banking incident; a loan fraud / ~시장 the money [financial] market / ~업 financial business / ~업자 a moneylender; a financier / ~자본 financial capital / ~자유화 financial liberalization / ~조작 money market manipulation / ~정책 a financial policy / ~특혜 privileged loans (to).

금융거래실명제(金融去來實名制) the real-name financial transaction system.

금(金) gold and silver. ‖ ~보배 money and valuables.

금의환향(錦衣還鄕) ~하다 go [come] home in glory.

금일봉(金一封) a gift of money.

금자탑(金字塔) 《업적》 a monumental achievement.

금작화(金雀花) 〖植〗 a genista; a common broom.

금잔디(金一) (golden) turf.

금잔화(金盞花) 〖植〗 a common marigold; a yellow oxeye.

금전(金錢) money; cash. ‖ ~등록기 a cash register / ~출납계원 a cashier / ~출납부 a cash-book.

금제(禁制) prohibition; a ban. ‖ ~품 contraband [prohibited] goods.

금족(禁足) 〖佛〗 prohibition against entrance; 《외출금지》 confinement.

금주(今週) this week.

금주(禁酒) temperance; 《절대적인》 total abstinence. ~하다 stop

[give up; abstain from] drinking(개인적으로); go dry(제도적으로). ‖ ~법 the prohibition (dry) law / ~운동 a temperance movement; a dry campaign / ~자 an abstainer / ~주의 teetotalism / ~주의자 a teetotaler; an anti-alcoholist.

금준비(金準備) the gold reserve.

금지(禁止) prohibition; a ban; an embargo(수출입의). ~하다 forbid (a person to do)(사적으로); prohibit (a person from doing)(공적으로); ban(법적으로). ‖ ~법 the prohibition law / ~조항 a forbidden clause / ~처분 prohibitive measures / ~상연 a ban on performance / ~수출입 an embargo / ~수출입 품목 items on the contraband list / 정차 《게시》 No waiting [standing].

금지옥엽(金枝玉葉) 《임금님의》 a person of royal birth; 《귀하게 자란》 precious [beloved] child.

금치산(禁治産) 〖法〗 incompetency. ‖ ~자 an incompetent.

금침(衾枕) bedclothes and a pillow; bedding.

금테(金一) gold rims(안경의); a gilded frame (사진틀의). ‖ ~안경 gold-rimmed spectacles.

금품(金品) money and goods.

금하다(禁一) ① 《금지하다》 prohibit. ② 《억제》 suppress; repress; restrain; 《절제》 refrain [abstain] (from).

금형(金型) a mold; a matrix; a cast.

금혼식(金婚式) a golden wedding.

금화(金貨) a gold coin; gold currency (총칭).

금환식(金環蝕) 〖天〗 an annular eclipse of the sun.

금후(今後) after this; hereafter; in (the) future; from now (on). ‖ ~의 future; coming.

급(急) ① 《위급》 (an) emergency; a crisis; 《긴급》 urgency. ~하는 urgent; pressing. ② 《형용사적》 emergent; critical(위급한;

steep (급경사의); sudden (돌발적인).

급(級) 《등급·학년》 a class; a grade. ¶ 대사~ 회담 an ambassador-level conference.

급강하(急降下) 《항공기의》 a (steep) dive; a nose-dive. ~하다 nose-dive; zoom down. ‖ ~폭격 dive bombing / ~폭격기 a dive bomber.

급거(急遽) in haste; in a hurry; hastily; hurriedly.

급격(急激) a ~한 sudden; abrupt; rapid(급속한); radical(과격) / ~히 suddenly; rapidly.

급경사(急傾斜) a steep slope(물매); a steep ascent(치받이); a steep descent(내리받이).

급고(急告) an urgent notice. ~하다 give an urgent notice.

급급하다(汲汲─) be eager 《to please one's employer》; be intent 《on making money》.

급기야(及其也) at last; finally; in the end.

급등(急騰) rise [shoot sharp] rise; a jump. ~하다 rise suddenly; skyrocket; jump 《to 800 won》.

급락(急落) success or failure 《in an exam》; examination results.

급락(急落) a sudden drop; a sharp decline; a slump. ~하다 decline heavily; slump; fall suddenly.

급료(給料) a wage. ‖ ~ 급여, 봉급, 임금. ‖ ~생활자 a wage earner.

급류(急流) a rapid stream (current); 《격류》 a torrent; rapids.

급무(急務) urgent business; a pressing need.

급박하다(急迫─) (be) imminent; urgent; pressing. ¶ 급박해지다 become [grow] tense [critical, acute].

급변(急變) a sudden change [turn]; 《변고》 an emergency; an accident. ~하다 change suddenly.

급보(急報) an urgent message [report, dispatch]. ~하다 send

an urgent message 《to》; report promptly.

급부(給付) presentation; a benefit (급부의); delivery(교부); payment(지급). ~하다 deliver 《a thing》; pay 《a benefit》. ‖ 반대 ~ a consideration.

급사(急死) a sudden death. ~하다 die suddenly.

급사(急使) an express messenger; a courier.

급사(給仕) 《사무실의》 an office boy; 《호텔의》 a page 《英》; a bellboy 《美》; 《식당의》 a waiter; a waitress(여자); 《배의》 a cabin boy; 《열차의》 a boy; a porter 《美》.

급살맞다(急煞─) meet a sudden death; die suddenly.

급상승(急上昇) a sudden rise; a zoom (비행기의). ~하다 rise suddenly; zoom.

급선무(急先務) the most urgent business; a pressing need.

급성(急性) ¶ ~의 질병 an acute disease. ‖ ~맹장염[폐렴] acute appendicitis [pneumonia].

급성장(急成長) a rapid growth. ~하다 grow rapidly; achieve a rapid growth.

급소(急所) a vital point [part] (몸의); a vulnerable [weak] spot(약점); a tender [sore] spot(아픈 곳); a key point(요점).

급속(急速) rapidity. ¶ ~ 한 rapid; swift; sudden / ~히 rapidly; swiftly; promptly. ‖ ~냉동 quick freezing.

급송(急送) ~하다 send [ship] 《a thing》 by express [in haste]; dispatch 《a message》; express 《the goods》 《美》.

급수(級數) 【數】 《일련의 수》 a series. ‖ 산술 [기하] ~ arithmetical [geometrical] series.

급수(給水) water supply [service]. ~하다 supply 《a town》 with water. ‖ ~관 a water pipe / ~설비 water-supply facilities / ~전(栓) a hydrant / ~제한 restriction on water supply / ~차

water supply truck.

급습(急襲) a sudden [surprise] attack; a raid. ~하다 make a surprise attack (on); raid; storm.

급식(給食) meal service; (학교의) a school lunch. ~하다 provide meals [lunch] (for). ∥ ~비 the charge for a meal / ~시설 facilities for providing meals.

급여(給與) 《수당》 an allowance; 《봉급》 pay; a salary; wages; 《물품 등》 supply; grant. ~하다 grant; allow; supply (provide) (a person) with; pay. ∥ ~소득 an earned income / ~수준 a pay [wage] level / ~체계 a wage system (structure).

급우(級友) a classmate.

급유(給油) 《연료의》 oil fueling. ~하다 fill (a tank); refill (a car) with gas; refuel (an airplane). ∥ ~기 a tanker plane / ~소 a filling [gas; petrol 英] station.

급전(急轉) ~하다 change suddenly; take a sudden turn.

급전(急錢) urgently needed money for immediate use.

급정거(急停車) a sudden stop. ~하다 stop suddenly [short]; bring (a car) to a sudden stop; stamp [slam] on the brakes (구어).

급제(及第) ~하다 pass (an examination); make the grade.

급조(急造) ~하다 construct in haste; build hurriedly. ∥ ~의 hurriedly [hastily] built.

급증(急增) a sudden [rapid] increase. ~하다 increase suddenly [rapidly].

급진(急進) ∥ ~적인 radical (파격한); extreme (극단적인). ∥ ~주의 radicalism / ~파 the radicals [extremists].

급파(急派) ~하다 dispatch; rush.

급하다(急一) 《일·사태가》 (be) urgent; pressing; imminent; 《성질이》 (be) impatient; quick-[short-

tempered; 《병이》 (be) critical; serious; 《경사가》 (be) steep; sharp (커브가).

급행(急行) 《급히 감》 a rush; a hurry; 《열차》 an express (train). ~하다 hasten; rush; hurry (to). ∥ ~으로 [열차로] 가다 take an express (to); travel (hurry) (to a place) by express. ∥ ~버스 an express bus / ~요금 an express charge.

급환(急患) an emergency case; a sudden illness.

긋다 《줄을》 draw; 《성냥을》 strike (a match); 《선을》 ~ draw a line.

긍정(肯定) affirmation. ~적인 affirmative / ~ 명제 an affirmative (proposition) / ~문 an affirmative sentence.

긍지(矜持) pride; dignity; self-respect.

기(忌) (a period of) mourning; an anniversary of (a person's) death.

기(氣) ① 《만물의 기》 the spirit of all creation. ② 《기력》 energy; vigor. ∥ ~가 넘치다 be full of energy [life] / ~를 되찾다 regain one's energy (vigor). ③ 《의기·기세》 spirits; heart; ardor. ∥ ~가 죽다 be dispirited (discouraged); be in low spirits / ~를 못 피다 feel constrained. ④ 《숨·호흡》 breath; wind. ∥ 기막히다. ⑤ 《온 힘》 all one's energy; all-out effort. ∥ ~쓰다. ⑥ 《기미》 a touch (of); a dash; a shade; a tinge. ∥ 감기가~가 있다 have a touch of cold.

기(旗) a flag; a pennant (가느다란 3각기); 《군기》 a standard; a banner; an ensign (함선의). ∥ ~를 올리다 [내리다] hoist [lower] a flag; run up [take down] a flag.

기(幾)···《얼마·얼마간》 some; several. ∥ ~천의 thousands of.

···기(期) 《일정 기간》 a date; a time; a term (기간); 《시대》 a period; an age; 《계절》 a season; a stage. ∥ 제1학~ the

first term / 우[전]~ the rainy
[dry] season.

기각(棄却) rejection; 〔法〕
dismissal. ~하다 turn down;
reject; dismiss. ¶소(訴)를 ~하
다 dismiss a suit.

기간(基幹) a mainstay; a nucleus.
∥~산업 key[basic] industries.

기간(既刊) ~의 already [pre-
viously] published [issued].

기간(期間) a term; a period.

기갈(飢渴) starvation; hunger and
thirst.

기갑부대(機甲部隊) a panzer unit;
armored troops [forces 《美》].

기강(紀綱) official disci-
pline; 〔질서〕 public order; law
and order. ¶~을 바로잡다 im-
prove the moral fiber [of];
tighten discipline [among].

기개(氣槪) spirit; backbone; met-
tle; guts(구어).

기거(起居) 〔일상 생활〕 one's daily
life.

기결(既決) ¶~의 decided; set-
tled. ∥~수 a convict; a con-
victed prisoner.

기계(奇計) a cunning plan; a
clever scheme.

기계(器械) an instrument; an
apparatus; an appliance. ∥~
체조 apparatus gymnastics / 의
료~ medical appliances [instru-
ments].

기계(機械) a machine; machin-
ery (총칭); works(시계의). ¶~적
인[으로] mechanical(ly). ∥~공 a
mechanic / ~공업 the machine
industry / ~공학 mechanical
engineering / ~과(科)[학교의] a
course in mechanical engi-
neering / ~기사 a mechanical
engineer / ~문명 machine civi-
lization / ~언어 (a) machine
code [language] / ~장치 mecha-
nism.

기계화(機械化) mechanization. ~
하다 mechanize. ∥~농업 mecha-
nized farming / ~부대 a mech-
anized unit.

기고(寄稿) (a) contribution. ~하
다 contribute [to]; write [for].

기고만장(氣高萬丈) ~하다 《의기양
양》 (be) elated; be in high spir-
its; be big with pride.

기골(氣骨) 〔골격〕 a build; a frame;
〔기개〕 spirit; mettle; pluck.
¶~이 장대한 사람 a sturdily built
man; a man of sturdy build.

기공(起工) ~하다 set to work;
begin [start] the construction
[of a bridge]; break ground
[for] (건축·토목공사); lay down
[a keel] (배·철도의). ∥~식 《일
반적으로》 a commencement cere-
mony; (건축의) (the ceremony
of) laying the cornerstone; (토
목공사의) the ground-breaking
ceremony.

기공(技工) a craftsman; a techni-
cian. ∥치과~ a dental techni-
cian. / 〔動〕 a stigma.

기공(氣孔) a pore; 〔植〕 a stoma.

기관(汽罐) a (steam) boiler. ∥~
사 a boiler man / ~실 a boiler
room; a stokehole (기선의).

기관(氣管) 〔解〕 the trachea; the
windpipe. ¶~의 tracheal.

기관(器官) an organ. ∥감각(소
화)~ sense [digestive] organs.

기관(機關) ① 《기계의》 an engine;
a machine. ∥~고 an engine
shed / ~단총 a submachine
[burp] gun / ~사 an engineer;
an engineman / ~실 a machin-
ery room / ~차 a locomotive;
an engine / ~총 a machine
gun; a heavy machine gun(기
관포) / 내연~ an internal-
combustion engine / 보조~ an
auxiliary engine / 전기(증기, 디
젤)~ an electric [a steam, a
diesel] engine. ② 《수단·기구·설
비》 means; an institution; a
system; an organ; facilities. ¶교
육~ educational institutions /
금융~ banking facilities / 교
통~ means of transport; trans-
porting facilities / 행정~ an
administrative organ / 정부~ a

government agency / 집행 ~ an executive organ.

기관지(氣管支) 〔解〕 a bronchus; bronchial tube. ‖ ~염 〔醫〕 bronchitis 〔terious; queer.

기괴(奇怪) ¶ ~ 한 strange; mys-

기교(技巧) art; technique; technical skill; 〔책략〕 a trick.

기구(氣球) an balloon. ‖ 계류(繫留) ~ a captive 〔an observation〕 balloon.

기구(器具) 〔가정용의〕 a utensil; 〔특정 목적의〕 an implement; 〔특허 범의〕 an apparatus; 〔정밀 · 정확한〕 an instrument; fixtures 〔설비된〕. ‖ 난방 ~ a heating apparatus.

기구(機構) 〔구조〕 a structure; 〔조직〕 organization 〔제도〕 a system; 〔운영상의〕 a mechanism; machinery. ‖ 경제 ~ the economic structure / 국제 ~ an international organization / 행정 ~ the machinery of government.

기구하다(崎嶇—) 〔불행 · 불운한〕 (be) unhappy; unfortunate; ill-fated; checkered; 〔험한〕 be rugged.

기권(棄權) 〔투표에서〕 abstention (from voting); 〔권리의〕 the renunciation of one's right; 〔경기의〕 default. ~ 하다 abstain (from voting); give up 〔abandon〕 one's right; withdraw one's entry. ‖ ~ 율 the abstention rate / ~ 자 an abstentionist; an absentee; a nonvoter.

기근(饑饉) (a) famine; crop failure; 〔결핍〕 scarcity. ‖ ~구제자 금 a famine-relief fund.

기금(基金) a fund; a foundation 〔재단〕. ¶ ~ 을 모집하다 collect 〔raise〕 a fund. ‖ ~ 모집 the collection of a fund.

기급하다(氣急 —) be aghast; be frightened out of one's wits; cry out in surprise.

기기(器機) machinery and tools.

기기묘묘(奇奇妙妙) ~ 하다 (be) wonderful and beautiful; marvel-

lous; fabulous.

기꺼이 willingly; with pleasure; readily〔선뜻〕. ¶ ~ …하다 be ready 〔willing〕 to do.

기껏 ① 〔힘껏〕 to the utmost; as hard as possible. ② 〔고작〕 at 〔the〕 most; at 〔the〕 best.

기낭(氣囊) an air bladder 〔sac〕.

기네스북 the Guinness Book of Records.

기념(記念) commemoration; memory. ~ 하다 commemorate. ‖ ~ 의 commemorative; memorial / ~ 으로 in memory 〔commemoration〕 of …; as a souvenir 〔token〕 of …. ‖ ~ 물〔품〕 a souvenir; a memento; a keepsake / ~ 비 a monument / ~ 우 표 a commemoration stamp / ~ 일 a memorial day; 〔년 1회의〕 an anniversary / ~ 제 a commemoration; 〔매년의〕 an anniversary / ~ 행사 a memorial event.

기능(技能) 〔technical〕 skill; 〔능력〕 ability. ‖ ~ 공〔자〕 a technician / ~ 교육 〔훈련〕 technical education 〔training〕 / ~ 올림픽 the International Vocational Training Competition.

기능(機能) faculty; function. ¶ ~ 을 하다 function; work / ~ 적인 functional. ‖ ~ 검사 a functional test / ~ 장애 a functional disorder / ~ 저하 (a) malfunction / 소화 ~ digestive functions.

기다（be）crawl; creep; grovel〔배를 깔고〕.

기다랗다 rather long; lengthy.

기다리다 wait 〔for〕; await; 〔기대〕 look forward to; expect; anticipate. ¶ 기다리게 하다 keep (a person) waiting.

기담(奇談) a strange story 〔tale〕.

기대(期待) expectation; anticipation; hope. ~ 하다 expect; look forward to; hope for; count on.

기대다 ① 〔몸을〕 lean on 〔against〕; rest 〔stand〕 against. ② 〔의뢰〕 rely 〔depend, lean〕 on.

기도(企圖)《계획》a plan; a scheme; a plot;《시도》an attempt. ~하다 plan; plot; design; try; attempt; scheme.

기도(祈禱) prayer; grace (식사 때의). ~하다 pray; offer (give) prayers; say grace. ‖ ~서 a prayer book. 「ry tract.

기도(氣道) the airway; respirato-

기독교(基督教) Christianity. ¶ ~의 Christian / ~를 믿다 believe in Christianity; be a Christian. ‖ ~교회 a Christian church / ~도 a Christian / ~여자 청년회 the Young Women's Christian Association(생략 Y.W.C.A.) / ~청년회 the Young Men's Christian Association(생략 Y.M.C.A.).

기동(起動)《시동》starting;《운신》 one's movement. ~하다 move about; stir; get started. ‖ ~력 motive power.

기동(機動) ‖ ~경찰〔대〕 the riot police; a riot squad / ~력 mobile power / ~부대 mobile troops / ~성 a task force / ~성 mobility; maneuverability / ~연습 a maneuver / ~작전 mobile operations / ~타격대 a special strike 〔task〕 force.

기둥 ①《건축의》a pillar; a pole; a column(둥근). ②《버팀목》a prop; a support; a post. ③《사람》a pillar; a support.

기둥서방 a kept man; a gigolo.

기득(既得) ¶ ~의 already acquired; vested. ‖ ~권 vested rights.

기라성(綺羅星) ¶ ~ 같은 고관들 a galaxy of dignitaries.

기량(技倆) ability; skill; competence.

기러기〔鳥〕a wild goose〔pl. wild geese〕. ¶ ~아빠 a lonely wild goose father (separated from his family staying abroad).

기러기발(현악기의) the bridge (on a string instrument).

기력(氣力) ①《힘》energy; spirit; vigor; vitality. ¶ ~이 왕성한 energetic; vigorous; full of vitality. ②〔理〕air pressure.

기로(岐路)《갈림길》a forked road; a crossroad.

기록(記錄)《적음》recording;《문서의》a record; a document;《archives(관청의); minutes(의사록); a chronicle (연대기);《경기의》a *world* record. ~하다 record; register; write down; put (*a thing*) on record. ¶ 최고〔공식〕~ the best 〔an official〕 record / ~을 깨다《경기 따위에서》break 〔beat〕 the record / ~을 경신하다 better the record / (신)~을 세우다 make 〔establish〕 a (new) record (*in*). ‖ ~보유자 a record (title) holder / ~영화 a documentary film / ~원 a recorder; a scorer.

기뢰(機雷)〔軍〕an underwater 〔submarine〕 mine; a mine. ‖ ~를 부설하다 lay 〔place〕 mines.

기류(氣流) an air 〔aerial〕 current; a current 〔stream〕 of air. ¶ 상승 ~를 타다 ride an ascending air current.

기르다 ①《양육》bring up; rear; raise. ②《사육·재배》breed; raise; keep; grow; cultivate(재배). ¶ 가축을 ~ raise livestock. ③《양성》cultivate; develop; build up(체력 따위를). ④《버릇을》form (*a habit*). ⑤《머리·수염을》grow (*a mustache*).

기름 oil(액체);《지방》fat; grease(윤활유). ¶ ~을 짜다 press oil (*from*) / ~기가 없는 oil-free.

기름지다 ①《기름이》(be) greasy; fatty; oily; fat(살찐). ¶ 기름진 음식 greasy(fatty, rich) food. ②《땅이》(be) fertile; rich; productive. ¶ 기름진 땅 fertile (rich) field.

기름틀 an oil press.

기름하다 (be) somewhat 〔rather〕 long; longish. 「praise to.

기리다 praise; admire; give high

기린(麒麟)〔動〕a giraffe. ‖ ~아 a (child) prodigy; a wonder child.

기립(起立) 《구령》 Rise!; Stand up! ┃ ~하다 stand up; rise. ┃ ~투표 a rising [standing] vote.

기마(騎馬) 《말타기》 (horse) riding; 《타는 말》 a riding horse. ┃ ~경찰 a mounted policeman / ~민족 a nomadic [equestrian] people / ~전 (play) a mock cavalry battle.

기막히다(氣-) 《숨막히다》 stifle; feel stifled [suffocated, choked]; 《어이없다》 (be) amazed; stunned; aghast; dumbfounded; 《엄청남》 (be) breathtaking; amazing.

기만(欺瞞) deception; (a) deceit. ~하다 deceive; cheat. ~적인 deceptive; tricky / ~적인 행위 a deceitful [fraudulent] act.

기맥(氣脈) ┃ ~을 [이] 통하다 conspire (with); be in collusion (with).

기명(記名) 《서명》 signature. ~하다 sign one's name; 《날인하다》 sign and seal. ┃ ~[무-]투표 an open (secret) vote.

기묘(奇妙) ┃ ~한 strange; queer; odd; curious; funny.

기물(器物) 《그릇》 a vessel; household dishes; 《기구》 a utensil; 《가구》 furniture.

기미(얼굴의) freckles. ┃ ~가 끼다 freckle.

기미(氣味) ① 《냄새와 맛》 smell and taste. ② 《듯싶은 기분》 a touch; a smack; a tinge; 《징후》 a sign; an indication.

기민(機敏) ┃ ~한 prompt; smart; sharp; shrewd ┃ ~하게 행동하다 act smartly.

기밀(氣密) ┃ ~의 airtight. ┃ ~복 a pressured suit / ~성 airtightness / ~실 an airtight chamber.

기밀(機密) secrecy(상태); a secret (일). ┃ ~의 secret; confidential / ~을 누설하다 let (leak) out a secret; ┃ ~누설 a leak of secret information / ~비 secret (service) funds / ~서류 a confidential document.

기박(奇薄) ┃ ~한 unfortunate; hap-less; unlucky; ill-fated.

기반(基盤) a base; a basis; a foundation; foothold(발판). ┃ ~을 이루다 form the basis [foundation] of.

기반(羈絆) bonds; ties; fetters.

기발(奇拔) ┃ ~한 original; novel; eccentric; fanciful (*patterns*).

기백(氣魄) spirit; vigor; soul.

기범선(機帆船) a motor-powered sailing boat.

기법(技法) a technique. ┃ ~상의 문제 a technical problem / ~을 익히다 acquire [master] the technique (*of*).

기벽(奇癖) an eccentric [strange] habit; an eccentricity.

기별(奇別) information; a notice. ~하다 inform [notify] (*a person*) of; give information; report.

기병(起兵) ┃ ~하다 raise an army; rise in arms (*against*).

기병(騎兵) a cavalryman; cavalry (총칭). ┃ ~전 (of baduk).

기보(棋譜) the record of a game.

기보(旣報) a previous report.

기복(起伏) ups and downs; undulation.

기본(基本) a foundation; a basis; 《기초적 사항》 basics; fundamentals; 《기준》 a standard. ┃ ~적인 fundamental; basic; standard. ┃ ~급 one's basic [regular] pay [wages, salary] / ~단위 a standard unit / ~방침 a basic policy / ~요금 a basic rate; the basic [base] rate (사용료의); the basic charge (사용료의) / ~원리 a fundamental [basic] principle / ~형 a basic pattern.

기부(寄附) (a) contribution; 《기증》 (a) donation; (a) subscription. ~하다 donate; contribute; subscribe. ┃ ~금 a contribution; a subscription; a donation / ~자 a contributor; a subscriber; a donor / ~행위 an act of endowment [donation].

기분(氣分) a feeling; a mood;

frame of mind; sentiment; atmosphere(분위기). ¶ ～이 좋다 feel well〔good, all right〕. ¶ 기분 파 a moody person; a man of moods.

기분전환(氣分轉換) ～으로 for recreation; for a change.

기쁘다 be glad〔pleased, delighted〕; rejoice; take delight 《in》.

기쁜다 (be) glad; delightful; happy; pleasant(유쾌). ¶ 기쁜 날 a happy day / 기쁜 일 a happy event / 기쁘게 하다 please; delight; make 《a person》 happy; give pleasure 《to》; gladden.

기쁨 joy; happiness; delight; rejoice; pleasure.

기사(技師) an engineer. ‖ 건축～ an architectural engineer.

기사(記事) 《신문의》 a news story 〔item〕; a report; news; an article. ¶ ～를 쓰다 write a report〔an article〕《on》. ‖ ～게재 금지 a press ban / 특종～ a scoop; a beat(美).

기사(騎士) a knight. ‖ ～도 knighthood; chivalry.

기사회생(起死回生) revival〔resuscitation〕(from serious illness). ～하다 revive; resuscitate.

기산(起算) ～하다 reckon〔count〕from 《a date》; measure from 《a point》. ¶ ～일 the initial date (in reckoning).

기상(起床) ～하다 rise; get up. ‖ ～나팔 the reveille; the morning bugle.

기상(氣象) weather; atmospheric phenomena; a climate(기후). ¶ ～을 관측하다 make meteorological〔weather〕observation. ‖ ～경보 a weather warning / ～대 a weather station; a meteorological observatory / ～도(圖) a weather map〔chart〕 / ～레이더 a weather radar / ～위성 a weather satellite / ～재해〔주의보, 통보〕a weather disaster〔warning, report〕 / ～정보 weather

information / ～청 the Meteorological Administration / ～학 meteorology.

기색(氣色) 《안색》 a complexion; 《표정》 a look; a countenance; an expression; 《태도》 manner; bearing; 《기미》 signs.

기생(妓生) a gisaeng.

기생(寄生) parasitism. ～하다 be parasitic on 《a tree》; live on〔with〕《its host》. ‖ ～동물〔식물〕a parasite; a parasitic animal〔plant〕 / ～충 a parasite; a parasitic worm / ～충 구충제 an antiparasitic / ～충 구충제 an antiparasiticide.

기선(汽船) a steamship; a steamer. ‖ 정기～ a regular liner.

기설(旣設) ～의 established; existing.

기성(旣成) ～의 established; existing; established; ready-made (옷 따위). ¶ ～개념 a stereotype / ～복 ready-made clothes; a ready-to-wear suit〔dress〕 / ～세대 the older generation / ～품 ready-made goods〔articles〕.

기성(棋聖) a great master of baduk 《chess》.

기세(氣勢) spirit; vigor; ador. ¶ ～를 올리다 get elated; arouse one's enthusiasm / ～를 꺾다 dispirit; discourage.

기소(起訴) 《형사》 prosecution; indictment. ～하다 prosecute〔indict〕《a person》for a crime; charge 《a person》with a crime. ¶ ～를 유예하다 suspend an indictment; leave a charge on the file / ～를 취소하다 drop a case. ‖ ～장 an indictment.

기수(基數) a cardinal number.

기수(旗手) a standard-bearer; a flag-bearer.

기수(機首) the nose of an airplane. ¶ ～를 남으로 돌리다 head for the south; turn southward.

기수(騎手) a rider; a horseman; a jockey(경마의).

기수범(旣遂犯) a crime that has already been committed.

기숙(寄宿) ～하다 lodge (board) 《at, with a person》. ‖ ～사 a dormitory / ～생 a boarding (resident) student; a boarder / ～학교 a boarding school.

기술(技術) an art 《기예》; technique 《전문적 기교》; technology 《과학기술》; a skill. ¶ ～적인 technical / ～상 technically. ‖ ～적 발전 technical development / ～원조 technical assistance / ～이전 the transfer of technical know-how / ～자 a technical expert; a technician / ～제휴(join in) a technical tieup / ～집약산업 a technology-intensive industry / ～축적 the accumulation of technology 〔industrial knowhow〕 / ～혁신 a technological innovation / ～협력 technical cooperation / 핵심～ core technology.

기술(記述) a description; an account 《설명》. ～하다 describe; give an account 《of》. ¶ ～적인 descriptive; narrative.

기슭 the foot (base); the edge. ¶산～에 at the foot of a mountain / 강～에 on the edge 〔brink〕 of a river.

기습(奇習) a strange custom.

기습(奇襲) a surprise (attack); a sudden attack. ～하다 make a surprise attack 《on》; take 《the enemy》 by surprise.

기승(氣勝) an unyielding spirit.

기승전결(起承轉結) the four steps in composition 《i.e. the introduction, the development of the theme, conversion, and summing up》.

기식(寄食) ～하다 sponge (live) on 《one's relative》; be a parasite 《on, to》. ‖ ～자 a hanger-on; a parasite.

기신호(旗信號) flag signaling.

기실(其實) the truth (reality); a fact. ¶ ～은 in reality (fact); as a matter of fact.

기쓰다(氣—) do one's utmost; make every possible effort; spare no labor.

기아(棄兒) 《아이》 an abandoned child; a foundling.

기아(飢餓) hunger; starvation.

기악(器樂) instrumental music.

기안(起案) ～하다 prepare a draft; draw up a plan.

기암괴석(奇岩怪石) rocks of fantastic shape.

기압(氣壓) atmospheric 〔air〕 pressure. ‖ ～계 a barometer / ～골 a trough of low atmospheric pressure. 「romise; pledge.

기약(期約) promise; pledge. ～하—

기어이(期於—) by all means; at any cost; under any circumstances.

기억(記憶) memory; remembrance; recollection. ～하다 remember; recall; recollect 《상기》; remain in one's memory; 《잊지 않도록》 bear 《a thing》 in mind; 《암기》 learn by heart; memorize. ‖ ～력 memorial power; memory 《～력이 좋다[나쁘다]》 have a good 〔poor〕 memory) / ～상실증(症) amnesia / ～술 mnemonics; the art of memory / 주～장치 a main storage 〔memory〕.

기업(企業) an enterprise; an undertaking; (a) business. ¶민간～ a private enterprise / ～가 an entrepreneur 《연합～》; a man of enterprise / ～연합 a cartel / ～윤리 business ethics / ～합동 a trust / ～화 commercialization / ～화하다 commercialize).

기업공개(企業公開) a corporation's public offering 〔sale〕 of stocks 〔shares〕; going public.

기여(寄與) (a) contribution. ～하다 contribute; be conducive.

기연(奇緣) a strange turn of fate; a curious coincidence.

기염(氣焰) tall (big) talk; bom-

기예 big; speak with great vehemence.

기예(技藝) arts and crafts.

기예(氣銳) ¶ ~의 spirited; energetic.

기온(氣溫) (atmospheric) temperature.

기와 a tile. ¶ ~로 지붕을 이다 tile a roof; roof (a house) with tiles. ║ ~공장 a tilery / ~지붕 a tiled roof / ~집 a tile-roofed house.

기왕(旣往) the past; bygone days. ¶ ~에 since it is done; ~이면 if it is done [choose]. ║ ~증 the medical history of a patient.

기용(起用) appointment. ~하다 appoint; employ the service (of).

기우(杞憂) unnecessary anxiety; needless [imaginary] fears; groundless apprehension.

기우(新雨) praying for rain. ║ ~제를 지내다 pray for rain.

기우듬하다 (be) somewhat slanted.

기우뚱거리다 sway from side to side; shake; totter; 〈불안정하다〉 be unsteady [shaky].

기운 ① 〈세력〉 (physical) strength; energy; force; might. ¶ ~이 있다 〔세다〕 be strong [mighty] / ~이 없다 〔약하다〕 be weak [feeble]; do not have much strength. ② 〈기력·활력〉 vigor; energy; spirits; vitality. ¶ ~찬 vigorous; energetic / ~을 내다 brace oneself up / ~을 돋우다 cheer up; invigorate. ③ 〈기미〉 a touch; a dash; a shade; a tinge. ¶ 잠기~ a touch of cold.

기운(氣運) a tendency; a trend.

기운(機運) fortune; luck; 〈기회〉 an opportunity; a chance.

기울 〈밀 따위의〉 bran.

기울다 ① 〈경사지다〉 incline; lean; tilt; slant; slope〈밑으로〉; 〈배가〉 bank〈선회시에〉; lurch〈급하게〉; 〈좌로〉 lean to the left. ② 〈쇠하다〉 decline; wane; sink. ③〈해·달이〉 decline; go down;

sink. ④ 〈경향〉 be inclined; lean; incline (to).

기울이다 ① 〈경사지게 하다〉 incline; bend; lean; tilt; 〈기구 등을〉 tip; slant. ② 〈마음을 집중하다〉 devote oneself to; concentrate 《one's attention》 on.

기웃거리다 〈고개를〉 stretch [crane] one's neck to see 《something》; 〈엿보다〉 look 《in, into》; peep 《into; through》; snoop 《around, about》.

기원(祈願) a prayer. ~하다 pray. ║ ~문 an optative sentence.

기원(紀元) an era; an epoch. ║ ~전 500년. 500 B.C. (= Before Christ). ☞ 서기·신기원.

기원(起源) origin; beginning. ~하다 originate 《in》; have its origin [roots] 《in》.

기원(棋院) a baduk club [house].

기음문자(記音文字) phonetic letters.

기이하다(奇異—) (be) strange; curious; queer; odd.

기인(奇人) an eccentric (person); an odd [strange] fellow.

기인(起因) ~하다 be due to; be caused by; originate in.

기일(忌日) an anniversary of one's death; a deathday.

기일(期日) a (fixed) date; an appointed day; 〈기한〉 a due date; a time limit.

기입(記入) entry. ~하다 enter; make an entry 《in》; fill out [in] 《the form》. ¶ 신청서에 필요 사항을 ~하다 fill out the application. ║ ~누락 an omission; 必 Entered.

기자(記者) 〈신문의〉 a newspaperman; a (newspaper) reporter; a pressman 〈英〉; 〈보도관계자·전반〉 a journalist. ║ ~단[클럽] a press corps [club] / ~석 a press gallery〈의회의〉; a press stand [box]〈경기장의〉 / ~회견 (hold) a press [news] conference.

기장 〔稷〕 (Chinese) millet.

기장 〈의의〉 the length of a suit; the dress length.

기장(記章) a badge; a medal.

기장(機長) a captain; a pilot.

기재(奇才) 〈사람〉 a genius; a prodigy; 〈才能〉 remarkable talent.

기재(記載) mention; 〈簿記〉 entry. ∥ ～하다 state; record; mention. 허위 ～ a false entry. 〈materials〉.

기재(器材) 〈기구와 재료〉 tools and materials.

기재(機材) 〈기계의 재료〉 machine parts; materials for making machinery.

기저(基底) a base; a foundation.

기저귀 a diaper (美); a (baby's) napkin; a nappy (英).

기적(汽笛) a (steam) whistle; a siren (美).

기적(奇蹟) a miracle; a wonder. ¶ ～적(으로) miraculous(ly).

기전(起電) generation of electricity. ∥ ～기 an electric motor / ～력 electromotive force.

기절(氣絶) fainting. ～하다 faint; lose consciousness; lose one's senses.

기점(起點) a starting point.

기정(旣定) ¶ ～ 사실 an established fact.

기제(忌祭) a memorial service held on the anniversary of (a person's) death.

기조(基調) the keynote; the underlying tone; the basis. ¶ 경제의 ～ the basic economic condition (of Korea) / …의 ～를 이루다 form the keynote of …. ∥ ～연설 a keynote speech (address) / ～연설자 a keynote speaker. 〈facilities〉.

기존(旣存) ¶ ～의 시설 the existing

기종(氣腫) emphysema.

기준(基準) a standard; a yardstick; a basis(이론 등의 근거). ∥ ～가격 a standard price / ～량 a norm / ～시세 the basic rate / ～임금 base point standard wages / ～점 a base point; a reference point(측량의).

기중(忌中) (in) mourning.

기중기(起重機) a crane; a derrick

(배의).

기증(寄贈) presentation; donation. ～하다 present; donate. ∥ ～본 a presentation copy / ～자 a donator; a donor / ～품 a gift; a present.

기지(基地) a base. ∥ ～촌 a military campside town / 관측～ an observation base / 작전～ a base of operations / 항공～ an air base.

기지(旣知) ¶ ～의 already-known. ∥ ～수 a known quantity.

기지개 a stretch.

기진(氣盡) ¶ ～맥진하다 be utterly exhausted; be really worn out; be dead tired.

기질(氣質) disposition; nature; temper; temperament.

기차(汽車) 〈열차〉 a (railroad) train. ¶ 木浦行〔발〕 a train for (from) Mokpo / ～를 타다 take (board) a train / ～로 여행하다 travel by train. ∥ ～시간표 a railroad schedule (美) / ～ 운임 a train (railroad) fare / ～표 a (railroad) ticket.

기차다(氣―) 〈어이없다〉 be dumbfounded; be disgusted (at).

기착(寄着) a stopover. ～하다 stop over (at Honolulu).

기채(起債) flotation of a loan. ～하다 float (raise) a loan; issue bonds. ∥ ～시장 the bond (capital) market.

기척 a sign; an indication.

기체(氣體) gas; vapor(증기). ∥ ～의 gaseous / ～연료 gaseous fuel.

기체(機體) the body (of a plane); an airframe; a fuselage(동체).

기초(起草) drafting. ～하다 draft (a bill); draw up (a plan). ∥ ～한 사람 the drafter / ～위원(회) a drafting committee / ～자 a draftsman.

기초(基礎) (lay) the foundation (of); the basis; the base. ¶ ～적인 fundamental; basic; elementary / ～를 만들다〔쌓다〕 lay the foundation (of); lay the

groundwork 《 *for* 》. ‖ ∼ 공사 **foundation work** / ∼ 공제 the basic deduction 《 *from taxable income* 》 / ∼ 과학 (a) basic science / ∼ 산업 a key (basic) industry / ∼ 지식 an elementary (a basic) knowledge 《 *of English* 》 / ∼ 훈련 a basic training.

기총(機銃) a machine gun. ‖ ∼ 소사하다 machine-gun; strafe.

기축통화(基軸通貨) key currency.

기치(旗幟) 《깃발》 a flag; a banner; 《태도》 one's attitude 〔stand〕.

기침 a cough; coughing. ‖ ∼하다 cough; have a cough. ‖ 헛∼을 하다 clear one's throat; give a cough. ‖ ∼ 감기 a cold on the chest / ∼약 a cough medicine.

기타(其他) the others; the rest and others; and so forth 〔on〕; et cetera 〔생략 etc.〕.

기타 《play》 a guitar. ‖ ∼ 연주자 a guitarist.

기탁(寄託) deposit(ion); 〔法〕 bailment. ‖ ∼하다 deposit 《a thing with a person》; entrust 《a person with a thing》. ‖ ∼금 trust money / ∼자 a depositor; 〔法〕 a bailor / ∼증서 a deposit certificate.

기탄(忌憚) reserve. ‖ ∼없는 frank; outspoken; unreserved / ∼없이 without reserve; frankly.

기통(汽筒) a cylinder. ‖ 6 ∼ 엔진 a six-cylinder(ed) engine.

기특(奇特) ‖ ∼한 laudable; praiseworthy; commendable.

기틀 the crux 《of a matter》; the key (pivotal) point.

기포(氣泡) a bubble.

기포(氣胞) 〔動〕 an air bladder.

기폭(起爆) detonation. ‖ 혁명의 ∼ 제가 되다 trigger a revolution. ‖ ∼장치 a detonator; a triggering device.

기표(記票) balloting. ‖ ∼하다 fill in a ballot. ‖ ∼소 a polling booth.

기품(氣品) elegance; grace; dignity. ‖ ∼ 있는 dignified; grace-

ful; elegant.

기품(氣風) 《개인의》 character; disposition; 《사회의》 (an) ethos; spirit(경향·정신); trait(특성); 《단체의》 tone.

기피(忌避) evasion; 《징병 등의》 evasion. ‖ ∼하다 a challenge. ∼ 하다 evade; avoid; challenge. ‖ ∼신청 a motion for challenge / ∼인물 《外交》 an unwelcome [unacceptable] person / ∼자 an evader (of service); a shirker.

기필코(期必─) certainly; by all means; without fail.

기하(幾何) geometry. ‖ ∼학적(으로) geometrical(ly).

기하다(期─) ① 《일시를 미리 정하다》 fix the date; set a term 《time limit》 《for》. ② 《기약하다》 make up one's mind; promise; be determined (resolved) 《to》.

기한(期限) a term; a period; a time limit; a deadline 《美》. ‖ ∼부의 〔로〕 《one-year》 time limit / ∼이 되다 become 〔fall〕 due / ∼을 연장하다 extend the term / ∼이 넘다 be over due. ‖ ∼경과 《만료》 the expiration of a period (term) / 지불 ∼ the time of payment.

기함(旗艦) a flagship.

기합(氣合) 《정신 집중》 concentration of spirit; 《소리》 a shout; a yell; 《軍》 disciplinary punishment 《upon a group》. ‖ ∼을 넣다 show (display) one's spirit with a yell / ∼을 주다 《軍》 chastise; discipline.

기항(寄港) a call (stop) at a port. ‖ ∼하다 call (stop) at a port. ‖ ∼지 a port of call.

기행(奇行) eccentric conduct.

기행(紀行) an account of travels; a record of one's travel. ‖ ∼문 travel notes.

기형(畸形) deformity; malformation. ‖ ∼아 a deformed (malformed) child.

기호(記號) a mark; a sign; a symbol; a clef(음악의).

기호(嗜好) a taste; liking. ¶ ~에 맞다 be to *one's* taste: suit *one's* taste(s). ¶ ~품〔식품〕*one's* favorite food: a table luxury〔술 커피 따위〕.

기혼(旣婚) ¶ ~의 married. ¶ ~자 a married (wo)man.

기화(奇貨) ¶ ~을 ~로 삼다 take advantage of.

기화(氣化)〔理〕evaporation; vaporization. ¶ ~하다 vaporize; evaporate. ¶ ~기 a carburetor / ~열 evaporation heat.

기회(機會)〔seize, miss〕an opportunity; a chance; an occasion. ¶ 절호의 ~ a golden opportunity. ¶ ~균등주의 the principle of equal opportunity / ~주의 opportunism / ~주의자 an opportunist; a timeserver.

기획(企劃) planning; a plan; a project. ¶ ~하다 make〔form〕a plan; draw up a project. ¶ ~관리실 the Planning and Management Office / ~력 planning ability / ~부 the planning department / ~조정실 the Office of Planning and Coordination.

기후(氣候) climate; weather. ¶ 온화한〔험악한, 해양성, 대륙성, 열대성〕 ~ a mild〔severe, maritime, continental, tropical〕climate.

긴급(緊急) emergency; urgency. ¶ ~한 urgent; pressing; emergent. ¶ ~명령 an emergency order / ~사태 (declare) a state of emergency / ~용직통전화 a hot line〔~조치〔대책〕emergency measures; urgent countermeasures.

긴밀(緊密) ¶ ~한 close; intimate ¶ ~연락을 취하다 be in close contact with.

긴박(緊迫) tension; strain. ¶ ~한 정세 a tense〔an acute〕situation.

긴요(緊要) ¶ ~한 vital; important; essential; indispensable.

긴장(緊張) tension; strain. ¶ ~하다

get〔become〕tense; be strained; be on edge. ¶ ~한 strained; tense / ~을 완화하다 relieve〔ease〕the tension. ¶ ~완화〔국 제간의〕*détente*.

긴축(緊縮)〔경제적〕(strict) economy; retrenchment; deflation〔통화의〕; austerity〔생활의〕. ¶ ~하다 economize; retrench; cut down〔삭감〕. ¶ ~생활 (lead) an austere life; (practice) austerity / ~예산〔재정〕a reduced budget / ~정책 (adopt) a belt-tightening policy.

긴하(緊—)〔긴요하다〕(be) important; vital; essential; 〔유용하다〕(be) useful; necessary; 〔급하다〕(be) urgent; pressing.

긷다〔물을〕draw; dip〔scoop〕up.

길¹〔길이〕a fathom.

길²① 〔道路〕(가로) a way; a road; a street;〔국도·공도〕a highway; 〔좁은 길〕a path; a lane;〔통로〕passage. ¶ 돌아오는 ~ one's way back; 을 잃다 lose〔miss〕*one's* way; get lost / ~을 잘못 들다 take the wrong way / ~을 묻다 ask (*a person*) the way (*to*); ask (*a person*) how to get (*to*) / ~을 막다 block (*a person's*) way; stand in (*a person's*) passage. ② 〔가야 할 길〕a way; a journey; a distance〔거리〕. ③ 〔진로·수단·방법〕a course; a route; a way; a means;〔올바른 길〕the path; a way. ¶ 성공으로의 ~ the way〔road〕to success.

길〔등급〕a class; a grade.

길거리 a street.

길길이 ① 〔높이〕high; tall. ② 〔몹시〕very; extremely; exceedingly.

길년(吉年) an auspicious year.

길눈 〔방향 감각〕a sense of direction. ¶ ~이 밝다〔어둡다〕have a good (poor) sense of direction.

길다 ¶ long; lengthy. ¶ 길게 [lengthily.

길드 a guild.

ㄱ

길들다 ① 《동물이》 grow [become] domesticated (tame). ② 《윤나다》 get [become] polished [glossy]. ③ 《익숙》 get [grow] accustomed [used] to; grow familiar with.

길들이다 ① 《동물을》 tame; domesticate; train (a dog). ② 《윤나게》 give a polish to; polish up; make (it) glossy. ③ 《익숙해지게 하다》 get [make] (a person) used [accustomed] to; accustom (a person) to.

길마 《안장》 a packsaddle.

길목 《길모퉁이》 a street corner. ② 《요소》 an important [key] position [point] (on the road).

길몽(吉夢) a lucky dream.

길보(吉報) good news.

길손 a wayfarer; a traveler.

길쌈 weaving (by hand); ～ 하다 weave (on a hand loom).

길운(吉運) luck; good fortune.

길이¹ 《거리》 length. ¶ 무릎 ～의 코트 an overcoat of knee length / ～가 2미터이다 be 2 meters long.

길이² 《오래》 long; forever.

길일(吉日) a lucky day.

길조(吉兆) a good (lucky) omen.

길쭉하다 (be) longish; rather long.

길차다 《수목이 우거지다》 be densely [thickly] wooded; 《미끈하게 길다》 be neatly tall (long).

길하다(吉―) (be) auspicious; lucky; fortunate; good.

길흉(吉凶) good or ill luck; fortune.

김《먹는》 laver; dried laver(말린). ¶ ～양식 laver farming.

김¹ 《수증기》 steam; vapor; 《입·코의》 breath; 《냄새·맛》 smell; scent; aroma; flavor. ¶ ～이 무럭무럭 나다 be steaming hot / 냄새나는 김 a bad [foul] breath / ～ 빠진 맥주 flat (vapid) (beer).

김² 《잡초》 weeds. ¶ ～ 매다 weed.

김³ 《～하는 ～에》 while; when; as / 은 ～에 while I am here. ② 《홧김에》 in a fit of anger / 술 ～에 under the influence of drink.

김장 《담근 것》 kimchi prepared for the winter; 《담그기》 kimchi-making [preparing kimchi] for the winter. ～ 하다 make [prepare] kimchi for the winter. ¶ ～ 독 a kimchi (pickle) jar / ～ 철 the time (season) for preparing kimchi for the winter.

김치 kimchi; pickled vegetables (by traditional Korean style); pickles; spicy pickled vegetables. ¶ ～를 담그다 prepare [make] kimchi. ¶ ～찌개 kimchi stew / 배추[무] ～ cabbage (radish) kimchi.

깁《絹》 a plaster cast. ¶ ～ 을 하다 wear a plaster cast.

깃¹ 《옷의》 a collar; a lapel(양복의). ¶ 코트의 ～ 을 세우다 turn up one's coat collar.

깃² 《날개털》 a feather; a plume. ② 《화살의》 feather (of an arrow).

깃대(旗―) a flagstaff(flagpole).

깃들이다 《새가》 (build a) nest; 《비유적》 lodge; dwell.

깃발 《―발》 a flag; a banner.

깊다 《물·산 따위가》 deep. ¶ 한없이 깊은 bottomless; fathomless / 깊은 구멍 [계곡] a deep hole (gorge) / 깊은 바다 the deep sea; 《정도·생각 따위가》 deep; profound(심원한). ¶ 깊은 슬픔 (a) deep sorrow (affections) / 깊은 잠 (a) deep (sound) sleep. ③ 《관계가》 (be) close; intimate. ¶ 깊은 관계 a close relation (connection). ④ 《밤이》 (be) late.

깊숙하다 (be) deep; secluded. ¶ 깊숙한 골짜기 a deep valley.

깊이¹ ① 《명사적》 depth; deepness. ¶ ～ 6피트이다(이다) (It is) six feet deep (in depth). ② 《부사적》 deep(ly); intensely; strongly.

까뀌 a hatchet. ┌arista.

까끄라기 《이삭의》 an awn(이

까놓다 《털어놓다》 unbosom *oneself* to; open *one's* heart; confide (*to*).

까다 ① 《껍질을》 peel 《an orange》; rind; pare 《an apple》; skin; shell 《a chestnut》; hull. ¶호두를 ~ crack a nut. ② 《새끼를》 hatch; incubate.

까다 《비난·공격하다》 criticize (severely); speak 〔write〕 against; denounce; censure; attack; 《俗》 《차다》 kick 《at》; hack (축구에서).

까다 《제하다》 deduct; subduct; subtract.

까다롭다 ① 《성미가》 (be) hard to please; fastidious; particular (음식·옷 따위에). ② 《일·문제가》 (be) troublesome; complicated; difficult. ¶까다로운 문제 a delicate matter; a ticklish question.

까닭 《이유》 reason; a cause (원인); ground (근거); a motive (동기); 《구실》 an excuse; a pretext. ¶무슨 ~으로 why; for what reason.

까딱하면 very nearly (자칫하면); easily (쉽사리).

까마귀 《鳥》 a crow; a raven (갈가마귀); a bird of ill omen (불길).

까마(아)득하다 far (away); far-off; remote. ¶까마(아)득한 옛날 a long long time ago.

까막눈이 an illiterate.

까맣다 《빛깔이》 (be) black; deep-black; coal-black; 《아득하다》 far off 《away》.

까먹다 ① 《까서 먹다》 peel 〔shell, crack〕 and eat. ② 《재산을》 spend all *one's* money 〔fortune〕 《on》; squander; run through 《*one's* fortune》. ③ 《잊다》 forget.

까무러뜨리다 make 《a person》 insensible; stun (때리어).

까무러치다 faint; lose consciousness; fall unconscious; fall into a swoon.

까발리다 《속의 것을》 pod 〔shuck, shell〕 《a thing》; 《폭로》

expose; disclose 《a secret》.

까부르다 winnow; fan. ¶까불리다 get 〔be〕 winnowed. ‖까불림 winnowing.

까불다 ① 《행동》 act frivolously; be flippant. ¶까불까불 flippantly. ② 《몸디굴려》 jolt.

까불이 a sportive 〔jocose〕 boy; a frivolous person.

까지 ① 《때》 till; until; (up) to; before(…이전까지); by(기한). ¶다음달 ~ till next month / 그때 ~ till then; up to that time / 일은 8시 ~ 끝날 것이다 The work will be finished by 8 o'clock. ② 《장소》 (up) to; as far as. ¶서울 ~ 가다 go to 〔as far as〕 Seoul / 제5장 ~ 읽다 read to Chapter 5. ③ 《범위·정도》 to (the extent of); so 〔as〕 far as; even; up to.

까치 《鳥》 a magpie.

까치발 〔建〕 a bracket; a tripod.

까치설날 New Year's Eve.

까칠하다 (be) haggard; thin; emaciated; be worn out.

까투리 a hen pheasant. 〔croak.

까악 cawing. ¶~ 울다 caw;

깍두기 Radish roots *kimchi*.

깍듯하다 (be) courteous; civil; polite; well-mannered. ¶깍듯이 인사하다 greet 《a person》 politely; make a low bow.

깍쟁이 《인색한》 a shrewd 〔stingy〕 person; a niggard; a miser.

깍지 《껍질》 a pod; a shell; ahusk.

깍지 《활 쏠 때의》 an archer's thimble. ¶~ 끼다 lock 〔interlace, knot〕 *one's* fingers; clasp *one's* hands.

깎다 ① 《값을》 beat down 《the price》; haggle over 《the price》; knock 《the price》 down; bargain. ② 《머리를》 cut; trim; clip; 《수염을》 shave; 《양털을》 shear 《a sheep》. ③ 《껍질을》 peel; pare; skin; 《연필 등을》 sharpen. ④ 《낯·체면을》 make 《a person》 lose face; disgrace; put to shame;

ㄱ

hurt [harm, injure] 《*a person's reputation*》. ⑤ 〔삭감〕 cut (down): reduce 《*the budget*》.

깎아지르다 (be) precipitous; very steep.

깎이다 ① 〔사동〕 have 《*one's hair*》 cut; let 《*a person*》 cut 《*shave, shear, etc.*》. ② 〔削減되다〕 be hurt; be reduced. ¶ 낮이 ～ lose face.

깐깐하다 ① 〔까다롭다〕 be particular; fastidious; 〔꼼꼼하다〕 (be) cautious; scrupulous; exact.

깔개 a cushion; matting.

깔기다 let off; discharge. 〔aloud〕

깔깔 ~ 웃다〔대다〕 laugh loudly

깔깔하다 〔감촉이〕 (feel) rough; be sandy.

깔끔하다 〔외양·태도가〕 be neat and tidy; sleek and clean; 〔성격이〕 (be) tidy; sharp; sensitive.

깔다 spread; lay; pave. ¶ 깔고 앉다 sit [seat *oneself*] on 《*a cushion*》; 〔군림하다〕 get 《*a person*》 under. ③ 〔돈·상품을〕 lend out 《*money*》 widely; invest in.

깔때기 a funnel.

깔리다 ① 〔널리〕 be spread [covered] all over. ② 〔밑에〕 get [be caught, be pinned] under.

깔보다 make light of 《*a person*》; look down upon 《*a person*》; hold 《*a person*》 in contempt; despise.

깔축없다 show no loss of weight 〔volume, value, size, *etc.*〕.

깜깜하다 〔어둠〕 (be) pitch-dark; 〔모름〕 (be) ignorant.

깜박거리다 〔명멸〕 twinkle 〔별이〕; flicker; glitter; blink; 〔눈을〕 blink 《*one's eyes*》; wink.

깜부기 a smutted ear 《*of barley*》. ¶ ～병 smut; bunt 〔밀의〕.

깜빡 〔잠시〕 for the moment.

깜빡거리다 〔깜빡〕 blink; wink.

깜짝 ～ 놀라다 be surprised 〔startled〕.

깜찍스럽다 be (too) clever (for *one's age*); precocious.

깝신거리다 behave frivolously; be flippant.

깡그리 all; wholly; altogether; entirely; without exception.

깡뚱하다 (be) unbecomingly [awkwardly] short. 〔steps.〕

깡뚱거리다 walk with hopping

깡통 a can (英); a tin (英). ¶ ～ 차다 be reduced to begging. ¶ ～따개 a can [tin] opener.

깡패 a hoodlum; a hooligan; a gangster; gang of racketeers(폭력단).

깨 ① 〔식물〕 a sesame. ☞ 참깨, 들깨. ② 〔씨〕 sesame seeds. ¶ ～소금 salt and sesame.

깨끗이 ① 〔청결〕 clean(ly); 〔정연〕 neatly; tidily. ～하다 make clean; make neat [tidy]. ② 〔결백〕 clean(ly); innocently; 〔공정〕 fairly. ③ 〔완전히〕 completely; thoroughly; 〔미련없이〕 ungrudgingly; with good grace.

깨끗하다 ① 〔청결한〕 (be) clean; cleanly; pure; 〔맑다〕 (be) clear; 〔정연〕 (be) tidy; neat. ¶ 깨끗한 물[공기] clear [pure] water [air]. ② 〔결백〕 (be) pure; clean; innocent; noble(고상); chaste (순결); 〔공정〕 (be) fair; clean. ¶ 깨끗한 정치 clean politics. ③ 〔심신이〕 (be) well; refreshed.

깨다 ① ☞ 깨어나다. ② 〔개화〕 become civilized. ③ 〔잠을〕 wake up; awake; rouse [arouse] 《*a person*》 from sleep; 〔술기운을〕 sober 《*a person*》 up; make 《*a person*》 sober; 〔미몽을〕 awaken; disillusion. ¶ 깨어 있다 be (wide) awake. ④ ☞ 깨우다.

깨다 ① 〔부수다〕 break; crush; smash. ¶ 그릇[침묵]을 ～ break a dish [the silence]. ② 〔일을〕 bring to a rupture; break off 《*negotiations*》. ¶ 흥을 ～ spoil the fun 《*of*》; cast a chill 《*upon, over*》.

깨닫다 see; perceive; realize; understand; sense; be aware of; be convinced of. ¶ 진리를

~ perceive a truth.

깨뜨리다 break. ☞ 깨다².

깨물다 bite; gnaw.

깨어나다 〖잠에서〗 wake up; awake; 《미몽에서》 come [be brought] to one's senses; be disillusioned; 《술·마취 등에서》 sober up; get [become] sober; regain consciousness; come to life again. ¶ 아무의 기를 ~ (a)rouse; dampen(아침에).

깨우다 〖잠을〗 wake up; awake; (a)rouse〔아침에〕.

깨우치다 awaken; disillusion; enlighten(계몽).

깨지다 ①《부서지다》 break; be broken [smashed, damaged]. ¶ 깨지기 쉬운 brittle; easily breaking; fragile / 산산조각으로 ~ be crushed to pieces. ②《일이》 fail; fall through; be broken off; be ruptured. ③《흥 따위를》 be dampened [spoiled].

깨치다 〔解得〕 master; learn; understand; comprehend.

깩 ¶ ~ 소리치다 scream; shout; roar; bawl.

깻묵 oil cake; sesame dregs.

깽깽 ¶ ~ 울다 yelp; yap; yip.

꺼내다 ①《속에서》 take [bring, draw, put] out; 《말·문제를》 bring forward; introduce; broach. ¶ 이야기를 ~ broach a matter; introduce a topic [subject].

꺼리다 ①《싫어하다》 dislike; hate; be unwilling to 〔do〕; 《금기》 taboo. ②《피하다》 avoid; shun; 《두려워하다》 be afraid of ...; ③《주저》 hesitate 〔to do〕.

꺼림칙[칙]하다 feel somewhat unwilling 《about》; be rather unwilling 〔to〕; 《양심 등에》 have pricks of conscience.

꺼멓다 〖빛이〗 black.

꺼지다 ①《불이》 go [die] out; 《재거》 be put out; be extinguished. ②《거품이》 break; burst. ③《지반이》 cave [fall] in; sink; subside.

꺽다리 a tall person.

꺾다 ①《부러뜨리다》 break [off]; snap. ¶ 나뭇가지를 ~ break off

a twig of the tree / 꽃을 ~ pick [pluck] a flower. ②《겹다》 fold 《a thing》 over. ②《방향을》 take [make] a turn 〔to〕; turn. ③《자동차 핸들을》 turn the wheel. ④《기운을》 break (down); crush; discourage; damp(en). ¶ 아무의 기를 ~ dampen《a person's》 spirits. ⑤《고집을》 yield 〔to〕; concede 〔to〕; give in 〔to〕. ⑥《겨루다》 defeat; beat; 《상대팀을》 beat a person 《at a game》.

꺾쇠 〖fasten with〗 a clamp; a cramp (iron); a staple.

꺾이다 ①《부러지다》 break; be broken; snap. ②《접히다》 be folded [doubled]. ②《방향이》 bend; turn. ③《기세가》 break (down); be discouraged; 《굴복》 bend [bow] 〔to〕; yield 〔to〕.

껄껄 ¶ ~ 웃다 laugh aloud.

껄껄하다 (be) rough; coarse; harsh.

껄끄럽다 (be) rough; coarse.

껄끔거리다 be [feel] rough.

껄떡껄떡 gulpingly(삼킴); gasping(ly)(숨이).

껄렁하다 (be) worthless; insignificant; trashy; useless.

껌 chewing gum. ¶ ~을 씹다 chew gum.

껌껌하다 《어둡다》 (be) very dark; 《마음이》 (be) black-hearted; wicked.

껍데기 a shell. ☞ 껍질. Led.

껍질 《나무의》 bark; 《과실의》 skin; rind; peel; 《깍지》 husk; a shell 《견과의》; 《얇은 껍질》 film. ¶ 바나나 ~ a banana skin / ~을 벗기다 bark 《a tree》; rind; peel 《an orange》; skin; shell.

…껏 as ... as possible; to the utmost [extent] of ... ¶ 양~ 먹다 eat one's full.

껑충 with a jump [leap].

께 《에게》 to; for 《a person》 (☞ 에게).

…께 《경(頃)》 about; toward 《a time》; around 《때》; 《곳》 around; near 《a place》. ¶ 그믐 ~ toward [near, around] the end of the

month.

께끄름하다 feel uneasy 《*about*》; 《사람이 주어》 weigh on *one's* mind; get on *one's* nerves.

께죽거리다 grumble 《*at*》; keep complaining 《*of, about*》.

께지럭거리다 《일을》 do 《*something*》 half-heartedly; 《음식을》 pick at *one's* food; chew dryly at 《*one's* food*》.

껴들다 hold 《*a thing*》 between *one's* arms [hands].

껴안다 embrace [hug] 《each other》; hold 《*a baby*》 in *one's* arms.

껴입다 wear 《*a coat*》 over another; wear 《*two undershirts*》 one over another.

꼬다 ① 《끈 따위를》 twist 《together》; twine. ② 《몸을》 stir 《*one-self*》; writhe.

꼬드기다 ① 《부추김》 stir up; incite; urge; push 《*a person*》 up 《*to* 〔*commit*〕 *a crime*》. ② 《연줄을》 tug at a kite line.

꼬들꼬들 ¶ ~ 한 dry and hard; hard-boiled 《*rice*》.

꼬락서니 ⇒ 꼴.

꼬리 a tail 〔일반적〕; a brush 〔여우 따위〕; a scut 〔토끼 따위〕; a train 《공작 따위》. ¶ ~를 몰고 〔잇달아〕 one after another; in rapid succession 〔 ～가 길다 〔짧다〕 have a long [short] tail / ～가 잡히다 〔비유적〕 give a clue 《*to the police*》. ¶ ～곰탕 oxtail soup / ～지느러미 a caudal fin.

꼬리표(一票) a tag; a label. ¶ ～를 달다 put on a tag; label 《*a trunk*》.

꼬마 《소년》 a boy; 《little kid》 a shorty; 《물건》 a tiny thing; midget; miniature. ¶ ～자동차 a midget car; a minicar / ～전구 a miniature 〔electric〕 bulb.

꼬박 whole; fully. ¶ ～이틀 two full days; a full two days.

꼬박꼬박 without fail 《어김없이》; to the letter 〔정확히〕.

꼬부라지다 bend; curve; be bent; be crooked.

꼬부랑하다 〔be〕 bent; crooked.

꼬부리다 stoop; bend; curve; crook.

꼬불꼬불하다 〔be〕 winding; meandering.

꼬이다 ① 《실·끈 등이》 get twisted; be entangled. ② 《일이》 be upset 〔frustrated〕; go wrong 〔amiss〕. ③ 《마음이》 become crooked 〔peevish〕.

꼬장꼬장하다 《노인이》 〔be〕 hale and hearty; 《성미가》 be stern; unbending; upright; incorruptible.

꼬집다 ① 《살을》 〔give a〕 pinch; nip. ② 《비꿈》 make cynical remarks about; say spiteful things.

꼬챙이 a spit; a skewer. ¶ ～에 꿰다 spit; skewer.

꼬치 skewered stuff; food on a skewer. ¶ ～구이 〔행위〕 spit-roasting; 《고기》 〔lamb〕 roasted on a spit.

꼬치꼬치 ① ¶ ～ 마르다 be worn 〔reduced〕 to a shadow 〔skeleton〕 / ～ 캐묻다 be inquisitive 《*about*》; ask inquisitively.

꼬투리 ① 《깍지》 a pod; a shell; a hull; a shuck. ② 《공초》 a cigaret(te) butt. ③ 《발단》 the cause; reason.

꼭 ① 《단단히》 tight(ly); firmly; 〔hold〕 fast. ¶ 문을 ～ 닫다 shut the door tight / ～ 쥐다 grasp firmly. ② 《꼭 맞거나 끼게》 tight(ly); closely; to a T; exactly. ¶ ～ 끼다 be tight 〔close〕. ③ 《정확하게》 exactly; just. ¶ ～ 한 시간 just 〔exactly〕 an hour / ～ 같다 be just the same 《*as*》. ④ 《틀림없이》 surely; certainly; by all means; without fail. ¶ ～ 하다 be sure to 《*do*》. ⑤ 《흡사》 just like; as if. ¶ ～ 마치.

꼭대기 the top; the summit.

꼭두각시 a puppet; a dummy.

꼭두새벽 the peep of dawn. ¶ ～에 before dawn.

꼭두서니 [植] a (Bengal) madder.

꼭지지르다 forestall; get ahead of 《a person》.

꼭지 ① 《수도 따위의》 a cock; a tap; a faucet. ② 《뚜껑의》 a knob; a nipple(우유병의). ③ 《식물의》 a stalk; a stem.

꼴 《모양》 shape; form; 《외양》 appearance; 《상태》 a state; a condition; a situation; 《광경》 a sight; a spectacle; a scene. ¶ ~ 사나운 unsightly; indecent; shabby.

꼴 rate; proportion; ratio. ¶ 한 근 5백원 ~ 로 at the rate of 500 won a geun.

꼴깍꼴깍 gurgling(ly).

꼴뚜기 [動] an octopus.

꼴불견(一不見) ¶ ~ 이다 be unbecoming 〔indecent〕; be unsightly.

꼴찌 the last; the bottom; the tail [end]; the tail ender(사람·팀). ¶ ~ 에서 둘째 the last but [save] one.

꼼꼼하다 (be) scrupulous; meticulous; methodical. ¶ 꼼꼼히 exactly; methodically; punctually.

꼼짝 ¶ ~ 도 않다 remain motionless; do not stir [budge] an inch; stand firm 《~ 도 하다 cannot move [stir] an inch; 《상대에게》 be under 《a person's》 thumb; 못하게 하다 beat 《a person》 hollow; talk [argue] 《a person》 down(말로).

꼽다 count (on one's fingers). ¶ 날짜를 ~ count [reckon] the days.

꼽추 《곱사등이》 a hunchback.

꼿꼿하다 (be) erect; straight; upright. ¶ 꼿꼿이 서다 stand upright.

꽁무니 the rear 〔end〕; 《궁둥이》 the buttocks; 〔꼬리〕 the tail 〔end〕; the bottom; the last. ¶ ~ 빼다 flinch 《from one's duty》; try to escape 《여자·를 따라다니다 chase [run] after a woman.

꽁지 a tail; a train(공작 따위의).

꽁지벌레 [蟲] a maggot.

꽁초(一草) a cigar(ette) butt.

꽁치 [魚] a mackerel pike.

꽁하다 (be) introvert and narrow-

minded; reserved and unsociable; hidebound.

꽂다 stick (in(to)); put [fix] in (-to); drive into; 《끼우다》 insert; put into.

꽂을대(銃用) a cleaning rod.

꽂히다 be driven in; be fixed; get inserted; be stuck; be put in.

꽃 ① 《초목의》 a flower; a blossom(과수의); bloom(총칭). ¶ ~ 의 floral. ‖ ~ 가루 pollen ¶ ~ 다발 a bouquet; ~ 무늬 a floral pattern 《 ~ 밭 a flower garden (bed); ~ 봉오리 a (flower) bud; ~ 송이 a blossom; an open flower 《 ~ 재배 floriculture; flower gardening. ② 《미인·명물》 flower; pride; belle (사교계의); 《정화(精華)》 the essence.

꽃꽂이 flower arrangement.

꽃샘(추위) a cold snap in the flowering season; a spring cold.

꽈리 [植] a ground cherry.

꽉 ① 《단단히》 ⓣ 꼭 ①. ② 《가득히》 close(ly); tight(ly); full(y); crammed [packed] with. ¶ ~ 찬 스케줄 a full 〔crammed, tight〕 schedule ⓣ ~ 차다 be packed to the full; be crammed 《with》; be full 《of》. ③ ⓣ 꼭.

꽐꽐 gurglingly; gushing.

꽝 with a bang 〔boom, slam〕.

꽤 fairly; considerably; pretty; quite. ¶ ~ 잘 하다 do fairly well 《~ 좋다 be pretty good (hard).

꽥 ¶ ~ 소리지르다 give a shout [yell]; shout [yell, roar] 《at》.

꽹과리 a (small) gong.

꾀 《슬기》 resources; resourcefulness; wit; 《계략》 a trick; an artifice; a ruse; an idea. ¶ ~ 가 많은 사람 a resourceful [witty] man; a man of wit [resources].

꾀꼬리 [鳥] an oriole; a (Korean) nightingale.

꾀다¹ 《모이다》 swarm; crowd; gather; flock.

ㄱ

꾀다² 《유혹》 tempt: (al)lure: entice: seduce(나쁜 길로).

꾀병《一病》 feigned〔pretended〕illness.

꾀보 a tricky〔wily〕person.

꾀이다《꾐을 당하다》 be lured〔enticed, tempted〕: be seduced.

꾀죄[죄]하다 (be) untidy: shabby: slovenly: poor-looking.

꾀하다 ① 《계획》 plan: contrive: attempt《suicide》: scheme: 《나쁜 짓을》 plot: conspire. ¶ 반란을 ~ conspire to rise in revolt. ② 《추구》 seek: intend 《to do》.

꾐 temptation: allurement: enticement. ¶ ~에 빠지다 yield to〔fall into〕temptation.

꾸다 《빌리다》 borrow 《money from a person》: have 《money》 on loan: have a loan of 《5 million won》.

꾸드러지다 be dried and hardened.

꾸둘꾸둘 ¶ ~한 dry and hard.

…꾸러기 an overindulger: a person who overdoes 《something》. ¶ 욕심 ~ a greedy person.

꾸러미 a bundle (in a wrapper): a parcel.

꾸르륵 ¶ ~거리다 (give a) rumble.

꾸리다 《짐을》 pack〔wrap〕(tie) up: 《일을》 manage: arrange.

꾸무럭거리다 꾸물거리다 be slow〔long, tardy〕: waste time: dawdle 《over》: linger.

꾸미다 ① 《치장》 decorate 《a room》: ornament: adorn: dress 《a shop window》: 《화장》 make up: 《말을》 embellish. ② 《가장》 feign: affect: pretend. ③ 《조작》 invent: fabricate: 《계획을》 plot: 《음모를》 design 《설계》. ¶ 꾸며낸 얘기 a made-up〔an invented〕story. ④ 《조직을》 form: organize. ⑤ 《작성》 make: draw up.

꾸밈 ¶ ~없는 simple: plain: frank 《솔직한》: ~없이 말하면 speak frankly: speak plainly. ∥ ~새 《모양새》 a shape: a form: 《양식》 a

style: 《구조》 make.

꾸벅거리다 ① 《졸다》 doze (off): fall into a doze: feel drowsy. ② 《절하다》 make repeated bows: ko(w)tow 《to》.

꾸역꾸역 in great numbers: in a crowd: in a steady stream.

꾸준하다 (be) untiring: steady: assiduous. ¶ 꾸준히 untiringly: steadily: assiduously.

꾸지람 a scolding: a reprimand. ¶ ~하다 scold: reprove: rebuke.

꾸짖다 scold: rebuke: reprove: reproach: 《口》 tell off. ¶ 심하게 〔가볍게〕 ~ scold severely〔mildly〕: give 《a person》 a good 《a mild》 scolding.

꾹 ① 《참는 모양》 patiently. ② 《누르는 모양》 tightly: firmly: hard. ③ 《누르다》 press hard.

꿀 honey. ∥ ~떡 a honey cake / ~ 물 honeyed water / ~벌 a honey bee: a bee.

꿀꺽 《삼키는 모양》 at a gulp: 《참는 모양》 holding〔keeping〕back 《one's anger》: patiently. ¶ 약을 한 입에 ~ 삼키다 swallow the dose at one gulp.

꿀꿀 《돼지 울음소리》 oink. ¶ ~거리다 grunt: oink.

꿀떡 ¶ ~ 삼키다 gulp (down): swallow at a gulp.

꿀리다 ① 《형편이》 be hard up 《for money》: be in straitened circumstances. ② 《켕기다》 be guilty: feel small: be overwhelmed.

꿇다 kneel (down): fall〔drop〕on one's knees. ¶ …앞에 무릎을 ~ bow the knee to〔before〕《a person》.

꿇어앉다 sit on one's knees.

꿈 《수면 중의》 a dream: a nightmare《악몽》: 《이상》 a vision: a dream: 《환상》 an illusion. ¶ ~ 같은 dreamlike: dreamy / ~에서 깨어나다 awake from a dream: be disillusioned 《망상에서》.

꿈결 ¶ ~에 half awake 〔asleep〕: between asleep and

awake / ～다 be like a dream.
꿈꾸다 ① 〔잠을 자면서〕 dream; have a dream. ② 〔바라다〕 dream of 《success》: have an ambition 《to…》.
꿈지럭거리다 stir 〔move〕 sluggishly〔slowly, clumsily〕. 〔daunted.〕
꿈쩍없다 remain unmoved; be un-
꿈틀거리다 굼틀거리다.
꿋꿋하다 (be) firm; strong; un-yielding; inflexible.
꿍꿍 〔신음〕 ¶ ～앓다 groan; moan.
꿍꿍이속 a secret design 〔intention〕; calculation concealed in one's heart.
꿩 〔鳥〕 a pheasant.
꿰다 〔구멍에〕 run 〔pass〕 《a thing》 through. ¶ 바늘에 실을 ～ run a thread through a needle; thread a needle.
꿰뚫다 ① 〔관통하다〕 pierce; pass 〔run〕 through; penetrate; shoot through 〔탄환 따위가〕. ② 〔정통〕 be well versed in; have a thorough knowledge of; 〔통찰〕 penetrate; see through.
꿰매다 〔바늘로〕 sew; stitch. ¶ 해진〔터진〕 데를 ～ sew up a rip / 상처를 두 바늘 ～ put two stitches in the wound. ② 〔깁다〕 patch up.
꿰지다 ① 〔미어지다〕 be torn; tear; rip; 〔해어지다〕 be worn out; 〔터지다〕 break; be broken; burst; be punctured.
꿰뚫르다 thrust 〔run〕 through.
꿱 ¶ ～ 소리 지르다 give a shout 〔yell〕. 〔gas; fart 〔俗〕.〕
뀌다 〔방귀를〕 break wind; pass
끄나풀 ① 〔끈〕 a piece of string. ② 〔앞잡이〕 a tool; a cat's-paw; an agent; a pawn.
끄느하다 be gloomy; cloudy; dreary; dim.
끄다 ① 〔덩어리를〕 break 《a thing》 (into pieces); crack; crush. ② 〔불을〕 put out; extinguish; blow out〔불어서〕. ③ 〔전기·가스 등을〕 switch 〔turn〕 off 《the light》;

put off 〔out〕. ¶ 엔진을 ～ stop 〔kill〕 an engine.
끄덕이다 nod 《at, to》.
끄덩이 ¶ 〔머리〕 를 잡다 seize 〔grab〕 《a person's》 hair; seize 《a person》 by the hair.
끄떡없다 do not budge an inch 〔움직이지 않다〕; remain composed 〔unmoved〕; be all right 〔safe〕〔안전〕. ¶ 끄떡없이 dauntlessly; without flinching 〔wincing〕.
끄르다 untie 《a knot》; undo; unfasten; unbind; loose. ¶ 단추를 ～ undo a button; unbutton / 문의 자물쇠를 ～ unlock the door.
끄무레하다 be cloudy; overcast.
끄물거리다 〔날씨가〕 become cloudy off and on; be unsettled.
끄집다 hold and pull; draw; take. ¶ 끄집어내다 pull 〔draw〕 《a thing》 out; take 〔get〕 《a thing》 out.
끄트러기 odd ends 〔pieces〕; a 〔broken〕 piece; a fragment; a cut.
끄트머리 〔맨 끝〕 an end; a tip; 〔stand at〕 the tail end. ② 〔실마리〕 a clue.
끈 〔줄〕 (tie) a string; a cord; 〔꼰 것〕 a braid; a lace; 〔가죽끈〕 a strap; a thong.
끈기 (一氣) ① 〔끈끈함〕 stickiness; viscosity; glutinousness. ② 〔견디는 정신〕 tenacity; patience; perseverance. ¶ ～ 있게 patiently; perseveringly.
끈끈이 birdlime.
끈끈하다 〔끈적임〕 (be) sticky; adhesive; viscous.
끈적거리다 become shaky.
끈덕지다, 끈질기다 (be) tenacious; persevering; 〔口〕 stick-to-itive. ¶ 끈질긴 노력 a strenuous effort.
끈적끈적하다 be sticky.
끊다 ① 〔자르다〕 cut (off); sever; disconnect; break. ② 〔가로막다〕 cut off; interrupt; stop〔교통을〕; pause; 〔전화를〕 hang up 〔美〕. 〔전기를〕 shut off; switch off. ③ 〔인연·관계를〕 sever; break

ㄱ

off; break with 《a person》. ④ 《그만두다》 abstain from; quit; give up. ⑤ 《목숨을》 kill *oneself*. ⑥ 《사다》 buy 《a ticket》. ⑦ 《발행》 issue 〔draw〕 《a check》.

끊어지다 ① 《절단》 be cut; break; come to an end; snap〔똑밖어〕. ② 《중단·차단》 be stopped; be cut off; be interrupted 〔discontinued, ceased〕. ¶ 교통이 ~ traffic is stopped 〔interrupted〕. ③ 《관계 등이》 break 〔off〕 with; come to an end; be cut 〔severed〕; be through 〔done〕 with. ④ 《목숨이》 expire; die.

끊임없다 (be) ceaseless; incessant; continual; constant. ¶ 끊임없는 노력 ceaseless 〔constant〕 efforts / 끊임없이 ceaselessly; incessantly; continually; constantly.

끌 a chisel.

끌다 ① 《당기다》 draw; pull; tug 〔배를〕; 《질질》 drag; trail〔옷자락을〕. ② 《지연》 delay; prolong; protract; drag on. ¶ 오래 끌어온 협상 long-pending negotiations. ③ 《주의·인기를》 attract; draw; catch. ¶ 주의를 ~ attract 〔draw〕 《a person's》 attention / 인기를 ~ catch 〔win, gain〕 popularity. ④ 《인도》 lead. ⑤ 《끌어들이다》 conduct 《water into》; draw 《water off a river》; admit 〔가설〕; lay on〔수도, 가스 따위를〕; install〔전등, 전화를〕.

끌려가다 come 〔get〕 loose; get **끌리다** ① 《당겨지다》 be drawn 〔pulled, dragged〕; be tugged; be trailed〔질질〕. ② 《연행》 be taken to 《the police》. ③ 《마음이》 be attracted 〔drawn, caught〕; be charmed; be touched.

끌어내다 take 〔pull〕 out; drag 《a thing》 out of 〔of〕; lure 《a person》 out of 〔from〕〔꾀어냄〕.

끌어내리다 take 〔pull, drag, draw 〔down.

끌어당기다 draw 《a thing》 near 〔toward〕; pull. ⇒ 끌다 ①.

끌어대다 ① 《돈을》 borrow money for 《a business》; finance. ② 《인

용》 cite; quote.

끌어들이다 ① 《안으로》 draw 〔take〕 in 〔into〕; pull in. ② 《자기편에》 gain 〔win〕 《a person》 over 《to one's side》.

끌어안다 embrace; hug; hold 《a person》 in *one's* arms 〔to *one's* breast〕. 「salvage〔배를〕.

끌어올리다 pull 〔draw, drag〕 up;

끓다 ① 《붉이》 boil; seethe; grow hot. ② 《마음 속이》 seethe 〔boil〕 with 《rage》; be in a ferment; fret; fume; be excited. ③ 《배가》 rumble. ④ 《가래가》 make a gurgling sound. ⑤ 《우글거리다》 swarm; be crowded with.

끓이다 ① 《끓게 하다》 boil 《water》; heat. ② 《익히다》 cook. ③ 《속태우다》 worry; bother; fret *one's* nerves.

끔찍하다 ① 《참혹하다》 (be) awful; terrible; horrible. ¶ 끔찍한 광경 a horrible sight. ② 《극진하다》 (be) very hearty 〔kind〕; warm; very thoughtful. ¶ 끔찍이 awfully; horribly; terribly; 《극진히》 warmly; whole-heartedly; cordially; deeply.

끙끙 ¶ ~ 앓다 groan; moan.

끝 ¶ 《첨단》 the point 《of a pencil》; the tip 《of a finger》; the end 〔top〕 《of a pole》. ② 《한도》 the end; the limit. ¶ ~ 없는 endless; boundless; everlasting. 《마지막》 an end; a close; a conclusion〔결말〕. ¶ ~의 last; final; concluding / ~으로 finally; in the end; in conclusion. ④ 《순렬·차례의》 the last; the tail end.

끝끝내 to the last; to the (bitter) end.

끝나다 (come to an) end; close; be over 〔up〕; be finished; expire 〔기한이〕; result in.

끝내 finish; end; finish; complete; get 〔go〕 through 《with》; conclude; settle 《an account》.

끝마감 closing; conclusion. ~ 하다 close; conclude.

끝물 the last 《*farm*》 products of the season.

끝수(一數) a fraction; an odd sum; odds. ¶ ~를 버리다 omit [ignore, round off] fractions.

끝장(마지막) an end; a conclusion; 《낙착》 settlement. ¶ ~이 나다 be ended; be over [settled]; come to an end / ~내다 settle; finish; bring 《*something*》 to an end.

끝판 the end; the last stage 《*of*》; 《승부의》 the last round 《*of*》.

끼니 a meal; a repast. / ~때 a mealtime / ~를 거르다《굶다》 miss [skip] a meal; go hungry.

끼다 ① 《안개·연기 등이》 gather; hang over; envelop; be veiled [wrapped]. ② 《때·먼지 등이》 be soiled [stained, smeared]; become [get] dirty.

끼다 ① 끼이다. ② 끼우다.
③ 《착용》 put [pull] on; wear. ¶ 장갑을 ~ draw [pull] on one's gloves. ④ 《팔짱을》 fold 《one's arms》. ¶ 팔짱을 끼고 with one's arms folded; 《남과》 arm in arm 《with》. ⑤ 《엉구리에》 hold 《a thing》 under one's arm. ⑥ 《참가》 join; participate in; be a party to 《···을》. ⑦ 《···을 끼고》 along; by; 강을 끼고 along the river. ⑧ 《배경》 be backed

by.
···끼리 among [by, between] *themselves*.

끼리끼리 each in a group; group by group; in separate groups.

끼얹다 《물 따위를》 pour [shower throw] 《*water*》 on [over] 《*a person*》.

끼우다 《속·틈에》 put [hold] 《*a thing*》 between; set [put, let] in; insert 《*in*》; fix [fit] into 《맞춰 넣다》.

끼워팔기 a tie-in sale.

끼이다 《사이에》 get between; be caught in; be sandwiched between; be tight《구두 따위》.

끼적거리다 scribble; scrawl.

끼치다 ① 《두려움 따위로 소름이》 ¶ 소름이 ~치다 hair-raising; blood-curdling; frightful / 소름이 ~ get goose flesh. ② 《불편·걱정 따위》 give [cause] 《*a person*》 trouble; trouble; annoy; bother; be a nuisance 《*to*》. ¶ 폐를 ~ trouble 《*a person*》; give 《*a person*》 trouble; cause inconvenience 《*to*》.

끽소리 ¶ ~ 못하다 be completely [utterly] silenced [defeated]; can't say a thing.

낄낄 ¶ ~거리다 giggle; titter.

낌새(기미) a sign; an indication; a delicate turn of the situation.

나 I; myself. ¶ ～의 my; ～에게[를] me; ～의 것 mine; ～로서는 as for me; for my part.

나가다 ① 《밖으로》 go [get, step] out; 《뜰로》 go out into the garden; 방에서 ～ go out of a room. ② 《출석》 attend; be present 《at》. ¶ 강의에 ～ attend a lecture. ③ 《근무》 work 《in, at, for》. ¶ 신문사에 ～ work in a newspaper office. ④ 《참가》 join; participate in; take part in. ⑤ 《입후보》 run 《for》. ¶ 대통령 선거에 ～ run for the presidency. ⑥ 《팔리다》 sell; get sold. ¶ 잘 ～ sell well. ⑦ 《지출》 be paid out; be spent. ¶ 나가는 돈 expenditure; outlay. ⑧ 《비용·가치 등이》 cost; be worth; 《무게가》 weigh. ¶ 5만원 나가는 물건 an article worth fifty thousand won. ⑨ 《떠남》 leave; go away. ⑩ 《진출》 launch [go] 《into》; enter [advance] 《into, to》. ⑪ 《닳음·꺼짐》 be out; be broken; be worn out. ¶ 불이 ～ the (electric) light is out.

나가떨어지다 ① 《뒤로 넘어지다》 be knocked down; be thrown off; fall flat on *one's* back. ② 《녹초가 되다》 be worn [tired] out; be exhausted.

나자빠지다 ① ☞ 나가떨어지다. ② 《회피·불이행》 evade [dodge, shirk] *one's* responsibilities [duty, tasks, *etc.*]; withdraw *oneself* 《from》; back out; do not pay [welsh on] 《*one's* debt》. ¶ 그는 계약을 이행하지 않고 나자빠지려 했다 He tried to back out of the contract.

나귀 an ass; a donkey.

나그네 a traveler; a stranger; a wanderer; a visitor 《손》.

나긋나긋하다 be tender; soft.

나날이 daily; every day; day by day. ¶ 정세는 ～ 악화되어 갔다 Things grew worse with each passing day.

나누다 ① 《분할》 divide; part; split 《into》; separate 《분리》. ¶ 나눌 수 없는 indivisible; inseparable. ¶ 나눗셈으로 ～ divide 《a thing》 into two. ② 《분배》 distribute 《among》; share 《something》 out 《among》. ③ 《구별》 sort out; classify. ¶ 세 항목으로 ～ classify into three items. ④ 《함께 하다》 share 《something》 with; spare.

나누이다 be [get] divided.

나눗셈 (a) division. ～하다 divide.

나다 ① 《출생》 be born. ¶ 어디(에)서 났는가 Where were you born? ② 《싹이 나다》 spring up; sprout; 《자라다》 grow; come out 《돋아나다》. ¶ 《치아가》 cut 《one's》 teeth. ¶ 아기의 이가 났다 The baby has cut its teeth. ③ 《산출·발생》 produce; yield. ¶ 이익이 ～ yield profits. ④ 《살림을》 set up a separate family; live apart 《from》.

나다니다 go out; wander [gad] about.

나들이 going out; an outing. ～ 하다 go out; go on a visit. ¶ ～옷 *one's* Sunday clothes; *one's* best dress [suit].

나라 ① 《국토》 a country; a land; 《국가》 a state; a nation. ② 《전 세계》 a world; a realm. ¶ 꿈 ～ a dreamland.

나락(奈落) hell; an abyss. ¶ ～으로 떨어지다 fall into the bottomless pit.

나란히 in a row [line]; side by

side. ¶우로 ~ 《구령》 Right dress !

나래 《농기구》 soil leveler [grader].

나루 a ferry. ‖ ~터 a ferry / 나룻배 a ferry(boat) / 나룻배 사공 a ferryman / 나룻삯 ferriage.

나룻 whiskers; a beard; a mustache.

나르다 carry; convey; transport.

나르시시즘 《心》 narcissism.

나른하다 feel languid [weary, tired]; be dull [heavy]. ¶나른한 오후 a slack afternoon.

나름 『자기(그) ~대로 in one's (its) own way / 그것을 ~ 하는 사람 the person … ¶That depends on the person.

나리 《敬稱》 sir; gentleman; your 나리 《植》 a lily.　　　　　[honor.

…나마 though; even. ¶그만한 비와 주니 다행이다 Even that much of rain is of great help.

나막신 (wooden) clogs.

나머지 ①《남은 것》 the rest; the remainder; the balance 〈잔금〉; leftovers〈음식물 등〉. ¶ ~의 remaining. ②《…한 끝에》 excess. ¶기쁜 ~ in the excess of one's joy; elated by joy.

나무 ①《수목》 a tree; a plant. ¶ ~ 그늘 the shade of a tree / 나뭇결 the grain / ~등걸 a stump / 나뭇잎 a leaf; foliage(총칭) / ~의 줄기 the trunk of a tree. ②《재목》 wood; lumber (美); timber (英). ③《땔나무》 firewood. ~ 하다 gather firewood; cut wood for fuel. ‖ ~꾼 a woodman; a woodcutter; a lumberjack.

나무라다 reprove; reproach; reprimand; scold.

나무람 reproof; reproach; reprimand; scolding.

나무아미타불 (南無阿彌陀佛) Save us, merciful Buddha! 《명복을 빌 때》 May his soul rest in peace!

나물 wild greens; vegetables; herbs.

나방 《虫》 a moth.

나병 (癩病) 《醫》 leprosy; Hansen's disease. ‖ ~원 a leper's home / ~ 환자 a leper.

나부 (裸婦) a woman in the nude.

나부끼다 fly; flutter; flap; wave.

나부랭이 a scrap; a piece; odds and ends.　　　　　　　[chatter.

나불거리다 wag one's tongue;

나비 a butterfly. ‖ ~넥타이 a bow (tie) / ~ 매듭 a bowknot.

나쁘다 ①《도덕상》 (be) bad; 〈옳지 않은〉 (be) wrong; 〈사악한〉 (be) evil; wicked. ¶나쁜 짓을 하다 do (something) wrong; commit a crime (sin). ②《해롭다》 (be) bad; harmful 〈to〉; injurious. ③《과실·잘못》 (be) wrong; be to blame. ④《몸·건강이》 (be) sick; ill; unwell. ¶위가 ~ have [suffer from] stomach trouble / 몸의 컨디션이 ~ feel ill [unwell]. ⑤《품질 등이》 (be) bad; poor; coarse; inferior. ‖ ~ (be) bad; poor; weak. ⑥《머리·기억력이》 (be) poor; weak. ¶기억력이 ~ have a poor memory. ⑦《냄새가》 (be) bad; nasty; foul. ⑧《평판이》 (be) bad; ill. ¶평판이 나쁜 사내 a man of ill fame. ⑨《도로 따위가》 (be) bad; rough; muddy. ⑩《성질이》 (be) ill; wicked; malicious. ¶성질이 ~ be ill-natured. ⑪《불운》 (be) bad; unlucky; ominous. ¶나쁜 징조 a bad omen. ⑫《기분이》 feel bad [unwell, uncomfortable]; be out of sorts.

나삐 《나쁘게》 badly; ill; 《부족하게》 not enough; unsatisfactorily.

나사 (螺絲) 《機》 a screw. ‖ ~로 죄다 screw up / ~를 돌리다 〈늦추다〉 turn [loosen] a screw / ~를 죄다 unscrew. ‖ ~돌리개 a screw-　　　　　　　　　　　　[driver.

나사 (羅紗) woollen cloth.

NASA (미국 항공 우주국) NASA. (◀ the National Aeronautics and Space Administration)

나상 (裸像) a nude figure [statue].

나서다 ①《앞으로》 come out [step] forward; 〈나타나다〉 come out [forth]; appear; present oneself. ②《떠나다》 leave; go out; get out 〈of〉; start. ③《진출하다》 enter upon; go into. ¶정계에 ~ enter upon a political career. ④《간섭》 intrude;

obtrude; interfere. ¶ 네가 나설 자리가 아니다 This is none of your business. ⑤ 《구하는 것이》 turn up; present *itself*. ¶ 희망자가 하나도 나서지 않았다 No one applied for it. ⑥ 《출마하다》 run (stand) for.

나선(螺旋) a screw; a spiral. ¶ ~상(狀)의 spiral. ∥ ~계단 a spiral stairs.

나스닥 [證] National Association of Securities Dealers Automated Quotations(생略 NASDAQ)《(거래되는 증권류의 가격 등을 알리는 전미(全美) 증권업협회의 온라인 서비스).

나아가다 ① 《전진》 advance; move (step) forward; go (step) ahead; proceed; make *one's* way. ¶ 한 걸음 ~ make (take) a step forward. ② 《진보하다》 (make) progress; improve; 《전진하다》 advance; get ahead (of *one's studies*). ¶ 시대보다 앞서 ~ get ahead of the times. ③ 《좋아지다》 change for the better; take a favorable turn.

나아지다 become (get) better; improve; make a good progress; change for the better.

나약(懦弱) effeminacy. ~하다 (be) weak; effeminate; soft and spiritless; weak-minded.

나열(羅列) enumeration. ~하다 marshal; arrange in a row; enumerate. ¶ 예를 ~하다 cite one example after another.

나오다 ① 《나타나다》 appear; emerge (from); show *oneself*; haunt(유령이). ¶ 나쁜 버릇이 ~ *one's* bad habit peeps out. ② 《밖으로 떠나다》 leave; get out of; go (come) out of. ¶ 방에서 ~ come out of a room / 집을 ~ leave the house. ③ 《제공되다》 be brought; be served. ④ 《태도》 take (*a move*); assume (*an attitude*). ¶ 강경한 태도로 ~ take a firm attitude. ⑤ 《유래하다》 come from; be derived from(말이); originate from(소문이). ⑥ 《실리

다》 appear; be in. ¶ 그 기사는 오늘 신문에 나와 있다 The news is in today's paper. ⑦ 《출판되다》 be published (issued); come out. ⑧ 《흘러나오다》 flow (stream) out; bleed(피가); sweat (땀이). ⑨ 《졸업》 graduate (*from*). ⑩ 《싹이》 shoot; sprout; bud. ⑪ 《돌출》 stick (jut) out. ⑫ 《주어지다》 be given; be brought out. ⑬ 《노출》 be exposed (*to*). ⑭ 《산출》 produce. ⑮ 《통하다》 lead to. ¶ 이 길로 가면 어디가 나옵니까 Where does this road lead to? ⑯ 《참가》 join; take part in; enter; launch into. ⑰ 《석방》 be released (*from the prison*). ⑱ 《말이》 be spoken (said, uttered). ⑲ 《전화를 통화하심》 전화가 나왔습니다 《교환원의 말》 You are connected.

나왕(羅王) [植] a lauan; lauan(재목).

나위 말할 ~ 없다 be needless to say; be not worth mentioning.

나이 age; years. ¶ ~에 비해 젊어 보이다 look young for *one's* age.

나이테(나무의) an annual ring.

나이트(밤) a night. ∥ ~가운 a nightgown.

나이프 a knife.

나인 a court lady.

나일론 nylon.

나잇값 behavior appropriate to *one's* age.

나전(螺鈿) mother-of-pearl; nacre. ∥ ~세공 mother-of-pearl work / ~칠기 lacquer ware inlaid with mother-of-pearl.

나절 half a day. ¶ 아침 ~ the morning / 반 ~ a quarter of a day.

나조(一調) [樂] B. ¶ ~장조 [단조] B major [minor].

나중 ① ~에 later (on); afterwards; some time later / ~에 가겠다 I'll come later. / 그가 제일 ~에 왔다 He was the last to come.

나지막하다 (be) somewhat low. ¶ 나지막한 소리 a low voice.

나체(裸體) a naked (nude) body; the nude. ¶ ~의 naked; nude. ∥~주의 nudism.

나치스 a Nazi; Nazis(총칭).

나침반(羅針盤) a compass.

나타나다 ① 《출현》 appear; show up; present *oneself*; turn up; emerge. 【현장에】 ~ appear on the scene. ② 《표면》 show (*itself*); be expressed (revealed; exposed); be found (out). ③ 《언급될》 mention. 【약호·사실 따위가】 《새로운 많은 사실이 나타나다》 Many new facts have come (been brought) to light.

나타내다 ① 《표시》 show; indicate; manifest; 《증명》 prove; speak for. ② 《드러내다》 disclose; reveal; betray. 【정체를】 ~ betray *oneself*. ③ 《표현》 express; describe. 《상징·의미하다》 represent; stand for. ⑤ 《두렷이 하다》 distinguish. 【두각을】 ~ distinguish *oneself*; cut a figure.

나태(懶怠) idleness; laziness; indolence. ¶ ~한 lazy; idle; indolent; slothful; sluggish.

나토 NATO. (◀ the North Atlantic Treaty Organization)

나트륨 natrium; sodium (기호 Na).

나팔(喇叭) a trumpet; a bugle. ¶ ~을 불다 blow a trumpet. ∥~수 a trumpeter; a bugler.

나팔관(喇叭管) 【解】 the oviduct.

나포(拿捕) capture; seizure. ~하다 capture; seize.

나폴리 Naples.

나흘거리다 flutter; wave; flap.

나프타 naphtha. ¶ ~분해 naphtha cracking.

나프탈렌 【化】 naphthalene.

나흗날 the fourth (day) of the month. 【흔날.

나흘 ① 《네날》 four days. ② ☞ 나

낙(樂) 《즐거움·기쁨》 pleasure; enjoyment; delight; joy; amusement; 《취미》 a hobby(취미). 《기대》 expectation; hope. ¶ ~을 삼다 delight in; take pleasure (delight) in.

낙관(落款) 《서명·날인》 a writer's (painter's) signature (and seal). ~하다 sign and seal.

낙관(樂觀) optimism; an optimistic view. ~하다 be optimistic (*about*); take an optimistic view (*of*); look on the bright side (*of things*). ¶ ~적 optimistic. ∥~론 optimism / ~론자 an optimist.

낙농(酪農) dairy farming. ∥~제품 dairy products.

낙담(落膽) discouragement; disappointment; disappointment. ~하다 be discouraged (disappointed); lose heart. ¶ ~시키다 disappoint; discourage. 【island.

낙도(落島) a remote (deserted)

낙루(落淚) 하다 weep.

낙루(落淚) ~하다 shed tears.

낙마(落馬) a fall from *one's* horse. ~하다 fall (be thrown) off from a horseback.

낙반(落磐) a cave-in; a roof-fall. ¶ ~사고로 광부 3명이 죽었다 The mine roof caved in and three miners were killed.

낙방하다(落榜–) fail in an examination.

낙상(落傷) a hurt from a fall. ~하다 get hurt from a fall.

낙서(落書) a scribble; a scrawl; graffiti(공공장소의).

낙석(落石) a falling stone (rock). ∥~주의 《게시》 Danger; falling rocks.

낙선(落選) 《선거의》 defeat (failure) in an election; 《작품 응모의》 rejection. ~하다 be defeated (unsuccessful) in an election; be rejected (작품이).

낙성(落成) completion. ~하다 be completed; be finished. ∥~식 a completion ceremony (*of a building*).

낙숫물(落水–) raindrops (from the eaves); eavesdrips.

낙승(樂勝) an easy victory (win). ~하다 win easily; have an easy win (*over the team*).

낙심(落心) ☞ 낙담.

낙엽(落葉) fallen leaves. ¶ ~이 지다 shed [cast] *its* leaves (나무가); leaves fall (잎이). ‖ ~수 a deciduous tree.

낙오(落伍) ~하다 drop [fall] out; drop [lag, be left] behind 《*the others*》. ‖ ~자 a straggler; a dropout; a failure (인생의).

낙원(樂園) a paradise; Eden.

낙인(烙印) a brand (mark). ¶ 그는 거짓말쟁이라는 ~이 찍혔다 He was branded (as) a liar.

낙장(落張) a missing leaf [page].

낙제(落第) failure (in an examination). ~하다 fail; 《美口》 flunk (an exam); 《get》 flunked 《유급하다》 repeat the same class; be rejected (검사에).

낙조(落照) the setting sun.

낙지 【動】 an octopus.

낙진(落塵) fallout.

낙차(落差) 【物】 the difference in elevation 《*between*》; 【電】 a head. ¶ 고(저)위 ~ a high [low] head.

낙착(落着) a settlement. ~하다 be settled; come to a settlement. ‖ ~되다 be brought to an end.

낙찰(落札) a successful bid. ~하다 《사람이 주어》 make a successful bid. ¶ 그 계약은 그에게 ~되었다 The contract was awarded to him. / ~가격 the price of the highest bid; the contract price / ~자 〔인〕 a successful bidder.

낙천(樂天) ¶ ~적인 optimistic / ~적으로 optimistically. ‖ ~가 an optimist / ~주의 optimism.

낙천자(落薦者) an unsuccessful applicant for nomination.

낙타(駱駝) 【動】 a camel. ‖ 단봉[쌍봉] ~ an Arabian [a Bactrian] camel.

낙태(落胎) (an) abortion. ~하다 have an abortion.

낙토(樂土) a paradise; Heaven.

낙하(落下) falling; a fall. ~하다 fall; come down; drop; descend. ‖ ~지점 《미사일 등의》 an

impact point.

낙하산(落下傘) a parachute; a chute. ¶ ~병 a parachutist; a paratrooper / ~부대 a parachute troop; paratroops.

낙향(落鄕) rustication. ~하다 rusticate; move to [retire into] the country.

낙화(落花) 《꽃이 짐》 the falling of blossoms (flowers); 《진 꽃》 fallen blossoms. 〔*others*〕

낙후(落後) ~하다 fall behind 《*the others*》.

낚다 《물고기를》 fish 《*trout*》; angle for 《*carp*》; catch 《*a fish*》; 《떡다》 allure; entice; take in.

낚시(낚시질) fishing; angling. ~하다 fish; angle for 《*carp*》. ‖ ~하러 가다 go fishing. ¶ ~바늘 a fishing hook / ~찌 a float / 낚싯대 a fishing rod / 낚싯밥 a bait.

난 ☞ 난리.

난(欄) 《신문 등의》 a column; a section; 《여백》 a space; a blank (공란).

난(難) 《접미어》 hardship; trouble; difficulty; shortage; 《접두어》 difficult; troublesome. ¶ 식량~ a shortage of food.

난간(欄干) a railing; a rail; a handrail; a balustrade (계단의).

난감(難堪) ~하다 《견디기 어려움》 (be) unbearable; intolerable; insufferable; be hard to bear; 《참겨울》 (be) beyond *one's* ability [power]; 《딱함》 be quite at a loss.

난공불락(難攻不落) impregnability. ¶ ~의 impregnable.

난공사(難工事) a difficult construction work.

난관(難關) a barrier; an obstacle; a difficulty (곤란). ¶ ~을 돌파하다 overcome a difficulty.

난국(難局) a difficult [serious] situation; a crisis (위기). ¶ ~을 타개하다 break the deadlock; get over a crisis.

난기류(亂氣流) 【氣】 (air) turbulence; turbulent air.

난다긴다하다 have an outstanding talent 《for》; excell all others 《at, in》; be by far the best 《speaker of English》. ¶ 난다긴다하는 사람 a man of great ability.

난대(暖帶) the subtropical zone.

난데없이 to one's surprise; all of a sudden; unexpectedly.

난도질(亂刀－) to hack 〔chop〕 《something》 to pieces; mince; hash.

난동(暖冬) a mild winter.

난동(亂動) 〔분란〕 confusion; disorder; 〔난폭한 행동〕 violence; an outrage; 〔폭동〕 a riot. ¶ ~을 가라앉히다 suppress a riot 〔trouble〕.

난로(煖爐) a heater; a stove. ¶ ~를 쬐다 warm oneself at a stove.

난류(暖流) a warm current.

난리(亂離) 〔전쟁〕 a war; a revolt 〔반란〕; a rebellion 〔모반〕; 〔혼란〕 a confusion; commotion.

난립(亂立) 〔작충 고충 빌딩이 ~하여 있다 be crowded with every sort of tall buildings / 이번 선거에는 많은 후보자가 ~하고 있다 Too many candidates are running in the coming election.

난맥(亂脈) 〔혼란〕 disorder; confusion; chaos.

난무(亂舞) ~하다 dance boisterously 〔wildly〕; be rampant.

난문제(難問題) a difficult 〔hard, knotty〕 problem; a poser; 《口》 a hard nut to crack; a hot potato.

난민(難民) sufferers (이재민); 〔피난민〕 refugees; displaced persons (조국을 쫓겨난); ¶ ~ 수용소 〔피난민의〕 a refugee camp.

난바다 a far-off sea; an offing.

난반사(亂反射) 〔理〕 diffused reflection.

난발(亂髮) disheveled 〔ruffled〕 hair.

난방(煖房) 〔데움〕 heating. ¶ ~비 heating expenses / ~설비 heating facilities / ~장치 a heating system; a heater; 중앙 ~ central heating.

난봉 dissipation; debauchery.

난사(亂射) a random firing 〔shot〕. ~하다 fire blindly 〔at random〕.

난사람 an outstanding 〔a distinguished〕 person.

난산(難産) a difficult delivery. ~하다 have a difficult delivery.

난삽하다(難澁－) (be) hard; difficult; troublesome.

난색(難色) disapproval; reluctance. ¶ 그는 나의 계획에 대해 ~을 보였다 He opposed to 〔showed disapproval for〕 my plan.

난생(卵生) ~의 oviparous. ‖ ~ 동물 an oviparous 〔egg-laying〕 animal. ┌one's life.

난생처음 (for) the first time in

난세(亂世) 〔the〕 troubled 〔disturbed〕 times; a turbulent period 〔age〕.

난세포(卵細胞) 〔生〕 an egg cell; ovum.

난소(卵巢) 〔解〕 an ovary. ‖ ~호르몬 ovarian hormones.

난숙(爛熟) ~하다 (be) overripe; overmature; reach 〔come to〕 full maturity.

난시(亂視) 〔醫〕 astigmatism. ¶ ~의 astigmatic.

난외(欄外) a margin. ¶ ~의 주 (註) a note in the margin; a marginal note / ~여백 marginal space.

난이(難易) hardness or ease; relative difficulty. ‖ ~도 the degree of difficulty.

난입(亂入) intrusion. ~하다 force one's way into; break 〔burst〕 into. ‖ ~자 an intruder.

난자(卵子) 〔生〕 an ovum (pl. ova).

난잡(亂雜) 〔혼잡〕 disorder; confusion. ¶ ~한 disorderly; confused; untidy.

난장판(亂場－) a scene of disorder; a chaotic scene; a mess. ¶ ~이 되다 fall into utter confusion.

난쟁이 a dwarf; a pigmy.

난전(亂戰) confused fighting; a dogfight; a melee.

난점(難點) a difficult [knotty] point; the crux of a matter.

난제(難題) 《난문》 a difficult problem; a knotty subject; 《무리한 요구》 an unreasonable demand 《request》.

난조(亂調) 《음악》 discord; 《혼란》 confusion; disorder; 《시세》 violent fluctuations. ¶ ~를 보이다 《투주가》 lose control / 주가가 ~를 보이고 있다 Stock prices are fluctuating violently.

난중(亂中) the midst of turmoil [commotion]; time of war; a tumultuous period.

난중지난(難中之難) the most difficult of all things; 丁 ~사 the hardest thing to do.

난처하다(難處一) (be) hard to deal with; awkward; embarrassing. ¶ 난처한 입장에 있다 be in an awkward position.

난청(難聽) difficulty in hearing. ¶ ~이 심하다 (be) hard of hearing. ∥ ~지역《라디오의》 a blanket area; a fringe area (where reception is poor).

난초(蘭草) 〔植〕 an orchid.

난층운(亂層雲) nimbostratus.

난치(難治) ~의 hard to cure; almost incurable; fatal.

난타(亂打) pommeling; repeated knocking [blows]. ~하다 strike [knock] violently; beat [hit] 《a person》 repeatedly.

난투(亂鬪) a free [confused] fight; a scuffle; a free-for-all. ∥ ~극 a scene of violence and confusion.

난파(難破) a 《ship》wreck. ~하다 be 《ship》wrecked. ∥ ~선 a wrecked ship [vessel].

난폭(亂暴) violence; an outrage; roughness. ~하다 (be) violent; rude; rough; wild. ¶ ~하게 굴다 behave rudely [roughly]; use [resort to] violence.

난필(亂筆) hasty handwriting; scribble.

난하다(亂一) (be) gaudy; showy; loud. ¶ 색이 너무 ~ The colors are too loud. / 옷을 난하게 차려입다 be showily [flashly] dressed.

난항(難航) ① 《배·비행기의》 a difficult voyage [flight]. ~하다 have a rough passage. ② 《무파가》 ~하다 have [face] hard [rough] going.

난해(難解) ~한 difficult [hard] (to understand); knotty 《problems》.

난형난제(難兄難弟) ~다 be hard to tell who [which] is better; be almost equal 《in their talent》.

난황(卵黃) an egg yolk.

낟가리 a stack of grain stalks.

낟알 a grain (of rice).

날① 《달력상의》 a day; a date 《날짜》; time 《시일》. ¶ 어느 ~ one day / ~을 정하다 fix a date 《for a meeting》. ② ~ 《날씨.

날² 《칼 따위의》 an edge; a blade. ¶ ~을 세우다 put an edge 《on》; sharpen / ~이 서다 be edged [sharpened].

날--《안 익은》 uncooked; raw. ¶ ~것 raw [uncooked] food.

날강도(一強盜) a barefaced [shameless] robber.

날개 a wing. ¶ ~가 달린 winged / 《새가》 ~를 펴다 [접다] spread [fold] its wings / ~를 퍼덕이다 flap the wings.

날다《하늘을》 fly; flutter. ¶ 높이 [낮게] ~ fly high [low].

날다² ① 《색이》 fade; discolor. ¶ 색이 날지 않는 천 cloth of fast colors / 색이 난 청바지 a pair of faded jeans. ② 《냄새가》 lose odor.

날다³ clear (up). ☞ 개다.

날뛰다 jump [leap] up; 《사납게》 behave [act] violently; rush about wildly; rage. ¶ 좋아 ~ leap for joy.

날래다 (be) quick; swift; nimble.

날려보내다《놓아주다》 fly; let fly; set free.

날렵하다 (be) sharp; acute; agile.

날름 quickly; swiftly.

날름거리다 ① 〔허 따위를〕 let 《*a tongue*》 dart in and out. ② 〔탐내다〕 be greedy for; be covetous of.

날리다 ① 〔날게 하다〕 fly; let fly; blow off 〔바람이〕. ¶ 연을 ~ fly a kite. ② 〔잃다〕 lose; waste; squander 〔dissipate〕 《*a fortune*》. ¶ 하룻밤에 모든 재산을 ~ squander one's fortune in a single night. ③ 〔이름을〕 win fame; become famous. ¶ 명성을 온 세계에 ~ become known all over the world; win 〔achieve〕 global fame. ④ 〔일을〕 scamp 《one's work》. ¶ do a slipshod 〔careless, hasty〕 job.

날림 slipshod work; rush and hurried work; 〔물건〕 a thing made carelessly. ¶ ~집 〔건물〕 a jerry-built house 〔building〕.

날벼락 〔야단〕 an unreasonable scolding; 〔재앙〕 a sudden calamity; a thunderbolt from a clear sky. 「per day.

날변〔-邊〕 daily interest; interest

날불한당〔-不汗黨〕 a barefaced 〔shameless〕 swindlers 〔crooks〕.

날붙이 an edged tool; bladeware; cutlery.

날삯 daily wages. ¶ ~꾼 a day laborer.

날실 warp threads. 「laborer.

날쌔다 be quick; swift; nimble. ¶ 날쌔게 quickly; swiftly.

날씨 the weather; weather condition. ¶ 좋은 ~ fair 〔fine〕 weather / 궂은 ~ bad 〔nasty〕 weather / ~가 좋으면 if it is fine …; if weather permits …,

날씬하다 (be) slender; slim. ¶ 날씬한 여자 a slim 〔slender〕 woman.

날염〔捺染〕〔textile〕 printing. ~하다 print.

날인〔捺印〕 seal. ~하다 seal; affix one's seal 《*to a document*》. ¶ ~자 a sealer.

날조〔捏造〕 fabrication; invention. ~하다 fabricate; invent; forge; make up a story.

날짐승 fowls; birds.

날짜 a date. ¶ ~가 없는 undated / ~을 매기다 date 《*a letter*》.

날치 a flying fish.

날치기〔행위〕 snatching; 《사람》 a snatch. ¶ ~하다 snatch.

날카롭다 〔날의 끝이〕 (be) sharp; keen; pointed〔뾰족한〕; 〔감각·두뇌가〕 (be) smart; shrewd; sharp; 〔비평·기세 따위가〕 (be) biting; cutting; caustic; sharp. ¶ 날카로운 비판 cutting 〔biting〕 criticism / 날카로운 질문 a sharp question / 날카로운 통증 a sharp 〔acute〕 pain / 신경이 날카로워지다 get 〔become〕 nervous.

날품 day work; day labor. ¶ ~을 팔다 work 〔be hired〕 by the day. ¶ ~삯 daily wages / ~팔이꾼 a day laborer.

남다 〔오래되다〕 (be) old; aged; 〔오래 써서〕 (be) used; worn; worn out; 〔구식〕 (be) old-fashioned; outdated; out of date.

남〔타인〕 another person; others; 〔천하 아닌〕 an unrelated person. ¶ ~ 같이 대하다 treat 《*a person*》 like a stranger / 보다야 일가가 낫다 Blood is thicker than water.

남〔男〕〔사내〕 a man; a male.

남〔남〕 the south.

남〔藍〕〔쪽〕 indigo; 《남빛》 deep blue. 「〔vain〕 dream.

남가일몽〔南柯一夢〕 an empty

남계〔男系〕 the male line. ¶ ~의 on the male side.

남국〔南國〕 a southern country.

남극〔南極〕 the South Pole. ¶ ~의 antarctic. ¶ ~대륙〔권, 해〕 the Antarctic Continent 〔Circle, Ocean〕.

남근〔男根〕 a penis.

남기다 〔뒤에〕 leave (behind); 〔에비로〕 save; set aside; reserve; 〔…하지 않고〕 leave 《*something*》 undone. ¶ 이름을 후세에 ~ leave one's name to posterity / 돈을 좀 남겨 두어야 한다 You should

save some money, you know.
② 《이익을 보다》 make 〔get, obtain〕
a profit (of).

남김없이 all; entirely; without
exception. ¶ 한 사람 ~ to the
last man / 그는 ~ 다 먹었다 He
ate it all up. 「east (생략 SSE).

남남동(南南東) the south-south-

남남서(南南西) the south-south-
west (생략 SSW).

남녀(男女) man and woman; both
sexes. ¶ ~노소 할 것 없이 regard-
less of sex or age / ~간의 격차
a gender gap(가치관 등의); (a)
disparity between the sexes (임
금·기회 등의). ‖ ~공학 coeduca-
tion / ~평등 sexual equality /
~유별 distinction between the
sexes / ~차별 sex discrimina-
tion.

남다 ① 《여분으로》 be left (over);
《잔류하다》 remain; stay; 《잔존하
다》 linger; remain; 《살아남다》 sur-
vive; be left alive. ¶ 《쓰고 남은
돈》 the money left over / 고스란
히 남아 있다 be left untouched /
끝까지 ~ remain 〔stay〕 to the
last / 기억에 오래 ~ linger long
in one's memory / 최후까지 살아
~ survive to the last. ② 《이익
이》 《a business》 yield a profit.
¶ 남는 장사 a profitable 〔paying〕
business.

남다르다 (be) peculiar; uncom-
mon; be different from others.

남단(南端) the southern end (tip).

남달리 extraordinarily; unusual-
ly; exceptionally. ¶ ~ 노력하다
work harder than others / ~
키가 크다 be exceptionally tall.

남대문(南大門) the South Gate
(of Seoul).

남동(南東) the southeast. ‖ ~풍
a southeastern wind.

남동생(男同生) a younger broth-
er; one's little brother.

남루(襤褸) 《누더기》 rags; shreds;
ragged 〔tattered〕 clothes. ~하다
(be) ragged; tattered; shabby.
¶ ~한 옷을 입은 사람 a person in

rags.

남매(男妹) brother and sister. ¶ 그
들은 ~간이다 They are brother
and sister.

남미(南美) South 〔Latin〕 America.
¶ ~의 South American. ‖ ~대
륙 the South American Conti-
nent. 「sphere.

남반구(南半球) the Southern Hem-

남발(濫發) an overissue; an ex-
cessive issue. ~하다 issue reck-
lessly; overissue.

남방(南方) the south. ¶ ~의 south-
ern. ‖ ~셔츠 an aloha shirt.

남벌(濫伐) reckless 〔indiscriminate〕
deforestation. ~하다 cut down
〔fell〕 《trees》 recklessly; deforest
indiscriminately. 「South.

남부(南部) the southern part; the

남부끄럽다 (be) 〔feel〕 shameful; be
ashamed (of).

남부럽다 be envious of others.
¶ 남부럽지 않게 살다 be well off;
make a decent living.

남부여대(男負女戴) ~하다 (a fami-
ly) set out on a vagabond 〔wan-
dering〕 life.

남북(南北) south and north; 《남
북한》 South and North Korea;
Seoul and Pyeongyang. ‖ ~대
화 the South-North dialog(ue);
《한국의》 Inter-Korean dialogue
〔talks〕 / ~적십자회담 the South-
North Red Cross talks 〔confer-
ence〕 / ~통일 reunification of
North and South (Korea); the
national reunification.

남빙양(南氷洋) 〔地〕 the Antarctic
Ocean.

남사당(男─) 《민속》 a wayfaring
male entertainer. ‖ ~패 a
troupe of strolling entertainers;
a troupe of players.

남산골샌님(南山─) a penniless
〔poor〕 scholar.

남상(男相) a woman's face hav-
ing masculine features; an un-
womanly face.

남새 vegetables. ‖ ~밭 a veg-
etable garden.

남색(男色) sodomy.

남색(藍色)〔남빛〕 indigo; dark blue.

남생이 [動] a Korean terrapin.

남서(南西) (the) the southwest. ‖ ~ 풍 a southwestern wind.

남성(男性)〔남자의〕a man; 〔생물의〕 the male (sex); 〔문법상의〕 the masculine gender. ¶ ~ 적 man ly; masculine / ~ 의 male. ‖ ~ 호르몬 male (sex) hormone.

남성(男聲) a male voice. ‖ ~ 4중창 a male quartet.

남십자성(南十字星) the Southern Cross; the Crux.

남아(男兒)〔아이〕a boy; a son; 〔대장부〕a manly man.

남아메리카(南 ─) South America.

남아프리카(南 ─) South Africa. ‖ ~ 공화국 the Republic of South Africa.

남양(南洋) the South Seas. ‖ ~ 군도 the South Sea Islands.

남위(南緯) the south latitude. ¶ ~ 20도 30분 상에 in lat. 20°30′ S (= latitude 20 degrees 30 minutes south).

남유럽(南 ─) Southern Europe.

남자(男子) a man; a male. ‖ ~ 답 게 manly.

남작(男爵) a baron. ‖ ~ 부인 a baroness.

남작(濫作) overproduction; excessive production. ‖ ~ 하다 overproduce; produce (write) too much.

남장(男裝) male attire. ‖ ~ 하다 be dressed as a man; wear men's clothes.

남존여비(男尊女卑) predominance of man over woman. ¶ ~ 의 사 회 a male-dominated society.

남중국해(南中國海) the South China Sea.

남진(南進) southward advance. ‖ ~ 하다 advance southward. ‖ ~ 정책 the southward expansion policy.

남짓하다 (be) slightly over [above].
¶ 1년 ~ be a little over a year.

남쪽(南 ─) the south. ‖ ~ 의 남(南).

남침(南侵) ~ 하다 invade the south.

남탕(男湯) the men's section of a public bath.

남태평양(南太平洋) the South Pacific.

남파(南派) ~ 하다 send (a spy) into the South. ‖ ~ 간첩 an espionage agent sent (by the North) to the South.

남편(男便) a husband. ¶ ~ 있는 여자 a married woman.

남포(燈) a lamp; an oil lamp. ‖ ~ 의 등피〔심지, 갓〕a lamp chimney (wick, shade).

남풍(南風) the south wind; a wind from the south.

남하(南下) ~ 하다 go (come, advance) south(ward). ¶ 사단은 ~ 를 계속했다 The division kept moving south.

남한(南韓) South Korea.

남해(南海) the southern sea.

남해안(南海岸) the south coast.

남행(南行) ~ 하다 go (down to the) south. ‖ ~ 열차 a southbound train.

남향(南向) facing [looking] south. ‖ ~ 집 a house facing south; a house looking toward the south.

남회귀선(南回歸線) the Tropic of Capricorn.

남획(濫獲) reckless [indiscriminate] fishing (hunting). ‖ ~ 하다 fish (hunt) recklessly (excessively).

납〔원소(鉛)〕lead (기호 Pb).

납(蠟) wax. ‖ ~ 세공 waxwork / ~ 인형 a wax doll〔figure〕.

납골(納骨) ~ 하다 lay one's ashes to rest. ‖ ~ 당 a charnel house.

납금(納金) payment of money (지 불); the money due〔지불할〕; the money paid〔지불한〕. ‖ ~ 하다 pay (money).

납기(納期)〔돈의〕the date [time] of payment; 〔물품의〕the date [time] of delivery.

납길(納吉) ~ 하다 notify the

bride's family of the date set for the wedding.

납득(納得) understanding. ~하다 understand, ‖ ~시키다 convince (a person) of; persuade (a person) to do.

납땜(鑞—) soldering. ~하다 solder (a leaky pot).

납량(納凉) ~하다 enjoy the cool air. ‖ ~특집(프로) a special summer evening program.

납본(納本) ~하다 present a specimen copy (for censorship).

납부(納付) 《세금 등의》 payment; 《물품의》 delivery. ~하다 pay; deliver. ‖ ~기한 the deadline for payment / ~액 the amount of payment / 분할~ divided payments.

납북(拉北) kidnaping to the north. ~되다 be kidnaped to the north.

납석(蠟石) 〔鑛〕 agalmatolite.

납세(納稅) payment of taxes; tax payment. ~하다 pay one's taxes. ¶ ~의 의무 a legal obligation to pay one's taxes. ‖ ~고지서 a tax notice / ~신고 income tax returns (declaration) / ~액 the amount of taxes / ~필 duty paid / ~필증 a certificate of tax (duty) payment.

납입(納入) ~하다 pay (a tax); deliver (goods). ‖ ~금 (지불된) money paid; (지불할) money due / ~품 supplies; goods for supply.

납작보리 pressed (rolled) barley.

납작코 a flat nose.

납작하다 (be) flat; low. ¶ 코가 납작해지다 (비유적) be humbled; lose face.

납지(鑞紙) tin foil; lead foil.

납채(納采) betrothal presents (to the bride's house).

납치(拉致) kidnaping; hijacking (배·비행기의). ~하다 kidnap; hijack (a passenger plane); take (a person) away. ‖ ~범 a kidnaper; a hijacker.

납품(納品) delivery of goods. ~하다 deliver goods (to). ‖ ~업자 a supplier.

납회(納會) the last meeting of the year; 〔證〕 the closing session of the month.

낫 a sickle; a scythe (큰 낫). ¶ ~놓고 기억자도 모르다 do not know A from B.

낫다 《좋다·잘하다》 be better (than); be preferable (to); outdo; surpass.

낫다 《병이》 recover from (illness); get well (better); be cured of (a disease); heal (up) (상처가). ¶ 감기가 ~ get over one's cold / 이 약을 먹으면 감기가 낫는다 This medicine will cure a cold.

낭군(郎君) (my) dear husband.

낭독(朗讀) reading; recitation(암송). ~하다 read (aloud); recite.

낭떠러지 a cliff; a precipice.

낭랑하다(朗朗—) (be) ringing; clear; sonorous; resonant.

낭만(浪漫) ¶ ~적인 romantic. ‖ ~주의 romanticism / ~주의자 a romanticist.

낭보(朗報) good (happy) news.

낭비(浪費) waste; wasteful expenditure; extravagance. ~하다 waste; squander; throw (one's money) away. ¶ ~적인 wasteful; extravagant / 그것은 시간의 ~다 It's a waste of time.

낭설(浪說) a groundless rumor; false rumors. ¶ ~을 퍼뜨리다 circulate (set) a false rumor / ~을 믿다 take a rumor as it is.

낭송(朗誦) ⇨ 낭독.

낭자(娘子) a maiden; a girl.

낭자(狼藉) disorder; confusion. ~하다 (be) in wild disorder; in a terrible mess; scattered all over. ¶ 유혈이 ~하다 be all covered with blood.

낭패(狼狽) failure; frustration; a fiasco; a blunder. ~하다 fail (in); be frustrated; make (commit) a blunder.

낭하(廊下) a corridor; a passage.

☞ 복도.

낮 day; daytime. ¶ ~에 in 〔during〕 the daytime; by day / ~ 일 day work / ~ 말은 새가 듣고 밤 말은 쥐가 듣는다 《俗談》 Pitchers [Walls] have ears.

낮다 ① 《높이·정도·값·소리 등이》 (be) low. ¶ 낮은 수입으로 살다 live on a low [small] income / 낮은 목소리로 말하다 speak in a low voice; talk in whispers. ② 《지위·신분이》 (be) low; humble; mean.   [tard.

낮도깨비 《사람》 a shameless bas-

낮도둑 a sneak [noonday] thief.

낮은음자리표 《樂》 bass [F] clef.

낮잠 a (midday) nap; a siesta. ¶ ~자다 take a nap [siesta].

낮잡다 estimate [rate] low; underestimate. ¶ 집값을 ~ rate the price of a house low.

낮차 (一車) a day train.

낮참 《점심》 a midday meal; lunch; 《쉬는 시간》 a noon recess; a lunch break.

낮추다 lower; bring down; drop 《목소리 따위를》. ¶ 텔레비전 소리를 ~ turn [tone] down the TV / 말씀 낮추십시요 Drop your honorifics, please.

낮보다 look down on; despise; hold 《a person》 in contempt.

낮말 familiar 《plain》 terms.

낯 ① 《얼굴》 a face; 《표정》 a look. ¶ ~을 붉히다 go [become] red in the face; blush / 서로 ~을 대하다 face each other / 불쾌한 ~으로 밖으로 나오다 come out with a displeased look. ② 《체면》 face; honor; credit; dignity. ¶ ~을 세워 주다 save 《a person's》 face 〔honor〕 / ~이 서다 [깎이다] save [lose] one's face 〔honor, dignity〕.

낯가리다 be shy of strangers; be bashful in front of strangers.

낯가죽 ¶ ~이 두껍다 be thick-skinned, brazen-faced, impudent, shameless.   [abashed.

낯간지럽다 ¶ ~ be bashful; shy; feel

낯두껍다 ☞ 낯가죽.

낯붉히다 《성이 나서》 get angry; be red with anger; 《부끄러워》 blush for shame.

낯설다 (be) unfamiliar; strange. ¶ 낯선 사람 a stranger.

낯익다 be familiar 《to》. ¶ 낯익은 얼굴 a familiar face.

낯짝 얼굴, 낯.

낱개 a piece; each piece. ¶ ~ 로 팔다 sell by the piece.

낱낱이 one by one; separately; each; without omission. ¶ ~ 캐 묻다 ask questions in detail / ~ 이름을 들다 mention each by name.

낱말 a word; a vocabulary.

낳다 ① 《출산》 have a baby; give birth to [be delivered of] 《a baby》; breed 《동물이》; lay 《알을》. ② 《생기다》 produce; bring forth; give rise to; yield 《이자 따위》.

내 《나의》 my; 《내가》 I; myself. ¶ ~것 mine.

내 《개울》 a stream; a brook.

내 《연기》 smoke; 《냄새》 smell.

내-- 《來》 next; coming. ¶ ~ 주 next week.

--내 《내내》 all through; throughout. ¶ 하룻밤 ~ all night through / 일년 ~ all the year round, 《in the period 《of》.

--내(內) within. ¶ 기한 ~ within-

내가다 take [bring] out 《away》.

내각(內角) 《幾》 an interior angle.

내각(內閣) a cabinet; a ministry 《英》; the government 《정부》; the administration 《美》.

내갈기다 hit; 《글씨를》 dash off; scribble; scrawl.

내강(內剛) be stout-hearted; strong-minded [-willed] / 그는 외 유~한 사람이다 He looks gentle but is tough inside.   [guest.

내객(來客) a visitor; a caller; a

내걸다 ① 《밖에》 hoist 《a flag》; put up; hang out, 《~장을》 hold up. ¶ 슬로건을 내걸고 under the slogan 《of》. ③ 《목숨 등을》 risk; stake; bet. ¶ 생명을 ~ risk [stake] one's life.

내경(內徑) the internal diameter.

내과(內科) 《내과학》 internal medicine; 《병원의》 the internal medicine department. ∥ ~의 a physician; an internist.

내구(耐久) endurance; durability.

내구력(耐久力) 《물건의》 durability; 《사람의》 power of endurance; staying power; stamina. ¶ ~이 있는 durable; lasting; persistent.

내국(內國) the home country. ¶ ~의 home; domestic; internal. ∥ ~세 an internal tax / ~인 a native / ~채(債) domestic loans / ~환로 a domestic line / ~환(換) domestic exchange.

내규(內規) bylaws; a private regulation; rules. ¶ …라고 ~에 규정되어 있다 be provided in the rules (of the company) that ….

내근(內勤) indoor service; office (desk) work. ∥ ~하다 work inside (in the office). ∥ ~사원 an indoor service employee; an office worker.

내기 a bet; a wager; 《도박》 betting; gambling. ~하다 bet (on); lay a wager (on); gamble.

내내 from start to finish; all the time (way); all along. ¶ 1년 ~ throughout the year; all the year round.

내내년(來來年) the year after next.

내내월(來來月) the month after next.

내년(來年) next year; the coming year. ¶ ~ 이맘 때 about this time next year.

내놓다 ①《밖으로 꺼내놓다》 take (put, bring, carry) out. ②《드러내다》 expose; show; bare. ③《가둔 것을》 let out; turn (drive, put) out. ④《출품·출간·팔려고》 exhibit; publish; put out; put (a thing) on sale. ⑤《제출》 present; send (hand) in; 《기부·투자》 give; contribute; invest. ¶ 회의 안을 ~ present a bill / 교회 짓는 데 돈을 ~ contribute money for building a church. ⑥《음식 따위를》 offer; serve. ¶ 손님에게 음식을 ~ serve food and drink to the guest. ⑦《포기》 give (throw) up; discard.

내다〔연기가〕 smoke; smolder; be smoky.

내다〔밖으로〕 take (a thing) out (of). ¶ 상자들을 밖으로 ~ take boxes out of (the room). ②《발휘하여》 ~힘을 ~ exert (put forth) one's strength / 기운을 ~ cheer up; pluck up. ③《소리를》 utter; let out; give; 《빛·열 따위를》 emit (give out) (light, heat); 《속도를》 put on (get up) (speed); 《먼지를》 raise (the dust); 《불을》 cause (start) (a fire). ¶ 이상한 소리를 ~ make a strange noise. 《게재》 give (send) in; present; 《발행》 publish; issue; 《게재》 run; print; 《발송》 mail; post; send out. ⑤《개설》 open; set up. ¶ 길을 ~ open a road. ⑥《음식을》 serve; offer; treat. ⑦《산출·발생》 produce; turn out; 《소문을》 set (a rumor) afloat; spread. ¶ 사상자를 ~ suffer casualties. ⑧《지불》 pay; give; 《자금을》 invest; contribute (기부). ⑨《시간을》 make; arrange. ¶ 시간을 내서 회의에 참석하다 find time to be present at a meeting. ⑩《얻다》 take out; get. ¶ 빚을 ~ get (get out) a loan. ⑪《팔다》 sell. ⑫《내려서》 give; set (a question). ¶ 선생님께서는 많은 숙제를 내신다 Our teacher gives (us) a lot of homework.

내다보다 look out (밖을); look forward (앞을); foresee, anticipate (앞일을). ¶ 창 밖을 ~ look out of a window / 앞일을 ~ foresee the future 〔~ward〕.

내닫다 run (dash, rush) out 〔forward〕.

내달(來─) next month.

내달(來謁) ~하다 visit (for a talk); pay (a person) a visit to talk. ¶ 본인 직접 ~할 것 《광고에서》 Apply in person.

내던지다 ①《밖으로》 throw (cast)

away. ② 《버리다》 give [throw] up; abandon. ¶지위를 ～ throw up one's office.

내리다 hand [pass] (a thing) around [from hand to hand].

내두르다 ① 《흔들다》 wave [swing] (something) about; brandish; wield (a club). ② 《사람을》 have (a person) under one's thumb; lead (a person) by the nose.

내둘리다 be led by the nose; be at the mercy of (a person). ② 《어쩔해지다》 be shaky; feel dizzy.

내딛다 (take) a step forward; advance. ¶인생의 첫발을 잘못 ～ make a wrong start in life.

내락(內諾) an informal [a private] consent [agreement]. ～하다 give an informal consent. ¶～을 얻다 obtain (a person's) private consent.

내란(內亂) a civil war; internal disturbances; rebellion(반란). ¶～이 일어났다 A civil war broke out.

내려가다 《아래로》 go [come, get] down; descend; fall(기온 등이).

내려놓다 put [take] down; take (a thing) off.

내려다보다 ① 《밑을》 overlook; look down. ② 《얕보다》 look down upon; despise. ¶～ (a cup).

내려뜨리다 let (a thing) fall; drop

내려앉다 《자리를》 take a lower seat. 《무너져서》 fall [break] down; collapse. ¶건물이 중하며 내려 앉았다 The building fell down with a crash.

내려오다 come down; descend.

내려치다 give a downright blow. ¶책상을 주먹으로 ～ hit the table with one's fist.

내력(來歷) ① 《경력》 a history; a career; 《유래》 an origin; a history. ¶～을 캐다 trace (a history) to its origin. ② 《내림》 inheritance; heredity. ¶책을 좋아하는 것은 우리 집안의 ～이다 A love of books is in my blood.

내륙(內陸) inland. ‖～지방 inland area.

내리 ① 《아래로》 down; downward. ¶지붕에서 ～구르다 fall down from the roof. ② 《잇닿이》 continuously; through; without a break. ¶～ 사흘 for three successive days.

내리긋다 draw (a line) down.

내리깎다 《값을》 knock [beat] down the price.

내리깔다 drop [lower, cast down] one's eyes. ¶눈을 내리깔고 with downcast eyes.

내리다 《자동사》 ① 《높은 데서》 come [go, get, step] down; descend; 《하강》 fall; drop; 《차에서》 alight from; get [step] off; get out (of). ② 《먹은 것이》 be digested. ③ 《무게 따위가》 subside; go down; 《살이》 lose weight; become leaner. ④ 《신이》 be possessed (by a spirit). ⑤ 《뿌리가》 take root (in the ground).

내리다 《타동사》 ① 《내려뜨리다》 take down; lower; bring [put, pull] down; drop. ② 《판결·명령·허가 등을》 give; pass; issue; grant. ¶명령을 ～ give [issue] an order. ③ 《값·계급·정도를》 lower; bring down; demote(지위를). ④ 《짐을》 unload.

내리닫이 《창》 a sash window; 《옷》 children's overalls with a slit in the seat.

내리뜨다 ☞ 내리깔다.

내리막 ① 《길의》 a downward slope; a downhill; a descent. ¶～길이 되다 slope [go] down; run [go] downhill. ② 《쇠퇴》 a decline; an ebb. ¶인생의 ～ the downhill of life.

내리사랑 parental love [affection] toward youngsters.

내리쬐다 shine [blaze, beat] down (on). ¶내리쬐는 태양 a burning [scorching] sun.

내림(來臨) (one's esteemed) attendance [presence]. ～하다 attend; be present at.

L

내림세(一勢) a downward trend; a falling (declining) tendency.

내막(內幕) the inside facts (information); the low-down (on) (美口). ¶ ~ 이야기 an inside story.

내맡기다 leave (*a matter*) (entirely) to (*a person*); leave (*a thing*) in (*a person's*) hands; entrust. ¶ 사업을 고용인에게 ~ leave one's business in the charge (hands) of one's employee.

내면(內面) the inside; the interior. ¶ ~ 적(으로) internal(ly) / ~ 적 관찰 introspection. ‖ ~ 세계 inner world.

내명(內命) informal (secret) orders.

내몰다 turn (send, drive) out.

내몰리다 be expelled (turned out).

내무(內務) home (domestic) affairs. ‖ ~ 부(省) the Department of the Interior (美); the Home Office (英) / ~ 장관 the Home Secretary (英); the Secretary of the Interior (美).

내밀(內密) ¶ ~ 한 secret; private; confidential / ~ 히 secretly; in secret; privately.

내밀다 push (thrust, put, stick) out.

내방(來訪) a visit; a call. ~ 하다 visit; call on (*a person*).

내배다 ooze (seep) out; exude.

내뱉다 《침·말 따위를》 spit (out).

내버려두다 《그냥두다》 leave (*a thing*) as it is; leave (*a person*, *a thing*) alone. ¶ 제 마음대로 하게 ~ let (*a person*) do what he wants.

내버리다 《던져서》 throw (cast) away; abandon (버리다).

내보내다 《나가게 하다》 turn (put, drive, force) out (강제로); send out (척후를). ① 《고양이를 방에서 ~ let a cat out of the room. ② 《해고》 dismiss; fire.

내복(內服) ① ~ 속옷. ② 《약의》 internal use. ‖ ~ 약 an internal medicine.

내부(內部) the inside; the interior; the inner part. ¶ ~ 의 inner

internal; inner / ~ 의 사정 the internal affairs; the inside story. ‖ ~ 분열 an internal disunion.

내분(內紛) an internal trouble (conflict); domestic discord.

내분비(內分泌) 《生》 internal secretion. ‖ ~ 선 an internal gland.

내빈(來賓) a guest; a visitor. ¶ ~ 석 the visitors' seats; 《게시》 For guests. / ~ 실 a guest room.

내빼다 fly; flee; run away.

내뿜다 spout (out); gush (spurt) out(물·피 따위가); blow up (out) (가스·증기 따위가); belch (out); shoot up (연기·화염 따위가).

내사(內査) a secret investigation; an internal probe. ~ 하다 investigate secretly.

내색(一色) 《一色》 one's facial expression; a (revealing) look. ~ 하다 betray one's emotions; give expression to one's feelings. ¶ ~ 도 않다 do not show (betray) any hint of one's emotions (in one's look).

내선(內線) 《전기의》 interior wiring; 《전화의》 an extension. ‖ ~ 전화 an interphone.

내성(內省) introspection; reflection. ~ 하다 introspect; reflect on oneself.

내성(耐性) tolerance. ¶ ~ 이 있는 be tolerant (of, to) / ~ 이 있다 tolerate. ‖ ~ 항생물질 ~ 균 antibiotic-resistant bacteria.

내세(來世) the life after death; the next world.

내세우다 《앞·전면에》 put up; put forward; make (*a person*) stand in the front; make (let) (*a person*) represent. ¶ 간판을 ~ put up a signboard / 그를 후보자로 ~ put him forward for a candidate / 아무를 회사 대표로 ~ have (make) *a person* represent the company. ② 《권리·조건·의견 등을》 insist (on); put forward; state; stand on; advocate; single out (*for praise*). ¶ 자기의 권리를 ~ insist (stand) on

내수(內需) domestic demand. ~를 확대하다 expand [boost] domestic demand.

내수(耐水) ¶ ~의 waterproof; watertight.

내수면(內水面) inland waters. ‖ ~ 어업 fresh-water fishery.

내숭스럽다 (be) wicked; treacherous.

내쉬다 breathe out.

내습(來襲) an attack; a raid. ~ 하다 attack; raid; assault; invade.

내습(耐濕) ¶ ~의 wetproof; dampproof; moisture-resistant.

내시 unofficial announcement. ~하다 announce unofficially.

내시(內侍) a eunuch.

내시경(內視鏡) 〔醫〕 an endoscope. ‖ ~검사〔법〕 endoscopy.

내식성(耐蝕性) corrosion resistance. ¶ ~의 corrosion-resistant; corrosion-proof.

내신(內申) an unofficial report. ~하다 report unofficially. ‖ ~ 성적 〔고교의〕 the high school records; the academic reports (from high schools to universities).

내신(來信) a letter received.

내실(內室) 〔안방〕 women's quarters.

내실(內實) substantiality. ¶ ~을 기하다 insure substantiality / ~ 화하다 make 《something》 substantial〔solid〕.

내심(內心) one's inmost heart; one's real intention. ¶ ~으로〔는〕 at heart; inwardly / ~으로는 …하고 싶어하다 have a secret desire to do.

내야(內野) 〔野〕 the infield. ¶ ~ an infielder / ~ 안타〔플라이〕 an infield hit 〔fly〕.

내약(內約) ~하다 make a private agreement 〔contract〕 《with》.

내역(內譯) items; details. ¶ ~을 밝히다 state the items 《of an account》. ‖ ~서 an itemized statement.

내연(內緣) ¶ ~의 처 a common-law wife; a wife not legally married / ~의 관계를 맺다 make a common-law marriage 《with》.

내연(內燃) internal combustion. ‖ ~기관 an internal-combustion engine.

내오다 bring 〔take, carry〕 out.

내왕(來往) 〔왕래〕 comings and goings; traffic〔차의〕; communication〔편지의〕; 〔교제〕 association. ~하다 come and go; intercommunicate 《with》; associate 《with》.

내외(內外) 〔부부〕 husband and wife; a 〔married〕 couple.

내외(內外)² ① 〔안팎〕 the inside and outside. ¶ ~의 internal and external; 〔나라의〕 home 〔domestic〕 and foreign. 국~에 ~에 있다 be known both at home and abroad. ‖ ~정세 the internal and external state of affairs. ② 〔대략〕 some; about; around; or so. ¶ 일주일 ~ a week or so.

내외하다(內外—) (the sexes) keep their distance (from each other); avoid society with the opposite sex.

내용(內用) internal use. ☞ 내복.

내용(內容) contents; substance 〔실질〕; details. ¶ ~증명우편 contents-certified mail.

내용연수(耐用年數) durable years.

내우(內憂) internal troubles. ¶ ~ 외환 domestic troubles and external threats.

내원(來援) help; aid; assistance. ¶ ~을 요청하다 ask 《a person》 to come and help.

내월(來月) next month; proximo.

내응(內應) 〔內応〕 ☞ 속응. ㄴ(생략 prox.).

내의(來意) ¶ ~를 알리다 tell 《a person》 what one has come for; state the purpose of one's visit.

내이(內耳) 〔生〕 the internal 〔inner〕 ear.

내일(來日) tomorrow.

내자(內子) my wife.

내자(內資) domestic capital (fund).
∥ ～ 동원 the mobilization of local
capital.

내장(內粧) interior decoration.
∥ ～공사 【建】 interior finish work.

내장(內障) 【醫】 amaurosis (흑내장);
cataract (백내장).

내장(內藏) ～하다 have (*something*)
built-in. ¶ 거리계가 ～ 된 사진기 a
camera with a built-in range
finder.

내장(內臟) 【生】 the internal organs;
the intestines. ¶ ～의 visceral.
∥ ～질환 an internal disease /
～ 파열 a visceral cleft.

내재(內在) 【哲】 immanence. ～하
다 be inherent (immanent) (*in*).
¶ ～적인 immanent; indwelling.

내전(內戰) a civil [an internal] war.

내접(內接) 【數】 ～하다 be in-
scribed. ∥ ～원(圓) an inscribed
circle.

내정(內定) informal (unofficial) de-
cision. ～하다 decide informally
(unofficially). ¶ ～되다 be infor-
mally arranged (decided).

내정(內政) domestic (home) admin-
istration. ∥ ～간섭 (불간섭) inter-
vention (non-intervention) on
domestic affairs (*of another coun-
try*).

내정(內情) (내부사정) inside affairs;
(실정) the real condition.

내조(內助) one's wife's help. ～하
다 help *one's* husband. 　　　[aunt.

내종(內從) a cousin by a paternal

내주(來週) next week. ¶ ～의 오늘
this day (next week).

내주다 ① 《돈·재산·물건 등을》 hand
[turn] over; give; give out
[away]; deliver (*goods*); pay (지
불). ② 《자리·길을》 give (way) to;
yield; 《권리 등을》 hand
[turn, make] over. ¶ 길을 ～
a person》 way for (*a person*) / 왕위
를 ～ turn the throne over (*to*).
③ 《허가·면허 등을》 grant; issue.

¶ 면허장을 ～ grant [issue] a
license.

내주장(內主張) petticoat govern-
ment. ～하다 henpeck *one's* hus-
band.

내지(內地) the interior (of a coun-
try); inland. ∥ ～인 inlanders.

내지(乃至) from … to …; between
… and …; or(또는).

내직(內職) a side job; side work;
a sideline; 《부녀자의》 a job (work)
for housewives. ¶ ～을 하다 do
a side job.

내진(內診) an internal examina-
tion. ～하다 make an internal
examination. 　　　　　　[doctor.

내진(來診) ¶ ～을 청하다 send for a

내진(耐震) ¶ ～성의 earthquake-
proof [-resistant].

내쫓기다(쫓으로) be expelled; be
turned out; 《해고》 be dismissed;
be fired.

내쫓다 ① 《밖으로》 expel; turn
[send, drive] out. ② 《해고》 dis-
miss; fire.

내채(內債) an internal [a domes-
tic] loan.

내처(잇달아) continuously; with-
out a pause [break]; 《단숨에 끝
까지》 at a stretch [breath].

내출혈(內出血) 【醫】 internal bleed-
ing (hemorrhage). ¶ ～을 하다
bleed internally.

내치(內治) ① 《내정》 home admin-
istration. ② 《내과 치료》 internal
treatment.

내치다 《요구를》 reject; turn down;
《물리치다》 drive back [out, away];
expel.

내친걸음 ¶ ～이다 We are already
in it with both feet. *or* We
have gone too far to retreat. /
～에 while *one* is at it.

내키다 《마음이》 feel inclined; feel
like 《*doing*》; have a mind to
《*do*》. ¶ 마음이 내키지 않는다 don't
feel like 《*doing*》; have no incli-
nation for; be in no mood to
《*do*》.

내탐(內探) a private inquiry; a

secret investigation. ~하다 make private inquiries.

내통(內通) secret communication; betrayal. ~하다 communicate secretly with 《a person》; betray 《a person》 to 《the enemy》; 《남녀가》 have improper relations 《with》. ‖ ~자 a betrayer.

내포(內包) 【論】 connotation. ~하다 involve; connote.

내핍(耐乏) austerity. ~하다 practice austerities; lead [bear] a hard life.

내한(來韓) a visit to Korea; arrival in Korea. ~하다 visit [come to] Korea.

내한(耐寒) ¶ ~의 coldproof; 성의 cold-resistant [-tolerant] 《plants》; (winter-)hardy 《grasses》.

내항(內港) the inner harbor.

내항(內項) 【數】 internal terms.

내항(內航) coastal service. ‖ ~로 (路) a coasting line [route].

내항(來航) a visit 《to Korea》. ~하다 《a ship》 come on a visit.

내해(內海) an inland sea.

내향(內向) ~하다 turn in upon *oneself*. ¶ ~적인 사람 an introvert. ‖ ~성 【心】 introversion.

내화(內貨) 【經】 local currency.

내화(耐火) fireproofing. ¶ ~를 proof / ~성이 있다 be able to resist fire. ‖ ~벽돌 a firebrick.

내환(內患) ① 《아내의 병》 the sickness of one's wife. ② 내 내우.

내후년(來後年) the year after next.

내비 a pan (얕은); a pot (깊은). ‖ ~뚜껑 a pot lid / ~요리 a dish served in the pot.

냄새 《일반적인》 smell; odor; scent; 《향내》 fragrance; perfume; 《악취》 stench; stink 《of oil》; reek 《of garlic》. ¶ ~나다 smell; have a smell 《of tobacco》 / ~가 좋다[나쁘다] smell sweet [bad]. ‖ ~《느낌·김새》 sign; indication.

냅다 《연기가》 (be) smoky. ¶ 아이, 내워 Oh, how smoky!

냅다 《몹시》 violently; severely;

《빨리》 at full speed; in all haste.

냇가 a riverside; the bank [edge] of a river (stream). 《scent.

냇내 the smell of smoke; smoky

냉(冷) 《대하증》 leucorrhea; 《몸·배의》 a body (stomach) chill.

냉···(冷) cold; iced.

냉각(冷却) cooling; refrigeration. ‖ ~하다 refrigerate; cool (down). ‖ ~기(器) a freezer; a refrigerator / ~수(液) a coolant.

냉간(冷間) ‖ ~압연공장 a cold-rolling mill.

냉기(冷氣) cold; chill. ¶ ~를 느끼다 feel chilly.

냉난방(冷暖房) air conditioning. ‖ ~장치 an air conditioner.

냉담(冷淡) coolness; indifference. ~하다 (be) cool; cold; indifferent; half-hearted / ~하게 coolly; coldly; indifferently; half-heartedly.

냉대(冷待) ☞ 푸대접 [.ledly.

냉동(冷凍) freezing; refrigeration. ~하다 freeze; refrigerate. ‖ ~고(庫) a freezer / ~식품 《생선》 frozen food 《fish》.

냉랭하다(冷冷—) 《한랭》 (be) very cold; chilly; 《냉담》 (be) cold; unfriendly; cold-hearted.

냉면(冷麵) naengmyeon; a cold noodle dish; iced vermicelli.

냉방(冷房) 《찬 방》 an unheated room; 《행위》 air conditioning. ~하다 air-condition 《a room》. ‖ ~장치 air-conditioning; an air-conditioner.

냉소(冷笑) a cold [sardonic] smile; a sneer; a derision. ~하다 smile derisively; sneer 《at》.

냉수(冷水) cold water. ¶ ~욕 cold-water bathing 《~욕을 하다 take a cold bath》.

냉습(冷濕) ~하다 (be) cold and moist (damp).

냉엄(冷嚴) ~하다 (be) grim; stern. ¶ ~한 현실 grim realities of life.

냉이 【植】 a shepherd's purse.

냉장(冷藏) cold storage. ~하다 keep 《a thing》 in cold storage;

refrigerate. ∥ ～고 a refrigerator; an icebox (氷).

냉전 (冷戰) a cold war.

냉정 (冷情) ¶ ～한 cold(-hearted); pitiless; heartless.

냉정 (冷靜) calmness; coolness. ～하다 (be) calm; cool. ¶～히 calmly; coolly / ～한 사람 a cool-headed person / ～을 잃다 lose one's temper; be [get] excited.

냉차 (冷茶) iced tea.

냉혈 (冷血) ～하다 (be) cool-headed; hardheaded(빈틈없는).

냉름 promptly; instantly; at once.

냉해 (冷害) (suffer much) damage from [by] cold weather.

냉혈 (冷血) 《온혈에 대한》 cold-bloodedness; 《무정》 cold-heartedness; heartlessness. ¶～의 cold-blooded(-hearted); heartless. ∥～동물 a cold-blooded animal / ～한(漢) a cold-hearted fellow.

냉혹 (冷酷) cruelty; heartlessness. ¶～한 cruel; unfeeling; heartless; cold-hearted.

냠냠 Yum-yum! ¶～하다 go yum-yum; smack one's lips.

냥 (兩) 《단위》 a nyang. ¶엽전 열 ～ ten copper nyang.

너 《인칭》 you; ～의 your / ～에게 you.

너구리 《動》 a raccoon (dog).

너그러이 leniently; generously; liberally.

너그럽다 (be) lenient; generous.

너나없이 ¶～ 모두 all (both) (of us); everyone; everybody.

너더분하다 (be) disorderly; untidy; messy; confused; tedious (장황).

너덕너덕 ¶～ 기운 patchy; full of patches / 옷을 ～ 깁다 put up one's clothes all over.

너덜거리다 flutter; flap; be in tatters 〔tered; ragged.

너덜너덜 ¶～한 worn-out; tat-

너덧 about four 《people》.

너르다 (be) wide; vast; extensive; spacious; roomy (넓이).

너머 beyond; over; the other side (of); across. ¶산 ～에 across (beyond) a mountain / 어깨 ～로 over one's shoulder.

너무 too (much); over; excessively.

너부죽이 flat; pronely. ¶～ 엎드리다 lay oneself flat. 〔broad.

너부족하다 (be) somewhat flat and

너비 width; breadth. ¶～가 5 피트 다 be five feet wide.

너스레 ① 《걸치는 것》 a frame of crosspieces (put over an opening). ② 《허튼 수작》 a sly remark; a practical joke. ¶～를 떨다 make a sly remark; play a practical joke (on).

너울 a lady's (black) veil.

너울거리다 《출렁이》 wave; roll; 《나무 물결》 flutter; undulate; waver.

너울너울 waving; swaying.

너저분하다 (be) untidy; shabby; disorderly.

너절하다 《추접하다》 (be) mean; vulgar; disgusting; 《허름하다》 (be) shabby; poor looking; seedy; 《시시하다》 (be) worthless; rubbishy.

너털거리다 ☞ 너덜거리다.

너털웃음 a good (hearty) laugh; loud laughter; a guffaw.

너펄거리다 flutter (flap, sway, wave) in the wind.

너희 you; you people (folks).

넉가래 a wooden shovel; a snow shovel. ¶～질하다 shovel (grain, snow).

넉넉하다 (be) enough; sufficient. ¶넉넉히 enough; sufficiently; fully; well / 살림이 ～ be well off / 시간이 ～ have plenty of time / 치수가 ～ have ample measure.

넉살좋다 (be) impudent (cheeky); 《서슴적》 have a (lot of) nerve.

넋 a soul; a spirit (정신). ¶～ 을 잃고 beside oneself; vacantly; absent-mindedly / ～을 잃다 lose one's senses; become (get) absent-minded.

넋두리 《푸념》 a complaint; a grumble. ～하다 make complaints; grumble (at, over); bewail one's

lot.

년더리 ¶ ~ 나다 be sick of; be fed up 《with》; get weary of / ~ 나게 하다 give 《a person》 sick 《of》.

넌센스 넌 난센스. ㄴweary 《with》.

넌지시 tacitly; allusively; implicitly; indirectly; in a casual way. ¶ ~ 말하다 hint 《at》; allude / ~ 경고하다 give a veiled warning.

널 ① 《널빤지》 a board; a plank. ¶ ~ 을 깔다 lay boards 《on; board 《over》. ② 《관》 a coffin; a casket. ③ 《널뛰기》 a seesaw board.

널다 《빨·바람에》 spread 《grains》 out; air 《clothes, mats》; hang 《something》 out to dry; dry up 《off》.

널따랗다 《be》 wide; extensive; spacious; roomy.

널뛰기 《play》 seesaw; teeter-totter.

널리 widely; far and wide; generally 《일반적으로》. ¶ ~ 는 세상에 알려지다 be widely known.

널리다 ① 늘 늘히다. ② 《흩어져 있다》 be spread [scattered] 《over, around》.

널빤지 a board; a plank.

널찍하다 늘 널따랗다. ¶ 널찍이 widely; spaciously.

넓다 ① 《폭·면적이》 《be》 broad; wide; large; extensive; spacious; roomy. ¶ 넓은 의미로 in a broad sense / 시야가 넓다 have a broad outlook 《on》. ② 《마음이》 《be》 broadminded; generous.

넓이 《면적》 width; breadth; 《면적》 area; floor space《건물의》; extent 《범위》. ¶ 정원의 ~ the area of the garden.

넓적다리 the thigh.

넓적하다 《be》 flat (and wide).

넓히다 widen; enlarge; broaden; extend. ¶ 지식〔견문〕을 ~ broaden one's knowledge.

넘겨다보다 look over《넘어다보다》; covet 《탐내다》.

넘겨씌우다 put 《fix》《a blame》 on another; lay 《a fault》 at another's door; impute 《the accident》

《to》.

넘겨잡다 guess 《out》; suppose; conjecture.

넘겨짚다 make a random guess; speculate 《on, about》; guess; make a shot 《at》.

넘기다 ① 《인도》 hand 《over》; turn over; transfer; pass. ¶ 법인을 경찰에 ~ hand over a criminal to the police. ② 《넘어뜨리다》 throw down; overthrow. ③ 《앞으로 등을》 pass. ④ 《이월》 carry over 《forward》. ⑤ 《극복해내다》 get over 《through》; overcome; ride out 《the trouble》. ⑥ 《젖히다》 turn over 《the pages of a book》.

넘나다 behave out of keeping with one's station; get out of line.

넘나들다 frequent; make frequent access 《to》. ¶ 문턱이 닳도록 ~ frequent 《a person's》 house.

넘다 ① 《건너다》 cross; go over; go 《get》 beyond; clear. ¶ 산을 넘어 나아가다 go on over the mountain. ② 《초과》 exceed; pass; be over 《above, more than》. ¶ 마흔 이 넘었다 be over forty. ③ 《범람》 overflow; flow over.

넘버 《번호》 a number; 《자동차 번호판》 a license [number] plate.

넘보다 hold 《a person》 cheap; make light of 《a person》; look down on; underestimate.

넘성거리다 《탐이 나서》 stretch [crane] one's neck with envy.

넘실거리다 surge; roll; swell. ¶ 파도가 크게 넘실거리고 있었다 The waves were surging heavily.

넘어가다 ① 《메·시한이》 expire; be over; be overdue. ¶ 기한이 ~ the term expires. ② 《해·달이》 sink; set; go down. ¶ 해가 ~ the sun sets 《sinks》. ③ 《쓰러지다》 fall 《down》; come down; collapse. ¶ 앞으로 〔뒤로〕 ~ fall forward 《backward》. ④ 《망하다》 go 《become》 bankrupt《회사가》; go to ruin; be overthrown 《ruined》. ⑤ 《남의 손으로》 pass into 《anoth-

L

er's) hands (possession); change hands. ¶ 토지는 그 회사로 넘어갔다 The land passed into the hands of the firm. ⑥ 《속다》 be cheated (deceived). ⑦ 《음식물이》 be swallowed.

넘어뜨리다 ① 《넘어지게 하다》 throw (tumble) down; knock over; overthrow; fell. ¶ 바람이 나무들을 넘어뜨렸다 The wind blew down several trees. ② 《지우다》 defeat; beat. ③ 《전복》 overthrow.

넘어서다 pass (get) over. ¶ 어려운 고비를 ~ get over the hump (the hard period).

넘어오다 ① 《넘어서 이쪽으로》 come over (across). 《국경을 ~》 come over (across) the border line (to). ② 《내 차지로》 come into one's hand; be turned over.

넘어지다 fall (down); come down; drop; tumble down; 《돌에 걸려 ~》 stumble (trip, fall) over (a stone).

넘치다 ① 《범람》 overflow; flow (run, brim) over (with); flood; be full of. ¶ 기쁨에 ~ be full of joy. ② 《초과》 exceed; be over (beyond). ¶ 분에 넘치는 영광 an undeserved honor.

넙치 【魚】 a flatfish; a halibut.

널마 old clothes; rags.

넣다 《속에》 put in (into); set (let) in; stuff (속을). ¶ 주머니에 손을 ~ put one's hand in (into) one's pocket / 이불에 솜을 ~ stuff bedclothes with cotton (wool). ② 《학교 등에》 send (put) (to); 《학교에》 admit. ¶ 학교에 ~ put (send) (a child) to school. ③ 《포함》 include.

네 ① 《너》 you. ② 《너의》 your.

네 〔넷〕 four. ¶ 'Nancy's family. …네 〔들〕 우리~ we / 낸시~

네거리 a crossroads; a crossing.

네글리제 a negligee.

네까짓 ¶ ~ 놈(년) such a creature (a wench) as you / ~ 것 the likes of you.

네댓 four or five; several. ¶ ~

새 a few days.

네덜란드 the Netherlands. ¶ ~의 Dutch / ~ 말 Dutch / ~ 사람 a Dutchman.

네모 a square. ¶ ~난 four-cornered; square. ¶ ~꼴 a quadrilateral; a tetragon.

네발짐승 a quadruped.

네쌍둥이(一雙童－) quadruplets.

네온 【化】 neon (기호 Ne). ‖ ~사인 neon lights (signs).

네째 the fourth; No. 4; the fourth place.

네커치프 a neckerchief.

네크리스 a necklace.

네트 a net. ¶ ~워크 a network.

네티즌 【컴】 a netizen; a user of the internet. (◀ network + citizen).

네팔 Nepal. ¶ ~의 Nepalese / ~ 말 Nepali / ~ 사람 a Nepalese.

네활개 ~치다 strut; swagger; 《의기양양》 behave triumphantly in high spirits.

넥타이 a necktie; a tie. ¶ ~ 핀 a tiepin; a stickpin (美).

넷 four.

녀석 a fellow; a guy; a chap.

년 a woman; a bitch; a wench.

년(年) a year.

녘 toward(s). ¶ 해돋 ~ toward daylight / 동 ~ (the) east.

노(櫓) an oar; a paddle; a scull. ¶ ~를 젓다 pull an oar; row; scull (a boat).

노…(老) aged; old. ‖ ~신사 an old gentleman.

노가주나무 a juniper tree.

노경(老境) old (advanced) age; one's declining years. ¶ ~에 들 다 be in one's old age.

노고(勞苦) labor; pains; toil. ¶ ~를 아끼지 않다 spare no pains.

노곤하다(勞困－) (be) tired; exhausted; weary; languid.

노골(露骨) ~적인 《솔직한》 plain; outspoken; frank; open; 《음란한》 indecent / ~적으로 plainly; outspokenly; openly.

노구(老軀) one's old bones (body).

노그라지다 ① 《지쳐지다》 be tired

out; be exhausted; be dead tired. ¶ 노그라져 깊이 잠들다 fall asleep dog-tired. ② 《빠지다》 be infatuated 《with, by》; give oneself up 《to gambling》: be besotted 《by a girl》.

노기(怒氣) anger; wrath; indignation. ¶ ~ 등등하다 be in a black rage; be furious / ~ 충천하다 boil with rage.

노끈 a string; a cord.

노년(老年) old [advanced] age. ¶ ~기 senescence; old age / ~성 치매 senile dementia.

노닐다 stroll [ramble] about; saunter [lounge] around 《about》.

노다지 a rich mine; a bonanza. ¶ ~를 캐다 strike a bonanza.

노닥거리다 keep chatting [joking].

노대(露臺) 〖建〗 a balcony; an open-air platform [stage].

노대가(老大家) an old [a great] master; a veteran [veteran] authority 《on》.

노도(怒濤) raging billows; angry waves; a high sea.

노독(路毒) (sickness from) the fatigue of travel. ¶ ~을 풀다 take a good rest after one's journey.

노동(勞動) labor; toil; work. ~하다 labor; work; toil. ¶ ~ 계약 (a) labor contract / ~ 당(黨) the Labor Party / ~ 당원 a Laborite / ~력 manpower; labor (power) / ~ 인구 working population; labor force / ~ 자 a laborer 근로자 / ~ 쟁의 labor troubles (disputes) / ~ 절 May Day; Labor Day (美).

노랑 yellow; yellow dyes(물감).

노랑이 ① 《노란 것》 a yellow thing [one]. ② 《인색한 이》 a miser; a stingy person.

노랗다 (be) yellow.

노래 a song; a ballad; singing (창가). ~하다 sing (a song).

노래기 〖動〗 a millipede; a myriapod.

노래방(一房) a *Noraebang*, a Kore-

an commercial singing establishment (where one can sing a song to musical accompaniment while reading the lyrics on a video monitor).

노략질(擄掠一) plunder(ing); pillage. ~하다 pillage; despoil; plunder; loot. 〖other〗.

노려보다 glare [stare] at 《each other》.

노력(努力) (an) endeavor; (an) effort; exertion. ~하다 endeavor; strive for; make efforts; exert oneself. ¶ 온갖 ~을 다하다 make all possible efforts; do one's best / 모든 ~은 수포로 돌아갔다 All my efforts were in vain. / ~가 a hard worker.

노력(勞力) (수고) trouble; pains; effort; (노동) labor. ¶ ~이 드는 일 laborious work.

노련(老鍊) ¶ ~한 experienced; veteran; expert; skilled / ~한 사람 an expert; a veteran.

노령(老齡) old [advanced] age. ¶ ~의 신사 an old gentleman. / ~ 화 사회 an aging society.

노루 〖動〗 a roe (deer). ¶ ~ 잠 a light sleep; a catnap.

노루발장도리 a claw hammer.

노르스름하다 (be) yellowish.

노르웨이 Norway. ¶ ~의 Norwegian / ~ 사람 (a) Norwegian.

노른자(위) the yolk (of an egg).

노름 gambling; gaming; betting (내기). ~하다 gamble; play for stakes (money). ¶ ~꾼 a gambler.

노릇 (역할) a part; a role; (일) a job; work; (기능) function. ¶ ~하다 a teaching job; teaching / 바보 ~을 하다 act [play] the fool.

노리개 (장신구) a pendent trinket; (장난감) a plaything; a toy.

노리다¹ ① 《냄새가》 (be) stinking; fetid; 《서술적》 smell like burning hair(털 타는); smell like a skunk (동물의). ¶ 노리내를 풍기다 a stench; the smell of a skunk. / 《다랍다》 (be) mean; stingy.

노리다² (목표·기회 등을) (take) aim 《at》; have an eye 《to》; watch 《for》 (기회를); aspire 《to, after》

노망(老妄) dotage; senility. ～하다 be in *one's* dotage; become 〔get〕 senile.

노면(路面) the road surface. ¶ ～ 재포장 공사가 진행 중이다 Resurfacing work is being carried out.

노모(老母) *one's* old 〔aged〕 mother.

노목(老木) an old 〔aged〕 tree.

노무(勞務) labor; work. ¶ ～과(課) the labor section / ～관리 personnel 〔labor〕 management / ～자 a worker; a laborer.

노반(路盤) a roadbed.

노발대발(怒發大發) ～하다 be furious; be in a towering rage.

노벨(스웨덴의 화학자) Alfred Bernhard Nobel(1833-96). ¶ ～상 a Nobel prize / ～상 수상자 a Nobel prize winner / ～평화상 the Nobel prize for peace.

노변(路邊) the roadside 〔wayside〕.

노변(爐邊) the fireside. ¶ ～잡담 a fireside chat.

노병(老兵) an old soldier; a war veteran. ¶ ～은 죽지 않고 사라질 뿐이다 Old soldiers never die, they only fade away.

노복(奴僕) a manservant.

노부(老父) *one's* old 〔aged〕 father.

노부모(老父母) *one's* aged 〔old〕 parents. ¶ ～vants; domestics.

노비(奴婢) male and female servants.

노비(路費) traveling expenses.

노사(勞使) labor and management. ¶ ～ 관계 labor-management relations.

노산(老産) delivery in *one's* old age. ～하다 deliver a child in *one's* old age.

노상(늘) always; all the time; habitually (버릇으로).

노상(路上) ¶ ～에 by the roadside; on the street. ¶ ～강도 a highwayman; a holdup (man).

노새(動) a mule.

노선(路線) a route; a line; a

course. ¶ 버스～ a bus service route / 정치 ～ (*one's*) political

노성(怒聲) an angry voice. 「line.

노소(老少) young and old; age and youth. ¶ ～를 막론하고 regardless of the old and the young.

노송(老松) an old pine tree.

노쇠(老衰) infirmity of old age; decrepitude; senility. ～하다 be old and infirm; grow senile. ¶ ～하여 죽다 die of old age.

노숙(老熟) ～ 노련. ～하다 attain maturity; mature; mellow.

노숙(露宿) camping (out). ～하다 sleep in the open air; camp out. ¶ ～자 the homeless.

노심초사(勞心焦思) ～하다 be consumed with worry; exert *one's* mind; be worried.

노아(聖) Noah. ¶ ～의 홍수 the Flood; Noah's flood; the Deluge / ～의 방주 Noah's ark.

노안(老眼) (醫) presbyopia; farsightedness due to old age. ¶ ～경 spectacles for the aged.

노약자(老弱者) the old and the weak. 「language.

노어(露語) Russian; the Russian

노여움 anger; rage; indignation; displeasure. ¶ ～을 사다 arouse 〔excite〕 (*a person's*) anger; incur 〔provoke〕 (*a person's*) anger 〔wrath, displeasure〕

노여워하다 be offended 〔displeased〕 《at》; feel hurt; get angry 《with, at, about》.

노역(勞役) work; labor; toil. ～ 하다 labor; work.

노엽다 feel bitter 《about, at》; be 〔feel〕 vexed 《at, with》; be offended 《with》; feel hurt.

노예(奴隷) a slave (사람); slavery (신세). ¶ ～제도 slavery / ～폐지 운동 an anti-slavery movement / ～해방 emancipation of slaves.

노유(老幼) the young and the old.

노이로제(醫) neurosis; (a) nervous breakdown. ¶ ～에 걸리다

become neurotic; have a nervous breakdown. ‖ ～환자 a neurotic.

노익장(老益壯) a vigorous old age. ¶ ～을 자랑하며 enjoy a green old age.

노인(老人) an old [aged] man; 《총칭》 the aged [old]; a senior citizen. ¶ ～의 집 〔양로기관〕a home for the aged; an old people's home. ‖ ～복지 old people's welfare; welfare for the aged / ～성 치매증 senile dementia; Alzheimer's disease.

노임(勞賃) wages; pay. ⇨ 임금.

노자(老子) Lao-tzu. ‖ ～사상 Tao-ism(도교).

노자(路資) traveling expenses.

노작(勞作) a laborious work.

노장(老將) a veteran (general); an old-timer.

노적가리(露積—) a stack [rick] of grain.

노점(露店) a street stall; a booth; a roadside stand. ¶ ～을 내다 〔하고 있다〕 open [keep] a street stall. ‖ ～상(人) a stallkeeper; a street vendor.

노정(路程) 《이수·거리》 distance; mileage; 《가야 할 거리》 the distance to be covered; 《여정》 an itinerary; the plan [schedule] for one's journey. ‖ ～표 a table of itinerary.

노정(露呈) exposure; disclosure. ¶ ～하다 expose; disclose.

노조(勞組) ⇨ 노동 조합. ‖ ～간부 a union leader / ～원 a unionist; a union man. 「(spinster.

노처녀(老處女) an old maid; a

노천(露天) the open air. ¶ ～의 open-air; outdoor. ‖ ～극장 an open-air theater.

노총각(老總角) an old bachelor.

노출(露出) 《expose》 exposure. ¶ ～하다 expose; bare; crop out(광맥이). ¶ ～된 exposed; bare; naked. ‖ ～계 【寫】 an exposure [light] meter / ～시간 【寫】 exposure time / ～증 exhibitionism.

노친(老親) one's old parents.

노크 a knock; knocking. ～하다 knock (at, on).

노타이(셔츠) an open-neck(ed) shirt.

노트【海】 a knot. ¶ 20～를 내다 do [log] 20 knots.

노트(필기) 《필기장》 a note-book. ～하다 note (jot) down; take notes of(on) (a lecture).

노티(老—) signs of (old) age; looking old. ¶ ～가 나다 look old for one's age.

노파(老婆) an old woman.

노파심(老婆心) 《지나친 친절》 excessive (grandmotherly) kindness; 《지나친 배려》 excessive consideration (concern).

노폐물(老廢物) wastes. ‖ 체내의 ～ body wastes / ～처리센터 a wastes treatment center.

노폭(路幅) the width of a street.

노하다(怒—) get angry; be offended; get mad(美).

노하우 know-how.

노형(老兄) 《당신》 you.

노호(怒號) a roar; a bellow. ～하다 roar; bellow.

노화(老化) aging. ～하다 age. ¶ ～현상 the symptoms of aging.

노환(老患) the infirmities (diseases) of old age; senility. ¶ ～으로 죽다 die of old age.

노회(老獪) crafty; cunning; foxy / ～한 사내 an old fox.

노획(鹵獲) capture; seizure. ～하다 capture; seize; plunder. ‖ ～물 booty; spoils(pl).

노후(老朽) superannuation. ¶ ～한 wornout; timeworm; superannuated; decrepit / ～화하다 become too old for work [use]; become superannuated. ‖ ～시설 an outworn equipment. ‖ ～한 설비 outworn equipment.

녹(祿) a salary; a stipend; an allowance; ～을 먹다 receive a stipend.

녹(綠)《금속의》 rust. ¶ ~슬다 rust; get (become) rusty 《~를 제거하다 remove the rust 《from》; get the rust off. ‖ ~방지제 an anticorrosive; a rust preventive.

녹각(鹿角) a deer's horn; an antler.

녹나무〔植〕 a camphor tree.

녹내장(綠內障)〔醫〕 glaucoma.

녹다 ① 《열에 의해》 melt; fuse《금속이》; thaw《눈·얼음이》; 《액체에 의해》 dissolve 《잘 녹는 easily soluble / 잘 녹지 않는 nearly insoluble / 설탕은 물에 녹는다 Sugar dissolves in water. / 구리와 아연은 녹아서 놋쇠가 된다 Copper and zinc fuse into brass. ② 《따뜻해지다》 be warmed; get (become) warm. ¶몸이 ~ one gets warm.

녹다운(knock-down. ¶ ~시키다 knock 《a person》 down; floor《美》.

녹두(綠豆)〔植〕 mung (green mung) beans. ‖ ~묵 mung bean jelly.

녹로(轆轤)〔植〕 a lathe; a potter's wheel; 《고패》 a pulley. ‖ ~세공 turnery.

녹록하다(碌碌一) (be) useless; of little value; trivial; of no importance.

녹말(綠末) starch; farina. ¶ ~질(質)의 starchy; farinaceous.

녹비(鹿一) deerskin; buckskin.

녹비(綠肥) green manure.

녹색(綠色) green. ‖ ~신고(서) a green return.

녹신녹신하다 (be) very soft and flexible; elastic; pliant.

녹아웃 a knockout; 《생략 K.O.》. ¶ ~시키다 knock out.

녹엽(綠葉) green leaves; green foliage 《집합적》.

녹용(鹿茸)〔韓醫〕 deer antlers.

녹음(綠陰) the shade of trees.

녹음(錄音) recording. ¶ ~하다 record 《a speech》; make a recording 《of》; tape《테이프에》; transcribe 《a program》. ‖ ~기 (a tape) recorder / ~실 a recording room / ~테이프 a recording tape.

녹이다 ① 《녹게 함》 melt 《ice》; fuse; smelt 《ore》; thaw 《frozen food》; dissolve 《salt in water》. ② 《넋을빼다》 fascinate; enchant; charm; bewitch. ③ 《몸을》 warm 《oneself 《at》; make 《it》 warm.

녹지(綠地) a green tract of land. ‖ ~대 a green belt (zone).

녹직하다 (be) soft and sticky.

녹차(綠茶) green tea.

녹초 ¶ ~가 되다 be (utterly) exhausted (done up); be worn out; be dead tired.

녹화(綠化) tree planting; afforestation. ~하다 plant trees 《in an area》; plant 《an area》 with trees.

녹화(錄畵) videotape recording. ~하다 record 《a scene》 on videotape; videotape. ‖ ~방송 a filmed TV broadcast.

논 a rice (paddy) field. ¶ ~두렁 a ridge between rice fields.

논(論) ⇨ ...론(論), 논하다.

논갈이 plowing a rice field. ~하다 plow (till) a rice field.

논객(論客) a controversialist; a debater; a disputant.

논거(論據) the basis of (grounds for) an argument. ¶ ~가 확실하다 《one's argument》 be well grounded.

논고(論告) the prosecutor's final (concluding) speech.

논공행상(論功行賞) the official recognition of distinguished services.

논급하다(論及一) ⇨ 언급하다.

논농사(一農事) rice farming; rice cultivation. ~하다 do rice farming; cultivate rice.

논다니 a harlot; a prostitute.

논단(論壇)《평론계》 the world of criticism;《언론계》 the press; the world of journalism.

논난(論難)《adverse》 criticism; a charge; denunciation. ~하다 criticize; denounce; refute.

논리(論理) logic. ¶ ~적인 logical / ~적으로 logically. ‖ ~학 logic.

논문(論文) 《일반적인》 a paper(학회 등의); an essay(평론 등); 《학술의》 a treatise; 《졸업·학위의》 a thesis; a dissertation; 《신문 등의》 an article. ‖ ~심사 examination of theses.

논박(論駁) refutation; confutation. ~하다 argue against; refute; confute.

논법(論法) logic; reasoning.

논봉(論鋒) the force of an argument. ¶ 예리한 ~ an incisive [a keen] argument.

논설(論說) 《사설》 a leading article; a leader 《주로 英》; an editorial 《美》; 《논평》 a comment. ‖ ~란 the editorial column ~; 위원 an editorial [a leader] writer; ~위원 an editorialist.

논술(論述) (a) statement. ~하다 state; set forth. ‖ ~식 시험 an essay-type examination (test).

논어(論語) the Analects of Confucius.

논외(論外) ¶ ~의 《문제 안 되는》 out of the question; 《문제를 떠나》 beside the question.

논의(論議) a discussion; an argument; a debate. ~하다 argue; dispute; discuss; debate. ¶ ~할 여지가 없다 be indisputable [inarguable].

논자(論者) a disputant(논객); the writer(필자); an advocate 《of》 (주창자). ¶ 개혁론자 an advocate of reform.

논쟁(論爭) a dispute; (a) controversy. ~하다 argue (dispute) 《about, with》; take issue 《with a person on a matter》. ¶ ~의 여지가 있다 be debatable; be open to argument (dispute).

논전(論戰) wordy warfare; a battle of words; a controversy.

논점(論點) the point at issue [in question, under discussion].

논제(論題) a subject [theme, topic] for discussion. ¶ ~에서 벗어나다 stray [digress] from one's theme [topic].

논조(論調) the tone [tenor] of an argument. ¶ 신문의 ~ the tone of the press.

논증(論-) ⇨ rule; find.

논증(論證) proof; (a) demonstration. ~하다 demonstrate; prove.

논지(論旨) the drift [point] of an argument. ¶ ~를 명백히 하다 make one's point of (argument) clear.

논파(論破) ~하다 refute; confute; argue (talk) 《a person》 down.

논평(論評) (a) criticism; a comment; (a) review. ~하다 criticize; review; comment 《on》.

논픽션 nonfiction. ‖ ~작가 a nonfictioneer.

논하다(論-) discuss; argue; treat 《of》; deal with; talk 《about》. ¶ 유전 공학의 위험성을 논하는 책 a book dealing with the hazards of genetic engineering.

놀 《하늘의》 a glow in the sky. ¶ 저녁 ~ an evening glow; a red sunset.

놀² 《파도》 wild [raging] waves; billows; a heavy sea.

놀다 ① 《유희》 play; 《즐기다》 amuse oneself; 《행락》 make a (pleasure) trip 《to》; go on an excursion 《유흥》 make merry; have a spree. ② 《휴식·무위》 relax; idle (away); be idle; do nothing; be (lie) idle; be not in use. ¶ 노는 돈 idle money / 노는 기계 a machine not in use. ③ 《유휴》 be (lie) idle; be not in use. ④ 《나사 따위가》 be loose [unsteady].

놀라다 ① 《깜짝》 be surprised [astonished, amazed, startled] 《at, to hear》; 《공포·질림》 be frightened [scared] 《at》. ¶ 놀랄 만한 surprising; astounding; amazing / 놀라게 하다 startle; surprise. ② 《경이》 wonder [marvel] 《at》. ¶ 놀랄 만한 wonderful; marvellous.

놀라움 《경이》 wonder; 《경악》 surprise; astonishment; amazement; 《공포》 fright.

놀랍다 (be) wonderful; marvellous; surprising; amazing.

놀래다 surprise; astonish; amaze; startle; frighten(무섭게 하다); create a sensation(화제를 일으키다).

놀리다 ① 〔조롱〕 banter; ridicule; tease; play a joke on; make fun〔sport〕of《a person》. ② 〔놀게 하다〕let〔have〕《a boy》〔쉬게 하다〕give a holiday(휴일을 주다); leave《a person, a thing》idle (안 부리다). ③ 〔움직이다〕move; set〔put〕in motion; operate; 《조종하다》manipulate; work《puppets》. ④ 〔돈을〕lend out money; loan; lend money at interest.

놀림 banter; teasing; ridicule. ¶ 반 ~조로 partly for fun. ~감 〔거리〕 an object of ridicule.

놀아나다 《남의 장단에》play into another's hands; 《바람 피우다》have an affair with《a person》; play around《美口》.

놀이 〔유희〕play; 〔경기〕a game; a sport(야외의); 〔오락〕amusement; pastime; a recreation; 《행락》an outing; a picnic. ¶ ~터 a playground; a pleasure resort(유원지 등).

놈 a fellow; a chap; a guy.

놈팡이 a disreputable〔dissolute〕fellow《건달》; a bum; a loafer.

놋 brass. ¶ ~쇠로 만든 brazen. ‖ ~그릇 brassware / ~세공 brasswork.

놋쇠 = 놋.

농(弄) a joke; a jest; fun; a pleasantry. ¶ (반)~으로 (half) for fun〔in joke, in jest〕.

농(膿) pus. ⌈ 고름.

농(籠) 〔장〕 a chest; a bureau 《美》; 〔옷상자〕 a trunk; a cloth- ⌐box.

농가(農家) a farmhouse.

농간(弄奸) a trick; an artifice; a wicked design; the techniques. ¶ ~을 (을) 부리다 play〔use〕tricks on《another》; carry out a wicked design.

농경(農耕) tillage; farming. ‖ ~민족 an agricultural tribe〔people〕/ ~시대 the Agricultural Age. ⌈ 「try.

농공(農工) agriculture and indust.

농과(農科) the agricultural department(학부); an agricultural course(과정). ‖ ~대학 an agricultural college.

농구(農具) farm〔agricultural〕implements; farming tools.

농구(籠球) basketball. ‖ ~선수 a basketball player.

농군(農軍) a farmer〔farmhand〕.

농기(農期) the farming season.

농기구(農機具) farming machines and implements; agricultural machinery(집합적).

농노(農奴) a serf; serfdom〔신분〕.

농단(壟斷) monopolization. ~하다 monopolize; have《a thing》to oneself.

농담(弄談) a joke; a jest; a prank. ~하다 crack〔make〕a joke; joke; jest. ¶ ~으로 for fun; for a joke.

농담(濃淡) light and shade (명암); shade《of color》. ¶ ~을 나타내다 shade《a painting》.

농도(濃度) thickness; density; 〔化〕concentration. ¶ 바닷물의 염분 ~ the concentration of salt in sea water.

농땡이 a lazybones; an idler.

농락(籠絡) ~하다 trifle〔toy〕with; make sport of. ¶ 여자를 ~하다 make sport of a woman.

농림(農林) agriculture and forestry. ‖ ~부 the Ministry of Agriculture and Forestry.

농막(農幕) a farm(er's) hut.

농무(農務) agricultural affairs.

농무(濃霧) a dense fog. ‖ ~경보 a dense fog warning.

농민(農民) a farmer; a farmhand. ⌈ for farmers.

농번기(農繁期) the busiest season

농본주의(農本主義) physiocracy; the "agriculture-first" principle.

농부(農夫) a farmer; a peasant.

농사(農事) agriculture; farming. ¶ ~ 짓다 engage in agriculture;

do farming; farm. ‖ ~철 the farming season.

농산물(農産物) farm products (produce); the crops. ‖ ~가격 farm prices.

농성(籠城) holding a castle; 〈농성투쟁〉 a sit-in; a sit-down (strike). ~하다 hold a castle; be besieged; be shut up; go on a sit-down (strike).

농수산물(農水産物) agriculture and fisheries. ‖ ~물 agricultural and marine products.

농아(聾啞) deaf and dumb; 〈사람〉 an aurally (and orally) challenged person; a hearing (and speech) impaired person. ‖ ~교 a school for the aurally challenged.

농악(農樂) instrumental music of peasants. ‖ ~대 a farm band.

농약(農藥) agricultural chemicals. ‖무 ~ 야채 chemical-free vegetables; organic vegetables.

농어(魚) a sea bass; a perch.

농어촌(農漁村) farming and fishing villages (communities).

농업(農業) agriculture; farming. ‖ ~의 agricultural / ~에 종사하다 be engaged in agriculture / ~관련 산업 agribusiness. ‖ ~인구 the farming population.

농예(農藝) 〈농업기술〉 agricultural technology; 〈농업과 원예〉 agriculture and horticulture; farming and gardening.

농원(農園) a plantation.

농작(農作) farming. ‖ ~물 the crops; farm produce.

농장(農場) a farm; a plantation; a ranch 《美》. ‖ ~경영자 a farmer.

농정(農政) agricultural administration.

농지(農地) farmland; agricultural land. ‖ ~개량 improvement of farmland / ~개발 development of farmland.

농지거리(弄—) joking; jesting.

농촌(農村) a farm village; a rural community; an agricultural district. ‖ ~의 rural; agrarian.

농축(濃縮) concentration. ~하다 concentrate; condense; enrich. ‖ ~세제 a concentrated detergent / ~우라늄 enriched uranium. [land.

농토(農土) farmland; agricultural

농학(農學) agriculture. ‖ ~과 〔부〕 the department of agriculture.

농한기(農閑期) the farmer's slack (leisure) season; the off-season for farmers.

농후(濃厚) ~하다 (be) thick; dense; rich; heavy; strong. ‖ 전쟁이 일어날 가능성이 ~하다 There is a strong possibility of war.

높낮이(고저) high and low; 〈기복〉 unevenness; undulations.

높다 ① 〈장소·높이〉 (be) high; tall; lofty; elevated. ② 〈지위·희망〉 (be) high; lofty; noble. ‖ 높은 이상 a lofty ideal. ③ 〈음성〉 (be) loud; high-pitched. ‖ 높은 소리로 loudly; in a loud voice. ④ 〈값이〉 (be) high; expensive; costly. ‖ 물가가 ~ Prices are high. ⑤ 〈세율·도수가〉 (be) high; strong. ‖ 도수 높은 안경 strong (powerful) glasses.

높다랗다 (be) very high.

높이(명사) height; altitude(고도); loudness(소리의); pitch(가락). 〔부사〕 high; aloft. ‖ ~가 5미터이다 It is five meters high (in height).

높이다 raise; elevate; enhance 《the value》; improve.

높이뛰기 the high jump.

높직하다 (be) rather high.

놓다 ① 〈물건을〉 put; place; lay; set; 〈덫을〉 lay (set) a trap (for). ② 〈방면·방면하다〉 let go; set free; release; unloose. ‖ 잡은 손을 ~ let go one's hold. ③ 〈가설〉 build; construct; lay; install. ‖ 전화를 ~ install a telephone / 강에 다리를 ~ build (lay) a bridge over a river. ④ 〈총포를〉 fire (discharge, shoot) 《a gun》. ⑤ 〈불

을) set fire to 《*a house*》. ⑥ 《마음을》 ease: set 《*one's mind*》 at ease; 《방심》 relax 《*one's atten-tion*》. ⑦ 《셈을》 reckon; estimate. ⑧ 《주사·침을》 inject; apply; give 《*injections*》. ⑨ 《자수를》 do embroidery 《*on*》; embroider 《*figures on*》. ⑩ 《중간에 사람을》 put in 《*as an intermedi-ary*》; send 《*a person*》. ¶ 사람을 놓아 수소문하다 send a person for information. ⑪ 《…해 두다》 keep; have; leave. ¶ 문을 열어 ~ leave [keep] the door open.

놓아두다 《가만두다》 leave 《*a thing, a person*》 alone; leave 《*a matter*》 as it is.

놓아먹이다 pasture; graze 《*cattle*》.

놓아주다 let go; set 《*a bird*》 free; release 《*a prisoner*》.

놓이다 ① 《얹히다》 be put [set, laid, placed]. ② 《마음이》 feel easy [at ease]; feel [be] relieved.

놓치다 《쥔 것을》 miss 《*one's* hold 《*of*》; drop; let slip; fail to catch《못 잡다》 let 《*a per-son*》 go; let 《*a thief*》 escape; 《기회를》 miss [lose] 《*a chance*》.

뇌(腦) 〖解〗 the brain. ¶ ~의 cerebral / ~의 손상 brain damage. ‖ ~경색 (a) cerebral infarction / ~성마비 cerebral palsy.

뇌격(雷擊) ~하다 attack with torpedoes; torpedo. ‖ ~기 a tor-pedo bomber [plane].

뇌관(雷管) a percussion cap; a detonator. ‖ ~장치 a percus-sion lock.

뇌까리다 repeat; harp on [upon].

뇌다《말을》 repeat; reiterate.

뇌리(腦裏) ¶ ~에 떠오르다 flash across 《*one's* mind; occur to *one*》 / ~에서 떠나지 않다 haunt 《*one's* memory.

뇌막(腦膜) 〖解〗 the meninges. ‖ ~염 meningitis; brain fever.

뇌명(雷鳴) ☞ **뇌성**.   「work.

뇌문(雷文) a fret. ‖ ~세공 fret-

뇌물(賂物) 《금품》 a bribe. ¶ ~을 주다 offer [give] a bribe / ~을

먹다 take [receive] a bribe; be bribed 《*by*》.

뇌병(腦病) a brain disease.

뇌빈혈(腦貧血) 〖醫〗 (have an at-tack of) cerebral anemia.

뇌사(腦死) 〖醫〗 brain [cerebral] death. ¶ ~상태의 brain-dead.

뇌성(雷聲) thunder; a roar [clap] of thunder. ‖ ~벽력 a thun-derbolt.

뇌쇄(惱殺) ~하다 fascinate; en-chant; charm; bewitch. ¶ 《사람을》 ~시키는 매력 (an) irresistible charm.

뇌수(腦髓) 〖解〗 the brain.

뇌수술(腦手術) 〖醫〗 brain surgery. ~하다 perform an operation on the brain.

뇌신경(腦神經) a cranial [cere-bral] nerve. ‖ ~세포 a brain cell.

뇌염(腦炎) 〖醫〗 encephalitis. ‖ ~모기 a culex mosquito; an encephalitis-bearing mosquito.

뇌일혈(腦溢血) 〖醫〗 cerebral hem-orrhage. ¶ ~을 일으키다 be stricken with cerebral hemor-rhage.   「brain.

뇌장(腦漿) 〖解〗 the fluid in the

뇌조(雷鳥) 〖鳥〗 a snow grouse; a ptarmigan.

뇌종양(腦腫瘍) 〖醫〗 brain tumor.

뇌진탕(腦震盪) 〖醫〗 brain concus-sion.

뇌척수(腦脊髓) ‖ ~막염 〖醫〗 cere-brospinal meningitis / ~액 〖解〗 cerebrospinal fluid.   「rhage.

뇌출혈(腦出血) 〖醫〗 cerebral hemor-

뇌파(腦波) 〖醫〗 brain waves. ‖ ~검사 a brain wave test.

뇌하수체(腦下垂體) 〖解〗 the pitu-itary body [gland].

누(累) trouble; implication; an evil influence [effect]; involve-ment. ¶ 남에게 ~를 끼치다 get [involve] others in trouble; cause troubles to others.

누(樓) a tower; a turret; a look-out(망루).

누가(累加) cumulation. ~하다 increase cumulatively; accumulate.

누가복음(一福音) 〖聖〗 the Gospel of Luke.

누각(樓閣) a tower; a turret; a belvedere. ‖ 공중~ a castle in the air.

누계(累計) the (sum) total; the aggregate. ~하다 sum up; total. 〔duct.

누관(淚管) 〖解〗 a tear 〔lachrymal〕

누구 ① 《의문》 who (누가); whose (누구의); whom 〔누구에게, 누구를〕. ② 《부정(不定)》 anyone; anybody; any; some(one); whoever 〔누구든지, 누구나, 누구라도〕.

누그러뜨리다 soften; 《고통 따위를》 ease; lessen; relieve; 《감정을》 calm; appease; pacify; 《목소리를》 tone down; 《알맞게》 moderate. 〖 아픔을 ~ relieve the pain / 목소리를 〔태도를〕 ~ soften one's voice 〔attitude〕.

누그러지다 soften; be softened; 《고통이》 be relieved 〔eased〕; 《마음이》 be soothed 〔be pacified〕; be appeased; calm down; 《날씨가》 go down; get milder; subside; abate. 〖 바람이 누그러졌다 The wind has abated 〔gone down〕.

누긋하다 (be) soft; placid; calm. 〖누긋한 성질 a placid temper.

누기(漏氣) moisture; dampness. 〖 ~ 찬 damp; humid; moist / ~가 없는 dry; free from moisture.

누나 one's elder sister. 〔ture.

누년(累年) successive years.

누누이(屢屢─) repeatedly; over and over (again); many times.

누다 《오줌을》 urinate; make 〔pass〕 water; 《똥을》 have a bowel movement; empty one's bowel; relieve oneself.

누대(累代) successive generations. 〖 ~에 걸쳐 from generation to generation.

누더기 rags; tatters; patched 〔tattered〕 clothes. 〖 ~를 걸친 사람 a person in rags.

누덕누덕 in patches. 〖 ~ 기운 옷

누드 (the) nude. 〖 ~의 nude; naked / ~로 in the nude. ‖ ~모델 a nude model / ~사진 a nude photo (picture).

누락(漏落) an omission. 《~을》 omit; leave out; 《…이》 be omitted 〔left out〕. 〖 ~ 없이 기 입하다 fill up without omission.

누란(累卵) 〖 ~의 위기에 처해 있다 be in imminent peril 〔danger〕.

누렇다 (be) deep 〔quite〕 yellow; be a golden yellow.

누룩 malt; malted rice; 《효모》 yeast; leaven.

누룽지 scorched rice from the bottom of the pot.

누르께하다 《빛이》 (be) yellowish; sallow(얼굴이 병적으로).

누르다 《내리 누름》 press 〔hold, push〕 (down); weigh on; stamp 《a seal》. 〖초인종을 ~ press the doorbell. ② 《억제하다》 restrain; keep down; control; check(저지하다); 《진압하다》 put down; suppress. 〖노여움을 ~ hold back 〔keep down, supress, repress〕 one's anger; control one's temper. ③ 《제압》 beat 《a person, a team》; defeat; 《야구에서 투수 가》 hold 《the opposing team》.

누르스름하다 (be) yellowish; 《서술 적》 be tinged with yellow.

누리 《세상》 the world.

누리다 《냄새가》 smell of fat 〔grease〕.

누리다² 《복을》 enjoy. 〖 건강을 ~ enjoy good health / 장수를 ~ live a long life.

누명(陋名) 〖 ~을 쓰다 incur 〔suffer〕 disgrace 《for》; be falsely 〔unjustly〕 accused 《of》; be falsely charged 《with》 / ~을 씻 다 clear one's name.

누범(累犯) repeated offenses. 〖 ~자 a repeated offender.

누비 quilting. ‖ ~옷 quilted clothes / ~이불 a quilt.

누비다 《옷 등을》 quilt 《clothes》; 《혼란한 속을》 thread; weave. ¶ 군중 속을 누비며 가다 thread *one's* way through the crowd.

누선(淚腺) 【解】 the lachrymal gland.

누설(漏泄) leakage; a leak. ~하다 leak out; be divulged (disclosed). ¶ 기밀을 ~하다 let out (leak) a secret.

누수(漏水) leakage of water; a water leak.

누습(陋習) an evil custom (practice). ¶ ~을 타파하다 do away with an evil custom.

누심(壘審) 【野】 a base umpire.

누에 a silkworm. ¶ ~를 치다 rear (raise) silkworms. ‖ ~고치 a cocoon / ~나방 a silkworm moth.

누워떡먹기 (be) an easy task; a piece of cake.

누이 a sister; 《손위》 an elder sister; 《손아래》 a younger sister.

누이다 ① ☞ 눕히다. ② 《대소변을》 make (let) 《a child》 urinate (defecate).

누적(累積) accumulation. ~하다 accumulate.

누전(漏電) a leakage of electricity; a short circuit.

누정(漏精) spermatorrh(o)ea.

누지다(漏) (be) damp; wettish.

누진(累進) successive promotion. ~하다 be promoted from one position to another; rise step by step. ¶ ~(과)세 progressive (gradual) tax(ation).

누차(屢次) repeatedly; over and over (again); time and again.

누추(陋醜) ¶ ~한 dirty; filthy; humble; shabby(옷차림이).

누출(漏出) ¶ ~되다 leak (out); escape.

녹녹하다 (be) damp; humid. ¶ 녹녹한 빵 soggy bread.

녹다 《값이》 fall (drop, decline) in price; 《날씨가》 become mild(er); warm up.

녹다² 《반죽이》 (be) soft; limp; 《녹

녹하다》 (be) damp; soft (with wet); 《성질이》 be genial; placid.

녹이다 ① 《부드럽게》 soften; make soft (tender). ② 《마음을》 appease; calm; quiet 《one's anger》. ③ 《축축이》 damp; moisten; make 《a thing》 damp.

녹지다 《날씨가》 become genial (mild).

눈¹ ① 《시각 기관》 an eye. ¶ ~이 큰 (푸른) big-(blue-)eyed / ~이 아프다 have sore eyes / 《안질》 have eye trouble / ~에 거슬리다 offend the eye / 돈에 ~이 멀다 be blinded by money; be lured by gain / ~은 ~으로, 이는 이로 《구약 성서》 an eye for an eye, a tooth for a tooth. ② 《눈길》 a look; an eye. ¶ 부러운 ~으로 보다 see with an envious eye. ③ 《시력》 eyesight; sight; eyes. ¶ ~이 좋다 (나쁘다) have good (bad) sight. ④ 《주의》 notice; attention; surveillance 《감시》. ¶ ~을 끌다 draw 《a person's》 attention; attract notice; catch the eyes 《of》. ⑤ 《견지》 a point of view; a viewpoint; 《안식》 an eye; judgment 《판단력》. ¶ 사람을 보는 ~이 있다 have an eye for character.

눈² ① 《자·저울의》 a graduation; a scale. ② 《나무의 싹》 a sprout; a germ; a bud. ¶ ~트다 bud; shoot; sprout. ③ 《그물의》 a mesh. ¶ ~이 촘촘한(성긴) 철망 a fine (coarse) wire mesh.

눈³ 《내리는》 snow; a snowfall(강설); snows(쌓인 눈). ¶ ~큰 ~ a heavy snow / ~길 a snowy (snow-covered) road / ~에 갇히다 be snowbound (snowed in).

눈가리개 an eye bandage; blinders(말의). ¶ ~를 하다 blindfold 《a person》.

눈가림 a false front; (a) sham; (a) pretense; deception. ~하다 make a show of; pretend; feign. ¶ ~의 deceptive; make-believe; false.

눈감다 ① 《눈을》 close 〔shut〕 one's eyes. ② 《죽다》 die; breathe one's last.

눈감아주다 overlook; pass over; connive at; turn a blind eye to. ¶ 이번만은 눈감아 주겠다 I will let the matter pass for this once.

눈결 《at》 a glance 〔glimpse〕.

눈곱 《눈의》 eye mucus 〔discharges, matter〕; 《극소의 양》 a grain of 《truth》; a very small quantity. ¶ ~이 끼다 one's eyes are gummy 〔mattery〕.

눈구멍 〔解〕 the eye socket.

눈구석 the corner of the eye.

눈금 a scale; graduations. ¶ ~을 매기다 graduate; mark 《a thing》 with degrees 《= 10에 ~을 매기다 set the scale 〔dial〕 at 10.

눈깜짝이 a blinkard.

눈꺼풀 an eyelid.

눈꼴사납다 ① 《아니꼽다》 be an offense to the eye; be hateful to see; be an eyesore; (be) unsightly. ② 《눈꼴이 부드럽지 않다》 (be) hard-featured; villainous-looking.

눈꼴시다, 눈꼴틀리다 hate to see; be sick of; be disgusting.

눈높다 《좋은 것만 찾다》 be desirous of things beyond one's means; aim high; 《안목이 있다》 have an expert eye 《for》; be discerning.

눈대중 eye measure; a rough estimate. ~하다 measure 〔estimate〕 by the eye.

눈독 ¶ ~들이다 have 〔keep〕 one's eye 《on》; mark 《something, someone》 out 〔down〕; fix on 《somebody》 as one's choice.

눈동자 《一瞳子》 〔解〕 the pupil 《of the eye》.

눈두덩 〔解〕 the upper eyelid. ¶ ~이 붓다 have swollen eyes.

눈딱부리 《눈》 a pop eye; 《사람》 a bug-eyed person.

눈뜨다 ① 《눈을》 open one's eyes; wake 〔up〕 《깨다》. ② 《깨닫다》 awake 〔be awakened〕 《to》; come

to one's senses. ¶ 혹독한 현실에 ~ have one's eyes opened to the stern realities of life.

눈뜬장님 《문맹》 an illiterate (person); a blind fool.

눈망울 《눈알》 an eyeball.

눈맞다 fall in love with each other.

눈맞추다 《마주 보다》 look at each other; 《남녀가》 make eyes at each other; make silent love to each other.

눈매, 눈맵시 the shape of one's eyes. ¶ 사랑스러운 ~ 《have》 charming eyes.

눈멀다 become blind; lose one's sight; 《현혹》 be dazzled 〔blinded〕.

눈물 《일반적》 tears. ¶ ~에 젖은 얼굴 a tear-stained face / 어린 눈《watery 〔tearful〕 eye》 / ~을 흘리다 cry; shed 〔drop〕 tears. ② 《인정》 tender heart; sympathy. ¶ ~있는 사람 a sympathetic person; 〔ble〕; sore eyes.

눈병 《一病》 an eye disease 〔trouble〕.

눈보라 《have》 a snowstorm.

눈부시다 ① 《부시다》 (be) dazzling; glaring; blinding; radiant. ② 《빛나다》 (be) bright; brilliant; remarkable.

눈빛 eye color; the cast of one's eyes; the expression in one's eyes. ¶ 애원하는 듯한 ~ a look of appeal.

눈사람 《make》 a snowman.

눈사태 《一沙汰》 an avalanche; snowslide.

눈살 ¶ ~을 찌푸리다 knit one's brows; frown.

눈설다 《일반적》 unfamiliar; strange.

눈속이다 cheat; deceive; trick.

눈속임 deception; trickery.

눈송이 a snowflake.

눈시울 ¶ ~이 뜨거워지다 be moved to tears.

눈싸움 《have》 a snowball fight.

눈썰미 ¶ ~가 있〔없〕다 have a quick 〔dull〕 eye for learning things.

눈썹 an eyebrow. ¶ ~ 하나 까딱 않고 똑바로 보다 look straight

without batting an eye.

눈알 an eyeball.

눈앞 ～에 just in front of *one*; before *one's* eyes; (right) under *one's* nose / ～의 이익 an immediate profit.

눈어림 ☞ 눈대중.

눈에 띄다 〘눈을 끌다〙 attract 〔draw〕 (*a person's*) attention; 〘두드러짐〙 be conspicuous 《*by, for*》; stand out.

눈엣가시 an eyesore; a pain in the neck. ¶ ～로 여기다 regard 《*a person*》 as an eyesore.

눈여겨보다 take a good look 《*at*》; observe closely 〔carefully〕.

눈요기 (一療飢) ～ 하다 feast *one's* eyes 《*on*》.

눈웃음 a smile with *one's* eyes. ¶ ～을 치다 smile with *one's* eyes; make eyes at; cast amorous glances at(추파).

눈익다 〘사물이 주어〙 (be) familiar 《*to*》; 〘사람이 주어〙 get 〔become〕 used to seeing 《*a thing*》.

눈인사 (一人事) a nod; nodding. ～ 하다 nod 《*to*》; greet with *one's* eyes.

눈자위 the rim of the eyes.

눈정기 (一精氣) the glitter 〔keenness〕 of *one's* eyes.

눈주다 give (*a person*) the eye; wink 《*at*》.

눈짓 a wink; winking. ～ 하다 wink 《*at*》; make a sign with *one's* eyes.

눈초리 the corner 〔tail〕 of the eye.

눈총 a glare; a sharp look. ¶ ～을 맞다 be hated 〔detested〕 《*by*》; 〘뭇사람의〙 be a common eyesore.

눈총기 (一聰氣) ¶ ～가 좋다 have acute observation; be quick at learning.

눈치 ① 〘센스〙 quick wit; tact; sense. ¶ ～가 빠르다 be quickwitted; have the sense enough to *do* / ～가 없다 be dull-witted; lack the sense to *do*. ② 〘마음의 기미〙 *one's* mind 〔inclination, intention〕; *one's* mental

attitude toward 《*a person*》; 〘기색〙 a sign; an indication; a look. ¶ ～를 채다 become aware of 《*a person's*》 intention / 좋아하는 〔싫어하는〕 ～를 보이다 give 〔show〕 signs of pleasure 〔displeasure〕.

눈치레 mere show. ¶ ～로 for show; for appearance sake.

눈코뜰새없다 (be) very busy; be in a whirl of business.

눋다 scorch; get scorched; burn. ¶ 눈은 밥 scorched rice.

눌러 (계속) in succession; consecutively. ¶ ～앉다 stay on; remain in office(유임).

눌러보다 overlook; treat with generosity.

눌리다 be pressed down; 〘압도〙 be overwhelmed 〔overpowered〕. ¶ 다수에 ～ be overwhelmed by the majority.

눌리다 〘눋게 하다〙 burn; scorch.

눌변 (訥辯) slowness of speech.

눌어붙다 ① 〘타서〙 scorch and stick to. ② 〘한군데에〙 stick to; stay on.

눕다 lie down; lay *oneself* down. ¶ 쭉 뻗고 ～ lie at full length; stretch *oneself* at ease.

눕히다 lay down; make 〔have〕 (*a person*) lie down. ¶ 자리에 ～ put (*a person*) to bed.

눙치다 soothe 〔appease〕 with nice words.

뉘 (쌀의) a grain of unhulled rice.

뉘앙스 nuance. ¶ 말의 ～ a shade of difference in meaning 〔expression〕.

뉘엿거리다 ① 〘해가〙 be about to set 〔sink〕. ② 〘뱃 속이〙 feel sick 〔nausea, queasy〕.

뉘우치다 regret; be sorry 《*for*》; repent 《*of one's past error*》.

뉴스 news. ¶ 해외 〔국내〕 ～ foreign 〔home, domestic〕 news / 지금 들어온 ～에 의하면 according to the latest news / ～ (거리) 가 되다 make 〔become〕 news. ‖ ～ 속보 a news flash.

뉴욕 New York. ¶ ~ 사람 a New Yorker.

뉴질랜드 New Zealand. ¶ ~ 사람 a New Zealander.

뉴트론 〖理〗 《중성자》 neutron.

뉴페이스 《신인》 a new face.

느글거리다 feel sick [nausea].

느긋하다 《서술적》 be well pleased [satisfied] 《with》; be [feel] relaxed [relieved].

느끼다 《지각》 feel; sense; be aware [conscious] 《of》. ¶ 고통 《공복》을 ~ feel pain [hungry] / 어려움을 ~ find difficulty 《in doing》 / 위험을 ~ sense danger. ② 《감동》 be impressed [by, with]; be moved [touched] 《by》. ¶ 아무의 친절을 고맙게 ~ be moved by a person's kindness.

느끼하다 (be) too fatty [greasy, rich]. ¶ 느끼한 음식 fatty [greasy, rich] food.

느낌 《인상》 an impression; an effect 《그림 따위가 주는》; 《감각》 (a) feeling; a sense; 《촉감》 touch. ‖ ~표 an exclamation mark.

느닷없이 suddenly; all of a sudden; unexpectedly; without notice. ¶ ~ 덤벼들다 make a sudden spring at 《a person》.

느른하다 (be) languid ; 나른하다.

느름나무 〖植〗 an elm (tree).

느림광이 a idler.

느리다 ① 《움직임이》 (be) slow; tardy; sluggish. ¶ 느리게 말하다 tardily. ② 《짜임새가》 (be) loose.

느림 《장식술》 a tassel.

느릿느릿 slowly; tardily; sluggishly; 《성기게》 loose; slack.

느물거리다 act craftily; talk [behave] insidiously.

느슨하다 《헐겁다》 be loose; lax; slack; relaxed 《마음이》. ¶ 느슨하게 loose(ly) / 느슨해지다 loosen.

느즈러지다 ① 《느슨해지다》 loosen; slacken; become loose; relax 《마음이》. ② 《기한이》 be put off; be postponed.

느지감치 rather late. ¶ 아침 ~ 일어나다 get up rather late in the morning.

느지막하다 (be) rather late.

느타리 〖植〗 《버섯》 an agaric.

느티나무 〖植〗 a zelkova (tree).

늑간 《肋間》 〖解〗 ~신경 the intercostal nerve / ~신경통 intercostal neuralgia. 〔frame.

늑골 《肋骨》 〖解〗 a rib; 《선박의》 the

늑대 a wolf.

늑막 《肋膜》 〖解〗 the pleura. ‖ ~ 염 (dry, moist) pleurisy.

늑장부리다 be slow; dawdle 《over》; linger; dally 《away》; be tardy.

늘 ☞ 언제나.

늘다 《증가》 increase; be on the increase [rise]; gain〔힘·무게가〕; rise; multiply《배가하다》. ¶ 30퍼센트 ~ increase by 30 percent. ② 《향상》 progress 《in》; advance 《in》; be improved. ¶ 영어가 ~ make progress in one's English.

늘리다 《수·양을》 increase; add to; raise 《증액》; multiply《배가》; 《면적을》 enlarge; extend.

늘비하다 《서술적》 be arrayed [spread out].

늘씬하다 (be) slender; slim.

늘어가다 go on increasing; be on the increase.

늘어나다 《길이가》 lengthen; extend; grow longer; stretch. ¶ 고무줄이 ~ a rubber band stretches. ② 《많아지다》 increase 《in number》.

늘어놓다 ① 《배열》 arrange; place 《things》 in order; 《진열》 display; lay out. ② 《어지럽게》 scatter 《about》; leave 《things》 lying about. ③ 《열거》 mention; 《열거》 enumerate; list. ④ 《배치》 post; station; 《사업을》 carry on 《various enterprises》.

늘어뜨리다 《아래로》 hang down; suspend; droop. ¶ 머리를 등에 늘어뜨리고 있다 have one's hair hanging down one's back.

늘어서다 stand in a row; form

in a line; stand abreast (옆으로). ¶ 배급을 타려고 죽 ~ make a queue waiting for the ration.
늘어지다 ① 《길어지다》 extend; lengthen; grow longer. ② 《처지다》 hang (down); dangle; droop. ③ 《몸이》 droop; be languid (exhausted). ④ 《팔자가》 live in comfort; be on easy street.
늘이다 ① ☞ 늘어뜨리다. ② 《길게》 lengthen; make 《*something*》 longer; stretch; extend. ¶ 고무줄을 ~ stretch a rubber band.
늘쩍지근하다 feel tired (weary).
늘컹거리다 be squashy (flabby).
늙다 grow old; age; advance in age. ¶ 늙은 old; aged / 나이보다 늙어 보이다 look old for *one's* age.
늙다리 《사람》 a dotard; a silly old man; 《짐승》 an old animal.
늙수그레하다 (be) fairly old; oldish.
늙은이 an old man; 《총칭》 the old; the aged.
늙히다 make 《*a person*》 old.
늠름하다(凜凜—) (be) gallant; imposing; commanding; dignified.
능(陵) a royal tomb; a mausoleum.
능가(凌駕) ~하다 be superior to; surpass; exceed; override; outstrip.
능구렁이 ① 《뱀》 a yellow-spotted serpent. ② 《사람》 an old fox; a insidious person.
능글능글하다 (be) sly; cunning; sneaky; insidious.
능금 a crab apple.
능동(能動) ¶ ~적인 voluntary; active. ‖ ~태 〖文〗 the active voice.
능란하다(能爛—) (be) skillful; dexterous; deft; expert. ¶ 능란하게 well; skillfully; with skill; tactfully / 말솜씨가 ~ have an oily tongue.
능력(能力) ability; capacity; competence. ¶ …할 ~이 있다 be able (competent) to 《*do*》; be capable of 《*doing*》. ‖ 생산~ productive capacity / 지불~ solvency.
능률(能率) efficiency. ¶ ~적인 efficient / 비~적인 inefficient / ~을 올리다 (떨어뜨리다) improve (decrease) the efficiency.
능멸(凌蔑) ~하다 despise; disdain.
능변(能辯) eloquence. ¶ ~의 eloquent / ~가 an eloquent speaker.
능사(能事) a suitable work(적당한); something in *one's* line(잘하는). ¶ 돈을 모으는 것만이 ~가 아니다 It is not everything to accumulate money.
능선(稜線) a ridgeline.
능소능대하다(能小能大—) (be) good at everything; able and adaptable; versatile.
능수(能手) 《솜씨》 ability; capability; capacity; 《사람》 an able man (hand); an expert; a veteran.
능수버들 a weeping willow.
능숙(能熟) skill. ¶ ~한 skilled; skillful; proficient; experienced / ~해지다 become skillful; attain proficiency.
능욕(凌辱) 《강간》 a rape; 《모욕》 (an) insult; (an) indignity. ~하다 rape; insult. ¶ ~당하다 be raped (insulted, violated).
능지기(陵—) the caretaker of a royal tomb.
능지처참(陵遲處斬) ~하다 behead and dismember 《*a criminal*》.
능청 dissimulation; feigning; false pretense. ¶ ~떨다(부리다) dissimulate; feign ignorance; pretend not to know; play the innocent.
능청거리다 be pliable (pliant).
능청스럽다 (be) dissembling; insidious; deceitful.
능통하다(能通—) (be) proficient 《*in*》; well-acquainted 《*with*》; well-versed 《*in*》; good 《*at*》; skilled; expert. ¶ 사무에 ~ be proficient in office work.
능하다(能—) (be) good 《*at*》; proficient (versed, expert) 《*in*》. ¶ 영어에 ~ be good at English.
능히(能—) well; easily; ably. ¶ ~ 할 수 있다 can easily *do*; be

able to *do*; be equal to.
늦… late. ¶ ～가을 late autumn.
늦다 ① 《시간적으로》 (be) late; behind time; 《속도가》 (be) slow.
¶ 늦게 come / 늦어도 be at (the) latest / 밤늦게(까지) (until) late at night / 5분 ～ be five minutes slow / 때는 이미 늦었다 It is too late now. ② 《느슨하다》 (be) loose; slack.
늦더위 the lingering summer heat; the heat of late summer.
늦되다 mature late; be slow to mature. ¶ 늦되는 과일 late fruit.
늦둥이 a child *one* had late in *one's* life.
늦바람 ① 《바람》 an evening breeze. ② 《방탕》 dissipation in *one's* later years.
늦복(一福) happiness in *one's* later days.
늦잠 late rising; oversleeping. ¶ ～ 자다 rise 〔get up〕 late; sleep late in the morning. ¶ ～꾸러기 a late riser.
늦장마 the rainy spell in late summer.
늦추다 ① 《느슨히》 loosen; unfas-

ten; relax(정신을); slow down(속도를). ¶ 경계를 ～ relax *one's* guard (*against*). ② 《시일을》 postpone; put off. ¶ 마감 날짜를 이틀 ～ put the deadline off two days. 「afterwinter cold.
늦추위 the lingering cold; the
늪 a swamp; a marsh; a bog.
니스 varnish. ¶ ～칠하다 varnish.
니카라과 Nicaragua. ¶ ～사람 a Nicaraguan.
니켈 【化】 nickel (기호 Ni).
니코틴 【化】 nicotine. ¶ ～중독 nicotinism.
니크롬선(一線) (a) nichrome wire.
니트로글리세린 【化】 nitroglycerine.
니트웨어 knitwear.
니힐 nihil. ¶ ～리스트 a nihilist / ～리즘 nihilism.
님(경칭) Mister, Mr.; Esq. (남자); Miss(미혼 여자); Mrs. (부인). ¶ ～선생 Sir! (*Miss*) 《*Brown*》～ / 임금～ His Majesty; 《호칭》Your Majesty !
님비현상(一現象) the NIMBY phenomena (NIMBY = Not In My Back Yard).

ㄷ

다《모두》 all; everything; everyone; utterly; completely.
다가놓다 bring near; put [place] closer.
다가서다 stick nearer 《to》.
다가서다 step [come] up to; approach closer; come [go] nearer.
다가앉다 sit close.
다가오다 approach; draw [come] near; draw close 《to》.
다각(多角) 《 ~ 적인 many-sided 《tastes》; versatile 《genius》. ∥ ~ 경영 diversified [multiple] management / ~ 무역 multilateral trade / ~ 형 [數] polygon 《 ~ 형의 polygonal》.
다갈색(茶褐色) (yellowish) brown; dark brown.
다감(多感) 《 ~ 한 emotional; sensitive; sentimental.
다과(多寡) many and [or] few; (a) quantity(양); (a) amount (액); (a) number (수).
다과(茶菓) tea and cake; (light) refreshments. ∥ ~ 회 a tea party.
다구(茶具) tea-things; tea utensils; a tea set (한 벌의).
다국적(多國籍) ∥ ~ 군 the multinational (coalition) forces.
다그다 bring (up) near; draw close 《기일을》 advance; set ahead 《the date of》.
다그치다 ① ~ 다그다. ② 《감정·행동》 press; urge; impel. ¶ 다그쳐 묻다 press 《a person》 (hard) for an answer.
다급하다 (be) imminent; impending; pressing; urgent.
다기지다(多氣一) (be) courageous; bold; plucky; daring.
다난(多難) ~ 하다 be full of troubles; (be) eventful. ¶ ~ 한 해 a tumultuous year / 국가 ~ 한 때

(에)《in》a national crisis.
다녀가다 drop in for a short visit; call at 《a house》; look 《a person》 up; stop by [in].
다녀오다 get [come] back 《from visiting》; be (back) home.
다년(多年) many years. ¶ ~ 간 for many years. ∥ ~ 생 식물 a perennial (plant).
다뇨증(多尿症) [醫] polyuria.
다능(多能) 《 ~ 한 many-talented; many-sided; versatile.
다니다《왕래》 come and go; go [walk] about [around]; 《왕복》 go and return; 《배가》 ply 《between; from ··· to ···》; 《기차 따위가》 run between; 《통근·통학》 attend 《a college》; go to; commute 《to the office》 (통근); 《들르다》 visit. ¶ 자주 ~ frequent; visit frequently.
다다르다 arrive 《at, in, on》; reach; get to [at]; come 《to》.
다다미 a Japanese mat; matting.
다다이즘 Dadaism; Dada.
다다익선(多多益善) The more, the better.
다닥다닥 in clusters.
다달이 every month; monthly.
다대하다(多大一) (be) much; huge; great; heavy; considerable; serious. ¶ 다대한 손해 a heavy loss.
다도(茶道) the tea ceremony.
다도해(多島海) an archipelago《 pl. -es, -s》.
다독(多讀) extensive reading. ~ 하다 read much [widely]. ¶ ~ 가 an extensive reader / ~ 주의 the principle of extensive reading.
다듬다 ① 《매만짐》 arrange; smooth; finish (up); do up; adorn; face (석재 등을); plume (깃 따위를); trim (나무 따위를); plane (대패로). ② 《푸성귀를》 trim; nip 《off》. ③ 《땅바닥을》 (make)

even; level off〔out〕; smooth.
④《천을》full《*cloth*》: smooth
clothes by pounding with
round sticks.

다듬이 ∥ ~질 smoothing cloth /
다듬잇돌 stone〔wooden〕block
for pounding cloth / 다듬잇방망이
a round wooden club for pound-
ing cloth.

다듬질 ① finishing touches. ~
하다 give the final touches; fin-
ish 〔up〕. ② ☞ 다듬이질.

다락 a loft; garret.

다람쥐〔動〕a squirrel.

다랍다 ① ☞ 더럽다. ②《인색》(be)
stingy; niggardly; mean.

다랑어(─魚) a tunny; a tuna〔美〕.

다래끼《바구니》a fish basket; a
creel;《눈병》a sty(e).

다량(多量) ∥ ~의 much; a lot of;
plenty of; a large quantity of;
a great deal of / ~으로 abun-
dantly; in great quantities.

다루다〔①처리·대우》handle; man-
age; deal with; treat. ②《가죽
을》tan; dress《*leather*》.

다르다《상위》(be) different from;
《서술적》vary; differ from;《닮지
않음》(be) unlike;《불일치》not
agree《*with*》; do not correspond
《*with, to*》. ‖ ~ **더** 〔*more〕〔less*〕much.

다름아닌 (be) nothing but; no
other than.

다름없다《같다》be not different
《*from*》, be similar《*to*》; be
alike《서술적》《변치 않음》(be) con-
stant; as ever;《매한가지》(be) as
good as《*dead, new*》《서술적》.

다리[1]《사람·동물의》a leg; a limb;
《물건의》a leg.

다리[2]《교량》a bridge. ‖ 다릿목 the
approach to a bridge.

다리[3]《머리의》a hairpiece;《a tress
of 》false〔artificial〕hair.

다리다 iron〔out〕; press; do the
ironing.

다리미 a flatiron; an iron.

다리쇠 a trivet; a tripod.

다림《수직의》plumbing.《수평의》
leveling. ‖ ~보다 plumb;《이해관
계를》keep alert to *one's* own in-

terest. ‖ ~줄 a plumbing line /
~추 a plummet; a plumb / ~
판 a leveling plate.

다림질 ironing. ~하다 iron〔out〕;
press; do the ironing.

다릿돌 a stepping stone.

다만《오직》only; merely; simply;
《그러나》but; still; however; pro-
vided that.

다망(多忙) pressure of work. ~
하다 be busy; have a lot of
work.

다모작(多毛作) multiple cropping.

다목적(多目的) ~의 multipur-
pose.

다문(多聞) ∥ ~박식 much infor-
mation and wide knowledge.

다물다 shut; close.

다박나룻 a bushy beard; un-
kempt whiskers.

다발 a bundle; a bunch. ‖ 꽃 한
~ a bunch of flowers.

다방(茶房) a teahouse; a tea-
room; a coffee shop (호텔 따위
의).

다방면(多方面) ∥ ~의 varied; vari-
ous; many-sided; versatile / ~
으로 in many fields〔directions〕.

다변(多邊) ∥ ~적인 multilateral /
수출 시장의 ~화 diversification of
export markets. ‖ ~외교 a mul-
tilateral diplomacy / ~형 a poly-
gon.《talkative》garrulous.

다변(多辯) talkativeness. ‖ ~의
《多辯》~하다 (be) weak; in-
firm; sickly; of delicate health.

다병(多病)

다복(多福) ~하다 (be) happy;
lucky; blessed.

다부일처(多夫一妻) polyandry.

다부지다《사람이》(be) staunch;
firm; determined.

다분히(多分─) much; greatly; in
large measure; quite a lot.

다비(茶毘)〔佛〕cremation. ~하다
cremate《*the remains*》.

다사(多事) ~한 (be) eventful;
busy. ‖ ~스러운 officious; med-
dlesome; nosy / ~다난 event-
fulness.

다산(多産) ‖ ~의 productive; pro-

lific. ‖ ～부 a prolific woman.

다섯 five. ‖ ～째 the fifth / ～배(의) fivefold; quintuple.

다소(多少) ① 《수·양의》 (the) number(수); (the) quantity(양); (the) amount(액). ‖ ～의 ～에 따라 according to the number [amount, quantity] of ... ② 《다소의 수》 a few; some; 《다소의 양》 a little; some. ‖ ～의 돈 some money. ③ 《얼마간》 a little; somewhat; to some extent [degree]; in a way.

다소곳하다 (be) modest and quiet with one's head lowered; obedient. ‖ 다소곳이 gently; obediently.

…다손치더라도 (even) though; even if; no matter how [what, who]; admitting [granting] that ....

다수(多數) a large [great] number; many; a majority. ‖ ～의 (a great) many; a large number of; numerous. ‖ ～결 decision by majority. ‖ ～당 the majority party / ～안 a majority proposal / ～의견 a majority opinion.

다수확(多收穫) high-yielding 《wheat》. ‖ ～품종 a high-yield variety 《of grain》.

다스 a dozen. ‖ 5 ～ five dozen 《pencils》.

다스리다 ① 《통치》 rule [reign] over; govern 《the people》; manage 《one's household》 《관리》. ② 《바로 잡아》 put 《things》 in order; set 《things》 to right. ③ 《통제》 control; keep under control; regulate 《rivers》; put down; supress. ④ 《병을》 treat; cure; heal. ⑤ 《죄를》 punish; bring 《a person》 to justice.

다습하다(多濕—) (be) damp; humid.

다시 again; 《all》 over again; once more [again]; 《거듭》 repeatedly; again and again; 《새로이》 anew; afresh.

다시마 〖植〗 a (sea) tangle.

다시없다 《견줄 곳 없다》 (be) unique; matchless; unequaled; 《두 번 없다》 be never to happen again. ‖ 다시없는 기회 a golden opportunity.

…다시피 《마찬가지로》 as; like; 《같은 정도로》 almost; nearly. ‖ 보시 [아시]～ as you see [know] / 멸망하~ 되다 be almost ruined.

다식(多食) ～하다 eat much; eat to excess; overeat. ‖ ～가 a great eater / ～증 polyphagia; bulimia.

다식(多識) wide knowledge.

다신교(多神教) polytheism. ‖ ～도 a polytheist. 「acid.

다액(多額) ‖ ～의 a large sum

다양(多樣) ～하다 (be) various; diverse; a great variety of. ‖ ～성 diversity; variety / ～화 diversification 《～화하다 diversify》.

다언(多言) 《다변》 talkativeness; 《여러 말》 many words. 「acid.

다염기산(多塩基酸) 〖化〗 polybasic

다우존스 〖證〗 ～ 산식(算式) the Dow-Jones formula / ～ 평균 주가 the Dow-Jones average price of stocks.

다운(打—) a knock-down. ‖ ～되다 be knocked down / ～시키다 knock down; floor.

다원(多元) pluralism. ‖ ～적인 plural. ‖ ～론 pluralism / ～방송 a broadcast from multiple origination.

다윈이즘(진화론) Darwinism.

다육(多肉) 〘植〙 fleshy; pulpy. ‖ ～식물 a fleshy plant.

다음 the next; the second(두번째). ‖ ～의 next; following; coming / ～날 the next [following] day / ～에 next; secondly; in the second place / ～ 월요일 next Monday / ～ ～ 일요일에 〔오늘부터〕 on Sunday after next; 《저 거 · 미래의 어떤 날부터》 two Sundays later [after that].

다음(多音) ‖ ～자 a polyphone / ～절 a polysyllable.

다의(多義) polysemy. ‖ ~어 a word of many meanings.

다이너마이트 dynamite. ‖ ~로 폭파하다 《a rock》.

다이빙 diving.

다이아몬드 a diamond.

다이어트 a diet. ‖ ~ 중이다 be on a diet; be dieting / ~를 하다 go on a diet; diet *oneself*; diet *oneself*.

다이얼 a dial. ‖ ~113번을 돌리다 dial 113.

다이오드[電子] diode.

다작(多作) ~하다 produce [write] abundantly; be prolific. ‖ ~가 a prolific writer [author].

다잡다 《사람을》 closely supervise; exercise strict; control 《over》; urge; 《마음을》 brace *oneself* up 《for a task》.

다재(多才) versatile talents. ‖ ~한 versatile; multi-talented; many-sided.

다정(多情) ‖ ~한 warm(-hearted); tender; affectionate; kind / ~다 감한 emotional; sentimental; passionate / ~히 warmly; kindly; affectionately.

다중(多重) ‖ ~의 multiplex; multiple. ‖ ~방송 multiplex broadcasting; a multiplex broadcast / ~방식 a multiplex system / ~인격 a multiple character / ~회로 a multiple circuit.

다지다 ① 《단단하게》 ram; harden 《the ground》. ② 《고기를》 mince; hash; chop 《up》. ③ 《다짐받다》 press 《a person》 for a definite answer; make sure 《of》.

다짐《확약》 a definite answer [promise]; a pledge; an oath; 《보증》 reassurance; guarantee. ~ 하다 pledge; 《give one's》 pledge; (make a) vow; take an oath. ‖ ~받다 make sure 《of》; get an assurance from 《a person》; secure a definite answer.

다짜고짜로 without warning [notice]; abruptly.

다채(多彩) ‖ ~롭다 (be) colorful; variegated / ~로운 행사 colorful

events.

다치다 get [be] hurt; be wounded [injured].

다큐멘터리 ‖ ~영화 a documentary film. 「er 《죽》.

다크호스 a dark horse; a sleep-

다투다 fight; quarrel 《about a matter with a person》; dispute 《with a person》 《논쟁》; be at variance 《with》 《불화》; 《겨루다》 contest; compete; vie 《with》; struggle.

다툼 《논쟁》 a dispute; an argument; a quarrel; 《경쟁》 a struggle; a contest; a competition.

다하다 《없어지다》 be exhausted; run out; be all gone; 《끝나다》 (come to an) end; be out [up, over].

다하다 ① 《다 돌이다》 exhaust; use up; run through. ‖ 최선을 ~ do *one's* best / 힘을 ~ put forth all *one's* strength. ② 《끝내다》 finish; get done; go through; be through 《with》 《완수》 accomplish; carry out; 《이행》 fulfill; perform.

다항식(多項式)〔數〕 a polynominal [multinominal] expression.

다행(多幸) good fortune [luck]. ~하다 (be) happy; lucky; blessed; fortunate. ‖ ~히 happily; fortunately; luckily; by good luck / ~히도 …하다 be lucky enough to 《do》; have the luck to 《do》 / ~스럽다 = 다행하다.

다혈질(多血質) a sanguine [hot] temperament.

다홍(─紅) deep red; crimson. ‖ ~치마 a red skirt.

닥나무[植] a paper mulberry.

닥뜨리다 encounter; meet with; face; be confronted by.

닥치는대로 at random; haphazardly; indiscreetly; rashly. ‖ ~ 무엇이나 whatever [anything that] comes handy [along one's way].

닥치다 approach; draw near; be (close) at hand; be imminent.

닥터 a doctor; a doc 《口》.

닦다 ① 《윤내다》 polish; burnish;

shine; brighten. ② 《씻다》 clean;
wash; brush; 《훔치다》 wipe;
mop; scrub. ③ 《단련·연마하
다》 cultivate; train; improve. ④ 《고루
다》 level; make even. ¶ 터를 ~
level the ground. ⑤ 《토대·기반
을》 prepare the ground 《for》;
pave the way 《for》.

닦달질하다 scold; rebuke; give 《a
person》 a good talking-to; take
《a person》 to task 《for》; teach
《a person》 a lesson; reprove.

닦아세우다 =닦달질하다.

닦음질 cleaning; wiping.

닦이다 ① 《닦음을 당하다》 be wiped
〔polished, shined, cleaned,
washed, brushed〕. ② 《호닦이다》
be strongly rebuked; have a
good scolding; catch it.

단 《유음》 a bundle; a bunch; a
sheaf 《벼 따위》; a faggot 《장작 따
위》. ¶ ~ 짓다 bundle; tie up in
a bundle; sheave.

단(段) ① 《지적 단위》 a *dan*(= about
0.245 acres). ② 《인쇄물의》 a col-
umn. ¶ 삼 ~ 표제 a three-column
heading. ③ 《등급의》 a grade; a
class; a rank. ④ 《층계》 a step; a
stair.

단(壇) a platform; a raised floor;
a rostrum; a stage《무대》; a pul-
pit 《교회의 단상》; an altar《제단》.

단(斷) decision; resolution; judg-
ment. ¶ ~을 내리다 make a final
decision. ¶ ~ 코 once.

단(單) only (one). ¶ ~ 한 번 only
once.

단(但) but; however; provided
that 《조건》.

단(團) a body; a corps; a group;
a party; a team 《경기단》; a troupe
《극단》; a gang 《악한 따위의》. ¶ 외
교 ~ a diplomatic corps / 관광 ~
a tourist party.

단가(短歌) a *danga*; a kind of
short poem.

단가(單價) a unit cost 〔price〕.

단가(團歌) the (official) song of an
association.

단가(檀家) 《佛》 a parishioner; a
supporter of a Buddhist temple.

단강(鍛鋼) forged steel.

단거리(短距離) a short distance;
a short range 《사정(射程)의》.
∥ ~ 경주 a short-distance race;
a sprint (race) / ~ 탄도미사일 a
short-range ballistic missile 《생
략 SRBM》.

단검(短劍) a short sword; a dag-
ger《단도》.

단견(短見) short-sightedness; a
narrow view 〔opinion〕.

단결(團結) unity; union; solidar-
ity. ~ 하다 unite; hold 〔get〕 to-
gether. ∥ ~ 권 the right of organi-
zation《근로자의》 / ~력 power
of combination.

단결에, 단김에 while it is hot;
before the chance slips away.
¶ 쇠뿔도 ~ 빼랬다 《俗談》 Strike
while the iron is hot.

단경기(端境期) an off-crop 〔pre-
harvest〕 season.

단계(段階) a stage; a step; a
phase.

단골(관계) custom; connection;
patronage 《사람》 a regular cus-
tomer; a patron; a client.

단과대학(單科大學) a college.

단교(斷交) a rupture; a break of
relations; a severance. ~ 하다
break off relations 《with》. ¶ 경
제 ~ a rupture of economic
relations.

단구(段丘) 《地》 a terrace. ∥ 해안
〔하안〕 ~ a marine 〔river〕 terrace.

단구(短軀) (be of) short stature.

단궤(單軌) a monorail. ∥ ~ 철도 a
monorail 〔centripetal〕 railway.

단근질하다 torturing with a red-hot
iron. ~ 하다 torture 《a criminal》
with a red-hot iron.

단기(單記) single entry. ∥ ~ 투표
single voting.

단기(短期) a short term〔time〕.
¶ ~ 의 short-term; short-dated.

단기(單騎) a single horseman.

단기(團旗) an association banner.

단내(단내) a burnt 〔scorched〕
smell.

단념(斷念) abandonment. ~ 하다

give up 《*an idea*》; abandon; quit. ¶ ~시키다 persuade 《*a person*》 to give up 《*the idea of doing*》; dissuade 《*a person*》 from 《*doing*》.

단단하다 (be) hard; solid; strong (세다); firm(굳건하다); tight (빡빡이). ¶ 단단히 hard; solidly(튼튼히); tightly(꽉); fast(안 움직이게); firmly(굳게); strongly(세게); strictly(엄중히)(되게); greatly (크게).

단대목(單一) the high tide 《*of*》; an important opportunity [position].

단도(短刀) a dagger.

단도직입(單刀直入) ¶ ~적(으로) point-blank; straightforward(ly); direct(ly); frank(ly).

단독(丹毒) 【醫】erysipelas.

단독(單獨) ¶ ~의 single; sole; individual(개개의); independent (독립의); separate(개개의); single-handed(혼자 힘으로); ~으로 alone; by *oneself*; independently. ¶ ~비행 a solo flight. ~회견 an exclusive interview.

단두대(斷頭臺) a guillotine.

단락(段落) 《문장의》(the end of) a paragraph; 《일·사건의 구획》an end; a close; conclusion; settlement. ¶ 일단락을 짓다 bring 《*a matter*》 to a conclusion.

단락(短絡) 【電】a short (circuit).

단란(團欒) ~하다 (be) happy; harmonious; sit in a happy circle.

단련(鍛鍊) ① 《금속》temper; forging. ~하다 temper 《*iron*》; forge. ② 《심신》training; discipline. ~하다 train; discipline.

단리(單利) 【經】simple interest.

단막(單幕) one act. ¶ ~극 a one act drama 〔play〕.

단말마(斷末魔) one's last moments. ¶ ~의 고통 death agony; the throes of death.

단맛(甜味) sweetness; (have) a sweet taste.

단면(斷面) a (cross) section. ¶ ~적 sectional. / 인생의 한 ~ a segment of life. ¶ ~도 a cross

section 《*of*》; a sectional drawing.

단명(短命) a short life. ¶ ~한 short-lived.

단모음(單母音) a single vowel.

단무지 pickled (yellow) radish.

단문(短文) 〔文〕a simple sentence.

단물 ① 《담수》fresh water. ② 《실속》 (get) the cream; 〔take〕 the lion's share. ③ 《연수》soft water.

단박 instantly; immediately; right away; promptly; at once.

단발(單發) ① 《한 발》a shot. ¶ ~에 at a shot. / ~총 a single-loader. ② 《발동기》a single engine. ¶ ~기 a single-engined plane.

단발(短髮) short hair.

단발(斷髮) a bob. ¶ ~하다 bob *one's* hair.

단백(蛋白) albumen. ¶ ~뇨증(尿症) albuminuria. / ~석 〔鑛〕opal.

단백질(蛋白質) protein; albumin. ¶ ~이 풍부한 〔적은〕식품 high-〔low-〕protein foods / protein-rich 〔-poor〕foods / 동물성 〔식물성〕~ animal 〔vegetable〕protein.

단번(單一) ¶ ~에 at a stroke 〔stretch〕; at one coup 〔try〕; by one effort; at once.

단벌(單一) 《옷》 one's only suit. ¶ ~ 나들이옷 one's sole Sunday best. ¶ ~신사 a poor gentleman who has no spare suit.

단본위제(單本位制) 【經】monometallism; a single standard system(base).

단봉낙타(單峰駱駝) 【動】an Arabian 〔a single-hump〕camel.

단비(短一) a welcome 〔timely〕rain. ¶ 오랜 가뭄 끝의 ~ a long-awaited rain after a long spell of dry weather.

단사(丹砂) 〔鑛〕cinnabar.

단산(斷産) ~하다 《자연적》pass the age of bearing; 《인위로》stop childbearing.

단상(壇上) ¶ ~에 서다 stand on 〔take〕 the platform.

단상(單相) 〖電〗 single phase. ‖ ~ 전동기 a single-phase motor.

단색(單色) 〖의〗 unicolored; monochromatic. ‖ ~광 monochromatic rays 〔light〕 / ~화 a monochrome.

단서(但書) a proviso ; a conditional 〔provisory〕 clause. ‖ ~가 붙은 conditional / …라는 ~를 붙여 with the proviso that ....

단서(端緒) the beginning; the start; 〖제일보〗 the first step; 〖실마리〗 a clue 〔key〕 (to).

단선(單線) ① 〖한 줄〗 a single line. ② 〖단계〗 a single track. ‖ ~철 도 a single-track railway.

단선(斷線) the snapping 〔breaking down〕 of a wire; disconnection. ¶ ~되다 be disconnected; be cut; 〖a wire〗 break; snap.

단성(單性) 〖生〗 unisexuality. ‖ ~ 생식 monogenesis / ~화 a unisexual flower.

단세포(單細胞) 〖生〗 a single cell. ‖ ~동물〔식물〕 a unicellular animal 〔plant〕. ―――――― 〖short.

단소하다(短小 ―) (be) small and

단속(團束) 〖규제〗 control; regulation; management; 〖감독〗 supervision; 〖규율〗 discipline. ~하다 (keep under) control; keep in order; regulate; manage; supervise; maintain 《discipline》; oversee. ‖ ~집중 ~반 an intensive control squad.

단속(斷續) ¶ ~적인 intermittent; sporadic / ~적으로 on and off; intermittently ; sporadically. ‖ ~기 an interrupter.

단속곳 a slip; an underskirt.

단수(斷水) (a) suspension of water supply. ~하다 cut off the water supply.

단수(單數) 〖文〗 the singular number. ¶ ~의 singular.

단순(單純) simplicity. ~하다 (be) simple; plain; simple-minded 〔-hearted〕(사람이). ¶ ~히 simply; merely / ~하게 〖화〗하다 simplify. ‖ ~개념 a simple con-

cept.

단순호치(丹唇皓齒) red lips and white teeth; 〖용모〗 a lovely face; 〖미인〗 a beauty.

단술 a sweet rice drink.

단숨에(單 ―) at a stretch 〔stroke〕; at 〔in〕 a breath; at one effort. ¶ ~ 마시다 drink 《a mug of beer》 in one gulf.

단시(短詩) a sonnet; a short poem 〔verse〕. ‖ ~인 a sonneteer.

단시간(短時間) (in) a short time.

단시일(短時日) ¶ ~에 in a short period of time; in a few days.

단식(單式) a simple expression; 〖부기〗 single entry; 〖테니스·탁구〗 singles.

단식(斷食) a fast; fasting. ~하다 fast. ~일 〖고행〗 a fasting day 〔cure〕 / ~투쟁 (go on) a hunger strike.

단신(單身) alone; by oneself; single-handed; singly; unaccompanied. ¶ ~ 여행하다 travel alone / ~ 부임하다 take up a post 《in London》without one's family. 《sage, news》.

단신(短信) a brief letter 〔note, mes-

단심제(單審制) single-trial system.

단아(端雅) ¶ ~한 elegant; graceful.

단안(斷案) a decision〔결정〕; a conclusion〔결론〕.

단애(斷崖) a precipice; a cliff. ‖ ~절벽 a precipitous 〔an overhanging〕 cliff.

단어(單語) a word; a vocabulary (어휘). ‖ ~집 a collection of words / 기본 ~ a basic word.

단언(斷言) an affirmation; an assertion; a positive 〔definite〕 statement. ~하다 affirm; assert; state positively.

단역(端役) 〖연극〗 a minor part 〔role〕; an extra(사람).

단연(斷然) 〔단호히〕 resolutely; positively; decidedly; 《훨씬》 by far 《the best》.

단연(斷煙) ~하다 「give up〔quit〕 smoking.

단열(斷熱) insulation. ~ 하다 insulate. ‖ ~ 재 insulating material; a heat shield (insulator).

단엽(單葉) [植] single-leaf; unifoliate. ‖ ~ 비행기 a monoplane.

단오절(端午節) the *Dano* Festival (on the 5th of the fifth lunar month).

단원(單元) a unit; a denomination. ‖ ~ 면적 [질량] 당 per unit area [mass].

단원(團員) a member 《*of a group*》.

단원제(單院制) the unicameral [single-chamber] system.

단위(單位) a unit; a denomination. ‖ ~ 면적 [질량] 당 per unit area [mass].

단음(短音) a short sound. ‖ ~ 계 [樂] the minor scale.

단음(單音) a single sound; [樂] a monotone.

단일(單一) ~ 의 singular; single; unique; simple; sole / ~ 화하다 simplify.

단자(單子) a list of gifts (presents).

단자(短資) a short-term loan. ‖ ~ 거래 call loan transaction ‖ ~ 회사 a short-term financing company.

단자(端子) [電] a terminal; [pany.

단작(單作) a single crop. ‖ ~ 지대 a one-crop area (belt).

단작스럽다 (be) mean; base; stingy.

단잠 a sweet [sound] sleep.

단장(短杖) a walking stick; [cane.

단장(團長) a head [leader] 《*of a party*》.

단장(丹粧) ~ 의 heartrending; heartbreaking.

단적(端的) ~ 으로 말하면 speak frankly [plainly]; go right to the point / ~ 으로 말하면 plainly speaking; to be frank with you.

단전(丹田) the hypogastric re-

gion; the abdomen.

단전(斷電) [정전] power failure; [중단] suspension of power supply. ‖ ~ 하다 suspend power supply 《*to*》; cut off electricity. ~ 일 a non-power-supply day; a no power day.

단절(斷絶) rupture; break(결렬); extinction(소멸); interruption(중단); a gap(격차). ~ 하다 [끊음] sever; cut [break] off. ‖ ~ 되다 become extinct(소멸); [결렬] be broken off; come to a rupture; be severed.

단점(短點) a weak point; a defect; a fault; a shortcoming.

단정(短艇) a boat.

단정(端正) ~ 한 (be) right; upright; decent; handsome 《*face*》. ‖ ~ 히 properly; neatly; tidily / ~ 치 못한 slovenly; loose; untidy; disorderly.

단정(斷定) ~ 하다 draw [come to] a conclusion; conclude; decide; judge.

단조(單調) monotony; dullness. ‖ ~ 롭다 (be) monotonous; dull.

단조(短調) [樂] a minor (key).

단종(斷種) castration(거세); sterilization. ~ 하다 sterilize; castrate.

단좌(單座) ~ 식의 single-seated. ‖ ~ 식 전투기 a single-seated fighter (plane).

단죄(斷罪) conviction. ~ 하다 convict; find 《*a person*》 guilty.

단증(端證) a broken [an odd] lot.

단주(斷酒) ~ 하다 abstain from wine; give up drinking.

단지(單支) a jar; a crock.

단지(團地) ‖ 주택 ~ a housing development (complex); a collective [public] housing area / 공업 ~ an industrial complex.

단지(斷指) ~ 하다 cut off one's finger.

단지(但只) simply; merely; only.

단짝 a devoted [great] friend; a chum.

단청(丹靑) a picture [painting] of

many colors and designs.

단체(單體) 【化】 a simple substance.

단체(團體) a body; a group; a party; 《조직체》 an organization. ∥ ~경기 a team event; team competition / ~행동 collective action; teamwork / ~협약 a collective agreement.

단총(短銃) a pistol; a revolver. 「기관~ a submachine gun.

단추 a button; a stud 《장식 단추》. ¶ ~를 채우다 button (up) / ~를 끄르다 unbutton; undo a button. 「단츳구멍 a buttonhole.

단축(短軸) 【鑛・機】 the minor axis.

단축(短縮) shortening; reduction; curtailment; ~하다 shorten; reduce; cut (down); curtail. ∥ ~수업 shortened school hours.

단출하다 《식구가》 be a family of small members; 《간편》 (be) simple; handy; convenient.

단층(單層) ¶ ~의 one-storied. ¶ ~집 a one-storied house. 「tion.

단층(斷層) 【地】 a fault; a disloca-

단침(短針) the short [hour] hand.

단칸(單－) a single room. ¶ ~살림 living in a single room.

단칼에(單－) with one stroke of the sword.

단타(單打) 【野】 a single (hit). ¶ ~를 치다 single 《to right field》.

단타(短打) 【野】 a short-distance hit. ¶ ~를 치다 chop 《the ball》.

단파(短波) a shortwave.

단판(單－) a single round. ¶ ~에 in a single round. ∥ ~승부 a game of single round.

단팥죽 sweet red-bean porridge.

단편(短篇) a short piece; a sketch. ¶ ~소설 a short story / ~영화 a short film.

단편(斷片) a piece; a fragment; a scrap. ¶ ~적인 fragmentary.

단평(短評) a short criticism [comment]. ¶ 시사 ~ a brief comment on current events.

단풍(丹楓) ① 《나무》 a maple (tree). ② 《잎》 fall foliage; red

[yellow] leaves; autumnal tints. ¶ ~들 turn red [yellow, crimson]. ¶ ~놀이 《go on》 an excursion for viewing autumnal tints.

단합(團合) ＝단결. ∥ ~대회 a rally to strengthen the unity.

단항식(單項式) 【數】 a monomial (expression).

단행(單行) ¶ ~범 【法】 a single offense / ~법 a special law / ~본 a book; a separate volume.

단행(斷行) ~하다 carry out 《one's plan》 resolutely; take a resolute step.

단호(斷乎) ¶ ~한 firm; decisive; resolute; drastic / ~히 firmly; decisively; resolutely.

단화(短靴) shoes.

닫다 《열린 것을》 shut; close.

닫히다 be shut; get closed.

달 ① 《하늘의》 the moon. ¶ ~의 여신 Diana / ~ 없는 밤 a moonless night / ~의 표면 [궤도] the lunar surface [orbit] / ~이 차다 [이즈러지다] the moon waxes [wanes]. ∥ ~착륙 a lunar [moon] landing / ~착륙선 a lunar module《생략 LM》. ② 《달력의》 a month. ¶ 윤~ an intercalary month / 전전~ the month before last.

달가닥거리다 rattle; clatter.

달랑거리다 jingle; clang; clink.

달갑다 (be) satisfactory; desirable. ¶ 달갑지 않은 손님 an unwelcome guest.

달걀 an egg. ¶ ~모양으로 eggshaped / ~의 흰자위 [노른자] the white [yolk] of an egg / ~ 껍데기 an eggshell.

달견(達見) a far-sighted [an excellent] view; a fine idea.

달관(達觀) ~하다 take a long-term [philosophic] view 《of》. ¶ 장래를 ~하다 see far into the future 《of》.

달구 a ground rammer. ¶ ~질하다 ram; harden the ground).

달구다 heat 《a piece of iron》.

달구지 a large cart; an oxcart.

달다 ① 《맛이》 (be) sweet; sugary. ¶ 단것 sweet things; sweets / 맛이 ~ taste sweet; have a sweet taste. ② 《입맛이》 (be) tasty; palatable; pleasant to taste; 《서술적》 have a good appetite. ¶ 달게 먹다 eat with gusto.

달다 ① 《뜨거워지다》 become [get] heated; become hot; burn. ¶ 쇠가 ~ iron is heated / 빨갛게 ~ become red-hot. ② 《마음 타다》 fret; be anxious (impatient, nervous).

달다 ① 《붙이다》 attach; affix; fasten; 《가설》 install; fix; set up. ② 《걸다》 put up (hang out) (a sign). ③ 《착용》 put on; wear. ¶ 메달을 ~ put on (wear) a medal. ④ 《매달다》 hoist; fly (a national flag). ⑤ 《기입》 give; enter; put (down); 《주(註)》 annotate; annex (make) (notes). ¶ 외상으로 ~ put down (charges) to one's credit account.

달다 《무게를》 weigh. ¶ 저울로 ~ weigh (a thing) in the balance.

달라붙다 ask (beg) for (a thing); request; demand.

달라붙다 stick (cling, adhere) to.

달라지다 (undergo) a change; turn into; vary; become different.

달랑거리다 《방울이》 jingle; tinkle.

달래 〔植〕 a wild groundleek.

달래다 appease; soothe; coax; calm (a person) (down). ¶ 시름을 술로 ~ drown one's sorrows in drink.

달러 a dollar (기호 $). ¶ 5 ~ 50 센트 five dollars and fifty cents. ‖ ~ 시세 the exchange rates of the dollar.

달려들다 go at; pounce on; fly at; jump (leap) at (on).

달력 (一曆) a calendar; an almanac(책력).

달로켓 a lunar (moon) rocket.

달리 differently; in a different way; separately (따로). ¶ ~ 하다

differ (be different) 《from》. ¶ 생각했던 결과는 ~ contrary to one's expectations.

달리기 a run; a race (경주). ¶ ~에서 이기다 win a race. ‖ ~ 선수 a runner; a racer.

달리다 《기운이》 sag; be languid (tired); lose one's energy (vigor); become enervated.

달리다 《질주》 run; dash; hurry; sail (배가); drive (a car) (with speed); gallop (a horse). ¶ 달려가다 (hasten) to / 달려오다 come running; run up to.

달리다 ① 《매달리다》 hang (on, from); dangle; be suspended 《from》; be hung. ② 《붙어 있다》 be attached (fixed). ¶ 꼬리표가 달린 트렁크 a trunk with a tag attached (fixed). ③ 《여하에》 depend on. ¶ 그것은 사정 여하에 달렸다 It depends on the (respective) circumstances.

달마(達磨) Dharma 〔佛〕.

달맞이 ~ 하다 view (welcome) the first full moon.

달무리 a halo; a ring around the moon. ¶ ~ 진 밤 a moonlight (moonlit) night.

달밤 a moonlight (moonlit) night.

달변(達辯) eloquence; fluency. ¶ ~의 eloquent; fluent.

달빛 moonlight. ¶ ~을 받고 in the moonlight.

달성(達成) achievement. ~ 하다 accomplish; achieve; attain; carry through.

달아나다 ① 《도망》 run (get) away; flee; take to flight; escape; make off. ② 《달려가다》 run; dash; speed.

달아매다 hang; suspend; dangle.

달아보다 ① 《무게를》 weigh. ② 《사람을》 test (out); put (bring) to the test.

달아오르다 《뜨거워지다》 become red-hot; 《얼굴·몸이》 feel hot; burn.

달음(박)**질** running; a run. ~ 하다 run.

달이다 boil down. ¶ 약을 ~ make a medical decoction.

달인 (達人) an expert 《at, in》; a master 《of》.

달짝지근하다 (be) sweetish.

달콤하다 (be) sweet; sugary. ¶ 달콤한 말 honeyed (sugared) words.

달팽이 【動】 a snail. ¶ ~처럼 느린 걸음으로 (walk) at a snail's pace.

달포 a month odd; about a month.

달필 (達筆) a skillful hand (송씨); a good (running) hand (글씨). ¶ ~이다 write a good hand.

달하다 (達一) ① 《목적 등을》 attain 《one's aim》; accomplish; achieve; realize 《one's hopes》. ② 《도달》 reach; arrive in (at); get to (at); come up to 《the standard》. ③ 《수량을》 reach; amount to; come (up) to.

닭 a hen(암탉); a cock (rooster) (수탉); a chicken. ¶ "꼬끼오」하고 울었다 "Cock-a-doodle-doo」 crowed the rooster. ¶ ~ 고기 chicken; ~ 똥집 a gizzard; ~ 싸움 a cock-fight.

닮다 resemble; be alike; look like; take after.

닳다 ① 《마멸》 wear (be worn) out; be rubbed off (down) (해지다); get (become) threadbare. ② 《세파에》 lose 《one's》 simplicity (naïveté, modesty); get sophisticated. ¶ 닳고 단 worldly-wise; sophisticated. ③ 《살갗이》 (be) flushed with cold.

닳리다 (해지다) wear away (down); rub off (down).

담 (집의) a wall; a fence (울타리). ¶ ~을 두르다 set up a wall; fence round 《a house》.

담 (痰) phlegm; sputum. ¶ ~을 뱉다 cough out (bring up) phlegm; spit phlegm out.

담 (膽) (쓸개) gall(bladder); (담력) courage; pluck; nerves. ¶ ~이 작은 timid; faint-hearted.

담갈색 (淡褐色) light brown.

담그다 ① 《물에》 soak (steep) 《in》; dip 《into》. ② 《김치 등》 prepare 《kimchi》; pickle 《vegetables》; (절이다) salt; preserve with salt. ③ 《술을》 prepare; ferment; brew 《sul》.

담기다 be filled (put in); hold; be served (음식이); be bottled (음식이).

담낭 (膽囊) 【解】 the gall(bladder). ∥ ~관 the cystic duct / ~염 【醫】 cholecystitis.

담다 ① 《그릇에》 put in; fill; 《음식을》 fill; serve. ② 《입에》 speak of; talk about; mention. ③ = 담그다.

담담하다 (淡淡一) 《마음이》 (be) indifferent; disinterested; serene; (빛·맛이) plain; light.

담당 (擔當) charge. ~하다 take charge 《of》; be in charge 《of》 / 담당시키다 put (place) 《a person》 in charge 《of》. ∥ ~검사 the prosecutor in charge / ~업무 the business under 《one's》 charge / ~자 a person in charge 《of》.

담대 (膽大) 《~한 bold; daring; fearless; plucky.

담력 (膽力) courage; pluck; nerve; guts. ¶ ~이 있는 bold; courageous; plucky / ~이 없는 timid; cowardly / ~을 기르다 cultivate (foster) courage.

담론 (談論) (a) lively conversation; (a) talk; a discussion. ~하다 talk over; discuss.

담배 tobacco(살담배); a cigaret(te) (궐련). ∥ ~꽁초 a cigarette butt / 담뱃대 a tobacco pipe / 파이프~ pipe tobacco.

담백 (淡白) 《~한 《마음이》 indifferent; candid; frank; (맛·빛이) light; plain.

담벼락 the surface of a wall.

담보 (擔保) ① (보증) guarantee; assurance. ~하다 guarantee; assure. ② (채무의) security; mortgage(부동산의). ¶ ~를 잡다 take security / …을 ~로 하여 돈을 빌리다 borrow money on (the) security of 《something》. ∥ ~대부 loan on security / ~물 a secu-

담비《動》a marten; a sable.

담뿍 ☞ 듬뿍.

담색《淡色》a light color.

담석《膽石》《醫》a gallstone. ‖ ～증 cholelithiasis.

담세《擔稅》 ～ 능력 tax-bearing capacity / ～자 a tax-payer.

담소《談笑》 ～하다 chat 《with》; have a pleasant talk 《with》.

담소하다《膽小―》(be) timid; cowardly; chicken-hearted.

담수《淡水》 fresh water. ‖ ～어(魚) a fresh-water fish 〔lake〕.

담쌓다 ① 〔두르다〕 surround 《a house》 with a wall 〔fence〕; build 〔set up〕 a wall 《around》. ② 〔관계를 끊다〕 break off relation with 《a person》; be through with.

담요《毯―》 a blanket.

담임《擔任》 charge; ～하다 be in 〔take〕 charge of; take 《a class》 under one's charge. ‖ ～교사 a class 〔homeroom《美》〕 teacher; a teacher in charge 《of a class》 / ～반 a class under one's charge.

담쟁이《植》 an ivy.

담즙《膽汁》 bile; gall. ‖ ～질 bilious temperament.

담차다《膽―》(be) stout-hearted; daring; bold; plucky.

담청색《淡靑色》 light blue.

담판《談判》 a negotiation; a parley; talks. ～하다 negotiate 《with》; have talks 《with》; bargain 《with》.

담합《談合》 ① 〔의논〕 consultation; conference. ～하다 consult 〔confer〕 with. ② 〔입찰에서의〕 artful prebidding arrangement: an illegal 〔improper〕 agreement 《to fix prices》; 《口》 bid rigging. ～하다 consult before bidding; conspire 〔collude〕 to fix prices before tendering. ¶ ～입찰하다 put in 〔make〕 a rigged bid 〔collusive tender〕 《for the contract》.

담홍색《淡紅色》 (rose) pink.

담화《談話》 (a) talk; (a) conversation; a statement 《성명》. ～하다 talk 《converse》 《with》; have a talk 《with》. ‖ ～문 an official statement.

담황색《淡黃色》 lemon yellow.

답《答》 an answer; a reply; a response; a solution 《해답》. ‥하다 answer. ‐ly ‐like: worthy of. ¶ 남자〔여자〕다운 manly 〔womanly, ladylike〕.

답답하다《沓沓―》 ① 《장소가》(be) stuffy; suffocating; stifling. 《숨이》have difficulty in breathing; breathe with difficulty. 《날씨·분위기 등이》(be) oppressive; gloomy; heavy. ② 《사람됨이》(be) hidebound; unadaptable; lack versatility. ¶ 답답한 사람 an unadaptable man. ③ 《안타깝게 하다》(be) irritating; vexing; impatient.

답례《答禮》 a return courtesy 《인사에 대한》; a return call 《방문에 대한》; a return present 《선물에 대한》. ～하다 salute in return; return a call; make a return 《for》; give 《a person a present》 in return.

답변《答辯》 an answer; a reply; an explanation; a defense 《변호》. ～하다 reply; answer; explain; defend oneself.

답보《踏步》 a standstill 《정세》; stagnation; delay; stalemate. ～하다 step; mark time; be at a standstill 《비유적》 make no progress 〔headway〕.

답사《答辭》 an address in reply; a response. ～하다 make a formal reply 《to》.

답사《踏査》 a survey; (an) exploration; a field investigation. ～하다 explore; survey; investigate. ‖ ～대 an exploring party / 현지 ～ (make) a field investigation.

답습《踏襲》 ～하다 follow 〔tread〕 in 《a person's》 footsteps; follow 《the policy of …》.

답신 (答申) ~하다 submit a report 《to》. ‖ ~서 a report.

답안 (答案) an answer; a paper; an examination paper (답안용지).

답장 (答狀) an answer; a reply. ‖ ~하다 answer [reply to] a letter.

답전 (答電) a reply telegram. ‖ ~하다 answer [reply to] a telegram; wire back.

답지 (遝至) ~하다 rush [pour] in; throng [rush] to 《a place》.

답파 (踏破) ~하다 travel on foot; tramp; traverse.

답하다 (答一) answer 《a question》; reply 《to》; give an answer; respond 《to》; solve (풀다).

닷 five. ¶ ~ 말 five mal.

닷새 ① (초닷새) the fifth day of the month. ② (닷샛날) five days.

당 (黨) 〔단체〕 a party; a faction (당파); a clique (도당). ¶ ~을 조직하다 form a party. ‖ ~간부 a party officer / ~권 party hegemony / ~규 party regulations / ~대회 a (party) convention.

당 (糖) sugar. ¶ 혈액의 ~ blood sugar. ‖ ~도 saccharinity.

당… (當) 〔이〕 this; the present (현재의); 〔그〕 that; the said; 〔문제의〕 in question; at issue. ‖ ~역(驛) this station / ~년 20세 be in one's twentieth year; be 20 years old.

당고모 (堂姑母) one's grandfather's niece on one's brother's side.

당과 (糖菓) sweets; candy.

당구 (撞球) billiards. ¶ ~를 하다 play billiards. ‖ ~대 a billiard table / ~봉 a cue / ~장 a billiard room.

당국 (當局) 〔관계〕 the authorities (concerned). ‖ ~자 a person in authority (the person).

당근 【植】 a carrot.

당기 (當期) the current, the present term [period]. ¶ ~의 결산 the settlement of accounts for this term. ‖ ~손익 the profits and losses for this term.

당기다 [끌다] draw; pull; tug; haul; [앞당기다] advance; move 《a date》up [forward].

당기다 [입맛이] stimulate [whet] one's appetite; make one's mouth water.

당나귀 an ass; a donkey.

당년 (當年) 〔금년〕 this [the current] year; 〔왕년〕 those years [days]. 「환자 a diabetic.

당뇨병 (糖尿病) 【醫】 diabetes. ‖ ~

당당 (堂堂) ¶ ~히 grand; stately; dignified; fair / ~히 in a dignified [grand] manner; fair and square / ~히 싸우다 play fair.

당대 (當代) 〔한평생〕 one's lifetime; 〔시대〕 the present generation [age]; those days.

당도 (當到) ~하다 arrive 《at, in》; reach; gain; get to.

당돌 (唐突) ¶ ~한 bold; plucky; fearless; 〔주제넘은〕 forward; rude / ~히 abruptly; rudely.

당락 (當落) the result of an election; success or defeat in an election. 「policy.

당략 (黨略) party politics; a party

당론 (黨論) a party opinion.

당류 (糖類) 【化】 a saccharide.

당리 (黨利) the party interests. ¶ ~를 도모하다 promote [advance] party interests. ‖ ~당략 party interests and politics.

당면 (唐麵) Chinese noodles; starchy [farinaceous] noodles.

당면 (當面) ~하다 face; confront. ¶ ~한 문제 the matter [question] in hand; an urgent problem.

당무 (黨務) party affairs. 「《法》.

당밀 (糖蜜) syrup; molasses; treacle

당번 (當番) duty(의무); (a) turn(차례); watch; [사람] the person on duty[watch]. ~하다 be on duty.

당부 (當否) right or wrong; justice; [적부] propriety; fitness.

당부하다 (當付一) ask (tell, request) 《a person》 to do 《something》; entrust 《a person》 with.

당분 (糖分) the (amount of) sugar.

‖ ~ 측정기 a saccharometer.

당분간(當分間) 〈현재〉 for the present [time being]; 〈얼마 동안〉 for some time (to come).

당비(黨費) party expenditure [expenses].

당사(當事) ‖ ~국 the countries concerned [involved] / ~자 the person concerned; an interested party.

당선(當選) 〈선거에서의〉 (success in) an election; 〈현상에서의〉 winning a prize. ― 하다 〈선거에서〉 be elected; win a seat in (the Senate); 〈현상에서〉 win a prize; be accepted. ‖ ~소설 a prize novel / ~자 a successful candidate; an elected; a prize winner(현상의).

당세(當世) the present day [time].

당세(黨勢) the strength [size] of a party.

당수(黨首) the party leader; the leader [head] of a political party. ¶ 3당 ~ 회담 a conference [talk] among the heads of three political parties.　　　　　[father.

당숙(堂叔) a male cousin of one's

당시(當時) 〈그때〉 (in) those days; (at) that time; then. ¶ ~의 of those days; then.

당신(當身) 〈2인칭〉 you; 〈애인·부부 호칭〉 (my) dear, (my) darling.

당아욱(唐─) 〔植〕 a mallow.

당연(當然) ¶ ~ 한 reasonable; right; proper; natural / ~히 justly; properly; naturally; as a matter of course.

당원(黨員) a member of a party; a party man. ‖ ~이 되다 join a party. / ~명부 the list of party members.

당월(當月) ① ☞ 이달. ② 〈그달〉 that (the said) month.

당의(糖衣) sugar-coat(ing). ‖ ~정 a sugar-coated tablet [pill].

당의(黨議) 〈회의〉 a party council; 〈결의〉 a party decision.

당일(當日) the [that] day; the appointed day.

당일치기(當日─) ¶ ~ 여행을 하다

make a day's trip (to).

당장(當場) 〈즉시〉 at once; right away [now]; immediately; 〈그 자리에서〉 on the spot; then and there.

당쟁(黨爭) party strife. ¶ ~을 일삼다 be given to party squabbles.

당적(黨籍) the party register.

당정협의(黨政協議) a government= ruling party session; a special cabinet and ruling party consultative session.

당좌(當座) ¶ ~를 트다 open a current account. ‖ ~계정 a current account / ~수표 a check 〈英〉; a cheque 〈英〉 / ~예금 a current [checking 〈美〉] account (deposit).

당직(當直) being on duty [watch]. ― 하다 be on duty [watch]. ‖ ~원 a person on duty / ~의사 a duty doctor / ~장교 an officer of the day [guard].

당직(黨職) a party post. ‖ ~개편 reorganization of a party's hierarchy / ~자 a party executive; the party leadership (총칭).

당질(堂姪) a son of male cousin.

당집(堂─) a temple; a shrine.

당차다 be small but sturdy built.

당착(撞着) contradiction; conflict. ― 하다 be contradictory (to); be inconsistent (with); clash [conflict] (with). ☞ 자가당착.

당첨(當籤) prize winning. ― 하다 [되다] win a prize; draw a lucky number. ‖ ~번호 a lucky number / ~자 a prize winner.

당초(當初) the beginning. ¶ ~에는 at first; at the beginning / ~부터 from the first [start].

당초문(唐草紋) an arabesque pattern [design].

당치않다 (be) unreasonable; absurd; unjust; improper.

당파(黨派) a party; a faction; a clique. ‖ ~심 partisan spirit.

당하다(當─) ① 〈사리에〉 (be) reasonable; sensible; right. ② 〈권

다) face; encounter; experience; meet with. ③ 《감당하다》 match; cope 《with》: be equal to: be faced 《confronted》 《적면》, ~ ···의는 당할 수 없다 be no match for: be too much for.

···당하다(當─) 《입다》 receive; suffer; get; be ...ed. ¶ 도난~ be stolen; have 《a thing》 stolen.

당해(當該) ¶ ~의 proper; concerned; competent. ∥ ~관청 the competent 《proper》 authorities the authorities concerned.

당혹(當惑) perplexity; embarrassment. ~하다 be perplexed or embarrassed: be puzzled.

당화(糖化) 《化》 saccharification.

당황하다(唐惶─) be confused [upset, flustered]; lose one's head; panic. ¶ 당황하여 in a fluster; in confusion / 당황케 하다 confuse; upset.

닻 an anchor. ¶ ~을 내리다 cast anchor / ~을 감다 weigh anchor. ∥ ~줄 an anchor cable.

닿다 《도착하다》 arrive 《at, in》; get; reach; 《접하다》 touch; reach《미치다》. ¶ 손 닿는 《닿지 않는》 곳에 within 《beyond, out of》 one's reach.

닿소리 ☞ 자음.

대¹ 《植》 (a) bamboo. ¶ 《성격이》 ~ 같은 사람 a man of frank [straightforward] disposition. ∥ ~바구니 a bamboo basket / ~숲 a clump of bamboo.

대² ① 《줄기》 a stem; a stalk; 《막대》 a pole; a staff; a holder 《붓·펜의》. ¶ ~가 약하다 《비유》 be weak-kneed 《fainthearted》. ② 《담뱃대》 a (tobacco) pipe; 《피우는 도수》 a smoke; a fill《양》. ③ 《주먹 따위의》 a blow; a stroke. ¶ 한 ~에 at a stroke [blow].

대(大) greatness; largeness; 《크기》 large size; 《커다람》 big; large; great; grand; heavy 《손해 따위》.

대(代) 《시대》 a time; an age; a generation 《세대》; a reign 《치세》; 《생존대》 one's lifetime. ¶ 10~의

소녀들 girls in their teens; teenage girls / 제2~ 왕 the second king / ~를 잇다 carry on a family line.

대(隊) 《일행》 a company; a party; 《군대의》 a body 《of troops》; a corps; a unit; a squad《소수의》; 《악대의》 a band.

대(對) ① 《짝》 a pair; a counterpart; a couple. ② 《A 대 B》 《A》 versus 《B》; 《생략 v., vs.》; 《···에 대항》 against; to; toward; with. ¶ 서울 ─ 부산 경기 Seoul vs. Busan game / 4 ─ 2의 스코어로 a score of 4 to 2.

대(臺) ① 《받침·걸이》 a stand; a rest; a holder; a table《탁자》; a support《지주》; a pedestal《동상 등의》; foundation《토대》. ¶ 악보 ~ a music stand / 작업 ~ a worktable. ② 《대수》 ¶ 5 ~의 자동차 five cars. ③ 《액수》 a level. ¶ 만 원~에 닿다 touch 《rise to》 the level of 10,000 won.

···대(帶) a zone; a belt.

대가(大家) ① 《권위》 an authority; a great master. ¶ 문단의 ~ a distinguished writer 《author》. ② 《큰집안》 a great 《distinguished》 family.

대가(代價) price; cost; (a) charge. ¶ ~를 치르다 pay the price; pay for 《an article》.

대가(貸家) a house to let.

대가다 get 《somewhere》 on time; be in time 《for》. ¶ 약속 시간에 ~ present oneself at the appointed time.

대가리 the head; the top.

대가족(大家族) a large [big] family. ¶ ~제도 an extended family system.

대각(大覺) ~하다 attain spiritual enlightenment; perceive absolute truth.

대각(對角) 《數》 the opposite angle. ∥ ~선 a diagonal line.

대간첩(對間諜) counterespionage. ∥ ~작전 《conduct》 a counterespionage operation.

대갈(大喝) ～하다 yell 〔at〕: thunder 〔roar〕〔at〕.

대강(大綱) 〔대강령〕 general principles; 〔대략〕 an outline: 《부사적》 generally; roughly.

대강(代講) teach 〔give a lecture〕 for 〔in place of〕 《another》.

대갚음(對一) revenge; retaliation. ～하다 revenge; revenge oneself 《on》; give 〔pay〕 tit for tat: 《口》 get even with 《somebody》.

대개(大概) 〔개요〕 an outline: 〔대략〕 mostly; generally; in general; for the most part; mainly; 〔거의〕 practically; almost; nearly. ¶ ～의 general; most.

대개념(大概念) 〔論〕 a major concept.

대거(大擧) in a body; in masse; in great 〔full〕 force; in large 〔great〕 numbers.

대검(帶劍) ① wearing a sword; a sword at one's side. ② 〔軍〕 a bayonet.

대검찰청(大檢察廳) the Supreme Public Prosecutor's Office.

대견하다 (be) satisfactory; gratified; helpful. ¶대견하여 여기다 feel satisfactorily; take 〔it〕 laudable.

대결(對決) confrontation; a showdown. ～하다 confront oneself 《with》. ¶ ～시키다 bring 《a person》 face to face 《with》; confront 《a person》 with 《another》.

대경(大驚) ～하다 be greatly surprised; be astounded 〔consternated〕. ¶ ～실색하다 lose color with astonishment.

대계(大系) an outline.

대계(大計) a far-sighted 〔-reaching〕 policy.

대고모(大姑母) a grand-aunt on one's father's side.

대공(建) a king post.

대공(大功) a great merit; distinguished services. ¶ ～을 세우다 render meritorious services; achieve great things.

대공(對空) anti-air. ‖ ～레이더 an

air search radar / ～미사일 〔포화〕 anti-aircraft missile 〔fire〕.

대과(大過) a serious error; a grave 〔gross〕 mistake; a blunder.

대과거(大過去) 〔文〕 the past perfect tense.

대관(大官) a high official; a dignitary.

대관(大觀) a general 〔comprehensive〕 view.

대관절(大關節) 《부사적》 on earth; in the world; in the name of God.

대교(大橋) a grand bridge.

대구(大口) 〔魚〕 a codfish; a cod.

대구루루 ～ 굴리다 roll 《a coin》 over 《the table》.

대국(大局) the general situation. ¶ ～적으로는 on the whole / ～적으로 보면 on a broad survey.

대국(大國) a large country; a big power; the great powers 《총칭》.

대국(對局) a game 《of baduk》. ～하다 play 《a game of》 chess 〔baduk〕 《with》.

대군(大君) a 《Royal》 prince.

대군(大軍) a large army 〔force〕.

대굴대굴 ～ 구르다 roll over and over.

대권(大圈) a great circle. ‖ ～항로 the great circle route.

대권(大權) sovereignty; the supreme 〔governing〕 power.

대궐(大闕) the royal palace. ¶ ～ 같은 집 a palatial mansion.

대규모(大規模) a large scale. ¶ ～의 large-scale / ～로 on a large scale; in a big 〔large〕 way.

대그락거리다 keep clattering 〔rattling〕; clatter 〔ey〕.

대금(大金) a large sum 《of money》.

대금(代金) (a) price; the 〔purchase〕 money; (a) charge; (a) cost 《비용》. ¶ ～ 상환으로 in exchange for the money; cash 〔collect 《美》〕 on delivery 《생략 C.O.D.》. ‖ ～선불 advance payment / ～후불 deferred payment.

대금(貸金) a loan. ‖ ～업 money-

lending business; usury(고리대금).

대기(大氣) the air; the atmosphere. ‖ ～권 the atmosphere.

대기(大器) 《그릇》 a large vessel; 《인재》 a great talent [genius]. ‖ ～만성 Great talents mature late.

대기(待機) stand by; waiting for a chance. ～하다 watch and wait 《for》; stand ready for. ～궤도 a parking orbit / ～발령 an order to leave one's post and to wait for further action; being placed on the waiting list / ～상태 stand-by status.

대기업(大企業) a large enterprise [corporation]; a conglomerate; big business.

대길(大吉) excellent luck; a great stroke of luck. 　　　[crisis.

대난(大難) a great misfortune; a

대남(對南) ‖ ～간첩 an espionage agent against the South / ～공작 operations against the South.

대납(代納) payment by proxy. ～하다 pay for 《another》.

대낮(백주) broad daylight; the daytime; high noon; midday.

대내(對內) ‖ ～적인 domestic; internal; home.

대농(大農) large-scale farming; 《부농》 a wealthy farmer.

대뇌(大腦) the cerebrum 《pl. -s, -bra》; the brain proper. ‖ ～막 the cerebral membrane / ～피질 the cerebral cortex.

대다[1] ① 《접촉》 put 《a thing》 on [over]; place; lay; apply 《a thing》 to [on]; touch. ② 《비교》 compare with; make a comparison with. ¶ 길이를 대보다 compare the length. ③ 《착수·관여》 set one's hand [to]; have a hand 《in》; concern oneself 《with》; start 《attempt》 《a new business》; meddle with [in]. ④ 《공급》 furnish 《supply, provide》 《a person》 with. ⑤ 《도착》 bring to; pull. ⑥ 《알리다》 tell; inform;

confess(고백); make(핑계를). ¶ 증거를 ～ give evidence. ⑦ 《관개》 water; irrigate. ¶ 논에 물을 ～ water a rice field. ⑧ 《연결·대면》 bring into contact; connect; link; set 《a person》 on the telephone(전화에).

대다[2] 《행동·동작》 noise about / 먹어 ～ gluttonize 《바람이》 불어 ～ blow hard.

대다수(大多數) a large majority; the greater part 《of》. ¶ ～를 점하다 hold a large majority.

대단 ¶ ～한 《수가》 a great [large] number of; 《양이》 much; a great [good] deal of; 《엄청난》 innumerable; 《놀라운》 horrible; tremendous; wonderful; 《중대·심각》 serious; grave; 《뛰어남》 great / ～히 very; awfully; seriously; exceedingly; greatly / ～못은 of little [no] importance 《value》; insignificant; slight; trivial; worthless.

대단원(大團圓) the end; the (grand) finale; the finis.

대담(大膽) ¶ ～한 bold; daring / ～하게 boldly; daringly; fearlessly.

대담(對談) a talk; a conversation; an interview. ～하다 talk 《converse》 《with》; have a talk 《with》.

대답(對答) an answer; a reply; a response. ～하다 answer; reply; give an answer.

대대(大隊) a battalion. ‖ ～장 a battalion commander.

대대(代代) ¶ ～로 for generations; from generation to generation; from father to son.

대대적(大大的) ¶ ～으로 extensively; on a large scale.

대도(大道) ① = 대로(大路). ② 《倫》 the right way; a great moral principle. ‖ ～무문(無門) A great way has no door.

대도시(大都市) a large city. ‖ ～권 the metropolitan area.

대독(代讀) reading by proxy. ～하다 read for 《another》.

대동(大同) ¶ ~소이하다 be practically (just about) the same; be much alike. ∥ ─ 단결 unity; (grand) union; solidarity.

대동(帶同) ~하다 take 《a person》 (along) 《with one》: be accompanied 《by》; 〔tery〕 the aorta.

대동맥(大動脈) 〔解〕 the main artery.

대두(大豆) a soybean. ☞ 콩.

대두(擡頭) rise 《of》. ~하다 raise (its) head; gain power; become conspicuous.

대들다 fall on 〔upon〕; defy; challenge; fly at; retort(말대꾸).

대들보(大─) a girder; a cross-beam.

대등(對等) equality. ¶ ~한 equal; even ∥ ~하게 on equal terms; on an equal footing. 〔right.

대뜸 at once; immediately; out-

대란(大亂) a great disturbance.

대략(大略) 〔개요〕 an outline 《of》; 〔적요〕 a summary; 〔발췌〕 an abstract; 〔약〕 about: roughly; 〔거의〕 mostly; nearly.

대량(大量) a large quantity 《of》; a large amount. ∥ ~생산 mass production(─ 생산하다 mass-produce) / ~주문 a bulk order / ~학살 mass murder; massacre.

대령(待令) ~하다 await orders.

대령(大領) 〔육군〕 a colonel (생략 Col.); 〔해군〕 a captain (생략 Capt.); 〔공군〕 a group captain 〔英〕; a (flight) colonel 〔美〕.

대례(大禮) 〔결혼〕 a marriage (wedding) ceremony.

대로(大怒) wild rage; violent (great) anger. ~하다 be (grow) enraged 《with, at》; be (grow) furious.

대로(大路) a broad street; a highway.

대로(─) ① 〔같이〕 like; as it is; 〔…에 따라〕 as; according to (as); 〔…든〕 as. ② 〔곧〕 as soon as; immediately; directly.

대롱 a (bamboo) tube.

대롱거리다 dangle; swing.

대류(對流) a convection (current).

대륙(大陸) a continent. ¶ ~의 〔적

인〕 continental / 아시아 〔유럽〕 ─ the Continent of Asia 〔Europe〕. ∥ ~간 탄도탄 an intercontinental ballistic missile (생략 ICBM) / ~붕 a continental shelf / ~성 기후 a continental climate.

대리(代理) 〔행위〕 representation; 〔대리인〕 an agent; a representative; a proxy: a deputy; attorney(법정의). ~하다 act for 〔in behalf of 《a person》; represent; act as 《a person's》 proxy. ¶ ~의 ─로 in 〔on〕 behalf of …; ─ by proxy. ∥ ~모 a surrogate mother / ~전쟁 a proxy war / ~점 an agency.

대리석(大理石) marble.

대립(對立) opposition; confrontation; antagonism(반목); rivalry (대항). ~하다 be opposed 《to》; confront 《each other》. ¶ 서로 ─ 하는 의견 an opposing (a rival) opinion / …와 ─ 하여 in opposition to …; in rivalry with … .

대마(大麻) 〔植〕 hemp. ¶ ─로 만든 hempen. ∥ ~초 marijuana; hemp; a hemp cigarette.

대만(臺灣) Taiwan. ¶ ~의 a Taiwanese / ~사람 a Taiwanese.

대만원(大滿員) ¶ ~의 만원. ¶ ~의 filled to overflowing.

대망(大望) (an) ambition; (an) aspiration. ¶ ~을 가진 ambitious; aspiring / ~을 품다 have 《har-bor》 an ambition 《to do》.

대망(待望) ~하다 eagerly wait for; expect; look forward to. ¶ ~의 hoped-for; long-awaited (-expected).

대매출(大賣出) a special big sale. ¶ 반액 〔사은〕 ─ a half-price (thank-you) bargain sale.

대맥(大麥) barley. ☞ 보리.

대머리(머리) a bald head; 《사람》 a bald-headed person. ¶ ~가 되다 become bald-headed.

대면(對面) an interview. ~하다 interview; meet; see.

대명(待命) awaiting orders; pending appointment. ~하다 be

ordered to await further instructions.

대명사(代名詞) a pronoun. ‖ 관계[지시, 인칭, 의문] ~ the relative [demonstrative, personal, interrogative] pronoun.

대모(代母) a godmother.

대모집(大募集) a wholesale employment; an extensive employment.

대목《시기》 the busiest [highest] occasion; the most important time; a rush period 《상인의》; 《부분》 a part; a passage.

대목(臺木) 《접목의》 a stock.

대문(大門) the great [outer] gate.

대문자(大文字) a capital [letter].

대문장(大文章) 《잘쓴 글》 masterful writing; 《사람》 a great master of [literary] style.

대물(對物) ‖ ~의 real; objective. ‖ ~렌즈 an object glass [lens] / ~ 배상책임보험 property damage liability insurance.

대물(代物) a substitute. ‖ ~변제 payment in substitutes.

대물리다(代─) hand down [leave, transmit, bequeath] to one's posterity.

대미(對美) ‖ ~정책 a policy toward the U.S.

대민(對民) ‖ ~봉사활동 service for public welfare / ~사업 a project for the people.

대받다(反撥) retort; contradict.

대받다(代─) succeed to; inherit.

대번(에) at once; immediately; in a moment; easily《쉽게》.

대범(大汎) ‖ ~한 liberal; broadminded; large-hearted.

대법관(大法官) a justice of the Supreme Court.

대법원(大法院) the Supreme Court. ‖ ~장 the Chief Justice.

대법회(大法會) 《佛》 a (Buddhist) high mass; a great memorial service.

대변(大便) excrement; feces; stools. ‖ ~을 보다 defecate; empty [evacuate] one's bowels;

relieve oneself; have a bowel movement.

대변(代辯) ~하다 speak for 《another》; act as spokesman 《of》. ‖ ~자[인] a spokesman; a mouthpiece; a spokesperson.

대변(貨邊) 《장부의》 the credit side. ‖ ~에 기입하다 enter on the credit side. ‖ ~계정 a credit account.

대변(對邊) 《數》 the opposite side.

대별(大別) ~하다 classify 《into》; make a general classification 《of》.

대보름(大─) the 15th of January by the lunar calendar.

대본(大本) the foundation; the basic principle. 「rental book.

대본(貸本) a book for rent; 「rental book.

대본(臺本) 《연극의》 a (play) script; 《영화의》 a (film) script, a scenario; 《가극의》 a libretto.

대본산(大本山) the main temple of a Buddhist sect.

대부(代父) a godfather.

대부(貸付) loan(ing). ~하다 lend; loan. ‖ ~금(원) a loan / ~금을 얻다 a loan teller / ~금 ─금 a loan; an advance / 신용 ~ a loan on personal pledge; an open credit.

대부분(大部分) most 《of》; the major [greater] part 《of》; 《부사적으로》 mostly; largely; for the most part. 「mother.

대부인(大夫人) your [his] (esteemed)

대북방송(對北放送) broadcasting toward the North. 「dha.

대불(大佛) a big statue of Bud-

대비(大妃) a Queen Dowager; a Queen Mother.

대비(對比) 《대조》 contrast; comparison. ~하다 contrast [compare] 《two things, A and B》.

대비(對備) provision 《for, against》; preparation 《for》. ~하다 prepare for; provide against 《for》.

대사(大事) 《중대사》 a matter of grave concern; 《대례》 a marriage ceremony.

대사(大使) an ambassador; an envoy(특사). ¶ 주영 ~ an ambassador to Great Britain.

대사(大師) a saint; a great Buddhist priest.

대사(大赦) 일반 사면.

대사(臺詞) speech; *one's lines*; words.

대사관(大使館) an embassy. ‖ 주미한국 ~ the Korean Embassy in Washington, D.C.

대상(大祥) the second anniversary of *a person's* death.

대상(隊商) a caravan.

대상(對象) the object 《*of study*》; a target 《*of criticism*》. ¶ 고교생을 ~으로 하는 사전 a dictionary for highschool students.

대생(對生) 〔植〕 ~ 의 opposite. ‖ ~ 엽 opposite leaves.

대서(大書) ¶ ~ 특필하다 write in large 〔golden〕 letters; mention specially; 《신문 따위가》 lay special stress on. 〔For another.

대서(代書) ~ 하다 write 《*a letter*》

대서다 ① 《뒤따라서다》 stand close behind 《*a person*》. ② 《대들다》 stand against 《*a person*》; turn against 〔upon〕 《*a person*》; defy.

대서양(大西洋) 〔地〕 the Atlantic 《Ocean》. ‖ ~의 Atlantic. ‖ ~ 횡단비행 a transatlantic flight.

대석(臺石) a pedestal 〔stone〕.

대선거구제(大選擧區制) a major constituency system.

대설(大雪) 《눈》 a heavy snow; 《절후》 the 21st of the 24 seasonal divisions of the year.

대성(大成) ~ 하다 《사람이》 attain 〔come to〕 greatness; be crowned with success.

대성(大聖) a great sage.

대성(大聲) a loud voice 〔tone〕. ‖ ~ 통곡하다 weep loudly 〔bitterly〕.

대성황(大盛況) prosperity; a great

성공 success. ¶ ~ 을 이루다 be prosperous 《*a great success*》.

대세(大勢) 《형세》 the general situation 〔trend〕; the main current.

대소(大小) great and small sizes; size (크기). ¶ ~ 의 great and 〔or〕 small; of all 〔various〕 sizes / ~ 에 따라 according to size.

대소(大笑) ~ 하다 roar with laughter; laugh 《out》 aloud.

대소(代訴) litigation by proxy. ‖ ~ 하다 sue on behalf of 《*another*》; sue by proxy.

대소동(大騷動) an uproar; (a) fuss; a great disturbance. ‖ ~ 소동.

대소변(大小便) urine and feces; 《용변》 urination and defecation.

대속(代贖) redemption 〔atonement〕 on behalf of another. ~ 하다 redeem; atone for 《*a person*》.

대손(貸損) a bad debt; an irrecoverable debt. ‖ ~ 준비금 a bad debt reserve.

대수(大數) ① 《큰 수》 a great 〔large〕 number. ② 《대운》 a good luck; great fortune.

대수(代數) 〔數〕 algebra. ‖ ~ 식 an algebraical expression / ~ 학자 an algebraist.

대수(對數) 〔數〕 a logarithm. ‖ ~ 표 a table of logarithms.

대수롭다 (be) important; valuable; significant; serious. ¶ 대수롭지 않은 trifle; trivial; of little 〔no〕 importance; insignificant.

대수술(大手術) a major operation.

대승(大乘) ~ 적 견지 a broader viewpoint. ‖ ~ 불교 Mahayanist Buddhism.

대승(大勝) ~ 하다 win 〔gain〕 a great victory; win a landslide 《over》 (선거에서).

대식(大食) gluttony. ¶ ~ 하다 eat a lot 〔a great deal〕. ¶ ~ 의 gluttonous. ‖ ~ 가 a great 〔big〕 eater; a glutton.

대신(大臣) a minister 《of state》; a State 〔Cabinet〕 minister.

대신(代身) 《부사적》 instead of; in

place of; on [in] behalf of; (as a substitute) for; while(반면에); in return (exchange, compensation) (for) (대상으로), ~ 하다 take the place of; take (a person's) place; be substituted for.

대실(貸室) a room on [for] hire.

대심(對審) a trial (공판); confrontation (대질), ~ 하다 confront (the accused with the accuser).

대아(大我) absolute ego; the higher self.

대안(代案) an alternative (plan).

대안(對岸) the other side (of a river); the opposite bank.

대안(對案) a counterproposal.

대액(大厄) (재난) a great misfortune (calamity, disaster).

대야 a basin; a washbowl.

대양(大洋) the ocean; ~ 의 oceanic; ocean. ‖ ~ 주 Oceania.

대어(大魚) a large (big) fish. ¶ ~ 를 놓치다 (비유적) narrowly miss a great chance of (obtaining success). 「good haul.

대어(大漁) a large (good) catch; a

대언(大言) big talk; boasting; bragging. ¶ ~ 장담하다 talk big (tall); brag; boast (of, about).

대업(大業) a great achievement (enterprise).

대여(貸與) lending; a loan. ~ 하 다 loan; lend. ¶ ~ 금 a loan / ~ 장학금 a loan scholarship.

대여섯 about five or six.

대역(大役) an important task (duty, mission); an important part (role).

대역(代役) a substitute (연극의) an understudy; (영화의) a stand-in. ¶ ~ 을 하다 act in a person's place; play the part for (another).

대역(對譯) a translation printed side by side with the original text.

대역죄(大逆罪) high treason.

대열(隊列) a line; the ranks; formation. ¶ ~ 을 짓다 form ranks; ~ 을 지어 in line (procession);

in formation.

대엿새 about five or six days.

대오다 come (arrive) on time (for).

대왕(大王) a (great) king. ¶ 세종 ~ Sejong the Great.

대외(對外) ~ 의 foreign; external; outside(외부). ‖ ~ 관계 international relations / ~ 무역 foreign (overseas) trade / ~ 정책 a foreign policy.

대요(大要) (개략) an outline; a summary; a gist; a résumé (프).

대용(代用) substitution. ~ 하다 substitute (A for B); use (one thing) as a substitute for (another). ‖ ~ 품 a substitute (article).

대용금 ~ 하다 take (use) on loan; borrow.

대우(待遇) treatment (처우); reception(접대); pay(급료). ~ 하다 treat; receive; pay. ¶ 이사 ~ 의 부장 a department chief with board-member status.

대운(大運) great fortune; good luck. 「ary (of a temple).

대웅전(大雄殿) the main sanctu-

대원(大願) one's cherished desire.

대원수(大元帥) the generalissimo.

대원칙(大原則) the broad principle.

대월(貸越) an overdraft; an outstanding account.

대위(大尉) (육군) a captain; (공군) a captain; a flight lieutenant (英); (해군) a lieutenant.

대위법(對位法) counterpoint.

대유(大儒) a great Confucianist.

대응(對應) ~ 하다 correspond with (to); be equivalent to; (대항·대처) cope with; deal with. ‖ ~ 책 a countermeasure.

대의(大意) (요지) the gist; the substance; (개략) a general idea; an outline.

대의(大義) (목적) a (great) cause; (충의) loyalty; (정의) justice; righteousness. ¶ ~ 라는 ~ 명분으로 in the cause of ...; on the pretext of ...,

대의(代議) ∥ ~원 a delegate; a representative / ~제도 a representative (parliamentary) system.

대인(大人) ① 《남의 아버지》 your 〔his〕 (esteemed) father. ② 《어른》 a grown-up; an adult. ~용 for adults. ③ 《위인》 a great man.

대인(代印) signing per procuration. ~하다 sign (set a seal) by proxy.

대인(對人) ∥ ~관계〔신용, 담보〕 personal relations (credit, security) / ~방어 man-to-man defense.

대인기(大人氣) a big hit; great popularity; a great success. ¶ ~다 be very popular 《with, among》; make a great hit.

대인물(大人物) a great man (character, figure).

대일(對日) ~감정 the sentiment toward Japan / ~관계〔무역〕 relations (trade) with Japan.

대임(大任) a great task; an important charge (mission).

대입준비학원(大入準備學院) a college entrance test preparation institute.

대자대비(大慈大悲) Buddha's great mercy and compassion.

대자보(大字報) a big-character paper (poster); a wall poster.

대자연(大自然) nature; creation; Mother Nature; (Mighty) Nature.

대작(大作) a great work; a masterpiece (걸작); a voluminous work (방대한).

대작(代作) 《글의》 ghostwriting. ~하다 ghostwrite; write for 《a person》. ∥ ~자 a ghostwriter.

대작(對酌) ~하다 drink together; hobnob 《with》.

대장(大將) a general (육군, 공군); an admiral(해군).

대장(大腸) the large intestine. ∥ ~균 a colon bacillus / ~염 colitis.

대장(隊長) a troop commander; a captain; a leader.

대장(臺帳) a ledger(회계부); a register(등록부). ~에 기입하다 make an entry (of an item) in the ledger. 〔a smithy; a forge.

대장간(一間) a blacksmith's shop;

대장경(大藏經) 《佛》 the complete collection of Buddhist Scriptures (Sutras).

대장부(大丈夫) a (brave) man; a manly (great) man. ¶ ~답게 굴라 Be a man! or Play the man!

대장장이(一匠一) a blacksmith.

대적(大敵) a powerful (formidable) enemy; a formidable rival (경쟁자).

대적(對敵) ~하다 turn (fight, face) against; 《겨루다》 vie (contend) 《with》; compete 《with》.

대전(大典) 《의식》 a state ceremony; 《법전》 a code of laws.

대전(大戰) a great war (battle). ¶ 제2차 세계 ~ World War II; the Second World War.

대전(帶電) 《理》 electrification. ~하다 take an electrical charge. ¶ ~방지용 스프레이 an anti-static spray. ∥ ~체 a charged body.

대전(對戰) ~하다 encounter 《the enemy》; fight 《with》; play a match 《against》 (시합에서). ¶ ~시키다 match 《a person》 against 《another》. ∥ ~료 a fight money / ~상대 an opponent.

대전제(大前提) 《論》 the major premise.

대전차(對戰車) anti-tank. ∥ ~포(미사일) an anti-tank gun (missile).

대절(貸切) ~의 (한) chartered; reserved; booked (英).

대접(그릇) a (soup) bowl.

대접(待接) treatment; reception; entertainment. ~하다 treat; receive; entertain.

대정맥(大靜脈) the vena cava 《pl. venae cavae》.

대제(大帝) a great emperor. ¶ 피터 ~ Peter the Great.

대제(大祭) a grand festival.

대조(大潮) the flood (major) tide.

대조(對照) (a) contrast; (a) com-

parison. ~하다 contrast [compare] 《A with B》. ¶ ~를 이루다 form [present] a contrast 《with》 /…와 ~적으로 in contrast to ....

대졸(大卒) a college [university] graduate.

대종(大宗) (계통) the main stock; (주요품) the main items. ¶ 수출의 ~ the staple items for export. ‖ ~가 a head [main] family.

대좌(對坐) ~하다 sit opposite (to); sit face to face 《with》.

대죄(大罪) a heinous [high] crime; a grave offense; a felony.

대죄(待罪) ~하다 await the official decision on one's punishment.

대주(貸主) the lender; the creditor; the lessor (부동산의).

대주교(大主教) an archbishop.

대주다 supply [provide, furnish] 《a person with》. [runner.

대주자(代走者) 《야구의》 a pinch

대중(걸어림) a rough estimate [calculation]; (추측) guess; (표준) a standard. ¶ ~없다 be hard to foresee; be uncertain [irregular]; be without a fixed principle (주견 없다).

대중(大衆) the masses; the populace; (일반 대중) the (general) public. ¶ ~화하다 popularize; make 《a thing》 popular. ‖ ~매체 the mass media / ~문학 [문화] popular literature [culture] / ~성 popular appeal; poplarity.

대증(對症) ‖ ~요법 symptomatic treatment.

대지(大地) the earth; the ground.

대지(垈地) a (building) site [lot]; (a plot of) ground.

대지(臺紙) (paste)board; ground paper; a mount (사진의).

대지(貸地) land [a lot] to let [for rent].

대지(對地) ‖ ~지 ~의 ground to ground; ~공격 a ground attack; an air raid.

대지주(大地主) a great landowner.

대진(代診) a locum for. ~하다 examine [diagnose] 《a patient》 in behalf of 《another doctor》. ‖ ~의사 an assistant doctor.

대진(對陣) ~하다 encamp facing each other; play a match 《against》.

대질(對質) confrontation. ¶ ~시키다 confront 《a person》 with 《another》. ‖ ~심문 cross-examination.

대짜(─) a big one.

대차(大差) a great [wide, big] difference. ¶ ~가 있다 be very different 《from》; differ a great deal 《from》.

대차(貸借) (a) loan; debit and credit. ‖ ~대조표 a balance sheet.

대찰(大刹) a grand temple.

대책(對策) a measure; a counter-measure.

대처(帶妻) ‖ ~승 a married Buddhist priest.

대처(對處) ~하다 meet; deal [cope] with.

대첩(大捷) a great victory. ~하다 win a sweeping victory.

대청(大廳) the main floored room.

대체(大體) (개요) an outline; a summary; (요점) the principal parts; (도대체) on earth. ¶ ~적인 general; main; rough. ‖ ~로 generally; as a whole.

대체(代替) ~하다 substitute 《A for B》; replace 《A》 with 《B》; alternate 《with》. ‖ ~물 [法] a substitute; a fungible. / ~식품 substitute food 《for rice》/ ~에너지 alternative energy.

대체(對替) [商] transfer. ¶ 수수료를 아무의 계정으로 ~하다 transfer a commission to a person's account. ‖ ~계정 a transfer account / ~전표 a transfer slip.

대추(─) 《나무》 a jujube tree; (열매) a jujube.

대출(貸出) lending; a loan. ~하다 lend; loan out; make a loan 《to》. ‖ ~금 loaned money.

대충(代充) ～하다 supplement [replenish] with substitutes.

대충 roughly; approximately; 《거의》 about; nearly; almost.

대충자금(對充資金) 〖經〗the counterpart fund.

대치(對峙) ～하다 stand face to face 《with》; confront; face.

대칭(對稱) 〖數〗symmetry. ∥ ～점 a symmetrical point.

대타(代打) 〖野〗pinch-hitting. ∥ ～자 a pinch hitter.

대통(大統) the Royal line.

대통령(大統領) the President; the Chief Executive. ¶ ～의 presidential / 클린턴 ～ President Clinton. ∥ ～관저 the presidential residence; the White House(미국의) / ～부인 the First Lady 《美》 / ～선거 (입후보자) a presidential election 〔candidate〕 / ～제 a presidential government.

대통령권한대행(大統領權限代行) the acting President.

대퇴(大腿) 〖解〗the thigh. ∥ ～골 a thighbone / ～부 the femur.

대파(大破) ～하다 be greatly [badly] damaged; be ruined [smashed]. 「tion 《for》.

대파(代播) ～하다 sow in substitu-

대판(大一) ¶ ～ 싸우다 have a 'violent quarrel 〔big fight〕《with》.

대판(大版) large size 〔edition〕.

대패(공구) a plane. ¶ ～질하다 plane 《a board》. ∥ ～ 밥대팻날 a plane iron / 대팻밥 wood shavings.

대패(大敗) crushing 〔complete〕 defeat. ～하다 suffer 〔meet with〕 a crushing defeat; be severely defeated; be routed.

대포 drinking from a bowl. ∥ 대폿집 a groggery; a pub.

대포(大砲) ① 〖軍〗a gun; a cannon. ② 《거짓말》 a 〔big〕 lie. ¶ ～를 놓다 talk big; brag.

대폭(大幅) 《부사적》 largely; sharply; steeply.

대표(代表) representation; 《대표자》 a delegation(단체); a delegate [representative](개인). ～하다 rep-

resent; stand 〔act〕 for. ¶ ～적인 representative; typical 《전형적》; ...을 ～하여 on 〔in〕 behalf of .... ∥ ～번호 (전화의) the key 〔main〕 number. 「wind.

대풍(大風) a strong 《violent, big》 wind.

대풍(大豊) an abundant harvest; a bumper 〔record〕 crop.

대피(待避) ～하다 take shelter 《in, under》. ∥ ～소 《좁은 도로상의》 a turnout 《美》 / ～하는곳 a passing-place 《英》 / ～호 a dugout; a (bomb) shelter.

대하(大河) a large river. ∥ ～소설 a saga 〔long〕 novel.

대하(大蝦) a lobster.

대하다(對一) ① 《마주보다》 face; confront; 《대항하다》 oppose; 《응하다》 receive; treat. ② 《...에 대해》 toward; to; for; 《...에 대항하여》 against.

대하증(帶下症) 〖醫〗leucorrhea.

대학(大學) a university(종합); a college 《美》~ 단과대. ∥ ～ 1 (2, 3, 4)학년생 a freshman 〔sophomore, junior, senior〕. ∥ ～생 a university 〔college〕 student; an undergraduate / ～원 a postgraduate course; a graduate school 《美》 / ～총장 the president of a university / ～학장 a dean.

대학자(大學者) a great scholar.

대한(大寒) midwinter; the coldest season; 《절후》 the last of the 24 seasonal divisions of the year.

대한(大韓) Korea. ∥ ～민국 the Republic of Korea (생략 ROK) / ～해협 the Straits of Korea.

대합(大蛤) 〖貝〗a large clam.

대합실(待合室) a waiting room.

대항(對抗) opposition; rivalry. ～하다 stand against; oppose; cope with; meet. ¶ ～시키다 set up 《a person》 against 《another》. ∥ ～경기 a match; a tournament.

대해(大害) great harm.

대해(大海) the ocean; the sea.

대행(代行) ～하다 deputize 《for》; execute as proxy; act for 《an-

other〕. ‖ ~기관 an agency / ~ 업무 agency business / ~자 an agent / 수출〔수입〕~ an export〔import〕agent.

대헌장(大憲章) Magna Carta.

대형(大形) a large size. ‖ ~의 large〔-sized〕.

대형(隊形) (a) formation; order.

대화(對話) (a) conversation; a dialogue. ~하다 talk〔converse〕 (with); have a conversation 〔talk〕(with).

대회(大會) a mass〔large〕meeting; a rally; a general meeting; a convention; a meet〔tournament〕(경기의). ‖ ~를 열다 hold a mass meeting.

대흉(大凶) worst luck; the worst of ill fortune. → 흉년.

댁(宅)〔집〕a house; a residence; 〔자택〕one's house〔home〕; 〔당신〕 you; 〔남의 부인〕 Mrs. ......

댁내(宅內) your〔his〕family.

댄서 a dancer.

댄스 a dance; dancing. ‖ ~파티 a dance; a ball / ~을 a dance hall.

댐〔제방〕a dam.

댓… about five.

댓돌 terrace stones.

댓바람 at a stroke〔blow〕; at once; quickly.

댕그랑거리다 tinkle; jingle; clang.

댕기 a pigtail ribbon.

댕기다〔불을〕light; kindle; ignite; 〔붙이〕 catch〔take〕(fire).

댕댕 jingling; dingdong; tinkling.

댕댕같다 (be) as hard as a rock.

더 more; longer (시간); farther 〔거리〕; further (더욱). ‖ ~ 한층 more and more / 그만큼 ~ still more / 그만큼 ~ as many〔much〕more / 조금만 ~ a little〔few〕more.

더군다나 besides; moreover; further (more); in addition; what is more〔worse〕.

더껑이 scum; cream; film. 〔dirt.

더께 encrusted dirt; a layer of

더덕〔植〕Codonopsis lanceolata.

더덕더덕 in clusters; in bunches.

더듬거리다 ① 〔눈으로 보지 않고〕 grope 〔fumble, feel〕(for, after). ② 〔발음〕 stammer; stutter.

더듬다 ① → 더듬거리다. ② 〔기억 근원 따위를〕 trace; follow up (a clue).

더듬이〔蟲〕a tentacle; a feeler.

더디다 (be) slow; tardy (at).

…더라도 if; even if; (even) though; admitting that.

더러〔다소〕 some; somewhat; a little; 〔이따금〕 occasionally; at times; once in a while.

더러워지다〔때묻다〕become dirty; be soiled; be stained.

더럭 all of a sudden; suddenly.

더럽다 (be) unclean; dirty; filthy; mean(비열); indecent(추잡); stingy(인색).

더럽히다〔때묻히다〕make dirty; soil; stain; 〔명예 따위를〕disgrace; dishonor; 〔오염시키다〕pollute; contaminate.

더미 a pile; a heap; a stack.

더미씌우다 shift the burden of responsibility (on a person); lay the blame at (a person's) door.

더벅머리〔머리〕disheveled 〔unkempt〕 hair; bushy hair.

더부룩하다〔머리 · 수염이〕 (be) bushy; shaggy.

더부살이 a living-in 〔resident〕 servant.

더불어〔함께〕together; with.

더블 double. ‖ ~베드 a double bed.

더빙〔映 · TV〕dubbing.

더벅거리다 act 〔behave〕 rashly.

더없이 most of all; extremely. ‖ ~ 행복하다 be as happy as can be.

더욱 more; still more.

더욱이 besides; moreover; what is more; in addition (to that).

더위 the heat; hot weather. ‖ ~ 를 식히다 beat the heat.

더치다〔병세가〕become 〔grow〕 worse; take a bad turn.

더펄거리다〔머리털 따위가〕bounce up and down; 〔사람이〕act frivo-

lously.

더펄머리 bouncing hair.

더하다 《보태다》 add 〔to〕; add 〔sum〕 up; 《증가》 increase; gain; grow; add 〔to〕; 《심해지다》 get 〔grow〕 worse 〔serious〕.

더하다 《비교해》 (be) more ...; -er. ¶ 크기가 ～ be bigger.

더할 나위 없다 (be) perfect; leave nothing to be desired; (be) the finest 〔greatest〕. ¶ 더할 나위 없이 기쁘다 be perfectly happy or be as happy as can be.

덕(德) 《미덕》 (a) virtue; goodness; a merit; 《덕택》 indebtedness; favor. ¶ ～이 높은 사람 a man of high virtue / …의 ～로 by virtue 〔dint〕 of ...; thanks to ....

덕대 〔礦〕 a subcontract miner.

덕망(德望) moral influence. ¶ ～가 높은 사람 a man of high (moral) repute.

덕분(德分) = 덕택.

덕성(德性) moral character; moral nature. ¶ ～스럽다 be virtuous.

덕업(德業) virtuous deeds.

덕지덕지 in a thick layer; thickly.

덕택(德澤) 《은혜》 indebtedness; favor; 《후원》 support. ¶ …의 ～으로 thanks to 《a person》; by 《a person's》 favor 〔help〕; 《원인·이유》 due 〔owing〕 to.

덕행(德行) virtuous (moral) conduct; virtue; goodness.

던적스럽다 《비열》 (be) mean; base; sordid; 《추잡》 (be) indecent; obscene; filthy.

던지다 《내던지다》 throw; hurl; fling; cast.

덜 less; incompletely. ¶ ～ 마른 half-dried / ～ 익은 과일 unripe fruit.

덜거덕거리다 rattle; clatter.

덜다 《경감·완화》 lessen; mitigate; relieve; alleviate; lighten; 《절약》 save; spare. ¶ 수고를 ～ save 《a person》 trouble; save labor. ② 《빼다》 subtract; deduct 《from》; take off; 《적게 하다》 decrease; lessen; abate; reduce.

덜덜 ～ 떨다 tremble 《for fear》; quiver; shiver; tremble all over.

덜되다 ① 《미완성》 (be) incomplete; unfinished; 《덜 익다》 be not ripe. ② 《사람이》 be no good; be not up to the mark; be half-witted.

덜렁거리다 《소리》 jingle; tinkle; clink; 《행동》 behave oneself flippantly.

덜렁하다 《소리가》 jingle; 《가슴이》 feel a shock; get startled.

덜리다 be reduced 〔deducted, removed〕.

덜미 = 뒷덜미. ¶ ～잡이하다 take 〔seize〕 《a person》 by the scruff of the neck.

덜커덕거리다 rattle; clatter.

덜컥 ① 《갑자기》 suddenly; unexpectedly. ② 《소리》 with a click 〔clatter, bump〕.

덤 《더 얹어 주는 것》 an extra; an addition; a free gift. ¶ ～으로 주다 throw in 《a thing》 for free.

덤덤하다 be speechless; remain silent.

덤받이 a child by one's former marriage.

덤벙거리다 《행동을》 act frivolously 〔rashly〕; 《물에서》 splash; splatter.

덤불 a thicket; a bush.

덤비다 ① 《달려들다》 turn 〔fall〕 on 《a person》; pick a quarrel with; spring 〔leap〕 on; fly at. ② 《서둘다》 be hasty; hurry; make undue haste.

덤프트럭 a dump truck.

덤핑 〔經〕 dumping. ～ 하다 dump 《goods》. ¶ ～방지 관세 anti-dumping duties / 반 ～ 법 Anti-Dumping Act.

덥다 (be) hot; warm; feel hot.

덥석 quickly; suddenly; tightly 〔단단히〕.

덧 a short time 〔while〕; a brief span of time. ¶ 어느 ～ before one knows; without one's knowledge.

덧나다 ① 《병이》 grow worse; get 〔become〕 inflamed. ② 《성나다》

be offended 《at》.

덧내다 《병을》 cause to take a bad turn; make 《a boil》 worse.

덧니 a snaggletooth; a double tooth (겹처). ¶ ~가 나다 cut a snaggletooth.

덧문(─門) an outer door; a shutter.

덧붙이다 add 《attach, stick》 《one thing to another》; 《말을》 add; make an additional remark.

덧셈 addition. ¶ ~표 plus sign. | ~하다 add up figures.

덧신 overshoes; rubbers 《美》.

덧없다 be transient; vain; uncertain; short-lived; fleeting.

덩굴 《植》 a vine. ¶ ~손 a tendril; a runner.

덩그렇다 《높다・헌거롭다》 (be) high and big; imposing; 《텅비다》 look hollow 《empty》.

덩달다 imitate 《follow》 《a person》 blindly; follow suit 《ly》.

덩실거리다 dance lively 《sprightly》.

덩어리 a lump; a mass. ¶ ~지다 lump; 《form a》 mass / 얼음 ~ a lump of ice / 흙 ~ a clod of earth.

덩치 a body; a frame. ¶ ~가 큰 bulky; hulking.

덫 a snare; a trap. ¶ ~을 놓다 set 《lay》 a trap 《snare》 《for》.

덮개 a cover; a covering; a lid (뚜껑); a coverlet (침구).

덮다 《씌우다》 cover 《with》; put 《a thing》 on; veil; overspread; 《은 폐》 hide; cover up; cloak; 《닫다》 shut; close.

덮어놓고 without asking 《giving》 any reason; causelessly.

덮어두다 shut one's eyes 《to》; overlook; pass 《a person's sin》 over; ignore; take no heed of.

덮어씌우다 《가림》 cover 《a thing with ...》; put 《a thing》 over 《on》. ② 《죄를》 accuse 《a person》 of 《theft》 falsely 《unjustly》; make a false charge 《of espionage》; put 《lay》 《the blame》 on 《a person》.

덮이다 be covered 《veiled, hidden,

덮치다 ① 《망 따위로 ...을》 throw 《cast》 《a net》 over 《birds》; 《파도・홍수 따위가》 surge 《rush》 《on》; 《폭풍 따위가》 overtake 《a ship》; 《군중 따위가》 swarm in 《on some-body》. ② 《엄습하다》 attack; raid; fall on; assail. ③ 《여러 가지 일이 한꺼번에》 have several things at a time.

데 《곳》 a place; a spot; a point; 《경우》 an occasion; a case.

데걱 at once 《곧》; easily 《쉽게》.

데꺽거리다 clatter; rattle.

데다 ① 《불에》 get burnt; have a burn; scald *oneself*; get scalded. ② 《혼나다》 have a bitter experience.

데드라인 a deadline. 「batter.

데드볼 《野》 a pitch which hits the

데려가다 take 《a person》 along; take 《a person》 with one.

데려오다 bring 《a person》 along; bring 《a person》 with one.

데리다 take 《bring》 《a person》 with one; be accompanied by. ¶ 데리고 노다 amuse; take care of 《아이를》.

데릴사위 a son-in-law taken into the family.

데면데면하다 (be) careless; negligent.

데모 《stage》 a demonstration. ~하다 demonstrate 《against》. | ~ 행진 a demonstration parade. / 대 (a group of) demonstrators / ~ 행진 a demonstration parade.

데뷔 a *début* 《프》. ~하다 make one's début.

데삶다 parboil; boil 《an egg》 soft 《lightly》. ¶ 데삶은 half-done 《-boiled》. 「(rough) sketch.

데생 《美術》 a *dessin* 《프》; a

데시... deci─. ¶ ~리터 a deciliter (생략 dl) / ~벨 a decibel(생략 dB, db).

데우다 make warm; heat 《up》.

데이비스컵 《테니스》 the Davis Cup.

데이터 《gather》 data 《on》. | ~ 처리장치 a data processing machine. 「《a girl》.

데이트 a date. ~하다 date 《with》

데익다 be half-cooked [-done].

데치다 scald; parboil (*vegetables*).

데카당 a decadent.

데카당스 decadence.

데탕트 détente (프.).

데통스럽다 (be) clumsy; gawky.

덴마크 Denmark. ¶ ~의 Danish / ~ 사람 a Dane.

델타 『地』 a delta. ¶ ~ 지대〔평야〕 a delta land (plain).

도(度) ① (온도·각도) a degree. ¶ 60 ~ sixty degrees. ② (정도) a degree; (an) extent; a measure. ¶ ~를 지나치다 go too far; carry ~ to excess; be intemperate.

도(道) (행정 구획) a province.

도(道)² 〔理〕 teachings (가르침); doctrines (교리); truth(진리); morality(도의); *one's* duty(지켜야할). ¶ (기예·방술의) an art. ¶ ~를 닦다 cultivate *one's* moral (religious) sense.

도 〔樂〕 do.

도 (토) ① (및, …도 …도) and; as well (as); both … and(긍정); neither … nor(부정); (역시) also; too; also; not … either (부정). ② (조차도) even; not so much. ¶ 지금 ~ even now. ③ (비록 …이라도) even if; (al)though. 도가니 a melting pot; a crucible. ¶ 흥분의 ~ 가 되다 turn into a scene of wild excitement.

도가리 a crest (*of a bird*).

도감(圖鑑) a pictorial (an illustrate) book. ¶ 동물〔식물〕~ an illustrated animal (plant) book.

도강(渡江) ~하다 cross a river.

도개교(跳開橋) a bascule bridge.

도거리 ¶ ~로 in a lump; in the gross. 〔類〕.

도검(刀劍) a sword; swords 〔도검〕.

도계(道界) a provincial border.

도공(刀工) a swordsmith.

도공(工工) a ceramist.

도관(導管) a conduit (pipe); a pipe.

도괴(倒壞) collapse. ~하다 collapse; fall down; crumble.

도교(道教) Taoism.

도구(道具) ① (공구) a tool; an implement; a utensil; (용구·도구) an outfit. ② (수단·방편) a means; a tool.

도굴(盜掘) ~하다 rob a grave (tomb). ¶ ~범 a grave robber.

도금(鍍金) gilding; plating. ~하다 plate; gild.

도급(都給) a contract (for work). ¶ ~ 맡다 contract (for); undertake; get (receive) a contract (for) / ~ 주다 give (*a person*) a contract (for); let a contract (*to somebody*). ¶ 일괄 ~ 계약 a contract on the turnkey basis / 일괄 ~ (수출) (export) by turn-key system.

도기(陶器) china(ware); earthenware; pottery. ¶ ~상 a china shop; a china-dealer.

도깨비 a bogy; a ghost.

도깨비불 a will-o'-the-wisp; a jack-o'-lantern.

도끼 an ax; a hatchet (손도끼); a chopper. ¶ ~질하다 wield an ax. ‖ ~ 자루 an ax haft (handle).

도난(盜難) (a case of) robbery (burglary, theft). ¶ ~ 당하다 be robbed (of *one's money*); have (*one's money*) stolen; be stolen (물건이 주어). ¶ ~ 경보기 a burglar alarm (~ / ~ 품 stolen goods.

도내(道內) ¶ ~의 (에) in (within) the province.

도넛 a doughnut. ¶ ~ 화 현상 (도심부의) the hollowing-out effect.

도달(到達) arrival. ~하다 arrive at (at); reach; get to.

도당(徒黨) a faction; a clique. ¶ ~ 을 짓다 band together; form a league (faction, clique).

도대체(都大體) on earth; in the world.

도덕(道德) morality; virtue; morals. ¶ ~상 (적으로) morally; from the moral point of view. ¶ ~가 a moralist; a virtuous man / ~ 교육 moral education / ~ 심 a moral sense; a sense of morality.

도도하다 《거만》 (be) proud [arrogant, haughty]. ¶ 도도하게 proudly; arrogantly.

도도하다 《流暢一》 ① 《변설이》 be eloquent; fluent. ② 《물이》 도도히 흐르다 flow with a rush.

도둑 ¶ ― 맞다 《사람이》 have 《a thing》 stolen; be robbed of 《one's purse》. 《물건이 주인》 be stolen. ― 놈 a thief; a burglar; a robber [― 질 theft; burglary; stealing 《 ― 질하다 commit theft; steal; rob》.

도드라지다 ① 《형용사적》 (be) swollen; protuberant; 《현저하다》 (be) salient; prominent. ② 《자동사적》 swell; protrude; heave.

도떼기시장 (―市場) an open-air [a flea] market.

도라지 《桔》 a balloon flower; a chinese bellflower. ② 《뿌리》 platycodon.

도락 (道樂) a hobby; a pleasure. ¶ ―을 ―으로 삼다 do 《something》 as a hobby [for pleasure].

도란거리다 ☞ 두런거리다.

도랑 a drain; a gutter. ¶ ―을 치다 clear out a ditch. ‖ ―창 a gutter; a drain.

도래 (到來) arrival; advent. ~ 하다 arrive; come.

도래 (渡來) ― 하다 visit; come from abroad; be introduced 《into》.

도량 (度量) 《마음》 magnanimity; liberality; generosity.

도량 (跳梁) ~ 하다 be rampant; be dominant; prevail.

도량 (道場) 《佛》 a Buddhist seminary.

도량형 (度量衡) weights and measures. ‖ ~기 measuring instruments.

도려내다 scoop [gouge] out; bore 《a hole through》; hollow out.

도련님 a young gentleman; an unmarried boy (as addressed by servants); 《호칭》 Master; Darling; 《시동생》 a young brother-in-law.

도령 《총각》 an unmarried man; a

boy.

도로 (徒勞) ¶ ―에 그치다 come to nothing; prove fruitless.

도로 (道路) a road; a street; a highway (공도). ‖ ― 공사 road repairing [construction]; road works / ~ 교통법 the Road Traffic [Control] Law / ~ 교통정보 a road traffic report [information] / ~ 망 a network of roads; a road system / ~ 표지 a road sign; a signpost / 한국 ~ 공사 the Korea Highway Corporation.

도로 (다시) back; (over) again; 《전처럼》 (as it was) before. ¶ ― 주다 give back. / ~ 가다 [오다] go [come] back.

도로아미타불 (―阿彌陀佛) a relapse; a setback. ¶ ~이 되다 lose all that one has gained; be back where one started.

…도록 ① 《목적》 to; so as to; in order to [that]; so that one may …, ¶ 《…지 않 (so as) not to; that … may not; lest … should. ② 《…까지》 till; until. 《 되도록》 as … as possible. ¶ 되 ― 빨리 as soon as possible.

도롱뇽 《動》 a salamander.

도롱이 a straw raincoat.

도료 (塗料) paints. ‖ ~ 분무기 a paint sprayer.

도루 (盜壘) 《野》 base stealing; a steal. ― 하다 steal a base.

도루묵 《魚》 a kind of sandfish.

도륙 (屠戮) ― 하다 massacre; butcher; slaughter.

도르다¹ 《분배》 distribute; pass out; deal out; serve round; deliver (배달).

도르다² 《융통》 raise; procure. ¶ 돈을 ― raise money; secure a loan; borrow money.

도르래 《장난감》 a pinwheel [top]; 《활차》 a pulley.

도리 《建》 a beam; a crossbeam.

도리 (道理) ① ☞ 사리 (事理). ② 《방도》 a way; a means; a measure. ③ 《의리》 duty; obligation.

도리깨 《thresh with》 a flail.

도리다 cut 〔out〕 round; scoop out; 《구멍을》 hollow out; bore.

도리도리 《아기에게》 Shake-shake!

도리어 《반대로》 instead; on the contrary; 《오히려》 rather; 《all the more.

도리질 《아기의》 ~하다 shake *its* head for fun 《from side to side》.

도립(道立) ~의 provincial. ∥ ~병원 a provincial hospital. ∥ ~

도마 a chopping board 〔block〕. ∥ ~ 위에 오른 고기 be resigned to *one's* fate.

도마뱀 〔動〕 a lizard.

도망(逃亡) escape; flight. ~하다 《치다》 run away; flee; 《from》escape 《from》; ~치게 하다 put 《a person》 to flight. ∥ ~병 a runaway soldier; a deserter / ~자 a runaway; a fugitive.

도맡다 undertake alone; take all upon *oneself*; 《책임을》answer for; take responsibility for.

도매(都賣) wholesale. ~하다 sell wholesale. ∥ ~상《carry on》 a wholesale trade 〔business〕 《영업》; a wholesale dealer 《사람》; a wholesale store 《상점》 / ~시세〔값〕(at) a wholesale price.

도면(圖面) a drawing; a sketch; a plan. ¶ ~을 그리다 make a plan; draw a blueprint.

도모(圖謀) ~하다 ~ 피하여.

도무지 quite; entirely; utterly; 《not》 at all; 《not》 in the least. ¶ ~ 개의치 않다 do not care at all.

도미 〔魚〕 a sea bream.

도미(渡美) ~하다 visit 〔go to〕 the States.

도미노 dominoes. ∥ ~이론 the domino theory.

도민(島民) an islander; the inhabitants of an island.

도민(道民) the residents of a province.

도박(賭博) gambling. ~하다 gamble. ∥ ~꾼 a gambler / ~장 a gambling house; a casino / 사기 ~ fraudulent gambling.

도리깨 《thresh with》 a flail.

도배(塗褙) papering 《*walls and ceiling*》. ~하다 paper 《*walls and ceiling*》; wallpaper. ∥ ~장이 a paperhanger / ~지 wallpaper.

도버해협(— 海峽) the Strait of Dover.

도벌(盜伐) ~하다 fell trees in secret; cut down trees without 《a》 license.

도범(盜犯) robbery; theft.

도법(圖法) drawing. ∥ 투영 ~ projection.

도벽(盜癖) a thieving habit; kleptomania. ¶ ~이 있다 be larcenous; be kleptomaniac.

도벽(塗壁) plastering. ~하다 plaster a wall.

도별(道別) ~의 by province.

도보(徒步) walking. ~로《go》on foot. ∥ ~경주 a walking 〔foot〕 race / ~여행《go on》a walking tour.

도붓장수 a peddler; a hawker.

도사(道士) 《도교의》 a Taoist; 《불교의》 an enlightened Buddhist.

도사리다《앉다》sit cross-legged; sit with *one's* legs crossed; 《마음을》calm 《*one's* mind》; 《뱀 따위가》coil itself《up》.

도산(倒産) ① bankruptcy. ~하다 go 〔become〕 bankrupt; go under. ② 〔醫〕 a cross birth.

도산매(都散賣) wholesale and retail.

도살(屠殺) slaughter; butchery. ~하다 slaughter; butcher. ∥ ~자 a butcher / ~장 a slaughterhouse.

도상(圖上) ~작전 a war game; tactics on the map(s).

도색(桃色) rose 〔color〕; pink. ¶ ~이 rosy; pink. ∥ ~영화 a sex 〔blue〕 film / ~잡지 a yellow journal.

도서(島嶼) islands.

도서(圖書) books. ∥ ~관 a library / ~관장 the chief librarian /

~목록 a catalog of books / ~실 a reading room / 국립중앙~관 the National Central Library.

도선 (渡船) a ferry(boat). ‖ ~장 a ferry (station).

도선 (導船) pilotage; piloting. ~하다 pilot 《*a boat*》. ‖ ~사 a pilot. [ing] wire.

도선 (導線) the leading (conduct-

도수 (度數) ① 《횟수》 (the number of) times; frequency. ‖ ~요금 message rates / ~제 the message-(call-)rate system. ② 《각도·안경 등의》 the degree. ‖ ~가 높은 안경 strong (thick) glasses; powerful spectacles. ③ 《알코올분의》 proof.

도수 (徒手) an empty hand; bare hands.

도스르다 brace *oneself* (up); tighten *one's* nerves.

도승 (道僧) an enlightened Buddhist monk (priest).

도시 (都市) a city; a town; a metropolis 《대도시》. ‖ ~계획 city (town) planning / ~국가 a city-state / ~생활 a city (urban) life / ~생활자 a city dweller; city people / ~화 urbanization 《~화하다 urbanize; be urbanized》.

도시 (圖示) illustration. ~하다 illustrate.

도시락 a lunch box(그릇); 《점심》 a lunch; a packed lunch.

도식 (圖式) a diagram; a graph; a schema. ‖ ~화하다 diagrammatize.

도식하다 (徒食~) 《무위도식》 lead an idle life; live in idleness.

도심 (都心) the heart (center) of a city; the downtown area.

도안 (圖案) a design (sketch, plan). ‖ ~을 만들다 design 《*of*》 ~화하다 make a design 《*of*》. ‖ ~가 a designer.

도야 (陶冶) cultivation. ~하다 cultivate; train; build (up). ‖ 인격 ~ character building.

도약 (跳躍) a jump; jumping. ~하다 jump. ‖ ~운동 a jumping

exercise / ~판 a springboard.

도열 (堵列) ~하다 line up; form a line.

도열병 (稻熱病) [植] rice blight.

도예 (陶藝) ceramic art. ‖ ~가 a potter; a ceramic artist.

도와주다 (助力) aid; help; assist; 《구제》 relieve 《*the poor*》; give a relief to 《*a person*》.

도외시 (度外視) ~하다 ignore; disregard; overlook.

도요새 [鳥] a snipe; a longbill.

도용 (盜用) 《문장·아이디어의》 plagiarism; theft; illegal use; 《돈·사물 등의》 embezzlement. ~하다 plagiarize 《*a person's book*》; 《금전·사물의》 steal; embezzle; appropriate.

도움 help; assistance; aid; support(부조). ‖ ~이 되다 be helpful (a help)《*to*》; be of help 《*to*》; be useful.

도원경 (桃源境) Shangri-la.

도읍 (都邑) a capital; 《도읍지》 the seat of government; 《도시》 a city(town).

도의 (道義) morality; morals. ‖ ~적 책임 a moral obligation. ‖ ~심 the moral sense.

도입 (導入) introduction. ~하다 introduce 《*new technology*》.

도자기 (陶磁器) pottery; ceramic ware. ‖ ~가 a ceramist.

도장 (道場) an exercise (training) hall.

도장 (塗裝) painting; coating. ~하다 coat with paint; paint 《*a wall*》. ‖ ~공 a painter / ~재료 coating materials.

도장 (圖章) a seal; a stamp (소인); a postmark (우편의). ‖ ~을 찍다 seal; affix a seal 《*to*》; stamp / ~을 파다 engrave a seal.

도저히 (到底~) 《cannot》 possibly; (not) at all; utterly; absolutely.

도전 (挑戰) a challenge; defiance. ~하다 challenge; make (give) a challenge; defy. ‖ ~적 challenging; defiant. ‖ ~자 a challenger.

도전 (導電) electric conduction. ¶ ~체 an electric conductor.

도정 (道程) distance; itinerary.

도제 (徒弟) an apprentice.

도주 (逃走) = 도망.

도중 (途中) ¶ ~에 on one's way 《to, from》; (give up) halfway 《to》; in the middle of 《one's talk》 / ~하차하다 stop over 《at》.

도지다 (병의 악화) grow 《get》; get complicated; worse; (재발) (병이 주어) return; recur; (사람이 주어) relapse 《into》; have a lapse 《nor.》.

도지사 (道知事) a provincial governor.

도착 (到着) arrival. ~하다 arrive 《at, in》; reach; get to. ¶ ~순으로 in order of arrival / ~한 대로 upon 《immediately on one's》 arrival. / ~불 payment on delivery / ~역 (驛) an arrival station 《harbor》 / ~항인도 《무역의》 free port of destination.

도착 (倒錯) perversion. ¶ 성~자 a sexual pervert.

도처 (到處) ¶ ~에 (서) everywhere; throughout 《all over》 《the country》; wherever 《one goes》.

도청 (盜聽) wire tapping. ~하다 tap (wiretap) 《the telephone》; bug (俗). / ~기 a concealed microphone (대화기); a wiretap; a secret listening apparatus; a bug (俗) / ~사건 a wiretap scandal / ~자 a wiretapper; a pirate listener.

도청 (道廳) a provincial office. ¶ ~소재지 the seat of a provincial government.

도체 (導體) 〖理〗 a medium 《매개물》; a conductor 《전기, 열의》.

도축 (屠畜) = 도살 《屠殺》.

도취 (陶醉) intoxication; fascination. ~하다 be intoxicated 《fascinated, enraptured》.

도치 (倒置) ~하다 invert; reverse. ¶ ~법 inversion.

도킹 docking; linking-up. ¶ ~시키다 dock 《spacecraft》; link up 《in space》.

도탄 (塗炭) misery; distress. ¶ ~에 빠지다 fall into extreme distress. 「weed 《comb》 out.」

도태 (陶汰) selection. ~하다 select;

도토 (陶土) potter's clay.

도토리 an acorn. ¶ ~개밥에 ~ an outcast; an ostracized person. ¶ ~묵 acorn jelly.

도통 (都統) (도합) in all: all together; (전혀) (not) at all. 「enment.」

도통 (道通) ~하다 attain enlight-

도포 (塗布) ~하다 spread; apply 《an ointment to》.

도포 (道袍) Korean robe.

도표 (道標) a guidepost; signpost.

도표 (圖表) a chart; a diagram; a graph.

도피 (逃避) a flight 《of capital》; an escape. ~하다 flee; escape. ¶ ~생활 a life of escape from the world / ~행 an escape journey.

도핑 doping; drug use. ¶ ~테스트 a drug check / ~자 a dope test.

도하 (都下) ¶ ~의 [에] in the capital 《metropolis》.

도하 (渡河) = 도강 《渡江》. ¶ ~작전 a river-crossing operations.

도학 (道學) ethics; moral philosophy. ¶ ~자 a moralist.

도합 (都合) (총계) (the grand) total; (부사적) in all; all told; altogether.

도항 (渡航) a passage; a voyage. ~하다 make a voyage 《passage》 《to》; go over 《to》. ¶ ~자 a passenger 《to》 / ~증 a passport 《for a foreign voyage》.

도해 (圖解) a diagram; an illustration. ~하다 illustrate 《by a diagram》; show in a graphic form.

도형 (圖形) a figure; a device; a diagram. ¶ 입체~ a solid figure.

도화 (桃花) a peach-blossom.

도화 (圖畫) (a) drawing; a picture. ¶ ~지 drawing paper.

도화선 (導火線) a fuse; a (powder) train. ¶ ~이 되다 cause; give rise to; touch off.

독¹ (항아리) a jar; a jug; a pot.

독² 《선거(船渠)》 a dock; a dock-yard(조선·수리용). ¶배를 ~에 넣다 dock a ship; put a ship into dock. ¶부〔건〕~ a floating 〔dry〕 dock.

독 (毒) poison; venom(독사의); virus(병독); harm(해독). ¶~ 있는 poisonous; venomous; harmful / ~을 넣은 음료 a poisoned drink / ~을 먹이다〔치다〕 poison *a person*(*a person's* food) / ~을 없애다 neutralize a poison.

독가스 (毒─) poison gas; asphyxiating gas. ¶~공격 a gas attack / ~탄 a poison-gas shell〔bomb〕.

독감 (毒感) influenza; flu; a bad cold. ¶~에 걸리다 be attacked by influenza.

독거 (獨居) solitary life. ¶~하다 live alone; lead a solitary life.

독경 (讀經) sutra chanting. ¶~하다 chant Buddhist sutra.

독과점 (獨寡占) monopoly and oligopoly. ¶~품목 monopolistic and oligopolistic items.

독극물 (毒劇物) toxic chemicals.

독기 (毒氣) 〔독기운〕 noxious air〔gas〕; 〔독성〕 poisonous character; 〔악의〕 malice; acrimony. ¶~ 있는 poisonous; malicious.

독나방 (毒─) 〖蟲〗 a brown-tailed moth.

독농가 (篤農家) a diligent farmer.

독단 (獨斷) arbitrary decision; dogmatism. ¶~적인 arbitrary; dogmatic / ~(적)으로 on *one's* own judgment〔responsibility〕.

독려 (督勵) encouragement. ¶~하다 encourage; stimulate; urge.

독력 (獨力) ¶~으로 by *one's* own efforts; for 〔by〕 *oneself*; unaided.

독립 (獨立) independence; self-reliance; self-supporting(자활). ¶~하다 become independent 〔of〕; become self-supporting. ¶~의 independent; self-supporting. ¶~국 an independent country〔state〕/ ~기념일 《미국의》 Independence Day(7월 4일) / ~심

the spirit of independence / ~운동 an independence movement / ~전쟁 the war of independence; 《미국의》 the Revolutionary War.

독무대 (獨舞臺) ¶~를 이루다 have the stage all to *oneself*; be 〔stand〕 without a rival.

독물 (毒物) poisonous substance.

독방 (獨房) a single room; a room to *oneself*; a solitary cell(감옥의). ¶~감금 solitary confinement.

독백 (獨白) a soliloquy; a monologue. ¶~하다 say to *oneself*; soliloquize.

독보 (獨步) ¶~적인 unique; matchless; peerless; unequalled.

독본 (讀本) a reader. 〔woman.

독부 (毒婦) a vamp; a wicked

독불장군 (獨不將軍) 〔곁도는〕 a person who is left out; an outcast(고립쟁이); 〔고집쟁이〕 a stubborn fellow; a man of self-assertion.

독사 (毒蛇) a venomous snake.

독살 (毒殺) poisoning. ¶~하다 poison; kill 〔murder〕 by poison. ¶~자 a poisoner.

독살부리다 (毒殺─) give vent to *one's* spite; act spitefully; wickedly.

독살스럽다 (毒殺─) (be) venomous; virulent; malignant; bitter.

독생자 (獨生子) (Jesus Christ,) the only begotten son of (God).

독서 (讀書) reading. ¶~하다 read (books). ¶~가 a reader; a great reader(다독가) / ~주간 a book week.

독선 (獨善) self-righteousness. ¶~적인 self-righteous.

독설 (毒舌) a bitter 〔spiteful, malicious〕 tongue. ¶~을 퍼붓다 speak bitterly 〔of〕; use *one's* spiteful tongue; give 《*a person*》 a tongue-lashing.

독성 (毒性) poisonous character. ¶~의 virulent; poisonous.

독소 (毒素) poisonous matter; a toxin.

독수(毒手) a dirty trick; a trap. ¶ …에 걸리다 fall a victim to; to fall into the claws of.

독수공방(獨守空房) ~하다 live in solitude with *one's* husband away from home.

독수리 〔鳥〕 an eagle.

독순술(讀脣術) lip-reading.

독식(獨食) ~하다 monopolize.

독신(獨身) ¶ ~ single; unmarried / ~이다 be single. ‖ ~생활 a single life / ~자 an unmarried person; a bachelor (남자); a spinster(여자) / ~자 아파트 (live in) a bachelor apartment.

독신(篤信) ~하다 believe in 《Buddhism》 earnestly.

독실(篤實) ~하다 (be) sincere; faithful; earnest.

독심술(讀心術) mind reading.

독아(毒牙) a poison fang. ¶ ~에 걸리다 fall a victim 《to》.

독액(毒液) venom (독사의); poisonous liquid [juice, sap].

독약(毒藥) a poison. ¶ ~을 먹이다 poison 《a person》.

독연(獨演) (give) a solo performance [a recital (음악)].

독염(毒焰) a poisonous flame.

독일(獨逸) Germany. ‖ ~의 German / ~어 the German (language) / ~인 a German; the Germans(총칭).

독자(獨子) the only son(외아들); the only child(자식).

독자(獨自) ¶ ~의 《개인의》personal; individual; 《독특한》 original; characteristic; unique / ~적인 견지에서 from an independent standpoint. ‖ ~성 individuality; originality.

독자(讀者) a reader; a subscriber (구독자); the reading public(독서계). ‖ ~란 the reader's column / ~층 a class of readers.

독장수셈 an unreliable account.

독장치다(獨場-) stand without rivals; stand unchallenged.

독재(獨裁) dictatorship. ¶ ~적인 dictatorial; autocratic. ‖ ~자 an autocrat; a dictator / ~정치 dictatorship; dictatorial government(~으로 정치를 펴다 impose one-man rule 《on》).

독전(督戰) ~하다 urge the soldiers to fight vigorously.

독점(獨占) monopoly; exclusive possession. ~하다 monopolize; have 《something》 to *oneself*; ~적인 monopolistic; exclusive. ‖ ~가격 a monopoly price / ~권 (the right to) a monopoly; an exclusive right / ~금지법 the Antimonopoly [Antitrust] Law [Act] / ~기업 a monopolistic enterprise / ~인터뷰 an exclusive interview 《with》.

독종(毒種) 《사람》 a person of fierce character; 《짐승》 fierce animal.

독주(毒酒) ① 《독한》 strong liquor. ② 《독을 탄》 poisoned liquor.

독주(獨走) ~하다 《앞서 달리다》 leave 《all the other runners》 far behind; 《낙승하다》 walk away from; 《제멋대로 하다》 do as *one* likes; have *one's* own way.

독주(獨奏) a recital; a solo 《performance》. ~하다 play a solo. ‖ ~곡 a solo / ~자 a soloist / ~회 (give, have) a recital.

독지(篤志) charity; benevolence. ‖ ~가 a charitable person; a volunteer.

독차지(獨一) ~하다 take all to *oneself*; monopolize.

독창(獨唱) a (vocal) solo. ~하다 sing 《give》 a solo. ‖ ~자 a soloist / ~회 a vocal recital.

독창(獨創) originality. ¶ ~적인 original; creative. ‖ ~성 (develop) originality; creative talent.

독채(獨一) an unshared [a separate] house.

독초(毒草) a poisonous plant [herb]; a noxious weed.

독촉(督促) pressing; urging. ~하다 press 《a person》 for; urge. ‖ ~장 a letter of reminder.

독충(毒蟲) a poisonous insect.

독침(毒針) 《곤충 동의》 a poison sting(er); 《바늘》 a poisoned needle.

독탕(獨湯) a private bath.

독특(獨特) ¶ ~한 peculiar 《to》; characteristic; special; unique.

독파(讀破) ~하다 read through.

독하다(毒一) ① 《유독》 (be) poisonous; virulent. ② 《술·담배가》 (be) strong. ③ 《모질다》 (be) wicked; harsh; hardhearted; hard.

독학(獨學) self-study [education]. ~하다 teach *oneself*; study [learn] by *oneself*. ¶ ~한 사람 a self-educated [-taught] person.

독해(讀解) reading comprehension. ¶ ~력 ability to read and understand.

독행(篤行) a good deed; an act of charity.

독혈(毒血) 《韓醫》 bad blood. ‖ ~증 toxemia.

독회(讀會) a reading. ¶ 제 1[2] ~ the first [second] reading.

독후감(讀後感) *one's* impressions of a book [an article, *etc.*].

돈(금전) money; gold; cash; 《재산》 wealth; riches.

돈구멍(돈줄) a source of income [money]; 《돈궤》 strongbox.

돈궤(一櫃) a money-chest.

돈냥(一兩) ¶ ~깨나 벌다 amass a small fortune.

돈놀이 moneylending. ~하다 run moneylending business; practice usury.

돈독(敦篤) sincerity. ~하다 (be) sincere; simple and honest; friendly. ¶ 관계를 ~히 하다 promote friendly relations 《between》.

돈맛 ¶ ~을 알다 [들이다] learn the value [taste] of money; get [acquire] a taste for money.

돈벌이 moneymaking. ~하다 make [earn] money.

돈복(一) luck with money.

돈세탁(一洗濯) money laundering.

돈육(豚肉) pork.

돈주머니 a purse; a moneybag.

돈줄 a line of credit; a source of money.

돈지갑(一紙匣) a purse; a wallet; a pocketbook.

돈키호테 (a) Don Quixote. ¶ ~식의 quixotic(al).

돈푼 a small sum of money. ¶ ~깨나 있다 have a pretty fortune.

돋구다 《높게 하다》 raise; make higher; 《자극하다》 excite; arouse; tempt; stimulate.

돋다 ① 《해가》 rise. ② 《싹이》 bud (out); sprout; shoot (forth); come out. ③ 《줄기 따위가》 form; break [come] out.

돋보기(노안경) spectacles for the aged; 《확대경》 a magnifying glass.

돋보이다 look better; be set off (to advantage). ¶ 돋보이게 하다 set 《a thing》 off (to advantage).

돋우다 ① 《심지를》 turn up 《*the wick*》. ② 《높이다》 raise; elevate; make higher. ¶ 목청을 ~ raise *one's* voice. ③ 《화를》 offend; provoke; aggravate(더욱). ④ 《일으키다》 excite 《*curiosity*》; stimulate. ⑤ 《고무》 encourage; cheer up. ⑥ 《충동이》 instigate; incite; stir up. ¶ ~ 분노를 ~ stir in. relief.

돋을새김 relief. ¶ ~으로 하다 carve in relief.

돋치다(내밀다) grow; come out; rise [sprout] out.

돌 ① 《아기의 첫 생일》 a baby's first birthday; 《잔치를 하다》 celebrate *one's* first birthday. ② 《만 하루》 a full day [year]; an anniversary.

돌 (a) stone; a pebble(조약돌); 《라이터의》 a flint (for the lighter). ¶ ~을 깐 paved with stone; ~이 많은 stony.

돌개바람 a whirlwind.

돌격(突擊) a dash; a rush; a charge. ~하다 dash at; charge; rush. ‖ ~대 a shock troops; a storming party.

돌계단(一階段) 《돌층계》 돌층계.

돌고드름(氷柱) a stalactite.

돌고래《動》 a dolphin.

돌관(突貫) ¶ ~공사 rush work.

돌기(突起) a projection; a protuberance. ~하다 protrude; project.

돌다 ① (회전) go around; turn; spin; revolve; rotate. ② (순회) make a round: go one's round: (회유(回遊)) tour; make a tour. ③ (두르다) go [come] round. ¶ 곶을 ~ (배가) (go) round a cape. ④ (약·술 따위가) take effect. ⑤ (소문이) circulate; be afloat; get about; spread; (유통) circulate. ⑦ (눈이) feel dizzy; get giddy. ⑧ (머리가) go off one's head [chump (英)]. ⑨ (전염병이) prevail; be prevalent.

돌다리 a stone bridge. ¶ ~도 두드려보고 건너다 be extremely prudent [cautious].

돌담 a stone wall. [son.

돌대가리 a stupid [bigoted] person.

돌덩이 a stone; a piece of rock.

돌도끼 a stone ax.

돌돌 rolling up; with a twirl. ¶ 종이를 ~ 말다 roll up a sheet of paper. [round.

돌라주다 distribute; share; serve

돌려내다 ① (사람을) win (a person) over (to); lure (a person) out of (a place). ② (따돌리다) leave (a person) out (in the cold); exclude; ostracize. [(around).

돌려놓다 change direction; turn

돌려보내다 (반환) put back; give back; (원래의 자리로) restore; (반송) send back.

돌려보다 circulate (a letter); send round (a notice).

돌려쓰다 borrow (money, things).

돌려주다 ① (반환) return; give (something) back; send (something) back; (원금을) pay back (돈을). ② (융통함) lend; let out; lend (one's money) out (at 10 percent interest).

돌리다¹ ① (고비를 넘기다) turn the corner; ease (get over) a crisis. ② (회생) come to oneself; recover. ③ (돈을) borrow money (from); get a loan.

돌리다² (방향을) turn; change; divert; convert; (회전) turn (round); roll; spin; revolve. ③

(차례로 전해다) pass [send, hand] (a thing) around [on]; (전송(轉送)하다) forward (a letter); (회부하다) transmit; send round (the papers) to (the section in charge). ④ (운전시키다) set in motion; run; drive; work. ¶ 기계를 ~ run [work] a machine. ⑤ (기타) ¶ 신문을 ~ deliver newspapers / 초대장을 ~ send out invitation.

돌리다³ (원인·따위를) attribute [ascribe] (a matter) to.

돌림병 (-病) a contagious disease; an epidemic.

돌림자 (-字) a part of name which is common to the same generation of a family.

돌림쟁이 a person left out; an outcast; a person hated [shunned] by everybody.

돌멘 (고인돌) a dolmen.

돌멩이 a small stone; a piece of stone; a pebble. ¶ ~질하다 throw a stone at (a dog).

돌무더기 a pile of stones.

돌발 (突發) a burst; an outbreak. ~하다 break [burst] out; occur suddenly. ¶ ~적(으로) sudden (-ly); unexpected(ly).

돌변 (突變) ~하다 change suddenly; undergo a sudden change.

돌보다 (보살피다) take care of; care for; look [see] after (a person); attend to.

돌부리 a jagged edge of a rock.

돌부처 a stone (image) of Buddha.

돌비 (-碑) a stone monument.

돌비늘 mica; isinglass.

돌솜 (綿) asbestos.

돌아가다 ① (본디의 장소로) go [get] back; return; (집으로) go home; return home; (본디의 것으로) return to; turn back; (본디 나다) leave; take one's leave. ② (우회) take a roundabout way; go a long way round. ③ (회복·복구되다) return (to); be restored to; resume. ④ (귀착) come to; result in; end in.

돌아눕다 208 동갑

⑤《책임 등이》 fall (*upon*); attribute (*to*); ascribe (*to*). ⑥《죽다》 die; be dead. ⑦《되어가다》 turn out; develop (발전하다).
돌아눕다 turn (over) in bed; lie the other way round.
돌아다니다 ①《다니다》 walk (gad, wander) about; go around; 《순회하다》 make a round; go on one's round; patrol; 《회유하다》 make a round (*of Europe*); 《퍼지다》 go round; be abroad; be prevalent (병이). ¶ 소문이 ~ a rumor goes round.
돌아(다)보다 ①《뒤를》 look (turn) round; look back (*at*). ②《회상》 look back upon (*one's past*).
돌아서다 ①《뒤로》 turn one's back; turn on one's heels. ②《등지다》 break up with; fall out with; be alienated. ③《병세가》 take a favorable turn.
돌아앉다 sit the other way round.
돌아오다 ①《귀환》 return; come back (home); be back. ②《차례·때가》 come; come round. ③《책임 따위가》 fall on; be brought upon. ~ 《정신이》《제정신이》 recover one's senses; come to oneself.
돌연(突然) suddenly; on (all of) a sudden; unexpectedly; all at once. ¶ ~ 한 sudden; abrupt; unexpected; unlooked-for.
돌이키다 ①《고개를》 look back. 돌아다보다. ②《회상·반성하다》 look back on (to) (*something in the past*); reminisce; think back on (*something*); reflect on (*one's past conduct*). ③《마음을》 change (one's mind); reconsider; think (*something*) over; think better of (*something*). ¶ 돌이켜 생각컨대 on second thought (美). ④《원 상태로》 get back; recover; regain. ¶돌이킬 수 없는 irrevocable.
돌입(突入) ~하다 dash in (into); rush into; charge into.
돌잔치 the celebration of a

baby's first birthday.
돌절구 a stone mortar.
돌진(突進) a rush; a dash; a charge. ~하다 rush (dash) (*at*); charge.
돌쩌귀 a hinge.
돌출(突出) protrusion; projection. ~하다 stand (jut) out; protrude.
돌층계(一層階)《계단》 a stone step; (a flight of) stone steps.
돌파(突破) ~하다 break (smash) through (*the enemy's line*); pass (*a difficult examination*); exceed; overcome (극복). ¶ ~구 a breakthrough.
돌팔매 a throwing stone. ¶ ~질하다 throw stones.
돌팔이 a wandering tradesman (semiprofessional). ¶ ~선생 an unqualified teacher / ~의사 a quack doctor.
돌풍(突風) a (sudden) gust of wind.
돕다 ①《조력》 help; aid; assist; 《지지》 support; back up. ②《구조》 save; rescue; relieve (구제). ③《일에》바지 contribute to; help.
돗바늘 a big needle. (to) (*do*).
돗자리 a (rush) mat; matting(총칭). ¶ ~를 깔다 spread a mat.
동(묶음) a bundle.
동(東) the east; ~에 east; eastern / ~에 (으로) in (to, on) the east.
동(洞)《행정구역》 a village; a subdistrict; a dong. ¶ ~사무소 a dong (village) office.
동(銅) copper (기호 Cu).
동(同) the same; the said (상기의); corresponding (상당한).
동가식서가숙(東家食西家宿) ~하다 lead a vagabond (wandering) life; live as a tramp.
동감(同感) the same opinion (sentiment); sympathy. ¶ ~이다 (동의) agree (*with a person*); be of the same opinion (*with a person*)(공감) feel the same way.
동갑(同甲) ¶ ~이다 be (of) the

same age.

동강 a (broken) piece. ¶ ～ 나다 break into pieces (parts) / ～ 치다 cut (a thing) into pieces. ‖ ～ 치마 a short skirt.

동거(同居) ～ 하다 live together; live (stay) with (a family);
 ～ 인 a housemate (美); a roommate; (하숙인) a lodger.

동격(同格) the same rank; [文] apposition. ¶ ～ 이다 rank [be on a level] (with a person); [文] be in apposition (with).

동결(凍結) a freeze. ～ 하다 freeze. ‖ ～ 방지제 (an) antifreeze / 임금 ～ 정책 a wage freezing policy.

동경(東經) east longitude. ¶ ～ 20도 40분, 20 degrees 40 minutes east longitude; Long. 20°40′E.

동경(憧憬) longing; yearning. ～ 하다 long (sigh) (for); aspire (to); yearn (hanker) (after).

동고동락(同苦同樂) ～ 하다 share one's joys and sorrows (with).

동공(瞳孔) the pupil; the apple of the eye. ‖ ～ 확대 [수축] the dilatation [contraction] of the pupil.

동광(銅鑛) copper ore; crude copper; (광산) a copper mine. ‖ ～ 석 copper ore.

동구(東歐) Eastern Europe.

동구(洞口) ¶ ～ 밖 (on) the outskirts of a village.

동국(同國) the same (said) country. ‖ ～ 인 a fellow countryman.

동굴(洞窟) a cavern; a cave; a grotto. ‖ ～ 벽화 a wall painting in a cave.

동궁(東宮) (왕세자) the Crown Prince; (세자궁) the Palace of the Crown Prince.

동권(同權) equality; equal rights.

동그라미 (원형) a circle; a ring; a loop (실, 끈으로 만든).

동그랗다 (be) round; circular; globular (구형). 「그스름하다.

동그스름하다 (be) roundish. ☞ 동

동급(同級) the same class. ‖ ～ 생 a classmate; a classfellow.

동기(冬期) the winter (season).

동기(同氣) brothers (남자); sisters (여자). ‖ ～ 간 sibling relationship (～간의 우애 fraternal love).

동기(同期) the same (corresponding) period. ‖ ～ 생 a classmate; a graduate in the same class.

동기(動機) a motive (of, for); an inducement (to do). ‖ ～ 가 되어 motivated by.... ‖ ～ 론 [倫] motivism.

동기(銅器) a copper [bronze] vessel; copper ware. ‖ ～ 시대 the Copper Age.

동나다 run out (of stock); be all gone.

동남(東南) the southeast. ‖ ～ 의 southeast(ern); southeasterly. ‖ ～ 아시아 Southeast Asia / ～ 풍 the southeast wind.

동냥 ～ 하다 beg (food, rice, money); beg one's bread; beg (ask) for alms (중이). ‖ ～ 아치 a beggar / ～ 질 begging.

동네(洞一) a village (마을); the neighborhood (사는 근처). ‖ ～ 사람 a villager; village folk (복수).

동년(同年) the same year; the same age (동갑).

동녘(東一) the east.

동단(東端) the eastern end.

동당이치다 throw (cast) (something) at; (그만둠) abandon.

동동 ① (물위에) be afloat; float; drift; be adrift. ② (발을) ¶ ～ 구

르다 stamp (one's feet) on (the floor).

동등(同等) equality; parity. ¶ ~하다 (be) equal; equivalent. ¶ ~히 equally; on the same level.

동떨어지다 be far apart; be far from; be quite different (from).

동란(動亂) agitation; disturbance; upheaval; a riot; a war. ¶ ~의 중동 the strife-torn Middle East. / ~을 일으키다 rise in riot.

동량(棟樑) ¶ ~지재(之材) the pillar (of the state).

동력(動力) (motive) power. ¶ ···에 ~을 공급하다 supply power (to); power (a factory) / ~으로 작동되는 공구 a power-driven tool. ¶ ~선 a power line / ~원 a source of power; a power source.

동렬(同列) the same rank (file).

동료(同僚) one's colleague; a fellow worker; an associate; a co-worker.

동류(同類)《동종류》(belong to) the same class (category, kind); an accomplice (공모자).

동리(洞里) a village. = 동네.

동마루(棟一) a tile-roof ridge.

동맥(動脈)《解》an artery. ¶ ~의 arterial. ¶ ~경화증 the hardening of arteries; arteriosclerosis / ~류 an aneurysm.

동맹(同盟) an alliance; a league; a union (연합). ¶ ~하다 ally with; be allied (leagued) with; unite; combine. ¶ ~국 an ally; an allied power / ~군 allied forces.

동메달(銅一) a copper medal.

동면(冬眠) winter sleep; hibernation. ¶ ~하다 hibernate.

동명(同名) the same name. ¶ ~이인 a different person of the same name.

동명사(動名詞)《文》a gerund.

동무 a friend; a companion; a comrade; a pal (口). ¶ 길~ a fellow traveler; a traveling companion.

동문(同文) the same (common) script.

동문(同門)《동창》a fellow student (disciple);《졸업생》an alumnus (pl. -ni); an alumna (pl. -nae) (여자). ¶ ~회 an alumni association.

동문서답(東問西答) an irrelevant answer. ~하다 give an irrelevant (incoherent) answer to a question.

동문수학(同門修學) ~하다 study under the same teacher (with a person).

동물(動物) an animal. ¶ ~적(性的) animal. ¶ ~병원 a veterinary hospital / ~실험 experiments using (on) animals / ~원 a zoological (garden; a zoo / ~학 zoology / ~학자 a zoologist / ~행동학 ethology.

동민(洞民) a villager; the village folk.

동박새(鳥) a white-(silver-)eye.

동반(同伴) ~하다 go with; accompany; take (a person) with. ¶ ~자 one's companion. ¶ ~sphere.

동반구(東半球) the Eastern hemisphere.

동반자살(同伴自殺)《남녀의》a lovers' suicide; a double suicide;《한집안의》a (whole) family suicide.

동방(東方) the east; the Orient. ¶ ~의 eastern.

동배(同輩) one's equal; a fellow; a comrade; a colleague (동료).

동백(冬柏) camellia seeds. ¶ ~기름 camellia oil / ~꽃 a camellia (blossom) / ~나무 a camellia.

동병(同病) the same sickness (disease). ¶ ~상련(相憐) 하다 Fellow sufferers pity one another.

동복(冬服) winter clothes (clothing); winter wear.

동복(同腹) ¶ ~의 uterine. ¶ ~형제 (자매) brothers (sisters) of the same mother; uterine brothers (sisters).

동봉(同封) ~하다 enclose (something with a letter).

동부(東部) the eastern part.

동부인(同夫人) ~하다 go out with

one's wife; take one's wife along [with]; accompany one's wife.

동북(東北) the northeast. ‖ ~의 northeast(ern). ‖ ~동 east-northeast(생략 E.N.E.) / ~풍 the northeast wind.

동분서주(東奔西走) ~하다 bustle about; busy oneself about 《a thing》.

동사(凍死) ~하다 be frozen to death; die of [from] cold.

동사(動詞) a verb. ‖ ~의 verbal. ‖ 규칙[불규칙] ~ a regular [an irregular] verb / 완전[불완전] ~ a complete [an incomplete] verb.

동산 a hill [at the back of one's house]. ‖ 꽃 ~ a flower garden.

동산(動産) movable property; movables; personal effects.

동상(同上) the same as [the] above; ditto (생략 do.).

동상(凍傷) a frostbite; chilblains. ‖ ~에 걸리다 [get] frostbitten. ‖ ~자 a frostbitten person.

동상(銅像) a bronze statue; a copper image.

동색(同色) the same color.

동생(同生) a (younger) brother [sister]; one's little brother [sister].

동서(同書) ① 《같은 책》 the same book. ② 《그 책》 the said book. ‖ ~에서 《출처 표시로》 ibidem (생략 ib., ibid).

동서(同壻) ① 《자매간의 남편》 the husband of one's wife's sister; a brother-in-law. ② 《형제간의 아내》 the wife of one's husband's brother; a sister-in-law.

동서(同棲) cohabitation. ~하다 cohabit [live together] 《with》. ‖ ~하는 사람 a cohabitant.

동서(東西) 《동과 서》 east and west; 《동서양》 the East and the West. ‖ ~고금 all ages and countries / ~남북 the (four) cardinal points.

동석(同席) ~하다 sit with 《a person》; share a table with 《a person》 《식당 등에서》. ‖ ~자 those present; the (present) company.

동석(凍石) 【鑛】 steatite; soapstone.

동선(同船) 《같은 배》 the same [said] ship. ~하다 take the same ship; sail on the same ship [vessel].

동선(銅線) copper wire [wiring].

동설(同說) the same opinion [view].

동성(同性) ① 《남녀의》 the same sex; homosexuality. ‖ ~의 of the same sex; homosexual. ‖ ~애 homosexual love; homosexuality; lesbianism 《여자간의》 / ~애 자 a homosexual; a homo 《俗》; a gay《남성》; lesbian《여성》. ② 《성질의》 homogeneity; congeniality. ‖ ~의 homogeneous; congenial.

동성(同姓) the same surname. ‖ ~동명인 a person of the same family and personal name / ~동본 the same surname and the same family origin.

동소체(同素體) 【化】 allotrope.

동수(同數) the same number. ‖ 찬반 ~의 투표 a (50-50) tie vote / 찬반 ~인 경우에는 in case of a tie.

동숙(同宿) ~하다 stay at the same hotel; lodge in the same house. ‖ ~자 a fellow lodger [boarder].

동승(同乘) ~하다 ride together; ride with 《another》 in 《the same car》; share a car 《with》. ‖ ~ 자 a fellow passenger.

동시(同時) the same time. ‖ ~의 simultaneous; concurrent / ~에 at the same time, simultaneously [concurrently] 《with》; at a time, at once 《일시에》; while, on the other hand 《한편으로는》. ‖ ~ 녹음 synchronous recording(~ 녹음하다 synchronize) / ~상영 a double feature; a two-picture program / ~성 simultaneity / ~통역 (make) simultaneous interpretation / ~통역사 a simul-

taneous interpreter.

동시(同視) ① ☞ 동일시. ② 《같은 대우》~ 하다 treat alike; treat without discrimination.

동시(童詩) children's verse; nursery rhymes.

동시대(同時代) the same age; ~의 contemporary 《with》; of the same age / ~에 in the same age [period] / ~의 사람 a contemporary.

동식물(動植物) animals and plants.

동심(同心) ① 《같은 마음》 the same mind. ¶ 두 사람은 ~ 일체다 The two are practically of a mind. ‖ ~협력 harmonious cooperation. ② 《幾》 《같은 중심》 concentricity. ‖ ~원 a concentric circle.

동심(童心) the child [childish, juvenile] mind.

동아(東亞) East Asia.

동아리 《부분》 a part; 《무리》 confederates; companions; a group.

동아줄 a thick and durable rope.

동안 ① 《간격》 an interval. ② 《기간》 time; a space; a period; 《부사적》 for; during; while.

동안(東岸) the east coast.

동안(童顔) a boyish face. ¶ ~의 boyish-looking.

동안뜨다 have an interval [a space] between; have a longer interval than usual.

동액(同額) the same amount 《of money》; the same price. ¶ ~의 of the same amount.

동양(東洋) the East; the Orient. ¶ ~의 Eastern; Oriental. ‖ ~문명 [문화] Oriental civilization [culture] / ~사람 an Oriental / ~사상 Orientalism / ~학 Oriental studies / ~학자 an Orientalist / ~화 an Oriental painting.

동업(同業) ① 《같은 일》 the same trade [profession]. ‖ ~자 men of the same industry [trade, profession] / ~조합 a trade association. ② 《공동의》 ~하다 do [engage in] business in

partnership; run business together. ‖ ~자 a partner.

동여매다 bind; tie; fasten.

동역학(動力學) 《理》 kinetics.

동요(動搖) 《진동》 tremble; quake; shake; 《마음·사회의》 agitation; disturbance; unrest; 《차의》 jolting. ~하다 《진동하다》 tremble; quake; shake; jolt(차가); 《소란해지다》 be agitated; be disturbed; 《불안해지다》 become restless.

동요(童謠) a children's song; a nursery rhyme.

동원(動員) mobilization. ~하다 mobilize 《troops》; set in motion; draw 《audiences》. ‖ ~계획 a mobilization plan / ~령 (issue) mobilization orders / 강제~ compulsory mobilization.

동월(同月) the same month.

동위(同位) ¶ ~의 co-ordinate. ‖ ~각 corresponding angles / ~원소 an isotope.

동유(桐油) tung oil.

동음(同音) the same sound; homophony. ‖ ~어 a homophone / ~이의어(異義語) a homonym.

동의(同意) agreement; consent; approval(승인). ~하다 agree with 《a person》; agree on 《a point》; agree to 《do》; approve of 《a proposal》; consent to 《a proposal》.

동의(同義) synonymy; the same meaning. ¶ ~의 synonymous. ‖ ~어 a synonym.

동의(動議) a motion. ~하다 make [bring in] a motion.

동이 a jar. ‖ 물~ a water jar.

동이다 bind (up); tie (up); fasten.

동인(同人) 《회원》 a member; a coterie (문예상의). ‖ ~잡지 a literary coterie magazine. ② 《같은 사람》 the same [said] person.

동인(動因) a motive; motivation; a cause. ‖ ~Indies.

동인도(制度)(東印度(諸島)) the East

동일(同一) identity; sameness. ~하다 (be) the same; identical;

‖ ~성 identity; oneness; sameness.

동일시(同一視) ~하다 put in the same category; identify (equate) 《A》 with 《B》 (A를 B로).

동자(童子) a child; a boy. ‖ ~중 a young (boy) monk.

동작(動作) action; movement(s); manners.

동장(洞長) a *dong* (village) headman.

동장군(冬將軍) Jack Frost; a severe (hard) winter.

동적(動的) dynamic; kinetic.

동전(銅錢) a copper (coin). ¶ ~ 한푼 없다 haven't a penny (cent).

동절(冬節) the winter (season).

동점(同點) ¶ ~이 되다 tie (draw) 《with》 / ~으로 끝나다 finish in a tie.

동정(同情) sympathy; pity. ~하다 sympathize 《with》: pity; feel (pity) 《for》. ¶ ~적인 sympathetic / ~하여 out of sympathy 《with, for》. ‖ ~심 a sympathetic feeling; sympathy / ~표 (win) a sympathy vote.

동정(童貞) a chastity; a virginity. ‖ ~녀 a virgin; 《성모》 the Virgin (Mary).

동정(動靜) movements; a state of things; *one's* doings.

동제(銅製) ¶ ~의 copper(y); made of copper. ‖ ~품 copper manufactures.

동조(同調) ~하다 side (sympathize) 《with》; come into line 《with》; follow suit. ‖ ~자 a sympathizer.

동족(同族) 《일족》 the same family (race, tribe). ‖ ~결혼 endogamy / ~목적어 〖文〗 a cognate object / ~애 fraternal love.

동종(同宗) the same blood (family); the same sect 《종파》.

동종(同種) the same kind (sort). ‖ ~의 the same kind.

동지(冬至) the winter solstice. ‖ 동짓달 the 11th lunar month.

동지(同志) a comrade; a fellow

member.

동진(東進) ~하다 move (march) eastward; proceed east.

동질(同質) the same quality; homogeneity; 《~의》 homogeneous; of the same quality. ‖ ~의 the same quality.

동쪽(東一) the east. ¶ ~의 eastern; easterly / ~으로 to the east 《of》; in the direction of the east.

동차(同次) 〖數〗 ~식 《방정식》 homogeneous expression (equation).

동창(同窓) a schoolmate; a fellow student (학우, 동급생). ‖ ~생 《졸업생》 a graduate; an old boy; 《美》 alumnus [*pl.* -ni] (남); alumna [*pl.* -nae] (여) / ~회 an old boys' association; an alumni association; an alumni reunion (모임).

동체(胴體) the body (trunk); the hull (배의); the fuselage (비행기의). ‖ ~착륙 (make) a belly landing; belly-landing.

동체(動體) 〖理〗 a body in motion (움직이는); a fluid(유동체).

동치(同値) 〖數〗 the equivalent.

동치다 bind (tie) up.

동치미 watery radish *kimchi*.

동침(一鍼) 〖韓醫〗 a fine and long needle.

동침(同寢) ~하다 sleep together; share the (same) bed 《with》.

동태(凍太) a (frozen) pollack.

동태(動態) the movement 《of population》. ‖ ~통계 dynamic statistics; vital statistics (인구의).

동통(疼痛) a pain; an ache.

동트다(東一) dawn; day breaks.

동틀녘에 at daybreak (dawn).

동티나다 ① 《앙얼 입다》 suffer the wrath of the earth gods. ② 《잘 못되다》 get into trouble; incur trouble.

동판(銅版) a copperplate; sheet copper. ‖ ~인쇄 a copperplate print.

동편(東便) the east(ern) side.

동포(同胞) 《같은 겨레》 brethren; a fellow countryman [citizen]; a compatriot. ∥ ~ 애 brotherly love.

동풍(東風) the east wind. ¶ 마이 ~ 이다 turn a deaf ear to 《a person's advice》.

동하다(動一) ① 《움직이다》 move; stir. ② 《마음이》 be moved(감동); be touched(동정 따위가); be [feel] inclined to 《do》(기울다); have an itch 《desire》 《for, to do》 (욕심이).

동해(東海) the East Sea (of Korea).

동해(凍害) frost damage.

동해안(東海岸) the east coast.

동행(同行) ~ 하다 go (come) (along) with; accompany 《a person》; travel together. ∥ ~ 자 [인] a fellow traveler; a (traveling) companion.

동향(同鄕) ∥ ~ 인 a person from the same town 〔village, district〕.

동향(東向) facing east; eastward. ∥ ~ 집 a house facing east.

동향(動向) a trend; a tendency; a movement.

동굴(洞窟) a cave; a cavern.

동형(同型) the same type [pattern].

동호(同好) ∥ ~ 인 people having [sharing] the same taste 〔interest〕 / 낚시 ~ 회 an (amateur) anglers' club / 영화 ~ 회 a movie lovers' society.

동화(同化) assimilation. ~ 하다 assimilate. ∥ ~ 작용 assimilation.

동화(動畫) an animation; an animated film.

동화(童話) a nursery tale 〔story〕; a fairy tale. ∥ ~ 극 a juvenile play.

동활자(銅活字) a copper type.

동활차(動滑車) a movable pulley.

동희(洞會) 동사무소.

돛 a sail. ∥ ~ (단)배 a sailboat; a sailing ship [boat, vessel] / ~ 대 a mast.

돼지 ① 《가축》 a pig; a hog. ¶ 식육용의 ~ a pork pig / ~ 를 치다 raise [breed] hogs. / ~ 고기

pork / ~ 우리 a pigsty. ② 《사람》 a piggish person.

되 《계량 단위》 a (dry, liquid) measure: a doe(=1.8ℓ). ¶ ~ 를 속이다 give short measure.

되…《도로》 back. ¶ ~ 찾다 regain; get back / ~ 묻다 inquire again.

되넘기다 resell.

되는대로 《닥치는》 at random; 《거칠게》 roughly; carelessly; slovenly; slapdash.

되다[1] ① 《질지 않다》 (be) thick; hard (밥 따위). ② 《벅차다》 (be) hard; laborious. ③ 《심하다》 (be) hard; heavy; severe; intense. ¶ ~ 되게 severely; hard; heavily. ④《켕기다》 (be) tight; taut; tense. ¶ ~ 되게 tightly; tautly.

되다[2] 《되질하다》 measure.

되다[3] ① 《신분·상태가》 become; get; be; grow; turn; develop. ② 《…하게 되다》 begin [come] to; get to 《do》. ③ 《성립·구성이》 consist of; be composed of; be made 《up》 of. ④ 《생육·육성이》 grow; thrive; prosper. ⑤ 《성취가》 succeed; be accomplished; be attained. ⑥ 《결과가》 result [end] 《in》; turn out; prove. ⑦ 《수량·금액이》 come to; amount to; run up to; make. ⑧ 《역할·소용이》 act as; serve as. ⑨ 《나이·계절 따위》 ¶ 나는 곧 20세가 된다 I'll very soon be twenty. ⑩ 《가능》 can; be able to; be possible. ¶ 될 수 있으면 if possible; if one can.

되도록 as ... as possible; as ... as one can. ¶ ~ 많이 as much [many] as possible.

되돌아가다 turn [go] back; return.

되돌아오다 come back; return.

되묻다 《다시 묻다》 ask again; 《반문》 ask back; ask a question in return.

되바라지다 ① 《그릇 따위》 be open; shallow. ② 《사람이》 be precocious; pert; saucy. ¶ 되바라진 아이 a precocious child / ~ 소리를 하다 say pert things

되살다 ☞ 소생하다.

되씹기다 《음식물》 chew over and over again 《because of poor appetite》; 《소 등이》 ruminate; chew the cud; ruminate 《about, on, over》; think over again: relive.

되씌우다 《잘못·따위를》 put a blame on another.

되씹다 《말을》 repeat; harp on the same string; dwell 《on》.

되어가다 ① 《일이》 go 《on》; work; get along. ② 《물건이》 be getting finished 《completed》.

되지못하다 《하찮다》 (be) worthless; trivial; be no good 《서술적》; 《건방지다》 (be) impertinent; saucy.

되직하다 (be) somewhat thick; a bit too hard.

되짚어 back; turning right away. ¶ ～ 가다 go 《turn》 back right away.

되풀이하다 reiterate. ¶ 되풀이하여 over again; repeatedly.

된밥 hard-boiled rice.

된서리 a heavy frost; a severe frost. ¶ ～ 맞다 《비유적》 receive a bitter blow; suffer heavily.

된서방(一書房) a hard 《severe, harsh》 husband. ¶ ～ 맞다 get married to a harsh husband.

된소리 a strong sound; a fortis.

된장(一醬) (soy)bean paste; *doenjang*. ¶ ～국 a beanpaste soup.

될성부르다 ¶ 될성부른 나무는 떡잎부터 알아본다 《俗談》 Genius displays itself even in childhood.

두(頭) 《사람》 one's nature 《본성》; character 《성격》; personality 《인품》; 《물건》 make; structure.

두(頭) 《마리》 head 《단·복수 동형》. ¶ 소 70 ～ seventy head of cattle.

두(頭) two; a couple 《of》.

두각(頭角) ¶ ～을 나타내다 cut a conspicuous 《brilliant》 figure 《in》; distinguish *oneself*.

두개골(頭蓋骨) 《解》 the skull.

두건(頭巾) a mourner's hempen 《래.

두견 ① 《鳥》 a cuckoo. ② ☞ 진달

두고두고 for a long time; over and over again.

두근거리다 《one's heart》 throb; beat 《fast》; palpitate; feel uneasy 《nervous》; go pit-a-pat.

두꺼비 《動》 a toad. ¶ ～ 파리 잡아 먹듯하다 be ready to ~ eat anything. ¶ ～집 《電》 a fuse box.

두껍다 (be) thick; heavy; bulky. ¶ 두껍게 하다 **thicken**; make thicker.

두께 thickness.

두뇌(頭腦) brains; a head. ∥ ～ 활동 brainwork / ～ 노동자 a brainworker / ～ 유출 brain drain / ～ 집단 a think tank 《factory》.

두다 ① 《놓다》 put; place; set 《세워서》; lay 《뉘어서》; 《보존》 keep; store 《저장》. ② 《사람을》 keep; take in 《하숙인을》; hire; employ 《고용》. ③ 《배치》 put; station. ¶ 보초를 ～ post a guard. 《사이를》 leave. ¶ 간격을 두지 않다 leave no space. ⑤ 《마음을》 have a mind to; set *one's* mind on 《마음에》 bear; hold; keep. ⑥ 《넣다》 stuff. ⑦ 《바둑·장기를》 play. ⑧ 《설치》 set up; establish. ⑨ 《뒤에 남김》 leave 《behind》. ¶ 두고 온 물건 a thing left behind.

두더지 《動》 a mole.

두둑 a bank; a levee.

두둑하다 《두껍다》 (be) thick; heavy; 《풍부하다》 (be) plenty; ample; 《솟다》 be swollen 《bulged out》. ¶ 두둑한 보수 an ample reward.

두둔하다 side 《with》; take sides 《with》; support; back up.

두드러기 nettle rash. ¶ ～가 돋다 get nettle rash.

두드러지다 ① 《내밀다》 swell; bulge out. ② 《뚜렷함》 (be) noticeable; conspicuous; outstanding; striking; stand out 《동사적》. ¶ 두드러진 차이 a striking difference.

두드리다 strike; beat; knock.

두런거리다 exchange whispers; murmur together.

두렁 a ridge between fields; a levee.

두레박 a well bucket. ¶ ～질하다 draw water with a well bucket / ～을 줄 a draw well.

두려움 《공포》 fear; dread; terror; 《염려》 anxiety; apprehension; 《외경》 awe; reverence.

두려워하다 《무서워하다》 be afraid of; fear; dread; be terrified 《of, at》; have a fear of.

두렵다 ① 《무섭다》 be fearful [terrible, horrible]; 《염려》 be feared; ～…이 두려워서 for fear 《of, that …》. ② 《외경》 be awed.

두령(頭領) a leader; a boss.

두루 《널리》 generally; 《전체적으로》 all over; 《골고루》 equally; evenly; 《예외 없이》 without exception.

두루마기 a Korean overcoat.

두루마리 a roll 《of paper》; a scroll.

두루뭉수리 《사물》 an unshapely thing; a mess; 《사람》 a nondescript person; a good-for-nothing (fellow).

두루뭉실하다 ① 《모양이》 (be) somewhat roundish; neither edged nor round. ② 《언행이》 (be) indistinct [uncertain; noncommital].

두루미 [鳥] a crane. ¶ 재～ a white-neck crane / 흑～ a hooded crane.

두루치기 《둘러쓰기》 using a thing for various purposes.

두르다 ① 《둘러싸다》 enclose 《with, in》; surround 《with, by》; encircle; 《입다》 put on; wear. ② 《변통하다》 make shift; contrive; manage to 《do》. ¶ 돈을 ～ manage to raise money.

두름 a string 《of fish》.

두름성 resourcefulness; management; versatility;《융통성》. ¶ ～이 있다 be versatile [resourceful].

두리번거리다 look around [about].

두리반(一盤) a large round dining table.

두마음 double-heartedness; double-dealing. ¶ ～이 있는 double-

hearted; treacherous.

두말 ¶ ～할 것 없이 of course; needless to say / ～ 않다 do not raise objection(반대 않다); do not complain(불평 않다); do not mention again(재론 않다).

두메 an out-of-the-way mountain village; a remote village in the country.

두목(頭目) a chief; a head; a leader; a boss; a ringleader 《of robbers》.

두문불출(杜門不出) ～하다 keep [stay] indoors; be confined to one's home.

두문자(頭文字) 《머리글자》 an initial (letter). 「one's hair.

두발(頭髮) the hair (of the head).

두벌갈이 [農] a second sowing [plowing]. ～하다 till [plow] a second time.

두부(豆腐) bean curd. ¶ ～ 한 모 a piece [cake] of bean curd.

두부(頭部) the head.

두서(頭書) ¶ ～의 the foregoing; the above-mentioned.

두서(頭緖) ¶ ～ 없는 rambling; incoherent; illogical.

두서너 two or three; a few.

두엄 《거름》 compost. ¶ ～을 주다 manure [compost] 《a field》.

두유(豆乳) soymilk.

두절(杜絶) ～하다 be stopped; be interrupted [cut off]; be tied [held] up.

두주(斗酒) ¶ ～도 불사하다 be ready to drink kegs [gallons] of wine.

두주(頭註) headnotes.

두텁다 (be) close; cordial; warm. ¶ 두터운 우정 a close friendship.

두통(頭痛) (have) a headache. ¶ ～거리 a trouble; a nuisance.

두툴두툴하다 (be) uneven; rugged; rough.

두툼하다 (be) somewhat thick.

둑 a bank; a dike; an embankment.

둔각(鈍角) [幾] an obtuse angle.

둔감(鈍感) ¶ ～한 dull; insensi-

ble.

둔갑 (遁甲) ~ 하다 change [transform] oneself (into).

둔기 (鈍器) a dull [blunt] weapon.

둔덕 an elevated land; a mound.

둔부 (臀部) the buttocks; the rump; the hip.

둔재 (鈍才) 《사람》 a dull (dull-witted) person; a dunce.

둔전 (屯田) 《史》 a farm cultivated by stationary troops.

둔탁 (鈍濁) ~ 하다 《소리가》 be dull; thick; dead.

둔하다 (鈍 一) 《머리·동작이》 be dull; slow; stupid.

둘 two. ¶ ~ 도 없는 unique; only; matchless / ~ 다 both / ~ 씩 two at a time; by twos.

둘둘 ¶ ~ 감다 twine [coil] around; wind up 《a cord》 in a coil.

둘러대다 ① 《꾸며대다》 give an evasive answer; make an excuse (for). ② 《변통》 make shift (with); manage somehow.

둘러보다 look (a)round (about).

둘러서다 stand in a circle.

둘러싸다 《포위》 besiege; lay siege to; 《에워싸다》 surround; enclose.

둘러쌓다 pile 《things》 up in a circle. ⇒ 뒤집어쓰다. [circle.

둘러앉다 sit in a circle.

둘러치다 ① 《두르다》 surround; enclose. ② 《내던지다》 throw hard; hurl.

둘레 《주위》 circumference. ¶ ~ 에 round; around; about.

둘레둘레 ~ 둘러보다 look around; stare around (about).

둘리다 《둘러 막히다》 be enclosed [surrounded, encircled].

둘째 the second; number two. ¶ ~ 로 secondly; in the second place.

둥 《하는 둥 마는 둥》 ¶ 자는 ~ 마는 ~ 하다 be half asleep.

둥개다 《사람이》 cannot manage; do not know what to do with; 《사물이 주이》 be too much (for).

둥그스름하다 (be) somewhat round.

둥글다 (be) round; circular; globular 《구상의》.

둥글리다 round; make 《a thing》 round.

둥덩거리다 keep beating 《a drum》; beat boom-boom.

둥둥 《북소리》 rub-a-dub; rataplan; boom-boom.

둥실둥실 floating lightly.

둥싯거리다 move slowly [sluggishly]; waddle.

둥우리 a basket.

둥지 a nest.

뒤 ① 《배후·후방》 the back; the rear. ¶ ~ 의 back; behind; rear / ~ 로 behind; back; after; backward / ~ 에서 in the rear; at the back; behind one's back(배후에서); in secret(몰래) / ~ 로부터 from behind. ② 《장래》 future. ¶ 뒷일 future affairs. ③ 《나중·다음》 ~ 에; after; later. ④ 《종적》 ¶ ~ 를 따르다 [밟다] follow; trail 《a person》; shadow 《a person》. ⑤ 《후계》 ~ 를 잇다 succeed. ⑥ 《대변》 feces; excrement; stools. ¶ ~ 를 보다 relieve oneself. ⑦ 《돌봄》 support; backing. ¶ ~ 를 밀어 주다 give support to; back (up).

뒤꼍 a rear garden; a back yard [lot].

뒤꿈치 a heel.

뒤끓다 《혼잡하다》 be in confusion; be crowded [thronged] 《with》; swarm 《with》.

뒤끝 《종말》 the end 《of an affair》; a close.

뒤늦다 (be) late; belated.

뒤대다 《공급》 supply 《a person with》; provide 《a person with》.

뒤덮다 cover; overspread; veil.

뒤덮이다 be covered (all over) 《with》. [look] round.

뒤돌아보다 look back 《at》; turn

뒤둥그러지다 ① 《뒤틀리다》 be distorted [twisted]. ② 《생각이》 grow crooked [perverse].

뒤떨어지다 fall [drop] behind; be left behind 《the times》; be backward 《in》; be inferior to.

뒤뚱거리다 be shaky [unsteady]; totter; stagger; falter. ¶ 뒤뚱뒤뚱 falteringly; unsteadily.

뒤뜰 a back garden [yard].

뒤룩거리다 roll (one's eyes); sway (one's body); waddle; (성이 나서) jerk with anger.

뒤미처 soon [shortly] after.

뒤바꾸다 invert; reverse.

뒤바뀌다 be inverted [reversed]; get out of order; be mixed up.

뒤밟다 track (a person); follow; shadow; tail.

뒤버무리다 mix up; mix together.

뒤범벅 ¶ ~이 되다 be mixed up; be jumbled together / ~을 만들다 jumble (up) together; mix up. ┌ease⌋ relieve oneself.

뒤보다 (용변) go to stool; relieve

뒤서다 fall behind.

뒤섞다 mix up; mingle together.

뒤섞이다 be mixed up (together, up); be jumbled (together, up).

뒤숭숭하다 be confused; disorderly; restless; nervous; ill at ease.

뒤엉키다 get entangled; get confused [mixed].

뒤엎다 upset; overturn.

뒤웅박 a gourd. ┌throw.

뒤적이다 make search; rummage; ransack.

뒤져내다 rummage out; hunt [seek, search] out.

뒤주 a wooden rice chest [bin].

뒤죽박죽 a mess; mix-up; confusion. ¶ ~이 confused; mixed up / ~으로 in disorder [confusion]; in a mess / ~이 되다 get mixed up [confused] / ~을 만들다 mix [mess] up; throw (a room) into confusion [disorder].

뒤지다 (찾다) search; ransack; rummage; fumble.

뒤지다 (뒤처지다) fall [lag, be] behind; be backward (in).

뒤집다 ① (겉을) turn inside out; turn (it) over; (엎다) upset; overturn. ② (순서·판결 따위를) reverse; invert. ③ (혼란시키다)

throw into confusion.

뒤집어쓰다 ① (온몸에) pour (water) on oneself; be covered with (dust). ② (이불 따위를) draw [pull] over. ③ (죄·책임을) take (another's fault) upon oneself. ¶ 죄를 남에게 씌우다 lay the blame on (a person) for something.

뒤집어엎다 overturn; upset; overthrow; turn over.

뒤집히다 ① (안팎이) be turned inside out; be turned over. ¶ (우산 따위가) 바람에 ~ be blown inside out. ② (순서·판결 따위가) be reversed; be overruled. ③ (뒤엎어지다) overturn; be upset; be overturned [overthrown]; be toppled. ④ (속·정신이) feel sick (nausea); go [run] mad. ¶ 눈이 ~ lose one's head; be beside oneself.

뒤쫓다 pursue; chase; run after (a person); track; trail.

뒤채 a backhouse; the back wing.

뒤처리 (一處理) settlement (of an affair); ~하다 settle (an affair); put (things) in order.

뒤축 the heel.

뒤치다꺼리 ① (돌봄) care. ~하다 look after; take care of. ② (일) 뒤치닥, 뒷수습.

뒤탈 later trouble.

뒤통수 the back of the head.

뒤퉁스럽다 (be) clumsy; bungling; thick-headed. ¶ 뒤퉁스러운 사람 a clumsy fellow; a bungler.

뒤틀다 ① (비틀다) twist; wrench; distort; wring. ② (방해하다) thwart; frustrate; foil; baffle.

뒤틀리다 ① (비틀어지다) be distorted [twisted]; be warped; be cross-grained (마음이). ¶ 뒤틀린 distorted; twisted; wry; crooked. ② (일이) go wrong; go amiss.

뒤흔들다 ① (사물을) shake violently; sway hard. ② (파문을 일으키다) disturb; stir. ┌trine.

뒷간 a washroom [toilet]; a latrine; 뒷소.

뒷감당 (一 堪當) dealing with the aftermath (of an affair); setting

《matters》right; settlement; winding up 《an affair》. ~하다 deal with the aftermath; straighten (out) the rest 《of an affair》.

뒷거래(一 去來) backdoor 〔illegal〕 dealing 〔business〕.

뒷걸음치다 move 〔step〕 backwards; 《무서워서》 flinch; shrink back 〔away〕 《from》; hesitate 《at》.

뒷골목 a back street; an alley; a bystreet.

뒷공론(一 公論) backbiting 〔렵談〕; gossip. ~을 하다 backbite; speak ill of 〔talk about〕 《a person》 behind his back.

뒷구멍 the back 〔rear〕 door; backstairs 〔channel〕. ¶ ~에서 일을 하다 do 〔conduct〕 under-the-counter business. ∥ ~거래 backdoor deals 〔transactions〕 《of》. ~입학 〔ob-tain, get〕 a backdoor admission to a school.

뒷굽〔동물의〕 the back hoof of an animal; 〔신의〕 the heel of a shoe.

뒷길 a back street.

뒷날 days to come; another day 〔future〕; future〔장래〕.

뒷다리 a hind 〔rear〕 leg.

뒷담당(一 擔當) taking charge 〔care〕 of the rest 〔aftermath〕 《of an af-fair》.

뒷덜미 the nape; the back of the neck.

뒷돈 capital; funds.

뒷동산 a hill at the back 《of》.

뒷맛 aftertaste.

뒷모양(一 模樣) the sight of one's back; the figure 〔appearance〕 from behind.

뒷문(一 門) a back 〔rear〕 gate.

뒷물 ¶ ~하다 bathe one's private parts.

뒷바라지 looking after; taking care of; ~하다 look after; take care of; care for.

뒷바퀴 a rear 〔back〕 wheel.

뒷받침 backing; backup. ~하다 back up; support.

뒷발〔짐승의〕 a hind 〔rear〕 leg 〔foot〕. ¶ ~질하다 kick with one's heel.

뒷북치다 rush 〔fuss〕 around fruit-lessly after the event.

뒷소문(一 所聞) gossip 〔rumor〕 about something happened be-fore; an after-talk.

뒷손가락질 ¶ ~의 point after 《a person》. ¶ ~받다 be an object of people's contempt.

뒷수습(一 收拾) settlement 《of an affair》 『사건의 ~을 하다 settle an affair.

뒷이야기 a sequel to the story.

뒷일〔나중일〕 the aftermath of an event; the rest; 〔장래·사후의〕 fu-ture affairs; affairs after one's death.

뒷자리 〔take〕 a back seat.

뒷조사(一 調査) a secret investi-gation 〔inquiry〕. ~하다 investi-gate secretly 〔in secret〕.

뒷짐 ~지다 cross 〔fold〕 one's hands behind his back.

뒹굴다 ① 〔누워서〕 roll 《about》; tumble about. ② 〔놀다〕 idle away; roll about.

듀스〔테니스〕 deuce. ¶ ~가 되다 go to deuce.

듀엣〔樂〕 a duet.

드나들다〔출입하다〕 go in and out; 《방문》 visit; frequent. ¶드나드는 상인 one's regular salesman.

드넓다 (be) wide; spacious; large.

드높다〔높이기〕 (be) high; tall; lofty; eminent.

드디어 at last 〔length〕; finally.

드라마〔연극〕 a drama; a play.

드라이버 a driver.

드라이브 a drive. ~하다 take 〔have〕 a drive 《to》.

드러나다 ① 〔표면에〕 appear on the surface; be revealed; show itself; be exposed; 〔become known 〔famous〕. ② 〔감춘 것이〕 come to light; be found 〔out〕; be discovered.

드러내다 ① 〔나타내다〕 show; indi-cate; display. ② 〔노출시키다〕 dis-close; reveal; bare; expose.

드러눕다 lie 〔throw oneself〕 down. ¶드러누워 책을 보다 read a book

ㄷ

lying down 《in bed》.

드러쌓이다 be piled [heaped] up; accumulate.

드럼 a drum. ┃ ~ily (loudly).

드렁드렁 ~코를 골다 snore heavily.

드레스 《오·에복》 a dress. ┃ ~메이커 a dressmaker.

드로잉 drawing. ┃ ~ 페이퍼 drawing 「paper.

드롭 《野》 a drop. ┌ing paper.

드롭스 《사탕》 drops.

드르렁거리다 snore loudly.

드르르 ① 《미끄럽게》 slipperily; smoothly. ② 《떠는 모양》 trembling; shivering. ③ 《수월하게》 smoothly; without a hitch.

드리다 《주다》 give; present; offer. 기도를 ~ say one's prayers.

드리다 《방·마루 따위를》 make; set; construct; add [attach] 《two rooms》 to 《one's house》.

드리블 《蹴》 a dribble.

드리우다 《늘어뜨리》 hang down; let 《something》 down; suspend. ② 《이름을 후세에 남김》 이름을 후세에 ~ leave one's name to posterity.

드릴 《송곳》 a drill. 「terity.

드림 《旗나 드림》 a pennant; a streamer; 《장막》 a curtain; hangings.

드링크제(一劑) an invigorating drink; a health [pep-up] drink.

드문드문 ① 《시간적》 once in a while; at 《rare, long》 intervals; occasionally. ② 《공간적》 at intervals; sparsely; thinly; here and there.

드물다 be rare; scarce; unusual; uncommon. ┃ 드물게 rarely; seldom.

드새다 pass the night 《at an inn》. ┃ 하룻밤 ~ stay overnight; stop for the night.

드세다 be violent; very strong; 《집터 따위가》 be ominous; unlucky; ill-omened.

드잡이 ① 《싸움》 a scuffle; a grapple. ~하다 scuffle; grapple 《with》. ② 《압류》 attachment; seizure. ~하다 attach; seize.

드티다 ① 《자리·날짜가》 be extend-

ed [stretched out]. ② 《자리·날짜》 extend; stretch out.

득(得) 《이익》 profit; gain; advantage; benefit. ┃ ~을 보다 profit; gain 《from》 / ~이 되다 be profitable [advantageous]; benefit 《a person》.

득남(得男) ~하다 give birth to a son.

득녀(得女) ~하다 give birth to a daughter. 「become famous.

득명(得名) ~하다 win [gain] fame;

득세(得勢) ~하다 obtain [gain, acquire] influence; become influential.

득시글득시글하다 be swarming [crowded, teeming] 《with》. ┃ 득시글거리다 swarm; teem 《with》 / 거기는 구더기가 득시글거렸다 The place swarmed with maggots.

득실(得失) merits and demerits; gain and loss.

득의(得意) pride; exultation; triumph; elation. ┃ ~만면하여 proudly; triumphantly; in triumph.

득인심(得人心) ~하다 win the hearts of the people.

득점(得點) marks; a point; a score. ~하다 score [gain] a point. ┃ ~표 a scorebook; scoreboard.

득책(得策) a good policy; the best plan; a wise way. ┃ ~이다 be wise; be advisable.

득표(得票) the number of votes obtained [polled]. ~하다 get [gain] votes. ┃ 법정 ~수 the legal number of votes / 500표의 ~차로 이기다 win by a majority of five hundred votes.

…든 either ... or; whether ... or. ☞든지.

든든하다 ① 《굳세다》 (be) firm; solid; strong; 《견실한》 (be) steady; sound. ┃ 든든히 firmly; fast; solidly. ② 《미덥다》 (be) reassuring; safe; reliable; trustworthy. ┃ 마음 든든히 feel reassured 《secure》. ③ 《배가》 (be) stomachful. ┃ 든든히

다 eat *one's* fill.

…든지 either … or; whether … or. ¶ 좋∼ 나쁘∼ good or bad.

든직하다 (be) dignified imposing; composed.

듣다 ① 〈소리를〉 hear; 〈전해〉 learn (from others); learn by hearsay; 〈통지〉 be told [informed] 〈*of*〉; 〈경청〉 listen [give ear] to. ¶ 듣는 사람 a hearer / 강의를 ∼ attend a lecture / 좋다 sound well. ② 〈칭찬·꾸지람을〉 receive; 〈따르다〉 suffer. ③ 〈따르다·들어 주다〉 obey; take; follow; listen to. 〈효력있다〉 be efficacious; take [have] effect 〈*on*〉; be good 〈*for*〉; 〈기계·몸이〉 act; work. ¶ 잘 듣는 약 a very effective medicine.

듣다 〈물방울이〉 drip; drop; trickle.

들 ① 〈들판〉 a field; a plain 〈평원〉. ② 〈야생의〉 wild. ¶ ∼장미 wild roses.

들 〈따위〉 and so forth [on]; and [or] the like. ☞ 따위.

…들 〈복수〉 -s. ¶ 여학생 ∼ schoolgirls / 농민 ∼ farmers.

들것 a stretcher.

들고나다 ① 〈간섭〉 interfere 〈*in, with*〉; meddle 〈*in*〉; poke one's nose 〈*into*〉. ② 〈집안 물건을〉 carry out 〈*household articles*〉 for sale to raise money.

들국화 ─菊花 〖植〗 a wild chrysanthemum.

들기름 perilla oil. [themum.

들까부르다 〈키질하다〉 fan 〈winnow〉 briskly; 〈흔들다〉 move up and down; 〈자동차가〉 jolt; 〈배가〉 pitch and roll. ¶ 무릎 위에서 갓난아기를 ∼ rock a baby on *one's* knees.

들깨 〖植〗 a perilla: *Perilla frutescens* 〈약명〉.

들끓다 ① 〈떼지어〉 crowd; swarm 〈*with flies*〉; be infested with 〈*rats*〉; 〈소란〉 get excited; be in an uproar.

들날리다 〈권세·세력 등을〉 enjoy a great popularity 〈prosperity〉.

들녘 a plain; an open field.

들놀이 a picnic; an outing. ¶ ∼가다 go on a picnic; have an outing.

들다 〈날씨가〉 clear (up); become clear.

들다 〈칼날이〉 cut (well). ¶ 잘 드는 [안 드는] 칼 a sharp [blunt] knife.

들다 〈나이가〉 grow [get] older.

들다 ① 〈손에〉 take [have, carry] in *one's* hand; hold. ¶ 손에 무엇을 들고 있니 What do you have in your hand? ② 〈사실·예를〉 give 〈give an example〉; mention 〈*a fact*〉; cite. ¶ 이유를 ∼ give a reason. ③ 〈올리다〉 raise; lift (up); hold up. ④ 〈음식을〉 take 〈*a meal*〉; have; eat; drink.

들다 ① 〈들어가다〉 go 〈get, come〉 (into); enter; 〈살다〉 settle 〈*at, in*〉. ② 〈가입·참여〉 join 〈*a club*〉; go into; enter. ③ 〈풍흉·절기 등이〉 set in; begin; come. ④ 〈물이〉 be dyed 〈*black*〉; take color. ⑤ 〈버릇 등이〉 raise; take to 〈*a habit*〉; fall into 〈*the habit of doing*〉. ⑥ 〈마음에〉 be satisfied 〈pleased〉 〈*with*〉; suit one's fancy; like. ⑦ 〈포함〉 contain; hold; 〈들어 있다〉 be included; be among. ⑧ 〈소요〉 take; need; require; cost 〈*much*〉. ⑨ 〈병이〉 suffer from; catch 〈*cold*〉. ⑩ 〈침입〉 break in. ⑪ 〈햇빛이〉 shine in. ⑫ 〈정신이〉 ∼ come 〈be brought〉 to *one's* senses.

들뜨다 ① 〈붙은 것이〉 become loose; come off. ② 〈마음이〉 be unsteady; grow restless. ③ 〈얼굴이〉 누렇게 들뜬 얼굴 a yellow and swollen face.

들락날락하다 go in and out frequently.

들러리 〈신랑의〉 a best man; 〈신부의〉 a bridesmaid. ¶ ∼ 서다 serve as a bridesmaid 〈best man〉.

들러붙다 adhere 〈stick, cling〉 〈*to*〉. ¶ 찰싹 ∼ stick fast to.

들려주다 〈*a person*〉 know 〈*of*〉; tell 〈말해〉; read to 〈읽어〉; play for 〈연주해〉; sing for 〈노래

해).

들르다 《도중에》 drop in 《at》; stop by 《in》; call 《at, on》.

들리다 ① 《소리가》 be audible; be heard; hear; 《울리다》 sound; ring 《true》. 들리지 않는 inaudible / 이상하게 들릴지 모르지만 strange as it may sound. ② 《소문이》 be said 〔rumored〕; come to one's ears. ¶ 들리는 바에 의하면 according to a report 〔rumor〕; it is said that...; I hear 〔am told〕 that ....

들리다 ① 《병이》 suffer from; be attacked 《by》; catch. ② 《귀신이》 be possessed 〔obsessed〕 by.

들리다 ① 《올려지다》 be lifted 〔raised〕. ② 《들게 하다》 let 《a person》 lift 〔raise〕; lift.

들먹거리다 ① 《움직이다》 move up and down; shake. ② 《마음을 흔들리게 하다》 make 《a person》 restless; instigate; stir up. ③ 《말하면서》 mention; refer to.

들먹이다 ☞ 들먹거리다.

들보 〖建〗 a crossbeam; a girder.

들볶다 annoy; torment; be hard on 《a person》; be cruel to. ¶ 들볶이다 be tormented 〔annoyed, molested〕.

들부수다 break 《a thing》 to pieces; smash up; crush.

들새 wild fowl 〔총칭〕; a wild 〔field〕 bird.

들소 〖動〗 a wild ox; a bison.

들썩거리다 ☞ 들먹거리다.

들쓰다 ① 《덮어쓰다》 put 《something》 on all over oneself. 《머리에》 put on; cover. ② 《물 따위를》 pour 《water》 on oneself; be covered with 《dust》. ③ 《허물 따위를》 take 《blame, responsibility》 upon oneself.

들씌우다 ① 《덮다》 cover 《with》; put on. ② 《들어붓다》 pour 《on》. ③ 《죄 따위를》 impute 《a fault》 to 《another》; lay 《a fault》 on 《a person》; shift 《a blame》 on 《someone》.

들어가다 ① 《안으로》 enter; go 〔get, walk, step〕 in 〔into〕. ② 《가입·참가하다》 join 《a club》; take part in 《a campaign》. ③ 《틈·속·사이에》 go through; be inserted. 《물건·못 ···》 penetrate in. ④ 《비용이》 be spent; cost. ¶ 100 달러가 ~ cost 100 dollars. ⑤ 《움푹》 become hollow. ¶ 쑥 들어간 눈 sunken 〔hollow〕 eyes.

들어내다 ① 《내놓다》 take 〔bring, carry〕 out; remove. ② 《내쫓다》 turn 〔drive〕 out.

들어맞다 《적중》 hit (the mark); 《꿈·예언 등이》 come true; be 〔prove〕 correct; 《알맞다》 fit; suit; 《일치하다》 be in accord with.

들어먹다 《탕진하다》 squander; run through; dissipate 《one's fortune》.

들어박히다 ① 《촘촘히》 be packed; be stuffed. ② 《칩거》 confine oneself to 《a room》; shut 〔lock〕 oneself up 《in》; stay indoors.

들어서다 ① 《안으로》 step in; enter; go 〔come〕 into. ② 《꽉 차다》 be full 《of》; be filled 《with》; be crowded 《with houses》. ③ 《자리에》 succeed 《a person》; accede to; take 《a position 《as》; 《접어들다》 begin; set in.

들어앉다 ① 《안쪽으로》 sit nearer to the inside. ② 《은퇴》 retire from 《work》. ③ 《자리에》 settle down; become. ¶ 본처로 ~ become a spouse.

들어오다 ① 《안으로》 enter; come 〔get〕 in; walk in 〔into〕. ② 《수입이》 have 《an income of》; get; receive. ③ 《입사·입회》 join 《a company》; be employed 《by》.

들어주다 grant; hear; answer 《a person's prayer》.

들어차다 be packed; be crowded. ¶ 꽉 ~ be packed to the full.

들여가다 ① 《안으로》 take 〔bring, carry〕 in. ② 《사다》 buy; get.

들여놓다 ① 《안으로》 bring 〔take, carry〕 in. ② 《사들이다》 buy 〔lay〕 in stock of 《goods》.

들여다보다 ① 〈안을〉 look (in); peep (into, through). ② 〈자세히〉 look into; examine carefully. ③ 〈들르다〉 look (drop) in (on, at).

들여다보이다 〈속이〉 be transparent; be seen through. ¶ 뻔히 들여다보는 거짓말 a transparent (an obvious) lie 〔admit〕.

들여보내다 let (allow) in.

들여앉히다 〈여자를〉 have (make, let) a woman settle down in one's home.

들여오다 ① 〈안으로〉 bring (carry) in. ② 〈사들이다〉 buy (in); purchase; import(수입).

들은풍월 (一風月) knowledge picked up by listening to others.

…들이 (capable of) holding; containing. ¶ 두 말 ∼ 자루 a sack holding two mal / 2리터 ∼ 한 병 a two-liter bottle.

들이다 ① 〈안으로〉 let (allow) in; admit. ② 〈비용을〉 spend (on); invest; 〈힘을〉 take (troubles); make (efforts). ¶ 큰 돈을 들여야 at a great cost. ③ 〈고용〉 engage; employ; hire. ④ 〈맛을〉 get (acquire) a taste for; take to 〈gambling〉. ¶ 돈에 맛을 ∼ get a taste for money. ⑤ 〈물감을〉 dye (black).

들이닥치다 come with a rush; storm (a place); 〈사람이〉 be visited suddenly; 〈위험 등이〉 be impending (imminent).

들이대다 ① 〈반항〉 defy; oppose; protest. ② 〈총기 등을〉 thrust (put) (a thing) before (under) one's nose; point (a revolver) at (a person). ③ 〈제시〉 produce. ¶ 증거를 ∼ thrust evidence at (a person).

들이덤비다 〈덤벼들다〉 fall (turn) upon (a person); defy; 〈서둘다〉 busy oneself with; bustle (up, about); be in great haste.

들이마시다 〈기체를〉 inhale; breathe in (fresh air); 〈액체를〉 drink (in); suck in; gulp down.

들이몰다 〈안으로〉 drive in; 〈마구〉 drive fast (violently).

들이밀다 push (thrust, shove) in.

들이밀리다 〈안으로〉 be pushed (thrust) in; 〈한 곳으로〉 crowd; swarm; gather (flock) (together).

들이받다 run (bump) into; collide with; knock (strike, run) against.

들이쉬다 〈숨을〉 breathe in; inhale; inspire; draw (a breath).

들이치다 ① 〈비·눈이〉 come into (a room); drive (be driven) into. ② 〈습격〉 attack; assault; storm.

들일 farm work; work in the fields.

들쥐 〔動〕 a field rat.

들짐승 a wild animal.

들척지근하다 〔味〕 sweetish.

들쭉 a blueberry.

들쭉날쭉하다 be uneven; indented; jagged.

들창 (一窓) a small window.

들창코 (一窓―) a turned-up (an upturned) nose.

들추다 ① 〈뒤지다〉 search; ransack; rummage. ② 〈폭로〉 reveal; disclose; expose.

들추어내다 disclose; lay bare; bring to light; dig into (up); rake up (an old scandal).

들치기 〈행위〉 shoplifting; 〈사람〉 a shoplifter; ∼하다 shoplift.

들키다 be found out; be detected; be caught (doing).

들통 (一筒) a pail; a bucket. ¶ ∼나다 be detected (disclosed); get found out.

들판 a field; a plain.

듬뿍 much; plenty; brimfully; fully; generously.

듬성듬성 sparsely; thinly.

듯싶다 ⇨ 듯하다.

듯(이) look like; as (... as); as if (though).

듯하다 look like; seem; appear. ¶ 비가 올 ∼ It looks like rain.

등 〈사람·동물의〉 the back; 〈산의〉 the ridge; 〈책의〉 a back; the spine (of a book).

등 (等) ① 〈등수〉 a grade. ¶ 1∼ first class (grade). ⇨ 등급. ② ⇨ 따위.

등(燈) a lamp; a lantern; a light.

등(藤) 〔植〕 a rattan; a cane; 《등나무》 a wisteria. ‖ ~꽃 〔덩굴〕 wisteria flower (vines).

등가(等價) 〔化〕 equivalence. ‖ ~량 an equivalent.

등각(等角) 〔幾〕 equal angles. ‖ ~3각형 an equiangular triangle.

등갓(燈─) a (lamp) shade.

등거리 a sleeveless shirt.

등거리(等距離) an equal distance; equidistance. ‖ ~외교 an even-handed (equidistant) foreign policy.

등걸 a stump; a stub.

등걸잠자다 sleep with one's clothes on, without any covering.

등겨 rice chaff.

등고선(等高線) a contour (line).

등골 the line of the backbone. ‖ ~이 오싹하다 feel a chill run down one's spine.

등과(登科) ~하다 pass the higher civil service examination.

등교(登校) ~하다 attend (go to) school.

등귀(騰貴) a rise (in prices); an advance (화畫가치의) (an) appreciation. ~하다 rise; advance; go (run) up; appreciate. ‖ 달러의 ~ the appreciation of the dollar.

등극(登極) ~하다 ascend (come) to the throne.

등급(等級) a class; a grade; a rank. ‖ ~을 매기다 classify; grade.

등기(登記) registration; registry. ~하다 register; have (a thing) registered. ‖ ~우편으로 by registered mail / ~의 ~ unregistered. ‖ ~료 a registration fee / ~부 a register (book) / ~소 a registry (office) / ~필 (표시) Registered / ~필증 a provisional registration certificate / ~가 provisional registration.

등단(登壇) ~하다 go on the platform; take (mount) the rostrum.

등달다 be in a stew (fret) (about); be impatient (irritated).

등대(燈臺) a lighthouse. ‖ ~선 a light ship / ~지기 a lighthouse keeper / 등댓불 a beacon lamp; lights.

등대다 lean (depend) on; rely upon.

등덜미 the upper part of the back.

등등(等等) etc.; and so on; and so forth.

등등하다(騰騰─) be in high spirits; be on a high horse.

등락(騰落) rise and fall; ups and downs; fluctuations.

등록(登錄) registration; entry. ~하다 register; make registration (for); make an entry; enrole. ‖ 회원으로 ~하다 enroll as a member. ‖ ~금 a tuition (fee) (수업료) / ~상표 a registered trademark / ~세 a registration fee (tax) / ~인 a registrant / ~필 (표시) Registered.

등반(登攀) climbing. ~하다 climb (up). ‖ ~대 a climbing party / ~자 a climber.

등변(等邊) 〔幾〕 equal sides. ‖ ~삼각형 an equilateral triangle.

등본(謄本) a (certified) copy; a transcript; a duplicate.

등분(等分) ~하다 divide equally (in equal parts); share equally. ‖ 2~하다 bisect; divide (a thing) into two.

등불(燈─) a light; a lamp.

등비(等比) 〔數〕 equal ratio.

등뼈 the backbone; the spine.

등사(謄寫) copy; transcription. ~하다 copy; make a copy (of); mimeograph. ‖ ~원지 stencil paper / ~판 a mimeograph.

등산(登山) mountaineering; mountain climbing. ~하다 climb (ascend, go up) a mountain. ‖ ~가 a mountaineer; an alpinist / ~대 a mountaineering (climbing) party / ~지팡이 an alpenstock / ~화 mountaineering boots.

등색(橙色) orange (color).

등성이 the ridge of a mountain.

등세공(藤細工) rattanwork; cane work.

등속(等速) equal speed; 〔理〕uniform velocity. ∥ ~운동 uniform velocity.

등수(等數)〔차례〕a grade; a rank; 〔같은 수〕an equal number.

등식(等式)〔數〕an equality.

등신(等身)〔실물 크기〕full-length. ∥ ~상 a life-size statue.

등신(等神) a fool; a stupid person; a blockhead.

등심(燈心) a (lamp) wick.

등쌀 annoyance; harassing; bothering; molesting.

등압선(等壓線) an isobar; an isobaric line.

등에〔蟲〕a horsefly; a gadfly.

등온(等溫)¶ ~의 isothermal. ∥ ~선〔地〕an isothermal line.

등외(等外) a failure;〔경주에서〕an also-ran. ¶ ~의 unplaced〔경기에서〕; offgrade; substandard〔품질이〕/ ~에 떨어지다 fail to win the prize; fall under the regular grades (품평회 따위에서).

등용(登用)〔임용〕appointment. ~하다 appoint〔assign〕《a person to a position》.

등용문(登龍門) the gateway to success (in life). 〔House.

등유(燈油) lamp oil; kerosene.

등잔(燈盞) a lamp-oil container. ¶ ~ 밑이 어둡다《俗談》It's darkest at the foot of the lampstand. or Sometimes one doesn't see what is right under one's nose. ∥ ~불 a lamplight.

등장(登場)① 〔劇〕entrance on the stage; entry. ~하다 enter〔appear〕on the stage. ②〔나타남〕advent; appearance. ∥ ~인물 the characters (in a play).

등재(登載) registration; record. ~하다 register; record.

등정(登頂) ~하다 reach the top〔summit〕of a mountain.

등정(登程) departure. ~하다 start〔set〕out on a journey; depart.

등뼈 the line of the backbone.

등지(等地) (and) like places. ¶ 서울·부산 ~ Seoul, Busan and like cities (places).

등지다 ①〔사이가〕break〔fall out, split〕with; be estranged〔alienated〕《from》. ②〔등 뒤에 두다〕lean 《one's》 back against 《a wall》. ③〔저버리다〕turn against; turn one's back 《on》; leave; forsake.

등짐 a pack carried on one's back. ∥ ~장수 a pack-peddler.

등차(等差) ¶ ~ 급수〔數〕arithmetical progression. 〔the office.

등청(登廳) ~하다 attend〔go to〕

등치다 ①〔때리다〕slap 《a person》 on the back. ②〔빼앗다〕racketeer; extort 《money》; blackmail. ¶ ~등쳐먹고 살다 live by racketeering. 〔plate〔mound〕.

등판(登板) ~하다〔野〕take the

등피(燈皮) a lamp chimney.

등화불명(燈火不明) One has to go abroad to get news of home. ▶ 등잔.

등한(等閑) ~하다 (be) negligent; careless. ¶ ~히 neglect 《one's duties》; give no heed to.

등화(燈火) a light; a lamplight. ∥ ~관제 a blackout 《 ~관제하다 black out》.

디데이 (the) D-day.

디디다 step on.

디딜방아 a treadmill (pestle); a mortar (worked by treading).

디딤돌 a stepstone; 〔수단〕a stepping stone.

디렉터 a director.

디스코 a disco. ∥ ~뮤직 disco music / ~테크 a discotheque.

디스크 a disk. ∥ ~자키 a disk jockey《略 D.J.》.

디스토마〔관충〕a distoma;《병》distomiasis. 〔bonucleic acid〕.

디엔에이〔生·化〕DNA. (◀ deoxyri-

디자이너 a designer; a stylist《美》. ∥ 공업 ~ an industrial designer.

디자인 a design; designing. ~하다 design 《a dress》.

디저트 (a) dessert.

디젤 diesel. ¶ ～ 기관차 a Diesel locomotive, ∥ ～기관 a Diesel [diesel] engine.

디지털 ¶ ～식의 digital. ∥ ～화 digitization.

디프테리아 【醫】diphtheria. ∥ ～혈 청 antidiphtheria serum.

디플레이션 deflation. ∥ ～정책 a deflationary policy.

딜레마 (fall into) a dilemma.

딩딩하다 ① 〔힘이 센〕(be) strong; stout; robust. ② 〔팽팽하다〕(be) tense; taut. ③ 〔기반이〕(be) stable; secure; solid.

따갑다 ① 〔뜨겁다〕(be) unbearably hot; 〔쑤시듯이〕(be) prickly; tingling; pricking; smart.

따귀 ¶ ～를 때리다 slap (a person) on the cheek [in the face].

따끈따끈 ¶ ～한 hot; heated.

따끔하다 ① 〔쑤시다〕(be) prickly; pricking. ② 〔호되다〕(be) sharp; severe. ¶ 따끔한 맛을 보이다 teach [give] (a person) a lesson.

따다 ① 〔잡아떼다〕pick; pluck; nip (off), 〔종기를〕open (an abscess); 〔꽁통을〕open (a can); uncork (마개를). ② 〔발췌〕quote; pick out. ④ 〔얻다〕get; gain; take; obtain; win.

따돌리다 leave (a person) out [in the cold]; exclude; boycott; ostracize (사회적으로).

따뜻하다 〔온도가〕(be) warm; mild; 〔정이〕(be) kindly; cordial; warm (-hearted). ¶ 따뜻이 warmly; kindly.

따라가다 〔동행〕go along with; 〔뒤를〕follow (a person); 〔뒤지지 않고〕keep [catch] up with.

따라붙다 overtake; catch [come] up with.

따라서 〔…에 준하여〕in accordance [conformity] with; according to. ② 〔비례하여〕in proportion to [as]; with; as. ③ 〔…을 끼고〕along; by; parallel to [with]. ④ 〔…을 모방하여〕after (the example [model] of). ¶ …에

～ 만들다 make (a thing) after the model of .... ⑤ 〔그러므로〕 accordingly; consequently; therefore; so that.

따라오다 〔수행〕come with; accompany; follow; 〔좇아옴〕keep up with; 〔남 하는 대로〕follow; catch up. ☞ 따르다 ①, ③.

따라잡다 ☞ 따라붙다.

따라지목숨 a wretched life.

따로 〔별개로〕apart; separately; 〔추가로〕additionally; besides; in addition; 〔특별히〕especially; in particular; particularly.

따르다¹ ① 〔따라가다〕go along with; follow; accompany; go after. ② 〔수반하다〕accompany; go with; be followed [attended] by. ③ 〔본뜨다〕follow; model (after); comply with (a request); abide by (the rule). ④ 〔겨루다〕 equal; be a match for. ⑤ 〔좋아하다〕be attached to (a person); love (a person); be tamed (동물이).

따르다² 〔붓다〕pour (out, in).

따름 just; only; merely; alone. ¶ …일[할] ～이다 it is just that ....

따리 flattery; cajolery. ¶ ～ 붙이 다 flatter; fawn (up)on.

따분하다 ① 〔느른함〕(be) languid; dull. ② 〔지루함·맥빠짐〕(be) boring; tedious; wearisome.

따오기 【鳥】a crested ibis.

따옴표 (一標) quotation marks.

따위 ① 〔…과 같은〕... and such like; such (a thing) like[as] ...; the like (of). ¶ 너 ～ the likes of you / 예를 들면 ～ such as; for example. ② 〔등등〕and so on [forth]; et cetera (생략 etc.); and [or] the like.

따지다 ① 〔셈을〕calculate; count; compute (interest). ② 〔시비를〕inquire into; distinguish (between); discriminate (one from another); demand an explanation of.

딱 〔벌린 꼴〕wide. ¶ 입을 ～ 벌리고 with one's mouth wide open.

② 《정확히》 exactly; just; to a T; sharp; 《알맞게》 perfectly; 《꼭 맞게》 tight(ly); closely. ¶ ~ 맞는 옷 a perfectly fitting coat. ③ 《버티어》 firmly; stiffly. ¶ ~ 버티다 stand firmly against 《a person》. ④ 《단호히》 positively; flatly. ¶ ~ 거절하다 refuse flatly. ⑤ 《꼭》 only; just. ⑥ 《소리》 with a snap 《crack》.

딱따구리 [鳥] a woodpecker.

딱딱 with claps 《cracks, raps》; with snaps.

딱딱거리다 snap 《at》; nag 《at》; speak harshly 《roughly》.

딱딱하다 《단단하다》(be) hard; solid; 《굳어서》(be) stiff; rigid; 《엄격》(be) strict; rigid; 《학문의》(be) academic; 《문장이》(be) bookish; stiff; 《형식이》(be) formal; stiff.

딱바라지다 《사람이》(be) thickset; stocky; 《물건이》(be) wide and shallow.

딱부리 a lobster-eyed person.

딱새 [鳥] a redstart (bird).

딱성냥 a friction match.

딱정벌레 ① 《갑충》 a beetle. ② [蟲] a ground beetle.

딱지 ① 《부스럼의》 a scab; 《게·소라의》 a shell; a carapace; 《시계의》 a case. ¶ ~ 가 앉다 scab; a scab forms over 《a boil》.

딱지 ① 《라벨》 a label; 《우표》 a (postage) stamp; 《꼬리표》 a tag; 《스티커》 a sticker. ¶ ~ 붙는 사람 a notorious scoundrel; 《카드 따지》 a card; a pasteboard dump. ② 《주차 위반의》 a (traffic) ticket. ¶ 《교통 순경이》 ~ 를 메다 give 《a driver》 a ticket; ticket a traffic offender.

딱지 《거절》 rejection; a rebuff(퇴짜). ¶ ~ 를 놓다 refuse 《reject》 bluntly; give 《a suitor》 the mitten / ~ 맞다 be rejected; get snubbed; get the mitten 《구혼자》.

딱총 《一銃》 a popgun; a firecracker 《폭죽》.

딱하다 ① 《가엾다》(be) pitiable;

pitiful; sad; 《안되다》(be) sorry; regrettable. ¶ 딱한 처지 a pitiable circumstances / 딱하게 여기다 pity; take pity on; sympathize with; (feel) regret. ② 《난처》(be) awkward; embarrassing.

딴 other; another; different. ¶ ~ 것 other things; another / ~ 데 another 《some other》 place.

딴딴하다 (be) hard; solid.

딴마음 《다른 생각》 any other intention; 《계약》 a secret intention; 《배신》 duplicity; treachery. ¶ ~ 이 있는 double-faced; treacherous / ~ 이 있다 《없다》 have 《don't have》 a secret intention.

딴말 《무관한 말》 irrelevant remarks; 《뒤집는 말》 a double tongue(일구이언).

딴머리 a false hair; a wig.

딴사람 《다른 사람》 a different person; another person; 《새사람》 a new being; a changed man.

딴살림하다 live separately.

딴생각 a different intention; another motive 《idea》; an ulterior motive(속마음). ☞ 딴.

딴소리 irrelevant remarks. ☞ 딴말.

딴은 《하기는》 really; indeed; I see. ¶ ~ 옳은 말이오 Indeed you are right. ②《…으로는》 as for; as for me; for 《on》 my part.

딴전부리다 make irrelevant remarks(딴말로); pretend 《feign》 ignorance 《시치미떼다》.

딴판 《아주》 ¶ ~ 이 되다 be quite different / ~ 이 되다 change completely. ¶ ~ 딸을 a daughter.

딸 [植] a strawberry. ¶ ~ 밭 a strawberry bed 《patch》.

딸꾹질 a hiccup; a hiccough. ¶ ~ 하다 hiccup; have hiccups.

딸랑거리다 tinkle; jingle.

딸리다 ① 《부속》 belong to; be attached to; 《딸려 있다》 be relied 《depended》 on. ¶ ~ 딸린 가족이 많다 have a large family who are dependent on 《me》; have many

dependants. ② 《시중》 let 《a person》 attend 〔accompany〕. ③ 《부치다》 be inferior to; be no equal for; 《부족》 be 〔fall, run〕 short 《of》.

땀 sweat; perspiration. ¶ ~는 sweaty; perspiring / ~을 흘리다 sweat / 손에 ~을 쥐고 경기를 보다 watch a game breathlessly.

땀내 the smell 〔stink〕 of sweat.

땀띠 《have》 prickly heat; (a) heat rash. ‖ ~약 prickly heat powder.

땀받이 《모자 안쪽의》 a sweatband; 《말 안장 밑의》 a saddle cloth.

땀샘 〔生〕 a sweat gland. ☞ 한선(汗腺).

땅 ① 《대지·지면》 the earth; the ground. ② 《영토》 territory; land; 《토양》 soil; earth; 《토지》 land; a lot; an estate.

땅 《총소리》 (with a) bang.

땅강아지 〔蟲〕 a mole cricket.

땅거미¹ 〔動〕 a ground spider.

땅거미² 《저녁어스름》 (at) twilight; dusk. ¶ ~질 때 at dusk; toward evening / ~가 내리다 grow dark.

땅기다 《몸이》 be cramped; have the cramp 《in one's leg》; 《가까이》 draw (near); pull.

땅꾼 a snake-catcher.

땅덩이 land; the earth《지구》; territory《국토》.

땅딸막하다 (be) thickset; chunky.

땅딸보 a stocky person.

땅땅거리다 ① 《큰소리치다》 talk big 《high-handedly》. ② ☞ 땡땡거리다

땅뺏기 a patch of land. 〔다.

땅파기다 a few acres of field.

땅바닥 the (bare) ground.

땅버들 〔植〕 a sallow; a goat willow.

땅벌 a digger wasp; a sphex.

땅벌레 〔蟲〕 a grub; a ground beetle.

땅볼 〔野〕 a grounder; a bounder.

땅울림 earth tremor; a rumbling of the earth.

땅콩 a groundnut; a peanut.

땅투기 land speculation.

땋다 plait; braid.

때¹ 《시각·시간》 time; hour; moment. ② 《경우》 a case; an occasion: (a) time. ③ 《기회》 (an) opportunity; a chance; 《시기》 a season; a time. ¶ ~ 아닌 unseasonable 《rain》. ④ 《시대·당시》 the time(s); the day. ¶ 그 ~ 에 at that time; then. ⑤ 《끼니》 a meal.

때² ① 《더러운》 dirt; filth; grime; 《얼룩》 a stain; a spot; a blot. ¶ ~(가) 묻다 become dirty〔filthy, soiled〕; be stained with dirt. 《시골티 따위》 ¶ ~를 벗은 refined; elegant; smart / ~를 벗지 못한 unpolished; rustic.

때구루루 ¶ ~ 구르다 roll (over).

때까치 〔鳥〕 a bull-headed shrike.

때깔 the shape and color (of cloth).

때다¹ 《불을》 burn; make a fire.

때다² 《액·厄》을 overcome 《evil fortune》.

때때로 occasionally; now and then; from time to time; at times; sometimes. 〔dren.

때때옷 a colorful dress for chil-

때리다 strike; beat; hit; slap 《손바닥으로》. ¶ 때려 눕히다 knock 《a person》 down / 때려 부수다 knock 《a thing》 to pieces; break up; smash up.

때마침 opportunely; seasonably; timely; at the right moment.

때문 ¶ ~에 because of; due to; owing to; on account of.

때물벗다 be refined; be polished.

때우다 ① 《깁다》 patch up; 《맹질》 solder; tinker up. ② 《넘기다》 make shift 《with》; manage 《with》; do with(out); substitute 《doughnuts for lunch》.

땔나무 firewood.

땜장이 a tinker.

땜질 tinkering; soldering. ~하다 tinker (up); solder; patch up.

땡감 an unripe and astringent persimmon.

땡그랑거리다 clink; clang; jingle.

괭땡 ding-dong; clang-clang.

괭땡하다 (be) full: taut.

괭잡다 make a lucky hit; hit the jackpot (美).

꺼거머리 ‖ ~ 처녀 [총각] a pigtailed old maiden [bachelor].

떠나다 ① (출발함) leave; start (*from*); set out; depart (*from*). ‖ 서울을 ~ leave Seoul / 부산으로 ~ start for [set off to] Busan / 세상을 ~ depart this life; die; pass away. ② (물러나다) leave; quit; resign (*from*); (떨어지다) separate; part from [with].

떠내다 dip [scoop] up.

떠다니다 drift [wander] about.

떠다밀다 ① (밀다) push; thrust; press [hold] (*a person*) against (*a wall*). ② (떠넘기다) shift one's work on another; push (*a job*) onto (*another*).

떠돌다 (표류) drift about; float; (방황) wander [roam] about.

떠돌이 a wanderer; a Bohemian. ‖ ~별 [天] a planet.

떠들다 (큰소리로) make a noise; be noisy clamor (*for*). ② (술렁거리다) kick up a row; make much ado.

떠들썩하다 (be) noisy; clamorous. ② 떠들썩하게 noisily; clamorously.

떠들어대다 raise a clamor; make an uproar; set up a cry; make a fuss (*about*).

떠름하다 ① (맛이) (be) slightly astringent; ② (내키지 않아) (be) indisposed; feel creepy; (꺼림하다) feel leery.

떠맡기다 leave (*a matter*) to others; saddle (*a person*) with. ‖ 억지로 ~ force onto; pass [impose] upon.

떠맡다 undertake; assume; take (*a task*) upon oneself; be saddled with; take over. ‖ 빚을 ~ hold oneself liable for a debt.

떠받들다 hold up; lift; raise; push up. ② (공경) revere; hold (*a person*) in esteem (尊대) set (*a person*) up (*as*); exalt; support. ③ (소중히) make [think] much of.

떠받치다 support; prop up.

떠버리 a braggart; a chatterbox.

떠벌리다 ① (과장) talk big; brag; (떠들어대) wag one's tongue. ② (크게 차리다) set up (*a thing*) in a large scale.

떠보다 ① (무게를) weigh. ② (속을) sound; feel. ③ (인품을) size up (*a person*).

떠오르다 ① (물위에) be afloat; rise [come up] to the surface; (공중으로) rise; fly aloft; soar. ② (생각이) occur to [strike] one; come across [into] one's mind. ③ (표면에 나타나다) appear; loom up [emerge] (*as a suspect*).

떡 rice cake. ‖ 그림의 ~ pie in the sky / 누워서 ~ 먹기다 (俗談) It's a piece of cake [pie]. ‖ ~ 국 rice-cake soup / ~ 메 a rice-cake mallet.

떡 (버티는 모양) firmly; (벌린 모양) widely. ‖ ~ 버티다 stand firmly against / ~ [木] oak.

떡갈나무 [植] an oak (tree); (재목) oak.

떡밥 (낚시미끼) a paste bait.

떡방아 a rice-flour mill. ‖ ~ 를 찧다 pound rice into flour.

떡벌어지다 (be) wide (open); broad. ‖ 가슴이 ~ have a broad chest; be broad-chested.

떡잎 a seed leaf. ‖ 될성부른 나무는 ~ 부터 알아본다 (俗談) Genius will assert itself at an early age.

떨기 a cluster; a bunch; a plant. ‖ 한 ~ 꽃 a bunch of flowers.

떨다 ① (붙은 것을) remove; beat [shake, brush] off. ② (곡식을) thrash. ③ (비우다) empty (*one's purse*). ④ (팔다 남은 것을) sell off; clear out (*remaining stocks*). ⑤ (부리다) show; display.

떨다 ② (몸을) shake; tremble (*for fear*); shiver (*with cold*); quiver; shudder (*with terror*).

떨리다 ① (떨어지다) be shaken [swept, brushed] off; be thrown

off. ② 《쫓겨나다》 get fired; be dismissed.

떨리다² 《몸이》 shake; tremble; shiver; quiver; chatter(이가); shudder(무서워). ¶떨리는 목소리 a trembling voice.

떨어뜨리다 ① 《아래로》 drop; let fall; throw 《something》 down; 《공을》 miss. ~ 을 떨구다 drop a cup. ② 《줄이다》 decrease; reduce; lessen. ③ 《지위·명성을》 debase; detract; degrade; lower. ¶계급을 ~ 데모트 reduce to a lower rank. ④ 《질을》 debase; lower; deteriorate. ⑤ 《포착》 capture; take. ⑥ 《해뜨리다》 wear out (down). ⑦ 《재고 등을》 exhaust; run out; use up. ⑧ 《불합격》 reject 《a candidate》; fail.

떨어지다 ① 《낙하》 fall; drop; come down; crash (비행기가). ② 《묻거나 붙은 것이》 come (fall) off. ③ 《남다》 be left (over). ¶이문이 많이 ~ yield much profit. ④ 《뒤지다》 fall off; drop behind; lag behind. ⑤ 《값이》 fall; go down; decline. ⑥ 《감퇴》 decrease; diminish; go down; fall. ⑦ 《못하》 be inferior 《to》; be worse 《than》. ⑧ 《헤지다》 be worn out. ¶ 떨어진 ragged; threadbare; worn-out. ⑨ 《바닥나다》 run (get) out of; be (run) short of; be all gone; be out of stock(상품이). ⑩ 《숨이》 breathe one's last; die; expire. ⑪ 《병·습관이》 be shaken off; be got rid of. ⑫ 《거리·간격이》 be 《a long way》 off; be away 《from》. ¶멀리 떨어진 far-off; distant / …에서 4마일 떨어져 있다 be four miles away from. ⑬ 《갈라짐》 separate; part from (with); leave(떠나다). ¶떨어질 수 없는 inseparable / 떨어져 나오다 break off 《with》. ⑭ 《탈락》 fall. ⑮ 《실패》 be unsuccessful. ⑯ 《수중·술책에》 fall into 《another's snare》.

떨이 goods for clearance sale; a bargain.

떨치다 ① 《명성을》 become (get) well known; 《타동사적》 make well known in the world: 《힘을》 wield 《power》. ② 《흔들어서》 shake off; whisk off.

떫다 (be) astringent; sour. ¶떫은 감 an astringent persimmon / 떫은 포도주 rough wine.

떳떳하다 (be) just; fair; right have a clear conscience. ¶떳떳이 fairly; openly; with a clear conscience.

떵떵거리다 live in great splendor (style); live like a prince.

떼¹ 《무리》 a group; a crowd; a throng(사람); a herd(마소); a flock(양, 새); a shoal(어류); a swarm(벌레). ¶ ~ 를 지어(서) in crowds (flocks, shoals, swarms); in a group.

떼² 《잔디》 sod; turf. ¶ ~ 를 뜨다 cut out sod / ~ 를 입히다 sod; turf. ∥ 떳장 a turf; a piece of sod.

떼³ 《억지》 perversity; an unreasonable demand (claim). ¶ ~ 쓰다 ask for the impossible; fret; be fretful; pester(nag) 《a person》 to do. ∥ 떼쟁이 over···

떼굴떼굴 ~ 구르다 roll over and···

떼다 《붙은 것을》 remove (sign); take off (away). ② 《분리》 part; separate; pull apart; pluck (tear) off; 《사이를》 keep apart; leave 《space》; 《봉한 것을》 break (open) the seal; cut 《a letter》 open. ④ 《공제》 deduct (detract 《from》). ¶봉급에서 ~ deduct 《a sum》 from one's pay; take 《a sum》 off one's pay. ⑤ 《절연》 cut (sever) connections with 《a person》; break (off) with 《a person》. ¶ 뗄래야 뗄 수 없는 사이 be inseparably bound up with each other. ⑥ 《수표 따위를》 issue 《a check》.

떼새 ① 《鳥》 a plover. ② 《새의 떼》 a flock of birds.

때어놓다 《분리》 pull (draw) 《persons, things》 apart; separate 《part···

《things》; estrange(이간).

…어먹다 《가로채다》 appropriate; embezzle; 《안 갚다》 bilk; fail to pay [return]; leave 《a bill》 unpaid.

…이다 《빚 따위를》 become irrecoverable; have a loan [bill, debt] unpaid; be welshed on 《one's debt》.

…치다 《붙는 것을》 shake *oneself* loose [free] from; break loose [from]; 《거절》 refuse; reject; turn down.

…목 《一木》 a raft. ‖ ~꾼 a raftsman.

또 ① 《또다시》 again; once more; 《거듭》 repeatedly. ‖ ~ 한번 once again [more] / ~ 하나의 the other; another(또). ② 《또한》 too; also; as well. ③ 《그 위에》 and; moreover; besides.

또는 《either...》 or; 《아마》 perhaps; probably; maybe.

또다시 again; once more [again]. ~ 하다 do over again.

또닥거리다 tap; pat; rap.

또랑또랑 ‖ ~한 clear; bright; distinct.

또래 《of》 about the same age; 《물건》 《of》 the (same) size [shape].

또렷하다 (be) clear. = 뚜렷하다

또박또박 《한가지로》 too; also; as well; 《그 위에》 besides; moreover; at the same time. 《(flop).

똑 ① 《소리》 with a snap 《crack, 《틀림없이》 just; exactly. ‖ ~같다 be just the same 《as》; be just like; be identical / ~ 한이 just like; alike; likewise; equally; impartially.

똑딱거리다 click; clack; 《시계가》 tic(k)-toc(k). ‖ 똑딱똑딱 clicking; clack〈-tack〉. 《boat.

똑딱선 《一船》 a (small) steam-

똑똑 ① 《두드리는 소리》 rapping; knocking. ② 《부러지는 소리》 with a nap. ③ 《물이》 dripping; trickling; drop by drop.

똑똑하다 ① 《영리한》 (be) clever; bright; intelligent; bright; smart. ② 《분명》 (be) clear; distinct;

vivid; plain.

똑똑히 《영리하게》 clearly; distinctly; plainly; definitely; 《영리하게》 wisely; smartly.

똑바로 《바르게》 in a straight line; straight; 《곧추》 upright; erect; 《바른대로》 honestly; frankly; 《정확하게》 correctly; exactly; 《옳게》 right(ly); 《정면으로》 to [in] one's face; directly(직접).

똘똘 ‖ ~ 말다 roll up 《a sheet of paper》. 「sharp; smart.

똘똘하다 (be) clever; bright;

똥 feces; stool; excrement; dung 《동물의》. ‖ ~마렵다 have a call of nature / 얼굴에 ~ 칠하다 disgrace *one's* name.

똥값 a giveaway 《dirt-cheap》 price.

똥거름 night soil; dung-manure.

똥구멍 the anus; 《속된말》 the back passage. ‖ ~이 찢어지게 가난하다 be extremely poor; be as poor as a church mouse 「very much.

똥끝타다 feel anxious [worried]

똥누다 evacuate [move] the bowels; ease nature; relieve *oneself*.

똥싸개 a pants-soiler; a baby.

똥싸다 ① 뚱누다. ② 《혼내다》 have a hard time (of it); be put to it. 「al) washer.

똬리 a head pad. ‖ ~쇠 a (metal) washer.

뙈기 《논밭의》 a patch; a plot [lot].

뙤약볕 the burning [scorching] sun; strong sunshine.

쬐다 expose *oneself* to scorching sunshine.

뚜껑 a lid 《솥, 상자의》; a cover 《덮개》; a cap 《뚜껑, 만년필의》; a shield 《防》; a flap 《붓 따위의》.

뚜뚜 toot-toot; hoot-hoot.

뚜렷하다 (be) clear; plain; vivid; distinct; obvious; evident; manifest; 《현저》 (be) striking; remarkable; brilliant. 「뚜렷이 clearly; distinctly; strikingly; remarkably.

뚜벅거리다 swagger [strut] (along).

뚜쟁이 a pander; a pimp.

뚝 ① 《갑자기》 suddenly. ② 《떨어지는 소리》 with a thud 〔thump〕. ③ 《꺾는 소리》 with a snap.

뚝뚝 ① 《물방울 소리》 dripping, trickling; drop by drop. ② 《부러짐》 with snaps; snappingly.

뚝뚝하다 ① 《애교가 없다》 be unsociable; unaffable; blunt; brusque. ¶뚝뚝하게 bluntly; curtly; surlily. ② 《굳다》 (be) stiff; rigid.

뚝배기 an earthen(ware) bowl.

뚝심 staying power; endurance.

뚫다 《구멍을》 bore; punch; make 〔drill〕 (*a hole*); 《관통을》 pierce; cut (pass, run) through; shoot through(탄환이).

뚫리다 be opened; be bored through; be drilled; be pierced; be run through. ¶길이 ～ a road is made (open).

뚫어지다 ☞ 뚫리다.

뚱딴지 ① 《사람》 a log; a blockhead. ② 《전기의》 an insulator.

뚱뚱보 a fatty 〔plump〕 person.

뚱뚱하다 be fat; corpulent; plump.

뚱보 ① 《둔한 사람》 a dull 〔taciturn〕 person. ☞ 뚱뚱보.

뚱하다 (be) taciturn.

뛰놀다 jump 〔frisk, gambol〕 (about); romp (about); be frisky.

뛰다 ① 《도약》 leap; spring; jump; 《뛰며》 bound; 《가슴이》 throb; palpitate(달리다) rise; 《시체가》 rise; jump (*to*). ② 《건너뛰》 skip (over); jump (*a chapter*). ③ 《그네·널을》 swing; seesaw. ¶널을 ～ play Korean seesaw.

뛰어가다 run (*to*); rush (*for*).

뛰어나가다 run out; rush out.

뛰어나다 《남보다》 be superior (*to*); excel (*in*); surpass; stand 〔tower〕 high above (*the others*). ¶뛰어난 eminent; prominent; superior; distinguished.

뛰어내리다 jump 〔leap, spring〕 down (off).

뛰어넘다 ① 《껑충》 leap 〔jump, spring, vault〕 over. ② ☞ 뛰다②.

뛰어다니다 《깡충깡충》 jump 〔romp about; frisk; frolic; 《바쁘게》 busy *oneself* (*about*).

뛰어들다 jump 〔spring, plunge in(to); dive into (물 속으로).

뛰어오다 run; come running. 〔up〕

뛰어오르다 jump on; leap 〔spring

뜀 《도약》 a jump; a leap; spring; 《달림》 a run. ¶～뛰기 jumping(도약); running(달리기).

뜀뛰기 【競】 jumping. ～선수 a jumper / ～운동 a jumping exercise / ～판 a springboard; leaping board.

뜀틀 《체조의》 a buck; a vaulting horse.

뜨개질 knitting; knitwork. ～을 하다 do knitting; knit. ～바늘 a knitting pin 〔stick, needle〕; a crochet hook (코바늘).

뜨겁다 (be) hot; burning; passionate.

뜨끈뜨끈 (burning) hot. ～하다 be piping 〔burning〕 hot.

뜨끔거리다 ☞ 뜨끔하다.

뜨끔하다 be stinging; prickly; 《서술적》 prick; sting.

뜨내기 ① 《사람》 a tramp; a vagabond. ‖～손님 a chance 〔casual〕 customer / ～장사 a casual business. ② 《일》 an odd job; casual labor.

뜨다¹ ① 《느리다》 (be) slow; 《굼뜨다》 (be) dull; slow-witted. ② 《말이》 (be) taciturn; reticent. ③ 《칼날이》 (be) dull; blunt. ④ 《탈이》 (be) easy; gentle.

뜨다² ① 《물·하늘에》 float (*on the water, in the air*). ② 《해·달이》 rise; come up. ③ 《사이가》 be distant 〔apart〕 (*from*); get separated; be estranged (관계가). ¶사이를 뜨게 하다 leave a space space out. ④ ☞ 떼이다.

뜨다³ ① 《썩다》 become stale; moldy 〔musty〕; undergo fermentation (발효). ② 《얼굴이》 be sallow. ¶누렇게 뜬 얼굴 a sallow face. ¶～with moxa

뜨다⁴ 《뜸을》 cauterize (*the skin*

뜨다⁵ 《있던 곳을》 leave; go away 《from》; 《움기다》 move; remove. 《세상을》 ~ depart 〔from〕 this life; pass away; die.

뜨다⁶ 《물을 떠내듯》 scoop up; ladle 《국자로》; 《떼어내듯》 cut off 〔out〕; 《뻥gu을》 shovel off; 《고기를》 slice; cut into slices; 《칼로끝》 cut up; 《종이를》 make; shape; 《옷감을》 cut out 〔buy〕 a piece of cloth.

뜨다⁷ 《눈을》 open 《one's eyes》; wake up; awake.

뜨다⁸ 《실로》 knit; crochet 《코바늘로》; darn, stitch 《깁다》; 《그물을》 net; weave.

뜨다⁹ 《본을》 copy (out); imitate; follow suit 《남을》.

뜻뜻하다 (be) warm; hot. ¶ 뜨뜻이 warm; hot. 「been washed.
뜨물 water in which rice has
뜨음하다 ☞ 뜸하다.

뜨이다 ① 《눈이》 (come) open; be opened; awake; 《비유적》 come to one's senses; have one's eyes opened. ② 《발견》 be seen; catch one's eye; attract the attention; come to one's notice; be striking.
뜬구름 ¶ ~ 같은 인생 transient life / 인생이란 ~ 이다 Life is an empty dream.
뜬눈 ¶ ~으로 밤을 새우다 sit up all night; pass a sleepless night.
뜬소문(一所聞) a wild 〔groundless〕 rumor.
뜬숯 used charcoal; cinders.
뜯기다 ① 《빼앗기다》 be extorted 〔squeezed, exploited〕 《by》. ② 《벌레등에》 get bitten. ③ 《벼룩에게 뜯긴 자리》 a fleabite. ③ 《마소에 풀을 먹이》 graze 《cattle》.
뜯다 ① 《뿐이 · 분해》 take down 〔up〕; tear 〔take〕 apart; break up; 《풀 · 털 따위를》 pluck; pull; tear 《off》; 《악기를》 play 《on》. ③ 《얻다》 ask 《a person》 for 《money》; extort; squeeze.
뜯어내다 ① 《붙은 것을》 take down 〔off〕; remove; pick 〔pluck〕 off. ② 《분해》 take 《a thing》 to pieces; take 《a machine》 apart; disman-

tle. ③ 《금품 등을》 extort; fleece.
뜯어말리다 《싸움 등을》 pull 〔draw〕 apart.
뜯어먹다 ① 《붙은 것을》 take 《a thing》 off and eat; eat at 〔on〕; gnaw 〔bite〕 off. ② 《졸라대서》 squeeze; exploit 《a person》; sponge 《off a person》.
뜯어보다 ① 《살펴보다》 examine carefully; study closely; scrutinize. ② 《봉한 것을》 open 《a letter》 and read it. 「a court.
뜰 《정원》 a garden; 《울안》 a yard;
뜸 《韓醫》 (moxa) cautery; moxibustion. ¶ ~ 뜨다 cauterize 《the skin》 with moxa; apply moxa 《to》.
뜸부기 《鳥》 a moorhen; a water cock.
뜸직하다 (be) dignified; reserved.
뜸질하다 《뜸뜨기》 moxa cautery.
뜸하다 (be) infrequent; have a rather long interval. ¶ 뜸해지다 come to a state of lull; hold 〔let〕 up.
뜻 《의지》 (a) will; mind; 《의향》 (an) intention; a motive; 《목적》 an object; an aim; (a) purpose; 《지망》 (an) aspiration; 《야심》 (an) ambition; 《희망》 desire(s); wish(es). ¶ ~ 한 a high ambition 《aspiration》 / ~ 을 두다 intend; aim at; aspire to; have an ambition to. ② 《의미》 (a) meaning; a sense; 《취지》 effect; the intent; the import.
뜻맞다 《의기상통》 be of one mind; be like-minded; 《마음에 들다》 be after one's fancy; suit one's fancy 《taste》.
뜻밖 ¶ ~의 unexpected; unlooked-for; surprising / ~에 unexpectedly / ~에 …하게 되다 happen 〔chance〕 to do.
뜻하다 《의도》 intend to do; aim at 《doing, something》; have 《it》 in mind; 《의미》 mean; signify; imply. ¶ 뜻하지 않은 unexpected.
띄다 《눈에》 catch the eye; attract one's attention.

띄어쓰다 write leaving a space between words.

띄엄띄엄 《단속적》 intermittently; 《드문드문》 sparsely; here and there; sporadically; 《새를 두고》 at intervals.

띄우다 ① 《물위에》 float; set 《*a ship*》 afloat; sail 《*a toy boat*》; 《공중에》 let fly; float in the air. ② 《얼굴에》 show; express; wear. ¶웃음을 ～ (wear a) smile. ③ 《훈김으로》 ferment; mold. ④ 《사이를》 leave a space 《*between*》; space 《*the lines*》. ⑤ 《편지 따위를》 send; dispatch.

띠 a belt; a (waist) band; a sash (여자의).

띠다 ① 《두르다》 put on; do up; wear. ② 《지니다》 wear; carry; be armed with. ③ 《용무 따위를》 be charged (entrusted) 《*with*》. ④ 《빛·기색 따위를》 have; wear; be tinged with. ¶붉은 빛을 ～ tinged with red.

띠지 (—紙) a strip of paper; money band (돈다발 묶는); waist band (여자의).

띵하다 《머리가》 (be) dull; have dull pain. ¶머리가 ～ have dull headache.

ㄹ

ㄹ것같다 ① 《추측》 look (like); seem; appear (to be). ¶비가 올 것 같다 It looks like rain. ② 《막~할 것 같다》 threaten [be ready] (to do).

ㄹ망정 though; even if (to); however; but. ¶비록 그는 늙었을 망정 though he is old; old as he is.

ㄹ바에 if ... at all; if (only) one is to *do*. ¶이왕 할 바에(는) if you do it at all.

ㄹ뿐더러 not only (merely) ... but (also); as well as. ¶걷는 것은 경제적일뿐더러 몸에도 좋다 Walking is not merely economical but also good for the health.

ㄹ수록 《비교》 the more ..., the more 〔더〕; the less ..., the less 〔덜〕. ¶자식은 어릴수록 귀엽다 The younger the child, the dearer it is to you.

ㄹ지 whether (... or not); if. ¶올지 안 올지 whether one will come or not.

ㄹ지도 모르다 may 〔might〕 (*be*, *do*); maybe; perhaps; possible. ¶그럴지도 모른다 It may be so.

ㄹ지라도 but; (al)though; however; even (if); no matter 〔how, who, what〕. ¶결과가 어찌 될지라도 whatever the consequence may be.

ㄹ지어다 should; ought to (*do*). ¶도적질을 말지니라 Thou shalt not steal.

ㄹ지언정 even if 〔though〕; rather 〔sooner〕 (*than*). ¶죽을지언정 항복은 않겠다 I would rather die than surrender.

ㄹ진대 in case (*of*); provided that(조건). ¶그럴진대 if 〔be〕 so; in that case.

라 〔樂〕 《계명》 la; 《음명》 re; D.

...라고 ¶ ~ 들어오너라 해라 Tell him to come in.

라니냐(현상) 〔氣〕 La Niña 《해면 수온이 낮아지는 현상》.

...라도 even; any; either ... or. ¶어린애 ~ even a child / 어느 것이 ~ either one / 어디 ~ anywhere / 이제 ~ even now.

라돈 〔化〕 radon (기호 Rn).

라듐 〔化〕 radium (기호 Ra). ‖ ~ 광천 〔요법〕 a radium spring 〔treatment〕 / ~ 방사능 radioactivity.

라드 lard. ‖ ~ 유 lard oil.

라디에이터 a radiator.

라디오 (a) radio; (a) wireless (英). ¶ ~을 틀다 〔끄다〕 turn 〔switch〕 on 〔off〕 the radio. ‖ ~ 방송 radio broadcasting / ~ 방송국 a radio 〔broadcasting〕 station / ~ 청취자 a radio listener.

라르고 〔樂〕 largo.

라마 〔라마승〕 a lama. ‖ ~ 교 Lamaism / ~ 교도 a Lamaist; a Lamaite / ~ 사원 a lamasery.

라면 〔국수〕 *ramyeon*; instant noodles.

라벨 a label. ¶ ~을 붙이다 label (*a bottle*); put a label on (*a bottle*). 「Vegas.

라스베이거스 《미국의 도시》 Las

...라야(만) only; alone. ¶너 ~ you alone 〔only you〕 《can do it》.

라오스 Laos. ‖ ~의 a Laotian / ~ 사람 a Laotian.

라운드 a round.

라운지 〔호텔 등의〕 a lounge.

라이너 ① 〔野〕 〔야구의〕 a liner; a line drive. ② 〔안감〕 a liner.

라이노타이프 〔印〕 a linotype.

라이닝 〔機〕 lining. 「jar.

라이덴(병) (一(瓶)) 〔理〕 a Leyden

라이벌 a rival. ¶ ～의 rival. ‖ ～ 의식 the spirit of rivalry / ～회 사 a rival company [firm].

라이선스 a license [美]; (a) licence [英]. ‖ ～ 생산 production under license; licensed production.

라이온 [動] a lion; a lioness (암컷).

라이온스클럽 the Lions Club.

라이터 a lighter. ¶ ～를 켜다 light a lighter. ‖ ～기름 lighter oil [fluid] / ～돌 a lighter flint.

라이트 a (car) light. ¶ ～를 켜다 [끄다] switch on [off] a light.

라이트급 (一級) [拳] the light weight class. ‖ ～ 선수 a lightweight (boxer).

라이트윙 [蹴] the right wing.

라이트필드 [野] a right fielder.

라이트필드 [野] the right field.

라이프 (생명·인생) life. ¶ ～보트 a lifeboat (구명정) / ～재킷 [구명대] a life jacket. ‖ ～사이클 (생활주기) a life cycle / ～스타일 (생활양식) a lifestyle.

라이플 (銃) (一銃) a rifle.

라인 a line. ¶ ～을 긋다 draw a line.

라인강 (一江) the Rhine; the Rhine line.

라인업 (야구·축구 등의) the (starting) line-up (of a team).

라일락 [植] a lilac.

라임라이트 (the) limelight.

라조 (一調) [樂] D.‖ ～장조 (短調) D major [minor].

라켓 a racket; (탁구의) a paddle.

라틴 Latin. ‖ ～민족 the Latin races / ～어 Latin.

라틴아메리카 Latin America. ‖ ～ 음악 Latin American music.

란제리 lingerie.

랑데부 a rendezvous; a date. ¶ ～하다 have a rendezvous [date] (with).

래커 (옻칠) lacquer.

랜턴 a lantern.

램 [컴] (임의접근 기억장치) RAM. (◀ Random Access Memory)

램프¹ a lamp.

램프² (입체 교차로의 진입로) a ramp.

랩소디 [樂] a rhapsody.

랩타임 the (500 meter) lap time.

랩톱 [컴] ～형의 lap-top. / ～형 컴퓨터 a lap-top computer.

랭크 a rank. ¶ 제1위에 ～되다 be ranked No. 1.

랭킹 ranking.

러너 [野] a runner. ¶ ～를 일소하다 empty [clear] the bases (of runners).

러닝 (경주) a running (race). ¶ 공원에서 한 시간씩 ～하다 do an hour's running in the park. ‖ ～ 메이트 a running mate / ～ 셔츠 a (sleeveless) undershirt.

러버 (고무) rubber.

러브 (사랑) love. ‖ ～레터 a love letter / ～신 a love scene.

러시아 Russia. ¶ ～의 Russian / ～말 Russian / ～사람 a Russian / ～황제 a czar; a tzar.

러시아워 the rush hour(s).

럭비 Rugby (football); a rugger.

럭스 (조명도의 단위) a lux.

런던 London. ‖ ～ 사람 a Londoner; a cockney / ～탑 the Tower of London / ～식 사투리 [억양] a cockney accent.

런치 (점심식사) lunch. ‖ ～타임 lunchtime.

럼 (酒) (一酒) rum.

레귤러 (정식의) regular; (정식 선수) a regular player. ‖ ～멤버 a regular member.

레그혼 [鳥] a leghorn.

레디메이드 ～의 ready-to-wear; ready-made.

레모네이드 lemonade.

레몬 a lemon. ‖ ～수 lemonade / ～즙 [주스] lemon juice.

레벨 a level. ‖ ～이 높다 [낮다] be on a high [low] level.

레스토랑 a restaurant.

레슨 a lesson. ¶ 피아노 ～ (have, take) a piano lesson.

레슬링 wrestling. ‖ ～선수 a wrestler.

레이 (하와이의 화환) a lei.

레이더 a radar (◀ radio detecting and ranging). ‖ ～기지 a radar

base [station] / ～망 a radar fence [screen, network] / ～유도 미사일 a radar-guided missile / ～장치 a radar system [device].

레이디 a lady. ¶～퍼스트 Ladies first. ‖ 퍼스트～ the First lady(대통령 부인).

레이스 〈경주〉 a race.

레이스 〈끈장식〉 lace. ¶～를 달다 trim with lace.

레이온 rayon; artificial silk.

레이저 (a) laser. ¶～광선 laser beams [rays] / ～디스크 a laser disk / ～메스 a laser surgical knife / ～병기 a laser(-beam) weapon / ～수술 a (conduct) laser surgery / ～폭탄 [총] a laser bomb [gun].

레인지 a range; an oven. ¶ 가스 ～ a gas range [stove] / 전자～ a microwave oven.

레인코트 a raincoat.

레일 a rail; a track(선로) 《美》. ¶～을 깔다 lay rails.

레저 〈여가〉 leisure. ¶～산업 the leisure industry / ～시설 leisure facilities / ～용 차량 Recreational Vehicle (생략 RV).

레즈비언 a lesbian.

레지스탕스 resistance (activity). ¶～운동 a resistance movement.

레지스터 〈금전 등록기〉 a (cash) register.

레커차(一車) 〈구난차〉 a wrecker; a tow truck. ¶～에 끌려가다 be towed by a wrecker.

레코드 ① 〈기록〉 a record. ② 〈축음기의〉 a phonograph record; a disk. ¶～를 틀다 play a record.

레크리에이션 recreation. ‖ ～센터 a recreation center.

레테르 ➡ 라벨.

레퍼리 〈심판〉 a referee.

레퍼토리 〈상연목록〉 repertory; repertoire. ¶그 곡은 ～에 없다 The music isn't in *our* repertory.

렌즈 a lens. ¶～를 맞추다 train a lens (*on*).

렌치 〈공구〉 a wrench.

렌터카 a rental car; a rent-a-

car 《美》. ¶～를 빌리다 rent a car. ‖ ～회사 [업자] a car-rental company [agent].

…려고 (in order) to. ¶ 식사하 — 자리에 앉다 sit down to dinner.

…로 ① 〈원인〉 with; from; due to; through; for. ¶ 부주의로 ～ through (*one's*) carelessness. ② 〈단위〉 by. ¶ 다스로 ～ 팔다 sell by the dozen. ③ 〈원료〉 from; of. ¶ 벽돌로 ～ 지은 집 a house (built) of brick / 맥주는 보리 — 만든다 Beer is made from barley. ④ 〈수단〉 by; with; on; in; through; by means of. ¶ 기차로 ～ by train / 도보로 ～ on foot / 영어로 ～ in English. ⑤ 〈추정·근거〉 by; from. ¶ 목소리로 ～ 알다 recognize by voice. ⑥ 〈방향〉 to; in; at; for; toward. ¶ 프랑스로 ～ 가다 go to France. ⑦ 〈지위·신분〉 as; for. ¶ 대표로 ～ as a representative.

로고스 〈哲〉 logos.

로그 〈數〉 (a) log(arithm).

로드맵 〈운전자용 지도〉 a road map.

로드쇼 〈映〉 a road show 《美》.

로드워크 〈운동선수의〉 a roadwork.

로마 Rome. ‖ ～가톨릭교 Roman Catholicism / ～가톨릭교회 the Roman Catholic Church / ～교황청 the Vatican / ～자 [숫자] Roman letters [numerals].

로마네스크 Romanesque(*style*).

로맨스 a romance; a love affair. ¶～그레이 a gentleman with gray hair.

로맨티시즘 romanticism.

로맨틱 romantic. ～하다 (be) romantic.

로봇 a robot; 〈허수아비 같은 사람〉 a figurehead. ¶ 산업용 ～ an industrial robot.

로비 a lobby; a lounge. ‖ ～활동 a lobbying activity.

…로서 〈지위·신분·자격〉 as; for; in the capacity of. ¶ 학자로 ～ as a scholar / 나 — as for me.

로션 (a) lotion. ¶ 스킨 ～ skin lotion / 헤어 ～ hair lotion.

로열 ¶～박스 a royal box / ～젤

리 royal jelly.

로열티 a royalty. ¶ 책 한권마다 5% 의 ~를 받다 get a 5% royalty on each copy of *one's* book.

로이터 Reuters. ‖ ～통신사 the Reuters News Agency.

로커빌리 〖樂〗 rockabilly.

로컬 local. ‖ ～뉴스 local news.

로케(이션) location. ¶ ～중이다 be on location 《in》 / 제주도로 ～ 가 다 go over to Cheju island on location.

로켓 a rocket. ¶ ～을 발사하다 launch a rocket / ～으로 인공위 성을 궤도에 올리다 rocket a satellite into orbit. □ ～발사대 a rocket launching pad / ～발사장 치 a rocket launcher / ～엔진 a rocket engine / ～추진 rocket propulsion / ～포(砲, 비행기) a rocket gun 〔bomb, plane〕.

로코코식(一式) rococo 《*architecture*》.

로큰롤 〖樂〗 rock-'n'-roll 《music》: rock-and-roll.

로터리 a rotary. ‖ ～클럽 the Rotary Club.

로테이션 rotation. ¶ ～으로 《do something》 in 〔by〕 rotation.

로프 a rope; a cable. ‖ ～웨이 a ropeway: an aerial cableway.

로힐 low-heeled shoes.

론 〖經〗 《대부금》 a loan. ‖ 뱅크 ～ a bank loan.

…론(論) a theory(이론); an opinion(의견); an essay 《on》(논설).

롤러 a roller. ‖ ～스케이트 roller skates.

롤링 《배의》 rolling; a roll. ～하다 roll.

롬 〖컴〗 《판독 전용 메모리》 ROM. 《read-only memory》

롱런 a long run 《*of a film*》.

뢴트겐 X-rays. 〖物〗 Roentgen rays. ‖ ～검사 an X-ray examination / ～사진 a radiograph; an X-ray photograph 《～ 사진을 찍다 take an X-ray photograph 《*of*》》 / ～《Museum》.

루브르 《파리의 박물관》 the Louvre

루블 《러시아 화폐》 a r(o)uble.

루비 a ruby 《ring》.

루이지애나 《미국의 주》 Louisiana 《생략 La》.

루주 rouge; lipstick(입술 연지).

루트 《경로》 a route: a channel.

루피 《인도 화폐》 a rupee.

룩색 a rucksack.

룰 《규칙》 a rule. ¶ ～에 어긋나다 be against the rules. 「wheel」

룰렛 《도박》 roulette: a roulette

룸바 〖樂〗 《춤·곡》 rumba.

룸펜 《부랑자》 a loafer; a tramp; a hobo 《美》; 《실직자》 a jobless man. ‖ ～생활 hoboism 《美》.

류머티즘 〖醫〗 rheumatism.

르네상스 the Renaissance.

르완다 Rwanda. ¶ ～의 Rwandese; Rwandan / ～공화국 the Rwandese Republic / ～사람 a Rwandan. 「port 《on》.」

르포(르타주) *reportage* 《프》: a re-

리골레토 〖樂〗 rigoletto.

리그 a 《baseball》 league. ‖ ～전 a

리넨 linen. 「league game.」

리더 《지도자》 a leader.

리드 《앞서기》 a lead. ～하다 《경기에 서》 lead: have a lead; 《지도하 다》 lead. ¶ 3점 ～하다 lead 《the opposing team》 by three points 〔runs〕 / 댄스에서 상대를 ～하다 lead *one's* partner in a dance.

리듬 rhythm. ¶ ～에 맞추어 lead the rhythm.

리라 《이탈리아 화폐》 a lira 〔*pl.* lire〕.

리모트컨트롤 《원격조작》 remote control. ¶ ～장치 a remote-control device.

리무진 《자동차》 a limousine.

리바운드 《농구》 a rebound.

리바이벌 (a) revival. ～하다 revive.

리버럴 ～한 liberal. ‖ ～리스트 a liberalist / ～리즘 liberalism.

리베이트 《환불금》 a rebate; 《수수 료》 a commission; a kickback 《속어》: ～를 지불하다 give 《a person》 a commission 〔kickback〕.

리벳 a rivet. ¶ ～을 박다 rivet; fasten 《something》 with rivets.

리보핵산(一核酸) ribonucleic acid 《생략 RNA》.

리본 a ribbon; a band《모자의》.

리볼버(연발 권총) a revolver.

리사이클(재활용) recycling. ~ 하다 recycle (*aluminum cans*); reuse.

리사이틀〔樂〕 a recital. ¶ ~ 을 열다 give [have] a (*piano*) recital.

리셉션 a reception. ¶ ~ 을 열다 hold [give] a reception.

리스트 a list. ¶ ~ 를 작성하다 make [draw] a list 《*of*》/ ~에 올리다 put 《*a person*》 on the list.

리시버 a receiver.

리어카 a cart; a handcart.

리얼 ¶ ~ 한 real; realistic / ~ 하게 realistically. ~ 리즘 realism / ~ 타임 〔컴〕 real time / ~ 타임처리 real-time processing.

리조트(행락지) a resort. ¶ 여름 ~ a summer resort / ~ 호텔 a resort hotel.

리치(전투의) reach. ¶ ~ 가 길다 have a long reach.

리콜(소환·해임·결함상품의 회수) (a) recall. ~ 하다 recall. ¶ 500대의 차가 안전성에 결함이 있어 ~ 되었다 Five hundred cars were recalled for safety reasons. ‖

제 the recall system.

리터 a liter.

리턴매치 a return match [game].

리트머스 ¶ ~ 시험지 litmus paper.

리포트(보고) a report; 《학교의》 a (term) paper.

리프트 a lift; a ski [chair] lift.

리허설(hold) a rehearsal.

린치 lynch (law); lynching. ¶ ~ 를 가하다 inflict illegal punishment using violence 《*on*》.

릴(낚싯대의) a (*fishing*) reel; 《필름의》 a reel; a spool. ¶ ~ 낚싯대 a (fishing) rod and reel.

릴레이 a (*400-meter*) relay (race). ~ 하다 relay (*a message*); pass (*a bucket*) from *one person* to *another*. ‖ ~ 방송 a relay broadcast.

립스틱 a lipstick.

링 ① 〔拳〕 the ring. ¶ ~ 사이드 (sit at) the ringside. ② 《반지》 a ring.

링거〔醫〕 ~ 주사 (give) an injection of Ringer's solution.

링크[컴] link. ‖ ~ 제 a link system.

링크[스케이트장] a rink.

링크스(골프장) a links.

마 〖植〗 a yam.

마 〖魔〗 a demon; a devil; an evil spirit. ¶ ～가 끼다 be possessed (tempted) by an evil spirit; be jinxed 〖俗〗.

마 〖碼〗 a yard (생략 yd.). ¶ ～로 팔다 sell by the yard.

…의 〖魔〗 devilish; diabolic; fiendish. ¶ 살인～ a devilish murderer.

마가린 margarine.

마가목 〖植〗 a mountain ash.

마가복음 (―福音) 〖聖〗 the (Gospel of) Mark.

마각 (馬脚) one's true colors. ¶ ～을 드러내다 show the cloven hoof; show one's true colors.

마감 closing. ～하다 close. ∥ ～날 the closing day; the deadline.

마개 a stopper (병 따위의); a cork (코르크의); a (stop)cock (수도 따위의); a plug. ∥ ～를 뽑다 uncork / ～를 하다 cork; put a stopper (on). ∥ ～뽑이 a bottle opener; a corkscrew(코르크의).

마고자 a traditional Korean jacket worn by men over their vest.

마구 (馬具) harness; horse (riding) gear. ¶ ～를 채우다 (풀다) harness (unharness) (a horse).

마구 carelessly; recklessly; at random; random. ¶ ～ 지껄이다 talk at random / 비가 ～ 쏟아진다 It rains cats and dogs.

마구간 (馬廐間) a stable. ¶ ～에 넣다 stable (a horse).

마구잡이 a blind (reckless) act.

마굴 (魔窟) ① (마귀의) a lair of devils. ② (악한의) a den of rascals. ③ (창녀의) a brothel.

마권 (馬券) a betting ticket (on a horse).

마귀 (魔鬼) a devil; a demon; an evil spirit. ¶ ～할멈 a witch; a hag; a harridan.

마그나카르타 the Magna Carta; the Great Charter.

마그네슘 〖化〗 magnesium (기호 Mg); (사진의) flash powder.

마나님 an elderly lady; an old woman; (호칭) madam; your (good) lady.

마냥 ① (실컷) to the full; as much as one wishes. ¶ ～ 즐기다 enjoy to one's heart's contents. ② (오직) solely; only; but; intently; single-mindedly; (끝없이) endlessly; ceaselessly. ¶ 그녀는 ～ 울기만 했다 She did nothing but cry.

마네킹 a mannequin; a manikin. ∥ ～걸 a manikin girl.

마녀 (魔女) a witch; a sorceress. ∥ ～사냥 witch-hunting.

마노 (瑪瑙) 〖鑛〗 agate. 「woman.

마누라 (아내) a wife; (노파) an old

마늘 〖植〗 a garlic.

마니교 (摩尼敎) Manich(a)eism.

마닐라 Manila. ∥ ～삼(지) Manila hemp (paper).

마님 (호칭) my lady; madam.

마다 every; each; at intervals of; whenever (…할 때마다). ¶ 5분 ～ every five minutes; at intervals of five minutes.

마담 a madam; madame 《프》; (술집 등의) a hostess; a bar madam.

마당 (뜰) a garden; a yard; a court(안뜰). ¶ 뒷～ a backyard.

마대 (麻袋) a gunny bag; a jute bag. 「(tobacco) pipe.

마도로스 a sailor. ∥ ～파이프 a

마돈나 (성모) the Madonna.

마드무아젤 a mademoiselle 《프》.

마디 ① 《뼈의》 a joint; a knuckle 《손가락, 무릎의》; a knot; a knob《혹》. ② 《말·노래의》 a word; a phrase; a tune.

마디다 (be) durable; enduring; long-lasting.

마땅하다 ① 《적합》 (be) becoming; suitable; proper; reasonable 《상당한》. ¶ 마땅한 집 a suitable house. ② 《당연》 (be) right; proper; deserved; 《의무》 ought to; should. ¶ 벌을 받아 ~ deserve punishment.

마라톤 a marathon 《race》. ∥ ~ 선수 a marathoner.

마력 (馬力) horsepower《생략 h. p.》. ¶ 50 ~의 발동기 a motor of 50 h. p.

마력 (魔力) magical 《magic》 power; magic. ¶ 숫자의 ~ the magic of numbers.

마련 (磨鍊) ~ 하다 manage 《to do》; arrange; prepare; make shift 《to do》; raise 《money》. ¶ 돈을 ~ 하다 manage to raise money.

마렵다 《오줌〔똥〕이》 feel an urge to urinate 《defecate》; want to relieve oneself.

마로니에 《植》 a marronnier 《프》; a horse chestnut 《tree》.

마루 《집의》 a floor. ¶ ~ 방 a floored room / ~ 를 놓다 floor 《a house》; lay a floor. ¶ ~ 청 a floorboard; flooring. ② 《산·지붕 따위의》 a ridge.

마루터기, 마루턱 the top 《summit, peak》.

마르다¹ ① 《건조》 (be) dry 《up》; dry; run dry 《물이》; wither 《시들다》. ¶ 우물이 ~ well dries up. ② 《여위다》 become 《grow》 thin 《lean》; lose flesh. ¶ 마른 사람 a thin 《lean, skinny》 person. ③ 《목이》 feel thirsty.

마르다² 《재단》 cut out; cut 《a suit, etc.》. ¶ 마르는 법 a cut; cutting.

마르크스 (Karl) Heinrich Marx. ∥ ~ 주의 Marxism / ~ 주의자 a

Marxist.

마른걸레 a dry cloth 《mop》.

마른기침 a dry 〔hacking〕 cough.

마른반찬 dried meat 〔fish〕 eaten with rice.

마른버짐 《醫》 psoriasis.

마른안주 a relish of dried meat and fish taken with wine.

마른하늘 a clear 《blue》 sky.

마른행주 a dishtowel.

마름모꼴 a lozenge; a diamond shape; 《數》 a rhombus.

마름쇠 a caltrap; a caltrop.

마름질 cutting 《out》. ~ 하다 cut out 《lumber, clothes》.

마리 a head. ¶ 소 두 ~ two head of cattle / 물고기 세 ~ three fish.

마리아 《성모》 the Virgin Mary.

마리화나 marihuana; marijuana. ¶ ~ 를 피우다 smoke marijuana.

마마 《媽媽》 ① 《존칭》 Your 《His, Her》 Highness 《Majesty》. ② 《천연두》 smallpox. ¶ 마맛자국 a pockmark; a pit.

마멸 (磨滅) wear 《and tear》; abrasion. ~ 하다 wear out 《away》; be worn out 《away》.

마무르다 ① 《일을》 finish 《something》 up 〔off〕; complete. ② 《가장자리를》 hem; fringe; border.

마무리 finish; finishing 《touches》. ¶ ~ 를 하다 give the finishing 〔last〕 touches 《to》; touch up. ∥ ~ 공 a finisher / ~ 기계 a finishing machine.

마법 (魔法) 《마술》 magic.

마부 (馬夫) a groom 《stableman》.

마분 (馬糞) horse dung; stable manure. ∥ ~ 지 strawboard.

마비 (痲痹) paralysis; palsy; numbness. ~ 성의 paralytic / ~ 되다 be paralyzed 《numbed》 / ~ 시키다 paralyze / 추위로 발의 감각이 ~ 되었다 My feet are numbed with 《by》 cold. ∥ ~ 증상 paralytic symptoms / 뇌성 ~ cerebral paralysis.

마사지 massage. ~ 하다 massage 《a person on the arm》. ∥ ~ 사 a

massagist / ~요법 massother-
apy.

마사회(馬事會) 〖한국~ the Ko-
rea Racing Authority.

마상이(배) a canoe; a skiff.

마성(魔性) devilishness.

마손(磨損) friction loss; wear and
tear; abrasion(기계 따위의). ¶~
하다 wear (away).

마수(魔手) an evil hand 〖power〗.
¶~에 걸리다 fall a victim 《to》.

마수걸이 the first sale of the
day; the opening of business
transaction. ¶~하다 make the
first sale of the day.

마술(馬術) horsemanship. ‖~경
기 an equestrian event.

마술(魔術) magic; black art. ¶~
을 부리다 use 〖practice〗 magic.
‖~사 a magician.

마스카라 mascara.

마스코트 a (good-luck) mascot.

마스크 a mask; a respirator.
¶산소 ~ an oxygen mask / ~
를 쓰다 wear a mask.

마스터 master. ¶~하다 master
《English》. ‖~키 a master key /
~플랜 a master plan.

마스트(돛대) a mast.

마시다 ① 〖액체를〗 drink; take;
have; swallow. ¶물〖술〗을 ~
drink water 〔wine〕. ② 〖기체를〗
breathe in; inhale.

마약(痲藥) a narcotic; a drug; a
dope 《美俗》. ¶~에 중독되다
become addicted to narcotics.
‖~거래 traffic in drugs / ~단
속 a dope check; narcotics con-
trol / ~범죄 narcotics crimes /
~중독 drug addiction.

마왕(魔王) Satan; the Devil.

마요네즈 mayonnaise.

마우스피스 a mouthpiece.

마운드(野) the mound. ¶~에
서다 take the mound.

마을(동리) a village; a hamlet (촌
락). ‖~사람 villagers; village
people. ‖~금고 a village fund.

마음 ① 〖정신〗 mind; spirit; men-
tality (심성) 〖생각〗 idea; thought.

¶~의 양식〔자세〕 mental food
〔attitude〕/ ~이 넓은 generous
〖liberal; large-〔broad-〕minded /
~이 좁은 ungenerous; illiberal;
narrow-minded. ② 〖심정〗 heart
feeling. ¶불안한 ~ a feeling of
uneasiness. ③ 〖사려〗 thought
《인정》 consideration; sympathy
《마음씨》(a) nature. ¶~을 쓰다
be sympathetic; be consider-
ate / ~이 좋다〔나쁘다〕 be good
〔ill〕-natured. ④ 〖주의〗 mind;
attention. ¶~에 두다 bear
《something》 in mind; be mindful
《of》. ⑤ 〖의사〗 will; mind; inten-
tion. ¶~이 있다 have a mind
to 《do》. ⑥ 〖기분〗 a mood; (a)
feeling; humor; 〖취미·기호〗
fancy; taste; liking; mind. ¶~
을 상하게 하다 hurt 《a person's》
feelings / ~에 들다 be to one's
liking; suit one's taste; be in
one's favor.

마음가짐 〖마음태도〗 one's mental
attitude; 〖결심〗 determination;
resolution.

마음결 disposition; nature.

마음껏 to the full; as much as
one likes 〔wishes〕; to one's
heart's content; freely. ¶~즐
기다 enjoy oneself to the full.

마음내키다 feel inclined to 《do》;
be interested in 《something》;
feel like 《doing》.

마음놓다 feel 〔be〕 relieved. ¶마
음 놓고 free from care 〔fear〕; with-
out anxiety 〔worry〕.

마음대로 as one pleases 〔likes;
wishes〕; of one's own accord;
at one's (own) discretion; arbi-
trarily; 〖자유로이〗 freely. ¶~
~하다 have one's (own) way 《of
everything》/ ~해라 Do as you
please!

마음먹다 ① 〖결심〗 resolve; make
mine; be determined; make up
one's mind. ② 〖의도〗 intend to
《계획》plan; have a mind to;
think; 〖희망〗 wish; hope.

마음보 disposition; nature.

고약한 ill-natured; bad.

마음속 one's mind; (the bottom of) one's heart. ¶ ～에 묻어두다 keep (*the story*) to oneself.

마음씨 disposition; nature. ¶ ～ 고운 good-natured; tender-hearted.

마음졸이다 worry (*oneself*) 《*about*》; be concerned 《*about*》; be anxious 《*about*》.

마이너스 minus; 《불리》 a disadvantage; a handicap. ¶ ～가 되다 lose; suffer a loss. ∥ ～부호 a minus sign. ∥ ～실장 negative (economic) growth.

마이동풍(馬耳東風) ¶ ～으로 들어넘기다 turn a deaf ear (pay no attention) to 《*a person's advice*》.

마이신(黴生劑) streptomycin.

마이크로 《극히 작은》 micro-.

마이크로컴퓨터 a microcomputer.

마이크(로폰) a microphone; a mike. ¶ ～공포증 mike fright.

마일 a mile. ¶ 1시간에 4～ 가다 cover (make) four miles in an hour. ∥ ～수 mileage.

마작(麻雀) mah-jong. ¶ ～하다 play mah-jong.

마장(馬場) 《방목장》 a grazing land for horse; 《경마장》 a racecourse.

마저 《남김없이》 with all the rest; all (together); 《까지도》 even; too; so much as; so far as. ∥ ～먹다 eat up.

마적(馬賊) mounted bandits.

마조(一調) 【樂】 the tone E.

마조히즘(癖) masochism.

마주 (directly) opposite; face to face. ¶ ～ 대하다 face each other. ∥ ～치다 ① 《부딪치다, ② 《우연히》 come across; encounter; meet with.

마중 meeting; reception. ¶ ～하다 go (come) out to meet; meet 《*a person*》 at a place; greet.

마지기 a patch of field requiring one *mal* of seed; a *majigi* (= 500m²). ¶ 논 한 ～ a patch of rice paddy.

마지막 the last; the end; the conclusion(결말); 《형용사적》 last;

final; terminal. ¶ ～으로 finally; at the end.

마지못하다 be compelled (forced, obliged) to 《*do*》. ¶ 마지못하여 unwillingly; reluctantly; against one's will.

마지않다 ¶ 감사해 ～ can never thank 《*a person*》 enough; offer one's heartful thanks.

마진 a margin 《*of profit*》. ¶ 근소한 ～ a slim (narrow) margin.

마차(馬車) a coach; a carriage; a cart(짐마차).

마찬가지 ¶ ～의 the same; similar (to); like / ～로 similarly; likewise; equally.

마찰(摩擦) friction; 《비벼댐》 rubbing. ～하다 rub 《*against*》; chafe (*the skin*). ¶ ～을 낳다 [피하다] cause (avoid) friction.

마천루(摩天樓) a skyscraper.

마취(麻醉) anesthesia; narcotism. ～하다 put (*a person*) under an anesthetic; anesthetize. ¶ ～약 an anesthetic; a narcotic / ～전문의 an anesthetist.

마치¹ 《장도리》 a small hammer.

마치² 《흡사》 as if (though); just (like). ¶ ～ 미친 사람 같다 look as if one were mad.

마치다 《끝내다》 finish; end; be (go) through; complete.

마침 《기회 좋게》 luckily; fortunately; opportunely; just in time. ¶ ～ 그때 just then.

마침내 at (long) last; at length; finally.

마침표(一標) a period; a full stop.

마카로니 macaroni.

마케팅 marketing.

마켓 a market. ¶ ～을 개척하다 develop a market. ∥ ～셰어 (one's) market share.

마크(㊞) a mark; (레테르) a label.

마키아벨리즘 Machiavellism.

마태복음(一福音) 【聖】 the (Gospel of) Matthew.

마파람 the south wind; a southerly.

마포(麻布) hemp cloth (삼베).
마피아(범죄조직) the Mafia.
마하(理) Mach (number)(생략 M).
¶ ～ 3으로 날다 fly at Mach 3.
마호가니 mahogany.
마호메트교 ⓔ 이슬람교.
마흔 forty.
막(幕) ① 〔휘장〕 a curtain; a hanging screen. ¶ ～이 오르다〔내리다〕 the curtain rises (drops). ② 〔극의〕 an act. ¶ 제2～ 제3장 Act 2, Scene 3. ③ 〔작은 집〕 a booth; a shack. ④ 〔끝장〕 an end; a close. ¶ 전쟁의 ～을 내리다 put an end to the war.
막(膜) 〖解〗 a membrane.
막(방금) just (now); a moment ago. ¶ …하려 하다 be about to (do).
막² ⇒ **마구**.
막간(幕間) an interval (between acts); an intermission 《美》. ¶ ～극 an interlude.
막강(莫强) ¶ ～한 mighty; enormously powerful.   *makgeolli.*
막걸리 unrefined (raw) rice wine;
막내 the youngest (last) (child).
막노동(一勞動) ⇒ **막일**.
막다 ① 〔구멍〕 stop (up); plug. ¶ 구멍을 ～ stop up a hole. ② 〔차단·방해〕 intercept; block; obstruct. ¶ 길을 ～ block the way; stand in the way. ③ 〔방어〕 defend; keep off (away) 《저지》 check; stop; 《예방》 prevent; 《금지》 prohibit; forbid. ¶ 적을 ～ keep off the enemy. ④ 〔구획〕 screen off; compart. ¶ 칸을 ～ partition a room.
막다르다 (be) dead-end (deadlocked). ¶ 막다른 골목 a blind alley / 막다른 지경에 이르다 run into a blind alley; come to a deadlock.
막대(莫大) ¶ ～한 vast; huge; enormous; immense.
막대기 a stick; a staff; a rod.
막대장(一圖章) an unofficial (small-sized) seal.
막되다 (be) rude; unmannerly.

막둥이 〖막내〗 the youngest (last) son.
막론(莫論) ¶ …을 ～ 하고 not to speak of …; to say nothing of …. ¶ 〔officer中 사람〕.
막료(幕僚) the staff(전체); a staff
막막하다(寞寞一) (be) lonely; lonesome; dreary; desolate.
막막하다(漠漠一) (be) vast; boundless; limitless.
막말 rude (rough) talk. ¶ ～ 을 하다 speak roughly (thoughtlessly).
막무가내(莫無可奈) ¶ ～로 obstinately; stubbornly; firmly.
막바지 the very (dead) end; the top of (a hill); a climax(절정); the last moment(고비).
막벌이 earning wages as a day laborer. ‖ ～꾼 a day laborer.
막사(幕舍) a camp; a barracks.
막상 when it comes in reality; when it comes down to it. ¶ ～ 때가 닥치면 if the time comes; at the last moment.
막상막하(莫上莫下) ¶ ～의 equal; even; equally-matched / ～의 경기 a close (seesaw) game.
막심하다(莫甚一) (be) tremendous; enormous; heavy. ¶ 후회가 ～ regret it very much.
막역(莫逆) ¶ ～한 intimate; close. ¶ ～한 친구 a close friend.
막연하다(漠然一) (be) vague; obscure; ambiguous. ¶ 막연한 대답을 하다 give a vague answer.
막일 hard manual labor; heavy (rough) work. ～하다 do rough work. ¶ ～꾼 a manual (physical) laborer.
막장(一場) a coal (working) face. ¶ ～에서 일하다 work at the face.
막차(一車) the last bus (train).
막판(마지막판) the last round; the final scene; 《고비》 the last (critical) moment.
막후(幕後) ¶ ～ 공작 behind-the-scene maneuvering / ～ 교섭 〔활

정] behind-the-scenes negotiations [dealings].

막히다 be closed; be clogged; be stopped [stuffed] (up); be blocked (up)(길 따위); be chocked(숨이). ¶ 말이 ~ be stuck for a word / 길이 ~ the road is blocked.

만(卍) 〖표지〗 the Buddhist emblem; 〖문지〗 a fylfot; a swastika.

만(滿) just; full(y); whole. ¶ ~ 5일간 (for) a full five days.

만(灣) a bay(작은); a gulf(큰).

만(萬) ten thousand; a myriad. ¶ 수십 ~ hundreds of thousands (of).

만¹(經過) after. ¶ 닷새 ~에 on the fifth day; after five days.

만² ① 〖단지〗 only; alone; merely; just. ¶한 번 ~ only once. ② 〖비교〗 as... as. ¶ 내 키가 너 ~ 하다 I am as tall as you (are). ③ 〖겨우 그 정도〗 so trifling; such a small.

만가(輓歌) an elegy; a dirge; a lament; a funeral song.

만감(萬感) a flood of emotions.

만경(萬頃) ¶ ~창파 the boundless expanse of water.

만고(萬古) ¶ ~불변의 eternal; immutable 《truths》 / ~불후의 immortal / ~풍상을(을 다 겪다) (undergo) all kinds of hardships.

만곡(彎曲) ~하다 curve; bend.

만국(萬國) world nations; all countries on earth. ∥ ~기 the flags of all nations / ~박람회 a world's fair; an international exposition.

만금(萬金) an immense sum of money.

만기(滿期) expiration 《of a term》; maturity 《of a bill》. ¶ ~가 되다 expire; mature; fall due; 《복무가》 serve out one's time. ∥ ~일 the day of maturity; the due date.

만끽(滿喫) ~하다 enjoy fully [to the full]; have enough (of).

만나다 ① 《사람을》 see; meet;

interview 《면회》. ¶ 우연히 ~ come across (upon) 《a person》. ② 《당하다》 meet with 《an accident》; suffer. ¶ 소나기를 ~ be caught in a shower.

만년(晩年) ¶ ~에 in one's last [later] years; late in life.

만년(萬年) eternity; ten thousand years. ∥ ~설 perpetual [eternal] snow.

만능(萬能) ¶ ~의 almighty; omnipotent. ∥ ~선수 an all-(a)round player.

만담(漫談) a comic chat. ~하다 have a comic chat. ∥ ~가 a gagman; a comedian.

만대(萬代) all ages. ¶ ~에 for all ages; forever.

만돌린 〖樂〗 a mandolin.

만두(饅頭) a dumpling stuffed with minced meat.

만득(晩得) ~하다 beget a child in one's later years.

만들다 ① 《제조》 make; manufacture; produce 《cars》; 《양조》 brew 《beer》; distill 《whisky》. ¶ 쌀로 술을 ~ make wine from rice. ② 《작성》 make (out); draw up. ③ 《설립》 make; build. ④ 《조직·창설》 set up; establish; organize; form. ⑤ 《조작》 make-up; invent. ¶ 만들어 낸 이야기 a made-up [an invented] story. ⑥ 《요리》 make; prepare; fix 《찢》 cook(불을 사용해서). ¶ 저녁 식사를 ~ prepare [fix] supper. ⑦ 《마련》 make; get; raise 《money》. ¶ 재산을 ~ make (amass) a fortune.

만듦새(萬代) make; workmanship; craftsmanship. ¶ 《물건의》 ~가 좋은 [나쁜] of fine [poor] make.

만료(滿了) expiration; expiry. ~하다 expire. ∥ ~일 the expiration date.

만루(滿壘) 〖野〗 a full base. ∥ ~홈런 a base-loaded homer.

만류(挽留) ~하다 dissuade 《a person》 from 《doing》; 《제지하다》 detain; keep [hold] back; check.

¶ 소매를 잡고 ～ 하다 detain 《*a person*》 by the sleeve.
만류(挽留) the Gulf Stream.
만리(萬里) ∥ ～장성 the Great Wall of China.
만만(滿滿) ～ 하다 (be) full 《*of*》. ¶ 패기〔자신〕～ be full of ambition 〔self-confidence〕.
만만하다 ① 《유연하다》 (be) soft; tender. ② 《다루기가》 (be) easy 《*to deal with*》. ¶ 만만한 사람 an easy mark / 만만히 보다〔여기다〕 hold 《*a person*》 cheap; make light of: undervalue.
만면(滿面) the whole face. ¶ ～에 미소를 띄우고 smiling all over *one's* face.
만무(萬無) ～ 하다 cannot be. ¶ 그럴 리가 ～ 하다 That is impossible. *or* That cannot be the case.
만물(萬物) all things; (the whole) creation.
만민(萬民) all the people.
만반(萬般) all kinds; every sort. ¶ ～의 준비를 갖추다 make full (thorough) preparations 《*for*》.
만발(滿發) ～ 하다 come into full bloom; be in full bloom 〔blossom〕.
만방(萬方) all directions; every way.
만방(萬邦) all nations of the world.
만병(萬病) all kinds of diseases. ¶ ～통치약 a panacea; a cure-all.
만복(萬福) every fortune in the world. ¶ 소문～래 Fortune comes to a merry home.
만복(滿腹) a full stomach.
만분지일(萬分之一) one in ten thousand; a ten-thousandth.
만사(萬事) all things; everything. ¶ ～잘 되었다 Everything 〔All〕 went well.
만삭(滿朔) (the month of) parturition. ～이다 be in the last month of pregnancy.
만상(萬象) everything 〔all things〕 in the universe.
만석꾼(萬石一) a wealthy landlord.

만성(晩成) ～ 하다 mature late; be slow to develop.
만성(慢性) 〔醫〕chronicity. ¶ ～의 〔적인〕 chronic / ～이 되다 become chronic. ¶ ～별 a chronic disease.   〔eternity.
만세(萬世) all ages (generations);
만세(萬歲) ① ☞ 만세(萬世). ¶ ～력 a perpetual almanac. ② 《외치는》 cheers; hurrah. ¶ ～ 삼창 give three cheers 《*for*》.
만수(萬壽) longevity. ¶ ～무강(無疆) a long life; longevity.
만신(滿身) the whole body. ¶ ～창이다 be covered all over with wounds.
만심(慢心) pride; self-conceit. ～ 하다 be proud; be conceited; be puffed up 《*with*》.
만악(萬惡) ☞ 만일.
만연(漫然) ¶ ～한 random; rambling; desultory / ～히 aimlessly; at random; desultorily.
만연(蔓延) ～ 하다 spread; be prevalent. ¶ 질병이 ～한 난민 수용소 a disease-ridden refugee camp.
만용(蠻勇) recklessness. ¶ ～을 부리다 show reckless valor.
만우절(萬愚節) April Fools' Day.
만원(滿員) 《게시》 〔극장의〕 House full; Full house; Sold out 《매진》; 〔전차 따위의〕 Car full. ¶ ～ 버스 a jam-packed bus.
만월(滿月) a full moon.
만유인력(萬有引力) 〔理〕 universal gravitation. ¶ ～의 법칙 the law of universal gravitation.
만인(萬人) every man; all people.
만인(蠻人) a savage; a barbarian.
만일(萬一) by any chance; if; in case 《*of, that*》. ¶ ～의 경우에는 in case emergency; in case of emergency.
만자(卍字) a swastika; a fylfot.
만장(滿場) ¶ ～파란 ～한 full of ups and downs.
만장(輓章) a funeral ode; an elegy.
만장(滿場) the entire audience.

the whole house. ¶ ~의 감채를 받다 bring down the (whole) house / ~ 일치로 결정되다 be decided unanimously.

만재(滿載) ─하다 be fully loaded (with); carry a full cargo; be loaded to capacity. ¶ 승객을 ~하다 carry a full load of passengers. ‖ ~흘수선 (吃水線) the load line.

만전(萬全) absolute security. ¶ ~의 sure; secure / ~을 기하다 make assurance doubly sure.

만점(滿點) a full mark. ¶ ~을 따다 get full marks / ~이다 〔완전〕 be perfect; be satisfactory.

만조(滿潮) a high (full) tide; high water. ¶ ~시에 at high tide.

만족(滿足) satisfaction; gratification(욕망의); contentment. ─하다 be satisfied (gratified) (with); be content (pleased) (with). ¶ ~할 만한 satisfactory; sufficient (충분한) / ~시키다 satisfy; gratify; give (a person) satisfaction. ‖ ~감 a feeling of satisfaction.

만종(晚鐘) the evening bell.

만좌(滿座) the whole company.

만주(滿洲) Manchuria. ¶ ~의 Manchurian. ‖ ~족 the Manchus.

만지다 finger; handle; touch; feel. ¶ 만지지 마시오 〔게시〕 Hands off.

만지작거리다 keep fingering; fumble with; tamper with.

만찬(晚餐) dinner; supper. ¶ ~에 초대하다 ask (invite) (a person) to dinner. ‖ 최후의 ~ the Last Supper.

만천하(滿天下) ¶ ~에 in (to) the whole country; throughout the country; (announce) publicly.

만추(晚秋) late autumn (fall).

만춘(晚春) late spring.

만취(漫醉·滿醉) ─하다 get dead drunk; be boozed (up).

만큼 (비교) as ... as (긍정); not as (so) ... as (부정); (정도) so much that; enough; (…이므로) since.

in view of. ¶ ~ as (so that) much.

만평(漫評) a rambling criticism(비평). ¶ ~하다 criticize randomly.

만필(漫筆) stray (rambling) notes.

만하(晚夏) late summer.

만하다 ① 〔충분하다〕 be enough (sufficient) (to do). ¶ 나이가 일하기 좋을 ~ be old enough to work efficiently. ② 〔가치·힘이〕 be worth (doing); be worthy of; deserve. ¶ 칭찬할 ~ deserve praise.

…만하다 〔정도〕 be to the extent of; be as ... as. ¶ 크기가 네 것 ~ be as big as yours.

만학(晚學) ─하다 study (learn) late in life. ‖ ~자 a late learner.

만행(蠻行) a savage deed; a brutality. ¶ ~을 저지르다 commit an act of brutality.

만혼(晚婚) a late marriage. ¶ ~하다 get married late (in life).

만화(漫畫) a caricature(인물의); a cartoon(풍자적); 《연재의》 a comic strip; comics. ‖ ~가 a caricaturist; a cartoonist; a comic stripper / ~영화 an animated cartoon; a cartoon film.

만화경(萬華鏡) a kaleidoscope.

만회(挽回) recovery; retrieval(명예 등의); restoration(복구). ¶ ~하다 recover (one's losses); restore (one's reputation); retrieve (one's fortunes). ¶ ~할 수 없는 irrecoverable; irretrievable.

많다 〔수〕 (be) many; numerous; 《양》 (a) much; 《수·양》 (be) a lot of; plenty of; 《풍부》 (be) abundant (plentiful); abound in; 《충분》 (be) enough; sufficient; 《잦다》 (be) frequent; often; prevalent; ¶ 많이 (다수·다량) much; lots; plenty; a great deal; in a large amount (number); in large quantities.

맏 firstborn; the eldest. ‖ ~아들 the firstborn (eldest) son(맏이).

말물 the first product 〔crop〕 of the season.

말배 the firstborn 〔of animals〕; the first batch〔hatch, litter〕. ¶ ～병아리 chickens of the first hatch.

말사위 the husband of *one's* firstborn〔eldest〕daughter.

말상제(─喪制) the chief mourner; the eldest son of the deceased.

말손자(─孫子) the eldest〔first〕grandson〔grandchild〕.

말[1](─타는) a horse. ¶ 마차 ～ a carriage horse / 수～ a stallion 〔종마〕/ 암～ a mare / 조랑 ～ a pony / ～을 타다 ride〔mount〕a horse.

말[2](분량) a *mal*〔≒18 liters〕.

말[3]① (언어) language; speech; a word (낱말); a language(국어). ② (연사) a talk; a speech; a remark; a statement. ¶ ～이 서투르다 be a poor speaker / ～을 걸다 speak to 《a person》/ ～을 놓다 don't mister 《a person》.

말[4](植) duckweed.

말[5](장기·윷의) a marker in chess; a piece; a chessman.

…말(末)(끝) the end 《of May》; the close 《of the century》.

말갈기 a mane.

말갛다 (be) clear; transparent.

말경(末境)(끝판) the end; the close; (만년) the declining years of *one's* life.

말고삐 reins; a bridle.

말공대(─恭待) addressing in honorifics. ～하다 address in honorifics.

말괄량이 a tomboy.

말굴레 a bridle; a headgear.

말굽 a horse's hoof; a horse-shoe(편자). ¶ ～소리 the clattering of a horse's hoofs.

말귀(말뜻) the meaning of what *one* says; (이해력) understanding; comprehension; an ear (for words). ¶ ～를 못 알아 듣다 can't make out what 《a person》 says.

말기(末期) the last stage〔years, days〕; the end; the close. ¶ ～중상(병의) terminal symptoms.

말꼬리 ¶ ～를 잡다 catch 《a person》in *his* own words; take up 《a person》on a slip of the tongue.

말끔 (남김없이 모두) completely; thoroughly; all; entirely; wholly; totally. ¶ 빚을 ～히 청산하다 clear off *one's* debts.

말끔하다 (be) clean; neat; tidy. ¶ 말끔히 clean(ly); neatly; tidily.

말끝 ¶ ～을 흐리다 leave *one's* statement vague; prevaricate.

말내다 ① (애기삼아) bring into the conversation; begin to talk about. ② (비밀을) disclose; divulge; reveal; expose.

말년(末年) ① (인생의) *one's* later years. ② (말엽) the last years 〔days〕.

말다[1](둘둘) roll 《paper》.

말다[2](물에) put 《rice》into water; mix 《food》with 《soup》.

말다[3](그만두다) give up; quit; stop; cease. ¶ 일을 하다가 ～ leave off *one's* work.

말다[4](금지) don't; not; never; avoid. ¶ 잊지 마라 Don't forget. ② (필경 …되다) end up 《doing》; finally 《do》. ¶ 그는 마침내 술로 죽고 말았다 Drink ended him.

말다툼 a dispute; a quarrel. ～하다 have a quarrel 〔a dispute〕with; quarrel with.

말단(末端) the end; the tip. ¶ 행정기구의 ～ the smallest unit of the administrative organization. ‖ ～공무원 a petty〔minor〕official.

말대꾸 a reply; a response; an answer.

말대답(─對答) back talk; a retort; a comeback (口). ～하다 talk back 《to a person》; answer back; retort; give 《a person》back talk.

말더듬다 ☞ 더듬다, 더듬거리다.

말더듬이 a stammerer; a stutterer.

말똥말똥 with fixed eyes. ~하다 be wide-awake.

말뚝 a pile; a stake; a post.

말라깽이 a living skeleton; a bag of bones. 「malarial fever.

말라리아 【醫】 malaria. ‖ ~열

말랑말랑하다 (be) soft; tender.

말레이 Malay. ‖ ~사람 a Malay (an) / ~반도 the Malay Peninsula.

말레이시아 (the Federation of) Malaysia. ‖ ~의 Malaysian / ~사람 a Malaysian.

말려들다 be dragged 《in》; be involved 〔entangled〕 《in》.

말로(末路) the last days; the (final) fate; the end 《of one's career》.

말리(茉莉) 【植】 a jasmine. 「up.

말리다¹《둘둘》 be rolled 〔curled〕

말리다²《건조》 (make) dry; season (재목을); drain (물을); 〔불에 ~〕 dry 《a thing》 over the fire.

말리다³《만류》 dissuade 《a person from doing》; get 《a person》 not to; stop. ‖ 싸움을 ~ stop a quarrel.

말마디 a phrase; a speech; a talk. ‖ 그 사람 ~깨나 할 줄 안다 He is quite a good speaker.

말막음 ‖ ~하다 hush up; stop 《a person's》 mouth.

말머리 ‖ ~를 돌리다 change the subject of one's speech.

말먹이 fodder; hay; forage.

말몰이꾼 a pack-horse driver.

말문(-門) ‖ ~이 막히다 be struck dumb; be tongue-tied.

말미 leave (of absence); furlough. ‖ ~를 주다 give 〔grant〕 leave (of absence).

말미(末尾) the end; the close. ‖ 보고서 ~에 at the end of the report.

말미암다《유래》 come 〔arise〕 from; be derived 《from》; 《원인》 be due to; be caused by. ‖ 부주의로 말미암은 사고 an accident due to carelessness.

말미잘 【動】 a sea anemone.

말버릇 one's manner of speaking; one's way of talking.

말버짐 ringworm; fungus.

말벌 【蟲】 a wasp; a hornet.

말벗 a companion; someone to talk to〔with〕. ‖ ~이 되다 keep 《a person》 company.

말복(末伏) the third of the three periods of summer doldrums; the last of the dog days.

말본 grammar. ⇨ 문법.

말살(抹殺) ① 《숙청·살해》 purge; liquidation; erasure. ~하다 purge; liquidate; get rid of; kill; deny (the existence of). ⇨ 말소.

말상(-相) a long face. ‖ ~이다 be long-〔horse-〕faced.

말석(末席) the lowest seat; the bottom.

말세(末世) a degenerate age; the end of the world.

말소(抹消) erasion. ~하다 erase; efface; strike 〔cross〕 out. ‖ 등기의 ~ cancellation of registration.

말소리 a voice. ‖ ~가 들리다 hear 《a person》 talking.

말솜씨 the art 〔skill〕 of conversation; eloquence. ‖ ~가 좋다 be good at speaking; be eloquent. 「turn; reticent.

말수(-數) ‖ ~가 적다 be silent; tac-

말승냥이 《이리》 a wolf.

말실수(-失手) a slip of the tongue. ~하다 make a slip of the tongue.

말썽 trouble; a dispute(분쟁). ‖ ~부리다 cause trouble; lead to a dispute. ‖ ~거리 a cause 〔source〕 of trouble; a matter for complaint. 「nice.

말쑥하다 (be) clean; neat; smart;

말씨 one's way of using the language. ‖ ~가 상스럽다 be rough in one's speech.

말아니다 ① 《언어도단》 (be) unreasonable; absurd; nonsense. ② 《형편이》 be in very bad shape; (be) extremely poor 〔miserable; wretched〕.

말안되다 (be) absurd; unreason-

able; contrary to logic.

말없이 《묵묵히》 in silence; silently; without comment; without saying anything; 《선뜻》 without a word; readily; 《무단으로》 without notice.

말엽(末葉) the end; the close. ¶ 20세기 ~에 toward the end of the 20th century.

말오줌나무 〔植〕 an elderberry.

말일(末日) the last day; the end 《of May》.

말장난 a play on words; a word-play. ~하다 play on words.

말재주 (a) talent for speaking; eloquence. ¶ ~ 있는 eloquent; glib-tongued.

말조심(— 操心) ~하다 be careful of one's speech.

말주변 the gift of gab. ¶ ~이 좋다 have a ready tongue.

말직(末職) a small post; a petty office; the lowest position.

말질 taletelling; gossiping; 《말다툼》 a quarrel. ~하다 tell tales about others; gossip; quarrel.

말짱하다 《온전》 ① be perfect; whole; flawless; sound. ¶ 정신이 ~ be sound in mind.

말참견(— 參見) interfering; meddling. ~하다 put in word; poke one's nose into; interfere 《in》.

말채찍 a horsewhip.

말초(末梢) ¶ ~적인 unimportant; trifling; trivial; 〔解〕 peripheral. ¶ ~신경 a peripheral nerve.

말총 horsehair.

말치레 lip service 〔homage〕. ~하다 use fine 〔fair, honeyed〕 words; say nice things.

말판 a game 〔dice〕 board.

말편자 a horseshoe.

말하다 《얘기》 talk 〔about〕; speak; converse; relate; have a talk 〔chat〕 with; 《알리다》 tell; say; speak of; state; mention; narrate; set forth; 《표현》 express;

touch upon; refer to. ¶ 말할 수 없는 unspeakable; indescribable; 좋게 〔나쁘게〕 ~ speak well 〔ill〕 of 《a person》.

닭다 ① 《물이》 (be) clear; clean; limpid; pure. ② 《날씨가》 (be) fine; clear. ¶ 맑은 하늘 clear sky. ③ 《마음이》 (be) clean; innocent; pure.

맑은장국(— 쁠—) clear meat soup; consommé 〔프〕. 「pipe trousers.

맘보 a mambo. ‖ ~바지 drain-

맙소사 Oh, no!; Good God!; Good gracious 〔heaven〕!

맛(味) 《음식의》 (a) taste; (a) flavor; savor. ¶ ~이 좋은 nice; tasty; palatable; delicious; ~ 없는 untasty; ill-tasting; unpalatable / 아무 ~도 없는 tasteless. ② 《사물의》 relish; taste; interest. ¶ 돈~ a taste for money / …에 ~을 들이다 get 〔acquire〕 a taste for. ③ 《관용적》 ¶ 따가운 ~을 보여 주다 teach 《a person》 a lesson.

맛깔스럽다 《맛이》 (be) tasty; palatable; agreeable. ¶ 맛깔스러운 음식 an agreeable food.

맛나다 ① 《맛있다》 (be) delicious; nice; tasty. ② 《맛이 나다》 taste good 〔nice〕; have a flavor of.

맛들다 pick up flavor; become tasty; grow ripe.

맛들이다 ① 《재미 붙이다》 acquire 〔get〕 a taste 《of》.

맛보다 《맛》 taste 《according to one's pleasure 〔taste, desire〕. ¶ ~ 골라 먹어라 Help yourself according to your taste.

맛보다 《맛을》 taste; try the flavor of; 《경험》 experience; suffer; undergo. ¶ 인생의 쓰라림을 ~ experience hardships of life.

맛없다 ① 《맛이 없다》 (be) untasty; tasteless; unpalatable; unsavory. ② 《재미 없다》 (be) dry; flat; dull; insipid.

맛있다 ① be nice; tasty; delicious; palatable; dainty. ¶ 맛있어 보이는 tempting; delicious-looking.

망(望) 《살핌》 watch; lookout;

guard. ¶ ~보다 keep a watch; stand guard; look out for.

망(網) ① 《그물》 a net; netting (총칭). ② 《조직》 a network. ‖ 통신~ a communication network.

망각(忘却) oblivion; forgetting. ~하다 forget.

망간(化) manganese (기호 Mn).

망건(網巾) a headband made of horsehair.

망고(植) a mango [pl. -(e)s].

망국(亡國) a ruined country; national ruin [decay]. ‖ ~적(인) ruinous to one's country.

망그러뜨리다 break down; damage; ruin; disable; destroy.

망그러지다 be put out of shape; be damaged [broken, destroyed, ruined].

망극(罔極) ~하다 《은혜가》 (be) immeasurable; great. ¶ 성은이 ~하나이다 Immeasurable are the King's favors.

망나니 ① 《참수인》 an executioner. ② 《못된 사람》 a rogue; a scoundrel.

망년회(忘年會) a year-end party.

망동(妄動) a rash [reckless] act. ~하다 act blindly. ‖ ~경거(망동).

망둥이(魚) a goby fish.

망라(網羅) ~하다 《포함》 include [contain] everything; 《모으다》 bring together; cover all.

망령(亡靈) a departed spirit [soul].

망령(妄靈) dotage; senility. ~들다 be in one's dotage; be in one's second childhood; be senile.

망루(望樓) a watchtower; an observation tower; a lookout.

망막(網膜)(解) the retina. ‖ ~염(醫) retinitis.

망망(茫茫) ~하다 (be) vast; extensive; boundless. ¶ ~대해 an immense expanse of waters.

망명(亡命) exile (국외로); 《적국으로의》~. ~하다 exile oneself; seek refuge [in]; 《부정 defect) from one's own country 《for political reasons》. ¶ 미국

으로 ~하다 seek [take] refuge [asylum] in America. ‖ ~정권 an exiled government [regime].

망발(妄發) ☞ 망언(妄言).

망부(亡父) one's late [deceased] father.

망부(亡夫) one's late [deceased] husband.

망사(網紗) gauze.

망상(妄想) a wild fancy; fantasy; a delusion. ¶ ~에 시달리다 suffer from delusions.

망상(網狀) reticulation. ‖ ~의 netlike; reticular; reticulated. ‖ ~조직 a retiform tissue.

망상스럽다 (be) frivolous; saucy; impertinent. 「marionette.

망석중이 《꼭두각시》 a puppet; a

망설이다 hesitate; waver; be irresolute. ¶ 망설이며 hesitatingly / 망설이지 않고 without hesitation; unhesitatingly.

망신(亡身) a disgrace; a shame; humiliation. ~하다 disgrace oneself; be disgraced. ¶ ~시키다 disgrace; bring shame on; put 《a person》 out of countenance.

망실(亡失) loss. ~하다 lose.

망아지 a pony; a foal; a colt(수컷); a filly(암컷).

망양지탄(望洋之歎) lamenting one's inability (to cope with a situation); a feeling of hopelessness.

망언(妄言) thoughtless words; reckless remarks. ~하다 make an absurd remark.

망연(茫然) 《정신없음》 ¶ ~히 vacantly; blankly; absent-mindedly / ~자실하다 be stunned [stupefied] 《at, by》. ② ☞ 아득하다.

망울 ① 《넝어리》 a (hard) lump; a bud 《꽃망울》. ② 《림프전의》 a swelling of a lymphatic gland.

망원가늠자(望遠一)(理) a telescopic sight.

망원경(望遠鏡) a telescope; field glasses 《쌍안경》. ¶ ~으로 보다 look 《at a star》 through a tele-

scope.

망원렌즈(望遠一) a telephoto lens.

망원사진(望遠寫眞) a telephotograph. ¶ ~기 a telecamera.

망인(亡人) the dead; the deceased.

망조(亡兆) an omen of ruin. ¶ ~가 들다 show signs of ruin.

망주석(望柱石) a pair of stone posts in front of a tomb.

망중한(忙中閑) a moment of relief from busy hours; a break.

망측하다(罔測一) (be) absurd; (상스러움) (be) low; mean; indecent; nasty; (꼴사나움) (be) ugly; unsightly; unshapely.

망치 a hammer.

망치다 spoil; ruin; destroy; frustrate; make a mess (of). ¶신세를 ~ ruin oneself; make a failure of one's life.

망태기(網一) a mesh bag.

망토 a mantle; a cloak.

망하다(亡一) ① (멸망) fall; perish; die out; (영락) be ruined; go to ruin; fall (sink) low. (파산) go (become) bankrupt; fail. ② (어렵다) be hard to deal with. ¶그 책은 읽기가 ~ The book is hard to read.

향향(望鄕) homesickness; nostalgia. ¶ ~병에 걸리다 become (get) homesick.

망향고소(一告訴) a cross (counter) action. ~하다 counterclaim (against).

맞다 ① (정확) be right (correct). ¶네 시계는 잘 맞느냐 Is your watch correct (right)? ②(어울림) become; suit; match well; go well (with). ¶그 넥타이는 웃옷과 잘 맞는다 The tie goes well with your coat. ③ (옷·크기 등이) fit; suit; be fitted (to). ¶잘 맞는 옷 well fitting clothes; a good fit. ④(일치) agree (with); be in accord (with). ¶서로 의견이 ~ agree with each other. ⑤ (적중함) hit; strike; (제비·복권이) draw; win. ¶화살이 과녁에 ~ an arrow hits the mark. ⑥(수지

가) pay. ¶수지 맞는 장사 a paying business.

맞다[2] ① (영접) meet; receive. ¶ ~를 반가이 ~ welcome (a person). ② (맞아들임) invite; engage. ¶아내를 ~ take a wife; get married. ③ (매를) 새해를 ~ greet the New Year. ④ (비바람 등을) be exposed to (rain); expose oneself to. ⑤ (매를) get a blow; be struck; be shot (총탄을). ⑥ (당하다) meet with; come across; suffer. ⑦ (주사를) get (have) (an injection); (침을) get acupunctured.

맞닥뜨리다 be faced with; be confronted with; encounter.

맞담배 ¶ ~ 피우다 sit smoking together.

맞당기다 draw (pull) each other.

맞닿다 touch each other; meet.

맞대다 bring (a person) face to face with (another); confront (a person) with (another); bring (join) (something) together. ¶얼굴을 ~ come (be) face to face with (a person).

맞대하다(一 對一) face (confront) each other.

맞돈 cash payment; payment in cash; cash (down). ¶ ~으로 사다 (팔다) buy (sell) (a thing) for cash.

맞들다 lift together; hold up (a 맞먹다(필적하다) be equal (to); be a match for; (상당하다) be equivalent to. ¶월급 2개월분과 맞먹는 보너스 a bonus equivalent to two month's pay.

맞물다 bite each other; gear (into, with); engage (with). ¶ 맞물리다 be (go) in gear (with).

맞바꾸다 exchange (one thing for another); barter.

맞바람 a head wind.

맞받다 (정면으로) receive (face) directly; (들이받다) run (clash) against (into); collide (with); (응수) (make) a retort.

맞벌이 ¶ ~하다 earn a livelihood

together; work (run) in double harness. ¶ ~가정 (생활) a double-income (two-income) family (living).

맞부딪치다 run (crash) into; run (collide, hit) against. ~충돌.

맞붙다 (싸움 따위) wrestle (grapple) (with); be matched against; tackle (a difficult problem).

맞붙이다 (물건을) stick (paste, fix) (things) together; match (A) with (against) (B).

맞상대 (相對) direct confrontation.

맞서다 (마주서다) stand face to face (with); confront; (대항하다) stand (fight) (against); oppose; defy.

맞선 an arranged meeting with a view to marriage. ¶ ~보다 meet (see) each other with a view to marriage.

맞소송 (一訴訟) a countersuit; a counteraction.

맞수 (一手) a (good) match.

맞아떨어지다 tally; be correct.

맞은편 (一便) the opposite side. ¶ ~에 opposite; on the opposite side of.

맞잡다 (잡다) take (hold) together (each other); (드잡이로) grapple with each other; (협력) cooperate (with); collaborate (with). ¶ 손에 손을 맞잡고 hand in hand (with).

맞장구치다 chime in (with).

맞절하다 bow to each other.

맞추다 ① (짜맞춤) put together; assemble; fit into (끼워). ② (맞게끔) set (fit, suit) (to another). ¶ 시계를 ~ set one's watch (by the radio). ③ (대조) compare (with); check (up). ④ (주문) order; give an order.

맞춤 (주문) an order; (물건) the article ordered. ∥ ~옷 a custom-made suit; a suit made to order.

맞춤법 (一法) the rules of spelling;

orthography.

맞흥정 a direct deal. ~하다 make a direct bargain (deal).

맞히다 ① (답이 맞히) guess right; give a right answer. ¶ 잘못 ~ guess wrong. ② (명중) hit; strike. ¶ 맞히지 못하여 miss the mark. ③ (눈·비 따위) expose (to); leave out (in the weather). ¶ 비를 ~ expose to the rain.

맡기다 ① (보관) deposit (a thing with a person); entrust (a person with a thing); 은행에 ~ put money in a bank. ② (위임) entrust (a matter) to (a person). ¶ 임무를 ~ charge (a person) with a duty.

맡다¹ ① (보관) keep; receive (a thing) in trust. ¶ 이 돈을 맡아 주시오 Please keep this money for me. ② (담임·감독) take (be in) charge of; (떠맡기) take (a task) upon oneself. (역할을) play (the role of). ¶ 5학년을 ~ have charge of the fifth-year class. ③ (허가를) get; secure; obtain (permission). ¶ 허가 맡고 영업하다 do business under license.

맡다² ① (냄새를) smell; sniff (at); scent. ¶ 맡아 보다 give a sniff to; sniff at. ② (김새를) sense; get wind (scent) of (a plot); smell out (the secret).

매¹ (때리는) a whip; a cane; whipping (매질). ¶ ~를 때리다 whip; flog; lash.

매² (돌쩌) a millstone.

매³ (鳥) a goshawk; a hawk; a falcon. ∥ ~사냥 hawking; falconry. 「every Sunday.

매— (每) every; each. ¶ ~일요일

매가 (買價) a purchase price.

매가 (賣家) a house for sale.

매가 (賣價) a selling price.

매각 (賣却) sale; disposal by sale. ~하다 sell (off); dispose of. ∥ ~공고 a public notice of sale.

매개 (媒介) mediation. ~하다 mediate (between two parties); carry

매개《germs》. ¶ …의 ~로 through the medium 《good offices of …. ‖ ~돌 a medium; a carrier(병균의), ‖ 「cept〔term〕.

매개념《媒槪念》〔論〕the middle con-

매거《枚擧》《낱낱이 말함》. enumerate; mention one by one. ¶ ~이 다 … 할 수 없을 만큼 too many to mention 〔enumerate〕.

매관매직《賣官賣職》~하다 traffic in government posts.

매국《賣國》betrayal of one's country. ¶ ~노 a betrayer of one's country. 「od〕.

매기《每期》each〔every〕term〔peri-

매기《買氣》a buying tendency; 〔證〕a bullish sentiment.

매기다《값을》put 《a price》on; fix; bid; 《등급을》grade; classify; 《marks》《점수를》; 《번호를》number. 「pery.

매끄럽다《be》smooth; slimy; slip-

매너《have good》manners.

매너리즘《fall into》mannerism.

매년《每年》every〔each〕year; 《부사적》annually. ¶ ~의 yearly; 「annual.

매니저 a manager.

매니큐어 《a》manicure. ¶ ~를 칠하다 paint one's nails.

매다《동이다》tie 《up》; bind; fasten; 《목을》hang oneself; 《구두끈을》tie a shoestring.

매다《김을》weed 《out》. 「monthly.

매달《每一》every month. ¶ ~의

매달다《달아매》hang; suspend; attach 《fasten》《to》《부착》. ②《일·직장을》tie oneself down 〔bind oneself〕《to》.

매달리다①《매어짐》hang 〔be sus-pended〕《from》; dangle 《from》. ②《붙잡다》cling 〔hold on〕《to a rope》; hang 《on》; 《애원》en-treat; implore. ③《의지》depend 《rely, lean》《up》on.

매대기《~지다 smear 〔daub〕all over.

매도《罵倒》denunciation. ~하다 abuse; denounce.

매도《賣渡》~하다 sell 《a thing》over to 《a person》; deliver; nego-tiate(어음을). ¶ ~증서 a bill of sale.

매독《梅毒》《get, contract》syphilis. ¶ ~성의 syphilitic. ‖ ~환자 a syphilitic.

매듭 a knot; a tie. ¶ ~을 맺다〔풀다〕tie 〔untie〕a knot.

매듭짓다 settle; conclude; com-plete; put an end to. ¶ 협상을 ~ bring the negotiations to a successful close.

매력《魅力》《a》charm; 《a》fascina-tion. ¶ ~있는 charming; attrac-tive.

매료《魅了》~하다 charm; fasci-nate; enchant.

매립《立》《land》reclamation. ~하다 fill up; reclaim. ‖ ~지 a reclaimed land.

매만지다 smooth down 《one's hair》; trim; adjust one's dress.

매매《賣買》buying and selling; purchase and sale; 《거래》trade; dealing; a bargain. ~하다 buy and sell; deal 〔trade〕《in》. ¶ ~계약을 맺다 make a sales contract 《with》. ‖ ~조건 terms of sale.

매머드《거대한》mammoth. ¶ ~ 기업 a mammoth enterprise.

매명《賣名》self-advertisement. ~하다 advertise oneself; seek pub-licity. ‖ ~행위 an act of self advertisement.

매몰《埋沒》~하다 bury 《under, in》. ¶ ~되다 be 《lie》buried 《in》.

매몰스럽다《be》heartless; cold unkind.

매무새 the appearance of one's dress. ¶ ~가 단정하다 keep oneself neat and trim.

매문《賣文》literary hackwork.

매물《賣物》an article for 《on》sale "For Sale"(게시). ¶ ~로 내놓다 offer 《a thing》for sale.

매미《蟬》a cicada; a locust 《美》

매번《每番》《매마다》each 《every time; 《무사》every.

매복《埋伏》~하다 lie in wait ambush〔wait〕for); waylay.

매부《妹夫》one's brother-in-law one's sister's husband.

‖부리코 a hooked [a Roman] nose.

‖사(每事) every business [matter]. ¶ ~에 in everything.

‖상(買上) ~하다 purchase; buy. ~가격 the (government's) purchasing price.

‖상(賣上) sales; receipts. ¶ ~이 크게 늘었다 [줄었다] Sales have picked up [fallen off] considerably. ~고 sales (volume) / ~세(稅) a sales tax.

‖석(賣惜) an indisposition to sell. ~하다 hold back (goods) from the market; be unwilling to sell.

‖설(埋設) ~하다 lay (cables) underground.

‖섭다 (be) fierce; sharp; severe.

‖수(買收) ~하다 purchase; buy up (out); (뇌물로) bribe [buy over] (a person). ¶ ~합병 mergers and acquisition (생략 M & A).

‖수(買受) ~하다 buy [take over] acquire (a thing) by purchase. ¶ ~인 a buyer; a purchaser.

‖스미디어 the mass media.

‖스컴 mass communications.

‖시(每時) every hour; per hour.

‖식(買食) ~하다 eat out; take [have] a meal at a restaurant.

‖실(梅實) a maesil; a Japanese apricot.

‖씨(妹氏) your [his] sister.

‖암돌다 spin oneself round; whirl. [round.

‖암돌리다 spin [turn] (a person)

‖약(賣藥) a patent medicine; a drug. ~하다 sell patent medicines. [time.

‖양(每一) always; every [all the]

‖연 (많은 [적은] 도시 a smoky [smoke-less] city. soot and smoke. ¶ ~

‖염(媒染) mordanting. ㅁ ~료 [제 (劑)] a mordant; a fixative.

‖우 very (much); greatly; awfully. ¶ ~ 떫다 be very hot.

‖운탕(一 湯) a pepper-pot soup.

‖월(每月) every [each] month.

매음(賣淫) prostitution. ~하다 practice prostitution; prostitute oneself. ¶ ~녀 [부] a prostitute; a streetwalker; a call girl.

매일(每人) every [each] person.

매일(每日) every day. ¶ ~하는 일 daily works.

매일반(一一般) ㅁ 매한가지.

매입(買入) buying; purchase. ~하다 purchase; buy in.

매장(埋葬) ① 《시체의》 (a) burial; (an) internment. ~하다 bury. ¶ ~지 a burial place [ground]. ② 《사회적》 social ostracism. ~하다 ostracize; oust (a person) from society.

매장(埋藏) ~하다 (묻다) hide underground; bury underground. ¶ ~량 (oil) reserves.

매장(賣場) a counter; a shop; a store.

매절(賣切) being sold out. ㅁ 매진.

매점(買占) a corner; cornering. ~하다 corner the market; buy up; hoard.

매점(賣店) a stand; a stall; a booth. ¶ 역의 ~ a station stall.

매정하다, 매정스럽다 (be) cold; icy; heartless; unfeeling. ¶ 매정하게 [스럽게] 굴다 be hard on (a person); treat coldly.

매제(妹弟) a younger sister's husband; a brother-in-law.

매주(每週) every week; weekly; per week (1주일마다).

매주(賣主) a seller [dealer].

매직 magic. ㅁ ~유리 one-way glass.

매진(賣盡) 《다 팔림》 a sellout; 《게 시》 Sold Out (today). ~하다 be sold out; run out of stock.

매진(邁進) ~하다 go forward [on] (undaunted); strive (for).

매체(媒體) a medium 《pl. media, ~s》.

매축 (埋築) (land) reclamation. ☞ 매립.

매춘 (賣春) ☞ 매음.

매출 (賣出) a sale; selling. ～하다 sell off[out]; put 《*a thing*》 on sale. ‖～가격 an offering price.

매치 (경기) a match.

매캐하다 (연기가) (be) smoky; (곰 팡내가) (be) musty; moldy.

매콤하다 (be) hot; pungent.

매트 (spread) a mat.

매트리스 a mattress.

매파 (一派) the hawks; a hard-liner.

매판자본 (買辦資本) comprador capital.

매표 (賣票) ‖～구(口) a ticket window / ～소 a ticket [booking 《英》] office; a box office.

매품 (賣品) an article for sale; 《게시》 For sale.

매한가지 all the same; (much) the same.

매형 (妹兄) one's elder sister's husband; a brother-in-law.

매호 (每戶) every house(hold).

매혹 (魅惑) fascination; captivation. ～하다 fascinate; charm; enchant. ‖～적 charming; captivating; fascinating.

매화 (梅花) 《植》 a Japanese apricot tree(나무); a maehwa blossom (꽃).

맥 (脈) (맥박) the pulse. ‖～을 짚 어 보다 feel the pulse / ～이 뛰 다 pulsate; the pulse beats.

맥고모자 (麥藁帽子) a straw hat.

맥락 (脈絡) ① (혈맥) the (system of) veins. ② (사물의) (a thread of) connection; coherence; the intricacies (내용).

맥류 (麥類) barley, wheat, *etc.*

맥막하다 (코가) (be) stuffy; be stuffed up (서술적). ② (생각이) be stuck 《*for an idea*》; be at a loss (서술적).

맥박 (脈搏) pulsation; (the stroke of) the pulse. ‖～수 pulse frequency; pulse rate.

맥빠지다 (脈 一) ① (기운 없다) be

worn out [spent up]. ② (낙심) be disappointed (damped).

맥아 (麥芽) malt. ‖～당 maltose malt sugar.

맥없다 (脈 一) 《기운 없다》 (be enervated; feeble; (서술적) b exhausted [spent up]; feel de pressed; be dispirited (풀없다) ¶ weakly; feebly; spiritlessly; help lessly; easily(무기력).

맥작 (麥作) barley culture (crop).

맥적다 ① (따분하다) (be) tediou dull. ② (낯없다) be ashamed o oneself.

맥주 (麥酒) beer; ale. ¶ 김빠진 스 stale [flat] beer / ～ 한잔 하 have a (glass of) beer.

맨 nothing but [else just; full of; (가장) (ut)most extreme. ‖～ 끝찌 the very las [bottom].

맨… just; bare; naked; unadul terated. ‖～바닥 the bare floor ～ 손 an empty [bare] hand.

맨나중 the very last [end]. ‖～ 의 final; terminal / ～에 (이을 끝에.

맨뒤 the very last [end]. Lastly.

맨드라미 《植》 a cockscomb.

맨땅 (sit on) the bare ground.

맨머리 a bare head; a hatless head.

맨먼저 the beginning (최초); a the very first [beginning] (시음 에); first of all (우선).

맨몸 ① (알몸) a naked body; a nude. ② (무일품) being penniless an empty hand.

맨발 bare feet. ‖～의 barefoo (-ed) / ～로 (walk) barefoot.

맨밥 boiled rice served withou any side dishes.

맨션 mansion (영어의 맨션은 보통 부호의 대저택을 말함.

맨손 an empty [a bare] hand. ‖～체조 free gymnastics.

맨숭맨숭하다 ① (알몸) hairless(털 없다); bare; bald(민둥민둥하다); sober (술이 취하지 않다).

맨아래 the very bottom. ‖～의 the lowest; the undermost.

맨앞 the foremost; the (very) front; ~의 foremost / ~에 at the head (of).

맨위 the (very) top; the summit; the peak; ~의 topmost; highest / ~에 on (the) top (of).

맨입 ¶ ~으로 with empty stomach.

맨주먹 an empty (bare) hand. ¶ ~으로 큰 돈을 모으다 make a fortune starting with nothing.

맨투맨 ¶ ~방어 a man-to-man defense.

맨틀피스 a mantelpiece.

맨홀 a manhole. ¶ ~ 뚜껑 a manhole cover.

맨들다 ☞ 매만들다.

맵다 《맛이》 (be) hot; pungent; 《독》 (be) intense; severe; strict. 《혹독》 is smart; shapely; well-formed. ¶ ~ 추위 the intense cold.

맵시 figure; shapeliness. ¶ ~ 있는 smart; shapely; well-formed.

맷돌 a (hand) mill; a millstone. ¶ ~질하다 grind grain in a stone mill.

맹격(猛擊) (strike) a hard blow (at, on); (make) a violent attack (on).

맹견(猛犬) a fierce (ferocious) dog. ¶ ~주의 "Beware of the Dog!"(게시).

맹금(猛禽) ¶ ~류 birds of prey.

맹꽁이 《動》 a kind of small round frog; 《어리석은 사람》 a bird-brain: a simpleton; a blockhead. ~ 자물쇠 a padlock.

맹도견(盲導犬) a seeing-eye (guide) dog.

맹독(猛毒) a deadly poison. ¶ ~을 가진 뱀 a highly poisonous snake.

맹랑하다(孟浪─) 《허망》 (be) false; untrue; 《믿을 수 없다》 (be) incredible; 《터무니없다》 (be) groundless; absurd; nonsensical; 《만만치 않다》 (be) no small; not negligible.

맹렬(猛烈) ~하다 (be) violent; furious; fierce. ¶ ~히 violently; furiously; fiercely.

맹목(盲目) ¶ ~적(으로) blind(ly);

맹목적(ly) / ~적인 사랑 〔盲목〕 blind love 〔imitation〕.

맹물 ① 《물》 fresh 〔plain〕 water. ② 《사람》 a spineless 〔dull〕 person; a jellyfish. 〔tion.

맹방(盟邦) an ally; an allied nation.

맹성(猛省) serious reflection. ~하다 reflect on 《something》 seriously. ¶ ~을 촉구하다 urge 《a person》 to reflect seriously.

맹세 an oath; a pledge; a vow. ~하다 swear; vow; take an oath. ¶ ~코 upon my honor 〔어기다〕; by God / ~를 지키다 keep 〔break〕 one's vow 〔oath, pledge〕.

맹수(猛獸) a fierce animal. ¶ ~ 사냥 (go) a big game hunting.

맹습(猛襲) a vigorous 〔fierce〕 attack. ~하다 make a fierce attack (on).

맹신(盲信) blind 〔unquestioning〕 acceptance 《of a theory》; blind faith. ~하다 believe blindly.

맹아(盲啞) the blind and dumb. ¶ ~학교 a school for the blind and dumb.

맹약(盟約) a pledge; a covenant; a pact; 《동맹》 alliance; a league. ~하다 make 〔form〕 a pact 《with》; form an alliance.

맹연습(猛演習) ~하다 do hard training; train hard.

맹위(猛威) fierceness; ferocity; fury. ¶ ~를 떨치다 《사물이》 rage; be rampant.

맹인(盲人) a blind person; the blind (총칭).

맹자(孟子) Mencius.

맹장(盲腸) the blind gut; appendix. ¶ ~염 appendicitis.

맹장(猛將) a brave general.

맹점(盲點) a blind spot. ¶ 법의 ~ a loophole 〔blind spot〕 in the law.

맹종(盲從) blind 〔unquestioning〕 obedience. ~하다 follow 〔obey〕 blindly.

맹주(盟主) a leader of a confederation. ¶ ~가 되다 become the

leader (*of*).

맹추 a stupid person.

맹탕 (국물) insipid [watery] soup; (사람) a dull [flat] person.

맹폭(盲爆) blind [indiscriminate] bombing. ~하다 bomb blindly.

맹폭(猛爆) heavy bombing. ~하다 bomb [bombard] heavily.

맹호(猛虎) a fierce tiger.

맹활동(猛活動) vigorous activity. ~하다 be in full activity [swing].

맹휴(盟休) a strike; a school strike.

맺다 《끈·매듭을》 (make a) knot; tie (up). ②《끝을》finish; complete; conclude. 《계약·관계를》 make 〈a contract〉; conclude 〈a treaty〉; form 〈a relation with〉; enter [come] into 〈a relation with〉. ④《열매를》 bear 〈fruit〉. ⑤《원한을》bear; harbor 〈an enmity toward〉.

맺히다 《매듭이》 be tied; be knotted. ②《열매가》 come into bearing; fruit; (go to) seed. ③《원한이》 be pent up; smolder. ④《눈물·이슬이》 form.

머금다 ①《입에》 keep [hold] 〈water〉 in one's mouth. ②《마음에》 bear in mind; 《웃음을》 wear a smile.

머루 〔植〕 wild grapes [grapevines].

머리 ①《두부》 the head. ¶~가 아프다 have a headache. ②《두뇌·기억력》 a head; mind. ¶~ 회전이 빠르다 [더디다] have a quick [slow] mind; be quick-witted [slow-witted]. ③《머리털》 hair. ¶~를 묶다 dress [fix, do up] one's hair. ④《사물의 머리·끝》 the top [head] 〈of〉. ¶못의 ~ the head of a nail.

머리끝 ¶~에서 발끝까지 from top [head] to toe 〈of〉 / ~이 쭈뼛해지다 one's hair stands on end.

머리띠 a headband.

머리말 a preface; a foreword.

머리카락, 머리털 (one's) hair; the hair on the head.

머릿수(一數) the number of per-

sons; a head [nose] count.

머무르다《묵을》 stay; stop; put up 〈at an inn〉;《남을》 remain. ¶현직에 ~ remain in one's present office.

머무적거리다 hesitate; waver; linger;《말을》mumble; falter. ¶머무적거리며 hesitatingly; faltering / 머무적머무적 hesitantly; diffidently / 대답을 못하고 ~ be hesitant to give an answer.

머슴 a farmhand; a farm worker.

머슴하다 ①《키가》 (be) lanky. ②《기가 죽다》 (be) in low spirits.

머츰하다 stop [cease] for a while; break; lull; hold up.

머플러 a muffler.

먹 an ink stick. ¶~을 갈다 grind an ink stick.

먹구름 dark [black] clouds.

먹다 ①《음식 따위를》 eat; take; have 〈one's meal〉. ¶먹어보다 try 〈the dish〉; taste. ②《생활을》 live on; make one's living;《부양하다》support. ③《남의 재물을》 seize; appropriate; embezzle. ¶뇌물을 ~ take [accept] a bribe. ④《욕을》 get 〈a scolding〉; be abused.《마음을》fix; make up one's mind 〈to〉. ⑥《겁을》 be scared; be frightened. ⑦《나이를》grow 〈become, get〉 older(er). ⑧《벌레가》 eat into; be worm-eaten. ⑨《이문을》 get 〈a commission〉; receive; have. ⑩《더위를》 be affected by the heat. ⑪《관전·상금을》 win [take] 〈the prize〉. ⑫《한대》 be given a blow 〈맞음〉. ⑬《녹을》 receive 〈a stipend〉.

먹다 ①《귀가》 lose the hearing; become deaf. ②《날이 잘 들다》 bite [cut] well. ¶톱이 잘 ~ a saw bites [cuts] well.《물감 따위가》 dye (well); soak in (well).《비용이》 cost; be spent. ¶돈이 많이 ~ be costly [expensive].

먹먹하다《귀가》 (be) deaf; deafened; stunned.

먹물 Indian [Chinese] ink.

먹성 ǁ ~이 좋다 have a good appetite; be omnivorous.

먹실 a string stained with ink; 《문신》 tattooing; ǁ ~ 넣다 tattoo.

먹음새 the way of eating.

먹음직스럽다 (be) delicious-looking; appetizing; tempting.

먹이 《양식》 food; 《사료》 food; fodder(소·말의). ǁ ~를 찾다 《아수 따위가》 seek for prey; forage for food.

먹이다 ① 《음식을》 let someone eat [drink]; feed 《cattle on grass》. ǁ 젖을 ~ give the breast 《to a baby》. ② 《가축을》 keep; raise; rear. ③ 《부양》 support 《one's family》. ④ 《뇌물을》 offer a bribe; oil 《grease》 a person's hand [palm]. ⑤ 《때리다》 give [deal] 《a blow》. ⑥ 《겁 따위》 frighten; terrify. ⑦ 《물감을》 dye.

먹자판 a scene of riotous eating; a big feast; a spree.

먹줄 an inking line; an inked string.

먹칠 ~하다 smear with 《Chinese》 ink; 《명예 따위에》 injure; disgrace; impair 《one's dignity》; mar.

먹통(━桶) ① 《목수의》 a carpenter's inkpad. ② 《바보》 a fool.

먹히다 be eaten up 《by》; be swallowed up 《…에》; can be eaten; be edible; 《빼앗기다》 be cheated of; be taken for. ǁ 먹느냐 먹히느냐의 싸움은 a life-and-death struggle.

먼나라 a far-off land; a remote 《country》.

먼눈 ① a blind eye. ② a distant view.

먼데 《먼곳》 a distant place; a 《country》.

먼동 the dawning sky. ǁ ~이 트이다 dawn; daybreak / ~이 트기 전에 before dawn 《daybreak》.

먼발치 a spot far-off; distant place. ǁ ~로 보다 view from a distance.

먼저 ① 《시간적으로》 (go) first 《ahead》. ② 《우선》 first (of all); above all; before anything (else). ③ 《미리》 earlier (than); beforehand. ǁ ~를 ~ 치르다 pay in advance. ④ 《전에》 previously; formerly. ǁ ~ 말한 바와 같이 as previously stated.

먼지 dust; 《…의》 dusty; ~를 털다 dust 《one's coat》. ǁ ~ 떨이 a duster.

멀거니 vacantly; absent-mindedly; with a blank look.

멀겋다 《흐릿하다》 (be) dull; be a bit clear; 《묽다》 be wishy-washy; watery; sloppy.

멀다 《거리가》 (be) far(-off); faraway; distant; 《…에서》 be far 《from》; a long way off 《…까지》 (be) a long way 《to》. ǁ 멀리 떨어지다 keep away 《from》; 멀리 물러나다. ǁ 《시간적으로》 (be) remote. ǁ 머지 않아 soon; before long. ǁ 《관계가》 (be) distant. ǁ 먼 친척 a distant relative.

멀다 《눈이》 go blind; lose one's sight. ǁ 돈에 눈이 멀어진 blinded by money.

멀뚱멀뚱 《눈이》 vacantly; absent-mindedly. ǁ ~ 바라보다 gaze at 《a thing》 vacantly.

멀리 far away; in the [at a] distance. ǁ ~서 from afar; from a distance / ~하다 keep away 《from》.

멀미 《배·차의》 sickness; 《배》 seasickness; airsickness 《비행기》; carsickness 《차》. ~하다 get sick; feel nausea. ② 《진저리》 ~하다 [나다] get sick and tired 《of》; be fed up 《with》; become disgusted 《with》.

멀쑥하다 《키가》 (be) lanky; lean and tall. ② 《묽다》 (be) watery; thin. ③ ☞ 말쑥하다.

멀어지다 go away 《from》; recede 《from view》; die away 《소리 등이》; be(come) alienated [estranged] 《from》 《관계가》.

멀쩡하다 ① 《말짱하다》. ② 《뻔뻔하다》 (be) impudent; shameless. ǁ 멀쩡한 놈 a brazen-faced fellow.

멀찍하다 《멀찍이》 pretty far; far

apart; away from; at a distance / 멀찍이 사이를 두다 leave a pretty long interval 《between》.

멈추다 《…이》 stop; cease; halt; come to a stop; be interrupted; 《…을》 stop; break [lay] off; bring 《a thing》 to a stop; put a stop 《to》. ¶ 차를 ~ bring a car to a stop.

멈칫거리다 hesitate 《at; over》; shrink [hold] back; flinch 《from》.

멈칫하다 ☞ 멈칫거리다. ¶ 멈칫멈칫 hesitatingly; lingeringly / 하던 말을 ~ suddenly stop talking for a moment.

멋 ① 《맵시》 dandyism; foppishness. ¶ ~있는 smart(-looking); stylish; chic 《프》 / ~(을) 부리다 [내다] dress stylishly [smartly]; dress oneself up; be foppish. ② 《풍치》 relish; flavor; taste; zest; pleasure; delight. ¶ ~을 알다 have a taste 《for》.

멋대로 as one likes; at pleasure [will]; willfully; waywardly. ¶ ~굴다 [하다] have one's own way 《in》.

멋들어지다 (be) nice; smart; stylish. ¶ 멋들어지게 smartly; nicely; fascinatingly; with zest.

멋없다 (be) not smart [stylish]; tasteless; insipid; dull.

멋쟁이 《남자》 a dandy; a fop; 《여자》 a dressy [chic] woman.

멋적다 (be) awkward.

멋지다 (be) stylish; smart; dandyish; refined; splendid. ¶ 멋진 솜씨 great [wonderful] skill.

멍 ① 《피부의》 a bruise. ¶ ~들다 have [get] a bruise; be bruised / 눈이 ~들다 have a black eye. ② 《의의 탈》 a heavy [hard] blow. ¶ ~들다 suffer a serious [hitch [heavy blow]; be severely hit.

멍석 a straw mat.

멍에 (put) a yoke 《upon》.

멍이 a fool; a dullard.

멍청하다 (be) stupid; dull.

멍하다 (be) absent-minded; blank; vacant. ¶ 멍하니 absent-mindedly; vacantly; blankly.

메 《방망이》 a mallet(목제); a hammer(철제).

메가톤 a megaton. ¶ ~급의 in the megaton range.

메가폰 a megaphone. ¶ ~을 잡다 direct the production of a motion picture. 「MHz」.

메가헤르츠 《電》 a megahertz 《생략

메기 《魚》 a catfish.

메기다 《화살을》 fix; put. ¶ 화살을 ~ fix an arrow in one's bow.

메뉴 a menu.

메다 《막히다》 be stopped [stuffed, blocked, choked] (up); be clogged. ¶ 목이 ~ feel choked.

메다 shoulder 《a gun》; carry 《a load》 on one's shoulder [back].

메달 (win) a medal. ¶ ~리스트 a medalist.

메들리 a medley. ¶ 크리스마스 곡의 ~ a medley of Christmas songs.　　　　　　　　　　　　「locust.

메뚜기 《蟲》 a grasshopper; a

메리야스 knitted (cotton) goods; knitwear. ¶ ~내의 a knit(ted) undershirt.

메마르다 《땅이》 (be) dry; arid; 《불모》 (be) poor; barren; sterile; 《마음이》 (be) harsh. ¶ 메마른 땅 dry [sterile] land.

메모 a memo; a memorandum. ¶ ~를 하다 take a memo; make notes 《of》. ¶ ~장 a note pad.

메밀 buckwheat. ¶ ~국수 buckwheat noodles / ~묵 buckwheat jelly.

메스 《醫》 a surgical knife; a scalpel. ¶ ~를 가하다 《비유》 probe 《into a matter》.

메스껍다 ① 《역겹다》 feel sick [nauseated]. ② ☞ 아니꼽다 ②.

메슥거리다 feel sick [nausea]; feel like vomiting.

메시아 the Messiah.

메시지 (send) a message. ¶ 축하 ~ a congratulatory message.

메신저 a messenger.

메아리 an echo. ¶ ～ 치다 echo: be echoed; resound.

메아리치다 throw (*a person*) over one's shoulder.

메우다 ① (빈곳·구멍을) fill up (in) (*cracks*); stop (*a gap*); plug (up) (*a hole*); (매립하다) reclaim (*land from the sea*). ¶ 여백을 ～ fill in the blank spaces. ② (부족을) make up for; compensate for. ¶ 결손을 ～ cover (make up) a loss. ③ (통을) hoop; fix. ¶ 통을 ～ hoop a barrel.

메이저리그 the Major Leagues.

메이커 a maker; (일류) 제품 articles manufactured by well-known makers; name brands.

메이크업 make-up. ～ 하다 make up.

메조소프라노 【樂】 mezzo-soprano.

메주 soybean malt. ¶ 콩으로 ～ 쑨대도 곧이 안 듣다 do not believe a story to be true.

메지다 (be) nonglutinous.

메추라기, 메추리 【鳥】 a quail.

메카 Mecca (동경의 땅, 발상지).

메커니즘 (a) mechanism.

메탄 【化】 methane. ¶ ～ 가스 methane (gas).

메탄올 【化】 methanol. ¸ane (gas).

메틸알코올 methyl alcohol.

멕시코 Mexico. ¶ ～의 Mexican / ～ 사람 a Mexican. ¸delism.

멘델 ～ 법칙 Mendel's laws; Men-

멘스 the menses. ¸월경.

멜대 a carrying pole.

멜로드라마 a soap opera; a melodrama.

멜로디 【樂】 a melody.

멜론 a melon.

멜빵 a shoulder strap; a sling (총의); (양복바지의) suspenders; braces (英).

멤버 a member. ¶ 베스트 ～ the best members (players) (*of a team*).

멥쌀 nonglutinous rice.

멧닭 【鳥】 a black grouse; a blackcock (수컷); a gray hen (암컷).

멧돼지 【動】 a wild boar.

멧새 【鳥】 a meadow bunting.

멧비둘기 【鳥】 a mountain hedgesparrow.

며느리 a daughter-in-law. ¶ ～를 보다 take a wife for one's son.

며느리발톱 【動·鳥】 a spur; a calcar.

며칠 (그날의) what day; (날수) how many days; how long; a few days. ¶ ～ 동안 for days.

멱 (목) a throat; a gullet. ¶ ～ 을 따다 cut (*a fowl's*) gullet (throat).

멱 (冪) 【數】 a power. ¶ ～ 수 an exponent.

멱살 the throat. ¶ ～ 을 잡다 (들다) seize (*a person*) by the collar.

면 (面) ① (얼굴) a face. ② (～ 체면) a face. ③ (표면) the (sur)face; (측면) a side; (다면제의) a facet; a face. ④ (방면) an aspect; a phase; a field; a side. ¶ 모든 ～ 에서 in every respect. ⑤ (지면(紙面)) a page. ⑥ (행정 구역) a myeon (as a subdivision of a gun; as a township); a subcounty.

면 (綿) cotton. ¸ 무명.

…면 when: if when; in case. ¶ 비가 오～ if it rains.

면경 (面鏡) a hand (small) mirror.

면구스럽다 (面灸一) (be) shamefaced; feel awkward (nervous, embarrassed) (면구쩍).

면담 (面談) an interview; a talk. ～ 하다 have an interview (*with*).

면대 (面對) ～ 하다 meet face to face (*with*); face (each other).

면도 (面刀) shaving. ～ 하다 shave oneself; get a shave. ¶ ～ 날 a razor blade.

면류 (麵類) noodles.

면류관 (冕旒冠) a (royal) crown.

면면 (綿綿) ¶ ～ 한 unbroken; continuous; endless / ～ 히 without a break; ceaselessly.

면모 (面貌) a countenance; looks; features; (an) appearance (일의). ¶ ～ 를 일신하다 put on quite a new aspect; undergo a complete change.

면목 (面目) (체면) face; honor; credit; dignity; (모양) an appear-

ance; an aspect. ¶ ～ 없다 be ashamed of *oneself*.

면밀(綿密) ¶ ～한 《세밀한》 detailed; minute; close; scrupulous / ～히 minutely; carefully; scrupulously / ～한 검사 a close examination.

면박(面駁) ～하다 abuse [blame] *(a person)* to his face.

면방적(綿紡績) cotton spinning.

면벽(面壁)《佛》(sit in) meditation facing the wall.

면부득(面不得) ～하다 be unavoidable [inevitable].

면사(免死) ～하다 escape [be saved from] death.

면사(綿絲) cotton yarn 〔직조용〕; cotton thread(바느질용).

면사무소(面事務所) a *myeon* office.

면사포(面紗布) a wedding [bridal] veil.

면상(面上) one's face.

면상(面相) a countenance; looks. ……면서 ① 《동작의 진행》……ing; 《동시에》 as; while; over; during. 《웃으～ with a smile; smiling. ② 《불구하고》 (al)though; and yet; still; in spite of; for all that. ¶ 나쁜 일인 줄 알～ though I knew it was wrong.

면서기(面書記) a *myeon* official; an official of township office.

면세(免稅) tax exemption. ～하다 exempt *(a person)* from taxes. ¶ ～가 되어 있다 be free of tax. ∥ ～점(店) a duty-free shop.

면소(免訴) dismissal 《of a case》. ～ 하다 dismiss *(a case)*; acquit [release] *(a prisoner)*. ¶ ～되다 be dismissed; be acquitted 《of》.

면식(面識) acquaintance. ¶ ～이 있다 be acquainted 《with》; know / ～이 있는 사람 an acquaintance.

면양(緬羊) a 〔wool〕 sheep.

면역(免役) exemption from public labor 〔military service〕.

면역(免疫)《生理》immunity 《from a disease》. ～하다 be [become] (be) immune 《from》 / ～이 되게 하다 immunize *(a person against)* /

～성이 없는 nonimmune. ∥ ～기 간 a period of immunity.

면허(免許) a license; a certificate. ∥ ～ 수입 an import license.

면장(面長) the chief of a *myeon* [township].

면적(面積) (an) area; square measure; size 《of land》.

면전(面前) before [in the presence of] *(a person)* / 내 ～ 에서 in my presence.

면접(面接) an interview. ～하다 (have an) interview. ¶ 개인 ～ an individual interview.

면제(免除) (an) exemption 《from》. ～하다 exempt *(a person)* from 〔tax〕; release [excuse] *(a person)* from 〔a duty〕. ¶ 징집〔병역〕 이 ～되다 be exempted from draft 〔military service〕.

면제품(綿製品) cotton goods.

면지(面紙) 〔책의〕 the inside of a book cover; a flyleaf.

면직(免職) dismissal [removal] from office; discharge. ～하다 dismiss [discharge, remove] *(a person)* (from office); fire 〔口〕.

면직물(綿織物) cotton fabrics 〔textiles〕.

면책(免責)(have, receive) exemption from responsibility [obligation]. ∥ ～특권 《외교관의》 diplomatic immunity; 《국회의원의》 the privilege of exemption from liability.

면책(面責) personal reproof. ～하다 reproof *(a person)* to his face.

면치레(面─) ～하다 keep up appearances; put up a good front.

면포(綿布) cotton cloth [stuff].

면하다(免─) ① 《모면하다》 escape 《danger》; be saved [rescued] from 《drowning》; 《피하다》 avoid; evade. ¶위기를 ～ get through a crisis / 면하기 어려운 unavoidable; inevitable. ② 《면제》 be exempt(ed) [free] 《from》; be immune 《from》.

면하다(面─) face (on); front; look out 《on, onto》. ¶ 이 방은

호수에 면해 있다 This room looks out on the lake.

면학(勉學) study; academic pursuit. ∥ ~하다 study; pursue *one's* studies. ∥ ~ 분위기를 조성하다 create an academic atmosphere.

면허(免許) a permission; a license. ∥ ~ 있는〔없는〕 (un)licensed ∥ ~를 얻다 (take) a license. ∥ ~증 a (*driving*) license; a certificate.

면화(棉花) a cotton. ☞ 목화(木花).

면회(面會) an interview; a meeting. ∥ ~하다 meet; see. ∥ ~를 청하다 ask for〔request〕 an interview〔*with*〕/ ~를 사절하다 refuse to see a visitor. ∥〔작업 중〕~사절〔게시〕Interview Declined (During Working Hours); No Visitors〔환자〕.

멸공(滅共) rooting up communists. ∥ ~ 정신 the anti-communist spirit. ∥ ~hopper.

멸구〔蟲〕a rice insect; a leafhopper.

멸망(滅亡) a (down)fall; ruin; destruction; collapse. ∥ ~하다 be ruined〔destroyed〕; perish.

멸문(滅門) ~지화(之禍) a disaster that wipes out 《*a person's*》 whole family.

멸사봉공(滅私奉公) selfless devotion to *one's* country.

멸시(蔑視) contempt; disdain; disregard 〔= 경멸〕. ∥ ~하다 despise; disdain; hold 《*a person*》 in contempt.

멸족(滅族) ~하다〔타동사〕exterminate〔eradicate〕《*a person's*》 whole family; 〔자동사〕 (a family) become extinct.

멸종(滅種) ~하다〔타동사〕exterminate〔eradicate〕; 〔자동사〕die out; be exterminated〔eradicated〕. ∥ ~ed anchovies.

멸치〔魚〕an anchovy. ∥ ~젓 salted ~.

멸하다(滅一) ruin; destroy 《*an enemy*》; exterminate. ∥ ~ 《무명》cotton cloth; a cotton

경(命) ① ~ 명령. ∥ 당국의 ~에

하여 by order of the authorities. ② 《명수》 《*one's*》 (span of) life; *one's* destiny (운명).

~ 《기념》an inscription; 《묘비》an epitaph; 《낙인》a signature; 《스스로의 계율》a precept; a motto. ∥ ~ 좌우 《*one's*》 (favorite) motto.

명(名) 《사람수》persons.

명〜(名) great; noted; celebrated; excellent; famous. ∥ ~연주 an excellent performance.

명가(名家) 《명문》a distinguished 《prestigious》 family. ∥ ~ singer.

명가수(名歌手) a great 《famous》 singer.

명경(明鏡) a stainless 〔clear〕 mirror. ∥ ~지수(止水) a mind as serene as a polished mirror.

명곡(名曲) 《appreciate》 a famous 〔an excellent〕 piece of music.

명공(名工) a skillful craftsman.

명관(名官) a celebrated 〔good〕 governor; a wise magistrate.

명구(名句) 《구》 a famous phrase; 《명담》a wise saying. ∥ ~ruler.

명군(名君) a bright king; a wise king.

명궁(名弓) 《사람》 an expert archer; 《활》 a noted bow.

명금(鳴禽) a songbird.

명기(明記) ~하다 state 〔write〕 clearly; specify.

명년(明年) next year.

명단(名單) a list 〔roll, register〕 of names.

명단(明斷) ~ ∥ ~을 내리다 make a clear judgment 《*on*》.

명답(名答) a clever 〔right〕 answer.

명당(明堂) ① 《대궐의》the king's audience hall. ② 《묏자리》a propitious site for a grave.

명도(明渡) evacuation. ☞ 인도(引渡). ∥ ~하다 vacate 《*a house*》. ∥ ~를 요구하다 ask 《*a person*》 to vacate 《*the house*》.

명도(冥途) Hades; the other world; the underworld.

명란(明卵) pollack roe. ∥ ~젓 salted pollack roe.

명랑(明朗) ∥ ~한 bright and cheer-

ful; sunshiny; merry clear.

명령 (命令) an order; a command;
a direction; instruction(훈령);
ㅡ하다 order〔command, instruct
《*a person*》to *do*; give orders.
¶ ～에 따르다 obey〔carry out〕
an order / ～대로 하다 do as
one is told. ‖ ～위반 violation
of an order.

명론 (名論) an excellent opinion;
a sound〔convincing〕argument.

명료 (明瞭) ¶ ～한〔하게〕clear(ly);
distinct(ly); plain(ly) / ～하게 하
다 make clear.

명리 (名利) 《~ run after》fame and
fortune〔wealth〕. ¶ ～를 좇다
strive after fame and wealth.

명마 (名馬) a good〔fine〕horse.

명망 (名望) (a) reputation; popu-
larity(인망). ‖ ～가 man of
high reputation.

명맥 (命脈) life; the thread of life;
existence. ¶ ～을 유지하다 《사람
이》remain〔keep〕alive; 《종승 따
위가》remain〔stay〕in existence.

명멸 (明滅) ㅡ 하다 《붙이》flicker;
glimmer; blink; come and go.
‖ ～신호 a blinking signal.

명명 (命名) naming; christening;
ㅡ하다 christen; name. ‖ ～식 a
naming〔christening〕ceremony.

명명백백 (明明白白) ¶ ～한 (as) clear
as daylight; quite obvious.

명목 (名目) 《명칭》a name; 《구실》
a pretext. ¶ ～상의 nominal; in
name only / ～에 지나지 않다 be
in name only / ～상의 이유 the
ostensible reason.

명문 (名文) an excellent compo-
sition; a beautiful passage.
‖ ～가 a fine prose writer.

명문 (名門) a distinguished〔noble〕
family.

명문 (明文) provision〔statement〕.
¶ ～화하다 stipulate expressly in
the text / 법률에 ～화되어 있다 be
expressly stated in the law.

명물 (名物) 《산물》a special《fa-
mous, well-known》product; a
specialty; 《저명한 것》a feature;

an attraction; a popular figure
《*in town*》(사람). ¶ 지방의 ～ a
local specialty.

명미 (明媚) ㅡ 하다 beautiful; of
scenic beauty. ¶ 풍광 명미한 땅 a
place of scenic beauty.

명민하다 (明敏ㅡ) (be) sagacious;
intelligent; clear; sharp.

명반 (明礬) alum.

명백하다 (明白ㅡ) (be) clear; evi-
dent; plain; obvious. ¶ 명백히
clearly; obviously.

명복 (冥福) happiness in the other
world; heavenly bliss. ¶ ～을 빌
다 pray for the repose of 《*a per-*
son's》soul.

명부 (名簿) a list〔roll〕of names.
¶ ～를 만들다 make〔prepare〕a
list 《*of*》.

명분 (名分) 《본분》*one's* moral obli-
gations〔duty〕; 《정당성》(moral)
justification. ¶ ～이 서는 justifi-
able / ～을 세우다 justify *oneself*
〔*one's* conduct〕.

명사 (名士) a man of distinction
〔note〕; a distinguished〔noted〕
person; a celebrity.

명사 (名詞) 〔文〕a noun.

명산 (名山) a noted mountain.

명산 (名産) a special〔noted〕prod-
uct; a specialty.

명상 (瞑想) meditation. ㅡ하다 med-
itate 《*on*》; contemplate.

명색 (名色) a title; a name; an
appellation. ¶ ～ 명목.

명석 (明晰) ㅡ하다 (be) clear;
bright. ¶ 두뇌가 ～하다 be clear-
headed.

명성 (名聲) fame; reputation; re-
nown. ¶ 세계적인 ～ world-wide
fame / ～을 얻다 gain〔win〕fame
〔a reputation〕.

명세 (明細) details; particulars
specifies. ¶ 지출의 ～ an account
of payments. ‖ ～서 a detailed
account〔statement〕(계산서).

명소 (名所) a noted place; a beau-
ty〔scenic〕spot. ¶ ～를 구경하다
see〔do〕the sights 《*of Seoul*》.

명수 (名手) a master-hand 《*at*》

an expert 《*at, in*》. ¶ 사격의 ~ a good [an expert] marksman.

명수(名數) ☞ 명(名) ②.

명승(名勝) ‖ ~ 고적 places of scenic beauty and historic interest.

명승(名僧) a celebrated Buddhist monk.

명시(明示) ~ 하다 see clearly; clarify. ¶ ~ 적(的) explicit(ly).

명실(名實) ‖ ~ 공히 both in name and reality ; ~ 상부하다 be true to the name.

명심(銘心) ~ 하다 bear [keep] 《*a matter*》 in mind ; take 《*the advice*》 to heart.

명아주(蓼) a goosefoot.

명안(名案) a good [wonderful, great] idea [plan]. ¶ ~ 이 떠오르다 hit on [have] a good idea.

명암(明暗) light and darkness [shade]. ¶ 인생의 ~ the bright and dark sides of life.

명약관화(明若觀火) ~ 하다 《서술적》 be as clear as daylight.

명언(明言) ~ 하다 declare ; say definitely ; state explicitly.

명역(名譯) an excellent [admirable] translation.

명연기(名演技) good acting; a fine [an excellent] performance.

명예(名譽) honor ; credit. ¶ ~ 로운 honorable 《*position*》 / ~ 를 걸고 on *one's* honor / ~ 를 얻다 win [gain] honor. ‖ ~ 교수 an honorary professor ; a professor emeritus / ~ 회복 restoration of reputation.

명왕성(冥王星) Pluto.

명운(命運) *one's* fate [destiny]. ¶ ~ 이 다하다 go to *one's* fate.

명월(明月) a bright [full] moon.

명의(名義) a name. ¶ ~ 상의 nominal / 집을 내 아내의 ~ 로 바꾸다 transfer a house to my wife's name. ‖ ~ 도용 an illegal use of other's name.

명의(名醫) a noted [great] doctor;

a skilled physician.

명인(名人) an expert 《*at, in*》; a (past) master 《*in, of*》. ¶ 바둑의 ~ a master of *baduk*.

명일(名日) a national holiday; a festive [fete] day.

명일(明日) tomorrow. ☞ 내일.

명작(名作) a masterpiece; a fine piece 《*of literature*》: a fine work 《*of art*》.

명장(名匠) a master-hand; a master craftsman.

명장(名將) a famous general; a great commander.

명저(名著) a fine [great] book; a masterpiece 《名作》.

명절(名節) a fete [day]; a national holiday. ¶ ~ 기분 festive mood.

명제(命題) 【論】 a proposition.

명조(明朝) ① tomorrow morning. ② 《활자》. ‖ ~ 체 Ming-style type.

명주(明紬) silk; 《견직물》 silk fabric; silks. ‖ ~ 실 silk thread.

명주(銘酒) high-quality liquor; liquor of a famous brand.

명중(命中) a hit. ~ 하다 hit 《*the mark*》; strike home. ¶ ~ 하지 않다 miss 《*the mark*》. ‖ ~ 률 an accuracy rate.

명찰(名札) a nameplate; a name tag.

명찰(明察) keen insight; clear discernment. ~ 하다 see through.

명창(名唱) a great [noted] singer (사람); a famous song (노래).

명철(明哲) sagacity; intelligence. ~ 하다 (be) sagacious; intelligent.

명치 the pit (of the stomach).

명칭(名稱) (give) a name; a title; a designation.

명콤비(名─) 《form》 an ideal combination; 《make》 an excellent pair.

명쾌(明快) ¶ ~ 한 plain; clear; lucid.

명태(明太) 【魚】 a Alaska pollack.

명필(名筆) 《글씨》 a fine handwriting [calligraphy]; 《사람》 a good hand.

명하다 (命一) ① ☞ 명령하다. ② 《임명》 appoint; nominate.

명함 (名銜) a (name) card; a calling card (사교용); a business card (영업용).

명현 (名賢) a noted sage.

명화 (名畫) a famous [great] picture; a masterpiece; a good [an excellent] film (영화).

명확 (明確) ¶ ~한 clear; precise; accurate; definite ① 하게 clearly; precisely; accurately.

몇 (얼마) how many (수); how much (양, 금액); how far (거리); how long (시간); some. ¶ ~ 번 how many times; how often; what number (번호).

몇몇 some; several 《persons》.

모¹ ① 《각》 an angle. ¶ ~ 가 난 angular; angled. ② ~ 모서리. ③ 《언행의》 stiffness; harshness. ¶ ~가 있는 angular; stiff; unsociable. ④ 《측면》 the side. ¶ ~로 눕다 lie on one's side.

모² 《벼의》 a (rice) seedling. ¶ ~를 심다 transplant rice seedlings.

모² 《두부 따위의》 a cake 《of bean curd》; a piece 《of》.

모(某) 《모씨》 a certain person; Mr. So-and-so; 《어떤》 a; certain; one; certain. ¶ 김 ~ (金某) a certain Kim.

모가치 one's share. ☞ 몫.

모개 〔개〕 altogether / ~로 사다 buy 《things》 in bulk (mass).

모계 (母系) 《on》 the maternal line [mother's side]. ¶ ~ 사회 a matrilineal society.

모계 (謀計) a trick; a scheme; a plot; a stratagem.

모골 (毛骨) hair and bone. ¶ ~이 송연하다 be horror-stricken.

모공 (毛孔) pores (in the skin).

모과 〔梱〕 a Chinese quince.

모교 (母校) one's old school; one's *Alma Mater* (라).

모국 (母國) one's mother country; one's homeland. ‖ ~ 어 one's

mother tongue.

모권 (母權) maternal rights.

모근 (毛根) the root of a hair; a hair root. ‖ ~이식 implantation of hair.

모금 (募金) fund raising; a collection. ~하다 raise a fund 《for》; collect contributions. ‖ ~운동 a fund-raising campaign.

모금 a draft; a puff (담배의); a sip (차 따위). ¶ 물을 한 ~ 마시다 drink a draft of water.

모기 a mosquito. ‖ ~향 a mosquito (-repellent) stick (coil).

모깃불 a smudge fire.

모나다 ① 《물건이》 be angular; be edged [angled, pointed]. ¶ 모나게 깎다 sharpen the edges. ② 《성향이》 be angular [stiff, harsh]. ¶ 모나게 《behave》 harshly (unsociably). ③ 《두드러지다》 be conspicuous. ¶ 모난 행동 odd behavior. ④ 《쓰임새가》 be useful (effective). ¶ 돈을 모나게 쓰다 spend money well [to good cause].

모내기 rice planting. ~하다 transplant rice seedlings; plant rice. ‖ ~철 the rice-planting season.

모내다 ① 모내기하다. ② 《각지게 하다》 make angular.

모녀 (母女) mother and daughter.

모노레일 a monorail.

모노타이프 a monotype.

모놀로그 a monologue.

모니터 a monitor. ‖ ~제 a monitor system (방송).

모닥불 a open-air fire; a bonfire. ¶ ~을 피우다 build up a 〔fire

모더니즘 modernism.

모던 modern. ‖ ~아트 [재즈] modern art (jazz).

모데라토 〔樂〕 *moderato* 《이》.

모델 a model. ¶ ~이 되다 pose [sit, stand] for an artist.

모뎀 〔컴〕 a modem (변복조 장치).

모독 (冒瀆) profanity. ~하다 profane; blaspheme.

모두 all: everything: everybody: everyone: (다해서) in all: all told: (다 함께) altogether: in a body: (몰아서) in the gross.

모두 (冒頭) (at) the beginning: the opening: the outset.

모두뛸 hopping on both feet.

모든 all: whole: every. ¶ ~ 점에서 in all points: in every respect.

모란 (牡丹) (植) a (tree) peony.

모랄 moral sense: morals: ethics: morale (프).

모래 sand: grit (굵은). ¶ ~가 많은 sandy. ‖ ~ 사장 a sandy beach / ~시계 a sandglass: an hourglass.

모래무지 (魚) a false (goby) minnow.

otic fluid.

모래집 the amnion. ¶ ~물 amniotic fluid.

모략 (謀略) a plot: a trick: stratagem. ¶ ~을 꾸미다 form a plot: plan a stratagem.

모레 the day after tomorrow.

모로 (비스듬히) diagonally: obliquely: (옆으로) (walk) sideways.

모로코 Morocco. ¶ ~의 Moroccan. ‖ ~인 a Moroccan.

모루 an anvil.

모르다 ① (일반적) do not know: be ignorant (of): (생소함) be not acquainted (with): be unfamiliar: (추측 못함) cannot tell. ¶ 모르는 곳 an unfamiliar place / 어찌할 바를 ~ do not know what to do. ② (이해 못함) do not understand: have no idea (of): (인식 못함) do not recognize [appreciate]: ¶ 시를 ~ have no relish for poetry. ③ (깨닫지 못함) be unaware (of): be unconscious (of): (못느낌) do not feel. ④ (기억 못함) do not remember. ⑤ (무관계) have no relation (with): have nothing to do (with): (무경험) have no experience: be ignorant (with).

모르모트 (動) a guinea pig.

모르몬교 (一敎) Mormonism. ‖ ~도 a Mormon.

모르쇠 know-nothingism: playing dumb. ¶ ~ 잡다 play dumb: pretend not to know.

모르타르 mortar.

모르핀 morphine. ‖ ~ 중독 morphinism.

모른체하다 (시치미떼다) pretend not to know: feign ignorance: (무관심) be indifferent (to): (아무와 만났을 때) cut (a person) dead. ¶ 모른 체하고 with an unconcerned air.

모름지기 it is proper that one should [ought] to (do).

모리 (謀利) profiteering. ~하다 make [plan] undue profits (on): profiteer. ‖ ~배 a profiteer.

모리타니 Mauritania. ‖ ~사람 a Mauritanian.

모면 (謀免) ~하다 escape (danger): be rescued [saved] from: avoid: shirk. ¶ ~할 수 없는 unavoidable: inevitable / 간신히 ~하다 have a narrow escape.

모멸 (侮蔑) contempt. ¶ ~ 경멸.

모범한 (某某一) worthy of mentioning: well-known. ¶ ~ 인사 a man of distinction: a celebrity.

모반 (母斑) a birthmark.

모반 (謀叛) a rebellion: a revolt. ~ 하다 plot a rebellion [treason]: rise [rebel] (against). ¶ ~자 a rebel: a traitor / ~죄 treason.

모발 (毛髮) hair. ‖ ~영양제 a hair tonic.

모방 (模倣) imitation: copy: mimicry. ~하다 imitate: copy (from, after): model after (on). ¶ ~적인 imitative. ‖ ~본능 the instinct of imitation.

모범 (模範) a model: an example: a pattern (귀감). ¶ ~적인 exemplary: model: typical / ~으로 삼다 model after: follow the example (of). ‖ ~생 a model student / ~시민 an exemplary citizen.

모병 (募兵) recruiting: conscription. ~하다 recruit: draft (美).

모사 (毛絲) ⇨ 털실.

모사 (模寫) 《일》 copying; 《물건》 a copy. ~하다 copy (out); trace; reproduce.

모사 (謀士) a tactician; a schemer.

모사 (謀事) ~하다 plan; devise 《a stratagem》; plot 《against》.

모살 (謀殺) ~하다 murder; kill 《a person》 with malice aforethought.

모새 fine sand.

모색 (摸索) ~하다 grope 《for》. ¶ 암중 ~하다 grope (blindly) in the dark.

모서리 an angle; an edge; a corner. ¶ ~를 훑다 round off the angles.

모선 (母船) a mother ship 〔vessel〕; 《우주선의》 a mother craft; a command module.

모성 (母性) motherhood; maternity. ‖ ~애 maternal affection 〔love〕.

모세 〔聖〕 Moses.

모세관 (毛細管) a capillary tube. ‖ ~현상 a capillary action (phenomenon). ~ 《vessel》.

모세혈관 (毛細血管) 〔解〕 a capillary vessel.

모순 (矛盾) contradiction; inconsistency; conflict. ¶ ~되다 be inconsistent 〔incompatible〕 《with》; be contradictory 《to》 / ~된 말을 하다 contradict oneself; make a contradictory statement.

모스 ‖ ~부호 the Morse code.

모스크 (回教의) a mosque.

모스크바 Moscow; Moskva.

모슬린 muslin.

모습 《몸매·모양》 a figure; a shape; a form; 《용모·외관》 looks; features; appearance; a guise; 《영상》 an image; 《사물의 상태》 a state; a condition; an aspect. ¶ ~을 나타내다 appear; show up; come in sight.

모시 ramie cloth. ‖ ~옷 clothes of ramie cloth.

모시다 ① 《섬기다》 attend 〔wait〕 upon 《a person》; serve. ¶ 부모를 ~ serve one's parents. ② 《인도》 show 《a person》 in 〔into〕; 《함

께 가다》 go with 《a person》. ¶ 손님을 방으로 ~ show a caller into the room. ③ 《받들다》 set 《a person》 up 《as》; deify; worship 《신으로》; enshrine 《사당에》.

모시조개 〔貝〕 《창합》 a short-necked clam; 《가막조개》 a corbicula.

모씨 (某氏) a certain person; Mr. So-and-so; Mr. X.

모양 (模樣) 《생김새》 shape; form; 《자태》 (personal) appearance; figure; look; 《태도》 air; manner; bearing; 《상태》 the state (of affairs); the condition. ¶ ~이 좋은 shapely; well-shaped 〔-formed〕 / ~ 사나운 unshapely; ill-formed.

모어 (母語) one's mother tongue.

모여들다 gather; come 〔get〕 together; crowd 〔flock〕 in.

모욕 (侮辱) insult; contempt. ~하다 insult; treat 《a person》 with contempt; affront. ¶ ~적인 언사 (make) an insulting remark.

모유 (母乳) mother's milk. ¶ ~로 기르다 feed 《a baby》 on mother's milk.

모으다 ① 《한데 모으다》 gather; collect; get 〔bring〕 together; get in 《subscriptions》. ¶ 자금을 ~ raise funds. ② 《집중》 focus on; concentrate; 《끌다》 draw; attract; absorb. ¶ ~에 주의를 ~ concentrate one's attention on ~. ③ 《저축》 save; lay by; put aside; store; lay up; amass.

모음 (母音) a vowel (sound).

모의 (模擬) ¶ ~의 imitation; sham; mock; simulated. ‖ ~시험 a practice 〔trial〕 examination.

모의 (謀議) 《conspiracy 《음모》; (a) conference 《상의》. ~하다 conspire 〔plot〕 together 《against》.

모이 feed; food. ¶ 닭~ chicken feed.

모이다 ① 《몰려들다》 gather 〔flock〕 (together); come 〔get〕 together; swarm; line up 《정렬》. ② 《집합》 meet; assemble. ③ 《집중》 center 《on, in, at》; concentrate 《on》; focus 《on》. ④ 《축적》 be

saved [accumulated]; 《전림》 be collected.

모인(某人) a 모씨.

모일(某日) a certain day.

모임 (have [hold]) a meeting; a gathering; an assembly; a reception; a party (사교적).

모자(母子) mother and child.

모자(帽子) a hat(테 있는); a cap(테 없는); headgear(총칭). ¶ ~를 쓰다 [벗다] put on [take off] a (one's) hat.

모자라다 《부족》 be not enough; be insufficient [deficient]; be short of; want. ¶ 일손 [식량]이 ~ be short of hands [provisions]. ② 《우둔》 be dull [stupid]; be half-witted.

모자이크 a mosaic.

모정(母情) maternal affection.

모정(慕情) longing; love.

모조(模造) imitation. ~하다 imitate; make an imitation (of). ¶ ~의 imitation; fake. ‖ ~지 vellum paper / ~지폐 a forged [counterfeit] (bank) note.

모조리 all; wholly; entirely; all together; without (an) exception. ¶ ~ 가져가다 take away everything.

모종 a seedling; a sapling(묘목). ~하다 [내다] plant [transplant] a seedling.

모종(某種) a certain kind. ¶ ~의 이유로 for a certain reason / ~의 혐의를 받다 be under some suspicion. 「망태」= 모추.

모주(母酒) a drunkard's 술.

모주(母酒) crude liquor; raw spirits. 「모나다.

모지다(모양·성품이) (be) angular.

모지라지다 wear out [away]; be worn out; become blunt.

모직(毛織) woolen fabric [cloth]. ¶ ~의 woolen. ‖ ~물 woolen goods (fabrics, textiles).

모질다 ① 《독한》 (be) harsh; ruthless; hardhearted. ¶ 모질게 대하다 treat (a person) harshly. ② 《배겨냄》 (be) hard; tough; die-

hard. ¶ 모진 사람 a die-hard. ③ 《날씨 따위가》 (be) hard; severe; bitter. ¶ 모진 추위 a severe cold.

모집(募集) ① 《회원·병사 따위의》 recruitment; 《지원자의》 invitation. ~하다 recruit; enlist; invite; advertise(광고로). ② 《기부금 따위의》 raising; collection. ~하다 raise; collect; call for. ¶ 기금 ~ 운동 a drive to raise funds. ¶ 점원 ~ 《게시》 Clerks Wanted.

모채(募債) loan floatation. ~하다 float [raise, issue] a loan.

모처(某處) a certain place. ¶ 시내 ~에 somewhere in town.

모처럼 《오랜만에》 after a long time [interval, silence, separation]; 《고대한》 long-awaited. ¶ ~의 좋은 날씨 fine weather after a long spell (of rain). 《친절하게도》 kindly; with special kindness; 《뼈른 끝에》 on purpose. ¶ ~ 권하시는 것이기에 as [since] you so kindly recommend it.

모체(母體) the mother('s body); 《주체·중심》 the parent body. ¶ 조직의 ~ the nucleus of the organization.

모친(母親) one's mother. ‖ ~상 the death of one's mother.

모태(母胎) the mother's womb.

모택동(毛澤東) Mao Tse-tung(1893-1976).

모터 a motor. ‖ ~사이클 a motorcycle.

모텔 《자동차 여행자용 호텔》 a motel.

모토 a motto. ¶ ~을 ~로 하다 make it one's motto (to do).

모퉁이 (turn) a corner; a turn; a turning. ‖ ~집 a house at the corner. 「corner.

모티브 a motive. 「corner.

모판(-板) 《農》 a nursery; a seedbed; a seed plot.

모포(毛布) a blanket; a rug.

모표(帽標) a cap badge.

모피(毛皮) a fur (부드러운); a skin (거친). ‖ ~외투 a fur(-lined) overcoat.

모필(毛筆) a writing brush.

모하메드 Mohammed; Mahomet. ‖ ~교 이슬람교.

모함(母艦) a mother ship.

모함(謀陷) an intrigue against; slander; speak ill 《of》.

모항(母港) a home port.

모해(謀害) ~하다 plot to harm.

모험(冒險) an adventure; a risky attempt. ~하다 venture; run a risk; take chances. ‖ ~적인 adventurous; risky. ‖ ~심 an adventurous spirit.

모형(母型) 〔印〕 a matrix.

모형(模型) a model; a pattern (기계의); a dummy. ‖ 실물 크기의 ~ a life-size model 《of》. ‖ ~비행기 a model airplane.

모호(模糊) ~한 vague; obscure; uncertain; ambiguous.

모회사(母會社) a parent〔holding〕 company.

목 ① (모가지의) a neck. ‖ ~이 굵은〔가는〕 thick-〔thin-〕necked. ② ☞ **목구멍**. ③ (길 등의) a neck; a key position (on the road).

목(目) (항목) an item; 〔분류상의〕 an order (동식물의); (바둑의) a piece (돌); a cross (판의).

목가(牧歌) (노래) a pastoral (song). ‖ ~적 pastoral; bucolic.

목각(木刻) wood carving. ‖ ~인형 a wooden doll.

목간(沐間) 〔목욕간〕 a bathroom; (목욕) a bath.

목걸이 a necklace; a collar(개의). ‖ 진주 ~를 하다 wear a pearl necklace.

목검(木劍) a wooden sword.

목격(目擊) ~하다 witness; observe; see with one's own eyes. ‖ ~자 an eyewitness.

목공(木工) a woodworker; a carpenter(목수); woodworking(일). ‖ ~소 carpentry shop.

목관(木管) a wooden pipe. ‖ ~악기 a woodwind (instrument).

목구멍 a throat; a gullet(식도). ‖ ~이 아프다 have a sore throat.

목금(木琴) 〔樂〕 a xylophone.

목기(木器) woodenware.

목덜미 the nape (back, scruff) of the neck. ‖ ~를 잡다 take (seize) 《a person》 by the collar.

목도 a pole (for shouldering). ‖ ~꾼 a pore-bearer.

목도리 (wear) a muffler〔scarf〕.

목돈 a (good) round sum; a sizable sum (of money).

목동(牧童) a shepherd boy; a cowboy.

목례(目禮) a nod. ~하다 nod 《to》; greet with a nod.

목로(木壚) a drinking stall. ‖ ~주점 a stand-up bar; a public house(주점) 《of》; a pub 《英口》.

목록(目錄) ① 〔상품·장서의〕 a list 《of articles》; a catalog(ue). ‖ ~에 올라 있다 be (listed) in the catalog. ② (차례) a table 《of contents.

목마(木馬) a wooden horse; a rocking horse (장난감). ‖ 회전~ a merry-go-round.

목마르다 ① (갈증) be〔feel〕thirsty (서술적). ② (갈망) have a thirst for 《money, knowledge》; hanker for〔after〕《affection》 (서술적).

목말 ~ 타다 ride a pickaback; ride on another's shoulders.

목매달다 (남을) hang 《a person》; (스스로) hang oneself 《on a tree》.

목메다 (슬퍼서) be choked (suffocated) 《with》; be stifled 《by》. ‖ 목메어 울다 be choked with tears.

목면(木棉·木綿) ① 〔植〕 a cotton plant. ② 〔原綿〕 raw cotton. ③ 〔무명〕 cotton 〔cloth〕.

목민(牧民) ~하다 govern the people. ‖ ~관 a governor.

목발(木一) 《a pair of》 crutches. ‖ ~을 짚고 걷다 go〔walk〕on crutches.

목불인견(目不忍見) ‖ ~이다 cannot bear to see.

목사(牧師) a pastor; a minister; a clergyman; (교구의) a rector; a parson. ‖ ~가 되다 become

a clergyman; take (holy) orders. ∥ ∼직(職) ministry. [ue].

목상(木像) a wooden image [stat-ue].

목석(木石) trees and stones; [무감각물] inanimate objects. ∥ ∼같은 heartless.

목선(木船) a wooden vessel.

목성(木星) 〔天〕 Jupiter.

목소리 a voice. ∥ 큰〔작은, 굵은, 가는〕 ∼ a loud [low, deep, thin] voice.

목수(木手) a carpenter.

목숨 life. ∥ ∼을 건 (a matter) of life and death.

목쉬다 get hoarse [husky].

목양(牧羊) sheep farming.

목양말(木洋襪) cotton socks.

목요일(木曜日) Thursday (생략 Thur(s).).

목욕(沐浴) bathing; a bath. ∥ ∼하다 bathe; take [have] a bath. ∥ ∼시키다 give (a child) a bath. ∥ ∼탕 a bathhouse; a public bath / ∼통 a bathtub.

목자(牧者) ① [양치기자] a shepherd. ② [성직자] a pastor; a clergyman.

목장(牧場) a pasture; a stock-farm; a meadow; a ranch (美). ∥ ∼주인 a rancher; a ranchman.

목재(木材) wood; [건축용] timber; lumber (美). ∥ ∼상 a timber [lumber] dealer.

목적(目的) a purpose; an aim; an object; an end. ∼하다 intend (to do); aim (at). ∥ ∼으로 with the object of (do-ing); with a view to (doing); for the purpose of (doing) / ∼을 달성하다 attain one's object.

목전(目前) ∥ ∼의 imminent; immediate / ∼에 닥치다 be near [close] at hand.

목정(木精) ⇒ 메탄올.

목젖 the uvula〔pl. -s, -lae〕.

목제(木製) ∥ ∼의 wooden; made of wood.

목조(木造) ∥ ∼의 wooden; built [made] of wood.

목질(木質) ∥ ∼의 woody; ligneous. ∥ ∼부 the woody parts (of a plant).

목차(目次) a (table of) contents.

목책(木柵) a wooden fence [bar-ricade].

목청(∼대) the vocal chords; (목소리) one's voice. ∥ ∼껏 at the top of one's voice.

목초(牧草) grass; pasturage. ∥ ∼지 a meadow; grass land.

목축(牧畜) cattle breeding; stock raising. ∼하다 raise [rear] cattle.

목측(目測) eye measurement. ∼하다 measure with the eye.

목침(木枕) a wooden pillow.

목탁(木鐸) 〔佛〕 a wood block; a wooden bell; [선도자] a guide of the public. ∥ 사회의 ∼이어야 할 신문 the press that should lead the public.

목탄(木炭) 〔美〕 charcoal. ∥ ∼화 a charcoal drawing.

목판(木板) [그릇] a wooden tray.

목판(木版) a wood printing plate; a woodblock. ∥ ∼화(畫) a wood-cut.

목표(目標) a mark; a target (표적); an object; an aim. ∼하다 aim at; set the goal at. ∥ ∼에 달하다 reach [attain] the goal. ∥ ∼시간 target time.

목하(目下) now; at present.

목형(木型) a wooden pattern.

목화(木花) 〔植〕 a cotton (plant); cotton wool. ∥ ∼씨 a cotton-seed.

몫 a share; a portion; a quota; a split (俗). ∥ ∼을 공평히 나누다 divide into equal shares.

몬순 〔氣〕 a monsoon.

몰각(沒却) ∼하다 ignore; forget.

몰골 unshapeliness; shapeless-ness. ∥ ∼ 사납다 be ill-shaped; be offensive to the eye.

몰교섭(沒交涉) ∼하다 have no relation [friendship] with (a person).

몰다 ① [차·말 몰음] drive (a car); urge (a horse) on. ② [뒤쫓다] pursue; go [run] after; hunt

out. ③ 《궁지에》 corner; drive. ¶궁지에 ~ drive 《a person》 into a corner. ④ 《죄인 따위로》 charge 《a person with a crime》.

몰두(沒頭) ~하다 be absorbed [engrossed] in; devote *oneself* to. ¶그는 연구에 ~하고 있었다 He was absorbed in his research.

몰라보다 cannot [fail to] recognize.

몰락(沒落) 《파멸》 ruin; downfall; 《파산》 bankruptcy. ~하다 go to ruin; fall; be ruined.

몰래 secretly; stealthily; in secret; privately. ¶ ~ 도망하다 steal away; slip off.

몰려가다 ① 《떼지어》 crowd [throng, swarm] toward. ② 《쫓기어》 be driven [pushed] away.

몰려나다 《쫓겨나다》 be beaten [put, expelled] out; be ousted.

몰려다니다 《떼지어》 go [move] about in crowds [groups]. ② 《쫓겨》 be driven [chased] round [about].

몰려들다 ① 《쫓기어》 be driven [chased] into. ② 《떼지어》 come in crowds [flocks, swarms]; crowd [flock, swarm] in.

몰려오다 《떼지어》 come in flocks [crowds, *en masse*]; crowd in 《on》; 《사방에서》 ~ flock from all quarters.

몰리다 ① 《쫓기다》 be pursued after; be chased. ② 《일에》 be pressed 《with work》. ③ 《돈에》 be pressed [hard up] for 《money》; 《궁지에》 be driven to a corner; be cornered. ④ 《한곳에다》 gather [flock, swarm] together; surge [in].

몰사(沒死) ~하다 be extincted; die out.

몰살(沒殺) massacre; annihilation. ~하다 massacre; annihilate; wipe out.

몰상식(沒常識) lack of (common) sense. ~하다 have no common sense; (be) senseless; absurd.

몰수(沒收) confiscation; forfei-

ture. ~하다 confiscate. ¶ ~당하다 forfeit; be confiscated.

몰아(沒我) self-effacement; ¶ ~의 경지에 이르다 rise above self; attain a state transcending self.

몰아가다 drive 《away》; sweep away 《휩쓸어》.

몰아내다 expel; drive out; eject; oust 《지위에서》.

몰아넣다 《안으로》 drive [push, force] in(to); 《휩쓸어서》 press [jam, put] all into. ¶ ~ 궁지에 corner 《a person》.

몰아대다 《막 해댐》 give 《a person》 a setdown; take 《a person》 to task; 《재촉》 urge on; press.

몰아들이다 《넣다》 drive [chase] in; 《휩쓸어》 take in all together.

몰아붙이다 put [push] 《it》 to one side.

몰아세우다 rebuke [blame] 《a person》 severely; take 《a person》 roundly to task.

몰아주다 give 《it》 all at once; pay up the whole amount.

몰아치다 ① 《비바람이》 storm; blow violently [hard]; 《한곳으로》 put all to one side; drive to 《a place》. ③ 《일을》 do 《one's work》 all at a time 《dash》.

몰이(사냥의) chasing; hunting. ~하다 chase; beat; hunt out. ¶ ~꾼 a beater.

몰이해(沒理解) lack of understanding.

몰인정(沒人情) want of sympathy; heartlessness. ¶ ~한 hard-[cold-]hearted.

몰입(沒入) ~하다 be absorbed [immersed] 《in》; devote *oneself* 《to》.

몰지각(沒知覺) lack of discretion. ¶ ~한 indiscreet; thoughtless.

몰취미(沒趣味) lack of taste. ¶ ~한 tasteless; dry; vulgar.

몸 ① 《신체》 the body; 《체격》 build; physique; frame; 《덩치》 stature; size. ¶ ~의 bodily;

physical. ②《건강》 health; 《체질》 constitution. ¶ ~의 상태가 좋다[나쁘다] be in good (poor) health. ③《신분》 one's (social) status; one's position. ¶ 귀한 ~ a person of noble birth / ~을 사리다 spare oneself.

몸가짐《품행》 behavior; conduct. ¶ ~을 조심하다 be prudent in one's conduct.

몸값 (a) ransom; money paid for prostitution.

몸달다 fidget; be eager (anxious).

몸뚱이 get fat; get stout.

몸단장(─丹粧) ~하다 dress (equip) oneself.

몸달다 fidget; be eager (anxious).

몸둘다 ¶ 몸둘 곳이 없다 have no place to live (stay) in.

몸매 one's (graceful, slender) figure.

몸부림 ¶ ~치다 struggle; writhe; wriggle; flounder.

몸살 ¶ ~나다 suffer from fatigue.

몸서리 ¶ ~치다 shiver; shudder (at); tremble (at); feel repugnance to / ~ 쳐지는 horrible; shocking.

몸소 oneself; in person; personally. ¶ ~ 방문하다 make a personal call (on, at).

몸수색(─搜索) a body search; a frisk(ing). ~하다 frisk; search (a person for weapons).

몸져눕다 be confined to bed with a serious illness.

몸조리(─調理) ~하다 take good care of one's health.

몸조심(─操心) ~하다 take care of oneself; behave oneself.

몸종 a lady's personal maid.

몸집 one's whole (figure). ¶ ~이 큰 large-built; of large build.

몸짓 a gesture; (a) motion. ~하다 make gestures; motion.

몸채《집의》 the main part of a house.

몸치장(─治粧) decking (oneself) out. ~하다 dress (trim) oneself.

몸통 the trunk; the body. ⌐up.

몸풀다 ① 《분만》 give birth to (a

baby); be delivered of (a boy). ②《피로를》 relieve one's fatigue.

몹시 very (much); hard; greatly; awfully; extremely. ¶ ~ 서두르다 be in a great hurry.

몹쓸 bad; evil; wicked. ¶ ~ 놈 a wicked man; a rascal.

못¹《연못》 a pond; a pool (작은); 《저수지》 a reservoir.

못²《박는》 a nail; a peg (나무못). ¶ ~을 박다 [빼다] drive in [pull out] a nail.

못³《살가죽의》 a callosity; a corn. ¶ 귀에 ~이 박히다 be sick (tired) of hearing (something).

못⁴《불가‧불능》 (can)not; unable (to do); won't. ¶ ~ 가겠다 I won't (can't) go.

못나다 ① 《용모가》 (be) ugly; bad-looking; homely. ② 《어리석다》 (be) stupid; foolish. ¶ 못난 짓을 하다 act foolishly.

못내《늘》 always; constantly; ever.

못되다 ① 《미달》 (be) under; short of; less than (2 years). ② 《악하다》 (be) bad; evil; wrong; wicked. ¶ 못된 짓 an evil deed. ③《모양‧상태가》 look poor; be in bad shape. ¶ 앓고 나서 얼굴이 ~ look poor (thin) after one's illness.

못마땅하다 (be) unsatisfactory; disagreeable; displeased. ¶ 못마땅한 말 distasteful (disagreeable) remarks.

못박이다 ①《손‧발에》 get (have) a corn (callus). ⇒ 못³. ②《그 자리에》 stand transfixed (riveted) (on the spot).

못본체하다 pretend not to see; 《묵인》 overlook; connive (at); 《방치》 neglect.

못뽑이 pincers; a nail puller.

못살게 굴다 be hard on (a person); be cruel to (a dog); bully (약한 자를). ¶ 나를 못살게 굴지 마라 Don't be so mean to me (hard on me).

못생기다《생김새》 (be) plain; ugly; ill-favored; homely.

못쓰다 be useless [worthless bad]; 《금지》 must [shall] not 《do》. ¶《물건이》 못쓰게 되다 become useless.

못자리 a rice seedbed.

못잖다 be just as good as: be not inferior《to》: be no less (than). ¶오락은 일 못지않게 필요하다 Recreation is no less necessary than work.

못하다《질·양이》be inferior to; worse than: not as good as. ¶짐승만도 ~ be worse than a beast.

못하다《능력》cannot《do》: fail: be unable to《do》. ¶가지 ~ fail to 《go》; 못걸어 ~ be unable to 《do》.

몽고 Mongolia. ¶ ~의 Mongol; Mongolian. ‖ ~人(인) a Mongol(ian) spot.

몽글리다 ① 《낟알을》 remove awns from 《grains》; clear 《grains》. ② 《단련》 harden; inure. ③ 《매무를》 trim 《spruce》 up.

몽당비 a worn-out broom.

몽당치마 a short skirt.

몽둥이 a stick; a club; a cudgel 《굵고 굵은》.

몽땅 wholly; entirely; altogether; in full.

몽롱《朦朧》 ¶ ~ 한 dim; indistinct; vague / ~ 하게 dimly; indistinctly; vaguely / 의식이 ~ 해지다 get fuzzy.

몽매《蒙昧》 ¶ ~ 하다 be unenlightened; ignorant; uncivilized.

몽매《夢寐》 ¶ ~ 간에도 잊지 못하다 do not forget even in sleep.

몽상《夢想》 a (day)dream; visions; a fancy. ¶ ~ 하다 dream 《of》; fancy. ‖ ~ 가 a (day)dreamer.

몽설《夢泄》 a wet dream; nocturnal emission.

몽실몽실 plump; fleshily; round. ¶ ~ 하다 be lumpy; plump.

몽유병《夢遊病》 sleepwalking; somnambulism. ‖ ~ 자 a sleepwalker; a somnambulist.

몽치 a club; a bar; a cudgel.

몽타주 (a) *montage*《프》. ‖ ~ 사

진 a photomontage.

뫼《무덤》 a tomb; a grave; a sepulcher. ‖ ~ 찟자리 (designate) a grave site.

묘《卯》《십이지의》 the Hare.

묘《妙》《현묘》 a mystery; a wonder; 《교묘》 skill; cleverness. ¶조화의 ~ the mystery of nature.

묘《墓》 무덤, 무덤.

묘기《妙技》 exquisite skill; a wonderful performance. ‖ 공중 ~ an aerial stunt.

묘령《妙齡》 youth; blooming age. ¶ ~ 의 어린 a young [blooming] lady.

묘리《妙理》 an abstruse principle.

묘막《墓幕》 a hut nearby a grave.

묘목《苗木》 a sapling; a seedling; a young tree.

묘미《妙味》 charms; (exquisite) beauty.

묘방《妙方》《약의》 an excellent prescription.

묘법《妙法》 an excellent method; a secret 《비법》. 「stone.

묘비《墓碑》 a tombstone; a grave

묘사《描寫》 description; depiction. ¶ ~ 하다《그림으로》 draw; sketch; paint; 《글로》 describe; depict; portray.

묘상《苗床》 a nursery; a seedbed.

묘수《妙手》《솜씨》 excellent skill 《바둑·등의》 a nice [clever] move.

묘안《妙案》 a good [bright] idea; an excellent plan [scheme]. ¶ ~ 을 생각해 내다 hit on a bright idea.

묘안석《猫眼石》【鑛】 a cat's-eye.

묘약《妙藥》 a wonder drug; a golden remedy. ¶ 두통의 ~ an excellent remedy for headache.

묘연하다《杳然一》《거리가》(be) far away; remote; 《소식이》(be) unknown; missing.

묘지《墓地》 a graveyard; a burial ground; a cemetery 《공동묘지》. ‖ 공원 ~ a cemetery park.

묘지기《墓一》 a grave keeper.

묘책《妙策》 a clever scheme; a capital plan.

묘포(苗圃) a nursery (garden).

묘하다(妙─) be strange; queer; curious; mysterious. ¶ 묘하게 들리다 sound strange [funny].

묘혈(墓穴) a grave. ¶ ~을 스스로 ~을 파다 dig *one's* own grave.

무 a radish. ¶ ~김치 radish *kimchi*.

무[武] a military [martial] arts; 《군사》 military affairs.

무(無) nothing; naught; nil; zero.

무가내(無可奈) ☞ 막무가내. ¶ ~다 be at *one's* wit's end; be helpless [uncontrollable](다룰 수 없다).

무가치(無價値) ¶ ~한 worthless; valueless; of no value.

무간(無間) ¶ ~한 intimate; close. ¶ ~하게 지내다 be on an intimate terms with 《*a person*》.

무간섭(無干涉) nonintervention. ¶ ~주의 a policy of noninterference.

무감각(無感覺) ¶ ~한 insensible; senseless; numb; apathetic.

무개(無蓋) ¶ ~한 open; uncovered. ¶ ~자동차 an open car.

무겁다 ① 《무게가》 (be) heavy; weighty. ② 《중대하다》 (be) important; weighty; serious; grave. ¶ 무거운 사명 an important mission. ③ 《병·벌 따위가》 (be) severe; critical; serious. ¶ 무거운 벌 a severe [heavy] punishment. ④ 《기분이》 ~ be depressed. ¶ 마음이 ~ be depressed in spirits. ⑤ 《입이》 (be) taciturn; 《행동이》 (be) grave and quiet. ¶ 일이 무거운 사람 a man [woman] of few words.

무게 ① 《중량》 weight. ¶ ~를 달다 weigh 《*a thing*》 / ~가 늘다 gain [pick up] (in) weight. ② 《중요》 importance; 《관록》 weight; dignity. ¶ ~가 있는 《*an idea*》 of weight; dignified(관록 있는).

무결근(無缺勤) perfect attendance; regular attendance.

무경쟁(無競爭) ¶ ~의 (으로) without competition [a rival].

무경험(無經驗) ¶ ~의 inexperienced; green; untrained.

무계획(無計劃) ¶ ~의 planless; unplanned; haphazard.

무고(無故) ~ 하다 (be) safe; well; have no trouble.

무고(無辜) ¶ ~의 innocent; guiltless. ¶ ~한 백성 innocent people.

무고(誣告) a false charge (accusation); a libel 《문서의》; a slander. ~ 하다 make a false accusation. ∥ ~죄 a calumny.

무곡(舞曲) dance music.

무골충(無骨蟲) ① 《동물》 boneless worms. ② 《사람》 a spineless fellow.

무골호인(無骨好人) an excessively good-natured person.

무공(武功) military merits [exploits]. ¶ ~을 세우다 distinguish *oneself* in a war [battle].

무과실책임(無過失責任) no-fault responsibility.

무관(武官) a military [naval] officer. ∥ ~부 무관계.

무관계(無關係) ~ 하다 have nothing to do 《*with*》; be irrelevant 《*to*》.

무관심(無關心) indifference; unconcern. ~ 하다 (be) indifferent 《*to*》; unconcerned 《*about*》; have no interest 《*in*》 《서술적》.

무교육(無敎育) ¶ ~의 uneducated; uncultured; illiterate. ∥ ~자 uneducated people.

무구(無垢) ¶ ~한 pure; innocent.

무국적(無國籍) ¶ ~의 statelessness. ∥ ~의 stateless 《*refugees*》. ∥ ~자 a stateless person.

무궁(無窮) ¶ ~한 infinite; eternal; immortal; endless.

무궁화(無窮花) 《植》 the rose of Sharon; hibiscus flowers.

무궤도(無軌道) ¶ ~의 railless; trackless; reckless 《행동이》. ¶ ~한 생활 a reckless [dissipated] life. ∥ ~전차 a trolly bus.

무균(無菌) 《醫》 asepsis. ¶ ~의 germ-free; sterilized 《살균된》.

무근(無根) ¶ ~의 groundless; un-

founded. ¶ ~ 지설 a groundless [wild] rumor.

무급(無給) ¶ ~ 의 unpaid. ‖ ~ 휴가 unpaid holidays.

무기(武器) arms; a weapon. ‖ ~ 고 an armory; an arsenal.

무기(無期) ¶ ~ 의 unlimited; indefinite; 《징역의》 for life. ‖ ~ 징역 life imprisonment.

무기(無機) 〖化〗 ¶ ~ 의 inorganic; mineral. ‖ ~ 물 〖화학〗 inorganic substance (chemistry).

무기력(無氣力) ¶ ~ 한 spiritless; enervate; nerveless.

무기명(無記名) ¶ ~ 의 unregistered; unsigned; uninscribed / ~ 투표 secret voting.

무기한(無期限) ¶ ~ 으로 indefinitely; for an indefinite period.

무난(無難) ¶ ~ 한 《쉬운》 easy; 《안전》 safe; secure; 《무던한》 passable; acceptable / ~ 히 easily; without difficulty [trouble].

무남독녀(無男獨女) an [the] only daughter.

무너뜨리다 break [pull] down; bring down; destroy.

무너지다 crumble; collapse; break; be destroyed.

무념무상(無念無想) 〖佛〗 freedom from all worldly thoughts.

무능(無能) incompetency; lack of talent. ¶ ~ 한 incapable; incompetent; good-for-nothing.

무능력(無能力) incompetence; disability; incapacity. ‖ ~ 자 an incompetent person; a person without legal capacity.

무늬 a pattern; a design; a figure. ¶ ~ 없는 plain; unadorned; unfigured.

무단(武斷) ‖ ~ 정치 military government / ~ 주의 militarism.

무단(無斷) ¶ ~ 히 without notice; without leave [permission] 《허가 없이》 / ~ 결석 absence without notice [leave].

무담보(無擔保) ¶ ~ 의 unsecured; without collateral / ~ 로 돈을 빌려주다 grant 《a person》 a loan without collateral.

무당(巫堂) 〖民俗〗 a (female) shaman; an exorcist. ¶ ~ 이 제 굿 못하고 소경이 죽는 날 모른다 《俗談》 The fortuneteller cannot tell his own fortune.

무당벌레 〖蟲〗 a ladybird [ladybug].

무대(舞臺) 《연극의》 the stage; 《활동의》 one's sphere [field] 《of activity》. ¶ 첫 ~ 를 밟다 make one's début. ‖ ~ 장치 (stage) setting; the set(s).

무더기 a heap; a pile; a mound. ¶ ~ 로 쌓이다 be piled up.

무더위 sultriness; hot and humid weather.

무던하다 《사람 · 정도가》 (be) quite good [nice]; satisfactory.

무던히 quite; fairly; considerably; quite nicely(잘). ¶ ~ 애를 쓰다 make considerable efforts.

무덤 a grave; a tomb.

무덥다 (be) sultry; sweltering; hot and damp; muggy.

무도(無道) ¶ ~ 한 inhuman; brutal; cruel; heartless.

무도(舞蹈) a dance; dancing. ~ 하다 dance. ‖ ~ 회 a dancing party; a dance; a ball.

무독(無毒) ¶ ~ 한 innoxious; poisonless; nontoxic; harmless.

무두질 tanning. ~ 하다 tan; dress.

무득점(無得點) ¶ ~ 의 scoreless. ¶ ~ 으로 끝나다 end scoreless.

무디다 ① 《우둔하다》 (be) dull; slow. ② 《말씨가》 (be) blunt; curt; brusque. ¶ 말을 무디게 하다 talk bluntly. ③ 《칼날이》 (be) blunt; dull. [unaffable.]

무뚝뚝하다 (be) curt; brusque;

무람없다 (be) impolite; rude.

무량(無量) ¶ ~ 하다 (be) infinite; inestimable; immeasurable. ‖ ~ 수전(壽殿) 〖佛〗 the Hall of Eternal Life; the *Muryangsujeon*.

무럭무럭 ① 《빨리》 (grow up) rapidly; well. ② 《김 따위가》 thickly; densely.

무려(無慮) about; some; as many as; no less than 《3,000》.

무력(武力) military power. ∥ ~으로 by force (of arms). ∥ ~개입 an armed intervention.

무력(無力) ~한 powerless; helpless; impotent; incompetent.

무렵(때) time; 《즈음》 about; around; toward(s); 《…할 무렵》 about the time when… ∥ 해질 ~에 toward evening / 그 ~에 in those days; at that time; then.

무례(無禮) ~한 rude; impolite; discourteous; uncivil; insolent / ~하게도 …하다 be rude enough to 《do》.

무뢰한(無賴漢) a rogue; a rascal; a scoundrel; a hooligan.

무료(無料) ~의 free (of charge). ∥ ~봉사 free service / ~입장자 a free visitor.

무료(無聊) tedium; boredom; ennui. ∥ ~한 tedious.

무르녹다 ① 《익다》 get 《become》 ripe; ripen; mellow. ② 《녹음이》 be deepen; become deeper.

무르다 ① 《물건이》 be soft; tender; limp; squashy. 《사람이》 (be) weak; soft 《on, with》; tender-hearted(정에); weak-kneed(대가).

무르다 《산 것을》 return 《a thing》 and get the money back; cancel a purchase (and take back the money).

무르익다 ① 《익다》 ripen; mellow. ② 《때가》 be ripe 《for》; mature. ∥ 때가 무르익기를 기다리다 wait till the time is ripe 《for》.

무릅쓰다 《곤란 등을》 risk; brave; venture to do. ∥ 위험을 ~ brave danger; run the risk (of being killed) / 생명의 위험을 무릅쓰고 아이를 구하다 rescue a child at the risk of one's life.

무릇 generally (speaking); as a (general) rule; in general.

무릎 a knee; a lap. ∥ ~을 꿇다 kneel down; fall on one's knees 《before》.

무리 《사람의》 a group; a throng; a crowd(군중); a mob (폭도); 《짐승의》 a flock 《of sheep》; a herd 《of cattle》; a pack 《of wolves》. ② 《해·달의》 a halo; a ring; a corona.

무리(無理) ① 《부조리》 unreasonableness; 《집승의》 unreasonable; unjust; unnatural / ~ 없는 reasonable; justifiable; natural / ~하게 unreasonably; unjustly. ② 《불가능》 impossibility. ③ 《지나침》 excessiveness; 《과로》 overwork; overstrain. ∥ ~한 excessive; immoderate. ④ 《강제》 compulsion. ∥ ~한 forcible; forced; compulsory / ~하게 by force; against one's will.

무마(撫摩) ① 《손으로》 하다 pat; stroke. ② 《달램》 ~하다 appease; pacify; sooth; quiet.

무면허(無免許) ~의 unlicensed 《drive and fly》 without a license.

무명(옷감) cotton; cotton cloth. ∥ ~옷 cotton clothes.

무명(無名) ~의 nameless; unnamed; anonymous (익명의); obscure (알려지지 않은). ∥ ~씨 an anonymous person.

무명지(無名指) a ringfinger.

무모(無毛) ~의 hairless. ∥ ~증 〔醫〕 atrichosis.

무모(無謀) ~하다 (be) reckless; thoughtless; rash; imprudent. ∥ ~하게 recklessly; rashly.

무미(無味) ~한 《맛없는》 tasteless; flat; vapid / ~ 건조한 dry; insipid; uninteresting; prosaic 《life》.　　　　〔rifle.

무반동총(無反動銃) 〔軍〕 a recoilless

무반주(無伴奏) ~의 unaccompanied 《cello sonata》.

무방비(無防備) ~의 defenseless; unfortified; open. ∥ ~도시 an open city.

무방하다(無妨−) do no harm; do not matter; 《…해도 좋다》 may; can; be all right. 그렇게 해도 ~ You may do so.

무배당(無配當) 〔經〕 ~의 without dividend. ∥ ~주 a non-dividend

stock.

무법(無法) ¶ ~한 unlawful; unjust. ‖ ~자 a ruffian; an outlaw.

무변(無邊) ¶ ~의 boundless; limitless; infinite.

무변화(無變化) changelessness; monotony(단조로움).

무병(無病) ¶ ~하다 (be) in good health; healthy.

무보수(無報酬) ¶ ~의 gratuitous / ~로 without pay [recompense, reward]; (무료의) free of charge; for nothing.

무분별(無分別) ¶ ~의 thoughtless; indiscretion. ¶ ~하다 (be) thoughtless; indiscreet; imprudent.

무불간섭(無不干涉) indiscreet meddling in everything; indiscreet interference; ~하다 always nose into.

무비판(無批判) ¶ ~적(으로) uncritical(ly); indiscriminate(ly).

무사(武士) a warrior; a soldier; a knight.

무사(無私) ¶ ~한 unselfish; disinterested / 공평~한 just and fair.

무사(無事) 〔안전〕 safety; security; 〔평온〕 peace; 〔건강〕 good health. ~하다 (be) safe; well; peaceful; quiet; uneventful. ¶ ~히 safely; in safety; without accident.

무사(無死) 〔野〕 ¶ ~만루 full bases with no outs.

무사고(無事故) ¶ ~의 [로] accident-free (without an accident).

무사마귀 a wart; a verruca.

무사분주(無事奔走) ~하다 (be) very busy with nothing in particular.

무사안일(無事安逸) ‖ ~주의 an easy-at-any-price principle; an easygoing attitude.

무사태평(無事泰平) ~하다 (be) peaceful; easygoing; carefree.

무산(無産) ¶ ~의 propertyless; unpropertied. ‖ ~계급 the proletariat.

무산(霧散) ~하다 disperse; be

dispelled; dissipate.

무상(無上) ¶ ~의 the highest; the greatest; supreme; the best / ~의 영광 the supreme honor.

무상(無常) uncertainty; mutability; transiency. ¶ ~한 uncertain; mutable; transient / 인생은 ~하다 Nothing is certain in this world.

무상(無償) ¶ ~의 [으로] gratis; for nothing; free (of charge). ‖ ~원조 a grant; grant-type aid.

무상출입(無常出入) ~하다 go in and out freely; have free access to.

무색(一色) dyed color. ‖ ~옷 clothes made of colored cloth.

무색(無色) ① 〔빛깔〕 ¶ ~의 colorless; achromatic (lens). ② 〔무안〕 ~하다 be ashamed; feel shame. ¶ ~게 하다 put (a person) to shame; outshine (a person).

무생물(無生物) an inanimate object (being). ‖ ~계 inanimate nature.

무서리 the first [early] frost of the year.

무서움 fear; fright; terror. ¶ ~을 타다 be easily frightened.

무서워하다 fear; be fearful (of); be afraid (of a thing, to do).

무선(無線) (by) wireless (radio). ‖ ~송신 wireless transmission / ~전화 a radiotelephone; a radiophone; cellular phone; a walkie-talkie.

무섭다 ① 〔두렵다〕 (be) fearful; terrible; dreadful; horrible; frightful. ¶ 무섭게 하다 frighten; terrify; scare. ② 〔사납다〕 (be) ferocious; fierce; formidable.

무성(茂盛) ¶ ~한 thick; dense; luxuriant / ~히 풀이 ~하다 be densely covered with grass.

무성(無性) ¶ ~의 〔生〕 nonsexual; asexual; 〔植〕 neutral (flowers). ‖ ~생식 asexual reproduction.

무성(無聲) ¶ ~의 silent; voiceless; ~영화 a silent picture.

무성의(無誠意) insincerity. ~하다

무세 (be) insincere; unfaithful.

무세 (無稅) ¶ ~의 free 《imports》; tax-[duty-]free ¶ ~로 free of duty; duty-free.

무소 〖動〗 a rhinoceros.

무소득 (無所得) ~ 하다 gain nothing 〔little〕 《from, by》.

무소속 (無所屬) ¶ ~의 independent; unattached; neutral; nonpartisan《정당人》/ ~으로 입후보하다 run as an independent candidate.

무소식 (無消息) ~이다 hear nothing from 《a person》; ¶ ~이 최소식 No news is good news.

무쇠 (cast) iron.

무수 (無水) 〖化〗 ¶ ~의 anhydrous. ‖ ~ (화합)물 an anhydrous compound; anhydride.

무수 (無數) ¶ ~한 numberless; innumerable; countless / ~히 innumerably; without number.

무수리 〖鳥〗 an adjutant (bird).

무숙자 (無宿者) a tramp; a homeless vagabond; a vagrant.

무순 (無順) irregularity; disorder. ¶ ~으로 without order.

무술 (武術) military 〔martial〕 arts.

무슨 what 《book》; what sort 〔kind〕 of 《a man》. ¶ ~ 일로 on what business / ~ 까닭에 why; for what reason.

무승부 (無勝負) a draw; a drawn game; a tie. ¶ ~가 되다 end in a draw〔tie〕.

무시 (無視) ~ 하다 ignore; disregard; pay no attention 〔heed〕 《to》; take no notice 《of》. ¶ ~을 ~ 하고 in disregard of.

무시로 (無時−) at any time; at all times.

무시무시하다 (be) terrible; horrible; dreadful; awful; frightful.

무시험 (無試驗) ¶ ~으로 (be admitted) without examination.

무식 (無識) ignorance; illiteracy. ¶ ~한 ignorant; illiterate; uneducated. ‖ ~쟁이 an ignorant man.

무신경 (無神經) ¶ ~한 insensitive;

thick-skinned; inconsiderate.

무신고 (無申告) ¶ ~로 without notice 〔leave〕.

무신론 (無神論) 〖哲〗 atheism. ¶ ~ 의 atheistic. ‖ ~자 an atheist.

무실점 (無失點) ¶ ~으로 without losing a point.

무심 (無心) ① ~ 하다 《무관심》 do not care 《about》; 《순진》 (be) innocent; 《의도 없음》 unintentional; casual. ¶ ~코 unintentionally; inadvertently; casually; incidentally; carelessly / ~코 한 말 a casual remark. ② 〖佛〗 mindlessness; no-mindedness.

무쌍 (無雙) ~ 하다 (be) peerless; matchless; unparalleled.

무아 (無我) self-effacement; selflessness; ¶ ~경 ecstasy; transport; absorption.

무안 (無顔) ~ 하다 be ashamed of 《oneself》; feel shame; lose face. ¶ ~을 주다 put 《a person》 to shame.

무안타 (無安打) 〖野〗 no hit. ¶ ~ 무득점경기 a no-hit, no-run game.

무어라 하든 whatever one may say; after all 《결국》 / ~ 말 할 수 없다 be unspeakable; One cannot tell.

무언 (無言) silence. ¶ ~의 silent; mute / ~ 중(에) in silence; without uttering a word. ‖ ~극 a pantomime.

무엄 (無嚴) ¶ ~한 rude; audacious; impudent; indiscreet / ~ 하게도 …하다 be impertinent enough to do 《do》.

무엇 《대명사》 what 《의문》; something. ¶ ~이든 anything; whatever / ~ 하러 what for.

무역 (貿易) (foreign) trade; commerce. ~ 하다 trade 《with》; have trade relations 《with》. ¶ 한국의 대미 ~ Korea's trade with the United States. ‖ ~ 격차 a trade gap / ~ 마찰 trade friction 〔conflicts〕 《between》 / ~ 적자〔흑자〕 a trade deficit 〔surplus〕.

무역역조(貿易逆調) adverse trade balance of payments; trade imbalance.

무연(無煙) ∥ ~의 smokeless. ∥ ~탄 anthracite; hard coal 《美》.

무연(無鉛) ∥ ~가솔린 lead-free [unleaded] gasoline.

무연고(無緣故) ∥ ~의 without relations; unrelated.

무예(武藝) ☞ 무술.

무욕(無慾) ∥ ~의 (be) free from avarice; unselfish.

무용(武勇) bravery; valor. ∥ ~담 a tale of heroism.

무용(無用) ∥ ~의 useless; of no use. ∥ ~지물 a useless thing; a good-for-nothing.

무용(舞踊) dancing; a dance. ~하다 dance; perform a dance. ∥ ~단 a ballet troupe.

무운(武運) the fortune(s) of war. ¶ ~ 장구를 빌다 pray for 《a person's》 good fortune in battle.

무위(無爲) idleness; inactivity. ¶ ~도식하다 live [lead] an idle life; eat the bread of idleness.

무의무탁(無依無托) ~ 하다 (be) homeless; 《의뢰적》 have no one to depend [rely] on.

무의미(無意味) ¶ ~한 meaningless; senseless; insignificant.

무의식(無意識) unconsciousness. ¶ ~적(으로) unconscious(ly); involuntar(ily); mechanical(ly).

무이자(無利子) ∥ ~의 [로] without [free of] interest.

무익(無益) ~하다 (be) useless; futile. ¶ 유해~하다 do more harm than good.

무인(武人) a warrior; a soldier.

무인(拇印) a thumbmark.

무인(無人) ∥ ~의 unmanned; deserted. ∥ ~판매기 a vending machine.

무인도(無人島) a desert [an uninhabited] island; niless.

무일푼(無一~) ¶ ~이다 have nothing. 무일푼(無一~) ¶ ~으로 free of charge / ~ 승차 a free ride. ∥ ~승차권 a free pass.

무임소(無任所) ∥ ~의 unassigned; without portfolio. ∥ ~장관 a Minister (of State) without portfolio.

무자각(無自覺) ¶ ~한 insensible 《of》; unconscious 《of》.

무자격(無資格) disqualification; incapacity. ¶ ~의 disqualified; 《무면허의》 unlicensed. ∥ ~교원 an unlicensed teacher.

무자력(無資力) lack of funds.

무자맥질 diving; ducking. ~하다 dive into [in] water; duck 《down》.

무자본(無資本) ¶ ~으로 without capital [funds].

무자비(無慈悲) ¶ ~한 merciless; cruel; ruthless / ~한 짓을 하다 do a cruel thing.

무자식(無子息) ~하다 (be) childless; heirless.

무자위 a water pump.

무작위(無作爲) ¶ ~의 random / ~로 randomly; at random.

무작정(無酌定) lack of any definite plan; ¶ ~하고 with no particular plan.

무장(武將) a general; a warlord.

무장(武裝) 《나라의》 armaments; 《병사의》 equipments. ~하다 arm; bear arms; be under arms. ¶ ~한 armed 《bandits》 / ~을 풀다 disarm. ∥ ~해제 disarmament; demilitarization. 「army.

무장지졸(無將之卒) a leaderless

무저항(無抵抗) nonresistance. ¶ ~으로 without resistance. ∥ ~주의 the principle of nonresistance.

무적(無敵) ¶ ~의 invincible; unconquerable. ∥ ~함대 [史] 《스페인의》 the Invincible Armada.

무적자(無籍者) a person without a registered domicile.

무전(無電) (by) radio; wireless. ∥ ~실 a radioroom.

무전(無錢) ¶ ~ 취식하다 leave a restaurant without paying the bill / ~ 여행하다 travel without money.

무절제(無節制) ~ 하다 (be) intemperate; immoderate; incontinent.

무절조(無節操) ¶ ~한 inconstant; unchaste; unprincipled.

무정(無情) ¶ ~한 heartless; hardhearted; cold-hearted.

무정견(無定見) (a) lack of fixed principle (policy).

무정란(無精卵) an unfertilized [a wind] egg.

무정부(無政府) anarchy. ¶ ~의 anarchic(al). ∥ ~주의 anarchism / ~주의자 an anarchist.

무정형(無定形) ¶ ~의 formless; shapeless; amorphous.

무제【無題】(작품에서) no title. ¶ ~의 titleless; without a title.

무제한(無制限) ¶ ~의 limitless; unrestricted; free / ~으로 without any restriction; freely.

무조건(無條件) ¶ ~의 unconditional; unqualified / ~으로 unconditionally. ∥ ~항복 unconditional surrender.

무좀【醫】athlete's foot.

무주교(無宗敎) ¶ ~의 irreligious; atheistic. ∥ ~자 an atheist; an unbeliever.

무죄(無罪) innocence. ¶ ~의 not guilty; innocent; guiltless / ~를 선고하다 declare (a person) not guilty.

무주정(無酒精) ∥ ~음료 a nonalcoholic beverage; a soft drink.

무주택(無住宅) ∥ ~서민(層) the homeless masses / ~자 a houseless [homeless] person.

무중력(無重力) (a state of) weightlessness (nongravitation).

무지(無知) ignorant; illiteracy. ¶ ~하다 (be) ignorant; stupid.

무지개 a rainbow. ∥ ~빛 rainbow color.

무지근하다 feel heavy [dull].

무지렁이 a fool; a stupid person.

무지막지하다(無知莫知一) (be) ignorant and uncouth; rough; heartless.

무직(無職) ¶ ~의 unemployed;

jobless; out of work / 그는 ~이다 He has no job. or He is out of work.

무진장(無盡藏) ¶ ~의 inexhaustible; abundant.

무질서(無秩序) disorder; confusion; chaos. ¶ ~한 disordered; confused; chaotic; lawless / ~한 상태에 있다 be in disorder.

무찌르다 defeat; crush; smash; attack; mow down (the enemy).

무차별(無差別) indiscrimination. ¶ ~의 indiscriminate / ~하게 indiscriminately; without distinction (of sex).

무착륙(無着陸) ¶ ~의 nonstop / ~ 비행을 하다 make a nonstop flight; fly nonstop (to).

무참(無慘) ¶ ~한 merciless; cruel; pitiless.

무책(無策) lack of policy [plan].

무책임(無責任) irresponsibility. ¶ ~한 irresponsible / 그는 ~한 사내다 He has no sense of responsibility.

무척 very (much); quite; highly; extremely; exceedingly.

무척추동물(無脊椎動物) an invertebrate animal. [less.

무취(無臭) ¶ ~의 odorless; scent-

무취미(無趣味) ☞ 몰취미.

무치다 season; dress. ¶ 나물을 ~ season (dress) vegetables.

무탈대각 《무모하게》 recklessly; blindly; rashly; 《이유 없이》 without reason; 《준비 없이》 with no preparation; 《수단·능력 없이》 with no resources [capability].

무테(無-) ¶ ~의 rimless. ∥ ~안경 (a pair of) rimless spectacles.

무통(無痛) ¶ ~의 painless. ∥ ~분만【醫】painless delivery.

무투표(無投票) ¶ ~로 without voting.

무표정(無表情) ¶ ~한 expressionless; blank; deadpan (美俗).

무풍(無風) ¶ ~의 windless; calm. ∥ ~대【地】the calm latitudes; the doldrums.

무학(無學) ignorance. ¶ ~의 igno-

rant; illiterate; uneducated.

무한(無限) infinity. ~하다 (be) limitless; endless; infinite; boundless; eternal (영구). ¶ ~히 infinitely; boundlessly; eternally.

무해(無害) ¶ ~한 harmless (to); ~ 무익의 neither harmful nor useful.

무허가(無許可) no permit. ¶ ~의 [로] unlicensed [without a permit].

무혈(無血) ¶ ~혁명 [진행] a bloodless revolution (occupation).

무협(武俠) chivalry; heroism.

무형(無形) ¶ ~한 (비물질적) immaterial; (추상적) abstract; (정신적) moral; spiritual; (안 보이는) invisible; (형체 없는) formless; intangible. ‖ ~문화재 an intangible cultural treasure.

무화과(無花果) 〔植〕 a fig (tree).

무환(無換) ¶ ~수입 [수출] no-draft import [export].

무효(無效) invalidity; ineffectiveness. ¶ ~의 invalid; (null and) void / ~가 되다 become null [void; invalid]; come to nothing. ‖ ~표 an invalid vote.

무훈(武勳) military merits. ☞ 무공(武功).

무휴(無休) ¶ ~이다 have no holiday.

무희(舞姬) a dancer; a dancing girl.

묵 jelly. ¶ 메밀 ~ buckwheat jelly.

묵계(黙契) a tacit understanding (agreement) (with, between); ~ 하다 agree tacitly; make a tacit agreement.

묵과(黙過) connivance. ~하다 overlook; connive (at).

묵념(黙念) ① (묵도(黙禱)) a silent (tacit) prayer. ~하다 pray silently (for). ② ☞ 묵상.

묵다 ① (숙박) stay (stop, put up) (at). ¶ 호텔에 ~ stay [stop] at a hotel. ② (오래되다) become old; be timeworn (stale). ¶ 묵은 잡지 a back number magazine / 묵은 사상 an old-fashioned idea.

묵독(黙讀) ~하다 read silently.

묵례(黙禮) a bow; a nod. ~하다 (make a) bow (to); bow in silence.

묵묵(黙黙) ~하다 (be) silent; mute. ¶ ~히 silently; in silence; mutely.

묵비권(黙秘權) 〔法〕(use) the right to keep (remain) silent; (take) the Fifth (Amendment) (美).

묵살(黙殺) ~하다 take no notice (of); ignore. ¶ 반대 의견을 ~하다 ignore objections.

묵상(黙想) (a) meditation. ~하다 meditate (on); muse (on).

묵시(黙示) ~하다 overlook; pass over.

묵시록(黙示錄) 〔기독교〕 Revelations; the Apocalypse.

묵은 해 the old year; last year.

묵인(黙認) a tacit (silent) approval; connivance. ~하다 permit tacitly; give a tacit consent.

묵주(黙珠) 〔가톨릭〕 a rosary.

묵직하다 (무게가) (be) massive; heavy; (언행이) (be) rather grave; dignified. ¶ 묵직이 heavily; gravely.

묵화(墨畫) an India(n)-ink drawing.

묵히다 leave unused (wasted); let (goods) lie idle; keep (money) idle.

묶다 bind; tie; fasten. ¶ 손발이 묶이다 be tied (bound) hand and foot.

묶음 a bundle; a bunch; a sheaf (벼·서류 등의).

문(文) ¶ 〔文〕a sentence. ② 〔文〕literature; the pen. ¶ ~은 무보다 강하다 The pen is mightier than the sword.

문(門) ① (대문) a gate; (출입구) a door. ② (분류상의) a phylum (동물); a division (식물).

문(問) 문제. ¶제1~ the first question.

문간(門間) an entrance; a doorway; the gate section.

문갑(文匣) a stationery chest.

문경지교(刎頸之交) lifelong friend-

ship; 《친구》 a sworn friend.
문고(文庫) a library. ∥ ～본 a pocket edition; a paperback(ed) book. 【pull.
문고리(門－) a door ring; a door
문과(文科) 《인문과》 the department of liberal arts. ∥ ～대학 a college of liberal arts.
문관(文官) a civil official; the civil service(충칭).
문교(文敎) education; educational affairs. ∥ ～정책 an educational policy. 【pression.
문구(文句) words; phrases; an ex-
문기둥(門－) a gatepost.
문단(文壇) the literary world.
문단속(門團束) ～하다 lock a door securely; secure a door.
문답(問答) questions and answers; a dialog(ue) (대화). ～하다 hold a dialogue; exchange questions and answers.
문둥병(－病) leprosy.
문둥이 a leper.
문드러지다 ulcerate; fester; decompose; disintegrate.
문득, 문뜩 suddenly; unexpectedly; by chance; casually. ～하다 be in disorder. ∥ 풍기 ～ corruption of public morals.
문란(紊亂) disorder; confusion. ～
문례(文例) a model sentence; an example.
문리(文理) ① 《문맥》 the context; the line of thought. ② 《문과와 이과》 liberal arts and sciences. ∥ ～과 대학 the College of Liberal Arts and Science(s).
문맥(文脈) the context 《of a passage》. ∥ ～상의 contextual.
문맹(文盲) ignorance; illiteracy. ∥ ～률 (lower) the illiteracy rate / ～자 an illiterate.
문면(文面) the contents 〔wording〕 of a letter. ∥ ～에 의하면 according to the letter.
문명(文名) literary fame. ∥ ～을 날리다 win literary fame.
문명(文明) civilization. ∥ ～한 civilized; enlightened / ～의 이기

modern conveniences. ∥ ～인 a cultured person.
문무(文武) civil and military arts; the pen and the sword.
문물(文物) civilization 《명물》; culture 《문화》. ∥ ～서양의 ～ Occidental civilization 〔culture〕.
문민(文民) a civilian. ∥ ～정부 a civilian government.
문밖(門－) ① 《문밖에》 the outside of a house. ∥ ～의 outdoor; outside the gate 〔door〕. ② 《성밖 교외》 the outside of a castle; suburbs. ∥ ～에 살다 live in the suburbs.
문방구(文房具) stationery; writing materials. ∥ ～점 a stationery store; a stationer's.
문벌(門閥) 《가문》 lineage; 《명문》 good lineage; a distinguished family.
문법(文法) grammar. ∥ ～적(으로) grammatical(ly). ∥ ～학자 a grammarian.
문병(問病) a visit to a sick person. ～하다 visit 《a person》 in hospital 《one's sickbed》.
문빗장(門－) a gate bar; a latch.
문살(門－) the frame of a paper sliding door.
문상(問喪) ⇒ 조상(弔喪).
문서(文書) 《서류》 a document; 《통신문》 correspondence; 《기록》 a record. ∥ ～공 official documents. ～위조 forgery of documents.
문선(文選) an anthology; 《印》 type picking. ∥ ～하다 pick types. ∥ ～공 a type-picker.
문설주(門－) a gatepost; a doorpost.
문수(文數) the size of shoes.
문신(文臣) a civil minister (vassal). 【too.
문신(文身) a tattoo. ～하다 tattoo.
문안(門－) ① 《문의 안》 indoors. ② 《성내》 inside the city gate 〔walls〕; within the castle.
문안(文案) ～을 작성하다 make 〔prepare〕 a draft 《of, for》; draft.

문안(問安) an inquiry; paying one's respects to 《a person》. ~ 하다 inquire after another's health.

문어(文魚) 【動】 an octopus.

문어(文語) written [literary] language. ‖ ~체 literary style.

문예(文藝) (art and) literature; literary art. ‖ ~작품 〔영화〕 literary works 〔films〕.

문외한(門外漢) an outsider; a layman (비전문가).

문우(文友) one's pen pal [friend].

문의(文義) the meaning of a passage.

문의(問議) an inquiry; a reference《신원 따위의》. ~ 하다 inquire 《of a person》 about 《a matter》; make inquiries 《about》; refer 《to a person about a matter》.

문인(文人) a literary man.

문인(門人) a disciple; a follower.

문자(文字) ① 《글자》 a letter; a character 《한문 따위》. ‖ 대〔소〕~ a capital [small] letter. ② 《문장》 words and phrases.

문장(文章) a sentence; a composition; a writing. ‖ ~이 능하다 〔서툴다〕 be a good [bad] writer.

문재(文才) literary talent (ability).

문전(門前) ‖ ~에 before [in front of] the gate; at the door.

문제(問題) ① 《시험 따위의》 a question; a problem 《화제·연구의 대상》 a subject; a topic. ② 《논의의 대상》 a question; an issue; a problem. ‖ 당면한 ~ the question at issue. 《사건·사항》 a matter; an affair; 《귀찮은 일》 a trouble. ‖ ~를 일으키다 cause trouble / 금전 ~ money matter. ‖ ~아 a problem child / ~의식 《have》 a critical mind / ~점 the point at issue.

문조(文鳥) 【鳥】 a Java sparrow; a paddybird. 〔son〕 of a crime.

문죄(問罪) ~ 하다 accuse 《a per-

문중(門中) a family; a clan.

문지기(門一) a gatekeeper; a gate-

man; a doorman; a janitor 《美》.

문지르다 rub; scour; scrub. ¶질러 없애다 rub off [out].

문지방(門地枋) the threshold; a doorsill 《문의》.

문진(文鎭) a (paper) weight.

문집(文集) a collection of works; an anthology; analects.

문짝(門一) a leaf [flap] of a door.

문책(文責) the responsibility for the wording of an article.

문체(文體) a (literary) style. ¶간결〔화려〕한 ~ a concise [florid] style.

문초(問招) investigation. ~ 하다 investigate; inquire 《into》. ¶ ~를 받다 be examined 《by the police》.

문치(文治) civil administration.

문치(門齒) the incisor.

문턱(門一) the threshold; a doorsill. ¶ ~을 넘어서다 cross [step over] the threshold.

문틀(門一) a doorframe. 「plate.

문패(門牌) a nameplate; a door-

문풍지(門風紙) a weather strip.

문필(文筆) literary art; writing. ¶ ~로 먹고 살다 live by one's pen.

문하(門下) ~생 one's pupil (disciple, follower).

문학(文學) literature. ¶ ~의 〔적〕 literary. ‖ ~작품 literary works / 대중~ popular literature.

문헌(文獻) literature; documentary records; documents. ¶이 문제에 관한 ~ the literature on the subjects. ‖참고~ a bibliography; references.

문형(文型) a sentence pattern.

문호(文豪) a master (great) writer.

문호(門戶) the door. ‖ ~개방주의 the open-door principle (policy).

문화(文化) culture; civilization. ¶ ~적 cultural. ‖ ~교류 cultural exchange / ~권 a cultural (culture) area (zone) / ~유산 a cultural heritage / ~인류학 cultural anthropology.

묻다 〔땅에〕 bury 《in, under》; inter 《매장》.

물다² 《칠 따위가》 be stained 《with》; be smeared 《with》. ¶ 피 묻은 옷 bloodstained clothes.

묻다¹ 《문의》 ask; inquire; question.

묻히다¹ 《칠 따위를》 smear; stain; apply 《바르다》. ¶ 옷에 흙을 ~ soil one's clothes.

묻히다² 《덮이다》 be buried in 〔under〕; be covered with.

물¹ ① 《일반적》 water. ¶ 화초에 ~을 주다 water flowers 〔plants〕. ② 《홍수》 a flood; (an) inundation. ¶ ~이 나다 be flooded 〔inundated〕.

물² 《빛깔》 dyed color 《물감으로 물들이다》. ¶ 검정 ~을 들이다 dye black.

물³ ① 《신선도》 freshness. ¶ ~이 좋은 생선 a fresh fish. ② 《첫물.

물가 the water's edge; the waterside; the beach.

물가(物價) prices 《of commodities》. ¶ 저 ~ 정책 a low-price policy 〔/ ~가 오르다 prices rise 〔go up〕 / ~가 내리다 prices fall 〔come down〕 / ~ 상승 〔下落〕 a rise 〔fall〕 in prices / ~지수 a price index.

물가안정(物價安定) price stabilization; stability of commodities prices.

물갈퀴 a webfoot.

물감 dyes; stuffs; color.

물개 a fur seal.

물거미 [蟲] a water spider.

물거품 a foam; froth; a bubble. ¶ ~이 되다 end 〔go up〕 in smoke; come to naught.

물건(物件) an article; goods; a thing; an object.

물걸레 a wet floorcloth. ¶ ~질하다 wipe 〔mop〕 with a damp 〔wet〕 cloth.

물결 a wave; billow 〔큰 물결〕; a ripple 〔잔 물결〕; a swell 〔너울거리는〕; a surf 〔밀려오는〕; a breaker 〔흰 물결〕; a wash 〔물가를 씻어 내리는〕; a stream 〔사람 따위의〕. ¶ ~을 헤치고 나아가다 plough the waves.

물결치다 move in waves; wave; roll; undulate.

물고(物故) death. ¶ ~ 나다 die; pass away.

물고기 a fish.

물고늘어지다 ① 《이빨로》 bite at *something* and hang on to *it*. ② 《약점·자리 따위를》 hold 〔hang〕 on to; cling 〔stick〕 to. ¶ 끝까지 ~ stick to one's last.

물고동 a tap; a faucet. ¶ ~을 틀다 〔잠그다〕 turn on 〔off〕 a faucet.

물곬 《도랑》 (make) a drain.

물구나무서다 stand on one's hands; do a handstand.

물구덩이 a pool; a (mud) puddle.

물굽이 a bend 〔curve〕 of a stream.

물권(物權) a real right; *jus in rem* 《라》. ¶ ~의 설정 the creation of a real right.

물귀신(―鬼神) a water demon. ¶ ~이 되다 be drowned (to death).

물굿하다 《묽다》 (be) somewhat thin 《washy, watery》.

물기(―氣) moisture. ¶ ~가 있는 moist; damp; wet; watery; humid.

물길 a waterway; a watercourse.

물꼬 a sluice 〔gate〕.

물끄러미 (look) fixedly; steadily. ¶ 얼굴을 ~ 쳐다보다 look vacantly at *a person's* face.

물난리(―亂離) 《수해》 a flood disaster. ② 《식수난》 the shortage of water supply.

물납(物納) payment in kind.

물놀이 《물가 놀이》 a waterside vacation. ¶ ~ 가다 go swimming.

물다² 《대불》 pay; 《배상》 compensate 《for》.

물다³ ① 《깨물다》 bite. ② 《입에》 put 〔hold〕 (*a thing*) in one's mouth. ③ 《빨아서》 bite; sting 《모기가》. ④ 《톱니바퀴 등이》 gear with 〔into〕; engage with.

물독 a water jar 〔pot〕.

물들다 ① 《빛깔이》 dye; be 〔get〕 dyed 《black》. ② 《사상·행실 등

이〕 be infected 〔stained, tainted〕 with 《vices》; be influenced by. ¶ 아이들을 사회악에 물들지 않도록 하다 prevent children from being infected with the evils of society.

물들이다 dye; color; tint. ¶ 검게 ～ 들다 《a thing》 black.

물딱총(一銃) a water pistol; a squirt (gun).

물때 (물의) fur; incrustation; scale.

물때¹ (조수의) the tidal hour; 《만조시》 the high tide.

물량(物量) the amount 〔quantity〕 of materials 〔resources〕.

물러가다 (떠나다) leave; retire; go off 〔away〕《from》; withdraw 《from》; (뒤로) move backwards; draw 〔step〕 back; (끝나다) pass; be gone; leave. ¶ 한 걸음 뒤로 ～ take a step backward.

물러나다 withdraw; retire; resign. ¶ 공직을 ～ retire 〔resign〕 from public life.

물러서다 (뒤로) move back; draw back; recede; (은퇴) retire; resign 《position》.

물러앉다 ① (뒤에 앉다) move one's seat back. ② (지위에서) retire; resign.

물러지다 soften; become tender.

물렁물렁하다 (be) soft; tender.

물렁하다 ① (푹 익어서) (be) over-ripe; mellow; soft. ② (성질이) (be) flabby; weak-hearted.

물레 a spinning wheel.

물레방아 a water mill.

물려받다 inherit 《from》; take over; obtain by transfer.

물려주다 (양도) hand 〔turn〕 over; transfer; (지위를) abdicate. ¶ 아들에게 사업을 ～ turn the business over to one's son.

물론(勿論) (as a matter of) course; to be sure; to say nothing of; naturally. ¶ 그는 영어는 ～이고 프랑스말도 한다 He knows French, not to speak of English.

물류(物流) 〔經〕 physical distribu-

tion. ¶ ～비 distribution costs.

물리(物理) ① (이치) the law of nature. ② ☞ 물리학. ¶ ～적인 physical. ∥ ～요법 physiotherapy.

물리다¹ (싫증나다) get sick of; lose interest in; be fed up with.

물리다² ① (연기하다) postpone; put off; defer. ② (옮기다) move; shift; get around; (뒤로) move back(ward); put back. ③ ☞ 물려주다.

물리다³ (치우다) clear away; put 〔take〕 away. 〔der〕.

물리다 (푹 익힘) cook soft 〔ten-

물리다 (동물·벌레에) get bitten by 《fleas》.

물리다 (돈을) make 《a person》 pay 〔compensate〕.

물리치다 (거절하다) reject; refuse; turn down; (격퇴) repulse; drive away; beat back.

물리학(物理學) physics. ¶ ～ (상)의 physical. ∥ ～자 a physicist.

물마루 the crest (of waves); a wave crest. 〔lings〕.

물만두(一饅頭) boiled ravioli (dump-

물망(物望) popular prospects. ¶ ～에 오르다 win public sup-port.

물망초(勿忘草) 〔植〕 a forget-me-not.

물매 (경사) a slope; a slant; an incline.

물매 (매질) hard flogging 〔whip-ping〕. ¶ ～ 맞다 be flogged hard.

물목(物目) a catalogue of goods.

물문(一門) a sluice; a floodgate.

물물교환(物物交換) barter. ～ 하다 barter 《A for B》.

물밀다 (조가 되다) rise; flow; (밀려오다) surge; rush 《to》.

물방아 (방아) a water mill. ¶ 물방 앗간 a (water) mill. 〔drop〕.

물방울 a drop of water; a water-

물뱀 a sea 〔water〕 snake.

물베개 a (rubber) water-pillow 〔-cushion〕.

물벼락 ¶ ～ 맞다 get doused.

물벼룩 〔動〕 a water flea.

물병(一甁) a water bottle 〔flask〕.

물보라 a spray (of water).

물부리(담뱃대의) the mouthpiece; 《궐련의》 a cigarette holder.

물불 ¶ ~을 안 가리다 go through fire and water 《for》; be ready to face any hardship.

물살 the current of water. ¶ ~이 세다 A current is swift.

물상(物象) ① 《사물》 an object. ② 《현상》 material phenomena. ③ 《교과》 the science of inanimate nature.

물색하다(物色一) 《찾다》 look for; search for: hunt (up) 《고르다》 select; pick.

물샐틈없다 ① 《틈이 없다》 (be) watertight. ② 《완벽》 (be) strict; watertight; airtight. ¶ 물샐틈없는 경계망을 퍼다 throw a tight cordon around.

물세례(一洗禮) 《宗》 baptism.

물소 《動》 a buffalo.

물수건(一手巾) a wet towel.

물수제비뜨다 skip stones; play ducks and drakes.

물시계(一時計) a water clock.

물심(物心) ¶ ~ 양면으로 both materially and morally.

물 싸움 《논물의》 ~ a dispute about 《over》 the water rights.

물쓰듯하다 spend money or goods like water.

물씬하다 《물체가》 (be) soft; tender; 《냄새가》 smell strong; stink 《of fish》 《악취가》.

물안경(一眼鏡) swimming goggles.

물약(一藥) a liquid medicine.

물어내다(변상) pay for; compensate.

물어떼다 bite 〔gnaw〕 off. ┃ sate.

물어뜯다 bite off; tear off with one's teeth.

물어보다 《묻다》 ask; inquire; question; 《조회》 make inquiries.

물어주다 ⇒물어내다.

물억새 《植》 a common reed.

물엿 starch syrup.

물오르다 《초목이》 (sap) rise.

물오리 《鳥》 a wild duck; a mallard.

물욕(物慾) worldly desires; love of gain. ¶ ~이 강하다 be greedy.

물음 a question. ┃ ~표 a question mark.

물의(物議) public censure; trouble. ¶ ~를 일으키다 cause public discussion; give rise to scandal 〔hot criticism〕.

물자(物資) goods; commodities; (raw) materials 《원료》; resources 《자원》. ¶ ~의 결핍 a scarcity of materials.

물자동차(一自動車) ① 《살수차》 a street sprinkler. ② 급수차(給水車).

물장구 the thrash; the flutter kick. ¶ ~ 치다 make flutters; swim with the thrash.

물장난 ¶ ~ 치다 dabble in the water; play with water.

물적(物的) material; physical. ┃ ~ 자원 material 〔physical〕 resources.

물정(物情) the state of things; the conditions of affairs; 《세태의》 public feeling; the world. ¶ 세상 ~을 모르다 be ignorant of the world.

물주(物主) 《자본주》 a financier; 《노름판의》 a banker.

물줄기 a watercourse; a flow; 《분출하는》 a spout 〔jet〕 of water.

물질(物質) matter; substance. ┃ ~적(인) material; physical. ┃ ~주의 materialism.

물집 《피부의》 a (water) blister. ┃ ~이 생기다 get a blister 《on》.

물찌똥 ~을 싸다 have loose bowels.

물차(一車) a street sprinkler(살수차); a water carrier(물 공급차).

물체(物體) a body; an object.

물총새 《鳥》 a kingfisher.

물컹이 《사람》 a softy; a weakling; 《물건》 soft stuff.

물컹하다 (be) soft; squashy.

물크러지다 be reduced to pulp; decompose 《썩어》.

물통 a water bucket 〔tank〕.

물표 a tally; a (baggage) check.

물푸레(나무) 《植》 an ash tree.

물품(物品) articles; things; goods; commodities. ∥ ~목록 a list of goods.

물화(物貨) goods; commodities (일용품); merchandise (상품).

묽다 ① (농도) (be) thin; watery; washy. ¶ 묽게 하다 thin; dilute. ② (사람이) (be) weak(-hearted).

뭇 (묶음) a bundle; a faggot; a sheaf (볏단).

뭇 (여럿) many; numerous.

뭇매 beating up.

뭉개다 ① (으깨다) crush; smash; squash; mash. ② (일을) do not know what to do [how to deal] with.

뭉게구름 a cumulus.

뭉게뭉게 thickly; in thick clouds.

뭉그러뜨리다 crumble; throw down [down]; collapse.

뭉그러지다 crumble; fall [come] down.

뭉긋하다 (기울) (be) gently sloped; 《위어짐》 (be) slightly bent.

뭉툭하다 (be) dull; blunt; stubby; stumpy.

뭉뚱그리다 bundle up crudely.

뭉치 a bundle; a lump; a roll.

뭉치다 ① (덩어리져) lump; mass. ② 《합치다》 put [bind, gather] together; 《한데 뭉쳐 하나의 lump [bunch]. ③ 《단결하다》 unite; stand together. ¶ 굳게 ~ be strongly united.

물콜라다 ① (먹은 것이) feel heavy on one's stomach. ② (가슴이) be filled with 《sorrow》; be very touching.

뭉텅이 a lump; a bundle; a mass.

뭍 land; the shore (배에서 본).

뮤지컬 a musical. ∥ ~드라마 [코미디] a musical drama [comedy].

…므로 because (of); as. ¶ 몸이 약하~ because of one's delicate health.

미(美) beauty; the beautiful. ¶ 자연의 ~ natural beauty.

미가공(未加工) ¶ ~의 raw; unprocessed.

미각(味覺) the palate; the (sense of) taste. ¶ ~이 예민하다 have a keen sense of taste.

미간(未刊) ¶ ~의 unpublished.

미간(眉間) ☞ 양미간.

미개(未開) ¶ ~한 uncivilized; savage; primitive(원시적인); undeveloped(미개발의). ∥ ~인 a primitive man; a barbarian.

미개간(未開墾) ¶ ~의 uncultivated.

미개발(未開發) ¶ ~의 undeveloped; uncultivated; underdeveloped.

미개척(未開拓) ¶ ~의 undeveloped; unexploited; wild. ∥ ~분야 an unexplored field.

미결(未決) ¶ ~의 undecided; pending; unsettled / 그 문제는 아직 ~이다 The question is still unsettled. ∥ ~수 an unconvicted prisoner.

미결산(未決算) ¶ ~의 unsettled 《debt》; outstanding.

미결제(未決濟) ¶ ~의 unsettled 《bills》; outstanding; unpaid.

미경험(未經驗) inexperience. ¶ ~의 inexperienced. ∥ ~자 an inexperienced person; a green hand.

미곡(米穀) rice. ∥ ~상 a rice dealer.

미골(尾骨) [解] the tailbone.

미공인(未公認) ¶ ~의 not yet officially recognized; unofficial.

미관(美觀) a fine [beautiful] sight [view]. ¶ ~을 해치다 spoil the beauty 《of》.

미관(微官) a low office; a low official (사람).

미구(未久) ¶ ~에 before long; shortly; in the near future.

미국(美國) the United States (of America) (생략 U.S., U.S.A.). ¶ ~의 American; U.S.; ~문화원 the U.S. Cultural Center / ~인 an American; the Americans(총칭).

미군(美軍) the U.S. Armed Forces(병사가) an American soldier; a GI.

미궁(迷宮) mystery; a maze; a labyrinth. ¶ ~에 빠지다 become shrouded in mystery.

미그 《러시아제 전투기》 a MIG; a

Mig jet fighter.

미급(未及) ～하다 《미달》 fall short 《*of*》; be not up to standard.

미꾸라지 【魚】 a loach; a mudfish.

미끄러지다 slide; glide; slip; 《실제》 fail (in) an examination.

미끄럼 sliding. ¶ ～을 타다 slide 〔skate〕 on the ice; slide over the snow (눈 위에서). ‖ ～대 a slide.

미끄럽다 (be) slippery; slimy; 《반드럽다》 (be) smooth; sleek.

미끈미끈 ¶ ～한 slippery; slimy.

미끈하다 (be) sleek; clearcut; handsome; fine-looking.

미끼 a (fish) bait; a decoy; a lure.

미나리 【植】 a dropwort.

미남(美男) a handsome man.

미납(未納) ¶ ～의 unpaid; in arrears; back 《*rent*》. ‖ ～금 the amount in arrears.

미네랄 (a) mineral. ‖ ～워터 mineral water; minerals 《英》.

미녀(美女) a beauty; a beautiful woman 〔girl〕.

미뉴에트 【樂】 a minuet(te).

미늘 《갑옷의》 metal scales. ‖ ～창 《槍》 a halberd; a forked spear.

미니 a mini. ‖ ～카메라 a mini-cam(era).

미니어처 miniature.

미닫이 a sliding door 〔window〕.

미달(未達) shortage; lack; insufficiency. ～하다 be short 《of》; be less than. ¶ 정원 ～으로 for want 〔in the absence〕 of quorum.

미담(美談) a beautiful 〔a noble, an inspiring〕 story; a fine episode.

미덕(美德) a virtue. ¶ 겸양의 ～ the virtue of modesty.

미덥다 (be) trustworthy; reliable. ¶ 미덥지 못한 unreliable; untrustworthy.

미동(微動) a slight shock; a tremor. ¶ ～도 않다 do not move an inch; stand as firm as a

rock.

미들(～)급의 middleweight.

미등(尾燈) 《자동차의》 a taillight 〔tail lamp〕; a rear light 《英》.

미디 a midi; a midi-skirt.

미라 a mummy. ¶ ～로 만들다 mummify; mummy.

미래(未来) 《장래》 (the) future; time to come; 《내세》 the future life. ¶ ～에 in (the) future / ～ 지향적인 future-oriented.

미량(微量) a very small quantity 〔amount〕 《*of*》. ‖ ～분석 micro-analysis. ～ful; fine; lovely.

미려(美麗) beauty. ¶ ～한 beauti-

미력(微力) 《능력》 poor ability; 《자본력》 slender means; 《세력》 little influence. ¶ ～을 다하다 do what (little) one can.

미련 stupidity. ¶ ～한 stupid; dull; thickheaded.

미련(未練) lingering attachment; regret. ¶ ～이 있다 be still attached to; have a lingering regret 《*for*》.

미로(迷路) a maze; a labyrinth.

미루다 ① 《연기》 postpone; put off; adjourn; defer; delay(지연). ¶ 오늘 할 수 있는 일을 내일로 미루지 마라 Never put off till tomorrow what you can do today. ② 《전가》 lay 〔throw〕 《*the blame*》 onto 《*a person*》; shift onto 《*a person*》. ¶ 남에게 책임을 미루지 마라 Don't shift the responsibility onto others. ③ 《헤아리다》 infer 〔gather〕 《*from*》; guess; judge 《*by, from*》. ¶ 이것으로 미루어 보아 judging from this.

미루적거리다 prolong; protract; delay; drag out. ¶ 일을 ～ delay one's work.

미륵보살(彌勒菩薩) Maitreya 《梵》; a stone statue of Buddha.

미리 beforehand; in advance; previously; in anticipation.

미립자(微粒子) a minute particle; 【理】 a corpuscle. ‖ ～의 corpuscular. ‖ ～필름 a fine-grained

film.

미만(未滿) ¶ ~의 under; less than.

미망(迷妄) an illusion; a delusion.

미망인(未亡人) a widow. ‖ 아이가 딸린 ~ a widowed mother.

미명(未明) ¶ ~에 before[at] day-break; at dawn.

미명(美名) ¶ …의 ~ 아래 under the pretense[veil] of 《charity》.

미모(美貌) beauty; good [attrac-tive] looks. ¶ ~의 beautiful; good-looking.

미목(眉目) ¶ ~이 수려하다 be handsome; be good-looking.

미몽(迷夢) an illusion; a delu-sion. ¶ ~에서 깨어나다 be disil-lusioned; come to one's senses.

미묘(微妙) ¶ ~한 delicate; sub-tle; nice; fine.

미문(美文) elegant prose [style].

미물(微物) a very small crea-ture; a microbe.

미미(微微) ¶ ~한 slight; tiny; petty; minute; insignificant.

미발표(未發表) ¶ ~의 unpub-lished; not yet made public.

미복(微服) disguise in dress. ¶ ~ 잠행하다 go in disguise.

미봉(彌縫) ¶ ~하다 temporize; patch up; make shift. ‖ ~책 a make-shift; a stopgap policy [measure].

미부(尾部) the tail (part). [sure.]

미분(微分) ¶ 〖數〗 differential calcu-lus.

미분자(微分子) an atom; a mole-cule.

미불(未拂) ¶ ~의 unpaid; out-standing. ¶ ~금 back pay. ‖ ~금 an amount not yet paid.

미불(美弗) the U.S. dollar.

미불입(未拂入) ¶ ~주 [자본금] un-paid up stocks [capital].

미비(未備) ¶ ~한 insufficient; im-perfect; defective; not up to the mark. ‖ 위생 시설의 ~ lack of proper sanitation.

미사(美辭) flowery words (lan-guage).

미사(가톨릭의) a mass; *missa* 〈라〉. ¶ ~를 올리다 say[read] mass.

미사일 a missile. ¶ 공대지 ~ an air-to-surface missile / 유도 ~ a guided missile / ~을 발사하다 fire [launch] a missile.

미삼(尾蔘) rootlets of ginseng.

미상(未詳) ¶ ~한[의] unknown; unidentified; not exactly known / 작자 ~의 anonymous; uniden-tified.

미상불(未嘗不) really; indeed.

미상환(未償還) ¶ ~의 outstanding; unredeemed.

미색(米色) light [pale] yellow.

미생물(微生物) a microorganism; a microbe. ‖ ~학 microbiology.

미성(美聲) a sweet [beautiful] voice.

미성년(未成年) juvenility; minor-ity; 〖法〗 nonage. ¶ ~이다 be under age; be not yet of age. ‖ ~자 a minor; 〖法〗 an infant.

미세(微細) ¶ ~한 minute; de-tailed; delicate; nice; subtle.

미세스 a married woman; Mrs.

미소(微小) ¶ ~한 very small; minute; microscopic.

미소(微笑) a smile. ¶ ~ 짓다 smile (at); beam / 입가에 ~를 피우고 with a smile on one's lips.

미소년(美少年) a handsome boy.

미송(美松) 〖植〗 an Oregon pine.

미수(未收) ¶ ~의 uncollected 《rev-enue》; receivable 《bills》. ‖ ~금 uncollected revenue; an amount receivable.

미수(未遂) ¶ ~의 attempted / ~로 그치다 fail[end] in the at-tempt. ‖ ~범 a would-be crimi-nal (사람).

미수교국(未修交國) a nation with which it has no diplomatic ties.

미숙(未熟) ① 〖덜 익음〗 ¶ ~한 un-ripe; green; immature. ② 〖익숙지 못함〗 ~하다 (be) inexperi-enced; unskilled; raw; green.

미숙련(未熟練) ¶ ~의 unskilled; unskillful. ‖ ~공 an unskilled worker [laborer].

미술(美術) art; the fine arts. ¶ ~적인 artistic. ‖ ~가 an artist / ~

공예 arts and crafts; fine and applied arts / ~ 대학 a college of fine arts / ~애호가 an art lover / ~전람회 an art exhibition.

미스《독신여성》Miss; a miss. ¶ 그녀는 아직 ~이다 She is still single [not married yet].

미스《틀림·잘못》a mistake; an error. ¶ ~를 저지르다 make a mistake.

미스터 Mister; Mr.〔pl. Messrs〕.

미스터리《소설 따위》a mystery 《novel, etc.》.

미식(米食) rice diet. ~ 하다 eat [live on] rice. ¶ ~하는 rice-eating.

미식(美食) dainty [delicious] food. ~ 하다 live on dainty food. ¶ ~가 an epicure; a gourmet.

미식축구(識蹴球) American football.

미신(迷信)(a) superstition. ¶ ~적인 superstitious / ~을 타파하다 do away with a superstition.

미심(未審) ¶ ~스럽다 [적다] (be) doubtful; suspicious; questionable / ~쩍은 듯이 suspiciously; with a doubtful air.

미아(迷兒) a missing [lost] child. ¶ ~가 되다 be missing; be [get] lost 《in the crowd》.

미안(未安) ~하다 (be) sorry; regrettable; have no excuse 《for》. ¶ ~한 생각이 들다 feel sorry; regret / ~합니다마는 Excuse me, but ...; (I am) sorry to trouble you but ....

미안(美顔) a beautiful face.

미약(微弱) ¶ ~한 weak; feeble.

미얀마 Myanmar; (공식명) the Union of Myanmar.

미어지다 be torn; tear; be worn.

미역〔植〕brown seaweed.〔out.

미역 a bathe; a swim; outdoor bathing. ¶ ~ 감다 bathe in water.

미역국(國) seaweed soup. ¶ ~ 먹다 《비유적》fail an exam; be dismissed [discharged]; get the

sack; be fired.

미연(未然) ¶ ~에 before 《it》 happens; previously / ~에 방지하다 prevent 《a war》.

미열(微熱) (have) a slight fever.

미온(微溫) ¶ ~적인 lukewarm; half-hearted (태도가).

미완(未完), **미완성**(未完成) ¶ ~인 채로 있다 be left unfinished. ¶ ~완성교향곡 the "Unfinished Symphony".

미용(美容) beauty; cosmetic treatment. ¶ ~사 a beautician; a hairdresser / ~실(室) a beauty parlor [shop, salon].

미욱하다 (be) stupid; dull.

미움 hatred; hate; enmity. ¶ ~(을) 받다 be hated [detested].

미워하다 hate; detest; abhor.

미음(米飲) thin rice gruel.

미의식(美意識) an (a)esthetic sense.

미익(尾翼)《비행기의》the tail.

미인(美人) ① 《가인》a beautiful woman [girl]; a beauty. ¶ ~계를 쓰다 pull a badger game / ~ 선발대회 a beauty contest. ② 《미국인》an American.

미작(米作) a rice crop [harvest] (수확). ¶ ~지대 a rice-producing district.

미장(美粧) beauty culture [treatment]. ¶ ~원 a beauty shop [parlor].

미장이(─匠─) a plasterer. ¶ ~일 plastering; plaster work.

미적(美的) (a)esthetic / ~ 감각 an esthetic sense.

미적거리다《밀다》push [shove] forward little by little. ☞ 미루적거리다.

미적분(微積分) infinitesimal calculus.

미적지근하다 be tepid; lukewarm; half-hearted.

미전(美展) ☞ 미술 전람회.

미정(未定) ¶ ~의 undecided; unsettled; unfixed; uncertain / 날짜는 아직 ~이다 The date is not fixed yet.

미제(美製) ¶ ～의 American-made; made in U.S.A.

미주(美洲) the Americas.

미주신경(迷走神經)〔解〕a vagus nerve.

미주알고주알 inquisitively; minutely. ¶ ～ 캐묻다 ask inquisitively.

미증유(未曾有) ¶ ～의 unheard-of; unprecedented.

미지(未知) ¶ ～의 unknown. ‖ ～수 an unknown quantity.

미지근하다 ☞ 미적지근하다.

미진(未盡) ～하다 (be) incomplete; unfinished 〔미흡〕(be) unsatisfied.

미진(微震) a faint earth tremor; a slight shock (of an earthquake).

미착(未着) ¶ ～의 not yet arrived 〔delivered〕.

미착수(未着手) ¶ ～의 not yet started.

미처 (as) yet; up to now; so far; before. ¶ 그것까지는 ～ 생각 못했다 I was not far-sighted enough to think of that.

미천(微賤) ¶ ～한 humble; obscure; ignoble.

미취학(未就學) ¶ ～의 not (yet) attending school. ‖ ～아동 a preschool child.

미치광이(狂人) a madman; a lunatic 〔열광자〕a maniac; a fan. ¶ ～ 같은 mad; insane; crazy.

미치다[1] 〔정신이〕go 〔run〕mad; go 〔become〕insane; go 〔become〕crazy; lose *one's* mind 〔senses〕. ¶ 미친 insane; crazy 미치게 하다 drive (*a person*) mad 〔crazy〕. ② 〔열중〕be crazy 〔mad〕(*about*); lose *one's* head 〔*over*〕. ¶ 놀음에 ～ have a mania for gambling.

미치다[2] ① 〔이르다〕reach; come (up) to (*standard*); amount to 〔액수가〕; 〔걸치다〕extend 〔*to, over*〕; range (*over*). ② 〔영향을〕exert influence (*on*); affect.

미크론 a micron (기호 μ).

미터 ① 〔미터〕a meter. ② 〔계량기〕a meter; a gauge. ‖ 택시 ～ a taximeter.

미투리 hemp shoes.

미트 〔야구 장갑〕a mitt.

미풍(美風) a fine 〔good〕custom. ‖ ～양속 good custom and public morals.

미풍(微風) a breeze; a gentle 〔wind〕.

미필(未畢) ¶ ～의 unfinished; unfulfilled.

미필적 고의(未必的故意)〔法〕willful 〔conscious〕negligence.

미해결(未解決) ¶ ～의 unsolved; unsettled; pending.

미행(尾行) ～하다 follow; track (*a person*); shadow. ¶ ～을 당하다 be shadowed (*by*). ‖ ～자 a shadow(er); a tail.

미행(微行) ～하다 travel 〔visit〕 incognito; pay a private visit; go in disguise.

미혹(迷惑) 〔미망〕a delusion; an illusion; 〔당혹〕perplexity; bewilderment. ～하다 be perplexed 〔bewildered〕; be seduced; be infatuated 〔captivated〕(*with, by*).

미혼(未婚) ¶ ～의 unmarried; single. ‖ ～모 an unmarried mother.

미화(美化) beautification. ～하다 beautify (*a city*); make (*the look of the town*) beautiful. ¶ 교내 ～ 운동 a campaign to beautify the school / 전쟁을 ～ 하다 glorify 〔romanticize〕war. ‖ ～원 a street cleaner.

미화(美貨) American money 〔currency〕; the U.S. dollar.

미확인(未確認) ¶ ～의 not yet confirmed; unconfirmed. ‖ ～비행물체 an unidentified flying object (생략 UFO).

미흡(未洽) ¶ ～한 insufficient; unsatisfactory; imperfect; defective / ～한 점이 있다 〔없다〕leave something 〔nothing〕to be desired.

미희(美姬) a beautiful girl.

믹서 a 〔an electric〕mixer; a blender.

민가(民家) a private house.

민간(民間) ¶ ～의 private; non-

ficial; civil; civilian. ∥ ~단체 a nongovernment organization; an NGO / ~인 a private citizen; a civilian.

민감(敏感) ∥ ~한 sensitive 《to》; susceptible 《to》.

민권(民權) the people's rights; civil rights. ¶ ~을 옹호[신장]하다 defend [extend] the people's rights.

민단(民團) a foreign settlement group. ∥ 재일본 대한민국 ~ the Korean Residents Union in Japan.

민둥민둥하다 (be) bald; treeless. 「tain.

민둥산(─山) a bald [bare] moun-

민들레[梅] a dandelion.

민란(民亂) an insurrection of the people.

민망(憫惘) ~하다 (be) embarrassed; sorry; pitiful; sad.

민머리 a bald [bare] head; 《쪽 안 진》 undone hair.

민며느리 a girl brought up in one's home as a future wife for one's son.

민물 fresh water. ∥ ~고기 a fresh-water fish. 「vate house.

민박(民泊) ~하다 lodge at a pri-

민방위(民防衛) civil defense. ∥ ~ 훈련 civil defense training [drill].

민법(民法) the civil law.

민병(民兵) a militiaman; the militia corps.

민본주의(民本主義) democracy.

민사(民事) civil affairs. ∥ ~사건 a civil case.

민생(民生) the public welfare; the people's livelihood. ¶ ~의 안정 the stabilization of the people's livelihood.

민선(民選) ∥ ~의원 a representative elected by the people by popular vote].

민속(民俗) folk customs; folkways. ∥ ~박물관 a folklore museum / ~음악 folk music / ~촌 a folk village.

민수(民需) private (civilian) de-

mands [requirements]. ∥ ~품 civilian goods; consumer's goods.

민심(民心) public sentiment; popular feelings. ¶ ~을 얻다 win the confidence of the people.

민약설(民約說) the theory of social contract.

민어(民魚)[魚] a croaker.

민영(民營) private management [operation]. ¶ ~의 private; privately-operated [-managed] / ~ 으로 하다 privatize; put 《something》 under private management. ∥ ~화 privatization.

민완(敏腕) ¶ ~의 able; capable; shrewd. ∥ ~가 an able man; a man of ability.

민요(民謠) a folk song. ∥ ~가수 a folk singer.

민원(民怨) public resentment (grievance).

민원(民願) a civil appeal. ∥ ~사 무 civil affairs administration / ~실 the Public Service Center.

민의(民意) the will of the people; public opinion (consensus). ¶ ~를 존중(반영)하다 respect [reflect] the will of the people.

민정(民政)《군정에 대한》 civil administration (government). ¶ ~ 을 펴다 place 《the country》 under civil administration.

민정(民情) the realities of the people's lives. ¶ ~을 시찰하다 see how the people are living.

민족(民族) a race; a people; a nation. ¶ 소수~ an ethnic minority. ∥ ~성 racial [national] characteristics [traits] / ~정신 the national spirit / ~주의 racialism; nationalism.

민주(民主) democracy. ¶ ~적인 democratic / ~비 ~적인 undemocratic / ~화하다 democratize. ∥ ~당(黨) the Democratic Party; the Democrats / ~주의 democracy / ~주의자 a democrat.

민중(民衆) the people; the masses. ¶ ~화하다 popularize.

민첩(敏捷) ¶ ~한 quick; nimble; prompt; agile / 행동이 ~하다 be quick in action.

민통선(民統線) the farming restriction line (in Korea) = the Civilian Control Line (생략 CCL).

민폐(民弊) an abuse suffered by the public; a public nuisance. ¶ ~를 끼치다 cause a nuisance to the people.

민활(敏活) ¶ ~한 prompt; quick.

믿다 ① 《정말로》 believe; accept 《a report》 as true; place credence 《in》; be convinced 《of》; 《신용·신뢰》 trust; credit; have faith in; believe in 《a person》; rely 〔depend〕 on 《a person》. ¶ 믿을 수 있는 believable / 믿을 만한 reliable 《source》; trustworthy; credible. ② 《신앙》 believe in 《God》.

믿음 faith; belief. ¶ ~이 두터운 pious; devout / ~이 없는 unbelieving; impious.

믿음성(一性) reliability; dependability. ¶ ~ 있는 trustworthy; reliable.

믿음직하다 (be) reliable; trustworthy; dependable; 《유망》 hopeful; promising.

밀(소맥) wheat.

밀(밀랍) beeswax; (yellow) wax.

밀가루 wheat flour.

밀감(蜜柑) 〔植〕 a mandarin orange.

밀계(密計) a secret scheme; a plot. ¶ ~를 꾸미다 plot secretly.

밀고(密告) (secret) information 《against》; betrayal. ¶ ~하다 inform 〔report, tell〕 《the police》 against 〔on〕 《a person》; betray. ¶ ~자 an informer.

밀국수 wheat vermicelli; noodles.

밀기울 (wheat) bran.

밀다 ① 《떠밀다》 push; shove; thrust. ¶ 밀어내다 push out / 밀어젖히다 push aside. ② shave(면도로); 《plane(대패로). ③ 《매물》 rub 〔wash〕 off 《the dirt》; scrub. ④ 《후원·추천하다》 support; recommend. ⑤ ☞ 미루다.

밀담(密談) (have) a secret 〔private〕 talk 《with》.

밀도(密度) density. ¶ 인구~ density of population.

밀도살(密屠殺) illegal butchery. ¶ ~하다 slaughter 《cattle》 in secret.

밀랍(蜜蠟) beeswax.

밀레니엄(1천년의 기간) a millennium. ¶ ~ 버그 〔컴〕 a millennium bug.

밀렵(密獵) poaching. ¶ ~하다 poach; steal game. ¶ ~자 a poacher.

밀리(millimeter) milli-. ¶ ~그림 (생략 mg).

밀리미터(millimeter) a millimeter.

밀리다 ① 《일이》 be delayed 〔belated〕; be behind with 《one's work》; be left undone. ¶ 밀린 사무를 정리하다 clear up belated business. ② 《지불이》 be left unpaid; fall into 〔be in〕 arrears 《with the rent》; be overdue. ¶ 밀린 집세 arrears of rent; back rent. ③ 《떠밀리다》 be pushed 〔thrust, jostled〕. ¶ 인파에 ~ be swept along in the crowd.

밀림(密林) a dense 〔thick〕 forest; a jungle.

밀매(密賣) an illicit sale 〔trade〕. ¶ ~하다 sell 《liquor》 illegally; smuggle. ¶ ~자 an illicit dealer 〔seller〕.

밀매매(密賣買) ~하다 traffic in 《drugs》; engage in illicit traffic 《in》. ¶ ~업자 a smuggler.

밀물(密貿易) smuggling. ¶ ~하다 smuggle. ¶ ~업자 a smuggler.

밀물 the flowing 〔high〕 tide.

밀보리 wheat and barley (밀과 보리).

밀봉(密封) ~하다 seal up 《a letter》; make (a box) airtight.

밀사(密使) a secret messenger 〔envoy〕; an emissary.

밀생(密生) ~하다 grow thick(ly).

밀서(密書) a secret 〔confidential〕 letter 〔message, papers〕.

밀수(密輸) smuggling. ¶ ~하다 smuggle. ¶ 마약을 국내 〔국외〕로 ~하다 smuggle drugs in 〔abroad〕.

밀수입(密輸入) ~하다 smuggle 《a thing》 (into the country).

밀수출(密輸出) ~하다 smuggle 《*a thing*》 abroad.

밀실(密室) a secret room [chamber]; a closed room.

밀약(密約) a secret promise [agreement, treaty]. ~하다 make a secret promise.

밀월(蜜月) a honeymoon. ¶~여행 the honeymoon.

밀입국(密入國) ~하다 make an illegal entry 《*into a country*》. ¶~자 an illegal entrant [immigrant].

밀전병(─煎餅) a grilled wheat cake.

밀접(密接) ~한 close; intimate / ~한 관계가 있다 be closely related [connected] 《*with*》.

밀정(密偵) a spy; a secret agent.

밀조(密造) illicit manufacture; illicit brewing(술의). ~하다 manufacture [brew] illicitly [illegally].

밀집(密集) ~하다 gather [stand] close together; crowd; swarm; mass. ¶~가옥의 ~지대 a densely built-up area.

밀짚(밀─) wheat [barley] straw. ‖~모자 a straw hat.

밀착(密着) ~하다 adhere closely to; stick fast to.

밀초 a wax candle.

밀치다 push; shove; thrust.

밀크 [動] milk. ~우유. ‖~세이크 a milk shake / ~커피 *café au lait* (프).

밀탐(密探) ~하다 spy 《*on a person, into a secret*》; investigate secretly [in secret].

밀통(密通) ① 내통. ② (남녀의) adultery. ~하다 commit adultery 《*with*》.

밀폐(密閉) ~하다 shut [close] up tight; make [keep] 《*a box*》 airtight. ‖~용기 an airtight container.

밀항(密航) a secret passage; stowing away. ~하다 stow away 《*on a boat*》; steal a passage 《*to*》. ¶~자 a stowaway.

밀행(密行) ~하다 prowl 《*about*》; go secretly 《*to*》.

밀회(密會) a secret meeting. ~하다 meet 《*a person*》 in secret.

밉다 (be) hateful; abominable; detestable; spiteful. ¶미운 녀석 a hateful fellow.

밉살스럽다 (be) hateful; disgusting; detestable; repulsive.

밋밋하다 (be) long and slender; straight and smooth.

밍밍하다 (맛의) (be) tasteless; insipid; thin; washy; weak.

밍크 [動] a mink. ¶~코트 a mink coat.

밑 (both...) and; as well (as) ① (아래쪽) the lower part; the bottom; the foot. ¶~의 lower; under / ~에서 받치다 support 《*a thing*》 from below. ② (제금·나이 따위) ¶~의 lower; subordinate. ③ (근본) the root; the origin. ④ (음부) the private parts; the secrets. ⑤ (바닥) the bottom.

밑각(─角) [數] a base angle.

밑거름(─) [農] manure given at sowing [planting] time; initial [base] manure. ¶~을 주다 《비유적》 sacrifice *oneself* for.

밑그림(─의) a rough sketch; a draft. ☞ below.

밑돌다 be lower [less] than; fall below the base.

밑면(─面) the base.

밑바닥 the bottom [base].

밑바탕 (근저) the foundation; the ground; the base; 《본성》 nature; *one's* true colors.

밑받침 an underlay; a desk pad 《책상 위의》; a board.

밑변(─邊) the base.

밑줄 an underline. ¶~을 치다 underline; underscore 《a line》.

밑지다 lose (money) 《over》; suffer [incur] a loss. ¶밑지고 팔다 sell 《*a thing*》 at a loss [below cost].

밑창 the sole 《*of a shoe*》.

밑천(資本) capital; funds; principal(원금). ¶~장사 ~을 대다 provide 《*a person*》 with capital.

ㅂ

···ㅂ시다 let's. ¶ 갑시다 Let's go.

바 (밧줄) a rope; a hawser(동아줄); 《끈》 a cord; a string.

바 《술집》 a bar; a saloon 《美》; a pub 《英》.

바 〔量〕 bar. ‖ 밀리 ~ millibar.

바 《일》 a thing; what; 《방법》 way; means; 《법의》 extend. ¶ 그가 말하는 ~ what he says.

바가지 ① 《그릇》 a gourd (dipper). ② 《요금 등의》 overcharging; a rip-off. ¶ ~를 쓰다 pay exorbitantly / ~ 씌우다 overcharge 《a person》 for. ‖ ~ 요금 an exorbitant price. ③ 《아웅거림》 nagging. ¶ ~를 긁다 nag [yap] 《at one's husband》; keep after 《one's husband》 / ~ 긁는 아내 a nagging wife.

바각거리다 make scraping sounds.

바구니 a basket. ‖ 장~ a market [shopping] basket.

바구미 〔蟲〕 a rice weevil.

바글바글 《물이》 boiling (hot); 《거품이》 bubbling. ¶ 물을 ~ 끓이다 keep the water boiling (hot).

바깥 the outside(외부); the exterior(외면); out-of-doors (야외). ¶ ~의 outside; outdoor; outer; external / ~(에)서 in the open (air); out of doors; outside.

바꾸다 《교환》 exchange; change; barter(물물교환); 《대체》 replace; 《갱신》 renew; 《변경》 change; alter; shift; convert. ¶ 바꾸어 말하면 in other words.

바뀌다 change (turn) 《into》; be changed (altered; varied); 《개정되다》 be revised. ¶ ~ 변하다.

바나나 《peel》 a banana.

바느질 sewing; needlework. ~을 하다 sew; do needlework. ¶ ~을 팔다 earn one's living by needlework.

바늘 a needle; a pin(핀); a hook(낚시 등의); a hand(시계의). ¶ 여섯 ~ 꿰매다 have six stitches 《on one's cut》. ‖ ~ 귀 a needle's eye.

바다 the sea; the ocean(대양). ‖ 바닷바람 a sea breeze(wind).

바다표범 〔動〕 a seal.

바닥 ① 《평면》 the floor; the ground. ② 《밑부분》 the bottom; the bed 《of a river》; the sole 《of a shoe》. ③ 《끝》 the end 《of the resources》. ¶ ~나다 be exhausted; run out; be all gone; be out of stock. ④ 《번잡한 곳》 a congested area. ¶ 장~ a marketplace. ⑤ 《짜임새》 texture. ¶ ~이 고운 [거친] fine [coarse] in texture. ‖ ~시세 the bottom price / ~짐 《배의》 ballast.

바닷가 the shore [seashore]; the beach. ‖ ~고기 a sea fish.

바닷물 sea water. ¶ ~고기 a sea fish.

바닷새 a seabird; a seafowl.

바둑 *baduk*. ¶ ~을 두다 play [have a game of] *baduk*. ‖ ~판 a *baduk* board / ~판 무늬 checkers; a check pattern.

바둑이 a dog spotted with black and white.

바득바득 doggedly; perversely.

바라다 ① 《예기·기대》 expect; hope for; count on; look forward to. ¶ ···을 바라고 in the hope 《that...》; in expectation of.... ② 《소원함》 want; wish; desire; hope. ③ 《원·부탁》 beg; request; entreat.

바라보다 see; look 《at》; watch; gaze 《at, on》 《응시》; look 《방관》; 《전망하다》 view; take [get] a view of.

바라보이다 be looked over; com-

바라지 mand; overlook. ～하다 take care (of); look after.

바라다 ① (몸이) (be) stumpy; have a stocky build. ② (그릇이) (be) shallow. ③ (마음이) get too smart for one's age; be precocious [saucy].

바라지다 (갈라지다) split off; (열리다) open out; be wide open.

바라크 a barrack; a shack.

바락바락 desperately; doggedly. ¶ ～ 기를 쓰다 make desperate efforts.

바람 ① (공기의 흐름) a wind; a current of air; a breeze(미풍); a gale(강풍); a draft (밖에서 들어오는); (바람이 없는) windless. ¶ ～이 일다[자다] the wind rises [drops]. ② (들뜬 마음) have an affair (with a person); be unfaithful to one's husband [wife]; play around(美口); ‖ ～둥이 a playboy(남자); a flirt(여자). ③ (중풍) palsy; paralysis.

바람 ① (겨를·기회) ¶ ～에 in conjunction (with); in the process (of); as a consequence (of) / 일어나는 ～에 in the (act of) rising. ② (차림) 셔츠 ～으로 in shirt sleeves; without one's coat on.

바람개비 a vane; a weathercock.

바람들다 (푸성귀가) get pulpy; get soft inside; get soggy. ¶ 바람든 무 a pulpy radish. ② (일·계획이) be upset; fall be spoiled [hindered]; go wrong.

바람막이 a windscreen; a shelter from the wind.

바람맞다 ① (속다) be fooled [deceived]; be stood up by (a person) (기다리다). ¶ 바람맞히다 stand (a person) up. ② (풍병이) be stricken with paralysis. 「wind.

바람받이 a place exposed to the

바람잡다 (허황된 짓을 꾀하다) conceive a wild hope [scheme]; take a shot in the dark.

바람잡이 (허풍선이) a braggart; an empty boaster; a gasbag; (소매치기의) a pickpocket's mate.

바람직하다 (be) desirable; advisable. ¶ 바람직하지 않다 (be) undesirable.

바래다 ① (변색) fade; discolor; ¶ 바래지 않는 fade-proof; color-fast; standing. ② (표백) bleach (cotton).

바래다 (배웅) see (a person) off; give (a person) a send-off.

바로 ① (정당하게) rightly; justly; properly; (틀림없이) correctly; accurately; (합법하게) lawfully; legally; (진실되게) honestly; truly. ② (곧) right away; (똑바로) straight; (꼭) just; right; exactly. ¶ ～ 눈앞에서 right under one's nose / ～ 집으로 가다 go straight home / 이 근처에서 그를 보았다 I saw him just about here. ③ (구령) Eyes front!

바로미터 a barometer.

바로잡다 ① (굽은 것을) straighten; make straight [right]. ② (교정) correct; redress; remedy; reform; set right.

바로크 〜시대 the baroque age / 〜음악 baroque music.

바륨 〔化〕 barium(기호 Ba).

바르다 ① (곧다) (be) straight; straight forward; upright(직립). ② (정당) (be) right; righteous; just; (참되다) (be) honest; upright; (적절) (be) proper; (합법) (be) lawful; (정확) (be) correct; accurate.

바르다 ① (붙이다) stick; paste; plaster; (종이를) paper. ② (칠하다) paint; coat(칠 따위를); plaster (석반죽을); apply(연고); (분 따위를) powder; put on.

바르르 ¶ ～ 끓다 be simmering; bubbling; (추워서) ～ 떨다 shiver with cold.

바르샤바 Warsaw(폴란드의 수도). ‖ ～조약 the Warsaw Pact.

바른길 (곧은 길) a straight way; (옳은 길) the right path [track].

바른말 《옳은 말》 a reasonable [right] word; 《직언》 plain speaking; a straight talk. ~하다 speak reasonably [plainly].

바리 《짐》 a pack [load] 《of fire-wood》 《밥그릇》 a brass [wooden] rice bowl.

바리케이드 a barricade. ¶ ~를 치다 set up a barricade; barricade 《a place》.

바리톤 〔樂〕 baritone; a baritone 〔가수〕. baritone voice.

바림 〔美術〕 shadings [gradations] of a color; shading off.

바바리(코트) a Burberry (coat) 《상표명》 ¶ a trench coat. 〔Babel.

바벨 〔聖〕 ¶ ~탑 the tower of

바보 a fool; a stupid person; an ass; an idiot; a simpleton. ¶ ~ 같은; foolish; stupid.

바비큐 barbecue. 〔Babylonian.

바빌로니아 Babylonia. ¶ ~사람 a

바쁘다 (be) busy 《in, with》; 《급하다》 (be) pressing; urgent. ¶ 바쁘게 busily; hurriedly.

바삐 《바쁘게》 busily; 《급히》 hurriedly; in haste; in a hurry; 《즉시》 at once; immediately. ¶ 한시 ~ without a moment's delay.

바삭거리다, 바스락거리다 (make) a rustle; crunch; (be) crisp《과자》. ¶ 바삭바삭 rustlingly; with a rustle. 〔(into pieces).

바스러뜨리다 crush; smash; break

바스러지다 (be) broken [crushed, smashed]; fall to pieces.

바싹 ① 《바삭》 rustlingly; with a rustle. ② 《물기가 없게》 (dried up) completely; as dry as a bone 《몸이 마른》; thinly, haggardly. ¶ ~ 말라붙은 우물 a dried-up well / ~ 마른 입술 parched lips. ③ 《죄는 모양》 fast; tightly; closely.

바야흐로 ¶ ~하려 하다 be going 《about》 to 《do》; be on the point of 《doing》.

……바에야 《이왕 …이면》 at all; 《차라리》 rather 〔than〕; 《as soon as》. ¶ 투항할~ 죽겠다 I would rather die than surrender.

바위 a rock; a crag.

바위옷 〔植〕 rock moss; lichen.

바이러스 〔醫〕 a virus. ¶ ~성의 viral / B형 ~성 간염 viral hepatitis type B.

바이블 《성경》 the Bible.

바이스 《공구》 a vise; a vice 《英》.

바이올린 a violin.

바이트 〔컴〕 a byte(정보량의 단위).

바자 《자선시》 a (charity) bazaa(r); a fancy fair.

바작바작 《소리》 with a crackling [sizzling]; 《초조》 fretfully; in a state of anxiety.

바제도병 《病》 Basedow's disease.

바조 《一調》 〔樂〕 F major《장조》; F minor 《단조》.

바주카포《一》 〔軍〕 a bazooka.

바지 (a pair of) trousers; pants 《美》. ¶ ~ 멜빵 suspenders 《美》.

바지락 《조개》 a short-necked clam.

바지저고리 jacket [coat] and trousers 《비유적》 a good-for-nothing; a figurehead《무실인자》.

바지지, 바지직 sizzling; hissing.

바치다 《드리다》 give; offer; present; consecrate《신에게》; devote 《노력·심신을》; sacrifice 《헌신》.

바치다 《지나치게 즐기다》 have an excessive liking for; be addicted to.

바캉스 (a) vacation; holidays; vacances 《프》. ¶ ~웨어 holiday clothes.

바코드 a bar code.

바퀴 〔蟲〕 a cockroach.

바퀴 《수레의》 a wheel 《인주》; a round [turn]. ¶ 한 ~ 돌다 take a turn; go one's rounds《담당 역을》. ¶ ~자국 ruts; tracks 《자동차 등의》 / 앞[뒷] ~ the front [back] wheel.

바탕 《기초》 foundation; basis 《성질》 nature; character; 《소질·성향》 (a) disposition; 《소양》 the makings; 《재료·소질》 the constitution; 《재료》 ground; texture《직물의》.

바탕 for some 《길》 time.

바텐더 a bartender.

바투 close; closely.

바특하다 《국물이》 (be) thick.

바티칸 《로마 교황청》 the Vatican.

박 〔匏〕 a gourd; a calabash.

박 〔箔〕 foil 《두꺼운》; leaf 《얇은》.

박격포 〔迫擊砲〕 〔軍〕 a mortar.

박공 〔膊栱〕 〔建〕 a gable.

박다 〔못 따위를〕 drive 〔strike〕 《in, into》; hammer 《in》 《큰 못을》; 《상감》 set; inlay; fix.

박다² 〔찍다〕 take 《a picture》; 《인쇄〕 print; get 《a thing》 printed.

박다 〔바느질〕 sew; stitch.

박달 〔나무〕 〔檀〕 a birch.

박대 〔薄待〕 ~ 냉대.

박덕 〔薄德〕 want 〔lack〕 of virtue.

박두 〔迫頭〕 ~ 하다 draw 〔come〕 near; approach; be at hand; be imminent.

박람회 〔博覽會〕 an exhibition; a fair. ¶ ~장 the exhibition 〔fair〕 grounds.

박력 〔迫力〕 force; power; intensity.

박리 〔薄利〕 small profits. ¶ ~로 팔다 sell at small profits. ‖ ~ 다매 small profits and quick returns.

박막 〔薄膜〕 a thin film. ‖ ~집적회로 a thin-film integrated circuit.

박멸 〔撲滅〕 ~ 하다 eradicate; exterminate; stamp 〔wipe〕 out.

박명 〔薄命〕 ~ 한 unfortunate; unlucky; ill-fated.

박물 〔博物〕 ~ 관 a museum; ~ 학 natural history / ~ 학자 a naturalist.

박박 〔긁거나 찢는 모양〕 ¶ 모기가 문 곳을 ~ 긁다 scratch a mosquito bite; 편지를 ~ 찢다 tear the letter to pieces. ②〔얽은 모양〕 ¶ 얽은 얼굴 a face pockmarked 〔pitted〕 all over. ③〔깎게〕 머리를 ~ 깎다 have one's hair cut 〔cropped〕 short.

박복 〔薄福〕 misfortune; sad fate. ¶ ~ (be) unlucky; unfortunate.

박봉 〔薄俸〕 a small 〔low〕 salary.

박사 〔博士〕 a doctor 《생략 Dr.》.

‖ ~ 논문 a doctoral thesis / ~ 학위 a doctor's degree 《~ 학위를 따다 take a doctorate》.

박살 ~ 내다 shatter; knock 《a thing》 to pieces.

박살 〔撲殺〕 ~ 하다 beat 《a person》 to death.　　　　「woman.

박색 〔薄色〕 an ugly look; a plain

박수 〔拍手〕 hand clapping. ~ 하다 clap one's hands; 《~ 갈채하다 give 《a person》 a clap and cheers; applause 《~ 갈채하다 give 《a person》 a clap and cheers》.

박식 〔博識〕 erudition. ¶ ~ 한 erudite; well-informed.

박애 〔博愛〕 philanthropy. ¶ ~ 의 philanthropic; charitable. ‖ ~ 주의 philanthropism.

박약 〔薄弱〕 ~ 한 feeble; weak 《의지》. ~ 한 weak-minded.

박음질 sewing; sewing-machine stitches.

박이다 ①〔속에〕 stick; run into; get stuck 〔embedded〕 in; 《마음 속에〕 sink deep in 《one's heart》. ②〔몸에 배다〕 become a habit; fall into a habit 《of》.

박자 〔拍子〕 time; rhythm; beat. ¶ ~ 를 맞추다 keep 〔good〕 time with 〔to〕 《the music》; beat time / ~ 에 맞추어 in 〔measured〕 time.

박장대소 〔拍掌大笑〕 applause mingled with laughter. ~ 하다 laugh aloud clapping one's hands.

박정 〔薄情〕 ¶ ~ 한 cold-hearted; heartless; unfeeling; cruel / ~ 한 말을 하다 speak cruelly 〔heartlessly〕.

박제 〔剝製〕 〔행위〕 stuffing; mounting; ~ 하다 stuff 《a bird》 ¶ ~ 한 stuffed; mounted. ‖ ~ 사 a taxidermist / ~ 술 taxidermy.

박쥐 〔動〕 a bat.

박진 〔迫眞〕 truthfulness to life. ¶ ~ 감 있는 true to life / ~ 감 있다 be true to nature; be realistic.

박차 〔拍車〕 a spur. ¶ ~ 를 가하다

박차다 《말에》 spur (on) *one's* horse; 《비유적》 spur on; give impetus to.

박차다 kick away (off); 《뿌리치다》 kick; reject; refuse; turn down.

박치기 butting. ~하다 butt 《*at*, *against*》; give a butt to 《*a person*》.

박탈하다(剝奪一) ~ 빼앗다.

박테리아 a bacterium(*pl.* -ria).

박하(薄荷) 〔植〕 peppermint.

박하다(薄一) 《적다》 (be) little; 《인색》 (be) illiberal; stingy; severe 《점수가》; 《인정이》 (be) heartless; unfeeling; hard.

박학(博學) erudition; great learning. ¶ ~한 erudite; learned.

박해(迫害) persecution. ~하다 persecute; oppress. ‖ ~자 a persecutor; an oppressor.

박히다 《들어가》 get stuck; be driven 《*in*》; 《인쇄물이》 be printed; 《사진이》 be taken.

밖 ① ~ 바깥. ② 《이외》 the rest; the others; and so on 〔forth〕; and the like; 《…뿐》 only; but. ¶ 그 ~ 에 besides; in addition 《*to*》 / 그 ~ 의 사람은 the rest; the others.

반(半) ① 《절반》 a half. ② 《반쯤》 partial; half. ¶ ~은 농으로 half in jest.

반(班) 《학급》 a class; 《동네의》 a neighborhood association; 《집단》 a party; a team; 《군대의》 a section; a squad.

반-(反) anti-. ¶ ~제국주의 anti-imperialism. ~ 'tured goods.

반가공품(半加工品) semimanufac-

반가부좌(半跏趺坐) sitting with *one's* legs half-crossed as in Buddhist statues.

반가워하다 be glad 〔pleased, delighted〕 《*at, about*》; rejoice in; be glad 〔pleased, delighted〕.

반가이 gladly; delightedly; with joy; with pleasure.

반감(反感) antipathy; ill-feeling. ¶ ~을 사다 offend 《*a person*》; provoke 《*a person's*》 antipathy.

반감(半減) ~하다 reduce 〔cut〕 《the

반값(半一) half (the) price. ¶ ~으로 at half-price; at half the (usual) price / ~으로 깎다 take off half the price.

반격(反擊) a counterattack. ~하다 counterattack; strike back.

반경(半徑) 〔幾〕 a radius.

반공(反共) anti-Communism. ‖ ~운동 an anti-Communist drive 〔movement〕.

반공일(半空日) a half-holiday.

반국가적(反國家的) antinational.

반군(叛軍) a rebel army. 〔state.

반기(反旗) a standard 〔banner〕 of revolt. ¶ ~를 들다 rise in revolt 《*against*》; take up arms 《*against*》.

반기(半期) ~의 half-yearly; semiannual / 상(하)~ the first 〔second〕 half of the year. ‖ ~결산 the half-yearly account / ~배당 a semiannual dividend.

반기(半旗) a flag at half-mast. ¶ ~를 달다 fly 〔hoist〕 a flag at half-mast.

반기다 be glad 〔happy〕; be pleased 〔delighted〕; rejoice 《*over*》. ¶ 손님을 ~ be delighted to see a guest. 〔half the morning.

반나절(半一) a quarter of a day;

반나체(半裸體) semi-nudity; half-naked; seminude.

반납(返納) ~하다 return 《*a book*》; give back 《*a thing*》.

반년(半年) half a year; half a year. ¶ ~마다 half-yearly.

반달(半一)① 《반개월》 half a month. ② 《달의》 a half moon. ¶ ~형의 semicircular.

반대(反對) ① 《반항》 opposition; 《이의》 (an) objection. ~하다 oppose; be opposed 《*to*》; be 〔stand〕 against; object 《*to*》. ¶ 너는 그것에 대해 찬성이냐 ~ 냐 Are you for it or against it? ¶ ~

신문 〖法〗 a crossexamination / ～
자 an opponent 〔objector〕. ② 〔역
(逆)〕 the opposite; the reverse;
the contrary. ¶ ～의 the oppo-
site 〈direction〉; the reverse
〈side〉 / ～로 the other way; in
the opposite direction; on the
contrary. ‖ ～급부 a consider-
ation / ～어 an antonym.

반도(半島) a peninsula. ¶ ～의
peninsular.

반도(叛徒) rebels; insurgents.

반도체(半導體) a semiconductor.

반동(反動) (a) reaction; recoil〔총
따위의〕. ～하다 react; rebound;
kick; recoil. ¶ ～적인 reac-
tionary. ‖ ～분자 reactionary ele-
ments / ～주의자 a reactionary.

반드시(확실히) certainly; surely;
without fail 〔틀림없이〕; 〈꼭〉 by
all means; 〈항상〉 always; invari-
ably; 〈필연〉 necessarily; inevit-
ably.

반들거리다(윤나다) glisten; shine;
have a gloss.

반듯하다 (be) straight; upright;
erect; even; 〈용모가〉 (be) come-
ly; good-looking; neat.

반등(反騰) a reactionary rise; a
rebound; a rally. ～하다 rally;
rebound.

반딧불 the glow of a firefly.

반딧불이〔개똥벌레〕 a firefly; a
glowfly; a lightning bug 〈美〉.

반락(反落) a reactionary fall 〈in
stock prices〉. ～하다 fall 〔drop〕
in reaction; fall 〔slip〕 back. ¶
급～ a sharp setback.

반란(反亂) (a) revolt; (a) rebel-
lion. ～을 일으키다 rise in
revolt; rebel 〔rise〕 〈against〉.
‖ ～군 a rebel 〔an insurgent〕
army / ～자 a rebel. 　　「ner.

반려(伴侶) a companion; a part-

반려(返戾) give back; re-
turn.

반론(反論) a counterargument; a
refutation. ～하다 argue against;
refute.

반말(半 —) the informal speech

level; crude language; rough
talk. ～하다 talk roughly; speak
impolitely.

반면(反面) the other side; the
reverse. ¶ ～에 on the other
hand.

반면(半面) 〈사물의〉 one side; 〔얼굴
의〕 half the face. ‖ ～상 a profile;
a silhouette.

반모음(半母音) a semivowel.

반목(反目) antagonism; hostility.
～하다 be hostile 〔antagonistic〕
to 〈a person〉; be at odds with
〈a person〉; feud 〈with〉.

반문(反問) ～하다 ask in return.

반점(斑點) a spot; a speckle.

반미(反美) ～의 anti-American.

반미치광이(半 —) a slightly mad
〔crazy〕 person. 　　「〔trousers〕.

반바지(半 —) shorts; knee pants

반박(反駁) confutation; refuta-
tion. ～하다 refute; retort 〈on,
against〉.

반반(半半) ～ 〈으로〉 (mix) half-
and-half; fifty-fifty 〈주로 美〉.

반반하다 ① 〈바닥이〉 (be) smooth;
even. ② 〈인물이〉 (be) nice-look-
ing; fine. ③ 〈지체가〉 (be) decent;
respectable.

반발(反撥) repulsion. ～하다 repel;
repulse; resist. ‖ ～력 repul-
sion power; repulsive force.

반백(斑白) ¶ ～의 gray-haired;
grizzled. 　　　　　　　「mumbler.

반벙어리(半 —) a half-mute; a
half-wit; a partially dis-
abled person; a half-wit(반편).

반복(反復) ～하다 repeat. ¶ ～ 하여
repeatedly; over again.

반분(半分) ～하다 halve; divide
into halves; cut in half.

반비(反比) 〖數〗 reciprocal ratio.

반비례(反比例) 〖數〗 ～하다 be in
inverse proportion 〈to〉.

반사(反射) 〔열·빛의〕 reflection; 〈생
리적 반응〉 reflex. ～하다 reflect
〈light〉. ¶ ～경 a reflex mirror /
～작용 a reflex action.

반사회적(反社會的) antisocial. ‖ ～
집단〔행위〕 an antisocial group

〔action〕.

반삭(半朔) half a month; a half month.

반상(기)(飯床(器)) a dinner set; a set of tableware.

반상회(班常會) a neighborhood meeting; a monthly neighbors' meeting.

반색하다 show great joy; rejoice; be delighted.

반생(半生) half one's life; half a lifetime.

반석(盤石) a huge rock. ‖ ～ 같은 〔감이〕 as firm as a rock.

반성(反省) self-examination; reflection. ～하다 reflect on; reconsider.

반세기(半世紀) half a century.

반소(反訴) (bring) a cross action.

반소매(半 ―) a half 〔short〕 sleeve.

반송(返送) ～하다 return; send back. ‖ ～료 《우편의》 return postage.

반송장(半―) a half-dead person; a person who is as good as dead.

반수(半數) half the number.

반숙(半熟) ～의 half-cooked; half-boiled; half-done.

반시간(半時間) half an hour; a half hour 《美》.

반식민지(半植民地) ～국가 a semi-colonial state.

반신(半身) half the body(상하의); one side of the body(좌우의). ‖ ～상 a half-length statue 〔portrait〕.

반신(返信) a reply; an answer.

반신반의(半信半疑) ～하다 be dubious 〔doubtful〕 《about, of》; be half in doubt.

반심(叛心) a treacherous mind.

반암(斑岩) 〔地〕 porphyry.

반액(半額) half the price 〔sum, fare〕. ‖ ～으로 at half the price 〔fare〕; at half-price.

반양자(陽陽子) 〔理〕 an antiproton.

반어(反語) irony. ‖ ～적(으로) ironical(ly).

반역(叛逆) treason; a rebellion.

～하다 rebel 〔revolt〕 《against》; rise in revolt. ‖ ～자 a traitor; a rebel.

반영(反映) reflection. ～하다 reflect; be reflected 《in》.

반영(反英) ～의 anti-British.

반영구적(半永久的) semipermanent.

반올림(半―) ～하다 round off.

반원(半圓) 〔幾〕 a semicircle. ‖ ～(형) semicircular.

반월(半月) a half moon. ‖ ～(형) 의 cresent 〔-shaped〕.

반유대(反―) ‖ ～의 anti-Semitic.

반유동체(半流動體) 〔理〕 (a) semifluid; (a) semiliquid.

반음(半音) 〔樂〕 semitone; half step. ‖ ～을 올리다 〔낮추다〕 sharp 〔flat〕 《the tone》.

반응(反應) (a) reaction; 《반향》 a response; 《효과》 an effect. ～하다 react 《to, on》; respond 《to》.

반의반(半一半) a quarter; one fourth.

반의식(半意識) 〔心〕 subconsciousness. ‖ ～적 subconscious; half-conscious.

반의어(反意語) an antonym.

반일(反日) ‖ ～의 anti-Japanese.

반입(搬入) ～하다 carry 〔bring, take〕 in.

반자 a ceiling. ‖ ～널 a ceiling board 〔pannel〕.

반작용(反作用) (a) reaction. ～하다 react 《on, to》.

반장(班長) a monitor 〔학급의〕; a foreman 〔직공의〕; the head of a neighborhood association 〔동네 의〕.

반장화(半長靴) half boots 〔의〕.

반전(反戰) ‖ ～의 antiwar; pacifistic. ‖ ～론 〔주의〕 pacifism / ～론〔주의〕자 a pacifist / ～운동 an antiwar movement.

반전(反轉) ～하다 turn 〔roll〕 over.

반절(半切) folding in half. ～하다 fold in half 〔two〕. ‖ ～지 a piece of paper folded in half.

반점(斑點) a spot; a speck. ‖ ～이 있는 spotted; speckled. 〔ment.

반정부(反政府) ～의 antigovern-

반제국주의(反帝國主義) anti-imperi-

alism. ¶ ～적 anti-imperialistic.
반제품(半製品) half-finished goods.
반주(伴奏) an accompaniment.
～하 accompany (*a person on the piano*). ¶ ～자 an accompanist.
반주(飯酒) liquor taken at meal time.
반죽 kneading; dough. ～하다 knead (*dough*); work (*clay*).
반죽음(半－) being half-dead. ～하다 be nearly (all but) killed.
반증(反證) (a) disproof; (an) evidence to the contrary. ¶ ～을 들다 disprove; prove the contrary.
반지(斑指) a (finger) ring.
반지름(半－) 반경(半徑), (al.
반직업적(半職業的) semiprofessional.
반짇고리 a workbox; a needle case; a sewing box.
반질거리다 ① (매끄럽다) be glossy (smooth, slippery). ② (교활하다) be sly (saucy, cunning).
반질반질 ① be glossy; smooth; slippery.
반짝거리다 shine; glitter; sparkle; twinkle(별이); glimmer(깜박임).
반쪽(半－) (a) half.
반찬(飯饌) a side dish; dishes to go with rice. ¶ ～가게 a grocer's (shop); a grocery / ～거리 groceries.
반창고(絆瘡膏) a sticking (an adhesive) plaster.
반체제(反體制) anti-Establishment. ¶ ～인사 a dissident; an anti-Establishmentarian.
반추(反芻) rumination. ～하다 ruminate; chew the cud. ¶ ～동물 a ruminant.
반출(搬出) ～하다 carry (take) out.
반취(半醉) ～하다 get half-drunk.
반칙(反則) (경기의) a foul; violation of the rules (law)(법규의). ～하다 (play) foul; break (violate) the rule. ¶ ～패하다 lose a game on a foul.
반타작(半打作) [農] sharing a ten-

ant crop fifty-fifty with the landowner. ～하다 share the crop equally.
반투명(半透明) ¶ ～의 semitransparent (*body*); translucent.
반편(이)(半偏一) a half-wit (simpleton); a fool. ¶ ～노릇 (짓)하다 play the fool; make a fool of oneself. [culate.
반포(頒布) ～하다 promulgate; circulate.
반품(返品) returned goods. ～하다 return (*goods*). ¶ ～사절 (게시) All sales final; No refund.
반하다 (매혹) fall (be) in love (*with*); take a fancy (*to*); lose one's heart (*to*).
반하다(反－) be contrary to (*one's interests*); go (be) against; violate (break) (*a rule*). ¶ 의사에 반하여 against one's will.
반합(飯盒) a messtin; a mess kit.
반항(反抗) resistance; opposition; defiance. ～하다 resist; oppose; defy. ¶ ～적인 defiant (*attitude*); rebellious (*spirit*).
반핵(反核) ¶ ～의 antinuclear. ¶ ～운동 an antinuclear campaign / ～운동가 an antinuker; a nukenik.
반향(反響) an echo; reverberation(s); (반응) a response; influence. ～하다 echo; resound. ¶ ～을 일으키다 create a sensation.
반혁명(反革命) a counterrevolution. ¶ ～적 anti-revolutionary.
반환(返還) return. ～하다 return; give back; restore.
받다 (수령) receive; accept; be given (granted, presented); have; take; get. ② (당하다) receive; suffer; sustain. ¶ 혐의를 ～ fall (come) under suspicion. ③ (받다) undergo; go through. ④ (던진 공 따위를) catch (stop) (*a ball*); receive. ⑤ (우산을) put up (*an umbrella*); hold. ⑥ (뿔·머리로) butt; horn; toss. ⑦ (볕·바람 따위를) bask; be bathed (*in*). ⑧ (아기) deliver (*a woman of a*

child). ⑨ 《응답》 answer.

받들다 《추대》 set 《*a person*》 up. ¶ 그를 회장으로 ~ set him up as chairman. 《보좌》 hold up; support; 《보좌》 assist; help; 《승복하다》 obey. ¶ …의 명령을 받들어 in obedience to 《*a person's*》 order. ④ 《존경》 respect; honor. ④ 《받쳐듦》 lift 《up》; hold up.

받아들이다 accept 《agree to》 《*a proposal*》; receive; grant 《*a request*》.

받아쓰기 《*a*》 dictation. 〔*quest*〕.

받아쓰다 write 《take; put》 down; take dictation. ¶ 받아쓰게 하다 dictate 《*to a person*》.

받을어음 〔商〕 bills receivable(생략 B/R). ⓑ .

받치다 ① 《괴다》 prop; bolster 《*up*》; support; hold. ② 《지긋이》 lie heavy on the stomach. ③ 《우산 따위를》 hold 《*an umbrella*》 over *one's* head; put up.

받침대 a prop; a support; a stay; a strut.

받히다 be butted 〔gored〕.

발¹ 《추대》 a leg(다리); a paw (개·고양이의); tentacles; arms(문어의).

발² 《치는》 a bamboo blind.

발³ 《길이·깊이의 단위》 a fathom.

발(發) 《출발》 ¶ 광주발 급행 an express 《train》 from Gwangju. 《탄알수》 a round; a shot(소총의); a shell (대포의).

발가락 a toe.

발각(發覺) ¶ ~ 되다 be found out; be detected; be brought to light.

발간(發刊) publication; issue. ~ 하다 publish; issue; start 《*a magazine*》.

발갛다 (be) bright red.

발개지다 turn bright-red; redden. ¶ 얼굴이 ~ blush; flush.

발걸음 a pace; a step. ¶ ~을 재촉하다 quicken *one's* pace.

발견(發見) 《a》 discovery. ~ 하다 find 《out》; make a discovery; discover. ¶ ~자 a finder; a discoverer.

발광(發光) radiation. ~ 하다 radi-

ate; emit; give light. ¶ ~도료 luminous paint / ~체 a luminous body.

발광(發狂) ~ 하다 go 〔run〕 mad; become insane 〔lunatic〕. ¶ ~케 하다 drive 《*a person*》 mad.

발구르다 stamp *one's* feet; stamp with vexation.

발군(拔群) ¶ ~의 distinguished; outstanding; unparalleled.

발굴(發掘) excavation. ~ 하다 dig up 〔out〕; excavate; exhume.

발굽 a hoof; an unguis〔*pl.* -gues〕.

발그레하다 (be) reddish.

발급(發給) ~ 하다 issue. 〔spots.

발긋발긋 ~ 하다 be dotted with red.

발기(勃起) 《근육의》 erection. ~ 하다 stand erect; become rigid 〔stiff〕. ¶ ~가 안 되다 become impotent / ~력 감퇴 impotency.

발기(發起) 《사업의》 promotion; 《企 劃》 a projection; 《제의》 a suggestion; a proposal. ~ 하다 pro- mote; project; suggest; propose. ¶ ~인 projector; a promoter.

발기다 open up; tear to pieces.

발길 ¶ 잦다 make frequent calls 《on, at》 / ~을 돌리다 turn back. ¶ ~질 a kick.

발꿈치 the heel.

발끝 the tips of the toes; a toe(구두·양말 따위의).

발단(發端) the origin; the open- ing; the beginning.

발달(發達) development; growth; 《전보》 progress; advance(ment). ~ 하다 develop; grow; make progress.

발돋움 ~ 하다 stand on tiptoe; stretch *oneself*; 《비유적》 over- stretch *oneself*; try to do what is beyond *one's* power.

발동(發動) operation; exercise(법· 권력의). ~ 하다 move; put 《*a law*》 into operation; exercise.

발동기(發動機) a motor; an en- gine. ¶ ~선 a motorboat.

발뒤꿈치 the heel. ¶ ~도 못 따라가다 be no match 《*for a*

person).

발등 the instep.

발딱 발짝.

발라내다 tear [peel, strip] off; clean; pare. ¶ 생선 뼈를 ∼ bone a fish.

발랄(潑剌) ¶ ∼한 fresh; lively; brisk.

발레 a ballet.

발레리나 a ballerina.

발령(發令) an (official) announcement. ∼하다 announce 《*one's appointment*》 officially; issue 《*a warning*》.

발로(發露) expression.

발론(發論) a proposal; a motion. ∼하다 propose; move. ¶ ∼자 a proposer; a mover.

발맞다 fall into step. ¶ 발맞지 않다 get out of step.

발맞추다 keep pace 《*with*》; fall [get] into step 《*with*》; act in concert 《*with*》 (행동통일).

발매(發賣) ∼하다 sell; put 《*a thing*》 on sale [the market]. ¶ ∼중이다 be on sale. / ∼금지 prohibition of sale / ∼처 a sales agent.

발명(發明) (an) invention. ∼하다 invent. ¶ ∼가 an inventor / ∼품 an invention.

발목 an ankle. ¶ ∼ 잡히다 [일에] be chained [tied] to *one's* business; [약점을] give a handle to the enemy. ¶ ∼에 at *one's* feet.

발바닥 the sole of a foot.

발바리 a spaniel (dog).

발발(勃發) an outbreak; an outburst. ∼하다 break [burst] out; occur suddenly.

발병(發病) ∼하다 be taken ill; fall ill [sick]; get sick.

발본(拔本) eradication. ∼하다 root out [up]; eradicate. ¶ ∼적 조치를 취하다 adopt drastic measures.

발부리 tiptoe; a toe.

발뺌(회피) an evasion; 《구실》 an excuse; a way out. ∼하다 excuse *oneself*; talk *oneself* out of a difficulty.

발사(發射) firing; discharge; launching(로켓의); liftoff(우주선의). ∼하다 fire; shoot; discharge; launch. ¶ ∼대[장] a launching pad [site] / ∼장치 a launcher.

발산(發散) 《증기·냄새의》 emission; 《빛·열의》 emanation; radiation; 《정력의》 explosion. ∼하다 give [send] out [forth]; radiate; emit; let off.

발상(發想) an idea; a way of thinking.

발상지(發祥地) the place of origin; the cradle 《*of*》; the birthplace 《*of*》.

발생(發生) 《사전의》 occurrence 《나쁜 일의》 an outbreak. ∼하다 happen; occur; break out. ¶ ∼학 embryology.

발생률(發生率) a rate of incidence.

발설(發設) ∼하다 divulge; make public; disclose.

발성(發聲) utterance. ∼하다 utter [produce] a sound. ¶ ∼기관 the vocal organs / ∼법 vocalization.

발소리 the sound of footsteps. ¶ ∼를 죽이고 with stealthy steps.

발송(發送) ∼하다 《물품》 send out; dispatch; forward; ship off. ¶ ∼인 a sender; a consignor(출하주) / ∼항 a port of dispatch.

발신(發信) ∼하다 send 《a *telegram*》; dispatch 《a *message*》. ¶ ∼국 the sending office / ∼음 《전화의》 a dial tone.

발싸개 feet wraps.

발아(發芽) ∼하다 germinate; bud; sprout. ¶ ∼기 a germinating period.

발악(發惡) ∼하다 revile; curse and swear; abuse. ¶ 최후의 ∼ the last-ditch struggling.

발안(發案) (a) suggestion; an idea. ∼하다 suggest; propose

《a bill》; move; originate. ‖ ~권 the right to submit a bill to the Congress 《의~자 a proposer; an originator.

발암(發癌) ~성의 carcinogenic; cancer-causing. ~물질 a carcinogen; a carcinogenic substance.

발언(發言) a remark; a speech; (an) utterance. ~하다 speak; utter. ‖ ~권 the right to speak; a voice 《in》.

발열(發熱) ① 《기계의》 generation of heat. ~하다 generate heat. ‖ ~량 calorific value. ② 《몸의》 (an attack of) fever. ~하다 run [have] a fever.

발원(發源) ~하다 originate 《in》; rise; spring 《from》.

발원(發願) ~하다 offer a prayer 《to a deity》.

발육(發育) growth; development. ~하다 grow; develop. ‖ ~기 the period of growth [development].

발음(發音) pronunciation. ~하다 pronounce. ‖ ~기호 a phonetic symbol [sign] / ~학 phonetics.

발의(發議) a suggestion; a proposal; a motion(동의). ~하다 propose; suggest; move. ¶ …의 ~로 at a person's suggestion.

발인(發靷) ~하다 carry a coffin out of the house.

발자국 a footprint; a footmark; a track.

발자취(-) a trace; a course.

발작(發作) a fit; a spasm. ~하다 have a fit [spasm]. ‖ ~적(으로) spasmodic(ally); fitful(ly).

발장단(一長短) ¶ ~ 치다 beat time 《to the music》 with one's foot.

발전(發展) 《발달》 development; growth; 《융성》 prosperity. ~하다 develop; expand; prosper.

발전(發電) 《電》 generation of electric power. ~하다 generate electricity. ‖ ~기 a generator; a dynamo / ~소 a power plant [station] / 수력 [원자력, 화력] ~

소 a water [nuclear, thermal] power plant.

발정(發情) 《動》 sexual excitement; estrus(동물의). ~하다 go [come] into rut(수놈이); go [come] into beat(암놈이). ‖ ~기 the mating season.

발족(發足) inauguration. ~하다 (make a) start; be inaugurated. 「(give an) order.

발주(發注) ordering. ~하다 order;

발진(發疹) 《醫》 eruption; rash. ~하다 break out (in a rash); effloresce. ¶ ~성의 eruptive. ‖ ~티푸스 (eruptive) typhus.

발진(發進) 《비행기의》 departure; takeoff; lift-off(헬리콥터의). ~하다 leave; take off; depart 《from》.

발진기(發振器) 《電》 an oscillator.

발차(發車) departure. ~하다 leave; depart 《at 6 p. m.》.

발착(發着) departure and arrival. ~하다 arrive and depart. ‖ ~시간표 a timetable; a 《railroad》 schedule 《美》.

발췌(拔萃) 《행위》 extraction; selection; 《사물》 an extract; an excerpt; summary; a selection. ~하다 extract; select 《from》. ‖ ~곡 a musical selection.

발치 the foot 《of one's bed》.

발칙하다 ① 《무례》 (be) ill-mannered; rude. ② 《괘씸》 (be) insolent; unpardonable.

발칵 all of a sudden; suddenly.

발칸 ‖ ~반도 the Balkan peninsula.

발코니 a balcony.   「sula.

발탁(拔擢) ~하다 select; single [pick] out; choose.

발톱 toenails(사람); a claw(짐승); a talon(맹금); a bill(고양이).

발파(發破) a blast; blast. ~하다 dynamite. ‖ ~공 a blaster.

발판(一板) ① a footboard; a foot stool; a step; 《비계》 a scaffold ② 《기반·거점》 a footing; a foot hold. ③ 《수단》 a stepping stone

발포(發布) promulgation. ~하다 promulgate; proclaim; issue.

발포(發泡) foaming. ~하다 foam

froth. ∥ ～스티렌 수지 polystyrene 《상표》 Styrofoam / ～제 a blowing (foaming) agent.

발포(發砲) ～하다 fire (on); open fire (on); discharge (a gun). ∥ ～사건 a shooting incident.

발표(發表) announcement; expression; publication. ～하다 announce (a statement); make known (public); release (the news); express (one's opinion). ∥ 미 ～작품 an unpublished work.

발하다(發一) ① 《빛·열 따위를》 emit; emanate; radiate; give forth (out); shed (향기 등을). ② 《행령을》 issue; publish; promulgate (a decree). ③ 《출발》 leave; start. ④ 《기원》 originate (in).

발한(發汗) ～하다 sweat; perspire. ∥ ～제 a diaphoretic.

발행(發行) ① 《도서의》 publication; issue. ～하다 publish; issue. ∥ ～부수 《신문·잡지의》 a circulation; 《단행본의》 copies printed / ～인 a publisher. ② 《어음 등의》 drawing; issue. ～하다 draw (a bill upon a person). ∥ ～일 the date of issue. ③ 《지폐·채권 등의》 flo(a)tation. ～하다 float (a bond); issue. ∥ ～고 issue amount.

발호(跋扈) ～하다 be rampant.

발화(發火) ～하다 catch fire; ignite. ∥ ～장치 an ignition device / ～점 the ignition (firing) point.

발효(發效) effectuation. ～하다 become effective; come into effect.

발효(醱酵) fermentation. ～하다 ferment. ¶ ～시키다 ferment. ∥ ～소 yeast; a ferment.

발휘(發揮) ～하다 show; display; exhibit.

발흥(勃興) ～하다 rise suddenly (into power); make a sudden rise.

밝기(明도) luminosity.

밝다(환하다) (be) light; bright. ¶ 밝게 하다 lighten; light up. ② 《정통하다》 (be) familiar with; conversant with. ③ 《귀·눈이》 (be) sharp; keen; quick. ④ 《성격·사고가》 (be) cheerful; bright. ⑤ 《공명하다》 (be) clear; clean. ¶ 밝은 정치 clean politics.

밝다2 《날이》 dawn; 《day》 break. ¶ 밝아 오는 하늘 the dawning sky / 날이 밝기 전에 before light.

밝날녘 daybreak; dawn; break of day.

밝히다 ① 《불을》 brighten; lighten; light up; make brighter. ② 《분명히》 make (a matter) clear; clear (up); clarify; bring (a matter) to light. ¶ 신분을 ～ prove one's identity. ¶ 밤을 ～ sit (stay) up all night.

밟다 ① 《발로》 step (tread) on. ② 《가다》 set foot on. ③ 《경험》 ¶ 무대를 ～ tread the stage. ④ 《절차 등을》 go through (formalities); complete. ⑤ 《뒤를》 follow; shadow; trail; dog (a person's steps).

밤1 ① 《야간》 night; evening. ¶ ～새우들 sit (stay) up all night / ～소경 a night-blind person / ～중에 at (mid)night. ② 《행사》 an evening. ¶ 음악의 ～ 《have》 a musical evening.

밤2 《植》 a chestnut. ¶ ～색(의) chestnut; marron-brown.

밤송이 a chestnut bur.

밤알 a chestnut.

밤톨 ¶ ～만하다 be as big as a chestnut.

밥 ① 《쌀밥》 boiled (cooked) rice. ¶ ～을 짓다 cook (boil) rice. ② 《식사》 a meal; food; 《생계》 one's living. ③ 《먹이》 feed; food; bait (낚시용); 《희생물》 a prey; a victim.

밥값 food expenses (costs); board (하숙비).

밥그릇 a rice bowl.　　　「〔입맛〕.

밥맛 the flavor of rice; appetite

밥벌레 a do-nothing; a useless mouth; a good-for-nothing.

밥벌이 breadwinning. ～하다 make a living; earn one's daily bread.

밥상(一床) a dining (an eating) table.

밥솥 a kettle for cooking rice.
‖ 전기 ~ an electric rice cooker.

밥알 a grain of cooked rice.

밥주걱 a (wooden) paddle for serving rice.

밥줄 one's means of livelihood.
‖ ~이 끊어지다 lose one's job; be out of job [work].

밥통(─桶**)** ① 《그릇》 a boiled-rice container. ② ☞ 위(胃). ③ 《밥벌레, 바보》.

밥풀 ① 《풀》 rice paste. ② 《밥알》 grains of boiled rice.

밧줄 a rope; a line.

방(房**)** a room; a chamber.

방(榜**)** 《방문》 a placard; a public [an official] notice.

방(放**)** 《탄환의》 a shot; a round.
‖ 한 ~의 포성 a roar of cannon.

방갈로 a bungalow.

방계(傍系**)** ‖ ~의 collateral; subsidiary. ‖ ~회사 a subsidiary [an affiliated] company.

방공(防空**)** air defense. ‖ ~연습 [훈련] an air defense drill / ~호 air-raid [a bomb] shelter; a dugout.

방과(放課**)** dismissal of a class.
‖ ~후 after school (hours).

방관(傍觀**)** ‖ ~하다 remain [sit as] a spectator; stand by idly; look on (unconcerned). ‖ ~적 태도를 취하다 assume the attitude of an onlooker. ‖ ~자 an onlooker; a bystander.

방광(膀胱**)** the bladder. ‖ ~염 [炎] inflammation of the bladder; cystitis.

방귀 wind; a fart 《俗》. ‖ ~ 뀌다 break wind; fart.

방그레 ‖ ~ 웃다 smile; beam.

방글[**방긋**]**거리다** smile; beam.
‖ 방글방글[방긋방긋] with a gentle [bland] smile; smilingly; beamingly.

방금(方今**)** just now; a moment ago.

방년(芳年**)** the sweet age 《of a young lady》. ‖ ~ 20세의 처녀 a girl of sweet twenty.

방뇨(放尿**)** urination; pissing 《俗》.

~하다 pass urine; urinate; make [pass] water; piss 《俗》.

방대(尨大**)** ‖ ~한 bulky; massive; huge; enormous; vast / ~한 계획 a huge-scale plan. 「a way.」

방도(方途**)** a means; a measure.

방독(防毒**)** ‖ ~마스크 [면] a gas mask; a respirator 《英》.

방랑(放浪**)** ‖ ~하다 wander [roam] about; rove. ‖ ~객(자) a wanderer; a vagabond / ~벽 vagrant habits.

방류(放流**)** ‖ ~하다 《물을》 discharge; 《물고기를》 stock [plant] 《a river》 with 《fish》.

방망이 a club; a stick; a billy (club); a cudgel. 「offer for sale.」

방매(放賣**)** selling; sale. ‖ ~하다

방면(方面**)** ① 《방향》 a direction; 《지방》 a quarter; a district. ②《분야》 a line; a field.

방면(放免**)** ‖ ~하다 set 《a person》 free; acquit; release; liberate.

방명(芳名**)** your 《honored》 name. ‖ ~록 a list of names; a visitors' register [list].

방목(放牧**)** ‖ ~하다 pasture; graze; put 《cattle》 out to grass. ‖ ~지 a grazing land; a pasture.

방문(房門**)** a door (of a room).

방문(訪問**)** a call; a visit. ‖ ~하다 (pay a) visit; 《make a》 call on 《a person》; call at 《a house》; go and see 《a person》. ‖ ~객 a caller; a visitor / ~외교 diplomacy by visit / ~판매 door-to-door selling.

방미(訪美**)** a visit to the United States.

방바닥(房─**)** the floor of a room.

방방곡곡(坊坊曲曲**)** ‖ ~에서 all over the country.

방범(防犯**)** crime prevention. ‖ ~대원 a (night) watchman.

방법(方法**)** 《방식》 a way; a method; 《과정》 a process; 《수단》 a means; 《방책》 a plan; a system; 《조치》 a step; a measure. ‖ ~론 methodology.

방벽(防壁**)** a protective [defensive]

wall; a barrier.

방부(防腐) preservation from decay; antisepsis. ¶ ···에 ~ 처리를 하다 apply antiseptic treatment (to). ‖ ~제 an antiseptic; a preservative.

방불(彷彿) ~하다 resemble closely. ¶ ~케 하다 remind one of 《a thing》.

방비(防備) defense; defensive preparations. ~하다 defend; guard. ‖ 무~도시 an open city.

방사(房事) sexual intercourse. ‖ ~를 삼가다 be continent.

방사(放射) radiation; emission. ~하다 radiate; emit. ¶ ~상도로 a radial road / ~에너지 radiant energy / ~열 radiant heat.

방사능(放射能) radioactivity. ‖ ~의 radioactive. / ~오염 radioactive pollution [contamination] / ~진[비, 구름] radioactive fallout [rain, cloud] / ~탐지기 a radiation detector.

방사선(放射線) radiation; radial rays. ‖ ~과 the department of radiology.

방사성(放射性) ¶ ~의 radioactive. ‖ ~물질 radioactive substance / ~폐기물 radioactive waste.

방생(放生)『佛』 the release of captive animals.

방석(方席) a cushion.

방성통곡(放聲痛哭) ~하다 cry loudly and bitterly.

방세(房貰) a room rent.

방세간(房一) room furniture.

방송(放送) broadcasting; a broadcast (회회의). ~하다 broadcast; go on the air; send 《news》on the air. ‖ ~망 a radio (TV) network / ~국 a radio (TV) studio / ~위성 a broadcasting satellite.

방수(防水) waterproof(ing). ~하다 make 《cloth》waterproof; waterproof 《cloth》. ‖ ~의 waterproof; watertight.

방수로(放水路) a drainage canal.

방습(防濕) dampproofing. ‖ ~의

dampproof. ‖ ~제 (a) desiccant.

방식(方式)『形式』 a formula; a form; 《樣式》 a mode; 《방법》 a method; 《세계》 a system. 「sive.

방식세포(防蝕細胞)『化』 an anticorro-

방심(放心) ~하다 be off one's guard; be careless; be unwatchful. ¶ ~하고 있는 틈에 in an unguarded moment.

방아 a (grinding) mill. ‖ 방앗간 a flour(ing) mill.

방아깨비『蟲』 a kind of grasshopper; a locust.

방아쇠 a trigger.

방안(方案) a plan; a device; a scheme; a program.

방안지(方眼紙) graph paper.

방약무인(傍若無人) ¶ ~한 arrogant; overbearing; audacious; outrageous.

방어(防禦) defense; protection. ~하다 defend; protect. ‖ ~율《야구에서》 earned run average《생략 ERA》 / ~전 a defensive war (fight).

방어(魴魚)『魚』 a yellowtail.

방언(方言) a dialect; a provincialism.

방역(防疫) prevention of epidemics. ~하다 take preventive measures against epidemics. ‖ ~대책 anti-epidemic measure.

방열(防熱) ‖ ~의 heatproof. ‖ ~복 heatproof clothes.

방영(放映) televising 《a movie》. ~하다 televise; telecast. ‖ ~권 the televising right.

방울 ① 《쇠방울》 a bell. ‖ ~소리 the tinkling of a bell. ② 《물의》 a drop. ¶ ~~《떨어지다》 (fall) in drops.

방울새『鳥』 a greenfinch.

방위(方位) a direction. ‖ ~각 an azimuth 《angle》; a declination.

방위(防衛) defense. ~하다 defend; protect; safeguard. ‖ ~산업《develop》the defense industry.

방음(防音) ‖ ~의 soundproof. ‖ ~실 a soundproof room / ~

장치 soundproofing; 《소음장치》 a
sound arrester; a silencer.

방임(放任) ∼하다 let 〔leave〕 《*a person*》 alone. ∥ ∼주의 a let-alone
〔noninterference〕 policy; a
hand-off policy.

방자하다〔스럽다〕(放恣 ―) (be)
impudent; arrogant; auda-
cious; cheeky.

방적(紡績) spinning. ∥ ∼견사 spun
silk / ∼공 a spinner / ∼공업
the (cotton) spinning industry /
∼공장 a spinning mill.

방전(放電) electric discharge. ∼하
다 discharge electricity. ∥공중
∼ atmospheric electricity.

방정 ∼맞다 be flighty 〔rash〕.
∼떨다 behave rashly.

방정(方正) ∼하다 (be) good; up-
right; correct. 《∼한 품행》∼한 사
람 a man of good conduct.

방정식(方程式) an equation. ∥ 1〔2,
3〕차 ∼ a simple 〔quadratic,
cubic〕 equation.

방제(防除) 《해충 등의》 prevention
and extermination 《*of flies*》;
control 《*of insect pests*》.

방조(幇助) assistance; aiding and
abetting 《범죄의》. ∼하다 assist;
aid; help; aid and abet 《*sui-
cide*, etc.》. ∥ ∼자 an abettor
《범죄의》. ┌ a seawall.

방조제(防潮堤) a tide embankment;

방종(放縱) self-indulgence; dis-
soluteness; licentiousness.
∼한 self-indulgent; licentious;
dissolute; loose. ┌ Noah's ark.

방주(方舟) an ark. ∥ 노아의 ∼

방주(旁註) marginal notes; foot
notes 《脚註》.

방증(傍證) circumstantial evidence.

방지(防止) prevention. ∼하다 pre-
vent; check. ∥ ∼책 a preventive
measure / 인플레 ∼책 an anti-
inflation policy.

방직(紡織) spinning and weaving.
∥ ∼(공)업 the textile industry /
∼공장 a spinning mill.

measure.

방책(防柵) a palisade; a barri-
cade; a stockade.

방첩(防諜) anti-〔counter-〕espio-
nage; counter-intelligence 《美》.
∥ ∼부대 Counter-Intelligence
Corps 《생략 C.I.C.》.

방청(傍聽) hearing; attendance.
∼하다 hear; listen to; attend.
∥ ∼권 an admission ticket / ∼
석 seats for the public; the
(visitor's) gallery 《의회·법정 등
의》/ ∼인 a hearer; an audi-
tor; an audience 《청중》.

방추(方錐) a square drill. ∥ ∼형
의 pyramidal.

방추(紡錘) a spindle. ∥ ∼형(의)
spindle-shape(d).

방축(防縮) ∼의 shrink-proof.
∥ ∼가공을 한 천 shrink-resistant
〔preshrunk〕 fabrics.

방출(放出) release 《*of goods*》; dis-
charge 《배출》. ∼하다 release;
discharge. ┌ 《약》 a mothball.

방충제(防蟲劑) an insecticide; 《좀
방취(防臭) ∼제 a deodorizer; a
deodorant.

방치(放置) ∼하다 let 《*a thing*》
alone; leave 《*a matter*》 as it is;
neglect(등한시).

방침(方針) 《방향》 a course; a line;
《정책》 a policy; 《원칙》 a princi-
ple; 《계획》 a plan.

방탄(防彈) ∼의 bulletproof;
bombproof.

방탕(放蕩) dissipation; debauch-
ery. ∼하다 (be) dissipated;
prodigal; 《서술적》 lead a dis-
sipated 〔dissolute〕 life. ∥ ∼생활
a fast life; fast living / ∼자 a
libertine; a debauchee.

방파제(防波堤) a breakwater.

방패(防牌) a shield; a buckler(원
형의).

방편(方便) 《수단》 expediency; an
expedient; a means; 《도구》 an
instrument; 《일시적 ∼》 a tem-
porary expedient; a makeshift.

방풍(防風) ∥ ∼림 a shelter belt;
a windbreak (forest).

방학(放學) school holidays; a vacation. ～하다 close the school; go on vacation.

방한(防寒) protection against the cold. ～모 a winter cap; ～복 (special) winter clothes.

방한(訪韓) a visit to Korea. ～하다 visit Korea.

방해(妨害) obstruction; disturbance; a hindrance; (간섭) interference. ～하다 obstruct; disturb; interrupt; interfere with. ∥～물 an obstacle; an obstruction.

방향(方向) 《방위》 direction; bearings; 《진로》 a course. ∥～탐지기 a direction finder.

방향(芳香) a sweet smell; perfume; fragrance. ∥～제 an aromatic.

방형(方形) a square. ¶～의 square.

방호(防護) protection; guard. ～하다 protect; guard.

방화(防火) fire prevention (fighting). ¶～의 fireproof. ∥～벽 a fire wall; ～설비 fire-protection equipment.

방화(邦畵) 《영화》 a Korean film [movie, motion picture].

방화(放火) 《행위》 arson; incendiarism; 《불》 an incendiary fire. ～하다 set fire to 《a house》. ∥～범 an arsonist; an incendiary; a firebug 《美俗》; ～죄 arson.

방황(彷徨) wandering. ～하다 wander 〔roam〕 about; rove.

발 a field; a farm. ∥배추～ a cabbage patch; 옥수수～ a corn field; 채소～ a vegetable (kitchen) garden; ～농사 dry-field farming; ～일하다 work in the fields.

발갈이 plowing; cultivating; ～하다 cultivate; plow; till.

발다 ① 《시간·공간적으로》 be very [too] close (near). ② 《기침이》 (be) dry; hacking. 밭은 기침을 하다 have a dry (hacking) cough.

발다 《거르다》 filter; strain; per-colate.

배 ① 《부분》 the belly; the abdomen; 《창자》 the bowels; 《위》 the stomach. ¶～가 나온 potbellied; big-bellied. ② 《마음》 a mind. ¶뱃속 검은 black-hearted; wicked; evil-minded. ③ 《심술》 ～가 아프다 be green with envy. ④ 《태내》 a womb. ¶～가 부르다 be large with a child.

배² 《타는 것》 a ship; a boat; a vessel; a steamer(기선).

배 《과일》 a pear; fetus.

배(胚) 〔植〕 an embryo; 〔動〕 a fetus.

배(倍) ① 《2배》 double. ¶～의 double; twice; two times 《美》; twofold; ～로 하다 〔되다〕 double 《the profit》; be doubled. ② 《곱절》 times; -fold. ¶한 ～ 반 one and a half times.

배가(倍加) ～하다 (make) double; increase markedly.

배겨나다 bear up 《under》; put up 《with》; suffer patiently 《through》; ～ject: drive out.

배격(排擊) ～하다 denounce; re-

배경(背景) ① 《무대의》 a background; a setting; a scene; 《배후 세력》 the background. ② 《후원》 backing; support; pull 《美俗》. ∥～자 a backer; a supporter. ¶정치적 ～ political context; ～이 없다 have no "pull" behind one.

배고프다 be hungry. ¶배고파 죽겠다 be dying with hunger.

배골다 have an empty stomach.

배관(配管) plumbing. ∥～공 a plumber; ～공사 piping work; plumbing.

배교(背敎) apostasy. ∥～자 an apostate.

배구(排球) 〔韓〕 volleyball. ∥～선수 a volleyball player.

배금(拜金) ∥～주의 mammonism; ～주의자 a mammonist.

배급(配給) distribution; rationing. ～하다 distribute; supply; ration (식량을). ∥～제(도) distributing (rationing) system.

배기(排氣) exhaust; ventilation. ∥ ~가스 exhaust gas〔fumes〕/ ~량 engine displacement.

배기다¹ endure; bear with; suffer. ¶배길 수 있는 bearable; endurable / 배길 수 없는 unbearable; unendurable.

배기다²(받치다) be hard on 《one's back》; pinch; squeeze.

배꼽 the navel. ¶ ~이 빠지도록 웃다 laugh like anything; die with laughing.

배낭(胚囊)〔植〕 an embryo sac.

배낭(背囊) a knapsack; a rucksack; a backpack. 「baby.

배내옷 clothes for a newborn

배냇니 a milk tooth.

배뇨(排尿) urination. ~하다 urinate; pass 〔make〕 water.

배다¹(촘촘하다) be close; fine.

배다²(잉태) conceive; become 〔get〕 pregnant. ¶애를 ~ conceive a child; be pregnant / 새끼를 ~ be with young.

배다³ ① (스미다) sink 《into》; soak through; permeate. ¶피가 밴 붕대 a bandage saturated with blood. ② (익숙) get used 《to》; become accustomed 《to》. ¶몸에 밴 일 a familiar job 〔work〕; one's accustomed work.

배다르다 be born of a different mother; be half-blooded. ¶배다른 형제 〔자매〕 one's half brother 〔sister〕.

배다리(가교) a pontoon bridge.

배달(倍達) ¶ ~민족 the Korean race.

배달(配達) delivery. ~하다 deliver; distribute. ∥ ~료 the delivery charge.

배당(配當) allotment; a dividend. ~하다 allot; pay a dividend 《of》. ∥ ~금 a dividend; a share / ~률 dividend rate.

배드민턴 badminton.

배란(排卵) ovulation. ~하다 ovulate. ∥ ~기 an ovulatory phase.

배럴(용량 단위) a barrel.

배려(配慮)〔마음씀〕 care; consid-

eration. ~하다 consider.

배례(拜禮) ~하다 bow; salute.

배면(背面) the rear; the back. ¶ ~공격 a rear attack.

배반(胚盤)〔動〕 the germinal disk.

배변(排便) evacuation. ~하다 evacuate 〔open〕 the bowels.

배본(配本) distribution of books. ~하다 distribute books.

배부(配付) distribution. ~하다 distribute 《among, to》; deliver.

배부르다 (be) full; have a full stomach; be heavy 〔big〕 with child(임신해서). ¶ 배부른 흥정 a take-it-or-leave-it deal 《sale》.

배분(配分) distribution. ~하다 distribute; allot. 「belly.

배불뚝이 a person with a pot-

배사(配詞)〔地〕 anticline. ∥ ~구조 an anticline.

배상(賠償) reparation; indemnity; compensation. ~하다 compensate; indemnify; make reparation 《for》. ∥ ~금 an indemnity; reparations(전쟁의). 「oring.

배색(配色) a color scheme; col-

배서(背書) (an) endorsement. ~하다 endorse 《a check》; back 《a bill》. ∥ ~인 an endorser / 피 ~인 an endorsee.

배석(陪席) ~하다 sit with 《one's superior》. ∥ ~자 an attendant / ~판사 an associate judge; an assessor. 「ship 《on a line》.

배선(配船) ~하다 place 〔assign〕 a

배선(配線) wiring. ~하다 wire 《a house》. ∥ ~전기 electric wiring.

배설(排泄) excretion; discharge. ~하다 excrete; discharge; evacuate; discharge. ∥ ~물 excrements; body waste.

배속(配屬) assignment. ~하다 assign; attach.

배수(拜受) ~하다 receive; accept.

배수(配水) ~하다 supply water 《to》. ∥ ~관 a conduit 〔water〕 pipe / ~지(池) a distributing reservoir.

배수(倍數)〔數〕 a multiple. ¶최

~ a common multiple.

배수(排水) draining; drainage. ‖ ~ 하다 drain; pump out; displace (선박이). ‖ ~관 a drainpipe / ~구 a drain (ditch).

배수진(背水陣) ¶ ~을 치다 fight with one's back to the wall [sea]; burn one's boats; burn the bridges behind one.

배신(背信) betrayal; a breach of faith. ‖ ~하다 betray (a person's) confidence; break faith. ‖ ~자 a betrayer; a traitor; a turn-coat(변절자) / ~행위 a breach of faith (trust).

배심(陪審) jury. ‖ ~원 a jury (총칭); a juror, a juryman(개인) (~원이 되다 sit on a jury) / ~재판 a trial by jury / ~제도 the jury system.

배아(胚芽) a germ; an embryo bud. ‖ ~미(米) rice with germs.

배알(胚芽) entrails; guts. ◁ 창자.

배알(拜謁) an audience (with the king, etc.). ‖ ~하다 have an audience with (the king).

배앓이 stomach trouble; colic; the gripes.

배액(倍額) double the amount (price); a double sum.

배양(培養) culture; cultivation. ‖ ~하다 cultivate; nurture; breed. ‖ ~기 a (culture) medium / 인공 ~ artificial culture.

배역(配役) the cast (of a play).

배열(排列) arrangement; disposition. ‖ ~하다 arrange; dispose; put (things) in order.

배엽(胚葉) 【動】 a germ(inal) layer.

배영(背泳) the backstroke.

배외(排外) ¶ ~의 anti-foreign. ‖ ~사상 anti-foreign ideas; anti-foreignism; anti-alienism.

배우(俳優) a player; an actor(남자); an actress(여자). ‖ ~ 영화 [연극] a film [stage] actor.

배우다 learn; study; be taught; take lessons (in, on); (연습) practice; be trained in.

배우자(配偶者) a spouse; one's

mate [husband, wife].

배움(study) learning. ¶ ~의 길 the pursuit of studies; learning.

배웅 send-off. ~하다 show (a person) out; see [send] (a person) off.

배율(倍率) magnification.

배은망덕(背恩忘德) ingratitude. ~하다 be ungrateful; lose one's gratitude. ‖ an overtone.

배음(倍音) 【樂】 a harmonic (tone).

배일(排日) ¶ ~의 anti-Japanese (feeling, movement).

배임(背任) breach of trust; misappropriation (부정 유용). ‖ ~행위 an act in violation of one's duty.

배전(配電) ~하다 supply electricity; distribute power. ‖ ~반 a switchboard.

배점(配點) ~하다 allot (20 points) to (a question).

배정(配定) assignment. ~하다 assign; allot.

배제(排除) exclusion; removal. ~하다 exclude; remove; eliminate. ¶정실을 ~하다 eliminate favoritism. ‖ ~자 a badge.

배지 a badge. ¶ ~를 달다 wear a badge.

배짱 boldness; pluck; courage; guts.

배차(配車) allocation of cars. ~하다 allocate [dispatch] cars [buses].

배척(排斥) expulsion; a boycott. ‖ ~하다 drive out; expel.

배추(白菜) Chinese cabbage. ‖ ~김치 cabbage kimchi; pickled cabbage.

배출(排出) discharge. ~하다 discharge; excrete. ‖ ~구 an outlet.

배출(輩出) ~하다 produce a large number of (scholars); appear in great numbers.

배치(背馳) ~하다 be contrary (to); run counter (to); contradict (each other).

배치(配置) arrangement; disposi-

tion. ～하다 arrange; 《부서에》 post; station; dispose. 《機》 an arrangement plan; 〔建〕 a plot plan.

배치 batch. ‖ ～생산 batch production / ～처리 〔컴〕 batch processing / ～플랜트 a batch plant.

배타(排他) exclusion. ¶ ～적인 exclusive. ‖ ～주의 exclusivism; exclusionism.

배탈(一頉) (have) a stomach trouble〔upset, disorder〕.

배태(胚胎) ～하다 originate 《in》; have 《its》 origin 《in》.

배터리 a battery.

배터박스 〔野〕 a batter's box.

배트 〔野〕 a bat. 〔ting order.

배팅 〔野〕 batting. ‖ ～오더 the batting order.

배편(一便) shipping service. ¶ ～으로 by ship 〔water, sea〕.

배포(配布) distribution. ～하다 distribute 《among, to》.

배포(排布) a plan 〔scheme〕 in one's mind. ¶ ～가 크다 be magnanimous; think on a large scale.

배필(配匹) a partner for life; a spouse; a mate. ¶ 천생 ～ a well-matched couple 〔pair〕.

배합(配合)〔결합〕 combination; 《조화》 harmony; match; 《혼합》 mixture. ～하다 combine; match; harmonize; mix. ‖ ～색의 color scheme 〔harmony〕. ‖ ～사료 assorted feed. 〔astrianism.

배화교(拜火敎) fire worship; Zoro-

배회(徘徊) ～하다 wander 〔roam, loiter〕 about; wander about 〔around〕.

배후(背後) the back; the rear. ‖ ～인물 a wirepuller; a man behind the scenes.

백(白) white.

백(百) a 〔one〕 hundred. ¶ ～번째의 the hundredth / ～수십 명 hundreds of men. 〔émigré.

백계(白系) ‖ ～러시아인 a Russian

백계(百計) all 〔every〕 means. ‖ ～무책 helplessness.

백곡(百穀) all kinds of grain.

백골(白骨) a bleached white bone. ¶ ～난망이다 be very grateful; be unforgettable.

백곰(白一) a white 〔polar〕 bear.

백과사전(百科事典) an encyclop(a)edia. ‖ ～적(인) encyclopedic 《knowledge》.

백관(百官) all the government officials. ¶ 문무 ～ civil and military officials.

백구(白鷗) 〔鳥〕 a white gull.

백군(白軍) 《경기의》 the white team; the white(s).

백금(白金) white gold; 〔化〕 platinum(기호 Pt).

백기(白旗) a white flag; a flag of truce 〔surrender〕.

백납(白一) 〔醫〕 vitiligo; leucoderma. ¶ ～먹다 have a leucoderma.

백내장(白內障) 〔醫〕 cataract. 〔ma.

백넘버(운동복의) a player's (uniform) number; a jersey number.

백네트 〔野〕 the backstop.

백년(百年) a 〔one〕 hundred years; a century. ‖ ～제 a centennial 《anniversary》.

백년가약(百年佳約) a marriage bond; conjugal tie. ¶ ～을 맺다 tie the nuptial knot.

백년해로(百年偕老) ～하다 live (happily) together for an old age.

백대하(白帶下) 〔醫〕 leucorrhea; whites.(俗)

백랍(白蠟) white 〔refined〕 wax.

백로(白鷺) 〔鳥〕 an egret; a snowy heron.

백마(白馬) a white horse.〔heron.

백만(百萬) a million. ¶ ～분의 1 a millionth / ～분의 1 지도 a map on a scale of one to a million. ‖ ～장자 a millionaire.

백면서생(白面書生) a stripling; a greenhorn; a novice. 〔氣.

백모(伯母) an aunt; an aunty(애

백문불여일견(百聞不如一見) Seeing is believing.

백미(白米) polished rice.

백미(白眉) the best 《of》; a masterpiece(결작).

백미러 a rearview mirror.

백반(白飯) boiled 〔cooked〕 rice.

ㅂ

백반(白礬)【化】alum.

백발(白髮) white [gray, snowy] hair. ¶ ～의 white-haired; gray-haired / ～이 되다 [머리가] turn gray; 《사람이》 grow gray.

백발백중(百發百中) ～하다 never miss the target; never fail.

백방(百方) all [every] means. ¶ ～으로 노력하다 make every effort.

백배(百拜) ～ 사죄하다 bow a hundred apologies.

백배(百倍) one [a] hundred times. ～배 increase 《a number》a hundredfold; centuple. ¶ ～의 hundredfold.

백병전(白兵戰) a hand-to-hand fight; a close combat.

백부(伯父) an uncle.

백분(白粉) face [toilet] powder.

백분(百分) ～하다 divide into a hundred parts. ¶ ～의 일. one hundredth; one percent. ∥ ～율 [비] (a) percentage.

백사(白沙) white sand. ¶ ～장 a sandy beach; the sands.

백삼(白蔘) white ginseng.

백색(白色) white. ¶ ～인종 the white race(s); Caucasians / ～테러 the White Terror.

백서(白書) 《issue, publish》a white paper. ¶ 경제 [외교] ～ an economic [a diplomatic] white paper.

백선(白癬)【醫】ringworm; favus.

백설(白雪) snow. ¶ ～같은 a snowy; snow-white.

백설탕(白雪糖) white [refined] sugar.

백성(百姓) the people; the populace; the nation(국민); 《beasts.

백수건달(白手乾達) a penniless bum [tramp]; a good-for-nothing.

백숙(白熟) (a dish of) fish or meat boiled in plain water.

백신(白신)【醫】vaccine. ¶ ～ 주사 (a) vaccine injection; (a) vaccination.

백씨(伯氏) your [his] esteemed elder brother.

백악(白堊) chalk. ¶ ～기【地】the Cretaceous period.

백안시(白眼視) ～하다 look coldly on; look askance at. ¶ 세상을 ～하다 take refuge in cynicism.

백야(白夜) nights under the midnight sun.

백약(百藥) all sorts of medicine.

백양(白羊) a white sheep (goat). ∥ ～궁【天】the Aries; the Ram.

백양(白楊)【植】a (white) poplar; a white aspen. ¶ ～up.

백업(白업) backup. ¶ ～하다 back

백연(白鉛) white lead; ceruse(분만드는); ¶ ～광【鑛】cerusite.

백열(白熱) incandescence; white heat. ～하다 become white-hot; be incandescent. ¶ ～하는 heated; exciting. ∥ ～등 an incandescent (glow) lamp.

백옥(白玉) a white gem.

백운(白雲) a white cloud.

백운모(白雲母)【鑛】white mica.

백의(白衣) a white dress (robe). ¶ ～의 천사 an angel in white; a white-clad nurse. ∥ ～민족 the white-clad [Korean] people.

백인(白人) the white man (woman). ∥ ～종 the white races; the whites.

백일(白日) broad daylight. ¶ ～ 하에 드러나다 be brought to light; be exposed to the light of day [the public eye].

백일(百日) 《백날》the hundredth day of a newborn baby; 《백일잔》one hundred days. ∥ ～잔치 the feast [celebration] of a hundred-day-old baby.

백일몽(白日夢) a daydream; a daydreaming; a fantasy.

백일장(白日場) a composition [literary] contest.

백일초(百日草)【植】a zinnia.

백일해(百日咳) pertussis; whooping cough.

백일홍(百日紅)【植】a crape myrtle.

백작(伯爵) a count; an earl 《英》. ¶ ～부인 a countess.

백장(도살자) a butcher.

백전노장(百戰老將) a veteran; an old campaigner; an old-timer.

백전백승(百戰百勝) ~ 하다 win every battle (that is fought); be victorious.

백절불굴(百折不屈) ~ 의 indefatigable; indomitable.

백점(百點) one (a) hundred points; 〖만점〗 full marks.

백조(白鳥) a swan.

백주(白晝) ¶ ~ 에 in broad daylight; in the daytime.

백중(伯仲) ~ 하다 be equal 《to》; match 《each other》; be even 《with》; be well contested.

백중(날)(百中(―)) the Buddhist All Souls' Day (mid July by the lunar calendar).

백지(白紙) a (blank) sheet of paper; white paper (흰종이). ¶ ~ 위임장 a blank power of attorney; a carte blanche 〖프〗.

백차(白車) a (police) patrol car; a squad car 〖美〗.

백척간두(百尺竿頭) ¶ ~ 에 서다 be in a dire extremity; be driven 〔reduced〕 to the last extremity.

백청(白淸) refined honey.

백출(百出) ~ 하다 arise in great numbers. ¶ 의견이 ~ 하다 become the subject of heated discussion.

백치(白痴) 〖상태〗 idiocy; 《사람》 an idiot; an imbecile.

백탄(白炭) hard charcoal 〔gue〕.

백태(白苔) 〖醫〗 fur (on the tongue).

백토(白土) white clay. 〔el (coin).

백통(白銅) ¶ ~ 〖금속〗 a nickel.

백팔번뇌(百八煩惱) the hundred-and-eight torments of mankind.

백팔십도(百八十度) ¶ ~ 전환하다 do a complete about-face; make a complete change 《in one's policy》.

백포도주(白葡萄酒) white wine.

백합(百合) 〖植〗 a lily.

백핸드 〖테니스〗 backhand; a backhand drive.

백혈(白血) ¶ ~ 구 a white blood corpuscle / ~ 병 leukemia.

백형(伯兄) one's eldest brother.

백호(白濠) ¶ ~ 주의 the "White Australia" principle 〔policy〕.

백화(百花) all sorts of flowers. ¶ ~ 만발한 《The field is》 ablaze with all sorts of flowers.

백화점(百貨店) a department store.

밴댕이(白―) a large-eyed herring.

밴드 ① 〖혁대〗 a belt; 《띠·끈》 a band 〔strap〕. ② 《악대》 a band.

밴드마스터 ~ 마스터 a bandmaster.

밴텀급(一級) the bantamweight class. ¶ ~ 선수 a bantamweight.

밸브(안전판) a valve. ¶ ~ 장치 valve gear / ~ 콕 a valve cock.

뱀 a snake; a serpent (구렁이). ¶ ~ 가죽 snakeskin / ~ 허물 the slough of a snake.

뱀딸기(―) 〖植〗 an Indian strawberry.

뱀뱀이 upbringing; breeding; discipline. ¶ ~ 가 없는 ill-bred.

뱀장어(一長魚) 〖魚〗 an eel.

뱀새 〖鳥〗 a Korean crow-tit. ¶ ~ 눈이 a person with slitted 〔narrow〕 eyes.

뱃고동 a boat whistle.

뱃길 a (ship's) course; a waterway.

뱃노래 a boatman's song.

뱃놀이 a boating (excursion); a boat ride 《美》. ~ 하다 enjoy boating (a boat ride). ¶ ~ 가다 go boating.

뱃대끈(마소의) a bellyband.

뱃머리 the bow 〔prow, head〕. ¶ ~ 를 돌리다 put a ship about; head 《for》.

뱃멀미 seasickness. ~ 하다 get seasick. ¶ ~ 하는〔안 하는〕사람 a bad 〔good〕 sailor.

뱃밥 oakum; calking.

뱃사공(一沙工) a boatman.

뱃사람 a seaman; a sailor; a mariner.

뱃삯(승선료) passage (fare); boat fare; 《나룻배의》 ferriage; 《화물의》 freight (rates).

뱃살 ¶ ~ 잡다 shake one's sides with laughter; split one's sides.

뱃속 ① 《복부》 the stomach.

《속마음》 mind; heart; intention. ¶ ∼이 검은 evil-hearted; black-hearted.

뱃심 ¶ ∼이 좋다 be shameless and greedy; be impudent.

뱃전 the side of a boat; a gunwale.

뱃짐 (a ship's) cargo; a freight.

뱅어 (一魚) 〖魚〗 a whitebait.

뱅충맞다 (be) shy; clumsy; self-conscious; weak-headed. ¶ 뱅충맞이 a clumsy fellow; a dull and bashful person.

뱉다 ① 《입밖으로》 spew; spit (out); cough up. ¶ 가래를 ∼ cough out phlegm. ② 《비유적》 surrender; disgorge. ¶ 착복한 돈을 ∼ surrender the embezzled money.

버거리다 rattle; clatter.

버겁다 (be) too big [bulky] to handle; unmanageable.

버글버글 ¶ ∼ 끓다 seethe; boil.

버금 ¶ ∼ 가다 be in the second place; rank [come] next to.

버너 a burner. ¶ 가스 ∼ a gas burner. 「struggle; flounder.

버둥거리다 wriggle; (kick and)

버드나무 a willow.

버들 a willow. ‖ ∼개지 willow catkins.

버라이어티쇼 a variety show; a vaudeville 《美》.

버럭 suddenly.

버릇 ① 《습관》 a habit; a way. ¶ ∼이 들다 get [fall] into a habit (of). ② 《특징》 a peculiarity; a one's way. ¶ 말∼ one's peculiar way of speaking. ③ 《예의》 manners; etiquette; breeding 《품행》; behavior 《행실》. ¶ ∼ 없다 be badly brought up; be ill-mannered / ∼을 가르치다 teach (a person) manners.

버릇하다 be [get] used to (doing); form a habit. ¶ 일찍 일어나 ∼ accustom oneself to early rising.

버리다[¹] 《내던지다》 throw (cast, fling) away. 《포기·유기》 abandon; forsake; desert; give up. ③ 《망치다》 ruin; spoil. ¶ 위를 ∼ injure the stomach.

버리다[²] 《끝내다》 up; through. ¶ 다 읽어 ∼ read through (a book) / 다 써 ∼ use up (money).

버마 《Myanmar의 구칭》 Burma.

버무리다 mix (up).

버뮤다 《북대서양의 섬》 Bermuda Island. ‖ ∼ 3각 수역 the Bermuda (Devil's) Triangle.

버선 traditional Korean socks.

버섯 〖植〗 a mushroom; a fungus.

버성기다 ① 《틈이》 (be) loose; have gaps between. ② 《사이가》 be estranged (alienated).

버스 a bus. ‖ ∼ 노선 a bus route / ∼ 전용차로 (제도) the 'bus-only' lanes (system).

버스러지다 ① 《웅그러짐》 crumble. ② 《벗겨짐》 peel (scale) off; exfoliate; be worn off; get skinned. ③ 《범위 밖으로》 go beyond; exceed.

버저 a buzzer. ¶ ∼를 누르다 buzz; press a buzzer.

버젓하다 《당당하다》 (be) fair and square; 《떳떳하다》 (be) respectable; decent. ¶ 버젓이 fairly; openly; decently.

버지다 ① 《베어지다·긁히다》 be cut (scratched). ② 《찢어지다》 fray; be worn out.

버짐 ringworm; psoriasis.

버찌 a cherry (bob). ‖ ∼씨 a cherry stone.

버캐 an incrustation; crust. 「소금(오줌)의 ∼ salt (urine) incrus-

버클 a (belt) buckle. Ltations.

버킷 a bucket; a pail.

버터 butter. ¶ 빵에 ∼를 바르다 spread butter on one's bread.

버터플라이 《수영법》 the butterfly stroke.

버티다 ① 《괴다》 support; prop (up); bolster up. 《서다》 stand up to; contend (compete) with. ③ 《견디어내다》 bear up (under); sustain; endure; hold (out).

버팀목(━木) a support; a prop; a stay.

버티다 ① 〔힘에〕 be beyond one's power 〔ability〕; be too much for 《a person》. ② 〔가슴이〕 be too full. ¶ 가슴이 벅차서 말이 안 나온다 My heart is too full for words.

번(番) ① 〔당번〕 watch; guard; (night) duty. ¶ ∼을 서다 keep watch 《over》; watch(guard) 《over》. ② 〔횟수〕 a time; 〔번호〕 number. ¶ 여러 ∼ many times / 2∼ number two.

번각(翻刻) reprinting a reprint. ∼하다 reprint. ¶ ∼자 a reprinter / ∼판 a reprinted edition.

번갈아(番━) alternately; by turns; one after another; in turn.

번개 (a flash of) lightning. ¶ ∼ 같이 as swiftly as lightning; in a flash / ∼가 번쩍하다 lightning flashes. ‖ 번갯불 a bolt of lightning.

번거롭다 〔복잡〕 (be) troublesome; annoying; complicated.

번뇌(煩惱) agony; 〖佛〗 worldly desires; the lusts of the flesh(육욕). ∼하다 agonize 《over》.

번데기 〖蟲〗 a chrysalis; a pupa.

번득거리다, 번득이다 〔광채가〕 flash; glitter; sparkle.

번들거리다 be smooth 〔slippery, glossy〕; ¶ 번들번들한 smooth; slippery; glossy.

번들다(番━) be on duty; go on guard 〔watch〕.

번듯하다 〔바르다〕 (be) straight; even; well-balanced; 〔흠없다〕 (be) flawless.

번민(煩悶) worry; agony; anguish. ∼하다 worry; agonize; be in anguish 〔agony〕.

번번이(番番━) each 〔every〕 time; whenever; always. 〔turn.

번복(飜覆) ∼하다 change; reverse;

번성(蕃盛) flourish; thrive. ¶ 〔무성이〕 grow thick.

번성(繁盛) prosperity. ∼하다 pros-

번식(繁殖) breeding; propagation. ∼하다 breed; increase; propagate itself. ¶ ∼기 a breeding season / ∼력이 왕성한 prolific.

번안(翻案) ① 〔안건의〕 change. ∼하다 change; reverse 《a former plan》. ② 〔작품의〕 (an) adaptation. ∼하다 adapt; rehash. ¶ ∼ 소설 an adapted story.

번역(飜譯) (a) translation. ∼하다 translate 〔put, render〕 《English》 into 《Korean》. ¶ ∼서 a translation; a translated version / ∼자 a translator.

번영(繁榮) prosperity. ∼하다 prosper; flourish; thrive.

번의(飜意) ∼하다 change one's mind (decision); go back on one's resolution.

번잡(煩雜) ∼하다 (be) complicated; troublesome; intricate. ¶ ∼한 거리 crowded streets.

번지(番地) an address.

번지다 ① 〔잉크 등이〕 blot; spread; run. ② 〔확대〕 spread; extend. ③ 〔울다〕 spread; affect(병의).

번지르르 ∼한 glossy; lustrous; smooth.

번지점프 bungee jumping.

번쩍 ① 〔거뜬히〕 lightly; easily; 〔높이〕 high; aloft. ② 〔빛이〕 with a flash. ∼하다 (give out a) flash. ③ 〔감각〕 suddenly; with a start. ¶ 정신이 ∼ 들다 come to oneself with a start. 〔twinkle; flash.

번쩍거리다, 번쩍이다 glitter; glare;

번차례(番次例) a turn.

번창(繁昌) prosperity. ¶ ∼한 prosperous; flourishing; thriving.

번철(燔鐵) a frying pan.

번트 〖野〗 ∼하다 bunt. ∼ a bunt.

번호(番號) a number; a mark (부호); 〔구멍〕 Number! ¶ ∼순(으로) (in) numerical order / ∼를 매기다 〔달다〕 number.

번화(繁華) ¶ ∼한 거리 a bustling 〔busy〕 street / ∼해지다 become prosperous.

319

벌¹ 〔벌판〕 an open field; a plain. ¶ 황량한 ~ a wilderness.

벌² 〔蜂〕 a bee; a wasp(땅벌).

벌³ 〔옷·그릇 등〕 a suit 《of clothes》; a pair(바지의); a set 《of dishes》; a suite 《of furniture》.

벌⁴ 〔罰〕 (a) punishment; (a) penalty. ~하다 〔주다〕 punish; discipline; give a punishment 《for crime》. ¶ ~로서 as a penalty 《for》 / ~ 을 면하다 escape punishment.

벌거벗다 become naked; strip oneself naked. ¶ 벌거벗기다 unclothe; strip 《a person》 naked.

벌거숭이 a nude; a naked body. ¶ ~ 의 naked; undressed / ~ 산 a bare 〔naked, treeless〕 mountain. 〔ruddy (얼굴 따위)〕.

벌겋다 (be) red; crimson(진홍). ¶ 벌게지다 turn red; blush (얼굴이). 벌그스름하다 (be) reddish.

벌금(罰金) a fine; a penalty; a forfeit(위약금); 을 과하다 fine; punish 《a person》 with a fine. ~형 〔法〕 amercement.

벌다 〔이익〕 earn 〔make〕 《money》; make a profit; gain. ¶ 힘들여 번 돈 hard-earned money.

벌떡 suddenly; quickly.

벌떡거리다 ① 〔가슴이〕 throb; beat; go pit-a-pat; palpitate. ② 〔들이 마시는 모양〕 gulp 《one's beer》 down; take a big gulp 《of》.

벌레 〔곤충〕 an insect; a bug. 〔구더기 등〕 a worm; 〔나방·좀 등〕 a moth; 〔해충〕 vermin. ¶ ~ 먹은 worm-〔moth-〕eaten; wormy / ~ 먹은 사과 a wormy apple / ~ 가 먹다 be eaten by worms. ② 〔비유적〕. ¶ 책 ~ a bookworm; a great booklover.

벌름거리다, 벌름벌름하다 inflate and deflate 〔swell and subside〕 alternately; quiver 《one's nostrils》.

벌리다 ① 〔열다〕 open. ¶ 입을 딱 ~ open one's mouth wide; gape. ② 〔넓히다〕 leave 《space》; widen; spread.

벌목(伐木) felling; cutting; log-ging. ~ 하다 cut 〔hew〕 down trees; fell; lumber 《a forest》. ‖ ~ 기(期) 〔작업〕 a felling season 〔operation〕 / ~ 꾼 a feller; a wood cutter; a lumberjack.

벌벌 ¶ ~ 떨다 tremble; shake; shiver.

벌써 ① 〔이미〕 already; yet(의문문에); 〔지금쯤은〕 by now. ② 〔오래 전〕 long ago; a long time ago.

벌어먹다 earn one's bread; make a living. ¶ 가족을 벌어먹이다 support one's family.

벌어지다 ① 〔사이가〕 split; crack; open; be separated. ¶ 틈이 ~ a gap widens. ② 〔몸이〕 grow stout 〔firm〕. ¶ 어깨가 딱 ~ have broad shoulders. ③ 〔일이〕 occur; come about; take place.

벌이〔돈벌이〕 moneymaking; earning money; 〔일〕 work; 〔번 돈〕 earnings; income(수입). ~ 하다 work for one's living; earn one's bread. ¶ ~ 하러 가다 go to 〔for〕 work.

벌이다 ① 〔시작하다〕 begin; start; set about; embark on; open 《a shop》; establish. ② 〔늘어놓다〕 arrange; display 《goods》; spread. ③ 〔모임·등을〕 hold; give.

벌잇줄 a source of earning; a means to earn one's bread. ¶ ~ 이 끊기다 lose one's job.

벌점(罰點) 〔give〕 a black 〔demerit〕 mark 《for》.

벌주(罰酒) some liquor forced on 《a person》 to drink as a penalty.

벌집 a beehive; a honeycomb.

벌채(伐採) 〔tree〕 felling. ~ 하다 cut 〔hew〕 down; fell 《trees》; lumber 《a forest》.

벌초(伐草) ~ 하다 weed a grave; tidy up a grave.

벌충하다 supplement; make up 《for》; cover 〔make good〕 《the loss》.

벌칙(罰則) penal regulations 〔clauses〕; punitive rules. ‖ ~ 규정 penal provisions.

벌통(一桶) a beehive; a hive.

벌판 a field; fields; a plain(평야); a wilderness(황야).

법 《動》 a tiger; a tigress(암컷).

범 《汎》 Pan-. ¶ ～ 민족대회 a pan-national rally / ～ 아시아 Pan-Asiatic.

…犯》 offense. ¶ 파렴치～ an infamous criminal(사람).

범국민(汎國民) ¶ ～적인 pan-national; nation-wide. ‖ ～운동 a pan-national [nation-wide] campaign 《for, against》.

범람(汎濫) ~ 하다 overflow; flow [run] over 《the banks》; flood. ¶ ～ 하기 쉬운 강 a river prone to rampage.

범례(凡例) introductory remarks; explanatory notes; a legend(지도·도표의).

범미(汎美) Pan-American. ‖ ～주의 Pan-Americanism.

범벅 ① 《뒤죽박죽》 a jumble; a mess; a hodgepodge. ¶ ～(이) 되다 go to pie; be jumbled [mixed] up. ② 《음식》 a thick mixed-grain porridge.

범법(犯法) violation of the law. ~ 하다 break [violate] the law; commit an offense. ‖ ～자 a lawbreaker.　「son; a layman.

범부(凡夫) an ordinary person.

범사(凡事) ① 《모든 일》 all matters; everything. ② 《평범한 일》 an ordinary matter (affair).

범상(凡常) ¶ ～한 commonplace; ordinary; usual; average / ～치 않은 extraordinary; out of the common; uncommon.

범서(梵書) Sanskrit literature; 《불경》 the Buddhist scriptures.

범선(帆船) a sailing ship [boat].

범속(凡俗) vulgarity. ¶ ～한 vulgar; common; ordinary.

범신론(汎神論) 《哲》 pantheism.

범어(梵語) Sanskrit; Sanskrit.

범용(凡庸) ¶ ～한 mediocre; common(place).

범위(範圍) an extent; a scope; a sphere; a range; 《제한》 limits; bounds. ¶ ～ 내 [외]에 within

[beyond] the limits 《of》.

범의(犯意) a criminal intent.

범인(凡人) ☞ 범부(凡夫).

범인(犯人) a criminal; an offender; a culprit.

범재(凡才) (a man of) common ability.

범절(凡節) manners; etiquette.

범죄(犯罪) a crime; a criminal act(행위). ¶ ～의 criminal. ‖ ～예방 crime prevention / ～자 a criminal / ～조직 a criminal syndicate.

범주(範疇) a category. ¶ ～에 들다 come within [fall under] the category 《of》.

범천(王)(梵天(王)) Brahma.

범칙(犯則) violation; break. ¶ ～하다 infringe; violate; break.

범타(凡打) 《野》 an easy fly.

범태평양(汎太平洋) Pan-Pacific.

범퍼 a bumper.

범포(帆布) canvas; sailcloth.

범하다(犯一) ① 《죄를》 commit; 《법률 등을》 violate; infringe; break; 《여자를》 rape; assault; violate.

범행(犯行) a crime; an offense. ‖ ～ 현장 the scene of an offense.

법(法) ① 《법률》 the law; 《법칙·규칙》 a rule; a regulation. ¶ ～에 호소하다 appeal to the law. ② 《방법》 a method; a way; 《도리》 reason. ¶ 그런 ～은 없다 That's unreasonable. ④ 《文》 mood. ¶ 가정 ～ the subjunctive mood.

법과(法科) the law department; a law course(과정). ‖ ～대학 a law college; a school of law 《美》 / ～학생 a law student.

법관(法官) a judicial officer; a judge; 《총칭》 the judiciary.

법규(法規) laws and regulations. ‖ 현행 ～ the law in force.

법당(法堂) the main hall (of the Buddhist temple).

법도(法度) a law; a rule.

법등(法燈) a light offered to the Buddhist altar.

법랑(琺瑯) (porcelain) enamel. ¶ ～을 입힌 enameled. ∥ ～철기 enameled ironware.

법령(法令) a law; laws and ordinances; a statute. ∥ ～집 a statute book.

법례(法例) the law governing the application of laws.

법률(法律) a law; (the) law(총칭). ¶ ～의 legal; juridical / ～을 제정하다 enact a law / ～을 시행[집행]하다 enforce [administer] a law. ∥ ～가 a lawyer(변호사); a jurist(학자) / ～사무소 a law office.

법리(法理) a principle of law. ¶ ～학 jurisprudence / ～학자 a jurist. [name.

법명(法名) 【佛】 one's Buddhist

법무(法務) judicial affairs. ∥ ～부[장관] the Ministry [Minister] of Justice / ～사 a judicial scrivener.

법문(法門) ¶ ～에 들다 enter the Buddhist priesthood.

법복(法服) a (judge's) robe; a gown; (승려의) the robe of a Buddhist priest.

법사(法師) a Buddhist priest (monk); a bonze.

법사위원회(法司委員會) the Legislation-Judiciary Committee.

법석 a noisy (boisterous, clamorous) way; fuss; ado. ¶ ～을 떨다 be noisy; raise a clamor; make a fuss; fuss (about). ¶ ～ 떨다 make a lot of noise [fuss].

법식(法式) (법도와 양식) rules and forms; formalities.

법안(法案) a bill. ¶ ～을 제출[가결, 부결]하다 introduce [pass, reject] a bill.

법어(法語) (설교) a Buddhist sermon; Buddhist literature; (용어) a Buddhist term.

법열(法悅) ① (즐거움) (an) ecstasy; rapture. ② (종교적) religious ecstasy (exultation).

법원(法院) a court of justice; a law court. ∥ 가정 ～ a domestic [family] court / 관할 ～ the competent court.

법의학(法醫學) medical jurisprudence; legal medicine. ¶ ～의 medicolegal. ∥ ～자 a doctor of forensic medicine.

법인(法人) a juridical [legal] person; a corporation. ∥ ～세 the corporation tax.

법전(法典) a code (of laws).

법정(法廷) a (law) court; a court of justice. ¶ ～에 서다 stand at the bar. ∥ ～모욕죄 contempt of court.

법정(法定) ¶ ～의 legal; statutory. ∥ ～대리인 a legal representative / ～상속인 an heir-at-law.

법제(法制) laws; legislation. ∥ ～처 the Office of Legal Affairs.

법조(法曹) the legal profession. ¶ ～계 legal circles; the judicial world.

법치(法治) constitutional government. ¶ ～국가 a constitutional state; a law-governed country.

법칙(法則) a law; a rule.

법통(法統) a religious tradition. ¶ ～을 잇다 receive the mantle (of the preceding abbot).

법하다 be likely (to); may. ¶ 그가 늘 법한데 He might come.

법학(法學) law; jurisprudence(법률학). ¶ ～을 배우다 study law. ∥ ～개론 an outline of law / ～도 a law student / ～박사 Doctor of Laws(생략 LL.D.). [vice.

법회(法會) a Buddhist mass (ser-

벗(친구) a friend; a companion (반려); a pal (닷구). ¶ 친구.

벗겨지다 come (wear, fall, peel) off; be taken (stripped) off.

벗기다 ① (껍질 따위를) peel; rind; pare; skin; strip. ② (옷을) strip (a person) (of his clothes); take off (a person's clothes).

벗나가다 deviate (swerve) (from); go astray; go wrong.

벗다 take (put) off; slip (fling) off(급히).

벗어나다 ① (에어나다) get out of

벗어버리다 《difficulties》; escape from; free oneself from 《a bondage》. ② (어긋나다) be contrary to; be against 《the rules》; deviate 《from》. ¶ 예의에 ~ get against etiquette. ③ (눈 밖에 나다) be out of 《a person's》 favor.

벗어버리다 take off; throw off 《a coat》.

벗어던지다 throw 〔cast, fling〕 off; kick off 〔신을〕.

벗어지다 ① (옷·신 따위가) come off; be taken 〔stripped〕 off; peel (off)〔거죽이〕. ② (머리가) become 〔grow〕 bald.

벗하다 make friends with; associate with; keep company with.

벙거지 a felt hat; a hat.

벙글거리다 smile; beam.

벙벙하다 《서술적》 be puzzled; be dumbfounded; be at a loss; ¶ 어안이 ~ be quite at a loss; be amazed.

벙실거리다 smile; beam.

벙어리 ① (사람) a (deaf-)mute; a dumb person; the dumb (총칭). ¶ ~의 dumb. ‖ ~장갑 a mitten. ‖ 《저금통》 bank 《美》; a piggy bank.

벚꽃 cherry blossoms (flowers). ¶ ~놀이 가다 go to see the cherry blossoms.

벚나무 〔植〕 a cherry tree.

베 hemp cloth (삼베).

베개 a pillow. ¶ 팔~를 메다 make a pillow of one's arm. ‖ 베갯속 the stuffing of a pillow / 베갯잇 a pillowcase; a pillow slip.

베고니아 〔植〕 a begonia.

베끼다 copy; transcribe; take a copy 《of》.

베네룩스 Benelux. (◀Belgium, the Netherlands and Luxemburg)

베네수엘라 Venezuela. ¶ ~의 Venezuelan.

베니스 Venice. ¶ ~의 사람 a Venetian / ~의 상인 "The Merchant of Venice".

베니어판 ─ 板〕 a veneer board; a plywood(합판).

베다 《베개를》 rest 〔lay〕 one's head 《on a pillow》.

베다 《자르다》 cut; chop; saw (톱

으로); shear (가위로); slice (얇게); 《베어내기다》 fell; hew; cut down; 《곡물을》 reap; gather in; harvest; 《풀을》 mow; cut down.

베란다 a veranda; a porch 《美》.

베레모 ─ 帽〕 a beret.

베를린 Berlin. ‖ ~봉쇄 〔장벽〕 the Berlin Blockade 〔Wall〕. 「Strait」.

베링 ~해 〔海峽〕 the Bering Sea.

베물다 bite off 〔away〕.

베어내다 cut off 〔out, away〕.

베어링 a bearing. ¶ 볼~ a ball bearing.

베어먹다 cut off and eat; take a bite out of 《an apple》.

베어버리다 cut; cut down.

벗옷 《벗어놓은》 clothes.

베이스 ① 〔樂〕 bass.

베이스캠프 〔登山〕 a base camp.

베이식 〔컴〕 BASIC(규격화된 일상어를 사용하는 초급의 프로그래밍 언어). (◀Beginner's All-purpose Symbolic Instruction Code)

베이지 beige. ¶ ~색의 beige.

베이컨 bacon.

베이킹파우더 baking powder.

베일 a veil.

베짱이 〔蟲〕 a grasshopper.

베타 beta; B, β. ¶ ~선〔입자〕 beta rays 〔particles〕.

베테랑 a veteran; an expert; an old hand.

베트남 Vietnam. ¶ ~사람 a Vietnamese / ~어 Vietnamese. ‖ ~사람 a Vietnamese /~어 Vietnamese.

베틀 a (hemp-cloth) loom.

베풀다 ① (주다) give; bestow; show 《kindness》; grant. ② (잔치를) give 〔hold〕 《a party》.

벤젠 〔化〕 benzene; benzol.

벤진 〔化〕 benzine.

벤처 〔經〕 a venture. ‖ ~기업 a venture business / ~캐피털 venture capital.

벤치 a bench. 「ture capital.

벨기에 Belgium. ¶ ~사람 a Belgian.

벨로드롬 〔競技場〕 a velodrome.

벨벳 velvet.

벨트 a belt. ‖ 그린 ~ a green belt.

벼 a rice plant; a paddy; unhulled rice(낟알). ¶ ~ 베기 rice reaping.

벼농사(-農事) 《농사》 rice farming; 《작황》 a rice crop. ¶ ~ 를 짓다 do [engage in] rice farming.

벼락 a thunder (천둥번개); thunder (천둥); lightning (번개). ¶ ~ 같은 thunderous / ~ 맞다 be struck by lightning.

벼락감투 a government position given as a political favor; a patronage appointment. ¶ ~ 를 쓰다 become a government official overnight.

벼락공부(-工夫) ~ 하다 cram up 《for an exam》.

벼락부자(-富者) a mushroom [an overnight] millionaire; an upstart; the newly rich.

벼락치기 hasty preparation. ¶ ~ 의 hastily prepared / ~ 공사로 지은 집 a hurriedly constructed building; a jerry-built house.

벼랑 a cliff; a precipice; a bluff.

벼루 an inkstone.

벼룩 a flea. ¶ ~ 시장 a flea market.

벼르다 ① 《분배》 divide [distribute, share] equally. ② 《꾀하다》 be firmly determined to 《do》; plan; design; intend. ¶ 기회를 ~ watch for a chance [on.

벼리다 sharpen; forge a blade

벼슬(관직) a government post service. ~ 하다 enter the government service. ¶ ~ 아치 a government official.

벽(壁) a wall; a partition (wall) (칸막이). ¶ ~ 을 바르다 plaster a wall / ~ 에 부딪치다 《비유적》 be deadlocked. ¶ ~ 걸이 a wall tapestry / ~ 시계 a wall clock.

벽공(碧空) the blue (azure) sky.

벽돌(甓) (a) brick. ¶ ~ 장이 a brickmaker(제조공); a bricklayer(쌓는 사람) / ~ 공장 a brickyard.

벽두(劈頭) the outset. ¶ ~ 에 at the very beginning; at the out-

set / ~ 부터 from the start.

벽력(霹靂) 〔理〕 벼락.

벽보(壁報) a wall newspaper; a bill; a poster.

벽안(碧眼) ¶ ~ 의 blue-eyed.

벽오동(碧梧桐) 〔植〕 a sultan's parasol.

벽옥(碧玉) jasper.　 Lsol.

벽자(僻字) a rare [an odd] character.

벽장(壁欌) a (wall) closet.

벽지(僻地) an out-of-the-way place; a remote corner of the country.

벽지(壁紙) wallpaper.

벽창호(碧昌-) an obstinate [a bigoted, a stubborn] person.

벽촌(僻村) a remote village.

벽토(壁土) plaster; wall mud.

벽해(碧海) the blue sea.

벽화(壁畫) a mural (wall) painting; a fresco. ¶ ~ 가 a muralist.

변(便) 《대변》 motions; feces.

변(邊)¹ 《가장자리》 a side. ② 《가장자리》 a side; an edge.

변(邊)² 《변리》 (rate of) interest.

변(變) 《재앙》 an accident; a disaster; a disturbance. ¶ ~ 을 당하다 have a mishap; meet with an accident.

변경(邊境) a frontier district; a border(land).

변경(變更) change; alteration; modification; transfer (명의의). ~ 하다 change; alter; modify; transfer.　 [hap; a disaster.

변고(變故) an accident; a mis-

변광성(變光星) 〔天〕 a variable star.

변기(便器) a toilet (seat); a (chamber) pot; a urinal(소변용); a bedpan(환자용).

변덕(變德) caprice; whim; fickleness. ¶ ~ 스러운 fickle; capricious; whimsical / ~ 쟁이 a man of moods; a fickle (capricious) person.

변동(變動) change; alteration; fluctuation. ~ 하다 change; fluctuate(시세가). ¶ ~ 환율체 a floating exchange rate system.

변두리(邊一) ① 《교외》 the outskirts; a suburb. ② 《가장자리》 a brim; an edge; a border.

변란(變亂) a (social) disturbance; a civil war; an uprising(반란).

변론(辯論) discussion; argument; debate(토론); pleading(법정의). ~하다 discuss; argue; debate; plead 《in court》. ‖ 최종의 ~ the final argument.

변리사(辨理士) a patent attorney.

변명(辨明) (an) explanation; an excuse. ~하다 explain oneself; apologize 《for one's fault》.

변모(變貌) transfiguration. ~하다 undergo a (complete) change.

변박(辯駁) refutation; confutation. ~하다 refute; argue against.

변방(邊方) a frontier.

변변하다 《생김새가》 (be) fairly good-looking; handsome; fair. ‖ 변변치 않은 worthless; insignificant; trifling / 변변치 않은 선물 a small [humble] present.

변복(變服) (a) disguise. ~하다 disguise [dress] oneself 《as》; be disguised 《as》. ‖ ~으로 in disguise; incognito.

변비(便秘) constipation. ‖ ~에 걸리다 be constipated.

변사(辯士) ① 《연설하는》 a speaker; an orator. ② 《무성영화의》 a film interpreter.

변사(變死) an unnatural death. ~하다 die an unnatural [a violent] death. ‖ ~자 a person accidentally killed.

변상(辨償) compensation. ~하다 compensate; indemnify. ‖ 금 a compensation; an indemnity.

변색(變色) discoloration. ~하다 change color; discolor; fade.

변설(辯舌) eloquence. ‖ ~가 an eloquent speaker; an orator.

변성(變性) degeneration. ~하다 degenerate(바뀌다); denaturalize, denature(바꾸다).

변성(變聲) ~하다 one's voice changes. ‖ ~기 the age at which one's voice changes; puberty. 「name.

변성명(變姓名) ~하다 change one's

변성암(變成岩) 〔地〕 metamorphic rocks.

변소(便所) a toilet (room); a water closet (생략 W. C.); a lavatory; a rest room(극장 등의) 《美》; 《개인주택의》 a bathroom; a washroom; 《공중의》 《남성용》 a men's room; 《여성용》 a women's room.

변속(變速) a change of speed. ‖ ~기 〔자동차의〕 a gearbox; a transmission / ~기어 〔자전거의〕 a 《tenspeed》 derailleur; a bicycle gearshift.

변수(變數) 〔數〕 a variable.

변신(變身) ~하다 《변장》 disguise oneself; 《변태》 be transformed 《into》.

변심(變心) a change of mind; fickleness. ~하다 change one's mind; 《배반》 betray 《a person》.

변압(變壓) transformation. ~하다 transform 《current》. ‖ ~기 a (current) transformer.

변온동물(變溫動物) 〔動〕 a cold-blooded [poikilothermal] animal.

변위(變位) 〔理〕 displacement. ‖ ~ 전류(電流) a displacement current.

변이(變異) 〔生〕 (a) variation.

변장(變裝) disguise. ~하다 disguise oneself 《as》. ‖ ~으로 ~하 고 in [under] the disguise of.

변재(辯才) oratorical talent [skill]; eloquence(능변). ‖ ~가 있는 eloquent; fluent.

변전(變轉) mutation; change. ~하다 change; transmute.

변전소(變電所) a (transformer) substation.

변절(變節) (an) apostasy; (a) betrayal; (a) treachery. ~하다 apostatize; change one's coat. ‖ ~자 an apostate; a turncoat.

변제(辨濟) (re)payment. ~하다 pay back; repay 《one's debt》.

변조(變造) 《개조》 alteration; 《위조》 falsification; forgery. ~하

alter; forge; falsify; counterfeit. ‖ ~ 지폐 a counterfeit note.

변조(變調) 〖樂〗 (a) variation; 〖無電〗 modulation; 〖無電〗 irregularity. ¶ 주파수~ frequency modulation(생략 FM).

변종(變種) 〖生〗 a variety; a sport; a mutation.

변주곡(變奏曲) 〖樂〗 a variation.

변죽(邊—) a brim; an edge. ¶ ~을 울리다 hint 《at》; intimate; allude to 《a fact》; give a hint.

변증법(辨證法) dialectic(s). ¶ ~적 dialectical(al) / ~적 유물론 dialectic(al) materialism.

변질(變質) ~하다 change in quality; degenerate; go bad(음식이). ¶ ~자 a degenerate.

변천(變遷) (a) change; transition; vicissitudes. ~하다 change; undergo 〔suffer〕 changes.

변칙(變則) (an) irregularity; an anomaly. ¶ ~적인 irregular; abnormal.

변태(變態) ① 〔이상〕 (an) anomaly; abnormality. ¶ ~적인 abnormal; anomalous. ② 〖生〗 a metamorphosis; (변형) (a) transformation.

변통(變通) 〖융통성〗 versatility; adaptability; flexibility; 〖임기응변〗 a makeshift; management; arrangement. ~하다 manage 《with 〔without〕 something》; make shift 《with, without》; arrange 〔manage〕 《to do》; raise 《money》.

변하다(變—) change; undergo a change; be altered; turn into; (달라지다) vary. ¶ 변하기 쉬운 changeable.

변함없다(變—) be 〔remain〕 unchanged; show no change. ¶ 변함없는 unchangeable; constant; steady / 변함없이 without a change; 〔전과 같이〕 as usual; as ever.

변혁(變革) a reform; (개혁) a reform(개혁); a revolution(혁명). ~하다 change; reform; revolutionize.

변형(變形) (a) transformation; (기형) deformation. ~하다 change the

shape 《of》; turn 〔change〕 《into》.

변호(辯護) defense; pleading. ~하다 plead; defend 《a person》; stand 〔speak〕 for. ‖ ~의뢰인 a client / ~인 a counsel; a pleader / ~인단 defense counsel.

변호사(辯護士) a lawyer; (법정의) a counsel (英); (사무의) an attorney (at law) 《美》. ¶ ~ 개업을 하다 practice law / ~ 를 대다 engage a lawyer. ‖ ~ 사무소 a law office / ~ 수임료 a lawyer's fee.

변화(變化) (a) change; (a) variation; (변경) alteration; (다양) variety; (변형) (a) transformation; 〖동사의〗 conjugation. ~하다 change 《into》; make 〔undergo〕 a change; alter; vary; be transformed 《into》; conjugate. ‖ ~구 〔野〕 a slow 〔curve〕 ball.

변환(變換) ~하다 change; convert; divert.

별 a star; the stars. ¶ ~빛 starlight / ~ 같은 starlike; starry.

별개(別個) ¶ ~의 separate; another; different; special.

별거(別居) separation; limited divorce. ~하다 live apart 〔separately〕 《from》; live in a separate house.

별것(別—) something peculiar; a rarity; a different 〔another〕 thing(다른 것).

별고(別故) 〔이상〕 a trouble; an untoward event; something wrong. ¶ ~ 없다 be well; be all right; there is nothing wrong 《with》.

별과(別科) a special course.

별관(別館) an annex 《to a building》; an extension.

별궁(別宮) a detached palace.

별기(別記) ~와 같이 as stated elsewhere 〔in a separate paragraph〕.

별나다(別—) (be) strange; queer; peculiar. ¶ 별나게 strangely; peculiarly.

별납(別納) seperate payment (delivery). ~하다 pay 〔deliver〕 separately.

ㅂ

별다르다(別─) 《이상》 (be) uncommon; extraordinary; 《특별》 be of a particular kind. ¶ 별다른 것이 아니다 It is nothing peculiar.

별당(別堂) a separate house.

별도(別途) 《~의》 special. ‖ ~지출 a special outlay.

별도리(別道理) a better way; an alternative; a choice. ¶ ~ 없다 have no choice but to 《do》; there is no alternative but to 《do》. 「detached force.

별동대(別動隊) a flying party; a

별똥(별) a meteor; a shooting star.

별로(別─) 《not》 in particular; 《not》 especially; 《not》 particularly.

별말씀(別─) ¶ ~ 다 하십니다 Don't mention it, or Not at all.

별명(別名) another name; a nickname; a byname; an alias a pseudonym. ¶ ~을 붙이다 nickname 《a person》; give 《a person》 a nickname.

별문제(別問題) another [a different] question; another thing [matter]. ¶ ~은 ─로 하고 apart [aside] from ....

별미(別味) 《맛》 peculiar taste; an exquisite flavor; 《음식》 a dainty; a delicacy.

별별(別別) of various and unusual sorts. ¶ ~ 사람 all sorts of people.

별봉(別封) 《~으로 보내다》 (send) under separate cover.

별사람(別─) an eccentric; a queer bird; an odd duck; a mess.

별석(別席) another [a special] seat.

별세(別世) death. ~하다 die; decease; pass away.

별세계(別世界) another [a different] world.

별수(別數) special luck《운수》; a special [peculiar] way [means] 《방법》.

별식(別食) specially-prepared food; a rare dish. 　　　　「er room.

별실(別室) 《withdraw into》 another room《別間》.

별안간(瞥眼間) suddenly; all at once; all of a sudden; abruptly.

별일(別─) a strange [an odd] thing; 《특별한 일》 something particular. ¶ ~ 없이 safely; without any accident.

별자리(天) a constellation.

별장(別莊) a villa; a country house; a cottage《美》.

별정직 ‖ ~공무원 officials in special government service.

별종(別種) a special kind; a different kind. ☞ 별칭. 　　「ent kind.

별지(別紙) a separate volume; 《잡지 따위의》 an extra number. ‖ ~부록 a separate-volume supplement.

별천지(別天地) another world.

별첨(別添) an annexed [attached] paper; an accompanying [a separate] sheet. ¶ ~의 enclosed herewith / ~과 같이 as per enclosure. 　　　　　　　「name.

별칭(別稱) a byname; another

별표(別表) an attached [annexed] table [list, sheet]. ‖ ~양식 an attached form.

별표(─標) 《별모양》 a star; an asterisk《기호 ＊》.

별항(別項) another [a separate] paragraph [section, clause].

별행(別行) another [a new] line.

볍씨 rice seed.

볏 a cockscomb; a crest; a crown.

볏가리 a rick; a stack of rice.

볏단 a rice sheaf.

볏섬 a sack of rice.

볏짚 rice straw.

병(丙) the third grade [class]; C.

병(病) (an) illness; (a) sickness《美》; a disease; an ailment《가벼운》; 《국부적》 a trouble; a disorder. ¶ ~난 ill; sick; unwell; diseased / ~들다 《걸리다》 get [fall, become, be taken] ill. ‖ ~문안 a visit to a sick person.

병(瓶) a bottle. ¶ ~속 the neck of a bottle / ~에 담은 bottle《milk》 / ~에 담은 bottled.

병가(兵家) 《병법가》 a tactician; a strategist.

병가(病暇) sick leave.

병결(病缺) absence due to illness.

병고(病苦) suffering (pain) from sickness. ¶ ~에 시달리다 labor under *one's* disease.

병과(兵科) a branch of the service (army); an arm. ∥보병 ~ the infantry branch (arm).

병구(病軀) a sick body; ill health.

병구완(病─) nursing; care for the sick). ~하다 nurse; care for; tend: attend on (*a person*).

병권(兵權) 《seize, hold》 military power (authority).

병균(病菌) pathogenic [disease-causing] germs (bacteria); a virus.

병기(兵器) arms; weapons of war; weaponry. ∥ ~창 an arsenal; an ordnance department (depot (美)).

병나다(病─) ① ☞ 병들다. ② 《달나다》 get out of order; go wrong; break down.

병내다(病─) ① 《병을》 cause (bring about) illness; make (*a person*) sick. ② 《날을 내다》 bring (put) (*a thing*) out of order.

병단(兵團) an army corps.

병독(病毒) disease germs; a virus.

병동(病棟) a ward. ∥ 격리 (일반) ~ an isolation [a general] ward.

병들다(病─) get sick (美); fall (be taken) ill. ¶ 병든 ill; sick.

병란(兵亂) a war; a military disturbance.

병략(兵略) strategy; tactics.

병력(兵力) force of arms; military power (strength); troop strength.

병렬(並列) ~하다 stand in a row. ∥ ~회로 a parallel (circuit).

병리(病理) pathology. ∥ ~학(~상의) pathological). / ~학자 a pathologist / ~해부학 pathological anatomy.

병립(立立) ~하다 stand abreast (side by side); coexist.

병마(兵馬) military affairs (군사);

war(전쟁); troops(군대).

병마(病魔) ¶ ~가 들리다 get (fall) ill; be attacked by a disease / ~에 시달리다 be afflicted with a disease.

병마개(瓶─) a bottle cap; a stopper; a cork(코르크).

병명(病名) the name of a disease.

병무(兵務) military (conscription) affairs. ∥ ~청 the Office of Military Manpower.

병발(並發) concurrence; a complication(병의). ~하다 concur; develop (accompany) (*another disease*). ∥ ~증 《develop》 a complication.

병법(兵法) tactics; strategy. ∥ ~가 a strategist; a tactician.

병사(兵士) a soldier; a serviceman; a private; troops.

병사(兵舍) 《barracks.

병사(兵事) military affairs. ∥ ~계 원 a clerk in charge of military affairs.

병사(病死) death from sickness. ~하다 die of (from) a disease; die in *one's* bed.

병살(倂殺) 《野》 《make》 a double play (killing).

병상(病床) a sickbed. ∥ ~일지 a clinical diary; a sickbed record.

병상(病狀) the condition of a patient [disease].

병색(病色) ¶ ~이 보이다 look sickly.

병서(兵書) a book on tactics.

병석(病席) a sickbed. ¶ ~에 있다 be ill in bed; be confined to bed.

병선(兵船) a warship.

병세(病勢) the condition of a disease (patient).

병술(瓶─) bottled liquor; liquor sold by the bottle.

병신(病身) ① 《불구자》 a deformed (maimed) person; 《장애인》 a physically handicapped (challenged) person; the handicapped (병자) an (a chronic) invalid. ¶ ~을 만들다 deform; maim; cripple. ② 《물건》 a defective

thing; an odd set. ③ (바보) a stupid person; a fool.

병실(病室) a sickroom; a (sick) ward (병원); a sick bay(군함).

병아리 a chicken; a chick. ‖ ~ 감별사 a (chick) sexer.

병약(病弱) ¶ ~한 weak; sickly; invalid; infirm.

병어 [魚] a pomfret; a butterfish.

병역(兵役) military service. ‖ ~ 기피자 a draft evader [dodger] / ~면제 exemption from (military) service / ~의무 obligatory [compulsory] military service.

병영(兵營) (a) barracks.

병용(倂用) together (with); use (two things) at the same time.

병어 [魚] military personnel; strength (of a troop).

병원(病院) a hospital; a clinic (진료소); a doctor's office (美). ‖ ~선 a hospital ship / ~장 the head of a hospital.

병원(病原) the cause of a disease. ‖ ~균 a (disease) germ; a bacillus; a virus.

병인(病因) the cause of a disease. ‖ ~학 etiology.

병자(病者) a sick person; an invalid; a patient; the sick(총칭).

병장(兵長) a sergeant.

병적(兵籍) military records (registers); one's military status(신분). ‖ ~부 a muster roll.

병적(病的) morbid; diseased; abnormal. ¶ ~으로 morbidly; abnormally.

병조림(甁—) bottling. ~하다 bottle (a thing); seal (a thing) in a bottle.

병존(倂存) coexistence. ~하다 coexist (with); be coexistent (with); exist together.

병졸(兵卒) a soldier; a private; an enlisted man (美); the rank and file(총칭).

병종(丙種) the third class (grade).

병중(病中) during one's illness; while one is ill. ¶ ~이다 be ill

in bed.

병증(病症) the nature of a disease.

병진(竝進) ~하다 advance together; keep abreast of; keep pace with.

병참(兵站) supplies(보급품); logistics. ‖ ~기지 a supply base / ~사령부 the Logistic Support Command.

병충해(病蟲害) damages by blight and harmful insects.

병칭(竝稱) ~하다 rank [class] (A) with (B).

병탄(倂吞) ~하다 annex (A to B); absorb (into); swallow up.

병폐(病弊) an evil; a vice; a morbid practice.

병풍(屛風) a folding screen. ¶ 여섯쪽 ~ (을 치다) (set up) a six-fold screen.

병합(倂合) ☞ 합병.

병행(竝行) ~하다 go side by side (with); do (carry out, try) (two things) simultaneously.

병환(病患) illness; sickness.

병후(病後) ¶ ~의 convalescent / ~의 몸조리 aftercare.

볕 sunshine; sunlight. ¶ ~이 들다 the sun comes in (a window).

보(保) (보증) a guarantee; security; (보증인) a guarantor. ¶ ~서다 stand guaranty (for).

보(洑) (저수지) a reservoir; an irrigation pond.

보(褓) ☞ 보자기.

보(步) a [one] step; a pace.

…(補) assistant; probationary. ¶ 서기 ~ an assistant clerk / 차관 ~ an assistant secretary (美).

보각(補角) [數] a supplementary angle; a supplement. 「book.

보감(寶鑑) a thesaurus; a handbook.

보강(補强) ~하다 strengthen; reinforce; invigorate. ‖ ~공사 reinforcement work.

보강(補講) a supplementary lecture; a make-up lesson. ~하다 make up for missing lecture.

보건(保健) (preservation of) health;

《위생》 sanitation; hygienics. ¶ ～소 a health center.

보검(寶劍) a treasured sword.

보결(補缺) 〔일〕 a supplement: 《사람》 a substitute: an alternate (美). ¶ ～의 supplementary; substituted.

보고(報告) a report. ～하다 report; inform 《a person of an event》. ¶ ～서 a (written) report / ～자 a reporter. 「house.

보고(寶庫) a treasury; a treasure.

보관(保管) custody; (safe)keeping. ~하다 keep; take custody 〔charge〕 of; have 《a thing》 in one's keeping. ¶ ～료 custody fee / ～물 an article in custody / ～인 a custodian; a keeper. 「patriotism.

보국(報國) patriotic service 《by》.

보궐(補闕) ¶ ～선거 a special election (美); a by-election (英).

보균자(保菌者) a germ carrier; an infected person. 「steadily.

보글보글 ¶ ～ 끓다 simmer; boil.

보금자리 a nest; a roost.

보급(普及) diffusion; spread; popularization (대중화). ～하다 diffuse; spread; propagate; popularize. ¶ ～률 the diffusion 《of TV sets》 / ～소 a distributing agency / ～판 a popular (cheap) edition.

보급(補給) a supply. ～하다 supply; replenish 《coal, fuel》. ¶ ～관 〔軍〕 a quartermaster / ～기지 〔로, 선〕 a supply base 《route, ship》.

보기 an example; an instance. ¶ ～ 보는 각도) a way of looking at 《things》; ¶ 내가 ～에는 in my eyes 〔opinion〕.

보내다 ① (물품을) send; forward; dispatch; ship(배·화차로); remit (돈을). ② (사람을) send; dispatch. ¶ 부르러 ～ send for 《a doctor》. ③ (이별) see 《a person》 off; give 《a person》 a send-off. ④ (세월) ～ pass; spend; lead.

보너스 a bonus.

보다¹ ① (눈으로) see; look 《at》; (목격) witness. ¶ 보시는 바와 같이 as you see / 떨어지게 ～ stare 〔gaze〕 《at》. ② (관찰) observe; look at; view; see; (시찰) inspect; visit; (간주) look upon 《as》; regard 《as》; consider; take 《a thing》 for 〔to do〕. ¶ 보는 바가 다르다 view a matter differently. ③ (구경) see 《the sights》; do 《the town》; visit 《a theater》. ¶ 볼 만하다 be worth seeing 〔visiting〕. ④ (읽다) read; see; (훑어 보다) look through 〔over〕. ⑤ (조사) look over; look into; examine; (참고) refer to; consult 《dictionary》. ¶ 환자를 ～ 《의사가》 examine a patient. ⑥ (판단) judge; read; tell (fortune). ¶ 손금을 ～ read 《a person's》 palm. ⑦ (견적) estimate 《at》; offer 《a price》; bid; value; put. ⑧ (보살피다) look 〔see〕 after; take charge 〔care〕 《of》; watch over 《a child》; (처리) attend to; manage. ⑨ (시험) ～ take 〔sit for〕 《an examination》. ⑩ (대소변을) do 《one's needs》; relieve 〔ease〕 《nature》. ⑪ (자손 등) take; get 《a child》. ¶ 사위를 ～ get a son-in-law. ⑫ (이해를) get; experience; undergo; go through; suffer. ¶ 손해를 ～ suffer 〔sustain〕 a loss. ⑬ (전의(轉義)) ¶ 두고 보자 I'll soon be even with you. or You shall smart for this.

보다² (…인 것 같다) look like; seem; it seems (to me) that …; I guess… ¶ 그 사람이 아픈가 ～ He seems to be ill.

보다³ (비교) (more, better) than; rather than; (superior, inferior) to.

보다못해 being unable to remain a mere spectator.

보답(報答)(보상) recompense; a reward. ～하다 return (repay) 《a person's kindness》; reward; recompense.

보도(步道) a sidewalk 《美》; a pavement 《英》; a footpath.

보도(報道) a report; news; information: intelligence. ¶ ~하다 report; inform 《*a person*》 of 《*a fact*》: publish the news. ‖ ~기관 the press; a medium of information; a news medium.

보도(輔導) guidance; direction. ~하다 lead; guide; direct. ‖ 학생 ~ student guidance.

보동보동 ¶ ~한 plump; chubby; full.

보드카 (술) vodka.

보들보들하다 (be) soft; pliant; supple; lithe.

보따리 (짐一) a package; a bundle. ‖ ~장수 a peddler.

보람 (효력) worth; effect; result. ¶ ~있는 fruitful: effective / ~없는 useless; vain; fruitless: ineffective / ~없이 in vain; to no purpose; uselessly.

보랏빛 light purple color; violet; lavender. ¶연~ lilac.

보료 a decorated mattress used as cushion.

보루(堡壘) a fortress; a bulwark; a fort; a rampart.

보류(保留) reservation. ~하다 reserve; withhold; defer. ‖ ~조건 reservations.

보르네오 Borneo. ¶ ~의 Bornean.

보름 ① (15일) fifteen days; half a month. ② (보름날) the fifteenth day of a lunar month. ‖ ~달 a full moon.

보리 (대맥) barley. ¶ ~ 타작하다 thresh barley. ‖ ~밥 boiled barley (and rice) / ~밭 a barley field / ~차 barley water (tea) / 보릿고개 the spring famine (just before the barley harvest).

보리(菩提) Bodhi (梵): the Supreme Enlightenment.

보모(保姆) a nurse. ¶유치원의 ~ a kindergarten teacher.

보무(步武) ¶ ~당당히 (march) in fine array.

보무라지, 보물 tiny scraps of paper (cloth). ¶실~ tiny bits of thread; lint.

보물(寶物) a treasure; a treasured article; valuables. ¶ ~선 [섬] a treasure ship (island).

보배 a treasure; precious (valuable) things.

보병(步兵) infantry (총칭); 《병사》 an infantryman; a foot soldier. ‖ ~연대 (학교) an infantry regiment (school).

보복(報復) retaliation; revenge; (a) reprisal. ~하다 retaliate 《*against*》; take revenge 《*on*》; take reprisal 《*against*》. ¶ ~적인 retaliatory; revengeful.

보부상(褓負商) a peddler; a packman. ¶ ~을 하다 peddle; hawk.

보살(菩薩) 【佛】 Bodhisattva (梵): a Buddhist saint.

보살피다 look after; take care of; care for; attend to 《*the sick*》.

보상(報償) compensation; remuneration. ~하다 recompense; remunerate; reward.

보상(補償) (a) compensation; indemnity. ~하다 compensate; indemnify; make good 《*the loss*》. ‖ ~금 an indemnity; compensation (money). [or.

보색(補色) a complement(ary) color.

보석(保釋) bail. ~하다 let 《*a prisoner*》 out on bail; bail 《*a person*》 out. ¶ ~되다 be released on bail. ‖ ~금 bail (money) 《~금을 내다 put up (furnish) bail》.

보석(寶石) a jewel; a gem; a precious stone. ¶ ~류 〔집합〕 jewelry / ~상 a jeweler; a jeweler's (shop).

보선(保線) maintenance of tracks. ‖ ~공 a trackman 《美》; a lineman 《英》 / ~공사 track work.

보세(保稅) bond. ‖ ~가공 (무역) bonded processing (trade) / ~공장 (창고) a bonded factory (warehouse) / ~화물 bonded goods.

보송보송하다 (be) dry; parched.

보수(保守) conservatism. ¶ ~적인

conservative. ∥ ～당 the Conservative Party / ～주의 conservatism /～진영 the conservative camp.

보수(報酬) a reward; remuneration; a fee(의사등의); pay(급료). ∥ ～로 without pay [fee].

보수(補修) repair; mending. ～하다 mend; repair; fix. ∥ ～중이다 be under repair. ∥ ～공사 repair work.

보수계(步數計) a pedometer.

보스 a boss.

보슬보슬 (fall) gently; softly; drizzly.

보슬비 a drizzle; a drizzling rain.

보습 a share; a plowshare.

보습(補習) a supplementary lesson; refresher training; an extra lecture. ～하다 supplement.

보시(布施) an offering; alms; charity.

보시기 a small bowl. Lty.

보신(保身) keeping oneself from harm; self-defense. ∥ ～술 the art of self-protection.

보신(補身) ～하다 build oneself up by taking tonics. ∥ ～탕 soup of dog's meat.

보쌈김치(褓―) kimchi wrapped in a large cabbage leaf like a bundle.

보아주다 take care of; take trouble; look after; help.

보안(保安) the preservation [maintenance] of public peace; security. ∥ ～관 a sheriff / ～당국 the security authorities.

보안사범(保安事犯) national security violators; a public security offender.

보안요원(保安要員) 《반광 등의》 the maintenance personnel.

보약(補藥) a tonic; a restorative; an invigorant.

보양(保養) preservation of health; 《병후의》 recuperation. ～하다 take care of one's health; recuperate. ∥ ～지 a health resort.

보양(補陽) ～하다 strengthen the virile power; invigorate oneself.

보얗다 ① 《빛깔이》 (be) whitish; milky. ② 《연기·안개가》 (be) hazy; misty.

보어(補語) 《文》 a complement. ∥ 목적격 ～ an objective complement.

보여주다 let 《a person》 see; show.

보온(保溫) ～하다 keep warm. ∥ ～병 a thermos [bottle]; a vacuum flask.

보완(補完) ～하다 complement. ∥ 상호 ～적이다 be complementary to each other.

보위(寶位) the throne; the crown.

보유(保有) possession. ～하다 possess; hold; keep; retain. ∥ ～자 a holder; a possessor / 금～고 gold holdings.

보육(保育) ～하다 bring up; nurse; nurture; rear; foster. ∥ ～원 a nursery school.

보은(報恩) requital [repayment] of kindness; gratitude. ～하다 requite [repay] another's kindness.

보이 a boy; a waiter(식당의); a bellboy(기차·호텔의).

보이다 《보게 하다》 show; let 《a person》 see [look at]; 《전시하다》 exhibit; display.

보이다 ① 《사물이》 (be) seen [visible]; be in sight; appear; show up (나타나다). ② 《…같다》 seem; appear; look (like). ∥ 슬퍼 ～ look sad.

보이스카우트 the Boy Scouts; a boy scout(한 사람).

보이콧 a boycott (movement). ～하다 boycott 《a shop, goods》.

보일러 《機》 a boiler.

보자기 a (cloth) wrapper.

보잘것없다 ☞ 보잘않다.

보증(保證) guarantee; security. ～하다 guarantee; secure. ∥ ～제도 a security system / 안전보장이사회 《U.N.의》 the Security Council.

보전(保全) integrity; preservation. ～하다 preserve; maintain [safeguard] the integrity 《of》.

보전(寶典) a handbook; a thesaurus.

보조(步調) a step; a pace. ¶ ∼를 맞추다 keep pace [step] 《with》; act in concert 《with》.

보조(補助) 《원조》 assistance; help; support; aid; 《보족(補足)》(a) supplement. ∼하다 assist; help; aid. ¶ ∼금 a subsidy; a grant-in-aid.

보조개 a dimple.

보족(補足) ∼하다 complement; supplement; make good 《a deficiency》.

보존(保存) preservation; conservation. ∼하다 preserve; keep; conserve.

보좌(補佐) aid; assistance. ∼하다 aid; assist; help; advise.

보증(保證) a guarantee; a security; an assurance; a warrant. ∼하다 guarantee; warrant; assure; vouch 《answer》 for. ¶ ∼을 서다 stand surety 《guarantee》 for 《a person》. ┃ ∼금 security money; a deposit / ∼인 a guarantor; a surety.

보지 [解] the vulva.　　　[retain.

보지(保持) ∼하다 maintain; hold;

보직(補職) assignment to a position. ∼되다 be assigned [appointed] 《to the post of》.

보채다 fret; be peevish.

보철(補綴) 《치과의》(a) dental prosthesis. ¶ 부분∼ a partial denture.

보청기(補聽器) a hearing aid.

보초(步哨) a sentry. ¶ ∼를 서다 stand sentry; be on sentry duty / ∼를 세우다 post 《a soldier》 on sentry. ┃ ∼병 a guard; a sentry.

보충(補充) supplement; replacement. ∼하다 supplement; replenish; fill up; replace. ┃ ∼계획 a replacement program / ∼수업 supplementary lessons.

보칙(補則) supplementary rules.

보컬리스트 [樂] a vocalist.

보컬뮤직 vocal music.

보크사이트 [鑛] bauxite.

보태다 ① 《보충》 supply 《a lack》;

make up 《for》; supplement. ② 《가산》 add (up); sum up.

보통(普通) 《부사적》 usually; ordinarily; commonly; generally. ¶ ∼의 《통상의》 usual; general; ordinary; common; 《정상적인》 normal; ordinal; 《평균의》 average. ┃ ∼선거 universal [popular] suffrage.

보통내기(普通 —) (not) an ordinary person; (not) a mediocrity.

보통이(褓 —) a bundle; a package; a parcel.

보트 a boat. ¶ ∼를 젓다 row a boat / ∼ 타러 가다 go boating. ┃ ∼선수 an oarsman.

보편(普遍) universality. ┃ ∼적인 universal; general. ┃ ∼타당성 universal validity.

보폭(步幅) a stride; a pace.

보표(譜表) [樂] a staff; a score; a stave.

보푸라기 shag; nap 《of cloth》; flue; fuzz 《of paper》. ¶ ∼이 이는 shaggy; nappy 《silk》.

보풀리다 raise a nap on; nap.

보필(補弼) ∼하다 assist; counsel; give advice.

보하다(補 —) 《보직》 appoint; assign; 《원기를》 tone up; build up 《one's health》.

보합(步合) [經] steadiness. ∼하다 (keep) balance; remain the same [steady]. ¶ 시세는 ∼ 상태이다 Prices are steady.

보행(步行) ∼하다 walk; go on foot. ┃ ∼기(器) 《아기의》 a baby-walker / ∼자 a walker; a pedestrian.

보험(保險) insurance; assurance 《英》. ¶ ∼에 들다 insure 《one's house against fire》 / ∼을 계약하다 have [take] an insurance policy. ┃ ∼계약자 a policy-holder / ∼금 수취인 a beneficiary / ∼료 insurance due; a premium / ∼증서 an insurance policy.

보혈(補血) ┃ ∼제 a hematic.

보호(保護) protection; protective custody; 《보존》 conservation. ~하다 protect; defend; guard; 《돌보다》 take care (of); look after (*a person*); 《보존하다》 preserve; conserve. ‖ ~관찰 〔place an offender on〕 probation / ~무역 protective trade / ~색 protective coloring / ~자 a protector; a guardian; a patron.

보호(補酵) ‖ ~병원 Korea Veterans Hospital; the Patriots and Veterans Hospital / 국가~처 the Ministry of Patriots and Veterans Affairs.

복[魚] a swellfish; a blowfish; a globefish; a puffer.

복(伏) the dog days; midsummer.

복(福) good luck; fortune; happiness; a blessing. ~된 happy; blessed / ~을 받다 be blessed / 새해 ~ 많이 받으십시오 Happy New Year !

복간(複刊) reissue; revived publication. ~하다 republish; reissue.

복강(腹腔) the abdominal cavity. ‖ ~임신 abdominal pregnancy.

복고(復古) restoration; revival. ~조(調) 《of》 a revival mood / ~주의 reactionism.

복교(復校) ~하다 return to school.

복구(復舊) restoration. ~하다 be restored to normal conditions. ‖ ~공사 repair 〔restoration〕 works.

복권(復權) restoration (of rights). ~하다 be restored to *one's* rights.

복권(福券) a lottery ticket. ~추첨 a lottery.

복귀(復歸) ~하다 return 《to》; come back 《to》; 〔法〕 revert 《to》 (재산 등의).

복대기다 be noisy 〔boisterous, in a bustle〕; be tossed about; be jostled around.

복더위(伏一) a heat wave during the dog days.

복덕(福德) ‖ ~방 a real estate agent; a realtor 《美》.

복도(複道) a corridor; a passage; a gallery; a lobby (극장의).

복리(複利) compound interest.

복리(福利) welfare.

복마전(伏魔殿) a hotbed of corruption; a pandemonium.

복막(腹膜) the peritoneum. ‖ ~염 peritonitis.

복면(覆面) a veil; a mask. ~하다 wear a mask. ¶ ~의 masked. ‖ ~강도 a masked robber.

복명(復命) ~하다 report on *one's* mission. ‖ ~서 a report.

복무(服務) service. ~하다 serve; be in (public) service. ¶ ~규정 the service regulations.

복문(複文) a complex sentence.

복받치다 be filled 《with emotion》; have a fit 《of》; well up (슬픔·기쁨 등이); fill *one's* heart (사물이 주어).

복병(伏兵) an ambush; men 〔troops〕 in ambush.

복본위제(複本位制) the double standard system; bimetallism.

복부(腹部) the abdomen; the belly. 「portion.

복비례(複比例) 〔數〕 compound

복사(複寫) reproduction; duplication; reprint; 《사본》 a copy; a reproduction. ~하다 reproduce; copy. ¶ ~기 a duplicator / ~기계 a copying machine; a copier / ~사진 a photocopy.

복사(輻射) ~하다 radiate. ‖ ~열 radiant heat.

복사뼈 the ankle (bone); the talus.

복상(服喪) ~하다 go into mourning 《for》.

복색(服色) the color and style of a uniform; 《의상》 clothes; attire.

복서 a boxer.

복선(伏線) a covert reference. ¶ ~을 치다 lay an underplot; foreshadow; 《선수침》 forestall 《a person》.

복선(複線) a double track 〔line〕. ¶ ~으로 하다 double-track. ‖ ~공사 double-tracking.

ㅂ

복성스럽다 (be) happy-looking.

복수(復讐) revenge; vengeance; retaliation(보복). ¶ ～하다 revenge oneself 《on a person》; take revenge 《for, on》. ‖ ～심에 불타다 《burn with》 revengeful thought / ～전《경기의》 a return match 《game》.

복수(腹水) abdominal dropsy.

복수(複數) the plural. ¶ ～의 plural. ‖ ～명사 a plural noun.

복술(卜術) the art of divination.

복숭아 a peach; 《calf.

복스(상자, 좌석) a box; 《가죽》box

복스럽다(福─) (be) happy-looking; prosperous-looking.

복슬복슬하다 (be) fat and shaggy.

복습(復習) review. ¶ ～하다 review [repeat] one's lessons.

복시(複視) 【醫】 diplopia; double vision. ¶ ～의 diplotic. 「ments.

복식(服飾) dress and its orna-

복식(複式) ¶ ～의 double-entry(부기); plural(복수의); compound (기계의). ‖ ～부기 bookkeeping by double entry / ～투표 plural voting. 「ing.

복식호흡(腹式呼吸) abdominal breath-

복싱 boxing. ‖ 새도 ～ shadow-boxing.

복안(腹案) a plan [scheme] in one's mind; an idea.

복약(服藥) ～하다 take medicine.

복어(─魚) ☞ 복.

복역(服役) (penal) servitude. ～하다 serve one's term [sentence]. ‖ ～기간 a term of sentence.

복엽(複葉) 【植】 a compound leaf. ‖ ～비행기 a biplane.

복용(服用) 《약의》 internal use; dosage. ～하다 take 《medicine》; use internally. ‖ ～량 dosage; a dose.

복원(復元) restoration. ～하다 restore to the original state; revert. ‖ ～력 stability.

복원(復員) demobilization. ～하다 be demobilized.

복위(復位) restoration; reinstatement. ～하다 be restored 《to the

throne》.

복음(福音) 《그리스도의》 the gospel; 《좋은 소식》 good [welcome] news. ‖ 《마》 ～서 the (four) Gospels.

복음(複音) a compound sound.

복자(複字) a turn in set type; a reversal of type in printing.

복잡(複雜) ～하다 (be) complicated; complex; intricate.

복장(服裝) dress; costume; attire; clothes.

복적(復籍) ～하다 return to one's original domicile [family].

복제(服制) dress regulation [system]; costume.

복제(複製) reproduction; 《복제품》 a reproduction; a duplicate; a replica. ～하다 reproduce; reprint(책의). ‖ ～불허 All rights reserved. or Reprinting prohibited / ～화 a reproduced picture.

복종(服從) obedience; submission. ～하다 obey 《one's parents》; be obedient to; submit 《yield》 《to》.

복죄(服罪) ～하다 plead guilty 《to》; enter a plea of guilty. ¶ ～하지 않다 plead not guilty.

복지(福祉) (public) welfare; well-being. ‖ ～국가 a welfare state / ～사업 welfare work.

복직(復職) reinstatement; reappointment. ～하다 be reinstated in 《come back to》 one's former post [position].

복창(復唱) ～하다 repeat 《one's senior's order》.

복채(卜債) a fortune-teller's fee.

복통(腹痛) (have) a stomachache.

복판 the middle [center, heart].

복합(複合) ～의 compound; complex. ‖ ～렌즈 a compound lens / ～어 a compound (word).

복화술(腹話術) ventriloquy.

복활차(複滑車) a tackle; a compound pulley.

볶다 ① 《불에》 parch; roast; fry 《기름에》. ② 《들볶다》 ill-treat; treat 《a person》 harshly; be hard on 《a person》; annoy; pester.

볶아대다 keep bothering (annoy

ing, pestering).

뵤아치다 hurry (up); urge; press; hasten.

볶음 ① 《볶기》 panbroiling; roasting; parching. ② 《음식》 any panbroiled [roasted] food; a roast; a broil. ‖ ~밥 fried rice.

본(本) ① 《본보기》 an example; a model. ¶ ~을 보이다 set a good example 《to students》. ② 《옷 따위의》 a pattern. ¶ 종이로 ~을 뜨다 make a pattern out of paper 《for a dress》. ③ 《본관》 family origin.

본…(本) 《이, 현재의》 this; the present 《meeting》. 《주요한》 main 《store》; principal; 《진짜의》 real 《name》; regular.

본가(本家) ① 《본집》 the main [head] family; 《친정》 one's old home. ② 《원조》 the originator; the original maker.

본값(本一) the (original) cost.

본거(本據) the headquarters; a base; a stronghold.

본건(本件) this affair [item]; the case in question.

본견(本絹) 《~실》 regular; real / ~적으로 in earnest. ¶ ~ pure silk.

본격(本格) 《원산지》 the home 《of tobacco》; a habitat 《서식지》; 《중심지》 the center; 《고향》 one's native place.

본과(本科) the regular course. ¶ ~생 a regular student.

본관(本官) 《자칭》 the present official; I. 〔tral home.

본관(本貫) family origin; one's ances-

본관(本管) a main 〔pipe〕. ¶ 가스 〔수도〕의 ~ a gas 〔water〕 main.

본관(本館) the main building.

본교(本校) this 〔our〕 school; the principal school 《분교에 대한》.

본국(本局) the main [head] office; a central 《국》.

본국(本國) one's home 〔native, mother〕 country. ‖ ~정부 the home government.

본남편(本男便) 《전남편》 one's ex-

husband; 《법적》 one's legal husband.

본능(本能) (an) instinct. ¶ ~적 (으로) instinctive(ly).

본대(本隊) the main body 〔force〕.

본댁(本宅) one's home.

본데 discipline; education; good manners (범절). ¶ ~ 있다 〔없다〕 be well-[ill-]bred; have good 〔no〕 manners.

본드 bond; adhesives. ‖ ~흡입 glue-[bond-]sniffing.

본디(本一) originally; from the first; by nature.

본때(本一) ① 《본보기》 an example; a model. ¶ ~있다 be exemplary 《splendid》. ② 《교훈》 a lesson; a warning. ¶ ~를 보이다 make a lesson 《of》; punish.

본뜨다(本一) follow 《an example》; model after; copy from a model.

본뜻(本一) 《본생각》 one's real intention; will; 《본의미》 the original meaning.

본래(本來) 《원래》 originally; primarily; from the beginning (처음부터). ¶ ~의 original; primary.

본론(本論) the main subject 〔issue〕. ¶ ~으로 들어가다 go on the main issue.

본루(本壘) 《野》 the home base 〔plate〕. ‖ ~타 a home run; a homer.

본류(本流) the main stream.

본말(本末) ¶ ~을 전도하다 mistake the means for the end; put the cart before the horse.

본명(本名) one's real name.

본무대(本舞臺) the main stage.

본문(本文) the body 《of a letter》; the text 《of a treaty》.

본밑천(本一) capital; funds.

본바닥(本一) one's 본고장.

본바탕(本一) essence; (real) substance; one's true color.

본받다(本一) follow 《a person's》 example; imitate 《a person》; model 〔copy〕 《after》.

본보기(本一) 《모범》 an example;

《본뜨는 자료》 a model; a pattern. ¶ ~로 삼다 make an example (of a person).

본봉(本俸) the regular salary; a basic pay; base pay.

본부(本部) the headquarters; the head(main) office; an administrative building(대학 따위의).

본분(本分) one's duty [part]; function. ¶ ~을 다하다 do [perform, fulfill] one's duty [part].

본사(本社) 《본점》 the main [head] office; 《자기 회사》 our firm; this company; we.

본산(本山) the head temple.

본새(本一) 《생김새》 the original looks; features; 《바탕》 the nature; basic quality.

본색(本色) one's real character (nature); 《참모습》 one's true colors.

본서(本署) the chief police station.

본선(本船) 《이 배》 this [our] ship; 《모선》 a mother [depot] ship. ‖ ~인도 free on board(생략 F.O.B., f.o.b.).

본선(本線) the main [trunk] line.

본성(本性) *n.*

본시(本是) 《부사적》 originally; primarily; from the first.

본심(本心) 《진심》 one's real intention; 《마음》 one's right [true] mind; one's heart; one's senses.

본안(本案) 《이 안건》 this proposal [bill]; 《원안》 the original proposal(bill, motion).

본업(本業) one's main occupation; one's regular business [work]. ‖ ~ent: proper.

본연(本然) ¶ ~의 natural; inherent.

본위(本位) standard(기준); principle(주의); a basis(기초). ¶ 자기 ~의 self-centered; selfish. ‖ ~화폐 a standard money (coin).

본의(本意) one's real intention; one's original purpose. ¶ ~아니게 against one's will; unwillingly; reluctantly.

본인(本人) the person himself (herself); the principal(대리인에

대한); 《문제의》 the said person; the person in question; 《나 자신》 I; me; myself. ¶ ~ 자신이 in person; personally.

본적(本籍) one's (permanent) domicile; one's family register.

본전(本錢) ① principal (sum); capital(밑천). ② ☞ 본값.

본점(本店) the head [main] office (store); 《이》 this store; our shop.

본제(本題) the original topic (subject). ¶ ~로 돌아가서 to return to our subject.

본지(本旨) 《참목적》 the true aim; the object in view; 《본래의 취지》 the main (principal) object.

본지(本紙) this [our] paper.

본지(本誌) this [our] journal (magazine).

본직(本職) 《본업》 one's (regular) occupation (job); one's principal profession (trade). ¶ 그의 ~은 의사이다. He is a doctor by trade.

본질(本質) essence; essential qualities; true nature; substance (실질). ¶ ~적인 essential; substantial / ~적으로 essentially; substantially; in essence.

본처(本妻) a lawful [legal] wife.

본체(本體) the true form; 《실체》 substance; 《실제》 reality. ‖ ~론 ontology.

본초(本草) 《한약재》 medical herbs. ‖ ~가(家) a herbalist / ~학 botany.

본초자오선(本初子午線) the prime [first] meridian.

본토(本土) the mainland. ‖ 중국 ~ the Chinese mainland.

본회담(本會談) the main conference.

본회의(本會議) a plenary session; a general [regular] meeting.

볼 ① 《뺨》 a cheek. ② 《넓이》 width; breadth.

볼 《공》 a ball.

볼기 the buttocks; the ass.

볼꼴사납다 (be) ugly; mean; unseemly; unsightly.

볼레로 a bolero.

볼록 ¶ ∼거리다 swell and subside; palpitate / ∼하다 be bulgy. ‖ ∼거울〔렌즈, 면〕 a convex mirror〔lens, surface〕.

볼륨 volume. ¶ ∼이 있는 voluminous; bulky.

볼리비아 Bolivia. ¶ ∼의 Bolivian. ‖ ∼사람 a Bolivian. ‖ ∼골목 a Bolivian alley.

볼링 bowling. ‖ ∼장 a bowling alley.

볼만하다 (be 가치가 있다) be worth seeing.

볼멘소리 sullen〔grouchy〕 words. ¶ ∼로 in angry tone.

볼모 ① 〔담보〕 a pawn. ② 〔사람〕 a hostage. ¶ ∼로 잡다 take (a person) as hostage.

볼썽사납다 (be) awkward; unsightly; unseemly; indecent.

볼일 business; an engagement; things 〔work〕 to do.

볼장 ¶ ∼ 다 보다 be all up with ...; All is over with ...; have done with (a thing).

볼트 〔電〕 a volt; voltage. ‖ ∼미터 a voltmeter.

볼트 〔機〕 a bolt.

볼펜 a ballpoint (pen).

볼품 appearance; show; looks. ¶ ∼있다 be attractive; make a good show / ∼없다 have a bad appearance; be unattractive.

봄 ① 〔계절〕 spring; vernal. ② 〔청춘〕 the prime (of life).

봄갈이 (do) the spring plowing.

봄나물 young greens (herbs). ¶ ∼을 캐다 pick young herbs.

봄날 (날) a spring day; (날씨) spring weather.

봄추위 the lingering cold in spring.

봄타다 suffer from spring fever.

봅슬레이 a bobsleigh.

봇도랑 (洑─) an irrigation ditch.

봇물 (洑─) reservoir water.

봇짐 (褓─) a bundle; a package; a packet. ‖ ∼장수 a packman;

a peddler.

봉투 a paper package.

봉 (鳳) ① ☞ 봉황. ② 〔만만한〕 a dupe; an easy mark〔victim〕; a pigeon; a sucker (俗).

봉건 (封建) 〔제도〕 feudalism; the feudal system. ¶ ∼적인 feudal; feudalistic. ‖ ∼주의 feudalism; feudality.

봉급 (俸給) a salary; pay; wages. ¶ ∼생활자 a salaried person〔worker〕.

봉기 (蜂起) an uprising. ¶ ∼하다 rise in revolt〔arms〕; rise (against).

봉납 (奉納) ∼하다 offer; dedicate; present; consecrate.

봉당 (封堂) the unfloored area〔space〕 between two rooms.

봉두난발 (蓬頭亂髮) disheveled〔unkempt, shaggy〕 hair.

봉랍 (封蠟) sealing wax.

봉변 (逢變) ∼당하다 be insulted〔humiliated〕; be shamed; ∼하다 meet with an accident〔a mishap〕.

봉분 (封墳) ∼하다 mound (a grave); build a mound over a grave.

봉사 (奉仕) service. ∼하다 serve; give *one's* service. ‖ ∼료 a tip / 사회 ∼ social〔public〕 service.

봉서 (封書) a sealed letter.

봉선화 (鳳仙花) 〔植〕 a balsam; a touch-me-not (flower).

봉쇄 (封鎖) a blockade; blocking up; freezing(funds). ¶ ∼하다 blockade; block up; freeze (funds). ‖ ∼구역 a blockade zone.

봉양 (奉養) ∼하다 support〔serve〕 *one's* parents (faithfully).

봉오리 a bud(☞ 꽃봉오리). ¶ ∼가 지다 (bear) buds.

봉우리 a peak; a top; a summit.

봉인 (封印) a seal; sealing. ∼하다 seal up. ¶ ∼한 sealed.

봉제 (縫製) needlework; sewing. ¶ ∼하다 sew. ‖ ∼공 a seamster〔남자〕; a seamstress〔여자〕 / ∼공장 a sewing factory.

봉지(封紙) a paper bag.

봉직(奉職) ~하다 serve 《at, in》; be in the service 《of》; work 《for》; hold a position 《in》.

봉착(逢着) ~하다 encounter; face; come upon; meet 《with》; be faced 〔confronted〕《with》.

봉창 ~하다 make up for 《one's loss》; lay aside stealthily(감추어 둠).

봉토(封土) a fief; a feud.

봉투(封套) an envelope; a paper bag 〔sack〕.

봉하다(封一) ① 〔붙이다〕 seal 《a letter》; seal up 《a window》; 〔봉해 넣다〕 enclose; confine. ② 〔다물다〕 shut 〔close〕《one's mouth》. ③ 〔봉토를〕 invest 《a person》 with a fief; enfeoff. ④ 〔작위를〕 confer a peerage.

봉함(封緘) a seal; sealing. ~하다 seal 《a letter》.

봉합(縫合) 〔醫〕 suture; stitch 《together》. ~하다 suture; stitch 《together》.

봉화(烽火) a signal 〔beacon〕 fire; a rocket. ¶ ~를 올리다 light a signal fire. ‖ ~대 a beacon lighthouse.

봉황(鳳凰) a Chinese phoenix.

뵈다 humbly see 〔meet〕《one's elders》; have an audience with 《the King》.

부(否) no; nay(s); negation.

부(部) ① 〔부분〕 a part; a portion. ② 〔분과〕 a department; a bureau; a division; a section; 〔내각의〕 a ministry. ③ 〔서적의〕 a copy 《of a book》; a volume.

부(富) wealth; riches; opulence.

부(賦) poetical prose; an ode.

부(副) 〔접〕 assistant; deputy; vice-; sub-. ¶ ~교수 an associate professor; ~통령〔회장, 총재, 사장〕 a vice-president.

…부(附) ① 〔날짜〕 dated 《Aug. 3rd》; under the date of 《the 5th inst.》. ② 〔소속〕 attached to; belonging to. ¶ 대사관 ~ 육〔해〕군 무관 a military 〔naval〕 attaché

to an embassy.

부가(附加) ~하다 add 《to》; supplement; 〔첨부〕 annex; append. ¶ ~적인 additional; annexed; supplementary. ‖ ~ 가치세 a value-added tax / ~물 an addition; an appendage.

부각(浮刻) ~하다 emboss; raise; 〔새기다〕 carve in relief. ¶ ~되다 stand out in bold relief / ~시키다 bring 《a thing》 into relief.

부감(俯瞰) ~하다 overlook; command a bird's-eye view 《of》. ‖ ~도 a bird's-eye view 《of》; an aerial view. ☞ 조감도.

부강(富强) wealth and power. ~하다 (be) rich and powerful.

부결(否決) rejection; voting down. ~하다 reject; vote down; decide 《against a bill》.

부계(父系) the father's side; the paternal line.

부고(訃告) an announcement of 《a person's》 death; an obituary 〔notice〕.

부과(賦課) ~하다 levy 〔impose, assess〕《a tax on land》. ‖ ~액 the amount imposed / 자동 ~제 taxation-by-schedule system.

부관(副官) an adjutant. ‖ 고급~ a senior adjutant / 전속 ~ an aid-de-camp 〔프〕; an aide.

부교(浮橋) a pontoon 〔floating〕 bridge. ☞ book.

부교재(副敎材) an auxiliary text-book.

부국(富國) a rich country; a prosperous nation. ‖ ~강병책 measures to enrich and strengthen the country.

부군(夫君) one's husband.

부권(父權) paternal rights.

부귀(富貴) wealth and fame. ‖ ~영화 wealth and prosperity.

부그르르 ~ 끓다 sizzle / ~ 일다 bubble up.

부근(附近) neighborhood; vicinity. ¶ ~의 neighboring; nearby; adjacent / ~에 near; in the neighborhood 〔vicinity〕 of.

부글거리다 《끓어서》 simmer; 《거품

이〕 bubble up.

부금(賦金) an installment; a premium (보험료).

부기(附記) an addition; an additional remark〔note〕. ～하다 add 〔that...〕; append 〔*a note*〕; write in addition.

부기(浮氣) swelling (of the skin).

부기(簿記) bookkeeping. ∥～법 rules of bookkeeping.

부끄럽 ① (창피) shame; disgrace. ¶～을 알다〔모르다〕have a 〔no〕 sense of shame. ② (수줍음) shyness; bashfulness. ¶～을 타다 be shy〔bashful〕.

부끄럽다 (창피하다) (be) shameful; disgraceful; (수줍다) (be) shy〔abashed〕; bashful. ¶부끄러이 bashfully; shyly.

부나비〔蛾〕a tiger moth.

부녀(父女) father and daughter.

부녀자(婦女子) 〔婦人〕a woman; (총칭) womenfolk; the fair sex.

부농(富農) a rich farmer.

부닥치다〔만나다〕come upon 〔across〕; encounter; meet with; (직면하다) face; be confronted by.

부단(不斷) ～하다 (be) constant; continual; ceaseless; incessant.

부담(負擔) a burden; a load; a charge〔지출〕; a responsibility (책임). ～하다 bear 〔*the expenses*〕; shoulder 〔*a burden*〕; share 〔*in*〕 (일부를); (비용을) be charged with. ¶～을 주다 burden; impose a burden on 〔*a person*〕. ∥～액 one's share 〔*in the expenses*〕.

부당(不當) ～한 unjust; unfair; unreasonable; exorbitant (과도한). ¶～하게 부당하게 unfair dismissal.

부대(附帶) ～의 incidental 〔*expenses*〕; supplementary 〔*items*〕; subsidiary 〔*enterprises*〕; attendant 〔*circumstances*〕 / ～하다 incidental to ...; accompany. ∥～사업 a subsidiary enterprise / ～설비 incidental facilities.

부대(負袋) a burlap bag; a sack.

부대(部隊) a (military) unit; a corps; a force; a detachment. ∥～배치 troop disposition.

부대끼다 be troubled〔tormented〕 (by, with); be pestered (by).

부덕(不德) want〔lack〕of virtue.

부덕(婦德) womanly〔female〕virtue.

부도(不渡) failure to honor 〔*a check*〕; dishonor. ¶～를 내다 dishonor a bill〔check〕. ∥～어음〔수표〕a dishonored bill〔check〕.

부도(婦道) womanhood; the duty of a woman.

부도덕(不道德) immorality. ¶～한 immoral.

부도체(不導體) a nonconductor.

부동(不動) ～의 firm; immovable; solid; motionless; fixed.

부동(浮動) ～하다 float 〔*in the air*〕; waft (향기 따위가); fluctuate (변동). ∥～주(株) floating stocks / ～표 a floating vote.

부동산(不動産) real〔immovable〕 estate; fixed property; immovables. ¶～업자 a real estate agent; a realtor 〔美〕/ ～투기 speculation in real estate; land speculation.

부동액(不凍液) antifreeze.

부동일(不同一) (be) unequal; uneven; be lacking in uniformity.

부동항(不凍港) an ice-free port.

부두(埠頭) a quay; a pier; a wharf. ∥～인부 a stevedore; a longshoreman.

부둥키다 embrace; hug; hold tight 〔*a person*〕 in one's arms.

부드럽다 (be) soft; tender; gentle; mild. ¶부드럽게 softly; gently; mildly; tenderly.

부득부득 stubbornly; obstinately; persistently; importunately.

부득불(不得不) 부득이.

부득이(不得已) against one's will; unavoidably; inevitably; (out) of necessity. ¶～한 unavoidable; necessary; inevitable.

부들〔蒲〕a cattail; a reed mace.

부들부들 ¶～ 떨다 quiver 〔*with*

emotion); tremble 《with rage》; shiver 《with cold》.

부둣하다 ① 《꼭 맞다》 (be) tight; close. ② 《꼭 차다》 (be) full; close. ③ 《가슴이》 feel a lump in *one's* throat.

부동(不同) disparity; inequality. ¶ ~의 unequal. ‖ ~식 an inequality.

부등변(不等邊) ¶ ~의 inequilateral; scalene 《triangles》.

부디 ① 《꼭》 by all means; without fail; in any case. ② 《바라건대》 (if you please): (will you) kindly.

부딪치다 《충돌》 run (knock, clash) against; collide with; 《봉착》 meet with; come across; encounter. ‖ 《충돌》 《run》 into.

부딪히다 be bumped (crashed).

뿌뚜막 a kitchen (cooking) range; a kitchen furnace.

부라리다 glare (stare) 《at》; look with glaring eyes.

부락(部落) a village; a hamlet. ‖ ~민 villagers; village folk.

부란(孵卵) incubation; hatching. ‖ ~기(器) an incubator.

부랑자(浮浪者) a vagabond; a vagrant; a tramp.

부랴부랴 in a terrible hurry, in deadly haste; hurriedly.

부러 purposely; on purpose; intentionally; deliberately; knowingly 《알면서》.

부러뜨리다 break; snap; fracture.

부러워하다 envy 《a person》; be envious of; feel envy 《at》. ¶ 부러운 듯이 enviously; (glance) with envy.

부러지다 break; be broken; snap; give way.

부레 an air bladder.

부력먹다 ☞ 부리다.

부력(浮力) 【理】 buoyancy; floatage; lift 《비행기의》. ‖ ~계(計) a buoyancy gauge.

부령(部令) an order (a decree) from a government ministry.

부록(附錄) an appendix; a supplement 《to the magazine》.

부루퉁하다 (be) swollen; bulging; 《성나서》 (be) sulky. ¶ 부루퉁한 얼굴 a sullen face.

부류(部類) 《종류》 a class; a kind; 《종속》 a species; a category; a head.

부르다 ① 《배가》 (be) full. ¶ 배부르게 먹다 eat *one's* fill. ② 《임신하여》 (be) pregnant.

부르다 ① 《call》 (out) to 《a person》. 《불러내다(들이다》 call 《a person》 out (in). 《일컫다》 call; name; term; designate. ¶ …라고 ~ be called …. ③ 《청하여》 invite (ask) 《a person》 to 《dinner》. 《소환》 summon 《a person by letter》. ④ 《값을》 bid 《a price》; offer; set. ⑤ 《노래를》 sing 《a song》. ⑥ 《외치다》 cry; shout. ¶ 만세를 ~ cry "Hurrah!"

부르르 ¶ ~ 떨다 tremble 《with fear》; shiver 《with cold》; quiver.

부르주아 a bourgeois 《사람》; the bourgeoisie 《계급》.

부르쥐다 clench 《*one's* fist》.

부르짖다 《외치다》 shout; utter (give) a cry; exclaim; 《비명》 shriek; scream. 《창도(唱導)》 cry 《for》; clamor 《for》; advocate.

부르트다 《물집이》 blister; get a blister; have a corn 《on the sole》; 《물러서》 swell up.

부릅뜨다 open 《*one's* eyes》 wide; make *one's* eyes glare; stare fiercely. ¶ 눈을 부릅뜨고 with angry (glaring) eyes.

부리 ① 《새의》 a bill 《평평한》; a beak 《매의》. ② 《물건의》 a pointed end (head); a tip.

부리나케 in a hurry; in haste; hurriedly. ¶ ~ 도망가다 flee in all haste.

부리다 ① 《일시키다》 keep 《a person, son》 at work; work; set (put) 《a person》 to work; use; hire; employ 《고용》. ② 《조종하다》 manage; work; handle; run; operate. ③ 《행사》 exercise;

use; wield; exert (one's) power. ¶권력을 ~ exercise one's power. ④《재주·말썽을》 play (a trick); show (one's ability); start (trouble).

부리다² 《짐을》 unload (a truck); discharge; get off.

부리망 (─網) a muzzle (for cattle).

부리부리하다 (be) big and bright.

부메랑 (throw) a boomerang.

부모 (父母) one's parents. ¶ ~의 parental (love, affection).

부목 (副木) a splint.

부문 (部門) a class; a group; a department; a category; a section; a branch; a line. ¶ ~으로 나누다 divide (things) into classes; classify.

부본 (副本) a copy; a duplicate.

부부 (夫婦) man (husband) and wife; a (married) couple. ¶ ~의 conjugal; matrimonial / ~가 되다 become man and wife; be married. ‖ 김씨~ Mr. and Mrs. Kim.

부분 (部分) a part; a portion; a section. ¶ ~적인 partial; sectional. ‖ ~식(蝕) a partial eclipse (of the sun).

부빙 (浮氷) floating ice. 「delegate.

부사 (副使) a vice-envoy; a deputy

부사 (副詞) 【文】 an adverb. ‖ ~구 an adverb(ial) phrase.

부산물 (副産物) a by-product (of); (a) spin-off (from)《대규모 사업의》.

부산하다 《떠들썩하다》 (be) noisy; boisterous; uproarious; 《바쁘다》 (be) busy; bustling.

부삽 (─鋪) a fire shovel.

부상 (負傷) an injury; a wound; a hurt. ~하다 [get] be injured; be wounded; get hurt. ‖ ~자 a wounded person; the wounded (총칭).

부상 (浮上) ~하다 surface; come (rise) to the surface; 《비유적》 rise (emerge) from obscurity 《무명에서》.

부상 (副賞) an extra (a supple-

mentary) prize.

부서 (部署) one's post (place).

부서 (副署) countersignature. ~하다 countersign; endorse.

부서지다 break; be smashed (broken, wrecked); go (fall) to pieces; be damaged. ¶부서지기 쉬운 fragile; easy to break; delicate / 부서진 의자 a broken chair.

부석부석 ~한 somewhat (slightly) swollen (puffed); 《tumid》.

부선거 (浮船渠) a floating dock.

부설 (附設) ~하다 attach; annex. ¶대학에 연구소를 ~하다 establish a research center attached to a university. ‖ 도서관 부설 a library attached (to); an annex library.

부설 (敷設) construction; laying. ~하다 lay; build; construct. ¶철도를 ~하다 lay (build) a railroad. ‖ ~권 a right of construction.

부성애 (父性愛) a paternal love.

부속 (附屬) ~하다 belong (to); be attached (to). ¶ ~의 attached; accessory 《보조적인》 / ~에 ~되어 있다 be attached to …. ‖ ~학교 an attached school.

부수 (附随) ~하다 accompany; be attended. ¶ ~적인 accompanying; incidental (to); attendant (on) / 전쟁에 ~되는 재해 the evils accompanying war.

부수 (部數) the number of copies; the circulation 《발행 부수》.

부수다 break; destroy; smash.

부수수하다 (be) in disorder; disheveled; untidy; loose.

부수입 (副収入) an additional (a side) income; the income from a side (part-time) job.

부스러기 a bit; a fragment; scraps (of meat); odds and ends; crumbs (of bread); chips (of wood).

부스러뜨리다 break; smash; crush.

부스러지다 be smashed; be broken; go to pieces.

부스럭거리다 rustle. ¶부스럭부스럭 rustlingly; with a rustle.

부스럼 a swelling; a boil; an abscess. ¶ ~이 나다 have a boil 〔on〕. 「zles.

부슬부슬 (비가) ~ 내린다 It drizzles.

부시 a metal piece (for striking fire). ¶ 부싯돌 a flint.

부시다¹ 《눈이》 (be) dazzling; glaring. ¶ 눈이 부시게 빛나다 dazzle; glare.

부시다² 《그릇을》 wash (out); rinse (out).

부시장 (副市長) a deputy mayor.

부식 (扶植) ~하다 plant; implant; foster; establish (확립).

부식 (副食) ¶ 부식물(副食物).

부식 (腐蝕) corrosion; erosion. ~하다 corrode; erode(산에 의해); rust(녹슬다). ¶ ~작용 corrosion.

부식물 (副食物) a side dish; dishes to go with the rice.

부식토 (腐植土) humus soil.

부신 (副腎) 〔解〕 adrenal glands. ¶ ~피질 the adrenal cortex.

부실 (不實) ~하다 ① 《불성실》 (be) faithless; unfaithful; insincere; 《믿음성이》 (be) unreliable; untrustworthy. ¶ ~기업 an insolvent enterprise. ② 《부족·불충실》 (be) short; incomplete; insufficient. ③ 《몸이》 (be) feeble; weak; delicate. 「referee.

부심 (副審) a subumpire(야구); sub-

부심 (腐心) ~하다 take great pains 〔to do〕; be at pains 〔to do〕; rack one's brains.

부아 ① 《허파》 the lungs. ② 《분함》 anger; temper. ¶ ~가 나다 be 〔feel〕 offended 〔vexed〕 《with, at》.

부양 (扶養) support; maintenance. ~하다 maintain; support. ¶ ~가족 a dependent / ~자 a supporter; the breadwinner (of a family).

부양 (浮揚) ~하다 float 《in the air》; 《경기가》 pick up. ¶ 경기를 ~시키다 stimulate the economy. ¶ ~력 buoyancy.

부언 (附言) an additional remark; a postscript (생략 P.S.). ~하다

add 《that...》; say in addition.

부업 (副業) a side job; a side line.

부엉이 〔鳥〕 a horned owl.

부엌 a kitchen. ¶ ~세간 kitchen utensils; kitchenware / ~일 kitchen work.

부여 (附與) ~하다 give; grant; allow.

부여 (賦與) ~하다 endow 〔bless〕 《a person》 with. 「vice〕.

부역 (賦役) compulsory labor 〔ser-

부연 (敷衍) ~하다 explain ... more fully; amplify 《the subject》; expatiate 〔elaborate〕 on 《a subject》.

부영사 (副領事) a vice-consul.

부옇다 (be) whitish; grayish.

부예지다 get misty 〔hazy〕; 《눈이》 dim; be blurred.

부용 (芙蓉) ① 《연꽃》 a lotus. ② 《목부용》 a cotton rose.

부원 (部員) a staff member; the staff (전체).

부유 (浮遊) ~하다 float; drift. ¶ ~기뢰 a floating mine / ~물 floating matters.

부유 (富裕) ~하다 (be) wealthy; rich; opulent.

부유스름하다 (be) somewhat pearly 〔milky〕; frosty.

부음 (訃音) 부고 참고.

부응하다 (副應) ~ 《요구·요구에》 meet; satisfy; 《반응하다》 answer; 《적응하다》 be suited (to).

부의 (附議) ~하다 refer 《a matter》 to 《a committee》.

부의 (賻儀) a condolence 〔obituary〕 gift; ~금 condolence 〔incense〕 money.

부의장 (副議長) a vice-president 〔-chairman〕; a deputy speaker.

부익부빈익빈 (富益富貧益貧) the rich-get-richer and the poor-get-poorer.

부인 (夫人) a wife; a married lady; 《경칭》 Mrs; Madam.

부인 (否認) ~ denial; negation; nonrecognition. ~하다 deny; refuse to admit; say no 《to》.

부인 (婦人) a married woman.

‖ ~과 gynecology / ~과 의사 a gynecologist / ~회 a women's club〔society〕.

부임(赴任) ~하다 leave〔start〕for one's new post. ‖ ~지 the place of appointment: one's new post.

부자(父子) father and son.

부자(富者) a rich〔wealthy〕man; a man of wealth〔property, means〕; the rich (총칭).

부자연(不自然) ~ 한 unnatural; artificial (인위적); forced (무리한); affected (꾸민) / ~스러운 웃음 a forced smile.

부자유(不自由) lack of freedom; 《불편》(an) inconvenience. ~하다 be not free; be restricted; inconvenient; 《몸이》(be) disabled〔handicapped〕. ¶ 몸이 ~스런 사람 a disabled man.

부작용(副作用) a side effect. ¶ ~을 일으키다 produce〔have〕side effects 《on》.

부장(部長) the head〔chief, director〕of (a department). / ~검사 a chief public prosecutor.

부장품(副葬品) grave goods; tomb furnishings.

부재(不在) absence. ~하다 be absent; be out; be 〔not at〔away from〕home. ‖ ~자 an absentee / ~자투표 absentee ballot.

부적(符籍) an amulet; a talisman; a charm.

부적격(不適格) ☞ 부적임.

부적임(不適任) ¶ ~의 inadequate; unqualified; unfit; unsuitable 《for》. ‖ ~자 an unqualified 〔incompetent〕person.

부적절(不適切) ¶ ~한 unsuitable 《for》; inappropriate 《to》; inadequate 《for》; ill-suited 《for, to》; unfit 《for, to》.

부전(附箋) a slip; a tag; a label. ¶ ~을 붙이다 tag; label; attach a tag.

부전승(不戰勝) an unearned win. ~하다 win without fighting〔playing〕.

부전자전(父傳子傳) transmission from father to son. ¶ ~이다 Like father, like son.

부전조약(不戰條約) an antiwar pact〔treaty〕.

부전패(不戰敗) ~하다 lose a game by default〔without fighting〕.

부절제(不節制) excess; intemperance. ~하다 be intemperate.

부젓가락 fire tongs.

부정(不正) (an) injustice; dishonesty; illegality (위법); (a) wrong (비행). ¶ ~한 unjust; unfair; dishonest; illegal; wrong. ‖ ~ 선거 a rigged election.

부정(不定) ¶ ~한 indefinite; unfixed; unsettled. ‖ ~ 관사 an indefinite article / ~사 an infinitive.

부정(不貞) unchastity; unfaithfulness. ¶ ~한 아내 an unfaithful wife.

부정(不淨) ¶ ~한 unclean; dirty; impure; ~한 돈〔재물〕ill-gotten gains.

부정(否定) (a) denial. ~하다 deny; negate. ¶ ~할 수 없는 undeniable. ‖ ~문 a negative sentence / ~어 a negative.

부정기(不定期) ¶ ~의 irregular. ‖ ~편〔비행기의〕a nonscheduled flight.

부정맥(不整脈)〔醫〕arrhythmia; an irregular pulse.〔dishonest.

부정직(不正直) dishonesty. ¶ ~한

부정확(不正確) inaccuracy; incorrectness. ¶ ~한 inaccurate; incorrect.

부조(扶助) ① 《도움》help; aid; assistance; support. ~하다 aid; assist; help. ② 《금품》a congratulatory gift〔money〕(축의금); condolence money〔goods〕(조의금).

부조(浮彫) relief; (a) relief sculpture〔carving〕. ¶ ~로 하다 work〔carve〕in relief. ‖ ~세공 relief work.

부조리(不條理) irrationality; absurdity; unreasonableness.

부조화(不調和) disharmony; discord (-ance). ¶ ~ 한 inharmonious; discordant.

부족(不足) shortage: deficiency; deficit (금전의); 《결핍》 want; lack; 《불충분》 insufficiency. ~ 하다 (be) insufficient; scanty; scarce; 《서술적》 be short (of); be in want (of); be lacking (in). ‖ ~ 액 shortage; a deficit; a difference (차액) / 수면 ~ want (lack) of sleep.

부족(部族) a tribe. ¶ ~ 의 tribal.

부존자원(賦存資源) natural resources.

부주의(不注意) carelessness; heedlessness; negligence. ~ 하다 (be) careless (in, about); be inattentive (to); be heedless (negligent). ¶ ~ 하게 carelessly; heedlessly / ~ 로 due to one's carelessness.

부지(扶支) ~ 하다 bear; endure; stand; hold out. ¶ 목숨을 ~ 하다 maintain (sustain) one's life.

부지(敷地) a site; a lot; the ground.

부지기수(不知其數) being numberless (countless).

부지깽이 a poker.

부지런하다 (be) diligent; assiduous; industrious. ¶ 부지런히 diligently; industriously; assiduously; hard.

부지불식간(不知不識間) ☞ 부지중.

부지중(不知中) ¶ ~ 에 unknowingly; unconsciously; all awares; in spite of oneself.

부진(不振) dullness; inactivity; depression (불경기); a slump (선수의). ~ 하다 be dull; inactive; depressed; stagnant; slack; be in slump(서술적).

부진(不進) poor progress. ~ 하다 make poor (little) progress.

부질없다 (be) vain; useless; futile; worthless; insignificant; trivial. ¶ 부질없는 생각 a useless (an idle) thought.

부집게 a pair of iron tongs.

부쩍 《현저히》 remarkably.

부차적(副次的) secondary.

부착(附着) ~ 하다 adhere (stick, cling) to. ‖ ~ 력 adhesive power.

부창부수(夫唱婦隨) conjugal harmony.

부채 a (folding) fan. ¶ ~ 질하다 (use a) fan; fan oneself; 《선동》 instigate; excite; stir up.

부채(負債) a debt; liabilities (채무). ‖ ~ 자 a debtor.

부처(붓다) Buddha; 《불상》 an image of Buddha. ¶ ~ 같은 사람 a saint of a man; a merciful person.

부처(夫妻) husband and wife; a couple. ¶ 김씨 ~ Mr. and Mrs. Kim.

부총리(副總理) the deputy Prime Minister; the vice-premier.

부추 〔植〕 a leek.

부추기다 stir up; incite; instigate. ¶ 부추겨서 …하게 하다 (instigate) (a person) to do.

부축하다 help (a person); give one's arm to.

부치다¹ 《힘이》 be beyond one's power (capacity); be too much for (one).

부치다² ① 《보내다》 send; forward; ship; mail; remit. ② 《관용적 표현》 ¶ 토의에 ~ put (a question) to debate / 재판에 ~ commit (a case) for trial.

부치다³ 《논밭을》 cultivate; farm; grow.

부치다⁴ 《번철에》 griddle; cook on a griddle; fry (eggs).

부칙(附則) 《규칙》 an additional rule (clause).

부침(浮沈) ups and downs (of life); rise and fall; vicissitudes (of life).

부탁(付託) (a) request; (a) favor. ~ 하다 (make) a request; ask (a person to do); beg; solicit. ¶ 친구의 ~ 으로 at the request of a friend.

부탄 〔化〕 butane.

부터 ① 《사람》 from; of; through. ② 《장소》 from; out of; off. ③ 《시

간》from; since 《이래》; after 《이후》. ④《판단의 기준》from; by. 『이러한 사실로〜 판단하면 judging from these facts / 빌로〜 아내 앞으로 보내진 편지 a letter from Bill to his wife.

부통령(副統領) the vice-president 《생략 V.P.》.

부패(腐敗)《물질의》decay; rot; spoiling; decomposition; 《정신의》corruption; degeneration. 〜하다《물질이》go 《become》bad; rot; spoil; decay; 《정신이》get corrupt; degenerate; become corrupted. ¶〜한 rotten; spoiled; decayed; corrupt 《officials》. 〜하기 쉬운 perishable; corruptible.

부평초(浮萍草)《植》a duckweed.

부표(否票) a "nay" vote; a vote "no". ¶〜를 던지다 vote against 〔in opposition to〕.

부표(浮標) a 《marker》buoy. 〜등 a buoy light.

부풀다《팽창하다》get bulky; swell 《up, with》; bulge; rise 《빵이》; expand 《팽창하다》.

부풀리다《팽창시키다》swell (out); bulge 《one's pocket with candies》; inflate 《a balloon with gas》; puff out 《one's cheeks》.

부품(部品) parts 《of a machine》. 〜(car) components.

부피 bulk; volume; size. ¶〜가 큰 bulky; voluminous.

부하(負荷) ①《짐》a burden; a load; ②《電》load. ¶〜전류《物, 시험》a load current 〔factor, test〕.

부하(部下) one's men; a subordinate; a follower《종속자》.

부합(符合) 〜하다 agree〔tally, coincide〕with.

부형(父兄) parents and brothers.

부호(符號) a mark; a sign; a symbol; a code 《전신》. 〜화하다 (convert) 《information》into code; encode; code.

부호(富豪) a rich man; a man of wealth; a millionaire《백만장자》; a billionaire《억만장자》.

부화(孵化) hatching; incubation. 〜하다 hatch 《incubate》《chickens》. ‖인공〜 artificial incubation.

부화뇌동(附和雷同) blind following. 〜하다 follow《another》blindly; echo《another's views》.

부활(復活) revival 《회복》; restoration 《재흥》; 《예수의》the Resurrection of Christ. 〜하다 revive; restore; resurrect. ‖〜절 Easter.

부흥(復興) revival; reconstruction; rehabilitation. 〜하다 be reconstructed; be revived. ‖경제〜 economic rehabilitation.

북¹《樂》a drum. ¶〜을 치다 beat a drum.

북²《베틀의》a spindle; a shuttle.

북(北) the north. ☞ 북쪽. ¶〜의 north; northern / 〜으로 (to the) north; northward(s).

북경(北京)《중국의》Peking; Beijing.

북구(北歐) Northern Europe. ¶〜의 Scandinavian.

북극(北極) the North 〔Arctic〕Pole. ¶〜의 arctic; polar; pole. ‖〜곰 a polar bear / 〜탐험 an Arctic 〔polar〕expedition.

북녘(北一) the north(ward); the northern part.

북단(北端) the north(ern) end.

북대서양(北大西洋) the North Atlantic (Ocean). ‖〜조약기구 the North Atlantic Treaty Organization 《생략 NATO》.

북데기 waste straw.

북돋우다 ①《북주다》heap earth around 《a plant》. ②《원기·힘 을》cheer up; stimulate; encourage.

북동(北東) northeast 《생략 N.E.》. ‖〜풍 a northeasterly wind.

북두칠성(北斗七星) the Great Bear 〔Dipper〕; the Plow 《美》.

북미(北美) North America. ¶〜자 유무역협정 the North America Free Trade Agreement 《생략 NAFTA》.

북반구(北半球) the Northern Hemisphere.

북방(北方) the north; the north-

ward. ¶ ~의 northern: norther-
ly. ‖ ~ 한계선 the Northern
Boundary Line (생략 NBL).
북부(北部) the north(ern part).
북북동(北北東) north-northeast.
북북서(北北西) north-northwest.
북빙양(北氷洋) the Arctic Ocean.
북상(北上) ~하다 go (up) north;
proceed northward.
북새 hustle; bustle; commotion;
hubbub. ¶ ~놓다 hustle and
bustle / ~통에 in the confu-
sion; during the commotion.
북서(北西) northwest (생략 N.W.).
‖ ~풍 a northwesterly wind.
북슬개 a shaggy dog; a poodle.
북슬북슬 ~하다 (be) bushy; shag-
gy.
북안(北岸) the northern coast.
북양(北洋) the northern sea.
북어(北魚) a dried pollack.
북위(北緯) [地] the north latitude
(생략 N.L.). ¶ ~37도 30분 lat.
37°30'N.
북적거리다 bustle; be crowded
[jammed] (with people); be
thronged (with).
북진(北進) ~하다 march (go)
north; sail northward.
북쪽(北一) the north(☞ 북). ¶ ~
의 north; northern; northerly /
~으로 north(ward(s)).
북채 a drumstick.
북풍(北風) the north(erly) wind.
¶ ~살을 에는 a biting (freezing)
north wind.
북한(北韓) North Korea.
북해(北海) the North Sea.
북향(北向) a northern aspect (ex-
posure). ~하다 face (the) north.
‖ ~집 a house facing north.
북회귀선(北回歸線) [地] the Tropic
of Cancer.
분(分) ①《시간·각도의》 a minute
《of an hour, of a degree》. ¶ 15
~ a quarter 《of an hour》; fif-
teen minutes. ②《1/10》 one-
tenth; a tenth.
분(憤·忿) 《원통》 vexation; cha-
grin; mortification. 《분개》 resent-

ment; indignation; wrath; anger.
분(盆) a flower pot.
분(粉) (face) powder. ¶ ~을 바르
다 powder *one's* face.
…분(分) ①《부분》 a part. ¶ 3 ~
의 1 one (a) third. ②《분량》 ¶ 2
~의 양식 food for two days.
③《함유량》 a percentage; content.
¶ 알코올~이 많은 술 liquor con-
taining a high percentage of al-
cohol.
분가(分家) a branch family. ~하
다 establish (set up) a branch
(separate) family.
분간(分揀)《분별》 distinction; dis
crimination. ~하다 distinguish
《*between A and B, A from B*》;
tell (know) 《*A from B*》; discrim
inate 《*between*》. ¶ ~하기 어려운
indistinguishable; unrecognizable.
분갑(粉匣) a compact.
분개(分介) [簿] journalizing. ~하
다 journalize. ‖ ~장 a journal.
분개(憤慨) indignation; resent
ment. ~하다 (get) very angry;
be indignant (at). ¶ ~하여 in a
resentment (a rage).
분격(憤激) ☞ 분개(憤慨).
분견(分遣) detachment. ~하다 de
tach. ‖ ~대 a detachment; a
contingent.
분결같다(粉一) (be) clear (smooth)
and spotless; fair-skinned. ¶ ~
같이 ~의 face have a fair-skinned face.
분계(分界) a boundary; a
border.《한계》demarcation. ~하
다 demarcate; delimit. ‖ ~선 a
boundary (demarcation) line.
분골쇄신(粉骨碎身) ~하다 do *one's*
very best; exert *oneself* to the
utmost.
분과(分科) a branch; a section; a
department. ‖ ~위원회 a sub
committee. ‖ ~ building.
분관(分館) an annex; a detached
building.
분광(分光) spectrum. ‖ ~기 a
spectroscope / ~사진 a spectro
gram / ~학 spectroscopy.
분교(分校) a branch school.
분국(分局) a branch (office).

분권(分權) decentralization (of authority〔power〕)〔지방분권〕 ~ 주의 decentralism.

분규(紛糾) a complication; confusion; a trouble; a dispute.

분기(分岐) 〖電〗 polarization.

분기(分岐) ~ 하다 branch off; diverge; be ramified. ┃ ~된 집세를 ~ 점 a turning point; a crossroads.

분기(分期) a quarter (of the year); a quarter term; one fourth of a fiscal year. ┃ 나는 집세를 ~별로 낸다 I pay my rent by the quarter.

분기(奮起) ~ 하다 rouse oneself (to action); arouse. ┃ ~ 시키다 inspire (a person); stir (a person) up; rouse (a person) into activity.

분꽃(粉 一) 〖植〗 a four-o'clock; a marvel of Peru.

분납(分納) an installment payment. ~ 하다 pay (one's school fees) by〔in〕installments.

분노(憤怒) (a) fury; rage; indignation. ~ 하다 get〔be〕angry (at, with); be enraged.

분뇨(糞尿) excreta; excrement and urine; night soil. ┃ ~ 처리 sewage disposal.

분단(分斷) dividing into parts. ~ 하다 divide into parts; cut in halves. ┃ ~ 국 a divided〔partitioned〕country.

분담(分擔)〔책임의〕partial responsibility;〔할당된 일·의무〕assignment;〔비용·일의 부담〕one's share. ~ 하다 share (with, between, among); take one's share of (the responsibility). ┃ 비용을 ~ 하다 share the expenses with (a person).

분당(分黨) ~ 하다 secede (from a political party); split up (into two parties).

분대(分隊) a squad(육군); a division(해군). ┃ ~ 장 a squad leader (육군); a divisional officer(해군).

분란(紛亂)〔혼란〕disorder; con-

fusion;〔말썽〕trouble. ┃ ~ 을 일으키다 cause〔raise〕trouble; throw (something) into confusion.

분량(分量) quantity; amount; a dose (약의).

분류(分類) (a) classification; grouping; assortment; arrangement (정리). ~ 하다 classify; divide (things) into classes; group; sort. ┃ ~ 번호 a class number / ~ 표 a classified list〔table〕.

분류(奔流) a rapid stream; a torrent.

분리(分離) (a) separation; segregation; secession(이탈). ~ 하다 〔메다〕separate (a thing) from; segregate (A from B); secede (from a party). ┃ ~ 할 수 없는 inseparable. ┃ ~ 대(帶) 〔도로 중앙의〕a median (strip) (美).

분리수거(分離收去) separate collection. ┃ 쓰레기 ~ separate garbage collection.

분립(分立) ~ 하다 separate (segregate, secede) (from); become independent (of).

분만(分娩) (a) childbirth; delivery. ~ 하다 give birth to (a boy). ┃ ~ 실 a delivery room / 자연 ~ natural childbirth.

분말(粉末) powder; dust. ┃ ~ 형 태의 powdered.

분망(奔忙) being busy. ~ 하다 (be) very busy; be fully occupied 〔heavily engaged〕(with work).

분매(分賣) ~ 하다 sell (parts of a set) singly〔separately〕.

분명(分明) clearness. ~ 하다 (be) clear; distinct; plain; evident; obvious; unquestionable. ┃ ~ 히 clearly; plainly; apparently / ~ 한 증거 a positive proof / ~ 히 하다 make clear; clarify / ~ 해 지다 become clear〔plain〕.

분모(分母) 〖數〗 a denominator.

분묘(墳墓) a tomb; a grave.

분무(噴霧) ~ 하다 atomize; spray. ┃ ~ 기 a spray(er); a vaporizer; an atomizer.

분발(奮發) ~ 하다 put a lot of

ㅂ

effort 《*into*》; exert *oneself* 《*to do*》; make strenuous efforts 《*to do*》.

분방(奔放) ～한 (be) free; unrestrained. ¶ ～하게 freely; without restraint.

분배(分配) distribution; share; division. ～하다 distribute 《*among*》; divide 《*among, between*》; share 《*with, between*》. ¶ …의 ～를 받다 have 〔get〕 a share 《*of*》; share in 《*the profit*》.

분별(分別) ① 《사려분별》 discretion; sense; 《양식》 wisdom; common sense; 《판단》 judgment. ～하다 judge; discern; use discretion. ¶ ～이 있는 sensible; discreet; prudent / ～이 없는 indiscreet; imprudent; thoughtless. ② 《구별》 distinction; difference; discrimination. ～하다 tell 〔know〕 《*A from B*》; distinguish 《*between A and B*》.

분봉(分蜂) ～하다 hive off the.

분부(分付・吩咐) the bidding of a superior; an order; 《지시》 directions. ～하다 bid; tell; order; give directions.

분분하다(紛紛一) ¶ 제설《諸說》이 ～ There are diversities of opinions.

분비(分泌) secretion. ～하다 secrete; produce. ¶ ～기관 a secretory organ / ～물 a secretion.

분사(分詞) 《文》 a participle. ¶ 현재〔과거〕～ a present 〔past〕 participle.

분사(噴射) a jet. ～하다 emit a jet 《*of liquid fuel*》; jet (out).

분산(分散) dispersion; 《breakup》 《이산》. ～하다 break up; scatter; disperse.

분석(分析) (an) analysis; an assay 《광석의》. ～하다 analyze; assay. ¶ ～적인 analytic(al). / ～학 analytics / ～학자 an analyst 〔assayer〕. 〔a branch 《*of*》.

분설(分設) ～하다 establish 〔set up〕

분쇄(粉碎) ～하다 《가루로》 reduce to powder; pulverize; 《부수다》 shatter 〔smash〕 to pieces; 《격

파》 crush; smash; annihilate. ¶ ～기 a pulverizer; a grinder; a crusher.

분수(分數) ① 《분별》 discretion; propriety; good sense; prudence. ¶ ～없다 lack prudence. ② 《처지》 one's lot 〔status, place〕; one's means; one's social standing. ¶ ～에 맞게〔안 맞게〕(live) within 〔above〕 one's means. ③ 《數》 fraction; a fractional number. ¶ ～의 fractional. ‖ ～식 a fractional expression.

분수(噴水) a fountain; a jet 《*of water*》. ¶ ～기 a waterspout.

분수령(分水嶺) 《form》 a watershed 《英》; a divide 《美》.

분승(分乘) ～하다 ride separately.

분식(粉飾) (an) embellishment; (a) decoration; adornment. ～하다 embellish; adorn; decorate. ¶ ～결산 fraudulent 〔rigged〕 accounts; window-dressed accounts.

분식(粉食) 《have》 food made from flour.

분신(分身) ① 《佛》 an incarnation of the Buddha. ② 《제2의 나》 the other self; the alter ego; one's child.

분신(焚身) ～하다 burn *oneself* to death. ¶ ～자살 burning *oneself* to death; self-burning. 〔office.

분실(分室) a detached 〔branch〕

분실(紛失) loss. ～하다 lose; be lost 〔missing〕. ¶ ～물 a lost 〔missing〕 article / ～신고 a report of the loss 《*of an article*》.

분야(分野) a sphere; a field; an area; a branch.

분양(分讓) ～하다 sell 《*land*》 in lots. ¶ 그 아파트는 지금 ～중이다 The apartment house is being sold in lots. ‖ ～주택〔지〕 houses 〔land〕 offered for sale in lots 《*by a real estate corporation*》.

분업(分業) division of labor; specialization. ～하다 divide work 《*among*》; specialize 《*in*》.

분연(憤然) ～히 indignantly; re-

a rage.

분연(憤然) ¶ ～히 resolutely; courageously; vigorously.

분열(分列) ～하다 (be) file off. ¶ ～식 a march-past(～식을 행하다 march in review; march past).

분열(分裂) a split; division; breakup. ～하다 (be) split (in, into); break up; divide. ∥ ～생식 reproduction by fission.

분요(紛擾) ☞ 분란.

분원(分院) a detached building; a branch hospital (institute).

분위기(雰圍氣) (produce, create) an atmosphere. ¶ 자유로운 ～에서 in an atmosphere of freedom.

분유(粉乳) powdered milk. ¶ 탈지 ～ nonfat dry milk.

분자(分子) ① [化] a molecule; [數] a numerator. ∥ ～량 molecular weight / ～식 a molecular formular. ② (사람) an element. ¶ 불평～ discontented elements.

분장(分掌) division of duties. ∥ 사무를 ～하다 divide (office) duties (among).

분장(扮裝) make-up; disguise(변장). ～하다 make oneself up (as); be dressed (as); disguise oneself (as). ∥ ～실 a dressing room.

분재(分財) ～하다 distribute one's property (among).

분재(盆栽) a bonsai; a dwarf tree in a pot; a potted plant. (행위) raising dwarf tree. ～하다 raise plants in pots.

분쟁(紛爭) a trouble; a dispute; (a) strife. ¶ ～의 씨 an apple of dispute. ∥ 민족～ ethnic strife.

분전(奮戰) a desperate fight; hard (hot) fighting. ～하다 fight desperately (hard).

분점(分店) a branch store (shop).

분주(奔走) ～하다 (be) busy; engaged; occupied. ¶ ～하게 busy; in hurried manner.

분지(盆地) a basin.

분책(分冊) a separate volume.

분첩(粉貼) a (powder) puff.

분초(分秒) a minute and a second; a moment. ¶ ～를 다투다 There isn't a moment to lose.

분출(噴出) ～하다 (액체를) gush out; spurt; spout; (연기 · 가스 · 불 영이) belch (out); shoot up(공중으로); jet; emit. ∥ ～물 jet; ejecta; eruptions(화산의).

분침(分針) the minute (long) hand.

분탄(粉炭) slack; dust coal.

분탕질(焚蕩一) ～하다 squander; run through; dissipate.

분통(憤痛) resentment; vexation. ¶ ～ 터지다 be greatly vexed; be mortified; resent (at).

분투(奮鬪) a hard struggle; strenuous efforts. ～하다 struggle; (hard); strive; exert oneself (to do); make strenuous efforts (to do).

분파(分派) a sect; a faction. ¶ ～활동 factional activities.

분포(分布) (a) distribution. ～하다 (be) distributed; range (from a place to another). ∥ ～도 a distribution chart / ～지역 an area of distribution.

분풀이(憤一) ～하다 vent (give vent to) one's anger (on); get back at (a person); revenge oneself on (a person) for (something). ¶ ～로 out of spite; by way of revenge.

분필(粉筆) (a piece of) chalk.

분하다(憤一) ① (원통) (be) mortifying; vexing. [분해서 out of vexation / 분하다하 be (feel) vexed (mortified) (at); resent. ② (아깝다) (be) regrettable; sorry. ¶ 분해하다 regret; be regretful.

분할(分割) division; partition. ～하다 divide (a thing into); partition; cut (split) up. ∥ ～상환 redemption by installments.

분할(分轄) ～하다 divide for administrative purposes.

분해(分解) (분석) (an) analysis;

[化] resolution; decomposition; 《해체》 dismantling; disassembly. ~하다 《분석》 analyze; decompose; resolve; 《해체》 break up; take *a machine* to pieces. ‖~작용 disintegration / ~효소 breakdown enzyme.

분향(焚香) ~하다 burn incense.

분홍(粉紅) pink (color).

분화(分化) differentiation; specialization. ~하다 differentiate; specialize; branch into.

분화(噴火) an eruption; volcanic activity. ~하다 erupt; burst [go] into eruption. ‖~구 a crater / ~산 a volcano. 「chapter.

분회(分會) a branch; a (local)

붇다 ① 《물에》 swell (up); become sodden; get soaked. ② 《늘다》 increase; gain; grow bulky 《피》.

불 ① 《일반적》 fire; 《화염》 flame; blaze. ¶ ~이 붙다 catch [take] fire / ~을 붙이다[놓다] set fire (*to*); set *a house* on fire. ② 《등화》 a light; a lamp; an electric light. ③ 《화재》 a fire. ¶ ~을 내다 start [cause] a fire / ~이 나다 fire breaks out. ‖~바다 a sea of flame.

불(弗) a dollar. ☞ 달러.

불(佛) ① 《부처님》 Buddha. ② 《프랑스》 France.

불(不) not; un-; in-; non-.

불가(不可) ~하다 (be) wrong; not right; bad; improper; unadvisable.

불가(佛家) ① 《불문》 (Buddhist) priesthood; a Buddhist 《신자》. ② 《절》 a Buddhist temple.

불가결(不可缺) ~하다 (be) indispensable 《*to*》; essential 《*to*》.

불가능(不可能) impossibility. ~하다 (be) impossible; unattainable; impracticable.

불가리아 Bulgaria. ¶ ~의 Bulgarian / ~사람 a Bulgarian.

불가분(不可分) indivisibility.

불가불(不可不) inevitably; whether willing or not; willy-nilly.

불가사리 [動] a starfish; an asteroid.

불가사의(不可思議) (a) mystery; a wonder; a miracle 《기적》. ~ (be) incomprehensible; mysterious; strange; marvelous.

불가시(不可視) invisibility. ‖~광선 dark 《invisible》 rays.

불가역(不可逆) ¶ ~적인 irreversible 《*changes*》. ‖~성(性) irreversibility / ~현상 an irreversible phenomenon.

불가침(不可侵) nonaggression; inviolability 《신성》. ¶ ~의 inviolable; sacred. ‖~조약 a nonaggression pact 〔treaty〕 《*with*》.

불가피(不可避) ¶ ~한 inevitable; unavoidable.

불가항력(不可抗力) an irresistible force; *force majeure*; an act of God. ¶ ~의 unavoidable; inevitable; beyond human control.

불가해(不可解) ¶ ~한 mysterious; incomprehensible; strange / ~한 일 a mystery; an enigma.

불간섭(不干涉) nonintervention; noninterference. ~하다 do not interfere (meddle) 《*in, with*》. ‖~주의 a nonintervention 《laissez-faire》 policy.

불감증(不感症) [醫] frigidity. ¶ ~의 여자 a frigid woman / ~이 되다 grow insensible 《*to*》.

불개미 [蟲] a red ant.

불개입(不介入) nonintervention; noninvolvement. ‖~정책 〔주의〕 a nonintervention policy.

불거지다 ① 《속에 있는 것이》 protrude; jut out; bulge out; swell out. ② 《숨겼던 것이》 appear; come out.

불건전(不健全) ¶ ~한 unsound; unhealthy.

불결(不潔) ~하다 (be) dirty; unclean; filthy; foul; unsanitary.

불경(不敬) ~하다 (be) disrespectful; irreverent. ‖~죄 lese majesty.

불경(佛經) the Buddhist scrip-

tures: the sutras.

불경기 (不景氣) 《일반의》 hard [bad] times: dullness: 《상업의》 (business) depression: slump.

불경제 (不經濟) bad economy: a waste 《of time, energy, money》. ¶ ～의 uneconomical: wasteful.

불계승 (不計勝) 《바둑》 a one-sided game. ～하다 win 《a game》 by a wide margin.

불고 (不顧) ～하다 neglect: disregard: ignore: be indifferent 《about》: pay no attention 《to》.

불고기 bulgogi: grilled beef 《sliced and seasoned》.

불공 (佛供) 《offer a》 Buddhist mass.

불구대천지수 (不共戴天之讎) a mortal foe: a sworn enemy.

불공정 (不公正) ～하다 (be) unfair: unjust. ¶ ～거래 unfair trade.

불공평 (不公平) ～하다 (be) partial: unequal: unfair: unjust. ¶ ～한 distribution 《지나치게 않는》 nothing but ...: no more than ...

불과 (不過) 《佛》 Buddhahood: Nirvana 《梵》.

불교 (佛敎) Buddhism. ¶ ～의 Buddhist(ic). ∥ ～도(徒) a Buddhist: a follower of Buddhism 》문화 Buddhist civilization (culture).

불구 (不具) deformity. ¶ ～의 deformed: maimed: crippled《절름발이》: disabled. ∥ ～자 a disabled person: a (physically) handicapped person.

불구 (不拘) ～하고 in spite of: despite 《of》: notwithstanding: 《상관 없이》 regardless 《irrespective》 《of》.

불구속 (不拘束) nonrestraint. ¶ ～으로 without physical restraint. ∥ ～입건하다 indict 《a person》 without (physical) detention.

불굴 (不屈) ¶ ～의 indomitable: dauntless.

불규칙 (不規則) irregularity. ¶ ～한 (be) irregular: unsystematic:

unsteady. ¶ ～하게 irregularly: unsystematically.

불균형 (不均衡) lack of balance: imbalance: inequality: disproportion. ～하다 (be) out of balance: ill-balanced: disproportionate.

불그레하다 (be) reddish. 〔red.

불긋불긋 ～하다 be dotted with

불기 (一氣) heat [a sign] of fire. ¶ ～없는 방 an unheated room.

불기소 (不起訴) non-prosecution. ¶ ～로 하다 drop a case / ～가 되다 be not indicted. ∥ ～처분 a disposition not to institute a public action.

불길 a fire [flame, blaze]. ¶ ～에 휩싸이다 be wrapped in flames / ～을 잡다 put out a fire: bring [get] a fire under control.

불길 (不吉) ～하다 be unlucky: ominous: ill-omened.

불김 (in) the warmth of a fire.

불까다 castrate: emasculate: geld.

불꽃 (火焰) a flame: a blaze: 《꽃 똥》 a spark: 《꽃불》 fireworks. ¶ ～ 튀는 논전 (論戰) 《have》 a hot [heated] discussion / ～을 쏘아 올리다 display [set off] fireworks. ∥ ～놀이 a fireworks display.

불끈 《갑자기》 suddenly: 《단단히》 firmly: fast: tightly. ¶ 주먹을 ～ 쥐다 clench one's fist.

불나방 a tiger moth.

불난리 (一亂離) (in) the confusion of a fire.

불놀이 (불장난) playing with fire. ～하다 play with fire.

불능 (不能) impossibility 《불가능》: inability 《무능》: impotence 《성적인》.

불다¹ 《바람이》 blow: breathe. ① 《입으로》 blow: breathe out 《숨을》. ¶ 촛불을 불어 끄다 blow out a candle 《a flute》: sound 《a trumpet》: blow 《a whistle》. ③ 《죄를》 confess 《one's guilt》.

불단 (佛壇) a Buddhist altar.

불당(佛堂) a Buddhist shrine 〔temple〕. 〔fever

불덩어리 a fireball; 《고열》 a high

불도(佛徒) a Buddhist; a believer in Buddhism. 〔Buddhism.

불도(佛道) Buddhist doctrines; 불도저 a bulldozer. ¶ ～로 고르다 bulldoze.

불독(개) a bulldog.

불두덩 the pubic region.

불똥 a spark (of fire). ¶ ～을 튀기다 spark; give out sparks.

불뚱이 a passion; a fit of temper; a short-(hot-)tempered person《사람》. ¶ ～ 내다 〔누르다〕 lose 〔control〕 one's temper.

불량(不良) ～하다 《상태·품질이》 (be) bad; inferior; 《행실이》 (be) wicked; depraved; delinquent. ¶ ～해지다 go to the bad; become delinquent. ‖ ～소년 a juvenile delinquent / ～채권 a bad debt / ～학생 a disorderly 〔bad〕 student.

불러내다 call 《a person》 out; 《전화 통에》 call 《a person》 up 〔on the phone〕; 《꾀어내다》 lure 《a person》 out of 〔from〕.

불러오다 call 《a person》 to one's presence; summon; 《사람을 보내어》 send for 《a person》.

불러일으키다 arouse; rouse; stir up.

불로(不老) eternal youth. ‖ ～불사 eternal youth and immortality / ～장생 eternal youth and long life / ～초 an elixir of life.

불로소득(不勞所得) an unearned income; a windfall profit(s).

불룩하다 (be) swollen; baggy; fat; bulgy.

불륜(不倫) immorality. ¶ ～의 immoral《conduct》; illicit《love》.

불리(不利) a disadvantage; a handicap. ¶ ～한 disadvantageous; unfavorable; 《～한 입장에 서게 되다》 be at a disadvantage; be handicapped.

불리다《배를》 fill《one's stomach》; 《사복을》 enrich oneself《with pub-

lic fund》; feather one's nest.

불리다[2] ① 《쇠를》 forge; temper. ② 《곡식을》 ☞ 까부르다.

불리다[3] 《바람에》 be blown; blow.

불리다[4] ① 《물에》 soak 〔dip, steep〕《a thing》 in water; sodden; soften. ② 《늘리다》 increase《one's fortune》; add 《to》.

불림 《쇠불이의》 tempering.

불만(不滿), 불만족(不滿足) dissatisfaction; discontent. ¶ ～스럽다 (be) unsatisfactory; dissatisfied / ～의 dissatisfied; discontented; unsatisfactory.

불매운동(不買運動) a consumer 〔buyers'〕 strike 〔boycott〕; a civic campaign to boycott some products.

불면증(不眠症)《suffer from》insomnia. ¶ ～환자 an insomniac.

불멸(不滅) 《정신적인》 immortality; 《물질의》 indestructibility. ¶ ～의 immortal; eternal.

불명(不明) 《사리에》 lack of brightness; 《불명료》 indistinctness. ¶ ～하다 (be) unwise; indistinct; obscure. ¶ 원인 ～인 화재 a fire of unknown origin.

불명료(不明瞭) ～하다 (be) indistinct; obscure; not clear; vague.

불명예(不名譽) (a) dishonor; (a) disgrace; (a) shame. ¶ ～스러운 dishonorable; shameful; disgraceful. ¶ ～제대 dishonorable discharge.

불모(不毛) ¶ ～의 barren; sterile. ‖ ～지 barren 〔waste〕 land.

불문(不問) ¶ …을 ～하고 without regard to; regardless of 《sex》 / ～에 부치다 pass over 《a matter》; connive at 《a matter》

불문(佛門) priesthood; Buddhism. ¶ ～에 들다 become a Buddhist.

불문가지(不問可知) ¶ ～이다 be obvious; be self-evident.

불문율(不文律) an unwritten law; lex non scripta 《라》.

불미(不美) ¶ ～한〔스러운〕 ugly; unsavory; unworthy; scandalous; shameful.

불민(不敏) lack of sagacity; stupidity. ¶ ～한 incompetent; dull.
불발(不發) ～하다 misfire; fail to explode [go off]; 《계획 등이》 fall through; miscarry. ¶ 계획이 ～로 끝나다 The plan fell through. ‖ ～탄 an unexploded shell [bomb].
불법(不法) illegality. 《～의》 unlawful; unjust; illegal; wrongful. ‖ ～입국 illegal entry [immigration] / ～입국자 an illegal entrant / ～집회 an illegal assembly.
불법(佛法) Buddhism.
불벼락 ① 《번갯불》 a bolt of lightning. ② 《비유적》 《issue》 a tyrannical decree [order].
불변(不變) 《～의》 unchangeable; immutable; invariable; constant. ‖ ～색(色) a permanent [fast] color / ～성 immutability.
불볕 a burning [scorching] sun.
불복(不服) 《불복종》 disobedience 《to》; 《불복죄》 a denial 《of one's guilt》; 《이의》 an objection; a protest. ～하다 disobey; be disobedient; deny one's guilt; object to; protest against 《order》.
불복종(不服從) disobedience 《to an order》.
불분명(不分明) ¶ ～한 not clear; obscure; vague; indistinct; ambiguous; dim.
불붙다 catch [take] fire; burn.
불붙이다 set 《a thing》 alight; set on fire; light; ignite.
불비(不備) ～한 defective; deficient; incomplete. ☞ 미비.
불빛 light. ¶ ～이 어둡다 The light is dim.
불사(不死) ¶ ～의 immortal; eternal. ‖ ～조 a phoenix. 「vice.」
불사(佛事) 《hold》 a Buddhist service.
불사르다 burn [up]; set 《a thing》 on fire; put 《a thing》 into the flames.
불사신(不死身) ¶ ～의 invulnerable.
불사(不辭) ～하다 fail to [do not] decline.
불상(佛像) an image of Buddha;

a Buddhist image [statue].
불상사(不祥事) an unpleasant [a disgraceful] affair.
불서(佛書) the Buddhist scriptures; Buddhist literature.
불선명(不鮮明) unclearness. ～하다 《be》 indistinct; obscure; blurred.
불성립(不成立) ～하다 fail in failure; fall through.
불성실(不誠實) insincerity. ¶ ～한 insincere; unfaithful.
불세출(不世出) ¶ ～의 rare; uncommon; unparalleled; matchless.
불소(弗素) 《化》 fluorine (기호 F).
불손(不遜) insolence. ～하다 《be》 insolent; haughty; arrogant.
불수(不隨) paralysis. ¶ 반신 [전신] ～ partial [total] paralysis.
불수의(不隨意) ¶ ～근(筋) an involuntary muscle / ～운동[작용] an involuntary movement [action].
불순(不純) impurity. ～하다 《be》 impure; foul; mixed. ‖ ～물 impurities / ～분자 an impure element.
불순(不順) ～하다 《일기가》 《be》 unseasonable; changeable; irregular; unsettled. ‖ 생리 ～ irregular menstruation.
불승인(不承認) disapproval; nonrecognition [신정권 등의].
불시(不時) 《때 아닌》 untimely; 《뜻밖의》 unexpected; 《우연의》 accidental / ～에 unexpectedly; without notice [warning].
불시착(不時着) 《make》 an emergency [unscheduled] landing.
불식(拂拭) ～하다 wipe out 《a disgrace》; sweep off; clean.
불신(不信) distrust; discredit. ～하다 discredit; distrust. ‖ ～풍조 a trend of mutual distrust.
불신감(不信感) (a) distrust; (a) suspicion. ¶ ～을 품다 be distrustful of; have a (deep) distrust 《of》.
불신임(不信任) nonconfidence. ～하다 have no [do not place]

불심 confidence 《*in*》; distrust. ¶ ~
안음 제출[결의]하다 move [pass] a
nonconfidence bill [vote]. ‖ ~
결의 a nonconfidence resolution; a
vote of censure.

불심(佛心) ① 《자비심》 the merciful
heart of Buddha. ② 《번뇌치 않
는》 a mind free from evil
passions.

불쌍하다 (be) poor; pitiful; piti-
able; pathetic; miserable. ¶ 불
쌍해서 out of pity [sympathy] /
불쌍히 여기다 pity 《*a person*》; feel
pity [sorry] for 《*a person*》.

불쏘시개 kindlings.

불쑥 abruptly; all of a sudden.

불쑥하다 (be) protruding; bulgy.

불씨 live charcoal to make a
fire; 《원인》 a cause. ¶ 분쟁의 ~
an apple of discord.

불안(不安) uneasiness; anxiety;
unrest. ¶ ~하다 (be) uneasy; anx-
ious. ¶ ~하게 여기다 feel [be] un-
easy 《*about*》; feel anxious
《*about*》.

불안정(不安定) instability; unrest.
¶ ~한 unstable; unsteady; pre-
carious; insecure.

불알 the testicles; the balls 《俗》.

불야성(不夜城) a nightless quar-
ters [city]; 「French language.

불어(佛語) 《프랑스말》 French; the

불어나다 increase; grow.

불여의(不如意) ~하다 《일이》 go con-
trary to *one's* wishes; go wrong
[amiss]. 「else; if not so.

불연(不然) ~이면 otherwise; or

불연성(不燃性) incombustibility.
¶ ~의 incombustible; nonflam-
mable; fireproof. ‖ ~물질 in-
combustibles / ~필름 safety film.

불연속선(不連續線) 《氣》 a line of
discontinuity.

불온(不穩) unrest; disquiet. ¶ ~
한 threatening; disquieting.
‖ ~사상 a threatening [riotous]
idea.

불완전(不完全) imperfection; in-
completeness. ¶ ~한 imperfect;
incomplete; defective. ‖ ~고용

underemployment / ~자(타)동사
an incomplete intransitive [tran-
sitive] verb.

불요불급(不要不急) ¶ ~한 not ur-
gent [pressing] / ~한 사업 non-
essential enterprises.

불용(不用) disuse. ¶ ~의 use-
less; of no use; unnecessary;
disused. ‖ ~품 a discarded [an
unwanted] article.

불용성(不溶性) insolubility. ¶ ~의
insoluble 《*matter*》; infusible.

불우(不遇) ill fate; misfortune (불
행); adversity (역경); obscurity
(영락). ¶ ~한 unfortunate; ad-
verse. ‖ ~이웃 돕기 운동 a "Let's
help needy neighbors." cam-
paign.

불운(不運) (a) misfortune; ill
luck. ¶ ~한 unfortunate; un-
lucky; ill-fated. ¶ ~하게도 unfor-
tunately; unluckily.

불원(不遠) 《거리》 not far (off); 《시
간》 before too long; in the near
future. ¶ ~천리하고 despite the
long way.

불응(不應) ~하다 do not comply
with [consent to].

불의(不意) ~의 unexpected; sud-
den; unlooked-for. ☞ 불시.

불의(不義) 《부도덕》 immorality; 《부
정》 injustice; 《밀통》 adultery.
¶ ~의 immoral; illicit; unjust /
~의 씨 an illegitimate child.

불이익(不利益) disadvantage. ¶ ~
불리.

불이행(不履行) nonfulfillment; non-
observance. ‖ ~자 a defaulter.

불인가(不認可) disapproval; re-
fusal; rejection.

불일내(不日內) ¶ ~에 at an early
date; shortly; before long.

불일듯하다 ¶ be prosperous; thriv-
ing; flourishing. ¶ 장사가 ~
one's business is spreading
[growing] like wildfire.

불일치(不一致) disagreement; dis-
cord; disharmony (부조화).

불임증(不姙症) sterility.

불입(拂入) payment. ¶ ~하다 pay

in: pay up. ‖ ~금 money due;
money paid.
불장난 ~하다 play with fire; 《남녀간의》 play with love.
불전(佛典) the Buddhist scripture.
불조심(─ 操心) (take) precautions against fire; ~하다 look out for fire. ☞ idol.
불좌(佛座) the seat of a Buddhist
불지피다 make [build up] a nest of hornets; stir up a hornets'
불집 ~을 건드리다 arouse a nest of hornets; stir up a hornets'
불쬐다 《사람이》 warm *oneself* at the fire; 《사물을》 put *(a thing)* over the fire. ☞ fiery.
불착(─着) nonarrival; nondelivery.
불찬성(不贊成) disagreement; disapproval; objection. ~하다 be against *(a plan)*; do not agree *(to a thing, with a person)*; object *(to)*; disapprove *(of)*.
불찰(不察) negligence; carelessness; mistake; a blunder.
불참(不參) absence; nonattendance. ~하다 be absent *(from)*; fail to attend; do not appear. ‖ ~자 an absentee.
불철저(不徹底) ~하다 (be) inconclusive; be not thorough (going); 《논지 등이》 (be) inconsistent.
불철주야(不撤晝夜) ‖ ~로 《work》
불청객(不請客) an uninvited guest.
불체포특권(不逮捕特權) immunity from arrest.
불초(不肖) 《아비만 못함》 being unworthy of *one's* father. ‖ ~자식 an unworthy son.
불충(不忠) disloyalty; infidelity. ~한 《to》 disloyal; unfaithful.
불충분(不充分) insufficiency; inadequacy. ‖ ~한 insufficient; not enough; inadequate / 증거 ~으로 무죄가 되다 be acquitted for lack of evidence.
불충실(不充實) disloyalty; infidelity. ~한 disloyal; unfaith-

ful.
불치(不治) ‖ ~의 incurable; fatal / ~의 환자 a hopeless case. ‖ ~병 an incurable disease.
불친절(不親切) unkindness. ‖ ~한 unkind; unfriendly.
불침번(不寢番) 《직접》 night watch; vigil; all-night watch; a night watchman 《사람》. ‖ ~을 서다 keep watch during the night.
불켜다 light (up) *(a lamp)*; turn [put, switch] on a light.
불쾌(不快) unpleasantness; displeasure; (a) discomfort. ~하다 《서술적》 feel unpleasant [uncomfortable, displeased]. ‖ ~지수 a discomfort index 《생략 DI》; the temperature-humidity index 《생략 T-H index》.
불타(佛陀) Buddha.
불타다 burn; blaze; be on fire 《in flames》.
불통(不通) 《교통·통신의》 an interruption; a stoppage 《of traffic》; a tie-up. ~하다 be cut off; be interrupted; be tied up. ② 《모르다》 no understanding; unfamiliarity; ignorance. ~하다 have no understanding; be unfamiliar 《with》; be ignorant 《of》. ‖ 언어 ~ (have) language difficulty.
불퇴전(不退轉) ‖ ~의 indomitable 《resolve》; determined.
불투명(不透明) opacity. ‖ ~한 opaque 《glass》; cloudy 《liquid》.
불퉁불퉁 ① 《표면》 ruggedly; knottily. ~하다 (be) uneven; rough; knotty. ② 《퉁명스럽게》 bluntly; curtly. ~하다 (be) curt; blunt.
불티 embers; sparks 《of fire》. ‖ ~나게 팔리다 sell like hot cakes.
불편(不便) ① 《몸 따위가》 discomfort; sickness. ~하다 be uncomfortable; 《서술적》 be not well; feel unwell. ② 《편리하지 않음》 inconvenience. ~하다 (be) inconvenient.
불편부당(不偏不黨) impartiality;

¶ ~의 impartial; fair.

불평(不平)《불만》 discontent; dissatisfaction;《투덜댐》a complaint; a grievance. ¶ ~하다 grumble 《at, about》; complain 《about, of》. ‖ ~가 (chronic) complainer.

불평등(不平等) inequality. ¶ ~한 unequal; unfair. ‖ ~조약 an unequal treaty.

불포화(不飽和)(being) unsaturated. ‖ ~화합물 an unsaturated compound.

불피우다 make [build] a fire.

불필요(不必要) ¶ ~한 unnecessary; needless; unessential.

불하(拂下) a sale 《of government property》; disposal. ¶ ~하다 sell; dispose of. ‖ ~품 articles disposed of by the government.

불학무식(不學無識) illiteracy. ¶ ~한 illiterate; utterly ignorant.

불한당(不汗黨) a gang of bandits [robbers]; hooligans; gangsters.

불합격(不合格) failure; rejection. ~ 하다 fail 《in the examination》; be rejected [eliminated]; come short of the standard. ‖ ~자 an unsuccessful candidate / ~품 rejected goods.

불합리(不合理) ¶ ~한 irrational; illogical; unreasonable; absurd.

불행(不幸) unhappiness; misery; 《불운》a misfortune; ill luck; a disaster 《재난》. ¶ ~한 unhappy; unfortunate; unlucky; wretched / ~히(히) unfortunately; unluckily; unhappily.

불허(不許) ~하다 do not permit [allow]; disapprove.

불현듯이 suddenly; all at once.

불협화(不協和) discord; disharmony. ¶ ~의 dissonant; discordant. ‖ ~음 a discord; a dissonance.

불호령(~號令) ~하다 thunder [bark, bellow, storm] at 《a person》. ¶ ~을 내리다 issue a fiery order; give a strict command.

불혹(不惑) the age of forty.

불화(不和) a trouble; a quarrel;

(a) discord. ~하다 be on bad terms 《with》; be in discord 《with》. ¶ ~하게 되다 fall out 《with》.

불혹(不惑) the age of forty.

불화(不和) a trouble; a quarrel; (a) discord. ~하다 be on bad terms 《with》; be in discord 《with》. ¶ ~하게 되다 fall out 《with》.

불화(佛畫) a Buddhist painting.

불확대(不擴大) ‖ ~방침 a nonexpansion policy; a localization policy (국지화).

불확실(不確實) ¶ ~한 uncertain; unreliable.

불확정(不確定) ¶ ~한 indefinite; uncertain; undecided.

불환지폐(不換紙幣) inconvertible note; flat money. [~(-es).

불활성(不活性) ‖ ~가스 inert gas

불황(不況) a depression; a slump; a recession. ¶ ~의 inactive; dull; stagnant. ‖ ~대책 an antirecession policy [measures] / ~시대 depression days; hard times.

불효(不孝) lack [want] of filial piety. ¶ ~한 undutiful; unfilial. ‖ ~자 an undutiful [a bad] son [daughter].

붉다 [be] red; crimson (심홍); scarlet (주홍);《사상이》(be) communist(ic). ‖ 붉어지다 turn red; redden; glow; blush; be flushed 《with anger》.

붉히다 turn red; blush 《with shame》; blaze 《with fury》.

붐 a boom 《in shipbuilding》.

붐비다 (be) crowded; congested; packed; jammed; thronged 《with people》. ‖ ~비는 시간 the rush hour (출퇴근시).

붓 《모필》a (writing) brush; 《펜》a pen. ‖ ~집 a brush [pen] case / ~통 a brush [pen] stand.

붓꽃 an iris; a blue flag.

붓끝 ① 《붓의》the tip of a (writing) brush. ② 《필봉》a stroke of the pen [brush].

붓다¹ ① 《살이》 swell up; become swollen. ② 《성나서》 get [be] sulky. ¶ 부은 얼굴 a sullen face.

붓다² ① 《쏟다》 pour 《in, out》; fill 《a cup with tea》; put 《water in a bowl》. ② 《돈을》 pay in [by] installments; pay one's share by installments. ⌈brush.

붓대 the stem of a writing

붕괴(崩壞) collapse; a breakdown. ~하다 collapse; crumble; break [fall] down; give way.

붕긋하다 ① form a little hill [bump]. ② 《들뜨다》 (be) a bit loose.

붕당(朋黨) a faction; a clique.

붕대(繃帶) a bandage; dressing. ¶ ~를 감다 bandage; apply a bandage 《to》; dress 《a wound》.

붕붕거리다 hum; buzz.

붕사(硼砂) borax; tincal 《천연의》.

붕산(硼酸) 〔化〕 boric acid.

붕소(硼素) 〔化〕 boron 《기호 B》.

붕어 〔魚〕 a crucian carp.

붕장어(―長魚) 〔魚〕 a sea eel.

붙다 ① 《부착》 adhere [cling] 《to》; 《접하다》 adjoin; be adjacent 《to》; 《바짝》 keep [stand] close 《to》. ¶ 철썩 ~ stick fast 《to》/ 붙어 앉다 sit closely together. ② 《딸리다》 be joined 《with》; be attached 《to》. ③ 《생기다·늘다》 ¶ 이자가 ~ bear [yield] interest. ④ 《편들다》 take sides with; attach oneself to; join 《가담》. ¶ 적에게 ~ go over to the enemy. ⑤ 《의지하다》 depend [rely] on. ⑥ 《불이》 catch [fire]; be ignited. ⑦ 《시험에》 pass 《an examination》. ⑧ 《싸움이》 start; be started; develop. ⑨ 《마귀가》 be possessed 《into》. ⑩ 《악기》 ~ 간통하다.

붙들다 ① 《손으로》 ~ 잡다 ①, ②. ② 《만류》 detain; hold. ③ 《도와 주다》 help; assist; aid.

붙들리다 ① 《잡히다》 be caught [arrested, seized]. ② 《만류》 be detained; be made to stay.

불박이 a fixture; a fixed article. ~의 fixed; built-in.

불박이다 be fixed; be fastened immovably; be confined [closeted] in 《one's room》. ⌈...붙이 《일가 친척》 kith and kin. ¶ 가까운 일가 ~ one's near relatives.

붙이다 ① 《부착》 put [fix, affix, stick] 《to, on, together》; attach [fasten] 《to》; glue 《아교로》; 《고약 등을》 apply 《to》. ② 《첨가》 add; attach 《to》; give [set] 《to》. ¶ 조건을 ~ attach a condition 《to》. ③ 《몸을》 rely on 《a person》 for 《one's care》; hang [sponge] on 《one's relations》. ④ 《불을》 light; kindle. ⑤ 《흥정·싸움 따위를》 act as intermediary [go-between]; mediate 《a negotiation》; arrange. ¶ 흥정을 ~ arrange a bargain. ⑥ 《이름 따위를》 give 《a name》 《to》; name; entitle 《제목을》. ⑦ 《사람을》 have 《a person》 in attendance; let 《a person》 be attended [waited upon》. ¶ 감시를 ~ keep 《place》 《a person》 under guard. ⑧ 《때리다》 give 《a》 slap. ¶ 따귀를 ~ box 《a person's》 ears. ⑨ 《교미》 mate 《a dog》; pair 《animals》. ⑩ 《기타》 ¶ 재미를 ~ take 《an》 interest 《in》.

붙임성(一性) sociability; amiability; affability; friendliness.

붙잡다 ① 《잡다》 seize; grasp. ¶ 꽉 ~ 잡다 ①, ②. ② 《일자리를》 get [obtain] a job. ③ 《돕다》 ¶ 붙잡아 주다 help; aid 《a person》.

붙잡히다 be seized [caught]; be arrested.

브라스밴드 a brass band.

브라운관(一管) a TV [picture] tube; a cathode-ray tube.

브라질 Brazil. ~의 《사람》 (a) Brazilian.

브래지어 a brassière 《프》; a bra 《미俗》.

브랜드 a brand. ¶ ~제품 a brand;

a brand-name item.

브랜디 〔洋酒〕 brandy.

브러시 a brush.

브레이크 a brake. ¶ ～를 걸다 apply 〔put on〕 the brake.

브레이크² 〔球〕 a break.

브레인스토밍 〔아이디어를 서로 내는 학습·회의 방법〕 brainstorming.

브로드웨이 〔뉴욕의〕 Broadway.

브로치 a brooch; a breastpin.

브로커 〔act as〕 a broker.

브롬 〔化〕 bromine. ¶ ～화 bromination(～와 화함 brominate).

브리지 ① 〔다리〕 a bridge. ② 〔트럼 프놀이〕 〔play〕 bridge.

블라우스 a blouse.

블랙리스트 a black list.

블록 《시가의 구획》 a block; 〔권 (圈)〕 a bloc 〔프〕.

블루진 blue jeans.

비¹ 〔내리는〕 rain; 《한 번의 강우》 a rainfall; 《소나기》 a shower(소나기). ¶ ～가 많은 rainy.

비² 〔쓰는〕 a broom.

비(比) 〔비율〕 ratio; proportion; 《비교》 comparison; 《대조》 contrast; 《필적》 an equal; a match.

비(妃) 〔왕비〕 a queen (consort); 《왕세자비》 a crown princess.

비(碑) 〔묘비〕 a gravestone; 《기념비》 a monument 〔anti-

비--(非) 〔반대의의〕 non-; un-; in-.

비가(悲歌) an elegy; a dirge.

비각(碑閣) a monument house.

비감(悲感) sad feeling; grief; sorrow.

비강(鼻腔) 〔解〕 the nasal cavity.

비겁(卑怯) ¶ ～한 cowardly; mean 〔비열한〕; foul(부정한); cowardly 〔～자 a coward ～한 짓을 하다 play 《a person》 foul 〔상대에게〕.

비견(比肩) 〔나란히 함〕 ～하다 rank 〔with〕; equal; be comparable 〔with〕; be on a par 〔with〕.

비결(秘訣) a secret; a key 〔to〕.

비경(秘境) an unexplored 〔untrodden〕 region; one of the most secluded regions.

비경(悲境) a sad 〔miserable〕 condition; distressing 〔adverse〕 circumstances.

비계 〔fat; lard〔돼지의〕.

비계〔建〕 a scaffold; scaffolding.

비계(秘計) a secret plan; one's trump card.

비고(備考) a note; a remark; a reference. ∥ ～란 a reference 〔remarks〕 column.

비곡(悲曲) a plaintive melody.

비공개(非公開) ¶ ～의 not open to the public; private; 〔closed (meeting)〕 closed; ～입찰 a closed tender.

비공식(非公式) ¶ ～적(으로) unofficial(ly); informal(ly).

비공인(非公認) ¶ ～의 unofficial; unrecognized; unrecognized / ～ 세계기록 an as-yet-unratified 〔a pending〕 world record.

비과세(非課稅) tax exemption. ∥ ～품 a tax-free article.

비과학적(非科學的) unscientific.

비관(悲觀) pessimism; 《낙담》 disappointment. ～하다 be pessimistic 《of, about》; take a gloomy view 《of》; be disappointed. ¶ ～적(인) pessimistic. ∥～론자 a pessimist.

비관세(非關稅) ¶ ～장벽 a non-tariff barrier(생략 NTB).

비교(比較) (a) comparison. ～하다 compare 《two things, A with B》. ¶ ～적(으로) comparative(ly) / ～와 …하면 (as) compared with … ∥ ～급 〔文〕 the comparative (degree) / ～연구 a comparative study.

비구니(比丘尼) a priestess; a nun.

비구승(比丘僧) a Buddhist monk.

비국민(非國民) an unpatriotic person.

비군사(非軍事) ¶ ～적(인) nonmilitary. ∥ ～화 demilitarization.

비굴(卑屈) ¶ ～한 mean; servile.

비극(悲劇) 〔end in〕 a tragedy. ¶ ～적(인) tragic. ∥ ～배우 a tragedian; a tragic actor (actress).

비근(卑近) ¶ ～한 familiar; common / ～한 예 a familiar example.

비금속(非金屬) a nonmetal; a metalloid.

비금속(卑金屬) a base metal.

비기다¹ 《무승부》 end in a draw; tie [draw] 《with》. ②《상쇄》 offset [cancel] each other.

비기다²《비유·견줌》 liken 《to》; compare 《to》. ¶ 비길 데 없는 incomparable: beyond comparison.

비꼬다 ①《끈을》 twist; entwist; twine. ②《말을》 make cynical remarks; be sarcastic.

비꼬이다《끈·실이》 be [get] twisted; 《일이》 get [en]tangled; 《마음이》 become crooked [distorted].

비난(非難) blame; (a) censure; criticism. ~하다 blame [censure] 《a person for》; accuse 《a person of》; criticize.

비너스 Venus.

비녀《wear》 an ornamental hairpin.

비논리적(非論理的) illogical.

비뇨기(泌尿器) the urinary organs. ¶ ~과 urology / ~과 의사 a urologist.

비누(a cake of) soap. ¶ 가루 ~ soap powder / 세숫 [빨랫] ~ toilet [washing, laundering] soap. / ~ 거품 soap bubbles; suds.

비늘 a scale. ¶ ~을 벗기다 scale 《a fish》.

비능률(非能率) inefficiency. ¶ ~적 (인) inefficient.

비닐 vinyl. ¶ ~ 봉지 a plastic bag / ~ 하우스 a vinyl hothouse.

비다 (be) empty; vacant. ¶ 빈 손으로 empty-handed / 빈 속에 an empty stomach.

비단(緋緞) silk fabric; silks. ¶ ~ 결 같은 be soft as velvet.

비단(但) merely; simply; only. ¶ ~ ...뿐만 아니라 not only... but (also)...

비당파적(非黨派的) (being) nonpartisan; nonparty.

비대(肥大) fat; enlarged. ¶ 심장 ~ enlargement of the heart.

비데 a *bidet* 《프》.

비동맹(非同盟) ¶ ~국 a nonaligned nation / ~국 회의 the nonaligned conference.

비둘기 a pigeon; a dove. ¶ ~장 a dovecot(e); a pigeon house / ~파 the doves: a soft-liner.

비듬 dandruff; scurf. ¶ ~투성이의 머리 a scurfy [dandruffy] head. / ~약 a dandruff remover.

비등(比等) ¶ ~하다 be on a par; be about the same; be equal 《to》.

비등(沸騰) ¶ ~하다 《끓다》 boil (up); seethe; 《여론 따위가》 get [become] heated [excited]. ¶ ~점 the boiling point.

비디오 a video. ¶ ~ 테이프 녹화 a videotape recording 《생략 VTR》.

비뚜로 obliquely; aslant; slantwise.

비뚤다 be somewhat crooked [askew, oblique].

비뚝거리다 《흔들거리다》 wobble; be shaky [rickety]; 《절다》 limp (along).

비뜰다 be crooked; tilted; slant.

비뚤어지다 ①《사물이》 get crooked; slant; incline; be tilted. ¶ 비뚤어진 코 a crooked nose. ②《마음 등이》 be perverse [crooked, twisted, warped].

비럭질 begging. ¶ ~하다 go begging.

비련(悲戀) tragic [blighted] love.

비례(比例) proportion; a ratio《비율》. ~ in proportion 《to》. ¶ ...에 정 [반]~ 하다 be directly [inversely] proportional to. / ~ 대표(제) (the) proportional representation (system).

비례(非禮) discourtesy; impoliteness; rudeness.

비로소 for the first time; not ...until [till] ....

비록 (al)though; even if; even if 《a person should》. ¶ 비가 오더라도 even if it should rain.

비록(秘錄) a (secret) memoir [record].

비롯하다 begin; commence; orig-

inate; initiate. ¶ …을 비롯하여 including …; … and; as well as …; beginning with ….

비료(肥料) manure; fertilizer. ¶ 화학 ~ chemical fertilizer 《manure》 / ~를 주다 manure; fertilize.

비루(獸瘡) mange. ¶ ~먹다 suffer from mange. 「base.

비루(鄙陋) ¶ ~한 vulgar; mean;

비리(非理) irrationality; unreasonableness; absurdities and irregularities.

비리다 《생선이》 (be) fishy; 《피가》 (be) bloody; 《아니꼽다》 (be) disgusting.

비린내 a fishy smell; a bloody smell 《피의》. ¶ ~나다 smell fishy 《bloody》.

비릿하다 (be) slightly fishy.

비만(肥滿) obesity; fatness. ~하다 (be) fat; corpulent; plump. ¶ ~해지다 get fat; become stout. ¶ ~아 an overweight 《obese》 child / ~증 obesity.

비말(飛沫) a splash; a spray.

비망록(備忘錄) a memorandum 〔pl. -da〕 a memo.

비매품(非賣品) an article not for sale; 《게시》 "Not for sale."

비명(非命) ¶ ~에 죽다〔가다〕 die 《meet with》 an unnatural death.

비명(悲鳴) a scream; a shriek. ¶ ~을 지르다 scream; shriek 《for help》.

비명(碑銘) an epitaph; an inscription 《on a monument》.

비몽사몽(非夢似夢) ¶ ~간에 between asleep and awake.

비무장(非武裝) ¶ ~의 demilitarized; unarmed. ¶ ~지대 a demilitarized zone 《생략 DMZ》.

비문(碑文) an epitaph; an inscription. 「nondemocratic.

비민주적(非民主的) undemocratic.

비밀(秘密) secrecy; a secret; a mystery《신비》. ¶ ~히 〔히〕 secret(-ly); confidential(ly); private (-ly). ‖ ~결사〔단체, 조약〕 a secret society 《organization, treaty》 / ~서류 a confidential

document.

비바람 rain and wind; a storm.

비방(秘方) a secret method 〔recipe〕 a secret formula《약의》.

비방(誹謗) slander; abuse. ~하다 slander; abuse; speak ill of.

비번(非番) ¶ ~이다 be off duty / ~날에 on one's day off.

비범(非凡) ¶ ~한 extraordinary; unusual; uncommon; rare.

비법(秘法) a secret method.

비법인(非法人) ¶ ~의 unincorporated.

비보(悲報) sad 〔heavy〕 news.

비복(婢僕) 《domestic》 servants.

비분(悲憤) resentment; indignation. ¶ ~강개하다 deplore; be indignant 《at, over》.

비브라폰(樂器) a vibraphone.

비브리오(菌[醫]) a vibrio.

비비(狒狒)[動] a baboon.

비비꼬다 ① (re)twist over and over again. ② ☞ 비꼬다.

비비꼬이다 ① 《get》 twisted many times; 《일이》 go wrong 《amiss》.

비비다 ① 《문지르다》 rub. ② 《둥글게》 (make a) roll. ③ 《뒤섞다》 mix. ④ 《송곳을》 twist 《a gimlet into a plank》; drill.

비비적거리다 rub 〔chafe〕 《against》.

비비틀다 twist 《wrench, turn》 hard.

비빔국수 boiled noodles with assorted mixtures.

비빔밥 boiled rice with assorted mixtures.

비사(秘史) a secret history.

비사교적(非社交的) unsociable.

비산(飛散) ~하다 scatter; disperse; fly.

비상(非常) ① 《보통이 아님》 unusualness; extraordinariness. ~하다 (be) unusual; uncommon; exceptional. ¶ ~한 인물 an uncommon being. ② 《사태의》 an emergency; a contingency; a disaster《재해》. ¶ ~시에는 in 《case of》 emergency. ‖ ~구 an emergency exit / ~소집 an emergency call / ~식량 emer-

비상(飛翔) ~하다 fly: soar (up).

비상근(非常勤) ¶~ part-time / ~으로 일하다 work part time. ‖ ~직원 a part-time worker; a part-timer.

비상장주(非上場株)〔證〕an unlisted stock (share).

비생산적(非生産的) unproductive; nonproductive. ¶~인 사고방식이 far from constructive idea.

비서(秘書) 〔비서역〕a (private) secretary. ‖ ~실 a secretariat.

비석(碑石) a stone monument; 〔묘비〕a tombstone.

비소(砒素)〔化〕arsenic (기호 As).

비속(卑俗) ¶~한 vulgar; low.

비수(匕首) a dirk; a dagger.

비술(秘術) a secret (art).

비스듬하다 (be) slant; skew; oblique. ¶비스듬하게 obliquely; aslant; diagonally.

비슷하다 be somewhat similar.

비스코스〔化〕viscose. 「(英).

비스킷 a cracker 《美》; a biscuit

비슷비슷하다 be all much the same; be of the same sort.

비슷하다 (be) like; similar; look alike; 〔비슷하다〕lean a bit to one side. ¶비슷한 데가 있다 have certain points of likeness.

비시지 〔醫〕BCG (vaccine). (◀Bacillus Calmette-Guérin) ‖ ~ 접종 inoculation by BCG.

비신사적(非紳士的) ungentlemanly; ungentlemanlike.

비싸다 (be) dear; expensive; costly; high. ¶비싸게 사다 buy at a high price; pay dear.

비아냥거리다 make sarcastic remarks; be cynical 《about》.

비애(悲哀) sorrow; grief; sadness; pathos.

비애국적(非愛國的) unpatriotic.

비약(秘藥) a secret remedy 〔medicine〕; a nostrum.

비약(飛躍) a leap; a jump. ¶~적인 발전을 하다 make rapid pro-gress; take long strides.

비어(卑語) a slang; a vulgar word. 「〔beer hall〕

비어(麦酒) beer; ale. ‖ ~홀 a

비업무용(非業務用)《of》 부동산 real estate held for non-business purpose; idle land.

비엔날레〔美術〕the Biennale.

비역(계간) sodomy; buggery. ¶~하다 practice sodomy.

비열(比熱)〔理〕specific heat.

비열(卑劣) ¶~한 mean; base; dirty; low; sordid.

비영리(非營利) nonprofit. ‖ ~법인〔단체, 사업〕a nonprofit corpo-ration 〔organization, undertaking〕.

비오리〔鳥〕a merganser.

비옥(肥沃) ¶~한 fertile; rich.

비올라〔樂〕a viola.

비옷 a raincoat; rainwear.

비용(費用) (a) cost; expense(s). ¶~이 드는 expensive; costly. ‖ ~절감운동 a cost-saving move.

비우다 empty 《a box》; clear 《a room》; vacate 〔quit〕《a house》; absent 〔stay away〕from 《home》.

비운(悲運) misfortune; ill luck.

비우호적(非友好的) unfriendly.

비웃다 laugh〔sneer〕at; ridicule; deride.

비웃음 a sneer; ridicule; scorn.

비원(秘苑) a palace garden; 〔창덕궁의〕the Secret Garden.

비위(脾胃) ① 〔기호〕taste; palate; liking. ¶~에 맞다 suit one's taste. ②〔기분〕humor; temper. ¶~를 맞추다 put 《a person》in a good humor; curry favor with / ~가 좋다 (be) offend-ed; be 〔feel〕disgusted 《at, by, with》/ ~가 좋다 〔뻔뻔하다〕have a nerve.

비위생적(非衛生的) unwholesome; unsanitary.

비유(比喩·譬喩) a figure of speech; a simile〔직유〕; a metaphor〔은유〕. ~하다 compare 《to》; speak fig-uratively; use a metaphor. ¶~적(으로) figurative(ly); metaphor-

비육우(肥肉牛) beef cattle.

비율(比率) proportion; rate; ratio; percentage. ¶ …의 ～로 at the rate (ratio) of.

비음(鼻音) a nasal (sound).

비인간적(非人間的) inhuman; impersonal. 「brutal.

비인도(非人道) ¶ ～적인 inhuman;

비인칭(非人稱) ¶ ～의 impersonal.

비일비재(非一非再) ¶ ～하다 (be) very common; frequent; there are many such cases.

비자 a visa. ¶ 미국 ～을 신청하다 apply for a visa to the United States. ‖ 관광 ［일국 ［출국］ ～ an entrance ［exit］ visa.

비자금(秘資金) slush fund.

비잔틴 Byzantine. ¶ ～의 Byzantine.

비장(秘藏) ¶ ～하다 treasure; keep (a thing) with great care. ¶ ～의 treasured; precious; favorite. ‖ ～품 a treasure.

비장(悲壯) ¶ ～한 touching; tragic; grim; heroic.「장렬」.

비장(脾臟) 【解】 the spleen.

비재(菲才) lack of ability; incapacity. 「mysteries.

비전(秘傳) a secret; a recipe; the

비전(秘傳) a vision. ¶ ～이 있는 사람 a man of vision.

비전투원(非戰鬪員) a noncombatant; a civilian. 「heartless; cruel.

비정(非情) ¶ ～한 cold-hearted;

비정(批政) maladministration; misgovernment; misrule.

비정규군(非正規軍) irregular troops.

비정상(非正常) anything unusual; abnormality; irregularity. ¶ ～의 abnormal; unusual; exceptional; singular. ‖ ～아 an abnormal child / ～자 【心】 a deviate.

비좁다 (be) narrow and close (confined); cramped.

비종교적(非宗敎的) nonreligious.

비죽룩하다 (be) sticking out a bit.

비주류(非主流) non (-)mainstream

ers; the non (-)mainstream faction (group). 「(up) a lip.

비죽거리다 pout (one's lips); make

비준(批准) ratification. ～하다 ratify (a treaty). ‖ ～서 an instrument of ratification.

비중(比重) 【理】 specific gravity. ‖ ～계 a gravimeter; a hydrometer.

비지(-) bean-curd dregs. 「ter.

비지 땀 ¶ ～을 흘리다 sweat heavily; drip with sweat.

비집다 ① 〔틈을〕 split open; push (force) open. ② 〔눈을〕 rub one's eyes open.

비참(悲慘) ¶ ～한 miserable; wretched; tragic (al); pitiable; sad.

비책(秘策) a secret plan (scheme); a subtle stratagem. ¶ ～을 짜다 elaborate (work out) a secret plan.

비척거리다 〔비틀거리다〕 totter.

비천(卑賤) ¶ ～한 humble (-born); lowly; obscure / ～한 몸 a man of low birth. 「al.

비철금속(非鐵金屬) nonferrous met-

비추다 ① 〔빛이〕 shine (on); shed light (on); light (up); lighten; illuminate. ② 〔그림자를〕 reflect (a mountain). ③ 〔비교·참조〕 compare with; collate. ¶ …에 비추어 보아 in the light of; in view of. ④ 〔암시〕 hint; suggest; allude to. 「사직할 뜻을 ～ hint at resignation.

비축(備蓄) a stockpile. ¶ ～하다 save for emergency; stockpile. ‖ ～미 reserved rice.

비취(翡翠) 【鳥】 a kingfisher. 〔鑛〕 nephrite; green jadeite; jade. ‖ ～색 jade green.

비치(備置) ¶ ～하다 equip (furnish); provide with; keep (have) (a thing) ready.

비치다 ① 〔빛이〕 shine. ② 〔그림자가〕 be reflected (mirrored) (in). ③ 〔통해 보이다〕 show (through).

비칭(卑稱) a humble title.

비켜나다 draw back; move aside; step aside. 「out of the way.

비켜서다 step (move) aside; get

비키니 《수영복》 a bikini.

비키다 move out; step aside; remove.

비타민 vitamin. ∥ 종합～ multivitamin.

비타협적(非妥協的) ¶ ～인 unyielding; uncompromising; intransigent.

비탄(悲嘆) grief; sorrow; lamentation. ─ 하다 grieve; mourn; sorrow 《over, on》; lament.

비탈 a slope; an incline; a hill.

비통(悲痛) grief; sorrow. ¶ ～한 sad; pathetic; touching; sorrowful.

비트족(─族) the beatniks.

비틀거리다 stagger; totter; falter; reel. ¶ 비틀걸음 unsteady [reeling] steps; tottering.

비틀다 twist; twirl; wrench; distort.

비파(琵琶) a Korean mandolin.

비판(批判) criticism; (a) comment. ─ 하다 criticize; comment 《on》. ¶ ～적(으로) critical(ly). ∥ ～자 a critic.

비평(批評) criticism; (a) comment; (a) review(논평). ─ 하다 criticize; comment on; review 《a book》. ¶ ～가 a critic; a commentator; a reviewer / 문예 ～ a literary criticism.

비폭력(非暴力) nonviolence; ahimsa. ¶ ～의 nonviolent.

비품(備品) furniture; furnishings; fixtures; fitting.

비프스테이크 beefsteak.

비하(卑下) ─ 하다 humble [depreciate] oneself 《with B》.

비하다(比─) compare 《the two, A

비학술적(非學術的) unscientific; unacademic. ¶ ～ful.

비합법적(非合法的) illegal; unlawful.

비핵(非核) ¶ ～의 nonnuclear; anti-nuclear. ∥ ～국 a nonnuclear country [nation] / ～화(化) denuclearization ─ 하다 denuclearize 《an area, a nation》.

비행(非行) delinquency; a misdeed; misconduct. ¶ 청소년 ～

juvenile delinquency. ∥ ～소년 a juvenile delinquent.

비행(飛行) flying; flight; 《항공술》 aviation. ─ 하다 fly; make a flight; travel by air. ∥ ～사 an aviator; a flier; an airman; a pilot(조종사) / ～장 an airfield; an airport.

비행기(飛行機) an airplane 《美》; a plane; aircraft(총칭). ¶ ～를 타다 board [take, get on board] a plane. ∥ ～사고 a plane accident; a plane crash(추락).

비행선(飛行船) an airship.

비현실적(非現實的) unreal; unrealistic; impractical; fantastic. ¶ ～인 생각 [사람] an impractical idea [person].

비호(庇護) protection; patronage. ─ 하다 protect; shelter; ¶ …의 ～하에 under the patronage [protection] of….

비호(飛虎) a flying tiger. ¶ ～같이 like a shot; as quick as lightning.

비화(秘話) a secret story; a behind-the-scenes story.

비화(飛火) flying sparks; leaping flames. ─ 하다 flames leap 《to, across》; 《사전이》 come to involve 《a person》.

비화(悲話) a sad [pathetic] story.

빅딜 (큰 거래) a big deal.

빅뱅《우주 : 대폭발》 큰 규모의 근본적 제도 개혁 the big bang.

빈객(賓客) a guest (of honor); an honored guest.

빈곤(貧困) 빈궁(貧窮) poverty; indigence; need. ¶ ～한 poor; needy; destitute. ∥ ～ant.

빈농(貧農) a poor farmer [peasant].

빈대 a bedbug; a housebug.

빈대떡 a mung-bean pancake.

빈도(頻度) frequency.

빈둥거리다 idle away; loaf around; loiter about. ¶ 빈둥빈둥 [빈들빈들] idly; indolently.

빈말 an idle talk; empty words; an empty promise. ─ 하다 talk idly; make idle promise.

빈민(貧民) the poor; the needy. ∥ ~구제 the relief of the poor / ~굴 the slums.

빈발(頻發) frequent occurrence. ~하다 occur frequently.

빈번(頻繁) ¶ ~한 frequent; incessant / ~히 frequently.

빈부(貧富) wealth and poverty; rich and poor〈사람〉.

빈사(瀕死) ¶ ~상태의 환자 a dying patient / ~상태에 있다 be on the verge of death.

빈소(殯所) the place where a coffin is kept until the funeral day.   「meager.

빈약(貧弱) ¶ ~한 poor; scanty;

빈자(貧者) a poor man; the poor 〈총칭〉.

빈자리(缺員) a vacancy; an opening; 〈공석〉 a vacant seat.

빈정거리다 be sarcastic; make sarcastic remarks; be cynical.

빈차(-車) an empty car: 《택시》 a disengaged taxi: 《택시의 게시》 For hire. Vacant.

빈촌(貧村) a poor village.

빈축(顰蹙) ¶ ~살 만한 disdainful; despicable / 〈남의〉 ~을 사다 be frowned at 〔on〕 《by》.

빈탕 emptiness; vacancy; 《과실의》 an empty nut.

빈털터리 a penniless person. ¶ ~가 되다 become penniless.

빈틈 ① 〈간격〉 an opening; a gap; room; space. ¶ ~없이 closely; compactly. ② 〈불비〉 unpreparedness; a blind side; an opening. ¶ ~없는 사람 a shrewd [sharp] person.

빈혈(貧血) 【醫】 anemia. ¶ ~을 일으키다 have an attack of anemia.

빌다 ① 〈구걸〉 beg; solicit. ② 〈간청〉 ask; request; beg; appeal; sue for; entreat. ③ 〈기원〉 pray 《to God》; wish 〈소원〉. ④ 〈사죄〉 beg 《a person's》 pardon; beg another's forgiveness.

빌려주다 《사용을 하게 하다》 let 《a person》 use 《a thing》. ☞ 빌리다 ①, ②.

빌리다 ① 《금품을 빌려주다》 lend; loan (out) 《美》; advance. ② 《임대하다》 rent 《a room》 to 《a person》; lease 《land》; let 《英》; rent 〔hire 《英》〕 out. ③ 《차용하다》 borrow; 〈임차하다〉 hire 《a boat》; rent 《a house》; lease 《land》. ¶ 친구에게서 책을 ~ borrow a book from a friend. ④ 《힘을》 get 《a person's》 aid 〔help〕.

빌미 the cause of evil [disease]. ¶ ~붙다 inflict an evil 〔a curse〕 《on》; curse; haunt 〈원귀가〉; 《잘다》 attribute 《a calamity》 to.

빌붙다 fawn on; play up to; butter up; flatter.

빌어먹다 beg one's bread; beg begging. ¶ 빌어먹을 Damn it!; Hell!

빗 a comb. ¶ ~질하다 comb.

빗각(-角) 【數】 an oblique angle.

빗나가다 turn away 〔aside〕; deviate; wander 《from》; 〈빗맞다〉 miss; go astray.

빗대다 ① 《비꼬다》 insinuate 《that》; hint at. ② 《틀리게》 make a false statement; perjure.

빗듣다 《잘못 듣다》 hear 《it, him》 wrong 〔amiss〕; mishear.

빗맞다 《빗나가다》 miss (the mark); go wide of the mark. ②〈못할 일이〉 fail; go wrong.

빗물 rainwater.

빗발 ¶ ~치듯하다 《탄알이》 fall in showers; shower like hail; come thick and fast.

빗방울 a raindrop. ∥ ~소리 the drip of rain.

빗변(-邊) 【幾】 the hypotenuse.

빗장 a bolt; a (cross)bar. ¶ ~에 ~을 걸다 bar 〔bolt〕 the gate.

빙고(氷庫) an icehouse.   「swing.

빙그르 circle (turn round).

빙과(氷菓) an ice; a popsicle.

빙괴(氷塊) a lump (block) of ice; an ice floe, an iceberg《떠도는》.

빙그레 ¶ ~웃다 beam 《upon a person》; smile 《at a person》.

빙그르르 《go, turn》 round and round.

빙글거리다 smile 《*at a person*》; beam 《*upon a person*》.

빙벽 (氷壁) an ice ridge.

빙부 (聘父) 〖丈〗 장인. 「round; circle.

빙빙 ¶ ～돌다 turn round and

빙산 (氷山) an iceberg; an ice floe. ¶ ～의 일각 a tip of an iceberg.

빙상 (氷上) ¶ ～에서 on the ice. ¶ ～경기 ice sports.

빙설 (氷雪) ice and snow.

빙수 (氷水) shaved ice; iced water.

빙원 (氷原) an ice field.

빙자 (憑藉) ～하다 make a pretext 〔plea〕 of; make an excuse of. ¶ ～을 하여 under the pretense 〔pretext〕 of.

빙점 (氷點) the freezing point.

빙초산 (氷醋酸) 〖化〗 glacial acetic acid.

빙충맞다 (be) clumsy; stupid.

빙충맞이, 빙충이 a clumsy 〔stupid〕 person.

빙퉁그러지다 go wrong; 《성질이》 have a perverse 〔crooked〕 temper.

빙판 (氷板) a frozen 〔an icy〕 road.

빙하 (氷河) 〖地〗 a glacier. ∥ ～시대 the glacial 〔ice〕 age.

빚 a debt; a loan. ¶ ～을 지다 run 〔get〕 into debt; incur debt / ～내다 borrow money 《*from*》; get a loan.

빚거간 (一居間) ～하다 act as a loan agent.

빚놓이 lending money; making a loan.

빚다 《술을》 brew 〔make〕 (wine); 《만두·송편 따위를》 shape dough for; make dumplings. ②～어내다.

빚돈 a debt; a loan; liabilities; borrowings.

빚받이하다 collect (debts).

빚어내다 bring about 〔on〕; give rise to; cause; engender.

빚쟁이 a moneylender; a usurer (고리 대금업자); a dun (받으러 온).

빚주다 lend 〔loan〕 《*a person*》 money. 「contract〕 a debt; owe.

빚지다 run 〔get〕 into debt; incur

빛 ① 《광명》 light; 《광선》 rays (of light); a beam; a flash (섬광); a gleam (어둠 속의); a twinkle (별의); a glimmer (미광(微光)); 《광휘》 glow; shine; brightness; brilliancy. ②《색채》 a color; a hue; a tint; a tinge (빛깔). ③ 《안색 따위》 complexion; color; 《표정》 a countenance; a look; air; 《표지》 a sign.

빛깔 color(ing); hue. 색채.

빛나다 《광선이》 give forth light; radiate. 《광휘가》 shine; glitter(금은 따위가); be bright; glisten(반사로); glimmer(어둠사이에); gleam(어둠속에); flash(섬광); twinkle(별이); sparkle (보석이); be lustrous(윤이). ③《영광스럽게》 be bright (brilliant). ¶ 빛나는 장래 bright 〔promising〕 future.

빛내다 light up; brighten; make 《*a thing*》 shine.

빛살 rays of light.

빠개다 split; cleave; rip. ¶ 장작을 ～ split firewood.

빠개지다 split (apart); cleave; be split (broken); 《일이》 get spoilt; be ruined; come to nothing.

…빠듯 a bit less than; just under; a little short of. ¶ 두 자～ just under two feet (long).

빠듯하다 《겨우 미침》 barely enough. ¶ 빠듯이 barely; narrowly. ②《꼭 낌》 be tight; close fitting. ¶ 빠듯한 구두 tight shoes.

빠뜨리다 《누락》 omit; miss (out); pass over; leave out. 《일다》 lose; drop. ③《물·구덩 따위에》 drop; throw into 《*a river*》 《함정에》 entrap; ensnare; 《유혹 등에》 lead into 《*temptation*》; allure.

빠르다 ① 《속도가》 (be) quick; fast; swift; speedy; rapid. ② 《시각이》 (be) early; premature (시기 상조). ¶ 빠르면 빠를수록 좋다 The sooner, the better.

빠지다 ① 《허방 따위에》 fall 〔get〕 into; 《물에》 sink; go down. ② 《탐닉》 indulge in; be given 〔up〕

ㅂ

to; abandon *oneself* to; 《어떤 상태에》 fall 〔get, run〕 into; be led into. ¶ 주색에 ～ be addicted to sensual desires; indulge in wine and women. ③ 《막힌 것 따위인 것 따위》 come 〔fall, slip〕 off 〔out〕. ④ 《탈루》 be left out; be omitted; 《없다》 be wanting; be missing. ⑤ 《살이》 become thin; lose weight. ⑥ 《물 등이》 drain; flow off; run out. ⑦ 《빛·힘·김 따위가》 come off 〔out〕; be removed; be taken out〔없앨 등이). ⑧ 《지나가다》 go by 〔through〕; pass through. ¶ 골목으로 ～ go by a lane. ⑨ 《탈출》 escape; slip out; get away; 《피하다》 evade; excuse *oneself* from. ¶ 위기를 벗어나가다 escape danger. ⑩ 《탈피하다》 leave; quit; withdraw 《from》; secede from. ⑪ 《…만 못하다》 be inferior 《to》; fall behind. ¶ 빠지지 않다 be as good as 《anyone else》. ⑫ 《제비에 뽑히다》 draw; win 《in a lottery》; fall 《to one's lot》.

빠짐없이 without omission; one and all; in full; exhaustively; thoroughly.

빡빡 ① 《얽은 모양》 ¶ ～ 얽은 pitted all over *one's* face. ② 《머리깎은 모양》 ¶ ～ 깎다 crop the hair; have *one's* hair cut close.

빡빡하다 ① 《촥촥하다》 (be) close; closely packed; chock-full. ② 《두름성이》 (be) unadaptable; rigid; strait-laced. ③ 《음식 따위가》 be dry and hard.

빤하다 《분명하다》 (be) transparent; clear; obvious.

빤히 《분명히》 clearly; plainly; obviously; undoubtedly; 《뚫어지게》 staringly; with a searching look.

빨간 downright; utter. ¶ ～ 거짓말 a downright 〔barefaced〕 lie.

빨강 red (color); crimson(심홍색).

빨갛다 ① crimson; deep red.

빨개지다 turn bright-red; go red; blush.

빨갱이 《공산주의자》 a Red; a Commie 《俗》; a Communist.

빨다 《입으로》 suck; sip; smoke, puff at 《담배를》; 《흡수》 absorb; suck in.

빨다 《세탁》 wash; launder.

빨다 《뾰족하다》 (be) pointed; sharp.

빨대 a straw; a sipper(종이의).

빨랑빨랑 quickly; promptly; in a hurry.

빨래 washing; the laundry(세탁물). ～ 하다 wash. ¶ ～ 집게 a clothespin / ～ 통 a washtub / 빨랫감 washing; laundry.

빨리 《일찍》 early; 《바로》 soon; immediately; instantly; 《신속》 fast; rapidly; quickly; in haste(급히); promptly(기민하게).

빨리다 ① 《흡수당함》 be absorbed; be sucked 〔soaked〕 up. ② 《착취당하다》 be squeezed 〔extorted〕. ③ 《빨아먹이다》 let 《a person》 suck; suckle 《a baby》.

빨아내다 suck 〔soak〕 up; absorb.

빨아들이다 《기체를》 inhale; breathe 〔draw〕 in; 《액체를》 suck in; absorb.

빨아먹다 ① 《음식물을》 suck; imbibe. ② 《우려내다》 squeeze; exploit.

빨치산 a partisan; a guerrilla.

빨판 ☞ 흡반.

빳빳하다 (be) rigid; stiff; straight and stiff. ¶ 풀기가 빳빳한 stiffly starched.

빵 《bread》 ¶ 버터〔잼〕 바른 ～ bread and butter 〔jam〕 / ～ 한 조각 a slice 〔piece〕 of bread.

빵 《소리》 pop; bang.

빵꾸 puncture. ¶ ～ 나다 be punctured; have a blowout; 〔suffer〕 a flat tire.

빵집 a bakery; a bakeshop 《美》.

빻다 pound; pulverize; grind into powder(갈아서).

빼기 《數》 subtraction. ¶ ～ 를 하다 subtract; take away 《a number from another》.

빼내다 ① 《골라내다》 pick 〔single out; select; 《뽑다》 draw 〔pull

빼놓다 ① 〈엇에 놓다〉 drop; omit; leave out. ② 〈뽑아 놓다〉 draw (pull) out. ③ 〈골라 놓다〉 pick (out); select.

빼다 ① 〈빼내다〉 take (pull) out; draw 《a sword》; extract 《a tooth》; ② 〈얼룩을〉 remove 《an inkblot》; wash off; take out. ③ 〈생략〉 omit; exclude; leave out. ④ 〈감산〉 subtract 《from》; deduct 《from》. ¶ 10에서 5를 ~ subtract five from ten. ⑤ 〈회피하다〉 evade; shirk; avoid. ¶ 공무니를 ~ shirk one's responsibility. ⑥ 〈차려 입다〉 dress (doll) up.

빼먹다 ① 〈빠뜨리다〉 omit; leave (miss) out; skip over〈건너뛰다〉. ② 〈훔쳐내다〉 pilfer; steal. ③ 〈수업을〉 학교를 ~ cut a class (lesson); play truant (hooky [美俗]).

빼앗기다 ① 〈탈취〉 be deprived (robbed) of 《something》; have 《something》 taken away. ② 〈정신을〉 be absorbed (engrossed) 《in》; 〈매혹되다〉 be fascinated (captivated).

빼앗다 ① 〈탈취〉 take 《a thing》 away from 《a person》; snatch 《a thing》 from; 〈약탈〉 rob 《a person》 of 《a thing》; plunder; pillage; 〈찬탈〉 usurp 《the throne》; 〈박탈〉 divest (deprive) 《a person》 of 《a thing》; 〈탈취〉 capture 《a castle》; 〈정신을〉 absorb 《one's attention》; engross 《one's mind》; 〈매혹하다〉 fascinate; charm; captivate.

빼어나다 excel 《in》; surpass; be superior 《to》; be excellent.

뼥 〈후원자〉 a backer; a supporter; a patron; 〈연줄·배경〉 patronage; backing; pull [구어].

뼥 〈소리〉 ¶ ~ 소리 지르다 shout; cry out; brawl.

뼥뼥이 compactly; tightly; thickly;

뼥뼥하다 〈촘촘하다〉 (be) close; 〈조밀〉 (be) dense; thick; 〈가득하다〉 (be) packed (to the) full; chock-full 〈막히다〉 (be) clogged stuffy.

뺄셈 subtraction. ~ 하다 subtract.

뺑소니 flight. ¶ ~ 치다 〈도망〉 run away; take (to) flight; 〈자동차가〉 make a hit and run. ¶ ~ 차 (운전자, 사고) a hit-and-run car (driver, accident).

뺨 a cheek.

뺨치다 〈무색케 하다〉 outdo; outshine.

뻐근하다 feel heavy; have a dull pain.

뻐기다 boast; be proud 〈haughty〉; give oneself airs; talk big〈말을〉.

뻐꾸기 [鳥] a cuckoo.

뻐끔하다 (be) (wide) open; split [apart].

뻐드렁니 a projecting front tooth; a bucktooth.

뻑 ¶ 담배를 ~ 피우다 puff at a cigarette 《one's pipe》.

뻑적지근하다 feel stiff and sore.

뻔뻔하다 (be) shameless; impudent; audacious; unabashed. ¶ 뻔뻔하게 impudently; shamelessly; brazen-facedly; saucily.

뻔하다 〈까딱하면…〉 be (come, go) near 《doing》; almost; nearly 《do》; just barely escape 《doing》. ¶ 〈하마터면〉 죽을 ~ come near being dead (killed).

뻔히 ⇨ 번히.

뻗다 〈가지·뿌리 등이〉 extend; spread; stretch; 〈연이음〉 extend; stretch; run. 〈팔다리를〉 extend; stretch (out). ④ 〈발전〉 make progress; develop; expand. ⑤ 〈죽다〉 collapse; pass out.

뻗대다 hold out 《against》; take a stand 《against》; hold one's own 《against》; do not yield 《to》.

뻗치다 〈관계〉 ¶ 조카 ~ 이다 stand 《to one》 in the relation of nephew.

뻣뻣하다 〈여세다〉 (be) stiff; hard; 〈태도가〉 (be) tough; unyielding.

삥 ① 《소리》 pop. ¶ ~하고 with a pop. ② 《구멍이》 ~ 뚫어지다 break open. ③ ⇒ 거짓말.

뼈 ① 《골격》 a bone; 《유골》 ashes; remains. ¶ 생선 ~를 바르다 bone a fish. ② 《저의》 a hidden meaning. ¶ ~있는 말 words full of hidden (latent) meaning; sugges- tive words. [live words.

뼈다귀 a bone.

뼈대 《골격》 frame; build; phy- sique; 《구조물의》 skeleton; frame- work; structure.

뼈저리다 cut (go) deep into one's heart; sting (cut, touch) (one) to the quick. ¶ 뼈저린 keen; severe; acute / 뼈저리게 keenly; severely; acutely; bitterly.

뼘 a span. ¶ ~으로 재다 span.

뽀얗다 (be) grayish; whitish.

뽐내다 boast; be proud; be haughty; give oneself airs.

뽑다 《박힌 것을》 pull (take) out; draw (a sword, lots); extract (a tooth); root up (a tree). ② 《선발》 select; pick (single) out; 《선거》 elect. ③ 《모집》 enlist; enroll; recruit. [mulberry (tree).

뽕 the mulberry leaf. ¶ ~나무 a

뾰로통하다 (be) sullen; sulky; 《서슴적》 look sullen.

뾰루지 an eruption; a boil.

뾰족탑(-塔) a steeple; a spire; a pinnacle.

뾰족하다 (be) pointed; sharp(-point- ed). ¶ 뾰족하게 하다 sharpen.

뿌리 a root. ¶ ~ 깊은 deep-rooted (evil) / ~를 박다 take (strike)

root; root / ~를 뽑다 root up.

뿌리다 《끼얹다》 sprinkle(물 따위를); spray (an insecticide); strew(꽃 따위를); 《흩뜨리다》 scatter; diffuse; disperse. ¶ 씨를 ~ sow seed.

뿌리치다 shake off; reject; re- fuse; discard.

뿌옇다 (be) whitish; grayish; hazy (안개같이).

뿐 merely; alone; only; but. ¶ …할 ~만 아니라 not only ... but (also).

뿔 a horn; an antler(사슴의). ¶ ~로 받다 horn; gore. ¶ ~ 세공 a hornwork.

뿔뿔이 scatteringly; in all direc- tions; separately.

뿜다 belch; emit; spout; spurt; gush out.

삐거덕거리다 creak; squeak; grate.

삐다¹ 《수족을》 sprain; dislocate; wrench; twist. [sink.

삐다² 《물이》 subside; go down;

삐딱거리다 wobble; be shaky (rickety).

삐딱하다 slant; inclined.

삐삐 a beeper; a pager. ¶ ~를 치다 beep; page.

삐죽거리다 pout (one's lips); make a lip. ¶ 울려고 ~ sulk (pout) al- most to tears.

삐죽하다 (be) protruding.

삑 《기적의》 with a whistle. ¶ ~ 울리다 whistle.

삥땅 pocketing a kickback (美); a rake-off. ~하다 take off; pocket a rake-off (of).

ㅅ

사 〘樂〙 G; sol 〔이〕. 「snake.
사〔巳〕 the zodiacal sign of the
사〔四〕 four; the fourth 〔제4〕.
∥ ~차원 the fourth dimension.
사〔私〕 privateness; privacy; self
〔자기〕; self-interest 〔사리〕.
사〔邪〕《부정》 wrong; injustice; un-
righteousness; 《사악》 evil; vice.
사〔社〕《회사》 a company; a cor-
poration《美》a firm.
사〔紗〕 (silk) gauze; gossamer.
⋯**사**〔史〕 history. ∥ 국〔세계〕 ~
Korean 〔world〕 history.
⋯**사**〔辞〕 an address; a message.
∥ 환영 ~ an address of welcome.
사가〔史家〕 a historian.
사가〔私家〕 a private residence
〔겁〕; one's (private) home〔가정〕.
사각〔四角〕 a square. ∥ ~의 four-
cornered; square. ∥ ~형 a
quadrilateral; a tetragon.
사각〔死角〕 the dead angle 〔ground〕.
사각〔斜角〕〘數〙 an oblique angle.
사각사각 ∥ ~ 먹다 munch; crunch.
사간〔舍監〕 a dormitory inspector
〔superintendent, dean〕;《여자》a
house mistress; a dormitory
사개 a dovetail 〔joint〕. 〔matron.
사거리〔四一〕 a crossroads; a cross
사거리〔射距離〕 a range. 〔ing.
사건〔事件〕 an event; an incident;
a happening;《일》an affair; a
matter;《법률상의》a case.
사격〔射擊〕 firing; shooting. ~하
다 shoot; fire at. ∥ ~술 marks-
manship / ~ 연습 shooting prac-
tice / ~장 a firing range / ~전
a gun battle; a fire fight.
사견〔私見〕 one's personal 〔private〕
opinion 〔view〕.
사경〔死境〕 a deadly situation: the
brink of death. ~을 헤매다
hover 〔hang〕 between life and

death.
사경제〔私經濟〕《경제》private 〔indi-
vidual〕 economy. 〔sons.
사계〔四季〕《사철》the four sea-
사고〔社告〕 an announcement 〔a
notice〕 of a company.
사고〔事故〕 an incident〔예측 못한〕;
an accident; a hitch; a
trouble. ∥ ~다발지점 a black
spot / ~방지운동 a "Safety First"
movement / ~사 an accidental
death.
사고〔思考〕 thought; consideration.
~하다 think; consider; regard
(a thing) as. ∥ ~력 ability to
think; thinking power / ~방식
a way of thinking.
사고무친〔四顧無親〕 ~하다 have no
one to turn to for help; be
without kith and kin. 「man
사공〔沙工〕 a boatman; a ferry-
사과〔沙果〕 an apple. ∥ ~나무 an
apple tree / ~술 cider; apple
wine.
사과〔謝過〕 an apology. ~하다
apologize 《for》; make 〔offer〕 an
apology; beg one's pardon.
∥ ~문〔장〕 a written apology; a
letter of apology.
사관〔士官〕 an officer. ∥ 육군〔해
군〕 ~ a military 〔naval〕 officer.
∥ ~학교 a military academy /
~후보생 a cadet.
사관〔史觀〕 a historical view.
사교〔邪教〕 a heretical 〔false〕 reli-
gion. ∥ ~도 a heretic.
사교〔社交〕 social relationships;
society; 《사교적인》 sociable / ~상
의 social. ∥ ~가 a sociable per-
son; a good mixer《美口》/ ~
계 fashionable society 〔circles〕 /
~성 sociability / ~술 the art
of socializing / ~춤 a social

dance.

사구(四球) 〔野〕 《give》 four balls; walk. ┃ ~로 나가다 walk.

사구(死球) 〔野〕 a pitch which hits the batter.

사구(砂丘) a dune.

사군자(四君子) 〔美術〕 the Four Gracious Plants(i.e. plum, orchid, chrysanthemum and bamboo).

사권(私權) 〔法〕 a private right.

사귀(邪鬼) an evil spirit; a devil.

사귀다 make friends 《with》; associate 《keep company with》; mix with; go around 《about》 with.

사귐성(一性) affability; sociability. ┃ ~있는 sociable; congenial.

사그라지다 go down; subside; decompose (썩어서); melt away (녹아서); be resolved (증기 등의).

사극(史劇) a historical play (drama).

사근사근하다 (성질이) (be) amiable; affable; pleasant; (먹기에) (be) crisp; fresh.

사글세(一貫) monthly rent (rental). ┃ ~방 a rented room / 사글셋집 a rented house.

사금(砂金) gold dust; alluvial gold. ┃ ~채집 alluvial mining.

사금융(私金融) private loan.

사금파리 a piece of broken glass (ceramics).

사기(士氣) morale; fighting spirit. ┃ ~가 떨어지다 be demoralized / ~를 북돋우다 raise the morale / ~왕성하다 have high morale.

사기(史記) a historical book (work); a chronicle.

사기(沙器) chinaware; porcelain.

사기(詐欺) a fraud; fraudulence; a swindle. ~하다 (치다) swindle; commit a fraud. ┃ ~꾼 a swindler; an impostor / ~혐의자 a fraudulence suspect.

사기업(私企業) a private enterprise; an individual enterprise.

사나이 ① (남자) a man; a male. ② (남성) manhood; the male sex. ③ (사내다움) manliness. ┃ ~다운 manly; manlike; manful /

~답게 like a man; in a manly manner.

사나흘 three or four days; several days.

사납다 (be) fierce; wild; violent; rude; rough; ferocious; (운수가) (be) unlucky; (날씨 등이) (be) rough; violent; fierce; stormy.

사낭(砂囊) a sandbag; (날짐승의) a gizzard.

사내 ① (남자) a man; a boy. ② (남편) a husband.

사내(社內) in the firm (office). ┃ ~보(報) a house organ (journal) / ~연수(研修) in-house training.

사냥 hunting; a hunt. ~하다 hunt; shoot. ┃ ~가다 go hunting. ┃ ~감 game; a game animal / ~개 a hound; a hunting dog / ~꾼 a hunter / ~터 a hunting ground.

사념(邪念) an evil thought (mind, desire).

사농공상(士農工商) the traditional four classes of society (i.e. aristocrats, farmers, artisans and tradesmen).

사다 ① (구매) buy; purchase. ② (가져오다) incur; invite; bring 《upon》 / 환심을 ~ win (gain) a person's favor / 미움을 ~ incur 《a person's》 hatred. ③ (인정하다) appreciate 《a person's effort》; think highly of 《a person's ability》.

사다리 (climb, go up) a ladder; (소방용) an extension ladder. ┃ ~꼴 〔數〕 a trapezoid.

사다새 〔鳥〕 a pelican.

사닥다리 ⇨ 사다리.

사단(社團) a corporation. ┃ ~법인 a corporation; a corporate body.

사단(事端) the origin (cause) of an affair; the beginning. ┃ ~을 일으키다 stir up troubles.

사단(師團) a (an army) division. ┃ ~사령부 the division(al) headquarters (생략 D.H.Q.) / ~장 a division(al) commander.

사담(私談) a private talk. ~ 하다 have a private talk with.

사당(祠堂) a shrine; a sanctuary.

사대(事大) ‖ ~ 사상〔주의〕 flunkeyism; toadyism / ~ 주의자 a toady; a flunkey.

사도(私道) a private road〔path〕.

사도(邪道) an evil way〔course〕; vice.

사도(使徒) an apostle 〔of peace〕. ‖ ~ 행전〔聖〕 the Acts of the Apostles / 십이(十二) ~ 는 the (Twelve) Apostles.

사도(斯道) the line 〔방면〕; the art〔기술〕.

사돈(査頓) in-laws〔美口〕. ‖ ~ 의 팔촌 distant relatives.

사두마차(四頭馬車) a coach-and-four.

사들이다 lay in 〔goods〕; stock 〔a shop with goods〕; purchase.

사디스트 a sadist.

사디즘 sadism.

사라사 printed cotton; chintz; calico〔美〕; print.

사라지다 vanish; disappear; fade away; go out of sight; 〔소멸〕 die away〔out〕.

사람 ① 〔인류〕 man〔kind〕; 〔개인〕 a human being. ② 〔인재〕 a man of talent; a capable man; 〔성격·인물〕 character; nature; personality. ‖ ~ 이 좋다〔나쁜〕 good-〔ill-〕natured.

사랑 love; affection; attachment 〔애착〕; tender passion; 〔연애〕 love; be fond of; be attached to. ‖ ~ 하는 beloved; dear / ~ 스러운 lovable; lovely / 정신적 ~ platonic love / ~ 하는 이 one's sweetheart; a lover〔남자〕; a love〔여자〕 / ~ 에 빠지다 fall in love 〔with〕.

사랑(舍廊) a detached room used as man's quarters. ‖ ~ 양반 your husband / ~ 채 a detached

사랑니 a wisdom tooth. 〔house.

사레 ‖ ~ 들리다 swallow the wrong way; be choked 〔by, with〕.

사려(思慮) thought; considera-

tion; discretion; sense; prudence〔분별〕. ‖ ~ 깊은 thoughtful; prudent; discreet; sensible.

사력(死力) ‖ ~ 을 다하다 make desperate 〔frantic〕 efforts.

사련(邪戀) illicit 〔immoral〕 love.

사령(司令) command. ‖ ~ 관 a commander; a commandant / ~ 부 the headquarters / ~ 탑 a conning tower.

사령(辭令) ① 〔응대의 말〕 diction; wording. ‖ 외교 ~ diplomatic language. ② 〔사령장〕 a written appointment 〔order〕.

사례(事例) an instance; an example; a case; a precedent 〔선례〕. ‖ ~ 연구 a case study.

사례(謝禮) 〔감사〕 thanks; 〔보수〕 a remuneration. ~ 하다 reward; remunerate; recompense 〔a person for〕; pay a fee. ‖ ~ 금 a reward; a recompense.

사로잡다 〔생포〕 catch 〔an animal〕 alive; capture 〔a person〕; take 〔a person〕 prisoner; 〔매혹〕 captivate; charm.

사로잡히다 〔생포〕 be taken prisoner; 〔매혹〕 be captivated; 〔얽매이다〕 be seized with 〔fear〕; be a slave of 〔honor and gain〕. 〔tise.

사론(史論) a historical essay 〔treatise.

사론(私論) one's personal opinion.

사료(史料) historical materials.

사료(思料) ~ 하다 consider; regard.

사료(飼料) fodder; feed; forage.

사륙배판(四六倍判) a large octavo.

사륙판(四六判) duodecimo; 12mo.

사르다 〔불을〕 set fire 〔to〕; make a fire; 〔피우다〕 kindle; burn〔태우다〕; set 〔a thing〕 on fire.

사르르 gently; lightly; softly.

사리 〔국수·새끼 등의〕 a coil.

사리(私利) one's own interest; self-interest; personal gain〔profit〕.

사리(舍利) sarira 〔梵〕; ashes〔화장한〕. ‖ ~ 탑 a sarira stupa / ~ 함 a sarira casket.

사리(事理) reason. ¶ ~에 맞다 stand to reason; be reasonable; be logical.

사리다 ① 《닳다》 coil (up); wind 《*rope*, etc.》 round. ② 《몸을 아끼다》 spare *oneself*; take care to *oneself*; shrink from danger.

사린(四隣) the surrounding countries; the whole neighborhood.

사립(私立) ¶ ~의 private. ‖ ~탐정 a private detective / ~학교 《대학》 a private school 《college, university》.

사립문(一門) a gate made of twigs.

사마귀[¹] a mole; 《무사마귀》 a wart.

사마귀[²] 《蟲》 a (praying) mantis.

사막(沙漠) a desert. ¶ 사하라 ~ the Sahara (Desert). ‖ ~화 desertification.

사망(死亡) death; decrease. ~하다 die; pass away. ‖ ~률 mortality; the death rate / ~신고서 a notice of death / ~자 the dead; the deceased / ~진단서 a certificate of death.

사면(四面) the four sides; all directions. ‖ ~체 a tetrahedron.

사면(赦免) (a) pardon; (an) amnesty《대사》. ~하다 pardon; remit 《*a punishment*》; let 《*somebody*》 off 《*a penalty*》; discharge. ¶ 일반 ~ a general pardon / 특별 ~ a particular pardon; a special amnesty.

사면(斜面) a slope; a slant; an inclined plane. ¶ 급[완]~ a steep [an easy] slope.

사면(辭免) ~하다 resign; retire from office.

사면초가(四面楚歌) ¶ ~이다 be surrounded by foes 《on all sides》; be forsaken by everybody.

사멸(死滅) ~하다 die out; become extinct; be annihilated; perish.

사명(社命) an order of the company.

사명(使命) a mission. ‖ ~감 a sense of mission.

사모(思慕) ~하다 be attached to; long for; yearn after.

사모(師母) *one's* teacher's wife. ‖ ~님 Madam; Mrs.

사무(事務) business; affairs; office 《clerical》 work. ¶ ~적인 businesslike; practical 《~적으로 in a businesslike manner; perfunctorily. ‖ ~관 a secretary; an administrative official / ~관리 office administration / ~당국 the authorities in charge / ~소 an office / ~실 an office (room) / ~용품 office supplies; stationery / ~원 〔직원〕 a clerk; an office worker / ~장 a head official / ~총장 a secretary-general.

사무자동화(事務自動化) office automation. ‖ ~기기 the office automated machine.

사무치다 touch the heart deeply; sink deeply into *one's* mind; penetrate 《*through*》; pierce.

사문(死文) ¶ ~화되다 proved (to be) a dead letter.

사문(查問) inquiry; inquisition. ~하다 interrogate; examine; inquire 《*into a matter*》. ‖ ~위원회 an inquiry committee.

사문서(私文書) a private document. ‖ ~위조 forgery of a private document.

사문석(蛇紋石)〔鑛〕serpentine.

사물(死物) a dead 〔lifeless〕 thing; an inanimate object.

사물(私物) *one's* private thing; personal effects.

사물(事物) things; affairs.

사물놀이(四物一) the (Korean) traditional percussion quartet; *Samulnori*.

사뭇《분시》 very much; quite; 《거리김없이》 as *one* pleases 〔likes〕; willfully.

사바《婪〕 bribe 〔buy off〕 an official.

사바세계(娑婆世界) *Sabha* 《梵〕 this world; the world of suffering.

사반(四半) a quarter; one fourth. ¶ ~기 a quarter / ~세기 a quarter of a century.

사반(死斑) a death spot.

사발(沙鉢) a (porcelain) bowl.

사방(四方) four sides; all directions (quarters). ¶ ～에 [으로] on all sides; on every side; in all directions; all round.

사방(砂防) erosion control; sandbank fixing. ‖ ～공사 sand arrestation work; sand guards.

사범(事犯) an offense; a crime. ¶ 경제～ an economic offense; 선거～ election illegalities.

사범(師範) a teacher; a master; a coach. ‖ ～대학 a college of education.

사법(司法) administration of justice; the judicature. ‖ ～의 judicial; judiciary. ‖ ～경찰 the judicial police / ～관 a judicial officer [official] / ～권 judicial power [rights] / ～당국 the judiciary (authorities).

사법(死法) a dead law.

사법(私法) [法] private law.

사법시험(司法試驗) a judicial examination; the State Law Examination.

사변(四邊) ‖ ～형 a quadrilateral.

사변(事變) an incident; a trouble; a disturbance.

사변(思辨) speculation. ～하다 speculate (about, on).

사별(死別) ～하다 be bereaved of (a son); lose (one's husband).

사병(士兵) a soldier; an enlisted man (美); the rank and file.

사보타주 sabotage. ～하다 go slow; go on a sabotage; go slow.

사복(私服) plain (civilian) clothes. ‖ ～형사 [경찰관] a plainclothes man [policeman].

사본(寫本) a copy; a manuscript; a duplicate (美).

사부(四部) four parts. ‖ ～작 a tetralogy / ～합주 a quartet / ～합창 a chorus in four parts.

사부(師父) 〈스승〉 a fatherly master; an esteemed teacher.

사분(四分) ～하다 divide in four; quarter. ¶ ～의 일 one fourth; a quarter. ‖ ～면 [幾] a quadrant / ～음표 [樂] a quarter note; a crotchet (美). 「amiable.

사분사분하다 (be) kindly; gentle;

사분오열(四分五裂) ～하다 be torn apart (asunder, into pieces); be disrupted; become totally disorganized.

사비(私費) private expenses. ¶ ～로 at one's own expense (cost); at private expense.

사뿐사뿐 softly; lightly.

사사(私事) personal affairs; private matters.

사사(師事) ～하다 become a person's pupil; study (under).

사사건건(事事件件) in everything; each and every event [matter, case, affair].

사사롭다(私私—) (be) personal; private. ¶ 사사로이 personally; privately; in private.

사사오입(四捨五入) ～하다 round (a number to); raise (to a unit).

사산(死産) a stillbirth. ～하다 give birth to a dead child.

사살(射殺) ～하다 shoot (a person) dead (to death).

사상(史上) in history. ¶ ～ 유례가 없는 unparalleled in history.

사상(死傷) ～자 the killed and wounded; the dead and injured; casualties.

사상(思想) thought; an idea. ¶ 근대～ modern thought / 진보～ a progressive idea. ‖ ～가 a (great) thinker / ～범 political offense; a political offender (사람).

사상(絲狀) ¶ ～의 filiform; thready / ～균 a filamentous fungus.

사색(死色) deadly [ghastly] pale look.

사색(思索) thinking; contemplation; meditation. ～하다 think; contemplate; speculate. ¶ ～적 speculative; meditative.

사생(死生) life and [or] death. ¶ ～결단하고 at the risk of one's life.

사생(寫生) sketching; a sketch (작품). ~하다 sketch; sketch from nature(life). ‖ ~대회 a sketch contest.

사생아(私生兒) an illegitimate child; 《경멸적》 a bastard. ~로 태어나다 be of illegitimate birth; be born out of wedlock.

사생활(私生活) one's private life.

사서(四書) ‖ ~삼경(三經) the Four Books and the Three Classics.

사서(司書) a librarian.

사서(史書) a history book.

사서(私書) a private document; 《사신》 a private letter. ‖ ~함 a post-office box/생략 P.O.B.).

사서(辭書) 사전(辭典).

사석(私席) an unofficial(an informal, a private) occasion.

사선(死線) 《죽을 고비》 a life-or-death crisis.

사선(射線) a trajectory; 《사격선》 firing line.

사선(斜線) an oblique line. 「way」.

사설(私設) ‖ ~의 private 〔rail-

사설(邪說) a heretical doctrine.

사설(社說) an editorial(article); a leading article 《英》. ‖ ~란 the editorial column.

사세(社勢) the influence(strength) of a company.

사세(事勢) the situation; the state of things(affairs).

사소(些少) ‖ ~한 trifling; trivial; small; slight.

사수(死守) ~하다 defend 《a position》 to the death(last); maintain desperately.

사수(射手) a shooter; a marksman; a gunner(砲手). ‖ 명~ a crack(master) shot.

사숙(私淑) ~하다 adore 《a person》 in one's heart; take 《a person》 for a model.

사순절(四旬節) 【基】 Lent.

사슬 a chain. ‖ ~을 벗기다 unchain; undo the chain / ~로 매다 chain 《a dog》.

사슴 a deer; a stag (수컷); a hind (암컷); a fawn (새끼). ‖ ~

가죽 deer skin / ~고기 venison / ~뿔 an antler.

사시(四時) the four seasons.

사시(斜視) a squint; 【醫】 strabismus. ‖ ~수술 【醫】 strabotomy.

사시나무 【植】 a poplar; an aspen.

사시장춘(四時長春) 《늘 봄》 everlasting spring; 《늘 잘 지냄》 an easy life; a comfortable living.

사식(私食) food privately offered to a prisoner. 〔sage〕.

사신(私信) a private letter (mes-

사신(使臣) an envoy; an ambassador. ‖ ~을 파견하다 dispatch an envoy 《to》.

사실(史實) a historical fact.

사실(私室) a private room.

사실(事實) a fact; the truth(진실); a reality(현실); the case(실정). ‖ ~상 in fact; actually; really; as a matter of fact / ~상의 actual; virtual; practical / ~무근의 unfounded; groundless. ‖ ~무근 a mistake of fact / ~조사 fact-finding 《英》.

사실(寫實) ‖ ~적인 realistic (-ally); graphic(ally). ‖ ~주의 realism / ~주의자 a realist.

사심(私心) selfishness; self-interest; a selfish motive. ‖ ~이 없는 unselfish; disinterested.

사심(邪心) evil mind; malicious intention.

사십(四十) forty. ‖ 제 ~ the fortieth / ~대의 사람 a person in his forties.

사십구재(四十九齋) the memorial services on the forty-ninth day after 《a person's》 death.

사악(邪惡) wickedness; evil; vice. ‖ ~한 wicked; vicious; evil.

사안(私案) one's private plan.

사암(砂岩) 【地】 sandstone.

사약(賜藥) ‖ ~을 내리다 bestow poison upon 《a person》 as a death penalty.

사양(斜陽) (be in) the setting sun. ‖ ~산업 a declining industry.

사양 (辭讓) ~하다 decline; excuse *oneself* 《*from*》; refrain [keep] from. ¶ ~하지 않고 freely; unreservedly; without reserve.

사어 (死語) a dead language; an obsolete word.

사업 (事業) 《일》 work; a task; 《기업》 an enterprise; an undertaking; a project; 《상업·실업》 business; an industry (산업). ¶ ~을 하다 run [carry on] a business; engage in business. ‖ ~가 an entrepreneur (기업가); an industrialist (경영자); a businessman (실업가). / ~소득세 the business tax / ~년도 a business year / ~자금 business funds.

사역 (使役) ~하다 set 《*somebody*》 to work 《*on*》; use; employ. ¶ ~동사 《文》 a causative verb.

사연 (事緣) the origin and circumstances of a matter (case); the (full) story; matters (as they stand).

사열 (査閱) inspection. ¶ ~하다 inspect; examine. ‖ ~관 an examiner; an inspector; an inspecting officer / ~식 《hold》 a military review; a parade.

사염화 (四塩化) ‖ ~물 《化》 tetrachloride.

사영 (私營) ~하다 run 《operate》 privately.

사영 (射影) 《數》 projection (pany).

사옥 (社屋) the building of a company.

사욕 (私慾) self-interest. ¶ ~을 채우다 satisfy *one's* selfish desires.

사욕 (邪慾) an evil passion; a carnal (wicked, vicious) desire.

사용 (私用) private [personal] use; 《on》 private [personal] business (용무). ¶ ~하다 turn to private use; appropriate to *oneself*.

사용 (使用) use; employment. ¶ ~하다 use; make use of (이용); employ; apply. ‖ ~가능한 usable; available; workable. ‖ ~권 the right to use 《*something*》 / ~료 a rental fee / ~법 how to use; directions for use / ~인 an

employee; a hired person 《美》; ~자 a user; an employer (고용주); a consumer (소비자).

사용 (社用) ¶ ~으로 on (company) business.

사우 (社友) a colleague; a friend of a firm.

사우나 ¶ ~탕 a sauna (bath).

사우디아라비아 Saudi Arabia. ¶ ~의 Saudi Arabian. ‖ ~사람 a Saudi; a Saudi Arabian.

사운 (社運) ¶ ~을 걸다 stake the fate [future] of a company on 《a project》. [box.

사운드 sound. ¶ ~박스 a sound

사원 (寺院) a (Buddhist) temple.

사원 (社員) a staff member; an employee 《*of a company*》; the staff (총칭). ¶ ~식당 the staff canteen / 임시 ~ a temporary employee.

사월 (四月) April.

사위 a son-in-law. ¶ 사윗감 a suitable person for a son-in-law. [ing.

사위다 burn up; burn to noth-

사유 (私有) ~의 private(-owned). ¶ ~물 [재산, 지] private possessions (property, land].

사유 (事由) a reason; a cause; a ground; conditions.

사유 (思惟) thinking. ~하다 think; speculate; consider.

사육 (飼育) raising; breeding. ¶ ~하다 raise; rear; breed; keep 《animals》 in captivity.

사육제 (謝肉祭) the carnival.

사은 (謝恩) ¶ ~판매 thank-you sales / ~회 a thank-you party; a testimonial dinner.

사의 (私意) self-will; a selfish motive; *one's* own will.

사의 (謝意) 《감사》 thanks; gratitude; appreciation. ¶ ~를 표하다 express *one's* gratitude.

사의 (辭意) *one's* intention to resign. ¶ ~를 밝히다 reveal [make known] *one's* intention to resign.

사이 ① 《거리》 (a) distance; 《간

격》 an interval; 《공간》 (a) space.
¶ ~에 between《둘의; among《셋
이상의》; through《통하여》; amidst
《한 가운데》. ② 《시간》 an interval;
a period. ¶ ~에 in 〔for〕 《a
week》; during 《the lesson》;
between《중간》; while《…동안》. ③
《관계》 relations; terms.

사이다 (a) soda pop. ∥ ~병 a pop
bottle.

사이렌 a siren; a whistle. ¶ ~
을 울리다 sound〔blow〕 a siren.

사이버 〔컴〕 cyber. ∥ ~쇼핑 cyber
shopping.

사이버스페이스 《컴퓨터 네트워크 상
에서 가상 공간》 cyberspace.

사이보그 《인조 인간》 a cyborg.

사이비《似而非》《형용사적으로》 false;
pseudo; sham; pretended; mock;
make-believe.

사이사이 ① 《공간》 spaces; inter-
vals. ② 《시간》 (every) now and
then.

사이즈 size. ¶ ~를 재다 take the
size 《of》; measure.

사이참《一站》《휴식》 a rest; an inter-
mission; a break; 《음식》 a snack;
a light meal between regular
meals.

사이클 a cycle.

사이클로트론 〔理〕 cyclotron.

사이클링 cycling. ¶ ~ 가다 go
cycling (bike-riding).

사이펀 a syphon; a siphon.

사인《死因》 《inquire into》 the
cause of 《a person's》 death.

사인《私印》 a private seal.

사인[1] 〔數〕 a sine 《생각 sin》.

사인[2] ① 《부호·암호》 a signal; a
sign. ② 《서명》 a signature; an
autograph. ~하다 sign; auto-
graph.

사일로《農》 a silo.

사임《辭任》 resignation. ☞ 사직.
~ 하다 resign 《one's post》.

사자《死者》 a dead person; the
deceased; the dead;《총칭》《사고
에 의한》 fatalities; loss of life.

사자《使者》 a messenger.

사자《獅子》 a lion; a lioness 《암컷》.

사자후《獅子吼》《열변》 harangue;

fiery eloquence.

사장《死藏》 ~하다 hoard; keep 《a
thing》 idle; keep idle on stock.

사장《社長》 the president 《of a com-
pany》; a managing director 《英》.
∥ ~실 the president's office /
부 ~ a vice-president.

사재《私財》 private means 〔funds,
property〕.

사저《私邸》 one's private residence.

사적《史的》 historic(al).

사적《史蹟》 a historic spot〔site〕;
a place of historic interest.

사적《史籍》 historical books.

사적《私的》 personal; private.

사전《事前》 ¶ ~에 before the fact;
beforehand; in advance. ∥ ~검
열 precensorship / ~선거운동
preelection campaign / ~통고
an advance 〔a previous〕 notice /
~협의 prior consultation.

사전《辭典》 a dictionary. ∥ ~인명
명》 a biographical 〔geographi-
cal〕 dictionary / ~을 찾다 look
《a word》 up in a dictionary;
consult 〔refer to〕 a dictionary.
∥ ~편집자 a lexicographer / ~
학 lexicography.

사절《四折》 ~의 fourfold; folded
in four. ∥ ~판 a quarto edi-
tion.

사절《使節》 an envoy; an ambas-
sador; a delegate. ∥ ~단 a
《military》 mission; a delegation.

사절《謝絶》 refusal. ~하다 refuse;
decline; turn down.

사정《事情》 ① 《처지·곡절》 circum-
stances; conditions; reasons; 《형
세》 the state of things 〔mat-
ters, affairs〕. 《식량 ~ food
situation. ② 《하소연》 ~하다 beg
《a person's》 consideration(s);
ask a favor.

사정《査定》 assessment. ~하다
assess 《one's property》. ∥ ~가격
an assessed value 〔price〕 / ~
액 an assessed amount / 세액
~ the assessment of taxes.

사정《射程》 a range. ¶ ~ 안〔밖〕에
within 〔out of〕 range.

사정(射精) ejaculation. ~하다 emit semen; ejaculate.

사제(司祭) a priest; a pastor. ‖ ~관 a parsonage.

사제(私製) ¶ ~의 private; unofficial.

사제(師弟) master and pupil; teacher and student.

사조(思潮) the trend of thought; the drift of public opinion. ‖ 문예 ~ the trend of literature.

사족(四足) ¶ ~의 four-footed; quadruped ‖ ~못쓰다 be spellbound; be crazy (*about*); be helplessly fond (*of*).

사족(蛇足) superfluity; redundancy. ¶ ~을 달다 make an unnecessary addition.

사죄(死罪) a capital offense.

사죄(赦罪) ~하다 pardon; remit (*a punishment*).

사죄(謝罪) apology. ~하다 apologize (*to a person for*); make an apology (*for*); express *one's* regret (*for*).

사주(四柱) a fortune-teller / ~팔자 *one's* lot (*fate*).

사주(社主) the proprietor (*of a firm*).

사주(使嗾) instigation. ~하다 instigate; incite; egg (*a person*) on (*to do*).

사주(沙洲) a sand bar; a delta.

사중(四重) ¶ ~주 [창] a quartet(te).

사증(査證) a visa; a visé. ¶ 입국 [출국] ~ an entry [exit] visa.

사지(四肢) the limbs; the legs and arms.

사지(死地) the jaws of death; a fatal position.

사직(司直) the judicial authorities; the court.

사직(社稷) the guardian deities of the State; 《국가》 the State.

사직(辭職) resignation. ~하다 resign. ‖ ~원(을 내다) (tender, hand in) *one's* resignation / ~자 a resigner / 권고~ a resignation urged by *one's* senior.

사진(砂塵) dust.

사진(寫眞) a photograph; a photo; a picture; photography 《사진술》. ¶ ~을 찍다 (take) a photograph (*of*); have a picture taken 《남이 찍어 주다》. ‖ ~관 a photo studio / ~기 a camera / ~전송 facsimile / ~첩 an album.

사차(四次) ¶ ~의 biquadratic (*equation*). ‖ ~원 the fourth dimension. 「road [highway].

사차선도로(四車線道路) a four-lane

사찰(寺刹) 절.

사찰(査察) inspection. ~하다 inspect; make an inspection (*of*). ¶ 공중 [현지] ~ an aerial [on-site] inspection / 세무 ~ tax investigation.

사창(私娼) unlicensed prostitution; 《사람》 an unlicensed prostitute; a street-walker. ‖ ~굴 a house of ill fame; a brothel.

사채(私債) a personal debt (loan); private liabilities. ‖ ~놀이 private loan business / ~시장 the private money market / ~업자 a private moneylender.

사채(社債) a corporate bond (debenture). ‖ 장기 [단기] ~ a long-[short-]term debenture.

사천왕(四天王) the Four Devas.

사철(四一) the four seasons; seasons of the year; 《부사적》 throughout the year; all the year round.

사철나무 [楠] a spindle tree.

사체(死體) ☞ 시체.

사초(莎草) ① 잔디. ② 《잔디입히기》 ~하다 turf [sod] a tomb.

사촌(四寸) a (first) cousin. ‖ ~형 an elder cousin.

사춘기(思春期) adolescence; (the age of) puberty. ¶ ~의 pubescent; adolescent.

사출(射出) ~하다 shoot out (*flames*); emit (*light*); fire (*bullets*); eject (*the pilot*). ‖ ~좌석 《항공》 an ejection seat.

사취(詐取) ~하다 obtain (get) (*money*) by fraud; swindle (*money from*); defraud (*a per-*

son of a thing》.

사치(奢侈) luxury; extravagance. ~하다 be extravagant 《*in food*》; indulge in luxury. ¶ ~스러운 luxurious; extravagant. ‖ ~세 luxury tax / ~품 a luxury; a luxurious article.　　　　　　　［tions.

사칙(社則) the (company's) regula-

사친회(師親會) a Parent-Teacher Association(생략 P.T.A.).

사칭(詐稱) false assumption. ~하다 assume another's 《a false》 name.

사커린 《化》 saccharin.

사커 〖蹴〗 soccer; association foot-

사타구니 the groin.　〖ball. ☞ 축구.

사탄 Satan; the devil.

사탕(砂糖) ① 《설탕》 sugar. ‖ ~무 the white 《sugar》 beet / ~수수 the sugar cane. ② 《과자》 sweets; candy.

사탕발림(砂糖―) honeyed words. ~하다 sweet-talk; soft-soap.

사태(沙汰) ① 《산의》 a landslip; a landslide; an avalanche(눈의). ② 《많음》 a flood; lots 《of》; a multitude 《of》.

사태(事態) a situation; the state 〔position〕 of affairs 〔things〕. ¶ 비상 ~ a state of emergency.

사택(私宅) a private residence.

사택(社宅)　a company(-owned) house 《*for its employees*》.

사토(沙土) sandy soil.

사통팔달(四通八達) ~하다 run 〔radiate, stretch〕 in all directions.

사퇴(辭退) ① 《사양》 declination 《美》; refusal. ~하다 decline 《*an offer*》; refuse to accept. ② 《사직》 resignation. ~하다 resign 《*one's post*》. ¶ 자진 ~ voluntary resignation.

사투(死鬪) a (life or) death struggle. ~하다 fight 〔struggle〕 desperately.　　　　　　　　　　［ism.

사투리 a dialect; a provincial-

사파리 (a) safari.

사파이어 〖鑛〗 a sapphire.

사팔눈 a squint(-eye); cross-eye.

사팔뜨기 a cross-〔squint-〕eyed person; a squinter.

사포(砂布) sandpaper.

사표(師表) a model; a pattern; an example; a paragon.

사표(辭表) a resignation. ¶ ~를 내다 hand 〔send〕 in *one's* resignation / ~를 반려 (수리)하다 turn down 〔accept〕 *one's* resigna-

사푼사푼 softly; lightly.　　　　　［tion.

사프란 〖植〗 a saffron.

사필귀정(事必歸正) a matter of course; a corollary.

사하다(赦―) pardon; forgive.

사하중(死荷重) the deadweight.

사학(史學) history (as science); historical science. ‖ ~자 a historian.　　　　　　　［lege, university).

사학(私學) a private school (col-

사학(斯學) this study; this field; the subject. ¶ ~의 권위 an authority on the subject.

사할린 Sakhalin.

사항(事項) matters; 〔일〕 facts(사실); 〔항목〕 items; articles; particulars.

사해(四海) the four seas; 《천하》 the whole world.

사해(死海) the Dead Sea.

사행(射倖) speculation; adventure. ‖ ~심 a speculative 〔gambling〕 spirit.

사향(麝香) musk. ‖ ~노루 a musk deer.

사혈(瀉血) phlebotomy. ~하다 phlebotomize; bleed.

사형(死刑) death penalty 〔sentence〕; capital punishment. ¶ ~하다 put to death; execute; condemn to death. ‖ ~선고 sentence of death; a capital sentence / ~수 a criminal under sentence of death / ~장 the execution ground / ~집행인 an executioner.

사형(私刑) lynch; lynching.

사화(士禍) the massacre 〔purge〕 of scholars; the calamity of the literati.

사화(史話) a historical tale 〔story〕.

사화(私和) reconciliation. ~하다 become [be] reconciled 《with》.

사화산(死火山) an extinct volcano.

사환(使喚) an errand boy; a boy; an office boy 〔girl〕.

사활(死活) life and death. ‖ ~ 문제 a matter of life and [or] death.

사회(司會) chairmanship. ~하다 [보다] preside at [over] 《a meeting》; take the chair. ‖ ~자 the chairman; the toastmaster (연회의); the master [mistress (여자)] of ceremonies (생략 m.c., M.C.) (TV 등의).

사회(社會) a society; the world (세상); a community (지역사회). ~ 적인 social / 반 ~ 적인 antisocial. ‖ ~ 개량 social reform / ~ 과학 social science / ~ 보장(제도) the social security (system) / ~ 사업 social work [service] / ~ 인 a member of society / ~ 주의 socialism / ~ 통념 a socially accepted idea / ~ 학 sociology / ~ 학자 a sociologist.

사회간접자본(社會間接資本) [經] social overhead capital (생략 SOC). ‖ ~ 복지 (社會福祉) social welfare.

사회정화(社會淨化) social purification. ‖ ~ 운동 a social purification drive.

사회현상(社會現狀) a social phenomenon [phase].

사후(死後) ~ 의 posthumous / ~ 에 after one's death; posthumously. ‖ ~ 강직 stiffening after death; rigor mortis (타).

사후(事後) ‖ ~ 의 after the fact; ex post facto (타) / ~ 에 after the fact; post factum (타).

사흗날(3일) the third (day of the month).

사흘 ① (세 날) three days. ‖ ~ 째에 the third day. ② ~ 사흗날.

삭감(削減) a cut; curtailment. ~ 하다 cut (down); curtail; slash; retrench. ‖ 예산의 ~ a budgetary cut [cutback].

삭과(蒴果) [植] a capsule.

삭다 ① (먹은 것이) be digested; digest. ② (옷 따위가) wear thin [threadbare]; (부식되다) get rotten; decay; rust. ③ (종기가) get resolved; (마음이) calm down; be appeased [alleviated]; (불이) be burnt out. ⑤ (익다) acquire (develop, absorb) flavor; ferment (술 따위). ⑥ (묽어지다) become waterly; turn bad.

삭도(索道) a cableway; a ropeway.

삭막(索莫) ‖ ~ 한 dim (in one's memory); (황야 등이) dreary; bleak; desolate.

삭망(朔望) the first and fifteenth days of the lunar month.

삭발(削髮) ~ 하다 shave one's hair.

삭이다(소화) digest.

삭정이 dead twigs [branches].

삭제(削除) ~ 하다 strike [cross] out; delete; cancel.

삭탈관직(削奪官職) removal from government post. ~ 하다 deprive [strip] 《a person》 of his office.

삭풍(朔風) the north wind of winter.

삭히다 digest (소화); make 《something》 ripe; mellow; (cause to) ferment (발효); resolve (종기 등을).

삯 (요금) charge; (찻삯) fare; (운송) carriage; freight; (품삯) wages; pay.

삯바느질 needlework for pay.

산(山) a mountain; a hill (동산). ‖ ~ 이 많은 mountainous; hilly. ‖ ~ 기슭 the foot [base] of a mountain / ~ 길 a mountain path / ~ 꼭대기 the top [summit] of a mountain; the mountaintop / ~ 마루 the mountain ridge / ~ 모퉁이 the spur [corner] of a mountain (skirts) / ~ 봉우리 a (mountain) peak; a summit [top] of a mountain / ~ 줄기 a mountain range; a chain of mountains.

산(酸) an acid. ‖ ~ 의 acid. …산(産) a product 《of》. ‖ 외국 ~ foreign-made.

산간(山間) ¶ ∼의 [에] among [in] the mountains (hills).

산개(散開) 〔軍〕 deployment. ∼하다 deploy; spread out.

산계(山系) 〔줄기〕 a mountain chain [range, system].

산고(産苦) labor pains.

산골(山ー) a mountain district; a secluded place.

산골짜기(山ー) a ravine; a gorge.

산과(産科) obstetrics. ∥ ∼병원 [병동] a maternity hospital [ward] / ∼의사 an obstetrician. [light.

산광(散光) 〔理〕 scattered [diffused]

산금(産金) gold mining. ∥ ∼량 gold output / ∼지대 a gold field.

산기(産氣) labor pains. ∥ ∼가 있다 begin labor; labor starts.

산기(産期) the expected time of delivery.

산나물 wild edible greens.

산더미(山ー) a heap 《of》; a large pile 《of》.

산도(酸度) 〔化〕 acidity. ∥ ∼계 an acidimeter / ∼측정 acidimetry.

산돼지(山ー) 〔動〕 a wild boar.

산들거리다 blow cool and gentle.

산들바람 a gentle [light] breeze.

산들산들 gently; softly.

산등성이(山ー) a 〔mountain〕 ridge.

산뜻하다 〔선명〕 (be) clear; fresh; vivid; bright; 〔보기 좋다〕 (be) neat; tidy; clear; smart; nice.

산란(産卵) ∼하다 lay egg(s); spawn 《물고기가》. ∥ ∼기 a breeding season; spawning-time / ∼장 a spawning ground.

산란(散亂) ∼하다 be scattered about; lie about in disorder.

산록(山麓) 〔at〕 the foot 〔base〕 of a mountain.

산림(山林) a forest; woodlands. ∥ ∼보호 forest conservancy / ∼업 the forestry industry / ∼청 Korea Forest service / ∼학 forestry.

산만(散漫) ¶ ∼한 loose; vague; desultory.

산매(散賣) ⇨ 소매(小賣).

산맥(山脈) a mountain range

[chain]. ¶ 알프스 ∼ the Alps; the Alpine range.

산모(産母) a woman in childbed.

산목숨 one's life.

산문(散文) prose (writings). ¶ ∼적인 prosaic. ∥ ∼시 a prose poem / ∼체 prose style; prosaism.

산물(産物) a product; production; produce(총칭); 《성과》 a product; a result; (the) fruit(s).

산미(酸味) acidity; sourness.

산발(散發) ∼하다 occur sporadically. ¶ ∼적인 sporadic(al).

산발(散髮) disheveled hair.

산병(散兵) a skirmisher. ∥《산개》 loose [extended] order. ¶ ∼선 a skirmish(ing) line / ∼호 a fire [firing, shelter] trench.

산복(山腹) 〔on〕 a mountainside; a hillside.

산부인과(産婦人科) obstetrics and gynecology. ∥ ∼의사 an obstetrician(산과); a gynecologist(부인과).

산불(山ー) a forest fire.

산비둘기(山ー) a ringdove; a turtledove. [slope.

산비탈(山ー) a steep mountain

산뽕나무(山ー) 〔植〕 a wild mulberry tree. [a May tree.

산사나무(山査ー) 〔植〕 a hawthorn;

산사람(山ー) a mountain man; a wood(s)man; a hillbilly 《美》.

산사태(山沙汰) a landslide; a landslip 《英》; a landfall.

산산이(散散ー) to [in] pieces; scatteringly.

산산조각(散散ー) ¶ ∼이 나다 be broken to pieces; be smashed to fragments.

산삼(山蔘) a wild ginseng.

산상수훈(山上垂訓) 〔聖〕 the Sermon on the Mount.

산성(山城) a castle on a hill.

산성(酸性) 〔化〕 acidity. ∥ ∼의 acid / ∼화하다 acidify / ∼산화물 an acid oxide. ∥ ∼비 acid(rain).

산세(山勢) the physical aspect [geographical features] of a moun

tain.

산소(山所) a grave; a tomb; an ancestral graveyard(묘소).

산소(酸素) 【化】 oxygen. ‖ ~ 결핍 deficiency of oxygen / ~ 화합물 an oxide / ~흡입 oxygen inhalation.

산송장 a living corpse.

산수(山水) a landscape; scenery. ‖ ~ 화 a landscape (painting) / ~ 화가 a landscape painter.

산수(算數) ① ~ 산술. ② 《계산》 calculation.

산술(算術) arithmetic. ‖ ~ 의 arithmetical.

산스크리트 Sanskrit; Sanscrit.

산식(算式) 【數】 an arithmetic expression; a formula. 「him.

산신령(山神靈) the god of a moun-

산실(産室) a delivery room; a maternity ward.

산아(産兒) 《해산》 childbirth; 《아이》 a newborn baby. ‖ ~ 제한《조질》 birth control.

산악(山岳) mountains. ‖ ~ 병(病) mountain sickness / ~ 부 a mountaineering 〔an alpine〕 club / ~ 전 mountain warfare / ~지대 a mountainous region.

산야(山野) fields and mountains.

산양(山羊) ① 《염소》 a goat. ② 《영양》 an antelope.

산업(産業) (an) industry. ‖ ~ 의 industrial. ‖ ~ 규격 industrial standards(한국 ~ 규격 Korean (Industrial) Standards 《생략 KS》) / ~ 재해 ☞ 산재(産災) / 재해보험 the Workmen's Accident Compensation Insurance / ~ 폐기물 industrial wastes / ~ 혁명 【史】 the Industrial Revolution.

산욕(産褥) childbed; confinement. ‖ ~ 열 puerperal fever.

산울림(山 ~) ☞ 메아리.

산울타리 a hedge.

산원(産院) a maternity hospital.

산유국(産油國) an oil-producing country (nation).

산입(算入) ~ 하다 include in; count 〔reckon〕 in.

산장(山莊) a mountain retreat 〔villa〕.

산재(散在) ~ 하다 be 〔lie〕 scattered; 《장소가 주어》 be dotted 《with》.

산재(散財) ~ 하다 spend 〔squander〕 money; run through *one's* fortune.

산재(産災) an injury incurred while on duty 〔at work〕.

산적(山賊) a bandit; a brigand.

산적(山積) ~ 하다 lie in piles; accumulate; make a pile; have a mountain of 《*work to do*》.

산적(散炙) skewered slices of seasoned meat.

산전(産前) ‖ ~ 에 before childbirth / ~ 산후의 휴가 a maternity leave.

산전수전(山戰水戰) ‖ ~ 다 겪다 taste the sweets and bitters of life; go through hell and high water. 「mountain.

산정(山頂) the summit 〔top〕 of a

산정(算定) ~ 하다 compute; work out; 《추정》 estimate; appraise.

산지(山地) a mountainous district.

산지(産地) a place of production 〔origin〕; 《동식물의》 the home; the habitat.

산지기(山 ~) a 〔forest〕 ranger; a grave keeper(묘지기).

산책(散策) a walk; a stroll. ~ 하다 take a walk; stroll. ‖ ~ 길 a promenade.

산천(山川) mountains and rivers. ‖ ~ 초목 nature; landscape.

산촌(山村) a mountain village.

산출(産出) ~ 하다 produce; yield; bring forth. ‖ ~ 고(高) production; output.

산출(算出) ~ 하다 compute 《*at*》; calculate; reckon.

산탄(霰彈) a shot; a buckshot. ‖ ~ 총 a shotgun.

산토끼(山 ~) 【動】 a hare. 「acid.

산토닌 【藥】 santonin; santonic

산통(算筒) ‖ ~ 깨뜨리다 《ruin 《*a scheme*》; put a spoke in *a person's* wheel.

산파(産婆) a midwife (☞ 조산사).

산패(酸敗) 〖맛이 시어짐〗 acidification. ~ 하다 acidify; turn sour.

산표(散票) scattered votes.

산하(山河) mountains and rivers.

산하(傘下) ~의〔에〕 under the influence (of). ‖ ~기업〔조합〕 an affiliated enterprise (union).

산학협동(産學協同) university-industry cooperation.

산해진미(山海珍味) all sorts of delicacies; a sumptuous feast.

산호(珊瑚) coral. ‖ ~섬 a coral island / ~초 a coral reef.

산화(酸化) 〖化〗 oxid(iz)ation. ~ 하다 oxidize; be oxidized. ‖ ~물 an oxide / ~철 iron oxide.

산후(産後) ~의〔에〕 after childbirth.

살¹ 〖몸의〗 flesh; muscles(근육); the skin(살결); 〖과실의〗 flesh. ¶ ~이 찌다(빠지다) gain(lose) flesh.

살² 〖뼈대〗 a frame(장지 따위의); a rib(우산, 부채 따위의); a tooth(빗살); a spoke(바퀴의).

살³ 〖어살〗 a weir(화살) an arrow.

살⁴ 〖나이〗 age; years.

살(煞) ① 〖나쁜 기운〗 an evil spirit; baleful influence; an ill-fated(unlucky) touch. ② 〖나쁜 정의〗 bad blood; poor relations within a family.

살갑다 ① 〖속이〗 (be) broad-minded. ② 〖다정한〗 (be) warm(-hearted); kind.

살갗 the skin; complexion.

살결 the texture(of) skin.

살구 an apricot.

살균(殺菌) sterilization. ~ 하다 sterilize; pasteurize 《milk》. ‖ ~력 sterilizing power / ~제 a sterilizer; a disinfectant.

살그머니 secretly; stealthily; quietly; by stealth.

살금살금 softly; with stealthy steps; stealthily; noiselessly.

살기(殺氣) a look 〖an atmosphere〗 of menace; a highly-charged atmosphere.

살길 a means to live.

살깃 the feathers of an arrow.

살내리다 lose flesh; get thin.

살다 ① 〖생존〗 live; be alive. ¶ ~을 먹고 ~ live on (rice). ② 〖생활〗 make a living; get along. ③ 〖거주〗 live; reside; inhabit. ④ 〖생동〗 be enlivened. ⑤ 〖野〗 be safe.

살담배 cut 〔pipe〕 tobacco.

살뜰하다 (be) frugal; thrifty. ☞ 알뜰하다.

살랑거리다 〖바람이〗 blow gently (softly).

살래살래 ¶ 머리를 ~ 흔들다 shake (wag) one's head lightly.

살려주다 save 〔rescue〕 (a person) from; spare.

살롱 a salon (프) a saloon(술집).

살리다 ① 〖목숨을〗 save; spare (a person's) life; keep (a fish) alive(살려 두다); bring (restore) (a person) to life(소생); ② 〖활용〗 make good use of (one's money). ③ 〖생기를 주다〗 give life.

살리실산(—酸) salicylic acid.

살림 〖생계〗 living; livelihood; 〖살림살이〗 housekeeping. ~ 하다 run the house; manage a household. ¶ ~에 넉넉하다〔넉넉지 못하다〕 be well (badly) off.

살림꾼 〖많은 이〗 the mistress of a house; 〖잘 하는 이〗 a good housewife.

살며시 슬며시.

살무사 〖動〗 a viper; an adder.

살벌(殺伐) ~ 하다 (be) bloody; bloodthirsty; brutal; savage.

살별 〖天〗 a comet. ‖ ~ 변란.

살붙이 one's kith and kin.

살빛 the color of the skin; flesh color. ¶ ~의 flesh-colored.

살살 softly; gently; stealthily.

살살이 a wily (tricky) person; a back scratcher; a bootlicker.

살상(殺傷) bloodshed(ding). ~ 하다 shed blood.

살생(殺生) taking life. ~ 하다 kill; take life.

살수(撒水) ~ 하다 water (a street).

sprinkle with water. ‖ ~기〔장치〕 a sprinkler / ~차 a sprinkler truck.

살신성인(殺身成仁) ~하다 sacrifice oneself for the good of others.

살아나다 ① 〈소생〉 revive; be resuscitated; be restored to life. ② 〈구멍〉 be saved 〔rescued〕; survive(조난의 경우); 〈곤경에서〉 escape (*death, danger*).

살아생전(一生前) ‖ ~에 during one's lifetime.

살얼음 thin ice; a thin coat of ice.

살육(殺戮) ~하다 massacre; butcher; slaughter.

살의(殺意) 〈conceive〉 murderous intent; (with) intent to kill.

살인(殺人) homicide; murder. ~하다 commit murder; kill (*a person*). ‖ ~적인 deadly; hectic. ‖ ~미수 an attempted murder / ~범 a homicide; a murderer / ~사건 a murder case.

살점(一點) a piece of meat; a chunk.

살집 fleshiness. ‖ ~이 좋다 be fleshy 〔plump, stout〕.

살찌다 grow 〔get〕 fat; gain 〔put on〕 weight.

살찌우다 make (*a pig*) fat; fatten (up).

살촉(一鏃) an arrowhead; a pile.

살충제(殺蟲劑) an insecticide; a pesticide.

살코기 lean meat; red meat.

살쾡이 a wildcat; a lynx.

살판나다 come into a fortune; strike it rich.

살펴보다 look around 〔about〕; look into; examine; see.

살포(撒布) ~하다 scatter; sprinkle; spread.

살풍경(殺風景) ‖ ~한 inelegant; prosaic; tasteless; vulgar; 〈정취 없는〉 dreary; bleak.

살피다 ① 〈헤아리다〉 judge; gather(판단); sympathize with; feel for(동정). ② 〈에아리다〉 judge;

살해(殺害) ~하다 murder; kill (*a person*) to death; slay.

‖ ~자 a murderer.

삶 life; living.

삶다 ① 〈물에〉 boil; cook. ② ☞ 구슬리다.

삼 flax(아마); hemp(대마); ramie (저마); jute(황마).

삼(눈동자의) a white speck; a leucoma.

삼(夢) ginseng; 인삼.

삼가 respectfully; humbly; ~ 감사의 말씀을 드립니다 I respectfully express my thanks to you.

삼가다 ① 〈조심〉 be discreet 〔prudent, careful〕. ② 〈억제〉 abstain 〔keep, refrain〕 from; 〈절제〉 be moderate (*in*).¶ 술을 ~ abstain 〔keep〕 from drinking.

삼각(三角) a triangle. ¶ ~의 triangular; three-cornered. ‖ ~건 a deltoid muscle / ~자 a set square / ~주 a delta / ~함수 trigonometric function.

삼각(三脚) a tripod. ‖ ~의 three-legged; tripodal. ‖ ~가(架) a tripod.

삼각형(三角形) a triangle. ‖ ~의 triangular; triangle-shaped.

삼거리(三一) three-forked road.

삼겹실(三一) three-ply thread.

삼계탕(蔘鷄湯) *samgyetang*; young chicken soup with ginseng (and other ingredients).

삼국(三國) ‖ ~동맹 a triple alliance / 제一 a third power 〔country〕.

삼군(三軍) the (three) armed forces; the whole army. ‖ ~의 장대 the tri-service honor guard.

삼권분립(三權分立) the separation of the three powers.

삼다 ① 〈…을 ~으로〉 make; make (*a thing*) of; set up (*a person*) as; use 〔have〕 (*a thing*) as. ② 〈생각〉 ¶ 책을 벗 ~ have books for companion / 장난삼아 half in fun. ③ 〈짚신을〉 make (*straw shoes*).

삼단 a bunch of hemp. ‖ ~ 같은 머리 long thick hair.

삼단논법(三段論法) a syllogism.

삼등(三等) the third class [rate]; the third place. ∥ ~ 차표 [석] a third-class ticket [seat].

삼등분(三等分) ~ 하다 cut [divide] into three equal parts; trisect.

삼라만상(森羅萬象) all things in nature; the whole of creation.

삼루(三壘) 【野】 the 3rd base. ∥ ~ 수 a third-baseman / ~ 타 a three-base hit: a three base. [class.

삼류(三流) ∥ ~ 의 third-rate; lower.

삼륜차(三輪車) ⟨ride⟩ a three-wheeler.

삼림(森林) ~ 산림, 숲.

삼매(三昧) absorption; concentration. ∥ ~ 경에 들다 attain the perfect state of spiritual concentration.

삼면(三面) three sides [faces]; 《신문의》the third page.

삼모작(三毛作) ⟨raise⟩ three crops a year.

삼목(杉木) a cedar.

삼박자(三拍子) 【樂】 triple time.

삼발이 a tripod; a trivet.

삼배(三倍) three times; thrice. ~ 하다 treble; multiply by three. ∥ ~ 의 threefold: treble; triple.

삼베 hemp cloth.

삼복(三伏) the hottest period of summer; midsummer. ∥ ~ 더위 the midsummer heat.

삼부(三部) three parts [sections]; three copies [series 따위]; three volumes [서적]; three departments (부처). ∥ ~ 작 a trilogy / ~ 합창 a (vocal) trio.

삼분(三分) ~ 하다 divide (a thing) into three (parts); trisect. ¶ ~ 의 일 one [a] third.

삼분오열(三分五裂) ~ 하다 break [tear] asunder; be broken [torn] asunder; be disrupted.

삼삼오오(三三五五) ~ 로 by twos and threes; in groups.

삼삼하다(기억이) be vivid; fresh; 《음식이》be tasty with slight touch of saltiness.

삼색(三色) ∥ ~ 의 three-color; tricolored. ∥ ~ 기 the tricolor.

삼승(三乘) ☞ 세제곱.

삼시(三時) three daily meals; 《때》 morning, noon and evening.

삼십(三十) thirty. ¶ 제 ~ (의) the thirtieth / ~ 대이다 be in one's thirties.

삼십육계(三十六計) running away. ¶ ~ 를 놓다 beat a retreat; take to one's heels.

삼엄(森嚴) ~ 하다 (be) solemn; sublime; awe-inspiring; grave.

삼원색(三原色) the three primary colors.

삼월(三月) March (생략 Mar.).

삼위일체(三位一體) the Trinity. ∥ ~ 론 Trinitarianism.

삼인조(三人組) a trio; a triad

삼인칭(三人稱) the third person.

삼일(三日) ~ 운동 the 1919 Independence Movement of Korea) / ~ 절 Anniversary of the Independence Movement of March 1st, 1919.

삼일(三日) three days; the third (day) 《셋째날》. ∥ ~ 천하 short-lived reign.

삼자(三者) ∥ ~ 회담 a tripartite meeting [conference].

삼중(三重) ∥ ~ 의 threefold: treble; triple. ¶ ~ 주 [창] a trio.

삼지사방 (一四方) ¶ ~ 으로 in all directions.

삼진(三振) 【野】 a strike-out.

삼차(三次) the third; cubic《수학의》. ∥ ~ 산업 the tertiary industry / ~ 식 a cubic expression / ~ 원 three dimensions (~ 의원 three-dimensional).

삼차신경(三叉神經) 【解】 the trigeminal; the trigeminus.

삼창(三唱) 《만세의》three cheers. ~ 하다 give three cheers.

삼척동자(三尺童子) a mere child.

삼촌(三寸) 《숙부》an uncle.

삼총사(三銃士) a trio.

삼출(滲出) ~ 하다 ooze out; exude. ∥ ~ 액 an exudate; a percolate.

삼층(三層) three stories; the third floor [story] 《美》. ∥ ~ 집 a three-storied [-story] house.

삼치 [魚] a Spanish mackerel.

삼키다 ① 《입으로》 swallow; gulp down《꿀꺽》. ② 《참다》 suppress. ③ 《횡령》 make 《a thing》 one's own; appropriate.

삼태기 a carrier's basket.

삼투 (滲透) saturation; infiltration; permeation; 〔化·生理〕 osmosis. ～하다 saturate; permeate; infiltrate; pass into. ∥～성 osmosis; permeability.

삼파전 (三巴戰) a three-cornered 〔-sided〕 contest 〔fight〕.

삼포 (夢圃) a ginseng field.

삼한사온 (三寒四溫) a cycle of three cold days and four warm days.

삽 (鋪) a shovel; a scoop. ¶ ～질하다 shovel.

삽사리, 삽살개 a shaggy dog.

삽시간 (霎時間) ¶ ～에 in a twinkling; in an instant; in less than a minute.

삽입 (揷入) ～하다 insert; put 《a thing》 in 〔between〕. ∥～구 a parenthesis.

삽화 (揷話) an episode.

삽화 (揷畵) an illustration; a cut. ∥～가 an illustrator.

삿갓 a conical bamboo hat.

삿자리 a reed mat.

상 (上) 《윗부분》 upper; 《등급》 the first 《class, grade》; the superior; 《상권》 the first volume.

상 (床) a (dining) table; a small table.

상 (相) 《상태》 an aspect; a phase; 《인상》 physiognomy; 《얼굴》 countenance; a face, a look《표정》.

상 (喪) mourning 《for》. ¶ ～을 입다 go into mourning.

상 (像) a figure; a statue; an image.

상 (賞) a prize; a reward《보수》.

상가 (商街) a downtown; the business section 〔quarters〕.

상가 (喪家) a house of mourning; a family in mourning.

상각 (償却) ～하다 repay; refund; redeem; pay 〔clear〕 off. ∥～자금 a redemption 〔sinking〕 fund.

상감 (象嵌) inlaying; inlaid work. ～하다 inlay 《a thing with》.

상갑판 (上甲板) an upper deck.

상객 (上客) the guest of honor; a chief guest; a guest of high rank.

상객 (常客) a regular customer 〔patron〕; a frequenter.

상거래 (商去來) a commercial transaction; a business deal.

상견 (相見) ～하다 meet 〔see〕 each other; interview; exchange looks.

상경 (上京) ～하다 go 《come》 up to Seoul 〔the capital〕.

상고 (上古) ancient times. ¶ ～의 ancient; of remote antiquity. ∥～사 an ancient history.

상고 (上告) 〔法〕 an appeal 《to》. ～하다 appeal 《to a higher court》; petition for revision. ∥～인 an appellant.

상고머리 a square-cut hair; 「crew cut.

상공 (上空) the upper air; the sky; the skies 《of Seoul》.

상공 (商工) 《상공업》 commerce and industry.

상과 (商科) a commercial course. ∥～대학 a commercial college.

상관 (上官) a higher 〔superior〕 officer; a senior officer.

상관 (相關) ① 《상호 관계》 correlation; mutual relation(s). ～하다 correlate; be related 《to》. ② 《관련》 relation; connection; 《관여》 participation; 《관섭·개입》 concern; care. ～하다 take part 《in》; concern oneself 《in》; be involved 《in》 《연루》. ¶ ～ 않다 do not mind《개의》; be indifferent 《to》; ～ 없다 《무관계》 have nothing to do with; It does not matter. ③ 《남녀의》 (sexual) relations.

상궁 (尙宮) a court lady.

상권 (商權) (acquire) commercial supremacy; commercial rights.

상궤 (常軌) the normal course.

상규 (常規) established rules.

상극 (相剋) (a) conflict; (a) rivalry; a friction.

상근(常勤) full-time 《*lecturer*》. ∥ ~자 a full-timer.

상금(賞金) a reward; a prize; prize money.

상급(上級) a high rank; an upper [a higher] grade [class]. ∥ ~의 upper; higher; superior; senior. ∥ ~관청 superior offices [authorities] / ~생 an upper-class student / ~학교 a school of higher grade.

상기(上記) ∥ ~의 the above-mentioned; the said.

상기(上氣) ~하다 flush 《*with*》; have a rush of blood to the head. ∥ ~된 빰 flushed cheeks.

상기(想起) ~하다 remember; recollect; call 《*something*》 to mind. ∥ ~을 ~시키다 remind 《*a person*》 of 《*a thing*》.

상기(詳記) ~하다 describe minutely; state in detail; give a full account 《*of*》.

상납(上納) ~하다 pay to the authorities [government]; offer a [regular] bribe 《*to*》.

상냥하다 (be) gentle; kind; sweet; affectionate; amiable; affable.

상념(想念) a notion; conception.

상놈(常一) a mean [vulgar] fellow; an ill-bred fellow.

상단(上端) the top; the upper end.

상담(相談) (a) consultation; confer; talk.

상담(商談) 〔have〕 a business talk.

상당(相當) ~하다 ① 〔알맞다〕 (be) proper; fit; suitable; appropriate; 〔상응하다〕 (be) equal 《*to*》; correspond 《*to*》; equivalent 《*to*》; 〔타당하다〕 (be) reasonable. ② 《어지간하다》 (be) considerable; fair; decent. ∥ ~히 pretty; fairly; considerably.

상대(相對) ① 《마주 대함》 facing each other. ~하다 face [confront] each other. ② 《친구·짝》 《*one's*》 companion [mate, partner]. ~하다 make a companion of; keep company 《*with*》. ③ 《상대방》 the other party; 《승부의》 an oppo-

nent; a rival. ~하다 deal with; contend with; play 《*against*》. ∥ ~가 안 되다 be no match 《*for*》. ④ 〔哲〕 《상대성》 relativity. ∥ ~적 《으로》 relative(ly). ∥ ~개념 a relative concept / ~성이론 《원리》 the theory [principle] of relativity / ~평가 relative evaluation.

상대역(相對役) the player of an opposite role; 《춤의》 a partner.

상도(常道) 《떳떳한 도리》 a regular [normal] course.

상도덕(商道德) commercial [business] morality.

상되다(常一) (be) vulgar; low; mean; base; indecent.

상등(上等) ∥ ~의 first-class[-rate]; superior; very good [nice]; fine. ∥ ~품 first-class articles.

상량(上樑) ~하다 set up the framework [of a house]; put up the ridge beam. ∥ ~식 the ceremony of putting up the ridge beam of a new house.

상례(常例) ∥ ~의 regular; customary; usual.

상록(常綠) ∥ ~의 evergreen. ∥ ~수 an evergreen (tree).

상론(詳論) ~하다 state [treat] in detail; dwell 《*upon*》.

상류(上流) 《강의》 the upper stream [reaches]; 《사회의》 the higher [upper] classes. ∥ ~의 〔에〕 up stream; upriver. ∥ ~계급 the upper classes / ~사회 high society.

상륙(上陸) landing. ~하다 land 《*at*》; come on shore. ∥ ~부대 〔지점〕 a landing force [place].

상말(常一) vulgar words; vulgarism; four-letter words.

상면(相面) ~하다 meet 《*a person*》 for the first time; have an interview 《*with*》.

상무(常務) 《업무》 regular business; 《회사 간부》 a managing director.

상무(商務) commercial affairs. ∥ ~관 a commercial *attaché*.

상민(常民) the common people

a commoner.

상박(上膊)〖解〗the upper arm.

상반(相反) ~되다 be contrary 〔run counter〕 to 《each other》; conflict 〔disagree〕 with 《each other》.

상반기(上半期) the first half of the year.

상반신(上半身) the upper half of the body.

상배(賞杯) a prize cup; a trophy.

상벌(賞罰) rewards and punishments.

상법(商法) the commercial law 〔code〕.

상병(上兵) a corporal.

상병(傷兵) a wounded soldier; a disabled veteran(제대한); the wounded(총칭).

상보(床褓) a tablecloth.

상보(詳報) a detailed 〔full〕 report. ‖ ~하다 report in detail 〔full〕.

상복(喪服) a mourning dress; mourning clothes.

상봉(相逢) ~하다 meet each other.

상부(上部) the upper part; 《위쪽》the upside; 《기관·직위》superior offices; a superior post. ‖ ~구조 the superstructure.

상부상조(相扶相助) mutual help 〔aid〕; interdependence.

상비(常備) ~하다 reserve 《something》 for; have 《something》 ready 〔on hand〕; be provided with. ‖ ~의 standing; permanent; regular. ‖ ~군 a standing army / ~약 a household medicine.

상사(上士) a Master 〔First〕 Sergeant.

상사(上司) superior authorities; 《상관》one's superior.

상사(相似) ~한 similar 《figures》.

상사(相思) mutual love. ‖ ~병 love-sickness.

상사(商社) a (commercial) firm; a trading concern 〔company〕.

상사(商事) business affairs; commercial matters. ‖ ~회사 a commercial firm.

상상(想像) (an) imagination; (a) fancy(공상); a supposition(가정); (a) guess(추측). ~하다 imagine;

fancy; suppose; guess; surmise. ~의 imaginary; imaginative / ~할 수 있는 imaginable; thinkable / ~할 수 없는 unimaginable; unthinkable. ‖ ~력 imaginative power.

상서(上書) ~하다 send 〔write〕 a letter to one's superior.

상서(祥瑞) a good omen. ‖ ~로운 auspicious; propitious.

상석(上席) 《서열의》seniority; 《좌》an upper 〔the top〕 seat; 《주빈석》the seat 〔place〕 of honor.

상석(床石) the stone table in front of a tomb.

상선(商船) a merchant 〔trading〕 vessel; a merchantman; the mercantile marine(총칭). ‖ ~대 a merchant fleet.

상설(常設) ~하다 establish permanently. ‖ ~의 standing 《commitees》; permanent 《facilities》.

상설(詳說) ~하다 explain in detail; state in full 〔at length〕.

상세(詳細) ‖ ~한 full; detailed; minute / ~히 in full 〔detail〕; minutely; fully.

상소(疏) ~하다 present 〔send up〕 a memorial to the Throne.

상소(上訴) an appeal. ~하다 appeal to 《a higher court》. ‖ ~권 the right of appeal.

상소리(常─) four-letter words; vulgar language; indecent talk.

상속(相續) succession; inheritance. ~하다 succeed 《to》; inherit. ‖ ~세 an inheritance tax / ~인 a successor; an heir(남자); an heiress(여자) / ~재산 an inheritance.

상쇄(相殺) ~하다 offset 〔cancel〕 each other; set 《the advantages》 off.

상수(常數) 〖數〗a constant; an invariable (number).

상수도(上水道) 《물》tap water; 《설비》waterworks; water service (supply).

상수리나무(植) an oak (tree).

상순(上旬) the first ten days of

a month.

상술(上述) ☞ 상기(上記)

상술(商術) a knack of the trade (요령); a business policy(정책); business ability(상재).

상술(詳述) ~하다 explain [state] in full [detail].

상스럽다(常─) (be) vulgar; mean; low; base; indecent.

상습(常習) ¶ ~적인 customary; habitual; regular. ‖ ~범 a habitual crime(범죄); a habitual [confirmed] criminal(범인).

상승(上昇) ~하다 rise; ascend; climb; go up; soar (up). ‖ ~기류(ride) a rising current of air.

상승(相乘) ~하다 multiply. ‖ ~비 a geometrical ratio / ~작용 synergism.　　　　　　　［defeated.

상승(常勝) ¶ ~의 invincible; un-

상시(常時) ① ☞ 평상시(平常時). ② ☞ 항시(恒時).

상식(常食) staple food; daily food. ~하다 live on (rice).

상식(常識) common [practical] sense. ¶ ~적인 commonsense; sensible; practical.

상실(喪失) ~하다 lose; be deprived (of); forfeit.

상심(傷心) ~하다 be down-hearted; be heartbroken; be distressed.

상심(喪心) stupor; stupefaction. ~하다 be dazed [stunned] (by).

상아(象牙) ivory. ¶ ~세공 ivory work / ~질(치아의) a dentin / ~탑 an ivory tower.

상악(上顎) [解] the upper jaw.

상어 a shark.

상업(商業) commerce; trade; business. ¶ ~의 commercial; business / ~화하다 commercialize. ‖ ~미술 commercial art / ~어음 a commercial bill / ~영어 business [commercial] English.

상여(喪輿) a bier. ‖ ~꾼 a bier carrier.

상여금(賞與金) a bonus; a reward; a prize(상금).

상연(上演) presentation; perform-

ance. ~하다 put (a play) on the stage; stage [present] (a drama).

상영(上映) ~하다 show; put (a film) on the screen; run. ¶ ~중 be on (show) (at). ‖ ~시간 the running time (of a movie).

상온(常温) a normal temperature.

상용(常用) common [everyday] use. ~하다 use habitually; make regular use (of). ‖ ~어 common [everyday] words / ~자 a habitual user.

상용(商用) ~으로 on business. ¶ ~문 commercial correspondence; a business letter / ~어 a commercial term.

상원(上院) the Upper House; the Senate (美). ‖ ~의원 a member of the Upper House; a Senator (美).

상위(上位) a high rank.

상위(相違) (a) difference; (a) variation; (a) disparity. ~하다 differ (from); vary; disagree (with).

상응(相應) (呼應) ① ~하다 act in concert (with); respond to (a request). ② (대응) ~하다 correspond (to); answer (to). ③ (상당) ~하다 be suitable; fit; be suited (to); be proper; be due.

상의(上衣) a coat; a jacket; an upper garment.

상의(相議) (a) consultation; (a) conference. ~하다 consult [confer] (with); talk over (a matter with); negotiate.

상이(傷痍) ¶ ~군인 a disabled veteran; a wounded soldier.

상인(商人) a merchant; a tradesman; a shopkeeper.

상인방(上引枋) [建] a lintel.

상임(常任) ¶ ~의 standing; regular. ‖ ~위원(회) (a member of) the standing committee / ~지휘자 a regular conductor.

상자(箱子) a box (of apples); a case; a packing case (포장용).

상장(上場) ~하다 list (stocks). ¶ ~되다 be listed (on the Stock

Exchange). ‖ ~ 폐지 delisting / ~회사 a listed company /(비)상장주 (un)listed stocks 〔shares〕.

상장(喪章) a mourning badge; a crape.

상장(賞狀) a certificate of merit; an honorary certificate.

상재(商才) business ability.

상적(商敵) a commercial 〔trade〕rival; a rival in trade.

상전(上典) *one's* master 〔employer〕.

상전(相傳) ~하다 〔대대로〕 inherit; hand down 〔*to*〕; transmit.

상전(桑田) ‖ ~벽해 convulsions of nature; changes in nature.

상점(商店) a shop; a store 《美》. ‖ ~가 a shopping street; an arcade.

상접(相接) 〔數〕 contact. ~하다 come in contact with each other; touch each other.

상정(上程) ~하다 place 〔put〕 《a bill》 on the agenda; lay 《a bill》 before the House (의회에); bring 《a bill》 up for discussion (토의에). 〔~ture 〔feeling〕.

상정(常情) (ordinary) human na-

상정(想定) ~하다 suppose; imagine; estimate.

상제(喪制) a person in mourning; a mourner (사람); the ritual of mourning (제도).

상조(尙早) ‖ ~ too early; premature / 시기 ~ 다 It is too early yet 《*to do*》.

상조(相助) mutual aid. ~하다 help each other 〔one another〕; cooperate.

상종(相從) ~하다 associate 〔keep company〕 《*with*》; mingle 《*with*》.

상종가(上終價) 〔증권〕 〔hit〕 the daily permissible ceiling.

상좌(上座) the top seat; an upper seat; the seat of honor.

상주(常住) ‖ ~인구 a settled population.

상주(常駐) ~하다 be stationed 《*at*》.

상주(喪主) the chief mourner.

상중하(上中下) the first, the second and the third classes

〔grades〕; the three grades of quality — good, fair and poor.

상징(象徵) a symbol; an emblem 《*of*》. ~하다 symbolize; be symbolic 《*of*》. ‖ ~ 적인 symbolic(al). / ~주의 symbolism.

상찬(賞讚) admiration. ~하다 admire; praise; laud. ‖ ~할 만한 admirable; praiseworthy.

상찰(詳察) ~하다 observe carefully 〔closely〕; consider in full.

상책(上策) a capital plan; the best policy.

상처(喪妻) ~하다 lose *one's* wife; be bereaved of *one's* wife.

상처(傷處) a wound; an injury; a hurt; a cut; a bruise(타박상); a scar(흉터). 〔body.

상체(上體) the upper part of the

상추 a lettuce.

상춘(賞春) enjoying spring. ‖ ~객 springtime picnickers.

상층(上層) 〔지층〕 the upper layer 〔stratum〕; 〔하늘〕 the upper air; 〔건물의〕 the upper stories; 〔사회〕 the upper classes. ‖ ~기류 the upper air current(s).

상치 a conflict. ~하다 be in discord 《*with*》; collide 《*with*》.

상쾌(爽快) ‖ ~ 한 refreshing; fresh.

상태(狀態) a state 《*of things*》; a condition; a situation.

상통(相通) ~하다 ① 〔연락〕 communicate 〔be in touch〕 《*with*》. ② 〔의사소통〕 ~하다 be mutually understood. ③ 〔공통〕 ~하다 have something in common 《*with*》.

상투 a topknot.

상투(常套) ‖ ~적(인) commonplace; conventional; hackneyed. / ~어 a hackneyed expression.

상팔자(上八字) a happy lot; an easy 〔a carefree〕 life.

상패(賞牌) a medal.

상편(上編) the first volume 〔piece〕.

상표(商標) (register) a trademark; a brand; a label (라벨). ‖ ~권 the trademark right / ~도용 trademark piracy / ~명 a brand

人

name.

상품(上品) first-grade articles; an article of superior quality.

상품(商品) a commodity; goods; merchandise(총칭). ∥ ~ 가치 commercial value / ~ 견본 a trade sample / ~ 권 a gift certificate (token) / ~ 목록 a catalog(ue) / ~ 진열실[진열장] a showroom (showcase).

상품(賞品) (win) a prize.

상피(上皮) 〔生〕 the epithelium.

상피병(象皮病) 〔醫〕 elephantiasis.

상피붙다(相避 ─) commit incest.

상하(上下) ① 〈위아 아래〉 up and down; upper and lower sides; top and bottom. ② 〈귀한〉 the upper and lower classes; high and low; superiors and inferiors. ③ 〈책〉 the first and second volumes.

상하다(傷 ─) ① 〈다치다〉 get hurt [injured]; be damaged [spoiled] (손상); 〈썩다〉 rot; go bad; turn sour(우유 따위). ② 〈마음이〉 be hurt; be worried 《about》; be distressed [troubled] 《with》. ③ 〈야윔〉 get thin [emaciated].

상한선(上限線) a ceiling; the maximum. ∥ ~ 을 두다 〔정하다〕 put a ceiling on; fix limits.

상해(傷害) 〈bodily harm〉: (a) bodily injury. ~ 하다 injure; do 《a person》 an injury. ∥ ~ 보험 accident [casualty] insurance / ~ 치사 (a) bodily injury resulting in death.

상해(詳解) ~ 하다 explain minutely; give a detailed explanation 《of》.

상해(霜害) frost damage. ∥ ~ 를 입다 suffer from frost.

상행(上行) ∥ ~ 선[열차] an up-line [-train].

상행위(商行爲) a business transaction.

상현(上弦) ∥ ~ 달 a young [an early crescent] moon.

상형문자(象形文字) a hieroglyph.

상호(相互) 〈부사적〉 mutually; each other; one another. ∥ ~ 의

mutual; reciprocal. ∥ ~ 관계[작용] reciprocal relation [action].

상호(商號) a firm [trade] name.

상혼(商魂) a commercial spirit [enthusiasm].

상환(相換) ~ 하다 exchange 《a thing for another》.

상환(償還) repayment; redemption. ~ 하다 repay; redeem 《loans》. ∥ ~ 금 money repaid; a repayment / ~ 기한 the term of redemption; maturity (만기).

상황(狀況) the state of things; a situation; circumstances. ∥ ~ 판단 circumstantial judgment.

상황(商況) the condition of the market.

상회(上廻) ~ 하다 be more than; be over [above]; exceed 《the average crop》.

상회(商會) a firm; a company.

샅 the crotch; the groin. 〔band.

샅바(씨름의) a wrestler's thigh

샅샅이 all over; in every nook and corner.

새 〈동물〉 a bird; a fowl; poultry(가금).

새 new〈새로운〉; novel〈신기한〉; fresh〈신선한〉; recent〈최근의〉.

새가슴 pigeon breast 〈chest〉.

새겨듣다 listen attentively to; give ear to; 〈참뜻을〉 catch 《a person's》 meaning.

새근거리다 〈뼈마디가〉 feel a slight pain 《in one's joints》; 〈숨을〉 gasp; be out of breath.

새근새근 ~ 잠자다 sleep peacefully [calmly]; sleep a sound sleep.

새기다 ① 〈파다〉 carve 《an image》; engrave; chisel; incise; inscribe. ② 〈마음에〉 bear [keep] 《a thing》 in mind; take 《a thing》 to heart; engrave 《a thing》 on one's mind. ③ 〈해석함〉 interpret; construe; translate(번역). ④ 〈반추〉 ruminate; chew the cud.

새김〈뜻의〉 interpretation; explanation; 〈조각〉 carving; engrav-

ing. ‖ ~칼 a carving knife.
새김질 (彫刻) carving; engraving; sculpture; (反芻) rumination.
새까맣다 (be) deep-(jet-)black.
새끼¹ (끈) a (coarse) straw rope.
새끼² ①〈동물의〉the young(총칭); a cub(맹수·여우의); a litter(한배의); a calf(소의); a colt(말, 사슴의); a puppy(개의); a kitten(고양이의); a lamb(양의); 〈뒤에 동물명을 붙여〉a baby 《monkey》. ②〈자식〉a child; a son(사내); a daughter(딸). ③〈욕〉a fellow; a guy.
새끼발가락 the little toe.
새끼손가락 the little finger.
새다 ①〈날이〉dawn; break. ②〈기체·액체 따위가〉leak; run out; escape; 〈불빛 따위〉come through; 〈발소리가〉be heard outside. ‖ 새는 곳 a leak. ③〈비밀이〉get (slip) out; leak out; be disclosed.
새달 〈다음 달〉next month; the coming month.
새댁 ☞ 새색시.
새로 new(ly); freshly; afresh; anew; (over) again.
새롭다 (be) new; fresh; novel; 〈최근의〉(be) recent; latest; modern; up-to-date. ‖ 새롭게 newly; afresh / 새롭게 하다 renew; renovate.
새마을 a Saemaeul; a new community. ‖ ~운동 the Saemaeul movement.
새매 〔鳥〕an sparrow-hawk.
새물 ①〈과일·생선 따위〉the first product of the season. ②〈옷〉clothes fresh from washing.
새벽 〈아침〉dawn; the break of day; daybreak.
새봄 early spring.
새빨갛다 (be) deep-red; crimson; downright(거짓말). ‖ 새빨간 거짓말 a downright lie.
새사람 ①〈신인〉a new figure (face). ②〈신부〉a new bride. ③〈갱생한〉a new man; another man.

새삼스럽다 (be) abrupt; new; fresh. ‖ 새삼스럽게 anew; afresh; specially(특히).
새색시 a bride.
새알 a bird's egg.
새옹지마 (塞翁之馬) the irony of fate. ‖ 인간만사 ~ Inscrutable are the ways of Heaven.
새우 〔蝦〕a shrimp(작은); a prawn(보리새우); a lobster(바닷가재). ‖ ~젓 pickled shrimp.
새우다 (밤을) sit (stay) up all night; keep vigil.
새우잠 ‖ ~ 자다 lie (sleep) curled up in bed.
새장 (一欌) a bird cage.
새조개 〔貝〕a cockle.
새집 〈가옥〉one's new house; a newly built house(신축의).
새총 (一銃) an air gun (rifle) (공기총); a slingshot(고무줄의).
새출발 (出發) a fresh start. ~하다 make a fresh start; set out anew.
새치 prematurely gray hair.
새치기 cutting (breaking) into the line. ~하다 break into (the line); push in front of others.
새침데기 a prim-looking girl; a smug-looking person; a prude.
새털 a feather; a plume; down (솜털). ‖ ~구름 a cirrus.
새파랗다 (be) deep blue; 〈안색이〉(be) deadly pale.
새하얗다 (be) pure-(snow-)white.
새해 a new year; the New Year. ‖ ~ 복 많이 받으세요 (I wish you a) happy New Year! ‖ ~문안 a New Year's greetings.
색 (色) a color; a shade(농담); a complexion(얼굴); 〈정욕〉sensual pleasure. ‖ 진한 (흐린) ~ a deep (light) color.
색감 (色感) the color sense.
색골 (色骨) a sensualist; a lewd person; a lecher.
색광 (色狂) an erotomaniac; a sexual maniac.
색다르다 (色一) (be) fresh; new;

색도 (色度) chromaticity; 《조명》 chroma. ‖ ~측정 colorimetry.

색동 (色―) stripes of many colors. ‖ ~저고리 a jacket with sleeves of many-colored stripes.

색마 (色魔) a sex maniac.

색맹 (色盲) color blindness. ‖ 적 ~의 red-blind / 전(색) ~ total color blindness.

색상 (色相) the tone of color; a color tone; color quality.

색색 ‖ ~거리다 breathe lightly / ~ 잠을 자다 sleep peacefully.

색소 (色素) a coloring matter; a pigment. ‖ ~체 〔生〕 a plastid.

색소폰 〔樂〕 a saxophone.

색시 (新婦) a bride; 《아내》 a wife; 《처녀》 a maiden; a girl; 《술집의》 a barmaid.

색실 (色―) dyed 〔colored〕 thread.

색안경 (色眼鏡) 《a pair of》 colored glasses; sunglasses. ‖ ~으로 보다 look on 《things》 from a biased viewpoint.

색연필 (色鉛筆) a colored pencil.

색욕 (色慾) lust; sexual desire.

색유리 (色琉璃) stained glass.

색인 (索引) an index.

색정 (色情) sexual 〔carnal〕 passion 〔desire〕; lust. ‖ ~광(狂) 〔美術〕 tonality.

색조 (色調) a tone of color; a color tone; shade; 〔美術〕 tonality.

색종이 (色―) colored paper.

색주가 (色酒家) a shady bar; a bar-whorehouse.

색채 (色彩) a hue; a tint; a tinge. ‖ 종교적 ~를 띠다 have a religious color. ‖ ~감각 a color sense.

색출 (索出) ~하다 search 〔hunt〕 out; seek 〔hunt〕 out.

색칠 (色漆) coloring; painting. ~하다 color; paint.

샌님 a meek person; a weak-kneed and bigoted person.

샌드위치 a sandwich. ‖ ~맨 a sandwich man.

샌들 sandals. 〔sandwich man.

샐러드 a salad. ‖ ~유 salad oil.

샐러리 a salary. ‖ ~맨 a salari-ed man.

샘[1] (물) a spring; a fountain.

샘[2] (시기) jealousy; envy. ‖ ~내 다 be jealous 〔envious〕 《of》; envy.

샘물 spring 〔fountain〕 water.

샘솟다 (물이) rise in a fountain; gush 〔spring〕 out 〔forth〕.

샘터 a fountain place 〔site〕.

샘플 a sample.

생강 (―江) a tributary; a feeder.

샛길 a byway; a narrow path; a bypath; a byroad.

샛별 the morning star; Lucifer.

샛서방 (―書房) a secret lover; a paramour.

생… (生) 《조리하지 않은》 raw; un-cooked; 《자연 그대로의》 crude; 《신선한》 fresh; 《익지 않은》 green; unripe; 《덜 요리된》 underdone; half-boiled; 《살아있는》 live; green. ‖ ~고무 crude 〔raw〕 rub-ber / ~우유 raw milk.

생가 (生家) the house of *one's* birth; *one's* parents' home.

생가죽 (生―) 《무두질하지 않은》 a rawhide; an untanned skin.

생각 ① 《사고》 thinking; feeling(느낌); 《사상》 (a) thought; 《관념》 an idea; a notion; a conception. ② 《의견》 *one's* opinion 〔view〕; 《신념》 a belief. ‖ 내 ~으로는 in my opinion. ③ 《의도·의향》 mind; an idea; an inten-tion; an aim; 《방책》 a plan; 《동기》 a motive; a view. ④ 《기대》 expectation; hope; 《소원》 wish; desire. ‖ ~ 밖의 unex-pected; unforeseen. ⑤ 《판단》 judgment; 《사려》 prudence; sense; discretion. ‖ ~있는 prudent; discreet; thoughtful. ⑥ 《상상》 imagination; fancy; sup-position. ‖ ~도 못할 unimagin-able; unthinkable. ⑦ 《고려》 consideration; regard; thought; 《참작》 allowance. ‖ ~에 넣다 〔넣지 않다〕 take 〔leave〕 《a matter》 into 〔out of〕 consideration.

역) retrospection; recollection; (명상) meditation; reverie(공상). 《 각오》 a resolution.
생각나다《사물이 주어》 come to mind; occur to one; be re-minded of; (사람이 주어》 call (bring) 《something》 to mind; re-call; remember; 《생각이 떠오르다》 think of 《something》; hit on 《a plan》; take (get) it into one's head 《to do》.
생각하다《사고·고려》 think 《of, about》; consider. 《 다시 》 think over; reconsider. 《 믿 다》 believe; hold; 《판단》 judge. 《 간주》 take 《a thing》 as 〔for〕; regard 〔consider〕 《as》. 《 의 도》 intend; plan; be going to; think of 《doing》. 《 예기》 ex-pect; hope; anticipate. 《 상 상》 suppose; imagine; fancy; guess. ¶ 생각할 수 없는 unimagin-able; unthinkable. 《 기억·회 상》 recall; remember; look back 《upon》; recollect. 《 염두 에 두다》 think of; be interested in; care for; yearn after 〔for〕.
생각해내다 think out 《a plan》; work out 《a scheme》; invent; contrive; 《상기하다》 recall; re-member; call to mind.
생강(生薑) 〔植〕 a ginger.
생것(生―) ¶ ～로 날것.
생견(生絹) raw silk.
생경(生硬) ～하다 (be) raw; crude; unrefined; stiff.
생계(生計) livelihood; living. ¶ ～ 를 세우다 make a living 《by》 / ¶ ～비 the cost of living.
생과부(生寡婦) a neglected wife; a grass widow.　　　　　〔fruits.
생과(生果) 《生果(實)》 (raw) green 생과자(生菓子) (a) pastry; a cake.
생글거리다 smile (affably).
생기(生氣) life; vitality; vigor. ¶ ～있는 vital; lively; ani-mated / ～없는 lifeless; dull.
생기다《발생》 happen; occur; take place; come into being (존재); 《야기》 give rise to; cause;

bring about; 《유래》 originate 《from, in》; result 《from》; 《산출》 yield; produce; 《얻다》 obtain; get; 《낳다》 be born; 《얼굴이》 have looks.
생김새 looks; personal appear-ance.　　　　　　　　〔wood.
생나무(生―) a live tree; green
생년(生年) ¶ ～월일 the date (and hour) of one's birth.
생니(生―) a healthy tooth.
생도(生徒) 〔사관〕 a cadet; a midshipman(해군의).　　〔purpose.
생돈(生―) money spent to no
생동(生動) ～하다 move with; be full of life; be vivid (lifelike).
생득(生得) ¶ ～의 natural; inborn; innate. ¶ ～권 one's birthright.
생때 같이(生―) ～ 쓰다 persist; stick to 《it》 doggedly; be obstinate.
생략(省略) omission; abbreviation. ～하다 omit; abbreviate. ¶ ～한 〔된〕 omitted; abridged / 이하 ～ The rest is omitted. ‖ ～법 ellipsis / ～부호 an apostrophe.
생령(生靈) souls; lives; people.
생리(生理) physiology; 《월경》 mens-truation; one's period. ¶ 적인 physical; physiological / 중에 있다 be having one's period. ‖ ～대 a sanitary napkin (towel) / ～통 period pains / ～학 physi-ology / ～학자 a physiologist / ～현상 a physiological phenom-enon / ～휴가 a women's period.
생매장(生埋葬) ～하다 bury 《a per-son》 alive.
생맥주(生麥酒) draft 〔draught 《英》〕 beer; beer on draft (tap).
생면(生面) ～하다 see 〔meet〕 《a person》 for the first time. ‖ ～ 부지 a total stranger.
생명(生命) life; existence; 《정수》 the soul 《of thing》. ¶ ～을 걸다 risk one's life / 많은 ～을 희생하 여 at the cost of many lives. ‖ ～공학 biotechnology / ～과학 life science / ～력 life force; survival power (ability) / ～보험 life insurance (～보험에 들다 have

人

one's life insured / ~ 유지 장치 a life-support system.

생모 (生母) one's real mother.

생목숨 (生―) ①《산 목숨》 an innocent 《person's》 life. ②《죄없는》 an innocent 《person's》 life.

생무지 a novice; a green hand.

생물 (生物) a living thing; a creature; life (총칭). ‖ ~ 계 animals and plants / ~ 학 biology / ~ 학자 a biologist / ~ 학적 산소요구량 the biological oxygen demand (略 BOD) / ~ 화학 biochemistry.

생방송 (生放送) a live broadcast; live broadcasting. ~ 하다 broadcast 《a drama》 live; cover 《carry》《an event》 live on radio 《television》.

생벼락 (生―) an unreasonable 〔undeserved〕 scolding; a sudden 〔an unexpected〕 calamity.

생부 (生父) one's real father.

생불 (生佛) a living Buddha.

생사 (生死) life and 〔or〕 death; one's safety (안부). ~ 를 같이하다 share one's fate 《with》 / ~ 지경을 헤매다 hover between life and death / 그의 ~ 는 아직 불명이다 He is still missing.

생사 (生絲) raw silk.

생사람 (生―) an innocent 〔unrelated〕 person. ~ 을 잡다 kill an innocent person(살해); inflict injury upon an innocent person(모해).

생산 (生産) production. ~ 하다 produce; make; turn 〔put〕 out. 국내 ~ domestic production. ‖ ~ 고〔액〕 an output / ~ 과잉 overproduction / ~ 물 a product / ~ 성 productivity / ~ 성을 높이다 increase 〔raise〕 the productivity 《of》 / ~ 자 a producer; a maker.

생살여탈 (生殺與奪) ‖ ~ 권을 쥐다 hold the power of life and death 《over a person》.

생색 (生色) ‖ ~ 이 나다 reflect credit on 《a person》; be 《a person's》 credit / ~ 을 내다 take credit to oneself

생생하다 (生生―) (be) fresh; vivid; lively; full of life. ‖ 생생히 vividly; true to life.

생석회 (生石灰) quicklime.

생선 (生鮮) (a) fish; fresh 〔raw〕 fish. ‖ ~ 가게 a fish shop / ~ 장수 a fishmonger / ~ 회 slices of raw fish.

생성 (生成) create; form; generate; be created 〔formed〕.

생소 (生疏) unfamiliar; strange; inexperienced 《in》.

생수 (生水) natural 〔spring〕 water.

생시 (生時) ①《난 시간》 the time 〔hour〕 of one's birth. ②《깨어 있을 때》 one's waking hours; 《생전》 one's lifetime.

생식 (生食) ‖ ~ 하다 eat 《fish》 raw; eat uncooked food.

생식 (生殖) reproduction; generation. ~ 하다 reproduce; procreate; generate. ‖ ~ 기 sexual organs / ~ 기능 reproductive function / ~ 력 generative power; fecundity / ~ 세포 a germ cell.

생신 (生辰) = 생일. ‖ a lifetime.

생애 (生涯) a 《happy》 life; a career.

생약 (生薬) a herb medicine; a crude drug. ‖ ~ 학 pharmacognosy.

생억지 (生―) ‖ ~ 쓰다 say extremely unreasonable things; stick to one's unjust opinion.

생업 (生業) an occupation; a calling. ~ 을 ⋯으로 하다 live by 《doing》. ‖ ~ 자금 a rehabilitation fund.

생육 (生肉) raw 〔uncooked〕 meat.

생육 (生育) ~ 하다 grow; raise.

생으로 (生―) ①《날로》 raw. ~ 먹다 eat raw. ②《억지로》 forcibly; by force; 《까닭없이》 unreasonably; without any reason; causelessly.

생이별 (生離別) ~ 하다 be separated from 《one's spouse》 by adverse circumstances; part from 《one's spouse》 and lose contact with him 〔her〕.

생인손 a sore finger.

생일(生日) one's birthday.

생장(生長) growth. ⇨ 성장.

생전(生前) one's life(time); 《∼에》 in (during) one's life(time); before one's death.

생존(生存) existence; survival. ∼하다 exist; live; survive(살아남다). ║ ∼경쟁 a struggle for existence / ∼권 the right to live / ∼자 a survivor.

생쥐 《動》 a mouse〔pl. mice〕.

생지옥(生地獄) a hell on earth.

생질(甥姪) one's sister's son; a nephew. ║ ∼녀 one's sister's daughter; a niece.

생짜(生-)《날것》 uncooked food (음식 따위); an unripe 〔green〕 fruit(과실).

생채(生菜) a vegetable salad.

생채기 a scratch.

생체(生體) a living body. ║ ∼공학 bionics / ∼반응 the reaction of a living body / ∼실험 medical experimentation 〔a medical experiment〕 on living person; 해부 vivisection.

생태(生態) a mode of life. ║ ∼계 an ecosystem / ∼변화 ecological adaptation / ∼학 ecology.

생트집(生-) a false charge. ¶ ∼을 잡다 find fault 《with a person》; accuse 《a person》 falsely.

생판(生板) completely; utterly; quite. ¶ ∼ 다르다 be utterly different.

생포(生捕) capture; capture. ¶ ∼하다 take 《a person》 prisoner; capture; catch 《an animal》 alive.

생화(生花) a natural 〔fresh〕 flower.

생화학(生化學) biochemistry. ║ ∼자 a biochemist.

생환(生還) ∼하다 return alive; 〔野〕 reach the home plate; score home. ¶ ∼시키다 《야구에서》 bring home 《the runner》. ║ ∼자 a survivor.

생활(生活) life; living; livelihood (생계). ∼하다 live; lead a 《lonely》 life; support oneself; make a living. ¶ ∼이 안정되다 secure one's living / ∼이 어렵다 be unable to make a living; be badly off. ║ ∼보호 livelihood protection(∼보호를 받다 go 〔be〕 on welfare) / ∼비 the cost of living / ∼설계 a plan for one's life; life planning / ∼설계사 a life planner / ∼수준 the standard of living / ∼양식 one's life-style; a way of life / ∼필수 품 necessaries of life / ∼환경 life environment.

생후(生後) after 〔since〕 one's birth. ¶ ∼ 3개월된 아이 a three-month-old baby.

샤워 《have, take》 a shower 〔bath〕.

샴페인 《술》 champagne.

샴푸 《세발제》 a shampoo.

상들리에 a chandelier.

샹송 [음악] 《프》 a chanson.

서(西) (the) west.

서(書) ⇨ ① 관서. ② 경찰.

서가(書架) a bookcase; a book-shelf; a bookstack(도서관의).

서가(書家) a calligrapher.

서간(書簡) a letter; a note. ║ ∼문 an epistolary style.

서거(逝去) death. ∼하다 pass away; die.

서경(西經) the west longitude. ¶ ∼ 20도 longitude 20 degrees west; long. 20 W.

서고(書庫) a library.

서곡(序曲) an overture; a prelude.

서관(書館) 《서점》 a bookstore; 《출 판사》 a publisher.

서광(曙光) the first streak of daylight; dawn; 《희망》 hope. ¶ 평화의 ∼ the dawn of peace.

서구(西歐) West(ern) Europe; the West(서양). ║ ∼문명 Western civilization.

서글서글하다 (be) free and easy; open-hearted; magnanimous; sociable; affable; 《some》.

서글프다 (be) sad; plaintive; lone-some.

서기(西紀) the Christian Era; Anno Domini (생략 A. D.).

서기(書記) a clerk; a secretary. ║ ∼국 a secretariat / ∼장(長)

the head clerk; a chief secretary / ~판 a secretary.

서기(瑞氣) an auspicious sign; a good omen.

서까래 a rafter. ⌊good omen.

서남(西南) the southwest. ∥ ~의 southwestern; southwesterly. ∥ ~풍 a southwester; a southwesterly wind.

서낭 a tutelar(y) deity. ∥ ~당 the shrine of a tutelary deity.

서너 three or four; a few.

서너덧 three or four; from three to five; a few 《of》.

서늘하다 ① 《날씨가》 (be) cool; refreshing; chilly(차갑다). ② 《마음이》 have a chill; be chilled.

서다 ① 《기립》 stand (up); rise (to one's feet); get up. ② 《정지》 stop; (make a) halt; come to stop; (make a) stop; run down(시계가). ¶ 갑자기 ~ stop short. ③ 《건립》 be built (erected); be established; be set up. ④ 《장이》 be opened (held). ⑤ 《날붙이》 be sharpened (edged). ⑥ 《명령이》 be obeyed; be carried out; be followed. ¶ 《질서가》 be orderly; be in good order. ⑦ 《조리가》 hold good; be made good; 《이유가》 pass; be admissible. ⑧ 《계획이》 be formed (established); be worked out. ⑨ 《위신·체면이》 save one's face. ⑩ 《잉태함》 아이가 ~ become pregnant. ⑪ 《결심이》 make up one's mind.

서당(書堂) a village schoolhouse.

서도(書道) calligraphy.

서두르다 《급히》 (be in a) hurry; hasten; make haste; 《재촉》 press; urge. ¶ 서둘러서 in haste (a hurry); hastily / 일을 ~ hurry up one's work.

서랍 a drawer. ⌊up one's work.

서러워하다 grieve 《at, over》; sorrow 《at, over》.

서럽다 (be) sad; sorrowful; mournful; grievous.

서력(西曆) ☞ 서기(西紀).

서로 mutually; 《help》 each other (one another(셋 이상)).

서론(序論) an introduction; introductory remarks; a preface.

서류(書類) 《shipping》 documents; (important) papers. ¶ 관계 ~ related documents. ∥ ~가방 a briefcase / ~함 a filing cabinet.

서른 thirty.

서리 frost. ¶ ~가 내린 아침 a frosty morning. ∥ 된 ~ heavy frost.

서리²《훔치기》 stealing 《fruits, chickens, etc.》 in a band (out of a mischievous motive).

서리(署理) administering as an acting director(일); an acting director, a deputy 《official》(사람). ~하다 administer 《affairs》 as a deputy (an acting director); stand proxy for. ¶ 국무총리 ~ an acting premier.

서리다¹《김이》 rise; be clouded (up) 《with》; steam up. ② 《기가 꺾이다》 get dejected; be disheartened.

서리맞다 ① 《내리다》 be frosted 《over》; be nipped (shriveled) by frost. ② 《기운이》 be dispirited; 《타격》 be hard hit; receive a setback.

서막(序幕) 《극에서》 the opening (first) scene; 《시초》 a prelude 《to》; the beginning.

서머타임 daylight saving time; summer time(英).

서먹하다 feel awkward (nervous) 《before an audience》; feel small (embarrassed) 《in company》; feel ill at ease.

서면(書面) a letter; 《문서》 writing; a document. ¶ ~으로 by letter; in writing.

서명(書名) the title (name) of a book.

서명(署名) a signature. ~하다 sign one's name 《to》; affix one's signature to; autograph. ¶ 서류에 ~ 날인을 하다 sign and seal a document. ∥ ~운동 a signature-collecting campaign / ~자 a signer; the undersigned (oversigned)(서면에서).

서무(庶務) general affairs 《*section*》.
서문(序文) a foreword; a preface.
서민(庶民) the (common) people; common 《ordinary》 folks 《美》; the masses. ¶ ~적(인) popular; common. 　　　　　 【sphere.
서반구(西半球) the western hemi-
서방(西方) the west. ¶ ~의 western / ~에 to the west 《of》. ‖ ~세계 the Western world / ~정토 《宗》 the Western Paradise.
서방(書房) 《남편》 *one's* husband 《man》.
서방질(書房—) adultery. ～하다 cuckold *one's* husband.
서법(書法) penmanship.
서부(西部) the western part; the West 《미국의》. ¶ ~의 western. ‖ ~극 a western; a cowboy picture.
서북(西北) ① 《서와 북》 north and west. ② 《서북간》 the northwest. ¶ ~의 northwestern; northwesterly. ‖ ~풍 a northwestern 〔northwesterly〕 wind.
서브 〔테니스〕 a serve; a service. ～하다 serve.
서비스 service. ¶ ~가 좋다 〔나쁘다〕 give good 〔bad〕 service. ‖ ~료 a service charge; a cover charge 《식당의》 / ~업 a service industry.
서사(敍事) 《a》 description of deeds 〔incidents〕. ¶ ~적(인) descriptive; narrative. ‖ ~시 an epic.
서생(書生) a student; 《남의 집의》 a student dependent.
서서히(徐徐—) slow(ly); gradually; by degrees.
서성거리다 walk up and down restlessly; go back and forth uneasily.
서수(序數) an ordinal (number).
서술(敍述) description; depiction. ～하다 describe; narrate; depict. ¶ ~적(인) descriptive; narrative. ‖ ~어 the predicative.

서스펜스 suspense. ¶ ~가 넘치는 suspenseful.
서슬 ① 《칼날》 a burnished blade; a sharp edge. ② 《기세 따위》 the brunt 《*of an attack, argument*》; impetuosity.
서슴다 hesitate 《*to do*》; waver. ¶ 서슴지 않고 without hesitation.
서슴없다 (be) unhesitating; 《서슬적》 be not hesitant.
서식(書式) a (fixed, prescribed) form. ¶ ~에 따라 in due form.
서식(棲息) ～하다 live; inhabit. ¶ ~에 적합한 inhabitable. ‖ ~동물 an inhabitant 《*of*》 / ~지 a habitat.
서신(書信) 《편지 왕래》 correspondence; 《편지》 a letter.
서약(誓約) an oath; a pledge. a vow. ～하다 《make》 an pledge, vow; swear; take an oath. ¶ ~을 지키다 〔어기다〕 keep 〔break〕 *one's* pledge. ‖ ~서 a written oath.
서양(西洋) the West; the Occident. ¶ ~의 Western; Occidental / ~화하다 Westernize; Europeanize. ‖ ~사람 a Westerner; a European.
서언(序言·緖言) a foreword; an introduction; a preface.
서열(序列) rank; order; grade.
서예(書藝) calligraphy.
서운하다 (be) sorry; regrettable; disappointing. ¶ 서운하다 be sorry 《*for*》; regret; be disappointed; miss.
서울 Seoul; 《수도》 the capital; the metropolis. ¶ ~내기 a Seoulite.
서원(書院) ① 《강론하는 곳》 a lecturehall. ② 《제사하는 곳》 a memorial hall for the great scholars.
서원(署員) 《a member of》 the 《*police*》 staff. ¶ 세무 ~ a tax office clerk. 　　　　　 【Indies.
서인도제도(西印度諸島) the West
서자(庶子) 《첩의 아들》 a child born of a concubine.

서장(署長) the head [chief] 《of》; a marshal. ¶ 경찰~ the chief of police station.

서재(書齋) a study; a library.

서적(書籍) books; publications(출판물). ‖ ~상 a bookseller(사람); a bookstore(가게).

서점(書店) a bookstore; a bookshop; a bookseller's.

서정(抒情·舒情) lyricism. ¶ ~적(인) lyric(al). ‖ ~시 lyric poetry(총칭); a lyric / ~시인 a lyrist.

서정(庶政) general administrative affairs; civil services.

서지(書誌) a bibliography. ‖ ~학 bibliography / ~학자 a bibliographer.

서진(書鎭) a (paper)weight.

서쪽(西一) the west. ¶ ~의 west; western / ~으로 westward.

서체(書體) a style of handwriting; a calligraphic style.

서출(庶出) ~의 born out of wedlock(concubine).

서치라이트 〖탐조등〗 a searchlight 《on》.

서캐 a nit.

서커스〖곡예단〗(run) a circus.

서투르다 (be) unskillful; clumsy; poor; awkward. ¶ …이 ~ be bad [not good] at …; be a poor hand at 《doing》.

서평(書評) a book review.

서표(書標) a bookmark(er).

서풍(西風) the west [westerly] wind.

서해(西海) the western sea;《황해》the Yellow Sea.

서해안(西海岸) the west coast. ‖ ~ 간선도로 the west coast highway.

서행(徐行) ~하다 go slow(ly); slow down. ¶ ~《게시》Slow down, or Go [Drive] slow.

서향(西向) facing west.

서화(書畵) paintings and writings [calligraphic works].

석 ~달 three months.

석가(釋迦) ☞ 석가모니.

석가모니(釋迦牟尼) S(h)akyamuni;

Buddha.

석간(夕刊) an evening paper; the evening edition 《of》.

석고(石膏) gypsum; plaster (of Paris). ‖ ~세공 plasterwork.

석공(石工) ☞ 석수(石手).

석굴(石窟) a rocky cavern; a stone cave.

석권(席卷·席捲) ~하다 overwhelm; carry everything before 《one》; conquer; sweep 《over》.

석기(石器) stoneware; stonework; 〖考古〗a stone implement. ¶ ~시대 the Stone Age / ~시대 the Early [New] Stone Age.

석류(石榴) 〖植〗a pomegranate (tree). ‖ ~석(石) 〖鑛〗garnet.

석면(石綿) 〖鑛〗asbestos.

석방(釋放) release; acquittal. ~하다 set 《a person》 free; release.

석벽(石壁) ① 《절벽》a cliff; a rock-wall. ② 《벽》a stone wall.

석별(惜別) ~하다 express regret at parting. ¶ ~의 정을 나누다 express one's sorrow at parting.

석불(石佛) a stone (image) of Buddha.

석비(石碑) a stone monument.

석사(碩士) master. ‖ ~과정[학위] a master's course [degree].

석상(石像) a stone image [statue].

석상(席上) ¶ ~에서 at the meeting.

석쇠 a grill; a gridiron. [ing.

석수(石手) a stonemason; a stonecutter.

석순(石筍) 〖鑛〗stalagmite. [sun.

석양(夕陽) the setting [evening]

석연(釋然) ~하다 (be) satisfied 《with》; satisfactory. ¶ ~치 않다 be not satisfied 《with》.

석영(石英) 〖鑛〗quartz. ‖ ~암(岩) quartzite.

석유(石油) oil; petroleum; kerosene(등유). ‖ ~시추 oil drilling / ~위기 an oil crisis.

석유수출국기구(石油輸出國機構) the Organization of Petroleum Exporting Countries(생략 OPEC).

석유안정기금(石油安定基金) the Petroleum Stability [Stabilization]

Fund.

석유제품(石油製品) petroleum (oil) products.

석유화학(石油化學) petrochemistry. ∥ ～공업 the petrochemical industry / ～제품 petrochemicals.

석재(石材) (building) stone.

석조(石造) ¶ ～의 (built of) stone.

석조(石造) ¶ ～의 (built of) stone.

석존(釋尊) Buddha; S(h)akyamuni.

석종유(石鐘乳) 〔鑛〕 stalactite.

석주(石柱) a stone pillar.

석차(席次) 〔자리의〕 the order of seats 〔places〕; 〔학교의〕 standing; ranking; the class order. ¶ 그는 반에서 ～가 3등이다 He ranks first in his class.

석창포(石菖蒲) 〔植〕 a sweet rush.

석탄(石炭) coal. ¶ ～을 캐다 mine coal. ∥ ～갱〔坑〕 a coal pit 〔mine〕 / ～갱부 a coal miner / ～층 a coal bed.

석탑(石塔) a stone pagoda (tower).

석판(石板) a slate.

석판(石板) 〔印〕 lithography.

석학(碩學) a man of erudition.

석화(石火) a flint spark (불꽃); a flash(빠름).

석회(石灰) lime. ¶ ～질의 calcic. ∥ ～석 limestone / ～수 limewater.

섞갈리다 get confused (mixed, tangled, complicated).

섞다 mix; mingle; blend; admix; adulterate (with).

섞이다 be mixed (mingled) (with); mix (mingle) (with).

선 〔혼사의〕 an arranged meeting with a view to marriage.

선(先) the first move (in a chess game).

선(善) 〔do〕 good; goodness; 〔practice〕 virtue. ¶ ～과 악 good and evil.

선(腺) 〔解〕 a gland.

선(線) 〔draw〕 a line; a route(항로); a track(역로); a wire(전선). ∥ 38도～ the 38th Parallel.

선(選) selection; choice. ¶ ～들다 be (not) chosen.

선(禪) Zen (Buddhism); religious meditation (contemplation).

선각자(先覺者) a pioneer; a pathfinder; a leading spirit.

선객(船客) a passenger. ∥ ～명부 a passenger list.

선거(船渠) a dock.

선거(選擧) (an) election. ～하다 elect; vote for. ¶ ～를 실시하다 hold an election. ∥ ～관리위원회 the Election Management Committee / ～구 a constituency; an electoral district / ～권 the right to vote; suffrage / ～사무소 an election campaign office / ～운동 an election campaign / ～유세 a canvassing (campaign) tour / ～인 a voter; a constituent; the electorate(총칭) / ～인명부 a pollbook; a voter's list; a register of electors (美) / ～일 the election (polling) day / 보궐～ a special election(美); a by-election (英).

선거법(選擧法) election (electoral) law. ∥ ～개정 (an) electoral reform / ～위반 (a) violation of election law.

선견(先見) foresight. ¶ ～지명 the wisdom and power to see into the future / ～지명이 있는 farsighted; farseeing; foresighted / ～지명이 있다 〔없다〕 have (lack) foresight.

선결(先決) ～하다 settle (something) beforehand. ∥ ～문제 the first consideration; a matter that must be settled first.

선경(仙境) a fairyland; an enchanted land.

선고(先考) one's late (deceased) father.

선고(宣告) 〔a〕 sentence; 〔a〕 verdict(평결); 〔a〕 judgment(심판). ～하다 (pass a) sentence (on); condemn (pronounce) (a person to death). ¶ 사형 ～ a sentence of death / 파산 ～ a decree in bankruptcy. 〔go to bat first.

선공(先攻) ～하다 attack first; 〔野〕

선교(宣敎) missionary work. ‖ ～사 a missionary.

선교(船橋) ① ☞ 배다리. ② a bridge (갑판의).

선구(先驅) ¶ ～적인 pioneering 《works》; pioneer 《physicist》. ‖ ～자 a pioneer; a pathfinder.

선글라스 (a pair of) sunglasses.

선금(先金) an advance; a pre-payment. ¶ ～을 치르다 pay in advance.

선급(先給) 〔돈의〕 payment in advance; 〔상품 따위의〕 delivery in advance. ¶ 〔상품을〕 ～으로 사다 〔팔다〕 buy 〔sell〕 《goods》 for forward delivery.

선급(船級) 〔ship's〕 classification 〔class〕. ‖ ～증서 a classification certificate / ～협회 a classification society.

선납(先納) payment in advance. ‖ ～하다 pay in advance; pre-pay.

선녀(仙女) a fairy; a nymph.

선다형(選多型) a multiple-choice system 〔format〕. ‖ ～문제 a multiple-choice question.

선단(船團) a fleet of vessels.

선대(先代) one's predecessor.

선도(先渡) forward delivery.

선도(先導) ¶ ～하다 guide; (take the) lead. ‖ ～자 a guide; a leader.

선도(善導) proper guidance. ～하다 lead properly; guide aright.

선도(鮮度) freshness. ¶ ～가 높은 〔낮은〕 very fresh (not very fresh).

선돌 〔史〕 a menhir.

선동(煽動) instigation; agitation. ～하다 instigate; stir up; agitate. ¶ ～적인 inflammatory; seditious; incendiary. ‖ ～자 an agitator; an instigator.

선두(先頭) the lead; the head; the top; 〔軍〕 the van. ¶ ～에 서다 take the lead 《in doing》; be at the head. ‖ ～타자 〔野〕 a lead-off man; the first batter.

선두르다 put a border 《on》; border; fringe; hem.

선뜻 〔가볍게〕 lightly; 〔쾌히〕 readily; willingly; with a good grace; offhand (즉석에서).

선량(善良) ¶ ～하다 (be) good; virtuous; honest. ¶ ～한 사람 a good(-natured) man / ～한 시민 a good (law-abiding) citizen.

선량(選良) a representative of the people; a member of the Congress.

선례(先例) a precedent. ☞ 전례.

선로(線路) (lay) a railway line; a (railroad) track (美).

선린(善隣) neighborly friendship. ‖ ～관계 good neighborly relations 《with》 / ～우호정책 a good-neighbor policy.

선망(羨望) envy. ～하다 envy 《something, somebody》; feel envy 《at》; be envious 《of》.

선매(先賣) an advance sale.

선매권(先買權) (the right of) pre-emption.

선머슴 a naughty boy; an urchin.

선명(宣明) ～하다 announce; proclaim.

선명(鮮明) clearness; vividness; distinctness. ～하다 be clear; distinct; vivid; clear-cut. ‖ ～도 〔TV의〕 definition.

선무(宣撫) placation; pacification. ‖ ～공작 pacification activity 〔work〕 / ～반 a placation squad.

선물(先物) (buy, deal in) futures. ‖ ～거래 trading in futures / ～매입 purchase of futures / ～시장 a future market.

선물(膳物) a gift; a present; a souvenir (기념품). ¶ ～을 하다 give a person a present.

선미(船尾) ☞ 고물.

선민(選民) the chosen (people); the elect. ‖ ～의식 elitism.

선박(船舶) a vessel; a ship; shipping (船舶). ‖ ～사용료 charterage / ～업 the shipping industry / ～업자 〔회사〕 a shipping man (company).

선반(一盤) a shelf; a rack (그물 모양의).

선반(旋盤) a lathe. ‖ ～공 a

latheman / ～ 공장 a turnery.

선발(先發) ～ 하다 start first; start [go] in advance 《of others》; go ahead. ‖ ～ 대 an advance party ; ～ 투수 a starting pitcher.

선발(選拔) selection: choice. ～ 하다 select; choose; pick [single] out. ‖ ～ 시험 a selective examination ; ～ 팀 a picked [selected] team.

선배(先輩) a senior; an elder. ¶ 3년 ～ 이다 be *one's* senior by three years.

선별(選別) sorting; selection. ～ 하다 sort (out); select. ‖ ～ 기 a sorting machine.

선복(船腹) the bottom of a ship; shipping (총칭); (적재량) tonnage; (freight) space.

선봉(先鋒) (lead) the van(guard); the spearhead. ¶ ～ 이 되다 be in the van 《of the attack》; spearhead 《an operation》.

선불(先拂) payment in advance. ～ 하다 pay in advance; prepay.

선비 a (gentleman) scholar; a classical scholar; a learned gentleman.

선사(선물을 줌) ～ 하다 give [make] 《a person》 a present; send 《a person》 a gift.

선사(先史) ～ 의 prehistoric(al). ‖ ～ 시대 the prehistoric age.

선사(禪師) a Zen priest. 「yard.

선산(先山) *one's* ancestral grave-

선생(先生) (교사) a teacher; an instructor; a master; a doctor (의사); 《존칭》 Mr.; Sir; Miss; Madam.

선서(宣誓) an oath. ～ 하다 swear; take an oath. ‖ ～ 문 a written oath / ～ 식 the administration of an oath; a swearing-in ceremony (취임의).

선선하다 ① (날씨가) (be) cool; refreshing. ¶ 선선해지다 become [get] cool. ② (사람 · 태도가) (be) candid; frank; open-hearted; free and

easy. ¶ 선선히 with a good grace (선뜻).

선수(先手) ¶ ～ 를 쓰다 forestall 《another》; get the start of; have the first move(바둑).

선수(船首) ☞ 이물.

선수(選手) a 《tennis》 player; an athlete; a representative player (대표 선수). ‖ ～ 후보 a substitute (player) ; 최우수 ～ the most valuable player(생략 MVP), ‖ ～ 권 《win, lose, defend》 a championship; a title ; ～ 권 보유자 a championship holder; a titleholder / ～ 권 시합 a title match ; ～ 촌 an athletic village.

선술집 a (stand) bar; a pub; a tavern. 「game.

선승(先勝) ～ 하다 win the first

선실(船室) a 《first-class》 cabin. ‖ 1 등 ～ a second-class cabin / 3등 ～ the steerage.

선심(善心) ① (착한 마음) virtue; moral sense. ② (큰 마음) generosity; benevolence. ¶ ～ 쓰다 do a kindness 《for a person》; show *one's* generosity. ‖ ～ 공세(선거시의) pork-barreling (promises).

선심(線審) [競] a linesman.

선악(善惡) good and evil; right and wrong. ¶ ～ 을 가릴 줄 알다 know right from wrong.

선약(仙藥) the elixir of life.

선약(先約) (have) a previous engagement [appointment].

선양(宣揚) ～ 하다 raise; enhance; promote.

선언(宣言) declaration; proclamation. ～ 하다 declare; proclaim. ‖ ～ 서 (draw up) a declaration.

선열(先烈) patriotic forefathers. ‖ 순국 ～ the martyred patriots.

선외(選外) ¶ ～ 의 (be) left out of selection (choice).

선용(善用) ～ 하다 make good use of 《one's knowledge》; employ 《time》 well (wisely).

선웃음 a forced [an affected] smile. ¶ ～ 치다 force [feign] a smile.

선원(船員) a seaman; a crew (총칭). ‖ ~수첩 a seaman's pocket ledger / ~실 the crew's quarters.

선율(旋律) a melody. ‖ ~이 아름다운· melodious.

선의(善意) a favorable sense (의미); good intentions (의도); 〔法〕 good faith; bona fides. ‖ ~로 well-intentioned: bona fide / ~로 in good faith / ~로 해석하다 take 《*a person's words*》 in a favorable sense.

선인(先人) ① ☞ 선친. ② 〔전대 사람〕 *one's* predecessors.

선인(善人) a good 〔virtuous〕 man.

선인장(仙人掌) 〔植〕 a cactus.

선임(先任) seniority. ‖ ~의 senior. / ~순 (in) the order of seniority / ~자 a senior member.

선임(船賃) ☞ 뱃삯. 〔nominate.

선임(選任) ☞ 하다 elect; appoint;

선입견(先入見) preconception; a preconceived idea; a prejudice (편견). ‖ ~을 품다 have a preconceived idea 〔opinion〕 / ~을 버리다 get rid of *one's* prejudice.

선입관(先入觀) ☞ 선입견.

선잠 (have) a light 〔dog, short〕 sleep; 〔take〕 a nap.

선장(艇長) a captain; a commander; a skipper.

선적(船積) shipping; shipment (적재) loading; lading. ☞ 하다 ship 《*a cargo*》; load 《*a boat with*》. ‖ ~송장 a shipping invoice / ~항 a port of shipment 〔loading〕.

선적(船籍) the nationality (registration) of a ship. ‖ 그리스~의 화물선 a cargo ship sailing under the flag of Greece. ‖ ~항 a port of registry.

선전(宣傳) (through) propaganda; publicity; advertisement (광고). ~하다 propagandize; give publicity 《*to*》; advertise. ‖ ~공세 a propaganda offensive / ~문구 a catch phrase; a copy / ~삐라 a

handbill.

선전(宣戰) ~하다 declare war 《*upon, against*》. ‖ ~포고 a proclamation of war.

선전(善戰) ~하다 put up a good fight; fight 〔play〕 well.

선점(先占) prior occupation. ‖ ~취득 an acquisition by occupancy.

선정(善政) good government 〔administration〕. ‖ ~을 베풀다 govern well 〔wisely〕.

선정(煽情) ~적인 sensational; suggestive.

선정(選定) ~하다 select; choose.

선제(先制) a head start. ‖ ~점을 올리다 score first point; be (the) first to score.

선제공격(先制攻擊) a preemptive strike 〔attack〕. ~하다 strike 《*the enemy*》 first; take the initiative in an attack. 〔father.

선조(先祖) an ancestor; a forefather.

선종(禪宗) the Zen sect; Zen Buddhism.

선주(船主) a shipowner.

선지 blood from a slaughtered animal.

선진(先陣) (lead) the van (of an army).

선진(先進) ‖ ~의 advanced 《*techniques*》. ‖ ~국 an advanced nation / ~국 수뇌회담 the Summit.

선집(選集) a selection 《*of*》; an anthology.

선착(先着) ‖ ~순으로 in order of arrival; on a first-come-first-served basis.

선창(先唱) ~하다 lead the song 〔chorus〕; take the lead (in) (비유적) advocate; advance.

선창(船窓) a porthole.

선창(船艙) 〔부두의〕 a landing pier; a wharf; a quay; 〔배의〕 a hatch. ‖ ~에 대다 bring a boat alongside the pier.

선처(善處) ~하다 take the appropriate 《*in a matter*》; deal adequately 《*with*》; make the best

of 《a bad bargain》.

선천(先天) ¶ ~적인 [성의] inherent; native; inborn; hereditary; inherited 《character》／~적으로 by nature; inherently. ‖ ~적 결함 a congenital defect.

선철(銑鐵) pig iron.

선체(船體) a hull; a ship(배).

선출(選出) election. ~하다 elect.

선취(先取) preoccupation; preoccupancy. ~하다 take first; preoccupy. ¶ ~득점을 올리다 [野] score 《two runs》first. ‖ ~특권 [法] (the right of priority; a preferential right.

선측(船側) the side of a ship. ¶ ~인도 free alongside ship (생략 f.a.s.).

선친(先親) my deceased [late] father.

선태(蘚苔) [植] moss(es). ┌ther.

선택(選擇) selection; choice; (an) option. ~하다 select; choose. ¶ ~을 그르치다 [잘 하다] make a bad [good] choice. ‖ ~과목 an optional (elective 《美》) course／~권 (have) the option; (the right of choice.

선팽창(線膨脹) [理] linear expansion.

선편(船便) shipping service. ¶ ~으로 by ship (steamer, water).

선포(宣布) proclamation. ~하다 promulgate; proclaim. ¶ 계엄령을 ~하다 proclaim martial law.

선풍(旋風) a whirlwind; a cyclone. ¶ ~을 일으키다 [비유적으로] create a great sensation; make a splash.　　　　┌an electric fan.

선풍기(扇風機) (turn on, turn off)

선하다 [눈에] vivid (fresh) 《before one's eyes》; live vividly in one's memory. ¶ 눈에 ~ remember 《a thing》vividly.

선행(先行) ~하다 precede; go [be] ahead 《of》. ‖ ~권 [도로에서의] (have) (the) right of way／~사 [文] an antecedent／~투자 prior investment.

선행(善行) (do) a good deed; good conduct.

선험(先驗) ¶ ~적인 [哲] transcendental; a priori (라).

선현(先賢) ancient sages.

선혈(鮮血) (fresh) blood. ¶ ~이 낭자하다 be covered with blood.

선호(選好) preference. ~하다 prefer 《to》.

선화(線畫) a line drawing.

선화(船貨) a cargo; freight. ¶ ~증권 a bill of lading(생략 B/L).

선회(旋回) revolution; circling; a turn. ~하다 turn; circle; revolve; rotate. ¶ ~비행 a circular flight／~운동 a rotating movement.

선후(先後) [앞과 뒤] front and rear; [순서] order; sequence.

선후책(善後策) a remedial [relief] measure. ¶ ~을 강구하다 devise [work out] remedial measures.

섣달 the twelfth month of the lunar calendar; December.

섣불리 awkwardly; tactlessly; clumsily; [부주의하게] unwisely; carelessly; thoughtlessly.

설(새해) New Year's Day. ¶ ~(을) 쇠다 observe [celebrate] the New Year's Day.

설(說) [의견] an opinion; a view; [학설] a theory; a doctrine; [풍설] a rumor. ¶ 다른 ~에 의하면 according to another theory.

설거지 dishwashing. ~하다 wash (do) dishes; wash up.

설경(雪景) a snow scene.

설계(設計) [기계·건물의] a plan; a design; [생활의] planning. ~하다 plan; make a plan 《for》; draw up 《a plan》. ‖ ~도 a plan; a blueprint／~변경 design changes／~자 a designer.

설교(說教) a sermon; preaching. ~하다 preach 《a sermon》; [훈계] lecture 《a child》; give 《a person》a lecture. ‖ ~단 a pulpit／~사 a preacher.

설기 [떡] steamed rice cake.

설날 New Year's Day.

설다 ① [서투르다] (be) unfamil-

iar; unskilled. ② 〔덜 익다〕 (be) half-done; underdone 〔음식이〕; be not fully fermented 〔김치가〕; be unripe 〔과일 따위가〕. ¶ 선밥 half-cooked rice.

설다루다 handle carelessly; do a poor 〔halfway〕 job.

설득(說得) persuasion. ~하다 persuade; prevail on 《a person》; talk 《a person》into doing. ¶ 그 네에게 ~되어 담배를 끊었다 She talked me out of smoking. ∥ ~력 persuasive 〔convincing〕 power 《~력이 있다 be persuasive》.

설렁탕(─湯) seolleongtang; soup cooked 〔boiled〕 with cow bones, internals and flesh served with rice.

설레다 〔가슴이〕 《one's heart》 throbs 〔beats〕 fast; feel uneasy; have a presentiment; 〔움직이다〕 move about uneasily; be restless.

설레설레 ¶ 고개를 ~ 흔들다 shake one's head.

설령(設令) even if; even though; (al)though. ¶ ~ 어떤 일이 있더라 도 whatever may happen.

설립(設立) establishment; foundation. ~하다 establish; found; set up; organize. ∥ ~발기인 promoter / ~자 a founder / ~ 취지서 a prospectus.

설마 surely 《not》; (not) possibly; That's impossible.; You don't say 〔so〕!

설맞다 〔매를〕 have just a taste of the beating one deserves.

설명(說明) (an) explanation. ~하 다 explain; illustrate; preaching. ¶ ~적 explanatory. ∥ ~도 a diagram / ~서 an explanation: instructions 〔사용설명서〕.

설문(設問) a question; pose a question.

설법(說法) a Buddhist sermon; preaching. ~하다 preach.

설비(設備) facilities; equipment; conveniences; accommodations 〔수용 시설〕. ~하다 equip; furnish.

fit, provide 《with》; accommodate. ¶ ~가 좋은 well-equipped 〔-furnished〕. ∥ ~투자 investment in plant and equipment.

설빔 the New Year's garment; a fine 〔gala〕 dress worn on the New Year's Day.

설사(泄瀉) loose bowels; diarrhea. ~하다 have loose bowels; suffer from diarrhea. ∥ ~약 a binding medicine.

설사(設使) = 설령(設令). 「tain.

설산(雪山) a snow(-covered) mountain.

설상가상(雪上加霜) ¶ ~으로 to make things 〔matters〕 worse; to add to one's troubles 〔miseries〕.

설설기다 keep one's head low 《before a person》; be under 《a person's》 thumb.

설암(舌癌) cancer on the tongue.

설왕설래(說往說來) ~하다 argue back and forth; bandy 〔cross〕 words 《with》.

설욕(雪辱) ~하다 vindicate one's honor; wipe out a shame; get even 《with》〔경기에서〕. ∥ ~전 a return match 〔game〕.

설움 sorrow; grief; sadness.

설원(雪原) a snowfield; the frozen waste.

설음(舌音) a lingual (sound).

설익다 〔과실〕 become half-ripe; 〔음식〕 get half-done 〔-boiled〕.

설전(舌戰) a wordy war(fare). ~ 하다 have a heated discussion 《with》.

설정(設定) ~하다 establish; create 《a right》; set up 《a fund》. ∥ ~저당권 settlement of mortgage.

설치(設置) establishment. ~하다 establish; institute; set up.

설치다 〔날뛰〕 rampage; run riot 〔amuck〕.

설치류(齧齒類) 〔動〕 rodents.

설탕(雪糖) sugar. ∥ 정제~ refined sugar / 흑~ raw sugar.

설태(舌苔) 〔醫〕 fur. ¶ ~가 낀 혀 a coated 〔furred〕 tongue.

설파(說破) ① 《명시》 ~하다 state

clearly; elucidate. ② 《논파》 ~하다 argue against; refute; confute.

설해(雪害) damage from [by] snow; snow damage.

설형(楔形) ¶ ~의 cuneiform. ‖ ~ 문자 a cuneiform (character).

설화(舌禍) an unfortunate slip of the tongue.

설화(雪花) ① 《눈송이》 snowflakes. ② 《나뭇가지의》 silver thaw.

설화(說話) a story; a tale; a narrative. ¶ ~적 narrative. ‖ ~문학 narrative [legendary] literature.

섬 an island; an isle; an islet (작은 섬). ¶ 외딴 ~ an isolated island. ‖ ~사람 an islander.

섬광(閃光) a flash; a glint of light. ¶ ~전구 a flashbulb.

섬기다 serve; be in 《a person's》 service; work under; wait on.

섬나라 an island [insular] country. ¶ ~ 근성 insularity; insularism.   [a flight of steps].

섬돌 a stone step; (a flight of steps).

섬뜩하다 (be) startled; frightened; alarmed; be taken aback.

섬멸(殲滅) ~하다 annihilate; wipe out; exterminate. ‖ ~전 a war of extermination.   [hands.

섬섬옥수(纖纖玉手) slender [delicate] hands.

섬세(纖細) ¶ ~한 delicate; slender; exquisite.

섬유(纖維) a fiber. ¶ ~질의 fibrous; ~로 된 fibroid [인조자연] ~ a staple [natural] fiber; 합성[화학] ~ a synthetic [chemical] fiber. ‖ ~공업 the textile industry / ~소 cellulose; 《動》 fibrin / ~유리 fiber glass / ~제품 textile goods.

섭렵(涉獵) ~하다 read extensively [widely]; range extensively over 《the literature》.

섭리(攝理) 《divine》 providence. ¶ ~에 맡기다 trust in providence.

섭생(攝生) care of health. ~하다 take care of one's health. ‖ ~ 법 hygiene.

섭섭하다 《서운하다》 (be) sorry;

sad; disappointed; heartbreaking; miss; 《유감》 (be) regrettable; sorry.

섭씨(攝氏) Celsius (생략 C.). ¶ ~ 온도계 a centigrade thermometer / ~ 15도 (at) fifteen degrees centigrade; 15℃.

섭외(涉外) public relations.

섭정(攝政) 《appoint》 a regent (사람); 《set up》 regency (직). ~하 다 attend to the affairs of state as a regent.

섭취(攝取) ~하다 take (in); absorb; ingest; adopt; assimilate. ¶ 영양을 ~하다 take nourishment. ‖ ~량 an intake 《of vitamins》.

성(姓) a family name; a surname.

성(性) sex(남녀의); gender(문법의); nature(성질). ¶ ~의 sexual / ~ 적인 충동 a sexual urge / ~에 눈뜨다 be sexually awakened. ‖ ~교육 《give》 sex education / ~ 도덕 sex(ual) morality / ~도 착 sexual perversion / ~도착자 a sexual pervert / ~차별 sexism; sex discrimination / ~행위 sexual intercourse.

성(省) a department; a ministry(행정 구역); a province. ¶ 국무~ the Department of State.

성(城) a castle; a fort(ress); a citadel (성채).

성(聖) ¶ ~스러운 holy; sacred; saint / ~바울 St. Paul.

성가(聖歌) a sacred song; a hymn. ¶ ~대 a choir / ~집 a hymnal; a hymnbook.

성가시다 (be) troublesome; annoying; bothersome. ¶ 성가시게 하다 trouble 《a person》; give 《a person》 trouble.

성감(性感) sexual feeling. ‖ ~대 an erogenous zone.

성게 《動》 a sea urchin.

성격(性格) character; personality; individuality(개성). ¶ ~이 강한 사람 a man of strong character. ‖ ~묘사 character description.

성경(聖經) the (Holy) Bible; the

Scriptures; the Book. ¶ 구약 [신약] ~ the Old [New] Testament.

성공(成功) (a) success 《in life》; achievement. ~하다 succeed 《in》; be successful; get on in life.

성공회(聖公會) 〔宗〕 the Anglican Church 《英》; the (Protestant) Episcopal Church 《美》.

성과(成果) a result; the fruit; an outcome. ¶ ~를 올리다 obtain good results.

성곽(城郭) 〔성〕 a castle; a citadel; 《성벽》 a castle wall; 《성채》 a fortress; a stronghold.

성교(性交) sexual intercourse. ~하다 have sexual intercourse 《with》. ‖ ~불능 impotence.

성구(成句) a set phrase; an idiomatic phrase, 〔cluster of stars〕.

성군(星群) 〔天〕 an asterism; a cluster of stars.

성금(誠金) a contribution; a donation; a subscription.

성급(性急) ¶ ~한 hasty; quick-[short-]tempered; impatient.

성기(性器) genitals; genital organs.

성기다 (be) thin; sparse; loose.

성깔(性-) a sharp temper. ¶ ~을 부리다 lose one's temper 《with a person》.

성나다, 성내다 get angry 《with a person, at a thing》; lose one's temper; get excited; get mad 《with, at》.

성냥 a match. ¶ ~을 긋다 [켜다] strike [light] a match. ‖ ~갑 matchbox / ~개비 a matchstick / 종이~ a matchbook.

성년(成年) (legal) majority; full [adult] age. ¶ ~이 되다 come of age; attain one's majority. ‖ ~자 an adult.

성능(性能) ability; capacity; efficiency; performance. ¶ ~이 좋은 efficient. ‖ ~검사 a performance [an efficiency, an ability] test.

성단(星團) 〔天〕 a star cluster.

성단(聖壇) an altar; a pulpit.

성당(聖堂) a (Catholic) church; a

sanctuary.

성대(盛大) ¶ ~한 prosperous; flourishing; thriving; 《당당한》 grand; magnificent / ~히 splendidly; on a grand scale. ¶ ~하게 on a grand scale.

성대(聲帶) the vocal cords. ‖ ~모사 vocal mimicry 《~ 모사를 하다 mimic 《a person's》 voice》.

성도(聖徒) a saint; a disciple, an apostle《제자》.

성량(聲量) the volume of one's voice. ¶ ~이 풍부하다 have a rich voice.

성령(聖靈) the Holy Ghost [Spirit].

성례(成禮) ~하다 hold a marriage [wedding] ceremony.

성루(城壘) a fort(ress); a rampart.

성립(成立) ① 《실현》 materialization; realization. ~하다 come into existence [being]; be materialized [realized, effected]. ② 《조성》 formation; organization. ~하다 be formed [organized]. ③ 《체결》 conclusion; completion. ~하다 be completed [concluded].

성마르다(性-) (be) short-[quick-]tempered; intolerant.

성명(姓名) (give) one's (full) name. ¶ ~미상의 unidentified.

성명(聲明) a declaration; a statement. ~하다 declare; proclaim; announce. ‖ ~서 a statement 《~서를 발표하다 issue a statement》.

성모(聖母) the Holy Mother. ‖ ~마리아 the Holy Mother; the Virgin Mary.

성묘(省墓) ~하다 visit one's ancestor's grave. ‖ ~객 a visitor to one's ancestor's grave.

성문(成文) ~의 written / ~화하다 codify; put in statutory form. ‖ ~법 a statute; a written law.

성문(城門) a castle gate.

성문(聲門) 〔解〕 the glottis. ‖ ~폐쇄음 a glottal stop.

성문(聲紋) a voiceprint.

성미(性味) nature; disposition

temperament. ¶ ~ 급한 hot-〔quick-, short-〕tempered / ~가 못되 ill-natured: wicked / ~에 맞는 congenial 《work》.

성벽(性癖) one's natural disposition: a mental habit: a propensity.

성벽(城壁) a castle wall. 〔sity.

성별(性別) sex (distinction).

성병(性病) a venereal disease (略 VD): a social disease (美).

성부(聖父) 〔聖〕 the Father.

성분(成分) an ingredient: 《조직의》 a component: a constituent: an element.

성불(成佛) ~하다 attain Buddhahood: enter Nirvana.

성사(成事) success: attainment (of an end): achievement. ~하다 accomplish: achieve: succeed 《in》.

성산(成算) confidence 〔chances〕 of success. ¶ ~이 있다〔없다〕 be confident〔have little hope〕 of success.

성서(聖書) ⇒ 성경(聖經). 〔gonad.

성선(性腺) 〔解〕 a sex gland: a

성선설(性善說) the ethical doctrine that man's inborn nature is good.

성성이(猩猩이) 〔動〕 an orangutan.

성성하다(星星—) (be) hoary: gray: gray-streaked.

성쇠(盛衰) ups and downs: rise and fall.

성수(聖水) holy water.

성수기(盛需期) a high-demand season. ¶ ~를 맞다 be in great demand.

성숙(成熟) ~하다 ripen: mature: attain full growth: reach maturity. ¶ ~한 ripe: mature.

성스럽다(聖—) (be) holy: sacred: divine.

성시(成市) opening a fair 〔market〕.

성실(誠實) sincerity: fidelity: faithfulness: honesty. ¶ ~한 sincere: faithful: honest: truthful.

성심(誠心) sincerity: a single

heart: devotion. ¶ ~껏 sincerely: in all sincerity: 《work》 heart and soul.

성싶다 be likely 《to do》: look: seem: appear. ¶ 비가 올 ~ It looks like rain. or It is likely to rain.

성악(聲樂) vocal music. ‖ ~가 a vocalist.

성악설(性惡說) the ethical view that human nature is evil.

성애(性愛) sexual love: eros.

성어(成魚) an adult fish.

성업(盛業) ~중이다 drive a thriving 〔booming〕 trade.

성에 (a layer of) frost: 《성엣장》 a drift ice: a floe. ¶ 냉장고의 ~를 없애다 defrost a refrigerator.

성역(聖域) sacred 〔holy〕 precincts.

성역(聲域) 〔樂〕 a range of voice: a register.

성욕(性慾) sexual desire: sex drive.

성우(聲優) a radio 〔voice〕 actor 〔actress〕: a dubbing artist.

성운(星雲) a nebula(pl. -lae). ¶ ~ (모양)의 nebular.

성원(成員) a member 《of society》: 《필요한 인원》 a quorum: a constituent (member). ‖ ~ 미달 lack of a quorum.

성원(聲援) encouragement: 《moral》 support: cheering 《경기에서의》. ~하다 encourage: support: 《경기에서》 cheer: root for 《a team》.

성은(聖恩) Royal favor〔grace〕.

성의(誠意) sincerity: (in) good faith. ¶ ~ 있는 sincere: honest: faithful / ~ 없는 insincere: dishonest / ~를 보이다 show one's good faith.

성인(成人) an adult: a grown-up. ¶ ~교육 adult education / ~병 geriatric diseases / ~영화 adults movies.

성인(聖人) a sage: a saint.

성자(聖者) a saint.

성장(成長) growth. ~하다 grow (up). ¶ ~한 full-grown. ‖ ~과 정 a growth process / ~기간 a growth period: the growing

season(식물의) / ～를 a growth rate.

성장(盛裝) ～하다 be dressed up; be in full dress; be dressed in one's best.

성적(成績) result; record; grade; marks(점수). ¶ ～이 좋다 [나쁘다] do well [poorly] at school; show good [poor] business result. ‖ ～표 a report card / 학교 ～ one's school record.

성적(性的) sexual. ‖ ～매력 a sex appeal / ～충동 a sex impulse [urge; drive].

성전(聖殿) a sacred shrine [hall]; a sanctuary.

성전(聖戰) a holy war.

성전환(性轉換) sex change. ‖ ～수술 a transsexual operation.

성정(性情) one's nature.

성조기(星條旗) 《미국기》 the Stars and Stripes.

성좌(星座) a constellation. ‖ ～도 a planisphere; a star chart.

성주(城主) the lord of a castle.

성지(聖地) a sacred ground; the Holy Land. ‖ ～순례 a pilgrimage to the Holy Land.

성직(聖職) (take) holy orders; the ministry; the clergy. ‖ ～자 a churchman; a clergyman.

성질(性質) (기질) nature; (a) disposition; temper; (특질) a property; (소질) a quality. ¶ ～이 좋은 [못된] 사람 a good-[ill-]natured man.

성차별(性差別) sexual [gender] discrimination; sexism.

성찬(盛饌) a sumptuous dinner; a good table.

성찬(식)(聖餐(式)) Holy Communion; the Lord's Supper.

성찰(省察) self-reflection; introspection.

성채(城砦) a fort; a fortress.

성충(成蟲) 【動】 an imago.

성취(成就) 《남성》 accomplishment; achievement. ～하다 accomplish; achieve 《an end》; realize 《one's wishes》; succeed 《in doing》.

성층(成層) ‖ ～광맥 a bedded vein / ～권 (fly through) the stratosphere / ～암 a stratified rock / ～화산 a stratovolcano.

성큼성큼 with big [long] strides.

성탄(聖誕) the birth of a saint [king]; ～나무 a Christmas-tree / ～절 【宗】 크리스마스.

성토(聲討) ～하다 censure; denounce; impeach. ‖ ～대회 an indignation meeting. 「failure.

성패(成敗) hit or miss; success or

성폭행(性暴行) (a) sexual assault [violence]; a sexual harassment.

성품(性品) one's nature [disposition, character]; one's temper.

성하(盛夏) midsummer; high summer.

성하다 ① (온전하다) (be) intact; unimpaired; undamaged. ② (탈없다) (be) healthy; in good health.

성하다(盛―) ① (초목이) (be) dense; thick; luxuriant; rampant. ② 《사회·국가 따위가》 (be) prosperous; flourishing; thriving; (기운이) (be) vigorous; extensive (광범위하다).　　　　　　　　「name.

성함(姓銜) your [his] esteemed

성행(盛行) ～하다 prevail; be prevalent (rampant).

성향(性向) an inclination; a disposition.

성현(聖賢) saints; sages. ¶ ～의 가르침 the teaching of the sages; the words of wise.

성형(成形) 【醫】 correction of deformities; (얼굴의) face-lifting. ‖ ～수술 (undergo) a plastic operation / ～외과 plastic surgery / ～외과의사 a plastic surgeon.

성혼(成婚) a marriage; a wedding.

성홍열(猩紅熱) scarlet fever.

성화(成火) worry; annoyance; irritation; vexation; a bother; trouble.

성화(星火) ① 【天】 유성(流星). ② (불빛) the light of a shooting star. ③ 《급한 일》 ¶ ～같다 (be)

pressing; importunate / ~같이 재촉하다 urge [importune, press] 《*a person for*》: press 《*a person*》 hard 《*for*》.

성화(聖火) sacred fire; the Olympic Torch.

성화(聖畫) a holy [sacred, religious] picture.

성황(盛況) ¶ ~을 이루다 [모임이] be a success; be well attended.

성희롱(性戱弄) sexual harassment.

섶(버팀) a support; a prop.

섶¹(옷의) outter collar of a coat.

섶², 섶나무 brushwood. ¶섶을 지고 불로 뛰어들다 jump from the frying pan into the fire.

세(稅) a tax; taxes; a duty(물품세); taxation(과세) / ~ 세금. ¶ ~를 거두다 collect taxes 《*on*》.

세(貰) (임대·임차) lease; tenancy; hire; (임차료) a rent; hire. ¶ ~놓다 rent [lease (out)] 《*a house*》 / ~ 들다 rent 《*a room*》.

세(貰) three.

…세(世) (대·시대) a generation; an age; (징지질) an epoch. ¶헨리 5세 Henry V [the Fifth] / 한국계 3세의 미국인 a third-generation Korean American.

세간 household effects [goods, stuffs]; household furniture.

세간(世間) the world; (a) society.

세계(世界) the world; the earth; the globe. 《특수 사회·분야》 a world; circles; a realm. ¶ ~적 worldwide; universal; international; global 《*affairs, war*》 / 온 ~에[의] all over the world / 각지에서 from all parts of the world / ~적으로 유명한 world-famous; of worldwide [global] fame. ‖ ~기록 [establish] a world record / 보건기구 the World Health Organization(생략 WHO) / ~시(時) universal time (생략 UT) / ~인권선언 the Universal Declaration of Human Rights.

세계무역기구(世界貿易機構) the World Trade Organization(생략 WTO).

세계화(世界化) globalization.

세공(細工) work; workmanship; 《세공품》 a piece[work]. ~하다 work 《*on bamboo*》. ¶금속 ~ metalwork. ‖ ~인 an artisan.

세관(稅關) a customhouse; the customs(기관). ¶ ~을 통과하다 pass [get through] customs. ‖ ~검사 customs inspection / ~신고서 a customs declaration / ~원 a customs officer.

세광(洗鑛) ore washing. ~하다 wash 《*ore*》; scrub 《*ore*》.

세균(細菌) a bacillus; a bacterium; a germ. ¶ ~의 bacterial. ‖ ~배양 germ culture / ~성질환 a germ disease / ~전 germ warfare / ~학 bacteriology.

세금(稅金) a tax; a duty 《*on foreign goods*》. ‖ ~납부 tax payment / ~징수 the collection of a tax / ~체납 tax arrears / 체납자 a tax delinquent.

세기(世紀) a century. ¶ 20 ~ the twentieth century / 기원전 3 ~ the third century B.C.

세납(稅納) payment of tax. ☞ 납세(納稅).

세내다(貰一) hire 《*a boat*》; rent 《*a house*》.

세네갈 Senegal. ¶ ~의 Senegalese / ~사람 a Senegalese.

세뇌(洗腦) brainwashing. ~하다 brainwash.

세다① (튼튼하다) (be) strong; powerful; mighty; 《마음이》 (be) tough; firm; stubborn; 《정도·세력이》 (be) strong; violent; intense 《*heat*》; hard; severe. ¶ 《세계 하다 severely; strongly; powerfully. ② 《팔자가》 (be) ill-starred; unlucky. ¶팔자가 세게 태어나다 be born under an unlucky star.

세다² (머리털이) 《*one's*》 hair turns gray [grey(英)]; be gray-haired.

세다³ (계산) count; number; calculate. ¶잘못 ~ miscalculate; miscount.

세대(世代) a generation. ¶젊은

~ younger generation. ‖ ~ 교체 the change of generations / ~차 a generation gap.

세대(世帶) a household. ‖ ~주 the head of the household [family]; a householder.

세도(勢道) power; (political) influence (authority). ¶ ~ 부리다 exercise [wield] one's authority [power] 《over》.

세레나데 (樂) a serenade.

세력(勢力) influence; power; 《물리적》 force; energy. ¶ ~ 있는 influential; powerful ‖ ~ 없는 powerless; uninfluential. ‖ ~가 a man of influence / ~권 one's sphere of influence / ~균형 the balance of power.

세련(洗練) ¶ ~된 polished; refined; elegant / ~되지 않은 unpolished; coarse.

세례(洗禮) baptism; christening (유아의). ¶ ~를 받다 be baptized [christened]. ‖ ~명 one's Christian [baptismal] name / ~식 (a) baptism.

세로 length(길이); height(높이); 《부사적으로》 vertically; lengthwise; lengthways. ¶ ~ 2 피트 가로 30피트 two feet by thirty.

세론(世論) (public) opinion; general sentiment. ☞ 여론.

세륨 (化) cerium. 『enue officer.

세리(稅吏) a tax collector; a rev-

세면(洗面) ~하다 wash one's face. ‖ ~기 a washbowl; a wash basin 《英》 / ~대 a washstand.

세목(細目) details; particulars. ¶ ~으로 나누다 itemize; specify.

세목(稅目) items of taxation.

세무(稅務) taxation business. ‖ ~사 a licensed tax accountant / ~서 a tax [revenue] office.

세물(貰物) object for rent. ‖ ~전 a renter's store.

세미나 a seminar.

세미콜론 a semicolon(기호 ;).

세밀(細密) ¶ ~한 minute; close; detailed; elaborate / ~히 minutely; in detail; closely.

세발(洗髮) a shampoo. ~하다 wash (shampoo) one's hair. ‖ ~제 shampoo.

세배(歲拜) a formal bow of respect to one's elders on New Year's day; a New Year's greeting (call). ~하다 perform a New Year's bow.

세법(稅法) the tax(ation) law.

세부(細部) details. 『itemize.

세분(細分) ~하다 subdivide 《into》.

세비(歲費) annual expenditure; 《수당》 yearly pay; an annual allowance.

세상(世上) the world; life; society. ¶ ~일 worldly affairs; the way of the world / ~일에 친하다 know much of the world; see much of life / ~을 모르다 know nothing (little) of the world / ~에 알리다 bring to light; make public / ~에 알려지다 be known to the world.

세상살이(世上一) living. ~하다 live; get on in the world.

세상없어도(世上一) under (in) any circumstances; whatever may happen; by all means.

세세하다(細細一) (be) minute; detailed. ¶ ~세히 minutely; in detail; closely.

세속(世俗) the world; popular customs (세상 풍습). ¶ ~된 (적인) worldly; mundane.

세수(洗手) ~하다 wash one's face. ‖ ~수건 a (face) towel.

세수(稅收) the revenue.

세슘 (化) cesium (기호 Cs).

세습(世襲) ¶ ~의 hereditary; patrimonial. ‖ ~재산 hereditary property (estate); a patrimony.

세심(細心) ~하다 (be) prudent circumspect; scrupulous; careful. ¶ ~한 주의를 기울이다 pay close attention 《to》.

세안(洗眼) ~하다 wash one's eyes. ‖ ~액; eyewash.

세액(稅額) the amount of (a) tax ¶ ~의 산정 a tax assessment.

세우다 ① 《일으키다》 stand; raise

set [put] up; erect; turn up (one's collar). ② 〔정지〕 stop; hold up. ③ 〔건조〕 build; construct; set up. ④ 〔설립〕 establish; found; create; set up. ⑤ 〔조직〕 organize; institute; constitute. ⑥ 〔정하다〕 establish; lay down (regulations); enact (a law); form [make] (a plan). ⑦ 〔공훈 따위를〕 render (a service); perform (meritorious deeds). ⑧ 〔날을〕 sharpen; set (the teeth of a saw). ⑨ 〔세면을〕 save (one's face). ⑩ 〔생계를〕 earn (one's living).

세원 (稅源) a source of taxation.

세월 (歲月) time; years. ¶ ~이 감에 따라 with the lapse of time; as time passes by; as days go by / ~ 없다 (Business) is dull [bad].

세율 (稅率) tax rates; a tariff(관세의). ¶ ~을 올리다[내리다] raise [lower] the tax rate.

세이프 〔野〕 (declare) safe. ¶ 1루에서 ~되다 be safe on first base.

세인 (世人) people; the public.

세일즈맨 a salesman.

세입 (稅入) tax revenue [yields].

세입 (歲入) an annual revenue (income). ¶ ~세출 revenue and expenditure.

세자 (世子) the Crown Prince.

세정 (稅政) tax administration.

세제 (洗劑) (a) cleanser; (a) detergent. ¶ 합성(合成) ~ (a) synthetic [neutral] detergent.

세제 (稅制) a tax(ation) system.

세제곱 〔數〕 cube. ¶ ~하다 cube. ¶ ~근 a cube root.

세주다 (貰一) rent (a room to a person); let (집 따위); 〔英〕 lease (땅 따위); hire out (a boat)(임대).

세차 (洗車) car washing. ¶ ~하다 wash a car. ¶ ~장 a car wash.

세차다 (be) strong; violent; fierce; hard. ¶ 세차게 물결 rough waves / 세차게 불다 blow hard [furiously].

세척 (洗滌) ~하다 wash; rinse; clean. ¶ 위를 ~하다 wash out one's stomach. ‖ ~기 a washer; a syringe / ~약 a wash; a detergent.

세출 (歲出) annual expenditure.

세칙 (細則) detailed rules (regulations); bylaws.

세탁 (洗濯) washing; laundry. ~하다 wash; launder; do washing. ‖ ~기 a washing machine / 물을 세탁하다 (have a lot of) washing / ~소 a laundry / ~업자 a laundryman; a washerman.

세태 (世態) social conditions; aspects [phases] of life; the world.

세트 ① 〔한 벌〕 a set. ② 〔영화의〕 (build) a set. ③ 〔수신기〕 a receiving set. ④ 〔머리의〕 a set. ¶ 머리를 ~하다 have one's hair set. ⑤ 〔테니스 따위의〕 (play) a set.

세파 (世波) the storms (rough-and-tumble) of life. ¶ ~에 시달리다 be buffeted about in the world.

세평 (世評) public opinion; (a) reputation; rumor. ¶ ~에 오르다 be talked about.

세포 (細胞) ① 〔생물의〕 a cell. ¶ ~의 cellular. ‖ ~막 cell membrane / ~분열 cell division / ~조직 cellular tissue / ~질 cytoplasm / ~학 cytology. ② 〔조직의〕 (organize) a communist cell [fraction](공산당의).

섹스 (남녀) (a) sex; (성교) (have) sex (with).

센세이션 a sensation. ¶ ~을 일으키다 cause [create] a sensation.

센스 a sense. ¶ ~ 있는 sensible / ~가 없다 have no sense (of).

센터 ① 〔野〕 the center field; a center fielder(사람). ② 〔시설〕 a center. ¶ 쇼핑~ a shopping center.

센트 (미국 화폐) a cent. ⌐center.

센티 (미터법의) centi-(센티미터) a centimeter (기호 cm).

셀러리 〔植〕 celery.

셀로판 cellophane (paper).

셀룰로이드 celluloid 《toy》.
셀프서비스 self-service 《store》.
셀프타이머 〖寫〗 a self-timer.
셈 ① 《계산》 calculation; counting 《☞ 셈하다》. ¶ ~이 빠르다 [느리다] be quick [slow] at figures. ② 《지불》 settlement of accounts; payment of bills 《☞ 셈하다》. ③ 《분별》 discretion; prudence: good sense. ④ 《의도》 intention; idea. ¶ ~할 ~으로 with the intention [idea] of 《doing》; in the hope of 《doing》.
셈치다 《가정》 suppose; assume; grant (that …); 《요량》 think of 《doing》; expect (that …).
셈하다 《계산》 count; reckon; calculate; 《지불》 pay [make out] a bill; settle one's accounts.
셋 three. 《☞ 셋째》. 〖☞ 셈.
셋돈(一) rent 《money》.
셋방(貰房) a room to let [for rent]; a rented room. ¶ ~을 얻다 rent a room.
셋집(貰一) a house to let [for rent]; a rented house. ¶ ~을 얻다 rent a house.
셋째 the third.
셔츠 an undershirt; a shirt《와이셔츠》.
셔터 《카메라 · 문의》 a shutter. ¶ ~를 누르다 release [click] the shutter / 《문의》 ~를 내리다 pull down a shutter.
셰이커 a (cocktail) shaker.
세퍼드 〖動〗 a German shepherd.
소 〖動〗 a cow《암소》; a bull《황소》; an ox《거세한 소》; cattle《총칭》.
소(여리) dressing; stuffing. ¶ 팥 ~ red bean jam.
소(小) little; small; minor; lesser; miniature《소형》.
소(少) little; few; young《젊은》.
소각(燒却) ~하다 burn (up); destroy by fire.
소간(所幹), **소간사**(所幹事) business; affairs; 《일》 work; things to do.
소갈머리 ¶ ~ 없는 thoughtless; imprudent; shallow-minded.

소감(所感) 《give》 one's impressions 《of》; 《express》 one's opinions.
소강(小康) ¶ ~ 상태가 되다 come to a 《state of》 lull.
소개(紹介) (an) introduction; presentation; recommendation《추천》. ~하다 introduce 《a person to another》; present 《to》; recommend. ¶ 자기를 ~ 하다 introduce oneself 《to》. ‖ ~장 a letter of introduction / 직업 ~소 a placement center.
소개(疎開) dispersal; evacuation. ~하다 disperse; evacuate.
소거(消去) ~하다 eliminate. ‖ ~법 〖數〗 elimination.
소견(所見) 《give, express》 one's views [opinions] 《on》. ¶ 진단 ~ one's diagnosis.
소경 a blind person; the blind 《총칭》. ‖ ~ 장님.
소계(小計) a subtotal. ¶ Ⅱ subtotals ….
소고(小鼓) a small hand drum.
소곡(小曲) a short piece of music. 〖pers.
소곤거리다 whisper; talk in whispers.
소관(所管) jurisdiction; competency《권한》. ‖ ~사항 matters under the jurisdiction 《of》.
소관(所關) what is concerned. ‖ ~사 one's business 《concern》; matters concerned.
소국(小國) a small country; a minor power.
소굴(巢窟) a den; a nest; a haunt; a hide-out. ¶ 범죄의 ~ a hotbed of crime.
소권(訴權) 〖法〗 the right to bring an action in a court.
소규모(小規模) a small scale. ¶ ~의 small-scale / ~로 on a small scale; in a small way.
소극(消極) ~적(으로) negative(ly); passive(ly); not active(ly) enough / ~적인 성격 a negative character. ‖ ~성 passivity.
소금 salt. ¶ ~으로 간을 맞추다 season with salt / ~에 절이다 salt 《fish》; pickle [preserve] 《vegeta

bles 》with salt. ‖ ~기 a salty taste; saltiness.

소금쟁이 [蟲] a water strider.

소급(溯及) ~하다 trace 〔go〕 back to; 〔法〕 be retroactive 《*to*》; be effective 《*to*》. ¶ 이 법은 1998년 4월 5일로 ~한다 This law is (effective)ly retroactive to April 5, 1998. ‖ ~법 a retroactive law.

소기(所期) ~의 (as was) expected; anticipated / ~의 목적을 이루다 achieve the expected results 〔desired end〕.

소꿉동무 a childhood playmate; a friend of *one's* early childhood.

소꿉질 playing house. ~하다 play (at keeping) house.

소나기 a shower; a passing rain. ¶ ~를 만나다 be caught in a shower.

소나무 a pine (tree).

소나타 [樂] a (*violin*) sonata.

소녀(少女) a girl; a maiden. ¶ ~ 시절에 in *one's* girlhood / ~같은 girlish.

소년(少年) a boy; a lad. ¶ ~ 시절에 in *one's* boyhood. ‖ ~범죄 a juvenile crime; juvenile delinquency / ~소녀 가장 juvenile family head / ~원 a reformatory; a reform school / 비행 ~ a juvenile delinquent.

소농(小農) a small farmer; a peasant.

소뇌(小腦) [解] the cerebellum.

소다 soda. ‖ ~수 soda water.

소담하다 look nice and rich; be tasty.

소대(小隊) a platoon. ‖ ~장 a platoon leader 〔commander〕.

소독(消毒) disinfection; steriliation; (우유 등의) pasteurization; ~하다 disinfect; sterilize; pasteurize. ¶ 상처를 ~하다 disinfect the wound / ~이 된 disinfected; sterilized. ‖ ~기 a sterilizer / ~액 an antiseptic solution / ~약 〔제〕 a sanitizer; a disinfectant / ~저(箸) sanitary 〔disposable〕 chopsticks.

소동(騷動) (a) disturbance; a dispute; 〔분쟁〕 a trouble; 〔혼란〕 confusion; 〔폭동〕 a riot. ¶ ~을 일으키다 raise a disturbance; give rise to confusion; make a trouble.

소득(所得) (an) income; 〔수익〕 earnings. ¶ 순(純) ~ net income / 종합 ~세 the composite income tax. ‖ ~격차 income differentials 〔disparities〕 / ~공제액 a (tax) deduction / ~세 income tax.

소등(消燈) ~하다 put out lights.

소라 [貝] a turban 〔wreath〕 shell. ‖ ~게 [動] a hermit crab / ~고동 [貝] a trumpet shell.

소란(騷亂) a disturbance; a disorder; a commotion; a trouble; a riot. ¶ ~ 소동을 일으키다 create 〔raise〕 a disturbance / ~을 진압하다 quiet 〔put down〕 the disorder.

소량(少量) a small quantity 《*of*》; a little; ¶ ~의 a little; a small quantity 〔amount, dose〕 of.

소령(少領) a major(육군, 공군); a lieutenant commander(해군).

소로(小路) a narrow path; a lane.

소름 gooseflesh; goose pimples. ¶ ~이 끼치는 hair-raising; horrible / ~이 끼치다 get 〔have〕 gooseflesh (all over); 〔무서워서〕 shudder 《*at*》; make *one's* hair stand on end 《*at*》.

소리 ① 〔음향〕 (a) sound; (a) noise (소음); a roar(광음). ¶ ~를 내다 make a noise 〔sound〕 / 아무 ~도 안 들렸다 Not a sound was heard. ② 〔음성〕 a voice; a cry; a shout. ¶ 큰〔작은〕 ~로 in a loud 〔low〕 voice. ③ 〔말〕 a talk; words. ¶ 이상한 ~ 같지만 it may sound strange, but .... ④ 〔소문〕 a rumor; a report. ⑤ 〔노래〕 a song; singing. ~하다 sing (a song).

소리(小利) a small profit.

소리지르다 shout; cry 〔call〕 (out); scream; roar; yell; 〔요란하게〕

clamor; bawl.

소립자(素粒子) an elementary particle.

소망(所望) a wish; (a) desire. ~하다 desire; wish for; ask for; hope for; expect. ¶ ~을 이루다 realize one's wishes (desire).

소매 a sleeve; an arm(양복의). ¶ ~가 긴 long-sleeved / ~ 없는 sleeveless / ~를 걷어붙이다 roll up one's sleeves / ~를 잡아당기다 pull 《a person》by the sleeve. ∥ ~부리 a cuff.

소매(小賣) retailing; retail sale. ~하다 retail; sell at retail. ¶ ~로 at (by) retail. ∥ ~가격 a retail price / ~상인 a retailer / ~점 a retail store.

소매치기 pocket-picking; a pickpocket(사람); a pick 《a person's》pocket. ¶ ~당하다 have 《a person's》pocket picked.

소멸(消滅) ~하다 disappear; vanish; cease to exist; go out of existence; become null and void(실효). ¶ 권리의 ~ the lapse of one's right / ~시키다 extinguish; nullify 《a right》/ 자연 ~하다 die out in course of time. ∥ ~시효 extinctive prescription.

소모(消耗) (消費) consumption; 《마손》wear and tear. ~하다 consume; use up; exhaust; waste (낭비하다). ¶ 일에 정력을 ~하다 exhaust one's energy on the work; be worn out by the work. ∥ ~전 a war of attrition / ~품 articles for consumption; an expendable.   「dessin(프).

소묘(素描) a (rough) sketch;

소문(所聞) a rumor; (a) gossip; a report; talk; hearsay. ¶ ~을 퍼뜨리다 spread a rumor.

소문자(小文字) a small letter.

소박(疎薄) ill-treatment to one's wife. ~하다 ill-treat one's wife; desert.   「naive.

소박(素朴) ~한 simple; artless;

소방(消防) fire fighting 《美》. ∥ ~

관 a fireman; a fire fighter / ~대 a fire brigade / ~서 a fire (brigade) station / ~차 a fire engine.

소변(小便) urine; piss 《俗》; pee (소아어). ¶ ~보다 urinate; pass (make) water; have (take) a pee (口); piss 《俗》/ ~을 참다 retain (hold) one's urine. ∥ ~금지 《게시》No urinating.

소복(素服) (wear) white (mourning) clothes.

소비(消費) consumption. ~하다 consume; spend; expend. ∥ ~세 a consumption tax / ~자 a consumer; the consuming public(일반소비자) / ~자 가격 the consumer's price / ~자 단체 a consumer's group (organization).

소산(所産) a product; fruit(s); an outcome.

소상(小祥) the first anniversary of 《a person's》death.

소상(塑像) a plastic image; a clay figure (statue).

소상하다(昭詳一) (be) detailed; full; minute; circumstantial. ¶ ~히 minutely; in detail.

소생(小生) I; me; myself. (dren).

소생(所生) one's offspring (chil-

소생(蘇生) revival; resuscitation; reanimation. ~하다 revive; come to oneself; be restored to life.

소설(小說) a story; a novel; fiction(총칭). ∥ ~가 a novelist; a story (fiction) writer.

소성(塑性) 〔理〕 plasticity. ¶ ~이 있다 be plastic.

소소하다(小小一) (be) minor; trifling; insignificant.

소속(所屬) ~하다 belong (be attached) 《to》. ¶ ~의 belonging (attached) 《to》.

소송(訴訟) a (law)suit; an action. ¶ ~하다 sue 《a person》; bring a lawsuit (an action) 《against》. ∥ ~대리인 a counsel; an attorney / ~사건 a legal case / ~의뢰인 a client / ~인 a plaintiff(원

고) / ～절차(를 밟다) (take) legal proceedings.

소수(小數) 〖數〗 a decimal (fraction). ‖ ～점 a decimal point(소수점 이하 3자리까지 계산하다 calculate down to three places of decimals).

소수(少數) a minority; a few. ‖ ～민족 a minority race.

소수(素數) 〖數〗 a prime number.

소스(〈西洋 액체 조미료〉) sauce. ‖ ～를 치다 pour sauce *over food*.

소승(小乘) 〖佛〗 Hinayana. ‖ ～적 견지 a narrow (point of view).

소시민(小市民) ‖ ～계급 the lower middle class; the *petite bourgeoisie*.

소시(적)(少時一) *one's* early days; *one's* youth.

소시지 a sausage.

소식(少食) ～하다 do not eat much. ‖ ～가 a light eater. 「food.

소식(素食) meatless meal; plain

소식(消息) news; tidings; information. ‖ ～이 있다(없다) hear (hear nothing) *from*. / ～을 가져다주다 bring news *of*. ‖ ～통 well-informed circles (sources); a well-informed person(사람).

소신(所信) *one's* belief (conviction); *one's* opinions (views).

소실(小室) ～을 두다 keep a mistress.

소실(消失) ～하다 vanish; disappear.

소실(燒失) ～하다 be burnt down; be destroyed by fire. ‖ ～가옥 houses burnt down.

소심(小心) ‖ ～한 timid; fainthearted; cautious.

소아(小我) 〖哲〗 the ego.

소아(小兒) an infant; a little child. ‖ ～마비 (suffer from) infantile paralysis.

소아과(小兒科) pediatrics. ‖ ～의사 a pediatrician; a children's doctor / ～의원 a children's hospital.

소아시아(小一) Asia Minor. 「tal.

소액(少額) a small sum (amount) *of money*.

소야곡(小夜曲) a serenade.

소양(素養) knowledge; a ground-

ing; training. ‖ ～이 있는 cultured; educated.

소염제(消炎劑) an antiphlogistic.

소외(疎外) ‖ ～당하다 be shunned (neglected). ‖ ～감 a sense of alienation.

소요(所要) ～되는 (the time) required; necessary; needed.

소요(逍遙) ～하다 stroll; ramble; take a walk.

소용(所用) need; want; demand; necessity; use. ‖ ～되는 necessary; needed; wanted.

소용돌이 (be drawn into) a whirlpool; a swirl. ‖ ～ 치다 whirl around; swirl.

소원(所願) *one's* desire (wish). ‖ ～이 성취되다 have *one's* wishes realized (meet). / ～을 들어 주다 grant (meet) *(a person's)* wishes.

소원(訴願) a petition; an appeal. ～ 하다 petition; appeal *(to)*.

소원(疎遠) ～하다 be estranged (alienated). ‖ ～해지다 become estranged; drift apart.

소위(少尉) 〖육군〗 a second lieutenant (美·英); an acting sublieutenant (英); an ensign (美); 〖공군〗 a second lieutenant (美); a pilot officer. 「(work).

소위(所爲) a deed; *one's* doing

소위(所謂) (이른바) so-called; what is called; what you call; 「tee.

소위원회(小委員會) a subcommit-

소유(所有) possession. ～ 하다 have; possess; own; hold; 「… 의 belonging to ...; owned by ...; ‖ ～격 the possessive (case) / ～권 the right of ownership; a right (title) *(to a thing)* / ～물 *one's* property (possessions) / ～ 욕 a desire to possess / ～자 an owner; a proprietor.

소음(騷音) (a) noise. ‖ ～방지의 antinoise / ～ 거리 street noises. ‖ ～공해 noise damage (pollution) / ～ 방지 prevention of noise; sound supression / ～측정기 a noise (sound-level) meter.

소음기(消音器) a sound arrester;

a muffler; a silencer.

소이탄 (燒夷彈) an incendiary bomb (shell).

소인 (小人) a dwarf; a pigmy; 《난쟁이》 a child; 《어린이》 a minor; 《소인물》 a small-minded person; 《쓸》 I, me, myself.

소인 (消印) a postmark; a date stamp. ¶ ~이 찍힌 postmarked.

소일 (消日) ~하다 while away (kill) one's time. ‖ ~거리 a time killer; a pastime.

소임 (所任) one's duty (task). ¶ ~을 다하다 fulfill (discharge) one's duty / ~을 맡다 take a duty (job) on oneself.

소자 (素子) 《電子》 an element. ‖ 발광 ~ 《전자》 a light-emitting diode(생략 LED).

소작 (小作) tenant farming. ~하다 tenant a farm. ‖ ~농 tenant farming(농사); ~농가 a tenant farmer (농민) / ~료 farm rent / ~인 a tenant (farmer). 「fine.

소장 (小腸) 《解》 the small intest-

소장 (少將) 《육군》 a major general 《美·英》; 《해군》 a rear admiral 《美·英》; 《공군》 a major general 《美》; an air vice-marshal 《英》.

소장 (所長) the head (chief) 《of an office, a factory》.

소장 (所藏) ~의 in one's possession / Y씨 ~의 (a book) owned by (in the possession of) Mr. Y.

소장 (訴狀) 《法》 a (written) complaint; a petition(청원장).

소재 (所在) one's whereabouts; the position (location)(위치). ¶ ~를 감추다 conceal one's whereabouts; disappear; hide oneself / ~ 불명이다 be missing. ‖ ~지 the seat (of).

소재 (素材) (a) material; subject matter. 「mise.

소전제 (小前提) 《論》 a minor pre-

소정 (所定) ~의 fixed; established; prescribed; appointed / ~의 절차를 밟다 go through the prescribed regular course (the prescribed formalities).

소조 (塑造) modeling; molding.

소주 (燒酒) soju; distilled spirits (liquor).

소중 (所重) ¶ ~한 important; valuable; precious / ~히 carefully; with care / ~히 여기다 《존중》 value; make much of 《a person, a thing》; treasure.

소지 (所持) possession. ~하다 have (in one's possession); possess; carry. ¶ ~금 money in hand (one's pocket) / ~자 a holder; a possessor; an owner(면허증 ~자 a license holder) / ~품 one's belongings; one's personal effects.

소지 (素地) 《요인이 되는 바탕》 a foundation; a groundwork; an aptitude 《for》; the makings.

소진 (消盡) ~하다 exhaust; use up; consume; vanish; disappear.

소진 (燒盡) ~하다 be burnt down (to the ground); be totally destroyed by fire.

소질 (素質) 《자질》 the making(s); qualities; talent; genius; 《체질》 a constitution; predisposition (병의); 《경향》 a tendency 《to》.

소집 (召集) a call; a summons; convocation(의회 따위의). ~하다 《회의를》 call; convene; summon; 《군대를》 muster; call up; draft. ¶ ~령 a draft / ~영장 a draft notice (card) 《美》.

소쩍새 《鳥》 a Chinese scops owl.

소찬 (素饌) a plain dish (dinner).

소채 (蔬菜) vegetables; greens.

소책자 (小冊子) a pamphlet; a booklet; a brochure.

소청 (所請) a request. ¶ ~을 들어 주다 grant 《a person's》 request.

소총 (小銃) a rifle; small arms(총칭). ‖ ~탄 a bullet.

소추 (訴追) prosecution; indictment. ~하다 prosecute (indict) 《a person for a crime》.

소출 (所出) crops; yield(s); products. ¶ ~이 많은 heavily (highly) productive 《farm》.

소치(所致) 《결과》 consequences; result; 《영향》 effect. ¶ …의 ~이다 be caused by; be due to.

소켓(電) a socket. ¶ ~에 끼우다 socket.

소쿠리 a bamboo [wicker] basket.

소탈(疏脫) ~ 하다 (be) informal; unconventional; free and easy.

소탐대실(小貪大失) ~ 하다 suffer a big loss in going after a small gain.

소탕(掃蕩) ~ 하다 wipe [stamp] out; sweep away; mop up. ¶ ~ 작전 a mopping-up operation.

소태(樗) 《나무》 a kind of sumac. 《껍질》 sumac bark.

소택(沼澤) a marsh; a swamp. ¶ ~ 지 marshland; swampy areas.

소통(疏通) 《의사의》 ~ 하다 come to understand each other; come to a mutual understanding.

소파(搔爬) 《醫》 curettage. ¶ ~ 수 술을 받다 undergo curetting.

소파(긴 의자) a sofa.

소포(小包) a parcel; a package; a packet. ¶ ~우편 (by) parcel post.

소품(小品) 《문예의》 a short piece (of music, writing); a 《literary》 sketch; 《물건》 a trifle article; 《무대의》 (stage) properties. ¶ ~담 a property man 《master》.

소풍(逍風) 《산책》 a walk; a stroll; an outing; 《행락》 an excursion; a picnic. ¶ ~을 가다 go for a walk; go on a picnic.

소프라노(樂) soprano; a soprano 《가수》.

소프트 soft. ¶ ~드링크 (have) a soft drink / ~볼 (play) softball / ~웨어 《컴》 software.

소한(小寒) the 23rd of the 24 seasonal divisions; the beginning of the coldest season.

소해(掃海) sea clearing. ~ 하다 sweep [clear] the sea (for mines). ¶ ~작업 minesweeping [sea-clearing] / ~정 a minesweeper.

소행(所行) an act; a deed; one's doing.

소행(素行) conduct; behavior.

소형(小型・小形) a small size. ¶ ~의 small(-sized); tiny; pocket(-size). ¶ ~ 《Office》.

소호 SoHo (◀ Small Office; Home Office).

소홀(疏忽) ~ 하다 (be) negligent; neglectful; careless; rash. ¶ ~히 하다 neglect; disregard; 《경시》 make light of; slight.

소화(消火) ~ 하다 extinguish [put out, fight] a fire. ¶ ~기 (a fire) extinguisher / ~전(栓) a fire-plug; a hydrant.

소화(消化) digestion 《음식의》; consumption 《상품의》. ~ 하다 digest; consume; absorb. ¶ ~기관 digestive organs / ~불량 (suffer from) indigestion / ~제 a digestive.

소화물(小荷物) a parcel; a package; a packet. ¶ ~로 부치다 send [forward] (something) by mail 《우편》; consign (something) as a parcel 《철도편》. ∥ ~취급소 a parcels office.

소환(召喚) 《法》 a summons; ~ 다 summon; call.

소환(召還) the recall. ~ 하다 recall; call (a person) back. ¶ 본국에 ~되다 be summoned [ordered] home.

속 ① 《내부・안》 the interior 《inside》; the inner part; 《깊숙한》 the inmost recesses 《of》. ¶ ~에(서) within; in; inside. ② 《속에 든 것》 contents 《내용》; substance 《실질》; stuffing 《박제품 등의》; pad, padding 《의자 등의》. ③ 《중심・핵》 the heart 《core》. ¶ ~까지 썩다 be rotten to the core. ④ 《마음》 the heart; the depth 《bottom》. ¶ 검은 wicked; malicious. ⑤ 《뱃속》 insides; stomach. ¶ ~이 거 북하다 feel heavy in the stomach.

속(屬) 《生》 a genus. ¶ ~의 gener-ic.

속(續) 《계속》 continuance; continuation; a sequel 《이야기의》; a series.

속간(續刊) ~ 하다 continue (its)

publication.

속개(續開) resumption. ~하다 continue; resume《재개》.

속격(屬格) 〖文〗 the genitive (case).

속결(速決) 즉결.

속계(俗界) the (workaday) world; the earthly [secular] life.

속공(速攻) a swift attack. ~하다 launch a swift attack 《against》.

속구(速球) 〖野〗 a speed [fast] ball. ¶ ~투수 a fastball pitcher; a speedballer《美俗》.

속국(屬國) a dependency; a tributary (state).

속기(速記) 《속기법》 shorthand [writing]; stenography. ~하다 [do] shorthand; take down in shorthand. ‖ ~사 a stenographer; a shorthand writer.

속념(俗念) worldly considerations [thoughts]; vulgar [secular] thoughts.

속눈썹 the eyelashes. ‖인조~ [false] eyelashes.

속다 be cheated [deceived, taken in, imposed upon, fooled]. ¶속기 쉬운 credulous; gullible.

속단(速斷) ~하다 decide hastily; jump to a conclusion.

속달(速達) express [special《美》] delivery. ~하다 send 《a letter》 by express; express 《a parcel》. ‖ ~료 a special delivery fee / ~우편 express delivery post; special delivery mail《美》.

속담(俗談) a proverb; a (common) saying. ¶ ~에도 있듯이 as the proverb says 《goes》.

속대 the heart of vegetable. ‖ ~쌈 boiled rice wrapped in cabbage hearts.

속도(速度) speed; velocity; (a) rate; 〖樂〗 a tempo. ¶ ~를 내다 speed up; gather [increase] speed / ~를 줄이다 slow down; reduce the speed. ‖ ~계 a speedometer; a speed indicator / ~위반 speeding 《~위반에 걸리다 be charged with speeding》 / ~제한 [set] a speed limit.

속독(速讀) rapid [fast] reading. ~

하다 read 《a book》 fast.

속되다(俗─) 《비속》(be) vulgar; 《통속적》(be) common; popular; 《세속적》(be) worldly; earthly; mundane. ¶속된 욕망 worldly desires [ambitions].

속력(速力) = 속도. ¶ ~이 빠른 [느린] fast [slow] in speed / 전~으로 (at) full speed / 최대~ the greatest [maximum] speed.

속령(屬領) a possession; a dependency 《속국》. ‖ ~지 a dominion.

속마음 one's inmost feeling; one's right mind. ¶ ~을 꿰뚫어 보다 see through 《a person's》 heart; read 《a person's》 thoughts. [talk.

속말 a confidential [private, frank]

속명(俗名) ① 《통속적인》 a common [popular] name. ② 〖佛〗 a secular name.

속명(屬名) 〖生〗 a generic name.

속물(俗物) a worldly man; a snob; a man of vulgar [low] taste. ‖ ~근성 snobbery.

속박(束縛) (a) restraint; (a) restriction; fetters; a yoke. ~하다 restrict; restrain; shackle; bind; fetter. ¶ ~을 받다 be placed under restraint / ~을 벗어나다 shake off the yoke 《of》.

속발(續發) successive [frequent] occurrence. ~하다 occur [happen] in succession; crop up one after another. [sease.

속병(─病) a chronic internal di-

속보(速步) a quick pace.

속보(速報) a prompt [quick] report; a (news) flash. ~하다 report promptly; make a quick report 《on》.

속보(續報) further news [particulars]; a continued report; a follow-up.

속보이다 betray [reveal] one's heart; be seen through.

속사(速射) quick firing (fire). ~하다 fire quickly. ‖ ~포 a quick firing gun; a quick-firer.

속사(速寫) 《사진의》 a snapshot

~하다 (take a) snapshot 《of》.

속삭임 whisper.

속삭이다 whisper; murmur; speak under one's breath; talk in whispers. ¶ 귀에 대고 ~ whisper in 《a person's》 ear.

속상하다(─傷─) feel distressed; be annoyed [irritated, troubled]; be vexed [chagrined] 《at》.

속설(俗說) a common saying; a popular view; 《전설》 folklore.

속성(速成) rapid completion; quick mastery. ~하다 complete rapidly; give a quick training. ¶ ~과 a short [an intensive] course / ~법 a quick-mastery method.

속성(屬性) 【論】 an attribute.

속세(俗世) this world; earthly life; the mundane world. ¶ ~를 버리다 renounce the world.

속셈 ① inner thoughts; what one has in mind; an ulterior motive; a secret intention. ② 암산.

속속(續續) successively; one after another; in (rapid) succession.

속속들이 wholly; thoroughly; to the core《속까지》. ¶ ~ 썩다 be rotten to the core.

속손톱 a half-moon (of the fingernail); a lunula.

속수무책(束手無策) ¶ ~이다 be at the end of one's tether; nothing can be done.

속아넘어가다 be deceived [fooled]. ¶ 감쪽같이 ~ be nicely taken in.

속어(俗語) 《총칭》 colloquial language; slang; 《개별》 a colloquial expression; a slang word.

속어림 one's guess. ¶ ~으로 in one's estimate; by guess.

속옷 an underwear; an undergarment; underclothes.

속이다 deceive; cheat; fool; swindle《금품을》; impose on; play a trick 《on》; (tell a) lie《거짓말》; feign《가장》.

속인(俗人) 《세속인》 a worldling; a worldly man; the common

crowd; 《중이 아닌》 a layman.

속인(屬人) 《~의 individual; personal. ¶ ~주의 【法】 the personal principle / ~특권 personal privileges.

속임수 (a) deception; trickery. ¶ ~를 쓰다 cheat; play a trick on 《a person》; take 《a person》 in.

속전속결(速戰速決) an intensive [all-out] surprise attack [offensive]; a blitzkrieg 《獨》. ¶ ~전법 blitz tactics.

속절없다 (be) helpless; hopeless; futile; unavailing. ¶ 속절없이 helplessly; unavoidably; inevitably; in vain.

속죄(贖罪) atonement; expiation; redemption. ~하다 atone for [expiate] one's sin《죄》. ¶ 죽음으로써 ~하다 expiate a crime with death.

속주다 take 《a person》 into one's confidence; open one's heart 《to》.

속지(屬地) 《~주의 【法】 the territorial principle.

속출(續出) successive occurrence. ~하다 appear [occur] in succession [one after another].

속치마 an underskirt; a petticoat; a slip.

속타다 be distressed 《about, by》; be worried 《about》; be vexed [irritated] 《at》; be 〔get〕 harassed [annoyed].

속탈(─頉) a stomach trouble [upset]; stomach disorder.

속태우다 《기 ① 《남을》 vex; fret; worry; irritate; annoy; trouble. ② 《스스로》 worry 《oneself》 《about》; fret 《about》; be distressed [bothered, harassed].

속편(續編・續篇) a sequel 《of, to》; a second volume.

속필(速筆) quick [rapid] writing.

속하다(屬─) belong 《to》; come

〔fall〕《under》; be subject 《to》.
속행(續行) ~하다 continue; resume; go on 〔proceed〕《with》; keep on 《doing》.
속화(俗化) vulgarization. ~하다 vulgarize; be vulgarized.
속히(速─) fast; rapidly; quickly; hastily.
솎다 thin 〔out〕《plants》.
손¹ ① 《사지의》 a hand; an arm 《팔》. ¶ ~을 마주 잡고 hand in hand; arm in arm / ~으로 만든 hand-made; manual. ② 《일손》 a hand; a help. ¶ ~을 빌리다 give a hand; lend a (helping) hand / ~이 모자라다 be short-handed; be short of hands. ③ 《솜씨》 hand; skill. ¶ ~에 익다 be at home 《in》; know *one's* game. ④ 《손질》 trouble; care 《돌봄》. ¶ ~이 많이 가는 troublesome; elaborate. ⑤ 《소유》 the hands 《of》; possession. ¶ 남의 ~에 넘어가다 pass 〔fall〕 into another's hands. ⑥ 《관계》 ☞ **손대다** ②. ¶ …에서 ~을 떼다 wash *one's* hands of 《the business》.
손² 《손님》 ☞ **손님**.
손(損) loss(손실); disadvantage(불리); damage(손해).
손가락 a finger. ¶ 엄지 ~ the thumb / 집게 ~ 〔가운뎃, 약, 새끼〕 ~ the index 〔middle, ring, little〕 finger.
손가락질 ~하다 point at 〔to〕; indicate 《지탄》 shun; scorn. ¶ ~을 받다 be pointed at with scorn; be an object of social contempt.
손가방 a briefcase; a handbag; a valise; a gripsack 《美》.
손거스러미 an agnail; a hangnail.
손거울 a hand glass 〔mirror〕.
손금 the lines of the palm. ¶ ~을 보다 read 《*a person's*》 palm; practice palmistry(영업).
손길 《손》 hands; *one's* reach(뻗은); a (helping) hand (구원의). ¶ ~이 닿는 곳에 within *one's* reach.
손꼽다 ① 《셈하다》 count on *one's*

fingers. ¶ 손꼽아 기다리다 look forward to 《*a person's* arrival》. ② 《굴지》 ¶ 손꼽는 leading; outstanding.
손끝 a finger tip; manual dexterity(솜씨). ¶ ~(이) 여물다 be clever with *one's* hands.
손녀(孫女) a granddaughter.
손놓다 《일을》 leave 〔lay〕 off 《*one's* work*》.
손님 ① 《내방객》 a caller; a visitor; a guest(초대한). ¶ ~을 대접하다 entertain a guest. ② 《고객》 a customer; a patron; an audience(극장의); a guest(여관 등의); a client(변호사 · 의사의). ¶ 단골 ~ a regular customer. ③ 《승객》 a passenger; a fare.
손대다 《전드리다》 touch; lay 〔put〕 *one's* hands 《on》; 《남의 것에》 make free with 《*another's* money》. ¶ 음식에 손도 안 대다 leave food untouched / 손대지 마시오 Hands off. ② 《착수》 put 〔turn, set〕 *one's* hand 《to》; take up 《관계》 have a hand 《in》. ③ 《손찌검》 beat; strike.
손대중 measuring 〔weighing〕 by hand. ¶ ~으로 by hand measure.
손도끼 a hand ax(e); a hatchet.
손도장(─圖章) a thumbmark; a thumbprint. ¶ ~을 찍다 seal with the thumb.
손독(─毒) ¶ ~이 오르다 be infected by touching.
손들다 raise 〔lift, hold up〕 *one's* hand; show *one's* hand(찬성); be defeated 〔beaten〕(지다); yield 《*to*》(항복); give up(단념). ¶ 손들어! Hands 〔Hold〕 up!
손등 the back of the hand.
손때 dirt from the hands; finger marks. ¶ ~ 묻은 finger-marked; hand-stained.
손떼다 《…에서》 get 《*something*》 off *one's* hands; wash *one's* hands of; break with; withdraw oneself 《*from*》.
손목 a wrist. ¶ ~을 잡다 take 《*a*

person》 by the wrist. 「work.
손바느질 sewing by hand; needle-
손바닥 the palm (of the hand).
¶ ~을 뒤집듯이 without the least
trouble / ~으로 때리다 (give a)
slap.
손발 hands and feet; the limbs.
손버릇 ¶ ~(이) 나쁘다 (be) light-
fingered; thievish; larcenous.
손보다〈돌보다〉care for; take care
of;〈수리〉repair; mend; put
《*something*》 in repair;〈원고를〉
touch up; retouch.
손뼉치다 clap 《*one's*》 hands.
손상(損傷) injury; damage. ~하다
injure; damage; impair. ¶ ~을
입다 be injured (damaged); suf-
fer a loss.
손색(遜色) ¶ ~없다〈서술적〉bear
〔stand〕 comparison 《*with*》; be
equal 《*to*》; by no means
inferior 《*to*》.
손수 with 《*one's*》 own hands; in
person, personally 《몸소》.
손수건(一手巾) a handkerchief.
손수레 a handcart; a barrow.
손쉽다〈용이하다〉(be) easy; simple.
¶ 손쉽게 생각하다 take 《*things*》
easy / 돈을 손쉽게 벌다 make an
easy gain.
손실(損失) (a) loss. ¶ 국가적인 ~ a
national loss / ~을 주다〔입다〕
inflict 〔suffer〕 a loss.
손쓰다 take 〔resort to〕 a mea-
sure; take steps; do some-
thing 《*for*》;〈미리〉take pre-
ventive measure 《*against*》/ 손
을 쓸 수 없다 can do nothing.
손아귀 ¶ ~에 넣다 get 《*something*》
in 《*one's*》 hands;《사람을》have 《a
person》 under 《*one's*》 thumb〈con-
trol》 / ~에 들다 fall into 《a per-
son's》 hands 〔power〕; be under
《a person's》 thumb.
손아래 ¶ ~의 younger; junior 《~의
아랫사람 *one's* junior (inferior)).
손어림 hand measure. ~하다

(make a rough) estimate by
hand. 「work.
손위 ¶ ~의 older; elder /손윗사
람 《~의 elder; *one's* senior.
손익(損益) profit and loss; loss
and gain. ¶ ~계산서 a state-
ment of profit and loss / ~분
기점 the break-even point.
손익다 (be) accustomed; famil-
iar; 《서술적》get accustomed to;
be (quite) at home 《in, on》.
손일 handwork; manual work;
handicraft. 「son.
손자(孫子) a grandchild; a grand-
손잡이 a handle; 《문의》a knob;
a catch. ‖ ~끈 a strap.
손장난 ~하다 finger 《*a doll*》; fum-
ble 《*with, at*》; play 〔toy〕《*with*》.
손장단(一長短) ¶ ~을 치다 beat
time with the hand; keep time
with hand-clapping.
손재주(一才一) ¶ ~있는 clever-
fingered; deft-handed; dexterous.
손전등(一電燈) a flashlight; an
electric torch.
손질 repair(s); care. ¶ ~(을) 하
다 take care of; trim 《*a tree*》;
repair 《*a house*》; mend 《*shoes*》;
maintain 《*a car*》; improve 《*one's
essay*》 / ~이 잘 되어 있다 〔있지 않
다〕be in good 〔poor〕 repair;
be well-kept 〔ill-kept〕.
손짓 a gesture; signs; a hand
signal. ~하다 (make a) gesture;
make signs; beckon 《*to*》.
손짓검하다 beat; slap; strike.
손크다〈후하다〉(be) liberal; free-
handed; generous. ¶ 손(이) 큰
사람 a liberal giver; an open-
handed man.
손톱 a (finger)nail. ¶ ~을 깎다
cut 〔trim〕 *one's* nails. ‖ ~깎이
a nail clipper / ~자국 a nail
mark; a scratch 《상처》.
손풍금(一風琴) an accordion.
손해(損害) damage; (an) injury;
(a) loss. ¶ ~을 주다 damage;
injure; do 〔cause〕 damage (loss-
es) 《*to*》/ 《큰》~을 입다 be 《great-
ly》 damaged 《*by*》; suffer a

(heavy) loss. ∥ ～배상 (a) compensation for damage 〔the loss〕; damages (～배상을 청구하다 claim 〔demand〕 damages 《~에》/ 배상금 damages ～보험 property 〔nonlife〕 insurance.

솔 (터는) a brush. ¶ ～로 털다 brush off 《dust》.

솔 《나무》 a pine (tree). ∥ ～가지 a pine branch 〔twig〕/ ～방울 a pine cone / ～잎 a pine needle.

솔개 《鳥》 a (black-eared) kite.

솔기 a seam. ∥ ～ 없는 seamless.

솔깃하다 《서술적》 be interested 《in》; be enthusiastic 《about》. ¶ 그거 귀가 솔깃해지는 제안이로군 That's a tempting offer.

솔로 《樂》 (sing) a solo. ∥ ～가수 a soloist / 피아노 ～ a piano solo.

솔선 《先先》 ～하다 take the lead 〔initiative〕 《in》; set an example 《to others》. ¶ ～해서 …하다 be the first to do.

솔솔 soft-flowing; gently; softly.

솔직 《率直》 ¶ ～한 〔히〕 plain(ly); frank(ly); candid(ly) / ～한 대답 a straight answer / ～히 말하면 frankly speaking; to be frank 《with you》.

솔질 brushing. ～하다 brush.

솜 cotton. ¶ ～을 두다 stuff 《a cushion》 with cotton / ～을 틀다 gin 〔fluff〕 cotton.

솜사탕 《一砂糖》 cotton candy.

솜씨 《손재주》 skill; dexterity; finesse; workmanship; craftsmanship; 《능력》 ability. ¶ ～ 있는 skillful; clever; dexterous; able 《유능한》/ ～가 좋다 be a good hand 《at》; be clever 《at》.

솜옷 wadded 〔padded〕 clothes.

솜털 downy 〔fine, soft〕 hair; down. 〔feet〕

솟구다 jump up; leap to one's

솟구치다 leap 〔jump, spring〕 up; 《불길이》 blaze 〔flame〕 up; 《물가 가》 rise suddenly; make a jump.

솟다 ① 《높이》 rise; tower; soar. ② 《샘 등이》 gush out; spring out; well. ③ 《불길이》 flame

〔blaze〕 up.

솟아나다 《샘이》 gush (out); well 《up, out, forth》.

솟을대문 《一大門》 a lofty 〔tall〕 gate.

송가 《頌歌》 an anthem; a hymn of praise. 〔falcon.

송골매 《松鶻一》 《鳥》 a peregrine

송곳 a gimlet 《도래송곳》; a drill 《금속 · 돌을 뚫는》.

송곳니 a canine tooth; a dog-tooth.

송곳칼 a combination knife-drill.

송구 《送球》 ① ～ 핸드볼. ② 《던지 다》 ～하다 throw a ball 《to》.

송구 《悚懼》 ¶ ～스럽다 《죄송하다》 be very sorry 《for》; feel small; 《감사하다》 be much obliged 《to》; 《어찌할 바를 모르다》 be 〔feel〕 embarrassed 《by, at》.

송구영신 《送舊迎新》 ～하다 see the old year out and the new year in.

송금 《送金》 (a) remittance. ～하다 remit 〔send〕 money 《to》. ¶ ～하다 《우편환으로 ～하다 remit 〔send〕 money by bank draft 〔postal money order〕. ∥ ～수수료 a remittance charge / ～수취인 the remittee; the payee / ～인 the remitter. 〔out.

송년 《送年》 (bidding) the old year

송달 《送達》 delivery; dispatch. ～ 하다 send; deliver; dispatch; serve 《교부》. ∥ ～부 a delivery book.

송당송당 ¶ ～ 자르다 cut to pieces; chop up; hash.

송덕 《頌德》 eulogy. ∥ ～비 a monument in honor of 《a person》.

송두리째 《뿌리째》 root and branch; 《몽땅》 all; completely; entirely; thoroughly; ～ 없애다 uproot; root 《something》 out; eradicate 《the drug traffic》.

송료 《送料》 the carriage 《on a parcel》 《운임》; the postage 《of a book》.

송림 《松林》 a pine wood 〔forest〕.

송별 《送別》 farewell; send-off. ∥ ～사 《辭》 a farewell speech 〔ad-

dress） / ～회 a farewell meeting (party); a ~〔remit〕(송금).
송부《送付》 ～하다 send; forward.
송사《訟事》 a lawsuit; a suit; legal proceedings〔steps〕.
송사《頌辭》 a laudatory address; a panegyric.
송사리 ① 《魚》 a killifish. ② 《사소한》 small fry.《pieces.
송송 ～ 썰다 chop into small
송수《送水》 water supply (conveyance).　～하다 supply (the town) with water.　‖ ～관 a water pipe; a water main(본관).
송수신기《送受信機》《라디오》 transceiver.《set.
송수화기《送受話機》《전화의》 a handsfine.
송신《送信》 transmission 《of a message》.　～하다 transmit 〔dispatch〕 a message.　‖ ～국〔탑〕 a transmitting station〔tower〕/ ～기 a transmitter.
송아지 a calf.　‖ ～가죽 calfskin / ~고기 veal.
송어《松魚》 《魚》 a trout.
송영《送迎》 greeting and farewell; 《~하다》 welcome and send-off.
송영《誦詠》 ～하다 recite 《a poem》.
송유《送油》 oil supply; sending oil.　～하다 supply oil; send oil.　‖ ～관 an oil pipe(line).
송이《과실의》 a bunch; a cluster; 《꽃의》 a blossom; 《눈의》 a flake (of snow).　¶ 포도 한 ～ a bunch 〔cluster〕 of grapes.
송이《松栮》 a song-i mushroom.
송장《送狀》 a (dead) body; a corpse.　¶ 산 ～ a living corpse.
송장《送狀》 an invoice; a dispatch note.　¶ 내국〔수출, 수입〕~ an inland〔export, import〕invoice.
송전《送電》 transmission of electricity; electric supply.　～하다 transmit (electric) electricity 《from ... to》; supply (electric) power 《to》.　‖ ~력 (power-)carrying capacity / ～선 a power transmission line / ～ 케이블(고압선) / ～지〔탑〕 a (power-)transmission site〔tower〕.
송죽《松竹》 pine and bamboo.

송진《松津》 (pine) resin.
송축《頌祝》 ～하다 praise and bless; bless; eulogize.
송충이《松─》 a pine caterpillar.
송판《松板》 a pine board.
송편《松─》 songpyeon; a half-moon-shaped rice cake steamed on a layer of pine needles.
송풍《送風》 ventilation.　～하다 ventilate 《a room》; send air 《to》.　‖ ～관 a blast pipe / ～기 a ventilator; a blower; a fan.
송화《送話》 transmission.　～하다 transmit.　‖ ～기 a transmitter; a mouthpiece.
송환《送還》 sending back〔home〕; repatriation(포로 따위).　～하다 send back〔home〕; repatriate; deport(국외로).　‖ ～자 a repatriate(본국으로의 송환자); a repatriator(피(被)추방자).
솥 an iron pot; a kettle(물 끓이는); a cauldron(가마솥).　¶ 한 ~ 밥을 먹다 live under the same roof 《with》.　‖ ～뚜껑 the lid of a kettle〔pot〕.
쇄《소리》 rustlingly; noisily; briskly.《stopping.
쐴쐴 ～ 흐르다 flow without
쇄골《鎖骨》 《解》 the collarbone; the clavicle.
쇄광기《碎鑛機》 an ore crusher; a stamp(ing) mill.
쇄국《鎖國》 national isolation.　～하다 close the country 《to》; close the door to foreigners.　‖ ～정 책 an isolation policy; a closed-door policy.
쇄도《殺到》 a rush; a flood.　～하다 rush〔pour〕《in》; throng 《a place》; swoop down on 《the enemy》.　¶ 주문이 ～하다 have a rush〔flood〕of orders.
쇄빙선《碎氷船》 an icebreaker.
쇄신《刷新》 reform; renovation.　～하다 (make a) reform; renovate; innovate.
쇠 ①《鐵》 iron; steel (강철); a metal(금속).　¶ ～로 만든 iron; (made) of iron.　②《열쇠》 a key;

《자물쇠》 a lock.

쇠가죽 oxhide; cowhide.

쇠고기 beef.

쇠고랑 (a pair of) handcuffs; cuffs 《口》. ¶ ∼ 채우다 handcuff 《a person》; put handcuffs on 《a person》. 〖hoop; a clasp.

쇠고리 an iron ring; a metal

쇠공이 an iron pestle (pounder).

쇠귀 cow's ears. ¶ ∼에 경읽기 preaching to deaf ears.

쇠기름 beef tallow (fat).

쇠꼬리 a cow's tail; (an) oxtail.

쇠꼬챙이 an iron skewer.

쇠다 ① 《생일·명절을》 keep 《one's birthday》; celebrate; observe. ② 《채소가》 become tough (and stringy). ③ 《병이 덧나다》 get worse; grow chronic.

쇠똥[1] 《소의 똥》 cattle-dung; ox-droppings; ox-manure(거름).

쇠똥[2] 《쇳부스러기》 slag; scoria.

쇠망 《衰亡》 ∼하다 fall; decline; go to ruin; be ruined.

쇠망치 an iron hammer.

쇠몽둥이 an iron bar [rod]; a metal rod [bar].

쇠뭉치 a mass of iron.

쇠미 《衰微》 ∼하다 《衰退》 be on the decline 《wane》.

쇠버짐 a kind of ringworm.

쇠붙이 metal things; ironware.

쇠비름 〖植〗 a purslane.

쇠뼈 cow (ox) bones.

쇠뿔 a cow's horn; an oxhorn.

쇠사슬 a chain; a tether(개의). ¶ ∼로 매다 enchain; chain up 《a dog》; put 《a person》 in chains / ∼을 풀다 unchain; undo the chain.

쇠스랑 a rake; a forked rake.

쇠약 《衰弱》 weakening; emaciation. ¶ ∼한 weak; weakened; emaciated(야윈); debilitated / 병으로 ∼해지다 grow weak from illness / 전신 ∼ general weakening [prostration].

쇠운 《衰運》 declining fortune. ¶ ∼에 접어들다 begin to decline; be on the wane.

쇠잔 《衰殘》 ∼하다 《쇠약》 become emaciated; lose vigor; 《쇠퇴》 fall off (기운이); sink; wane.

쇠줄 iron wire; a cable; a chain.

쇠진 《衰盡》 decay; exhaustion. ∼하다 decay; be exhausted.

쇠코뚜레 a cow's nose ring.

쇠톱 a hacksaw.

쇠퇴 《衰退·衰頹》 ∼하다 decline; decay; wane.

쇠파리 a warble fly.

쇠하다 《衰一》 《쇠약》 become weak; lose vigor; be emaciated; 《위축》 wither; 《쇠망》 decline; wane; 《감퇴》 fall off.

쇳내 a metallic taste. ¶ ∼가 나다 taste iron (metallic).

쇳물 《녹물》 a rust stain; 《녹인 쇠》 melted iron.

쇳소리 a metallic sound.

쇳조각 a piece (scrap) of iron.

쇼 a show. ¶ ∼ 걸 a show girl.

쇼비니즘 《맹목적 애국주의》 chauvinism.

쇼윈도 a show (display) window; a showindow.

쇼크 《충격》 a shock. ¶ ∼를 받다 be shocked 《at》.

쇼핑 shopping. ∼하다 shop. ¶ ∼ 가다 go shopping.

숄 a shawl. ¶ ∼을 걸치다 wear (put on) a shawl.

숄더백 a shoulder(-strap) bag.

수(手) ① 《바둑·장기의》 a move. ¶ 한 ∼ 두다 make a move. ② 《수법·꾀》 a trick; wiles. ¶ ∼에 넘어가다 fall into a trap; be taken in.

수(壽) 《나이》 age; 《수명》 one's natural life; 《장수》 longevity; long life. ¶ ∼를 누리다 enjoy a long life; live to be 《90 years old》 / ∼를 다하다 die a natural death.

수(數) ① 《number》 a number; a figure (숫자). ¶ ∼많은 numerous; (a great) many; a large number of / ∼없는 countless; innumerable / ∼를 세다 count; take count of. ② ☞ 운수, 행운. ¶ ∼ 사납다 be unlucky.

수(繡) embroidery. ¶ ~실 embroidery thread / ~ 놓다 embroider 《*a figure on*》.

수 ① 《수단·방법》 a means; a way; a resource; help; a device 《방안》. ¶ 무슨 ~를 써서라도 by all means; at any cost; at all risks 《costs》/ …하는 ~밖에 없다 cannot help 《doing》; have no choice but 《to do》. ② 《가능성·능력》 possibility; likelihood; ability. ¶ ~ 있다, 수있다.

수(首) 《시의》 a poem; a piece.

수(雄) 《수컷》 a male; a he 《俗》; 《凸面》 convex; external; protruding. ¶ al 《a few》 days.

수… 《數》 《몇》 several. ¶ ~일 several ~.

수가(無價) a medical charge 《fee》.

수감(收監) imprisonment; confinement. ~하다 put in jail; confine in prison; imprison.

수갑(手匣) 《a pair of》 handcuffs; cuffs 《俗》. ¶ ~을 채우다 handcuff; put 《slip》 handcuffs on 《a person》.

수강(受講) ~하다 take lectures; attend a lecture. ¶ ~생 a member 《of a class》; an attendant.

수개(數個) ¶ ~의 several.

수갱(竪坑) a shaft; a pit.

수건(手巾) a towel. ¶ ~걸이 a towel rack / ~으로 얼굴을 닦다 dry one's face on a towel.

수검(受檢) ~하다 undergo inspection. ¶ ~자 an examinee.

수경(水耕) ¶ ~재배 hydroponics; water culture; tray agriculture; aquiculture.

수고 trouble; hardship; difficulty; labor; toil; pains; efforts. ~하다 take pains 《trouble》; work 《labor》 hard; go through hardships. ¶ ~스러운 troublesome; laborious; painstaking ¶ ~를 끼치다 《시키다》 give 《a person》 trouble; cause 《another》; 《a person》 to trouble / ~를 덜다 save 《a person》 trouble / ~스럽지만 I am sorry to trouble you, but ….

수공(手工) manual arts 〔work〕; handiwork; handicraft. ¶ ~업 handicraft; manual industry / ~업자 a handicraftsman / ~(예)품 a handicraft.

수괴(首魁) the ringleader.

수교(手交) ~하다 hand over; deliver 《something》 personally 《to》.

수교(修交) amity; friendship《☞수호(修好)》.

수구(水球) 【競】 water polo.

수국(水菊) 【植】 a hydrangea.

수군거리다 talk in whispers; speak under one's breath.

수그러지다 ① 《머리 등이》 become low; lower; droop; sink; respect 《존경》. ② 《바람 따위가》 go 《die, calm》 down; subside; abate. ③ 《병세가》 be suppressed 《subdued》; 《분노 등이》 be appeased.

수그리다 ☞ 숙이다.

수금(收金) collection of money; bill collection. ~하다 collect money 《bills》. ¶ ~원 a bill 《money》 collector.

수급(需給) demand and supply. ¶ ~의 균형을 유지하다 keep 〔maintain〕 the balance of supply and demand. ¶ ~조절 adjustment of demand and supply.

수긍(首肯) assent; consent. ~하다 agree 《consent》《to》; assent to; be convinced 《of, that》《납득하다》.

수기(手記) a note; memoirs; a memorandum〔pl. -da, -dums〕.

수기(手旗) a flag. ¶ ~신호 flag signaling.

수꽃 【植】 a male flower.

수난(水難) a disaster by water.

수난(受難) sufferings; ordeals. ¶ ~을 겪다 suffer; undergo hardships 《trials》. ¶ ~일 【聖】 Good Friday. 「 ~계원 a convent.

수납(收納) receipt. ~하다 receive.

수납(受納) ~하다 accept; receive. ¶ ~자 a recipient.

수녀(修女) a nun; a sister. ¶ ~가 되다 enter a convent. ¶ ~원 a nunnery; a convent.

수년(數年) (for) several years.

수뇌(首腦) a head; a leader. ▮ ~부(정부의) the leading members of the government / ~회담 a summit (top-level) conference.

수다 chattering; idle talk; chat; gossip; a talk. ~스럽다 (be) talkative; chatty; gossipy / ~떨다 chat; talk idly; chatter; gossip (with). ▮ ~쟁이 a chatterbox; a nonstop talker.

수단(手段) a means; a way; a step; a measure; a shift(편법). ▮ 목적을 위한 ~ a means to an end / 일시적인 ~ a makeshift; an expedient / ~을 안 가리고 by any means / 최후의 ~으로 as a last resort / 온갖 ~을 다 쓰다 try every possible means.

수달(水獺) an otter. ▮ ~피 an otter skin (fur).

수당(手當) an allowance; a bonus (상여금). ▮ ~을 주다 (받다) give (get) an allowance / 가족 (특별, 퇴직) ~ a family (special, retiring) allowance / 연말 ~ a year-end bonus. ▮ ~unsophisticated).

수더분하다 (be) simple(-hearted); plain.

수도(水道) waterworks; water service (supply); (물) tap (city, piped) water. ▮ ~을 틀다 (잠그다) turn on (off) the tap. / ~관 a water pipe / ~국 the Waterworks Bureau / ~꼭지 a tap / ~료 (요금) water rates (charges).

수도(首都) a capital (city); a metropolis. ▮ ~의 metropolitan.

수도(修道) ~하다 practice asceticism; search for truth. ▮ ~승 a monk / ~원 a religious house; a monastery(남자의); a convent(여자의).

수도권(首都圈) the Metropolitan area.

수동(手動) ▮ ~의 hand-operated; hand-worked.

수동(受動) ▮ ~적(으로) passive(ly). ▮ ~태 (文) the passive voice.

수두(水痘) (醫) chicken pox.

수두룩하다 (많다) (be) abundant; plentiful; (흔하다) be common. ▮ ~수두룩이 plentifully; abundantly; commonly / 할 일이 ~ have a heap of work to do; have much (a lot) to do.

수라(水剌) a royal meal.

수라장(修羅場) a scene of bloodshed (carnage). ▮ ~이 되다 be turned into a shambles.

수락(受諾) acceptance. ~하다 accept; agree (to).

수란관(輸卵管) (解) the oviduct.

수랭식(水冷式) ▮ ~의 water-cooled.

수량(水量) the volume of water. ▮ ~계 a water gauge.

수량(數量) quantity; volume. ▮ ~이 늘다 increase in quantity.

수렁 a (quag)mire; a morass; a bog. ▮ ~에 빠지다 (비유적) bog down; get bogged down / ~에서 빠져나오다 find a way out of the swamp.

수레 a wagon; a cart. ▮ ~에 싣다 load a cart. / ~바퀴 a (wagon) wheel. 「beautiful; fine.

수려하다(秀麗—) (be) graceful;

수력(水力) (by) water (hydraulic) power. ▮ ~으로 움직이는 water-powered; hydraulic. / ~발전소 a hydroelectric power plant (station) / ~전기 hydroelectricity.

수련(修鍊) training; practice. ~하다 train; practice; discipline. ▮ ~의 (醫) an intern(e); an apprentice doctor.

수련(睡蓮) (植) a water lily.

수렴(收斂) ① (돈을 거둠) levying and collecting of taxes; exaction. ~하다 collect strictly; exact taxes. ② (理) convergence; (醫) astriction; be astringent; be constricted; converge. ③ (여론 등의) collecting; (a) reflection. ~하다 collect. ▮ 민의를 ~하다 collect the public opinions.

수렴청정(垂簾聽政) administering state affairs from behind the veil.

수렵(狩獵) hunting; shooting.

‖ ～금지기 the closed season / ～기 the shooting (hunting) season / ～지 a hunting ground / ～허가증 a hunting license.

수령(守令) a magistrate; a local governor.

수령(受領) accept; receive. ‖ ～인 a receiver; a recipient.

수령(首領) a leader; a chief; a boss 《俗》.

수령(樹齡) the age of a tree.

수로(水路) a waterway; a watercourse; a channel; a line(항로). ‖ ～로 가다 go by water(sea). ‖ ～도 a hydrographic map.

수로안내(水路案內) pilotage; piloting; (사람) a pilot. ～하다 pilot 《a boat》. ‖ ～료 pilotage (dues) / ～선 a pilot boat.

수록(收錄) recording; mention. ～하다 put 《somebody's letters》 (together) in a book; mention; contain; (기록) record; tape(녹음).

수뢰(水雷) a torpedo; a naval mine. ‖ ～정 a torpedo boat.

수료(修了) completion (of a course). ～하다 complete; finish. ‖ ～증 a certificate (of completion of a course). 《flow.

수류(水流) a (water) current; a

수류탄(手榴彈) a hand grenade.

수륙(水陸) land and water. ～양서(兩棲)의 amphibious. ‖ ～양 서동물 an amphibian (animal).

수리(《鳥》) an eagle.

수리(水利) water supply(급수); irrigation(관개); water carriage (수운). ‖ ～시설(사업) irrigation facilities (works, projects).

수리(受理) ～하다 accept; receive.

수리(修理) repair(s); mending. ～하다 repair; mend; fix; make repairs on 《a house》. ‖ ～공 a repairman / ～공장 a repair shop / ～비 repairing charges.

수리(數理) a mathematical principle. ‖ ～적(으로) mathematical(ly). ‖ ～경제학 mathematical economics.

수림(樹林) a wood; a forest.

수립(樹立) ～하다 establish; found; set up.

수마(水魔) a disastrous flood.

수마(睡魔) sleepiness. ‖ ～와 싸우다 try not to fall asleep.

수만(數萬) tens of thousands.

수매(收買) (a) purchase; buying; procurement(정부의). ～하다 purchase; buy (out).

수맥(水脈) (strike) a vein of water.

수면(水面) the surface of the water.

수면(睡眠) sleep. ‖ ～을 충분히 취하다 sleep well; have (take) a good sleep. ‖ ～제 a sleeping drug (pill, tablet).

수명(壽命) life; life span. ‖ ～이 길다 (짧다) be long-(short-)lived; have a long (short) life.

수모(受侮) insult; contempt. ‖ ～를 당하다 be insulted; suffer insult.

수목(樹木) trees (and shrubs). ‖ ～이 울창한 wooded 《hills》; woody.

수몰(水沒) ～하다 be submerged; go under water. ‖ ～지역 submerged districts.

수묵(水墨) India ink. ‖ ～화 a painting in India ink.

수문(水門) a sluice (gate); a floodgate; a water gate.

수박 a watermelon. ‖ ～ 겉 핥기 a superficial (half) knowledge; a smattering.

수반(首班) the head; the chief. ‖ 내각의 ～ the head of a Cabinet; a premier.

수반(隨伴) ～하다 accompany; follow.

수방(水防) flood control; prevention of floods; defense against flood. ‖ ～대책 measures to prevent floods.

수배(手配) ～하다 arrange (prepare) 《for》; take necessary steps 《for, to do》; (경찰이) begin (institute) a search 《for》; cast a dragnet 《for》. ‖ ～사진 a photo of a

wanted criminal; a mug shot 《俗》/ ~서《경찰의》 search instructions.

수배(數倍) ¶ ~의 several times as 《many, much, fast, good》as.

수백(數百) ¶ ~의 several hundred; hundreds of.

수법(手法) a technique; a style; a way; a trick.

수병(水兵) a sailor; a seaman.

수복(收復) reclamation; recovery. ~하다 recover; reclaim. ∥ ~지구 a reclaimed area.

수복(修復) restoration (to the original state). ~하다 restore 《a thing》 to its former condition 〔state〕.

수복(壽福) long life and happiness.

수부(水夫) a sailor; a seaman. ∥ ~장 a boatswain(갑판장).

수북하다 be heaped up. ¶ 수북이 full(y); in a heap.

수분(水分) moisture; water; juice (액즙); ¶ ~이 많은 watery; juicy 《fruit》.

수분(受粉 · 授粉) 〔植〕 pollination. ~하다 pollinate.

수비(守備) defense; guard; garrison 《a fort》; 〔野〕 fielding. ~하다 defend; guard; garrison 《a fort》; 〔野〕 field. ∥ ~대 a garrison; guards.

수사(修士) a monk; a friar.

수사(修辭) figures of speech. ∥ ~학 rhetoric / ~학자 a rhetorician.

수사(搜査) criminal investigation; a search. ~하다 investigate 《a case》; search 《for》. ∥ ~관 an investigator; a detective / ~망 the dragnet / ~본부 the investigation headquarters.

수사(數詞) 〔文〕 a numeral.

수사납다(數一) be unlucky; unfortunate; be out of luck.

수산(水産) marine products. ∥ ~가공품 processed marine products / ~대학 a fisheries college / ~물 marine 〔aquatic〕 products / ~업 the marine prod-

ucts industry; fisheries / ~업협동조합중앙회 the National Federation of Fisheries Cooperatives.

수산화(水酸化) 〔化〕 hydration. ∥ ~나트륨 sodium hydroxide.

수삼(水夢) undried 〔fresh〕 ginseng.

수상(水上) ¶ ~의 aquatic; on the water. ∥ ~경기 water 〔aquatic〕 sports / ~경찰 the marine 〔harbor, river〕 police / ~비행기 a seaplane; a hydroplane / ~스키 water-skiing; water skis(도구).

수상(手相) ¶ ~술 손금. ¶ ~술 palmistry; chiromancy.

수상(受像) ~하다 receive (television) pictures. ∥ ~기 a television 〔TV〕 set.

수상(受賞) ~하다 get 〔receive〕 a prize 〔an award〕; win 〔be awarded〕 a prize. ∥ ~자 a prize winner / ~작품 a prize-winning work (novel).

수상(首相) the Prime Minister; the premier. ∥ ~관저 the prime minister's official residence.

수상(殊常) ~하다 (be) suspicious; dubious; doubtful; questionable. ¶ ~하게 여기다 suspect; feel suspicious 《about》.

수상(授賞) ~하다 award 〔give〕 a prize 《to》. ∥ ~식 a prize-giving ceremony.

수상(隨想) occasional 〔stray, random〕 thoughts. ∥ ~록 essays; stray notes.

수색(搜索) a search; searching. ~하다 look 〔hunt, search〕 for. ∥ ~영장 a search warrant.

수색(愁色) a worried look; melancholy 〔gloomy〕 air.

수서(水棲) ¶ ~의 aquatic / ~동물 an aquatic animal.

수석(首席) 《사람》 the head 〔chief〕; 《석차》 the top 〔head〕 seat. ¶ ~의 leading; head / ~으로 졸업하다 graduate first 《on the list》. ∥ ~ 대표 the chief delegate.

수선 fuss; ado; bustle. ¶ ~스럽다 (be) noisy; unquiet; clamorous; bustling / ~떨다 make a fuss

(over); fuss 《about》.

수선(修繕) repair(s); mending. ~ 하다 repair; mend; fix 《up》. ‖ ~비 repair costs.

수선화(水仙花) 〖植〗 a narcissus.

수성(水性) ¶ ~의 aqueous. ‖ ~도료 water paint.

수성(水星) 〖天〗 Mercury.

수성암(水成岩) an aqueous rock.

수세(水洗) flushing; rinsing. ‖ ~식 변소 a flush toilet.

수세(守勢) 《take, assume》 the defensive. ¶ ~적인 defensive.

수세공(手細工) hand(i)work; handicraft. ¶ ~의 handmade. ‖ ~품 handmade goods.

수세미 a pot scourer; a pot cleaner; a brush. ‖ ~외 〖植〗 a sponge cucumber.

수소 a bull; an ox.

수소(水素) hydrogen(기호 H). ¶ ~의 hydric; hydrogenous. ‖ ~가스 a hydrogen gas / ~폭탄 a hydrogen bomb; an H-bomb.

수소문(搜所聞) ~하다 ask around; trace rumors.

수속(手續) 절차.

수송(輸送) transport(ation). ~하다 transport; convey. ‖ 국내〔해외〕 inland 〔overseas〕 transport / 육상〔해상〕 ~ transport by land 〔sea〕 / 철도〔항공〕 ~ railway 〔air〕 transport.

수쇠(맷돌의) a pivot.

수수(授受) ~하다 give 〔deliver〕 and receive.

수수께끼 a riddle; a puzzle; a mystery. ¶ ~ 같은 enigmatic; mysterious.

수수료(手數料) a fee; 《take》 a commission 《of 5%》; brokerage.

수수방관(袖手傍觀) ~하다 look on with folded arms; be an idle spectator 〔onlooker〕.

수수하다 (be) plain; quiet; sober; simple; modest.

수술 〖植〗 a stamen.

수술(手術) an 〔a surgical〕 operation. ~하다 operate 《on》; perform an operation 《on》. ‖ ~실 〔대, 복〕

an operating room 〔table, gown〕.

수습(收拾) control; settlement. ~하다 settle; control; get 《something》 under control; save; manage; cope 《with》. ¶ ~ 못 하게 되다 get out of hand 〔control〕.

수습(修習) apprenticeship; probation. ~하다 receive training; practice *oneself* 《at》. ‖ ~간호사 a student nurse.

수시(隨時) ¶ ~로 at any time; at all times; on demand; as occasion calls.

수식(修飾) ~하다 embellish; ornament; 〖文〗 modify 《a noun》. ‖ ~어 a modifier.

수신(受信) the receipt of a message; reception. ~하다 receive 《a message》. ‖ ~국 a receiving station / ~기 a receiver; a receiving set / ~인 an addressee; a recipient.

수신(修身) moral training. ¶ ~제 가 moral training and home management.

수심(水深) the depth of water. ¶ ~을 재다 sound the depth of 《the sea》.

수심(心心) worry; anxiety; apprehension(s). ¶ ~에 잠기다 be lost in apprehension(s); be sunk in grief.

수십(數十) scores 〔dozens〕 《of》. ¶ ~ 년 for several decades.

수압(水壓) water 〔hydraulic〕 pressure. ‖ ~계 a water-pressure gauge.

수액(樹液) sap. ¶ ~을 채취하다 sap 《a tree》.

수양(收養) adoption. ~하다 adopt. ‖ ~부모 foster parents / ~아들〔딸〕 an adopted 〔a foster〕 son 〔daughter〕.

수양(修養) moral 〔mental〕 culture; cultivation of the mind. ~하다 cultivate *one's* mind; improve *oneself*. ¶ ~을 쌓은 사람 a cultured person. 〔low.

수양버들(垂楊—) a weeping willow.

수업(修業) study. ~하다 study;

train *oneself* 《*in*》.

수업(授業) teaching; school (work); (school) lessons; a class; instruction. ‖ ～하다 teach; give lessons 〔classes〕. ¶ ～을 받다 take lessons 《*in*》; attend school (class). ‖ ～료 a school 〔tuition〕 fee / ～시간 school hours / ～ 일수 the number of school days.

수없다〔부지기〕 have no way to 《*do*》; cannot *do* 《*it*》; be unable to 《*do*》; 〔견딜 수〕 be too much for 《*one*》; cannot afford to 《*do*》. ‖ 수없이〔수〕(을) be countless; numberless; innumerable. ¶ 수없이 innumerably; countlessly.

수에즈운하(一運河) the Suez Canal.

수여(授與) ～하다 give; confer; award. ‖ ～식〔노벨상 따위의〕 an awarding ceremony.

수역(水域) the water area 《*of*》; (in Korean) waters. ‖ 배타적 경제 ～ an exclusive economic zone 〔생략 EEZ〕 / 공동규제～ a jointly controlled waters.

수염(鬚髥)〔콧수염〕 a mustache; 《구레나룻》 whiskers; 《턱수염》 a beard. ¶ ～이 있는 〔난〕 bearded / ～을 깎다 shave / ～을 기르다 grow a beard 〔mustache〕. ‖ 옥수수 ～ corn silk.

수영(水泳) swimming; a swim. ～ 하다 (have a) swim. ¶ ～하러 가다 go swimming; go for a swim / ～장 a swimming pool.

수예(手藝) manual arts; a handicraft. ‖ ～품 a piece of fancywork; handicraft articles.

수온(水溫) water temperature.

수완(手腕) ability; capability; (a) talent. ¶ ～ 있는 (cap)able; talented / ～이 없는 incompetent.

수요(需要) (a) demand. ¶ 가～ imaginary demand; speculative demand / ～가 있다 be in demand; be wanted / ～를 채우다 meet a demand. ‖ ～공급 demand and supply.

수요일(水曜日) Wednesday (생략

Wed.).

수용(水溶) ¶ ～성의 water-soluble. ‖ ～액 a solution.

수용(收用) expropriation. ～하다 expropriate 《*estates*》 from 《*a person*》.

수용(收容) accommodation. ～하다 accommodate; take to 《*a hospital*》. ¶ 부상자는 인근 병원에 ～ 되었다 The injured were taken to the nearby hospital. ‖ ～능력 seating capacity(극장의); sleeping accomodation(호텔의) / ～소 an asylum; a concentration 〔refugee〕 camp.

수용(受容) reception. ～하다 accept; receive.

수운(水運) water transport(ation).

수원(水源) the source of a river; a riverhead; a source of water supply(수도의). ‖ ～지 a reservoir.

수월찮다 (be) not easy 〔simple〕; hard.

수월하다 (be) easy; simple; light. ¶ 수월히 easily; with ease.

수위(水位) water level. ‖ ～표 a watermark / 위험～ the dangerous water level.

수위(守衛) a guard; a doorkeeper; a gatekeeper. ‖ ～실 a guard office.

수위(首位) the head 〔leading〕 position; the first place. ‖ ～다툼 a struggle for priority / ～타자 〔野〕 the leading hitter.

수유(授乳) ～하다 breast-feed. ‖ ～기 the lactation period.

수육(水肉) boiled 〔cooked〕 beef.

수육(獸肉) meat.

수은(水銀) mercury; quicksilver (기호 Hg). ‖ ～주 the mercury (온도계의); a mercurial column.

수음(手淫) (practice) masturbation 〔onanism〕.

수의(壽衣) graveclothes; a shroud.

수의(隨意) ¶ ～의 voluntary; optional; free / ～로 freely; at will; voluntarily. ‖ ～계약 a private 〔free〕 contract / ～근 a volun-

tary muscle / ~선택 free choice.
수의 (獸醫) a veterinarian 《美》.
‖ ~과 대학 a veterinary college /
~학 veterinary science [medi-
cine].

수익 (收益) earnings; profits;
gains; 《투자의》 returns. ‖ ~을
올리다 make profits. / ~세 an
earning rate / ~세 profit tax.

수익 (受益) ~하다 benefit 《by》; re-
ceive benefits. ‖ ~자 a bene-
ficiary / ~증권 a beneficiary
certificate.

수인 (囚人) a convict; a prisoner.
수인성 (水因性) ‖ ~의 waterborne.
‖ ~ 질병 waterborne diseases.

수입 (收入) an income; earn-
ings; 《세입》 revenue; 《임금》 re-
ceipts; 《매상고》 proceeds. ‖ ~과
지출 income and outgo. / ~인
지 a revenue stamp / 일~ a
net [an actual] income / 월~ a
monthly income.

수입 (輸入) import(ation); 《문물의》
introduction. ~하다 import; in-
troduce. ‖ ~규제 import rest-
raints [curbs, restrictions] /
금지 an import prohibition / ~
상 [업자] an importer; an import
trader / ~상사 an import firm /
~세 [관세] import duties / ~자
유화 the import liberalization /
~ 제한 import restrictions / ~품
imports; imported articles.

수있다 《능력》 can 《do》; be able
to 《do》; be capable of 《doing》;
be equal to; 《사물이 주어》 be
in one's power; be possible; 《불가》
《부박》 may; be entitled to. ‖ ▼할
수 있는 대로 as 《much》 as one
can; as 《much》 as possible / 될
[될] 수 있으면 if you can; if
possible.

수자원 (水資源) water resources.
‖ ~개발 the development of
water resources / 한국~공사
the Korea Water Resources
Corporation.

수작 (秀作) an excellent [outstand-
ing] work 《of art》.

수작 (酬酌) ~하다 《말을》 exchange
words; 《술잔을》 exchange cups
《of wine》.

수장 (水葬) ~하다 a burial at sea.
~하다 bury at sea. 「up; collect.
수장 (收藏) ~하다 garner; store
수재 (水災) a flood 《disaster》. ‖ ~
민 flood victims / ~의연금 a
relief fund for flood victims.

수재 (秀才) a genius; a talented
person; a bright student.

수저 a spoon; spoon and chop-
sticks.

수전노 (守錢奴) a miser; a nig-
gard.

수전증 (手顫症) 《韓醫》 palsy in the
arm; tremor of the hand.

수절 (守節) ~하다 《정조》 remain
chaste; 《절조》 remain faithful
to one's cause.

수정 (水晶) (a) (rock) crystal.
‖ ~ 같은 crystal(line). ‖ ~체
the crystalline lens(눈의).

수정 (受精) 《生》 fecundation; fer-
tilization; 《植》 pollination. ~하
다 be fertilized [fecundated, pol-
linated]. ‖ ~시키다 fertilize; pol-
linate. / ~란 a fertilized egg /
인공~ artificial fertilization / 체
외~ external fertilization.

수정 (修正) (an) amendment; (a)
modification; (a) revision. ~하
다 amend; modify; revise. ‖ ~
안 an amended bill; an amend-
ment / ~자본주의 modified capi-
talism / ~주의 revisionism.

수정과 (水正果) cinnamon flavored
persimmon punch.

수정관 (輸精管) 《解》 the spermatic
cord [duct].

수제 (手製) ‖ ~의 handmade;
homemade. ‖ ~품 a handmade
article; handiwork.

수제비 soup with dough flakes.
수제자 (首弟子) the best pupil [disci-
ple] 《of》.

수조 (水槽) a (water) tank; a cis-
tern; a fish [glass] tank.

수족 (手足) hands and feet; the
limbs(사지).

수족관(水族館) an aquarium. ∥ 해양∼ an oceanarium.

수주(受注) ∼하다 accept (receive) an order 《from》. ∥ ∼액 the amount of orders received.

수준(水準) the water level; (a) level (standard)(표준). ¶ ∼에 달하다 (을 높이다) reach (raise) the level / ∼ 이상(이하)이다 be above (below) the (common) level.

수줍다 (be) shy; bashful; timid. ¶ 수줍어 하다 (feel) shy.

수중(水中) ∼의 underwater / ∼에 under (in) the water. ∥ ∼동물 (식물) an aquatic animal (plant) / ∼보(洑) sluice gates under a bridge / ∼안경 a water goggles; diving goggles (잠수용의) / ∼촬영 underwater photography.

수중(手中) ∼에 들어가다 fall into 《a person's》 hands / ∼에 넣다 take possession 《of》; secure.

수증기(水蒸氣) vapor; steam.

수지(收支) income and costs; revenue and expenditure; profits. ¶ ∼ 맞는 paying; profitable / ∼를 맞추다 make both ends meet; balance the budget; make 《it》 pay / ∼를 결산하다 strike a balance.

수지(樹脂) resin(유동세); rosin(고체). ∥ 합성∼ synthetic resin; plastics. ∥ ∼가공 plasticization; resin treatment (∼가공의 resin-treated 《textiles》).

수지(獸脂) grease; animal fat.

수직(手織) ∼의 handwoven; homespun. ∥ ∼기 a handloom.

수직(垂直) ∼의 perpendicular; vertical / ∼으로 perpendicularly; vertically; at right angles; upright. ∥ ∼선 a vertical line / ∼이착륙기 a vertical takeoff and landing craft (생약 VTOL).

수질(水質) the quality (purity) of water. ∥ ∼검사 water analysis (examination) / ∼오염 water pollution.

수집(蒐集) collection. ∼하다 collect; gather. ∥ ∼가 a collector.

수채 a sewer; a drain. ∥ ∼구멍 a drainage vent (outlet).

수채화(水彩畵) a watercolor painting. ¶ ∼가 a watercolor painter / ∼물감 watercolors.

수척하다 (瘦瘠) (be) emaciated; wornout; gaunt; haggard.

수천(數千) thousands 《of people》.

수첩(手帖) a (pocket) notebook; a pocketbook.

수초(水草) a water (an aquatic) plant.

수축(收縮) shrinking; contraction. ∼하다 contract; shrink. ∥ 통화의 ∼ deflation / ∼근 《解》 a contractile muscle / ∼성 contractibility.

수출(輸出) export(ation). ∼하다 export; ship abroad. ∥ ∼주도의 경제 an export-oriented economy. ∥ ∼공단지 the export industrial complex / ∼세 (관세) export duties 《on》 / ∼품 an export; exported goods.

수출경쟁력(輸出競爭力) competitiveness in exports.

수출금융(輸出金融) export financing.

수출금지(輸出禁止) an export ban; an embargo. ∼하다 put (place, lay) an embargo 《on》.

수출신용장(輸出信用狀) an export letter of credit.

수출실적(輸出實積) the export performance.

수출액(輸出額) exports; the amount of export.

수출입(輸出入) import and export; exportation and importation. ¶ ∼의 차액 the balance of trade. ∥ ∼금지품 a contraband / ∼은행 an export-import bank.

수취(受取) receipt. ∼하다 receive. ∥ ∼인 a receiver; a recipient; a payee(어음의); a remittee(송금의).

수치(羞恥) shame; disgrace; dishonor; humiliation. ¶ ∼스런 shameful; disgraceful.

수치(數値) the numerical value.

수컷 a male; a cock(새의).

의 male 《*dog*》; cock; he-.

수탁(受託) trust. ~ 하다 be given 《*something*》 in trust; be entrusted with 《*a thing*》; take charge of 《*a thing*》. ‖ ~금 trust money; money given in trust / ~ 물 a thing entrusted / ~인 a trustee; a consignee(상품의).

수탈(收奪) exploitation. ~ 하다 exploit; plunder.

수탉 a rooster 《주로 美》; a cock.

수태(受胎) conception. ~ 하다 conceive; become pregnant. ‖ ~ 고지(告知) the Annunciation / ~ 조절 birth control.

수통(水筒) a (water) flask; a canteen.

수틀(繡一) an embroidery frame.

수평(水平) horizontality. ‖ ~ 의 level; horizontal / ~ 으로 horizontally; at a level 《*with*》 / ~ 으로 하다 level. ‖ ~기 a level / ~ 면 a horizontal plane; a level surface / ~비행 a level flight / ~ 선 a horizontal line; the horizon.

수포(水泡) foam; a bubble. ‖ ~ 로 돌아가다 end in smoke 《a failure》; come [be brought] to nothing [naught].

수포(水疱) 【醫】 a blister.

수표(手票) a check 《美》; a cheque 《英》. ‖ ~ 를 떼다 《발행하다》 draw a check / ~ 를 현찰로 바꾸다 cash a check. ‖ ~장 a check book / 자기앞 ~ a banker's check.

수풀 a forest; a wood; a bush; a thicket. 〖plate.

수프(eat) soup. ‖ ~ 접시 a soup **수피**(樹皮) bark; rind. ‖ ~ 를 벗기다 bark 《a tree》.

수피(獸皮) a hide; a [an animal] skin; a fell; a fur(모피).

수필(隨筆) an essay. ‖ ~가 an essayist.

수하(手下) a subordinate; an underling; *one's* men(총칭).

수하(誰何) ① 《검문》 a challenge. ~ 하다 challenge 《a person》. ②

《누구》 ‖ ~ 를 막론하고 anyone; regardless of who it may be.

수해(水害) damage by a flood; a flood disaster. ‖ ~ 대책 a flood-control measure(예방); a flood-relief measure(구조) / ~ 지(가옥) a flooded district [house].

수행(修行) 《수련》 training; practice; 《종교상의》 ascetic practices. ~ 하다 prosecute *one's* training; train *oneself* 《*in*》; practice asceticism.

수행(遂行) ~ 하다 accomplish; carry out 《*a plan*》; execute; perform.

수행(隨行) ~ 하다 attend; accompany; follow. ‖ ~ 원 an attendant.

수험(受驗) ~ 하다 take [undergo, sit for] an examination. ‖ ~과목 subjects of examination / ~ 번호 an examinee's seat number / ~ 생 an applicant(응모자); an examinee.

수혈(輸血) 【醫】 (a) blood transfusion. ~ 하다 give a blood transfusion 《*to*》; transfuse blood. ‖ ~ 을 받다 receive a blood transfusion.

수형(受刑) ~ 하다 serve time 《*for murder*》. ‖ ~자 a convict.

수호(守護) ~ 하다 protect; guard; watch over. ‖ ~신 a guardian deity; a tutelary god.

수호(修好) friendship; amity. ‖ ~ 조약 《conclude》 a treaty of amity [friendship] 《*with*》.

수화(手話) sign language.

수화기(受話器) a receiver; an earphone.

수화물(手貨物) 《a piece of》 baggage [luggage 《英》]; personal effects (휴대품). ‖ ~ 을 맡기다 have

one's baggage checked. ∥ ~보관소 a cloakroom; a checkroom 《美》/ ~취급소 a baggage(luggage) office / ~표 《공항의》 a baggage-claim check (tag).

수확(收穫) a harvest; a crop; the fruits(성과). ~하다 harvest; reap; gather in. ¶ ~이 많다〔적다〕 have a good〔poor〕crop. ∥ ~기 the harvest time / ~량 the crops.

수회(收賄) bribery; graft. ~하다 take〔accept〕a bribe; take graft 《美》. ¶ ~ 혐의로 on the charge of taking a bribe.

수효(數爻) a number.

수훈(垂訓) a precept; teachings. ∥산상(山上)~ the Sermon on the Mount.

수훈(殊勳) distinguished service; meritorious deeds. ∥최고 ~선수 the most valuable player(생략 MVP).

숙고(熟考) (careful) consideration; deliberation. ~하다 think over; consider (carefully). ¶ ~ 끝에 after due consideration / 충분히 ~된 계획 a well-thought-out plan.

숙녀(淑女) a lady; a gentlewoman. ¶ ~다운 ladylike.

숙달(熟達) ~하다 become proficient (in); get a mastery (of). ¶ ~되어 있다 be proficient (in); be a master (of).

숙당(肅黨) a purge of disloyal elements from a party.

숙덕거리다 talk in whispers; talk in a subdued tone. ¶ 숙덕숙덕 in whispers(an undertone); secretly.

숙독(熟讀) (a) perusal. ~하다 read carefully(thoroughly); peruse.

숙련(熟練) skill; dexterity. ¶ ~된 skillful; trained; expert / 미~의 unskilled; inexperienced. ∥ ~공 a skilled worker.

숙맥(菽麥) a fool; an ass; a simpleton.

숙면(熟眠) a deep〔sound〕sleep.

~하다 sleep well(soundly); have a good sleep.

숙명(宿命) fate; destiny; 【佛】 karma; ~적인 fatal; predestined. ∥ ~론 fatalism / ~론자 a fatalist.

숙모(叔母) an aunt.

숙박(宿泊) lodging. ~하다 put up 〔stay〕《at》; lodge 《in, at》. ¶ ~부 a hotel register〔book〕/ ~인 a lodger; a guest; a boarder.

숙변(宿便) feces contained for a long time in the intestines 〔suffer from〕retention of feces.

숙부(叔父) an uncle.

숙사(宿舍) lodgings; quarters; a billet(군대).

숙성(熟成) ripening; maturing. ~하다 ripen; mature; get mellow.

숙성하다(夙成—) (be) precocious; premature. ¶ 숙성한 아이 a precocious child.

숙소(宿所) a place of abode; one's quarters(address). ¶ ~를 잡다 stay〔put up〕at 《a hotel》.

숙식(宿食) ~하다 board and lodge. ∥ ~비 the charge for board and lodging.

숙어(熟語) an idiom; an idiomatic phrase.

숙연(肅然) ¶ ~한 solemn(엄숙); quiet / ~히 solemnly; quietly; silently / ~해지다 be struck with reverence〔into silence〕.

숙영(宿營) ~하다 be billeted; be quartered; camp. ∥ ~지 a billeting area.

숙원(宿怨) an old〔a deep-rooted〕 grudge 《against》. ¶ ~을 풀다 pay off one's old scores 《with》.

숙원(宿願) (realize) one's long-cherished desire〔ambition〕.

숙의(熟議) ~하다 deliberate 《on》; discuss (fully); talk 《a matter》 over. ¶ ~ (한) 끝에 after careful discussion.

숙이다 《고개를》 hang〔bow, droop, bend〕one's head.

숙적(宿敵) an old enemy〔foe〕.

숙정(肅正) enforcement 《of discipline》. ¶ 기강을 ~하다 enforce

official discipline.

숙제(宿題) 〔do *one's*〕 homework; an assignment; a pending〔an open〕 question〔미해결의〕. ¶ ~로 남기다 leave 〔*a problem*〕 for future solution.

숙주(主宿)〔生〕a host. ¶ ~가 되다 play host to ....

숙주(나물) green-bean sprouts.

숙지(熟知) ~하다 know well; be well aware 〔*of*〕; be familiar 〔*with*〕; have a thorough〔full, detailed〕knowledge 〔*of*〕.

숙직(宿直) night duty〔watch〕. ~하다 be on night duty; keep 〔do〕 night watch. ¶ ~실 a night-duty room.

숙질(叔姪) uncle and nephew.

숙청(肅淸) a purge; a cleanup. ~하다 purge.

숙취(宿醉) a hangover. ¶ ~에 시달리다 suffer from〔have〕a hangover.

숙환(宿患) a long〔protracted, lingering〕illness.

순(旬)〔10일〕(a period of) ten days; 〔10년〕 ten years; a decade.

순(筍)〔싹〕 a sprout; a bud.

순(純)《순수한》pure; genuine; unmixed; net〔이익금〕.

-순(順) order; turn. ¶ 가나다 〔번호〕~ 〔in〕 alphabetical 〔numerical〕 order / 성적 〔나이〕~ 〔in〕 order of merit〔age〕.

순간(瞬間)〔in〕a moment; an instant; a second. ¶ ~적 momentary; instantaneous.

순결(純潔) purity; chastity. ¶ ~한 pure; clean; chaste. ‖ ~교 education in sexual morality.

순경(巡警) a policeman; a police officer; a cop〔美口〕.

순교(殉教) martyrdom. ~하다 die a martyr (for *one's* faith); be martyred. ‖ ~자 a martyr.

순국(殉國) ~하다 die for *one's* country. ‖ ~선열 a (patriotic) martyr.

순금(純金) pure〔solid〕gold.

순대 *sundae*: a Korean sausage made of pig's blood, bean curd and green bean sprouts stuffed in pig intestine. 〔순댓국 pork soup mixed with sliced *sundae*.〕

순도(純度) purity.

순례(巡禮) a pilgrimage. ~하다 make (go on) a pilgrimage 〔*to*〕. ‖ ~자 a pilgrim; a palmer / ~지 a place of pilgrimage.

순록(馴鹿)〔動〕a reindeer.

순리(純理) pure reason; logic. ¶ ~적(인) rational; logical. ‖ ~론 rationalism.

순리(順理) ~적(인) reasonable; rational; right; proper / ~적으로 reasonably; rationally.

순면(純綿) pure〔all〕cotton. ¶ ~의 pure-cotton; all-cotton.

순모(純毛) pure wool. ¶ ~의 all-wool; pure-wool.

순무(蕪菁)〔植〕a turnip.

순박(淳朴) ¶ ~한 simple and honest; naive; homely.

순방(巡訪) a round of calls〔visits〕. ~하다 make a round of calls.

순배(巡杯) ~하다 pass the wine cup around.

순백(純白) ¶ ~의 pure-〔snow-〕white.

순번(順番) order; turn〔교대〕. ¶ ~으로 in due order; in turn; by turns〔rotation〕.

순사(殉死) self-immolation. ~하다 immolate *oneself*.

순산(順産) an easy delivery〔birth〕. ~하다 have an easy delivery.

순서(順序)〔차례〕order; sequence; 〔절차〕procedure; formalities. ¶ ~ 바르게 in good order; in regular sequence / ~를 밟다 go through due formalities.

순수(純粹) purity. ¶ ~한 pure; genuine; real; unmixed.

순순하다(順順－)《성질이》(be) gentle; docile; obedient; submissive. ¶ 순순히 tamely; meekly; obediently; smoothly.

순시(巡視) ~하다 make a tour of inspection; inspect; patrol. ∥ ~선 a patrol boat / ~인 a patrolman.

순식간(瞬息間) ¶ ~에 in an instant; in a moment; in a twinkling.

순양(巡洋) ~하다 cruise; sail about. ∥ ~전함 a battle cruiser / ~함 a cruiser.

순위(順位) order; grade; ranking. ¶ ~를 정하다 rank; decide ranking. ∥ ~결정전 a play-off (동점자간의).

순음(脣音) 〖音聲〗 a labial.

순응(順應) ~하다 adapt (accommodate, adjust) *oneself* (*to circumstances*). ¶ 시대에 ~하다 go with the tide (times). ∥ ~성(性) adaptability.

순(이)익(純利益) net (clear) profit (gain).

순장(殉葬) 〖古制〗 burial of the living with the dead. ~하다 bury *someone* alive with the dead.

순전(純全) ¶ ~한 pure (and simple); absolute; perfect; sheer; utter / ~히 purely; perfectly; totally; utterly.

순정(純情) a pure heart. ∥ ~의 purehearted.

순조(順調) ¶ ~롭다 (be) favorable; satisfactory; fine; smooth; seasonable(날씨) / ~롭게 (progress) favorably; (go) very smoothly (well).

순종(純種) a pure blood; a thoroughbred. ∥ ~의 pure-(full=) blooded; thoroughbred.

순종(順從) ~하다 obey without objection; submit tamely.

순직(殉職) ~하다 die at *one's* post; die on duty.

순진(純眞) ¶ ~한 naive; pure; innocent; ingenuous.

순차(順次) order; turn. ¶ ~적으로 in order; successively. ☞ 순서.

순찰(巡察) a patrol. ~하다 patrol; go *one's* rounds. ∥ ~대원 a patrolman / ~차 a (police)

patrol car; a squad car.

순탄하다(順坦─) ①《길이》(be) even; flat; smooth; 《일이》(be) favorable; uneventful; 《성질이》(be) gentle; mild. ¶ 순탄한 길 a (broad-)level road.

순풍(順風) a favorable (fair) wind. ¶ ~에 돛을 달다 sail before (with) the wind.

순하다(順─) ①《성질이》(be) obedient; gentle; docile; meek; submissive. ②《맛이》(be) mild; light 《wine》; weak. ③《일이》(be) easy; smooth.

순항(巡航) a cruise. ~하다 cruise. ∥ ~미사일 a cruise missile / ~선 a cruiser.

순화(醇化) ~하다 purify; refine; sublimate.

순환(循環) circulation; rotation; a cycle. ~하다 circulate; rotate; go in cycles (circles). ∥ ~기〔계〕〖醫〗 the circulatory organs (system) / ~도로 a circular road / ~버스 a loop-(belt-)line bus / 경기 ~ a business cycle.

순회(巡廻) a round; a patrol; a tour (of inspection). ~하다 go (walk) round; tour; make *one's* rounds; patrol. ∥ ~강연 a lecturing tour / ~공연 a road show.

숟가락 a spoon. ¶ ~으로 뜨다 spoon up / 한 ~의 설탕 a spoonful of sugar.

술 《주류》liquor(독한 술); wine(포도주); alcohol; spirits; alcoholic drink (beverage)(알코올 음료). ¶ ~버릇이 나쁘다 turn nasty when drunk / ~을 만들다 brew rice wine (liquor) / ~에 취하다 get drunk; become intoxicated / ~이 세다 (약하다) be a heavy (poor) drinker. ∥ ~고래 (꾼) a heavy drinker; a drunkard / ~주정뱅이 a sot; a drunkard / ~친구 a drinking pal.

술 〔fringe〕 (장식술의) a tassel; a tuft; a tagger; a hoodman (눈가린). 《You are》it.

술래잡기 《play》 tag; hide-and-

슬렁거리다 be disturbed [noisy]; be astir; be in commotion.

슬랑나니 a (confirmed) drunkard; a sot.

슬밥 steamed rice for brewing.

슬법(術法) magic; witchcraft; conjury.

슬병(一瓶) a liquor bottle. 【jury.

슬상(一床) a drinking table; a table for drink.

슬수(術數) ① ⇒ 슬법. ② ⇒ 슬책.

슬술 (순조롭게) smoothly; without a hitch; (유창하게) (speak) fluently; facilely; (쉽게) easily; readily; (바람이) gently; softly.

슬어(述語) 【文】 a predicate.

슬자리 (give) a drinking party; (hold) a banquet.

슬잔(一盞) a wine cup; a wine-glass. ¶ ~을 돌리다 pass the wine cup / ~을 비우다 drain [drink off] one's cup.

슬집 a bar; a tavern; a saloon (米); a public house (英). ~여자 a bar girl / ~주인 a bar-keeper.

슬책(術策) a trick; an artifice; a stratagem; tactics. ¶ ~을 부리 다 use a cunning trick; resort to tricks / ~에 걸리다 fall into the trap (of the enemy); be entrapped (by).

슬추렴하다 share the expense of drinking; club the expense together to pay for drinking.

슬타령(一打令) ~하다 indulge in drinking; ask for nothing but liquor.

슬통(一桶) a wine cask [barrel].

슬파제(一劑) a sulfa drug; sulfas.

슬회(述懷) ~하다 speak reminiscently; relate one's thoughts [reminiscences]; reminisce.

숨 a breath; breathing(호흡). ¶ ~을 힐떡어며 out of breath; breathlessly / ~을 거두다 breathe one's last / ~을 죽이다 hold one's breath.

슬결 breathing. ¶ ~이 가쁘다 breathe hard; be short of

breath(환자가).

숨구멍 (숨통) the trachea; the windpipe.

숨기다 (모습 · 사물) hide; conceal; cover (up); put (something) out of sight; (비밀로) keep (a matter) secret [back] (from).

숨김없이 frankly; openly; without reserve.

숨다 (안 보이게) hide [conceal] oneself; disappear; 【피신】 take [seek] refuge (in). ¶ 숨은 hidden (meaning); unknown (genius) / 숨어서 out of sight; in secret(몰래).

숨막히다 be suffocated; be choked. ¶ 숨막히는 stuffy; stifling; suffocating; breath-taking (game).

숨바꼭질 (play) hide-and-seek; I spy.

숨소리 the sound of breathing.

숨쉬다 breathe; take [draw] a breath.

숨지다 breathe one's last; die.

숨차다 pant; be out [short] of breath; be breathless.

숨통(一筒) the windpipe.

숫기(一氣) ¶ ~ 없는 shy; coy / ~ 좋은 unabashed; unashamed; bold.

숫돌 (sharpen on) a whetstone; a grindstone.

숫자(數字) a figure; a numeral. ¶ 세자리 ~ three figures.

숫제 (아예) rather (than); preferably; from the first.

숫처녀 (一處女) a virgin; a maid.

숫총각 (一總角) an innocent bachelor; a (male) virgin.

숭고(崇高) lofty; noble; sublime / ~한 이상 a lofty idea.

숭늉 water boiled with scorched rice.

숭배(崇拜) worship; adoration. ~ 하다 worship; admire; adore; idolize. ¶ ~자 a worshipper; an adorer; an admirer.

숭상(崇尙) ~하다 respect; esteem; venerate; revere.

숭어 【魚】 a gray mullet.

숭엄(崇嚴) ¶ ~한 solemn; majestic; sublime.

숯 charcoal. ¶ ~을 굽다 burn [make] charcoal / ~불을 피우다 make fire with charcoal. ‖ ~가마 a charcoal kiln [oven].

숱 thickness; density. ¶ ~이 많은 머리 thick hair / 머리~이 적다 have thin hair.

숱하다 (be) many; much; numerous; plentiful.

숲 ☞ 수풀. ¶ 소나무 ~ a pine grove. ¶ ~길 a forest path. ‖ ~속다 flyblow.

쉬¹ (파리 알) a flyblow; ~슬다 flyblow.

쉬² (조용히) Hush!: Sh! (=Be quiet!).

쉬다¹ (상하다) spoil; go bad; turn sour (우유 따위가). ¶ 쉰내 a stale [sourish] smell.

쉬다² (목이) get [grow] hoarse; become husky; hoarsen.

쉬다³ ① (휴식·휴양하다) rest; take [have] a rest; relax. ¶ 열중 쉬어 [구령] At ease!: Stand at ease! ② (결근·결석하다) be absent from (school's) ; cut (a class); take a day off: stay away from (work). ③ (중단하다) suspend, pause. ④ (잠자다) sleep; go to bed.

쉬다⁴ (숨을) breathe; take breath.

쉬쉬하다 (숨기다) keep (a matter) secret; cover (a fact); hide (from); hush up (a scandal).

쉬엄쉬엄 with frequent rests; (do a job with a easy [slow] pace. ¶ ~ 일하다 work taking frequent breaks; do a job in easygoing manners.

쉬파리 a blowfly; a bluebottle.

쉬하다 (오줌 누다) piddle; pee.

쉰 fifty.

쉴새없이 incessantly; continuously; continually; unceasingly; without a break.

쉼표(一標) [樂] a rest; a pause. ‖ 온(2분, 4분)~ a whole(half, quarter) rest.

쉽다 ① (용이) (be) easy; simple; light; plain. ¶ 쉽게 easily; simply. ② (경향) (be) apt [liable; prone] to; tend to (do).

쉽사리 easily; readily; without difficulty.

슈미즈 a chemise. 「crème (프).

슈크림 a cream puff; chou à la

슈퍼마켓 a supermarket.

슛 (구기에서) shooting; a shot. ~ 하다 shoot (a ball).

스낵 (have, eat) a snack. ‖ ~바 a snack bar.

스냅사진(一寫眞) a snap(shot). ¶ ~을 찍다 take a snapshot (of).

스님 (중) a Buddhist priest [monk]; (경칭) the Reverend.

스라소니 [動] a lynx; a bobcat.

-스럽다 (be) like; seem; -(a)ble; -ous; -ish.

스르르 smoothly; easily; softly.

스리랑카 Sri Lanka.

스릴 (전율) a thrill.

스마트 ¶ ~한 smart; stylish.

스매시 [테니스·탁구] smashing; a smash. ~하다 smash. 「creepy.

스멀거리다 itch; be itchy; feel

스모그 smog. ¶ ~가 심한 smoggy; smog-laden (city).

스무 twenty. ¶ ~번째 the twentieth.

스물 twenty; a score.

스미다 soak [penetrate, infiltrate] (into); permeate through. ¶ 스며 나오다 ooze [seep] out / 물이 바닥으로 스며들다 The water soaked through the floor.

스스럼 ¶ ~ 없이 freely; without reserve [constraint].

스스럽다 ① (조심스럽다) be ill at ease, feel constrained [awkward]. ② (부끄럽다) be shy; coy.

스스로 (for) oneself; in person. ¶ ~의 one's own; personal / ~ 결정하다 decide (a matter) for oneself.

스승 a teacher; a master.

스웨덴 Sweden. ¶ ~의 [딴] New dish / ~ 사람 a Swede.

스웨터 (knit) a sweater.

스위스 Switzerland. ¶ ~의 Swiss / ~제의 (a watch) of Swiss make

스위치 Swiss-made / ～ 사람 a Swiss.

스위치 a switch. ¶ ～를 켜다[끄다] switch on [off].

스윙 ① [樂] swing (music). ② [스포츠] a swing. ～ 하다 swing (a club).

스쳐보다 cast a sidelong glance at; glance sidewise at.

스치다 graze; skim; flit(생각 등이); (살짝 닿다) touch; feel; (서로 스쳐 지나가다) pass each other; meet (on the road); brush past.

스카우트 a scout. ～ 하다 scout (a promising player); recruit (new members). 　　　하다 skydive.

스카이다이빙 skydiving. ¶ ～ (을)

스카치 ① ～위스키 Scotch (whisky) / ～ 테이프 Scotch tape.

스카프 a scarf.

스칸디나비아 Scandinavia. ¶ ～의 Scandinavian / ～ 사람 a Scandinavian.

스캔들 a scandal. 　　　[landine.

스커트 a skirt.

스컹크 [動] a skunk.

스케이트 skating; (구두) a pair of) skates. ～ 타다 skate / ～ 타러 가다 go skating. ¶ ～장 a (skating) rink; an ice rink.

스케일 (規模) a scale. ¶ ～이 큰 [작은] large-[small-]scaled.

스케줄 (make) a schedule (plan, program). ¶ ～대로 as scheduled; on schedule / ～을 짜다 make [map, lay] out a schedule (for, of).

스케치 a sketch; sketching. ～ 하다 sketch; make a sketch (of a thing). ¶ ～북 a sketchbook.

스코어 a score. ¶ 2대 1의 ～로 by (a score of) 2 to 1. ¶ ～보드 a scoreboard.

스코틀랜드 Scotland. ¶ ～의 (말) Scotch; Scottish / ～ 사람 a Scotchman; a Scot; the Scotch (총칭).

스콜 (열대 지방의) a squall.

스콜라철학 (一 哲學) Scholasticism.

스쿠버 a scuba (◀ self-contained underwater breathing apparatus). ¶ ～다이빙 scuba diving.

스쿠터 a (motor) scooter.

스쿠프 (특종) a scoop; a beat (英) ～ 하다 scoop; get a scoop.

스쿨 a school. ¶ ～버스 a school bus.

스쿼시 (음료) (lemon) squash; (운동) squash tennis.

스크랩북 a scrapbook.

스크럼 a scrum(mage); a scrimmage. ¶ ～을 짜다 form (line up for) a scrum(mage); scrimmage.

스크린 a screen; the screen (영화계). ¶ ～테스트 a screen test.

스키 (운동) skiing; (기구) (a pair of) skis. ～타다 ski. ¶ ～ 타러 가다 go skiing. / ～복 [화] a ski suit (boots) / ～장 a skiing ground.

스킨다이빙 skin diving.

스타 a (movie) star.

스타디움 a stadium.

스타일 (옷의) a style; (모습) one's figure (form); (문체) a writing style. ¶ ～이 좋다 [나쁘다] have a good [poor] figure. / ～북 a stylebook.

스타카토 [樂] staccato.

스타킹 (nylon) stockings.

스타트 a start. ～ 하다 (make a) start.

스태미나 stamina.

스탠드 ① (관람석) the stands; the bleachers (美) (지붕 없는); 관등) a desk (floor) lamp.

스탬프 a stamp; a datemark(날짜 도장); a postmark(소인). ¶ ～를 찍다 stamp (a card).

스턴트 a stunt. ～ 맨 a stunt man.

스테레오 a stereo. ¶ ～의 stereo (-phonic) / ～로 듣다 listen to (a symphony) on the stereo. ¶ ～녹음 stereo(phonic) recording.

스테로이드 steroid.

스테이지 a stage.

스테이크 a (beef) steak.

스테인리스스틸 stainless steel.

스텐실 a stencil. 　[step; dance.

스텝 (춤의) a step. ～를 밟다

스토브 a stove (heater).

스토아 ∥ ~주의 Stoicism / ~학파 the Stoic school.

스톡 《재고》 a stock.

스톱 stop. ∥ ~사인 a stop sign / ~워치 a stop-watch.

스튜디오 a studio.

스튜어디스 a stewardess; a flight attendant.

스트라이크 ① 《파업》 a strike; a walkout. ∥ ~중이다 be on strike / ~를 중지하다 call off a strike. ② 《野》 a strike.

스트레스 (dispel) a stress. ∥ ~가 많은 stressful 《situations》.

스트레이트 straight. ∥ ~로 이기다 win a straight victory 《over》 / ~로 위스키를 마시다 drink whisky straight.

스트렙토마이신 《藥》 streptomycin.

스트로 《빨대》 a straw.

스트리킹 《나체의 거리 질주》 streaking.

스트립쇼 a strip show.

스틸 《강철》 steel; 《영화의》 a still 《photograph》.

스팀 steam; 《난방》 steam heating.

스파게티 spaghetti 《이》.

스파르타 Sparta. ∥ ~사람 a Spartan / ~식의 Spartan 《training》.

스파링 《拳》 sparring. ∥ ~파트너 one's sparring partner.

스파이 a spy; a secret agent. ∥ 이중 ~ a double agent. ∥ ~활동 《행위》 spying; espionage.

스파이크 a spike; 《구두》 spiked shoes; 《배구의》 spiking; a spike.

스파크 《합선에 의한 불꽃》 a spark. ∥ ~하다 spark.

스패너 a wrench; a spanner.

스펀지 (a) sponge. ∥ ~고무 sponge rubber. 「tire.

스페어 a spare. ∥ ~타이어 a spare

스페인 Spain. ∥ ~의 〔말〕 Spanish / ~사람 a Spaniard; the Spanish 《총칭》.

스펙터클 a spectacle. ∥ ~영화 a spectacular film.

스펙트럼 a spectrum. ∥ ~분석 spectrum analysis.

스펠(링) 《철자》 spelling.

스포츠 sports. ∥ ~신문 a sports paper / ~웨어 sportswear / ~의학 sports medicine / ~정신 sportsmanship / ~카 a sports car. 「《on》.

스포트라이트 (focus) a spotlight

스폰서 a sponsor. ∥ ~가 되다 sponsor 《a concert》.

스폿 spot. ∥ ~뉴스 〔방송〕 spot news 〔broadcasting〕.

스프링 《용수철》 a spring. ∥ ~보드 a springboard.

스프링클러 a sprinkler.

스피드 speed. ∥ ~광 a speed maniac.

스피츠 《動》 a spitz 《dog》.

스피커 《확성기》 a (loud) speaker; 《라디오의》 a radio speaker.

스핑크스 a sphinx.

슬금슬금 stealthily; sneakingly.

슬기 wisdom; intelligence; sagacity; resources. ∥ ~롭다 (be) wise; intelligent; intellectual; sagacious.

슬다 ① 《알을》 lay 《eggs》; blow 《파리가》; spawn 《물고기가》. ② 《녹이》 gather 〔form〕 rust; be rusted; get rusty; rust.

슬라브 Slav. ∥ ~말 Slavic / ~민족 the Slavs / ~사람 a Slav.

슬라이드 《환등》 a (lantern) slide. ∥ ~영사기 a slide projector.

슬라이딩 《野》 sliding.

슬랙스 《a girl in》 slacks.

슬랭 slang. ∥ ~어 a slang word.

슬럼 a slum. ∥ ~화하다 turn into slums.

슬럼프 a slump. ∥ ~에 빠지다 〔에서 벗어나다〕 get into 〔out of〕 a slump.

슬레이트 a slate 《roof》.

슬로 slow. ∥ ~모션 《영화·TV의》 a slow motion.

슬로건 a slogan; a motto. ∥ ~라는 ~으로 under the slogan of ….

슬로바키아 Slovakia.

슬로프 a slope.

슬리퍼 (a pair of) slippers.

슬며시 secretly; quietly; stealthily.

슬슬 ① 《가볍게》 softly; gently; lightly. ② 《은근히》 cajolingly. ¶ ~ 달래다 soothe gently.

슬쩍 ① 《몰래》 secretly; stealthily. ② 《쉽게》 lightly; easily; readily.

슬퍼하다 feel sad (unhappy); feel sorry (sorrow) (for); grieve; 《죽음을》 mourn (for, over) 《한탄하다》 lament.

슬프다 (be) sad; sorrowful; pathetic. ¶ 슬프도다 Alas!; Woe is (to) me!

슬픔 sorrow; sadness; grief. ¶ ~에 잠기다 be deep in grief.

슬피 sadly; sorrowfully; mournfully.

슬하(膝下) the parental care. ¶ 부모 ~를 떠나다 leave one's paternal roof; live away from one's parents.

습격(襲擊) an attack; an assault. ~하다 attack; assault.

습관(習慣) habit; 《습성》 practice; 《상습》 usage; 《관용》 custom; a convention 《인습》. ¶ ~적인 customary; usual; conventional /…하는 ~이 있다 have (be in) the habit of doing. ‖ ~성 의약품 habit-forming drugs.

습기(濕氣) damp(ness); moisture; humidity. ‖ ~계 a hygrometer.

습도(濕度) humidity. ‖ ~계 a hygrometer.

습득(拾得) ~하다 pick up; find. ¶ ~물 a find; a found article / ~자 a finder.

습득(習得) ~하다 learn 《French》; acquire 《a skill》.

습성(習性) a habit; one's way.

습자(習字) 《practice》 penmanship; calligraphy 《붓글씨》. ‖ ~책 a writing (copy) book.

습작(習作) a study; étude 《프》.

습지(濕地) damp ground; marsh; swampland.

습진(濕疹) 《醫─》 eczema.

습하다(濕─) (be) damp; humid; moist; wet.

승(勝) a victory. ¶ 3 승 1 패 3 victories (wins) and (against) 1 defeat.

…승(乘) -seater. ¶ 5 인 ~ 비행기 a 5-seater (air)plane / 9 인 ~ 자동차 a nine-passenger car.

승강(昇降) ~하다 go up and down; ascend and descend. ‖ ~구 《배의》 a hatch(way) / ~기 an elevator 《美》; a lift 《英》.

승강이(昇降─) 《티격태격》 (have) a petty quarrel; wrangling. ~하다 wrangle 《with》.

승객(乘客) a passenger. ‖ ~명부 a passenger list.

승격(昇格) ~하다 be promoted (raised) to a higher status.

승계(承繼) succession. ☞ 계승.

승급(昇級) promotion. ~하다 be promoted 《to》. ☞ 승진.

승낙(承諾) consent; assent; agreement. ~하다 say yes; consent (agree, assent) 《to》; comply 《with》.

승냥이 《動》 a Korean wolf; a coyote.

승려(僧侶) ☞ 중.

승리(勝利) a victory; a triumph. ~하다 win; win (gain) a victory. ‖ ~자 a victor; a winner 《경기의》.

승마(乘馬) horse riding. ~하다 ride (mount) a horse. ‖ ~복 a riding suit / ~술 horsemanship.

승무(僧舞) a Buddhist dance.

승무원(乘務員) a crew member; a crewman; the crew 《총칭》.

승복(承服) ~하다 《동의하다》 《consent》 《to》; 《받아들이다》 accept.

승복(僧服) a clerical (priest's) robe.

승부(勝負) victory or defeat; 《경기》 a 《tennis》 match; a game. ¶ ~를 끝까지 fight to the finish. ‖ ~차기 a shoot-out.

승산(勝算) prospects of victory; chances of success. ¶ ~이 있다 (없다) have a (no) chance of success.

승선(乘船) embarkation; boarding.

~하다 embark; go aboard; get on board (a ship); 〔case〕.

승소(勝訴) ~하다 win a suit

승수(乘數) 〔數〕《급수》 a multiplier.

승승장구(乘勝長驅) ~하다 keep on winning.

승압기(昇壓器) a step-up 〔boosting〕 transformer; a booster.

승용차(乘用車) a (passenger) car.

승원(僧院) a Buddhist monastery; a cloister; a temple.

승인(承認) recognition; acknowledgment; admission; approval (인가). ¶ ~하다 recognize; admit; approve. ¶ ~을 얻다 obtain approval. ‖ ~서 a written acknowledgment.

승자(勝者) a winner; a victor.

승적(僧籍) 〔enter〕 the priesthood; the holy orders.

승전(勝戰) a victory; a victorious war 〔battle〕. ‖ ~고(鼓) the drum of victory.

승진(昇進) promotion; advancement. ¶ ~하다 rise (in rank); be promoted 〔advanced〕. ¶ ~시키다 promote; raise.

승차(乘車) ~하다 take a train 〔taxi〕; get on a train 〔bus〕; get in a car. ‖ ~구 the entrance to a platform; the gate; a way-in / ~권 a ticket / ~권 매표소 a ticket window.

승천(昇天) ascension to heaven; 《그리스도의》 the Ascension. ~하다 go 〔ascend〕 to heaven. ‖ ~일 the Ascension Day.

승패(勝敗) victory or defeat.

승하(昇遐) demise. ~하다 die; pass away. 〔다 sublimate.

승화(昇華) 〔化〕 sublimation. ~하다

시(市) a city; a town; a municipality(행정구획). ¶ ~의 municipal; city. ‖ ~당국 the city 〔municipal〕 authorities.

시(時) 《시각》 hour; 《시각》 time. ¶ 8 ~ eight o'clock / 3 ~ 15분 a quarter past three.

시(詩) poetry 《총칭》; verse 《운문》; 《write, compose》 a poem.

시가(市街) the streets; a city. ‖ ~전 street fighting / ~지 a city 〔an urban〕 area.

시가(市價) the market price. ‖ ~변동 market fluctuations.

시가(時價) the current price.

시가(媤家) ☞ 시집(媤—).

시가(詩歌) poetry; poems and songs. ‖ ~선집 an anthology.

시가 a cigar.

시각(時刻) time; hour.

시각(視角) the visual angle.

시각(視覺) 《the sense of》 sight; vision; eyesight. ‖ ~교육〔교재〕 visual education 〔aids〕 / ~언어 (a) visual language.

시간(時間) time; 《학교의》 a lesson; a class. ¶ 영어 ~ an English lesson 〔class〕 / 제 ~에 on time / ~에 늦다 be late; be behind time / ~을 벌다 play for time; use delaying tactics / ~을 지키다 be punctual / ~대로 일하다 work by the hour / ~이 (많이) 걸리다 take (much) time / ~에 쫓기다 be pressed for time. ‖ ~강사 a part-time lecturer / ~급 hourly wages; payment by the time / ~엄수 punctuality / ~외 근무〔수당〕 overtime work 〔pay〕 / ~외 근무를 하다 work overtime / ~표 a timetable / ~ 소요 ~ the time required.

시경찰국(市警察局) ☞ 경찰청.

시계(時計) a watch; a clock (괘종; 탁상시계). ¶ ~를 맞추다 set one's watch 《by the time signal》 / ~방향으로 clockwise / ~ 반대방향으로 counterclockwise. ‖ ~탑 a clock tower / 시곗바늘 the hands of a watch / 시곗줄 a watchband (손목시계) / 손목~ a wrist watch / 자동~ a self-winding watch.

시계(視界) the field 〔range〕 of vision; the visual field. ¶ ~에서 사라지다 go out of sight 〔view〕 / ~에 들어오다 come into sight 〔view〕.

시골 the country(side); a rural

district; 《고향》 one's home (native) village. ‖ ~ 구석 a remote village; a secluded place / ~ 뜨기 a country bumpkin / ~ 말 [사투리] a provincial dialect 《美》 / 사람 a countryman: a countryfolk / ~ 풍경 rural scenery.

시공(施工) execution (of works). ~ 하다 undertake construction: construct 《a building》; carry out 《building works》. ‖ ~ 도 a working drawing / ~ 자 a (main) constructor.

시구(始球) ~ 하다 throw (pitch) the first ball.

시구(詩句) a verse; a stanza.

시국(時局) the situation; the state of things (affairs). ‖ ~ 의 추이 the development of the situation.

시굴(試掘)【鑛】 prospecting; (a) trial digging (boring). ~ 하다 prospect 《a mine》; bore (drill) for 《oil》. ‖ ~ 자 a (mining) prospector; a wildcater 《美》 / ~ 정(井) 《석유의》 a test (trial) well.

시궁창 a ditch; a gutter; a drain; a sewer.

시그널 a signal.

시근거리다 《숨을》 pant; gasp; 《빠마디마다》 feel a "sour" pain 《in joints》.

시금떨떨하다 (be) sourish and astringent.

시금석(試金石) a touchstone; a test.

시금치 spinach.

시급(時急) ‖ ~ 한 urgent; imminent.

시기(時期) time; a period; season(계절). ‖ 매년 이 ~ 에 at this time of (the) year.

시기(時機) a chance; (miss) an opportunity; an occasion《경우》. ‖ ~ 에 적합한 opportune: timely; appropriate; well-timed / ~ 를 포착하다 take (seize) an opportunity / ~ 를 놓치다 lose an opportunity; miss one's chance.

시기(猜忌) jealousy; envy. ~ 하다 be jealous (envious) 《of》; envy.

시거멓다 (be) deep-black: jet-black.

시끄럽다 ① 《소란함》 (be) noisy; clamorous; boisterous. ‖ 시끄럽게 noisily; clamorously / 시끄러워 Be quiet!; Silence! ② 《여론이》 be much discussed. ‖ 시끄러운 문제가 되다 become a subject of much discussion.

시나리오 a scenario; a screenplay. ‖ ~ 작가 a scenario writer; a scriptwriter.

시내 a brook(let); a rivulet; a stream(let). ‖ 시냇가 the edge (bank) of a stream.

시내(市內) ‖ ~ 에(서) in the city; within the city limits. ‖ ~ 거주자 a city resident / ~ 버스 an urban bus / ~ 통화 a local (city) call.

시네라마 《입체영화》 a Cinerama(상표명).

시네마 a cinema. ‖ ~ 스코프 《입체영화》 a CinemaScope(상표명).

시녀(侍女) a waiting maid; a lady-in-waiting(궁녀).

시누이(媤──) one's husband's sister; a sister-in-law.

시늉 《흉내》 mimicry; imitation(모방); 《체함》 pretense. ~ 하다 mimic; imitate; copy(제하다); feign; pretend. ‖ 죽은 ~ 을 하다 pretend to be dead.

시다 ① 《맛이》 (be) sour; acid; tart. ② 《뼈마디가》 have a twinging ache.

시단(詩壇) poetical circles.

시달(示達) ~ 하다 instruct; give directions.

시달리다 be troubled (annoyed, harassed, tormented) 《with, by》; be ill-treated; suffer 《from》.

시대(時代) 《시기》 a period; an epoch; an age; an era; 《시절》 one's day(s); 《시세(時世)》 the times. ‖ ~ 에 뒤떨어진 behind the times; out-of-date / 이제 그의 ~ 도 끝났다 He has had his

day. ‖ ~상(相)[정신] the phases [spirit] of the times / ~착오 an anachronism.

시도(試圖) a try; an attempt. ~하다 try; (make) an attempt. ~

시동(始動)《기계의》 starting. ~하다 start. ‖ ~을 걸다 set [start] a machine. ‖ ~장치 a starting device (gear, system).

시동생(媤同生) *one's* husband's younger brother; a brother-in-law.

시들다《초목이》 ① wither; droop; fade; be shriveled up; dried-up. ② 《기운이》 weaken; wane.

시들하다《마음에》 (be) unsatisfactory; 《마음이》 (be) half-hearted; uninterested; 《시시하다》 (be) trivial.

시래기 dried radish leaves.

시럽 syrup; sirup 《美》.

시렁 a wall shelf; a rack.

시력(視力) (eye)sight; vision. ‖ ~이 좋다[약하다] have good [poor] eyesight / ~을 잃다 [회복하다] lose [recover] *one's* sight. ‖ ~감퇴 amblyopia / ~검사 an eye(sight) test / ~검사표 an eye(sight) test chart.

시련(試鍊) a trial; a test; an ordeal. ‖ ~을 겪다 be tried [by]; be tested.

시론(時論) comments on current events; a current view; public opinion of the day 〔여론〕.

시론(詩論) poetics; an essay on poetry.

시료(施療) free medical treatment. ~하다 treat (*a person*) free (of charge). ‖ ~원 a charity hospital / ~환자 a free patient.

시루 an earthenware steamer. ‖ ~떡 steamed rice cake.

시류(時流)《풍조》 the current 〔trend〕 of the times; 《유행》 the fashion of the day.

시름 trouble; anxiety; worry; cares. ‖ ~한 놓다 be relieved from worry.

시름없다 ① 《적적되다》 (be) worried;

anxious. ② 《멍하다》 (be) absent-minded; blank. ‖ 시름없이 carelessly; unintentionally; vacantly; absent-mindedly. ‖ be cold.

시리다《손발이》 feel cold [freezing].

시리아 Syria. ‖ ~사람 a Syrian.

시리즈 a series. ‖ ~로 출판하다 publish in a serial form. ‖ ~물 a serial.

시립(市立) ~의 city; municipal. ‖ ~도서관 a city library.

시말서(始末書) a written apology.

시멘트 cement. ‖ ~를 바르다 cement. ‖ ~공장 a cement plant 〔factory〕.

시무룩하다 (be) sullen; sulky; glum; ill-humored. ‖ 시무룩한 얼굴 a sullen [long] face.

시무식(始務式) the opening ceremony of offices (for the year).

시민(市民) a citizen; the citizens (총칭); the public. ‖ ~권 citizenship / ~대회 a mass meeting of citizens.

시발(始發) the first departure; the start. ‖ ~역 the starting station.

시범(示範) a model for others. ~하다 set an example (*to*); show [give] a good example (*of*). ‖ ~경기 (play) an exhibition game / ~농장 a model farm.

시베리아 Siberia. ‖ ~의 Siberian.

시보(試補) a probationer.

시부렁거리다 say useless [pointless] things; prattle.

시부모(媤父母) *one's* husband's parents; parents-in-law.

시비(是非) right and [or] wrong. ‖ ~를 가리다 tell right from wrong. ‖ 〔with a poem.

시비(詩碑) a monument inscribed

시뻘겋다 (be) deep red; crimson. ‖ 시뻘겋게 단 난로 a red-glowing stove.

시사(示唆) suggestion; hint. ~하다 hint; suggest. ‖ ~적인 suggestive.

시사(時事) current events [news]. ‖ ~문제 [영어] current topics 〔English〕 / ~해설 news com-

mentary; comments on current topics; ~ 해설가 a news commentator.

시사(試寫) a (film) preview. ~ 하다 preview.

시상(施賞) ~ 하다 award a prize. ‖ ~식 an award ceremony.

시상(詩想) a poetical imagination (sentiment).

시새(우)다 be terribly jealous 《of》; be green with envy 《of》.

시선(視線) one's eyes; a glance.

시선(詩選) an anthology; a selection of poems.

시설(施設) an establishment; an institution(특히 공공목적의); 《설비》 equipment; facilities. ~ 하다 establish; institute. ‖ 공공 ~ a public facilities / 교육 ~ an educational institution / 군사 ~ military installations / 산업[항만] ~ industrial (port) facilities. ‖ ~ 투자 investment in equipment.

시성(詩聖) a great poet.

시세(時世) the times.

시세(時勢) ① 《시대》 the times; the age; 《시류》 the trend of the times. ② 《시가》 the market [current] price. ‖ 달러 ~ the exchange rate of the dollar.

시소 a seesaw.

시속(時俗) the customs of the age [times].

시속(時速) speed per hour. ‖ ~ 24마일, 24 miles an [per] hour (약호 24 m.p.h.).

시숙(媤叔) one's husband's brother; a brother-in-law.

시술(施術) ~ 하다 operate; perform an operation; 〔engineering〕.

시스템 a system. ‖ ~ 공학 system engineering.

시승(試乘) a trial ride. ~ 하다 have a trial ride 《in》; test 《a new plane》.

시시각각(時時刻刻) ~ 으로 hourly; 《in》 every hour [moment]; momentarily.

시시덕거리다 chat and giggle.

시시비비(是非非) ~ 하다 call a spade a spade; call what is right right, and wrong wrong.

시시콜콜 inquisitively. ~ 캐묻다 inquire of 《a person》every detail of 《a matter》; be inquisitive about 《a matter》.

시시하다(흥미 없다) (be) dull and flat; uninteresting; 《사소하다》 (be) trifling; trivial; petty; (be) of little importance; 《가치 없다》 (be) worthless.

시식(試食) sampling. ~ 하다 try; taste; sample 《a cake》. ‖ ~ 회 a sampling party.

시신(屍身) a dead body; a corpse.

시신경(視神經) 〔解〕 the optic nerve.

시아버지(媤—) a father-in-law; one's husband's father.

시아주버니(媤—) a brother-in-law; one's husband's elder brother.

시안(試案) a tentative plan.

시앗 one's husband's concubine.

시야(視野) a visual field; sight; one's view. ‖ ~ 에 들어오다 come in sight.

시약(試藥) 〔化〕 a (chemical) reagent.

시어(詩語) a poetic word. [gent.

시어머니(媤—) a mother-in-law; one's husband's mother.

시역(弑逆) the murder of one's lord [parent]. ~ 하다 murder 《one's lord》.

시연(試演) 《give》 a trial performance; a rehearsal; a preview. ~ 하다 rehearse; preview.

시영(市營) municipal management. ‖ ~ 의 municipal / ~ 으로 하다 municipalize. ‖ ~ 버스 a city bus / ~ 주택 a municipal dwelling house.

시오니즘 Zionism.

시외(市外) the suburbs; the outskirts. ‖ ~ 의 suburban; out of town. ‖ ~ 전화 《make》 a long-distance call 《美》; a trunk call 《英》.

시용(試用) trial. ~ 하다 try; make a trial 《of》. ‖ ~ 기간 the times.

시운(時運) the tendency [luck] of the times.

시운전(試運轉) 《make》 a trial run [trip]; a test drive《자동차 등의》.

시원섭섭하다 feel mixed emotions

of joy and sorrow.

시원스럽다 《성격이》 (be) frank; unreserved; open-hearted; 《동작》 (be) brisk; lively; active.

시원시원하다 ☞ 시원스럽다.

시원찮다 ① 《기분이》 (be) not refreshing; dull; heavy. ② 《언행 따위가》 (be) reserved; not agreeable 《cheerful, sprightly》. ③ 《형세》 (be) not satisfactory; unfavorable.

시원하다 ① 《선선하다》 feel cool 《refreshing》. │ 시원해지다 become cool. ② 《후련하다》 feel good 《relieved》.

시월(十月) October 《생략 Oct.》.

시위 《활의》 a bowstring.

시위(示威) a demonstration. ∼하 다 demonstrate; hold 《stage》 a demonstration. ∥ ∼자 a demonstrator.

시유(市有) ∥ ∼의 municipal; city-owned / ∼화하다 municipalize. ∥ ∼재산 municipal property / ∼지 city land.

시음(試飮) ∼하다 sample 《wine》; try 《a glass of bourbon》.

시의(時宜) ∥ ∼에 맞는 timely; opportune / ∼에 맞다 be opportune.

시의(猜疑) suspicion 《의심》; jealousy 《질투》. ∼하다 be suspicious of; distrust; suspect.

시의회(市議會) a municipal 《city》 assembly. ∥ ∼의사당 a municipal assembly hall / ∼의원 선거 a municipal election.

시인(是認) approval. ∼하다 approve of; admit. 《…자》.

시인(詩人) a poet; a poetess 《여자》.

시일(時日) 《때》 time; 《날짜》 the date 《of, for》; the days 《of》. ∥ ∼을 정하다 fix 《set》 the date / ∼의 경과에 따라 as time passes / ∼이 걸리다 require 《take》 (much) time.

시작(始作) the start; the beginning. ∼하다 begin; start; commence.

시작(試作) trial manufacture [production]. ∼하다 manufacture [produce] as an experiment. ∥ ∼품 a trial product.

시작(詩作) ∼하다 write 《compose》 a poem.

시장 (be) hungry. ∥ ∼기 hungriness.

시장(市長) a mayor. ∥ ∼직 《임기》 mayoralty; mayorship.

시장(市場) a market. ∥ 국내 ∼ the home 《domestic》 market / 외국 [해외] ∼ a foreign 《an overseas》 market / 주식 ∼ the stock exchange 《market》 / 현물 ∼ a spot market / ∼에 나오다 [나와 있다] come into [be on] the market. ∥ ∼가격 a market price 《rate》 / ∼경제 the market economy / ∼분석 [점유율] a market analysis 《share》 / ∼성 marketability 《∼성이 없는 unmarketable》 / ∼조사 market research.

시재(詩才) a poetic talent.

시재(詩材) verse material.

시적(詩的) poetic(al).

시절(時節) 《계절》 a season; 《시기》 one's time; a chance; 《세태(世)》 the times. ∥ ∼에 맞는 seasonable / 철 ∼ 아닌 unseasonable / 그 ∼에는 at that time; in those days / 학생 ∼에 in one's school days.

시점(時點) a point of [in] time. ∥ 오늘의 ∼에서 as of today.

시점(視點) a visual point; 《관점》 a point of view; a viewpoint.

시정(市政) municipal government; city administration.

시정(是正) correction. ∼하다 correct; put to right; improve.

시정(施政) government; administration. ∼하다 《방침 《decide upon》 an administrative policy.

시제(時制) 《文》 the tense.

시조(始祖) the founder; the originator; the father 《of》. ∥ 인류의 ∼ the progenitor of the human race.

시조(時調) Korean verse; a shijo.

시종(始終) 《부사격》 from beginning

to end; all the time; constantly. ¶ ~일관 consistently.

시종(侍從) a chamberlain; a gentleman in waiting.

시주(施主) 《일》 offering; oblation; almsgiving; 《물건》 an offering; 《사람》 an offerer; a donor. ~하다 offer; donate.

시준(視準) collimation. ¶ ~기 a mercury collimator.

시중 service; attendance; care; waiting on. ~하다 〔들다〕 serve; attend; wait on.

시중(市中) 《in》 the city 〔streets〕. ¶ ~금리 the open market (inter-) rate / ~은행 a city 〔commercial〕 bank.

시즌 a season. ¶ ~이 아닌 off-season; out of season / 야구 ~ the baseball season.

시진(視診) an ocular inspection.

시집(媤一) one's husband's home 〔family〕.

시집(詩集) a collection of poems.

시차(時差) time difference; difference in time. ¶ ~로 인한 피로에 시달리다 suffer from jet lag.

시차(視差) 〔天〕 (a) parallax.

시찰(視察) (an) inspection. ~하다 inspect; visit; make an inspection 《of》. ¶ ~단 〔send〕 an inspecting party.

시채(市債) a municipal loan 〔bond〕.

시책(施策) a measure; a policy. ¶ ~을 강구하다 take measures to meet 《the situation》.

시청(市廳) a city 〔municipal〕 office; a city hall.

시청(視聽) seeing and hearing. ~하다 see; hear; watch and listen. ¶ ~각 the visual and auditory senses / ~각 교육 〔교재〕 audio-visual education 〔aids〕 / ~료 a TV subscription fee / ~률 an audience rating / ~자 a TV viewer; the TV audience (총칭).

시청(試聽) an audition 《room》.

시체(屍體) a corpse; a dead body; 《동물의》 a carcass. ¶ ~로 발견되다 be found dead. ‖ ~부검 (剖檢) an autopsy; a post-mortem (ex-

amination).

시초(始初) the beginning; the start; 《발단》 the outset.

시추(試錐) a trial drilling 〔boring〕; prospecting 《시굴》. ‖ ~선 an oil prospecting rig / 해저 석유 ~ off-shore oil drilling.

시치다 baste; tack. ‖ 시침질 basting; a fitting.

시치미떼다 pretend not to know; feign 〔affect〕 ignorance; play innocent. 〔watch〕

시침(時針) the hour hand (of a

시키멓다 (be) jet-black.

시큼하다 (be) sourish.

시키다 《하게 하다》 make 〔let, get〕 《a person》 do; 《주문》 order.

시트 《침대의》 a (bed) sheet.

시판(市販) marketing. ~하다 market; put 〔place〕 《goods》 on the market. ¶ ~되고 있다 be on the market.

시퍼렇다 《색깔이》 (be) deep blue; 《서슬이》 (be) sharp; sharp-edged.

시편(詩篇) 〔聖〕 the Book of Psalms.

시평(時評) comments on current events; 《신문의》 editorial comments. ¶ 문예 ~ comments on current literatures.

시학(詩學) poetics; poetry.

시한(時限) a time limit; a deadline; a period 《수업 동의》. ¶ ~부 파업 a time-limited strike / ~폭탄 a time bomb / 법적 ~ the legal deadline.

시해(弑害) ☞ 시역 (弑逆).

시행(施行) enforcement. ~하다 《법률을》 enforce; put 《a law》 into operation 《effect》. ¶ ~되고 있다 be in force. ‖ ~령 an enforcement ordinance / ~세칙 detailed enforcement regulations.

시행착오(試行錯誤) trial and error.

시험(試驗) an examination; an exam 《口》; a test; 《실험》 an experiment; a trial. ~하다 examine; test; put to the test;

experiment. ∥ ∼과목 an examination subject; 〈관(管)〉 a test tube / ∼관 아기 a test-tube baby / ∼기간 《새 방식 등의》 a testing period / ∼단계 the testing stage. [*fest.*

시현(示現) ∼하다 reveal; manifest.

시호(諡號) a posthumous name (title).

시화(視話) lip reading [language].

시황(市況) the tone of the market. ∥ ∼보고 a market report.

시효(時效) acquisitive prescription(민법상의); the statute of limitations(형법상의). ∥ ∼에 걸리다 be barred by prescription / 소멸(취득)∼ negative [positive] prescription. ∥ ∼기간 the period of prescription.

시후(時候) the season; 〈일기〉 weather; climate.

시흥(詩興) poetical inspiration.

식(式) ① 〈식전〉 (hold) a ceremony; rites; rituals. ② 〈양식〉 form; 〈형〉 type; style; model; fashion; 〈방법〉 a method. ∥ 한국∼의 of Korean style [fashion]. ③ 〈數〉 an expression; 〈化〉 a formula. ∥ ∼으로 나타내다 formularize.

식객(食客) a dependent; a freeloader; a hanger-on. ∥ ∼ 노릇을 하다 be a dependent 《on》; freeload 《on》. ∥ ∼생활 freeloading.

식견(識見) discernment; insight; judgment; 〈견해〉 view; opinion.

식곤증(食困症) languor [drowsiness] after a meal.

식구(食口) a family; members of a family.

식권(食券) a food [meal] ticket.

식기(食器) tableware; a dinner set; the dishes.

식다 ① 〈냉각〉 (become) cool; get cold. ② 〈감퇴〉 cool down; flag; subside; be chilled(흥·몸이).

식단(食單) a menu(식단표).

식당(食堂) 〈회당〉 a dining [a mess hall(군대 등); 〈음식점〉 a restaurant; a cafeteria(셀프서비

스의); 《간이식당》 a lunchroom. ∥ ∼차 a dining car.

식대(食代) the charge for food; food expenses.

식도(食刀) 식칼.

식도(食道) 〈解〉 the gullet. ∥ ∼암 [醫] cancer of the esophagus / ∼염 [醫] esophagitis.

식도락(食道樂) epicurism. ∥ ∼가 an epicure; a gourmet.

식량(食糧) food; provisions; food supplies. ∥ 하루분의 ∼ a day's rations. ∥ ∼관리제도 the food control system / ∼난 the difficulty of obtaining food / ∼부족 a food shortage / ∼사정 [문제] the food situation [problem] / ∼위기 a food crisis / 세계 ∼계획 the World Food Program(생략 WFP).

식료(食料) food. ∥ ∼품 an article of food; provisions; foodstuffs / ∼품상 a dealer in foodstuffs; a grocer / ∼품점 a grocery (store).

식림(植林) afforestation. ∥ ∼하다 afforest; plant trees.

식모(食母) (keep) a kitchenmaid. ∥ ∼살이(하다) (be) in domestic service.

식목(植木) tree planting. ∼하다 do planting; plant trees. ∥ ∼일 Arbor Day 《美》.

식물(植物) a plant; vegetation (총칭). ∥ ∼(성)의 vegetable 《oil》. ∥ ∼계 the vegetable kingdom / ∼원 a botanical garden / ∼인 간 a (human) vegetable / ∼채집 (go) plant collecting / ∼학 botany / ∼학자 a botanist.

식민(植民) colonization; settlement. ∼하다 colonize; plant a colony 《in》. ∥ ∼지 a colony / 해외∼ an overseas colony / (반)∼지주의 (anti-)colonialism.

식별(識別) discrimination; discernment. ∼하다 discriminate [distinguish] 《between A and B, A from B》; tell 《A from B》. ∥ ∼할 수 있는 (없는) (in)distin-

식복(食福) ¶ ~이 있다 be blessed 「with things to eat」.

식비(食費) food cost [expenses]; 《하숙의》 charges for board.

식빵(食一) bread. ¶ 한 덩어리 ~ a loaf [slice] of bread.

식사(式辭) 「read, give」 an address 《at a ceremony》.

식사(食事) a meal; a dinner(정찬). ~하다 take [have] a meal; dine. ~시간 mealtime / ~예법 table manners.

식상(食傷) ~하다 《물리다》 be surfeited (fed up) 《with》; be sick 《of》 (口); 《식중독》 get food poisoning.

식생활(食生活) dietary life; eating habits.

식성(食性) likes and dislikes in food; 《one's》 taste.

식수(食水) drinking water.

식순(式順) the order (program) of a ceremony.

식식거리다 gasp; pant.

식언(食言) ~하다 eat *one's* words; break *one's* promise.

식염(食鹽) (table) salt. ‖ ~수 a solution of salt / ~주사 a saline [salt] injection.

식욕(食慾) (an) appetite. ‖ ~감퇴 [증진] loss [promotion] of appetite / ~증진제 an appetizer.

식용(食用) ¶ ~의 edible; eatable / ~으로 하다 use 《a thing》 for food. ‖ ~유 cooking oil / ~품 eatables.

식육(食肉) meat. ‖ ~가공업자 a meat processor.

식은땀 a cold sweat. ¶ ~을 흘리다 be in a cold sweat.

식음(食飮) ~을 전폐하다 give up eating and drinking.

식이요법(食餌療法) a dietary cure. ¶ ~을 하다 go on a diet.

식인종(食人種) a cannibal race; cannibals.

식자(植字) 〔印〕 typesetting. ~하다 set (up) type. ‖ ~공 a typesetter.

식자(識者) intelligent people.

식자우환(識字憂患) Ignorance is bliss.

식장(式場) the hall of ceremony; a ceremonial hall.

식전(式典) a ceremony; rites; rituals.

식전(食前) ¶ ~에 before meals. ‖ ~주(酒) an apéritif.

식중독(食中毒) food poisoning. ¶ ~에 걸리다 be poisoned by food.

식체(食滯) indigestion; dyspepsia.

식초(食醋) vinegar.

식충(食蟲) ~동물[식물] an insectivore; an insectivorous animal (plant).

식칼(食一) a kitchen knife.

식탁(食卓) a (dining) table. ‖ ~보 a cloth; a tablecloth.

식품(食品) food(stuffs); groceries. ‖ ~공업 the food industry / ~위생 food hygiene / ~불량[illegal] foodstuff.

식피(植皮) 〔醫〕 (skin) grafting. ~하다 graft skin 《to》.

식혜(食醯) fermented rice punch.

식후(食後) ¶ ~에 after meal.

식히다 cool; let 《a thing》 cool; bring down 《the fever》. ¶ 식힌 ~ cooled / 머리를 ~ cool *one's* head.

신¹ 《신발》 footgear; footwear; shoes.

신²《신명》 enthusiasm; excitement; interest; fervor. ¶ ~이 나다 become enthusiastic; get excited.

신(申) 《십이지》 the zodiacal sign of the Monkey.

신(神) God 《기독교의》 the Lord(주님); a god(다신교의); a goddess / ~의 《신성한》 divine; godly.

신 a 《dramatic》 scene.

신(新) new; latest; modern.

신간(新刊) a new publication. ¶ ~의 newly-published.

신개발지(新開發地) 〔도지 등의〕 a newly-developed land [area].

신격화(神格化) deification 《of》. ~하다 deify.

신경(神經) a nerve. ¶ ~의 nervous; nerve / ~이 예민한 nervous; sensitive / ~이 둔한 in-

sensitive; thick-skinned. ‖ ~가스 《軍》 nerve gas / ~ 계통 the nervous system / ~파민 nervousness; over-sensitiveness / ~파 의사 a neurologist / ~병 a nervous disease; neurosis / ~세포 a nerve cell / ~쇠약 《suffer from》 a nervous breakdown / ~염 neuritis / ~전 a nerve war; psychological warfare / ~조직 nervous tissues / ~통 neuralgia.

신경향(新傾向) a new tendency (trend).

신고(申告) a report; a statement; a declaration 《세관에서》, ~하다 state; report; declare; make(file) a return; a register (notification) of birth / 확정(예정) ~ a final(provisional) return / ~할 것 없습니까《세관에서》(Do you have) anything to declare? ‖ ~자 a reporter.

신고(辛苦) hardships; trials; toil; pains. ~하다 suffer hardships; take pains.

신곡(新曲) a new song (tune).

신곡(神曲) 《단테의》 the Divine Comedy.

신관(信管) a fuse. ‖ ~을 분리하다 〔장치하다〕 cut (set) a fuse. ‖ 시한 ~ a time fuse.

신관(新館) a new building.

신교(新教) Protestantism. ‖ ~도 a Protestant.

신구(新舊) ‖ ~의 old and new.

신국면(新局面) a new phase (aspect). ‖ 『정치』 theocracy.

신권(神權) the divine right. ‖ ~

신규(新規) ‖ ~의 new; fresh / ~로 anew; afresh; newly. ‖ ~사업 〔예금〕 a new enterprise (deposit).

신극(新劇) 《派》 a new school of acting.

신기(神技) superhuman skill.

신기(神奇) ‖ ~한 marvelous; mysterious(신비); miraculous / ~하게 marvelously; mysteriously.

신기(新奇) ‖ ~한 novel; original.

신기다 put 《shoes》 on 《a person》;

get 《a person》 to put on 《shoes》.

신기록(新記錄) 《establish, make》 a new 《world》 record.

신기루(蜃氣樓) a mirage.

신기원(新紀元) a new era (epoch). ‖ ~을 이룩하다 make [mark] an epoch 《in》.

신나다 get in high spirits; get elated; feel on top of the world.

신년(新年) a new year (☞ 새해). ¶ 근하~ (I wish you a) Happy New Year!

신념(信念) belief; faith; conviction(확신).

신다 wear; put [have] on.

신당(新黨) 《organize》 a new political party.

신대륙(新大陸) a new continent; the New World.

신도(信徒) a believer; a follower.

신동(神童) an infant prodigy; a boy genius.

신두리 a shoe heel; 《wonder child》.

신디케이트 《form》 a syndicate.

신랄(辛辣) ‖ ~한 sharp; severe; bitter; cutting.

신랑(新郎) a bridegroom.

신령(神靈) 《神》 divine spirits; the gods. ¶ 산~ a mountain god.

신록(新綠) fresh green (verdure).

신뢰(信賴) trust; confidence; reliance. ~하다 trust; rely on; put confidence 《in》. ¶ ~할 만한 reliable; trustworthy / ~를 저버리다 betray 《a person's》 trust.

신망(信望) confidence; popularity.

신명(身命) one's life. ¶ ~을 바치다 lay down one's life.

신명(神明) God; gods.

신묘(神妙) ☞ 신기(神奇).

신문(訊問) a questioning; an examination; an interrogation. ~하다 question; examine; interrogate. ‖ ~조서 『法』 interrogatory / 반대~ 『法』 a cross-question.

신문(新聞) a (news)paper; the press(총칭). ‖ ~가판대 a news stand / ~구독료 the subscription / ~구독자 a (newspaper) reader [subscriber] / ~기사 a newspaper article (report) /

신문기자 a newspaper man; a (newspaper) reporter; a journalist; ~기자석 the press box / ~팔이 [배달인] a newsboy / 일간[주간]~ a daily [weekly] (paper) / 조간[석간]~ a morning [an evening] paper.

신물 ¶ ~이 나다 《비유적》 get sick and tired (of); have had enough (of). / ~이 나다 a shoe sole. (of).

신바닥

신바람 exulted (high) spirits; elation.

신발 footwear; footgear; shoes.

신발명(新發明) a new invention. ¶ ~의 newly-invented.

신변(身邊) ¶ ~을 걱정하다 be anxious about *one's* personal safety / ~을 정리하다 put *one's* affairs in order. ‖ ~경호 personal protection / ~잡기 memoirs on *one's* private life.

신병(身柄) *one's* person. ¶ ~을 인수하러 가다 go to claim [receive] (*a person*) / ~을 인도하다 hand (*an offender*) over (*to*).

신병(身病) sickness; illness.

신병(新兵) a new conscript; a recruit. ‖ ~훈련 recruit training.

신봉(信奉) ~하다 believe [have faith] in; follow; embrace. ‖ ~자 a believer; a follower.

신부(神父) a (Catholic) priest; a father.

신부(新婦) a bride. ‖ ~들러리 a bridesmaid.

신분(身分) social position [standing]; *one's* status [rank]; 《신원》 *one's* identity; origin; (*one's*) birth. ‖ ~증 (명서) an identity [identification] card; an ID card.

신비(神秘) (a) mystery. ¶ ~한 mystic; mysterious. ‖ ~경 a land of mystery / ~주의 mysticism.

신빙성(信憑性) authenticity; credibility; reliability. ¶ ~이 있다[없다] be authentic [unauthentic]; be reliable [unreliable].

신사(紳士) a gentleman. ¶ ~적인 gentlemanly; gentlemanlike; ~비~적인 ungentlemanly / ~연하다 play the gentleman. ‖ ~도록 the code of a gentleman / ~록 a Who's Who; a social register 《美》 / ~복 a men's suit.

신상(身上) 《몸》 *one's* body; 《처지》 *one's* circumstances. ¶ ~을 조사하다 examine *a person's* circumstances. ‖ ~문제 *one's* personal affairs / ~조사서 《명세서》 a report card on *one's* personal affairs.

신생(新生) a new birth; (a) rebirth. ¶ ~국(가) a newly emerging nation / ~대 the Cenozoic era.

신생아(新生兒) a newborn baby.

신서(信書) a letter; correspondence(·총칭).

신석기(新石器) a neolith. ‖ ~시대 the Neolithic era; the New Stone Age.

신선(神仙) a supernatural being. ‖ ~경 a fairyland; an enchanted place.

신선(新鮮) ¶ ~한 new; fresh / ~하게 하다 make fresh; freshen, ~미(가 없다) (lack) freshness.

신선로(神仙爐) 《그릇》 a brass chafing dish; 《요리》 a dish prepared with vegetables, meat, and sea foods in a chafing dish; *sinsollo*.

신설(新設) ~하다 establish; found. ‖ ~의 [된] newly-established; ~학교 [공장] a newly-founded school [factory].

신성(神性) divinity; divine nature.

신성(神聖) sacredness; sanctity. ¶ ~한 sacred; holy; divine / ~불가침의 be sacred and inviolable. ‖ ~로마제국 the Holy Roman Empire.

신세(身世) a debt of gratitude; be 지다 be indebted [obliged] (*to*); owe (*a person*) a debt of gratitude; receive assistance.

신세(身世) *one's* lot [circumstances, condition].

신세계(新世界) a new world; the New World(미대륙).

신세대(新世代) the new genera- 「tion.

신소리 a pun; a play on words.

신속(迅速) ~한 rapid; swift; quick; prompt; speedy ‖ ~히 rapidly; swiftly; quickly; promptly.

신수(身手) one's appearance; looks. ¶ ~가 훤하다 have a fine appearance.

신수(身數) one's star; fortune; luck. ¶ ~를 보다 have one's fortune told.

신시대(新時代) a new age [epoch, era]. ¶ ~를 여는 epoch-making; epochal.

신식(新式) a new style [pattern, type, method]. ‖ ~의 new; new-style [-type]; modern.

신신당부(申申當付) ~하다 request earnestly [repeatedly]; solicit.

신심(信心) faith; piety; devotion.

신안(新案) a new idea [design, mode]. ¶ ~특허를 신청하다 apply for a patent on a new design.

신앙(信仰) faith; belief. ¶ ~이 두터운 devout; pious; godly ‖ ~이 없는 unbelieving; impious. ‖ ~생활 [lead] a religious life.

신약(新藥) a new drug [medicine].

신약성서(新約聖書) the New Testament.

신어(新語) [coin] a new word; a newly-coined word; a neologism.

신열(身熱) [have] fever; [body] temperature.

신예(新銳) ~의 new and powerful [weapons]; ‖ 최~의 전자 장비 the state-of-the-art electronics.

신용(信用) [신임] confidence; trust; faith; [신뢰] reliance; [명망] reputation; [경제상의] credit. ~하다 trust; place [put] confidence in; give credit to. ¶ ~ 있는 trustworthy; creditable; reliable ‖ ~ 없는 untrustworthy; discreditable ‖ ~으로 돈을 꾸다 borrow money on credit. ‖ ~거래 sales on

credit; credit transaction / ~금고 a credit bank [association] / ~대부 a credit loan / ~도 credit rating / ~상태 one's financial [credit] standing / ~장 a letter of credit(생략 L / C) / ~조회 a credit inquiry / ~증권 credit paper / ~카드 a credit card / ~한도 a credit limit.

신우(腎盂) [解] the pelvis of the kidney. ‖ ~염 [醫] pyelitis.

신원(身元) one's identity; one's background. ¶ ~불명의 시체 an unidentified body. ‖ ~보증 personal reference / ~보증인 a surety; a reference / ~인수인 a guarantee.

신음(呻吟) ~하다 groan; moan.

신의(信義) faith; fidelity. ¶ ~ 있는 faithful.

신인(新人) a new figure [member]; a new face [star](연예계의); a newcomer(신참자); a rookie(야구 등의). ‖ ~왕 [野] the rookie king.

신임(信任) trust; confidence. ~하다 trust; confide (in). ‖ ~장 present one's) credentials / ~투표 a vote of confidence.

신임(新任) ~의 newly-appointed. ¶ ~자 a new appointee.

신입(新入) ~의 newly; newly-joined. ‖ ~생 a new student; a freshman(대학의) / ~자 a newcomer.

신자(信者) [종교의] a believer 《in Buddhism》; an adherent; a devotee; the faithful(총칭).

신작(新作) a new work [production, composition(작곡)]. ‖ ~ 소설 a newly-written novel.

신작로(新作路) a new road; a highway(큰길).

신장(身長) stature; height. ¶ ~이 5피트이다 be five feet tall.

신장(伸張) ~하다 extend; expand; elongate. ‖ ~성 expansibility.

신장(新裝) ~하다 give a new look 《to》; refurbish. ¶ 5월 1일 ~ 개업 《게시》 Completely remodeled.

Reopening May 1.

신장(腎臟) the kidney. ∥ ～결석 a renal calculus / ～병 a kidney trouble / ～염 nephritis / ～투석 kindney dialysis.

신저(新著) one's new work: a new publication(신간서).

신전(神殿) a shrine; a sanctuary.

신접살이(新接一) life in a new home. ～하다 make a new home; set up house.

신정(神政) theocracy; thearchy.

신정(新正) the New Year.

신제(新製) ¶ ～의 new; newly-made. ∥ ～품 a new product.

신조(信條) a creed; an article of faith; a principle(신념). ¶ 생활～ one's principles of life.

신조(神助) divine grace [aid]; providence.

신조(新造) ¶ ～의 new; newly-made[-built]. ∥ ～선 a newly-built ship / ～어 a newly-coined word.

신종(新種) 《종류》 a new species [variety]; 《수법》 a new type.

신주(神主) an ancestral tablet. ¶ ～를 모시다 enshrine one's ancestral tablet.

신주(新株) (allot) new stocks 《美》 [shares 英].

신중(愼重) ¶ ～한 careful; cautious; prudent; deliberate.

신지식(新知識) new [advanced] ideas; new [up-to-date] knowledge.

신진(新進) ¶ ～의 rising; new / ～기예의 young and energetic.

신진대사(新陳代謝) 【生】 metabolism (비유적) renewal; regeneration. ～하다 metabolize; be renewed; be regenerated; replace the old with the new.

신착(新着) ¶ ～의 newly-arrived (books). ∥ ～품 new arrivals.

신참(新參) ¶ ～의 new; green; ～자 a newcomer; a new hand.

신창 a shoe sole.

신천옹(信天翁) 〔鳥〕 an albatross.

신천지(新天地) a new world.

신청(申請) (an) application; (a) petition. ～하다 apply for 《a thing》; petition 《for》. ∥ ～기한 [마감] the deadline for making application; a time limit for application / ～서 an [a written] application / ～인 an applicant.

신체(身體) the body; the physique. ¶ ～의 bodily; physical. ∥ ～검사 (undergo) a physical examination; a body search(경찰에 의한) / ～장애자 a disabled person; the (physically) handicapped.

신축(伸縮) ～하다 expand and contract; be elastic. ¶ ～자재의 elastic; flexible. ∥ ～성 elasticity; protean.

신축(新築) ～하다 build; construct. ¶ ～의 newly-built / ～중 a house under construction.

신춘(新春) 《신년》 the New Year; 《새봄》 early spring. ¶ ～문예 a literary contest in spring.

신출귀몰(神出鬼沒) ～하다 (be) elusive; protean.

신출내기(新出一) a novice; a greenhorn; a tenderfoot; a beginner.

신코 the toe (tip) of a shoe.

신탁(信託) trust. ～하다 entrust; trust 《a person》 with 《a thing》. ∥ ～기금 a trust fund / ～예금 a trust deposit / ～은행 a trust bank / ～자 a trustee / ～재산 an estate in trust / ～증서(회사) a trust deed [company] / ～통치 trusteeship / ～통치령 a trust territory / ～투자 investment trust / ～피～자 a trustee.

신탁(神託) an oracle; a divine revelation [message].

신토불이(身土不二) shintoburi; one's body and soil are inseparable from each other; The domestic farm products are the best.

신통(神通) ¶ ～한 mysterious; wonderful; miraculous. ∥ ～력 a divine [an occult] power.

신트림 belch(ing).

신파(新派) 《form》 a new school; ∥ ~극 a new-school play.

신판(新版) a new publication [edition]. ¶ ~의 newly-published.

신품(新品) ¶ ~의 new; brand-new.

신하(臣下) a subject; a vassal.

신학(神學) theology; ∥ ~교 a theological [divinity] school / ~자 a theologian.

신형(新型) a new style [fashion]; the latest model [design].

신호(信號) a signal; signaling. ~ 하다 (make) a signal; signaling. ∥ ~기(機) a signal [apparatus] / ~기(旗) a signal flag / ~수 a signal man.

신혼(新婚) ¶ ~의 newly-married. ∥ ~여행 (set on) a honeymoon.

신화(神話) a myth; mythology(총칭). ¶ ~적인 mythical. ∥ ~시대 the mythological age / 건국 ~ the birth myth of a nation.

신흥(新興) ¶ ~의 new; rising. ∥ ~계급 a newly-risen class / ~국가 a rising nation / ~도시 a boom town / ~산업 a new [burgeoning] industry / ~종교 a new religion.

싣다 ① 《적재》 load; take on; put 《goods》 on board, ship(배에); 《배가 주어》 take 《a cargo》 on board. ② 《기재함》 record; publish; insert. 〔~용〕.

실 yarn(방사(紡絲)); thread(재봉).

실경(實景) the actual view [scene].

실(實) 《진실》 truth; reality; 《사실》 a fact; 《실질》 substance. ¶ ~은 really; in fact; as a matter of fact; to tell the truth. ∥ ~중량 net weight.

실가(實價) ① 《진가》 intrinsic value. ② 《원가》 the cost (price).

실각(失脚) a downfall; a fall. ~ 하다 fall from power; lose 《one's》 position. ¶ ~한 정치가 a fallen politician.

실감(實感) actual feeling; realization(체득). ~하다 feel actually; realize. ¶ 아직 ~이 나지 않다 It

doesn't seem real yet.

실감개 a spool; a reel; a bobbin.

실개천 a brooklet; a streamlet.

실격(失格) ~하다 be disqualified 《for a post》. ∥ ~자 a disqualified person.

실경(實景) the actual view [scene].

실고추 threaded [shredded] red pepper. 〔~과 과실(果實), pepper.

실과(實果) ⇨ 과실(果實).

실과(實科) a practical course.

실국수 thin [thread-like] noodles.

실권(失權) ~하다 lose 《one's》 rights; forfeit 《one's》 power.

실권(實權) real power. ¶ ~을 쥐다 seize [hold] real power. ∥ ~파 people in authority.

실기(失期) ~하다 fail to keep an appointed time.

실기(失機) ~하다 miss [lose] an opportunity 《a chance》.

실기(實技) practical talent. ∥ ~시험 practical [talent] examination.

실날 a thread; a strand; a ply.

실내(室內) ¶ ~의 indoor / ~에서 indoors; in a room. ∥ ~악 chamber music / ~운동 indoor exercise / ~장식 interior decoration.

실눈 narrow eyes.

실뜨기 (play) cat's cradle.

실랑이(질) ~하다 bother 《a person》.

실력(實力／역량) real power [ability]; capability; 《진가》 merit; 《힘》 force; arms. ¶ 어학 ~ 《one's》 linguistic ability / ~있는 able; capable; talented; efficient / ~을 기르다 develop [improve] 《one's》 ability 《in》. ∥ ~자 a strong man 《in the government》 / ~행사 use of force.

실례(失禮) rudeness; discourtesy; 《무례》 a breach of etiquette; bad manners. ¶ ~한 rude; impolite / ~지만 Excuse me, but …

실례(實例) 《give》 an example; an instance; a precedent(선례).

실로(實―) truly; really; indeed;

실로폰 【樂】 a xylophone.

실록(實錄) an authentic record (history).

실록거리다 quiver convulsively; twitch (one's eyes).

실리(實利) an actual profit [gain]; utility. ¶ ~적인 utilitarian; practical. ‖ ~외교 utilitarian diplomacy / ~주의 utilitarianism / ~주의자 a utilitarian; a materialist.

실리다(기재돼) appear; be printed (신문에); be recorded(기록); (실게 하다) get (goods) loaded; have (a person) load (a car, goods).

실리콘 【化】 silicone. ☞ 규소.

실린더 a cylinder.

실마리 (시작) a beginning; (단서) a clue (to). ¶ ~를 찾다 find a clue to ....

실망(失望) (a) disappointment; discouragement; despair(절망). ~하다 be disappointed (at, in, of); be disheartened; despair (of). ¶ ~하여 in despair / ~시키다 disappoint; discourage.

실명(失明) ~하다 become [go] blind; lose one's (eye-)sight. ‖ ~자 a blind person.

실명(實名) ‖ ~계좌 real-name bank accounts / ~제 the real-name financial transaction system.

실무(實務) (practical) business (affairs). ¶ ~적인 practical; businesslike / ~에 어둡다 be not familiar with office routine. ‖ ~자(급) 회담 working-level talks.

실물(實物) the (real) thing; an (actual) object; a genuine article(진짜); an original(원형). ¶ ~크기의 life-size(d); full-size(d). ‖ ~거래 (a) spot transaction.

실밥 ① 《솔기》 a seam. ② 《뜯은 보무라미》 bits of thread.

실버들 a weeping willow.

실비(實費) actual expenses; 《원

가》 cost price; prime cost. ¶ ~로 팔다 《제공하다》 sell [offer] (a thing) at cost. ‖y; survey.

실사(實査) ~하다 inspect actual…

실사(實寫) a photograph taken from life [on the spot].

실사회(實社會) the everyday [actual] world. ¶ ~에 나가다 go into the world; get a start in life.

실상(實狀) real facts (of a case); real aspects. ¶ 사회의 ~ a true picture of life.

실상(實像) a real image.

실생활(實生活) (a) real [(an) actual] life; the realities of life.

실성(失性) ~하다 become insane; go [run] mad; lose one's mind.

실소(失笑) ~하다 burst out laughing; burst into laughter. ¶ ~를 금치 못하다 cannot help laughing (at).

실속(實─) substance; contents(내용). ¶ ~ 있는 substantial; solid / ~ 없는 unsubstantial; empty; poor.

실수(失手) a mistake; 《과실》 a blunder; a fault; 《사소한》 a slip. ~하다 make a mistake [slip]; commit a blunder.

실수(實收) 《수입》 an actual (net, a real) income; 《수확》 an actual yield.

실수(實數) the actual number; 【數】 a real number (quantity).

실수요(實需要) actual demand. ‖ ~자 an end user.

실습(實習) practice; (practical) training. ~하다 practice; have training. ‖ ~생 a trainee; an intern(의학의) / ~시간 practice hours.

실시(實施) enforcement; operation. ~하다 enforce (a law); carry (a law) into effect; put (a system) in operation (force).

실신(失神) ~하다 swoon; faint; lose consciousness.

실어증(失語症) aphasia. ‖ ~환자 an aphasiac.

실언(失言) (make) a slip of the tongue; an improper [indiscreet] remark.

실업(失業) 《실직》 unemployment. ~하다 lose *one's* job [work]; be thrown out of work [job]. ‖ ~률 the unemployment rate / ~수당 an unemployment allowance / ~자 an unemployed person; 《총칭》 the unemployed; the jobless.

실업(實業) business 《상업》; industry 《산업》. ‖ ~가 a businessman / ~교육 vocational [industrial] education / ~학교 a vocational [business] school.

실업다 (be) insincere; faithless; unreliable. ‖ 실없이 frivolously; nonsensically; uselessly / 실없는 소리 silly [idle] talk.

실연(失戀) a broken heart. ~하다 be disappointed in love 《for a person》. ‖ ~한 lovelorn; brokenhearted.

실연(實演) acting; a stage performance 《show》; a demonstration. ~하다 act [perform] on the stage.

실온(室溫) room temperature.

실외(室外) ‖ ~의 outdoor / ~에서 outdoors; out of doors.

실용(實用) practical use; utility. ‖ ~적인 practical; utilitarian; serviceable / ~성이 있는 useful; of practical use / ~본위의 functional. ‖ ~신안 a utility model / ~주의 《哲》 pragmatism / ~품 utility goods; daily necessities 《일용품》.

실의(失意) disappointment; despair《절망》; a broken heart; loss of hope. ‖ ~에 빠져 있다 be in the depths of despair.

실익(實益) 《실수입》 an actual [a net] profit; 《실리》 practical benefit; utility. ‖ ~이 있다 be profitable.

실재(實在) reality; real existence. ~하다 exist (really). ‖ ~적(인)

real; actual. ‖ ~론 《哲》 realism.

실적(實績) (actual) results. ‖ 영업 ~ business results [performance] 《for last year》 / ~을 올리다 give satisfactory results. / ~제 a merit system.

실전(實戰) actual fighting [warfare]; active service.

실정(失政) misgovernment; maladministration; misrule.

실정(實情) the actual circumstances; the real state of affairs; the real situation.

실제(實際) 《사실》 the truth; a fact; 《실지》 practice; 《실장》 the actual condition [state]; 《현실》 reality. ‖ ~의 true; real; actual; practical / ~로 really; in fact; actually.

실족(失足) ~하다 miss *one's* foot [step]; slip; take a false step.

실존(實存) existence. ‖ ~주의 existentialism / ~주의자 an existentialist.

실종(失踪) disappearance; missing. ~하다 disappear 《from》; be missing. ‖ ~신고 a report of 《a person's》 disappearance / ~자 a missing person.

실증(實證) an actual proof. ~하다 prove; corroborate 《a proof》. ‖ ~적(으로) positive(ly). ‖ ~론 《주의》 positivism.

실지(實地) practice; actuality; reality. ‖ ~의 practical; actual; real. ‖ ~검증 an on-the-spot investigation / ~경험 practical experience.

실직(失職) ☞ 실업(失業).

실질(實質) substance; essence; quality. ‖ ~적(으로) substantial (·ly); essential(ly); virtual(ly) / 비~적 unsubstantial; empty. ‖ ~소득 [임금] real income [wages].

실책(失策) an error; a mistake; a blunder. ~하다 make a mistake; commit a blunder [an error].

실천(實踐) practice. ~하다 prac-

tice; put 《*a theory*》 into practice 《action》. ¶ ~ 적(으로) practical(ly).

실체(實體) substance; essence; entity. ¶ ~적 substantial; solid. ▌~론 【哲】 substantialism.

실추(失墜) ~ 하다 lose 《one's credit》; fall; sink.

실측(實測) an actual survey 《measurement》. ~ 하다 survey; measure. ▌~도 a surveyed map.

실컷 one's heart's content; as much as one wishes.

실크로드 the Silk Road.

실탄(實彈) 《소송》 a live cartridge; 《포탄》 a live (loaded) shell.

실태(實態) the realities; the actual condition 《state》. ¶ ~ research on the actual condition / ~ 조사위원회 a fact-finding committee.

실토(實吐) ~ 하다 confess; tell the whole truth.

실팍지다 (be) solid; strong.

실패 a spool; a bobbin; a reel. ¶ ~ 에 감다 spool; reel.

실패(失敗) 《end in》 failure; a blunder《대실패》. ~ 하다 fail 《*in*》; be unsuccessful; go wrong《계획 등이》. ▌~ 자 a failure;《낙오자》 a social failure.

실하(實—) ① 《실팍》 (be) strong; stout; robust. ② 《재산 등이》 (be) wealthy; well-to-do. ③ 《내용이》 (be) full; substantial.

실학(實學) practical science. ¶ ~ 파 a realistic school.

실행(實行) 《실천》 practice; action;《수행》 execution; fulfil(l)ment. ~ 하다 practice; execute; carry out; put 《*a plan*》 in(to) practice. ¶ ~ 상의 practical; executive / ~ 할 수 없는 impracticable; unworkable. ▌~ 기관 an executive organ.

실험(實驗) an experiment; a test; experimentation. ~ 하다 〔do an〕 experiment 《*on, in*》. ¶ ~ 적(으로) experimental(ly). ▌~ 단계 the experimental stage /

~ 대 a testing bench / ~ 실 a laboratory; a lab / ~ 주의 【哲】 experimentalism ▌~ 주의자 an experimentalist.

실현(實現) realization. ~ 하다〔되다〕 realize 《one's ideal》; materialize; come true《예언 등이》.

실형(實刑) imprisonment.

실화(實話) a true 〔real-life〕 story.

실황(實況) the actual state of things; the actual scene. ▌~ 녹음 a live recording / ~ 방송 on-the-spot〔play-by-play 《스포츠의》〕 broadcasting / ~ 방송을 하다 broadcast on the spot.

실효(失效) ~ 하다 lapse; lose effect; become null and void.

실효(實效) actual effect. ¶ ~ 있는 effective / ~ 없는 ineffective.

싫다 (be) disagreeable; unpleasant; disgusting; distasteful; unwilling; reluctant《내키지 않다》. ¶ ~ 싫어지다 become disgusted 《*with*》; be sick 〔tired〕 《*of*》; get〔be〕 bored 《*with*》 / 싫은 얼굴을 하다 make a (wry) face; look displeased.

싫어하다 dislike; hate; loathe; be unwilling 〔reluctant〕 《*to do*》.

싫증(—症) weariness; satiety; tiresomeness. ¶ ~ 이 나다 grow〔get〕 tired 《*of*》; lose interest 《*in*》; become weary 《of》 / ~ 나게 하다 weary 《*a person*》 with 《*an idle talk*》; bore 《with》; make 《*a person*》 sick of.

심(心) 《핵심》 a core; 《나무의》 the heart; the pith. ② 《초의》 a wick; 《연필의》 lead; 《양복의》 a padding; 《상처에 박는》 【醫】 a wick sponge. 〖넘〗 sense.

심(心) 《마음》 heart; mind; 〖넘〗

심각(深刻) seriousness. ~ 하다 (be) serious; grave. ¶ ~ 해지다 (be) 〔become〕 serious〔worse〕 / ~ 한 얼굴을 look serious〔grave〕.

심경(心境) a state〔frame〕 of mind; mental state. ¶ ~ 의 변화를 가져오다 undergo〔have〕 a change of mind / ~ 을 토로하다 speak one's

mind 《to》.
심계항진(心悸亢進) 〖醫〗 tachycardia; accelerated heartbeat; palpitations.
심금(心琴) heartstrings. ¶ ~을 울리다 touch 《a person's》 heartstrings.
심기(心氣) the mind; mood; sentiment.
심기(心機) ¶ ~일전하다 change one's mind; become a new man; turn over a new leaf.
심낭(心囊) 〖解〗 the pericardium.
심다 plant 《trees》; sow 《barley》; 〔재배〕 grow; raise.
심도(深度) depth. ¶ ~를 재다 measure the depth 《of》; sound 《the sea》. ‖ ~계 a depth gauge.
심드렁하다 not urgent; not necessary; 〔마음에〕 (be) rather unwilling 《to》; take no interest 《in》; 〔병이〕 (be) lingering.
심란(心亂) ¶ ~하다 feel uneasy; be in a state of agitation; (be) upset; disturbed.
심려(心慮) worry; anxiety; care. ~하다 be anxious 《concerned》 《about》; be troubled 《worried》 《about, that》; care; worry. ¶ 여러가지로 ~를 끼쳐 죄송합니다 I'm sorry to have troubled you so much.
심령(心靈) spirit. ‖ ~술 spiritualism / ~학 psychics / ~학자 a psychicist / ~현상 a spiritual phenomenon.
심리(心理) psychology; a mental state; mentality. ‖ ~적(으로) mental(ly); psychological(ly). ‖ ~상태 a mental state / ~요법 psychotherapy / ~학 psychology / ~학자 a psychologist.
심리(審理) (a) trial; (an) examination. ~하다 try 《a case》; examine; inquire into. ¶ ~중이다 be under 〔on〕 trial.
심마니 a digger of wild ginseng.
심문(審問) (a) trial; 〔give〕 a hearing 《to》. ~하다 hear 《a case》; examine; try; interrogate.
심미(審美) ¶ ~적인 (a)esthetic(al);

~안 〔have〕 an eye for the beautiful / ~주의 estheticism / ~학 esthetics.
심방(心房) 〖解〗 an atrium 《pl. -ria》.
심방(尋訪) a call. ☞ 방문.
심벌 a symbol 《of peace》.
심벌즈 〖樂〗 (a pair of) cymbals.
심보(心 —) ☞ 마음보.
심복(心腹) a confidant; one's right-hand man. ¶ ~의 devoted; trusted; confidential.
심부름 an errand. ¶ ~하다 do 〔run〕 an errand. ¶ ~ 보내다 send 《a person》 on an errand. ‖ ~꾼 an errand(office) boy; a messenger. 〔ciency〕 heart failure.
심부전(心不全) 〖醫〗 cardiac insuffi-
심사(心事) ① 〔마음〕 mind; heart. ¶ ~가 불편하다 be 〔feel〕 ill at ease. ② 〔고약한 마음보〕 ill will; malice; malevolence. ¶ ~가 나쁘다 〔사납다〕 be malicious; be evil-minded.
심사(審査) 〔검사〕 (an) inspection; (an) examination; 〔판정〕 judging. ~하다 examine; judge; investigate. ‖ ~관 an examiner; a judge / ~위원회 a judging committee / ~제도 the screening system.
심사숙고(深思熟考) ~하다 consider carefully; ponder 《on, over》. ¶ ~끝에 after long deliberation.
심산(心算) an intention; designs; calculation. ¶ ~할 ~으로 with the intention of *doing*.
심산(深山) the mountain recesses; remote mountains. ‖ ~유곡 steep mountains and deep valleys.
심상(心象) 〖心〗 an image.
심상(尋常) ¶ ~한 common; ordinary; usual; ~치 않은 uncommon; unusual; serious. 〔tion.
심성(心性) mind; nature; disposi-
심술(心術) cross temper; perverseness; maliciousness. ¶ ~궂은 ill-tempered; perverse; cross(-minded); cantankerous / ~ 부리다 be cross with

(a person). ▌~꾸러기 a cross-patch [an ill-natured] person.

심신(心身) mind and body; body and soul. ▌~의 피로 mental and physical exhaustion. ▌~장애자 a mentally and physically handicapped person.

심실(心室) 〖解〗the (right, left) ventricle (of the heart).

심심풀이 killing time. ~하다 kill time; while away the tedium. ▌~로 (read a book) to kill time; to pass the tedious hours.

심심하다 (재미 없이) be bored; feel ennui; have a dull time.

심심하다 (싱겁다) be (taste) slightly flat (watery).

심안(心眼) the mind's eye; mental perception (vision). ▌~을 뜨다 open one's mind's eye.

심야(深夜) midnight; the dead of night. ▌~에 late at night; in the dead of night. ▌~방송 late-night [all-night] broadcasting / ~영업 late-night operation / ~요금 a late-night rate.

심약(心弱) ~하다 (be) timid; feeble-minded; weak-minded.

심연(深淵) an abyss; a gulf.

심오(深奧) the profound; abstruse.

심원(深遠) ~하다 (be) deep; profound; abstruse; recondite.

심의(審議) consideration; discussion; deliberation. ~하다 consider; discuss; deliberate (on). ▌~에 부치다 refer (a matter) to (a committee); ~회 a (deliberative) council; an inquiry commission.

심장(心臟) 〖解〗the heart; (뱃심) (a) cheek; a nerve; guts. ▌~의 고동 a heartbeat / ~이 강하다 《뱃심이 있다》 be cheeky; be brazen-faced; be bold / ~이 약하다 《뱃심이 없다》 be timid; be shy. ▌~마비 a heart attack; heart failure / ~이식 a heart transplant.

심장(深長) ▌의미 ~하다 have a

deep meaning; be (deeply) significant.

심적(心的) mental. ▌~ 현상 (작용) a mental phenomenon (action).

심전계(心電計) 〖醫〗an electrocardiograph.

심전도(心電圖) 〖醫〗an electrocardiogram (생략 ECG).

심정(心情) one's heart (feelings). ▌~을 헤아리다 unerstand how a person feels; sympathize with (a person).

심줄 a tendon; a sinew.

심중(心中) ~에 at heart; in one's heart; inwardly. ▌~을 헤아리다 share (appreciate) (a person's) feelings; sympathize with (a person).

심증(心證) 〖法〗a conviction; 《인상》an impression. ▌~을 얻다 gain a confident belief / ~을 굳히다 be confirmed in one's belief that ....

심지(心) a wick. ▌~를 돋우다 [내리다] turn up (down) the wick.

심지(心地) disposition; nature; temper(ament); character.

심지어(甚至於) what is worse; on top of that; worst of all; even; (not) so much as.

심취(心醉) ~하다 be fascinated (charmed) (with); be devoted (to); adore.

심판(審判) judgment; trial. ~하다 judge; (act as) umpire [referee]. ▌최후의 ~ the Last Judgment. ▌~관 an umpire; a referee; a judge.

심포니 a symphony.

심포지엄 a symposium.

심하다(甚－) (be) severe; intense; extreme; excessive; heavy. ▌심해지다 become violent [severe] [get worse [serious]](악화).

심해(深海) the deep sea. ▌~어 a deep-sea fish / ~어업 deep-sea fishing.

심혈(心血) ~을 기울여 with all one's heart / ~을 기울인 작품 one's most laborious work / ~

을 기울이다 put *one's* heart (and soul) 《*into*》.

심호흡(深呼吸) deep breathing. ~ 하다 breathe deeply; take a deep breath.

심홍(深紅) deep red; crimson.

심화(深化) ~하다 deepen.

심히(甚一) severely; exceedingly; intensely; terribly; bitterly.

십(十) ten; the tenth(열째).

십각형(十角形) a decagon. ‖ ~의 decagonal.

십계명(十誡命) 〔聖〕 the Ten Commandments; the Decalog(ue).

십년(十年) ten years; a decade. ‖ ~간의 decennary. ~이 하루같이 year in year out; without a break for (ten) long years.

십대(十代) *one's* teens. ‖ ~의 아이 a teenager; a teenage boy 〔girl〕 / 그는 ~이다 He is in his teens.

십만(十萬) a hundred thousand.

십면체(十面體) 〔幾〕 a decahedron.

십분(十分) ① 《시간》 ten minutes. ② 《충분히》 enough; sufficiently; fully. ③ 《십등분》 division in ten. ‖ ~의 일 one-tenth.

십상 just right; just the (right) thing; admirable; perfect(ly).

십억(十億) a billion 《美》; a thousand million 《英》.

십오(十五) fifteen. ‖ 제 ~ the fifteenth / ~ 분 a quarter (of an hour).

십육(十六) sixteen. ‖ 제 ~ the sixteenth. ‖ ~분음표 a semiquaver; a sixteenth note.

십이(十二) twelve; a dozen. ‖ 제 ~ the twelfth 〔Dec.〕.

십이월(十二月) December(생략 Dec.).

십이지(十二支) the twelve horary signs.

십이지장(十二指腸) 〔解〕 the duodenum. ‖ ~궤양 a duodenal ulcer / ~충 a hookworm.

십인십색(十人十色) So many men, so many minds.

십일월(十一月) November(생략 Nov.).

십자(十字) a cross. ‖ ~형의 cross-

shaped; crossed; cruciform / ~를 긋다 cross *oneself*. ‖ ~가 a cross; a crucifix(상(像)) / ~군 a crusade / ~로 a crossroads.

십자매(十姉妹) 〔鳥〕 a Bengalee; a society finch.

십장(什長) a foreman.

십종경기(十種競技) decathlon.

십중팔구(十中八九) ten to one; in nine cases out of ten; most probably.

십진(十進) ‖ ~의 decimal; denary. ‖ ~법 the decimal system.

십팔(十八) eighteen; the eighteenth(제18). ‖ ~번 《자랑거리》 *one's* forte [specialty].

싱겁다 ① 《맛이》 (be) insipid; tasteless; be not properly salted; taste flat. ② 《언행이》 (be) flat; dull; silly. ‖ 싱거운 사람 a wishy-washy (dull-witted) person / 싱겁게 굴지 마라 Don't be silly.

싱글 a single bed; 《양복》 a single-breasted coat; 《테니스 등의》 a singles (match).

싱글거리다 grin; be grinning.

싱긋 ~ 웃다 smile a gentle smile; grin.

싱글싱글 ~ 하다 smile; beam 《*upon a person*》; be all smiles.

싱긋 ~ 웃다 grin 《*at a person*》.

싱숭생숭하다 (be) restless; unsettled; fidgety.

싱싱하다 (be) fresh; lively; full of life; fresh-looking. ‖ 싱싱한 생선 a fresh fish.

싱크대(一臺) 《주방의》 a sink.

싶다 《욕구》 want 〔wish, hope, desire〕 to 《*do*》; would 〔should〕 like to 《*do*》; be eager to 《*do*》; 《기분이》 feel like 《*doing*》; be 〔feel〕 inclined to 《*do*》; 하고 싶은 대로 하다 do as *one* likes; have *one's* own way in everything.

싸개 a cover; a wrapper.

싸고돌다 《두둔하다》 shield; protect; stand by; cover up for.

싸구려 a cheap 〔low-priced〕 article; 《hunt》 a bargain.

싸늘하다 ① 《온도가》(be) chilly; icy ¶ 싸늘해지다 get cold; cool down [off]. ② 《태도가》(be) cold; unfriendly. ③ 《시신 같은 것이》(be) cold in death; die.

싸다[^1] wrap (up); pack 《goods》; bundle 《clothes》; 《덮다》 cover 《with》; envelop 《in》.

싸다[^2] 《대소변을》 discharge; excrete 《urine, feces》; void. ¶ 바지에 오줌 ~ wet one's pants.

싸다[^3] ① 《입이》 talkative; have a loose tongue. ② 《걸음이》(be) quick; fast. ③ 《불이》 burn fast [briskly].

싸다[^4] ① 《값이》(be) cheap; inexpensive; low-priced. 《마땅》 deserve; be well deserved. ¶ 벌 받아 ~ deserve to be punished ¦ 그래 ~ It serves you right !

싸다니다 run [gad, bustle] about.

싸라기 broken rice. ¶ ~ 눈 hail.

싸리(나무) 〔植〕 a bush clover.

싸매다 (wrap and) tie up.

싸우다 fight 《with, against》; fight a battle; make war 《with》; (have a) quarrel, wrangle(말다툼); contend 《with》(다투다).

싸움 a war(전쟁); a battle(전투); 《부쟁》a fight; a strife; a struggle; 《말다툼》a quarrel. ─ 하다 《☞ 싸우다》. ¶ ~에 나가다 go to war [the front]; ~에 이기다[지다] win [lose] a battle.

싸움터 a battlefield; a battleground.

싸이다 be wrapped [covered]. ¶ 수수께끼에 ~ be shrouded in mystery.

싸전(─廛) a rice store. [tery.

싸하다 (be) pungent; acrid; sharp; mentholated.

싹[^1] ① 《세앗》 a bud; a sprout; a shoot. ¶ ~ 트다 sprout; put forth buds [shoots]; 《일 따위 가》 begin to develop; bud. ☞

싹[^2] 《메는 꼴》 at a stroke; 《모두》 completely; all; thoroughly; 《변하다》 change completely. ¶ ~ 쓸어내다 sweep out.

싹수 a good omen; promise. ¶ ~가 노랗다 be hopeless; have no prospect of.

싹싹 빌다 imploringly; entreatingly; earnestly; humbly.

싹싹하다 (be) affable; amiable.

싼값 a cheap [low] price.

쌀 rice. ¶ ~의 자급자족 rice self-sufficiency. ¶ ~겨 rice bran ∥ ~ 농사 rice growing ∥ ~밥 boiled rice ∥ ~ 벌레 a rice weevil ∥ ~ 시장개방 the opening of the domestic rice market to foreign suppliers ∥ ~알 a grain of rice ∥ ~장수 a rice dealer.

쌀보리 〔植〕 rye; naked barley.

쌀쌀하다 ① 《냉정》(be) cool; cold-hearted; unfriendly; inhospitable. ¶ 쌀쌀하게 coldly; in a chilly manner; cold; wintry. ② 《일기가》(be) chilly; cold.

쌈 rice wrapped in leaves 《of lettuce》; stuffed leaves. ¶ 상추 ~ lettuce-wrapped rice.

쌈지 a tobacco pouch.

쌍(雙) a pair; a couple; twins. ¶ 잘 어울리는 한 ~의 부부 a well-matched couple [pair] ∥ ~을 만들다 pair; make a pair of 《two things》.

쌍곡선(雙曲線) 〔數〕 a hyperbola.

쌍꺼풀(雙─) a double eyelid.

쌍두(雙頭) a double-headed. ∥ ~ 마차 a carriage-and-pair.

쌍둥이(雙─) twins; twin brothers(sisters); a twin(쌍둥이 중의 한 사람). ¶ ~를 낳다 give birth to twins. ∥ 세 ~ triplets.

쌍무(雙務) 〔법적인〕 bilateral; reciprocal. ¶ ~조약 a bilateral treaty.

쌍무지개(雙─) a double rainbow.

쌍방(雙方) both parties [sides]. ─ 의 both; mutual.

쌍벽(雙璧) the two greatest authorities; the best two.

쌍수(雙手) (raise) both hands. ¶ ~를 들어 찬성하다 support 《a person's plan》 whole-heartedly.

쌍심지(雙心─) a double wicks. ¶눈에 ~를 켜다《비유적》 raise *one's* angry eyebrows; glare at.

쌍쌍이(雙雙─) by twos; in pairs; in couples.

쌍안(雙眼) ~의 binocular. ‖ ~경 (a pair of binoculars; field glasses《야전용》.

쌓다 ① 《포개다》 pile 〔heap〕 (up); stack 《boxes》; lay 《bricks》. ② 《구축》 build; construct; lay. ③ 《축적》 accumulate 〔gain〕 (experience); store; amass 《a big fortune》; practice(연습을).

쌓이다 be piled up; be accumulated. ¶쌓이는 원한 growing hatred.

쌔비다 《훔치다》 pilfer; filch; snitch.

써넣다 write in; 《서식에》 fill out 《美》; fill up 〔in〕 《英》.

써레 a harrow.

쏙 ① 《빨리》 right away; at once. ② 《대단히》 very (much); exceedingly; greatly.

썩다 ① 《부패》 go bad 〔rotten〕; rot; decay; spoil; decompose; corrupt(타락). ② 《활용 안 됨》 gather dust; get rusty. ③ 《마음이》 become heavy; feel depressed; break.

썩이다 ① 《부패》 let rot 〔decay〕; corrupt. ② 《속을》 make *one* sick at heart; make *one's* heart break.

썰다 chop (up); mince; dice; slice; cut up; hash(잘게).

썰렁하다 (be) chilly; rather cold.

썰매 a sled; a sleigh (대형의). ¶~를 타다 ride on a sled 〔in a sledge〕; sled. ‖ ~타기 sledding; sleigh riding.

썰물 an ebb tide; a low tide.

쏘가리 《魚》 a mandarin fish.

쏘다 ① 《발사하다》 fire; shoot; discharge. ② 《말로》 criticize; censure; attack. ③ 《벌레가》 bite; sting.

쏘다니다 roam 〔wander, gad〕 about; run around. 〔(at)〕

쏘아보다 glare 《at》; look fiercely

쏘아올리다 shoot 〔fire, let, set〕 off; launch(인공 위성을).

쏘이다 be stung. ¶벌에게 ~ get stung by a bee.

쏜살같이 as swift as an arrow. ¶쏜살같이 like an arrow; at full speed.

쏟다 ① 《물건을》 pour 〔into, out〕; spill; empty 《a box》. ② 《집중》 devote 〔to〕; concentrate 〔on〕. ¶마음을 ~ give *one's* mind 〔to〕; devote *oneself*〔to〕.

쏟아지다 pour 〔out, down〕; 《물 따위가》 gush out; spout; spurt; be spilt. ¶비가 ~ it rains hard.

쏠리다 ① 《기울다》 incline 〔to〕; lean 〔to, toward〕. ② 《경향이 있다》 be inclined 〔disposed〕 to; tend to; lean toward.

쐐기 a wedge; a chock. ¶~를 박다 drive in a wedge.

쐐기 a caterpillar.

쐐기풀 《植》 a nettle (hemp).

쐬다 ① 《바람 따위를》 expose *oneself* to; be exposed to. ② 《벌레 따위에》 be stung 《by a bee》.

쑤다 cook 《gruel》; prepare; make 《paste》.

쑤석거리다 ① 《쑤시다》 poke about. ② 《선동》 incite; urge; egg 〔set〕 (a person) on 〔to do〕.

쑤셔넣다 stuff 〔pack〕 into; shove in(to); poke into.

쑤시개 a poke; a pick.

쑤시다 ① 《구멍 따위를》 pick; poke. ¶이를 ~ pick *one's* teeth.

쑤시다 ② 《아프다》 throb with pain; tingle; twinge; smart; ache.

쑥 ‖ 《植》 a mugwort.

쑥 [《植》 a fool; a simpleton; an ass; a dupe.

쑥갓 《植》 a crown daisy.

쑥대밭 ¶~이 되다 be reduced to complete ruin.

쑥덕공론(─公論) secret talks; a secret conference; a talk in whispers; ~하다 discuss things under *one's* breath; exchange subdued remarks.

쑥스럽다 (be) unseemly; improp

er; embarrased; awkward.

쓰다¹ 〈글씨를〉 write (*a letter, a story*); spell(철자하다); put (write, note) down(적다); compose (*a poem*). ¶ 잉크로 ~ write in ink / 연필로 ~ write with a pencil / 편지에 …라고 쓰여 있다 the letter says that ...

쓰다¹ 〈사용〉 use (*as, for*): make use of; utilize; put to use; 〈취급〉handle (*a machine*); handle (*a tool*); 〈채택〉 take; adopt. ¶ 쓰기에 편한 handy; convenient (*to handle*) / …을 써서 by means of / 너무 ~ overuse; overwork; use too much. ② 〈고용〉 engage; employ; take (*a person*) into one's service; keep; hire. ¶ 시험삼아 써 보다 give (*a person*) a trial. ③ 〈소비함〉 spend (*in, on*). ¶ 다 ~ use up; exhaust; consume; deplete; go through. ④ 〈술법 따위를〉 practice (*magic*). ⑤ 〈약을〉 administer (*medicine*) to (*a person*); dose. ⑥ 〈힘을〉 exert; exercise; use. ¶ 머리를 ~ use one's head (*brains*) / 폭력을 ~ apply force. ⑦ 〈행사 등이〉 circulate; pass; utter. ¶ 가짜 돈을 ~ pass a counterfeit money. ⑧ 〈말하다〉 speak. ¶ 영어를 ~ speak English.

쓰다¹ 〈머리에〉 put on (모자를); cover(수건 따위를); wear(착용). ② 〈안경을〉 put on (*spectacles*). ③ 〈물·먼지 따위를〉 be covered with (*dust*). ④ 〈우산을〉 hold [put] up (*an umbrella*). ⑤ 〈이불을〉 draw [pull] (*the quilt*) over (*one's head*). ⑥ 〈누명 등을〉 be falsely accused (*of*).

쓰다¹ 〈맛이〉 (be) bitter. ¶ 쓴 약 a bitter medicine. 「bury in (at).

쓰다¹ ¶ 뫼를 ~ set up a grave.

쓰다듬다 stroke (*one's beard*); smooth (*one's hair*); pat.

쓰디쓰다 (be) very bitter.

쓰라리다 (be) smart; sore; bitter; 〈괴롭다〉 painful; hard; bitter. ¶ 쓰라린 경험 a bitter experience.

쓰러뜨리다 throw down; knock down; overthrow(전복); blow down(바람이); fell (*a tree*); pull down(죽이는). ¶ ~ 죽이다 kill.

쓰러지다 ① 〈전도·도괴〉 collapse; fall (down); be overturned(전복). ② 〈죽다〉 fall dead; die; be killed. ③ 〈도산·몰락〉 be ruined; go to ruin; go bankrupt; fail.

쓰레기 rubbish; refuse; garbage; trash. ¶ ~를 버리다 throw garbage away; throw away household waste / ~를 버리지 마시오 (게시) No dumping (here). ¶ ~ 분리수거 separate garbage collection / ~ 수거인 a garbage collector (美); a dustman (英) / ~차 a dust cart; a garbage truck / ~통 a dustbin (英); a garbage [trash] can (美) / 재활용~ recyclable (recurrent) wastes.

쓰레받기 a dustpan.

쓰레질 ~ 하다 sweep (and clean).

쓰르라미 〔蟲〕 a clear-toned cicada.

쓰리다 (be) smarting; tingling; 〈공복〉 (be) hungry; 〈가슴이〉 ~ have a heartburn.

쓰이다¹ 〈글씨가 써지다〉 write (well); 〈쓰여 있다〉 be written. ¶ 이 펜은 글씨가 잘 쓰인다 This pen writes well.

쓰이다² ① 〈사용〉 be used; be in use; be utilized. ¶ 항상 쓰이는 말 a word in general use. ② 〈소용〉 be spent; be consumed; need; take; cost.

쑥 quickly and quietly; stealthily.

쑥쑥하다 〈해먹다〉 pocket; embezzle. ② 〈잘못 따위를〉 hush [cover] up.

쑥 a bitter taste; bitterness.

쑥웃음 a bitter (wry) smile. ¶ ~을 짓다 smile grimly.

쑥개 the gall(bladder). ¶ ~ 빠진 사람 a spiritless man.

쓸다¹ 〈쓰레질〉 sweep (*up, away, off*). ¶ 쓸어내다 sweep out (*with*

쓸다² (방을 *a broom*); sweep up (*a room*) / 쓸어 모으다 sweep into a heap.

쓸다³ 〈줄로〉 file; rasp.

쓸데없다 〈불필요〉 (be) needless; unnecessary; 〈무용〉 (be) of no use〔서식적〕; (be) useless; worthless; 〈달갑지 않은〉 (be) unwanted; uncalled-for. ¶ 쓸데없이 to no purpose; in vain; unreasonably; wastefully.

쓸리다 〈비로〉 be swept〔쓸어지다〕; let (*a person*) sweep〔쓸게 하다〕.

쓸리다² 〈줄에〉 get rasped〔filed〕.

쓸리다³ 〈살갗이〉 be skinned 〔grazed, chafed〕. ¶ 팔꿈치가 쓸렸다 I skinned my elbow.

쓸모 use; usage. ¶ ~가 있다 be useful; be serviceable; be of use〔service〕; serve the purpose; be usable 〔utilizable〕 (*as*) / ~ 없다 be of no use〔service〕; be useless / ~ 많이 있다 be of wide 〔extensive〕 use / 그는 ~ 없는 사내다 He is a good-for-nothing fellow.

쓸쓸하다 (be) lonely; lonesome; desolate; deserted; solitary〔고독〕. ¶ 쓸쓸하게 lonesomely; solitarily / 쓸쓸하게 지내다 lead a solitary life / 쓸쓸해지다 feel lonely.

쓸바퀴〔齒〕 a lettuce.

씀씀이 ¶ ~가 헤프다 spend money wastefully; be free with *one's* money.

씁쓸하다 (be) bitterish.

씌우다 ① 〈머리에〉 put (*a thing*) on; 〈덮다〉 cover (*a thing*) with; ② 〈죄를〉 pin (*a fault*) on (*a person*); lay (*a blame*) at another's door; charge〔fix〕 (*a person with a blame*).

씨 ① 〈씨앗〉 a seed; a stone 〔열매 속의 단단한 씨〕; a kernel 〔핵〕; a pip 〔사과, 배 따위의〕. ¶ ~ 뿌리기 seedtime / ~ 없는 seedless / 밭에 ~ 를 뿌리다 sow seeds in the field / ~ 를 받다 gather the seeds. ② 〈마소의〉 a breed; a stock. ¶ ~ 받이 소 a bull / ~ 가 좋다 be of a good stock. ③ 〈사람의〉 paternal blood. ④ 〈근원〉 the source; the cause.

씨〔피륙의〕 the woof〔weft〕. ¶ ~ 와 날 woof and warp.

씨〈경칭〉 Mr. (남자); Miss. (미혼 여성); Mrs. (기혼 여성).

씨닭 a breeding chicken.

씨름 wrestling. ~ 하다 wrestle with (*a person*); 〈비유〉 tackle (*a difficult problem*). ¶ ~ 꾼 a wrestler.

씨암탉 a brood hen.

씨앗 a seed. ☞ 씨 ①.

씨족〔氏族〕 a clan; a family. ¶ ~ 정치 clan politics / ~ 제도 the family 〔clan〕 system.

씨줄 (a line of) latitude.

씩 ¶ ~ 웃다 grin.

…씩 〈조금〉 little by little; bit by bit / 하나씩 one by one; one by one / 1주 2회 ~ twice a week.

씩씩하다 (be) manly; manful; courageous; brave.

씹다 chew; masticate.

씹히다 be chewed; 〈씹게 하다〉 let (*a person*) chew (*on*).

씻기다 〈씻어지다〉 be washed; 〈씻게 하다〉 let (*a person*) wash.

씻다 ① 〈물로〉 wash; cleanse 〔세정〕. ¶ 먼지를 씻어버리다 wash off the dirt. ② 〈죄·누명 따위를〉 clear; blot out; clear oneself. ¶ 씻을 수 없는 치욕 an indelible disgrace / 치욕을 ~ clear *one's* honor. ③ 〈닦아내다〉 wipe (off); mop (up).

씻은듯이 clean(ly); completely; thoroughly.

씽 whistling; whiz; whizzing. ¶ 바람이 ~ 불다 the wind is whizzing.

ㅇ

아 《감동》Ah !; Oh !; 《놀람》O dear !; O !; Dear me !; Good gracious !; (Good) Heavens !; God bless me !

아…(亞) sub-; near-. ¶ ~열대 the subtropics.

아가씨 a young lady; a girl; 《호칭》Miss; *Mademoiselle* 《프》.

아교(阿膠) glue. ¶ ~질의 gluey; glutinous 《~로 붙이다 glue.

아국(我國) our country.

아궁이 a fuel hole; a fire door 《of a furnace》.

아가미 the gill(s) 《of a fish》.

아귀 ① 《갈라진》a fork; a crotch; a corner. ② 《싹트는》《씨가 ~ a seed sprouts open. ③ 《옷의 터놓은 것》side slits.

아귀(餓鬼) 《佛》a hungry ghost; 《사람》a greedy person; a person of voracious appetite. ¶ ~다툼 a quarrel; a dispute.

아귀세다 (be) tough; firm; strong-minded; unyielding.

아그레망 *agrément* 《프》: approval; acceptance.

아기 ① 《어린애》a baby; a babe; an infant. ② 《딸·며느리》a young daughter; a daughter-in-law.

아기서다 become pregnant; conceive. 〔~ 임신.

아기자기하다 《에쁘다》(be) sweet; charming; fascinating; 《재미있다》(be) juicy; be full of interest 《delight》《서술적》.

아기작거리다 toddle 《along (about)》. ¶ 아기작거려 toddling-ly; waddlingly. 〔*pl.* -ri.

아기집 〔解〕the womb; the uterus

아까 some time [a little while] ago. ¶ ~부터 for some time.

아깝다 ① 《애석하다》(be) pitiful;

regrettable. ¶ 아깝게도 regrettably. ② 《귀중하다》(be) dear; precious; valuable. ③ 《과분하다》(be) too good 《to do》: worthy of a better cause. ¶ 아까운 돈이 unwillingly; grudgingly.

아끼다 ① 《함부로 안 쓰다》grudge; spare; be not generous 《with》; be frugal of 《with》. 〔수고를 아끼지 않다 spare no efforts 《pains》/ 돈을 아끼지 않고 쓰다 be liberal with *one's* purse. ② 《소중히 여기다》value; hold 《a thing》dear.

아낌없이 ungrudgingly; unsparingly; generously; freely; lavishly《부사》.

아나운서 an announcer; a radio [TV] announcer.

아낙 《내간》a boudoir; woman's quarters; 《안사람》a woman; a wife. ¶ ~네들 the womenfolk.

아내 a wife; *one's* better half; a spouse《배우자》.

아네모네 an anemone. 〔en.

아녀자(兒女子) children and women.

아뇨 no.

아늑하다 (be) snug; cozy.

아는체하다 pretend to know; pretend as if *one* knew; speak in a knowing manner. ¶ 아는 체하는 사람 a know-all; a know-it-all 《구어》.

아니 ① 《부정의 대답》no; nay; not at all. ¶ ~라고 대답하다 say no; 《~answer》in the negative. ② 《놀람·의외》why; what; dear me; good heavens. ¶ ~ 이게 웬 일이 냐 Why, what happened? / ~ 또 늦었나 What! Are you late again?

아니(부사) not. ¶ ~ 하다 do not; 《~가다 do not go.

아니꼽다 《불쾌》(be) sickening; re-

volting; disgusting; provoking; detestable. ¶ 아니꼬운 자식 a disgustful fellow; a snob.

아니나다를까 as one expected; as was expected; sure enough. ¶ ~ 그는 나타나지 않았다 As was expected, he failed to turn up.

아니다 (be) not. ¶ 그는 바보가 ~ He is not foolish.

아니면 either (you) or (I).

아닌게아니라 indeed; really.

아닌밤중 ¶ ~에 홍두깨로 all of a sudden; unexpectedly.

아다지오 [樂] adagio (이).

아담(雅淡) ¶ ~한 refined; elegant; neat; tidy; dainty.

아동(兒童) a child; children (총칭); boys and girls. ¶ ~문학 juvenile literature; literature for children / ~복지법 the Juvenile [Child] Welfare Law / ~심리학 child psychology.

아둔하다 (be) dull(-witted); slow; stupid; dim-witted.

아득하다 (거리) (be) far; far away [off]; in the distance; (시간) (be) long ago [before]; a long time ago.

아들 a son; a boy.

아따 Gosh!; (Oh) Boy!

아뜩(아찔)하다 (be) dizzy; giddy; dazed; stunned.

아라비아 Arabia. ¶ ~(사람)의 Arabian; Arabic / ~ 사람 an Arab (-ian).

아랍 Arab. ∥ ~국가 the Arab states / ~어(語) Arabic.

아랑곳 ¶ ~없다 be no concern of; have nothing to do with / 그가 어찌 되든 내가 ~할 게 아니다 I don't give (care) a damn what becomes of him.

아래 ① (하부·바닥) the low part; the foot; the bottom. ② (위치·아래쪽) ¶ ~의 under (…의 밑); below (…보다 낮은 위치); down(아래쪽); lower(…보다 낮은); following (다음의). ③ (하위) ¶ ~의 lower; subordinate; below, under; younger (나이가).

아래위 up and down; above and below; upper and lower sides; top and bottom.

아래윗벌 upper and lower garments; a suit (of clothes).

아래채 a detached house.

아래층(一層) downstairs.

아래턱 the lower [under] jaw.

아랫니 the lower teeth; (body).

아랫도리 the lower part (of the

아랫목 the warmer part of an ondol floor.

아랫방(一房) a detached room.

아랫배 the belly; the abdomen.

아랫사람 one's junior (손 아래); an underling; a subordinate(부하).

아랫입술 the lower [under] lip.

아량(雅量) generosity; tolerance; magnanimity. ¶ ~이 있는 generous; broad-minded; magnanimous.

아련하다 (be) dim; vague; faint; hazy; obscure; misty.

아령(啞鈴) a dumbbell.

아로새기다 engrave [carve] elaborately. ¶ 마음에 ~ engrave in [upon] one's mind.

아뢰다 tell (inform) a superior.

아류(亞流) an adherent; a follower; a bad second. (job.

아르바이트 a side job; a part-time

아르헨티나 Argentina. ¶ ~의 Argentine / ~ 사람 an Argentine.

아름 an armful (of firewood).

아름답다 (be) beautiful; pretty; lovely; (용모) (be) good-looking; handsome; (경치) (be) picturesque; (목소리) (be) sweet; (행이) (be) noble-minded.

아름드리 ¶ ~나무 a tree measuring a span of a man's arms around.

아리다 ① (맛이) (be) pungent; acrid; sharp. ② (상처 따위) (be) smarting; tingling; burning.

아리땁다 (be) lovely; sweet; pretty; charming.

아리송하다 (be) indistinct; dim; hazy; misty; vague; obscure.

아리아 [樂] aria.

아리안 Aryan. ∥ ~족 〔인종〕 Aryan races.

아마 〔亞麻〕 〔植〕 flax. ∥ ~의 flaxen. ～사(絲) flax yarn / ～유 linseed oil / ～천 linen.

아마 〔대개〕 probably; perhaps; maybe; possibly; presumably.

아마존강 〔—江〕 the Amazon.

아마추어 an amateur; a nonprofessional; 〔초심자〕 a beginner; a novice. ∥ ～의 amateur; nonprofessional. ～정신 (the spirit of) amateurism.

아말감 〔化〕 amalgam.

아메리카 America. ∥ ～의 American. ～ 미국. ∥ ～대륙 the American continent.

아메바 〔動〕 an ameba 〔美〕; an ameba.

아멘 Amen !

아명 〔兒名〕 one's childhood name.

아무 ① 〔긍정·부정(不定)〕 anyone; anybody; any; whoever; (every-) one; all; everybody. ∥ ～라도 할 수 있다 Anyone can do it. ② 〔부정(否定)〕 no one; nobody; none; anyone; anybody. ∥ ～도 …이라는 것은 의심할 수 없다 No one can doubt that ….

아무개 Mr. so-and-so; a certain person. ∥ 김 ～ (a certain) Mr. Kim; one Kim.

아무것 anything; something; 〔부정〕 nothing. ∥ ~이나 좋아하는 것 anything one likes / 할 일이 ～ 없다 have nothing to do.

아무데 somewhere; a certain place; anywhere 〔부정·의문〕. ∥ ～나 in every place; everywhere; all over / ～도 nowhere.

아무때 〔~나〕 (at) any time; 〔늘〕 always; all the time; 〔…할 때는 언제나〕 whenever.

아무래도 ① 〔어떻든〕 anyhow; anyway. ∥ ～ 그것은 해야 한다 I must do it anyhow. ② 〔결국〕 after all; in the long run; in the end. ③ 〔모든 점에서〕 to all appearance; in all respects. ④ 〔싫건 좋건〕 whether one likes it or not; willy-nilly. ⑤ 〔결코〕 by any

means; on any account. ⑥ 〔무관심〕 그까짓 일은 ～ 좋다 That does not matter.

아무러면 (no matter, it makes no difference) whatever 〔however〕 it is; whoever says it is. ∥ ～ 옷이야 = 어떠냐 It doesn't matter how your clothes look.

아무런 〔부정〕 any; no. ∥ ～ 사고 없이 without any accident.

아무렇게나 at random; careless; indifferently; half-heartedly; in a slovenly way. ∥ ～ 말하다 talk at random.

아무렇게도 〔어떻게도〕 in any 〔no〕 way; 〔무관심〕 nothing; not at all; not a bit. ∥ ～ 생각 안 하다 make little 〔nothing〕 of (에사); do not hesitate (주저 않다); do not care about (고려 않다).

아무렇든 anyhow; in any event 〔way〕; at any rate.

아무렴 Surely.; To be sure.; Of course !; Certainly !

아무리 〔…해도 how ever much; no matter how / ~ 돈이 많아도 no matter how rich a man may be; however rich a man may be.

아무말 (not) any word. ∥ ～ 없이 without saying a word.

아무일 something; anything; 〔부정〕 nothing. ∥ ～ 없이 without accident; in safety; quietly.

아무짝 〔~에도 모쓰겠다 It is of no use whatsoever.

아무쪼록 as much as one can; to the best of one's ability; 〔꼭〕 by all means; 〔부디〕 (if you) please; I beg. ∥ ～ 몸조심하십시오 Take the best possible care of yourself.

아물거리다 〔감바이다〕 flicker; 〔희미하다〕 be dim 〔hazy〕; 〔눈앞이〕 be dizzy. ∥ 아물아물하게 flickeringly; dimly; vaguely.

아물다 heal (up); be healed.

아미노산 〔—酸〕 〔化〕 an amino acid.

아미타불 〔阿彌陀佛〕 Amitabha 〔梵〕.

아버지 a father. ∥ ～다운 fatherly;

fatherlike; paternal.

아베마리아 Ave Maria.

아베크 《남녀의 쌍》 *avec* 《프》; a couple (lovers) (on a date).

아부 (阿附) flattery. ~하다 flatter; curry favor 《with a person》; butter 《a person》 up.

아비규환 (阿鼻叫喚) agonizing cries. ¶ ~의 참상 an agonizing (a heart-rending) scene.

아비산 (亞砒酸) 《化》 arsenious acid. ‖ ~염 arsenite.

아빠 papa; daddy; dad; pa.

아사 (餓死) death from hunger (by starvation). ~하다 be starved to death; die of [from] hunger. ¶ ~시키다 starve 《a person》 to death.

아사아삭 ¶ ~ 씹다 crunch.

아서라 (Oh,) no!; Quit!; Stop!; Don't!

아성 (牙城) inner citadel; the stronghold; the bastion.

아성층권 (亞成層圈) the substratosphere.

아세테이트 《化》 acetate.

아세톤 《化》 acetone.

아세틸렌 《化》 acetylene.

아수라 (阿修羅) Asura 《佛》.

아쉬운대로 inconvenient though it is; though it is not enough; as a temporary makeshift(임시변통으로).

아쉬워하다 feel that something is missing; feel the lack of; 《서운해하다》 be unwilling; be reluctant.

아쉽다 miss; be inconvenienced by not having. ¶ 아쉬운 것 없이 지내다 live in comfort; be comfortably off.

아스파라거스 《植》 an asparagus.

아스팩 ASPAC. (◀ Asian and Pacific Council)

아스팔트 asphalt. ¶ ~길 an asphalt(ed) road / ~를 깔다 pave 《streets》 with asphalt; asphalt 《streets》.

아스피린 《藥》 aspirin.

아슬아슬 ¶ ~한 dangerous; risky; thrilling; exciting; critical / ~하게 narrowly; by hair's-breadth / ~한 승부 a close game / ~한 때에 at the critical moment / ~하게 이기다 win by a narrow margin / 《아무를》 ~하게 하다 make 《a person》 nervous [uneasy].

아시아 Asia. ¶ ~의 Asian; Asiatic. ‖ ~개발은행 the Asian Development Bank 《생략 ADB》 / ~사람 an Asian.

아씨 《호칭》 your lady(ship); Mrs; 《하인의》 mistress; madam.

아아 《감동》 Ah!; Oh!; Alas! (비탄, 실망); 《가벼운 감정》 Well, ... ¶ ~ 이제 다 왔군 Well, here we are at last.

아악 (雅樂) (classical) court [ceremonial] music.

아야 ouch.

아양 coquetry; flattery. ¶ ~ 떨다 [부리다] play the coquette; flirt; flatter.

아어 (雅語) an elegant word; a polite expression; refined diction.

아역 (兒役) 《연》 a child's part 《in a play》; 《사람》 a child actor.

아연 (亞鉛) zinc (기호 Zn). ¶ ~을 입힌 galvanized.

아연 (俄然) suddenly; all of a sudden.

아연 (啞然) 《부사적》 agape 《with wonder》; aghast; in utter amazement. ¶ ~게 하다 strike 《a person》 dumb; dumbfound.

아열대 (亞熱帶) the subtropics; the subtropical zone. ¶ ~의 subtropical(al); near-tropical. ‖ ~식물 a subtropical plant.

아예 from the beginning; 《절대로》 entirely; altogether; never.

아옹다옹하다 bicker; quarrel [dispute] 《with》.

아우 a younger brother (sister).

아우르다 put [join] together; unite; combine. ¶ 힘을 아울러서 by united effort; in cooperation 《with》.

아우성 a shout; a clamor; a hubbub. ¶ ~을 치다 shout; raise a hubbub.

아웃트라인 an outline.

아욱 〔植〕 a mallow.

아웃 〔野〕 out. ¶ ～이 되다 be 〔put〕 out / ～시키다 put out.

아이 a child; a boy; a girl; a son; a daughter. ¶ ～ 보는 사람 a (dry) nurse; a babysitter.

아이고(머니) Oh!; Oh dear!; Ah!; Dear me!

아이누 an Ainu; an Aino; the Ainus(종족). ‖ ～어 Aino.

아이디 《신원을 증명하는 것》 I; I.D.; 〔컴〕《개인 식별 기호》 ID; I.D. (◀ identification; identifier) / ～카드 an identity card; an ID card.

아이디어 an idea. ¶ ～를 모집하다 invite [ask for] new ideas. ‖ ～상품 a novelty.

아이러니 (an) irony.

아이스 ice. ‖ ～링크 an ice rink / ～하키 ice hockey.

아이스크림 (an) ice cream.

아이슬란드 Iceland. ‖ ～의 (말) Icelandic / ～ 사람 an Icelander.

아이시 《집적 회로》 an IC. (◀ Integrated Circuit).

아이에스비엔 《국제 표준 도서 번호》 ISBN. (◀ the International Standard Book Number).

아이엠에프 《국제 통화 기금》 IMF. (◀ the International Monetary Fund).

아이오시 《국제 올림픽 위원회》 IOC. (◀ the International Olympic Committee).

아이젠 climbing irons; crampons (등산용).

아이큐 《지능지수》 IQ. (◀ Intelligence Quotient).

아일랜드 Ireland. ¶ ～ 말 Irish / ～ 사람 an Irishman.

아장거리다 toddle. ¶ 아장아장 toddlingly.

아전인수(我田引水) turning *something* to *one's* own advantage. ¶ ～격인 전해 a selfish view.

아주 《전혀》 quite; utterly; completely; entirely; thoroughly; altogether; 《몹시》 exceedingly; extremely; 《조금도 …(않다)》 《not》

at all; 《not》 in the least. ¶ 관계를 ～ 끊다 break off entirely (*with*).

아주까리 〔植〕 a castor-oil plant; a castor bean(씨). ‖ ～기름 castor oil.

아주머니 《숙모》 an aunt; 《일반 부인》 「인」 a lady.

아주버니 *one's* husband's brother; a brother-in-law.

아지랑이 heat haze [waves]. ¶ ～가 피어오르고 있다 The air is waving with heat.

아지작거리다 munch; crunch.

아지트 a hiding place; a hideout; 《거점》 a secret base of operation (*for Communists*).

아직 《아직 …(않다)》 《not》 yet; still (지금도); so far(현재까지는); 《still; more. ¶ ～는 모자란다 This isn't enough yet. / …한 지 ～ 3년밖에 안 된다 It is only three years since ….

아질산(亞窒酸) 〔化〕 nitrous acid. ‖ ～염 nitrite.

아집(我執) egoistic attachment; egotism.

아찔하다 feel dizzy; be giddy.

아차 O my!; Gosh!; Damn!

아첨(阿諂) flattery; adulation. ～ 하다 flatter; curry favor with (*a person*); fawn (*on*). ‖ ～꾼 a flatterer; an apple-polisher.

아취(雅趣) good taste; elegance; tastefulness. ¶ ～ 있는 tasteful; elegant; graceful; refined.

아치 an arch. ¶ ～형의 arched.

아침 ① 《때》 (a) morning. ¶ ～에 in the morning. ② 《식사》 breakfast. ¶ ～을 먹다 take 〔have〕 breakfast.

아카데미 an academy. ‖ ～상 the Academy Award; the Oscar.

아카시아 an acacia.

아케이드 an arcade.

아코디언 an accordion.

아킬레스건(一 腱) 〔解〕 Achilles' tendon.

아트지(一 紙) art paper; coated 「paper 《美》.

아틀리에 an *atelier* (프); a studio.

아파트(전물) an apartment house 《美》; a block of flats 《英》《한 세대분》 an apartment 《美》; a flat 《英》.

아편(阿片) 〖smoke, eat〗 opium. ‖ ~전쟁 《史》 the Opium War / ~중독 opium addiction.

아폴로 〖그神〗 Apollo. ‖ ~ 계획 the Apollo Project.

아프가니스탄 Afghanistan. ¶ ~의 Afghan / ~ 사람 an Afghan.

아프다(be) painful; sore; have 〔feel〕 a pain (서술적). ¶ 이〔머리〕가 ~ have a toothache〔headache〕/ 배가 ~ 〔비유적〕 be green with envy; be jealous.

아프리카 Africa. ¶ ~의 African / ~ 사람 an African.

아픔(a) pain; an ache; a sore; 《마음의》(mental) pain; 《슬픔》 grief.

아하 Ha!; Aha!; Oh!

아한대(亞寒帶) the subarctic zone 《북반구의》; the subantarctic zone 《남반구의》.

아호(雅號) a pen name; a (literary) pseudonym.

아홉 nine. ¶ ~째 the ninth.

아흐레 ① 《아흐렛날》 the ninth day ② 《아흐레 날》 nine days.

아흔 ninety. ¶ ~째(의) the ninetieth.

악 ① 《외침》 a shout; a cry. ¶ ~쓰다 shout; cry; shriek. ② 《모질음》 desperation. ¶ ~이 바치다 become〔grow〕 desperate.

악 《놀랄 때》 Oh!; Dear me!

악(惡) badness; evil; wrong (그름); vice (악덕); wickedness (사악). ¶ ~ 악하다. ¶ ~을 선으로 갚다 return good for evil.

악감(惡感) ill 〔bad〕 feeling; an unfavorable impression.

악곡(樂曲) a musical composition; a piece of music.

악공(樂工) a (court) musician.

악귀(惡鬼) a demon; an evil spirit; a devil.

악극(樂劇) an opera; a musical 〔music〕 drama 〔play〕. ¶ ~단

a musical troupe.

악기(樂器) 《play on》 a musical instrument. ‖ ~점 a musical instrument store.

악녀(惡女) a wicked woman.

악다구니하다 brawl; engage in mud-flinging at each other; throw mud 《at》.

악단(樂團) an orchestra; a band. ‖ 교향 ~ a symphony orchestra.

악담(惡談) an abuse; a curse. ~ 하다 say bitterly; abuse; curse; revile; speak ill of.

악대(樂隊) a brass band. ‖ ~ 원 a bandsman.

악덕(惡德) vice; corruption. ‖ ~상 인〔업자〕 wicked dealers 〔traders〕.

악독(惡毒) ~ 하다 (be) villainous; atrocious; brutal; infernal.

악랄하다(惡辣-) (be) mean; nasty; knavish; villainous.

악력(力力) grip; grasping power. ‖ ~ 계 a hand dynamometer.

악례(惡例) a bad example; a bad precedent.

악마(惡魔) an evil spirit; a devil; a demon; a fiend; Satan. ¶ ~ 같은 devilish; fiendish. ‖ ~ 주의 Satanism.

악명(惡名) an evil reputation; a bad name; notoriety. ¶ ~ 높은 infamous; notorious.

악몽(惡夢) a bad 〔an evil〕 dream; 《suffer from》 a nightmare. ¶ ~ 같은 nightmarish.

악물다(이를) gnash 〔set, clench〕 《one's teeth》. ¶ 이를 악물고 with one's teeth set.

악바리 a harsh tough person.

악보(樂譜) a sheet music; a 《piano》 score(총보); music(집합 적).

악사(樂士) a band(s)man; a musician.

악서(惡書) a bad 〔vicious〕 book; a harmful book.

악선전(惡宣傳) vile 〔false〕 propaganda; a sinister rumor. ~ 하 다 launch false propaganda 《about》; spread a bad rumor

(about).

악성(惡性) 〜의 bad; malignant; virulent; vicious (*inflation*). ‖ 〜 빈혈 pernicious anemia / 〜종양 a malignant tumor.

악성(樂聖) a celebrated (master) musician / 〜 모차르트 Mozart, the great master of music.

악센트 an accent; a stress. ‖ 〜를 붙이다 accent (*a word*); stress.

악수(握手) a handshake; hand-shaking. 〜하다 shake hands (*with*); (제휴) join hands; (화해) make peace. ‖ 〜를 청하다 offer one's hand.

악순환(惡循環) a vicious circle. ‖ 물가나 임금의 〜 a vicious circle of prices and wages.

악습(惡習) a bad habit (custom). ‖ 〜에 물들다 fall into a bad habit.

악어(鰐魚) 【動】a crocodile(아프리카산); an alligator(북아메리카산).

악역(惡役) 【劇】a villain's part.

악연(惡緣) (나쁜 운명) an evil destiny (fate, connection); 《끊을 수 없는》a fatal bonds; an insep-arable unhappy relation; 《부부 간의》a mismated marriage.

악영향(惡影響) a bad (harmful) influence; ill effects. ‖ 〜을 미치다 (받다) have (receive) a bad influence (*on; from*).

악용(惡用) (a) misuse; (an) abuse; (an) improper use. 〜하다 abuse; use for the wrong purpose; make a bad use (*of*).

악운(惡運) bad (adverse) fortune; ill luck (fate).

악의(惡意) an evil intention; ill will; malice. ‖ 〜 있는 ill-inten-tioned; malicious / 〜없는 inno-cent / 〜에서 out of spite; from malice / 〜를 품다 bear ill will (*against*); harbor malice (*to, toward*).

악인(惡人) a bad (wicked) man; a rogue; a villain; a scoundrel.

악장(樂長) a bandmaster; a con-ductor of a band.

악장(樂章) 【樂】a movement. ‖ 제 1 〜 the first movement.

악전고투(惡戰苦鬪) hard fighting; a desperate fight. 〜하다 fight desperately; fight against heavy odds; struggle hard (*against*).

악정(惡政) 비정(批政).

악조건(惡條件) adverse (unfavor-able) conditions; a handicap.

악종(惡種) a wicked fellow; a rogue; a villain; a rascal.

악질(惡疾) a malignant disease.

악질(惡質) 〜의 vicious; wicked; malicious.

악처(惡妻) a bad wife.

악천후(惡天候) bad (nasty; unfa-vorable) weather.

악취(惡臭) an offensive odor; a bad (nasty) smell; a stink. ‖ 〜가 나는 ill-(bad-)smelling; stink-ing; foul-smelling.

악평(惡評) (평판) a bad reputa-tion; ill repute; (비난) an ad-verse (unfavorable) criticism. 〜하다 speak ill of; make mali-cious remarks; 《신문 따위에서》 criticize unfavorably (severely).

악폐(惡弊) an evil; an abuse; evil practices. ‖ 〜를 일소하다 stamp (wipe) out evils; uproot evil practices.

악풍(惡風) a bad custom (habit); evil manners; a vicious prac-tice.

악필(惡筆) bad (poor) handwriting; a poor hand. ‖ 〜이다 write a poor hand.

악하다(惡—) (be) bad; evil; wrong; wicked; vicious. ‖ 악한 짓 an evil deed; a misdeed; a vice; a crime, a sin(죄악).

악한(惡漢) a rascal; a villain; a rogue; a scoundrel.

악행(惡行) bad conduct; wrong (evil) doing; an evil deed; a misdeed. (ment; torture.

악형(惡刑) a severe (cruel) punish-

악화(惡化) a change for the worse. 〜하다 get (become)

worse; go from bad to worse; deteriorate; take a turn for the worse《병세가》. ¶ ~ 시키다 make 《something》 worse; aggravate.

악화《惡貨》 bad coins 〔money〕. ¶ ~는 양화를 구축한다 Bad money drives out good.

안 ① 《내부》 the inside; the interior. ¶ ~ 에 within; inside; in; indoors《집의》 / ~ 으로부터 from the inside; from within. ② 《구내》 ¶ ~ 에 〔으로〕 in; within; inside of; less than; not more than; during《…에》 / 그 날 ~ 으로 in the course of the day / 기한 ~ 에 within the time limit. ③ 《옷의》 the lining. ¶ ~을 대다 line 《clothes》. ④ 《내실》 the woman's quarters; the inner room. ⑤ 《아내》 one's wife.

안《案》 ① 《의안》 a bill; a measure; 《제안》 a proposal; 《고안》 an idea; a conception; 《계획》 a plan; a project; 《초안》 a draft.

안간힘〔을〕 **쓰다** do one's best: do what one can; make desperate efforts 《to do》; try 〔work〕 hard 《to do》; strain 《one's muscle》 to 《lift a stone》.

안감 lining 〔material〕; cloth for lining.

안개《霧》 a fog; a mist. ¶ ~ 가 짙은 foggy / ~ 에 싸이다 be shrouded in fog / ~ 가 끼다 〔전하다〕 The fog gathers 〔lifts〕.

안건《案件》 a matter; an item; a bill《의안》.

안경《眼鏡》 a pair of spectacles; glasses; 《보안경》 goggles. ¶ ~ 을 쓰다〔벗다〕 put on 〔take off〕 one's glasses / ~ 을 쓰고 with spectacles on. ‖ ~ 가게 an optician / ~ 다리 the bow / ~ 집《집》 a spectacle lens 〔case〕 / ~ 테 a rim; a spectacle frame / 흐림방지 ~ non-fogging glasses.

안공《眼孔》 an eyehole; an orbit of an eye; the eye socket.

안과《眼科》 ophthalmology. ‖ ~ 병원 an ophthalmic hospital / ~ 의사 an eye doctor 〔specialist〕

an oculist.

안광《眼光》 《눈빛》 the glitter of one's eye; 《통찰력》 penetration. ¶ ~ 이 날카롭다 be sharp-eyed.

안구《眼球》 an eyeball. ‖ ~ 은행 an eye bank.

안기다 ① 《팔에》 be embraced; be in 《a person's》 arms; 《안게 하다》 let 〔have〕 《someone》 hold in the arms. ② 《알을 닦이》 set 《a hen》 on eggs.

안기다 ① 《책임을》 fix responsibility upon; charge 《a person with a duty》; lay 《the blame》 on. ¶ 빚을 ~ hold 《a person》 liable for the debt. ② 《치다》 throw a punch; strike. ¶ 한 대 ~ give 《a person》 a blow.

안내《案內》 guidance; leading. ~ 하다 guide; conduct; show; lead 《the way》; usher《좌석으로》. ¶ 응접실로 ~ 하다 show 《a person》 into the drawing room. ‖ ~ 도 a guide 〔an information〕 map / ~ 소 an information bureau 〔desk〕《안내소》 a guide《관광 등의》; an usher 〔극장 등의〕 / ~ 장 an 〔a letter of〕 invitation / ~ 판 a guideboard; a direction board.

안녕《安寧》 ① 《평온》 public peace; tranquillity; welfare; well-being 《복지》. ② 《건강》 good health. ~ 하다 (be) well; be in good health; 《평안》 (be) uneventful; live in peace. ¶ ~ 하십니까 How are you?; 《초면》 How do you do?; 《작별 인사》 good-by《e》; bye-bye; farewell 《멀리 갈 때》.

안다 ① 《팔에》 hold 〔carry〕 in one's arms; embrace; hug. ② 《새가 알을》 sit 〔brood〕 on 《eggs》. ③ 《떠맡다》 undertake 《another's responsibility》; shoulder; answer for.

안단테《樂》 andante 《이》.

안달하다 worry 《about, over》; fret 《over》; be anxious about; be impatient 〔nervous〕. ¶ 가지 못해 ~ be anxious to go.

안대《眼帶》 an eyepatch; an eye

bandage.

안데스산맥 (一山脈) the Andes.

안도 (安堵) relief. ~하다 be 〔feel〕 relieved; feel at ease. ¶ ~의 한숨을 쉬다 heave 〔give〕 a sigh of relief.

안되다 ① 《금지》 must not; ought not to; shall not; don't. ② 《잘못되다》 go wrong 《amiss》; fail. ③ 《조심》 ¶ …하면 안 되니까 lest …; should; for fear that … should; so as not to. ④ 《유감》 be 〔feel〕 sorry (for, to hear that …), be a pity; be regrettable.

안뜰 a courtyard. ☞ 안마당.

안락 (安樂) ease; comfort. ¶ ~한 comfortable; easy; cozy. ~하게 지내다 live in comfort. ‖ ~사(死) euthanasia; mercy killing / ~의자 an easy chair; an armchair.

안료 (顔料) 《재료》 colors; paints; pigments.

안마 (按摩) massage. ~하다 give 《a person》 a massage; massage 《a person》. ‖ ~사 a massagist.

안마당 an inner court 〔garden〕.

안면 (安眠) a peaceful 〔quiet〕 sleep. ~하다 sleep well 〔soundly〕. ‖ ~방해 disturbance of sleep (~방해하다 disturb 《a person's》 sleep).

안면 (顔面) ① 《얼굴》 the face. ¶ ~의 facial. ‖ ~경련 a facial tic / ~마비 facial paralysis. ② 《면식·친분》 acquaintance. ¶ ~이 있는 사람 an acquaintance. ¶ ~이 없는 사람 a stranger / ~이 있다 know 《a person》; be acquainted with 《a person》.

안목 (眼目) a discerning 〔critical〕 eye; discernment; an eye. ¶ ~이 있다 have an eye.

안방 (一房) the inner 〔main〕 living room; the women's quarters. ☞ 〔but〕; assign.

안배 (按排) ~하다 arrange; distribute.

안보 (安保) ☞ 안전보장. ‖ 한미~ 조약 the Korea-U.S. Security Treaty.

안부 (安否) one's state of health; safety; welfare; health. ¶ ~를

묻다 inquire after 《a person's》 health / …에게 ~ 전해 주십시오 Give my 〔best, kind〕 regards 《to》.

안색 (顔色) ① 《얼굴빛》 a complexion. ¶ ~이 좋다 〔나쁘다〕 look well 〔pale〕. ② 《표정》 a look; an expression.

안성맞춤 (安城一) ¶ ~의 suitable 〔fit〕 《for》; well-suited; ideal / ~의 사람 〔물건〕 the right person 〔thing〕 《for》; just the right person 〔thing〕.

안손님 a lady visitor.

안수 (按手) 《基》 the imposition of hands. ~하다 impose hands on 《a person》. ‖ ~례 《종교의》 (order of) confirmation 〔신도의〕; the ordination 《성직의》.

안식 (安息) rest; repose. ¶ 종교에서 ~을 찾다 find relief in religion. ‖ ~교 the Seventh Day Adventist Church / ~일 the Sabbath (day) / ~처 a place for peaceful living.

안식 (眼識) discernment; a critical eye. ¶ ~있는 사람 a discerning 〔man〕; a man of insight.

안심 (安心) 〔안도〕 relief; 《근심·걱정 없음》 peace of mind; freedom from care. ~하다 be at ease; feel easy 《about》; feel 〔be〕 relieved. ¶ ~시키다 ease 《a person's》 mind; set 《a person》 at ease.

안약 (眼藥) eyewater; eye lotion. ¶ ~을 넣다 apply eye lotion.

안염 (眼炎) 《醫》 ophthalmia.

안온 (安穩) peace. ¶ ~한 〔히〕 peaceful(ly); quiet(ly); calm(ly).

안위 (安危) fate; safety; welfare.

안이 (安易) ¶ ~한 easy(going) / ~하게 easily; with ease / ~하게 생각하다 take 《a thing》 too easy.

안일 (安逸) ease; idleness; indolence. ~하다 be easy; idle; indolent. ¶ ~하게 살다 lead an idle life.

안장 (安葬) ~하다 bury; lay to rest. ‖ ~지 a burial ground.

안장(鞍裝) a saddle.

안전(安全) safety; security. ¶ ~한 safe; secure; free from danger / ~히 safely; securely. ‖ ~운전 safe (careful) driving / ~점검 a safety checkup / ~지대 a safety zone 《도로상의》 a safety 〔traffic 《英》〕 island.

안전벨트 a safety belt. ¶좌석의 ~를 매십시오 Please fasten your seat belt.

안전보장(安全保障) security. ¶ (유엔)~이사회 the Security Council. ☞ 안보(安保).

안절부절못하다 be restless 〔nervous〕; flutter; be in a fidget; be irritated; grow impatient.

안정(安定) stability; steadiness; 《economic》 stabilization. ~하다 be stabilized; become stable. ¶ ~을 유지하다 〔잃다〕 keep 〔lose〕 balance 〔equilibrium〕. ‖ ~제 〔劑〕 a stabilizer.

안정(安靜) rest; repose. ¶ ~을 유지하다 keep quiet; lie quietly.

안주(安住) ¶ ~할 곳을 찾다 seek a peaceful place to live / 이곳에 ~하기로 결정했다 I decided to settle down here.

안주(按酒) a relish 〔tidbit〕 taken with wine; a side dish. ¶이것은 술 ~로 아주 좋다 This goes very well with wine.

안주머니 an inside 〔an inner, a breast〕 pocket.

안주인(一主人) the lady of the house; the mistress; the hostess.

안중(眼中) ¶ ~에 없다 be out of *one's* account 〔consideration〕. 《사람이 ~에》 think nothing of.

안질(眼疾) an eye disease 〔trouble〕; sore eyes. ¶ ~을 앓다 be afflicted with an eye disease.

안쪽(一내) ¶ ~의 within; less than; not more than / 만원 ~의 수입 an income short of ten thousand *won*.

안짱다리 bowlegs; bandy legs; 《사람》 a bowlegged person. ¶ ~의

의 bowlegged.

안쪽 the inside; the inner part. ¶ ~의 inside; inner / ~에서 from within; on the inside.

안차다 (be) bold; daring; fearless.

안착(安着) safe arrival. ~하다 arrive safe (and sound); arrive safely; arrive in good condition 《물품이》.

안창(구두의) an inner sole.

안채 the main building 《of a house》.

안출(案出) ~하다 contrive; invent; originate; think 〔work〕 out.

안치(安置) ~하다 enshrine; install; lay 《a person's remains》 in state 《유해를》. 「cooking 〔boiling〕.

안치다 《밥을》 prepare rice for

안치기(安打) 〔野〕 a (safe) hit. ¶ ~를 치다 make 〔get〕 a hit.

안타깝다 (be) impatient; irritated; frustrating; 《애처롭다》(be) pitiful; pitiable; poor. ¶안타까워 하다 (feel) impatient 〔frustrating〕.

안테나 an antenna; an aerial. ¶실내 ~ an indoor antenna / ~를 세우다 set up 〔stretch〕 an antenna.

안티피린 〔藥〕 antipyrin(e).

안팎 ① 《안과 밖》 the interior and exterior; the inside and outside. ¶ ~으로 〔에〕 within and without; inside and outside 《the house》. ② 《대략》 … or so; about; around 《美》. ¶열흘 ~ 10 days or so.

안표(眼標) a sign; a mark. ¶ ~를 하다 mark; put a mark 《on》.

안하(眼下) ¶ ~에 right beneath the eye; under *one's* eyes.

안하무인(眼下無人) ¶ ~의 outrageous; arrogant; audacious / ~으로 행동하다 behave outrageously; conduct *oneself* recklessly.

앉다 ① 《자리에》 sit down; take a seat; be seated. ¶바로 ~ sit up; sit erect / 책상다리하고 ~ sit cross-legged. ② 《지위에》 take

up 《*a post*》; engage in; be installed. ③ 《새 따위가》 perch 《alight, sit, settle》 on; roost 《홰에》.

앉은뱅이 a cripple who can only move on *his* (hands and) knees; a wheel-chair case.

앉은자리 ¶ ~에서 immediately; on the spot.

앉은키 one's sitting height.

앉히다 ① 《앉게 하다》 have 《*a person*》 sit down; seat 《*a person*》. ② 《추대》 place 《*a person in a position*》; install 《*a person in a place*》 be 《do》 not…… 《*place*》. 《않을 수 없다》 be compelled [forced, obliged] to 《*do*》; cannot help 《*doing*》. ¶ 가지 ~ be forced to go / 쓴 웃음을 짓지 ~ cannot help smiling a bitter smile; cannot but smile a bitter smile.

알 《동물의》 an egg; spawn 《물고기 따위의》. ¶ ~을 낳다 lay an egg; spawn 《물고기가》.

알 ① 《낟알》 a grain; a berry. ② 《작고 둥근 것》 a ball; a bead.

알- bare; naked; stripped; uncovered.

알갱이 a kernel; a grain; a berry; a granule.

알거지 a penniless person; a person as poor as a church mouse.

알겨먹다 cheat [wheedle] 《*a person*》 out of 《*something*》.

알곡(-穀) 《곡식》 cereals; grain; corn 《英》; 《껍질을 벗긴》 husked grain.

알다 ① 《일반적으로》 know; can tell; learn; be informed of 《about》. ¶ 알면서 deliberately; intentionally; knowingly / 알지 못하고 without knowing it; ignorantly / 아시는 바와 같이 as you (must) know; as you are aware / 안다는 듯이 knowingly; with a knowing look / 내가 아는 한에서는 so far as I know / ……으로 알 수 있다 can be known from. ② 《이해》 understand; comprehend; see; grasp

《*the meaning*》; appreciate; know. ¶ 알기 쉽게 simply; plainly / 알기 쉬운 말로 in plain language / 잘 못…… mistake 《for》. ③ 《인식》 recognize; know; be aware of; find out. ¶ 낯이 익다 know; become [get] acquainted with. ¶ 아는 사람 an acquaintance / 잘 아는 well-acquainted; familiar. ⑤ 《깨닫다》 find; notice; realize; sense; perceive. ¶ 위험을 ~ sense the danger. ⑥ 《기억》 remember; keep [have] in mind. ¶ 똑똑히 [어렴풋이] 알고 있다 remember clearly [vaguely]. ⑦ 《관여》 have to do with; be concerned with. ¶ 그것은 내가 알 바가 아니다 That's none of my business. ⑧ 《경험》 experience; feel.

알뜰하다 (be) thrifty; frugal; economical. ¶ 알뜰[알뜰]히 frugally; economically.

알라 《이슬람교의 신》 Allah.

알랑거리다 flatter; curry favor with; toady 《to》; fawn on.

알랑쇠 a flatterer; a sycophant; a toady; a sweet-talker.

알래스카 Alaska. ¶ ~의 Alaskan.

알량하다 (be) insignificant; of no account; trivial.

알레그로 〔樂〕 allegro.

알레르기 〔醫〕 allergy. ¶ ~성의 allergic / 항(抗)~(의) antiallergic 《drugs》. ‖ ~성질환 allergic diseases.

알려지다 be [become] known 《to》; make *oneself* known. ¶ 《유명해지다》 become famous [well-known]. ¶ 널리 알려진 well-known; famous / 알려지지 않게 하다 keep 《*a matter*》 secret.

알력(軋轢) friction; discord; a clash; a conflict; strife. ¶ ~을 초래하다 [피하다] produce [avoid] friction.

알루미늄 aluminum 《기호 Al》. ‖ ~새시 an aluminum sash 〔window-frame〕.

알리다 let 《*a person*》 know; tell;

inform 《*a person*》《*of, that* …》; report: publish 《공표》. ¶ 넌지시 ~ suggest: hint 《*at*》.

알리바이 an alibi. ¶ ~를 입증하다 prove an alibi / ~를 꾸미다 fake an alibi.

알맞다 《적도》 (be) modest: moderate; 《적당》 (be) fit: right; proper: adequate: suitable: appropriate; 《합당》 (be) reasonable; fair. ¶ 알맞게 properly: rightly; reasonably: suitably: appropriately.

알맹이 《과실의》 a kernel; 《실질》 substance; 《실질》 contents(내용). ¶ ~ 없는 unsubstantial: empty.

알몸 ¶ ~의 stark-naked: nude / ~으로 (go) stark-naked: in *one's* bare skin.

알밤 《shelled》 a chestnut.

알배기 a fish full of roe.

알부민 〔生化〕 albumin.

알선 (斡旋) good offices: mediation. ¶ ~하다 act as 《an》 intermediary between 《*A and B*》; use *one's* good offices; do 《*a person*》 a service. ¶ …의 ~으로 by 〔through〕 the good offices of 《*Mr. Kim*》. ¶ ~자 a mediator.

알슬다 lay 《deposit》 eggs: spawn (물고기가).

알싸하다 (be) acrid; pungent: hot: have a spicy taste 《smell》.

알쏭달쏭하다 《뜻이》 (be) vague: ambiguous; obscure: doubtful.

알아내다 find out; detect: locate (소재를); trace 《*the origin of*》.

알아듣다 understand: catch 《*a person's words*》. ¶ 알아들을 수 없다 be inaudible: cannot catch.

알아맞히다 guess right; make a good guess.

알아보다 《문의·조사》 inquire 《*of a person, about a matter*》; look into: investigate: examine.

알아주다 ① 《인정》 acknowledge; recognize: appreciate. ② 《이해》 understand; sympathize 《*with*》; feel 《*for*》.

알아차리다 realize in advance:

anticipate 《*in one's mind*》.

알아채다 become aware 《conscious》 of: realize: sense.

알은체 ① 《남의 일에》 meddling. ~ 하다 show concern 〔interest〕; meddle in 〔with〕. ② 《사람을 보고》. ~하다 recognize; notice.

알음 《앎으로》 ~으로 through some acquaintances 《친분》 shared intimacy.

알짜 the best thing 〔part〕: the cream: the essence: the choice: the quintessence.

알칼리 〔化〕 alkali.

알코올 alcohol. ∥ ~성의 alcoholic. ∥ ~음료 an alcoholic drink / ~중독 alcoholism / ~중독자 an alcoholic. 「(singer).

알토 〔樂〕 alto. ∥ ~가수 an

알파 alpha; *a*.

알파벳 the alphabet. ¶ ~순의 〔으로〕 alphabetical〔ly〕.

알파카 〔動〕 an alpaca.

알프스 Alps. ∥ ~산맥 the Alps.

알피니스트 an alpinist.

알현 (謁見) 《an》 imperial》 audience. ~하다 be received in audience 《by》; have an audience 《with》.

앓는소리하다 moan: groan: complain 《*of illness*》.

앓다 ① 《병을》 be ill 〔sick, afflicted〕 《with》; suffer from 《cold》. ② 《비유적》 worry about: worry *oneself*: be distressed 〔troubled〕 《with》.

암 (癌) ① 〔醫〕 cancer. ¶ ~의 cancerous. ¶ ~세포 a cancer cell. ② 《화근》 a cancer: a curse: the bad apple.

암 《감탄사》 Of course!; To be sure!; Certainly!; Why not?

암… 《암컷》 female 《animal, bird, flower》; she.

암거래(暗去來) 《매매》 black-market dealings; 《비밀교섭》 secret dealings. ~하다 buy 〔sell〕 《goods》 on the black market: black-marketeer: black-market 《goods》.

암굴(岩窟) a cave; 《rocky》 cavern.

암기(暗記) ～하다 learn (*something*) by heart; memorize (※). ¶ ～하고 있다 know (*the poem*) by heart. ‖ ～력 memory(＝력이 좋다[나쁘다] have a good [bad] memory).

암꽃〔植〕 a female flower.

암나사(—螺絲) a nut.

암내 ① (겨드랑이의) underarm odor; the smell of *one's* armpits; (체취) body odor(생략 B.O.). ② (발정) the odor of a female animal in heat.

암달러(暗—) a black-market dollar (*transaction*). ‖ ～상인 an illegal dollar currency dealer.

암담(暗澹) the gloom. ～하다 (be) dark; gloomy; dismal.

암대(暗隊) an undercurrent.

암매상(暗賣商) a black-marketeer; a black-market dealer.

암매장(暗埋葬) ☞ 암장(暗葬).

암모늄〔化〕 ammonium.

암모니아〔化〕 ammonia.

암묵(暗默) ～리에 tacitly / ～의 양해 a tacit understanding; an unspoken agreement.　　〔bed.

암반(岩盤) a base rock; a rock

암벌 a female bee; a queen (bee).

암범 a tigress.

암벽(岩壁) a rock cliff; a rock face (wall). ‖ ～등반 rock-climbing.

암산(暗算) mental arithmetic. ～하다 do sums in *one's* head; do mental arithmetic.

암살(暗殺) assassination. ～하다 assassinate. ‖ ～자 an assassin.

암석(岩石) (a) rock. ‖ ～층 a rock

암소 a cow.　　　〔layer [stratum].

암송(暗誦) recitation. ～하다 recite; repeat from memory.

암수 male and female.

암수〔計〕 ☞ 속임수. ¶ ～에 걸리다 fall into a trick.

암술〔植〕 a pistil.

암시(暗示) a hint; a suggestion. ～하다 hint (*at*); suggest. ‖ ～적인 suggestive.

암시세(暗時勢) 〔값〕 a black-market price.

암시장(暗市場) a black market.

암실(暗室) a darkroom.

암암리(暗暗裡) ¶ ～에 tacitly; implicitly; secretly.

암염(岩鹽) 〔礦〕 rock salt.

암운(暗雲) dark clouds.

암자(庵子) a hermitage; a hut; a cottage; (작은 절) a small temple.

암자색(暗紫色) dark purple.

암장(暗葬) ～하다 bury (*a body*) secretly.

암죽(—粥) thin (rice-)gruel.

암중모색(暗中摸索) groping in the dark. ～하다 grope (blindly) in the dark.

암초(暗礁) a reef; a (sunken) rock. ¶ ～에 걸리다 run aground; strike [run on] a rock.

암치질(—痔疾) internal hemorrhoids.

암캐 a she-dog; a bitch.

암컷 a female (animal); a she.

암키와 a concave roof-tile.

암탉 a hen; a pullet (햇닭의).

암퇘지 a sow.　　〔a veiled enmity.

암투(暗鬪) a secret strife [feud];

암팡스럽다 (다부지다) (be) bold; daring; plucky.

암페어 an ampere. ¶ 20 ～의 전류 a current of 20 amperes.

암표상(暗票商) an illegal ticket broker; a speculator; a scalper.

암행(暗行) ～하다 travel incognito. ‖ ～어사 a secret royal inspector.

암호(暗號) a code; a cipher; (군호) a password; 를 풀다 decode [decipher] (*a message*) / ～로 쓰다 write in cipher [code]. ‖ ～해독 codebreaking.

암흑(暗黑) darkness. ¶ ～의 dark; black. ‖ ～가 a gangland; the underworld / ～시대 a dark age; a black period.

압권(壓卷) the best; the masterpiece; the best part (*of a book*).

압도(壓倒) ~하다 overwhelm; overpower. ¶ ~적인 overwhelming; sweeping.

압력(壓力) pressure. ¶ ~을 가하다 press; give pressure 《to》. ‖ ~계 a pressure gauge / ~단체 a pressure group / ~솥[냄비] a pressure cooker.

압록강(鴨綠江) *Amnokgang*; the Yalu River.

압류(押留) attachment; seizure; distraint(동산의). ~하다 attach; seize. ¶ ~당하다 have one's property attached. ‖ ~영장 a warrant of attachment / ~품 seized goods.

압박(壓迫) pressure; oppression. ~하다 oppress; oppress(탄압). ‖ ~받는 민족 an oppressed people.

압사(壓死) 《눌려서 죽음》 ~하다 be crushed [pressed] to death.

압송(押送) ~하다 escort 《a criminal》; send 《a person》 in custody 《to》.

압수(押收) seizure; confiscation. ~하다 seize; confiscate; take legal possession of. ‖ ~물 a confiscated article / ~수색영장 a seizure and search warrant.

압승(壓勝) an overwhelming victory. ~하다 win an overwhelming victory 《over》.

압연(壓延) rolling. ~하다 roll. ‖ ~공장 a rolling mill / 열간 ~ hot rolling.　　　　[tack.

압정(壓釘) a push pin; a thumb⌐

압제(壓制) oppression; tyranny(압정). ~하다 oppress; tyrannize 《over》. ‖ ~자 a tyrant; an oppressor.

압지(壓紙) blotting paper.

압착(壓搾) compression. ~하다 press; compress. ‖ ~공기 compressed air / ~기 a compressor / ~펌프 a compressor pump.

압축(壓縮) compression. ~하다 compress. ¶ ~공기 compressed 《air》; condense 《a treatise》.

앗다 ① ☞ 빼앗다. ② 《씨 빼다》 gin

《cotton》. ③ 《품을》 pay for labor in kind.

앗아가다 snatch 《a thing》 away 《from a person》.

앙갚음 revenge; retaliation. ~하다 retaliate; get even 《with》; revenge oneself; get one's revenge 《on》.

앙금 dregs; sediment; lees(술의); grounds(커피의); refuse(찌꺼기).

앙등(昂騰) a sudden [steep] rise 《in prices》. ~하다 rise (suddenly); go up; soar; jump.

앙망(仰望) ~하다 beg; entreat; hope; wish.

앙모(仰慕) ~하다 admire; adore.

앙상블(전 세적인 조화) ensemble 《프》.

앙상하다 (be) gaunt; haggard; thin; spare; sparse 《~ 앙성하다》. ¶ 말라서 빼만 ~ be wasted [reduced] to a skeleton; be reduced to skin and bones.

앙숙(怏宿) ¶ ~이다 be on bad terms 《with》; 《특히 부부가》 lead a cat-and-dog life.

앙심(怏心) malice; grudge; ill will; hatred(증오); hostility(적의). ¶ ~을 품다 have 《harbor, feel》 a grudge 《against》; bear malice 《toward》.

앙양(昂揚) ~하다 exalt; raise; enhance; uplift 《the national spirit》.

앙증스럽다 (be) very small; tiny.

앙천대소(仰天大笑) ~하다 have a good laugh; laugh loudly.

앙칼스럽다, 앙칼지다 (be) fierce; sharp; aggressive; furious; tenacious.

앙케트(질문서) a questionnaire; an opinionnaire; *enquête* 《프》.

앙코르(재청) an encore. ¶ ~를 청하다[받다] call for [receive, get] an encore.

앙탈 ~하다, ~부리다 scheme to disobey; try to avoid what is right; grumble angrily; fuss about [over]. ¶ 공연히 ~ make a big fuss over nothing.

앞 ① 《미래》 the future. ¶ ~을

내다보다 look ahead into the future / 총선거는 두 달 ~이다 The general election is two months away. ②《전방·전면》 the front. ¶ ~의 front ‖ ~으로 나(아)가다 go ahead; go [step] forward. ③《면전》 presence. ¶ 《아무가 있는》 ~ 에서 in 《a person's》 presence. ④《선두》 the head; the foremost; the first. ¶ ~에 서다 be at the head; take the lead. ⑤《…보다 이전에》 ¶ ~의 former; last; previous 《~에 prior (to)》; before; earlier than. ⑥《몫》 a share; a portion.

앞'《…에게, …께》내 ~으로 온 편지 a letter addressed to me; a letter for me.

앞가림하다 have just enough education to get by; have the ability to manage 《one's duties》.

앞가슴 the breast; the chest.

앞길《갈 길》 the road ahead; the way yet to go; 《전도》 one's future; prospects.

앞날 future (career); remaining years (days); 《여생》 the remainder [rest] of one's life.

앞니 a front tooth; an incisor.

앞다리 《짐승의》 forelegs; forelimbs.

앞당기다《시일을》advance; move [carry] up. ¶ 이틀을 ~ advance [move up] 《the date》 by two days.

앞두다 have 《a period, a distance》 ahead. ¶ 열흘을 ~ have ten days to go / 시험을 목전에 앞두고 있다 The examination is near at hand.

앞뒤 ① 《위치》 before and behind; in front and in the rear; before or after; 《시간》 before and after. ¶ ~로 움직이다 《a thing》 back and forth. ② 《순서·사리》 order; sequence; consequence. ¶ 순서의 ~가 뒤바뀌어 있다 The order is inverted. / ~ 분별도 없이 regardless of the consequences; recklessly.

앞뒷집 the neighboring houses; the neighbors.

앞뜰 a front garden [yard].

앞못보다 《소경》 be blind; 《무식》 be ignorant.

앞문《一門》 a front gate [door].

앞바다 the offing; the open sea.

앞바퀴 a front wheel.

앞발 a forefoot; a paw《짐승의》.

앞서 ① 《이전에》 previously; before. ¶ ~ 말한 바와 같이 as previously stated. ② 《먼저》 ahead 《of》; in advance 《of》; earlier (than); prior to.

앞서다 go before [ahead of]; go in advance 《of》; precede; head; lead 《others》; take the lead. ¶ 앞서거니 뒤서거니 now ahead and now behind.

앞세우다 make 《a person》 go ahead. ¶ …을 앞세우고 headed [led, preceded] by ….

앞이마 the forehead.

앞일 things to come; the future 《앞날》. 「garment」

앞자락 the front end [hem] 《of a

앞잡이 《주구》 an agent; a tool; a cat's-paw.

앞장 the head; the front; the lead(선도). ¶ ~ 서다 be at the head 《of》; take the lead 《in》; spearhead 《a campaign》. ¶ ~ 서 걷다 walk at the head 《of a procession》.

앞지르다 get ahead of 《a person》; pass; leave 《a person》 behind; outrun; outstrip; overtake; 《능가하다》 outdo; surpass. ¶ 훨씬 ~ get far ahead of 《a person》; outdistance.

앞집 the house in front; 《길건너의》 the opposite house.

앞차《一車》《앞에 있는》 the car ahead; 《앞서 떠난》 an earlier departing car (train).

앞채 the front building [wing].

앞치마 an apron.

애'《수고》 pains; trouble; effort; 《걱정》 worry; anxiety.

애² ☞ 아이.

애가(哀歌) an elegy.

애걸(哀乞) ~하다 implore; plead [beg] for. ¶ ~복걸하다 beg earnestly.

애견(愛犬) one's pet dog. ∥ ~가 a dog fancier [lover].

애교(愛嬌) charm; attractiveness. ¶ ~ 있는 attractive; charming; amiable / ~을 떨다 〈자리다〉 make oneself pleasant to 《everybody》; try to please 《everybody》.

애교심(愛校心) love of [attachment to] one's school 《Alma Mater》.

애국(愛國) love of one's country; patriotism. ¶ ~적인 patriotic. ∥ ~심 patriotism; patriotic spirit [sentiment] / ~자 a patriot.

애국가(愛國歌) a patriotic song; 〈국가〉 the (Korean) national anthem.

애꾸(눈이) a one-eyed person.

애끓다 fret 《about》; be anxious [worried] 《about》; worry 《about》.

애달프다 (be) heartbreaking; sad and painful; heartrending; sorrowful; pathetic.

애도(哀悼) condolence; sympathy. ~ 하다 mourn; lament; grieve 《over, for》. ∥ ~사 a funeral oration; a eulogy.

애독(愛讀) ~하다 read 《a book》 with pleasure; read and enjoy; read regularly. ¶ 이 책은 학생들에게 ~되고 있다 This book is popular with [among] students. ∥ ~서 one's favorite book / ~자 a (regular) reader 〈신문 따위의〉; a subscriber 〈구독자〉.

애드벌룬 an adballoon; an advertising balloon. ¶ ~을 띄우다 float an advertising balloon.

애련(哀憐) pity; compassion. ~하 다 be piteous [pathetic].

애로(隘路) 〈좁은 길〉 a narrow path; 〈장애〉 a bottleneck. ¶ ~를 타개하다 break the bottleneck.

애매(曖昧) ~하다 (be) vague 《expression》; ambiguous 《wording》; obscure 《vowels》; indistinct 《pro-

nunciation》; suspicious 《actions》.

애매하다 be wrongly [unjustly, falsely] accused 《of》.

애먹다 be greatly perplexed; be in a bad [pretty] fix; be at one's wits' end. ¶ 애먹이다 give 《a person》 much trouble.

애모(愛慕) ~하다 love; be attached to; yearn after [for].

애무(愛撫) ~하다 pet; fondle; caress; cherish.

애벌 the first time. ∥ ~갈이 the first tilling / ~빨래 rough washing.

애사(哀史) a sad [pathetic] story 〈history〉. 「one's company.

애사(愛社) ~정신 devotion to

애서가(愛書家) a booklover.

애석하다(哀惜—) grieve [lament, mourn, sorrow] 《over》; be regrettable 〈아깝다〉.

애소(哀訴) ☞ 애원.

애송(愛誦) ~하다 love to recite. ∥ ~시집 a collection of one's favorite poems.

애송이 a stripling; a greenhorn. ¶ ~ 시절 one's salad days.

애수(哀愁) sorrow; sadness; pathos.

애쓰다 exert [strain] oneself; make efforts; strive 《for》; endeavor; take pains [trouble].

애연가(愛煙家) a habitual smoker.

애오라지 to some extent [degree]; somewhat.

애완(愛玩) ~하다 love; pet; make a pet of; fondle. ∥ ~동물 one's pet 〈animal〉.

애욕(愛慾) love and lust; sexual desire.

애용(愛用) ~하다 use regularly; patronize. ¶ ~의 one's favorite. ∥ ~자 a regular user 《of》.

애원(哀願) an appeal; (an) entreaty; supplication. ~하다 implore; plead [beg] for; appeal; supplicate. ¶ ~자 an implorer; a petitioner.

애인(愛人) a lover〈남자·여자〉; a love〈여자〉; a sweetheart〈주로 여자〉.

애자(碍子) 〖電〗 an insulator.

애절하다(哀切 ―) (be) pathetic; sorrowful.

애정(愛情) love; affection. ¶ ~이 있는 affectionate; loving; warmhearted / ~이 없는 cold(-hearted); loveless; unfeeling.

애제자(愛弟子) one's favorite disciple (student).

애조(哀調) 〖꾹〗 a plaintive (mournful) melody; 〖樂〗 a minor key.

애주(愛酒) ~하다 drink (wine) regularly; be fond of drinking (liquor). ¶ ~가 a regular drinker.

애증(愛憎) love and hatred.

애지중지(愛之重之) ~하다 treasure; prize (value) highly.

애착(愛着) attachment; fondness; love. ¶ ~이 있다 be attached (to); be fond (of).

애창(愛唱) ~하다 love to sing (a song). ¶ ~곡 one's favorite song.

애처(愛妻) one's (beloved) wife. ¶ ~가 a devoted husband.

애처롭다 (be) pitiful; sorrowful; pathetic; touching.

애첩(愛妾) one's favorite mistress.

애초(―初) the very first (beginning). ¶ ~에는 at first; at the start (beginning).

애칭(愛稱) a pet name; a nickname; a term of endearment.

애타적(愛他的) ~적 altruistic. ¶ ~심(主義) altruism / ~주의자 an altruist.

애타다 be anxious (about); be nervous (much worried) (about); worry oneself (sick).

애태우다 ① (스스로) worry oneself (about); feel anxiety. ¶ 그런 일로 애태우지 말라 Don't let that worry you. ② (남을) bother; worry; vex; tantalize; keep (a person) in suspense. ¶ 부모를 ~ worry one's parents.

애통(哀痛) lament; grieve; deplore. ¶ ~할 deplorable; lamentable.

애티 ~가 나다 be childish.

애프터서비스 after-sales service

(英); guarantee (美). ~하다 service (a motorcar); do (carry out) after-sales service (on). ¶이 TV 는 1년간 ~됩니다 This TV set has a one-year guarantee.

애향(愛鄕) ¶ ~심 love of (for) one's hometown (birthplace).

애호(愛好) ~하다 love; be a lover of; be fond of; have a liking for. ¶ ~가 a lover (of music); a (movie) fan.

애호(愛護) protection; loving care. ~하다 protect; love.

애호박 a zucchini; a courgette; a green pumpkin.

애화(哀話) a sad (pathetic) story.

애환(哀歡) joys and sorrows (of life).

액(厄) a misfortune; ill luck.

액(液) 〖액체〗 liquid; fluid; 〖즙〗 juice (과실의); sap (나무의). …액(額) 〖금액〗 an amount; a sum.

액년(厄年) an evil (an unlucky, a bad) year (age).

액달(厄―) an evil (an unlucky) month; a critical month.

액때움, 액땜(厄―) 〖액막이〗 exorcism.

액량(液量) liquid measure.

액막이(厄―) exorcism. ~하다 drive away one's evils.

액면(額面) face (par) value (가격). ¶ ~이하로 (이상으로) below (above) par / ~가로 at a discount (premium) / ~대로 받아들이다 take (a rumor) at its face value. ¶ ~주 a par-value stock.

액상(液狀) ¶ ~의 liquid; liquefied.

액세서리 accessories; accessaries. ¶ ~를 달다 wear accessaries.

액셀러레이터 an accelerator. ¶ ~를 밟다 step on the accelerator.

액션 action.

액수(額數) a sum; an amount.

액운(厄運) misfortune; evil; ill luck; bad luck.

액일(厄日) an evil (unlucky) day.

액자(額子) a (picture) frame.

액정(液晶) liquid crystal.
액체(液體) (a) liquid; (a) fluid. ∥ ~가스 liquefied gas / ~석유가스 liquefied petroleum gas (생략 LPG) / ~천연가스 liquefied natural gas (생략 LNG).
앨범 an album.
앰풀(①회용의 주사약 용기) an ampoule; an ampul(e).
앰프(증폭기) an amplifier.
앵 ∥ ~ 소리를 내다 hum; buzz.
앵글로색슨 Anglo-Saxon. ∥ ~민족 the Anglo-Saxon (race).
앵두(植) a cherry.
앵무새(鳥) a parrot.
앵앵거리다 hum; buzz. ⎡caster.
앵커맨 an anchor man; a newscaster.
야(놀람) Oh dear! O my! Good heavens!; (부름) Hey (you)! Hey there!
야(野) ∥ ~에 있다 be in private life; be in opposition (야당에).
야간(夜間) a night; nighttime. ∥ ~에 by (at) night. ∥ ~경기(飛機) a night game (flight) / ~근무 ☞ 야근.
야경(夜景) a night view (scene).
야경(夜警) night watch. ∥ ~꾼 a night watchman.
야광(夜光) ∥ ~의 noctilucent. ∥ ~도료 a luminous paint / ~층(蟲) a noctiluca.
야구(野球) (play) baseball. ∥ ~선수 a baseball player / ~장 a baseball ground; a ballpark (美).
야근(夜勤) night duty (work)(야업); a night shift (주야 교대의). ∥ ~하다 be on night duty (shift). ∥ ~수당 a night-work allowance.
야금(冶金) metallurgy. ∥ ~의 metallurgical. ∥ ~학(윤) metallurgy / ~학자 a metallurgist.
야금(野禽) a wild fowl.
야금야금 little by little; bit by bit; gradually; by degrees.
야기(夜氣)(밤공기) night air; (냉기) the cool (chill) of the night.

야기하다(惹起—) give rise to; lead to; cause; bring about.
야뇨증(夜尿症) (醫) bed-wetting; (nocturnal) enuresis.
야단(惹端) ① (소란) an uproar; a clamor; a row; a fuss; a disturbance. ∥ ~하다 make a fuss (row); raise (make) an uproar. ② (꾸짖음) a scolding; a rebuke; chide. ∥ ~하다 (치다) scold; rebuke; chide. ③ (곤경) a trouble; a predicament; a quandary. ∥ ~나다 be in a quandary (fix, dilemma); be at a loss.
야담(野談) an unofficial version of historical story (tale). ∥ ~가 a historical storyteller.
야당(野黨) an opposition (party).
야드 a yard (생략 yd.).
야료(惹鬧) ∥ ~를 부리다 make an unreasonable demands; ask too much of (a person).
야릇하다 (be) queer; strange; odd; curious.
야만(野蠻) ∥ ~적 savage; barbarous; uncivilized. ∥ ~인 a barbarian; a savage.
야망(野望) (an) ambition; (an) aspiration. ∥ ~이 있는 ambitious; ~을 품다 be ambitious (of, for, to do); have an ambition (for). ⎡ness; nyctalopia.
야맹증(夜盲症) (醫) night blind-
야멸스럽다 (be) heartless; cold; inhuman; unsympathetic; hardhearted.
야무지다 (be) firm; strong; solid; hard; tough. ∥ 야무진 사람 a man of firm character / 솜씨가 ~ be deft-handed; be dexterous.
야바위 trickery; swindle. ∥ ~하다 play a trick upon (a person); cheat; swindle. ∥ ~꾼 a swindler; an impostor; a trickster.
야박하다(野薄—) (be) cold-hearted; heartless; hard; cruel.
야반(夜半) ∥ ~에 at midnight; ~도주하다 flee by night.
야비(野卑) ∥ ~하다 (be) vulgar

mean; low; boorish; coarse.

야자(椰子)〖植〗a coconut tree; a cocopalm. ‖ ~기름 coconut oil / ~열매 a coconut.

야전(野戰) field operations〔warfare〕. ‖ ~군〔병원〕a field army〔hospital〕.

야채(野菜) vegetables; greens. ‖ ~를 가꾸다 grow〔raise〕vegetables. ‖ ~가게 a greengrocery / ~밭〔가정의〕a kitchen〔vegetable〕garden;《교외의》a vegetable field.

야포(野砲) a field gun; field artillery(총칭). ‖ ~대 a field battery.

야학(夜學) field school.

야합(野合)《남녀간의》an illicit union〔relationship〕;《정당간의》an unprincipled coalition between political parties (formed with a sole view to seizing political power). ‖ ~하다 form an illicit union〔connection〕.

야행(夜行) ~하다 go〔travel〕by night. ‖ ~성〖動〗the nocturnal habits.

야회(夜會) an evening party; a ball (무도회). ‖ ~복 an evening dress.

약(藥) ①《치료제》medicine; a drug; a pill(환약). ‖ ~을 먹다《바르다》take〔apply〕medicine. ②《비유적》¶ 모르는 게 ~ Ignorance is bliss.

약(約)《대략》about; some; nearly; around《美》; approximately.

약간(若干) some;《양》some quantity of; a little;《수》a few; a number of.

약값(藥─) a charge for medicine; a medical fee.

약골(弱骨) ~이다 be of delicate health.

약과(藥菓) ①《과줄》②《쉬운 일》an easy thing.

약관(約款)《협약》an agreement;

야사(野史) an unofficial history.

야산(野山) a hill; a hillock.

야상곡(夜想曲)〖樂〗a nocturne.

야생(野生) ~하다 grow (in the) wild. ‖ ~의 wild; uncultivated. ‖ ~식물〔동물〕a wild plant〔animal〕.

야성(野性) wild nature. ‖ ~적인 wild; rough. ‖ ~미(美) unpolished beauty.

야속하다(野俗─) (be) cold-hearted; heartless;《섭섭하다》(be) reproachful; rueful.

야수(野手)〖野〗a fielder.

야수(野獸) a wild beast〔animal〕. ¶ ~같은 brutal; beastlike. ‖ ~성 brutality. ‖ ~파(派)〖美術〗Fauvism; a Fauvist (사람).

야습(夜襲) a night attack〔raid〕. ~하다 make a night attack (on).

야시(장)(夜市(場)) a night market.

야식(夜食) a midnight snack.

야심(野心)《야망》(an) ambition;《음모》a sinister designs. ¶ ~있는 ambitious. ‖ ~가 an ambitious person.

야심(夜深─) be late at night.

야영(野營) a camp; camping. ~하다 camp out. ‖ ~지 a camping ground. 〔mew.

야옹 mew; miaow. ¶ ~하고 울다

야외(野外) ¶ ~에 outdoor; open-air; out-of-door; field / ~에서 in the open (air); outdoors / ~에 나가다 go out into the open. ‖ ~음악회 an open-air〔outdoor〕concert / ~작업〔연습〕field work〔exercise〕/ ~촬영 a location.

야유(野遊) a picnic; an outing. ‖ ~회 a picnic party (~회를 가다 go on a picnic).

야유(揶揄) hoots; heckling; jeer. ~하다 hoot; heckle; jeer (at).

야음(夜陰) ¶ ~을 틈타 under cover of darkness (night).

야인(野人) ①《시골 사람》a rustic; a countryman. ②《재야자》a person out of official position.

《조항》 a stipulation; an article; a clause.

약관(弱冠) a youth of twenty; a young man. ¶ ~에 at the age of twenty.

약국(藥局) a drugstore 《美》; a pharmacy; a chemist's shop 《英》.

약다 (be) clever; wise; sharp; shrewd; smart.

약도(略圖) a (rough) sketch; a sketch [route] map (지도의).

약동하다(躍動一) move in a lively way; throb; be in full play.

약력(略歷) one's brief personal history; a sketch of one's life.

약리(藥理) ~작용 medicinal action / ~학 pharmacology.

약물(藥物) (a) medicine; drugs. ¶ ~요법 medication; medical therapy / ~의존 drug dependence / ~중독 drug poisoning.

약밥(藥一) sweet steamed rice flavored with honey, nuts, etc.

약방(藥房) a drugstore. ‖ ~감초 약국.

약방문(藥方文) a prescription (slip); a recipe. ¶ 사후 ~ the doctor after death.

약변화(弱變化) 【文】 weak conjugation. ¶ ~의 (동사) weak (verbs).

약병(藥瓶) a medicine bottle.

약봉지(藥封紙) a packet of medicine.

약분(約分) 【數】 reduction. ~하다 reduce (a fraction). ¶ ~할 수 없는 irreducible.

약사(藥師) a pharmaceutist; a pharmacist.

약사(略史) a brief [short] history.

약사법(藥事法) the pharmaceutical affairs law.

약삭빠르다 (be) clever; sharp; shrewd; smart; quick-witted.

약소(弱小) ~하다 (be) small and weak. ‖ ~국(가) a lesser [minor] power [nation] / ~민족 the people of a small and weak power.

약소하다(略少一) (be) scanty; insignificant; a few (수); a little (양).

약속(約束) 《실행의》 a promise; an engagement; 《회합의》 an appointment; a date(남녀간의). ~하다 (make a) promise; give one's word; make an appointment [a date 《美□》] 《with》. ¶ ~을 지키다 [어기다] keep [break] one's promise (word). ‖ ~시간 [장소] the appointed time [spot].

약손가락(藥一) the third finger; the ring finger.

약솜(藥一) absorbent [sanitary] cotton; cotton wool [batting].

약수(約數) 【數】 a divisor; a factor.

약수(藥水) 《약물》 medicinal [mineral] water.

약술(略述) ~하다 give an outline [a rough sketch] (of).

약시(弱視) weak [poor] eyesight; 【醫】 amblyopia.

약식(略式) ¶ ~의 informal / ~로 informally; without formality. ‖ ~명령 a summary order / ~재판 summary trial / ~절차 informal proceedings.

약실(藥室) 《총의》 a cartridge chamber.

약쑥(藥一) 【植】 (medicinal) moxa.

약어(略語) an abbreviation.

약연(藥碾) a druggist's mortar.

약오르다 fret (and fume) (about); become impatient; be irritated.

약올리다 irritate; fret; tantalize; tease (골려서).

약용(藥用) medicinal use. ¶ ~의 medicinal / ~식물 a medicinal plant [herb].

약육강식(弱肉強食) the law of the jungle.

약읍기(弱音器) a mute.

약자(弱者) the weak. ¶ ~의 편을 들다 side with [stand by] the weak.

약자(略字) a simplified [an abbreviated] (Chinese character).

약장(章章) a miniature decoration [medal]; a service ribbon.

약장(藥欌) a medicine chest.

약재(藥材) medicinal stuffs.

약전(弱電) a weak electric current. ∥ ~기기 light electric appliances.

약전(藥典) the pharmacopoeia.

약점(弱點) a weakness; a weak (vulnerable) point; 《결점》a defect; shortcomings; a sore [tender] spot (급소).

약정(約定) ~하다 agree; contract; promise. ∥ ~기한 a stipulated time / ~서 an agreement; a written contract.

약제(藥劑) drugs; chemicals; (a) medicine. ∥ ~사 ☞ 약사(藥師).

약조(約條) ~하다 promise; pledge. ∥ ~금 a contract deposit.

약종상(藥種商) a drug merchant; a herbalist(한약의); an apothecary.

약주(藥酒) 《약용》medical liquor. ②《술》refined *sul*; rice wine.

약진(弱震) a slight earthquake tremor.

약진(躍進) ~하다 (make a) rush [dash] 《for》; 《진보》make rapid advance [progress].

약초(藥草) medicinal herbs; a medical plant. ∥ ~학 medical botany.

약탈(掠奪) plunder; pillage; loot. ~하다 pillage; plunder; loot. ∥ ~자 a plunderer; a looter / ~품 spoil; plunder; loot.

약탕관(藥湯罐) a clay pot in which medicines are prepared.

약포(藥圃) a herbal garden.

약품(藥品) medicines; drugs; chemicals (화학 약품).

약하다(弱─) ① 《세력·능력·기력이》(be) weak; delicate; poor; feeble; frail. ¶ 위장이 ~ have poor [weak] digestion. ② 《빛·색·소리 따위가》(be) faint; feeble; gentle; 《술 따위가》(be) mild; 《정도 따위가》(be) weak; slight. ③ 《깨지기 쉬움》(be) weak; flimsy 《boxes》. ④ 《저항력이》be easily affected 《by》; be sensitive 《to》. ¶ 술에 ~ easily get drunk / 추위에 ~ be sensitive to cold. ⑤

《잘하지 못하다》(be) weak; poor.

약하다(略─) ☞ 생략(省略).

약학(藥學) pharmacy; pharmacology. ∥ ~과 the pharmaceutical department / ~대학 the college of pharmacy / ~자 a pharmacologist.

약호(略號) a code [cable] address.

약혼(約婚) an engagement; a betrothal. ~하다 get engaged 《to》. ∥ ~자 one's fiancé 《남》; one's fiancée 《여》.

약화(弱化) ~하다 weaken.

약효(藥效) the effect 《virtue, efficacy》of a medicine. ¶ ~를 나타내다 take effect; work; prove efficacious / ~가 있다 be effective; be good 《for》.

얄궂다 (be) strange; queer; odd; funny; curious. ¶ 얄궂게도 strange enough; by a curious coincidence / 얄궂은 운명 the irony of fate.

얄밉다 (be) offensive; 《주제넘다》(be) saucy; cheeky; pert; 《밉다》(be) disgusting; hateful; detestable; provoking. ¶ 얄밉게 굴다 behave meanly.

얄팍하다 (be) thin.

얇다 (be) thin. ¶ 얇게 thinly.

얌전하다 《차분·단정》(be) gentle; well-behaved; modest; polite; graceful. ¶ 얌전하게 굴다 behave oneself. ②《솜씨·모양》(be) nice; neat; good.

양(羊) 《動》a sheep; a lamb (새끼). ~ 가죽 sheepskin; 《제본용》roan / ~고기 mutton / ~떼 a flock of sheep / ~털 (sheep's) wool.

양(良) the fourth category (of academic marks); D.

양(量) ①《분량》quantity; amount; volume. ¶ ~보다 질 quantity before quantity. ②《먹는양》capacity for eating. ¶ ~껏 먹다 [마시다] eat [drink] to one's fill.

양(陽) the positive; 《哲》"Yang".

양…(兩) 《둘》a couple; both; two.

양…(洋) foreign; Western; European.

…양(孃) Miss 《*Kim*》.

양각(陽刻) relief: (a) relief sculpture 《carving》. ━ 하다 carve in relief. ¶ ～새옹 relief(raised) work.

양계(養鶏) poultry farming; chicken raising. ━ 하다 raise poultry 《chickens》. ¶ ～업 a poultry farming / ～장 a poultry 〔chicken〕 farm.

양곡(糧穀) cereals; grain.

양과자(洋菓子) Western confectionery 〔cakes〕.

양궁(洋弓) Western-style archery 《궁술》; a Western-style bow 《활》.

양귀비(楊貴妃) 《植》 a poppy.

양극(兩極) the two poles 《지구의》; the positive and negative poles 《전기의》; the opposite poles 《정반대의》. ¶ ～의 bipolar. ━ 화 bipolarization. 〔the anode.

양극(陽極) 《電》 the positive pole;

양극단(兩極端) the two extremes.

양기(陽氣) ① 《햇빛》 sunlight; sunshine. ② 《남자의》 vigor; virility; vitality; energy.

양날(兩一)의 double-edged; two bladed.

양녀(養女) an adopted daughter.

양념 spices; flavor; seasoning; condiments. ¶ ～을 한 spicy; spiced 《*food*》 / ～을 치다 spice 《*a dish*》; season 《flavor》 《*a dish*》 with spice. ¶ ～병 a cruet.

양다리(兩一) try to have 《*it*》 both ways: sit on the fence; play double《내통하다》 / ～(를) 걸치는 사람 a double-dealer; a timeserver.

양단(兩端) both ends; either end. ¶ ～간에 at any rate; in any case 〔way〕; at all events.

양단(兩斷) bisection. ━ 하다 bisect; split 《break》 in two; cut 《break》 in two.

양단(洋緞) satin. 《a thing》 in two.

양달(兩一) a sunny place 《spot》.

양담배(洋一) imported 〔foreign, American〕 cigarettes 〔tobacco〕.

양당(兩黨) the two political parties. ¶ ～정치 〔제도〕 the two-party politics 〔system〕.

양도(糧道) supply of provisions. ¶ ～를 끊다 cut off the 《enemy's》 supplies.

양도(讓渡) transfer; conveyance; negotiation 《어음의》. ━ 하다 transfer 《*a thing*》 to; hand 《make》 《*a thing*》 to 《*a person*》 over 〔to〕; deed 《*a thing*》 to 《*a person*》 《法》. ¶ ～할 수 있는 transferable; negotiable 《어음의》. ¶ ～성예금 a negotiable deposit / ～소득 income from the transfer of 《*one's*》 property / ～소득세 a transfer income tax / ～인 a grantor; a transferrer 《피―인》 a transferee》 / ～증서 a deed of transfer.

양도체(良導體) a good conductor.

양돈(養豚) hog 〔pig〕 raising. ━ 하다 raise 〔rear〕 hogs. ¶ ～업자 a hog raiser 《美》; pig breeder 〔farmer〕 《英》 / ～장 a pig farm; a swinery.

양동이(洋一) a metal pail.

양두(兩頭) ¶ ～ 정치 diarchy.

양력(陽曆) the solar calender.

양력(揚力) 《理》 (dynamic) lift.

양로(養老) ¶ ～보험 old-age 《endowment》 insurance / ～연금 an old-age pension / ～원 a home for the aged; an old people's home; a retirement community 〔노인촌〕.

양론(兩論) both arguments; both sides of the argument.

양륙(揚陸) unloading 《*of cargo*》 《상륙》 landing. ━ 하다 unload; land; disembark.

양립(兩立) ━ 하다 be compatible 《with》; stand together. ¶ ～할 수 없다 be incompatible 《with》.

양말(洋襪) socks 《짧은―》; stockings 《긴―》.

양면(兩面) both faces. ¶ ～의 double-faced; both-sided.

양모(羊毛) 《sheep's》 wool. ¶ ～의 woollen.

양모(養母) an adoptive mother;

a foster mother.

양모제(養毛劑) a hair tonic.

양미간(兩眉間) ¶ ~을 찌푸리다 knit one's brows; frown 《at, on》.

양민(良民) law-abiding citizens. ‖ ~ 학살 massacre 〔slaughter〕 of the innocent people.

양반(兩班) *yangban*; 《동반·서반》 the two upper classes of old Korea; 《계급》 the nobility; the aristocracy; 《사람》 an aristocrat; a nobleman.

양배추(洋~) a cabbage.

양보(讓步) concession. ~하다 concede 《*to*》; make a concession; give way to. ¶ 한 치도 ~ 하지 않다 do not yield an inch.

양복(洋服) Western clothes; a suit (of clothes) (한 벌). ‖ ~ 걸이 a coat hanger / ~ 집 a tailor's (shop).

양봉(養蜂) beekeeping; apiculture. ~ 하다 keep (culture) bees. ‖ ~ 가 a beekeeper / ~ 업 bee-farming / ~ 장 a bee farm; an apiary.

양부(良否) good or bad; quality.

양부(養父) an adoptive 〔a foster〕 father.

양부모(養父母) adoptive〔foster〕 parents.

양분(養分) nutriment; nourishment. ¶ ~이 있다 be nourishing. ¶ ~이 있다 be nourishing.

양산(陽傘) a parasol.　　　　Ling.

양산(量産) mass production. ~ 하다 mass-produce.

양상(樣相) an aspect; a phase (국면); a ~ 새로운 ~을 나타내다 take on a new aspect; enter upon a new phase.

양서(良書) a good book.

양서(洋書) a foreign 〔Western〕 book.

양서류(兩棲類) an amphibious animal; an amphibian.

양서류(兩棲類) [動] Amphibia.

양성(兩性) both 〔the two〕 sexes. ¶ ~의 bisexual 《*flower*》. ‖ ~ 생식 gamogenesis.

양성(陽性) positivity. ¶ ~의 posi-

tive / ~이다 prove positive. ‖ ~ 반응 a positive reaction.

양성(養成) training; education. ~ 하다 train; educate; cultivate(재능·품성 따위의). ‖ ~ 소 a training school 《*for teachers*》.

양성화(陽性化) 무허가 건물의 ~ licensing unauthorized houses / 정치 자금을 ~하다 legalize political funds.

양속(良俗) a good 〔fine〕 custom.

양손(兩~) both hands. ¶ ~ 잡이 an ambidexter.

양송이(洋松栮) a mushroom; a champignon(유럽 원산). ‖ ~ 재배 mushroom cultivation.

양수(羊水) [醫] amniotic fluid.

양수(揚水) pumping up. ‖ ~ 기 a water pump / ~ 장 a pumping station.

양수(讓受) taking over; inheritance 《계승》. ~ 하다 obtain by transfer; take over; inherit. ‖ ~ 인 a grantee; a transferee.

양순(良順) ~하다 (be) good and obedient; gentle; meek.

양식(良識) good sense. ¶ ~ 있는 사람 a sensible person.

양식(洋式) ¶ ~의 Western-style.

양식(洋食) Western food 〔dishes〕; Western cooking. ‖ ~ 기(器) Western tableware / ~ 집 a (Western) restaurant.

양식(樣式) a form; a style; a mode; a pattern(방식). ¶ 소정 ~의 원서를 제출하다 submit one's application in the prescribed 〔proper〕 form. ‖ 행동~ patterns of behavior.

양식(養殖) culture; breeding. ~ 하다 raise; cultivate; breed. ‖ ~ 어 hatchery fish / ~ 어업 the fish-raising industry / ~ 장 a nursery; a farm / ~ 진주 a cultured pearl / 굴 ~ oyster culture 〔farming〕.

양식(糧食) food; provisions.

양심(良心) conscience. ¶ ~ 적(으로) conscientious(ly) / ~이 없는 사람 a man with no conscience / ~

에 호소하다 appeal to 《*a person's*》 conscience / ~에 어긋나다 betray *one's* conscience / ~에 따라 행동하다 act according to *one's* conscience / ~의 가책을 받다 suffer from a guilty conscience / ~에 꾸리움이 없다 I have a good 〔clear〕 conscience. ‖ ~수 a conscientious prisoner.

양악(洋樂) Western music.

양안(兩岸) both banks; either bank 〔side〕.

양약(良藥) a good medicine.

양약(洋藥) Western medicines.

양양(洋洋) ~하다 (be) vast; broad; boundless; bright (앞길이).

양양하다(揚揚—) (be) triumphant; exultant.

양어(養魚) fish breeding 〔farming〕. ‖ ~장 a fish farm.

양여(讓與) transfer; 《영토의》 cession; alienation (할양); 《이권의》 concession (포기) surrender; 《양도》 assignment. ~하다 transfer; concede 《*a privilege to another*》.

양옥(洋屋) a Western-style house.

양용(兩用) (for) double use. ¶수륙 ~ 전차 an amphibian (amphibious) tank.

양원(兩院) both 〔the two〕 Houses 〔Chambers〕. ‖ ~제도 a bicameral systems.

양위(讓位) 《임금의》 abdication (of the throne). ~하다 abdicate (the throne).

양육(養育) ~하다 bring up; rear; nurse; foster. ‖ ~자 a fosterer; a rearer.

양은(洋銀) nickel 〔German〕 silver.

양의(良醫) a good physician.

양의(洋醫) a Western 〔medical〕 doctor.

양이(攘夷) antiforeign sentiment; exclusionism. ‖ ~론 the advocacy of exclusion of foreigners / ~론자 an exclusionist.

양이온(陽—) 〔理〕 a positive ion.

양자(兩者) both; the two; both parties. ¶~택일하다 select one alternatively; choose between the two.

양자(陽子) 〔理〕 a proton.

양자(量子) 〔理〕 a quantum.

양자(養子) an adopted son; a foster child. ¶~로 삼다 adopt a child.

양자강(揚子江) ☞ 양쯔강.

양잠(養蠶) sericulture; silkworm culture (breeding). ~하다 raise 〔breed〕 silkworms. ‖ ~업 the sericultural industry.

양장(洋裝) ① 《옷》 Western-style clothes. ~하다 be dressed in Western style; wear Western clothes. ‖ ~점 a dressmaking shop; a boutique. ② 《제본》 foreign binding.

양재(洋裁) dressmaking. ‖ ~사 a dressmaker.

양잿물(洋—) caustic soda.

양전기(陽電氣) positive electricity.

양전자(陽電子) 〔理〕 a positron.

양젖(羊—) sheep's milk.

양조(釀造) brewing; brewage; distillation. ~하다 brew 《beer》; distill 《whisky》. ‖ ~업자 a brewer; a distiller / ~장 a brewery; a distillery(위스키의) / ~학 zymurgy.

양주(洋酒) Western liquors; whisky and wine.

양지(陽地) a sunny place. ¶~쪽 the sunny side / ~에 in the sun.

양지(諒知) ~하다 know; understand; be aware of. ¶~하시는 바와 같이 as you see 〔are aware〕.

양지머리 the brisket of beef.

양진영(兩陣營) both camps 〔parties〕; the two opposing sides.

양질(良質) good 〔superior〕 quality.

양쪽(兩—) both sides. ‖ ~에 on both sides 〔either side〕 《of》.

양쯔강(揚子江) the Yangtze (River).

양처(良妻) a good wife.

양철(洋鐵) tin plate. ‖ ~가위 snips / ~공 a tinman.

양측(兩側) ☞ 양쪽.

양치(養齒) ~하다 brush *one's*

teeth; rinse (out) one's mouth; gargle (the throat).

양치기(羊一) sheep-raising; a shepherd (목동).

양키 a Yankee; a Yank (俗).

양탄자(洋一) a carpet; a rug.

양파(洋一) an onion.

양팔(兩一) two (both) arms.

양편(兩便) either side; both sides. ‖

양푼 a brass basin.

양품(洋品) haberdashery; fancy goods. ‖ ~점을 a haberdashery; a fancy(-goods) store.

양풍(良風) a good custom. ‖ ~미속 ☞ 미풍양속.

양피(羊皮) sheepskin; roan (제본용); ~지(紙) parchment.

양해(諒解) 〔동의〕 consent; agreement; 〔이해〕 understanding. ~하다 consent to; agree with; understand; 〔상호 ~하여〕 by mutual agreement. ‖ ~각서 a memorandum of understanding (생략 MOU) / ~사항 agreed items.

양호(良好) ~하다 (be) good; excellent; successful; satisfactory.

양호(養護) nursing; protective care. ~하다 nursing; protect.

양화(良貨) good money.

양화(洋靴) ~ 구두. ‖ ~점을 a shoe shop [store 美].

양화(洋畵) ① 〔서양화〕 a Western-style painting. ② 〔영화〕 a foreign movie [film].

양회(洋灰) 〔시멘트〕 cement.

얕다 ① 〔깊이가〕 (be) shallow. ¶ 물이 얕은 곳 a shoal; a shallow. ② 〔생각·지식이〕 (be) shallow; superficial; thoughtless. ③ 〔정도가〕 (be) light; slight.

얕보다 hold (a person) cheap; make light of; look down on; underestimate; despise. ¶ 얕볼 수 없는 적 a formidable enemy.

애 〔호칭〕 Sonny!; My boy!; You!; Hey!; ② 〔감탄〕 Oh!; Well!; Why!; 〔대답〕 yes!; yea!

어 〔語幹〕 the stem of a word.

어감(語感) a linguistic sense; word feeling (말의). ¶ 〔말의〕 미묘한 ~ (a) subtle nuance.

어구(語句) words and phrases.

어구(漁具) a fishing implement; fishing gear (tackle)(총칭).

어구(漁區) a fishing ground (area).

어군(魚群) a shoal [school] of fish. ‖ ~탐지기 a fish finder (detector).

어군(語群) 〔文〕 a word group.

어귀 an entrance (to a village); an entry (to a river); the mouth (of a harbor).

어긋나다 ① 〔반대로〕 be contrary to; be against (the rule); depart from. ② 〔사이가〕 become estranged.

어근(語根) the root of a word.

어금니 a molar (tooth).

어긋나다 ① 〔길이〕 pass [cross] each other; miss [cross] with each other on the road. ② 〔빗나가다〕 go amiss; miss; go wrong; fail. ③ 〔틀리다·위반되다〕 be against; be contrary to (the rule). ④ 〔뼈 따위가〕 be dislocated.

어긋물리다 cross (each other).

어긋하다 〔서로적〕 be out of joint (with each other); (be) loose; uneven.

어기(漁期) the fishing season.

어기다 〔약속·명령·규칙 따위를〕 go against; offend against (the law); violate (a rule); break. ¶ 부모 뜻을 어기다 against one's parents' wishes / 시간을 어기지 않고 punctually; on time.

어기다 disobey; oppose; go [act] against.

어기적거리다 waddle; shuffle along.

어기차다 be sturdy (stout-hearted).

어김 ¶ ~없는 unerring; infallible / ~없이 without fail; surely; certainly / ~없이 …하다 do not fail [forget] to (do).

어깨 the shoulder. ¶ ~에 메다 shoulder (a thing) / ~를 으쓱하다 shrug one's shoulders / ~를 나란히 하다 stand side by side; can compare (with); rank (with

another》/ ~를 겨루다 compete
《with》.

어깨동무 ~ 하다 put arms around
each other's shoulders.

어깨뼈 the shoulder blade.

어깨총 (一銃) 《구령》 Shoulder arms!

어깻바람 ¶ ~이 나서 in high spir-
its.

어깻숨 ¶ ~을 쉬다 pant.

어깻죽지 the shoulder joint.

어눌하다 (語訥—) be slow of
speech; 《말을 더듬다》 stammer;
stutter.

어느 ① 《한》 a; one; a certain;
some. ¶ ~ 날 one day / ~ 정도
to some 〔a certain〕 extent; some-
what. ② 《의문》 which; what.
¶ ~ 날 《책》 which day 〔book〕 /
~ 사람 who. ③ 《그 중의》 any;
whichever; any; every; whichever; 《부정》 none /
~ 모로 보아도 from every point of
view.

어느덧 《어느새》 before one knows
〔is aware〕; without one's knowl-
edge; unnoticed.

어느때 when; 《at》 what time;
《어느때나》 any time; whenever.

어느새 ☞ 어느덧.

어느쪽 《의문》 which; 《무엇이든》
whichever; 《선택》 either ... 《or》;
neither ... 《nor》 《부정》; either 《선택》 either; either 《방
향》 which direction 〔side〕. ¶ ~
이든 간에 in either case; either
way / ~이라도 좋다 Either will do.

어두컴컴하다 (be) very dark.

어둑〔어둑〕하다 (be) dim; gloomy;
dusky.

어둠 darkness; the dark. ¶ ~ 속
에서 《in》 the dark / ~ 침침하여
be dim 〔gloomy, dusky〕 / ~ 침침
한 방 a dimly-lit 〔an ill-lit〕 room.

어둡다 《암흑》 be dark; 《희미》
〔희미〕 gloomy; dim 《어둡게 하
다 darken; dim 《the light》 /
make 《a light》 dim / 어두워지다
become 〔get〕 dark. ② 《무지》 be
ignorant 《of》; be badly 〔ill-〕
informed 《of》; be a stranger 《to》.
③ 《눈·귀가》 ¶ 눈이 ~ have dim

eyes / 귀가 ~ be hard of hearing.
④ 《비유적》 ¶ 어두운 얼굴 a clouded
face / 어두운 전망 a dark view /
그에게는 어두운 과거가 있다 He has
a shady past.

어디 《장소》 where; what place;
somewhere; 《~까지 How far 《거
리》; to what extent 《정도》; / ~
에나 anywhere; everywhere / ~
에서 from where; whence.

어디 《감탄사》 Well!; 《Well now!》;
Just!; Let me see.

어디가나 to the end 《끝까지》; per-
sistently 《악착같이》; in all re-
spects, in every point 《어느 모로
나》; thoroughly, out and out 《샅샅
저히》.

어딘가, 어딘지 somehow; in some
way; without knowing why.

어떠한, 어떤 ① 《무슨·여하한》 what;
what sort 〔kind〕 of; any 《여하
한》. ¶ ~ 일이 있어도 whatever
〔no matter what〕 may happen;
under any circumstances; 《결
코 ~ 아니다》 《not》 for all the
world / 그는 ~ 사람인가 What is
he like? / ~ 일이라도 하겠다 I'd
do anything. ② 《어느》 a certain;
some. ¶ ~ 마을 a certain vil-
lage / ~ 사람 someone; some-
body.

어떻게 how; in what way. ¶ ~
보아도 to all appearance; in
every respect / ~ 해서든지 by
all 〔any〕 means; at any cost 《무
리해서라도》. / ~ 할까요 What shall
I do 《with this letter》? / 요즈음
~ 지내십니까 How are you get-
ting along these days? / ~ 되
겠지 Something will turn up.

어떻든(지) 《좌우간》 at any rate;
anyway; anyhow; in any case.
¶ 그것은 ~ be that as it may;
no matter what it may be.

어란 (魚卵) spawn; roe; fish eggs.

어련하다 (be) trustworthy; reli-
able; be natural to be expect-
ed. ¶ 그가 하는데 어련하려고 We
may trust him, or He knows
how to deal with it.

어련히 naturally; surely; infallibly. ¶내버려 둬. ~ 알아서 할라고 Let him alone, he will take care of himself.

어렴풋이 dimly; faintly; vaguely.

어렴풋하다 (be) dim; indistinct; faint; vague (애매).

어렵(漁獵) fishing (and hunting).

어렵다 ① (곤란) (be) hard; difficult; tough (口). ¶어려움 difficulty. ② (가난) (be) poor; needy; indigent. ¶어려운 살림을 하다 be badly off; live in poverty. ③ (거북하다) feel awkward (constraint); be (feel) ill at ease.

어로(漁撈) fishing; fishery. ‖ ~금지구역 a restrictive fisheries zone / ~수역 a fishery zone.

어록(語錄) analects; sayings; quotations.

어뢰(魚雷) a torpedo.

어루러기 [醫] leucoderma; vitiligo.

어루만지다 ① (쓰다듬다) stroke (one's beard); pat (a dog); pass one's hand (over, across); smooth down (one's hair). ② (달래다) soothe; appease; console.

어류(魚類) fishes. ‖ ~학 ichthyology / ~학자 an ichthyologist.

어르다 fondle; amuse; humor; try to please.

어른 ① (성인) a man; an adult; a grown-up. ¶ ~ 의 어른 grown-up / ~ 답지 않은 childish; unworthy of a grown man [woman] / ~이 되다 grow up; become a man [woman]. ② (윗사람) one's senior; one's elder(s).

어른거리다 (사물이) flicker; glimmer; flit; (눈이) be dazzled; haunt (a person) (마음에).

어름거리다 ① (언행을) do [say] ambiguously; mumble. ② (일을) scamp [slapdash] (one's work); be slovenly or at random; inattentively.

어리광 ¶ ~ 을 부리다 behave like a spoilt child; play the baby (to).

어리굴젓 salted oysters with hot pepper.

어리다 (나이) (be) young; infant; juvenile; (유치) (be) childish; infantile; (미숙) (be) green; inexperienced.

어리다 ① (눈물이) be wet [moist, dimmed] (with tears). ¶그녀 눈에는 눈물이 어려 있었다 Her eyes were filled with tears. ② (정성 등이 담기다) be filled (with). ¶어린 말 affectionate words / 정성 어린 선물 a gift with one's best wishes.

어리둥절하다 (be) dazed; stunned; bewildered; (서술적) be [get] confused; be puzzled (at a loss).

어리벙벙하다 (be) dumbfounded; bewildered; disconcerted.

어리석다 (be) foolish; silly; dull; stupid. ¶어리석은 짓을 하다 play [act] the fool; act foolishly.

어린것 a little [young] one; a kid.

어린아이 a child [pl. children]; an infant; a baby.

어린이 a child [pl. children] (을). ‖ ~날 Children's Day / ~헌장 the Children's Charter.

어림 a rough estimate (guess). ¶ ~잡다 guess; estimate (at); make a rough estimate (of). ‖ ~셈 a rough calculation [estimate].

어림없다 be wide of the mark; be far from it; (당치 않다) be preposterous; nonsensical; (가능성이) be hardly possible (to); have no chance (of).

어릿광대 a clown; a buffoon.

어마 (놀람) My! ; Oh! ; Good heaven(s)! : O dear!

어마어마하다 (당당하다) (be) grand; magnificent; imposing; majestic; (엄청나다) (be) tremendous; terrific (noise); immense.

어망(漁網) a fishing net.

어머 Oh! ; Why! ; Dear me! ; O my! ; Good gracious!

어머니 ① a mother. ¶ ~ 의 mother's; motherly; maternal / ~ 다운 [같은] motherly; maternal. ‖ ~ 날 Mother's Day. ② (근

원》origin; source; mother. ¶필요는 발명의 ～ Necessity is the mother of invention.

어멈 ① 《하녀》 a housemaid; an amah; a maid《servant》. ② 《어머니의 낮춤말》a 〔one's〕 mother.

어명(御命) 《임금의》 a Royal command〔order〕.

어물(魚物) dried fish; stockfish. ∥～전 a dried-fish shop.

어물거리다 ① ☞ 어물거리다 ① ② be slow 《at one's work》; be tardy; be inefficient. ¶어물거리지 마라 Make it snappy! or Stop dawdling.

어물쩍거리다 ¶태도를 ～ take a vague attitude 《to》/ 말을 ～ use vague language. 〔bird.

어미(魚尾) a mother. ¶～새 a mother

어미(語尾) the ending of a word. ∥～변화 inflection.

어민(漁民) fishermen.

어버이 parents. ¶～의 parental.

어법(語法) usage《사용법》; wording; diction; grammar《문법》.

어부(漁夫) a fisherman. ¶～지리를 얻다 fish in troubled waters.

어불성설(語不成說) unreasonable talk; lack of logic.

어사(御史) a royal secret inspector traveling incognito.

어사리(漁─) fishing with a moored net. ∥～하다 fish with a moored net.

어살(魚─) a weir; a fish trap.

어색(語塞) ～하다《말이 막히다》be stuck for words; be at a loss 《what to say》;《열없다》be awkward〔embarrassed〕; feel ill at ease;《서투르다》be awkward; clumsy.

어서 ① 《빨리》quick《ly》; without delay. ② 《환영》(if you) please; kindly. 〔a fishing fleet.

어선(漁船) a fishing boat. ∥～단

어설프다 ① 《성기다》(be) coarse; rough; loose. ¶어설प게 coarsely. ② 《담박하다》(be) clumsy; slovenly; 《겉핥기의》(be) superficial; shallow. ¶어설प게 clumsily.

어수룩하다 (be) naive; unsophisticated; simple-hearted. ¶어수룩하게 보다 hold 《a person》 cheap.

어수선하다《난잡·혼란》be in disorder〔confusion〕;《산란》(be) jumbled; 《산란》be distracted; troubled; confused. ¶어수선하게 disorderly; in disorder〔confusion〕.

어순(語順)《文》word order.

어스레하다《날이》(be) dusky; dim; gloomy; murky.

어슬렁거리다 prowl; stroll〔ramble〕about; hang around. ¶어슬렁어슬렁 slowly; lazily.

어슴푸레하다 (be) dim; vague; indistinct; misty; hazy.

어슷비슷하다 (be) much 〔nearly〕the same; somewhat alike.

어슷하다 be slant; oblique; 《서슬적》be on the tilt〔slant〕.

어시장(魚市場) a fish market.

어안 (魚眼) ∥～렌즈 a fisheye lens.

어안이 벙벙하다 《서슬적》be dumbfounded; be struck dumb; be taken aback.

어업(漁業) fishery; the fishing industry. ∥～권 fishing rights / ～전관수역 fishing waters; a fishing zone / ～협정 a fisheries agreement.

어영차 Heave-ho!; Yo-heave-ho!

어엿하다 (be) respectable; decent; good.

어용(御用) ∥～신문 a state-controlled press; a government mouthpiece / ～조합 a company 〔kept〕union / ～학자 a government-patronized scholar.

어울리다 ① 《조화》become; match well; suit; befit; go well 《with》; be in keeping 《with》. ¶안 어울리는 unbecoming 《to》; unsuitable 《for》; ill-matched / 《옷이》잘 ～ suit well on 《a person》; fit 《a person》well. ② 《한데 섞임》join 《with》; mix 《mingle》《with》.

어원(語源) the derivation 〔origin〕of a word; an etymology. ¶～을 찾다 trace a word to its ori-

gin. ∥ ～학(學) etymology.

어유(魚油) fish oil.

어육(魚肉) fish (meat).

어음 [商] a bill; a draft; a note. ｛3개월 붙~｝ a bill at three months' sight / ～으로 지급받다 pay by draft / ～을 떼다 draw a draft [for 100 dollars] / ～을 현금으로 바꾸다 cash a bill / ～을 결제하다 [부도내다] honor [dishonor] a bill. ∥ ～교환소 a clearing house / ～발행인(수취인) the drawer [payee] of a bill / ～할인 a discount (on a bill) / 약속～ a promissory note.

어의(語義) the meaning of a word.

어이(호칭) Hey!; Hi!; There! Here!; I say!

어이구〈놀람〉 Oh!; Wow!; Ouch!

어이없다 (be) amazing; surprising; absurd; egregious. ¶ 어이없어하다 be dumbfounded [by]; be amazed [at the news, to see] / 어이없어 말이 안 나오다 be (struck) dumb with amazement.

어장(漁場) a fishing ground; a fishery.

어적거리다 munch; crunch; champ.

어정거리다 walk leisurely along; stroll [ramble] about.

어정쩡하다 〈모호하다〉 (be) noncommittal; ambiguous; evasive; vague; 〈의심스럽다〉 (be) doubtful; dubious.

어제 yesterday. ¶ 어젯밤 last night.

어조(語調) a tone; an accent. ¶ ～를 누그러뜨리다 soften one's voice; tone down.

어조사(語助辭) [文] a particle in a classical Chinese.

어족(魚族) fishes; the finny tribe.

어족(語族) a family of languages.

어줍다 〈언동이〉 (be) vague; slow; 〈솜씨가〉 (be) clumsy; awkward; raw.

어중간(於中間) ～하다 (be) about half way [midway]; 〈엉거주춤〉 (be) uncertain; ambiguous; noncommittal.

어중되다(於中一) 《서술적》 (be) either

too small [little, short] or too big [much, long]; be unsuitable [insufficient] either way.

어중이떠중이 (anybody and) everybody; every Tom, Dick, and Harry; (a mere) rabble.

어지간하다 〈상당하다〉 (be) fair; tolerable; passable; considerable. ¶ 어지간히 fairly; passably; tolerably; considerably.

어지럽다 ① 〈어질어질하다〉 (be) dizzy; feel giddy; swim. ② 〈어수선〉 (be) disorderly; confused; disturbed; troubled; be in disorder 《서술적》. ¶ 어지러운 시대 troubled [stormy] times.

어지르다 scatter (things) (about); leave (things) scattered (about); put (a room) in disorder; make a mess (in a room).

어질다 (be) wise; kindhearted; benevolent; humane.

어질어질하다 feel [be] giddy [dizzy].

어째서 why; for what reason.

어쨌든 anyhow; anyway; at any rate; in any case [event].

어쩌다가 ① 〈우연히〉 by chance [accident]; casually; 〈이따금〉 once in a while; now and then. ② 〈어찌하여〉 why; how; for what reason.

어쩌면 〈감탄사적〉 how; 〈아마·혹〉 possibly; maybe; perhaps.

어쩐지 ① 〈웬일인지〉 somehow; without knowing why. ～ 무섭게 느껴지다 have an unaccountable fear. ② 〈그래서〉 so that's why; (it is) no wonder.

어쩔 수 없다 (be) inevitable; unavoidable; cannot help it; cannot be helped.

어찌나 how; what; too; so. ～ 기쁜지 in (the excess of) one's joy; be so glad that ....

어찌하든 anyhow; anyway; in any [either] case; at any rate.

어처구니없다 be taken aback; be dumbfounded; egregious; amazing; absurd. ¶ 어처구니없는 소리 a damned silly remark / 어처구니없어 말문이 막히다 be speechless with

amazement.

어촌(漁村) a fishing village.

…어치 worth. ¶ 달걀을 천원 …어치 사다 buy one thousand *won* worth of eggs.

어투(語套) *one's* way of speaking.

어퍼컷 【拳】 an uppercut.

어폐(語弊) ¶ ～가 있다 be misleading; be liable to be misunderstood.

어포(魚脯) dried slices of fish.

어필 an appeal. ～하다 appeal (*to*).

어학(語學) language study; linguistics. ¶ ～의 linguistic 《talent》. ‖ ～자 a linguist.

어항(魚缸) a fish basin (bowl).

어항(漁港) a fishing port.

어험 Hem! Ahem!

어형(語形) forms of words. ¶ ～ 변화 【文】 inflection; declension.

어획(魚獲) fishery; fishing. ‖ ～고 a catch (haul) (of fish) / ～할 당량 the amount of fish quotas.

어휘(語彙) (a) vocabulary.

억(億) a (one) hundred million. ¶ 10～ a billion; a thousand million(s) 《英》.

억누르다 《진압》 suppress; 《제지》 repress; restrain; control; 《억제》 hold back; check; keep under; curb; 《압박》 oppress. ¶ 억누를 수 없는 uncontrollable; irrepressible; irresistible / 억눌리다 be overpowered; be repressed / 눈물을 ～ repress (keep back) *one's* tears.

억류(抑留) detention; detainment; internment. ～하다 detain (keep) by force; seize; hold; apprehend. ‖ ～자 a detainee; an internee.

억만(億萬) 《억》 a hundred million; 《무수》 myriads. ¶ ～년 countless years / ～장자 a billionaire.

억설(臆說) a conjecture; a mere assumption.

억세다 ① 《체격이》 (be) stout; sturdy; strong; 《정신이》 (be) strong; tough. ② 《뻣뻣하다》 (be) tough; hard; stiff.

억수 a pouring (heavy, torrential) rain; a downpour 《美》. ¶ ～같이 퍼붓다 pour down; rain in torrents.

억압(抑壓) oppression; suppression; repression; restraint(억제). ～하다 oppress 《*the people*》; suppress 《*freedom of speech*》.

억양(抑揚) intonation; modulation. ¶ ～ 없는 monotonous.

억울(抑鬱) ～하다 feel pent-up (mistreated); feel bitter 《*about, at*》; 《누명을 쓰다》 be wrongly (falsely, unjustly) accused 《*of stealing*》.

억제(抑制) control; restraint; suppression; repression. ～하다 control; repress; suppress; restrain; hold back. ¶ 인플레를 ～하다 check inflation.

억조(億兆) ‖ ～창생 the (common) people; the multitude (masses).

억지 unreasonableness; obstinacy; compulsion. ¶ ～ 부리다 〔쓰다〕 insist on having *one's* own way; persist stubbornly; make an unreasonable demand 《*of a person*》 / 누리 마라 Be reasonable. ‖ ～웃음 (laugh) a forced smile.

억지로 by force; against *one's* will; under compulsion. ¶ ～ 문을 열다 force the door open.

억척스럽다 (be) unyielding; unbending; tough.

억측(臆測) a guess; a conjecture. ～하다 guess; conjecture.

억하심정(抑何心情) It is hard to understand why …. ¶ 무슨 ～으로 …하느냐 Why (How) in the world …? / 무슨 ～으로 그런 짓을 했을까 What made him do such a thing, I wonder?

언감생심(焉敢生心) ¶ ～ …하느냐 How dare you …?

언급(言及) ～하다 refer (make reference) (*to*); mention. ¶ 위 (前)에 ～한 above-mentioned / ～한 above-mentioned; as stated above.

언니 an elder (older) sister.

언더라인 an underline. ¶ ~을 긋다 underline 《a word》.

언덕 a slope; a hill. ¶ (길이) ~이 되어 있다 slope up (down).

언도(言渡) a sentence. ~ 선고.

언동(言動) (be careful in) one's speech and behavior.

언뜻 (잠깐) at a glance; (우연히) by chance; by accident. ¶ ~ 보다 catch (get) a glimpse of; take a glance at.

언론(言論) speech. ¶ ~의 자유 freedom of speech. ~계 the press; journalism.

언명(言明) ~하다 declare; state; make a statement.

언문(言文) ¶ ~일치 the unification of the written and spoken language.

언변(言辯) oratorical talent; eloquence. ¶ ~이 좋다 be gifted with eloquence; have a ready tongue.

언사(言辭) words; speech; language; expression (표현).

언성(言聲) a tone (of voice). ¶ ~을 높이다 raise (lift) one's voice.

언약(言約) a (verbal) promise; a pledge; a vow. ~ 약속.

언어(言語) language; speech. ¶ ~능력 linguistic (language) ability (competence) / ~장애 a speech impediment (defect) / ~학 linguistics / ~학자 a linguist.

언어도단(言語道斷) ¶ ~의 inexcusable; outrageous; unspeakable; absurd; preposterous.

언쟁(言爭) a dispute; a quarrel. ~하다 dispute (quarrel) (with); have words (a quarrel) (with).

언저리 the edge (rim); bounds; parts around. ¶ 입 ~에 about one's mouth.

언제 when; (at) what time; how soon; 《일정》 some time (or other); 《some day. ¶ ~부터 from what time; since when; how long / ~ 한번 (놀러) 오너라 Come and see me one of these days.

언제까지 how long; till when; by

what time; how soon. ¶ ~고 as long as one likes; forever.

언제나 《항상》 always; all the time; 《평소》 usually; 《습관적으로》 habitually; 《…할 때마다》 whenever; every time.

언제든지 《어느 때라도》 (at) any time; 《항상》 always; all the time; whenever.

언젠가 some time (or other) 《미래의》; some day; one of these days 《미래》; once 《과거의》; the other day 《과거》.

언중유골(言中有骨) a hidden (an implied) meaning (in a remark).

언질(言質) a pledge; a commitment. ¶ ~을 주다 give (pledge) one's word 《to do》; commit oneself 《to do》; give a pledge / ~을 잡다 (받다) get (take) 《a person's》 pledge.

언짢다 ① 《기분이》 (be) displeased; bad-tempered; 《서술적》 feel bad (unhappy, sad). ② 《불길》 (be) bad; ill; unlucky. ③ 《나쁘다》 (be) bad; ill; evil; wrong. ¶ 남을 언짢게 말하다 speak ill of a person. ④ 《해로움》 (be) bad; harmful; detrimental; 《입음》 flipped.

언청이 a harelip. ¶ ~의 hare whenever.

언필칭(言必稱) ¶ ~ 자식 자랑하며 He never opens his mouth without boasting of his son.

언행(言行) speech and action; words and deeds. ¶ ~이 일치하다 (live) up to one's words / 그의 ~은 일치하지 않는다 He says one thing and does another. ¶ ~록 memoirs.

얹다 《놓다》 put on; place (lay, set) 《a thing》 on; load (짐을).

얹히다 ① 《놓이다》 be placed (put, laid) on. ② 《좌초》 be stranded; run aground. ③ 《음식이》 sit (lie) heavy on (the stomach). ④ 《붙어살다》 be a dependant on 《a person》; sponge on 《a person》.

얻다 ① 《획득》 get; gain; obtain; earn; achieve; win; secure; 《이득을》 profit (gain) 《by, from》; 《배

우다) learn 《from》. ② 《결혼》 marry (a woman); get (a husband). ③ 《병 때문에》 fall 〔get〕 ill.

얻어듣다 hear from others; learn by hearsay. 「struck.

얻어맞다 get (receive) a blow; be

얻어먹다 ① 《음식을》 get treated to (대접받다); beg *one's* bread (걸식). ② 《욕 따위를》 get called names; suffer harsh words; be spoken ill of.

얼 ① 《흠》 a scratch. ¶ ~이 가다 get scratched. ② 《넋》 soul; spirit; mind. 〔신〕

얼간 《조금 절인 간》 salting lightly; 《사람》 a half-wit; a dolt; a fool. ‖ ~ 고등어 lightly salted mackerel.

얼굴 ① a face; features. ¶ ~을 내밀다 show *one's* face; make 〔put in〕 an appearance; turn 〔show〕 up. ② 《안색》 a look; (a) countenance; (an) expression (표정). ¶ 실망한 ~ a disappointed look. ③ 《체면》 *one's* face; *one's* honor. ¶ ~이 깎이다 lose *one's* face; disgrace *oneself*. ④ 《면식》 acquaintance. ¶ ~이 잘 알려져 있다 be widely known.

얼근하다 ① 《술이》 (be) tipsy; slightly intoxicated 〔drunk〕. ② 《맛이》 (be) rather hot 〔peppery〕.

얼기설기 ¶ ~ 얽히다 get 〔become〕 entangled (실 따위가); be intricated; get complicated (문제가).

얼다 《추위로》 freeze; be frozen 《over》; be benumbed with cold (몸이); 《기죽음》 cower; feel small 〔timid〕; be scared (by); get nervous 《on》 (무대에서).

얼떨결 ¶ ~에 in the confusion of the moment.

얼떨떨하다 (be) confused; dazed; bewildered; perplexed; puzzled. ¶ 얼떨떨하여 in confusion 〔embarrassment〕 / 얼떨떨해지다 get confused; be upset; lose *one's* head; be puzzled 〔bewildered〕.

얼뜨기 a stupid; a blockhead.

얼뜨다 (be) slow-witted; silly; 《겁

이 많다》 (be) cowardly.

얼렁뚱땅 ¶ ~하다 mystify; behave evasively; 《일을》 do a slapdash job.

얼레 a reel; a spool.

얼레빗 a coarse comb.

얼룩 《오점》 a stain; a spot; a blot; a smear; a smudge. ¶ ~진 spotted; stained; smeared / ~을 빼다 remove a stain. ¶ ~고양이 a tabby (cat) / ~말 a zebra.

얼룩덜룩 ¶ ~한 spotted; dappled; speckled; varicolored.

얼른 quickly; rapidly; promptly; fast; at once. ¶ ~해라 Make haste!; Hurry up!

얼리다 《얼게 하다》 freeze; refrigerate.

얼마 ① 《값》 how much; what price. ¶이게 ~요 How much is this(요)? ② 《수량》 how many (수); how much (양); what number 〔amount〕. ¶ ~든지 원하는 대로 as many 〔much〕 as *one* wants. ③ 《다소·정도》 some; 《동안》 a while; 《거리》 how far. ¶ ~ 있다가 after a while. ④ 《비용》 by. ¶ 한 다스에 ~씩으로 팔다 sell 《things》 by the dozen.

얼마나 ① 《값·금액》 how much; what; 《수량》 how many (수); how much (양); 《정도》 how 《far, large, deep, high, long, old, etc.》. ¶ ~ 기쁜가 How glad I should be!

얼마만큼 how many 〔much, long, far, high, heavy〕.

얼버무리다 《말을》 equivocate; prevaricate; quibble; shuffle.

얼빠지다 be stunned 〔stupefied〕; be abstracted; get absent-minded; look blank; blank; stupid; silly. ¶얼빠진 abstracted; blank.

얼싸안다 hug; embrace; hold 《a person》 in *one's* arms. 〔rah!

얼씨구 Yippee!; Whoopee!; Hur-

얼씬 ¶ ~하다 make *one's* appearance; show up; turn up. ¶ ~거리다 keep showing up; hang 〔hover〕 around / ~(도) 아니하다 be

do not appear at all / ～ 못 하다 dare not come around (show up).

얼어붙다 freeze up (over).

얼얼하다 (상처가) smart; (맛이) taste hot; bite.

얼음 ice. ¶ ～ 같은 icy (cold) / ～ 에 채우다 pack (fish) in ice. ‖ ～ 과자 a popsicle; (an) ice cream (아이스크림).

얼음지치다 skate (on ice); do skating. ¶ 얼음지치기 skating; sliding / 얼음지치러 가다 go skating.

얼추 (거의) nearly; almost; roughly; approximately.

얼추잡다 make a rough estimate.

얼치기 an in-between; something half-and-half. ¶ ～ 의 halfway; half-learned (-trained) / ～ 로 halfway; by halves.

얼토당토 않다 (당치 않다) (be) irrelevant; preposterous; absurd; (뜻밖의) unheard-of; unbelievable.

얽다[1] (①) (얽다) bind; tie up. ② (없는 사실을) fabricate; cook (frame) up; forge.

얽다[2] (얼굴 등이) get [be] pockmarked; be pitted with smallpox. 「restrict.

얽매다 tie [bind] up tight; fetter;

얽매이다 (속박) be bound; be tied down; be fettered [shackled]. ¶ (분주) be taken up with (business); be busy. ¶ 규칙에 ～ 을 be bound by a rule.

얽히다 (엉키다) get intertwined; be [get] entangled; get complicated (일 등이); (감기다) twine (get coiled) round.

엄격 (嚴格) ¶ ～ 한 strict(ly); stern(ly); rigorous(ly); severe (ly); rigid(ly).

엄금 (嚴禁) strict prohibition. ～ 하다 prohibit (forbid) strictly.

엄동 (嚴冬) a severe winter; the coldest season.

엄두 ¶ ～ 를 못 내다 cannot even conceive the idea (of doing).

엄마 ma; mom; mama; mammy.

엄명 (嚴命) a strict order. ～ 하다 give a strict order (to do).

엄밀 (嚴密) ～ 한[히] strict(ly); close(ly); exact(ly).

엄벌 (嚴罰) a severe punishment. ～ 하다 punish (a person) severely.

엄벙덤벙 at random; sloppily; slapdash; ～ 하다 act thoughtlessly (carelessly).

엄살 pretense; false show; sham. ～ 하다 pretend pain (hardship); feign (illness); assume the appearance (of). ‖ ～ 꾸러기 a cry-baby; a fusspot.

엄선 (嚴選) careful selection. ～ 하다 select carefully.

엄수 (嚴守) ～ 하다 observe (a rule) strictly; keep (one's promise) strictly. ¶ 시간을 ～ 하다 be punctual. 「serious(ly); grave(ly).

엄숙 (嚴肅) ¶ ～ 한[히] solemn(ly);

엄습 (掩襲) ～ 하다 make a sudden (surprise) attack; take (the enemy) by surprise.

엄연 (儼然) ¶ ～ 한 solemn; grave; stern; majestic; authoritative / ～ 히 solemnly; gravely / ～ 한 사실 an undeniable fact.

엄정 (嚴正) ¶ ～ 한[히] strict(ly); exact(ly); rigid(ly); impartial(ly) (공평). ‖ ～ 중립 (observe) strict neutrality.

엄중 (嚴重) ¶ ～ 한[히] strict(ly); severe(ly) / ～ 한 경계 a strict (close) watch.

엄지 the thumb (손가락); the big toe (발가락).

엄책 (嚴責) ～ 하다 reprimand harshly.

엄청나다 (be) surprising; extraordinary; exorbitant; absurd; awful; terrible. ¶ 엄청나게 exorbitantly; extraordinarily; absurdly; awfully; terribly.

엄친 (嚴親) one's own father.

엄폐 (掩蔽) ～ 하다 cover up; conceal; mask. ‖ ～ 호 (壕) a covered trench; a bunker.

엄포 a bluff; bluster. ¶ ～ 놓다

bluff; bluster.

엄하다(嚴一) (be) strict; severe; stern; rigorous; harsh; bitter. ‖ ~ 한

엄한(嚴寒) intense [severe] cold.

엄호(掩護) ~하다 back (up); (give) support (*to*); cover; protect. ‖ ~ 사격 covering fire.

업(業)¹ 《직업》 a calling; an occupation; a profession 《전문의》; 《상공업》 business; trade; industry.

업(業)² 《佛》 *karma* 《梵》.

업계(業界) business world; the industry; the trade. ‖ 출판~ publishing circles.

업다 carry on one's back.

업무(業務) business; work. ‖ ~ 용의 for business use [purpose]; ~의 확장 expansion of business. ‖ ~보고 a report on operation(s) / ~상 과실 professional negligence / ~ 제휴 a business tie-up.

업보(業報) 《佛》 retribution for the deeds of a former life; *karma* effects.

업신여기다 despise; hold in contempt; slight; neglect.

업자(業者) traders; the trade 《업계》. ‖ 부정~ a crooked dealer.

업적(業績) 《일의》 one's 《scientific》 achievements; results.

업종(業種) 《종류》 a type of industry 《business》. ‖ ~별 industrial classification.

업히다 ride [get] on 《a person's》 back; be carried on 《a person's》 back.

없다 ① 《존재하지 않다》 There is no ...; 《아무것도 없다》 nothing at all; 《보이지 않다》 be missing [gone]; cannot be found. ‖ 이 이야기는 없던 것으로 하자 Let's drop this issue. ② 《갖지 않다》 have no ...; be free from 《debt》 《결여》 lack; want; be lacking [wanting] 《money》; be out of 《money》 《떨어짐》. ‖ 없어서 for want of. ③ 《가난하다》 be poor.

없애다 《제거》 take off; remove; get rid of; take [clear] away;

eliminate; 《죽이다》 kill; murder; 《낭비하다》 spend; waste.

없어지다 《잃다》 [get] lost; be missing; be gone; 《바닥이 나다》 be gone [used up, exhausted]; run out [short]; 《사라지다》 be gone; disappear; vanish.

없이살다 live in poverty.

엇가다 deviate 《swerve》 《from》; run counter 《to》; go astray 《wild》.

엇갈리다 《길이》 pass 《cross》 each other; 《번갈아 듦》 alternate; take turns. ‖ 길이 ~ cross 《each other》 on the way / 희비가 ~ have a mingled feeling of joy and sorrow.

엇걸다 hang 《suspend, hook, put》 《things》 diagonally 《alternately》.

엇대다 apply 《put, fix》 askew.

엇바꾸다 exchange 《one thing》 for [to] 《another》.

엇베다 cut aslant [obliquely].

엇비슷하다 《서술적》 be about alike; be nearly the same. ‖ 수준이 ~ be on the almost similar level.

엉거주춤하다 ① 《자세》 half-stand half-sit; stoop slightly; lean a bit forward. ‖ 엉거주춤한 자세로 in a half-rising posture. ② 《주저》 falter; waver; hesitate.

엉겅퀴 《植》 a thistle.

엉금엉금 slowly and clumsily; sluggishly. ‖ ~ 기어가다 go on all fours; crawl.

엉기다 《응축》 curdle; congeal; coagulate; clot. ‖ 엉긴 피 clotted blood.

엉덩방아 ‖ ~를 찧다 fall on one's behind; land on one's rear.

엉덩이 the hips; the behind; the buttocks.

엉덩춤 a hip dance; a hula.

엉뚱하다 (be) extraordinary; extravagant; fantastic; out of the common; eccentric; 《무모하다》 (be) reckless; wild.

엉망(진창) a mess; 《in》 bad shape. ‖ ~ 이 되다 be spoiled [ruined]; get out of shape;

~을 만들다 make a mess 《of》; spoil; ruin; upset.

엉성하다 ① 《싸임새가 없다》 (be) thin; sparse; loose; coarse. ¶ 엉성하게 짜다 knit with large stitches / 엉성한 번역 a loose translation. ② 《담박하다》 (be) unsatisfactory; slipshod; poor 《솜씨가》.

엉엉거리다 《울다》 cry bitterly; cry one's heart out; 《하소연》 complain of one's hard life.

엉클다 entangle; tangle.

엉클어지다 be entangled; become 〔get〕 tangled; be snarled.

엉큼하다 (be) wicked (and crafty); scheming; insidious; treacherous.

엉터리 ① 《내용이 없는 것·사람》 a fake; a sham; a quack; something cheap and shabby. ¶ ~ 의사 a quack doctor. ② 《터무니 없는 언행》 nonsense; an irresponsible remark 〔act〕. ¶ ~의 nonsensical; irresponsible; random / ~로 at random; irresponsibly; without system 〔a plan〕.

엊그저께 《수일 전》 a few days ago; 《그저께》 the day before yesterday.

엊저녁 last night 〔evening〕; last day.

엎다 《뒤집다》 overturn; turn over; 《거꾸로 하다》 turn 《a thing》 upside down; put 〔lay〕 《a thing》 face down; 《타도》 overthrow.

엎드리다 lie flat 《on the ground》; lie on one's stomach.

엎어지다 《넘어지다》 fall on one's face; fall down; 《뒤집히다》 be turned over; be upset; be overthrown 〔toppled〕. ¶ 엎어지면 코 닿을 데에 있다 be within a stone's throw.

엎지르다 spill; slop. ¶ 엎지른 물은 다시 담지 못한다 《俗談》 What is done cannot be undone.

엎치락뒤치락 ~하다 toss about 〔in bed〕; toss and turn over; 《경기 등에서》 be nip and tuck; be neck and neck. ¶ ~하는 경기 a seesaw game 〔match〕.

엎친데덮친다 add to one's troubles; make things worse. ¶ 잎 은 데 덮치기로 make matters worse.

에 《때》 at 《시각》; in 《연, 월, 주》; on 《날》. ¶ 2시 5분~ at 5 minutes past 2 o'clock / 1주일~ in a week / 8월 10일~ on the 10th of August. 《장소》 at 《지점》; in 《나라, 도, 도시; 가로》; on 《현장; 지면; 위치》 in 《속; 표면》. ¶ 50 쪽~ on page 50 / 용산~ 있는 학교 a school in Yongsan / 한국~ 在 Korea / 10번지~ 살다 live at No. 10, 3 街 / 학교~ 가다 go to school. ④ 《가격》 at 《the price of》; for; in. ¶ 백 원~ at 〔for〕 100 won. ⑤ 《나이》 in; at. ¶ 20대~ in one's twenties / 30~ at 〔the age of〕 thirty. ⑥ 《비율·마다》 a; per; for. ¶ 한 다스~ 5백 원 500 won per dozen 〔a dozen〕 / 일주일~ 한 번 once a week / 백 원~ 팔다 sell at 100 won 《a yard》. ⑦ 《원인》 at; with; from; of. ¶ 추위~ 떨다 shiver with cold. ⑧ 《수단》 with; on; in; to. ¶ 물~ 담그다 soak in water. ⑨ 《시간》 by; at; on. ¶ 시계를 시보~ 맞추다 set a watch by the timecast. ⑩ 《그 밖의 관계》 to; with; on; in. ¶ 어떤 일~ 관계하다 relate to 〔be concerned with〕 a certain matter.

에게 to; for; with; 《피동》 by.

에게서 from; through.

에고이즘 egoism.

에나멜 enamel. ¶ ~가죽 〔구두〕 enameled leather 〔shoes〕.

에너지 energy. ¶ ~보존법칙 the law of the conservation of energy.

에누리 ① 《더 부르는 값》 an overcharge. ~하다 overcharge; ask a fancy price 〔two prices〕. ② 《깎음》 a cut 〔reduction〕 in price; discount. ~하다 ask a discount; bid low; knock the price down.

¶ 1,000원으로 ~하다 beat down the price to 1,000 *won* / 심하게 ~하다 drive a hard bargain.

에다 (도려내다) gouge (out); cut [scoop, hollow, slice] out.

에다(가) to; at; in; on. ¶ 5 ~ 6을 보태라 Add 6 to 5.

에덴동산 Eden; the Garden of Eden.

에델바이스 [植] an edelweiss.

에도 (까지도) even; (…도 또한) also; too; as well.

에돌다 linger hesitantly; hang around without doing anything; keep [stay] away 《*from*》.

에두르다 (둘러싸다) enclose; surround; (말을) hint 《*at*》; suggest; say in a roundabout way; refer indirectly 《*to*》.

에러 (make) an error.

에로 erotic(ism).

에메랄드 [鑛] emerald.

에보나이트 ebonite.

에볼라바이러스 the Ebola virus.

에서 ① (곳) in 《*Seoul*》; at 《*Jongno*》; on 《*the table*》. ② (출발점) from; out of; off; in; over. ¶ 서울~ 부산까지 from Seoul to Busan. ③ (동기) from; of; from. ¶ 호기심~ out of curiosity. ④ (전지·표준) from; by; according to. ¶ 사회적 견지~ from a social point of view. ⑤ (범위) from; ¶ 대해 2만 원 ~3만 원사이 all the way from 20,000 *won* to 30,000 *won*.

에세이 (수필·논문) an essay.

에스에프 《공상 과학 소설》 SF. (◀ science fiction)

에스오시 《사회 간접 자본》 SOC. (◀ Social Overhead Capital)

에스오에스 (조난 신호) (send out, flash) an SOS (call).

에스컬레이터 an escalator; a moving stairway.

에스코트 (호위·호송) escort; (사람) an escort. ─ 하다 escort.

에스키모 an Eskimo. ¶ ~의 Eskimo.

에스페란토 Esperanto. ‖ ~ 학사 an Esperantist.

에어로빅스 (do) aerobics.

에어메일 《항공 우편》 airmail.

에어컨 an air conditioner (기계); air conditioning (장치).

에우다 (둘러싸다) enclose; surround; fence (around); (지우다) cross out; strike off.

에워싸다 surround; (사람이) crowd round; (포위) besiege; lay siege to.

에움길 a detour.

에이스 an ace 《*pitcher*》; a leading player; (카드) an ace.

에이에프피 《프랑스 통신사》 AFP. (◀ Agence France Presse)

에이엠 ‖ ~방송 an AM [amplitude modulation] broadcast.

에이전트 an agent.

에이즈 [醫] 《후천성 면역 결핍증》 AIDS. (◀ Acquired Immune Deficiency Syndrome) ¶ ~ 환자 an AIDS patient / ~에 감염되다 contract AIDS / ~가 발병되다 develop AIDS.

에이커 (면적의 단위) an acre.

에이프런 (앞치마) an apron.

에콰도르 Ecuador. ¶ ~ 사람 an Ecuadorian.

에테르 [化] ether. ‖ Ethiopian.

에티오피아 Ethiopia. ¶ ~ 사람 an Ethiopian.

에티켓 etiquette; manners. ¶ 식사의 ~ table manners.

에틸렌 [化] ethylene.

에틸알코올 [化] ethyl alcohol.

에펠탑 (一塔) the Eiffel Tower.

에프비아이 《미국 연방 수사국》 F.B.I. (◀ Federal Bureau of Investigation)

에프엠 ‖ ~방송 an FM [frequency modulation] broadcast.

에프티에이 (FTA) 《자유무역협정》 Free Trade Agreement.

에피소드 an episode.

에필로그 an epilog(ue).

에헴! Hem!; Ahem!

엑스 (미지수) an unknown (quantity). ~의 [광] the X《Röntgen》 rays / ~선 사진 (take) an X-ray picture / ~선 요법 X-ray therapy.

엑스³ an extract [essence] 《of》.

엑스트라 (play) an extra (part).

엔 a yen (기호 ¥); ~ 고(高)/ 《시세》 a strong yen; a high exchange rate of the yen; 《상승》 a rise in the exchange rate of the yen / ~ 화기준 (on) a yen base.

엔간하다 (적당) (be) proper; suitable; 《상당》 (be) considerable; fair; tolerable; passable. ¶엔간히 pretty; fairly; considerably.

엔들 even; also; too. ¶필요하다면 어디 ~ 못 가랴 I would go anyplace if (it is) necessary.

엔지 (映) N.G. (◀ no good) ¶~를 내다 spoil [ruin] a sequence.

엔지니어 (기술자) an engineer.

엔진 (start, stop) an engine.

엔트리 (참가) an entry.

엘니뇨 El Niño. ¶~ 현상 an El Niño phenomenon.

엘레지 (애가) an elegy. 「lift 《英》.

엘리베이터 (run) an elevator; an

엘리트 the elite 《of society》; a member of the elite.

엘엔지 (액화 천연 가스) LNG. (◀ Liquefied Natural Gas).

엘피 (레코드) an LP (a long-playing) record.

엘피지 (액화 석유 가스) LPG. (◀ Liquefied Petroleum Gas); LP gas; bottled gas.

엠티 (MT) (회원훈련) (a) membership training. 「police.

엠피 (헌병) M.P.; the military ...여 (이상) above; over; more than; ... and over [more]. ¶3 마일 ~ over three miles.

여가 (餘暇) (틈) spare time; leisure (hours); spare moments.

여간아니다 (如干一) (be) uncommon; extraordinary; be no easy task [matter]. ¶그의 재주는 ~ He has a rare talent.

여객 (旅客) a traveler; a passenger 《승객》. ∥ ~ 명부 a passenger list. 「man; an amazon.

여걸 (女傑) a heroine; a brave

여겨듣다 listen attentively [carefully] 《to》.

여겨보다 《눈여겨》 watch carefully; see closely.

여계 (女系) the female line.

여공 (女工) a factory girl; a female operative; a woman worker.

여과 (濾過) filtration; filtering. ~ 하다 filtrate; filter. ∥ ~ 기 a filter; a percolator / ~성 filterability / ~성 병원체 a filterable virus / ~ 액 filtrate / ~지(池) a filter bed / ~지(紙) filter paper.

여관 (旅館) a Korean-style hotel (inn); a hotel; a motel. ∥ ~ 주인 a hotelkeeper; innkeeper.

여광 (餘光) afterglow; lingering light.

여교사 (女教師) a schoolmistress; a female teacher.

여권 (女權) women's rights. ∥ ~ 신장 extension of women's rights / ~ 운동 the women's rights movement / ~ 운동가 a feminist.

여권 (旅券) a passport. ¶~ 을 신청[발부]하다 apply for [issue] a passport / ~ 을 교부받다 get [obtain] a passport. ∥ ~ 사증 a passport visa. 「《술집》의.

여급 (女給) a waitress; a bar-maid

여기 (此處) here. ¶~ 에서 here; in [at] this place / ~ 서부 터 from here.

여기다 think; regard [consider] 《a thing》 as; take 《a thing》 for; 《민다》 believe.

여기자 (女記者) a woman reporter; female journalist 《잡지의》 a female magazine writer.

여기저기 here and there; from place to place; in places; in various places.

여남은 some ten odd; more than ten.

여념 (餘念) ¶ (…에) ~이 없다 be busy 《with something》; busy oneself 《with》; be lost [absorbed, engrossed] 《in》; devote oneself 《to》.

여단 (旅團) (軍) a brigade.

여닫다 open and shut [close].

여담 (餘談) a digression. ¶~ 은

여당

그만두고 to return to the subject. 「party.
여당(與黨) the Government [ruling]
여대(女大) a women's college [university].
여덟 eight. ¶ ~째 the eighth.
여독(旅毒) the fatigue of travel.
여동생(女同生) a younger sister.
여드레(廿日間) eight days; 《날짜》 the eighth (day of a month).
여드름 a pimple; an acne.
여든 eighty; a fourscore. ¶ ~째 eightieth.
여러 many; several; various.
여러가지 all sorts (of); various kinds (of); varieties. ¶ ~의 various; all kinds [sorts] of; a variety of; several / ~ 상품 goods of different kinds.
여러번(一番) many [several] times; often; repeatedly.
여러분 ladies and gentlemen; all of you; everybody. ¶ ~ (plant).
여러해살이(풀) 〔植〕 a perennial
여럿 《사람》 many; many people; a crowd (of people); 《수》 a large number.
여력(餘力) reserve [remaining] power [strength, energy]; 《돈의》 money to spare.
여로(旅路) a journey.
여론(輿論) public opinion; the general [prevailing] opinion. ¶ ~ 조사 a public-opinion poll [survey] / ~ 조사원 a pollster; a polltaker.
여류(女流) ¶ ~의 lady; female / ~ 작가 a woman [lady] writer.
여름 summer; the summer season(여름철). ¶ ~방학 the summer vacation [holidays] / ~장마 summer monsoon.
여리다(연하다) (be) soft; tender; 《약하다》 weak; frail; delicate.
여망(輿望) popularity; esteem; trust. ¶ 국민의 ~을 지고 있다 be trusted by the whole nation.
여명(餘命) one's remaining days; the rest of one's life. ¶ ~이 얼마 남지 않다 have but few years

[days] to live.
여명(黎明) dawn; daybreak. ¶ ~에 at dawn [daybreak].
여물(마소의) fodder; forage; feed; hay. ¶ ~통 a manger.
여물다(열매가) bear fruit; ripen; get [become] ripe; 《기회 따위가》 be ripe; mature. ¶ 때가 여물기를 기다려라 Wait till the time is ripe.
여미다 ¶ 옷깃을 ~ make oneself tidy [neat]; straighten one's clothes; tidy oneself up.
여반장(如反掌) ¶ 그런 일 쯤은 ~이다 That's quite an easy task [job].
여배우(女俳優) an actress.
여백(餘白) a space; a blank; a margin (난의).
여벌(餘一) an excess; a spare. ¶ ~의 옷 a spare suit of clothes / ~이 하나 있다 There is an extra.
여보 ① hello; (I) say; (look) here (there). ② 《부부간》 baby (my) dear [darling]; honey.
여보세요 《호칭》 Excuse me! Hallo!; Say! 《美》 I say! Hello! 《전화에서》 Hello!; Are you there?
여부(與否) yes or no; whether or not; if. ¶ 성공 ~ success or failure / ~ 없다 (be) sure; certain; be beyond doubt; be a matter of course.
여북 (how much). ¶ ~ 좋을까 How glad I shall be!
여분(餘分) a surplus; leftovers; remnants; an extra; an excess. ¶ ~의 extra; spare; excessive / ~으로 in surplus.
여비(旅費) traveling expenses; a traveling allowance (지급되는).
여사(女史) Madame; Mrs.; Miss.
여사무원(女事務員) an office girl [lady]; a female clerk.
여색(女色) 《미색》 a woman's charm [beauty]; 《색욕》 carnal pleasures [desire].
여생(餘生) (spend) the rest [remainder] of one's life.
여섯 six. ¶ ~째 the sixth.

여성(女性) a woman; a lady; womanhood; the gentle (fair) sex (총칭). ‖ ~의 female / ~용의 for ladies; ~적인 feminine; womanly; effeminate (연약한). ‖ ~관 a view of womanhood / ~미 womanly (feminine) beauty / ~상위 《a tradition of》female dominance / ~차별 discrimination against women; sexism / ~해방운동 the women's liberation movement / ~호르몬 female hormone.

여세(餘勢) surplus (reserve) energy; momentum. ¶성공의 ~를 몰아 encouraged (emboldened) by one's success.

여송연(呂宋煙) a cigar.

여수(旅愁) melancholy (ennui) felt while on a journey. ¶ ~에 잠기다 be in a pensive mood while on a journey.

여승(女僧) a Buddhist nun.

여식(女息) a daughter.

여신(女神) a goddess.

여신(與信) credit. ¶ ~을 주다 give (allow, grant) credit. ‖ ~관리 credit management / ~규제 credit control.

여실(如實) ~하다 (be) real; true; lively. ‖ ~히 truly; faithfully; realistically; true to life.

여아(女兒) a girl; a little (baby) girl; a daughter(딸).

여야(與野) the ruling party and the opposition party.

여왕(女王) a queen; an empress. ‖ ~벌 [개미] a queen bee [ant].

여우 ① [動] a fox; a vixen(암컷). ¶ ~굴 a fox burrow. / ~ 같은 cunning; sly; foxy. ‖ ~ 같은 녀석 a sly fellow; an old fox.

여우비 a sunshine shower.

여운(餘韻) (잔향) reverations; echoes; 《음곡의》a trailing note; 《시문의》suggestiveness. ¶ ~ 있는 trailing; lingering; suggestive.

여울 a (swift) current; rapids; a torrent. ¶ ~목 the neck of the rapids.

여위다 grow thin; lose flesh (weight); be worn out. ¶근심으로 ~ be careworn / 과로로 매우 여위어지다 be worn out with overwork.

여유(餘裕) ① 《시간의》time (to spare); 《공간의》room; space; 《돈·시간의》a margin. ¶다섯 사람이 들어갈만한 ~가 있다 There is enough room for five people. / 자동차를 살 ~가 없다 I cannot afford (to buy) a car. ② 《정신적인》composure; placidity.

여의(如意) ~하다 turn out as one wishes; things go well. ¶ ~치 (가) 않다 go contrary to one's wishes; go wrong (amiss).

여의다 ① 《사별》be bereaved (deprived) 《of a person》; lose. ② 《떠나보내다》send 《a person》away. ¶딸을 ~ marry one's daughter off 《to》.

여의사(女醫師) a lady (female, woman) doctor.

여인(女人) a woman.

여인숙(旅人宿) an inn; a lodge.

여일(如一) ~하다 (be) consistent; changeless; immutable. ¶ ~하게 consistently; invariably.

여자(女子) a woman; a lady; a girl; a female. ¶ ~의 female; women's; ladies' girls' / ~다운 womanliness / ~답지 않은 unwomanly; unladylike / ~용의 lady's; for ladies' use. ‖ ~고등학교 a girls' senior high school / ~대학 a women's college (university).

여장(女裝) a female dress (attire). ~하다 wear a female dress.

여장(旅裝) a traveling outfit. ¶ ~을 챙기다 equip oneself for a journey; prepare for a trip / ~을 풀다 put up (stop) at 《an inn》.

여장부(女丈夫) ⇒ 여걸(女傑).

여전(如前) ~하다 《서술적》be as before; be as it used to be; remain unchanged. ¶ ~히 as usual; as … as ever; as before;

still. 「salesgirl」

여점원(女店員) a saleswoman; a salesgirl.

여정(旅程) 〖거리〗 the distance to be covered; 〖여행 일정의〗 an itinerary; a journey.

여존(女尊) respect for woman. ‖ ～남비 putting women above men.

여죄(餘罪) 〖inquire into〗 further crimes; other charges.

여지(餘地) room; a space; a scope 〖사고·행동의〗; a blank 〖여백〗. ¶일 추의 ～도 없다 be packed full / 그의 성공은 의심할 ～가 없다 There is no doubt about his success.

여진(餘震) 〖地〗 an aftershock.

여쭈다(말하다) tell; say; state; inform; 〖묻다〗 ask 《a person about》; inquire.

여차(如此) ～하다 be like this; be this way. ¶～한 such; such as; like this / ～한 이유 for such-and-such a reason.

여차하면 in case 〖time of need 〔emergency〕〗; if need be; if one has to; if compelled.

여축(餘蓄) saving; stock; reserve; supplies. ～하다 save; stock; reserve; set aside. ¶～이 좀 있다 have some savings.

여치 〖蟲〗 a grasshopper.

여탈(與奪) ¶생살 ～권을 쥐다 hold the power of life and death.

여탕(女湯) the women's section of a public bath.

여태(까지) till 〔until〕 now; up to the present; so far. ¶～ 없던 사 건 an unprecedented incident / ～ 어디 있었느냐 Where have you been all this while?

여파(餘波) 〖영향〗 an aftermath; an aftereffect. ¶ 태풍의 ～ the aftermath of the typhoon.

여하(如何) what; how. ¶～에 how; in what way / ～한 이유로 for what reason / ～한 경우에도 in any case / ～한 희생을 내더라도 at any cost 〔price, sacrifice〕 / ～한 일이 있더라도 whatever may happen / 이유 ～를 막론하고 re-

gardless of the reasons / 사정 ～에 달리다 depend upon circumstances.

여하간(如何間) anyway; anyhow; in any case; at any rate; at all events.

여하튼 〖☞ 여하간〗 ➡ 여하간.

여학교(女學校) a girls' school.

여학생(女學生) a schoolgirl; a girl 〔woman〕 student.

여한(餘恨) a smoldering 〔lingering〕 grudge.

여한(餘寒) the lingering cold; the cold of late winter.

여행(旅行) travel; a journey; traveling; a tour; an excursion; a trip 〖짧은〗; a voyage 〖항해〗. ～하 다 travel; journey; make a journey 〔trip〕; tour. ¶～을 떠나다 set out 〔start〕 on a journey 〔tour, trip〕 / 업무로 ～하다 make 〔go on〕 a business trip 《to》. ¶～사 a travel agency; a tourist bureau / ～자 a traveler; a tourist.

여행(勵行) rigid enforcement. ～하 다 enforce 〔carry out〕 《the rules》 rigidly.

여호와 〖히브루의 신〗 Jehovah. ¶～ 의 증인 Jehovah's Witnesses.

여흥(餘興) an entertainment; a side show.

역(逆) the reverse 〔contrary〕 《of》; the opposite; 〖數〗 converse. ¶～ 의 reverse 《order》; opposite 《direction》 / ～으로 conversely; inversely; the other way around.

역(驛) a 〔railroad, railway〕 station; a 〔railroad〕 depot. ¶～ 광장 a station square 〔plaza〕.

역(役) 〖연극에서〗 〔play〕 the part 〔role〕 《of》; a character.

역(譯) a translation; a version.

역겹다(逆─) 〖속이〗 feel sick 〔queasy, nausea〕; 〖혐오〗 be disgusted 《at》; be nauseated.

역경(逆境) adversity; adverse circumstances.

역광선(逆光線) counterlight. ¶～ 로 〔take a picture〕 against the

light. ‖ ~사진 a shadowgraph.

역군(役軍) a laborer; 《유능한》 an able worker.

역대(歷代) successive generations [reigns]. ¶ ~의 successive.

역도(力道) weight lifting. ‖ ~선수 a weight lifter.

역도(逆徒) rebels; traitors.

역량(力量) 《display one's》 ability; capability. ¶ ~있는 able; capable; competent; 《…할 만한》 ~이 있다 have the ability to do; be competent for 《the task》.

역력하다(歷歷—) (be) clear; vivid; obvious; undeniable. ¶ 역력히 vividly; clearly; obviously.

역류(逆流) a back [an adverse] current; (a) backward flow. ~하다 flow backward [upstream]; surge back. ¶ ~발 itchy feet.

역마살(驛馬煞) ~이 끼었다 have a stagecoach.

역마차(驛馬車) a stagecoach.

역모(逆謀) a plot of treason. ~하다 conspire to rise in revolt; plot treason 《against》.

역문(譯文) a translation; a version. ‖ ~행위 action.

역반응(逆反應) 【理】 an inverse reaction.

역방(歷訪) a round of calls [visits]. ~하다 make a round of visits 《to》.

역병(疫病) a plague; an epidemic.

역부족(力不足) want of ability. ¶ ~이다 be beyond one's capacity; find oneself unequal 《to the task》. ‖ ~tion.

역비례(逆比例) an inverse proportion.

역사(力士) a muscle [strong] man.

역사(役事) construction work; public works.

역사(歷史) ① history; a history 《사적》. ¶ ~의[적인] historic; historical / ~적으로 유명한 장소 a historic spot; a place of historic interest. ‖ ~가 a historian / ~학 historical science; the study of history. ② 《내력》 history; tradition 《전통》.

역산(逆算) 《계산을》 ~하다 count [reckon] backward.

역서(曆書) an almanac.

역선전(逆宣傳) counterpropaganda. ~하다 conduct [carry out, make] counterpropaganda.

역설(力說) ~하다 lay [put] stress [emphasize] on 《something》; emphasize; stress.

역설(逆說) a paradox. ¶ ~적인 paradoxical / ~적으로 말하면 paradoxically speaking.

역성 taking sides with; partiality. ¶ ~들다 be partial 《toward》; show partiality [favor] 《to》; take sides with.

역수(逆數) 【數】 a reciprocal (number); inverse number.

역수입(逆輸入) reimportation; reimport. ~하다 reimport.

역수출(逆輸出) reexportation; reexport. ~하다 reexport.

역습(逆襲) a counterattack. ~하다 (make a) counterattack; retort 《말로》.

역시(亦是) 《또한》 too; also; as well; 《여전히》 still; 《결국》 after all; 《…에도 불구하고》 but; nevertheless; in spite of; 《예상대로》 as (was) expected.

역어(譯語) words [terms] used in a translation; a 《Korean》 equivalent 《to》.

역용(逆用) ~하다 turn 《the enemy's propaganda》 to one's own advantage; take advantage of 《a person's kindness》.

역임(歷任) ~하다 hold 《various posts》 successively [in succession]; 《여러 관직을》 ~하다 fill [hold, occupy] various Government posts in succession.

역자(譯者) a translator.

역작(力作) one's labored work; a masterpiece. ‖ ~verse action.

역장(驛長) a stationmaster.

역적(逆賊) a rebel; a traitor.

역전(力戰) ~하다 fight hard.

역전(逆轉) reversal; inversion. ~하다 reverse; be reversed. ¶ ~승하다 win a losing game / ~패하

다 lose a winning game.
역전(歷戰) ‖ ~의 용사 a veteran; a battle-tried warrior.
역점(力點) emphasis; the point; 〔理〕 dynamic point. ¶ …에 ~을 두다 lay 〔put〕 stress 〔emphasis〕 《on》; attach importance 《to》.
역정(逆情) ~ 내다 get angry.
역조(逆調) an adverse 〔unfavorable〕 condition. ¶무역의 ~ an adverse balance of trade; import excess.
역주(力走) ~ 하다 run as hard 〔fast〕 as *one* can.
역청(瀝青) 〔鑛〕 bitumen; pitch. ‖ ~탄 bituminous coal.
역추진(逆推進) ~로켓 a retrorocket. 「course.
역코스(逆一) 〔follow〕 the reverse
역풍(逆風) an adverse wind.
역하다(逆一) feel sick 〔nausea〕; 〔혐오〕 (be) disgusting; offensive.
역학(力學) 〔理〕 dynamics.
역학(易學) the art of divination.
역할(役割) a part; a role. ¶중대한 ~을 하다 play an important role 〔part〕 《in》.
역행(力行) ~ 하다 《힘씀》 endeavor; make strenuous efforts.
역행(逆行) ~ 하다 go 〔move〕 backward; run counter 《to》. ¶시대에 ~하다 go against the times.
역효과(逆效果) a counter result; a contrary effect. ¶ ~를 내다 produce an opposite effect 〔result〕 to what was intended / 그것은 ~였다 It boomeranged.
엮다 ① 〔얽어서〕 plait; weave; 《묶다》 tie 《with a rope》. ② 《편찬》 compile; edit.
연(年) a year. ¶ ~ 1회 once a year; annually / ~ 1회의 yearly; annual / ~ 2회의 half-yearly; twice-yearly. ‖ ~수입 an annual income.
연(鳶) a kite. ¶ ~을 날리다 fly a kite.
연(鉛) lead. ☞ 납. 「kite.
연(蓮) 〔植〕 a lotus.
연(延) the total. ‖ ~일수 the total number of days.

연가(戀歌) a love song 〔poem〕.
연간(年間) ~계획 a one-year plan; a schedule for the year / ~생산량 a yearly output / ~소득 an annual income.
연감(年鑑) a yearbook; an almanac.
연결(連結) connection; coupling. ¶ ~하다 connect; join; couple. ‖ ~기 《차량의》 a coupler.
연고(軟膏) (an) ointment. ¶ ~를 바르다 apply ointment 《to》.
연고(緣故) ① 《사유》 a reason; a cause; a ground. ② 《관계》 relation; connection. ¶ ~를 통해 입사하다 enter a company through *one's* personal connection. ‖ ~자 a relative.
연골(軟骨) 〔解〕 a cartilage; gristle.
연공(年功) long service 《군근》; long experience 《경험》. ‖ ~서열 임금 the seniority wage system / ~서열제도 the seniority system.
연관(鉛管) a lead pipe. ‖ ~공 a plumber.
연관(聯關) ☞ 관련. 「plumber.
연구(硏究) study; (a) research; (an) investigation 《조사》. ~ 하다 study; research 《into》; do 〔conduct〕 research 《on, in》. ‖ ~가 《자》 a student; an investigator; a research worker / ~개발 research and development 《생략 R & D》 / ~비 research funds 〔expenses〕 / ~소 laboratory; a research institute / ~실 a laboratory《실험실》; a seminar《대학의》.
연극(演劇) ① 《극》 a play; drama. ¶ ~을 상연하다 present 〔put on〕 a play; represent a play on the stage. ‖ ~애호가 a playgoer / ~인 a person of the theater. ② 《허위》 a make-believe; a trick; a sham. ¶ ~을 꾸미다《부리다》 put on an act; play a trick; put up a false show.
연근(蓮根) a lotus root.
연금(年金) an annuity; a pension. ¶국민 ~ the National Pension / 노령 ~ an old-age pen-

sion / 종신 ~ a life annuity. ‖ ~ 수령자 a pensioner / ~제도 a pension system.

연금(軟禁) house arrest. ~하다 put 《a person》 under house arrest; confine 《a person》 in 《a room》.

연금술(鍊金術) alchemy. ‖ ~사 an alchemist.

연기(延期) postponement. ~하다 postpone; put off; defer 《payment》; adjourn 《a meeting》. ¶ 기한을 ~ 하다 extend 〔prolong〕 the term.

연기(連記) ~하다 list; write 《three names》 on a ballot.

연기(煙氣) smoke. ¶ 한 가닥의 ~ a wisp of smoke / 자욱한 ~ clouds 〔volumes〕 of smoke / 아니 땐 굴뚝에 ~ 날까 There is no smoke without fire.

연기(演技) performance; acting. ‖ ~력 acting ability / ~자 a performer.

연내(年內) ¶ ~에 within 〔before〕 the end of the year.

연년(連年) successive years. ¶ ~ 생이다 be brothers 〔sisters〕 born in two successive years.

연단(演壇) a platform; a rostrum; a stand. ¶ ~에 오르다 〔에서 내려 가다〕 take 〔leave〕 the rostrum.

연달다(連-) continue; keep on; follow one after another. ¶ 연달은 continued; continuous; successive / 연달아 one after another; successively; in 〔rapid〕 succession; continuously.

연대(年代)(시대) an age; a period; an epoch; an era(연호). ¶ ~순의 chronological / ~순으로 in chronological order. ‖ ~기 a chronicle / ~표 a chronological table.

연대(連帶) solidarity. ¶ ~감〔로〕 joint(ly). ‖ ~감 the feeling of togetherness 〔solidarity〕 / ~보증 joint and several liability on guarantee / ~보증인 a joint surety / ~채무 joint and several obligation / ~책임 joint responsibility.

연대(聯隊)〔軍〕 a regiment. ‖ ~장〔본부, 기〕 the regimental commander 〔headquarters, colors〕.

연도(年度) ¶ 회계 ~ a fiscal year / 사업 ~ the business year.

연도(沿道) ¶ ~의〔에〕 along the road 〔route〕; by 〔on〕 the roadside.

연동(聯動) gearing; linkage. ~하다 be connected 〔linked, coupled〕 《with》. ‖ ~기 a clutch / ~장치 a coupling 〔an interlocking〕 device. 〔tion.

연동(蠕動) peristalsis; vermicula-

연두(年頭) the beginning of the year. ¶ ~교서 (미국의) the (President's) annual State of the Union message 〔address〕 to Congress / ~사 the New Year's address 〔message〕. 〔green.

연두(軟豆)(色) yellowish 〔light〕

연락(連絡)(관계) (a) connection; (접촉) (a) contact; touch; liaison; 《교통·통신상의》 communication; correspondence. ~하다 (be) connect(ed) 《with》; contact; get in touch 《with》; make contact 《with》; communicate 《with》. ‖ ~사무소 a liaison office / ~장교 a liaison officer.

연래(年來) for years; over the years. ¶ ~의 계획 a plan of long standing / ~의 대설 the heaviest snowfall in many years.

연령(年齡) age; years. ¶ ~에 비해 for one's age / ~을 불문하고 regardless of age. ‖ ~제한 the age limit.

연례(年例) ¶ ~의 yearly; annual. ‖ ~보고 an annual report / ~ 행사 an annual event.

연로(年老) ~하다 (be) old; aged.

연료(燃料) fuel. ‖ ~보급 refueling / ~비 the cost of fuel; fuel expense.

연루(連累) ~하다 be involved 《in》; be connected 《with》. ‖ ~

자 an accomplice; a confederate; a person involved.

연륜(年輪) an annual ring; growth ring.

연리(年利) 《at》 an annual interest.

연립(聯立) alliance; union; coalition. ‖ ~ 내각 a coalition cabinet / ~방정식 simultaneous equations / ~주택 a tenement house.

연마(研磨·鍊磨) ~ 하다 《갈고 닦다》 polish; grind; whet; 《도야하다》 drill; train; practice; improve. ‖ ~기(機) a grinder; a grinding machine.

연막(煙幕) a smoke screen. ‖ ~을 치다 lay (down) a smoke screen.

연말(年末) the end of the year; the year-end. ‖ ~의 year-end / ~에 at the end [close] of the year. ‖ ~정산 《세금의》 the year-end tax adjustment.

연맹(聯盟) a league; a federation; a union; a confederation. ‖ ~에 가입하다 join a league.

연명(延命) ~ 하다 barely manage to live; eke out a scanty livelihood; survive.

연명(連名·聯名) joint signature. ~ 하다 sign jointly. ‖ ~으로 in our joint names; under the joint signature of …. ‖ ~진정서 a joint petition.

연모 tools and supplies; instruments; equipments; materials.

연목구어(綠木求魚) seeking the impossible. ~ 하다 go to a tree for fish.

연못(蓮—) a (lotus) pond.

연무(煙霧) smoke and fog; mist and fog; smog(도시 등의).

연무(演武) practice (exercise) of the martial arts.

연문(戀文) a love letter.

연미복(燕尾服) a tailcoat; an evening coat.

연민(憐憫) compassion; pity; mercy. ‖ ~의 정을 느끼다 feel pity [compassion] 《for》.

연발(延發) delayed departure. ~

하다 start late.

연발(連發) ~ 하다 fire in rapid succession; fire in volley. ‖ 6 ~ 의 권총 a six-shooter / 질문을 ~ 하다 fire questions at 《a person》 in succession; ask one question after another. ‖ ~ 총 a quick-firing rifle [gun]; an automatic pistol.

연방(聯邦) a (federal) union; a federation; a federal state. ‖ ~ 정부 the Federal Government / ~ 제도 the federal system; federalism.

연변(沿邊) the area along 《a river, a road, a border》.

연병(練兵) (a) military drill. ~ 하다 (have a) drill; parade. ‖ ~ 장 a parade [drill] ground.

연보(年報) an annual report.

연보(年譜) a chronological history; a biographical note.

연보(捐補) contribution; church offerings. ~ 하다 donate; contribute to.

연봉(年俸) an annual salary.

연봉(連峰) a chain of mountains; a mountain range.

연분(緣分) a preordained tie; a predestined bond; fate; connection.

연분홍(軟粉紅) light [soft] pink.

연불(延拂) deferred payment. ‖ ~ 방식으로 on a deferred payment basis.

연비(比比) 【數】 a continued ratio.

연비(燃比) (gas) mileage; fuel-efficiency. ‖ 고 ~ 의 엔진 a fuel-efficient engine.

연비(燃費) fuel expense(연료비). ‖ 저 ~ 의 차 an economical car.

연비례(連比例) 【數】 continued proportion.

연사(演士) a lecturer; a (public) speaker.

연산(年産) an annual output.

연산(演算) 【數】 operation; calculation. ~ 하다 calculate; carry out an operation.

연상(年上) ‖ ~ 의 older; elder; senior / 3년 ~ 이다 be three

years older than 《*a person*》; be three years 《*his*》 senior.

연상(聯想) association 《of idea》. ~ 하다 associate 《*A*》 with 《*B*》; be reminded of 《*something*》. ¶ ... 을 ~ 시키다 remind 《*a person*》 of 《*something*》; suggest 《*something*》 to 《*a person*》.

연서(連署) joint signature. ~ 하다 sign jointly. ¶ ~ 로 under the joint signature of ... . ¶ ~ 인 a joint signer; a cosignatory.

연설(演說) a speech; an address 《공식의》; public speaking《행위》. ~ 하다 make 〔deliver〕 a speech 〔an address〕; address 《*an audience*》. ¶ ~ 자 a speaker 《*an audience*》 / ~ 회 a speech meeting / 즉석 ~ an impromptu speech.

연세(年歲) years; one's 나이.

연소(年少) ~ 하다 (be) young; juvenile. ¶ ~ 자 a young; one's junior(연하자); a minor (미성년자).

연소(延燒) ~ 하다 spread 《to》 《불이》; catch fire《건물이》. ¶ ~ 를 막다 check the spread of the fire.

연소(燃燒) burning; combustion. ~ 하다 burn. ¶ ~ 성의 combustible; flammable / 완전 ~ complete combustion / 불완전 ~ imperfect combustion.

연속(連續) continuity; (a) succession; a series 《of》. ~ 하다 continue; go on; last. ¶ ~ 적(으로) continuous(ly); consecutive(ly); successive(ly) / ~ 3주간 for three weeks running; for three consecutive weeks. ‖ ~ 극 soap 〔opera〕.

연쇄(連鎖) a chain; links; 〔生〕 a linkage. ‖ ~ 구균 a streptococcus / ~ 반응 (a) chain reaction / ~ 점〔店〕 a chain store / ~ 충돌 a chain collision.

연수(年收) an annual income.

연수(年數) the number of years.

연수(軟水) soft water.

연수(研修) in-service training. ~ 하다 study; train. ‖ ~ 생 a trainee / ~ 원 a training in-stitute.

연습(演習) (a) practice; an exercise; (a) drill; 《기동 훈련》 maneuvers. ~ 하다 practice; hold maneuvers. ‖ ~ 문제 field exercises / 예행 ~ a rehearsal.

연습(練習) practice; training; (an) exercise; (a) rehearsal 《극의》; a warming-up《경기 전의》. ~ 하다 practice; train; drill; exercise; rehearse. ¶ ~ 곡 an étude 〔프〕 / ~ 문제 exercises / ~ 생 a trainee / ~ 경기 a practice 〔tune-up〕 game.

연승(連勝) consecutive 〔successive〕 victories. ~ 하다 win 《*three*》 successive 〔straight〕 victories. 「year.

연시(年始) the beginning of the

연시(軟柿) a fair 〔soft〕 persimmon.

연안(沿岸) the coast; the shore. ‖ ~ 경비대 the coastal guard / ~ 무역 coastal trade / ~ 어업 coastal 〔inshore〕 fishery.

연애(戀愛) love; affection. ~ 하다 be 〔fall〕 in love 《*with*》. ¶ 정신적 ~ platonic love. ‖ ~ 사건 a love affair.

연액(年額) an annual sum 《of》.

연약(軟弱) weakness. ~ 하다 (be) weak; soft; 《약한 태도》 weak-kneed; feeble. ¶ ~ 한 지반 soft ground / ~ 해지다 weaken; grow effeminate.

연어(鰱魚) 〔魚〕 a salmon.

연역(演繹) deduction. ~ 하다 deduce; evolve. ¶ ~ 적(으로) deductive(ly).

연연하다(戀戀一) 《서술적》 be ardently attached 《to》; cling to 《one's position》.

연예(演藝) entertainment; a performance. ‖ ~ 란 the entertainments column / ~ 인 a public entertainer; a performer.

연옥(煉獄) purgatory.

연와(煉瓦) a brick. ☞ 벽돌

연원(淵源) an origin; a source. ¶ ... 의 ~ 을 더듬다 trace the origin of ... .

연월일(年月日) (a) date.

연유(緣由)〔유래〕the origin;《사유》(a) reason; a ground. ～하다 originate《in》; be derived《from》; be due to.

연유(煉乳) condensed milk.

연인(戀人) a lover(남자); a love, a sweetheart(여자).

연일(連日) every day; day after day. ¶ ～연야(連夜) day(s) and night(s). 「(reelected)

연임(連任) ～하다 be reappointed

연잇다(連一)〔연결〕join《A》to《B》; 〔계속〕continue; be continuous. ¶ 연이어 one after another; continuously; successively.

연자매(碾子一) a large millstone worked by ox〔horse〕. 「tool.

연장 a utensil; an instrument; a

연장(年長) ¶ ～의 older; elder; senior. ¶ ～자 an elder; a senior.

연장(延長) extension; prolongation; renewal(계약 따위의). ～하다 prolong; extend; lengthen. ¶ 계약 기간을 ～하다 renew one's contract. ¶ ～전〔야구의〕extra innings;〔축구의〕extra time.

연재(連載) serial publication. ～하다 publish a series of《articles, stories》. ¶ ～소설 a serial story.

연적(硯滴) a water dropper(for preparing ink).

연전(連戰) ～하다 fight a series of battles. ¶ ～연승하다 win battle after battle; win〔gain〕a series of victories.

연정(戀情) love; attachment. ¶ ～을 느끼다 feel attached〔to〕.

연좌(連坐) ～하다 be implicated〔involved〕in《an affair》. ¶ ～데모 a sit-down〔sit-in〕demonstration.

연주(演奏) a musical performance; a recital(독주). ～하다 play; give a performance〔recital of〕.

연주창(連珠瘡)〔韓醫〕scrofula.

연줄(緣一) connections; (a) pull. ¶ ～을 통해 입사하다 enter a company through one's personal

connection.

연중(年中) the whole year; (all) the year round; throughout the year. ¶ ～무휴〔게시〕Open throughout the year.

연지(臙脂)〔cheek〕rouge; lipstick(입술의).

연차(年次) ～의 annual; yearly.

연착(延着)late arrival; delay. ～하다 arrive late; be delayed.

연착륙(軟着陸)soft landing. ¶ 달에 ～하다 make a soft landing on the moon; soft-land on the moon.

연철(鍊鐵)wrought iron.

연체(延滯)〔지연〕delay;〔체납〕arrears. ～하다 be delayed; be in arrears. ¶ 집세를 ～하고 있다 be in arrears with the rent.

연체동물(軟體動物)〔動〕a mollusk.

연출(演出)production; direction. ～하다 produce; direct. ¶ ～가 a producer; a director《美》.

연탄(煉炭) a briquet(te).

연통(煙筒) a chimney; a stovepipe.

연판(連判)joint signature〔seal〕. ～하다 sign〔seal〕jointly. ¶ ～장 a compact under joint signature.

연판(鉛版)a〔lead〕plate;〔印〕a stereotype. ¶ ～을 뜨다 make a stereotype《of》.

연패(連敗) a series of defeats; successive defeats. ～하다 suffer a series of defeats.

연표(年表) a chronological table.

연필(鉛筆)a〔lead〕pencil. ¶ ～깎이 a pencil sharpener / ～심 the lead of a pencil.

연하(年下) ～의 younger; junior /3살 ～이다 be three years younger than one; be《a person's》junior by three years.

연하(年賀)the New Year's greetings. ¶ ～장 a New Year's card.

연하다(軟一)①〔안질기다〕(be) tender; soft. ¶ 연하게 하다 soften; tenderize. ②〔빛이〕(be) soft; mild; light. ¶ 연한 빛 a light color.

연하다(連一)adjoin; be connect-

ed〔linked〕《with, to》.

연한(年限) a period; a term.

연한(軟한) a term of office.

연합(聯合) ～하다 combine; join; be combined〔united〕. ‖ ～국 the Allied Powers; the Allies / ～작전 combined〔joint〕 operations.

연해(沿海) the sea along the coast(바다); the coast(육지). ◨ ～의 coastal.

연해주(沿海州) 《러시아의》 the Maritime Province of Siberia.

연행(連行) ～하다 take 《a person》 to 《a police station》.

연혁(沿革) the history 《of》; 《발달》 the development 《of》; 《변천》 changes.

연호(年號) the name of an era.

연화(軟化) ～하다 become soft; soften.

연화(軟貨) soft money 《currency》.

연회(宴會) 《give, have》 a dinner party; a banquet.

연후(然後) ～에 after (that); afterwards.

연휴(連休) 《two》 consecutive holidays.

열 ten; the tenth (열째).

열(列) 《일반적》 a line; a row; 《세로의》 a file; a column; 《가로의》 a rank; 《차례를 기다리는 줄》 a queue; a line. ◨ ～2～ 종대 (횡대) a double file〔line〕.

열(熱) ① 《물리적인》 heat. ◨ ～의 thermic; thermal / ～을 발생하다 generate heat. ‖ ～기구 a hot-air balloon / ～전도 thermal conductivity / ～처리 heat treatment 《～처리하다 heat-treat》. ② 《세온》 temperature; 《병으로 인한》 fever. ◨ ～이 있다 have a fever; be feverish. ③ 《열의·열광》 enthusiasm; passion(열정); fever; craze(열광). ◨ 《문학～ a craze for literature.

열가소성(熱可塑性) 《理》 thermoplasticity. ◨ ～의 thermoplastic.

열강(列强) the 《world》 powers.

열거(列擧) enumeration. ～하다 enumerate; list.

열경화성(熱硬化性) 《理》 a thermo-setting property. ◨ ～의 thermosetting.

열광(熱狂) 《wild》 enthusiasm; excitement. ～하다 go wild with excitement; be enthusiastic 《over》. ◨ ～적(으로) enthusiastic(ally); frantic(ally).

열기(熱氣) hot air; 《열띤 분위기》 a heated atmosphere; 《신열》 fever.

열나다(熱一) ① 《신열이》 run a fever; become feverish. ② 《열중·열심》 become enthusiastic 《about》. ③ 《화나다》 get angry; be enraged.

열녀(烈女) a virtuous woman.

열다[①] 《닫힌 것을》 open; unlock (열쇠로). ◨ 《열어 놓다 leave 《a door》 open. ② 《개설》 open; start. ③ 《개최》 hold; give 《a party》. ◨ 회의를 ～ hold a conference. ④ 《개척》 clear 《land》; develop; open (up). ◨ 무진에게 길을 열어주다 open a path for the young.

열다[②] 《열매가》 bear 《fruit》; fruit.

열대(熱帶) 《地》 the tropics. ◨ ～의 tropical. ‖ ～야《夜》 a sweltering night.

열댓 about fifteen.

열도(列島) a chain of islands.

열등(劣等) inferiority. ～하다 《be》 inferior; 《～한 inferior; poor. ◨ ～감 inferiority complex.

열람(閱覽) reading; perusal. ～하다 read; peruse. ‖ ～실 a reading room.

열량(熱量) the quantity of heat; 《단위》 《a》 calorie; 《발열량》 calorific value.

열렬(熱烈) ～한〔히〕 ardent(ly); fervent(ly); passionate(ly) / ～한 환영을 하다 give 《a person》 an enthusiastic welcome.

열리다[①] 《닫힌 것이》 be opened; be unlocked. ② 《모임·행사》 be held; take place; 《개시》 begin; start. ③ 《길이》 open; be open(ed). ◨ 승진의 길이 ～ the

way to promotion is opened.
④ 《열매가》 bear (fruit).

열망(熱望) an ardent wish [desire].
~하다 be eager [anxious] for
[after, to do]; long for.

열매 (a) fruit: a nut 《견과》. ¶ ~를
맺다 bear fruit; 《비유적》 produce
seeds.

열무 a young radish.

열반(涅槃) *Nirvana* 《梵》. 「speech.

열변(熱辯) (make) an impassioned

열병(閱兵) a parade; a review.
∥ ~식 a military parade; a
review (of troops).

열병(熱病) a fever. ¶ ~에 걸리다
catch [suffer from] a fever.

열분해(熱分解) 《化》 pyrolysis. ~하
다 pyrolyze. 「ty; a patriot.

열사(烈士) a man of fervid loyal-

열사병(熱射病) heatstroke.

열상(裂傷) a laceration; a lac-
erated wound.

열선(熱線) thermic [heat] rays.

열성(熱誠) earnestness; enthusi-
asm. ¶ ~적인 earnest; enthu-
siastic; hearty.

열세(劣勢) inferiority. ¶ …보다 ~
에 있다 be inferior in numbers
[strength].

열쇠 a key 《열쇠》. ¶ ~로 열다 unlock
with a key. ∥ ~구멍 a keyhole.

열심(熱心) enthusiasm; eagerness.
¶ ~인 eager; enthusiastic;
earnest. ~히 eagerly; earnest-
ly; enthusiastically; hard.

열십자(一十字) a cross. ¶ ~의
cross-shaped; ~로 crosswise.

열악(劣惡) ¶ ~한 inferior; poor;
~한 환경에서 일하고 있다 work
under poor surroundings.

열애(熱愛) ardent love. ~하다
love 《a person》 passionately.

열어젖히다 swing [throw, fling]
open.

열없다 ① 《열적다》 (be) awkward;
shy; self-conscious. ② 《성질이》
(be) timid; faint-hearted.

열역학(熱力學) thermodynamics.

열연(熱演) an impassioned perfor-
mance. ~하다 perform [play]

enthusiastically; put spirit into
one's part.

열의(熱意) zeal; enthusiasm. ¶ ~
있는 eager; zealous; enthusias-
tic; ~ 없는 unenthusiastic; half-
hearted.

열자기(熱磁氣) thermomagnetism.

열전(列傳) a series of biographies.

열전(熱戰) a fierce fight; 《경기》a
hot contest; a close game.

열전기(熱電氣) thermoelectricity.

열전류(熱電流) a thermocurrent.

열정(熱情) passion; ardor; fervor.
¶ ~적인 ardent; passionate; fer-
vent.

열중(熱中) ~하다 become [get]
enthusiastic 《about, over》; be
absorbed 《in》; be crazy 《about》.

열차(列車) a train. ¶ ~시간표 a
train timetable [schedule] / 급행
~ an express train.

열탕(熱湯) hot [boiling] water.
¶ ~ 소독을 하다 disinfect 《a
dish》 in boiling water.

열파(熱波) 《理》 a heat wave.

열풍(烈風) a violent wind.

열풍(熱風) a hot wind.

열학(熱學) 《理》 thermotics.

열핵(熱核) ¶ ~반응 [융합] thermo-
nuclear reaction [fusion].

열혈(熱血) hot blood; ardor. ∥ ~
한(漢) a hot-blooded man.

열화(熱火) a blazing fire. ¶ ~갈
이 노하다 be red with anger; be
furious.

열화학(熱化學) thermochemistry.

열흘(熱닐) ten days; 《십일째》 the
tenth (day).

엷다 ① 《두께가》 (be) thin. ☞ 얇
다. ② 《빛이》 (be) light; weak;
thin. ¶ 엷은 빛깔의 light-colored.

염(殮) 염습(殮襲).

염가(廉價) a low [moderate] price;
a bargain rate. ¶ ~의 cheap;
low-priced / ~로 팔다 sell
《things》 cheap [at low prices].

염교(鹽교) a salt mine.

염기(鹽基) 《化》 a base. ¶ ~성의
basic.

염도(鹽度) salinity. 「basic.

겹두(念頭) ¶ ~에 두다 bear [keep] 《a thing》 in mind / ~에 두지 않다 do not care 《about》.

열라대왕(閻羅大王) *Yama* 〔梵〕; the King of Hell.

염려(念慮) anxiety; worry; apprehension; care; concern. ~ 하다 worry; be concerned 〔worried, anxious〕 《about》.

염료(染料) dyes; dyestuffs; coloring material.

염모제(染毛劑) a hairdye.

염문(艶聞) a love affair; a romance.

염병(染病) ☞ 장티푸스. ¶ ~할 Go to hell!

염분(鹽分) salt. ~ 있는 saline; salty.

염불(念佛) a Buddhist invocation. ~ 하다 pray [offer prayers] to *Amitabha*.

염산(鹽酸)〖化〗 hydrochloric acid.

염색(染色) dyeing. ~ 하다 dye.

염세(厭世) pessimism; weariness of life. ¶ ~적인 pessimistic. ~ 주의 pessimism / ~ 주의자 a pessimist.

염소 a goat. ¶ 암 ~ a she-goat / 수 ~ a he-goat / 새끼 ~ a kid.

염소(鹽素)〖化〗 chlorine (기호 Cl). ∥ ~ 산 chloric acid.

염수(鹽水) salt water; brine.

염습(殮襲) ~ 하다 wash and dress the deceased.

염원(念願) one's heart's desire. ~ 하다 desire; wish 《for》.

염좌(捻挫) a sprain. ☞ 삐다.

염주(念珠) a rosary; prayer beads.

염증(炎症) inflammation. ~ 을 일으키다 be 〔become〕 inflamed.

염증(厭症) an aversion; a dislike; disgust; a repugnance. ¶ ~ 이 나 be weary 〔sick〕 《of》; be fed up 《with》.

염직(染織) ~ 하다 dye and weave.

염치(廉恥) a sense of honor 〔shame〕. ¶ ~ 가 없다 be shameless; have no sense of honor.

염탐(廉探) ~ 하다 spy upon 《the enemy's movement》; feel 〔smell〕 out 《a plot》. ∥ ~ 꾼 a spy; a secret agent.

염통 the heart.

염화(鹽化) chloridation. ~ 하다 chloridize. ~ 물 a chloride.

엽궐련(葉─) a cigar.

엽기(獵奇) ¶ ~적인 bizarre; macabre. ∥ ~소설 a bizarre story.

엽록소(葉綠素)〖植〗 chlorophyl(l).

엽색(獵色) debauchery. ∥ ~ 꾼 a debauchee; a lecher.

엽서(葉書) a postal card (관제); a postcard (사제); a postcard 〔英〕.

엽전(葉錢) a brass coin.

엽초(葉草) leaf tobacco. 〔gun.

엽총(獵銃) a hunting 〔sporting〕

엿¹ wheat gluten; taffy; (a) candy. ¶ ~ 장수 a taffy seller.

엿²(여섯) six.

엿기름 malt; wheat germ.

엿듣다 overhear; listen secretly; eavesdrop; (도청) tap 《wires》; bug.

엿보다 (기회를) look 〔watch, wait〕 for 《a chance》; (상태를) see; spy on; (안을) peep into 〔through〕; (슬쩍) steal a glance at.

영(令)(명령) an order; a command; (법령) an ordinance; a law. ¶ ~ 을 내리다 command; order.

영(零) a zero; a nought; a cipher. ¶ ~ 점을 맞다 get a zero 《in an examination》.

영(靈) the soul 〔spirit〕. ¶ ~ 적인 spiritual.

영감(令監)(존칭) lord; sir; (노인) an old 〔elderly〕 man; (남편) one's husband.

영감(靈感) (an) inspiration. ¶ ~ 을 받다 be inspired 《by》; get inspiration 《from》.

영걸(英傑) a great man; a hero.

영검(靈驗) miraculous virtue 〔efficacy〕. 〔cacy〕.

영겁(永劫) eternity.

영결(永訣) the last 〔final〕 parting; separation by death. ~ 하다 part forever; bid one's last farewell 《to》. ∥ ~식 a funeral ceremony 〔service〕.

영계(─ 鷄) a (spring) chicken. ‖ ~ 백숙 a boiled chicken with rice.

영계(靈界) the spiritual world.

영고성쇠(榮枯盛衰) rise and fall; vicissitudes; ups and downs.

영공(領空) territorial air 〔sky〕; air-space. ‖ ~침범 the violation of the territorial sky.

영관(領官) a field officer〔군〕. ‖ ~ 급 장교 field grade officers.

영관(榮冠) the crown; 《win》 the laurels 〔월계관〕.

영광(榮光) honor; glory. ¶ ~스러운 glorious; honorable; honored 〔…의 ~을 가지다 have the honor of 《doing》.

영구(永久) ☞ 영원(永遠). ¶ ~히 for good; forever; permanently / ~ 불변의 everlasting / 반 ~적인 semipermanent. ‖ ~치〔齒〕 a permanent tooth.

영구(靈柩) a coffin; a casket 《美》. ‖ ~차 a (motor) hearse; a funeral car.

영국(英國) England; (Great) Britain; the United Kingdom 〔약자 U.K.〕. ¶ ~의 English; British. ‖ ~국기 the Union Jack.

영내(營內) ¶ ~의〔에〕 within 〔in〕 barracks. ‖ ~거주 living in barracks.

영농(營農) farming. ~ 하다 farm; work on a farm; be engaged in farming. ‖ ~자금 a farming fund.

영단(英斷) a wise decision. ¶ ~ 을 내리다 take a decisive step 〔drastic measures〕.

영단(營團) a corporation. ☞ 공단 (公團).

영달(榮達) advancement (in life); distinction. ¶ ~을 바라다 hanker after distinction.

영도(零度) zero (degrees); the freezing point.

영도(領導) leadership. ~ 하다 take the lead; lead 《a party》; head. ¶ 그의 ~하에 under his leadership 〔direction〕.

영락(零落) ruin; downfall. ~ 하다 fall low; be ruined; sink in the world; be reduced to poverty.

영락없다(零落 ─) (be) invariably right; (be) infallible; unfailing ¶ 영락없이 without any slip without fail; infallibly; for sure.

영령(英靈) the spirit of the departed (war heroes).

영롱(玲瓏) ~ 하다 (be) brilliant clear and bright.

영리(恰悧) ¶ ~ 한 wise; clever bright; intelligent; smart.

영리(營利) moneymaking; profit gain. ¶ ~ 적(인) profit-making commercial / ~에 급급하다 b intent on gain.

영림(營林) forestry. ‖ ~서 a loca forestry office.

영매(靈媒) a medium.

영면(永眠) death. ~ 하다 die; pas away.

영명하다(英明 ─) (be) clever bright; intelligent.

영묘하다(靈妙 ─) (be) miraculous mysterious; marvelous.

영문① 〔경위〕 the situation; cir cumstances. ② 〔까닭〕 (a) rea son; a cause〔원인〕; the matter ¶ ~ 도 없이 without (any) reaso 〔cause〕.

영문(英文) English; an English sentence. ¶ ~으로〔의〕 in Eng lish.

영물(靈物) a spiritual being.

영민(英敏) ~ 하다 (be) intelligent; clever.

영부인(令夫人) your 〔his〕 esteeme wife; Mrs. 《Lee》.

영사(映寫) projection. ~ 하다 pro ject; screen 《a film》. ‖ ~기 projector / ~실 a projectio room.

영사(領事) a consul. ¶ 마닐라 주 한국 ~ the Korean consul a Manila. ‖ ~관 a consulate / ~관원 a consular officer; the staff of a consulate 〔총칭〕.

영상(映像) 〔마음의〕 an image; 〔거울·수면 위의 의〕 a picture; 《거울·수면 위의

reflection.

영생(永生) eternal life; immortality. ~ 하다 live eternally.

영성(靈性) spirituality; divinity.

영세(永世) all ages; eternity. ~중립국 a permanently neutral state.

영세(零細) ~ 하다 (be) small; petty; trifling. ‖ ~ 민〔총칭〕 the destitute; the poor / ~ 업자 a small-scale businessman.

영속(永續) ~ 하다 last long; remain during. ¶ ~적 lasting; permanent / ~성 permanence.

영송(迎送) ~ 하다 meet and see off.

영수(領收) receipt. ~ 하다 receive. ‖ ~ 증 a receipt / ~필 Paid.

영수(領袖) a leader; a head.

영시(零時) twelve o'clock; noon (정오); midnight(자정).

영식(令息) your〔his, her〕son.

영아(嬰兒) an infant; a baby.

영악하다 (be) smart; shrewd. 영악하다〔獰惡─〕 fierce; ferocious.

영안실(靈安室) a mortuary (of a hospital).   〔ter.

영애(令愛) your〔his, her〕daughter.

영약(靈藥) a miraculous medicine; a miracle drug.

영양(羚羊) an antelope; a goral.

영양(營養) nourishment; nutrition. ~ 하다 nourish. ¶ ~ 상태가 좋은〔나쁜〕 well-(ill-)nourished / ~ 식품 nourishing food. ‖ ~ 가 nutritive value / ~ 실조 malnutrition.

영어(英語) English; the English language. ¶ ~ 의 English. ~ 를 잘하다〔가 서투르다〕 be good (poor) at English / ~ 권 the English-speaking world.

영업(營業) business; trade. ~ 하다 do〔carry on, run〕business. ~ 하고 있다 be in business; be open for business / ~ 중〔게시〕 Open.

영업권(營業權) right of trade; goodwill. ¶ ~ 을 팔다 sell out one's business; sell the

goodwill (of a shop).

영역(領域) ① ☞ 영토. ② 〔학문·활동의〕 a sphere; a field; a realm; a line. ¶ 그것은 내 ~ 이 아니다 That is not my field.

영역(靈域) a sacred ground; holy precincts.   〔good (and all).

영영(永永) forever; eternally; for

영예(榮譽) honor; glory. ¶ ~ 로운 honorable; glorious.   〔ic.

영웅(英雄) a hero. ¶ ~ 적 heroic

영원(永遠) eternity; permanence; perpetuity. ¶ ~ 한〔히〕eternal (ly); perpetual(ly); everlasting; permanent(ly).

영위(營爲) ~ 하다 run; carry on; operate. ¶ 삶을 ~ 하다 lead a life.

영유(領有) ~ 하다 possess; get 〔be in〕possession 《of》.

영자(英字) English letters. ‖ ~ 신문 an English(-language) newspaper.

영장(令狀) a warrant; a writ. ¶ ~ 을 발부하다〔집행하다〕issue 〔execute〕a warrant.

영장(靈長) 만물의 ~ the lord of all creation. ‖ ~ 류【動】the primates.

영재(英才) (a) genius; (a) talent; a gifted person. ‖ ~ 교육 special education for the gifted.

영전(榮轉) ~ 하다 be promoted (and transferred) to 《a higher post》.

영전(靈前) ¶ ~ 에 before the spirit of the departed〔dead〕.

영점(零點) ~ a zero; the zero point; no points.

영접(迎接) ~ 하다 welcome; receive 《company》(go out) to meet.

영정(影幀) a (scroll or) portrait.

영주(永住) permanent residence. ~ 하다 reside〔live〕permanently; settle down (for good). ‖ ~ 권 the permanent residency / ~ 권자 a permanent resident.

영주(領主) a (feudal) lord.

영지(領地) a fief; a feud; feudal territory.

영차〔이영차〕Yo-heave-ho! Yo-ho!

영창(詠唱)〖樂〗an aria.

영창(營倉) a guardhouse; detention barracks; a military jail.

영치(領置) ~ 하다 place in custody 《of the prison officer》.

영탄(詠嘆)〖읊조림〗recitation; recital. ~ 하다 recite 《a poem》.

영토(領土) (a) territory; (a) domain. ║ ~ 권 territorial rights / ~ 확장 territorial expansion.

영특하다(英特 ─) (be) wise; sagacious; outstanding.

영판 ① 〖맞힘〗true [accurate] fortunetelling. ② 〖꼭〗just like; 《아주》very; awfully.

영패(零敗) ~ 하다 be shut out; fail to score. ║ 가까스로 ~ 를 면하다 barely miss being shut out.

영하(零下) below zero; sub-zero. ║ ~ 의 기온 a sub-zero temperature.

영합(迎合) flattery. ~ 하다 flatter; fawn upon; curry favor with.

영해(領海) territorial waters. ║ ~ 침범 violation of territorial waters.

영향(影響) influence; effect(효과); an impact(충격); consequence(파급효과). ║ … 에 ~ 을 주다[미치다] influence …; affect …; have an influence [effect] 《on》.

영험(靈驗) ~ 영검. ║ ~ 이 있는 wonder-working; miraculous 《amulets》.

영혼(靈魂) a soul; a spirit.

영화(映畵) a movie; a (motion) picture; a film; 《총칭》the movies; the cinema (英). ║ ~ 를 개봉[상영]하다 release [show] a film [movie].

영화(榮華) 〖번영〗prosperity; 《호화》splendor; luxury. ║ ~ 를 누리다 live in splendor; be at the height of one's prosperity.

옆 the flank; the side. ║ ~ 의 side; next / ~ 에(서) by the side 《of》; beside; ~ 에 one's side; by; aside / ~ 으로 비키다 step aside / ~ 으로 놓아 놓다 lay 《a thing》on its side.

옆구리 the flank; the side (of the chest).

옆바람 a side wind.

옆집 (the) next door; the adjacent house. ║ ~ 사람 one's (next door) neighbor.

예(옛적) ancient [old] times; old days; former times. ║ ~ 나 지금이나 in all ages.

예① 《대답》yes; certainly; all right; no(부정의문문에서); 《승낙》Yes, sir [madam, ma'am (美)]!; 《교실에서》Here (sir)!; Present, (sir)! ② 《반문》Eh?, What?

예(例) ① 《실례》an instance; an example; an illustration. ║ ~ 를 들면 for instance [example]. ② 《경우》a case. ③ 《관례》a custom; a usage; a precedent (전례).

예(禮) ① 《경례》a salute; a bow. ║ ~ 를 올리다 make a bow. ② 《예법》etiquette; propriety; courtesy.

예각(銳角)〖數〗an acute angle.

예감(豫感) a premonition; a presentiment; a hunch. ~ 하다 have a hunch. ║ 불길한 ~ an ominous foreboding. 「see.」

예견(豫見) foresight. ~ 하다 foresee.

예고(豫告) a (previous) notice; a previous announcement; a warning(경고). ~ 하다 give an advance notice; announce beforehand [in advance]; warn 《a person》of. ║ ~ 없이 without (previous) notice. / ~ 편 《영화의》a trailer; a preview.

예광탄(曳光彈)〖軍〗a tracer shell.

예규(例規) an established rule [regulation].

예금(預金) a deposit. ~ 하다 deposit 《money in a bank》; place money on deposit. ║ ~ 액 the deposited amount / ~ 통장 a (deposit) passbook; a bank book.

예기(銳氣) (animated) spirit; dash. ║ ~ 를 꺾다 break [shake] one's spirits.

예기(豫期) expectation; anticipation. ~ 하다 expect; anticipate; look for. ¶ ~치 않은 unexpected; unlooked for.

예납(豫納) advance payment. ~ 하다 pay in advance: prepay.

예년(例年) an average [a normal, an ordinary] year(평년); every year(매년). ¶ ~의 annual; usual / ~ 대로 as usual.

예능(藝能) art and skil; public entertainments; the performing arts.

예닐곱 six or seven.

예리(銳利) ~ 하다 (be) sharp; acute; keen; sharp-edged.

예매(豫買) advance purchasing. ~ 하다 buy in advance.

예매(豫賣) advance sale: sale in advance. ~ 하다 sell (tickets) in advance. ~권 an advance ticket.

예명(藝名) a stage [professional] name; a screen name.

예문(例文) an illustrative sentence; an example.

예물(禮物) a gift; a present.

예민(銳敏) ~ 한 (감각이) (be) sharp; keen; acute; sensitive; (지적으로) (be) quick-witted; shrewd.

예바르다(禮—) (be) courteous; decorous; polite; civil.

예방(禮訪) a courtesy call. ~ 하다 pay a courtesy call on (a person).

예방(豫防) (방지) prevention (of); protection (from, against); (경제) precaution (against). ~ 하다 prevent; take preventive measures (against). ¶ ~의 preventive; precautionary / ~할 수 있는 preventable. ‖ ~주사 a preventive injection [shot] / ~책 [조치] preventive measures; precautions.

예배(禮拜) worship; (교회의) church service. ~ 하다 worship. ‖ ~당 a church; a chapel.

예법(禮法) courtesy; decorum; etiquette; propriety; manners.

¶ ~에 맞다 [어긋나다] conform to [go against] etiquette.

예보(豫報) a forecast. ~ 하다 forecast. ‖ ~관 a weatherman; a forecaster.

예복(禮服) (wear, be in) full [formal] dress; ceremonial dress; (군인용) a dress uniform; 《야회용》 an evening dress.

예비(豫備) ~ 하다 prepare (provide) for; reserve. ¶ ~의 reserve; spare (여분의); preparatory (준비의); preliminary (예행의). ‖ ~군 a reserve army; reserve troops.

예쁘다 (be) pretty; lovely; beautiful; nice.

예쁘장하다 (be) rather lovely; comely; pretty.

예사(例事) a common practice; custom; usage; an everyday affair. ¶ ~롭다 (be) usual; ordinary; commonplace / ~가 아닌 unusual; extraordinary; uncommon.

예산(豫算) a budget; an estimate. ¶ ~을 짜다 make [draw up] a budget. ‖ ~편성 compilation of the budget.

예상(豫想) (예기) expectation; anticipation; (예측) forecast; (추단) presumption; (어림) estimate. ~ 하다 expect; anticipate; forecast; presume; estimate. ¶ ~외의 [로] unexpected(ly); beyond one's expectation / ~대로 되다 come up to one's expectations.

예선(豫選) (경기·시합 등의) a preliminary match [contest]; a heat; (선거의) a provisional election; a preelection. ~ 하다 hold a preliminary contest; preelect. ‖ ~통과자 a qualifier.

예속(隷屬) ~ 하다 be under the control [authority] of; be subordinate [subject] to; belong to. ‖ ~국 a subject nation.

예수 Jesus (Christ). ‖ ~교 Christianity / ~그리스도 Jesus Christ.

예술(藝術) art; the arts(학술). ¶ ~적인 artistic. ‖ ~가 an

artist / ～작품 a work of art.
예습(豫習) preparations (of *one's* lessons); ～내일의 ～을 하다 prepare *one's* lessons for tomorrow.
예시(例示) ☞ 예증(例證).
예시(例示) ～하다 indicate; adumbrate; foreshadow.
예식(禮式) etiquette; manners; 《의식》 a ceremony; a rite. ‖ ～장 a ceremony [wedding] hall.
예심(豫審) 〔法〕 a preliminary hearing〔trial, examination〕.
예약(豫約) 《좌석·배 따위의》 booking; reservation; 《출판물의》 subscription; 《상품의》 an advance order; 《병원 등의》 an appointment, ～하다 reserve; book; make an appointment; subscribe 《*for*》. ¶ 이 테이블은 ～이 되어 있다 This table is reserved. ‖ ～계〔係〕 a reservation desk / ～석 a reserved seat; 《게시》 Reserved.
예언(豫言) a prophecy; a prediction. ～하다 prophesy; foretell; predict. ‖ ～자 a prophet.
예외(例外) an exception. ¶ ～의 exceptional / ～없이 without exception.
예우(禮遇) a cordial reception. ～하다 receive 《*a person*》 courteously〔cordially〕; 「assiduously.
예의(銳意) 《부사적》 in earnest;」
예의(禮儀) courtesy; politeness; civility; manners; etiquette. ¶ ～바른 courteous; polite.
예인선(曳引船) a tugboat; a towboat.
예장(禮裝) ～하다 wear ceremonial dress; be in full dress.
예전 old days; former days 〔times〕. ¶ ～의 old; ancient; former.
예절(禮節) propriety; decorum; etiquette; manners.
예정(豫定) a plan; a program; a schedule; 《previous arrangement. ～하다 schedule; expect 《예상》; arrange in advance; prearrange 《계획하다》 (make a)

plan; 《…할 계획이다》 intend 〔plan〕 to *do*. ¶ ～대로 as expected 〔planned〕; according to schedule. ‖ ～일 a prearranged date. 《출산의》 the expected date of confinement; 「cise 〔연습〕.
예제(例題) an example; an exer-」
예증(例證) an illustration; an example; an instance. ～하다 illustrate; exemplify.
예지(豫知) ～하다 foresee; forebode; know beforehand; foretell.
예지(叡智) wisdom; sagacity.
예진(豫診) medical preexamination; ～하다 make a diagnosis in advance.
예찬(禮讚) admiration; a high compliment. ～하다 admire; eulogize; speak highly of. ‖ ～자 an adorer; an admirer.
예측(豫測) prediction; forecast; expectation. ～하다 predict; foretell; forecast; estimate.
예탁(預託) ～하다 deposit 《*money with a bank*》.
예편(豫編) ～하다 transfer to the 《*first*》 reserve; place on the reserve list.
예포(禮砲) a salute (gun).
예항(曳航) ～하다 tow; take 《*a ship*》 in 〔on〕 tow.
예행연습(豫行演習) a rehearsal.
예후(豫後) 〔醫〕 prognosis 《병세》; convalescence 《회복》. ¶ ～가 좋다 convalesce satisfactorily.
옛 old; ancient. ¶ ～친구 an old friend.
옛날 ancient times; old days. ¶ ～에 once upon a time; long, long ago.
옛말 ① 《고어》 an archaic word. ② 《격언》 an old proverb (saying).
옛사람 ancient people; men of old.
옛일 a past event; the past; a thing of the past; bygones.
옛추억(一追憶) *one's* old memory.
오(五) five. ¶ ～분의 일 one fifth.
오(감동) Ah!; Oh!; O!

오가다 come and go. ¶ 오가는 사람들 passersby.

오각형(五角形) a pentagon.

오계(五戒) the five (Buddhist) commandments.

오곡(五穀) the five cereals; (staple) grains. ¶ ~ 밥 boiled rice mixed with four other cereals.

오관(五官) the five organs (of sense).

오그라들다 curl up; shrink; contract; shrivel.

오그라지다 ① (오그라들다) be curled (rolled) up; shrivel; become warped. ② (찌그러지다) dent; become indented.

오그리다 ① (몸·발을) curl (*one's body*) up; crouch; huddle; double up. ¶ 오그리고 자다 sleep curled up. ② (물건을) 《짓눌러》 squeeze out of shape; crush; smash; batter.

오금 the crook (hollow) of the knee.

오금박다 trap (corner) (*a person*) with his own words.

오기(傲氣) an unyielding spirit. ¶ ~ (를) 부리다 try to rival (*another*); refuse to yield (*to*).

오기(誤記) a clerical error; a miswriting; a slip of the pen. ~ 하다 miswrite; make a pen-slip.

오나가나 always; all the time; everywhere; wherever *one* goes.

오냐 (대답) yea; yes; well; all right.

오누이, 오뉘 brother and sister.

오뉴월(五六月) midsummer; May and June.

오늘 today; this day. ¶ ~ 부터 from this day forth / ~ 까지 up to today / ~ 저녁 this evening.

오늘날 the present time; these days; today; nowadays. ¶ ~ 의 한국 the Korea of today.

오다 ① (일반적으로) come. ¶ 이리 오너라 Come here. *or* Come this way. ② (도착) come; reach; arrive (at, in). ¶ 자, 버스가 왔다 Here comes our bus. ③ (방문) come to see; visit. ④ (비·눈이) come on; drop; rain; snow. ¶ 비가 ~ it rains. ⑤ (다가옴) come up; approach; come (draw) near. ⑥ (전래) be introduced (into); be brought (from). ¶ 미국에서 온 정치 사상 political ideas brought (introduced) from America. ⑦ (기인) derive from; come of (from); be caused by. ¶ 많은 영어 단어는 라틴어에서 왔다 Many English words came originally from Latin.

오다가다 (어쩌다가) occasionally; at times; once in a while; now and then; (우연히) by chance; casually. ¶ 그녀와는 ~ 만난다 I see her once in a while.

오대양(五大洋) the Five Oceans.

오대주(五大洲) the Five Continents. 〔a large order.〕

오더(주문) an order. ¶ 대량의 ~

오도(悟道) ~ 하다 《깨침》 be spiritually awakened.

오도독 with a crunching sound. ‖ ~ 뼈 cartilage; gristle.

오도방정 ‖ ~ 떨다 behave in a giddy way.

오독(誤讀) misreading. ~ 하다 misread; read wrong.

오돌오돌하다 (be) hard and lumpy; somewhat hard to chew.

오동나무(梧桐一) 〔植〕a paulownia tree.

오동통하다 (be) short and chubby; plump. ¶ 빰이 오동통한 아기 a baby with plump cheeks.

오두막(一 幕) a hut; a shed; a cabin.

오디 a mulberry.

오뚝이 a tumbler.

오라(포승) a rope for binding criminals. ¶ ~ 지다 have *one's* hands tied behind *one's* back.

오라기 a piece (scrap, bit) (*of thread, cloth, paper*).

오라버니 a girl's older brother.

오락(娛樂) an amusement; (an) entertainment; (a) recreation; (a) pastime. ‖ ~ 시설 amusement

〔recreational〕 facilities / ～실 a recreation hall; a game room.

오락가락하다 come and go; move 〔go〕 back and forth. ¶ 비가 ～ rain off and on.

오랑캐 a barbarian; a savage.

오랑캐꽃 a violet. ☞ 제비꽃.

오래 long; for a long while (time). ¶ ～ 전에 a long time ago / ～ 된 old; ancient; antique; old-fashioned(시대에 뒤진); stale(음식물이) / 오랫동안 for a long time (while) / ～ 걸리다 take a long time.

오래간만 ¶ ～에 after a long time (interval, absence, separation) / ～ 일세 It has been a long time since I saw you last.

오래다 be a long time (since); be long-continued; (be) long. ¶ 오래지 않아 before long; not long after.

오래오래 for a long time; 《영원히》 forever; eternally.

오렌지 an orange. ‖ ～ 주스 orange juice.

오려내다 ☞ 오리다.

오로라 an aurora 《pl. -s, -rae》.

오로지 alone; only; solely; exclusively; wholly; entirely. ¶ 그의 성공은 ～ 아내 덕분이다 His success is due entirely to his wife's support.

오류(誤謬) a mistake; an error; a fallacy. ¶ ～를 범하다 make a mistake; commit an error.

오륜대회(五輪大會) ☞ 올림픽.

오르간 an organ. ‖ ～ 연주자〔자〕 an organist.

오르내리다 ① 《고저》 go up and down; rise and fall; fluctuate (시세 따위가); be intermittent(단속적인). ¶ 오르내리는 열 an intermittent fever. ② 《남의 입에》 be talked (gossiped) about.

오르다 ① 《높은 곳에》 go up; climb; ascend; fly (날아서); soar (하늘 높이). ② 《승진·승급》 be promoted (elevated, advanced, raised). ③ 《향상》 progress; make progress (in); advance; improve. ④ 《성과》 produce; achieve. ⑤ 《의제 등에》 be brought up; be placed before (식탁에) be served. ⑥ 《화제에》 be gossiped (talked) about. ⑦ 《물가 따위가》 rise; go up; advance (in price). ⑧ 《출발》 start; leave. ⑨ 《즉위》 ascend (the throne). ⑩ 《기록》 be recorded (entered, registered) (in, on). ⑪ 《탈것·말에》 take; get on (into); mount (말에). ⑫ 《병독이》 be infected (contracted). ⑬ 《살이》 grow fat; put on weight. ⑭ 《연기·김 따위가》 rise; go up; 《불길이》 blaze up; go up (in flames). ¶ 굴뚝에서 연기가 ～ smoke rises from a chimney. 《물이》 rise. ¶ 나무에 물이 ～ the sap rises. ⑯ 《악이》 be offended; ripen to full flavor (고추가). ⑰ 《때가》 get dirty. ⑱ 《기세 등이》 rise; become highs-pirited. ⑲ 《신·혼령이》 possess; be possessed.

오르락내리락 rising and falling; going up and down.

오르막 an uprise; an upward slope. ‖ ～길 an ascent (uphill slope).

오른손 the right hand. 〔road〕.

오른세 an upward tendency (of the market).

오리 〔鳥〕 a (wild) duck.

오리나무 〔植〕 an alder.

오리너구리 〔動〕 a duckbill.

오리다 cut off (out, away); clip (out) (from). ¶ 신문 기사를 ～ clip (cut out) an article from a newspaper.

오리목(一 木) 〔建〕 a lath.

오리무중(五里霧中) ¶ ～이다 be in a fog (about); be all at sea.

오리발 a webfoot(물갈퀴).

오리온자리 〔天〕 Orion.

오리지널 an original; the original work(원작).

오막살이 (life in) a grass hut. ¶ ～ 하다 lead a hut life.

오만(五萬) ① 《수》 fifty thousand. ② 《잡다탕》 ever so much; innumerable. ¶ ～ 걱정 a lot 〔lots〕 of worries (troubles).

오만(傲慢) ～ 하다 (be) haughty;

arrogant; overbearing.

오매불망(寤寐不忘) ~ 하다 remember when awake or asleep; bear in mind all the time.

오명(汚名) ① a bad name; a disgrace; a stigma. ¶ ~을 남기다 leave a bad name behind 《one》. ② ☞ 누명.

오목(五目) a game of *baduk* with five checkers placed in a row.

오목(~) ~거울 〔렌즈〕 a concave mirror 〔lens〕.

오목하다 (be) hollow; concave; sunken; depressed. ¶ 오목한 눈 hollow 〔deep-sunken〕 eyes.

오묘(奧妙) ~ 하다 (be) profound; deep; abstruse; recondite.

오물(汚物) filth; dirt; muck; 《부엌의》 garbage; 《하수의》 sewage; 《분 뇨》 night soil. ¶ ~ 소각장 a garbage destructor / ~ 처리공장 a sewage purification plant / ~ 처리 시설 sanitation facilities.

오물거리다 ① 《벌레 등이》 swarm; wriggle; squirm. ② 《입을》 mumble; chew on 《one's gum》.

오므라들다 shrink; contract; dwindle; get 〔grow〕 narrower; diminish in size.

오므라지다 《닫히다》 be closed; be shut; 《좁아짐》 become narrower.

오므리다 ① 《닫다》 close up; shut; pucker up 《one's mouth》; purse 《one's lips》. ② 《웅크리다》 다리를 ~ draw in 《one's legs》.

오믈렛 an omelet(te).

오밀조밀하다(奧密稠密 ―) ① 《면밀》 (be) very meticulous; scrupulous. ② 《솜씨가》 (be) elaborate; exquisite.

오발(誤發) 《총기의》 accidental firing. ~ 하다 fire 《a gun》 by accident.

오버 《외투》 an overcoat. ② 《초과》 ~ 하다 go over; exceed.

오보(誤報) an incorrect 《a false》 report; misinformation. ~ 하다 misreport; misinform; give a false report.

오보에 《樂》 an oboe. ∥ ~ 연주자 an oboist.

오불관언(吾不關焉) ~ 하다 be indif-

ferent 《to》; assume an unconcerned air.

오붓하다 (be) enough; ample; substantial; sufficient. ¶ 오붓한 살림 a comfortable living.

오븐 an oven.

오빠 a girl's elder brother.

오산(誤算) (a) miscalculation. ~ 하다 make a wrong estimate; miscalculate; miscount.

오세아니아(大洋州) Oceania.

오소리 【動】 a badger.

오손(汚損) stain and damage. ~ 하다 stain; soil; damage.

오솔길 a narrow path; a (lonely) lane.

오수(午睡) a nap. ☞ 낮잠.

오수(汚水) dirty 〔filthy〕 water; polluted water; sewage〔하수〕; slops〔구정물〕.

오순도순 in amity; on cordial terms; friendly; harmoniously.

오스카상(~賞) an Oscar.

오스트레일리아 Australia. ¶ ~ 의 《사람》 (an) Australian.

오스트리아 Austria. ¶ ~ 의 Austrian / ~ 사람 an Austrian.

오식(誤植) a misprint; a printer's error. ~ 하다 misprint.

오십(五十) fifty. ¶ ~ 대에 in one's fifties.

오싹오싹하다 shiver with cold; be chilly.

오아시스 an oasis.

오얏 a plum (tree).

오언절구(五言絶句) a quatrain with five syllables in each line.

오역(誤譯) (a) mistranslation. ~ 하다 make a mistake in translation; mistranslate.

오열(嗚咽) choking with sobs; sobbing. ~ 하다 sob; weep.

오염(汚染) contamination; pollution. ~ 하다 〔되다〕 pollute; contaminate; taint. ¶ ~ 되다 be contaminated 〔polluted, tainted〕 / ~ 물질 a pollutant; a contaminant / ~ 방지 prevention of pollution; pollution control.

오욕(汚辱) disgrace; dishonor.

오용(誤用) a misuse; wrong use; a misapplication. ~하다 misuse; misapply.

오월(五月) May.

오이 〔植〕a cucumber.

오인(誤認) ~하다 misconceive; mistake 〔take〕《A》for《B》.

오일(五日) five days; 〔달새〕 the fifth (day of the month).

오일 oil; gasoline.

오입(誤入) debauchery; dissipation. ~하다 indulge in debauchery. ‖ ~쟁이 a libertine.

오자(誤字) a misused 〔miswritten〕character.

오장육부(五臟六腑) the five vital organs and the six viscera.

오쟁이 a small straw bag. ‖ ~지다 be made a cuckold of.

오전(午前) the morning; the a.m.

오전(誤傳) ☞ 오보.

오점(汚點) a stain; a blot; a blotch; a blur; a smear; 〔결점〕 a blemish; a flaw. ‖ ~을 남기다 leave a stain.

오존 ozone. ‖ ~층의 파괴 disruption 〔destruction〕of the ozone layer.

오종경기(五種競技) pentathlon; five events. ‖ 근대~ modern pentathlon.

오죽 very; indeed; how (much). ‖ 배가~ 고프겠느냐 You must be very hungry.

오줌 urine; piss 〔卑〕;〔兒語〕pee. ¶ ~을 누다 urinate; pass 〔make〕water. ‖ ~싸개 a bedwetter.

오지(奧地) the hinterland; the back country《美》.

오지그릇 pottery with a dark brown glaze.

오직 〔단지〕merely; only; 〔오로지〕wholly; solely.

오진(誤診) an erroneous diagnosis. ~하다 make a wrong diagnosis; misdiagnose.

오징어 a cuttlefish; a squid. ‖ ~포 a dried cuttlefish.

오차(誤差) 〔數〕an (accidental) error.

오찬(午餐) a lunch; a luncheon.

오케스트라 an orchestra.

오케이 O.K.; Okay; All right.

오토바이 a motorcycle; a motor bicycle.

오톨도톨하다 ☞ 우툴두툴하다.

오트밀 oatmeal; porridge《英》.

오판(誤判) (a) misjudgment; (a) miscalculation. ~하다 misjudge; error in judgment; miscalculate.

오팔 opal.

오퍼 〔商〕an offer. ¶ ~를 내다 offer; make an offer《for goods》. ‖ ~상 a commission agent / 확정 ~ a firm offer. ‖ 오퍼레타 an operetta.

오페라 an opera. ‖ ~가수 an opera singer.

오펙 OPEC. (◀ the Organization of Petroleum Exporting Countries)

오프셋 〔印〕an offset; a setoff 《英》. ‖ ~인쇄 offset printing.

오픈게임 an open game.

오피스 an office. ‖ ~오토메이션 《사무자동화》office automation(생략 OA).

오한(惡寒) a chill; a cold fit. ¶ ~이 나다 feel 〔have, catch〕a chill.

오합지졸(烏合之卒)《규율 없는》a disorderly crowd; a mob.

오해(誤解) a misunderstanding; misconception. ~하다 misunderstand; misconceive; misconstrue (어구말).

오행(五行) 〔民俗〕the five natural elements (i.e. metal, wood, water, fire and earth).

오호츠크해(─海)〔地〕the Sea of Okhotsk.

오후(午後) the afternoon; the p.m.

오히려 ① 〔차라리〕rather 〔better, sooner〕《than》; preferably. ② 〔도리어〕on the contrary; instead.

옥(玉) jade; a precious stone; a gem; a jewel.

옥(獄) 〔감옥〕 ¶ ~에 가두다 put 《a person》into prison.

옥고(獄苦) the hardships of pri-

son life. ¶ ～를 치르다 serve *one's* term of imprisonment.

옥내(屋內) ～의 indoor; indoors; within doors. ¶ ～경기 indoor games.

옥니 an inturned tooth. ‖ ～박이 a person with inturned teeth.

옥답(沃畓) a rich [fertile] paddy field.

옥도(沃度) iodine (기호 I).

옥돌(玉一) a gemstone.

옥동자(玉童子) a precious son.

옥바라지(獄一) ～하다 send in private supplies for prisoner.

옥사(獄死) ～하다 die in prison.

옥상(屋上) the roof; the rooftop.

옥새(玉璽) the Royal [Privy] Seal.

옥색(玉色) jade green.

옥석(玉石) ① 옥돌. ② (옥과 돌) gemstones; (좋고 나쁜 것) wheat and tares. ¶ ～을 가리다 discriminate "jewels from stones." 「드.

옥소(沃素) iodine (기호 I).

옥수(玉手) ① (임금의 손) the king's hand; (고운 손) beautiful hand.

옥수수 maize; Indian corn [millet] (獨); corn (美).

옥시풀 [藥] Oxyful (상표명); oxygenated water.

옥신각신하다 wrangle; argue; have a petty quarrel.

옥안(玉顔) ① (용안) the king's face; the royal visage. ② (미인의) a beautiful (woman's) face.

옥양목(玉洋木) calico.

옥외(屋外) ～의 outdoor; out-of-door; open-air. ¶ ～집회 an open-air meeting.

옥잠화(玉簪花) [植] a plantain lily.

옥좌(玉座) the throne.

옥죄이다 be too tight for (one).

옥중(獄中) ～의 [에] in prison [jail].

옥체(玉體) (임금의) the king's body.

옥타브(樂) an octave. ¶한 ～을 올리다 [내리다] raise [drop] (one's voice) an octave higher [lower].

옥탄가(一價) octane value [number].

옥토(沃土) fertile [fat] land [soil].

옥황상제(玉皇上帝) The Lord of Heaven of Taoism).

온(전부) all; whole; entire. ¶ ～ 세계(에) all (over) the world; ～ 몸 the whole body.

온갖 all; every (possible); all sorts [kinds, manner] of; various.

온건(穩健) ～하다 (be) moderate; sound; temperate. ‖ ～주의 moderatism / ～파 the moderate party; the moderates.

온고지신(溫故知新) learning a lesson from the past.

온기(溫氣) warmth; warm air.

온난(溫暖) ～하다 (be) warm; mild; genial; temperate. ¶ ～한 기후 a mild climate.

온당하다(穩當一) (be) proper; just; right; reasonable / 온당치 않은 improper; wrong; unreasonable.

온대(溫帶) the temperate zone.

온도(溫度) (a) temperature. ¶ ～를 재다 take the temperature. ‖ ～조절 thermostatic control.

온도계(溫度計) a thermometer. ‖ 섭씨(화씨) ～ a centigrade (Fahrenheit) thermometer.

온돌(溫突) *ondol*; the Korean underfloor heating system; a hypocaust.

온라인 ¶ ～의 on-line / ～ 화되다 go on-line.

온면(溫麵) warm noodle soup.

온상(溫床) a hotbed; a warm nursery. ¶ 악(범죄)의 ～ a hotbed of vice (crime).

온수(溫水) warm water.

온순(溫順) ～하다 (be) gentle; meek; obedient; docile; genial.

온스 an ounce (略 oz.).

온실(溫室) a greenhouse; a hot-house; a forcing house (속성 재배용의). ¶ ～재배하다 grow (plants) under glass / ～효과 (氣象) the greenhouse effect.

온유(溫柔) ～하다 (be) gentle; mild; tender; sweet; amiable.

온음(一音) [樂] a whole tone. ‖ ～

계 the diatonic scale.

온전(穩全) ∼하다 (be) sound; intact; unimpaired; whole.

온정(溫情) a warm heart; kindly feeling; leniency (관대). ¶ ∼ 있는 kindly; warm-hearted; lenient.

온종일(一終日) all day (long); the whole day.

온집안(가족) the whole family; ¶《집의》(search) all over the house.

온천(溫泉) a hot spring; a spa (광천).

온통(增정) presentation.

올림픽 the Olympic games; the Olympics; the (*16th*) Olympiad, ¶∼에서 금메달을 따다 win a gold medal at the Olympics.

온통 all; entirely; wholly; 《전면》the whole surface; all over.

온혈동물(溫血動物) a warm-blooded animal.

온화(溫和) ¶∼한 《인품이》gentle; mild-tempered; 《기후 등이》mild / ∼한 기후 a mild climate.

온후(溫厚) ∼하다 (be) gentle; mild-mannered.

올 ply; strand; 《피륙의》the warp. ¶∼이 성긴 coarse.

올가미 ①《올무》a noose; a lasso; the rope. ②《함정》a snare; a trap. ¶∼에 걸리다 be caught in a trap; fall into a snare.

올곧다 ①《정직》(be) honest; upright. ②《줄이》(be) straight; direct.

올되다 ①《피륙의 올이》(be) tight. ②《조숙하다》mature young. ③《곡식이》ripen early.

올드미스 an old maid; a spinster.

올라가다 ①《높은 곳으로》go up; mount; climb; rise; soar 《하늘로》. ②《승진·승급》rise → be promoted (raised) / 봉급이 ∼ have one's salary raised. ③《진보》advance; make progress (in). ④《물가가》advance; go up; rise. ⑤《강을》go (sail up 《a river》.

올라서다 《높은 데로》get up a higher level; step up.

올라오다 come up; step up.

올리다 ①《위로》raise; lift (up). ¶손을 ∼ raise (hold up) one's hand. ②《값·월급·지위·속도·온도·소리 등을》raise; promote; increase. ③《바치다》offer; lay

[place]《*flowers on a tomb*》. ¶기도를 ∼ offer a prayer. ④《기록》put on record; enter 《*a name*》. ⑤《성과·이익 등을》¶좋은 성과를 ∼《사람이 주어》get good results;《사물이 주어》produce satisfactory results. ⑥《식을》hold 《*a ceremony*》; celebrate. ¶결혼식을 ∼ hold a wedding.

올리브 an olive.

옴방옴방 in lots of small things; in various sizes of small things.

올바로《바르게》right(ly); properly; justly;《정직히》honestly;《정확히》correctly;《곧게》straight.

올밤 an early-ripening chestnut.

올빼미 an owl.

올차다 (be) stout; sturdy; solidly built; robust; 《야무지다》of compact build.

올챙이 a tadpole.

올케 the wife of a girl's brother; a girl's sister-in-law.

올해 this year; the present [current] year.

옭다 ☞ 옭아매다.

옭매다 tie in a knot; tie fast.

옭아매다 ①《잡아매다》fasten; tie (up). ②《허물 씌우다》make a false charge against 《a person》.

옭히다 ①《옭아지다》be ensnared; be tied up. ②《얽히다》be tied in a knot; be tangled. ③《걸려들다》be implicated (involved, entangled)《in a case》.

옮기다 ①《이전》remove (move)《to, into》; transfer. ②《액체 따위를》transfuse; pour (empty)《into》. ③《이송》transfer; carry 《to》. ¶사건을 대법원으로 ∼ carry a case to the Supreme Court. ④《전염》give; infect; pass 《a disease》on (to a person). ¶그가 나에게 감기를 옮겼다 He has given him

his cold. ⑤ 《말을》 pass 《it》 on.
¶ 말을 남에게 ~ pass words on to another. ⑥ 《번역》 translate 《English》 into 《Korean》; 《돌리다》 divert; turn; direct. ¶ 발길을 ~ turn one's steps. ⑧ 《상태를 바꾸다》 계획을 실행에 ~ put 《carry》 a plan into effect 《execution》.

옮다 《감염》 be infected; catch.

옮아가다 ① 《퍼져가다》 be diffused; spread 《to》. ② 《넘어가다》 pass 《to, into》; turn 《to》. ¶ 화제는 재정 문제로 옮아갔다 Our talk turned to the financial problems.

옳다¹ (be) right; rightful; righteous; just; truthful; right; correct; accurate; proper; legal; lawful. ¶ 옳은 대답 a correct 《the right》 answer / 옳은 한국어를 말하다 speak proper Korean.

옳다² 《감탄사》 Right!; O.K.!; All right!; Right you are!

옳은길 《바른길》 the right path 〔track〕.

옳은말 true 〔right〕 words.

옴 《리》 the itch; scabies.

옴 〔理〕 an ohm. ¶ ~의 법칙 the Ohm's law.

옴짝달싹 ¶ ~ 않다 do not move 〔stir〕 an inch; stand as firm as a rock.

옴츠리다 flinch; shrink; hesitate; wince.

옷 《의복》 clothes; dress; garments; clothing. ¶ ~ 한 벌 a suit of clothes.

옷가슴 the breast 《of a garment》.

옷감 cloth; dress 〔suit〕 material; stuff.

옷걸이 a coat 〔dress〕 hanger; a clothes rack 〔suspender〕.

옷고름 a breast-tie; a coat string.

옷깃 a collar 〔neck〕; a neckband.

옷단 a hem; a fly.

옷자락 the hem; the bottom 〔lower〕 edge; the skirt.

옷장 《一欌》 a clothes chest; a wardrobe.

옷차림 one's attire.

옹 《翁》 an aged man. ¶ 김~ the old Mr. Kim.

옹고집 《壅固執》 stubbornness; obstinacy; 《사람》 an obstinate person. ¶ ~을 부리다 be stiff-necked.

옹골지다 (be) full; substantial; solid; hard.

옹골차다 (be) solid; hard; sturdy.

옹기 《甕器》 earthenware; pottery. ∥ ~장이 a potter.

옹기종기 in a cluster 〔flock〕.

옹달 small and hollow. ¶ ~샘 a small fountain.

옹립 《擁立》 ~하다 enthrone; back 〔up〕; support.

옹벽 《擁壁》 〔土〕 a breast 〔retaining〕 wall; a revetment.

옹색 《壅塞》 ① 《비좁다》 (be) tight; narrow; cramped. ② 《궁색함》 be hard up; be in straitened circumstances. ¶ 옹색하게 살다 live in poverty.

옹이 a node; a knar; a gnarl; a knot. ¶ ~ 있는 gnarled; knotty.

옹졸 《壅拙》 ~하다 (be) illiberal; intolerant; narrow-minded.

옹주 《翁主》 a princess; a king's daughter by a concubine.

옹호 《擁護》 《보호》 protection; safeguard; 《원조》 support. ~하다 support; protect; defend; safeguard. ∥ ~자 a defender; a supporter.

옻 lacquer. ¶ ~오르다 be poisoned by lacquer / ~칠하다 lacquer. ∥ ~나무 a lacquer tree.

와¹ ① 《연결사》 and.; 《대략》 with; 《대항》 with; 《접촉》 with. ¶ 친구~ 테니스를 치다 play tennis with a friend / 친구와 싸우다 quarrel with a friend.

와² 《일제히》 with a rush; loudly.

와글거리다 《북적거리다》 throng; swarm; crowd; 《떠들다》 be clamorous 〔noisy〕.

와락 suddenly; all of a sudden; all at once; with a rush 〔jerk〕.

와르르 《사람이》 with a rush. ② 《물건이》 clattering down. ¶ ~ 무너지다 crumble all in a heap.

와병 《臥病》 ~하다 be ill in bed; lie

sick in bed.

와신상담(臥薪嘗膽) ~ 하다 go through unspeakable hardships and privations 《*for the sake of vengeance*》.

와이셔츠 a dress shirt; a shirt.

와이어로프 a wire rope.

와전(訛傳) a misinformation; a false report. ~ 하다 misinform; misrepresent.

와중(渦中) a whirlpool; a vortex. ¶ …의 ~ 에 휩쓸려 들다 be drawn into the vortex of 《*war*》; be involved in 《*a quarrel*》.

와지끈 with a crash; snappingly. ~ 하다 crash; go smash.

와트 『電』 a watt.

와해(瓦解) ~ 하다 collapse; break up; fall to [in] pieces.

왁스 wax.

왁자(지껄)**하다** (be) noisy; clamorous; boisterous; uproarious.

완강(頑强) ~ 하다 (be) stubborn obstinate; dogged. ¶ ~ 히 부정하다 deny persistently.

완결(完結) ~ 하다 complete; conclude; finish. ¶ 사건을 ~ 짓다 bring the case to a conclusion.

완고(頑固) 〔고집〕 obstinacy; stubbornness; 〔완미〕 bigotry. ~ 하다 (be) obstinate; stubborn; headstrong; bigoted; persistent.

완곡(婉曲) ~ 하다 (be) indirect; roundabout; euphemistic. ¶ ~ 히 (say) in a roundabout way; euphemistically; indirectly.

완구(玩具) a toy; a plaything. ‖ ~ 점 a toyshop.

완급(緩急) 〔늦고 빠름〕 fastness and slowness; high and low speed.

완납(完納) ~ 하다 pay in full; pay the whole amount.

완두(豌豆) a pea.

완력(腕力) 〔have great〕 physical 〔muscular〕 strength; 〔폭력〕 violence. ¶ ~ 으로 (win) by force.

완료(完了) ~ 하다 complete; finish.

완만(緩慢) ~ 하다 (be) slow 〔slow-moving〕; sluggish; dull; inactive. ¶ ~ 한 경사 a gentle slope.

완미(頑迷) ~ 하다 (be) bigoted; obstinate.

완벽(完璧) perfection; completeness. ~ 하다 (be) perfect; faultless; flawless. 「works.

완본(完本) a complete set of

완비(完備) 〔설비가〕 a well-equipped hospital / ~ 되어 있다 be fully equipped 《*with*》; be well supplied 《*with*》.

완성(完成) completion; accomplishment. ~ 하다 complete; perfect; finish; accomplish; bring 《*a thing*》 to perfection; be completed 〔perfected〕. ‖ ~ 품 finished products.

완수(完遂) ~ 하다 bring to a successful completion; complete; carry through.

완승(完勝) ~ 하다 win a complete 〔sweeping〕 victory.

완역(完譯) (make) a complete translation.

완연(宛然-) ~ 하다 (be) clear; obvious; evident; patent; vivid.

완장(腕章) an armband; a brassard.

완전(完全) perfection; completeness. ~ 하다 (be) perfect; complete. ¶ ~ 히 perfectly; completely; fully. ‖ ~ 범죄 a perfect crime / ~ 연소 perfect combustion.

완주(完走-) run the whole distance 《*of a marathon race*》.

완충(緩衝) ‖ ~ 기 a shock absorber; a bumper / ~ 지대 a neutral 〔buffer〕 zone.

완치(完治) ~ 하다 cure completely; heal completely.

완쾌(完快) 〔병이〕 ~ 하다 recover (completely); be restored to health; get well.

완투(完投) ~ 하다 〔野〕 pitch a whole game.

완행(緩行) ~ 하다 go 〔run〕 slow. ‖ ~ 열차 a slow 〔local〕 train.

완화(緩和) 〔고통·불안 등의〕 relief; alleviation; relaxation; 〔국제간 긴장의〕 *détente*. ~ 하다 ease; re-

lieve; relax. ¶ 제한을 ~ 하다 relax [ease] restriction 《on trade》.

알가닥 a tomboy; a hussy.

알가리움부(日用雜貨) ～ 하다 gauge pro and con.

알츠 (dance) a waltz. ∥ ～곡 a waltz.

알칵 all at once; all of a sudden; with a jerk.

왔다갔다하다 come and go; stroll aimlessly.

왕(王) 《세습적인》 a king; 《군주》 a monarch; 《지배자》 a ruler.

왕겨 rice bran; chaff.

왕골 [植] a kind of sedge (plant). ∥ ～자리 a sedge mat.

왕관(王冠) a crown; a diadem.

왕국(王國) a kingdom.

왕궁(王宮) a king's (royal) palace.

왕권(王權) a sovereign right; royal authority (powers); 《신수설 (the theory of) the divine rights of kings.

왕녀(王女) a (royal) princess.

왕년(往年) the years gone by; the past.

왕대비(王大妃) the Queen Mother.

왕도(王道) 「학문에 ～란 없다 There is no royal road to learning.

왕래(往來) ① 《사람의》 comings and goings; 《차의》 traffic. ～ 하다 come and go. ¶ ～가 잦은 거리 a busy street. ② 《교우》 friendly intercourse; 《서신》 correspondence.

왕릉(王陵) a royal (king's) tomb.

왕림(枉臨) ～ 하다 (come to) visit; honor us with a visit.

왕명(王命) the king's order; a royal command. 「eyes.

왕방울(王一) a big bell. ∥ ～ 눈 big

왕복(往復) a round trip. ～ 하다 go 《to a place》 and come back; 《교통 기관으로》 run between. ∥ ～차표 a round-trip ticket 《美》; a return ticket 《英》.

왕비(王妃) a queen; an empress.

왕생극락(往生極樂) rebirth in paradise.

왕성(旺盛) 「원기 ～ 하다 be full of vigor [health and life] / 식욕이 ～ 하다 have a good appetite.

왕세손(王世孫) the eldest son of the Crown Prince.

왕세자(王世子) the Crown Prince. ∥ ～비 the Crown Princess.

왕손(王孫) the grandchildren of a king. 「(family].

왕실(王室) the royal household

왕왕(往往) 《종종》 often; 《every》 now and then; more often (than not); frequently; 《때때로》 occasionally; at times.

왕위(王位) the throne; the crown. ¶ ～에 오르다 accede to the throne. ∥ ～계승 succession to the throne.

왕자(王子) a royal prince.

왕자(임금 a king; 《우승자》 the champion 《of》.

왕정(王政) imperial rule [reign]; (a) king's reign. 「tic.

왕조(王朝) a dynasty. ¶ ～의 dynas-

왕족(王族) the royal family; royalty; a member of royalty.

왕좌(王座; 왕위) the throne; 《수위 the premier position.

왕진(往診) a house call [visit] by a doctor. ～ 하다 visit a patient in his home.

왕후(王后) an empress; a queen.

왕후(王侯) the king and feudal lords.

왜(어째서) why; for what reason; what … for. ¶ ～나하면 because; for.

왜가리 [鳥] a heron.

왜곡(歪曲) distortion. ～ 하다 distort; pervert; 《raiders》.

왜구(倭寇) [史] Japanese pirate

왜소(矮小) ～ 하다 (be) short and small; dwarfish.

외(外) 《…을 제외하고》 except 《for》; but; with the exception of; 《…에 더하여》 besides; in addition to. ¶ 그 ～ 에는 모두 집으로 돌아갔다 Everybody but him went home. ② 《바깥》 outside; out (of); outer; foreign. ¶ 시 ～ outside the city.

외(椳) [建] a lath.

외…(을) only; one; single; sole.

외가 ～아들 an only son.

외가(外家) the home of *one's* mother's side.

외각(外角) 【幾】 an exterior (external) angle; 【野】 outcorner.

외각(外殼) a shell; a crust.

외견(外見) ☞ 외관.

외겹 a single layer; one-ply.

외경(畏敬) ～하다 revere; hold (*a person*) in awe (reverence).

외계(外界) the outside (outer) world. ～와의 접촉을 끊다 break off contact with the outer world.

외고집(一固執) ¶ ～의 obstinate; stubborn; headstrong. ¶ ～쟁이 a pigheaded person.

외곬 a single way (track). ～으로 with a single-mind; single-mindedly / ～의 사람 a single-hearted person.

외과(外科) surgery; 《병원의》 the surgical department. ¶ ～의 surgical. ¶ ～병원 a surgery / ～의 사 a surgeon.

외과피(外果皮) 【植】 an exocarp; an epicarp.

외곽(外廓) the outline; an outer ring. ¶ ～단체 《관청의》 an extra-departmental body.

외관(外觀) an outward appearance. ¶ 건물의 ～ the exterior of a building.

외교(外交) diplomacy; diplomatic relations (관계). ¶ ～상의 diplomatic / ～적 수완을 발휘하다 show diplomatic talent (skill). ¶ ～관 a diplomat / ～부 the Ministry of Foreign Affairs / ～원 a canvasser.

외국(外國) a foreign country (land). ¶ ～의 foreign; overseas / ～에서 태생의 born abroad (overseas); foreign-born. ¶ ～어 a foreign language / ～인 a foreigner; an alien.

외근(外勤) outside duty (service); 《보험 따위의》 canvassing. ～하다 be on outside duty; work outside. ¶ ～자 a person on outside duty.

외기(外氣) the open air; the air outside. ¶ ～권 (圈) exosphere.

외길 a single path.

외나무다리 a log bridge.

외다 《암기》 learn by heart; memorize.

외도(外道) ～하다 《오입하다》; 《나쁜 길》 go astray; stray from *one's* proper field (of business).

외등(外燈) an outdoor lamp.

외따로 《떨어져서》 all alone; solitarily; isolated.

외딴 isolated; out-of-the-way. ¶ ～섬 a solitary (lone) island.

외람(猥濫) ～되다 (be) presumptuous; audacious. ¶ ～되지만 제가 설명을 드리겠습니다 With your permission I will explain it.

외래(外來) ¶ ～의 foreign; from abroad; imported. ¶ ～어 a loanword; a word of foreign origin / ～환자 an outpatient.

외로이 all alone; lonely; solitarily. ¶ ～ 지내다 lead a lonely life.

외롭다 (be) all alone; lonely; lonesome; solitary. ¶ 外람 scream.

외마디소리 an outcry (of pain); a scream.

외면(外面) on outward appearance; the exterior.

외면하다(外面一) turn away *one's* face; look away; avert *one's* eyes.

외모(外貌) an (outward) appearance; external features.

외무(外務) foreign affairs. ¶ ～부 (省) the Ministry (Department) of Foreign Affairs.

외박(外泊) ～하다 stay out overnight; sleep away from home.

외벽(外壁) an outer wall.

외부(外部) the outside (exterior). ¶ ～의 outside; outer; external / ～ 사람 an outsider.

외빈(外賓) a (foreign) guest (visitor).

외사(外事) external (foreign) affairs. ¶ ～과 the foreign affairs section.

외사촌(外四寸) a maternal cousin.

외삼촌(外三寸) a maternal uncle.

외상 credit; trust. ¶ ～으로 (사다) sell (buy) on credit. ¶ ～

판매 credit sale.

외상(外相) the Foreign Minister.

외상(外傷) an external wound (injury); 〖醫〗 trauma.

외설(猥褻) obscenity; indecency. ~ 하다 (be) obscene; filthy; indecent.

외세(外勢) 《외국 세력》 outside〔foreign〕influence〔power〕.

외손(外孫) one's daughter's child; descendants in the daughter's line.

외숙(外叔) a maternal uncle. ‖ ~ 모(母) the wife of one's maternal uncle.

외식(外食) ~ 하다 eat〔dine〕out. ‖ ~ 산업 the food-service industry.

외신(外信) foreign news.

외심(外心) 〖幾〗 a circumcenter; an outer center.

외야(外野) the outfield. ‖ ~ 수 an outfielder.

외양(外洋) the open sea; the ocean.

외양(外樣) 《겉모양》 outward appearance〔show〕. ¶ ~ 을 꾸미다 keep up appearances.

외양간(喂養間) a stable(말의); a cowshed (소의).

외연기관(外燃機關) 〖機〗 an external combustion engine.

외용(外用) 〔for〕external use〔application〕. ~ 하다 use〔apply〕externally. ‖ ~ 약 a medicine for external application〔use〕.

외우(外憂) ⇨ 외환(外患).

외유(外遊) ~ 하다 travel〔go〕abroad.

외유내강(外柔內剛) being gentle in appearance.

외이(外耳) 〖解〗 the external〔outer〕ear. ‖ ~ 염 〖醫〗 otitis externa.

외인(外人) 《외국인》 a foreigner; an alien; 《타인》 an outsider; a stranger. ‖ ~ 부대 the Foreign Legion.

외자(外資) foreign capital〔funds〕.

외적(外的) external; outward.

외적(外敵) a foreign enemy (invad-er).

외접(外接) ~ 하다 〖幾〗 be circumscribed.

외제(外製) ¶ ~ 의 foreign-made; of foreign manufacture〔make〕.

외조모(外祖母) a maternal grandmother.

외조부(外祖父) a maternal grandfather.

외주(外注) an outside order.

외지(外地) a foreign land〔country〕. ¶ ~ 의 overseas; foreign.

외지다 be isolated; remote; secluded.

외채(外債) 《채권》 a foreign loan〔bond〕. 《부채》 foreign debt. ¶ ~ 를 모집하다 raise a foreign loan.

외척(外戚) a maternal relative.

외출(外出) ~ 하다 go out (of doors). ¶ ~ 중에 during〔in〕one's absence / ~ 중이다 be out.

외치다 shout; cry (out); exclaim; shriek; scream; yell. ¶ 목청껏 ~ cry at the top of one's voice.

외탁(外—) ~ 하다 take after one's mother's side in appearance〔character〕.

외톨이 a lonely person.

외투(外套) an overcoat.

외판원(外販員) a salesperson.

외풍(外風) ① 《바람》 a draft; a draught (英). ¶ ~ 이 있는 방 a drafty room. ② 《외국풍》 foreign ways〔fashion, style〕.

외할머니(外—) ⇨ 외조모.

외할아버지(外—) ⇨ 외조부.

외항(外港) an outer port.

외항선(外航船) an oceangoing ship; an ocean liner. 〔seas.

외해(外海) the open sea; the high

외향성(外向性) 〖心〗 extroversion. ¶ ~ 의 extrovert; outgoing / ~ 인 사람 an extrovert.

외형(外形) an external〔outward〕form. ¶ ~ (상)의 external; outward.

외화(外貨) foreign currency〔money〕. ¶ ~ 획득 the obtaining〔acquisition〕of foreign currency.

외화(外畫) a foreign film.

외환(外換) foreign exchange. ∥ ~ 은행 a foreign exchange bank.

외환(外患) a foreign (external) threat. ∥내우~ domestic troubles and external threats.

왼손(-) left(hand).

왼손 the left hand. ∥ ~잡이 a left-handed person; a left-hander; a lefty 《美俗》.

왼쪽 the left (side).

요(凹) 《요철》 the point. ¶ ~는 《킨데》 the point is ...; in a word; in short.

요 beddings; a mattress. ¶ ~를 깔다 make the bed.

요 ① 《알팍한》 this little (one). ¶ ~까짓 such a (little) .... ② 《시간·거리》 this; these; right near at hand. ¶ ~ 근처에 in this neighborhood; near (around) here.

요가 yoga. ¶ ~ 수련자 a yogi.

요강(尿綱) a chamber pot; a bedpan 《환자용》.

요강(要綱) the outline; the gist; the general idea.

요건(要件) 《필요 조건》 a necessary condition (factor); 《중요 용건》 an important matter. ¶ ~을 갖추다 fulfill (satisfy) the necessary (required) conditions.

요격(邀擊) ~하다 intercept 《raiding bombers》; ambush. ∥ ~기(機) an interceptor.

요괴(妖怪) 《유령》 an apparition; a specter. ¶ ~스러운 wicked and mysterious; weird.

요구(要求) a demand; a claim 《권리의》; a request 《청구》; requirement 《요망》. ~하다 demand; request; claim; call upon 《a person to do》; require 《a person to do》. ¶ ~에 따라 at (by) a person's request. ∥ ~조건 the terms desired.

요구르트 yog(h)urt.

요귀(妖鬼) a ghost.

요금(料金) a charge; a fee 《의사·변호사 등의》; a fare 《탈것의》; a toll 《유료도로의》; a rate 《전기·수도

등의》. ∥ ~표 a price list; a list of charges.

요기(妖氣) a weird (ghostly) air.

요기(療飢) ~하다 satisfy one's hunger.

요긴(要緊) ⇨긴요. ∥ ~목 a critical position.

요도(尿道) 【解】 the urethra. ∥ ~관 the urethral canal.

요독증(尿毒症) 【醫】 uremia; urine poisoning.

요동(搖動) ~하다 swing; sway; shake; quake; rock; joggle.

요란(搖亂) ~하다. ~스럽다 (be) noisy; loud; uproarious; clamorous. ¶ ~하게 noisily; boisterously.

요람(要覽) a survey; an outline; 《안내서》 a handbook; a manual.

요람(搖籃) a swinging cot; a cradle.

요략(要略) an outline; a summary.

요량(料量) a plan; an intention; an idea. ~하다 plan out. ¶ ...할 ~으로 with the intention of.

요령(要領) ① 《요점》 the (main) point; the gist. ¶ ~이 없는 pointless / ~이 있다 (없다) be to (off) the point. ② 《비결》 a knack; an art. ¶ ...하는 ~을 배우다 get (learn) the knack of 《doing》.

요로(要路) 《중요한 길》 an important road; 《요직》 an important position; a high office; 《당국》 the authorities.

요리(料理) 《① 조리》 cooking; cookery; cuisine; 《음식》 a dish; food. ~하다 cook 《food》; dress 《fish》; prepare 《a dish》; do the cooking. / ~를 잘(못)하다 be a good (poor) cook. ∥ ~법 a recipe / ~사 a cook; a chef 《프》. ② 《일처리》 management; handling. ~하다 manage; handle; deal with.

요리조리 here and there; this way and that.

요만 ¶ ~한 so slight (trifling); ~것 (일) this small (little) bit; such a trifle.

요만큼 this (little) bit.

요망(妖妄) ¶ ~ 떨다〔부리다〕behave wickedly; act frivolously〔capriciously, flightly〕.

요망(要望) a desire; a demand 〔for〕; a cry 〔for〕. ~하다 demand; request; cry 〔for〕.

요면(凹面) concave; concavity. ‖ ~경 a concave mirror.

요목(要目) principal items; a syllabus.

요물(妖物)〔물건〕an uncanny thing; 〔사람〕a wicked person; a crafty fellow.

요법(療法) a method of treatment; a remedy; a cure. ‖ 민간~ a folk remedy.

요부(妖婦) an enchantress; a vamp; a vampire. 〔parts.

요부(腰部) the principal 〔essential〕

요부(腰部) the waist; the hips.

요사(妖邪) ~하다, ~스럽다〔롭다〕capricious; fickle; wicked; wily; crafty.

요산(尿酸)〔化〕uric acid.

요새〔근래〕recently; lately;〔저번〕the other day; a few days ago;〔요전부터〕these few days;〔지금〕nowadays; in these days.

요새(要塞) a fortress; a stronghold. ¶ ~화하다 fortify.

요석(尿石)〔醫〕a urolith.

요소(尿素)〔化〕urea.

요소(要所) an important position 〔point〕; a key 〔strategic〕 point.

요소(要素) an element; a factor; an essential part; a requisite 〔필요 조건〕.

요술(妖術)〔black〕 magic; witchcraft; sorcery. ‖ ~쟁이 a magician; a sorcerer〔남자〕; a sorceress〔여자〕.

요시찰인(要視察人) a person on a surveillance 〔black〕 list. ¶ ~명부 black list.

요식(要式) ① ~의 formal. ‖ ~계약〔행위〕a formal contract〔act〕.

요식업(料食業) restaurant business. ‖ ~자 a restaurant owner.

요약(要約) a summary; an outline

요약〔개요〕, ~하다 summarize; outline; sum up. ¶ ~해서 말하면 in a word; in brief.

요양(療養) recuperation; (a) medical treatment. ~하다 recuperate; be under medical treatment.

요업(窯業) the ceramic industry; ceramics. ‖ ~가 a ceramist.

요연(瞭然) ¶ ~한 evident; obvious / 일목 ~ be quite obvious.

요염(妖艶) ~하다 be fascinating; bewitching; voluptuous.

요오드 iodine. ‖ ~포름 iodoform.

요원(要員) workers required; needed 〔necessary〕 personnel.

요원(遙遠·遼遠—) (be) very far away; distant; remote.

요인(要人) a leading 〔important〕 person; a key figure; a VIP. 〔main cause.

요인(要因) a primary factor; a

요일(曜日) a day of the week. ¶ 오늘 무슨 ~이지 What day is it today? or What's today?

요전(—前) ①〔요전날〕the other day; not long ago; just recently; lately. ②〔전〕last; before; last time. ¶ ~ 일요일 last Sunday.

요절(夭折) an early〔a premature〕death. ~하다 die young〔premature death.

요절나다 ①〔못쓰게 되다〕become useless;〔부서지다〕break; get broken; be damaged; get out of order〔기계 따위가〕. ②〔일이〕be spoilt〔ruined〕; come to nothing; fall through.

요절내다 spoil; ruin; make a mess of; destroy.

요점(要點) the main〔essential〕point; the gist. ¶ ~을 말해 주시오 Please get to the point.

요정(妖精) a fairy; a spirit.

요정(料亭) a Korean-style〕restaurant; a gisaeng house.

요조(窈窕) ~숙녀 a lady of refined manners.

요즈음 recent days; these days; nowadays; just recently; lately. ¶ ~의 of today; recent; late.

요지(要地) an important place; a strategic point. ¶ 상업상의 ~ a place of great commercial importance.

요지(要旨) ① ☞ 요점. ② 《취지》 the purport; the keynote.

요지경(瑤池鏡) a peepshow.

요지부동(搖之不動) ~하다 stand as firm as rock; be steadfast [unshakable].

요직(要職) an important post [office]; a key [responsible] position. ¶ ~에 있다 be in [hold] an important post.

요철(凹凸) ¶ ~ 있는 uneven; bumpy; rough.

요청(要請) a demand; a request. ~하다 request; demand; ask 《a person》 for 《aid》; call for. ¶ ~에 응하다 accept a person's demand.

요충(要衝) a strategic point; a key point; an important spot [place]. ‖ ~지 = 요충.

요충(蟯蟲) a threadworm; a pinworm.

요컨대(要一) in short; in a word; to sum up; after all.

요통(腰痛) lumbago; backache.

요트 a 《racing》 yacht.

요판(凹版) 《印》 intaglio.

요하다(要一) 《필요로 하다》 need; want; require; take《시간·노동력을》; cost《비용을》. ¶ 그 일은 10일 간을 요한다 It will take ten days to do the work.

요항(要項) essential points; essentials.

요행(僥倖) luck; a piece [stroke] of good luck 《chance》; a windfall. ¶ ~히 luckily; by luck 《chance》; ~을 바라다 rely on chance.

욕(辱) ① 《욕설》 abuse; abusive language. ☞욕하다. ② 《치욕》 shame; humiliation; insult; disgrace. ③ 《고난》 hardships; troubles; pains.

욕(慾) 《욕망》 (접미사적으로) a desire; a passion. ¶ 금전 ~ love of money; a desire for wealth.

욕구(欲求) 《욕망》 desire; craving; wants《필요》; will《바랄 의지》. ~하다 want; wish [long] for; crave 《for》. ¶ ~를 채우다 satisfy one's wants. ‖ ~불만 [心] frustration.

욕되다(辱一) 《서술적》 be a disgrace [shame, dishonor] 《to》.

욕망(欲望) a desire; wants; lust; 《야망》 an ambition. ¶ ~을 채우다 [억제하다] satisfy [subdue] one's desire.

욕먹다(辱一) ① 《욕을》 suffer an insult; be abused. ② 《악평을》 be spoken ill of; 《신문 등에서》 be criticized unfavorably; be attacked.

욕보다(辱一) ① 《고생》 have a hard time; go through hardships. ② 《치욕》 be put to shame; be humiliated [insulted, abused]. ③ 《강간》 be raped [violated].

욕보이다(辱一) put to shame; disgrace; dishonor; insult; humiliate; 《겁탈》 rape; outrage; violate.

욕설(辱說) abusive language. ~하다 ☞욕지거리.

욕실(浴室) a bathroom.

욕심(慾心) 《탐욕》 greed; avarice; 《욕망》 a desire; a passion. ¶ 많은 greedy; avaricious; covetous / 그는 ~이 없는 사람이다 He is a man of few wants. or He is far from greedy. ‖ ~꾸러기 a greedy person.

욕쟁이(辱一) 《사람》 a foul-mouthed [-tongued] person.

욕정(慾情) sexual desire; lust.

욕조(浴槽) a bathtub.

욕지거리 abusive [offensive] language; abuse; malicious remarks. ~하다 abuse; use abusive language; say spiteful things 《to》.

욕지기 qualm; nausea; queasiness. ¶ ~ 나다 feel nausea

[sick]; feel like vomiting / ~ 나게 하다 nauseate; cause nausea; turn one's stomach.

욕하다(辱一) abuse; call (a person) names; speak ill of; say bad thing about; bad-mouth (a person).

용(龍) a dragon.

…용(用) for (the use of). ¶ 가정 ~ for home use.

용감(勇敢) bravery; courage. ¶ ~한 brave; courageous / ~히 bravely; courageously.

용건(用件) (a matter of) business. ¶ ~만 간단히 말씀하세요 Come to the point, please.

용골(龍骨) the keel.

용공(容共) ¶ ~적 pro-communist. ¶ ~정책 a pro-communist policy. ［furnace.

용광로(鎔鑛爐) a smelting [blast]

용구(用具) a tool; an instrument; an implement. ¶ 필기~ writing implements.

용궁(龍宮) the Dragon's (Sea God's) Palace.

용기(勇氣) courage; bravery. ¶ ~있는 courageous; brave / ~없는 timid; fainthearted; coward(ly) / ~를 내게 하다 encourage; cheer up.

용기(容器) a container; a receptacle; a vessel; a case.

용납(容納) ~하다 tolerate; permit; admit; allow; pardon. ¶ ~할 수 없는 unpardonable.

용뇌(龍腦) 《향》 borneol; 《나무》 the Borneo (Sumatra) camphor.

용단(勇斷) a courageous decision; a decisive (resolute) step. ¶ ~을 내리다 make a resolute decision.

용달(用達) delivery service. ¶ ~차 a delivery van (wagon).

용도(用途) use. ¶ ~가 많다 have many (various) uses; be of wide use.

용돈(用一) pocket (spending) money; an allowance(학생의).

용두레 a scoop bucket.

용두사미(龍頭蛇尾) a good begin-

ning and a dull ending. ¶ ~로 끝나다 end in an anticlimax.

용량(用量) 《약의》 a dose; dosage.

용량(容量) capacity; volume(용적).

용렬(庸劣) ¶ ~한 silly; stupid; awkward; clumsy.

용례(用例) an example; an illustration. ¶ ~를 들다 give (show, cite) an example.

용마루(一) a ridge (of a roof).

용매(溶媒) 《化》 a solvent.

용맹(勇猛) ¶ ~한, ~스런 intrepid; dauntless; lionhearted. ¶ ~심 an intrepid spirit.

용명(勇名) fame for bravery. ¶ ~을 떨치다 win (gain) fame for bravery.

용모(容貌) looks; (a cast of) features; a face. ¶ ~가 추하다 (아름답다) be ugly (good-looking).

용무(用務) business; a thing to do. ¶ ~를 띠고 on some business.

용법(用法) usage; use; the directions (for use) (사용 지시서).

용변(用便) ¶ ~보다 relieve oneself; go to stool (the restroom).

용병(用兵) tactics; manipulation of troops. ¶ ~술 tactics.

용병(傭兵) a mercenary (soldier); hired soldier. ［ism.

용불용설(用不用說) 《生》 Lamarck-

용사(勇士) a brave man (soldier); a hero; the brave (총칭).

용상(龍床) the (royal) throne; the King's seat.

용서(容恕) pardon; forgiveness. ~하다 pardon; forgive; have mercy on. ¶ ~를 빌다 beg (ask) (a person's) pardon; apologize for.

용선(傭船) 《행위》 chartering; 《선박》 a chartered ship. ~하다 charter (hire) a ship. ¶ ~료 charterage; charter rates.

용설란(龍舌蘭) an agave; a pita.

용솟음(一) ¶ ~치다 gush out; spout (from); well up.

용수(用水) water (available for

use); 《관개·공업용의》 water for irrigation (industrial use); ~로 《관개용의》 an irrigation canal; 《발전소의》 a flume.

용수철 (龍鬚鐵) a spring.

용쓰다 《기운을》 exert *one's* utmost strength; strain [exert] *oneself*.

용안 (龍顔) the royal countenance.

용암 (熔岩) 〔地〕 molten rock; lava.

용액 (溶液) a solution; a solvent.

용어 (用語) 《말씨》 wording; diction; phraseology; 《술어》 a term; (a) terminology (총칭); 《어휘》 (a) vocabulary.

용언 (用言) 〔言〕 a declinable word.

용역 (用役) service. ¶ 재화와 ~ goods and services.

용왕 (龍王) the Dragon King.

용왕매진 (勇往邁進) ~하다 dash [push] on [forward].

용용점 (熔融點) the melting point.

용의 (用意) readiness; preparedness. ¶ ~주도한 cautious; prudent; 《a plan》 carefully arranged.

용의자 (容疑者) a suspect; a suspected person. ¶ 유력한 ~ a key suspect.

용이 (容易) ¶ ~한 easy; simple; plain / ~하지 않은 difficult; serious / ~하게 easily; with ease; without difficulty. [of: tolerate.

용인 (容認) ~하다 admit; approve

용장 (勇將) a brave general.

용재 (用材) 《재목》 timber; lumber (美); 《자재》 materials. ¶ 건축 ~ building materials.

용적 (容積) capacity 《용량》; volume (체적); bulk (부피). ¶ ~이 큰 capacious; bulky. ‖ ~률 《건축의》 floor area ratio.

용접 (鎔接) welding. ~하다 weld 《to, together》. ‖ ~공 a welder / ~기 《機》 a welding machine; a welder.

용제 (溶劑) a solvent; a solution.

용지 (用地) a lot; a site; land. ¶ 건축 ~ a site for a building; a building lot.

용지 (用紙) paper (to use); a

(blank) form; a printed form.

용질 (溶質) 〔化〕 solute.

용출 (湧出) ~하다 gush out (forth); spurt; well (up); erupt.

용쳐 추다 give in (yield) to flattery.

용퇴 (勇退) 《물러남》 voluntary retirement (resignation). ~하다 retire (resign) voluntarily.

용트림 ~하다 let out a big burp.

용품 (用品) an article; supplies. ¶가정 ~ domestic articles / 학 ~ school supplies (things).

용하다 ① 《재주가》 (be) deft; skillful; dexterous; good 《at》. ¶ 용하게 well; deftly. ② 《장하다》 (be) admirable; wonderful.

용해 (溶解) melting; dissolution; solution. ~하다 melt; dissolve. ¶ 이 가루는 물에 ~된다 This powder dissolves in water.

용해 (鎔解) 《melting》 fusion. ~하다 《melt》 fuse. ‖ ~로 《爐》 a (s)melting furnace.

용호상박 (龍虎相搏) a well-matched contest; a titanic struggle.

우 (右) the right. ¶ ~측의 right / ~로 돌아 turn to the right. ‖ ~로 나란히 《구령》 Right dress!

우 (優) 《평점에서 수(秀) 다음》 good; fine.

우 ① 《몰려오는 꼴》 all at once; with a rush. ¶ ~ 몰려 나오다 rush [pour] out. ② 《비·바람 이》 all at once; suddenly.

우거지 the outer leaves of Chinese cabbage, white radish, *etc.*

우거지다 《초목이 주위》 grow thickly; 《장소가 주위》 be thickly covered with 《trees》; be overgrown with 《trees》; be overgrown with 《weeds》.

우거지상 (一相) a frowning (wry) face; a scowl.

우겨대다 cling stubbornly; insist 《on》; persist 《in》. ¶ 그녀는 거기 가겠다고 우겨댔다 She persisted in going there.

우격다짐 ~하다 resort to high-handed measures; force; coerce. ¶ ~으로 high-handedly; forcibly

by force; ~으로 …하게 하다
compel [force] 《a person》 to do
it.
우국(憂國) patriotism. ‖ ~지사 a
patriot / ~지심 a patriotic spir-
it.
우군(友軍) friendly forces [army].
우그러뜨리다 crush [bend] out of
shape; make a dent 《in》; dent.
우그러지다 be crushed out of
shape; be dented.
우글거리다 《벌레 따위가》 be
crowded; be alive 《with fish》;
teem 《with》.
우글쭈글 ~ 하다 (be) crumpled;
rumpled; wrinkled.
우기(雨氣) signs of rain.
우기(雨期) the rainy [wet] sea-
son.
우기다 persist 《in》; insist 《on》;
impose; assert oneself. ‖ 하찮은
일에 너무 우기지 마라 Don't be so
stubborn about such little
things.
우는소리 《불평》 a complaint; a
whimper. ~ 하다 complain;
grumble; whine.
우단(羽緞) velvet.
우당탕 with a thumping [bump-
ing, clattering, thudding] noise.
~ 거리다 go thud.
우대(優待) preferential [warm]
treatment; 《환대》 a warm recep-
tion; hospitality. ~ 하다 give
preferential treatment 《to》.
‖ ~권 a complimentary ticket.
우두(牛痘) cowpox; vaccinia. ‖
~ 를 놓다 vaccinate. ‖ ~ 자국 a
vaccination scar.
우두머리 《꼭대기》 the top; 《사람》
the head; the boss; the chief.
우두커니 absent-mindedly; blank-
ly; vacantly; idly; listlessly.
우둔(愚鈍) ¶ ~ 한 stupid; silly;
dull-witted; thickheaded.
우듬지 a treetop; twigs.
우등(優等) 《학업의》 excellency;
honors. ¶ ~ 의 excellent; honor;
superior. ‖ ~ 상 《win》 an honor

prize / ~생 an honor student.
우뚝 high; aloft. ~ 하다 《높이》
(be) high; towering; lofty.
우락부락하다 (be) rude; rough;
harsh; wild.
우랄 Ural. ‖ ~산맥 the Ural Moun-
tains; the Urals / ~ 어족 the
Uralic.
우람스럽다 (be) imposing; impres-
sive; grand; dignified.
우량(雨量) (a) rainfall; precipita-
tion. ‖ ~ 계 a rain gauge.
우량(優良) ¶ ~ 한 superior; excel-
lent; fine / ~ 주 a superior
[blue-chip] stock / ~ 품 choice
[quality] goods.
우러나다 soak out; come off;
《차 따위가》 draw.
우러나오다 spring [well] up; come
from one's heart.
우러러보다 ① 《쳐다보다》 look up
《at》. ② 《존경하다》 respect; look
up to.
우러르다 《쳐들다》 lift one's head
up; 《존경》 look up to; have re-
spect.
우렁이 a pond [mud] snail. ¶ 우
렁잇속 같다 be inscrutable.
우렁차다 (be) sonorous; resonant;
resounding; roaring.
우레 thunder; 《천둥》. ¶ ~같은
thunderous; air-splitting / ~ 와
같은 박수 a storm [thunder] of
applause.
우려(憂慮) worry; anxiety; con-
cern; apprehensions. ~ 하다
worry 《over》; be [feel] anxious
《about》; fear. ¶ ~ 할 만한
serious; grave; alarming.
우려내다 wheedle [screw] 《a thing》
out of 《a person》; squeeze 《a
thing》 out.
우롱(愚弄) mockery; ridicule. ~
하다 mock 《at》; fool; ridicule.
우루과이 Uruguay. ¶ ~ 의 Uru-
guayan / ~ 사람 an Uruguayan.
‖ ~ 라운드 the Uruguay Round
(trade pact).
우르르 ① 《여럿이 일제히》 in a

crowd. ② 《우레소리》 thundering; rolling; rumbling. ③ 《무너지는 소리》 clattering; 《fall》 all in a heap.

우리 《동물의》 a cage 《맹수의》; a pen 《가축의》; a fold 《양 따위의》.

우리² we. ¶ ~의 our own; my / ~ 에게 us.

우리다 《물에》 soak 《out》; steep 《vegetables》 in 《water》; infuse.

우마 牛馬 cattle and horses.

우매 愚昧하다 be ~한 stupid; dump 《美》; silly; imbecile; ignorant.

우무 gelidium jelly.

우묵하다 《be》 hollow; sunken.

우문 愚問 a stupid 《silly》 question. ∥ ~현답 a wise answer to a silly question.

우물 a well. ¶ ~ 안 개구리 《비유》 a man of narrow outlook.

우물거리다 《씹다·말하다》 mumble.

우물우물 《입속에서》 mumblingly. ¶ ~ 말하다 《씹다》 mumble.

우물지다 ① 《보조개가》 dimple. ② 《우묵해지다》 form a dimple 《in》.

우물쭈물 indecisively; hesitantly; hesitatingly; halfheartedly. ~ 하다 be tardy 《slow》; hesitate.

우릇가사리 植 an agar 《-agar》.

우미 優美 ¶ ~한 graceful; elegant; refined.

우민 愚民 ignorant people. ∥ ~화 정책 mobocracy 《美》.

우박 雨雹 hail; a hailstone 《한 알》. ¶ ~이 온다 It hails.

우발 偶發 accidental 《incidental》 occurrence. ~ 하다 happen; occur by chance. ¶ ~적《으로》 accidental《ly》. ∥ ~사건 an accident; a contingency.

우방 友邦 a friendly nation.

우범 虞犯 liability to crime. ∥ ~지대 a crime-ridden 《crime-prone》 area.

우비 雨備 rain-gear; rain things; a raincoat 《비옷》.

우비다 scoop 《gouge》 out; bore 《a hole》; pick 《one's ear》.

우비적거리다 keep picking 《poking》.

우산 雨傘 an umbrella. ¶ ~ 쓰다 put up 《raise》 an umbrella.

우상 偶像 an idol. ¶ ~화하다 idolize. ∥ ~숭배 idol worship; idolatry / ~파괴 iconoclasm.

우생 優生 ¶ ~의 eugenic. ∥ ~학 eugenics / ~학자 a eugenist.

우선 于先 ① 《첫째로》 first 《of all》; in the first place. ② 《좌우간》 anyway.

우선 優先 priority; preference. ~ 하다 take precedence 《priority》 《over》; be prior 《to》. ¶ ~의 preferential; prior / 이 임무는 다른 모든 것에 ~ 한다 This duty takes 《has》 priority over all others. ∥ ~권 preference; priority / ~순위 the order of priority.

우성 優性 《遺傳》 a dominant character; dominance. ¶ ~의 dominant.

우세스럽다 be shameful 《humiliating》.

우세 優勢 superiority; predominance; lead. ~ 하다 be superior 《to》; superior; predominant; leading / 지금 어느 팀이 ~ 한入가 Which team is leading now?

우송 郵送 ~ 하다 post; mail; send by post 《mail》. ∥ ~료 postage.

우수 憂愁 melancholy; gloom.

우수 優秀 excellence; superiority. ¶ ~한 excellent; superior; superb; distinguished / ~한 성적으로 with excellent results; with honors. ∥ ~성 excellence.

우수리 ① 《줄 거스름돈》 change. ¶ ~는 네가 가져라 Keep the change. ② 《끝수》 an odd sum; a fraction. ¶ ~를 버리다 omit fractions.

우수수 《fall, scatter》 in great masses; in a multitude. ¶ ~ 떨어지다 fall in great masses; rustle down.

우스개 jocularity; drollery. ¶ 우스갯소리 a joke; a jest / 우스갯짓 (a bit of) clowning.

우스꽝스럽다 (be) funny; ridiculous; laughable; comical.

우습게 보다 ① look down [(up)on 《*a person*》]; hold 《*a person*》 in contempt; despise. ② 《경시》 make light [little] of.

우습다 ① 《재미있다》 (be) funny; amusing; 《가소롭다》 (be) laughable; ridiculous; absurd; 《익살 맞다》 (be) comic. ② 《하찮다》 (be) trifling; trivial; small; 《쉽다》 (be) easy. ③ 《기이하다》 (be) strange; unusual; queer; funny.

우승 (優勝) 《승리》 victory; 《선수권》 championship. ～ 하다 win; win the victory [championship]; pennant《美》, title]. ‖ ～자 the 《first prize》 winner; a champion / ～ 컵 a championship cup; a trophy.

우승열패 (優勝劣敗) the survival of the fittest. ‖ ～는 세상사다 / The survival of the fittest is the way of the world.

우시장 (牛市場) a cattle market.

우아 (優雅) elegance. ‖ ～한 elegant; refined; graceful.

우악 (愚惡) ‖ ～스러운[한] (harsh and) wild; rough; rude; violent.

우애 (友愛) 《형제간의》 brotherly [sisterly] affection; fraternal love; 《친구간의》 friendship; comradeship.

우엉 【植】 a burdock.

우여곡절 (迂餘曲折) 《굴곡》 meandering; twists and turns; 《복잡》 complications; 《끝에》 vicissitudes 《of life》. ～ 끝에 after many twists and turns.

우연 (偶然) chance; accident. ‖ ～한 casual; accidental / ～ 히 accidentally; casually; by accident; by chance / ～의 일치 a coincidence / ～히 만나다 happen to meet; meet by chance.

우열 (優劣) superiority and (or) inferiority; merits and (or) demerits. ‖ ～을 다투다 contend [strive] for superiority.

우왕좌왕 (右往左往) ～ 하다 go this way and that; run about in confusion.

우울 (憂鬱) melancholy; low spirits; gloom; the blues《美口》. ‖ ～한 melancholy; depressed; low-spirited; gloomy. ‖ ～증 melancholia / ～증 환자 a melancholiac.

우월 (優越) superiority. ‖ ～한 superior; supreme; predominating. ‖ ～감 a superiority complex; a sense of superiority / ～하다 predominate; superiority. ‖ ～에 서다 hold a dominant position.

우유 (牛乳) 《cow's》 milk. ‖ ～를 짜다 milk a cow. ‖ ～가게 a dairy / ～배달부 a milkman.

우유부단 (優柔不斷) irresolution; indecision. ～ 하다 (be) indecisive; irresolute; shilly-shally.

우의 (友誼) amity; friendship; fellowship; friendly relations. ‖ ～를 돈독하게 하다 promote friendship 《between》.

우의 (雨衣) a raincoat.

우이 (牛耳) the leader; the ears of an ox. ‖ ～독경《송경》 "preaching to deaf ears."

우익 (右翼) ① 《열》 the right flank [column]. ② 《球》 the right wing; 《野》 the right field. ③ 《정치상의》 the rightists; the Right Wing.

우정 (友情) friendship; friendly feelings. ‖ ～ 있는 amicable; friendly / ～을 가지고 with friendship; in a friendly manner.

우정 (郵政) postal services.

우주 (宇宙) the universe; the cosmos; (outer) space. ‖ ～의 universal; cosmic. ‖ ～여행 space travel [trip] / ～인《외계인》 a man [being] from outer space; an alien / ～탐사 space explorations.

우중 (雨中) ‖ ～에 in the rain / ～에도 불구하고 in spite of the rain. ‖ ～의 dull; dusky; dim.

우중충하다 ～ 하다 (be) gloomy; somber.

우지 (牛脂) beef fat [tallow].

우지끈 with a crack〔crash〕. ~하다 crack; snap.

우직(愚直) simple honesty. ¶ ~한 simple (and honest).

우쭐거리다 ① sway〔shake〕 *oneself* rhythmically; keep swaying; swagger. ② keep swaying.

우쭐하다 become conceited; be puffed up 〔by, with〕; be elated; have a swelled head 《美》. ¶ 그렇게 우쭐할 것 없다 Don't flatter yourself too much.

우차(牛車) an oxcart.

우천(雨天) rainy〔wet〕 weather (날씨); a rainy〔wet〕 day (날).

우체(郵遞) ‖ ~국 a post office / ~국원 a post-office clerk / ~국장 a postmaster / ~통 a mailbox 《美》; postbox 《英》.

우측(右側) the right side. ‖ ~통행 "Keep to the right."

우둘두둘하다 (be) uneven; rugged; rough.

우편(郵便) mail 《美》; post 《英》; the mail service. ¶ ~으로 보내다 send 《a parcel》 by mail 〔post〕. ‖ ~번호 a zip code 《美》 / ~사서함 a post office box (생략 P.O.B.) / ~요금 postage; postal charges / ~집배원 a postman; a mailman 《美》.

우표(郵票) a stamp; a postage stamp. ‖ ~수집 stamp collection / ~수집가 a stamp collector.

우피(牛皮) oxhide; cowhide.〔tor.

우향(右向) ¶ ~우(右) 〔구령〕 Right turn 〔face〕! / ~ 앞으로 가 〔구령〕 Right wheel!

우현(右舷) the starboard.

우호(友好) friendship; amity. ¶ ~적인 friendly; amicable. ‖ ~관계 friendly relations / ~국 a friendly nation / ~조약 a treaty of friendship 〔amity〕.

우화(寓話) a fable; an apologue; an allegory. ‖ ~작가 a fable writer; a fabulist.

우환(憂患) 〔병〕 illness; 〔근심〕 troubles; cares; worry; 〔불행〕 a calamity. ¶ 집안에 ~이 있다 have

troubles in *one's* family.

우황(牛黃) 〔韓醫〕 ox〔cow〕 bezoar.

우회(迂廻) a detour. ~하다 take a roundabout course; make a detour; bypass. ‖ ~로 a detour; a bypass /〔게시〕 Detour 《美》.

우회전(右回轉) ~하다 turn to the right. ‖ ~금지 〔교통표지〕 No right-turn.

우후(雨後) after a rainfall. ¶ ~죽순처럼 나오다 spring up like mushrooms after rain.

욱시글득시글 ~하다 swarm; be crowded 〔thronged〕.

욱신거리다 〔쑤시다〕 tingle; smart; throb with pain.

욱이다 send (*in*); batter 〔bend, turn〕 《a thing》.

욱일(旭日) the rising 〔morning〕 sun. ¶ 그는 ~ 승천의 기세다 His star is rising.

욱하다 flare up; lose *one's* temper; fly into a sudden rage. ¶ 욱하고 성을 내다 burst into a sudden anger.

운(運) fortune; luck; 〔운명〕 fate; destiny; 〔기회〕 chance. ¶ ~ 좋은 lucky; fortunate / ~ 나쁜 unlucky; unfortunate / ~ 좋게 fortunately; luckily; by good fortune 〔luck〕 / ~ 나쁘게 unluckily; unfortunately; by ill luck / ~이 좋으면 if fortune smiles upon *one*; if *one* be lucky.

운(韻) a rhyme. ¶ ~을 맞추다 rhyme the lines.

운동(運動) ① 〔理〕〔물체 등의〕 motion; movement. ~하다 move; be in motion. ¶ ~의 법칙 the laws of motion. ② 〔몸의〕 exercise; 〔경기〕 sports; athletics; athletic games. ~하다 (take) exercise; get some exercise. ‖ ~경기 athletic sports / ~복 sports clothes; sportswear / ~선수 an athlete; a sportsman / 〔정치·사회적인〕 a campaign; a drive; a movement〔집단적〕. ~하다 conduct a drive 〔movement〕. 정치 ~ a political movement /

거 ~ an election campaign / 노동〔학생〕~ a labor〔student〕movement / 모금 ~ a fundraising campaign. ¶ ~원 《선거의》a canvasser; a campaigner / ~자금 campaign funds.

운명(運命) fate; destiny; one's lot; doom(나쁜); fortune(좋은). ¶ ~의 총아 a child of fortune; a fortune's favorite / ~에 맡기다 leave 《a thing》to fate〔~할 ~에 있다 be destined〔doomed〕to ..../ ~론 fatalism / ~론자 a fatalist.

운명(殞命) ~하다 die; breathe 〔one's last.

운모(雲母)〔鑛〕mica. 〔one's last.

운무(雲霧) cloud and mist(雲霧).

운문(韻文) verse; poetry, a poem.

운반(運搬) conveyance; transportation; carriage. ~하다 carry; convey; transport. ‖ ~인 a carriage; a portage / ~인 a carrier; a porter(인부) / ~차 a cart; a truck; a wagon.

운석(隕石)〔鑛〕a meteorite.

운송(運送) transport(ation); conveyance. ~하다 transport; convey. ‖ ~료 freight〔forwarding〕charge / ~비 cost of transport; shipping expenses / ~업 the transport〔shipping, freight〕business〔industry〕/ 해상〔육상〕~ transportation by sea〔land〕.

운수(運數) luck; fortune. (☞ 운(運)).

운수(運輸) traffic (service). ☞ 운송. ‖ ~업 the transportation business.

운신(運身) ~하다 move one's body.

운영(運營) management; operation; administration. ~하다 manage; run; operate. ‖ ~비《자금》working〔operating〕expenses〔funds〕/ ~위원회 a steering committee.

운용(運用) application; employment. ~하다 apply; employ; use. ¶ 자금을 ~하다 employ

funds / 시설을 잘 ~하다 keep the facilities in good working order.

운운(云云) so and so; and so on〔forth〕; et cetera 《생략 etc.》. ~하다 say something or other 《about》; mention; refer to; criticize(비판하다).

운율(韻律) a rhythm; a meter.

운임(運賃)《여객의》a fare;《화물의》a freight 《rates》;《송료》shipping expenses. ¶ ~을 환불해 주다 refund the fare. ‖ ~표《화물의》a freight list;《여객의》a fare table / ~후불 freight to collect.

운전(運轉)《자동차의》driving;《기계의》operation; working; running. ~하다《차・기차를》drive; ride (오토바이를);《기계를》operate; run; set 《a machine》going. ‖ ~기사《자동차의》a driver; a chauffeur(자가용의) / ~면허(증) a driver's license. ② 《운용》employment. ¶ ~자금 working capital.

운지법(運指法)〔樂〕fingering.

운집(雲集) ~하다 swarm; crowd; throng 《a place》; flock.

운철(隕鐵)〔鑛〕meteoric iron.

운치(韻致) taste; elegance; refinement. ¶ ~ 있는 tasteful; elegant.

운필(運筆) strokes of the brush; the use of the brush (법).

운하(運河) a canal; a waterway. ¶ ~를 파다 dig〔build〕a canal. ‖ ~통과료 canal tolls.

운항(運航) navigation; (shipping) service; airline service(항공기의). ~하다 run; ply 《between》.

운행(運行)《천체의》movement;《교통기관의》service. ¶ 임시 열차 ~ extra train service / ~정지 the suspension of operation.

운휴(運休) suspension of the (bus) service.

울[1](울타리) an enclosure; a fence. ¶ ~을 치다 fence round 《a house》; enclose 《a house》with a 〔fence.

울[2](양모) wool. 〔fence.

올긋불긋하다 (be) colorful; pic-

turesque.

올다 ① 《사람이》 weep; cry (소리 지르며); sob (훌쩍훌쩍); wail (통곡); blubber (엉엉하며); shed tears (눈물 흘리며). ¶ 바보에 접하여 ～ weep at sad news / 울며 세월을 보내다 spend *one's* days in tears / 감동하여 ～ be moved to tears. ② 《동물이》 cry; 《새·벌레 따위가》 sing; chirp; twitter; 《개가》 yelp; 《고양이가》 mew; 《소가》 low; moo; 《말이》 neigh; whinny; 《비둘기가》 coo; 《닭이》 crow (수탉); cluck(암탉). ¶ 매미가 밖에서 울고 있다 There are cicadas singing outside. ③ 《귀가》 sing; ring; have a ringing (*in one's ears*). ④ 《옷·장판 따위가》 be wrinkled; pucker; cockle.

올대 《조류의》 the syrinx (of a bird).

올렁거리다 《가슴》 feel *one's* heart leaping; go pit-a-pat; palpitate; get nervous; 《메슥거림》 feel sick [nausea].

올리다 ① 《울게 하다》 make 《a person》 cry; move [touch] 《a person》 to tears; 《슬프게 하다》 grieve; bring sorrow upon 《a person》. ② 《소리를 내다》 ring; sound; clang (뗑그랑 뗑그랑); blow(기적); beat(북). ¶ 경적을 ～ sound the horn / 종을 ～ chime [clang, toll] a bell. ③ 《소리가》 sound; resound; ring; echo; reverberate; be echoed; 《천둥 따위가》 roar; thunder; rumble. ¶ 멀리서 천둥이 울렸다 Thunder rumbled in the distance. ④ 《명성이》 be widely known.

올림 《음향》 a sound; 《진동》 a vibration; 《반향》 an echo; 《굉음》 a roar; a boom (포성의); a peal (종·천둥 따위). ¶ 종의 ～ the peal of a bell.

올보 a crybaby. ⌐out.
올부짖다 scream; howl; wail; cry
올분(鬱憤) resentment; pent-up feelings; a grudge; anger. ¶ ～을

참다 control *one's* anger.
올다(—相) a face about to cry. ¶ ～을 하다 [짓다] wear a tearful face; be ready [going] to cry.
올새 《鳥》 a robin; a redbreast.
올쑥불쑥 toweringly [ruggedly] here and there; soaringly at different quarters; jaggedly.
올음 crying; weeping. ¶ ～ 소리 a cry; a tearful voice / ～을 터뜨리다 burst out crying.
올적(鬱寂) ～하다 be depressed; be in low spirits; feel gloomy. ¶ 날씨가 나쁘면 기분이 ～해진다 Bad weather depresses me.
올창(鬱蒼) ¶ ～한 [하게] thick(ly); dense(ly); luxuriant(ly) / ～한 숲 a dense forest.
올타리 a fence; a hedge(생울타리); 《정원의》 ～를 치다 fence the yard; put up [build] a fence around the garden.
올퉁불퉁하다 ¶ 울퉁불퉁한 길 a bumpy road / 울퉁불퉁한 지면 uneven ground.
올혈(鬱血) 《醫》 blood congestion.
올화(鬱火) pent-up resentment [anger]; 《화》～통이 터지다 burst into a fit of rage; explode with anger. ¶ ～병 a disease caused by frustration [pent-up feelings].
움 《싹》 sprouts; shoots; buds. ¶ ～이 돋다 [트다] bud; sprout; put forth shoots.
움 《지하 저장고》 a cellar; a pit. ¶ ～에 채소를 저장하다 store vegetables in a cellar [pit].
움막(—幕) an underground hut; a dugout. ¶ ～살이 life in a dugout.
움씰하다 ☞ 움찔하다.
움직거리다 keep on moving; stir; twitch; wriggle.
움직이다 〔자동사〕 ① 《이동하다》 move. ¶ ～이고 있다 be moving; be in motion / 움직이지 않고 있다 keep [remain] still; be at a standstill; stay put / 움직이지 마라 Freeze! / 움직이면 쏜다 If you

make a move, I'll shoot. ② 《기계 따위가》 work; run; go. ¶ 움직일 수 없게 되다 《고장으로》 break down; go out of action / 승강기가 움직이지 않는다 The elevator is not working. ③ 《변동하다》 change; vary. ¶ 움직일 수 없는 증거 an indisputable proof; immutable [immutable] evidence. ④ 《마음이》 be moved [touched, shaken]. ⑤ 《행동하다》 act; work.

움직이다 《타동사》 ① 《이동시키다》 move; shift 《furniture》; stir. ¶ 산들바람이 나뭇잎을 움직였다 A light breeze stirred the leaves. ② 《기계 따위를》 work 《operate》 《a machine》; set 《a machine》 in motion. ③ 《마음을》 move; touch; affect. ④ 《기타》 어떤 것도 그의 마음을 움직일 수 없었다 Nothing could make him change his mind.

움직임 《운동》 movement; motion; 《동향》 trend; drift; 《활동》 activity; 《행동》 action. ¶ ~이 둔하다 be slow in one's movement / 경찰은 그들의 ~을 조사하고 있다 The police are investigating their activities.

움찔하다 shrink [fall, hold back]; flinch; be startled [frightened] 《by, at》; start 《at》. ¶ 권총을 보고 ~ flinch at the sight of the pistol.

움츠리다 shrink [flinch] 《at, from》; crouch; cower 《down, away》; draw in [away]. ¶ 어깨를 ~ shrug one's shoulders / 몸을 ~ shrink [flinch, draw back] oneself 《from》.

움켜잡다 grasp; seize; grab 《at》. ¶ 단단히 ~ grasp tightly / 멱살을 ~ seize [catch] 《a person》 by the collar.

움켜쥐다 clutch; grip [clasp, hold] tightly; clench; squeeze. ¶ 손을 꼭 ~ sqeeze 《a person's》 hand.

움큼 a handful 《of sand》; a fistful.

움트다 《초목이》 sprout; bud;

shoot. ¶ 초목이 움틀 때 when trees and grasses bud; when new buds begin to appear / 두 사람 사이에 애정이 움텄다 Love budded between the two.

움패다 become hollow [depressed].

움푹하다 (be) sunken; hollow.

웃기다 make 《a person》 laugh; excite [provoke] the laughter of 《the audience》. ¶ 웃기지 마라 Don't make me laugh!

웃다 ① laugh (소리 내어); smile (미소짓다); chuckle; giggle (킬킬); grin (빙긋이). ¶ 웃으면서 with a laugh [smile] / 웃지 않을 수 없다 cannot help laughing / 웃어 넘기다 laugh 《a matter》 off 《away》. ② 《비웃다》 laugh at; ridicule; make fun of (놀리다); sneer at (경멸하다). ¶ 웃을 만한 laughable; ridiculous / 아무의 무식을 ~ laugh at a person's ignorance.

웃돈 an extra (money to a trade-in price); a premium. ¶ ~을 치르다 pay (an) extra; pay a premium.

웃돌다 exceed; be more than; be over [above]. ¶ 평년작을 ~ exceed the average crop.

웃옷 a jacket; a coat; an upper garment.

웃음 a laugh; a smile (미소); a chuckle(킬킬 웃음); a sneer(조소). ¶ ~을 띄우고 with a smile / ~을 터뜨리다 burst into laughter / 쓴 ~을 짓다 give a bitter smile. ¶ ~소리 laughter; a laughing voice.

웃음거리 a laughingstock; a butt of ridicule. ¶ ~가 되다 become a laughingstock for others.

웃통 the upper part of the body ¶ ~을 벗다 strip 《oneself》 to the waist. 《one's own territory.

웅거(雄據) ~하다 hold and defend

웅담(熊膽) 《獸醫》 bear['s] gall.

웅대(雄大) ~하다 (be) grand; majestic; magnificent.

웅덩이 a pool; a puddle.

웅변(雄辯) eloquence; oratory. ¶ ~

의 eloquent / ~을 토하다 speak with (great) eloquence; ~가 있는 eloquent speaker; an orator / ~ such oratory.

웅비(雄飛) ~하다 launch out into (*politics*); start out on (*a career*). ¶ 해외로 ~하다 go abroad with a great ambition.

웅성거리다 be noisy; be in commotion. ¶ 잠시 장내가 웅성거렸다 There was a momentary stir in the hall.

웅숭깊다 (be) deep; profound; inscrutable; broad(-minded).

웅얼거리다 mutter; murmur. ¶ 혼자 ~ mutter to *oneself*.

웅장(雄壯) ~하다 (be) grand; magnificent; sublime; majestic. ¶ ~한 건물 a stately building.

워낙(元來) originally; from the first; 《무릇》 so; very. ¶ 그 는 ~ 온순한 사람이다 He is born good-natured.

워드프로세서 a word processor. ¶ ~로 편지를 쓰다 write a letter on a word processor.

워밍업 warm(ing)-up. ~하다 warm up.

워크숍 a workshop.

워키토키 a walkie-talkie.

워터《물》 water. ¶ ~ 슈트 a water chute / ~ 탱크 a water tank.

원(圓) a circle. ¶ ~ 운동 circular motion.

원(願)《소원》 a wish; a desire; 《요 청》 a request; 《간원》 an entreaty; 《청원》 a petition. ¶ ~을 이루다 have *one's* wish fulfilled (granted).

원《화폐 단위》 won (생략 ₩). ¶ 천 ~짜리 지폐 a thousand-*won* bill (note 《英》). ○ 원화.

원…《元·原》《원래의》 original; first; primary. ¶ ~ 계획 초안 the first draft of the plan.

원가(原價)《the prime cost. ¶ ~ 로 [이하로] 팔다 sell at [below] cost. ‖ ~ 계산 cost accounting / ~ 절감 cost reduction / 생 산 ~ the cost of production.

원거리(遠距離) a long distance (range). ¶ ~ 통학 long-distance commuting (to school).

원격(遠隔) ~하다 (be) distant (*from*); far-off; remote. ‖ ~ 조작 remote control(~ 조작하다 operate (*a machine*) by remote control) / ~지 무역 long-distance trade.

원경(遠景) a distant view; a perspective.

원고(原告)《法》an accuser(형사); a plaintiff(민사).

원고(原稿) a manuscript (생략 MS.); a copy (인쇄·광고); a contribution (기고문); an article (기사). ‖ ~료 payment for copy; copy money / ~지 copy [manuscript] paper / 강연 ~ the script for a lecture.

원군(援軍) rescue forces; reinforcements. ¶ ~을 보내주다 send reinforcements (*to*); reinforce.

원근(遠近) far and near; distance. ¶ 그림에 ~감을 주다 give perspective to a painting. ‖ ~법 perspective drawing.

원금(元金)《文》 the principal (이자에 대한); the capital (자본).

원급(原級)《文》 the positive degree.

원기(元氣) vigor; energy; vitality; pep (口). ¶ ~ 왕성한 high-spirited; vigorous; energetic; healthy; spry. ‖ ~ 부족 lack of vigor.

원내(院內)《국회》 in·side the House [National Assembly]. ‖ ~총무 the floor leader 《美》 (the (party) whip 《英》).

원년(元年) the first year.

원단(元旦) (the) New Year's Day.

원당(原糖) raw sugar.

원대(原隊)《軍》 *one's* (home) unit. ¶ ~복귀하다 return to *one's* unit.

원대(遠大) ~하다 far-reaching; ambitious; grand. ¶ ~한 계획 far-reaching [grand] plan / ~한 포부 a great ambition.

원동기(原動機) a motor. ¶ ~를 단 자전거 a motorbike.

원동력(原動力) motive power [force];

driving force (추진력). ¶ 사회의 ~ the driving force of society.

원두막(園頭幕) a lookout (shed) on a melon field.

원래(元來)〖본래〗originally; primarily;〖선천적으로〗naturally; by nature;〖본질적으로〗essentially;《사실은》really;《처음부터》from the beginning. ¶ 그는 ~ 내성적이다 He is reserved by nature.

원로(元老)〖정계의〗an elder statesman;〖고참〗a senior member; an elder; a veteran.

원로(遠路) a long way [distance].

원론(原論) a theory; the principles 《of》. ∥경제학 ~ the principles of economics.

원료(原料) raw material. ¶ 버터의 ~는 무엇이지 What is butter made from?

원룸아파트 a studio (apartment); a one-room apartment.

원리(原理), **원리금**(元利金) principal and interest; 〖합계액〗the amount with interest added.

원리(原理) a principle; a tenet (사상·신앙의); a law (과학·자연의); 〖근본〗 the fundamental principle / 자연의 ~ a law of nature / ~를 지키다 be faithful to one's principles.

원만(圓滿) ~하다 (be) amicable; peaceful; harmonious. ¶ ~한 해결 a peaceful settlement / 갱의 ~는 ~해 해결되었다 The dispute has come to a happy compromise.

원망(怨望) a grudge; hatred (증오); ill feeling (악의). ~하다 have [harbor, hold] a grudge 《against a person》; bear 《a person》 a grudge.

원맨쇼 a one-man [solo] show.

원면(原綿) raw cotton.

원명(原名) an original name; a real name.

원목(原木) raw [unprocessed] timber. ¶ 펄프 ~ pulpwood.

원무(圓舞) a round [circle] dance; a waltz. ∥ ~곡〖樂〗a waltz.

원문(原文)〖본문〗the text;《원서》the original (text). ¶ ~에 충실히 번역하다 make a faithful translation of the original.

원반(圓盤) a disk; a discus (투원반의). ¶ ~던지기 the discus throw.

원방(遠方)〖먼 거리〗a distance;〖먼 곳〗a distant place.

원병(援兵) reinforcement(s). ¶ ~을 보내다 send reinforcements 《to》. ∥ ~ 원군.

원본(原本)〖原의〗the original; the original copy [text, work];〖法〗the original register.

원부(原簿)〖簿〗a ledger; the original register.

원불교(圓佛教) Won Buddhism.

원뿔(圓 ─) a cone(뿔); a circular cone(형체). ¶ ~뿔의 conical; conic. ∥ ~곡선 a conic section.

원사(元士) a sergeant major.

원산(原産)〖동남아 ~의 뱀 a snake native to South-East Asia / ~이다 originally came from. ∥ ~지 the place (country) of origin; the (original) home; the habitat (동식물의) / ~지 표지(標識) country-of-origin marks [labels].

원상(原狀) the original state; the former condition;〖法〗the *status quo ante*(라). ¶ ~로 복구하다 return [restore] 《a thing》to its original state.

원색(原色)〖기본색〗a primary color;〖본래의 색〗the original color. ¶ 삼 ~ the three primary colors. ∥ ~사진 a color picture / ~판〖인쇄〗a heliotype.

원생(原生) ~의 primary; primeval. ¶ ~동물 a protozoan 《pl. -zoa》/ ~식물 a protophyte.

원서(原書) the original. ¶ ~로 읽다 read 《Byron》 in the original.

원서(願書) an application;〖용지〗 an application form [blank]. ¶ ~를 내다 send [hand] in an application.

원석(原石)〖원광〗a raw ore; an

ore. ¶ 다이아몬드 ~ a rough diamond.

원성(怨聲) a murmur of complaints 〔grievances〕.

원소(元素) 〖化〗 an element. ¶ ~ 기호 the symbol of a chemical element / ~ 주기율 the periodic law of the element. 「of state.

원수(元首) a sovereign; the head

원수(元帥) a five-star general 《美》; 《육군》 a general of the army 《美》; a field marshal 《英》; 《해군》 a fleet admiral 《美》; an admiral of the fleet 《英》.

원수(怨讐) an enemy; a foe. ¶ ~ 를 갚다 revenge *oneself* upon 《*a person*》 / 은혜를 ~로 갚다 return evil for good.

원수폭(原水爆) atomic and hydrogen bombs.

원숙(圓熟) maturity. ~하다 (be) mature; mellow; fully-developed. ¶ ~한 사상 mature ideas / 그는 나이가 들면서 ~해졌다 He has mellowed with age.

원숭이 a monkey; an ape.

원시(原始) primitive; primeval. ¶ ~림 a virgin 〔primeval〕 forest / ~시대 the primitive age / ~인 a primitive man.

원시(遠視) farsightedness 《美》; longsightedness 《英》. ¶ 그녀는 ~ 이다 She is farsighted 〔longsighted〕.

원심(原審) the original 〔initial〕 judgment 〔decision〕. ¶ ~을 파기하다 reverse 〔overrule〕 the original judgment.

원심(遠心) ¶ ~의 centrifugal. ‖ ~력 《use》 centrifugal force / ~ 분리기 a centrifuge; a centrifugal separator / ~ 탈수기 a centrifugal filter; a hydroextractor.

원아(園兒) kindergarten children.

원안(原案) the original bill 〔plan, draft〕.

원앙(鴛鴦) 〖鳥〗 a mandarin duck. ¶ 한 쌍의 ~ a couple of lovebirds.

원액(原液) an undiluted solution.

원양(遠洋) the open sea (far from land). ‖ ~어선 a deep-sea fishing vessel / ~어업 deep-sea 〔pelagic〕 fishery.

원어(原語) the original language.

원예(園藝) gardening. ‖ ~가 a gardener / ~식물 a garden plant / ~학교 a horticultural school.

원외(院外) ¶ ~의 outside the House 〔National Assembly〕; non-Congressional 《美》. ‖ ~투쟁 an out-of-the-National Assembly struggle / ~활동 lobbying 《~에 활동하다 lobby》.

원용(援用) ~하다 invoke 《*a clause*》; quote 《*an article*》; cite 《*a precedent*》.

원유(原油) crude oil 〔petroleum〕. ¶ ~가격 crude oil price.

원음(原音) the original sound 〔pronunciation〕. ¶ ~충실 재생 a faithful reproduction of the original sound.

원의(原義) the original meaning.

원의(院議) a decision of the House 〔National Assembly〕.

원인(原因) the cause; the origin (발단). ¶ ~과 결과 cause and effect. ‖ 간접 〔직접〕 ~ mediate 〔immediate〕 cause. 「cause.

원인(遠因) a remote 〔distant〕

원인(猿人) 〖人類〗 an ape-man. ‖ 자바 ~ the Java man.

원인(願人) an applicant(지원자); a petitioner(청원자).

원일점(遠日點) 〖天〗 the aphelion.

원자(原子) an atom. ¶ ~의 atomic. ‖ ~량 atomic weight / ~로 an atomic reactor / ~물리학 nuclear physics / ~번호 atomic number / ~탄 an atomic bomb; an A-bomb.

원자력(原子力) atomic 〔nuclear〕 energy. ¶ ~으로 움직이는 nuclear-powered; atomic-powered. ‖ ~ 발전소 an atomic 〔a nuclear〕 power plant / 국제~기구 the International Atomic Energy Agency (생략 IAEA).

원자재(原資材) raw materials.

원작(原作) the original 《work》. ∥ ~자 the author.

원장(元帳) the ledger.

원장(院長) the director 《of a hospital》; the president 《of an academy》.

원장(園長) the principal 《of a kindergarten》; the curator 《of a zoo》.

원저(原著) the original work.

원적(原籍) 《원적지》 one's original domicile.

원적(原籍) the original 〔text〕.

원점(原點) the starting point; the origin(좌표의). ¶ ~으로 되돌아가다 go back to the starting point.

원정(遠征) an expedition; 《선수의》 a visit; a playing tour. ~하다 go on a tour 《to the U.S.A.》 (선수의). ¶ ~경기 an away match / ~대 《군대·탐험 등의》 an expeditionary team / ~팀 《선수의》 a visiting 〔an away〕 team.

원조(元祖) 《창시자》 the founder; the originator; 《발명자》 the inventor.

원조(援助) help; support; assistance; aid. ~하다 assist; help; support; aid; give assistance 《to》. ¶ ~를 요청하다 ask 〔appeal to〕 《a person》 for help / 피 ~국 an aid-receiving nation; an aid-recipient country. ∥ ~국 an aid country / ~ 물자 aid goods.

원죄(原罪) the original sin.

원죄(冤罪) a false charge 〔accusation〕.

원주(圓柱) a column; 〖數〗 a cylinder. ¶ ~상(狀)의 columnar; cylindrical.

원주(圓周) circumference. ∥ ~율 〖數〗 the circular constant; pi (기호 π).

원주민(原住民) a native; an aboriginal; an aborigine.

원지(原紙) 《등사용》 a stencil.

원천(源泉) a source; the fountainhead. ∥ ~징수 deducting

tax from income at source; withholding. ∥ ~징수제도 the withholding system.

원촌(原寸) actual 〔natural, full〕 size.

원추(圓錐) ☞ 원뿔.

원추리 〖植〗 a day lily.

원칙(原則) a principle; a general rule. ¶ ~적으로 as a 《general》 rule; in principle / ~을 세우다 establish a principle.

원컨대(願─) I hope …; I pray …; I wish …; It is to be hoped 〔desired〕 that ….

원탁(圓卓) a round table. ∥ ~회의 a roundtable conference.

원통(圓筒) a cylinder.

원통(冤痛) ~하다 (be) resentful; vexing; regrettable; lamentable; grievous. ¶ ~해서 이를 갈다 grind one's teeth with vexation.

원판(原版) 《사진》 a negative plate.

원폭(原爆) an A-bomb. ∥ ~실험 a nuclear test 〔ban〕 / ~ 희생자 A-bomb victims.

원피스 a one-piece dress.

원하다(願─) desire; wish; hope; want; beg(간청). ¶ 원하신다면 If you wish 〔want〕 / 원하는 대로 as one pleases 〔wishes〕.

원한(怨恨) a grudge; resentment; spite; 《증오》 hatred; 《적의》 enmity; 《악의》 ill feeling. ¶ ~을 품다 bear 〔cherish, nurse〕 《a person》 a grudge / ~을 사다 incur grudge / ~이 뼈에 사무치다 have a deep-rooted grudge 《against a person》.

원행(遠行) a long trip. ~하다 make 〔go on〕 a long trip.

원형(原形) the original form. ¶ ~을 보존하다 〔잃다〕 retain 〔lose〕 its original form. ∥ ~질 〖生〗 protoplasm.

원형(原型) an archetype; a prototype; a model; 《주물의》 a mold. ¶ B는 A의 ~이다 A models after B, or B is a model for A.

원형(圓形) a round shape; a circle. ¶ ~의 circular; round / ~

으로 in a circle. ∥ ～극장 an amphitheater.

원호(援護) backing; protection; support; protect. ～하다 back (up); support; protect; lend support to. ∥ ～기금 [성금] a relief fund [donation] / ～대상자 a relief recipient.

원호(圓弧) 【數】 a circular arc.

원혼(寃魂) malignant spirits.

원화(─貨) the won (currency). ∥ ～예치율 the won deposit rate.

원화(原畵) the original picture.

원활(圓滑) smoothness; harmony. ～한[히] smooth(ly); harmonious(ly).

원흉(元兇) a ringleader; the chief instigator; the prime mover.

월(月) 《달》 the moon; 《달력의》 a month; 《요일의》 Monday. ～ 평균 on a monthly average / ～1회의 once a month.

월가(─街) 《뉴욕의》 Wall Street.

월간(月刊) monthly issue [publication]. ～의 monthly. ∥ ～지 a monthly (magazine).

월경(月經) menstruation; menses; a period. ～중이다 have *one's* period. ∥ ～기 the menstrual period / ～불순 menstrual irregularities.

월경(越境) border transgression. ～하다 cross the border [*into*]. ∥ ～비행 overflight.

월계(月計) a monthly account.

월계(月桂) 《월계수》 【植】 a laurel [bay] tree. ∥ ～관 laurels; a laurel crown [wreath].

월광(月光) moonlight. ∥ ～곡 [베토벤의] "The Moonlight Sonata".

월권(越權) arrogation; abuse of authority. ～(행위를) 하다 exceed [overstep] *one's* power [authority].

월급(月給) a (monthly) salary [pay]. ～이 오르다 [내리다] get a raise [cut] in *one's* salary. ∥ ～날 the payday / ～쟁이 a salaried man [worker].

월남(越南) 《나라》 Vietnam. ～의 (사람) (a) Vietnamese; / ～어

Vietnamese.

월남(越南) 《남한으로》 ～하다 come from North Korea.

월동(越冬) ～하다 pass the winter. ∥ ～준비를 하다 prepare for the winter.

월드컵 the World Cup. 【winter.

월등(越等) ～하다 (be) extraordinary; incomparable; unusual; singular. ～히 out of the common; extraordinarily; incomparably; by far [much] better.

월례(月例) ～의 monthly. ∥ ～회 [보고] a monthly meeting [report].

월리(月利) monthly interest.

월말(月末) ～에 [까지] by [at] the end of the month. ∥ ～계산 [지불] month-end payment.

월면(月面) the surface of the moon. ∥ ～보행 a moon [lunar] walk / ～차 a lunar rover; a moon buggy / ～착륙 a landing on the moon.

월보(月報) a monthly report [bulletin].

월부(月賦) monthly payments. ∥ 6 개월 ～로 사다 buy 《*a thing*》 in six months' installments. ∥ ～ 판매 installment selling.

월북(越北) ～하다 go north over the border; go to North Korea.

월산(月産) a monthly output [production].

월색(月色) moonlight. 【duction].

월세(月貰) monthly rent.

월수(月收) 《수입》 a monthly income. ～가 100만 원이다 make one million won a month; have a monthly income of one million won.

월식(月蝕) a lunar eclipse. ∥ 개기 [부분] ～ a total [partial] eclipse of the moon.

월액(月額) the monthly amount.

월요일(月曜日) Monday 《생략 Mon.》.

월일(月日) the date.

월정(月定) ～의 monthly. ∥ ～ 구독료 [구독자] a monthly subscription [subscriber].

월초(月初) ～에 early in [at the

beginning of] the month.

웨딩 wedding. ‖ ~드레스 [마치] a wedding dress [march].

웨이스트볼 [野] a waste ball.

웨이터 a waiter.

웨이트리스 a waitress.

웬 what [sort of]. ‖ ~ 사람이냐 Who is the man? *or* What is he here for? [Gosh!

웬걸 Oh my!; Why!; Why no!;

웬만큼 properly, moderately(알맞게); to some extent(어느 정도); fairly(어지간히). ‖ 영어를 ~ 하다 speak English fairly well.

웬만하다 (be) passable; tolerable; fairly good. ‖ 값이 웬만하면 if the price is reasonable.

웬일 what; what matter. ‖ ~인지 for some reason (or other) / ~이냐 What is all this? *or* What is the matter?

웰터급 the welterweight. ‖ ~선수 a welterweight.

위① 《상부》 the upper part; 《표면》 the surface. ‖ ~로 upper; up; upward; above / ~에 above; over; upwards; up; on; upon / ~에 떨어 바와 같이 as mentioned above. ②《꼭대기·정상》 the top; the head. ‖ 맨 ~에서 아래까지 [uppermost] / ~에서 아래까지 from top to bottom. ③《비교》 ‖ ~의 higher (높은); more than, above, over (… 이상의); superior (나은); older (연장의); older ‖ 제일 ~의 누나 my eldest sister / 훨씬 ~이라 be far better (higher). ④《신분·지위》 ‖ ~의 superior; above / ~로부터의 명령 an order from above.

위(位) ①《지위·등급》 a rank; a place. ‖ 제4 ~의 the fourth-ranking / 3 ~로 떨어지다 drop to third place. ②《패배》 ‖ 영령 9 ~ nine heroic souls.

위(胃) the stomach. ‖ ~의 gastric / ~가 튼튼하다 [약하다] have a strong (weak) stomach; have a good (weak) digestion.

위경(胃鏡) [醫] a gastroscope.

위경련(胃痙攣) [醫] convulsion of the stomach. ‖ ~을 일으키다 have a stomach cramp.

위계(位階) a (court) rank. ‖ ~ 질서 the order of ranks.

위계(僞計) a deceptive plan. ‖ ~ 를 쓰다 use a deceptive scheme.

위관(尉官) 《육군》 officers below the rank of major; a company officer 《美》; 《해군》 officers below the lieutenant commander.

위광(威光) authority; power; influence. ‖ 부모의 ~으로 through the influence of *one's* parents.

위구(危懼) misgivings; apprehensions. ‖ ~하다 fear; be afraid (of). ‖ ~심을 품다 entertain (feel) misgivings (about).

위국(危局) a crisis; a critical situation.

위궤양(胃潰瘍) [醫] a gastric (stomach) ulcer.

위급(危急) an emergency; a crisis. ‖ ~하다 (be) critical; imminent; crucial / ~시에 in case of emergency; in time of danger (need).

위기(危機) a crisis; a critical moment. ‖ ~에 직면하다 face a crisis / ~에 처해 있다 be in a critical situation. ‖ ~관리 risk (crisis) management.

위난(危難) danger; peril; distress. ‖ ~위험.

위대(偉大) greatness. ‖ ~하다 (be) great; mighty (강대); grand (숭고). ‖ ~한 국민 (업적) a great nation (achievement).

위도(緯度) [地] latitude. ‖ ~의 latitudinal. ‖ 고 [저] ~ a high (low) latitude.

위독(危篤) ‖ ~하다 be seriously (dangerously) ill; be in a critical condition. ‖ ~상태에 빠지다 fall into a critical condition.

위락시설(慰樂施設) leisure (relaxation) facilities.

위력(威力) (great) power; authority. ‖ ~있는 powerful.

위령(慰靈) ‖ ~제 a memorial ser-

vice / ～탑 a war memorial; a cenotaph (built in memory of war victims).

위로(慰勞) ① 《치사》 appreciation of 《a person's》 services 〔efforts〕. ～하다 appreciate 《a person's》 services 〔efforts〕. ‖ ～금 a bonus; a reward for one's services. ② 《위안》 solace; comfort. ～하다 solace; comfort. ¶ ～의 말 comforting words.   〔ach.

위막(胃膜) the coats of the stomach.

위명(僞名) a false 〔an assumed〕 name; an alias 《범죄자의》. ¶ …라는 ～으로 under the false name of …

위문(慰問) 《위안》 consolation; 《an》 expression of sympathy 《위로》; 《문병》 an inquiry after another's health. ～하다 console; give sympathy 《to》; inquire after another's health. ¶ ～하러 가다 pay a sympathy visit 《to》; go and comfort 《a person》. ‖ ～객 a visitor; an inquirer / ～편지 a letter of sympathy 〔inquiry〕 / ～품 comforts; relief goods.

위반(違反) 《a》 violation; a breach; an offense. ～하다 violate; offend 《against the rules》; break 《one's promise》; be against 《a law》. ¶ 주차 ～ parking violation / 계약 ～ a breach of contract. ‖ ～자 a violator; an offender / ～행위 an illegal act.

위배(違背) ☞ 위반. ¶올림픽 정신에 ～되다 《it》 run counter to the Olympic spirit.

위법(違法) illegality; unlawfulness. ¶ ～의 unlawful; illegal. ‖ ～자 a lawbreaker; an offender.

위벽(胃壁) the walls of the stomach.   〔order〕.

위병(胃病) a stomach trouble 〔dis-

위병(衛兵) a sentry; a sentinel; a guard. ‖ ～근무 sentry 〔guard〕 duty / ～소 a guardhouse.

위산(胃酸) stomach acids. ‖ ～과 다의 hyperacid.

위상(位相) 〔電〕 phase.

위생(衛生) hygiene; sanitation 《공중의》; health 《건강》. ¶ ～적인 〔상의〕 sanitary; hygienic; 《공중》 public health. / 그들에겐 ～관념이 없다 They have no sense of hygiene 〔sanitation〕. ‖ ～상태 sanitary conditions / ～시설 sanitary facilities / ～학 hygienics.

위선(僞善) hypocrisy. ¶ ～적인 hypocritical; double-faced. ‖ ～자 a hypocrite.

위선(緯線) a parallel 《of latitude》.

위성(衛星) a satellite. ‖ ～도시 a satellite city 〔town〕 / ～방송 satellite broadcasting / ～중계 satellite relay.

위세(威勢) 《세력》 power; influence; authority; 《기운》 high spirits. ¶ ～를 부리다 exercise one's authority over 《others》.

위세척(胃洗滌) 〔醫〕 gastrolavage. ¶ ～을 하다 carry out a gastric lavage.

위수(衛戍) a garrison. ‖ ～령 the Garrison Decree / ～사령관 the commander of the garrison 〔headquarters〕 / ～지 a garrison town.

위스키(-) 《술》 whisk(e)y. ¶ ～를 스트 레이트로 마시다 drink whisky straight 〔neat〕. ‖ ～소다 a whisky and soda.

위시하다(爲始一) ¶ 김 박사를 위시해 서 starting with 〔including〕 Dr. Kim.

위신(威信) dignity; prestige. ¶ ～을 지키다 maintain one's prestige 〔dignity〕 / ～을 떨어뜨리다 lose one's dignity.

위안(慰安) comfort; solace. ～하다 comfort; console. ¶ ～을 주다 give comfort to; afford solace 《to》 / ～을 얻다 find one's comfort in. ‖ ～부 a comfort girl 〔woman〕.

위암(胃癌) 〔醫〕 a stomach cancer.

위압(威壓) coercion; overpowering. ～하다 coerce; overpower. ¶ ～적(으로) coercive(ly); high-hand-

549

ed(ly) / ~적인 말투를 쓰다 speak in a high-handed manner.

위액(胃液) 〖解〗 gastric juice. ‖ ~선(腺) peptic glands. 〖'tion.

위약(胃弱) 〖醫〗 dyspepsia; indiges-

위약(違約) a breach of promise 〖contract〗. ~하다 infringe 〖a contract〗; break a promise 〖one's word〗. ‖ ~금 a penalty; an indemnity.

위엄(威嚴) dignity. ¶ ~ 있는 digni-fied; majestic / ~ 없는 undigni-fied / ~을 지키다 〖손상하다〗 keep 〖impair〗 one's dignity.

위업(偉業) a great undertaking 〖work, achievement〗. ¶ ~을 이루다 achieve a great work.

위염(胃炎) 〖醫〗 gastritis.

위용(偉容·威容) a grand 〖majes-tic, imposing〗 appearance.

위원(委員) a member of 〖the Bud-get Committee〗; a committee-man (美); a commissioner. ‖ ~장 a chairperson; a chairman (남); a chairwoman(여자).

위원회(委員會) 〖조직〗 a committee; a commission. ¶ ~를 열다 hold a committee meeting / ~를 소집하다 call a meeting of the committee. ‖ 소~ a subcom-mittee.

위인(偉人) a great man. ‖ ~전 the biography of a great man.

위인(爲人) 〖사람 됨됨이〗 one's per-sonality 〖disposition, nature〗.

위임(委任) trust; commission. ~하다 entrust 〖charge〗 〖a matter〗 to 〖a person〗; leave 〖a mat-ter〗 to 〖a person〗. 〖권한의 ~: del-egation of authority / 나는 그에게 전권을 ~ 했다 I entrusted him with full powers. ‖ ~권 com-petency of mandate / ~장 a letter of attorney.

위자료(慰藉料) consolation money; compensation; 〖法〗 alimony (이혼·별거수당).

위장(胃腸) 〖解〗 the stomach and bowels (intestines). ‖ ~이 튼튼하다 〖약하다〗 have a strong 〖poor〗

digestion. ‖ ~약 a medicine for the stomach and bowels / ~장애 gastroenteric trouble.

위장(僞裝) camouflage. ‖ ~하다 cam-ouflage; disguise. ¶ 거지로 ~하다 disguise oneself as a beg-ger. ‖ ~망 a camouflage net.

위정자(爲政者) a statesman; an administrator.

위조(僞造) forgery(문서 등의); coun-terfeiting(화폐 등의). ~하다 forge 〖a document〗; counterfeit 〖a coin〗. ‖ ~문서 a forged docu-ment / ~지폐 a false 〖counter-feit〗 note / ~품 a forged article; a counterfeit; a forgery.

위주(爲主) 〖자기 ~: self-centered thinking / 남성 ~의 사회 male-oriented society.

위중하다(危重−) (be) critical.

위증(僞證) false evidence 〖testi-mony〗. ~하다 give false evi-dence. ‖ ~자 a perjurer / ~죄 (commit) perjury.

위촉(委囑) 〖위임〗 commission. (《의뢰》request. ~하다 ask 〖request, commission〗 〖a person〗 to 〖do〗; entrust 〖a person〗 with 〖a mat-ter〗.

위축(萎縮) ~하다 〖물건이〗 wither; shrink; droop; 〖사람이〗 be daunt-ed 〖humbled〗 〖by〗; shrink back; 〖기관이〗 atrophy. ¶ 근육~증 mus-cular atrophy.

위층(−層) the upper floor; upstairs. ¶ ~에 올라가다 go upstairs.

위치(位置) 《상대적인》 a position; 〖물리적인〗 a location. ~하다 be situated 〖located〗; lie; stand. ¶ ~가 좋다 〖나쁘다〗 be in a good 〖bad〗 position; be well 〖ill〗 situated.

위탁(委託) trust; consignment (상품의). ~하다 entrust 〖a person〗 with 〖a matter〗; place 〖a matter〗 in 〖a person's〗 charge. ¶ ~을 받다 be entrusted. ‖ ~금 money in trust; a trust fund / ~수수료 a consignment fee / ~자 a

위태

truster; consignor / ～판매 consignment sale (～판매하는 것 sell 《goods》 on commission).

위태(危殆) ¶ ～로운 dangerous; perilous; risky / ～롭게 하다 endanger; jeopardize / 생명이 ～롭다 One's life is in danger.

위통(胃痛) stomachache.

위트 wit. ～ 있는 witty.

위패(位牌) a mortuary tablet.

위폐(僞幣) a counterfeit note [bill]. ¶ ～감식기 a counterfeit bill detector.

위풍(威風) a dignity; a majestic air. ¶ 왕으로 ～ 당당하게 행동하다 behave with the dignity of a king.

위필(僞筆) forged handwriting; a forged picture.

위하다 ([이롭게 하다] be good for; do 《a person》 good; benefit; [공경하다] respect; look up to; [중시하다] make much of; take good care of. ¶ …을 위한 for / 부모를 ～ respect [honor] one's parents; take good care of one's parents.

위하수(胃下垂) [醫] gastroptosis.

위하여(爲一) ① ([이익·편의] for; for the sake [benefit] of; for 《a person's》 sake. ¶조국을 ～ for the sake of the fatherland. ② [목적] […하기 위하여 《to do》; in order to 《that … may》 do; for the purpose of 《doing》; with a view to 《doing》. ¶점심을 먹기 위해 귀가하다 come back home to have lunch.

위해(危害) injury; harm. ¶ ～를 가하다 《a person》 do 《a person》 harm; inflict an injury on 《a person》.

위헌(違憲) (a) violation of the constitution. ¶ ～이다 be against the constitution; be unconstitutional.

위험(危險) (a) danger; (a) peril; (a) risk; (a) hazard. ¶ ～한 dangerous; perilous; risky; hazardous / ～을 무릅쓰다 run a risk; take risks; run the haz-

ard / ～한 상태에 빠지다 fall into a dangerous situation. ‖ ～ 물 a dangerous object [article] / ～ 부담 risk bearing / ～신호 [지대] a danger signal [area, zone] / ～인물 a dangerous character [man].

위협(威脅) a threat; (a) menace intimidation. ¶ ～하다 threaten; menace; intimidate. ¶평화에 대한 ～ a menace [threat] to peace / ～적(으로) threatening (ly); menacing(ly) / 죽이겠다고 ～하다 threaten 《a person》 with death. ‖ ～사격(fire) a warning shot / ～수단 an intimidatory measure.

위화감(違和感) 《feel》 a sense o incongruity [unbelongingness].

위확장(胃擴張) dilation of the stomach; gastric dilation.

윙 [翼] a wing.

윙크 a wink. ～하다 wink 《at》.

유(有) existence; being. ¶무(無)에서 ～는 생기나 않는다 Nothing comes of nothing.

유(類) [종류] a kind; a sort; a class; [동식물] a race(총칭적). ¶인류 the human race.

유가(有價) ～의 valuable; negotiable. ‖ ～물 valuables.

유가(儒家) a Confucian. ‖ ～서(書) Confucian literature.

유가족(遺家族) a bereaved family the family of the deceased.

유감(遺憾) regret. ¶ ～스러운 regrettable; pitiful(안된); ～하게 생각하다 regret; be sorry 《for》 / ～이지만 I regret to say [To my regret.].

유개(有蓋) ～의 covered; closed ‖ ～화차 a boxcar (美); a cov ered [roofed] waggon (英).

유격(遊擊) a hit-and-run attack a raid; an attack by a mobil unit. ‖ ～대 a flying column mobile forces / ～전 guerrill warfare.

유고(有故) ～하다 have an acci dent [some trouble]. ¶ ～시에는

우고(憂苦) the writings left by the deceased; *one's* posthumous manuscripts.

우곡(幽谷) a deep valley. ¶ 심산 ~ high mountains and deep valleys.

우골(遺骨) *a person's* remains (ashes). ¶ ~을 줍다 gather *a person's* ashes.

우공(愚功) ‖ ~자 *a person* of merit.

우곽(遊廓) a brothel; a bawdy house; a red-light district.

우괴(誘拐) kidnap(p)ing; abduction. ~하다 abduct; kidnap. ¶ ~범 ⟨사람⟩ a kidnap(p)er; an abductor; ⟨죄⟩ kidnap(p)ing; abduction. 「Confucian ideas.

우교(儒敎) Confucianism. ‖ ~사상

우구무언(有口無言) ¶ ~이다 have no word to say in excuse.

우구하다(悠久一) (be) eternal; everlasting; permanent.

우권자(有權者) a voter; an elector; the electorate(총칭).

우권해석(有權解釋) an authoritative interpretation.

우급(有給) ¶ ~의 paid; salaried. ‖ ~ 휴가 a paid vacation (holiday). ¶ 1주간의 ~ 휴가를 받다 take a week of with pay).

우급(留級) ¶ ~하다 repeat a year (in school). ‖ ~생 a repeater 〈美〉.

우기(有期) ¶ ~의 terminable; limited; for a definite term. ¶ ~에 처하다 be sentenced to imprisonment for a definite term. ‖ ~ 공채 a terminable [fixed-term] bond / ~징역 penal servitude for a definite term.

우기(有機) ¶ ~의 organic. ‖ ~농 업(농법) organic agriculture (farming) / ~물 organic matter (substance) / ~비료 (an) organic fertilizer / ~체 an organism; an organic body / ~화학 organic chemistry / ~화합물 an organic compound.

우기(遺棄) abandonment; desertion. ~하다 abandon; desert; leave ⟨*a dead body*⟩ unattended. ¶ ~ 된 a derelict. ‖ ~물 a left article; a derelict.

우기(鍮器) ⟨놋그릇⟩ brassware.

우난스럽다 (be) extraordinary; uncommon; unusual; fastidious. ¶ 우난스럽게 unusually; extraordinarily.

유네스코 UNESCO. (◀the United Nations Educational, Scientific and Cultural Organization)

유년(幼年) infancy; childhood. ¶ ~기 ⟨시대⟩ in *one's* childhood.

유념하다(留念一) bear ⟨keep⟩ ⟨*something*⟩ in mind; take ⟨*a matter*⟩ to heart; give heed to; pay regard to.

유능하다(有能一) (be) able; capable; competent. ¶ 유능한 사람 a man of ability; an able man.

유니버시아드(국제 학생 스포츠 대회) 〔體〕 the Universiade.

유니언 union. ‖ ~ 책 the Union Jack(영국 국기).

유니폼 a uniform. ¶ ~을 입은 ⟨a player⟩ in uniform.

유다르다(類一) (be) conspicuous; uncommon; unusual. ¶ 유달리 conspicuously; unusually; uncommonly; especially.

유단자(有段者) a grade holder; a black belt. 「tose.

유당(乳糖) 〔化〕 milk sugar; lac-

유대(紐帶) bonds; ties. ¶ 강한 우정 의 ~ a strong bond of friendship ⟨between us⟩.

유대 Judea. ¶ ~의 Jewish. ‖ ~ 교 Judaism / ~민족 the Jews / ~인 a Jew; a Hebrew.

유덕하다(有德一) (be) virtuous.

유도(柔道) judo. ‖ ~장 a judo hall.

유도(誘導) guidance; inducement; 〔電〕 induction. ~하다 induce; lead; guide. ‖ ~장치 a guidance system(미사일 등의); a talk-down system(관제탑의) / ~탄 a guided missile.

유도신문(誘導訊問) a leading ques-

tion.

유독(有毒) ~하다 (be) poisonous; venomous; noxious. ‖ ~가스 (a) poisonous gas.

유독(唯獨) only; alone; solely.

유동(流動) a flow; a flow; run; change. ¶ ~적인 fluid; changeable; unstable. ‖ ~상태 a state of flux; a fluid situation / ~식 liquid food; a liquid / ~자본 floating [circulating] capital / ~자산 floating assets.

유두(乳頭) a nipple; a teat. ‖ ~염(炎) thelitis; acromastitis.

유들유들 ¶ ~한 brazen(-faced); cheeky; brassy.

유람(遊覽) sightseeing. ~하다 go sightseeing. ‖ ~객 a sightseer / ~지 a tourist resort.

유랑(流浪) vagrancy; wandering. ~하다 wander about; roam. ¶ ~하는 wandering; vagrant; roaming. ‖ ~민 a nomadic people; nomads.

유래(由來) 《기원》 the origin; 《내력》 the history; 《출처》 the source. ~하다 result [stem] 《from》; originate in [from]; be derived 《from》 《언어 등이》; date [trace] back 《to》. ¶ ~를 조사하다 inquire into the origin of 《a thing》; trace 《a thing》 to its origin. 「meter.

유량(流量)【理】flux; a flow

유럽 Europe. ¶ ~의 European / ~사람 a European. ‖ ~연합 the European Union 《생략 EU》.

유려하다(流麗—) (be) flowing; fluent; elegant; refined.

유력(有力) ~하다 (be) powerful; influential; leading. ¶ ~한 후보자 a strong candidate / ~한 신문 a leading newspaper / ~한 용의자 a key [prime] suspect / ~한 증거 strong [convincing] evidence / ~한 정보 reliable information. ‖ ~자 an influential person; a man of influence.

유령(幽靈) a ghost; an apparition; a specter; a phantom. ¶ ~같은 ghostly; ghostlike / ~의 집 a

haunted house. ‖ ~회사 a bogus company.

유례(類例) a similar example [instance]; a parallel case. ¶ ~없는 unparalleled; unique.

유로…《유럽의》 Euro-. ‖ ~머니 Euromoney.

유료(有料) a charge. ‖ ~변소 pay toilet / ~주차장 a toll [pay] parking lot.

유류(油類) oil; all 《various》 kinds of oil. ‖ ~파동 an oil crisis.

유류품(遺留品) an article left (behind); lost articles 《유실물》.

유리(有利) ~하다 (be) profitable; paying; 《좋은》 advantageous; favorable. ¶ ~하게 profitably; advantageously; favorably / ~한 조건을 최대로 살리다 make the most of the advantageous conditions.

유리(有理) ~의 rational. ‖ ~[수]《數》 a rational expression [number].

유리(琉璃) glass; a window pane 《창유리》. ‖ ~색 ~ stained [colored] glass / 망~ wire glass / 판~ plate glass / 광학~ optical glass / 강화~ hardened glass / 한 장의 ~ a sheet of glass. ‖ 공장 a glassworks / ~섬유 fiber glass / ~세공 glass work / ~품 glassware.

유리(遊離) isolation; separation 《분리》. ~하다 isolate; separate 《from》.

유린(蹂躪) ~하다 《짓밟다》 trample [tread] down; trample 《something》 underfoot; devastate 《유린해서》 infringe 《on rights》. ‖ 인권 ~ an infringement upon human rights.

유림(儒林) Confucian scholars.

유망(有望) ~하다 (be) promising; hopeful; full of promise. ¶ ~한 청년 a promising youth / 《전도》 ‖ ~주 a hopeful stock 《주식》 / an up-and-coming 《player; politician》 《사람》.

유머 humor. ¶ 훌륭한 ~감각이 있다 have a fine sense of humor.

~ 작가 a comic writer; a humorist.

유명(有名) ~하다 (be) famous; noted; renowned; well-known; 《악명 높은》 notorious; infamous. / ~해지다 become famous; win fame; gain notoriety. ‖ ~인 a celebrity; a big name.

유명(幽明) ¶ ~을 달리하다 pass away; depart this life.

유명무실(有名無實) ~하다 (be) in name only; nominal; titular. ‖ ~한 사장 a figurehead [nominal] president.

유명세(有名稅) the price of fame. ¶ 그것은 그에 대한 일종의 ~이다 That's the price he has to pay for being famous.

유모(乳母) a (wet) nurse. ‖ ~차 a baby carriage 《美》; a pram 《英》.

유목(遊牧) nomadism. ‖ ~민 no-mads; a nomadic tribe.

유무(有無) existence or nonexist-ence. ¶ 재고의 ~를 조사하다 check (as to) whether there is any stock.

유물(唯物) 〖哲〗 ¶ ~적인 material-istic. ‖ ~론 materialism / ~사관(史觀) the materialistic view of history / 변증법적 ~론 dialec-tical materialism.

유물(遺物) a relic; remains.

유민(流民) wandering [roaming] people.

유밀과(油蜜果) oil-and-honey pas-try.

유발(誘發) ~하다 lead to; bring about; cause; give rise to; in-duce. ¶ 전쟁을 ~하다 touch [set] off a war.

유방(乳房) the breast(s). ‖ ~암 breast [mammary] cancer / ~염 mammitis.

유배(流配) banishment; exile. ~하다 banish [exile] 《a criminal》 (to an island). ‖ ~자 an exile.

유백색(乳白色) ¶ ~의 milk-white.

유별(有別) ¶ ~나다 (be) distinc-tive; different; special; particu-lar.

유별(類別) classification; assort-ment. ~하다 classify; assort.

유보(留保) reservation. ~하다 re-serve 《one's decision》; hold over.

유복자(遺腹子) a posthumous son.

유복하다(有福–) (be) blessed; for-tunate; lucky.

유복하다(裕福–) (be) wealthy; rich; affluent; well-off; well-to-do. ¶ 유복한 집안에 태어나다 be born in a rich family.

유부(油腐) 《a piece of》 fried bean curd. ‖ ~국수 noodles with fried bean curd.

유부녀(有夫女) a married woman.

유비무환(有備無患) Providing is preventing. *or* An ounce of prevention is worth a pound of cure.

유사(有史) ~이전의 prehistoric / ~ 이래의 큰 전쟁 the greatest war in history [since the dawn of history].

유사(類似) (a) resemblance; (a) similarity; (a) likeness. ~하다 resemble; be similar to; be alike; bear resemblance to. ¶ ~한 like; similar. ‖ ~점 a (point of) similarity / ~품 an imitation.

유사시(有事時) ¶ ~에 in an emer-gency; in case of emergency / ~에 대비하다 provide against emergencies 《a rainy day》.

유산(有産) ¶ ~의 propertied. ‖ ~계급 the propertied classes.

유산(乳酸) 〖化〗 lactic acid. ‖ ~균 lactic bacilli [ferments]; a lac-tobacilli.

유산(流産) a miscarriage. ~하다 miscarry; have a miscarriage. ¶ 그의 계획은 모두 ~되었다 All his plans have miscarried.

유산(遺産) an inheritance; pro-perty left 《by》; a legacy; a be-quest. ¶ 문화 ~ a cultural her-itage / ~을 남기다 leave a for-tune [an estate] 《to one's chil-dren》 / ~을 상속받다 inherit 《one's father's》 property; suc-ceed to an estate. ‖ ~상속 suc-

cession to property.

유상(有償) ¶ ～의 〖法〗 onerous / 수리는 ～입니다 You are liable for the cost of repairs. ‖ ～계약 an onerous contract / ～원조 credit assistance / ～취득 acquisition for value.

유색(有色) ¶ ～의 colored; non-white. ‖ ～인종 colored races.

유생(儒生) a Confucian (scholar); a Confucianist.

유서(由緖) a (long and honorable) history. ¶ ～ 있는 집안의 《a person》 of good lineage; of noble birth / ～ 있는 건물 a historic building.

유서(遺書) a note left behind by a dead person; a farewell note; a suicide note(자살서); 《유언서》a will; a testament. ¶ ～를 쓰다 (작성하다) make one's will.

유선(有線) ¶ ～의 cabled; wired; wire. ‖ ～방송 cable broadcasting / ～중계 cable (wire) relaying / ～텔레비전 cable television [TV]; closed-circuit television [생략 CCTV] / ～통신 cable communication.

유선(乳腺) ¶ ～의 〖解〗 the mammary gland. ‖ ～염(炎) 〖醫〗 mastitis.

유선형(流線型) a streamline shape [form]. ‖ ～자동차 a streamlined automobile [car].

유성(有性) ¶ ～의 sexual. ‖ ～생식 sexual reproduction.

유성(有聲) ¶ ～의 sound; voiced. ‖ ～영화 sound picture [film] / ～음 a voiced sound.

유성(油性) ¶ ～의 oily; greasy. ‖ ～페인트 an oil paint.

유성(流星) a shooting star; a meteor. ¶ ～의 a meteoric. ‖ ～우 ☞ 행성. 　　 [shower.

유세(有勢) ① ～ 유력(有力). ② 《세도부림》～하다 wield power [influence] 《over》; lord it over.

유세(遊說) canvassing; stumping; electioneering (선거 운동). ～하다 go canvassing (electioneering); canvass; stump 《美》.

make an election tour.

유속(流速) the speed of a current. ‖ ～계 a current meter.

유수(有數) ¶ ～의 prominent; leading; distinguished; eminent.

유수(流水) flowing (running) water; a stream. ¶ 세월은 ～와 같다 Time flies (like an arrow).

유숙(留宿) ～하다 lodge 《at》; stay 《at》; stop 《in》. 　　 [숙박.

유순하다(柔順一) (be) submissive; obedient; mild; meek; gentle.

유스호스텔 a youth hostel.

유시계비행(有視界飛行) visual flying; 《make》 a visual flight.

유식(有識) ～하다 (be) learned; educated; intelligent; well-informed.

유신(維新) renovation; restoration; the Revitalizing Reforms.

유신론(有神論) 〖哲〗 theism. ¶ ～자 a theist.

유실(流失) ～하다 be washed (carried) away 《by a flood》. ‖ ～가옥 houses carried away by the floods.

유실(遺失) ～하다 lose; leave behind. ‖ ～물 a lost article / ～물 센터 a lost-and-found center / ～물 취급소 a lost-property office 《英》.

유심론(唯心論) 〖哲〗 spiritualism; idealism. ¶ ～자 a spiritualist; an idealist.

유심하다(有心一) (be) attentive; careful. ¶ 유심히 듣다 hear attentively; listen 《to》.

유아(幼兒) a baby; an infant. ‖ ～교육 preschool (infant) education / ～기 babyhood; infancy / ～복 baby wear.

유아(乳兒) an infant; a baby. ‖ ～복 baby food.

유아(唯我) ¶ ～독존 self-conceit; self-righteousness / 천상천하 ～독 존 I am my own Lord [Holy and I alone] throughout heaven and earth.

유아등(誘蛾燈) a light trap; luring lamp.

유안(硫安) 〖化〗 ammonium su-

fate. ☞ 황산암모늄.

유압(油壓) oil pressure. ¶ ~구동의 hydraulically-operated. / ~계 an oil pressure gauge / ~브레이크 a hydraulic [an oil] brake.

유액(乳液) ① 〔植〕 latex; milky liquid. ② 《화장품》 milky lotion.

유야무야(有耶無耶) 대답을 ~하다 give a vague reply; do not commit *oneself* / 일을 ~하여 버리다 leave a matter unsettled (undecided).

유약(釉藥) glaze; enamel. ¶ ~칠하다 put glaze on 《pottery》.

유약하다(柔弱一) (be) weak; effeminate; fragile.

유어(類語) a synonym.

유언(遺言) a will; *one's* dying wish; *one's* last words. ¶ ~하다 express *one's* dying wish; leave [make] a (verbal) will. ¶ ~자 a testator; a testatrix 〔여자〕 / ~장 a will; a testament / ~집행자 an executor.

유언비어(流言蜚語) a groundless [wild] rumor; a false report.

유업(乳業) the dairy industry.

유업(遺業) ¶ ~을 잇다 take up the work left unfinished by 《*one's* father》.

유에스에이(美合衆國) U.S.A. ☞ the United States of America)

유에프오(미확인 비행물체) a UFO. 《◀an unidentified flying object》.

유엔 UN, U.N. 《◀the United Nations》 ¶ ~의 평화 유지 활동 the U.N. Peacekeeping Operation 《in Africa》 / ~군 the UN forces / ~분담금 financial contributions to the United Nations / ~사무총장 the secretary-general of the United Nations / ~안전보장이사회 the United Nations Security Council 〔생략 UNSC〕/ ~총회 the UN General Assembly / ~헌장 the United Nations Charter.

유역(流域) a (drainage) basin; a valley〔큰 강의〕. ¶ 한강 ~ the Han River basin. / ~면적 the size of a catchment area.

유연탄(有煙炭) bituminous coal.

유연하다(柔軟一) (be) soft; pliable; pliant; elastic; flexible.

유연하다(悠然一) (be) calm; serene; composed. ¶ 유연히 composedly; with an air of perfect composure.

유영(游泳) ~하다 swim. ¶ ~하다 take [make] a spacewalk.

유예(猶豫)《연기》 postponement; deferment; grace〔지불의〕; 〔형 집행의〕 suspension; a respite. ~하다 postpone; put off; delay〔늦추다〕; give 《*a day's*》 grace〔지불을〕; reprieve; postpone; delay〔형 집행을〕. ¶ 지불을 30일간 ~해 주다 give thirty days' grace for payment. ‖ ~기간 the period of grace; an extension of time.

유용(有用) ~하다 (be) useful; of use; valuable; serviceable; good 《*for a thing*》. ¶ 돈을 ~하게 쓰다 make good use of *one's* money; put *one's* money to a good use.

유용(流用) a diversion; (an) appropriation. ~하다 divert [appropriate] 《*the money*》 to 《*some other purpose*》. ¶ 공금을 ~하다 misappropriate public money.

유원지(遊園地) a pleasure [recreation] ground; an amusement park 〔공원〕.

유월(六月) June〔생략 Jun.〕.

유월절(逾越節) the Passover.

유유낙낙(唯唯諾諾) readily; quite willingly; at *one's* beck and call.

유유상종(類類相從) ~하다 Birds of a feather flock together.

유유자적(悠悠自適) ~하다 live in quiet [dignified] retirement; live free from worldly cares.

유유하다(悠悠一) (be) calm; composed; easy; leisurely. ¶ 유유히 calmly; composedly; in a leisurely way.

유의(留意) ~하다 take notice 《of》; pay attention 《to》; give heed 《to》. ¶ 건강에 ~하다 take good

care of *oneself*.

유익하다 〔有益—〕 (be) profitable; beneficial; 〔교훈적〕 instructive; 《유용》 useful; serviceable. ¶ 유익하게 profitably.

유인 〔有人〕 ¶ ~의 piloted; manned. ∥ ~ 우주선 a manned spaceship.

유인 〔誘引〕 ~하다 allure; seduce; entice; lead astray.

유인 〔誘因〕 a cause 《of》; a motive; an inducement; an incentive; an occasion. ¶ …의 ~이 되다 cause; bring about; lead (up) to.

유인물 〔油印物〕 printed matter. ∥ 불온 ~ subversive printed matter.　　　　　〔ape〕.

유인원 〔類人猿〕 〔動〕 an anthropoid

유일 〔唯一〕 ¶ ~한 the only; the sole; solitary; unique; one and only / ~무이한 unique; peerless.

유임 〔留任〕 ~하다 remain (continue) in office.

유입 〔流入〕 (an) inflow; (an) influx. ~하다 flow in.

유자 〔柚子〕 〔植〕 a citron.

유자격자 〔有資格者〕 a qualified (a competent, an eligible) person.

유자녀 〔遺子女〕 a child of the deceased. ¶ K씨의 ~ a child of the late Mr. K.　　　〔barbwire 《美》.

유자철선 〔有刺鐵線〕 barbed wire;

유적 〔遺跡〕 ruins; remains; relics. ∥ 선사 시대의 ~ a prehistoric site.

유전 〔油田〕 an oil field (well). ¶ 해양 ~ an offshore oil field. ∥ ~지대 an oil (producing) region / ~ 탐사 oil exploration.

유전 〔遺傳〕 heredity; inheritance. ~하다 be inherited; run in the blood (family). ∥ ~성의 hereditary; of hereditary nature / ~적 결함 a genetic defect (flaw). ∥ ~공학 genetic engineering / ~인자 genetic factor / ~자 a gene / ~학 genetics / ~형질 a genetic trait (character).

유정 〔油井〕 an oil well.

유제 〔乳劑〕 〔化〕 an emulsion.

유제동물 〔有蹄動物〕 an ungulate (animal); a hoofed animal.

유제품 〔乳製品〕 dairy products.

유조 〔油槽〕 an oil tank. ∥ ~선 a tanker / ~차 a tank.

유족 〔裕足〕 ~하다 (be) affluent; rich; well-to-do; well-off.

유족 〔遺族〕 a bereaved family; th bereaved(총칭). ¶ 전사자의 ~ th war bereaved.

유종 〔有終〕 ¶ ~의 미를 거두다 brin 《a matter》 to a successful con clusion; crown 《a thing》 wit perfection; round off 《one's ca reer》.

유종 〔乳腫〕 〔醫〕 a breast tumor.

유죄 〔有罪〕 guilt; guiltiness. ¶ ~ 의 선고를 ~ 을 선고하다 declar (sentence) 《a person》 guilty; con vict 《a person》 of 《a crime》. ∥ ~ 판결 a guilty verdict; conviction.

유증 〔遺贈〕 〔동산의〕 bequest; 《부동 의》 devise. ~하다 bequeath 《on million won to…》; leave (make a bequest 《of 5,000 dollars to…》 devise 《one's real estate to》. ∥ ~ 자 the giver of a bequest; devisor(부동산의).

유지 〔油紙〕 oilpaper; oiled paper.

유지 〔油脂〕 oils and fats. ∥ ~공업 the oil and fat industry.

유지 〔維持〕 maintenance; preser vation; upkeep. ~하다 maintain keep going; preserve; support ¶ 체면을 ~하다 keep up appear ances. ∥ ~비 maintenance costs upkeep.

유지 〔遺志〕 one's dying (last) wish es.

유착 〔癒着〕 adhesion; conglutina tion. ~하다 adhere 《to》; con glutinate; have close relatio 《to》 (관계 따위가).

유창 〔流暢〕 fluency. ¶ ~한 (be) flu ent; flowing. ¶ ~하게 fluently with fluency.

유체 〔有體〕 ¶ ~의 tangible; 〔法 corporeal. ∥ ~동산 〔法〕 corpore moveables / ~재산 〔法〕 corpor al property.

유체(流體)〖理〗 a fluid. ∥ ～역학 fluid mechanics.

유추(類推) analogy; analogical reasoning. ～하다 analogize; know [reason] by analogy; guess. 『…으로 ～하여 on the analogy of … ∥ ～해석 analogical interpretation.

유출(流出) an outflow; a drain; spillage. ～하다 flow [run] out; issue; spill. 『기름의 ～ oil spillage. ∥ ～량 the volume 《of water》 flowing from 《the dam》.

유충(幼蟲) a larva《pl. -vae》. 『～기 the larval stage.

유치(幼稚) infancy. ～하다 (be) infantile; childish; 《미숙》 immature; crude; primitive. 『～원 a kindergarten.

유치(乳齒) a milk tooth.

유치(留置) ① 〖法〗〖역〗 detention; custody. ～하다 detain; keep [hold] 《a person》 in custody; detain. ∥ ～장 a lockup; a police cell; a house of detention. ② 《우편의》 ～하다 leave till called for. 『～우편 a poste restante 《프》.

유치(誘致) attraction; invitation. ～하다 attract; lure; invite. 『관광객을 ～하다 try to attract tourists / 마을에 병원을 ～하다 invite hospitals to the town.

유쾌(愉快) pleasure; delight; fun. ～하다 (be) pleasant; happy; delightful; cheerful. 『～히 pleasantly; happily.

유탄(流彈) a stray bullet shot.

유택(幽宅) a grave; a tomb.

유토피아 (a) Utopia. 『～의 Utopian / ～ 문학 Utopian literature.

유통(流通) 《화폐의》 circulation; currency; 《어음의》 negotiation; 《물자의》 distribution; 《공기의》 ventilation; circulation. ～하다 circulate; pass current; float 《어음이》; ventilate. ∥ ～경로 a channel of distribution / ～기구 〔구조〕 the distribution system 〔structure〕 / ～산업 the distribution industry / ～시장 a circulation market / ～자본 circulating capital / ～증권 a negotiable security 〔instruments〕 / ～화폐 current money.

유파(流派) a school.

유폐(幽閉) confinement. ～하다 confine 《a person in a place》; shut 《a person》 up.

유포(油布) oilcloth.

유포(流布) circulation; spread. ～하다 circulate; spread; go around; get about. 『～되고 있다 be in circulation; 《소문 등이》 be afloat; be abroad; be in the air.

유품(遺品) relics; an article left by the deceased.

유풍(遺風) old traditions and customs.

유하다(柔一) 《성격이》 (be) mild; gentle; genial; tender-hearted.

유하다(留一) stay at 《a place》; put up at 《a hotel》; lodge at 《Mr. Browns》.

유학(留學) study(ing) abroad. ～하다 study abroad; go abroad to study. ∥ ～생 a student studying abroad.

유학(儒學) Confucianism. ∥ ～자 a Confucian(ist).

유한(有限) ～하다 (be) limited; finite. ∥ ～책임회사 a limited liability company.

유한(有閑) ～의 leisured. ∥ ～계급 the leisured class(es) / ～마담 a wealthy leisured woman.

유해(有害) ～하다 (be) injurious; harmful; noxious; bad. 『～무익하다 do more harm than good. ∥ ～물질 a toxic substance / ～폐기물 toxic wastes.

유해(遺骸) the (mortal) remains; the (dead) body.

유행(流行) ① 《양식·옷 따위의》 (a) fashion; 《一時的》 (a) vogue; a trend; 《일시적인》 a craze; a fad. ～하다 come into fashion [vogue]; become fashionable. 『～하고 있다 be in fashion [vogue]; be popular; be fashionable / ～에 뒤진 out of fashion; old-fash-

ioned / ~을 따르다 follow the fashion. ②《병의》prevalence. ~ 하다 spread; prevail; be prevalent. ¶ ~가 popular song / ~ 가 가수 a pop singer / ~병 an epidemic / ~성 감기 influenza; flu《口》/ ~성 뇌염 epidemic encephalitis / ~어 a vogue word.

유혈 (流血) bloodshed. ¶ ~ 사태로 번지다 develop into (an affair of) bloodshed.

유형 (有形) ¶ ~의 material; corporeal; tangible; concrete; ~ 무형의 material and immaterial; visible and invisible. ‖ ~문화재 tangible cultural properties / ~ 물 a concrete object / ~자본 a corporeal capital / ~재산(자산) tangible property (assets).

유형 (流刑) exile; banishment. ¶ ~지 a place of exile.

유형 (類型) a type; a pattern. ‖ ~ 학 typology.

유혹 (誘惑) temptation; lure; allurement; seduction. ~ 하다 tempt; entice; lure; seduce《a girl》. ¶ ~을 이겨내다 overcome [resist] temptation / ~에 빠지다 fall into temptation. ‖ ~자 a tempter; a seducer.

유화 (乳化) emulsification.

유화 (油畵) an oil painting. ‖ ~가 an oil painter.

유화 (宥和) appeasement. ~ 하다 appease; pacify. ‖ ~론자 an appeaser / ~정책 an appeasement policy.

유황 (硫黃)【化】a sulfur (sulfurous) ‖ ~천 (泉) a sulfur (sulfurous) spring.

유효 (有效)《법구 따위》validity; effectiveness;《표 따위》availability;《약 따위》efficiency. ~ 하다 (be) valid; effective; available; good. ¶ ~ 적절한 effective and well-directed. ‖ ~기간 the term of validity / ~사거리 an effective range / ~수요 《경제의》(an) effective demand.

유훈 (遺訓) the teachings (precepts)

of a deceased person.

유휴 (遊休) ¶ ~의 idle; unused; unemployed. ‖ ~시설 idle facilities / ~자본 unemployed [idle] capital / ~지 idle land.

유흥 (遊興) (worldly) pleasures; merrymaking; amusements. ¶ ~에 빠지다 pursue [indulge in] pleasure. ‖ ~가 an amusement center / ~비 expenses for pleasures [a spree].

유희 (遊戱) a play; a game;《유치원 등의》playing and dancing. ~ 하다 play. ‖ ~실 a playroom.

육 (肉) the flesh(육체); meat(식용육). ¶ ~영과 ~ flesh and spirit; body and soul.

육 (六) six. ¶ 제 ~ the sixth.

육각 (六角) a hexagon; a six-angles. ‖ ~형 a hexagon.

육감 (六感) a sixth sense; hunch. ¶ ~으로 알다 know《a thing》by intuition [the sixth sense].

육감 (肉感) sensuality; voluptuous. ¶ ~적인 sensual; voluptuous.

육개장 (肉一) hot shredded beef soup (and rice).

육계 (肉桂)【植物】cinnamon.

육교 (陸橋) a bridge (over a road-way); an overpass《美》.

육군 (陸軍) the army. ‖ ~의 military; army / ~에 입대하다 enter [enlist in] the army. ‖ ~대학 the Military Staff College / ~사관학교 the (Korea) Military Academy.

육대주 (六大洲) the Six Continents.

육로 (陸路) a land route. ¶ ~로 가다 go by land; travel overland.

육류 (肉類) various types [kinds] of meat.

육면체 (六面體)【數】a hexahedron. ¶ ~의 hexahedral.

육미 (肉味) the taste of meat(맛); meat dishes(음식).

육박 (肉薄) ~ 하다《전쟁에서》close《the enemy》hard; close in upon《the enemy》;《경기에서》run《a competitor》hard (close). ‖ ~전 a hand-to-hand fight.

육배(六倍) six times; sextuple.

육법(六法) the six codes of laws. ‖ ~전서 a compendium of laws; the statute books.

육봉(肉峰) a hump.

육부(六腑) 《장부》 오장육부.

육상(陸上) 《on》 land; ground; shore. ‖ ~ 수송하다 transport by land. ‖ ~ 경기 athletic sports; track-and-field events / ~ 근무 shore duty(선상에 대한); ground duty(항공에 대한) / ~ 수송 land transportation.

육성(肉聲) a (natural) voice.

육성(育成) ~하다 《키우다》 nurture; bring up; 《조성하다》 promote; foster; 《교육하다》 educate; train. ‖ ~회비 school supporting fees (학교의).

육송(陸送) land transportation.

육수(肉水) meat juice; gravy.

육순(六旬) ‖ ~의 sixty-year-old; sexagenarian. ‖ ~노인 a sexagenarian.

육식(肉食) 《사람의》 meat-eating; meat diet; 《동물의》 flesh-eating. ~하다 eat (live on) meat; eat flesh. ‖ ~동물 a carnivorous (flesh-eating) animal / ~조 a bird of prey.

육신(肉身) the body; the flesh.

육십(六十) sixty; threescore; LX (로마 숫자). ‖ 제 ~ the sixtieth / ~ 분의 일 a sixtieth (part) / ~ 대의 사람 a sexagenarian; a person in his sixties.

육아(育兒) child care; nursing. ~하다 bring up (nurse) infants; rear children. ‖ ~법 a method of child-rearing / ~비 childcare expenses / ~서 a book on childcare / ~시설 childcare facilities / ~원 an orphanage (고아원) / ~휴가 childcare leave.

육안(肉眼) the naked (unaided) eye. ‖ ~으로 보이는 (안 보이는) 곳에 within (beyond) eyeshot / ~으로 보다 (보이다) see with (be visible to) the naked eye.

육영(育英) education. ~하다 educate. ‖ ~사업 educational work / ~자금 a scholarship / ~회 a scholarship society.

육욕(肉慾) carnal desire; lust; sexual appetite.

육우(肉牛) beef cattle.

육종(肉腫) 《醫》 a sarcoma.

육종(育種) (selective) breeding 《of animals [plants]》.

육중(肉重) ~하다 (be) bulky and heavy; heavily-built (몸집이).

육즙(肉汁) meat juice; broth; gravy.

육지(陸地) land; shore (바다에서 본). ‖ ~쪽으로 toward the land; landward / ~의 동물 a land animal / ~로 둘러싸이다 be landlocked.

육척(六尺) six feet. ‖ ~장신의 남자 a six-foot man.

육체(肉體) the flesh; the body. ‖ ~의 physical; bodily; fleshly / ~적 쾌락 sensual pleasures / 정신과 ~ body and soul; flesh and spirit. ‖ ~관계 (sexual) intercourse / ~노동 physical labor.

육촌(六寸) 《친척》 a second cousin; 《치수》 six inches.

육친(肉親) a blood relation (relative); one's flesh and blood.

육탄(肉彈) a human bomb (bullet). ‖ ~전 a hand-to-hand battle.

육포(肉脯) jerked beef; beef jerky.

육풍(陸風) a land breeze (wind).

육필(肉筆) an autograph; (in) one's own handwriting.

육해공군(陸海空軍) land, sea and air; ~군 the army, navy and air forces.

육해군(陸海軍) the army and navy.

육회(肉膾) steak (beef) tartare; tartar steak; a dish of minced raw beef.

윤(潤) 《광택》 gloss; luster; polish; sheen; shine. ‖ ~나다 be glossy (lustrous, shiny); be polished / ~내다 gloss; polish (up); put a polish (gloss) on; bring out the

luster; make 《a thing》 glossy / ~을 없애다 take off the luster 〔shine〕.

윤…(閏—) ‖ ~년 a leap 〔an intercalary〕 year / ~달 a leap 〔an intercalary〕 month.

윤간(輪姦) gang 〔group〕 rape. ~하다 violate 〔rape〕 《a woman》 by turns 〔in turn〕.

윤곽(輪廓) an outline; a contour. ¶ 그는 얼굴의 ~이 뚜렷하다 He has clear-cut features.

윤기(潤氣) ☞ 윤.

윤독(輪讀) ~하다 read 《a book》 in turn.

윤락(淪落) ~하다 fall; ruin oneself; be ruined. ‖ ~가 a red-light district 《지》; gay quarters / ~여성 a ruined 〔fallen〕 woman; a delinquent girl.

윤리(倫理) ethics; morals. ¶ ~적인 ethical; moral / 실천 ~ practical ethics. ‖ ~규정 an ethical code / ~학 ethics / ~학자 an ethicist; a moral philosopher.

윤번(輪番) turn; rotation. ¶ ~로 in turn; by turns; on a rotation basis. ‖ ~제 a rotation system.

윤색(潤色) 《an》 embellishment. ~하다 embellish 《one's story》; color 《a report》; adorn; ornament. ‖ ~자 an embellisher.

윤작(輪作) crop rotation. ~하다 rotate crops.

윤전(輪轉) rotation. ~하다 rotate; revolve. ‖ ~기 a rotary press 〔machine〕; a cylinder press.

윤택(潤澤) ① ☞ 윤. ②《넉넉함》 abundance. ¶ ~한 abundant; ample; plentiful / 살림이 ~하다 be well-off.

윤허(允許) royal permission 〔sanction〕. ~하다 grant 《royal》 sanction.

윤활(潤滑) lubrication. ¶ ~한 lubricous; smooth. ‖ ~유 lubricating oil; lubricant.

윤회(輪廻)《佛》Samsāra 《범》; the cycle of life; metempsychosis.

율(律) ① 《법》 a law; a regulation; a statute. ② 《시의》 rhythm; meter.

율(率) a rate; a ratio; a proportion《比율》. ¶ ~의 ~로 at the rate of / 투표 ~ the voting rate / 할인 ~ the discount rate / 낮은 출생 률 the low birth rate / 사망률 the death rate.

율동(律動) rhythm; rhythmic movement. ¶ ~적인 rhythmic 〔-al〕. ‖ ~체조 rhythmic gymnastics.

율무《植》adlay; adlai.

율법(律法) a law; regulations 《계율》. ‖ ~ commandments.

융(絨) cotton flannel.

융기(隆起)《지표의》upheaval; a rise;《부분적 돌기》 a bulge; a protrusion. ~하다 upheave; rise; bulge.

융단(絨緞) a carpet; a rug. ¶ ~을 깔다 carpet 《the floor》. ‖ ~폭 격 a carpet 〔blanket〕 bombing.

융성(隆盛) prosperity. ¶ ~한 prosperous; thriving; flourishing.

융숭하다(隆崇—) (be) kind; cordial; liberal; hearty; hospitable. ¶융숭한 대접을 받다 have a cordial 〔warm〕 reception; be treated hospitably.

융자(融資) financing; a loan 《융자 금》. ~하다 finance 《an enterprise》; provide funds to. ¶ ~를 받다 obtain a loan.

융통(融通) ① 《금전·물품 등의》 accommodation; financing. ~하다 accommodate; lend; finance. ¶ 이백만원을 ~해 줄 수 있습니까 Will you please lend me two million won? ② 《순응성》 adaptability; flexibility. ¶ ~성 있는 adaptable; flexible / ~성 없는 unadaptable; inflexible.

융합(融合) fusion; harmony 《조화》; unity; union 《결합》. ~하다 fuse; harmonize; unite.

융해(融解) fusion; melting; dissolution. ~하다 fuse; melt; dissolve. ‖ ~열 〔점〕 the melting

heat (point).

융화(融化) deliquescence. ~ 하다 deliquesce; soften.

융화(融和) harmony; reconciliation. ~ 하다 harmonize; be reconciled 《with》.

윷 《놀이》 yut; the "Four-Stick Game". ¶ ~ 을하다 play yut.

으깨다 crush; squash; smash; mash 《potatoes》.

으드득 《뼈를 ~ 깨물다 crunch on a bone / ~ 이를 갈다 grind one's teeth.

으뜸 ① 《첫째》 the first (place); the top; the head. ¶ ~ 가다 be at the head 《of》; occupy the first place; rank first. ② 《근본》 the foundation; the root; the basis.

으레 ① 《응당》 of course; to be sure; naturally; no doubt. ② 《어김없이》 always; without fail. ③ 《관례적》 habitually; usually.

으로 《☞ 로》 ① 《원인·근거》 from; 《이유》 because of; due to; owing to. ¶ 암 ~ 죽다 die of cancer / 병 ~ 학교를 쉬다 be absent from school because of illness / 안색 ~ 알다 know 《something》 from 《a person's》 look. ② 《수단·도구》 by; on; with; by means of; through. ¶ 우편으로 소포를 보내다 send the parcel by mail / 텔레비전으로 축구를 보다 watch a soccer game on TV. ③ 《원료·재료》 of; from; out of. ¶ 천 재작 ~ 책상을 만들다 make a table out of an old box. ④ 《가격·비용》 for, at. ¶ 하나에 100원 ~ 팔다 sell at a hundred won apiece. ⑤ 《기준·단위》 by; at. ¶ 일급 ~ 일하다 work by the day. ⑥ 《방향》 for; to; toward. ¶ 부산 ~ 가는 기차 the train for Busan. ⑦ 《변화》 into; to. ¶ 바다가 산 ~ 되더라도 though seas turn to mountains. ⑧ 《구성·성립》 of. ¶ 국회는 상하 양원 ~ 되어 있다 The Assembly consists of two Houses, upper and lower. ⑨ 《내

용》 of; with. ¶ 설탕이 ~ 가득 차다 be full of sugar.

으로서 as; in the capacity of 《자격》 《☞ 로서》. ¶ 통역 ~ as an interpreter.

으르다 threaten; intimidate; scare. ¶ 으르고 달래어 with threats and coaxing; using the carrot and the stick.

으르렁거리다 《맹수가》 roar; growl; howl; 《성내어》 snarl; 《사람끼리》 quarrel 〔wrangle〕 《with》; feud with; be at odds 《with》.

으름 [植] an akebi fruit 〔berry〕. ¶ ~ 덩굴 an akebi 〔shrub〕.

으름장 intimidation; browbeating; a threat; (a) menace. ¶ ~ (을) 놓다 intimidate; browbeat; threaten; menace.

으리으리하다 (be) magnificent; stately; imposing; grand; awe-inspiring.

…으면 if 《☞ …면》. ¶ 천만에 있으면 if I had ten million won.

…으면서 《동시에》 while; as; at the same time; with. ¶ 생긋 웃으면서 ~ with a smile / 음악을 들으며 고향을 생각하다 think of home while listening to the music.

으스름달 a hazy moon. ¶ ~ 밤 a faint 〔misty〕 moonlit night.

으스스 《∼한 chilly / ~ 춥다 feel a chill; shiver with cold.

으슥하다 《∼한 retired and quiet; secluded; lonely; deep.

으슴푸레하다 (be) dusky; hazy; misty; dim.

으쓱거리다 〔strut〕 about; give oneself airs; put on airs.

으쓱하다 《우쭐하다》 be elated 〔inflated, exultant〕 《over, with》; be puffed up 《by, with》; perk 〔draw〕 oneself up.

으악 《놀래줄 때》 Boo!; 《놀라서》 Ugh!; with a sudden outcry.

윽박지르다 snub 〔shout〕 《a person》 down; bully; threaten; browbeat; intimidate.

은(銀) silver 《기호 Ag》. ¶ ~ 같은 silvery / ~ 을 입힌 silver-plated.

∥ ~그릇【제품】 silverware.

은거(隱居) retirement; seclusion. ~하다 retire from the world; live in seclusion.

은고(恩顧) (a) favor; patronage. ¶ ~를 입다 receive favors 《from》.

은공(恩功) favors and merits.

은광(銀鑛) a silver mine; silver ore(광석).

은괴(銀塊) silver bullion; a silver bar.

은근(慇懃) ① 《정중》 politeness. ¶ ~한[히] polite(ly); civil(ly); courteous(ly); attentive(ly). ② 《은밀》 quietness. ¶ ~한[히] private; secret(ly); quiet(ly); inward(ly); indirect(ly).

은닉(隱匿) concealment; secretion. ~하다 conceal; hide. ¶ 범인을 ~하다 shelter [harbor] the criminal. ∥ ~처 a hiding place.

은덕(恩德) a beneficial influence [virtue]. ¶ ~을 베풀다 confer a benefit 《upon》.

은덕(隱德) good done by stealth; a secret act of charity.

은도금(銀鍍金) silver plating. ~하다 plate [gild] with silver.

은둔(隱遁) retirement [from the world]. ~하다 retire from the world; live in seclusion. ∥ ~생활 [lead] a secluded life.

은막(銀幕) the [silver] screen.

은밀(隱密) ~하다 (be) secret; covert; private. ¶ ~히 처리하다 dispose of 《a matter》 secretly.

은박(銀箔) silver leaf [foil]. ∥ ~지 silver paper.

은반(銀盤) ① 《쟁반》 a silver plate. ② 《스케이트장》 a skating rink.

은발(銀髮) silver(y) [gray] hair.

은방(銀房) a silversmith's; a jeweler's (shop)《금은방》.

은방울꽃(銀—) 【植】 the lily of the valley.

은배(銀杯) a silver cup. [valley.

은백(銀白) ¶ ~(색의) silver-white; silver-gray; [silvery.

은빛(銀—) ¶ ~의 silver-colored;

은사(恩師) one's (respected) teacher; one's former teacher.

은세공(銀細工) silverwork. ∥ ~인 a silversmith / ~품 silverware.

은신(隱身) ~하다 hide [conceal] oneself; hide out (口). ∥ ~처 a hiding place; a hide-out《범인의》.

은어(銀魚) 【魚】 a sweetfish.

은어(隱語) secret language; cant; jargon.

은연중(隱然中)(에) without 《a person's》 knowledge; behind the scenes; indirectly; in a round-about way.

은유(隱喩) 【修】 a metaphor. ¶ ~적(으로) metaphorical(ly).

은은하다(隱隱一) ① 《아련함》 be dim; vague; indistinct; misty. ¶ 은은한 향기 a subtle perfume ② 《소리가》 (be) dim; faint; distant (to the ears).

은인(恩人) a benefactor. ¶ 그는 ~생명의 ~이다 I owe him my life.

은잔(銀盞) a silver (wine) cup.

은장도(銀粧刀) an ornamental silver knife.

은전(銀錢) a silver coin.

은종이(銀—) ① silver paper; tin foil.

은총(恩寵) grace 《of God》; favor.

은테(銀—) ∥ ~안경 silver-rimmed spectacles.

은퇴(隱退) retirement. ~하다 retire 《from business》. ∥ ~생활 a retired life.

은폐(隱蔽) concealment; hiding; cover-up. ~하다 conceal; hide; cover up.

은하(銀河) the Milky Way; the Galaxy. ∥ ~(系) 《系》 the galactic system / ~수 = 은하.

은행(銀行) a bank. ¶ ~과 거래를 트다 [끊다] open [close] an account with a bank / ~에 예금하다 deposit money in the bank ∥ ~가(家) a banker / ~구좌 [bank account / ~예금 bank deposits [savings] / ~원 a bank clerk [employee].

은행(銀杏) 【植】 a gingko nut. ∥ ~나무 a gingko (tree).

은혜(恩惠) a benefit; a favor. ¶ ~를 베풀다 do 《a person》 a favor

do a favor for 《a person》 / ~를 읽고 있다 be in 《a person's》 debt; be indebted 《to》. 「wedding.

은혼식(銀婚式)《celebrate》a silver

은화(銀貨) a silver (coin).

은회색(銀灰色) silver gray.

을(乙) the second; B.

올씨년스럽다 ① 《살림이》(be) poor; needy; poor-looking. ②《외양이》 look miserable; shabby, wretched; 《쓸쓸해 보이다》(be) lonely; dreary. ¶옷차림이 ~ 한 be shabbily dressed.

을종(乙種) class B; second grade.

읊다《낭송》recite 《a poem》; 《짓다》compose 《a poem》.

음(音) ①《소리》a sound; a noise 《잡음》. ②《한자의》the pronunciation 《of a Chinese character》.

음(陰) the negative [female] principle in nature; the passive; darkness; a negative [minus] sign. ¶ ~으로 양으로 implicitly and explicitly; in every possible way. ‖ ~이온 a negative ion.

음각(陰刻) intaglio [depressed] engraving. ~ 하다 intaglio; engrave in intaglio.

음감(音感) a sense of sound. ¶ ~이 있다 have a good ear 《for》. ‖ ~교육 acoustic training; auditory education.

음경(陰莖) the penis.

음계(音階)《樂》the (musical) scale. ¶온〔장, 단〕~ the full [major, minor] scale. 「mance.

음곡(音曲) music; musical perfor-

음극(陰極) the negative pole; the cathode. ‖ ~관 a cathode tube / ~선 the cathode rays.

음기(陰氣)《으스스한》a chill; chilliness; dreariness;《몸안의》negativity; the negative element.

음낭(陰囊) the scrotum.

음담패설(淫談悖說)《make》an obscene [indecent] talk;《tell》a dirty [lewd, rude] story.

음덕(陰德) a secret act of charity. ¶ ~을 베풀다 do good by stealth.

음덕(蔭德) the ancestor's virtue.

¶《조상의》~을 입다 be indebted to one's forefathers.

음독(音讀) ~ 하다 read aloud.

음독(飮毒) ~ 하다 take poison. ¶ ~ 자살하다 commit suicide by taking poison; poison oneself to death.

음란(淫亂) lewdness. ~ 하다 (be) lewd; lascivious; obscene.

음량(音量) the volume 《of the radio music》

음력(陰曆) the lunar calendar. ¶ ~8월 보름 August 15th of the lunar calendar.

음료(飮料) a beverage; a drink. ‖ ~수 drinking water; water to drink.

음률(音律) rhythm; meter.

음매《소의 울음소리》a moo. ¶ ~ 을 다 moo; low.

음모(陰毛) pubic hair; pubes.

음모(陰謀) a plot; a conspiracy; an intrigue. ¶ ~를 꾸미다 plot secretly; conspire 《against》 / ~ 에 가담하다 be implicated in a plot. ‖ ~자 a plotter; a conspirator; an intriguer.

음미(吟味) close examination; appreciation 《감상》. ~ 하다 examine closely; appreciate.

음반(音盤) a 《phonograph》 record; a disc (disk).

음부(陰部) the pubic region; the private [secret] parts.

음산(陰散) ~ 하다 (be) gloomy and chilly; cloudy and gloomy; dreary; dismal.

음색(音色) (a) tone color; (a) timbre. ¶ ~이 좋다 have a good timbre.

음성(音聲) a voice; a phonetic sound. ‖ ~기관 the vocal organs / ~다중방송 sound multiplex broadcasting / ~응답시스템 an audio response system《생략 ARS》 / ~인식 speech recognition / ~학 phonetics.

음성(陰性) ¶ ~ 의 《기질이》 gloomy; 《반응이》 negative; 《병이》 dormant / 에이즈 검사 결과는 ~ 이었다

The result of his AIDS test was [proved] negative. ‖ ∼ 수입 a side benefit; a perquisite; spoils.

음소(音素) a phoneme.

음속(音速) the speed [velocity] of sound. ¶ ∼ 이하의 subsonic / ∼ 을 돌파하다 break the sound barrier. ‖ 초∼ supersonic (speed).

음수(陰數) a negative number; a minus.

음습하다(陰濕一) (be) shady and damp; dampish.

음식(飲食) eating and drinking. **음식물, ∼물** food and drink; foodstuffs / ∼점 an eating house; a restaurant.

음악(音樂) music. ¶ ∼적인 musical; melodious / ∼을 감상할 줄 안다[모른다] have an [no] ear for music. ‖ ∼가 a musician / ∼ 당 a concert hall / ∼애호가 a music lover / 고전∼ classical music.

음양(陰陽) the positive and negative; the active and passive; (남녀) the male and female principles. ¶ 《해와 달》 the sun and the moon; 《빛과 그늘》 light and shade. ‖ ∼가 a fortuneteller / ∼오행설 the doctrine of the five natural elements of the positive and negative.

음역(音域) compass; a (singing) range. ¶ ∼이 넓다 have a voice of great compass.

음영(陰影) shadow; shade. ¶ ∼을 가하여 shade *something* (in); put in the shadings.

음욕(淫慾) carnal desire; lust.

음용(飲用) ∼의 for drinking / ∼에 적합하다 be fit [good] to drink; be drinkable.

음운(音韻) a vocal sound; 《음소》 a phoneme. ‖ ∼변화 phonological transition / ∼학 phonology / ∼학자 a phonologist.

음울하다(陰鬱一) (be) gloomy; dismal; melancholy.

음자리표(音一標) 【樂】 a clef.

음전(陰栓) 《풍금의》 a stop (knob).

음전기(陰電氣) 【理】 negative electricity. ‖ ∼ negative electron.

음전자(陰電子) 【理】 a negatron; a negative electron.

음절(音節) a syllable. ¶ ∼의 syllabic / ∼로 나누다 syllabicate; divide 《a word》 into syllables. ‖ 단 [2, 3] ∼어 a monosyllable [(di(s)syllable, trisyllable].

음정(音程) an [a musical] interval. ¶ ∼이 맞다 [틀리다] be in [out of] tune. ‖ 반∼ a semitone / 온∼ a tone. 「(a) rhythm(음률).

음조(音調) a tune; a tone(음색).

음주(飲酒) drinking. ∼하다 drink. ‖ ∼가 a drinker / ∼운전 drunken driving / ∼측정기 a drunkometer 《美》; a breathalyser 《英》.

음지(陰地) 【農】 shade. ¶ ∼가 양지된다 《俗談》 The wheel of fortune turns. *or* After a storm comes a calm.

음질(音質) tone [voice] quality. ‖ ∼조정기 a tone controller.

음치(音痴) tone deafness. ¶ 나는 ∼이다 I am tone-deaf. *or* I have no ear for music.

음침하다(陰沈一) (be) gloomy; dismal; somber; dark.

음탕하다(淫蕩一) (be) dissipated; lascivious; obscene; lewd.

음파(音波) a sound wave. ‖ ∼탐지기 a sonobuoy; sonar(수중의).

음표(音標) 【樂】 a (musical) note. ¶ 온∼ a whole note 《美》 / 2 [4, 8, 16, 32]분∼ a half [a quarter, an eighth, a sixteenth, a thirty-second] note 《美》.

음표문자(音標文字) a phonetic sign [alphabet, symbol].

음해(陰害) ∼하다 do 《a person》 harm secretly; stab 《a person》 in the back; backbite.

음핵(陰核) 【解】 the clitoris.

음향(音響) a sound; a noise(소음); a bang(폭발음). ‖ ∼조절 sound conditioning / ∼학 acoustics / ∼효과 sound effects (TV·영화의); the acoustics(실내의).

음험하다(陰險一) (be) sly; cunning; tricky; crafty; insidious.

음화(陰畫) a negative (picture).

음흉(陰凶) ¶ ~한 crafty [wily] and cruel; tricky and treacherous.

읍(邑) a town. ‖ ~민 the townspeople; the townsfolk / ~사무소 a town office.

읍소(泣訴) ~하다 implore [appeal to] (a person) for mercy with tears. [joined hands in front.

읍하다(揖一) bow politely with 응(긍정) yea; yes; yes; all right; O.K.(부정) no.

응결(凝結) congelation [액체의]; coagulation; condensation [기체의]; setting(시멘트의). ~하다 congeal; coagulate; condense; set (시멘트가). ‖ ~기 a freezer; a condenser / ~물 a congelation (of) / ~점 the freezing point.

응고(凝固) [고체화] solidification; congelation [액체의]; coagulation [혈액]. ~하다 solidify; congeal; coagulate. ‖ ~제 a coagulant.

응급(應急) ~의 emergency; makeshift(임시의); temporary [일시적인]. ‖ ~실 a first-aid [emergency] room / ~조치 [stopgap] (take) emergency [stopgap] measures / ~치료 first aid; first-aid treatment / ~치료환자 a first-aid patient.

응달 the shade; the shady place. ¶ ~에서 in the shade / ~이 지다 be shaded (by).

응답(應答) an answer; a reply; a response. ~하다 answer; reply to; respond. ‖ ~자 a respondent.

응대(應待) ☞ 응접(應接).

응모(應募) (예약) subscription (予約) application. ~하다 apply for; subscribe for [to](주식 등에); enter for (a contest). ‖ ~자 an applicant(입학·취직 등의); a subscriber(주식의); a contestant

응보(應報) retribution; nemesis.

응분(應分) ¶ ~의 appropriate; due; reasonable; (분수에 맞는) according to one's means [ability] / ~의 대우를 받다 be given proper (due) treatment.

응사(應射) return fire. ~하다 fire [shoot] back.

응석 ¶ ~부리다 behave like a spoilt child; play the baby (to) / 아이의 ~을 받아주다 pamper a child. ‖ ~받이(동이) a spoilt [pampered] child.

응소(應召) ~하다 answer the call; be (get) drafted [enrolled]. ‖ ~자[병] a draftee 응수.

응수(應手) ~하다 (바둑 따위에서) (make a) countermove.

응수(應酬) [대답] an answer; a response; [교환] an exchange. ~하다 respond; answer; retort.

응시(凝視) a (steady) gaze; a stare. ~하다 stare [gaze] (at); fix [fasten] one's eyes (on).

응시(應試) ~하다 apply for an examination; a participant in an examination; an examinee.

응어리 (근육의) (a) stiffness (in a muscle); (종기) a lump; a tumor; (감정의) bad [ill] feeling.

응용(應用) (practical) application; practice(실용). ~하다 apply; adapt; put in(to) practice. ¶ ~할 수 있는(없는) applicable [inapplicable]; practicable [impracticable] / ~ 범위가 넓다 be widely applicable. ‖ ~과학 applied science / ~물리학 applied physics.

응원(應援) (원조) help; aid; assistance; support(선거 등에서); (성원) cheering. ~하다 help; aid; support; (성원하다) cheer (a team); (美口) root for (a team). ‖ ~가[가] a rooters' song [pennant] / ~단 a cheer group.

응전(應戰) ~하다 fight back; return (the enemy's) fire (포격으로); accept (take up) the challenge (도

전에).

응접(應接) (a) reception; ~
receive 《a visitor》. ∥ ~실 a draw-
ing [reception] room.

응집(凝集) cohesion. ~하다 co-
here; condense. ∥ ~력 cohesive
power; cohesion.

응징(膺懲) (a) chastisement; (a)
punishment; ~하다 chastise;
punish.

응축(凝縮) condensation. ~하다
condense. ∥ ~기 a condenser.

응하다(應-) 《답하다》 answer; re-
spond 《to》; 《대하다》 reply 《to》; 《승낙
에》 comply with; accept; 《필요·수요
에》 meet; satisfy; 《모집에》 apply
[subscribe] 《for》. ∥ ~질문에 an-
swer a question / 요구에 ~ com-
ply with a request / 초대 [주문]
에 ~ accept an invitation
[order] / 시대의 요구에 ~ meet
the demand(s) of the times / 회
원 모집에 ~ apply for member-
ship in a society.

응혈(凝血) 《피의》 a clot of blood;
the coagulation of blood. ~하
다 coagulate.

의 ① 《소유·소속》 …'s; of. ∥형님
~ 책 my brother's book / 돈~
가치 the value of money. ②《소
재》 at; in; on. ∥런던 ~ 겨울 the
winter in London. ③《…에 관
한》 of; on; in; about. ④《…을
위한》 …'s; for. ∥아이들을 ~ 책 a
book for children; a children's
book. ⑤ 《기점·출신》 from; 《작
가》 …'s; by. ∥워즈워스 ~ 시 a
poem (written) by Wordsworth;
a Wordsworth's poem. ⑥《상태·
재료》in; with. ∥푸른눈 ~ 소녀 a
girl with blue eyes. ⑦《시각·기
간》of; in; for. ∥4시간 ~ 수면
four hours of sleep / 2주간 ~ 휴
가 a two-week vacation. ⑧《사람
의 관계》 누이 ~ 친구 my sister's
friend. ⑨《목적관계》 of. ∥사건 ~
수사 the investigation of a case.

의(義) 《정의》justice; righteous-
ness; 《관계》relationship; ties;
bonds; 《신의》faith; fidelity. ∥ ~

를 위하여 죽다 die in the cause
of justice.

의(誼) friendship; a bond be-
tween friends.

의거(依據) ~하다 follow
《a precedent》; conform to 《a
rule》; act on [go by] 《a princi-
ple》; 《근거하다》 be based [found-
ed] 《on》; be due 《to》. ∥ ~이 규정
에 ~하여 in conformity with
this regulation / 선례 ~ 하여
according to precedent / 이 이야
기는 사실에 ~한 것이다 This story
is based on facts.

의거(義擧) a worthy [noble] under-
taking; a heroic deed.

의견(意見) an opinion; a view;
an idea. ∥내 ~으로는 in my
opinion / 나의 일치를 보다 reach
[an] agreement; get a consen-
sus of opinion. ∥ ~서 one's
written opinion.

의결(議決) a resolution; a deci-
sion. ~하다 decide; resolve;
pass a vote 《of》. ∥예산안이 ~되
었다 The budget bill was passed.
∥ ~권 the right to vote / ~기관
a legislative organ.

의과(醫科) the medical depart-
ment. ∥ ~대학 a medical col-
lege / ~학생 a medical student.

의관(衣冠) gown and hat; attire;
dress. ∥ ~을 갖추다 be in full dress.

의구(依舊) ~하다 remain as it
was; remain unchanged.

의구심(疑懼心) apprehensions; fear;
misgivings. ∥ ~을 품다 entertain
[feel] misgivings 《about》.

의기(意氣) spirits; heart; mind.
∥ ~왕성 [소침]하다 be in high
[low] spirits / ~상통하다 be of a
mind.

의기(義氣) 《의협심》chivalrous spir-
it; 《공공심》public spirit. ∥ ~있는
is chivalous; public-spirited.

의논(議論) a consultation; a talk;
negotiations(교섭). ~하다 talk
[have a talk] 《with a person》
about 《a matter》; consult 《with
a person》.

의당(宜當) (as a matter) of course; naturally. ～ 하다 (be) proper; natural: be a matter of course. ▮ ～ 당연(當然).

의도(意圖) an intention; an aim. ～ 하다 intend to 《do》; aim 《at》. ▮ ～ 적으로 on purpose; intentionally.

의례(儀禮) ceremony; courtesy. ▮ ～ 적(的) ceremonial; formal / ～ 적으로 방문하다 pay a courtesy [formal] call 《on》.

의론(議論) argument(논의); discussion(토론); dispute(논쟁). ～ 하다 argue [dispute] with 《a person》 over [about] 《a matter》; discuss.

의롭다(義—) (be) righteous; rightful.

의뢰(依賴) ① 《부탁》 a request; 《위탁》 trust; commission. ～ 하다 request; ask; 《위임》 trust: entrust. ▮ 변호사에게 ～ 하다 leave 《a matter》 to a lawyer / 재산의 관리를 ～ 하다 trust a person with one's property. ▮ ～ 서 [장] a written request / ～ 인 《변호사 등의》 a client. ② 《의지》 dependence; reliance. ～ 하다 depend [rely] (up)on. ▮ ～ 심 lack of self-reliance.

의료(醫療) medical treatment [care]. ▮ ～ 기관 a medical institution / ～ 기구 medical [surgical] instruments / ～ 보험 medical insurance / ～ 비 medical expenses; a doctor's bill / ～ 사고 medical malpractice / ～ 시설 medical facilities / ～ 품 medical supplies / ～ 혜택 a medical benefit.

의류(衣類) clothing; clothes; garments.

의리(義理) ① 《바른 도리》 justice; righteousness; 《의무》 duty; obligation; 《신의》 fidelity; loyalty. ▮ ～ 가 있다 be faithful; have a strong sense of duty.

의무(義務) a duty; an obligation. ▮ …할 ～ 가 있다 be under an obligation to 《do》; ought to 《do》

를 게을리하다 [다하다] neglect [do, perform] one's duty. ▮ ～ 감 a sense of duty (obligation) / ～ 교육 compulsory education / ～ 연한 an obligatory term of service.

의무(醫務) medical affairs. ▮ ～ 실 a dispensary(학교·공장 등의); a medical room.

의문(疑問) a question; a doubt. ▮ ～ 의 doubtful; questionable / ～ 을 품다 doubt: be doubtful 《of, about》; have one's doubts 《about》 / ～ 의 여지가 없다 be beyond question; there is no doubt [question] 《about, that…》. ▮ ～ 대명사] an interrogative sentence [pronoun] / ～ 부 a question [an interrogation] mark / ～ 사(詞) an interrogative / ～ 점 a doubtful point.

의뭉스럽다 (be) subtle: be more subtle than one might think: be deeper than one think.

의미(意味) (a) meaning; (a) sense; 《취지》 the import; (a) point. ～ 하다 mean; signify; imply(함축하다). ▮ ～ 있는 meaningful; significant / 그런 ～ 로 말한 것이 아니다 I didn't mean that.

의법(依法) ▮ ～ 처리하다 deal with 《a matter》 according to law.

의병(義兵) a loyal soldier; a volunteer troops(의용군).

의복(衣服) clothes; a dress; 《총칭》 clothing.

의분(義憤) 《have》 righteous indignation.

의붓 step. ▮ ～ 딸 a stepdaughter / ～ 아비지 a stepfather.

의사(義士) a righteous person; a martyr.

의사(意思) an intention; a wish. ▮ ～ 표시를 하다 express one's intentions / 서로 ～ 소통되다 understand each other / 최종 ～ 결정을 하다 make a final decision 《about, on, over》. ▮ ～ 능력 mental capacity.

의사(擬似) ☞ 유사(類似).

의사(醫師) a doctor; a physician; a surgeon(외과); a (medical) practitioner(개업의). ‖ ~의 진찰을 받다 consult [see] a doctor / ~를 부르러 보내다 send for a doctor. ‖ ~ 국가시험 the national examination for medical practitioners / ~ 면허 a medical license.

의사(議事) (parliamentary) proceedings. ‖ ~를 진행하다 expedite the proceedings. ‖ 국회 ~당(한국의) the National Assembly Building; the Capitol 〔美〕 / ~ 일정 the order of the day; an agenda / ~ 진행 progress of proceedings / ~ 진행 방해 obstruction of proceedings; filibustering (故).

의상(衣裳) clothes; dress; costume. ‖ 민속 〔무대〕 folk (stage) costume.　　　　　〔alist.

의생(醫生) a herb doctor; a herb-

의서(醫書) a medical book; a book on medicine.

의석(議席) a seat (in the House). ‖ ~을 보유하다 have a seat in the House.

의성어(擬聲語) an onomatopoeia.

의수(義手) an artificial [a false] arm (hand).

의술(醫術) medicine; the medical art. ‖ ~의 medical.

의식(衣食) food and clothing; a livelihood(생계). ‖ ~ 주(住) food, clothing and housing (shelter).

의식(意識) consciousness; one's senses. ‖ ~하다 be conscious [aware] (of). ‖ 사회 [계급] ~ the social (class) consciousness / ~ 적(으로) conscious(ly); deliberate(ly); intentional(ly).

의식(儀式) a ceremony; 《종교상의》 a rite; a ritual; a service.

의심(疑心) 《의혹》 (a) doubt; 《의문》 a question; 《혐의》 a suspicion. ~하다 doubt; be doubtful (of, about); suspect; be suspicious (of, about). ‖ ~을 품다 have [feel] doubts about (a thing).

의아(疑訝) ~하다 〔스럽다〕 (be dubious; suspicious; doubtful.

의안(義眼) an artificial [a false] eye.

의안(議案) a bill; a measure. ‖ ~에 찬성(반대)하다 support [oppose] a bill / ~을 국회에 제출하다 present a bill to the Congress.

의약(醫藥) a medicine; a drug. ‖ ~ 분업 separation of dispensary from medical practice / ~ 제도 medical and pharmaceutical systems / ~ 품 medical supplies; medicines.

의역(意譯) a free translation. ~하다 translate freely; give [make] a free translation.

의연(依然) ~히 as before; as it was; as ever; yet; still(아직) / 구 ~하다 remain unchanged.

의연(義捐) ~금 a contribution; a donation; 《raise》 a subscription (for).

의연히(毅然히) resolutely; firmly; boldly; in a dauntless manner.

의예과(醫豫科) the premedical course; premed (故).

의외(意外) ~의 《뜻밖》 unexpected; unforeseen; unlooked-for; 《우연》 accidental; 《놀라운》 surprising / ~로 unexpectedly; contrary [beyond] to one's expectation / ~의 일 a surprise.

의욕(意欲) (a) will; volition; eagerness. ‖ ~적인 작품 an ambitious work.

의용(義勇) loyalty and courage. ‖ ~병 〔군〕 a volunteer soldier [army].

의원(醫院) a doctor's [physician's] office 〔美〕. ‖ 김 ~ Dr. Kim's office.

의원(議院) the House; the Parliament. ☞ 의회. ‖ ~내각제 the parliamentary government system.

의원(議員) a member 《of an assembly》; an assemblyman; 《국회의》 a member of the

National Assembly; a member of Parliament(생략 M.P.) 《英》; a member of Congress(생략 M.C.) 《美》; a Congressman: a Representative(하원의원); a Senator(상원의원).

의의(意義) meaning. ¶ ~ 있는 meaningful.

의인(擬人) personification. ¶ ~화하다 personify.

의자(椅子) a chair. ¶ 긴 ~ a lounge; a couch / ~에 앉다 sit on 〔in〕 a chair; take a chair (착석) / ~를 권하다 offer 《*a person*》 a chair.

의장(意匠) a design. ∥ ~가 a designer / ~권 a design right: the right to a design / ~등록 registration of a design.

의장(議長) the chairperson; the chairman(남); the chairwoman (여). ∥ ~대리 the deputy chairman.

의장대(儀仗隊) a guard 〔guards〕 of honor; an honor guard.

의적(義賊) a chivalrous robber.

의전(儀典) protocol. ∥ ~비서 a protocol secretary / ~실 the Office of Protocol.

의절(義絶) ~하다 break with *one's* friendship 〔relationship〕 with; be through with; have 〔be〕 done with.

의정하다(be) dignified; imposing; sober. ¶ 의정하게 처신하다 behave with dignity.　　　〔a protocol.

의정(議定) an agreement. ¶ ~서

의제(議題) a subject 〔topic〕 for discussion; the agenda(전체). ¶ ~에 포함되다 be on the agenda.

의족(義足) 《wear》 an artificial 〔a wooden〕 leg.

의존(依存) dependence; reliance. ~하다 depend 〔rely〕 《on》; be dependent 《on》. ¶ ~상호~ interdependence. ¶ ~도 dependence 《on》; reliance 《on》.

의중(意中) *one's* mind 〔heart〕. ¶ ~의 인물 the choice of *one's* heart / ~을 떠보다 sound 《*a per-*

son's》 views / ~을 밝히다 speak *one's* mind.

의지(依支) ~하다 《벽·기둥 따위에》 lean on 〔against〕; rest against 《사람·도움 등에》 rely 〔depend〕 on; be dependent on; look to 《*a person*》 for help. ¶ ~할 곳이 없는 helpless; forlorn.

의지(意志) will; volition. ¶ 자신의 ~로 of *one's* own will / ~에 반하여 against *one's* will / 그는 ~가 강〔약〕하다 He has a strong 〔weak〕 will.

의지가지없다 have no person to rely on; 〔be〕 helpless.

의처증(疑妻症) a morbid suspicion of *one's* wife's chastity.

의치(義齒) an artificial 〔a false〕 tooth; dentures(한 벌의).

의탁(依託) ~하다 depend 〔rely〕 upon; lean on; entrust *oneself* to. ¶ ~할 곳 없다 be helpless; have no place to go to.

의태(擬態) 〖生〗 mimesis; mimicry. ∥ ~어 〖語〗 a mimetic word.

의표(意表) ~를 찌르다 take 《*a person*》 by surprise; do something unexpected.

의하다(依一) ① 《의거·근거하다》 depend 〔turn, rely〕 on; be based 〔founded〕 on. ¶ 최근 실시된 조사에 의하면 according to the latest investigation. ② 《원인·이유》 be caused by; be due to; 《수단·방법》 by means of; by. ¶ 그녀의 병은 과로에 의한 것이었다 She fell ill from overwork.

의학(醫學) medical science; medicine. ¶ ~적(으로) medical(ly). ¶ ~박사 Doctor of Medicine (생략 D.M., M.D.) / ~부(部) the medical department / ~사 Bachelor of Medicine (생략 B.M., M.B.) / ~지(誌) a medical journal.

의향(意向) an intention; *one's* idea 〔mind〕. ¶ …할 ~이 있다 have a mind to 《*do*》; intend to 《*do*》 / ~을 비치다 disclose *one's* intention / 아무의 ~을 타진하다 sound

out *a person's* intentions.

의협(義俠) chivalry. ‖ ~심 a chivalrous spirit.

의형제(義兄弟) a sworn brother. ‖ ~를 맺다 swear to be brothers.

의혹(疑惑) doubt; suspicion. ‖ ~의 눈으로 보다 eye *(a person)* with suspicion / ~을 풀다 clear *one's* doubts.

의회(議會) the National Assembly (한국); Parliament(영국, 캐나다); Congress(미국); the Diet(덴마크, 스웨덴, 일본). ‖ ~를 해산 [소집]하다 dissolve [convoke] the Assembly. ‖ ~ 민주주의 parliamentary democracy / ~정치 parliamentary [Congressional] government.

이¹ 《사람·톱 따위의》 a tooth〔*pl.* teeth〕; 《톱니바퀴의》 a cog. ‖ ~의 dental / ~ 없는 toothless / ~를 쑤시다 pick *one's* teeth / ~가 아프다 have a toothache / 우리 아기 ~가 나기 시작한다 He [She] is cutting his [her] first tooth.

이² 《蝨》 a louse, lice. ‖ ~가 끼다 become lousy; be infested with lice / ~ 잡듯 comb *(a place)* for *(a thing)*; make a thorough search.

이(利) ① 《이윤》 a profit; a gain. 《유리》 (an) advantage. ‖ ~가 있는 profitable; advantageous / ~를 보다 make [gain] a profit; profit *(from the sale)*. ② 《이자》 interest.

이(里) 《행정구역》 *ri*; a village.

이(理) 《도리》 (a) reason; a principle. ‖ ~에 닿지 않는 말을 하다 speak against all reason.

이³ 《지시사》 this; these; present. ‖ ~ 달 this month / ~같이 thus; so; like this.

이(二) two; the second (제2).

이간(離間) alienation; estrangement. ~하다 alienate [estrange] *(A from B)*; separate *(a person)* from.

이것 《지시》 this 〔*pl.* these〕; this one. ‖ ~으로 with this;

now; here. ② 《부를 때》 ‖ ~ 좀 봐 I say. *or* Look here.

이것저것 this and [or] that; one thing or another; something or other. ‖ ~ 생각한 끝에 after a great deal of thinking / ~ 생각하다 think of this and that.

이견(異見) a different [dissenting] view [opinion]; an objection.

이골나다 《익숙해지다》 become [get] used [accustomed] to; 《경험이 쌓이다》 be richly experienced *(in)*; become skilled *(in)*. ‖ ~ 일에 ~ be at *one's* ease on the job / 그녀는 교정이라면 이골이 나 있다 She is an old hand at proofreading.

이곳 this place; here. ‖ ~에(서) in [at] this place; here / ~으로 here; to this place / ~으로부터 from here; from this place.

이공(理工) science and engineering. ‖ ~ 과[학부] a department of science and engineering.

이과(理科) science; the science course [department]. ‖ ~대학 a college of science.

이관(移管) a transfer of jurisdiction [authority]. ~하다 transfer.

이교(異教) paganism; heathenism. ‖ ~의 pagan; heathen. ‖ ~도 a pagan; a heathen.

이구동성(異口同聲) ‖ ~으로 with one voice; unanimously.

이국(異國) a foreign country; a strange land. ‖ ~의 foreign; exotic(이국풍의).

이군(二軍) 《일반적으로》 the second team; 《野》 a farm team.

이궁(離宮) 《별궁》 a detached palace; a royal villa.

이권(利權) rights and interests; concessions(관허의). ‖ ~을 얻다 acquire rights [concessions]. ‖ ~ 운동 hunting for a concession; graft(ing) 《美》.

이글거리다 be in flames; be in a blaze; be all aflame; flame up. ‖ 이글이글 타는 불 a blazing fire.

이기(利己) self-interest; selfishness; egoism. ¶ ～적인 selfish; self-centered; self-seeking; egoistic / ～심이 없는 unselfish. ‖ ～심 egoistic mind / ～주의 selfishness; egoism / ～주의자 an egoist; an egotist.

이기(利器) 〈편리한 도구〉a convenience. ¶ 문명의 ～ a modern convenience.

이기다¹ 〈승리〉win; gain a victory; defeat(패배시키다); conquer(정복하다); 〈극복하다〉overcome. ¶ 크게(겨우) ～ win by a large [narrow] margin / 4점 차로 ～ win by four points (runs).

이기다² ① 〈반죽〉knead 《flour》; work 《mortar》; mix up. ② 〈칼로〉mince; hash.

이기죽거리다 make invidious (nagging) remarks.

이까짓 such as; so trifling. ¶ ～것 such a trifle (as this).

이끌다 guide; conduct; show [usher] in; lead; head 《a party》; 〈지휘〉command 《an army》.

이끌리다 be conducted to; be guided; be led; be commanded. ¶ 이끌리어 가다 be led away; be taken along.

이끼 〔苔〕(a) moss; a moss plant; a lichen (바위옷). ¶ ～낀 mossy; moss-grown / 구르는 돌엔 ～가 안 낀다 〈俗談〉A rolling stone gathers no moss.

이나 ① 〈그러나〉but; yet; however; 〈한편〉while; 〈…하기는 하나〉though; although. ② 〈정도〉as many [much, long, far] as. ¶ 다섯 번 ～ as often as five times. ③ 〈선택〉or; either... or.

이날 〈오늘〉today; this day. ¶ 바로 ～ this very day / 이 때 this same on this day. ② 〈당일〉that day; the (very) day.

이날저날 this day and that day; from day to day.

이남(以南) south 《of the Han River》; 〈남한〉South Korea.

이내(以內) within; inside of 〈美〉

이내 〈곧〉soon 《after》; at once; immediately; right away.

이네 〈사람〉these people; they.

이년(二年) two years. ‖ ～생(生) a second-year[-grade] pupil; a sophomore (대학, 고교의)〈美〉.

이념(理念) an idea; an ideology; a principle. ¶ ～적(으로) ideological(ly). ‖ ～대립 an ideological conflict.

이놈 this fellow [guy 〈美〉]. ¶ ～아 You rascal [villain]!

이농(離農) giving up farming; 〈하다〉give up [abandon] farming; leave the land.

이뇨(利尿) diuresis; urination. ¶ ～작용 a diuretic effect / ～제 a diuretic.

이다 〈머리에〉carry [put] 《a water jar》on one's head.

이다 〈지붕을〉roof 《with tiles》; tile 《a roof》(기와로); thatch(이엉으로); slate(슬레이트로).

이다지 this much; so much; so. ¶ ～도 오래 so long like this.

이단(異端) heresy; heterodoxy; paganism. ¶ ～적 heretical. ‖ ～자 a heretic.

이달 this [the current] month. ¶ ～ 10일 the 10th (of) this month; the 10th instant [inst.] / ～호(잡지의) the current number.

이대로 as it is [stands]; like this. ¶ ～ 가면 at this rate; if things go on like this.

이데올로기 ☞ 이념.

이동 〈동쪽〉(to) the east 《of Seoul》.

이동(移動) a movement; (a) migration(민족 등); 〈하다〉move; travel; ～식의 movable / 민족의 ～ racial migration. ‖ ～도서관 a traveling library; a bookmobile / ～성 고기압 a migratory anticyclone.

이동(異動) a change; a transfer. ¶ 본사로 ～ 되다 be transferred to

the head office / 인사 ～이 있는 것 같다 There seem to be some personnel changes.

이득(利得) (a) profit; gains; returns. ¶ 부당 ～ an undue profit; profiteering(행위) / 부당 ～자 a profiteer / 부당 ～을 얻다 profiteer.

이든(지) if; whether … or; either … or. ¶ 정말 ～ 거짓말 ～ whether it is true or not.

이듬 next; the following. ¶ ～해 the next [following] year.

이등(二等) the second (순위); the second class (등급); ¶ ～의 second; second-rate[-class] / ～이 되다 be a runner-up. ‖ ～별 a private / ～상 a second prize (award). ‖ ～변 isosceles triangle.

이등변삼각형(二等邊三角形) 〖數〗 an isosceles triangle.

이등분(二等分) bisection. ¶ ～하다 divide 《a thing》 into two equal parts; cut in half; bisect 《a line》 / ～선 a bisector.

이따금 now and then; occasionally; at times; sometimes; from time to time.

이때(at) this time [moment].

이라크 Iraq. ¶ ～ 사람 an Iraqi / ～어 Iraqi.

이란 Iran. ¶ ～ 사람 an Iranian / ～어 Iranian.

이란성(二卵性) ¶ ～쌍생아 fraternal [biovular] twins.

이랑(밭의) the ridge and the furrow 《of a field》. ¶ ～을 짓다 furrow 《a field》; make furrows; form ridges.

…이랑(조사) and; or; with, ¶ 기쁨 ～ 부끄러움으로 with a mixture of joy and bashfulness.

이래(以來) since; ever since. ¶ 그 때 ～ since then; after that.

이래라저래라 ¶ ～ 참견이 심하다 He is always poking his nose into people's business and telling them what to do.

이래도 ¶ ～ 나는 행복하다 Such as I am, I am happy.

이래저래 with this and [or] that. ¶ ～ 바쁘다 I am busy with one thing or another.

이랬다저랬다 this way and that way. ¶ ～ 하다 be fickle [capricious, whimsical]; a 하는 사람 a moody person; a capricious [whimsical] person.

이러구러 somehow or other; meanwhile.

이러나저러나 at any rate; at all events; in any case [event]; anyway; anyhow.

이러니저러니 this and that; one thing or another. ¶ 남의 일에 ～ 하지 마라 Don't gossip about others so much.

이러이러하다 (be) so and so; such and such, ¶ 이러이러한 조건으로 for such and such conditions.

이러쿵저러쿵 ☞ 이러니저러니.

이러하다 ¶ ～ such; like this; of this sort [kind]. ¶ 이러한 일 a thing of this kind / 그의 이야기는 대강 ～ His story runs like this.

이럭저럭 somehow (or other); by some means or other; barely; with difficulty.

이런 ① 《이러한》 such; like this; of this kind. ¶ ～ 때에 at a time like this. ② 《놀람》 Oh! / ～ dear me!; Good gracious!

이렇게 so; (like) this; in this way; as you see. ¶ ～ 해라 Do it this way.

이렇다 ～ 이러하다. ¶ ～할 《a person, a thing》 to speak of; worth mentioning / ～할 이유도 없이 without any particular reason / ～라곤 말없이 떠나다 leave without saying a word.

이레(이렛날) the seventh day (of the month); 《일곱 날》 seven days.

이력(履歷) one's personal history; one's career; one's past record; one's background(학력·경력). ¶ ～이 좋다 (나쁘다) have a good [poor] record (of service). ¶ ～

서 a résumé 《美》; a personal history; a *curriculum vitae* 《라》.

기례(異例) 〔例外〕 an exception; 〔전에 없던〕 an unprecedented case. ¶ ~적인 exceptional; unprecedented.

기론(異論) an objection. ¶ ~ 없이 unanimously / ~을 제기하다 raise an objection 〔to〕.

기론(理論) (a) theory. ¶ ~적인 theoretical / ~상 in theory. ‖ ~가 a theorist / ~ 물리학 theoretical physics.

기롭다(利~) (be) profitable; beneficial; advantageous. ¶ ~게 one's benefit; be good 〔favorable〕 〔to〕. ¶ 이로운 조건을 최대로 살리다 make the most of the advantageous conditions.

기루(二壘) 〔野〕 the second base. ‖ ~수 the second baseman / ~타 a two-base hit.

기루(耳漏) 〔醫〕 otorrhea.

기루(cannot) possibly; (not) at all; (can) hardly. ¶ ~ 말할 수 없는 indescribable; beyond description / ~ 헤아릴 수 없는 numberless; countless; innumerable / ~ 형용할 수 없다 can hardly describe it.

기루다(성취) accomplish; achieve 《one's purpose》; attain 《one's ambition》; 〔형성〕 form; make; 〔구성〕 constitute. ¶ 무리를 이루어 in crowds 〔groups〕 / 큰 부(富)를 ~ make a big fortune; amass riches / 가정을 ~ make 〔start〕 a home.

기루어지다〔성취〕 be 〔get〕 attained 〔accomplished〕, achieved, concluded〕; be realized 〔attained〕; 〔구성되다〕 be composed of; consist of; be made up of. ¶ 세로 세우다 found; establish; set up. ¶ 나라를 ~ found 〔establish〕 a new state. ¶ 〔성취하다〕 ☞ 이루다.

기류(二流) ~의 second-class; second-rate; 〔시간이〕 minor.

기륙(離陸) a takeoff; taking off.

~하다 take off; take the air. ‖ ~시간 takeoff time.

기륜(二輪) two wheels. ‖ ~차 a two-wheeled vehicle.

기르다¹(매가) (be) early; premature. ¶ 이른 봄 〔아침〕 early spring 〔morning〕.

기르다¹ ① 〔도달〕 reach; arrive 《at, in》; get to; come (up) to 《나이 80에》 ~ reach the age of 80. ② 〔미치다〕 extend 〔stretch〕 《over, for》; cover; reach. ¶ 그의 지식은 많은 분야에 이른다 His knowledge covers many fields. ③ 〔기타〕 서울에서 부산에 이르는 철도 a railway leading from Seoul to Busan / 오늘에 이르기까지 until now; to this day / 자살하기에 ~ go so far as to commit suicide / 일이 여기에 이르리라고 누가 생각했으랴 Who would have dreamed that things would come to this!

기르다¹ ① 〔…라고 하다〕 say; call. ② 〔알리다〕 inform; tell; let 《a person》 know. ③ 〔타이르다〕 advise. **이른바** what is called …; so-called; what you 〔they〕 call …. ¶ ~ 보호색이란 것에 의해 by what is called protective coloring.

이를테면 so to speak; as it were; for instance 〔example〕 《예컨대》. ¶ 그는 ~ 산 사전이다 He is, so to speak, a walking dictionary.

이름 ① 〔명칭〕 a name; 〔성을 뺀〕 one's given 〔first〕 name; 〔성〕 one's family name; one's surname. ¶ ~을 속이다 give a wrong name / 그의 ~은 알고 있지만, 아직 만난 적은 없다 I know him by name, but I've never met him. ② 〔명성〕 fame; reputation. ☞ 세계적으로 ~에 알려진 사람 a man of worldwide fame / ~을 펼치다 win 〔gain〕 a reputation. ③ 〔명목〕 a pretext. ☞ 명목(名目). ¶ 그는 ~뿐인 사장이다 He is a president in name only. or He is a figurehead president. ‖ ~표 a nameplate;

a name tag.

이리 《물고기의》 milt; soft roe.

이리² 《짐승》 a wolf.

이리³ ① 《in this way》 like this. ② 《이곳으로》 this way 〔direction〕; here.

이리듐 《化》 iridium(기호 Ir).

이리이리 so and so; such and such; in this way.

이리저리 《이쪽저쪽》 this way and that; here and there; all about; 《이렇게 저렇게》 like this way and that. that.

이리하다 do like this.

이마 the forehead; the brow.

이만 this 〔so〕 much. ¶ 오늘은 이만 하자 Let us stop here today. or So much for today.

이만저만 ~ 하지 않은 노력으로 by 〔through〕 extraordinary 〔great, utmost〕 efforts.

이만큼 about this 〔so〕 much 〔many, large, long, etc.〕; to this extent. ¶ ~이면 된다 This much will do.

이만하다 (be) about this 〔so〕 much 〔many, large, long, etc.〕; (be) to this degree 〔extent (정도)〕. ¶ 이만한 크기〔높이〕였다 It was about this big 〔tall〕.

이맘때 about this time; (at) this time of day 〔night, year〕.

이맛살 ¶ ~을 찌푸리다 knit *one's* brows; frown.

이면(二面) 《두 면》 two faces 〔sides〕; 《형용사적》 two-sided; 《신문의》 the second page.

이면(裏面) 《뒤쪽》 the back; the reverse 〔side〕; the other side; 《내면》 the inside; 《어음의》 the back of a bill / 도시 생활의 ~ the dark 〔seamy〕 side of urban life / ~에서 behind the scenes; in the background / 《생략 P.T.O.》 Please turn over. / 봉투 뒷면에 무언가 있다 I'm sure something lies behind it. ¶ ~ 공작 behind-the-scene 〔backstage〕 maneuvering / ~사(史) an inside story.

이명(異名) an alias; a nickname.

이명(耳鳴) 《have》 a ringing in *one's* ears. ~증 《醫》 tinnitus.

이모(姨母) *one's* mother's sister; an aunt (on *one's* mother's side).

이모부(姨母夫) *one's* mother's sister's husband; a maternal uncle by-marriage.

이모작(二毛作) double-cropping; 《raise》 two crops a year.

이모저모 this angle and that; every facet 〔side, view〕 《of a matter》. ¶ ~로 생각하다 view 《a matter》 from every angle.

이목(耳目) 《귀와 눈》 the ear and the eye; 《주의》 attention. ¶ ~을 끌다 attract public attention / 세인의 ~을 놀라게 하다 startle the world; create a sensation.

이목구비(耳目口鼻) features; looks. ¶ ~가 반듯한 good-looking; well shaped.

이무기 an *imugi*, a legendary big snake which failed to become a dragon. ② a legendary snake; a python.

이문(利文) profit; gain. ¶ ~이익 profit.

이물 the bow; the prow; the stem.

이미 ① 《벌써》 already; 《의문문에서》 yet. ¶ 그것은 ~ 끝났다 It's already finished. / 수업은 ~ 시작됐나요 Has class begun yet? ② 《앞서》 before; previously. ¶ ~ 급한 바와 같이 as previously stated.

이미지 an image. ¶ ~를 좋게〔나쁘게〕 하다 improve 〔damage〕 *one's* image.

이민(移民) 《이주》 emigration 《외국으로》; immigration 《국내로》; 《이주자》 an emigrant 《출국자》; an immigrant 《입국자》. ~ 하다 emigrate 《to》; immigrate 《from》. ¶ ~선(船) an emigrant ship 〔agent〕.

이바지하다 contribute 《to》; make a contribution 《to》; render services 《to》.

이발(理髮) haircut(ting); hairdressing. ~ 하다 have *one's* hair cut 〔trimmed〕; get 〔have〕 a hair

cut. ∥ ~사 a barber; a hairdresser / ~소 a barbershop 《美》; a barber's (shop) 《英》.

방인(邦人) a foreigner; an alien; a stranger.

이번(一番) 《금방》 this time; now; 《최근》 recently; lately; 《다음》 next time; shortly. ∥ ~에는 네 차례다 It's your turn now. / ~만은 용서해 주겠다 I'll let you off just this once. ∥ ~ond.

이번(二番) number two; the second part. **이변(異變)** 《뜻밖의 사고》 something unusual; 《뜻밖의 사고》 an accident.

이별(離別) parting; separation; 《이혼》 divorce (이혼). ∥ ~하다 part (separate) from; divorce. ∥ ~가 a farewell song / ~주 a farewell drink.

**이보다 (more, less, better, worse) than this. ∥ ~ 앞서 prior to this; before this / ~ 좋다 better than this.

이복(異腹) ∥ ~의 born of a different mother. ∥ ~형제〔자매〕 one's half brother (sister).

이부(二部) 《두 부분》 two parts; 《제2부》 the second part; Part Ⅱ. ∥ ~ 《두 권》 two copies (volumes). ∥ 《야간수업》 a night school 《class》. ∥ ~수업(制) a double-day school system / ~작 a two-part work / ~합창 a chorus in two parts.

이부(異父) a different father. ∥ ~형제〔자매〕 half brothers 《sisters》.

이부자리 bedding; bedclothes; a mattress (요); a quilt (덮는 것). ∥ ~를 펴다 lay out the bedding; make one's bed.

이북(以北) 《北쪽》 north 《of Seoul》; 《북한》 North Korea.

이분(二分) ∥ ~하다 divide 《a thing》 in two; halve. ∥ ~의 one half. ∥ ~음표(樂) a half note.

이분자(異分子) a foreign 〔an alien〕 element; an outsider(사람).

이불 a coverlet; a quilt.

이브닝드레스 an evening dress.

이비인후과(耳鼻咽喉科) otorhinolaryngology. ∥ ~병원〔의사〕 an ear,

nose and throat 〔ENT〕 hospital 〔doctor〕.

이사(理事) a director; a trustee (대학 등의). ∥ ~장(長) a standing director. ∥ ~장 the director general; the chief (managing) director / ~회 a board of directors (trustees).

이사(移徙) a move; a change of address(주소 이전). ∥ ~하다 move 《to, into》; move one's residence; change one's place of residence. ∥ ~를 하는 곳 one's new address. ∥ 이사짐 one's furniture to be moved / 이사짐운반업자 a mover 《美》.

이삭(穀穗) an ear; a head; a spike. ∥ ~벼 an ear of rice / ~이 나오다 come into ears.

이산(離散) ∥ ~하다 scatter; disperse; be dispersed; be broken up. ∥ ~가족 a dispersed 〔separated〕 family / ~가족찾기운동 a campaign for reunion of dispersed family members.

이산화(二酸化)〔化〕 ∥ ~물 a dioxide / ~탄소 carbon dioxide.

이상(以上) 《수량·정도》 more than; over; above; beyond(정도). ② 2 마일 ~ two miles and over / 《제안이》 3분의 2 이상의 다수로 채택되다 be adopted by a majority of two-thirds. ② 《상기(上記)》 ∥ ~의 the above-mentioned 《items》 / ~과 같은 이유로 for the reasons stated above. ③ 《…한 바엔》 since …; now that …; so long as …. ∥ 일이 이렇게 된 ~ as now that things have come to such a pass / 살고 있는 ~ 일을 해야 한다 So long as we live, we have to work. ④ 《이로써 끝》 that is all. ∥ 《문서 등에서》 Concluded, or The end. 《통신에서》 Over.; 《아나운서 등이》 That's all 〔it〕 《for the moment》.

이상(異常) 《기계 등의》 trouble; something wrong; 《신체의》 disorder. ∥ ~이 있다 be abnormal;

be out of order《기계 등에》; be (slightly) sick 《ill》《사람이》 / ~이 없다 be all right; be normal; be in good order 〔condition〕.

이상(異常) unusualness; abnormality《비정상》. ~하다 (be) unusual; abnormal; strange. ~하게 들리다 sound strange. ~ 반응 an allergy; 『醫』 a diathesis.

이상(以上) an ideal. ¶ ~적(으로) ideal(ly). ~과 현실 dream and reality. ~론자 an idealist / ~의 idealism / ~향 a Utopia / ~형 an ideal type.

이색(異色) 《다른 색깔》 a different color; 《새다름》 novelty; uniqueness. ¶ ~적인 unique; novel.

이서(以西) 《to the west 《of Seoul》.

이서(裏書) ☞ 배서《背書》.

이설(異說) a different theory 〔view〕; 《이단》 a heresy.

이성(異性) the other 〔opposite〕 sex. ¶ ~간의 intersexual / 처음으로 ~을 알다 have one's first sexual experience; be sexually initiated. ‖ ~관계 relations with opposite sex.

이성(理性) reason; rationality. ¶ ~적인 rational; reasonable / ~이 없는 reasonless; irrational / ~을 잃다 lose one's reason 〔cool〕.

이세(二世) ① 《2 대째》 Junior; the second generation. ¶ 헨리 ~ Henry Ⅱ 《I 는 the second로 읽음》/ 존 스미스 ~ John Smith Jr. 《Jr. 은 junior로 읽음》/ 미국의 교포 ~인 a second-generation Korean American; an American-born Korean. ② 《佛教》 this and the next world; the present and the future world existence.

이솝 《寓話》 Aesop's Fables.

이송(移送) (a) transfer; (a) removal. ~하다 transfer; remove.

이수(里數) mileage; distance《거리》.

이수(履修) ~하다 complete 《finish》.

이스라엘 Israel. ¶ ~의 Israeli / ~ 사람 an Israeli.

이스트 《효모》 yeast.

이슥하다 《밤이》 be (far) advanced grow late. ¶ 밤이 이슥하도록 til late at night; far into th night.

이슬 dew; dewdrops《방울》. ¶ ~ 힌 꽃 dewy flowers; flowers we with dew.

이슬람 Islam. ¶ ~의 Islamic ‖ ~교 Islam / ~교도 an Islam ite / ~문화 Islamic culture.

이슬비 a drizzle; a misty rain.

이승 this world; this life. ¶ ~ 의 시달림 trials of this life.

이식(移植) transplantation; graft ing 《피부 조직의》. ~하다 trans plant; graft 《skin》. ‖ ~수술 《undergo》 a 《heart》 transplan operation.

이신론(理神論) 『哲』 deism.

이심(二心) ¶ ~ 있는 double-faced 〔-dealing〕; treacherous / ~을 z 다 carry two faces (under on hood); play a double game.

이심전심(以心傳心) telepathy. ¶ ~ 으로 tacitly; by telepathy 《tac understanding》.

이십(二十) twenty; a score. ¶ ~ 번째 twentieth / ~대의 여자 woman in her twenties. ‖ ~ ㅅ 기 the twentieth century.

이쑤시개 a toothpick.

이앓이 toothache.

이앙(移秧) rice-transplantation. ~ 하다 transplant (rice seedlings)

이야기 ① 《일반적》 a talk; (a conversation; 《한담》 a chat; 《 gossip》 《연설》 a speech; an ac dress. ~하다 speak 《to a person about 〔of〕 something》; talk 《to person; about something》; hav a talk 《chat》 《with》. ¶ 사업 ~ business tale / ~를 잘하는 〔못하 다〕 be a good 〔poor〕 talker. ② 《설화》 a story; a tale. ~하다 tell a story 〔tale〕. ¶ 꾸민 ~ made-up story. ‖ ~ 는 a story teller / ~책 a storybook. ③ 《 제》 a subject. ④ 《소 문》 (a) rumor. ⑤ 《상담》 a consu tation; a negotiation 《교섭》.

agreement (합의). ⑥《진술》a statement. ―하다 state; relate; tell.

이야말로¹ 《부사》this very one [thing]; this indeed. ¶ ~우리에겐 안성맞춤이다 This is the very thing for us.

이야말로² 《조사》indeed; precisely; exactly; just; the very. ¶ ~ 내가 원하던 것이다 This is the very thing [just the thing] I wanted.

이양하다(移讓―) transfer; hand over.

이어받다《사업 따위를》succeed to; take over; 《재산·권리·성질 따위를》inherit.

이어(서)《계속하여》continuously; in succession; 《다음으로》subsequently; after (that); then. ¶ 연 ~ one after another; successively.

이어지다《연결되다》be connected [linked] 《with》; 《인도되다》lead 《to》; 《계속되다》continue; be continued.

이엉 thatch. ¶ ~으로 지붕을 이다 thatch a roof with straw.

이에 hereupon; thereupon; on this; at this point. ¶ ~에서 than this. ☞ 이보다.

이역(二役) a double role [part].

이역(異域) an alien land; a foreign country.

이열(二列) two rows; a double column [line]. ¶ ~로 서다 form two rows; be drawn up in two lines. ¶ ~종대 a double file.

이열치열(以熱治熱) Like cures like. or Fight fire with fire.

이염화물(二鹽化物) 《化》 bichloride.

이온《化》an ion; 《물》ion. ~층 ionosphere. 「다 slacken; relax.

이완(弛緩) slackness; laxity. ~하

이왕(已往) ①《명사》the past; bygones; 《부사》already; now that; as long as; since. ¶ ~의 일은 묻지 마라 《俗談》Let bygones be bygones. / ~ 늦었으니 천천히 하자 It is already late, so let's take our time. ②《…인 이상》―할 바엔》if; since; now that. ¶ ~ 일을 시작

했으니 다 마치도록 해라 Now that you have started the job, try to finish it. ③《이왕이면》 ~이면 프랑스 말을 배우겠다 As long as I am about it, I might as well take French. ‖ ~지사 bygones; the past.

이외(以外)《제외하고》except (for); but; save; 《그 외에 더》besides; in addition to.

이욕(利慾) greed; avarice. ¶ ~을 떠나서 regardless of *one's* gain.

이용(利用) ①《이롭게 씀》use; utilization. ―하다 use; utilize; make (good) use of; put ... to (good) use; make the most [best] of. ②《방편으로 씀》―하다 take advantage of; exploit. ¶ 아무의 허영심을 ~하다 exploit [take advantage of] *a person's* vanity. ‖ ~가치 utility value (~가치가 있다 be worth using) / ~자 a user.

이용(理容) ‖ ~사 a barber; a hairdresser / ~학원 a barber's school.

이울다《시들다》wither; fade; 《달이》wane.

이웃 the neighborhood(근처); *one's* neighbors(사람); the house next door(이웃집). ¶ ~에 살고 있다 live next door to 《*a person*》.

이원(二元) 《哲》 duality. ~적인 dual; dualistic. ‖ ~론 dualism.

이원권(以遠權) 《항공의》 beyond rights; fifth freedom rights.

이원제(二院制) a bicameral [two-chamber] system.

이월(二月) February (생략 Feb.).

이월(移越) a transfer; a carryover. ~하다 transfer 《*to, from*》; carry forward [over] 《*to*》; bring forward [over] 《*from*》. ¶ 전기에서 ~ 《簿記》brought forward (생략 BF) / 차기로 ~ 《簿記》carried forward (생략 CF).

이유(理由) a reason; a cause; ground(s)(근거); a pretext; an excuse(구실); a motive(동기). ¶ 충분한 [빈약한] ~ a good [slender]

reason / ～ 없는 groundless / 정당한 ~ a justifiable reason / 까닭 없이 without reason [cause]; unreasonably (부당하게) / …한 이유로 by reason of …; because of …; for the reason of …; 무슨 ～로 for what reason; on what grounds; why.

이유(離乳) weaning. ～하다 wean 《*a baby*》 (from its mother). ‖ ～식 baby food.

이윤(利潤) profit; gain. ☞ 이익.

이율(利率) the rate of interest. ¶ ～을 올리다 [내리다] raise [reduce] the rate of interest. ‖ 법정 ～ the legal rate of interest.

이윽고 soon; presently; before long; shortly; in no time.

이음매 a joint; a juncture; a seam(솔기). ¶ ～가 없는 jointless; seamless.

이의(異意) a different opinion.

이의(異義) a different meaning.

이의(異議⟨反對⟩) an objection; a protest (항의); dissent (불찬성). ¶ ～를 제기하다 object 《*to*》; raise an objection to; protest. ‖ ～신청 《법정에서의》 a formal objection.

이익(利益) ① 《이윤》 profit; gains; returns. ¶ ～이 있는 profitable; paying / 많은 ～을 올리다 make a large profit. ② 《편의·도움》 benefit; profit; good; interests; advantage(이점). ¶ ～이 되는 advantageous; beneficial / 공공의 ～을 위해 일하다 work for the public good. ‖ ～률 profitability / ～배당 a dividend / ～분배제도 a profit-sharing system.

이인(二人) two men [persons]. ‖ ～승(乘) a two-seater / ～조(組) pair; 《口》 a duo; a twosome.

이인(異人) 《다른 사람》 a different person; 《비범한》 a prodigy.

이입하다(移入一) import 《*into*》; bring in; introduce 《*into*》(물품 등의).

이자(利子) interest. ¶ 비싼 [싼] ～로 at high [low] interest / 무~

로 without interest / ～가 붙다 yield [bear] interest. ‖ ～소득 the income from interest.

이장(里長) the head of a village.

이장하다(移葬一) rebury; reinter; change the burial site of.

이재(理財) moneymaking; economy.

이재(罹災) suffering. ‖ ～구호기금 a relief fund / ～민 the sufferers; the victims / ～지구 the afflicted [stricken] districts [areas].

이적(利敵) ～하다 profit [benefit] the enemy. ‖ ～행위 an act which serves the interests of the enemy.

이적(移籍) the transfer of *one*'s name in the register. ～하다 be transferred 《*to*》.

이적하다(離籍一) remove *one*'s name from the family register.

이전(以前) ago; before; once. ¶ ～의 previous; past; one-time; former / ～에는 …이었다 used to be … / ～대로 as before / 그것은 훨씬 ～에 일어난 일이다 It happened long ago.

이전(移轉) a move; (a) removal; (a) transfer(권리의). ～하다 move. ¶ ～하는 곳 *one*'s new address. ‖ ～등기 registration of a transfer 《*of a person's estate to another*》 / ～통지 a notice of *one*'s change of address; a removal notice.

이점(利點) (a point of) advantage.

이정(里程) mileage; distance. ‖ ～표(表) a table of distances / ～표(標) a milestone; a milepost.

이제 now; 《더 이상》 no [not any] longer [more]. ¶ ～ 막 just (now); a moment ago / ～까지 until now; up to the present / ～까지도 still; even now / ～라도 (at) any moment.

이종(二種) ‖ ～우편물 the second class mail (matter).

이종(異種) a different kind (species). ‖ ～교배 《生》 hybridization; crossbreeding.

이종사촌(姨從四寸) a cousin on one's mother's side.

이주(移住) migration; emigration (외국으로); immigration (외국에서); a move(전거). ~하다 migrate; emigrate (*to*); immigrate (*into*); move to. ~민 an emigrant; an immigrant; a settler.

이죽거리다 이기죽거리다.

이중(二重) ¶ ~의 double; twofold; duplicate (서류) / ~으로 double; twice; over again / ~이 되다 double. ¶ ~과세 double taxation / ~국적 dual nationality / ~국적자 a person with dual nationality / ~모음 [음성] a diphthong / ~부정(否定) [文] a double negative / ~생활 a double life / ~인격 dual personality / ~인격자 a double-faced person; a Dr. Jekyll / ~창 [주] [樂] a duet / ~창(窓) a double-paned window / ~턱 a double chin.

이즘 (주의·설) an ism.

이지(理智) intellect; intelligence. ¶ ~적인 intellectual (*activities*); intelligent (*person*). ¶ ~주의 intellectualism.

이지러지다 break (off); be broken; chip (*off*); wane(달이). ¶ 달이 이지러지기 시작했다 The moon is on the wane.

이직(離職) ~하다 leave [lose] one's job. ¶ ~률 the rate of people leaving their jobs; a turnover. / ~자 an unemployed person; (집합적) the jobless; the unemployed.

이질(姨姪) the children of one's wife's sister.

이질(異質) ¶ ~적인 of a different nature.

이질(痢疾) [醫] dysentery.

이집트 Egypt. ¶ ~의 Egyptian / ~사람 an Egyptian / ~말 Egyptian.

이쪽 ① (이편) this way [side]; our side. ¶ ~저쪽 this way and that. ② (우리 편) our party; we; us.

이차(二次) ¶ ~의 second / ~적인

secondary. ¶ ~감염 secondary infection / ~공해 secondary pollution / ~방정식 a quadratic equation / 제2 ~세계 대전 the Second World War; World War Ⅱ.

이착륙(離着陸) takeoff [taking off] and landing.

이채(異彩) ¶ ~를 띠다 be conspicuous; cut a conspicuous figure.

이처럼 like this; in this way [manner]; thus; so.

이체(移替) transfer. ~하다 transfer (*to, into*).

이체동심(異體同心) being different in form but same in mind; two bodies but one mind.

이축(移築) ~하다 dismantle (*a building*) and reconstruct (*it*) in a different place.

이층(二層) [美] the second floor [story]; [英] the first floor; the upper storey. ¶ ~에서 upstairs / ~에 올라가다 go upstairs. ¶ ~버스 a double-decker (bus) / ~집 a two-story house.

이치(理致) reason; [사리] reason; [원칙] principle. ¶ ~에 맞다 be reasonable; stand to reason.

이타(利他) ¶ ~적인 altruistic. ¶ ~주의 altruism / ~주의자 an altruist.

이탈(離脫) ~하다 secede from; break away from; leave (*a party*). ¶ 직장을 ~하다 desert one's post / 국적 ~ the renunciation of one's nationality / ~자 a seceder(당·동맹에서의); a bolter(탈영자).

이탈리아 Italy. ¶ ~의 Italian / ~ 사람 an Italian / ~어 Italian.

이태 two years.

이탤릭(활자) italic type; italics.

이토록 so; like this. ¶ ~ 많은 so many [much] / ~ 아침 일찍 at this early hour of the morning / ~ 부탁을 해도 그 일을 받아주지 않는다 With all my asking, he still hasn't taken the job.

이튿날 (다음날) the next [following] day; (초이틀) the second

(day of the month).

이틀 ① 〈초이틀〉 the second 〈day of the month〉; the second day. ② 〈두 날〉 two days. ¶ ~마다 every two days; every other day.

이판암(泥板岩) 〖鑛〗 shale.

이팔(二八) sixteen. ∥ ~ 청춘 a sixteen-year-old; sweet sixteen.

이편(一便) ① 〈우리 편〉 I; we. ② 〈이쪽〉 this side 〔way〕.

이핑계저핑계 ¶ ~ 대며 on some pretext or other.

이하(以下) ¶ ~ 의 〈기준을 포함해서〉 ... and under; ... or under; ... or fewer; 〈불포함〉 below; 〈아래의〉 the following / 10세 ~ 의 어린이 children of 10 years or under / 10인 ~ ten or fewer people / 평균 ~ below the average. ∥ ~ 동문 and so on 〔forth〕; etc. / ~ 생략 The rest is omitted.

이학(理學) science. ¶ ~ 의 scientific. ∥ ~ 박사 a Doctor of Science (생략 D. Sc.). / ~ 부 the department of Science / ~ 사 a Bachelor of Science(생략 B. Sc.).

이합집산(離合集散) meeting and parting; 〈정당의〉 changes in political alignment.

이항(移項) 〖數〗 transposition. ~ 하다 transpose.

이해(利害) interests; a concern; advantages and disadvantages (득실). ¶ ~ 의 충돌 a clash 〔conflict〕 of interests / ~ 에 영향을 미치다 affect one's interests / ~ 관계가 있다 have an interest 〔in〕; be interested 〔in〕. ∥ ~ 관계자 the interested parties; the people 〔parties〕 concerned / ~ 득실 advantages and disadvantages; gains and losses.

이해(理解) understanding; comprehension; appreciation; grasp(파악). ~ 하다 understand; make out; comprehend; appreciate(문학·예술의). ¶ ~ 할 수 있는 comprehensible; understandable / ~ 할 수 없는 incomprehensible;

ununderstandable / ~ 가 빠르다 〔더디다〕 be quick 〔slow〕 to understand / 그의 말을 칭찬으로 ~ 했다 I took his words as 〔to be〕 praise. ∥ ~ 력 〔a power of〕 understanding; the comprehensive faculty.

이행(移行) a shift. ~ 하다 move; shift 〔switch〕 (over) 《to》. ∥ ~ 기 간 a period of transition 《from ... to》; a transition period / ~ 조치 transition measures.

이행(履行) performance; fulfillment. ~ 하다 fulfill; carry out; perform. ∥ ~ 자 a performer; an executor.

이향(離鄕) ~ 하다 leave one's home 〔native place〕.

이혼(離婚) a divorce. ~ 하다 divorce; get a divorce from. ∥ ~ 소송 a divorce suit〔~소송을 내다 sue for 〔a divorce〕〕 / ~ 수당 alimony.

이화학(理化學) physics and chemistry.

이환(罹患) ~ 하다 contract a disease; be infected 《with》. ∥ ~ (率) the disease 〔infection〕 rate.

이회(二回) twice; two times. ¶ 월 ~ twice a month / 제2회의 the second.

이후(以後) after this; from now on; 〈이래〉 after; since. ¶ 그 ~ since then / 4월 8일 ~ on and after April 8. 〔after.

익년(翌年) the next year; the year

익다 ① 〈과실 따위〉 ripen; be 〔get, grow〕 ripe; mellow. ¶ 익은 ripe; mature; mellow / 익지 않은 green; unripe. ② 〈음식이〉 be boiled 〔cooked〕. ¶ 잘 익은 well-done 〔-cooked〕 / 이 호박은 빨리 익는다 This pumpkin cooks quickly. ③ 〈익숙〉 get 〔become〕 used 〔accustomed〕 《to》. ④ 〈시운·기회 가〉 be ripe; mature. ⑤ 〈술·김치 따위가〉 ripen; mature; be well seasoned 〔fermented〕.

익명(匿名) anonymity. ¶ ~ 의 anonymous / ~ 으로 anonymously.

익모초(益母草) 〖植〗 a motherwort.

익사(溺死) drowning. ¶ ～하다 be drowned. ¶ ～할 뻔하다 be nearly drowned. ∥ ～자 a drowned person / ～체 a drowned body.

익살 humor; a jest; a joke. ¶ ～스러운 humorous; witty ¶ ～을 떨다 crack [tell] jokes. ∥ ～꾼 a humorist; a joker.

익숙하다(친숙) (be) familiar (with); be well acquainted (with); (능숙) be skilled [experienced] in; be good hand at. ¶익숙한 일 a familiar job / 익숙한 솜씨로 with a practiced hand / …에 익숙해지다 get used to (something, doing); grow [be] accustomed to (something, doing).

익일(翌日) the next day.

익조(益鳥) a beneficial bird.

익충(益蟲) a beneficial insect.

익히다 ① (익숙하게 하다) accustom (oneself to); (훈련하다) train; (습득하다) learn. ② (음식물을) boil; cook. ③ (과실을) mellow; ripen. ④ (술·장을) brew; ferment; mature.

인(仁) (인자) benevolence; humanity; (유교의) perfect virtue.

인(印) a seal; a stamp. ☞ 도장.

인(燐) 〖化〗 phosphorus (기호 P).

인가(人家) a house; a human dwelling. ¶ ～가 많은 [드문] 곳 a densely-[sparsely-]populated place.

인가(認可) approval; permission; authorization (행정상의). ¶ ～하다 approve; permit; authorize. ¶ ～을 얻다 obtain [get] the permission (to do); obtain [get] the authorization (of).

인각하다(印刻—) engrave (a seal).

인간(人間) (사람) a human being; a human; a mortal (언젠가는 죽을 운명의); (인류) man; mankind; (인품) character; personality. ¶ ～중심적인 mancentered. / ～공학 human engineering / ～관계 human relations / ～문화재 human cultural assets /

～생태학 human ecology / ～성 human nature / ～쓰레기 the dregs of society [humanity]; a junkie / ～자원개발 human resources development / ～존중 respect for man's life and dignity.

인감(印鑑) a (registered personal) seal; (찍은) a seal impression. ¶ ～도장 one's registered seal / ～증명 [등록] a certificate [the registration] of one's seal impression.

인건비(人件費) labor costs; personnel expenses.

인걸(人傑) a great man; a hero; a great figure.

인격(人格) character; personality (개성). ¶ ～을 함양하다 build up one's character. ∥ ～자 a man of noble character / ～형성 character shaping [molding].

인경 a large curfew bell.

인계(引繼) taking over(인수); handing over(인도); succession (계승). ¶ ～하다 hand over [transfer] (one's official duties) to (a person).

인공(人工) human work (skill, labor); art; artificiality(기교). ¶ ～적인 artificial; man-made; unnatural / ～적으로 artificially. ∥ ～감미료 an artificial sweetener / ～강우 artificial rain(비); rainmaking (행위) / ～뇌 a mechanical [an electronic] brain / ～수태 [수정] artificial conception [fertilization] / ～심장 a mechanical heart / ～위성 an artificial satellite / ～장기 an artificial internal organ / ～호흡 artificial respiration.

인과(因果) (원인과 결과) cause and effect; (운명) fate; (불운) misfortune. ¶ ～관계 causal relation (between two events) / ～의 법칙 the law of causality / ～응보 retributive justice.

인광(燐光) phosphorescence.

인구(人口) population. ¶ ～가 조밀 [희박]한 곳 a thickly-[sparsely-]

populated district / ～ 800만의 도시 a city 「of eight million people [with a population of eight million]. / ～파입 overpopulation / ～밀도 (a) population density / ～억제 population control / ～조사 a census.

인권(人權) human rights; civil rights(공민권). ¶ 기본적인 the fundamental human rights. ‖ ～선언 the Declaration of Human Rights / ～옹호 the protection of human rights(～ 활동 civil rights activities) / ～유린 [침해] (a) violation of human rights; an infringement on personal rights.

인근(隣近) *one's* neighborhood; the vicinity. ¶ ～의 neighboring; nearby / ～주민 neighbors.

인기(人氣) popularity; public favor. ¶ ～ 있는 popular / ～ 없는 unpopular / ～소설 a sensational(best-selling) novel / ～주(株) an active stock / ～투표 a popularity vote / ～프로《TV 등의》a hit program.

인기척(人一) ¶ ～이 없는 deserted; empty.

인내(忍耐) patience; perseverance; endurance. ¶ ～하다 bear; endure; put up with. ‖ ～심 강하다 patiently; with patience.

인대(靭帶) [解] a ligament.

인덕(人德) *one's* natural virtue; *one's* personal magnetism.

인덕(仁德) benevolence; humanity.

인덱스(색인) an index.

인도(人道) ① 《도덕》 humanity. ¶ ～적인 humanitarian; humane / ～적으로 다루다 treat 《a person》 humanely / ～주의 humanitarianism / ～주의자 a humanitarian. ② 《보도》 a footpath; a sidewalk 《美》. ‖ ～교 a footbridge.

인도(引渡) handing [turning over]; delivery(물품의); transfer(재산·권리의). ¶ ～하다 deliver 《goods》; turn [hand] over 《to》(죄인 등을);

transfer 《*property*》. ¶ 범인 ～ 조약《국제의》an extradition treaty.

인도(引導) guidance(지도); lead(선도). ¶ ～하다 guide; lead. ‖ ～자 a guide.

인도(印度) India. ¶ ～의 Indian / ～ 사람 an Indian / ～어 Hindustani. ‖ ～양 the Indian Ocean.

인도네시아 Indonesia. ¶ ～ 사람 an Indonesian / ～의 Indonesian.

인도차이나 Indochina; Indo-China. ¶ ～의 Indochinese / ～ 사람 Indochinese / ～ 사람 a Indochinese.

인동초(忍冬草) [植] a honeysuckle.

인두(바느질의) a small heart-shaped iron; 《납땜질의》a soldering iron.

인두겁(人一) human shape [mask].

인두세(人頭稅) a poll [head] tax. ¶ ～를 거두다 levy a poll tax.

…인들 granted that it be [is]; even though it be [is]. ¶ 세 살 먹은 아이～ even a little child.

인디언 an [a Red] Indian.

인력(人力) human power [strength]; a manpower(공급의 단위). ¶ ～이 미치지 못하다 be beyond human power. ‖ ～동원 mobilization of manpower / ～ 수급계획 a manpower supply and demand plan / ～수출 export of labor force.

인력(引力) [天] 《천체의》gravitation; 《자기의》magnetism; 《물체간의》attraction. ¶ ～이 있는 magnetic / 태양 [지구]의 ～ solar [terrestrial] gravitation. ‖ ～권 the gravitation field 《of the earth》.

인력거(人力車) a ricksha(w). ‖ ～꾼 a rickshaw man.

인류(人類) the human race; human beings; humanity; humankind; man. ¶ ～의 human. ‖ ～사(史) the history of man / ～ 사회 human society / ～ 를 위하여 for humanity / ～학 anthropology / ～학자 an anthropologist.

인륜(人倫) 《도덕》morality; 《인도》humanity. ¶ ～애 어긋나다 go against humanity; be immoral.

‖ ～도덕 ethics and morality.

인망(人望) popularity. ¶ ～이 있는 popular / ～이 없는 unpopular.

인맥(人脈) a line of personal contacts; personal connections (relationships).

인면수심(人面獸心) a demon in human shape; a human monster.

인멸(湮滅) ～하다 destroy 《evidences》.

인명(人名) a person's name. ‖ ～록 a directory; Who's Who 《in Korea》/ ～사전 a biographical dictionary.

인명(人命) (human) life. ¶ ～의 손실 a loss of lives / ～을 구조하다 save (a) life / ～을 존중〔경시〕하다 have respect for 〔place little value on〕 human life. ‖ ～구조 lifesaving.

인문(人文) humanity; 《문화》 civilization; culture. ‖ ～적 cultural; humanistic. ‖ ～과학 the humanities; cultural sciences / ～주의 humanism / ～지리 human geography / ～학 human studies; humanities.

인물(人物) ① 《사람》 a man 〔woman〕; a person; a character (별난); a figure(역사상의); 《인격》 character; personality. ‖ 큰 ～ a great man 〔mind〕/ 위험한 ～ a dangerous character 〔person〕/ 요주의 ～ a man on the blacklist / 역사상의 ～ a historical figure / 작중의 ～ a character in a novel. ②《용모》a countenance; looks. ‖ ～묘사 a character sketch / ～평 comments about a person / ～화 a portrait.

인민(人民) the people; the populace; the public. ‖ ～재판 a people's 〔kangaroo〕 trial 〔court〕/ ～전선 the people's front.

인박이다 fall 〔get〕 into the habit of 《doing》; be addicted to.

인복(人福) the good fortune to have good acquaintances.

인본(印本) a printed book.

인본주의(人本主義) humanism.

인부(人夫)《일꾼》a laborer;《운반부》a porter; a carrier.

인분(人糞) human feces.　‖ ～비료 human manure; night soil.

인사(人士) a man 〔men〕 of society; people; persons. ¶ 지명～ a noted 〔well-known〕 person.

인사(人事) ① 《인간사》 human affairs; 《회사 등의》 personnel affairs. ‖ ～고과(考課) (the) assessment of an employee's performance / ～과 the personnel section / ～부 the personnel department / ～위원회 a personnel committee / ～이동 personnel changes; a personnel reshuffle. ② 《사교상의》 a greeting; a salutation;《축사·식사 따위의》an address; a speech. ～하다 greet; salute; (make a) bow; pay one's respects; express 《one's gratitude》. ¶ ～를 주고 받다 exchange greetings 〔bows〕/ ～시키다 《소개》 introduce. ‖ ～장(狀) a greeting card; a notice 《of one's new address》.

인사교류(人事交流) an interchange of personnel 《between two Ministries》.

인사불성(人事不省) unconsciousness; faint. ¶ ～이 되다 become unconscious; lose consciousness; faint.

인산(燐酸) 〔化〕 phosphoric acid. ‖ ～비료 phosphatic fertilizer / ～석회 phosphate of lime.

인산인해(人山人海) a crowd of people. ¶ ～를 이루다 lots 〔a crowd〕 of people gather.

인삼(人蔘) a ginseng.

인상(人相) looks; facial features; physiognomy. ¶ ～이 좋지 않은 evil-looking; sinister(-looking). ‖ ～서 a description of a man / ～학 physiognomy.

인상(引上) ①《가격·임금의》raise; increase. ～하다 increase; raise. ②《끌어올림》pulling up. ～하다 pull 〔draw〕 up.

인상 (印象) an impression. ¶ ~적인 impressive / 첫 ~ the first impression / 좋은 ~을 주다 impress 《a person》 favorably; give [make] a good impression 《on a person》 / …라는 ~을 받다 get the impression that… / ~을 남기다 leave an impression. ‖ ~주의 impressionism / ~파 the impressionist school.

인색하다 (吝嗇—) (be) stingy; miserly; close-fisted; niggardly. ¶ 인색한 사람 a miser; a stingy fellow; a niggard.

인생 (人生) life. ¶ ~이란 그런 거다 That's life. ‖ ~관 one's view of life; one's outlook on life / ~철학 one's philosophy of life / ~항로 the path of one's life.

인선 (人選) the choice [selection] of a suitable person. ~하다 choose [select] a suitable person 《for》.

인성 (人性) human nature; humanity. ‖ ~학(學) ethology.

인세 (印税) a royalty 《on a book》. ¶ 5%의 ~를 지불하다 pay a royalty of five percent.

인솔 (引率) ~하다 lead; be in charge 《of》. ‖ ~자 a leader.

인쇄 (印刷) printing; print. ~하다 print. ‖ ~공(工자) a printer / ~기 a printing machine [press] / ~물 printed matter [s] / ~소 a printing house [shop] / ~술 printing; a printing technique.

인수 (人數) the number of persons [people].

인수 (引受) 《부담》 undertaking; 《수락》 acceptance 《어음의》; 《수표 등의》 underwriting 《주식 등의》; 《보증》 guaranty. ~하다 undertake; 《어음의 ~를 거부하다 dishonor a bill. ¶ ~어음 an accepted [acceptable] bill / ~은행 an accepting [underwriting] bank / ~인 《보증인》 a guarantor / 《어음의》 an acceptor.

인수 (因數) 《數》 a factor. ¶ 2와 3은 6의 ~다 Two and three are fac-

tors of six. ‖ ~분해 factorization 《~분해하다 factorize; break up into factors》.

인수하다 (引受—) 《일 따위를》 undertake; take on; 《계승하다》 take over 《another's business》; 《책임지다》 be responsible for; take charge of; 《보증하다》 guarantee.

인술 (仁術) 의술은 ~이다 Medicine is a benevolent art.

인슐린 [藥] insulin.

인스턴트 (즉석의) instant 《coffee》. ‖ ~식품 precooked 《convenience, fast》 food.

인습 (因襲) convention. ¶ ~적(으로) conventional(ly) / ~에 따르다 [을 깨다] follow [break] an old custom.

인식 (認識) 《인지》 recognition 《이해》 understanding; 《자각》 awareness. ~하다 recognize; realize; understand; become aware; be aware 《of》. ¶ 바르게 ~하다 have a correct understanding 《of》 / ~을 새롭게 하다 see 《a thing》 in a new light. ‖ ~부족 lack of understanding / ~표(票) 《군인의》 an identification tag; a dog tag 《美俗》.

인신 (人身) a human body. ¶ ~공격을 하다 make a personal attack on 《a person》 / ~매매 human trafficking / ~보호법 the Protection of Personal Liberty Act.

인심 (人心) 《백성의》 public feeling(s); the sentiment of the people; 《사람의》 a man's mind [heart]. ¶ ~이 좋다 [나쁘다] be warm-hearted [cold-hearted]; be humane [heartless] / ~을 얻다 [잃다] win [lose] the hearts of the people / ~을 현혹시키다 mislead the public / ~ 쓰다 be generous; act generously.

인심 (仁心) generosity; humanity.

인애 (仁愛) charity; love; humanity.

인양 (引揚) pulling [drawing] up;

salvage (침몰선의), ～하다 pull [draw] up; salvage: refloat.

인어(人魚) 《상상적인》 a mermaid; a merman (수컷).

인연(因緣) 《인과》 cause and occasion; 《佛》 *karma*; fate; destiny; 《연분》 affinity; connection; relation. ¶ ～을 맺다 form relations / ～을 끊다 break off relations; cut connection / ～이 깊다 be closely related.

인용(引用) a quotation. ～하다 quote 《*from a book*》; cite 《*an instance*》. ‖ ～문 a quotation / ～부 quotation marks.

인원(人員) 《인수》 the number of persons [people]; 《직원》 the staff; the personnel. ¶ ～이 부족하다 be short of staff [labor]; be understaffed [short-handed]. ‖ ～감축 a cut in personnel; a personnel reduction / ～점호 a roll call.

인위(人爲) human work; artificiality. ¶ ～적(으로) artificial(ly). ‖ ～도태 《生物》 artificial selection.

인육(人肉) human flesh.

인의(仁義) humanity and justice.

인자(仁者) a benevolent person.

인자(仁慈) 《love and benevolence》. ～하다 be benevolent; benign; clement; merciful.

인자(因子) a factor. ¶ 유전～ a factor; a gene.

인장(印章) a seal (☞ 도장).

인재(人材) a talented [an able] person; talent (총칭). ¶ ～를 모으다 [구하다] collect [look out for] talented people. ‖ ～스카우트 headhunting; a headhunter (스카우트하는 사람) / ～은행 a talent [job] bank.

인적(人的) ～ 손해 the loss of manpower / ～ 자원 human [manpower] resources; manpower.

인적(人跡) a trace of human footsteps; human traces. ¶ ～이 드문 산길 an unfrequented mountain path / ～미답의 땅 an untrodden region.

인절미 a glutinous rice cake.

인접(隣接) ～하다 adjoin; be adjacent 《*to*》; be next 《*to*》. ¶ ～한 도시 a neighboring town.

인정(人情) human feelings; human nature; humanity. ¶ ～이 많은 사람 a man of heart; a warm-hearted person / ～에 약하다 be easily moved; be tenderhearted / ～에 이끌리다 be touched with pity / ～이 없다 be coldhearted; be inhumane. ‖ ～미 a human touch; human warmth.

인정(認定) 《인가》 authorization; 《승인》 acknowledgment; recognition; 《승인》 approval; 《확인》 confirmation; finding. ～하다 recognize; admit; acknowledge; confirm; authorize. ¶ 시인으로 ～받다 be acknowledged as a poet. ‖ ～서 a written recognition 《*of championship*》.

인조(人造) ¶ ～의 artificial; imitative (모조); synthetic (합성). ‖ ～보석 imitation jewel / ～섬유 synthetic [chemical] fibers / ～인간 a robot; a cyborg / ～진주 an artificial pearl / ～호(湖) a man-made [an artificial] lake.

인조견(人造絹) rayon; synthetic [artificial] silk. ‖ ～사 rayon yarn.

인종(人種) a (human) race. ¶ ～적 편견 racial prejudice / ～적 차별 racial discrimination / ～의 평등 racial equality. ‖ ～학 ethnology.

인주(印朱) vermilion inkpad; cinnabar seal ink.

인증(引證) (an) adduction. ～하다 adduce 《*evidence*》; quote 《*a fact*》.

인증(認證) attestation; certification. ～하다 certify; authenticate; attest. ‖ ～서 a certificate of attestation.

인지(人智) human intellect [knowledge]. ¶ ～가 미치지 못하는 beyond human knowledge.

인지(印紙) a revenue stamp.

‖ ～세(税) revenue-stamp duty / 수입 ～ = 인지.

인지(認知) 〔legal〕 acknowledgment. ～하다 recognize; acknowledge. ‖ ～과학 〔심리학〕 cognitive science〔psychology〕.

인지상정(人之常情) human nature; humaneness. ‖ 그런 때는 그렇게 하는 것이 ～이다 It's quite natural to do so on such an occasion.

인질(人質) a hostage. ‖ ～로 잡다 take〔hold〕《a person》 as a hostage / ～이 되다 be held〔taken〕 as hostage.

인책(引責) ～하다 take the responsibility on *oneself*; assume the responsibility 《for》.

인척(姻戚) a relative by marriage; *one's* in-law 《美》. ‖ ～관계에 있다 be related by marriage 《to》.

인체(人體) the human body. ‖ ～의 구조 the structure of the human body / ～모형 an anatomical model of the human body / ～실험 a living-body test; an experiment on living persons / ～해부학 human anatomy.

인출(引出) 〔예금의〕 (a) withdrawal; drawing out. ～하다 draw out; withdraw.

인치 an inch (생략 in.).

인칭(人稱) 〔文〕 person. ‖ 제1[2, 3] ～ the first〔second, third〕 person. ‖ ～대명사 a personal pronoun.

인커브〔野〕 an incurve. ──*noun*.

인터넷〔컴퓨터 통신망〕 Internet.

인터뷰 an interview. ～하는 사람 an interviewer / ～받는 사람 an interviewee / …과 ～하다 (have an) interview with 《a person》.

인터체인지〔입체 교차로〕 an interchange.

인터페론〔生化〕〔바이러스 증식 억제 인자〕interferon.

인터폰〔내부전화〕 an interphone.

인터폴〔국제경찰〕 the Interpol. (◀ International Police)

인턴《수련의》an intern. ‖ ～근무를 하다 intern 《at》; serve *one's* internship 《at a hospital》.

인텔리(겐치아) 〔지식인〕 the intelligentzia. ‖ 그는 ～다 He is an intellectual.

인파(人波) a surging crowd 《of people》. ‖ ～에 휩쓸리다 be jostled in the crowd; 《someone》.

인편(人便) ‖ ～에 듣다 hear from

인품(人品) 〔풍채〕 personal appearance; 〔품격〕 character; personality.

인플레이션〔經〕 inflation. ‖ ～대책 anti-inflation measures.

인플루엔자〔醫〕 influenza; flu 《俗》.

인하(引下) ～하다 pull〔draw〕 down; 〔가격·정도를〕 lower; reduce; 〔값을〕 cut. ‖ 물가를〔임금을〕～하다 reduce〔cut, lower〕 the price〔wages〕.

인하여(因─) be due 《owing to》; be caused by. ‖ 사고는 그의 부주의로 인한 것이었다 The accident was due to〔caused by〕 his carelessness. ‖ 인해전술(人海戦術) 〔adopt, use〕 human-wave tactics.

인허(認許) 〔認可〕 an 인가. ～하다 approve; authorize; recognize.

인형(人形) a doll; a puppet(꼭두각시). ‖ ～ 같은 doll-like. ‖ ～극 a puppet show.

인화(人和) harmony〔peace and amity〕 among men.

인화(引火) ignition. ～하다 catch〔take〕 fire; ignite. ‖ 매우 ～성이 높다 be highly inflammable. ‖ ～물질 the inflammable / ～점 the flash〔ignition〕 point.

인화(印畵) a print. ～하다 print; make a print of. ‖ ～지(紙) printing paper.

인화물(燐化物) phosphide.

인화석(燐灰石) 〔鑛〕 apatite.

인후(咽喉) the throat. ‖ ～염(炎) a sore throat.

일 ① 〔사항·사물〕 a matter; an affair; a thing; something(something); 〔사정·사실·경우〕 circumstances; a fact; a case; 〔발생〕

trouble. ¶ 생사에 관한 ~ a matter of life and death / 부부간의 ~ a private matter between a man and his wife / 그것을 틀림없는 ~ 이다 That is a straight fact. / 나는 할 ~이 많다 I have a lot of things to do. ② 《사건·사고》 an incident; an event; an accident; trouble. ③ 《작업·용무·일거리》 work; business; labor; a job; 《업무·임무》 a business; a task; a duty: (a) need(필요). ¶ 하루의 ~ a day's work / 에 쫓기다 be pressed [overloaded] with business; be under great pressure in one's work / ~이 손에 잡히지 않다 cannot concentrate on one's work / 네 ~이나 잘 해라 Mind your own business. ④ 《계획》 a plan; a program; a plot: a trick. ¶ ~을 피[도모]하다 《음모 를》 conspire [intrigue] (against) / ~을 진행시키다 carry a program forward. ⑤ 《경험》 an experience. ¶ 미국에 갔던 ~이 있다 I've been to America. ⑥ 《업적》 an achievement; merits; services. ¶ 훌륭한 ~을 하다 render distinguished services (to).

일(一) one; the first(첫째).

일가(一家) ① a household; a family; one's family(가족); 《친척》 one's relations [relatives]. ¶ 김씨 ~ the (whole) Kim family / 를 이루다 make a home of one's own. ¶ ~를 이루다 establish a school of one's own.

일가견(一家見) one's own opinion; a personal view. ¶ ~ lly.

일가족(一家族) one [the whole] family.

일각(一角) a corner; a section. ¶ 빙산의 ~ the tip of an iceberg.

일각(一刻) a minute; a moment; an instant. ¶ ~의 지체도 없이 without a moment's delay; as soon as possible / ~을 다투다 There isn't a moment to lose.

일간(日刊) daily issue [publication]. ¶ ~신문 a daily (news-paper).

일간(日間) 《부사적》 soon; before long; at an early date; in a few days.

일갈(一喝) 〜하다 thunder (out); roar (at a person).

일개(一介) 〜에 불과한 mere 《student》; only 《a salesman》.

일개(一個) one; a piece. ¶ ~년 one year / ~월 one month / ~ 년 a full year.

일개인(一個人) an individual; 《사인》 a private person. ☞ 개인.

일거(一擧) 〜에 at a [one, a single] stroke; at one effort [swoop]; all at once / ~양득을 노리다 aim to kill two birds with one stone. ¶ ~동 every action; one's every action.

일거리 a piece of work; a job; a task; things to do. ¶ ~가 있다 have work to do / ~가 없다 be out of job; have nothing to do. 일거수일투족(一擧手一投足) one's every action [move, movement]; everything one does.

일건(一件) an affair; a case; a matter. ‖ ~서류 all the papers relating to a case.

일격(一擊) a blow; a stroke; a hit. ¶ ~에 at a blow; with one stroke / ~을 가하다 give [deal] (a person) a blow.

일견(一見) a sight; a look [glance]. ¶ ~하다 take [have] a look (at); give a glance (at). ¶ ~하여 at a look [glance]; at first sight / ~ 백문이 불여 ~이다 Seeing is believing.

일계(日計) a daily account; daily expenses. ¶ ~표 a daily trial balance sheet.

일고(一考) 〜하다 take (a matter) into consideration; give a thought (to). ¶ ~할 여지가 있다 leave room for further consideration.

일고(一顧) ¶ ~의 가치도 없다 be quite worthless; be beneath one's notice / ~도 않다 take no

notice 《of》; give no heed 《to》.

일곱 seven. ¶ ~째 the seventh.

일과(一過) ~성의 temporary; transitory.

일과(日課) 《수업》 a daily lesson; 《일》 a daily task; daily work (routine). ‖ ~표 a schedule 《of lessons》.

일관(一貫) ~하다 be consistent. ¶ ~하여 consistently; from first to last / 그의 언동은 ~되지 않는다 His statements and his actions are inconsistent. / 그는 시종~암 연구에 전념했다 He was devoted to cancer research throughout his career. ‖ ~성 (性) consistency / ~작업 one continuous operation; an integrated production process(생산 설비의); a conveyor system(단위 공정의).

일괄(一括) lump together; sum up. ¶ ~하여 in a lump; collectively; in bulk(대량으로) / 이 문제들은 ~ 처리할 수 있다 Those problems can be dealt with collectively; a ~계약 blanket contract; a package deal / ~구입 a blanket purchase.

일광(日光) sunlight; sunshine; sunbeams(광선); the sun. ¶ ~에 쐬다 expose 《something》 to the sun / ~이 안 들어오게 커튼을 치다 draw the curtains to shut out the sun. ‖ ~욕 a sunbath; sunbathing (~욕을 하다 sunbathe; bathe in the sun).

일구다 cultivate (reclaim) 《waste land》; bring 《waste land》 under cultivation.

일구월심(日久月深) ~으로 single-mindedly; earnestly; with all one's heart.

일구이언(一口二言) being double-tongued; ~하다 be double-tongued; go back on one's word (promise).

일군(一軍) ① 《전군》 the whole army (force). ② 《제1군》 the First Army.

일그러지다 be distorted (contorted). ¶ 고통으로 일그러진 얼굴 a face distorted with pain; a tortured face.

일급(一級) the first class. ‖ ~의 first-class (-rate); 《an article》 of the highest quality / 그의 솜씨는 ~이다 He does an excellent job.

일급(日給) daily wages. ¶ ~으로 일하다 work by the day. ‖ ~ 노동자 a day laborer.

일긋거리다 be rickety (shaky).

일기(一期) ① 《기간》 a term; a period; 《병의》 a stage. ‖ 제~생 the first term students / 제~의 결핵 tuberculosis in its first stage. ② 《일생》 one's whole life; one's lifetime. ¶ 50세를 ~로 죽다 die at the age of fifty.

일기(一騎) a single horseman.

일기(日記) a diary; a journal. ¶ ~를 쓰다 keep (write) one's diary / ~에 쓰다 write in a diary. ‖ ~장 a diary.

일기(日氣) weather (☞ 날씨). ‖ ~도 a weather map (chart) / ~예보 a weather forecast (report).

일깨우다 《자는 사람을》 wake 《a person》 up early in the morning; 《깨닫게 하다》 make 《a person》 realize 《something》; open 《a person's》 eyes to 《something》.

일껏 《애써》 with much trouble (effort); at great pains.

일꾼 ① 《품팔이》 a laborer; a workman; a worker; a farm-hand(농사의). ② 《역량있는 사람》 a competent and efficient man; a man of ability.

일년(一年) a (one) year. ¶ ~의 yearly; annual / ~ 걸러 every other (second) year; biennially. ‖ ~생 《학생》 a first-year student; 《대학·고교의》 a freshman 《美》. ② 【植】 ~식물 an annual plant.

일념(一念) a concentrated mind; an ardent wish.

일다¹ ① 《파도·바람·연기 등이》

rise; 《소문·평판이》 spread. ¶ 파도가 높이 일고 있다 The sea is running high. ② 《번성해지다》 prosper; flourish.

일다² 《쌀 따위를》 wash 〔rinse〕 《rice》.

일단(一端) one end 《한 끝》; a part 《일부》. ¶ 계획의 ~을 보이다 reveal a part of the project.

일단(一團) a party; a group.

일단(一旦) once; 《우선》 for the present. ¶ ~ 지금은 이것으로 끝내자 Let's stop here for the present.

일단락(一段落) ¶ ~ 짓다 settle *a matter* for the time being; complete the first stage 《of the work》.

일당(一黨) 《한 정당》 a party; 《한 패》 a gang 《of robbers》. ¶ ~에 치우치지 않다 be unpartisan 《in》; be nonparty 〔~ 4명을 체포하다 arrest a group of four men. ~ 독재 one-party rule 〔dictatorship〕.

일당(日當) daily allowance 〔pay, wages〕. ¶ ~으로 일하다 work by the day 〔~ 5만 원을 지불하다 pay 50,000 won a day.

일당백(一當百) being a match for a hundred.

일대(一代) 《일세대》 one generation; 《일생》 one's whole life; one's lifetime. ¶ ~의 영웅 the great hero of an age. ¶ ~기 a biography; a life 〔~잡록 an F₁ hybrid.

일대(一帶) the whole area〔district〕; the neighborhood 《of》. ¶ 서울 一~에 throughout 〔all over〕 Seoul.

일대(一大) great; grand; remarkable. ¶ 《모임이》 ~ 성황을 이루다 be a great success 〔~ 용단을 내리다 take a decisive step; make a brave decision.

일도(一刀) ¶ ~ 양단하다 《비유적》 take a drastic measure〔step〕; cut the Gordian knot.

일독(一讀) ~ 하다 read 《a book》 through; look 《a report》 over; run one's eyes over 《a paper》.

일동(一同) all; everyone.

일득일실(一得一失) ¶ 그것은 ~이다 It has its advantages and disadvantages. ¶ ~이 세상사다 Every gain has its loss.

일등(一等) 《등급》 the first class 〔grade, rank〕; 《제1위》 the first place 〔prize〕. ¶ ~ 병 Private First Class 《생략 Pfc.》. 「twins.

일란성(一卵性) ¶ ~ 쌍생아 identical

일람(一覽) ¶ ~ 하다 take 〔have〕 a look at; run through; run one's eyes over 〔~ 불 어음 a bill payable at 〔on〕 sight; a sight 〔demand〕 bill 〔~ 표 a table; a list.

일러두기 introductory remarks; explanatory notes.

일러두다 tell *a person* 《to do》; bid *a person* 《do》. ¶ 단단히 ~ give strict orders.

일러바치다 inform 〔tell〕 on 《a person》; let on 《to your teacher about》.

일러주다 ① 《알려주다》 let 《a person》 know; tell; inform. ② 《가르쳐주다》 teach; instruct; show.

일렁거리다 bob up and down; toss; rock 《on the waves》.

일렉트론 〖理〗 an electron.

일력(日曆) a daily pad calendar.

일련(一連) ¶ ~의 a series of 《games》; a chain of 《events》. ¶ ~의 살인 사건 a chain of murders. ¶ ~번호 consecutive numbers; serial numbers.

일렬(一列) a row; a line: a rank 〔가로의〕; a file 〔세로의〕. ¶ ~로 서다 form 〔stand in〕 a line 〔row, queue 〔line〕.

일례(一例) an example; an instance. ¶ ~를 들면 for example 〔instance〕. / ~를 들다 give an example.

일루(一縷) ¶ ~의 희망 a ray of hope 〔~의 희망을 품다 cling to one's last hope.

일루(一壘) first base. ¶ ~수 the first baseman 〔~ 타 a base hit.

일류(一流) ¶ ~의 first-class; first-

rate; top-ranking; top-notch 《口》. ∥ ~ 벌 a passion [kick] for top class.

일률(一律) ¶ ~ 적으로 《균등히》 evenly; uniformly; 《무차별로》 impartially / 그들 모두를 ~ 적으로 다룰 수는 없다 We cannot apply the same rule to them all.

일리(一理) some truth [reason]. ¶ 그의 말에도 ~ 는 있다 There is some truth in what he says.

일리일해(一利一害) 일득일실.

일말(一抹) a touch 《of melancholy》; a tinge 《of sadness》. ¶ ~ 의 불안을 느끼다 feel slightly uneasy 《about》.

일망타진(一網打盡) ~ 하다 make a wholesale arrest 《of》; round up 《a gang of criminals》.

일맥(一脈) ¶ ~ 상통하는 점이 있다 have something in common 《with》.

일면(一面) ① 《한 면》 one side. ¶ 너는 문제의 ~ 만을 보고 있다 You see only one side of the matter. ② 《신문의》 the front page.

일면식(一面識) ¶ 그와는 ~ 도 없다 He is a complete stranger to me. *or* I have never met him before.

일모작(一毛作) single-cropping 《of rice》. ¶ 여기는 ~ 지역이다 This is a single-crop area.

일목(一目) a glance. ¶ ~ 요연하다 be clear at a glance.

일문(一門) ① 《일족》 a family; a clan. ② 《집안》 one's kinsfolk; 《종파》 the whole sect.

일문일답(一問一答) (a series of) questions and answers; a dialogue. ~ 하다 exchange questions and answers.

일미(一味) a good [superb] flavor.

일박(一泊) a night's lodging. ~ 하다 stay overnight; put up 《at a hotel》 for the night; pass a night 《at》. ∥ ~ 여행 《make》 an overnight trip 《to》.

일반(一般) ¶ ~ 의 general; 《보편적인》 universal; 《보통의》 common; ordinary; 《대중의》 public / ~ 적으로 generally (speaking); in general; as a (general) rule; on the whole / ~ 적인 지식[교양] general knowledge [culture] / ~ 사람들[대중] the general public / ~ 에게 공개된 open to the public / ~ 의 공개되어 있다 be open to the public / ~ 에게 알려지다 become public knowledge; become known to a wide public / ~ 용의 for popular [general] use. / 이 관습은 한국에서 ~ 적이다 This custom is common in Korea. ∥ ~ 교양과목 liberal arts; a general education subject / ~ 의(醫) a general practitioner / ~ 화(化) generalization 《~ 화하다 generalize; popularize》 / ~ 회계 (the) general account.

일반사면(一般赦免) an amnesty; a general pardon.

일발(一發) a shot. ¶ ~ 의 총성 a gunshot; the sound of a gun.

일방(一方) 《한 쪽》 one side; the other side《한 쪽》. ¶ ~ 적인 unilateral; one-sided. ¶ ~ 적인 승리 를 거두다 win a lopsided [runaway] victory. ∥ ~ 통행 one-way traffic; 《게시》 One way (only).

일번(一番) the first; No. 1. ¶ ~ 의 the first.

일벌 [蜂] a worker bee.

일변(一邊) 《한 변》 a side. ¶ 삼각형 의 ~ a side of a triangle.

일변(一變) a complete change. ~ 하다 change completely. ¶ 태도를 ~ 하다 change one's attitude altogether.

일변(日邊) daily interest.

일변도(一邊倒) ¶ 그들은 미국 ~ 이다 They are completely pro-American. *or* They are wholly devoted to American interests. ∥ ~ 정책 a lean-to-one-side policy.

일별(一瞥) a glance; a look. ～ 하
다 glance (*at, on*); cast a glance

일병(一兵) ⇨ 일등병.　　└(*at*).

일보(一步) a step. ～ ～ step
by step / ～ 전진(후퇴)하다 take
a step forward [backward] / ～
도 양보하지 않다 do not yield an
inch.　　[daily (newspaper)].

일보(日報) a daily report：《신문》a
일보다 carry on *one's* business；
take charge of a business.

일본(日本) Japan. ¶ ～의 Japanese.
‖ ～국민 the Japanese (people) /
～말 Japanese；the Japanese
language / ～인 a Japanese.

일봉(一封) 《금일봉》a gift of
money.

일부(一夫) a husband. ‖ ～다처
polygamy / ～일처 monogamy.

일부(一部) a part；a por-
tion；a section. ¶ ～의 partial；
some / ～의 사람들 some peo-
ple.

일부(日賦) a daily installment.
¶ ～금 daily installment pay-
ment / ～판매 sale on daily
installment terms.

일부러(고의로) intentionally；on
purpose；deliberately.

일부분(一部分) ⇨ 일부(一部).

일사(一事) one thing. ‖ ～부재리
(不再理) 《法》a prohibition against
double jeopardy；～부재의(不再
議) the principle that the same
matter should not be debated
twice in the same session (*of
the National Assembly*).

일사병(日射病) sunstroke. ¶ ～에
걸리다 be sunstruck；have sun-
stroke.

일사분기(一四分期) the first quar-
ter of the year.

일사불란(一絲不亂) ～한 《서술적》
be in perfect [precise] order.

일사천리(一瀉千里) ¶ ～로 rapidly；
in a hurry；at a stretch.

일산(日産) 《생산고》daily output
[production]；《일본산》Japanese
products；《of》Japanese make.
¶ ～ 300대의 자동차를 생산하다 put

[turn] out 300 cars a day.

일산화(一酸化) ¶ ～물 monoxide /
～질소 nitrogen monoxide /
～탄소 carbon monoxide.

일삼다(일로 삼다) make it *one's*
business (*to do*)；《전심》devote
oneself to (*something*)；《탐닉》give
oneself up to；do nothing but ....

일상(日常) every day；daily；usu-
ally. ¶ ～의 daily；everyday /
하는 일 daily work [business] /
～ 일어나는 일 everyday affairs；
daily happenings. ‖ ～생활 every-
day [daily] life / ～업무 daily
business；routine work / ～회화
everyday conversation.

일색(一色) ① 《한 빛》one color. ②
《미인》a rare beauty. ③ 《비유적》
¶ ～으로 exclusively.

일생(一生) a lifetime； *one's*
(whole) life. ¶ ～의 사업 *one's*
lifework / ～일대의 좋은 기회 the
chance of a lifetime.

일석이조(一石二鳥) kill two birds
with one stone.

일선(一線) 《줄》a line；《전선·실무
의》the front (line)；the fighting
[first] line. ‖ ～근무 field [active]
service.

일설(一說) ¶ ～에 의하면 according
to one opinion [theory]；someone
says ....

일세(一世) ① 《한 시대》the time；
the age. ¶ ～를 풍미하다 com-
mand the world [time]. ② 《일
대》a generation；《왕조의》the
first. ¶ 헨리 ～ Henry I [the First].

일소(一笑) a laugh. ¶ ～에 부치다
laugh (*a matter*) off [away]；dis-
miss (*a matter*) with a laugh.

일소(一掃) ～하다 sweep [wash]
away；clear away [off]；wipe
[stamp] out.

일손 ① 《하고 있는 일》work in
hand. ② 《일솜씨》skill at a job.
¶ ～이 오르다 improve in *one's*
skill. ③ 《일하는 사람》a hand；a
help；a worker. ¶ ～이 모자라다
be short of hands.

일수(日收) a loan collected by

daily installment. ‖ ~쟁이 a moneylender who collects by daily installment.

일수(日數) ① 〔날수〕 the number of days. ② 〔날의 운수〕 the day's luck. ☞ 일진(日辰).

일순간(一瞬間) an instant; a moment.

일습(一襲) a suit 《of clothes》; a set 《of tools》.

일승일패(一勝一敗) one victory and 〔against〕 one defeat.

일시(一時) ① 〔한때〕 at one time; once; 〔잠시〕 for a time 〔while〕; 〔임시로〕 temporarily. ¶ ~적인 momentary; temporary; passing / ~에 at the same time 〔동시에〕; all together〔한꺼번에〕; 적으로 temporarily. ‖ ~불〔拂〕 payment in a lump sum.

일시(日時) the date (and time); the time.

일시금(一時金) a lump sum.

일식(日蝕) an eclipse of the sun; a solar eclipse.

일신(一身) oneself; one's life. ¶ ~을 바치다 devote *oneself* to 《the movement》 / ~상의 상담을 하다 consult 《a person》 about one's personal affairs.

일신(一新) ~하다 renew; renovate; change completely; refresh 〔기분을〕.

일신교(一神教) monotheism. ‖ ~도 a monotheist.

일심(一心) 〔한마음〕 one mind; 〔전심〕 one's whole heart; wholeheartedness. ¶ ~으로 intently; with one's whole heart; wholeheartedly / 우리는 ~ 동체이다 We are of one mind.

일심(一審) the first trial. ¶ ~에서 패소하다 lose a case at the first trial. ‖ 제~법원 a court of the first instance.

일쑤(병사적) habitual practice. 《부사적》 often; usually; habitually. ¶ 그는 남을 비웃기 ~다 He's always sneering at others.

일약(一躍) 《부사적》 at a 〔one〕

bound; at a jump; with a leap. ¶ ~로 유명해지다 spring 〔leap〕 into fame.

일어(日語) Japanese; the Japanese language.

일어나다 ① 〔자리에서〕 rise; get up. ¶ 일찍 일어나는 사람 an early riser / 일어나 있다 be up; be out of bed / 밤늦게까지 일어나 있다 sit up late at night. ② 〔일어서다〕 get 〔stand〕 up; rise to one's feet; 〔기운을 되찾다〕 recover; regain one's strength. ¶ 의자에서 ~ rise from one's chair 〔seat〕 / 벌떡 ~ jump 〔spring〕 to one's feet / 간신히 ~ scramble to one's feet. ③ 〔발생하다〕 happen; occur; take place; come about〔up〕; break out〔재해 따위가〕. ④ 《출현·생겨나다》 spring up; come into existence 〔being〕; 〔음성 따위가〕 spring up; 〔융성해지다〕 prosper; rise; flourish. ⑤ 〔기인하다〕 be caused 《by》; result 〔arise, stem〕 《from》; originate 《in》. ⑥ 〔불이〕 begin 〔start〕 to burn; 〔열·전기 등이〕 be produced 〔generated〕. ¶ 불은 창고에서 일어났다 The fire started in the barn.

일어서다 ① 〔기립〕 ☞ 일어나다 ②. ¶ 일어서 〔구령〕 Rise !; Stand up ! ② 〔분기하다〕 rise (up) 《against》; stand up and take action. ¶ 폭정에 항거하여 일어서다 rise (up) against tyranny.

일언(一言) a (single) word. ¶ ~ 반구의 사과도 없이 without a single word of apology / ~지하에 거절하다 refuse flatly; give a flat refusal.

일없다 (be) needless; useless. ¶ 이렇게 많이는 ~ I don't need so many 〔much〕.

일엽편주(一葉片舟) a small boat.

일요(日曜) ~예배 Sunday service(s) / ~일 Sunday / ~특집 《신문의》 a Sunday supplement / ~판 《신문의》 a Sunday edition.

일용(日用) for everyday 〔daily〕 use. ‖ ~식료품 staple articles of food / ~품 daily

necessities.

일원(一元) ¶ ~적인 unitary. ∥ ~론 monism / ~화 unification; centralization(~하다 unify).

일원(一員) a member.

일원(一圓) ☞ 일대(一帶).

일원제(一院制) the single-chamber [unicameral] system.

일월(一月) January (생략 Jan.).

일월(日月) 《해와 달》 the sun and the moon; 《세월》 time; days (and months).

일위(一位) 《첫째》 the first [foremost] place; the first rank. ¶ ~를 차지하다 stand [rank] first; win (get) first place.

일으키다 ① 《세우다》 raise; set up; pick (*a child*) up. ② 《잠깨우다》 wake (up); awake. ③ 《창립·설립하다》 set up; establish; start; found; 《번영케 하다》 make prosperous. ④ 《야기하다》 cause; bring about; lead to; give rise to. ¶ 소동을 ~ raise (cause) a disturbance. ⑤ 《기타》 ¶ 전기를 ~ generate electricity / 소송을 ~ bring a suit (case) against (*a person*) / 불을 ~ make (build) a fire.

일익(一翼) ¶ ~을 담당하다 act [play, perform] a part [role] (*of*).

일익(日益) day by day; increasingly; more and more. ¶ 사태는 ~ 악화되는 것 같다 The situation is likely to go from bad to worse.

일인(一人) one person (man). ∥ ~독재 one-man dictatorship / ~이역《play》 a double role / ~자 the number-one man; the leading figure.   「nese《총칭》.

일인(日人) a Japanese; the Japa-

일인당(一人當) for each person; per *capita* 《per head》.

일일(一日) a (one) day; 《초하루》 the first day (of a month).

일일¹ 《일마다》 everything; in every thing (case); all; without exception; ¶ ~ 간섭하다 meddle in everything.

일일이² 《하나씩》 one by one; point by point; 《상세히》 in detail; in full.

일임(一任) ~하다 leave; entrust. ¶ 만사를 너에게 ~한다 I will leave everything to you.

일자(日字) ☞ 날짜.

일자리 a position; a job; work.

일자무식(一字無識) 《utter》 ignorance; illiteracy. ∥ ~꾼 an (utterly) illiterate person.

일장(一場) ① 《연극의》 a scene. ② 《한바탕》 a (one) time; a round. ¶ ~의 연설을 하다 make a speech; deliver an address.

일장일단(一長一短) merits and demerits.

일전(一戰) 《싸움》 a battle; a fight; 《승부》 a game; a bout.

일전(日前) the other day; some (a few) days ago; recently. ¶ ~에 그와 만났다 I met him recently. / 그는 ~에 라디오를 샀다 He bought a radio the other day.

일절(一切) altogether; wholly; entirely. ¶ ~하지 않다 never *do*; do not *do* at all.

일정(一定) ~하다 (be) fixed; set; settled; definite; regular《규칙적인》; certain《특정의》.

일정(日程) the day's program [schedule]; 《의사 일정》 an agenda. ¶ ~표 a schedule; an itinerary《여행의》.

일제(一齊) ¶ ~히 all together(다같이); at the same time; all at once(동시에); in a chorus(이구동성으로). ∥ ~검거 a wholesale arrest; a roundup.

일조(一朝) ¶ ~에 in a day [short time]; overnight.

일조(日照) sunshine. ∥ ~권 《法》 the right to sunshine / ~시간 hours of sunlight.

일족(一族) 《친족》 relatives; kinsmen; 《가족》 the whole family; 《씨족》 the 《Kim's》 clan.

일종(一種) a kind; a sort; a species; a variety(변종). ¶ ~의 a kind [sort] of.

일주(一周) one round. ~하다 go [travel, walk] round; make a round (of). ‖ ~세계 여행을 하다 make a round-the-world trip. ‖ ~기(期) 《天》 a period / ~기(忌) the first anniversary of a person's death / ~년 기념일 the first anniversary (of).

일주(一週) 《일주일》 a week. ‖ ~일(일)(에) once a week; weekly.

일지(日誌) a diary; a journal.

일직(日直) day duty. ~하다 be on day duty. ‖ ~장교 an orderly officer; an officer of the day.

일직선(一直線) a straight line. ‖ ~으로 in a straight line.

일진(一陣) ① 《군사의》 a military camp; the vanguard(선봉대). ② 《바람》 ~의 광풍 a gust of wind.

일진(日辰) 《운수》 the day's luck. ‖ ~이 좋다(사납다) It is a lucky [an unlucky] day (for).

일진월보(日進月步) ~하다 make rapid progress.

일진일퇴(一進一退) ~하다 advance and retreat. ‖ ~의 접전 a see-saw game.

일찌감치 a little early (earlier).

일찍이 ① 《이르게》 early (in the morning); 《어려서》 early in life; in one's early days. ‖ ~ 부모를 여의다 lose one's parents at an early age. ② 《전에》 once; (at) one time; before; formerly; ever 《의문문에서》; never(부정문에서). ‖ 이러한 일은 ~ 들어 본 일이 없다 I have never heard of such a thing.

일차(一次) ‖ ~의 first; primary; 제~ 세계대전 World War I. ‖ ~방정식 a simple [linear] equation / ~산업 [산품] primary industries [products] / ~시험 a primary examination.

일차원(一次元) ‖ ~의 one-dimensional; unidimensional.

일착(一着) 《경주의》 (the) first place; the first to arrive 《사람》. ~하다 come in first; win the first place.

일처다부(一妻多夫) polyandry.

일체(一切) all; everything. ‖ ~의 all; every; whole / ~의 관계를 끊다 cut off all relations (with); wash one's hands of 《a matter》. ‖ ~가 되어 in a body; as one body. ~감 a sense of unity / ~화 unification; integration.

일촉즉발(一觸卽發) a touch-and-go situation. ‖ 두 나라는 ~의 위기에 있다 Relations between the two countries are strained to the breaking point.

일축(一蹴) ~하다 refuse 《a request》 flatly; reject [turn down] 《a proposal》; beat 《the team》 easily.

일출(日出) sunrise; sunup 《美》.

일취월장(日就月將) ~하다 make rapid progress. ☞일진월보.

일층(一層) ① 《건물》 the first floor 《美》; the ground floor 《英》. ~집 a one-story house. ② 《한결》 more; still more; all the more.

일치(一致) 《부합》 agreement; accord; coincidence(우연의); (a) harmony(조화). ~하다 agree [accord] 《with》; coincide 《with》. ‖ 전원의 의견이 ~하다 reach (a) consensus 《on a matter》 / 만장 ~로 그는 대장에 선출되었다 He was elected captain by a unanimous vote. or They unanimously elected him captain. ‖ ~단결 union; solidarity; total cooperation / ~점 a point of agreement.

일컫다 call; name.

일탈(逸脫) ~하다 deviate [depart] (from). ‖ ~권한을 ~하다 overstep one's authority.

일터 《근무처》 one's place of work; 《작업장》 one's workplace; a workshop. ‖ ~로 가다 go to work.

일파(一派) a school; a party; a faction. ‖ 김씨 ~ Kim and his followers.

일편(一片) a piece; a bit; a scrap. ‖ ~단심 a sincere [devoted] heart.

일편(一篇) a piece 《of poetry》.

일폭(一幅) a scroll.

일품(一品)〖벼슬의〗〖史〗the first rank of office; 〖상등품〗an article of top quality:〖요리의〗a dish; a course. ¶ ～ 요리 a one dish meal; an à-la-carte dish.

일품(逸品) a superb (fine) article.

일필휘지(一筆揮之) ～하다 write with one stroke of a brush.

일하다 work; labor; do *one's* work; serve 《at》(근무). ☞ 일.

일한(日限) a (fixed) date; a time limit. ☞ 기한.

일할(一割) ten percent; 10%.

일행(一行) ① 〖동아리〗a party; a company; a troupe(배우 등의). ¶ 한 씨 ～ Mr. Han and his party / ～에 끼다 join the party. ② 〖한줄〗a line; a row:〖시의〗a line of verse.

일화(逸話) an anecdote; an episode. ¶ ～집 a collection of anecdotes.

일확천금(一攫千金) ～하다 make a fortune at a stroke. ¶ ～의 〖을 노리는〗get-rich-quick.

일환(一環) a link. ¶ …의 ～을 이루다 form a link in the chain of 《events》; form a part of 《the campaign》....

일회(一回) once; one time: 〖한 번〗one time; 〖승부〗a round; a game; a bout(권투의); an inning(야구의). ¶ 주 ～ once a week. ∥ ～ 분(分)〖약의〗a dose; ～ 전 the first round / ～ 말 〖野〗〖末〗the [second] half of the first inning.

일흔 seventy; threescore and ten.

일희일비(一喜一悲)～하다 be glad and sad by turns; cannot put *one's* mind at ease. ¶ ～하면서 restlessly; in suspense.

읽다 ① read; 〖정독하다〗peruse; 〖독송하다〗recite; chant(경문을). ¶ 소리내어 ～ read 《a passage》out 〖aloud〗 / 대충대충 ～ run 〖glance〗 over 《a book》. ② 〖과악·이해하다〗 read; see; understand. ¶ 행간을 ～ read between the lines.

읽히다 ① 〖읽게 하다〗get 《a person》

to read; have 《a book》read 《by a person》. ¶ 널리 ～ be widely read.

잃다 lose; miss. ¶ 아버지를 ～ lose [be bereaved of] *one's* father / 신용을 ～ lose *one's* credit 《with》.

임검(臨檢) an official inspection; a search; boarding(배의). ～하다 make an inspection 《of》; (raid and) search 《a house for something》; (board and) search 《a ship》.

임계(臨界) ¶ ～의 critical. ∥ ～각 [온도, 압력] the critical angle [temperature, pressure].

임관(任官) an appointment; a commission(장교의). ～하다 be appointed 《to an office》; be commissioned.

임균(淋菌) a gonococcus《*pl.* -cocci》.

임금(군주) a king; a sovereign.

임금(賃金) wages; pay. ∥ ～격차 a wage differential / ～인상 a rise [an increase] in wages / ～인하 a wage decrease [cut] / ～체계 a wage structure [system] / ～투쟁 a wage struggle.

임기(任期) *one's* term of office [service]. ¶ ～를 끝내다 serve out *one's* term / 대통령의 ～는 5년이다 The term of the President is five years.

임기응변(臨機應變) ～하다 act according to circumstances. ¶ ～의 expedient; emergency / ～으로 as the occasion demands; according to circumstances / ～의 조치를 취하다 take emergency measures; resort to a temporary expedient.

임대(賃貸) lease; letting out (on hire). ～하다 lease 《the land》; rent 《a house》; let out (on hire). ∥ ～가격 rental value / ～료 (a) rent; charterage(선박의) / ～아파트 a rental apartment / ～인 a lessor / ～차(借)lease; letting and hiring; charter(선박의).

임면(任免) ～하다 appoint and dismiss. ∥ ～권 the power to

appoint and dismiss.
임명(任命) appointment. ～하다
appoint 《a person》 to 《a post》;
name 〔nominate〕 《a person》 for
《a position》. ‖ ～된 사람 an
appointee; a person nominated
《as chairperson》. ‖ ～권 appointive power / ～식 a swearing-in
ceremony.
임무(任務) a duty; a task; a mission(사명). ‖ ～를 다하다 do *one's*
duties〔part〕; carry out *one's*
task / ～를 받다 take up〔on〕 the
task; take over the duties.
임박(臨迫) ～하다 draw near; be
imminent; be impending. ‖ ～한
impending; imminent.
임부(妊婦) a pregnant woman;
an expectant mother. ‖ ～복 a
maternity dress.
임산물(林産物) forest products.
임상(臨床) ‖ ～의 clinical / ～적으
로 clinically. ‖ ～실험 clinical
trials〔tests〕/ ～의(醫) a clinician.
임석(臨席) ～하다 attend; be present 《at》. ‖ ～의 하에 with 《a
person》 in attendance. ～경관
a policeman attendant.
임시(臨時) ‖ ～의 temporary(일시
적인); special(특별한); extraordinary(보통이 아닌); ～로 temporarily; specially; extraordinarily / ～직 a temporary post /
～국회 an extraordinary session
of the National Assembly / ～정
부 a provisional government /
～휴교 temporary school closing;
a special school holiday / ～휴
업 temporary closure.
임시변통(臨時變通) a makeshift; a
temporary expedient. ～하다
make shift with 《a thing》; resort to a temporary expedient.
임신(妊娠) pregnancy; conception.
～하다 become〔get〕 pregnant;
conceive. ‖ 그녀는 ～ 6개월이다
She is six months pregnant. ‖ ～
기간 a pregnancy period / ～중독
toxemia of pregnancy / ～중절

an abortion.
임야(林野) forests and fields.
임업(林業) forestry. ‖ ～시험장 a
forestry experiment station.
임용(任用) appointment. ～하다
appoint 《a person》 to 《a post》.
임원(任員) 《회사·위원회》 an executive(美); a director; 《총칭》 the
board. ‖ ～실 an executive office / ～회 the board meeting;
a board of directors.
임의(任意) option. ‖ ～의 any;
optional(선택 자유의); voluntary
(자발적인); arbitrary(제멋대로의);
～로 optionally; voluntarily; as
one pleases. ‖ ～선택 option;
free choice / ～조정(調停) voluntary arbitration 〔mediation〕/ ～
추출법(抽出法)〔統計〕random sampling.
임자 ① 《주인》 the owner; the
proprietor. ‖ ～없는 ownerless;
《a dog》belonging to nobody.
② 《당신》you; dear; honey.
임전(臨戰) ～하다 go into action.
‖ ～태세 (a state of) preparedness for war (～태세를 갖추다 be
ready〔prepared〕for war).
임정(臨政) 图 임시정부(臨時政府).
임종(臨終) ① 《죽을 때》*one's* dying
hour; *one's* last moments; *one's*
deathbed. ‖ ～의 말 *one's* last
〔dying〕words / 그에게 이제 ～이
다가오고 있다 His end〔time〕is
near. / ～이다 He〔She〕is
now in his〔her〕last moments.
② 《임종시의 배석》～하다 be with
《a parent's》deathbed.
임지(任地) *one's* post; *one's* place
of duty. ‖ ～로 떠나다 go to〔set
out for〕*one's* new post.
임질(淋疾)〔醫〕gonorrhea. ‖ ～에
걸리다 suffer from gonorrhea.
임차(賃借)《부동산의》lease; 《차·말
등의》hire; hiring. ～하다 lease
《land》; rent 《a house》. ‖ ～료
rent; hire / ～인 a leaseholder;
a tenant(토지·가옥의); a hirer
(차·세 따위의).
임파(淋巴)〔解〕lymph. ‖ ～선(腺

(the inflammation of) the lymphatic gland / ~액 lymph.

임하다(臨―) ① 《아주 서다》 face (on); front (on); look down (upon). 《바다에 임한 집 a house facing [fronting] the sea. ② 《당하다》 meet; face; be confronted (by). 《죽음에 임하여 on one's deathbed. ③ 《참석하다》 attend (a meeting); be present at (a ceremony). ④ 《담당하다》 undertake; take charge of (something).

임학(林學) forestry. 《―자 a dendrologist; a forestry expert.

임해(臨海) 《seaside; coastal; marine. 《도시의》 ~지역 waterfront. 《공업지대 a coastal industrial zone [region] / ~도시 a coastal city.

입 ① 《사람·동물 등의》 the mouth. 《한 ~ 먹다 take (have) a bite (of sandwiches) / ~에서 냄새가 나다 have foul [bad] breath. ② 《말》 speech; words; tongue. 《~이 가볍다 be talkative; have a loose tongue / ~이 무겁다 be a man [woman] of few words / ~을 모아 말하다 say in chorus (unison) / ~을 다물다 stop talking / ~밖에 내다 talk (speak) of; mention; reveal; disclose / 남의 ~에 오르다 be gossiped about; be in everyone's mouth. ③ 《미각》 one's taste; one's palate. 《~에 맞다 be to one's taste. ④ 《부리》 a bill (넓적한); a beak(갈고리 모양의). ⑤ 《식구》 a mouth to feed; a dependent.

입가 the mouth; lips(입술).

입가심 ~하다 take away the aftertaste of; kill the (bitter) taste.

입각(入閣) ~하다 enter [join] the Cabinet.

입각(立脚) ~하다 be based (founded) on; take one's ground on. 《사실에 ~하여 be based on facts.

입거(入渠) ~하다 go into (enter) dock. 《~료(料) dockage.

입건(立件) ~하다 book (a person) on charge (of). 《형사 ~되다 be criminally booked (on a charge of...).

입고(入庫) warehousing (of goods); 《차의》 entering the car sheds. ~하다 warehouse; store; be stocked; enter a shed.

입관(入棺) encoffinment. ~하다 place in a coffin. 《~식 a rite of placing the dead body in the coffin.

입교(入校) entrance [admission] into a school. ☞ 입학.

입교(入教) ~하다 enter the church [a religious life]; become a (Christian) believer.

입구(入口) an entrance; a way in; a doorway.

입국(入國) entry [entrance] into a country. ~하다 enter a country; immigrate into a country(이민). 《~이 허가되다 be admitted into the country / ~을 거절당하다 be denied [refused] entry into the country. 《~관리국 the immigration bureau / ~사증 an entry visa / ~절차 entry formalities / ~허가서 an entry permit.

입궐(入闕) ~하다 proceed [go] to the Royal Court.

입금(入金) 《수령》 receipt of money; 《수령금》 money received [paid in]; receipts; 《받을 돈》 money due. ~하다 receive (money); pay; deposit. 《그 돈은 7월 20일까지 ~해야 한다 The payment is due on July 20. 《~전표 a receipt [paying-in] slip / ~통지서 a credit advice.

입김 the steam of breath. 《~이 세다 breathe hard; 《비유적》 be influential (with); have a big influence (over, with, on).

입내 《구취》 bad breath.

입다 《옷을》 put on; slip into (a gown) 《입는 행위》; wear; have on; be dressed (in white) 《입고 있는 상태》. 《코트를 입어보다 try a

coat on. ② 《은혜 등을》 be indebted to 《*a person*》; receive. ¶ 은혜를 ~ receive favors 〔kindness〕; enjoy 《*a person's*》 patronage. ③ 《손해 등을》 suffer; have; get; sustain. ¶ 상처를 ~ get injured / 손해를 ~ sustain 〔suffer, have〕 a loss; be damaged. ④ 《가상을》 § 상을 ~ be in 〔go into〕 mourning 《*for a person*》.

입단(入團) ~ 하다 join 〔enter〕 an organization; enroll in 《*the Boy Scouts*》.

입담 skill at talking; volubility. ¶ ~ 이 좋다 be good at talking.

입당(入黨) ~ 하다 join a 〔political〕 party.

입대(入隊) enrollment; enlistment. ~ 하다 enlist 〔enlist in〕 the army; be drafted into the army(징집되어). ‖ ~ 자 a recruit.

입덧 〔have〕 morning sickness.

입도(立稲) ¶ ~ 선매(先賣) selling rice before the harvest.

입동(立冬) *Ipdong*: the first day 〔the beginning〕 of winter.

입맛 an appetite(식욕). *one's* taste (구미). ¶ ~ 이 좋다〔나쁘다〕 have a good 〔poor〕 appetite / ~ 을 돋우다 stimulate *one's* appetite / ~ 에 맞다 suit *one's* taste.

입맛다시다 《음식에 대해》 smack 〔lick〕 *one's* lips; 《입망다시며》 click *one's* tongue. ¶ 입맛다시며 수프를 먹다 eat soup with relish 〔gusto〕.

입맛쓰다 taste bitter; have a bitter taste; 〔be〕 unpleasant 〔disgusting〕; feel wretched 〔miserable〕. ¶ 입맛이 쓴 얼굴을 하다 make a sour face.

입맞추다 kiss 《*a person* on the cheek*》; give 《*a person*》 a kiss.

입멸(入滅) entering Nirvana; the death of Buddha. ~ 하다 enter Nirvana; die. 〔tree.

입목(立木) a standing 〔growing〕

입문(入門) ① 《제자가 됨》 ~ 하다

enter a school; become a disciple 〔pupil〕《*of*》. ② 《입문서》 a guide 〔an introduction〕《*to*》; a primer 《*of*》.

입바르다 〔be〕 straightforward; outspoken; plainspoken. ¶ 입바른 소리 plain speaking; a straight talk / 입바른 소리를 하다 speak plainly; call a spade a spade.

입방(立方) 〔數〕 cube. ☞ 세제곱. ¶ 1 ~ 미터 a cubic meter / 2미터 ~ 2 meters cube. ‖ ~ 체 a cube.

입방아 ¶ ~ 찧다 《발이 많다》 be talkative over trifles; gossip 〔gossip〕《*about*》; 《잔소리하다》 nag 《*at*》 / 사람들의 ~ 에 오르다 be talked about by people; be the talk of the town.

입버릇 a way 〔habit〕 of talking (말버릇); *one's* favorite phrase 《상투어》. ¶ ~ 처럼 말하다 always say; keep saying; be never tired of saying.

입법(立法) legislation. ~ 하다 legislate; pass a new law. ¶ ~ 정신 the spirit of legislation. ‖ ~ 권 legislative power / ~ 기관 a legislative organ / ~ 부 the legislature / ~ 자 a legislator.

입사(入社) ~ 하다 enter 〔join〕 a company. ‖ ~ 시험 an entrance 〔employment〕 examination 《*for, of*》.

입사(入射) 〔理〕 incidence. ¶ ~ 의 incident. ‖ ~ 각 an angle of incidence / ~ 광선 an incident ray.

입산(入山) 〔佛〕 retiring to a mountain to enter the priesthood. ~ 하다 become a Buddhist monk; enter the priesthood.

입상(入賞) winning a prize. ~ 하다 win 〔receive〕 a prize; get a place 《*in a contest*》. ‖ ~ 자 a prize winner. 〔소형의〕

입상(立像) a statue; a statuette

입상(粒狀) ¶ ~ 의 granular 〔starch〕; granulous 《*sugar*》.

입선(入選) ~ 하다 be accepted 〔selected〕. ‖ ~ 자 a winner; a winning competitor / ~ 작

winning work.

입성(入城) ~하다 make a triumphal entry into a fortress [city].

입소(入所) ~하다 enter (be admitted to) 《an institution》; 《교도소에》 be put into [sent to] prison [jail]; be imprisoned.

입수(入手) acquisition; receipt; obtainment. ~하다 come by; get; obtain; receive; procure; come to hand《물이 주어》.

입술 a lip. ¶ 윗 [아랫] ~ the upper [lower] lip / ~을 오므리다 purse (up) one's lips / ~을 삐죽 내밀다 pout (out) one's lips / ~을 훔치다 steal a kiss 《from》.

입시(入試) ☞ 입학시험.

입신(立身) ~양명(출세) a rise in the world; success in life.

입심 boldness in words; eloquence. ¶ ~이 좋다 be bold in words; eloquent.

입씨름 a quarrel; a wrangle. ~하다 quarrel; wrangle.

입아귀 the corner(s) of the mouth.

입안(立案) planning. ~하다 [make, draw up, map out] a plan. ¶ ~자 a planner.

입양(入養) adoption. ~하다 《양자로 하다》 adopt 《a son》;《양자가 되다》 be adopted 《into another's》.

입어(入漁) ‖ ~권 an entrance right to a piscary / ~료 charges for fishing in another's piscary; a fishing fee.

입영(入營) ~하다 join the army; enlist in [enter] the army.

입욕(入浴) bathing; a bath. ~하다 take [have] a bath; bathe. ¶ ~시키다 give 《a baby》 a bath; bathe 《a baby》.

입원(入院) hospitalization. ~하다 be hospitalized; be sent [taken] to hospital. ¶ ~중이다 be in the hospital / ~실 an inpatients' ward / ~비 hospital charges / ~수속 hospitalization procedures / ~환자 an inpatient.

입자(粒子) 〖理〗 a particle.

입장(入場) entrance; admission;

admittance. ~하다 enter; get in; be admitted 《to, into》. ‖ ~(의) an admission 《a platform 《역의》》 ticket / ~권매표소 a ticket office [a booking office 《英》] / ~금지《사실》[게시》 No entrance / ~료 an admission fee 《charge》 / ~식 an opening ceremony / 무료~《게시》 Admission free.

입장(立場) 《처지》 a position; a situation; 《견지》 a standpoint; a point of view; 《자기의 위치·장소》 a base; one's ground; 《사물을 보는 각도》 an angle. ¶ 남의 ~이 되어 생각하다 put [place] oneself in another's place.

입장단(—長短) ¶ ~을 치다 hum [sing] the rhythm.

입적(入籍) ☞ 입적.

입적(入籍) official registration as a family member. ~하다 have one's name entered in the family register.

입전(入電) a telegram received.

입정(入廷) ~하다 enter [appear in] the courtroom.

입정사납다 ① 《입이 걸다》 (be) foul-mouthed; abusive; foul-[evil-]tongued. ② 《탐식하다》 (be) greedy [ravenous] 《for food》.

입주(入住) ~하다 move into 《an apartment》; live in 《one's master's house》. ‖ ~가정부 a resident maid / ~자 a tenant; an occupant / ~점원 a living-in [resident] clerk.

입증(立證) proof. ~하다 prove; verify; give proof; testify.

입지(立地) location. ~하다 be located. ‖ ~조건 conditions of location.

입지(立志) ~하다 fix one's aim in life. ¶ ~전 a story of a man who achieved success in life; a success story / ~전적인 인물 a self-made man).

입질(낚시에서) a bite; a strike. ~하다 bite; take a bait. ¶ ~을 느끼다 have [feel] a bite.

입빠르다《서술적》 have a small

appetite; eat like a bird.

입찬말 big talk; a brag.

입찰(入札) a bid; a tender. ~하다 bid 〔tender〕 《for》; make a bid 《for》. ¶ ~에 부치다 sell 《articles》 by tender; put 《something》 out to tender. ‖ ~가격 the price tendered / ~보증 a bid bond / ~보증금 a security for a bid / ~일 the day of bidding / ~자 a bidder; a tenderer / 경쟁〔지명〕 ~ a public 《private》 tender / 일반 〔공개〕 ~ an open tender.

입천장(— 天障) the palate.

입체(立體) a solid (body). ¶ ~의 solid; cubic 《~적으로 고찰하다 consider 《something》 from many angles. ‖ ~감 a cubic effect; three-dimensional effect / ~교차 〔도로의〕 a two-〔multi-〕level crossing; a crossing with an overpass or underpass; an overhead crossing / ~사진 a stereoscopic photograph / ~영화 a three-dimensional 〔3-D〕 movie 〔film〕 / ~파 〔美術〕 cubism; a cubist(화가).

입초(入超) the excess of imports.

입초(立哨) standing watch; sentry duty. ¶ ~서다 stand watch 〔guard〕. ‖ ~병 a sentry.

입추(立秋) *Ipchu*; the first day 〔the beginning〕 of autumn.

입추(立錐) ¶ ~의 여지도 없다 be closely packed; be filled to capacity.

입춘(立春) *Ipchun*; the first day 〔the beginning〕 of spring.

입하(入荷) arrival 〔receipt〕 of goods. ~하다 arrive; be received.

입하(立夏) *Ipha*; the first day 〔the beginning〕 of summer.

입학(入學) entrance 〔admission〕 into a school. ~하다 enter 〔be admitted to〕 a school; go to a university 〔college〕. ‖ ~금 an entrance fee / ~시험 an entrance examination / ~식 an entrance

ceremony / ~원서 an application 〔form〕 for admission / ~자격 qualifications 〔requirement〕 for admission / 지원자 an applicant (for admission).

입항(入港) arrival 《of a ship》 in port. ~하다 enter 〔put into〕 port; arrive in 《a》 port; make port. ‖ ~세(稅) port 〔harbor〕 dues / ~신고 an entrance notice / ~예정일 the expected time of arrival.

입헌(立憲) ¶ ~적인 constitutional. ‖ ~군주국 a constitutional monarchy / ~민주정체 constitutional democracy / ~정치 constitutional government.

입회(入會) admission; joining; entrance. ~하다 join〔enter〕 《a club》; become a member 《of》. ¶ ~를 신청하다 apply for membership. ‖ ~금 an entrance fee / ~자 a new member.

입회(立會) ☞ 참여.

입후보(立候補) candidacy. ~하다 stand 〔come forward〕 as a candidate for; run for 《美》; stand for 《英》. ¶ ~를 신청하다 file one's candidacy 《for》. ‖ ~(예정)자 a (potential) candidate 《for》.

입히다 ① 《옷을》 dress; clothe; put on. ② 《덮개를》 plate; coat; cover. ③ 《손해를》 inflict 《damage》 upon; cause 《damage》 to; do 《harm》. ¶ 아무에게 손해를 ~ inflict losses upon a person.

잇다 ① 《연결》 connect; join; link. ② 《계승》 succeed (to); inherit. ¶ 가업을 ~ maintain 〔sustain, preserve〕 《life》. ③ 《목숨을》 maintain 〔sustain, preserve〕 《life》.

잇달다 ① 《잇대다》. ② 《연달다》 닿아 one after another; in succession / 잇달은 승리 consecutive victories.

잇닿다 border 《on》; adjoin; be adjacent 〔next〕 to.

잇대다 《이어대다》 connect; join; link; put together.

잇몸 the gum(s).

잇속 《이의 생긴 모양》 ¶ ~이 고르다 [고르지 않다] have regular [irregular] teeth; *one's* teeth are even [uneven].

잇속 (利—) substantial gain [profit]; self-interest. ¶ ~이 밝다 have a quick eye for gain.

잇자국 a tooth mark; a bite.

있다 ① 《존재하다》 there is [are]; be; exist. ¶ 있는 것이 없는 것보다 (는) 낫다 Something is better than nothing. ② 《위치하다》 be; be situated [located (美)]; stand; lie; run (길, 강이). ③ 《소유하다》 have; possess (능력·특성이); own (재산이). ¶ 음악의 재능이 ~ have [possess] a gift of music. ④ 《설비되어 있다》 be equipped [fitted, provided] (with). ⑤ 《내재되어 있다》 lie; consist in. ¶ 행복은 만족에 ~ Happiness lies in contentment. / 잘못은 나에게 ~ The fault rests with me. ⑥ 《경험이 있다》 ¶ 거기 가 본 일이 있는냐 Have you ever been there? ⑦ 《발생하다》 happen; take place; occur. ¶ 무슨 일이 있어도 whatever happens; come what may / 어젯밤에 지진이 있었다 We had [There was] an earthquake last night. ⑧ 《행해지다》 be held; take place. ⑨ 《유복하다》 (be) rich; wealthy. ¶ 있는 사람 a well-off person / 있는 집에 태어나다 be born rich. ⑩ 《행위의 완료·상태의 계속》 ¶ 그 것은 이미 신고되어 ~ We have already reported the matter. ⑪ 《기타》 ¶ 소나무는 한국 어디에서나 볼 수 ~ Pine trees are found everywhere

in Korea. / 그는 은행장으로 ~ He is in office as the president of the bank.

잉걸불 a glowing charcoal fire.

잉꼬 【鳥】 a macaw.

잉어 【魚】 a carp [*sing.* & *pl.*].

잉여 (剩餘) (a) surplus; the remainder; a balance. ∥ ~가치 (설) (the theory of) surplus value / ~금 a surplus (fund).

잉카 Inca. ∥ ~문명 the Incan Civilization / ~족 the Incas.

잉크 (write in) ink. ¶ ~병 an ink bottle / ~스탠드 an inkstand.

잉태 (孕胎) 임신 (妊娠).

잊다 ① 《무의식적으로》 forget; be forgetful of; 《사물이 주어》 slip *one's* mind [memory]. ¶ 잊을 수 없는 unforgettable; lasting. ② 《의식적으로》 dismiss (*a thing*) from *one's* mind; think no more of; put (*a thing*) out of *one's* mind. ¶ 슬픔을 ~ get over *one's* grief. ③ 《놓고 오다》 leave behind; 《안가져오다》 forget to bring [take] (*a thing*).

잊혀지다 be forgotten; pass out of mind [*one's* memory].

잎 ① a leaf (활엽); a blade (풀잎); a needle (침엽); foliage (총칭). ¶ ~이 나오다 the leaves come out; 《나무가 주어》 come into leaf / ~이 지다 the leaves fall; 《나무가 주어》 be stripped of leaves. ② 《단위》 a leaf (of brass coin).

잎나무 brushwood.

잎담배 leaf tobacco.

잎사귀 a leaf; 《작은》 a leaflet.

ㅈ

자 ① 《단위》 a *ja*(=30.3cm). ¶ 이 옷감은 꼭 다섯 ~다 This cloth measures five *ja* exactly. ② 《계기》 a (measuring) rule [rod, stick]; a ruler. ¶ ~로 재다 measure with a rule / 삼각~ a set square; a triangle / T~ a T-square. ③ 《척도·표준》 a yardstick (*for*); a standard.

자(子) 《사자》 a son; a child.

자(字) ① 글자. ② 《이름》 a pseudonym; a pen name.

자(者) 《사람》 a person; one; a fellow. ¶ 김이라는 ~ a man called Kim.

자 《감탄사》 there; here; come (now); now (then); well (now). ¶ ~, 빨리 가십시다 Now, let us hurry.

자가(自家) 《집》 one's (own) house [family]. ¶ ~용의 for private use; for domestic [family] use; personal / ~용 자동차 a private car; an owner-driven car. ‖ ~ 당착 self-contradiction.

자각(自覺) (self-)consciousness; (self-)awareness. ~ 하다 be conscious [aware] (*of*); awaken (*to*); realize(깨닫다). ¶ 자신의 입장을 ~해라 Realize your situation. ‖ ~증상 a subjective symptom.

자갈(自決) pebbles. ¶ 도로에 ~을 깔다 gravel a road. ¶ ~밭 an open field covered with gravels.

자갈색(紫褐色) purplish brown.

자개 mother-of-pearl; nacre. ¶ ~를 박다 inlay 《*a wardrobe*》 with mother-of-pearl. ☞ 나전세공.

자객(刺客) an assassin; a killer.

자격(資格) qualification; capacity; competency(능력); a require-

ment(필요조건). ¶ ~이 있다 have qualification (*for*); be qualified 《*as, to do*》; 《능력이 있다》 be competent 《*as, to do*》; have a right 《*to*》 / 입학 ~ entrance requirements for admission / 유~[무]~자 a qualified [an unqualified] person. ‖ ~검정시험 a qualifying examination / ~상실 disqualification / ~심사 screening(test) / ~증 a certificate of qualification.

자격지심(自激之心) a guilty conscience; a feeling of self-accusation.

자결(自決) ① 《자기결정》 self-determination. ~ 하다 determine by oneself. ¶ 민족~ racial self-determination. ② ☞ 자살.

자경단(自警團) a vigilante group [corps]. ‖ ~원 a vigilante.

자고로(自古─) from old [ancient] times.

자구(字句) words and phrases terms; wording; expressions(표현); the letter(문면). ¶ ~를 수정하다 make some change in the wording.

자국 a mark; traces; an impression; a track [trail]; a stain(더럼). ¶ 긁힌 ~ a scratch / 모기에 물린 ~ a mosquito bite / 손가락 ~ a finger mark / ~이 나다 get marked; leave a mark 《*on, in*》.

자국(自國) one's (own) country one's native land(본국). ‖ ~민 one's fellow countrymen / ~어 one's native language; one's mother tongue.

자궁(子宮) 【解】 the womb; the uterus. ¶ ~의 uterine. ‖ ~외임신 extrauterine [ectopic] pregnancy / ~암 uterine cancer.

자귀 《연장》 an adz.

자그마치 ① 《적게》 a little; a few; some. ② 《반어적》 not a little; as much (many) as. ¶ ～ 만원이나 손해다 The loss is as much as 10,000 *won*.

자그마하다 (be) smallish; be of a somewhat small size 《서술적》.

자극 (刺戟) a stimulus; an impulse; a spur; an incentive. ～하다 stimulate 《the appetite》; excite 《one's curiosity》; spur up; irritate 《the skin》. ‖ ～적인 stimulative; pungent 《맛·향기의》; sensational (선정적인). ‖ ～제 a stimulant.

자극 (磁極) 〖理〗 a magnetic pole.

자금 (資金) funds; capital (자본금); a fund (기금). ¶ ～이 부족하다 be short of funds / ～을 모으다 〔달하다〕 raise funds 《for》/ 운영 [준비] ～ operating (reserve) funds. ‖ ～난 a financial difficulty; lack of funds.

자급 (自給) self-support. ～하다 support [provide for] oneself. ‖ ～률 (the degree of) self-sufficiency 《in oil》/ ～자족 self-sufficiency (～자족하다 be self-sufficiency 《in》).

자긍 (自矜) 《자찬》 self-praise; 《자부》 self-conceit.

자기 (自己) oneself; self; ego. ¶ ～의 one's own; personal; private / ～를 알다 know oneself. ‖ ～만 self-deception / ～도취 narcissism; self-absorption / ～소개 self-introduction (～소개하다 introduce oneself) / ～주장 self-assertion (～주장이 강하다 be very self-assertive) / ～중심 self-centeredness / ～중심주의 the egocentrism.

자기 (自記) ¶ ～를 self-registering 〔-recording〕 《thermometer》.

자기 (磁氣) magnetism. ¶ ～를 띤, ～의 magnetic / ～를 띠게 하다 magnetize; make a magnet of / ～부상열차 a maglev train (～ magnetically-leviated train) / ～

장 〖理〗 a magnetic field.

자기 (瓷器) porcelain; china(ware); ceramics.

자꾸 《여러 번》 very often; frequently; 《끊임없이》 incessantly; constantly; 《몹시》 eagerly; earnestly; strongly.

자나깨나 waking or sleeping; awake or asleep.

자낭 (子囊) 〖植〗 an ascus. ‖ ～균 a sac fungus.

자네 you.

자녀 (子女) 《아들딸》 children; sons and daughters.

자다 ① 《잠을》 sleep; 《잠들다》 get 〔go〕 to sleep; 《잠자리에 들다》 go to bed. ¶ 잘〔잘못〕 ～ have a good 〔bad〕 sleep. ② 《결이》 get pressed 〔smoothed〕 down; take a set. ③ 《가라앉다》 go 〔die, calm〕 down; subside. ¶ 바람이 잤다 The wind died down. ④ 《시계가》 stop; run down.

자단 (紫檀) 〖植〗 a red sandalwood.

자당 (慈堂) your (esteemed) mother.

자동 (自動) automatic action (motion, operation); 《～식》의 automatic / ～적으로 automatically. ‖ ～문 an automatic door / ～번역기 an electronic translator / ～유도장치 a homing device / ～장치 an automation / ～조종장치 《항공기의》 an autopilot / ～판매기 a slot 〔vending〕 machine / ～현금지급기 an automatic cash dispenser; a cash machine.

자동사 (自動詞) an intransitive verb (생략 vi.).

자동차 (自動車) a car; a motorcar 《英》; an automobile 《美》; an auto 《口》; a motor vehicle (총칭). ¶ ～로 가다 go 《to a place》 by car / ～를 몰다〔달리다〕 drive a car / (남이 운전하는) ～를 타다 ride in a car / ～에 태워 주다 give 〔offer〕 《a person》 a lift / 자가용 ～ a private car / 경주용 ～ a racing car; a racer. ‖ ～번호판 a license plate 《美》; a number-plate 《英》 / ～보험 automobile

insurance / ~부품 an auto part / ~사고 an automobile [a car] accident / ~세 the automobile tax / ~여행 a car [motor] trip / ~전용도로 an expressway; a superhighway 《美》; a motorway 《英》.

자두 【植】 a plum; a prune (말린 것).

자디잘다 (be) very small. ☞ 잘다.

자라 【動】 a snapping [soft-shelled] turtle. ¶ ~보고 놀란 가슴 솥뚜껑 보고 놀란다 《俗談》 The burnt child dreads the fire.

자라다 (성장하다) grow (up); be bred; be brought up. ¶ 우유[모유]로 자란 아이 a bottle-[breast-] fed child / 빨리~ grow rapidly.

자라다① (충분) (be) enough; sufficient. ¶ 이 연료로 겨우내 자랄까 Will this fuel last out the winter? ② (미치다) reach; get at (손이). ¶ 손이 자라는 [자라지 않는] 곳에 within [beyond] one's reach.

자락 옷자락. ¶ 바지 ~을 걷어 올리다 tuck up one's trousers.

자랑 pride; boast. ~하다 boast (of); be proud (of, that...); pride oneself (on); take pride (in). ¶ ~스럽게 proudly; boastfully; with pride.

자력(自力) by one's own efforts (ability); by oneself. ¶ ~ 갱생 regeneration by one's own efforts; self-reliance.

자력(資力) means; funds; (financial) resources. ¶ 그에겐 ~이 있다 [없다] He is a man of [without] means.

자력(磁力) 【理】 magnetism; magnetic force. ¶ ~의 magnetic.

자료(資料) material; data. ¶ ~를 수집하다 collect [hunt up] material / 연구 ~ research data. ‖ ~실 a reference room; 《신문사의》 a morgue 《口》.

자루① 《부대》 a sack; a bag. ¶ 쌀 ~ a rice bag / ~에 담다 put 《rice》 into a sack.

자루① 《손잡이》 a handle; a grip(기

계 따위의); a hilt; a haft(칼 따위의); a shaft(창 따위의). ¶ 망치 ~ the handle of a hammer.

자루① 《단위》 a piece (of); a pair (of). ¶ 분필 한 ~ a piece of chalk / 소총 세 ~ three stands of rifles.

자르다 cut (off); chop; sever; saw (톱으로); shear; clip (가위로). ¶ 사과를 둘로 ~ cut an apple in two.

자리① 《좌석》 a seat; one's place. ¶ ~에 앉다 take one's seat; seat oneself; be seated; sit down ¶ ~에서 일어나다 rise up from one's seat. ② 《공간》 room; space. ¶ ~를 많이 잡다 take up a lot of space. ③ 《특정한 장소》 a spot; a scene. ¶ 도둑은 그 ~에서 체포되었다 The thief was arrested on the spot. ④ 《위치》 a position; a location; a site (터); 《상황·경우》 an occasion. ¶ ~가 좋다 [나쁘다] be well-[ill-]situated / ~에 어울리는 복장을 하다 be properly dressed for the occasion. ⑤ 《직책·일자리》 a position; a post; a place. ¶ 중요한 ~ an important position. ⑥ 《깔개》 a mat; matting. ⑦ 《잠자리》 a bed; a sickbed(병석). ¶ ~를 깔다 《펴다》 make beddings; prepare a bed / ~에 눕다(보전하다) lie in one's sickbed. ⑧ 《숫자의》 a figure; a unit; a place. ¶ 네 ~수 a number of four figures.

자리끼 bedside drinking water.

자리옷 nightwear; night clothes; pajamas 《美》; a nightgown.

자리잡다 《위치》 be situated (at, in); 《정착》 settle (down); establish oneself; 《공간 차지》 take up room.

자립(自立) independence; self-reliance; self-support(자활). ~하다 become independent; support oneself. ¶ ~경제 self-supporting economy.

자릿자릿하다 (be) prickly; tingling; 《저리다》 (be) numb; have pins

and needles 《in》; 《마음이》 (be) thrilling.

자막(字幕) 《영화의》 a title; a caption(字幕); a subtitle; superimposition(설명 자막). ¶ 한국어 ~ 을 넣은 미국 영화 an American film with Korean subtitles.

자만(自慢) self-praise; self-conceit; vanity; boast(큰소리); brag; pride. ~ 하다 be proud 〔boastful, vain〕 of; brag 〔boast〕 of; pride *oneself* on. ¶ ~ 하는 사람 a boaster; a braggart.

자매(姉妹) sisters. ¶ ~ 의 〔같은〕 sisterly. ‖ ~ 교 〔도시〕 a sister school 〔city〕 / ~ 회사 an affiliated company 〔company〕 / ~ 결연 establishment of sisterhood 〔sistership〕.

자멸(自滅) self-destruction; self-ruin. ~ 하다 destroy 〔ruin, kill〕 *oneself*. ¶ ~ 적인 suicidal 〔*behavior*〕; self-defeating 〔*processes*〕.

자명(自明) ~ 하다 be obvious; self-evident. ¶ ~ 한 이치 a self-evident truth; a truism.

자명종(自鳴鐘) an alarm clock.

자모(字母) an alphabet; a letter; 〔도시〕 a matrix; a printing type.

자모(慈母) *one's* (tender) mother.

자못 very; greatly; highly; quite. ¶ ~ 기뻐보이다 look highly pleased.

자문(自問) ~ 하다 question 〔ask〕 *oneself*. ‖ ~ 자답 (a) soliloquy; ~ 자답하다 talk to *oneself*).

자문(諮問) an inquiry. ~ 하다 inquire; refer 〔submit〕 《a problem》 to 《a committee for deliberation》; consult. ‖ ~ 기관 an advisory body / ~ 위원회 an advisory committee.

자물쇠 a lock; a padlock. ~ 를 채우다〔열다〕 lock 〔unlock〕 《a door》.

자바 Java. ‖ ~ 사람 a Javanese; a Javan.

자반 salted 〔salt-cured〕 fish.

자반병(紫斑病) 〔醫〕 purpura. ‖ 혈성 ~ purpura hemorrhagica.

자발(自發) ~ 적인 spontaneous; voluntary / ~ 적으로 voluntarily;

spontaneously; of *one's* own accord / ~ 적으로 공부하다 study of *one's* free will; study spontaneously.

자방(子房) 〔植〕 an ovary. ☞ 자낭.

자배기 a deep round pottery bowel.

자백(自白) confession. ~ 하다 confess. ¶ ~ 을 강요하다 force a confession 《out of a suspect》.

자벌레 〔蟲〕 a measuring worm.

자본(資本) (a) capital; a fund. ¶ ~ 의 축적〔집중〕 accumulation 〔concentration〕 of capital / ~ 의 유입 the influx 〔inflow〕 of capital. / 외국 ~ foreign capital / 고정〔유동〕 ~ fixed 〔floating〕 capital. ‖ ~ 가 a capitalist / ~ 구성 the capital structure 《of a firm》 / ~ 금 capital / ~ 금 10억원의 회사 a company capitalized at one billion won / ~ 주의 capitalism / ~ 주의경제 the capitalistic economy.

자부(自負) self-conceit; pride. ~ 하다 take pride in; be self-conceited; think highly of *oneself*. ‖ ~ 심 self-confidence; pride 〔~ 심이 강하다 be self-confident〕.

자비(自費) ~ 로 at *one's* own expense.

자비(慈悲) mercy; pity. ¶ ~ 로운 merciful; tender-hearted / ~ 를 베풀다 have mercy 《on》; do 《a person》 an act of charity / ~ 를 청하다 ask for mercy. ‖ ~ 심 a merciful heart.

자빠뜨리다 make 《a person》 fall on *one's* back; knock 〔throw〕 《a thing》 down.

자빠지다 ① 《넘어가다》 fall on *one's* back; fall backward. ② 《눕다》 lie down.

자산(資産) property; a fortune; assets(회사 · 법인의). ¶ ~ 을 공개하다 make *one's* property 〔assets〕 public. / ~ 가 a man of property; a wealthy person / ~ 상태 *one's* financial standing / 재평가 revaluation 〔reassess-

ment) of property / 현금 ~ cash assets.

자살(自殺) suicide. ~하다 kill one-self; commit suicide. ~미수(자) (an) attempted suicide / ~자 a suicide.

자상스럽다, 자상하다(仔詳一) (be) careful; detailed; minute; thoughtful 《of》.

자색(姿色) good looks; personal beauty (in a woman). ¶ ~이 뛰어나다 surpass others in beauty.

자색(紫色) purple; violet. 〔ty.

자생(自生) spontaneous (natural) growth. ~하다 grow wild (naturally). ‖ ~식물 native (wild) plants.

자서(自序) the author's preface.

자서전(自敍傳) an autobiography. ¶ ~적인 소설 the autobiographical novel. ‖ ~작자 an autobiographer.

자석(磁石) a magnet. ¶ ~의 magnetic. ‖ ~막대[말굽] a bar [horseshoe] magnet.

자석영(紫石英) ☞ 자수정

자선(自選) ~하다 select 《the best》 out of one's own works. ‖ ~시집 poems selected by the poet himself.

자선(慈善) charity; benevolence. ¶ ~적인 charitable; benevolent / 가난한 사람들에게 ~을 베풀다 render aid to the poor in charity. ‖ ~기금 a charity fund / ~냄비 a charity pot / ~단체 a charitable institution [organization] / ~사업 charitable work; charities.

자설(自說) one's own view [opinion].

자성(自省) ☞ 반성(反省).

자성(磁性) [理] magnetism. ¶ ~의 magnetic / ~을 띠게 하다 magnetize. ‖ ~체 a magnetic substance [body].

자세(仔細) ¶ ~한 detailed; minute; full; particular / ~히 in full; minutely; closely.

자세(姿勢) 《몸의》 a posture; a

pose; 《태도》 an attitude; a carriage《몸가짐》. ¶ 앉은 ~ a sitting posture / ~를 바로잡다 straighten oneself / ~가 좋다〔나쁘다〕 have a fine (poor) carriage.

자속(磁束) [理] magnetic flux.

자손(子孫) a descendant; 《집합적》 posterity; offspring. ¶ ~에게 전하다 hand down to one's posterity.

자수(自手) ¶ ~로 with one's own hands (efforts); without help / ~성가하다 make one's fortune by one's own efforts.

자수(自首) self-surrender; (voluntary) confession. ~하다 surrender oneself.

자수(刺繡) embroidery. ~하다 embroider 《one's name on ...》.

자수정(紫水晶) [鑛] amethyst; violet quartz.

자숙(自肅) self-imposed control; self-control. ~하다 practice self-control; voluntary refrain 《from》.

자습(自習) private study; self-teaching. ~하다 study by [for] oneself. ‖ ~서 a self-teaching book; a key《문제집 등의 해답집》.

자승자박(自繩自縛) ~하다 be caught in one's own trap; lose one's freedom of action as a result of one's own actions.

자시(子時) the Hour of the Rat; midnight.

자식(子息) 《자녀》 a child; a son; a daughter; offspring《총칭》; 《육》 a chap; a wretch; a bastard.

자신(自身) one's self; oneself. ¶ ~으로 personal / ~이《독자적으로》 by [for] oneself; in person / personally / 네 ~이 해 보아라 Try it by yourself.

자신(自信) (self-)confidence; self-assurance. ~하다 be confident 《of, about》. ¶ ~이 있는 confident; self-confident; self-assured / ~만만하게 with complete self-confidence / 나는 성공할 ~이 있다 I am [feel] confident of success.

자실(自失) ☞ 망연.

자심(滋甚) ～하다 be getting (growing) worse (severe, serious).

자아(自我) self; ego. ¶ ～가 센 egotistic(자기 중심의); egoistic; selfish; self-willed(제멋대로의). ‖ ～의식 self-consciousness.

자아내다 ① (실을) spin; reel off. ¶솜에서 실을 ～ spin thread out of cotton. ② (느낌을) evoke (a laugh, feeling). ③ (액세·기체를) extract (gas, liquid) by machine; draw; pump.

자애(自愛) ～하다 take (good) care of oneself.

자애(慈愛) affection; love. ¶ ～로운 affectionate; loving.

자약(自若) ～하다 (be) self-possessed; composed; calm. ¶태연 ～하다 remain cool (calm).

자양(滋養) nourishment. ‖ ～영양.

자업자득(自業自得) the natural consequences of one's own deed. ¶ ～이다 You've brought it on yourself. or You asked for it. or It serves you right.

자연(自然) ① (천연) nature; Nature(의인화). ¶ ～의 법칙 the law(s) of nature / ～이 파괴되고 있다 Nature is being ruined. ② (당연) ¶ ～의 natural / ～스러운 결과로서 as a natural result. ③ (저절로) ～히 by oneself; spontaneously; automatically. ‖ ～과학 natural science / ～발생 (발효) spontaneous generation (combustion) / ～보호 conservation of nature / ～식품 natural foods / ～현상 a natural phenomenon / ～환경 the natural environment.

자영(自營) ～하다 do (business) independently; be self-supporting. ¶ ～의 independent; self-supporting / ～업 an independent enterprise.

자오선(子午線) 〖天〗 the meridian.

자외선(紫外線) ultraviolet rays. ‖ ～요법 ultraviolet light therapy / ～치료 (an) ultraviolet treatment.

자우(慈雨) a welcome rain; a rain after the drought.

자욱하다 (be) dense; thick; heavy. ¶ ～하게 thickly; densly / 자욱한 안개 a dense fog.

자웅(雌雄) (암수) male and female; the two sexes (승패) victory or defeat. ¶ ～을 감별하다 determine the sex (of); sex (a chicken) / ～을 겨루다 fight a decisive battle (with). ‖ ～동체 hermaphrodite.

자원(自願) a volunteer (for). ¶ ～하여 voluntarily. ‖ ～자 a volunteer.

자원(資源) (natural) resources. ¶ 유한(有限)한 ～ finite resources / 지하 ～ underground resources / 인적 ～ human resources; manpower / 천연 ～을 개발하다 exploit (develop) natural resources. ‖ ～개발 exploitation of resources / ～보호 conservation of resources / ～산출국 resource-producing countries.

자위(自慰) ① (자기 위로) self-consolation. ～하다 console oneself. ② (수음) masturbation.

자위(自衛) self-defense (protection). ～하다 protect (defend) oneself. ¶ ～의 self-protecting; self-preserving / ～ 수단을 강구하다 adopt a measure of self-defense.

자위뜨다 (무거운 물건이) budge; make (show) a slight opening.

자유(自由) freedom; liberty. ¶ ～의로운) free; liberal; unrestrained / ～롭게 freely; at will; liberally / ～자재로 at will; freely / 신앙(종교)의 ～ freedom of worship (religion) / ～의 여신 상 the Statue of Liberty / ～로운 몸이 되다 be set free (at liberty) / ～를 잃다 be deprived of one's liberty. ‖ ～경쟁 free competition / ～경제 [무역] free economy (trade) / ～방임 noninterference; 〖경제상의〗 laissez-faire / ～의지 free will / ～주의 liberalism / ～주의자 a liberalist / ～

형 《수영·레슬링의》 freestyle.

자유화(自由化) liberalization; freeing 《of trade》; removal of restrictions 《on trade》. ～하다 liberalize; free. ∥～ 조처 liberalization measures.

자율(自律) self-control; autonomy. ¶～적인 autonomous. ∥～신경 an autonomic nerve.

자음(子音) a consonant.

자의(字義) the meaning of a word. ¶～대로 literally.

자의(自意) 《of》 one's own will.

자의식(自意識) self-consciousness.

자이로스코프 a gyroscope.

자이르 Zaire. ¶～의 Zairian / ～ 사람 a Zairian.

자인(自認) ～하다 acknowledge oneself 《to be in the wrong》; admit.

자일(을 산용물) a (climbing) rope.

자임하다(自任一) consider 《fancy》 oneself (to be) 《an expert》; regard 〔look upon〕 oneself 《as a social reformer》.

자자손손(子子孫孫) 《one's》 descendants; posterity; offspring. ¶～에 이르기까지 to one's remotest descendants.

자자하다(藉藉一) be widely spread. ¶명성이 ～ be highly reputed.

자작(子爵) a viscount. ∥～부인 a viscountess.

자작(自作) one's own work. ¶～ 의 of one's own making 〔writing〕/ ～소설 a novel of one's 《own》 writing 〔pen〕. ∥～농 an independent 〔owner〕 farmer / ～시 one's own poem.

자작나무(植) a white birch.

자작하다(自酌一) pour 《wine》 for oneself.

자잘하다 (be) all small 〔tiny, minute〕. ¶자잘한 물건 small things.

자장(磁場) ☞ 자기장.

자장가(一歌) a lullaby; a cradle song. ¶～를 불러 아이를 재우다 sing a child to sleep.

자장면(炸醬麵) noodles with bean sauce.

자장자장 rockaby(e); hushaby.

자재(資材) materials. ∥～파 the material section / 건축～ construction 〔building〕 materials.

자적(自適) self-satisfaction. ¶유유～한 생활을 보내다 live (by oneself) free from worldly cares.

자전(字典) a dictionary for Chinese characters; a lexicon.

자전(自轉) (a) rotation. ～하다 rotate.

자전거(自轉車) a bicycle; a cycle; a bike 《俗》; a tricycle (세발의). ¶～를 타다 ride a bicycle / ～로 가다 go by bicycle / ～경기 a bicycle 〔cycle〕 race / ～경기장 a cycling bowl 〔track〕; a velodrome.

자정(子正) midnight.

자정(自淨) self-cleansing; self-purification. ¶자연의 ～ 작용 the self-cleansing action of nature.

자제(子弟) children; sons.

자제(自制) self-control; self-restraint. ～하다 control 〔restrain〕 oneself. ¶～심〔력〕을 잃다 lose one's self-control; lose control of oneself; let oneself go.

자조(自助) one's own making.

자조(自助) self-help. ～하다 help oneself. ∥～정신 the spirit of self-help.

자조(自嘲) self-scorn; self-ridicule. ～하다 scorn 〔ridicule〕 oneself.

자족(自足) self-sufficiency. ¶～하다 be self-sufficient. ☞ 자급(自給).

자존(自尊) self-respect; self-importance. ～하다 respect 〔esteem〕 oneself.

자존심(自尊心) self-respect; pride. ¶～ 있는 self-respecting; proud / ～을 상하다 hurt one's pride.

자주(自主) independence. ¶～적인 independent; autonomous (자치의) / ～적으로 independently; of one's own will. ∥～국방 self-reliance of national defense / ～권 autonomy.　　　　〔claret.

자주(紫朱) purplish red; murex;

자주 often; frequently.

자중(自重) prudence. ∼하다 be prudent [cautious].

자중지난(自中之亂) a fight among themselves; an internal strife.

자지 a penis; 《美俗》 a cock.

자지러뜨리다 shrink; frighten *(a person)* to death; give *(a person)* shudders [the creeps].

자지러지다 shrink; cower; crouch; flinch 《from》. ∥ 자지러지게 웃다 hold one's sides laughing; laugh fit to kill.

자진(自進) ¶ ∼하여 voluntarily / ∼에 대하다 volunteer for military service.

자질(資質) nature; disposition; temperament(기질); a gift(재능). ∥ 자질구레하다 be very small.

자질구레하다 be very small.

자찬(自讚) ☞ 자화자찬.

자책(自責) self-reproach. ∼하다 reproach [blame] *oneself (for)*. ∥ ∼감 a guilty conscience.

자처(自處) ① ∼로 자살(自殺). ② 《자임》∼하다 fancy [consider] one-self 《as, to be》; look upon one-self 《as》.

자천(自薦) ∼하다 recommend [offer] *oneself (for the post)*.

자철(磁鐵) 【鑛】 magnetic iron.

자청(自請) volunteering. ∼하다 volunteering.

자체(字體) the form of a character; a type(활자의).

자체(自體) ¶ 그 ∼ (in) itself / 사고는 ∼는 별것 아니었다 The accident itself was a minor one. ∥ ∼감사 self-inspection / ∼조사 an in-house investigation.

자초(自招) ∼하다 bring upon one-self; court 《danger》. ¶ 화를 ∼하다 bring misfortune on *oneself*.

자초지종(自初至終) the whole story; all the details. ¶ 사고의 ∼을 상세히 말하다 give a full account of the accident.

자축(自祝) ∼하다 celebrate 《an event》 by *oneself*.

자취(자취) 《형적》 traces; vestiges; marks; signs; evidences(증거). ¶ ∼를 남기다 leave *one's* traces

behind / ∼를 감추다 cover up *one's* traces.

자취(自炊) ∼하다 cook *one's* own food; do *one's* own cooking; board *oneself*.

자치(自治) self-government; auton-omy. ∼하다 govern *oneself*. ∥ ∼의 self-governing; autonomous / 지방 ∼ local self-government. / ∼(단)체 a self-governing body.

자치기 tipcat.

자친(慈親) *one's* mother.

자침(磁針) a magnetic needle. ¶ ∼검파기 a magnetic detector.

자칫하면 ¶ ∼ 목숨을 잃을 뻔하다 come near losing *one's* life / …하기 쉽다 be apt [liable, prone] to do.

자칭(自稱) ∼하다 style [call, de-scribe] *oneself*; pretend 《to be》. ¶ ∼의 self-styled; would-be / 그는 ∼ 변호사 [시인]이다 He is a self-styled lawyer [would-be poet]. / 그는 ∼ 대학교수라고 하였다 He called himself a professor.

자타(自他) *oneself* and others. ¶ 그는 ∼가 인정하는 시인이다 He is generally acknowledged to be a poet.

자탄(自歎) ∼하다 complain [grieve] to *oneself*; feel grief for *oneself*.

자태(姿態) a figure; a shape; a pose. ¶ 요염한(우아한) ∼ a be-witching [graceful] figure.

자택(自宅) 《자기 집》 *one's* (own) house [home]. ¶ ∼에 있다 (you) be (not) at home. ∥ ∼연금 house arrest; domiciliary confinement.

자퇴(自退) ∼하다 leave 《*one's* post》 of *one's* own accord; resign vol-untarily.

자투리 odd ends of yard goods; waste pieces from cutting cloth. ∥ ∼땅 a small piece of land (in downtown areas).

자폐증(自閉症) 【心】 autism. ¶ ∼의 아이 an autistic child.

자포자기(自暴自棄) desperation; despair(절망); self-abandonment. ∼하다 become desperate; aban-

don *oneself* to despair. ¶ ～하여 in desperation.

자폭(自爆) suicidal explosion. ～하다 crash *one's* plane into the target(비행기가); blow up *one's* own ship(배가).

자필(自筆) *one's* own handwriting; an autograph. ¶ ～의 autograph; (a letter) in *one's* own hand writing.

자학(自虐) self-torture. ～하다 torment [torture] *oneself*. ¶ ～적인 masochistic; self-tormenting.

자해(自害) self-injury. ～하다 injure [hurt] *oneself*.

자행(恣行) ～하다 do as *one* pleases; have *one's* own way.

자형(姉兄) brother(妹兄).

자혜(慈惠) charity; benevolence. ¶ ～병원 a charity hospital.

자화(磁化) [理] magnetization.

자화상(自畵像) a self-portrait.

자화수정(自花受精) [植] self-fertilization.

자화자찬(自畵自讚) self-praise. ～하다 praise *oneself*; sing *one's* own praises.

자활(自活) self-support. ～하다 support [maintain] *oneself*. ¶ ～의 길 a means of supporting *oneself*.

자획(字劃) the number of strokes 《*in a Chinese character*》.

작(作) 《작품》 a work; a production; 《농작》 a crop; a harvest.

작가(作家) a writer, an author 《소설의》; an artist.

작고(作故) ～하다 die; pass away. ¶ ～한 the late ....

작곡(作曲) 《musical》 composition. ～하다 compose; set 《*a song*》 to music; write music 《*to a song*》. ¶ ～가 a composer.

작금(昨今) recently; lately; of late; these days. ¶ ～의 recent.

작년(昨年) last year; ¶ ～오늘 this day last year; a year ago today.

작다 《크기가》 (be) small; little;

tiny; 《나이가》 (be) young; little; 《규모·중요도가》 (be) trifling; slight; trivial; 《마음이》 (be) narrow-minded. ¶ 작은 집 a small house / 작은 일 a trifle; a trivial matter / 작은 고추가 맵다 《俗談》. The smaller, the shrewder.

작다리 a person of short stature; a shorty(美口).

작달막하다 be rather short (of stature); be stocky.

작당(作黨) ～하다 form a gang. ¶ ～하여 in a group (league).

작대기 ① 《버팀대》 a pole; a rod; a stick (with a forked head). ② 《가위표》 the mark of failure 《*in a test*》; the mark of elimination.

작도(作圖) drawing. ～하다 draw a figure 《chart》; [數] construct 《*a triangle*》.

작동(作動) ～하다 operate; work; run; function. ¶ 기계를 ～시키다 set 《put》 a machine going.

작두(斫－) a straw cutter; a fodder-chopper.

작렬(炸裂) an explosion; bursting. ～하다 explode; burst.

작명(作名) naming. ～하다 name.

작문(作文) 《a》 composition. ¶ 영～ an English composition / ～을 짓다 write a composition 《on》.

작물(作物) 《농작물》 crops; farm products 《produce》.

작법(作法) how to write [make, grow, produce, *etc.*].

작별(作別) farewell; parting; a goodbye; leave-taking. ¶ ～을 고하다 say goodbye 《*to*》. ～하다 《인사말》 a farewell word / ～하다 take leave 《of》; say goodbye to; bid 《*a person*》 farewell.

작부(酌婦) a barmaid; a bar girl.

작부면적(作付面積) acreage under cultivation; a planted area.

작사(作詞) ～하다 write the words 《lyrics》 《*for*》. ¶ K씨 ～ L씨 작곡 words 《lyric》 by K and music by L. ¶ ～자 a songwriter; a lyric writer.

작살 a harpoon; a (fish) spear.

작성(作成) ~하다 draw up 《*a plan*》; make out 《*a list*》. 제약서를 2통 ~ 하다 draw up a contract in duplicate.

작시(作詩) ~하다 write a poem. 법 the art of versification.

작심(作心) ~하다 determine; resolve; make up one's mind. ~삼일 a resolution good for only three days; a short-lived resolve.

작약(芍藥)〖植〗a peony.

작업(作業) work; operations. ~하다 work. ~을 8시에 개시〔중지〕하다 begin 〔suspend〕 operations at eight. ~량 amount of work done / ~복 working clothes; overalls / ~시간 working hours.

작열(灼熱) ~하는 scorching; burning; red-hot.

작용(作用) action; operation; a function(기능); effect(영향). ~하다 act 〔operate, work〕 《*on a thing*》; affect. ~과 반작용 action and reaction / 화학 ~ chemical action / 부~ side effect / 상호~ (an) interaction.

작위(爵位) peerage; a (noble) title. ~가 있는 titled 《*ladies*》.

작은곰자리 〖天〗the Little Bear.

작은아버지 one's uncle; one's father's younger brother.

작은어머니 one's aunt; the wife of one's father's younger brother.

작은집 ① 〔아들·동생의 집〕one's son's 〔younger brother's〕 house. ② 〔첩의 집〕one's concubine's house; 〔첩〕one's concubine.

작자(作者) ① 〔저작자〕an author; a writer. ② 〔살 사람〕a buyer; a purchaser. ~가 없다 find no buyers. ③ 〔위인〕a fellow; a guy.

작작 not too much; moderately. 농담 좀 ~ 해라 Don't go too far with your jokes.

작전(作戰) 〔military〕operations; tactics(전술); strategy(전략). ~상의 operational; strategic / ~을

세우다〔짜다〕map out a plan of operations. ~ 계획〔기지〕a plan(base) of operations / ~회의 a council of war; a tactical planning conference.

작정(作定) 〔결정·결심〕a decision; determination; 《의향》 an intention; a plan; a thought; 《목적》 a purpose. ~하다 decide; determine; plan; intend to 《*do*》. 나는 휴가를 서울에서 보낼 ~이다 I am planning to spend the holidays in Seoul.

작품(作品) a (piece of) work; a production. 예술 ~ a work of art / 문학 ~ a literary work. ~을 모방하다 model one's style on 《*a person*》.

작풍(作風) a (literary) style. ~을 모방하다 model one's style on 《*a person*》.

작황(作況) a harvest; a crop; a yield. ~이 좋다〔나쁘다〕have a good 〔bad〕 crop 《*of rice*》. ~지수 a cropsituation index.

잔(盞) a (wine) cup; a glass. 포도주 한 ~ a glass of wine.

잔걸음 ~치다 walk back and forth within a short distance.

잔고(殘高) the balance. ~를 전액 인출하다 draw the balance to a balance.

잔교(棧橋) a pier. ☞ 선창(船艙).

잔글씨 small characters; fine letters.

잔금 fine wrinkles (lines).

잔금(殘金) money left (over) 〔남은 돈〕; the remainder(지불의); the balance(예금의). ~을 치르다 pay the remainder.

잔기침 a hacking cough.

잔당(殘黨) the remnants of a defeated party.

잔돈 small money; (small) change. ~으로 바꾸다 change 《*a note*》 into small money.

잔돈푼 a small sum of money; petty cash.

잔돌 a pebble; a gravel.

잔디 a lawn; 〔a patch of〕 turf. ~를 심다 plant grass 〔a lawn〕 / ~ 깎는 기계 a lawn mow-

ㅈ

er. ‖ ~밭 a lawn; a grassplot.
잔뜩 ① 〔꽉 차게〕 to the full; fully. ¶ ~ 먹다〔마시다〕 eat〔drink〕 *one's* fill; ~ 빚을 ~ 지다 be deeply in debt. ② 〔몹시〕 intently; heavily; firmly. ¶ ~ 찌푸린 날씨 a heavily leaden sky.

잔류(殘留) ~하다 remain behind; stay. ‖ ~부대 remaining forces / ~자기(磁氣) residual magnetism.

잔말 useless〔idle, small〕 talk; chatter; a complaint 〔불평〕. ~ 하다 twaddle; say useless things.

잔무(殘務) unsettled business; affairs remaining unsettled.

잔물결 ripples. ¶ ~이 일다 ripple.

잔병(-病) constant slight sickness; sickliness. ¶ ~ 치레 getting sick frequently. ¶ ~이 잦다 be sickly.

잔상(殘像) 〔心〕 an afterimage.

잔설(殘雪) the remaining snow.

잔소리 ① ☞ 잔말. ② 〔꾸중·싫은 소리〕 scolding; a rebuke; a lecture. ~ 하다 scold; rebuke; lecture; find fault 《with》; grumble about 《a thing》. ¶ 그녀는 늘 ~ 만 한다 She is always grumbling. ~꾼 a chatterbox; a nagger.

잔손 elaborate〔fine〕 handwork.

잔술집(盞-) a pub that sells draft liquor.

잔심부름 sundry errands〔jobs〕; miscellaneous services.

잔악(殘惡) ~하다 (be) cruel; atrocious; inhumane.

잔액(殘額) the balance; the remainder. ‖ ~ 잔금, 잔고.

잔업(殘業) overtime work. ~하다 work extra hours; work overtime. ‖ ~ 수당 overtime pay.

잔여(殘餘) the remainder; the remnant; the rest. ¶ ~의 remaining.

잔인(殘忍) ¶ ~한 cruel; brutal; inhumane; cold-blooded. ‖ ~성 *one's* brutal nature.

잔잔하다 〔바람·물결·사태 등이〕 (be) quiet; still; calm; placid.

잔재(殘滓) 〔남은 찌꺼기〕 the residue; dregs〔액체의〕; 〔지난날의〕 a vestige 《of》. ¶ 봉건주의의 ~ (remaining) vestiges of feudalism.

잔재미 a pleasure in a small way. ¶ ~있는 사람 a nice person to have around.

잔재주(-才-) a petty artifice; a trick; a device. ¶ ~ 부리다 play 〔resort to〕 petty tricks.

잔적(殘敵) 〔mop up, clean up〕 the remnants of defeated enemy.

잔존(殘存) survival. ~하다 survive; remain; be still alive; be left.

잔주름 fine wrinkles〔lines〕; crow's-feet 〔눈가의〕. ¶ ~이 있는 finely wrinkled 《skin》.

잔치 a (ceremonial) feast〔축연〕; a banquet〔공식의〕; a party. ¶ 혼인 ~ a wedding feast / ~를 베풀다 give a party〔feast〕; hold a banquet.

잔학(殘虐) cruelty; brutality; atrocity. ¶ ~한 cruel; atrocious; brutal; inhuman. ‖ ~ 행위 a cruel act; atrocity.

잔해(殘骸) the wreck; the wreckage. ¶ 비행기의 ~ the wreck〔wreckage〕 of a plane.

잘 ① 〔능숙하게〕 well; skillfully; nicely; 〔바르게〕 rightly; correctly. ¶ 피아노를 ~ 치다 play the piano well / ~ 했다 Well done!. ② 〔흡족·충분하게〕 well; fully; thoroughly. ¶ 이 고기는 ~ 익었다 This meat is well done. ③ 〔주의 깊게·상세히〕 carefully; closely. ¶ 내 말을 ~ 들어라 Listen to me carefully. ④ 〔친절히·호의적으로〕 ¶ 남에게 ~ 하도록 be good〔kind〕 to others. ⑤ 〔걸핏하면〕 readily; easily. ¶ ~ 성내다 be apt to get angry; get angry easily. ⑥ 〔곧잘〕 often; frequently. ¶ 그는 학교를 ~ 쉰다 He is often absent from school. ⑦ 〔꼭 맞게〕 ¶ 이 옷은 ~ 맞는다 The dress fits nicely.

잘나다 ① 〔사람됨이〕 (be) distin-

guished; excellent; great. ¶잘난 사람. ② 〈잘생김〉 (be) handsome; cute; beautiful; good-looking.

달다 ① 〈크기가〉 (be) small; little; tiny; minute; fine. ¶잔 모래 fine sand. ② 〈인품이〉 (be) small-minded; stingy.

갈먹다 ① 〈음식을〉 eat by into pieces. ② 〈계산·채무 등을〉 bilk a creditor; do not pay 《one's debt》; fail to pay; welsh on 《one's debt》.

갈록하다 (be) constricted (in the middle). ¶허리가 잘록한 여인 a woman with a wasp waist.

갈리다 ① 〈절단〉 be cut (off); be chopped; be cut down(나무가). ② 〈떼어먹히다〉 be welshed 《on》; become irrecoverable. ③ 〈해고〉 get fired.

갈못 ① 〈과실·과오〉 an error; a mistake; a fault; a slip(사소한); a blunder(큰). ~하다 mistake; make an error; do wrong. ¶~ 된 wrong; mistaken 《of》 → 된 견해 he wrong view 《of》/ 중대한 ~ 을 범하다 commit a grave blunder 〈serious mistake〉. ② 〈부사적으로〉 by mistake; wrong; in error. ¶ ~되다 go wrong《amiss》. ¶~짓을 guess wrong; make a wrong guess.

갈생기다 → 잘나다 ②.

갈잘 ① 〈끓음〉 simmering; boiling. ② 〈끌림〉 dragging; trailing.

갈잘못 right and (or) wrong. ¶~을 가리다 tell the right from the wrong.

갈하다 ① be skillful 《in》; be a good hand; be expert 《in》; (…하기 쉽다) be apt 〈liable〉 to 《do》; be too ready to 《believe》. ② 〈친절히 하다〉 be good 〈nice, kind〉 to 《a person》; do 《a person》 well. ¶ 그들은 내게 아주 잘한다 They are very kind to me.

갈 〈수면〉 (a) sleep; a slumber. ¶~이 부족하다 be short of sleep. ¶~결 ~에 half awake (and half asleep.

잠구리 ¶ ~가 밝다 be easily awakened; be a light sleeper / ~가 어둡다 be a heavy sleeper.

잠그다 ① 〈자물쇠로〉 lock; fasten; bolt (빗장을); 〈수도꼭지 등을〉 turn off. ¶ 열쇠를 차 안에 둔 채로 잠그고 나왔다 I'm locked out of my car.

잠그다 〈물에〉 immerse; soak 〔dip, steep〕 《in》. ¶ 더러운 옷을 물에 ~ soak dirty clothes in water.

잠기다[1] ① 〈물 따위에〉 be soaked 〔steeped〕《in》; be flooded 《with》. ② 〈생각·습관 따위에〉 be lost 〔buried〕《in》; be sunk 《in》. ¶ 생각에 ~ be lost 〔indulged〕 in thought.

잠기다[2] ① 〈자물쇠 등이〉 lock; be locked. ¶ 이 문은 자동으로 잠긴다 This door locks automatically. ② 〈목이〉 become hoarse.

잠깐 a little while; a moment; a minute.

잠꼬대 talking in *one's* sleep; 〈허튼 소리〉 silly talk; nonsense. ~하다 talk in *one's* sleep; talk nonsense 〔rubbish〕 (헛소리).

잠꾸러기 a sleepyhead; a late riser.

잠들다 fall asleep; go 《off》 to sleep. ¶ 깊이 ~ fall fast asleep; sleep like a log. ¶ 잠망경 a periscope.

잠망경(潛望鏡) a periscope.

잠복(潛伏) 〈숨기〉 hiding; concealment. ~하다 lie 〔be〕 hidden; hide (out); conceal *oneself*; 〈병이〉 be dormant 〔latent〕. ¶ ~기 〈병의〉 the incubation 〔latent〕 period.

잠사(蠶絲) silk yarn 〔thread〕. ¶ ~업 silk-reeling 〔sericultural〕 industry.

잠수(潛水) diving. ~하다 dive; go under water; submerge. ¶ ~부 a diver; ~함 a submarine; a sub (口).

잠시(暫時) a moment 〔minute〕; a little while. ¶ ~ 동안 for some time; for a while / ~ 후에 after a while.

잠식(蠶食) ～하다 encroach 《on》; make inroads 《into, on》; eat up.

잠언(箴言) an aphrism; a maxim; a proverb.

잠업(蠶業) sericulture; the sericultural industry.

잠입(潛入) ～하다 enter secretly; steal [sneak] 《into》; smuggle *oneself* 《into》.

잠자다 sleep; go to asleep. ☞ 자다.

잠자리[蟲] a dragonfly.

잠자리²《자는 곳》 a bed; a berth 《배의》. ¶ ～를 펴다 make a bed 《with》.

잠자코 without a word; silently; without leave [permission]《무단히》; without objection [question]《순순히》. ¶ ～ 있다 keep silence; remain silent.

잠잠하다(潛潛—) (be) quiet; still; silent. ¶ 거리는 ～ All is quiet in the street.

잠재(潛在) ～하다 be [lie] latent; be dormant; lie hidden. ¶ ～적인 latent; potential / ～적 위협을 a potential threat. ‖ ～력 potential [latent] capacities / ～세력 potential [latent] power / ～의식 subconsciousness.

잠정(暫定) ¶ ～적(으로) provisional(ly); tentative(ly). ¶ ～안 a tentative plan / ～예산 a provisional budget.

잠투정하다 get peevish [fret] before [after] sleep. [caisson method.

잠함(潛函) a caisson. ‖ ～공법

잠항(潛航) a submarine voyage. ～하다 cruise [navigate] underwater. ¶ ～정 a submarine.

잠행(潛行) ～하다 travel in disguise; travel incognito.

잡거(雜居) ～하다 live [reside, dwell] together.

잡것(雜—) miscellaneous junk; sundries; 《사람》 miscellaneous rough people; a mean [vulgar] fellow.

잡곡(雜穀) cereals; grain 《美》.

‖ ～밥 boiled rice and cereals.

잡귀(雜鬼) sundry evil spirits.

잡년(雜—) a loose [wanton] woman; a slut; a tramp 《美俗》.

잡념(雜念) worldly thoughts.

잡놈(雜—) a loose [dissolute] fellow.

잡다 ① 《손으로》 take [catch] hold of; hold; catch; seize; 《쥐다》 grasp; clasp; grip. ¶ 손목을 ～ seize 《a person》 by the wrist. ② 《세포》 catch; arrest; capture. ③ 《포획》 catch; take; get. ④ 《기회·권력을》 take; seize; assume. ⑤ 《결 점을》 hold; secure. ⑥ 《담보로》 take 《receive》 《a thing as security》. ⑦ 《어림을》 estimate 《a thing》 at; value at. ¶ 줄잡아(서) at a rough estimate. ⑧ 《차지하다》 occupy; take 《up》. ¶ 장소를 ～ occupy [take up] room, 《정하다》 fix; decide; choose 《골라서》; 《예약》 reserve; book. ¶ 날을 ～ fix the date. ⑩ 《도살》 butcher; slaughter. ⑪ 《모해》 plot against; lay a trap 《for》; slander. ¶ 사람 잡을 소리 그만두 Stop slandering me. ⑫ 《불을》 put out; hold 《a fire》 under control. ⑬ 《주름 따위》 pleat; fold; make a crease. ⑭ 《마음을》 get a grip on *oneself*; hold 《*one passion*》 under control. ¶ 마음을 잡고 공부하다 study in a settled frame of mind. ⑮ 《트집·약점 등을》 find. ¶ 아무의 약점을 ～ hav something on *a person*.

잡다(雜多) ¶ ～한 various; miscellaneous; sundry.

잡담(雜談) gossip; idle talk; chat. ～하다 (have) a cha 《with》; gossip 《with》.

잡동사니(雜—) odds and ends

잡되다(雜—) (be) loose; obscene indecent; vulgar; mean.

잡목(雜木) miscellaneous trees. ‖ ～숲 a thicket; scrub

잡무(雜務) odd jobs; triflin things; 《일상의》 trivial everyda duties; routine work.

잡문(雜文) miscellaneous writings. ‖ ～가 a miscellanist.

잡물(雜物) sundries; 《분순물》 impurities; foreign ingredients.

잡비(雜費) miscellaneous fees.

잡비(雜費) sundry 《miscellaneous, insidental》 expenses.

잡상인(雜商人) peddlers; miscellaneous traders. ‖ ～ 출입금지 《시》 No peddlers.

잡소리(雜一) 《상스러운 말》 an obscene 《indecent》 talk; 《잡음》 noise.

잡수입(雜收入) 《개인의》 miscellaneous income; 《공공단체의》 miscellaneous revenues 《receipts》.

잡식(雜食) ‖ ～의 omnivorous / ～ 성 동물 an omnivorous animal.

잡아가다 take 《a suspect》 to 《a police station》.

잡아내다 《결점·잘못을》 pick a 《flaws》; point out 《mistakes》.

잡아당기다 pull 《at》; draw; tug 《세게》. ¶귀를 ～ pull 《a person》 by the ear.

잡아들이다 take 《a person》 in; bring 《a person》 in; arrest.

잡아떼다 ① 《손으로》 pull 《a thing》 apart; take 《tear, rip》 off. ② 《부인》 pretend to know nothing 《about》; deny flatly.

잡아매다 《한데 묶다》 tie up; bind; fasten; bundle. ¶ 선창에 배를 ～ fasten a boat to the pier.

잡아먹다 ① 《사람이 동물을》 slaughter and eat. ② 《괴롭히다》 torture; harass. ¶나를 잡아먹을 듯이 야단치다 harass me mercilessly. ③ 《시간·경비 등을》 ¶시간을 많이 ～ take lots of time.

잡역(雜役) odd jobs; chores. ‖ ～부(夫) an odd-job man; a handyman.

잡음(雜音) ① a noise. ¶도시의 ～ city noises. ② 《부당한 간섭》 objections.

잡작 ☞ 잡악. 잡작.

잡종(雜種) a crossbreed; a cross 《between》; a hybrid. ¶ ～을 만들다 hybridize; cross one breed with another; interbreed. ‖ ～견 a mongrel 《dog》.

잡지(雜誌) a magazine; a journal 《전문 분야의》; a periodical 《정기 간행의》. ¶ ～를 구독하다 take 《subscribe to》 a magazine. ‖ ～ 기자 a magazine writer 《reporter》 / 여성 ～ a women's magazine.

잡채(雜菜) Korean-style chop suey 《식》.

잡초(雜草) weeds. ¶ ～를 뽑다 weed 《a garden》.

잡치다 spoil; ruin; make a mess 《muddle》 of; hurt 《기분을》. ¶기분을 ～ hurt 《a person's》 feeling.

잡탕(雜湯) ① 《음식》 (a) hotchpotch. ② 《뒤범벅》 a medley; a jumble.

잡혼(雜婚) intermarriage; a mixed marriage.

잡화(雜貨) miscellaneous 《sundry》 goods; general merchandise. ¶ ～을 파는 a grocer; a general dealer / ～점 a grocer's; a variety store.

잡히다 ① 《손에》 be held 《in one's hand》; 《포박·포획》 be caught 《seized, taken, captured》. ② 《형상》 ¶모양이 ～ take a form. ③ 《불잡힘》 be held 《put》 under control. ④ 《남로로》 give 《a thing》 as security; pawn. ⑤ 《기타》 ¶균형이 ～ be well-balanced / 트집이 ～ be found fault with / 주름이 ～ get pleated 《wrinkled》.

잣 pine nut. ‖ ～나무 a big cone pine / ～죽 pine-nut gruel 《porridge》.

잣다 ① 《물을》 pump 〔suck, draw〕 up. ② 《실을》 spin out. ¶솜에서 실을 ～ spin cotton into yarn.

장(長) ① 《우두머리》 the head; the chief; the leader. ② ☞ 장점. ¶일 ～일단이 있다 have both advantages and disadvantages.

장(章) 《책의》 a chapter. ¶획기적 시대》 an era. ¶새로운 ～을 열다 open a new era.

장(場) 《시장》 a market; mart; a fair 《정기적인》. ¶ ～날 a market day.

장(場)² 《장소》 a place; a site; a ground; 《연극의》 a scene; 〖理〗 a field.

장(腸) the intestines; the bowels. ¶ ～이 나쁘다 have bowel trouble.

장(醬) 《간장》 soy 《sauce》; 《간장과 된장》 soy and bean paste.

장(橫) a chest of drawers; a chest; a wardrobe(양복장).

장(張) a sheet; a leaf. ¶ 종이 두 ～ two sheets of paper.

장갑(掌甲) 《손》 a pair of gloves(mitten(벙어리 장갑)). ¶ ～을 끼다 [벗다] put on (pull off) one's gloves.

장갑(裝甲) armoring. ～하다 armor. ～한 armored; armorplated; ironclad. ∥ ～부대 an armored corps.

장거(壯擧) a heroic undertaking (scheme); a daring attempt.

장거리(長距離) a long [great] distance; a long range(사격의). ∥ ～경주 [선수] a long-distance race [runner] / ～전화 a long-distance call [a trunk call 英].

장검(長劍) a long sword.

장골(壯骨) stout built physique.

장과(漿果) 〖植〗 a berry.

장관(壯觀) a grand sight [view]; a magnificent spectacle. ¶ ～을 이루다 present a grand sight [spectacle].

장관(長官) 《내각의》 a minister; a Cabinet minister; 《미국 각 부의》 a Secretary; 《지방의 장》 a governor. ¶ 국무～ the Secretary of State《美》.

장관(將官) 《육군》 a general; 《해군》 a flag officer; an admiral.

장광설(長廣舌) (make) a long(longwinded) speech (talk).

장교(將校) an officer. ¶ 육군～ 《군》 a military 〔naval〕 officer.

장구 a traditional double-headed drum pinched in at the middle. ∥ ～채 a drumstick.

장구(長久) permanence. ¶ ～한 eternal; permanent.

장구(裝具) an outfit; equipment;

gear; harness(말의). ∥ [～vae]

장구벌레 a mosquito larva〔pl

국국(麴) 《醬一》 soup flavored with so sauce.

장군(將軍) a general.

장기(長技) one's specialty; one forte; one's strong point. ¶ 그 ♂래가 그녀의 ～이다 That song i her specialty (favorite).

장기(長期) a long time (term) ¶ ～의 long; long-term. ∥ ～결 a long absence / ～계획 〔예보〕 long-range plan (forecast) / ～ 흥행 a long run.

장기(將棋) janggi, Korean chess ¶ ～를 두다 play janggi. ∥ ～ a chessboard.

장기(臟器) internal organs; (the viscera. ¶ 인공～ artificial inte nal organs. ∥ ～이식 an interna organ transplant.

장꾼(場一) marketeers; 《고객》 ma keters; market crowds.

장끼 a cock-pheasant.

장난 《놀이》 a game; play; fun amusement; a joke(농); 《못된》 mischief; a prank; a trick. ～ 하다 play a trick (prank, joke (on)); play with (fire); do mi chief(못된). ¶ ～으로 for 〔mere fun; in joke. ∥ ～꾸러기 naughty (mischievous) chil (fellow).

장난감 a toy; a plaything.

장남(長男) one's eldest son.

장내(場內) ¶ ～에서 on th premises; in the hall. ∥ ～방 (an announcement over) th public address system (in th stadium).

장녀(長女) one's eldest daughter

장년(壯年) 《in》 the prime of man hood(life). ¶ ～이 되다 reac manhood.

장님 a blind man; the blind(칭). ¶ ～이 되다 become (go blind; lose one's sight.

장단(長短) ① 《길이의》 (relative length; 《장점과 단점》 merits and demerits. ② 《박자》 time; (a) rhy

thm. ~을 맞추다 keep time 《to, with》.

장담(壯談) assurance; guarantee; affirmation; ~하다 assure; guarantee; vouch 《for》; affirm.

장대(長—) a (bamboo) pole. ∥ ~높이뛰기 a pole jump; a pole vault (美).

장대하다(壯大—) (be) big and stout [strong]. ¶ 기골이 장대한 사람 a strapping person; a strapper.

장도(壯途) an ambitious course (departure). ¶ 북극 탐험의 ~에 오르다 start on an ambitious polar expedition.

장도(粧刀) an ornamental knife.

장도리 a hammer. 《노루발》 the claw hammer. ¶ ~로 못을 박다 hammer a nail in. 「race.」

장돌림, 장돌뱅이(場—) a roving marketer.

장딴지 the calf (of the leg).

장래(將來) (the) future. ¶ ~의 future; prospective / 가까운 [먼] ~에 in the near [distant] future. ∥ ~성 possibilities; prospect.

장려(壯麗) ¶ ~한 splendid; magnificent; grand.

장려(奬勵) encouragement. ~하다 encourage; promote; ~금 a bounty 《on》; a subsidy.

장력(張力) 〔理〕 tension. ¶ 표면 ~ surface tension.

장렬(壯烈) ¶ ~한 heroic; brave; gallant / ~한 죽음을 하다 die a heroic death.

장례(葬禮) a funeral [burial] (service). ¶ ~행렬 a funeral procession / ~를 거행하다 conduct a funeral.

장로(長老) 《선배》 an elder; a senior; 《교회의》 a presbyter. ∥ ~교회 the Presbyterian Church.

장롱(欌籠) a chest of drawers; a bureau (美).

장마 the long spell of rainy weather (in early summer); the rainy [wet] season. ¶ ~지다 the rainy season sets in. ∥ ~전선 a seasonal rainfront.

장막(帳幕) a curtain; a hanging; a tent (천막). ¶ 철의 ~ the iron curtain / ~을 치다 hang (up) curtains.

장만하다 prepare; provide oneself 《with》; raise; get.

장면(場面) a scene; a place; a spot. ¶ 연애 ~ a love scene.

장모(丈母) one's wife's mother; one's mother-in-law.

장문(長文) a long sentence (passage). ¶ ~의 편지 a long letter.

장물(贓物) stolen goods [articles]. ¶ ~매매 dealing in stolen goods; fencing (俗) / ~아비 a dealer in stolen goods; a fence (俗).

장미(薔薇) a rose; 《나무》 a rose tree. ¶ ~나무 a wild rose; a brier / 장밋빛의 rosy; rose-colored.

장발(長髮) ¶ ~의 long-haired. ∥ ~족 longhairs.

장벽(障壁) a wall; a barrier. ¶ ~을 쌓다 build a barrier / ~이 되다 be an obstacle 《to》. ∥ 언어~ a language barrier. 「diers.」

장병(將兵) officers and men; soldiers.

장복(長服) ¶ ~하다 take 《a medicine》 constantly.

장본인(張本人) the author 《of a plot》; the ringleader.

장부 a tenon; a pivot; a cog. ¶ 장붓구멍 a mortise. 「person.」

장부(丈夫) a man; a manly [brave]

장부(帳簿) an account book; a book; a ledger(元帳). ¶ ~에 기입하다 enter 《an item》 in the book. ¶ ~정리 adjustment of accounts / 이중 ~ double bookkeeping.

장비(裝備) equipment; (an) outfit; ~하다 equip; outfit; mount (대포를). ¶ ~중의 heavily equipped.

장사 trade; business; commerce. ~하다 do 《engage in》 business; conduct a trade. ¶ ~를 시작하다 [그만두다] start 《close》 one's business. ¶ ~꾼 a tradesman; a merchant.

장사(壯士) a man of great (physical) strength; a Hercules. ¶힘이 ～다 be as strong as Hercules.

장사(葬事) a funeral (service). ¶～를 지내다 hold a funeral service.

장사진(長蛇陣) a long line [queue]. ¶～을 이루다 make [stand in] a long line [queue].

장삼(長衫) a Buddhist monk's robe.

장삿속 a commercial spirit; a profit-making motive.

장색(匠色) an artisan; a craftsman.

장서(藏書) a collection of books; one's library. ¶3만의 ～가 있다 have a library of 30,000 books. ‖～가 a book collector / ～목록 a library catalog.

장성(長成) ～하다 grow (up); grow to maturity.

장성(將星) generals. ¶육해군 ～ army and navy celebrities.

장소(場所) ① (곳) a place; a spot (지점); a location; a position (위치); a site(소재지); the scene(현장). ¶약속한 ～ the appointed place / 화재[사고]가 났던 ～ the scene of a fire [an accident]. ② (자리) room; space. ¶～를 차지하다 take up (much) space.

장손(長孫) the eldest grandson by the first-born son.

장송(長松) a tall pine tree.

장송곡(葬送曲) a funeral march.

장수(商) a trader; a dealer; a seller; a peddler(도봇장수). ¶생선 ～ a fishmonger.

장수(長壽) long life; longevity. ～하다 live long; live to a great age.

장수(將帥) a commander-in-chief.

장승 a totem pole; 《키다리》 a tall person. ¶～ 같다 be as tall as a lamppost.

장시세(場時勢) the market price.

장시일(長時日) a long (period of) time; (for) years.

장식(裝飾) decoration; ornament;

(a) dressing(상점 앞의). ～하다 ornament; decorate; adorn. ¶~적인 decorative; ornamental / ～용의 for decorative [ornamental] purpose / 실내 (무대) interior (stage) decoration. ‖～품 decorations; ornaments.

장신(長身) ¶～의 tall.

장신구(裝身具) personal ornaments accessories.

장아찌 sliced vegetables preserved in soy sauce [pepper paste].

장악(掌握) ～하다 command; have a hold on. ¶정권을 ～하다 come into power.

장안(長安) the capital. ¶온 ～에 throughout the capital.

장애(障礙 · 障碍) an obstacle; an impediment. ¶～가 되다 be an obstacle (to); hinder / ～를 극복하다 surmount [get over] an obstacle. ‖～물 an obstacle; a barrier / ～물경주 a hurdle race / ～인 the handicapped.

장어(長魚) 『魚』 an eel. ‖～구이 a split and broiled eel.

장엄(莊嚴) ～하다 (be) sublime majestic; solemn; grand.

장외(場外) ¶～에(서) outside the hall [grounds]. ‖～거래 [시장] over-the-counter trading [market] / ～집회 an outdoor rally.

장원(壯元) passing the state examination first on the list; 《시험》 the first place winner in a state examination.

장원(莊園) a manor.

장유(長幼) young and old.

장음(長音) a prolonged sound; long vowel. ‖～계 『樂』 the major scale.

장의사(葬儀社) an undertaker's; funeral parlor 《美》; 《사람》 an undertaker; a mortician 《美》.

…**장이** a professional doer of … -er. ¶구두 ～ a shoemaker.

장인(丈人) one's wife's father; man's father-in-law. 「man.

장인(匠人) an artisan; a crafts

장자(長子) the eldest son. ¶～

속권 the right of primogeniture.

장자(長者) ① (덕망가) a man of moral influence; (어른) an elder; one's senior. ② (부자) a rich [wealthy] man.

장작(長斫) firewood. ¶ ~을 패다 chop wood; ~개비 a piece of firewood.

장전(裝塡) charge 《of a gun》; loading. ― 하다 load 〔charge〕 《a gun》.

장점(長點) a merit; a strong [good] point; one's forte.

장정(壯丁) a strong young man.

장정(裝幀) binding. ― 하다 bind; design 《표지의》. ¶ 가죽으로 ~ 되어 있다 be bound in leather.

장조(長調) 【樂】 a major key.

장조림(醬 ―) beef boiled down in soy sauce.

장조카(長 ―) the eldest son of one's eldest brother.

장족(長足) ¶ ~의 진보를 하다 make great [remarkable] progress 《in》.

장중(掌中) ¶ ~에 within one's hands (power, grip).

장중하다(莊重 ―) (be) solemn; sublime, grave. ¶ ~하게 solemnly; gravely; impressively / 장중한 어조로 in a solemn tone.

장지(障 ―) a paper sliding-door. ¶ ~틀 a sliding-door frame.

장지(長指) the middle finger.

장지(葬地) a burial ground [ground].

장차(將次) in the future; some day [day].

장창(長槍) a long spear.

장총(長銃) a long-barreled rifle.

장치(裝置) a device; equipment; a (mechanical) contrivance; an apparatus 《특수 목적의》; (무대의) setting. ― 하다 install; equip [fit] 《with》. ¶ 안전 ~ a safety device. [ing; thrilling.

장쾌(壯快) ¶ ~한 stirring; exciting.

장타(長打) 【野】 (make) a long hit. ¶ ~자 a long hitter.

장티푸스(腸 ―) typhoid fever. ¶ ~균 the typhoid bacillus / ~환자 a typhoid.

장파(長波) a long wave.

장판(壯版) a floor covered with

laminated paper.

장편(長篇) a long piece. ¶ ~소설 a long story [novel] / ~영화 a long film [picture].

장하다(壯 ―) (be) great; splendid; glorious; (가륵함) (be) praiseworthy; admirable; brave; (놀랍다) (be) wonderful; striking.

장학(奬學) ¶ ~금 a scholarship (~금을 주다 [받다] award [obtain, win] a scholarship) / ~사 a school inspector / ~생 a student on a scholarship; a scholarship student. [boots 《승마용》.

장화(長靴) high [long] boots; top 「boots 《승마용》.

잦다 (졸아 들어 붙다) 《열로 인해 붙이》 dry [up]; boil down.

잦다 (빈번) (be) frequent; (빠르다) (be) quick; rapid. ¶ 겨울에는 불이 ~ Fires are frequent in winter.

잦혀놓다 (뒤엎다) lay 《a thing》 face [upside] down. ②《열다》 leave 《a swing door》 flung open.

잦히다 ① (뒤집다) turn 《a plate》 upside down; turn over. ②《열다》 fling open. ③《몸을 뒤로》 pull back; bend backward. ④《일 따위를》 put aside 《one's work》.

잦히다 (밥을) let the rice stand on a low flame; stew.

재¹ (타고 남은) ash(es). ¶ ~가 되다 be burnt [reduced] to ashes.

재² (고개) (cross over) a pass.

재(齋) a Buddhist service [mass] [for the dead.

재-(再) re-

재가(再嫁) remarriage 《of a woman》. ― 하다 remarry.

재가(裁可) sanction; approval. ― 하다 approve; give sanction to.

재간(才幹) ability; talent. = 재능.

재간(再刊) republication; reissue. ― 하다 republish; reissue.

재갈 (bridle) bit. ¶ ~ 물리다 bridle 《a horse》; gag 《a person》.

재감(在監) ― 하다 be in prison [jail]. ¶ ~자 a prisoner.

재개(再開) reopening; resumption. ― 하다 reopen; resume.

ㅈ

재개발(再開發) redevelopment. ~하다 redevelop. ~지역 a redevelopment area [zone].

재건(再建) reconstruction; rebuilding. ~하다 rebuild; reconstruct. ‖산업 [경제] ~ industrial [economic] reconstruction.

재검사(再檢査) reexamination. ~하다 reinspect; reexamine.

재검토(再檢討) reexamination; reappraisal. ~하다 reexamine; reappraise; review; rethink.

재결(裁決) decision; judgment; verdict(배심원의). ~하다 give one's decision [judgment] ((on)); decide.

재결합(再結合) recombination; reunion. ~하다 reunite ((with)); recombine; rejoin together.

재계(財界) the financial [business] world; financial [business] circles. ‖ ~의 financial / ~의 거물 a leading financier; a business magnate.

재계(齋戒) ~하다 purify oneself. ‖목욕 ~ a ritual cleaning [purification] of mind and body.

재고(再考) reconsideration. ~하다 reconsider; rethink.

재고(在庫) stock. ‖ ~의 in store [stock] / ~가 있다 [없다] be in [out of] stock. ‖ ~ 관리 control of goods in stock; inventory control 《美》 / ~정리 inventory adjustment; clearance / ~조사 stocktaking; inventory / ~조사를 하다 check the stock).

재교부(再交付) reissue. ~하다 reissue; regrant.

재교육(再敎育) reeducation. ~하다 reeducate; retrain. ‖현직 교사의 ~ teachers' in-service training.

재구속(再拘束) 【法】 (a) remand. ~하다 remand ((a suspect)) (in custody).

재귀(再歸) ‖ ~대명사 《동사》 a reflexive pronoun [verb] / ~열 《醫》 a relapsing fever.

재기(才氣) a flash of wit. ‖ ~있는 clever; witty; talented / ~발랄한 full of wit; resourceful.

재기(再起) a comeback(복귀); recovery(회복). ~하다 come back; recover; be [get] on one's feet again.

재깍(소리) with a click [clack snap]; (빨리) promptly; with dispatch.

재깍거리다 make a clicking [snapping] sound; (시계가) tick(tack).

재난(災難) a mishap; a misfortune (불행); a calamity; a disaster(재화). ~을 당하다 have a mishap [an accident]; meet with a misfortune.

재능(才能) (a) talent; ability; a gift. ‖ ~있는 talented; able; gifted / 음악에 ~이 있다 have a gift [talent] for music.

재다¹ ① (크기·치수 등을) measure; gauge; (무게를) weigh; (깊이를) sound; (수·눈금·시간을) take time(시간). ‖ 거리를 ~ measure the distance / 체온을 ~ take one's temperature. ② (장탄하다) load ((a gun)); charge ((with)). ③ (헤아리다) calculate; give careful consideration. ‖ 앞뒤를 ~ look before and after. ④ (평가하다) measure; estimate; judge(판단). ⑤ (재우다) have ((a thing)) pressed. ⑥ (으스대다) give oneself [put on] airs.

재다² ① (재빠르다) (be) quick; prompt; nimble. ‖ 재게 quickly; promptly; nimbly. ② (입이) (be) talkative; glib-tongued.

재단(財團) a foundation. ‖ ~법인 an incorporated foundation[; a foundation.

재단(裁斷) cutting. ~하다 cut; cut out ((a dress)). ‖ ~사 a (tailor's) cutter; a cloth-cutter.

재담(才談) a witticism; a joke; a jest; a witty talk.

재덕(才德) talents and virtues. ‖ ~을 겸비한 virtuous and talented; (with) virtue and talent.

재동 (才童) a clever [talented] child.

재두루미 【鳥】 a white-naped crane.

재떨이 an ashtray.

재래 (在來) ¶ ~의 usual; common; ordinary; conventional; traditional. ‖ ~식 a conventional type / ~종 a native kind.

재래 (再來) ☞ 재림 (再臨). 〔fulness.

재략 (才略) resourcefulness; tact-

재량 (裁量) discretion; decision. ¶…의 ~으로 at *a person's* discretion / ~에 맡기다 leave (*a matter*) to (*a person's*) discretion.

재력 (財力) financial power [ability]; 《재산》 wealth; means. ¶ ~이 있는 사람 a man of means [wealth].

재롱 (才弄) 《아기의》 cute things. ¶ ~을 부리다 act cute; do cute things.

재료 (材料) 《물건을 만드는》 material(s); stuff; raw materials (원료); ingredient 《성분》. ¶ 실험 ~ materials for experiments. ‖ ~고갈 exhaustion of materials / ~비 the cost of materials.

재류 (在留) reside; stay.

재림 (再臨) a second coming [advent]. ¶ ~하다 come again. ‖ 그리스도의 ~ the Second Advent (of Christ).

재목 (林木) wood; 《제재목》 lumber 《美》; timber 《英》. ¶ ~을 얻기 위해 벌채하다 lumber 《美》; cut down timber 《英》. ‖ ~상 a lumber dealer / ~적치장 a lumberyard.

재무 (財務) financial affairs. ‖ ~감사 a financial audit / ~부 〔성〕 《미국의》 the Department of Treasury / ~부장관 《미국의》 the Secretary of Treasury / ~제표 financial statements.

재무장 (再武裝) rearmament. ¶ ~하다 rearm; remilitarize.

재물 (財物) property; goods; treasures; a fortune.

재미 ① 《일반적》 interest; enjoyment; fun. ¶ ~(가) 있다 [나다] be interesting [pleasant]; be fun / ~(가) 없다 be uninteresting [dull] / …에

~를 붙이다 be interested in; find [take] pleasure in. ② 《취미》 a pastime; a hobby; fun; comfort. ③ 《관용적 표현》 ¶ ~으로 ~을 보다 make [get, gain] a profit on [out of, from] / 결과는 ~없었다 The result was unsatisfactory.

재미 (在美) ¶ ~ in America 〔the U.S.〕. ‖ ~교포 a Korean resident in America.

재민 (災民) ☞ 이재민 (罹災民).

재발 (再發) a relapse; recurrence; a relapse; recurrence; recur; 《사람이 주어》 have a relapse 《of》. ¶ 그는 병이 ~했다 He had a relapse of the disease.

재발급 (再發給) ¶ ~하다 reissue (*a license*).

재발족 (再發足) ¶ ~하다 make a fresh start; start afresh.

재방송 (再放送) rebroadcasting; a rerun. ¶ ~하다 rebroadcast.

재배 (再拜) ¶ ~하다 bow twice.

재배 (栽培) cultivation; culture; growing. ¶ ~하다 cultivate; grow; raise.

재배치 (再配置) relocation; reassignment. ¶ ~하다 reassign; relocate.

재벌 (財閥) a *chaebol*; a financial combine [group]. ‖ ~해체 the dissolution of the financial combine.

재범 (再犯) repetition of an offense; a second offense. ¶ ~자 a second offender.

재보 (財寶) riches 《부》; treasure(s) 《귀중품》. 〔다 reinsure.

재보험 (再保險) reinsurance. ¶ ~하

재봉 (裁縫) sewing; needlework. ¶ ~하다 sew; do needlework. ‖ ~사 a tailor; a seamstress 《여》.

재봉틀 (裁縫—) a sewing machine.

재분배 (再分配) redistribution. ¶ ~하다 redistribute. ¶ 부(富)의 ~ redistribution of wealth.

재빠르다 (be) quick; nimble. ¶ 재빠르게 nimbly; quickly.

재산 (財産) property; a fortune; estate. ¶ 사유 〔공유, 국유〕 ~ pri-

vate [public, national] property / ～을 모으다 [없애다] make [lose] *one's* fortune. ‖ ～가 a man of property / ～권 the right to own property; property rights / ～세 a property [wealth] tax.

재삼(再三) ‖ ～재사(再四) again and again; over and over (again).

재상(宰相) the prime minister.

재상영(再上映) a rerun. ～하다 rerun 《a movie》; show 《a film》 again.

재색(才色) ‖ 그녀는 ～을 겸비하고 있다 She has both brains and beauty.

재생(再生) ① 《생물의》 rebirth (다시 태어남); regeneration (소생) ; (갱생) , ② 《녹음·녹화의》 playback. ～하다 play back; reproduce. ③ 《폐품의》 recycling; reclamation. ‖ ～제활용(再活用法) . ～장치 《녹음·녹화의》 playback equipment / ～지(紙) recycled [reclaimed] paper.

재생산(再生産) reproduction. ～하다 reproduce. ‖ ～확대 reproduction on an enlarged scale.

재선(再選) ～하다 reelect. ‖ ～되다 be reelected.

재세(在世) ‖ ～중에 in *one's* lifetime; in life; while *one* lives.

재소자(在所者) ☞ 재감자(在監者) .

재수(再修) ～하다 study to repeat a college entrance exam.

재수(財數) luck; fortune. ‖ ～(가) 있다 [좋다] be lucky; be fortunate / ～ 없다 be out of luck; have no luck / ～ 없게 unluckily; by ill luck.

재수입(再輸入) ～하다 reimport. ‖ ～품 reimports.

재수출(再輸出) ～하다 reexport. ‖ ～품 reexports.

재시험(再試驗) 《sit for a》 reexamination. ～하다 reexamine.

재심(再審) 《재심사》 review; reexamination. 《재판의》 a retrial; a new trial. ～하다 reexamine; try again. ‖ ～을 청구하다 apply for a new trial.

재앙(災殃) 《재난》 (a) disaster; a calamity; 《불행》 (a) misfortune.

재야(在野) ‖ ～의 out of power [office]; in opposition. ‖ ～인사 distinguished men out of office.

재연(再演) ～하다 stage [present] 《a play》 again; show 《a performance》 again.

재연(再燃) ～하다 revive; rekindle; flare up again.

재외(在外) ‖ ～의 overseas 《offices》; abroad. ‖ ～공관 diplomatic establishments abroad / ～교포 Korean residents abroad.

재우다 《잠을》 make 《a person》 sleep; put 《a child》 to bed [sleep]. ‖ 아기를 달래어 ～ lull a baby to sleep.

재원(才媛) a talented [an intelligent] woman.

재원(財源) a source of revenue [income]; financial resources; funds. ‖ ～이 풍부[빈약]하다 be rich [poor] in resources.

재위(在位) ～하다 be on the throne; reign. ‖ ～시에 in [during] *one's* reign. / ～기간 the period of 《Queen Victoria's》 reign.

재음미(再吟味) ～하다 reexamine; review.

재인식(再認識) ～하다 have a new understanding 《of》; see 《something》 in a new [fresh] light.

재일(在日) ～의 《stationed, resident》 in Japan. ‖ ～교포 Korean residents in Japan / ～본 대한 민국 민단 the Korean Residents Union in Japan.

재임(在任) ～하다 hold office [a post]; be in office. ‖ ～중에 while in office.

재임명(再任命) reappointment. ～하다 get reappointed.

재입국(再入國) reentry 《into a country》. ～하다 reenter.

재입학(再入學) readmission; reentrance 《to》; re-admit to. ‖ ～을 허락하다 readmit 《to》.

재작년(再昨年) the year before last.

재잘거리다 chatter; gabble; prat-

tle: prate 《*about*》.

재적(在籍) (an) enrollment. ~하다 be on the register [roll]. ‖ ~학생 700명인 학교로 a school with an enrollment of 700 students. ‖ ~증명서 《학교의》 a certificate of enrollment; 《단체의》 a membership certificate.

재정(財政) finances; financial affairs. ‖ ~(상)의 financial / 국가 [지방]~ national [local] finance / ~이 넉넉하다 be well off; be in good financial circumstances / ~이 어렵다 be badly off; be in financial difficulties(국가 등의). ‖ ~경제부 the Ministry of Finance and Economy / ~난 financial difficulties [troubles] / ~상태 financial status [conditions].

재조사(再調査) reexamination. ~ 하다 reexamine; reinvestigate.

재종(再從) a second cousin.

재주《재능》 ability; (a) talent; 《기지》 wit; intelligence(슬기); 《솜씨》 skill; dexterity. ‖ ~ 있는 able; talented; gifted. ‖ ~ 꾼 a person of high talents.

재주넘기 a somersault. ‖ ~를 하 다 make a somersault.

재중(在中) ‖ ~의 containing / 견 본~ 《표시》 Sample(s) / 사진~ 《표시》 Photos (only).

재즈《樂》 jazz (music). ‖ ~밴드 a jazz band.

재직(在職) ~하다 hold office; be in office.

재질(才質) natural gifts (endowment); talent. ‖ ~을 살리다 make the best use of *one's* talent.

재질(材質) the quality of the material.

재차(再次)《부사》 twice; again; a second time. ‖ ~ 시도하다 try again; make another [a second] attempt.

재채기 a sneeze. ~하다 sneeze.

재천(在天) ‖ ~의 ... Heavenly / 인명은 ~이다 Life and death are providential.

재청(再請) a second request; an encore; 《동의에 대한》 seconding. ~ 하다 request a second time; second 《*a motion*》.

재촉 pressing; urging; a demand. ~하다 demand; 《urge》 *a person for*》; press 《urge》 *a person (to do)*》. ‖ 그에게 빚의 변제를 ~하다 press him for payment of his debt.

재출발(再出發) ~하다 make a restart; make a fresh [new] start.

재취(再娶) 《재혼》 a man's remarriage; 《후처》 *one's* second wife. ~하다 remarry (after the death of *one's* first wife).

재치(才致) cleverness; resources. ‖ ~ 있는 quick-witted; smart; witty. [reinvade.

재침(再侵) a reinvasion. ~하다

재킷 a jacket; a sweater; a pullover.

재탕(再湯) ~하다 《다시 달임》 make a second brew (decoction) 《*of*》; 《비유적으로》 make a rehash; repeat.

재투자(再投資) reinvestment. ~하 다 reinvest.

재투표(再投票) revoting. ~하다 take a vote again.

재판(再版) a reprint; a second edition; a second impression(제2쇄). ~하다 reprint.

재판(裁判) a trial; a hearing; 《판결》 judgment; decision. ~하다 judge; try; decide. ‖공정한 ~ a fair trial / ~에 부치다 put 《*a case*》 on trial / ~에 이기 다 [지다] win [lose] a suit. ‖ ~관 a judge; the court / ~절차 court procedure.

재편성(再編成) reorganization. ~하 다 reorganize.

재평가(再評價) revaluation; reassessment. ~하다 revalue; revaluate; reassess.

재학(在學) ~하다 be in [at] school(college). ‖ ~중(에) while at [in] school. ‖ ~증명서 a

school certificate.

재할인(再割引) ~하다 rediscount 《*a bill*》. ‖ ~율 a rediscount rate.

재합성(再合成) resynthesis. ~하다 resynthesize; synthesize again.

재해(災害) a disaster; a calamity (대규모의). ¶ ~를 입다 suffer from a disaster. ‖ ~방지 disaster prevention.

재향군인(在郷軍人) an ex-soldier; a veteran (米); a reservist.

재현(再現) ~하다 reappear; appear again; reproduce.

재혼(再婚) a second marriage; a remarriage. ~하다 marry again. ‖ ~자 a remarried person.

재화(災禍) a disaster; a calamity.

재화(財貨) money and goods; wealth; goods(상품).

재활용(再活用) recycling; reclamation. ~하다 recycle; reclaim.

재회(再會) ~하다 meet again. ¶ ~를 기약하다 promise to meet again. 「하다 revive; restore.

재흥(再興) revival; restoration. ~

잭나이프 a jackknife. 「and jam.

잼 jam. ¶ ~을 (을) 바른 빵 bread

잽 (拳) a jab.

잽싸다 (be) quick; nimble; agile.

잿더미 a lump of ash. ¶ ~가 되다 be reduced (burnt) to ashes.

잿물 (세탁용) lye; caustic soda; (유약) glaze; enamel.

잿밥(齋─) rice offered to Buddha.

잿빛 ash(en) color; gray (米).

쟁강, 쟁그랑 with a clank (clink). ~거리다 clank; clink.

쟁기 (농기구) a plow. ¶ ~질하다 plow 《*the field*》.

쟁론(爭論) a dispute; a controversy. ~하다 dispute; quarrel.

쟁반(錚盤) a tray; a salver.

쟁의(爭議) a (labor) dispute; a controversy; a trouble; a strike. ¶ 노동 ~ a labor dispute (trouble) / ~를 일으키다 cause a dispute; go on (a) strike.

쟁쟁하다(琤琤─) 《귀에》 ring (in *one's* ears).

쟁쟁하다(錚錚─) 《출중하다》 (be) prominent; outstanding; conspicuous.

쟁점(爭點) the point at issue (in dispute); an issue (*of*). ¶ ~을 벗어난 발언 remarks off the point.

쟁탈(爭奪) ~하다 struggle [scramble, contest] 《*for*》. ‖ ~전 a scramble; a contest.

쟁패전(爭霸戰) a struggle for supremacy; a championship game (경기의).

저¹ (樂) 《피리》 a flute; a fife.

저(著) a work; 《형용사적》 written by ….

저(箸) 《젓가락》 (a pair of) chopsticks.

저² ① 《나》 I; me. ¶ ~로서는 for my part; as for me. ② 《자기》 (one)self. ③ 《지칭》 that (over there); the. ¶ ~ 사람 that person / ~ 따위 such; that kind (*of*). 「see; say (米).

저³ 《감탄사》 well! I say; let me

저간(這間) 《그 당시》 that time; then; 《요즈음》 these (recent) days. ¶ ~의 사정 the circumstances of the occasion (days).

저개발(低開發) ~의 underdeveloped. ‖ ~국 an underdeveloped country / ~지역 the underdeveloped areas.

저것 that; that one. ¶ 이것 ~ this and that.

저격(狙擊) sniping. ~하다 shoot (fire) 《*at*》; snipe 《*at*》. ‖ ~병 a sniper; a marksman. 「et.

저고리 a coat; a (Korean) jack-

저공(低空) a low altitude. ¶ ~비행 a low-altitude flight (~비행하다 fly low).

저금(貯金) savings; a deposit(돈); saving(행위). ~하다 save (money); put (deposit) money 《*in a bank*》. ¶ 매달 2만원씩 ~하다 save twenty thousand *won* a month. ‖ ~통 a savings bank (米); a piggy bank / ~통장 a bank-

book; a deposit passbook.

저금(低金利) low interest. ▮ ~ 정책 a cheap(an easy) money policy.

저급(低級) ~하다 (be) low-grade [-class]; low; vulgar; inferior.

저기 that place; there(저 곳); 《부사적》 over there.

저기압(低氣壓) (a) low (atmospheric) pressure; 《심기의》 a bad temper.

저널리스트 a journalist.

저널리즘 journalism.

저녁 ① 《때》 evening. ▮ ~에 in the evening. ▮ ~ 놀 an evening glow; a red sunset. ② 《식사》 dinner(正餐); the evening meal; supper(가벼운). ▮ ~을 먹다 eat dinner; take supper.

저능(低能) 《저지능》 mental deficiency; feeble-mindedness. ▮ ~ 한 weak(feeble-)minded; mentally deficient; imbecile. ▮ ~아 a weak(feeble-)minded child.

저다지 so; so much; like that; to that extent.

저당(抵當) mortgage; a security (저당물). ▮ ~하다 mortgage 《a thing》; give 《a thing》 as (a) security. ▮ 이 집은 5천만원에 ~잡혀 있다 This house is mortgaged for fifty million won. ▮ ~권 mortgage / ~권자 a mortgagee.

저돌(猪突) recklessness; foolhardiness. ▮ ~적으로 돌진하다 rush recklessly; make a headlong rush 《at》.

저따위 a thing[person] of that sort: such a ....

저러하다, 저렇다 be like that; be that way. ▮ 저렇게 so; like that; (in) that way.

저러한, 저런¹ such; so; like that; that (sort of). ▮ ~ 종류의 of that book.

저런² 《감탄사》 Oh dear!; Heavens!; Goodness! Well well!

저력(底力) latent [potential] power(energy). ▮ ~ 있는 powerful; energetic.

저렴(低廉) ▮ ~한 cheap; low-priced; moderate.

저류(底流) an undercurrent. ▮ 의식의 ~ subconscious current.

저리(低利) (at) low interest. ▮ ~ 자금 low-interest funds.

저리¹ 《저쪽으로》 there; to that direction; that way. 「that way.

저리다 《마비되다》 be asleep; be numbed; have pins and needles; be paralysed. ▮ 발이 저렸다 My feet went to sleep.

저마다 each one; everyone.

저만큼 that much; so (much); to that extent.

저만하다 be that much; so much; be as much [big] as that.

저때쯤 about [around] that time; (at) that time of day [night, year]. ▮ 내가 ~ 나이에는 when I was *his* age.

저명(著名) ~하다 (be) eminent; prominent; celebrated; famous. ▮ ~인사 a prominent person [figure].

저물가(低物價) low prices. ▮ ~정책 a low-price policy.

저물다(날이) get [grow] dark; 《해 저물 등이》 come [draw] to an end. ▮ 해가 저물기 전에 before (it is) dark; before the sun sets.

저미다 cut 《meat》 thin; slice.

저버리다 《약속 등을》 break [go back on] 《one's promise》; 《기대 따위를》 be contrary to 《one's expectation》; 《신의·충고 따위를》 betray; disobey 《one's father》; 《돌보지 않음》 desert; forsake; abandon.

저벅저벅 walk with heavy footsteps; crunch 《one's way》.

저번 (the) last time; the other time.

저서(著書) a book [work] 《on economics》; one's writings.

저성(低聲) a low voice.

저소득(低所得) lower income. ▮ ~ 층 the lower income bracket.

저속(低俗) ▮ ~한 vulgar; lowbrow;

low / ～한 취미 low taste.

저속(도)(低速度) low speed. ¶ ～(으)로 at a low speed; in low gear.

저수(貯水) ～하다 keep water in store. ‖ ～량 the volume of water kept in store / ～지 a reservoir.

저술(著述) ☞저작(著作). ¶ ～가 a writer; an author.

저습(低濕) ～하다 (be) low and moist. ‖ ～지 a low, swampy place.

저승 the other [next] world; the afterlife. ¶ ～으로 가다 pass away. / ～길 a journey to the other world; one's last journey.

저압(低壓) low pressure; 〔電〕 low voltage; low tension. ‖ ～전류 a low-voltage current.

저액(低額) small amount.

저온(低溫) (a) low temperature. ‖ ～살균 [소독] pasteurization at (a) low temperature.

저울 a balance; (a pair of) scales. ¶ ～에 달아 weigh 《a thing》 in the balance.

저육(猪肉) pork. 〔rate: low.

저율(低率) a low rate. ¶ ～의 low-

저음(低音) a low tone [voice]; 〔樂〕 bass.

저의(底意) one's secret [true] intention; an underlying motive. ¶ ～를 알아채다 see through 《a person's》 underlying motive.

저이 that person; he [him]; she [her]. ¶ ～들 they; those people.

저인망(底引網) a dragnet; a trawlnet. ‖ ～어업 trawling [dragnet] fisheries.

저임금(低賃金) low wages. ‖ ～근로자 a low-wage earner.

저자 《시장》 a market. ☞장(場)¹.

저자(著者) a writer; an author.

저자세(低姿勢) ¶ ～를 취하다 assume [adopt, take] a low posture [profile]. ‖ ～외교 low-profile diplomacy. 〔cate.

저작(咀嚼) ～하다 chew; masti-

저작(著作)《저서》 a book; a work;

one's writings; 《저술 행위》 writing. ～하 write 《a book》. ‖ ～권 copyright / ～권을 침해하다 infringe(on) the copyright 《of》) / ～권(소유)자 a copyright holder.

저장(貯藏) storage; storing. ～하다 store 《up》; lay [put] up [by] / ～할 수 있는 storable 《products》 / ～되어 있다 be held in storage. ‖ ～고 a storehouse.

저절로 [by] itself; spontaneously 《자연 발생적으로》; automatically 《자동적으로》.

저조(低調) ¶ ～한 inactive; dull; low; sluggish; weak 《거래가》 / ～한 기록 a poor record 《result》. / 사업이 ～하다 Business is slowing down.

저조(低潮) (a) low tide.

저주(咀呪) a curse; imprecation. ～하다 curse; imprecate. ¶ ～받은 cursed / 그녀는 ～받고 있다 She is under a curse.

저주파(低周波) low frequency.

저지(低地) low ground [land].

저지르다 do; commit 《an error》; make 《a mistake》.

저지하다(沮止 ㅡ) obstruct; prevent; hinder; check; block; hamper. ¶ 법안의 통과를 ～하다 [prevent] the passage of a bill.

저쪽 there; yonder; 《건너편》 the opposite [other] side; 《상대》 the other party.

저촉하다(抵觸 ㅡ) (be) in conflict with; be contrary to. ¶ 법률에 ～ be contrary to the law; be [go] against the law.

저축(貯蓄) saving 《행위》; savings 《저금》. ～하다 save 《up》; store up; lay by [aside]. ‖ ～률 a rate of savings.

저탄(貯炭) a stock of coal. ‖ ～장 a coal yard [depot]. 〔dence.

저택(邸宅) a mansion; a resi-

저편 ☞저쪽.

저하(低下) a fall; a drop; a decline; 《품질의》 deterioration; 《가치의》 depreciation. ～하다 fall; drop; depreciate; deteriorate;

¶ 능률이 ~하다 show a drop in efficiency / ~시키다 reduce; lower.

저학년 (低學年) the lower grades [classes].

저항 (抵抗) resistance(반항); opposition(반대). ∥ ~하다 resist; stand [struggle] against. ¶ ~하기 어려운 irresistible / 환강하 ~ make a strong stand 《against》. ∥ ~력 (power of) resistance.

저해하다 (沮害 —) hinder; check; obstruct; prevent; hamper.

저혈압 (低血壓) low blood pressure; hypotension.

저희(들) we(우리); they(저 사람들). ∥ ~의 our; their.

적 (敵) an enemy; (적수) an opponent; a rival(경쟁자); a match.

적 (籍) (본적) one's family register; one's domicile; (단체의) membership. ¶ ~에 넣다 have 《a person's》 name entered in [removed from] the family register / ~을 두다 be a member 《of a society》; be enrolled 《at a university》.

적 (때) the time (when); (on) the occasion; (경험을) an experience.

적갈색 (赤褐色) reddish brown.

적개심 (敵愾心) a hostile feeling; hostility.

적격 (適格) ¶ ~의 qualified; competent; adequate. ∥ ~자 a qualified person; ~품 standard [acceptable] goods.

적국 (敵國) an enemy [a hostile] country; a hostile power.

적군 (敵軍) the enemy (troops).

적극 (積極) ¶ ~적(인) positive; active / ~적으로 positively; actively. ∥ ~심 positiveness; enterprising spirit.

적금 (積金) installment savings. ¶ ~을 붓다 deposit [save up] by installments.

적기 (赤旗) a red flag.

적기 (適期) a proper time; a good [favorable] chance. ¶ ~의 time-

ly; well-timed.

적기 (敵機) an enemy plane.

적꼬치 (炙 ―) a skewer.

적나라 (赤裸裸) ¶ ~한 naked; bare; frank(솔직한) / ~하게 plainly; frankly; without reserve.

적다¹ (기입) write [put] down; record; make [take] a note of.

적다² (많지 않다) (be) few; (little(양); (부족하다) (be) scanty; scarce; poor. ¶ 적은 수입 a small income / 적지 않이 not a little [few] / 적어지다 become scarce; run short 《of funds》.

적당 (適當) ¶ ~한 fit 《for》; suitable 《to, for》; adequate; appropriate; competent 《for》 / ~히 suitably; as one thinks fit [right] / ~한 값으로 at a reasonable price.

적대 (敵對) ¶ ~하다 be hostile 《to》; turn [fight] against. ¶ 아무를 ~ 하다 regard a person with hostility. ∥ ~행위 hostilities; hostile operations [actions].

적도 (赤道) the equator. ¶ ~의 equatorial. ∥ ~무풍대 the doldrums / ~의 an equatorial telescope.

적동 (赤銅) red copper. ∥ ~광 cuprite; red copper (ore).

적란운 (積亂雲) (기상) a cumulonimbus.

적량 (適量) a proper quantity [dose (약의)].

적령 (適齡) the right age 《for》. ¶ 결혼~ marriageable age.

적례 (適例) a good example; a case in point.

적린 (赤燐) red phosphorus.

적립 (積立) ¶ ~하다 save; put [lay] by [aside]; reserve. ∥ ~금 a reserve fund; a deposit.

적막 (寂寞) ¶ ~한 lonely; lonesome; dreary. ∥ ~감 a lonely feeling.

적반하장 (賊反荷杖) ¶ ~이란 바로 이 두고 하는 말이다 This is what they mean by 'the audacity of the thief'.

적발 (摘發) disclosure; exposure.

~하다 disclose; expose; uncover; lay bare [open].

적법 (適法) ¶ ~한 legal; legitimate; lawful. ‖ ~행위 a legal act.

적병 (敵兵) an enemy (soldier); the enemy(전체).

적부 (適否) suitability; fitness (사람의); propriety(사물의). ¶ ~를 판단하다 judge whether 《*a thing*》is proper or not.

적분 (積分) 〔數〕 integral calculus. ~하다 integrate. ‖ ~법 integration.

적빈 (赤貧) dire poverty. 「tion.

적산 (敵産) enemy property.

적색 (赤色) 〔빛깔〕 a red color; red; 〔사상〕 communist: Red. ‖ ~분자 a Red; Red elements / ~테러 Red terrorism. 「sel].

적선 (敵船) an enemy ship [vessel].

적선 (積善) ~하다 accumulate virtuous deeds; render benevolence 《*to*》.

적설 (積雪) (fallen) snow; snow (lying upon the ground). ‖ ~량 snowfall.

적설초 (積雪草) 〔植〕 a ground ivy.

적성 (適性) fitness; aptitude(재능의). ‖ ~검사 an aptitude test / 직업 ~ vocational aptitude.

적성 (敵性) ~국가 a hostile country.

적세 (敵勢) the enemy's strength; the morale of the foe.

적소 (適所) the right [proper] place.

적송 (赤松) 〔植〕 a Korean red pine.

적송 (積送) ~하다 ship; forward; send; consign. ‖ ~인 a shipper; a forwarder / ~품 a shipment; a consignment.

적수 (敵手) a match; an opponent; a rival. ¶ ~가 못 [안] 되다 be no match 《*for a person*》. ‖ ~ a good match [rival].

적수공권 (赤手空拳) empty hands and naked fists; being without any financial support. 「tack].

적습 (敵襲) an enemy's raid(attack).

적시 (適時) ¶ ~의 timely; opportune. ‖ ~안타 〔野〕 a timely hit.

적시 (敵視) ~하다 look upon 《*a*

person》 as an enemy; be hostile 《*to each other*》.

적시다 wet; moisten; 〔담그다〕 soak; drench; dip. ¶ 손을 물에 ~ get one's hands wet; dip one's hands into water(담그다).

적신호 (赤信號) a red 〔danger〕 signal; a red light.

적십자 (赤十字) the Red Cross. ‖ ~병원 a Red Cross Hospital / ~사 the Red Cross (Society).

적어도 at (the) least; to say the least (of it).

적역 (適役) 〔연극 등〕 a well-cast role [part].

적역 (適譯) a good translation; an exact rendering.

적외선 (赤外線) infrared (ultrared) rays. ‖ ~사진 an infrared photograph.

적요 (摘要) a summary; an outline; an abstract; a synopsis.

적용 (適用) application. ~하다 apply 《*a rule to a case*》. ¶ ~할 수 있는 〔없는〕 applicable (inapplicable) 《*to*》.

적운 (積雲) a cumulus. ☞ 뭉게구름.

적응 (適應) adaptation. ~하다 adjust (adapt) *oneself* 《*to*》; fit. ¶ ~시키다 fit 〔suit, adapt〕 《*something*》《*to*》; accommodate. ‖ ~성 adaptability; flexibility (~성이 있는 adaptable [flexible]).

적의 (適宜) ¶ ~한 suitable; proper; appropriate; fit.

적의 (敵意) hostile feelings; hostility; enmity. ¶ ~ 있는 hostile; antagonistic / ~를 품다 〔나타내다〕 have [show] hostile feelings 《*toward me*》.

적임 (適任) ☞ 적격(適格). ‖ ~자 a well-qualified person.

적자 (赤子) red figures; 〔결손〕 the red; a loss; a deficit. ¶ ~를 내다 show a loss; go [get] into the red / ~를 메우다 make up [cover] the deficit / ~노선〔철도 등의〕a loss-making [deficit-ridden] railroad line / ~재정 "red ink"

finances.

적자(嫡子) a legitimate child [son]; *one's* heir.

적자(適者) a fit [suitable] person; the fit. ¶ ～생존 the survival of the fittest. ～er.

적장(敵將) the enemy command.

적재(適材) the right man. ¶ ～적소 the right man in the right place.

적재(積載) loading. ～하다 load; carry; 《배에》 have 《cargo》 on board; take 《on, in》. ¶ ～량 loadage; load capacity / ～능력 capacity tonnage / ～화물 cargo on board.

적적하다(寂寂一) (be) lonesome; lonely; solitary; desolate; deserted.

적전(敵前) ¶ ～상륙하다 land in the face of the enemy.

적절(適切) ¶ ～한 fitting; proper; appropriate / ～히 suitably; to the point; properly; fittingly / ～한 조치를 취하다 take a proper measure.

적정(適正) ¶ ～한 proper; fair; just. ¶ ～가격 a reasonable price.

적정(敵情) the enemy's movements. ¶ ～을 살피다 reconnoiter the enemy's movements.

적조(赤潮) a red tide. ¶ ～경보 a red tide warning.

적중(的中) ～하다 hit the mark [target]; be to the point; 《예언 따위가》 come [turn out] true; 《추측이》 guess right. ¶ ～률 a hitting ratio.

적지(敵地) the enemy's land [territory]; the hostile country.

적진(敵陣) the enemy(s') camp; the enemy line. ¶ ～을 돌파하다 break through the enemy line.

적철광(赤鐵鑛) [鑛] hematite.

적출(摘出) ～하다 pick [take] out; remove; extract.

적출(嫡出) legitimacy (of birth). ¶ ～자 a legitimate child.

적출(積出) shipment; forwarding.

¶ ～항 a port of shipment.

적치(積置) ～하다 pile up; stack.

적탄(敵彈) the enemy's bullets [shells].

적평(適評) (an) apt criticism; an appropriate comment.

적함(敵艦) an enemy ship.

적합(適合) conformity; agreement; adaptation《적응》. ～하다 agree; adapt *oneself* 《to》; be suitable 《for, to》; fit. ¶목적에 ～하다 serve [suit] *one's* purpose.

적혈구(赤血球) a red (blood) corpuscle; a red (blood) cell. ¶ ～ 수 검사 a red cell count.

적화(赤化) ～하다 turn [go] red; go communist. ¶ ～운동 the red [Bolshevik] movement.

적히다 be written [noted, put] down; be recorded.

전(前) ① 《시각이》 before; to; 《과거》 before; ago; since; previous. ¶ ～에 previous; former; last / ～에 before; previously / ～에 말한 바와 같이 as previously stated. ② 《…하기 전》 before; prior to; earlier than. ¶그가 도착하기 ～에 before his arrival. ③《편지에서》 Dear; Sir. ¶ 어머니 ～ 상서 Dear Mother.

전(煎) fried food.

전(廛) a shop; a store.

전(全) all; whole; entire; total; complete; full; pan-. ¶ ～국민 the whole nation / ～세계 the whole world.

전(前) 《이전의》 former; ex-;《앞부분의》 the front; the fore part. ¶ ～남편 *one's* former husband (ex-husband).

…전(傳) 《전기》 a biography; a life. ¶위인 ～ the lives of great men.

전가(傳家) ¶ ～의 hereditary / ～의 보도 a sword treasured in the family for generations.

전가(轉嫁) ～하다 shift onto 《a person》; throw [lay] onto 《a person》.

전각(殿閣) a (royal) palace.

전갈 (全蝎) 【蟲】 a scorpion. ‖ ~자리 【天】 the Scorpion; Scorpio.

전갈 (傳喝) a (verbal) message. ~하다 give 《a person》 a message; leave a message for 《a person》; send 《a person》 word 《that》.

전개 (展開) development; ~하다 develop; unfold; roll out; spread. ‖ 이 사건은 앞으로 어떻게 ~될까 What will be the future development of this affair?

전격 (電擊) an electric shock; a lightning attack. ‖ ~적인 lightning; electric. ‖ ~작전 blitz tactics / ~전 a lightning war; a blitz.

전경 (全景) a complete 〔panoramic〕 view 《of》; a panorama 《of》.

전고 (典故) an authentic precedent.

전곡 (田穀) dry-field crop 〔grain〕.

전곡 (錢穀) money and grain.

전골 beef with vegetables cooked in casserole.

전공 (專攻) a special study; one's major 《美》; a specialty; a speciality 《英》; ~하다 major in 《美》; specialize in 《英》; make a special study 《of》. ‖ ~분야 a major field of study.

전공 (電工) an electrician.

전공 (戰功) distinguished services in war. ‖ ~을 세우다 distinguish oneself on the field of battle.

전과 (全科) the whole 〔full〕 curriculum.

전과 (前科) a previous conviction 〔offense〕; a criminal record. ‖ ~가 있다 have a criminal record; have been an ex-convict. ‖ ~자 an ex-convict.

전과 (轉科) ~하다 (get) enrolled in another 〔a different〕 course.

전과 (戰果) ~를 올리다 《achieve brilliant》 military results.

전관 (前官) the predecessor 〔전임자〕; one's former post 〔자기의〕. ‖ ~ 예우를 받다 be granted the privileges of one's former post.

전관 (專管) exclusive jurisdiction.

‖ ~(어업)수역 an exclusive fishing zone.

전광 (電光) electric light; (a flash of) lightning. ‖ ~석화와 같이 as quick as lightning. ‖ ~판 an electric scoreboard.

전교 (全校) the whole school. ‖ ~생 all the students of a school.

전교 (轉交) 《남을 거쳐 줌》 delivery 〔transfer〕 through 《a person》; care of (c/o). ‖ 한국대사관 ~ 김선생 귀하 Mr. Kim, c/o the Korean Embassy.

전구 (電球) an electric 〔light〕 bulb. ‖ ~를 소켓에 끼우다 screw a bulb into a socket. ‖ 백열 ~ an incandescent light bulb.

전국 (全國) the whole country. ‖ ~적(인) national; nationwide / ~적으로 on a national scale / ~ 대회 a national conference; 《정당의》 a national convention; 《경기의》 a national athletic meeting / ~ 평균 the national average.

전국 (戰局) the war situation; the progress of the war.

전국구 (全國區) 《선거의》 the national constituency. ‖ ~의원 a member of the House elected from the national constituency.

전국민 (全國民) the whole 〔entire〕 nation. ‖ ~의 national; nationwide.

전군 (全軍) the whole army (military force).

전권 (全卷) 《책의》 the whole book; 《영화의》 the whole reel.

전권 (全權) full 〔plenary〕 powers; full authority. ‖ ~을 위임하다 invest 〔entrust〕 《a person》 with full powers. ‖ ~대리 an alternate delegate; a universal agent 《총대리인》.

전권 (專權) an exclusive right; arbitrary power.

전극 (電極) an electrode; a pole.

전근 (轉勤) a transfer. ~하다 be transferred 《to》.

전기 (前記) ~의 above; afore-

said; above-mentioned; the said; referred to above / ~의 장소로 the above address.

전기(前期) 《1년의 전반기》 the first half year; the first semester 《앞의 기》 the previous term. ‖ ~결산 settlement for the first half year.

전기(傳記) a life; a biography. ‖ ~ 작가 a biographer.

전기(電氣) electricity; electric current(전류). ¶ ~의 electric; electrical(전기의) / ~을 일으키나 generate electricity. ‖ ~계통 an electrical system / ~기관차 an electric locomotive / ~기사 an electric engineer; an electrician / ~면도기[시계, 풍로] an electric shaver(clock, hot plate) / ~제품 electric appliances(products).

전기(電機) electrical machinery and appliances. ‖ ~공업 electrical machinery industry.

전기(轉記) 《부기에서》 posting. ~ 하다 transfer.

전기(轉機) a turning point.

전깃줄(電氣─) an electric wire(cord).

전나무(樅) a fir.

전날(前─) the other day; some time 《days》 ago(지난날); the previous 《preceding》 day(그 전날).

전납(全納) ~하다 pay in full.

전납(前納) ☞ 예납.

전년(前年) the previous 《preceding》 year; the year before.

전념하다(專念─) devote oneself 《to》; be absorbed 《in》.

전뇌(前腦) the forebrain.

전능(全能) omnipotence. ¶ ~의 omnipotent; almighty; all-powerful / ~하신 하느님 Almighty God. ‖ ~력 〔ability〕.

전능력(全能力) one's full capacity

전단(專斷) (an) arbitrary decision. ~하다 act arbitrarily / ~적인 arbitrary / ~으로 arbitrarily; at one's own discretion.

전단(傳單) a handbill; a leaflet.

¶ ~을 돌리다 distribute 〔circulate〕 handbills.

전단(戰端) ¶ ~을 열다 open hostilities 《with》; take up arms 《against》.

전달(前─) the previous 〔preceding〕 month; 《지난 달》 last month; ultimo 《생략 ult》.

전달(傳達) delivery; transmission. ~하다 transmit; communicate; notify.

전담(全擔) ~하다 take 〔assume, bear〕 full charge of.

전담(專擔) ~하다 take exclusive charge 〔responsibility〕 《of》.

전답(田畓) paddies and dry fields.

전당(典當) pawn; pledge. ¶ ~ 잡다 take 《a thing》 in pawn; hold 《a thing》 in pledge. ‖ ~포 a pawnshop a hock shop 《美》.

전당(殿堂) a palace(궁전); a sanctuary(신전·성역); ¶학문의 ~ a sanctuary of learning.

전당대회(全黨大會) the national convention of a party.

전대(前代) former ages 〔generation〕. ¶ ~미문을 unheard-of; unprecedented.

전대(戰隊) a battle corps; a (naval) squadron.

전대(轉貸) sublease; sublet. ~하다 sublease; sublet. ¶방 〔집〕을 ~하다 sublet a room 〔house〕 《to》. ‖ ~인 a sublessor / ~차(借) subletting and subleasing.

전도(前途) one's future; prospects; outlook. ¶ ~ 유망하다 have a bright future / ~ 유망한 청년 a promising young man.

전도(前渡) 《돈의》 payment in advance; 《물품의》 delivery in advance. ¶ ~금 an advance; 〔法〕 an advancement.

전도(傳道) mission(ary) work. ~하다 preach the gospel; engage in mission work. ‖ ~사 an evangelist; a missionary (선교사).

전도(傳導) 〔理〕 conduction(소리·열 기의); transmission(소리·빛의). ~하다 conduct; transmit. ‖

력[율, 성] conductivity / ～체 a conductor; a transmitter.

전도(顚倒) ① 〔엎드러짐〕 a fall: overturn〔顚覆〕; 《거꾸로 함》reverse; inversion. ～하다 reverse; invert. ¶본말을 ～하다 put the cart before the horse.

전동(電動) ¶～의 electromotive: electrically-powered〔-driven〕《machines》. ∥～기 an electric motor.

전등(電燈) an electric light〔lamp〕. ¶～을 켜다〔끄다〕 turn〔switch〕a light on〔off〕.

전라(全裸) stark-naked: nude《pictures》; 《a girl》in the nude.

전락(轉落) a fall; a downfall; degradation〔타락〕. ～하다 fall《down, off》; fall low; degrade; sink 〔in the world〕.

전란(戰亂) the disturbances of war. ¶～의 도가니 a scene of deadly strife and carnage.

전람(展覽) exhibition; show. ～하다 exhibit; show; display. ¶～중이다 be on show. ∥～회 an exhibition; a show / ～회장 an exhibition gallery〔hall〕.

전래(傳來) ～하다 be transmitted: be handed down《from》; 《외국에서》be introduced《into, from》.

전략(戰略) strategy; stratagem. ¶～적인 strategic / ～을 세우다 work〔map〕out one's strategy. ∥～가 a strategist / ～목표 a strategic target / ～무기 strategic arms《weaponry》/ ～회의 a strategy meeting.

전략산업(戰略産業) a strategic industry. ¶～으로서 집중적으로 육성되다 be intensively fostered as strategic industries.

전량(全量) the whole quantity.

전력(全力) all one's strength〔power, might〕. ¶～을 다하다 do one's best〔utmost〕; do everything in one's power.

전력(前歷) one's past record〔life〕. ¶그는 은행에서 일한 ～이 있다 He once served in a bank.

전력(電力) electric power. ∥～공급 supply of electric power / ～부족〔electric〕power shortage 《～부족의 areas》).

전력(戰力) war potential; fighting power. ¶～증강 the strengthening〔build-up〕of war potential.

전령(傳令) 《사람》a messenger; a runner; 《軍》an orderly; 《명령》an official message.

전례(前例) a precedent. ¶～ 없는 unprecedented; without precedent / ～가 되다 be〔form〕a precedent / ～에 따르다 follow a precedent.

전류(電流) an electric current; a flow of electricity. ¶～가 흐르고 있다〔흐르지 않다〕The current is on〔off〕. ∥교류〔직류〕～ an alternating〔a direct〕current.

전리(電離) 〔理〕electrolytic dissociation; ionization. ～하다 ionize. ∥～층 the ionosphere.

전리품(戰利品) a 《war》trophy; 《약탈품》booty, the spoils of war.

전립선(前立腺) 〔解〕the prostate 《gland》. ∥～비대 enlargement of the prostate gland / ～염 prostatitis.

전말(顚末) the details; 《자세한 내용》the whole story; 《사정》the whole circumstances.

전망(展望) a view; a prospect; an outlook. ～하다 view; survey; have a view of. ¶앞으로의 ～ the future prospect / ～이 좋다 have〔command〕a fine view《of》; have a bright prospect 〔장래가〕. ∥～대 an observation platform.

전매(專賣) monopoly; monopolization. ～하다 monopolize; have the monopoly《of, on》. ∥～권 monopoly / ～사업 the monopoly enterprise.

전매(轉賣) resale. ～하다 resell. ¶～할 수 있는 resalable.

전매특허(專賣特許) a patent. ¶～

룰 얻다 get a patent 《*on an article*》; patent 《*a thing*》.

전면(全面) the whole 〔entire〕 surface. ¶ ~적인 all-out; general; overall; whole; sweeping; 《부사적으로》 generally; wholly; sweepingly 《부사적으로》 개정하다 make an overall 〔a sweeping〕 revision 《of》. ∥ ~전쟁 an all-out 〔total〕 war / ~파업 an all-out 〔total〕 strike.

전면(前面) the front 《*of a building*》. ¶ ~의 front in front; fore / ~에 in front of / ~의 적 the enemy in front.

전멸(全滅) (an) annihilation; complete 〔total〕 destruction; extinction. ~하다 be annihilated; be wiped 〔stamped〕 out. ∥ ~시키다 annihilate; destroy totally.

전모(全貌) the whole aspect. ¶ ~의 ~를 밝히다 bring the whole matter to light.

전몰(戰歿) death in battle. ¶ ~장병 the war dead 《총칭》; a fallen soldier.

전무(專務) 《사람》 a managing 〔an executive〕 director.

전무(全無) none; nothing (at all); no 〔not any〕 《*doubt*》 whatever 〔whatsoever〕.

전무후무(全無後無) ~하다 be the first and (probably) the last; be unprecedented; be unheard-of. ¶ 이처럼 많은 사람들이 참석한 것은 ~한 일이다 There never was and never will be such a large attendance as this.

전문(全文) the whole sentence 〔passage〕; the full text 《*of a treaty*》. ¶ ~을 인용하다 quote a whole sentence.

전문(前文) the above (passage); the foregoing remark; 《조약의》 the preamble 《*to, of*》.

전문(專門) a specialty 《美》; a speciality 《英》; a special subject of study(학문에서); a major(전공과목) 《美》. ¶ ~으로 연구하다 make a specialty of; specialize 《*in*》.

∥ ~가 a specialist 《*in*》; an expert 《*on*》; 《어느 분야 specialized field》 one's field 〔line〕 / ~화 specialization (~화하다 specialize).

전문(電文) a telegram; a cablegram.

전문(傳聞) hearsay; a rumor; a report. ~하다 hear 《*something*》 from other people; be told.

전반(全般) the whole. ¶ ~적으로 generally; on the whole; by and large / ~적인 상황 the overall (all-over) situation.

전반(前半) the first half; 《축구의》 the first period. ∥ ~전 the first half of the game.

전방(前方) the front (line). ¶ ~의 front; in front / ~의 앞 in front of; ahead; forward / 100미터 ~에 a hundred meters ahead / ~기지 an advanced base; an outpost.

전방위외교(全方位外交) omnidirectional diplomacy.

전번(前番) the other day; some time ago. ¶ ~의 last; previous; former / ~에 last 〔time〕; before this; previously / ~에 그를 만났을 때 when I saw him last.

전범(戰犯) 《죄》 war crimes; 《사람》 a war criminal. ∥ ~법정 a war crimes court.

전법(戰法) tactics; strategy.

전변(轉變) changeableness; variableness. ¶ 유위(有爲) ~ the vicissitudes of life.

전보(電報) a telegram; a telegraphic message; a wire; 《무선》 a wireless (telegram). ¶ ~치다 send a telegram 〔wire〕 《*to*》; telegraph 〔wire〕 《*a person*》 / ~로 by telegraph 〔telegram, wire, cable〕.

전보(塡補) ~하다 transfer. ¶ ~되다 be transferred 《*to another position*》.

전복(全鰒) 〔貝〕 an abalone; an ear shell; a sea-ear.

전복(顚覆) overturning; an overthrow; capsize (선박의). ~하다

overturn; capsize.
전부(全部) 《명사》 all: the whole: 《부사》in all; altogether; all told; wholly, entirely.
전부인(前婦人) one's ex-wife.
전분(澱粉) starch. ¶ ～질의 starchy.
전비(戰費) war expenditure.
전비(戰備) preparations for war.
전사(戰士) a warrior; a champion 《of liberty》. ‖ 산업～ an industrial worker.
전사(戰史) a military [war] history.
전사(戰死) death in battle [action]. ～하다 be killed in action; die [fall] in battle. ‖ ～자 a fallen soldier; the war dead 〔총칭〕.
전사(轉寫) transcription; copying. ～하다 copy; transcribe.
전산(電算) computation [calculation] by computer. ‖ ～기 a computer / ～화(化) computerization.
전상(戰傷) a war [battle] wound. ¶ ～을 입다 be wounded in war [action]. ‖ ～자 a wounded soldier; the war wounded(총칭).
전색맹(全色盲) total color-blindness; 〔醫〕 achromatopsia.
전생(前生) one's previous [former] life [existence].
전생애(全生涯) one's whole life. ¶ ～를 통하여 throughout [all through] one's life.
전서(全書) a complete book [collection].
전서구(傳書鳩) a carrier pigeon.
전선(前線) ① 〔제일선〕 the front [line]. ¶ ～으로 나가다 go up to the front line; 〔軍〕 a front-line base; an outpost. 〔氣〕 a front. ¶ 한랭〔온난〕～ a cold [warm] front.
전선(電線) an electric wire [line, cord]. ¶ ～을 가설하다 string [lay] electric wires.
전선(戰線) the battle front; the

front line. ¶ 서부 ～에 on the western front / 통일 [공동] ～을 펴다 form a united line [front] 《against》.
전설(傳說) a legend; folklore(민간 전승의). ¶ ～적인 legendary; traditional / ～에 의하면 according to legend [tradition].
전성(全盛) the height of prosperity. ¶ ～기 〔시대〕 the golden age [days] 《of English literature》; one's best days.
전성(展性) 〔理〕 malleability.
전성관(傳聲管) a voice [speaking] tube.
전세(前世) ① 〔전생〕 a former life. ② 〔전대〕 the former generations; past ages.
전세(專貰) ¶ ～ 내다 make reservation; reserve 《X》; engage; book; hire; charter / ～낸 chartered [reserved](예약된). ‖ ～버스 [비행기] a chartered bus [plane].
전세(傳貰) the lease of a house [room] on a deposit basis. ¶ ～ 놓다 lease a house [room] on a deposit basis. ‖ ～금 security [key] money for the lease of a house [room] / 전셋집 a house for rent on a deposit basis.
전세(戰勢) the progress of a battle; the war situation.
전세계(全世界) the whole [all the] world. ¶ ～에 [걸쳐서] all over [throughout] the world.
전세기(前世紀) the former [last] century.
전소(全燒) total destruction by fire. ～하다 be burnt down [to the ground].
전속(專屬) ～하다 belong exclusively [to]; be attached [to]. ‖ ～가수 a singer attached to [under exclusive contract with] 《the KBS》.
전속(轉屬) (a) transfer 《to another section》.
전속력(全速力) full speed. ¶ ～으로 at full speed.
전손(全損) 〔商〕 total loss. ‖ ～в

보 security for total loss only (생략 T.L.O.).

전송(傳送) ～하다 transmit; convey; communicate; deliver.

전송(電送) electrical transmission. ～하다 send 〔transmit〕 *(a picture)* by wire〔less〕.

전송(餞送) ～하다 see *(a person)* off; give a send-off.

전송하다(轉送一) send on; forward; transmit.

전수(全數) the whole; the total number.

전수(專修) ～하다 make a special study *(of)*; specialize 〔major〕 *(in)*.

전수(傳授) instruction; initiation. ～하다 give instruction *(in)*; initiate *(a person)* into *the secrets of an art)*. ‖ ～를 받다 receive instruction; be instructed.

전술(前述) ～의 aforesaid; above-mentioned; foregoing / ～한 바와 같이 as stated above.

전술(戰術) tactics. ‖ ～상의 요점 a tactical point. ‖ ～가 a tactician.

전승(傳承) ～하다 hand down; transmit from generation to generation. ‖ ～ 문학 oral literature.

전승(戰勝) a victory; a triumph. ～하다 win 〔gain〕 a victory. ‖ ～을 축하하다 celebrate a victory.

전승(全勝) ～하다 win 〔gain〕 a complete victory *(over)*; 〖競〗 win 〔sweep〕 all games.

전시(展示) exhibition; display. ～하다 exhibit; display; put *(things)* on display. ‖ ～되어 있다 be on display 〔show〕. ‖ ～ 〔品〕 an exhibit; exhibition (총칭) / ～ 효과 a demonstration effect.

전시(戰時) wartime; time of war. ‖ ～ 중에 during the war; in wartime. ‖ ～내각 a war Cabinet / ～체제 the wartime structure.

전신(全身) the whole body. ‖ ～에 all over the body / ～의 힘을 다하여 with all *one's* strength

〔might〕. ‖ ～마비 total paralysis / ～마취 general anesthesia.

전신(前身) *one's* former self; the predecessor *(of a school)*.

전신(電信) telegraph; telegraphic communication *(해외전신).* ‖ ～의 telegraphic / ～으로 by telegraph 〔cable〕. ‖ ～국 a telegraph office.

전실(前室) *one's* ex-wife 〔former wife〕. ‖ ～자식 a child of *one's* former wife.

전심(全心) ～을 기울여 with *one's* whole heart 〔soul〕.

전심(專心) ～하다 devote 〔apply, bend〕 *oneself (to)*; be devoted *(to)*; concentrate *(on)*; give all *one's* mind *(to)*.

전아(典雅) ～한 graceful; refined.

전압(電壓) voltage. ‖ ～이 높다 〔낮다〕 be high 〔low〕 in voltage. ‖ ～계 a voltmeter.

전액(全額) the total 〔full〕 amount; the sum total. ‖ ～을 지불〔지급, 납입〕하다 pay in full.

전야(前夜) the previous night; the night before; the eve (전야제 따위); last night (간밤). ‖ 크리스마스 ～ Christmas Eve.

전언(前言) *one's* previous remarks 〔words, statement〕.

전언(傳言) a (verbal) message. ～하다 send *(a person)* word; send a message that ....

전업(專業) a special 〔principal〕 occupation. ‖ 그는 꽃재배를 ～으로 하고 있다 He specializes in growing flowers. ‖ ～주부 a (full-time) housewife.

전업(轉業) ～하다 change *one's* occupation 〔business〕.

전역(全域) all the 〔the whole〕 area *(of Seoul)*.

전역(全譯) a complete translation *(of the Bible)*. ～하다 translate *(a book)* completely *(into Korean)*.

전역(戰域) a war area; a theater of war. ‖ ～핵병기 a theater nuclear weapon (생략 TNW).

전역(轉役) ～하다 discharge from

service; transfer 《*to the first reserve*》.
전연(全然) ☞ 전혀.
전열(電熱) electric heat. ‖ ～기 an electric heater (난방용); an electric range (stove); a hot plate.
전열(戰列) a battle line. ～에 참가하다 join the battle line.
전염(傳染) 《병의》 infection(공기에 의한); contagion(접촉에 의한). ～하다 《병이》 be contagious [infectious, catching]; 《사람이》 be infected with 《*a disease*》. ‖ ～성의 contagious; infectious.
전염병(傳染病) an infectious 〔a contagious〕 disease; an epidemic. ‖ ～환자 an infectious 〔a contagious〕 case.
전와(轉訛) corruption (of a word). ～하다 be corrupted from 〔into〕.
전용(專用) private use; exclusive use. ～하다 use exclusively [solely]. ‖ ～의 exclusive; for private / 야간～의 전화 a telephone for night use only / 한글 ～ the exclusive use of *hangeul*. ‖ ～기 a plane for *one's* personal use (대통령～기 a presidential plane) / ～차 a private car.
전용(轉用) diversion. ～하다 use 《*a thing*》 for another purposes; divert to.
전우(戰友) a comrade; a war buddy; a fellow soldier.
전운(戰雲) war clouds. ‖ 중동에～이 감돈다 War clouds hang over the Middle East.
전원(田園) 《시골》 the country (side); rural districts; 《교외》 suburbs. ‖ ～주택 a house for rural life / ～풍경 a rural landscape.
전원(全員) all the members; the entire staff. ‖ ～일치의 unanimous / ～일치로 unanimously.
전원(電源) a power source. ‖ ～개발 development of power resources.
전월(前月) last month.
전위(前衛) an advanced guard (군의); a forward player(테니스);

a forward(축구). ‖ ～를 맡아보다 play forward. ‖ ～음악 음악 [미술] avant-garde music [art].
전위(電位) electric potential. ‖ ～계 an electrometer / ～차 a potential difference(생략 p.d.).
전유(專有) exclusive possession. ～하다 take sole possession of; monopolize 《*a right*》; have 《*a thing*》 to *oneself*. ‖ ～권 an exclusive right; monopoly / ～자 a sole owner.
전율(戰慄) a shiver; a shudder. ～하다 shudder; shiver; tremble with fear. ‖ ～할 《만한》 terrible; horrible; shocking; bloodcurdling / ～케 하다 make 《*a person*》 shudder [shiver]; freeze 《*a person's*》 blood.
전음(顫音) 〔樂〕 a trill.
전의(戰意) the will to fight; a fighting spirit. ‖ ～를 잃다 lose the will to fight; lose *one's* fighting spirit / ～를 북돋우다 whip up war sentiment. [meaning.]
전의(轉義) a transferred (figurative)
전이(轉移) 《변화》 (a) change; 《암 따위》 spread; 〔醫〕 metastasis. ～하다 metastasize; spread by metastasis.
전인(全人) ‖ ～교육 education for the whole man.
전인(前人) a predecessor. ‖ ～미답의 untrod(den); unexplored; virgin 〔*forests*〕.
전일(前日) the previous day; the day before.
전임(前任) ‖ ～의 former; preceding. ‖ ～자 *one's* predecessor / ～지 *one's* former 〔last〕 post.
전임(專任) ‖ ～의 full-time. ‖ ～교사 〔강사〕 a full-time teacher (lecturer).
전임(轉任) change of post (assignment). ～하다 be transferred to another post. ‖ ～지 *one's* new post.
전입(轉入) ～하다 move in 〔into〕; be transferred to. ‖ ～생 a transfer student / ～신고 a moving-in

notification.

전자(前者) the former; that (this 에 대해); the one (the other에 대해).

전자(電子) an electron. ¶ ～의 electronic. ‖ ～공학 electronics / ～레인지 a microwave oven / ～ 상거래 e-commerce (transactions). / ～수첩 an electronic notebook / ～우편 electronic mail; E-mail / ～현미경 an electron microscope.

전자기(電磁氣) electromagnetism. ¶ ～의 electromagnetic. ‖ ～단위 an electromagnetic unit(생략 EMU) / ～장(場) an electromagnetic field / ～파 an electromagnetic wave; a radio wave / ～학 electro-magnetics.

전자(篆字) a seal character.

전작(前酌) ¶ ～이 있다 have already taken some liquor.

전장(全長) the total [full] length. ¶ ～백 피트으로 have an overall length of 100 feet.

전장(前章) the preceding chapter.

전장(電場) 【理】 an electric field.

전장(戰場) a battlefield; a battleground. ¶ ～의 이슬로 사라지다 die [be killed] in battle.

전재(戰災) war damage [devastation]. ¶ ～를 물다 [면하다] suffer [escape] war damage. ‖ ～지구 war-damaged areas.

전재(轉載) ～하다 reprint (reproduce) 《an article》 from 《the Life》. ¶ ～불허 All rights [Copyright] reserved.

전쟁(戰爭) [전란] (a) war; warfare. ～하다 go to war 《with, against》; war 《with, against》; wage war 《against》. ¶ ～중이다 be at war 《with》 / ～에 이기다 [지다] win [lose] a war / ～을 일으키다 provoke [bring on] war. ‖ ～고아 a war orphan / ～기념관 the War Memorial 《in Yongsan》 / ～이재

민 war refugees / ～터 a battlefield; the seat [theater] of war.

전적(全的) total; complete; whole; entire; the full. ¶ ～으로 entirely; utterly.

전적(戰迹) 《visit》 the trace of battle; an old battlefield.

전적(戰績) military achievements; a war record; 《경기의》 results; a record; a score.

전적(轉籍) ～하다 transfer one's domicile [family register] 《from, to》.

전전(戰前) ¶ ～의 prewar; before the war; ante-bellum. ‖ ～세 대 the prewar generation.

전전(轉轉—) change 《one's address》 frequently; pass from hand to hand(임자가 바뀌다); wander from place to place(헤매다).

전전긍긍(戰戰兢兢) ～하다 be in great fear; be trembling with fear.

전전일(前前日) two days ago; 《그 저께》 the day before yesterday.

전정(剪定) ～하다 prune; trim. ‖ ～가위 (a pair of) pruning shears.

전제(前提) a premise. ¶ ～을 ～로 하여 on the assumption [premise] that …; on condition that …. ‖ ～조건 a precondition.

전제(專制) despotism; autocracy. ¶ ～적인 despotic; autocratic; absolute. ‖ ～국 an absolute monarchy / ～군주 an autocrat; a despot / ～정치 despotic government; autocracy / ～주의 absolutism; despotism.

전조(前兆) an omen; a sign; foreboding(불길한); a symptom(병 따위의 징후). ¶ 좋은 [나쁜] ～ a good [bad] omen / ～가 되다 bode; forebode; 《불길한》 be ominous of.

전조(轉調) 【樂】 modulation; transition.

전조등(前照燈) a headlight.

전족(纏足) foot-binding. ～하다

bind *one's* feet.

전죄(前罪) a former crime (sin).

전주(前奏) 〖樂〗 a prelude; an introduction. ‖ ～곡 an overture (《to》); a prelude (《to》).

전주(前週) last week (지난 주일); the preceding week; the week before (그 전주). ‖ ～의 오늘 this day last week.

전주(電柱) a telegraph (an electric, a telephone) pole.

전주(錢主) a financial backer (supporter). ‖ ～가 되다 finance (《an enterprise》); give (《a person》) financial support.

전지(全知) ‖ ～의 all-knowing; omniscient /. ～전능하신 하나님 Almighty God; the Almighty.

전지(全紙) the whole sheet of paper.

전지(電池) a battery; a dry cell (건전지). ‖ ～로 작동되다 work on (by) batteries / ～를 충전하다 charge a battery / 이 ～는 다 소모 되었다 This battery is dead.

전지(轉地) ～하다 move (go) to (《a place》) for a change of air. ‖ ～요양 (take) a change of air for *one's* health.

전지하다(剪枝) lop; trim; prune.

전직(前職) *one's* former occupation (office). ‖ ～장관 an ex-minister; an ex-secretary.

전직(轉職) a job-change. ～하다 change *one's* occupation (employment); switch jobs (《to》).

전진(前進) an advance; a forward movement; progress. ～하다 advance; go (move) forward. ‖ ～기지 an advanced base; an outpost.

전질(全帙) 〖질로 된 책〗 a complete set (《of books》).

전집(全集) the complete works (《of Shakespeare》).

전차(電車) a streetcar (美); a trolley car (美); a tram(car) (英). ‖ ～ (英) / ～(美).

전차(戰車) a (war) tank. ‖ ～병(兵) a tankman; tank crew (총칭) / ～부대 a tank corps (unit).

전차(前借) ～하다 borrow at second hand. ‖ ～인 a sublessee; a subtenant.

전채(前菜) 〖料理〗 an *hors d'œuvre* (프); an appetizer. ‖ ～ (wife).

전처(前妻) *one's* ex-wife (former wife).

전천후(全天候) ‖ ～의 all-weather. ‖ ～전투기 an all-weather fighter / ～농업 all-weather agriculture.

전철(前轍) wheel tracks left by vehicles that have passed before. ‖ ～을 밟다 make the same mistake (error) as *one's* predecessors.

전철(電鐵) an electric railroad; a subway (지하철).

전철(轉轍) (railroad) switching. ‖ ～기 (railroad) switch (美); points (英) / ～수(手) a switchman; a pointsman.

전체(全體) the whole. ‖ ～의 whole; entire; general / ～적으로 wholly; entirely; generally; on the whole / ～적인 문제 an overall problem. ‖ ～주의 totalitarianism / ～회의 a general meeting.

전초(前哨) an advanced post; an outpost. ‖ ～전 a (preliminary) skirmish; (비유적으로) a prelude (《to the coming election》).

전축(電蓄) (美) an electric phonograph; a radiogram.

전출(轉出) ～하다 〖주거물〗 move out (《to》); 〖직원이〗 be transferred (《to a new post》). ‖ ～신고 a moving-out notification.

전치(全治) ～되다 be completely cured (healed) (《of》); recover completely from (《a wound》). ‖ ～ 3주의 부상 an injury which will take 3 weeks to recover completely.

전치사(前置詞) 〖文〗 a preposition.

전통(傳統) a tradition. ‖ ～적(으로) traditional(ly); conventional(ly). ‖ ～문화 a cultural heritage.

전투(戰鬪) a battle; a fight; a combat; an action (교전). ‖ ～를 개시

하다 go into battle; open hostilities / ~를 중지하다 break off a battle; cease hostilities. ‖ ~경찰대 a combatant police unit / ~기大 a fighter (plane) / ~대형 (a) battle formation / ~력 fighting strength 〔power〕 / ~부대 a combat unit 〔corps〕 / ~상태 a state of war / ~원 a combatant (비~원 a noncombatant) / ~지역 a battle zone 〔area〕 / ~훈련 combat drill; field training.

전파(全破) complete destruction. ~하다 destroy completely; demolish. ‖ ~되다 be completely destroyed 〔demolished; ruined〕.

전파(電波) an electric 〔radio〕 wave. ‖ ~를 통해 over the air / ~를 타다 be broadcast; go on the air. ‖ ~방해 jamming / ~방해하다 radar interference / ~탐지 a radar.

전파(傳播) propagation 《of sound》; spread 《of disease》. ~하다 spread; propagate.

전패(全敗) a complete 〔total〕 defeat 〔lost〕. ~하다 lose all one's games 〔every game〕 〔ume〕.

전편(全篇) the whole book 〔volume〕.

전편(前篇) the first volume.

전폐(全廢) total abolition. ~하다 abolish 〔totally〕; do away with.

전폭(全幅) full; utmost. ‖ ~적 wholehearted 《sympathy》 / ~적으로 신뢰하다 trust 《a person》 completely; place full confidence in 《a person》.

전폭기(戰爆機) a fighter-bomber.

전표(傳票) a (payment) slip. ‖ ~를 떼다 issue a slip. / ~수입 〔지급〕 a receiving 〔payment〕 slip.

전하(電荷) (an) electric charge.

전하(殿下) His 〔Her, Your〕 Highness. ‖ ~왕세자 the Prince of Wales 《英》; the Crown Prince.

전하다(傳─) ① 《전달》 tell; inform; report; convey; communicate. ¶신문이 전하는 바에 의하면 according to the newspaper reports; it says in the newspaper that ....

② 《전수》 teach; impart; initiate (비전 등을); 《소개·도입》 introduce. ③ 《넘겨주다》 hand down; leave; transmit; bequeath. ¶후세에 hand down to posterity.

전학(轉學) ~하다 change one's school; remove from one school to another; transfer from another school; / ~생 a transfer student.

전함(戰艦) a battleship. 〔dent.

전항(前項) the preceding 〔foregoing〕 clause 〔paragraph〕; 《數》 the antecedent. 〔trolyze.

전해(電解) electrolysis. ~하다 electro-

전향(轉向) conversion. ~하다 switch 《A from B》; turn; be converted 《to》.

전혀(全─) quite; totally; completely; utterly; wholly; entirely; altogether; 《조금도 …않다》 (not) at all; (not) in the least; (not) a bit.

전형(典型) a type; a model; a pattern. ¶~적인 typical; model; ideal.

전형(銓衡) choice; selection; screening. ~하다 screen; select. ‖ ~기준 a criterion for selection / ~시험 a screening test.

전호(前號) the preceding 〔last〕 number 〔issue〕.

전화(電話) a (tele)phone. ¶~를 걸다 telephone; phone; call; make a phone call; call 〔ring〕 up 《美》 / ~를 끊다 hang up 《the receiver》; ring off / ~를 받다 answer the phone. ‖ ~교환원 a telephone operator / ~번호 a (tele)phone number / ~번호부 a telephone directory; a phone book 《美》 / ~구내 an extension phone / 장거리 a long-distance call 《美》; a trunk call 《英》. 〔war.

전화(戰火) the flames 〔fires〕 of war.

전화(戰禍) war damage; the disasters of war; war(전쟁). ¶~를 입은 war-torn 〔war-shattered〕 《countries》.

전화(轉化) ~하다 change; be

전화위복(轉禍爲福) ～하다 a misfortune turns into a blessing. ¶ 이것은 ～의 보기라고 할 수 있다 This is a case of good coming out of evil.

전환(轉換) conversion; diversion (기분의). ～하다 convert; change. ‖ ～기(期) a turning point / ～사채(社債) a convertible bond.

전황(戰況) the progress of a battle; the war situation.

전회(前回) the last time [occasion]. ¶ ～의 last; previous; preceding.

전횡(專橫) arbitrariness; despotism; high-handedness. ～하다 be despotic; have one's own way; manage (a matter) arbitrarily.

전후(前後) ① 《위치·장소》 before and behind; in front and in the rear. ② 《시간》 before and after. ③ 《대략》 about; around; or so. ¶ 12시 ～ about [around] twelve o'clock. ‖ ～관계 the context.

전후(戰後) ¶ ～의 postwar: after the war / ～의 경제 발전 postbellum [postwar] economic development. ‖ ～세대 the postwar [après guerre] generation.

절(사찰) a Buddhist temple.

절²(인사) a deep bow; a kowtow. ～공손히 ～하다 bow politely; make a deep bow.

절(節) 《文》 a clause; 《문장의》 a paragraph; 《시의》 a stanza; 《성경의》 a verse.

…절(折) 《종이의》 folding. ¶ 12～ duodecimo; a 12 mo.

…절(節) 《절기》 a season; 《명절》 the 《independence》 day; a festival. ¶ 성탄～ Christmas.

절감(節減) reduction; curtailment. ～하다 reduce; curtail; cut down.

절감(切感) feel keenly [acutely] (the necessity of linguistic knowledge).

절개(切開) incision. ～하다 cut open [out]; operate on; 《醫》 in-

cise. ‖ ～수술 a surgical operation.

절개(節槪) fidelity and spirit(절의와 기개); integrity; honor. ¶ ～가 굳은 사람 a man of integrity / ～를 지키다 remain faithful to one's cause; keep one's chastity.

절경(絶景) a superb [marvelous] view; picturesque scenery; a grand sight.

절교(絶交) ～하다 break off one's friendship [relationship] (with); break with; be done [through] with (a person) 《美》. ‖ ～장 a letter breaking off one's relationship (with a person); a Dear John letter(여성이 남성에게 보내는).

절구 a mortar. ¶ ～질하다, ～에 찧다 pound (grain) in a mortar. ‖ ～통 the body of a mortar / 절굿공이 a (wooden) pestle. 「train.」

절구(絶句) 《한시의》 a Chinese quatrain.

절규(絶叫) ～하다 shout [exclaim] at the top of one's voice; cry out loudly.

절그렁거리다 clink; clank; jingle; rattle (one's keys). 「sions.」

절기(節氣) the 24 seasonal divi-

절꺼덕, 절꺼덩 with a snap [click, flop]. ～하다 make a snap.

절다¹(소금에) get (well) salted.

절다²(발을) walk lame; limp (along). ¶ 발을 저는 lame; crippled; limping.

절단(切斷·截斷) cutting; amputation(손·발의); disconnection(전선 등의). ～하다 cut (off); amputate (a leg); disconnect. ‖ ～기 a cutting machine; a cutter / ～면 a section / ～환자 an amputee.

절대(絶對) absoluteness. ¶ ～의 《적인》 absolute / ～로 absolutely. ‖ ～군주제 an absolute monarchy / ～평가 an absolute evaluation.

절도(節度) ¶ ～가 없는 uncontrolled; unrestrained; loose / ～를 지키다 be moderate; exercise moderation (in).

절도 《竊盜》 《行爲》 (a) theft; 《法》 larceny; 《사람》 a thief. ‖ ~ 한 thief; a larcenist.

절뚝거리다 limp (hobble) 《along》. ‖ 절뚝절뚝 limping; hobbling.

절량 《絶糧》 ‖ ~ 농가 a food-short farm household.

절륜 《絶倫》 ‖ ~ 의 matchless; unequaled.

절름발이 a lame person.

절망 《絶望》 despair. ～ 하다 despair 《of》; give up hope. ‖ ~ 적인 hopeless; desperate.

절명 《絶命》 《죽음》 ～ 하다 expire; die; breathe one's last.

절묘 《絶妙》 ‖ ~ 한 superb; exquisite / ～ 한 필치 an exquisite touch / ～ 한 기예 a superb performance.

절무하다 《絶無 —》 be none at all.

절박 《切迫》 ～ 하다 ① 《급박》 be imminent; draw near; be impending. ‖ ~ 한 urgent 《problems》; imminent 《dangers》; impending 《doom》 / 우리는 ～ 한 상황속에 있다 We are in an urgent condition. ② 《긴박》 be 《grow, become》 tense 《strained》. ‖ ~ 한 tense; acute; urgent.

절반 《折半》 a half. ‖ ～ 으로 나누다 divide 《a thing》 into halves; cut in halves.

절벅거리다 splash 《about》; dabble in the water; splash water.

절벽 《絶壁》 《낭떠러지》 a precipice; a 《sheer》 cliff; a bluff.

절삭 《切削》 cutting. ‖ ～ 공구 a cutting tool.

절색 《絶色》 a woman of matchless 《peerless》 beauty.

절세 《絶世》 ‖ ~ 의 peerless; matchless / ～ 미인 a rare beauty.

절손 《絶孫》 letting one's family line die out. ～ 하다 leave (have) no posterity.

절수 《節水》 water saving. ～ 하다 save water; make frugal use of water.

절식 《絶食》 fasting. ☞ 단식 《斷食》.

절식 《節食》 ～ 하다 be temperate

[moderate] in eating; be on a diet.

절실 《切實》 ～ 한 urgent 《긴급한》; serious 《중대한》; earnest 《간절한》.

절약 《節約》 saving; economy; frugality; thrift. ～ 하다 save; economize 《on》; be economical 《thrifty, frugal》; cut down《절감하다》.

절연 《絶緣》 ① 《電》 isolation; insulation. ～ 하다 isolate; insulate. ‖ ~ 기 an insulator / ~ 선 an insulated wire / ~ 체 an insulator / ~ 테이프 《전선에 감는》 friction tape. ② 《관계의》 ～ 하다 break off relations 《with》; cut (sever) one's connections 《with》.

절이다 pickle, salt 《vegetables》.

절전 《節電》 power saving. ～ 하다 save electricity (electric) power.

절절이 《節節 —》 each word; phrase by phrase.

절정 《絶頂》 the top; the summit; the height; the peak.

절제 《切除》 《醫》 resection; (a) surgical removal. ～ 하다 cut off; excise; resect. ‖ 위 ~ gastrectomy.

절제 《節制》 moderation; temperance; self-restraint; abstinence 《from alcohol》. ～ 하다 be temperate [moderate] 《in》; 《끊다》 abstain from 《drinking》. 【pod.

절지동물 《節肢動物》 《動》 an arthro-

절차 《節次》 formalities; procedures; steps 《조치》. ‖ ～ 를 밟다 go through the formalities; follow the 《usual》 procedures; take proceedings 《for divorce》; take steps 《to do》. ‖ ~ 법 an adjective law.

절찬 《絶讚》 ～ 하다 praise highly; admire greatly. ～ 을 받다 win great admiration; win the highest praise.

절충 《折衷》 a compromise. ～ 하다 work out (make, arrange) a compromise 《between》. ‖ ~ 안 a compromise (plan) / ～ 주의 eclecti-

cism.

절충(折衷) (a) negotiation. ~하다 negotiate 〔parley〕 《with》.

절취(竊取) theft. ~하다 steal; pilfer; embezzle.

절취선(切取線) a perforated line; the line along which to cut 《a section》 off.

절친하다(切親─) be close friends with; be on good terms with. ¶그녀는 나의 절친한 친구다 She is a good friend of mine.

절토하다(切土─) cut the ground.

절통하다(切痛─) (be) extremely regrettable.

절판(絶版) ¶~된 책 an out-of-print book / ~이 되다 go (be) out of print.

절품(絶品) a unique article; a rarity; a nonpareil.

절필(絶筆) ¶《작품》 one's last writing 〔working〕; 《행위》 putting down one's pen. ~하다 stop 〔give up〕 writing.

절하(切下) reduction; devaluation 《of the won》. ~하다 reduce; lower; cut down; devalue 《the U.S. dollar》.

절해(絶海) a far-off sea.

절호(絶好) ¶~의 the best; capital; splendid; golden 《opportunity》. ‖ ~의 기회 a golden opportunity.

절후(節候) = 절기(節氣).

젊다 (be) young; youthful. ¶젊었을 때에 in one's youth; when young / 젊어 보이다 look young / 나이에 비해 ~ look young for one's age.　　　「《총칭》

젊은이 a young man; the young

점(占) divination; fortune-telling. ¶~을 치다 《처주다》 tell 《a person's》 fortune; divine 《the future》; 《치게 하다》 have one's fortune told 《by》; consult a fortune-teller 《about a thing》. ‖ ~쟁이 a fortuneteller.

점(點) ① 《작은 표시》 a dot; a point; 《반점》 a spot; a speck. ¶태양의 흑~ a sunspot / ~을 찍다 put a dot; dot. ② 《성적의》 a grade 《美》; a mark; 《경기의》 a point; a

score; a run 《야구의》. ③ 《문제거리되는 개소》 a point; a respect; 《논점》 a standpoint; a point of view. ‖ 모든 ~에서 in all respects; in every respect. ④ 《물품의 수》 a piece; an item. ¶의류 10~ ten pieces 〔items〕 of clothing / 가구 2~ two articles 〔pieces〕 of furniture. ⑤ 《기점》 a point; 《출발점》 a starting point.

점감(漸減) ~하다 diminish 〔decrease〕 gradually.

점거(占據) occupation. ~하다 occupy 《a place》; take; hold. ‖ 불법 ~ illegal occupation.

점검(點檢) an inspection; a check. ~하다 inspect; check; examine.

점괘(占卦) a divination sign.

점두(店頭) a store; a storefront 《美》; a show window 《진열창》. ¶~에 내놓다 put 《goods》 on sale. ‖ ~ 거래 〔매매〕 《證》 over-the-counter transactions 〔sales〕.

점등(點燈) ~하다 light a lamp 〔switch 〔turn〕 on a light〕. ‖ ~시간 the lighting hour.

점등(漸騰) a gradual rise 《of price》. ~하다 rise gradually.

점락(漸落) a gradual fall 《of prices》. ~하다 fall gradually.

점령(占領) occupation; capture 《공략》. ~하다 occupy; take possession of; seize; capture. ‖ ~지 an occupied territory 〔area〕.

점막(粘膜) 《生》 a mucous membrane.

점멸(點滅) ~하다 switch 〔turn; blink〕 《lights》 on and off. ¶~기 a switch / ~신호 a blinking signal.

점묘(點描) ‖ ~화가 a pointillist / ~화법 pointillism.

점박이(點─) 《사람》 a person with a birthmark; 《짐승》 a brindled.

점선(點線) a dotted line. 〔animal.

점성(占星) a horoscope. ‖ ~가 an astrologer; a horoscopist / ~술 astrology.

점성(粘性) viscosity; viscidity.

점수(點數) 《평점》 a mark; a grade 《성적》 《美》; 《경기의》 a score; point.

점술(占術) the art of divination.

점심(點心) lunch; a midday meal. ¶ ∼을 먹다 have [take] lunch / ∼ 시간에 at lunchtime.

점안(點眼) ∼하다 apply eyewash (to). ‖ ∼기(器) an eyedropper / ∼ 수 eyewash; eye drops.

점액(粘液) mucus; viscous liquid. ¶ ∼성(性) mucous; viscous; sticky. ‖ ∼ clerk《美》.

점원(店員) a 《store》 clerk; a salesclerk; a saleslady. ¶ ∼하다 occupy; possess. ‖ ∼물 a possession / ∼율《시장의》a 《market》 share.

점입가경(漸入佳境) ¶ 이야기는 ∼이었다 We've reached [got into] the most interesting part of the story.

점자(點字) 《맹인용》 Braille; braille. ¶ ∼를 읽다 read Braille / ∼를 치다 braille. ‖ ∼기 a braille-writer / ∼본 a book in Braille 《type》 / 읽기 finger-reading.

점잔빼다 assume [take on] an air of importance; put on 《superior》 airs.

점잖다 (be) dignified; well-behaved; genteel; decent. ¶점잖게 굴다 behave *oneself*; behave like a gentleman.

점재(點在) ∼하다 be dotted [scattered], studded, interspersed] with 《houses》.

점점(漸漸) by degrees; little by little; gradually; more and more 《많이》; less and less 《적게》. ¶ ∼ 나빠지다 go from bad to worse.

점점이(點 一) here and there; in places; sporadically.

점주(店主) a storekeeper《美》; a shopkeeper《英》.

점증(漸增) ∼하다 a steady [gradual] increase. ∼하다 increase gradually.

점진(漸進) ∼하다 progress [ad-

vance] gradually; move step by step. ¶ ∼적인 gradual; moderate《의견 따위》. ‖ ∼주의 moderatism; gradualism.

점차(漸次) gradually; by degrees; little by little.

점착(粘着) adhesion. ∼하다 stick [adhere, be glued] 《to》. ‖ ∼력 adhesive force / ∼성 adhesiveness《∼성의》sticky; adhesive).

점철(點綴) interspersion. ∼하다 intersperse; dot 《with》; stud.

점토(粘土) clay. ¶ ∼질의 clayey. ‖ ∼세공 clay works.

점판암(粘板岩) 〔地〕 (clay) slate.

점포(店舗) a shop; a store《美》.

점호(點呼) a roll call. ∼하다 call the roll; take the roll call 《of workers》. ‖ 일조 [일석] 《軍》 the morning [evening] roll call.

점화(點火) ignition. ∼하다 ignite 《엔진 따위》; light 《fire》 《up》; kindle; set off《로켓 따위》. ‖ ∼약 an ignition charge; a detonator / ∼장치 an ignition system; a firing mechanism / ∼플러그 a spark plug.

접《과일·채소 등의 단위》 a hundred.

접객(接客) ∼하다 wait on customers. ¶ ∼용의 for customers. ‖ ∼담당자 a receptionist.

접견(接見) an interview [a reception]. ∼하다 receive 《a person》 in audience; give an interview 《to》. ‖ ∼실 an audience chamber; a reception room.

접경(接境) a borderline; a borderland. ∼하다 share borders 《with》; border 《on》.

접골(接骨) bonesetting. ∼하다 set a bone. ‖ ∼사 a bonesetter.

접근(接近) approach; access. ∼하다 approach; draw [come, go] near / ∼해 있다 be near; be close together; be close 《to》. ‖ ∼로(路) an access route / ∼ 전 close combat [fighting]; infighting《권투의》.

접다 fold 《up》; furl. ¶ 우산을 ∼ fold up [furl, close] an umbrel-

la.

접대(接待) reception; entertainment. ~하다 receive; entertain; attend to 《a guest》. ‖ ~ 계원 a receptionist; a reception committee(총칭) / ~부 a waitress; a barmaid / ~비 reception [entertainment] expenses / ~실 a reception room.

접두사(接頭辭) 【文】 a prefix.

접때 a few days ago; not long ago [before].

접목(接木) grafting; a grafted tree (나무). ~하다 graft 《a tree on another》; put a graft in [on] 《a stock》.

접미사(接尾辭) 【文】 a suffix.

접본(接本) (바탕나무) a stock.

접선(接線) ① 【幾】 a tangent (line). ② 《접속》 a contact. ~하다 contact; make contact 《with》.

접속(接續) joining; connection; link. ~하다 connect; join; link. ‖ ~곡 【樂】 a medley / ~사 【文】 a conjunction.

접수(接收) requisitioning; seizure. ~하다 requisition; take over.

접수(接受) receipt; acceptance. ~하다 receive; accept 《application》; take up 《an appeal》. ‖ ~계원 an information clerk; a receptionist / ~구 a reception counter / ~번호 a receipt number / ~처 a reception [information] office.

접시 a plate; a dish; a platter 《美》. ~ 닦기 (행위) dish-washing; 《사람》 a dishwasher / ~돌리기 a dish-spinning trick.

접시꽃 【植】 a hollyhock.

접안(接岸) ~하다 come alongside the pier [quay, berth]; 《동시 ~능력》 the simultaneous berthing capacity.

접안경(接眼鏡) an eyepiece; an ocular; an eye lens.

접어넣다 fold [tuck] in.

접어들다 enter; set in; approach. ¶ 장마철에 ~ 접어들었다 The rainy season has set in.

접어주다 (봐주다) give 《a person》 vantage ground; make due allowances 《for a person》; 《바둑·장기 등에서》 give a head start on; give an edge [advantage, a handicap] of. ¶ 다섯 점 ~ give a 5-point handicap 《in playing baduk》.

접의자(摺椅子) a collapsible chair.

접자(摺~) a folding rule.

접전(接戰) 《근접전》 a close [tight] battle; close combat; 《경기의》 a close game [match]. ~하다 fight at close quarters; have a close contest [game].

접점(接點) 【幾】 a point of contact.

접종(接種) 【醫】 inoculation; (a) vaccination. ~하다 inoculate; vaccinate.

접지(接地) 【電】 a ground 《美》; an earth 《英》. ~하다 ground; earth. ‖ ~선 a ground [an earth] wire.

접지(接枝) a slip; a graft: a scion.

접지(摺紙) paper folding. ~하다 fold paper 《to bind a book》. ‖ ~기 a folder.

접질리다 sprain; get sprained.

접착(接着) glueing. ~하다 glue; bond. ‖ ~제 an adhesive (agent) / ~테이프 adhesive tape.

접촉(接觸) contact; touch. ~하다 touch; 《연락을 취하다》 contact; get in touch with; come into [in] contact 《with》. ‖ ~감염 contagion / ~면 a contact surface / ~반응 【化】 a catalysis / ~사고 a minor [near] collision.

접칼(摺~) a folding knife.

접하다(接一) ① 《접촉》 touch 《대면·교제》 come [be] in contact 《with》; see 《만나다》; receive 《받다》. ② 《인접》 adjoin; border 《on》; be adjacent [next] 《to》. ③ 《받다》 receive; get. ④ 《경험·조우하다》 meet with; encounter.

접합(接合) union; connection. ~하다 unite; join; connect. ‖ ~재(材) a binder / ~제 a glue.

접히다 ① 《종이 등을》 be [get] folded. ② 《바둑 등에서》 take odds 《of two points》.

젓 pickled [salted] fish [guts].
¶ 새우 ~ pickled shrimps.

젓가락 chopsticks.

젓다 ① 《배를》 row 《a boat》; pull the oar. ② 《휘것다》 stir; churn; beat 《eggs》; whip. ③ 《손을》 wave; ¶ 《머리를》 shake 《one's head》.

정 《연장》 a chisel; a burin.

정(情) 《감정》 (a) feeling; (a) sentiment; 《정서》 (an) emotion; 《애정》 love; affection; heart; 《동정》 sympathy. ¶ ~이 많은 사람 a warm-hearted person / ~이 없는 사람 a cold-hearted person / …와 《불륜의》 ~을 통하다 have an affair with 《a person》.

정(正말로) really; indeed; quite. ¶ ~ 그렇다면 if you really meant it …; if you insist upon it.

정—(正) ① 《原(副)에 대한》 the original. ¶ ~부 2통 the original and copy. ② 《자격의》 regular; full. ¶ ~회원 a regular [full] member.

정(金額) ¶ 5만 원 ~ a clear 50,000 won.

…정(錠) a tablet; a pill.
…정(錠) a tablet; a tabloid.

정가(正價) a (net) price.

정가(定價) a fixed [set, regular, tag, list] price. ¶ ~를 올리다 [내리다] raise [reduce, lower] the price 《of》. ∥ ~표(表) a price list / ~표(票) a price tag.

정가극(正歌劇) a grand opera.

정각(正刻) the exact time. ¶ ~에 just; sharp; punctually / ~ 5시에 just at five; at five sharp.

정각(定刻) the fixed time. ¶ ~에 도착하다 《기차 따위가》 arrive on (scheduled) time; arrive duly.

정간(停刊) suspension of publication. ~하다 suspend publication 《of》; stop issue.

정갈하다 (be) neat and clean.

정강(政綱) a political principle; a party platform.

정강마루 the ridge of the shin.

정강이 the shin; the shank.

정강이~뼈 the shinbone [tibia].

정객(政客) a politician.

정거(停車) a stop; stoppage. ~하

다 stop [halt] 《at a station》; make a stop; come to a halt. ¶ 5분간 ~ a five minutes' stop. ∥ ~장 a (railway) station; a railroad depot 《美》.

정견(定見) a definite [fixed] view [opinion].

정견(政見) one's political views [opinions].

정결하다(貞潔—) (be) chaste and pure; faithful. 【neat; pure.

정결하다(淨潔—) (be) clean and

정경(政經) politics and economics. ¶ ~분리정책 a policy separating economy from politics / ~유착 politics-business collusion.

정경(情景) a scene; a sight; a view; a pathetic [touching] scene.

정계(正系) a legitimate line.

정계(政界) the political world; political circles [quarters]. ¶ ~의 거물 a great political figure / ~로 진출하다 go into politics.

정곡(正鵠) the main point; the mark; the bull's-eye. ¶ ~을 쩌르다 hit the mark [bull's-eye].

정공법(正攻法) a frontal attack; the regular tactics for attack.

정과(正果) fruits or roots preserved in honey or sugar.

정관(定款) the articles of an association [incorporation].

정관(精管) 【解】 the spermatic duct [cord]. ∥ ~절제술 vasectomy.

정관(靜觀) ~하다 watch 《the situation》 calmly; wait and see.

정관사(定冠詞) 【文】 the definite article.

정량(精量) 【鑛】 concentrate.

정교(正敎) 《사교에 대한》 orthodoxy. ∥ ~회 the Greek Church; the Orthodox Church.

정교(政敎) ① 《정치와 종교》 religion and politics. ¶ ~일치 [분리] the union [separation] of Church and State. ② 《정치와 교육》 politics and education.

정교(情交) ① 《친교》 friendship. ¶ ~를 맺다 keep company with 《a person》. ② 《육체 관계》 sexual

intercourse; a sexual liaison. ¶ ～를 맺다 have relations with.
정교사(正敎師) a certificated [regular] teacher.
정교하다(精巧—) (be) elaborate; exquisite; delicate.
정구(庭球) (play) tennis. ‖ ～장 a tennis court.
정국(政局) the political situation. ¶ ～을 타개하다 break a political deadlock.
정권(政權) (political) power. ¶ ～을 잡다 [잃다] come into [lose] power; take [lose] office. ‖ ～쟁탈(전) a scramble for political power.
정규(正規) ¶ ～의 (정식의) regular; formal; proper; 《합법의》 legitimate; legal. ‖ ～군 a regular army 《생략 RA》 / ～병 regulars.
정근(精勤) 《근면》 diligence; 《무결근》 regular attendance. ～하다 (be) diligent; industrious; attend 《school》 regularly.
정글 a jungle. ‖ ～짐 a jungle gym.
정금(正金) ① 《금은화》 specie. ¶ ～은행 a specie bank. ② 《순금》 pure gold.
정기(定期) a fixed period. ¶ ～의 fixed; periodical / ～(적)으로 regularly; periodically; at regular intervals. ‖ ～간행물 a periodical / ～검사 a periodical inspection / ～검진 a periodic medical check-up / ～승차권 a commutation [season] ticket / ～예금 a fixed deposit / ～총회 a regular general meeting / ～휴업일 a regular holiday.
정기(精氣) spirit and energy; 《만물의 기》 the spirit of all creation; 《기력》 energy; vigor.
정나미(情—) ¶ ～(가) 떨어지다 be disgusted 《with, at, by》; be disaffected 《toward》; fall out of love 《with》.
정남(正南) due south.
정낭(精囊) 《解》 a seminal vesicle; a spermatic sac.
정년(丁年) full [adult] age; ¶ ～자 an adult; a person of full age.
정년(停年) retiring age; the (com-

pulsory) retirement age. ¶ ～으로 퇴직하다 retire (at the retirement age); leave one's job on reaching retiring age. ‖ ～제 the age-limit system / ～퇴직 (compulsory) retirement 《on reaching the age of 60》 / ～퇴직자 a retired person [worker].
정녕(丁寧) certainly; surely; for sure; without fail. ¶ (코) 그러냐 Are you sure?
정다각형(正多角形) a regular [an equilateral] polygon. 「hedron.
정다면체(正多面體) a regular polyㅡ
정담(政談) a political talk [chat].
정담(情談) a friendly talk; a lover's talk.
정답다(情—) (be) affectionate; loving; harmonious; on good [friendly] terms 《with》. ¶ 정답게 affectionately; harmoniously; happily.
정당(正當) ～하다 (be) just; right; proper; fair and proper; 《합법적》 legal; lawful; legitimate. ¶ ～한 이유 없이 without good [sufficient] reason / ～한 수단으로 by fair means / ～한 법적 절차를 밟지 않고 without due process of law / ～화하다 justify. ‖ ～방위 《法》 self-defense.
정당(政黨) a political party. ¶ 2대 (二大) ～ two major political parties. ‖ ～정치 party politics [government].
정당(精糖) sugar refining; 《정제당》 refined sugar. ‖ ～공장 a sugar refinery [mill].
정도(正道) the right path; the path of righteousness.
정도(程度) (a) degree; (an) extent (범위); 《표준》 a standard; a grade; 《한계》 a limit. ¶ ～를 높이다 [낮추다] raise [lower] the standard.
정독(精讀) perusal; careful [close] reading. ～하다 peruse; read 《a book》 carefully.
정돈(整頓) (good) order; tidying

(up). ~하다 put 《*something*》 in order; tidy up; keep 《*a thing*》 tidy. ‖ ~된 neat and tidy 《*room*》; in order; orderly.

정동(正東) due east.

정동(精銅) refined copper.

정동사(定動詞) 《文》 a finite verb.

정들다(情一) become attached 《*to*》; become familiar 《friendly, acquainted》 《*with*》; get used to 《*a place*》.

정량(定量) a fixed quantity; a dose(내복약의). ‖ ~분석 quantitative analysis.

정력(精力) energy; vigor; vitality; 《성적인》 one's sexual capacity; potency; virility. ‖ ~이 왕성한 energetic; vigorous / ~을 쏟다 put 《throw》 all one's energies 《*into*》. ‖ ~가 an energetic man; a ball of fire 《口》.

정련(精鍊)《金》 ~하다 refine 《*metals*》; smelt 《*copper*》. ‖ ~소 a refinery.

정렬(整列) ~하다 stand in a row; form a line; line up; 《軍》 fall in!(구령). 《3열로 ~하다 be drawn up in three lines / ~시키다 dress 《*the men*》.

정령(政令) a government ordinance.

정령(精靈) the soul; the spirit.

정례(定例)《~의》 ordinary; regular / ~에 따라 according to usage. ‖ ~회의 a regular meeting.　　　　　　　　　　[ment.

정론(正論) a sound 《just》 argument.

정론(定論) a settled view 《opinion》; an established theory.

정론(政論) political argument [discussion].

place; a 《*train, bus*》 stop.

정류(精溜) rectification; refinement. ~하다 rectify; purify; refine. ‖ ~주정 rectified spirit.

정류(整流)《電》 rectification; commutation. ~하다 rectify. ‖ ~기 a rectifier.

정률(定率) a fixed rate. ‖ ~세 proportional taxation. [ory.

정리(定理)《數》 a theorem; a theory.

정리(整理)《정돈》 arrangement. ~하다 arrange; put 《*a thing*》 in order; straighten (out); keep 《*a thing*》 tidy. ② ~하다 《회사 등을》 reorganize; liquidate; 《교통 등을》 regulate; control; 《행정·구획·장부 등을》 adjust; readjust. ③ ~하다 《없애다》 cut down 《*on*》; reduce; dispose 《*of*》. ‖ 인원을 ~하다 reduce 《cut down》 the personnel; cut the number of employees. 《~해고 [해고(解雇)]》④《부채를》 ~하다 pay off 《clear away》 one's debt.

정립하다(鼎立一) stand in a trio.

정말(正一)《부사적으로》 really; quite; indeed; truly; actually; in real earnest(진정으로).

정맥(靜脈) a vein. ‖ ~의 venous. / ~류(瘤) a varix / ~주사 an intravenous injection.

정면(正面) the front; the facade(건물의). ‖ ~의 front; frontal / ~에서 본 얼굴 a full face. ‖ ~공격 a frontal attack / ~충돌 a head-on collision; a frontal clash.

정모(正帽) a full-dress hat.

정무(政務) affairs of state; state [political] affairs. ‖ ~차관 a parliamentary vice-minister.

정문(正門) the front [main] gate; the main entrance.

정물(靜物) still life. ‖ ~화[사진] a still life 《photo》.

정미(正味)《重》 ① ~의 net; clear / ~중량 a net weight.

정미(精米) rice polishing; 《쌀》 polished rice. ~하다 polish 《clean》 rice. ‖ ~소 a rice mill.

정밀 (精密) minuteness; precision. ~ 하다 (be) minute; precise; detailed. ¶ ~ 히 minutely; in detail; precisely / ~ 하게 조사하다 investigate closely. ∥ ~ 검사 a close examination / ~ 공업 the precision industry / ~ 과학 an exact science / ~ 기계[기기] a precision machine [instrument] / ~ 조사 a close investigation.

정밀도 (精密度) precision; accuracy.

정박 (碇泊) anchorage; mooring. ~ 하다 (cast, come to) anchor; moor. ¶ ~ 기간 lay days / ~ 료 anchorage (dues) / ~ 지[항] an anchorage (harbor).

정박아 (精薄兒) a mentally-handicapped[-retarded] child. ∥ ~ 수용시설 a home for retarded children.

정반대 (正反對) direct opposition; the exact reverse. ¶ ~ 의 directly opposite.

정백 (精白) ∥ ~ 당(糖) refined sugar / ~ 미 polished [cleaned] rice.

정벌 (征伐) conquest; subjugation. ~ 하다 conquer; subjugate. ¶ ~ 적의 ~ 을 하다 conquer the enemy.

정범 (正犯) 【法】 the principal offense [offender] (사람).

정변 (政變) a political change; a change of government; a coup d'état.

정병 (精兵) a crack [an elite] troop.

정보 (情報) (a piece of) information; intelligence(비밀의); news. ¶ ~ 를 얻다 [입수하다] obtain [get] information 《on, about》 / ~ 를 누설하다 leak information / ~ 를 수집하다 collect information. ∥ ~ 검색 information retrieval(생략 IR) / ~ 공개 information disclosure / ~ 국(미국의 중앙정보국) the Central Intelligence Agency (생략 CIA) / ~ 기관 a secret [an intelligence] service / ~ 망 an intelligence network / ~ 산업 the information [communication] industry / ~ 수집 information gathering / ~ 원(員) an in-

former(경찰의); an intelligence agent(정보기관의) / ~ 원(源) information sources / ~ 처리 【컴】 data [information] processing / ~ 통신부 the Ministry of Information-Communication / ~ 화 사회 an information-oriented society / 국가 ~ 원 the National Intelligence Service.

정복 (正服) a formal dress; a full uniform. ¶ ~ 경찰관 a police officer in uniform.

정복 (征服) conquest. ~ 하다 conquer; gain mastery over 《the environment》; overcome. ¶ ~ 욕 lust for conquest / ~ 자 a conqueror.   「(copy, text).

정본 (正本) 〈원본〉 the original

정부 (正否) right or wrong.

정부 (正副) 〈서류의〉 the original and a duplicate [copy]. ¶ ~ 2통을 작성하다 prepare [make out] 《a document》 in duplicate.

정부 (政府) a government; the Government(한 나라의); the Administration (美). ¶ ~ 의 government(al) / ~ 를 수립하다 establish [set up] a government. ∥ ~ 고관 a high-ranking government official / ~ 기관 a government body [agency] / ~ 당국 the government authorities / ~ 보조금 government subsidies / ~ 안 a ~ 안 a government bill [measure] / ~ 종합 청사 an integrated government building.

정부 (情夫) a lover; a paramour.

정부 (情婦) a mistress; a paramour.

정북 (正北) due north.   「mour.

정분 (情分) a cordial friendship; intimacy; affection.

정비 (整備) 〈장비·시설 등의 유지·수리〉 maintenance; service; 〈조정〉 adjustment. ~ 하다 put 《the facilities》 in good condition; service 《an airplane》; fix 《a car》. ¶ ~ 도로를 ~ 하다 repair a road / ~ 업을 ~ 하다 consolidate an enterprise. ∥ ~ 공 a (car) mechanic; a repairman(기계의) / ~ 공장 a

정비(整備)［service］shop; a garage (자동차의); 《비행기의》 a maintenance man; the ground crew (총칭).

정비례(正比例) 〖數〗 direct proportion［ratio］. ～ 하다 be in direct proportion 《to》.

정사(正史) an authentic history.

정사(正邪) right and wrong.

정사(政事) political affairs.

정사(情死) a lovers'［double］suicide. ～ 하다 commit a double suicide; die together for love.

정사(情事) 《남녀간의》 a love affair. ¶ 혼외 ～ extramarital intercourse.

정사각형(正四角形) a (regular) square. 《hedron.

정사면체(正四面體) a regular tetra-

정사원(正社員) a regular member; a staff member 《of a company》.

정산(精算) exact calculation; 《결산》 settlement of accounts; adjustment. ～ 하다 settle up; keep an accurate account. ¶ ～ 서 a settlement of accounts. 　　　「gle.

정삼각형(正三角形) a regular trian-

정상(正常) normalcy (美); normality. ¶ ～ 의 normal / ～ 이 아닌 abnormal / ～ 으로 normally. ∥ ～ 상태 the normal state / ～ 화 normalization 《～ 화하다 normalize》.

정상(頂上) the top; the summit; the peak 《of》. ∥ ～ 회담 a summit meeting［conference, talk].

정상(情狀) conditions; circumstances. ¶ ～ 을 참작하다 take the circumstances into consideration.

정색(正色) 《안색》 a serious countenance［look］; a solemn air. ～ 하다 put on a serious look; wear a sober look. ¶ ～ 을 하고 농담을 하다 tell a joke with a straight face.

정색(正色)² 〖理〗 a primary color.

정서(正西) due west.

정서(正書) 《또박또박 쓰기》 ～ 하다 write in the square style.

정서(淨書) ～ 하다 make a fair [clean] copy 《of》.

정서(情緒) 《감정》 emotion; feeling; 《센티멘트》 (a) sentiment; 《분위기》 a mood; an atmosphere. ∥ ～ 장애 an emotional disorder.

정석(定石) the standard moves (in the game of baduk); a formula; 《원칙》 the cardinal [first] principle. ¶ 그것은 범죄 수사의 ～ 이다 It's the ABC of a criminal investigation.

정선(停船) stoppage of a vessel. ～ 하다 stop; heave to. ¶ 안개로 인해 ～ 하다 be held up in a fog.

정선(精選) ～ 하다 select [sort out] carefully. ¶ ～ 된 choice; select.

정설(定說) 《학계의》 an established theory; 《일반의》 an accepted opinion. ¶ ～ 을 뒤엎다 overthrow an established theory.

정성(精誠) a true heart; sincerity; earnestness; devotion. ¶ ～ 껏 with one's utmost sincerity; wholeheartedly; devotedly.

정세(情勢) the state of things [affairs]; a situation; conditions. ¶ 국내［국제］ ～ the domestic [international] situation.

정수(正數) 《양수》 〖數〗 a positive number.

정수(定數) ① 《일정 수》 a fixed number. ② 《상수》 〖數〗 a constant; an invariable. ③ 《운수》 fate; destiny.

정수(淨水) clean water. ～ 장 a filtration［purification］plant / ～ 장치 a water-purifying device; a cleaning［filter］pad.

정수(精粹) pureness; purity.

정수(精髓) ① 《뼛속의》 marrow. ② 《사물의》 the essence; the pith.

정수(整數) 〖數〗 an integral number; an integer.

정수리(頂上) 《머리의》 the crown of the head; the pate (口).

정숙(貞淑) chastity; (female) virtue. ～ 하다 (be) chaste; virtuous.

정숙(靜肅) silence. ~하다 (be) silent; still; quiet. ¶ ~하여라 Be silent. *or* Keep quiet.

정승(政丞) 〖史〗 a minister of State; a prime minister (in the Kingdom of Korea).

정시(正視) ~하다 look 《a person》 in the face; look straight 〔squarely〕 《at a fact》.

정시(定時) a fixed time; regular hours; a scheduled period. ¶ ~의〔에〕 regular(ly); periodical(ly) / 열차는 ~에 도착했다 The train arrived on schedule 〔time〕. / ~퇴근 〔게시〕 No overtime.

정식(正式) formality; due form. ¶ ~의 formal; regular; due; official(공식의) / ~으로 formally; regularly; officially. ‖ ~회원 a regular 〔card-carrying〕 member / ~승인 《法》 de jure recognition / ~절차 due formalities.

정식(定式) a formula. ¶ ~으로 formal; regular; ‖ ~화(化) formularization.

정식(定食) a regular 〔set〕 meal; 《요리점의》 a table d'hôte 〔프〕. ¶ 점심으로 ~을 먹다 have a set lunch 〔lunch special〕.

정신(艇身) a boat's length.

정신(精神) mind; spirit; soul(영혼); will(의지); 《근본적 의의》 the spirit. ¶ ~적인 mental; spiritual; moral; emotional(감정적인) / ~적인 사랑 platonic love / ~적인 타격 a mental blow; a shock. ‖ ~감정 a psychiatric test / ~교육 moral education / ~기능 a psychic 〔mental〕 function / ~력 mental power / ~박약아 a weak-〔feeble-〕minded child / ~병 a mental disease 〔illness〕 / ~병원 a mental hospital / ~병 전문의 a psychiatrist / ~병환자 a mental 〔psychiatric〕 patient; a psychopath / ~분석 psychoanalysis / ~분열증 split personality; 〔醫〕 schizophrenia / ~분열증 환자 a schizophrenic / ~신경과 neu-

ropsychiatry / ~안정제 a tranquilizer / ~연령 mental age / ~장애아 a mentally handicapped child.

정실(正室) a lawful 〔legal〕 wife.

정실(情實) private circumstances; personal considerations; favoritism(편애).

정액(定額) a fixed amount 〔sum〕. ‖ ~소득 a regular income / ~저금 a fixed deposit / ~제 a flat sum system.

정액(精液) ① 〔生〕 semen; sperm. ‖ ~사출 seminal emission / ~은행 a sperm bank. ② 《엑스》 an extract; an essence.

정양(靜養) (a) rest; recuperation (병후의). ~하다 take a rest; recuperate *oneself*.

정어리 〔魚〕 a sardine.

정언적(定言的) 〖論〗 categorical.

정업(定業) a fixed occupation; a regular employment.

정연(整然) ¶ ~한 orderly; systematic / ~히 in good 〔perfect〕 order; systematically.

정열(情熱) passion; enthusiasm; zeal. ¶ ~적인 passionate; enthusiastic; ardent / ~을 쏟다 put one's heart (and soul) into 《one's work》 / ~의 불길 the flame of love.

정염(情焰) the fire of passion; the flame of love.

정예(精銳) the pick 〔best〕 《of》. ¶ 팀의 ~ the best player of the team. ‖ ~부대 an elite 〔a crack〕 unit.

정오(正午) (high) noon; midday. ¶ ~에 at noon; at midday.

정오(正誤) (a) correction 《of errors》. ‖ ~문제 a true-false question / ~표 a list of errata.

정온(定溫) a fixed temperature. ‖ ~동물 a homoiothermic animal.

정욕(情慾) sexual desire; lust; a passion.

정원(定員) 《정원수》 the fixed number; 《수용력》 the 《seating》 capac-

ity. ¶ 이 버스는 ~ 이상의 손님을 태우고 있다 This bus is over-loaded.

정원(庭園) a garden. ¶ 옥상 ~ a roof garden. ∥ ~사 a gardener / ~수(樹) a garden tree.

정월(正月) January. ¶ ~ [tion.

정위치(定位置) *one's* regular posi-

정유(精油) oil refining; refined oil(기름). ∥ ~공장 an oil refinery.

정육(精肉) fresh meat; dressed meat(적당 크기로 잘라 포장된). ∥ ~업자 a butcher / ~점 a butcher [meat] shop.

정육면체(正六面體) a regular hexahedron; a cube.

정의(正義) justice; right. ∥ ~감 a sense of justice.

정의(定義) a definition. ~ 하다 define 《*something as...*》. ¶ ~를 내리다 define 《*words*》; give a definition 《*to*》.

정의(情誼) friendly feelings; ties of friendship; affections.

정자(正字) a correct [an unsimplified] character.

정자(亭子) an arbor; a pavilion; a summerhouse; a bower. ¶ ~ 나무 a big tree serving as a shady resting place in a village.

정자(精子) spermatozoon; a sperm.

정자형(丁字形) a T-shape.

정작 《부사적》 actually; indeed; really; practically.

정장(正裝) full dress (uniform). ~ 하다 be in full dress (uniform).

정장석(正長石) [鑛] orthoclase.

정쟁(政爭) political strife. ¶ ~의 도구로 삼다 make a political issue 《*of*》.

정적(政敵) a political opponent [rival, enemy, adversary].

정적(靜的) static; statical.

정적(靜寂) silence; quiet; stillness. ¶ ~을 깨뜨리다 break the silence. [chamber.

정전(正殿) the royal audience

정전(停電) (a) power failure [cut,

stoppage]; a blackout(전등의). ~ 하다 cut off the electricity [power]. ¶ ~이 되다 The power supply is cut off / 아, ~이다 Oh, the lights went out.

정전(停戰) a cease-fire; a truce (협정에 의한). ¶ ~하다 have a truce. ∥ ~협정 a cease-fire agreement / ~회담 a cease-fire conference.

정전기(靜電氣) [電] static electricity. ¶ ~의 electrostatic.

정절(貞節) fidelity; chastity; virtue; faithfulness.

정점(定點) a definite [fixed] point.

정점(頂點) the top; the peak; [절정] the climax; the height; the apex 《*of a triangle*》.

정정(訂正) a correction; (a) revision(개정). ~ 하다 correct (*errors*); revise (*books*). ¶ A를 B로 ~ 하다 correct A to B. ∥ ~ (증보)판 a revised (and enlarged) edition.

정정(政情) political conditions [affairs]. ¶ ~의 안정 [불안정] political stability [instability].

정정당당(正正堂堂) ¶ ~한 fair and square; open and aboveboard.

정정하다(亭亭~) 《노익장》 (be) hale and hearty; healthy.

정제(精製) refining. ~ 하다 refine. ∥ ~공장 a refinery / ~당(糖) refined sugar [salt] / ~법 a refining process.

정제(錠劑) a tablet; a pill.

정조(貞操) chastity; (feminine) virtue. ¶ ~관념 a sense of virtue.

정족수(定足數) a quorum. ¶ ~에 달하다 form [be enough for] a quorum.

정좌하다(正坐~) sit straight [upright]; sit square 《*on one's seat*》.

정주(定住) settlement. ~ 하다 settle down 《*in*》; reside permanently. ∥ ~자 a permanent resident.

정중(鄭重) ¶ ~한 polite; courteous; respectful.

정지(停止) a stop; suspension (중

지). ~하다 stop; 《일시적》 halt; suspend. ¶ 영업 〔지불〕 ~ a suspension of business 〔payment〕 / 그는 한 달 간 운전 면허가 ~되었다 He had his driver's license suspended for a month. ‖ ~선 a stop line / ~신호 a stop signal; a stoplight.

정지(靜止) rest; standstill. ~하다 rest; stand still; be at a standstill. ¶ ~궤도 《put a satellite in》 a geostational 〔geosynchronous〕 orbit / ~상태 a state of rest 《~상태의 stationary; static》 / ~위성 a stationary satellite.

정지(整地) 《건축을 위한》 leveling of ground; site preparation; 《경작을 위한》 soil preparation. ~하다 level the land 《for construction》; prepare the soil 《for planting》.

정직(正直) honesty; frankness 《솔직》. ¶ ~한 honest; frank; straightforward / ~히 honestly; frankly.

정직(停職) suspension from duty 〔office〕. ¶ ~되다 be suspended from one's duties.

정진(精進) ① 《열심히 노력함》 close application; devotion. ~하다 devote *oneself* 《to the study》; apply *oneself* 《to》. ② 《종교적 수행》 devotion to the pursuit of one's faith. ~하다 devote one's life to the pursuit of one's faith.

정차(停車) ☞ 정거(停車). ‖ ~시간 stoppage time.

정착(定着) fixation; fixing 《사진의》. ~하다 fix; take root 《사상·생각 등이》. ‖ ~금 〔수당〕 resettlement funds 〔allowance〕 / ~액 a fixing solution / ~제 a fixing agent.

정찬(正餐) a dinner.

정찰(正札) a price tag. ‖ ~가격 a marked 〔fixed〕 price / ~제 a price-tag 〔fixed price〕 system.

정찰(偵察) reconnaissance; scouting. ~하다 reconnoiter; scout. ¶ ~ 나가다 go scouting. ‖ ~기 a reconnaissance plane.

정책(政策) a policy. ¶ 경제 ~을 세우다 shape an economic policy. ‖ ~노선 party line 《美》 / ~심의회 the Policy Board / ~입안자 a policy maker.

정처(定處) ¶ ~ 없이 떠돌다 wander from place to place.

정체(正體) one's true character 〔colors〕. ¶ ~를 알 수 없는 unidentifiable 《objects》 / ~를 드러내다 show 〔reveal〕 one's true colors.

정체(政體) a form 〔system〕 of government. ¶ 공화〔입헌〕 ~ the republican 〔constitutional〕 system of government.

정체(停滯) 《침체》 stagnation; 《자금의》 a tie-up; 《화물의》 accumulation. ~하다 be stagnant; pile up; accumulate. ¶ 교통의 ~ the congestion of traffic / 우편물의 ~ the pile-up of mail / 경기가 ~되다 The economy is stagnant.

정초(正初) the first ten days of January. ¶ ~에 early in January.

정초(定礎) ~하다 lay the cornerstone of a building.

정취(情趣) 《기분·느낌》 mood; sentiment; 《아취》 artistic flavor 〔taste〕; 《분위기》 (an) atmosphere. ¶ ~가 있는 rich in artistic flavor; tasteful; charming.

정치(定置) ~하다 fix; be fixed. ¶ ~의 fixed; stationary. ‖ ~망 a fixed 〔shore〕 net / ~망어업 fixed-net fishing.

정치(政治) politics; government〔통치〕; administration 《시정》. ¶ ~하다 govern 《the country》; administer 〔conduct〕 the affairs of state. ¶ ~적인 political / ~적 수완 political ability 〔skill〕. ‖ ~가 a statesman; a politician / ~범 〔죄〕 political offense; 《사람》 a political offender / ~자금 political funds / ~적 망명 political asylum / ~적 무관심 political apathy / ~학 politics; political science / ~헌금 a political contribution 〔donation〕.

정치풍토(政治風土) the political climate. ∥ ～쇄신 the renovation of the political climate.

정치활동(政治活動) political activities.

정크 《중국배》 a junk. 〔같은.〕

정크본드 〔쓰레기〕 a junk bond.

정탐(偵探) ～하다 spy (on). ━ 꾼 a spy; a scout.

정태(靜態) ¶ ～의 static(al) / ～경제학 static economics.

정토(淨土) 〔佛〕 the Pure Land; Paradise. ¶서방 ～ the Pure Land in the West.

정통(正統) legitimacy; orthodoxy. ¶ ～의 legitimate; orthodox.

정통(精通) ～하다 be well 〔informed about〕; have a thorough knowledge (of); be familiar 〔well acquainted〕 with. ¶ ～한 소식통 a well-informed source.

정판(整版) 〔印〕 recomposition; justification. ～하다 recompose; justify. ∥ ～공 a justifier.

정평(定評) an established reputation. ¶ ～ 있는 acknowledged; recognized; 《a novelist》 with an established reputation.

정표(情表) a love token; a keepsake; a memento.

정풍(整風) ∥ ～운동 the rectification campaign.

정하다(定一) 〔결정하다〕 fix; settle; decide; 〔규정하다〕 establish; provide. ¶ 날〔값〕을 ～ fix a date 〔the price〕.

정하다(淨一) (be) clear; clean.

정학(停學) suspension (from school). ¶1주일 간 ～당하다 be suspended from school for a week.

정해(正解) a correct answer.

정해(精解) full 〔detailed〕 explanation. ～하다 explain minutely 〔in detail〕.

정형(定型, 定形) a fixed 〔regular〕 form 〔type〕. ¶ ～화 하다 standardize; conventionalize. ∥ ～시(詩) a fixed form of verse.

정형(整形) ∥ ～수술 orthopedic surgery / ～외과 orthopedics / ～외과병원 an orthopedic hospital / ～외과의 an orthopedist.

정혼(定婚) ～하다 arrange a marriage; betroth.

정화(正貨) specie. ∥ ～보유고 specie holdings / ～준비 specie 〔gold〕 reserve.

정화(淨化) purification; a cleanup. ～하다 purify; purge; clean up 《the political world》. ∥ ～설비 〔하수의〕 sewage disposal facilities; a sewage treatment plant / ～장치 a purifier / ～조 〔하수의〕 a septic tank.

정화수(井華水) 〔民俗〕 clear water drawn from the well at daybreak.

정확(正確) correctness; exactness; accuracy; precision. ¶ ～한 〔히〕 exact(ly); correct(ly); accurate (·ly) / 그녀는 시간을 ～히 지킨다 She is punctual.

정황(情況) ☞ 상황. ∥ ～증거 〔法〕 circumstantial 〔indirect, presumptive〕 evidence.

정회(停會) suspension; prorogation (의회); adjournment (휴회). ～하다 suspend; adjourn; prorogue.

정회원(正會員) a regular member. ∥ ～의 자격 full membership.

정훈(政訓) troop information and education.

정휴일(定休日) a regular holiday.

정히(正一) 〔확실히〕 surely; certainly; no doubt; really.

젖(乳房) a breast; 〔乳汁〕 milk; mother's milk (모유). ¶ ～빛의 milky / ～을 짜다 milk 《a cow》. ∥ ～가슴 the breast / ～꼭지 the teat(s); the nipple(s) / ～니 a milk tooth / ～먹이 a suckling; a baby / ～뗄 소 a nursing bottle / ～소 a milch 〔milking〕 cow.

젖내 the smell of milk. ¶그는 아직 ～가 난다 He is still green. or He still smells of his mother's milk.

젖다 get wet; be soaked 〔drenched〕.

(흐뭇).

젖몸살 mastitis. ¶ ~을 앓다 suffer from mastitis; have inflamed mammary glands.

젖히다 bend backward; curve. ¶ 가슴을 ~ straighten [pull] one self up; stick one's chest out.

제 ① 《나》 I, myself; 《나의》 my; my own. ¶ ~ 생각[으로]으로는 for my part; as for me [myself]. ② 《자기의》 one's; one's own. ¶ ~ 일로 on one's own business.

제(祭) a memorial service 《for one's ancestors》; 《축제》 a festival; a *fête*. ¶ 기념 ~ a commemoration / 백년 ~ a centennial.

제(諸) many; several; various; all sorts of. ¶ ~ 문제 various problems / ~ 경비 charges; expenses.

제…(第) No.; number …; -th. ¶ ~4조 2항 the second clause of Article Ⅳ (Four).

…제(制) a system; an institution.

…제(製) make; manufacture. ¶ X 회사 ~ 사진기 a camera made [manufactured] by X Company.

…제(劑) a medicine; a drug.

제각기(一 各其) each; individually; respectively. ¶ ~ 그 책을 한 권씩 갖고 있다 We each have [Each of us has] a copy of the book.

제강(製鋼) steel manufacture. ¶ ~ 소 a steel mill / ~ 소 a steelworks / ~ 업 the steel industry / ~ 업자 a steelmaker; a steelman.

제거(除去) removal; elimination. ~ 하다 get rid of; do away with; remove; eliminate; weed out.

제것 one's own property; one's possession [belongings]. ¶ ~ 으로 만들다 make 《things》 one's own; have 《a thing》 one's own.

제격(一 格) becoming [being suitable] to one's status. ¶ 그 자리에 그가 ~ 이다 He is the right man for the post.

제고(提高) ~ 하다 raise; uplift;

heighten; improve; enhance. ¶ 가치를 ~ 하다 enhance [heighten] the value 《of》.

제곱 a square. ~ 하다 square [multiply] 《a number》. ¶ ~ 근 a square root.

제공(提供) an offer. ~ 하다 《make an》 offer; supply; furnish; provide; sponsor 《a TV program》.

제공권(制空權) (the) mastery [command] of the air; air supremacy. ¶ ~ 을 잡다 [잃다] secure [lose] the mastery of the air / ~ 을 잡고 있다 have [hold] the command of the air; command the air.

제과(製菓) confectionery. ¶ ~ 업자 a confectioner / ~ 점 a confectionery / ~ 회사 a confectionery company.

제관(製罐) can manufacturing; canning 《美》. ¶ ~ 공장 a cannery; a canning factory / ~ 업자 a canner.

제구(祭具) ☞ 제기(祭器).

제구력(制球力) 《野》 one's (pitching) control. ¶ ~ 이 있다 [없다] have good [poor] ball control.

제구실 one's duty [function, role]; one's share [part]. ~ 하다 perform one's function [part, duty]; do one's duties; play one's role.

제국(帝國) an empire. ¶ ~ 의 imperial. ¶ ~ 주의 imperialism 《~ 주의적인 imperialistic》 / ~ 주의자 an imperialist.

제국(諸國) all [many] countries.

제기(一) a Korean shuttlecock game played with the feet.

제기(祭器) a ritual utensil.

제기(提起) ~ 하다 present; bring up [forward] 《a proposal》; raise 《a question》; propose 《a plan》; pose 《a problem》. ¶ 이의를 ~ raise an objection 《to》.

제깐에 on one's own estimation [opinion]; to one's own thinking.

제네바 Geneva.

제단(祭壇) an altar.

ㅈ

제당(製糖) sugar manufacture. ∥ ~공장 a sugar mill / ~업 the sugar-manufacturing industry.

제대(除隊) discharge from military service. ~하다 be discharged from military service. ∥ ~병 a discharged soldier / 의가사 ~ a discharge from service by family hardships / 의병 ~ a medical discharge.

제대(梯隊) 〔軍〕 an echelon.

제대로 〔잘·순조로이〕 well; smoothly; 〔변변히〕 properly; fully; enough.

제도(制度) a system; an institution. ∥ ~상의 institutional / 현행 ~ the existing system / 새로운 ~를 만들다 establish a new system / ~를 폐지하다 abolish a system.

제도(製陶) pottery manufacture; porcelain making. ∥ ~술 ceramics; pottery.

제도(製圖) drafting; drawing. ~하다 draw; draft. ∥ ~가 a draftsman / ~기 a drawing instruments / ~실 a drafting room / ~판 a drafting 〔drawing〕 board.

제도(諸島) a group of islands; an archipelago.

제도(濟度) salvation; redemption. ~하다 save; redeem. ∥ 중생 ~ salvation of the world.

제독(提督) an admiral; a commodore.

제독하다(制毒—) neutralize a poison; rid of noxious influence.

제동(制動) braking; 〔電〕 damping. ∥ ~을 걸다 put on the brake. ∥ ~기 a brake / ~레버 a safety lever / ~수〔철도의〕 a brakeman 〔美〕 / ~장치 a braking system 〔이중~장치 a dual braking system〕 / ~회전 〔스키의〕 a stem turn.

제등(提燈) a (paper) lantern.

제때 an appointed 〔a scheduled, a proper〕 time.

제라늄 〔植〕 a geranium.

제련(製鍊) refining; smelting.

하다 refine (*metals*); smelt (*copper*). ∥ ~소 a refinery; a smelting plant.

제례(祭禮) religious ceremonies.

제로 (a) zero; (a) nought; nothing. ∥ ~게임 〔테니스의〕 a love game / ~성장 〔인구·경제의〕 zero (economic, population) growth.

제록스(상표명) Xerox. ∥ ~로 복사하다 xerox (a copy).

제막(除幕) ~하다 unveil (*a statue*). ∥ ~식 an unveiling ceremony 〔exercise (美)〕.

제멋 one's own taste 〔way, fancy, style〕.

제멋대로 as *one* pleases 〔likes〕; at will; willfully; waywardly. ∥ ~ 굴다 have *one*'s own way; act willfully.

제면(製綿) ~하다 gin cotton.

제면(製麵) noodle making. ~하다 make noodles. ∥ ~기 a noodle-making machine.

제명(除名) expulsion; dismissal from membership. ~하다 expel (*a person*) (*from a club*); strike 〔take〕 (*a person*'s) name off the list 〔roll〕.

제명(題名) a title.

제모(制帽) a regulation 〔uniform, school〕 cap.

제목(題目) a subject; a theme; a title(표제). ∥ ~을 붙이다 give a title (*to*).

제물(除物) an offering; a sacrifice(산 제물).

제물낚시 a fly fishing.

제물로〔에〕 of *its* own accord; by 〔of〕 *itself*; spontaneously. ∥ 불이 ~ 꺼졌다 The fire went out all by itself.

제반(諸般) all sorts; 〔이런 ~ 사정 때문에 for these reasons; under these circumstances.

제발 if you please; please; kindly; by all means; for mercy's 〔God's〕 sake.

제방(堤防) an embankment; a dike; a bank. ∥ ~을 쌓다 construct 〔build〕 a bank. ∥ ~공사

bank revetment.

제법 quite; pretty; rather; considerably. ¶ ～ 오랫동안 for quite a long time.

제법(製法) a method [process] of manufacture; a process; 《요리의》 a recipe. ¶ ～을 보고 만들다 make 《something》 from a formular [recipe].

제복(制服) a uniform.

제복(祭服) ceremonial robes.

제본(製本) bookbinding. ～하다 bind 《a book》. ∥ ～소 a (book) bindery.

제분(製粉) milling. ～하다 grind 《corn》 to flour. ∥ ～기, ～소 a (flour) mill / ～업 the milling industry / ～업자 a miller.

제비 《추첨》 a lot; lottery(뽑기). ¶ ～를 뽑다 draw lots / ～ 뽑아 결정하다 decide by lot.

제비¹ [鳥] a swallow.

제비꽃 [植] a violet.

제비(남)족(一族) a gigolo. 　[ribs.

제비추리 beef from the inside

제빙(製氷) ice manufacture. ～공장 an ice plant / ～기 an ice machine; an ice-maker.

제사(第四) the fourth. ∥ ～계급 the proletariat. ¶ ～세대항생제 the 4th-generation antibiotic.

제사(祭祀) a religious service [ceremony]. ¶ ～를 지내다 hold a memorial service 《for》.

제사(製絲) spinning; 《견사의》 silk reeling. ～하다 reel; draw silk. ∥ ～공장 a spinning mill; a silk mill / ～기계 reeling machine / ～업 the silk-reeling industry.

제살붙이 one's own people; one's relatives [kinfolk].

제삼(第三) the third. ∥ ～계급 the bourgeoisie; 《평민》 the third estate / ～국 the third power / ～ 세계 the Third World / ～세력 the third force / ～자 the third person 《party》; an outsider / ～차 산업 the tertiary industries.

제상(祭床) a table used in a religious [memorial] service.

제설(除雪) ～하다 clear [remove] the snow. ∥ ～작업 snow removing / ～차 a snowplow.

제소(提訴) ～하다 sue; bring a case before 《the court》; file a suit 《in the court against a person》.

제수(弟嫂) a younger brother's wife; one's sister-in-law.

제수(除數) [數] the divisor.

제수(祭需) ① things used in the memorial services. ② ☞ 제물.

제스처 (make) a gesture.

제습(除濕) ～하다 dehumidify. ∥ ～기 a dehumidifier / ～제 a dehumidifying agent.

제시(提示) presentation. ～하다 present; show.

제시간(一時間) the appropriate [proper, scheduled] time. ¶ ～에 on time.

제씨(諸氏) gentlemen; Messrs.

제안(提案) a proposal; a proposition; a suggestion; an offer. ～하다 propose; make a proposal [an offer]; suggest. ¶ 반대 ～ a counterproposal.

제암(制癌) cancer prevention [inhibition]. ¶ ～의 anticancer. ∥ ～ 제 an anticancer drug [medicine].

제압(制壓) ～하다 control; bring ... under control; gain supremacy over 《the enemy》.

제야(除夜) 《on》 New Year's Eve.

제약(制約) a restriction; a limitation. ～하다 restrict; limit.

제약(製藥) medicine manufacture; pharmacy; 《약》 a manufactured medicine 《drug》. ∥ ～공장 《회사》 a pharmaceutical factory 《company》.

제어(制御) control. ～하다 control; govern; manage. ¶ ～할 수 없는 uncontrollable / 자동 ～ 장치 an automatic control system [device].

제염(製鹽) salt manufacture. ∥ ～소 a saltern; a saltworks.

제오(第五) the fifth. ∥ ～공화국 the

Fifth Republic / ～열 the fifth column.

제왕(帝王) an emperor; a monarch; a sovereign. ‖ ～절개[수술] 〖醫〗 a Caesarean operation.

제외(除外) ～하다 except; exclude; make an exception of 《*a person from taxes*》 (면제). ‖ ～규정 an escape clause.

제우스 [그神] Zeus.

제위(諸位) gentlemen; my friends.

제유법(提喩法) 〖修〗 synecdoche.

제육(猪肉) 《돼지고기》 pork.

제육감(第六感) the sixth sense; a hunch.

제의(提議) ☞ 제안.

제이(第二) number two; the second. ¶ ～의 the second; secondary; 습관은 ～의 천성이다 Habit is second nature. ‖ ～인칭 the second person; 〖文〗 the second person; ～차 산업 the [a] secondary industry / ～차 세계 대전 the Second World War; World War Ⅱ / ～차 집단 〖社〗 a secondary group.

제일(第一) the first; number one. ¶ ～의 first; primary; foremost / ～과 the first lesson; Lesson One / 건강이 ～이다 Health is above everything else. / 안전 ～ 《게시》 Safety First. ‖ ～인칭 〖文〗 the first person / ～차 산업 primary industries.

제일선(第一線) 《최전선》 the forefront; the front (전선). ¶ ～의 병사 a front-line soldier.

제자(弟子) a pupil; a disciple; an apprentice(도제). ‖ 애～ *one's* favorite pupil.

제자(諸子) 《중국의》 sages; masters. ‖ ～백가 all philosophers and literary scholars.

제자(題字) the title letters.

제자리걸음 ～하다 step; stamp; mark time; be at a standstill (정체).

제작(製作) ～하다 manufacture; make; produce. ‖ ～비 production costs / ～소 a plant; a factory; a works / ～자 a maker;

a manufacturer; producer(영화 등).

제재(制裁) punishment; sanctions. ～하다 punish; take sanctions 《*against*》. ¶ 군사적 ～ military sanctions / 경제적 ～를 가하다 take [apply] economic sanctions.

제재(製材) sawing; lumbering. ～하다 lumber; do lumbering; saw up 《*logs*》. ‖ ～소 a sawmill; a lumbermill. 「theme.

제재(題材) subject matter; a

제적(除籍) ～하다 remove 《*a person's name*》 from the register; expel 《*a person from school*》.

제전(祭典) 《hold》 a festival.

제절(諸節) all the family; all of you.

제정(制定) ～하다 enact 《*laws*》; establish.

제정(帝政) imperial government (rule). ‖ ～러시아 Czarist Russia / ～시대 the monarchical days [periods].

제정(祭政) ～일치 the unity of church and state.

제정신(一精神) 《기절에 대해》 consciousness; senses; 《미친 정신에 대해》 sanity; right mind; 《취하지 않은》 soberness. ¶ ～의 sane; sober / ～을 잃다 lose consciousness(의식); go mad(발광) / ～이 아니다 be out of *one's* senses.

제조(製造) manufacture; production. ～하다 manufacture; make; produce; turn out. ‖ ～공장 a manufactory; a factory / ～공정 a manufacturing process / ～능력 manufacturing capacity / ～번호 the 《manufacture》 serial number 《*on a camera*》 / ～법 a mode of preparation / ～업 the manufacturing industry / ～업자 [원](元) a manufacturer; a maker; a producer / ～원가 [production] cost / ～일자 the date of manufacture.

제주(祭主) the chief mourner; the master of religious rites.

제주(祭酒) sacred wine; wine

offered before the altar.

제주도(濟州島) Jeju Island.

제지(制止) control; restraint. ~하다 restrain; check; hold back; stop. ¶ ~앞 수 없게 되다《대상이 주어》 get out of *one's* control.《사람이 주어》 lose control (*of*).

제지(製紙) paper making 〔manufacture〕. ¶ ~용 펄프 paper pulp. ‖ ~공장 〔업자〕 a paper mill 〔manufacturer〕 / ~업 the paper industry / ~회사 a paper manufacturing company.

제창(提唱) (a) proposal. ~하다 propose; bring forward; advocate. ‖ ~자 an advocate; an exponent.

제창(齊唱) a unison. ~하다 sing 《*the national anthem*》 in unison.

제철 the season 《*for apples*》; suitable time.

제철(製鐵) iron manufacture. ‖ ~소 an ironworks / ~업 the iron industry / ~회사 an iron-manufacturing company / ~종합 공장 an integrated steelworks.

제쳐놓다 lay 〔put〕 aside; set apart 〔aside〕. ¶ 모든 일을 제쳐놓고 before anything (else); first of all.

제초(除草) ~하다 weed 《*a garden*》. ‖ ~기 a weeder / ~제 a weed killer.

제출(提出) presentation. ~하다 present; introduce 《*a bill*》; submit; bring forward; advance 《*an opinion*》; hand 〔send〕 in《닦안·원서 등을》; lodge《이의 등을》; tender 《*one's resignation*》. ‖ ~기한 a deadline / ~자 a presenter; a proposer.

제칠(第七) the seventh.

제트 (a) jet. ¶ ~기 조종사 a jet pilot / ~기류 a jet stream / ~수송기 a jet transport (plane) / ~엔진 a jet engine / ~여객 (전투, 폭격)기 a jet airliner (fighter, bomber) / 점보~기 a jumbo jet plane.

제판(製版)《印》plate-making;

make-up. ~하다 make a plate; make up. ‖ ~소 a plate-maker's shop / ~업자 a plate-maker / ~법 photoengraving.

제패(制霸) conquest; domination. ~하다 conquer; dominate.

제풀로[에] of *itself*; of *its* own accord; spontaneously.

제품(製品) manufactured goods; a product; a manufacture. ¶ 유리 ~ glassware / 미국 ~ articles of American make / 외국〔국내〕~ foreign (domestic) products. ‖ ~광고 a product advertisement.

제하다(除一) ① 《제외》leave out; exclude; except; 《빼다》take away 〔off〕; deduct; subtract. ¶ 달리 특별한 규정이 있는 경우를 제하고 unless otherwise provided / 급료 에서 ~ deduct 《*a sum*》 from *one's* pay; take 《*a sum*》 off *one's* salary. ② 《나누다》divide.

제한(制限) restriction; limitation; a limit. ~하다 restrict; limit; put 〔impose, place〕 restrictions (*on*). ¶ ~적인 restrictive; 《~없이 without limit 〔restriction〕; freely; unrestrictedly / 수입 ~ import restriction / ~을 완화하다 relax the restrictions (*on trade*) / ~ 을 철폐하다 remove 〔lift〕 restrictions. ‖ ~속도 a speed limit; the regulation speed / ~시간 a time limit.

제해권(制海權) the command of the sea; naval supremacy.

제헌(制憲) ~국회 the Constitutional Assembly / ~절 Constitution Day.

제혁(製革) tanning; leather manufacture. ‖ ~소 a tannery / ~ 업자 a tanner.　　　　〔men.

제현(諸賢) (Ladies and) Gentle-

제형(梯形)《幾》a trapezoid.《軍》an echelon formation.

제형(蹄形)《발굽 형상》 ~의 hoof-shaped; U-shaped.

제호(題號) a title 《*of a book*》.

제화(製靴) shoemaking.

제휴(提携) cooperation; a tie-up. ～하다 cooperate 《with》; join hands; tie up 《with》. ¶ …와 ～하여 in cooperation with / 기술 ～ a technical tie-up 《口》; (an agreement for) technical cooperation. ‖ ～회사 an affiliated concern.
젠장 Hang〔Damn〕it!; Hell!
젠체하다 put on airs; assume an air of importance.
젠틀맨 a gentleman.
젤라틴 〖化〗 gelatin(e).
젤리 jelly.
젯밥(祭—) food for ceremonial service.
조 〖植〗 (a grain of) millet.
조(條) an article; a clause; an item. ¶ 제 5 ～ Article 5.
조(組) 《무리》 a group; a party; a gang (악한의); a team(경기의). ¶ 3인 ～ 강도 a gang of three burglars / 일곱 사람씩 ～를 짜라 Form groups of seven. / 우리는 두 사람씩 ～를 이루어 출발했다 We set off in pairs.
조(調) ① 《곡조》 a tune; meter. ¶ 장〔단〕～ major〔minor〕key. ② 《말투》 an air〔attitude〕《of》. ¶ 비난～로 with an air of censure.
조(朝) a dynasty. ¶ 청～ the Ching dynasty.
조(兆) a trillion 《美》; a billion 《英》.
조가(弔歌) a dirge; an elegy.
조가비 a shell. ‖ ～세공 shellwork.
조각 a fragment; a (broken) piece; a scrap; a chip; a splinter(날카로운). ¶ ～(이) 나다 break into pieces〔fragments〕. ‖ ～달 a crescent (moon) / ～보 a patchwork wrapping-cloth.
조각(彫刻) (a) sculpture; (a) carving; (an) engraving (「조각물」의 뜻일 때는 Ⓒ). ～하다 sculpture; sculpt; carve(나무에); engrave(금속·돌에). ‖ ～가 an engraver; a carver; a sculptor.
조각(組閣) formation of a cabinet. ～하다 form〔organize〕a cabinet.
조간(朝刊) a morning paper.
조갈(燥渴) thirst. ¶ ～이 나다 feel thirsty.
조감도(鳥瞰圖) a bird's-eye-view; an airscape.
조강(粗鋼) crude steel.
조강지처(糟糠之妻) *one's* good old wife; *one's* wife married in poverty.
조개 a shellfish; a clam. ‖ ～젓 salted clam meat / ～탄 oval briquets / 조갯살 clam meat.
조객(弔客) a caller for condolence; a condoler.
조건(條件) a condition; terms(계약·지불 등의); a requirement(필수의); a qualification(제한적인). ¶ 계약의 ～ the terms of a contract / 회원이 될 수 있는 ～ a membership requirement / ～을 달다 make〔impose〕conditions 《*on*》 / …라는 ～으로 on the condition that …; provided that …; under the condition that …. / 무～으로 without any condition; unconditionally. ‖ ～문 〖文〗 a conditional sentence / ～반사 〖生〗 conditioned reflex〔response〕.
조견표(早見表) a chart; a table. ‖ 계산～ a ready reckoner / 전화번호～ telephone numbers at a glance.
조경(造景) landscape architecture. ‖ ～사 a landscape architect〔gardener〕/ ～술(術) landscape architecture〔gardening〕.
조계(租界) a concession; a settlement.
조공(朝貢) ～하다 bring a tribute 《*to a country*》. ‖ ～국 a tributary state.
조광권(租鑛權) a mineral right; a concession.
조교(弔橋) a suspension bridge.
조교(助敎) an assistant teacher; an assistant(조수).
조교수(助敎授) an assistant professor.
조국(祖國) *one's* fatherland〔motherland〕; *one's* mother country. ‖ ～애 love of *one's* country; patriotism.
조그마하다 (be) smallish; be of a somewhat small size(서술적).

ㅈ

조그만큼 《양》 just a little; 《수》 just a few; 《정도》 slightly; a little.

조금 《수·양》 a few(수); a little (양); some(수·양); 《정도》 a little; a bit; 《시간》 a moment; a minute; a while; 《거리》 a little way. ¶ ～씩 little by little; bit by bit / ～ 더 a little [few] more / ～ 전에 a little while ago / ～ 떨어져 a little (way) off / ～ 도 …하지 않다 not … at all; not … in the least; not … a bit.

조금 《潮一》 《地》 the neap tide.

조급 《躁急》 ～하다 (be) impatient; impetuous; hasty. ¶ ～한 사람 a hothead; a man of impetuous disposition.

조기 《魚》 a yellow corvina.

조기 《弔旗》 hang a flag at half-mast [-staff]; a mourning flag.

조기 《早起》 getting up early 《in the morning》. ¶ ～회 an early risers' club [meeting].

조기 《早期》 an early stage. ¶ ～경보체제 the early warning system / ～발견 early detection 《of cancer》 / ～진단[치료] early diagnosis [treatment].

조깅 jogging; a jog. ¶ ～을 하다 jog; take a 《morning》 jog / ～ 하는 사람 a jogger.

조끼[1] a vest 《美》; a waistcoat.

조끼[2] a (beer) mug; a tankard 《큰》. ¶ 맥주 한 ～ a mug of beer.

조난 《遭難》 a disaster; an accident; a shipwreck(배의). ～하다 meet with a disaster [an accident]; be in distress: be wrecked [파선되다]. ‖ ～구조대 a rescue party / ～구조선 a rescue boat / ～선 a ship in distress; a wrecked ship / ～신호 a distress signal; (call) Mayday / ～자 a victim; a survivor (생존자).

조달 《調達》 supply; pro-curement; 《자금의》 raising; 《일용품등의》 provision. ～하다 supply [furnish] 《a person with things》; procure; raise 《capital》. ‖ ～

과 the procurement [supply] sec-tion / ～기관 a procurement agency / ～청 the Supply Admin-istration.

조당 《粗糖》 raw [unrefined] sugar.

조도 《照度》 intensity of illumina-tion. ‖ ～계 an illuminometer.

조동사 《助動詞》 《文》 an auxiliary verb.

조락 《凋落》 《나뭇잎의》 withering; 《영락》 a decline; a decay. ～하다 《시들다》 wither; fade; 《영락하다》 decline; go downhill. ¶ ～의 길을 걷다 head for ruin[downfall].

조력 《助力》 help; assistance; cooperation(협력). ～하다 help; aid [assist] 《in》; give aid [assist-ance] 《to》; cooperate 《with》. ‖ ～자 a helper; an assistant.

조력 《潮力》 tidal energy [power]. ‖ ～발전 tidal power generation / ～발전소 a tidal-powered elec-tric plant.

조령모개 《朝令暮改》 lack of princi-ple; an inconsistent policy. ¶ ～의 정책 a fickle [inconsis-tent] policy.   [manners].

조례 《弔禮》 condolatory etiquette [manners].

조례 《條例》 regulations; an ordi-nance; a law. ¶ 시의 ～ a munic-ipal ordinance / ～를 반포하다 issue regulations [an ordinance].

조례 《朝禮》 a morning gathering [meeting, assembly].

조로 《早老》 premature senility. ～하다 prematurely aged. ¶ ～현상 symptoms of premature old age.

조로아스터교 《一敎》 Zoroastrianism.

조롱 《嘲弄》 ridicule; derision; mockery. ～하다 ridicule; deride; mock; make a fool of; laugh at.

조롱박 ① 《植》 a bottle gourd. ② 《바가지》 a water dipper made of gourd.   [tion].

조루 《早漏》 《醫》 premature ejacula-tion.

조류 《鳥類》 birds; fowls. ¶ ～학자 an ornitholo-gist. ～학 an ornithology /

조류 (潮流) 《해수의 흐름》 a (tidal) current; a tide; 《시세의 동향》 a trend; a tendency; a current. ¶ 시대의 ～에 따르다 [역행하다] swim with [against] the current of the times.

조류 (藻類) 〖植〗 the algae; seaweeds. ¶ ～의 algoid. ∥ ～학 algology.

조르다 ① 《죄다》 tighten; wring; strangle(목을). ② 《졸라대다》 ask (press, pester, importune) 《a person for a thing, to do》.

조르르 《물 따위가》 trickling; dribbling; running; 《구르다·미끄러지다》 slipping [rolling, sliding] down; 《뒤따름》 tagging along.

조르륵 bubblingly; droppingly.

조리 (笊籬) a (bamboo) strainer; a (bamboo) mesh dipper. ¶ ～로 쌀을 일다 rinse rice using a (bamboo) strainer.

조리 (條理) logical sequence; logic; reason. ¶ ～가 서는 reasonable; logical; consistent / ～가 안 서는 unreasonable; illogical.

조리 (調理) ① 《조섭》 care of health. ～하다 take care of one's health. ② 《요리》 cookery. ～하다 cook; prepare 《a dish》. ∥ ～대 a dresser; a kitchen table / ～법 the art of cooking; cookery; cuisine / ～사 a licensed cook.

조리개 ① 《끈》 a tightening string [cord]. ② 《사진기의》 an iris; a diaphragm; a stop. ¶ ～를 열다 [닫다] open [shut] the diaphragm.

조리다 boil 《fish》 down.

조림 boiled food. ¶ 고등어 ～ mackerel boiled with soy sauce.

조림 (造林) afforestation. ～하다 afforest 《a mountain》; plant trees. ∥ ～업 forestry.

조립 (組立) assembling《기계의》; fabrication; construction. ～하다 put 《things》 together; assemble; construct; build; fabricate. ¶ 기계를 ～하다 build [frame, construct] a machine; assemble [put together] a machine 《부품을 조립하여》. ∥ ～공 an assembler / ～공장 an assembly plant / ～(식) 주택 a prefabricated house; a prefab (house).

조마 (調馬) horse training [breaking]. ¶ ～사 a horse trainer.

조마조마하다 (be) fidgety; edgy; agitated; feel nervous [uneasy, anxious](서술적).

조막손이 a claw-handed person.

조만간 (早晩間) sooner or later.

조망 (眺望) a view; a prospect; a lookout(전망). ～하다 command a view of; look out over [upon] 《the sea》. ∥ ～권 the right to a view.

조명 (照明) lighting; illumination. ～하다 light (up); illuminate. ¶ 직접 [간접] ～ direct [indirect] lighting / 무대 ～ stage lighting. ∥ ～기구 an illuminator; lighting fixtures / ～탄 a flare bomb / ～효과 lighting effects.

조모 (祖母) a grandmother.

조목 (條目) an article; a clause; an item.

조무래기 《물건》 petty goods; odds and ends; sundries; 《아이》 little kids; kiddies.

조문 (弔文) a message of condolence; a memorial [funeral] address.

조문 (弔問) a call of condolence. ～하다 call on 《a person》 to express one's condolence / ～을 받다 receive callers for condolence. ∥ ～객 a caller for condolence / ～사절(使節) a 《U.S.》 delegation to memorial service; a condolence delegation.

조문 (條文) the text 《of regulations》; 《조항》 provisions.

조물주 (造物主) the Creator; the Maker; God.

조미 (調味) ～하다 season 《with salt》; give flavor 《to》; flavor 《with onions》. ∥ ～료 a seasoning; a condiment; a flavor enhancer.

조밀(稠密) density. ¶ 인구가 ~ 하다 be densely populated; have a high population density.

조바심하다 be anxious (cautious) 《*about*》; be nervous; feel impatient (restless).

조반(朝飯) breakfast.

조밥 boiled millet (and rice).

조방농업(粗放農業) extensive agriculture.

조변석개(朝變夕改) ☞ 조령모개.

조병창(造兵廠) an arsenal; an armory (美).

조부(祖父) a grandfather.

조부모(祖父母) grandparents. ¶ ~ 의 grandparental.

조분(鳥糞) bird droppings. ∥ ~석(石) guano.

조붓하다 be a bit narrow.

조사(早死) an early (a premature, an untimely) death. ~ 하다 die young (before *one's* time, at an early age).

조사(弔辭) a letter (message) of condolence; 《give》 a funeral address; 〔particle. **조사**(助詞) 〔文〕 a postpositional

조사(照射) irradiation. ¶ X선을 ~ 하다 apply X-rays to 《a person's neck》.

조사(調査) (an) investigation; (an) examination; an inquiry (질문 등에 의한); a survey (측량 등에 의한); (a) census (인구의); a research (학술상의). ~ 하다 investigate; examine; survey; look (inquire) into. / ~ 결과 findings / ~ 관 an examiner; an investigator / ~ 보고 a report of an investigation / ~ 부 an investigation division / ~ 위원회 an investigation committee / ~ 자료 data for investigation / ~ 표 a questionnaire.

조산(早産) a premature birth. ~ 하다 give birth to a baby prematurely. ∥ ~ 아 a prematurely born baby.

조산(助産) midwifery. ∥ ~ 사 a midwife / ~ 학 obstetrics.

조산(造山) an artificial (a miniature) hill; a rockery. ∥ ~ 운동 (작용) 〔地〕 mountain-building (-making) activity (movements); orogeny.

조상(弔喪) condolence. ~ 하다 condole with a mourner 《*on his wife's death*》. 〔ther.

조상(祖上) an ancestor; a forefa-

조상(彫像) a (carved) statue.

조색(調色) mixing colors.

조생종(早生種) a precocious species; an early-ripening plant.

조서(詔書) a royal edict (rescript).

조서(調書) 〔法〕 a record; written evidence. ¶ ~ 를 꾸미다 put 《a deposition》 on record.

조석(朝夕) morning and evening.

조선(造船) shipbuilding. ~ 하다 build a ship. ∥ ~ 공학 marine engineering / ~ 기사 a naval (marine) engineer; a shipbuilder / ~ 대 a shipway; a slip / ~ 소 a shipyard; a dockyard / ~ 업 the shipbuilding industry / ~ 학 naval architecture.

조성(助成) ~ 하다 《보조하다》 assist; aid; 《촉진하다》 further; promote; 《후원하다》 support; sponsor; subsidize(정부가). ∥ ~ 금 a subsidy; a grant-in-aid.

조성(造成) 《토지의》 development; reclamation(매립). ~ 하다 develop 《an area of land》.

조성(組成) formation; composition. ~ 하다 form; make up; compose. ∥ ~ 물 a composite.

조세(租稅) taxes; taxation(과세). ¶ ~ 를 부과하다 impose a tax 《on》.

조소(彫塑) carvings and sculptures; the plastic arts(조형미술).

조소(嘲笑) ridicule; derision; a sneer; a scornful (derisive) laughter. ~ 하다 laugh (jeer) at 《a person》; ridicule.

조속(早速) ¶ ~ 히 as soon as possible; at your earliest convenience.

조수(助手) an assistant; a helper

‖ ～석 《자동차의》 the passenger seat; the assistant driver's seat.

조수(鳥獸) birds and beasts; fur and feather.

조수(潮水) tidal [tide] water; the tides. ‖ ～의 간만 the ebb and flow of the tide.

조숙(早熟) precocity; premature growth. ～하다 be precocious; grow [mature] early. ‖ ～한 premature; precocious. ‖ ～아 a precocious child.

조식(粗食) poor food; a plain[simple] diet. ～하다 live on poor food [a frugal diet].

조신(操身) carefulness of conduct [behavior]. ～하다 be careful of oneself; be discreet.

조실부모(早失父母) ～하다 lose one's parents early in life.

조심(操心) caution; heed; care; 《신중》 prudence; circumspection; 《경계》 precaution; vigilance. ～하다 take care; be careful 《of》; beware 《of》; be cautious [careful] 《about》; look out 《for》. ‖ 몸을 ～하다 be careful about one's health / 발 밑을 ～해라 Watch your step.

조심성(操心性) cautiousness; carefulness. ‖ ～이 없다 be careless [thoughtless]; be heedless [imprudent]. ┌rence]; kowtow.

조아리다 give a deep bow in rev-

조악(粗惡) ‖ ～한 bad; coarse; crude. ‖ ～품 a poor-quality goods; goods of inferior quality. ┌minerals.

조암광물(造岩鑛物) rock-forming

조야(粗野) ‖ ～한 coarse; rough; unrefined; rude; rustic.

조야(朝野) the government and the people; the whole nation.

조약(條約) a treaty; an agreement; a pact. ‖ ～을 맺다 conclude [enter into] a treaty 《with》; ～을 개정 [파기] 하다 revise [denounce] a treaty / 통상 [평화] ～ a commercial [peace] treaty / 북대서양

～기구 the North Atlantic Treaty Organization(생략 NATO) / ～의 비준 the ratification of a treaty / ～가맹국 the members of a treaty; signatory countries / ～규정 the treaty provisions [stipulations, terms].

조약돌 a pebble; a gravel.

조어(造語) 《밭》 a coined word; 《만들기》 coinage.

조언(助言) 《a piece of》 advice; counsel; a hint; a suggestion. ～하다 advise; counsel; give 《a person》 advice [counsel]; suggest. ‖ ～자 an adviser; a counselor.

조업(操業) operation; work. ～하다 run 《a factory》; work 《a mill》; operate 《a mine》. ‖ ～을 재개하다 get back in operation; resume operation / ～을 단축하다 cut down [reduce] operations. ‖ ～단축 a reduction of operation [work hours] / ～시간 operating hours.

조역(助役) 《조력자》 an assistant; a helper; 《철도 역장의》 an assistant stationmaster.

조연(助演) ～하다 play a supporting role 《in》; support [assist] 《the leading actor》; act with. ‖ ～배우 a supporting actor [actress].

조예(造詣) knowledge. ‖ 그는 그리스 신화에 ～가 깊다 He has a profound [deep] knowledge of Greek mythology. or He is well-informed in Greek mythology.

조용하다 《잠잠하다》 (be) quiet; silent; still; 《안온》 (be) calm; placid; tranquil; serene; peaceful; gentle; soft. ‖ 조용한 quietly; calmly; peacefully / 조용히 해라 Be quiet!; Quiet down!; Keep still!

조우(遭遇) ～하다 come across; encounter 《the enemy》; meet with 《an accident》. ‖ ～근접 a close encounter. ‖ ～전 an encounter [battle].

조울병(躁鬱病) 【醫】 manic-depres-

sive psychosis. ∥ ～환자 a manic-depressive.

조위금(弔慰金) condolence money.

조율(調律) tuning. ～하다 tune 《a piano》; put 《a piano》 in tune. ∥ ～사 a 《piano》 tuner.

조의(弔意) condolence; mourning. ¶ 충심으로 ～를 표하다 express 〔offer, tender〕 one's sincere condolences 《to》.

조인(調印) signature; signing. ～하다 sign 《a treaty》; affix one's seal 《to a document》; ¶ 서명 ～하다 sign and seal / 가 ～하다 initial 《an agreement》. ∥ ～국 a signatory (power) / ～식 the signing ceremony / ～자 a signer; a signatory.

조작(造作) invention; fabrication. ～하다 fabricate; invent; forge; make 〔cook〕 up.

조작(操作) (an) operation; (a) handling. ～하다 operate 《a machine》; manipulate 《the market》; handle. ∥ 원격～ remote control.

조잡(粗雜) ¶ ～한 rough; coarse; crude.

조장(助長) ～하다 encourage; promote; foster; further.

조장(組長) a head; a foreman (직～).

조장(鳥葬) sky burial. 〔공 등의〕

조전(弔電) (send) a telegram of condolence 〔sympathy〕.

조절(調節) regulation; control; adjustment. ～하다 regulate 《prices》; control 《a mechanism》; adjust 《a telescope》. ∥ ～기 a regulator; an adjustor; a modulator (라디오의) / ～판 a control valve.

조정(朝廷) the (Royal) court.

조정(漕艇) rowing; boating. ∥ ～경기 a boat race.

조정(調停) mediation; arbitration; intervention; 〔法〕 reconciliation. ～하다 mediate 《in a case》; arbitrate 《in a case》; reconcile; settle 《a dispute》. ∥ ～안 a mediation plan; an arbitration proposal / ～위원회 a

mediation committee / ～자 an arbitrator; a mediator.

조정(調整) regulation; adjustment; coordination. ～하다 regulate; adjust 《the price of》; coordinate.

조제(粗製) coarse 〔crude〕 manufacture. ∥ ～품 a coarse 〔coarse〕 article; coarse manufactures.

조제(調製) preparation; manufacture. ～하다 make; prepare.

조제(調劑) preparation of medicines. ～하다 prepare a medicine; fill 〔make up〕 a prescription. ∥ ～실 a dispensary.

조조(早朝) early morning.

조종(弔鐘) a funeral bell; a knell.

조종(祖宗) ancestors of a king.

조종(操縱) handling; operation; control; steering. ～하다 work; manage; handle; control; operate; manipulate; pilot (비행기를); steer(배를). ¶ 기계를 ～하다 work 〔operate〕 a machine. ∥ ～사 a pilot (부～사 a copilot) / ～석 a cockpit; the pilot's seat.

조준(照準) aim; aiming; sight. ～하다 aim 《at》; take aim 《a sight》; set one's sight 《on》. ∥ ～기 a sight / ～선 a line of sight / ～수 《대포의》 a gunlayer.

조지다 ① 《단단히 맞을》 fix tightly; tighten 〔screw〕 up. ② 《단속함》 control strictly; exercise strict control 《over》. ③ 《호되게 때리다》 give 《a person》 a good beating.

조직(組織) 《집단》 an organization; formation; 《구성》 a structure; 《체계》 a system; 《생물의》 tissue. ～하다 organize; form; compose. ¶ ～적인 systematic / ～적으로 systematically / 사회의 ～ the structure of society / 근육 〔신경〕 ～ muscle 〔nervous〕 tissue / 위원회는 5명의 위원으로 ～되어 있다 The committee is composed of five members. / ～망 the network of a system / ～자 a chief organizer / ～학 〔生〕 histology / ～화 organization; systematization (～화하다 organize;

systematize.

조짐 (兆朕) 《질병의》 symptoms; 《나쁜》 a sign; an indication; 《전조》 an omen.

─하다 lease; hold 《*land*》 by lease. ‖ ～권 a 《*99 years'*》 lease; leasehold / ～지 a leased territory.

조차 (潮差) tidal range. 「tory.

조차 (操車) 《鐵》 marshaling. ‖ ～원 a train dispatcher / ～장 a marshaling yard; a switchyard 《美》.

조차 even; so much as; 《게다가》 besides; on top of. ‖ 《자신의 이름 조차》 ～ 못 쓰다 cannot even 〔so much as〕 write *one's* own name.

조찬 (朝餐) breakfast.

조처 (措處) a step; a measure; disposal. ～하다 take a step; take measures; take action.

조청 (造淸) grain syrup.

조촐하다 (be) neat; nice; tidy; 《아담한》 (be) cozy; snug; little; small. 「the dead.

조총 (弔銃) 《fire》 a 〔rifle〕 volley for

조총련 (朝總聯) *Jochongnyeon*; the pro-North Korean resident's league in Japan.

조치 (措置) ☞ 조처. ‖ 보완 ～ complementary measures / 후속 ～ follow-up measures.

조카 a nephew. ‖ ～딸 a niece.

조타 (操舵) steering; steerage. ～하다 steer. ‖ ～기〔실〕 a steering gear 〔house〕 / ～수 a steersman.

조탁 (彫琢) 《보석 따위의》 carving and chiseling; 《문장 따위의》 elaboration. ～하다 carve and chisel; elaborate.

조탄 (粗炭) low-grade coal.

조퇴 (早退) ～하다 leave work 〔the office, school〕 early.

조판 (組版) typesetting; composition. ～하다 set 〔up〕 type; put 《*a manuscript*》 in type.

조폐 (造幣) coinage; minting. ‖ ～국 the Mint 〔Bureau〕 《美》 the Treasurer of the Mint 〔Bureau〕 / 한국 ～공사 Korea Minting, Printing & ID Card Operating Corp. 「ute guns.

조포 (弔砲) 《fire》 a salute of min-

조합 (組合) an association; a guild 《동업자의》; a union《노동자의》. ‖ ～비 union dues / ～원 a member of an association 〔union〕; a union member / ～ 활동 union activities.

조항 (條項) articles; clauses《법률·조약의》; 《法》 provisions; stipulations《계약·약정의》.

조혈 (造血) blood formation; hematosis. ‖ ～기관 a blood-forming organ / ～기능〔조직〕 hematogenous 〔blood-forming〕 functions 〔tissues〕 / ～제 a blood-forming medicine.

조혼 (早婚) an early marriage.

조화 (弔花) funeral flowers; a funeral wreath《화환》.

조화 (造化) creation; nature. ‖ ～의 묘 the wonders of nature.

조화 (造花) an artificial 〔imitation〕 flower.

조화 (調和) harmony. ～하다 harmonize 〔be in harmony〕《with》; go《with》; match, 《～된 harmonious《colors》; well-matched / ～시키다 harmonize; adjust.

조회 (朝會) 《a》 roll-call 《朝會》.

조회 (照會) 《an》 inquiry; 《a》 reference. ～하다 inquire 《*of a person about something*》; make inquiries 《*as to*》; apply 〔write, refer〕 《*to a person for information*》. ‖ ～ 중이 다 be under inquiry / ～서신 a letter of inquiry / ～선(先) a reference.

족(足) ① 《소·돼지의》 beef or pork hock. ② 《켤레》 a pair 《*of socks*》.

…족(族) a tribe; a clan; a family. ‖ 티베트 ～ the Tibet tribe.

족두리 a headpiece worn by a bride at marriage.

족발(足─) 《돼지의》 pork hock.

족벌(族閥) a clan. ‖ ～정치 clan

government / ～주의 nepotism.

족보(族譜) a genealogical record [table]; a genealogy; a family pedigree; a family tree.

족생(簇生) ～하다 grow in clusters. ‖ ～식물 a social plant.

족속(族屬) relatives; clansmen.

족쇄(足鎖) fetters; shackles (for the feet); ¶ ～를 채우다 fetter; shackle.

족자(簇子) a hanging roll [scroll].

족장(族長) a tribal head; a patriarch.

족적(足跡) a footprint; footmarks. ¶ ～을 남기다 leave one's marks.

족제비(動) a weasel.

족족 (마다) every time; whenever; 《모두》 everything. ¶ 오는 ～ whenever one comes; 하는 ～ 모든 일이 잘 안 되었다 Whatever I tried was a failure.

족집게 (a pair of hair) tweezers.

족치다 ① 《줄여 작게 하다》 shorten; shrink; reduce the scale (of); 《쭈그러지게 하다》 squeeze to hollow. ② 《몹시 족대기다》 censure [reproach, torture] (a person) severely; question (a person) closely; grill; urge [press] (a person to do). ¶ 아무를 족쳐서 실토하게 하다 squeeze [extort] a confession from a person.

족친(族親) (distant) relatives.

족하다(足一) ① 《충분》 (be) enough; sufficient; suffice; will do; serve. ¶ 2천원이면 ～ Two thousand won will do. ② 《만족》 be satisfied [content] (with). ¶ 마음에 ～ be satisfactory.

족히(足一) enough; sufficiently; fully; well (worth). ¶ ～ 2마일 good 2 miles / ～ 볼만하다 be well worth seeing.

존 a zone. ‖ ～디펜스 zone defense / ～스트라이크 (野) a strike zone.

존경(尊敬) respect; esteem; reverence. ～하다 respect; honor; esteem; hold (a person) in respect; think highly [much] of;

look up to. ¶ 그는 ～할 만한 사람이다 He is an honorable man. or He deserves to be respected.

존귀(尊貴) nobility. ～하다 (be) high and noble.

존대(尊待) ～하다 treat with respect; hold (a person) in esteem. ¶ ～받다 be esteemed [respected]. ‖ ～어 honorific words; a term of respect.

존망(存亡) life or death; existence; destiny; fate.

존비(尊卑) the high and the low; the aristocrats and the plebeians. ‖ ～高下 high and low; noble and mean.

존속(存續) continuance. ～하다 continue (to exist); last. ¶ ～시키다 continue; maintain; keep up. ‖ ～기간 a term of existence.

존속(尊屬) (法) an ascendant. ¶ 直系 [傍系] ～ a lineal [collateral] ascendant. ‖ ～살해 parricide; the killing [murder] of a close relative.

존안(尊顔) your esteemed self.

존엄(尊嚴) dignity; majesty. ¶ 법의 ～ (성) the dignity of law / 인간의 ～을 지키다 protect the dignity of man. ‖ ～死 death with dignity.

존장(尊長) an elder; a senior.

존재(存在) existence; being; presence (어떤 장소에 있는 것). ～하다 exist; be in existence. ¶ 그는 ～감이 있는 인물이다 He is a person who makes his presense felt. ‖ ～론 ontology / ～이유 the raison d'être (프) one's [it's] reason for existing [being].

존절하다 be frugal [thrifty].

존존하다 be finely woven; be of fine [close] weave.

존중(尊重) respect; esteem. ～하다 respect; esteem; value; have a high regard (for). ¶ ～할 만한 respectable; estimable.

존체(尊體) your health.

존칭(尊稱) a title of honor; an honorific (title).

존폐(存廢) (the question of) maintenance (or abolition); existence.

존함(尊啣) your name.

졸(卒) 《장기의》 a Korean-chess pawn; 〖~을 잡다 take a pawn.

졸깃졸깃하다 (be) chewy; sticky; gummy.

졸다 《졸려서》 doze (off); fall into a doze; drowse.

졸다 《줄다》 shrink; contract; 《끓어서》 be boiled dry; get boiled down.

졸도(卒倒) a faint; a swoon; fainting. ~하다 faint; swoon; fall unconscious.

졸때기 ① 《작은 일》 a small-scale affair; a petty job. ② 《사람》 a petty person; a small fry. ¶ ~ 공무원 a petty official.

졸라매다 fasten tight(ly); tie 《bind》 《something》 fast; tighten (up).

졸렬(拙劣) ¶ ~한 poor; clumsy; unskillful ∥ ~한 방법 a poor method ∥ ~한 문장 a crude style of writing.

졸리다 《남에게》 get pestered [importuned] 《by》; be teased [urged, pressed] 《by》. [[fastened].

졸리다 《매어지다》 be tightened

졸리다 《잠오는》 feel [be] sleepy 〖drowsy〗. ¶ 졸린 강의 a dull lecture. [sizes.

졸망졸망하다 be of various small

졸망졸망 ¶ 《울퉁불퉁한》 ~ 한 uneven; rough. 《자잘한》 ~ 한 물건들 things small and irregular in size.

졸문(拙文) a poor writing; 《자기의 글》 my 〖unworthy〗 writing 〖겸손의 뜻으로〗. [private.

졸병(卒兵) a (common) soldier; a

졸부(猝富) an upstart; the newly rich 〖집합적〗. ¶ ~가 되다 suddenly get 〖become〗 rich.

졸속(拙速) ¶ ~한 rough-and-ready; knocked-up; hasty / ~ 공사의 판행 the faster-the-better construction practices. ∥ ~주의 a rough-and-ready method 〖rule〗.

졸아들다 shrink; contract; 《끓어서》 be boiled down 〖dry〗.

졸업(卒業) graduation. ~하다 graduate 〖be graduated〗 《from》; complete a course. ¶ 중학교를 ~ 하다 complete the junior high school course / K대학을 우등으로 ~ 하다 graduate from K University with honors. ∥ ~논문 a graduation thesis / ~시험 a graduation examination / ~식 a graduation ceremony / ~식 the commencement (exercises) 《美》 / ~ 장 〖증서〗 a diploma / ~정원제 the graduation quota system.

졸음 drowsiness; sleepiness. ¶ ~ 이 오다 feel drowsy 〖sleepy〗.

졸이다 ① 《마음을》 worry oneself; be nervous [uneasy, anxious] about. ② 《끓여서》 boil down 〖hard〗.

졸작(拙作) 《졸렬한》 a poor work; trash.

졸장부(拙丈夫) a man of small caliber; an illiberal fellow.

졸졸 《흐름》 murmuring; trickling-ly; 《따라다님》 《follow a person》 persistently; tagging along.

졸중(卒中) 〖醫〗 apoplexy.

졸지에(猝地一) suddenly; all of a sudden; unexpectedly.

졸책(拙策) a poor plan 〖policy〗.

졸필(拙筆) bad [poor] handwriting; a poor hand.

좀 〖蟲〗 a clothes moth; a bookworm; a silverfish. ¶ ~이 먹은 책 a worm-eaten book / ~하고 싶어 ~이 쑤시다 《비유적으로》 itch 〖have an itch〗 《for action》; be impatient 《to do》.

좀 ① 《조금》 a bit; a little; a few; some; somewhat. ¶ ~ 피로하다 be somewhat weary. ② 《제발》 just; please.

좀더 《양》 a little more; 《수》 a few more; 《시간》 a little longer.

좀도둑 《사람》 a sneak [petty] thief; a pilferer. ¶ ~질하다 pilfer; filch; snitch 《美口》.

좀먹다 ① 《벌레가》 be [get] moth-

eaten. ② 《서서히 나쁘게 하다》 undermine; spoil; affect. ¶ 동심을 ~ spoil the child's mind / 수면 부족은 건강을 종래는다 Lack of sleep affects 〔ruins〕 your health.

좀스럽다 ① 《마음이》 (be) smallminded; petty. ¶ 좀스럽게 굴다 be too meticulous. ② 《규모가》 (be) small; trifling.

좀약 a mothball.

좀처럼 rarely; seldom; hardly; scarcely.

좀팽이 a petty little person.

좁다 《폭·범위가》 (be) narrow; 《면적이》 (be) small; limited《한정된》; 《갑갑하게》 (be) tight; 《도량 따위가》 (be) narrow-minded; illiberal. ¶ 그는 시야가 ~ He has a narrow view of things. *or* He is short-sighted. / 국제 정세에 관한 그의 지식은 ~ His knowledge about the international situation is quite limited.

좁다랗다 (be) narrow and close; rather narrow; narrowish.

좁쌀 hulled millet; 《비유적》 petty. ¶ ~뱅이 a petty person / ~영감 a petty old man.

좁쌀풀 〔植〕 a loosestrife.

좁히다 《좁게》 narrow; reduce 《the width》.

종 《노비》 a servant; a slave.

종(種) ① 〔生〕 a species. ¶ ~의 기원 the Origin of Species. ② ☞ 종류. ¶ 3 ~ 우편 third-class mail. ③ 《품종》 a breed, a stock 《소·말의》; 《종자》 a seed. ¶ ~ 《犬》〔豚(豚)〕 a breeding dog〔pig〕.

종(鐘) a bell; a handbell《손 종》; a gong《징》; a doorbell《현관의》. ¶ ~을 울리다 《치다》 ring 〔strike, toll〕 a bell. ‖ ~각(閣) a bell house; a belfry / ~지기 a bell ringer.

종가(宗家) the head family 〔house〕.

종가세(從價稅) an ad valorem duty.

종결(終結) a conclusion; an end; a close. ~하다 end; terminate; come to an end 〔a close〕; be concluded.

종교(宗教) (a) religion; (a) religious faith. ¶ ~개혁 the Reformation / ~계 the religious world / ~단체 a religious body 〔organization〕 / ~음악 sacred music / ~재판 〔史〕 the Inquisition / ~학 the science of religion; theology《신학》 / ~화 《畫》 a religious picture.

종국(終局) an end; a close; a final; a conclusion. ¶ ~의 final; ultimate; eventual / ~에 가서는 ultimately; in the long run.

종군(從軍) ~하다 join the army; go to the front. ‖ ~간호사 a (Red Cross) nurse attached to the army / ~기자 a war correspondent / ~기장(記章) a war medal / ~위안부 "comfort women" (attached to the army).

종극(終極) finality. ¶ ~의 final; ultimate.

종기(腫氣) a boil; a tumor; a blotch; a swell.

종내(終乃) at last 〔length〕; finally; in the end. ☞ 마침내.

종다래끼 a small fishing basket.

종단(宗團) the religious order.

종단(縱斷) ~하다 cut 〔divide〕 《a thing》 vertically; 《장소를》 run through; traverse. ¶ ~면 a longitudinal 〔vertical〕 section.

종달새 a skylark; a lark.

종답(宗畓) paddy fields set apart as provision for sacrificial purposes.

종대(縱隊) a column; a file. ¶ 4 열 ~로 in column of fours.

종래(從來) ¶ ~의 old; former; usual; customary / ~에는 up to now《this time》; so far / ~대로 as usual; as in the past.

종량세(從量稅) a specific duty.

종려(棕櫚) 〔植〕 a hemp palm. ‖ ~나무 a palm tree / ~유 palm oil.

종렬(縱列) a column; a file. 〔oil.

종료(終了) an end; a close; a conclusion. ~하다 (come to an

end; close; be over [concluded].
종루(鐘樓) a bell tower; a belfry.
종류(種類) a kind; a sort; a class; a type; a variety. ¶ 온갖 ～의 것 all kinds [sorts] of things; things of every kind.
종마(種馬) a breeding horse; a stallion.
종막(終幕) 〈연극의〉 the final act 《of a play》; 〈종말〉 an end; a close.
종말(終末) an end; a close; a conclusion. ¶ ～을 고하다 come [be brought] to an end. 「in.
종매(從妹) a younger female cousin.
종목(種目) items; 〈경기의〉 an event. 「shrine.
종묘(宗廟) the royal ancestors'
종묘(種苗) seeds and saplings; seedlings. ¶ ～장 a nursery (garden) / ～회사 a nursery company.
종반전(終盤戰) 〈바둑 등의〉 the end game; 〈선거 등의〉 the last stage [phase] 《of an election campaign》.
종범(從犯) 〔法〕 participation in a crime. ¶ ～자 an accessory 《to a crime》; an accomplice.
종복(從僕) 〈하인〉 a servant; an attendant.
종사(宗嗣) the heir of a main family.
종사(從死) ～하다 die in attendance on 《a person》; follow 《a person》 to the grave.
종사(從事) ～하다 engage in 《business》; attend to 《one's work》; pursue 《a calling》; follow 《a profession》. ¶ ～하고 있다 be engaged in 《atomic research》; be at work 《on a new book》.
종산(宗山) a family cemetery.
종서(縱書) ～하다 write vertically. 「bar.
종선(縱線) a vertical line; 〔樂〕 a
종속(從屬) subordination. ～하다 be subordinate (subject) 《to》; be dependent 《on》. ¶ ～적인 subordinate; dependent. ‖ ～구 〔절〕 a

subordinate phrase [clause] / ～관계 a dependency.
종손(宗孫) the eldest grandson of the main family.
종손(從孫) a grandnephew.
종손녀(從孫女) a grandniece.
종식(終熄) cessation; an end. ～하다 cease; come to an end; end. ¶ ～시키다 put an end [a stop] to 《a war》.
종신(終身) ① 〈한평생〉 all one's life. ¶ ～의 lifelong; for life. ‖ ～고용 제도 the lifetime [lifelong] employment system / ～연금 a life pension / ～직 a life office; an office for life / ～형 life imprisonment [sentence] / ～회원 a life member. ② 〈임종〉 ～하다 be present at one's parent's deathbed.
종실(宗室) a royal family.
종심(終審) 〔法〕 the final trial.
종씨(宗氏) a clansman of the same surname.
종씨(從氏) my [your] elder cousin; a paternal cousin of 《a person》.
종아리 the calf (of the leg). ¶ ～를 맞다 get whipped on the calf.
종알거리다 murmur 《at》; mutter 《to oneself》.
종양(腫瘍) 〔醫〕 a tumor. ¶ 뇌～ a cerebral tumor / 악성 〔양성〕 ～ a malignant [benignant] tumor.
종언(終焉) an end; a close. ¶ ～을 고하다 end; come to an end.
종업(從業) ～하다 be employed; be in the service. ¶ ～시간 working hours / ～원 a worker; an employee.
종업(終業) 〈일의〉 finishing [the end of] work; 〈학교의〉 the close of school (term). ～하다 end [finish] one's work. ¶ ～시간 the closing hour / ～식 the closing ceremony.
종연(終演) the end of a show. ～하다 end; finish; close 《the theater, the performance》. ¶ 오후 10 시 ～ The curtain falls at 10 p.m.
종용(慫慂) ～하다 advise; per-

suade; suggest. ¶ 아무의 ~으로 at 《a person's》 suggestion / 경찰에 자수할 것을 ~하다 advise 《a person》 to surrender *oneself* to the police.

종우(種牛) a (seed) bull.

종유동(鍾乳洞) a stalactite grotto 〔cavern〕.

종유석(鍾乳石) 〔蠟〕 stalactite.

종이 a sheet 〔ream〕 of paper / 면이 거친〔매끄러운〕 ~ rough 〔slick〕 paper / 얇은〔두꺼운〕 ~로 싸다 wrap in thin 〔thick〕 paper / ~를 접다〔펼치다〕 fold 〔unfold〕 paper. ‖ ~기저귀 a disposable diaper / ~꾸러미 a paper parcel / ~냅킨 a paper napkin / ~컵 a paper cup / ~테이프 a paper tape; a paper streamer (환영·환송용의) / ~표지 a paper cover (책의) / ~호랑이 a paper tiger.

종일(終日) all day〔long〕; the whole day; throughout the day; from morning till 〔to〕 night.

종자(從者) an attendant; a follower; a retinue (수행자).

종자(種子) a seed. ☞ 씨.

종자매(從姉妹) female cousins.

종잡다 get the gist 《of》; get a rough idea 《of》; get the point 《of》; roughly understand. ¶종잡을 수 없다 cannot get the gist 〔grasp the point〕 of; be unable to figure 《it》 out.

종장(終場) 〔證〕 closing. ‖ ~가격〔시세〕 the closing price (quotations).

종적(蹤迹) ¶~을 감추다 disappear; cover *one's* tracks; leave no trace behind.

종전(從前) ☞ 종래(從來). ¶~과 같다 be same as before.

종전(終戰) the end of the war. ¶~후의 postwar / ~이 되다 the war comes to an end. ‖ ~기념일 the anniversary of the end of the 《Pacific》 War.

종점(終點) 〔철도 등의〕 the terminal

(station) 《美》; the end of the line; 〔버스의〕 the bus terminal; the last stop.

종제(從弟) a (younger) cousin.

종조모(從祖母) a grandaunt.

종조부(從祖父) a granduncle.

종족(宗族) a family; a clan.

종족(種族) 〔인종〕 a race; a tribe; 〔동식물의〕 a family; a species. ¶~ 간의 intertribal; interracial (민족간의) / ~ 보존의 본능 the instinct of preservation of the species / ~을 퍼뜨리다 spread 《their》 kind.

종종(種種) ① 〔가지가지〕 various 〔different〕 kinds. ② 〔가끔〕 (every) now and then; occasionally; often; frequently.

종종걸음 short and quick steps; a quick pace; hurried (mincing) steps. ¶ ~ 치다 walk with hurried steps.

종주(宗主) a suzerain. ‖ ~국 a suzerain state / ~권 suzerainty.　　〔same clan.

종중(宗中) the families of the

종지 a small cup 〔bowl〕.

종지(宗旨) the fundamental meaning; the main purport; a tenet; principles.

종지부(終止符) ☞ 마침표. ¶ ~를 찍다 put an end 〔a period〕 《to》.

종지뼈 the kneecap; the patella.

종질(從姪) a cousin's son. 〔ter.

종질녀(從姪女) a cousin's daugh-

종착역(終着驛) a terminal (station); a terminus 〔*pl.* -ni, -es〕. ¶ 인생의 ~ the terminus of *one's* life.

종축(種畜) breeding stock. ‖ ~장 a breeding stock farm.

종친(宗親) the royal family.

종탑(鐘塔) a bell tower; a belfry.

종파(宗派) 〔종교상의〕 a 《religious》 sect; a denomination. 〔종가의 계통〕 the main branch of a family 〔clan〕. ‖ ~심 sectarianism / ~싸움 a sectarian strife.

종합(綜合) synthesis; generalization. ~하다 synthesize; general-

ize. ¶ ~적인 synthetic; general; all-round / ~적으로 synthetically; generally / ~해서 생각하다 think combined exercise; all-round games / ~과세 consolidated taxation / ~대학 a university / ~병원 a general hospital / ~소득세 a composite income tax / ~예술 a synthetic art.

종형(從兄) an elder cousin.

종형제(從兄弟) cousins.

종횡(縱橫) ¶ ~으로 lengthwise and crosswise (사방팔방으로) in all directions; in every direction / 그는 ~ 무진으로 활약하고 있다 He is acting vigorously.

좇다 ① (뒤를) follow; go with; accompany (동반). ¶ 시대 흐름을 ~ go with the tide. ② (따르다) follow; conform *oneself* to; act on. ③ (복종) obey; be obedient to (*a person*); give in to (*a person's view*).

좋다 ① (양호) (be) good (비교급 better; 최상급 best); fine; nice. ¶ 좋든 나쁘든 for better or (for) worse / 그는 건강이 좋아 보인다 He looks fine. ② (적당) (be) right; good; fit; proper; suitable. ¶ 좋은 기회 a good opportunity. ③ (귀중) (be) precious; valuable. ¶ 좋은 자료 valuable material. ④ (운) (be) lucky; good; fortunate. ¶ 운이 ~ be lucky. ⑤ (효능) (be) good; beneficial; efficacious. ¶ 건강에 ~ be good for the health. ⑥ (용이) (be) easy. ¶ 읽기 좋은 easy to read. ⑦ (친밀) (be) intimate; friendly. ¶ 사이가 ~ be on good (intimate) terms (*with*); be good friends (*with*). ⑧ (…해도 괜찮은) may; can. ¶ 가도 ~ You may go. ⑨ (…이 낫다) had better (*do*). ⑩ (소원) …이면 좋겠다 I wish (hope) …. **좋다**² (느낌) Good!; Well!; All right!; O.K.; (환성) Whoopee!; Oh boy!; Whee!

좋아지다 ① (상태가) improve; be come (get) better; take a turn for the better; (날씨가) clear up. ¶ 그의 병은 곧 좋아질 것이다 He will get well (better) soon. ¶ 병세는 차 츰 좋아지고 있다 The weather is improving. ② (좋아하게 되다) get (come) to like (*a thing*); become (grow) fond of; take a fancy (liking) to. ¶ 나는 수학이 점점 좋아 졌다 I've come to like math.

좋아하다 ① (기뻐하다) be pleased (amused, delighted, glad). ¶ 그녀는 그 소식을 듣고 좋아했다 She was glad to hear the news. ② (사랑) love; (기호) like; prefer. ¶ 좋아하는 책 *one's* favorite book.

좋이 well; good; full(y); enough. ¶ ~10마일을 good ten miles.

좋지 않다 (불량) (be) bad; inferior; foul. ¶ 좋지 않은 날씨 bad weather / 품질이 ~ be of inferior or unequal quality / 머리가 ~ be dull (stupid). ② (도덕상) (be) bad; evil; wrong. ¶ 좋지 않은 행위 a wrong; an evil deed. ¶ (악하다) (be) bad; evil; wicked. ¶ 좋지 않은 사람 a wicked man; a rascal. ④ (해롭다) (be) bad; harmful; detrimental; (불리) (be) disadvantageous; unadvisable. ⑤ (기분·건강 등이) (be) ill; unwell. ¶ 위가 ~ have a weak stomach. ⑥ (불길) (be) ill; unlucky. ¶ 좋지 않은 징조 ill omen.

좌(左) (the) left. ¶ ~향 Left turn (face)!

좌(座) a seat.

좌경(左傾) an inclination to the left; radicalization. ~하다 incline to the left; turn leftish. ¶ ~적 (인) leftist(-leaning); radical; Red. ¶ ~문학 leftist literature / ~사상 leftist (radical) thoughts.

좌고우면(左顧右眄) ~하다 be irresolute; vacillate; waver; sit on the fence.

좌골(坐骨) 〖解〗 the hipbone; the ischium. ¶ ~신경 the sciatic nerves / ~신경통 hip gout; sci-

atica.

좌기(左記) ¶ ～의 undermentioned: the following / ～와 같이 as follows.

좌담(座談) (a (table) talk; a conversation. ～하다 converse with; exchange a talk. ‖ ～회 a roundtable talk; a discussion meeting.

좌르르 with a rush (splash).

좌변기(坐便器) 〖양변기〗 a stool-type flush toilet.

좌불안석(坐不安席) ～하다 be ill at ease; be unable to sit comfortably 《from anxiety》.

좌상(坐像) a seated figure (image).

좌상(座上) the elder in a company.

좌석(座席) 〖자리〗 a seat. ¶ 앞(뒤) ～ a front (back, rear) seat / 창가 (통로 쪽의) ～ a window [an aisle] seat. ‖ ～권 a reserved-seat ticket / ～만원 〖게시〗 Standing Room Only(생략 SRO). / ～배치도 the (theater) seat-plan / ～번호 the seat number / ～수 seating capacity.

좌선(坐禪) Zen meditation. ～하다 sit in Zen meditation.

좌시(坐視) ～하다 remain an idle spectator; look on idly (uncancernedly).

좌안(左岸) the left bank.

좌약(坐藥) 〖醫〗 a suppository; a bougie. 〔(pitcher); a lefty.

좌완투수(左腕投手) 〖野〗 a southpaw

좌우(左右) right and left. ～하다 control; dominate; sway(지배); influence(영향); decide(결정). ¶ 도로 ～에 on 「either side [both sides] of the road.

좌우간(左右間) anyhow; anyway; at any rate.

좌우명(座右銘) a favorite maxim (motto). 〔wings.

좌우익(左右翼) the left and right

좌익(左翼) the left wing; (사람) the left (wing); the leftists. ‖ ～ 분자 a left-wing element / ～운동 a left movement.

좌절(挫折) a setback; frustration; a breakdown; collapse; failure. ～하다 fail; be frustrated; break down; collapse. ‖ ～감 (a sense of) frustration.

좌정(坐定) ～하다 sit: be seated.

좌지우지(左之右之) ～하다 have 《a person》 at one's beck and call; twist 《a person》 round one's little finger.

좌천(左遷) (a) demotion; (a) relegation. ～하다 demote (to); relegate (to). ¶ ～되다 be demoted (relegated).

좌초(坐礁) ～하다 run on a rock; run aground; strand.

좌충우돌(左衝右突) ～하다 dash this way and rush that; plunge forward on this side and dash in on that.

좌측(左側) the left (side). ‖ ～통행 〖게시〗 Keep to the left.

좌파(左派) the left wing; the left faction 《of a party》; (사람) the left wingers; the leftists. ¶ ～의 leftist; left-wing.

좌판(坐板) a board to sit on.

좌표(座標) 〖數〗 coordinates.

좌향(左向) ～《구령》 Left turn (face)! / ～ 앞으로 가 《구령》 Left wheel!

좌현(左舷) (on the) port (side). ¶ ～으로 기울다 list to port.

좌회전(左廻轉) a turn to the left. ～하다 turn (to the) left; make a left (at). ‖ ～ 금지 〖교통 표시〗 No left turn.

좍 broadly; extensively. ¶ 소문이 ～ 퍼지다 a rumor runs abroad.

좍좍 ① 〖쏟아짐〗 (it rains) in torrents; heavily. ¶ 비가 ～ 퍼붓는다 It's raining cats and dogs. or The rain is pouring down. ② 〖글을〗 with ease; fluently.

좔좔 with a gush (rush); (flow) freely.

좽이 a casting net.

죄(罪) 〖행법상의〗 a crime; an offense(가벼운); guilt; 《종교 · 도덕상

의) a sin; guilt; 《형벌》 a punishment; 《책임》 blame. ¶ ~(가) 있는 guilty; blamable; sinful / ~ 없는 not guilty; blameless; innocent / ~를 범하다 commit a crime / ~를 자백하다 confess one's crime [guilt].

죄과(罪科) an offense; a crime.

죄과(罪過) an offense; a sin《죄악》; a fault《과오》.

죄다 ① 《바싹》 tighten [up]; strain; stretch. ¶ 나사를 《바싹》 ~ tighten up a bolt. ② 《마음을》 feel anxious [uneasy, nervous, tense].

죄다 《모두》 all; entirely; everything; all together.

죄명(罪名) a charge. ¶ ~으로 on a charge of 《fraud》 / 그는 사기 ~으로 기소되었다 He was indicted on a charge of fraud. or He was charged with fraud.

죄받다(罪—) suffer [incur] punishment; be [get] punished.

죄상(罪狀) the nature of a crime; guilt. ¶ ~을 인정 (부인) 하다 plead guilty [not guilty] to a criminal charge.

죄송(罪悚) ~하다 be sorry 《for》; regret. ¶ ~합니다 I beg your pardon. or I am sorry.

죄수(罪囚) a prisoner; a jailbird.

죄악(罪惡) 《종교상》 a sin; a vice; 《법률상》 a crime. ‖ ~감 the sense of sin [guilt].

죄어들다 get tightened [drawn up].

죄어치다 《바싹》 tighten; 《재촉》 press; urge; rush; dun.

죄업(罪業) 《佛》 sins. ¶ ~을 쌓다 commit many sins.

죄이다 be tightened [uneasy]. ¶ ~다 《마음이》 feel anxious [uneasy].

죄인(罪人) a criminal; an offender; a culprit; a sinner《종교상》.

죄증(罪證) proofs [evidence] of a crime. 「교상》 commit a sin.

죄짓다(罪—) commit a crime; 《종

죄책(罪責) liability for a crime [an offense]. ¶ ~감을 느끼다 feel

guilty; feel a sense of guilt.

죔쇠 a clamp; a clasp; a vise; 「a buckle. 죔틀 a vise.

주(主) ① 《천주》 the Lord. ② 《주장·주인》 the main [chief] part; the principal part. ¶ ~가 되는 [주된] main; chief; principle / ~로 ☞ 주로.

주(州) 《행정 구획》 a province; 《미국의》 a State. ¶ ~립 [대학] a State / ~립 대학 a continent. 「L릵.

주(洲) 《대륙》 a continent. 「L릵.

주(株) 《주식》 a share; a stock《美》. ¶ 성장~ a growth stock / 우량~ gilt-edged stocks / 우선~ preferred stocks. ② 《그루》 나무 ~ a tree.

주(註) annotations; explanatory notes. ¶ ~를 달다 annotate; make note on.

주(週) a week. 「L make note on.

주가(株價) stock prices. ¶ ~지수 ~지수 the composite stock exchange index / 평균~ stock price average. 「Leditor.

주간(主幹) the chief [managing]

주간(週刊) weekly publication. ¶ ~의 weekly. ‖ ~지 a weekly 〔magazine〕.

주간(週間) a week. ¶ 교통 안전 ~ Traffic Safety Week / 3 ~에 걸쳐 over [for] three weeks. ‖ ~일기 예보 a weather forecast for the coming week.

주간(晝間) daytime; day. ¶ ~에 in the daytime.

주객(主客) 《주인과 손》 host and guest; 《사물》 principal and subsidiary 〔auxiliary〕. ¶ ~이 전도되다 put the cart before the horse.

주객(酒客) a drinker; a tippler.

주거(住居) a dwelling house; a residence. ¶ ~를 정하다 settle down 《in》; fix one's residence 《in the country》. ‖ ~면적 living space / ~비 housing expenses / ~지역 a residential area 〔district〕 / ~침입 homebreaking; violation of domicile.

주걱 a large wooden spoon; a rice scoop.

주검 《사체》 a dead body; a corpse.

주격(主格) 〔文〕 the nominative [subjective] case.

주견(主見) 《의견》 one's own opinion [view]; a fixed view.

주경야독(晝耕夜讀) ~하다 spend the days in the fields and the nights at one's books.

주고받다 give and take; exchange.

주공(住公) ☞ 〔한국〕 주택공사. ‖ ~ 아파트 the KNHC-built apartment.

주공(鑄工) a cast-iron worker.

주관(主管) ~하다 manage; be in charge 《of》; superintend; supervise. ‖ ~사항 matters in one's charge.

주관(主觀) subjectivity. ¶ ~적(으로) subjective(ly). ‖ ~론 subjectivism / ~식 문제а a subjective question.

주광색(晝光色) ‖ 전구 a daylight lamp.

주교(主敎) 《성직자》 a bishop. ¶ 대 ~ an archbishop.

주교(舟橋) a pontoon bridge.

주구(走狗) 《앞잡이》 a tool; a cat's-paw.

주권(主權) sovereignty. ¶ ~재민(在民) The Sovereignty rests with the people. / ~을 침해[존중]하다 violate [respect] the sovereignty 《of》. ‖ ~국 a sovereign state / ~자 the sovereign; the ruler.

주권(株券) a share [stock] certificate. ¶ 기명 ~ a registered share / 무기명 ~ a share certificate to bearer.

주근깨 freckles; flecks.

주금류(走禽類) 〔鳥〕 runners; cursorial birds.

주급(週給) weekly wage(s) (pay). ¶ ~이 200달러이다 get 200 dollars a week [in] wages; get wages of 200 dollars a week.

주기(酒氣) the smell of alcohol [liquor].

주기(週期) a periodic; a cycle. ¶ ~적인 cyclical; periodic(al) / ~적으로 periodically. ‖ ~성 periodicity / ~율 the periodic

law / ~율표 〔化〕 a periodic table (of the elements).

주기도문(主祈禱文) 〔基〕 the Lord's Prayer.

주년(周年) an anniversary. ¶ 5 ~ the fifth anniversary. 「timid.

주눅들다 lose one's nerve; feel 주눅좋다 (be) shameless; unabashed; brazen-faced.

주니어 a junior.

주다 ① 《일반적으로》 give; present (수여); award (상을); feed (먹이를). ② 《공급·제공하다》 supply; provide. ¶ 주어진 시간 the time allowed. ③ 《효과·손해·영향 따위》 affect; influence; have an effect 《on》 / 그녀는 나에게 좋은 인상을 주었다 She made a good impression on me. ④ 《할당하다》 assign; allot. ¶ 숙제를 ~ assign homework 《to students》 / 몫을 ~ allot a share 《to a person》. ⑤ 《기타》 ¶ 5천 원을 주고 고기 한 파운드를 사다 pay 5,000 won for a pound of meat / 힘주어 말하다 emphasize one's words / 책을 사 ~ buy 《a person》 a book.

주단(紬緞) silks and satins.

주도(主導) ~하다 lead; assume leadership 《of》. ‖ 민간 ~의 경제 private-initiated economy / ~적 역할을 하다 play a leading role 《for》; play a leading part 《in》. ¶ ~권 the initiative / ~권을 잡다 take the initiative [leadership] 《in》 / ~산업 a leading industry / ~자 the leader 《of a movement》; the prime mover 《in a revolt》.

주도(周到) ~한 (be) careful; thorough; scrupulous; elaborate. ¶ 그는 매사 그 일에 용의 ~ He is scrupulously careful about everything.

주독(酒毒) 《suffer from》 alcohol poisoning.

주동(主動) leadership. ~하다 take the lead. ‖ ~자 the prime mover; the leader (~자가 되다 take the lead).

주둔(駐屯) stationing. ~하다 be stationed. ‖ ~군 stationary troops; a garrison (수비의); an army of occupation (점령군).

주둥이 〔입〕 the mouth; 〔부리〕 a bill; a beak; 〔물건의〕 a mouthpiece.

주란사(一紗) cloth woven from gassed cotton thread.

주량(酒量) one's drinking capacity. ‖ ~이 크다 be a heavy drinker; drink much.

주렁주렁 in clusters. 〔열매가〕 ~ 달리다 hang in clusters.

주력(主力) the main force (body, strength). ‖ ~부대 main-force units / ~산업 (the) key (major) industries / ~상품 key commodities / ~주 a core (main) business / ~주 core (main) stocks (shares) / ~함대 the main fleet (squadron).

주력하다(注力一) exert oneself (for); concentrate one's effort (on); devote oneself (to).

주렴(珠簾) a bead curtain; a bead screen.

주례(主禮) 〔일〕 officiating for a wedding ceremony; 〔사람〕 an officiator; ~자 ~목사 an officiating pastor (minister).

주로(主一) mainly; chiefly; principally; 〔대개〕 generally; mostly.

주로(走路) a track; a course.

주룩주룩 〔비가〕 ~ 오는 비 pouring rain.

주류(主流) the main current; the mainstream. ‖ ~파 the leading faction / 반~파 an anti-mainstream group.

주류(酒類) liquors; alcoholic beverages (drinks). ‖ ~판매점 a liquor store. 「ning.

주르륵 trickling; dribbling; run-

주름 〔피부의〕 wrinkles; lines; furrows; 〔옷의〕 creases; rumples; 〔물건의〕 a fold; ~진 얼굴 a wrinkled face / 이마에 ~을 짓다 knit one's brows; frown / ~을 펴다 smooth out /

이 옷감은 ~이 지지 않는다 This fabric won't wrinkle. or This fabric is wrinkle-free. ‖ ~상자 bellows.

주름잡다 ① pleat; crease; fold. ☞ 주름. ② 〔지배〕 wield power; dominate; gain control of (the market).

주리다 〔배를〕 be (go) hungry; starve; be famished; 〔갈망〕 be hungry (thirsty) for (after).

주리틀다 〔형벌〕 impose leg-screw torture; torture on the rack.

주립(州立) ‖ ~의 state (-established); provincial (provincial). ‖ ~대학 a state (provincial) university.

주마가편(走馬加鞭) ~하다 whip (lash) one's galloping horse; 〔사람을〕 inspire (urge) (a person) to further efforts.

주마간산(走馬看山) ~하다 take a cursory view (of); give a hurried glance (to, over).

주마등(走馬燈) a revolving lantern; a kaleidoscope. 〔여러 가지 생각이〕 ~처럼 뇌리를 스치다 Many images came and went in my mind's eye.

주막(酒幕) an inn; a tavern.

주말(週末) the weekend. ‖ ~여행 a weekend trip / ~여행자 a weekender.

주머니 a bag; a sack; a pouch (작은); a pocket (호주머니). ‖ ~에 넣다 put (a thing) into one's pocket / ~에서 꺼내다 take (a thing) out of one's pocket.

주머니칼 a pocketknife.

주먹 a fist. ‖ ~을 쥐다 clench one's fist. ‖ ~밥 a rice ball.

주먹구구(一九九) 〔어림〕 rule of thumb; a rough calculation. ‖ ~식으로 하다 strike (a person) with one's fist.

주먹질 exchange blows.

주모(主謀) ~하다 take the lead; mastermind. ‖ ~자 a prime mover; a ringleader.

주모(酒母) 〔술밑〕 yeast; ferment. 〔작부〕 a barmaid.

주목(注目) attention; notice; observation; ～하다 pay attention to; watch; observe; take note (notice) of. ¶ ～할 만한 noteworthy; remarkable; significant / 세인의 주목을 끌다 attract public attention; hold the public eye.

주무(主務) ¶ ～관청 the competent authorities.

주무르다 ① 《물건을》 finger; fumble with; 《몸을》 massage. ② 《농락》 have 《a person》 under *one's* thumb.

주문(主文) the text; 〖文〗 the principal clause.

주문(注文) ① 《맞춤》 an order; ordering. ～하다 give an order 《for machines to America》; order 《new books from England》. ¶ ～서 an order sheet / ～자 상표부착 생산 original equipment manufacturing (생략 OEM) / ～품 an article made to order; an article on order; an order. ② 《요구》 a request; a demand. ¶ 그것은 무리한 ～이다 That's too much to ask. *or* That's a tall order.

주문(呪文) an incantation; a spell; a magic formula. ¶ ～을 외다 utter an incantation / ～을 걸다 chant a spell.

주물(鑄物) a casting; an article of cast metal. ¶ ～공장 a foundry.

주물럭거리다 finger; fumble with.

주미(駐美) ～의 stationed (resident) in America. ¶ ～한국대사 the Korean Ambassador to (in) the United States.

주민(住民) inhabitants; residents. ¶ ～등록 resident registration / ～등록번호 a resident registration number / ～등록증 a certificate of residence; a resident card / ～세 a residents' tax / ～운동 a local residents' campaign; a citizens' movement / ～투표 a local referendum.

주발(周鉢) a brass bowl.

주방(廚房) a kitchen; a cookroom; a cookery; a cuisine (호텔 등의). ¶ ～장 a head (chief) cook; a chef (프).

주번(週番) weekly duty.

주범(主犯) the main offender.

주법(走法) (a) form of running.

주법(奏法) 〖樂〗 a style of playing; execution.

주벽(酒癖) ¶ ～이 있다 turn nasty when drunk; be quarrelsome in *one's* cups.

주변 resourcefulness; versatility (융통성). ¶ ～이 있는 사람 a versatile person.

주변(周邊) 《주위》 a circumference; 《도시 따위의》 environs; outskirts. ¶ 도시 ～에 on (at, in) the outskirts of a city. ¶ ～기기 《컴퓨터의》 peripherals / ～단말장치 《컴퓨터의》 peripheral and terminal equipment.

주보(週報) 《신문》 a weekly (paper); 《보고》 a weekly report; 《공보》 a weekly bulletin.

주봉(主峰) the highest peak.

주부(主部) 〖文〗 the subject.

주부(主婦) a housewife.

주부코 a red bulbous nose.

주빈(主賓) the guest of honor; a principal guest.

주사(主事) 《관리》 a junior official; the clerical staff (총칭).

주사(走査) 〖TV〗 scanning. ¶ ～면 a scanning area / ～선 scanning lines.

주사(注射) (an) injection; a shot (美俗). ～하다 inject; give 《a person》 an injection. ¶ ～기 a syringe; an injector / ～약 an injection.

주사(酒邪) ¶ ～가 있다 be a vicious drinker; be quarrelsome in *one's* cups.

주사위 a die (*pl.* dice). ¶ ～를 던지다 throw (cast) dice. ¶ ～놀이 a diceplay.

주산(珠算) abacus calculation; calculation on the abacus. ¶ ～경기 an abacus contest.

주산물(主産物) the principal (main, chief) products.

산지(主産地) a chief producing district (*of*).

상(上) 〖임금〗 the Sovereign; His Majesty.

색(色) ¶ ~에 빠지다 be addicted to sensual pleasures. ‖ ~·잡(雜) wine, women and gambling. 〖ink〗 rubricate.

서(朱書) ~하다 write in red

석(主席) the head; the chief; the Chairman(중국의). ¶ 국가 ~ the head of a state.

석(朱錫) tin. ¶ ~하다 tin / ~의 tin. ‖ ~박(箔) tin foil / ~품 tinware. 〖산 tartaric acid.

석(酒石) 〖化〗 crude tartar.

석(酒席) (give) a feast; a banquet; a drinking party. ¶ ~을풀다 give a banquet.

석(註釋) an annotation; notes. ¶ ~을 달다 annotate; write notes (*on a book*). ‖ ~자 an annotator.

선(周旋) 〖알선〗 good (kind) offices; 〖중개〗 agency; mediation. ¶ ~하다 use one's influence (*on a person's behalf*); exercise one's good offices; act as an intermediary. ¶ …의 ~으로 through one's good offices. ‖ ~인 an agent; an intermediary.

섬주섬 ¶ ~ 줍다(집다) pick up (put on) one by one.

성분(主成分) the chief ingredients; the principal elements.

세(酒稅) the liquor tax.

소(住所) one's address; one's residence (abode); one's dwelling (place); 〖法〗 a domicile. ¶ 그는 ~ 정이다 He has no fixed abode. ‖ ~록 an address book / ~ 불 〖표시〗 Address unknown / ~ 현재 the present address.

스 (orange) juice.

시(注視) close observation; a steady gaze. ¶ ~하다 gaze steadily; observe (*a person*) closely; watch (*a thing*) carefully.

식(主食) the principal (staple) food; a (diet) staple. ¶ 쌀을 ~으로 하다 live on rice.

주(株) shares; stocks. ‖ ~거래 stock trading / ~배당 a stock dividend / ~시세 stock prices / ~시장 the stock market / ~청약서 an application for stocks / ~회사 a joint-stock company; a stock company (corporation) 〖美〗 〖생략〗 … Inc. 〖美〗; … Co., Ltd. 〖英〗.

주심(主審) the chief umpire; 《축구·근무 따위》 the chief referee.

주악(奏樂) ~하다 play (perform) music.

주안(主眼) the principal object; the chief aim. ¶ ~에 ~을 두다 aim at …; have an eye to …. ‖ ~점 the essential (main) point.

주야(晝夜) day and night. ¶ ~교대로 in day and night shifts. ‖ ~장천 day and night ever passing; unceasingly.

주어(主語) 〖文〗 the subject.

주역(主役) 〖play〗 the leading part (role); 〖배우〗 the leading actor (actress); the star. ¶ ~을 play (take) the leading part (role) (*in*).

주역(周易) the Book of Changes.

주연(主演) ~하다 play the leading part (role) (*in*); star (*in a play*). ‖ ~배우 a leading actor (actress); a star.

주연(酒宴) (give) a banquet; a drinking party(bout).

주영(駐英) ~의 resident (stationed) in England. ¶ ~한국대사 the Korean Ambassador to the Court of St. James's.

주옥(珠玉) a gem; a jewel.

주요(主要) ~하다 (be) main; chief; leading; principal; important. ¶ ~한 점 the main points (*of*) / ~인물 the leading characters(극·소설의); the key figures(사건 따위).

주워담다 pick up and put in.

주워대다 enumerate glibly; cite this and that.

주워듣다 learn by hearsay. ¶ 주워

들은 지식 knowledge picked up from others.

주워모으다 collect; gather.

주워섬기다 say all sorts of things *one* heard of and saw.

주위(周圍) 〈언저리〉 circumference; 〈환경〉 surroundings; environment; 〈부근〉 the neighborhood. ¶ ～의 surrounding; neighboring / ～ 상황 circumstances; all the surrounding things and conditions / ～를 둘러보다 look around.

주유(注油) oiling; lubrication; oil supply 《급유》. ～하다 oil 《an engine》; lubricate; fill; feed. ‖ ～소 an oil 《a service, a gas 〈美〉》 station.

주은(主恩) 〈임금의〉 royal benevolence; the favors of *one's* lord; 《주인의》 *one's* master's favor; 〈천주의〉 the grace of God.

주음(主音) 〖樂〗 a tonic; a keynote.

주의(主意) the main meaning 〔idea〕.

주의(主義) a principle; a doctrine; an ism; a cause; 〈방침〉 a line; a rule; a basis. ¶ ～를 지키다 live 〔act〕 up to *one's* principles; stick 〔hold fast〕 to *one's* principles.

주의(注意) ① 〈주목·유의〉 attention; observation; notice; heed. ～하다 pay attention 《to》; take notice 《of》; pay 〔give〕 heed 《to》. ¶ ～할 점 a point to notice / ～할 만한 사실 a noteworthy fact / ～를 딴데로 돌리다 divert *one's* attention from 《a matter》 / ～를 환기시키다 provoke 〔arouse〕 a person's attention / ～를 끌다 attract *a person's* attention. ‖ ～력 attentiveness / ～사항 matters to be attended to / ～서 instructions; directions / 요 ～인물 a person on the black list; a suspicious character. ② 〈조심〉 care; precaution; 〔a〕 caution. ～하다 take care 《be careful》 《of》; beware 《of》; be cautious

《about》: look out 《for》.

주익(主翼) the main wings 《of an airplane》.

주인(主人) 〈가장〉 the head 《master》 《of the family》; 〈남편〉 *one's* husband; 《손님에 대하여》 the host; the hostess 〈여자〉; 〈여관의〉 the landlord; the landlady 〈여자〉; 〈상점의〉 the proprietor; the shopkeeper; 〈고용주〉 an employer; the master; 〈임자〉 the owner 《of goods》. ‖ ～공 〈소설·영화의〉 a hero; a heroine 〈여자〉; the leading character.

주인(主因) a principal cause; the prime factor; the main reason.

주일(主日) the Lord's day; Sunday. ‖ ～학교 a Sunday school.

주일(週日) a week〔day〕.

주일(駐日) ¶ ～의 resident 〔stationed〕 in Japan. ‖ ～주재대사 the Embassy of the Republic of Korea to Japan.

주임(主任) the person in charge; the head; the chief; the manager. ‖ ～교수 the head professor 《of》 / ～변호사 the chief counsel.

주입(注入) ～하다 〈액체·활력 따위를〉 pour 〔put, pump〕 into; 〈주사 따위를〉 inject into; 〈생각을〉 instill 〔infuse〕 into 《a person's mind》; 〈공부 따위를〉 cram. ‖ ～식 교육 the cramming system of education.

주자(走者) 〖野〗 a 〔base〕 runner.

주자(鑄字) a metal printing type. ‖ ～소 a type foundry.

주장(主張) assertion; a claim; 〈집〉 insistence; 〈의견〉 an opinion. ～하다 insist 《on》; assert; maintain; hold; claim. ‖ ～자 an assertor; an advocate〈주의〉; a claimant〈권리의〉.

주장(主將) the captain.

주장(主掌) ～하다 take charge of; have 《a matter》 in charge.

주재(主宰) ～하다 superintend; supervise; preside 《over the meeting》. ‖ ～자 the president; the

hairman.

재(駐在) ‖ ~ 하다 reside (*at, in*); e stationed (*at, in*). ‖ ~의 resident / ~원 an employee assigned to the (*San Francisco*) office.

저(躇躇) hesitation; indecision. ~ 하다 hesitate; waver; have cruples (*about doing*). ¶ ~ 없 l without hesitation.

저앉다 sit [plump] down; plant neself down; 《앉음》 fall; sink; ave in: 《머물다》 stay on: settle own.

저앉히다 force (*a person*) to sit own; 《못 떠나게》 make (*a person*) stay on.

전(主戰) ‖ ~론 jingoism / ~론 h a war advocate; a jingoist / 자] ~투수 an ace pitcher.

전부리 snack. ~ 하다 take nacks (between meals).

전자(酒煎子) a (copper, brass) ettle. ‖ ~물 a (water) jug: a itcher.

절(主節) [文] the principal lause. 【《英俗》.

점(酒店) a bar; a tavern; a pub 접들다 be stunted [blighted]: be l poor shape.

접스럽다 《음식에 대하여》 (be) a vricious: greedy.

정(酒酊) drunken frenzy. ~ 하다 e a bad drunk. ‖ ~꾼 a drunk n brawler; a bad drunk.

정(酒精) alcohol; spirits. ‖ ~계 n alcoholmeter / ~음료 alco-olic beverages (drinks).

제 《몰골》 seedy appearance; habby looks. ¶ 돈도 없는 ~에 hough in need of money / ~ 남다 have a shabby appear-nce.

제(主題) 《主題目》 the main sub-ect: 《작품의 중심점》 the theme; he motif. ‖ ~가 a theme song.

제넘다 (be) impertinent; pre-umptuous: impudent; cheeky. 주제넘게 impertinently: impu-

조(主調) [樂] the keynote.

주조(酒造) brewing (맥주 따위); dis-tilling (소주 따위). ~ 하다 brew.

주조(鑄造) casting; founding; 《화폐의》 coinage: minting. ~ 하다 cast: found (*a bell*); 《화폐를》 mint: coin. ¶ 활자를 ~ 하다 cast metal types. ‖ ~소 a foundry.

주종(主從) master and servant; lord and vassal (retainer). ‖ ~ 관계 the relation between mas-ter and servant.

주주(株主) a stockholder (美); a shareholder (英). ‖ ~ 배당금 dividends to stockholders / ~총 회 a general meeting of stock-holders.

주지(主旨) the general purport; the gist; the point.

주지(住持) the chief priest of a Buddhist temple.

주지(周知) ~의 well-known; known to everybody / ~의 사실 a matter of common knowledge; a well-known fact.

주지육림(酒池肉林) 《술잔치》 a sump-tuous feast(banquet).

주차(駐車) parking. ~ 하다 park (*a car*). ‖ ~금지 《게시》 No park-ing. / ~요금 a parking fee / ~ 위반 (a) parking violation / ~장 a parking lot (美); a car park (英).

주창(主唱) advocacy. ~ 하다 advo-cate; promote. ¶ …의 ~으로 at the instance of ...; on the sug-gestion of .... ‖ ~자 an advo-cate; a promoter.

주책 a definite [fixed] opinion [view]. ¶ ~ 없다 have no defi-nite opinion [view] of *one's* own; be wishy-washy; be spineless / ~ 없이 말하다 talk senselessly.

주철(鑄鐵) cast iron; iron casting (주철하기). ‖ ~소 an iron found-ry.

주체 ~ 하다 cope with [take care of] *one's* troubles.

주체(主體) the subject; the main body; 《중심》 the core. ¶ ~적이 independent. ‖ ~성 independ-

ence (～성을 확립하다 establish *one's* independence) / ～의식 a sense of independence.

주체스럽다 (be) troublesome; unmanageable; unwieldy; be hard to handle.

주최(主催) auspices; sponsorship. ¶ …의 ～로 under the auspices [sponsorship] of …; with the support of …; sponsored (*by*). ‖ ～국 the host country / ～자 the sponsor; the promoter.

주추(柱―)《주춧돌》 a foundation stone; 〔lay〕 a cornerstone.

주축(主軸) the principal axis.

주춤거리다(주저) hesitate; waver; hold back.

주춤주춤 hesitatingly; hesitatingly; falteringly; waveringly.

주치(主治) ～하다 take charge of (*a case*). ‖ ～의 a physician in charge (*of*); *one's* family doctor (가정의).

주택(住宅) a house; a residence; housing (집합적). ¶공영 ～ a city-built 〔-owned〕 house / 임대 ～ houses for rent. ‖ ～가(街) a residential street / ～난 (a) housing shortage / ～융자 a housing loan / ～조합(제도) a housing cooperative (system) / ～지구 residential quarters 〔areas〕 / ～청약 예금 an apartment-application deposit / ～행정 〔정책〕 the housing administration 〔policy〕 / 한국 ～공사 the Korea National Housing Corporation.

주파(走破) ～하다 run 〔cover〕 the whole distance (*between*).

주파(周波) a cycle. ‖ ～수 frequency / ～수변조 frequency modulation (생략 FM).

주판(籌板·珠板) an abacus. ‖ ～을 놓다 reckon 〔count〕 on an abacus. / ～알 a counter.

주피터(羅神) Jupiter.

주필(主筆) the chief editor; an editor in chief. 〔revise.

주필(朱筆) ¶ ～을 가하다 correct;

주한(駐韓) ¶ ～의 resident 〔stationed〕 in Korea. ‖ ～미군 U.S. armed forces in Korea.

주항(舟航) circumnavigation. ～다 sail 〔cruise〕 round (*the world*) circumnavigate.

주해(註解) (explanatory) note (an) annotation. ～하다 comment 〔make notes〕 upon; annotate. ¶ ～서 an annotated edition; a horse (俗).

주행(走行) ～하다 travel (*from A to B*); cover (*100 miles in an hour*). ‖ ～거리 the distance covered (*in a given time*); mileage / ～차선 a driving lane.

주형(鑄型) a mold; a cast; a matrix. ¶ ～을 뜨다 cast a mold.

주호(酒豪) a heavy drinker; a man who drinks like a fish.

주홍(朱紅) scarlet; bright orange color.

주화(鑄貨) coinage; 《낱낱의》 a coin. ¶기념 ～ commemorative coins.

주화론(主和論) advocacy of peace. ‖ ～자 an advocate of peace; pacifist.

주황(朱黃) orange color.

주효(奏效) ～하다 be effective; effectual; bear fruit; take effect (약이). 〔food

주효(酒肴) wine and refreshments; 《술안주》 (drunken) merrymaking; conviviality.

죽(粥) (rice) gruel; porridge. ¶ ～을 끓이다 cook hot cereal.

죽¹ 〔열 벌〕 ten pieces; ten (*plates etc.*).

죽² ① 《늘어선 모양》 in a row 〔line〕. ¶ ～ 늘어서다 make an array of; display. ② 《내내》 through; throughout. ③ 《대충》 ¶ ～ 훑어보다 look 〔run〕 through; look over. 《물·기운 따위가》 (recede) utterly; all down the line. ¶기운이 ～ 빠졌다 I am utterly exhausted. ⑤ 《찢는 소리》 with a rip.

죽는소리 ① 《엄살》 ～하다 talk poor mouth. ② 《비명》 a shriek;

scream.

다 ① 《사망》 die; pass away; 《숨지다》 expire; breathe *one's* last; 《목숨을 잃다》 be killed; lose *one's* life. 《죽은》 dead; deceased; the late (*Mr. Kim*) / 죽은 사람 the dead / 병으로 ~이다 Man is mortal. ② 《초목 이》 wither; die; be dead. ③ 《기운이가》 be downhearted 〔depressed〕; be dejected 〔dispirited〕; be in the blues. ④ 《풀기》 lose *'s* starch. ⑤ 《정지》 run down; ~top. ⑥ 《불이》 go out; die out. ⑦ 〔버린〕 be (put) out; 《장기·바둑 등》 be captured 〔lost〕.

다(竹刀) a bamboo sword.
림(竹林) a bamboo grove.
마(竹馬) stilts. 《 ~ 의 고우(故友) 》 a childhood 〔bosom〕 friend; an old playmate.
세공(竹細工) bamboo ware 〔work〕.
순(竹筍) a bamboo shoot 《sprout》. 《 우후 ~처럼 나오다 shoot 〔spring〕 up like mushrooms after a rain.

어지내다 live under oppression; ~ve a life of subjugation.
을둥살둥 desperately; frantical~; life and death; tooth and nail.
을병(一病) a fatal disease.
을상(一相) an agonized look; ~frantic 〔desperate〕 look.
을힘 《 ~을 다하여 desperately; ~antically; with all *one's* might; ~or *one's* life.
을 death; decease; demise 《높~사람의》. 《 ~을 각오하다 be ~repared for death; be ready ~o die.
이다 ① 《살해》 kill; murder; take 《*a person's*》 life; 《도살》 butcher. ② 《잃다》 lose (*a son, a chessman*). ③ 《억제》 suppress; control; ~estrain. 《 숨을 ~ hold *one's* ~reath / 감정을 ~ suppress *one's* ~eelings. ④ 《기타》 《재능을 ~ ~estroy 〔suppress〕 *one's* talent.

죽자꾸나하고 at the risk of *one's* life; for all *one's* life; desperately; frantically.
죽장(竹杖) a bamboo stick.
죽창(竹槍) a bamboo spear.
죽치다 confine 〔shut〕 *oneself* in *one's* house.
준…(準) quasi-; semi-; associate. 《 ~회원 an associate member.
준거(準據) ~하다 base (*a decision*) on; conform to; follow. 《 ~에 ~하여 in conformity to …; in accordance with ….
준결승(準決勝) a semifinal (game). 《 ~에 진출하다 go on to the semifinals.
준공(竣工) completion. ~하다 be finished 〔completed〕. 《 ~식 a ceremony to celebrate the completion (*of a bridge*). 「er.
준교사(準敎師) an assistant teach-
준동(蠢動) wriggling; squirming; activities. ~하다 《벌레가》 crawl; wriggle; 《무리가》 be active; move; infest.
준령(峻嶺) a steep mountain pass.
준마(駿馬) a swift 〔gallant〕 horse.
준말 an abbreviation.
준법(遵法) 《 ~의 law-abiding / ~정신 a law-abiding spirit / ~투쟁 《쟁의 행위》 a work-to-rule; a slowdown.
준비(準備) preparation(s); arrangements; readiness. ~하다 prepare; get ready; make preparations 〔arrangements〕. 《 식사 ~를 하다 get dinner ready; cook dinner. 《 ~운동 warming-up exercises (~운동을 하다 warm up) / ~은행(美) a reserve bank.
준사관(準士官) a warrant officer.
준사원(準社員) a junior employee.
준설(浚渫) dredging. ~하다 dredge (*a river*). 《 ~선 a dredger; a dredging vessel / 대한 ~공사 the Korea Dredging Corporation.
준수(遵守) observance. ~하다 observe (*rules*); conform to; follow; obey.
준수하다(俊秀一) (be) outstanding;

prominent; excel in talent and elegance.

준엄하다(峻嚴 —) (be) severe; strict; rigid; stern; stringent.

준열하다(峻烈 —) (be) rigorous; stern; severe; sharp; relentless.

준용(準用) ~하다 apply correspondingly (*a rule*) correspondingly (*to other cases*).

준우승(準優勝) a victory in the semifinals. ‖ ~자 a winner of the semifinals. [WO].

준위(准尉) a warrant officer (생략 **준장**(准將) 《美》 a brigadier general(육·공군); a commodore(해군).

준족(駿足) ① 《발》 a swift horse. ② 《사람》 a swift runner.

준준결승(準準決勝) a quarterfinal (game).

준치 《魚》 a kind of herring. ‖ 썩어도 ~ 《俗談》 An old eagle is better than a young crow.

준칙(準則) a standing [working] rule; a standard; a criterion.

준하다(準 —) 《비례》 be proportionate (*to*); 《순응》 apply correspondingly to; follow; be based on. ¶ ...에 준해서 in accordance with; in proportion to.

줄 ① 《끈붙이》 a rope; a cord; a string (연, 악기 등의). ¶ ~에 걸리다 《받이》 be caught in the ropes. ② 《선》 a line; a stripe. ¶ ~을 긋다 draw a line. ③ 《열》 a row; a line. ¶ ~을 지어 in a line. ④ 《행》 a line. ¶ ~을 바꾸다 begin a new line.

줄² 《쇠를 깎는》 a file; a rasp. ¶ ~질하다 file (*the wood smooth*).

줄³ 《방법》 how to (*do*). ¶ 사진 찍을 ~ (을) 모르다 do not know how to take a photograph. ② 《하게 돼》 (the fact) that ...; 《세수》 the assumed fact.

줄거리 ① 《가지》 a stalk; a stem. ② 《이야기의》 an outline; a plot; a story; a summary. ¶ 이야기의 ~를 말하다 outline a plot.

줄곧 all along; all the way [time]; all through; through-

out; constantly; continually.

줄기 ① 《식물의》 a trunk; a ste(화초의); a stalk (벼, 보리 따위의 a cane (등, 대 따위의). ② 《빛 위의》 ray; a streak. ③ 《물 등의 a stream; a current; a vein (열의). ④ 《산의》 a range. ⑤ 《비 의》 a shower; a downpour.

줄기세포 stem cells.

줄기차다 (be) strong; vigorou ¶ 줄기차게 strongly; vigorously.

줄넘기 《놀려서》 rope skipping; 《 뛰게 하고》 rope jumping. ~ 하 skip [jump] rope.

줄다 ① 《감소》 decrease; lessen diminish (점차로); fall off(수량이 get fewer [less, smaller]. ¶ 체중 ~ lose weight. ② 《축소》 contrac diminish in size; be shortened shrink.

줄다리기 《play at》 a tug-of-war

줄달다 follow one after another ¶ 줄달아서 continuously; succe sively.

줄달음질 dashing. ~하다 [디 run hard; rush; dash. ¶ 거리 ~쳐 나가다 dash out into th street.

줄담배 ¶ ~를 피우다 chainsmoke ~ 피우는 사람 a chainsmoker.

줄무늬 stripes. ¶ ~의 striped.

줄사닥다리 a rope ladder.

줄어들다 ① 《감소》 decrease; dimi ish; lessen; dwindle (차차로). ② 《축소》 become smaller; dwindl shrink.

줄이다 《감소》 reduce; decreas lessen; 《단축·축소》 shorten; c down; curtail. ¶ 경비를 ~ c down expenses / 체중을 ~ reduce *one's* weight. [lin

줄자 a tape measure; a tap

줄잡다 make a moderate estima (*of*); estimate low; underes mate. ¶ 줄잡아서 at a moderat estimate.

줄줄¹ ☞ 졸졸. ¶ ~ 흐르다 flo (gush) out; stream down / 땀 ~ 흘리다 swelter.

줄줄² 《막힘없이》 smoothly; wit

out a hitch; fluently.
짓다 form a line [queue]; line
[queue] (열를) be in a row;
stand in (a) line.
줄치다 draw lines; mark with
ine; stretch a rope (새끼줄을).
줄타다 walk on a (tight) rope.
¶ ~ 줄타기하는 사람 a ropewalker.
줄행랑(一行廊) (도망) flight; run
ning away. ¶ ~ 을 치다 run
away; take (to) flight.
줌 (분량) a handful; a grip; a
grasp. ¶ 소금 한 ~ a handful of
salt.
줍다 pick up; gather (up) (shells);
find; glean. ¶ 주워 모으다 gather;
collect.
줏대(主一) a fixed principle; a def-
inite opinion; moral fiber; back-
bone. ¶ ~ 가 있는 사람 a man of
principle / ~ 가 없다 lack back-
bone [moral fiber].
중 a Buddhist priest; a monk.
¶ ~ 이 제머리 못 깎는다 (俗談) You
cannot scratch your own back.
중(中) (정도) the medium; the
average. ¶ ~ 키의 사람 a man of
medium height. ② (중앙부) the
center; the middle. ③ (동안)
에) during; within; while. ¶ 전
시 ~ during the war. ④ (진행
중) under; in process of; in
progress. ¶ 건축 ~ under [in
course of] construction. ⑤ (같
은중에서) among; in; out of; of;
within. ¶ 십∼팔구 nine out of
ten. ⑥ (내내) throughout; all
over.
─중(重) ① (겹) fold. ¶ 2 ~ 의 two-
fold; double. ② (무게) weight.
중간(中間) the middle; the mid-
way. ¶ ~ 의 middle; midway; in-
termediate; interim (기한의). ¶ ~
의 ~ 쯤에 in [about] the middle
의 ; halfway between (A and B).
∥ ~ 결산 interim closing / ~ 보고
an interim report / ~ 시험 [고
사] a midterm examination.
중간자(中間子) [理] a meson.
중간치(中間一) an article of medi-

um size [price, quality, etc.].
중갑판(中甲板) the middle deck.
중개(仲介) mediation; agency. ~
하다 mediate; act as a go-be-
tween. ∥ ~ 업 the brokerage
business / ~ 자 a mediator; a
go-between (중개상) an agent.
중거리(中距離) ∥ ~ 경주 (선수) a
middle-distance race [runner] /
~ 핵병기 intermediate-range nu-
clear forces (생략 INF).
중견(中堅) a backbone; a main-
stay. ¶ ~ 작가 a writer of middle
[medium] standing.
중계(中繼) relay; a hookup (美).
~ 하다 relay; (라디오 · TV로)
broadcast. ¶ ~ 위성 a transmis-
sion via satellite / 실황 ~ on-the-
spot broadcasting. ∥ ~ 무역
intermediate trade / ~ 방송 a
relay broadcast.
중고(中古) ~ 의 used; second-
hand. ¶ ~ 차 a used car.
중공업(重工業) heavy industry.
중과(衆寡) ¶ ~ 부적이다 be out-
numbered.
중구(衆口) ¶ ~ 난방이다 It is diffi-
cult to stop the voice of the
people.
중국(中國) China. ¶ ~ 의 Chinese.
∥ ~ 어 Chinese / ~ 인 a Chi-
nese.
중궁(전)(中宮(殿))(왕후) the Queen.
중금속(重金屬) a heavy metal.
중급(中級) an intermediate grade.
¶ ~ 의 intermediate; of the mid-
dle class. ∥ ~ 품 an article of
medium [average] quality.
중기(中期) the middle period.
¶ ~ 에 in the middle (years) (of
an era).
중기관총(重機關銃) a heavy ma-
chine gun.
중길(中一) (물건) a product of
medium quality; medium goods.
중남미(中南美) South and Central
America. ¶ ~ 라틴 아메리카.
중년(中年) middle age. ¶ ~ 의 사람
a middle-aged person. ∥ ~ 기
the middle years of one's life.

중노동(重勞動) heavy [hard] labor.

중농(中農) a middle-class farmer.

중농(重農) ¶ ~정책 an agriculture-first policy; ~주의 physiocracy / ~주의자 a physiocrat.

중뇌(中腦) the midbrain; 【解】 mesencephalon.

중늙은이(中-) an elderly person.

중단(中斷) interruption; stoppage. ~하다 discontinue; interrupt.

중대(中隊) a company (보병, 공병); a battery(포병); a squadron(비행중대). ‖ ~장 a company commander.

중대(重大) ~하다 (be) important; serious; grave. ¶ ~한 과실 the grave [a gross] mistake. / ~사건 a serious affair; / ~한 문제 an important matter / ~성 importance; gravity; seriousness.

중도(中途) ¶ ~에서 halfway; way; in the middle / 길을 ~에서 그만두다 leave (*a matter*) halfdone; give up halfway.

중도(中道) ¶ ~를 걷다 [choose] a moderate course; take the golden mean. ‖ ~파 the middle-of-the-roaders.

중도금(中途金) a midterm [intermediate] payment.

중독(中毒) poisoning; 《마약 중독증》 addiction; toxication (중독증). ¶ ~성의 poisonous; toxic / ~되다 get [become] addicted (*to*); get hooked (*on heroin*).

중동(中東) the Middle East. ‖ ~전쟁 the Middle East War.

중동무이(中一) ~하다 do (*things*) by halves; leave (*a thing*) halfdone.

중등(中等) ¶ ~의 middle; medium; average. ‖ ~교육 secondary education.

중략(中略) an omission; an ellipsis(생략). ¶ 《표로서는》 "omitted". ~하다 omit; skip.

중량(重量) weight. ¶ 총 ~ gross weight / ~이 4톤이다 It weighs four tons. ‖ ~급 the heavyweight class / ~제 classification by

weight.

중력(重力) 【理】 gravity; gravitation. ¶ ~의 법칙 the law 〔center of gravity / 무 ~ 상태 weightlessness.

중령(中領) 《육군》 a lieutenant colonel; 《해군》 a commander. 《공군》 a lieutenant colonel 《美》; a commander 《英》.

중론(衆論) public opinion.

중류(中流) ① 《강의》 the middle 〔of the river; midstream. ② 《사회의》 the middle class. ‖ ~계급 the middle classes.

중립(中立) neutrality. ¶ ~적인 neutral / ~을 지키다 observe neutrality. ‖ ~국 a neutral power 〔country〕 / ~노선 neutral policy / ~주의 neutralism / ~지대 a neutral zone.

중매(仲買) brokerage. ~하다 act as (a) broker. ‖ ~인 a broker.

중매(仲媒) matchmaking. ~하다 arrange a (marriage) match (*between*); act as (a) go-between. ‖ ~결혼 (an) arranged marriage / a marriage arranged by a go-between / ~쟁이 [장이] a matchmaker; a go-between.

중문(中門) an inner gate.

중문(重文) 【文】 a compound sentence.

중미(中美) Central America. ¶ ~의 Central American.

중반(中盤) 《바둑 등의》 the middle game; 《선거전 등의》 the middle phase. ¶ ~에 들어서다 go into the middle stage (*of the game*).

중벌(重罰) a heavy [severe] punishment. ¶ ~에 처하다 punish (*a person*) severely. 〔felony.

중범(重犯) 《중죄》 felony; 《범인》

중병(重病) a serious illness. ¶ ~에 걸리다 fall [get] seriously ill. ‖ ~환자 a serious case.

중복(中伏) the middle period of dog days.

중복(重複) repetition; duplication.

redundancy. ～하다 overlap; be repeated; duplicate. ¶ ～된 duplicate; overlapping; repeated.

중부(中部) the central [middle] part. ‖ ～지방 the central districts; the midland.

중뿔나다(中一) be nosy [intrusive, officious].

중사(中士) a sergeant first class.

중산계급(中産階級) the middle classes; middle-class people.

중산모(中山帽) a derby (hat) (美).

중상(中傷) (a) slander; defamation; mudslinging. ～하다 slander; speak ill of; defame. ¶ ～적 defamatory; calumnious; slanderous / ～적인 보도 a slanderous report. ‖ ～자 a slanderer; a scandalmonger.

중상(重傷) a serious wound [injury]. ¶ ～을 입다 get badly [be seriously] wounded.

중상주의(重商主義) mercantilism. ‖ ～자 a mercantilist.

중생(衆生) living things; all creatures; human beings.

중생대(中生代) the Mesozoic (Era).

중서부(中西部) 《미국의》 the Middle West; the Midwest. ¶ ～의 Middle Western.　　　　　　　　　[ite.

중석(重石) 〔鑛〕 tungsten; scheelite.

중선거구(中選擧區) 《선거의》 a medium-sized) electoral district.

중성(中性) ① 〔文〕 the neuter gender. ¶ ～의 neuter. ② 〔化〕 neutrality. ‖ ～의 neutral. ‖ ～자 a neutron.

중세(中世) the Middle Ages; medieval times. ‖ ～사(史) the medieval history. 　　　[taxation(과세).

중세(重稅) a heavy tax; heavy

중소기업(中小企業) small and medium-sized enterprises; smaller businesses. ‖ ～청 the Small & Medium Business Administration (생략 SMBA).

중수(重水) 〔化〕 heavy water.

중수(重修) repair; restoration; remodeling. ～하다 repair; remodel; restore. 　　　　　　　　[gen.

중수소(重水素) 〔化〕 heavy hydro-

중순(中旬) the middle [second] ten days of a month. ¶ 4월 ～에 in mid-April.

중시하다(重視一) attach importance (to); make [think] much of; lay stress on; regard … as important; take … seriously.

중신(重臣) a chief [senior] vassal [retainer].

중심(中心) 《한복판》 the center; the middle; 《중핵》 the heart; 《중추》 the core. ¶ ～의 central; middle. ‖ ～인물 a central figure / ～지 a center.

중심(重心) 〔理〕 the center of gravity.

중압(重壓) (heavy) pressure. ¶ ～을 가하다 put pressure on (a person) to do. ‖ ～감 an oppressive feeling.

중앙(中央) the center; the heart; the middle. ¶ ～의 central; middle. ‖ ～냉난방 central airconditioning and heating / ～집권 centralization (of administrative power).

중언부언(重言復言) ～하다 reiterate; say over again; repeat.

중얼거리다 mutter; murmur; grumble(불평을). ¶ 중얼중얼 muttering.

중역(重役) a director. ‖ ～회의 a meeting of directors.

중역(重譯) (a) retranslation. ～하다 retranslate.

중엽(中葉) the middle part (of a period). ¶ 19세기 ～ the mid-nineteenth century.

중외(中外) ¶ ～에 at home and abroad.

중요(重要) ～하다 (be) important; of importance; essential; vital; valuable(귀중한); principal. ‖ ～성 importance / ～인물 an important person; a very important person (생략 VIP).

중요시하다(重要視一) ⇨ 중시하다.

중용(中庸) moderation; a middle course; the golden mean. ¶ ～

의 moderate / ～을 지키다 take the golden mean; be moderate 《*in*》.

중용(重用) ～하다 promote 《*a person*》 to a responsible post. ¶ ～되다 be taken into confidence.

중위(中位)(정도) medium; average(평균); (등급) second rate.

중위(中尉)(육군) a first lieutenant 《美》; a lieutenant 《英》; (해군) a lieutenant junior grade 《美》; a sublieutenant 《英》; (공군) a first lieutenant 《美》; a flying officer 《英》.

중유(重油) heavy oil.

중음(中音)〖樂〗 alto; baritone(남성); contralto(여성).

중의(衆議) public [popular, general] opinion.

중의(衆議) public discussion; general consultation.

중이(中耳) the middle ear; the tympanum. ‖ ～염 tympanitis.

중임(重任) ① (책임) a heavy responsibility; (지위) a responsible post; (임무) an important duty. ¶ ～을 맡다 take upon *oneself* an important task; shoulder a heavy responsibility. ② (재임) reappointment; reelection(재선). ～하다 be reappointed; be reelected.

중장(中將)(육군) a lieutenant general; (해군) a vice admiral; (공군) a lieutenant general 《美》; an air marshal 《英》.

중장비(重裝備) heavy equipment.

중재(仲裁) mediation; arbitration. ～하다 mediate; arbitrate 《*between*》. ‖ ～인 a mediator; an arbitrator.

중절(中絶)(임신의) an abortion. ～하다 have an abortion; abort.

중절모(中折帽) a soft [felt] hat.

중점(中點)〖數〗 the middle point; the median (point).

중점(重點)(강조) emphasis; stress; (중요) importance. ¶ ～적으로 in priority / ～을 두다 lay emphasis [stress] on 《*something*》.

중조(重曹)〖化〗 bicarbonate of soda.

중죄(重罪) (a) felony; a grave offense [crime]. ‖ ～인 a felon.

중증(重症) a serious illness.

중지(中止) stoppage; suspension. ～하다 stop; give up(단념); suspend; call off.

중지(中指) the middle finger.

중지(衆智) ¶ ～를 모으다 seek [ask] the counsel of many people.

중진(重鎭)(사람) a prominent [leading] figure; a person of influence [authority]; an authority(학계의). 〔country.

중진국(中進國) a semideveloped

중창(中─)(구두의) an insole.

중책(重責) a heavy responsibility; an important mission [duty]. ¶ ～을 맡다 assume a heavy responsibility. 〔the zenith.

중천(中天) midair; the midheaven;

중첩(重疊) ～하다 lie one upon another; overlap each other; pile up.

중추(中樞) the center; the pivot; the backbone. ¶ ～적인 central; leading; pivotal / ～적인 인물 the central [pivotal] figure. ‖ ～신경 the central nerve.

중추(仲秋) midautumn. ¶ ～명월 the harvest moon.

중크롬산(重─酸)〖化〗 dichromic acid.

중키(中─) medium height [size, stature].

중탄산(重炭酸)〖化〗 bicarbonate. ‖ ～소다 bicarbonate of soda.

중태(重態) a serious [critical, grave] condition. ¶ 그는 ～에 빠졌다 He fell into a critical condition.

중턱(中─)(산의) the mountainside; the mid-slope of a mountain.

중퇴(中退) ～하다 leave school without completing the course; leave 《college》 before graduation; drop out. ‖ ～자 a (school) dropout / 고교 ～자 a high school dropout.

중파(中波)〖無電〗 a medium wave.

중판(重版) an another [a second]

impression 〔edition〕.

중편(中篇) 《제2 권》 the second part 〔volume〕. ‖ ～소설 a medium-length story; a short novel.

중평(衆評) public opinion 〔criticism〕.

중포(重砲) a heavy gun; heavy artillery 〔충치〕.　〔er.

중폭격기(重爆擊機) a heavy bomb-

중품(中品) medium quality 〔goods〕.

중풍(中風) 〔韓醫〕 palsy; paralysis. ‖ ～에 걸린 paralytic. ‖ ～환자 a paralytic.

중하(重荷) a heavy burden 〔load〕.

중하다(重一) 〔병이〕 (be) serious; critical; 〔죄가〕 (be) grave; 〔병이〕 (be) heavy; 〔책임이〕 (be) important.

중학교(中學校) a middle school; a junior high school (美).

중학생(中學生) a middle 〔junior high (美)〕 school student 〔boy, girl〕.

중합(重合) 〔化〕 polymerization. ～ 하다 polymerize. ‖ ～체 a polymer.

중핵(中核) the kernel; the core.

중형(中型·中型) a medium 〔middle〕 size. ‖ ～의 middle-sized.

중형(重刑) a heavy penalty; a severe punishment.

중혼(重婚) double marriage; bigamy. ～하다 commit bigamy. ‖ ～자 a bigamist / ～죄 bigamy.

중화(中和) 〔化〕 neutralization; 《독의》 counteraction. ～하다 neutralize; counteract. ‖ 산은 알칼리로 ～된다 An acid is neutralized with (an) alkali. ‖ ～제 a neutralizer; a counteractive; an antidote (독에 대한).

중화(中華) China. ‖ ～사상 Sinocentrism / ～요리 Chinese dishes 〔cuisine〕 / ～인민공화국 the People's Republic of China.

중화기(重火器) heavy firearms.

중화학공업(重化學工業) the heavy and chemical industries.

중환(重患) a serious illness; 〔환자〕 a serious case.

중후(重厚) ～하다 (be) grave and generous; profound; imposing; deep. ‖ 그는 ～한 느낌을 주는 사람이다 He impresses one as being a man of depth.

중흥(中興) restoration; revival. ～하다 revive; be restored.

중히(重一) ☞ 소중히. ‖ ～ 여기다 attach importance to; take a serious view of.

쥐¹ 〔動〕 a rat; a mouse 《pl. mice》 (새앙쥐). ‖ 덫 안에 든 ～와 같다 be like a rat in a trap. ‖ ～덫 a mousetrap; a rattrap / ～약 rat poison.

쥐² 〔筋肉〕 a cramp. ‖ 다리에 ～가 나다 have a cramp in the leg.

쥐구멍 a rathole. ‖ ～에도 볕들 날이 있다 《俗談》 Fortune knocks at our door by turns.

쥐꼬리 a rattail. ‖ ～만한 월급 a low 〔small〕 salary.

쥐다 《잡다》 ① 《물건 따위를》 grip; grasp; clasp; take hold of; hold; seize; clench. ‖ 단단히 ～ take fast 〔firm〕 hold of 《a person's hand》; clasp 《something》 tightly. ② 《권력 따위를》 회사의 실권은 그가 쥐고 있다 The real power over the company is in his hands.

쥐똥나무 a wax tree; privet.

쥐라기(一 紀) 〔地質〕 the Jurassic.

쥐며느리 〔蟲〕 a sow bug.

쥐빨갛다 be worthless; useless.

쥐어뜯다 tear 〔pluck〕 (off); pick.

쥐어박다 strike with one's fist; deal a blow.

쥐어주다 《돈을》 slip 《money》 into 《a person's》 hand; 《뇌물을》 bribe 《a person》; 《팁을》 tip.

쥐어짜다 press (out); wring (out); squeeze.

쥐어흔들다 grab and shake.

쥐여지내다 be placed under 《a person's》 control; live in the grips 《of》. ‖ 마누라에게 ～ be henpecked; be under the petticoat government.

쥐잡듯(이) (one and) all; without

exception; one by one; thoroughly.

쥐젖 a small wart.

쥐죽은듯 ‖ ~하다 (be) deathly quiet; be silent as the grave.

쥐치 [魚] a filefish.

즈음 the time (when). ¶ 출발을 ~ 하여 at the time of *one's* departure.

즈크 duck; canvas. ‖ ~신 [靴] canvas shoes.

죽(卽) (곧) that is (to say); in other words; *id est* (생 략 i.e.); (바로) just; exactly.

즉각(卽刻) instantly; immediately; at once; on the spot.

즉결(卽決) an immediate decision; [法] summary judgment (decision). ~하다 decide promptly [immediately, on the spot]. ‖ ~처분 summary punishment.

즉답(卽答) a prompt[an immediate] answer. ~하다 answer promptly; give an immediate answer.

즉사(卽死) an instant death. ~ 하다 die on the spot; be killed instantly.

즉석(卽席) ¶ ~의 impromptu; extempore; offhand; instant (*meal*) / ~에서 offhand; on the spot; immediately. ‖ ~복권 an in-stant lottery ticket.

즉시(卽時) at once; immediately; instantly; without delay. ‖ ~불 immediate[instant] payment.

즉위(卽位) 《등극》 accession to the throne. ~하다 come (accede) to the throne. ‖ ~식 a coronation (ceremony).

즉응(卽應) prompt conformity. ~ 하다 conform immediately 《to》; adapt *oneself* 《to》. [day.

즉일(卽日) (on) the same [very]

즉효(卽效) (have, produce) an immediate effect 《on》. ‖ ~약 a quick[an immediate] remedy 《for》.

즉흥(卽興) ¶ ~으로 impromptu; extempore; ad-lib; extemporane-

ously. ¶ ~곡 [樂] an impromptu / ~시 an impromptu poem.

즐거움 pleasure; joy; delight; enjoyment; amusement(오락); happiness(행복). ¶ …하는 것을 ~으로 여기다 take pleasure [delight] in 《*doing*》.

즐거이 happily; pleasantly; joyfully; with delight.

즐겁다 (be) pleasant; happy; delightful; merry; cheerful; joyful.

즐기다 enjoy; take pleasure [delight] in; have fun 《*doing*, *with*》.

즐비하다(櫛比—) stand in a (continuous) row; be lined 《with shops》.

즙(汁) juice(과실의); sap(초목의). ¶ ~이 많은 juicy / ~을 내다 extract [squeeze] juice 《from a lemon》.

증(症) 《증세》 symptoms.

증(證) 《증거》 (a) proof; evidence; 《증서》 a certificate. ¶ 학생~ a certificate of student; a student's card.

증가(增加) (an) increase; (a) gain; (a) rise. ~하다 increase; grow. ¶ 수 (인구)가 ~하다 increase in number (population) / 자연 ~ a natural increase. ‖ ~액 the amount increased / ~율 the rate of increase.

증간(增刊) a special [an extra] number [issue].

증감(增減) ~하다 increase and (or) decrease; fluctuate; vary 《in quantity》. ¶ 수입은 달에 따라 ~이 있다 The income varies (fluctuates) with the month.

증강(增强) reinforcement. ~하다 reinforce; strengthen (강화); increase(수량을 늘리다). ¶ 군사력을 ~하다 reinforce the country's military strength.

증거(證據) evidence; (a) proof; [法] (a) testimony. ¶ 결정적인[확 실한] ~ decisive [positive] evidence. ‖ ~보전 preservation of

evidence / ~인멸 destruction of evidence.

증권(證券) a bill: a bond(공채권): securities(유가증권). ‖ ~거래소 a stock exchange / ~시세 stock prices.

증기(蒸氣) steam: vapor. ¶이 기계는 ~로 움직인다 This machine is driven by steam. ‖ ~기관 a steam engine / ~기관차 a steam locomotive.

증대(增大) ~하다 enlarge: increase: get〔grow〕larger〔bigger〕. ‖ ~호〔잡지의〕an enlarged number.

증류(蒸溜) distillation. ~하다 distill. ‖ ~기 a distiller / ~수 distilled water.

증명(證明) a proof: evidence: 《증언》a proof: testimony. ~하다 prove(실증하다): testify〔to〕(증언하다): certify(문서로): verify(입증하다): identify(신원을). ¶잘못됨을 ~하다 prove that《something》is wrong. ‖ ~서 a certificate: a testimonial(신분·신원 따위): an identification〔an identity card〕.

증모(增募) ~하다 raise〔enroll, recruit〕extra.

증발(蒸發) evaporation: vaporization. ~하다 evaporate: vaporize: 《사람이》disappear. ¶~성의 evaporative.

증발(增發) 《통화의》an increased issue〔of notes〕: 《열차의》operation of an extra train. ¶지폐를 ~하다 issue additional paper money / 열차를 ~하다 increase the number of trains《between》.

증배(增配) an increased dividend(배당): an increased ration(배급). ~하다 pay an increased dividend: increase the《rice》ration.

증보(增補) ~하다 enlarge: supplement. ¶개정·판 a revised and enlarged edition《of》.

증빙(證憑) evidence: proof: testimony. ‖ ~서류 documentary evidence.

증산(增産) increased production

〔output〕. ~하다 increase〔boost, step up〕production: increase the yield. ¶~운동 a production increase campaign.

증상(症狀) symptoms(징후): the condition of illness(병세).

증서(證書) a deed(양도 따위의): a bond(채무의): a certificate(증명서): a diploma(졸업증서). ¶예금 ~ a certificate of deposit / 차용 ~ an IOU (= I owe you).

증설(增設) ~하다 increase: establish more《schools》: install more《telephones》.

증세(症狀) ☞ 증상(症狀).

증세(增稅) a tax increase. ~하다 increase〔raise〕taxes. ‖ ~안(案) a tax increase bill(법안).

증손(曾孫) a great-grandchild. ‖ ~녀 a great-grandson / ~녀 a great-granddaughter.

증수(增水) the rise〔rising〕of a river: flooding. ~하다 《강이》rise: swell. ‖ ~기 a flooded season.

증수(增收) increase of revenue 〔receipts, income〕(수입): an increased yield(농산물). ~하다 increase revenue〔income, receipts〕.

증수회(贈收賄) corruption: bribery. ¶ ~사건 a bribery case.

증식(增殖) ~하다 increase: multiply: propagate. ¶자기 ~ self-reproduction.

증액(增額) (an) increase. ~하다 increase: raise. ‖ ~분(分) the increased amount.

증언(證言) testimony: witness: (verbal) evidence. ~하다 give evidence: testify〔to〕: bear witness〔to〕. ¶피고에게 유리하게〔불리한〕~을 하다 testify「in favor of(against) the accused. ‖ ~대 (take) the witness stand.

증여(贈與) donation: presentation. ~하다 give: present: donate《money》. ‖ ~세 a donation〔gift〕tax / ~자 a giver: a donor: a donator.

증오(憎惡) hatred: abhorrence.

~하다 hate; abhor; detest. ~할 만한 hateful; detestable.

증원(增員) ~하다 increase the number of staff [personnel].

증원(增援) ~하다 reinforce. ‖ ~부대 reinforcements.

증인(證人) a witness; an attestor. ¶ ~이 되다 bear witness [testimony] 《to》; testify 《to》.

증자(增資) an increase of capital; a capital increase. ~하다 increase the capital. ‖ 무상 ~ free issue of new shares / 유상 ~ issue of new shares to be purchased.

증정(贈呈) presentation. 《책에 저자가 서명할 때의》 With the compliments of the author. ~하다 present; make a present 《of a thing》. ¶ ~본 a presentation copy / ~품 a present; a gift.

증조모(曾祖母) a great-grandmother.

증조부(曾祖父) a great-grandfather.

증진(增進) ~하다 increase; promote; further; advance. ¶ 사회복지의 ~ promotion of social welfare.

증축(增築) extension of a building. ~하다 extend [enlarge] a building; build an annex. ‖ ~공사 extension work.

증파(增派) ~하다 dispatch more 《troops, warships》.

증폭(增幅) amplification. ~하다 amplify. ‖ ~기 an amplifier.

증표(證標) a voucher.

증험(證驗) verification. ~하다 verify; bear witness to.

증회(贈賄) ~하다 bribe; give a bribe; grease [oil, tickle] 《a person's》 palm. ‖ ~사건 a bribery [graft] case / ~자 a briber / ~죄 bribery [syndrome.

증후(症候) 《증상》 a symptom [症狀]. ‖ ~군 a

지(至) ~《…에서》…《까지》 to …; till ….

…**지** ① 《의문》 ¶ 어떻게 하는 것인-가르쳐 주세요 Tell me how to do it. ② 《말끝》 ¶ 오늘은 누가 오겠 Someone may come to see me today. ③ 《부정》 ¶ 저 배엔 사람-타고 있 ~않다 The boat has n passengers on board.

지가(地價) the price [value] 《 land; land prices [value]. ¶ 공~ the assessed value of land.

지각(地殼) 〖地〗 the earth's crust the lithosphere. ‖ ~운동 〖변동 crustal activity [movements].

지각(知覺) ① 〖心〗 perception; sen sation. ~하다 perceive; feel be conscious 《of》. ~력 per ceptibility. ② 《분별》 judgment; (good) sense. ¶ ~있는 sensible; discreet; prudent

지각(遲刻) being late. ~하다 b [come] late; be behind time ¶ 학교에 ~하다 be late for schoo ‖ ~자 〖生〗 a late-comer.

지갑(紙匣) a purse; a pocke book; a wallet.

지게 an A-frame (carrier); a ~지다 carry the A-frame on one back. ‖ ~꾼 an A-frame coolie a burden carrier.

지게미 《술의》 wine lees.

지겹다 《너더리나다》 (be) tedious wearisome; tiresome; 《지긋지 하다》 (be) loathsome; detes able; disgusting; repulsive.

지경(地境) ① 《경계》 a boundary a border. ② 《형편》 a situation circumstances. ¶ ~할 ~에 있 be on the point [verge, brink of; be about to / 죽을 ~ 이 be in a bad fix.

지계(地階) the basement.

지고(至高) supremacy. ~하다 highest; supreme.

지관(地官) a geomancer.

지구(地球) the earth; the globe ¶ ~의 terrestrial; earthly. ¶ 온난화 global warming / ~의《儀 a globe / ~인 an earthling; a earthman / ~촌 a global villag

지구(地區) 《지역》 a district;

zone; a region; an area; a section 《美》. ¶ 상업 〔주택〕 ~ the business 〔residence〕 zone. ¶ ~ 당 a (electoral) district party chapter.

지구(地溝) 〔地〕 a rift valley.

지구(持久) ∥ ~력 endurance; staying power; tenacity.

지국(支局) a branch (office).

지그시 ① 《슬그머니》 softly; quietly; gently. ¶ 눈을 ~ 감다 close one's eyes softly. ② 《참는 모양》 patiently; perseveringly.

지극(至極) ~ 하다 (be) utmost; extreme; 《대단하다》 (be) excessive; enormous; tremendous; 《극진하다》 (be) most faithful; utterly sincere. ¶ ~히 very; most; quite; exceedingly.

지근거리다 ① 《귀찮게 굴다》 annoy; bother; tease; 《졸라대다》 importune. ② 《머리가》 have a shooting pain (in one's head). ③ 《씹다》 chew softly.

지글거리다 sizzle; simmer; bubble up; seethe.

지글지글 sizzling; simmering; bubbling up; seething. ¶ ~ 끓다 sizzle.

지금(只今) ① 《현재》 the present (time); this time (moment); now. ¶ ~의 present; of today 〔the present day〕 / ~까지 till now; up to the present; hitherto / ~부터 from now (on); after this; hence. ② 《지금 막》 just; just now; a moment ago. ③ 《지금 곧》 soon; at once; (just) in a moment; immediately. ¶ ~ 그 것을 해라 Do it 「at once 〔immediately〕.

지금거리다 chew gritty; be gritty to the teeth.

지급(支給) provision; supply; 《공급》 supply; provide 〔supply, furnish〕 a person with 《a thing》; allow; pay. ¶ ~기일 the due date; the date of payment / ~보증 (bank's) payment guarantees / ~유예 postponement of payment; 〔法〕 moratorium.

지급(至急) ¶ ~ 한 urgent; pressing; immediate / ~으로 urgently; immediately; at once; without delay. ¶ ~ 전보〔전화〕 an urgent telegram 〔call〕.

지긋지긋하다 지겹다.

지긋하다 be advanced in years; be well up in years. ¶ 나이가 지긋한 사람 an elderly person; a person well advanced in years.

지기(知己) a bosom friend(친한 친구); an acquaintance(아는 사람).

...지기[1](논밭의) an area 〔a measure〕 of land. ¶ 닷마 ~ a plot of land that will take 5 mal of seed.

...지기(사람) a keeper; a guard. ¶ 문~ a gatekeeper.

지껄이다 talk garrulously; chat; chatter; gabble(빨리).

지끈지끈 ① 《부러지는 소리》 with a snap. ② 《아프다》 ¶ 골치가 ~ 아 프다 have a splitting headache.

지나가다 ☞ 지나다 ②.

지나다 ① 《기한이》 expire; terminate; be out. ¶ 기한이 지나다 The time limit has expired. ② 《통과》 pass (by); go past; pass through; ¶ 숲속을 ~ pass through a wood. ③ 《경과》 pass (away); elapse; go on 〔by〕. ¶ 시 간이 지남에 따라 as time goes on 〔by〕.

지나새나 always; all the time.

지나오다 pass (by); come along (by, through); 《겪다》 go through; undergo. ¶ 숲을 ~ come through a forest / 갖은 어려움을 ~ go through hardships.

지나치다 ① 《과도》 exceed; go too far. ¶ 지나친 excessive; immoderate / 지나치게 excessively; immoderately. ② 《통과》 ☞ 지나다 ②.

지난날 old days 〔times〕; bygone days. ¶ ~의 추억 the memory of old days.

지난하다(至難—) (be) most 〔extremely〕 difficult.

지날결 ¶ ~에 as one passes; on the way.

지남철(指南鐵) 《자석》 a magnet.

지내다 ① 《세월을》 spend [pass] one's time; get along; 《생활》 live; make a living. 《바쁘게》 live [lead] a busy life. 《치름》 hold; observe. 《장례를》 hold a funeral (ceremony). 《겪다》 follow a career; serve; go through; experience.

지내보다 ¶ 사람은 지내봐야 안다 It takes time to really get to know a person.

지네 《動》 a centipede.

지노(紙—) a paper string.

지느러미 a fin. 《등 [가슴, 꼬리]》 ~ a dorsal [pectoral, caudal] fin.

지능(知能) intelligence; intellect; mental [intellectual] faculties. ¶ ~적인 intellectual; mental / ~의 발달 intellectual growth. / ~검사 an intelligence test / 지수 intelligence quotient (생략 I.Q.).

지니다 《보전》 keep; preserve; retain; 《가지다》 have; carry; 《품다》 hold; entertain; cherish. ¶ 몸에 권총을 ~ carry a pistol with one.

지다 ¹ ① 《패배》 be defeated; be beaten; be outdone; lose 《a game》; 《선거에》 be defeated in the election / 소송에 ~ lose a lawsuit. ② 《굴복》 give in [to]; be overcome with; yield [to]. ¶ 유혹에 ~ yield [give way] to temptation. ③ 《뒤지다》 be second to; be inferior to; fall behind. ¶ 누구에도 지지 않다 be second to none.

지다 ² ① 《짐을》 shoulder 《a burden》; carry 《something》 on one's back. ② 《빚을》 be in debt to 《a person》; owe (money). ¶ 그에게 빚을 얼마나 졌느냐 How much money do you owe him? ③ 《책임을》 hold; bear [assume] 《a responsibility of》.

지다 ³ 《해 · 달이》 set; sink; go

down. ② 《잎 · 꽃이》 fall; b strewn (to the ground); b gone. ③ 《때 따위가》 come o [out]; be removed; be taken out. ④ 《숨이》 breathe one's las (breath); die.

지다 ⁴ ① 《그늘 · 얼룩이 생기다》 그늘 이 ~ be shaded; get shady / 얼 룩이 ~ become stained [soiled] ② 《장마가》 set in. ¶ 장마가 ~ Th rainy season has set in.

지다 ⁵ 《되어가다》 become; get grow. ¶ 좋아 [나빠, 추워, 더워] ~ get better [worse, colder, warm er].

지당하다(至當—) (be) proper right; fair; just; reasonable.

지대(支隊) a detachment; de tached troops.

지대(地代) a ground [land] rent.

지대(地帶) a zone; an area; a re gion; a belt. 《공장 ~》 an indus trial area / 녹 ~ a green belt 비무장 ~ a demilitarized zone.

지대공(地對空) ¶ ~미사일 a groun to-air missile.

지대지(地對地) ¶ ~미사일 a groun to-ground missile.

지대하다(至大—) (be) (very) great vital; vast; immense. ¶ 지대한 대 심사 a matter of great concerns

지덕(智德) knowledge and virtue

지도(地圖) a map; a chart(해도) an atlas(지도책). ¶ 도로 ~ road map / 5만 분의 1 ~ a ma on a scale of 1 to 50,000 ~를 그리다 [보다] draw [consult a map.

지도(指導) guidance; directions leadership; instruction. ~하 guide; direct; coach; lead; in struct. ¶ ~적인 leading / ~적 입장에 있다 be in a position o leadership. ‖ ~력 leadership ~자 a leader; a director; coach; an instructor.

지독하다(至毒—) ① 《독하다》 (be) vicious; vitriolic; spiteful; atro cious. ② 《모질다》 (be) severe terrible; awful. ¶ 지독한 추위 th

severe cold. 「theory.
지동(地動) ∥ ～설 the Copernican
지라(臟) the spleen.
지랄 〔잠스런 언행〕 an outburst *of
temper*; a fit *(of hysteria)*. ～
하다 go crazy; get hysterical.
지략(智略) resources; artifice.
∥ ～이 풍부하다 be resourceful;
be full of resources.
지렁이(蚓) an earthworm. ∥ ～
도 밟으면 꿈틀한다 《俗談》 Even a
worm will turn.
지레 〔지렛대〕 a lever; a hand-
spike. ∥ ～로 들어올리다 raise
(something) with a lever.
지레(미리) in advance; before-
hand. ∥ ～짐작하다 jump to a
conclusion.
지력(地力) fertility (of soil).
지력(智力) mental capacity; intel-
lectual power; intellect; mental-
ity.
지령(指令) an order; an instruc-
tion. ～하다 order; direct; give
instructions. ∥ 비밀 ～ a secret
order.
지령(紙齡) the issue number of
a newspaper.
지론(持論) a cherished opinion;
one's pet theory.
지뢰(地雷) a (land) mine. ∥ ～를
묻다 lay a mine; mine *(a field)*.
∥ ～밭(지대) a mine field / ～탐
지기 a mine detector.
지루하다 (be) tedious; boring;
wearisome; dull; tiresome.
지류(支流) a tributary; a branch
(stream).
지르다 ① 〔차다〕 kick hard; 〔치다〕
beat; hit; strike. ② 〔꽂아 넣다〕
insert; thrust (stick, put) in. ∥ 빗
장을 ～ bolt (bar) a door. ③ 〔불
을〕 붙을 ～ set fire to; set *(a
house)* on fire. ④ 〔자르다〕 cut
off; snip; nip. ∥ 순을 ～ cut (nip)
off the buds. ⑤ 〔질러가다〕 take a
shorter way; cut across *(a field)*;
take a short cut. ⑥ 〔돈을 태우
다〕 stake; wager. ∥ 〔노름〕판에 돈
을 ～ lay (down) a bet *(on the

gambling table)*. ⑦ 〔소리를〕 yell;
scream; cry aloud.
지르르 ① 〔물기·기름기가〕 glossy
with grease. ② 〔뼈마디가〕 with
a dull pain *(in the joint)*.
지르코늄 〔化〕 zirconium (기호 Zr).
지르콘(鑛) zircon.
지르퉁하다 (be) sulky; sullen;
pouting.
지름 a diameter.
지름길 a short cut; a shorter
road. ∥ ～로 가다 take a short
cut. 「graphical advantage.
지리(地利) (gain, have) a geo-
지리(地理) geographical fea-
tures; topography; 〔지리학〕 geog-
raphy. ∥ ～적인 geographical; ～
적 조건 geographical condi-
tions. ∥ ～책 a geography
book / ～학자 a geographer.
지리다¹ 〔생내가〕 smell of urine.
지리다² 〔오줌을〕 wet 〔soil〕 *one's*
pants.
지리멸렬(支離滅裂) ～하다 be inco-
herent; 〔사분오열〕 be chaotic.
∥ ～이 되다 go to pieces; be
thrown into confusion.
지린내 the smell of urine.
지망(志望) a wish; a desire;
choice (선택); an aspiration. ～
하다 wish; desire; aspire *(to)*;
choose; prefer. ∥ 외교관을 ～하다
want to be a diplomat; aspire
to a diplomatic career. ∥ ～자 an
applicant; a candidate *(for)* /
～학과 the desired course / 제
1〔제2〕～ *one's* first 〔second〕
preference (choice).
지맥(支脈) a branch of a moun-
tain range(산맥의).
지맥(地脈) a stratum(*pl.* strata);
a layer; a vein.
지면(地面) 〔지표〕 the surface of
land 〔the earth〕; the
ground; the earth.
지면(紙面) 〔신문의〕 (paper) space.
∥ ～ 관계로 for want of space;
on account of limited space; 〔많
은 ～을 차지하다 take up a lot
of space.

지명(地名) a place name; the name of a place. ∥ ～사전 a geographical dictionary; a gazetteer.

지명(知名) ¶ ～된 noted; well-known. ∥ ～도 name value; notoriety (악명의).

지명(指名) nomination. ～하다 nominate; name; designate. ¶ ～된 사람 a nominee /의장으로 ～되다 be nominated (as) chairman. ∥ ～자 a nominator / ～타자 【野】 a designated hitter.

지모(知謀) ingenuity; resource.

지목(地目) the classification of land category.

지목(指目) ～하다 point out; spot; indicate; put the finger on.

지문(指紋) a fingerprint. ¶ ～을 채취하다 take (a person's) fingerprints.

지물(紙物) paper goods. ∥ ～포 a paper goods store.

지반(地盤) ① 《토대》 the base; the foundation; 《지면》 the ground. ¶ 단단한 ～ firm (solid) ground / 약한 ～ soft (flimsy) ground. ② 《기반》 footing; foothold. ¶ ～을 닦다 establish one's foothold. ③ 《세력범위》 a sphere of influence; a constituency(선거구), 《선거의》 ～을 닦다 nurse one's constituency.

지방(地方) 《지역》 a locality; a district; a region; an area; 《시골》 the country; the province. ∥ ～경찰청 the local police agency / ～사투리 a local accent (dialect); a brogue / ～색 local color / ～자치 local self-government (autonomy).

지방(脂肪) fat; grease; lard(돼지의); suet(소·양의). ∥ ～과다 excess of fat; obesity / ～조직 adipose tissue.

지배(支配) 《관리》 control; 《통치》 rule; government. ～하다 control; rule; govern; dominate. ¶ …의 ～를 받다 be (put) under the control (rule) of …. ∥ ～계급

the ruling classes / ～자 a ruler.

지배인(支配人) a manager. ¶ 총 ～ a general manager.

지번(地番) a lot number.

지변(地變) 《천재》 a natural disaster (calamity).

지병(持病) a chronic disease; an old complaint.

지보(至寶) the most valuable treasure. 「beatitude.

지복(至福) the supreme bliss;

지부(支部) a branch (office); a chapter. ∥ ～장 the manager of a branch. 「make fun of.

지부럭거리다 annoy; pester; tease;

지분(脂粉) rouge and powder.

지분거리다 ☞ 지부럭거리다.

지불(支拂) payment; defrayment. ～하다 pay (out); clear (one's debts); honor (a check). ∥ ～금 the dividend; the payment.

지붕 a roof. ¶ ～을 이다 roof (a house with slate) / 기와 ～ a tiled roof.

지사(支社) a branch (office).

지사(志士) ¶ 우국～ a patriot; a public-spirited man.

지사(知事) a (prefectural) governor.

지상(地上) ¶ ～에(서) on the ground; on (the) earth / ～80피트 eighty feet above the ground. ∥ ～근무 ground service / ～부대 a ground unit.

지상(至上) ¶ ～의 highest; supreme. ∥ ～명령 a supreme order; 【哲】 a categorical imperative / 예술 ～주의 the art-for-art principle.

지상(紙上) ¶ ～에 on paper; in the newspaper.

지새다 the day breaks; it dawns.

지새우다 awake (sit up, stay up) all (through) night.

지서(支署) 《경찰의》 a police substation (box).

지선(支線) a branch line.

지성(至誠) (absolute) sincerity. ¶ ～이면 감천이라 Sincerity moves heaven.

지성(知性) intellect; intelligence. ‖ ~적인 intellectual. ‖ ~인 an intellectual; a highbrow.

지세(地貰) (ground) rent.

지세(地稅) a land tax.

지세(地勢) topography; geographical features.

지속(持續) ~하다 continue; last; maintain; keep up. ‖ ~적인 lasting; continuous. ‖ ~성 durability (~성이 있는 durable).

지수(指數) an index (number); [數] an exponent. ¶ 물가 [불쾌] ~ a price [discomfort] index.

지스러기 waste; trash; odds and ends.

지시(指示) directions; instructions. ~하다 direct; instruct. ‖ ~서 directions; an order / ~악 [化] an indicator.

지식(知識) knowledge; information (정보). ¶ 해박한 ~ an extensive knowledge. ‖ ~인 an educated person.

지아비(남편) one's husband.

지압요법(指壓療法) finger-pressure therapy (cure).

지양(止揚) sublation. ~하다 sublate.

지어내다 make up; invent; fabricate.

지어미(아내) one's wife.

지엄(至嚴) ~하다 (be) extremely strict [stern].

지엔피 the G.N.P. (◀ Gross National Product)

지역(地域) an area; a zone; a region; a district. ¶ ~적인 local; regional / ~적으로 locally; regionally / ~별로 by regional groups. ‖ ~구 a local district / ~이기주의 regional selfishness / ~차(差) regional differences.

지연(遲延) (a) delay; ~되다 delay; be delayed; be late. ‖ ~작전 stalling [delaying] tactics.

지연(地緣) regional relation. ¶ ~ 사회 a territorial society.

지열(地熱) terrestrial heat.

지엽(枝葉) 《가지와 잎》 branches and leaves; 《이야기의》 side issues (of a story); a digression. ¶ 주제에서 ~으로 흐르다 turn aside from the main subject.

지옥(地獄) hell; Hades; the inferno. ¶ ~에 떨어지다 go to hell.

지용(智勇) wisdom and courage.

지우개 an eraser; a chalk [blackboard] eraser(칠판의).

지우다¹ ① 《짐을》 put (something) on (a person's) back; make (a person) shoulder (a burden). ¶ 기운 짐을 ~ burden (a person); lay (put) a burden upon (a person). ② 《부담》 charge (a person with a duty); lay (a duty upon a person).

지우다² 《없어지게》 erase; rub out; wipe out; strike out.

지우다³ 《그늘 따위를》 form; make. ¶ 그늘을 ~ form shade.

지우다⁴ 《아이를》 have a miscarriage; 《송충을》 die; expire. ¶a. ⇨다.

지우산(紙雨傘) an oil-paper umbrella.

지원(支援) support; assistance. ~하다 support; assist; back (up). ‖ ~부대 backup [support] forces.

지원(志願) application; volunteering(자진). ~하다 apply (for); volunteer (for). ‖ ~병 a volunteer / ~서 a written application / ~자 an applicant; a volunteer.

지위(地位) 《신분》 position; status; (social) standing; 《직위》 a position; 《계급》 a rank. ¶ 사회적 ~ one's social position [status].

지육(知育) intellectual training; mental culture (education).

지은이 저자(著者).

지인(知人) an acquaintance.

지자(智者) a man of intelligence; a man of knowledge and experience. ‖ ~ism.

지자기(地磁氣) terrestrial magnetism.

지장(支障) hindrance; an obsta-

ㅈ

cle; a difficulty; a hitch《장애》. ¶ ~을 초래하다 hinder; obstruct: be an obstacle 《to》.

지장(指章**)** a thumbprint; a thumb impression. ¶ ~을 찍다 seal 《*a document*》 with the thumb.

지저귀다 sing; chirp; twitter.

지저분하다 (be) dirty; filthy; unclean; 《난잡》 (be) untidy; disordered; messy.

지적(地積**)** acreage.

지적(地籍**)** a land register. ‖ ~도 a land registration map.

지적(知的**)** intellectual; mental. ‖ ~재산권 intellectual property rights.

지적(指摘**)** indication. ~하다 point out; indicate.

지전(紙錢**)** a (bank) note; paper money.

지점(支店**)** a branch (office). ¶ 해외 ~ an overseas branch. ‖ ~장 a branch manager.

지점(支點**)** ① 《理》 a fulcrum《지레받침》. ② 《建》 a bearing.

지점(地點**)** a spot; a point; a place. ¶ 유리한 ~ a vantage point.

지정(指定**)** appointment; designation. ~하다 appoint; designate; name; specify. ~된 appointed; specified; designated / ~한 대로 as specified. ‖ ~석 a reserved seat. 「a geopolitician.

지정학(地政學**)** geopolitics. ‖ ~자

지조(志操**)** a man of》 principle; 《절조》 constancy. ¶ ~를 굳게 지키다 stick to [be faithful to] one's principles.

지존(至尊**)** His Majesty (the King).

지주(支柱**)** a support; a prop; a stay; a strut. ¶ 한 집안의 ~ the prop and stay of a family.

지주(地主**)** a landowner; a landlord. ‖ ~계급 the landed class.

지주(持株**)** one's (stock) holdings; one's shares. ‖ ~회사 a holding company.

지중(地中**)** ~의 underground; ~에 in the ground [earth].

지중해(地中海**)** the Mediterranean (Sea). ‖ ~의 Mediterranean.

지지(支持**)** support; backing. ~하다 support; back (up); stand by. ¶ 여론의 ~를 얻다 have the backing of public opinion. ‖ ~율 the approval rate / ~자 a supporter; a backer.

지지(地誌**)** a topography; a geographical description.

지지난달 the month before last.

지지난밤 the night before last.

지지난번 the time before last.

지지난해 the year before last.

지지다 《끓이다》 stew; 《지짐질》 pan-fry; *sauté*; 《머리를》 frizzle; curl; wave.

지지르다 ① 《내리 누르다》 press down; weight on. ② 《기름》 overawe; overbear.

지지리 very; awfully; terribly. ¶ ~ 못나다 《얼굴이》 be awfully ugly-looking; 《태도가》 be downright stupid.

지지부진(遲遲不進**)** ~ 하다 make little [slow] progress.

지지하다 (be) trifling; trivial; poor; worthless.

지진(地震**)** an earthquake; a quake 《口》. ¶ ~의 seismic; seismal. ‖ ~대 (帶) an earthquake zone.

지진아(遲進兒**)** a (mentally) retarded child.

지질(地質**)** the geology of; the nature of the soil《토질》. ‖ ~조사 a geological survey / ~학 geology / ~학자 a geologist.

지질리다 《무게로》 get pressed down; 《기가》 get overawed; be dispirited.

지질하다 ① 《싫증나다》 (be) boresome; tiresome; tedious. ② 《변변찮다》 (be) worthless; good-for-nothing; poor; wretched; trashy.

지짐이 (a) stew. 《고기》 meat stew. 「grill.

지짐질 pan-frying. ~하다 pan-fry;

지참(持參**)** ~ 하다 《가져오다》 bring 《*a thing*》 with one; 《가져가다》 take

[carry] 《a thing》 with one. ∥ ～ 금 a dowry.

지척 (咫尺) a very short distance. ¶ ～에 있다 be very close.

지청 (支廳) a branch office.

지체 lineage; birth. ¶ ～가 높다[낮다] be of noble [humble] birth.

지체 (肢體) the limbs and the body. ∥ ～부자유아 a physically handicapped child.

지체 (遲滯) delay. ～하다 delay; be retarded; be in arrears. ¶ ～ 없이 without delay; immediately.

지축 (地軸) the earth's axis.

지출 (支出) expenditure; expenses; outlay. ～하다 pay; spend; disburse; expend. ¶ 수입과 ～ revenues and expenditures; income and outgo. ∥ ～액 the sum expended; an expenditure.

지층 (地層) a (geologic) stratum; a layer. ∥ ～도 a strata map.

지치다 (疲勞하다) be [get] tired; be exhausted [fatigued]; be worn out.

지치다² (미끄럽을) skate; slide; glide. ¶ 얼음을 ～ skate [slide] on the ice.

지치다³ (문을) close 《a door》 without-

지친 (至親) close relatives.

지침 (指針) (자석의) a compass needle; (계기의) an indicator; a needle; (길잡이) a guide. ∥ ～서 a guide (book). [ignate.

지칭 (指稱) ～하다 call; name; des-

지키다 ① (수호하다) defend; protect; guard; shield. ② (살피다) watch; keep a watch 《on, for, against》. ¶ 엄중히 ～ watch closely. ③ (준수하다) keep; observe; follow; obey; (고수) cling to 《a cause》; adhere [stick] to. ¶ 법을 ～ observe the law. ④ (보존) keep; preserve; maintain.

지탄 (指彈) ～하다 censure; blame; condemn; denounce; criticize.

지탱하다 (支撑一) keep (up); preserve; maintain; support. ¶ 집안을 ～ maintain one's family.

지파 (支派) a branch family; a branch; a sect.

지팡이 a (walking) stick; a cane. ¶ ～를 짚고 걷다 walk with a stick.

지퍼 a zipper. ¶ ～를 채우다 zip (up) 《a coat》 / ～를 열다 unzip 《a coat》.

지평선 (地平線) the horizon. ¶ ～ 상에 above [on] the horizon.

지폐 (紙幣) (issue) paper money; a bill (美); a (bank) note (英). ¶ 위조 ～ a counterfeit [forged] note / 10달러짜리 ～ a ten-dollar bill. ∥ ～발행 issue of paper money.

지표 (地表) the earth's surface.

지표 (指標) an index; an indicator; a pointer; (数) a characteristic. ¶ 경제 번영의 ～ an index of 《a country's》 economic prosperity.

지푸라기 a straw.

지피다 put 《fuel》 into a fire; make a fire.

지필묵 (紙筆墨) paper, brushes [pens] and ink.

지하 (地下) ¶ ～의[에] under the ground; underground / ～ 이층 the second basement. ∥ ～ an underpass (美); a subway (美) / ～실 a basement (美) / ～철 a subway (美); the underground (英); the Tube(런던의); the Metro (파리의).

지학 (地學) physical geography.

지핵 (地核) the earth's nucleus.

지향 (志向) intention; aim; inclination. ～하다 intend 《aspire》 《to do》; aim 《at, to do》. ¶ 미래 ～형의 future-oriented.

지향 (指向) ～하다 point 《to》; head 《for, toward》. ∥ ～성 안테나 a directional antenna.

지혈 (止血) arrest [stopping] of bleeding; [醫] hemostasis. ～하다 (check, arrest) bleeding.

지협 (地峽) an isthmus; a neck of land.

지형 (地形) the lay of the land; geographical features. ∥ ～도 a

topographical map.

지형(紙型) a *papier-mâché* mold; a matrix. ¶ ~을 뜨다 make [take] a *papier-mâché* mold (*of*).

지혜(智慧) wisdom; intelligence; sense; wit(s). ¶ ~있는 wise; sagacious; intelligent.

지휘(指揮) command; direction; supervision(감독). ~하다 command; lead; conduct(악단을). ¶ ~관 a commander / ~권 the right to command / ~자 a leader; a commander; a conductor(악단의).

직(職)(일자리) employment; work; a job; (직무) one's duties; (직업) a calling; an occupation; a trade; an office; a post; a position(지위).

직각(直角) a right angle. ¶ ~ right-angled / ~을 이루다 make a right angle (*with*). ‖ ~삼각형 a right triangle.

직간(直諫) ~하다 reprove (*a person*) to *his* face.

직감(直感) intuition; a hunch (口). ~하다 know by intuition; sense; perceive; feel (*something*) in *one's* bones. ¶ ~적으로 intuitively; by intuition.

직거래(直去來) direct transactions [dealings]. ~하다 make a direct deal (*with*); do [transact] business directly (*with*).

직격(直擊) a direct hit. ‖ ~탄 a direct hit.

직결(直結) direct connection. ~하다 connect [link] (*a thing*) directly (*with*).

직경(直徑) a diameter. ¶ ~ 1미터 one meter in diameter.

직계(直系) a direct line (of descent). ‖ ~가족 family members in a direct line.

직고(直告) ~하다 inform [tell] truthfully.

직공(職工) a worker; (공장의) a (factory, mill) hand.

직교역(直交易) direct barter trade.

직구(直球) 【野】 a straight ball.

직권(職權) authority; official power. ¶ ~을 행사(남용)하다 exercise [abuse] one's authority (*on*). ‖ ~남용 abuse of one's authority.

직녀성(織女星) 【天】 Vega.

직능(職能) a function. ‖ ~대표 (제)(the system of) vocational representation.

직답(直答)〔卽答〕 a prompt answer; a ready reply; (적절하는 답변) a direct answer.

직렬(直列) 【電】 ~로 잇다 connect [join up] (*batteries*) in series. ‖ ~회로(변압기) a series circuit (transformer).

직류(直流) 【電】 direct current (생략 D.C.). ‖ ~회로 a direct current circuit.

직립(直立) ~하다 stand erect [straight; upright]. ¶ ~ straight; erect; upright / ~하다 walk erect [upright]. ‖ ~원인(猿人) Pithecanthropus erectus.

직매(直賣) direct sales. ~하다 sell direct(ly) (*to*). ‖ ~소〔점〕 a direct sales store.

직면(直面) ~하다 face; confront; be faced [confronted] with [by].

직무(職務) a duty; an office. ¶ ~상의 official / ~를 수행하다 do one's duty; perform [discharge] one's duties. ‖ ~규정 office regulations / ~태만 neglect of duty.

직물(織物) textiles; textile fabrics; cloth(천). ‖ ~공장 a textile factory / ~류 woven [dry] goods.

직분(分分) one's duty (job). ¶ ~을 다하다 do [fulfill] one's duty.

직사(直射)〔포화의〕 direct [frontal] fire; (일광의) direct rays. ~하다 fire directly [upon]; shine directly (*upon*). ‖ ~포 a direct-firing gun.

직사각형(直四角形) a rectangle; an oblong. 	〔triangle.

직삼각형(直三角形) a right-angled

직선(直線) a straight line. ¶ ~ straight. ‖ ~거리 a lineal dis-

tance / ～ 코스 a straight course.

직설법(直說法) 【文】 the indicative mood.

직성(直星) ¶ ～이 풀리다 feel satisfied [gratified]; be appeased.

직소(直訴) 《make》 a direct appeal [petition] 《to》.

직속(直屬) ～하다 be under the direct control 《of》. ‖ ～상관 one's immediate superior.

직송(直送) direct delivery. ～하다 send direct(ly) 《to》.

직수입(直輸入) direct importation. ～하다 import 《goods》 direct(ly) 《from》.

직수출(直輸出) direct exportation. ～하다 export 《goods》 direct(ly) 《to》.

직시(直視) ～하다 look 《a person》 in the face; face 《the fact》 squarely.

직언(直言) ～하다 speak plainly [frankly]; speak without reserve.

직업(職業) an occupation; a profession; a calling; a trade; a vocation. ¶ ～적(인) professional / ～상의 비밀 a trade secret. ‖ ～ 교육 vocational education / ～군 인 a professional [career] soldier.

직역(直譯) (a) literal [word-forword] translation. ～하다 translate 《a passage》 literally [word-forword].

직영(直營) ～하다 manage [operate] directly.

직원(職員) a staff member; 《총칭》 the staff; the personnel. ¶ ～는 시청의 ～이다 He is on the staff of the city office. ‖ ～회의 a staff meeting; a teachers' [faculty] conference.

직유(直喩) a simile.

직인(職印) an official seal; a government seal(정부의).

직장(直腸) 【解】 the rectum. ‖ ～ 암 rectal cancer.

직장(職場) one's place of work; one's workplace [post, office].

직전(直前) ¶ ～ 에 just [immediately] before ....

직접(直接) ¶ ～ direct; immediate; personal(대리 없이 본인의); firsthand(매개자 없이) / ～으로 directly; immediately; in person; firsthand; at first hand. ‖ ～선 거 a direct election / ～화법 【文】 direct narration.

직제(職制) the organization [setup] of an office. ¶ ～를 개편하 다 reorganize an office.

직조(織造) weaving. ～하다 weave.

직종(職種) a type [sort] of occupation; an occupational category. ¶ ～별로 [arrange] by (the) occupation.

직직거리다(신발을) keep dragging [scuffing] one's shoes.

직진(直進) ～하다 go straight on [ahead].

직책(職責) the responsibilities of one's work [job]; one's duty.

직통(直通) ～하다 communicate directly 《with》: (버스 따위가) go direct 《to》; (도로가) lead directly 《to》. ‖ ～전화 a direct telephone line; a hot line.

직필(直筆) ～하다 write plainly 《on a matter》.

직할(直轄) direct control [jurisdiction]. ～하다 control directly; hold under direct jurisdiction.

직함(職啣) one's official title.

직항(直航) ～하다 sail direct [straight] 《to》: make a nonstop flight 《to》. ¶ ～는 런던으로 ～했다 He flew straight to London. ‖ ～로 a direct line; a direct air route(항공기의).

직행(直行) ～하다 go straight [direct] 《to》: run through 《to》. ‖ ～버스 a nonstop bus / ～열 차 a through [nonstop] train / ～ 편 (비행기의) a direct [nonstop] flight 《to》.

직후(直後) ¶ … ～의 [에] immediately [right] after; 《장소》 just behind [at the back of] ....

진(辰) (십이지의) the Dragon. ¶ ～

년 〔十〕 the Year 〔Hour〕 of the Dragon. 〖의〗 nicotine; tar.

진(津) 《나무의》 resin; gum; 《담배의》 nicotine; tar.

진(陣) 《진형》 a battle array 《formation》; 《진영》 a camp; 《전지》 a position; 《구성원》 a staff; a group. ¶ 교수 ~ a teaching staff / ~를 치다 take up a position; pitch a camp; encamp.

진(술) gin. ¶ ~ 피즈 gin fizz.

진가(眞價) true 〔real〕 value 〔worth〕. ¶ ~를 발휘하다 display *one's* real ability 〔worth〕.

진갑(進甲) the sixty-first birthday.

진개(塵芥) dust; dirt; rubbish.

진객(珍客) a least-expected visitor; a welcome guest.

진걸레 a wet floorcloth (dustcloth).

진격(進擊) an advance; 《공격》 an attack; 《돌격》 a charge. ~하다 advance 《on》; make an attack 《on》; charge 《at》. ¶ ~령 an order to advance.

진공(眞空) a vacuum. ¶ ~이 된 evacuated 《*vessels*》 / ~으로 하다 evacuate 《*a flask*》; form a vacuum. ¶ ~관 a vacuum tube / ~포장 vacuum packing / ~포장 하다 vacuum-seal / ~포장된 vacuum-packed.

진구렁 a mud hole.

진국(眞─) ① 《사람》 a man of sincerity. ② 《전국》 전국(全─).

진군(進軍) march; advance. ~하다 march; advance 《on》. ¶ ~ 중이다 be on the march.

진귀(珍貴) ~하다 (be) rare and precious; valuable.

진급(進級) (a) promotion. ~하다 be (get) promoted 《to》; be moved up 《to》. ¶ ~시키다 promote 《*a person*》 to a higher grade (position). / ~시험 an examination for promotion.

진기(珍奇) ~하다 (be) rare; novel; curious; queer; strange.

진날 a rainy (wet) day.

진노(震怒) wrath; rage. ~하다 burst with rage; be enraged.

진눈깨비 sleet. ¶ ~가 내린다 It sleets.

진단(診斷) diagnosis. ~하다 diagnose; make a diagnosis 《of》. ¶ 조기 ~ an early checkup. / ~서 a medical certificate.

진달래 〖植〗 an azalea.

진담(眞談) a serious talk. ¶ ~으로 듣다 take 《*a person's*》 story seriously.

진도(進度) progress. ∥ ~표 a teaching schedule; a progress chart(일반).

진도(震度) seismic intensity.

진동(振動) vibration; oscillation. ~하다 vibrate; oscillate. ¶공기의 ~ air vibration. ∥ ~수 the number [frequency] of vibrations / ~자 a vibrator.

진동(震動) a shock; a tremor; a quake. ~하다 shake; quake; tremble; vibrate. ¶ ~시키다 shake; vibrate.

진두(陣頭) ∥ ~에 서다 be at the head 《of an army》; take the lead (in doing). ┌acarid.

진드기 〖動〗 a tick; a mite; an

진득거리다 《들러붙다》(be) sticky; glutinous; 《끈질기다》(be) stubborn; unyielding; tough.

진득하다 (be) staid; sedate; patient. ¶진득한 성격 a staid character.

진디 〖蟲〗 a plant louse; an aphid.

진땀(津─) sticky 〔greasy〕 sweat; cold sweat(식은땀). ¶ ~나다 be in a greasy 〔cold〕 sweat; sweat hard.

진력(盡力) ~하다 endeavor; strive; make efforts; exert *oneself*; try hard to 《*do*》; do *one's* best 《for》.

진력나다 be (get) sick 〔tired, weary〕 《of》.

진로(進路) a course; a way. ¶ 졸업 후의 ~를 정하다 decide on the course what to do after graduation.

진료(診療) medical examination and treatment(☞ 진찰, 치료). ∥ ~소 a clinic / ~실 a consulta-

tion room.

진리(眞理) (a) truth. ¶ 영구불변의 ～ eternal truth / ～을 탐구하다 seek after truth.

진맥(診脈) ～하다 feel [examine] 《a person's》 pulse.

진면목(眞面目) one's true character [self].

진무르다 be sore; be inflamed [blistered]. ¶ 빨갛게 진무른 살 an inflamed raw skin.

진문(珍聞) rare news; a curious story.

진물 ooze from a sore. ¶ ～이 나다 a sore oozes.

진미(珍味) 《식품》 a dainty; a delicacy; 《맛》 a delicate flavor [taste]. ¶ 산해～ all sorts of delicacies.

진미(眞味) true [real] taste; genuine appreciation.

진배없다 be as good as; be equal 《to》; be on a level 《with》; be no worse than.

진버짐 eczema; watery ringworm.

진범(眞犯) the real [true] culprit.

진보(進步) progress; (an) advance; improvement(개선). ～하다 (make) progress; improve; advance. ¶ ～적(인) advanced; progressive. ‖ ～주의 progressivism / ～주의자 a progressivist.

진본(珍本) a rare (old) book.

진본(眞本) an authentic book [copy]; a genuine piece of writing [painting](서화의).

진부(眞否) truth (or otherwise). ¶ ～를 확인하다 check [find out] whether 《a thing》 is true or not; check the truth 《of》.

진부하다(陳腐―) (be) commonplace; trite; stale; hackneyed.

진사(陳謝) an apology. ～하다 apologize 《to a person》《for》; express one's regret 《for》.

진상(眞相) the truth; the actual facts; what's what. ¶ 사건의 ～을 밝히다 reveal the real facts of the case. ‖ ～조사단 a fact-finding mission [committee].

진상하다(進上―) 《바침》 offer a local product to the king.

진선미(眞善美) the true, the good and the beautiful.

진성(眞性) 《醫》 ～의 true; genuine. ‖ ～콜레라 (a case of) true [genuine] cholera. 《world.

진세(塵世) this dirty world; the

진솔(새 옷) brand-new clothes; 《진솔옷》 ramie-cloth garments made in spring or fall.

진수(珍羞) rare dainties; delicacies. ‖ ～성찬 rich viand and sumptuous meal.

진수(眞髓) the essence; the quintessence; the gist; the pith; the soul.

진수(進水) launching. ～하다 be launched; launch 《a ship》. ‖ ～식 a launching (ceremony).

진술(陳述) a statement. ～하다 state; set forth; declare. ‖ ～서 a (written) statement.

진실(眞實) truth. ¶ ～의 true; real; sincere ¦ ～로 really; truly; in reality / ～을 말하면 to tell the truth.

진실성(眞實性) the truth (authenticity) 《of a report》; credibility.

진심(眞心) one's true heart; sincerity(성심); earnest. ¶ ～으로 heartily; sincerely; from the bottom of one's heart.

진압(鎭壓) repression. ～하다 repress; suppress; subdue; put down. ¶ 폭동을 ～하다 quell [put down] a riot.

진액(津液) resin; gum; sap.

진언(進言) advice; counsel. ～하다 advise; counsel; suggest.

진열(陳列) a display; an exhibition; a show. ～하다 display; exhibit; place [put] 《things》 on exhibition. ¶ ～실 a showroom / ～장 a showcase.

진영(眞影) a true image; a portrait; a picture.

진영(陣營) a camp; quarters. ¶ 보수～ the conservative camp.

진용(陣容) 《군대의》 battle array [formation]; 《야구팀・내각 등의》 a

진원(陣員) lineup; 《구성 인원》 staff. ¶ ~을 갖추다 《군대의》 array 《troops》 for battle; put 《troops》 in battle formation; 《팀의》 arrange [organize] one's line-up [team] 《for the game》.

진원(震源) the seismic center; the epicenter. ∥ ~지＝진원.

진위(眞僞) truth (or falsehood); genuineness.

진의(眞意) one's real intention; one's true motive; the true meaning 《말의》.

진일 wet housework; chores in which one's hands get wet.

진입(進入) 《들어섬》 ~하다 enter; go [advance] into; make one's way 《into》. ¶ 궤도에 ~하다 go into orbit. ∥ ~로《자동차 도로의》 an approach ramp 《비행기의》 an approach.

진자(振子) 【理】 a pendulum.

진작(振作) ~하다 promote; brace [stir, shake] up. ¶ 사기를 ~시키다 stir up the morale 《of troops》.

진작 《그 때에》 then and there; on that occasion; 《좀더 일찍》 earlier. ¶ ~ 갔어야 했다 You should have gone earlier.

진재(震災) an earthquake disaster.

진저리 ~나다 be [get] sick 《of》; be disgusted 《with, at》; ~치다 shudder 《at》; shiver 《with cold》.

진전(進展) development; progress. ~하다 develop; progress.

진절머리 ☞ 진저리.

진정(眞正) ¶ ~한 true; real; genuine.

진정(眞情) one's true heart [feeling]; true [genuine] sentiments. ¶ ~을 true; sincere; earnest / ~으로 heartily; sincerely; from one's heart.

진정(陳情) a petition; an appeal. ~하다 make a petition 《to》; petition; appeal. ∥ ~서《submit》 a petition / ~자 a petitioner.

진정(進呈) ☞ 증정(贈呈). [er.

진정(鎭靜) ~하다, ~시키다 app-
ease; calm [cool] down; settle
∥ ~제 a sedative; a tranquilizer.

진종일(盡終日) all day (long); the whole day.

진주(眞珠) a pearl. ¶ ~의 pearly 진줏빛 pearl gray. ∥ ~양식 pearl culture / ~조개 a pearl oyster.

진주(進駐) ~하다 be stationed 《at》; advance 《into》. ∥ ~군 the occupation forces [army].

진중(陣中) 《부사적》 at the front; on the field (of battle). ∥ ~일기 a field [war] diary.

진중(鎭重) ~하다 (be) reserved; dignified; sedate; grave.

진지 a meal; dinner.

진지(陣地) a position; an encampment. ¶ 포병 ~ an artillery position / ~를 구축하다 build up a strong point.

진지(眞摯) ~한 serious; sincere; sober; earnest. ¶ 하게 in earnest; seriously; gravely.

진진하다(津津—) ¶ 흥미 ~ be very interesting; be of immense interest.

진짜 a genuine article; a real thing. ¶ ~의 real; genuine; true.

진찰(診察) a medical examination ~하다 examine [see] 《a patient》 ¶ 의사의 ~을 받다 see [consult] a doctor. ∥ ~료 a medical [doctor's] fee.

진창 mud; mire. ¶ ~에 빠지다 get [stuck] in the mud. ∥ ~길 a muddy road.

진척(進捗) ~하다 progress; advance. ¶ ~시키다 speed up; hasten; expedite.

진출(進出) ~하다 advance; go vance; find one's way 《into》; go [launch] 《into》. ¶ 해외 시장에 ~하다 make inroads into foreign markets.

진취(進取) ¶ ~적(인) progressive; pushing; enterprising / ~적인 기상 a go-ahead [an enterprising] spirit.

진탕(震盪) shock; concussion. ¶

~〔醫〕concussion of the brain.

!탕(一湯) to *one*'s heart's content; to the full. ¶ ~ 먹다〔마시다〕eat〔drink〕*one*'s fill.

!통(陣痛) labor〔pains〕; the pains of childbirth.

!통(鎭痛) alleviation of pain. ¶ ~제 an anodyne; an analgesic; a painkiller〔口〕.

!퇴(進退) advance or retreat(을 함); *one*'s course of action(태동); *one*'s attitude(태도). ¶ ~양난에 빠지다 be left with nowhere to turn; be driven into a corner.　　　　　　　(tion).

!폭(振幅) an amplitude of vibra-

!품(珍品) a rare〔priceless〕article; a rarity.　　〔real〕article.

!품(眞品) a genuine〔sterling,

!필(眞筆) an autograph.

!하다 ① 《색이》 be dark; deep. ¶ 진한 청색 deep blue. ② 《농도·밀이》 (be) thick; strong. ¶ 이 수프는 너무 ~ This soup is too thick.

!하다(다하다) 《다하다》 be exhausted; be used up; run out.

!학(進學) ~하다 proceed to 〔enter, go on〕 to a school of a higher grade; go on to (*college*).

!항(進航) ~하다 sail (*out*); steam ahead.

!해제(鎭咳劑) a cough remedy.

!행(進行) progress; advance. ~를 〔make〕 progress; make headway; advance. ¶ ~중이다 be on progress; be going on; be under way. ∥ ~형〔文〕the progressive form.　　　　　　　〔tle array.

!형(陣形) 〔battle formation; bat-

!혼(鎭魂) repose of souls. ∥ ~곡 a requiem.

!홍(眞紅) scarlet; crimson. ¶ ~의 crimson; cardinal.

!화(進化) 《생물학적인》 evolution; 《발달》 development. ~하다 evolve 〔develop〕 (*from ... into ...*). ¶ ~적인 evolutional. ∥ ~론 the theory of evolution / ~론자 an evolutionist.

진화(鎭火) ~되다 be extinguished; be put out; be brought under control.

진흙(진척한) mud; 《차진》 clay. ¶ ~의, ~투성이의 muddy.

진흥(振興) promotion. ~하다 promote; encourage; further. ∥ ~책 a measure for the promotion

질(帙) a set of books.

질(質) 《품질》 quality; 《성질》 nature; character. ¶ ~이 좋은 〔나쁜〕 superior〔inferior〕 in quality; 《성질》 good-(ill-)natured; of good 〔bad〕 character.

질(膣) the vagina. ∥ ~구〔벽〕the vaginal opening〔wall〕/ ~염〔醫〕vaginitis.

질겁하다 get appalled〔astounded〕; be frightened 〔out of *one*'s wits〕; be taken aback.

질경이〔植〕a plantain.

질곡(桎梏) ~에서 벗어나다 shake off the fetters (*of*); throw off the yoke (*of*).

질권(質權)〔法〕the right of pledge. ∥ ~설정자 a pledger / ~자 a pledgee.　　　　　　　　〔clayware.

질그릇 unglazed earthenware;

질금거리다 trickle; dribble; fall 〔run down〕 off and on.

질기다 《고기 따위가》 (be) tough; 《천 따위가》 durable; 《성질이》 tenacious. ¶ 질긴 옹감 durable cloth / 이 옹감은 ~ This cloth wears well.

질기와 an unglazed roof tile.

질끈 tight(ly); fast; closely.

질녀(姪女) a niece.

질다 《반죽·밥이》 (be) soft; watery; 《땅이》 (be) muddy; slushy.

질량(質量)〔理〕mass; 《질과 양》 quality and quantity. ¶ ~보존의 법칙 the law of the conservation of mass.

질러~가다 take a shorter way 〔short cut〕.

질리다 ① 《기가》 be amazed〔stunned, aghast, dumbfounded〕(*at*); be overawed; 《파랗게》 turn pale;

lose color. ② 〔실증남〕 be 〔get〕 sick 〔weary〕 《of》; be fed up 《with》. ③ 〔얻어맞다〕 be 〔get〕 kicked; get struck (맞다).

질문(質問) a question; an inquiry (문의). ~하다 question; put a question 《to》; ask 《a person》a question. ∥ ~서 a written inquiry; a questionnaire / ~자 a questioner.

질박하다 〔소박〕 (be) simple(-minded); unsophisticated.

질벅거리다 ☞ 질척거리다.

질병(疾病) a disease; a malady.

질산(窒酸) 〔化〕 nitric acid. ∥ ~염 a nitrate.

질색(窒塞―) 〔아주 싫어하다〕 disgust; abhor; hate; detest.

질서(秩序) order; discipline (규율); system (체계). ¶ ~ 있는 orderly; well-ordered; systematic / ~ 없는 disorderly; unsystematic.

질소(窒素) nitrogen (기호 N). ∥ ~비료 nitrogenous fertilizer / ~ 산화물 nitrogen oxide.

질시(嫉視) ~하다 regard with jealousy; be jealous of 《a person》.

질식(窒息) suffocation. ~하다 be suffocated; be choked 〔smothered〕. ¶ ~시키다 suffocate; choke; smother. ∥ ~사 death from 〔by〕 choke (그는 ~사 했다 He was choked to death.).

질의(質疑) a question; an inquiry; an interpellation(국회의). ~하다 question; inquire of; interpellate. ∥ ~응답 questions and answers.

질적(質的) qualitative. ¶ ~으로 수하다 be superior in quality.

질주하다(疾走―) run at full speed; run fast; dash.

질질 ① 〔끄는 모양〕 drag 《a heavy load》. ② 〔눈물 따위를〕 ¶ 침을 ~ 흘리다 let saliva dribble from *one's* mouth.

질책(叱責) (a) reproof; a reproach. ~하다 reprove 《a person》; scold; reproach.

질척거리다 be muddy; be slushy; be sloppy. ¶ 질척한 muddy; slushy.

질타(叱咤) (a) scolding(꾸짖음). ~ 하다 scold.

질투(嫉妬) jealousy. ~하다 be jealous 《of》; envy 《a person》. ∥ ~가 많은 jealous; envious. ∥ ~심 jealousy.

질펀하다 ① 〔넓다〕 be broad and level. ¶ 질펀한 들 a broad expanse of fields. ② 〔게으르다〕 be sluggish; idle.

질풍(疾風) a violent wind; a gale. ¶ ~같이 swiftly; like a whirlwind.

질항아리 an earthenware jar.

질환(疾患) a disease; an ailment. 〔가벼운〕 a 〔chest〕 trouble.

질흙 potter's clay.

짊어지다 ① 〔짐을〕 bear; carry 〔have〕《something》on *one's* back; shoulder 《a heavy burden》. ② 〔빚을〕 be saddled with 《a debt》; bear; shoulder.

짐 ① 〔화물〕 a load; a cargo (뱃짐) freight(화물의); baggage 〔luggage (英)〕(수화물). ¶ ~을 싣다 load 《a ship》; pack 《a horse》; ~을 내리다 unload 《a ship》; unpack 《a horse》(매가 주어) discharge its cargo. ② 〔마음의〕 a burden. ¶ ~이 되다 be a burden 《to one》.

짐꾸리기 packing; package.

짐꾼 a porter; a carrier; a redcap 〔美〕(역의).

짐마차(一馬車) a wagon; a cart.

짐스럽다 (be) burdensome; troublesome. ¶ 짐스럽게 여기다 《it》 burdensome.

짐승 a beast (네발 짐승); a brute (맹수); an animal(동물).

짐작 a guess; (a) conjecture. ~하다 guess; conjecture.

짐짓 intentionally; deliberately.

짐짝 a pack(age); a parcel; a piece of baggage 〔luggage〕.

집 ① a house; a home(가정); family(가족); a household (가구와

¶ ～없는 사람들 homeless people. ② 《동물의》 (build) a nest; a den; a lie. ③ 《물건의》 a sheath; a case. ④ 《바둑의》 an eye; a point. ¶ 열 ～ 이기다〔지다〕 win (lose) by ten points (eyes).

집게 (a pair of) tongs; pincers; nippers (소형의); pliers.

집게발 claws.

집게손가락 a forefinger; an index (finger).

집결(集結) concentrate; gather; mass 《its troops》. ¶ ～ 지 an assembly place (area).

집계(集計) totaling; a total. ～하다 (sum) up; total. ¶ 비용을 ～하니 300달러가 되었다 The costs totaled (added up to) $ 300. ¶ ～표 a tabulation; a summary sheet.

집권(執權) grasping political power. ～하다 come into power; take the reins (of the government). ¶ ～당 the party in power; the ruling party.

집권(集權) centralization of power (authority); ¶ 중앙 ～제 centralized administration.

집기(什器) an article of furniture; a fixture (비치된). ¶ 사무(실) 용 ～ office fixtures.

집념(執念) a deep attachment 《to》; tenacity of purpose. ¶ ～이 강한 (too) persistent; tenacious. ¶ ～을 take (pick) up. ¶ 집게로 ～ pick up with tongs.

집단(集團) a group; a mass. ¶ ～ 적인 collective / ～적으로 collectively; as a group / ～을 이 루다 form a group.

집대성(集大成) ～하다 compile 《all the available data》 into one book.

집도(執刀) the performance of an operation. ～하다 perform an operation 《on》.

집들이 (give) a housewarming (party). ¶ ～선물 a housewarming gift.

집무(執務) ～하다 work; attend to one's business. ¶ 그는 지금 ～중이 다 He is on duty now. ¶ ～시간

business (office) hours.

집문서(─文書) a house deed; deed papers.

집배(集配) collection and delivery. ～하다 collect and deliver. ¶ 우편 ～인 a postman; a mailman 《美》.

집비둘기 a dove; a house pigeon.

집사(執事) a steward; a manager; a deacon(교회의).

집산(集散) ～하다 gather (collect) and distribute. ¶ ～지 a collecting and distributing center.

집성하다(集成) collect; compile.

집세(─貰) a (house) rent. ¶ ～ 를 올리다 (내리다) raise (lower) the rent.

집시 a Gypsy; a Gipsy 《英》.

집안 (가족) a family; a household; 《일가》 one's kin (clan); one's relatives. ¶ 그는 훌륭한 ～ 출신이 다 He comes from a good family. ¶ ～싸움 a family trouble.

집약(集約) ～하다 put 《all one's ideas》 together; condense 《the reports》; summarize 《the report》. ¶ ～적인 intensive / 자본 (노동) ～ 적인 capital-(labor-)intensive 《industries》. ¶ ～농업 intensive agriculture (farming).

집어넣다 ① ～ 넣다. ② 《투옥》 throw 《a person》 into prison; imprison.

집어먹다 ① 《음식을》 pick up and eat. ¶ 젓가락으로 ～ eat with chopsticks. ② 《착복하다》 pocket 《money》; embezzle.

집어삼키다 ① 《음식을》 pick up and swallow. ② 《남의 것을》 usurp; embezzle; appropriate 《public money》.

집어주다 ① 《주다》 pick up 《a thing》 and hand it over; pass. ② 《뇌물을》 bribe; grease 《a person's》 palm.

집어치우다 put away; lay aside; quit; leave (lay) off.

집요(執拗) ～하다 (be) obstinate; stubborn; persistent; tenacious.

집적(集積) accumulation. ～하다 accumulate; be heaped (piled

up. ∥ ～회로 an integrated circuit 《생략 IC》.

집적거리다 ① 《관계》 meddle with [in]; have a hand [finger] in. ② 《건드리다》 tease; needle; provoke.

집주인(一主人) ① 《임자》 the owner of a house. ② 《가장》 the head of a family [house].

집중(集中) concentration. ～하다 concentrate 《on》; center 《on》. ¶주의를 ～ concentrate one's attention on 《one's work》. ∥ ～ 공격 (launch) a concentrated attack 《on》 / ～력 (power of) concentration.

집진기(集塵機) a dust collector.

집착(執着) attachment 《고집》 tenacity; persistence. ～하다 stick [cling] 《to》; be attached 《to》. ¶생에 대한 ～ tenacity for life.

집채 (the bulk of) a house. ¶ ～ 만하다 be as large as a house; be massive.

집치장(一治粧) the (interior) decoration of a house. ～하다 decorate a house.

집터 a house (building) site [lot]. ¶ ～를 닦다 level a site for a house.

집필(執筆) writing. ～하다 write 《for a magazine》. ∥ ～료 payment for writing; a contribution fee / ～자 the writer; the contributor(기고자).

집하(集荷) collection of cargo. ～하다 collect [pick up] cargo. ∥ ～ 장 a cargo-picking point.

집합(集合) (a) gathering; (a) meeting; an assembly; 【數】 a set. ～ 하다 gather; meet; assemble. ∥ ～명사 【文】 a collective noun / ～장소(시간) the meeting place [time].

집행(執行) execution; performance 《수행》. ～하다 execute; carry out; perform. ¶형을 ～ execute a sentence. ∥ ～기관 an executive organ / ～유예 a stay [suspension] of execution; probation.

집행관(執行官) an executor; 【法】 a

bailiff.

집회(集會) a meeting; a gathering; an assembly. ～하다 meet together; gather; hold a meeting. ¶옥외 ～ an open-air meeting. ∥ ～신고 a notice of an assembly.

집히다 get picked up. ¶바늘이 잘 집히지 않는다 The needle is hard to pick up.

짓(行為) an act; one's doing; a deed; behavior. ¶못된 ～을 하다 do wrong; commit an evil act.

짓궂다 (be) ill-natured; spiteful; nasty; malicious; mischievous. ¶ 짓궂게 illnaturedly; spitefully. ¶그는 늘 여자애들에게 짓궂게 굴었다 He was always nasty to girls.

짓다¹ ① 《집을》 build; erect; construct. ② 《만들다》 make; manufacture; tailor(옷을). ③ 《글을》 write; compose; make. ④ 《밥을》 boil; cook; prepare. ⑤ 《약을》 prepare; fill a prescription. ⑥ 《형성》 form; make. ¶열을 ～ form in line; form a line [queue]; line up. ⑦ 《농사를》 grow; raise; rear. ⑧ 《죄를》 commit. ¶죄를 ～ commit a crime. ⑨ 《꾸며냄》 make up; invent; fabricate. ¶지 어낸 이야기 a made-up story. ⑩ 《표정》 show; express; look 《glad, sad》. ¶미소를 ～ smile. ⑪ 《결정·결말을》 decide 《on》; settle.

짓다² miscarry; abort.

짓밟다 trample 《on》; trample 《a thing》 underfoot; devastate; infringe 《upon rights》.

짓밟히다 be trampled down; be trodden down; get trampled underfoot.

짓이기다 mash; knead to (a) mash.

짓찧다 pound; crush down smash; 《부딪치다》 strike [hit, bump] hard.

징¹ (악기) a gong.

징² 《구두의》 a hobnail; a clasp (nail). ¶ ～을 박다 have one's shoes clouted.

징검다리 a stepping-stone.

징계(懲戒) an official reprimand; a disciplinary punishment; ~ 하다 reprimand; reprove. ‖ ~위원회 a disciplinary committee (~ 위원회에 회부하다 refer (*a case*) to the Disciplinary Committee).

징그럽다 (be) disgusting; odious; creepy; weird.

징발(徵發) ~ 하다 commandeer; press (*a thing*) into service; requisition. ‖ ~되다 be pressed under requisition: be pressed into service / 말을 군용으로 ~ 하다 requisition horses for troops. ‖ ~령 a requisition order.

징벌(懲罰) discipline; (a) punishment; chastisement; ~ 하다 punish; discipline; chastise. ‖ ~위원회 a disciplinary committee.

징병(徵兵) conscription; draft 《美》; call-up 《英》. ‖ ~되다 be drafted [conscripted]; be called up for military service. ‖ ~제도 the conscription system.

징세(徵稅) tax collection; ~ 하다 collect taxes (*from*).

징수(徵收) collection; levy. ~ 하다 collect [levy] (*taxes*); charge (*a fee*). ‖ ~액(額) the collected amount.

징역(懲役) penal servitude; imprisonment. ‖ 2년간 ~ 살이 하다 serve a two-year prison term.

징용(徵用) drafting; commandeering. ~ 하다 draft; commandeer. ‖ 피—자 a drafted worker; a draftee.

징조(徵兆) a sign; an indication; a symptom; an omen. ‖ 좋은 [나쁜] ~ a good [an evil] omen / ~ 의 ~ 가 있다 show signs of.

징집(徵集) enlistment; enrollment; recruiting. ~ 하다 levy (*troops*); enlist; enroll; conscript (*young men*); call out; mobilize. ‖ ~되다 be conscripted [drafted, enlisted] (for military service). ‖ ~ 면제 exemption from enlistment.

징크스 (break, smash) a jinx.

징후(徵候) (병의) a symptom; (일반의) a sign; an indication. ‖ 경기 회복의 ~ 가 나타났다 We've had encouraging signs for economic recovery.

짖다 bark (*at*) (개가); howl, roar (맹수가); caw, croak(까막까치가).

짙다 (색이) (be) dark; deep (*blue*); (안개가) (be) thick; dense; (조밀) (be) thick; heavy. ‖ 짙은 안개 a thick fog.

짚다 a straw. ‖ ~을 깔다 spread straw; litter down (*a stable*). / ~ 신 straw sandals.

짚가리 a rick; a stack of straw. ‖ ~ 를 쌓다 heap up in rick.

짚다 ① (맥을) feel; take; examine. ‖ 맥을 ~ take [feel, examine] the pulse. ② (지팡이·손을) rest [lean] (*on*); place [put] *one's* hand on (*something*) for support. ‖ 지팡이를 짚고 걷다 walk with a stick (cane). ③ (미지의 것을) guess; give [make] a guess. ‖ 잘못 ~ make a wrong guess.

짚이다 (마음에) (happen to) know of; have in mind. ‖ 전혀 짚이는 데가 없다 have no faintest [slightest] idea (*of*).

짜다¹ ① (피륙을) weave; (뜨개질) knit; crochet; (상투를) tip up [wear] (a topknot).

짜다² ① (제작) make; construct; (조립) put [fit] together; assemble. ② (편성) organize; compose. ③ (활자로 판을) compose; set up (in type). ④ (계획) form (*a plan*); prepare; make (*a program*). ⑤ (공모) conspire with; plot together. ⑥ (물기를) squeeze; press. ⑦ (머리를) rack [cudgel] *one's* brains.

짜다³ ① (맛이) (be) salty; briny. ‖ 간이 ~ be too salty. ② (점수가) be severe [strict] in marking. ‖ 저 선생님은 점수가 ~ The teacher is a hard [strict] grader.

짜르르 ☞ 지르르.

☞ 지르르.

ㅈ

···**짜리** ① 《가치》 worth; value. ¶ 천 원~ 지폐 a 1,000-*won* bill. ② 《용량》 ¶ 3리터 ~ 병 a three-liter bottle. ③ 《나이 뒤에 붙여》 ¶ 다섯살 ~ 소년 a five-year-old boy.

짜임새 《구성》 making; make-up; structure; composition; 《피륙의》 texture. ¶ ~ 가 거친 [고운] 천 coarse-[close-]woven cloth; cloth with a coarse [close] texture.

짜장면 = 자장면

짜증 fret; irritation; vexation. ¶ ~을 내다. ~이 나다 show temper; get irritated; be vexed / ~나게 하다 irritate; make 《a person》 irritated; get [jar] on 《a person's》 nerve.

짜하다 《소문이》 be widespread; be abroad [about].

짝 《쌍을 이루는》 one of a pair 《couple》; the mate 《partner》 《to》; a counterpart. ¶ ~을 맞추다 make a pair 《two things》; make match.

짝¹ ① 《갈빗의》 a side of beef [pork] ribs. ② 《아무곳》 a side. ¶ 아무 ~ 에도 쓸모가 없다 It's no good anywhere.

짝² 《찢는 소리》 ripping; tearing.

짝사랑 one-sided love; a crush. ~하다 love 《a girl》 secretly; worship 《a girl》 at a distance.

짝수(─數) an even number. ¶ ~ 날 even-numbered days.

짝없다 ① 《비길바없다》 (be) matchless; incomparable. ¶ 기쁘기 ~ be happy without measure. ② 《대중없다》 (be) preposterous; incongruous.

짝짓다 pair; make a match; mate. ¶ 새를 ~ mate a bird.

짝짝꿍 a baby's hand-clapping.

짝짝¹ 《입맛을》 ¶ ~ 다시다 smack *one's* lips; lick *one's* chops / ~ 달라붙다 stick fast to.

짝짝이 an odd [unmatched] pair 《of socks》; a wrongly matched pair.   「match.

짝채우다 make a match [set];

짝하다 become a partner [mate];

---

mate 《with》.

짠물 salt water; brine.

짤막하다 (be) shortish; brief.

짧다 (be) short; brief. ¶ 짧게 말하면 in short / 짧게 하다 shorten; cut [make] short.

짬 《여가》 spare time; leisure (hours). ☞ 틈.

깝깝하다 ① 《맛이》 be nice and salty; be quite tasty. ② 《꽤 좋다》 be quite good [nice]; be fairly good.

···**째** 《통째로·그대로》 and all; together with; whole. ¶ 나무를 뿌리 ~ 뽑다 pull up a tree by the roots. ② 《차례를 나타내어》 ¶ 닷새 ~ 에 on the fifth day.

째다 《칼로》 cut open 《a boil》; lance; incise.

째다 《꼭 끼다》 (be) tight; be too small to wear comfortably.

째다 《부족하다》 be short [in want, in need] 《of》.

째(어)지다 split; tear; rend; rip.

짹짹거리다 chirp; twitter.

쨍쨍 blazing(ly); bright(ly); glaring(ly). ¶ ~ 내려 쬐는 태양 《under》 a burning [scorching] sun.

쩔쩔매다 《박두한 어려움에》 be confused; be flustered; lose *one's* head; be at a loss; 《바빠서》 be tremendously busy in *doing*; be rushed off *one's* feet; never stop moving.

쩡쩡 ① 《세력이》 ¶ ~ 울리다 enjoy wide reputation(이름이); enjoy resounding influence(권세가). ② 《갈라지는 소리》 cracking.

째째하다 《인색하다》 (be) stingy; close-fisted; tight-fisted; miserly 《다랍다》; (be) mean; humble; 《시시하다》 (be) worthless. ¶ 째째한 사람 a miser; a stingy person.

쪼개다 split 《a bamboo》; crack 《a nut》; 《가르다》 divide 《into》; cut 《into》.

쪼그리다 ☞ 쭈그리다.

쪼다 《부리 따위로》 peck [pick] 《at》; 《정 따위로》 chisel; carve.

쪼들리다 be hard pressed; be in

narrow (needy) circumstances. ¶ 돈에 ~ 되다 be pressed for money / 생활에 ~ 되다 be hard up for living.

쪼아먹다 peck and eat.

쪽 [植] an indigo plant. ‖ ~ 빛 indigo; deep blue.

쪽 《방향》 a direction; a way; 《편》 a side. ¶ 맞은 ~ 에 on the other side.

쪽 《여자의》 a chignon. ¶ ~ (을) 찌다 do one's hair up in a chignon.

쪽 《조각》 a piece; a slice (cut). ¶ 참외 한 ~ a slice of melon.

쪽 《가지런한 모양》 ¶ ~ 고르다 be even (equal, uniform).

쪽마루 a narrow wooden veranda.

쪽박 a small gourd dipper.

쪽지 a slip of paper; a tag.

쫀득쫀득 ¶ ~ 한 glutinous; sticky; elastic; tough(질긴).

쫄깃쫄깃 ¶ ~ 한 chewy; sticky.

쫄딱 totally; completely; utterly. ¶ ~ 망하다 be completely ruined.

쫓기다 ① 《일에》 be pressed 《by business》; be overtaken 《with》. ② 《뒤쫓기다》 be pursued 《chased》. ③ 《내쫓기다》 be driven out; get dismissed 《fired》.

쫓다 ① 《몰아내다》 drive away (out). ② 《뒤쫓다》 pursue; chase; run after; 《따르다》 follow 《the fashion》.

쫓아가다 ① 《뒤따라가다》 go in pursuit; follow; run after. ② 《함께 가다》 follow; accompany; go with. ③ 《따라잡다》 catch up with.

쫓아내다 drive (turn, send) out; expel; oust(지위에서); 《퇴거시킴》 evict; 《해고》 dismiss; fire.

쫓아오다 《바짝 뒤따르다》 come in pursuit; follow 《a person》; 《뛰어서》 run after 《a person》.

쬐다 《빛이》 shine on (over); 《볕에》 warm oneself 《bath (in the sun)》. ¶ 볕을 ~ warm oneself at the fire.

쭈그러뜨리다 press (squeeze) out of shape; crush.

쭈그러지다 《우그러지다》 get pressed (squeezed) out of shape; be crushed.

쭈그렁이 ① 《늙은이》 a withered old person. ② 《물건》 a thing crushed out of shape.

쭈그리다 ① ☞ 쭈그러뜨리다. ② 《몸을》 crouch; squat (down); bend low; stoop.

쭈글쭈글 ~ 하다 (be) withered; wrinkled; crumpled.

쭈뼛하다 (be) bloodcurdling; horrible; 《서슬적》 one's hair stands on end; feel a thrill; be horrified.

쭉정이 a blasted ear; an empty husk of grain.

…쯤 about; around; some; … or so. ¶ 네 시 ~ 에 at about four o'clock. 〔pot stew〕

찌개 a pot stew. ¶ 생선 ~ a fish

찌끗거리다 ① 《눈을》 wink (an eye) at 《a person》. ② 《당기다》 pull 《a person》 by the sleeve.

찌꺼기, 찌끼 《술·커피의》 dregs; the lees; scum(떠있는); 《남은 것을》 left overs; remnants; scraps.

찌다 《살이》 grow fat; gain weight; put on flesh.

찌다 《더위가》 be sultry; be steaming hot. ¶ 찌는 듯한 더위 the sweltering heat.

찌다 《음식을》 steam; heat (warm) with steam.

찌들다 ① 《물건이》 be stained (tarnished); become dirty. ② 《고생으로》 be careworn.

찌르다 ① 《날카로이》 pierce; stab; thrust; prick(날카로); 《막대기로》. ② 《비밀을》 inform 《on, against》; 《밀고·report》 《on a person》. ③ 《냄새가》 be pungent; stink. ④ 《마음 속을》 strike; come home to 《a person》. ⑤ 《공격》 attack.

찌부러뜨리다 crush; smash; squash.

찌뿌드드하다 feel unwell (out of sorts); be indisposed 《with a slight fever》.

찌푸리다 ① 《얼굴을》 grimace 《at》; frown (scowl) 《at, on》; knit the

brows. ② 《날씨》 be gloomy 〔overcast〕; cloud over.

픽다 ¹ 《도끼 따위로》 cut (down); chop 《with an axe》; hew; 《표 파위》 punch; clip.

픽다 ² ① 《도장을》 stamp; seal; impress; set 〔affix〕 a seal 〔to〕. ② 《인쇄》 (put into) print. ③ 《틀에》 stamp; cast in a mold. ④ 《점을》 mark 《with a dot》; dot; point. ⑤ 《뾰족한 것으로》 thrust; pierce; spear.

픽다 ³ ① 《사진을》 (take a) photograph. ② 《묻히다》 dip 《a pen into the ink》.

픽소리 ¶ ~ 못하게 하다 put 《a person》 to silence 〔 ~ 없이 from in silence; without a whimper.

찐빵 steamed bread.   〔startled.

찔끔하다 get struck with fear;

찔레나무 〔椿〕 a brier; a wild rose.

찔름 ~ 거리다 《넘치다》 brim over 《with》; run over the brim; 《조금씩 주다》 give in driblets.

찔름찔름 《액체가》 dribbling; 《주는 모양》 little by little; bit by bit;

by 〔in〕 driblets.

찔리다 《가시 · 남붙이에》 stick; be stuck 〔thrust, pierced, pricked〕; 《가슴에》 go home to one's heart.

찜 a steamed 〔smothered〕 dish.

찜질 fomentation; applying a poultice 〔compress〕. ~ 하다 foment; apply a poultice 〔to〕; pack.

찜찜하다 《마음이》 (it) weigh on one's mind; feel awkward 〔embarrassed〕.

찝찔하다 (be) saltish.

찡그리다 frown; make a wry face.

찡긋거리다 《눈을》 contract one's eyebrows; frown at; wink at.

찡얼거리다 ① 《불평함》 grumble; murmur. ② 《애가》 fret; be peevish.

찡찡하다 ☞ 찜찜하다.

찢기다 get torn 〔rent, ripped〕.

찢다 tear; rend; rip. ¶ 갈가리 ~ tear to pieces.

찢어발기다 tear to threads.

찢어지다 tear; get torn; rend; rip.

찧다 pound 《rice》; hull; 《부딪다》 ram 《against》.

ㅊ

차(車) 〔일반적으로〕 a vehicle; 〔자동차〕 a (motor)car; an auto(-mobile); 〔차량〕 a (railway) carriage; a freight car(화차); 〔한 차 분 화물〕 a carload. ¶ ～로 가다 go by car.

차(茶) tea; green tea(녹차); black tea(홍차); a tea plant(나무); tea leaf(잎). ¶ 진한 〔묽은〕 ～ strong (weak) tea. ‖ 찻숟갈 a teaspoon.

차(差) 〔차이〕 a difference; 〔격차〕 a gap; a disparity; a margin(이윤 의).

차(次) ① 〔순서〕 order; sequence; 〔횟수〕 times. ② 〔다음의〕 next; the following; 〔하위〕 sub-. ③ 〔…길에〕 while; when; by the way. ¶ 서울 가는 ～에 on the way to Seoul.

…차(次) ① 〔하기 위하여〕 with the purpose of; with the intention of; by way of. ¶ 연구～ for the purpose of studying. ② 〔순서〕 order; 〔數〕 degree. ¶ 제2～ 세계대전 the Second World War / 일 ～ 방정식 a first-degree (linear) equation.

차가다 〔빼앗다〕 carry off; snatch (off, away).

차감(差減) ～하다 take away (off); deduct; subtract; strike a balance (between the debts and credits). ¶ ～ 잔액 a balance.

차갑다 〔온도가〕 (be) cold; chill(y); 〔냉담하다〕 (be) cold; unfriendly.

차고(車庫) 〔자동차의〕 a garage; 〔전차의〕 a car shed.

차곡차곡 in a neat pile; neatly; one by one; one after another.

차관(次官) a vice-minister; an undersecretary 〔英〕; a deputy secretary 〔美〕. ‖ ～보 an assist-ant secretary 〔美〕.

차관(借款) a loan. ¶ ～을 얻다 obtain a loan / ～을 주다 〔공여하다〕 grant (give) credit (to) / 〔장기〕 a short-(long-)term loan. ‖ ～협정 a loan agreement.

차광(遮光) ～하다 shield (shade) (a light). ‖ ～막 a shade; a blackout curtain / ～장치 shading.

차근차근 step by step; methodically; carefully; scrupulously.

차기(次期) the next term (period). ¶ ～ 대통령 the President for the next term. ‖ ～정권 the next Administration.

차꼬 shackles; fetters(발의).

차남(次男) one's second son.

차내(車內) the inside of a car.

차녀(次女) one's second daughter.

차다¹ 〔충만〕 be full (of); be filled (with); 〔밀물〕 rise; flow; 〔기한이〕 expire(임기가); mature(어음 등이); 〔흡족하다〕 be satisfied (contented) (with). ¶ 꽉 〔빽빽이〕 들어 ～ be jammed; be tightly packed / 달이 ～ The moon is full.

차다² ① 〔발로〕 kick; give (a person) a kick; 〔차이다〕 get kicked. ② 〔거절〕 reject; 〔애인 등을〕 jilt (one's lover). ③ 〔혀를〕 click. ¶ 혀를 ～ click one's tongue.

차다³ 〔패용〕 carry; wear. ¶ 훈장을 ～ wear a decoration.

차다⁴ 〔온도·날씨〕 (be) cold; chilly; 〔사람이〕 (be) cold; cold-hearted.

차단(遮斷) ～하다 intercept; isolate; cut (shut) off; stop; hold up (traffic). ‖ ～기 a (circuit) breaker / 〔건널목의〕 a crossing.

차대(車臺) a chassis.

차도 (車道) a roadway; a carriageway; a traffic lane; a driveway.

차도 (差度) improvement; convalescence. ¶ ∼가 있다 get better; improve; take a turn for the better(병이 주어).

차돌 quartz; silicates. ¶ ∼ 같은 사람 a man of firm and straight character.

차등 (差等) grade; gradation; difference. ¶ ∼를 두다 grade; graduate; discriminate. ∥ ∼세율 a graded tariff.

차디차다 (be) ice-cold; icy; frigid; 《서술적》 be ever so cold.

차라리 rather (sooner, better) 《than》; if anything; preferably. ¶ 이런 고통 속에서 사느니 ∼ 죽는 편이 낫겠다 I would rather die than live in this agony.

차량 (車輛) vehicles; cars; a (railroad) coach(객차); 《화차·객차》 rolling stock(총칭). ∥ ∼등록 vehicle registration = 번호판 《자동차의》 a (license) plate = 십부제 운행 제도 the '10th-day-nodriving' system / ∼정비 vehicle maintenance / ∼통행금지 《게시》 No Thoroughfare for Vehicles.

차례 ① 《순서》 order; turn(순번). ¶ ∼로 (arrange) in order; 《one by one》 turns; one by one(하나씩). ② 《횟수》 time. ¶ 한 ∼ once / 여러 ∼ several times.

차례 (茶禮) 《정초·추석의》 ancestormemorial rites. ¶ ∼를 지내다 observe a memorial rite for one's ancestors on 《New Year's Day》.

차례차례 in due 《regular》 order.

차륜 (車輪) a wheel. ¶ ∼제동기 a wheel brake.

차리다 ① 《장만·갖춤》 prepare; make (get) 《something》 ready; arrange; set up. ¶ 가게를 ∼ start (set up) a store / 밥상을 ∼ set the table 《for dinner》. ② 《정신을》 keep; come to 《one's senses》; collect (oneself). ③ 《예의·체면을》 keep up; save; observe. ¶ 인사를 ∼ observe

decorum / 체면을 ∼ keep up appearances. ④ 《외관을》 equip oneself (for); dress (oneself) up; deck out. ¶ 옷을 차려 입다 dress up; deck out.

차림새 ① 《복색의》 one's clothing (dress); one's (personal) appearance. ② 《살림의》 the setup; arrangements.

차림표 (食單) a menu.

차마 ¶ ∼ ⋯을 못 하다 do not have the heart to do.

차멀미 (車─) carsickness. ∼하다 get carsick.

차명 (借名) ∼하다 borrow (use) 《another's》 name. ¶ ∼계좌 a false-name bank account.

차반 (茶盤) a tea tray.

차변 (借邊) the debtor 《생략 dr.》: the debit side. ¶ ∼에 기입하다 debit 《a sum of money》 against 《a person》; enter 《an item》 on the debit side 《to a person's debt》.

차별 (差別) distinction; discrimination. ∼하다 be partial; discriminate. ¶ 인종 ∼ racial discrimination; racialism. ∥ ∼관세 a discriminatory tariffs = 대우 discriminative treatment(= 대우를 하다 treat 《a person》 with discrimination).

차분하다 (be) calm; composed; quiet; sober.

차비 (車費) carfare; railway fare.

차석 (次席) 《관리 등의》 an official next in rank; a deputy; 《수석의 다음》 the second winner.

차선 (車線) a (traffic) lane. ¶ 6∼ 고속도로 a six-lane expressway. ∥ ∼분리대 a divisional strip (island).

차압 (差押) ☞ 압류.

차액 (差額) the difference (balance). ¶ 무역 ∼ the balance of trade.

차양 (遮陽) 《모자의》 a visor; a peak; 《집의》 an awning 《around the eaves》; a pent roof; 《창의》 a blind.

차용(借用) ～하다 borrow; have the loan (*of*). ¶ ～어 a loanword / ～증 a bond of debt [loan]; an I.O.U. (◀I owe you).

차원(次元) 《數》 dimension. ¶ 3～의 three-dimensional / 다～의 multi-dimensional.

차월(借越) an outstanding debt; an overdraft(당좌예금의). ～하다 overdraw.

차위(次位) the second rank [place]; the second position.

차이(差異) a difference; (a) disparity; (a) distinction(구별).

차익(差益) marginal profits.

차일(遮日) a sunshade; an awning; a tent.

차일피일(此日彼日) ～하다 put off from day to day.

차입(差入) ～하다 send in (*a thing*) to a prisoner.

차자(次子) one's second son.

차장(次長) a deputy manager (of a department).

차장(車掌) a conductor; a guard (기차의) 《英》.

차점(次點) the second highest mark [number of points]; (표수) the second largest number (*of votes*). ¶ ～이 되다 rank second. ‖ ～자 the second winner; the runner-up(선거의).

차조(―) 《植》 glutinous millet.

차주(借主) a borrower; a debtor (돈의); a renter(가옥의); a lessee (토지의).

차지(借地) rented ground; leased land. ～권 a lease; a leasehold / ～료 (a) (land) rent / ～인 a leaseholder; a tenant.

차지다 (be) sticky; glutinous.

차지하다 occupy (*a position*); hold (*a seat*); take (up). ¶ 과반수를 ～ have the majority (*in*).

차질(蹉跌) a failure; a setback. ¶ ～이 생기다 fail in one's attempt; things go wrong (*with one*).

차차(次次) 《漸漸》 gradually; little by little; by degrees; step by step; 《그 동안에》 by and by; in 《due》 time.

차창(車窓) a car (train) window.

차체(車體) the (car) body; 《자전거의》 the frame.

차축(車軸) an axle.

차치(且置) ～ set [put] apart [aside]; let alone.

차트(圖表) a chart. ¶ ～로 만들다 make a chart (*of*); chart.

차폐(遮蔽) ～하다 cover; shelter; shade (*a light*). ‖ ～막 a blackout curtain / ～물 a cover; a shelter / ～진지 a covered position.

차표(車票) a 《railroad, bus》 ticket; a coupon (ticket)(회수권의). ‖ ～ 자동판매기 a ticket (vending) machine.

차호(次號) the next number

차회(次回) next time.　[(issue).

차후(此後) after this; hence (-forth); hereafter; from now on; 《장래》 in (the) future.

착(着) closely; fast; tight(ly). ¶ ～ 붙다 stick to [on]; cling to / ～ 달라붙다 an (optical) illusion; (a) misapprehension. ～하다 have [be under] an illusion.

착공(着工) ～하다 start (construction) work. ‖ ～식 a ground-breaking ceremony.

착란(錯亂) ～하다 be distracted [deranged]. ¶ 정신～을 일으키다 go mad [distracted]. ～상태 a state of dementia / 정신～ dementia; distraction; 《a state of》 mental derangement; insanity.

착륙(着陸) landing. ～하다 land; make a landing. ¶ 무～ 비행 a non-stop flight / 불시～ 《비상》 a forced [an emergency] landing / 연～ a soft landing / 동체～ 《belly landing. ‖ ～선 《우주탐사용》 a landing module / ～장 a landing ground [field; strip] / ～장치 a landing gear /

~지역 a landing zone / ~지점 a touchdown point 〔spot〕.

착복 (着服) ① 〔착의〕 clothing. ~ 다 dress 〔clothe〕 *oneself*; put on clothes. ② 〔횡령〕 embezzlement; misappropriation. ~ 하다 embezzle; pocket (secretly) 〔다〕.

착살스럽다 ① 〔인색〕 (be) stingy; petty. ② 〔짓이〕 (be) mean; indecent; base.

착상 (着想) an idea; a conception. ~ 하다 conceive; hit upon.

착색 (着色) ~ 하다 color; paint; stain. ‖ ~ 유리 stained 〔colored〕 glass / ~ 제 a coloring agent; colorant.

착석 (着席) ~ 하다 take a seat; sit down; be seated. ~ 시키다 seat *(a person)*.

착수 (着水) ~ 하다 land on the water; splash down (우주비행사).

착수 (着手) ~ 하다 start *(the work)*; get started *(on the work)*; set to work. ¶ ~ 금으로 5백만 원이 필요하다 We want five million *won* to start the work with.

착실 (着實) ~ 하다 (be) steady; sound; trustworthy(믿을 만한); faithful. ~ 히 steadily; faithfully.

착안 (着眼) ~ 하다 aim *(at)*; pay attention to; turn *one's* attention to(유의). ‖ ~ 점 the point aimed at; a viewpoint.

착암기 (鑿巖機) a rock drill.

착오 (錯誤) (make) a mistake; (fall into) an error.

착용 (着用) ~ 하다 wear; be in *(uniform)*; have *(a coat)* on.

착유기 (搾油機) an oil press.

착유기 (搾乳機) a milking machine.

착잡하다 (錯雜 —) (be) complicated; intricate; be mixed up. ¶ 착잡한 표정 an expression of mixed feelings.

착착 (着着) steadily; step by step. ¶ ~ 진척되다 make steady progress; be well under way.

착취 (搾取) exploitation. ~ 하다 exploit; squeeze.

착탄 (着彈) ‖ ~ 거리 the range *(of a gun)*. ~ 지점 an impact area.

착하 (着荷) arrival of goods. ~ 인도〔불〕 delivery 〔payment〕 on arrival.

착하다 《마음이》 (be) good; nice; kindhearted.

찬 (饌) ☞ 반찬. ¶ ~ 거리 materials for side dishes.

찬가 (讚歌) a paean; a poem 〔song〕 in praise 《of》.

찬동 (贊同) approval; support. ~ 하다 approve of; support; give *one's* approval *(to)*. ¶ ~ 을 얻어 with *a person's* approval.

찬란하다 (燦爛 —) (be) brilliant; radiant; bright; glittering.

찬미 (讚美) praise; glorification. ~ 하다 praise; glorify; extol. ‖ ~ 자 an admirer; an adorer.

찬반 (贊反) approval or disapproval; for and against; yes or no. ‖ ~ 양론 pros and cons.

찬사 (讚辭) a eulogy; a praise. ¶ ~ 를 eulogize; pay a 〔*one's*〕 tribute of praise *(to)*.

찬성 (贊成) approval; support. ~ 하다 《동의》 approve of *(a plan)*; agree with *(an opinion)*; agree to *(a plan)*; 〔지지〕 support *(a bill)*; second *(a motion)*; be in favor *(of)*. ¶ ~ 의 의견은 50, 반대 20으로 통과되었다 The bill was passed with fifty in favor to twenty against. ‖ ~ 연설 a speech in support *(of a motion)* / ~ 자 a supporter / 투표 a vote in favor *(of)*.

찬송 (讚頌) ☞ 찬미. ~ 가 *(sing)* a hymn; *(chant)* a psalm.

찬스 a chance; an opportunity.

찬양 (讚揚) ~ 하다 praise; admire; commend. ~ 할 만한 admirable; laudable; praiseworthy.

찬의 (贊意) (express *one's)* approval *(to, toward)*; (give *one's)* assent *(to)*.

찬장 (饌欌) a cupboard; a pantry 〔chest〕.

찬조 (贊助) support; patronage.

~하다 support; back up; patronize. ‖ ~금 a contribution / ~연설 a supporting speech; a campaign speech 《for a candidate》 / ~자 a supporter; a patron / ~출연 appearance 《in the play》 as a guest.

찬찬하다 《꼼꼼》 (be) attentive; meticulous; cautious; careful; 《침착》 (be) staid; self-possessed. ¶ 찬찬히 carefully; cautiously; meticulously. 「praise.

찬탄(讚嘆·贊嘆) ~하다 admire;

찬탈(簒奪) 《왕위를》 ~하다 usurp 《the throne》. ‖ ~자 a usurper.

찬합(饌盒) a nest of food boxes; a picnic box.

찰흙 ~ glutinous.

찰거머리 〔動〕 a leech.

찰가난 dire poverty; indigence.

찰과상(擦過傷) 《sustain》 a scratch 《on》; an abrasion.

찰깍 ① 《붙음》 sticking tight(ly); close; fast. ② 《소리》 with a snap 〔click, crack, slap〕.

찰나(刹那) a moment; an instant. ¶ ~적(인) momentary. ‖ ~주의 impulsiveness; momentism.

찰떡 a glutinous rice cake.

찰랑거리다 《물결이》 ripple; lap; splash. ¶ 찰랑찰랑 to the brim; brimfully; splashing.

찰밥 boiled glutinous rice.

찰벼 a glutinous rice plant.

찰흙 clay. ☞ 점토(粘土).

참¹ 《사실·진실》 a fact; truth; 《성실》 sincerity; a true heart(진정).

참² 《참으로》 really; truly; indeed; very. ¶ ~ 좋다 be quite good.

참³ 《역참》 a post; a stage; a station; 《쉬는 곳》 a stop; 《휴식》 a short rest; 《~하려는 때》 time; (the) moment.

참가(參加) participation. ~하다 participate 〔take part〕 《in》; join; enter 《a contest》. ¶ ~ 신청하다 send an entry. ‖ ~자 a participant.

참견(參見) meddling; interference. ~하다 meddle 〔interfere〕

《in》; poke one's nose 《into another's affair》. ¶ ~ 잘하는 officious; meddlesome.

참고(參考) reference. ~하다 refer 《to》; consult 《a book》. ¶ ~로 for reference 《one's information》 / ~가 되다 be instructive (helpful). ‖ ~서 a reference book 〔~서목(書目) a bibliography / ~인 a witness / ~자료 reference materials.

참관(參觀) ~하다 visit; inspect. ‖ ~인 a visitor; a witness.

참극(慘劇) a tragedy; a tragic event.

참기름 sesame oil.

참깨 〔植〕 sesame; sesame seeds

참나무 an oak (tree). 　L(씨).

참다 《견디다》 bear; endure; tolerate; stand 《heat》; put up with; 《인내하다》 persevere; be patient; 《억제하다》 control; suppress; keep 〔hold〕 back. ¶ 참을 수 있는 〔없는〕 bearable 〔unbearable〕.

참담(慘憺) ~하다 《무참》 (be) tragic; miserable; horrible; 《가련》 (be) pitiful; piteous. ¶ ~한 패배를 당하다 suffer a crushing defeat.

참답다(眞—) (be) true; real; honest; faithful; sincere; upright.

참뜻 the true meaning; one's real intention.

참말 a true story 〔remark〕; the truth; a (real) fact. ¶ ~로 truly; really; indeed.

참모(參謀) the staff(총칭); a staff officer; 《상담역》 an adviser 《to》. ‖ ~본부 the General Staff Office / ~총장 the Chief of the General Staff / ~회의 a staff conference / 합동~본부 the Joint Chiefs of Staff.

참배(參拜) ~하다 visit a temple 〔shrine〕; worship 《at》.

참변(慘變) a tragic incident; a disaster. ¶ ~을 당하다 suffer a disastrous accident.

참빗 a fine-toothed bamboo comb.

참사(參事) a secretary; a councilor. ‖ ～판(大使館의) a councilor of an embassy.

참사(慘死) a tragic death. ～하다 meet with (a tragic) death; be killed (*in an accident*).

참사(慘事) a disaster; a disastrous accident; a tragedy.

참살(慘殺) slaughter; murder. ～하다 cruelly murder; slaughter; butcher. ‖ ～(屍)체 a mangled body (corpse).

참상(慘狀) a horrible (dreadful) scene (sight); a miserable condition (state).

참새 a sparrow.

참석(參席) attendance. ～하다 attend; be present (*at*). ～하다 present oneself (*at*); take part in.

참선(參禪) ～하다 practice Zen meditation (*in a temple*). ‖ ～자 a Zen practicer.

참수(斬首) ～하다 behead; decapitate. ‖ ～을 당하다 be beheaded.

참신하다(斬新─) (be) new; novel; original; up-to-date.

참여(參與) participation; presence (입회). ～하다 participate (take part) (*in*); (have) a share (*in*); (입회) attend; be present (*at*). ‖ ～정부 the participatory government.

참외 a melon.

참으로 really; truly; indeed.

참을성(─性) (인내심) patience; endurance; perseverance; staying power(지구력). ‖ ～ 있는 patient; persevering / ～ 있게 patiently.

참의원(參議院) ☞ 상원(上院).

참작(參酌) ～하다 take into consideration; make allowances (*for*); consult; refer to.

참전(參戰) ～하다 participate in (enter, join) a war.

참정(參政) ～하다 participate in government. ‖ ～권 suffrage; the franchise; the right to vote.

참조(參照) ☞ 참고.

참참이(站站─) at intervals; once in a while; after a short interval.

참패(慘敗) a crushing defeat. ～하다 suffer (sustain) a crushing defeat; be routed (crushed).

참하다(얌전하다) (be) nice and pretty; quiet; calm; modest; good-tempered; (얌속함) (be) neat; tidy.

참해(慘害) heavy damage; havoc; disaster; ravages.

참형(慘刑) a cruel punishment; a merciless penalty.

참호(塹壕) (dig) a trench; a dugout. ‖ ～를 파다 dig a trench.

참혹하다(慘酷─) (be) miserable; wretched; tragic(al); (잔인) cruel; brutal.

참화(慘禍) a terrible (dire) disaster; a crushing calamity. ‖ 전쟁의 ～ the revages (horrors) of war.

참회(懺悔) (a) confession; (회오) repentance; penitence. ～하다 confess; repent. ‖ ～의 눈물 penitential tears. ‖ ～자 a penitent.

찹쌀 glutinous rice.

찻길(車─) a roadway; a carriageway; a track(궤도).

찻삯(車─) (car)fare; carriage(운반비); traffic expenses.

찻종(茶盅), 찻종(茶鍾) a teacup.

찻집(茶─) a teahouse; a tearoom; a coffeehouse.

창(구두의) the sole (of shoes). ‖ ～을 대다 sol (shoes).

창(窓) a window. ‖ ～유리 a window glass; a windowpane(까워붙은) / ～틀 a window frame.

창(槍) a spear; a lance(기병의). ‖ ～ 끝 a spearhead / ～으로 찌르다 spear. ‖ ～던지기 javelin; a javelin-throwing.

창가(唱歌) singing; a song.

창간(創刊) ～하다 found (start) (*a periodical*). ‖ ～호 the first issue (number) (*of a magazine*).

창건(創建) foundation; establishment. ～하다 창업. ～하다 establish.

창고(倉庫) a storehouse; a warehouse. ‖ ～계원 a storekeeper;

a warehouseman / ～료 ware-house charges; storage (charges) / ～업 warehousing business.

창공(蒼空) the blue sky; the azure.

창구(窓口) a window. ¶ 매표～ a ticket window / 출납～ a cash-ier's (teller's) window.

창극(唱劇) a Korean classical opera.

창극(唱劇) a Korean classical opera.

창기병(槍騎兵) a lancer.

창녀(娼女) a prostitute; a whore.

창달(暢達) 〜하다 《언론》 ～에 공헌하다 con-tribute to the promotion of the freedom of speech.

창당(創黨) ～하다 form (organize) a political party.

창도(唱導) advocacy. ～하다 advo-cate; advance. ¶ ～자 an advo-cate; a proponent.

창립(創立) foundation; establish-ment. ～하다 found; establish; set up; organize. ¶ 30주년 (celebrate) the 30th anniver-sary of the foundation 《of the school》. ‖ ～기념식 a ceremony marking the 《group's 50th》 founding anniversary / ～기념일 the anniversary of the founding 《of the school》 / ～자 a found-er / ～총회 an inaugural meet-ing.

창백(蒼白) ～하다 (be) pale; pallid.

창살(窓－) a lattice; a lattice-work; iron bars(감옥의).

창상(創傷) a cut; a wound.

창설(創設) ⇨ 창립(創立).

창성(昌盛) a prosperity. ～하다 prosper; thrive; flourish.

창세(創世) 《聖》 the creation of the world. ‖ ～기(記) Genesis.

창시(創始) origination; founda-tion. ～하다 originate; create; found. ‖ ～자 an originator; a founder.

창안(創案) an original idea. ～하다 originate; devise; invent. ‖ ～자 the originator.

창업(創業) the foundation (found-ing) of an enterprise. ～하다 start 《business》; establish; found. ‖ ～비 starting expenses / ～자 the founder.

창연(蒼鉛) bismuth (기호 Bi).

창의(創意) an original idea; orig-inality (독창성). ～성이 있는 original; creative; inventive / ～력이 있는 사람 a man of great originality.

창자 the intestines; the bowels; the entrails.

창작(創作) an original work; cre-ation. ～하다 create; originate; write 《a novel》. ¶ ～적인 creative; original. ‖ ～력 creative power; originality / ～활동 creative activ-ity.

창조(創造) creation. ～하다 cre-ate; make. ¶ ～적인 creative; original / 천지～ the Creation. ‖ ～력 creative power / ～물 a creature; a creation(예술・패션 등의) / ～자 a creator; the Creator(하느님).

창창(蒼蒼) ～하다 《푸르다》 deep blue (green); 《멀다》 be far off (away); 《밝다》 (be) bright; rosy.

창파(滄波) big (sea) waves.

창포(菖蒲) 《植》 an iris; a (sweet) flag.

창피(猖披) shame; humiliation(굴욕); disgrace(불명예). ～하다, ～스럽다 be a shame; (be) shame-ful; humiliating. ¶ ～를 당하다 be put to shame; be (feel) humil-iated; disgrace *oneself* / ～를 주다 put 《a person》 to shame; humiliate / ～해서 얼굴을 붉히다 blush with shame. (the bucket.

창해(滄海) 〜일속(一粟) a drop in

창호(窓戶) windows and doors. ‖ ～지 window (door) paper.

찾다 ① 《사람・무엇을》 search (hunt, look) for; seek for; hunt. ② 《찾아내다》 find (out); locate 《a person》; discover. ③ 《저금을》 draw (out) 《money from a bank》. ④ 《되돌려 오다》 take (get) back;

have (*it*) back: 〘잡힌 것을〙 redeem 《*a pawned watch*》. ⑤ 〘방문〙 call on 《*a person*》; call at 《*a house*》; (pay a) visit; 《들르다》 drop in: stop at. ¶ 찾아온 사람 a caller; a visitor. ⑥ 〘원리·근원을〙 trace.

채² 〘북·장구의〙 a drumstick; a pick(현악기의).

채² a shaft(우마차의); a (palanquin) pole(가마의).

채³ 〘야채의〙 shredding vegetables; vegetable shreds(썬 것).

채³ 〘집의〙 a building; a wing. ¶ 본 ~ the main house [building].

채 〘그대로 그냥〙 (just) as it is. ¶ 신을 신은 ~ with *one's* shoes on.

채 〘아직〙 (not) yet; as yet; only. ¶ 날이 ~ 밝기도 전에 before light.

채결 (採決) ~하다 (take a) vote 《on》.

채광 (採光) lighting. ¶ ~이 잘 된 〔잘 안 된〕 방 a well-(poorly-)lit room. ¶ ~창(窓) a skylight.

채광 (採鑛) mining. ~하다 mine. ¶ ~권 mining rights.

채굴 (採掘) ☞ 채광(採鑛).

채권 (債券) a debenture: a (loan) bond. ¶ ~을 발행〔상환〕하다 issue (redeem) bonds. ¶ ~시장 the bond market.

채권 (債權) credit; a claim. ¶ ~이 있다 have a claim 《against a person》; be 《a person's》 creditor. ¶ ~국 a creditor nation / ~양도 cession 〔assignment〕 of an obligation / ~자 a creditor.

채그릇 a wicker; wickerware.

채널 〘TV의〙 a channel.

채다 〘알아채다〙 perceive; notice; get wind 〔scent〕 of; suspect 《a danger》; smell out 《the secret》.

채다 〘당기다〙 pull with a jerk; snatch off 〔away〕 《from》(빼앗다).

채다 ☞ 채우다.

채도 (彩度) saturation.

채독 (菜毒) a vegetable-borne dis-

ease.

채료 (彩料) colors; paints.

채마 (菜麻) ¶ ~밭 a vegetable garden.

채무 (債務) a debt; an obligation; liabilities. ¶ ~가 있다 be liable for; owe / ~를 청산하다 settle *one's* debt / ~를 보증하다 stand surety for loans. ¶ ~국 a debtor nation / ~불이행 default on financial obligations / ~상환 redemption of a debt / ~소멸 expiration of an obligation / ~자 a debtor / ~증서 a bond; an obligation.

채반 (一盤) a wicker disk.

채비 (備) preparations: arrangements. ~하다 prepare 《for》; make arrangements 《for》; get ready 《for, to do》.

채산 (採算) (commercial) profit. ¶ ~이 맞다〔맞지 않다〕 pay (do not pay); be profitable (unprofitable). ¶ ~성 payability.

채색 (彩色) coloring; painting. ~하다 color; paint. ¶ ~화 a colored picture; a painting.

채석 (採石) ~하다 quarry 《marble》. ¶ ~장 a quarry; a stone pit.

채소 (菜蔬) ☞ 야채, 푸성귀.

채송화 (菜松花) 〘植〙 a rose moss.

채식 (菜食) a vegetarian diet. ~하다 live on vegetables. ¶ ~동물 herbivorous 〔grass-eating〕 animals / ~주의 vegetarianism / ~주의자 a vegetarian.

채용 (採用) ① 〘채택〙 adoption(채택). ~하다 adopt; take up. ② 〘고용〙 employment; appointment. ~하다 employ; take into service. ¶ ~조건 hiring requirements / ~통지 a notification of appointment.

채우다 ① 〘자물쇠를〙 lock; fasten. ② 〘단추 따위를〙 button (up); hook.

채우다 〘물에〙 keep 《something》 in cold water; 〘얼음에〙 keep 《something》 cool on ice.

채우다 〘충만〙 fill (up) 《a cup with water》; 〘잔뜩〙 pack 〔stuff〕 《a bag

with books); 《총족》 satisfy: meet (*a demand*); 《보충》 make up: 〔기한을〕 complete (*a period, term*): 〜하다 see (*it*) through.

채유(採油) drilling for oil. 〜하다 drill for oil: extract oil. ‖ 〜권 oil concessions 〔rights〕.

채자(採字) 〔印〕 type picking. 〜하다 pick type.

채잡다 take the lead (*in*): take charge of.

채점(採點) marking: scoring(경기의). 〜하다 give marks: mark 〔look over〕 (*examination papers*): score. ‖ 〜자 a marker: a scorer. / 〜표 a list of marks.

채집(採集) 〜하다 collect: gather.

채찍 a whip: a lash: a rod. ‖ 〜질 whipping: lashing: flogging / 〜질하다 whip: lash: flog: 〔격려〕 spur 〔urge〕 (*a person to do*).

채취(採取) 〜하다 pick: gather: collect: fish (*pearls*): extract (*alcohol*).

채치다(재촉) urge (*on a person to do*): press (*a person for payment*).

채치다(썰다) cut (*a radish*) into fine strips: chop up.

채칼 a knife for shredding vegetables: a chef's knife.

채탄(採炭) coal mining. 〜하다 mine coal. ‖ 〜부 a pitman.

채택(採擇) adoption: choice. 〜하다 adopt: select.

채필(彩筆) a paintbrush: a brush.

채혈(採血) drawing 〔collecting〕 blood. 〜하다 gather 〔collect〕 blood (*from a donor*): draw blood (*from a vein*)(정사용).

책(册) a book: a volume. ‖ 〜꽂이 a bookshelf / 〜뚜껑 a 〔book〕 cover / 〜받침 a pad to rest writing paper on: a celluloid board.

책(責) ① 〜 책임. ② 〜 책망.

책갑(册匣) a bookcase.

책동(策動) maneuvers: machination. 〜하다 maneuver 〔*behind the scenes*〕: scheme (*for power*):

---

pull the strings. ‖ 〜하는 사람 a schemer: a wire-puller.

책략(策略) a stratagem: a trick: an artifice. ‖ 〜을 쓰다 resort to an artifice: play a (mean) trick on (*a person*). ‖ 〜가 a strategist: a schemer.

책력(册曆) an almanac: a book-calendar.

책망(責望)(비난) blame: censure: reproach. 〜하다 blame: reprimand: reproach: call 〔take〕 (*a person*) to task. 〔sponsibility.

책무(責務) duty: obligation: re-

책방(册房) ☞ 서점. 〔per.

책보(册褓)(책 싸는) a book wrap-

책사(策士) a schemer: a tactician.

책상(册床) a desk: a writing table: a bureau(서랍 달린).

책상다리(册床—) 《책상의》 a leg of a desk 〔table〕. 《앉는-새》 sitting cross-legged.

책상물림(册床—) a novice from the ivory tower: a naive academic inexperienced in the ways of the world.

책임(責任) responsibility: liability (지불의). 〔의무〕 obligation: duty. ‖ 〜을 지다 take 〔bear〕 the responsibility / 〜이 있다 be responsible 〔answerable〕 (*for*): be to blame (*for*): must answer (*to a person, for one's action*). / 〜감 〔관념〕 (have a strong) sense of responsibility / 〜자 a responsible person: a person in charge (*of*).

책자(册子) a booklet: a leaflet: a pamphlet. 〔chest.

책장(册欌) a bookshelf: a book

책정(策定)(예산 등의) appropriation: 《가격 등의》 fixing (*prices*). 〜하다 appropriate 〔apply, assign〕 (*to*): allot: earmark (*sums of money*) for: fix (up). ‖ 가격을 〜하다 fix a price.

챔피언 a champion: a champ (俗). ‖ 헤비급 세계 〜 the heavy-weight champion of the world. ‖ 〜십

(a) championship.

챙기다 〔간리〕 put 〔set〕 《things》 in order; 〔치우다〕 put 《a thing》 away; 〔꾸리다〕 pack; 〔한데 모으다〕 gather all together; collect.

쳐(妻) a wife.

…쳐(處) a place; 〔정부 기구〕 an office. ¶ 근무~ one's place of employment; one's office.

처가(妻家) the home of one's wife's parents. ¶ ~살이하다 live in one's wife's home with her parents.

처결(處決) ~하다 settle; dispose of; decide.

처남(妻男) one's wife's brother; one's brother-in-law.

처널다 cram 《things》 into 《a drawer》; stuff; jam; squeeze; pack; 〔사람을〕 crowd 《people》 into 《a room》.

처녀(處女) a maiden; a young girl; a virgin. ¶ ~ 《virgin; maiden. ‖ ~막 the hymen; the maidenhead / ~작〔함해〕 a maiden work 〔voyage〕 / ~지〔림〕 virgin soil 〔forest〕.

처단(處斷) disposal; punishment. ~하다 dispose 《of》; do 〔deal〕 with; punish.

처덕거리다 〔빨래를〕 keep beating with a〕 paddle; 〔바르다〕 daub 〔paste〕 all over; paint 〔powder〕 《one's face》 thickly〔붙을〕.

처량하다(淒凉─) 〔황량〕 (be) desolate; dreary; bleak; 〔구슬프다〕 (be) sad; piteous; miserable; wretched〔비참〕.

처럼 as; like; as … as; so … as. ¶ ~ 처럼 as usual.

처리(處理) disposition; management; treatment〔약품 등의〕. ~하다 manage; deal with; handle; transact; dispose 《of》; treat. ¶ ~장 a processing plant; 《하수 따위의》 a treatment plant.

처마 the eaves. ¶ ~ 밑에 under the eaves.

처먹다 eat greedily; shovel 〔shove〕 down; dig 〔tuck〕 in.

처방(處方) a 〔medical〕 prescription. ~하다 prescribe. ¶ ~대로 as prescribed. ‖ ~전〔箋〕 《write out》 a prescription.

처벌(處罰) punishment; penalty. ~하다 punish.

처분(處分) disposal; management; dealing; a measure〔조치〕. ~하다 dispose 《of》; deal with; do away with; get rid of. ¶ 매각~ sale by sale.

처사(處事) management; disposal; a measure〔조치〕; 〔행위〕 conduct; an action.

처세(處世) conduct of life. ~하다 get on 〔make one's way〕 through the world. ¶ ~를 잘하다 know how to get on in the world. ‖ ~술 how to get on in the world; the secret of success in life / ~훈 one's motto 〔guiding principle〕 in life.

처소(處所) a place; 《거처》 a living place; one's residence.

처신(處身) conduct; behavior. ~하다 bear 〔behave〕 oneself; act.

처우(處遇) treatment. ~하다 treat; deal with.

처음(開始) the beginning; the opening; the commencement; 〔발단〕 the start; the outset; 《기원》 the origin. ¶ ~의 first; original; early〔초기의〕 / ~으로 first; for the first time / ~에는 at first; originally.

처자(妻子) one's wife and children; one's family〔가족〕.

처절하다(悽絶─) (be) extremely lurid 〔gruesome; miserable〕.

처제(妻弟) one's wife's younger sister; one's sister-in-law.

처지(處地) a situation; circumstances.

처지다 ① 《늘어지다》 hang down; droop; become loose 〔팽팽한 것이〕. ② 《뒤처지다》 fall 〔remain, stay〕 behind; drop 〔behind〕. ③ 《못하다》 be inferior 《to》; be not so good 《as》.

처지르다 stuff; pack; cram;

ㅊ

squeeze.

처참하다(悽慘一) (be) ghastly; grim; miserable; wretched.

처처(處處) everywhere; (in) every quarter. ¶ ～에 here and there; everywhere.

처치(處置) ① 《처리》 disposition; disposal; 《조치》 a measure; a step. ～하다 deal with; dispose of; take measures〔steps, action〕. ② 《제거》 ～하다 remove; take〔move〕 away; get rid of: do away with. ③ 《상처 등의》 treatment. ～하다 treat; give medical treatment. ¶응급~를 하다 give first aid to 《the wounded》.

처하다(處一) ① 《놓이다》 be placed 《in》; get faced 《with》. ¶위기에 ～ face〔rise〕 to a crisis. ② 《처벌하다》 sentence; condemn. ¶벌금형에 처해지다 be fined / 사형에 ～ sentence 《a criminal》 to death.

처형(妻兄) one's wife's elder sister; one's sister-in-law.

처형(處刑) punishment; execution. ～하다 punish; execute. ¶ ～되다 be executed. ¶ ～장 an execution ground.

척(尺) a Korean foot(= about one foot).

척(隻) 《배》 ¶두 ～의 배 two ships 〔vessels〕.

척 《단단히 붙는 모양》 (sticking) fast; close; tight. ¶ ～ 들러붙다 stick fast 《to one's hand》. ② 《선뜻》 without hesitation(서슴지 않고); readily(즉각); quickly; right away〔off〕.

척결(剔抉) ～하다 《긁어내다》 gouge; scrape out; 《들춰내다》 expose 《a crime》.

척도(尺度) 《계측 도구》 a (measuring) rule; a scale; 《표준》 a standard; a yardstick; a criterion. ¶ …의 ～가 되다 be a measure of …; be a yardstick for …

척살(刺殺) ～하다 stab 《a person》 to death; 《野》 put〔touch〕 《a runner》 out.

척수(脊髓) 〖解〗 the spinal cord.

‖ ～마비 spinal paralysis / ～병 a spinal disease / ～신경 spinal nerves / ～염 myelitis.

척식(拓殖) colonization.

척주(脊柱) 〖解〗 the spinal column; the spine; the backbone. ‖ ～만곡 spinal curvature.

척척 ① 《겨릴없이》 quickly; promptly; readily; efficiently(능률 있게); without delay(지체 없이). ② 《들러붙다》 tightly; fast; close(ly). ③ 《차곡차곡》 fold by fold; heap by heap(쌓아); neatly; tidily.

척척하다 wet; damp. 幽 축축하다.

척추(脊椎) 〖解〗 the backbone. ‖ ～동물 a vertebrate / ～염 spondylitis / ～카리에스 vertebra caries. 〔grenade launcher.

척탄(擲彈) a grenade. ‖ ～통(筒) a

척후(斥候) 《임무》 reconnaissance; patrol duty; 《사람》 a scout; a patrol. ～하다 reconnoiter 《the area》. ¶ ～를 내보내다 send out scouts. ‖ ～대 a reconnoitering party / ～병 a scouting soldier.

천(布) cloth; texture.

천(千) a thousand.

천거(薦擧) recommendation. ～하다 recommend; put in a good word for 《a person》.

천견(淺見) a shallow view.

천계(天界) the heavens; the skies.

천고마비(天高馬肥) ¶ ～의 계절 autumn with the sky clear and blue, and horses growing stout.

천공(穿孔) boring; punching. ～하다 bore; punch. ‖ ～기 a boring 〔drilling〕 machine.

천구(天球) 〖天〗 the celestial sphere. ‖ ～의(儀) a celestial globe.

천국(天國) ☞ 천당. ¶지상 ～ a terrestrial 〔an earthly〕 paradise; a heaven on earth.

천군만마(千軍萬馬) a great multitude of troops and horses.

천궁도(天宮圖) a horoscope.

천금(千金) a thousand pieces of gold; 《큰돈》 a fortune.

천기 (天機) the profound secrets of Nature; the hidden plans of Providence.

천당 (天堂) Heaven; Paradise; the Kingdom of Heaven.

천대 (賤待) contemptuous treatment. ～하다 treat 《a person》 contemptuously [with contempt].

천덕꾸러기 (賤一) a despised person; a poor wretch; a child of scorn.

천도 (遷都) ～하다 move [transfer] the capital [to...]. ∥ ～ory.

천동설 (天動說) the Ptolemaic theory.

천동 (天動) 《a roll of》 thunder.

천동벌거숭이 a man of reckless valor; a reckless simpleton.

천렵 (川獵) river fishing. ～하다 fish in a river.

천륜 (天倫) moral laws; morals. ∥ ～을 어기다 transgress [violate] moral laws.

천리 (千里) a thousand *ri*; a long distance. ∥ ～마 a swift [an excellent] horse / ～안 clairvoyance; a clairvoyant(사람).

천막 (天幕) a tent. ∥ ～을 치다 pitch [set up, put up] a tent / ～을 걷다 strike [pull down] a tent. ∥ ～생활 camping (life).

천만 (千萬) 《수효》 ten million; a myriad(무수); 《매우》 exceedingly; very much; indeed. ∥ 몇 ～이나 되는 tens of millions of 《유감》／～의 말씀입니다 Not at all, *or* Don't mention it.

천만년 (千萬年) ten million years; a long long time.

천만다행 (千萬多幸) being very lucky; a piece of good luck; a godsend. ∥ ～으로 luckily; very fortunately; by good luck／～이다 be extremely fortunate; be very lucky.

천만뜻밖 (千萬一) being quite unexpected(unanticipated). ∥ ～의 quite unexpected; least expected; unlooked-for／～에 quite unexpectedly; contrary to *one's* expectation.

천만부당 (千萬不當) being utterly unjust; being unreasonable. ～하다 (be) utterly [absolutely, entirely] unjust (unfair, unreasonable, absurd).

천명 (天命) ① 《수명》 *one's* life. ② 《하늘 뜻》 God's will; Heaven's decree; Providence; 《운명》 fate; destiny. ∥ ～을 다하다 come to the end of *one's* journey.

천명 (闡明) ～하다 make clear; explicate.

천문 (天文) 《천상》 astronomical phenomena; 《천문학》 astronomy; 《점성술》 astrology. ∥ ～관측 위성 an (orbiting) astronomical satellite／～대 an astronomical observatory／～학자 an astronomer.

천민 (賤民) the humble; the lowly (people); the poor.

천박 (淺薄) ～하다 (be) shallow; superficial; half-baked.

천방지축 (天方地軸) 《부사적》 recklessly; foolhardily; in a stupid flurry; hurry-scurry. ∥ ～으로 덤비다[서두르다] rush recklessly; make a headlong rush.

천벌 (天罰) ∥ ～을 받다 be punished by Heaven.

천변 (川邊) a riverside; a streamside; a riverbank.

천변 (天變) a natural disaster [calamity]. ∥ ～지이(地異) ☞ 천변(天變).

천변만화 (千變萬化) innumerable changes. ～하다 change endlessly. ∥ ～의 kaleidoscopic; ever-changing.

천복 (天福) a heavenly blessing; benediction. ∥ ～을 받다 be blessed by Heaven.

천부 (天賦) ∥ ～의 natural; inborn; inherent; innate.

천분 (天分) *one's* natural gifts [talents]. ∥ ～이 있는 gifted; talented.

천사 (天使) an angel.

천생 (天生) ∥ ～의 natural; born;

designed by nature. ‖ ~ 배필 a predestined couple; a well-matched pair / ~ 연분 marriage ties preordained by Providence.

천성(天性) *one's* nature; *one's* innate character; disposition(성질); temperament(기질), ¶ ~ 의 natural; born; innate.

천수(天水) rainwater. ‖ ~ 답(畓) rain-dependent farmland.

천수(天壽) *one's* natural term of existence; *one's* natural span of life. ¶ ~ 를 다하다 die of old age; complete the natural span of *one's* life.

천시(天時) (때) a good [heaven-sent] opportunity.

천시(賤視) ~ 하다 take a disdain-ful view 《of》; contempt; despise; look down on.

천식(喘息) [醫] asthma. ‖ ~ 환자 an asthmatic (patient).

천신(天神) the heavenly gods.

천신만고(千辛萬苦) ~ 하다 undergo [go through] all sorts of hardships.

천심(天心) ① (하늘의 뜻) the divine will; Providence. ¶ 민심은 ~ 이다 The voice of people (is) the voice of God. ② (하늘 복판) the zenith.

천애(天涯) ① (하늘 끝) the skyline; the horizon. ② (먼 곳) a far-off country; a distant land. ¶ ~ 고아 a lonely orphan.

천양지차(天壤之差) a great [wide] difference 《between》; all the difference in the world.

천연(天然) nature; the 의 [적인] natural; unartificial; spontaneous(자생적) / ~ 적으로 natu-rally; spontaneously. ¶ ~ 가스 natural gas / ~ 기념물 a natural monument / ~ 자원 natural resources / 액화 ~ 가스 liquefied

natural gas(생략 LNG).

천연(遷延) delay; procrastination. ~ 하다 delay; procrastinate; put

천연두(天然痘) smallpox. ‖ off.

천연색(天然色) natural color. ‖ ~ 사진 a color photograph.

천연스럽다(天然一) (be) natural; unartificial; unaffected; (태연) (be) calm; unmoved; indiffer-ent 《to》; 《서술적》 do not care 《about》. ¶ ~스럽게 calmly; coolly; unconcernedly; as if nothing had happened; with indifference; without scruple.

천왕성(天王星) [天] Uranus.

천우신조(天佑神助) 《by》 the grace of Heaven [God]; the providence of God.

천운(天運) fate; destiny(운명); for-tune(행운).

천은(天恩) the blessing of Heav-en; the grace of Heaven.

천의(天意) the divine will.

천인(天人) 《하늘과 사람》 ~ 공노할 죄 a sin against God and man; a heinous atrocity (offense).

천인(賤人) a man of humble origin; a lowly man.

천일염(天日鹽) bay [sun-dried] salt.

천자(千字) 1,000 characters. ‖ ~ 문 the Thousand-Character Text; the 1,000 Chinese char-acters.

천자(天子) the Emperor.

천자만홍(千紫萬紅) a resplendent variety of flowers.

천장(天障) the ceiling. ‖ ~ 널 a ceiling board / ~ 등 《더벌ㆍ차의》 a ceiling lamp [light].

천재(千載) ¶ ~ 일우의 호기 《throw away》 a golden opportunity.

천재(天才) 《재능》 genius; a natu-ral talents; 《사람》 a genius. ‖ ~ 교육 (the) education of gift-ed children / ~ 아(兒) an infant prodigy; a child genius.

천재(天災) a natural calamity (disaster); ~ 를 당하다 be struck by a natural calamity. ‖ ~ 지변 a

natural calamity [disaster].

천적 (天敵) a natural enemy.

천정 (天井) ☞ 천장. ¶ ~ 부지의 soaring; skyrocketing ¶ 물가는 ~ 부지로 치솟고 있다 Prices are skyrocketing.

천주 (天主) the Lord (of Heaven); God. ∥ ~경(經) the Lord's Prayer ∥ ~ 삼위(三位) the Trinity.

천주교 (天主敎) ☞ 가톨릭.

천지 (天地) ① 《하늘과 땅》 heaven and earth; 《우주》 the universe; 《세계》 the world. ¶ ~만물 the whole creation ¶ ~창조 the Creation. ② 《장소》 a land; a world. ¶ 신~ a new world; 별~ a different world. ③ 《많음》 being full (of). ¶ 사람 ~다 be crowded[thronged] with people.

천지신명 (天地神明) gods of heaven and earth; divinity.

천직 (天職) a calling; a vocation.

천진난만 (天眞爛漫) ~하다 (be) naive; artless; innocent; simple.

천진하다 (天眞 ―) be innocent; artless; naive.

천차만별 (千差萬別) innumerable changes; infinite variety. ¶ ~의 multifarious; 《insects》 of infinite[endless] variety.

천천히 slowly; without hurry [haste]; leisurely.

천체 (天體) a heavenly [celestial] body. ∥ ~관측 astronomical observation / ~도 a celestial map / ~망원경 an astronomical telescope / ~물리학 astrophysics / ~역학 celestial mechanics; dynamical astronomy.

천추 (千秋) a thousand years; 《긴 세월》 many [long] years. ¶ ~의 한이 되는 일 a matter of great regret.

천치 (天痴) an idiot; an imbecile.

천태만상 (千態萬象) ☞ 천차만별.

천편일률 (千篇一律) ~적(인) monotonous; stereotyped.

천품 (天稟) nature; character; 《재

질》 a natural endowment; natural talents.

천하 (天下) 《세계》 the world; the earth; 《나라》 the whole country. ¶ ~에 under the sun; in the world / ~무적이다 be unrivaled [peerless] in the world / ~를 통일하다 unify a country; bring the whole country under one's rule. ¶ ~일색 a woman of matchless beauty / ~장사 a man of unparalleled strength.

천하다 (賤 ―) ① 《신분이》 (be) humble; low(ly); ignoble. ¶ 천한 사람 a lowly man. ② 《상스럽다》 (be) vulgar; mean; base. ¶ 말씨가 ~ be vulgar in one's speech. ③ 《흔하다》 (be) superfluous; plenty; cheap(값싸다).

천행 (天幸) the blessing [grace] of Heaven; a godsend. ¶ ~으로 살아나다 have a narrow escape by good luck.

천혜 (天惠) a blessing; a gift of nature; natural advantage.

철 [《계절》 a season. ¶ 제~이 아닌 unseasonable; out of the season / ~지난 behind the season.

철 [《분별》 (good) sense; discretion; prudence; wisdom. ¶ ~이 들다[나다] become sensible; attain [reach] the age of discretion.

철 (鐵) iron; steel. ☞ 쇠. ¶ ~의 iron; ferrous / ~의 장막 the Iron Curtain.

…철 (綴) file. 철하다. ¶ 서류~ a file of papers.

철갑 (鐵甲) an iron armor(갑옷); 《형용사적》 ironclad. ¶ ~선 an ironclad ship.

철강 (鐵鋼) steel. ¶ ~제의 (made) of steel; steel. ∥ ~업 the iron and steel industry / ~제품 steel manufactures.

철거 (撤去) (a) withdrawal; removal(제거). ~하다 withdraw; remove; take [clear] away; pull down.

철골 (鐵骨) an iron [a steel] frame.

철공(鐵工) an ironworker. ‖ ~소 an ironworks.

철관(鐵管) an iron pipe.

철광(鐵鑛) (an) iron ore(광석); an iron mine(광산).

철교(鐵橋) an iron bridge; a railway bridge(철도의).

철군(撤軍) withdrawal of troops. ~ 하다 withdraw troops (from); evacuate (a place).

철권(鐵拳) an iron fist. ¶ ~을 휘두르다 shake one's fist at (a person).

철근(鐵筋) a reinforcing bar [rod]. ‖ ~콘크리트 ferroconcrete; reinforced concrete.

철기(鐵器) ironware; hardware. ‖ ~시대 the Iron Age.

철도(鐵道) a railroad; a railway 《英》. ¶ ~를 놓다 lay [construct, build] a railway / ~로 운반되는 화물 railborne goods / 근교 ~ a suburban railroad / 단선 [복선] ~ a single-track [double-track] railroad. ‖ ~공사 railroad construction / ~망 a network of railroads / ~사고 (be killed in) a railway accident / ~선로 a railroad line [track] / ~운임 railroad fare(여객의); freight rates(화물의) / ~청 〔한국의〕 the National Railroad Administration.

철두철미(徹頭徹尾) 《부사적》 from beginning to end; every inch; out-and-out; thoroughly.

철렁거리다 ☞ 철렁거리다.

철리(哲理) philosophy.

철망(鐵網) ① wire netting(총칭); a wire net [gauze(촘촘한)]. ② ☞ 철조망.

철면(凸面) a convex surface.

철면피(鐵面皮) a brazen face; impudence. ¶ ~한 brazen-faced; shameless; cheeky; impudent.

철모(鐵帽) a (steel) helmet.

철모르다 (be) indiscreet; thoughtless; imprudent; simpleminded.

철문(鐵門) an iron door [gate].

metal fittings. ‖ ~상 《사람》 an ironmonger 《英》; a dealer in hardware; 《가게》 a hardware store; an ironmonger's 《英》.

철버덕거리다 《철벅거리다》 splash; dabble in (water).

철벽(鐵壁) an iron wall. ¶ ~같은 진지 an impregnable fortress.

철병(撤兵) military withdrawals. ☞ 철군(撤軍).

철봉(鐵棒) 《쇠막대》 an iron bar [rod]; 《체조용》 a horizontal bar; the horizontal bar(종목).

철부지(-不知) a person of indiscretion; a thoughtless person; 《어린애》 a mere child; just a child.

철분(鐵分) iron (content).

철사(鐵絲) (a) wire; wiring(총칭). ‖ 가시~ a barbed wire.

철삭(鐵索) a cable; a wire rope.

철새 a bird of passage; a migratory bird.

철석(鐵石) 《몸시 굳음》 ¶ ~같은 adamant; firm; strong / ~같은 언약 a solemn promise.

철선(鐵線) an iron wire.

철수(撤收) withdrawal; removal. ~하다 withdraw [remove] (from); pull (troops) out of (a region).

철시(撤市) ~하다 close the market; close up shops [stores]; suspend business.

철썩 ① 《물소리》 with splashes [spattering noise]. ~하다 splash; swash. ② 《때림》 with a slap [spank, crack]. ~하다 slap.

철야(徹夜) ~하다 sit [stay] up all night. ¶ ~로 회의를 하다 have an all-night conference / ~로 간호하다 keep an all-night vigil over (a sick child). ‖ ~작업 all-night work.

철옹성(鐵甕城) an impregnable fortress.

철인(哲人) a man of wisdom; a philosopher.

철자(綴字) spelling; orthography. ~하다 spell. ‖ ~법 the system of spelling.

철재(鐵材) iron (material); steel.

철저(徹底) ¶ ~한 thorough; thoroughgoing; exhaustive; complete; out-and-out (口) / ~히 thoroughly; exhaustively.

철제(鐵製) ¶ ~의 (made of) iron; steel / ~ 공구 an iron tool.

철조망(鐵條網) barbed-wire entanglements. ¶ ~을 치다 set (stretch) barbed-wire around (a place).

철쭉 [植] a royal azalea; a rhododendron.

철창(鐵窓) (창) a steel-barred window; (감옥) prison bars; a prison. ¶ ~ 생활 life behind (the) bars / ~에 갇히다 be imprisoned.

철책(鐵柵) an iron fence.

철천지한(徹天之恨) a lasting regret (유감); deep-rooted enmity (원한).

철철 《넘치는 모양》 ¶ ~ 넘치도록 잔에 술을 따르다 fill a glass to the brim with wine.

철칙(鐵則) an iron rule.

철통(鐵桶) an iron (a steel) tub. ¶ ~ 같은 방어진 an impenetrable defense position.

철퇴(撤退) (a) withdrawal; a pullout. ~하다 withdraw (troops); pull out (of a place).

철퇴(鐵槌) an iron hammer. ¶ ~를 내리다 give a crushing blow (to).

철판(凸版) ¶ ~인쇄 relief printing.

철판(鐵板) an iron plate; a sheet iron.

철편(鐵片) a piece of iron.

철폐(撤廢) abolition; removal. ~하다 abolish; remove; do away with.

철필(鐵筆) a (steel) pen.

철하다(綴─) file (papers); bind (a book). ¶ ~ 서류를 철해놓다 keep papers on file.

철학(哲學) philosophy. ¶ ~적(으로) philosophical(ly). ∥ ~ 박사 a doctor of philosophy; Doctor of Philosophy(학위) (생략 Ph. D.) / ~자 a philosopher.

철혈(鐵血) blood and iron.

철회(撤回) withdrawal. ~하다 withdraw; take back.

첨가(添加) annexing; addition. ~하다 add (to). ∥ ~물 an additive.

첨단(尖端) ① 《뾰족한 끝》 the point; the tip; a pointed end (head). ② 《선두》 the spearhead. ¶ ~의 ultramodern; up-to-date; ultrafashionable(유행의). ∥ ~기술 high [up-to-date] technology.

첨병(尖兵) a spearhead.

첨부(添附) ~하다 attach (A to B); append; annex. ¶ ~되다 be accompanied by … / ~을 하여 together with …. ∥ ~서류 attached papers.

첨삭(添削) correction. ~하다 correct; touch up.

첨예(尖銳) ¶ ~한 radical. ¶ ~화하다 become acute; be radicalized. ∥ ~분자 radicals; the extreme [radical] elements.

첨탑(尖塔) a steeple; a spire.

첩(妾) a concubine; a mistress.

첩(貼) a pack (of herb-medicine); a dose.

…첩(帖) a (note)book; an album.

첩경(捷徑) 《지름길》 a shortcut; a nearer way; (쉬운 방법) a short [quick, easy] way.

첩보(捷報) news of a victory.

첩보(諜報) intelligence. ∥ ~기관 an intelligence office [agency]; a secret service / ~망 an intelligence [espionage] network / ~원 a secret agent; a spy / ~활동 espionage.

첩부하다(貼付─) ☞ 붙이다 ①.

첩약(貼藥) a herb pack [dose] of prepared herb-medicine.

첩첩(疊疊) ¶ ~산중에 in the depths of mountains.

첫 first; new; maiden.

첫걸음 the first step (to); an initial step; a start. ¶ 《초보·기본》 the rudiments [of]; the ABC (of).

첫길(初行길) an unaccustomed course; one's first trip (to); (신

행길) the way to *one's* wedding.
첫날 the first [opening] day.
첫날밤 the bridal night; the first night of a married couple.
첫눈〈일견〉the first sight [look].
첫눈² 〈초설〉the first snow of the season.
첫돌 the first birthday (of a baby).
첫마디 the first word; an opening remark.
첫머리 the beginning; the start; the outset.
첫무대〈舞臺〉*one's* debut. ¶ ~를 밟다 make *one's* debut.
첫물 ① 〈옷의〉first wearing. ¶ ~ 옷 clothes that have never been laundered. ② ☞ 맏물.
첫배〈새끼〉the first litter [brood].
첫사랑 *one's* first love.
첫새벽 early dawn [morning]; daybreak.
첫선 the first appearance; a debut; the first public presentation.
첫술 the first spoonful 《of food》. ¶ ~에 배부르랴 〈俗談〉You must not expect too much at your first attempt.
첫여름 early summer.
첫인상〈─印象〉*one's* first impression 《of》.
첫정〈─情〉*one's* first love [attachment].
첫째 ① the first (place); No. 1; the top. ¶ ~의 first; primary; foremost; top / ~로 first (of all); in the first place; to begin with. ② 〈우선〉first of all.
첫추위 the first spell of cold weather.
첫출발〈─出發〉a start; a beginning.
첫판〈競技 등의〉the first round.
첫판〈─版〉〈초판〉the first edition.
첫해 the first year.
첫행보〈─行步〉*one's* first visit.
청〈請〉(a) request; a favor; *one's* wishes; 〈간청〉an entreaty.
청가뢰〈蟲〉a green blister beetle.
청각〈聽覺〉the auditory sense; (the sense of) hearing. ¶ ~ 교육 audiovisual education.

‖ ~기관 a hearing organ / ~신경 the auditory nerve / ~장애 hearing difficulties.
청강〈聽講〉~하다 attend 《a lecture》; audit 《a course at a university》《美》. ‖ ~료 an admission (fee) / ~무료 〈게시〉Attendance Free / ~생 an auditor 《美》.
청개구리〈靑─〉〔動〕a tree frog.
청결〈淸潔〉cleanliness; neatness. ~하다 (be) clean; neat; pure.
청과〈靑果〉vegetables and fruits. ‖ ~류 greens; fruits / ~물상 greengrocery / ~ 시장 a vegetable and fruit market.
청교도〈淸敎徒〉a Puritan. ‖ 청교 (도)주의 Puritanism.
청구〈請求〉a demand; a claim 《당연한 권리로》; a request 《요청》. ~하다 claim; request; charge 《요금을》; ask 《apply》 《for》; demand 《payment》. ‖ ~권 a (right of) claim 《to》 / ~서 a bill; an account / ~액 the amount claimed / ~인 an applicant; a claimant.
청기와〈靑─〉a blue tile.
청년〈靑年〉a young man; a youth; 〈총칭〉the young people; the younger generation. ‖ ~단 a young men's association.
청대〔植〕a short-jointed variety of bamboo.
청대콩〈靑─〉green [unripe] bean.
청동〈靑銅〉bronze. ‖ ~기시대 the Bronze Age.
청동오리〔鳥〕a wild duck; a mallard [duck].
청량〈淸涼〉¶ ~한 cool; refreshing. ‖ ~음료 a soft drink; a refreshing drink; soda (pop) 《美》.
청력〈聽力〉(the power of) hearing; hearing ability. ‖ ~검사 a hearing test / ~계 an audiometer / ~측정 audiometry.
청렴〈淸廉〉~한 honest; upright; cleanhanded / ~결백 absolute honesty; unsullied integrity.
청루〈靑樓〉a brothel; a whorehouse.

청류(淸流) a (clear) limpid stream.

청맹과니(靑盲一) amaurosis; an amaurotic person(사람).

청명하다(淸明一) (be) clear (and bright); fine; fair.

청바지(靑一) (blue) jeans.

청백(靑白) blue and white.

청백하다(淸白一) (be) upright; honest; cleanhanded.

청병(請兵) requesting (the dispatch of) troops. ～하다 request (the dispatch of) troops.

청부(請負) a contract (for work). ☞ 도급(都給). ‖～살인 a contract murder / ～업 contracting business / ～인(업자) a contractor.

청빈(淸貧) honest poverty. ～하다 be poor but honest.

청사(靑史) history; annals.

청사(廳舍) a government office building.

청사진(靑寫眞) a blueprint.

청산(靑酸)【化】hydrocyanic [prussic] acid. ‖～가스 hydrocyanic acid gas / ～염 a prussiate; a cyanide / ～칼리 potassium cyanide.

청산(淸算) clearance; liquidation. ～하다 liquidate (wind up) 《a company》; clear up 《one's debts》; balance [settle] 《one's accounts》.

청산(靑山) green mountains [hills]. ‖～유수 eloquence; fluency(말이) / ～유수다 be very eloquent).

청상과부(靑孀寡婦) a young widow.

청색(靑色) blue; green.

청서(淸書) ☞ 정서(淨書).

청소(淸掃) cleaning; sweeping(쓸기). ～하다 clean; sweep. ‖～기 a (vacuum) cleaner / ～도구 cleaning things / ～부(婦) a cleaning woman / ～부(夫) a cleaner; a sweeper.

청소년(靑少年) young people; the younger generation; youth. ‖～범죄 juvenile delinquency.

청순(靑純) purity. ～하다 (be) pure (and innocent).

청승 a miserable [wretched] way of gesture. ‖～떨다 act like fortune's orphan; try to work on 《another's》 compassion.

청승맞다(一) be sad; be pitiful; miserable; poor; have the way of something plaintive.

청신(淸新) ‖～한 fresh; new.

청신경(聽神經) the auditory nerve.

청신호(靑信號) a green (traffic) signal; a green light; a go signal.

청아(淸雅) elegance. ‖～한 elegant; graceful; refined; clear.

청약(請約) a subscription (for stocks). ～하다 subscribe 《for》. ‖～순으로 in order of subscription. / ～금 subscription money / ～자 a subscriber.

청어(靑魚)【魚】a herring.

청옥(靑玉)【鑛】sapphire.

청와대(靑瓦臺) the Blue House; (the Korean) Presidential Mansion.

청우계(晴雨計) a barometer; a [weatherglass].

청운(靑雲) ‖～의 뜻을 품다 have a great ambition; entertain (have) a high ambition.

청원(請援) ～하다 ask for [seek] 《a person's》 assistance; call [ask] for help.

청원(請願) a petition. ～하다 petition; present [submit] a petition (to). ‖～경찰(관) a policeman on special guard assignment.

청음기(聽音機) a sound detector; 《수중의》 a hydrophone.

청일(淸日) ‖～전쟁 the Sino-Japanese War.

청자(靑瓷) celadon (porcelain). ‖고려～ Goryeo celadon (porcelain) / ～색의 celadon (green).

청정(淸淨) purity; cleanness. ‖～한 pure; clean. / ～야채 clean vegetables / ～재배 sanitary (germfree) culture.

청주(淸酒) clear, refined rice wine.

청중(聽衆) an audience; an attendance. ‖～석 audience seats; an auditorium.

청지기(廳一) a steward; a man

ager of the household.

청진 (聽診) 〖醫〗 auscultation. ～하다 auscultate. ∥～기 a stethoscope.

청천 (青天) the blue sky. ∥～벽력 a thunder bolt from a clear sky.

청천 (晴天) fine [fair] weather.

청첩 (請牒)〈請牒〉 a letter of invitation; an invitation (card). ¶결혼 ～ a wedding invitation (card).

청청하다 (青青一) (be) freshly [vividly] green; fresh and green.

청초 (清楚) ¶～한 neat and clean.

청춘 (青春) youth; the springtime of life. ¶～의 youthful. ∥～기 adolescence / ～시대 one's youth; one's youthful days.

청출어람 (青出於藍) outshining one's master.

청취 (聽取) ～하다 listen to; hear.

청컨대 (請一) (if you) please; I pray [beg]; It is to be hoped that …

청탁 (清濁) ¶그는 ～을 가리지 않는 사람이다 He can accept all kinds, the good and the evil.

청탁 (請託) asking; begging; a request. ～하다 ask [beg] (*a person* to exercise *his* influence (*in favor of*); solicit (*a person*) for *his* good offices.

청태 (青苔)〈이끼〉 (green) moss; 〈김〉 green laver.

청풍 (清風) a cool breeze. ¶～명월 a cool breeze and a bright moon.

청하다 (請一) ① 《부탁》 ask [request] (*a person to do*); beg; entreat. ② 《달라다》 ask [request] (*for a thing*); beg. ③ 《초빙》 invite; ask.

청허 (聽許) ～하다 give assent to; grant; sanction; approve.

청혼 (請婚) a proposal (*of marriage*). ～하다 propose (*to a person*). ☞ 구혼.

청훈 (請訓) a request for instructions.

체 a sieve; a sifter; a (mesh) strainer. ☞ 체하다.

체 〈짐짓 꾸밈〉 pretense; pretending. ☞ 체하다.

체 〈아니꼬울 때〉 pshaw!; shucks!

체 (滯) 〈먹은 것이〉 indigestion; dyspepsia.

체 (體) the body; a style.

체감 (遞減) successive diminution. ～하다 decrease in order; diminish successively. ∥～속도 slow-down speed.

체감 (體感) bodily sensation; somesthesia. ∥～온도 effective temperature.

체격 (體格) physique; build; a constitution.

체결 (締結) conclusion. ～하다 conclude (*a treaty*); enter into (*a contract*).

체경 (體鏡) a full-length mirror.

체계 (體系) a system. ∥～적(으로) systematic(ally) / ～화하다 systematize.

체공 (滯空) ～하다 stay [remain] in the air. ∥～비행(기록) an endurance flight (record) / ～시간 the duration of flight.

체구 (體軀) ☞ 체격.

체기 (滯氣) a touch of indigestion.

체납 (滯納) nonpayment; arrears (*of taxes*); delinquency in (making) payment. ～하다 fail to pay; be in arrears. ∥～금 arrears / ～액 an amount in arrears / ～자 a delinquent.

체내 (體內) the interior of the body. ¶～의 [에] in the body; internal(ly).

체념 (諦念) ① 〖佛〗〈체관〉 apprehension of the truth. ～하다 apprehend the truth. ② 〈단념〉 resignation. ～하다 give up (*an idea*); abandon; resign *oneself* (*to*).

체능 (體能) physical aptitude [ability]. ∥～검사 a physical aptitude test.

체득 (體得) ～하다 learn from experience; master; acquire.

체력 (體力) physical strength.

‖ ~검정 an examination of physical strength.

체류(滯留) a stay; a visit; a sojourn. ☞ 체재(滯在). ~하다 stay [stop] 《*at a place*》; make a stay 《*at*》. ‖ ~기간 the length of one's stay.

체르니 Czerny.

체리 《서양 앵도》 a cherry.

체머리 a shaky head.

체면(體面) honor(명예); reputation(명성); face(면목); dignity(위신); appearance(외관). ‖ ~상 for appearance' sake; to save one's face / ~이 서다 save one's face / ~을 유지하다 keep up appearances (face) / ~을 손상하다 impair one's dignity; bring disgrace 《on》.

체모(體毛) body hair.

체모(體貌) ☞ 체면(體面).

체벌(體罰) corporal punishment.

체불(滯拂) a delay in payment; payment in arrears. ‖ ~임금 back wages; wages in arrears.

체비지(替費地) lands secured by the authorities in recompense of development outlay.

체스 《서양 장기》 chess.

체신(遞信) communications. ‖ ~업무 post and telegraphic service.

체언(體言) 【文】 the substantive.

체온(體溫) temperature. ‖ ~을 재다 take one's temperature / ~계 a (clinical) thermometer.

체위(體位) 《체격》 physique; 《자세》 a posture.

체육(體育) physical education; gym 《美》. ‖ ~관 a gym (nasium) / ~특기자 an athletic meritocrat / 대한 ~회 the Korea Amateur Athletic Association.

체재(滯在) ☞ 체류(滯留). ‖ ~비 the living expenses during one's stay; hotel expenses(숙박비).

체재(體裁) 《일정한 형식》 (a) form; a style; a format; 《겉모양》 an appearance; show; 《만듦새》 a getup.

체적(體積) (cubic) volume; cubic contents.

체제(體制) 《조직》 an organization; a system; a structure; 《권력 · 정치의》 the establishment.

체조(體操) physical [gymnastic] exercises; gymnastics. ‖ ~를 하다 do gymnastics / 기계 ~ apparatus gymnastics / 라디오 (TV) ~ radio (TV) exercise program / 유연(柔軟)~ stretching (limbering) exercises. ‖ ~경기 gymnastics / ~기구 gymnastic apparatus / ~선수 a gymnast.

체중(體重) one's weight. ‖ ~계 the scales.

체증(滯症) indigestion. ‖ ~기(氣)가 있다 suffer from indigestion.

체질(滯質) sifting; sieving; screening. ~하다 sift (out); screen.

체질(體質) constitution. ‖ ~적(으로) constitutional(ly) / ~이 약하다 have a weak constitution.

체취(體臭) body odor.

체코 Czech Republic.

체크 ① 《무늬》 checks; checkers. ‖ ~무늬의 블라우스 a checkered blouse. ② 《대조 · 검사》 a check. ~하다 check; check 《*something*》 up; mark 《off》. ‖ ~아웃 a check-out / ~인 a check-in / ~포인트 《검문소》 a check point.

체통(體統) (an official's) dignity; honor; face. ‖ ~을 잃다 lose 《one's》 face. ☞ 체면.

체포(逮捕) (an) arrest; capture. ~하다 arrest; capture; catch. ‖ ~영장 an arrest warrant.

체하다(滯─) have a digestive upset; lie heavy on the stomach.

체하다 pretend 《*sickness, to be asleep*》; affect 《*not to hear*》; feign 《*surprise*》; pose 《*as*》; assume an air of.

체험(體驗) ~하다 (have an) experience; go through. ‖ ~담 a story of one's experience.

체형(體刑) penal servitude; corporal punishment; a jail sentence.

체화(滯貨) accumulation of cargoes [freights, stocks, goods]; freight congestion.

첼로 【樂】 a cello. ‖ ~ 연주가 a cellist.

쳄벌로 【樂】 a cembalo. ‖ ~ List.

처가다 collect and take [carry away 《garbage》; empty [dip up] and cart away.

쳐내다 take [clear, sweep] away; clear off [out]; remove. [(at).

쳐다보다 look at; stare [gaze].

쳐들다 ① 《올리다》 lift [up]; raise; hold up. ② 《초들다》 point out; (make) mention 《of》; refer 《to》.

쳐들어가다 invade; make an inroad 《on》; penetrate 《into》; break in; raid.

쳐주다 ① 《값을》 estimate [value, rate] 《a thing》 at; set [put] a price 《on》. ② 《인정》 recognize; acknowledge; think highly of 《a person》.

초 a candle. ‖ ~ 심지 a candlewick / 촛대 a candlestick.

초(草) 《초안》 a rough copy. ¶ ~ 를 잡다 draft.

초(醋) vinegar. ¶ ~ 간장 soy sause mixed with vinegar / ~ 를 치다 flavor [season] 《food》 with vinegar.

초(秒) a second. ¶ 천분의 1~ a millisecond.

초─ 《初》 the beginning; (the) first [stage]; the early part. ¶ ~ 가을 early autumn / 하루 the 1st of the month.

초─ 《超》 super─; ultra─. ¶ ~적 supernatural / ~음속의 supersonic / ~ 단파의 ultrashort wave.

초가(草家) 《집》 a (straw-)thatched house. ¶ 삼간 a three-room thatched house; a small cottage.

초강대국(超強大國) a superpower; the superpowers 《집합적》.

초개(草芥) bits of straw: a worthless thing.

초계(哨戒) ~ 하다 patrol. ‖ ~ 기 a patrol plane [boat].

초고(草稿) a (rough) draft 《초안》: a manuscript(원고).

초고속(超高速) superhigh [ultrahigh] speed. ¶ ~ 도로 a superhighway / ~ 정보통신망 the Information Superhighway Network.

초고주파(超高周波) superhigh [ultrahigh] frequency 《생략 SHF, UHF》. ‖ ~ 트랜지스터 an ultrahigh-frequency transistor.

초과(超過) (an) excess; surplus 《잉여》. ~ 하다 exceed; be in excess 《of》; be more than. ‖ ~ 근무 수당 overtime allowance / ~ 액 a surplus; an excess,

초국가주의(超國家主義) ultranationalism. ‖ ~ 자 an ultranationalist.

초근목피(草根木皮) the roots of grass and the barks of trees; coarse and miserable food.

초급(初級) the beginner's class; the junior course 《in》. ‖ ~ 대학 a junior college.

초기(初期) the first stage [period]; the early days [years]; the beginning.

초년(初年) 《첫해》 the first year; 《초기》 the early years; 《인생의》 one's youth; one's earlier years. ‖ ~ 병 a recruit / 생 a (mere) beginner.

초능력(超能力) a supernatural power; extrasensory perception (초감각적 지각); psychokinesis(염력). ¶ ~ 의 psychokinetic. ‖ ~ 보유자 a supernatural power holder.

초단(初段) the first grade; a first grade expert 《in Taekwon-do》 《사람》.

초단파(超短波) ultrashort waves.

초당파(超黨派) ~ 의 nonpartisan 《policies》. ‖ ~ 외교 nonpartisan diplomacy.

초대(初代) the founder; the first generation(제1대). ¶ ~ 대통령 the first President.

초대(招待) an invitation. ~ 하다 invite; ask. ‖ ~ 권 an invitation card; a complimentary ticket (흥행의) / ~ 석 a reserved seat /

~일《전시회 따위의》 a preview 《美》; a private view / ~작가 the invited artist / ~장 an invitation (card); a letter of invitation.

초대형(超大型) ¶ ~의 extra-large; oversized. ‖ ~여객기 a superliner.

초동(樵童) a boy woodcutter. ‖er.

초두(初頭) the beginning; the outset; the first; the start.

초등(初等) ¶ ~의 elementary; primary. ‖ ~과 an elementary course / ~교육 elementary〔primary〕 education / ~학교 an elementary〔a primary〕school / ~학생 a primary schoolboy 〔schoolgirl〕.

초라하다 (be) shabby; miserable; poor-looking; wretched.

초래(招來) ¶ ~하다 cause; bring about; give rise to; lead to.

초로(初老) ¶ ~의 elderly; middle-aged.

초로(草露) dew on the grass. ¶ ~같은 인생 transient life.

초록(抄錄) an abstract; an extract; a selection.

초록(草綠), 초록색(草綠色) green. ¶ ~의 green / ~을 띤 greenish; greeny.

초롱(籠) a tin 《英》; a can 《美》. ‖석유~ a kerosene can〔tin〕. / 초롱(籠) a hand lantern.

초롱꽃(籠─)〔植〕 a dotted bell-flower.

초름하다 ① 〔넉넉지 못하다〕 be not abundant. ② 〔모자라다〕 be a bit short of.

초립(草笠) a straw hat.

초막(草幕) a straw-thatched hut.

초만원(超滿員) ¶ ~이다 be filled to overflowing; be crowded beyond capacity.

초면(初面) ¶ ~이다 meet 《a person》 for the first time / ~인 사람 a stranger.

초목(草木) trees and plants; vegetation. ¶ 산천 ~ nature.

초미(焦眉) ¶ ~의 urgent; impending; pressing. ¶ ~의 관심사 an issue of burning concern. ‖ ~

지급(至急) an urgent need.

초반(初盤) the opening part 《of a game》.

초밥(醋─) *sushi*: a Japanese dish consisting of pieces of raw fish on top of cooked rice.

초배(初褙) the first coat of wall-paper.

초벌(初─) ☞ 애벌. ¶ ~그림 a draft; a rough sketch; a draft.

초범(初犯) the first offense; a first offender《사람》.

초법적(超法的) ¶ ~인 extrajudicial; extralegal.

초벽(初壁)《벽》 a rough-coated wall《벽》; 《일》 a rough coat of plaster 《on a wall》.

초병(哨兵) a sentinel; a sentry. ‖ ~근무 sentry duty.

초보(初步) the first stage; the rudiments; the ABC 《of》. ¶ ~의 elementary; rudimentary. ‖ ~자 a beginner; a green hand.

초복(初伏) the beginning of the dog days.

초본(抄本) an abstract; an extract. ‖ 호적 ~ an abstract of *one's* family register.

초본(草本) herbs. ¶ ~의 herbal.

초봄(初─) early spring.

초봉(初俸) a starting〔an initial〕 pay〔salary〕; a starter《美俗》.

초부(樵夫) a woodcutter.

초빙(招聘) an invitation. ~하다 invite; extend a call 《to》. ‖ ~ 국 a host country.

초사(焦思) ¶ 노심 ~하다 worry *one-self* 《about》.

초사흗날(初─) the third〔day〕 of a month.

초산(初産) *one's* first childbirth〔delivery〕. ‖ ~부 a woman expecting her first child.

초산(醋酸)〔化〕 acetic acid. ‖ ~ 염(鹽) acetate.

초상(初喪) (a period of) mourning. ¶ 아버지의 ~을 당하다 be in mourning for *one's* father / ~ 을 치르다 observe mourning. ‖ ~ 집 a house〔family〕 in mourning.

초상(肖像) a portrait. ¶ 등신대의 ～ a life-sized portrait. ¶ 유화 a portrait (*in oils*) / 〜화가 a portrait painter.

초서(草書) the cursive style of writing Chinese characters; 《글씨》 cursive characters.

초석(硝石) 《化》 niter; saltpeter.

초석(礎石) 〔돌〕 a foundation stone; a cornerstone.

초선(初選) ¶ 〜의 newly-elected. ¶ 〜의원 a newly-elected member of the National Assembly.

초성(初聲) an initial sound.

초속(初速) 〔理〕 initial velocity.

초속(秒速) a speed per second. ¶ 〜 20미터로 at a speed of 20 meters per second.

초속도(超速度) superhigh [ultrahigh] speed; supervelocity.

초순(初旬) the first ten days of the month. ¶ 시월 ～ early in October.

초승(初一) the first days [beginning] of the month. ¶ 〜달 a new [young] moon; a crescent (moon).

초식(草食) ¶ 〜의 grass-eating; herbivorous. ¶ 〜동물 a grass-eating [herbivorous] animal.

초심(初心) ① 《처음 먹은 마음》 one's original intention [aim]. ☞ 초지(初志). ② 《초심자》 a beginner; a novice; a greenhorn (美口).

초심(初審) the first trial [hearing].

초안(草案) a (rough) draft. ¶ 민법 ～ a draft civil code / 〜을 기초하다 draft (*a bill*); make a draft.

초야(草野) an out-of-the-way place. ¶ 〜에 묻혀 살다 lead a humble [a quiet country] life.

초여름(初一) early summer.

초역(抄譯) 〜하다 make an abridged translation (*of*); translate selected passages (*from*).

초연(初演) the first (public) performance; the *première* (프).

초연(超然) 〜하다 stand [hold, keep] aloof (*from*); be transcen-

dental [aloof]. ¶ 〜히 with a detached air.

초연(硝煙) the smoke of powder.

초열흘날(初一) the tenth (day) of a month.

초엽(初葉) the early years [days]; the beginning.

초옥(草屋) a thatched hut.

초원(草原) a grass-covered plan; a grassland; a prairie (북아메리카의); pampas (남아메리카의); a steppe (중앙아시아의).

초월(超越) 〜하다 transcend; stand aloof; rise above.

초유(初有) ¶ 〜의 first; initial; original / 사상(史上) 〜의 un-precedented in history.

초음속(超音速) supersonic speed.

초음파(超音波) supersonic waves.

초이렛날(初一) ① 《아기의》 the seventh day after birth. ② 《달의》 the seventh (day) of a month. 〔a month.

초이튿날(初一) the second (day) of

초인(超人) a superman. ¶ 〜적인 노력 a superhuman effort.

초인종(招人鐘) a call bell; a doorbell; a buzzer.

초일(初日) the first [opening] day; an opening; the *première* (프) 〔연극의〕.

초읽기(秒一) a countdown. ～하다 count down.

초임(初任) the first appointment. ¶ 〜급(給) a starting [an initial] salary.

초입(初入) ① 《어귀》 an entrance; a way in. ② 《처음 들어감》 the first entrance.

초자연(超自然) ¶ 〜적(인) supernatural. ¶ 〜주의 supernaturalism.

초잡다(草一) make a draft (*of*); draft (*a speech*).

초장(初章) the first movement (음악의); the first chapter (글의).

초장(醋醬) soy sauce mixed with vinegar.

초저녁(初一) ¶ 〜에 early in the evening.

초전도(超傳導) superconductivity.

‖ ～물질[체] a superconductor; a superconductive substance [matter].

초점(焦點) a focus: the focal point. ‖ ～을 맞추다 (take the) focus; adjust the focus of.

초조(焦燥) impatience; irritation. ～하다 (be) fretful; impatient; irritated. ‖ ～해하다 fret; get irritated; feel restless.

초주검되다(初一) be half-dead; be more dead than alive. 《남의 손에》 be half-killed.

초지(初志) one's original intention [purpose].

초진(初診) the first medical examination. ‖ ～료 the fee charged for a patient's first visit / ～환자 a new patient.

초창(草創) ‖ ～기 early stage; the pioneer days.

초청(招請) (an) invitation. ～하다 invite [ask] 《a person》 to. ‖ ～받다 be invited: be asked 《to a dinner》. / ～경기 an invitation game / ～국 inviting country; a host nation / ～장 a letter of invitation: 《send》 an invitation 《to》.

초췌(憔悴) ～하다 haggard; emaciated; thin.

초치(招致) ～하다 summon; invite; 《유치》 attract 《tourists》.

초침(秒針) a second hand.

초콜릿 a chocolate.

초토(焦土) ‖ ～화하다 get reduced to ashes; be burnt to the ground. ‖ ～전술 scorched-earth tactics. ⌈(train).

초특급(超特急) a superexpress

초특작(超特作) a super production; a superfilm(영화의).

초판(初版) the first edition.

초피나무 a Chinese pepper tree.

초하룻날(初一) the first (day) of a month.

초학자(初學者) a beginner; a beginning student; a novice.

초행(初行) one's first trip (journey). ‖ ～길 a road new to one.

초현실주의(超現實主義) surrealism.

‖ ～자 a surrealist.

초호(礁湖) a lagoon.

초혼(初婚) one's first marriage.

초혼(招魂) invocation of the spirits of the dead [deceased]. ～하다 invoke. ‖ ～제(祭) a memorial service for the dead [deceased].

초회(初回) the first round.

촉(鏃) 《살촉》 an arrowhead; 《뾰족한 끝》 a point; a tip; a nib 《of a pen》.

촉(燭) ① 《촉광》 candlepower 《생략 c.p.》. ‖ 60 ～짜리 전구 a 60 candlepower bulb. ② 《촛불》 candlelight.

촉각(觸角) 〔蟲〕 a feeler; an antenna; a tentacle.

촉각(觸覺) the sense of touch: (a) tactile sensation: (a) feeling. ‖ ～기관 a tactile [touch] organ.

촉감(觸感) the sense of touch: the feel.

촉광(燭光) 〔電〕 candlepower.

촉구(促求) ～하다 urge [press] 《a person to do》; encourage 《a person to do》; quicken; stimulate 《자극》.

촉망(囑望) expectation. ～하다 put one's hopes 《on》; expect much 《from》; hold expectation 《for》. ‖ ～되는 청년 a promising youth.

촉매(觸媒) 〔化〕 a catalyst; a catalyzer. ‖ ～반응 catalytic reaction; catalysis / ～작용 a catalytic action.

촉모(觸毛) 《동물의》 a tactile hair; a feeler; an antenna.

촉박(促迫) ～하다 (be) urgent; imminent; pressing.

촉발(觸發) contact detonation. ～하다 《기뢰 따위가》 detonate on contact; 《사태 따위가》 touch off; trigger (off); provoke 《a crisis》. ‖ ～장치 a contact-detonating device.

촉성재배(促成栽培) forcing culture. ～하다 force 《strawberries》. ‖ ～한 야채 forced vegetables.

촉수(觸手) ① 〖動〗 a feeler; a tentacle. ② 《손을 댐》 touching. ¶ ~엄금 《게시》 Hands off.

촉수(觸鬚) a palp(us); a feeler; a tentacle.

촉진(促進) ~하다 quicken; promote; accelerate; speed up; facilitate; expedite. ∥ ~제 an accelerator.

촉진(觸診) 〖醫〗 palpation. ~하다 palpate; examine by the hand [touch].

촉촉하다 (be) dampish.

촉탁(囑託) 《일》 part-time service 〔engagement〕; 《사람》 a nonregular member of the staff; a part-time employee.

촌(寸) ① 《단위》 치. ② 《촌수》 a degree of kinship. ¶ 삼~ an uncle / 사~ a cousin.

촌(村) 《마을》 a village; 《시골》 the country(side); a rural district.

촌가(村家) a moment's leisure; a spare moment.

촌각(寸刻) a moment. ¶ ~을 다투다 call for prompt treatment [병 따위]; need a speedy solution 〔문제 따위〕.

촌극(寸劇) a skit; a short (comic) play; a tabloid play.

촌놈(村─) a country fellow; a rustic; 《덤벙쟁이》 a bumpkin.

촌락(村落) a village; a hamlet.

촌민(村民) village folk; the villagers.

촌보(寸步) a few steps. ¶lagers.

촌부(村婦) a country woman.

촌사람(村─) a countryman.

촌수(寸數) the degree of kinship.

촌스럽다(村─) (be) rustic; boorish; countrified; farmlike.

촌음(寸陰) ☞ 촌각.

촌지(寸志) a little token of *one's* gratitude; a small present.

촌충(寸蟲) a tapeworm.

촌평(寸評) a brief review (*of*); a brief comment (*on*).

출랑거리다 ① 《물이》 찰랑거리다. ② 《행동을》 act frivolously; be flippant.

출랑이 a frivolous person.

출랑출랑 《경박하게》 frivolously; flippantly; irresponsibly.

출싹거리다 ① 《까불다》 act frivolously 〔flippantly〕. ② 《부추기다》 agitate; stir up; instigate.

출출하다 ~하다 be somewhat hungry; feel a bit empty.

촘촘하다 (be) close; dense; thick.

촛대(─臺) a candlestick; a candlestand; a candle holder.

촛불 candlelight.

총(銃) a gun; a rifle; a pistol(권총); a shotgun(산탄총). ¶ 22구경의 ~ a 22-caliber gun / 2연발 ~ a double barreled gun 〔rifle〕 / ~을 겨누다 aim a gun 《*at a bear*》. ∥ ~개머리 the stock; the butt of rifle.

총…(總) whole; all; entire; total; general. ¶ ~소득 gross income / ~예산 the total budget. ¶rack.

총가(銃架) a rifle stand; an arm

총각(總角) a bachelor; an unmarried man; a bach 《美俗》.

총각김치(總角─) young radish *kimchi.*

총검(銃劍) 《총과 검》 rifles and swords; 《무기》 arms; 《총에 꽂는 칼》 a bayonet. ¶ ~술 bayonet exercises 〔fencing〕.

총격(銃擊) rifle shooting. ~하다 fire; shoot a rifle 《*at an enemy*》. ¶ ~전 a gunfight.

총결산(總決算) the final settlement of accounts.

총경(總警) a senior superintendent(생략 sen. supt.).

총계(總計) the total (amount); the sum total. ~하다 total; sum [add] up. ¶ ~로 in all (total); all told / ~이 되다 total 《*one million won*》; amount to 《$1,000》.

총공격(總攻擊) an all-out attack; a full-scale offensive. ~하다 launch 〔make, start〕 an all-out attack 《*on, against*》; attack 《*the enemy*》 in full force.

총괄(總括) ~하다 summarize; sum up; generalize. ¶ ~적인 summary; general; all-inclusive /

~ 해서 말하면 generally speaking; to sum up / ~적으로는 as a whole; summarily; *en masse* / ~적 조항 a blanket clause.

총구 (銃口) the muzzle (of a gun). ¶ ~를 들이대고 《threat *a person*》 at the point of a gun.

총기 (銃器) small (fire) arms. ∥ ~고 〔실〕 an armory.

총기 (聰氣) brightness; intelligence; sagacity. ¶ ~가 있다 be bright 〔intelligent〕.

총대 (銃一) a gunstock.

총독 (總督) a governor-general; a viceroy. ∥ ~부 the government-general.

총동원 (總動員) general mobilization. ¶ 국가 ~ the national mobilization. ∥ ~령 orders for the mobilization of the entire army.

총득점 (總得點) the total score.

총람 (總攬) superintendence. ~하다 superintend; preside over; control.

총량 (總量) the total amount; the gross weight 〔volume〕.

총력 (總力) all *one's* energy 〔strength〕. ¶ ~을 다하여 with all *one's* strength 〔might〕; with concerted efforts. ∥ ~안보(태세) an all-out national security (posture) / ~외교 a total diplomacy / ~전 a total war; an all-out war.

총렵 (銃獵) hunting; shooting 《美》. ~하다 shoot; hunt.

총론 (總論) general remarks; an introduction 〔to〕; an outline 〔of〕.

총리 (總理) 《내각의》 the Premier; the Prime Minister. ¶ 부~ the Deputy Prime Minister / ~직〔지위〕 the premiership.

총망 (悤忙) ~하다 be in a hurry; (be) hurried; flurried; rushed.

총명 (聰明) ~한 wise; sagacious; intelligent.

총무 (總務) 《일》 general affairs; 《사람》 a manager; a director. ¶ 원내 ~ a floor leader 《美》; a

ᄎ

whipper-in 《英》. ∥ ~부 〔과〕 the general affairs department 〔section〕 / ~부장 a general manager.

총반격 (總反擊) an all-out counterattack. ~하다 mount a general counteroffensive.

총복습 (總復習) a general review of *one's* lessons. ~하다 make a general review of *one's* lessons; go over all *one's* lessons.

총부리 (銃一) the muzzle. ¶ ~를 들이대다 《aim》 (a pistol) at.

총사령관 (總司令官) a supreme commander; the commander in chief.

총사령부 (總司令部) 《軍》 the General Headquarters; (생략 GHQ).

총사직 (總辭職) general resignation; resignation in a body 〔*en masse*〕. ~하다 resign in a body 〔*en masse*〕. ¶ 내각 ~ the general resignation of the Cabinet.

총살 (銃殺) shooting (to death). ~하다 shoot (*a person*) dead; execute (*a criminal*) by shooting. 〔wound.

총상 (銃傷) a bullet 〔gunshot〕

총서 (叢書) a series 〔*of books*〕; a library. ¶ 한국문학 ~ a series of Korean literature.

총선거 (總選擧) a general election. ~하다 hold a general election.

총설 (總說) ☞ 총론(總論).

총소리 (銃一) the report of a gun; (the sound of) gunfire; a gun shot.

총수 (總帥) the (supreme) leader; the commander in chief.

총수 (總數) the total〔aggregate〕 (number); 《부사적》 in all; all told.

총수입 (總收入) the total income.

총신 (銃身) ☞ 총열(銃一).

총아 (寵兒) a favorite; a popular person; a beloved child(사랑받는 애); a pet.

총안 (銃眼) a loophole; a crenel.

총알 (銃一) a bullet.

총애 (寵愛) favor; love; patronage;

~하다 favor; make a favorite of; love 《*a person*》 tenderly.

총액(總額) the total amount; the sum [grand] total. ¶ ~으로 in total [all].

총열(銃一) a gun barrel.

총영사(總領事) a consul general. ¶ ~관 a consulate general.

총원(總員) the (entire) personnel; the entire strength [force]. ¶ ~ 50명 fifty people in all [all told].

총의(總意) consensus; the general opinion [will].

총장(總長) ① 《대학의》 the president 《美》; the chancellor 《英》. ② 《사무총장》 the secretary-general. ③ 《군대의》 the Chief 《of the General Staff》.

총재(總裁) a president; a governor《관청·은행의》. ¶ 부~ a vice-president.

총점(總點) 《시험의》 the (sum total of) one's marks; 《경기의》 the total score. (_ager.

총지배인(總支配人) a general manager.

총지출(總支出) gross [total] expenditure.

총지휘(總指揮) the high [supreme] command. ~하다 take the supreme command of 《an army》.

총질(銃一) shooting. ~하다 shoot [fire] a gun.

총채 a duster (of horsehairs).

총총(忽忽) ¶ ~히 hurriedly; hastily / ~걸음으로 with hurried [hasty] steps; at a quick pace.

총총하다(悤悤一) (be) thick; dense; close.

총총하다(叢叢一) (be) dense; crowded; numerous. ¶ 별이 총총한 밤 a bright starry night.

총출동(總出動) general [full] mobilization. ~하다 be all mobilized [called out].

총칙(總則) general rules [provisions]. ¶ 민법 ~ general provisions of the civil code.

총칭(總稱) a general [generic] term [name]. ~하다 name generically; give a generic name 《to》.

총칼(銃一) a gun and a sword; firearms.

총탄(銃彈) a bullet; a shot.

총톤수(總一數) gross tonnage.

총통(總統) a president; a generalissimo 《대만의》.

총파업(總罷業) a general strike.

총판(總販) an exclusive sale; sole agency [trade]. ~하다 make an exclusive sale 《of》. ¶ ~점 a 〔the〕 sole agency. [view.]

총평(總評) a general survey [re-]

총포(銃砲) guns; firearms.

총괄(總括) general control 〔supervision〕. ~하다 supervise; have a general control 《over》.

총화(總和) general harmony.

총회(總會) a general meeting [assembly]. ¶ ~에 회부하다 submit 《a matter》 to the general meeting for discussion / 주주 ~ a general meeting of stockholders / 유엔 ~ the United Nations General Assembly.

촬영(撮影) photographing. ~하다 take a photograph [picture] of; photograph; 《영화를》 film [shoot] 《a scene》. ¶ 기념 ~ 《take》 a souvenir picture / 금지 《게시》 No photos. ‖ ~기사 a 《movie》 cameraman / ~소 a (film, movie) studio.

최…(最) the most; the extreme. ¶ ~남단 the southernmost / ~첨단의 ultramodern.

최강(最强) the strongest; the most powerful.

최고(最高) ¶ ~의 the highest; the best; supreme; the maximum. ‖ ~수뇌회담 a summit 〔top-level〕 conference / ~한도 the maximum.

최고(催告) notice; demand; a call 《납입의》. ~하다 call upon 《a person to do》; notify; demand payment 《of》. ¶ 공시 ~ 〔法〕 a public summons / ~서 a call notice.

최고봉(最高峰) the highest peak.

최근(最近) ¶ ~의 the latest 《news》; late; recent / ~에 re-

cently; lately; of late / ～ 5년간에 in the last five years.

최다수(最多數) the greatest number (*of*); the largest majority.

최단(最短) ¶ ～의 the shortest. ‖ ～ 거리 [시일] the shortest distance [time].

최대(最大) ¶ ～의 the greatest (*number*); the biggest (largest) ((*territory*)); ((최대한의)) the maximum / ～ 다수의 ～ 행복 the greatest happiness of the greatest number. ‖ ～공약수 『數』 the greatest common measure (생략 G. C. M.) / ～속력 the greatest (maximum) speed / ～한(도) the maximum (limit) / ～허용량 a maximum permissible dosage (약, 방사선의).

최루(催淚) ‖ ～가스 tear gas / ～탄 a tear bomb; a lachrymatory shell.

최면(催眠) hypnosis. ¶ ～을 걸다 hypnotize ((*a person*)) / ～상태 a hypnotic state; hypnotism / ～술 hypnotism / ～술사 a hypnotist / ～요법 a hypnotic treatment (cure); hypnotherapy.

최상(最上) ¶ ～의 the best; the finest; the highest ((*quality*)); supreme; superlative. ‖ ～급 『文』 the superlative degree / ～품 an article of the best quality.

최상층(最上層) the uppermost layer (stratum, stories).

최선(最善) the best; the highest good. ¶ ～의 노력 the utmost effort / ～을 다하다 do *one's* best.

최성기(最盛期) the golden age (days); the peak period; the prime; ((한창 때)) the best time; the season.

최소(最小) the smallest; the minimum. ¶ ～의 the minimum; the smallest; the least. ‖ ～공배수 『數』 the least common multiple(생략 L. C. M.) / ～한(도) the (a) minimum.

최소(最少) the least; the fewest. ¶ ～량 the minimum

quantity.

최신(最新) ¶ ～의 the newest; the latest; up-to-date / ～유행의 of the latest fashion. ‖ ～형(식) the latest (newest) model (type) ((*of a machine*)).

최악(最惡) ¶ ～의 (the) worst / ～의 경우에는 at the worst.

최우수(最優秀) ¶ ～의 (the) most excellent; superior; first-rate. ‖ ～상 the first prize / ～선수 the most valuable player (*of the year*) / ～품 a choice(st) article; A1 goods.

최음제(催淫劑) an aphrodisiac (medicine).

최장(最長) ¶ ～의 the longest.

최저(最低) ¶ ～의 the lowest; the lowermost; (the) minimum / ～로 견적하다 give the lowest possible estimate; estimate (*a repair job*) at (₩ 20,000) at the minimum. / ～가격 the lowest price / ～생활비 the minimum cost of living / ～임금제 the minimum wage system.

최적(最適) ¶ ～의 the most suitable (suited); ideal; the fittest. ‖ ～온도 the optimum temperature / ～조건 『生』 the optimum (conditions).

최전선(最前線) the front; the first line.

최종(最終) ¶ ～의 the last; the final; the closing; ultimate. ‖ ～기한 the deadline.

최초(最初) ¶ ～의 the first; the beginning. ¶ ～의 the first; the original ((*purpose*)); the initial ((*stages*)); the opening ((*games*)) / ～에 in the first place; (at) first; at the start; originally.

최하(最下) ¶ ～의 the lowest; the worst(최악의). ‖ ～급 the lowest grade / ～등 the lowest class (grade, stratum) / ～위 the lowest rank / ～품 an article of the worst (lowest) quality.

최혜국(最惠國) a most favored nation (생략 MFN). ‖ ～대우 most favored-nation treatment / ～조

항 the most-favored-nation clause.

최후(最後) ① [맨 뒤] the last; the end. ¶ ～의 last; final; ultimate / ～로 last(ly); finally; in conclusion(결론적으로); in the end(결국); at last(기어이). ② [끝장] one's last moment; one's last [death]. ¶ ～의 말 one's dying words.

최후수단(最後手段) the last resort [resource].

최후통첩(最後通牒) an ultimatum.

추(錘) [저울의] a weight; [낚싯줄의] a sinker; [먹줄의] a plumb; [시계의] a bob.

추가(追加) an addition; supplement. ～하다 add 《A to B》; supplement. ¶ ～의 additional; supplementary. ∥ ～비용 additional expenses / ～시험 a supplementary examination / ～예산 a supplementary budget / ～요금 additional charges; an additional fee.

추격(追擊) pursuit; a chase. ～하다 pursue; chase; give chase to 《an enemy》. ∥ ～기 a pursuit plane / ～전 a running fight.

추경(秋耕) ～하다 가을갈이.

추계(秋季) autumn; fall.

추계(推計) estimation. ～하다 estimate. ∥ ～학 inductive statistics; stochastics.

추곡(秋穀) autumn-harvested grains [rice]. ∥ ～수매(가격) the government purchase [buying] (price) of rice.

추구(追求) pursuit. ～하다 pursue; seek after.

추구(追究) ～하다 inquire 《a matter》 closely; investigate 《a matter》 thoroughly.

추궁(追窮) ～하다 press 《a person》 hard 《for an answer》; question 《a person》; investigate; check up on.

추근추근 persistently; doggedly; [귀찮게] importunately. ¶ ～한 persistent; tenacious; importu-

nate; inquisitive.

추기(追記) [추신] a postscript(생략 P.S.); an addendum. ～하다 add a postscript 《to》; add 《to》.

추기경(樞機卿) a cardinal. ∥ ～회 의 the consistory.

추기다 부추기다.

추남(醜男) a bad-looking [an ugly] man. 「woman.

추녀(醜女) a homely [an ugly]」

추념(追念) ～하다 cherish the memory for the deceased. ∥ ～사 a memorial address [tribute].

추다(춤을) dance.

추단(推斷) inference; deduction. ～하다 infer 《from》; deduce 《from》.

추대(推戴) ～하다 have 《a person》 as 《the president》 of; have 《a person》 over 《a society》.

추도(追悼) mourning. ～하다 mourn 《for the dead》; lament 《over, for a person's death》. ∥ ～가 [歌] a dirge / ～사 a memorial address / ～식 a memorial service [ceremony].

추돌(追突) a rear-end collision. ～하다 collide with [run into] 《a car》 from behind; strike the rear of 《a car》.

추락(墜落) a fall; a crash(비행기 의). ～하다 fall; drop; crash; plunge. ∥ ～사 death from a fall.

추레하다 (be) shabby; dirty; untidy; slovenly. 「weed out.

추려내다 pick [single, sort] out」

추렴 [돈을 거둠] collection of money; [각자 부담] a Dutch treat; going Dutch. ～하다 collect [raise] money; pool; contribute jointly; each contributes his own share; [비용 부담] share the expense 《with》; split cost.

추록(追錄) a supplement; an addition. ～하다 add; supplement.

추론(推論) reasoning; inference. ～하다 reason; infer 《from》. ∥ ～식(式) [論] syllogism.

ㅊ

추리(推理) reasoning; inference.
~ 하다 reason; infer 《from》.
‖ ~력 reasoning powers / ~소
설 a detective 〔mystery〕 story /
~작가 a mystery writer.

추리다 pick (out); choose; select;
assort.

추맥(秋麥) autumn-sown barley.

추명(醜名) an ill name; bad re-
pute.

추모(追慕) ~ 하다 cherish 《a per-
son's》 memory.

추문(醜聞) a scandal; ill fame.
¶ ~이 돌다 a scandal gets
around.

추물(醜物) 《물건》 an ugly 〔dirty〕
object; 《사람》 an ugly person(못
생긴); a dirty 〔filthy〕 fellow(더러
운).

추밀원(樞密院) the Privy Council.

추방(追放) expulsion; deportation;
banishment; ouster 《美》; purge
(공직에서). ~ 하다 expel; banish;
deport; exile 《공직에서》; purge.
‖ ~령 a deportation order; an
expulsion decree / ~자 an
exile(국외로의); a purgee(공직에서
의) / 국외 ~ deportation.

추분(秋分) the autumnal equinox.

추비(追肥) additional fertilizer.

추산(推算) calculation; estimate
(어림). ~ 하다 estimate; calcu-
late.

추상(抽象) abstraction. ~ 하다
abstract 《from》. ¶ ~적(으로)
abstract(ly). ‖ ~론 an abstract
argument 〔opinion〕 / ~명사
an abstract noun / ~예술 ab-
stract art / ~파 abstraction-
ism / ~화 an abstraction
painting.

추상(秋霜) ① 《가을 서리》 autumn
frost(s). ② 《비유적》 sternness.
¶ ~ 같은 severe; rigorous; stern.

추상(追想) retrospection; recollec-
tion; reminiscence. ~ 하다 rec-
ollect; look over; recall. ‖ ~
록(錄) reminiscences.

추상(推象) ~ 하다 guess; conjec-
ture; infer 《from》; imagine.

추색(秋色) autumnal scenery

〔tints〕; a sign of autumn.

추서(追書) a postscript(생략 P.S.).

추서(追敍) ~ 하다 give posthu-
mous honors on 《a person》.

추서다 《회복》 get well again; re-
cover (from illness).

추석(秋夕) Harvest Moon Festival
〔Day〕; Chuseok, the Korean
Thanksgiving Day.

추세(趨勢) a tendency; a drift;
a trend; a current. ¶ 증가 ~ 에
있다 be on the increasing trend.

추수(秋收) a harvest. ~ 하다 har-
vest. ‖ ~감사절 Thanksgiving
Day.

추스르다(매만지다) pick and trim;
《일 따위를》 set in order; put into
shape; straighten up 〔out〕.

추신(追伸) a postscript(생략 P.S.).

추심(推尋) collection. ~ 하다 col-
lect. ‖ ~료 collection charge /
~어음 a collection bill / ~은행
a collection bank.

추썩거리다 keep shrugging 〔rais-
ing〕 《one's shoulders》; keep
pulling up 《one's coat》.

추악(醜惡) ~ 하다 《얼굴 따위가》 (be)
ugly; unsightly; abominable;
mean; hideous; disgusting.

추앙(推仰) ~ 하다 adore; worship;
revere; look up to. ¶ ~ 받다 be
held in high esteem.

추어올리다 ① 《위로》 pull up; lift
up; hoist. ② ☞ 추어주다.

추어주다 praise; applaud; extol;
compliment; sing the praise 《of》.

추어탕(鰍魚湯) loach soup.

추억(追憶) remembrance; recollec-
tion; memory; reminiscence. ~
하다 recollect; reminisce 《about》;
look back upon; recall. ¶ ~을
더듬다 recall 〔recollect〕 the past.

추위하다 feel cold; be sensitive
to the cold; complain of the
cold.

추월(追越) ~ 하다 pass; overtake;
outstrip; get ahead of. ‖ ~금지
《게시》 No passing / ~금지 구역 a
no-passing zone / ~(차)선 a
passing 〔an overtaking 《英》〕 lane.

추위(cold(ness)). ¶살을 에는 듯한 ～ biting (piercing) cold / ～를 타다 be sensitive to the cold.

추이(推移) (a) change; (a) transition; (a) shift. ～하다 change; undergo a change; shift.

추인(追認) confirmation; ratification. ～하다 ratify; confirm 《a telegraphic order》.

추잡(醜雜) ～하다 (be) filthy; foul; indecent; obscene.

추장(推奬) recommendation.

추지분하다(麤━) (be) dirty; messy.

추적(追跡) chase; pursuit; tracking. ～하다 chase; pursue; give chase 《to》; run after. ¶～자 a pursuer; a chaser / ～기지(장치)〔인공위성 따위의〕a tracking station (device) / ～조사 a follow-up (tracing) survey.

추접스럽다 (be) dirty; mean; sordid; low-down.

추정(推定) (a) presumption; (an) inference; (an) estimation. ～하다 presume; infer; assume; estimate. ‖～된 the estimated (presumed) value 《of an article》 / ～량 an estimated annual volume.

추종(追從) ～하다 follow; follow suit; be servile to. ¶～을 불허하다 have no equal (parallel, second); be second to none; be unrivaled.

추증(追贈) ～하다 confer (give) honors posthumously.

추진(推進) propulsion. ～하다 propel; drive (push) forward; 《촉진하다》step up; promote. ¶～기 a propeller; a screw(배의) / ～력 the driving force; propulsive energy / ～모체 a nucleus / ～연료 propellant.

추징(追徵) ～하다 make an additional collection 《of》. 《벌로서》fine; impose a penalty 《of $ 100》on 《a person》. ¶그녀는 200만원의 소득세를 ～당했다 She was charged an additional two million won for income tax. ‖～금 money collected in

addition / ～세 a penalty tax.

추천(推薦) recommendation. ～하다 recommend 《for, as》; nominate 《for, as》(지명); propose; say (put in) a good word for 《a person》. ‖～자 a recommender; a proposer; a nominator / ～장 a letter of recommendation.

추첨(抽籤) drawing; lots; a lottery. ～하다 draw lots; hold a lottery. ‖～으로 결정하다 decide by lot. ‖～권 a lottery ticket.

추축(樞軸) a pivot; an axis; 《중심》a central point; the center 《of power》. ‖～국 〔史〕the Axis powers.

추출(抽出) abstraction; 〔化〕extraction. ～하다 draw; abstract; extract. ‖～물 an extract; an extraction / ～법 a random sampling method.

추측(推測) guess; conjecture. ～하다 guess; suppose; conjecture. ¶～대로 as conjectured (supposed) / ～이 맞다 (어긋나다) guess right (wrong).

추켜들다 raise; lift; hold up.

추켜잡다 lift (up); hold up.

추태(醜態) disgraceful behavior; an unseemly sight. ¶～를 부리다 behave *oneself* disgracefully; make a scene; cut a sorry figure.

추파(秋波) an amorous glance; an ogle. ¶～를 던지다 cast an amorous glance at; make (sheep's) eyes at; wink (ogle) 《at a girl》.

추하다(醜━) ① 《못생김》(be) ugly; bad-looking; ill-favored. ② 《더러움》(be) dirty; filthy; unseemly, indecent, obscene(추잡). 《수치스러움》(be) ignominious. ③ 《비루》(be) mean; base; sordid; dirty 《美》.

추해당(秋海棠) 〔植〕a begonia.

추행(醜行) disgraceful (scandalous) conduct; misconduct; immoral relations(남녀관계).

추호(秋毫) ¶～도 (not) in the

축복(祝福) a blessing. ~하다 받은 blessed.

축사(畜舍) a stall; a cattle shed.

축사(祝辭) a congratulatory address; greetings. ¶결혼 ~ wedding congratulations / ~를 하다 deliver a congratulatory address 《at a ceremony》; offer [extend] one's congratulations 《to a person》.

축소(縮小) ~하다 draw on a smaller scale; make a reduced copy. ‖ ~도 a reduced drawing.

축산(畜産) livestock breeding [raising]; stockbreeding; 《축산업》 a livestock industry. ‖ ~물 stock farm product / ~시험장 the Livestock Experiment Station / ~업자 a livestock raiser / ~학 animal husbandry.

축성(築城) castle construction [building]. ~하다 construct a castle; fortify 《a hill》.

축소(縮少·縮小) (a) reduction; (a) cut; (a) curtailment. ~하다 reduce; cut [scale] down; curtail. ‖ ~판 a reduced [smaller-]size edition.

축수(祝手) ~하다 pray with one's hands pressed together.

축수(祝壽) ~하다 wish 《a person》 a long life.

축어(逐語) ¶ ~적(으로) word for word; verbatim; literal(ly). ‖ ~역 a literal [word-for-word] translation.

축연(祝宴) a feast; a banquet.

축우(畜牛) a domestic cow [ox]; cattle(총칭).

축원(祝願) a prayer; 《a wish》. ~하다 pray for; supplicate; ‖ ~문 a written prayer.

축음기(蓄音機) a gramophone; a phonograph 《美》.

축의(祝意) congratulations(사람에 대한); celebration(일에 대한).

축이다 wet; moisten; dampen; damp. ¶목을 ~ moisten one's throat.

추후(追後) ¶ ~에 later on; afterwards; by and by.

축(丑) the zodiacal sign of the ox. ¶ ~년[시] the Year [Hour] of the Ox.

축(軸) 《굴대》 an axis; an axle(차의); a pivot(선회축); a shaft(기계의).

축¹ 《무리》 a group; a company; a circle; a party.

축² 《맥없이》 sluggishly; languidly; droopingly. ¶ ~ 늘어지다 dangle; hang.

축가(祝歌) a festive song. ¶결혼 ~ a nuptial song.

축객(逐客) ¶문전 ~하다 refuse to see; turn 《a person》 away.

축구(蹴球) soccer; 《association》 football 《英》. ‖ ~경기 a soccer [football] game / ~장 a soccer [football] field [ground] / 국제 ~ 연맹 the Fédération Internationale de Football Association(생략 FIFA) / 대한 ~협회 the Korea Football Association.

축나다(縮─) lessen; decrease; suffer a deficit [loss]; 《몸이》 become [get] lean [thin]; lose weight [flesh].

축내다(縮─) reduce a sum by 《a certain amount》; spend part of a sum; take a bit of a sum.

축농증(蓄膿症) 《腎》 empyema.

축대(築臺) a terrace; an elevation; 《erect》 an embankment.

축도(縮圖) a reduced-size drawing; an epitome; a miniature copy. ‖ ~기 a pantograph; an eidograph.

축도(祝禱) a benediction [blessing]. ¶ ~를 하다 give the benediction.

축문(祝文) a written prayer (offered at ancestor memorial service).

축배(祝杯) a toast. ¶ ~를 들다 drink a toast 《for, to》; drink in celebration 《of》; toast.

축일(祝日) a public holiday; a festival.

축재(蓄財) 《행위》 accumulation of wealth; 《모은 재산》 accumulated wealth. ∥ ~하다 amass (accumulate) wealth. ‖ ~자 a moneymaker / 부정~자 an illicit fortune maker.

축적(蓄積) accumulation; storage; hoard. ~하다 accumulate [amass] 《wealth》; store (up) 《energy》; hoard (up).

축전(祝典) 《hold》 a celebration; a festival. 「기념 ~ a commemorative festival.

축전(祝電) 〔send〕 a congratulatory telegram 《to》. 「denser.

축전기(蓄電器) an electric condenser.

축전지(蓄電池) a storage battery.

축제(祝祭) a festival; a fête; a gala. ‖ ~일 a festival (day); a gala [fête] day.

축제(築堤) embankment; banking. ~하다 embank 《a river》; construct an embankment. ∥ ~공사 embankment works.

축조(逐條) ∥ ~ 심의하다 discuss 《a bill》 article by article.

축조(築造) building; construction. ~하다 build; construct; erect.

축지다(縮一) ① 《사람 가치가》 discredit *oneself*; fall into discredit; bring discredit on *oneself*. ② 《몸이》 become weaker; get [grow] thin; run-down.

축척(縮尺) a (reduced) scale. ∥ ~ 천 분의 일의 지도 a map on the scale of one to one thousand.

축첩(蓄妾) ~하다 keep a concubine. 「ing down.

축축하다(축축한 모양) drooping; hang-

축축하다 (be) damp(ish); moist; wet; humid.

축출(逐出) expulsion. ~하다 drive [turn, send] out; expel; oust(지위에서); 《퇴거》 eject; 《해고》 fire.

축포(祝砲) a cannon salute; a salute (of guns).

축하(祝賀) congratulations; (a)

celebration; *one's* good wishes. ~하다 congratulate 《a person on》; celebrate 《Xmas》. ‖ ~을 ~하여 in celebration of / ~인 사를 하다 offer congratulations. / ~ 연 〔hold〕 a celebration; 〔hold〕 a congratulatory banquet / ~ 퍼레이드 a celebration parade.

축항(築港) ~하다 construct a harbor. ∥ ~공사 harbor works.

춘경(春耕) spring plowing.

춘경(春景) spring scenery.

춘계(春季) spring(time); spring season. ∥ ~운동회 a spring athletic meet. 「spring fever.

춘곤(春困) the lassitude of spring;

춘궁기(春窮期) 《보릿고개》 the spring lean [food-short] season.

춘몽(春夢) spring dreams; visionary fancies; a springtime fantasy. 「인생은 일장~이다 Life is but an empty dream.

춘부장(椿府丈) your august father.

춘분(春分) the vernal equinox.

춘사(椿事) an accident; a disaster; a tragedy(비극).

춘삼월(春三月) March of the lunar month. ∥ ~ 호시절 the pleasant days of spring.

춘색(春色) spring scenery.

춘설(春雪) spring snow.

춘신(春信) signs of spring; news of flowers(화신). 「worms.

춘잠(春蠶) a spring breed of silk

춘정(春情) sexual [carnal] desire [passion].

춘추(春秋) 《봄과 가을》 spring and autumn; 《연령》 age; years. ∥ ~ 복 a suit for spring [autumn] wear; spring-and-autumn wear.

춘풍(春風) the spring breeze.

춘하추동(春夏秋冬) the four seasons; all the year round; throughout the year.

춘화도(春畵圖) an obscene picture; pornography.

춘흥(春興) the delights of spring.

출가(出家) ~하다 leave home(절을 떠남); become a priest(승려가 됨);

출가(出嫁) ~하다 be〔get〕married to〔a man〕.

출간(出刊) ☞ 출판.

출감(出監) release from prison. ~하다 be set free; be released〔discharged〕from prison. ‖ ~자 a released convict.

출강(出講) 〔give a〕lecture〔*at*〕; teach〔*at*〕; be a part-time teacher〔*at*〕.

출격(出擊) a sortie; a sally. ~하다 sally forth; make a sortie.

출고(出庫) delivery of goods from a warehouse. ~하다 take〔*goods*〕out of warehouse. ‖ ~가격 a factory〔store〕price / ~지시 a delivery order.

출구(出口) a way out; an outlet; a gateway.

출국(出國) ~하다 depart from the country; leave the country. ‖ ~허가서 an exit〔a departure〕permit.

출근(出勤) attendance〔at work〕. ~하다 〔come〕to work〔the office〕; go on duty. ‖ ~부 an attendance book / ~시간 the hour going to work; the office-going hour.

출금(出金) 〔지출〕payment;〔출자〕(an) investment. ~하다 pay; invest. ‖ ~전표 a paying-out slip.

출납(出納) receipts and disbursements. ‖ ~계원 a cashier;〔은행의〕a teller / ~부 a cashbook; an account book.

출동(出動)〔동원〕mobilization;〔파견〕dispatch. ~하다 be mobilized; be sent; be called out; put to sea(함대가). ‖ ~명령 an order for moving〔turning out〕/ ~준비 readiness to move.

출두(出頭) an appearance. ~하다 appear at; present *oneself* at; report〔*oneself*〕to. ‖ ~명령 a summons.

출렁거리다 surge; roll; wave; undulate.

출력(出力) generating power; out-put. ‖ ~ 200마력의 엔진 a motor that has a capacity of 200 hp.

출루(出壘) ~하다〔野〕go〔get〕to first base.

출마(出馬) ~하다 put *oneself* as a candidate; run〔stand《英》〕for〔*election*〕.

출몰(出沒) ~하다 make frequent appearance; frequent; haunt.

출발(出發) a start; departure. ~하다 start〔depart〕(*from*); set out (*from*); leave 《*Seoul*》; leave (*for*); set out (*for*); start (*for*); embark (*for*)(배로).

출범(出帆) sailing. ~하다〔set〕sail (*for*); sail away; leave (*for*).

출병(出兵) ~하다 send〔dispatch〕troops〔*to*〕; send an expeditionary force.

출사(出仕) ~하다 go into government service.

출산(出産) a birth; childbirth; delivery. ~하다 give birth (*to*); be delivered (*of*); have a baby. ‖ ~예정일 the expected date of birth / ~율 the birth rate / 출산휴가 maternity leave.

출생(出生) birth. ~하다 be born. ‖ ~률 the birth rate / ~신고 the report〔register〕of a birth / ~지 *one's* birthplace.

출석(出席) attendance; presence. ~하다 attend; be present at. ‖ ~을 부르다 call the roll〔names〕. ‖ ~부 a roll book.

출세(出世) success in life. ~하다 rise in the world; succeed〔in life〕. ‖ ~작 the work which has made the author famous.

출신(出身) …의 ~이다〔학교가〕be a graduate of 《*Columbia University*》; 《출신지가》come from 《*Seoul*》. ‖ ~교 *one's* alma mater / ~지 *one's* birthplace; *one's* home town.

출애굽기(出─記) 〔聖〕The Book of Exodus; Exodus(생략 Exod.).

출어(出漁) ~하다 go〔sail〕out fishing. ‖ ~구역 a fishing area / ~권 the fishing right.

출연(出捐) ～하다 donate; contribute. ∥ ～금 a donation; a contribution.

출연(出演) one's appearance 《on the stage》; one's performance. ～하다 appear on the stage; play; perform. ∥ ～계약 a booking / ～료 a performance fee / ～자 a performer.

출영(出迎) meeting; reception 《영접》. ～하다 receive 《a guest》; meet 《a person at the station》. go [come] out to meet.

출옥(出獄) ～하다 be discharged [released] from prison; leave prison. ∥ ～자 a released convict.

출원(出願) (an) application. ～하다 apply [make an application] 《for》. ∥ ～특허 ～한 Patent applied for. ∥ ～자 an applicant.

출입(出入) coming and going; entrance and exit. ～하다 go in and out; enter and leave; frequent 《자주 가다》. ∥ ～구 an entrance; a doorway; a gateway / ～국 entry into, and departure from the country / ～국 관리국 the Immigration Bureau / ～금지 《게시》 No trespassing; Off limits; Keep out.

출자(出資) investment. ～하다 invest 《money in》; finance 《an enterprise》. ∥ ～금 money invested; a capital / ～액 the amount of investment / ～자 an investor.

출장(出張) an official [a business] trip. ～하다 make an official [a business] trip; travel on business. ∥ ～소 an agency; a branch office.

출장(出場) ～하다 appear; be present 《at》; 《참가》 participate [take part] 《in》. ∥ ～자 a participant; a contestant 《컨테스트의》; the entry 《총칭》; ～정지 suspension.

출전(出典) the source. ¶ ～을 밝히다 give [name, indicate] the source 《of》.

출전(出戰) ～하다 《출정》 depart for the front; 《참가》 participate [take part] 《in》; enter.

출정(出廷) ～하다 appear in [attend] court.

출정(出征) ～하다 depart for the front; go to the front. ∥ ～군인 a soldier in active service 《at the front》.

출제(出題) making questions 《for an examination》. ～하다 set 《a person》 a problem 《in English》; make questions 《for an examination in English》 out of 《a textbook》. ∥ ～경향 a tendency of questions / ～범위 a range of possible questions.

출중(出衆) ～하다 (be) uncommon; extraordinary; outstanding; distinguish *oneself* 《in》.

출처(出處) the source; the origin.

출초(出超) an excess of exports 《over imports》; an exports surplus.

출출하다 feel a bit hungry.

출타(出他) ～하다 leave the house [office]; go out 《on a visit》. ¶ ～중에 in *one's* absence; while *one* is away [out].

출토(出土) ～하다 be excavated [unearthed] 《at a site; from the ruin of ...》. ∥ ～품 an excavated article.

출판(出版) publication; publishing. ～하다 publish; put [bring] out 《a book》; issue. ∥ ～계 the publishing world / ～기념회 a party in honor of the publication 《of a person's book》 / ～목록 a catalog of publication / ～물 a publication / ～사 a publisher; a publishing company / ～업 publishing business.

출품(出品) ～하다 exhibit; display; show; put on exhibition [display]. ∥ ～목록 a catalog(ue) of exhibits / ～물 an exhibit.

출하(出荷) shipment; forwarding. ～하다 forward 《goods》; ship. ∥ ～선(先) 《목적지》 the destina-

ㅊ

tion; 《수하인》 the consignee / ~ 자 a forwarder; a shipper.

출항(出航) ~ 하다 start on voyage; leave (port); set sail (from). ~ 하다 leave port; set sail (from); clear (a port). ‖ ~ 선 an outgoing vessel / ~ 절차 clearance formalities / ~ 정지 an embargo / ~ 정지를 풀다 lift an embargo) / ~ 허가 (get) clearance for leaving port.

출현(出現) an appearance; an advent. ~ 하다 appear; make *one's* appearance; turn (show) up.

출혈(出血) ① 《피가 남》 bleeding; 【醫】 hemorrhage. ~ 하다 bleed; hemorrhage. ¶ ~ 과다로 from excessive bleeding / 내 ~ internal hemorrhage. ② 《희생·결손》 sacrifices; deficit; loss. ‖ ~ 경쟁 《업계의》 a cutthroat competition / ~ 수출 a belowcost export; dumping.

출회(出廻) supply 《of goods》; arrival on the market. ~ 하다 appear 〔arrive〕 on the market.

춤 《무용》 dancing; a dance. ¶ ~ 추다 dance. ‖ ~ 상대 〔선생〕 a dancing partner 〔master; mistress〕.

춤《운두》 height. 〔tress(여자)〕

춥다 be cold; chilly. ¶ 추운 날씨 cold weather; a freezing day.

충(蟲) ① ☞ 벌레. ② ☞ 회충.

충격(衝擊) an impact; a shock. ¶ ~ 을 받다 be shocked (at) / ~ 을 주다 shock; give (a person) a shock. ‖ ~ 요법 shock therapy / ~ 파(波) a shock wave.

충견(忠犬) a faithful dog.

충고(忠告) (a piece of) advice; admonition(간언); a warning(경고). ~ 하다 advise; warn; give warning. ‖ ~ 자 an adviser.

충당(充當) appropriation. ~ 하다 allot 《money》 (to); appropriate.

충돌(衝突) a collision; a conflict; a clash. ~ 하다 collide 〔conflict〕 《with》; run 〔bump〕 《against,

into); clash 《with》. ¶ 이중 ~ a double collision / 정면(공중) ~ a head-on 〔midair〕 collision.

충동(衝動) ① 《의식》 (an) impulse; (an) impetus; a drive; an urge. ¶ ~ 적인 impulsive / ~ 구매를 하다 buy *a thing* on impulse / …하고 싶은 ~ 을 느끼다 feel the urge to 《*do*》. ‖ ~ 구매 impulse buying. ② 《교사·선동》 instigation; incitement. ~ 하다 instigate; set 《a person》 on; spur on.

충만(充滿) ~ 하다 be full (of); be filled 〔replete〕 《with》.

충복(忠僕) a faithful servant.

충분(充分) ~ 하다 (be) sufficient; enough; full; plenty; thorough. ¶ ~ 히 enough; well; fully; thoroughly; sufficiently.

충성(忠誠) loyalty; devotion; allegiance; fidelity. ‖ ~ 스러운 loyal; devoted; sincere; faithful.

충신(忠臣) a loyal subject; a faithful retainer.

충실(充實) ~ 하다 (be) full; complete; substantial.

충실(忠實) ~ 하다 (be) faithful; honest; devoted; true; loyal. ¶ ~ 히 faithfully; devotedly; truly; honestly.

충심(衷心) *one's* true heart. ¶ ~ 으로 from the bottom of *one's* heart; in *one's* heart; heartily; sincerely.

충언(忠言) good 〔honest〕 advice; counsel. ~ 하다 give good advice 〔counsel〕; advise.

충원(充員) supplement of the personnel; recruitment(보충). ~ 하다 supplement the personnel; call up 〔recruit〕 personnel. ‖ ~ 계획 a levy plan.

충의(忠義) loyalty; fidelity.

충일(充溢) ~ 하다 overflow; be full (of); be overflowing 《with》.

충적(沖積) 【地】 ~ 의 alluvial. ‖ ~ 기 the alluvial epoch.

충전(充電) charging. ~ 하다 charge 《a battery》 (with electricity); electrify. ‖ ~ 기 a charger.

충전(充填) ～하다 fill [plug] up; stop [up]; replenish. ∥ ～물 fillers.

충절(忠節) loyalty; allegiance.

충정(衷情) one's true heart.

충족(充足) ～하다 fill up; (be) sufficient; full; make up 《for》.

충직(忠直) ～한 faithful; honest; upright; true.

충천(衝天) ～하다 rise [soar] high up to the sky; go sky-high.

충충하다 (be) dark; gloomy; somber; dusky; dim.

충치(蟲齒) a decayed tooth; a dental caries.

충해(蟲害) insect pests; damage from insects.

충혈(充血) congestion. ～하다 be congested 《with blood》; be bloodshot(눈이).

충혼(忠魂) the loyal dead; a loyal soul. ∥ ～비 a monument dedicated to the loyal [war] dead.

충효(忠孝) loyalty and filial piety.

췌액(膵液) 【動】 pancreatic juice.

췌장(膵臓) 【解】 the pancreas. ∥ ～암 【醫】 cancer of the pancreas / ～염 pancreatitis / ～절개(술) pancreatotomy.

취객(醉客) a drunkard; a drunken man; a drunk.

취급(取扱) 《사람 등의》 treatment; dealing; 《물건의》 handling; 《사무의》 management. ～하다 treat; deal 《with》 《문제, 사람을》; handle(물건을); manage(사무를); carry on. ∥ ～소 an office; an agent / ～시간 service hour / ～요령 설명서 an instruction manual.

취기(醉氣) 《signs of》 intoxication; tipsiness.

취담(醉談) drunken words.

취득(取得) 《an》 acquisition. ～하다 acquire; obtain. ∥ ～세 the acquisition tax / 부동산 ～세 the real property acquisition tax.

취락(聚落) a settlement; a community; a village; a colony.

취로(就勞) ～하다 find work; go

to work. ∥ ～사업 a job-producing project / ～시간[일수] working hours(days).

취미(趣味) 《a》 taste; an interest. ¶ ～가 있다 tasteful; interesting / ～가 없는 tasteless; dry.

취사(炊事) cooking; kitchen work. ～하다 cook; do 《the》 cooking. ∥ ～당번 the cook's duty; a kitchen police(병사의) / ～도구 cooking utensils / ～장 a kitchen.

취사(取捨) selection; sorting out. ¶ ～선택하다 choose; sort out; make one's choice.

취생몽사(醉生夢死) ～하다 dream [drone] one's life away.

취소(取消) cancellation; retraction; annulment(계약 등의); withdrawal(철회). ～하다 cancel; take back; retract; withdraw; revoke 《a command》; 【法】 repeal. ¶ ～할 수 있는 revocable; retractable / ～할 수 없는 irrevocable; beyond recall [revoke]. ∥ ～권 【法】 right of rescission; the right to rescind / ～명령 a countermand.

취안(醉眼) drunken eyes.

취약(脆弱) ～하다 (be) weak; fragile; frail. ∥ ～지역[지점] 【軍】 a vulnerable area [point].

취업(就業) ～하다 begin [start, go to] work. ∥ ～규칙 office [shop] regulations / ～인구 the working population.

취역(就役) ～하다 be commissioned; go [come] into commission [service]; transliterate.

취음(取音) transliteration. ～하다

취임(就任) inauguration; assumption of office. ～하다 take office 《as》; be installed [inaugurated] 《as》. ∥ ～식 an inauguration; an inaugural ceremony(대통령) / ～식 날 《美》 Inauguration Day / ～연설 an inaugural address.

취입(吹入) recording. ～하다 put 《a song》 on a record; have 《one's song》 recorded; make a record 《of》.

ㅊ

취재(取材) ～ 하다 collect [gather] (news) data [materials] 《on, for》 《기사를》 cover 《a meeting》. ∥ ～경쟁 a competition in coverage / ～기자 a reporter; a legman 《美口》 / ～원(源) a news source / ～활동 coverage activities; legwork 《美口》.

취조(取調) ☞ 문초(問招).

취주(吹奏) ～ 하다 blow 《the trumpet》; play (on) 《the flute》. ∥ ～악 wind instrument music / ～악기 a wind instrument / ～악단 [악단] a brass band.

취중(醉中) ¶ ～에 in a drunken state; under the influence of liquor.

취지(趣旨) 《생각》 an opinion; an idea; 《목적》 an object; a purpose; an aim; 《뜻·요지》 a purport; the effect.

취직(就職) getting employment; taking a job. ～ 하다 get [find] employment [work]; get a position [job]. ∥ ～난 a job shortage; the difficulty of finding employment [getting a job] / ～률 an employment rate / ～시험 an employment examination / ～활동 job hunting.

취침(就寢) ～ 하다 go to bed; retire (to bed, to rest). ¶ ～중 while 《one is》 asleep [sleeping]; in bed. ∥ ～나팔 taps / ～시각 bedtime; time to go to bed.

취태(醉態) drunkenness; drunken behavior.

취하(取下) withdrawal. ～ 하다 withdraw; drop.

취하다(取一) ① 《채택》 adopt; take. ¶ 강경한 태도를 ～ assume [take] a firm attitude. ② 《선택하다》 prefer; choose; pick; take. ③ 《섭취하다》 take; have. ④ 《꾸다》 borrow; lend.

취하다(醉一) ① 《술에》 get drunk; become intoxicated (tipsy). ¶ 술에 하여 under the influence of liquor [drink] / 곤드레만드레 ～ be dead drunk. ② 《중독》 be poisoned. ③ 《도취》 be intoxicated; be exalted.

취학(就學) ～ 하다 enter [go to] school. ¶ ～시키다 put [send] 《a boy》 to school. ∥ ～률 the percentage of school attendance / ～아동 a school child / ～연령 the school age / ～전 교육 preschool education / 미～아동 a preschool child. [drunkard.

취한(醉漢) a drunken fellow; a

취항(就航) ～ 하다 enter service; go into commission. ¶ 유럽 항로에 ～시키다 be put on the European line.

취향(趣向) 《기호》 taste; liking; fondness; 《경향》 bent.

취흥(醉興) 《drunken》 merrymaking.

…측(側) ～ a side; a part. ¶ 양～ both sides.

측근(側近) one's closest associates.

측량(測量) measurement; 《토지의》 a survey; 《물 깊이의》 sounding. ～ 하다 measure; survey; sound. ∥ ～기계 surveying instruments / ～기사 a surveyor / ～도 a survey map / ～반 a surveying corps [squad] / ～선 a surveying ship / ～술 surveying.

측면(側面) the side; the flank. ∥ ～공격 a flank attack / ～도 a side view.

측선(側線) ① 《철도의》 a sidetrack; a siding. ② 《어류의》 the lateral line.

측심(測深) sounding. ～ 하다 sound 《the sea》; fathom. ∥ ～기 a (depth) sounder; a depth finder.

측연(測鉛) a plumb; a sounding lead; a plummet. ∥ ～선 a sounding [plummet] line.

측우기(測雨器) a rain gauge.

측은(惻隱) ～ 하다 commiserate; sympathize; (be) compassionate; pitiful. ¶ ～히 여기다 pity; commiserate with / ～한 마음이 들다 feel compassion [pity] 《for》.

측점(測點) 《측량의》 a measuring point; a surveying station.

측정(測定) measurement. ~ 하다 measure. ∥ ~기 a measuring instrument / ~ 기술 measurement techniques / ~ 장치 a measuring device.

측지(測地) land surveying. ~ 하다 survey land; make a geodetic survey 《of》. ∥ ~위성 a geodetic satellite / ~학 geodesy.

측후(測候) a meteorological observation. ~ 하다 make a meteorological observation. ∥ ~소 a meteorological observatory (station).

층(層) 《계층》 a class; 《건물의》 a story 《美》; a floor; 《지층》 a layer; a stratum. ¶ ~이 두껍다 be thick-layered; 《선수·선수층 따위가》 have a large stock 《of players》 to draw on / ~을 이루다 be in layers (strata); be stratified / ~상(狀)의 stratiform; stratified.

층계(層階) stairs; a staircase; a stairway; a flight of steps. ∥ ~참 a landing (place).

층나다(層—) be stratified into classes (grades); stratify; show disparity 《in》.

층면(層面) 《地》 the stratification plane.　　　　[(a rocky) cliff.

층암절벽(層岩絶壁) an overhanging

층애(層崖) a stratal precipice (cliff).

층운(層雲) a stratus 《pl. -ti》.

층적운(層積雲) a roll cumulus; a stratocumulus.

층지다(層—) ⇨ 층나다.

층층다리(層層—) a staircase; stairs; a stairway; a flight of steps.　　　[steps.

층층시하(層層侍下) serving both parents and grandparents alive.

치(値) 《數》 numerical value.

치¹ 《분》 a share; a part; a portion. ②《사람》 a fellow; a guy.

치²《길이의 단위》 a Korean inch;

a *chi* (= 3.0303 cm).

치가 떨리다(齒—) grind *one's* teeth with vexation (indignation); be tense with indignation.

치고 ¶ 그것은 그렇다 ~ be that as it may; apart from that.

치골(恥骨) 《解》 the pubis; the pubic bones.

치과(齒科) dentistry; dental surgery. ∥ ~기공사 a dental technician / ~대학 a dental college / ~의(사) a dentist; a dental surgeon / ~의원 a dental clinic; a dentist's (office).

치근(齒根) the root of a tooth.

치근거리다 annoy; pester; bother. ¶ 치근치근 teasingly; importunately.

치기(稚氣) childishness; puerility. ¶ ~ 넘친 childish; puerile.

치기배(—輩) a snatcher; a sneak thief; a shoplifter.

치다¹ ①《때리다》 strike; beat; give a blow. ②《두드리다》 beat 《북을》; ring《종을》; play 《on》 《종금 따위》; drive 《hammer》 in《못을》; clap《손뼉을》. ¶ 피아노를 ~ play 《on》 the piano / 손뼉을 ~ clap *one's* hands. ③《맞히다》 《make a good》 hit; strike. ¶ 배트로 ~ hit with a bat. ④《떡을》 pound. ⑤《벼락 따위》 fall; strike.

치다² ①《공격·토벌》 attack; assault; assail. ②《베어내다》 cut; prune; trim. ¶ 가지를 ~ prune 《trim》 a tree; prune the branches off. ③《채를》 cut 《a cucumber》 into thin strips.

치다³ 《깨끗이》 clean (out); tidy 《something》 up; put in order; 《제거》 remove; carry away; get rid of; dredge 《a river》.

치다⁴ ①《세로》 sieve; sift. ¶ 가루를 체에 ~ put (pass) flour through a sieve. ②《장난을》 do; play. ③《소리를》 shout; cry; yell.

치다⁵ ①《셈》 value; appraise; estimate; count. ②《…로 보다》 consider; regard as; think 《of 《as》.

치다⁶《액체·가루를》add 《*sauce*》；put；pour(붓음)；sprinkle(가루를).

치다⁷《매다》tie；wear；put on；attach. ① 《각반을 ～》wear gaiters. ② 《장막 따위를》hang 《*a curtain*》；put up 《*a mosquito net*》；pitch 《*a tent*》. ③ 《줄을》draw 《*a line*》.

치다⁸《차에》run over 《*a man*》；knock 《*a person*》down. ☞ 치이다.

치다⁹《사육》keep；raise；rear；breed. ¶ 닭을 ～ breed [raise] chickens. ② 《꿀을》¶ 벌이 꿀을 ～ bees store honey. ③ 《손님을》keep a lodger [roomer]. ④ 《가지가 뻗다》shoot out.

치다¹⁰《그물 등을》cast 《*a net*》；《끈을》braid；《휘감을》hem 《*the edges*》.

치다¹¹ ① 《전보를》send 《*a telegraph, cable*》. ② 《시험을》take；sit for；undergo 《*an examination*》.

치다¹²《화투를》shuffle 《섞다》；play 《놀음》.

치다꺼리 ① 《일처리》management；control；taking care of. ～하다 manage；deal with. ② 《조력》assistance；aid；help. ～하다 help；assist；take care of.

치닫다 run up；go up.

치대다 put 《stick, fix》on the upper part.

치도곤(治盜棍) a club (for the lash). ¶ ～을 안기다 《비유적》teach 《*a person*》a lesson；give 《*a person*》a 'raw deal [hard time].

치뜨다 raise；lift 《*one's* eyes》.

치뜨리다 toss up；throw up.

치런치런 《넘칠락말락》full to the brim；brimfully.

치렁거리다 ① 《드린 물건이》hang down；droop；dangle. ② 《시일이》be put off from day to day；be prolonged；drag on.

치레(embellishment；adornment；decorating. ～하다 embellish；adorn；decorate；dress 《smarten》up. ¶ 겉～로만 for mere form's sake.

치료(治療) medical treatment；(a)

cure. ～하다 treat；cure. ¶ ～를 받다 be treated 《*for cancer*》；undergo medical treatment / 물리 ～ physical therapy. ‖ ～법 a remedy；a cure / ～비 a doctor's fee [bill] / ～효과 remedial [therapeutic] value；(a curative effect.

치루(痔瘻) an anal fistula.

치르다 ① 《돈을》pay (off). ¶ 값을 ～ pay the price 《*for an article*》/ 어떤 대가를 치르더라도 at any price 《cost》. ② 《겪다》undergo；go through；experience；suffer. ③ 《큰 일을》carry out；go through；have 《*guests*》；entertain 《*guests*》. ¶ 결혼식을 ～ have a wedding ceremony.

치를 떨다(齒一) ① 《인색》grudge；be awfully stingy. ② 《격분》grind *one's* teeth；grind *one's* teeth with indignation.

치마 a skirt. ¶ 치맛자락 the edge [end, tail] of the skirt.

치매(癡呆) 《醫》dementia；imbecility. ¶ 노인성 ～ senile dementia. ‖ ～노인 a dotard；an old man [woman] in *one's* dotage.

치명(致命) ～적인 fatal；mortal；deadly. ‖ ～상 a mortal [fatal] wound；a fatal blow.

치밀(緻密) ～한 precise；minute；fine；close；elaborate.

치밀다 《위로 밀다》push [shove, thrust] up；《감정이》surge；swell；well up. ¶ 분노가 ～ feel the surge of anger；flare up；fly into a rage.

치받이 an upward slope；an ascent.

치받치다 《감정이》surge；swell；well up；《믿을》prop；bolster [prop] up；support.

치부(致富) ～하다 make money；become rich；amass a fortune.

치부(恥部) 《남녀의》the private [intimate] parts (of the body)；《창피한 부분》a disgrace；a shameful part 《*of the city*》.

치부(致簿) ～하다 keep books；

keep accounts; enter 《an item》 in a book. ‖ ~책 an account book.

치사(致死) 《~의 fatal; mortal; deadly / 과실 ~ 《法》 homicide [death] by misadventure / 상해 ~ (a) bodily injury resulting in death. ‖ ~량 a fatal dose.

치사(致謝) thank 《a person》 for 《his kindness》; express one's gratitude.

치사스럽다(恥事―) (be) disgraceful; shameful; dishonorable; 《비열》 (be) mean; dirty. ‖ 치사스럽게 굴다 behave meanly [shamefully].

치산(治山) afforestation. ‖ ~하다 reserve [protect] forest; afforest. ‖ ~치수 antiflood [flood control] afforestation; conservation of rivers and forests / ~치수 사업 anti-erosion project.

치산(治産) management of one's property.

치살리다 praise 《a person》 to the skies; speak highly of. ‖ ~ing.

치석(齒石) tartar. ‖ ~제거 scaling.

치성(致誠) devotion; loyal service; 《신불에의》 sacrificial service 《to spirits》.

치세(治世) a reign; a rule; a regime.

치수(―數) measure; dimensions; size. ‖ ~를 재다 measure; take the measurements 《of》.

치수(治水) flood control; river improvement. ‖ ~하다 embank a river; control floods. ‖ ~공사 embankment works; levee works; flood prevention works.

치수(齒髓) 《解》 the dental pulp. ‖ ~염 《醫》 pulpitis.

치신(―身) 〔위신〕 prestige; dignity. ‖ ~을 잃다 lose [impair] one's dignity; degrade oneself. 「nerve.

치신경(齒神經) 《解》 the dental

치신사납다(―身―) 《be》 shameful; indecent; outrageous; unseemly.

치신없다(―身―) (be) undignified; unbecoming; ungentlemanly.

치아(齒牙) ☞ 이.

치안(治安) public peace and order; public security. ‖ ~감 Senior Superintendent General / 경찰 the peace [security] police / ~당국 law enforcement authorities / ~방해 the disturbance of public peace / ~유지 the maintenance of public peace / ~정감 Chief Superintendent General / ~총감 Commissioner General.

치약(齒藥) toothpaste; dental cream.

치열(齒列) a row [set] of teeth. ‖ ~교정 straightening of irregular teeth.

치열(熾烈) ~하다 (be) severe; keen; intense.

치외법권(治外法權) extraterritorial rights; extraterritoriality.

치욕(恥辱) disgrace; shame; dishonor; insult(모욕).

치우다 ① 《정리》 put 《things》 in order; set [put] 《a room》 to rights; tidy [up]; 《제거》 take away; remove; get rid of; clear away [off]. ② 《딸을》 give 《one's daughter》 in marriage; marry 《one's daughter》 off.

치우치다 《기울다》 lean [incline] 《to, toward》; 《편파적》 be partial 《to》; be biased [one-sided]; have a partiality 《for》; be prejudiced.

치유(治癒) healing; cure. ‖ ~하다 cure; heal; recover. ‖ ~율 a cure rate.

치음(齒音) a dental sound.

치이다 ① 〔덫에〕 get trapped [entrapped]; be caught in a trap. ② 〔피륙의 올이〕 lose 《its》 weave; 《솜이》 form into a lump; lump up to one side.

치이다 《차바퀴에》 run over [down]; knock down; be hit.

치이다 《값이》 cost; amount to be worth. ‖ 비싸게 [싸게] ~ come expensive [cheap].

치자(梔子) 《植》 gardenia seeds.

‖ ~나무 a Cape jasmine; a gardenia.

치장(治粧) decoration; adornment; embellishment; (화장) *one's* make-up. ~하다 decorate; adorn; pretty up; beautify.

치적(治績) (업적) (the results of an) administration; administrative achievements.

치정(癡情) foolish [blind] love [passion]; lust.

치조(齒槽) 〖解〗 an alveolus. ‖ ~농루(膿漏) 〖醫〗 pyorrhea alveolaris.

치죄(治罪) punishment of crime. ~하다 punish; penalize 《for》.

치중(置重) ~하다 put [lay] emphasis [stress] on 《a matter》; emphasize; attach importance to 《something》; give priority to 《something》.

치즈 cheese. ‖ ~ 덩어리 a chunk of cheese. ‖ ~버거 a cheese burger / ~케이크 a cheese cake.

치질(痔疾) 〖醫〗 hemorrhoids; piles. ‖수(암) ~ external [internal] hemorrhoids.

치켜세우다 extol [praise] 《a person》 to the skies; sing the praises of 《a person》; speak highly of; pay a tribute to 《a person》.

치키다 lift; heave; boost; pull [draw] up. ‖눈을 치켜 뜨다 lift (up) *one's* eyes; cast an upward glance.

치킨(닭고기) chicken. ‖ ~수프 chicken soup / 프라이드 ~ a fried chicken.

치통(齒痛) (a) toothache.

치하(治下) ~의 under the rule [reign] 《of》.

치하(致賀) congratulation; compliments. ~하다 congratulate *a person* 《on something》; celebrate 《an event》. ‖…을 ~하기 위하여 in honor [celebration] of ….

치한(癡漢) a molester of women; a wolf; a masher 《俗》.

치환(置換) 〖數・化〗 metathesis; sub- stitution; replacement; transposition. ~하다 metathesize; substitute; replace; transpose.

칙령(勅令) a Royal command [order].

칙명(勅命) a Royal command [order].

칙사(勅使) a Royal messenger [envoy]. ‖ ~ 대접을 하다 treat 《a person》 very courteously; give 《a person》 a red carpet treatment 《美》.

칙칙하다 (be) somber; dull; dark.

친(親…) ① (혈육) *one's* own; *one's* blood. ‖ ~형제 *one's* blood brothers. ② (친밀) pro-. ‖ ~미의 pro-American.

친가(親家) ☞ 친정(親庭).

친고(親告) ‖ ~죄 an offense subject to prosecution only upon complaint (from the victim).

친교(親交) friendship; friendly relations. ‖ ~를 맺다 form a close friendship 《with》.

친구(親舊) a friend; a companion; company (교우); a pal (口). ‖학교 ~ a schoolmate / …와 ~가되다 make friends with ….

친권(親權) 〖法〗 parental authority [prerogatives]. ‖ ~을 행사하다 exercise parental power. ‖ ~자 a person in parental authority.

친근(親近) ~하다 (be) close; familiar; friendly.

친기(親忌) a memorial service for *one's* parent.

친목(親睦) friendship; amity; friendliness. ‖ ~회 a social [gathering]; a get-together meeting 《美》.

친밀(親密) ‖ ~한 friendly; close; intimate / ~해지다 make friends with.

친부모(親父母) *one's* real parents.

친분(親分) acquaintanceship; friendship. ‖ ~이 두터워지다 get more closely acquainted.

친상(親喪) mourning for a parent.

친서(親書) an autograph letter; a personal letter.

친선(親善) friendly relations;

friendship; goodwill. ¶ 국제적 ~
international goodwill / ~을도
모하다 promote friendly relations
《between》; strengthen the ties of
friendship《between》. ‖ ~경기 a
friendly [goodwill] match / ~방
문 a goodwill visit / ~사절 a
goodwill mission [envoy].

친숙(親熟)《익숙함》 ~하다 be fa-
miliar《with》; be well acquainted
《with》.

친애(親愛) ¶ ~하는 dear; beloved;
darling.

친영(親英) ¶ ~의 pro-British《poli-
cies》. ‖ ~주의 Anglophilism.

친위대(親衞隊) the Royal guards;
the bodyguards《to the King》.

친일(親日) ¶ ~의 pro-Japanese.
‖ ~파 a pro-Japanese (group).

친자녀(親子女)《one's real (blood)
children.

친전(親展)《서신에서》Confidential;
Personal; To be opened by ad-
dressee only.

친절(親切) (a) kindness; goodwill;
a favor. ¶ ~한 kind; good;
kindhearted; obliging; friendly /
…에게 ~히 대하다 be kind to;
show kindness to; treat《a per-
son》with kindness / ~하게도 ~
하다 be kind enough to do;
have the kindness to do.

친정(親政) royal governing in per-
son. ~하다《the King》govern in
person.

친정(親庭) a woman's parents' [old]
home; one's maiden home.

친족(親族) a relative; a relation;
kinfolk. ¶ 직계 ~ lineal [close]
relatives / 방계 ~ collateral [dis-
tant] relatives. ‖ ~관계 kin-
ship / ~법 the Domestic Rela-
tions Law / ~회의 a family coun-
cil.　　　　　　　　　　「friend.

친지(親知) an acquaintance; a

친척(親戚) a relative; a relation;
a kinsman; kinfolk《복수》. ‖ ~
관계 relationship; kinship / 일
가 ~ one's kith and kin; rela-
tives in blood and law.

친필(親筆) an autograph; one's
own handwriting. ¶ [法] a holo-
graph / ~의 autographic.

친하다(親-) ① 《가깝다》 be friend-
ly; familiar; close. ¶ 친한 벗 a
great [close] friend / 친한 사이다
be on good [friendly] terms with.
② 《사귀다》 become friendly
《familiar》《with》.

친화(親和) harmony. ‖ ~력 [化]
affinity《for》.

친히(親-) ① 《친하게》 intimately;
familiarly; in a friendly way.
¶ ~ 사귀다 be in close associa-
tion with. ② 《몸소》 personally;
in person; directly《직접》. 　「enth.

칠(七) seven. ¶ 제 ~ (의) the sev-

칠(漆)《채료》paints; lacquer《옻》;
《칠하기》coating; painting; lac-
quering《옻칠》. ¶ ~조심《게시》
Wet Paint.

칠각형(七角形) a heptagon.

칠기(漆器) lacquer(ed) ware;
lacquer(work).

칠떡거리다 drag; draggle; trail.
¶ 칠떡칠떡 trailing; dragging.

칠렁거리다 overflow; slop [spill]
over.

칠렁하다 be full to the brim.

칠레 Chile. ¶ ~의 Chilean; Chil-
ian. ‖ ~사람 a Chilean; a Chil-
ian / ~초석[硝石] [鑛] a Chile
saltpeter; cubic niter.

칠면조(七面鳥) a turkey; a turkey
cock《수컷》[hen《암컷》].

칠보(七寶) [佛] the Seven Treas-
ures《i.e. gold, silver, lapis,
crystal, coral, agate, and
pearls》. ‖ ~자기 cloisonné《프》.

칠석(七夕) the seventh day of
the seventh lunar month.

칠순(七旬) ① 《70일》 seventy days.
② 《70살》 seventy years of age.

칠십(七十) seventy. ¶ 제 ~ (의) the
seventieth.

칠월(七月) July《생략 Jul.》. 「er」

칠장이(漆匠-) a painter [lacquer-

칠전팔기(七顚八起) not giving in
to adversity; standing firm in
difficult matters. ~하다 never

give in to adversity.

칠칠하다 ¶ 칠칠치 못하다 be untidy [slovenly]; be careless [loose].

칠판 (漆板) a blackboard. ‖ ~ 을 지우다 wipe [clean] a blackboard.

칠하다 (漆 ―) 《페인트를》 paint; 《니스를》 varnish; 《벽을》 plaster; 《옻을》 lacquer.

칠현금 (七絃琴) a seven-stringed harp; a heptachord.

칠흑 (漆黑) ¶ ~ 같은 pitch-black; jet-black; coal-black.

칡 [植] an arrowroot. ‖ ~ 덩굴 arrowroot vines (runners).

침 spittle; saliva(타액). ‖ ~ 을 뱉다 spit: salivate.

침 (針) ① 《가시》 a thorn. ② 《바늘》 a needle; a hand(시계의).

침 (鍼) a needle(도구); acupuncture(침술). ¶ ~ 을 놓다 acupuncture; treat 《a person》 with acupuncture. / ~ 의 (醫) an acupuncturist.

침강 (沈降) sedimentation. ~ 하다 precipitate. ‖ ~ 속도 sedimentation rate(혈액의).

침공 (侵攻) an attack; an invasion. ~ 하다 attack; invade.

침구 (寢具) bedding; bedclothes. ‖ ~ 일습 a set of bedding.

침구 (鍼灸) acupuncture and moxibustion. ‖ ~ 술 the practice of acupuncture and moxibustion.

침낭 (寢囊) a sleeping bag.

침노하다 (侵撈 ―) 《영토·권리 등을》 invade; encroach 〔on〕; make inroads 〔on, into〕.

침그다 (沈―) cure 《a persimmon》 in salt water.

침대 (寢臺) a bed; 《열차·배의》 a (sleeping) berth; a bunk(배의). ‖ ~ 권 a berth ticket / ~ 요금 a berth charge / ~ 차 a sleeping car; a sleeper.

침략 (侵掠) aggression; invasion. ~ 하다 invade; make a raid 《upon》. ‖ ~ 국 an aggressor nation / ~ 군 an invading army / ~ 자 an aggressor; an invader / ~ 전쟁 an aggressive

war; a war of aggression / ~ 행위 an act of aggression.

침례 (浸禮) [宗] baptism by immersion. ‖ ~ 교도 a Baptist / ~ 교회 the Baptist Church.

침로 (針路) 《나침반에 의한》 a course; 《항공기의》 a flight path.

침모 (針母) a seamstress; a needlewoman.

침목 (枕木) 《철도의》 a (railroad) tie 《美》; a crosstie; a sleeper 《英》.

침몰 (沈沒) sinking; foundering. ~ 하다 sink; go down; founder(침수해서).

침묵 (沈默) silence. ~ 하다 become [fall] silent; say nothing. ‖ ~ 을 지키다 remain [keep] silent; hold *one's* tongue / ~ 을 깨다 break silence / 웅변은 은, ~ 은 금이다 《俗談》 Speech is silver, silence is golden.

침범 (侵犯) invasion; 《영토의》 violation, infringement. ~ 하다 invade; violate.

침삼키다 (침을) swallow saliva; 《먹고 싶어》 *one's* mouth waters 《at》; 《욕정으로》 lust 《after, for》; 《부러워》 be envious 《of》.

침상 (針狀) 《바늘모양》 ¶ ~ 의 needle-shaped; pointed. ‖ ~ 엽 (葉) a needle (leaf).

침상 (寢床) a bed-floor. ☞ 침대.

침소 (寢所) a bedchamber; a bedroom.

침소봉대 (針小棒大) (an) exaggeration. ~ 하다 exaggerate; overstate 《*one's* case》. ¶ ~ 의 exaggerated; high-flown; bombastic.

침수 (浸水) inundation; flood. ~ 하다 be flooded; be inundated; be under water. ‖ ~ 가옥 flooded houses; houses under water / ~ 지역 the flooded [inundated] area.

침술 (鍼術) acupuncture. ‖ ~ 사 an acupuncturist.

침식 (侵蝕) erosion; corrosion. ~ 하다 erode 《the cliff》; eat away 《at the bank》; gain [encroach] on 《the land》 (바닷가). ‖ ~ 작용

침식(寢食) ¶ ~을 같이 하다 live under the same roof.

침실(寢室) a bedroom; a bed-chamber.

침엽(針葉) [植] a needle (leaf). ¶ ~수 a needle-leaf tree; a conifer.

침울(沈鬱) melancholy; gloom. ¶ ~한 melancholy; gloomy; dismal; depressed.

침윤(浸潤) ~하다 be saturated (with); permeate (through); infiltrate (into).

침입(侵入) 《적국 따위에》 (an) invasion; inroad; 《급습》 a raid; 《남의 땅에》 trespass; intrusion. ~하다 invade; make an inroads (into enemy country); raid; 《남의 집에》 break into; force one's way into. ¶ ~군 an invasion force / ~자 an invader; an intruder; a trespasser.

침전(沈澱) precipitation; deposition. ~하다 settle; precipitate; be deposited. ¶ ~농도 precipitation density / ~물 a precipitate; a sediment; a deposit / ~조(槽) a settling tank / ~지(池) a settling basin.

침착(沈着) self-possession; composure. ¶ ~한 self-possessed; calm; cool; composed / ~하게 행동하다 act with coolness; play it cool.

침체(沈滯) stagnation; dullness. ¶ ~된 시장 a dull 〔slack〕 market / ~된 분위기 stagnant atmosphere / 경기가 ~되었다 The market is stagnant 〔dull〕.

침침하다(沈沈一) 《장소 따위가》 (be) gloomy; dim; dark; dimly-lit; 《날씨가》 (be) cloudy; dull; 《눈

이》 (be) misty; dim; obscure.

침통(沈痛) ¶ ~한 grave; sad; serious.

침투(浸透) penetration; infiltration. ~하다 penetrate 〔infiltrate〕 (into, through). ¶ ~성(性) [化] osmosis; permeability / ~작용 〔압〕 osmotic action 〔pressure〕 / ~작전 an infiltration operation.

침팬지 [動] a chimpanzee.

침하(沈下) sinking; subsidence. ~하다 subside; sink.

침해(侵害) infringement; violation; encroachment(무단 침입). ~하다 violate; infringe (upon); encroach 〔trespass〕 upon. ¶ 저작권~ infringement of copyright.

침향(沈香) [植] aloes wood.

침흘리개 a slobberer; a driveler.

칩거(蟄居) ~하다 keep indoors; live in seclusion; confine oneself in one's house.

칫솔(齒─) a toothbrush.

칭병(稱病) ~하다 pretend to be ill.

칭송(稱頌) praise; laudation. ~하다 admire; praise highly.

칭얼거리다 fret; whine; be peevish. ¶ 칭얼칭얼 peevishly; fretfully; fussing.

칭찬(稱讚) praise; admiration (of). ~하다 praise; admire; speak highly of. ¶ ~할 만한 admirable; praiseworthy; laudable.

칭탁(稱託) ~하다 make a pretext of; use 《a traffic accident》 as a pretext.

칭하다(稱一) 《부르다》 call; name; designate.

칭호(稱號) a name; a title; a degree. ¶ 아무에게 ~를 수여하다 confer a title on a person.

ㅋ

카 a car. ☞ 차, 자동차. ¶ ~스테레오 a car stereo (system) / ~페리 a car ferry.

카나리아 【鳥】 a canary (bird).

카네이션 【植】 a carnation.

카누 a canoe. ¶ ~를 젓다 paddle a canoe / ~로 강을 내려가다 go down a river by canoe. ∥ ~경주 (競漕) a canoe race.

카니발 〈사육제〉 a carnival.

카드 a card; a slip (of paper); 《트럼프》 (playing) cards; 《크레디트카드 따위의》 a (credit) card. ¶ 전화 〈버스, 현금〉 ~ a telephone 〔bus, cash〕 card / 이 ~로 지불이 가능합니까 Do you accept this (credit) card ? ∥ ~색인 a card index / ~케이스 a card case.

카드놀이 card playing; a card game. ¶ ~를 하다 play cards / ~를 하는 사람 a cardplayer / ~에서 지다 〔이기다〕 win 〔lose〕 at cards.

카드뮴 【化】 cadmium(기호 Cd).

카디건 《스웨터》 a cardigan.

카랑카랑하다 《날씨가》 (be) clear and cold; 《목소리가》 (be) clear and high-pitched.

카레 curry. ¶ ~라이스 curry and rice / ~오리 a curry; curried food.

카르테 【醫】 a (clinical) chart; a Karte 《獨》.

카르텔 a cartel. ¶ ~을 결성하다 form a cartel; cartelize / ~을 해체하다 dissolve 〔break up〕 a cartel 《of steel companies》. ∥ ~협정 a cartel agreement.

카리스마 charisma. ¶ ~적인 charismatic.

카리에스 【醫】 caries. ¶ 척추 ~ 【醫】 spinal caries.

카메라 a camera. ¶ 수중 ~ an underwater camera / 풍경을 ~에 담다 take a photograph of the scenery. ∥ ~맨 a cameraman.

카메룬 〈아프리카의〉 Cameroon. ¶ ~의 cameroonian.

카멜레온 【動】 a chameleon.

카무플라주 a camouflage; 《비유적》 a smoke screen. ¶ ~하다 camouflage 《a military vehicle》; disguise 《one's real intentions》.

카바레 a cabaret.

카바이드 【化】 (calcium) carbide.

카본 carbon. ¶ ~복사 a carbon copy / ~지(紙) carbon paper.

카빈총 (一銃) a carbine.

카세트 a cassette. ¶ 라디오 프로를 ~에 녹음하다 tape(-record) the radio program on a cassette. ∥ ~녹음기 a cassette tape recorder / ~테이프 a cassette tape.

카스텔라 sponge cake.

카우보이 a cowboy.

카운슬링 counseling.

카운터 a (service) counter.

카운트 a count; counting. ~하다 count.

카이로 〈이집트의 수도〉 Cairo.

카이저수염 (一鬚髯) a Kaiser 〔an upturned〕 mustache.

카지노 a casino.

카키색 (一色) khaki color.

카타르 【醫】 catarrh. ¶ ~성의 catarrhal.

카탈로그 a catalog(ue). ¶ 상품의 가격을 기재한 ~ a priced catalog.

카테고리 【論】 a category. ¶ …의 ~에 들다 belong to 〔fall under〕 the category of.

카투사 KATUSA. (◀ Korean Augmentation Troops to the United States Army)

카트리지 a cartridge. ¶ ~를 갈아끼우다 replace the cartridge.

카페 a *café* 〈프〉; a coffee house [shop]; a bar.

카페인 〈化〉 caffeine. ¶ ～을 뺀 커피 caffeine-free coffee. 「teria.

카페테리아〈셀프서비스식의〉 a cafe=

카펫 a carpet. ¶ ～을 깔다 lay [spread] a carpet; carpet (*a floor, room*).

카피 〈복사〉 a copy. ¶ 이 서류를 두 장 ～ 해 주시오 Please make two copies of this document. ¶ ～ 라이터 〈광고 등의〉 a copywriter / ～ 라이트 〈저작권〉 a copyright.

칵칵거리다 keep coughing (to clear *one's* throat).

칵테일 a cocktail. ¶ ～ 파티 a cocktail party.

칸 ① 〈면적〉 *kan*; 〈방을 세는 단위〉 a room. ¶ 네 ～ 집 a fourroom house. ② 〈칸막이〉 a partition. ¶ ～을 막다 partition (*a room*). ③ 〈빈 곳〉 a blank (space). ¶ 빈 ～에 알맞은 전치사를 써 넣으시오 Fill (in) the blanks with appropriate prepositions.

칸나 〈植〉 a canna.

칸막이 〈막음〉 partitioning; screening; 〈막은 것〉 a partition; a screen. ～하다 partition; screen off. ¶ ～ 벽 a partition wall.

칸살 〈넓이〉 the size of a room; 〈간격·거리〉 a space; distance. ¶ ～이 넓은 방 a large room.

칸초네 *canzone* 〈이〉.

칸타빌레 〈樂〉 cantabile. ¶

칸타타 〈樂〉 cantata.

칸트 Kant. ¶ ～의 Kantian. ∥ ～ 철학 Kantism / ～ 학파 the Kantists.

칼 〈썰거나 자르는〉 a knife; a kitchen knife 〈식칼〉; a table knife 〈식탁용〉; a cleaver 〈토막을 내는〉; a dagger 〈단검〉. ¶ ～이 잘 들다 〈안 들다〉 the knife cuts well 〔won't cut〕 / ～을 뽑다 draw a sword. ¶ ～날 the blade 〔edge〕 of a knife 〔sword〕 / ～집 a sheath. ¶ 〈형구〉 a cangue; a pillory.

¶ ～을 쓰다 wear a cangue.

칼국수 noodles cut out with a kitchen knife.

칼깃 a flight feather; the pinion.

칼깃 〈옷깃〉 a (shirt) collar.

칼로리 a calorie; a calory. ¶ ～가 높은 〔낮은〕 food of high 〔low〕 caloric content. ∥ ～ 계산 calorie counting (～계산을 하다 count calories) / ～함유량 caloric 〔calory〕 content.

칼륨 〈化〉 ☞ 칼리.

칼리 〈化〉 *kali*; kalium; potassium 〈기호 K〉.

칼맞다 be stabbed; suffer a sword= stroke.

칼부림 wielding a knife 〔sword〕; bloodshed 〈유혈극〉. ～하다 wield a knife; stab 〔cut〕 at (*a person*).

칼슘 calcium 〈기호 Ca〉. 「sword〕.

칼자국 a scar from a knife 〔

칼자루 the handle (*of a knife*); the haft (*of a dagger*); the hilt (*of a sword*).

칼잡이 a butcher 〈고깃간의〉; a swordsman 〈검객〉. 「ting.

칼질 cutting. ～하다 cut; do cut=

칼춤 〈performing〉 a sword dance.

칼칼하다 ☞ 컬컬하다.

캄캄하다 〈어둡다〉 be utterly dark; pitch-dark; (as) dark as pitch; 〈암담하다〉 (be) dark; gloomy; 〈알지 못하다〉 be ignorant 〔uninformed〕 of; be poorly 〔badly〕 informed; be a stranger (*to*). ¶ 캄캄한 밤 a pitch-dark night / 앞날이 ～ The future looks gloomy.

캉캉 〈춤〉 cancan 〈프〉.

캐나다 Canada. ¶ ～의 Canadian. ∥ ～ 사람 a Canadian.

캐다 ① 〈파내다〉 dig up 〔out〕; unearth. ¶ 금을 ～ dig gold. ② 〈묻다〉 inquire 〔probe〕 into; dig 〔pry, delve〕 into; poke and pry. ¶ 비밀을 ～ probe into a secret.

캐디 〈골프〉 a caddy. ¶ ～ 노릇을 하다 caddy (*for a golfer*).

캐러멜 a caramel.

ㅋ

캐럴 a (Christmas) carol.

캐럿 a carat; a karat. ¶ 5 ~의 다이아몬드 a 5-carat diamond.

캐묻다 ask inquisitively; be inquisitive (*about*); make a searching inquiry. ¶시시콜콜이 ~ inquire of (*a person*) about every detail of (*a matter*).

캐비닛 a (steel) cabinet.

캐비아 caviar(e).

캐비지 (양배추) a cabbage.

캐빈 a cabin.

캐스터네츠 [樂] castanets.

캐스트 (배역) the cast (of a play).

캐스팅보트 the casting vote.

캐시미어 kashmir; cashmere.

캐처 [野] a catcher. ┌catch.

캐치 a catch. ¶ ~를 놓치다 play

캐치프레이즈 (표어) a catch phrase.

캐피털리즘 (자본주의) capitalism.

캔디 a candy.

캔버스 (화포) a canvas. ¶ ~틀 a stretcher. ┌phor injection.

캠퍼 camphor. ┃ ~주사 a camphor injection.

캠퍼스 a campus. ¶ 대학 ~ a college campus.

캠페인 a campaign. ¶판매 촉진 ~을 벌이다 conduct a campaign for sales promotion.

캠프 a camp. ¶우리는 그 숲에서 ~를 쳤다 We camped (out) in the woods. ┃ ~생활 a camp life / ~파이어 a campfire.

캠핑 camping. ¶산으로 ~ 가다 go camping in the mountains. ┃ ~용품 a camping outfit / ~장 a camping ground.

캡 a cap.

캡슐 a capsule. ¶타임 ~ a time capsule.

캡틴 a captain (of a team).

캥거루 [動] a kangaroo.

커녕 far from (*doing*); anything but: not at all; aside (apart) from; (…은 말할 것도 없고) to say nothing of; not to mention; not to speak of. ¶그는 영어는 ~ 한국어도 모른다 He does not know Korean, to say nothing of English.

커닝 cribbing; cheating. ~하다 cheat in (on) an examination; crib. ┃ ~페이퍼 a crib.

커다랗다 (be) very big (large, great); huge; enormous. ¶커다란 손실 a great loss.

커다래지다 ☞ 커지다.

커리큘럼 (교과과정) a curriculum. ¶그 학교는 ~의 범위가 넓다 The school has a wide curriculum.

커뮤니케이션 (a) communication. ┃ 매스 ~ mass communication / ~의 단절 a breakdown in communication; a communication gap.

커미션 a commission. ¶매상에 대해 10%의 ~을 받다 get a commission of 10 percent on the sales made.

커버 (덮개) a cover; a jacket (책 따위의); (경기에서) covering. ¶의자 ~ a chair cover.

커버하다 (경기에서) cover (*3rd base*); back up; (변총) cover (*a loss*); make up for (*a loss*).

커브 (곡선) a curve; a curved line; (도로의) a bend; a curve; [野] a curve ball. ¶아웃 ~ an outcurve / 인 ~ an incurve / (추가) 급 ~를 돌다 make a sharp turn; (그는 날카로운 ~ 볼을 던졌다 He pitched a sharply breaking curve.

커스터드 custard.

커지다 (크기·부피 따위가) get bigger; grow larger; increase in size; expand; (성장하다) grow (up); (중대해지다) get (become) serious. ¶세력이 ~ increase in power; gain in influence / 사건이 커질 것 같다 The affair threatens to become serious.

커튼 a curtain. ¶ ~을 치다 (달다) close (draw) the curtains. ┃ ~콜 a curtain call (~콜을 받다 take a curtain call).

커틀릿 a cutlet. ¶닭고기 (돼지고기) ~ a chicken (pork) cutlet.

커프스 cuffs. ┃ ~버튼 cuff (sleeve) links; cuff buttons [美].

커피 coffee. ¶ ~를 블랙으로 마시다 drink coffee black; have black coffee. ‖ ~숍 a coffee shop / ~포트 a coffeepot.

컨덕터 a conductor.

컨디션 condition. ¶ ~이 좋다[나쁘다] be in [out of] condition.

컨베이어 a conveyor; a conveyer. ‖ ~시스템 a conveyor system.

컨설턴트 a consultant. ¶ 경영 ~ a management consultant.

컨테이너 a container. ‖ ~트럭[열차] a container truck (train).

컨트롤 control. ~하다 control. ¶ ~이 좋다[나쁘다] /《야구에서》 have good (poor) control.

컬 a curl (of hair). ¶ ~이 풀리다 go out of curl.

컬러 (a) color. ‖ ~방송《텔레비전의》 colorcasting / ~캐스트 a color-cast / ~텔레비전 color television.

컬컬하다 (be) thirsty. ¶ 술생각이 나서 ~ be thirsty for a drink.

컴컴하다 《어둡다》 (be) dark; black; somber; gloomy; dim; 《마음이》 (be) dark; secretive; blackhearted; insidious.

컴퍼스 《제도용의》 (a pair of) compasses; 《나침의》 the mariner's compass.

컴퓨터 a computer. ¶ ~화(化)하다 computerize / 이 기계는 ~로 제어되고 있다 This machine is controlled by computers. ‖ ~기술 computer technology / ~바이러스 a computer virus; a bug / ~통신(망) a computer network.

컴프레서 a compressor.

컵 a cup; a trophy(우승컵); 《잔》 a glass; a drinking cup; 《물 한 잔》 a glass of water / 우승 ~을 주다 honor (a winner) with a trophy.

컷 《판화》 a (wood)cut; an illustration; a picture; 《영화에서의》 cutting; a cut; 《머리의》 a cut. ~하다 cut; cross out. ¶ ~을 fill (the space) with a cut / 머리를 짧게 ~하다 have one's hair

cut short.

케이블 a cable. ¶ 해저 ~ a submarine cable / 지하 ~ an underground cable. ‖ ~카 a cable car.

케이스 《상자·사례》 a case. ¶ 유리 ~ a glass case / 긴급을 요하는 ~에는 in case of emergency.

케이에스 KS. (◀Korean Standards》 ‖ ~마크 a KS mark / ~상품 KS goods.

케이오 K.O.(◀knock-out》

케이크 a cake. ¶ ~ 한 조각 a piece [slice] of cake / 생일 ~ a birthday cake.

케임브리지 Cambridge.

케첩 (tomato) ketchup; catchup.

케케묵다 《낡다》 (be) old; antiquated; 《구식》 (be) old-fashioned; out of date; 《진부하다》 (be) hackneyed; timeworn. ¶ 케케묵은 이야기 an old story.

켕기다 ① 《팽팽해지다》 be stretched tightly; be strained. ¶ 힘줄이 ~ have a strain on the sinew; feel a sinew taut. ② 《마음이》 feel a strain; feel ill at ease; have something on one's conscience. ③ 《팽팽하게 함》 strain; stretch; draw tight; make taut.

켜 a layer. ¶ 여러 ~를 쌓다 heap up in several layers.

켜다 ① 《불을》 light; kindle; 《turn (switch)》 on. ¶ 성냥을 ~ strike a match. ② 《물 따위를》 finish off (one's drink); drink up (one's beer); drain (a cup). ③ 《톱으로》 saw. ¶ 통나무를 켜서 판자를 만들다 saw a log into planks. ④ 《고치를 켜다》 spin (threads) off (a cocoon). ⑤ 《기지개를》 stretch (oneself). ⑥ 《악기를》 play (the violin).

켤레 a pair. ¶ 양말 두 ~ two pairs of socks.

코¹ 《일반적》 a nose; a trunk (코끼리의); a muzzle(개, 말 따위의); a snout(돼지의). ¶ ~가 막히다 one's nose is stuffed (stopped) up / ~를 후비다 pick one's

코² ②〔콧물〕(nasal) mucus; snivel; snot. ¶ ~를 흘리다 snivel; drivel; have a runny nose; run at the nose / ~를 풀다 blow *one's* nose.

코² 〔편물(編物)의〕a stitch; 《그물의》a knot.

코감기(─感氣)(have) a cold in the head [nose].

코골다 snore. ¶드르렁드르렁 ~ snore loudly.

코끝 the tip of the nose.

코끼리 an elephant. ¶ 수〔암〕~ a bull [cow] elephant.

코냑 〔술〕cognac.

코너 a corner.

코넷 〔樂〕a cornet.

코대답(─對答) ~ 하다 answer indifferently (nonchalantly).

코드 ①〔줄〕a cord;〔전깃줄〕an electric cord. ¶연장 ~ an extension cord. ②〔암호〕a code. ¶ ~화 하다 code.

코딱지 nose dirt [wax]; dried nasal mucus.

코떼다 get snubbed (humbled, rejected); be put to shame.

코뚜레 a nose ring.

코르덴 corduroy. ¶ ~양복 a corduroy suit.

코르셋 a corset; stays 《英》.

코르크 (a) cork. ¶ ~ 마개 a cork stopper.

코뮈니케 a *communiqué*〔프〕. ¶공동 ~ a joint *communiqué* / ~를 발표하다 issue [read] a *communiqué*.

코뮤니스트 〔공산주의자〕a communist.

코뮤니즘 〔공산주의〕communism.

코미디 a comedy.

코미디언 a comedian.

코믹 a comic (희극); comics (만화).

코바늘 a crochet hook (needle).

코발트 〔化〕cobalt (기호 Co). ¶ ~ 의 cobaltic.

코방귀 뀌다 pooh-pooh; snort [sniff] at; treat 《*a person*》with contempt.

코방아 찧다 fall flat on *one's* face.

코브라 〔動〕a cobra.

코사인 〔數〕a cosine (생략 cos).

코사크 a Cossack: the Cossacks (민족). ¶ ~ 기(마)병 a Cossack.

코세다 (be) stubborn; headstrong.

코스 a course (경로·과정); a route; a lane (수영 등의). ¶제1 ~ Lane No. 1 (수영 등의) / 프랑스 요리의 풀 ~ a full-course meal of French cuisine.

코스닥 〔證〕Korea Securities Dealers Automated Quotations (생략 KOSDAQ)〔한국의 벤처 기업 육성을 위해 미국의 나스닥(NASDAQ)을 본떠 1996년에 설립된 주식 시장〕.

코스모스 〔植〕a cosmos.

코웃음 치다 sneer.

코일 a coil.

코즈머폴리턴 a cosmopolitan; a citizen of the world.

코즈메틱 (화장품) a cosmetic.

코치 (훈련) coaching; 《사람》a coach. ~ 하다 coach 《*a team*》.

코카서스 Caucasus; Caucasia. ¶ ~ 사람 Caucasian.

코카인 〔化〕cocain(e). ¶ ~ 중독 cocainism.

코카콜라 Coca-Cola; Coke (俗).

코코넛 〔植〕a coconut.

코코아 (음료) cocoa. ¶ ~ 를 마시다 drink [have] cocoa.

코크스 (연료) coke 〔cot〕.

코탄젠트 〔數〕a cotangent (생략 cot).

코털 hairs in the nostrils. ¶ ~ 을 뽑다 pull hairs out of *one's* nostrils.

코트 ①〔양복 상의〕a coat; a jacket; an overcoat (외투). ¶ ~ 를 입다 [벗다] put on [take off] a coat. ②〔테니스 따위의〕a 《*tennis*》court.

코펜하겐 〔덴마크의 수도〕Copenhagen.

코프라 (야자유의 원료) copra.

코피 (a) nosebleed. ¶ ~ 를 흘리다 have a nosebleed: *one's* nose bleeds.

코흘리개 a snotty-nosed kid; a sniveler.

콕 stinging [thrusting, poking,

pricking] hard [sharply, fast]. ¶ 바늘로 ～ 찌르다 prick with a needle.

콘덴서 〔電〕 a condenser. 〔needle.

콘덴스밀크 condensed milk.

콘도미니엄 a condominium.

콘돔 a condom; a rubber 《俗》.

콘비프 corn(ed) beef.

콘서트 a concert.

콘센트 〔電〕 an 〔a wall〕 outlet.

콘체르토 〔樂〕 a concerto.

콘크리트 concrete. ¶ 도로를 ～로 포장하다 concrete the road. ∥ ～ 포장 concrete pavement.

콘택트렌즈 《wear》 a contact lens.

콘트라베이스 〔樂〕 a contrabass.

콜걸 a call girl 《美俗》.

콜드게임 〔野〕 a called game.

콜드크림 cold cream.

콜레라 cholera. ¶ 진성 ～ malignant cholera. ∥ ～예방주사 (an) anticholera injection.

콜로이드 〔化〕 colloid. ¶ ～의 colloidal.

콜로타이프 a collotype.

콜록거리다 keep coughing [hacking].

콜론[1] 〔經〕 a call loan.

콜론[2] (이중점) a colon (기호 :).

콜타르 coal tar; tar. ¶ ～를 칠하다 tar.

콜호스 《집단농장》 a *kolhoz* 《러》; a collective farm.

콤마 a comma(기호 ,); 〔數〕 a decimal point.　〔vester〕.

콤바인 《탈곡기》 a combine (harvester).

콤비 a combination. ¶ 두 사람은 ～다 They are good partners for each other.

콤비나트 an industrial complex; *kombinat* 《러》. ¶ 석유 화학 ～ a petrochemical complex.

콤팩트 a compact. ∥ ～디스크 a compact disk(생략 CD).

콤플렉스 〔心〕 a complex(《열등감》 an inferiority complex.

콧구멍 the nostrils; the nares.

콧김 the breath from the nose.

콧날 ¶ ～이 선 (a person) with a shapely [clear-cut] nose. 〔tune〕.

콧노래 ¶ ～를 부르다 hum a song

콧대 ¶ ～가 높다 be puffed up

(with pride); be haughty / ～가 세다 be self-assertive; be defiant / ～ 꺾다 humble (a person's) pride; snub (a person) down.

콧등 the ridge of the nose.

콧물 snivel. ¶ ～을 흘리다 snivel; have a runny nose / 그 애는 ～을 흘리고 있다 The boy's nose is running.

콧소리 a nasal (tone of) voice; a (nasal) twang. ¶ ～로 말하다 speak [through *one's* nose [with a twang].

콧수염 a moustache; a mustache 《美》. ¶ ～을 기르다 grow a mustache.

콩 〔植〕 beans; a pea(완두); a soybean(대두). ¶ ～밭에서 팥이 나랴 An onion will not produce a rose. / ～ 심은 데 ～나고 팥 심은 데 팥 난다《俗》 Don't expect the extraordinary. *or* Like father, like son. ∥ ～ 가루 soybean flour / ～기름 (soy)bean oil.

콩국 soybean soup.

콩국수 soybean noodle.

콩나물 bean sprouts. ¶ ～교실 an overcrowded classroom / ～국 bean sprout soup.

콩밥 boiled bean-mixed rice. ¶ ～(을) 먹다 《비유적 표현》 be put to prison.

콩버무리 bean-mixed rice cake.

콩새 〔鳥〕 a (Korean) hawfinch.

콩자반 beans boiled in soysauce.

콩쿠르 a *concours* 《프》; a contest.

콩쿠르 ¶ 음악～ a musical contest.

콩팔듯하다 jump up with anger; be hopping mad. ¶ 분해서 ～ stamp *one's* feet with frustration (vexation).

콩트 a *conte* 《프》; a short story.

콩팥 the kidney. ¶ ～ 신장.

콰르텟 〔樂〕 a quartet.

콱 strongly; hard; violently. ¶ 숨이 ～ 막히다 be choked; be stiffed.

콸콸 gushingly. ¶ ～ 흘러나오다 gush out.

쾅 bang; boom; thud. ¶ 문을 ~
닫다 shut a door with a bang /
~ 하고 떨어지다 fall with a thud.

쾌 북어 한 ~ a string of twenty
dried pollacks.

쾌감(快感) a pleasant sensation;
an agreeable feeling. ¶ 말할 수 없
는 ~을 느끼다 feel an indescrib-
able pleasure.

쾌거(快擧) a brilliant [spectacu-
lar] achievement [feat].

쾌남아(快男兒) a jolly good fellow.

쾌도(快刀) a sharp knife [sword].
¶ ~난마하다 cut the Gordian
knot; solve a knotty problem
readily.

쾌락(快樂) pleasure; enjoyment.
¶ 육체적 ~ carnal pleasure / ~
을 쫓다 seek pleasure / ~에 빠지
다 be given to pleasure.

쾌보(快報) good news; glad tid-
ings; a joyful report.　　[event.

쾌사(快事) a pleasant [joyful]

쾌속(快速) high speed. ¶ ~
high-speed; fast; speedy; swift.
∥ ~선 a fast boat [ship].

쾌승(快勝) ~하다 win an over-
whelming victory 《over》; win
easily.

쾌유(快癒) complete recovery 《from
illness》. ~하다 recover com-
pletely 《from》; make a complete
recovery 《from》.

쾌재(快哉) ¶ ~를 부르다 shout for
joy [delight]; cry out "bravo".

쾌적(快適) ~하다 (be) agreeable;
pleasant; comfortable. ¶ ~한 여
행 a pleasant trip / 따뜻하고 ~
한 작은 방 a warm and cozy little
room.

쾌조(快調) an excellent condition.
¶ ~이다 be in top [the best] con-
dition; be in good shape / ~로
나아가다 make good [steady] head-
way; progress steadily.

쾌차(快差) ☞ 쾌유.

쾌척(快擲) ~하다 give 《a fund》
willingly; make a generous con-
tribution.

쾌청(快晴) fine [fair and clear]
weather.

쾌활(快活) ~하다 (be) cheerful;
merry; lively; jolly. ¶ ~하게
cheerfully; merrily; livelily; with
a light heart.

쾌히(快一) 《즐거이》 pleasantly;
cheerfully; delightfully; agree-
ably; 《기꺼이》 willingly; gladly;
readily. ¶ ~ 승낙하다 agree [con-
sent] willingly [readily].

쿠데타 a coup d'état 《프》; a coup.
¶ 무혈 ~ a bloodless coup / ~
를 일으키다 carry out a coup
d'état.

쿠렁루렁하다 be not full.

쿠바 Cuba. ¶ ~의 Cuban / ~사
람 a Cuban.

쿠션 a cushion. ¶ ~이 좋은 의자 a
soft, comfortable chair.

쿠페(스포츠카) a coupé; a coupe.

쿠폰 a coupon; a voucher《식권 따
위》. ∥ ~권[票] a coupon ticket

쿡(요리인) a cook.　　[[system].

쿨롬 [電] a coulomb.

쿨리 a coolie; a cooly.

쿨쿨 z-z-z; snoring. ¶ ~ 자다
sleep snoring.

쿵 with a thud [bang, bump,
plump]. ¶ 벽에 ~ 하고 부딪다
bump against the wall.

퀀셋 [建] a Quonset hut 《美》.

퀘스천마크 a question mark.

웽하다(눈이) (be) hollow. ¶ 퀭한
눈 hollow eyes.

퀴즈 a quiz. ¶ ~ 쇼[프로] a quiz
show [program].

퀴퀴하다 (be) musty; fusty; stale;
fetid; stinking. ¶ 퀴퀴한 냄새 a
musty [an offensive] smell.

큐(당구의) a cue.

큐비즘 [美術] cubism.

큐피드 Cupid.

크기 size; dimensions; magni-
tude; bulk(덩치); volume(용적).

크나크다 (be) very big; huge.

크낙새 [鳥] a Korean redheaded
woodpecker.

크다 《모양이》 (be) big; large; 《부
피가》 (be) bulky; massive; 《소리
가》 (be) loud; 《위대》 (be) great;

grand; 《강대》 (be) mighty; powerful; 《거대》 (be) gigantic; huge; 《광대》 (be) vast; extensive; spacious; 《심하다》 (be) severe; heavy; 《마음이》 (be) generous; liberal. ¶ 큰 인물 a great man / 큰 손해 heavy loss / (돈에 대해) 손이 크다 be liberal with *one's* money. / A 는 B보다 어느만큼 큰가 How much larger is A than B?

크다 《자라다》 grow (up). ¶ 다 큰 아이 a grown-up child.

크라운 a crown.

크래커 《비스킷》 a cracker.

크랭크 a crank. ¶ ~를 돌리다 crank (*an engine*); turn a crank. ¶ ~축 a crankshaft.

크랭크업 《映》 ~ 하다 finish filming.

크랭크인 《映》 ~ 하다 start filming.

크레디트 크레디트 ¶ ~를 설정하다 establish (set up, open) a credit. ¶ ~카드 a credit card (~ 카드로 … 을 사다 buy *something* on credit).

크레오소트 creosote.

크레용 (a picture in) crayon.

크레인 a crane; a derrick (배의).

크레졸 cresol. ¶ ~비눗물 saponated solution of cresol.

크레파스 crayon pastel.

크렘린 the Kremlin.

크로켓 a croquétte 〔프〕.

크롤 《水泳》 crawl. ¶ ~ 헤엄을 치다 swim the crawl.

크롬 chrome; chromium(기호 Cr).

크리스마스 Christmas; Xmas. ¶ ~ 선물을 하다 give *person* a Christmas gift. ¶ ~ 전야 Christmas Eve / ~카드(선물) a Christmas card (present).

크리스천 a Christian.

크리켓 cricket.

크림 cream; 《화장품》 (face, hand) cream. ¶ ~ 모양의 creamy; creamlike / ~ 빛의 cream-colored / 생 ~ fresh cream. ¶ ~빵 a cream bun.

큰곰자리 《天》 the Great Bear.

큰기침하다 clear *one's* throat loudly; say a big 'ahem'.

큰길 a main street 〔road〕; a highway; a thoroughfare.

큰누이 *one's* eldest sister.

큰달 31-day month.

큰댁 (一宅) 큰집.

큰돈 a large sum (of money); a lot of money; a great cost (경비). ¶ ~을 벌다 make a lot of money.

큰딸 the eldest daughter.

큰마음 ① 《대망》 great ambition; great hopes 〔expectations〕. ② 《아량》 broad-mindedness; generosity; liberality. ¶ ~ 쓰다 act generously. ③ 《어려운 결심을 하고》 ~ 먹고 daringly; boldly; resolutely / ~ 하다 venture 〔dare〕 to *do*; take the plunge and *do*; make so bold as to *do*.

큰물 a flood; an inundation. ¶ ~ 나다 be in flood; be flooded.

큰불 a big 〔great〕 fire; a conflagration.

큰비 a heavy rain(fall). ☞ 호우.

큰사랑 (一舍廊) 《넓은》 a large guest room; 《웃어른의》 the living room of *one's* elders.

큰상 (一床) 《잔치의》 a reception table; 《커다란》 a large dinner table.

큰소리 ① 《큰소리》 a loud voice. ¶ ~로 in a loud voice; loudly. ② 《야단침》 a shout; a yell; a roar; a bawl; a brawl. ¶ 아무에게 ~ 치다 shout 〔roar, rave〕 at a *person*. ③ 《허풍》 (big) talk; big talk. ¶ ~ 치다 talk big 〔tall〕; brag.

큰솥 a cauldron; a big kettle.

큰아이 《맏딸》 *one's* eldest daughter; 《처녀》 a big 〔grown-up〕 girl.

큰아버지 《백부》 *one's* father's elder brother; *one's* uncle.

큰어머니 the wife of *one's* father's elder brother; *one's* aunt.

큰언니 *one's* eldest sister.

큰오빠 *one's* eldest brother.

큰일 ① 《큰 사업》 a big enterprise 〔business, plan〕. ¶ ~을 계획하

ㅋ

다 plan a big enterprise. ② 《중대사》 a matter of grave concern; a serious matter; a great trouble; a disaster; a crisis(위기). ¶ ~ 나다 a serious thing happens; a serious problem pops up. ③ 《예식·잔치 따위》 a big ceremony (banquet); a wedding.

큰절 〔여자의〕 a formal deep bow. ¶ ~ 하다 make a formal deep bow.

큰집 ① 《종가》 the head family (house). ② 《항렬의》 the house of one's eldest brother.

큰칼 〔형구〕 a big cangue; a large pillory.

큰코다치다 have bitter experiences; have a hard time of it; pay dearly 《for》. ¶ 못 믿을 사람을 믿었다가 큰코다쳤다 I made a bitter mistake of putting my faith in someone who couldn't be trusted.

큰형 a man's eldest brother.

클라리넷 〔樂〕 a clarinet. ¶ ~ 주자 (奏者) a clarinettist.

클라이맥스 the climax. ¶ 연극은 ~ 에 이르렀다 The play has reached its climax.

클라이밍 〔등산〕 climbing.

클래식 a classic; (the) classics. ¶ ~ 음악 classical music.

클랙슨 a horn; a klaxon. ¶ ~ 을 울리다 sound one's klaxon; honk.

클러치 〔機〕 a clutch. ¶ ~ 를 밟다 step on the clutch / ~ 를 늦추다 release the clutch.

클럽 〔단체〕 a club; a clubhouse (건물). ¶ ~ 에 들다 join a club. ¶ ~ 회비 club dues / ~ 회원 a member (of a club).

클레임 〔經〕 a claim (for damages). ¶ ~ 을 제기하다 make (bring forward) a claim 《for compensation》.

클로로다인 〔藥〕 chlorodyne.

클로로포름 〔藥〕 chloroform.

클로버 a (four-leaf) clover.

클로즈업 《映》 a close-up. ¶ 배우의 얼굴을 ~ 하다 take a close-up of an actor's face.

클리닝 cleaning; laundering. ¶ 드라이 ~ dry cleaning.

클립 a (paper) clip; 《머리의》 a curling pin; a curler. ¶ 서류를 ~ 으로 끼우다 clip the papers together.

킁크다 (be) quite big. ¶ 킁직한 글씨로 쓰다 write large / 신문에 큼직한 광고를 내다 run a large ad in the newspaper. 「winnow.

키¹ 〔까부는〕 a winnow. ¶ ~ 질하다 「(steering) wheel. ¶ ~

키² 〔배의〕 a rudder(키판); a helm (키자루); a steering wheel. ¶ ~ 를 잡다 steer; be at the helm.

키³ 〔신장〕 stature; height. ¶ ~ 가 크다 〔작다〕 be tall 〔short〕 / ~ 를 재다 measure one's height.

키⁴ a key. ‖ ~ 보드 a keyboard / ~ 스테이션 a key station 《美》 / ~ 홀더 a key ring(둥근형의).

키다리 a tall person.

키순(─順) ¶ ~ 으로 서다 stand 〔line up〕 「in order to 〔according to〕 height.

키스 a kiss; a smack(쪽소리 내는). ¶ ~ 하다 kiss. ¶ 이마에〔입에〕 ~ 하다 kiss 《a person》 on the forehead 〔mouth〕.

키우다 ① 《양육하다》 bring up; rear; raise; foster; nurse; 《동·식물을》 breed; raise. ¶ 아이를 우유〔모유〕로 ~ raise a child on the bottle 〔at the breast〕. ② 《양성·육성하다》 train; bring up; promote; cultivate. ¶ 외교관으로 ~ train 《a person》 for the diplomatic service / 담력을 ~ cultivate courage.

키잡이 〔조타수〕 a helmsman; a steersman.

키퍼 a keeper. ¶ 골 ~ a goal keeper. 「keeper.

킥 《蹴》 a kick. 「keeper.

킥오프 《蹴》 a kickoff.

킥킥거리다 giggle; titter; chuckle.

킬로 a kilo. ¶ ~ 그램 a kilogram / ~ 리터 a kiloliter / ~ 미터 a kilometer 「meter.

킬사이즈(의) king-size(d).

킹킹거리다 whine; whimper.

E

타(他) the rest; the other; others; another (thing). ¶타지방 other districts / 타의 추종을 불허하다 be second to none; have no equal [parallel].

타(打) a dozen. ☞ 다스.

타개(打開) ~하다 break through 《a deadlock》; get [tide] over 《a difficult situation》; overcome. ¶난국 ~을 위해 의논하다 discuss how to overcome difficulties / 타개 ~을 찾다 a countermeasure.

타격(打擊) a blow; a hit; a shock (충격); a damage(손해); [野] batting. ¶치명적 ~ a fatal [mortal] blow. ‖ ~연습 batting practice / 중[强][野] the leading hitter.

타결(妥結) a (compromise) settlement; an agreement(협정). ¶ ~되다 come to terms 《with》; reach an agreement 《with》; make a compromise agreement 《with》; settle 《with》. ¶교섭은 원만히 ~되었다 The negotiations reached a peaceful and satisfactory settlement. ‖ ~점 a point of agreement.

타계(他界) ~하다 ☞ 죽다 ①.

타고나다 be born 《with, into》; be gifted [endowed] 《with》. ¶ ~고난 born; inborn; natural; inherent / 타고난 시인 [노름꾼] a born poet [gambler].

타구(打球) [野] batting(치기); a batted ball(공). 「[美].

타구(唾具) a spittoon; a cuspidor

타국(他國) a foreign country; an alien [a strange] land. ¶ ~의 foreign; alien. ‖ ~인 a foreigner; an alien.

타기(唾棄) throw away in disgust. ¶ ~할 detestable; disgusting; abominable.

타내다 get 《from one's elders》; obtain. ¶아버지께 용돈을 ~ get pocket money from one's father.

타닌(化) tannin 《acid》.

타다¹ ① (불에) burn; be burnt; blaze. ¶잘 ~ burn easily; catch fire easily; be (in)flammable / 타 타버리다 be burnt out; burn itself out. ② (눋다) scorch; be [get] scorched (charred, burned). ¶밥이 ~ the rice is scorched. ③ (볕에) be sunburnt; be tanned with the sun. ¶햇볕에 탄 얼굴 a suntanned face. ④ (마음·정열 등에) burn; blaze; glow; (애가) be agonized (anxious, anguished). ¶타오르는 정열 burning passion. ⑤ (목이) be parched with thirst.

타다² (액체에) put in; add; (섞다) mix; blend; dilute; adulterate (불순물을); dissolve(용해시키다). ¶물에 소금을 ~ dissolve salt in water.

타다³ ① (탈것에) ride; take; get into; board; get on board 《a ship》. ¶타고 있다 be on 《a car, a train》/ 열차 (버스)를 타고 가다 go 《to Masan》 by rail [bus]. ② (기타) 줄을 ~ walk on a rope / 산을 ~ climb a mountain.

타다⁴ (받다) get (receive) 《a prize, an award》; win [be awarded] 《a prize》; be given. ¶노벨상을 ~ be awarded a Nobel prize.

타다⁵ (맷돌로) grind. ¶ 탄 보리 ground barley. ② (가르다) divide; part 《one's hair》.

타다⁶ (잘 느끼다) be apt to feel; be sensitive to; (간지럼을 ~ be ticklish. (영향을) be susceptible [sensitive] to; be allergic to; suffer easily from; be affected.

E

¶ 추위를 ~ be sensitive to cold.

타다² ① 《연주》 play (on). ¶ 가야금을 ~ play on a *gayageum* [Korean harp]. ② 《솜을》 beat 《*cotton*》 out; 《틀을》 willow [whip] 《*a cotton*》

타닥거리다 《빨래를》 beat pat-pat(-pat), 《빨래를 방망이로 ~》 paddle the laundry pat-pat(-pat).

타당《妥當》 ~ 한 proper; appropriate; pertinent / ~ 하지 않은 improper; inappropriate; inadequate.

타도(打倒) ~ 하다 overthrow; strike down. ¶ 정부를 ~ 하다 overthrow a government.

타동사(他動詞) a transitive verb.

타락(墮落) degradation; corruption; depravity. ~ 하다 go wrong [astray]; be corrupted; become depraved; go to the bad: degenerate; fall low. ¶ ~ 한 정치인 a corrupt politician / ~ 시키다 degrade; deprave; lead 《*a person*》 astray.

타래 a bunch; a skein; a coil. ¶ 실 한 ~ a skein of thread.

타래송곳 a gimlet; a corkscrew.

타력(他力) the power of another; outside help; 《종교의》 salvation from outside.

타력(打力) 【野】 batting (power).

타력(惰力) inertia; momentum.

타령(打令) 《곡조의 하나》 a kind of tune; 《민요》 a ballad.

타륜(舵輪) 【海】 a steering wheel; the wheel; the helm.

타르 tar. ¶ ~ 를 칠하다 tar.

타면(打綿) cotton beating. ‖ ~ 기 a cotton gin.

타면(他面) the other side. ¶ ~ 으로는 on the other hand; while; whereas.

타박 ~ 하다 find fault with; pick flaws with; grumble at. ¶ 음식 ~ grumbling at [about, over] the food / ~ 쟁이 a grumbler.

타박(打撲) a blow. ¶ ~ 상 a bruise; a contusion 《다리에 ~ 상을 입다 get a bruise on the leg》.

타박거리다 trudge [trod] along.

타방(他方) the other side.

타봉(打棒) 【野】 batting.

타분하다 (be) stale; moldy; musty. ¶ 타분한 생선 stale fish / 타분한 생각 a musty idea.

타블로이드 a tabloid.

타산(打算) calculation. ~ 하다 calculate; reckon; consider [consult] *one's* own interests. ¶ 그는 무슨 일에나 ~ 적이다 He is always consulting his own interests.

타산지석(他山之石) an object lesson. ¶ 그의 실패를 ~ 으로 삼아라 Let his failure be a good lesson to you.

타살(他殺) homicide; murder. ¶ ~ 의 혐의가 있다 There is a suspicion of murder.

타살(打殺) ~ 하다 beat [club] 《*a person*》 to death.

타석(打席) 【野】 the batter's box. ¶ ~ 에 서다 be at bat.

타선(打線) 【野】 the batting line-up. ¶ 상대 팀의 ~ 을 침묵시키다 keep the opposing team's bats silent.

타선(唾腺) 【解】 the salivary glands.

타성(惰性) 【理】《관성》 inertia; momentum; 《버릇》 force of habit. ¶ 그는 단지 ~ 으로 그 일을 계속한다 He continues with the work just out of habit.

타수(打數) 【野】 at bats; times at bat; 《골프》 the number of strokes. ¶ 5 ~ 3안타를 치다 make three hits in five at bats.

타수(舵手) a steersman; a helmsman; 《보트의》 a cox; coxswain.

타순(打順) 【野】 a batting order [line-up]. ¶ ~ 을 정하다 decide the batting order / 맨 처음의 ~ the starting line-up.

타악기(打樂器) a percussion instrument.

타액(唾液) saliva; sputum. ‖ ~ 분비 salivation / ~ 선 the salivary gland.

타원(楕圓) an ellipse; an oval. ¶ ~ 의 elliptic; oval. ‖ ~ 궤도

an elliptic orbit / ~체 an ellipsoid / ~형 an oval.

타월 a towel.

타율(他律) 〖哲〗 one's batting average (平均 bat. avg.). ¶ 그의 ~은 3할 2푼이다 He has a batting average of .320.

타의(他意) 〔남의 뜻〕 another's will; 〔다른 의도〕 any other intention [purpose]. ¶ ~는 없다 I have no other purpose.

타이 Thailand. ¶ ~의 Thai. ∥ ~말 Thai / ~사람 a Thai; a Thailander.

타이 ① 〔넥타이〕 a (neck)tie. ② 〔동점〕 a tie; a draw. ¶ 세계 기록을 세우다 tie the world record / 양 팀은 2대 2~가 되었다 The two teams tied 2-2.

타이르다 reprove; admonish; advise; persuade. ¶ 타일러서 …시키다 persuade 《a person to do, into doing》.

타이밍 timing. ¶ ~이 좋다[나쁘다] be timely (untimely).

타이어 a tire 《美》; a tyre 《英》.

타이츠 (a girl in) tights.

타이틀 a title; a championship(선수권). ¶ ~을 차지하다 [잃다] gain [lose] a title. ∥ ~보유자 the holder of the title; the champion.

타이프 ① 《형[型]》 type. ② 《활자》 a type. ③ ☞ 타이프라이터. ∥ ~용지 typewriting paper.

타이프라이터 a typewriter. ¶ ~로 찍은 typewritten; typed / ~를 치다 typewrite. ∥ ~인쇄용 typescript.

타이피스트 a typist.

타인(他人) 〔다른 사람〕 others; another person; 〔남〕 an unrelated person; a stranger; an outsider. ¶ 그녀는 나를 낯모르는 ~취급을 했다 She treated me like a stranger.

타일 a tile. ¶ ~을 붙인 바닥 a tiled floor.

타임 time; 〔경기 중의〕 a time-out. ¶ ~을 재다 time / ~을 선언하다 〔심판이〕 call the time.

타자(打者) 〖野〗 a batter; a batsman; a hitter. ¶ 강~ a slugger; a heavy (hard) hitter.

타자기(打字機) a typewriter.

타자수(打字手) a typist.

타작(打作) threshing. ~하다 thresh. ¶ 벼를 ~하다 thresh rice / ~마당 a threshing ground.

타전(打電) ~하다 telegraph 《a message to》; send a telegram (wire) 《to》; 〔특히 해외로〕 wire 《to》; cable.

타점(打點) ① 〔붓으로〕 ~하다 dot; point. ② 〔마음 속으로〕 ~하다 fix one's choice on. ③ 〖野〗 a run batted in 〔생략 rbi.〕. ¶ 그는 3 ~을 올렸다 He knocked in three runs.

타조(駝鳥) 〖鳥〗 an ostrich.

타종(打鐘) ~하다 strike (toll, ring) a bell.

타진(打診) ① 〖醫〗 percussion. ~하다 percuss; tap; sound; examine. ¶ 흉부를 ~하다 percuss [sound] one's chest. ② 〔남의 뜻을〕 ~하다 sound (out); feel 《a person》out; tap. ¶ 의향을 ~하다 tap [sound] 《a person's》opinion.

타처(他處) another [some other] place; somewhere else. ¶ ~에 [서] in [at] another [some other] place.

타파(打破) ~하다 break down; do away with; abolish; overthrow. ¶ 인습을 ~하다 do away with old practices.

타합(打合) a previous arrangement. ~하다 make arrangements 《with a person for a matter》; arrange 《a matter with a person that…》.

타향(他鄕) a place away from home; a foreign land. ¶ ~에서 죽다 die far from home; die in a foreign [strange] land.

타협(妥協) (a) compromise; mutual concession. ~하다 (make a)

compromise 《with a person》; reach a compromise 《with》. ¶ ~의 여지가 없다 There is no room for compromise. ∥ ~점 《find》 a point of compromise; common [a meeting] ground.

탁 ① 《치거나 부딪는 소리》 with a bang [pop, slam]; with a crack. 문을 ~ 닫다 slam [bang] the door; shut the door with a bang. ② 《부러지거나 끊어지는 소리》 with a snap. ¶ ~ 부러지다 break off with a snap. ③ 《트이어 시원한 모양》. ¶ 탁 트인 목초지 a wide open meadow / 시야가 ~ 트이다 command extensive views.

탁견(卓見) a fine [excellent] idea; farsight. ¶ ~이 있는 clear-sighted; clear-headed.

탁구(卓球) 《play》 ping-pong; table tennis. ¶ ~선수 a ping-pong [table-tennis] player.

탁류(濁流) a muddy stream; a turbid current.

탁마(琢磨) 《연마》 polishing; cultivation 《학덕을》. ~하다 polish; improve 《one's virtue》; cultivate 《one's mind》.

탁발(托鉢) religious mendicancy. ~하다 go about asking for alms. ∥ ~승 a mendicant [begging] monk; a friar.

탁본(拓本) ☞ 탑본(搨本).

탁상(卓上) ¶ ~의 [에] on the table [desk]. ∥ ~계획[공론] a desk plan [theory] / ~시계 a table clock.

탁선(託宣) an oracle; the Revelation.

탁송(託送) consignment. ~하다 consign 《a thing to a person》; send 《a thing》 by [through] 《a person》. ∥ ~품 a consignment.

탁아소(託兒所) a day [public] nursery; a day-care center 《美》. ¶ ~에 아이를 맡기다 leave one's child at a day-care center.

탁월(卓越) ¶ ~한 excellent; eminent; prominent; distinguished /

~한 업적 an outstanding [a brilliant] achievement.

탁자(卓子) a table; a desk. ¶ ~에 둘러 앉다 sit 《a》round a table.

탁주(濁酒) 막걸리.

탁탁 ① 《쓰러짐》 ¶ ~ 쓰러지다 fall one after another. ② 《숨이》 숨이 ~ 막히다 be choky; be stifled. ③ 《침을》 ¶ ~ 뱉다 spit 《on》; go spit-spit. ④ 《두드리다·부딪다》 ¶ 먼지를 ~ 털다 beat the dust off; beat the dust out of .... ⑤ 《일을 해치우는 모양》 briskly; promptly; quickly; in business-like way. ¶ 일을 ~ 해치우다 do one's work briskly; be prompt in one's work.

탁탁하다 ① 《천이》 (be) close-woven; thick and strong. ② 《살림이》 (be) abundant; be well-off.

탁하다(濁—) ¶ 《물 따위가》 (be) muddy; turbid; 《불분명한》 impure; 《술 따위가》 (be) cloudy; 《공기 따위가》 foul; 《목소리가》 (be) thick. ¶ ~한 색깔 a dull [somber] color.

탄갱(炭坑) a coal pit [mine]. ¶ ~부(夫) a coal miner; a collier 《英》.

탄고(炭庫) a coal cellar [bin].

탄광(炭鑛) a coal mine; a colliery 《英》. ∥ ~지대 a mining region / ~회사 a colliery company.

탄내(炭—) a burnt smell. ¶ ~(가) 나다 smell something scorching [smoldering, burning].

탄내(炭—) 《char》coal fumes.

탄도(彈道) a trajectory; a line of fire. ¶ ~를 그리며 날다 follow a ballistic course. ∥ ~곡선 a ballistic curve / ~비행 a trajectory [suborbital] flight.

탄도탄(彈道彈) a ballistic missile. ∥ 대륙간 〈중거리〉 ~ an intercontinental [a medium range] ballistic missile 《생략 ICBM (MRBM)》.

탄두(彈頭) a warhead. ¶ 핵~ an atomic [a nuclear] warhead.

탄대(彈—) a cartridge belt.

탄력(彈力) elasticity; 《융통성》 flexibility. ¶ ~이 있는 elastic; flexible; springy / ~이 없어지다 lose

**(its) spring.

탄로(綻露) ¶ ~나다 be found out; come to light; come [be] out; be discovered.

탄막(彈幕) a barrage. ¶ ~을 치다 put up a barrage / 엄호 ~ a covering barrage / ~포화 curtain fire.

탄복(歎服) ~하다 admire. ¶ ~할 만한 admirable; praiseworthy; 그녀의 아름다움에 ~했다 I was struck by her beauty.

탄산(炭酸) 【化】 carbonic acid. ¶ ~가스 carbon dioxide; carbonic acid gas / ~수〔음료〕 carbonated water (drinks).

탄생(誕生) (a) birth. ~하다 be born; come into the world. ¶ ~을 축하하다 celebrate (a person's) birth / ~일 a birthday / ~지 the birthplace.

탄성(彈性) elasticity. ¶ ~고무 elastic gum / ~체 an elastic body.

탄성(歎聲) 〔탄식〕 a sigh; a groan; 〔감탄〕 a cry of admiration. ¶ ~을 발하다 heave a sigh of grief; sigh (over); 〔감탄하다〕 let out 〔utter〕 a cry of admiration.

탄소(炭素) 【化】 carbon (기호 C). ¶ ~ 화합물 【化】 a carbohydrate. ¶ ~이 적은 식사 a low-carbohydrate diet.

탄식(歎息) a sigh; grief. ~하다 heave a sigh of grief; 〔비탄〕 lament; grieve over.

탄신(誕辰) a birthday. 「shell(포탄).

탄알(彈─) a shot; a bullet; a

탄압(彈壓) oppression; suppression. ~하다 oppress (the people); suppress (a strike). ¶ ~적인 oppressive; high-handed.

탄약(彈藥) ammunition; munitions. ¶ ~고 a (powder) magazine / ~저장소 an ammunition dump 〔storage area〕.

탄우(彈雨) a rain 〔shower, hail〕 of bullets 〔shells〕.

탄원(歎願) (an) entreaty; (a) supplication; a petition; an appeal. ~하다 entreat; appeal (to); peti-

tion. ‖ ~서 a (written) petition / ~자 a petitioner; a supplicant.

탄저병(炭疽病) 【醫】 (an) anthrax.

탄전(炭田) a coalfield.

탄젠트 【數】 a tangent(생략 tan).

탄주(彈奏) ~하다 play (the piano); perform. ‖ ~자 a player; a performer.

탄진(炭塵) coal dust.

탄질(炭質) the quality of coal. ¶ ~이 좋은 〔나쁘다〕 The coal is good (poor) quality.

탄차(炭車) a coal wagon.

탄착(彈着) the fall 〔hit, impact〕 of a shot 〔bullet, shell〕. ‖ ~거리 the range of a gun; 《within》 gunshot / ~점 point of the impact (of a shell).

탄창(彈倉) 【軍】 a magazine.

탄층(炭層) a coal seam 〔bed〕.

탄탄(坦坦) ~대로 a broad and level highway.

탄탄하다(坦坦─) (be) firm; strong; solid; stout; sturdy; durable(내구성). ¶ 탄탄하게 만들어져 있다 be strongly built 〔made〕.

탄피(彈皮) an empty cartridge.

탄핵(彈劾) impeachment; accusation. ~하다 impeach (a person for taking a bribe); accuse; censure. ‖ ~안 an impeachment motion.

탄화(炭化) carbonization. ~하다 carbonize. ‖ ~물 a carbide / ~수소 hydrocarbon.

탄환(彈丸) a shot; a ball; a bullet(소총의); a shell(대포의). ¶ ~열차 a bullet train.

탄흔(彈痕) a bullet mark.

탈(가면) a mask. ¶ ~을 쓰다 wear 〔put on〕 a mask; mask one's face / ~을 벗기다 unmask (a villain); expose (an imposter).

탈(頉) ① 〔사고·고장〕 a hitch; a trouble; a failure. ¶ ~없이 without a hitch 〔trouble〕; smoothly. ② 〔병〕 sickness; illness. ¶ ~없이 in good health. ③ 〔흠〕 a fault; a defect; a flaw. ☞ 탈잡다.

E

탈각 (脫却) ~하다 get rid [clear] of; free *oneself* from. ¶ 구습에서 ~하다 shake *oneself* free from the old custom.

탈각 (脫殼) ~하다 exuviate; cast off a skin [shell].

탈것 a vehicle; a conveyance.

탈고 (脫稿) ~하다 finish writing 《*an article*》; complete 《*a novel*》.

탈곡 (脫穀) threshing. ~하다 thresh; thrash. ‖ ~기 a threshing [thrashing] machine.

탈구 (脫臼) 〖醫〗 dislocation. ~하다 be dislocated; be put out of joint.

탈나다 (頃一) 《사고》 an accident happens; have a hitch [mishap]; develop [run into] trouble; 《고장》 get out of order; go wrong; break [break (down)]; 《병》 fall [be taken] ill.

탈당 (脫黨) withdrawal (from a party); defection. ~하다 leave [withdraw from, secede from] a party. ‖ ~자 a seceder; a bolter 《美》.

탈락 (脫落) ~하다 be left out; fall off; drop out 《of》. ¶ 전열(戰列)에서 ~하다 drop out of the line. ‖ ~자 a dropout.

탈루 (脫漏) an omission. ~하다 be omitted; be left out; be missing.

탈모 (脫毛) loss [falling out] of hair. ~하다 lose *one's* hair. ‖ ~제 depilatory / 원형~증 alopecia areata.

탈모 (脫帽) 《구령》 Hats off! ~하다 take off [remove] *one's* hat.

탈법행위 (脫法行爲) an evasion of the law; a slip from the grip of the law.

탈산 (脫酸) 〖化〗 ~하다 deoxidize.

탈상 (脫喪) expiration of the period of mourning. ~하다 finish (come out of) mourning.

탈색 (脫色) decoloration; bleach(표백). ~하다 remove (the) color 《from》; bleach; decolorize. ‖ ~제 a decolorant; a bleaching agent; a bleach.

탈선 (脫線) 《철도의》 derailment; 《이야기의》 digression. ~하다 derail; run off the rails; 《이야기가》 digress from the subject; get side tracked. ¶ 열차가 ~했다 The train derailed (ran off the rails).

탈세 (脫稅) tax evasion. ~하다 evade [dodge] taxes. ‖ ~액 the amount of the tax evasion.

탈속 (脫俗) ~하다 rise above the world. ¶ ~적인 detached from worldly things; unworldly.

탈수 (脫水) 〖化〗 dehydration. ~하다 dehydrate; dry; 《세탁기로》 spin-dry (*laundry*); spin (*clothes*) dry. ‖ ~기 a dryer; a dehydrator / ~증상 dehydration.

탈습 (脫濕) dehumidification. ~하다 dehumidify.

탈영 (脫營) desertion from barracks; decampment. ~하다 run away (desert) from barracks; go AWOL 《美》. ‖ ~병 a deserter; a runaway soldier.

탈옥 (脫獄) prison-breaking; a jail break 《美》. ~하다 break (out of) prison; escape (from) prison. ‖ ~수 a prison breaker; an escaped convict.

탈의 (脫衣) ~하다 undress *oneself*; take off *one's* clothes. ‖ ~장 [실] a dressing (changing) room.

탈자 (脫字) an omitted word; a missing letter.

탈잡다 (頃一) find fault with 《*a person, a thing*》; pick flaws with; cavil at; criticize.

탈장 (脫腸) 〖醫〗 a rupture; a hernia. ¶ ~이 되다 have a hernia.

탈적 (脫籍) ~하다 have *one's* name removed [deleted] from the 《*family*》 register.

탈주 (脫走) (an) escape; (a) flight; desertion(군대에서). ~하다 escape; run away; flee; desert 《*barracks*》. ‖ ~병 a deserter / ~자 a runaway; an escapee.

탈지 (脫脂) ~하다 remove grease

〔fat〕《*from*》． ‖ ~ 유(乳) skim [med]〔nonfat〕 milk．

탈출(脫出) escape． ~ 하다 escape from; get out of． ~ 속도〔인력권에서의〕escape velocity．

탈춤 a masque 〔masked〕 dance．

탈취(脫臭) ~ 하다 deodorize． ‖ ~ 제 a deodorant．

탈취(奪取) ~ 하다 capture; seize; grab; usurp(권력·지위 등을)．

탈퇴(脫退) withdrawal; secession． ~ 하다 withdraw 〔secede〕 from; leave． ‖ ~ 자 a seceder 〔a bolter〕(美)．

탈피(脫皮) ① 〔동물의〕 molting; a molt． 〔動〕 ecdysis． ~ 하다 shed 〔slough, cast off〕 *its* skin． ② 〔엣것으로부터의〕 ~ 하다 grow out of; outgrow． ¶ 구태에서 ~ 하다 break with convention; grow out of *one's* former self．

탈항(脫肛) 〔醫〕 prolapsed rectum.

탈환(奪還) ~ 하다 recapture; recover; regain; take 〔win〕 back 〔*the pennant*〕．

탈황(脫黃) 〔化〕 desulfuration; desulfurization． ~ 하다 desulfurize; desulfur; purify． ‖ ~ 장치 desulfurization equipment．

탈회(脫會) ~ 하다 leave 〔resign from〕 an association 〔a society, a club〕．

탐관오리(貪官汚吏) a corrupt official; a graft-happy official．

탐광(探鑛) prospect． ~ 하다 prospect 《*for gold*》． ‖ ~ 자 a prospector．

탐구(探究) search; research(연구); a study; investigation(조사)． ~ 하다 search for; investigate; do research． ¶ ~ 심 the spirit of inquiry / ~ 자 an investigator; a pursuer 《*of truth*》．

탐나다(貪－) be desirable; be desirous 〔covetous〕 of 《*money*》． ¶ 탐나는 음식 appetizing food.

탐내다(貪－) want; desire; wish 〔long, crave〕 for; covet． ¶ 남의 것을 ~ covet what belongs to others．

탐닉(耽溺) addiction; indulgence． ~ 하다 indulge in; be addicted to; give *oneself* up 〔abandon *one self*〕 to． ¶ 주색에 ~ 하다 He has indulged in wine and women．

탐독(耽讀) ~ 하다 be absorbed 〔engrossed〕 in reading．

탐문(探聞) ~ 하다 inquire about indirectly; detect; pick up information．

탐문(探問) ~ 하다 obtain information (by inquiry); get wind of (소문 등을); snoop for information(형사가)．

탐미(耽美) ~ 심미(審美)．

탐방(探訪) (an) inquiry． ~ 하다 (visit a place and) inquire 〔make inquiries〕 into 《*a matter*》． ¶ 사회 ~ an inquiry 〔a fact-finding survey〕 on community life． ¶ ~ 기(사) a report of; a *reportage*〔프〕．

탐사(探査) (an) inquiry; (an) investigation． ~ 하다 investigate; inquire 〔look〕 into．

탐색(探索) a search; (an) inquiry; (an) investigation． ~ 하다 look 〔seek, search〕 《*for*》; hunt up(범인을); investigate． ¶ ~ 전 an engagement in reconnaissance．

탐스럽다 look nice 〔attractive〕; (be) nice-looking; tempting; desirable; charming．

탐승(探勝) sightseeing． ~ 하다 explore the beauties 《*of*》; go sightseeing． ¶ ~ 길을 떠나다 go on a sightseeing trip．

탐식(貪食) ~ 하다 eat greedily; devour．

탐욕(貪慾) greed; avarice． ~ 스런 greedy; avaricious; covetous / 돈과 권력에 ~ 스러운 greedy for money and power．

탐정(探偵) 〔일〕 detective work 〔service〕; 〔사람〕 a detective; an investigator． ~ 하다 investigate 〔inquire into〕 《*a matter*》 secretly; spy 《*on a person*》． ¶ 사설 ~ a private detective． ‖ ~ 소설 a

E

detective story.

탐조등(探照燈) a searchlight.

탐지(探知) detection. ～하다 find out; detect; spy [smell] out. ¶ ～기 a detector.

탐측(探測) sounding; probing. ¶ ～기(機) a probe; a prober / ～로켓 a sounding rocket(기상용).

탐탁하다 (be) desirable; satisfactory; be to *one's* satisfaction [liking]. ¶ 탐탁하지 않은 undesirable; unsatisfactory; unpleasant.

탐하다(貪一) be greedy 《*of, for*》; be covetous 《*of*》; covet; crave.

탐험(探險) exploration; expedition. ～하다 explore. ¶ 미지의 섬을 ～하다 explore an unknown island. / ～가 an explorer / ～대 an expeditionary team.

탑(塔) a tower; a pagoda(사찰 등의); a steeple (뾰족한); a monument(기념탑). ¶ 5층~ a five-storied pagoda / 에펠 ～ the Eiffel Tower.

탑본(搭本) a rubbed copy. ¶ ～하다 make [do] a rubbing of a monumental inscription.

탑삭 with a snap [snatch]; with a dash.

탑승(搭乘) boarding; embarkation (수선). ～하다 board [get on] 《*a plane*》; go [get] on board 《*the aircraft*》. ¶ ～권 a boarding card [pass] / ～수속 boarding procedures / ～자 《客》 a passenger.

탑재(搭載) ～하다 load; carry. ¶ ～되어 있다 be loaded [laden] with 《*goods*》; 《*heavy guns*》 / 그 차는 최신식 엔진이 ～되어 있다 The car is equipped with the newest type of engine.

탓 《원인》 reason; 《잘못》 fault; blame; 《영향》 influence; effect. ¶ 나이 ～으로 because of [owing to] *one's* age; on account of age / 기후(의) ～으로 under the influence of the weather.

탓하다 put [lay] blame upon; lay the fault to; blame [reproach] 《*a person*》 for 《*something*》. ¶ 자신을 ～ reproach *oneself* 《*for*》 / 나만 잘못한다고 탓하지 마시오 Don't lay the blame on me alone.

탕《소리》 a bang; boom. ～하고 bang; 《go》 boom. ¶ 문을 ～ 닫다 slam the door shut.

탕(湯) ① 《국》 soup; broth; 《한약》 a medicinal 《herb》 broth. ② 《목욕》 a 《hot》 bath; 《공중목욕탕》 a public bath. ¶ 남 [여] ～ a bath for men [women].

탕감(蕩減) ～하다 write off 《*a debt*》; cancel 《out》. ¶ 빚을 ～해주다 forgive 《*a person*》 a debt.

탕아(蕩兒) a prodigal; a libertine. 「an infusion.

탕약(湯藥) a medicinal decoction.

탕진(蕩盡) ～하다 squander; waste; run through 《*one's fortune*》; dissipate.

탕치(湯治) a hot-spring cure. ～하다 take a hot-spring baths for medical purposes; spa treatment. ¶ ～요법 a hot-spring cure; spa treatment.

탕치다(蕩一) ① 《재산을》 squander *one's* fortune. ⇒ 탕진하다. ② 《빚을 감하다》 write off; let off; cancel.

탕탕 《쏘거나 치는 소리》 booming [banging] repeatedly; 《두드리는 소리》 rapping [pounding] repeatedly; 《큰소리 치는 모양》 with loud boasts [big talk]. ¶ 문을 ～ 두드리다 rap [pound] at the door.

탕파(湯婆) a hot-water bottle [bag]; a foot warmer.

태(胎) the umbilical cord and the placenta; the womb. ¶ ～를 가르다 cut the navel cord.

태고(太古) ancient times. ¶ 태곳적부터 from time immemorial.

태교(胎教) the prenatal care [training] of an unborn child. ¶ ～에 좋다 [나쁘다] have a good [bad] prenatal influence on 《*one's child*》.

태권도(跆拳道) the Korean martial

arts of empty-handed self-defense; *taekwondo.*

태극기(太極旗) the national flag of Korea; *Taegeukgi.*

태기(胎氣) signs [indications] of pregnancy.

태깔(態─) ① 〈태와 빛깔〉 form and color. ② 〈교만한 태도〉 a haughty attitude. ¶ ~스럽다 (be) haughty; arrogant; proud.

태껸 kicking and tripping art (as a self-defense art).

태내(胎內) the interior of the womb. ¶ ~의 〔(a child) in the womb. ¶ ~전염 antenatal 〔prenatal〕 infection.

태도(態度) an attitude; behavior; bearing; a manner. ¶ ~가 좋다〔나쁘다〕 have good〔bad〕 manners.

태독(胎毒) 〔醫〕 the baby's eczema (traceable to congenital syphilis).

태동(胎動) 〈태아의〉 quickening; fetal movement; 〈비유적〉 a sign 〔an indication〕 *(of)*. ¶ ─하다 quicken; show signs of. ¶ ─기 the quickening period.

태두(泰斗) a leading scholar; an authority *(on)*. ¶ 영문학의 ~ an authority on English literature.

태만(怠慢) negligence; neglect; (a) default. ¶ ~한 neglectful; inattentive; negligent; careless / 직무 ~ neglect of duty.

태몽(胎夢) a dream of forthcoming conception.

태반(太半) the greater〔most, best〕 part; the majority. ¶ ~은 mostly; for the most part / 응모자의 ~은 남성이었다 The applicants were mostly men.

태반(胎盤) 〔解〕 the placenta.

태부족(太不足) ~하다 be in great want〔shortage〕 *(of)*.

태산(泰山) 〈큰 산〉 a great mountain; 〈크고 많음〉 a huge amount; a mountain *(of)*. ¶ 갈수록 ~이다 Out of the frying pan into the fire.

태생(胎生) ① 〈출생〉 birth; origin;

《출생지》 *one's* birthplace. ¶ …~이다 come from *(Seoul)*; be of *(foreign)* birth. ② 〔生〕 viviparity. ¶ ~의 viviparous. ¶ ~동물 viviparous animals.

태선(苔癬) 〔醫〕 lichen.

태세(態勢) an attitude; a setup. ¶ ~를 갖추다 get ready *(for)*; be prepared *(for, to do)*.

태아(胎兒) a fetus(8주 이후); an embryo(8주까지); an unborn baby(일반적). ¶ ~의 embryonic; fetal / ~의 성감별 fetal sex-identification.

태양(太陽) the sun. ¶ ~의 solar / ~ 광선 the rays of the sun; sunbeams / ~계 the solar system / ~열 solar heat / ~열 자동차 a solar vehicle〔car〕.

태어나다 be born; come into the world. ¶ 부자로〔가난하게〕 ~ be born rich〔poor〕; be born of rich〔poor〕 parents / 다시 ~ be born again; be reborn; become a new man(새사람이 되다).

태업(怠業) a slowdown〔strike〕; ~하다 start〔go on〕 a slowdown〔strike〕.

태연자약(泰然自若) ~하다 be calm and self-possessed; remain cool〔calm, composed〕.

태연하다(泰然─) (be) cool; calm; composed; self-possessed. ¶ 태연히 cooly; calmly; with composure.

태열(胎熱) 〔醫〕 congenital fever.

태엽(胎葉) a spring. ¶ 시계의 ~을 감다 wind the spring of a watch / ~이 풀리다 a spring runs down. ¶ ~장치 clockwork.

태우다 〈연소·소각하다〉 burn *(a thing)* (up); commit *(something)* to the flames; incinerate. ¶ 불에 태워 없애다 destroy *(a thing)* by fire. ② 〈그슬리다〉 scorch; parch; 〈살갗을〉 tan; ¶ 밥을 ~ scorch〔burn〕 the rice. ③ 〈애를〉 burn *(one's* soul)*; agonize; 〈정열을〉 burn *(with passion)*.

태우다 〈탈것에〉 carry; take in;

pick up; take 《*passengers*》 on board; ¶내 새 차에 너를 한 번 태워주겠다 I will give you a ride in my new car.

태음(太陰) the moon. ∥ ～력 the lunar calendar.

태자(太子) the crown prince. ¶～비 the crown princess.

태조(太祖) the first king 《*of the dynasty*》.

태질치다(버티작) thresh 《*grain*》; (메어침) throw 《*a person*》 down.

태초(太初) the beginning of the world.

태클 a tackle. ～하다 tackle.

태평(太平・泰平) ① 《세상・가정의》 (perfect) peace; tranquility. ¶～한 peaceful; tranquil; quiet. ∥～성대 a peaceful reign. ② 《마음이》 ¶～한 easygoing; carefree 《마음이》. ¶～한 사람 an easygoing〔happy-go-lucky〕 person.

태평양(太平洋) the Pacific (Ocean). ¶북〔남〕～ the north〔south〕 Pacific. ∥～안전보장조약 the Pacific Security Pact.

태풍(颱風) a typhoon. ¶～의 눈 the eye of a typhoon／～에 타격을 입다 be hit〔struck〕 by a typhoon. ∥～경보(를 발하다) (issue, give) a typhoon warning.

태형(笞刑) flogging. ¶～을 가하다 punish 《*a person*》 by flogging.

태환(兌換) conversion. ∥～권(券) ☞ 태환지폐. ～은행 a bank of issue／～지폐 convertible notes.

태후(太后) ☞ 황태후.

택배(宅配) home〔door-to-door〕 delivery (service). ～하다 deliver 《*a thing*》 to 《*a person*》's house. ∥～취급소 a home delivery service agent.

택시 a taxi; a cab; a taxicab. ¶개인～ an owner-driven taxi; a driver-owned taxi／～를 잡다 take〔pick up〕 a taxi. ∥～요금 taxi fare／～운전사 a taxi driver; a cabman.

택일(擇日) ～하다 choose an aus-

picious day.

택지(宅地) building land; a housing〔building〕 lot〔site〕. ∥～분양 sale of building lots／～조성 development of residential sites.

택하다(擇一) choose; make choice 《*of*》; select; pick 《*a thing*》 out 《*from*》. ¶어느 것이든 좋아하는 것을 택하시오 Choose whatever you like.

탤런트 a pop star; 《TV의》 a TV personality; a TV talent. ¶그녀 는 유명한 TV ～이다 She is a well-known TV personality.

탬버린(樂) a tambourine.

탭댄스 a tap dance.

탯줄 the navel string; the umbilical cord.

탱고(樂) 《dance》 the tango.

탱자(楂) a fruit of the trifoliate orange.

탱커(유조선) a tanker (boat). ¶오일～ an oil tanker.

탱크(戰차) a tank; 《가스・기름 등의》 a tank. ∥～로리 a tank lorry〔truck〕; a tanker.

탱탱하다 (be) swollen〔puffed up〕; tight; tense; taut.

탱화(幀畵)《佛》 a picture of Buddha to hang on the wall.

터 ① 《집터》 a (building) site〔lot〕; (a plot of) ground; a place. ¶～를 찾다〔고르다〕 look for〔choose, select〕 a site 《*for*》. ② 《기초》 the ground; the foundation; footing; groundwork. ¶～를 닦다 prepare the ground 《*for*》; build up a site 《*for*》.

터² 《예정》 a plan; a schedule; 《의도》 an intention. ¶～할 ～이 다 intend to 《*do*》; be going to 《*do*》; plan to.

터널 a tunnel. ¶～을 뚫다 build〔cut, bore〕 a tunnel 《*through*》; 〔열차가〕 ～로 들어 가다〔을 지나다〕 go into〔through〕 a tunnel.

터놓다 ① 《막힌 것을》 open 《it》 up; put 《*a thing*》 out of the way; undam 《*a river*》; 《금지했던 것을》 remove 《*a prohibition*》;

lift 《*a ban*》. ¶ 물꼬를 ~ open a paddle sluice. ② 《마음을》 open *one's* heart to. ¶ 《마음을》 터놓고 말하는 be frank with. ¶ 《마음을》 터놓고 말하는 to be frank with sb ...

터자지다 consolidate the foundation 《*of a building*》; level the ground 《*for*》.

터덕거리다 ① 《걸음을》 walk wearily; walk heavily over 《*along*》; plod 《*on, along*》. ② 《살림이》 make a bare living. ③ 《일을》 struggle with hard work.

터덜거리다 《걸음을》 walk wearily; trudge 《*along*》. ¶ 터덜터덜 trudgingly; wearily. 《소리가》 jolt; rattle along 《*a stony road*》.

터득 《攄得》 ~ 하다 understand; grasp; comprehend; master 《*the art of...*》. ¶ 그 일의 요령을 ~ 하다 get the hang 《knack》 of the job; learn how to do the job.

터뜨리다 《폭발》 explode; burst; detonate; blast. 《갇힌 것을》 break; burst. 《풍선을》 ~ burst a balloon / 폭탄을 ~ explode a bomb.

터럭 hair. ☞ 털.

터무니없다 《不當》 (be) unreasonable; absurd; extraordinary; exorbitant; 《과도》 excessive; 《근거 없음》 groundless; wild. ¶ 터무니없이 unreasonably; excessively; absurdly / 터무니없는 거짓말 a damned 《whopping》 lie.

터미널 《종점》 a terminal 《station》; a terminus. 《英》 《집》 《단말기》 a terminal. ¶ 버스 ~ a bus terminal.

터벅터벅 ploddingly; trudgingly; totteringly. ¶ ~ 걷다 plod 《trudge》 along.

터부 (a) taboo; (a) tabu. ¶ ~ 시 《視》하다 taboo; put 《place》 a taboo on 《*something*》 / ~ 시되다 be taboo; be under (a) taboo.

터빈 a 《gas, steam》 turbine.

터세다 《집터가》 (be) unlucky; ill-omened; ill-fated; haunted.

터수 ① 《처지》 *one's* status; lot;

financial 〔social〕 standing. ② 《관계》 relationship; terms.

터울 《나이》 the age gap among siblings. ¶ 한 살 ~ 의 아이 a child born within a year of another.

터전 a 《residential》 site; the grounds; a basis. ¶ 우리들의 생활 ~ the basis of our livelihood.

터주 《─主》 《民俗》 the tutelary spirit of a house site; 《터줏대감》 a senior member; an old-timer.

터주다 lift 〔remove〕 the ban 《*on*》; clear 《*a thing*》 out of *one's* way. ¶ 후진들을 위해서 길을 ~ give the young people a chance.

터지다 ① 《폭발》 explode; burst; blow up; 《발발》 break out. ¶ 꽝 장한 소리를 내며 터졌다 It blew up with a terrible bang. ② 《파열》 explode; burst; tear; crack 《split》 open; 《피부가》 get chapped; 《무너지다》 break down; collapse / 터진 손 chapped hands / 둑이 ~ a dike collapses. ③ 《탄로》 be brought to light; be disclosed; be exposed. ④ ☞ 얻어맞다.

터치다운 《蹴》 touchdown.

터키 Turkey. ¶ ~ 의 Turkish. ~ 말 Turkish / ~ 사람 a Turk.

터프 《─한》 tough; hardy; firm ¶ ~ 가이 a tough guy.

턱[1] the jaw; the chin 《아래턱》. ¶ ~ 이 나온 〔늘어진〕 with prominent 〔drooping〕 jaws / ~ 뼈 a jawbone / 위(아래) ~ the upper 〔lower〕 jaw.

턱[2] 《조금 높이 된 곳》 a projection; a rise; a raised spot. ¶ ~ 이 지 다 rise; swell.

턱[3] 《대접》 a treat. ¶ 오늘은 내가 ~ 내겠다 It is my treat today.

턱[4] 《까닭》 reason; grounds. ¶ 내가 알 ~ 이 있나 How should I know that? ② 《정도》 extent; degree; stage.

턱[5] ① 《안심》 《마음이》 ~ 놓이다 be relieved; feel reassured. ② 《잡는 꼴》 ¶ 남의 손을 ~ 잡다 hold

a person's hand passionately. ③ 《의젓이》 with a grand air; composedly. ¶ ~의 자에 ～ 앉다 sit at ease in a chair.

턱걸이 (be) chinning; a chin-up. ～하다 chin *oneself* (up); do chinning exercises.

턱받이 a pinafore; a bib.

턱수염 (一鬚髥) a beard.

턱시도 a tuxedo.

턱없다 (be) groundless; unreasonable; exorbitant; excessive. ¶ 턱 없이 unreasonably; exorbitantly / 턱없는 요구 an exorbitant [unconscionable] demand.

턱짓하다 make a gesture with *one's* chin.

턱찌끼 the leftovers.

털 《세모·모발》 (a) hair; 《짐승의》 fur; 《깃》 feather. ¶ ～이 있는 haired; hairy / 이 개는 ～이 탐스럽다 This dog has thick fur. ∥ ～옷 woolen clothing; a fur [woolen] garment / ～외투 a fur [over]coat.

털가죽 a fur; a pelt(소, 양 따위의). ☞ 모피(毛皮).

털갈이 《새의》 molting; 《짐승의》 coat-shedding; shedding hair. ～하다 molt (the feathers); shed (the hair).

털끝 the end of a hair; 《조금》 a bit; a jot; a trifle. ¶ ～만큼도 (not) in the least; (not) a bit of; (not) a particle of / ～만큼도 개의치 않다 don't care at all; don't give a damn.

털다 ① 《붙은 것을》 shake off 《dust》; throw off; 《먼지를》 dust; brush out 《솔로》. ② 《가진 것을》 empty 《one's pocket》. ¶ 가진 돈을 몽땅 ～ empty *one's* purse to the last penny. ③ 《도둑이》 rob 《a bank》; rob [strip] 《a person》.

털럭거리다 keep jogging (jolting); keep slapping; flap.

털벙 with a plop (splash). ¶ ～ 리다 plop.

털보 a hairy (shaggy) man.

털복숭이 a hairy person (thing).

털붙이 《모피》 a fur; 《털로 만든 물건》 woolen stuff; fur goods; 《털옷》 fur clothes.

털실 woolen yarn; knitting wool (편물용). ¶ ～로 짜다 knit 《a sweater》 out of wool; knit wool into 《socks》.

털썩 flop; with a thud. ¶ 의자에 ～ 앉다 flop [plump (*oneself*)] down in a chair.

털어놓다 《마음 속을》 confide; unbosom *oneself* 《to》; speak *one's* mind 《to》; unburden *oneself* 《of *one's* secrets》. ¶ 비밀을 아내에게 ～ confide a secret to *one's* wife.

털털거리다 터덜거리다.

털털하다 《사람이》 (be) unaffected; free and easy.

텀벙 with a plump [splash, plop]. ¶ ～거리다 keep splashing.

턱석 with a snatch [snap]. ¶ ～ 움켜쥐다 snatch.

텁석나룻 shaggy whiskers.

텁석부리 a bushy-whiskered man.

텁수룩하다 (be) unkempt; shaggy; bushy. ¶ 수염이 ～ have a thick [bushy] beard.

텁텁하다 ① 《음식》 (be) thick and tasteless; 《입 속》 (be) unpleasant; disagreeable. ② 《눈이》 (be) vague; dim; bleary; obscure. ③ 《성미가》 (be) easy; broad-minded.

텃밭 a field attached to a home site; a kitchen garden.

텃세 (一貰) rent for a (house) site.

텃세 (一勢) ～하다 lord it over a newcomer; play cock-of-the-walk.

텅 텅텅. ¶ ～ 빈 empty; vacant; hollow; 집은 ～ 비어 있었 다 The house was found empty.

텅스텐 〔化〕 tungsten (기호 W). ∥ ～ 전구 a tungsten light bulb.

테 ① 《둘린 언저리》 a frame(그림 의); a band; a brim(모자의); a rim(안경 따위의); a hoop(둥근 통 따위의); a frill(장식한,

르다 hoop 《a barrel》. ② ☞ 테두리.
테너【樂】 a tenor.
테니스(play) (lawn) tennis. ‖ ~ 코트 a tennis court.
테두리 ① 《윤곽》 an outline: a contour. ② 《범위》 a framework; a limit. ‖ ~ 안에서 within the limits [framework] 《of the budget》 / ~를 정하다 fix the limit; set limits [bounds] 《to》.
테라마이신【藥】 Terramycin.
테라스(on) a terrace.
테러 terror(ism). ‖ ~ 집단 a gang of terrorists / ~ 행위 (an act of) terrorism.
테러리스트 a terrorist.
테레빈유(-油) turpentine.
테마 a theme; a subject matter. ‖ 연구 ~ a subject of study [research]. ‖ ~ 공원 theme park.
테리어(犬) a terrier.
테스트 a test; a tryout. ‖ ~ 하다 test; give 《something》 a test; put 《a thing》 to the test. ‖ 성능 ~ a performance [an efficiency] test.
테이블 a table; a desk. ‖ ~ 보 a tablecloth; a table cover.
테이프 a tape; a paper streamer (축하용의). ‖ 녹음되지 않은 ~ a blank tape. / 그 모든 데이터는 ~ 에 저장된다 All data goes on tape for storage. / ~ 녹음 tape recording / ~ 리코더 a tape recorder.
테일라이트 a taillight.
테제【哲】 a thesis; 《These 獨》.
테크노크라트(기술관료) a technocrat.
테크놀러지(과학기술) technology.
테크니션(기술자) a technician.
테크닉 (a) technique. ‖ ~ 이 뛰어나다 be superior in technique; play an excellent technique.
텍스트 a text; a textbook.
텐트 a tent.
텔레비전 television (생략 TV); 《수상기》 a television [TV] set. ‖ ~ 를 장시간 보는 사람 a heavy TV watcher. ‖ 고화질 ~ a high-definition television (생략 HDTV).

텔레타이프 a teletype(writer). ‖ ~ 로 송신하다 teletype a message; send a message by teletype.
텔레파시(communicate by) telepathy. ‖ ~ 를 행하는 사람 a telepathist.
텔렉스 Telex. 《◀ teleprinter-exchange》
템포(a) tempo; speed. ‖ ~ 가 빠른 speedy; rapid; fast-moving / ~ 가 느린 slow-moving / …와 ~ 를 맞추다 keep pace with the tempo of ….
토《조사》 a particle.
토건(土建) civil engineering and construction. ‖ ~ 업 civil engineering and construction business / ~ 업자 a civil engineering constructor.
토관(土管)(lay) an earthen pipe; a drainpipe.
토굴(土窟) a cave; a dugout; 《den》.
토기(土器) earthenware (총칭); an earthen vessel.
토끼 a rabbit(집토끼); a hare(산토끼). ‖ ~ 굴 a rabbit burrow / ~ 뜀 (play) leapfrog / ~ 장 a rabbit hutch.
토너먼트(win) a tournament.
토닉 a tonic. ‖ 헤어 ~ hair tonic.
토닥거리다 keep patting (tapping); beat lightly.
토담(土—) a mud [mud] wall. ‖ ~ 집 a mud-wall hut.
토대(土臺) 《건축물의》 a foundation; 《사물의 기초》 a foundation; a base; a basis; groundwork. ‖ 이 집은 ~ 가 튼튼하다 This house is built on firm foundations.
토라지다 get [become] sulky (peevish); pout; sulk. ‖ 토라져서 말도 안 하다 be sullen and silent.
토란(土卵) 【植】 a taro. ‖ ~ 국 taro soup.
토로(吐露) ~ 하다 lay bare [pour out] 《one's heart》; express 《one's view》; speak 《one's mind》.
토론(討論) (a) debate; (a) discussion. ‖ ~ 하다 discuss 《a problem》; argue; debate; dispute.

¶ ~에 부치다 put 《*a matter*》 to debate. ¶ ~자 a debater / ~회 a debate; a forum; a panel discussion《공개의》.

토륨 〔化〕 thorium (기호 Th).

토르소 a torso.

토리 a spool of thread. ¶ ~실 thread in spools.

토마토 a tomato.

토막 a piece; a bit; a block. ¶ 나무 한 ~ a piece of wood / ~내다 〔치다〕 cut 〔chop〕 into pieces.

토멸(討滅) ~하다 conquer; exterminate; destroy. ¶ 적을 ~하다 destroy the enemy.

토목(土木) engineering work; public works(토목공사). ∥ ~건축업 ☞ 토건업(土建業) / ~공사 engineering works / ~기사 a civil engineer.

토박이(土─) a native; an aborigine. ¶ ~의 native-born; native 《*to*》; born and bred; trueborn / 서울~ a Seoulite to the backbone; a trueborn Seoulite.

토박하다(土薄─) (be) sterile; barren; poor. ¶ 토박한 땅 sterile 〔barren, poor〕 land 〔soil〕.

토벌(討伐) subjugation. ~하다 put down; subjugate; suppress. ¶ 반란군을 ~하다 suppress a rebellion. ∥ ~대 a punitive force.

토벽(土壁) a mud 〔dirt〕 wall.

토사(土沙) earth and sand. ∥ ~붕괴 a landslide; a washout 《洗》.

토사(吐瀉) vomiting and diarrhea. ~하다 suffer from diarrhea and vomiting. ∥ ~곽란 《癨亂》 acute gastroenteric trouble / ~물 vomit and excreta.

토산물(土産物) local products; native produce. ¶ ~인 수박 locally grown watermelons.

토색(土色) (an) extortion; blackmail(ing). ~하다 extort 《*money from a person*》; practice extortions; blackmail.

토성(土星) 〔天〕 Saturn.

토성(土城) mud ramparts.

토속(土俗) local customs. ∥ ~학

folklore; ethnography.

토스 a toss. ~하다 toss 《*a ball*》. ∥ ~배팅 〔野〕 a toss batting.

토스트 《a piece of》 toast.

토시 wristlets.

토신(土神) a deity of the soil.

토실토실 ~하다 (be) plump; chubby; rotund; fat. ¶ ~한 아기 a chubby baby.

토악질(吐─) ① 《구토》 ~하다 vomit; throw up. ② 《부정 소득의》 ~하다 cough up 〔repay〕 ill-gotten money; disgorge.

토양(土壤) soil. ¶ 기름진 〔비옥한〕 ~ rich 〔fertile〕 soil / 메마른 ~ poor 〔sterile〕 soil / ~의 산성화 acidification of soil. ∥ ~오염 soil pollution / ~조사 agronomical survey 〔Sat.〕.

토요일(土曜日) Saturday 《생략

토욕(土浴) 《새·짐승의》 a dust bath; wallowing in mud 〔dirt〕. ~하다 have 〔take〕 a dust bath; wallow in mud 〔dirt〕.

토우(土雨) 《흙비》 a rain of dust; a dust storm.

토의(討議) (a) discussion; (a) debate; (a) deliberation. ~하다 discuss; have a discussion 《*about*》; debate 《on》. ¶ ~중이다 be under discussion. ¶ ~안 a subject for debate.

토인(土人) a native; an aboriginal (원주민); the aborigines (총칭); a savage(미개인).

토장(土葬) burial; interment. ~하다 inter; bury in the ground.

토장(土醬) bean paste.

토제(吐劑) 〔藥〕 an emetic.

토지(土地) 《땅·흙·대지》 land; soil; ground; 《한 구획》 a lot; a plot; a piece of land; 《부동산》 a real estate; 《영토》 (a) territory. ¶ ~개량 land improvement / ~대장 a land ledger 〔register〕; a cadaster / ~소유권 landownership / ~소유자 a landowner.

토질(土疾) an endemic disease.

토질(土質) the nature of the soil. ∥ ~분석 soil analysis.

토착(土着) ¶ ~의 native(-born); indigenous. ‖ ~민 a native; the natives(총칭).

토치카 a pillbox; a *tochka* (러).

토키(영화) a talkie; a talking film (picture); talkies(총칭).

토탄(土炭) peat; turf.

토템 a totem. ¶ ~ 숭배 totemism / ~ 폴 a totem pole.

토플 TOEFL. (◀Test of English as a Foreign Language)

토픽 a topic; a subject (of conversation).

토하다(吐―) ① (뱉다) spew; spit (out); (게우다) vomit; throw up; disgorge. ¶먹은 것을 ~ vomit what *one* have eaten. ② (토로) express (*one's* view); speak (*one's* mind); give vent to (*one's* feelings).

토혈(吐血) vomiting (spitting) of blood. ~ 하다 vomit (bring up) blood; spit blood.

톡탁 beating (each other). ¶~거리다 exchange blow after blow; beat each other up. ☞ 톡탁거리

톡톡하다 ① (국물이) (be) thick; rich. ② (피륙이) (be) close; thick; close-woven.

톡톡히 ① (많이) a lot; a great deal. ¶~ 벌다 make a big profit. ② (엄하게) severely; harshly; scathingly. ¶~ 꾸짖다 scold (*a person*) severely.

톤 a ton; tonnage. ¶총 (배수, 적재, 중량) ~수 gross (displacement, freight, dead weight) tonnage / 이 배는 몇 ~이냐 What is the tonnage of this ship?

톨 a grain (of rice); a nut.

톨게이트 (고속도로 등) a tollgate.

톱 (나무 자르는) a saw; a handsaw. ¶~으로 통나무를 자르다 saw up a log; cut a log with a saw / ~질하다 saw (*wood*). ‖ ~날 the teeth of a saw; a saw blade (tooth) (~날을 세우다 set a saw) / ~밥 sawdust.

톱 a top. ¶~클래스의 first-rate; top-class; top-notch; top-ranking / 그는 학급에서 ~이다 He is at the top of the class. ‖ ~기사 a front-page story; a banner head: the lead(story) / ~뉴스 top news.

톱니 a cog. ¶~ 모양의 sawlike; serrated; jagged.

톱니바퀴 a cogwheel; a gear wheel. ¶~가 서로 물리다 (안 물리다) be in (out) of gear.

톱톱하다 (국물이) (be) thick; rich; heavy. ¶톱톱한 국물 thick soup.

톳 a bundle (of *laver*).

통 ① (배추 따위의 몸피) the bulk (of *a cabbage*); a head (of *cabbage*)(셀 때). ¶배추 세 ~ three heads of cabbage. ② (피륙의) a roll. ③ (동아리) a gang; a group; cahoots. ¶한 ~이 되다 be in cahoots with; be in league with.

통 ① (소매·바지의) the width of crotch part (of *trousers*); breadth. ¶소매~이 좁다 a sleeve is rather tight. ② (도량·쏠쏠이) caliber; scale (of *doing things*). ¶사람의 ~이 작다 be a person of small caliber.

통 (복잡한 둘레·상황) ¶북새~에 한몫 보다 fish in troubled waters; gain an advantage from the confused state of affairs.

통 quite; entirely; (전혀 …않다) (not) at all; (not) in the least. ¶그녀는 요즘 ~ 오지 않는다 She does not come here at all these days.

통 a tube; a pipe; a gun barrel; a sleeve(기계의). ¶a can (깡통)

통 a tub; a pail; a (wooden) bucket; a barrel; a can. ¶술~ a wine barrel (cask).

통(統) (동네의) a neighborhood unit; a *tong*, a subdivision of a *dong*. ¶~장 the head of a *tong*.

통(通) (서류의) a copy (of *docu-*

ments). ¶정부(正副) 2 ~을 제출하다 present in duplicate.

‥통(通) 〔전문가〕 an authority 〔expert〕 《*on a subject*》; a well-informed expert. ¶경제 ~ an economics expert / 그는 중국~이다 He is an authority on Chinese affairs.

통가리(一) a rick 〔stack〕 of grain.

통각(痛覚) sense 〔sensation〕 of pain.

통감(痛感) ~하다 feel keenly 〔acutely〕; fully 〔keenly〕 realize. ¶사람들은 환경 보호의 필요성 ~하기 시작했다 People are beginning to feel keenly the need to protect the environment.

통겨지다 ☞ 퉁겨지다.

통격(痛撃) a severe 〔hard〕 blow; a severe attack. ¶ ~을 가하다 attack 《*a person*》severely; deal a hard blow to 《*a person*》.

통계(統計) statistics. ¶ ~ 《상》의 statistical / ~를 내다 take 〔collect, gather, prepare〕 statistics 《*of*》. ∥ ~청 the National Statistical Office / ~학 statistics / ~학자 a statistician.

통고(通告) notification; announcement. ~하다 notify 《*a person of a matter*》; notice 《*a person*》 notice 《*of*》. ¶사전에 ~하다 give 《*a person*》 previous notice.

통곡(痛哭) lamentation; wailing. ~하다 lament; wail; weep bitterly 〔loudly〕.

통과(通過) passage; transit. ~하다 pass 《*along, by, over, through*》; go 〔get〕 through. ¶터널을 ~하다 pass through a tunnel. ∥ ~관세 a transit tariff / ~의례 a rite of passage.

통관(通關) customs clearance 《*of goods*》; clearance 《*of goods*》 through the customs. ~하다 pass 〔clear〕 the customs; clear 《*a ship*》; clear 《*goods*》 through the customs. ∥ ~수수료 a customs fee; a clearance fee(출항 수수료) / ~절차 (go through)

customs formalities 〔entry〕; clearance(출항의).

통괄(統括) ☞ 통할. ~하다 generalize.

통권(通巻) the consecutive number of volumes.

통근(通勤) ~하다 attend 〔go to〕 the office; live out(근무 외대 개념으로); 《승차권 등을 사용해서》 commute 《*from Incheon to Seoul*》 《美》. ¶매일 지하철로 ~하다 commute daily by subway. ∥ ~거리 commuting distance / ~열차 〔버스〕 a commuter train 〔bus〕 / ~자 a commuter.

통금(通禁) 〔야간의〕 a curfew. ¶ ~을 실시하다 impose 〔order〕 a curfew. ∥ ~시간 curfew hour / ~해제 the removal 〔lifting〕 of curfew.

통김치 kimchi made of whole cabbages.

통나무 a (whole) log. ¶ ~ 다리 a log bridge.

통념(通念) a common 〔generally accepted〕 idea. ¶그러한 사회 ~은 타파되어야 한다 Such a commonly accepted idea should be shattered.

통달하다(通達一) be well versed 《*in*》; have a thorough knowledge 《*of*》; be conversant 《*with*》.

통닭구이 a roast chicken; a chicken roasted whole.

통독(通讀) ~하다 read through 〔over〕 《*a book*》; read 《*a book*》 from cover to cover.

통렬(痛烈) ¶ ~한 severe; sharp; bitter; fierce / ~히 severely; bitterly.

통례(通例) a common 〔an ordinary〕 practice. ¶ ~로 usually; customarily; ordinarily; as a rule.

통로(通路) a path; a passage; a passageway; an aisle(극장·열차 등의). ¶ ~를 막다 obstruct the passage.

통론(通論) an outline 《*of law*》; an introduction 《*to*》. ¶한국 문학 ~ an introduction to Korean

literature.

통매(痛罵) a bitter criticism; violent abuse. ~하다 criticize severely; abuse (*a person*) bitterly.

통발 【植】 a bladderwort (plant).

통발(筒─) 〖고기 잡는〗 a weir; a fish trap.

통보(通報) a report. ~하다 report; inform. 〖경찰에 ~하다 report to the police. ‖ ~자 an informer; an informant.

통분(通分) 【數】 ~하다 reduce (*fractions*) to a common denominator.

통사정(通事情) ~하다 〈사정함〉 speak *one's* mind; tell frankly (*about*); make an appeal (*to*).

통산(通算) the (sum) total. ~하다 total; sum up; add up.

통상(通常) 〈부사적〉 ordinarily; commonly; usually; generally. ¶ ~의 〖적인〗 usual; ordinary; common; customary; regular. ‖ ~복 everyday [ordinary] clothes; casual wear.

통상(通商) commerce; trade; commercial relations. ~하다 trade (*with a country*). ¶ ~을 시작하다 open trade [commerce] (*with a country*). ‖ ~사절단 a trade mission [delegation] / ~조약 a commercial treaty.

통설(通說) a popular [commonly accepted] view; a common opinion. ¶ …라는 것이 ~이다 It is a commonly accepted view that….

통성명(通姓名) exchanging names. ~하다 exchange names; introduce (*themselves*) to each other.

통속(通俗) ¶ ~적인 popular; common / ~화하다 popularize; vulgarize. ‖ ~문학 popular literature / ~화 popularization.

통솔(統率) command; leadership. ~하다 command; lead; assume leadership; take the lead of. ‖ ~자 a leader; a commander.

통수(統帥) the supreme command. ‖ ~권 the prerogative

of supreme command / ~권자 a leader; a supreme commander.

통신(通信) correspondence; communication. 〖보도〗 news; 〖정보〗 information. ~하다 correspond (*with*); report (*for a paper*). ¶ 런던발 ~에 의하면 according to a dispatch from London. ‖ ~두절 a communication blackout / ~망 a communications [news service] network (system).

통어(統御) ~하다 reign [rule] over; govern; control; manage.

통역(通譯) 〖일〗 interpretation; 〖사람〗 an interpreter. ~하다 interpret; act [serve] as (an) interpreter (*for*). ‖ ~관 an official interpreter.

통용(通用) popular [common] use; circulation; currency. ~하다 pass; circulate; be good [available]; be accepted; hold good (규칙 등이). ¶ 그 규칙은 지금도 ~된다 The rule still holds good. ‖ ~어 a current word / ~화폐 current coins; a currency.

통운(通運) transportation; forwarding. ‖ ~회사 a transportation [an express (美)] company; a forwarding agent.

통원(通院) ~하다 attend a hospital (as an outpatient); go to hospital (for treatment).

통으로 all; wholly; all together; in the lump.

통음(痛飮) ~하다 drink heavily; have a booze (口).

통일(統一) unification; uniformity; unity. ~하다 unify; unite (*a nation*). 〖표준화〗 standardize; 〖집중〗 concentrate. ‖ 남북 ~ unification of North and South (Korea) / 정신 ~ mental concentration. / ~국가 a unified nation.

통장(通帳) 〖예금의〗 a passbook; a bankbook.

통절(痛切) ¶ ~한 keen; acute; poignant; severe / ~히 (feel)

E

keenly; acutely; severely.

통정(通情) 〈姦通〉 adultery. ~하다
have an illicit affair 《with》;
commit adultery 《with》.

통제(統制) control; regulation.
~하다 control; regulate. ┃ ~물가
~ 가격 controlled prices / ~경제 con-
trolled prices / ~경제 controlled
economy.

통제부(統制府) 〈해군의〉 a naval yard
[station].

통조림(桶一) canned [tinned 《英》]
food [goods]. ┃ ~한 canned;
tinned 《英》 ~으로 만들다 let 《beef》
pack 《meat》 in a can. ┃ ~공장
a cannery; a canning factory
[plant] / ~식품 canned food.

통증(痛症) a pain; ache.
┃ 위에 격렬한 ~을 느끼다 feel a
sharp pain in the stomach.

통지(通知) a notice; (a) notifi-
cation; information; an advice
〈상업상의〉. ~하다 inform [notify]
《a person》of 《a matter》; give
notice of 《a matter》; let 《a per-
son》know. ┃ ~서 a notice.

통짜다 ① 〈맞추다〉 frame; assem-
ble; put together. ② 〈동아리가
되다〉 form a gang [group];
band [club] together.

통째(all together); wholly. ~
로 먹다 eat 《something》whole.

통찰(洞察) penetration; insight;
discernment. ~하다 penetrate
into; see through. ┃ ~력이 있는
사람 a man of keen insight.

통첩(通牒) a notice; a notification.
~하다 notify; give notice to;
send [issue] a notification. ┃ 최
후~ an ultimatum.

통촉(洞燭) ~하다 (deign to) see;
understand; judge.

통치(統治) rule; reign; govern-
ment. ~하다 reign [rule] 《over》;
govern; rule. ┃ ~권 sovereignty; the
supreme power / ~자 the
sovereign; the ruler.

통치마 a pleatless skirt.

통칙(通則) general rules [provi-
sions].

통칭(通稱) a popular [common
name; an alias. ┃ ~ …이라고
부르다 go by the name of ....

통쾌(痛快) ~하다 (be) extremely
delightful [pleasant]; exciting
thrilling. ┃ ~하게 여기다 be
thrilled [delighted] 《to hear tha
...》.

통탄(痛嘆) ~하다 lament [regret
grieve] deeply; deplore. ┃ ~할
일이다 It is deplorable [lamenta
ble] that ....

통통거리다 pound; resound.

통통하다 (be) portly; plump;
chubby. ┃ 통통한 아기 a chubby
[plump] baby.

통틀어 (all) in all; all told; al
taken together; altogether; in
total. ┃ ~ 얼마요 How much is
it altogether [in all]?

통풍(痛風) 〈醫〉 the gout.

통하다(通一) ① 〈길·통로·교통〉 rur
[to]; go [lead] 《to》《…에 이르다》.
┃ 모든 길은 로마로 통한다 All roads
lead to Rome. ② 〈말·의사가〉 be
understood; make oneself under
stood. ③ 〈…로 알려지다〉 pass
《for, as》; be known 《as》. ┃ ~라는
이름으로 ~ be known by the
name of...; ④ 〈유효하다〉 pass
be valid; hold good. ┃ 이 돈은 어
디서나 통한다 This money passes
[can be used] freely everywhere.
⑤ 〈통신·관계〉 communicate [be
in touch] 《with》. ⑥ 〈전기 등이〉
circulate; transmit; 〈공기 등이〉
ventilate; flow; pass [go
through. ┃ 공기가 잘 ~ have a
good ventilation. ⑦ 〈경유·경
과·매개〉 go [pass] through. ┃ 시
베리아를 통해서 파리에 가다 go to
Paris via [by way of] Siberia.

통학(通學) ~하다 attend [go to
school. ┃ 걸어서 ~ 하다 walk to
school. ┃ ~버스 a school bus / ~
생 〈기숙생과 대비해서〉 a day
student.

통한(痛恨) deep [bitter] regret.

통할(統轄) supervision; (general
control. ~하다 supervise; con

trol; exercise general control 〔over〕. ‖ ~ 구역 the area under the direct control 〔of〕.

통합(統合) unity; unification; integration. ~하다 unify; unite; integrate; put together. ‖ ~참모 본부 the Joint Chiefs of Staff (생략 J.C.S.) 〔美〕.

통행(通行) passing; transit; traffic. ~하다 pass (through); go through 〔along〕. ‖ ~을 방해하다 obstruct traffic; bar the way. ‖ ~금지 the suspension of traffic; 〔게시〕 No thoroughfare; Closed to traffic. / ~료 〔요금〕 a toll.

통혼(通婚) ~하다 make a proposal of marriage; intermarry 〔with〕.

통화(通貨) currency; money. ‖ ~의 안정 stabilization of currency. ‖ ~정책 〔위기〕 a monetary policy 〔crisis〕.

통화(通話) a (tele)phone call. ~하다 talk over the telephone 〔with〕. ‖ ~ 중입니다 〔교환원의 말〕 Line's busy. or Number's engaged 〔英〕. ‖ ~료 a telephone charge.

퇴각(退却) retreat; withdrawal. ~하다 (make a) retreat 〔from, to〕; withdraw 〔from〕. ‖ 그들은 총 ~ 중이었다 They were in full retreat. ‖ ~명령 an order to retreat.

퇴거(退去) 〔이전〕 leaving; removal; 〔천수〕 evacuation; withdrawal. ~하다 leave; depart; evacuate; withdraw; remove. ‖ ~을 명하다 order 〔a person〕 out of 〔a place〕. ‖ ~명령 an expulsion order.

퇴고(推敲) ~하다 work on 〔revise〕 one's manuscript to improve 〔revise〕 the wording; polish; elaborate.

퇴골(腿骨) 〔解〕 a leg bone.

퇴교(退校) ⇒ 퇴학.

퇴근(退勤) ~하다 leave one's office; go home from work. ‖ ~시간 the closing hour.

퇴락(頹落) dilapidation. ~하다

dilapidate; go to ruin; fall into decay.

퇴로(退路) the (path of) retreat. ‖ ~를 차단하다 intercept 〔cut off〕 the 〔enemy's〕 retreat.

퇴물(退物) ① 〔물려받은〕 a hand-me-down; a used article. ② 〔거절된〕 a thing rejected 〔refused〕 〔from〕. ③ 〔사람〕 a retired person.

퇴보(退步) retrogression; a setback. ~하다 retrograde; go back(ward). ‖ ~적인 retrogressive.

퇴비(堆肥) compost; barnyard manure. ‖ ~밭에 ~를 주다 compost the field. ‖ ~더미 a compost pile 〔heap〕.

퇴사(退社) ① 〔퇴직〕 ~하다 retire from 〔leave〕 the company; 〔다〕 quit. ② ~ 퇴근.

퇴색(褪色) fading. ~하다 fading; be discolored; lose color; be faded.

퇴석(堆石) ① 〔돌무더기〕 a pile of stones. ② 〔地〕 a moraine.

퇴세(頹勢) a decline; a downward tendency.

퇴역(退役) retirement (from service). ~하다 retire from service; leave the army. ‖ ~군인 an ex-serviceman; a veteran 〔美〕.

퇴영(退嬰) ~적인 retrogressive; conservative.

퇴원(退院) ~하다 leave (the) hospital; be discharged from hospital. ‖ ~해 있다 be out of hospital.

퇴위(退位) (an) abdication. ~하다 abdicate 〔the throne〕; step down from the throne. ‖ ~시키다 dethrone (depose) 〔a king〕.

퇴임(退任) retirement. ~하다 retire 〔resign〕 from one's office 〔post〕.

퇴장(退場) ~하다 leave 〔a place〕; walk out 〔of〕; go away 〔from〕; (make one's) exit 〔from〕〔무대에서〕. ‖ ~을 명하다 order 〔a person〕 out of 〔the hall〕.

퇴적(堆積) (an) accumulation; a heap; a pile. ~하다 accumulate; be piled [heaped] up. ‖ ~암 sedimentary rocks.

퇴정(退廷) ~하다 leave (the) court; withdraw from the court.

퇴직(退職) 《정년의》 retirement; 《사직》 resignation. ~하다 retire; resign 《one's position》. ‖ ~금 〔수당〕 retirement allowance; a severance allowance [pay] / 명예〔조기〕 ~ voluntary (early, downsizing) retirement.

퇴진(退陣) ~하다 step down; resign. ‖ 곧 ~할 수상 the outgoing premier.

퇴짜(退一) ~(를) 놓다 refuse; reject; rebuff; turn down / ~(를) 맞다 get rejected; meet a rebuff; be turned down.

퇴치(退治) 《박멸》 extermination. ~하다 exterminate; wipe [stamp, root] out; get rid of 《rats》. ‖ 문맹~ 운동 a crusade against illiteracy.

퇴폐(頹廢) corruption; decadence. ~하다 be corrupted. ‖ ~적인 decadent. ‖ ~주의 decadence.

퇴학(退學) withdrawal from school. ~하다 leave (quit, give up) school. ~당하다 be dismissed [expelled] from school. ‖ ~생 a dropout.

퇴화(退化) retrogression; degeneration. ~하다 degenerate; retrogress. ‖ 근육은 쓰지 않으면 ~한다 Muscles, if not used, degenerate.

퇴루(退一) a narrow porch.

투(套) 《버릇》 a manner; a habit; a way; 《법식》 a form; a style. ‖ 말~ one's way of talking.

투견(鬪犬) 《싸움》 a dogfight; 《개》 a fighting dog.

투계(鬪鷄) 《싸움》 a cockfight; 《개》 a fighting cock; a gamecock.

투고(投稿) a contribution. ~하다 contribute 《an article to》; write 《for》. ‖ ~란 the readers' [contributors'] columns.

투과(透過) permeation; penetration. ~하다 permeate 《through》; penetrate; filter (out). ‖ ~율 transmissivity.

투광기(投光器) a floodlight.

투구 a helmet; a headpiece.

투구(投球) 〔野〕 pitching 《투수의》; throwing 《야수의》. ~하다 pitch [throw, hurl] a ball. ‖ ~연습 a warming up for pitching.

투기(妬忌) jealousy; envy. ~하다 be jealous 《of, over》; be envious 《of》.

투기(投機) speculation; a flier 《구미》. ~하다 speculate 《in》; gamble 《in stocks》. ‖ ~적인 speculative; risky. ‖ ~꾼 a speculator; a stockjobber 《주식거래인》.

투기(鬪技) a contest; a match.

투덜거리다 grumble 《about, at》; complain 《about, of》; murmur with discontent. ‖ 투덜투덜 grumblingly; complainingly.

투망(投網) a cast (fishing) net.

투명(透明) ~하다 (be) transparent; lucid; clear; limpid. ‖ ~도 the degree of transparency / ~인간 an invisible man.

투묘(投錨) anchoring; anchorage. ~하다 anchor; cast anchor.

투미하다 (be) stupid; silly; dull.

투박하다 《사람이》 (be) crude; vulgar; boorish; 《물건이》 (be) crude; coarse; rough; unshapely. ‖ 투박한 구두 heavy unshapely shoes.

투베르쿨린 〔醫〕 tuberculin. ‖ ~반응 (검사) a tuberculin reaction (test).

투병(鬪病) a fight [struggle] against a disease. ~ 생활 one's life under medical treatment.

투사(投射) 〔數〕 projection; 〔理〕 incidence. ~하다 project 《on》. ‖ ~각 the degree of incidence.

투사(透寫) tracing. ~하다 trace 《a drawing》. ‖ ~지(紙) tracing paper.

투사(鬪士) a fighter; a cham-

pion. ¶혁명 ~ a champion of revolution.

투서(投書) a contribution: an anonymous letter(밀고). ~하다 send 《a note》 anonymously; contribute an article 《to》(투고).

투석(投石) ~하다 throw [hurl] a stone [rock] 《at》.

…투성이《온통 …으로 덮인》covered [smeared] all over with; 《…이 많은》full of: filled with. ¶오자~의 책 a book full of misprints.

투수(投手) a pitcher; a hurler. ¶주전 ~ an ace pitcher / 구원 ~ a relief pitcher.

투숙(投宿) ~하다 put up at 《a hotel》; check into 《a hotel》; lodge 《at a hotel: with a family》. ¶~객 a guest; a lodger.

투시(透視) 《천리안》 clairvoyance; second sight. ~하다 see through; look at 《a person's chest》 through the fluoroscope 《X선으로》. ∥ ~도 a perspective drawing.

투신(投身) ① 《자살》 ~하다 drown oneself 《into》; throw [hurl] oneself 《into the water, from a cliff》; leap to one's death 《into》. ② 《종사》 ~하다 engage [take part] 《in》. ¶정계에 ~하다 enter the political world.

투악(投藥) ~하다 prescribe 《for a patient》; medicate.

투영(投影) 《그림자》 a [cast] shadow; 《그림》 a projection. ~하다 reflect; cast a reflection. ∥ ~도 a projection chart.

투옥(投獄) imprisonment. ~하다 put 《a person》 in prison [jail]; throw 《a person》 into prison; imprison. ¶무고죄로 ~되다 be put into prison on a false charge.

투우(鬪牛) 《싸움》 a bullfight; 《소》 a fighting bull. ∥ ~사 a bullfighter; a matador / ~장 a bullring.

투원반(投圓盤) the discus throw. ∥ ~선수 a discus thrower.

투입(投入) ① 《자본을》 ~하다 in-

vest 《capital》. ② 《던져 넣기》 ~하다 throw [cast] 《a thing》 into. ¶전투에 3개 사단을 ~하다 commit three divisions to the battle.

투자(投資) (an) investment. ~하다 invest 《in》; put [lay out] 《money in an enterprise》. ¶전재산을 토지에 ~하다 invest all one's money in land. ∥ ~가 an investor / 기관 ~가 an institutional investor / 일반 ~가 the investing public.

투쟁(鬪爭) a fight; a struggle; a conflict; strife. ~하다 fight 《for, against》. ¶계급 [권력] ~ a class [power] struggle.

투전(鬪錢) gambling(도박). ∥ ~꾼 a gambler.

투정 grumbling; complaining. ~하다 grumble 《at, for, over》; growl; complain 《about, of》. ¶밥 ~ grumbling over [at] one's food.

투지(鬪志) fighting spirit; fight. ¶~가 없다 lack in fight; have no fighting spirit.

투창(投槍) javelin throw(ing). ~하다 throw a javelin. ∥ ~선수 a javelin thrower.

투척(投擲) throwing; a throw. ~하다 throw 《a hand grenade》. ¶~경기 a throwing event.

투철(透徹) ~하다 (be) penetrating; lucid; clear. ¶~한 이론 an intelligible [a clear-cut] theory.

투포환(投砲丸) the shot put; shot-putting. ∥ ~선수 a shot-putter.

투표(投票) 《투표하다》 poll; voting; ballot; 《표》 a vote; a ballot(무기명). ~하다 vote 《for, against》; cast a vote (ballot); give a vote 《to a person》. ¶~로 결정하다 decide by vote. ∥ ~권 the right to vote; voting rights / ~자 a voter.

투피스 a two-piece suit 《dress》.

투하(投下) ~하다 throw down; drop; 《자본을》 invest 《in》.

투함(投函) ~하다 mail [post 《英》] 《a letter》; put 《a letter》 in a

mailbox.

투항 《投降》 surrender. ~하다 surrender 《*to*》. ∥ ~者 a surrenderer.

투해머 《投一》 《競》 the hammer throw(ing).

투혼 《鬪魂》 a fighting spirit.

툭 ① 《튀어나온 모양》 protruding: protuberant; bulging; 《불거짐·비어짐》 popping out; bulging out 《*of a pocket*》. ② 《치는 모양·소리》 with a pat 《rap》. ¶ 어깨를 ~ 치다 tap 《*a person*》 on the shoulder. ③ 《끊어지는 소리》 with a snap. ¶ 실이 ~ 끊어지다 snap off. ④ 《쏘는 모양》 sharply; prickingly.

툭탁거리다 exchange blows; beat each other up.

툭툭하다 ① (be) thick; close.

툭하면 without any reason; be apt to 《*do*》; always; ready to. ¶ ~ ···하다 be apt to 《liable; prone》 to 《*do*》.

툰드라 《地》 a tundra.

툴툴거리다 grumble 《*at, over, about*》; growl.

퉁겨지다 ① 《쑥 드러나다》 get disclosed; be revealed 《exposed》; come out; transpire. ② 《어긋나서》 come apart; get out of the place 《joint》. ¶ 책상다리가 ~ the leg of a table gets disjointed.

퉁기다 ① 《버틴 것을》 get 《*it*》 out of place; take 《*it*》 apart; slip 《*a stay*》. ② 《기회를》 let 《*it*》 slip; miss 《*a chance*》. ③ 《관절을》 put 《*in*》 out of the joint. ④ 《현악기를》 pluck the strings 《of》; pick 《thrum on》 《*a guitar*》.

퉁명스럽다 (be) blunt; curt; brusque. ¶ 퉁명스럽게 말하다 talk bluntly / 그는 누구에게나 ~ He is brusque with everyone.

퉁방울 《방울》 a brass bell.

퉁방울이 a pop-eyed person.

퉁소 《一簫》 a bamboo flute.

퉁탕 ① 《딱소리》 ¶ ~거리다 keep pounding; stamp 《*along*》. ② 《총성》 ¶ ~거리다 keep banging

away.

튀각 deep-fried kelp 《tangle》.

튀기 《잡종·혼혈아》 a hybrid; a crossbreed; a half-breed; a half-blood. ¶ ~의 hybrid.

튀기다 《손가락으로》 flip; fillip; snap; 《물을》 splash; spatter.

튀기다[2] 《기름에》 fry; 《쌀밥을》 pop 《rice》.

튀김 deep-fried food. ¶ 새우 ~ a deep-fried shrimp.

튀다 ① 《뛰어오르다》 spring; 《공이》 bound; rebound; bounce. ② 《침·물이》 spatter; splash; splatter. ¶ 얼굴에 침이 ~ one's face is spattered with saliva. ③ 《불꽃이》 spark; sputter. ¶ 불똥이 ~ emit 《give off》 sparks. ④ 《달아나다》 run away; take to flight; flee. ¶ 도둑이 ~ a robber takes to flight.

튀밥 popped rice.

튜너 a tuner. ¶ ~ up.

튜닝 《조율》 tuning. ~하다 tune.

튜바 《樂》 a tuba.

튜브 a tube; an inner tube《자전거 따위의》. ¶ ~에 든 그림물감 tube colors.

튤립 《植》 a tulip.

트다 ① 《싹이》 bud out; sprout. ② 《날빛이》 dawn; break 《open》; turn grey. 《피부가》 crack; be 《get》 chapped.

트다[2] 《길을》 open; clear the way 《for》; make way 《for another》. ¶ 거래를 ~ enter into a business relation 《with》; open an account 《with》.

트라이앵글 《樂》 a triangle.

트라코마 《醫》 trachoma.

트라코마, 트라홈 《醫》 trachoma.

트랙 a track. ¶ ~ 경기 track events 《athletics》.

트랙터 a tractor.

트랜스 《電》 a transformer.

트랜지스터 《電》 a transistor 《radio》.

트랩 《비행기의》 a ramp; landing steps; 《배의》 a gangway 《ladder》. ¶ ~을 올라 《내려》가다 go up 《down》 the ladder 《ramp》.

E

트러스 【建】 a truss.

트러스트 【經】 a trust. ‖ ~금지법 an antitrust law.

트럭 a truck; a lorry (英). ‖ ~운 전사 a truck driver / ~으로 수송 하다 transport 《goods》 by truck. ‖ ~운송 trucking.

트럼펫 a trumpet. ‖ ~ 연습을 하 다 practice the trumpet. ‖ ~주 (연주자) a trumpeter.

트럼프 (a deck of) cards. ‖ ~를 하다 play cards.

트렁크 (대형의) a trunk; (소형의) a suitcase; (자동차의) a trunk.

트레몰로 【樂】 a *tremolo* (이).

트레이너 a trainer.

트레이닝 training. ‖ (선수가) ~을 받고 있다 be (under) training 《for the coming Olympics》; a training jacket; a sweat shirt / ~팬츠 sweat pants.

트레이드 (거래) a trade. ‖ 그 투수 는 자이언트에 ~되었다 The pitcher was traded to the Giants. ‖ ~마크 a trademark / ~머니 money paid for a 《baseball》 play-er.

트레일러 a trailer. ‖ ~하우스 a house trailer.

트로이 Troy. ‖ ~의 목마 the Trojan Horse. ‖ ~전쟁 the Trojan War.

트로이카 a troika.

트로피 (win) a trophy.

트롤 a trawl. ‖ ~망 (그물) a trawl(net) / ~선 a trawlboat; a trawler / ~어업 trawling.

트롤리 a trolley (bus).

트롬본 【樂】 a trombone. ‖ ~(연) 주자 a trombonist.

트리밍 【寫】 trimming. ~하다 trim.

트리오 【樂】 a trio.

트리코 (옷감) *tricot* (프).

트릭 a trick. ‖ ~을 쓰다 resort to tricks.

트림 a belch; belching; a burp (美俗). ~하다 belch; burp.

트릿하다 (속이) feel heavy on the stomach; (흐릿함) (be) dubious; vague; lukewarm.

트위스트 (dance) the twist.

트이다 ① (막혔던 것이) get cleared; be opened; open. ‖ 길이 ~ a road is opened up. ② (아이가) be liberal; be open-hearted. ‖ 속이 트인 사람 an open-hearted person.

트집 (탈) a fault; blemish; (틈) a split; a gap. ‖ ~ 잡다 find fault with 《a person》; pick flaws (holes in); ~쟁이 a faultfinder; a nit-picker.

특가 (特價) (sell at) a special [bar-gain] price. ‖ ~판매 a bargain sale.

특공대 (特攻隊) a special attack corps; a suicide squad.

특과 (特科) a special course; 【軍】 a technical corps.

특권 (特權) a privilege; a preroga-tive; special rights. ‖ ~을 행사 하다 exercise *one's* privilege. ‖ ~계급 the privileged classes.

특근 (特勤) overtime work. ~하다 work overtime; do 《one hour》 overtime. ‖ ~수당 overtime allowance.

특급 (特急) a special [limited] ex-press (train).

특급 (特級) a special grade. ‖ ~ 주 the highest quality wine. ‖

특기 (特技) special ability [talent, skill]; *one's* speciality.

특기 (特記) ~하다 mention spe-cially. ‖ ~할 만한 remarkable; striking; noteworthy / ~할 만한 것은 없다 There is nothing to make special mention of.

특대 (特大) ~의 extra-large; outsize(d); king-size(d) (美). ‖ ~호 an enlarged special edi-tion(잡지의).

특대 (特待) ~하다 treat specially; give a special treatment (to).

특등 (特等) a special class [grade]. ‖ ~석 a special seat; a box (seat) (극장의) / ~실 a special room; a stateroom(여객선의).

특례 (特例) (특별한 예) a special example [case]; (예외의) an excep-

tion. ¶ ~로서 as an exception (예외로). ‖ ~법 the Exception Law.

특매(特賣) a special 〔bargain〕 sale. ~ 하다 sell at a special price. ‖ ~품 an article offered at a bargain 〔price〕.

특명(特命) special command 〔appointment, order〕. ¶ ~을 띠고 on a special mission. ‖ ~전권 대사 an ambassador extraordinary and plenipotentiary.

특무(特務) special duty 〔service〕. ‖ ~기관 the Special Service Agency 〔Organization〕: the secret 〔military〕 agency 〔service〕.

특배(特配) an extra ration; special distribution. ~ 하다 distribute 〔ration〕 specially.

특별(特別) ~한 (e)special; 《특정의》 particular; 《고유의》 peculiar; 《여분의》 extra; 《비정상의》 extraordinary; 《예외의》 exceptional / ~히 (e)specially; particularly. ‖ ~수당 a special 〔an extra〕 allowance (~수당을 타다 be paid extra).

특보(特報) a (news) flash; a special news. ¶ ~개표 결과를 ~하다 flash the ballot counting results.

특사(特使) a special envoy 〔messenger〕. ¶ ~를 파견하다 dispatch a special envoy.

특사(特赦) (an) amnesty(일반); a special pardon(개인). ~ 하다 grant 〔give〕 an amnesty 《to》. ¶ ~로 출감하다 be released from prison on amnesty. ‖ ~령 an amnesty.

특산(물)(特産(物)) a special product; a speciality. ¶ 이 지방의 주요 ~ the principal products of this district.

특상(特上) ¶ ~의 the finest; the choicest; superfine. ‖ ~품 an extra-fine brand; choice goods.

특상(特賞) a special prize 〔reward〕.

특색(特色) a (special) feature; a characteristic. ¶ ~있는 a distinctive char-

acter. ¶ ~(이) 있는 characteristic; distinctive / ~(이) 없는 featureless; common. ¶ ~ 있게 하다 characterize 《a thing》.

특선(特選) special selection 〔choice〕; 《상에서》 the highest honor.

특설(特設) ~ 하다 set up 〔establish〕 specially. ¶ ~의 specially installed. ‖ ~링 a specially prepared ring.

특성(特性) a special character 〔quality〕; a characteristic; a trait; a property. ¶ 인간의 ~ a characteristic of man / 국민적 ~ national traits.

특수(特殊) ¶ ~한 《특별》 special; particular; specific; 《특이》 peculiar; unique / ~화하다 specialize; differentiate. ‖ ~성 peculiarity; special characteristics / ~효과 special effects.

특수경기(特需景氣) a special procurement boom.

특약(特約) a special contract 〔agreement〕. ~ 하다 make a special contract. ¶ ~조항 a clause containing special policy conditions.

특용(特用) ‖ ~작물 a crop for a special use; a cash crop.

특유(特有) ~의 special; peculiar 《to》; characteristic 《of》/ 이것은 한국만 ~의 습관이다 This custom is unique 〔peculiar〕 to the Korean. ‖ ~성 a peculiarity.

특이(特異) ¶ ~한 singular; peculiar; unique; unusual / ~한 a peculiar case. ‖ ~성 singularity; peculiarity / ~체질 an idiosyncrasy; an allergy.

특작(特作) a special production 《영화의》 a special 〔feature〕 film.

특장(特長) a strong point; a merit; a forte.

특전(特典) 〔grant〕 a privilege 〔right〕; a special favor.

특전(特電) a special dispatch 〔telegram〕.

특정(特定) ~ 하다 specify; pin

(*something*) down. ¶ ~의 [한] specially fixed; specific: specified; special. ‖ ~인 a specific person.

특제(特製) special make [manufacture]. ¶ ~빵 the bread of special make. ‖ ~품 a specially-made article.

특종(特種) ① 〈종류〉 a special kind. ② 〈기사의〉 exclusive news; a scoop; a news beat (美). ¶ ~으로 타사를 앞지르다 scoop other papers.

특진(特進) a special promotion of rank. ¶ 2계급 ~ a double promotion of rank. [characteristic.

특질(特質) a special quality; a

특집(特輯) a special edition. ‖ ~기사 a feature article[story] / ~호 a special number [issue].

특징(特徵) a characteristic; a peculiarity; a special [distinctive] feature; a trait(성격상의). ¶ ~ 있는 [적인] characteristic; peculiar; distinctive / ~ 지다 characterize; mark; distinguish.

특채(特採) special appointment. ~ 하다 employ specially.

특출(特出) ~하다 (be) preeminent; outstanding. ¶ ~한 인물 an outstanding figure.

특칭(特稱) special designation; [論] a particular.

특파(特派) dispatch; special assignment. ~ 하다 dispatch (*a person*) specially. ¶ 사원을 뉴욕에 ~ 하다 dispatch [send] an employee to New York for special purposes. ‖ ~원 〈신문사의〉 a (special) correspondent 《*at Washington*》.

특필(特筆) special mention. ~ 하다 mention specially; make special mention of. ¶ 대서 ~ 하다 write in golden [large] letters.

특허(特許) 〈발명·고안의〉 a patent; 〈특별 허가〉 a special permission; a license(면허). ¶ 〈채굴·부설 등〉 ~ 하다 apply for a patent. ‖ ~권(料) a

patent right [fee] / ~권자 a patentee / ~권 침해 a patent infringement.

특혜(特惠) a special [preferential] treatment [benefit]. ¶ ~을 받다 receive preferential treatment. ‖ ~관세 a preferential tariff.

특효(特效) (have) special virtue [efficacy]. ‖ ~약 a special remedy; a specific (medicine) 《*for*》; a wonder drug.

특히(特─) (e)specially; in particular; particularly; expressly.

튼튼하다 ① 〈건강〉 (be) strong; robust; healthy. ② 〈견고〉 (be) solid; strong; firm; durable(오래가다). ¶ 튼튼하게 하다 [만들다] strengthen; make firm [solid]; solidify.

틀 ① 〈모형〉 a mold; a cast; a matrix. ¶ ~에 부어 뜨다 cast in a mold. ② 〈일정한 격식·형식〉 formality; formula. ¶ ~에 박힌 conventional; stereotyped. ③ 〈테〉 a frame; framework(창문·액자 따위의); a tambour(둥근 수틀). ¶ 사진을 ~에 끼우다 frame a picture; set [put] a picture in frame. ④〈기계〉 a machine; a device; a gadget. ¶ 재봉 ~ a sewing machine.

틀니 an artificial tooth; a denture.

틀다 ① 〈돌리다〉 wind; turn. ¶ 라디오[수도꼭지]를 ~ turn on the radio [tap]. ② 〈비틀〉 twist; wrench; screw(나사를); 〈방향 변경〉 change; shift; turn. ¶ 방향을 ~ change [shift] *one's* course. ③ 〈일을〉 thwart 《*a plan*》; cross. ④ 〈상투·머리를〉 tie [do] up 《*one's hair*》. ⑤ 〈솜을〉 gin (willow) (*cotton*).

틀리다 ① 〈비틀림〉 be distorted; get twisted [wrenched, warped]. ② 〈잘못되다〉 go wrong [amiss, awry]; be wrong [mistaken, erroneous, incorrect]. ¶ 틀린 생각 the wrong idea; a mistaken

E

notion. ③ 《불화》 ☞ 틀어지다 ②.
④ 《끝장나다》 be done for; be
ruined; fail. ¶ 그는 교사로서는 틀
렸다 As a teacher, he is a
failure.

틀림 an error; a mistake; a
fault; 《다름》 being different. ¶
~ 없는 correct; exact / ~ 없이
correctly; surely; certainly; no
doubt; without fail《口》.

틀어넣다 push 〔thrust, squeeze〕
《a thing》in; stuff 〔jam, pack,
cram〕《a thing》into.

틀어막다 ① 《구멍을》 stop 《it》up;
stuff; fill; plug. ¶ 구멍을 흙으로
~ fill a hole with earth. ②《입
을》 stop 《a person's mouth》;
muzzle; gag; 《행동을》 curb 《a
person's free action》; check;
put a stop to.

틀어박히다 《집에》 keep 〔be con-
fined〕 indoors; shut oneself
up 《in a room》.

틀어지다 ① 《일이》 go wrong
〔amiss〕; fail; be a fiasco. ②《사
이가》 fall out 〔be on bad terms〕
《with a person》; be estranged
《from》. ③ 《빗나가다》 swerve;
turn aside. ④ 《꼬이다》 be dis-
torted 〔twisted〕; warp.

틀톱 a pit saw.

틈 ① 《벌어진 사이》 an opening;
an aperture; a gap; a crevice;
a crack; 《불화함》 an estrange-
ment; a breach 《of friendship》.
¶문~ a chink in the door; 담
위로 ~ a crack in a rock. ②《인
여지》 room; space; 《간격》 inter-
val. ¶ ~이 없다 there is no
room .... ③ 《기회》 a chance;
〔seize〕 an opportunity. ¶ ~을
노리다 watch for a chance. ☞
틈타다. ④《짬》 leisure (hours);

spare time. ¶ ~을 내다 make
〔find〕 time 《to do》.

틈새기 a chink; a crack; 《바
람》 a draft《美》; a draught《英》.

틈타다 take advantage of; avail
oneself of. ¶ ....을 틈타서 under
favor 〔cover〕 of 《the night》; tak-
ing advantage of 《the confusion》.

틈틈이 ① 《틈날 때마다》 at odd
〔spare〕 moments; in one's
spare moments. ② 《구멍마다》 in
every opening.

티 ① 《이질질》 dust; a mote; a
particle; a grit. ②《흠》 a defect;
a flaw; a speck; a blemish.

티¹ 《기색·색태》 a touch 〔smack,
taste〕 of ...; an air of .... ¶ 군인
~가 나는 soldierly; soldierlike.

티² ① 《차》 tea. ② 《글자 T》 the
letter "T". ③《골프의》 a (golf)
tee.

티격태격하다 dispute 〔quarrel〕
《with》; bicker with each other.

티끌 dust; a mote. ¶ ~ 모아 태산
《俗談》 Many a little makes a
mickle.

티눈 a corn. ¶ 발에 ~이 박이다
have a corn on one's foot.

티베트 Tibet. ¶ ~의 Tibetan.
¶ ~말 Tibetan / ~사람 a Tibetan.

티켓 a ticket.

티크 a teak; 《목재》 teak(wood).

티탄 《化》 titanium (기호 Ti).

티티새 《鳥》 a dusky thrush.

티푸스 typhoid fever; typhus.

팀 a team. ¶ 축구~ a foot
ball (soccer) team; the eleven.
¶ ~워크 teamwork 《~워크가 좋
다 have fine teamwork》.

팀파니 《樂》 timpani.

팁 a tip; a gratuity. ¶ ~을 주다
give 〔offer〕 a tip; tip 《a person
5,000 won》.

ㅍ

파 〔植〕 a Welsh 〔green〕 onion; a leek.

파(派) 〔족벌〕 a branch of a family 〔clan〕; 〔학파〕 a school; 〔당파〕 a party: a faction; a clique 〔파벌〕; 《종파》 a sect: a denomination; a group〔분파〕.

파격(破格) ¶ ~적인 special; exceptional; unprecedented; irregular〔변칙의〕.

파견(派遣) dispatch. ~ 하다 dispatch; send.

파경(破鏡) 〔이혼〕 divorce; separation. ¶ ~에 이르다 be divorced.

파계(破戒) ~ 하다 break (violate) a (*Buddhist*) commandment. ∥ ~승 a depraved (fallen) monk.

파고(波高) the height of a wave; wave height.

파고다 a pagoda.

파고들다 〔조사·규명〕 dig 〔delve, probe〕 into (*a problem*); 〔비집고 들어가다〕 encroach (*upon*); cut into; 〔마음에 스며들다〕 be deeply ingrained (*in one's mind*); eat into: be imbued (*with*).

파괴(破壞) destruction; demolition. ~ 하다 break (down); destroy; demolish; wreck; ruin. ¶ ~적인 destructive power. ∥ ~력 destructive power. ∥ ~자 a destroyer.

파국(破局) a catastrophe; a collapse; an end〔파멸〕. ¶ ~적인 catastrophic; ~으로 몰고 가다 drive into catastrophe.

파급(波及) ~ 하다 spread (extend) (*to, over*); influence; affect. ∥ ~ 효과 the ripple effect.

파기(破棄) ~ 하다 〔벗어버리다〕 tear up; destroy; 〔무효로 하다〕 annul; cancel; break.

파김치 pickled scallion 〔leek〕. ¶ ~가 되다 《비유적》 get dead tired.

파나다(破─) get broken 〔damaged〕; become defective.

파나마 Panama. ∥ ~운하 the Panama Canal.

파내다 dig out; unearth.

파노라마 a panorama. ¶ 같은 풍경 a panoramic view.

파다 ① 〔땅·구멍을〕 dig; excavate; bore〔뚫어서〕. ~ 다음 ~ dig a well. ② 〔새기다〕 carve (*in, on, from*); engrave; 〔이름 따위를〕 cut; inscribe. ③ 〔진상·문제 등을〕 study 〔investigate〕 thoroughly; 〔공부를〕 study 〔work〕 hard.

파다하다(播多─) (be) widely rumored 〔known〕; be rife.

파닥거리다 ⇒ 퍼덕거리다.

파도(波濤) waves; billows; surges. ¶ ~ 소리 the sound 〔roar〕 of the waves / ~ 타기 surfing.

파동(波動) a wave motion; an undulation. ¶ 빛의 ~설 the wave theory of light. / 가격~ fluctuations in prices / 증권 ~ wild fluctuations of the stock market; a stock market crisis.

파라과이 Paraguay. ∥ ~의 Paraguayan. ∥ ~사람 a Paraguayan.

파라솔 (hold) a parasol. ∥ 비치~ a beach umbrella.

파라슈트 a (para)chute.

파라티온 〔농약〕 parathion.

파라핀 paraffin(e). ∥ ~지〔유〕 paraffin paper 〔oil〕.

파란(波瀾) 〔풍파〕 disturbance; troubles; 〔성쇠〕 ups and downs (of life); vicissitudes. ¶ ~ 많은 eventful. 〔billed roller.

파랑 blue. ∥ ~새 〔鳥〕 a broad-

파랗다 (be) blue; green〔초록〕; 〔창백〕 (be) pale. ¶ 파랗게 질린 얼굴 a pale complexion.

파래 a green laver.

파래지다 become green [blue]; 《얼굴이》 turn pale.

파렴치(破廉恥) ¶ ~ 한 shameless; infamous / 그는 ~하다 He has no sense of decency. ¶ ~범 an infamous criminal(범인).

파르르 ¶ ~ 끓다 be hissing hot / ~ 떨다 tremble with fear.

파릇파릇하다 ¶ (be) freshly blue; vividly green.

파리¹ a fly. ¶ ~ 가 윙윙거린다 Flies are buzzing around. ‖ ~ 목숨 an ephemeral [a cheap] life / ~채 a flyflap; a fly swatter.

파리² Paris. ¶ ~의 Parisian. ‖ ~ 사람 a Parisian [Parisienne(여자)].

파리하다 (be) thin and pale; look thin and pale (unwell).

파먹다 ① 《수박 따위를》 scoop [dig] 《a watermelon》 out and eat 《it》; 《벌레 따위가》 eat [bore] into 《an apple》. ¶ 벌레가 파먹은 재목 worm-eaten timber. ② 《재산 따위를》 eat away what one has.

파면(罷免) dismissal; discharge. ~ 하다 dismiss; discharge; fire 《美口》. ‖ ~권 the right of dismissal.

파멸(破滅) ruin; destruction. ~ 하다 be ruined [wrecked]; go to ruin. ¶ ~을 초래하다 bring ruin 《upon oneself》.

파문(波紋) a ripple; a water ring. ¶ ~을 일으키다 ripple; start a water ring. 《비유적》 create a stir [cause a sensation].

파문(破門) 《종교상의》 excommunication; 《사제간의》 expulsion. ~ 하다 excommunicate; expel(제자를).

파묻다 ① 《…속에》 bury 《in, under》. ¶ 시체를 땅에 ~ burry the body in the ground. ② 《마음 속에》 keep [bear] 《a matter》 in mind; 《묵살하다》 shelve [kill, table] 《a bill》; hush up; smother. ¶ 그 것은 어둠 속에 파묻혔다 The case has been covered [hushed] up.

파묻다 《꼬치꼬치 묻다》 be so inquisitive 《about》.

파미르고원(─高原) the Pamirs.

파벌(派閥) a clique; a faction. ¶ ~을 없애다 disband [dissolve] the factions. ‖ ~싸움 a factional [struggle(strife)].

파병(派兵) ~ 하다 dispatch [send] troops 《to》.

파삭파삭 ¶ ~ 한 crisp; fragile.

파산(破産) bankruptcy; insolvency. ~ 하다 go [become] bankrupt. ¶ ~ 자 a bankrupt; an insolvent.

파상(波狀) ¶ ~적인 wavelike; undulating. ‖ ~공격 an attack in waves.

파상풍(破傷風) 《醫》 tetanus.

파생(派生) derivation. ~ 하다 derive [be derived] 《from》. ¶ ~적인 derivative; secondary(이차적). ‖ ~어 a derivative.

파선(破船) shipwreck. ~ 하다 be shipwrecked.

파손(破損) damage; breakage. ~ 하다 damage; break; destroy. ¶ ~되다 be damaged [injured, destroyed]. ‖ ~품 damaged goods.

파쇄(破碎) ~ 하다 break 《a thing》 (to pieces); smash; crush 《up, down》.

파쇠(破─) scrap iron.

파쇼 Fascism(주의); a Fascist(사람). ¶ ~의 Fascist 《movement》 / ~화하다 Fascistize.

파수(把守) watch; lookout; guard. ~ 보다 (keep) watch; stand guard; stand on sentry (파수병이). ‖ ~ 군 a watchman; a guard.

파스텔 《美術》 pastel.

파시즘 Fascism.

파악(把握) grasp; understanding. ~ 하다 grasp; catch; hold of; understand.

파안대소(破顔大笑) ~ 하다 give a broad smile.

파약(破約) a breach of contract [promise]. ~ 하다 break an agreement 《a contract, a promise》. ¶ 협약은 ~되었다 The

agreement was broken off.

파업 (罷業) a strike; a walkout. ~하다 go on strike; walk out. ¶ ~ 중이다 be on strike. ¶ ~할 권리 the right to strike.

파열 (破裂) ~하다 explode; burst (up); rupture; blow up. ¶ ~음 a plosive (sound).

파운드 (화폐단위) a pound (기호 £); 《무게》 a pound (기호 lb.《*pl.* lbs.》). ¶ ~지역 the (pound) sterling area.

파울 (鉞) a foul (ball). ~하다 foul (off); commit a foul.

파이 a pie. ¶ 애플 ~ an apple pie.

파이프 ① 《관》 a pipe. ¶ ~ 오르간 a pipe organ. ② 《담배 피우는》 a (tobacco) pipe; a cigarette holder(물부리).

파인애플 a pineapple.

파일 a file. ~하다 file. ¶ ~해두다 keep 《*something*》 on file; file 《*something*》 away.

파일럿 a pilot.

파자마 pajamas.

파장 (波長) (a) wavelength. ¶ ~이 맞다 be on the same wavelength.

파장 (罷場) the close of a marketplace. ~하다 close the marketplace). ¶ ~시세 the closing quotation [price] (거래소의).

파종 (播種) seeding; sowing; planting. ~하다 sow seeds 《*in*》; seed 《*a garden*》. ¶ ~기 (期) the seedtime; the sowing season.

파죽지세 (破竹之勢) irresistible [crushing] force. ¶ ~로 나아가다 carry [sweep] all [everything] before *one*; advance unresisted [unopposed]. ¶ ~ scraps.

파지 (破紙) wastepaper; paper scraps.

파초 (芭蕉) 《植》 a banana plant.

파출 (派出) ~하다 send [out]; dispatch. ¶ ~부 a visiting housekeeper. ¶ the reptiles.

파충 (爬蟲) 《動》 a reptile. ¶ ~류 (類) the reptiles.

파치 (破一) a waster; a defective article; unsalable goods.

파키스탄 Pakistan. ¶ ~의 Pakis-

tani. ¶ ~사람 a Pakistani.

파킨슨 ¶ ~ 법칙 the Parkinson's law. ¶ ~병 Parkinson's disease.

파탄 (破綻) 〔결렬〕 (a) rupture; 〔실패〕 failure; 《파산》 bankruptcy; 《사업 따위의 붕괴》 a breakdown. ~하다 come to rupture; fail; break down.

파트너 a partner.

파티 《give, hold》 a party.

파파야 《植》 a papaya.

파편 (破片) a broken piece; a fragment; a splinter. ¶ 포탄 ~ a shell splinter.

파하다 (罷一) end; break off; bring to an end; be over [out]. ¶ 일을 ~ leave [off] work.

파행 (跛行) ~하다 limp (along).

파헤치다 〔속의 것을〕 open 《*a grave*》; 〔폭로하다〕 expose 《*a secret plan*》; unmask 《*a deception*》; uncover 《*a plot*》; bring 《*a secret*》 to light.

파혼 (破婚) ~하다 break off *one's* engagement 《*to*》.

파흥 (破興) ~하다 spoil *one's* pleasure [fun]; throw a wet blanket 《on, over》; put a damper 《on the party》. ¶ ~꾼 a killjoy; a spoilsport.

팍팍하다 〔물기가 없이〕 (be) dry and crisp.

판 ① 《장소》 a place; a spot; a scene. ¶ 노름 ~ a gambling place. ② 《판국》 (the) state of affairs; the situation; 《때》 the moment; 《경우》 the occasion; the case. ¶ 막~에 at the last moment. ③ 《승부의》 a game; a round; a match.

판 (板) a board; a plank; a plate; a disk [disc] (원반).

판 (判) size; format 《*of a book*》. ¶ 사륙~ 《판형》 duodecimo; crown octavo 《~판 용지 B5》 ~이다 This is a B5-sized book.

판 (版) 《책의》 an edition; an impression. ¶ 여러 ~을 거듭하다 run into [go through] several impressions. ¶ 개정 ~ a revised edition.

판 794 판화

판(瓣) a petal(꽃잎); a valve(기계·심장의); a ventil(악기의).
판가름 ‖ ~하다 judge (*a competition*); pass judgment (*on*). ¶ ~나다 be decided; turn out 〔prove〕 to be ….
판각(板刻) wood engraving. ‖ ~하다 engrave (*letters*) on wood; make a print from a wood block. ‖ ~본 a block-printed book.
판검사(判檢事) judges and public prosecutors; judicial officers.
판결(判決) a judgment; a (judicial) decision; a ruling. ‖ ~하다 decide (*on a case*); give decision 〔pass judgment〕 (*on a case*). ‖ ~문 the (text of a) decision / ~이유 reasons for judgment.
판공비(辦公費) expediency fund; 〔접대비〕 expense account; 〔예비비〕 extra expenses; 《기밀비》 confidential money 〔expenses〕.
판국(一局) the situation; the state of affairs. ☞ 판 ②.
판권(版權) copyright. ☞ 저작권. ‖ ~소유 《표시》 All rights reserved. *or* Copyrighted. / ~침해 (an) infringement of copyright; literary piracy.
판금(板金) sheet metal. ‖ ~공 a sheet metal worker.
판단(判斷) judgment; decision(결정); conclusion(결론). ‖ ~하다 judge; decide; conclude. ¶ ~을 잘못하다 misjudge; make an error of judgment. ‖ ~력 judgment; discernment.
판도(版圖) 〔expand〕 (a) territory; a dominion.
판독(判讀) ~하다 read; make out; decipher(암호를). ¶ ~하기 어려운 illegible; undecipherable; hard to make out.
판돈 a wager; stakes; a bet.
판례(判例) a judicial precedent. ‖ ~집 a (judicial) report.
판로(販路) a market; an outlet. ¶ ~를 열다 find 〔open〕 a (larger) market (*for*).

판막(瓣膜) 【解】 a valve. ‖ ~증 【醫】 mitral disease.
판매(販賣) sale; selling; marketing. ‖ ~하다 sell; deal 〔trade〕 (*in silk*). ¶ ~중이다 be on sale; be on the market. ‖ ~가격 the selling price / ~과〔망〕 a sales department(network).
판명(判明) ~되다 be identified (*as*…); prove 〔turn out〕 to be (*false*).
판(을)이하다 sweep the board.
판사(判事) a judge; a justice. ¶ 예비~ a reserve judge / 부장~ a senior judge.
판설다 (be) unfamiliar (*with*); unaccustomed (*to*).
판세(一勢) 〔형세〕 the situation; the state of affairs 〔things〕.
판소리 a traditional Korean narrative song; *pansori*.
판수 〔점쟁이 소경〕 a blind for tuneteller.
판연하다(判然—) (be) clear; distinct; evident. ¶ 판연히 distinctly; clearly.
판유리(板琉璃) plate 〔sheet〕 glass.
판이하다(判異—) (be) entirely 〔quite〕 different (*from*); differ entirely (*from*).
판자(板子) a board; a plank(두꺼운). ¶ ~를 대다(깔다) board (*over*); lay boards (*on*). ‖ ~집 a makeshift hut; a shack.
판장(板墻) a wooden wall; a board fence.
판정(判定) a judgment; a decision. ~하다 judge; decide. ¶ ~에 따르다 accept 〔abide by〕 the umpire's decision. ‖ ~승(패) a win (loss) on a decision.
판지(板紙) cardboard; pasteboard.
판치다 have chief influence (*on 〔over〕*); be influential; lord it over.
판판이 at every round; every time.
판판하다 (be) even; flat; level. ¶ 판판히 smoothly; evenly.
판화(版畫) a print; 〔목판의〕

woodcut (print): 《동판의》 an etching.

팔 an arm.

팔(八) eight. ¶ 제8 the eighth / 8분의 1 one-eighth.

팔각(八角) ¶ ~의 octagonal. ‖ ~ 형 an octagon. ‖ ~의자 《armchair.

팔걸이 an armrest. ‖ ~의자 an armchair.

팔꿈치 an elbow. ¶ ~를 펴다 spread out one's elbow.

팔난봉 a libertine; a debauchee.

팔다 ① 《판매》 sell; offer 《a thing》 for sale; deal in 《goods》; dispose of《처분》. ¶ 팔 수 있는 salable / 싸게 ~ 는 사람 a seller / 싸게 [비싸게] ~ sell 《a thing》 cheap 〔dear〕. ② 《배반》 betray; sell 〔out〕. ¶ 나라를 ~ betray〔sell〕one's country. ③ 《시선·주의를 딴 데로》 turn away; divert. ¶ 한눈 팔지 마라 Don't look〔turn your eyes〕away! ④ 《이름을》 take advantage of; trade on《another's name》. ¶ 아버지의 이름을 팔아 장사하다 do business by taking advantage of one's father's reputation. ⑤ 《양식을》 buy〔purchase〕《grain》.

팔다리 the limbs; the legs and arms.

팔도강산(八道江山) the scenery of all parts of Korea.

팔등신(八等身) ¶ ~미인 a well-proportioned〔well-shaped〕beautiful woman.

팔딱거리다 《맥박이》 pulsate; palpitate; throb; beat; 《뛰어》 hop; leap; spring 〔up〕. ¶ 그 광경에 가슴이 심하게 팔딱거렸다 My heart beat fast at the scene.

팔뚝 the forearm.

팔랑개비 a pinwheel.

팔랑거리다 펄럭거리다.

팔레스타인 Palestine. ‖ ~해방기구 ~ 피엘로.

팔레트 《美術》 a palette.

팔리다 ① 《물건이》 sell; be sold; be in demand; be marketable〔salable〕《시장성이 있다》. ¶ 날개 돋친 듯 잘 ~ sell like hot cakes. ¶ 《눈·마음이 딴 데로》 be fascinated

〔attracted〕; be absorbed 《in》; lose one's head 《over》. ¶ 주의가 딴 데 ~ one's attention is diverted〔wanders〕. ③ 《얼굴·이름이》 become well-known〔popular, famous〕《as》.

팔림새 (a) sale; demand. ¶ ~가 좋다 sell well; have a good 〔large〕 sale / ~가 나쁘다 do not sell well; be in poor demand.

팔만대장경(八萬大藏經) the *Tripitaka Koreana*.

팔매 ¶ ~치다 throw; hurl 《stones》.

팔면(八面) eight sides; 《여러 방면》 all sides; 《형용사적》 8-sided. ¶ ~체 an octahedron.

팔목 the wrist.

팔방(八方) ¶ in all directions; 《on》 every side; 《on》 all sides. ¶ ~미인 a person who is affable to everybody; everybody's friend.

팔베개 ¶ ~를 베다 make a pillow of one's arm.

팔불출(八不出) a good-for-nothing.

팔삭둥이(八朔이) 《조산아》 a prematurely-born infant; 《바보》 a half-witted person.

팔십(八十) eighty; the eightieth《제 팔십》. ¶ ~ (대) 노인 an octogenarian.

팔씨름 arm 〔Indian〕 wrestling. ¶ ~하다 arm-wrestle.

팔월(八月) August. ¶ ~ 한가위 the 15th day of the eighth lunar month.

…**팔이** a peddler; a vendor. ¶ 신문~ a newsboy.

팔자(八字) destiny; fate; one's lot. ¶ ~가 좋다 be blessed with good fortune.

팔자걸음(八字一) ¶ ~으로 걷다 walk with one's toes turned out.

팔죽지 the upper arm.

팔짓하다 swing 〔wave〕 one's arms; make gestures with one's arms.

팔짱 ¶ ~끼다 《혼자》 fold one's arms; 《남과》 lock arms 《with》 / ~을 끼고 with one's arms folded.

ㅍ

팔찌 a bracelet; a bangle.

팔촌(八寸) a third cousin. ¶ 사돈의 ~ an unrelated person.

팔팔하다《성질이》 (be) quick-[hot-]tempered; impatient; 《발랄함》 (be) active; lively; sprightly.

팡파르 a fanfare.

팥 a red [an Indian] bean.

팥고물 mashed red bean (used to coat rice cake).

팥밥 rice cooked with red beans.

팥죽 red bean porridge.

패(牌) ① 《꽃조각》 a tag; a tablet; a plate. ¶ 나무~ a wooden tag. ② 《두꺼비의》 a (playing) card; a piece《마작, 골패의》. ③ 《무리》 a group; a company; a gang; a set. ¶ ~거리를 짓다 form a gang.

패가(敗家) ~하다 ruin one's family. ¶ ~망신 ruining both oneself and one's family. 「sword.

패검(佩劍) ~하다 wear [carry] a

패군(敗軍) a defeated army.

패권(覇權) ① 《지배권》 supremacy; hegemony. ¶ ~을 다투다 struggle for supremacy. ② 《선수권》 a championship. ¶ ~을 잡다 win a championship. ¶ ~주의 hegemonism.

패기(覇氣) an ambitious spirit; ambition; aspiration. ¶ ~ 있는 full of spirit; ambitious / ~ 있는 사람 a man of spirit.

패널 《板》 a panel.

패다 ① 《장작》 chop 《wood》; split 《firewood》. ② 《때리다》 beat [strike] hard. ¶ 멱이 들도록 ~ beat 《a person》 black and blue.

패다 《이삭이》 come out. ¶ 이삭이 ~ come into ears.

패다 《우묵히》 sink; be hollowed out.

패담(悖談) an unreasonable remark.

패덕(悖德) immorality; a lapse from virtue. ¶ ~한(漢) an immoral person / ~행위 immoral conduct [act].

패도(覇道) the rule of might.

패러다이스 a paradise.

패러독스 a paradox. 「chology.

패류(貝類) shellfish. ¶ ~학 con-

패륜(悖倫) immorality. ¶ ~적 immoral; sinful. ‖ ~아 an immoral person.

패리티 《經》《등등·등가》 parity. ‖ ~계산 [가격, 지수] a parity account [price, index].

패망(敗亡) defeat; ruin. ~하다 get defeated [ruined].

패물(佩物) personal ornaments.

패배(敗北) ① defeat. ~하다 be defeated [beaten]; suffer a defeat; lose a game [battle]. ‖ ~주의 defeatism.

패색(敗色) signs of defeat. ¶ ~이 짙다 Defeat seems certain.

패석(貝石) a fossil shell.

패설(悖說) ☞ 패담.

패세(敗勢) a losing situation; the reverse tide of war; unfavorable signs in battle.

패션 a fashion 《show, model》.

패소(敗訴) a lost case. ~하다 lose one's suit [case].

패스 ① 《무료입장권·승차권》 a pass; a free ticket 《정기권》 a commutation ticket 《美》. ② 《합격》 passing. ~하다 pass. ③ 《球技》 a pass; passwork. ~하다 pass 《the ball to another》.

패싸움(牌─) 《하다 (have) a gang fight.

패쓰다(覇─) 《바둑》 make a no-man's point.

패용(佩用) ~하다 wear 《a medal》.

패인(敗因) the cause of defeat.

패자(敗者) a loser; the conquered [defeated] 《복수취급》. ¶ ~ 부활전 a consolation match [game].

패자(覇者) a supreme ruler; a champion 《경기의》.

패잔(敗殘) ~의 defeated. ‖ ~병 remnants of a defeated force.

패잡다(牌─) get the dealer.

패장(敗將) a defeated general.

패전(敗戰) (a) defeat; a lost battle. ~하다 be defeated; lose a battle [war]. ‖ ~국 a defeated nation.

패주(敗走) (a) rout; flight. ~하다
be routed; take to flight. ~시키다 put the enemy to rout.

패총(貝塚) a shell mound [heap].

패퇴(敗退) defeat; retreat. ~하다 [패자가] retreat; [패함] be defeated; be beaten. ~[자].

패트런 a patron; a patroness(여).

패트롤 (go on) patrol. ‖~카 a patrol car.

패하다(敗一) [지다] be defeated [beaten]; lose 《a game, battle》.

패혈증(敗血症) [醫] septicemia; blood poisoning.

팩스 a fax. ~를 한 통 받다 get a fax 《from》.

팩시밀리 (a) facsimile.

팬 a fan; an enthusiast. ‖~레터 fan letters [mail] / ~클럽 a fan club.

팬츠 [속옷] underpants; shorts 《美》; pants 《英》; panties(여성용); [운동용] athletic shorts; trunks.

팬케이크 a pancake; a griddlecake.

팬터마임 a pantomime. ‖~배우 a pantomimist.

팬티 panties. ‖~스타킹 a panty hose; (a pair of) tights 《英》.

팸플릿 a pamphlet; a brochure.

팽 (a)round; circling; reelingly. ‖~~돌다 turn [go] round and round; twirl; spin / 머리가 ~ 돌았다 My head reeled [swam].

팽개치다 ① [던지다] throw [cast] 《away》; fling 《at》; hurl 《at》. ② [일을] give up; neglect 《one's work》; lay aside ┌smoothly.

팽그르 ‖ ~ 돌다 turn [go] round

팽글팽글 (turn, spin) round and round.

팽대(膨大) ~하다 swell; expand.

팽배(澎湃) ~하다 overflow; surge; rise like a flood tide. ‖~하는 정치적 개혁의 요청 the surging tide of people's request for [reform.

팽이 (spin) a top.

팽창(膨脹) swelling; expansion; (an) increase(증대); growth(발전). ~하다 swell; expand; in-crease. ‖열 ~ thermal expansion. ‖~력(力) expansive power.

팽팽하다 ① [켕기어서] (be) taut; tight; tense. ② [빵빵하게] tightly; closely; tensely / 줄을 팽팽하게 당기다 stretch a rope tight; tighten a rope. ② [대등하다] be equal [even, close]. ‖세력이 〈서로〉 ~ be equally balanced in power.

퍅하다(愎一) (be) peevish; touchy; quick-tempered.

퍼내다 bail [dip, ladle] out 《water》; dip [scoop] up; pump 《out》.

퍼덕거리다 ① [새가] flap [clap, beat] the wings; flutter. ② [물고기가] leap; flop; splash.

퍼뜨리다 [소문 등을] spread; circulate; [종교·사상 등을] spread; propagate.

퍼뜩 suddenly; in a flash. ‖~ 생각 나다 suddenly occur to one; flash into one's mind.

퍼렇다 (be) deep blue [green].

퍼레이드 a parade.

퍼머(넌트) a permanent (wave); a perm 《口》. ~하다 get [have] a perm; have one's hair permed [permanently waved].

퍼먹다 ① [퍼서] scoop [dip] and eat. ② [게걸스레] eat greedily.

퍼붓다 ① [비·눈이] pour on; rain [snow] hard / 퍼붓는 비를 무릅쓰고 in spite of the pouring rain. ② [부어 붓다] dip [scoop] 《water》 and pour; [끼얹다] pour 《shower》 《water》 on 《a person》. ③ [욕을] pour [shower, rain] 《abuses》 upon; lay [blame] on / 욕을 퍼붓다 rain fire 《on》.

퍼석퍼석하다 be dried out; be crumbling.

퍼센트 a per cent; a percent(기호 %).

퍼센티지 (a) percentage.

퍼지다 ① [벌어지다] spread out; get broader. ② [소문 등이] spread; get around 《about》; [유행이] come into fashion; become popular. ③ [자손·초목이] grow thick [wild]; flourish. ‖ 자손

이 ~ have a flourishing progeny. ④《삶은 것이》be properly steamed; swell. ⑤《병이》be prevalent; prevail. ⑥《구김살이》get〔become〕smooth. ⑦《술·약 기운이》take effect. ¶독이 전신에 퍼졌다 The poison has passed into his system.

퍼펙트게임 【野】 a perfect game.

퍽 ① 《힘있게》 forcefully; with a thrust. ¶칼로 ~ 찌르다 thrust with a knife. ② 《넘어지는 꼴》 (fall) with a thud; plump; flop.

퍽 《매우》 very much; quite; awfully; terribly; highly.

퍽석 with a thud; (fall) in a heap. ¶의자에 ~ 주저앉다 plump down on a chair.

펀치 ① 《구멍 뚫는》 a punch. ② 《타격》 a punch. ¶~를 먹이다 land a punch 《on》; punch 《a person on the chin》.

펀펀하다 (be) even; flat; level.

펄럭거리다 flutter; flap; stream; wave. ¶펄럭펄럭 with a flutter 〔flap〕; flutteringly.

펄썩 ① 《먼지 따위가》 rising in a puff. ¶먼지가 ~ 나다 a cloud of dust rises in a puff. ② 《앉는 모양》 heavily; plump 〔down〕. ¶그는 의자에 ~ 앉았다 He sank into 〔plumped down on〕 a chair.

펄쩍뛰다 jump up suddenly; leap 〔start〕 to one's feet. ¶놀라서 ~ jump up with surprise.

펄펄 ① 《물이》 ~ 끓다 The water is boiling hard. ② 《눈이》 ~ 날리다 snow flutters about.

펄프 pulp. ¶~를 만들다 reduce 《wood》 to pulp; pulp. ¶~공장 a pulp mill.

펌프 a pump. ¶~로 퍼올리다 〔퍼내다〕pump up 〔out〕《water》. ¶공기 ~ an air pump.

펑 pop; bang. ¶~하다 pop; bang. ¶~하고 쏘다 a pop 〔bang〕.

펑퍼짐하다 (be) broad and roundish. ¶펑퍼짐한 엉덩이 well-rounded hips.

펑펑 ① 《폭음 소리》 bang! bang!;

pop. pop; popping. ② 《쏟아지는 모양》 in continuous gushes; gushingly; profusely; copiously. ¶~ 나오다 gush 〔stream〕 out. ¶눈이 ~ 내리다 snow falls thick and fast.

페넌트 a pennant.

페널티 《스포츠》 a penalty. ‖ ~킥 a penalty kick.

페니 《화폐 단위》 a penny; pence 《금액의 복수》; pennies《화폐의 복수》.

페니실린 【藥】penicillin. ‖ ~연고 a penicillin ointment.

페달 a pedal. ¶~을 밟다 pedal 《one's bicycle》.

페더급《一級》the featherweight. ‖ ~선수 a featherweight 《boxer》.

페루 Peru. ¶~의 Peruvian. ‖ ~사람 a Peruvian.

페르시아 Persia. ¶~의 Persian. ‖ ~사람 a Persian.

페리보트 a ferry(boat).

페미니스트 a feminist.

페미니즘 feminism.

페소《화폐 단위》a peso《기호 P》.

페스트 (a) pest; the black plague.

페이스 (a) pace. ¶자기 ~를 지키다 go at one's own pace.

페이지 a page; a leaf. ¶교과서의 10 ~를 여시오 Open your textbook to 〔at〕 page 10.

페이퍼 paper; 《사포》sandpaper.

페인트 paint. ¶~를 칠하다 paint 《a room white》. ‖ ~장이 a painter / ~주의《게시》Wet paint. or Fresh paint.

페티코트 a petticoat.

펜《write with》a pen. ¶~대 a penholder / ~촉 a pen point. ☞ 페니.

펜스 pence. ☞ 페니.

펜싱 fencing. ¶~선수 a fencer.

펜클럽 the P.E.N. (◀the International Association of Poets, Playwrights, Editors, Essayists, and Novelists). ¶한국 ~ the Korea P.E.N. club.

펜타곤《미국 국방부》the Pentagon.

펨프《주선인》a pimp; a pander.

펭귄 【鳥】 a penguin.

퍼내다(펴내다) publish; issue. ∥ 펴낸이 a publisher.

펴다 ① (펼치다) spread; open (*a book*); unfold (*a newspaper*); unroll (*a scroll*). ② (놈음) stretch; (가슴 등을) stick (throw) out (*one's chest*); ¶ 가슴을 펴고 걷다 walk with *one's* chest out. ③ (구김살을) smooth out (*creases*); iron out (다리미로); (굽은 것을) straighten; uncoil (말린 것을). ④ (기를) ease (*one's mind*); relieve. ¶ 기를 못 ~ feel ill at ease; feel constrained. ⑤ (살림을) ease; improve. ⑥ (공포하다) issue; declare; (경제상) form; set up; spread. ¶ 수사망을 ~ spread [set up] a dragnet; (세력 등을) extend (*one's power*).

펴이다(펴지다) (형편이) get better; improve; be eased; (일 따위가) get straightened out; be smoothed (down). ¶ 일이 ~ a matter gets straightened out.

펴지다 ① (펼쳐지다) spread [unrolled, spread]; spread (out). ② (주름이) get smoothed; (굽은 것이) get straightened.

편(便) ① (쪽) a side; (방향) a direction; a way. ¶ 이(저) ~ (으로) this [that] way. ② (교통편의) service; facilities; (편의점의) convenience. ¶ 이 곳은 교통 ~이 좋다 There are good transportation facilities here. ③ (상대편·한패) a side; a part; a party; a faction. ¶ 우리 ~ our side; our party [team]; our friends. ④ (…인편). ⑤ (…하는 쪽) 너는 즉시 가는 편이 좋겠다 You had better go at once. (編) (편찬) compilation; editing. ¶ 김 박사 ~ edited by Dr. Kim. (篇) (권) a volume; (장·절) a chapter; a section; (시·영화의 수) a piece. ¶ 시 한 ~ a piece of poetry.

편가르다(便—) divide [separate] (*pupils*) into groups [classes].

편각(偏角) [地] declination; [數]
amplitude.

편견(偏見) (a) prejudice; a bias; a prejudiced view. ¶ ~있는 prejudiced; biased.

편곡(編曲) [樂] arrangement. ~하다 arrange.

편광(偏光) [理] polarized light. ∥ ~렌즈 a polarizing lens.

편년(編年) ∥ ~체(體) (in) a chronological form [order].

편달(鞭撻) (격려) ~하다 urge [encourage, excite] (*a person to do*); spur on.

편대(編隊) (in) a formation. ¶ ~비행 a formation flight.

편도(片道) one way. ¶ ~승차권 a one-way ticket (英); a single (ticket) (美) / ~ 요금 a single [one-way] fare.

편도선(扁桃腺) [醫] a megrim.

편들다(便—) (지지) side [take sides] (*with*); support. 「al.

편람(便覽) a handbook; a manu-

편력(遍歷) wandering; a travel; a pilgrimage. ~하다 travel [tour, wander] about; make a tour of (*the country*). ¶ 여성 ~이 많은 남자 a man having a number of love affairs.

편의(便宜) convenience; handiness (알맞음). ¶ ~ 한 convenient; handy; useful / ~상 for convenience' sake.

편린(片鱗) a part; a glimpse.

편모(偏母) *one's* lone [widowed] mother. ¶ ~슬하에서 자라다 grow [be brought up] under widowed mother's care.

편무(片務) ¶ ~적인 unilateral; one-sided. ∥ ~계약 a unilateral [one-sided] contract.

편물(編物) 뜨개질. ∥ ~기계 a knitting machine.

편법(便法) (편한 방법) an easier method; an expedient.

편복(便服) casual wear; ordinary dress [clothes]. ¶ ~으로 외출하다 go out in *one's* casual wear.

편상화(編上靴) lace boots.

편서풍(偏西風) the prevailing west-

Ⅱ

erlies.

편성(編成) organization; formation. ~하다 organize 《a corps》; form 《a class》; make up 《a budget》.

편수(編修) ~하다 edit; compile. ▮ ~관 an editorial officer; an (official) editor.

편승(便乘) ~하다 ① 《차에》get a lift in 《a person's car》▮ 나는 그녀의 차에 ~했다 She gave me a lift in her car. ② 《기회를》 take advantage of; avail *oneself* of 《an opportunity》.

편식(偏食) (have) an unbalanced diet.

편심(偏心) a one-sided mind; 【機】 eccentricity.

편싸움(便一) a gang fight. ~하다 have a gang fight; fight in groups.

편안(便安) 《평온》 peace; tranquility; 《건강》good health; being well; 《편함》ease; comfort. ~하다 (be) safe; peaceful; well; comfortable; easy.

편애(偏愛) partiality. ~하다 be partial 《to》; show favoritism 《to》.

편육(片肉) slices of boiled meat.

편의(便宜) a convenience; facilities 《시설의》. ▮ ~상 for convenience' sake; for the sake of convenience / 모든 ~를 제공하다 afford [accord] every facility 《for》. ▮ ~의 opportunism / ~주의자 an opportunist.

편의점(便宜店) a convenience store.

편익(便益) benefit; advantage; convenience. ▮ ~을 주다 provide facility; give [offer] advantage.

편입(編入) admission; incorporation 《합병》. ~하다 include in; transfer; 《학급 등에》 put [admit] 《a person》into; 《합병하다》 incorporate 《into》. ▮ 그는 2학년에 ~하다 be admitted into the second year of the high school. ▮ ~생 an enrolled student / ~시험 a transfer admission test.

편자(말굽의) a horseshoe. ▮ ~를 박다 shoe 《a horse》.

편자(編者) an editor; a compiler.

편재(偏在) uneven distribution; maldistribution. ~하다 be unevenly distributed 《among》.

편재(遍在) omnipresence. ~하다 be omnipresent [ubiquitous].

편제(編制) ☞ 편성. ▮ ~표 the table of organization.

편주(扁舟) a small [light] boat.

편중(偏重) ~하다 attach too much importance 《to》; overemphasize 《intellectual training》. ▮ 학력 ~하다 make too much of school [academic] careers.

편지(便紙) a letter; a note《짧은》 mail《집합적》. ▮ ~를 부치다 mail [post 英] a letter. ▮ ~봉투 an envelope / ~지 letter paper.

편집(偏執) bigotry; obstinacy ▮ ~광(狂) 《상태》monomania 《사람》a monomaniac / ~병자 a paranoiac.

편집(編輯) editing; compilation. ~하다 edit 《a magazine》; compile 《a dictionary》. ▮ ~국 the editorial office [board] / ~후기 the editor's comment.

편짜다(便一) form a team [party].

편차(偏差) deflection; variation; 《포탄의》windage; 【統計】 deviation. ▮ ~값 the deviation (value).

편찬(編纂) compilation; editing. ~하다 compile; edit. ▮ ~자 a compiler; an editor.

편찮다(便一) 《불편》(be) inconvenient; uncomfortable; 《병으로》 (be) ill; unwell; 《몸이 ~》 feel unwell 《with a cold》.

편취(騙取) ~하다 swindle 《money》 out of 《a person》; cheat [swindle] 《a person》out of 《one's money》. ▮ 전재산을 ~당하다 be swindled out of *one's* whole fortune.

편친(偏親) one parent. ▮ ~의 아이 a fatherless [motherless] child.

편파(偏頗) partiality; favoritism;

(unfair) discrimination. ¶ ～저
의 partial; one-sided: unfair;
biased.

편하다(便一) ¶ ～한 flat; even; level.

편하다(便一) ¶ ① 《편리》(be) conven-
ient; handy; expedient. ② 《편
안》(be) comfortable; easy; free
from care(걱정없다). ¶ 편히 com-
fortably; at 《one's》 ease; in com-
fort. ③ 《수월함》(be) easy; light;
simple.

편향(偏向) a tendency (toward,
to); a leaning (toward). ¶ ～하
다 bend (toward, to); be inclined.
¶ ～된 biased; prejudiced.

편협하다(偏狹一) (be) narrow-
minded; intolerant. ¶ 편협한 생각
을 갖다 have a narrow-minded
view (of).

편형동물(扁形動物) 【動】 a flatworm.

펴다 spread; unfold; open.

펴다(貶一) disparage; speak ill
of; abuse.

평(坪) a pyeong (=약 3.3 m^2).
¶ ～수 《면적》 area; acreage; 《건
평》 floor space.

평(評) criticism; (a) comment;
(a) review (of movies); a remark.
¶ ～하다 criticize; review; comment
(on). ¶ ～이 좋다[나쁘다] have a
good [bad] reputation.

평(平) 《보통의》 common; ordi-
nary. ¶ ～교사 a plain clerk /
～교사 a plain clerk / ～신도 a
layman.

평가(平價) 【經】 par; parity. ¶ ～이
상(인상)하다 value upward / ～절하
다 devalue (the currency); ¶ ～절
상(upward) revaluation / ～절하
devaluation.

평가(評價) evaluation; valuation;
(an) estimation (견적); (an) ap-
praisal(매각을 위한); assessment
(과세를 위한); grading(성적의). ¶ ～
하다 evaluate; value; estimate;
appraise; assess; grade. ¶ ～ 기준
a valuation basis; an
appraisal standard.

평각(平角) 【數】 a straight angle.

평결(評決) a decision; a verdict

(배심원 동의). ～하다 decide.

평교(平交) friends of about the
same age.

평균(平均) ① 《보통》 an average;
【數】 the mean. ¶ ～하다 average;
¶ ～의 average; mean / ～하여
on (an) the average. ¶ ～수명
the average life span (of the
Koreans) / 연(월) ～ the yearly
(monthly) mean. ② 《병형》 balance.
¶ ～대(臺) a balance beam.

평년(平年) a common year(윤년이
아닌); a normal [an average]
year(예년). ¶ ～작 a normal
[an average] crop.

평등(平等) 《균등》 equality. 《공평》
impartiality. ¶ ～한[히] equal(ly);
even(ly); impartial(ly). ¶ 사람은
모두 ～ 하게 태어났다 All men are
created equal. ¶ ～주의 the
principle of equality.

평론(評論)《비평》(a) criticism; a
comment; a review(저작물의).
¶ ～하다 criticize; review; com-
ment (on). ¶ ～가 a critic; a
reviewer; a commentator(정치·
스포츠 등의).

평면(平面) a plane; a level. ¶ ～
의 plane; level; flat. ¶ ～도 a
plane figure(수학의); a ground
plan(건축의).

평민(平民) a commoner; the com-
mon people(총칭).

평방(平方) 제곱.

평범(平凡) 《비범치 않음》 com-
mon; mediocre; commonplace /
～한 일 an everyday affair; a
commonplace.

평복(平服) ordinary dress [clothes];
《제복이 아닌》 plain (civilian) clothes.

평상(平床) a flat [wooden] bed.

평상(平常) ～의 usual / ～시
ordinary times / ～시와 같이 as
usual.

평생(平生) one's whole life(☞ 일
생). ¶ ～을 독신으로 지내다 stay
single all one's life. ¶ ～소원
one's lifelong desire.

평소(平素) ordinary times. ¶ ～에
usually / ～의 ordinary; usual;

Ⅱ

everyday / ~ 대로 as usual / ~ 와는 달리 unusually.

평시(平時) 《평상시》 normal times; 《평화시》 peacetime. ¶ ~ 에는 in normal times.

평안(平安) peace. ¶ 마음의 ~ peace of mind / ~ 히 peaceful; tranquil / ~ 히 in peace; peacefully.

평야(平野) a plain; plains.

평열(平熱) the normal temperature.

평온(平溫) ① 《평균 온도》 an average temperature. ② ☞ 평열.

평온(平穩) calmness; quietness; peace; tranquil; untroubled / ~ 해지다 become [get] quiet; quiet down.

평원(平原) a plain; a prairie 《美》.

평의(評議) conference; discussion. ~ 하다 confer; discuss 《a matter》. ‖ ~ 회 a council.

평이(平易) ¶ ~ 한 easy; plain; simple.

평일(平日) ① 《일요일 이외의》 a weekday; weekdays. ¶ ~ 에(는 on weekdays. ② 《평상시》 ordinary days. ¶ ~ 에는 on ordinary days.

평점(評點) examination 〔evaluation〕 marks; a grade.

평정(平定) ~ 하다 suppress; subdue.

평정(平靜) calm; tranquility; composure; peace. ¶ ~ 한 calm; quiet; composed; peaceful / ~ 을 잃다 lose one's composure 〔head〕.

평정(評定) rating; evaluation. ~ 하다 rate; evaluate.

평준(平準) level(수준); equality(평균). ‖ ~ 화 equalization / ~ 화하다 make equal; equalize).

평지(平地) flatlands; level land 〔ground〕. ¶ ~ 풍파를 일으키다 cause a flutter in the dovecotes.

평직(平織) plain weave.

평탄(平坦) ¶ ~ 한 even; flat; level / ~ 한 인생 《lead》 an uneventful

life / ~ 하게 하다 level 《a road》.

평판(評判) fame; reputation; popularity(인기); 《세평》 the public estimation 〔opinion〕; a rumor(소문). ¶ ~ 이 난 reputed; famed / ~ 이 좋다 〔나쁘다〕 be well 〔ill〕 spoken of; have a good 〔bad〕 reputation of; be popular 〔unpopular〕. 〔level〕

평평하다(平平 ―) (be) flat; even.

평행(平行) ~ 하다 run 〔be〕 parallel to 〔with〕. ¶ …와 ~ 으로 선을 긋다 draw a line parallel to.... ‖ ~ 봉(선) parallel bars 〔lines〕 / ~ 운동 a parallel motion.

평형(平衡) balance; equilibrium. ¶ ~ 을 유지하다(잃다) keep 〔lose〕 one's balance. ‖ ~ 감각 the sense of balance.

평화(平和) peace; harmony(화합). ¶ ~ 스럽다(롭다) (be) peaceful; tranquil / ~ 적인 peaceful; peace-loving / ~ 적으로 peacefully; in peace. ‖ ~ 주의 pacifism / ~ 주의자 a pacifist / ~ 회담 peace talks 〔negotiations〕.

평활근(平滑筋) 【解】 a smooth muscle.

폐(肺) the lungs.

폐(弊) ① ☞ 폐단. ② 《괴로움》 《a》 trouble; a bother 《to》; a nuisance. ¶ ~ 를 끼치다 trouble 〔bother〕 《a person with》; give 〔cause〕 《a person》 trouble; bother.

폐가(廢家) ① 《버려진 집》 a deserted house. ② 《절손》 an extinct family.

폐간(廢刊) discontinuance 《of publication》. ~ 하다 discontinue 〔cease to publish〕 《the magazine》. ¶ ~ 되다 be discontinued / ~ 키다 ban the publication 《of》.

폐결핵(肺結核) 〔pulmonary〕 tuberculosis; consumption. ¶ ~ 에 걸리다 suffer from tuberculosis of the lungs. ‖ ~ 환자 a consumptive 〔patient〕.

폐경기(閉經期) the menopause.

폐관(閉館) ~ 하다 close. ¶ 도서관은 5시에 ~ 한다 The library closes

at five.
광(廢鑛) an abandoned mine.
교(廢校) ¶저 학교는 작년에 ~되었 ear. That school was closed last year.
기(廢棄) 《조약의》 abrogation; repeal: 《불필요한 물건의》 abandonment; abolition. ~ 하다 abolish; abandon; scrap; do away with. ¶쓰레기를 ~처분하다 dispose of junk. ~물 waste /~물 처리장 a garbage [refuse] dump.
농(廢農) ~ 하다 give up farming.
단(弊端) an evil; an abuse.
렴(肺炎) 〖醫〗 pneumonia.
롭다(弊~) ①《귀찮다》(be) troublesome; be a nuisance. ¶ ~롭게 굴다 cause a nuisance. ②《성가 이》(be) particular; fussy; fastidious.
막(閉幕) a curtainfall; a close; he end 《of an event》. ~ 하다 (연극이) close; come to a close. ¶ ~되다 close; come to a close.
물(廢物) a useless article; waste [materials]; refuse; trash 《美》; a scrap. ¶ ~이 되다 become useless.
백(幣帛) 《신부의》 a bride's presents to her parents-in-law.
병(肺病) ① ☞ (a) lung trouble [disease]. ② ☞ 폐결핵.
부(肺腑) ① ☞ 폐(肺). ② 《마음의》 one's inmost heart. ¶ ~를 찌르는 듯한 이야기 a heart-breaking story.
색(閉塞) (a) blockade; blocking; ¶ stoppage. ~ 하다 blockade 《a harbor》; block (up).
선(廢船) a scrapped ship [vessel]; a ship that is out of service. ~ 하다 scrap a ship.
쇄(閉鎖) closing; a lockout. ~ 하다 close; shut (down); lock out. ¶ ~회로 〖電〗 a closed circuit.
수(廢水) wastewater. ¶생활 ~ domestic wastewater. ¶ ~처리 wastewater treatment / ~처리장 wastewater disposal plant.

폐습(弊習) bad practices [customs].
폐어(廢語) an obsolete word.
폐업(廢業) ~ 하다 give up [close] one's business; shut up one's shop; give up one's practice(의사, 변호사 등이).
폐위(廢位) ~ 하다 dethrone; depose 《a sovereign》; [clots(덩어리)].
폐유(廢油) waste oil; waste oil
폐일언하다(蔽一言~) In a word ...; In short ...; To sum up ....
폐장(閉場) closing of a place. ~ 하다 close 《a place》; be closed.
폐점(閉店) ~ 하다 close a (the) shop; close one's doors; (폐업) shut up shop; wind up one's business. ¶ ~시간 (the) closing time. ¶ ~하다 our shop.
폐정(閉廷) 《법원이》 ~ 하다 adjourn (dismiss) the court.
폐지(閉止) stoppage. ~ 하다 stop; close; cease.
폐지(廢止) abolition; disuse; repeal(법률 따위의). ~ 하다 abolish; do away with; discontinue; phase out(법률 따위); abrogate; repeal.
폐질(廢疾) an incurable disease. ¶ ~자 a person with an incurable disease.
폐차(廢車) a disused [scrapped] car; a car out of service. ¶ ~처분하다 scrap a car. ¶ ~장 an auto junkyard.
폐품(廢品) useless [discarded] articles; waste materials. ¶ ~이용 the reuse [utilization] of waste materials.
폐하(陛下) His [Her] Majesty(3인칭); Your Majesty(2인칭).
폐하다(廢一) 《그만두다》 give up; discontinue; 《철폐》 abolish; 《군주를》 dethrone. ¶하려를 ~ do away with formalities.
폐함(廢艦) ~ 하다 put 《a warship》 out of commission.
폐합(廢合) ~ 하다 abolish and amalgamate; reorganize. ¶국과(局課)를 통 ~ 하다 rearrange [reorganize]

Ⅱ

bureaus and sections.
폐해(弊害) an evil; abuses(악영향); an ill [a bad] effect. ¶ ~가 따르다 be attended by an evil.
폐허(廢墟) ruins; remains. ¶ ~가 되다 be ruined; fall into ruins.
폐활량(肺活量) breathing [lung] capacity. ∥ ~계(計) a spirometer.
폐회(閉會) the closing (*of a meeting*). ¶ ~하다 close (*a meeting*); come to a close; be closed. ∥ ~식 a closing ceremony.
포(苞) 【植】 a bract.
포(砲)《대포》《fire》a gun; an artillery gun; a cannon(구식의).
포(脯) ☞ 포육(脯肉).
포가(砲架) 〔set〕 a gun carriage.
포개다 put [lay] one upon another; pile [heap] up. ¶ 포개지다 be [lie] heaped [piled] up; be piled on top of one another.
포격(砲擊) 〔artillery〕 bombardment; fire; cannonade(연속적인). ¶ ~하다 bombard; fire; shell. ¶ ~을 받다 be under fire; be shelled [bombarded] 《by》.
포경(包莖) phimosis.
포경(捕鯨) whaling; whale fishing. ∥ ~선(船) a whaler.
포고(布告) proclamation. ¶ ~하다 proclaim; declare; decree. ¶ 선전 ~ a declaration of war. ∥ ~령〔문〕a decree; an edict; a proclamation.
포괄(包括) inclusion. ¶ ~하다 include; comprehend; contain; cover. ∥ ~적(으로) inclusive(ly); comprehensive(ly). ∥ ~사항 a blanket clause.
포교(布敎) propagation (of religion); missionary work. ¶ ~하다 preach (propagate) 《a religion》.
포구(浦口) an inlet; an estuary.
포구(砲口) a muzzle (of a gun).
포근하다 ① 《폭신》(be) soft and comfortable; downy. ② 《날씨가》(be) mild; genial; soft. ¶ 포근한 겨울 a mild winter.
포기 a head; a root; a plant. ¶ 배추 두 ~ two heads of Chi-

nese cabbage.
포기(抛棄) abandonment; renunciation. ¶ ~하다 give up; abandon; renounce; relinquish.
포대(布袋) ~ 부대(負袋).
포대(砲臺) a battery; a fort.
포대기 a baby's quilt; a wadded baby wrapper.
포도(葡萄) a grape; a grapevine(덩굴 나무). ∥ ~밭 a vineyard. ¶ ~송이 a bunch (cluster) of grapes.
포도(鋪道) a pavement; a paved road.
포동포동하다 (be) chubby; plump.
포로(捕虜) a prisoner of war; POW). ¶ ~가 되다 be taken prisoner. ∥ ~수용소 a prison (POW) camp.
포르노 pornography; porno. ¶ ~ 영화 a pornographic (blue) film.
포르말린 【化】 formalin. ∥ ~소독 formalin disinfection.
포르투갈 Portugal. ¶ ~의 Portuguese. ∥ ~말 Portuguese(언어). ∥ ~사람 a Portuguese.
포마드 pomade. ¶ ~를 바르다 pomade (*one's hair*).
포만(飽滿) satiety. ¶ ~하다 be sated (full) 《with》.
포말(泡沫) a bubble; foam. ∥ ~회사 a bubble company.
포목(布木) linen and cotton; ∥ ~상(商) drapery goods(美); drapery(英). ¶ ~상점 a dry-goods store; a draper's.
포문(砲門) the muzzle of a gun; a porthole(군함의). ¶ ~을 열다 open fire 《on》.
포물선(抛物線) 【數】 a parabola. ¶ ~을 그리다 draw [describe] a parabola.
포박(捕縛) ~하다 arrest; apprehend.
포병(砲兵) an artilleryman(군인); artillery(총칭).
포복(匍匐) ~하다 creep [crawl] on the ground; walk on *on* hands and knees.
포복절도(抱腹絶倒) convulsions of laughter. ¶ ~하다 be convulsed with laughter. ¶ 그는 우리들을

케 했다 He set us roaring with laughter.

포부(抱負) (an) ambition; (an) aspiration. ¶ ~를 품다 have an ambition (*to do*).

포상(賞賞) a prize; a reward. ~하다 give a prize.

포석(布石) [바둑의] the strategic placing of (*baduk*-)stones; [비유적] (take) preparatory steps (*for doing*).

포석(鋪石) a paving stone.

포섭(包攝) [論] subsumption; ~하다 win (gain) (*a person*) over (*to one's side*); subsume. ¶공작을 하여 contrive to win (*a person*) over to one's side.

포성(砲聲) the sound of gunfire; the roaring (boom) of guns.

포수(砲手) a gunner; [포경선의] a harpooner; [사냥꾼] a hunter.

포수(捕手) [野] a catcher.

포술(砲術) gunnery; artillery.

포스터 a poster (bill). ¶ ~를 붙이다 (떼다) put up (tear off) a poster.

포승(捕繩) a policeman's rope.

포식(飽食) ~하다 eat *one's* fill; satiate *oneself*.

포신(砲身) a gun barrel.

포악(暴惡) ¶ ~한 atrocious; outrageous; ruthless.

포안(砲眼) [함선·성벽 등의] an embrasure.

포연(砲煙) the smoke of cannon. ¶ ~이 안[잦]은 도로 an unpaved [a well-paved] road.

포열(砲列) a battery.

포옹(抱擁) an embrace; a hug. ~하다 embrace; hug.

포용(包容) tolerance. ~하다 tolerate. ¶갖가지 다른 의견을 ~하다 tolerate different opinions. ∥ ~력 broad-mindedness; tolerance.

포위(包圍) encirclement; [軍] (a) siege. ~하다 close in; surround; besiege; encircle. ¶적을 ~하다 lay siege to the enemy. ∥ ~공격 a siege / ~망 an encircling net.

포유(哺乳) suckling; nursing. ¶ ~동물 a mammal / ~류 the Mammalia.

포육(脯肉) jerky (美); jerked meat.

포인트 ① [소수점] a decimal point. ② [전철기] a (railroad) switch (美). ③ [활자 크기의 단위] point. ¶9~활자 a 9-point type. ④ [득점] a point; a score. ¶ ~를 올리다 gain (get, score) a point. ⑤ [요점·지점] the point (*of a story*). ¶인생의 터닝 ~ the turning point in *one's* life.

포자(胞子) [植] spore. ∥ ~낭(囊) a spore case / ~식물 sporophyte.

포장(布帳) a linen awning (screen); a curtain; [마차의] a hood; [차의] a top. ¶ ~을 씌우다(걷다) pull up (down) the hood (top).

포장(包裝) packing; wrapping. ~하다 pack; package; wrap (up). ¶ ~을 풀다 unpack (*a box*); unwrap (*a package*). ∥ ~비 packing charges / ~지 (紙) packing (wrapping, brown) paper.

포장(鋪裝) pavement. ~하다 pave (*a road*). ¶ ~이 안[잘] 된 도로 an unpaved [a well-paved] road. ∥ ~공사 pavement works; paving.

포장(褒賞) a medal (*for merit*).

포좌(砲座) [軍] a gun platform.

포주(抱主) a keeper of brothel; a whore-master; a bawd(여자).

포즈 a pose. ¶ ~를 취하다 pose (*for*); take *one's* pose.

포진(布陣) the lineup. ~하다 line up; take up *one's* position; array troops for battle(군대를).

포진(疱疹) [醫] herpes. ∥ ~의 herpetic. / 대상 ~ shingles.

포착(捕捉) capture. ~하다 catch; seize; take hold of.

포커 (play) poker. ¶ ~페이스 a poker face; a dead pan (美俗).

포켓 a pocket. ¶ ~에 들어가는 pocketable (*books*). ∥ ~판(版) a pocket edition.

포크[1] (용기) a fork.

포크[2] (돼지고기) pork.

포크댄스 a folk dance.

포크송 a folk song.

Ⅱ

포탄(砲彈) a shell; an artillery shell; a cannonball. ¶ 적에게 ~을 퍼붓다 fire shells on the enemy.

포탈(逋脫) evasion of tax(☞ 탈세).

포탑(砲塔) a (gun) turret.

포트와인 port (wine).

포플러(樏) a poplar(미루나무).

포플린(피륙) poplin; broadcloth (美).

포피(包皮) [解] the foreskin; the prepuce.

포학(暴虐) (an) atrocity; cruelty; tyranny(폭정). ¶ ~한 군주 a tyrant; a cruel (bloody) ruler.

포함(包含) inclusion. ~ 하다 contain; hold; include; imply(의미함). ¶ 그 안에는 세금이 ~되어 있지 않다 The price is not inclusive of tax.

포함(砲艦) a gunboat.

포화(砲火) gunfire; artillery fire. ¶ 맹렬한 ~ heavy fire / ~에 세례를 받다 be under fire.

포화(飽和) saturation. ~ 상태에 있다 be saturated (with). ∥ ~ 용액 a saturated solution / ~점 a saturation point.

포획(捕獲) capture; seizure. ~ 하다 capture; catch; seize. ∥ ~물 a booty.

포효(咆哮) (맹수의) roaring; (녹대의) howling. ~ 하다 roar; howl.

폭(幅) ① (너비) width; breadth. ¶ ~이 넓은 wide; broad / ~이 좁은 narrow / ~을 넓히다 broaden. ② (행동·사고의) latitude; a range; (값·이익의) difference (in price).

폭거(暴擧) a reckless attempt; (an) outrage; a riot (폭동).

폭격(暴擊) bombing. ~하다 bomb (a town). ∥ ~기 a bomber / 융단 ~ carpet (blanket) bombing.

폭도(暴徒) (put down) a mob; rioters. ¶ ~의 무리 a mob of rioters / ~에게 습격당하다 be mobbed.

폭동(暴動) a riot; an uprising; a disturbance. ¶ ~을 일으키다 raise (start) a riot / ~을 진압 (선동) 하다 suppress (instigate) a riot. ∥ 무장 ~ armed revolt.

폭등(暴騰) a sudden rise; a jump. ~ 하다 rise suddenly; jump; soar. ¶ 물가가 ~ 하고 있다 Prices are skyrocketing.

폭락(暴落) a sudden (heavy) fall; a slump. ~ 하다 decline heavily; slump; fall suddenly. ¶ 주가의 ~ a heavy fall in stock prices.

폭력(暴力) force; violence. ¶ ~으로 by force / ~을 휘두르다 use (employ) violence (on). ∥ ~ 행위 an act of violence / 학교 ~ school violence.

폭로(暴露) exposure; disclosure. ~ 하다 expose; disclose; reveal; bring (a matter) to light. ¶ 정체를 ~ 하다 reveal (a person's) true character. ∥ ~기사 an exposé (프).

폭리(暴利) an excessive (undue) profit; profiteering(부당이득). ¶ ~를 취하다 make undue profits.

폭발(爆發) explosion; eruption (화산의). ~ 하다 explode; blow up; burst out; erupt(화산이). ¶ ~(으로) explosive(ly) / ~적인 인기 tremendous popularity / 분노 ~ 하다 explode with anger. ∥ ~력 explosive power / ~물 an explosive.

폭사(爆死) ~ 하다 be killed by bomb; be bombed to death.

폭서(暴暑) intense (severe) heat.

폭설(暴雪) a heavy snowfall.

폭소(爆笑) ~ 하다 burst into laughter; burst out laughing.

폭식(暴食) ~ 하다 overeat (oneself); eat too much.

폭약(爆藥) an explosive; a blasting powder. ∥ 고성능 ~ a high explosive.

폭언(暴言) violent (rude) language; harsh (wild) words. ~ 하다 use

offensive [violent] language; speak with wild words.

쪽염(暴炎) scorching heat wave; the scorching [intense] heat of summer.

쪽우(暴雨) a heavy rain; a downpour.

쪽음(暴飮) heavy drinking. ~하다 drink heavily [too much].

쪽음(暴音) an explosion; a roar 《of an engine》. 제트기의 ~ the noisy roar of jet planes.

쪽정(暴政) tyranny; despotism. ~을 펴다 tyrannize over a country.

쪽주(輻輳) overcrowding; congestion. ~하다 be congested [crowded] 《with》. 주문의 ~ pressure [a flood] of orders.

쪽주(暴走) run [drive] recklessly. ~족 reckless [crazy] drivers; a motorcycle gang.

쪽죽(爆竹) [set off] a firecracker.

쪽탄(爆彈) a bomb[shell]. 시한 ~을 장치하다 set [plant] a time bomb. ~투하 bombing.

쪽투(暴投) 【野】 a wild pitch [throw]. ~하다 pitch [throw] wild.

쪽파(爆破) blast; blowing up. ~하다 blast; blow up.

쪽포(瀑布) a waterfall; falls; a cascade. 나이아가라 ~ (the) Niagara Falls.

쪽풍(暴風) a storm. ‖경보[주의]보 a storm warning [alert] / ~권 a storm zone.

쪽풍우(暴風雨) a rainstorm; a storm. ‖동해 연안에 ~가 엄습했다 A violent storm raged along the East Coast.

쪽한(暴漢) a ruffian; a rowdy.

쪽행(暴行) (an act of) violence; an outrage; an assault; a rape 《여자에 대한》. ~하다 behave violently; do [use] violence to 《a person》; rape 《a woman》. ‖~자 an outrager; an assaulter; a rapist 《여자에 대한》.

라로이드 Polaroid. ‖~ 카메라 《상표명》 a Polaroid (Land) camera.

폴라리스 a Polaris (missile).

폴란드 Poland. ~의 Polish. ‖~말 Polish / ~사람 a Pole; the Poles(총칭).

폴리에스테르 【化】 polyester.

폴리에틸렌 【化】 polyethylene.

폴카 《춤》 a polka.

푄 【氣】 foehn; Föhn 《獨》. ‖~현 상 a foehn phenomenon.

표(表) a table; a list; a chart. ‖시간~ a timetable / 일람~ a catalog.

표(票) ① 《차표·입장권 따위》 a ticket; a coupon(하나씩 떼는); 《표찰》 a card; a label(레테르); a tag(물표). ② 《무표의》 a vote.

표(標) 《표로·붓발》 a sign; a mark; 《표시》 a token; 《휘장》 a badge; 《증거》 proof; evidence; 《상표》 a brand; trademark 《☞ 표하다》. ‖~를 하다 mark 《a thing》; put a mark 《on》.

표결(表決) 의결(議決).

표결(票決) a vote; voting. ~하다 take a vote 《on》; vote 《on》. ‖~에 부치다 put 《a bill》 to a vote(ballot).

표고(植) 《버섯》 a pyogo mushroom; Lentinus edodes(학명).

표고(標高) 해발(海拔).

표구(表具) mounting. ~하다 mount 《a picture》. ‖~사 a paper framer; a mounter.

표기(表記) ‖~의 (금액) (the sum) inscribed on the face; 가격 the declared value.

표기(標記) a mark. ~하다 mark.

표독(慓毒) ~하다 (be) fierce; ferocious; venomous.

표류(漂流) drifting. ~하다 drift 《about》. ‖~물 a drift; floating wreckage / ~선(船) a drifting ship.

표리(表裏) 《겉과 속》 the front and (the) back; inside and outside; 《양면》 both sides 《of a thing》. ‖~가 있는 two-faced; double-dealing; treacherous / ~가 없는 straight; single-hearted; honest; faithful.

П

표면 **808** 푸넘

표면 (表面) 《걸면》 the surface; the face; 《외면》 the outside; the exterior; 《외견》 (an) appearance. ¶ ~적인 superficial; outward; external(외면의) / ~상의 이유 an ostensible reason / ~화하다 come to the surface; come into the open.

표면적 (表面積) surface area.

표명 (表明) (an) expression; (a) manifestation; ~하다 express; manifest; declare. ¶ 감사 〔유감〕의 뜻을 ~하다 express one's gratitude〔regret〕《to》.

표방 (標榜) ~하다 profess 《oneself to be》. ¶ 인도주의를 ~하다 claim to stand for humanitarian principles.

표밭 (票一) an area of strong electoral support 《for》.

표백 (漂白) bleaching. ~하다 bleach. ¶ ~제 a bleach; a bleaching agent; a decolorant.

표범 (豹一) 〔動〕 a leopard; a panther.

표변 (豹變) a sudden change. ~하다 change suddenly; turn one's coat(변절).

표본 (標本) a specimen; a sample(견본); 《전형》 a type; an example. ¶ ~조사 a sample survey; ~추출 sampling.

표상 (表象) 《상징》 a symbol 《of》; an emblem; 〔哲〕 an idea; a representation; 〔心〕 an image.

표시 (表示) indication; expression; ~하다 express; indicate; show. ¶ 감사의 ~로 as a token of one's gratitude. ∥ ~기 an indicator.

표어 (標語) a motto; a slogan; a catchword.

표연 (飄然) ¶ ~히 aimlessly; casually; abruptly.

표음문자 (表音文字) a phonogram; a phonetic alphabet.

표의문자 (表意文字) an ideogram; an ideograph.

표적 (表迹) a sign; a mark; a token; a proof(증표); 《흔적》 a trace(지나간).

표적 (標的) a target; a mark. ¶ 비난의 ~이 되다 be exposed to censure. ∥ ~지역 a target area.

표절 (剽竊) plagiarism: literary piracy. ~하다 pirate; plagiarize. ∥ ~판 a pirated edition.

표정 (表情) an expression; a look ¶ ~이 풍부한 expressive / ~없는 얼굴 an expressionless face.

표제 (表題·標題) 《책의》 a title; 《논설 등의》 a heading; a head; 《사진·만화의》 a caption. ¶ 작은 ~ a subtitle. ∥ ~어 an entry; headword.

표주박 (瓢一) a small gourd; a dipper.

표준 (標準) a standard; a norm(업량 등의); a level(수준). ¶ ~적인 standard; normal; average / ~에 달(미달)하다 come up to〔fall short of〕 the standard. ∥ ~형 a standard type〔size〕/ ~화 standardization(~화하다 standardize).

표지 (表紙) a cover. ¶ 책에 ~를 씌우다 cover a book; put the cover on a book.

표지 (標識) a sign; a mark. ¶ ~를 세우다 put up a sign. ∥ ~등 a beacon light.

표징 (表徵) a sign; a symbol.

표착 (漂着) ~하다 drift ashore.

표창 (表彰) (official) commendation; citation. ~하다 commend a person 《for a thing》 officially honor 《a person》. ∥ ~장 a testimonial.

표토 (表土) topsoil; surface soil.

표피 (表皮) 〔解〕 the epidermis. ∥ ~조직〔세포〕 epidermal tissue〔cell〕.

표하다 (表一) express; show. ¶ 경의를 ~ pay one's respects 《to》.

표현 (表現) (an) expression. ~하다 express; represent. ∥ ~력 power of expression / ~주의 expressionism. / 〔pos...

푸념 (불평) an idle complaint; grumble. ~하다 complain 《of...

about); grumble〔whine〕 《*about*》. ¶ 《물을》 draw; dip〔scoop〕 up; ladle〔국자로〕; pump〔펌프로〕. ¶ 우물물을 펌프로 ～ pump water out〔up〕 from a well.

푸닥거리 a service of exorcism. ～하다 exorcize; perform an exorcism.

푸대접(―待接) inhospitality; a cold treatment〔reception〕. ～하다 treat〔receive〕 《*a person*》 coldly; give〔show〕 《*a person*》 the cold shoulder.

푸드덕거리다 flap; flutter.

푸들〔개〕 a poodle.

푸딩 a pudding.

푸르다 ① 《색이》 (be) blue; azure; green〔초록〕. ② 《서슬이》 (be) sharp(-edged).

푸르스름하다 (be) bluish; greenish.

푸른곰팡이〔植〕 green mold.

푸릇푸릇~ ～한 fresh and green here and there.

푸석돌 a crumbly stone.

푸석푸석~ ～한 a crumbly thing; friable stuff; 《사람》 a fragile〔frail〕 person.

푸석푸석 ～한 fragile; crumbly.

푸성귀 greens; vegetables.

푸주(― 廚) a butcher's 《shop》. ‖ ～한(漢) a butcher.

푸짐하다 (be) abundant; profuse; generous.

푹 ① 《쑥 빠지는 모양》 ～ 가라앉다 sink deep. ② 《찌르는 모양》 단검으로 ～ 찌르다 thrust a dagger home. ③ 《덮어쓰는 모양》 모자를 ～ 눌러 쓰다 pull 〔draw〕 *one's* hat over *one's* eyes. ④ 《잠자는 모양》 fast; soundly. ¶ ～ 자다 sleep soundly. ⑤ 《흠씬》 well; thoroughly. ⑥ 《쓰러지는 모양》 ¶ ～ 쓰러지다 fall with a flop.

푹신하다 ～한 soft; downy; spongy; cushiony; flossy. ¶ 푹신푹신한 all soft; downy; fluffy; spongy.

푹푹 ～ 쓰다 spend 《*money*》 freely / 《날씨가》 ～ 찌다 be sultry〔muggy〕.

푼 ① 《돈 한 닢》 a *pun*; an old

Korean penny〔=1/10 *don*〕. ¶ 돈 ～이나 모으다 make a pretty penny. ② 《백분율》 percentage; percent〔%〕. ¶ 3～ 이자 3% interest. ③ 《길이》 a tenth of a Korean inch〔=*chi*〕. ④ 《무게》 a Korean penny-weight〔=0.375 gram〕.

푼더분하다 ① 《얼굴이》 (be) plump; fleshy. ② 《넉넉하다》 (be) plentiful; ample; rich.

푼돈 a small sum (of money).

푼푼이 penny by penny.

풀[1] grass; a weed〔잡초〕; a herb 《약초》. ¶ ～을 뽑다 weed 《*a garden*》 / ～을 뜯다 〔마소가〕 feed on grass; graze.

풀[2] paste〔붙이는〕; starch. ¶ ～먹이다 starch 《*clothes*》 / ～먹인 옷 starched clothes.

풀[3] 《수영장》 a swimming pool.

풀기(―氣) starchiness. ¶ ～ 있는 starchy.

풀다 ① 《끄르다》 untie; loosen; undo; untwist; disentangle; unpack; unfasten. ② 《의심·오해를》 dispel; remove; clear up; dissipate; chase. ③ 《용해》 melt; dissolve. ④ 《코를》 blow 《*one's* nose》. ⑤ 《사람을》 send out; call out. ¶ 사람을 풀어 범인을 찾다 send out men in search of a criminal. ⑦ 《논을》 convert 《*a farm*》 into 《*a paddy field*》. ⑧ 《해제하다》 remove; lift 《*a ban*》; release 《*a man*》 / ～ thaw the frozen assets. ⑨ 《소원성취》 realize. ¶ 소원을 ～ have *one's* desire fulfilled. ⑩ 《긴장·피로》 relieve. ⑪ 《화 따위》 appease; calm. ¶ 갈증을 ～ quench *one's* thirst.

풀리다 ① 《get loose; come untied 〔undone〕; come apart; fray; come〔get〕 disentangled; come〔get〕 unpacked. ② 《감정이 누그러지다》 be softened; calm〔cool〕 down. ③ 《문제가》 be solved; be worked out. ④ 《의혹·오해가》 be

resolved [dispelled]; be cleared away. ⑤ 《피로가》 recover from; be relieved of 《one's fatigue》. ⑥ 《추위가》 abate; thaw. ⑦ 《해제》 be removed [lifted]. ⑧ 《용해》 dissolve; melt. ⑨ 《돈이》 get circulated; be released.

풀무 a (pair of) bellows. ¶ ~ 질 하다 blow with the bellows.

풀발 a grass field; a meadow.

풀뿌리 grass roots. ‖ ~ 민주주의 grass-roots democracy.

풀숲 a bush; a thicket.

풀썩 먼지가 ~ 나다 A cloud of dust rises lightly.

풀쐐기 [蟲] a (hairy) caterpillar.

풀쑤다 ① 《풀을》 make paste. ② 《재산을》 squander; dissipate.

풀어놓다 ① 《놓아줌》 set free: release; let [cast] loose. ② 《끄나풀을》 put; send; dispatch. ¶ 형사를 ~ 세 set [put] detectives upon 《a person》.

풀어지다 ① 《국수·죽이》 turn soft. ② 《눈이》 《one's eyes》 become bleared. ③ 《of grass》.

풀죽다 be dejected; be cast down: be dispirited; lose one's heart.

풀잎 a blade of grass; a leaf.

풀칠 ① 《칠하기》 ~ 하다 paste. ② 《생계》 ~ 하다 make one's bare living; eke out a living.

풀풀 ¶ ~ 날다 fly [run] swiftly [nimbly].

풀피리 a reed.

품¹ 《웃의》 the breast width 《of a coat》. ¶ 앞~ the breast width. ② 《가슴》 the breast; the bosom.

품² 《수고·힘》 labor; work. ¶ 하루 ~ a day's work / ~ 을 팔다 work for (daily) wages.

품³ 《외양》 appearance; 《모양》 a way; 《말하는》 one's way of talking.

품갚음하다 work in return.

품격(品格) elegance; refinement; grace; dignity(품위). ¶ ~ 있는 refined; elegant.

품계(品階) rank; grade.

품귀(品貴) a scarcity [shortage] of goods [stock]. ¶ ~ 상태로 be

scarce; be in short supply.

품다 ① 《가슴에》 hold in one's bosom; embrace; hug. ② 《마음에》 hold; entertain; cherish; harbor; bear. ③ 《알을》 sit [brood] 《on eggs》.

품명(品名) the name of an article.

품목(品目) a list of articles; an item. ¶ ~ 별로 item by item.

품사(品詞) 《文》 a part of speech.

품삯 charge [pay, wages] for labor. ¶ ~ 을 주다 pay wages.

품성(品性) character. ¶ ~ 이 훌륭한 [비열한] 사람 a man of fine [low] character.

품앗이 exchange of services (labor); ~ 하다 exchange services; work in turn for each other.

품위(品位) ① 《품격》 dignity; grace. ¶ ~ 있는 dignified; noble; graceful. ② 《금속의》 standard; fineness(순도); carat (금의).

품의(稟議) the process of obtaining sanction 《from senior executives》 for a plan by circulating a draft proposal. ~ 하다 consult (confer) 《with a superior》. ‖ ~ 서 a draft prepared and circulated by a person in charge to obtain the sanction to a plan.

품절(品切) 《게시》 All sold, or Sold out. ¶ ~ 되다 be [run] out of stock; be sold out.

품종(品種) 《종류》 a kind; a sort; 《변종》 a variety; 《가축의》 a breed; 《生》 species. ‖ ~ 개량 improvement of breed.

품질(品質) quality. ¶ ~ 이 좋다[나쁘다] be good [poor] in quality ‖ ~ 관리 quality control / ~ 증명 a hallmark.

품팔다 work for (daily) wages.

품팔이꾼 a day laborer; a wage worker.

품평(品評) ~ 하다 evaluate. ‖ ~ 회 a competitive [prize] show; an exhibition; a fair 《米》.

품하다(稟一) submit 《a plan》 to a

superior.

품행(品行) conduct; behavior. ¶ ~ 이 좋은[나쁜] 사람 a well-behaved[an ill-behaved] person.

풋 new; fresh; young; early[일찍 나온]; green; unripe[덜 익은].

풋것 the first product (*of fruits, vegetables*) of the season.

풋곡식(一穀一) unripe grain.

풋과실(一果實) green fruits.

풋김치 *kimchi* prepared with young vegetables. 「herbs.

풋나물 (a dish of) seasoned young

풋내 smell of fresh young greens. ¶ ~ 나다 smell of greens; (비유적) be green (unfledged, inexperienced).

풋내기 a greenhorn; a green[new] hand; a novice; a beginner. ¶ ~ 의 new; green; raw. ‖ ~ 기자 a cub reporter (R).

풋사랑 calf love[puppy love].

풍(風)¹ (허풍) a boast; a brag; a tall talk. ¶ ~ 을 떨다[치다] boast; brag; talk big[tall].

풍(風)² ☞ 풍병(風病).

—풍(風) (의양) (an) appearance; a look; an air; (양식) a style; a fashion. ¶ 미국 ~ 의 American-style.

풍경(風景) (경치) a landscape; a scenery. ‖ ~ 화(가) a landscape (painter).

풍경(風磬) a wind-bell.

풍광(風光) scenery; (scenic) beauty. 「play the organ.

풍금(風琴) an organ. ¶ ~ 을 치다

풍기(風紀) public morals[decency]; discipline. ¶ ~ 를 문란하게 하다 corrupt public morals.

풍기다 ① (냄새를) give out [off] an odor[a scent] (*of*); (냄새가) smell (*of*); (향기가) be fragrant (*of*); (악취가) stink (*of oil*); reek (*of garlic*). ② (암시하다) hint (*at*); give[drop] a hint; suggest.

풍년(豐年) a year of abundance; a fruitful[bumper] year. ¶ ~ 이 들다 have a rich harvest[crop]

(*of rice*).

풍덩 with a splash.

풍뎅이 a goldbug; a May beetle.

풍랑(風浪) wind and waves; heavy seas.

풍력(風力) the force[velocity] of the wind. ‖ ~ 계(計) a wind gauge. 「stove.

풍로(風爐) a (portable) cooking

풍류(風流) ① (멋) elegance; refinement; taste. ¶ ~ 있는 refined; elegant; tasteful. ‖ ~ 가(客) a man of refined taste. ② (음악) music.

풍만(豐滿) ¶ ~ 한 plump; buxom (여성이); voluptuous(관능적인) / ~ 한 가슴 well-developed breast.

풍매(風媒) ¶ ~ 화 an anemophilous flower. ‖ ~ 화 wind-pollinated.

풍모(風貌) features; countenance; looks; appearance.

풍문(風聞) (세평) a rumor; hearsay.

풍물(風物) ① (경치) scenery; (풍속 사물) things. ② (악기) instruments for folk music.

풍미(風味) flavor; taste; savor; relish. ¶ ~ 가 있다[없다] taste good[bad]; be nice[nasty].

풍미(風靡) ¶ ~ 하다 sway; dominate.

풍부(豐富) ¶ ~ 한 rich (*in*); abundant; wealthy; ample / ~ 하게 하다 enrich (*the contents*).

풍비박산(風飛雹散) ¶ ~ 하다 scatter [disperse] in all directions.

풍상(風霜) wind and frost; (시련) hardships.

풍선(風船) a balloon. ¶ ~ 을 불다[띄우다] inflate[fly] a balloon. ‖ ~ 껌 a bubble gum / 고무 ~ a rubber balloon. 「snow.

풍설(風雪) a snowstorm; wind and

풍성(豐盛) ¶ ~ 한 (be) rich; abundant; plentiful.

풍속(風俗) manners; customs; (사회 도덕) public morals. ¶ ~ 을 어지럽히다 corrupt[offend] public morals[decency]. ‖ ~ 도(화) a *genre* picture.

풍속(風速) the velocity of the wind. ¶ ~계 an anemometer; a wind gauge.

풍수해(風水害) damage from storm and flood.

풍습(風習) customs; manners; practices. ¶ ~에 따르다 observe a custom.

풍식(風蝕) wind erosion; weathering.

풍악(風樂) music. ¶ ~을 잡히다 have music played.

풍압(風壓) wind pressure. ∥ ~계(計) a pressure anemometer.

풍어(豐漁) a big (large, good) catch (of); a big haul (of fish).

풍요(豐饒) ~하다 (be) rich; affluent; abundant.

풍우(風雨) wind and rain; a rainstorm. ☞ 비바람.

풍운(風雲) winds and clouds; 《형세》 the state of affairs; the situation. ¶ ~아 a hero of the troubled times.

풍월(風月) the beauties of nature; poetry(詩). ¶ ~을 벗삼다 converse (commune) with nature.

풍자(諷刺) (a) satire; a sarcasm; an irony. ~하다 satirize. ¶ ~적인 satirical; ironical; sarcastic. ¶ ~ 문학 a satire.

풍작(豐作) a good (rich) harvest.

풍장(風葬) aerial sepulture (burial).

풍재(風災) damage from wind.

풍전등화(風前燈火) a candle flickering in the wind. ¶ ~이다 be in an extremely precarious position.

풍조(風潮) a tendency; a trend; the current. ¶ 세상 ~를 따르다(거스르다) go with (against) the stream of the times.

풍족(豐足) ~한 abundant; plentiful; ample; rich(부유). ¶ ~하게 살다 be well off.

풍차(風車) a windmill.

풍채(風采) one's (personal) appearance; presence. ¶ ~가 좋다 have a fine presence.

풍치(風致) scenic beauty. ¶ ~를 더하다 add charm to the view.

풍토(風土) climate; natural features (of a region). ¶ ~병 a endemic disease; a local disease.

풍파(風波) ① 《파도와 바람》 wind and waves; a storm; 《거친 파도》 rough seas. ② 《불화》 discord a trouble; 《어려움》 hardships; a storm.

풍향(風向) the direction of the wind.

풍화(風化) 【地】 weathering. ¶ ~되다 weather. ∥ ~작용 weathering. ┃ ~성(性) efflorescence; 《化》 efflorescence; 《化》 efflorescence《tanism.

퓨리턴 a Puritan. ∥ 퓨리터니즘 Puritanism.

퓨즈 a fuse. ¶ ~가 끊어졌다 The fuse has blown (burnt out).

풀리처상(一賞) the Pulitzer Prize.

프라이 a fry. ~하다 fry. ¶ ~한 fried (eggs). ¶ ~팬 a frying pan.

프라이드 pride. ¶ ~가 있는 proud self-respecting.

프라이버시 privacy.

프랑 《프랑스 화폐》 a franc.

프랑스 France. ¶ ~의 French ~요리 French dishes / ~인 a Frenchman; the French (국민).

프래그머티즘 pragmatism.

프러포즈 a proposal. ~하다 propose (to).

프런트 《호텔의》 the front (reception) desk. ∥ ~유리 《자동차의》 a windshield 《美》.

프레스 ① 《누르기》 press. ② 《신문》 the press. ∥ ~박스 the press box(기자석).

프로 ① ☞ 프로그램. ¶ ~를 짜다 make up a program. ② 《프롤 레타리아》. ∥ ~문학 proletarian literature. ③ ☞ 프로페셔널. ∥ 야구 ~ 선수 《야구》 a pro (fessional player (baseball). ④ 《퍼센트》 percent.

프로그래머 a program(m)er.

프로그래밍 program(m)ing.

프로그램 a program; a playbill (극의).

프로덕션 《영화의》 a film production; a movie studio.

프로듀서 a producer.

프로모터 a promoter.

프로세스 a process.

프로젝트 a project 《team》.

프로테스탄트 a Protestant(신자).

프로판가스 propane gas.

프로페셔널 professional.

프로펠러 (spin) a propeller.

프로필 a profile.

프록코트 a frock coat.

프롤레타리아 the proletariat(총칭);
a proletarian(한 사람). ∥ ∼ 혁명
a proletarian revolution.

프롤로그 a prolog(ue) 《to》.

프리마돈나 a *prima donna* 《의》.

프리미엄 a premium; 《∼을 붙이
다》 put [place] a premium 《on》.

프리즘 【理】 a prism.

프리패브 《조립식》 ∥ ∼주택 a pre-
fab; a prefabricated house.

프린트 《인쇄》 a print; a copy; 《등
사》 ∥ ∼하다 print.

프토마인 【化】 ptomaine 《poisoning》.

플라스마 plasma.

플라스크 【化】 a flask.

플라스틱 plastic(s). ∥ ∼용기 a
plastic container / ∼제품 plastic
goods.

플라이급 (一級) the flyweight.

플라타너스 【植】 a plane (tree); a
sycamore 《美》.

플라토닉러브 platonic love.

플란넬 flannel.

플랑크톤 plankton.

플래시 a flash. ∥ ∼를 터뜨리다
light a flash bulb.

플래티나 platinum(기호 Pt).

플랜트 a 〔an industrial〕 plant.
∥ ∼수출 export of (industrial
goods.

플랫폼 a platform. 〔plants 《to》.

플러그 【電】 a plug. ∥ ∼를 꽂다
〔뽑다〕 put the plug in 〔pull the
plug out of〕 the socket.

플러스 plus. ─ 하다 add 《two》
to 《six》. ∥ ∼기호 a plus (sign) /
∼알파 plus something.

플레어스커트 a flared skirt.

플레이트 a plate; 【野】 a pitcher's
plate. ∥ ∼을 밟다 take the plate
(mound).

플루토늄 【化】 plutonium(기호 Pu).

피¹ ① 《혈액》 blood. ∥ ∼ 묻은
blood-stained / ∼를 흘리다 spill
〔shed〕 blood / ∼를 뽑다 draw
blood, 《수혈》 《혈연》 blood (rela-
tion). ∥ ∼를 나눈 형제 *one's* blood
brother / ∼ 는 물보다 진하다
Blood is thicker than water. ③
《비유적으로》 피에 굶주린 blood-
thirsty / 그는 ∼도 눈물도 없는 인
간이다 He is a cold-blooded
person.

피² 《植》 a barnyard grass.

피… 《被》 ∥ ∼지배자 the ruled(총
칭) / ∼선거인 a person eligible
for election.

피검 《被檢》 ∥ ∼되다 be arrested;
∼된 the arrested; a person in
custody. 〔선수 a figurer.

피겨스케이팅 figure skating.

피격 《被擊》 ∥ ∼당하다 be attacked
〔assailed, assaulted〕 《by》.

피고 《被告》 a defendant(민사의);
the accused(형사의). ∥ ∼측 변호
인 the counsel for the defense
〔accused〕.

피고용자 《被雇傭者》 an employee;
the employed(총칭).

피곤 《疲困》 tiredness; fatigue;
weariness. ∼하다 (be) tired;
weary; exhausted.

피골 《皮骨》 ∥ ∼이 상접하다 be all
skin and bones; be worn to a
shadow.

피나무 【植】 a lime tree; a linden.

피난 《避難》 refuge; shelter. ∼하다
take refuge 〔shelter〕 《in, from》.
∥ ∼민 a refugee / ∼살이 a refugee
life / ∼처 a shelter; a 〔place〕
of refuge.

피날레 a finale; the end.

피눈물 《shed》 bitter tears; tears
of agony; salt tears.

피닉스 《불사조》 the phoenix.

피다 ① 《꽃이》 bloom; blossom;
flower; open. 〔in (full) bloom;
be out 〔open〕. ② 《불이》 begin to
burn; be kindled. ③ 《얼굴이》 look
better 〔fine〕; (be in the) bloom.
④ ☞ 피어나다

피대(皮帶) a (leather) belt.

피동(被動) passivity. ¶ ～적(으로) passive(ly). ∥ ～사(詞) a passive verb.

피둥피둥 ① 《몸이》 ¶ ～한 plump; fat; healthy. ② 《불복종》 ¶ ～한 disobedient; stubborn.

피땀 blood and sweat; greasy sweat. ¶ ～을 흘리며 일하다 sweat blood; toil and moil.

피라미 [魚] a minnow.

피라미드 a pyramid. ¶ ～형의 pyramidal.

피란(避亂) refuge; shelter. ～하다 take refuge 《in》; flee 《to a place》 for safety. ∥ ～민 refugees; evacuees.

피력(披瀝) ¶ ～하다 express 《one's opinion, oneself》.

피로(披露) (an) announcement. ～하다 announce; introduce. ∥ ～연 a reception; a banquet.

피로(疲勞) fatigue; exhaustion. ¶ ～한 tired; weary.

피뢰침(避雷針) [理] a lightning rod 《conductor》.

피룩 dry goods 《美》; drapery 《英》; 《직물》 cloth; (textile) fabrics.

피리 a pipe(세로로 부는); a flute (옆으로 부는). ¶ ～를 불다 play the flute (pipe).

피리새 [鳥] a bullfinch.

피리어드 (put) 《a period 《to》; a full stop.

피마자 (蓖麻子) ⇨ 아주까리.

피막 (皮膜) a film; [解] a tapetum.

피멍들다 be (get) bruised.

피보증인(被保證人) a warrantee.

피보험물(被保險物) an insured article; insured property.

피보험자(被保險者) a person insured; the insured(총칭).

피보호자(被保護者) [法] a ward; a protégé(남), a protégée(여) 《프》.

피복(被服) clothing; clothes. ∥ ～비(費) clothing expenses.

피복(被覆) covering; coating. ∥ ～재료 covering material.

피부(皮膚) the skin. ¶ ～가 거칠다 〔약하다〕 have a rough 〔deli-

cate〕 skin. ∥ ～과(科) dermatology / ～과 의사 a dermatologist / ～병 a skin disease.

피사(이탈리아의 도시) Pisa. ¶ ～의 사탑 the Leaning Tower of Pisa.

피살(被殺) ¶ ～되다 get killed (murdered).

피상(皮相) ¶ ～적인 견해 〔관찰〕 superficial view 《observer》.

피상속인(被相續人) [法] an ancestor; a predecessor.

피서(避暑) summering. ～하다 (pass the) summer 《at, in》. ¶ ～ 가다 go to 《a place》 for summering. ∥ ～객[지] a summer visitor 《resort》.

피선(被選) ¶ ～되다 be elected.

피선거권(被選擧權) eligibility for election. ¶ ～이 있다 be eligible for election.

피선거인(被選擧人) a person eligible for election.

피스톤 a piston.

피스톨 a pistol; a revolver.

피습(被襲) ¶ ～당하다 be attacked.

피승수(被乘數) [數] a multiplicand.

피신(避身) ¶ ～하다 escape (secretly); flee to; hide (conceal) oneself. ∥ ～처 a refuge; shelter.

피아(彼我) he and I; they and we.

피아노 a 《grand》 piano. ¶ ～를 치다 play (on) the piano. ∥ ～ 독주 a piano solo / ～ 협주곡 a piano concerto.

피아니스트 a pianist.

피안(彼岸) ① [佛] Paramita 《범》. ② ⇨ 대안(對岸).

피앙세 a fiancé(남자) 《프》, fiancée(여자) 《프》.

피어나다 ① 《불이》 burn up again. ② 《소생》 revive; come to oneself (life again). ③ 《꽃이》 come into bloom. ④ 《형편이》 get better; improve.

피에로 a pierrot; a clown.

피엘오 P. L. O. (◀Palestine Liberation Organization)

피우다 ① 《불을》 make a fire 《in

the stove). ② (담배·향을) smoke; puff (at a pipe); burn. ┃한 대 ~ have a smoke. ③ (재주를) use; play (do) (tricks); (바람을) have an affair (with). ④ (냄새를) emit (a scent); give out (off) (an odor).　「pected person.

피의자(被疑者) a suspect; a sus-

피임(避妊) contraception. ~ 하다 prevent conception. ~ 약 a contraceptive.

피장파장 ┃ ~이다 be all square; be quits (with a person).

피제수(被除數) a dividend.

피차(彼此) (이것저것) this and that; (서로) you and I; both; each other; ~의 mutual / ~일반이다 be mutually the same.

피처 [野] (play as) a pitcher.

피치 ① (소리의) a pitch; (높은 소리) a high-pitched voice. ② [漕艇] a stroke. ┃20~로 노를 젓다 row 20 strokes to the minute. ③ (아스팔트) pitch. ④ (능률·속도) (a) pace. ~를 올리다 [늦추다] speed up (slow down).

피침(被侵) ~ 되다 be invaded (됨략); be violated (침범).

피칭 [野] pitching.

피켈(登山) pickel; an ice ax.

피켓 a picket. ┃ ~을 치다 put (place) pickets (in front of a factory); ~라인 (break through) a picket line.

피콜로 [樂] a piccolo.

피크 a peak. ┃교통량이 ~에 이르 peak hours of traffic.

피크닉 (go on) a picnic.

피클 (절인 것) pickles.

피타고라스 Pythagoras. ┃ ~의 정리 the Pythagorean theorem.

피투성이 ┃ ~의 bloody; blood-stained / ~가 되다 be smeared (covered) with blood.

피트 (생략 ft). ~ peak. ┃ 10 ~짜리 장대 a ten-foot (long) pole.

피폐(疲弊) ~ 하다 become [be] exhausted [impoverished].

피폭(被爆) ┃ ~되다 be bombed / 원폭으로 ~되다 an A-bomb victim.

피피엠(백만분율) ppm; PPM. (◀ parts per million)

피하(皮下) ┃ ~의 hypodermic / ~지방 subcutaneous fat / 출혈 hypodermal bleeding.

피하다(避-) (비키다) avoid; avert; dodge (duck) (a blow); (멀리하다) keep away from (danger); (책임·의무를) shirk (sidestep) (one's responsibility); (도피하다) get away (from); (면하다) escape. ┃ 피치 못할 inevitable; unavoidable.

피한(避寒) wintering. ~ 하다 spend (pass) the winter (at, in). ┃ ~지 a winter resort.

피해(被害) damage; harm; (상해) injury. ┃ ~를 주다 damage; do damage (harm) (to). ~ 망상 (병) persecution mania / ~자 (재해·범죄의) sufferer; a victim; (부상자) the injured.　「testee.

피험자(被驗者) (실험의) a subject; a

피혁(皮革) hides; leather (무두질한). ┃ ~제품 a leather article; leather goods(총칭).

피후견인(被後見人) [法] a ward.

픽 ┃ ~하는 소리 a hiss; a swish / ~ 쓰러지다 fall down feebly.

픽션 fiction.

픽업(전축의) a pickup; a stylus bar; (자동차) a pickup (truck).

핀 a hairpin(머리의). ┃ ~을 꽂다 fasten with a pin; pin (up) (on, to).

핀란드 Finland. ┃ ~의 Finnish. ┃ ~사람 a Finn / ~어 Finnish.

핀셋 (a pair of) tweezers; a pincette (프).

핀잔 a (personal) reprimand (reproof). ┃ ~ 주다 reprove (a person) to his face; reprimand (a person) personally.

핀치 a pinch; a crisis; a fix (美口). ┃ ~에 몰리다 be thrown into a pinch; get oneself in a

ㅍ

fix.

핀트(초점) (a) focus. ¶ ∼가 맞다[안 맞다] be in [out of] focus. ②《요점》the point. ¶ ∼가 어긋나다 be off the point.

필(匹)《마소의》a head. ¶ 세 ∼의 말 three head of horses.

필(疋)a roll [bolt] of cloth.

…필(畢) finished; O.K. [☞ 필하다]. ¶ 지불(支拂)∼ “Paid.”

필경(畢竟) after all; in the end.

필경(筆耕) copying; stencil-paper writing.

필기(筆記) taking notes. ∼하다 take notes [of]. ‖ ∼시험 a written examination.

필담(筆談) ∼하다 talk by means of writing.

필답(筆答) a written answer [reply]. ∼하다 answer in writing.

필독(必讀) a must to read. ¶ ∼서 a must book [for students] / 이 책은 모든 사람의 ∼서이다 This book is a must.

필두(筆頭) the first on the list. ¶ 사장을 ∼로 from president down.

필라멘트【電】a filament.

필력(筆力) the power [strength] of the brush stroke(s).

필름 a film. ¶ ∼ 한 통 a roll [spool] of film; 《영화의》a reel of film / ∼에 담다 film (a scene); get (a scene) on film.

필리핀 the Philippines. ¶ ∼의 Philippine. ‖ ∼사람 a Filipino.

필멸(必滅) being fated to perish. ¶ ∼의 perishable; mortal. ‖ 생자(生者) ∼ All living things must die.

필명(筆名) a pen name.

필묵(筆墨) brush and Chinese ink; stationery. [방구당).

필법(筆法)《운필법》a style of penmanship;《문체》a style of writing.

필봉(筆鋒) the power of the pen. ¶ ∼이 날카롭다 have a sharp style of writing. [tion.

필부(匹夫) a man of humble posi-

필사(必死) ¶ ∼의 frantic; desperate / ∼적으로 frantically; desperately; for one's life / ∼적으로 노력하다 make desperate efforts.

필산(筆算) calculation with figures. ∼하다 do sums on a piece of paper.

필살(必殺) ¶ ∼의 일격을 가하다 deliver a deadly [death] blow.

필생(畢生) ¶ ∼의 lifelong / ∼의 사업 one's lifework.

필설(筆舌) ¶ ∼로 다할 수 없다 be beyond description.

필수(必須) ¶ ∼의 indispensable (to); necessary; essential (to); required. ‖ ∼과목 a required [compulsory] subject.

필수품(必需品) necessary articles; necessaries; necessities. ¶ 생활∼ daily necessaries; the necessities of life.

필승(必勝) certain victory. ¶ ∼의 신념을 가지고 싸우다 fight with firm assurance of victory.

필시(必是) certainly; no doubt; presumably.

필연(必然) inevitability; necessity. ¶ ∼의 necessary; inevitable / ∼적으로 necessarily; inevitably; naturally. ‖ ∼성 necessity; inevitability.

필요(必要) necessity; need. ¶ ∼한 necessary; indispensable; essential. ¶ ∼한 경우에는 in case of need; if necessary; if need be / …할 ∼가 있다 it is necessary to do; must do. ‖ ∼성(性) necessity / ∼악 a necessary evil.

필유곡절(必有曲折) There must be some reason for it.

필자(筆者) the writer; the author; this writer〔자신〕.

필적(匹敵) ∼하다 be equal (to); be a match (for); rival. ¶ ∼할 만한 사람〔것〕이 없다 have no equal [match].

필적(筆蹟)《글씨》handwriting.

필주(筆誅) ¶ ∼를 가하다 denounce (a person) in writing.

필지(必至) inevitability. ∼하다 be

sure to come; be inevitable. ¶ ~ 의 inevitable.

필지(筆地) a lot [plot] (of land).

필진(筆陣) the writing [editorial] staff.

필치(筆致)《필세》 a stroke of the brush;《화면의》 a touch;《문체》 a literary style. ¶ 가벼운 ~ 로 with a light touch.

필터 a filter; a filter tip(담배의).

필통(筆筒) a pencil [brush] case.

필하(畢―) finish; end; get [go] through; complete.

필휴(必携) ¶ ~ 의《a book》 indispensable 《to students》.

핍박(逼迫) ①《재정이》 ~ 하 다 be tight; get stringent. ¶ 재정의 ~ pressure for [tightness of] money. ②《박해》 ~ 하다 molest; persecute.

―기(血色) ¶ ~ 없는 as white as a sheet; pale (and bloodless).

핏대 a (blue) vein. ¶ ~ 를 올리다 boil with rage; turn blue with anger.

핏덩어리《피의 덩어리》 a clot of blood;《갓난아이》 a newborn baby.

핏발서다 be bloodshot; be congested (with blood).

핏줄 ①☞ 혈관. ②《혈족》 blood (relationship);《가계》 lineage. ¶ ~ 이 같은 blood-related.

핑 ①《도는 꼴》 (turn) round. ②《어쩔한 꼴》 (feel) dizzy [giddy].

핑계 a pretext; an excuse (☞ 구실). ¶ ~ 를 대다 make up [find] an excuse.

핑그르르 (spinning, whirling, turning) around (smoothly). ¶ 공을 ~ 돌리다 spin a ball round.

핑크 ¶ ~ 색의 pink.

핑퐁 (play) ping-pong. ☞ 탁구.

핑핑 round and round. ¶ 머리가 ~ 돌다 feel dizzy [giddy].

핑핑하다 ①《켕기다》 (be) taut; tense. ②《어슷비슷함》 (be) even; equal; be evenly matched.

Ⅱ

ㅎ

하(下) ① 《하급》 the low class [grade]. ② 《아래·밑》 ~ 반신 the lower half of the body. ③ 《한자로 된 명사 아래 붙어》 under; 《아무의 감독》 ~에 under the supervision of *a person*.

하강(下降) a fall; a drop: a descent; 《경기 등의》 (a) decline; a downturn. ─하다 descend; fall; go [come] down. ¶ 경기가 ~하고 있다 The economy is on the decline.

하객(賀客) a congratulator; a well-wisher. ¶ 신년 ~ a New Year's caller [visitor].

하계(下界) 《현세》 this world; 《지상》 the earth.

하계(夏季) ☞ 하기(夏期).

하고 《및》 and; 《함께》 with; along [together] with. ¶ 너 ~ 나 you and I / 그녀 ~ 가다 go with her.

하고많다 be numerous; innumerable; countless; plentiful.

하곡(夏穀) summer crops; wheat and barley.

하관(下棺) ─하다 lower a coffin into the grave.

하관(下顴) the lower part of the face; the jaw (area). ¶ ~이 빨다 have a pointed jaw.

하교(下敎) 《왕의 명령》 a royal command; 《명령·지시》 an instruction [order] from a superior.

하교(下校) ─하다 leave school (*at the end of the day*). ¶ ~길에 벗을 만나다 meet *a person* on *one's* way home from school.

하구(河口) the mouth of a river; a river mouth.

하권(下卷) the last volume; the second volume.

하극상(下剋上) the lower [juniors] dominating the upper [seniors].

하급(下級) a low(er) class [grade]. ¶ ~의 low-class; lower; junior; inferior. ¶ ~ 공무원 a petty [lower, junior] official; a lower-level (government) officials (총칭) / ~생 a student in a lower class [grade]; an underclassman (美) / ~품 lower-grade goods.

하기(下記) ~ ☞ 의 the following mentioned below / 내용은 ~과 같다 The contents are as follows.

하기(夏期) summer(time); the summer season. ¶ ~강습회 a summer school / ~휴가 《방학》 the summer vacation (holidays).

하기는 《실상은》 in fact [truth] indeed. ¶ ~ 네 말이 옳다 Indeed you are right.

하기식(下旗式) a flag-lowering ceremony; 《軍》 the retreat.

하나 《1, 한 개》 one; single; unity 《단일체》; 《동일》 the same (the) identical. ¶ ~씩 one by one / 그녀의 단 ~의 꿈 her one and only dream.

하나님 ☞ 하느님.

하녀(下女) a maid (servant).

하느님 God; the Lord; the Father; Heaven. ¶ ~의 섭리 (devine) Providence.

하늘 《천공》 the sky; the air; the heavens. ¶ ~빛(의) sky-blue; azure / ~ 높이 high up in the sky. ② 《하늘의 섭리》 Heaven; Providence; 《하느님》 Heaven; God. ¶ ~은 스스로 돕는 자를 돕는다 Heaven helps those who help themselves.

하늘거리다 swing; sway; tremble.

하늘다람쥐 《動》 a flying squirrel.

하늘소 《蟲》 a long-horned beetle.

하다 ① 《행하다》 do; perform

make; try(시도); play 《games》;
act(행동); (실행) carry on; prac-
tice. (착수) set about; go in for.
│ ~ 말고 그만두다 leave 《a thing》
half-done. (연기) perform; act
《the part of Hamlet》; play. ③
《먹다》 take; help *oneself* to;
have; eat; drink; (피우다) smoke.
│ 한 잔 더 ~ have another glass.
④ (값이) cost 《1,000 won》; be
worth.

하다못해 at least [most]; (심지어)
so far as; to the extent of. │ ~
만원이라도 주었으면 좋겠다 At least
you can let me have 10,000
won.

하단(下段) ① (글의) the lower
column. ② (계단의) the lowest
step [tier].

하달(下達) 전달. │ 명령을 ~하다
issue an order; give orders.

하대(下待) ~하다 treat with dis-
respect; be inhospitable toward;
(말을) call 《a person》 by name
impolitely; do not mister 《a per-
son》.

하도 too (much); so (much); to
excess. │ ~ 바빠서 잠도 제대로 잘
수 없다 be too busy to get
enough sleep.

하도급(下都給) a subcontract. ~
하다 subcontract. ~을 주다
sublet; underlet; subcontract
《one's work》 to 《a person》 / 우리
는 A회사의 ~ 일을 하고 있다 We
get subcontracted work from A
company. ‖ ~입자 a subcon-
tractor.

하드웨어 〔컴〕 hardware.

하등(下等) ① low; inferior;
coarse; vulgar. ‖ ~동물 [식물]
the lower animals [plants] / ~
품 an inferior article.

하등(何等) 《아무런》 (not) any; what-
ever; the least; (not) in any
way. │ ~의 위험도 없이 without
the least danger / ~ 관계가 없다
be not in any way related 《to,
with》; have nothing to do
《with》.

하락(下落) a fall [drop, decline]
《in price》. ~하다 fall (off); de-
cline; drop; depreciate; come
[go] down. │ 급격한 ~ a sharp
drop. ‖ ~세(勢) a downward
[falling] tendency; a down-
trend.

하략(下略) the rest omitted. ~
하다 omit the rest.

하렘(회교국의) a harem.

하례(賀禮) (예식) a congratulatory
ceremony; a celebration; (축하)
congratulation; greetings. ~하
다 congratulate 《a person on》;
celebrate. ‖ 신년~ the New
Year's ceremony.

하룻거리다 act rashly [carelessly];
be flippant.

하루 ① (초하루) the first day of a
month. ② (날수) a (single) day;
one day. ~ 종일 all day
(long); the whole day / ~에 세
번(8시간) three times [eight
hours] a day. ③ 《어느 날》 one
day. │ ~는 그녀가 산책을 나갔다
One day she went out for a
walk.

하루거리 〔醫〕 a malarial fever.

하루빨리 without a day's delay;
as soon as possible. │ ~ 회복
하시기를 바랍니다 I wish you earli-
est possible recovery.

하루살이 〔蟲〕 a dayfly; a mayfly;
(덧없는 것) an ephemera.

하루하루 day by [after] day. │ ~
나아지고 있다 get better day by day.

하룻강아지 a (one-day-old) puppy.
│ ~ 범 무서운 줄 모른다 (俗談) Fools
rush in where angels fear to
tread.

하룻밤 one [a] night; (나쁜 뜻으로) naughtily
in a single night / ~을 지내다
pass a night 《in, at》.

하류(下流) ① (하천의) the down-
stream; the lower course
(reaches) 《of a river》. │ 한강 ~
에 on the lower Han River / 여기
서부터 3km ~ three kilometers
downstream from here. ② 《사회

의) the lower classes; the people of the lower class. ¶ ～의 lower-class. ¶ ～생활 (a) low life.

하르르하다 (be) thin; flimsy.

하틸없다 (be) unavoidable; inevitable; cannot be helped(서슭적). ¶ ～바라는 말을 들어도 ～ I can't help being called a fool.

하마(下馬) ～하다 dismount (from a horse). ‖ ～비(碑) a notice stone requiring riders to dismount / ～석 a horse block; a stepping(-stone). ¶ ～평(評) an outsider's irresponsible talk; common gossip (about the man who will be appointed to be a high official). 「hippo (口).

하마(河馬) 【動】 a hippopotamus; a

하마터면(거의) nearly; almost; (자칫하면) barely; narrowly.

하명(下命) 【命令】 a command; an order. ～하다 command; order; make an order.

하모니카 a harmonica.

하문(下問) ～하다 ask; inquire.

하물며(긍정) much (still) more; (부정) much (still) less. ¶ 그는 영어도 못 읽는데 ～ 독일어를 어찌 읽겠는가 He cannot read English, much less German.

하박(下膊) 【解】 the forearm. ‖ ～골 forearm bones.

하반(下半) the lower half. ‖ ～기(期) the latter (second) half of the year / ～신 the lower half of body.

하복(夏服) summer clothes (wear, dress); a summer suit.

하복부(下腹部) the abdomen; the abdominal region.

하부(下部) the lower part. ‖ ～구조(건물의) a substructure (단체 등의) infrastructure / ～조직 a subordinate organization; a subordinate organization.

하사(下士) a staff sergeant. ‖ ～관 (육군) a noncommissioned officer (생략 N.C.O.); 《해군》 a petty officer (생략 P.O.).

하사(下賜) ～하다 grant; bestow;

confer; donate(금전을).

하산(下山) ～하다 ① (산에서) descend (go down) a mountain. ② (절에서) leave a temple.

하상(河床) a riverbed; the bottom of a river.

하선(下船) leaving (getting off) a ship. ～하다 get off a ship; leave a ship; go ashore.

하선(下線) an underline. ¶ ～을 긋다 underline (a word).

하소연 an appeal; a petition; a complaint. ～하다 (make an appeal (to)); supplicate; complain of (about). ¶ 불공평하다고 ～하다 complain of the injustice.

하수(下水) sewage; waste (foul) water. ¶ ～구가 막혔다 The drain is stopped (blocked). ‖ ～구 a drain; a sewer; a gutter; a drain (의) / ～도 a sewer; a drain ～도 공사 drainage (sewerage works) / ～처리 sewage disposal / ～처리장 a sewage disposal (treatment) plant.

하수(下手)¹ (낮은 솜씨) lack of talent; unskillfulness; (사람) poor hand.

하수(下手)²(살인) ～하다 murder. ‖ ～인 the murderer.

하숙(下宿) lodging; boarding. ～하다 room (board, lodge 《英》) (at a place, with a person). ¶ ～을 치다 take in (keep) lodgers. ‖ ～생 a student boarder / ～집 (run) a boarding house(사 객공의); a rooming house(세 쓰는); a lodging house 《英》.

하순(下旬) the latter part (the last ten days) of a month. ¶ 5월 ～경에 toward the end of May; late in May.

하야(下野) ～하다 resign (step down) from one's public post.

하얗다 (be) pure white; snow white.

하얘지다 become white; turn white (gray). ¶ 머리가 ～ one's hair turns gray.

하여간(何如間) ☞ 하여튼.

하여튼 (何如一) anyhow; anyway; in any case; at all events. ¶ ~ 출발하도록 하자 Let's get started, anyway.

하역 (荷役) loading and unloading. ~ 하다 load and unload. ¶ 석탄을 ~ 하다 load [unload] coal. ~시설 loading facilities ¶ ~인부 a stevedore; a longshoreman.

하염없다 ① [아무 생각이 없다] (be) absent-minded; vacant; blank; empty. ② [끝닿는 데가 없다] ¶ 하염없이 endlessly; ceaselessly.

하오 (下午) afternoon ¶ ~ 오후.

하옥 (下獄) ~ 하다 put (a person) in prison; imprison.

하와이 Hawaii. ¶ ~의 Hawaiian ¶ ~ 사람 a Hawaiian.

하원 (下院) the Lower House; the House of Representatives (美); the House of Commons (英). ¶ ~의원 a member of the House of Representatives; a Congressman; a Congresswoman; a Congressperson (美); a Member of Parliament [the House of Commons] (英) / ~의장 the Speaker of the House (美); the Speaker of the House of Commons (英).

하위 (下位) a low(er) rank; a low grade. ¶ ~의 low-ranking (teams); subordinate (officers).

하의 (下衣) a pair of trousers; pants (美口).

하이라이트 a highlight. ¶ 오늘 뉴스 ~ the highlights of today's news.

하이볼 [알코올 음료] a highball (美); a whisky and soda (英).

하이킹 hiking; a hike. ¶ ~ 하는 사람 a hiker / ~ 가다 go hiking; go on a hike.

하이테크 high-tech; high technology. ¶ ~산업 a high-tech industry.

하이틴 ¶ ~의 소년소녀 boys and girls in their late teens ('high teen'은 우리식 영어다).

하이파이 [고충실도] hi-fi; high fideli-ty. ¶ ~의 hi-fi: high-fidelity. ¶ ~ 음향 재생 장치 a high-fidelity sound reproduction system.

하이픈 a hyphen. ¶ 두 단어를 ~으로 연결하다 hyphen [hyphenate] two words.

하이힐 high-heeled shoes.

하인 (下人) a servant.

하인방 (下引枋) [建] a lower lintel.

하자 (瑕疵) [결점] a flaw; a blemish; a defect. ¶ ~ 없는 flawless; all-perfect.

하자마자 as soon as; no sooner ... than; immediately (on). ¶ 한국에 도착하 ~ 나에게 알려 주십시오. As soon as you arrive in Korea, please let me know.

하잘것없다 (be) insignificant; trifling; negligible. ¶ 하잘것없는 일 trifles ¶ 하잘것없는 사람 a person of no importance; a nobody.

하저 (河底) a riverbed; the bed [bottom] of a river. ¶ ~터널 a riverbed tunnel.

하전 (荷電) [理] electric charge.

하제 (下劑) [醫] a purgative (medicine); a laxative(완하제). ¶ ~를 먹다 take a laxative.

하주 (荷主) a shipper(선적인); a consignor(하송인); an owner of the goods(임자). ¶ ~ 불명의 화물 unclaimed goods / 손해는 ~가 담으로 at owner's risk.

하중 (荷重) ¶ 안전 ~ safe load. ¶ ~시험 a load test.

하지 (下肢) the lower limbs; the legs.

하지 (夏至) the summer solstice.

하지만 but; however; though. ¶ 그렇기는 ~ It is true ..., but ... / ...하지 않을 수 없다 cannot help but do; cannot but do; cannot help doing; be compelled [obliged] to do.

하직 (下直) leave-taking. ~ 하다 say good-by(e) (to); take one's leave (of); bid farewell (to).

하차 (下車) ~ 하다 leave [get off] (the train); get out of (the car); alight from (the car).

하찮다 (be) worthless; trifling; trivial; insignificant; of little importance.

하천(河川) rivers. ¶ 1급 ~ A-class rivers. ‖ ~ 개수 river improvement / ~ 오염 the river contamination: pollution of a river.

하청(下請) a subcontract. ¶ ~을 맡다 subcontract / ~을 주다 sublet. ‖ ~공사 subcontracted work / ~공장 a subcontract factory / ~인 a subcontractor.

하체(下體) the lower part of the body. ¶ ~의 waist-down.

하층(下層) a lower layer [stratum]; an underlayer; a sub-stratum. ¶ ~계급 the lower classes.

하치(下一) an inferior article; low-grade goods; goods of inferior quality.

하치장(荷置場) a yard; a storage space; a depository; a repository. ¶ 노천 ~ an open storage yard 《for coal》.

하키(競) (play) hockey. ‖ ~선수 a hockey player.

하퇴(下腿) the lower leg; [解] the crus. ‖ ~골 the leg bones / ~동맥 the crural artery.

하편(下篇) ⇨ 하권(下卷).

하품 a yawn; a gape. ~하다 (give) a yawn. ¶ ~을 참다 stifle a yawn.

하프(樂) a harp.

하필(何必) of all occasion [places, persons, etc.]. ¶ ~ 너냐 Why, of all persons, you?

하하 Ha-ha! ‖ ~ 웃다 laugh loudly.

하학(下學) the end of the school day. ~하다 leave school 《at the end of the day》. ‖ ~시간 the time one gets out of school: the time school is over [out].

하한(下限) the lowest limit.

하항(河港) a river port.

하행(下行) ~하다 go down; go away from Seoul. ‖ ~열차 a down train.

하향(下向) looking downward(서쪽의); a downward trend(시세의). ¶ 《자동차의》라이트를 ~시키다 lower a light. ‖ ~조정 a downward adjustment.

하향(下鄕) ~하다 go to one's country home.

하현(下弦) the last phase of the moon. ¶ ~달 a waning moon.

하혈(下血) ~하다 discharge blood through the vulva 《anus》; flux.

하회(下廻) ~하다 be less 《lower than 《something》》; be 《fall》 below 《the average》. ‖ ~ 밑돌다

학(鶴) [鳥] a crane.

학감(學監) a school superintendent; a dean (대학의).

학계(學界) academic circles.

학과(學科) 《과목》 a subject; study; 《과정》 a course of study; a school course; 《전공의》 department. ¶ 심리~ the department of psychology. ‖ ~시험 examination in academic subjects.

학과(學課) a lesson: schoolwork.

학교(學校) a school; a college(대학). ¶ ~에 [at] school / ~가 파한 후 after school (is over) / ~당국 the school authorities / ~대항(의) interschool; intercollegiate 《game》 / ~생활 school life / ~성적 one's school record.

학교교육(學校敎育) school education; schooling. ¶ 정규~ regular [formal] schooling.

학구(學究) ~적인 scholarly; scholastic; academic.

학구(學區) a school district.

학군(學群) a school group. ¶ ~제 the school group system.

학급(級級) a class. ‖ ~위원 class representative / ~회 a class meeting.

학기(學期) a (school) term; a session(美); a semester(1년 2학기제). ¶ 제1~ the first term / ~ ~말 the end of (the) term / ~말 시험 a final examination; final; the finals(美).

학년(學年) a school [an academic] year; 〈학급〉a year; a grade. ¶1 [2, 3, 4] ～생 a first-[second-, third-, fourth-] year student (초·중등교); a freshman [sophomore, junior, senior](고교·대학) / ～말 the end of a school year / ～말 시험 an annual [a final] examination.

학당(學堂) ① ⇨ 글방. ② ⇨ 학교.

학대(虐待) cruelty; ill-treatment; maltreatment. ～하다 ill-treat; treat *(a person)* cruelly; maltreat. ¶정신적인 ～ mental cruelty.

학덕(學德) learning and virtue. ¶그는 ～을 겸비한 사람이다 He excels both in virtue and scholarship.

학도(學徒) a student; a scholar. ¶～병 a student soldier / ～호국단 the Student Defense Corps.

학동(學童) school children; a schoolboy [schoolgirl]; a grade school pupil(美).

학력(學力) academic ability; scholastic achievement (attainment). ¶ ～고사 a scholastic achievement test.

학력(學歷) educational [academic] background. ¶～을 불문하다 regardless [irrespective] of educational background. ～에 대한 편중 overemphasis of educational qualifications; excessive valuing of academic background.

학령(學齡)〈reach〉school age. ¶～ 아동 children of school age.

학리(學理) a theory; a scientific principle. ¶～적인 theoretical / ～를 실지로 응용하다 put a theory into practice.

학명(學名) a scientific name (term). ¶～을 붙이다 give a scientific name (*to*).

학무(學務) educational [school] affairs.

학문(學問) learning; study; scholarship(학식); knowledge(지식). ¶～을 하다 study; pursue one's

studies [learning] / ～이 있는 사람 a man of learning; a learned man / ～이 없는 사람 a man without learning; an uneducated man.

학벌(學閥)〈form〉an academic clique.

학부(學府) an academic institution center.

학부(學部) a college; a school; a department (美); a faculty (英). ¶경제 ～ the School [College] of Economics. ∥ ～장 a dean.

학부모(學父母) parents of students.

학비(學費) school expenses.

학사(學士) a university [college] graduate; a bachelor; a bachelor's degree(학위). ¶문(공)～ Bachelor of Arts [Engineering].

학사(學事) school affairs. ∥ ～보고 a report on education(al) matters.

학살(虐殺) slaughter; massacre(대량의). ～하다 slaughter; massacre; butcher. ¶집단 ～ mass slaughter; genocide. ∥ ～자 a slaughterer.

학생(學生) a student. ∥ ～시절 one's student [school] days / ～증 a student's [identification] card / ～회 a student council / ～회관 a students' hall / ～회 회장 a student president.

학설(學說) a theory; a doctrine.

학수고대(鶴首苦待) ～하다 eagerly look forward to; await with impatience.

학술(學術) arts and sciences(학예); learning(학문); science(과학). ¶～상의 scientific; academic. ∥ ～어 a technical term / ～원 (회원)(a member of) the (Korean) Academy of Arts and Sciences.

학습(學習) learning; study. ～하다 study; learn. ¶～서 a handbook for students / ～장 a workbook.

학식(學識) learning; scholarship.

¶ ~이 있다 be learned [an erudite] scholar.

학업(學業) one's studies [schoolwork]. ¶ ~성적 school record; grades.

학연(學緣) school ties.

학예(學藝) arts and sciences. ‖ ~란(欄) the fine arts and literature columns; a culture page (신문의). [plies].

학용품(學用品) school things [sup-

학우(學友) a schoolmate; a school-fellow; a fellow student. ‖ ~회 (재학생의) a students' society [association]; (졸업생의) an alumni [alumnae] association (美); an old boys' [girls'] association (英).

학원(學院) an educational institute; an academy; a school. ¶ 외국어~ a foreign language institute.

학원(學園) an educational institution; a school; a campus(구내). ‖ ~분쟁 a campus dispute / ~사찰 inspection on campus activities.

학위(學位) an academic degree. ¶ 박사~ a doctoral degree. ‖ ~논문 a thesis for a degree / ~수여식 a degree ceremony.

학자(學者) a scholar; a learned man; a savant (석학). ¶ ~다운 scholarly / ~연(然)하는 pedantic.

학자금(學資金) ☞ 학비.

학장(學長) a president; a dean (학부의).

학적(부)(學籍(簿)) the school [college] register.

학점(學點) a point; a credit.

학정(虐政) tyranny; despotism.

학제(學制) an educational system. ¶ ~개혁 a reform of the educational system.

학질(瘧疾) malaria. ¶ ~에 걸리다 catch [contract] malaria.

학창(學窓) 《학교》. ¶ ~을 떠나다 leave [graduate from] school. ‖ ~생활 school [student] life.

학칙(學則) (observe, break) school

regulations.

학파(學派) a school; a sect. ¶ 헤겔~ the Hegelian school.

학풍(學風) academic traditions(전통); a method of study(연구법); the character [atmosphere] of a college [school](학교 기풍). ¶ ~을 세우다 establish academic traditions.

학회(學會) a learned [scientific] society; an academic meeting(집합). ¶ 한글~ the Korean Language (Research) Society.

한(恨) ① (원한) a bitter [disgruntled] feeling; a grudge; rancour; hatred; 《~을 have [harbor, feel] a grudge [against] bear malice (toward)》. ② (한탄) regret; a matter for regret; an unsatisfied desire. ¶ ~ 많은 인생을 보내다 lead a life full of tears and regrets.

한(限) ① (한도) a limit; limits; bounds. ¶ 인간의 욕망은 ~이 없다 Human desire knows no limits. ② 《…하는 한》 as [so] far as; as far as I [we] can know / 따로 규정이 없는 ~ unless otherwise provided. ③ 《기한》 not later than.

한(一) ① (하나) a; one; a single. ② (대략) about (10 days); some; nearly. ③ (같은) the same. ¶ ~집에 in the same house.

한… ① (큰) big; large; great. ¶ ~길 a (main) street. ② (장·한창) the most; the very. ¶ ~밤중에 in the middle of the night; at dead of night.

한가운데 the middle (center, midst).

한가위 August 15th of the lunar month; the Harvest Moon festival.

한가을 the depth of autumn (fall); the busy harvest time.

한가지 (일종) a kind [sort] (of); (동일) (one and) the same thing

¶그녀는 죽은 거나 〔매〕~ 다 She is as good as dead.

한가하다〔閑暇—〕(be) free: not busy: be at leisure.

한갓 simply; merely; only: no more than. ¶그것은 ~ 모방에 불과하다 It is no more than an imitation. *or* It's merely an imitation.

한갓지다 (be) quiet; peaceful and leisurely.

한강〔漢江〕the Han River. ¶ ~ 대교 the Grand Han River Bridge.

한거〔閑居〕(lead) a quiet〔retired〕 life. ¶ 소인이 ~ 하면 나쁜 짓을 한다 The devil makes work for idle hands.

한걱정 great cares〔worries〕. ¶ ~ 놓다 be relieved of a great anxiety.

한걸음 a step; a pace. ¶ ~ 에 at a stride〔一〕; 《~ 씩》 step by step; 《~ 앞으로 나오다》 take a step forward. 〔winter.

한겨울 midwinter; the depth of

한결 remarkably: conspicuously; 《한층 더》 all the more; much〔still〕 more; 《특히》 especially; particularly.

한결같다 (be) uniform; even; 《변함없다》 (be) constant; never-changing. ¶ 한결같이 uniformly; as ever / 한결같은 태도 a consistent attitude.

한계〔限界〕a limit; bounds. ¶ ~ 를 정하다 set limits〔to〕: limit. / ~ 가격 a ceiling price / ~ 속도 critical speed / ~ 점 the critical point: the uppermost limit / ~ 효용〔실〕 the theory of marginal utility.

한고비 the serious〔critical〕 moment; a crisis: the peak. ¶ ~ 넘기다 pass the crisis〔peak〕: turn the corner (병 따위가).

한교〔韓僑〕Korean residents (nationals) abroad; overseas Koreans.

한구석 a corner; a nook. ¶ 방 한 ~ 에 in a corner of a room.

한국〔韓國〕the Republic of Korea 《생략 R.O.K.》. ¶ ~ 의 Korean. ∥ ~ 계 미국인 an American of Korean descent: a Korean American / ~ 국민 the Korean (people) / ~ 어 Korean / ~ 인 a Korean / ~ 학 Koreanology.

한군데 one place; the same place 〔spot〕(같은 데). ¶ ~ 쌓다 pile 《*the books*》 up in one place 〔spot〕.

한글 *Hangeul*; the Korean alphabet. ¶ ~ 맞춤법 the rules of Korean spelling〔orthography〕.

한기〔寒氣〕《추위》(the) cold; 《추운 기》 a chill. ¶ ~ 를 막다〔피하다〕 keep off〔out〕 the cold.

한길 a (main) street; a thoroughfare; a highway.

한꺼번에《한번에》at a time; at once; 《연달아》at a stretch〔breath〕; 《동시에》at the same time; 《다》all together.

한껏《할 수 있는 데까지》to the utmost limit: to the best of *one's* ability; with all *one's* might. ¶ ~ 잡아당기다 draw (*a string*) out to its (full) length. ②《실컷》to *one's* heart's content; as much as *one* likes; to the full. ¶ ~ 먹다 eat *one's* fill.

한끼 a 〔one〕 meal. ¶ ~ 를 거르다 miss a meal.

한나절 half a day; a half day.

한낮《at》noonday: noontide; high noon; 《in》broad daylight (백주).

한낱 only; mere(ly); nothing but. ¶ 그것은 ~ 구실에 불과하다 It's merely an excuse. *or* It's a mere excuse.

한눈팔다 look away〔aside〕; take *one's* eyes off (*one's book*). ¶ 한눈 팔지 말고 운전해라 Keep your eyes on the road!

한담〔閑談〕a chat; an idle talk. ¶ ~ 하다 chat 《*with*》; have a chat 〔casual talk〕《*with*》; gossip. ¶ ~ 으로 시간을 보내다 chat the time away.

한대〔寒帶〕the Frigid Zone: the

arctic regions. ∥ ~동물〔식물〕 a polar 〔an arctic〕 animal〔plant〕.

한댕거리다 dangle; sway 〔swing〕 lightly.

한더위 fierce heat; the midsummer heat.

한데〔露天〕 the open 〔air〕; outdoors. ¶ ~의 open-air; outdoor.

한도〔限度〕 a limit; bounds. ~ a credit limit / ~를 정하다 limit; set limits 〔bounds〕 《to》 / …의 ~ 내에서 within the limits of … / ~에 달하다〔를 넘다〕 reach 〔exceed〕 the limit.

한동안 for a good while; for a long time; for quite some time; at one time 〔한때〕. ¶ 거기에 ~ 머물다 stay there for a good while.

한되다〔恨-〕 be regretted; be a regret; be a matter for regret.

한두 one or two. ¶ ~ 번 once or twice.

한때〔잠시〕 a short time 〔while〕; for a time 〔while〕《부사적》; once; (at) one time 〔전에〕. ¶ 즐거운 ~를 보내다 have a good time 《at the party》.

한랭〔寒冷〕 ~하다 (be) cold; chilly. ¶ ~전선 〔氣〕 a cold front.

한량〔限量〕 a limit; limits; bounds. ¶ ~없는 unlimited; boundless; endless.

한량〔閑良〕 a prodigal; a debauchee; a libertine; a playboy.

한류〔韓流〕 'Korean Wave', the ongoing frenzy of Korean pop culture that is sweeping across the vast regions of East Asia.

한류〔寒流〕 a cold current.

한마디〔一-〕 a (single) word. ~하다 speak briefly 〔say a word〕《about》; say a (good) word 《for a person》(충고조로). ¶ ~로 말하면 in a word; to sum up.

한마음 one mind. ¶ ~으로 with one accord / ~이 되어 일하다 work in close cooperation; act in concert 《with》.

한모금 a draft 〔draught〕《of water》; a drop(약간); a sip; a pull(술·담배의).

한목 all at once one time; in the 〔a lump; in one 〔a〕 lot. ¶ 일년치 봉 급을 ~에 타다 receive a year's pay in a lump.

한몫 a share; a portion; a quota. ¶ ~ 끼다 have a share in; share 〔participate〕 in 《th profits》.

한문〔漢文〕 Chinese writing; Chines classics(한문학).

한물〔제철〕 the (best) season the best time 《for》;《최성기》th prime. ¶ ~ 가다 be past 《its season; be out of season;《사다 이〕 be past one's prime.

한미〔韓美〕 ¶ ~의 Korean-Amer can 《relations》. ∥ ~공동성명 Korea-U.S. Joint Statement ~무역마찰 Korea-U.S. trad friction / ~통상협의 the Korea U.S. Commercial Conference.

한밑천 a sizable amount of cap ital. ¶ ~ 잡다 amass 〔make〕 sizable fortune.

한바닥 the busiest quarters; th heart; the center. ¶ 시장 ~ the center of a market place.

한바퀴 a turn; a round. ¶ ~ 다 take a turn; go round; ~ one's rounds(담당 구역을).

한바탕 for a time 〔while〕; for spell. ¶ ~ 울다 cry for a spell 우리는 ~ 이야기 꽃을 피웠다 W enjoyed chatting for a while.

한반도〔韓半島〕 the Korean peni sula. ∥ ~에너지 개발기구 the K rean Peninsula Energy Develo ment Organization(생략 KEDO).

한발 a drought; a long spell of dry weather. ¶ ~의 피 drought damage / ~지역 drought-stricken area.

한밤중〔一中〕 (at) midnight; (a dead of night. ¶ ~까지 far in the night.

한방〔漢方, 韓方〕 Chinese medici (漢方); Korean herb medicine 方). ∥ ~약 a herbal medicine ~의〔醫〕 a herb doctor.

한방울 a drop (*of water*). ¶ ~씩 drop by drop.

한배 ① (*동물의*) a litter; a brood. ~병아리 a brood of chickens / ~ 세 마리의 강아지 three puppies at a litter. ② (*사람의*) ~ 형제 [자매] brothers [sisters] of the same mother; uterine brothers [sisters].

한번 once; one time. ¶ ~에 at once, at a time; at the same time(*동시에*) / 다시 ~ once more [again] / 1년에 ~ once a year.

한벌 a suit (*of clothes*); a set (*of furniture*). ¶ 여름옷 ~ a suit of summer wear.

한복(韓服) traditional Korean clothes (costume).

한복판 the middle; the center; the heart (*of Seoul*).

한사리 the flood tide.

한사코(限死-) persistently; desperately; by all (possible) means; at any cost. ¶ ~ 반대하다 persist in one's opposition; oppose persistently [stoutly] / 그녀는 ~ 따라가다고 우겼다 She insisted on going in person.

한산(閑散) ~하다 (*경기가*) (be) dull; inactive; slack. ¶ 피서지는 ~ 했다 The summer resort was almost deserted.

한서(寒暑) heat and cold; temperature(*온도*).

한서(漢書) a Chinese book; Chinese classics(*고전*).

한선(汗腺) 【解】 a sweat gland.

한세상(-世上) ① (*한평생*) a lifetime; one's (whole) life. ② (*한창*) the best time in one's life.

한센병(-病) Hansen's disease; leprosy.

한속 one mind. ¶ ~이다 be of one mind(*뜻이 같다*) / 그는 일당과 ~이 되어 은행 강도를 기도했다 He is in cahoots with the gang in their attempt to rob the bank.

한수(-手) (*바둑·장기의*) a move; a skill. ¶ ~ 두다 make a move / ~ 위다 (*아래다*) be a cut above

[below] (*a person*).

한숨 ① (*잠*) a (wink of) sleep. ¶ ~ 자다 have (take) a nap; sleep a wink. ② (*탄식*) a (deep) sigh; a long breath. ¶ ~ 쉬다 (*짓다*) (heave a) sigh; draw a long breath. ③ (*호흡·휴식*) a breath; a rest. ¶ ~ 돌리다 take a (short) break (rest).

한시(一時) ¶ ~도 even for a moment / ~도 잊지 않다 do not forget (*it*) even for a moment.

한시(漢詩) a Chinese poem; Chinese poetry(*총칭*).

한시름 a big worry. ¶ ~ 놓다 be relieved of a great anxiety.

한식(韓式) ¶ ~의 Korean-style / ~집 a Korean-style house.

한심하다 (스럽다) (寒心-) (be) pitiable; miserable; wretched; sorry; lamentable; shameful (*부끄럽다*).

한쌍(-雙) a pair; a couple. ¶ ~의 a pair [couple, brace] of / 좋은 ~을 이루다 make [form] a good pair; be a good match (*for*).

한아름 an armful (*of firewood*).

한약(韓藥, 漢藥) a herbal[herb] medicine.

한없다(限-) (be) unlimited; boundless; endless; limitless. ¶ 한없이 without end (limit); endlessly.

한여름 (in) midsummer. ¶ ~ 더위 the midsummer heat.

한역(漢譯) a Chinese translation. ~하다 translate into Chinese.

한역(韓譯) a Korean translation. ~하다 translate into Korean. ¶ '죄와 벌'의 ~본을 읽다 read a Korean version of *Crime and Punishment*.

한영(韓英) ¶ ~의 Korean-English. ¶ ~사전 a Korean-English dictionary.

한옥(韓屋) a Korean-style house.

한외(限外) out of bounds; beyond the limit. ¶ ~ 발행 excess issue; an overissue (*of paper

money).

한음큼 a handful 《of rice》.

한일(韓日) Korea and Japan. ¶ ~ 은 Korean-Japanese / 무역의 불균형 the trade imbalance between Korea and Japan. ‖ ~ 회담 [각료 회담] the Korea-Japan talks [Ministerial Conference].

한입 a mouthful: a bite. ¶ 사과를 ~ 먹다 take a bite out of an apple.

한자(漢字) a Chinese character. ¶ 상용(常用) ~ Chinese characters in common use.

한잔 ① 《분량》 a cup 《of tea》; a glass 《of beer》; a shot 《of whisky》; a cupful; a glassful. ② 《음주》 a drink. ¶ ~ 하다 have a drink. ¶ 맥주라도 ~ 하면서 이야기하자 Let's talk over a glass of beer.

한잠 a sleep; a nap; 《깊은 잠》 a deep 《sound》 sleep. ¶ ~ 자다 get [have] a sleep; take a nap / ~ 도 못 자다 can not get a wink of sleep; do not sleep a wink.

한재(旱災) ☞ 한발. drought damage. ¶ ~ 를 입다 suffer from a drought. ‖ ~ 지구 a drought-stricken district [area].

한적하다(閑寂一) (be) quiet; secluded. ¶ 한적한 곳 a retired [quiet] place.

한정(限定) limitation. ~ 하다 limit; restrict; set limits to; qualify(의미 등을). ‖ ~ 치산(治産) quasi-incompetence / ~ 치산자 a quasi-incompetent (person) / ~ 판 a limited edition.

한줄기 ① 《한 가닥》 a line; a streak 《of light》. ¶ ~ 의 희망 a ray of hope. ② 《같은 줄기》 the same lineage. ¶ 《of straw》.

한줌 a handful 《of rice》; a lock 《of hair》.

한중(寒中) midwinter. ¶ ~ 의 during the cold season.

한중(韓中) ~ 의 Korean-Chinese; Sino-Korean ‖ ~ 관계 Sino-Korean relations; relations between Korea and China.

한증(汗蒸) a steam (sweating) bath. ~ 하다 take steam bath. ‖ ~ 막 a sweating bathroom; a sudatorium.

한지(寒地) a cold region (district). ‖ ~ 식물 a psychrophyte.

한직(閑職) a sinecure; a leisurely post; an unimportant post. ¶ ~ 으로 쫓겨나다 be downgraded to a trifling job.

한집안 one's family; one's people [folk]; 《친척》 one's relatives.

한쪽 one side; the other side [party]; one of a pair.

한참 for some time; for a time [while]; for a spell. ¶ ~ 만에 after a good while.

한창 《가장 성할 때》 the height [peak]; the climax; the zenith; the prime 《of time》. ¶ ~ 이다 be in full swing; be at its height; be in the prime 《of》《사람이》; be in full bloom 《glory》, be at 《their》 best 《꽃이》.

한창때 《최성기》 the peak period; the prime; the golden age [days]; 《청춘》 the prime of life; the bloom of youth; 《청과물 따위》 the best time 《for》; the season. ¶ ~ 이다 be at its peak, be at the height of one's 《its》 prosperity; 《사람이》 be in the prime of life [manhood, womanhood]; 《과물 따위가》 be in season.

한천(寒天) ☞ 우무.   「lage.

한촌(寒村) a poor and lonely vil-

한추위 severe [intense] cold.

한층(一層) more; still [even] more; all the more. ¶ 2월에는 ~ 더 추워질 것이다 It will get much colder in February.

한치 an inch. ¶ ~ 도 물러서지 않다 will not budge [yield] an inch.

한칼 a single stroke of the sword. ¶ ~ 에 목을 베다 cut down 《person's》 head at a single stroke of the sword.

한탄(恨歎) a sigh; deploration

~하다 lament; deplore; sigh; regret.

한턱 a treat. ~하다 [내다] stand treat (for a person); treat (a person) to (a dinner); give (a person)... [son] a treat.

한통속 an accomplice. ¶ ~이 되다 be [be] in league [collusion] (with); plot together; conspire (with).

한파(寒波) a cold wave.

한판 a round; a game; a bout. ¶ ~승부 a contest of single round.

한패(-牌) one of the (same) party; a confederate; a circle; a company. ¶ 그도 ~임에 틀림없다 He must be one of the gang.

한편 ① (한쪽) one side; one way; one direction. ¶ ~으로 치우치다 be one-sided. ② (자기편) an ally; a supporter; a friend; one's side. ③ (부사적) meanwhile; besides; (한편으로는) on the other hand ...; in the meantime.

한평생(一平生) one's whole life; (부사적) all (throughout) one's life.

한푼 a coin; a penny. ¶ ~ 없다 be penniless.

한풀 꺾이다 be dispirited [disheartened, discouraged].

한풀다(恨-) have one's will; realize one's desire; gratify one's wishes.

한풀이하다(恨-) vent one's spite; satisfy [work off] one's grudge.

한풍(寒風) a cold [an icy] wind.

한학(漢學) Chinese literature (classics). ¶ ~자 a scholar of Chinese classics.

한해(旱害) ⇒ 한발.

한해(寒害) cold-weather damage.

한화(韓貨) Korean money.

할(割) (백분율의) percentage; per cent.

할거(割據) ~하다 each holds his own sphere of influence; hold one's own ground.

할당(割當) allotment; assignment; quota(할당량). ~하다 assign;

allot; allocate; apportion. ¶ 몫을 ~하다 allot shares. ¶ ~량 a quota; an allotment / ~제 the quota system.

할듯할듯하다 look as if one is going [ready] to (do).

할말말똥하다 hesitate to (do); be half-hearted.

할례(割禮) [宗] circumcision.

할머니(조모) a grandmother; (노파) an old lady [woman].

할멈 an old woman; a granny.

할미꽃 [植] a pasqueflower.

할미새 [鳥] a wagtail.

할복(割腹) [흉] disembowelment: *harakiri*(일). ~하다 disembowel oneself; commit *harakiri*.

할부(割賦) [분할 지급] payment in [by] installments. ¶ 차를 ~로 팔다 (사다) sell [buy] a car on the installment plan. ¶ ~납금 an installment (money).

할아버지 ① (조부) a grandfather. ② (노인) an old man.

할아범 an old [aged] man.

할애(割愛) ~하다 (나누다) share (a thing) with (a person); part with; spare. ¶ 지면을 ~하다 give [allow] space to (a subject).

할양(割讓) (a) cession. ~하다 cede; [法] alienate. ¶ 토지를 남에게 ~하다 alienate lands to (a person).

할인(割引) (a) discount; (a) reduction. ~하다 (make a) discount; reduce (the price); take [cut] off. ¶ 단체 ~ a discount [special rates] for a group. ¶ ~율 a discount rate.

할인(割印) a tally impression. ¶ ~을 찍다 affix [put] a seal at the joining of two leaves (of a deed).

할증금(割增金) (임금의) an extra pay; (요금의) an extra fare [charge]; a surcharge; (주식 따위의) a premium; a bonus. ¶ ~부(付) 채권 a bond with a premium; a premium-bearing debenture.

ㅎ

할짝거리다 lick; lap.

할퀴다 scratch; claw. ¶할퀸 상처 a scratch; a nail mark.

핥다 lick; lap.

함(函) a box; a case; a chest.

함교(艦橋) a bridge (of a warship).

함구(緘口) ─하다 hold one's tongue; keep one's mouth shut; keep silent. ¶─령 a gag law [rule] (~령을 내리다 order (a person) to keep silent (about); order (a person) not to mention (something)); gag (the press).

함께 (같이) together; (…와 함께) with ...; together (along) with; in company with. ¶ 모두 ~ all together.

함대(艦隊) a fleet(큰); a squadron(작은). ¶연합 ~ a combined fleet. ‖ ─사령관 the commander of a fleet.

함락(陷落) ─하다 (방이) sink; fall; (성·진지 등이) fall; surrender. ‖ ─(hol content.

함량(含量) content. ¶ 알코올 ~ alcohol content.

함몰(陷沒) a cave-in; sinking; subsidence; collapse; ─하다 sink; cave [fall] in; subside; collapse.

함박꽃 [植] a peony.

함박눈 large snowflakes.

함부로 (허가·이유 없이) without permission [good reason]; (마구) at random; recklessly; indiscriminately; thoughtlessly; roughly; carelessly[무례하게] rudely. ¶ ─ 들어오지 마시오 (게시) No entry without permission.

함석 zinc; tin; a galvanized iron. ‖ ─판 sheet zinc; galvanized iron sheet.

함성(喊聲) a battle [war] cry; shouting. ¶승리의 ~ a shout of victory [triumph].

함수(含水) ─의 [化] hydrous; hydrated; ─량 the water content (of a substance) / ─화합물 a hydrated compound.

함수(函數) [數] a (mathematical) function. ‖ ─방정식 a function-

al equation.

함수초(含羞草) [植] a sensitive plant; a mimosa.

함양(涵養) ─하다 cultivate; develop; foster; build up.

함유(含有) ─하다 contain; have (in); hold. ¶ ─량 content (of) / ─량 con-심분 a component / ─율 content by percentage.

함자(銜字) your (his, etc.) name.

함장(艦長) the commander (captain) of a warship.

함재기(艦載機) a deck [carrier-based] (air)plane; carrier-borne (-based) aircraft(총칭).

함정(陷穽) a pitfall; a pit; a trap. ¶ ─에 빠뜨리다 ensnare; entrap. / ─에 빠지다 fall in a pit; fall into a snare [trap, pitfall].

함정(艦艇) a naval vessel.

함지 a large wooden vessel. ‖ ─ 박 a large round bowl.

함축(含蓄) ─하다 imply; signify; suggest. ¶ ─성 있는 significant; suggestive; pregnant; implicit. / ─(-based) implicity.

함포사격(艦砲射擊) bombardment from a warship.

함흥차사(咸興差使) a messenger sent out on an errand who never returns.

합(合)[합계] the sum; the total (amount). ¶2와 2의 ~은 4다 Two and two make four.

합(盒) a brass bowl with a lid.

합격(合格) success in an examination; passing an exam. ─하다 (시험에서) pass [succeed in an examination]; (입사 시험 등에서) be accepted; (검사 등에서 come up to the standard(표준에). ¶ ─률 the ratio of successful applicants; the pass rate. / ─통지 a notice of (a person's) success in the examination.

합계(合計) the sum total; a total (amount). ─하다 (add [add] up total; foot up (次). ¶ ─하여 all [total]; all told / ─이 되다 come [amount] to ... (in all).

합금(合金) an alloy. ¶ 초(超)─

superalloy / 형상 기억 ～ shape memory alloy / 구리와 아연을 ～ 하다 alloy copper with zinc.

합당(合當) ～하다 (be) adequate; suitable; proper; fit; appropriate; right. ¶ ～한 사람 a competent person / ～한 가격으로 at a reasonable price / ～하지 않다 be improper [unsuitable].

합동(合同) (a) combination; a union; 《기억·조직 등의》 merger; amalgamation. ～하다 combine; unite; incorporate. ¶ ～의 joint; united; combined / ～해서 사태 수습에 임하다 make a joint effort to save the situation. ¶ ～결혼 a mass [group] wedding / ～위원회 a joint committee.

합력(合力) 《理》 a resultant (force). ～하다 join forces; make a united effort; cooperate with.

합류(合流) ～하다 join; meet; unite with(합세). ‖ ～점 the junction (of two rivers).

합리(合理) ¶ ～적인 rational; reasonable; logical. ～성 rationality / ～주의 rationalism / ～주의자 a rationalist.

합리화(合理化) rationalization. ～하다 rationalize / ～경영을 ～하다 streamline the management.

합명회사(合名會社) an unlimited partnership.

합반(合班) a combined class. ～수업 combined classwork.

합방(合邦) ～하다 annex a country (to).

합법(合法) legality; lawfulness. ¶ ～적인 lawful; legal; legitimate / ～적으로 lawfully; legally; legitimately. ‖ ～성 lawfulness / ～화 legalization / ～화하다 legalize.

합병(合倂) 《병합》 union; combination; merge 《회사 따위의》; annexation. ～하다 unite; combine; merge; annex. ¶ 인수 ～ 《기업

의》 mergers and acquisitions 《생략 M & A》.

합본(合本) the bound volume 《of the magazines》. ～하다 bind 《magazines》 in one volume.

합산(合算) ☞ 합계(合計).

합석(合席) ～하다 sit with 《a person》; sit in company with 《a person》.

합성(合成) 《化》 synthesis; 《理》 composition. ～하다 compound; synthesize. ¶ ～의 compound; mixed; synthetic. ‖ ～물 a compound / ～물질 a synthetic substance / ～사진 a composite photograph 《of wartime scenes》 / ～어 a compound 《word》.

합세(合勢) ～하다 join forces. ¶ ～하여 괴롭히다 join in bullying 《a person》.

합숙(合宿) ～하다 lodge together; stay in a camp for training(운동 선수가). ‖ ～소 a lodging (board-ing) house; a training camp(운동선수의) / ～훈련 camp training 《～훈련하다 train at a camp》.

합승(合乘) ～하다 ride together; ride in the same car 《with》. ¶ 나는 그녀와 택시를 ～했다 I shared a taxi with her. ‖ ～객 a fellow passenger.

합심(合心) ～하다 be united; be of one accord 《mind》.

합의(合意) mutual agreement; mutual 《common》 consent. ～하다 be agreed; reach 《come》 to an agreement. ¶ ～에 의해 by mutual agreement 《consent》. ‖ ～서 a written agreement; a statement of mutual agreement / ～이혼 a divorce by mutual agreement.

합의(合議) consultation; conference. ～하다 consult together; confer 《with》. ‖ ～사항 an agreed item; items of understanding.

합일(合一) union; oneness; unity. ～하다 unite; be united.

합자(合資) partnership. ～하다 join stocks; enter into part-

nership 《with》. ‖ ~ 회사 a limited partnership 《남산 ~ 회사 Namsan & Co., Ltd.》.

합작(合作) collaboration; a joint work. ─하다 collaborate 《with》; cooperate 《with》; write 《a book》 jointly 《with》. ‖ ~ 영화 a Korean-American joint-product film. ~ 회사 a joint corporation 〔concern〕.

합장(合掌) ~ 하다 join one's hands in prayer.

합장(合葬) ~ 하다 bury together.

합주(合奏) a concert; an ensemble. ─하다 play in concert. ‖ ~ 단 an ensemble.

합죽거리다 mumble with (a toothless mouth). 〔pursed lips.

합죽이 a toothless person with

합중국(合衆國) the United States (of America); a federal states.

합창(合唱) chorus. ─하다 sing together (in chorus). ‖ ~ 대〔단〕 a chorus; a choir(교회의).

합치(合致) ~ 하다 agree 〔accord〕 《with》; be in accord 《with》; concur. ☞ 일치(一致).

합치다(合─) ① 〔하나로〕 put together; unite; combine; join together; (병합) merge; amalgamate; annex. ② 〔섞다〕 mix; compound. ③ 〔셈을〕 add up; sum up; total.

합판(合板) a veneer board; (a sheet of) plywood. ‖ 프린트 ~ printed plywood.

합판화(合瓣花) 〔植〕 a gamopetalous (compound) flower.

합하다(合─) ① 〔하나로 하다〕 add 〔put, lump〕 together; combine; unite. ② 〔하나가 되다〕 be put together; be combined; be united.

합헌(合憲) ~ 적 constitutional. ‖ ~ 성 constitutionality.

합환주(合歡酒) the wedding drink. ‖ ~ 를 나누다 exchange nuptial cups.

핫바지 《솜바지》 (a pair of) padded trousers; (촌뜨기) a bumpkin.

항(項) (조항) a clause; an item; (글의) a paragraph; 〔數〕 a term. ‖ 제1조 제2항에 해당되다 ⇒ come under Article 1, Clause 2.

항간(巷間) ‖ ~ 에 in the world (city, streets) / ~ 에 떠도는 소문에 의하면 a rumor has it that ... / people say that ...; it is rumored that ...

항거(抗拒) ~ 하다 resist; defy; oppose.

항고(抗告) 〔法〕 a complaint; an appeal; a protest. ─하다 complain 《against a decision》; file a protest 《against》. ‖ ~ 심 a hearing of a complaint / ~ 인 a complainant; a complainer / ~ 장 a bill of complaint.

항공(航空) aviation; flying. ‖ ~ 적 aeronautic(al); aerial / ~ 민간 ~ civil aviation / 국제〔국내〕 ~ international (domestic) aviation / ~ 공학 aeronautical engineering / ~ 권〔표〕 an air ticket / ~ 기 an airplane; aircraft(총칭) / ~ 모함 a 〔an aircraft〕 carrier / ~ 사진 an air photo / ~ 수송 air transportation.

항구(恒久) ~ 적 permanent; perpetual; (ever)lasting; eternal. ‖ ~ 적 평화 permanent peace / ~ 화(化) perpetuation (~ 화하다 perpetuate).

항구(港口) a harbor; a port. ‖ ~ 도시 a port city 〔town〕.

항균성(抗菌性) antibiosis. ‖ ~ 항생물질 antibiotics.

항내(港內) ‖ ~ 에 in 〔within〕 the harbor. ‖ ~ 설비 harbor facilities.

항독소(抗毒素) an antitoxin; an antivenom. ‖ ~ 요법 antitoxin treatment.

항등식(恒等式) 〔數〕 an identical equation; an identity.

항렬(行列) degree 〔distance〕 of kin; relationship.

항례(恒例) ~ 의 상례(常例).

항로(航路) 《배의》 a (sea) route; course; a shipping lane; 《항공

의) an air route. ¶정기 ~ a regular line [service] / 부정기 ~ an occasional line [船] / 외국 ~ 선 [船] an ocean liner / 국내 ~ 선 [船] a steamer on the domestic line [course]. ‖ ~ 표지 a beacon.

항만(港灣) harbors. ‖ ~ 공사 harbor construction work / ~ 노동 자 a stevedore; a longshoreman 《美》/ ~ 시설 harbor facilities.

항명(抗命) disobedience. ~ 하다 disobey 《a person's》 order.

항목(項目) a head: a heading: an item. ¶ ~ 으로 나누다 itemize / ~ 별로 item by item.

항문(肛門) 〖解〗 the anus. ‖ ~ 과 proctology / ~ 과 의사 proctologist.

항법(航法) navigation. ¶무선 ~ radio navigation.

항변(抗辯) 〖반박〗 a protest; 〖法〗 a refutation; 〖피고의〗 a plea. ~ 하다 refute: protest: make a plea 《for, against》.

항복(降伏·降服) (a) surrender: capitulation. ~ 하다 surrender 《to》; capitulate 《to the enemy》; submit 《to》.

항상(恒常) always; at all times; as a rule; constantly; habitually (습관적으로).

항생물질(抗生物質) an antibiotic (substance). ‖ ~ 학 antibiotics.

항설(巷說) gossip; a town talk; a rumor.

항성(恒星) a fixed star. ‖ ~ 시 [일], 년) sidereal time [day, year].

항소(抗訴) 〖法〗 the appeal suit: an appeal 《to a higher court》. ~ 하다 appeal; lodge an appeal 《against》. ‖ ~ 심 a trial on an appeal case / ~ 인 an appellant / ~ 장 a petition of appeal.

항속(航續) 《배의》 cruising; 《비행기의》 flying; flight.

항시(恒時) → 항상(恒常).

항아리(缸~) a jar; a pot.

항암(抗癌) ¶ ~ 의 anticancer. ‖ ~ 제 an anticancer drug [agent].

항원(抗原·抗元) 〖生〗 antigen.

항의(抗議) an objection: a protest. ~ 하다 protest 《against》; make [lodge] a protest 《against》; object 《to》.

항일(抗日) anti-Japan; 《형용사적》 anti-Japanese. ‖ ~ 운동 an anti-Japanese movement.

항쟁(抗爭) (a) dispute; contention; resistance(저항); a struggle(투쟁). ~ 하다 contend: dispute; struggle 《against》.

항적(航跡) a wake (behind a sailing ship); a furrow; a track; 《항공기의》 a flight path; a vapor trail.

항전(抗戰) resistance. ~ 하다 offer resistance; resist.

항정(航程) the distance covered (by a ship); a ship's run; 《비행공기의》 a flight; a leg(장거리 비행의 한 항정).

항진(亢進) (heart) acceleration. ~ 하다 accelerate; grow worse (병세가).

항체(抗體) 〖生〗 an antibody.

항해(航海) navigation; a voyage; a cruise(순항). ~ 하다 navigate; make a voyage 《of》; cruise. ¶ ~ 중이다 be on a voyage(사람이); be at sea(선박이) / ~ 중인 배 a ship at sea. ‖ ~ 도 a chart / ~ 사 a mate; a navigation officer(1등 [2등]) ~ 사 the chief [second] mate) / ~ 일지 a logbook; a ship's journal (log).

항행(航行) navigation; sailing; a cruise(순항). ~ 하다 navigate; sail; cruise.

항히스타민제(抗~劑) 〖藥〗 (an) antihistamine; an antihistaminic agent (medicine).

해¹ 《태양》 the sun. ¶ ~ 가 뜨다 the sun rises / ~ 가 지기 전에 before the sun sets.

해² ① 《일년》 a year. ¶지난 ~ last year. ② 《날 동안》 the daytime; a day. ¶여름에는 ~ 가 길 다 In summer (the) days are long.

해 (亥)《십이지의》 the Boar. ∥ ~년(年) the year of the Boar.

해 (害) harm; injury; damage. ¶ …에 ~를 주다 do harm to 《a person》; ~를 입다 suffer damage 〔loss〕; be damaged; be killed.

해— (該) that; they; the said; the 《matter》 in question.

해갈하다 (解渴―)《갈증을》 appease 〔quench〕 one's thirst;《가뭄을》 wet dry weather; be relieved from drought.

해결 (解決) solution; settlement. ~하다 solve; settle. ∥ ~책 the means of solving 《a problem》.

해고 (解雇) discharge; dismissal; a layoff(일시적인). ~하다 dismiss; discharge; fire; lay 《a person》 off. ∥ ~통지 a dismissal notice 〔letter〕; 정리~ forced 〔mandatory〕 retirement.

해골 (骸骨) ①《전신》 a skeleton. ②《머리》 a skull; the cranium.

해괴하다 (駭怪―) ¶ ~한 strange; queer; outrageous; monstrous; scandalous. ~ 망측하다 be extremely outrageous 〔scandalous〕.

해구 (海狗) ☞ a seal. ∥ ~신 the penis of a sea bear.

해구 (海溝)《地》 a deep; an oceanic trench 〔deep〕.

해군 (海軍) the navy; the naval forces. ¶ ~의 naval. ∥ ~기지 a naval base / ~사관학교 the Naval Academy.

해금 (奚琴)《악기》 a Korean fiddle.

해금 (解禁) lifting of the ban; the opening 《of the shooting 《fishing》 season》. ∥ ~기(期) an open season.

해기 (海技) ∥ ~사 면허증 a certificate of competency in seamanship.

해난 (海難) a disaster at sea; a shipwreck; a shipping casualty. ∥ ~구조 sea rescue; salvage / ~구조선 a salvage boat.

해내다 (遂行·成就)《through》 carry out accomplish; achieve; perform. ¶ 맡은 일을 ~ perform the work assigned one / 우리는 해냈다 We made it!

해넘이 sunset; sundown《美》.

해녀 (海女) a woman diver.

해단 (解團) disbanding. ~하다 disband. ∥ ~식 the ceremony of disbanding.

해달 (海獺)《動》 a sea otter.

해답 (解答) an answer 《to a problem》. ~하다 answer; solve. ∥ ~모범 a model answer.

해당 (該當) ~하다 come 〔fall〕 under 《Article 7》; be applicable to; correspond 《to》; fulfill. ¶ ~전에 ~하다 meet 〔fit, satisfy〕 the requirements; fulfill the conditions / 이 경우에 ~되는 규정은 없다 This case comes under no rule. or There's no rule that applies to this case.

해당화 (海棠花)《植》 a sweetbrier.

해대다 attack; go at.

해도 (海圖) a chart.

해독 (害毒) evil; poison; harm. ¶ ~을 끼치다 poison 〔corrupt〕《society》; exert a harmful influence 《on society》.

해독 (解毒) ~하다 counteract 〔neutralize〕 the poison. ∥ ~제(劑) an antidote; a toxicide; a counterpoison.

해독 (解讀) decipherment. ~하다 decipher; make out; decode. ¶ ~하다 decode a code.

해돋이 sunrise; sunup《美》.

해동 (解凍) thawing. ~하다 thaw.

해득 (解得) ~하다 understand; comprehend; grasp 《the meaning》.

해뜨리다 ☞ 해어뜨리다.

해로 (海路) a sea route; a seaway. ¶ ~로 by sea 〔water〕.

해로 (偕老) ~하다 grow old together.

해롭다 (害―)《to》 injurious; harmful; bad. ¶ 건강에 해로운 bad for the health; injurious to health.

해류 (海流) a current; an ocean current. ∥ ~도(圖) a

chart.

~ (海陸) land and sea. ¶ ~ 양
견 작전 amphibious operations /
~ 양서 동물 an amphibian.

리(海里) a nautical [sea] mile
1,852m).

리(解離) 〔動〕 a beaver.

리(解離) 〔化〕 dissociation. ~
다 dissociate. ‖ ~압(壓) dis-
sociation pressure.

마(海馬) 〔魚〕 a sea horse; 〔動〕
a walrus.

마다 every; annually; year-
ly; year after year.

머 a hammer. ‖ ~던지기 ham-
mer throwing.

먹 a hammock; a hanging
bed.

먹다 (횡령하다) take unjust pos-
session of (something); embez-
zle. ¶ 은행의 돈을 ~ embezzle
money from a bank.

면(海面) the surface of the sea;
the sea level. ‖ ~온도 (a) sea-
surface temperature.

면(海綿) a sponge. ‖ ~질 〔生
理〕의 spongy. ¶ ~동물 the Porif-
eran / ~조직 spongy tissue /
~체 spongy body.

명(解明) ~하다 make (a mys-
tery) clear; elucidate (the mean-
ing).

몽(解夢) ~하다 interpret a
dream. ‖ ~가 a dream reader.

무(海霧) a sea fog; a fog on
the sea.

묵다 (물건이) get a year old;
(일이) drag on for a
year. ¶ 해묵은 쌀 rice of the
previous year's crop.

묵히다 (물건을) let (a thing)
to be a year old; (일을) let work
drag on for a year without get-
ting finished.

물(海物) ⇒ 해산물.

미 a thick sea fog.

바라기 〔植〕 a sunflower.

박(該博) ~하다 (be) profound;
erudite; extensive. ¶ ~한 지식
profound [extensive] knowledge.

해발(海拔) 《300 meters》 (height)
above the sea (level).

해방(解放) liberation; emancipa-
tion. ~하다 liberate; eman-
cipate; set free; release (a per-
son from). ‖ ~감 a sense [feel-
ing] of freedom [liberation] /
~전쟁 〔운동〕 a liberation war
[movement].

해법(解法) a (key to) solution.

해변(海邊) the beach; the sea-
shore; the coast.

해병(海兵) a marine. ‖ ~대 a
marine corps / ~대원 a marine:
a leatherneck 《美俗》.

해보다 try; have [make] a try
(at); attempt (to do). make an
attempt (at). ¶ 다시 한번 ~ try
again; make another attempt.

해부(解剖) anatomy; 〔생물체의〕
dissection; autopsy 〔시체의〕; 〔분
석〕 analysis. ~하다 dissect; hold
an autopsy (on); 〔분석하다〕 ana-
lyze. ‖ ~도(圖) an anatomical
chart / ~학 anatomy / ~학자
an anatomist.

해빙(解氷) thawing. ~하다 thaw.
‖ ~기 the thawing season.

해사(海事) maritime affairs [mat-
ters].

해사하다 (be) clean and fair.

해산물(海産物) marine products.
‖ ~상 a dealer in marine
products.

해산(解産) childbirth; delivery.
~하다 give birth to (a child);
be delivered of (a baby).

해산(解散) 〔회합의〕 breakup; dis-
persion; 〔군대의〕 disbandment;
〔의회 따위의〕 dissolution. ~하다
break up; disperse; disband;
dissolve. ¶ 강제 ~ compulsory
winding-up. ‖ ~권(의회의 해
산) the right to dissolve (the
House).

해삼(海蔘) 〔動〕 a trepang; a sea
cucumber [slug].

해상(海上) ~의 marine; mari-
time; on the sea. ‖ ~근무
service; sea duty / ~법 the

ㅎ

maritime law / ～ 보급로 a maritime supply route / ～ 봉쇄 blockade at sea.

해상(海床) the sea floor.

해상력(解像力) 〖物〗 resolution; resolving power. ¶ ～이 높은 렌즈 a high resolution lens.

해서(楷書) the square style of writing (Chinese characters).

해석(解析) analysis. ～하다 analyze. ¶ ～ 기하학 analytic geometry.

해석(解釋) (an) interpretation; 《법률 어구 등의》 a construction; 《설명》 (an) explanation. ～하다 interpret; construe; explain. ¶ ～을 잘못하다 misinterpret.

해설(解說) (an) explanation; commentary; (an) interpretation. ～하다 comment on 《*the news*》; interpret; explain. ¶ ～자 a commentator / ~뉴스 ～자 a news commentator.

해소(解消) dissolution; cancellation. ～하다 dissolve; cancel; annul; break off. ¶ 불만을 [스트레스를] ～하다 get rid of discontent [stress].

해손(海損) sea damage; 〖保險〗 an average. ¶ ～ 계약 [계약서] an average agreement [bond] / ～ 조항 an average clause.

해수(咳嗽) a cough. ¶ ～ 기침.

해수(海水) sea [salt] water.

해수욕(海水浴) sea bathing. ～하다 bathe in the sea. ¶ ～객 a sea bather / ～장 a swimming beach; (a) bathing resort.

해시계(—時計) a sundial.

해식(海蝕) erosion by seawater.

해신(海神) the sea-god; 〖로神〗 Neptune; 〖그神〗 Poseidon.

해쓱하다 (be) pale; pallid; wan. ¶ 해쓱해지다 turn pale [white].

해악(害惡) evil; harm; 《악영향》 an evil influence [effect].

해안(海岸) the seashore; the coast; the seaside; the beach. ¶ ～에(서) on the shore; by [at] the seaside. ¶ ～경비 coast

defense / ～경비대 the coast guard / ～선 a coastline.

해약(解約) cancellation of a contract. ～하다 cancel [break] a contract. ¶ ～금 a cancellation fee.

해양(海洋) the ocean; the sea(s). ¶ ～경찰청 the National Maritime Police Agency / ～식물 an oceanophyte / ～오염 sea contamination; marine pollution / ～학 oceanography.

해어뜨리다 wear away [down].

해어지다 wear [be worn] out; become threadbare. ¶ 다 해어진 worn-out; threadbare; frayed 너덜너덜 ～ be worn to rags.

해역(海域) a sea [an ocean] area.

해연(海淵) 〖地〗 an abyss.

해열(解熱) ～하다 alleviate fever; bring down *one's* fever. ¶ ～제 an antifebrile; a febrifuge; a antipyretic. 〖heron〗

해오라기, 해오리 〖鳥〗 a white

해왕성(海王星) 〖天〗 Neptune.

해외(海外) foreign [overseas] countries. ¶ ～의 overseas; foreign / ～로 abroad; overseas / ～로 가다 go abroad / ～군대를 ～로 보내다 send an army abroad [overseas]. ¶ ～공관 a diplomatic office in the foreign country / ～근무 overseas service / ～무역 foreign trade / ～시장 overseas [foreign] markets / ～여행 a overseas trip; foreign travel / ～지점 an overseas office / ～투자 foreign investment.

해우(海牛) 〖動〗 a sea cow; a manatee; a dugong.

해운(海運) shipping; marine transportation. ¶ ～업 the shipping industry [business] / ～업자 a shipping agent; shipping interests [충칭].

해원(海員) a seaman; a sailor; crew(충칭). ¶ ～숙박소 a sailor [seamen's] home.

해이(解弛) relaxation; slackening. ～하다 relax; get loose; slack

en; grow lax.

해일(海溢) a「tidal wave〔tsunami〕.

해임(解任) dismissal; discharge; ~ 하다 release 《a person》 from office; relieve 《a person》 of his post; dismiss.

해자(垓子) a moat.

해장 ¶ ~ 하다 chase a hangover with a drink.

해저(海底) the bottom〔bed〕 of the sea; the ocean floor〔bed〕. ‖ ~ 유전 a submarine oil field / ~ 터널 a submarine〔an undersea〕 tunnel.

해적(海賊) a pirate. ¶ ~ 질을 하다 commit piracy. ‖ ~ 선 a pirate ship / ~ 판 a pirate edition〔책의〕.

해전(海戰) a naval battle; a sea fight; naval warfare(총칭).

해제(解除) cancellation; lifting; release. ¶ ~ 하다 cancel; remove; lift; release 《a person》 from. ‖ 금 지령을 ~ 하다 lift〔remove〕 a ban 《on》.

해제(解題) a bibliographical introduction〔explanation〕. ‖ ~ 자 a bibliographer.

해조(害鳥) an injurious bird.

해조(海鳥) a sea bird; a seafowl.

해조(海藻)〔植〕seaweeds; marine plants; seaware(비료용).

해주다 do 《something》 for another; do as a favor.

해중(海中) ¶ ~ 의 submarine; in the sea / ~ 공원 an undersea park.

해직(解職) dismissal; discharge; ~ 하다 dismiss〔release〕 《a person》 from office; relieve 《a person》 of his post. ¶ ~ 당하다 be removed from office. ‖ ~ 수당 a dismissal〔discharge〕 allowance.

해질녁(at) sunset; (toward) sundown〔nightfall〕.

해체(解體) ~ 하다 take〔pull〕 《a thing》 to pieces; dismantle 《an engine》; pull down 《a building》; scrap 《a ship》(조직을) dis-

solve; disorganize; disband.

해초(海草)〔植〕☞ 해조(海藻).

해충(害蟲) a harmful〔an injurious〕 insect; vermin(총칭).

해치다(害一) injure; harm; hurt; impair; damage.

해치우다 finish up; get 《it》 done;《죽이다》kill; finish off.

해커 a(computer) hacker.

해탈(解脫) deliverance (of one's soul); (Buddhistic) salvation. ~ 하다 be delivered from 《worldly passions》; emancipate oneself from all worldly desires and worries.

해태(海苔) laver.

해파리〔動〕a jellyfish; a medusa.

해하다(害一) ☞ 해치다.

해학(諧謔) a joke; a jest; humor. ¶ ~ 적인 humorous; witty. ‖ ~ 가 a humorist; a joker.

해해거리다 keep laughing playfully(in fun).

해협(海峽) a strait; a channel. ¶ ~ 을 건너다 cross a strait〔channel〕. ‖ 대한 ~ the Straits of Korea / 도버 ~ the Straits of Dover.

해후(邂逅) ~ 하다 meet by chance; chance to meet; come across 《a person》.

핵(核)① a kernel; a core; a stone (과실의). ② a nucleus(원자핵). ¶ ~ 의 nuclear《umbrella》. ‖ ~ 가족 a nuclear family / ~ 무기 a nuclear weapon / ~ 무장 nuclear armament(~ 무장하다 be armed with nuclear weapons) / ~ 보유국 a nuclear power〔state〕/ ~ 분열〔융합〕 nuclear fission〔fusion〕/ ~ 실험(금지협정) a nuclear test (ban agreement) / ~ 폭탄 a nuclear bomb.

핵과(核果)〔植〕a stone fruit; a drupe.

핵산(核酸)〔生〕nucleic acid. ¶ 리보 ~ ribonucleic acid(생략 RNA).

핵심(核心) the core; a kernel.

핵우산(核雨傘) the 《U.S.》 nuclear umbrella.

핵질(核質)〔生〕nucleoplasm; kary-

핵폐기물(核廢棄物) nuclear waste. ‖ ~처리 nuclear waste disposal / ~처리장 a nuclear waste dump site.

핸드백 a handbag; a vanity bag.

핸드볼(競) handball. ‖ ~을 하다 play handball.

핸들 a handle; a wheel(자동차의); a handle bar (자전거의); a knob (도어의).

핸디캡 a handicap.

핼쑥하다 have a bad complexion; look pale (unwell).

햄(고기) ham. ‖ ~샐러더 ham and salad.

햄버거 a hamburger. [steak. 햄버그스테이크 a hamburg(er)

햅쌀 new rice; the year's new crop of rice. ‖ ~밥 rice cooked from the new crop.

햇… new. ‖ ~곡식 a new crop of the year.

햇무리 the halo of the sun. ‖ ~구름 a cirrostratus.

햇볕 the heat of the sunlight (sunbeams); the sun. ‖ ~에 타다 get sunburnt / ~에 말리다 dry (a thing) in the sun.

햇빛 sunshine; sunlight. ‖ ~에 쬐다 expose (a thing) to the sun.

햇살 sunbeams; sunlight.

햇수(~數) the number of years.

행(幸) happiness. ‖ ~인지 불행인지 for good or for evil.

…행(行) (가는 곳) ‖ ~…의 bound for; the train for (Seoul); 수원行 / 수원 ~ 열차 a train for Suwon.

행각(行脚) (돌아다님) traveling on foot; 〔佛〕 a pilgrimage. ~하다 travel on foot; go on a pilgrimage. ‖ ~사기를 하다 commit a fraud; practice a deception. [lines.

행간(行間) (leave) space between

행군(行軍) a march. ~하다 march.

행글라이더 a hang glider. ‖ ~로 날다 hang-glide.

행낭(行囊) a mail bag (sack) (美); a postbag (英).

행동(行動) (an) action; conduct; ‖ ~ movement; behavior. ~하다 act; behave (oneself); conduct (oneself); take action; move. ‖ ~을 같이 하다 act in concert (with) / ~적인 사람 an active person; a man of action. ‖ ~방침 a course of action.

행동거지(行動擧止) bearing; manner.

행동대(行動隊) an action corps [group].

행락(行樂) an excursion; a picnic; an outing; pleasure-(holiday)making. ‖ ~객(客) a holidaymaker; a hiker / ~지(地) a holiday (pleasure, picnic) resort.

행렬(行列) 〔행진〕 a procession; a parade; a queue (차례를 기다리는 사람의); 〔數〕 matrix. ‖ ~장의 ~ a funeral procession. ‖ ~식 determinant.

행로(行路) a path; a road; a course. ‖ 인생 ~ the course [path] of life.

행방(行方) the place (where) one has gone; one's whereabouts; one's traces. ‖ ~을 감추다 disappear; cover one's traces.

행방불명(行方不明) ‖ ~ be missing; lost / ~이 되다 be missing; be lost. ‖ ~자 the missing.

행복(幸福) happiness; (행운) good luck (fortune). ‖ ~한 happy; fortunate; blissful / 더없이 ~한 as happy as a king; as happy as can be.

행불행(幸不幸) happiness or misery. ‖ 인생의 ~ the lights (ups) and shadows (downs) of life.

행사(行使) ~하다 use; make use of; exercise (one's rights). ‖ 묵비권을 ~하다 use one's right to keep silent.

행사(行事) an event; a function; ‖ 연례 ~ the year's regular functions; an annual event.

행상(行商) ~(일) peddling; hawking; (사람) a peddler (美); a pedlar (英). ~하다 peddle; hawk.

행색(行色) 《차림새》 appearance; 《태도》 demeanor; attitude. ¶ ~이 초라하다 look shabby.

행서(行書) 《서체》 a cursive style of writing (Chinese characters).

행선지(行先地) one's destination; the place where one is going.

행성(行星) 【天】 a planet. 대 ~ planetary / 대 ~ a major planet / 소 ~ a minor planet.

행세(行世) ~하다 conduct oneself; behave; 《가장》 assume [put on] an air (of).

행세(行勢) ~하다 wield [exercise] power [influence].

행수(行數) the number of lines.

행실(行實) behavior; conduct; manners.

행여(幸-), **행여나**(幸-) by chance; possibly.

행운(幸運) good fortune [luck]. ¶ ~의 fortunate; lucky / ~을 빕니다 I wish you the best of luck, or Good luck! ∥ ~아 a lucky person; a fortune's favorite.

행원(行員) a bank clerk [employee].

행위(行爲) 《행동》 an act; an action; a deed; 《처신》 behavior; conduct. ¶ 법률~ a juristic act.

행인(行人) a passer-by; a passer.

행장(行裝) a traveling suit [outfit]. ¶ ~을 챙기다 prepare [outfit] oneself for a journey / ~을 풀다 take off one's traveling attire; 《숙박하다》 check in at a hotel 《美》.

행적(行績) the achievements of one's lifetime; one's work (contributions).

행정(行政) administration. ¶ 그는 ~적 수완이 있다 He has administrative ability. / ~개혁 (an) administrative reform / ~관 an executive officer; an administrative official / ~구역 an administrative district [section] / ~법 administrative law.

행정(行程) a journey; distance(거리); an itinerary(여정).

행주 a dishcloth; a dishtowel. ¶ ~(를) 치다 wipe with a dishcloth. / ~치마 an apron.

행진(行進) a march; a parade. ¶ ~하다 march; parade; proceed. ∥ ~곡 a march / 결혼 (장송) ~곡 a wedding [funeral] march.

행차(行次) ~하다 go; come; visit.

행패(行悖) misconduct; misbehavior. ¶ ~을 부리다 resort to violence; commit an outrage.

행하(行下) a tip; gratuity.

행하다(行-) 《행위》 act; do; 《처신》 behave 〔conduct, carry〕 oneself; 《실행》 carry out; perform; practice; execute(명령 따위); commit(나쁜 짓을); fulfill(약속 따위); 《거행》 hold; observe; celebrate.

향(香) (an) incense. ¶ ~을 피우다 burn incense.　　　　　　「school.

향교(鄕校) a local Confucian

향군(鄕軍) ① ☞ 재향 군인. ② ☞ 향토 예비군.

향긋하다 (be) somewhat fragrant; have a faint sweet scent.

향기(香氣) (a) scent; a sweet odor; fragrance; an aroma; (a) perfume.

향기롭다(香氣-) (be) sweet; sweet-smelling [-scented]; fragrant; aromatic.　　　　　　「per.

향나무(香-) 【植】 a Chinese juni-

향내(香-) 《향기》 ¶ ~는 나는 sweet; fragrant; sweet-scented.

향년(享年) 《age at death》 ¶ ~ 칠십 세다 He died at (the age of) 70.

향도(嚮導) 《사람》 a guide[leader].

향락(享樂) enjoyment. ¶ ~하다 enjoy; seek pleasure (in); ~적인 pleasure-seeking. ∥ ~주의 epicurism; hedonism / ~주의자 an epicurean; a hedonist.

향로(香爐) an incense burner; a (bronze) censer.

향료(香料) ① 《식품의》 (a) spice; spicery. ② 《화장품 따위의》 (a) perfume; perfumery(총칭); an aro-

matic.

향리 (鄕里) one's (old) home; one's birthplace [native town].

향미 (香味) flavor. ‖ ~로 spices; seasoning.

향방 (向方) a direction(방위); a course; one's destination(목적지).   [con.

향배 (向背) for or against; pro or

향불 (香-) an incense fire; burning incense.

향상 (向上) elevation; rise; improvement. ‖ ~하다 rise; be elevated; become higher; progress; improve; advance. ‖ ~심 aspiration; ambition.

향수 (享壽) ~하다 enjoy old age; live to a ripe old age.

향수 (香水) a perfume; a scent; scented water.

향수 (鄕愁) homesickness; nostalgia. ‖ ~를 느끼다 feel homesick.

향습성 (向濕性) 【植】 positive hydrotropism.

향연 (饗宴) a feast; a banquet. ‖ ~을 베풀다 hold a banquet.

향유 (享有) ~하다 enjoy; possess; participate 《in》.

향유 (香油) perfumed oil.

향유고래 (香油-) 【動】 a sperm whale; a cachalot.

향응 (饗應) an entertainment; a banquet; a treat. ~하다 entertain 《a person at [to] dinner》; treat 《a person to》; give [hold] a party 《for a person》.

향일성 (向日性) 【植】 (positive) heliotropism.

향지성 (向地性) 【植】 (positive) geotropism.

향토 (鄕土) one's native place [district]; one's birthplace [hometown]. ‖ ~문학 [음악] folk literature [music] / ~색 local color (~색 짙은 rich in local color) / ~예비군 the homeland reserve forces / ~예술 folk art.

향하다 (向-) ① 《대하다》 face; front; look (out) on. ‖ 바다를 ~《집이》 look out on the sea.

② 《지향해 가다》 go to [toward]; leave [start] for; head for. 《향하여 for; toward; in the direction of.

향학심 (向學心) desire for learning; love of learning; a desire to learn; intellectual appetite.

향후 (向後) hereafter; henceforth; from now on; in future.

허 (虛) an unguarded position [moment]; unpreparedness; a weak point. ‖ ~를 찔리다 be caught off 《one's》 guard.

허가 (許可) permission; leave; approval(인가); 《면허》 license; 《입학·입장》 admission. ~하다 permit; give leave; license; allow 《면허》; admit(입장을). ‖ ~를 얻어 영업하다 do business under license. ‖ ~제(制) a license system / ~증(證) a permit; written permission; a license.

허김지겁 ⇨ 허둥지둥.

허공 (虛空) the empty air; empty space; 《공중》 the air; the sky.

허구 (虛構) a lie; a fabrication; a fiction; a falsehood; an invention. ‖ ~의 made-up; false; fabricated; invented; fictitious.

허구하다 (許久-) be very long; be a very long time. ‖ 허구한 세월을 덧없이 보내다 spend many long years in vain.

허기 (虛飢) an empty stomach; hunger. ‖ ~를 느끼다 feel hungry / ~를 달래다 appease [alleviate] 《one's》 hunger.

허깨비 《환영》 a phantom; a ghost; 《환상》 a vision; an illusion.

허니문 《신혼 여행》 a honeymoon.

허다하다 (許多-) (be) numerous; many; innumerable; frequent; common.

허덕거리다 ① 《숨이 차》 pant; gasp for breath; 《지쳐서》 be exhausted; be tired out. ② 《애쓰다》 struggle; make frantic efforts; strive wildly.

허두 (虛頭) 《첫머리》 the beginning

the opening 《of a speech》.

허둥거리다 fluster *oneself*: be all in a flurry: be confused.

허둥지둥 in a flurry: in hot haste: helter-skelter: hurry-scurry.

허드레 odds and ends. ¶ ~꾼 an odd-(job) man: an odd-job-ber / 허드렛물 water for sundry uses / 허드렛일 odd jobs: a trifling job.

허들 a hurdle. ∥ ~레이스 a hurdle race.

허락(許諾) 《승인》 consent: assent: approval: sanction. 《허가》 permission: permit: leave. ~ 하다 consent to; give consent to: approve; permit: allow: admit (입학 따위를).

허랑방탕(虛浪放蕩) ~ 하다 (be) loose: profligate: dissolute.

허례(虛禮) formalities: formal courtesy: empty forms. ¶ ~를 없애다 dispense with formalities. ∥ ~허식 (formalities and) vanity.

허름하다 (be) almost empty.

허름하다 ① 《나이가》 (be) old: shabby. ② 《값이》 (be) cheap: low-priced: inexpensive.

허리 ① 《몸의》 the waist: the loin. ¶ ~가 날씬하다 have a supple (slender) waist. ② 《옷의》 the waist.

허리띠 a belt; a girdle; a (waist) band: belting(총칭). ¶ ~를 매다 (풀다) tie (untie) a belt.

허리춤 inside the waist of *one's* trousers.

허리케인(氣) a hurricane.

허리통 a waist measure.

허망(虛妄) ~ 하다 (be) vain; false; untrue; groundless. ¶ ~하게 to no purpose: in vain. ∥ ~감 a sense of futility / ~주의 nihilism / ~주의자 a nihilist.

허무맹랑하다虛無孟浪 —) (be) fabulous: empty: groundless: false:

unreliable. ¶ 허무맹랑한 소문 a groundless rumor.

허물 《살껍질》 the skin; a slough (뱀 따위의).

허물 《잘못》 a fault; a mistake: an error; a misdeed; a blame.

허물다 demolish; pull (take, tear) down; destroy.

허물 벗다 《뱀 따위가》 cast off the skin; slough 《off, away》; exuviate.

허물 벗다 《누명 벗다》 clear *oneself* of a false charge.

허물어지다 collapse; fall (break) down; crumble(벽 따위); give way(다리 따위): be destroyed.

허물없다 be on familiar (friendly) terms; (be) unceremonious; unreserved. ¶ 허물없이 without reserve; familiarly.

허밍 humming.

허방짚다 miscalculate.

허벅다리 a thigh.

허벅지 the inside of the thigh.

허비(虛費) waste. ~ 하다 waste: cast (throw) away. ¶ 시간을 ~ 하다 waste *one's* time; idle away *one's* time.

허사(虛事) a vain attempt; a failure. ¶ ~로 돌아가다 come to nothing (naught); end in failure.

허상(虛像)〔理〕 a virtual image.

허섭스레기 odd ends (bits); trash.

허세(虛勢) a bluff; bluster; a false show of power (strength; courage). ¶ ~를 부리다 bluff: make a show of power / ~를 부리는 사람 a bluffer; a swaggerer.

허송세월(虛送歲月) ~ 하다 waste time; idle *one's* time away.

허수(虛數)〔數〕 an imaginary number.

허수아비 a scarecrow; 《사람》 a dummy; a puppet.

허술하다 ① 《초라하다》 (be) shabby; poor-looking; worn-out. ② 《헛점이 있다》 (be) lax; loose; careless.

허스키 (in) a husky voice.

허식 (虛飾) show; display; ostentation: affectation: vanity. ￦ ～ 적인 showy; ostentatious / ～이 없는 unaffected; plain / ～을 좋아하다 love stand play; be fond of display.

허실 (虛實) truth and falsehood.

허심탄회 (虛心坦懷) ～하다 (be) open-minded; frank; candid. ￦ ～하게 with an open mind; candidly; frankly; without reserve.

허약 (虛弱) ～하다 ①(be) weak; sickly; frail; feeble.

허언 (虛言) a lie; a falsehood.

허여멀쓱하다 (be) nice and fair; have a fair complexion.

허영 (虛榮) vanity; vainglory. ￦ ～심 vanity (～심이 강한 vain; vainglorious).

허옇다 (be) very white. ☞ 하얗다.

허욕 (虛慾) vain ambitions; false desires; avarice; greed. ￦ ～ 많은 greedy; avaricious.

허용 (許容) permission; allowance; tolerance. ～하다 permit; allow; tolerate. ￦ ～범위 a permissible range / ～한도 a tolerance [an acceptable] limit.

허우대 a fine full figure.

허울 (a nice) appearance; exterior. ￦ ～만 좋은 물건 a gimcrack / ～뿐이다 be not so good as it looks; be deceptive.

허위 (虛僞) a lie; a falsehood. ￦ ～의 false; sham; fictitious; feigned. ￦ ～진술 misrepresentation.

허위적거리다 struggle; wriggle; flounder; squirm.

허장성세 (虛張聲勢) bravado and bluster. ～하다 indulge in bravado and bluster.

허전하다 feel empty; miss 《something》; feel lonesome.

허점 (虛點) a blind point [spot]; a weak point. ￦ ～을 노리다 watch for an unguarded moment; try to catch 《a person》

napping; 《법의》 find a loophole in the law.

허청거리다 be unsteady on one's feet; feel weak at one's knees.

허탈 (虛脫) 【醫】(physical) collapse; lethargy(무기력). ～하다 collapse; be atrophied [prostrated]. ￦ ～감 despondency.

허탕 feel (fruitless) labor; vain effort. ￦ ～치다 labor [work] in vain; come to nothing; make vain efforts.

허투루 carelessly; roughly; negligently; in a slovenly way. ￦ 물건을 ～ 다루다 handle things roughly.

허튼맹세 an idle pledge [vow]; an irresponsible oath.

허튼소리 (一酬酊) idle talk [remarks]; irresponsible utterance.

허파 the lungs; lights(소, 양, 돼지의). ￦ ～에 바람이 들다 be giggly [gigglesome; giddy].

허풍 (虛風) a brag; a big [tall] talk; exaggeration. ￦ ～(을) 떨다 boast: talk big; brag; exaggerate. ￦ ～선이 a boaster; a brag gart: a gasbag.

허하다 (虛一) ①(속이 빔) (be) hollow: empty; vacant; void; (허약) (be) weak; feeble; delicate; frail.

허행 (虛行) ～하다 ☞ 헛걸음하다.

허허벌판 a vast expanse of plains; a wide field.

혼 (許) ～하다 consent to 《a person's》 marriage.

허황 (虛荒) ～하다 (be) false; wild; unbelievable; ungrounded; unreliable. ￦ ～된 생각 a fantastic [wild] idea.

헌 old; shabby; worn-out; used secondhand. ￦ ～ 물건 an article [a used] article / ～옷 worn-out clothes.

헌것 (worn-out, secondhand [used] things.

헌금 (獻金) a gift of money; a contribution; a donation; 《교회에 하는》 an offering; 《a collection. ～하다 contribute; donate

‖ ～者 a contributor; a donor.
헌납(獻納) contribution; donation.
　～하다 contribute; donate; offer.
‖ ～者 a contributor; a donor / ～
품 an offering; a present; a
gift.
헌데 a swelling; a boil; an
abscess; an eruption.
헌법(憲法) the constitution. ‖ ～
(상)의 constitutional / ～을 제정
[개정]하다 establish [revise] a
constitution / ～ 제7조 Article 7
of the constitution. ‖ ～개정 the
revision of the constitution / ～
위반 a breach of the constitution.
헌병(憲兵) a military police-
man; the military police. ‖ (육군)
～ (육군의) the military police(총칭)(생
략 MP); (해군) a shore patrol-
man; the shore patrol(총칭)(생
략 SP) ‖ ～대 (육군의) the Mili-
tary Police; (해군) the Shore
Patrol.
헌상(獻上) an offering to a supe-
rior. ～하다 offer [present] (a
thing) to a superior. ‖ ～품 an
offering; a gift.
헌신(獻身) devotion. ～하다 devote
[dedicate] oneself (to). ‖ ～적인
devotional / ～적으로 devotedly.
헌신짝 a worn-out [an old] shoe.
‖ ～처럼 버리다 throw [cast] (a
thing) away like an old shoe.
헌옷 old [worn-out, secondhand]
clothes.
헌장(憲章) the constitution; the
charter. ‖ 대～ (영국의) the
Magna Carta; the Great Char-
ter.
헌정(憲政) constitutional govern-
ment; constitutionalism.
헌정(獻呈) ～하다 present (a copy)
to (a person); dedicate. ‖ ～본
a presentation [complimentary]
copy.
헌책(一冊) a secondhand [used]
book. ‖ ～방 a secondhand book-
store.
헌칠하다 (be) tall and hand-
some; have a well-proportioned
figure.

헌혈(獻血) blood donation; dona-
tion of blood. ～하다 donate
[give] blood.
헐값(歇―) a giveaway [dirt-cheap,
low] price.
헐겁다 (be) loose; loose-fitting.
헐다¹ (물건이) get old; become
shabby; wear out; be worn-out;
(피부가) get [have] a boil (on);
develop a boil.
헐다² (쌓은 것 등을) destroy;
pull [break] down; demolish. ②
(남을) speak ill of; slander. ③
(돈을) break; change.
헐떡거리다 pant; gasp; breathe
hard. ‖ 헐떡거리며 pantingly;
between gasps.
헐뜯다 slander; defame; pick
on (a person); speak ill (of).
‖ 뒤에서 남을 ～ speak ill of (a
person) behind his back.
헐렁거리다 ‖ (물건이) be loose
[-fitting]; fit loose; ‖ 헐렁거리는
볼트 a loose bolt. ② (행동을) act
rashly; be reckless.
헐렁이 a frivolous person; an
unreliable person.
헐렁하다 ‖ be loose; loose-fitting.
헐레벌떡 panting and puffing;
out of breath.
헐리다 be pulled [torn] down; be
demolished [destroyed].
헐벗다 ① (사람이) be in rags; be
poorly [shabbily] clothed; (나무·
산이) be bared [stripped]. ‖ 헐벗
은 아이들 children in rags / 헐벗
은 산 a bare [bald] mountain.
헐하다(歇―) ① (값이) be cheap;
inexpensive. ‖ 헐하게 사다 buy
cheap; buy at a bargain. ②
(쉽다) be easy; simple; light.
③ (가벼운) be light; lenient.
‖ 헐한 벌 a light [lenient] punish-
ment.
험구(險口) an evil tongue; slan-
der. ～하다 make blistering re-
marks; use abusive language;
slander; abuse. ‖ ～가 a foul-
mouthed person; a slanderer.
험난(險難) ～하다 (be) rough and

ㅎ

difficult; rugged; be full of danger.

험담 (險談) slander; calumny. ~ 하다 slander; speak ill of; talk scandal 《about》; backbite. ¶ ~ 잘 하는 사람 a scandalmonger; a backbiter.

험상궂다 (險狀 —) (be) sinister (rugged, grim, savage-looking).

험악하다 (險惡 —) 《위험》 (be) dangerous; perilous; 《사태가》 (be) serious; critical; grave; 《날씨가》 (be) threatening; stormy; 《험준》 (be) rugged. ¶ 험악한 표정 a grim (stern) expression.

험준하다 (險峻 —) (be) steep; precipitous; rugged. ¶ 험준한 산길 a steep (rugged) mountain road.

험하다 (險 —) ① 《산길 따위가》 (be) rugged; steep; perilous. ② 《날씨 따위가》 (be) foul; stormy; rough. ③ 《표정 따위가》 (be) sinister; grim; savage-looking. ④ 《상태가》 (be) critical; serious; grave; grim.

헙수룩하다 《머리털이》 (be) shaggy; 《옷차림이》 (be) shabby; poor-looking; seedy.

헛간 (一間) a barn; a shed.

헛걸음하다 go on a fool's errand; make a trip in vain.

헛구역 (一嘔逆) queasiness; a queasy feeling. ¶ ~질이 나다 have a queasy feeling; be queasy.

헛기침하다 clear one's throat (to attract attention); ahem.

헛다리짚다 make a wrong guess (estimate); miscalculate; shoot at a wrong mark.

헛돌다 《기계 따위가》 run idle; race.

헛되다 《보람없다》 (be) idle; vain; futile; unavailing; empty; 《무근》 (be) groundless; false; untrue. ¶ 헛되이 uselessly; in vain; aimlessly; idly.

헛듣다 hear 《something》 wrong (amiss); mishear. ¶ 아무의 말을 ~ mishear a person's remark.

헛디디다 miss one's step; take a false step.

헛물켜다 make vain efforts.

헛배부르다 have a false sense of satiety.

헛소리하다 talk in delirium(정신 없이); talk nonsense (rubbish).

헛소문 (一所聞) a false rumor.

헛손질하다 paw the air.

헛수 (一手) a wrong move.

헛수고 fruitless (vain) effort; lost labor. ~ 하다 make vain efforts; work in vain; waste time and labor. ¶ ~ 가 되다 one's labor comes to nothing (naught).

헛웃음 a feigned (pretended) smile; a simper; a smirk. ¶ ~ 을 치다 simper; smirk.

헛일 useless work; vain effort; lost (fruitless) labor. ~ 하다 do useless work; make vain efforts; try in vain.

헛헛증 (一症) hungriness; a chronic hunger. ¶ ~ 이 있다 suffer from chronic hunger.

헛헛하다 feel (be) hungry.

헝겊 a piece of cloth; a rag.

헝클다 tangle; entangle; dishevel.

헝클어지다 be (get) tangled (entangled); be in a tangle.

헤게모니 (영 hegemony)

헤드라이트 a headlight.

헤딩 heading. ~ 하다 head.

헤뜨리다 scatter; strew; disperse.

헤로인 《여주인공》 a heroine 《마약의 일종》 heroin.

헤르니아 《醫 hernia(탈장).

헤매다 ① 《돌아다니다》 wander (roam) about; rove. ¶ 생사지경을 ~ hover between life and death. ② 《마음이》 be embarrassed (perplexed, puzzled); be at a loss. ¶ 어쩔줄 몰라 ~ be at a loss what to do.

헤모글로빈 《生》 hemoglobin.

헤벌쭉 wide open. ~ 하다 be wide open. ¶ ~ 웃다 smile a broad smile.

헤브라이 Hebrew. ∥ ~ 어 Hebrew.

헤비급 (一級) the heavyweight. ∥ ~ 선수 a heavyweight 《boxer》.

헤살 hindrance; slander(중상).

¶ ~ 놓다 thwart; hinder; interfere with. ‖ ~꾼 slanderer; a malicious interferer.

헤실바실 frittering away; inadvertently running out of.

헤아리다 ① 《요량하다》 consider; weigh; ponder. ¶ 《가늠·짐작》하다 undertake a plan with due consideration. ② 《잴·측량》 fathom; sound; plumb; surmise; conjecture. ③ 《셈》 count; calculate; estimate. ¶ 헤아릴 수 없는 incalculable; innumerable.

헤어나다 cut [fight] one's way through; ride over 《a crisis》; get out of 《a difficulty》.

헤어네트 (머리에 쓰는 그물) a hairnet.

헤어브러시 (머릿솔) a hairbrush.

헤어스타일 (머리모양) a hair style.

헤어지다 ① 《이별》 part from [with]; separate from; part company 《with》; divorce oneself 《from》. ② 《친구와》 ~ part from a friend. ② 《흩어지다》 get scattered [strewn; dispersed]. ¶ 삼삼오오 헤어져서 가다 disperse by twos and threes.

헤어핀 (머리핀) a hairpin.

헤엄 swimming; a swim. ¶ ~ 치러 가다 go swimming.

헤집다 rummage 《about, through, among》; ransack.

헤집다 dig up and scatter; tear up; turn up.

헤치다 ① 《파헤치다》 dig [turn] up. ② 《흩뜨리다》 scatter; disperse. ③ 《좌우로》 push aside; make one's way 《through》; elbow one's way 《through》.

헤프다 ① 《쓰기에》 be not durable; be easy to wear out; be soon used up. ② 《씀씀이가》 (be) uneconomical; wasteful. ¶ 돈을 헤프게 쓰다 spend money lavishly [wastefully]. ③ 《입이》 (be) talkative; glib(-tongued). ④ 《몸가짐이》 (be) loose; dissipated; dissolute.

헥타르 a hectare.

헬레니즘 〔史〕 Hellenism.

헬륨 〔化〕 helium (기호 He).

헬리콥터 a helicopter; a chopper 《美俗》.

헬리포트 a heliport.

헬멧 a helmet.

헷갈리다 ① 《마음이》 be confused; one's attention is distracted. ② 《뜻이》 be confused; be hard to distinguish.

헹가래 ~ 치다 toss [hoist] 《a person》「into the air [shoulderhigh].

헹구다 wash out; rinse out [away].

혀 a tongue; 《악기의》 a reed. ¶ ~를 내밀다 put [stick] out one's tongue. ‖ ~끝 the tip of the tongue.

혁대 (革帶) a leather belt.

혁명 (革命) a revolution. ¶ ~적인 revolutionary / 무력 [무혈] ~ an armed [a bloodless] revolution / 반~세력 antirevolutionary group [force]. ‖ ~가 a revolutionist.

혁신 (革新) (a) reform; (a) renovation; (an) innovation. ~하다 (make a) reform; renovate 《in, on》. ¶ ~적인 innovative; progressive.

혁혁하다 (赫赫一) (be) bright; brilliant; glorious; distinguished.

현 (弦) ① 《활시위》 a bowstring. ② 〔數〕 a chord. ③ 〔天〕 a quarter (moon). ④ 《줄》 a string; a chord.

현 (現) present; existing; actual.

현격 (懸隔) ~하다 (be) different; wide apart. ¶ ~한 차이 a great disparity; a wide difference.

현관 (玄關) the (front) door; the porch; the entrance hall.

현금 (現今) ~ 의 present time [day]; nowadays; of today / ~에는 at present; now; nowadays; in these days.

현금 (現金) cash; ready money. ¶ ~으로 치르다 pay in cash. ‖ ~거래 cash transactions / ~상환 cash redemption / ~자동현

금입출기 an automatic teller machine (생략 ATM).

현기증(眩氣症) giddiness; dizziness; 〖醫〗 vertigo.

현대(現代) the present age (day); today. ¶ ~의 current; present-day; modern / ~적인 modern; up-to-date. ∥ ~작가 a contemporary writer / ~화(化) modernization (~화하다 modernize).

현란(絢爛) ~하다 (be) gorgeous; brilliant; dazzling; flowery.

현명(賢明) wisdom. ¶ ~한 wise; sensible; intelligent; sagacious.

현모양처(賢母良妻) a wise mother and good wife.

현물(現物) the actual thing (goods). ¶ ~로 지급하다 pay in kind. ∥ ~가격 a spot price / ~거래 a spot transactions (~급여 an allowance (wages) in kind / ~출자 (make) investment in kind.

현미(玄米) unpolished (unmilled) rice.

현미경(顯微鏡) a microscope. ¶ 배율 백 배의 ~ a microscope of 100 magnifications / 전자~ an electron microscope.

현상(現狀) the present (existing) state; the present condition (situation); the *status quo*. ∥ ~유지 maintenance of the *status quo*.

현상(現象) a phenomenon. ¶ 일시적 ~ a passing phenomenon.

현상(現像) 〖寫〗 developing; development. ~하다 develop. ∥ ~액 a developer.

현상(懸賞) a prize; a reward. ¶ ~을 걸다 offer a prize (reward) (for); 《범인 등에》 set a prize (on) / ~에 응모하다 enter a prize contest. ∥ ~금 prize money; a reward / ~당선자 a prize winner / ~소설 a prize novel.

현세(現世) this world; 〖佛〗 이승.

현수(懸垂) suspension. ∥ ~교(橋) a suspension bridge / ~막 a hanging banner (placard).

현숙(賢淑) ¶ ~한 아내 a wise and virtuous wife. 〔day〕

현시(現時) the present time; to

현시(顯示) ~하다 show; reveal.

현실(現實) reality; actuality. ¶ ~의 actual; real / ~로 actually / ~화하다 realize. ∥ ~주의 realism.

현악(絃樂) string music. ∥ ~기 a stringed instrument / ~사중주 a string quartet.

현안(懸案) a pending (an outstanding) question (problem).

현역(現役) active service. ∥ ~군인 a soldier in active service / ~선수 a player on the active list.

현인(賢人) a wise man; a sage.

현임(現任) the present office. ∥ ~자 the present holder of the office.

현장(現場) the spot; the scene (of action). ¶ ~에서 on the spot / ~에서 잡히다 be caught in the act (*of stealing*). ∥ ~감독 a foreman; a field supervisor / ~검증 an on-the-spot inspection / ~부재증명 an alibi ~연수(研修) on-the-job training (experience) / ~중계 TV coverage of the scene / ~취재 news gathering of the scene (*of*).

현재(現在) the present (time). ¶ ~의 present; existing / ~까지 up to now; to date. ∥ ~제 the present (tense).

현저(顯著) ¶ ~한 remarkable; marked; outstanding; striking / 인구의 ~한 증가 a marked increase in poulation.

현존(現存) ~하다 exist; be in existence. ¶ ~의 living; existing. ∥ ~작가 living writers.

현주(現住) ① 《현재 삶》 actual residence. ∥ ~민 the present inhabitants (residents). ② 《현주소》 one's present address.

현지(現地) the spot; the field. ∥ ~보고 an on-the-spot report / ~생산 local production / ~시간 local time / ~인 a native;

local people / ~를 조사 field investigations.

현직(現職) the present office [post]. ¶ ~의 serving (officials); incumbent.

현찰(現札) cash; ready money.

현충일(顯忠日) the Memorial Day.

현충탑(顯忠塔) a memorial monument.

현품(現品) the (actual) goods. ⇒ 현물.

현행(現行) ¶ ~가격 the going price / ~ 교과서 the textbooks now in use. ∥ ~범 a crime committed in the presence of a policeman (~현장에서 잡다 catch (a thief) red-handed / ~범규 break the existing laws.

현혹(眩惑) dazzlement. ~하다 dazzle; enchant; mesmerize; take (a person) in.

현황(現況) ⇒ 현상(現狀).

혈거(穴居) ~하다 dwell in a cave. ∥ ~시대 the cave age.

혈관(血管) a blood vessel. ∥ ~열 the rupture of a blood vessel.

혈구(血球) a blood corpuscle (cell).

혈기(血氣) hot blood; youthful vigor. ¶ ~ 왕성한 passionate; hot-blooded / ~가 왕성하다 be full of youthful vigor.

혈뇨(血尿) bloody urine; [醫] hematuria.

혈담(血痰) bloody phlegm.

혈당(血糖) [生理] blood sugar; glucose (포도당). ∥ ~치 a blood sugar level.

혈로(血路) ¶ ~를 열다 find a perilous way out; cut one's way (through the enemy).

혈맥(血脈) 《혈관》 a blood vessel; 《혈통》 lineage; blood; pedigree.

혈반(血斑) a blood spot.

혈변(血便) bloody stool.

혈색(血色) a complexion. ¶ ~이 좋다 (나쁘다) look well (pale); have a ruddy (bad) complexion / ~이 좋아 (나빠)지다 gain (lose) color. ∥ ~소 hemoglobin.

혈서(血書) ¶ ~를 쓰다 write in blood.

혈세(血稅) a tax paid by the sweat of one's brow.

혈안(血眼) a bloodshot eye. ¶ ~이 되어 찾다 make a desperate effort to find; make a frantic search (for).

혈압(血壓) blood pressure. ¶ ~을 재다 measure one's blood pressure / ~이 높다 (낮다) have high (low) blood pressure. ∥ 강하제 a hypotensive drug / ~계 a tonometer.

혈액(血液) blood. ¶ ~ 순환을 좋게 하다 improve blood circulation. ∥ ~검사 a blood test (type) / ~형 blood type / ~병 leukemia.

혈연(血緣) blood relation (ties); family connection(s). ∥ ~관계 consanguinity; blood relationship (~관계에 있다 be related by blood (birth)).

혈우병(血友病) [醫] hemophilia; bleeder's disease.

혈육(血肉) 《피와 살》 blood and flesh; 《자식》 one's offspring. ¶ ~ 하나 없다 be childless.

혈장(血漿) blood plasma.

혈전(血戰) a bloody battle; a desperate fight.

혈족(血族) 《관계》 blood relationship (ties); 《사람》 a blood relative (relation). ∥ ~결혼 an intermarriage.

혈증(血症) [醫] (blood) serum. ∥ ~간염 serum hepatitis.

혈통(血統) blood; lineage; pedigree; a family line. ¶ ~은 속이지 못한다 Blood will tell. ∥ ~서 a pedigree.

혈투(血鬪) a bloody fight.

혈행(血行) circulation of the blood.

혈혈단신(孑孑單身) all alone in the world. ¶ ~이다 be all alone.

혈흔(血痕) a bloodstain.

혐오(嫌惡) hatred; dislike. ~하다 hate; dislike; detest. ¶ ~할 hateful; detestable / ~감을 갖다 have a hatred (for); feel an aversion (to).

ㅎ

혐의(嫌疑) (a) suspicion; a charge. ¶ …의 ～으로 on suspicion [a charge] of ... / ～를 두다 suspect 《a person》《of》. / ～자 a suspected person; a suspect.

협객(俠客) a chivalrous person.

협곡(峽谷) a gorge; a ravine; a canyon.

협공(挾攻) ～하다 attack 《the enemy》 from both sides. ‖ ～작전 a pincer operation.

협동(協同) cooperation; collaboration; partnership. ～하다 cooperate [collaborate] 《with》; work together. ¶ ～하여 jointly; in cooperation [collaboration] 《with》. ‖ ～기업 a cooperative enterprise / ～정신 cooperative spirit / ～조합 a cooperative society [association].

협력(協力) cooperation; joint efforts. ～하다 cooperate [join forces] 《with》; work together 《with》. ¶ 경제 ～ economic cooperation / …와 ～하여 in cooperation [collaboration] with. ‖ ～자 a collaborator; a cooperator.

협박(脅迫) a threat; intimidation; a menace. ～하다 threaten; menace; intimidate. ‖ ～자 an intimidator / ～죄 intimidation.

협상(協商) negotiations; an entente 《프》. ～하다 negotiate 《with》. ¶ ～을 맺다 conclude an entente 《with》.

협소하다(狹小－) (be) narrow and small; limited.

협심(協心) unison. ～하다 unite; be united. ¶ ～하여 일하다 work in unison.

협심증(狹心症) 〖醫〗 stricture of the heart; angina (pectoris).

협약(協約) 협정. ¶ 노동[단체] ～ a labor [collective] agreement.

협의(協議) a conference; consultation; discussion. ～하다 talk 《with a person》 over 《a matter》; discuss 《a matter with a person》; confer 《with》. ¶ ～사항 a

협의(狹義) (in) a narrow sense.

협잡(挾雜) cheating; trickery; swindle; fraud. ～하다 cheat; swindle; commit a fraud; juggle. ‖ ～꾼 a swindler; an impostor; a cheat.

협정(協定) an agreement; an arrangement; a pact. ～하다 agree 《on》; arrange 《with》. ¶ ～을 맺다[폐기하다] conclude [abrogate] an agreement 《with》 / ～을 이행하다 fulfill [carry out] an agreement. ‖ ～서 a written agreement / ～위반 a breach of an agreement.

협조(協調) cooperation; harmony 《조화》; conciliation《타협》. ～하다 cooperate 《with》; act in concert 《with》. ‖ ～적 cooperative; conciliatory 《attitude》. ‖ ～자 a cooperator.

협주곡(協奏曲) a concerto.

협착(狹窄) 〖醫〗 a stricture; contraction.

협찬(協贊) approval 《찬성》; support 《지지》; cooperation 《협력》; sponsorship 《후원》. ～하다 approve 《a plan》; support 《a campaign》; cosponsor 《a contest》.

화음(協和音) a consonance.

협회(協會) an association; a society. ¶ 대한축구～ the Korea Football Association.

혓바늘 fur. ¶ ～이 돋다 have fur on one's tongue.

혓바닥 (the flat of) the tongue.

형(兄) ① 《동기간》 an elder brother; 《부를 때》 Brother! ② 《친구간》 you; Mr. 《Kim》.

형(刑) a punishment; a penalty; a sentence.

형(形) 《형태》 form; shape; a size.

형(型) 《모형》 a model; 《주물》 a mold; a matrix; 《양식》 a style; a type; a model; a pattern.

형광(螢光) 〖理〗 fluorescence. ‖ ～도료(塗料) a luminous [fluorescent] paint / ～등[판] a fluores-

ㅎ

cent lamp〔plate〕. 〔ishment.

형구(刑具) an implement of punishment.

형극(荊棘) brambles; thorns. ¶ ～의 길〔tread〕 a thorny path.

형기(刑期) a prison term. ¶ ～를 마치다 complete〔serve out〕 one's term.

형무소(刑務所) ☞ 교도소.

형벌(刑罰) a punishment; a penalty. ¶ ～을 과하다 punish; inflict〔impose〕 a punishment (on).

형법(刑法) the criminal law〔code〕. ¶ ～상의 죄 a criminal〔penal〕 offense.

형부(兄夫) a brother-in-law; one's elder sister's husband.

형사(刑事) (사람) a (police) detective; a plainclothes police officer (사복). ¶ ～상의 criminal; penal. / ～사건〔事件〕 a criminal case / ～범〔罪〕 a criminal〔penal〕 offense; (사람) a criminal offender / ～소송 a criminal action〔suit〕/ ～책임 criminal liability / ～책임을 묻다 hold (a person) liable (for a case)).

형상(形狀) (a) shape; (a) form.

형석(螢石) 〔鑛〕 fluor(ite).

형성(形成) formation; shaping. ¶ ～하다 form; shape. ‖ ～기(期) the formative period.

형세(形勢) the situation; the state of things〔affairs〕; (watch) the development (of affairs).

형수(兄嫂) an elder brother's wife; a sister-in-law.

형식(形式) (a) form; formality. ¶ ～적인 formal; conventional / ～적으로 formally. ‖ ～논리 formal logic / ～주의 formalism / ～주의자 a formalist.

형안(炯眼) insight; a quick〔keen〕 eye. ¶ ～의 quick-sighted.

형언(形言) ¶ ～하다 describe; express.

형용(形容) (비유) a metaphor; (a) description. ¶ ～하다 express; describe. ‖ ～사〔文〕 an adjective.

형이상(形而上) ¶ ～의 metaphysical. ‖ ～학 metaphysics.

형이하(形而下) ¶ ～의 physical; concrete. ‖ ～학 concrete〔physical〕 science.

형장(刑場) a place of execution. ¶ ～의 이슬로 사라지다 die on the scaffold; be executed.

형적(形迹) (흔적) marks; traces; (증거) signs; evidences.

형제(兄弟) a brother; (자매) a sister; (신도) brethren. ¶ ～의 brotherly; sisterly. / ～자매 brothers and sisters; brethren (신도).

형질(形質) characteristic form and quality.

형태(形態) (a) form; (a) shape. ‖ ～학〔生〕 morphology.

형통(亨通) ¶ ～하다 go well; turn out well; prove successful.

형편(形便) ① (경과) the course (of events); the development (of an affair); (형세·사정) the situation; the state (of things); the condition (of affairs); circumstances; reasons; (편익) convenience. ¶ ～에 의해서 for certain reasons; owing to circumstances; / ～이 닿으시면 if it is convenient for you. ‖ 재정(財政) ～ financial condition. ② (살림의) one's livelihood; one's living condition. / ～생계.

형편없다(形便—) (지독함) (be) terrible; awful; (터무니없음) exorbitant. ¶ 형편없이 severely; terribly; awfully; exorbitantly.

형평(衡平) ¶ ～의 원칙 the principle of equity.

형형색색(形形色色) ¶ ～의 various; all sorts and kinds; diverse.

혜성(彗星) a comet. ¶ ～과 같이 나타나다 make a sudden rise from obscurity.

혜안(慧眼) (keen) insight; a keen〔sharp〕 eye. ¶ ～의 keen〔sharp-eyed; insightful (comments).

혜택(惠澤) a favor; benefit; a blessing(신의). ¶ ～을 입다 be benefited; receive a favor (from); be indebted (to).

호(戶) a house; a door.

호(號) 《명칭》 a title; a pen name (아호); 《번호》 a number; an issue; 《크기》 a size.

호가(呼價) a nominal price (quotation); the price asked; 《경매의》 a bidding. ~하다 ask [bid, offer] a price (for).

호각(號角) (blow) a whistle.

호감(好感) good feeling; a favorable [good] impression. ¶ ~을 주다 make a good impression 《on a person》/ ~을 가지다 feel friendly 《toward》/ ~을 사다 win 《a person's》 favor.

호강 comfort; luxury. ~하다 live in luxury (comfort).

호객(呼客) touting. ~하다 tout 《for customers》; solicit patronage. ¶ ~꾼 a tout; a barker(구경거리의).

호걸(豪傑) a hero; a gallant [bold] man. ¶ ~풍의 heroic; gallant.

호경기(好景氣) prosperity; good times; a boom. ¶ ~의 흐름을 타다 take advantage of a boom.

호구(戶口) the number of houses and families. ¶ ~조사 census; census taking.

호국(護國) defense of the fatherland. ¶ ~영령 a guardian spirit of the country.

호기(好機) a good [golden] opportunity; a good chance.

호기(豪氣) 《기상》 a heroic temper; an intrepid spirit. ¶ ~롭다 be heroic [intrepid, gallant] / ~를 부리다 display bravery; display one's liberality.

호기심(好奇心) curiosity. ¶ ~이 많은 [강한] curious; inquisitive / ~으로 out of curiosity.

호다 sew 《a quilt》 with large stitches; make long stitches.

호도(糊塗) ~하다 gloss over 《one's mistakes》; patch up. ¶ ~지책 a temporary expedient.

호되다 (be) severe; stern; hard; harsh. ¶ 호되게 꾸짖다 scold severely.

호두(胡一) 《植》 a walnut.

호들갑떨다 say extravagantly; act frivolously; be bubbling over; make too much of 《a matter》.

호들갑스럽다 (be) abrupt and frivolous; flippant; rash. [cake.

호떡(胡一) a Chinese stuffed pan-

호락호락 (히) readily; easily. ~하다 (be) ready; easily manageable; tractable. ¶ ~히 속아넘어가다 be deceived easily.

호랑나비 a swallowtail (butterfly).

호랑이 ① 《動》 a tiger. ¶ ~도 제 말하면 온다 《俗談》 Talk of the devil, and he will appear. ② 《사람》 a fierce [formidable] person.

호령(號令) a (word of) command; an order. ~하다 command (give an) order; 《꾸짖다》 reprimand 《a person》 severely.

호르몬 hormone.

호리다(誘惑) seduce; allure; entice; 《정신을》 bewitch; enchant; fascinate.

호리병(胡一甁) a gourd. ¶ ~모양의 gourd-shaped.

호리호리하다 (be) (tall and) slender.

호명(呼名) ~하다 call 《a person》 by name; make a roll call.

호미 a weeding hoe.

호밀(胡一) 《植》 rye.

호박(植) a pumpkin. ¶ ~고지 dried slices of pumpkin.

호박(琥珀) 《鑛》 amber. ¶ ~색 amber(-colored).

호반(湖畔) a lakeside.

호방(豪放) ~한 manly and open-hearted.

호배추(胡一) a Chinese cabbage.

호별(戶別) ~로 from house [door] to house [door].

호봉(號俸) serial [pay] step; salary step [class].

호부(好否) ~호불호(好不好) ¶ ~간에 whether one likes it or not.

호사(奢侈) extravagance; luxury. ~하다 live in luxury 《clover》. ¶ ~스러운 luxurious; sumptuous; extravagant.

호사(好事) a happy event. ¶ ~

가 a dilettante; a person with fantastic taste / ～다미 Lights are usually followed by shadows.

호상(好喪) a propitious mourning 《of *a person* dying old and rich》.

호상(豪商) a wealthy merchant.

호색(好色) ¶ ～의 lustful; lewd. ‖ ～가 a lewd man; a sensualist.

호생(互生) [植] ¶ ～의 alternate.

호선(互先) 《바둑에서》 ¶ ～으로 두다 play on an equal footing.

호선(互選) mutual election. ～하다 elect by mutual vote.

호선(弧線) an arc 《of a circle》.

호소(呼訴) a complaint; an appeal; a petition. ～하다 complain of; appeal to; make appeal to 《violence》《폭력에》. ¶ 법 《대중》에 ～하다 appeal to the law 《public》.

호소(湖沼) lakes and marshes.

호송(護送) escort; convoy. ～하다 escort; convoy; send 《*a person*》under guard《범인을》. ‖ ～선 an escorted convoy / ～차 a patrol wagon 《美》; a prison van.

호수(戶數) the number of houses.

호수(湖水) a lake. └《families》.

호수(號數) number; a register 《serial》number.

호스 a hose. ‖ 소방 ～ a fire hose.

호스텔 a 《youth》hostel.

호스티스 a hostess; 《여급》a barmaid; a waitress. └son.

호시절(好時節) a good 《nice》season.

호시탐탐(虎視眈眈) ¶ 기회가 오기를 ～노리다 watch eagerly for a chance to come.

호신(護身) self-protection. ‖ ～용의 《a pistol》for self-protection. / ～술 the art of self-defense.

호심(湖心) the center of a lake.

호안공사(護岸工事) embankment works.

호양(互讓) ～하다 make a mutual concession; compromise. ¶ ～정신으로 in a give-and-take

[conciliatory] spirit.

호언(豪言) big 《tall》talk; boasting. ～하다 talk big 《tall》; boast; brag.

호연지기(浩然之氣) ¶ ～를 기르다 refresh *oneself* 《with》; enliven *one's* spirits.

호외(號外) 《issue》an extra.

호우(豪雨) a heavy rain: a downpour. ¶ 집중 ～가 그 지역을 휩쓸었다 Torrential rains swept the area. ‖ ～주의보 (a) torrential 《heavy》rain warning.

호위(護衛) guard; escort; convoy. ～하다 guard; escort; convoy. ‖ ～병 a guard.

호응(呼應) ① 《기맥상통》 ～하다 act in concert 《unison》《with》. ¶ ～에 하여 in response to; in concert with. ② 《文》concord.

호의(好意) goodwill; good wishes; favor; kindness. ¶ ～적인 kind; friendly.

호의호식(好衣好食) ～하다 dress well and fare richly; live well [in clover].

호인(好人) a good-natured man.

호적(戶籍) census registration; a census《family》register《호적부》. ¶ ～에 올리다 have a *person's* name entered in the census register. ‖ ～등《초》본 a copy of *one's* family register.

호적수(好敵手) a good match [rival].

호전(好戰) ¶ ～적인 warlike.

호전(好轉) ～하다 take a favorable turn; change for the better; improve; pick up 《口》. ¶ 그의 병은 ～되었다 His illness took a turn for the better.

호젓하다 (be) quiet; lonely; deserted.

호조(好調) ¶ ～의 favorable; satisfactory; in good condition [shape].

호주(戶主) the head of a family. ‖ ～제 the head of family system.

호주(濠洲) Australia. ¶ ～의 《사

람) (an) Australian.

호주머니 a pocket.

호출 (呼出) a call; calling out; a summons(소환). ~하다 call ((a person)) up(전화로); summon. ∥ ~부호 [신호] a call sign [signal].

호치키스 a stapler.

호칭 (呼稱) [이름] a name; designation(칭호); [통칭] an alias; a popular [common] name. ~하다 call; name; designate.

호크 a hook. ¶옷의 ~를 채우다[풀다] hook up [unhook] a dress.

호탕 (豪宕) ~하다 (be) magnanimous; large-minded; open-hearted.

호텔 a hotel. ∥ ~보이 a bellboy.

호통치다 roar ((at)); thunder ((at, against)); storm ((at)).

호평 (好評) a favorable criticism [comment]; public favor. ¶ ~을 받다 be well received; win [enjoy] popularity.

호피 (虎皮) a tiger skin.

호형 (弧形) an arc (shape).

호형호제 (呼兄呼弟) ~하다 call each other brother; be good friends.

호혜 (互惠) reciprocity; mutual benefits. ¶ ~의 reciprocal. ∥ ~무역 reciprocal trading / ~조약 [관세율] a reciprocal treaty [tariff] / ~주의 the principal of reciprocity.

호호백발 (晧晧白髮) hoary hair.

호화 (豪華) ¶ ~스러운 [로운] splendid; gorgeous; luxurious; deluxe; luxury. ∥ ~생활 an extravagant life / ~선 a luxury (deluxe) liner / ~주택 a palatial mansion / ~판(版) a deluxe edition.

호황 (好況) (a wave of) prosperity; prosperous conditions; a boom. ¶ ~이다 be booming (flourishing, thriving). ∥ ~산업 a booming industry / ~시대 prosperous days; boom days.

호흡 (呼吸) [숨] breath; breathing; respiration. ~하다 breathe; re-

spire. ¶ 심~하다 breathe deeply; take a deep breath / 인공~ artificial respiration. ¶ ~곤란하(다) [have] difficulty in breathing / ~기 the respiratory organs / ~기 질환 a respiratory disease.

혹 (瘤) ① 혹 간혹. ② 혹시.

혹 (瘤) a wen; a lump; a hump(낙타의).

혹독 (酷毒) ¶ ~한 severe; harsh; cruel; stern; merciless.

혹부리 a person who has a wen (on his face).

혹사 (酷使) ~하다 work [drive] ((a person)) hard; sweat ((one's work)).

혹서 (酷暑) intense [severe] heat.

혹성 (惑星) [天] a planet.

혹세무민 (惑世誣民) ~하다 delude the world and deceive the people.

혹시 (或是) ① [만일] if; by any chance; in case ((of)); provided [supposing] ((that)). ② [아마] maybe; perhaps; possibly.

혹심 (酷甚) ¶ ~한 severe; extreme.

혹자 (或者) some(one); a certain person.

혹평 (酷評) severe [harsh] criticism. ~하다 criticize severely; speak bitterly [badly] ((of)).

혹하다 (惑─) ① [반함] be charmed; be bewitched; be fascinated; be captivated. ② [빠지다] indulge ((in)); give oneself up ((to)) (미혹됨) be deluded.

혹한 (酷寒) severe [intense] cold.

혹형 (酷刑) a severe punishment.

혼 (魂) a soul(영혼); a spirit(정신).

혼기 (婚期) marriageable age.

혼나다 (魂─) ① [놀라다] be frightened; be startled [horrified]. ② [된통 겪다] have bitter experiences; have a hard time of it.

혼내다 (魂─) ① [놀래다] surprise; startle; frighten; horrify; scare. ② [따끔한 맛] give ((a person)) hard [an awful] time; teach ((a person)) a lesson.

혼담 (婚談) an offer of marriage. ¶ ~이 있다 have a proposal of

marriage.
혼돈(混沌) chaos; confusion(혼란); 〜한 chaotic.
혼동(混同) 〜하다 confuse [mix up] 《one thing with another》; mistake 《A》 for 《B》.
혼란(混亂) confusion; disorder; chaos. 〜하다 (be) confused; disorderly; chaotic; be in confusion. ¶ 〜시키다 confuse; disorder; throw into confusion.
혼령(魂靈) 〠 영혼.
혼례(婚禮) a marriage ceremony.
혼미(昏迷) 〜하다 (be) stupefied; confused. ¶ 《정신이》 〜해지다 lose one's consciousness.
혼방(混紡) mixed [blended] spinning. ¶ 〜사(絲) mixed [blended] yarn.
혼백(魂魄) the soul; the spirit.
혼비백산(魂飛魄散) 〜하다 get [be] frightened out of one's senses.
혼사(婚事) marriage (matters).
혼색(混色) a compound [mixed] color.
혼선(混線) entanglement of wires; confusion(혼란). 〜하다 get entangled [mixed up]; get crossed [mixed up].
혼성(混成) ¶ 〜의 mixed; composite. 〜물 a mixture(혼합물). a compound(합성물) / 〜어 a hybrid word / 〜팀 a combined team.
혼성(混聲) mixed voices. ¶ 〜합창 mixed chorus.
혼수(昏睡) a coma; a trance. 〜상태에 빠지다 fall into a coma.
혼수(婚需) articles [expenses] essential to a marriage.
혼신(渾身) ¶ 〜의 힘을 다하다 put forth every ounce of one's energies 《into》.
혼신(混信) 〔電〕 jamming; (an) interference; crosstalk.
혼연(渾然) ¶ 〜일체가 되다 be combined [united] together; form a complete [harmonious] whole.

혼용하다(混用—) use 《A》 together with 《B》; mix 《A and B》.
혼인(婚姻) a marriage (☞ 결혼). ¶ 〜신고를 하다 register one's marriage.
혼자 alone; by oneself(단독); for oneself(혼자 힘으로).
혼작(混作) mixed cultivation. 〜하다 grow mixed crops together; raise [cultivate] together.
혼잡(混雜) confusion; disorder; 《붐빔》 congestion; a jam. 〜하다 (be) confused; congested; crowded; be in confusion (disorder).
혼잣말 a monologue. 〜하다 talk [mutter] to oneself.
혼잣손 ¶ 〜으로 (do) single-handed; by [for] oneself; unaided.
혼전(婚前) ¶ 〜의 premarital.
혼전(混戰) a confused [mixed] fight; a melee. 〜하다 fight in confusion.
혼처(婚處) a marriageable family or person.
혼천의(渾天儀) 〔天〕 an armillary sphere.
혼탁(混濁) ¶ 〜한 turbid; cloudy; thick; muddy / 〜해지다 get [become] muddy.
혼합(混合) mixing; mixture. 〜하다 mix; mingle; blend. ¶ 《테니스·탁구 등의》 〜복식 mixed doubles. 〜기(機) a mixer / 〜물 a mixture; a blend.
혼혈(混血) mixed blood [breed]. ¶ 〜의 《a person》 of mixed blood; half-breed; racially mixed. ∥ 〜아 a child of mixed parentage; a half-breed; a hybrid.
홀 a hall.
홀… single.
홀가분하다 《가뿐·거든함》 (be) light; free and easy; feel relieved; unencumbered.
홀딱 ① 《벗은 모양》 completely; nakedly. ¶ 옷을 〜 벗다 take one's clothes off completely; become stark-naked. ② 《반한

꼴〕¶ ∼ 반하다 be deeply in love 《with》; lose *one's* heart 《to》. ③ 《속는꼴》¶ ∼ 속아 넘어가다 be nicely 〔completely〕 taken in.

홀랑 all naked. ¶옷을 ∼ 벗다 strip *oneself* all naked.

홀로 alone; by *oneself*〔단신〕.

홀리다 ① 《이성에게》 be charmed; be fascinated; be bewitched; 《현혹되다》 be tempted 〔deluded〕. ② 《여우·귀신 따위에》 be possessed; be obsessed; be bewitched 《by》. 「son.

홀몸 a single 〔an unmarried〕 per-

홀소리 〔母音〕 a vowel. 「ber.

홀수 〔―數〕 an odd 〔uneven〕 num-

홀씨 〔植〕 a spore. 「포자(胞子).

홀아비 a widower.

홀어미 a widow.

홀연 〔忽然〕 suddenly; all of a sudden; in a moment 〔an instant〕.

홀쭉하다 (be) long and slender; slim; thin; lean; 《뾰족하다》 (be) pointed; tapering.

홀태바지 skin-tight trousers.

홀 a groove; thresh; thrash.

홈 a groove; a flute(기둥의). ¶ ∼ 을 파다 groove; cut a groove.

홈런 〔野〕 a home run; a homer.

홈인 〔野〕 a grand-slam 〔homer〕.

홈스펀 〔洋緞〕 homespun.

홈인 ∼ 하다 〔野〕 get home.

홈통 〔―桶〕 ① 《물 고르는》 an eaves trough; a gutter; a downspout 《美》. ② 《창틀·장지의》 a groove.

홉 〔植〕 a hop.

홉 a *hob* (≒ 0.18 liter).

홍당무 〔紅唐―〕 a red radish; a carrot (당근). ¶얼굴이 ∼가 되다 turn red; blush; be flushed.

홍두깨 a wooden roller used for smoothing cloth (by beating on it). ¶아닌 밤중에 ∼ a bolt from the blue.

홍등가 〔紅燈街〕 gay quarters; a red light district 《美》.

홍보 〔弘報〕 public information; publicity. ¶ ∼ 과 a public relations section / ∼ 활동 publicity 〔infor-

mation〕 activities; public rela-

홍보석 〔紅寶石〕 a ruby. 「tions

홍삼 〔紅蔘〕 red ginseng.

홍색 〔紅色〕 red. ¶ ∼ 을 띤 reddish

홍소 〔哄笑〕 ∼ 하다 laugh loudly.

홍수 〔洪水〕 a flood; an inundation; a deluge. ¶ ∼ 가 나다〔지다〕 have a flood; be flooded. ¶ ∼ 경보 flood warnings / ∼ 지역 a flooded area 〔district〕.

홍시 〔紅柿〕 a mellowed persimmon.

홍안 〔紅顔〕 ∼ 의 rosy-cheeked; ruddy-faced. 「back.

홍어 〔洪魚〕 〔魚〕 a skate; a thorn-

홍역 〔紅疫〕 〔醫〕 measles. ¶ ∼ 을 앓다 catch 〔have, get〕 the measles. 「autumnal tint.

홍엽 〔紅葉〕 《단풍 든 잎》 red leave

홍옥 〔紅玉〕 〔鑛〕 ruby; carbuncle (사과) a Jonathan (apple).

홍익인간 〔弘益人間〕 devotion to the welfare of mankind.

홍인종 〔紅人種〕 the red race; the Red Indian.

홍일점 〔紅一點〕 the only woman in the company 〔group〕.

홍적세 〔洪積世〕 〔地〕 the Pleistocene 〔diluvial〕 epoch.

홍조 〔紅潮〕 a flush(얼굴의); a glow. ¶ ∼ 를 띠다 flush; blush.

홍차 〔紅茶〕 (black) tea. 「iris.

홍채 〔紅彩〕 〔解〕 the iris. ¶ ∼ 의

홍콩 Hong Kong.

홍합 〔紅蛤〕 〔貝〕 a mussel.

홍해 〔紅海〕 the Red Sea.

홑 ∼ 의 single; onefold(한겹). ¶ ∼ 의 a single layer.

홑옷 unlined clothes.

홑이불 a single-layer quilt; a bed sheet.

홑치마 〔한겹의〕 an unlined skirt 《속치마 없이 입는》 a skirt worn without an underskirt.

화 〔火〕 ① 《불》 fire. ② 《노염》 anger; wrath. ¶ 홧김에 in a fit of anger / ∼ 를 잘 내는 사람 a hot tempered 〔touchy〕 person.

화 〔禍〕 《재난》 a disaster; a calamity; a woe; 《불행》 a misfortune; an evil. ¶ ∼ 를 당하

ㅎ

meet with a calamity [misfortune]; ～를 무릅쓰 bring an evil [on oneself]; invite [cause] a disaster (by one's misconduct).

화가(畫家) a painter; an artist.

화강암(花崗岩) granite. 「ship.

화객선(貨客船) a cargo-passenger

화공(畫工) a painter; an artist.

화공(化工) ☞ 화학공업. ‖ ～과 (科) 《대학의》 the department of Chemical Engineering.

화관(花冠) ① 【植】 a corolla. ② ornamental. ‖ ～무(舞) a flower crown dance.

화광(火光) the light of fire [flames].

화교(華僑) Chinese residents abroad; overseas Chinese merchants.

화구(火口) ① 《아궁이》 a fuel hole. ② 《화산의》 a crater. ‖ ～원(原) a crater basin.

화근(禍根) the root of evil; the source(s) of trouble.

화급(火急) urgency. ‖ ～한 urgent; pressing; exigent.

화기(火器) firearms. ‖ 소[중]～ light [heavy] firearms.

화기(和氣) harmony; peacefulness. ‖ ～애애하여 harmoniously; peacefully / ～애애한 분위기 a very friendly atmosphere.

화끈 with a sudden flush [glow, flash of heat]. ～하다 get a glow [flush]; ～ 달다 get enraged; fly into passion [sudden rage].

화끈거리다 feel hot [warm]; glow; burn; flush.

화나다(火一) get angry [enraged]; indignant, infuriated]; get mad. ～ 하게 하다 enrage; exasperate; provoke.

화내다(火一) get angry (at, with); get into a rage; lose one's temper.

화냥년 a wanton (dissolute) woman; a whore.

화냥질 ☞ 서방질.

화농(化膿) 【醫】 suppuration; the formation of pus. ～하다 suppurate; fester; come to a head (종기 따위가). ‖ ～성의 suppurative. ‖ ～균 a suppurative germ.

화단(花壇) a flower bed [garden].

화대(花代) a charge for entertainer's service.

화덕(火爐) a (charcoal) brazier; 《솥 거는》 a (cooking) stove.

화랑(畫廊) a picture [an art] gallery.

화려(華麗) splendid; magnificent; gorgeous; brilliant.

화력(火力) heat; heating [thermal] power; 【軍】 firepower. ‖ ～발전 steam [thermal] power generation / ～발전소 a thermal power station [plant].

화로(火爐) a brazier; a fire pot.

화룡점정(畫龍點睛) giving a finishing touch.

화류계(花柳界) the gay quarters [world]; a red-light district (美). ‖ ～ 여자 a woman of the gay world.

화면(畫面) 《TV·영화의》 a screen; 《영상》 a picture.

화목(和睦) peace; harmony; reconciliation(화해). ～하다 (be) harmonious; peaceful; be at peace with each other; be in harmony.

화문(花紋) floral designs. ‖ ～석 a mat woven with flower designs.

화물(貨物) freight (美); goods (英); a (ship's) cargo(뱃짐). ‖ ～선 a cargo ship; a freighter (美) / ～ 수송기 a cargo plane; an air freighter / ～역 a freight depot (美) / ～열차 a freight [goods (英)] train / ～적재량 cargo capacity / ～ 취급소 a freight [goods (英)] office / 철도 ～ rail freight.

화백(畫伯) a (master, great) painter.

화법(話法) 【文】 narration; speech.

화법(畫法) the art of painting [drawing].

화병(花瓶) a (flower) vase.

화보(畫報) a pictorial; a graphic; pictorial news.

화복(禍福) fortune and misfortune; good or evil.

화부(火夫) a stoker; a fireman.

화분(花盆) a flowerpot.

화분(花粉) pollen. ∥ ～열(熱) hay fever; pollinosis.

화사(華奢) ∥ ～한 luxurious; pompous; splendid.

화산(火山) a volcano. ∥ ～대(帶) a volcanic belt [zone] / ～맥 a volcanic chain / ～학 volcanology / ～학자 a volcanist / ～회[재] volcanic ashes / 활[휴, 사] ～ an active [a dormant, an extinct] volcano.

화살 an arrow. ∥ ～을 먹이다 fix an arrow (to the bow). ∥ ～대 a shaft of an arrow / ～촉 an arrowhead / ～표 an arrow.

화상(火床) a fire grate.

화상(火傷) a burn; a scald(끓는 물에). ∥ ～을 입다 get [be] burnt; suffer burns; get [be] scalded.

화상(和尙)〔佛〕 a Buddhist priest.

화상(華商) a Chinese merchant abroad. 〔er.

화상(畫商) a picture [art] dealer.

화상(畫像)〔TV의〕 a picture; 〔초상〕 a portrait.

화색(和色) a peaceful [ruddy, healthy] countenance; a genial expression.

화생방전(化生放戰)〔軍〕 chemical, biological and radiological warfare; CBR warfare.

화석(化石)〔작용〕 fossilization; 〔돌〕 a fossil. ∥ ～학 fossilology / ～학자 a fossilologist.

화성(火星)〔天〕 Mars. ∥ ～인 a Martian. 〔harmonics.

화성(和聲)〔樂〕 harmony. ∥ ～학

화수분 an inexhaustible fountain of wealth.

화술(話術) the art of conversation [narration, talking].

화승(火繩) a fuse; a matchlock (cord). ∥ ～총 a matchlock (gun); a firelock.

화식(火食) ～하다 eat cooked food.

화신(化身) (an) incarnation; (a) personification. ∥ 악마의 ～ a devil incarnate; an incarnate fiend.

화실(畫室) a studio; an atelier 《프》.

화씨(華氏)〔理〕 Fahrenheit(생략 Fahr., F.). ∥ ～ 75도 75 degrees Fahrenheit(생략 75°F.).

화약(火藥) (gun)powder. ∥ ～고 a (powder) magazine / ～공장 a powder mill [plant].

화염(火焰) a flame; a blaze. ∥ ～방사기 a flame thrower [projector] / ～병 a petrol [fire] bomb; a Molotov cocktail.

화요일(火曜日) Tuesday(생략 Tues.).

화용월태(花容月態) a lovely face and graceful carriage.

화원(花園) a flower garden.

화음(和音) a chord; an accord. ∥ 기초～ the fundamental chord / 5도～ the fifth (chord).

화의(和議) ① 〔화해교섭〕 negotiation for peace; a peace conference; reconciliation. ～하다 negotiate for peace; make reconciliation 《with》. ∥ ～를 맺다 make [conclude] peace 《with》 / ～를 신청하다 sue [make overtures] for peace. ② 〔法〕 composition. ～하다 make a composition 《with》 / ～법 the Composition Law.

화장(化粧) (a) make-up; (a) toilet. ～하다 make 《oneself》 up; put on 《one's》 make-up; do 《one's》 face (口); dress 《oneself》(몸치장). ∥ ～대 a dressing table; a dresser 《美》 / ～도구 a make-up (toilet) set / ～실 a dressing room; 〔변소〕 a rest room / ～품 cosmetics; toilet articles.

화장(火葬) cremation. ～하다 burn 《the body》 to ashes; cremate. ∥ ～장 [터] a crematory 《美》; a crematorium 《英》.

화재(火災) a fire; a conflagration (큰 불). ∥ ～경보기 a fire alarm; a firebox / ～보험 fire insurance.

ㅎ

획재(畫才) an artistic talent.
획전(火田) fields burnt away for cultivation. ‖ ～민 "fire-field" farmers: slash-and-burn farmers.
획제(話題) a subject (topic, theme) of conversation.
획주(火酒) strong liquor; spirits; firewater 《美俗》.
획중지병(畫中之餅) 《그림의 떡》 a desirable but unattainable object; pie in the sky.
획차(貨車) a freight car 《美》; a goods wagon (van) 《英》 ‖ 유개 《무개》 ～ a freight (flat) car 《美》; a covered (an open) wagon 《英》.
획창(和暢) ～하다 (be) bright; genial; serene; balmy.
획채(花菜) honeyed juice mixed with fruits as a punch.
획첩(畫帖) a picture album.
획초(花草) a flower; a flowering plant. ‖ ～밭 a flower garden ／ ～재배(법) floriculture.
획촉(華燭) ～을 밝히다 celebrate a wedding; hold a marriage ceremony. ‖ ～동방 the bridal room or the wedding night.
획친(和親) friendly relations; amity. ～하다 make peace 《with》; enter into friendly relations 《with》. ‖ ～조약 a peace treaty.
획톳불 (make) a bonfire.
획투(花鬪) Korean playing cards; flower cards.
획판(畫板) a drawing board.
획평(和平) peace. ～하다 (be) peaceful; placid. ‖ ～교섭 a peace negotiation.
획폐(貨幣) money; 《통화》 currency; 《경화》 a coin; coinage 《총칭》. ～ 가치 the value of money ／ ～경제 monetary economy ／ ～ 단위 a monetary unit ／ ～ 본위제도 a monetary [currency] standard [system].
획포(畫布) 《美》 a canvas.
획폭(畫幅) a piece of canvas for painting [drawing].

획풀이(火─) ～하다 satisfy one's resentment; vent one's wrath 《on》; wreak one's anger [wrath] 《on a person》.
획풍(畫風) a style of painting.
획필(畫筆) a paintbrush.
획화(化─) change [turn] 《into, to》; 《변형》 transform 《into, to》; be transformed.
획학(化學) chemistry. ‖ ～적(으로) chemical(ly). ／ ～공업 the chemical industry ／ ～무기 [전] a chemical weapon [warfare] ／ ～변화[반응] a chemical change [reaction] ／ ～비료 a chemical fertilizer ／ ～섬유 a synthetic [chemical] fiber ／ ～약품 chemicals ／ ～자 a chemist ／ ～작용 (a) chemical action ／ ～적 산소 요구량 [環境] chemical oxygen demand 《생략 COD》 ／ ～제품 chemical goods [products] ／ ～조미료 (a) chemical seasoning ／ ～처리 (a) chemical treatment.
획합(化合) (chemical) combination. ～하다 combine 《with》. ‖ ～물 a (chemical) compound.
획합(和合) harmony; 《결합》 unity; union. ～하다 harmonize 《with》; live in harmony [peace] 《with》; get along well 《with》.
획해(和解) (a) reconciliation; an amicable settlement. ～하다 be reconciled 《with》; make peace 《with》; come to terms 《with》; settle out of court(소송하지 않고).
획형(火刑) burning at the stake. ‖ ～에 처하다 burn 《a person》 at the stake.
획환(花環) a (floral) wreath; a (floral) garland.
획훼(花卉) a flowering plant. ‖ ～ 산업 floricultural industry ／ ～ 원예 floriculture.
획(瞬息間에) in a flash; 《갑자기》 suddenly; 《세차게》 violently; with a jerk.
획고(確固) ～하다 (be) firm;

definite; resolute; fixed; steady.

확답 (確答) a definite answer [reply]. ¶ ~을 하다 answer definitely; give a definite answer.

확대 (擴大) magnification; enlargement; expansion; escalation. ~하다 《넓히다》 magnify; 《넓어지다》 spread; expand; 《전쟁 등이》 escalate; 《사진 등을》 enlarge. ¶ 100배로 ~하다 magnify a hundred times. ‖ ~경 a magnifying glass; a magnifier / ~기 an enlarger / ~율 〔寫〕 an enlargement ratio.

확률 (確率) probability.

확립 (確立) establishment. ~하다 establish; settle.

확보 (確保) ~하다 secure; insure.

확산 (擴散) spread(ing); proliferation; diffusion. ~하다 spread; diffuse. ¶ 핵 ~ spread of nuclear arms; nuclear proliferation / 핵 ~ 금지조약 the nuclear nonproliferation treaty (생략 NPT).

확성기 (擴聲器) a (loud)speaker; a megaphone.

확신 (確信) a conviction; a firm belief; confidence (자신). ~하다 be confident (of); believe firmly (in); be sure (of, that). ¶ ~하여 with confidence; in the firm belief (that...).

확실 (確實) ~하다 《틀림없다》 (be) sure; certain; secure; 《믿을 만하다》 (be) reliable; trustworthy; valid; 《견실하다》 (be) solid. ¶ ~히 certainly; surely; reliably; to a certainty / ~차 않은 uncertain; unreliable; doubtful. ‖ ~성 certainty; reliability; sureness.

확약 (確約) a definite promise. ~하다 make a definite promise; promise definitely; give one's word (to); commit oneself (to).

확언 (確言) a definite statement. ~하다 say positively; assert; affirm.

확연 (確然) ~하다 (be) definite; positive; clear. ¶ ~히 definitely; positively; clearly.

확인 (確認) confirmation; affirmation; verification. ~하다 confirm; affirm; verify. ¶ 미~ unconfirmed.

확장 (擴張) extension; expansion; enlargement. ~하다 extend; expand; enlarge. ¶ 군비 ~ a expansion of armaments.

확정 (確定) decision; settlement. ~하다 decide on 《a matter》; settle; fix; confirm. ¶ ~적 (으로) definite(ly); decided(ly) / ~된 settled; fixed; decided; definite. ‖ ~사항 a settled matter / ~판결 a final draft / ~판결 a final decision (judgment).

확증 (確證) conclusive evidence; positive proof. ¶ ~을 잡다 obtain [secure] positive evidence (of).

확충 (擴充) (an) expansion (of productivity); (an) amplification. ~하다 expand; amplify.

환 (丸) a pill. ☞ 환약 (丸藥).

환 (換) 〔經〕 a money order; exchange. ¶ 외국 [내국] ~ foreign [domestic] exchange. ‖ ~율 an exchange rate / ~시세변동 foreign exchange fluctuations / ~어음 a bill of exchange; draft / ~차손 an exchange loss / ~차익 a foreign exchange profit.

환가 (換價) conversion into money. ~하다 convert into money; realize.

환각 (幻覺) 〔心〕 a hallucination; an illusion. ¶ ~을 일으키다 hallucinate. ‖ ~제 a hallucinogenic drug; a hallucinogen / ~독자 a psychedelic / ~증상 hallucinosis.

환갑 (還甲) one's 60th birthday.

환경 (環境) (an) environment; surroundings. ‖ ~공학 environmental engineering / ~기준 the environmental standard (for) / ~문제 an environmental problem [issue] / ~보호 environmental

conservation [protection] / ～부 the Ministry of Environment / ～오염 [위생] environmental pollution [hygiene].

귀국(歸國) ☞ 귀국(歸國).

환금(換金) ① 《현금화》 realization. ～하다 realize 《one's securities property》; convert 〔turn〕 《goods》 into money; cash 《a check》. ② 환전(換錢).

환급(還給) ～하다 restore; return; give back; retrocede.

환기(喚起) ～하다 awaken; arouse 《public opinion》; stir up. ¶주의를 ～하다 call 《a person's》 attention 〔to〕.

환기(換氣) ventilation. ～하다 ventilate. ¶～가 잘 〔안〕 되다 be well-〔ill-〕ventilated. ‖～공 a vent 〔hole〕 / ～장치 a ventilator / ～창 a vent; a window for ventilation.

환담(歡談) a pleasant talk. ～하다 have a pleasant talk 〔chat〕 《with》.

환대(歡待) a warm 〔cordial〕 reception. ～하다 give a warm reception; entertain warmly; receive cordially.

환등(幻燈) a magic lantern; a film slide. ‖～기 a magic lantern apparatus; a slide projector.

환락(歡樂) pleasure; amusement; mirth. ¶～에 빠지다 indulge in pleasure. ‖～가 an amusement district.

환류(還流) flowing back; (a) reflux. ～하다 flow back; return; be refluxed.

환매(換買) barter. ～하다 barter.

환매(還買) repurchase; 〔證〕 short covering. ～하다 buy back; repurchase; redeem; cover short 〔선물〕. ‖～권 the right of repurchase.

환멸(幻滅) disillusion. ¶～을 느끼다 be disillusioned 《at, about, with》.

환부(患部) the affected 〔diseased〕 [part.

환부(還付) ～하다 return; refund 《a tax》; pay back. ‖～금 refund.

환불(換拂) repayment; refundment. ～하다 pay back; repay; refund.

환산(換算) change; conversion. ～하다 change; convert 《into》. ‖～율 the exchange rates / ～표 a conversion table.

환상(幻想) an illusion; a vision; a fantasy; a dream 《몽상》. ¶～적인 fantastic; dreamy / ～을 가지다 have an illusion 《about》. ‖～곡 a fantasia; a fantasy.

환상(幻像) a phantom; a phantasm; an illusion.

환생(幻生) ～하다 be born again; be reincarnated.

환성(歡聲) a shout of joy; a cheer. ¶～을 올리다 shout for joy; give 〔send up, raise〕 a cheer.

환송(還送) ～하다 return; send back.

환송(歡送) send-off; a farewell. ～하다 give 《a person》 a hearty send-off. ‖～식 〔회〕 a farewell 〔send-off〕 ceremony 〔party〕.

환시(幻視) 〔心〕 a visual hallucination.

환심(歡心) ¶～을 사다 win 《a person's》 favor; curry favor with 《a person》; 〔여자의〕 win a girl's heart.

환약(丸藥) a 〔medical〕 pill; a globule.

환어음(換―) a draft 〔bill〕. ¶일람불 ～ a draft on demand / 일람불 ～ a bill at sight.

환언(換言) ¶～하면 in other words; that is 〔to say〕; namely.

환영(幻影) a phantom; a vision; an illusion.

환영(歡迎) a welcome; a reception. ～하다 welcome; give 《a person》 a welcome; receive 《a person》 warmly. ‖～만찬회 a reception dinner / ～사 an address of welcome / ～회 a welcome party.

환원(還元) ① 《복귀》 restoration. ~하다 restore 《*something*》 (to *its* original state). ② 《化》 reduction; deoxidization(산화물의). ~하다 be reduced 《*to*》; reduce 《*to its* components》; deoxidize. ‖ ~제 a reducing agent.

환율(換率) the exchange rate. ‖ ~변동 exchange rate fluctuation / ~인상 a raise in the exchange rate.

환자(患者) a patient; a sufferer 《*from a cold*》; a victim 《*of a disease*》; a subject 《*of an operation*》. ~하다 《외래》 an inpatient [outpatient]. ‖ ~명부 a sick list.

환장(換腸) ~하다 become [go] mad; lose [be out of] *one's* mind.

환전(換錢) exchange of money). ~하다 change 《*money*》; exchange 《*dollars into won*》. ‖ ~상 《상점》 an exchange house [shop]; 《사람》 an exchanger; a money changer / ~수수료 a commission for an exchange.

환절기(換節期) the turning point of the season.

환청(幻聽) auditory hallucination.

환초(環礁) a lagoon island; an atoll.

환태평양(環太平洋) ‖ ~의 circum-Pacific; Pan-Pacific / ~국가 the Pacific basin [rim] countries / ~합동 군사연습 the RIMPAC (◀Rim of the Pacific Exercise).

환풍기(換風機) a ventilation fan.

환하다(煥하다) ①《밝다》(be) bright, light. ②《앞이 탁 트이다》(be) open; clear; unobstructed. ③《얼굴이》(be) bright; fine-looking; handsome. ④《정통하다》be familiar 《*with*》; be well acquainted 《*with*》; be conversant 《*with*》.

환형(環形)~의 ring-shaped; annular; looped / ~동물 Annelida.

환호(歡呼) cheer; an acclamation; an ovation. ~하다 cheer; give cheers. ‖ ~속에 amid

cheers / ~성을 올리다 give cheers; give a shout of joy.

환희(歡喜) 《great》 joy; delight. ~하다 be delighted; be very glad; rejoice 《*at, over*》.

활강(滑降) 《스키의》 a descent.

활개 《사람의 두 팔》 *one's* arms (limbs). ~치다 swing *one's* arms / ~치며 걷다 walk swinging *one's* arms. ②《새의》 wings. ~치다 flap the wings; flutter.

활공(滑空) ~하다 glide. ‖ ~기 a glider; a sailplane.

활극(活劇) a stormy [riotous] scene; 《영화의》 an action film [picture].

활기(活氣) activity; life; vigor. ‖ ~있는 active; lively; full of life / ~없는 inactive; dull; lifeless; spiritless / ~를 띠다 become active 《lively》; show life.

활달(豁達) ~하다 (be) generous; magnanimous; broad-minded.

활대 the cross-stick at the top of a sail; a (sail) yard.

활동(活動) activity; action. ~하다 《활약하다》 be active; play [take] an active part 《*in*》. ‖ ~적 active; energetic / ~ 무대 the stage for *one's* activities / ~을 개시하다 go into action; begin operations 《군대 등의》; an energetic man of action; a go-getter 《美俗》 / ~위 the scope [sphere] of activity. ① ☞ an archer; a bowman. ② ☞ 한량.

활력(活力) vital power [force]; vitality; energy. ‖ ~소 a tonic.

활로(活路) ~를 열다 《찾다》 find a way out 《*of the difficulty*》; cut *one's* way 《*through the enemy*》.

활발(活潑) ~하다 (be) active; brisk; vigorous; lively. ‖ ~히 actively; lively; briskly; vigorously.

활보(闊步) ~하다 stride; stalk; strut.

활석(滑石) 《鑛》 talc; talcum.

분(粉) talcum powder.

활성(活性) ¶ ~의 active: activated / ~화하다 revitalize: activate / 증권 시장의 ~화 revitalization of the securities market. ‖ ~탄 [化] active (activated) carbon.

활수(滑手) ~하다 (be) liberal 《of, with》: generous 《with》: open-handed.

활시위 a bowstring.

활약(活躍) activity. ~하다 be active 《in》: take (play) an active part 《in》.

활엽수(闊葉樹) a broad-leaved tree.

활용(活用) ① 《응용》 practical use: application. ~하다 put (turn) 《knowledge》 to practical use: make good use of 《one's ability in a job》: utilize: apply. ② [文] inflection(어미변화): declension(의): conjugation(동사의). ~하다 inflect: decline: conjugate.

활자(活字) a printing type: type (총칭). ¶7호=No. 7 type / ~제로 쓰다 write in block letters. ‖ ~체 print (이름을 ~체로 쓰다 print one's name).

활주(滑走) ~하다 glide (활공): taxi(지상용): slide(스키의). ‖ ~로 a runway: a landing strip.

활짝 ① 《열린·트인 모양》 widely(ly): broad: open. ¶ 문이 ~ 열려 있다 fling 《the door》 open. ② 《날씨》 entirely: 《꽃 따위가》 brightly: radiantly.

활차(滑車) a pulley: a block.

활촉(─鏃) an arrowhead.

활터 an archery ground (range).

활판(活版) printing: typography. ‖ ~인쇄 type printing.

활화산(活火山) an active volcano.

활활 《불이》 vigorously: in flames: 《부채질》 (fan) briskly.

활황(活況) activity (in business): briskness.

홧김(火─) ¶ ~에 in a (fit of) anger: in the heat of passion.

황(黃) ① 《색》 yellow (color). ② [鑛] orpiment(석웅황): [化] sulfur: sulphur 《英》. ‖ ~산 sulfurous.

황갈색(黃褐色) yellowish brown.

황감(惶感) ~하다 (be) deeply grateful: be much obliged 《to》.

황겁(惶怯) ~하다 (be) awe-stricken: fearful.

황고집(黃固執) stubbornness. 《사람》 a hardheaded person.

황공(惶恐) ~하다 (be) awe-stricken: be overwhelmed (with awe): 《감사로》 (be) gracious.

황금(黃金) gold(금): money(금전). ¶ ~의 gold(en). ‖ ~만능주의 mammonism / ~주의자 a mammonist / ~시대 the golden age.

황급(遑急) ~하다 (be) urgent. ¶ ~히 in a (great) hurry: hastily: in a flurry.

황달(黃疸) jaundice: the yellows. ‖ ~ 환자 an icteric(al).

황당(荒唐) ~하다 (be) absurd: nonsensical: wild. ¶ ~무게한 이야기 an absurd story: a cock-and-bull story.

황도(黃道) [天] the ecliptic. ‖ ~대 the zodiac.

황동(黃銅) brass. ‖ ~광 copper pyrites: chalcopyrite / ~색 brass yellow.

황량(荒凉) ~하다 (be) desolate: dreary.

황린(黃燐) [化] yellow phosphorus.

황마(黃麻) [植] a jute.

황망(慌忙) ~하다 (be) hurried: flurried: agitated. ¶ ~히 in a flurry: helter-skelter.

황무지(荒蕪地) waste (wild, barren) land: a wilderness.

황사(黃砂) yellow sand. ‖ ~현상 atmospheric phenomena of the wind carrying yellow dusts (sand).

황산(黃酸) [化] sulfuric acid: vitriol. ¶ ~구리[동, 암모늄] copper [iron, ammonium] sulfate / ~염 a sulfate / ~지 sulfate [parch-

ㅎ

ment) paper.

황새 [鳥] a white stork.

황새걸음 the gait of a stork; a long stride.

황색(黃色) yellow. ¶ ～인종 the yellow race.

황소(黃－) a bull. ‖ ～걸음 the gait of a bull; a leisurely pace; a slow step.

황송하다(惶悚－) 《창공하다》 (be) awestricken; 《고맙고 죄송하다》 (be) grateful; indebted; 《분에 넘치다》 be too good for one. ¶ 황송하게도 graciously.

황실(皇室) the Imperial 〔Royal〕 Household 〔Family〕.

황아장수(荒－) a peddler of sundries.

황야(荒野) a wilderness; a waste; a desert land; the wilds.

황열병(黃熱病) 〔醫〕 yellow fever.

황인종(黃人種) the yellow race.

황제(皇帝) an emperor.

황진(黃塵) dust in the air; 〔氣〕 a dust storm.

황천(黃泉) Hades; the land of the dead. ‖ ～객 a dead person 《～객이 되다 go down to the shades; join the majority)/ ～길 the way to Hades (～길을 떠나다 go to one's last home).

황제호르몬(黃體－) 〔生〕 progesterone; progestin.

황태자(皇太子) the crown prince. ‖ ～비 the crown princess.

황태후(皇太后) the Empress Dowager; the Queen Mother.

황토(黃土) yellow soil; loess.

황폐(荒廢) waste; ruin; devastation. ～하다 go to ruin; be devastated. ¶ ～한 땅 desolate land.

황하(黃河) the Yellow River; the Hwang Ho.

황해(黃海) the Yellow Sea.

황혼(黃昏) dusk; (evening) twilight. ¶ 인생의 ～기 the twilight years of one's life / ～이 지다〔깃들다〕 dusk falls.

황홀(恍惚) ¶ ～한 charming; fascinating; enchanting; bewitching /

～히 in an ecstasy; in raptures; absorbedly. ～해지다 be enraptured 〔in raptures〕; be charmed 〔enchanted〕. ～경 a trance; an ecstasy; a dreamy state.

황화(黃化) 〔化〕 sulfuration. ‖ ～고무 vulcanized rubber / ～물 a sulfide / ～수소 〔은〕 hydrogen 〔silver〕 sulfide / ～염료 sulphide dyes.

황화(黃禍) the yellow peril.

황후(皇后) an empress; a queen.

홰 《새의》 (be on) a perch.

홰《횃불의》 a torch.

홰치다 flap 〔clap, beat〕 the wings; flutter.

홱 ① with a snap. ☞ 홱홱 ①. ② 《갑자기》 suddenly; 《힘차게》 with a jerk; violently; 《잽싸게》 quickly; nimbly.

홱홱 ① 《빠르게》 snap-snap; with dispatch; quickly. ②《던짐》 fling ing repeatedly. ③《때리다》 with whack after whack.

홰대 a clothes rack; a clothes horse.

횃불 a torch(light); 《봉화》 a signal fire. ¶ ～을 들다 carry a torch in one's hand.

횅댕그렁하다 (be) hollow; empty deserted; feel hollow 〔empty〕.

횅하다 ① 《통달하다》 (be) well versed 《in literature》; familiar 《with》. ② 《공허》 (be) empty vacant; deserted.

회(灰) ☞ 석회(石灰). ¶ ～를 바르다 plaster; stucco.

회(蛔) a roundworm.

회(會) 《회합》 a meeting; a gathering; a party(사교상의); 《단체》 society; a club; an association.

회(膾) 《육회》 minced raw meat 《생선회》 sashimi; sliced raw fish slices of raw fish. ¶ ～를 치다 slice raw fish 〔meat〕.

회(回) 《횟수》 a time; a round; an inning(야구의).

회갑(回甲) ☞ 환갑.

회개(悔改) repentance; penitence

회견(會見) an interview. ～하다 meet; interview; have an interview 《with》. ∥～기(記) an interview / ～자 an interviewer.

회계(會計) (경리) accounting; accounts; (계산) an account; a bill; a check. ～하다 keep accounts《기장》; pay the bill《지불》. ∥공인～사 a certified public accountant 《생략 C.P.A.》 / 감사 auditing / ～담당계원 an accountant; a cashier; a treasurer《회사·클럽 등의》 / ～보고 a financial report / ～연도 a fiscal year《美》; a financial year《英》 / ～(장)부 an account book / ～학 accounting.

회고(回顧) reflection; recollection; retrospection. ～하다 reflect 〔look back〕《upon》; retrospect. ∥～록 reminiscences; memories.

회고(懷古) reminiscence. ～하다 recall the past 《to one's mind》; look back on the past. ∥～담 recollections; reminiscences.

회관(會館) a hall; an assembly hall. ∥시민～ the Citizens' Hall.

회교(回敎) Muslimism; Islam; Islamism. ∥～도 a Muslim / ～사원 a mosque.

회군(回軍) ～하다 withdraw troops 《from》.

회귀(回歸) a recurrence. ～하다 recur; return. ∥～성(性) recurrence; a tendency to recur / ～열 〔醫〕 recurrent fever.

회기(會期) a session; a period; a term《기간》.

회나무〔植〕 a Korean spindle tree.

회담(會談) a talk; a conference. ～하다 have a talk《with》; talk together; confer《with》.

회답(回答) an answer; a reply. ～하다 reply《to》; give a reply; answer.

회당(會堂) a chapel; a church; 《공회당》 a hall; an assembly hall; a meeting house.

회동(會同) ～하다 meet together; assemble; get together; have a meeting.

회람(回覽) circulation. ～하다 circulate. ∥～잡지 〔판〕 a circulating magazine 〔bulletin〕.

회랑(回廊) a corridor; a gallery.

회로(回路) ① 《귀로》 a return trip; the return way; one's way home 〔back〕. ② 〔電〕 a circuit. ∥고정〔집적〕～ a stationary 〔an integrated〕 circuit / 병렬〔직렬〕～ a parallel 〔series〕 circuit. ∥～차단기 a circuit breaker.

회반죽(灰─) mortar; plaster; stucco. ∥～을 바르다 plaster.

회백색(灰白色) light gray; light ash color.

회벽(灰壁) a plastered wall.

회보(回報) a reply; an answer. ～하다 give a reply; send an answer; report to 《a person on ...》; bring back a report.

회보(會報) a bulletin; assembly 〔association〕 reports. ∥동창회～ an alumni bulletin.

회복(回復·恢復) recovery; restoration《쾌유》. ～하다 recover 《from illness》; regain; restore 《peace》. ∥～기 a convalescent stage / ～력 recuperative power 《병으로부터의》 / ～실 a recovery room.

회부(回附) ～하다 transmit 〔refer〕《to》; forward 〔send (over)〕《to》; pass on 《to》.

회비(會費) a membership fee; dues 《of a member》《정기적인》.

회사(會社) a company 《생략 Co.》; a corporation 《美》; a firm. ∥모(자)～ a parent 〔subsidiary〕 company. ∥～원 a company employee; an office worker / ～중역 a company executive / ～채 a company bond; a debenture.

회상(回想) recollection; reminiscence. ～하다 recollect; recall 《a fact》 to one's mind. ∥～록 reminiscences; memoirs.

회색(灰色) ～(의) gray; grey

《英》/ ～을 띤 grayish. ‖ ～분자
a wobbler / ～차일구름 altostra-
회생(回生) ☞ 소생(蘇生). 〔tus.
회선(回旋) rotation. ～하다 ro-
tate; revolve. ～운동 a rotary
motion / ～탑〔유희용의〕《swing
on》a ring pole.
회선(回線)〔電〕a circuit. ‖ ～도
a circuit diagram / 전화 ～ a
telephone circuit.
회송(回送)〔편지를〕forward;
send on; 〔화물을〕transfer.
회수(回收) collection; withdrawal;
recall. ～하다 collect; withdraw;
recall.
회수(回數) the number of times;
frequency. ‖ ～권 a commuta-
tion ticket《美》; a book of
tickets《英》; a coupon ticket.
회식(會食) ～하다 have a meal
together; dine together; dine
《with》.
회신(回信) ☞ 회답(回答). ‖ ～료
return postage.
회심(會心) ¶ ～의 미소를 짓다 give
a smile of satisfaction; smile
complacently. ‖ ～작 a work
after one's 《own》 heart.
회양목(─楊木)〔植〕a box tree;
《재목》boxwood.
회오(悔悟) repentance; remorse;
penitence. ～하다 repent 《of》;
feel remorse 《for》.
회오리바람 a whirlwind; a cyclone;
a twister《美》.
회원(會員) a member 《of》; mem-
bership《총칭》. ‖ ～명부 a mem-
bership list.
회유(懷柔) appeasement; concili-
ation. ～하다 appease; concili-
ate; win《a person》over《to one's
side》. ‖ ～책 an appeasement
policy; a conciliatory measure.
회음(會陰)〔解〕the perineum.
‖ ～부 the perineal region.
회의(會議) a meeting; a confer-
ence; a session《의회의》. ～하다
confer 《with》. ‖ ～록 the min-
utes / ～실 a conference 〔coun-
cil, meeting〕 room / ～장 a

convention 〔conference〕 hall.
회의(懷疑) doubt; skepticism.
¶ ～적（이）skeptic（al）. ‖ ～론
skepticism / ～론자 a skeptic.
회자(膾炙) ～하다〔되다〕be in
everybody's mouth; be on every-
body's lips; become the talk of
all. 〔must part
회자정리(會者定離) Those who meet
회장(回章) a circular letter 〔note〕
회장(回腸)〔解〕the ileum.
회장(會長) the president 《of a
society》; the chairman 《of the
board of directors》. ¶ 부～ the
vice-president; the vice-chair-
man.
회장(會場) a meeting place;
hall; 《야외의》the grounds 〔site〕
회장(會葬) attendance at a funer-
al. ～하다 attend 〔go to〕 a funer-
al. ‖ ～자 the mourners.
회전(回轉) turning; 〔公轉〕revolu-
tion; 〔自轉〕rotation. ～하다 revolve;
rotate; turn 〔go〕 round. ¶ 360°
～하다 turn full circle; make a
360° turn / 그는 머리 ～이 빠르다
He has a quick mind. or He is
quick on the uptake. ‖ ～목마
a merry-go-round / ～무대 a
revolving stage / ～문 a revolv-
ing door / ～율《자금 등의》the
《rate of》 turnover 《of capital》/
～의자 a swivel chair / ～익《飛
行機의》a rotor（헬리콥터의）; a wafter（송
기의）/ ～자금 a revolving fund
/ ～체 a rotating body / ～축 the
axis of rotation; a shaft.
회절(回折)〔理〕diffraction.
회중(會衆) people gathered togeth-
er; an attendance; a congre-
gation（교회의）.
회중(懷中) ～시계 a watch / ～전
등 a flashlight《美》; an elec-
tric torch《英》.
회진(回診)《a doctor's》round
visits. ～하다 go the rounds of
one's patients; do one's rounds.
회초리 a whip; a rod; a cane《회초리
나무 따위》; a lash（끈）.
회춘(回春) rejuvenation. ～하다

be rejuvenated(젊어지다). ‖ ~제 [약] a rejuvenating drug〔medicine〕.

회충(蛔蟲) a roundworm; a belly worm. ¶ ~이 생기다 get roundworms. ‖ ~약 a vermifuge; an anthelmintic.

회칙(會則) the rules〔regulations〕 of a society.

회포(懷抱) one's bosom〔thoughts〕. ¶ ~를 풀다 unbosom *oneself*(*to a person*).

회피(回避) evasion; avoidance. ~ 하다 evade; avoid; dodge; shirk. ¶ ~할 수 없는 unavoidable; inevitable.

회한(悔恨) remorse; (a) regret; repentance.

회합(會合) a meeting; a gathering. ~하다 meet; assemble; gather.

회항(回航) ~하다 〔돌아다니다〕 sail about; navigate; 〔되돌아오다〕 sail back; return from a cruise.

회향(茴香) 【植】 a fennel.

회향(懷鄕) the longing for home; nostalgic reminiscence. ~하다 long for home; be nostalgic. ‖ ~의 homesick. ‖ ~병 homesickness; nostalgia.

회화(會話) (a) conversation; a dialogue (☞ 대화). ~하다 talk〔speak〕(*to, with*); have a conversation〔talk〕(*with*). ‖ ~체 colloquial〔conversational〕 style.

회화(繪畫) a picture; a painting; drawing. ¶ ~적인 pictorial; picturesque. ‖ ~전(展) an art exhibition.

획(劃) a stroke. ¶ 5~의 한자(漢 字) a Chinese character of five strokes.

획득(獲得) acquisition. ~하다 acquire; obtain; secure; gain; win; get. ¶ 금메달을 ~하다 win a gold medal / 권리를 ~하다 acquire〔secure〕 rights. ‖ ~물 an acquisition; gainings.

획수(劃數) the number of strokes (in a Chinese character).

획일(劃一) uniformity; standardization. ¶ ~적인 uniform; standardized. ‖ ~화 standardization(~화하다 standardize).

획정(劃定) ~하다 demarcate; mark out.

획책(劃策) a plot; a scheme; scheming. ~하다 plan; (lay a) scheme; 〔책동〕 maneuver; plot.

횟돌(灰~) limestone. ☞ 석회석.

횡격막(橫隔膜) 【解】 the diaphragm.

횡단(橫斷) crossing. ~하다 cross; go〔run〕 across; traverse. ‖ ~면 a cross section / ~보도 a pedestrian crossing; a cross walk (美); a zebra crossing (英).

횡대(橫隊) (in) a line; a rank. ¶ 2열 ~로 정렬하다 form〔be drawn up in〕 a double line / 4열 ~가 되다 form (up) four deep.

횡령(橫領) (a) usurpation; 〔공금 의〕 embezzlement. ~하다 usurp; embezzle; appropriate (*a person's property*). ‖ ~죄 embezzlement.

횡사(橫死) a violent〔an unnatural〕 death. ~하다 meet a violent death; be killed in an accident.

횡서(橫書) ~하다 write horizontally. ☞ 가로쓰기.

횡선(橫線) a horizontal〔cross〕 line. ‖ ~수표 a crossed check.

횡설수설(橫說竪說) incoherent talk; random〔idle〕 talk; nonsense. ~하다 talk incoherently; make disjointed remarks; talk nonsense.

횡액(橫厄) an (unexpected) accident; an unforeseen disaster〔calamity〕.

횡재(橫財) unexpected fortune〔gains〕; a windfall. ~하다 come into unexpected fortune; have a windfall; make a lucky find.

횡포(橫暴) tyranny; oppression. ~하다 (be) oppressive; tyrannical; high-handed.

횡행(橫行) ~하다 be rampant;

overrun (*the town*); 《장소가》be infested with (*robbers*). ¶ 큰 도시 에는 범죄가 ~하고 있다 Crime is rampant in the big city.

효(孝) filial piety [duty].

효과(效果) (an) effect; efficacy(효력); a cause(결과). ¶ ~적인 effective; fruitful / ~ 없는 ineffective; fruitless.

효녀(孝女) a filial daughter.

효능(效能) (an) effect; virtue; efficacy. ¶ ~이 있는 effective; efficacious.

효도(孝道) filial piety [duty]. ¶ ~를 다하다 be dutiful to *one's* parents.

효력(效力) effect; efficacy(약의); validity; force(법의). ¶ ~이 있는 effective; efficacious: valid / ~이 없는 ineffective; null and void (법률·계약의) / ~이 생기다 come into effect [force].

효모(酵母) yeast; ferment. ‖ ~균 yeast fungus.

효부(孝婦) a filial daughter-in-law.

효성(孝誠) filial affection [piety]. ¶ ~이 지극하다 be devoted to *one's* parents.

효소(酵素) an enzyme; a ferment. ¶ ~의 enzymatic. ‖ ~학 enzymology.

효수(梟首) ~하다 gibbet a head.

효시(嚆矢) the beginning; the first; the first person (*to do*); a pioneer; the first instance.

효심(孝心) filial piety. ¶ ~이 있는 dutiful; devoted.

효용(效用) 《응도》use; usefulness; utility. 《효험》effect. ¶ ~이 있다 〔없다〕be of use 〔no use〕(useless); be of use [no use] / 한계 ~ marginal utility. ‖ ~가치 effective value; utility value.

효율(效率) efficiency.

효자(孝子) a dutiful 〔filial〕son.

효행(孝行) filial piety [duty].

효험(效驗) efficacy; (an) effect. ¶ ~이 있다 be efficacious; be effective.

후(後) ① 《나중에》after; later (on); afterward(s); in future. ¶ 한 시 간 ~에 in a couple of days(지금 부터); a couple of days after (later)(그때부터) / 흐린 ~에 갬 《일기 예보》Cloudy, fine later ② 《…한 뒤에》after (*doing*); next to; following. ¶ 그 ~에 since then; after that.

후각(嗅覺) the sense of smell.

후견(後見) guardianship. ~하다 guard; act as (a) guardian. ‖ ~인 〔法〕a guardian; a tutor.

후계(後繼) succession. ~하다 succeed to; succeed (*a person*) *in his office*). ‖ ~내각 the succeeding [incoming] Cabinet / ~자 a successor; an heir (남자); an heiress (여자).

후고(後顧) looking behind; the future outlook (*for*). ¶ ~하다 look behind; worry over the future.

후광(後光) a glory; an aureole; a nimbus.

후굴(後屈) retroflexion. ¶ 자궁~ 〔醫〕retroflexion (of the uterus).

후궁(後宮) a royal harem (concubine).

후기(後記) a postscript (생략 P. S.); an afternote.

후기(後期) the latter term [period]; the second [last, next] half year. ¶ ~인상(주의)파 〔美術〕the Post-impressionists.

후끈거리다 ☞ 화끈거리다.

후납(後納) 《우편의》subsequent payment (*of postage*).

후대(後代) future generation; the next [coming] generation.

후대(厚待) ~하다 give a warm (hearty) reception (*to*); receive warmly; treat hospitably (kindly).

후덕(厚德) liberal favor; liberality. ~하다 (be) liberal; virtuous.

후두(喉頭) the larynx. ‖ ~암 laryngeal cancer.

후두부(後頭部) 〔解〕the back [part] of the head; the occipital region; the occiput.

ㅎ

후들거리다 tremble; shake; shiver (with cold).

후딱 quickly; speedily; promptly; instantly.

후레아들 an ill-bred fellow; a boor; a lout.

후련하다 feel refreshed (relieved); feel unburdened.

후렴(後斂) a (musical) refrain; a burden.

후루룩 《날짐승이》 with a flutter; 《마시는 소리》 with a slurp.

후리다 ① 《모난 곳을》 shave off; plane off(대패로); cut off the edge (of). ② 《채어가다》 snatch (a thing) away (from); take (a thing) by force; tear (a thing) from a person). ③ 《휘둘러서 끌어》 round up; net; catch (with a net). ④ 《호리다》 captivate; charm; bewitch; seduce (a woman).

후리질 seining. ┃ ∼하다 seine.

후리후리하다 (be) tall and willowy(slender).

후린그물 a seine; a dragnet.

후면(後面) the back (side); the rear (of).

후문(後門) a rear (back) gate.

후문(後聞) an after-talk.

후물림(後一) 《물려받음》 handing down; a thing handed down; a hand-me-down; ┃ 형의 ∼옷 clothes handed down from one's brother.

후미 a cove; an inlet.

후미(後尾) the tail (very) end; 《배의》 the stern. ┃ ∼에 at the rear; back / ∼에 at the rear (back) (of).

후미지다 ① 《굽이가》 (get) a bend in; form an inlet. ② 《장소가》 secluded; retired; lonely. ┃ 후미진 곳 a secluded spot; an out-of-the-way place.

후반(後半) the latter (second) half of. ┃ ∼기 the latter half of

the year / ∼전 the second half of a game.

후발(後發) ┃ ∼ 중소 기업체들 a group of small enterprises that got into the business later. ┃ ∼개발도상국 the least developed countries(생략 LDDC).

후방(後方) the rear; the back side. ┃ ∼에 in the rear; at the back; behind. ┃ ∼근무 service (duties) in the rear; rear service (at the base) / ∼기지 a rear base / ∼부대 troops in the rear / ∼사령부 headquarters in the rear.

후배(後輩) one's junior(s); younger men; the younger generation (총칭); ┃ 학교의 ∼ one's junior in school.

후배지(後背地) a hinterland.

후보(候補) ① 《입후보》 candidacy; candidature (英); 《후보자》 a candidate. ┃ ∼로 나서다 be a candidate for; run for. ┃ ∼자 명부 a list of (eligible) candidate; 《정당의》 a slate; a ticket (美) / ∼지 a site proposed (for). ② 《운동팀의》 substitution. ┃ ∼선수 a substitute (player).

후부(後部) the rear; the back (hind) part.

후불(後拂) deferred (post, future) payment. ┃ ∼로 하다 pay later; pay on delivery.

후비다 《파다》 dig (up); 《귀 코 이를》 pick (one's ears).

후비적거리다 scoop out repeatedly; keep gouging; keep picking (one's nose).

후사(後事) 《죽은 뒤의》 affairs after one's death; one's future affairs. ┃ ∼를 부탁하다 entrust (another) with future affairs.

후사(後嗣) 《후계자》 a successor; 《상속인》 an heir(남자); an heiress(여자).

후사(厚謝) ∼ 하다 reward (a person) handsomely; thank (a person) heartily; express one's hearty thanks.

ㅎ

후산(後産) the afterbirth.

후생(厚生) social [public] welfare. ∥ ～과(課) the welfare section / ～사업 public welfare enterprises; welfare work / ～시설 welfare facilities.

후생(後生) 《후진》 juniors; younger men; 《내생》 the future life.

후서방(後書房) one's second husband.

후세(後世) 《장래》 coming age; 《후대 사람》 future generations; posterity.

후속(後續) ¶ ～의 succeeding; following. ¶ ～부대 reinforcements / ～조치 follow-up steps.

후손(後孫) descendants; a scion; offspring; posterity.

후송(後送) ～하다 send back 《from the》 front; evacuate 《to the rear》. ¶ ～되다 be sent back to the rear; be invalided home (병, 부상으로). ∥ ～병원 an evacuation hospital / ～환자 an evacuated casualty [patient].

후술(後述) ～하다 say [mention, describe] later.

후식(後食) 《a》 dessert.

후실(後室) one's second wife. ¶ ～을 맞아들이다 take 《a woman》 for a second wife.

후안(厚顔) a brazen face. ¶ ～무치 shamelessness; brazen; impudence(～무치하다 be brazenfaced [shameless]).

후열(後列) the rear (rank, row); the back row.

후예(後裔) ⇒ 후손.

후원(後苑·後園) a rear garden; a backyard 《美》.

후원(後援) support; backing; patronage. ～하다 support; give support(to); back (up); aid; help; get behind 《美》. ∥ ～자 a supporter; a sponsor; a patron; a booster 《美口》/ ～회 a supporters' association; a society 《for...》.

후위(後衛) 【競】 a back (player); 【軍】 the rear (guard). ¶ ～를 보

다 play the back.

후유증(後遺症) 【醫】 sequelae; an aftereffect 《of a disease》; 《여 파》 an aftereffect. ¶ ～ math.   「kindness.

후은(厚恩) 《receive》 great favo

후의(厚意) kindness; goo will; good wishes; kind inter tions.

후일(後日) later days; the future ¶ ～에 in (the) future; one these days; later (on); som (other) day; ～담 recolle tions; reminiscences; a sequel.

후임(後任) a successor 《to... a post》. ¶ ～의 in sue cession to ...; as a successo to ... / ～이 되다 succeed; tak 《a person's》 place.

후자(後者) the latter. ¶ 전자와 the former and the latter.

후작(侯爵) a marquis; a ma quess. ¶ ～부인 a marchiones

후장(後場) 【證】 the afternoon se sion (market, sale).

후주곡(後奏曲) 【樂】 a postlude.

후줄근하다 (be) wet and limp be a little soggy.

후진(後陣) the rear guard.

후진(後進) ① 《후배》 a junior; younger man; the younger ge eration(총칭). ② 《미발달》 unde wardness; underdevelopmen ¶ ～의 backward; underdeve oped / ～국 a backward [unde developed] nation. ③ 《후퇴》 하다 go astern (선박이); mov [slip] backward.

후처(後妻) a second wife.

후천성(後天性) ¶ ～의 postnata acquired. ∥ ～면역결핍증 【醫 Acquired Immune Deficienc Syndrome(생략 AIDS).

후천적(後天的) a posteriori 《라 postnatal; acquired (품성학적).

후추 (black) pepper. ¶ ～를 치다 sprinkle pepper on 《meat》/ 별 a pepper pot; a pepperbox.

후탈(後頉) complications fro childbirth(산후의); later comp

cations of a disease(병후의); the troublesome aftermath; an aftereffect.

후텁지근하다 (be) sultry; stuffy; sticky.

후퇴(後退) (a) retreat(퇴각); recession(경기의); retrogression(퇴보); retrogress. ¶ ~하다 retreat; recede; go (move, fall) back; back; thick.

후편(後便) the back side; (나중 인편) a later messenger.

후편(後篇) the second [last] volume; the latter part (*of a book*).

후하다(厚一) ① (인심이) (be) cordial; hospitable; warm-hearted. ② (인색잖다) (be) lenient; generous; liberal. ¶ 후하게 generously; liberally. ③ (두껍다) (be) thick.

후학(後學) a junior; younger students (scholars).

후항(後項) ① 〖數〗 the consequent; (다음 조항) the succeeding [following] clause.

후회(後悔) (a) repentance; penitence; regret; remorse. ~하다 regret; repent (*of*); feel remorse [sorry] (*for*); be penitent [sorry] (*for*).

후회년(後悔年) three years from now.

훅¹ 〖拳〗 a hook. ¶ ~을 넣다 (deliver a) hook. ② (그리단추) a hook.

훅² with a sip [slurp]; with a puff. ¶ 물을 ~ 불어 끄다 puff out light.

훈계(訓戒) (an) admonition; exhortation; a lecture; warning. ~하다 admonish (exhort) (*a person to do*); warn (caution) (*a person*) against. ¶ ~방면 훈방.

훈공(勳功) merits; distinguished services; meritorious deeds. ¶ ~을 세우다 render distinguished service (*to the state*); distinguish *oneself* (*in*).

훈기(薰氣) ① (훈훈한 기운) warm

air; heat; warmth. ② 훈김 ②.

훈김(薰一) ① 훈기(薰氣) ①. ② (세력) influence; power. ¶ 삼촌의 ~으로 rise in the world through *one's* uncle's influence.

훈련(訓練) training; (a) drill; practice. ~하다 train; drill; discipline. ¶ ~을 받다 be trained (*in*); train (*for*); undergo training / 맹~ hard [intensive] training. ¶ ~교관 a drillmaster / ~교본 a drill book; a training manual / ~생 a trainee / ~소 a training school [center] / 육군신병 ~소 an army recruit training center.

훈령(訓令) instruction; (an official) order. ~하다 instruct; give [issue] instructions [orders].

훈민정음(訓民正音) → 한글.

훈방(訓放) ~하다 dismiss (*a person*) with a warning [caution].

훈수(訓手) ~하다 give (*a person*) a hint [tip] (*on*).

훈시(訓示) (an address of) instructions; admonition. ~하다 instruct; give instructions.

훈육(訓育) (moral) education; discipline; character building.

훈장(訓長) a teacher; a schoolmaster.

훈장(勳章) a decoration; an order; a medal.

훈제(燻製) ¶ ~의 smoke-dried; smoked / 청어의 ~ smoked herring. ~하다 smoke (smoke-dried).

훈증(燻蒸) fumigation. ~하다 fumigate; smoke. ¶ ~제(劑) a fumigant.

훈풍(薰風) a balmy wind; a warm [breeze].

훈화(訓話) a moral discourse; admonitory lecture.

훈훈하다(薰薰一) (온도가) (be) comfortably warm; (인정이) be warmhearted [kindhearted].

홀떡 (벗거나 뒤집히는 모양) all quite; utterly; completely; (뛰어넘는 모양) at a bound [jump]; lightly; quickly. ¶ 옷을 ~ 벗다 strip *oneself* bare [stark-naked].

홀라댄스 hula(-hula). ¶ ~를 추다 dance the hula.

훌륭하다 ① 《멋지다》 (be) fine; nice; handsome; excellent; splendid; grand. ¶훌륭히 finely; nicely; excellently; splendidly. ② 《존경할 만한》 (be) honorable; respectable; decent. ③ 《칭찬할 만한》 (be) admirable; praise-worthy; creditable; commendable. ④ 《고상한》 (be) noble; lofty; high. ⑤ 《위대한, 뛰어난》 (be) great; prominent; eminent.

훌쩍 ① 《날쌔게》 quickly; with a jump 〔bound〕; nimbly. ② 《마시는 모양》 at a gulp 〔draught〕. ③ 《코를》 snivelling; snivel. ¶콧물을 ~ 들이마시다 sniffle; snivel. ④ 《표면이》 aimlessly. ¶ ~ 여행을 떠나다 go on a trip aimlessly.

훌쩍거리다 《애체를》 sip 〔hot coffee〕; slurp 《one's soup》; suck in 《one's noodles》; 《콧물을》 snivel 〔sniff〕 repeatedly; 《울다》 sob; weep silently.

훑다 strip; hackle; heckle 《rice》.

훑어보다 ① 《죽 살피다》 read 〔run〕 through. ② 《눈여겨 보다》 give a searching glance 《at》; look carefully for 〔at〕; scrutinize.

훔치다 ① 《절도》 steal; pilfer. ② 《닦다》 wipe (off, away); mop.

훗날 《後~》 ☞ 후일.

훤칠하다 (be) strapping; tall and slender; high in stature.

훤하다 ① 《흐릿하게 밝다》 (be) dimly white; slightly light; half-lighted; gray. ② 《동쪽 하늘이 훤하게 밝다》 The eastern sky has become slightly light. ¶ 동녘 하늘이 훤하게 밝았다 The eastern sky has become slightly light.

훨씬 《정도》 by far; far (and away); (very) much; greatly. ¶ ~ 좋은 물건 a much 〔for〕 better article.

훨훨 ① 《나는 모양》 ¶ ~ 날아가 버리다 flutter away. ② 《벗는 모양》 ¶ 옷을 ~ 벗다 take off one's clothes briskly.

훼방 《毀謗》 ① 《비방》 slander; calumny; defamation; vilification. ~하다 slander; defame; vilify; backbite; speak ill of. ② 《방해》 interference; obstruction. ~하다 interfere 《with》; interrupt; thwart; disturb. ¶ 일을 ~ 놓다 hinder 《a person》 in his work; interfere with 《a person's》 work.

훼손 《毀損》 damage; injury. ~하다 damage; injure; impair; spoil; defame 《명예를》. ¶ 명예 ~ a libel.

훼하다 ☞ 행하다.

휘감기다 get wound 〔round〕; twine 〔coil, wind〕 itself round. ¶ 담쟁이 덩굴에 휘감긴 나무 a tree entwined with ivy.

휘감다 coil 〔wind, twine〕 around; fasten 〔tie〕 round.

휘날리다 《바람에》 fly; flap; flutter; wave 《in the wind》.

휘다 bend; be 〔get〕 bent; curve; warp. ¶ 눈의 무게로 나뭇가지가 휘어 있었다 The tree branches have bent under the snow.

휘두르다 《돌리다》 whirl 〔swing〕 《a thing》 round; brandish; flourish. ② 《열뻗다》 confuse; bewilder. ③ 《뜻대로》 exercise 〔wield〕 《authority over》; have 《a person》 under perfect control.

휘둥그레지다 《눈이》 open 《one's eyes》 wide; be surprised 〔startled〕 《at》. ¶ 눈이 휘둥그레져서 with one's eyes wide open.   〔prise〕

휘둥그렇다 be wide-eyed 《with surprise〕.

휘말리다 be rolled 〔wrapped〕 《up in》; be dragged 《into》; be involved 〔entangled〕 《in a war》; get mixed up 《in a trouble》.

휘몰다 《차·말을》 drive hard; urge on; 《가축 따위를》 drive; chase round up; run.

휘발 《揮發》 ~하다 volatilize. ¶ ~ 성 volatility 《~성 volatile 《matter》》 / ~ 유 gasoline 《가솔린》; volatile oil.

휘어잡다 《잡다》 hold 《a thing in one's hand》; grasp; seize

clutch. ② 《사람을》 control; have 《a person》 under one's control; keep a firm grip 《on a person》.

휘어지다 get bent; bend; curve; warp 《재목 등이》.

휘장 《揮帳》 a curtain.

휘장 《徽章》 〔wear, put on〕 a badge; an insignia. 〔arms〕

휘적거리다 swagger; swing 《one's arms》.

휘젓다 ① 《뒤섞다》 stir 《up》; churn 《milk》; beat up. ¶ 계란을 휘저어 거품이 일게 하다 beat up eggs well, ② 《어지럽게》 disturb; upset; disarrange. ¶ 《팔 등을》 swing 《one's arms》.

휘청거리다 yield; be flexible [pliant]; totter; stagger; reel.

휘파람 a whistle. ¶ ~을 불다 〔give〕 a whistle; whistle a tune.

휘하 《麾下》 《딸린 군사》 〔troops〕 under one's command; one's men.

휘호 《揮毫》 〔writing; 《글씨》 painting; drawing, ¶ ~하다 write; draw; paint.

휘황찬란하다 《輝煌燦爛》 (be) resplendent; brilliant; bright.

휘휘 round and round 《about》. ¶ ~ 감다 wind 《a rope》 round 《a thing》 / 방안을 ~ 둘러보다 run one's eyes around the room.

휙 ① 《돌아가는 꼴》 swiftly; with a jerk; (a)round. ¶ ~ 돌다 turn (right) around. ② 《바람이》 with a sweep; with a whiff; whizzing. ¶ ~ 소리나며 ~ 붙다 whiz(z); whistle / 바람이 ~ 불다 have a gust of wind. ③ 《던지는 꼴》 light and nimbly.

휠체어 a wheel chair.

휩싸다 ① 《싸다》 wrap 〔up〕 《in paper》; tuck 《a child》 up 《in a blanket》. ② 《뒤덮다》 cover; envelope; shroud. ③ 《비호하다》 protect; shield.

휩싸이다 be covered〔veiled, enveloped, shrouded〕; get wrapped up: 《감정 등에》 be seized 《with a panic》.

휩쓸다 sweep 《away, up, off, over》; make a clean sweep 《of》; 《설

침》 overwhelm; overrun; rampage. ¶ 휩쓸리다 be swept away 《by the waves》; be involved in 《a war》.

휴가 《休暇》 holidays; a vacation; a leave. ¶ ~ 중인 사람 a vacationer / ~ 여행 a vacation trip.

휴간 《休刊》 suspension of publication. ~ 하다 suspend publication; stop issuing.

휴강 《休講》 ~ 하다 cancel a class 〔lecture〕; give no lecture.

휴게 《休憩》 (a) rest; a recess; an interval 〔intermission (막간)〕 《美》. ~ 하다 take a rest 〔break〕. ¶ ~ 소 a rest house / ~시간 a recess; an interval / ~실 a resting room; a lounge (호텔의); a foyer 《프》 《극장의》.

휴관 《休館》 ~ 하다 close 《a theater》. ¶ 금일 ~ 《게시》 Closed today.

휴교 《休校》 ~ 하다 close (a short) closure of school. ~ 하다 close 《the school》 temporarily; be closed.

휴대 《携帶》 ~ 하다 carry; bring 〔take, have〕 《a thing》 with 《one》. ¶ ~용의 portable; handy (to carry). ¶ ~식량 field 〔combat 《美》〕 ration / ~ 품 hand baggage 《美》〔luggage 《英》〕; personal effects; one's belongings / ~ 품 보관소 a checkroom 《美》; a cloakroom 《英》.

휴머니스트 《인도주의자》 a humanist.

휴머니즘 《인도주의》 humanism.

휴머니티 《인간성》 humanity.

휴식 《休息》 (a) rest; repose; recess; 《일하는 사이의》 a break. ~ 하다 〔take a〕 rest; repose; take breath 《숨돌림》. ¶ ~시간 a recess; a break.

휴양 《休養》 (a) rest; repose; relaxation; recreation; recuperation 《병후의》. ~ 하다 〔take a〕 rest; repose; relax; refresh 〔recreate〕 oneself; recuperate 《병후에》. ¶ ~ 시설 recreation facilities / ~지 a recreation center; a rest area.

휴업 《休業》 closing down 《상점의》;

suspension of business 〔trade〕 (영업의); a shutdown(공장의). ～하다 〔사람이〕 rest from work; 〔점포 등이〕 close 《*an office, a factory*》; be closed; suspend business (operations). ‖ ～일 a (business) holiday; a bank holiday(은행의).

휴일(休日) a holiday; a day off; an off day. ¶ ～수당 non-duty allowance / 법정 〔임시〕 ～ a legal 〔special〕 holiday.

휴전(休電) suspension of power supply. ¶ ～일 a no-power day.

휴전(休戰) a truce; an armistice; a cease-fire. ～하다 make a truce; stop fighting. ¶ ～기념일 《1차 대전의》 the Armistice Day / ～명령 orders to suspend hostilities; a cease-fire order / ～선 a truce line; a cease-fire 〔an armistice〕 line / ～조약 a treaty of truce 〔armistice〕 / ～협정 a cease-fire agreement.

휴정(休廷) recess. ～하다 hold no court; adjourn the court. ‖ ～일 a non-judicial day.

휴지(休止) (a) pause; stoppage. ～하다 stop; pause; cease; suspend.

휴지(休紙) wastepaper; toilet paper(화장지). ‖ ～통 a wastebasket; a wastepaper basket.

휴직(休職) suspension from office 〔service, duty〕; leave of absence. ～하다 retire from office temporarily; be temporarily laid off.

휴진(休診) ～하다 see 〔accept〕 no patients 《*for the day*》. ¶ 〔금일〕 〔게시〕 No consultation today.

휴학(休學) temporary absence from school. ～하다 absent oneself 〔stay away〕 from school for a time.

휴한지(休閑地) idle 〔fallow〕 land.

휴항(休航) suspension of sailing. ～하다 suspend the sailing (flying) 《*on a line*》; be laid up (배가).

휴화산(休火山) a dormant 〔inactive〕 volcano.

휴회(休會) (an) adjournment; a recess. ～하다 adjourn; (go into) recess.

흉 ① 〔흉터〕 a scar; a scarred face; a face with a scar. ② 〔결점〕 a fault; a defect; a flaw(흠). ☞ 흉보다. 흉잡다.

흉가(凶家) a haunted house.

흉계(凶計) a wicked scheme 〔device〕; an evil 〔a sinister〕 plot.

흉골(胸骨) 〔解〕 the sternum; the breastbone. 「rax.

흉곽(胸廓) 〔解〕 the chest; the tho-

흉금(胸襟) ～을 터놓다 open *one's* heart 《*to*》; unbosom *oneself* 《*to*》. 「weapon

흉기(凶器) a lethal 〔dangerous

흉내 imitation; mimicry; a take off (연극). ¶ ～(를) 내다 imitate; copy; mimic. ‖ ～쟁이 a (clever) mimic; an imitator.

흉년(凶年) a year of famine 〔bad harvest〕; a lean year.

흉노(匈奴) 〔史〕 the Huns.

흉몽(凶夢) an ominous 〔a bad〕 dream.

흉물(凶物) a snaky person; an insidious 〔evil〕 fellow.

흉변(凶變) (a) disaster; a calamity; a tragic accident. ¶ ～을 당하다 meet with 〔suffer〕 a calamity 〔disaster〕.

흉보(凶報) bad 〔ill, sad〕 news; news of death.

흉보다 speak ill of; disparage.

흉부(胸部) the breast; the chest. ¶ ～질환 a chest disease 〔trouble〕; a trouble in the chest.

흉사(凶事) an unlucky affair; misfortune; a disaster; a calamity 〔disaster〕.

흉상(凶相) a vicious look; an evil countenance 〔face〕.

흉악(凶惡) ～하다 (be) wicked; villainous; atrocious. ¶ ～한 사

흉죄 a heinous [violent] crime. ¶ ~범 a vicious criminal.

흉어(凶漁) a poor catch [haul].

흉위(胸圍) chest [bust] measurment (여성의 경우는 bust). ¶ ~를 재다 measure the chest [bust].

흉작(凶作) a bad [poor, lean] crop [harvest]; a failure of crops.

흉잡다 find fault with; pick on.

흉잡히다 be found fault with; be spoken ill of; be picked on.

흉조(凶兆) an ill [evil] omen.

흉중(胸中) one's heart [feelings].

흉스럽다(凶measurable) ☞ 흉측하다.

흉측하다(凶測一) (be) terribly heinous [wicked, villainous]; (얼굴이) (be) very ugly [crude].

흉탄(凶彈) an assassin's bullet.

흉터 a scar; a seam (of an old wound).

흉포하다(凶暴一) (be) ferocious; brutal; atrocious; violent.

흉하다(凶一) ① (사악) (be) bad; evil; wicked; ill-natured. ② (불길함) (be) unlucky; ominous; sinister. ③ (보기에) (be) ugly; unsightly; unseemly.

흉한(凶漢) a ruffian; a villain; a rascal; (암살자) an assassin.

흉허물 a fault; a defect. ¶ ~ 없는 사이다 be on intimate [familiar] terms with.

흉흉하다(洶洶一) (인심이) be panic-stricken; be filled with alarm.

흐느끼다 sob; whimper; be choked with tears.

흐느적거리다 flutter; sway gently; wave.

흐늘거리다 《흔들거리다》 hang loosely; dangle; swing; sway gently.

흐늘흐늘 ~ 하다 (be) soft; pulpy; flabby; mushy; limp. ¶ 더위로 아스팔트 길이 ~ 해졌다 The asphalt roads became limp in the heat.

흐려지다 ① (날이) get [become] cloudy [overcast]; cloud (over). ② (유리 따위가) become dim [be blurred]; be clouded; be fogged [misted]. ③ (마음·얼굴·눈이) cloud; be clouded.

흐르다 ① (액체) flow; stream; run (down); trickle(졸졸). ② (세월 등이) pass(away); flow by. ③ (경향으로) lapse (fall) (into); run (incline) (to); be swayed (by). ¶ 감정에 ~ be swayed by sentiment.

흐리다¹ ① (탁하다) (be) muddy; turbid; thick; cloudy(술이). ② (날이) (be) cloudy; overcast. ¶ 흐린 날씨 [날] cloudy weather; a cloudy day / 날이 ~ It is cloudy. ③ (희미하다) (be) dim; clouded; blurred; smoked; vague; obscure; indistinct. ④ (눈이) (be) dull; bleared; bleary.

흐리다² ① (흔적을) blot out; efface. ② (흐탁하게 함) make (water) muddy (turbid; cloudy); make unclean. ③ (분명하게 함) make indistinct [vague; obscure; ambiguous]. ④ (더럽힘) stain; blemish.

흐리멍덩하다 ① (기억·정신 따위가) (be) vague; obscure; dim; indistinct; hazy. ② (불명확) (be) muddled; indecisive; uncertain; dubious.

흐릿하다 (be) rather cloudy [dim, dull, muddy, indistinct, ambiguous].

흐무러지다 ① (푹 익어서) be overripe. ② (물에 불어서) be sodden; be swollen.

흐물흐물 ~ 하다 (be) overripe; very soft; flabby. ¶ ~하게 삶다 boil to pulp / ~해지다 be reduced to pulp [jelly].

흐뭇하다 (be) pleasing; satisfied. ¶ 흐뭇해서 웃다 smile with satisfaction.

흐지부지 (어물어물) ¶ ~ 끝나다 end in smoke; come to nothing / 우리의 계획은 ~되고 말았다 All our plans have fizzled out [come to nothing].

흐트러뜨리다 ① (여기저기) scatter (things) (about); leave (things) scattered [lying] about; strew. ② (군중을) disperse; break up.

흥

③ 《머리칼 따위를》 dishevel. ¶ 머리를 흐트러뜨리고 with disheveled hair.

흐트러지다 《흩어짐》 disperse; scatter: be dispersed; be scattered; 《정신이》 be distracted; 《머리칼·복장 등이》 be disheveled.

흑(黑) ① ☞ 흑색. ② 《바둑돌》 a black stone.

흑단(黑檀) 〔植〕 ebony; black wood.

흑막(黑幕) ① 《검은 장막》 a black curtain. ② 《음흉한 내막》 concealed circumstances; the inside.

흑맥주(黑麥酒) black beer; porter 〔英〕.

흑백(黑白) black and white; 《시비》 right and wrong. ∥ ~논리 an all-or-nothing logic [attitude] / ~사진〔영화〕 a black-and-white photograph [picture].

흑빵(黑―) rye [brown] bread.

흑사병(黑死病) 〔醫〕 the pest; the (black) plague.

흑색(黑色) black; black color. ¶ ~의 black. ∥ ~인종 the black race.

흑설탕(黑雪糖) raw [unrefined] sugar; muscovado.

흑심(黑心) an evil intention. ¶ ~을 품은 evil-minded; black-hearted.

흑연(黑鉛) 〔鑛〕 black lead; graphite.

흑요석(黑曜石) 〔鑛〕 obsidian.

흑인(黑人) a black; a black person; an African-[Afro-]American 《美》; a Negro. ∥ ~거주지구 a black neighborhood / ~영가 a Negro spiritual / ~종 the black race.

흑자(黑字) black figures [ink]. ¶ ~를 내다 go into the black.

흑점(黑點) a black spot. 《태양의》 a sunspot; a macula.

흑탄(黑炭) black coal.

흑토(黑土) black soil [earth].

흑판(黑板) a blackboard.

흑해(黑海) the Black Sea.

흑흑 《느껴 울다》 sob; weep convulsively.

흔들다 shake 《one's head》; wave

《a handkerchief》; swing; rock 《a cradle》; wag 《꼬리를》. ¶ 잠을 깨우다 shake 《a person》 awake.

흔들리다 shake; sway; rock; quake; flicker 《불꽃 따위가》; 《마음이》 waver; 《차가》 joggle; jolt 《덜컥》; 《매달린 것이》 swing; 《배가》 roll 《으로》; pitch 《앞뒤로》. ¶ 이가 ~ a tooth is loose / 결심이 ~ one's resolution shakes.

흔들의자(―椅子) a rocking chair; a rocker.

흔들이 〔理〕 a pendulum.

흔들흔들하다 shake; sway; swing; rock.

흔연히(欣然―) joyfully; gladly; cheerfully; willingly.

흔적(痕跡) traces; marks; vestiges; evidences; signs. ∥ ~기관 〔生〕 a vestigial organ.

흔쾌(欣快)~하다 (be) pleasant; agreeable; delightful. ¶ ~히 pleasantly; agreeably; delightfully; willingly.

흔하다 (be) very common; usual; ordinary; be found [met with] everywhere. ¶ 흔치 않은 uncommon; extraordinary; rare.

흔히 commonly; usually; 《주로》 mostly; mainly; 《대개》 generally.

흘겨보다 give [cast] a sharp side long glance 《at》.

흘금거리다 cast a sidelong glance [look] 《at》; glare 《at》.

흘긋거리다 ☞ 흘금거리다.

흘기다 glare fiercely at; give a sharp sidelong glance 《at》; cast a reproachful [disapproving] glance 《at》; scowl 《at》.

흘끗 at a glance. ¶ ~ 보다 catch [get] a glimpse 《of》.

흘러들다 flow into; empty [drain *itself*] into.

흘리다 ① 《떨어뜨림》 spill 《soup》; shed 《drop》 《tears》. ② 《빠뜨리다》 lose; drop. ③ 《글씨를》 write in a cursive hand; scribble. 《귓전으로》 take no notice of; give no heed 《to》.

흘림 the cursive style (＝ 초서).

흠수(吃水) draught. ¶ ～가 얕다 (길 다, 15피트이다) draw light (heap deep, 15 feet of water). ┃ ～선 the waterline.

흙(土양) earth; soil; (지면) the ground; (진흙) clay. ¶ ～을 돋다 heap up earth.

흙구덩이 a hollow in the ground.

흙덩이 a clod; a lump of earth.

흙먼지 dust; a cloud of dust.

흙더미 a pile [heap] of earth.

흙받기 ① (미장이의) a mortarboard; a hawk. ② (자동차 등의) a splashboard; a fender.

흙비 a dust storm; a sandstorm.

흙빛 earth color. ¶ ～(안색이) ashy; deadly [deathly] pale ／ 얼굴이 ～이 되다 turn ashy (deadly, deathly) pale.

흙손 a trowel; a float (마무리하는).

흙손질 ～하다 trowel; plaster with a trowel.

흙일 (do) earthwork.

흙칠 ～하다 soil [smear] with mud.

흙탕물 muddy mud; a mud. ¶ ～을 뒤집어 쓰다 get (one's clothes) splashed with muddy water.

흙투성이 ¶ ～가 되다 be covered with mud.

흠(欠) ① = 흠 ①. ② (물건의) a crack; a flaw; (파임의) a speck; a bruise. ③ (결점) a fault; a defect; a flaw; a stain (오점).

흠(웃는 소리) humph!

흠내다(欠一) crack; (make) a flaw.

흠뜯다(欠一) backbite; whisper against (a person).

흠모(欽慕) ～하다 admire; adore.

흠뻑 fully; thoroughly; to the skin (젖은 꼴이).

흠씬 enough; sufficiently; to the fullest measure; thoroughly.

흠잡다(欠一) find fault with; pick at. ¶ 흠잡을 데가 없다 be faultless [flawless].

흠정(欽定) ¶ ～의 authorized; compiled by royal order. ┃ ～헌 a constitution granted by the

Emperor.

흠지다(欠一) get scarred (몸에); be damaged; be cracked.

흠집(欠一) (몸의) a scar.

흠칫 ～하다 recoil; shrink; pull back (one's head, neck, shoulders) in surprise. ¶ ～ 놀라다 be startled (at).　━ulum.

흠반(吸盤) a sucker; an acetab-

흡사(恰似) ～하다 resemble closely; be exactly alike.

흡수(吸水) suction of water. ┃ ～관(管) a siphon; a suction pipe ／ ～펌프 a suction pump.

흡수(吸收) absorption. ～하다 absorb; imbibe; suck in. ¶ ～성의 (천 따위의) absorbent; absorptive. ┃ ～력 absorbing power; absorbency ／ ～제(劑) an absorbent ／ ～합병 merger.

흡습(吸濕) moisture absorption. ┃ ～성(性) moisture absorbency ／ ～성의 moisture absorbent ／ ～제 a moisture absorbent.

흡연(吸煙) smoking. ～하다 smoke. ┃ ～실 a smoking room ／ ～자 a smoker ／ ～칸 (열차의) a smoking car [carriage (英)]; a smoker (英).

흡음(吸音) sound absorption. ┃ ～재 (a) sound-absorbing materials.

흡인(吸引) absorption; suction. ～하다 absorb; suck (in). ┃ ～력 absorptivity; sucking force.

흡입(吸入) inhalation. ～하다 inhale; breathe in; suck (in). ┃ ～기 an inhaler ／ 산소 ～기 an oxygen inhaler.

흡족(洽足) ～하다 (be) sufficient; ample; satisfactory (만족). ¶ ～히 enough; sufficiently; fully.

흡착(吸着) adhesion; [化] adsorption. ～하다 adhere to; [化] adsorb. ¶ ～성의 adsorbent. ┃ ～제 an adsorbent.

흡혈(吸血) bloodsucking. ┃ ～귀 (鬼) a vampire; a bloodsucker.

흥(興) interest; fun; amusement. ¶ ～이 나다 become interested

《in》; amuse oneself 《by doing》.
흥! humph!; pish!
흥건하다 be full to the brim; be filled up with.

흥겹다(興─) (be) gay; merry; joyful; cheerful. ¶흥겹게 gaily; merrily; joyously; cheerfully; pleasantly.

흥망(興亡) rise and fall 《of a nation》(일국의); ups and downs; vicissitudes. ∥ ～ 성쇠＝흥망.

흥미(興味) (an) interest. ¶ ～ 있는 interesting; amusing; exciting / ～ 없는 uninteresting; dull (따분한) / ～ 본위의 aimed chiefly at amusing / ～ 본위로 out of mere curiosity / ～ 진진하다 be full of interest.

흥분(興奮) excitement; stimulation. ～ 하다 〔be〕 excited 〔stimulated〕. ¶ ～ 시키다 excite; stimulate. ∥ ～ 제 a stimulant.

흥신소(興信所) a detective agency 《美》; an inquiry office 《agency》 (인사관계의); 《상업관계의》 a credit bureau; a commercial inquiry agency.

흥얼거리다 hum 《a tune》; sing to oneself.

흥정 buying and selling; dealing(거래); bargaining; a bargain. ～ 하다 buy and sell; deal; make a deal 《with》; bargain 《with a person》 over.

흥청거리다 be on the spree; be highly elated; make lavish 〔free〕 use 《of》.

흥청망청 《즐기는 모양》 with elation; merrily; 《흥천만천》《spend money》 in profusion; wastefully. ¶ ～ 돈을 쓰다 lavish money 《on》; spend money in profusion.

흥취(興趣) interest; gusto; taste. ¶ ～ 가 있다 be of absorbing interest.

흥하다(興─) rise; thrive; flourish; be prosperous; prosper.

흥행(興行) show business(사업); a show; 《give》 a performance; a run; ～ 하다 perform; give a performance; show 《a play》;

run 〔put on〕 a show. ¶ 장기 ～ a long run / 그 연극은 10일간 ～ 되었다 The play ran for ten days. ∥ ～ 수익 box-office value 〔profits〕 / ～ 사 a showman / ～ 성적 a box-office record / ～ 장 a show place / ～ 주 a promoter.

흘날리다 blow 《something》 away 〔off〕; be blown off; fly about 〔off〕.

흘뜨리다 scatter 《things》 about; dishevel(머리칼 따위를); leave 《things》 scattered 〔lying〕 about.

흩어지다 scatter; be scattered; disperse; be dispersed; be disheveled(머리가).

희가극(喜歌劇) a comic opera.

희곡(戲曲) a drama; a play. ¶ ～ 화하다 dramatize 《a novel》. ∥ ～ 작가 a dramatist; a playwright; a playwriter.

희구하다(希求─) desire 《to do》; aspire 《to, after》; long 《for some thing》.

희귀(稀貴) ～ 하다 (be) rare.

희극(喜劇) a comedy; a farce. ¶ ～ 적(인) comic(al); farcical / ～ 을 벌이다《비유적》make a foo of oneself(웃기다). ∥ ～ 배우 comic actor; a comedian / ～ 영화 a comic film 〔movie〕; comedy film 〔picture〕.

희끄무레하다 (be) whitish.

희끗희끗 ～ 하다 (be) spotted with white; 〔머리털이〕 grizzled.

희노애락(喜怒哀樂) ☞ 희로애락.

희다 (be) white; fair(피부가); gray(머리가). ¶ 눈같이 흰 snow white / 희게 하다 make 《a thing》 white; whiten; blanch(탈색).

희대(稀代) ¶ ～ 의 rare; uncommon; extraordinary.

희디희다 (be) pure 〔very〕 white; snow-white; be as white as snow.

희묽뚝뚝 ～ 하다 (be) dotted with white; grizzly(머리털이).

희로애락(喜怒哀樂) joy and anger together with sorrow and pleasure; 《감정》 emotion; feel

-ings.

(戱弄) ridiculing; jesting. ~하다 make fun [sport] of; poke fun at; banter; tease; make a jest of; ridicule; trifle [fool] (with). ¶ ~조로 말하기 say (a thing) in [for] sport.

망(希望) (a) hope; (a) wish; (a) desire; expectation (기대). ~하다 hope (to do, for); wish; desire; aspire to [after] (a thing). ¶ ~대로 (자기의) as one wishes; (상대의) as requested. ¶ ~자의 a request concert / ~자 a person who wants [desires] (to do) / (지원자) an applicant; a candidate / ~조건 the terms [condition] desired.

망봉(喜望峰) 【地】 the Cape of Good Hope. ~ioned.

ㅣ멀겋다 (be) fair; fair-complex-

ㅣ멀겋다 (be) fair and clean.

ㅣ미하다(稀微一) (be) faint; dim; vague.

ㅣ박하다(稀薄一) (be) thin; weak; sparse. ¶ 인구가 희박한 지방 thinly [sparsely] populated district.

ㅣ번덕거리다 keep goggling one's eyes.

ㅣ번드르르하다 (얼굴이) (be) fair and bright; (말 따위가) (be) specious; glittering.

보(喜報) 회소식 ☞ light.

ㅣ붐하다 (be) faintly light; half-light.

ㅣ비(喜悲) joy and sorrow. ¶ ~가 엇갈리다 have mixed [mingled] feelings of joy and sorrow. ¶ ~극 a tragicomedy.

ㅣ사(喜捨) charity; contribution; offering; donation. ~하다 give alms; contribute; offer; donate. ¶ ~금 a gift of money; a contribution; a donation; offerings; alms.

ㅣ색(喜色) a joyful [pleased] look. ¶ ~이 만면하다 be all smiles; beam with joy [delight].

ㅣ생(犧牲) (a) sacrifice; a scapegoat. ~하다 sacrifice; make a victim of (a person). ¶ ~적(인)

self-sacrificing (spirit) / …을 ~하여 at the sacrifice [expense, cost] of … / …의 ~이 되다 be sacrificed [fall a victim] to … / 어떠한 ~을 치르더라도 at any cost; at all costs. ∥ ~자 a victim; a prey.

희서(稀書) a rare book.

희석(稀釋) 【化】 dilution. ~하다 dilute. ∥ ~액 a diluted solution / ~제 a diluent.

희소(稀少) ~하다 (be) scarce; rare. ∥ ~가치 scarcity [rarity] value / ~물자 scarce materials.

희소식(喜消息) good news; glad news [tidings].

희열(喜悅) joy; gladness; delight.

희염산(稀鹽酸) 【化】 dilute hydrochloric acid. [acid.

희질산(稀窒酸) 【化】 dilute nitric

희한하다(稀罕一) (be) rare; curious; singular; uncommon.

희화(戱畵) a comic picture; a caricature; a cartoon. ¶ ~화하다 caricature; make a caricature of.

희황산(稀黃酸) 【化】 dilute sulphuric [acid.

희희낙락(喜喜樂樂) ~하다 rejoice; be in delight; be glad; jubilate.

흰개미 【蟲】 a termite; a white ant.

흰나비 【蟲】 a cabbage butterfly.

흰떡 rice cake.

흰소리 a big [tall] talk; bragging. ~하다 talk big [tall]; brag.

흰자위 ① (눈의) the white of the eye. ② (달걀의) the white of an egg); albumen.

히로뽕 【藥】 philopon (상표명에서).

히말라야산맥(一山脈) the Himalayas; Himalaya Mountains.

히스타민 【化】 histamine.

히스테리 【醫】 hysteria; hysterics (발작). ¶ ~를 일으키다 go into hysterics; become hysterical.

히아신스 【植】 a hyacinth.

히어링(학습의) (practice) hearing; (공청의) a (public) hearing. ∥ ~연습 a drill in hearing.

히죽이 with a grin; with a sweet smile. ¶ ~ 웃다 grin at (a per-

son); smile sweetly.

히터 (turn on [off]) a heater.

히트 ① [野] (a base) hit. ¶ ~ 치다 (make a) hit. ② 《성공》 a hit; a great success. ~ 하다 win a success; be a (big) hit. ‖ ~ 송 a hit song.

히피 a hippie; (the) hippies(총칭).

힌두교 (一教) Hinduism. ‖ ~신자 a Hindu.

힌트 a hint.

힐난하다 (詰難一) condemn; blame (rebuke) 《a person for》; censure.

힐문하다 (詰問一) cross-examine; question (examine) closely.

힐책하다 (詰責一) reproach; rebuke; reprimand; censure.

힘 ① 《몸의》 (physical) strength; force; might. ¶ ~껏 with all one's might (strength); with might and main / ~을 내다 put forth one's strength. ② 《기력》 spirit; vigor; energy. ¶ ~없는 low-spirited; downhearted; spiritless(기운 없는) / ~없는 목소리로 in a weak voice. ③ 《電》 (electric) power; force; energy 《of heat》. ④ 《능력》 ability; power; faculty. ¶ ~이 자라는 한 as far (much) as one can; to the best of one's abiltiy / …할 ~이 있다 be able (competent) to do; be capable of doing. ⑤ 《노력》 effort; endeavors; exertions. ⑥ 《효력》 effect; efficacy; power; influence. ⑦ 《조력》 help; (give) assistance; support; aid. ¶ …의 ~으로 by the aid (force) of; by dint (virtue) of. ⑧ 《어세》 emphasis; stress; force. ¶ ~을 주다 stress; emphasize. ⑨ 《위력》 power; authority; might; influence; sway. 《작용》 agency 《of Providence》; action.

¶ 눈에 보이지 않는 ~ an invisibl[e] agency.

힘겨룸 (have) a strength contest[.]

힘겹다 ☞ 힘부치다.

힘들다 《힘이》 들다 (be) tough[;] laborious; toilsome; painful[;] 《어렵다》 (be) hard; difficult; 《(수)고가 되다》 (be) troublesome. ¶ [힘]드는 일 hard (laborious) work[;] a tough job.

힘들이다 《세력·노력을》 make efforts; exert oneself. ② 《애쓰다》 take pains (trouble); elaborate (on). ¶ 힘들여 번 돈 hard[-]earned money / 힘들여 계획을 [세]우다 elaborate upon a plan.

힘부치다 be beyond one's powe[r] (ability, reach); be too much for 《one》. ¶ 그 일은 내 힘에 부치[는] 일이다 The job is beyond m[y] ability.

힘세다 (be) strong; mighty[;] powerful.

힘쓰다 ① 《노력》 exert onesel[f;] make efforts; endeavor; tr[y] hard. ② 《정려》 be assiduous[;] be industrious; be diligen[t] 《in》. ③ 《고심》 take pains; b[e] at great pains. ④ 《조력》 help[;] aid; assist; give 《a perso[n]》 assistance 《in, on》.

힘입다 owe; be indebted 《to》[.] ¶ 힘입은 바 크다 be greatly indeb[t]ed to; owe 《a person》 much.

힘줄 ① 《근육》 a muscle; a sine[w;] a tendon(건(腱)); a vein(혈[관]). ¶ ~부성(이) stringy; sinewy[.] 《섬유질의》 a fiber; a string. ¶ 고[기] ~ strings in the meat.

힘차다 (be) powerful; energeti[c;] forceful; vigorous; be full [of] strength. ¶ 힘차게 powerfully[;] energetically; vigorously.

ㅎ

부 록

차 례

Ⅰ. 이력서 쓰기

Personal History

Name in Full:	Park Jae-seong
Permanent Domicile:	102 Tangju-dong, Chongno-gu, Seoul Korea
Present Address:	1-48 Namsan-dong, Chung-gu, Seoul Korea
Born:	August 18, 1970
Height & Weight:	177cm. — 75.9kg.
Health:	Excellent
Marital Status:	Single
Education:	Hanseong High School, graduated 1973 Korea University (Faculty of Literature) graduated 1996
	Major—English Literature
	Other main courses of study—French Chinese
Experience:	Employed as translator in Publishing Department, Korea Travel Bureau, Myong dong, Seoul, April 1996
References:	Prof. Kim Bong-han, Korea University, Seoul Mr. Han Myong-hwan, the chief of the Publishing Department, Korea Travel Bureau Myeong-dong, Seoul

May 4, 1998

(Signature)
Park Jae-seong

Ⅱ. 편지쓰기

1. 겉봉투 쓰기

Yim Byeong-jun
1-48 Namsan-dong, Jung-gu,
Seoul, Korea

① Air Mail

우 표

Miss Edith M. Green
312 Greenwood,
Ann Arbor, Michigan 59104
U.S.A.

②

《註》1. ①, ②의 번호는 다음 용어를 쓸 때의 위치를 보인다.

Air Mail (항공편)
Special Delivery (속달)
via... (…경유)   ① 또는 ②
Printed Matter (인쇄물)
Photo only (사진 제중)
Poste Restante... Post Office(…국 유치)
Registered (등기)   ②
Introducing... (…을 소개)

2. …씨방, …씨 전교(轉交)는 c/o Mr....로 씀.
3. 소개장은 봉하지 않음.
4. 수신인명 끝의 다섯 자리 숫자는 ZIP Code임.

2. 편지의 양식

1-48 Namsan-dong
Jung-gu, Seoul Korea
April 2. 2006

Miss Edith M. Green
312 Greenwood
Ann Arbor, Michigan
U.S.A.

Dear Miss Green,

　I read from your last letter you are going to visit this country soon. The news is like a dream to me. To meet you and your family in this country! By the time we meet, I'll make up a wonderful plan to show you this country. Please let me be a guide for you at that time. I am waiting for your arrival.

Sincerely yours,
(*Signature*)

(Yim Byeong-jun)

《註》1. 친한 친구간에는 발신자 및 수신자의 주소는 흔히 생략
2. 날짜. 영국식 2(nd) April 2006, 미국식 April 2nd, 2006
3. 수신자 이름에는 다음과 같은 경칭을 붙인다.
　남성단수 Mr., Sir, Dr., Prof., Rev.(목사), Hon. (시장 등)
　남성복수 Messrs. (상사 앞일 때에는 미국에서는 이 경칭을 안 씀)
　여성단수 Miss, Mrs. (기혼자), Christian name과 남편의 성을 합
　　　　쳐 Mrs.를 붙임. 미망인도 같음.
　여성복수 Misses (미혼자에만), Mmes. (기혼자에만)
4. 본문 허두의 인사말
　공용통신 Gentlemen, Ladies, Mesdames, Dear Sir(s), Dear
　　　　　Madam, My dear Sir, Madam, 따위
　사　신 Dear Mr. ...., My dear Mrs. ...., 따위
　　　　　이 때 구두점은 (,)을 쓰는데, 미국에서는 흔히 상용문일 때
　　　　　에는 (:)가 쓰임.
5. 맺음말 일반적 Yours very truly, Yours truly 따위
　사　신 Sincerely yours, Cordially yours, Affectionately
　　　　yours 따위
6. 여성이 서명할 때에는 상대가 회신할 때 편리하도록 (Miss) (Mrs.)
　를 덧붙여 밝히는 경우도 있다.

Ⅲ. 기 호 읽 기

1. 수학

+	plus, and
-	minus, less
±, ∓	plus or minus
×	multiplied by, times
÷	divided by
=	is equal to, equals
≒, ≈	is approximately equal to
≠, ≠	is not equal to
>	is greater than
<	is less than
≥, ≧	is equal to or greater than
≤, ≦	is equal to or less than
{ }	braces
─	vinculum 보기 : $\overline{a+b}$
∴	therefore
∵	since, because
∞	infinity
:	is to
::	as, equals
∠	angle
∟	right angle
⊥	(is) perpendicular (to)
//, ∥	(is) paralleled (to)
△	triangle
□	square
▱	parallelogram
°	degree(s)
′	minute(s)
″	second(s)

2. 참조표

*	asterisk	(별표)
†	dagger, obelisk	(검표)
‡	double dagger	(이중검표)
§	section	
∥	parallels	(병행표)
¶	paragraph	
☞	index, fist	(손가락표)
⁂, ⁂	asterism	(세별표)

3. 표음부호

´	acute	(양음부호) 《é》
`	grave	(저음부호) 《à》
^	circumflex	(곡절음부호) 《ê》
~	tilde	(물결음부호) 《ñ》
¯	macron	(장음부호) 《ā》
˘	breve	(단음부호) 《ă》
¨	dieresis	(분음부호) 《ö》
¸	cedilla	(시딜라) 《ç》

4. 기타

&	and, ampersand
&c	et cetera; and so forth
/	or, per
#	number
%	percent
c/o	care of
@	at
©	copyright(ed)

Ⅳ. 수

1. 수 읽기

1,000(천)	one thousand
10,000(만)	ten thousand
100,000(십만)	one hundred thousand
1,000,000(백만)	one million
10,000,000(천만)	ten million
100,000,000(억)	one hundred million
1,000,000,000(십억)	one billion
10,000,000,000(백억)	ten billion
100,000,000,000(천억)	one hundred billion
1,000,000,000,000(조)	《美》 one trillion; one thousand billion

이상 중, 천억까지는 《美》《英》 공통·조(兆) 및 그 이상의 수는 《美》《英》서 각기 그 호칭이 다름. 예컨대,

1,000,000,000,000(천조)	
	《美》 one quadrillion;
	《英》 one million billion
1,000,000,000,000,000,000(백경)	
	《美》 one quintillion
	《英》 one trillion

이 밖에,

sextillion = 《美》10^{21}; 《英》10^{36}
septillion = 《美》10^{24}; 《英》10^{42}
octillion = 《美》10^{27}; 《英》10^{48}
nonillion = 《美》10^{30}; 《英》10^{54}, *etc.*
처럼 명칭은 《美》《英》 공통이지만 수는 다름.

2. 로마 숫자

I = 1, V = 5, L = 50, C = 100, D = 500, M = 1,000의 로마자를 써서, 좌에서 우로 수치의 대소순으로 늘어놓아 (e.g. XVⅧ = 10 + 5 + 3 = 18), 순서가 역이 되면 대소 수치의 차를 나타냄 (e.g. XIX = 10 + (10 - 1) = 19). 로마자는 소자 (i, v, x, l, c, *etc.*)를 쓸 때도 있음. 문자 위에 一을 붙이면 1,000배의 수치가 됨.

I	1	V	5	X	10
Ⅲ	3	VI	6	XV	15
Ⅳ(ⅡⅡ)	4	Ⅸ	9	XL	40
L	50	CM	900	V̄	5000
LX	60	M	1000	X̄	10,000
XC	90	MCD	1400	L̄	50,000
C	100	MDC	1600	C̄	100,000
CD	400	MDCCCXCIV	1894	D̄	500,000
D	500	MCMLXXIX	1979	M̄	1,000,000
DC	600	MMM	3000		

Ⅴ. 미·영 철자의 차이

(일반적 경향으로서 다음과 같은 점을 지적할 수 있음)

《美》	《英》	《美》	《英》
-a-	**-au**	**-ll-**	**-l-**
balk	baulk	skillful	skilful
gantlet	gauntlet	**-m**	**-mme**
-ck-	**-qu-**	gram	gramme
check	cheque	program	programme
checkered	chequered	**-o-**	**-ou-**
-ction	**-xion**	mold	mould
connection	connexion	smolder	smoulder
reflection	reflexion	**-or**	**-our**
-dgment	**-dgement**	color	colour
judgment	judgement	labor	labour
acknowledge-ment	acknowledge-ment	**-se**	**-ce**
		defense	defence
-e-	**-ae-**	offense	offence
archeology	archaeology	**-y**	**-ey**
esthete	aesthete	story	storey
-er	**-re**	bogy	bogey
center	centre	**-ze**	**-se**
theater	theatre	analyze	analyse
-et	**-ette**	paralyze	paralyse
cigaret	cigarette		
omelet	omelette	악센트부호없음	악센트부호있음
-g-	**-gg-**	cafe	café
fagot	faggot	fete	fête
wagon	waggon		
-i-	**-y-**		
flier	flyer		

《美》	《英》	《美》	《英》
tire	tyre	기타	
in-	**en-**	aluminum	aluminium
infold	enfold	curb	kerb
inquire	enquire	draft	draught; draft
-ing	**-eing**		（도안 · 어음）
aging	ageing	gray	grey
eying	eyeing	jail	gaol
-k-	**-c-**	maneuver	manoeuvre
disk	disc	mustache	moustache
ankle	ancle	pajama	pyjama
-l-	**-ll-**	plow	plough
councilor	councillor	sulfur	sulphur
traveler	traveller	veranda	verandah

Ⅵ. 국어의 로마자 표기법

문화관광부고시 제2000-8호, 2000.7.7

제1장 표기의 기본 원칙

제1항　국어의 로마자 표기는 국어의 표준 발음법에 따라 적는 것을 원칙으로 한다.
제2항　로마자 이외의 부호는 되도록 사용하지 않는다.

제2장 표기 일람

제1항　모음은 다음 각 호와 같이 적는다.

1. 단모음

ㅏ	ㅓ	ㅗ	ㅜ	ㅡ	ㅣ	ㅐ	ㅔ	ㅚ	ㅟ
a	eo	o	u	eu	i	ae	e	oe	wi

2. 이중모음

ㅑ	ㅕ	ㅛ	ㅠ	ㅒ	ㅖ	ㅘ	ㅙ	ㅝ	ㅞ	ㅢ
ya	yeo	yo	yu	yae	ye	wa	wae	wo	we	ui

（붙임1）'ㅢ'는 'ㅣ'로 소리 나더라도 'ui'로 적는다.

보기　광희문 Gwanghuimun

（붙임2）장모음의 표기는 따로 하지 않는다.

제2항　자음은 다음 각 호와 같이 적는다.

1. 파열음

ㄱ	ㄲ	ㅋ	ㄷ	ㄸ	ㅌ	ㅂ	ㅃ	ㅍ
g,k	kk	k	d,t	tt	t	b,p	pp	p

2. 파찰음

ㅈ	ㅉ	ㅊ
j	jj	ch

3. 마찰음

ㅅ	ㅆ	ㅎ
s	ss	h

4. 비음

ㄴ	ㅁ	ㅇ
n	m	ng

5. 유음

ㄹ
r,l

(붙임1) 'ㄱ, ㄷ, ㅂ'은 모음 앞에서는 'g, d, b'로, 자음 앞이나 어말에서는 'k, t, p'로 적는다. (( )안의 발음에 따라 표기함.)

> **보기**   구미 Gumi   영동 Yeongdong   백암 Baegam
> 옥천 Okcheon   합덕 Hapdeok   호법 Hobeop
> 월곶[월곧] Wolgot   벚꽃[벋꼳] beotkkot   한밭[한받] Hanbat

(붙임2) 'ㄹ'은 모음 앞에서는 'r', 자음 앞이나 어말에서는 'l'로 적는다. 단, 'ㄹㄹ'은 'll'로 적는다.

> **보기**   구리 Guri   설악 Seorak   칠곡 Chilgok
> 임실 Imsil   울릉 Ulleung   대관령[대괄령] Daegwallyeong

제 3 장 표기상의 유의점

제1항 음운 변화가 일어날 때에는 변화의 결과에 따라 다음 각 호와 같이 적는다.

1. 자음 사이에서 동화 작용이 일어나는 경우

> **보기**   백마[뱅마] Baengma   종로[종노] Jongno
> 왕십리[왕심니] Wangsimni   별내[별래] Byeollae
> 신문로[신문노] Sinmunno   신라[실라] Silla

2. 'ㄴ, ㄹ'이 덧나는 경우

> **보기**   학여울[항녀울] Hangnyeoul   알약[알략] allyak

3. 구개음화가 되는 경우

> **보기**   해돋이[해도지] haedoji   같이[가치] gachi   맞히다[마치다] machida

4. 'ㄱ, ㄷ, ㅂ, ㅈ'이 'ㅎ'과 합하여 거센소리로 소리 나는 경우

> **보기**   좋고[조코] joko   놓다[노타] nota
> 잡혀[자펴] japyeo   낳지[나치] nachi

다만, 체언에서 'ㄱ, ㄷ, ㅂ'뒤에 'ㅎ'이 따를 때에는 'ㅎ'을 밝혀 적는다.

> **보기**   묵호 Mukho   집현전 Jiphyeonjeon

(붙임) 된소리되기는 표기에 반영하지 않는다.

> **보기**   압구정 Apgujeong   낙동강 Nakdonggang   죽변 Jukbyeon
> 낙성대 Nakseongdae   합정 Hapjeong   팔당 Paldang
> 샛별 saetbyeol   울산 Ulsan

제2항 발음상 혼동의 우려가 있을 때에는 음절 사이에 붙임표(-)를 쓸 수 있다.

> **보기**   중앙 Jung-ang   반구대 Ban-gudae
> 세운 Se-un   해운대 Hae-undae

제3항 고유 명사는 첫 글자를 대문자로 적는다.

> **보기**   부산 Busan   세종 Sejong

제4항 인명은 성과 이름의 순서로 띄어 쓴다. 이름은 붙여 쓰는 것을 원칙으로 하되 음절 사이에 붙임표(-)를 쓰는 것을 허용한다. (( )안의 표기를 허용함.)

> **보기**   민용하 Min Yongha (Min Yong-ha)
> 송나리 Song Nari (Song Na-ri)

(1) 이름에서 일어나는 음운 변화는 표기에 반영하지 않는다.

> [보기] 한복남 Han Boknam (Han Bok-nam)
> 홍빛나 Hong Bitna (Hong Bit-na)

(2) 성의 표기는 따로 정한다.

제5항　'도, 시, 군, 구, 읍, 면, 리, 동'의 행정 구역 단위와 '가'는 각각 'do,
　　　　si, gun, gu, eup, myeon, ri, dong, ga'로 적고, 그 앞에는 붙임표(-)를
　　　　넣는다. 붙임표(-) 앞뒤에서 일어나는 음운 변화는 표기에 반영하지 않는다.

> [보기] 충청북도 Chungcheongbuk-do　　　제주도 Jeju-do
> 의정부시 Uijeongbu-si　　　　　　양주군 Yangju-gun
> 도봉구 Dobong-gu　　　　　　　　신창읍 Sinchang-eup
> 삼죽면 Samjuk-myeon　　　　　　　인왕리 Inwang-ri
> 당산동 Dangsan-dong　　　　　　　봉천1동 Bongcheon 1(il)-dong
> 종로 2가 Jongno 2(i)-ga　　　　　　퇴계로3가 Toegyero 3(sam)-ga

　(붙임) '시, 군, 읍'의 행정 구역 단위는 생략할 수 있다.

> [보기] 청주시 Cheongju　　　함평군 Hampyeong　　　순창읍 Sunchang

제6항　자연 지물명, 문화재명, 인공 축조물명은 붙임표(-) 없이 붙여 쓴다.

> [보기] 남산 Namsan　　　　　　　　속리산 Songnisan
> 금강 Geumgang　　　　　　　　독도 Dokdo
> 경복궁 Gyeongbokgung　　　　　무량수전 Muryangsujeon
> 연화교 Yeonhwagyo　　　　　　　극락전 Geungnakjeon
> 안압지 Anapji　　　　　　　　　　남한산성 Namhansanseong
> 화랑대 Hwarangdae　　　　　　　불국사 Bulguksa
> 현충사 Hyeonchungsa　　　　　　독립문 Dongnimmun
> 오죽헌 Ojukheon　　　　　　　　촉석루 Chokseongnu
> 종묘 Jongmyo　　　　　　　　　다보탑 Dabotap

제7항　인명, 회사명, 단체명 등은 그동안 써 온 표기를 쓸 수 있다.

제8항　학술 연구 논문 등 특수 분야에서 한글 복원을 전제로 표기할 경우에
　　　　는 한글 표기를 대상으로 적는다. 이때 글자 대응은 제2장을 따르되 'ㄱ,
　　　　ㄷ, ㅂ, ㄹ'은 'g, d, b, l'로만 적는다. 음가 없는 'ㅇ'은 붙임표(-)로 표
　　　　기하되 어두에서는 생략하는 것을 원칙으로 한다. 기타 분절의 필요가 있
　　　　을 때에도 붙임표(-)를 쓴다.

> [보기] 집 jib　　　　　　　짚 jip　　　　　　　밖 bakk
> 값 gabs　　　　　　붓꽃 buskkoch　　　먹는 meongneun
> 독립 doglib　　　　　문리 munli　　　　　물엿 mul-yeos
> 굳이 gud-i　　　　　좋다 johda　　　　　가곡 gagog
> 조랑말 jolangmal　　없었습니다 eobs-eoss-seubnida

부　칙

① (시행일) 이 규정은 고시한 날부터 시행한다.
② (표지판 등에 대한 경과 조치) 이 표기법 시행 당시 종전의 표기법에 의하여
　설치된 표지판(도로, 광고물, 문화재 등의 안내판)은 2005.12.31.까지 종전의
　기법을 따라야 한다.
③ (출판물 등에 대한 경과 조치) 이 표기법 시행 당시 종전의 표기법에 의하
　여 발간된 교과서 등 출판물은 2002.2.28.까지 이 표기법을 따라야 한다.

로마자 표기법 조건표

. 모음

ㅏ	ㅑ	ㅓ	ㅕ	ㅗ	ㅛ	ㅜ	ㅠ	ㅡ	ㅣ	ㅐ	ㅒ	ㅔ	ㅖ	ㅘ	ㅙ	ㅚ	ㅝ	ㅞ
a	ya	eo	yeo	o	yo	u	yu	eu	i	ae	yae	e	ye	wa	wae	oe	wo	we

ㅟ	ㅢ
wi	ui

. 자음

ㄱ	ㄴ	ㄷ	ㄹ	ㅁ	ㅂ	ㅅ	ㅇ	ㅈ	ㅊ	ㅋ	ㅌ	ㅍ	ㅎ	ㄲ	ㄸ	ㅃ	ㅆ	ㅉ
g,k	n	d,t	r,l	m	b,p	s	ng	j	ch	k	t	p	h	kk	tt	pp	ss	jj

Ⅷ. 지방 행정 단위의 영어 표기

내무부 1995. 2

지방 행정 단위명	사 용 구 분	영 어 표 기	비고
서울특별시	주소로 사용시	Seoul City (서울 시티)	
	기관 명칭	Seoul Metropolitan City (서울 메트로폴리탄 시티)	
○○광역시	주소로 사용시	○○ City(○○ 시티)	
	기관 명칭	○○ Metropolitan City (○○ 메트로폴리탄 시티)	
○○도		○○ Province(○○ 프라빈스)	
○○시		○○ City(○○ 시티)	
○○군		○○ County (○○ 카운티)	
○○구	주소로 사용시 * 특별시 · 광역시 구별없이	○○ District(○○ 디스트릭트)	
	기관 명칭 • 자치구 • 일반구	○○ Metropolitan District ○○ District	

Ⅷ. 우리 나라 행정 구역의 로마자 표기(도·시·구·군·읍)
Names of Administrative Units

·문화관광부고시 제2000-8호, 2000.7.7. 국어의 로마자 표기법에 의거.
·지면 관계로 번호되는 동일한 구명(區名)과 읍명이 같은 것은 생략하였음

한글(한자) Hangeul(Chinese Characters)	로마자 표기 Romanization	한글(한자) Hangeul(Chinese Characters)	로마자 표기 Romanization
서울특별시(特別市)	Seoul-teukbyeolsi	사상구(沙上區)	Sasang-gu
종로구(鍾路區)	Jongno-gu	기장군(機張郡)	Gijang-gun
중구(中區)	Jung-gu	대구광역시(大邱廣域市)	Daegu-gwangyeoksi
용산구(龍山區)	Yongsan-gu	달서구(達西區)	Dalseo-gu
성동구(城東區)	Seongdong-gu	수성구(壽城區)	Suseong-gu
광진구(廣津區)	Gwangjin-gu	달성군(達城郡)	Dalseong-gun
동대문구(東大門區)	Dongdaemun-gu	인천광역시	Incheon-
중랑구(中浪區)	Jungnang-gu	(仁川廣域市)	gwangyeoksi
성북구(城北區)	Seongbuk-gu	연수구(延壽區)	Yeonsu-gu
강북구(江北區)	Gangbuk-gu	계양구(桂陽區)	Gyeyang-gu
도봉구(道峰區)	Dobong-gu	부평구(富平區)	Bupyeong-gu
노원구(蘆原區)	Nowon-gu	남동구(南洞區)	Namdong-gu
은평구(恩平區)	Eunpyeong-gu	강화군(江華郡)	Ganghwa-gun
서대문구(西大門區)	Seodaemun-gu	옹진군(甕津郡)	Ongjin-gun
마포구(麻浦區)	Mapo-gu	광주광역시	Gwangju-
강서구(江西區)	Gangseo-gu	(光州廣域市)	gwangyeoksi
양천구(陽川區)	Yangcheon-gu	광산구(光山區)	Gwangsan-gu
구로구(九老區)	Guro-gu	대전광역시	Daejeon-
금천구(衿川區)	Geumcheon-gu	(大田廣域市)	gwangyeoksi
영등포구(永登浦區)	Yeongdeungpo-gu	유성구(儒城區)	Yuseong-gu
동작구(銅雀區)	Dongjak-gu	대덕구(大德區)	Daedeok-gu
관악구(冠岳區)	Gwanak-gu	울산광역시(蔚山廣域市)	Ulsan-gwangyeoksi
강남구(江南區)	Gangnam-gu	울주군(蔚州郡)	Ulju-gu
서초구(瑞草區)	Seocho-gu	경기도(京畿道)	Gyeonggi-do
강동구(江東區)	Gangdong-gu	수원시(水原市)	Suwon-si
송파구(松坡區)	Songpa-gu	성남시(城南市)	Seongnam-si
부산광역시(釜山廣域市)	Busan-gwangyeoksi	의정부시(議政府市)	Uijeongbu-si
중구(中區)	Jung-gu	안양시(安養市)	Anyang-si
동구(東區)	Dong-gu	부천시(富川市)	Bucheon-si
서구(西區)	Seo-gu	광명시(光明市)	Gwangmyeong-si
남구(南區)	Nam-gu	고양시(高陽市)	Goyang-si
북구(北區)	Buk-gu	동두천시(東豆川市)	Dongducheon-si
영도구(影島區)	Yeongdo-gu	안산시(安山市)	Ansan-si
부산진구(釜山鎭區)	Busanjin-gu	과천시(果川市)	Gwacheon-si
동래구(東萊區)	Dongnae-gu	평택시(平澤市)	Pyeongtaek-si
해운대구(海雲臺區)	Haeundae-gu	오산시(烏山市)	Osan-si
금정구(金井區)	Geumjeong-gu	시흥시(始興市)	Siheung-si
사하구(沙下區)	Saha-gu	군포시(軍浦市)	Gunpo-si
강서구(江西區)	Gangseo-gu	의왕시(儀旺市)	Uiwang-si
연제구(蓮堤區)	Yeonje-gu	구리시(九里市)	Guri-si
수영구(水營區)	Suyeong-gu	용인시(龍仁市)	Yongin-si

한글(한자) Hangeul(Chinese Characters)	로마자 표기 Romanization	한글(한자) Hangeul(Chinese Characters)	로마자 표기 Romanization
기흥읍(器興邑)	Giheung-eup	사북읍(舍北邑)	Sabuk-eup
수지읍(水枝邑)	Suji-eup	신동읍(新東邑)	Sindong-eup
남양주시(南陽州市)	Namyangju-si	고한읍(古汗邑)	Gohan-eup
와부읍(瓦阜邑)	Wabu-eup	철원군(鐵原郡)	Cheorwon-gun
진접읍(榛接邑)	Jinjeop-eup	김화읍(金化邑)	Gimhwa-eup
화도읍(和道邑)	Hwado-eup	갈말읍(葛末邑)	Galmal-eup
하남시(河南市)	Hanam-si	동송읍(東松邑)	Dongsong-eup
파주시(坡州市)	Paju-si	화천군(華川郡)	Hwacheon-gun
법원읍(法院邑)	Beobwon-eup	양구군(楊口郡)	Yanggu-gun
문산읍(汶山邑)	Munsan-eup	인제군(麟蹄郡)	Inje-gun
이천시(利川市)	Icheon-si	고성군(高城郡)	Goseong-gun
장호원읍(長湖院邑)	Janghowon-eup	간성읍(杆城邑)	Ganseong-eup
부발읍(夫鉢邑)	Bubal-eup	거진읍(巨津邑)	Geojin-eup
안성시(安城市)	Anseong-si	양양군(襄陽郡)	Yangyang-gun
김포시(金浦市)	Gimpo-si	충청북도(忠淸北道)	Chungcheongbuk-do
양주시(楊州郡)	Yangju-gun	청주시(淸州市)	Cheongju-si
회천읍(檜泉邑)	Hoecheon-eup	상당구(上黨區)	Sangdang-gu
여주군(驪州郡)	Yeoju-gun	흥덕구(興德區)	Heungdeok-gu
화성군(華城郡)	Hwaseong-gun	충주시(忠州市)	Chungju-si
태안읍(台安邑)	Taean-eup	주덕읍(周德邑)	Judeok-eup
광주군(廣州郡)	Gwangju-gun	제천시(堤川市)	Jecheon-si
연천군(漣川郡)	Yeoncheon-gun	봉양읍(鳳陽邑)	Bongyang-eup
전곡읍(全谷邑)	Jeongok-eup	청원군(淸原郡)	Cheongwon-gun
포천군(抱川郡)	Pocheon-gun	보은군(報恩郡)	Boeun-gun
가평군(加平郡)	Gapyeong-gun	옥천군(沃川郡)	Okcheon-gun
양평군(楊平郡)	Yangpyeong-gun	영동군(永同郡)	Yeongdong-gun
강원도(江原道)	Gangwon-do	진천군(鎭川郡)	Jincheon-gun
춘천시(春川市)	Chuncheon-si	괴산군(槐山郡)	Goesan-gun
신북읍(新北邑)	Sinbuk-eup	증평읍(曾坪邑)	Jeungpyeong-eup
원주시(原州市)	Wonju-si	음성군(陰城郡)	Eumseong-gun
문막읍(文幕邑)	Munmak-eup	금왕읍(金旺邑)	Geumwang-eup
강릉시(江陵市)	Gangneung-si	단양군(丹陽郡)	Danyang-gun
주문진읍 (注文津邑)	Jumunjin-eup	매포읍(梅浦邑)	Maepo-eup
동해시(東海市)	Donghae-si	충청남도(忠淸南道)	Chungcheongnam-do
태백시(太白市)	Taebaek-si	천안시(天安市)	Cheonan-si
속초시(束草市)	Sokcho-si	성환읍(成歡邑)	Seonghwan-eup
삼척시(三陟市)	Samcheok-si	성거읍(聖居邑)	Seonggeo-eup
도계읍(道溪邑)	Dogye-eup	공주시(公州市)	Gongju-si
원덕읍(遠德邑)	Wondeok-eup	유구읍(維鳩邑)	Yugu-eup
홍천군(洪川郡)	Hongcheon-gun	논산시(論山市)	Nonsan-si
횡성군(橫城郡)	Hoengseong-gun	강경읍(江景邑)	Ganggyeong-eup
영월군(寧越郡)	Yeongwol-gun	연무읍(鍊武邑)	Yeonmu-eup
상동읍(上東邑)	Sangdong-eup	보령시(保寧市)	Boryeong-si
평창군(平昌郡)	Pyeongchang-gun	웅천읍(熊川邑)	Ungcheon-eup
정선군(旌善郡)	Jeongseon-gun	아산시(牙山市)	Asan-si
		염치읍(鹽峙邑)	Yeomchi-eup

한글(한자) Hangeul(Chinese Characters)	로마자 표기 Romanization	한글(한자) Hangeul(Chinese Characters)	로마자 표기 Romanization
서산시(瑞山市)	Seosan-si	승주읍(昇州邑)	Seungju-eup
대산읍(大山邑)	Daesan-eup	나주시(羅州市)	Naju-si
금산군(錦山郡)	Geumsan-gun	남평읍(南平邑)	Nampyeong-eup
연기군(燕岐郡)	Yeongi-gun	광양시(光陽市)	Gwangyang-si
조치원읍 (鳥致院邑)	Jochiwon-eup	담양군(潭陽郡)	Damyang-gun
		곡성군(谷城郡)	Gokseong-gun
부여군(扶餘郡)	Buyeo-gun	구례군(求禮郡)	Gurye-gun
서천군(舒川郡)	Seocheon-gun	고흥군(高興郡)	Goheung-gun
장항읍(長項邑)	Janghang-eup	도양읍(道陽邑)	Doyang-eup
청양군(靑陽郡)	Cheongyang-gun	보성군(寶城郡)	Boseong-gun
홍성군(洪城郡)	Hongseong-gun	벌교읍(筏橋邑)	Beolgyo-eup
광천읍(廣川邑)	Gwangcheon-eup	화순군(和順郡)	Hwasun-gun
예산군(禮山郡)	Yesan-gun	장흥군(長興郡)	Jangheung-gun
삽교읍(揷橋邑)	Sapgyo-eup	관산읍(冠山邑)	Gwansan-eup
태안군(泰安郡)	Taean-gun	대덕읍(大德邑)	Daedeok-eup
안면읍(安眠邑)	Anmyeon-eup	강진군(康津郡)	Gangjin-gun
당진군(唐津郡)	Dangjin-gun	해남군(海南郡)	Haenam-gun
합덕읍(合德邑)	Hapdeok-eup	영암군(靈岩郡)	Yeongam-gun
전라북도(全羅北道)	Jeollabuk-do	무안군(務安郡)	Muan-gun
전주시(全州市)	Jeonju-si	일로읍(一老邑)	Illo-eup
군산시(群山市)	Gunsan-si	함평군(咸平郡)	Hampyeong-gun
옥구읍(沃溝邑)	Okgu-eup	영광군(靈光郡)	Yeonggwang-gun
익산시(益山市)	Iksan-si	백수읍(白岫邑)	Baeksu-eup
함열읍(咸悅邑)	Hamyeol-eup	홍농읍(弘農邑)	Hongnong-eup
정읍시(井邑市)	Jeongeup-si	장성군(長城郡)	Jangseong-gun
신태인읍	Sintaein-eup	완도군(莞島郡)	Wando-gun
(新泰仁邑)		금일읍(金日邑)	Geumil-eup
남원시(南原市)	Namwon-si	노화읍(蘆花邑)	Nohwa-eup
운봉읍(雲峰邑)	Unbong-eup	진도군(珍島郡)	Jindo-gun
김제시(金堤市)	Gimje-si	신안군(新安郡)	Sinan-gun
만경읍(萬頃邑)	Mangyeong-eup	지도읍(智島邑)	Jido-eup
완주군(完州郡)	Wanju-gun	경상북도(慶尙北道)	Gyeongsangbuk-do
삼례읍(參禮邑)	Samnye-eup	포항시(浦項市)	Pohang-si
봉동읍(鳳東邑)	Bongdong-eup	구룡포읍	Guryongpo-eup
진안군(鎭安郡)	Jinan-gun	(九龍浦邑)	
무주군(茂朱郡)	Muju-gun	연일읍(延日邑)	Yeonil-eup
장수군(長水郡)	Jangsu-gun	조천읍(鳥川邑)	Jocheon-eup
임실군(任實郡)	Imsil-gun	흥해읍(興海邑)	Heunghae-eup
순창군(淳昌郡)	Sunchang-gun	경주시(慶州市)	Gyeongju-si
고창군(高敞郡)	Gochang-gun	감포읍(甘浦邑)	Gampo-eup
부안군(扶安郡)	Buan-gun	안강읍(安康邑)	Angang-eup
전라남도(全羅南道)	Jeollanam-do	건천읍(乾川邑)	Geoncheon-eup
목포시(木浦市)	Mokpo-si	외동읍(外東邑)	Oedong-eup
여수시(麗水市)	Yeosu-si	김천시(金泉市)	Gimcheon-si
돌산읍(突山邑)	Dolsan-eup	아포읍(牙浦邑)	Apo-eup
순천시(順天市)	Suncheon-si	안동시(安東市)	Andong-si

한글(한자) Hangeul(Chinese Characters)	로마자 표기 Romanization	한글(한자) Hangeul(Chinese Characters)	로마자 표기 Romanization
풍산읍(豊山邑)	Pungsan-eup	진해시(鎭海市)	Jinhae-si
구미시(龜尾市)	Gumi-si	통영시(統營市)	Tongyeong-si
고아읍(高牙邑)	Goa-eup	산양읍(山陽邑)	Sanyang-eup
선산읍(善山邑)	Seonsan-eup	사천시(泗川市)	Sacheon-si
영주시(榮州市)	Yeongju-si	양산시(梁山市)	Yangsan-si
풍기읍(豊基邑)	Punggi-eup	웅상읍(熊上邑)	Ungsang-eup
영천시(永川市)	Yeongcheon-si	물금읍(勿禁邑)	Mulgeum-eup
금호읍(琴湖邑)	Geumho-eup	김해시(金海市)	Gimhae-si
상주시(尙州市)	Sangju-si	진영읍(進永邑)	Jinyeong-eup
함창읍(咸昌邑)	Hamchang-eup	밀양시(密陽市)	Miryang-si
문경시(聞慶市)	Mungyeong-si	삼랑진읍	Samnangjin-eup
가은읍(加恩邑)	Gaeun-eup	(三浪津邑)	
경산시(慶山市)	Gyeongsan-si	하남읍(下南邑)	Hanam-eup
하양읍(河陽邑)	Hayang-eup	거제시(巨濟市)	Geoje-si
군위군(軍威郡)	Gunwi-gun	신현읍(新縣邑)	Sinhyeon-eup
의성군(義城郡)	Uiseong-gun	의령군(宜寧郡)	Uiryeong-gun
청송군(靑松郡)	Cheongsong-gun	함안군(咸安郡)	Haman-gun
영양군(英陽郡)	Yeongyang-gun	가야읍(伽倻邑)	Gaya-eup
영덕군(盈德郡)	Yeongdeok-gun	창녕군(昌寧郡)	Changnyeong-gun
청도군(淸道郡)	Cheongdo-gun	남지읍(南旨邑)	Namji-eup
화양읍(華陽邑)	Hwayang-eup	고성군(固城郡)	Goseong-gun
고령군(高靈郡)	Goryeong-gun	남해군(南海郡)	Namhae-gun
성주군(星州郡)	Seongju-gun	하동군(河東郡)	Hadong-gun
칠곡군(漆谷郡)	Chilgok-gun	산청군(山淸郡)	Sancheong-gun
왜관읍(倭館邑)	Waegwan-eup	함양군(咸陽郡)	Hamyang-gun
예천군(醴泉郡)	Yecheon-gun	거창군(居昌郡)	Geochang-gun
봉화군(奉化郡)	Bonghwa-gun	합천군(陜川郡)	Hapcheon-gun
울진군(蔚珍郡)	Uljin-gun	제주도(濟州道)	Jeju-do
평해읍(平海邑)	Pyeonghae-eup	제주시(濟州市)	Jeju-si
울릉군(鬱陵郡)	Ulleung-gun	서귀포시(西歸浦市)	Seogwipo-si
경상남도(慶尙南道)	Gyeongsangnam-do	북제주군(北濟州郡)	Bukjeju-gun
마산시(馬山市)	Masan-si	한림읍(翰林邑)	Hallim-eup
합포구(合浦區)	Happo-gu	애월읍(涯月邑)	Aewol-eup
회원구(會原區)	Hoewon-gu	구좌읍(舊左邑)	Gujwa-eup
내서읍(內西邑)	Naeseo-eup	조천읍(朝天邑)	Jocheon-eup
진주시(晉州市)	Jinju-si	남제주군(南濟州郡)	Namjeju-gun
문산읍(文山邑)	Munsan-eup	대정읍(大靜邑)	Daejeong-eup
창원시(昌原市)	Changwon-si	남원읍(南元邑)	Namwon-eup
동읍(東邑)	Dong-eup	성산읍(城山邑)	Seongsan-eup

Ⅸ. 미국의 주명(州名)

네바다 Nevada	(Nev., NV)	아칸소 Arkansas	(Ark., AR)
네브래스카 Nebraska	(Neb., Nebr., NE)	알래스카 Alaska	(Alas., AK)
노스다코타 North Dakota		애리조나 Arizona	(Ariz., AZ)
	(N.D., N.Dak, ND)	앨라배마 Alabama	(Ala., AL)
노스캐롤라이나 North Carolina	(N.C., NC)	오리건 Oregon	(Ore., Oreg., OR)
뉴멕시코 New Mexico	(N.M., N.Mex., NM)	오클라호마 Oklahoma	(Okla., OK)
뉴욕 New York	(N.Y., NY)	오하이오 Ohio	(O., OH)
뉴저지 New Jersey	(N.J., NJ)	와이오밍 Wyoming	(Wyo., Wy., WY)
뉴햄프셔 New Hampshire	(N.H., NH)	워싱턴 Washington	(Wash., WA)
델라웨어 Delaware	(Del., DE)	웨스트버지니아 West Virginia	(W. Va., WV)
로드아일랜드 Rhode Island	(R.I., RI)	위스콘신 Wisconsin	(Wis., Wisc., WI)
루이지애나 Louisiana	(La., LA)	유타 Utah	(Ut., UT)
매사추세츠 Massachusetts	(Mass., MA)	인디애나 Indiana	(Ind., IN)
메릴랜드 Maryland	(Md., MD)	일리노이 Illinois	(Ill., IL)
메인 Maine	(Me., ME)	조지아 Georgia	(Ga., GA)
몬태나 Montana	(Mont., MT)	캔자스 Kansas	(Kan., Kans., KS)
미네소타 Minnesota	(Minn., MN)	캘리포니아 California	(Calif., Cal., CA)
미시간 Michigan	(Mich., MI)	켄터키 Kentucky	(Ky., Ken., KY)
미시시피 Mississippi	(Miss., MS)	코네티컷 Connecticut	(Conn., CT)
미주리 Missouri	(Mo., MO)	콜로라도 Colorado	(Colo., CO)
버몬트 Vermont	(Vt., VT)	테네시 Tennessee	(Tenn., TN)
버지니아 Virginia	(Va., VA)	텍사스 Texas	(Tex., TX)
사우스다코타 South Dakota		펜실베이니아 Pennsylvania	
	(S.D., S.Dak, SD)		(Pa., Penn., Penna., PA)
사우스캐롤라이나 South Carolina	(S.C., SC)	플로리다 Florida	(Fla., FL)
아이다호 Idaho	(Id., Ida., ID)	하와이 Hawaii	(Hi., HI)
아이오와 Iowa	(Ia., IA)		

X. 불규칙 동사표

이탤릭체는 《古》 또는 《稀》

현 재	과 거	과거분사	현 재	과 거	과거분사
abide	abode; abided	abode; abided	build	built	built
			burn	burnt; burned	burnt; burned
arise	arose	arisen			
awake	awoke	awoke, awaked	burst	burst	burst
			buy	bought	bought
be(am, is: are)	was, were	been	can	could	—
			cast	cast	cast
bear	bore	borne, born	catch	caught	caught
beat	beat	beaten	chide	chid; chided	chid, chid-den; *chosen*
become	became	become			
befall	befell	befallen	choose	chose	chosen
beget	begot	begotten	cleave	cleft; cleaved; *clove*	cleft; cleaved; *cloven*
begin	began	begun			
behold	beheld	beheld; *beholden*	cling	clung	clung
			clothe	clothed; *clad*	clothed; *clad*
bend	bent	bent, *bended*	come	came	come
bereave	bereaved; *bereft*	bereaved; *bereft*	cost	cost	cost
			creep	crept	crept
beseech	besought	besought	crow	crowed; crew	crowed
beset	beset	beset	cut	cut	cut
bespeak	bespoke	bespoken	dare	dared; *durst*	dared
bestride	bestrode	bestridden	deal	dealt	dealt
bet	bet; betted	bet; betted	dig	dug	dug
betake	betook	betaken	do, does	did	done
bethink	bethought	bethought	draw	drew	drawn
bid	bade; bid	bidden; bid	dream	dreamed; *dreamt*	dreamed; *dreamt*
bide	bided, bode	bided			
bind	bound	bound	drink	drank	drunk, drunken
bite	bit	bitten, bit			
bleed	bled	bled	drive	drove	driven
blend	blended; *blent*	blended; *blent*	dwell	dwelt	dwelt
			eat	ate	eaten
bless	blessed; blest	blessed; blest	fall	fell	fallen
blow	blew	blown	feed	fed	fed
break	broke	broken	feel	felt	felt
breed	bred	bred	fight	fought	fought
bring	brought	brought	find	found	found
broadcast	broadcast; broadcasted	broadcast; broadcasted	flee	fled	fled
			fling	flung	flung
browbeat	browbeat	browbeaten	fly	flew	flown

현 재	과 거	과거분사	현 재	과 거	과거분사
forbear	forbore	forborne	lean	leaned;	leaned;
forbid	forbade,	forbidden		《英》leant	《英》leant
	forbad		leap	leaped; leapt	leaped; leapt
forecast	forecast;	forecast;	learn	learned;	learned;
	forecasted	forecasted		learnt	learnt
forego	forewent	foregone	leave	left	left
foreknow	foreknew	foreknown	lend	lent	lent
foresee	foresaw	foreseen	let	let	let
foretell	foretold	foretold	let	let; letted	let; letted
forget	forgot	forgotten	lie	lay	lain
forgive	forgave	forgiven	light	lighted; lit	lighted; lit
forsake	forsook	forsaken	list	list; listed	list; listed
freeze	froze	frozen	lose	lost	lost
gainsay	gainsaid	gainsaid	make	made	made
get	got	got, gotten	may	might	—
gild	gilded; gilt	gilded; gilt	mean	meant	meant
gird	girded; girt	girded; girt	meet	met	met
give	gave	given	melt	melted	melted
gnaw	gnawed	gnawed,	mislead	misled	misled
		gnawn	mistake	mistook	mistaken
go	went	gone	misunder-	misunder-	misunder-
grave	graved	graved,	stand	stood	stood
		graven	mow	mowed	mowed,
grind	ground	ground			mown
grow	grew	grown	must	(must)	—
hang	hung; hanged	hung; hanged	ought	(ought)	—
have, has	had	had	outdo	outdid	outdone
hear	heard	heard	outgo	outwent	outgone
heave	heaved; hove	heaved; hove	outgrow	outgrew	outgrown
hew	hewed	hewn, hewed	outride	outrode	outridden
hide	hid	hidden, hid	outrun	outran	outrun
hit	hit	hit	outshine	outshone	outshone
hold	held	held	outspread	outspread	outspread
hurt	hurt	hurt	overcast	overcast	overcast
inlay	inlaid	inlaid	overcome	overcame	overcome
inset	inset; inset-	inset; inset-	overdo	overdid	overdone
	ted	ted	overdraw	overdrew	overdrawn
keep	kept	kept	overdrink	overdrank	overdrunk
kneel	knelt; kneeled	knelt; kneeled	overeat	overate	overeaten
knit	knitted; knit	knitted; knit	overfeed	overfed	overfed
know	knew	known	overgrow	overgrew	overgrown
lay	laid	laid	overhang	overhung	overhung
lead	led	led	overhear	overheard	overheard

현 재	과 거	과거분사	현 재	과 거	과거분사
overlay	overlaid	overlaid	set	set	set
overpay	overpaid	overpaid	sew	sewed	sewed, sewn
override	overrode	overridden	shake	shook	shaken
overrun	overran	overrun	shall, *shalt*	should	—
oversee	oversaw	overseen	shave	shaved	shaved;
overshoot	overshot	overshot			shaven
oversleep	overslept	overslept	shear	sheared	sheared;
overspread	overspread	overspread			shorn
overtake	overtook	overtaken	shed	shed	shed
overthrow	overthrew	overthrown	shine	shone;	shone;
overwork	overworked	overworked		shined	shined
partake	partook	partaken	shoe	shod	shod
pay	paid	paid	shoot	shot	shot
plead	pleaded;	pleaded;	show	showed	shown,
	plead; pled	plead; pled			(美) showed
prepay	prepaid	prepaid	shred	shredded	shredden
proofread	proofread	proofread	shrink	shrank	shrunk
prove	proved	proved,	shrive	shrived;	shrived;
		proven		shrove	shriven
put	put	put	shut	shut	shut
quit	quitted; quit	quitted; quit	sing	sang	sung
read	read	read	sink	sank;	sunk;
rebuild	rebuilt	rebuilt			sunken
recast	recast	recast	sit	sat	sat
remake	remade	remade	slay	slew	slain
relay	relaid	relaid	sleep	slept	slept
rend	rent	rent	slide	slid	slid,
repay	repaid	repaid			(美) slidden
reset	reset	reset	sling	slung	slung
retell	retold	retold	slink	slunk	slunk
rewrite	rewrote	rewritten	slip	slipped	slipped
rid	rid; ridded	rid; ridded	slit	slit: *slitted*	slit: *slitted*
ride	rode	ridden	smell	smelled;	smelled;
ring	rang	rung			smelt
rise	rose	risen	smite	smote	smitten
run	ran	run	sow	sowed	sown, sowed
saw	sawed	sawn,	speak	spoke	spoken
		(稀) sawed	speed	sped;	sped;
say, *saith*	said	said			speeded
see	saw	seen	spell	spelled; spelt	spelled; spelt
seek	sought	sought	spend	spent	spent
sell	sold	sold	spill	spilled; spilt	spilled; spilt
send	sent	sent	spin	spun	spun

현 재	과 거	과 거 분 사	현 재	과 거	과 거 분 사
spit	spat	spat	throw	threw	thrown
split	split	split	thrust	thrust	thrust
spoil	spoiled; spoilt	spoiled; spoilt	toss	tossed	tossed
spread	spread	spread	tread	trod	trodden
spring	sprang	sprung	typewrite	typewrote	typewritten
stand	stood	stood	unbend	unbent;	unbent;
stave	staved; stove	staved; stove		unbended	unbended
stay	stayed	stayed	unbind	unbound	unbound
steal	stole	stolen	undergo	underwent	undergone
stick	stuck	stuck	understand	understood	understood
sting	stung	stung	undertake	undertook	undertaken
stink	stank, stunk	stunk	underwrite	underwrote	underwritten
strew	strewed	strewn,	undo	undid	undone
		strewed	uphold	upheld	upheld
stride	strode	stridden	upset	upset	upset
strike	struck	struck, 《때	wake	waked;	waked;
		로》 *stricken*			woke
string	strung	strung	waylay	waylaid	waylaid
strive	strove	striven	wear	wore	worn
swear	swore	sworn	weave	wove	woven
sweat	sweat	sweat,	wed	wedded	wedden, wed
		sweated	weep	wept	wept
sweep	swept	swept	wet	wet; wetted	wet; wetted
swell	swelled	swollen	will	would	—
swim	swam	swum	win	won	won
swing	swung	swung	wind	wound	wound
take	took	taken	withdraw	withdrew	withdrawn
teach	taught	taught	withhold	withheld	withheld
tear	tore	torn	withstand	withstood	withstood
telecast	telecast;	telecast;	work	worked;	worked;
	telecasted	telecasted		wrought	wrought
tell	told	told	wrap	wrapped;	wrapped;
think	thought	thought		wrapt	wrapt
thrive	throve;	thriven;	wring	wrung	wrung
	thrived	thrived	write	wrote	written

Essence
LITTLE GIANT
ENGLISH-KOREAN
KOREAN-ENGLISH
DICTIONARY

리틀 자이언트 영한·한영소사전

2007년 1월 20일 초 판 발행
2025년 1월 10일 제19쇄 발행

편 자 민중서림편집국
발행인 김 철 환

발행처 사전전문 **民衆書林**

10881 경기도 파주시 회동길 37-29
(파주출판문화정보산업단지)
전화 (영업)031)955-6500~6 (편집)031)955-6507
Fax (영업)031)955-6525 (편집)031)955-6527
E-mail editmin@minjungdic.co.kr (편집)
홈페이지 http://www.minjungdic.co.kr
등록 1979. 7. 23. 제2-61호

ⓒ **Minjungseorim Co. 2025**
ISBN 978-89-387-0476-4

정가 26,000원